Luís Alonso Schökel nasceu em Madri em 1920 e faleceu aos 10 de julho de 1998. Realizou estudos clássicos em Salamanca (1937-1940). Deu aulas de estilo literário em Comillas (1943-1946), onde escreveu a obra *La formación del estilo* (1947, 5ª ed. em 1968). Estudou Sagrada Escritura no Pontifício Instituto Bíblico de Roma (1951-1954), doutorando-se em 1957 com a tese intitulada *Estudios de poética hebrea*. Professor de introdução geral à Bíblia (inspiração e hermenêutica) e de teologia do Antigo Testamento (1957-1995). Foi pioneiro no estudo da poesia hebraica, desde a sua tese doutoral até os recentes *Manual de poética hebrea* e *Antología de poesía bíblica hebrea*, sem abandonar jamais o contato direto com escritores de língua espanhola e de outras línguas. Autor (com vários colaboradores) de uma tradução do *Antigo e Novo Testamento* baseada na análise estilística comparativa. Publicou mais de cinquenta obras, entre elas *Profetas* (2 volumes), *Salmos* (2 volumes) e o monumental *Dicionário Bíblico Hebraico-Português* (obras publicadas por Paulus Editora).

IV

DEI VERBUM
CONSTITUIÇÃO DOGMÁTICA SOBRE A REVELAÇÃO DIVINA

PROÊMIO

1. Este sagrado Concílio, ouvindo religiosamente e proclamando com desassombro a palavra de Deus, obedece ao dito de são João: "Nós vos anunciamos esta Vida eterna, que estava voltada para o Pai e que nos apareceu: o que vimos e ouvimos, vo-lo anunciamos para que estejais também em comunhão conosco. E a nossa comunhão é com o Pai e com o seu Filho Jesus Cristo" (1Jo 1,2-3). Por isso, seguindo os Concílios Tridentino e Vaticano I, pretende propor a genuína doutrina sobre a Revelação divina e a sua transmissão, para que, ouvindo o anúncio da salvação, o mundo inteiro creia, crendo espere, esperando ame.[1]

CAPÍTULO I

A REVELAÇÃO

Natureza e objeto da Revelação

2. Aprouve a Deus, na sua bondade e sabedoria, revelar-se a si mesmo e dar a conhecer o mistério da sua vontade (cf. Ef 1,9), mediante o qual os homens, por meio de Cristo, Verbo encarnado, têm acesso no Espírito Santo ao Pai e se tornam participantes da natureza divina (cf. Ef 2,18; 2Pd 1,4). Em virtude desta Revelação, Deus invisível (cf. Cl 1,15; 1Tm 1,17), no seu imenso amor, fala aos homens como a amigos (cf. Ex 33,11; Jo 15,14-15) e conversa com eles (cf. Br 3,38), para os convidar e admitir a participarem da sua comunhão. Esta "economia" da Revelação executa-se por meio de ações e palavras intimamente relacionadas entre si, de tal maneira que as obras, realizadas por Deus na história da salvação, manifestam e corroboram a doutrina e as realidades significadas pelas palavras, enquanto as palavras declaram as obras e esclarecem o mistério nelas contido. E, a verdade profunda, tanto a respeito de Deus como a respeito da salvação dos homens, manifesta-se-nos por meio desta Revelação no Cristo, que é simultaneamente, o mediador e a plenitude de toda a Revelação.[2]

Preparação da Revelação evangélica

3. Deus, criando e conservando todas as coisas pelo Verbo (cf. Jo 1,3), oferece aos homens um testemunho perene de si mesmo na criação (cf. Rm 1,19-20) e, além disso, decidindo abrir o caminho da salvação sobrenatural, manifestou-se a si mesmo desde o princípio, aos nossos primeiros pais. Depois da queda destes, juntamente com a promessa da redenção deu-lhes a esperança da salvação (cf. Gn 3,15), e cuidou continuamente do gênero humano, para dar a vida eterna a todos aqueles que, perseverando na prática das boas obras, procuram a salvação (cf. Rm 2,6-7). No devido tempo, chamou Abraão, para fazer dele um grande povo (cf. Gn 12,2-3), ao qual, depois dos patriarcas, ele ensinou, por meio de Moisés

---
[1]Cf. Santo Agostinho, *De catechizandis rudibus*, c. IV, 8: PL 40, 316.
[2]Cf. Mt 11,27; Jo 1,14.17; 14,6; 17,1-3; 2Cor 3,16 e 4,6; Ef 1,3-14.

e dos profetas, a reconhecer em si o único Deus vivo e verdadeiro, o Pai providente e o juiz justo, e a esperar o Salvador prometido; assim preparou, através dos tempos, o caminho ao Evangelho.

Cristo completa a Revelação

4. Depois de ter falado muitas vezes e de muitos modos pelos profetas, falou--nos Deus ultimamente, nestes nossos dias, por meio de seu Filho (Hb 1,1-2). Enviou o seu Filho, isto é, o Verbo eterno, que ilumina todos os homens, para habitar entre os homens e explicar-lhes os segredos de Deus (cf. Jo 1,1-18). Jesus Cristo, Verbo feito carne, enviado "como homem aos homens",[3] "fala" portanto "as palavras de Deus" (Jo 3, 34) e consuma a obra de salvação que o Pai lhe mandou realizar (cf. Jo 5,36; 17,4). Por isso ele, vendo-o qual se vê também o Pai, (cf. Jo 14,9), com toda a presença e manifestação da sua pessoa, com palavras e obras, sinais e milagres, e sobretudo com a sua morte e gloriosa ressurreição dentre os mortos, enfim com o envio do Espírito de verdade, aperfeiçoa a Revelação completando-a, e confirma-a com um testemunho divino: o de termos Deus conosco para nos libertar das trevas do pecado e da morte, e para nos ressuscitar para a vida eterna.

Portanto, a "economia" cristã, como nova e definitiva aliança, jamais passará, e não se há de esperar nenhuma outra Revelação pública antes da gloriosa manifestação de nosso Senhor Jesus Cristo (cf. 1Tm 6,14; Tt 2,13).

A Revelação acolhida com fé

5. A Deus que revela é devida a "obediência da fé" (cf. Rm 16,26; Rm 1,5; 2Cor 10,5-6); por ela, entrega-se o homem todo, livremente, a Deus, oferecendo "a Deus revelador o obséquio pleno da inteligência e da vontade"[4] e prestando voluntário assentimento à sua Revelação. Para prestar esta fé, é necessária a graça divina que se antecipa e continua a ajudar, e o auxílio interior do Espírito Santo, auxílio requerido para mover e converter a Deus os corações, abrir os olhos da alma, e dar "a todos a suavidade, no assentimento e na adesão à verdade".[5] Para entendermos cada vez mais profundamente a Revelação, o Espírito Santo aperfeiçoa sem cessar a fé mediante os seus dons.

As verdades reveladas

6. Pela Revelação divina quis Deus manifestar-se e comunicar-se a si mesmo e os decretos eternos da sua vontade a respeito da salvação dos homens, "para os fazer participar dos bens divinos, que superam absolutamente a capacidade da inteligência humana".[6]

Este sagrado Concílio professa que Deus, princípio e fim de todas as coisas, "tornou-se inteligível pela luz natural da razão através das criaturas" (cf. Rm 1,20); mas ensina também que deve atribuir--se à sua Revelação "poderem todos os homens, mesmo na presente condição do gênero humano, conhecer com facilidade, firme certeza e sem mistura de erro o que, nas realidades divinas, não é de si inacessível à razão humana".[7]

---

[3]*Epist. ad Diognetum*, c. VII, 4: Funk, *Patres Apostolici*, I, p. 403.
[4]Conc. Vat. I, *Const. dogm. De fide catholica*, cap. 3 de fide: Denz. 1789 (3008).
[5]Conc. Araus. II, can. 7: Denz. 180 (377); Conc. Vat. I, 1. c.: Denz. 1791 (3010).
[6]Conc. Vat. I, *Const. dogm. De fide catholica*, cap. 2 de revelatione: Denz. 1786 (3005).
[7]Ibid.: Denz. 1785 e 1786 (3004 e 3005).

CAPÍTULO II
A TRANSMISSÃO DA REVELAÇÃO DIVINA

Os apóstolos e seus sucessores, arautos do Evangelho

7. Deus dispôs amorosamente que permanecesse íntegro e fosse transmitido a todas as gerações tudo quanto tinha revelado para a salvação de todos os povos. Por isso, Cristo Senhor, em quem se consuma toda a Revelação do Deus Altíssimo (cf. 2Cor 1,20; 3,16; 4,6), mandou aos apóstolos que o Evangelho, objeto da promessa outrora feita pelos profetas que ele veio cumprir, e que promulgou pessoalmente,[8] eles o pregassem a todos, como fonte de toda a verdade salutar e de toda a regra moral, e assim lhes comunicassem os dons divinos. Este mandato foi cumprido com fidelidade, quer pelos apóstolos, que na sua pregação oral, com os exemplos da vida e com as instituições, por eles criadas, transmitiram aquilo que ou tinham recebido dos lábios, do trato e das obras de Cristo, ou tinham aprendido por inspiração do Espírito Santo, quer ainda por aqueles apóstolos e varões apostólicos que, sob a inspiração do mesmo Espírito Santo, escreveram a mensagem da salvação.[9]

Porém, para que o Evangelho se conservasse perenemente íntegro e vivo na Igreja, os apóstolos deixaram como seus sucessores os bispos, "transmitindo-lhes a sua própria função de ensinar".[10] Portanto, esta Sagrada Tradição, e a Sagrada Escritura dos dois Testamentos, são como que um espelho no qual a Igreja, peregrina na terra, contempla a Deus, de quem tudo recebe, até chegar a vê-lo face a face tal qual ele é (cf. 1Jo 3,2).

A Sagrada Tradição

8. E assim, a pregação apostólica, que se exprime de modo especial nos livros inspirados, devia conservar-se, por uma sucessão contínua, até à consumação dos tempos.

Por isso, os apóstolos, transmitindo o que eles mesmos receberam, advertem os fiéis a que mantenham as tradições que aprenderam quer por palavra quer por escrito (cf. 2Ts 2,15), e a que lutem pela fé, recebida uma vez para sempre (cf. Jd 3).[11] Ora estas tradições, recebidas dos apóstolos, abrangem tudo quanto contribui para a santidade de vida do povo de Deus e para o aumento da fé; assim a Igreja, na sua doutrina, vida e culto, perpetua e transmite a todas as gerações tudo aquilo que ela própria é e tudo quanto ela acredita.

Esta Tradição, que se origina dos apóstolos, progride na Igreja sob a assistência do Espírito Santo.[12] Com efeito, cresce o conhecimento tanto das coisas como das palavras que constituem parte da Tradição, quer mercê da contemplação e do estudo dos crentes, que as meditam no seu coração (cf. Lc 2,19.51), quer mercê da

---

[8]Cf. Mt 28,19-20 e Mc 16,15. Conc. de Trento, sess. IV, decr. *De canonicis Scripturis*: Denz. 783 (1501).

[9]Cf. Conc. de Trento, 1. c.; Conc. Vat. I, sess. III, *Const. dogm. De fide catho-lica*, cap. 2, de revelatione: Denz. 1787 (3006).

[10]Santo Ireneu, *Adv. Haer.* III, 3, 1: PG 7, 848: Harvey, 2, p. 9.

[11]Cf. Conc. de Niceia II: Denz. 303 (602); Conc. de Constantinopla IV, sess. X, can. 1: Denz. 336 (650-652).

[12]Conc. Vat. I, *Const. dogm. De fide catholica,* cap. 4 de fide et ratione: Denz. 1800 (3020).

íntima inteligência que experimentam das coisas espirituais, quer mercê da pregação daqueles que, com a sucessão do episcopado, receberam um seguro carisma de verdade. Isto é, a Igreja, no decurso dos séculos, caminha continuamente para a plenitude da verdade divina, até que nela se realizem as palavras de Deus.

As afirmações dos santos Padres testemunham a presença vivificadora desta Tradição, cujas riquezas entram na prática e na vida da Igreja que acredita e ora. Esta mesma Tradição mostra à Igreja quais são exatamente todos os Livros Sagrados [o cânone da Bíblia] e faz compreender mais profundamente, na Igreja, esta mesma Sagrada Escritura e torna-a operante sem cessar. Assim Deus, que outrora falou, continua sempre a falar com a Esposa do seu amado Filho; e o Espírito Santo, pelo qual ressoa a voz viva do Evangelho na Igreja e, por ela, no mundo, introduz os crentes na verdade plena e faz que a palavra de Cristo neles habite em toda a sua riqueza (cf. Cl 3,16).

Relação mútua entre a Tradição e a Sagrada Escritura

9. A Sagrada Tradição, portanto, e a Sagrada Escritura estão estreitamente relacionadas entre si. Derivando ambas da mesma fonte divina, formam como que uma coisa só e tendem ao mesmo fim. Com efeito, a Sagrada Escritura é palavra de Deus enquanto foi escrita por inspiração do Espírito Santo; a Sagrada Tradição, por sua vez, transmite integralmente aos sucessores dos apóstolos a palavra de Deus, confiada por Cristo Senhor e pelo Espírito Santo aos apóstolos, para que os sucessores destes, com a luz do Espírito de verdade, a conservem, a exponham e a difundam fielmente na sua pregação; por consequência, não é só da Sagrada Escritura que a Igreja tira a sua certeza, a respeito de todas as coisas reveladas. Ambas devem portanto ser recebidas e veneradas com igual afeto de piedade.[13]

Relação da Tradição e da Sagrada Escritura com toda a Igreja e com o Magistério

10. A Sagrada Tradição e a Sagrada Escritura constituem um só depósito sagrado da palavra de Deus, confiado à Igreja; mantendo-se fiel a este depósito, todo o povo santo, unido aos seus Pastores, persevera assiduamente na doutrina dos apóstolos, na união fraterna, na fração do pão e nas orações (cf. At 2,42 gr.), de tal modo que, conservando, praticando e professando a fé transmitida, haja singular unidade de espírito entre os Pastores e os fiéis.[14]

Porém, o múnus de interpretar autenticamente a palavra de Deus escrita ou contida na Tradição,[15] só foi confiado ao Magistério vivo da Igreja,[16] cuja autoridade é exercida em nome de Jesus Cristo. Este Magistério não está acima da palavra de Deus, mas sim ao seu serviço, ensinan-

---

[13]Conc. de Trento, Sess. IV, 1. c.: Denz. 783 (1501).
[14]Cf. Pio XII, *Const. Apost. Munificentissimus Deus,* 1 nov. 1950: AAS 42 (1950) 756; cf. as palavras de S. Cipriano, Epist. 6, 8: Hartel, III, B, p. 733: "A Igreja é o povo unido ao sacerdote e o rebanho unido ao seu Pastor".
[15]Cf. Conc. Vat. I, *Const. dogm. De fide catholica,* cap. 3 de fide: Denz. 1792 (3011).
[16]Cf. Pio XII, *Encíclica Humani generis,* 12 ag. 1950: AAS 42 (1950) 568-569: Denz. 2314 (3886).

do apenas o que foi transmitido, enquanto, por mandato divino e com a assistência do Espírito Santo, ouve a palavra de Deus com amor, a guarda com todo o cuidado e a expõe fielmente, e neste depósito único da fé encontra tudo quanto propõe para se crer como divinamente revelado.

É claro, portanto, que a Sagrada Tradição, a Sagrada Escritura e o Magistério da Igreja, segundo o sapientíssimo plano de Deus, estão de tal maneira ligados e unidos que uma coisa sem as outras não se mantém, mas juntas, cada uma a seu modo, sob a ação de um só Espírito Santo, colaboram eficazmente para a salvação das almas.

CAPÍTULO III
A INSPIRAÇÃO DIVINA E A INTERPRETAÇÃO DA SAGRADA ESCRITURA

Inspiração e verdade na Sagrada Escritura

11. As coisas reveladas por Deus, que se encontram e manifestam na Sagrada Escritura, foram escritas por inspiração do Espírito Santo. Com efeito, a santa Mãe Igreja, por fé apostólica, considera como sagrados e canônicos os livros inteiros tanto do Antigo como do Novo Testamento, com todas as suas partes, porque, tendo sido escritos por inspiração do Espírito Santo (cf. Jo 20,31; 2Tm 3,16; 2Pd 1,19-21; 3,15-16), têm a Deus por autor e como tais foram confiados à própria Igreja.[17] Todavia, para escrever os Livros Sagrados, Deus escolheu homens, que utilizou na posse das faculdades e capacidades que tinham,[18] para que, agindo Deus neles e por meio deles,[19] pusessem por escrito, como verdadeiros autores, tudo aquilo e só aquilo que ele quisesse.[20]

Portanto, como tudo quanto afirmam os autores inspirados ou hagiógrafos se deve ter como afirmado pelo Espírito Santo, por isso mesmo havemos de crer que os Livros da Escritura ensinam com certeza, fielmente e sem erro a verdade relativa à nossa salvação, que Deus quis fosse consignada nas Sagradas Letras.[21] Por isso, "toda a Escritura é inspirada por Deus e útil para instruir, para refutar, para corrigir, para educar na justiça, a fim de que o homem de Deus seja perfeito, qualificado para toda boa obra" (2Tm 3,16-17 gr.).

Interpretação da Sagrada Escritura

12. Como Deus na Sagrada Escritura falou por meio de homens e à maneira humana,[22] o intérprete da Sagrada Escritura, para saber o que ele quis comunicar-nos, deve investigar com atenção o que os hagiógrafos realmente quiseram significar e aproouve a Deus manifestar por meio das palavras deles.

---

[17]Conc. Vat. I, *Const. dogm. De fide catholica*, cap. 2 de revelatione: Denz. 1787 (3006); *Decr. da Comissão Bíblica*, 18 jun. 1915: Denz. 2180 (3629). EB 420; *Carta do S. Ofício*, 22 dez. 1923: EB 499.

[18]Cf. Pio XII, *Carta enc. Divino afflante Spiritu*, 30 set. 1943: AAS 35 (1943) 314; Enchir. Bibl. (EB) 556.

[19]Para e pelo homem: cf. Hb 1,1 e 4,7 (para); 2Sm 23,2; Mt 1,22 e passim (pelo); *Conc. Vat. I: Schema de doctr. cath.*, nota 9: Coll. Lac. VII, 522.

[20]Leão XIII, *Carta enc. Providentissimus Deus*, 18 nov. 1893: Denz. 1952 (3293); EB 125.

[21]Cf. Sto. Agostinho, *Gen. ad litt.*, 2, 9, 20: PL 34, 270-271; Epist. 82, 3: PL 33, 277: CSEL 34, 2, p. 354; Santo Tomás, *De Ver.*, 9, 12, a. 2 C; Conc. de Trento, Sess. IV, *De canonicis Scripturis*: Denz. 783 (1501); Leão XIII, Enc. *Providentissimus*: EB 121, 124, 126-127; Pio XII, Enc. *Divino afflante Spiritu*: EB 539

[22]Santo Agostinho, *De civ. Dei*, XVII, 6, 2: PL 41, 537: CSEL XL, 2, 228.

INSTRUÇÕES PARA O USO

Esta é uma Bíblia de estudo.

Veio primeiro uma etapa de escuta na liturgia e de leitura pessoal da Bíblia. Chegou a etapa de estudar a Bíblia, para penetrar no seu sentido e extrair riquezas crescentes.

Ora, o estudo compete aos estudantes, como a explicação compete ao professor. O estudante pode trabalhar sozinho, acompanhado ou dirigido. Em nenhum caso pode omitir o trabalho pessoal. Para tanto proponho um modo ideal de uso:

a) Ler toda a perícope em questão. Perícope (palavra grega que significa "cortada ao redor") é uma unidade completa de sentido, unidade menor dentro de um escrito mais amplo. Pode ser uma parábola com sua explicação, um oráculo profético, uma instrução sapiencial, um salmo etc. A primeira tarefa é ler com calma o texto da perícope, cujos limites estão suficientemente assinalados; é preciso ler prestando atenção no assunto e na linguagem.

b) Ler e estudar a explicação global da perícope na nota de rodapé. É uma explicação que dá as chaves de composição e de compreensão, mostrando a organização interna e indicando os polos de interesse. É a contribuição mais original deste comentário. Esse estudo é o trabalho mais importante: não prossiga sem ter feito isso.

c) Reler a perícope à luz da explicação global e procurar captá-la como unidade de sentido.

d) Ler no rodapé as notas referentes a versículos específicos. Elas enriquecem a compreensão dos detalhes. Algumas serão muito aproveitáveis.

e) Ler de novo, devagar, toda a perícope. Nesse momento, o leitor terá a impressão de que ela é nova: mais luminosa e mais rica, ou mais intrigante e digna de reflexão.

Ao estudar as notas de rodapé, o leitor observará grande quantidade de citações de outros textos bíblicos. São referências significativas, não decorativas. Projetam luz, estabelecem relações, colaboram para ir criando um contexto amplo. Se na primeira leitura o leitor não pôde trabalhar tais citações, convém que o faça nas outras rodadas de estudo.

Preferi um estilo conciso, às vezes aforístico, contando com o estudo do leitor. O comentário não foi pensado nem escrito para uma leitura corrente. Aquilo que eu economizo em espaço (e preço), o leitor terá de compensar em tempo.

Para a meditação, creio que o mais proveitoso seja a explicação global; isso não impede que alguns se sintam mais tocados por determinados versículos.

Para a homilia, recomendo concentração na explicação global. Procure tirar dela ou do texto algumas palavras, uma frase breve, para repetir com ênfase na homilia, a fim de que os ouvintes a memorizem.

Minha intenção, ao publicar esta Bíblia, é oferecer um comentário completo e homogêneo de toda a Bíblia. Uma obra de uso múltiplo: texto para aulas de exegese, manual de estudo pessoal, guia para a meditação e a pregação.

Luís Alonso Schökel

ABREVIATURAS

Est	Ester	Ml	Malaquias
Ex	Êxodo	Mq	Miqueias
Ez	Ezequiel	Mt	Evangelho de São Mateus
Fl	Filipenses	Na	Naum
Fm	Filemon	Ne	Neemias
Gl	Gálatas	Nm	Números
Gn	Gênesis	Os	Oseias
Hab	Habacuc		
Hb	Hebreus	1Pd	Primeira carta de São Pedro
		2Pd	Segunda carta de São Pedro
Is	Isaías	Pr	Provérbios
Jd	Carta de São Judas	Rm	Carta aos Romanos
Jl	Joel	1Rs	Primeiro livro dos Reis
Jn	Jonas	2Rs	Segundo livro dos Reis
Jó	Jó	Rt	Rute
Jo	Evangelho de São João		
1Jo	Primeira carta de São João	Sb	Sabedoria
2Jo	Segunda carta de São João	Sf	Sofonias
3Jo	Terceira carta de São João	Sl	Salmos
Jr	Jeremias	1Sm	Primeiro livro de Samuel
Js	Livro de Josué	2Sm	Segundo livro de Samuel
Jt	Judite	Tb	Tobias
Jz	Livro dos Juízes	Tg	Carta de São Tiago
Lc	Evangelho de São Lucas	1Tm	Primeira carta a Timóteo
Lm	Lamentações	2Tm	Segunda carta a Timóteo
Lv	Levítico	1Ts	Primeira carta aos Tessalonicenses
Mc	Evangelho de São Marcos	2Ts	Segunda carta aos Tessalonicenses
1Mc	Primeiro livro dos Macabeus	Tt	Carta a Tito
2Mc	Segundo livro dos Macabeus	Zc	Zacarias

As citações são feitas do seguinte modo:

A *vírgula* separa capítulo de versículo.
  Exemplo: Gn 3,1 (livro do Gênesis, capítulo 3, versículo 1);
o *ponto e vírgula* separa capítulos e livros.
  Exemplo: Gn 5,1-7; 6,8; Ex 2,3 (livro do Gênesis, capítulo 5, versículos de 1 a 7; capítulo 6, versículo 8; livro do Êxodo, capítulo 2, versículo 3);
o *ponto* separa versículo de versículo, quando não seguidos. **Exemplo:** 2Mc 3,2.5.7-9 (segundo livro dos Macabeus, capítulo 3, versículos 2, 5 e de 7 a 9);
o *hífen* indica sequência de capítulos ou de versículos. **Exemplo:** Jo 3-5; 2Tm 2,1-6; Mt 1,5-12,9 (evangelho segundo São João, capítulos de 3 a 5; segunda carta a Timóteo, capítulo 2, versículos de 1 a 6; evangelho de São Mateus, do capítulo 1, versículo 5 ao capítulo 12, versículo 9).

Outras abreviaturas:

a.C.	antes de Cristo	ms.	manuscrito(s)
cap. (caps.)	capítulo(s)	par.	paralelo(s)
d.C.	depois de Cristo	s (ss)	seguinte(s)
LXX	versão dos Setenta (Septuaginta)	v. (vv.)	versículo(s)

ABREVIATURAS

Gênesis	Gn
Êxodo	Ex
Levítico	Lv
Números	Nm
Deuteronômio	Dt
Josué	Js
Juízes	Jz
Rute	Rt
Samuel	1Sm, 2Sm
Reis	1Rs, 2Rs
Crônicas	1Cr, 2Cr
Esdras	Esd
Neemias	Ne
Tobias	Tb
Judite	Jt
Ester	Est
Macabeus	1Mc, 2Mc
Jó	Jó
Salmos	Sl
Provérbios	Pr
Eclesiastes (Coélet)	Ecl
Cântico	Ct
Sabedoria	Sb
Eclesiástico (Ben Sirac)	Eclo
Isaías	Is
Jeremias	Jr
Lamentações	Lm
Baruc	Br
Ezequiel	Ez
Daniel	Dn
Oseias	Os
Joel	Jl
Amós	Am
Abdias	Ab
Jonas	Jn
Miqueias	Mq
Naum	Na
Habacuc	Hab
Sofonias	Sf
Ageu	Ag
Zacarias	Zc
Malaquias	Ml
Mateus	Mt
Marcos	Mc
Lucas	Lc
João	Jo
Atos dos Apóstolos	At
Romanos	Rm
Coríntios	1Cor, 2Cor
Gálatas	Gl
Efésios	Ef
Filipenses	Fl
Colossenses	Cl
Tessalonicenses	1Ts, 2Ts
Timóteo	1Tm, 2Tm
Tito	Tt
Filemon	Fm
Hebreus	Hb
Carta de São Tiago	Tg
Cartas de São Pedro	1Pd, 2Pd
Cartas de São João	1Jo, 2Jo, 3Jo
Carta de São Judas	Jd
Apocalipse	Ap

Em ordem alfabética:

Ab	Abdias		1Cr	Primeiro livro das Crônicas
Ag	Ageu		2Cr	Segundo livro das Crônicas
Am	Amós		Ct	Cântico dos Cânticos
Ap	Apocalipse		Dn	Daniel
At	Atos dos Apóstolos		Dt	Deuteronômio
Br	Baruc		Ecl	Eclesiastes
Cl	Colossenses		Eclo	Eclesiástico (Ben Sirac)
1Cor	Primeira carta aos Coríntios		Ef	Efésios
2Cor	Segunda carta aos Coríntios		Esd	Esdras

PREFÁCIO À EDIÇÃO BRASILEIRA

Dois textos de Isaías ajudam a entender por que aparece no Brasil mais uma versão da Bíblia, nascida da competência do saudoso Luís Alonso Schökel (1920-1998). O primeiro texto é endereçado pelo profeta a Jerusalém que está para dar à luz multidões: "Alarga o espaço de tua tenda, estende sem medo tuas lonas, alonga tuas cordas, finca bem tuas estacas; porque te estenderás à direita e à esquerda..." (Is 54,2-3a). Aumentar o espaço da tenda e estender-se para todos os lados como resultado da fecundidade que vem de Deus: eis a primeira razão.

O segundo texto é dirigido a todos os que se consideram filhos e filhas de Jerusalém: "Mamareis em seus seios e vos saciareis de seus consolos, e bebereis as delícias de seus peitos abundantes" (Is 66,11). A Bíblia é nossa mãe comum, e quanto mais a conhecemos, mais dela nos alimentamos e vivemos. É o segundo motivo. De fato, ainda não havia aparecido em nosso país um texto bíblico com tal quantidade de notas, realçando a riqueza da Sagrada Escritura.

Por isso PAULUS Editora decidiu publicar a presente versão, a fim de que mais pessoas aumentem sua familiaridade com a Palavra de Deus, à semelhança da familiaridade que Pe. Alonso tinha com ela. De fato, a Bíblia do Peregrino amadureceu após 25 anos de trabalho, estudo e contemplação. Nela se encontra sua alma de poeta, místico e sábio. Nesse manancial se alimentaram várias gerações, e muitas outras sugarão com satisfação a abundância dessa sabedoria contemplativa.

Quando decidiu-se publicar no Brasil essa versão, Pe. Alonso já havia preparado muitos acréscimos às notas dos evangelhos (quase um terço a mais em relação às notas da primeira edição). Na presente versão já incorporamos esses acréscimos.

Na tradução, sempre que possível, conservamos o estilo e as opções textuais do Pe. Alonso, introduzindo mudanças somente quando estritamente necessárias. Na revisão técnica, sempre que possível harmonizamos notas e texto bíblico.

À medida que os anos iam passando, Pe. Alonso foi perdendo a visão. Longe de se lamentar, foi aprendendo, como dizia, a "ler menos e a contemplar mais". É com essa proposta que a Bíblia do Peregrino chega às mãos do leitor brasileiro: como lâmpada para os pés e luz para o caminho (cf. Sl 119,105); não somente para o caminho do corpo, mas, igualmente, para o caminho da alma, pois ela também é peregrina e nos ensina a desejar: "Como a cerva anseia por correntes de água, assim minha alma anseia por ti, ó Deus. Minha alma tem sede de Deus, do Deus vivo: Quando entrarei para ver o rosto de Deus?" (Sl 42,2-3).

Os Editores

Edição brasileira

Coordenação editorial
Paulo Bazaglia

Tradução do texto bíblico
Ivo Storniolo e José Bortolini

Tradução de introduções, notas, cronologia e vocabulário
José Raimundo Vidigal

Revisão técnica
José Bortolini e Ivo Storniolo

Revisão literária
José Dias Goulart

Capa
Cláudio Pastro

Editoração, impressão e acabamento
PAULUS

Com aprovação eclesiástica
SG – n. 0413/02

© PAULUS – 2017

Rua Francisco Cruz, 229 • 04117-091 – São Paulo (Brasil)
Tel.: (11) 5087-3700
paulus.com.br • editorial@paulus.com.br
ISBN 978-85-349-2005-6 (Encadernada)
ISBN 978-85-349-2006-3 (Cristal)

LUÍS ALONSO SCHÖKEL

BIBLIA ✝
DO PEREGRINO

Título original
Biblia del Peregrino – Edición de estudio
(Tomo I: Prosa; Tomo II: Poesía; Tomo III: Nuevo Testamento)
Ega – Mensajero – Verbo Divino
© Luís Alonso Schökel, 1997

Colaboradores

Alberto Benito
(Ex, Lv, Nm)

José Luz Ojeda
(Jó, Ct)

José Luís Blanco Vega
(Textos poéticos)

Joaquín Sanmartín
(Dt)

Ángel Gil Modrego
(Ex, Lv, Nm)

José Luís Sicre
(Cr, Esd, Ne)

Manuel Iglesias
(Gn, Js, Jz, Rt, Sm, Rs, Tb, Jt, Est, Mc, Dn)

José María Valverde
(Sl, Pr, Profetas Menores)

Juan Mateos
(Gn, Sl, Eclo, Is, Jr, Dn)

Juan Villescas
(Eclo)

José Mendoza
(Jó, Ct)

Eduardo Zurro
(Sb, Ez, Os)

José Antônio Múgica
(Ex, Lv, Nm)

José María Pérez Escobar
(1-2Cor)

Houve uma coordenação única para manter e aplicar critérios homogêneos e assegurar em tudo a qualidade literária. O coordenador participou em todos os livros em grau diverso.

Preparando em equipe, à maneira de seminário, os textos legislativos de Êxodo, Levítico e Números, com Benito, Gil Modrego e Múgica; e do Deuteronômio com Sanmartín.

Em estreita colaboração com o poeta Ojeda e com a colaboração de Mendoza, em Jó e Cântico dos Cânticos. Com o poeta Valverde para os Profetas Menores, Salmos e Provérbios; reviu também textos destinados à liturgia. J. Villescas reviu todo o Eclesiástico e efetuou muitas emendas. Blanco Vega colaborou esporadicamente em textos poéticos destinados à liturgia.

Outros prepararam o texto-base, quase definitivo, revisto conjuntamente com o coordenador. Na parte narrativa, Iglesias, responsável por uma contribuição extraordinária em quantidade e qualidade. Outro tanto deve-se dizer, quanto à qualidade, da contribuição de Zurro para os textos poéticos. Coube a Sicre traduzir uns originais hebraicos menos atraentes (corpo Cronístico).

Mateos colaborou em muitos livros e em muitas fases do projeto. É preciso destacar sua colaboração em Salmos e Eclesiástico, em Gênesis, Isaías, Jeremias e Daniel, e de maneira geral em textos destinados à liturgia.

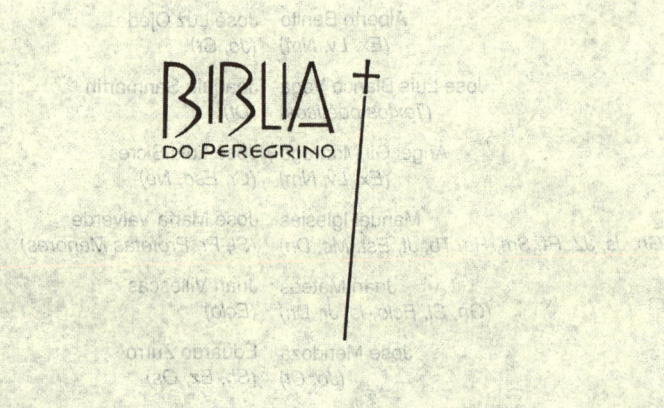

PRÓLOGO

Este comentário vem singelamente ocupar um lugar num trem que há tempo está andando. Não é muito volumoso, porque não desenvolve as explicações e é redigido em estilo conciso. Explicar equivale a desdobrar: um lençol desdobrado ocupa mais centímetros quadrados que um dobrado. E eu deixo ao leitor o trabalho de desdobrar. Outros comentadores dispõem de mais espaço e podem discutir opiniões e esclarecer sem pressa. Destinaram-me poucas páginas: tenho de oferecer material abundante sem desenvolvê-lo, enunciar muitas opiniões sem discuti-las. Digo o mesmo do estilo. Hoje em dia há pessoas que se submetem quase obsessivamente a tratamentos ou dietas para emagrecer. Eu controlei minha obra e a submeti a uma dieta rigorosa de palavras. Desse modo, o comentário vem a ser como um disquete de alta densidade, como um CD no qual cabem várias sinfonias de Bruckner.

Sem dúvida, isso dificulta a tarefa do leitor; mas este livro não é para um leitor, é para um estudante ou estudioso. Não é livro de leitura; oferece material abundante a quem queira trabalhar. Também é livro de consulta, ao menos de primeira consulta. Apresenta o texto bíblico com seu comentário, de modo que avancem por trilhos paralelos: desde a Criação, até o Vem, Senhor Jesus do Apocalipse. Também é livro de meditação: ao usuário devoto oferece sua ressonância pessoal, amplia suas sugestões, compõe variações sobre seus temas.

Digamos algo do conteúdo. Grande quantidade, e mesmo a maioria dos dados deste comentário, é partilhada. Os exegetas de profissão habitam o território nacional, pelo que discorrem sem demarcar propriedades privadas. A seleção de dados, a ênfase (ou acento) e a formulação poderão variar. Sem terem entrado em acordo, muitos comentários coincidem, porque os autores já estavam de acordo antes de escrever. Este comentário avança com a corrente geral, no caminho já traçado por muitos. Concretamente, por uma região mediana ou moderada. Meu mentor, colocando-se no lugar de um leitor médio, recomendou-me evitar hipóteses mais audazes ou chocantes. Confesso-o, para tranquilidade de muitos leitores, porém e mais ainda para não desautorizar outros comentadores que aceitam o risco das hipóteses com o desejo de progredir na compreensão.

O comentário é obra de um só autor. Será audácia perigosa? Algumas vantagens compensam o risco?

No estágio atual da ciência bíblica, vivemos inundados de publicações: elas chegam até o pescoço, não dá para tomar pé. Por isso, cada pessoa escolhe uma área limitada que consiga dominar. Existe o especialista em Amós, em Rute, em Ezequiel. Quem consegue dominar os Salmos fica satisfeito. Alguns professores procuram o conhecimento básico de um bloco literário – Pentateuco, profético, sapiencial – e dentro dele traçam os limites da sua especialidade. Afirmam que hoje se publica tanta coisa, que só assim podemos trabalhar informados. Ou seja, não há tempo para estudar a Bíblia, porque é preciso ler os biblistas. Com essa mentalidade, o especialista continua aumentando o número de escritos sobre a área que escolheu.

É verdade: só para ler a lista de publicações sobre a Bíblia gastaríamos a metade do nosso tempo.

Para a confecção desta obra, adotei a tática oposta: conhecimento e familiaridade com a Bíblia inteira. – Mas isso é possível? Talvez seja possível, contando com quarenta anos de dedicação. Essa tática tem alguma vantagem. A principal é permitir relacionar textos materialmente distantes com outros espiritualmente afins. Desse relacionamento brotam inesperadas iluminações recíprocas. Também o especialista pratica a arte de relacionar; só que dispõe de material mais reduzido.

Ao longo dos séculos, a Bíblia foi vista como unidade cultural. Para o fiel, é uma unidade do projeto divino. As duas unidades são convergentes, quase se fundem. Para quem estuda, descobrir a grande unidade é prazer e enriquecimento.

As introduções de cada obra são relativamente amplas. Servem para situar

aproximadamente cada obra no seu contexto histórico, ou para resumir algumas hipóteses pertinentes a respeito dele. No fim, apresento o Vocabulário de notas temáticas *como instrumento para ir conhecendo a mentalidade e a linguagem dos autores bíblicos*. A Cronologia histórica serve para situar-nos no tempo, situando personagens e obras.

As notas de rodapé foram escritas com dupla intenção, exegética e teológico-pastoral. Assim, partindo da compreensão exegética, que esclarece a compreensão do texto, elas se abrem à interpretação teológico-pastoral. As alternativas de tradução (variantes textuais) acham-se incluídas nas notas.

Há passagens paralelas de perícope (entre parênteses, depois de cada título ou seção do texto) ou de versículo (incluídas nas notas de rodapé).

Como habitante espiritual do AT, reli amplamente, meditei e estudei o NT. E creio ter encontrado nele algumas ressonâncias não apontadas por outros: padrões ou estruturas, imagens e símbolos, instituições, conceitos, expressões semíticas.

Meu pressuposto hermenêutico é que os autores do NT tinham como pátria espiritual os livros que nós chamamos Antigo Testamento, e que eles denominavam Escritura ou Lei e Profetas ou designavam com o nome de Moisés, Davi etc. As citações expressas são manifestação palpável dessa nacionalidade bíblica. Na constituição conciliar Dei Verbum descreve-se o Antigo Testamento como preparação, profecia e prefiguração. As citações do AT no Novo demonstram com que amplidão de critérios os autores consideravam a profecia e a prefiguração. Essa liberdade nos orienta, ensina e convida a ampliar o raio de correspondências. Aquilo que eles faziam inspirados, nós o fazemos com modéstia e confiança.

Não menos importante é a linguagem na qual toma forma comunicável o anúncio e a reflexão sobre o acontecimento de Jesus Cristo, sua pessoa, obra e ensinamento. Entre as "preparações" do AT, uma bastante importante foi preparar a linguagem para expressar a nova revelação. Ora, um escritor em geral não está refletidamente consciente de influências ou reminiscências. Aquilo que ele assimilou ao longo de sua vida e carreira pode a certa altura emergir sem que ele o perceba. Ao encontrá-lo, nós lhe perguntamos: – Você pensou nisso quando escrevia essa página? – Não. Mas eu o conhecia, e agora que você me aponta isso, creio que tenha razão: foi a reminiscência que agiu. Para escutar esse timbre ou acento particular do Antigo Testamento no Novo, é preciso ter familiaridade e treinamento: é o que eu quis trazer.

Outros se fixam mais na mediação das versões parafrásticas – targuns – ou nos comentários midráxicos. É legítimo, porém os autores do NT citam diretamente da versão grega corrente – os Setenta – e alguns mostram conhecer o original hebraico. Outros comentadores dão grande destaque a paralelos da comunidade de Qumrã, de escritos rabínicos e gregos, também do gnosticismo incipiente. Tudo o que pode esclarecer é útil, embora não haja dependência. Peço apenas um espaço mais amplo para colocar o NT no contexto do AT; às vezes para explicar, outras para ilustrar ou para contrastar. Não posso submeter cada caso a uma análise, nem posso aduzir o texto integral das passagens aludidas. Essa deve ser uma das tarefas do leitor. Com isso, ele irá descobrindo pessoalmente a unidade ideal dos dois testamentos, o Antigo encontrando no Novo seu ápice.

Quanto ao modo mais frequente de expor, começo dando uma visão global da perícope ou seção, na qual apresento a orientação substancial. Dentro dessa unidade menor, detenho-me quando algum versículo requer explicação especial ou quando nos oferece algo substancioso em que nos deter. Quando o leitor corre o olhar pela página, essas linhas concisas lhe chamam a atenção: "Observe bem o que diz este versículo", e com certeza o leitor sai agradecido porque o ajudaram a refletir um pouco. É o que importa não é a linha do comentário, mas sim a frase bíblica que a nota aponta.

O melhor momento do comentário é quando o leitor o deixa no rodapé da página, para dialogar sozinho com o texto. É a hora da verdade e da vida.

Luís Alonso Schökel

ANTIGO TESTAMENTO

PENTATEUCO

INTRODUÇÃO

Uma tradição milenar e a prática de livreiros e exegetas nos acostumaram a esta designação. Tranquilamente, consideramos o Pentateuco como um livro, sem reparar que o próprio nome fala de cinco rolos ou estojos onde são guardados.

Como acontece com a Bíblia, que, sendo plural, a tomamos como singular. Cinco livros formam o Pentateuco: em nossa terminologia, baseada nos nomes gregos, os chamamos: Gênesis, Êxodo, Levítico, Números, Deuteronômio. Fica resolvida a questão?

Ao contrário, surgem novas perguntas. A designação é antiga, é canônica, quer dizer, autorizada, é tradicional, é prática. Mas não vale absolutizá-la. Para evitá-lo a colocamos entre duas alternativas: Hexateuco e Tetrateuco.

Se nos concentramos no tema, no grande quadro de promessa e cumprimento, o relato começa com Abraão – depois da breve pré-história – é só se conclui quando Josué reparte a terra prometida às doze tribos de Israel. Pelo tema, deve-se contar com seis livros, acrescentando Josué aos cinco anteriores: tal seria o Hexateuco.

Mas uma análise de temas e formas revela que o Deuteronômio a rigor pertenceu, como grande abertura, ao corpo narrativo que vai desde a entrada na terra (Moisés-Josué) até a saída do exílio; ou seja, Josué, Juízes, Samuel e Reis. Ao restituir seu lugar original ao Deuteronômio, o Pentateuco se reduz a Tetrateuco.

Com que ficamos? Com uma sadia flexibilidade mental e uma distinção de etapas. Em época tardia, impossível de precisar, alguém com autoridade separou o Deuteronômio de seu lugar original e o uniu aos livros precedentes. É a versão canônica, que termina com a morte de Moisés.

Quando adotamos esse modo de ler, contemplamos uma história truncada em seu último capítulo: o cumprimento da antiga promessa fica em suspenso, de novo pendente da palavra que prometeu. Ao mesmo tempo, contemplamos Moisés isolado, exaltado sobre a montanha, indicando aos sucessores, do alto de seu lugar único, o caminho da Torá.

E quando decidimos ler o corpo narrativo de Josué a Reis, damos um passo atrás para tomar distância e ler o Deuteronômio, que nos oferece as chaves principais para continuar a leitura.

Conteúdo

Assim, pois, abordamos a leitura canônica do Pentateuco. Que encontramos? Uma obra fascinante, amena, divertida, repetitiva, aborrecida, pesada... Uma paisagem imensa com altos narrativos e precipícios poeirentos, com sendas planas e veredas escabrosas. Mais que uma obra, o Pentateuco parece uma coleção de peças heterogêneas: registros de arquivo, códigos legais ou litúrgicos, documentos jurídicos, poemas, relatos. Contudo, a narração é o elemento importante: desde a vocação de Abraão até a morte de Moisés flui um relato serpeante, acidentado e bem orientado. Cabe ao leitor ajustar cada vez seu enfoque para compreender e degustar cada seção, sem perder a orientação geral.

Basta ler com atenção crítica para tropeçar em coisas estranhas. Se da leitura passamos ao estudo, as dificuldades se multiplicam. A maneira de superar os obstáculos é subir até sua origem. Quem compôs esta obra? Com que materiais? Com que critérios? Que valor histórico tem? Que valor literário? Com essas perguntas e outras semelhantes entramos

na história da investigação sobre o Pentateuco. Tema muito importante, mas por enquanto secundário para nós. Por isso vou contentar-me com breves indicações, que se podem ampliar em obras específicas denominadas introdução especial.

Teoria documentária

Desde fins do século XIX se impôs a explicação sistemática de Wellhausen. Baseando-se em indícios convergentes: variedade de nomes divinos, duplicados, incoerências, detalhes formais, tendências, conseguiu separar e repartir o Pentateuco em quatro fontes ou documentos que chamou Javista (**J**), Eloísta (**E**), Deuteronomista (**D**) e Sacerdotal (**P**); as siglas provêm dos nomes alemães. Um redator ou vários sucessivos trançaram os fios e combinaram os blocos para formar o Pentateuco atual.

A análise de Wellhausen demonstrou seu acerto ao longo do tempo: sua hipótese conserva validade, com notáveis correções e complementos. Correções: a) nega-se a existência de (**E**) como documento autônomo e se atribuem seus supostos materiais a adições ou suplementos. b) Por subdivisão em documentos menores, com outros nomes ou siglas: p. ex. o **P** de base, o **J1** e **J2**, o Laical (**L**), ou Nomádico (**N**). Estes tiveram menos sorte. c) Remontando no tempo: mais que documentos, os quatro propostos são elaboração de tradições plurais mais antigas. d) Dando um passo a mais se isolam blocos temáticos e se estuda sua transmissão oral, até quase perder de vista os supostos documentos. e) Ou então, supondo um texto original, investiga-se o processo de sua adaptação e transformação até a forma última; identificam-se os responsáveis de cada etapa de acordo com seus critérios. Assim chega um momento em que o Javista, para alguns investigadores, deixa de existir, ao passo que outros reduzem seriamente sua contribuição.

Em linha paralela trabalham os que estudam os componentes do Pentateuco como textos literários. Aqui cabe distinguir: a) a atividade de classificar por tipos, própria da escola de Gunkel; b) o estudo da arte narrativa, em procedimentos recorrentes e em traços individuais; tendência recente no campo bíblico. Da classificação por tipos e subtipos se deduzem consequências para a interpretação.

Valor histórico

Antes de tudo, os textos refletem a mentalidade da época em que foram escritos: p. ex. durante a reforma de Josias, no exílio ou no retorno, no final do século V. O problema é que a datação é com frequência muito duvidosa e discutida, e depende não poucas vezes de uma compreensão determinada do texto. Quanto aos fatos narrados, ao faltar-nos testemunhos externos, é muito difícil julgar pelo mero texto. É arriscado afirmar ou negar a historicidade de um fato determinado. Com os dados da Bíblia não podemos reconstruir com rigor o que sucedeu.

Valor literário

Ao longo do Pentateuco encontraremos obras-mestras da narrativa universal: serenos ou dramáticos ou patéticos relatos patriarcais, épica estilizada da libertação, contos fantásticos; e entremeados, uns tantos poemas. Não deve enganar-nos a sua aparente simplicidade, atrás da qual se ocultam muitas vezes refinados recursos de estilo e sempre o sentido da transcendência vivida.

GÊNESIS

INTRODUÇÃO

Para os judeus bereshit (= no princípio), para os gregos e para nós Gênesis ou primeiro livro de Moisés: é o livro das origens. Origem do mundo, pela criação; origem do mal, pelo pecado; origens da cultura, da dispersão dos povos, da pluralidade de línguas. Numa segunda etapa, origem da salvação pela eleição de um homem, que será pai de um povo; depois, a era patriarcal, como pré-história do povo eleito, Abraão, Isaac, Jacó e também José.

Ao começar com a criação do mundo, o autor responsável pela composição final (autorizada para nós) faz subir audaciosamente a história da salvação até o momento primordial, "o princípio" de tudo.

O livro tenta dar resposta a grandes enigmas do homem: o cosmo, a vida e a morte, o bem e o mal, o indivíduo e a sociedade, a cultura e a religião... Tais problemas recebem uma resposta não teológica ou doutrinal, mas histórica, de acontecimentos. Sobre a humanidade, não é uma teoria que decide, mas uma história, e por essa história a humanidade é responsável. Mas essa história é soberanamente dirigida por Deus, para a salvação de toda a humanidade.

O Gênesis não é mito, embora utilize expressões e referências míticas, desmitificando-as.

Na visão do autor a história vai-se estreitando. Povos inteiros, que o autor conhece e menciona, vão desaparecendo, nas trevas exteriores de uma história sem historiografia.

Por sua vez, as pessoas acolhidas vivem no Gênesis com uma intensidade humana surpreendente, conseguida por eliminação de dados secundários ou pela acertada descoberta certeira do essencial. Seja a escassez de meios narrativos seja a economia em seu uso, o resultado é de essencialidade nos momentos culminantes, de concentração nos demais.

Deus intervém nessa história profundamente humana como verdadeiro protagonista: em muitos episódios atua à imagem do homem, mas sua soberania aparece sobretudo porque seu meio ordinário de agir é a palavra. A mesma palavra que dirige a vida dos patriarcas cria com o mesmo poder o universo.

A aparição de Deus é misteriosa e imprevisível: é a palavra de Deus que estabelece o contato decisivo entre o homem e seu Deus. Como a palavra de Deus chama e interpela o homem livre, este é incorporado como verdadeiro autor na história da salvação.

A palavra de Deus é mandamento, anúncio, promessa. O homem deve obedecer, crer, esperar: esta tríplice resposta é o dinamismo dessa história que tende para o futuro, comprometida com a terra e dependente de Deus, intensamente humana e soberanamente divina.

1 A Criação (Sl 104; Eclo 43; Pr 8,22-30) –

¹No princípio, criou Deus o céu e a terra. ²A terra era um caos informe; sobre a face do abismo, a treva. E o alento de Deus revoava sobre a face das águas. ³Disse Deus:
– Exista a luz.
E a luz existiu.
⁴Deus viu que a luz era boa; e Deus separou a luz da treva: ⁵Deus chamou à luz "dia", e à treva "noite".
Passou uma tarde, passou uma manhã: o primeiro dia.
⁶E Deus disse:
– Exista uma abóbada entre as águas, que separe águas de águas.
⁷E Deus fez a abóbada para separar as águas abaixo da abóbada das águas acima da abóbada.
E assim foi.
⁸E Deus chamou à abóbada "céu".
Passou uma tarde, passou uma manhã: o segundo dia.
⁹E Deus disse:
– Ajuntem-se num só lugar as águas abaixo do céu, e apareçam os continentes.
E assim foi.
¹⁰E Deus chamou os continentes "terra", e a massa das águas chamou "mar".
E Deus viu que era bom.
¹¹E Deus disse:
– Verdeje a terra erva verde que produza semente e árvores frutíferas, que deem fruto segundo sua espécie e que levem semente sobre a terra.
E assim foi.
¹²A terra brotou erva verde que dava semente segundo sua espécie, e árvores que davam fruto e levavam semente segundo sua espécie.
E Deus viu que era bom.
¹³Passou uma tarde, passou uma manhã: o terceiro dia.
¹⁴E Deus disse:
– Existam luzeiros na abóbada do céu para separar o dia da noite, para assinalar as festas, os dias e os anos; ¹⁵e sirvam de luzeiros na abóbada do céu para iluminar a terra.
E assim foi.
¹⁶E Deus fez os dois luzeiros grandes: o luzeiro maior para governar o dia, o luzeiro menor para governar a noite, e as estrelas. ¹⁷E Deus os colocou na abóbada do céu para dar luz sobre a terra; ¹⁸para governar o dia e a noite, para separar a luz da treva.
E Deus viu que era bom.
¹⁹Passou uma tarde, passou uma manhã: o quarto dia.

1,1-2,4a O autor toma a imagem do mundo tal como a ciência de então a via. Ele a simplifica e estiliza em seres e grupos elementares. Divisão e oposição são princípios de ordem e harmonia (Eclo 33,7-15), classificação e nomenclatura são princípios de conhecimento organizado. Essa visão empírica é projetada globalmente no momento do primeiro existir, e aí entram em ação dois princípios dinâmicos: o alento de Deus, que incuba e transforma o caos em cosmo, e a palavra soberana de Deus, que dá ordem para o existir, designa lugar e nome, e abençoa.
Para a realização literária, o autor opera com breves fórmulas, que repete com calculada diversidade. A composição é regida por dois princípios numéricos: o dez do dizer de Deus e o sete dos dias; entre estes ocupam lugar-chave o primeiro, o quarto e o sétimo: luz, astros, descanso. A semana de seis dias de trabalho e um de descanso (divisão do mês lunar) se projeta no tempo primordial, apresentando a ação de Deus à imagem do homem (Ex 20,11). A analogia ressalta a diferença: a ação de Deus é soberana e eficaz, as obras são o universo, a tarefa é perfeita. Deus é o soberano que dá ordens e elas se cumprem, é o artesão que executa e contempla comprazido a obra bem-feita, e o poeta que pronuncia os nomes primigênios. Pela ação de Deus e sua aprovação autêntica, toda a criação com suas partes é boa e bela, harmoniosa e não confusa. Deus cria alguns seres individuais e únicos, outros segundo a sua espécie, de modo que se prolonguem e cresçam pela fecundidade, numa forma de ação criadora delegada.
Coroa de todos é o homem, imagem de Deus por senhorio recebido (Sl 8), talvez como interlocutor na terra de Deus; homem e mulher como sede da fecundidade partilhada e como primeira célula social. Pode-se comparar esse poema hierático com outros de tema semelhante: Sl 104 e 148; Eclo 43; e numerosas referências ao Deus Criador: pela palavra e pelo alento (Sl 33; Jo 1), com a colaboração da Sabedoria transcendenwte (Pr 8).

1,1 "Céu e terra" compõem a totalidade, equivalem a universo (cf. Sl 115,16).
1,2 Caos e treva representam imaginativamente o não--ser. Em vez de "alento de Deus", outros traduzem como superlativo "um vento impetuoso"; mais provável a primeira, segundo Sl 33 e Eclo 24,3. 2Cor 4,6: é uma luz que transcende os luzeiros do quarto dia.
1,4 Is 45,7.
1,6 Sl 19,2.
1,9 Sl 24,2; 33,7.
1,11 Erva e árvores abrangem o mundo vegetal inteiro. Sl 65,10-14.
1,14 Há uma distinção implícita, entre o tempo de uma semana transcendente e o tempo que o sol e a lua inauguram e articulam ciclicamente. "Luzeiros": nem luz, nem divindades (cf. Dt 4,19; Jó 31,26).

²⁰E Deus disse:
– Fervilhem as águas com um fervilhar de viventes, e voem pássaros sobre a terra diante da abóbada do céu.
²¹E Deus criou os cetáceos e os viventes que nadam e que a água fez fervilhar segundo suas espécies, e as aves aladas segundo suas espécies.
E Deus viu que era bom. ²²E Deus os abençoou, dizendo:
– Crescei, multiplicai-vos, enchei as águas do mar; que as aves se multipliquem na terra.
²³Passou uma tarde, passou uma manhã: o quinto dia.
²⁴E Deus disse:
– Produza a terra viventes segundo suas espécies: animais domésticos, répteis e feras segundo suas espécies.
E assim foi.
²⁵E Deus fez as feras da terra segundo suas espécies, os animais domésticos segundo suas espécies, e os répteis do solo segundo suas espécies.
E Deus viu que era bom.
²⁶E Deus disse:
– Façamos o homem à nossa imagem e semelhança; que eles dominem os peixes do mar, as aves do céu, os animais domésticos e todos os répteis.
²⁷E Deus criou o homem à sua imagem; à imagem de Deus o criou; homem e mulher os criou.

²⁸E Deus os abençoou e Deus lhes disse:
– Crescei, multiplicai-vos, enchei a terra e submetei-a; dominai os peixes do mar, as aves do céu e todos os animais que se movem sobre a terra.
²⁹E Deus disse:
– Vede, eu vos entrego todas as ervas que dão semente sobre a face da terra; e todas as árvores frutíferas que dão semente vos servirão de alimento; ³⁰e para todos os animais da terra, para todas as aves do céu, para todos os répteis da terra – para todo ser que respira – a erva verde lhes servirá de alimento.
E assim foi.
³¹E Deus viu tudo o que havia feito: e era muito bom.
Passou uma tarde, passou uma manhã: o sexto dia.

2 ¹E foram concluídos o céu, a terra e suas multidões.
²No sétimo dia, Deus tinha terminado toda a sua obra; e no sétimo dia descansou de toda a sua obra.
³E Deus abençoou o sétimo dia e o consagrou, porque nesse dia Deus descansou de toda a sua obra criadora.
⁴ᵃEsta é a história da criação do céu e da terra.

Paraíso e pecado (Ez 28,12-19; Dt 28,63s) – ⁴ᵇQuando o Senhor Deus fez a terra e o

---

1,20 Sl 8,9.
1,24 Jó 39.
1,26-27 Declaração programática. Em tudo o que segue se falará de Deus com analogias humanas: forma legítima, única possível, porque só o homem é imagem de Deus. Eclo 17,1-4; Sl 8,7-9.
1,27 1Cor 11,7.
1,28 Domínio: Sl 8; Jr 27,6.
1,29-30 É um regime vegetariano.
1,31 Eclo 33,16-25.32-35

2,1 Ex 20,11; Jo 5,17.
2,3 Eclo 33,7-9.

2,4b-**3**,24 Se tudo é bom desde a origem e por ela, se o homem é a coroa de um universo excelente, como se explica a presença do mal? Não são bem e mal a divisão mais radical que o homem experimenta? A morte é o mal definitivo e a dor é sua antecipação; a terra, feita para dar frutos, dá espinhos; o trabalho é fatigante e pouco produtivo; a fecundidade é dolorosa. Por quê? E a experiência é universal. Quem assim pergunta possui formação e mentalidade "sapiencial" madura: pergunta pelo sentido da vida, do bem e do mal. Para responder, remonta-se, em estilo hebraico, à origem da humanidade inteira. Entre a bondade inicial e a situação atual, ocorreu uma ruptura que se chama desobediência a um preceito positivo de Deus. Essa ruptura é um fato que funda e provoca a condição de todos os descendentes: é um pecado "de origem". O que depende desse fato entra em sua esteira maldita.
Foi um ato responsável, pelo qual o homem deve responder perante Deus. Uma visão menos pessimista se exprime em Sl 104 e Eclo 17.
Como foi concretamente essa rebelião? Qual era a situação precedente? O autor não conhece os particulares do fato e deve elaborá-los de forma inteligível para seus leitores, e com qualidade simbólica expansiva. A forma ordinária de desenvolver um fato é a narração. Para compô-la, o autor sem perceber lança mão de dois grupos de dados: uns de origem e ascendência mítica: um paraíso ou parque encantado, com água abundante e árvores prodigiosas, a divindade que aí passeia, uma serpente ou dragão nefasto; esses dados entram numa constelação nova, à qual se subordinam. O segundo grupo de dados é tirado da experiência histórica do autor e do seu povo: que é o pecado, como se desenvolve, que consequências acarreta.

céu, ⁵não havia ainda arbustos na terra, nem brotava erva no campo, porque o Senhor Deus não havia enviado chuva à terra, nem havia homem que cultivasse o campo ⁶e abrisse na terra uma fonte para regar a superfície do campo.

⁷Então o Senhor Deus modelou o homem da argila do solo, soprou alento de vida em seu nariz, e o homem se transformou em ser vivo.

⁸O Senhor Deus plantou um parque em Éden, no Oriente, e nele colocou o homem que havia modelado.

⁹O Senhor Deus fez brotar do solo todo tipo de árvores formosas de ver e boas de comer; além disso, a árvore da vida no meio do parque, e a árvore de conhecer o bem e o mal.

¹⁰Em Éden nascia um rio que regava o jardim e, depois, se dividia em quatro braços: ¹¹o primeiro se chama Fison, e rodeia todo o território de Hévila, onde há ouro; ¹²o ouro do país é de qualidade, e há também ali âmbar e ônix. ¹³O segundo rio se chama Geon, e rodeia toda a Núbia. ¹⁴O terceiro se chama Tigre, e corre no leste da Assíria. O quarto é o Eufrates.

¹⁵O Senhor Deus tomou o homem e o colocou no parque de Éden, para que o guardasse e o cultivasse. ¹⁶O Senhor Deus ordenou ao homem:

– Podes comer de todas as árvores do jardim; ¹⁷mas não comas da árvore de conhecer o bem e o mal; porque, no dia em que dela comeres, terás de morrer.

¹⁸O Senhor Deus disse a si mesmo: "Não é bom que o homem esteja só; vou fazer para ele uma auxiliar que lhe corresponda".

¹⁹Então o Senhor Deus modelou de argila todas as feras selvagens e todos os pássaros do céu, e os apresentou ao homem, para ver que nome lhes daria. E cada ser vivo teria o nome que o homem lhe desse. ²⁰Assim, o homem deu nome a todos os animais domésticos, aos pássaros do céu e às feras selvagens. Mas não encontrou a auxiliar que lhe correspondia.

²¹Então o Senhor Deus lançou sobre o homem um sono profundo, e o homem adormeceu. Tirou-lhe uma costela, e a partir de dentro cresceu carne.

²²Da costela que tinha tirado do homem, o Senhor Deus formou uma mulher e a apresentou ao homem.

²³O homem exclamou:

– Esta, sim, é osso de meus ossos e carne de minha carne! Seu nome será

Isso fornece a estrutura narrativa, que se articula em vários atos: a) Iniciativa divina, benefício, dom 2,4b-15.18-25; b) Exigência divina ligada ao dom 2,16s; c) Rebeldia humana rompendo o mandamento 3,1-7; d) Interrogatório, sentença e castigo limitado 3,8-24. O estilo difere totalmente do precedente. O autor consegue sintetizar a impressão de um mundo fantástico, primigênio, com notável grandeza psicológica. É obra literária madura, provavelmente tardia (anteriormente, se costumava atribuir ao Javista e situar no século X). Vejam-se alguns dos motivos mitológicos em Ez 28,1-19.

2,5-6 Chuva ou poços: ver Dt 11,10-12.

2,7-15 Começa com o movimento clássico de libertação, "tirar de... introduzir em...". O primeiro homem é tirado da terra e levado para ser introduzido no parque expressamente plantado para ele.

2,7 Deus trabalha à maneira de oleiro, não com a mera palavra: Is 29,16; Sl 33,15; 94,9; Tb 8,6. Seu alento é princípio de vida: Jó 10,8-11; Sb 15,7-11 (cf. Zc 12,1); transforma a estátua de argila em ser vivo.

2,8 *Éden* significa delícia; é um parque de recreação. "Árvore da vida": Pr 3,18; 11,30; 13,12; 15,4. "Bem e mal": totalidade na esfera dos valores.

2,9 Pr 3,18.

2,10 Eclo 24,24-27.

2,10-14 Reúne os rios mais ilustres e caudalosos e lhes atribui um manancial único. Eclo 24,24-27 acrescenta o Nilo e o Jordão.

2,15 Síntese, antes de introduzir o tema do mandamento. Dois verbos resumem o dom: "tomar" e "colocar"; outros dois resumem a tarefa: "guardar" e "cultivar". Os primeiros são usados em contextos de restauração: do exílio ou da diáspora para a terra prometida, p. ex. Ez 36,24; 37,21; os outros dois são típicos da exortação sobre a lei, com o significado de "cumprir e servir".

2,16-17 A fórmula do mandamento: "podes..., não podes...", e a lei com cláusula penal: "serás réu de morte", procedem dos códigos israelitas, p. ex., Ex 20,9s; 21,12-17.

2,17 Dt 30,15.

2,18 Eclo 25,1-4.13-18.

2,19-20 Deus cede ao homem a tarefa de continuar dando nomes. E ele, nomeando, distingue, identifica, organiza: atividade básica da linguagem. Primeiro ato de senhorio do homem sobre o reino animal. No mesmo ato, o homem descobre sua solidão.

2,21 Jó 4,13.

2,21-22 Repete-se o esquema "tomar-levar": Deus mesmo serve de mediador, que apresenta a esposa ao esposo (*nymphagogos*, dizem os Padres gregos).

2,23 Como o homem procede da terra, *'adam* de *'adamah*, assim a Mulher-Fêmea procede do Homem, *'isshá* de *'ish*. São as primeiras palavras do homem citadas no livro: ao descobrimento e imposição do nome se acrescenta a expressão primordial da alegria; outra função da linguagem. Pr 5, 15-19.

Mulher, porque a tiraram do Homem. ²⁴Por isso, um homem abandona pai e mãe, junta-se à sua mulher, e se tornam uma só carne.

²⁵Os dois estavam nus, o homem e sua mulher, mas não sentiam vergonha.

3 ¹A serpente era o animal mais astuto de todos os que o Senhor Deus havia criado; ela disse à mulher:
– Então Deus vos disse para não comerdes de nenhuma árvore do parque?

²A mulher respondeu à serpente:
– Não! Nós podemos comer de todas as árvores do jardim; ³somente da árvore que está no meio do jardim Deus nos proibiu comer ou tocar, sob pena de morte.

⁴A serpente replicou:
– Nada de pena de morte! ⁵Acontece que Deus sabe que vossos olhos se abrirão, quando comerdes dela, e sereis como Deus, versados no bem e no mal.

⁶Então a mulher percebeu que a árvore tentava o apetite, era uma delícia de ver e desejável para adquirir discernimento. Pegou o fruto da árvore, comeu e o ofereceu ao seu marido, que comeu junto com ela.

⁷Os olhos dos dois se abriram, e descobriram que estavam nus; entrelaçaram folhas de figueira e se cingiram. ⁸Ouviram o Senhor Deus, que passeava pelo jardim na brisa do dia. O homem e sua mulher se esconderam entre as árvores do jardim, para que o Senhor Deus não os visse.

⁹Mas o Senhor Deus chamou o homem:
– Onde estás?

¹⁰Ele respondeu:
– Eu te ouvi no jardim, fiquei com medo porque estava nu, e me escondi.

¹¹O Senhor Deus lhe replicou:
– E quem te disse que estavas nu? Então comeste da árvore proibida?

¹²O homem respondeu:
– A mulher que me deste como companheira me ofereceu o fruto, e eu comi.

¹³O Senhor Deus disse à mulher:
– Que fizeste?

Ela respondeu:
– A serpente me enganou, e eu comi.

¹⁴O Senhor Deus disse à serpente:
– Por teres feito isso,
 maldita sejas tu
 entre todos os animais
 domésticos e selvagens;
tu te arrastarás sobre o ventre
 e comerás pó
 toda a tua vida;
¹⁵ponho hostilidade entre ti e a mulher,
 entre tua descendência e a dela:
esta ferirá tua cabeça
 quando tu ferires seu calcanhar.

¹⁶E disse à mulher:
– Eu te farei sofrer muito
 em tua gravidez,
 e darás à luz filhos com dor,
teu desejo te impelirá ao teu marido,
 e ele te dominará.

¹⁷E disse ao homem:
– Porque deste atenção à tua mulher
 e comeste da árvore proibida,
maldito seja o solo por tua culpa:
 dele comerás com fadiga enquanto
 viveres;

3,1 A serpente representa, nas culturas circundantes, a força hostil a Deus e a seu plano. Personificação do mal ativo, sedutor ou agressor. Ben Sirac não a menciona (Eclo 15,11-20: origem do pecado); Sb 2,24 fala da "inveja do diabo"; Ap 12,8-9 acumula nomes, identificando e interpretando: "dragão, serpente primordial, satã, diabo, acusador" ("acusador" traduz o grego *diábolos*, o qual traduz o hebraico *satan*). Além disso, o nome hebraico de serpente coincide com "vaticínio". O falso oráculo é arma da serpente contra Eva: tira a base da proibição de Deus, dando-lhe intenções escusas, promete como bem o que é mal, pois conhecer o mal por experiência é um mal. Sobre semelhante oráculo: Sl 14; Hab 2,18, "mestre de mentiras".
3,5 Ver Ex 28,2.
3,6 Referido por Paulo em 2Cor 11,3.
3,7-10 A relação mútua se turba com a vergonha, e surge o encobrimento. A relação com Deus se turba com a cautela e o medo, e acontece outro encobrimento; Ap 3,18; Eclo 23,18-19.
3,7 Gn 20,22s.
3,8 Eclo 24,18.
3,12 1Tm 2,14.
3,14-19 A sentença recolhe em ordem inversa o interrogatório; contém elementos etiológicos ou de explicação pelas causas da condição atual do homem, da mulher, da serpente. Imperará a tensão: na mulher entre desejo e submissão, no homem entre alimento e suor. A serpente venceu porque introduziu o mal: vitória limitada, porque o bem vencerá; toda a história ficará sob o signo de tal hostilidade. No hebraico o sujeito de "ferirá" é a linhagem, em latim é a mulher (*ipsa*). Mq 7,17.
3,15 Is 11,8.
3,16 Gn 25,22; 35,17s.

¹⁸para ti produzirá cardos e espinhos, e comerás erva do campo. ¹⁹Com o suor de tua fronte comerás o pão, até que voltes à terra, porque dela te tiraram; pois és pó e ao pó voltarás. ²⁰O homem chamou a sua mulher Eva*, por ser a mãe de todos os que vivem. ²¹O Senhor Deus fez túnicas de pele para o homem e sua mulher, e os vestiu. ²²E o Senhor Deus disse:

– Se o homem já é como um de nós, versado no bem e no mal, agora só lhe falta estender a mão para a árvore da vida, pegar, comer e viver para sempre.

²³E o Senhor Deus o expulsou do paraíso, para que arasse a terra de onde o havia tirado. ²⁴Expulsou o homem, e a leste do parque de Éden colocou os querubins e a espada flamejante que oscilava para fechar o caminho da árvore da vida.

4 Caim e Abel

– ¹Adão se uniu a Eva, sua mulher; ela concebeu, deu à luz Caim, e disse:

– Procriei um homem com o Senhor.

²De novo deu à luz seu irmão, Abel*. Abel era pastor de ovelhas, Caim era lavrador. ³Passado algum tempo, Caim apresentou dos frutos do campo uma oferta ao Senhor. ⁴Também Abel apresentou ofertas dos primogênitos do rebanho e da gordura. O Senhor gostou mais de Abel e de sua oferta, ⁵e menos de Caim e de sua oferta*. Caim irritou-se muito e andava cabisbaixo. ⁶O Senhor disse a Caim:

– Por que te irritas, por que andas cabisbaixo? ⁷Se procedes bem, não levantarias a cabeça? Mas se não procedes bem, o pecado espreita à porta. E embora ele te deseje, tu podes dominá-lo.

⁸Caim disse a seu irmão Abel:

– Vamos ao campo.

E quando estavam no campo, Caim lançou-se sobre seu irmão Abel e o matou. ⁹O Senhor disse a Caim:

– Onde está teu irmão Abel?

Ele respondeu:

– Não sei. Sou eu o guarda do meu irmão?

¹⁰Replicou:

– O que fizeste? A voz do sangue do teu irmão clama da terra a mim. ¹¹Por isso te amaldiçoa esta terra que abriu a garganta para receber de tua mão o sangue do teu irmão. ¹²Quando cultivares o campo, ele não te entregará sua fertilidade. Andarás errante e vagando pelo mundo.

3,18 Is 27,4.
3,19 O que é condição do homem (Eclo 17,1) se converte em condenação por seu pecado.
3,20 * Um jogo de palavras liga o nome de Eva à raiz de viver, *hwh* (= vitalidade).
3,22 Ap 22,2.
3,23 A sentença de morte é comutada em desterro perpétuo do paraíso. Como reminiscência mítica, ver Ez 28,12-19; poderia haver uma projeção da experiência do exílio. No trabalho árduo, o homem começa a voltar a seu lugar de origem, não mais como simples dominador.
4,1-16 Depois do pecado "original" de Adão e Eva, rebelião contra o mandamento divino, segue-se o pecado "original" de Caim, de lesa-fraternidade, contra a célula social. O relato repete sete vezes a palavra "irmão", no centro, quando Deus interroga.
4,1-5 Se dois se convertiam em um pelo amor conjugal, a fecundidade multiplica e com a fraternidade introduz a diferenciação. Diferença de cultura: lavrador e pastor; diferença consequente de culto, segundo as oferendas; diferença na preferência divina. O hebraico emprega o modismo sim/não para indicar comparação, preferência (cf. Dt 21,15; Lc 14,26).
4,2 * = *Hebel* = Sopro. Gn 2,15; 3,17.
4,5 * Semitismo: afirmação + negação = comparação "mais do que".
4,6-7 Deus intervém, fazendo o inexperiente Caim compreender o que lhe acontece e ameaça: o rancor é como um animal à espreita, junto à porta de entrada e saída, que intenta apoderar-se do homem; o homem pode e deve submetê-lo. Se Deus oferece a sua palavra a Caim, é porque não o rejeitou, é porque deseja salvar a fraternidade.
4,7 Gn 3,16; Eclo 27,10; Rm 6,12.14.
4,8 Caim não escuta, e a morte entra na humanidade pela porta do ódio: Sb 2,24.
4,9-12 Interrogatório e sentença. Do capítulo 3 se repetem as perguntas "onde estás, que fizeste" e a sentença que comuta a pena de morte em desterro perpétuo. Quando se comete um crime, a vítima ou seu defensor clamam, pedindo justiça; morta a vítima e na falta de defensor humano, o sangue derramado "clama ao céu", pedindo justiça (Jó 16,18; Hb 12,24).
Caim renega seu ofício fundamental: como irmão e por ser mais velho, tinha que respeitar e guardar a vida do seu irmão. O solo, que bebeu o sangue do fratricídio, o maldiz, o expulsa, nega-lhe fertilidade, e o mundo se transforma no espaço do seu eterno vagar.

¹³Caim respondeu ao Senhor:
– Minha culpa é demasiado grave para suportá-la. ¹⁴Se hoje me expulsas da superfície da terra e tenho de me ocultar de tua presença, andarei errante e vagando pelo mundo, e quem me encontrar me matará.
¹⁵O Senhor lhe respondeu:
– Não é assim. Quem matar Caim pagará multiplicado por sete.
E o Senhor marcou Caim, para que não fosse morto por quem o encontrasse. ¹⁶Caim se afastou da presença do Senhor e habitou Eres Nod*, a leste de Éden.

Cainitas: origem da cultura (1Cr 1,2-4; Eclo 44,16; 49,16) – ¹⁷Caim se uniu à sua mulher, que concebeu e deu à luz Henoc. Caim edificou uma cidade e lhe deu o nome de seu filho, Henoc.
¹⁸Henoc gerou Irad, Irad a Maviael, este a Matusael, e este a Lamec.
¹⁹Lamec tomou duas mulheres, uma chamada Ada, outra chamada Sela. ²⁰Ada deu à luz Jabel, o antepassado dos pastores nômades; ²¹seu irmão se chamava Jubal, o antepassado dos que tocam cítara e flauta.
²²Sela, por sua vez, deu à luz Tubalcaim, forjador de ferramentas de bronze e de ferro; teve uma irmã que se chamava Noema*.
²³Lamec disse a Ada e a Sela, suas mulheres:
– Escutai-me, mulheres de Lamec,
  prestai atenção às minhas palavras:
Por uma ferida matarei um homem,
  um jovem por uma cicatriz.
²⁴Se a vingança de Caim valia por sete,
  a de Lamec valerá por setenta e sete.

Setitas – ²⁵Adão uniu-se outra vez à sua mulher, que concebeu, deu à luz um filho e o chamou Set, pois disse:
– Deus me deu outro descendente em troca de Abel, assassinado por Caim.
²⁶Também Set teve um filho, que se chamou Enós, o primeiro que invocou o nome do Senhor.

5 ¹Lista dos descendentes de Adão. Quando o Senhor criou o homem, ele o fez à sua própria imagem, ²homem e mulher os criou, os abençoou e os chamou Adão* ao criá-los.
³Quando Adão completou cento e trinta anos, gerou à sua imagem e semelhança e deu o nome de Set a seu filho; ⁴depois viveu oitocentos anos, gerou filhos e filhas, ⁵e morreu com a idade de novecentos e trinta anos.
⁶Set tinha cento e cinco anos quando gerou Enós; ⁷depois viveu oitocentos e sete anos, gerou filhos e filhas, ⁸e morreu com a idade de novecentos e doze anos.
⁹Enós tinha noventa anos quando gerou Cainã; ¹⁰depois viveu oitocentos e quinze anos, gerou filhos e filhas, ¹¹e morreu com a idade de novecentos e cinco anos.
¹²Cainã tinha setenta anos quando gerou Malaleel; ¹³depois viveu oitocentos e quarenta anos, gerou filhos e filhas, ¹⁴e morreu com a idade de novecentos e dez anos.
¹⁵Malaleel tinha sessenta e cinco anos quando gerou Jared; ¹⁶depois viveu oito-

---

4,13-15 Oprimido pelo delito, rechaçado por Deus, expulso da terra fértil, ameaçado de morte. Ele deu início à violência. Quem poderá detê-la? Deus, que não quer a morte (cf. 2Sm 14).
4,15 Marca de pertença, de proteção. Sl 79,10-12.
4,16 * = Terra errante.
4,17-24 Nova tradição apresenta Caim como pai da cultura: do ferreiro, *homo faber*; do músico, *homo ludens*; da cidade, *homo politicus*. A cultura é ambígua: fabrica ferramentas úteis e armas mortíferas, inventa a música com que se canta a vingança.
4,22 * = Preciosa. Eclo 38,28.
4,23-24 Lamec introduz a poligamia, proclama a lei da vingança, inaugura a espiral da violência; corrigida em Mt 18,22.
4,25-26 Surge outro ramo, o *homo religiosus*, que invoca *Yhwh* Senhor. Outro irmão ocupa o lugar de Abel.

5,1-3 A dignidade de ser imagem vivente de Deus é compartilhada igualmente por Adão e Eva, que recebem de Deus o nome comum "Adão". E Adão transmite por geração a sua semelhança divina e sucede a Deus no ofício de impor nome.
5,1-32 Liga-se a 2,4a: aludindo ao episódio de Caim e omitindo sua descendência, apoia a terceira geração em Set. Com dez nomes, de dez gerações, mede-se a história desde o começo da humanidade até o dilúvio. As idades legendárias não chegam nem de longe aos vinte e oito mil anos de alguns reis da lenda acádica; embora superem o que dizem a experiência e a paleontologia.
Os números servem para esquematizar um processo: antes do dilúvio os homens eram longevos; depois, pelo pecado, a bênção divina se enfraquece.
5,1 1Cr 1,1-4.
5,2 * = Homem. Gn 1,25.
5,6 Também *Enós* significa homem.

centos e trinta anos, gerou filhos e filhas, ¹⁷e morreu com a idade de oitocentos e noventa e cinco anos.

¹⁸Jared tinha cento e sessenta e dois anos quando gerou Henoc; ¹⁹depois viveu oitocentos anos, gerou filhos e filhas, ²⁰e morreu com a idade de novecentos e sessenta e dois anos.

²¹Henoc tinha sessenta e cinco anos quando gerou Matusalém; ²²Henoc conversava com Deus. Depois de nascer Matusalém, viveu trezentos anos, gerou filhos e filhas; ²³viveu um total de trezentos e sessenta e cinco anos. ²⁴Henoc conversava com Deus, e depois desapareceu, porque Deus o levou.

²⁵Matusalém tinha cento e oitenta e sete anos quando gerou Lamec; ²⁶depois viveu setecentos e oitenta e dois anos, gerou filhos e filhas, ²⁷e morreu com a idade de novecentos e sessenta e nove anos.

²⁸Lamec tinha cento e oitenta e dois anos quando gerou um filho, ²⁹e lhe deu o nome de Noé, pois disse:

– Aliviou nossas tarefas e trabalhos na terra que o Senhor amaldiçoou.

³⁰Depois viveu quinhentos e noventa e cinco anos, gerou filhos e filhas, ³¹e morreu com a idade de setecentos e setenta e sete anos.

³²Noé tinha quinhentos anos quando gerou Sem, Cam e Jafé.

6 Pecado: dilúvio (Eclo 44,17s)

– ¹Quando os homens foram se multiplicando sobre a terra e geraram filhas, ²os filhos de Deus viram que as filhas do homem eram belas, escolheram algumas como esposas e as levaram. ³Mas o Senhor disse a si mesmo:

– Meu alento não durará para sempre no homem; visto que é de carne, não viverá mais que cento e vinte anos.

⁴Naquele tempo – isto é, quando os filhos de Deus se uniram com as filhas do homem e geraram filhos – habitavam a terra os gigantes (trata-se dos famosos heróis de outrora).

⁵O Senhor, ao ver que na terra crescia a maldade do homem e que toda a sua atitude

---

5,22-24 Henoc ocupa lugar à parte: vive em anos do que o ano tem de dias. A sua vida transcorre plena da amizade com Deus; no final, Deus mesmo o leva. Esta notícia bíblica acendeu a fantasia de autores tardios, que converteram Henoc em depositário de saberes arcanos.
Veja Eclo 44,16 e 49,14.
5,24 2Rs 2,1-24.
5,28 Gn 3,17-19.
6-9 *O dilúvio.* Imaginemos que alguém toma dois fios de duas cores e os trança irregularmente: a cor de cada um irá aparecendo e se retirando. Algo assim fez o autor final deste relato: manejou duas tradições paralelas, unindo-as em relato continuado, sem uniformizá-las. A comparação é só aproximada, porque o autor cortou segmentos de uma ou de outra, recolheu ou acrescentou glosas que explicam ou amplificam. O autor adapta à sua visão relatos de dilúvio de outras culturas: Gilgamesh, Ziusudra. Na tradução seguimos a forma atual do texto bíblico. Se o leitor quer seguir separadamente os dois relatos, aqui vai uma divisão provável, admitida por muitos. Na teoria das fontes, as versões pertencem ao Javista (J) e ao Sacerdotal (P):
J 6,5-8 / 7,1-5 / 7 (8-9) 10 / 12 / 16b / 17b / 22-23.
P 6,9-22 / 7,6 / 11 / 13-16a / 17a / 18-21 / 24.
J 8,2b-3a / 6 (7) 8-12 / 13b / 20-22 / 9,18-27.
P 8,1-2a / 3b-5 / 13a / 14-19 / 9,1-17 / 28-29.
O chamado Javista escreve um verdadeiro relato, com um protagonista humano e um deus antropomórfico. Discorre com simplicidade linear: prólogo celeste, ira de Deus, ordem de entrar na arca e execução, dilúvio, exploração da pomba, sacrifício e reconciliação. O chamado Sacerdotal estiliza a narração, usa classificações e números, mistura o esquematismo com o afã pelo detalhe técnico; só ao descrever o dilúvio consegue certa plasticidade.
6,1 Sl 29,1; Jó 1,6.
6,1-4 Estes versos continuam sendo um enigma. "Filhos de Deus" são as divindades subordinadas, seres divinos, anjos, seres sobre-humanos (Sl 29; Jó 1,6); contrapõem-se às moças simplesmente humanas. Pelo que conhecemos de outras culturas, semelhante união seria a origem dos semideuses ou heróis de antigamente (cf. Ez 32,27). Em contexto de mitologia grega, suponhamos, a notícia não nos estranharia; mas aqui... De onde procede esta tradição? Por que o autor a recolheu? Que pretende dizer com ela? O enigma suscitou interpretações variadas, desejosas de tornar aceitável a notícia: nobres com plebeias, filhos de Set com filhas de Caim... Por ora, é melhor confessar nossa ignorância.
6,3 Sl 104,29.
6,4 Br 3,26s.
6,5 Sl 14,2s.
6,5-8 O que Deus vê, sente e diz é a chave teológica de todo o relato: uma visão pessimista de toda a humanidade, uma crise fatal que é preciso superar com uma intervenção extraordinária. Deus penetra no coração do homem (Pr 15,11) e descobre aí a raiz viciada de pecados que se multiplicam: "toda, sempre". Como se descobrisse um defeito de fabricação, de "modelagem" (etimologia da palavra hebraica para atitude, mentalidade).

era sempre perversa, ⁶arrependeu-se de ter criado o homem na terra, e seu coração se afligiu. ⁷E disse:

– Apagarei da superfície da terra o homem que criei; o homem com os quadrúpedes, répteis e aves, pois me arrependo de tê-los feito.

⁸Mas Noé alcançou o favor do Senhor.

Noé e a arca – ⁹Descendentes de Noé: Em sua época, Noé foi um homem reto e honrado, e conversava com Deus, ¹⁰e gerou três filhos: Sem, Cam e Jafé.

¹¹A terra estava corrompida diante de Deus e cheia de crimes. ¹²Deus viu a terra corrompida, porque todos os viventes da terra tinham-se corrompido em seu comportamento.

¹³O Senhor disse a Noé:

– Vejo que tudo o que vive tem de terminar, pois por sua culpa a terra está cheia de crimes; vou exterminá-los com a terra. ¹⁴Quanto a ti, fabrica uma arca de madeira resinosa com compartimentos, e calafeta-a por dentro e por fora. ¹⁵Suas dimensões serão: cento e cinquenta metros de comprimento, vinte e cinco de largura e quinze de altura. ¹⁶Faze uma claraboia a meio metro do remate; uma porta lateral e três andares sobrepostos. ¹⁷Vou enviar à terra o dilúvio, para que extermine todo vivente que respira sob o céu; tudo o que há na terra perecerá. ¹⁸Mas faço uma aliança contigo: entra na arca com tua mulher, teus filhos e com as mulheres deles. ¹⁹Toma um casal de cada vivente, isto é, macho e fêmea, e ponha-o na arca, para que contigo conserve a vida: ²⁰pássaros por espécies, quadrúpedes por espécies, répteis por espécies; de cada uma entrará contigo um casal para conservar a vida. ²¹Recolhe todo tipo de alimentos e armazena-os para ti e para eles.

²²Noé fez tudo o que Deus lhe mandou.

7 Noé entra na arca – ¹O Senhor disse a Noé:

– Entra na arca com toda a tua família, pois tu és o único homem honrado que encontrei em tua geração. ²De cada animal puro, toma sete casais, macho e fêmea; dos impuros, um casal, macho e fêmea; ³e o mesmo dos pássaros, sete casais, macho e fêmea, para que conservem a espécie na terra. ⁴Dentro de sete dias farei chover sobre a terra por quarenta dias com suas noites, e apagarei da face da terra todos os seres que criei.

⁵Noé fez tudo o que o Senhor lhe mandou. ⁶Noé tinha seiscentos anos quando o dilúvio caiu sobre a terra.

⁷Noé entrou na arca com seus filhos, mulher e noras, refugiando-se do dilúvio. ⁸Dos animais puros e impuros, das aves e répteis, ⁹entraram casais na arca, atrás de Noé, conforme Deus havia mandado.

¹⁰Depois de sete dias veio o dilúvio sobre a terra. ¹¹Noé tinha seiscentos anos quando rebentaram as fontes do oceano e se abriram as comportas do céu. Era exatamente o dia dezessete do segundo mês.

¹²Choveu sobre a terra quarenta dias com suas noites. ¹³Naquele mesmo dia, Noé entrou na arca com seus filhos Sem, Cam e Jafé, sua mulher, suas três noras, ¹⁴e também animais de todos os tipos: qua-

---

Com o antropomorfismo o autor nos apresenta um Deus que não é indiferente nem neutro, que sente e participa como pessoa, que sofre contemplando sua criação boa perturbada pelo homem mau. "Apagar" é o contrário de criar: sem seres humanos, o mundo voltará a ser bom? (Sl 104,35).
6,6 1Sm 15,35.
6,7 Sf 1,2s.
6,8 O monossílabo hebraico para "favor", inversão fonética das consoantes de "Noé", encerra toda a salvação, e a concentra por ora num homem com sua família, porque Noé preserva toda a honradez (7,1).
6,11-13 Corrupção e castigo – o mesmo verbo em hebraico – se estendem aos animais e à terra (cf. Sf 1,2-3).
6,17 Segundo Gn 1, distinção e separação são princípio de ordem: águas superiores e inferiores, mares e continentes, vida por espécies. A ordem vai se romper: as águas de cima caem e se confundem com as de baixo, sua massa cobre os continentes, perece toda a vida. Volta o caos primordial. Sl 29,10.
6,18 "Aliança" em sentido restrito de promessa ou compromisso unilateral. Is 54,9.
6,19-20 O centro da salvação é Noé. Espécies diferenciadas, casais fecundos, sob a soberania do homem, vão alojar-se no microcosmo da salvação, que consta de três andares, como o universo.

7,1 Jr 5,1.
7,2-3 Os animais puros servirão para sacrifícios. Toda a alimentação se supõe vegetariana.
7,10 Is 24,18.
7,11 De cima do firmamento (1,6s) as águas superiores, de baixo o oceano hostil e turbulento.

quadrúpedes por espécies, répteis por espécies e aves por espécies (pássaros de toda plumagem); ¹⁵com Noé entraram na arca casais de todos os viventes que respiram, ¹⁶entraram macho e fêmea de cada espécie, como Deus havia mandado. E o Senhor fechou a arca por fora.

¹⁷O dilúvio caiu durante quarenta dias sobre a terra. Ao crescer, a água levantou a arca, de modo que estava mais alta que o solo.

Dilúvio – ¹⁸A água se avolumava e crescia enormemente sobre a terra, e a arca flutuava sobre a água; ¹⁹a água crescia cada vez mais sobre a terra, até cobrir as montanhas mais altas debaixo do céu; ²⁰a água alcançou a altura de sete metros e meio acima das montanhas.

²¹E pereceram todos os seres vivos que se movem sobre a terra: aves, animais domésticos e feras e tudo o que fervilha na terra; e todos os homens. ²²Tudo o que respira pelo nariz com alento de vida, tudo o que havia na terra firme morreu. ²³Ficou apagado tudo o que se ergue sobre o solo; homens, animais, répteis e aves do céu foram apagados da terra; só ficou Noé e os que estavam com ele na arca.

²⁴A água dominou sobre a terra cento e cinquenta dias.

8 **Fim do dilúvio** – ¹Então Deus se lembrou de Noé e de todas as feras e animais domésticos que estavam com ele na arca; fez soprar o vento sobre a terra, e a água começou a baixar; ²fecharam-se as fontes do oceano e as comportas do céu, e cessou a chuva do céu. ³A água foi-se retirando da terra e diminuiu, de modo que, aos cento e cinquenta dias, ⁴no dia dezessete do sétimo mês, a arca encalhou nos montes de Ararat.

⁵A água foi diminuindo até o décimo mês, e no dia primeiro desse mês apareceram os picos das montanhas. ⁶Passados quarenta dias, Noé abriu a claraboia que havia feito na arca ⁷e soltou o corvo, que voou de um lado para outro, até que secou a água na terra. ⁸Depois, soltou a pomba, para ver se a água havia diminuído sobre a superfície. ⁹Não encontrando onde pousar, a pomba voltou à arca com Noé, porque ainda havia água sobre a superfície. Noé estendeu o braço, pegou-a e colocou-a consigo na arca.

¹⁰Esperou mais sete dias, e de novo soltou a pomba fora da arca; ¹¹ela voltou ao entardecer com uma folha de oliveira no bico. Noé compreendeu que a água sobre a terra tinha-se escoado; ¹²esperou mais sete dias, e soltou a pomba, que não voltou mais.

¹³No ano seiscentos e um, no primeiro dia do primeiro mês, secou-se a água na terra. Noé abriu a claraboia da arca, olhou e viu que a superfície estava seca; ¹⁴no dia vinte e sete do segundo mês, a terra estava seca.

Noé sai da arca – ¹⁵Então Deus disse a Noé:

– ¹⁶Sai da arca com teus filhos, tua mulher e tuas noras; ¹⁷todos os seres vivos que estavam contigo, todos os animais, aves, quadrúpedes ou répteis, faze-os sair contigo, para que povoem a terra, cresçam e se multipliquem na terra.

¹⁸Saiu então Noé com seus filhos, sua mulher e suas noras; ¹⁹e todos os animais, quadrúpedes, aves e répteis saíram da arca por grupos.

²⁰Noé construiu um altar ao Senhor, pegou animais e aves de toda espécie pura, e os ofereceu em holocausto sobre o altar. ²¹O Senhor respirou o perfume que aplaca e disse a si mesmo:

7,16 Is 26,20s.
7,17 Sb 10,4.
7,18-20 Desaparece sob as águas a terra firme e só emerge a arca portadora de salvação (Sb 14,6).
7,19 Sl 104,6.
7,21-23 Os seres vivos são a "plenitude", o que enche a terra (Sl 98,7; Is 45,18).
8,1 Ez 14,14.
8,1-12 Começa a inverter-se o processo para uma re-criação da ordem. Sopra o vento (1,2), separam-se as águas inferiores e superiores (1,7), aparecem a terra firme (1,9) e as plantas (1,11); as aves voltam ao seu elemento (1,20), e o homem sai para repovoar a terra (1,28).
8,8-12 A pomba com o ramo de oliveira foi promovida a símbolo universal.
8,14 É a data do começo de uma nova era, definida por Noé: começa o sétimo século de sua vida.
8,15-17 Como num êxodo antecipado, Noé tem de sair e fazer sair, contando com a bênção fecundadora de Deus.
8,20-22 A nova era se inaugura com o sacrifício copioso oferecido ao Senhor; e este responde com uma promessa. O ritmo das estações, dias e noites será sinal de ordem e estabilidade (1,14-18).

— Não voltarei a amaldiçoar a terra por causa do homem. Sim, o coração do homem se perverte desde a juventude; mas não voltarei a matar os viventes como acabo de fazer.
²²Enquanto durar a terra,
não faltarão
semeadura e colheita,
frio e calor,
verão e inverno, dia e noite.

9 Aliança de Deus com Noé – ¹Deus abençoou Noé e seus filhos, dizendo-lhes:

— Crescei, multiplicai-vos
e enchei a terra.
²Todos os animais da terra
vos temerão e respeitarão:
aves do céu, répteis do solo,
peixes do mar, estão em vosso poder.
³Tudo o que vive e se move
vos servirá de alimento:
eu os entrego a vós,
bem como os vegetais.
⁴Mas não comais carne
com sangue, que é sua vida.
⁵Pedirei contas
de vosso sangue e vida,
eu as pedirei a qualquer animal;
e ao homem pedirei contas
da vida de seu irmão.
⁶Se alguém derrama o sangue
de um homem,
outro homem derramará seu sangue;
porque Deus fez o homem
à sua imagem.
⁷Quanto a vós, crescei e multiplicai-vos,
povoai a terra e dominai-a.
⁸Deus disse a Noé e a seus filhos:
— ⁹Eu faço uma aliança convosco e com vossos descendentes, ¹⁰com todos os animais que vos acompanharam: aves, animais e feras; com todos os que saíram da arca e agora vivem na terra. ¹¹Faço uma aliança convosco: o dilúvio não voltará a destruir a vida, nem haverá outro dilúvio que devaste a terra.
¹²E Deus acrescentou:
— Este é o sinal da aliança que faço convosco e com tudo o que vive convosco, para todas as gerações: ¹³porei meu arco no céu, como sinal de minha aliança com a terra. ¹⁴Quando eu enviar nuvens sobre a terra, o arco aparecerá nas nuvens, ¹⁵e recordarei minha aliança convosco e com todos os animais, e o dilúvio não voltará a destruir os viventes. ¹⁶Aparecerá o arco nas nuvens e, ao vê-lo, recordarei minha aliança perpétua: aliança de Deus com todos os seres vivos, com tudo o que vive na terra.
¹⁷Deus disse a Noé:
— Este é o sinal da aliança que faço com tudo o que vive na terra.

Os filhos de Noé – ¹⁸Os filhos de Noé que saíram da arca eram Sem, Cam e Jafé (Cam é antepassado de Canaã). ¹⁹São esses

---

8,22 Jr 31,35s.
9,1 Deus renova a bênção da fecundidade (Gn 1,28) e o senhorio do homem (Gn 1,29-30).
9,2-9 Na segunda era mudam algumas condições de vida. O domínio do homem sobre os animais se baseará no temor, porque o homem começará a alimentar-se de animais (contra 1,29). Deus reserva para si a soberania sobre a vida e, em prova disso, reserva para si o sangue, que é sede da vida (Lv 17,10-12).
9,2 Sl 8,7-9.
9,3 At 10,11-16.
9,4 Lv 17,11-14.
9,5 Gn 4,10.
9,6 Ex 21,23-25.
9,10-17 Segundo a teoria das fontes, o autor Sacerdotal (P) marca a sua história com três grandes alianças ou compromissos de Deus, cada qual com seu sinal. A primeira é com Noé e seu sinal é cósmico, o arco-íris (Is 54,9); a segunda com Abraão, e seu sinal é a circuncisão; a terceira com Moisés, e seu sinal é o sábado.

Deus tem suas armas, que são os meteoros (Eclo 39,28-30), empunha seu arco (Hab 3,9), dispara suas flechas (Sl 18,15). Terminada sua ação punitiva, solta o arco e o coloca em lugar bem visível, para demonstrar suas intenções pacíficas. Assim começa a nova era: o cósmico, arco-íris; o biológico, fecundidade; o histórico, aliança; o cultual, sangue; fundem-se todos numa dimensão universal.
9,12 Eclo 43,11s.
9,16 Is 24,5.
9,18-29 O relato combina dois temas. Um é a invenção do vinho, cujo uso, como o da carne, começa depois do dilúvio. O vinho é ambíguo: alegra (Pr 31,6s; Eclo 40,20), mas descobre e expõe à vergonha (Eclo 31,25-31). Outro tema é a bênção e maldição de povos diversos. Como o original falava logicamente de Cam, um autor introduziu artificialmente Canaã, o povo que será desalojado pelos israelitas: essa "antiga" maldição justifica a expropriação e a expulsão. No despudor de Cam, o narrador projeta a licenciosidade sexual dos cananeus (Lv 18,24-30).

os três filhos de Noé que se propagaram por toda a terra. ²⁰Noé, que era lavrador, foi o primeiro que plantou uma vinha. ²¹Bebeu o vinho, embriagou-se e ficou nu dentro de sua tenda. ²²Cam (antepassado de Canaã) viu a nudez de seu pai e saiu para contá-lo a seus irmãos. ²³Sem e Jafé pegaram uma capa, jogaram-na sobre os ombros e, caminhando de costas, cobriram a nudez de seu pai. De costas, não viram a nudez de seu pai. ²⁴Quando passou a embriaguez de Noé, e ele tomou conhecimento do que fizera seu filho menor, ²⁵disse:

– Maldito Canaã! Seja servo dos servos de seus irmãos.

²⁶E acrescentou:

– Sejam abençoadas pelo Senhor as tendas de Sem! Canaã será seu servo*. ²⁷Que Deus dilate Jafé, e ele habite nas tendas de Sem. Canaã será seu servo.

²⁸Após o dilúvio, Noé viveu trezentos e cinquenta anos, ²⁹e morreu com a idade de novecentos e cinquenta.

10 Noequitas: tábua dos povos (1Cr 1,5-23) –

¹Descendentes dos três filhos de Noé – Sem, Cam e Jafé –, nascidos depois do dilúvio.

²Descendentes de Jafé: Gomer, Magog, Madai, Javã, Tubal, Mosoc, Tiras. ³Descendentes de Gomer: Asquenez, Rifat e Togorma. ⁴Descendentes de Javã: alácios, Társis, ceteus, rodenses.

⁵Até aqui os descendentes de Jafé; deles se separaram os povos marítimos, cada um com terra e língua próprias, por famílias e povos.

⁶Descendentes de Cam: Cuch, Egito, Fut, Canaã. ⁷Descendentes de Cuch: Sabá, Hévila, Sabata, Reema, Sabataca. Descendentes de Reema: Sabá, Dadã. ⁸Cuch gerou Nemrod, o primeiro soldado do mundo; ⁹foi, segundo o Senhor, um intrépido caçador, daí o dito: "intrépido caçador, segundo o Senhor, como Nemrod".

¹⁰As capitais de seu reino foram Babel, Arac, Acad e Calno, no território de Senaar. ¹¹Daí procede Assur, que construiu Nínive, Reobot-Ir, Cale ¹²e Resen, entre Nínive e Cale; esta última é a maior.

¹³Egito gerou os lídios, anamitas, laabitas, naftuítas, ¹⁴patrositas, casluítas e cretenses, dos quais procedem os filisteus.

¹⁵Canaã gerou Sídon, seu primogênito, Het ¹⁶e também os jebuseus, amorreus, gergeseus, ¹⁷heveus, arquitas, sinitas, ¹⁸arvadeus, semareus e emateus. Depois se dividiram as famílias de Canaã; ¹⁹o território cananeu estendia-se desde Sidônia até Gerara e Gaza; seguindo depois por Sodoma, Gomorra, Adama e Seboim, junto a Lesa.

²⁰Até aqui os filhos de Cam, por famílias e línguas, territórios e nações.

²¹Também gerou filhos Sem, irmão mais velho de Jafé, e pai dos hebreus. ²²Descendentes de Sem: Elam, Assur, Arfaxad, Lud e Aram.

²³Descendentes de Aram: Hus, Hul, Geter e Mes.

²⁴Arfaxad gerou Salé, e este gerou Héber. ²⁵Héber gerou dois filhos: um se chamou Faleg*, pois em seu tempo se dividiu a terra; seu irmão se chamou Jectã.

²⁶Jectã gerou Elmodad, Salef, Asarmot, Jaré, ²⁷Aduram, Uzal, Decla, ²⁸Ebal, Abimael, Sabá, ²⁹Ofir, Hévila e Jobab: todos descendentes de Jectã. ³⁰Seu território se estendia desde Mesa até Sefar, a montanha oriental.

9,20 Is 65,21.
9,22 Ex 20,26.
9,23 Eclo 3,10.
9,25 Dt 30,15.
9,26 * Texto hebraico corrigido.
10,1-32 O capítulo combina duas listas de povos: uma esquemática e regular, outra irregular, com nomes e notícias. Ao uni-las, o autor procurou manter a divisão tripartida, mas desvirtuou o esquema. Jafé corresponde aproximadamente a povos europeus; Cam agrupa povos da África, especialmente Egito (inclui forçosamente Canaã); Sem reúne os semitas. A lista contém muitos dados corretos e um agrupamento simplificado; transforma artificialmente a etnografia em genealogia, segundo o modo de pensar hebraico.
A lista corresponde aproximadamente à visão bíblica da chegada dos israelitas: um império egípcio com súditos e aliados, ondas de povos do mar procedentes da Europa, ondas de arameus do deserto. Mas ultrapassa o triângulo. O autor condensa numa página o maravilhoso crescer da família de Noé, até "encher a terra" com sua variedade. Algumas identificações prováveis. Gomer: quimérios ou cimérios. Madai: medos. Javã: jônios ou gregos. Mosoc: moscos. Alácios: cipriotas. Társis: tartesos. Cuch: núbios. Het: heteus ou hititas.
10,25 * = Divisão.

³¹Até aqui os descendentes de Sem, por famílias, línguas, territórios e nações. ³²Até aqui as famílias descendentes de Noé, por nações; delas se ramificaram as nações do mundo depois do dilúvio.

11 A torre de Babel (At 2,1-11) – ¹O mundo inteiro falava a mesma língua com as mesmas palavras. ²Ao emigrar do oriente, encontraram uma planície no país de Senaar, e aí se estabeleceram. ³E disseram uns aos outros:
– Vamos preparar tijolos e cozê-los (usando tijolos em vez de pedras, e betume em vez de cimento).
⁴E disseram:
– Vamos construir uma cidade e uma torre que alcance o céu, para nos tornarmos famosos e para não nos dispersarmos pela superfície da terra.
⁵O Senhor desceu para ver a cidade e a torre que os homens estavam construindo; ⁶e disse a si mesmo:
– São um só povo com uma só língua. Se isso não é mais que o começo de sua atividade, nada do que decidirem fazer lhes será impossível. ⁷Vamos descer e confundir sua língua, de modo que um não entenda a língua do outro.
⁸O Senhor os dispersou pela superfície da terra, e pararam de construir a cidade. ⁹Por isso se chama Babel, porque aí o Senhor confundiu a língua de toda a terra, e daí os dispersou pela superfície da terra.

Semitas (1Cr 1,24-27) – ¹⁰Descendentes de Sem:

Sem tinha cem anos quando gerou Arfaxad, dois anos depois do dilúvio; ¹¹depois viveu quinhentos anos, e gerou filhos e filhas.
¹²Arfaxad tinha trinta e cinco anos quando gerou Salé; ¹³depois viveu quatrocentos e três anos, e gerou filhos e filhas.
¹⁴Salé tinha trinta anos quando gerou Héber; ¹⁵depois viveu quatrocentos e três anos, e gerou filhos e filhas.
¹⁶Héber tinha trinta e quatro anos quando gerou Faleg; ¹⁷depois viveu quatrocentos e trinta anos, e gerou filhos e filhas.
¹⁸Faleg tinha trinta anos quando gerou Reu; ¹⁹depois viveu duzentos e nove anos, e gerou filhos e filhas.
²⁰Reu tinha trinta e dois anos quando gerou Sarug; ²¹depois viveu duzentos e sete anos, e gerou filhos e filhas.
²²Sarug tinha trinta anos quando gerou Nacor; ²³depois viveu duzentos anos, e gerou filhos e filhas.
²⁴Nacor tinha vinte e nove anos quando gerou Taré; ²⁵depois viveu cento e dezenove anos, e gerou filhos e filhas.
²⁶Taré tinha setenta anos quando gerou Abrão, Nacor e Arã.
²⁷Descendentes de Taré: Taré gerou Abrão, Nacor e Arã; Arã gerou Ló.
²⁸Arã morreu quando seu pai Taré ainda vivia em sua terra natal, em Ur dos caldeus.
²⁹Abrão e Nacor casaram: a mulher de Abrão se chamava Sarai; a mulher de Nacor chamava-se Melca, filha de Arã, pai de Melca e de Jesca.
³⁰Sarai era estéril e não tinha filhos.

10,32 Noé como patriarca universal.
11,1-9 Vários temas se mesclam neste breve e famoso relato. Um eco da rebelião dos titãs que tentaram escalar o céu; uma etiologia sobre a multiplicidade atual de línguas; uma crítica política. As línguas se multiplicam como castigo de Deus, para que os homens não se entendam em seus planos soberbos – paronomásia popular com o nome de Babel. A cultura urbana, que poderia ser centro de convivência pacífica, desperta o desejo de domínio imperialista – crítica a Babilônia. A pirâmide sagrada ou zigurate, vista como a torre do assalto humano ao céu; mas que não chega, de modo que Deus deve descer para vê-la. A subida acaba em caída, a concentração em dispersão, o nome famoso em nome infamante. A maldição será anulada no dia de Pentecostes (At 2).
11,6 Soa em contraponto um sonho que um dia poderia ser esperança: um povo, uma língua, um empreendimento, e o poder humano cresce maravilhosamente. Mas não quando a soberba o corrompe.

11,7 Is 33,19.
11,9 Sl 12,4s.
11,9 Para os babilônios *Bab-ilanu* é Porta dos deuses; o autor lhe dá uma interpretação maliciosa.
11,10 Arfaxad: nome utilizado na ficção de Judite.
11,10-28 O relato abandona a humanidade dispersa, plural, para seguir o processo de uma linha genealógica. Liga-se pelo tema com Gn 5,32, mas usando outro formulário. Alguns nomes correspondem a topônimos.
Em dez gerações se desce desde Sem até Abraão, sem ramificações. A soma de anos dá 292, o que faz de Sem e Noé contemporâneos anciãos de um Abraão jovem.
11,16 Héber, antepassado dos hebreus.
11,29-30 Todo o impulso das gerações parece quebrar-se ao chegar a Abraão. Seu irmão morre deixando um filho. Das mulheres apenas Sarai é estéril: a primeira mulher estéril desde o começo. Vai interromper-se o livro das "gerações"?

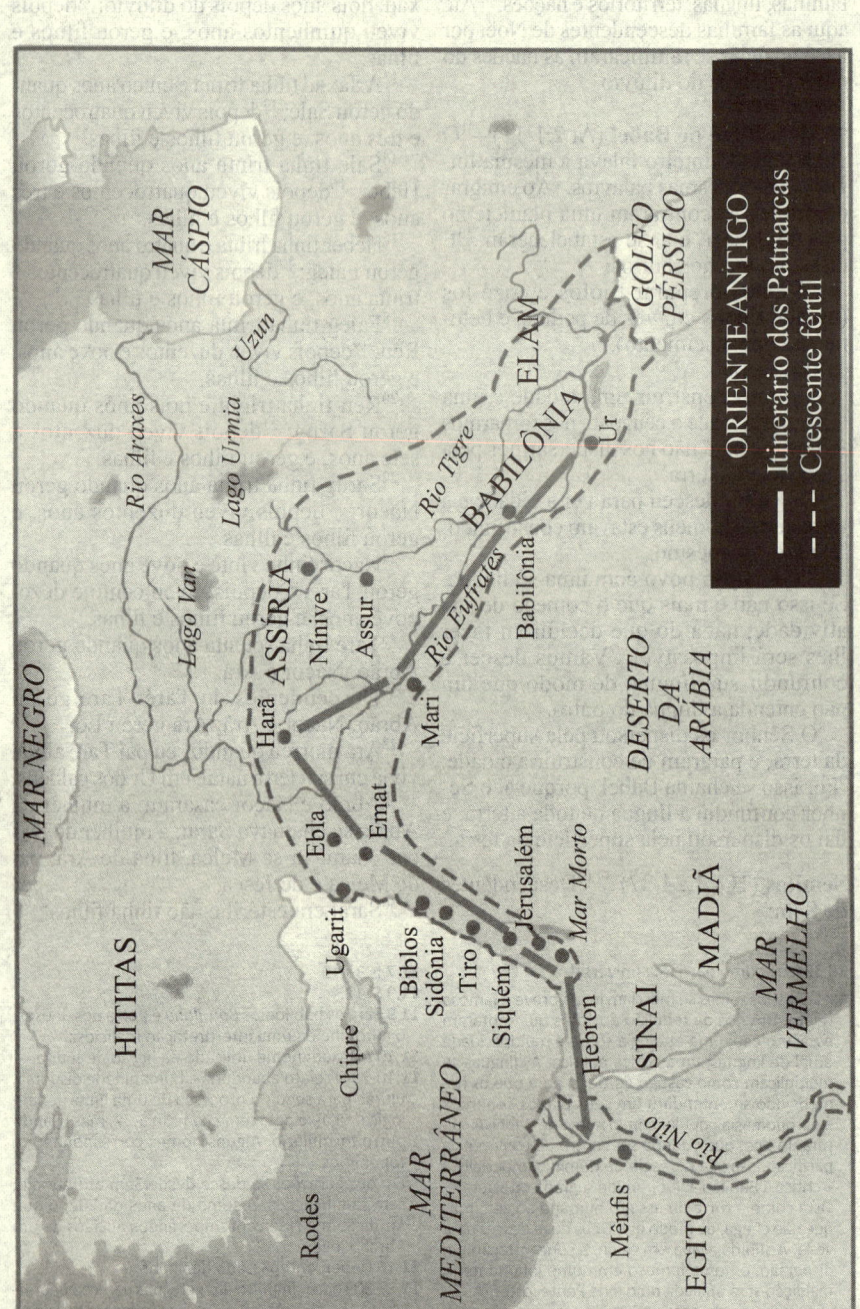

³¹Taré tomou seu filho Abrão, seu neto Ló, filho de Arã, e sua nora Sarai, mulher de Abrão, e com eles saiu de Ur dos caldeus em direção a Canaã; chegando a Harã, aí se estabeleceram. ³²Taré viveu duzentos e cinco anos, e morreu em Harã.

CICLO PATRIARCAL: ABRAÃO

12 **Vocação de Abrão** (Eclo 44,19-21; Hb 11,8-10) – ¹O Senhor disse a Abrão:
– Sai de tua terra natal,
  da casa de teu pai,
  para a terra que te mostrarei.
²Farei de ti um grande povo,
  te abençoarei, tornarei famoso teu nome,
  que servirá de bênção.
³Abençoarei quem te abençoar,
  amaldiçoarei quem te amaldiçoar.
Em teu nome serão abençoadas
  todas as famílias do mundo.
⁴Abrão partiu, conforme o Senhor lhe havia dito, e com ele partiu Ló. Abrão tinha setenta e cinco anos quando saiu de Harã. ⁵Abrão levou consigo Sarai, sua mulher, seu sobrinho Ló, tudo o que havia adquirido e todos os escravos que havia ganhado em Harã. Saíram em direção de Canaã, e chegaram à terra de Canaã. ⁶Abrão atravessou o país até a região de Siquém, e chegou ao carvalhal de Moré (nesse tempo os cananeus habitavam aí). ⁷O Senhor apareceu a Abrão e lhe disse:
– Darei esta terra à tua descendência.
Ele construiu aí um altar em honra do Senhor, que lhe havia aparecido.

CICLO PATRIARCAL
Três nomes compõem o segmento que conduz até a ramificação dos doze irmãos, epônimos de tribos. Abraão e Jacó com muita substância narrativa, Isaac com um leve enlace. A teoria documentária ou das fontes reparte o material entre o Javista (J), o Eloísta (E) e o Sacerdotal (P); partilha que hoje não convence como explicação global, mas é aplicável em alguns casos. Seguimos o texto atual do Gênesis, sem desviar a atenção de anomalias significativas.
Na construção geral descobrimos alguns princípios de unidade: paralelismo de episódios, leitmotiv das bênçãos ou promessas.
Os episódios na linha de J:
Esterilidade: Sara 11,30; Rebeca 25,21; Raquel 29,31.
A matriarca em perigo: Sara 12,9-13,1; Rebeca 26,1-17.
Rixas de pastores: de Abraão e Ló 13; Isaac e Abimelec 26,20-22; Jacó e Labão 29; 31,36s.
Aliança: Yhwh com Abraão 15; Abimelec com Isaac 26; Jacó com Labão 31,44.
Rivalidades fraternas: Sara e Agar 16; Jacó e Esaú 27.
Aparição de Yhwh: em Mambré 18; em Betel 28; em Fanuel 32.
Matriarcas: Rebeca 24; Lia e Raquel 29. A estes se somam episódios análogos nas outras linhas narrativas.
As bênçãos ou promessas (segundo J) são: descendência numerosa, dom da terra, canal de bênçãos.
Para Abraão: 12,1-7; 13,15s; 15,7.18; 18,18; 24,7; 26,3.12s. *Para Jacó:* 28,13-15; 20,27.30; 32,13.30.
Acrescentam-se as de E e P.

Abraão
O patriarca é apresentado como um seminômade que percorre em suas "andanças" diversos territórios, os quais serão de seus descendentes, e entra em contato com estrangeiros. Mostra-se na dimensão doméstica, com os problemas de mulheres, filhos e parentes – Sara e Agar, Ismael e Isaac, Ló; – e na dimensão externa, em relação com reis e príncipes: Egito, Gerara, Melquisedec, a coalizão. Em tudo é dirigido imediatamente por Deus, que lhe aparece, dirige a ele sua palavra e atua. Momentos culmi-nantes são: alianças, intercessão, sacrifício de Isaac. É possível encontrar uma aproximada disposição concêntrica neste ciclo: A) chamado e promessa de bênção 12; B) descida ao Egito; a matriarca ameaçada 12; C) Ló desce a Sodoma e é libertado 13s; D) aliança com Deus 15; [E) Agar e Ismael 16]; D) aliança com Deus 17; C) Sodoma, Ló libertado 18s; B) em Gerara a matriarca ameaçada 20; [E) Agar e Ismael 21]; A) chamado e confirmação da bênção 22. Restam algumas irregularidades e o episódio da compra do sepulcro no cap. 23.

12,1-9 Em vez de interromper-se a linha das gerações, começa algo novo. No vazio da esterilidade de Sara, ressoa a palavra do Senhor: no princípio, criadora do universo; agora, criadora de história. Sem introdução, sem precisar a cena ou o momento, a palavra desce e faz um corte na história da humanidade. Ver o comentário de Paulo em Rm 4.
É uma ordem categórica, sem explicações. Abrão tem de cortar todas as ligações, cada vez mais particulares, que o prendem. E deve começar sob o signo da saída – rumo ao grande êxodo futuro dos seus descendentes – e com a esperança do descobrimento: em troca da terra que deixa, o Senhor lhe mostrará outra. Veja o comentário de Hb 11.
12,2 Em troca da família que deixa, lhe dará como família um povo. E um nome que será sinônimo de bênção. Cf. Is 51,1s; Gl 3,8.
12,3 Deus estará ao lado dele e fará dele um ponto de referência, ponto de decisão. Será para outros desafio e também canal de bênção. Os homens, ao bendizer a Abraão, reconhecendo-o bendito de Deus, tornar-se-ão credores da bênção divina: Is 19,24s; Jr 4,2; Sl 72,17.
12,4 A resposta de Abrão é simples obediência. Começa a grande aventura da fé (Hb 11,8).
12,6-9 Em três etapas se estiliza o percurso da terra: Siquém, velha cidade central; Betel, antigo lugar de culto; o Negueb, deserto meridional. No coração da terra estrangeira o Senhor tem um adorador e vários altares. Pela fé de Abrão o nome do Senhor começa a ser invocado na terra prometida (cf. 4,26).

⁸Daí prosseguiu até as montanhas a leste de Betel, e aí plantou sua tenda, com Betel ao poente e Hai ao nascente; construiu aí um altar ao Senhor e invocou o nome do Senhor. ⁹Abrão se transferiu por etapas ao Negueb.

Abrão no Egito (Gn 20; 26,1-11) – ¹⁰Mas sobreveio uma carestia no país e, como a fome apertava, Abrão desceu ao Egito para aí residir.
¹¹Quando estava chegando ao Egito, disse a Sarai, sua mulher:
– Olha, és uma mulher muito formosa; ¹²quando os egípcios te virem, dirão: "É mulher dele". Eles me matarão e te deixarão viva. ¹³Por favor, dize que és minha irmã, para que me tratem bem por causa de ti, e assim, graças a ti, salvarei a vida.
¹⁴Quando Abrão chegou ao Egito, os egípcios viram que sua mulher era muito formosa. ¹⁵Viram-na também os ministros do Faraó, e a elogiaram diante do Faraó, tanto que a mulher foi levada ao palácio do Faraó. ¹⁶Trataram bem Abrão, por causa dela, e ele adquiriu ovelhas, vacas, asnos, escravos e escravas, mulas e camelos.
¹⁷Mas o Senhor afligiu o Faraó e sua corte com graves doenças por causa de Sarai, mulher de Abrão.

¹⁸Então o Faraó chamou Abrão e lhe disse:
– O que me fizeste? Por que não me confessaste que é tua mulher? ¹⁹Por que me disseste que era tua irmã? Eu a tomei como esposa. Pois olha, se é tua mulher, toma-a e vai embora daqui.
²⁰O Faraó deu uma escolta a Abrão e o despediu com sua mulher e suas posses.

13 Abrão e Ló – ¹Abrão, com sua mulher e tudo o que possuía, subiu ao Negueb, e Ló com ele.
²Abrão possuía muitos rebanhos, prata e ouro. ³Transferiu-se por etapas do Negueb a Betel, ao lugar onde tinha fixado anteriormente sua tenda, entre Betel e Hai, ⁴lugar em que havia construído antes um altar e invocara o nome do Senhor. ⁵Também Ló, que acompanhava Abrão, tinha ovelhas, vacas e tendas. ⁶O país não lhes permitia viver juntos, pois suas posses eram imensas, de modo que não podiam viver juntos. ⁷Por isso surgiram brigas entre os pastores de Abrão e os pastores de Ló. (Nesse tempo, cananeus e ferezeus habitavam o país.) ⁸Abrão disse a Ló:
– Não haja brigas entre nós nem entre nossos pastores, pois somos irmãos. ⁹Tens diante de ti todo o país: se vais para a es-

---

12,10-20 O relato da mulher-irmã, da matriarca salva do perigo, é argumento literário de êxito. Retorna em duas outras variantes com mudança de personagens (cap. 20 e 26). Mas o relato ocupa aqui um lugar significativo, pretendido pelo autor.
A terra de Canaã, que o Senhor acaba de prometer, é uma terra hostil, que mata de fome ou expulsa seus habitantes. Em contrapartida, o Egito é rico e acolhedor: terminará no Egito a peregrinação de Abrão? Pois bem, o Egito é a maior ameaça contra a promessa de Deus, já que põe uma alternativa grave: ou a morte do protagonista ou a separação da esposa. Terminará em Abrão a linha genealógica? Fome, perigo de morte e perda da mulher se conjuram contra o plano de Deus logo que começa a peregrinação de Abrão. E não é a ação humana – com toda a sua lógica, sua astúcia, seu bom senso – que solucionará o problema, mas Deus mesmo é que fará a história continuar, inclusive enriquecendo Abrão por meio da provação. A descida de Abrão ao Egito prefigura de algum modo a futura de Israel, na construção narrativa final.
12,10 Como em 43,1; 47,4; Sl 105,13.
12,13 Segundo 20,12, Sarai é meia-irmã de Abrão. Os critérios de mentira e fidelidade não parecem preocupar o narrador. Talvez restem vestígios de uma legislação matrimonial antiga. Abrão pede um sacrifício à sua mulher, com o qual salvará a vida do patriarca.

12,17 Embora não tenha havido culpa formal, a situação é injusta. O escarmento serve para abrir os olhos do Faraó, que a tinha já incorporado ao seu harém.
12,20 O verbo "despedir" será um verbo dominante no relato do Êxodo. Também o tema das riquezas retornará no Êxodo.
13,1-6 A riqueza ameaça romper as boas relações de um parentesco que o autor designa com o termo genérico de irmãos. As riquezas geram tensões e rixas porque necessitam de amplo espaço vital: a terra não basta para dois homens ricos (compare-se com Is 5,8). Abrão cuidou do sobrinho órfão como de um irmão menor, e ambos se enriqueceram, com uma diferença notável a favor de Abrão. A geografia concentra o interesse do autor, com topônimos precisos. Os personagens estão localizados, aproximados.
13,7 Acontece que os nômades transumantes se movem dentro de uma região definida por pastos e fontes: a capacidade de população animal e humana de cada distrito é limitada. Cada grupo defende seus pastos e fontes, que costumam ser ocasião de disputas (21,25; 26,20).
13,8-9 Abrão é magnânimo: para salvar a fraternidade, decide pela separação e sacrifica seus direitos (compare-se com o ideal do Sl 133). O mais velho divide e o mais novo escolhe, diz a norma tradicional: *firmior dividat, infirmior eligat.*

querda, eu irei para a direita; se vais para a direita, eu irei para a esquerda. ¹⁰Ló olhou e viu que a várzea do Jordão até a entrada de Zoar era toda irrigada, como um paraíso, como o Egito. (Isso foi antes que o Senhor destruísse Sodoma e Gomorra.) ¹¹Ló escolheu a várzea do Jordão e partiu para o nascente. Assim se separaram os dois irmãos. ¹²Abrão habitou em Canaã e Ló habitou nas cidades da várzea, acampando junto a Sodoma. ¹³(Os vizinhos de Sodoma eram perversos e pecavam gravemente contra o Senhor.) ¹⁴Quando Ló se separou dele, o Senhor disse a Abrão:

– Do lugar em que te encontras, olha e contempla o norte, o sul, o nascente e o poente. ¹⁵Todo o país que contemplas, eu o darei a ti e à tua descendência para sempre. ¹⁶Tornarei tua descendência como o pó da terra: se for possível contar o pó da terra, será possível contar a tua descendência. ¹⁷Vamos, percorre o país no comprimento e na largura, pois eu o darei a ti.

¹⁸Abrão levantou acampamento e foi estabelecer-se no carvalhal de Mambré, em Hebron. Aí construiu um altar ao Senhor.

14 **O resgate de Ló** – ¹Sendo Amrafel rei de Senaar, Arioc rei de Elasar, Codorlaomor rei de Elam, Tadal rei de Povos, ²declararam guerra a Bara rei de Sodoma, Bersa rei de Gomorra, Senaab rei de Adama, Semeber rei de Seboim, e ao rei de Bela (ou Segor). ³Todos eles se reuniram em Vale-Sidim (ou mar do Sal). ⁴Durante doze anos haviam sido vassalos de Codorlaomor, e no décimo terceiro se rebelaram. ⁵No décimo quarto, Codorlaomor chegou com os reis aliados e derrotou os rafaítas em Astarot-Carnaim, os zuzim em Ham, os emim na planície de Cariataim, ⁶os horitas na montanha de Seir, até El-Farã, junto ao deserto. ⁷Voltaram, chegaram a En-Mispat* (ou Cades) e derrotaram os chefes amalecitas e os amorreus que habitavam em Azazon-Tamar*.

⁸Então o rei de Sodoma, o rei de Gomorra, o rei de Adama, o rei de Seboim e o rei de Bela (ou Segor) fizeram uma expedição e se colocaram em ordem de batalha em Vale-Sidim ⁹contra Codorlaomor rei de Elam, Tadal rei de Povos, Amrafel rei de Senaar, e Arioc rei de Elasar: cinco reis contra quatro. ¹⁰Vale-Sidim está cheio de poços de piche: os reis de Sodoma e Gomorra, ao fugir, caíram ne-

---

13,10 Dt 10,10-12; Nm 24,6.
13,10-13 Ló olha e escolhe, deixando-se levar pela primeira impressão. Parece-lhe um "paraíso" ou "jardim de Yhwh", ou como o Egito, regado pelo Nilo. O narrador, ironicamente, olha mais longe e contempla a região condenada por suas culpas. A escolha produz um fato decisivo.
13,14 Dt 10,10-12; Nm 24,6.
13,14-17 Também Abrão olha, convidado e iluminado pelo Senhor. Contempla um território presente e uma terra futura. Toma posse primeiro com o olhar, depois percorre o país. Ló contempla uma região, Abrão olha ao redor; Ló escolhe, Abrão recebe o que Deus lhe reserva; com sua renúncia se abre ao dom de Deus. Antecipa o olhar de Moisés antes de morrer (Nm 27,12s; Dt 34,2-4). Prefigura o de Jesus (Mt 4,8s; Lc 4,5s). Veja no final da Bíblia o último olhar do vidente (Ap 21,10). A escolha aqui narrada, sancionada pelo Senhor, teve consequências históricas até o presente.
13,17 Percorrendo a terra, vai tomando posse dela; suas "andanças" irão cumprindo a presente ordem de Deus.
13,18 É o terceiro altar, num lugar de grande importância histórica para patriarcas e Davi (2Sm 1). Erigindo um altar, Abrão responde ao Senhor: é Ele quem toma posse sagrada da terra.
14,1-17 Batalha de reis. Pelos dados informativos e pelo estilo, este capítulo é único no ciclo de Abrão e no

Gênesis. Compõe-se de dois episódios artificialmente ligados. O beduíno confinado em suas andanças é agora um xeque poderoso, peça de relações internacionais e instalado no coração de Canaã. Ele guia à vitória uma pequena coalizão contra uma confederação internacional.
Os nomes estrangeiros são corretos, e um escritor israelita não pôde inventá-los. Amrafel é um correto nome acádico e Senaar é Babilônia (11,2); Codorlaomor é um bom nome elamita; Arioc coincide com Arriwuk, vassalo de Zimrilim e seu nome parece hurrita. Tadal corresponde ao rei heteu Tuthaliya. Precisamente a exatidão dos nomes e a grandeza dos domínios tornam suspeito o relato e não menos a presença de Abrão nele. Buscando informações antigas, o autor compôs para seu herói uma coroa gloriosa, larga demais para ele. Os nomes da Pentápole não supõem nenhum problema, embora dois de seus reis tenham nomes maliciosos.
O caráter militar da empresa é coerente. Abrão dispõe de uma conspícua milícia de 318 homens, intervém na batalha, tem voz na partilha dos despojos. A lei antiga da guerra reconhecia ao vencedor o direito aos despojos. Abrão intervém por motivos familiares: não se desinteressa do sobrinho depois da separação.
14,7 * = Fonte/julgamento; * = Pedregal da Palmeira.
14,10 A notícia sobre poços de piche pode se relacionar com o incêndio destruidor da Pentápole.

les; os outros fugiram para a montanha. ¹¹Os vencedores tomaram as posses de Sodoma e Gomorra, com todas as provisões, e partiram. ¹²Levaram também Ló, sobrinho de Abrão, com suas posses, pois habitava em Sodoma.

¹³Um fugitivo foi e contou isso a Abrão, o hebreu, que habitava no carvalhal de Mambré, o amorreu, irmão de Escol e de Aner, aliados de Abrão. ¹⁴Quando Abrão ouviu que seu irmão fora feito prisioneiro, reuniu os escravos nascidos em sua casa, trezentos e dezoito, e saiu no encalço deles até Dã; ¹⁵caiu de noite sobre eles com seus criados, ele com sua tropa se atirou contra eles, e os perseguiu até Hoba, ao norte de Damasco. ¹⁶Recuperou todas as posses, e também recuperou Ló, seu irmão, com suas posses, as mulheres e a tropa. ¹⁷Quando Abrão voltava vitorioso sobre Codorlaomor e seus reis aliados, o rei de Sodoma saiu ao seu encontro em Vale-Save (ou Emec-Hammélec*).

Abrão e Melquisedec – ¹⁸Melquisedec, rei de Salém, sacerdote de Deus Altíssimo, pegou pão e vinho, ¹⁹e o abençoou, dizendo: "Abençoado seja Abrão pelo Deus Altíssimo, criador do céu e da terra; ²⁰bendito seja o Deus Altíssimo, que te entregou teus inimigos". E Abrão lhe deu o dízimo de tudo.

²¹O rei de Sodoma disse a Abrão:
– Dá-me as pessoas, fica com as posses.
²²Abrão replicou ao rei de Sodoma:
– Juro pelo Senhor Deus Altíssimo, criador do céu e da terra, ²³que não aceitarei sequer um fio ou uma correia de sandália, nem nada do que te pertence; assim não dirás que enriqueceste Abrão. ²⁴Aceito somente o que meus servos comeram e a parte dos que me acompanharam. Que Aner, Escol e Mambré levem sua parte.

15 Aliança de Abrão com o Senhor

– ¹Depois desses acontecimentos, Abrão recebeu numa visão a palavra do Senhor:
– Não temas, Abrão; eu sou teu escudo, e tua recompensa será abundante.

14,12 Ló goza e sofre as consequências da sua inserção na cultura urbana, não regida exclusivamente por leis de parentesco.
14,13-14 Abrão atende ao parentesco, não se compromete, apelando à opção do sobrinho. "O irmão nasce para o perigo".
14,14 Pr 17,17.
14,16 Segundo a antiga lei da guerra, os despojos pertenciam ao vencedor; nele se incluem homens e mulheres como escravos. Dt 20,14.
14,17 * = Vale do Rei.
14,18-24 O segundo episódio é mais solene. Do mistério surge esse rei sacerdote, de nome cananeu, que venera o Deus supremo e tem sua sede em Salém, a velha Urusalimu. Surge para receber tributo de Abrão e pronunciar sobre ele a bênção. Um dia os israelitas terão assimilado grupos cananeus, conquistarão Jebus = Jerusalém, viverão sob uma monarquia entronizada nesta capital; aí venerarão ao Senhor.
Essa novidade na história da salvação fica, por meio do presente relato, literariamente incrustada na história patriarcal. Jerusalém e templo, rei e sacerdote têm remotas e nobres raízes – nos diz o autor. Melquisedec desaparece da história como apareceu. Sua lembrança sobrevive na oração e na reflexão teológica: Sl 110; Hb 7,1-17.
14,19-20 Invoca a bênção de seu Deus, supremo, criador, universal em favor de Abrão. E bendiz a Deus, dando-lhe graças pela vitória.
14,23 Abrão havia aceito dons abundantes do Faraó. Do rei de Salém aceita só a bênção.

15,1-19 Aliança de Deus com Abrão. O relato funde dois temas fundamentais: a descendência patriarcal e a posse da terra. O primeiro condiciona o segundo, pois é preciso um povo para povoar o país. Ao primeiro correspondem os termos "sair", linhagem"; ao segundo, "dar, possuir". Há duas visões noturnas: uma serena e outra dramática. A teoria documentária repartiu o texto em dois fios: Javista 1b.2.7-12.17-21; Eloísta 1a.3-6.13-16.
São também fundamentais os verbos polares "sair" (nascer) – entrar (pôr-se o sol, morrer). Sair é um movimento do fechado para o aberto. Abrão teve de sair da cultura fechada para o espaço aberto: o encontro com Deus, a aventura, a esperança. Confiava na promessa de Deus e esse é o seu mérito (justiça). Agora está encerrado na sua tenda, nos problemas domésticos da herança; há de sair, para olhar a grande tenda celeste e nela os inumeráveis exércitos do Senhor; dos cálculos pequenos ao incalculável que Deus fez e controla. Em suas entranhas algo está encerrado, a descendência que há de sair para multiplicar-se. Também eles um dia terão de repetir o movimento de saída: da escravidão para a posse da terra. Assim Abrão terá sua herança: entrando ele na morte – como entra, o sol se põe –, os que dele saem também terão a própria herança.
15,1 A introdução é de estilo profético e engloba todo o capítulo. Escudo: Sl 3,4; 18,3.31; 28,7; 33,20. A paga ou salário pressupõe um serviço prestado; quer dizer, Yhwh tomou o patriarca a seu serviço.

²Abrão respondeu:
– Senhor, de que me servem teus dons, se sou estéril e Eliezer de Damasco será o senhor de minha casa?
³E acrescentou:
– Não me deste filhos, e um criado de casa será meu herdeiro.
⁴Porém, o Senhor lhe disse o seguinte:
– Não é esse que será teu herdeiro; alguém saído de tuas entranhas será teu herdeiro.
⁵E o Senhor o levou para fora e lhe disse:
– Olha o céu; conta as estrelas, se puderes.
E acrescentou:
– Assim será a tua descendência.
⁶Abrão acreditou no Senhor, e isso lhe foi dado como crédito.
⁷O Senhor lhe disse:
– Eu sou o Senhor que te tirei de Ur dos caldeus para dar-te esta terra como propriedade.
⁸Ele replicou:
– Senhor, como vou saber que a possuirei?
⁹O Senhor respondeu:
– Traze-me uma novilha de três anos, uma cabra de três anos, um carneiro de três anos, uma rolinha e um pombo.
¹⁰Abrão os trouxe e os partiu ao meio, pondo as metades uma diante da outra, mas não dividiu as aves. ¹¹Os abutres desciam sobre os cadáveres, e Abrão os espantava. ¹²Quando o sol já se punha, um sono profundo invadiu Abrão, e um terror intenso e escuro caiu sobre ele.

¹³O Senhor disse a Abrão:
– Deves saber que tua descendência viverá como forasteira em terra alheia, terá de servir e sofrer opressão durante quatrocentos anos; ¹⁴mas eu julgarei o povo a quem haverão de servir, e no fim sairão carregados de riquezas. ¹⁵Tu te reunirás em paz com teus antepassados, e te enterrarão muito idoso. ¹⁶Na quarta geração voltarão, pois até aí a culpa dos amorreus não estará completa.
¹⁷O sol se pôs e veio a escuridão; uma fumaceira de forno e uma tocha ardente passavam entre as partes divididas.
¹⁸Naquele dia, o Senhor fez aliança com Abrão nestes termos:
– Aos teus descendentes darei esta terra, desde o rio do Egito até o Grande Rio (Eufrates). ¹⁹A terra dos quenitas, cenezeus, cadmoneus, ²⁰heteus, ferezeus, rafaítas, ²¹amorreus, cananeus, gergeseus e jebuseus.

16 Ismael (1Sm 1; Gl 4,21-31) – ¹Sarai, mulher de Abrão, não lhe dava filhos; mas tinha uma escrava egípcia chamada Agar.
²E Sarai disse a Abrão:
– O Senhor não me deixa ter filhos. Une-te à minha escrava, para ver se ela me dá filhos.
Abrão aceitou a proposta.
³Quando fazia dez anos que Abrão habitava em Canaã, Sarai, mulher de Abrão, tomou Agar, a escrava egípcia, e a deu para Abrão, seu marido, como esposa. ⁴Ele se

---

15,2-3 Dado que não conta com outra vida, morrer sem descendência é uma tragédia irreparável: morre o homem e o nome. O criado não pode dar cumprimento à promessa divina.
15,2 Eclo 30,4.
15,3 Sl 49,11.
15,5 As estrelas como exemplo de multidão: Gn 26,4; Dt 1,10; Sl 147,4.
15,6 Texto citado no NT: Rm 4,3.9.22; Gl 3,16; Tg 2,23.
15,7 *Yhwh* se identifica com o nome e com a intervenção decisiva na vida de Abrão.
15,9-11 Sobre o rito pode-se ver Jr 34,18. Quem passa entre os animais esquartejados e viola a aliança sofrerá a sorte dos animais. As aves de rapina descem sobre os animais pacíficos como ameaça do rito transcendental. Pelo fogo da tocha, em seu elemento, a divindade atravessa.
15,9 Jr 34,18.
15,12 Jó 4,12s.
15,13-16 Em forma de profecia se introduz um esquema de história da salvação. Deus adia o castigo até que se cumpra a medida do pecado e precipitem suas consequências. Leia-se o comentário de Sb 12 e a referência de 1Ts 2,16.
15,17 Teofania misteriosa: Deus passa sem imagem, ao mesmo tempo fulgor e escuridão.
15,19-20 O que conta é o número de dez povos, não a coerência da enumeração.
16,1-3 Retorna a vida familiar, regida pelas leis matrimoniais da época. Se a mulher legítima é estéril, há de prover uma concubina ao marido, embora sem perder a própria situação e direitos. A lei excita os sentimentos dos três personagens, bem descritos com traços breves. Mas lei e sentimentos se inscrevem num contexto mais amplo: o plano de Deus sobre Abrão.
Não será a lei, com sua ficção jurídica, que assegurará uma descendência ao ancião, mas a palavra de Deus, que se cumpre contra as previsões humanas.
16,4 Ver Pr 30,21-23; Eclo 25,4: "Nenhuma rixa como a das rivais, nenhuma vingança como a das concorrentes".

uniu a Agar, e ela concebeu. E vendo que estava grávida, perdeu o respeito para com sua senhora.

⁵Então Sarai disse a Abrão:

– És responsável por essa injustiça; pus em teus braços minha escrava, e ela, ao ver que está grávida, perde o respeito por mim. Que o Senhor seja o nosso juiz.

⁶Abrão disse a Sarai:

– Tu dispões de tua escrava; trata-a conforme te parecer.

Sarai a maltratou, e ela fugiu.

⁷O anjo do Senhor a encontrou junto à fonte do deserto, a fonte do caminho de Sur, ⁸e lhe disse:

– Agar, escrava de Sarai, de onde vens e para onde vais?

Ela respondeu:

– Estou fugindo de minha senhora.

⁹O anjo do Senhor lhe disse:

– Volta à tua senhora e seja-lhe submissa.

¹⁰E o anjo do Senhor acrescentou:

– Tornarei tua descendência tão numerosa que não se poderá contar.

¹¹E o anjo do Senhor concluiu:

– Olha, estás grávida e darás à luz um filho, e o chamarás Ismael, porque o Senhor te ouviu na aflição. ¹²Será um potro selvagem: ele contra todos e todos contra ele; viverá separado dos irmãos.

¹³Agar invocou o nome do Senhor, que lhe havia falado:

– Tu és Deus, que me vê (dizendo a si mesma): Vi aquele que me vê!

¹⁴Por isso aquele poço se chama "Poço do que vive e me vê", e está entre Cades e Barad.

¹⁵Agar deu um filho a Abrão, e Abrão deu o nome de Ismael ao filho que Agar lhe dera. ¹⁶Abrão tinha oitenta e seis anos quando Agar deu à luz Ismael.

17 Aliança do Senhor com Abrão
(Gn 12; 15) – ¹Quando Abrão tinha noventa e nove anos, o Senhor lhe apareceu e lhe disse:

– Eu sou Deus Todo-poderoso. Anda de acordo comigo e sê honrado, ²e farei uma aliança contigo: farei que te multipliques sem medida.

³Abrão caiu com o rosto por terra, e Deus assim lhe falou:

– ⁴Olha, esta é minha aliança contigo: serás pai de uma multidão de povos. ⁵Já não te chamarás Abrão, mas Abraão, porque te faço pai de uma multidão* de povos. ⁶Vou te fazer imensamente fecundo, fazendo surgir povos de ti, e reis de ti nascerão. ⁷Conservarei minha aliança contigo e com tua descendência nas gerações futuras,

---

16,5 Reclamação legal, com ameaça de apelar ao juízo de Deus; o pleito se estabelece entre Abrão e Sarai, não com Agar. Parece insinuar que Abrão, sentindo-se pai, trata a escrava com privilégio. Eclo 25,14.
16,7 Um mensageiro celeste ou uma aparição de Deus.
16,8-10 A relação jurídica de ama e escrava persiste. Ora, por sua relação com Abrão, Agar participa da bênção patriarcal da fecundidade. (Uma tradição a faz matriarca dos agarenos.)
16,11-12 Esquema clássico de anunciação (Jz 13; Lc 1,28-33): concepção, nascimento, nome explicado, futuro do menino. O nome significa "Deus escuta/escute". Figura como antepassado dos ismaelitas.
16,11 Is 7,14-16.
16,12 Jó 39,5-8.
16,13-14 O texto é duvidoso. Outra alternativa: o Deus visível (manifesto); não vi por detrás aquele que me olha? O nome do poço acrescenta "vivo". O olhar de Deus é interesse e proteção, o de Agar é descobrimento: dois olhares se encontram junto a um poço que guarda a lembrança.
17,1-27 Aliança de Deus com Abraão. Segundo a teoria documentária, esta é a versão Sacerdotal (P), e com ela começa a terceira era da história (depois da criação e do dilúvio). O estilo é minucioso, mas não descritivo; oferece-nos detalhes intelectuais em forma extrínseca de narração. Há uma inserção sobre Sarai e o filho futuro.

A aliança é mais promessa ou compromisso unilateral de Deus, embora imponha uma conduta especial e o sinal da circuncisão.
O texto oferece (literalmente) duas fórmulas: a) darei minha aliança entre ti e mim; b) esta é minha aliança contigo; c) estabeleço/manterei minha aliança entre ti e mim. Os verbos acentuam a iniciativa pura do Senhor; o sintagma circunstancial enuncia a relação mútua. Na concepção do Sacerdotal, esta aliança não é idêntica à do Sinai, que acentua a simetria bilateral.
17,1 Todo-poderoso: tradicional tradução de Shadday, cujo significado ainda não se esclareceu (ver Ex 6,3). A exigência inicial poderia ser traduzida ou parafraseada assim: procede honradamente/sinceramente comigo, tem-me presente em teu proceder íntegro.
17,2.4 O conteúdo primeiro da aliança é uma promessa de fecundidade: o mesmo das bênçãos, como atualização individual da bênção genesíaca. O pai de um povo é um patriarca.
17,4 Rm 4,17.
17,5 A mudança de nome indica a nova situação e, sendo imposto por Deus, é penhor do futuro. *Pai de povos: 'ab hamon.
17,7-8 Nesta repetição complementar a aliança se estende para a descendência. Por ora, sem estreitá-la a um povo explicitamente, mas sim na mente do autor. A promessa o sugere: "Serei teu Deus"

como aliança perpétua. Serei teu Deus e de teus futuros descendentes. ⁸Darei a ti e à tua futura descendência a terra de tuas andanças – a terra de Canaã – como propriedade perpétua. E serei seu Deus.

⁹Deus acrescentou a Abraão:
– Quanto a ti, guarda a aliança que faço contigo e teus futuros descendentes. ¹⁰Esta é a aliança que faço convosco e com teus futuros descendentes e que tereis de guardar: circuncidai todos os vossos homens; ¹¹circuncidareis o prepúcio, e será um sinal de minha aliança convosco. ¹²Oito dias depois do nascimento, todos os vossos homens de cada geração serão circuncidados; também os escravos nascidos em casa ou comprados de estrangeiros que não sejam de vossa raça. ¹³Circuncidai os escravos nascidos em casa ou comprados. Assim, levareis na carne minha aliança como aliança perpétua. ¹⁴Todo homem incircunciso, cujo prepúcio não foi circuncidado, será afastado de seu povo por ter quebrado minha aliança.

Sara – ¹⁵Deus disse a Abraão:
– Sarai, tua mulher, já não se chamará Sarai, mas Sara*. ¹⁶Vou abençoá-la, e ela te dará um filho, e eu o abençoarei; dela nascerão povos e reis de nações.

¹⁷Abraão caiu com o rosto por terra e, sorrindo, disse a si mesmo:
– Uma pessoa de cem anos terá um filho, e Sara dará à luz aos noventa?

¹⁸E Abraão disse a Deus:
– Contento-me que mantenhas vivo Ismael.
¹⁹Deus replicou:
– Não. É Sara quem vai te dar um filho, a quem chamarás Isaac; com ele estabelecerei minha aliança e com seus descendentes, uma aliança perpétua. ²⁰Quanto a Ismael, atendo ao teu pedido: eu o abençoarei, o tornarei fecundo, farei que se multiplique imensamente, gerará doze príncipes, e farei dele um povo numeroso. ²¹Mas minha aliança eu a estabeleço com Isaac, o filho que Sara te dará no ano que vem, por este tempo.
²²Deus se retirou quando terminou de falar com Abraão.

Circuncisão – ²³Então Abraão tomou seu filho Ismael, os escravos nascidos em casa ou comprados, todos os homens da casa de Abraão, e os circuncidou naquele mesmo dia, conforme Deus havia mandado.
²⁴Abraão tinha noventa e nove anos quando se circuncidou; ²⁵Ismael tinha treze quando se circuncidou. ²⁶Naquele mesmo dia, Abraão e seu filho Ismael se circuncidaram. ²⁷E todos os homens da casa, nascidos em casa ou comprados de estrangeiros, se circuncidaram com ele.

18 Aparição e promessa – ¹O Senhor apareceu a Abraão junto ao carva-

---

(falta a outra metade oficial desde a aliança sinaítica "serão meu povo").

17,8 Com o prolongamento aos descendentes, aparece outro conteúdo da promessa: a terra. Distingue entre as "andanças" de Abraão e a "posse" dos seus descendentes.

17,9-10 Ao patriarca e seus descendentes compete "guardar" a aliança já outorgada por Deus. O modo de "guardá-la" consiste em cada um levar na própria carne a marca da pertença ao seu Deus.

17,9-14.23-27 A circuncisão é mais antiga que Israel (cf. Jr 9,25). Na sua origem, e atualmente em algumas culturas, é rito de iniciação ao chegar a puberdade. Em Israel desaparece esse aspecto, ao adiantar-se para o oitavo dia. Conserva seu caráter de rito físico com o qual se expressa a pertença a um povo, a uma religião, e Abraão expressa a aceitação. A promessa é de fecundidade, que garante a continuidade; sua marca se leva no órgão da fecundidade. Pode ser interpretada em chave espiritual: Jr 4,4; 9,25; Rm 2,29; Fl 3,3. Para o rito, ver Js 5,2-8.

17,11 Ex 12,48.

17,13 Sl 105,8-10.

17,14 Ver o ardil referido em 1Mc 1,15.

17,15 Outra mudança de nome: Sara * = princesa.

17,17 Sorrindo, de pura alegria não se atrevendo a crer. Começa o jogo com o nome de Isaac, cuja raiz os hebreus escutam como significado de rir, gozar, dançar, festejar: 18,12-15; 21,9; 26,8.

17,18 O que Abraão propõe é demasiado razoável e diminuto. O poder de Deus quer revelar-se na impotência humana.

17,20 Ismael gozará de uma espécie de patriarcado paralelo.

18,1 O primeiro versículo é introdução à maneira de título.

18,1-15 Deuses que circulam pelo mundo em figura humana, para pôr à prova a hospitalidade dos mortais e, assim, premiá-los ou castigá-los, é tema literário apreciado e repetido na antiguidade (leia-se o episódio de Paulo e Barnabé em Listra, At 14). O autor aplica o tema a Abraão com maestria, mas intenta algo mais que entreter ou edificar. Para que a prova funcione, é indispensável a ig-

lhal de Mambré, enquanto ele estava sentado à porta da tenda, porque o calor era muito forte. ²Ergueu os olhos e viu três homens de pé diante dele. Ao vê-los, correu da entrada da tenda ao encontro deles, e prostrando-se por terra ³disse:

– Senhor, se alcancei teu favor, não passes pelo teu servo sem parar. ⁴Farei que tragam água para que laveis vossos pés e descanseis sob a árvore. ⁵Enquanto isso, já que passais junto ao vosso servo, trarei um pedaço de pão para que recupereis as forças antes de continuar viagem.

Responderam:
– Certo, faze o que dizes.

⁶Abraão entrou correndo na tenda em que estava Sara, e lhe disse:
– Depressa, vinte e um litros de flor de farinha, amassa-os e faze pães.

⁷Ele correu ao rebanho, escolheu um belo bezerro e o deu a um criado para que o preparasse logo. ⁸Pegou coalhada, leite, o bezerro que preparara, e os serviu a eles. E servia-lhes sob a árvore, enquanto comiam.

⁹Depois lhe perguntaram:
– Onde está Sara, tua mulher?

Respondeu:
– Aí, na tenda.

¹⁰Um deles acrescentou:
– Quando eu voltar a ver-te, no prazo normal, Sara já terá um filho.

Sara ouviu isso, por trás da porta da tenda. ¹¹(Abraão e Sara eram anciãos, de idade muito avançada, e Sara já não menstruava.) ¹²Sara riu baixinho, pensando:
– "Eu já estou seca, será que irei sentir prazer, com um marido tão velho?"

¹³Mas o Senhor disse a Abraão:
– Por que Sara riu, dizendo: "Como irei ter um filho com essa idade?" ¹⁴Há algo difícil para Deus? Quando, por esta época, eu voltar a visitar-te, dentro do tempo costumeiro, Sara já terá um filho.

¹⁵Mas Sara, que estava assustada, negou:
– Eu não ri.

Ele replicou:
– Não negues, tu riste.

Intercessão de Abraão – ¹⁶Os homens se levantaram e dirigiram o olhar para Sodoma; Abraão os acompanhou para se despedir deles. ¹⁷O Senhor disse:
– Posso esconder de Abraão o que vou fazer? ¹⁸Abraão será um povo grande e numeroso; por meio dele serão abençoados todos os povos da terra. ¹⁹Eu o escolhi para que ensine seus filhos, sua casa e sucessores a se manterem no caminho do Senhor, praticando a justiça e o direito. Assim, o Senhor cumprirá tudo quanto prometeu a Abraão.

---

norância do protagonista. Abraão se encontra primeiro com três caminhantes que passam por lá quando o calor aumenta. Saúda com respeito aquele que parece ser o chefe e humildemente lhes oferece hospitalidade. Quando eles falam, começa a descerrar-se o véu: como prêmio trazem uma promessa precisa que corrobora outras anteriores (coisa que Sara não entende). Depois, Abraão fica a sós com o Senhor.
Para o leitor não é necessária a ignorância. O narrador começa com "o Senhor apareceu"; no v. 13 o identifica como *Yhwh*. É o personagem principal, os outros dois são escolta angélica. A parte narrativa oscila livremente entre o singular e o plural. Na antiguidade cristã se especulou com esse tema, até imaginá-lo como aparição da Trindade.

18,2 Hb 13,2.

18,3 O texto original dizia provavelmente "meus senhores"; o texto atual vocaliza como se se tratasse do Senhor.

18,6-8 Não é um humilde "pedaço de pão", mas um grande banquete. Segundo o costume oriental, quem convida serve e não come (cf. o banquete de Mt 22,11, par. Lc 12,37).

18,10 Rm 9,9.

18,12 O riso de Sara é de incredulidade. O autor continua jogando com a raiz "rir" do nome de Isaac. Ao narrador isto serve para salientar a esterilidade dos cônjuges e a fecundidade milagrosa.

18,14 Jr 32,17.

18,16-22 Versículos não muito coerentes de enlace. Podemos imaginar uma montagem de cinema: Abraão caminhando com os dois personagens da escolta para se despedir deles (16), enquanto o Senhor fica só e pensa em voz alta. O monólogo dá tempo a Abraão para voltar: chega ao lugar onde havia ficado o hóspede, e este se dirige ao anfitrião. Antes que este responda e como que dando-lhe tempo para pensar, o narrador nos mostra os mensageiros a caminho de Sodoma. Então Abraão se aproxima para dialogar com seu ilustre hóspede.
O que se segue até o capítulo seguinte adota um esquema judicial, que explica algumas incoerências. Chegou ao juiz uma denúncia (20); despacha funcionários para comprovar se é certa (21.22); sem interrogatório, o juiz vai proceder à sentença; mas antes concede a palavra a um defensor (17.23). Não sendo suficiente a defesa, passa-se à execução ou condenação (cap. 19).

18,17 Compare-se com Am 3,4-8.

18,18 Gn 12,2.

18,19 Como pai da justiça e do direito, o patriarca é figura complementar do "pai pela fé", segundo Gn 15 e Rm 4.

²⁰Depois o Senhor disse:
— A denúncia contra Sodoma e Gomorra é séria e seu pecado é gravíssimo. ²¹Vou descer para averiguar se suas ações correspondem realmente à denúncia.
²²Os homens se voltaram e se dirigiram para Sodoma, enquanto o Senhor continuava em companhia de Abraão.
²³Então Abraão se aproximou e disse:
— É verdade que vais destruir o inocente com o culpado? ²⁴Suponhamos que haja na cidade cinquenta inocentes: tu os destruirias, em vez de perdoar o lugar por causa dos cinquenta inocentes que nele existem? ²⁵Longe de ti fazer tal coisa! Matar o inocente com o culpado, confundindo o inocente com o culpado. Longe de ti! O juiz de todo o mundo não fará justiça?
²⁶O Senhor respondeu:
— Se eu encontrar na cidade de Sodoma cinquenta inocentes, perdoarei toda a cidade por causa deles.
²⁷Abraão retomou:
— Eu me atrevi a falar a meu Senhor, eu, que sou pó e cinza. ²⁸Suponhamos que faltem cinco inocentes para os cinquenta: destruirias, por causa de cinco, toda a cidade?
Respondeu:

— Não a destruirei se encontrar aí quarenta e cinco.
²⁹Abraão insistiu:
— Suponhamos que se encontrem quarenta.
Respondeu:
— Não o farei, por causa dos quarenta.
³⁰Abraão continuou:
— Que meu Senhor não se aborreça, se insisto. Suponhamos que se encontrem trinta.
Respondeu:
— Não o farei, se encontrar aí trinta.
³¹Insistiu:
— Eu me atrevi a falar a meu Senhor. Suponhamos que se encontrem vinte.
Respondeu:
— Não a destruirei, por causa dos vinte.
³²Abraão continuou:
— Não se aborreça o meu Senhor, se eu falo mais uma vez. Suponhamos que se encontrem aí dez.
Respondeu:
— Por causa dos dez, não a destruirei.
³³Quando terminou de falar com Abraão, o Senhor partiu, e Abraão voltou para seu lugar.

19 Sodoma. Pecado (Jz 19,20-25; Sb 19,13-17) – ¹Os dois anjos chegaram de tarde a Sodoma. Ló, que estava sentado

---

18,20-21 Aplica o esquema forense do juiz que investiga: ver Dt 17,4-5. Em outros textos se diz que Deus vê tudo e não precisa averiguar: Sl 11,4-5; Jó 34,24; Pr 15,3; Eclo 16,17-23.
18,23-33 Depois do monólogo dramático em voz alta, segue-se um diálogo em doze movimentos. Caso extraordinário no estilo bíblico. O diálogo devora a ação. E o diálogo não impele a ação, pois no final não acontece nada. Abraão exagera o respeito para dissimular a audácia, mas sua audácia supõe alto grau de confiança previamente adquirida.
O diálogo discute um problema ético e teológico: a sorte dos indivíduos na comunidade e da comunidade em relação com os indivíduos. Supondo que Deus rege a história, qual é a sua responsabilidade em casos de conflito? Devem ser castigados justos com pecadores? (cf. Ez 21,8-9). – Não é castigo; ou é castigo para uns, e desgraça para os inocentes.
— Mas, sem cumplicidade na culpa, devem os inocentes compartilhar a pena? (Ez 21,8s). Para salvar os inocentes, não será justo deixar de castigar os culpados?
Compare-se com as afirmações de Ex 34,7, corrigidas por Dt 7,9s; 24,16. Também os textos proféticos de Jr 18,7-10 e Ez 14,12-20.
Na última suposição, o defensor vai abaixando o número e se detém ao chegar a dez. Por que não continua? Jeremias baixa até um: 5,1; também Ez 22,30. O máximo será um pagar por todos: Is 53; 1Pd 2,22-25; 3,18.
18,25 Eis aqui a grande questão da teodiceia. Ver Sb 12,12-18. Que Deus é justo, também como juiz, o afirmam muitos textos: Sl 33,5; 99,4; Jó 34,10-13 etc. Observe-se o tom apaixonado da pergunta: Abraão dispara a falar, numa explosão de indignação ante a possível e colossal injustiça.
Na forma de alegação do defensor num processo, Abraão intercede pelo sobrinho e, através dele, pelos vizinhos de Sodoma.
18,33 No final, não se salva toda a cidade, mas se salva a família de Ló. A solução de Deus é distinguir entre justos e pecadores.
19,1 "Anjos" ou mensageiros que vão investigar no lugar.
19,1-29 Sodoma deu nome a um pecado, e o fogo destruidor se converteu em emblema equivalente a castigo definitivo. Por isso é citada repetidas vezes na Bíblia.
Este relato apresenta como pecado a perversão sexual e o delito de lesa-hospitalidade. Outros textos falam de falsidade, injustiça, soberba (Is 1,9-10; Jr 23,14; Ez 16,49s). A depravação sexual é delito cananeu (Lv 18,27; 20,23).

à porta da cidade, ao vê-los, levantou-se para recebê-los e se prostrou com o rosto por terra. ²E disse:

— Meus senhores, hospedai-vos em casa de vosso servo. Lavai vossos pés e, pela manhã, continuareis vosso caminho.

Responderam:

— Não; nós passaremos a noite na praça. ³Mas ele insistiu tanto, que eles foram e entraram em sua casa. Preparou-lhes comida, assou pães, e eles comeram. ⁴Ainda não tinham deitado, quando os homens da cidade rodearam a casa: jovens e velhos, toda a população, até o último. ⁵E gritaram a Ló:

— Onde estão os homens que entraram em tua casa esta noite? Faze-os sair, para que nos deitemos com eles.

⁶Ló apareceu à entrada, fechando a porta ao sair, ⁷e lhes disse:

— Meus irmãos, não sejais maus. ⁸Vede, tenho duas filhas virgens; eu as farei sair para que as trateis como quiserdes, mas não façais nada a estes homens que se abrigaram sob meu teto.

⁹Responderam:

— Sai daí; este indivíduo veio como imigrante, e agora se mete a juiz. Pois agora te trataremos pior do que a eles.

¹⁰E empurravam Ló, tentando forçar a porta. Mas os visitantes estenderam o braço, fizeram Ló entrar, e fecharam a porta. ¹¹E cegaram os que estavam à porta, pequenos e grandes, de modo que não encontravam a porta.

Libertação de Ló – ¹²Os visitantes disseram a Ló:

— Se há mais alguém dos teus, genros, filhos, filhas, tira deste lugar todos os teus que estão na cidade. ¹³Pois iremos destruir este lugar, porque a acusação apresentada ao Senhor contra ele é muito séria, e o Senhor nos enviou para destruí-lo.

¹⁴Ló saiu para dizer a seus genros, prometidos a suas filhas:

— Vamos, saí deste lugar, pois o Senhor vai destruir a cidade.

Mas eles caçoaram dele. ¹⁵Ao amanhecer, os anjos insistiram com Ló:

— Vamos, toma tua mulher e tuas duas filhas, para que não morram por causa da cidade.

¹⁶Visto que não se decidia, os agarraram pela mão, a ele, sua mulher e as duas filhas, aos quais o Senhor perdoava. Tiraram-nos e os guiaram para fora da cidade. ¹⁷Uma vez fora, disseram-lhe:

— Põe-te a salvo; não olhes para trás. Não pares na várzea. Põe-te a salvo nos montes, a fim de não morreres.

¹⁸Ló lhes respondeu:

— Não. ¹⁹Vosso servo tem vosso favor, pois salvastes minha vida, tratando-me com grande misericórdia; não posso pôr-me a salvo nos montes, pois o desastre me alcançará, e morrerei. ²⁰Vede, aí perto há uma cidade pequena, onde posso refugiar-me e escapar do perigo. Visto que a cidade é pequena, aí salvarei a vida.

²¹Respondeu-lhe:

— Concedo o que pedes: não arrasarei essa cidade de que falas. ²²Depressa, põe-te a salvo aí, pois não posso fazer nada enquanto não chegares.

Por isso a cidade se chama Segor*.

²³Quando Ló chegou a Segor, o sol despontava.

Castigo de Sodoma (Dt 29,23; Is 1,9; Jr 49,18) – ²⁴Do céu o Senhor fez chover

---

O delito contra a hospitalidade está salientado pelo contraste com a conduta de Abraão (18,38) e Ló. Como paralelo complementar, ver Jz 19 e a referência em Sb 19.
19,2 O mesmo gesto de hospitalidade de Abraão.
19,3 A negativa quer pôr à prova a sinceridade do oferecimento. A hospitalidade de Ló serve de fundo contrastante.
19,5 Lv 20,13.
19,7 A fórmula conciliatória "meus irmãos" apela a direitos sociais que amparam também os imigrantes. O autor não condena a proposta de Ló.
19,10-11 Os mensageiros viram a depravação da cidade. Inútil salvá-los, em atenção a Ló, quando estão dispostos a qualquer violência; perdoá-los e deixar Ló entre eles seria condenar o inocente sem converter os culpados. Chegou o momento de separar os inocentes dos culpados.
19,13 Ez 16,49.
19,14 Os genros estão desposados, mas ainda não casados; as moças ainda vivem na casa paterna. O riso zombador dos jovens é a própria condenação, e não darão filhos à linhagem de Ló. Jr 50,8; 51,6.
19,16 Cada anjo toma dois pelas mãos e se forma a pequena caravana de seis pessoas.
19,17 Sl 11,1.
19,22 Por chamar-se e ser Pequena, esta quinta cidade se salva (cf. Am 7,1-7). * = A Pequena.
19,24-25 Os que encontram no relato alguma base histórica localizam as cidades no extremo sul do mar

enxofre e fogo sobre Sodoma e Gomorra. ²⁵Arrasou essas cidades e toda a várzea com os habitantes da cidade e a erva do campo.
²⁶A mulher de Ló olhou para trás e se transformou em estátua de sal.
²⁷Abraão madrugou e se dirigiu ao lugar em que havia estado com o Senhor.
²⁸Olhou na direção de Sodoma e Gomorra, toda a extensão da várzea, e viu uma fumaceira que subia do solo, como a fumaça de um forno.
²⁹Assim, quando Deus destruiu as cidades da várzea, arrasando as cidades em que Ló tinha vivido, lembrou-se de Abraão e livrou Ló da catástrofe.

As filhas de Ló (Lv 18) – ³⁰Ló subiu de Segor e se instalou no monte com suas duas filhas, pois temia morar em Segor; assim, pois, se instalou numa gruta com suas duas filhas. ³¹A mais velha disse à mais nova:
– Nosso pai já é velho, e na terra já não há homem que se deite conosco, como se faz em todos os lugares. ³²Vamos embriagar nosso pai e nos deitar com ele; assim, daremos vida a um descendente de nosso pai.

³³Naquela noite, embriagaram seu pai, e a mais velha se deitou com ele, sem que ele percebesse quando ela se deitou e se levantou. ³⁴No dia seguinte, a mais velha disse à mais nova:
– Na noite passada eu me deitei com meu pai. Vamos embriagá-lo também esta noite, e tu te deitas com ele; assim, daremos vida a um descendente de nosso pai.
³⁵Também naquela noite embriagaram seu pai, e a mais nova foi e se deitou com ele, sem que ele percebesse quando ela se deitou e quando se levantou. ³⁶As duas filhas de Ló ficaram grávidas de seu pai. ³⁷A mais velha deu à luz um filho, e o chamou Moab*, dizendo: De meu pai (é o antepassado do atual Moab). ³⁸Também a mais nova deu à luz um filho, e o chamou Amon*, dizendo: Filho de meu povo (é o antepassado dos atuais amonitas).

20 **Abraão em Gerara** (Gn 12,10-20; 26,1-11) – ¹Abraão levantou acampamento e se dirigiu ao Neguebe, estabelecendo-se entre Cades e Sur. Enquanto residia em Gerara, ²dizia que Sara era sua irmã. Abimelec, rei de Gerara, mandou

---

Morto; tomam a palavra hebraica "emborcar" como indício de terremoto e atribuem ao fogo origem petrolífera. Como relato literário se grava na memória de autores posteriores e emerge periodicamente: Dt 29,23; Is 1,9; 13,19; 34,9s; Jr 49,18; 50,40; Os 11,8s; Am 4,11; Sf 2,9; Lm 4,6.
19,26 Saga etiológica: havia na região uma formação salina que, vista de determinado ponto, se assemelhava a uma mulher. O povo a chamava "a mulher de Ló" e contava sua história temerosa. Olhou para trás com nostalgia ou curiosidade: sua figura petrificada passou à nossa cultura como símbolo de nostalgia covarde do passado, uma nostalgia que paralisa. Sb 10,7.
19,27 Gn 13,10.
19,28 Confronte-se este olhar trágico com o olhar sonhador de Ló no cap. 13.
19,29 Esta é a resposta, positiva e limitada ao pedido de Abraão.
19,30-38 O episódio quer dar a razão da origem dos povos aparentados e vizinhos de Israel. Para moabitas e amonitas as duas mães, com sua decisão e astúcia, deram origem a dois povos irmãos sem mistura de sangue estranho. Para Israel os vizinhos são produto de dois incestos, dos quais Ló não é culpado. O tema do incesto tem fascinado poetas e narradores, tem despertado a curiosidade dos etnólogos. Israel detesta o incesto em alguns graus. Às filhas não lhes basta sobreviver, não se contentam com uma vida mutilada, sua e de seu pai. A apetência sexual (31) e muito mais o instinto de maternidade as incitam a excogitar um remédio para sua solidão e para superar o horror, instintivo ou cultural, do incesto. Comenta Orígenes: *"As filhas pensam que ficaram vivas só elas com o pai. Por isso ardem em desejos de restaurar a raça humana e se consideram chamadas a recomeçar a história. Embora lhes parecesse grave furtar o abraço de seu pai, mais grave lhes parecia a impiedade de permitir que se extinguisse a esperança de posteridade à custa de salvar a virgindade"*.
É o grito do sangue, a ânsia de uma vida que deve continuar irmã das futuras matriarcas de dois povos. Adicionando a droga do vinho, enganando, violentando de algum modo o pai, estas duas mulheres ostentam uma grandeza ambivalente, sombria e luminosa. Por elas triunfou a vida. O povo de Sodoma não busca viver, mas consumir a vida no prazer; elas atendem ao grito da vida.
19,31 Is 3,25-4,1.
19,32 Hab 2,15.
19,37 Dt 23,41. * = Paterno.
19,38 * = Camponês.
20,1-18 Clara variante de 12,10-20 (atribuída a E na teoria documentária). Em sua posição atual, no curso da narração, interrompe a história do nascimento de Isaac e se esquece de que Sara tinha noventa anos e está grávida. O interrogatório confere à peça um tom judicial ou jurídico: delito é o adultério; o acusado alega ignorância e não ter consumado o

que lhe levassem Sara. ³Deus apareceu de noite em sonhos a Abimelec e lhe disse:

— Vais morrer por ter tomado essa mulher casada.

⁴Abimelec, que não havia dormido com ela, respondeu:

— ⁵Mas, Senhor, vais matar um inocente? Se ele me disse que era sua irmã, e ela que era seu irmão... Fiz isso de boa-fé e com as mãos limpas.

⁶Deus lhe replicou em sonhos:

— Já sei que fizeste isso de boa-fé e com mãos limpas; por isso não te deixei pecar contra mim, nem te deixei tocá-la. ⁷Mas agora, devolve essa mulher casada a seu marido; ele é profeta e rezará por ti, para que conserves a vida; mas, se não a devolveres, saibas que morrerás tu com todos os teus.

⁸Abimelec madrugou, chamou seus ministros e lhes contou todo o assunto. Os homens se assustaram muito. ⁹Depois, Abimelec chamou Abraão e lhe disse:

— O que fizeste conosco? Que mal te fiz, para que levasses a mim e a meu reino a cometer um pecado tão grave? Tu te comportaste comigo como não se deve.

¹⁰E acrescentou:

— Temias algo para agir dessa forma?

¹¹Abraão lhe respondeu:

— Pensei que neste país não respeitassem a Deus, e que me matariam por causa de minha mulher. ¹²Além disso, é realmente minha irmã por parte de pai, embora não de mãe, e a tomei como esposa. ¹³Quando Deus me fez vagar longe de minha casa paterna, eu lhe disse: "Faze-me este favor: em todos os lugares aonde chegarmos, dize que sou teu irmão".

¹⁴Então Abimelec pegou ovelhas, vacas, servos e servas, e os deu a Abraão, devolvendo-lhe também Sara, sua mulher. ¹⁵E lhe disse:

— Aí tens minha terra. Vive onde achares melhor.

¹⁶E disse a Sara:

— Dei ao teu irmão dez quilos de prata; assim poderás olhar na cara de todos os teus.

¹⁷Abraão rezou a Deus, e Deus curou Abimelec, sua mulher e suas concubinas, e deram à luz. ¹⁸Pois o Senhor tinha fechado o ventre de todas as mulheres na casa de Abimelec, por causa de Sara, mulher de Abraão.

21 Nascimento de Isaac

– ¹Conforme prometera, o Senhor visitou Sara, o Senhor realizou em Sara o que havia anunciado. ²Sara concebeu e deu um filho ao velho Abraão, na data que Deus lhe havia anunciado. ³Ao filho que lhe tinha nascido, que Sara havia dado à luz, Abraão deu o nome de Isaac. ⁴Abraão circuncidou seu filho Isaac no oitavo dia, conforme Deus lhe mandara. ⁵Abraão tinha cem anos quando seu filho Isaac nasceu. ⁶Sara comentou:

— O Senhor me fez dançar*:
 os que souberem disso
 dançarão comigo.

⁷E acrescentou:

— Quem disse a Abraão
 que Sara criaria filhos?

---

delito, reconhecendo também a razão da ameaça. Também Abimelec apela à justiça do Senhor. O autor se esforça por suprimir ou corrigir o que possa deixar o casal patriarcal em má situação: ela não foi violada, o patriarca é profeta e intercessor. Ao entrar como residente num país, atrai a intervenção de seu Deus; ao permanecer, é canal de bênçãos.

20,3-7 Deus mesmo querela contra o rei cananeu e este replica, alegando inocência. Se a boa-fé desculpa, e ainda não se consumou o delito, a situação deve ser remediada imediatamente. Uma relação sexual com a mulher casada seria "pecado contra Deus" (cf. Sl 51,6). A ameaça se torna advertência.
20,3 Sl 105,13-15.
20,6 Sl 26,6.
20,7 Pr 6,29.
20,8-16 Agora Abimelec querela contra Abraão: pôs em perigo o rei e seu reino. O patriarca não pode alegar ignorância; mas escapa com uma casuística sutil. A falta de sentido religioso, "respeitar a Deus", gera injustiça e imoralidade. O rei dá presentes em reparação e para reconciliar-se com o "profeta".
20,11 Pr 16,6.
20,16 Olhar na cara: tradução conjetural de um gesto social desconhecido; literalmente "cobrir os olhos". Não fica difamada por ter estado no harém real.

21,1-8 Por fim, chega o acontecimento esperado, o nascimento do herdeiro, e o autor o registra com sobriedade. Põe-no sob o signo do cumprimento: Deus cumpre o prometido, Abraão cumpre a ordem.
21,1 Hb 11,11.
21,6 Dançar: o mesmo que rir, da raiz do nome de Isaac (como soa ao povo); aquela que "ria" por incredulidade, agora "dança" de alegria. Os outros devem compartilhar (cf. Is 66,10). As paronomásias que exploram o nome de Isaac se encontram em 17,17; 18,12.13, aqui e em 26,8; em chave trágica em 27,34; a de Ismael se lê em 21,17. * = çehoq.

Pois lhe dei um filho em sua velhice! ⁸O menino cresceu e o desmamaram. Abraão ofereceu um grande banquete no dia em que desmamaram Isaac.

⁹Sara, porém, viu que o filho que Abraão tivera com Agar, a egípcia, brincava com Isaac, ¹⁰e disse a Abraão:

– Expulsa essa escrava e seu filho, pois o filho dessa escrava não terá herança com meu filho, com Isaac.

¹¹Abraão teve grande desgosto por causa de seu filho. ¹²Mas Deus disse a Abraão:

– Não te aflijas pelo menino e pela escrava. Em tudo o que te disser, dá atenção a Sara. Pois é Isaac quem prolongará tua descendência. ¹³Mas também do filho da escrava farei um grande povo, pois é teu descendente.

¹⁴Abraão madrugou, pegou pão e um odre de água, os pôs nos ombros de Agar e a despediu com o menino. Ela partiu e foi vagando pelo deserto de Bersabeia. ¹⁵Quando acabou a água do odre, ela pôs o menino debaixo de umas mantas; ¹⁶afastou-se e sentou-se sozinha à distância de um tiro de arco, dizendo a si mesma: "Não posso ver meu filho morrer". E sentou-se a distância. O menino começou a chorar. ¹⁷Deus ouviu a voz do menino, e do céu o anjo de Deus chamou Agar, perguntando-lhe:

– O que tens, Agar? Não temas, porque Deus ouviu a voz do menino que está aí. ¹⁸Levanta-te, toma o menino, fica tranquila por ele, porque farei dele um grande povo.

¹⁹Deus lhe abriu os olhos, e ela viu um poço de água; foi lá, encheu o odre e deu de beber ao menino. ²⁰Deus estava com o menino, que cresceu, habitou no deserto e se tornou hábil arqueiro; ²¹viveu no deserto de Farã, e sua mãe procurou para ele uma mulher egípcia.

Abraão e Abimelec (Gn 26,15-25) – ²²Naquele tempo, Abimelec, com seu capitão Ficol, disse a Abraão:

– Deus está contigo em tudo o que fazes. ²³Portanto, jura-me por Deus, aqui mesmo, que não enganarás nem a mim nem à minha estirpe, nem à minha descendência, e que tratarás a mim e a esta minha terra em que resides com a mesma lealdade com que te tratei.

²⁴Abraão respondeu:

– Juro.

²⁵Mas Abraão reclamou com Abimelec por causa do poço, do qual seus criados se haviam apoderado.

²⁶Abimelec disse:

– Não sei quem fez isso; tu não me havias contado, e até hoje eu não sabia disso.

²⁷Então Abraão tomou ovelhas e vacas, deu-as a Abimelec, e os dois fizeram um pacto. ²⁸Mas Abraão separou sete ovelhas do rebanho.

²⁹Abimelec perguntou a Abraão:

– O que significam essas sete ovelhas que separaste?

³⁰Respondeu:

– Estas sete ovelhas que recebes de minha mão são a prova de que eu cavei este poço.

21,8-9 Costuma ser durante o terceiro ano (cf. 2Mc 7,27). Fazem festa porque o menino superou os perigos da infância. Acompanha seu irmão Ismael. O pai gosta da festa. A madrasta teme que o filho da escrava ascenda à condição de herdeiro como seu filho. Sara descobre a transcendência de uma brincadeira desinteressada; não sabe entrar na fraternidade espontânea dos dois meninos, anterior a toda lei.
Abraão, que é pai de ambos, e inclusive reconhece em Ismael as primícias de sua virilidade, sofre grave desgosto: não se deve perturbar as brincadeiras infantis com cálculos interesseiros. O estranho é que Deus se ponha do lado de Sara: os ciúmes da mãe convergem com o projeto de Deus.
Autores antigos, e alguns modernos, atribuíram a Ismael na brincadeira uma intenção perversa, que não está no texto nem no contexto. Se Ismael fosse um menino precocemente pervertido, Abraão não teria levado tão a mal o pedido de Sara. Gl 4,29s segue uma tradição rabínica.

21,9 Gl 4,22-31.
21,13 Gn 19,21.
21,14-21 É uma variante do cap. 16. Ismael significa Deus escuta/escute: a alusão está indicada, mas não explorada. O menino, como filho de Abraão, goza do favor e da proteção de Deus. Os ismaelitas não desempenham papel importante na história bíblica.
21,15-18 A cena é de um patetismo sóbrio e impressionante. Com três personagens se monta e se resolve um drama que se transforma em tragédia. O personagem Deus não é um *deus ex machina*, mas um ser compassivo e consolador. O pranto infantil contrasta com a brincadeira anterior e chega ao céu.
21,22-34 Este episódio se liga com o cap. 20, no qual Abimelec oferecia ao patriarca um território onde instalar-se. Para um beduíno que possui gado numeroso, um poço de água é vital. A narração mistura a aliança proposta e aceita, com o litígio sobre direitos de poços, que termina com um acordo pacífico.

³¹Por isso o lugar se chama Bersabeia*, porque aí os dois juraram. ³²Concluído o pacto em Bersabeia, Abimelec com seu capitão Ficol voltaram ao país filisteu. ³³Abraão plantou uma tamargueira em Bersabeia e invocou o nome do Senhor Deus eterno.

³⁴Abraão morou muitos anos no país filisteu.

22 Sacrifício de Isaac (Hb 11,17-19)

¹Depois desses acontecimentos, Deus pôs Abraão à prova, dizendo-lhe:

– Abraão!

Respondeu:

– Aqui estou!

²Deus lhe disse:

– Pega teu filho único, teu querido Isaac, vai ao país de Moriá, e aí o oferecerás em sacrifício num dos montes que eu te indicarei.

³Abraão madrugou, selou o asno, e levou dois criados e seu filho Isaac; cortou lenha para o sacrifício e encaminhou-se para o lugar que Deus lhe havia indicado. ⁴No terceiro dia, Abraão ergueu os olhos e avistou o lugar ao longe. ⁵Abraão disse a seus criados:

– Ficai aqui com o asno; eu e o menino iremos até lá para adorar a Deus, e depois voltaremos a vós.

⁶Abraão pegou a lenha para o holocausto, colocou-a sobre seu filho Isaac, e ele levava o fogo e a faca. Os dois caminhavam juntos. ⁷Isaac disse a seu pai Abraão:

– Pai!

Ele respondeu:

– Aqui estou, meu filho.

O menino disse:

– Temos fogo e lenha, mas onde está o cordeiro para o holocausto?

⁸Abraão lhe respondeu:

– Deus providenciará o cordeiro para o holocausto, meu filho.

E continuaram caminhando juntos.

⁹Quando chegaram ao lugar de que Deus lhe falara, Abraão ergueu aí um altar e pôs a lenha por cima. Depois, amarrou seu filho Isaac e o pôs sobre o altar, em cima da lenha. ¹⁰Então Abraão pegou a faca para degolar seu filho; ¹¹mas o anjo do Senhor lhe gritou do céu:

– Abraão! Abraão!

Ele respondeu:

– Aqui estou.

¹²Deus lhe ordenou:

21,31 * = O nome do lugar pode ser lido como Poço do Juramento ou Poço de Sete.

21,32 Em termos históricos, durante a época patriarcal os filisteus ainda não se haviam fixado em território palestino.

21,33 Como árvore sagrada, suprindo ou acompanhando um altar; seria o quarto, depois de Siquém, Betel e Hebron, e se encontra no limite meridional habitado.

22,1 A intervenção de Deus, no princípio e no final, é o marco que envolve e ilumina a narração. A ignorância do protagonista é parte da prova; a não ignorância do leitor a respeito de Abraão ou deste a respeito do filho, é fonte de ironia dramática: o diálogo está carregado de duplo sentido. Dt 13,3.

22,1-19 Lido à luz da história das religiões, este capítulo registraria a descoberta de que Deus já não quer sacrifícios humanos. O tema está bem presente no AT: Lv 18,21; Dt 12,31; 2Rs 3,27; 16,3; 17,31; 21,6; Jr 7,31; 32,35; Ez 16,20; 20,25; Sl 107,38; Sb 14,23. O autor define o relato como "uma prova": o homem enfrenta uma situação que o obriga a reagir livremente. Não mostra o que já é, mas o que se faz, o fazer-se por si já se mostra (Dt 8,3-6). Ao superar a prova, é outro. Pela prova se comprova. A prova de Abraão não é simplesmente o sacrifício de um filho, mas deste filho. Isaac é dom particular de Deus, prova de seu amor onipotente; é a promessa cumprida, a palavra feita carne e osso. O velho patriarca tem de sacrificar um filho que ama e uma promessa cumprida que reconhece; e tem de continuar crendo e esperando. Tem de sacrificar uma experiência e ideia recebida de Deus, para abrir-se a outra nova através do mistério. Erguendo a faca sobre o seu filho, aquele que havia cortado o passado saindo da sua pátria, vai cortar o futuro contido em Isaac.

O relato é modelo de contenção e parcimônia, sugere mais do que diz; o ritmo se retarda ou acelera eficazmente; os silêncios dos personagens pesam mais que as palavras.

Chegará um dia em que Deus aceitará o sacrifício humano, como expressão de seu amor ao homem e para salvá-lo. Em penhor de amor, o Pai não reserva a si seu Filho único, mas o entrega para a salvação do mundo (Jo 3,16; Rm 8,32). A tradição unânime da Igreja viu em Isaac um tipo de Cristo.

22,2 São enfáticas as palavras de Deus. Moriá: lugar desconhecido que 2Cr 3,1 identifica com Jerusalém. Uma tradição posterior o identifica com o Calvário. O sacrifício será no estilo do holocausto: mata-se a vítima que se deixa consumir no fogo. Lv 18,21.

22,5 Abraão diz "voltaremos", para não despertar suspeitas.

22,6-8 Lenha, carga do filho, terrível para o pai consciente; fogo e faca, carga do pai, junto ao filho inconsciente. Como Cristo, que carrega conscientemente sua cruz. O diálogo é conciso, e na brevidade contém a força. De novo Abraão prediz sem sabê-lo; o leitor sabe que "Deus proverá".

22,9 Por causa deste verbo "amarrar", os judeus chamam o episódio de 'aqeda ou atadura. O narrador deixa implícito que o menino não opõe resistência.

– Não estendas a mão contra teu filho, nem lhe faças nada. Já comprovei que respeitas a Deus, porque não me negaste teu filho, teu filho único.

¹³Abraão ergueu os olhos e viu um carneiro enroscado pelos chifres nos arbustos. Abraão se aproximou, pegou o carneiro e o ofereceu em sacrifício em lugar de seu filho. ¹⁴Abraão deu a esse lugar o nome de "O Senhor providencia"; por isso ainda hoje se diz: "O monte onde o Senhor providencia".

¹⁵Do céu, o anjo do Senhor tornou a gritar a Abraão:

– ¹⁶Juro por mim mesmo – oráculo do Senhor –: por teres agido assim, por não teres poupado teu filho, teu filho único, ¹⁷eu te abençoarei, multiplicarei teus descendentes como as estrelas do céu e como a areia da praia. Teus descendentes conquistarão as cidades de seus inimigos. ¹⁸Todos os povos do mundo serão abençoados nomeando a tua descendência, porque me obedeceste.

¹⁹Abraão voltou a seus criados, e juntos se puseram a caminho de Bersabeia. Abraão ficou vivendo em Bersabeia.

²⁰Algum tempo depois, comunicaram a Abraão:

– Também Melca deu filhos a Nacor, teu parente: ²¹Hus, o primogênito; Buz, seu irmão, e Camuel, pai de Aram. ²²Cased, Azau, Feldas, Jedlad e Batuel. ²³Batuel foi pai de Rebeca. Melca deu estes oito filhos a Nacor, irmão de Abraão. ²⁴E uma concubina, chamada Roma, também lhe deu filhos: Tabé, Gaam, Taás e Maaca.

23 Abraão compra uma sepultura

– ¹Sara viveu cento e vinte e sete anos, ²e morreu em Cariat* Arbe (hoje Hebron), em país cananeu. Abraão foi fazer luto e chorar sua mulher. ³Depois, deixou sua defunta e falou aos heteus:

– ⁴Eu sou um forasteiro residente entre vós. Dai-me uma sepultura como propriedade, em terreno vosso, para enterrar minha defunta.

⁵Os heteus responderam a Abraão:

– ⁶Escuta-nos, senhor: tu és um chefe importante entre nós; enterra tua defunta na melhor de nossas sepulturas; ninguém de nós te negará uma sepultura para a tua defunta.

⁷Abraão se levantou, fez uma inclinação aos proprietários heteus, ⁸e lhes falou assim:

– Se realmente tendes vontade que enterre minha defunta, escutai-me: Suplicai em meu nome a Efron, filho de Seor, ⁹para que me ceda a gruta de Macpela, que se encontra no limite do seu campo. Que ele a ceda a mim por seu preço, em vossa presença, como propriedade funerária.

¹⁰Efron estava sentado entre os heteus. Efron, o heteu, respondeu a Abraão, na presença dos heteus e dos que assistiam ao conselho:

– ¹¹Não, meu senhor; escuta: eu te presenteio o campo, e te presenteio a gruta que há nele; eu a presenteio a ti, na pre-

---

22,13 "Em lugar do filho": como no resgate de primogênitos (Ex 12,13-15).
22,14 Corrigido. O texto massorético joga com as duas formas do mesmo verbo: *"Yhwh* providencia... monte do Senhor se mostra".
22,15-18 Renovação das promessas divinas dos caps. 12 e 15, com um acréscimo de tom militar no v. 17; possível alusão à ocupação da Palestina ou à conquista de Jerusalém por Davi.
22,16 Hb 6,13.
22,20-24 Linhagem de Nacor, irmão de Abraão. Por Rebeca, serve de preparação para o cap. 24 e seguintes. O número doze parece referir-se a clãs: como as tribos de Israel, as de Ismael em Gn 25 e as de Esaú em Gn 36; consta de dois grupos desiguais, de oito e quatro.
23,1-20 A compra da sepultura corresponde a práticas legais antigas. Quem possui uma sepultura como propriedade, possui um terreno e é habitante do país; o simples residente e o forasteiro não podem possuir terrenos. Abraão e os conselheiros o sabem. A alienação de um terreno diz respeito a toda a comunidade e deve ser aprovada por um conselho. O relato descreve a cortesia aparatosa, as segundas intenções, os rodeios de importante transação comercial. No túmulo serão enterrados também Abraão, Isaac e Jacó, Rebeca e Lia (25,9; 35,29; 49,31; 50,13), e a presença de Abraão aí será um reclamo para os israelitas. Depois, o sepulcro se transformará em lugar de veneração até nossos dias.
23,2 * = Vila.
23,7-11 Nem emprestado, nem cedido; só a propriedade exclusiva e legítima satisfaz a Abraão. Por isso, embora o preço seja exorbitante, aceita-o imediatamente.

sença de meus compatriotas; enterra tua defunta.

¹²Abraão fez uma inclinação aos proprietários ¹³que o escutavam, e disse a Efron:

– Se concordas, escuta-me: eu te pago o preço do campo; aceita-o, e enterrarei aí minha defunta.

¹⁴Efron respondeu a Abraão:

– ¹⁵Meu senhor, escuta: o terreno vale quatro quilos de prata; entre nós dois, o que significa isso? Enterra tua defunta quando quiseres.

¹⁶Abraão aceitou e, na presença dos heteus, pagou a Efron o preço estabelecido: quatro quilos de prata, a preço de mercado. ¹⁷E assim o campo de Efron em Macpela, diante de Mambré, o campo com a gruta e com todas as árvores dentro de seus limites, passou a ser propriedade de Abraão, ¹⁸sendo testemunhas os heteus que assistiam ao conselho.

¹⁹Depois, Abraão enterrou Sara, sua mulher, na gruta do campo de Macpela, diante de Mambré (hoje Hebron), em país cananeu. ²⁰O campo com a gruta passou dos heteus para Abraão como propriedade funerária.

CICLO PATRIARCAL: ISAAC

24 **Casamento de Isaac** – ¹Abraão era velho, de idade avançada, e o Senhor o havia abençoado em tudo. ²Abraão disse ao criado mais velho de sua casa, que administrava todas as propriedades:

– Põe tua mão debaixo de minha coxa, ³e jura-me pelo Senhor Deus do céu e Deus da terra que, quando procurares mulher para meu filho, não a escolherás entre os cananeus, em cuja terra habito, ⁴mas irás à minha terra natal, e aí procurarás mulher para meu filho Isaac.

⁵O criado respondeu:

– E se a mulher não quiser vir comigo para esta terra, tenho de levar teu filho para a terra de onde saíste?

⁶Abraão lhe replicou:

– De modo algum levarás meu filho para lá. ⁷O Senhor Deus do céu, que me tirou da casa paterna e do país de origem, e jurou dar esta terra à minha descendência, enviará seu anjo diante de ti, e poderás trazer mulher para meu filho. ⁸No caso de a mulher não querer vir contigo, ficas livre do juramento. Mas não levarás meu filho para lá.

23,13 2Sm 24,24.
23,17-18 Assim, os patriarcas saídos de Ur e de Harã começam a ocupar a terra prometida, ainda que seja um campo minúsculo antes da morte deles. Ver o uso de "propriedade" referido aqui ao terreno, e a todo o território em 17,8; 48,4.

Ciclo de Isaac

A figura do segundo patriarca está menos definida no livro. Se estendemos seu ciclo até incluir o cap. 27, os episódios são: casamento com Rebeca, morte do pai e nascimento dos gêmeos, a matriarca ameaçada e rixas por causa de poços, bênção testamentária dos filhos. Note-se que Esaú e Jacó roubam boa parte do espaço narrativo; além disso, os episódios da matriarca ameaçada e das rixas por causa de poços são variantes de relatos precedentes. Uma tradição patrística prefere Isaac como tipo de Cristo por ser monógamo.

24 Em compensação, o narrador tomou com calma e gosto o relato do casamento. Uma série de indícios levam a pensar que é um texto tardio: a preocupação pelo matrimônio entre israelitas, a pouca intervenção direta de Deus, o ritmo narrativo. Se assim for, o narrador quis dar uma cor arcaica e ingênua a seu relato.

É um tema dramático que se resolve em forma idílica. Abraão perto de morrer – justo é deduzi--lo, a morte de Sara acaba de o preceder – cuida da sucessão do filho, pois cabe ao pai adquirir-lhe mulher. Duas lealdades tornam tensa a eleição. Por um lado, deve ser fiel ao sangue, que não se deve contaminar com perigosas mulheres cananeias (compare-se com 26,34; 27,46 e Dt 7,3s). Por outro, deve ser fiel à nova terra de adoção. Além do mais, o patriarca não pode resolver o assunto pessoalmente, tem de incumbir disso um criado. Esses fatores tornam ligeiramente tenso o relato, mas o desenrolar é aprazível; tudo se resolve providencialmente. Deus atua discretamente e o sinal que concede não é espetacular. Talvez o leitor moderno encontre um encanto adicional nos toques, para ele exóticos, quase primitivos, nas coincidências ingênuas. O relato flui razoavelmente, embora desejássemos que os presentes (v. 22) viessem depois da identificação (v. 24), e a aceitação da moça se enquadraria melhor depois do v. 51.

24,1-8 Primeira cena: Abraão e o criado.
24,1-2 "Abençoado" com longa vida, descendência e riquezas. "Coxa" parece ser eufemismo, como em 47,29: faz o juramento segundo o costume antigo.
24,3 O título de *Yhwh* é Deus do universo, céu e terra. Nela se inscrevem a terra de Harã e de Canaã. Gn 28,2.
24,4 Tb 3,17.
24,5-8 Numa ordem de preferências, considera essencial a aceitação livre da mulher escolhida.
24,7 Tb 5.

⁹O criado pôs a mão sob a coxa de Abraão, seu amo, e lhe jurou fazer assim. ¹⁰Então o criado pegou dez camelos de seu amo e, levando todo tipo de presentes de seu amo, dirigiu-se a Aram Naaraim*, cidade de Nacor. ¹¹Fez os camelos ajoelharem fora da cidade, junto a um poço, ao entardecer, quando as mulheres costumam sair para tirar água. ¹²E disse:

– Senhor Deus de meu amo Abraão, dá-me hoje um sinal favorável, e trata com bondade meu amo Abraão. ¹³Eu estarei junto à fonte quando as jovens da cidade saírem para tirar água. ¹⁴Direi a uma das jovens: Por favor, inclina teu cântaro, para que eu beba. Aquela que me disser: Bebe tu, que vou dar de beber aos teus camelos, essa é a que destinaste para teu servo Isaac. Assim, saberei que tratas meu amo com bondade.

¹⁵Não havia acabado de falar, quando saía Rebeca – filha de Batuel, filho de Melca, mulher de Nacor, irmão de Abraão – com o cântaro no ombro. ¹⁶A jovem era muito formosa; era virgem e não tivera relações com nenhum homem. Desceu à fonte, encheu o cântaro e subiu.

¹⁷O criado correu ao seu encontro e lhe disse:

– Deixa-me beber um pouco de água do teu cântaro.

¹⁸Ela respondeu:

– Bebe, meu senhor.

E logo abaixou o cântaro ao braço e lhe deu de beber. ¹⁹Quando terminou, disse-lhe:

– Vou tirar também para teus camelos, para que bebam o quanto quiserem.

²⁰E logo esvaziou o cântaro no bebedouro, correu ao poço para tirar mais, e tirou para todos os camelos. ²¹O homem a estava olhando, em silêncio, esperando para ver se o Senhor dava êxito ou não à sua viagem.

²²Quando os camelos terminaram de beber, o homem pegou um anel de ouro de cinco gramas de peso e o pôs nas narinas dela, e duas pulseiras de ouro de dez gramas, e as pôs nos pulsos dela. ²³E lhe perguntou:

– Dize-me de quem és filha e se na casa de teu pai encontraremos lugar para passar a noite.

²⁴Ela respondeu:

– Sou filha de Batuel, filho de Melca e de Nacor.

²⁵E acrescentou:

– Temos palha e forragem em abundância e temos lugar para passar a noite.

²⁶O homem inclinou-se, adorando o Senhor, ²⁷e disse:

– Bendito seja o Senhor Deus de meu amo Abraão, que não esqueceu sua bondade e lealdade para com seu servo. O Senhor me guiou para a casa do irmão de meu amo.

²⁸A jovem foi correndo para casa contar tudo à sua mãe.

²⁹Rebeca tinha um irmão chamado Labão. Quando ele viu o anel e as pulseiras de sua irmã, e ouviu o que sua irmã Rebeca lhe contava a respeito do que o homem dissera, ³⁰correu para a fonte à procura do homem, e o encontrou esperando com os camelos junto à fonte. ³¹E lhe disse:

– Vem, o Senhor te abençoe. Por que ficas aqui fora? Eu te preparei hospedagem e lugar para os camelos.

³²O homem entrou na casa, descarregou os camelos, deu-lhes palha e forragem, e trouxe água para que o criado e seus acompanhantes lavassem os pés. ³³Quando lhe ofereceram de comer, ele recusou:

– Não comerei antes de expor a minha questão.

E lhe disseram:

24,10-27 Segunda cena: o criado com Rebeca.
24,10 * = Entre Rios.
24,11 Ex 2,16.
24,14 A moça deve ser prática e serviçal. Será esse o sinal de Deus. É um motivo reiterado o colocar essas cenas de tema matrimonial junto a poços de água: Rebeca, Raquel, Séfora; poço e água funcionam como símbolos matrimoniais (Pr 5; Jo 4).
24,17 Jo 4,7.
24,22 O obséquio é desproporcional ao favor de dar-lhe água; por isso, sua intenção aponta para mais longe.
24,27 Bendizer a Deus é dar-lhe graças pelo êxito da viagem, por tê-lo guiado.
24,28-53 Terceira cena: na casa de Labão.
24,29 Segundo a legislação antiga, cabia ao irmão a responsabilidade pela irmã donzela, depois da morte do pai (cf. Ct 8,8s). A presença de Batuel no v. 50 é duvidosa.
24,33 Tb 7,12.

— Fala.

³⁴Então começou:

— Sou criado de Abraão. ³⁵O Senhor abençoou imensamente o meu amo e o tornou rico; deu-lhe ovelhas e vacas, ouro e prata, servos e servas, camelos e asnos. ³⁶Sara, mulher do meu amo, já velha, deu-lhe um filho que terá tudo em herança. ³⁷Meu amo me fez jurar: Quando procurares mulher para meu filho, não a escolherás entre os cananeus, em cuja terra habito, ³⁸mas irás à casa de meu pai e parentes, e aí procurarás mulher para meu filho. ³⁹Eu lhe respondi: "E se a mulher não quiser vir comigo?" ⁴⁰Ele replicou: "O Senhor, a quem meu comportamento agrada, enviará seu anjo contigo, dará êxito à tua viagem, e encontrarás mulher para meu filho em casa de meu pai e meus parentes; ⁴¹mas não incorrerás em minha maldição se tu, chegando à casa de meus parentes, não a quiserem dar a ti: então ficarás livre do juramento". ⁴²Ao chegar hoje à cidade, eu disse: Senhor, Deus de meu amo Abraão, se queres tornar bem-sucedida a viagem que fiz, ⁴³eu me porei junto à fonte e direi à jovem que sair para tirar água: "Dá-me de beber um pouco de água de teu cântaro". ⁴⁴Se ela me disser: "Bebe tu, pois vou tirar para os camelos", é ela que o Senhor destina para o filho de meu amo. ⁴⁵Eu não acabara de me dizer isso, quando Rebeca saía com o cântaro no ombro, desceu à fonte, tirou água, e eu lhe pedi: Dá-me de beber. ⁴⁶Ela baixou logo o cântaro, e me disse: "Bebe tu, pois vou dar de beber aos teus camelos"; eu bebi, e ela deu de beber aos camelos. ⁴⁷Então lhe perguntei: "De quem és filha?" Ela me disse: "De Batuel, filho de Nacor e Melca". Então eu lhe pus um anel nas narinas e pulseiras nos pulsos, ⁴⁸e me inclinei adorando o Senhor, bendizendo o Senhor, Deus de meu amo Abraão, que me guiou pelo caminho certo, para levar ao filho de meu amo a filha de seu irmão. ⁴⁹Portanto, dizei-me se quereis ou não mostrar bondade e lealdade para com meu amo, agindo de acordo.

⁵⁰Labão e Batuel lhe responderam:

— É coisa do Senhor, nós não podemos responder-te sim ou não. ⁵¹Aí tens Rebeca, toma-a e vai, e seja a mulher do filho de teu amo, conforme disse o Senhor.

⁵²Quando o criado de Abraão ouviu isso, prostrou-se por terra diante do Senhor. ⁵³Depois, tirou objetos de prata e ouro e vestes, e os ofereceu a Rebeca, e ofereceu presentes para o irmão e a mãe. ⁵⁴Comeram e beberam, ele e seus companheiros, pernoitaram, e na manhã seguinte se levantaram e disseram:

— Permiti que volte a meu amo.

⁵⁵O irmão e a mãe replicaram:

— Deixa que a jovem fique conosco uns dez dias, e depois partirá.

⁵⁶Mas ele replicou:

— Não me detenhais, depois que o Senhor tornou minha viagem bem-sucedida; permiti que eu volte a meu amo. ⁵⁷Vamos chamar a jovem e perguntar-lhe sua opinião.

⁵⁸Chamaram Rebeca e lhe perguntaram:

— Queres ir com este homem?

Ela respondeu:

— Sim.

⁵⁹Então despediram Rebeca e sua ama de leite, o criado de Abraão e seus companheiros.

⁶⁰E abençoaram Rebeca:

— Tu és nossa irmã,
sê mãe de milhares e milhares;
que tua descendência conquiste
as cidades inimigas.

⁶¹Rebeca e suas companheiras se levantaram, montaram nos camelos, e seguiram o homem; e assim o criado de Abraão levou Rebeca.

⁶²Isaac tinha-se transferido do "Poço daquele que vive e vê" ao território do Neguebe. ⁶³Uma tarde saiu a passear pelo

---

24,35 Considera a riqueza do patriarca um sinal da bênção divina.
24,44 Tb 6,13.
24,49 Entregar a filha ao irmão para esposa do sobrinho é considerado ato de lealdade familiar, um acordo que compromete. "Agir de acordo": literalmente, dirigir-me à direita ou à esquerda.
24,51-54 A fórmula de entrega, o banquete e os presentes formalizam o contrato. Falta a aceitação da moça.
24,51 Tb 7.
24,54-66 Quarta cena: partida e encontro.
24,60 A bênção visa a um futuro distante, incluindo a fecundidade prodigiosa e a ocupação da terra, mesmo contra a resistência inimiga.

campo, e, erguendo o olhar, viu alguns camelos se aproximarem. ⁶⁴Rebeca também ergueu o olhar e, ao ver Isaac, desceu do camelo, ⁶⁵e perguntou ao criado:

– Quem é aquele homem que vem pelo campo em nossa direção?

O criado respondeu:

– É meu amo.

Ela pegou o véu e se cobriu. ⁶⁶O criado contou a Isaac tudo o que havia feito. ⁶⁷Isaac a introduziu na tenda de Sara, sua mãe, tomou-a como esposa e, com o amor dela, consolou-se da morte de sua mãe.

25 Morte de Abraão (1Cr 1,29-32)

¹Abraão tomou outra mulher, chamada Cetura, ²que lhe deu filhos: Zamrã, Jecsã, Madã, Madiã, Jesboc e Sué. ³Jecsã gerou Sabá e Dadã, e os filhos de Dadã foram os assírios, os latusitas e os loomitas. ⁴Os filhos de Madiã foram Efa, Ofer, Enoc, Abida, Eldaá. Todos esses são filhos de Cetura.

⁵Abraão tornou Isaac herdeiro de tudo, ⁶enquanto deu presentes aos filhos das concubinas, e ainda em vida os enviou ao país do Nascente, longe do seu filho.

⁷Abraão viveu cento e setenta e cinco anos. ⁸Abraão expirou e morreu em velhice feliz, coroado de anos, e se reuniu com os seus. ⁹Isaac e Ismael, seus filhos, o enterraram na gruta de Macpela, no campo de Efron, filho de Seor, o heteu, diante de Mambré. ¹⁰No campo que Abraão comprou dos heteus foram enterrados Abraão e Sara, sua mulher. ¹¹Quando Abraão morreu, Deus abençoou seu filho Isaac, e este se estabeleceu no "Poço daquele que vive e vê".

¹²Descendentes de Ismael, filho de Abraão e Agar, sua escrava egípcia. ¹³Nome dos filhos de Ismael, por ordem de nascimento: Nabaiot, o primogênito, Cedar, Adbeel, Mabsam, ¹⁴Masma, Duma, Massa, ¹⁵Hadad, Tema, Jetur, Nafis e Cedma. ¹⁶Estes são os filhos de Ismael e seus nomes por cercados e acampamentos: doze chefes de tribo.

¹⁷Ismael viveu cento e trinta e sete anos. Expirou, morreu e se reuniu com os seus. ¹⁸Eles se estenderam desde Hévila até Sur, junto ao Egito, conforme se chega a Assur, uns diante de outros.

¹⁹Descendentes de Isaac, filho de Abraão. Abraão gerou Isaac.

24,67 Na própria tenda de Sara, casa móvel dos beduínos, se encontra o novo matrimônio: segunda geração patriarcal.

25,1-18 Uma genealogia de Abraão interrompe o relato, que continuará com a descendência de Isaac. Primeiro, os descendentes da nova esposa, Cetura, até a quarta geração (bisnetos) de um ramo. Depois, os doze filhos de Ismael, todos chefes de tribo. O nome da mulher soa como "incenso". Os nomes dos filhos são pouco conhecidos, exceto Madiã, que exerce papel importante até a época dos Juízes. Sué é a pátria de Bildad, amigo de Jó. Os dadanitas aparecem em Is 21,13. Uma Efa figura em 1Cr 2,46 e um Ofer em 1Cr 5,24.

25,5 Gn 21,10.

25,7-10 No meio, a morte e sepultamento de Abraão.

25,10 Gn 23.

25,13-16 Nabaiot: Is 60,7; Cedar/Qadar: Is 42,11; Sl 120,5; Ct 1,5; Massa: Pr 30,1; Temá: Is 21,14; Jó 6,19.

25,19-36,43 Amplo ciclo de Jacó. Outros estendem o ciclo de Isaac até o final do cap. 27, já que atua ele no cap. 26 e cabe a ele, no cap. 27, dar a bênção testamentária aos filhos.

O ciclo de Jacó é rico de episódios dramáticos, de visões ou audições celestes. Sobressaem suas relações com o irmão gêmeo Esaú, com o tio Labão, com as duas esposas Lia e Raquel. E naturalmente com seu Deus. Incorporando o cap. 36, podemos, com pequeno esforço, reduzir o material a uma disposição concêntrica:

25 Genealogia de Ismael.
  Nascimento e adolescência de Jacó e Esaú
 26 Isaac com os nativos do país
  27 Jacó e Esaú: ruptura
   28 Fuga: aparição em Betel
    29 Labão acolhe Jacó
     30 Lia e Raquel
    31 Jacó e Labão: fuga e pleito
   32 Fuga: aparição noturna
  33 Jacó e Esaú: reconciliação
 34 Dina e os nativos do país
35 Morrem Isaac e Raquel. Aparição em Betel
36 Genealogia de Esaú.

Como sempre, essa distribuição supõe dar preferência a determinados motivos literários. Destacam-se: no centro as duas mulheres que fundam a família patriarcal (cf. Rt 4,11), a ruptura e reconciliação de Jacó com Esaú, a dupla fuga com a dupla aparição. Os materiais são heterogêneos por gênero literário, estilo, tema e concepção; um autor final responsável os teria organizado e em parte redigido. A teoria documentária reparte o material entre o Javista, o Eloísta e o Sacerdotal. Os estudos recentes preferem analisar episódios ou blocos. Seguiremos o texto atual da Bíblia hebraica.

Outros textos sobre a figura de Jacó: Os 12,1-13; talvez Os 6,7-10; Jr 9,1-8; Is 40,4 duvidoso; 49,1-5 provável; Eclo 44,23; Sb 10,10-12.

25,19-26 Neste nascimento sobressaem três coisas: a esterilidade da mulher, curada pela intercessão do

²⁰Quando Isaac tinha quarenta anos, tomou como esposa Rebeca, filha de Batuel, arameu de Padã-Aram, e irmã de Labão, arameu. ²¹Isaac rezou a Deus por sua mulher, que era estéril. O Senhor o escutou, e Rebeca, sua mulher, concebeu. ²²Mas as crianças brigavam em seu ventre, e ela disse:

– Vale a pena viver nessas condições? E foi consultar o Senhor.

²³O Senhor lhe respondeu:

– Em teu ventre há duas nações,
dois povos se separam
em tuas entranhas:
um povo vencerá o outro,
e o mais velho servirá ao mais novo.

²⁴Quando chegou o tempo do parto, tinha gêmeos no ventre.
²⁵Saiu primeiro um, pardo e peludo como um manto, e lhe deram o nome de Esaú.
²⁶Atrás dele saiu seu irmão, agarrando com a mão o calcanhar* de Esaú, e lhe deram o nome de Jacó. Isaac tinha sessenta anos quando nasceram.
²⁷As crianças cresceram. Esaú se tornou hábil caçador, homem agreste, ao passo que Jacó se tornou honrado beduíno.
²⁸Isaac preferia Esaú, porque gostava dos pratos de caça, e Rebeca preferia Jacó.

²⁹Um dia, quando Jacó estava preparando um cozido, Esaú voltava esgotado do campo.
³⁰Esaú disse a Jacó:

– Deixa-me tragar dessa coisa parda, pois estou esgotado. (Por isso o chamam Edom*.)

³¹Jacó respondeu:

– Só se me venderes agora teus direitos de primogenitura.

³²Esaú replicou:

– Estou morto de fome: o que me importam os direitos de primogênito?

³³Disse Jacó:

– Jura-me agora mesmo.

Ele jurou e vendeu a Jacó seus direitos de primogênito. ³⁴Jacó deu a Esaú pão e cozido de lentilhas. Ele comeu, bebeu, levantou-se e partiu. E assim desprezou seus direitos de primogênito.

26 Isaac em Gerara (Gn 12,10-20; 20) – ¹Sobreveio uma carestia no país (além da que houve nos tempos de Abraão), e Isaac se dirigiu a Gerara, onde Abimelec era rei dos filisteus.

²O Senhor lhe apareceu e lhe disse:

– Não desças ao Egito. Fica no país que te indicarei. ³Reside neste país: estarei con-

---

marido (com um verbo único em Gn, repetido em Ex 8,4; 10,18); o oráculo divino fixando os destinos; o nascimento dos gêmeos. 19 Começa em estilo de registro civil. 20 A esterilidade serve para exaltar a ação de Deus: autor da fecundidade ordinária pela bênção fundacional e de fecundidades extraordinárias por intervenção expressa. Casos: Sara, Rebeca, Raquel, as mães de Sansão e de Samuel.

25,21 Gn 11,30; 1Sm 1.

25,22 O oráculo projeta-se do estágio embrionário uma situação histórica: são já dois povos, separados, rivais, um submetido ao outro. Parecem repetir a relação de Abrão e Ló (Gn 13; cf. Pr 18,24). É demais para a mãe na primeira gravidez: em tais condições vale a pena ser mãe?

25,23 As duas criaturas são já dois povos "em embrião", seus corpinhos encerram multidões em potência. Já "se separam" e já se estabelece a hierarquia. Ou seja, a história futura está prefigurada na etapa embrionária. Os irmãos, os povos, são rivais de nascimento e de antes.

25,25-26 O nascimento é tão portentoso como aquilo que o precede. A figura do primeiro e o gesto do segundo prefiguram o porvir. O primeiro é pardo ou terroso (Edom), peludo ou hirsuto (Seir). O segundo nasce dando uma rasteira, tentando suplantar (Jacó). Os nomes com suas paronomásias regerão os relatos que seguem. A raiz *'qb* como nome significa "calcanhar", como verbo, suplantar; imitando a paronomásia original, em português o chamaríamos Embusteiro, Arteiro, Trapaceiro.

25,26 * = *'eqeb*.

25,27-34 Breve anedota que se tornou proverbial – "por um prato de lentilhas" – e que é origem de outro episódio (cap. 27). Os gêmeos, já crescidos, diferenciam sua atividade (como Caim e Abel), caçador e pastor; surgem as preferências de pai e mãe por razões bem pouco espirituais: para os hebreus, o "gosto" era órgão ou sede de discernimento (Eclo 36,23-24). O irmão doméstico, que deveria dar de comer ao faminto e acolher o irmão cansado, faz cálculos e lhe prepara uma armadilha. E para que, saciada a fome, o irmão não volte atrás, exige dele um juramento. O verbo "tragar" é raro e exprime avidez, o mesmo que designar o guisado pela cor e não pelo nome. O v. final expressa a rapidez conclusiva com sua cascata de cinco verbos. Cita o episódio Hb 11,20. Os dois fragmentos (20-34) podem ser lidos: em chave familiar, como irmãos gêmeos; em chave cultural, como modelo de caçadores e pastores (Gn 4,7 e 10,9), e em chave política, como duas nações ou povos (Js 24,4; 1Sm 8,13-14).

25,30 * = Pardo.

26,1-6 As promessas feitas a Abraão (cap. 12 e 15) se repetem com algumas características novas. Note-se o argumento e a obediência de Abraão (não só fé).

tigo e te abençoarei, porque a ti e a teus descendentes eu darei todas estas terras. Assim cumprirei a promessa que fiz a teu pai Abraão. [4]Multiplicarei tua descendência como as estrelas do céu, darei à tua descendência todas estas terras, e todos os povos da terra desejarão as bênçãos de tua descendência. [5]Porque Abraão me obedeceu e guardou meus preceitos, mandatos, normas e leis.

[6]Isaac passou a viver em Gerara. [7]O povo do lugar lhe perguntou quem era a mulher, e ele disse que era sua irmã, pois temia que o povo do lugar o matasse por causa da beleza de Rebeca.

[8]Passado bastante tempo, Abimelec, rei dos filisteus, olhava um dia pela janela, e viu que Isaac acariciava Rebeca, sua mulher.

[9]Abimelec chamou Isaac e lhe disse:

– Se é tua mulher, por que disseste que é tua irmã?

Isaac lhe respondeu:

– Porque temi que me matassem por causa dela.

[10]Abimelec lhe disse:

– O que nos fizeste? Se um de nós deitasse com tua mulher, seríamos todos culpados.

[11]Abimelec decretou para toda a população:

– Quem tocar esse homem ou sua mulher, é réu de morte.

Poços (Gn 21,22-34) – [12]Isaac semeou naquela terra, e naquele ano colheu o cêntuplo, porque o Senhor o abençoou. [13]Ele prosperava e prosperava, até o ápice da prosperidade. [14]Tinha rebanhos de ovelhas e vacas, muitos servos, tanto que os filisteus o invejavam. [15]Os filisteus entulharam e taparam com terra todos os poços que os servos de seu pai Abraão haviam cavado. [16]Abimelec disse a Isaac:

– Afasta-te de nós, pois és muito mais poderoso do que nós.

[17]Isaac se afastou daí, acampou junto à torrente de Gerara, e aí se estabeleceu. [18]Isaac tornou a cavar os poços que haviam sido cavados em vida por seu pai Abraão, e que os filisteus haviam tapado depois da morte de Abraão. E os chamou com os mesmos nomes que lhes havia dado seu pai.

[19]Os criados de Isaac cavaram junto à torrente e encontraram uma fonte. [20]Os pastores de Gerara brigaram com os pastores de Isaac, reclamando a propriedade da água. E deu ao poço o nome de Esec*, porque o haviam desafiado. [21]Cavaram outro poço, e também brigaram por causa dele, e lhe deu o nome de Sitna*. [22]Afastou-se daí e cavou outro poço, e por ele não brigaram. E o chamou Reobot*, dizendo: "O Senhor nos deu seu espaço para crescer no país". [23]Daí subiu a Bersabeia. [24]O Senhor lhe apareceu naquela noite e lhe disse:

– Eu sou o Deus de teu pai Abraão.
Não temas, pois estou contigo.
Eu te abençoarei
e multiplicarei tua descendência
por causa de meu servo Abraão.

[25]Construiu aí um altar, invocou o nome do Senhor, e aí montou sua tenda. Os servos de Isaac abriram aí um poço.

[26]De Gerara, foi visitá-lo Abimelec com seu conselheiro Ocozat e seu capitão Ficol. [27]Isaac lhes disse:

– Por que vindes visitar-me, vós que me fostes hostis e me expulsastes de vosso território?

[28]Responderam-lhe:

– Comprovamos que o Senhor está contigo e pensamos trocar juramentos, fazendo uma aliança contigo. [29]Não nos farás mal nenhum, pois nós não te prejudicamos, sempre te tratamos bem e te despedimos em paz. Agora, que o Senhor te abençoe.

[30]Ele lhes ofereceu um banquete: comeram e beberam. [31]De manhã, levantaram-se e pronunciaram os mútuos juramentos. Isaac os despediu, e eles partiram em paz. [32]Nesse dia vieram os servos de Isaac trazendo-lhe notícias do poço que haviam cavado:

– Encontramos água.

[33]E deram ao poço o nome de Siba*. Por isso, ainda hoje a cidade se chama Bersabeia.

26,20 * = Desafio.
26,21 * = Rivalidade.
26,22 * = Espaçoso.
26,23 Gn 12,1-3.
26,26 Gn 21,22-23.

26,33 Com este capítulo (de imitações e repetições) a vida de Isaac passa como paradigma. Adiante o veremos como ancião inválido e enganado, e nos informarão de sua morte (35,27-29). * = Juramento.

³⁴Quando Esaú completou quarenta anos, tomou outras mulheres: Judite, filha do heteu Beeri, e Basemat, filha do heteu Elom. ³⁵Causaram muitos desgostos a Isaac e Rebeca.

27 Isaac abençoa Jacó
– ¹Quando Isaac ficou velho e perdeu a visão, chamou seu filho mais velho Esaú, e lhe disse:
– Meu filho!
Respondeu-lhe:
– Aqui estou!
²Disse-lhe:
– Olha, já estou velho e não sei quando vou morrer. ³Portanto, toma teus apetrechos, arco e aljava, e sai ao campo para caçar alguma coisa para mim. ⁴Depois a prepararás conforme eu gosto, e a trarás para que eu a coma. Quero dar-te minha bênção antes de morrer.
⁵Rebeca ouvia o que Isaac dizia a seu filho Esaú. Esaú saiu ao campo para caçar alguma coisa. ⁶Rebeca disse a seu filho Jacó:
– Ouvi teu pai dizendo ao teu irmão Esaú: ⁷"Traze-me uma caça e prepara-a, para que eu a coma; quero abençoar-te na presença do Senhor, antes de morrer". ⁸Agora, meu filho, obedece minhas instruções; ⁹vai ao rebanho, escolhe dois cabritos bonitos, e eu prepararei para teu pai um prato conforme ele gosta. ¹⁰Tu o levarás ao teu pai para que coma, e assim te abençoará antes de morrer.
¹¹Jacó replicou à sua mãe Rebeca:
– Sabes que meu irmão Esaú é peludo, e eu tenho a pele lisa. ¹²Se meu pai me apal-

27,1-45 O xeque vencedor de perigos, respeitado por outros xeques locais, rico e poderoso na fronteira de Canaã, é agora um ancião cego, frágil, sem forças para segurar as rédeas da vida doméstica, assaltado pelo pensamento da morte. Confinado na sua tenda, volta-se ao futuro para assegurar a sucessão.
O desenrolar do relato é linear e claro. Em 1-17 se apresenta o enredo e se forja a fraude, combinando um saber com uma ignorância; em 1-5 Isaac toma a iniciativa, falando a seu filho Esaú; em 6-17 Rebeca rouba-lhe a iniciativa, tratando com seu favorito Jacó. Seguem-se duas cenas paralelas em contraste. A primeira, 18-29, é lenta, bem articulada, dominada pela burla: atuam Isaac e Jacó. A segunda, 31-40 (30 é transição), conduz rapidamente à explosão trágica, remediada pela metade. O epílogo, 41- 45, mostra as consequências imediatas da fraude.
O tema é familiar. Um quadrilátero elementar, de pai, mãe e dois irmãos, não é um quadro perfeito, porque está submetido a forças desiguais, a saber, uma lei consuetudinária de precedência e de preferências afetivas conflitantes. O termo "filho": com diversos possessivos, repete-se 24 vezes; outras tantas o termo "pai", e outras doze o termo "irmão". Uma boa declamação saberá acentuar as diferenças de matiz.
O tema da bênção é medular. A bênção é aqui ato testamental, decisivo, irrevogável. É o bem tranquilamente esperado por Esaú, astutamente cobiçado por Jacó. Delineia a comédia, exacerba o drama, faz estalar a tragédia: tudo em três páginas. Abençoar e bênção – *barek, berakah* – soam 16 vezes; consoam com primogenitura – *bekorah* – e com o nome de Rebeca. A bênção marca o futuro, mas se consegue com fraude, que também marca o futuro.
A fraude é constitutiva do relato. Do ponto de vista literário, é própria do folclore: o herói é mais fraco, porém mais expedito e triunfa da força com a astúcia. O engano é como um estratagema bélico sem declaração de guerra. O antagonista vencido ou enganado nos regozija. Mas a fraude não se justifica no texto, pois nem Rebeca nem Jacó apelam ao oráculo pré-natal, nem à compra dos direitos; ao passo que Esaú declara fraudulenta essa compra.
Comédia e tragédia. Para ouvintes israelitas, o relato está cheio de detalhes cômicos ou burlescos: Esaú é ao tato um cabrito, a troca fraudulenta no prato, o engano do ancião guloso, a mãe escutando às escondidas. Além disso, para os israelitas Esaú representa Edom. Mas a burla se encarniça, corta e dilacera tecidos vitais. O grito de Esaú afoga o sorriso e traga no seu vórtice a burla. Já não suspendemos o juízo ético, porque a dor, ao superar certo limite, é irremediavelmente séria.
O domínio dos sentidos confere ao relato uma corporeidade robusta, um realismo vigoroso, de traços simplificados. Entram em ação e movem o processo a vista negada em conflito com o ouvido que discerne, o ouvido certeiro em contraste com o gosto falaz, o olfato do qual brota a bênção, e o tato como remédio insuficiente.
27,1-17 Isaac mantém a iniciativa, Esaú lhe obedece sem hesitar. Rebeca se rebela contra uma lei, para impor sua preferência; aceita a responsabilidade e o risco, ou está certa do êxito; mas não apela ao oráculo de anunciação. Jacó interpõe uma grave objeção, não contra o plano, mas contra seus perigos, como se não lhe importasse a fraude; tampouco apela para a compra dos direitos. O traje, guardado no baú com plantas aromáticas, é traje festivo; serve agora para suplantar a personalidade.
27,1 Outros casos de cegueira: Jacó (Gn 48,10), Eli (1Sm 3,12), Aías (1Rs 14,4); o contrário se diz de Moisés: Dt 34,7.
27,2 A lembrança da morte paira sobre o relato (2.4.7.10.41) e confere valor testamental à bênção.
27,3-4 Ler Pr 29,17.
27,5 Como Sara (18,11).
27,7 A bênção terá caráter ritual, ratificada pelo Senhor.
27,11 Os dois adjetivos possuem valor metafórico: hirsuto, áspero, arrebatado; liso, afagador, enganoso.
27,12 A maldição não é menos eficaz que a bênção, como diz Eclo 3,9.

par e me torno diante dele um embusteiro, atrairei maldição ao invés de bênção.

¹³Sua mãe lhe disse:

— Caia sobre mim a maldição, meu filho. Obedece, vai e traz os cabritos.

¹⁴Ele foi, escolheu-os e levou a sua mãe; e sua mãe os preparou conforme seu pai gostava. ¹⁵Rebeca pegou as roupas de seu filho mais velho Esaú, o traje de festa que guardava no baú, e o pôs em seu filho mais novo Jacó. ¹⁶Com a pele dos cabritos cobriu-lhe as mãos e a parte lisa do pescoço. ¹⁷A seguir, pôs nas mãos de seu filho Jacó o prato e o pão que havia preparado.

¹⁸Ele entrou onde estava seu pai e lhe disse:

— Meu pai!

Respondeu-lhe:

— Aqui estou! Quem és tu, meu filho?

¹⁹Jacó respondeu a seu pai:

— Sou Esaú, teu primogênito. Fiz o que me mandaste. Levanta-te, senta-te e come da caça; depois me abençoarás.

²⁰Isaac disse a seu filho:

— Como a encontraste depressa, meu filho!

Ele respondeu:

— O Senhor teu Deus a colocou a meu alcance.

²¹Isaac disse a Jacó:

— Aproxima-te, para que eu te apalpe, meu filho, para ver se és ou não meu filho Esaú.

²²Jacó aproximou-se de seu pai Isaac, que apalpando-o disse:

— A voz é a voz de Jacó, as mãos são as mãos de Esaú.

²³Ele não o reconheceu porque suas mãos eram peludas como as de seu irmão Esaú. E se dispôs a abençoá-lo. Perguntou:

— ²⁴És meu filho Esaú?

Ele respondeu:

— Sou.

²⁵Disse-lhe:

— Meu filho, aproxima de mim a caça, para que eu coma; depois te abençoarei.

Ele a aproximou, e Isaac comeu. Serviu-lhe vinho, e ele bebeu.

²⁶Seu pai Isaac lhe disse:

— Aproxima-te e me beija, meu filho.

²⁷Aproximou-se e o beijou. E ao sentir o perfume das vestes, abençoou-o, dizendo:

— Vê, o perfume de meu filho
como perfume de um campo
que o Senhor abençoou.
²⁸Que Deus te conceda
orvalho do céu,
fertilidade da terra,
abundância de trigo e vinho.
²⁹Que os povos te sirvam
e as nações te prestem vassalagem.
Sê o senhor de teus irmãos;
que te prestem vassalagem
os filhos de tua mãe.
Maldito quem te amaldiçoar,
bendito quem te abençoar!

³⁰Mal terminara Isaac de abençoar Jacó, enquanto Jacó saía de onde estava seu pai, Esaú voltava da caçada. ³¹Também ele preparou um bom prato, levou-o a seu pai e lhe disse:

— Levanta-te, pai, e come da caça de teu filho; e assim me abençoarás.

³²Seu pai Isaac lhe perguntou:

— Quem és?

Ele respondeu:

— Sou teu primogênito Esaú.

³³Isaac foi tomado de espantoso terror e disse:

— Então, quem foi caçar e me trouxe, e eu comi de tudo antes que chegasses? Eu o abençoei, e abençoado será.

27,18-29 Jacó e Isaac. Articula-se em cinco fases: petição (18s); identificação (24); refeição (25); beijo (26); fórmula de bênção (27-29).

27,27-29 A bênção apresenta um texto composto. A primeira parte é de e para lavradores: trigo e vinho. A segunda é política: soberano e vassalo. A terceira é de âmbito familiar. A quarta torna o herdeiro canal de bênção. É curioso que não haja nada para o pastor e o caçador. A combinação da prosperidade agrícola com o domínio político também se encontra em outras bênçãos, como as de Judá e de José em Gn 49,8-11.22-24; a de José em Dt 33,12-17.

27,27 Aproxima-se Jacó, difundindo com o traje fraterno eflúvios aromáticos que envolvem o ancião.

Isaac não vê, cheira e imagina a fragrância de um campo abençoado por Deus; e lhe assoma a bênção.

27,28 "Orvalho" que o homem não desprende nem direciona, puro dom do céu. Jó 29,19.

27,29 Sl 4,8; Gn 49,8-10.

27,30 É importante a simultaneidade que inclui um toque irônico.

27,31-38 O começo é repetição com variantes de 18-19a. Isaac não se retrata: abençoou "na presença do Senhor" (7); invocando o Senhor (27s); repetindo palavras do Senhor a Abraão (29s). Supõe que Deus ratificou a bênção. A insistência de Esaú é lógica: se em termos de predomínio há espaço para um apenas, em termos de prosperidade não

³⁴Quando Esaú ouviu as palavras de seu pai, deu um forte grito, cheio de amargura, e pediu a seu pai:

— Abençoa-me também, meu pai!

³⁵Ele respondeu:

— Teu irmão veio com ciladas e levou tua bênção.

³⁶Esaú comentou:

— Não é à toa que se chama Jacó. Já duas vezes me armou ciladas; tomou meus direitos de primogênito, e agora tomou minha bênção.

E acrescentou:

— Não te resta outra bênção para mim?

³⁷Isaac respondeu a Esaú:

— Vê, eu o estabeleci como teu senhor, declarei seus irmãos como servos dele, assegurei-lhe o trigo e o vinho; que posso fazer por ti, meu filho?

³⁸Esaú disse a seu pai:

— Só tens uma bênção, meu pai? Abençoa-me também, meu pai!

E Esaú pôs-se a chorar ruidosamente.

³⁹Então seu pai Isaac lhe disse:

— Sem fertilidade da terra,
  sem orvalho do céu.
  será a tua morada.
⁴⁰Viverás da espada,
  submetido a teu irmão.
Mas quando te revoltares,
  sacudirás o jugo do pescoço.

⁴¹Esaú guardava rancor de Jacó por causa da bênção com que seu pai o abençoara. Esaú dizia a si mesmo: "Quando chegar o luto por meu pai, matarei meu irmão Jacó".

⁴²Contaram a Rebeca o que seu filho mais velho Esaú dizia, e ela mandou chamar Jacó, o filho mais novo, e lhe disse:

— Vê, Esaú, teu irmão, pensa em vingar-se, matando-te. ⁴³Portanto, meu filho, anda, foge para Harã, para a casa de meu irmão Labão. ⁴⁴Fica com ele algum tempo, até que passe a cólera de teu irmão, ⁴⁵até que passe a ira de teu irmão, e se esqueça do que fizeste; então eu mandarei te chamar. Não quero perder meus dois filhos num mesmo dia.

⁴⁶Rebeca disse a Isaac:

— Estas mulheres heteias tornam minha vida impossível. Se também Jacó tomar mulheres heteias do país, como estas, de que me adianta viver?

CICLO PATRIARCAL: JACÓ

28 **Jacó peregrino** — ¹Isaac chamou Jacó, o abençoou e lhe deu instruções:

— Não te cases com mulher cananeia. ²Vai a Padã-Aram, à casa de Batuel, teu avô materno, e escolhe uma mulher de lá, entre as filhas de Labão, teu tio materno. ³O Deus todo-poderoso te abençoe, te faça crescer e multiplicar até seres um grupo de tribos. ⁴Ele te conceda a bênção de Abraão, a ti e à tua descendência, para

---

há monopólio. Além disso, o pai deve abençoar cada filho, como farão Jacó e Moisés (Gn 49 e Dt 33).
27,36 O destino que estava inscrito no nome de Jacó se cumpre pela segunda vez (Jr 9,3).
27,39-40 O primeiro versículo desta bênção soa em hebraico igual à de Jacó, mas atribuindo valor oposto à preposição – *min* pode ser partitivo e privativo, "de/sem". É lógico que um caçador não precisa imediatamente desses dons agrários.
A menção da espada é ominosa: não é ferramenta de caçador (cf. v. 3), mas instrumento de execução, emblema de guerra (Sl 45,4).
O ancião patriarca introduz a violência ou a contempla no futuro do filho. Viver da espada é matar para viver ou sobreviver.
27,40 Ex 5,21; 2Rs 8,20s.
27,41 Brota espontâneo o pensamento da vingança. É ideia macabra aguardar a morte do pai, que não se prevê distante. Ao mesmo tempo, trai um respeito profundo: a presença do pai ancião basta para deter o homicídio; a paternidade ampara a fraternidade.
27,42-45 Rebeca descobre horrorizada as consequências de sua ação: se Esaú matar Jacó, será réu de homicídio e condenado à morte. O que obtuve para seu filho favorito? O tempo curará os sentimentos, mas ela terá que sacrificar a presença de Jacó. É assim se põe em marcha o grande arco ou círculo da fuga e da volta. Começa, em leitura estrita, o ciclo de Jacó.
28,1-9 Esta breve notícia, de outro autor, parece que intenta corrigir o relato precedente, já que não serve para completá-lo. Rebeca está de acordo com o marido. Isaac sabe que a bênção cabe a Jacó. Por isso o chama e abençoa sem problemas; Jacó aceita docilmente. A primogenitura não é mencionada. Para Esaú não há bênção, nem ele a busca. Não há rancores fraternos e, em vez de fuga, há uma marcha tranquila de Jacó. Desapareceu o drama, a tensão, a intriga, o engano. Fica uma notícia descolorida, cujo problema capital é o matrimônio dentro da família, para conservar a pureza do sangue da família patriarcal. Quão diferente do anterior o estilo desta notícia burocrática! A teoria documentária atribui este trecho ao autor sacerdotal (**P**).
28,2 Gn 24.
28,3 Gn 12,2; 17,6.

que possuas a terra de tuas andanças, que Deus deu a Abraão.

⁵Isaac, pois, despediu Jacó, que se dirigiu a Padã-Aram, à casa de Labão, filho do arameu Batuel, irmão de Rebeca, mãe de Jacó e Esaú.

⁶Esaú ficou sabendo que Isaac tinha abençoado Jacó e o havia mandado a Padã--Aram, para que aí procurasse uma mulher, e que, ao abençoá-lo, lhe recomendara que não casasse com mulher cananeia, ⁷e que Jacó, obedecendo a seu pai e sua mãe, se havia dirigido a Padã-Aram. ⁸Esaú compreendeu que as cananeias não agradavam a seu pai Isaac. ⁹Então Esaú se dirigiu a Ismael e, além das que já tinha, tomou como mulher Maelet, filha de Ismael, filho de Abraão, e irmã de Nabaiot.

Jacó em Betel (Os 12,5; Sb 10,10) – ¹⁰Jacó saiu de Bersabeia e foi a Harã. ¹¹Aconteceu chegar a certo lugar e, como o sol já se pusera, ficou aí para passar a noite. Pegou uma pedra do lugar, colocou-a como travesseiro e se deitou nesse lugar.

¹²Teve um sonho. Uma rampa, apoiada na terra, tocava o céu com a extremidade. Mensageiros de Deus subiam e desciam por ela. ¹³O Senhor estava de pé no alto dela, e disse:

– Eu sou o Senhor, Deus de teu pai Abraão e Deus de Isaac. A terra em que te deitas eu a darei a ti e à tua descendência. ¹⁴Tua descendência será como o pó da terra; tu te estenderás para o ocidente e o oriente, para o norte e para o sul. Por ti e por tua descendência, todos os povos do mundo serão abençoados. ¹⁵Eu estou contigo, te acompanharei para onde fores, te farei voltar a este país, e não te abandonarei, até cumprir tudo quanto te prometi.

¹⁶Jacó acordou do sono e disse:

– O Senhor está realmente neste lugar, e eu não sabia.

¹⁷E acrescentou, aterrorizado:

– Quão terrível é este lugar! É nada menos que Casa de Deus e Porta do céu!

¹⁸Jacó se levantou de manhã, pegou a pedra que lhe havia servido de travesseiro, colocou-a como estela e derramou azeite

---

28,10-22 O novo episódio surpreende Jacó na sua viagem de Bersabeia a Harã e se concentra numa noite histórica. Uma parada e um salto no caminho. Ele que vivia tranquilo em tendas junto a seus pais (25,27) anda agora cruzando os campos: não tem parentes que o acolham nem estrangeiros que lhe ofereçam hospitalidade. O rico de bênçãos celestes anda com um bastão na mão (32,11) e pedirá a Deus somente pão e roupa (v. 20). O futuro senhor de povos caminha fugitivo. Dorme onde o alcança o pôr do sol, e como travesseiro tem uma pedra.
O caminho é como uma linha no plano horizontal. O sonho e aparição não passam de rasgão para cima: o vertical num ponto do caminho. O sonho é o reino dos símbolos. De Jacó não nos consta sua preocupação religiosa: uma vez mencionou o Senhor, e foi quando usou seu nome em vão (27,20). Na fuga, na aflição, abre-se de repente para ele um mundo superior; obtém uma experiência nova do Senhor, que ele não conhecia. Como se estivesse confinado, em casa e com o rebanho, no caminho se lhe abrem horizontes. A sua viagem acaba sendo de iniciação.
O lugar parece solitário, mas está bem povoado de mensageiros celestes. Acordado, Jacó não o vê (16). Quando o sono lhe fecha os olhos, se lhe abrem os da fantasia, não para inventar ficções, mas para descobrir a realidade. O que vê é um espaço dominado por uma rampa gigantesca, mais que qualquer montanha, mais que a projetada torre de Babel. Une a terra com o céu, transitável para os mensageiros celestes. O Senhor está de pé "sobre ele/ela". O hebraico é ambíguo: sobre ele, protegendo-o de perto (cf. Sl 63,8-9; 139,10); sobre ela, no vértice da rampa. A ela se refere a declaração de Jesus em Jo 1,51.

Em Jacó se cumpre duplo movimento: para fora, saindo do espaço doméstico; para dentro, penetrando no espaço interior dos sonhos. De pé, fixa os olhos no solo; deitado, ao rés do chão, descobre a altura celeste.
O lugar se revela como "Casa de Deus": não recinto fechado, que acolhe e contém, mas "porta do céu", abertura a espaços transcendentes. A Jacó se abriu a última porta y ele fica surpreso.
O oráculo renova a promessa de terra e descendência. Betel é um centro. Une com o céu, como o "umbigo do mundo" de outras culturas. Betel é o contrário de Babel (que significa "Porta dos deuses"). É centro de expansão para os quatro pontos cardeais: como o olhar de Abrão (13,14). Os descendentes se estenderão concentricamente, sem perder o centro de unidade, assegurado pelo vínculo com Deus. O Senhor acrescenta uma promessa particular para a conjetura presente: vai acompanhá-lo na viagem, e o fará voltar. Jacó fica situado; o encontro futuro com o Senhor em Betel partirá dele como força centrípeta. Jacó responde consagrando a estela com a unção e pronunciando um voto que inclui a volta. Jacó estava fugindo do irmão? ou sem saber caminhava atraído por Deus? O encontro com Deus marca o homem. Ao pôr-se de novo a caminho parece sentir-se leve: "ergueu os pés" – expressão única na Bíblia.
28,14 Gn 15,5s.
28,18-19 A pedra alongada, antes caída, é colocada na vertical, plantada na terra e apontando para o céu; o duro travesseiro do sono se converte em imagem do vínculo misterioso entre terra e céu. É memorial, e mais que isso: está invadida pela presença de Deus. A unção é ato de consagração (cf. Ex 30,26-29).
28,18 Ex 30,26-29.

na ponta. ¹⁹E chamou o lugar Casa de Deus (a cidade antes se chamava Luza*). ²⁰Jacó pronunciou um voto:

– Se Deus estiver comigo e me guardar na viagem que estou fazendo, e me der pão para comer e roupa para me vestir, ²¹e se eu voltar são e salvo para a casa de meu pai, então o Senhor será meu Deus, ²²e esta pedra que ergui como estela será uma casa de Deus, e te darei o dízimo de tudo o que me deres.

29 Jacó e Raquel (Gn 24; Ex 2,15) –
¹Jacó ergueu os pés e dirigiu-se ao país dos orientais.

²Eis que em campo aberto viu um poço três rebanhos de ovelhas deitadas ao redor dele, pois costumavam dar de beber aos rebanhos nesse poço. A pedra que fechava o poço era enorme, ³tanto que se reuniam aí todos os pastores, corriam a pedra da boca do poço e davam de beber às ovelhas; depois, colocavam de novo a pedra em seu lugar, na boca do poço. ⁴Jacó lhes disse:

– Irmãos, de onde sois?
Eles responderam:
– Somos de Harã.
⁵Ele perguntou:
– Conheceis Labão, filho de Nacor?
Eles responderam:
– Conhecemos.
⁶Disse-lhes:
– Como está?

Eles responderam:
– Está bem. Justamente agora sua filha Raquel está chegando com as ovelhas.
⁷Ele disse:
– Ainda é pleno dia, não é hora de recolher o rebanho. Dai de beber às ovelhas e deixai-as pastar.
⁸Replicaram:
– Não podemos, até que se reúnam todos os rebanhos. Então, corremos a pedra da boca do poço e damos de beber às ovelhas.

⁹Ainda estava falando com eles, quando chegou Raquel com as ovelhas de seu pai, pois era pastora. ¹⁰Quando Jacó viu Raquel, filha de Labão, seu tio materno, e as ovelhas de Labão, seu tio materno, correu a pedra da boca do poço e deu de beber às ovelhas de Labão, seu tio materno. ¹¹Depois, Jacó beijou Raquel e começou a chorar ruidosamente. ¹²Jacó explicou a Raquel que era irmão de seu pai, filho de Rebeca. Ela correu para contar isso a seu pai. ¹³Quando Labão ouviu a notícia a respeito de Jacó, filho de sua irmã, correu ao seu encontro, abraçou-o, beijou-o e o levou para sua casa. Jacó contou a Labão tudo o que acontecera.

¹⁴Labão lhe disse:
– És de minha carne e sangue!
E ficou com ele um mês.

Casamento de Jacó – ¹⁵Labão disse a Jacó:

28,19 * = Amendoal.
28,22 Am 4,4.

29,1-30 Em Harã estão as raízes e família de Abraão. Mas agora representa o passado, e Jacó não pode retroceder. Sua estadia deve ser provisória.

29,1-8 O poço e a pedra. Um poço central, ovelhas e pastores: paisagem familiar para Jacó pastor. Também para o leitor que esteja lendo a história patriarcal (14,10; 16,14; 21,19.25.30; 24,11.20). (A palavra "poço" repete-se sete vezes; "pedra", cinco.) A fonte é um bem comunitário, a água se reparte equitativamente, a pedra enorme é sinal e instrumento dessa solidariedade. A pedra salvaguarda direitos, mantém a concórdia, impõe a colaboração. Jacó começa dando conselhos não pedidos, arroga-se a iniciativa de agir por própria conta, contra os costumes do lugar, e se adianta para fazer sozinho o que os outros fazem juntos, exibindo sua força descomunal (Pr 20, 29). Esse estrangeiro caminha demasiado depressa.

29,7 Gn 25,27.
29,8 Ct 4,12.
29,9-12 A outra fonte. Em três casos bíblicos, começa junto a um poço uma história de amor: Rebeca,

Raquel, Séfora. Além disso, poço ou fonte simbolizam a mulher. Pr 5,15-19; Ct 4,12.15 (cf. a "fonte do sangue" em Lv 12,7; 18,20).

Jacó abriu por sua conta o poço fechado: fará o mesmo com o outro poço? Como primo de Raquel, pode beijá-la em público, mas depois de identificar-se (cf. Ct 8,1). Jacó tem pressa, agarra pelo calcanhar para adiantar-se. Jacó lhe dá um beijo de surpresa, chorando emocionado. Simples beijo de fraternidade? Nos cantos de amor, a noiva é chamada carinhosamente de "irmã" (Ct 4,9.10.12; 5,1.2). Dar de beber e beijar estão aliterados em hebraico.

29,10 Pr 20,29.
29,11 Ct 8,1.
29,15-20 O "irmão" Labão: a palavra "irmão" repete-se sete vezes entre 4 e 15. Ao cabo de um mês de hospitalidade, Labão faz seus cálculos: fazer Jacó trabalhar por salário é mais rentável e seguro. Provavelmente apreciou em um mês as qualidades do sobrinho como pastor, e faz uma proposta astuta que parece generosidade. De graça serve o escravo, pagos servem o empregado e o diarista. Sendo irmão, não há de ser escravo; deve servir? Os vv. 15-30 repetem sete vezes o verbo "servir". Servindo a seu "irmão" parece contrariar a bênção paterna (27,29).

— O fato de seres meu irmão não é motivo para que me sirvas de graça; dize-me que salário queres.

¹⁶Labão tinha duas filhas: a mais velha se chamava Lia e a mais nova se chamava Raquel. ¹⁷Lia tinha olhos apagados, Raquel era bonita e tinha belo porte. ¹⁸Jacó estava apaixonado por Raquel, e lhe disse:

— Eu te servirei sete anos por Raquel, tua filha mais nova.

¹⁹Labão respondeu:

— É melhor dá-la a ti do que dá-la a um estranho. Fica comigo.

²⁰Jacó serviu por Raquel sete anos, e estava tão apaixonado que lhe pareceram uns dias. ²¹Jacó disse a Labão:

— Já se completou o tempo. Dá-me minha mulher, para que me deite com ela.

²²Labão reuniu todos os homens do lugar e lhes ofereceu um banquete.

²³Quando anoiteceu, tomou sua filha Lia, a levou a Jacó, e ele se deitou com ela. ²⁴(Labão entregou sua criada Zelfa à sua filha Lia como criada.) ²⁵Ao amanhecer, descobriu que era Lia, e protestou contra Labão:

— O que me fizeste? Não te servi por Raquel? Por que me enganaste?

²⁶Labão respondeu:

— Em nossa região não é costume dar a mais nova antes da mais velha. ²⁷Termina esta semana, e te darei também a outra como pagamento pelo serviço de outros sete anos.

²⁸Jacó aceitou, terminou aquela semana, e ele lhe deu como mulher sua filha Raquel. ²⁹(Labão entregou sua criada Bala à sua filha Raquel como criada.) ³⁰Deitou-se também com Raquel, e amou mais Raquel do que Lia; e ficou servindo outros sete anos.

Filhos de Jacó (Sl 127,3; 128,3; Eclo 25,14) – ³¹Vendo o Senhor que Lia não era correspondida, tornou-a fecunda, ao passo que Raquel era estéril. ³²Lia concebeu, deu à luz um filho e o chamou Rúben*, dizendo: "O Senhor viu minha aflição, e agora meu marido vai me amar".

³³Tornou a conceber, deu à luz um filho, e comentou: "O Senhor ouviu que eu não

---

No mês de estadia e convivência com a nova família, Jacó se apaixonou por Raquel (Ct 4,9). Assim, quando Labão lhe diz que proponha um preço para seus serviços, responde com o desatino do amor. Oseias o julgará indigno (Os 12,13). Jacó é preciso nos termos do contrato, Labão responde indiretamente: melhor um conhecido que um estranho. Casar a filha é competência dos pais, e nem sempre é coisa fácil (Eclo 49,9s).

29,18 Os 12,13.
29,19 Ex 2,16.
29,21-30 O enganador enganado. A noiva trocada é tema conhecido no folclore. O casamento se celebra em ambiente familiar, convidando os vizinhos. O noivo, confuso pelo vinho, tenso de impaciência, retira-se à alcova, aonde lhe levarão a noiva. Jacó pagou logo a sua culpa: fraude por fraude. Podemos esmiuçá-lo em correspondências parciais. O pai nas trevas pela cegueira; o filho na obscuridade noturna. O pai subornado pelo gosto da caça simulada; o filho pela beleza e pelo desejo. O pai não vê, reconhece pelo tato; o filho não reconhece antes de ver. O riso vulgar ou malicioso dos ouvintes é componente do relato.

Quando Jacó faz uma reclamação legal, respondem-lhe com astúcia, reforçando a burla: "não é costume dar a mais nova antes da primogênita". Ou seja, bekirah, que corresponde a bekorah do capítulo precedente. Jacó deve submeter-se aos usos do lugar e não se adiantar sem mais. A burla não termina em tragédia, porque Labão faz uma proposta aceitável e lhe antecipa o gozo de uma segunda "semana de lua de mel", sem que tenha de esperar outros sete anos. E assim casou as duas filhas. E assim Jacó se acha legitimamente casado com as duas irmãs: Lia e Raquel, as matriarcas de Israel (Rt 4,11).

29,22 Jz 14,10.
29,27 Lv 18,18.
29,28 Rt 4,11.
29,30-31 Lendo juntos estes dois versículos (que a teoria documentária atribui a duas fontes diversas), apreciamos o importante uso semântico de dois opostos que equivalem a uma comparação: "amou mais a R que a L = amada/odiada" (cf. Dt 21,15). Jacó reparte seu amor, sem faltar a seus deveres, sem renunciar à preferência.

29,31-30,24 Inscrita no relato de dois irmãos, encontra-se esta notícia, não um relato, sobre duas irmãs. É uma série de onze partos e onze paronomásias, amenizada com duas anedotas. O contexto sustenta a lista. Jacó é agora um marido "a serviço" de duas mulheres com suas criadas: cabe-lhe cumprir pontual e alternativamente seus deveres conjugais. Produtor de filhos à direita e à esquerda; mas não é ele que impõe os nomes. Uma das irmãs falará de "competição" na corrida pela fecundidade.
Reproduzir foneticamente as paronomásias é muito difícil, e mais ainda saboreá-las, como faziam os hebreus, para quem o nome significava o destino. Para nós soam como um jogo engenhoso e ingênuo. Como se disséssemos: Desta vez darei graças a Deus; e o chamou Graciano; agora me felicitarão, e o chamou Félix...

29,31-35 Os nomes soam como "ver, ouvir, ligar", e o quarto desemboca em "dar graças" a Deus.
29,32 * = *ra'a* = ver.
29,33 * = *shm'* = ouvir.

era correspondida, e me deu este outro". E o chamou Simeão*.

³⁴Tornou a conceber, deu à luz um filho, e comentou: "Desta vez meu marido se sentirá ligado a mim, pois lhe dei três filhos". Por isso o chamou Levi*.

³⁵Tornou a conceber, deu à luz um filho, e comentou: "Desta vez, dou graças ao Senhor". Por isso o chamou Judá*. E deixou de dar à luz.

30 ¹Raquel viu que não dava filhos a Jacó, e, com inveja da irmã, disse a Jacó:
– Dá-me filhos, ou acabo morrendo!
²Jacó se aborreceu com Raquel, e lhe disse:
– Por acaso estou no lugar de Deus, para negar-te o fruto do ventre?
³Ela replicou:
– Aí tens minha serva Bala. Deita-te com ela, para que dê à luz sobre meus joelhos. Assim, por ela, também eu serei edificada.
⁴E entregou-lhe sua serva Bala como esposa. Jacó se deitou com ela; ⁵e ela concebeu, deu à luz um filho para Jacó. ⁶Raquel comentou:
– Deus me fez justiça e me escutou e me deu um filho. Por isso o chamou Dã*.
⁷Bala, criada de Raquel, tornou a conceber e deu à luz um segundo filho para Jacó. ⁸Raquel comentou: "Uma competição divina: competi com minha irmã e a venci. E o chamou Neftali*.
⁹Lia, vendo que tinha deixado de dar à luz, tomou sua criada Zelfa e a deu a Jacó como mulher. ¹⁰Zelfa, criada de Lia, deu à luz um filho para Jacó. ¹¹Lia comentou: "Que sorte!" E o chamou Gad*.
¹²Zelfa, criada de Lia, deu à luz um segundo filho para Jacó. ¹³E Lia comentou: "Que felicidade! As mulheres me felicitarão". E o chamou Aser*.
¹⁴Durante a colheita de trigo, Rúben foi ao campo e encontrou umas mandrágoras; e as levou à sua mãe Lia. Raquel disse a Lia:
– Dá-me algumas mandrágoras de teu filho.
¹⁵Ela respondeu:
– Não te basta tirar meu marido? Queres ainda tirar as mandrágoras do meu filho?
Raquel replicou:
– Muito bem! Que ele durma contigo esta noite em troca das mandrágoras de teu filho.
¹⁶Quando Jacó voltava do campo ao entardecer, Lia foi ao seu encontro e lhe disse:
– Deita-te comigo, pois paguei por ti com as mandrágoras do meu filho.
Ele passou aquela noite com ela. ¹⁷Deus escutou Lia, que concebeu e deu à luz o quinto filho para Jacó. ¹⁸Lia comentou: "Deus me pagou por eu ter dado minha criada a meu marido". E o chamou Issacar*.
¹⁹Lia tornou a conceber e deu à luz o sexto filho para Jacó. ²⁰Lia comentou: "Deus me deu um belo presente. Agora meu marido me honrará, pois lhe dei seis filhos". E o chamou Zabulon*.
²¹Depois, deu à luz uma filha e a chamou Dina.
²²Deus se lembrou de Raquel, escutou-a e tornou-a fecunda.

29,34 * = *lwh* = ligar.
29,35 * = *hwdh* = dar graças.
30,1-6 A rivalidade não era rara no regime de poligamia. A legislação se ocupa do assunto: Dt 21,15; Lv 18,18 proíbe o casamento com duas irmãs. Também se lê nos sapienciais: Eclo 25,14; 26,6; 37,11. Em textos narrativos tropeçamos com o caso de Ana e Fenena (1Sm 1,5). Raquel assiste ao nascimento de quatro filhos de sua irmã. A fecunda procura ganhar com os filhos o amor; à preferida, o amor do marido já não lhe basta. Ser estéril era uma afronta para a mulher (23). Se não pode ser mãe, sua vida não tem sentido (compare-se com Rebeca 25,22). O leitor que conhece a história de Raquel até o final, estremece ao ouvir aqui seu grito: a mulher morrerá ao dar à luz o segundo filho.
30,3 Gn 16,12; Rt 4,16.
30,6 * = *dyn* = julgar.
30,8 * = *nptl* = competir.
30,11 * = *gd* = sorte.
30,13 * *'shr* = felicidade. Lc 1,48.
30,14-18 Atribuíam-se às mandrágoras virtudes afrodisíacas ou estimulantes da fecundidade. A maga Circe as usava nos seus filtros. Raquel se vê obrigada a suplicar, referindo-se a "teu filho". Lia responde com dureza – como um dia Jacó ao irmão faminto – e inclui as mandrágoras num trato mais modesto: uma noite de amor com o marido, uma noite subtraída à esposa favorita. No trato feminino se põe à venda algo do marido: "dormirás comigo, pois paguei por ti". Que a mulher pague pela prestação do marido é a última humilhação de Jacó.
30,15 Ct 8,7.
30,18 * = *skr* = paga.
30,20 * = *zbl* = presentear.

²³Ela concebeu, deu à luz e comentou: "Deus retirou* minha vergonha". ²⁴E o chamou José*, dizendo: "O Senhor me dê outro filho".

Jacó e Labão (Sb 10,11) – ²⁵Quando Raquel deu à luz José, Jacó disse a Labão:

– Deixa-me voltar ao meu lugar e à minha terra. ²⁶Dá-me as mulheres pelas quais te servi (e os filhos), e eu partirei; tu sabes o quanto te servi.

²⁷Labão lhe respondeu:

– Por favor, eu soube por um oráculo que o Senhor me abençoou por tua causa. ²⁸Fixa-me teu salário, e eu te pagarei.

²⁹Replicou-lhe:

– Tu sabes como te servi e como o teu rebanho cresceu em minhas mãos. ³⁰O pouco que antes possuías cresceu imensamente, porque o Senhor te abençoou por minha causa. É hora de eu fazer algo também por minha família.

– O que queres que eu te dê?

Jacó respondeu:

– Não me dês nada. Faze somente o que te digo, e eu voltarei a pastorear e guardar teu rebanho.

³²(Jacó lhe disse:)

– Passa hoje por todo o rebanho e separa todas as ovelhas pretas e todos os cabritos malhados; este será meu salário. ³³Assim amanhã, quando chegar o momento de me pagar, minha honradez responderá por mim: todo cabrito que não for malhado e toda ovelha preta em meu poder é porque são roubados.

³⁴Labão respondeu:

– Está bem. Seja como dizes.

³⁵No mesmo dia separou todos os cabritos listrados ou malhados e todas as cabras malhadas ou com manchas brancas, e todas as ovelhas pretas, e as confiou a seus filhos.

³⁶Labão se afastou umas três jornadas de caminho, enquanto Jacó pastoreava o resto do rebanho de Labão.

³⁷Jacó pegou varas verdes de choupo, amendoeira e plátano, descascou-as em tiras brancas, descobrindo o branco das varas, ³⁸e pôs as varas descascadas nos bebedouros, diante do rebanho, onde as ovelhas costumavam beber água, para que os machos as cobrissem quando vinham beber. ³⁹De fato, as cobriam diante das varas, e as cabras pariam crias listradas ou malhadas. ⁴⁰Jacó separou as ovelhas e as acasalou com machos pretos ou malhados, e manteve separado seu rebanho, sem misturá-lo com o de Labão.

⁴¹Quando os animais mais robustos acasalavam, colocava as varas diante do rebanho no bebedouro, para que acasalassem diante das varas. ⁴²Quando os animais eram fracos, não as colocava. ⁴³Desse modo se enriqueceu muitíssimo: tinha muitos rebanhos, servos e servas, camelos e asnos.

30,23 * = 'sp = retirar.
30,24 * = ysp = acrescentar.
30,25-43 Desta vez a burla se volta contra Labão. Jacó, enganado no assunto das mulheres, faz o tio vítima da própria cobiça. Tudo sucede num contexto de pastores, no qual a fecundidade do rebanho é fonte de riqueza, e se observa com atenção a cor e o aspecto dos animais. Muitos detalhes do relato são difíceis de compreender: não conhecemos o significado de vários termos nem as crenças populares pressupostas. Parecem acreditar que tudo o que os machos olham quando cobrem influi na cor das crias. Também fica difícil combinar as datas indicadas: se calculamos um filho por ano – poderiam ser mais – e o acrescentamos aos sete anos de serviço, sobem para dezenove: para Jacó é o tempo de partir. Labão propõe uma ampliação do contrato com novo pagamento.
Outra vez estão os dois irmãos, tio e sobrinho, frente a frente. Jacó recebeu uma primeira lição quando lhe deram Lia em lugar de Raquel; desforrou-se com o orgulho de sua formosa família. Labão joga em terreno próprio, mas Jacó não é menos pastor que ele. Labão cede ao genro a primeira escolha, provavelmente por cálculo; Jacó não quer pagamento imediato, mas participação nos benefícios. A sorte decidirá o que lhe caberá, mas Jacó sabe como canalizar a sorte a seu favor; Labão crê jogar com vantagem: é dono dos rebanhos, vive em seu país e sua gente o apoia; mas Jacó o supera em astúcia e em destreza pastoril. Podem-se ler alguns provérbios que enaltecem a astúcia ou sagacidade: Pr 12,23; 13,16; 14,8.15.
30,27-30 Como o patriarca Abraão, Jacó foi canal de bênção. As duas partes o reconhecem. Como Jacó pagou com seus quatorze anos de trabalho, são suas as mulheres e os filhos. O que ganhar daí em diante é tudo para ele.
30,27 Gn 39,3.
30,31 Pr 14,8.
30,35 Labão confia aos filhos o rebanho cedido a Jacó, e confia o seu a Jacó para que o pastoreie. Afasta ambos os rebanhos para evitar cruzamentos. "Branco" se diz laban, álamo se diz libne, jogando com o nome do dono; hsp hlbn (37) significa descobrir o branco, e se pode entender como despojar Labão.

31 Fuga de Jacó

– ¹Jacó ouviu os filhos de Labão dizendo:

– Jacó tomou todas as propriedades de nosso pai e se enriqueceu à custa de nosso pai.

²Jacó observou o jeito de Labão, que já não era o de antes.

³O Senhor disse a Jacó:

– Volta à terra de teus pais, tua terra natal, e eu estarei contigo.

⁴Então Jacó mandou chamar Raquel e Lia ao campo de suas ovelhas, ⁵e lhes disse:

– Observei o jeito de vosso pai, e já não é para mim como antes. Mas o Deus de meu pai esteve comigo. ⁶Vós sabeis que servi a vosso pai com todas as minhas forças; ⁷mas vosso pai me roubou, mudando meu salário dez vezes, embora Deus não lhe tenha permitido prejudicar-me. ⁸Pois quando dizia que meu salário seriam os animais malhados, todas as ovelhas os pariam malhados; e quando dizia que meu salário seriam os animais listrados, todas as ovelhas os pariam listrados. ⁹Deus tomou o rebanho de vosso pai e o deu a mim. ¹⁰Uma vez, durante o cio, olhando num sonho, vi que todos os machos que cobriam as ovelhas eram listrados ou malhados. ¹¹O anjo de Deus me disse no sonho: "Jacó!" Eu lhe respondi: "Aqui estou!" ¹²Ele me disse: "Olha, e verás que todos os machos que cobrem as ovelhas são listrados ou manchados. Vi como Labão te trata. ¹³Eu sou o Deus de Betel, onde ungiste uma estela e me fizeste um voto. Agora, levanta-te, sai desta terra e volta à tua terra natal".

¹⁴Raquel e Lia responderam:

– Temos ainda parte ou herança em nossa casa paterna? ¹⁵Não nos considera estrangeiras? Ele nos vendeu e consumiu nosso preço. ¹⁶Toda a riqueza que Deus tirou de nosso pai era nossa e de nossos filhos. Portanto, faze tudo o que Deus te disse.

¹⁷Jacó se levantou, pôs os filhos e as mulheres em camelos ¹⁸e, guiando todo o rebanho e todas as propriedades que havia adquirido em Padã-Aram, encaminhou-se para a casa de seu pai Isaac, em terra cananeia.

Perseguição e enganas, e Raquel roubou para tocos de seu pai. ²⁰Jacó havia dissimulado com o arameu Labão, sem dar-lhe a entender que ia fugir. ²¹Assim, fugiu

---

31 Narra a fuga de Jacó. Sua riqueza provoca a inveja dos primos e, ao mesmo tempo, provoca a fuga ou retorno. Uma questão jurídica, sobreposta às relações familiares, se resolve em processo e termina em aliança.

O caráter familiar é patente e se manifesta em repetidas expressões. O duplo matrimônio estreitou as relações familiares; repetem-se densamente os termos "pai, filhos, filhas", mas falta "irmão". Se Jacó é "osso e carne" de Labão (29,14), mais o é das filhas, como ensina Gn 2,23. Por elas, por dupla razão, Jacó é membro da família.

A relação jurídica não é menos importante. Labão a propósito: "por seres meu irmão, não me servirás de graça" (29,15): será generosidade este "não de graça"? e domínio neste "me servirás"? Jacó aceitou a proposta, entrando com todo o seu trabalho. Na relação jurídica se insere um fator imprevisto e não mensurável: a bênção divina atraída pelo empregado (30,27; cf. Dt 15,14; Pr 10,22).

31,1-3 Tensões. A tensão jurídica se estabelece entre o trabalho leal e generoso de Jacó e as armadilhas e deslealdade de Labão. O fator humano torna-se insustentável, quando se contagia de tensão: os primos murmuram e protestam, o tio muda de atitude e o demonstra. O comentário dos primos equivale a dizer que se consideram despojados por Jacó da herança paterna, já que "as coisas de nosso pai" seriam deles um dia. Jacó teme, porque Labão é mais forte e conserva hostilidade. Decide empregar o recurso do fraco: fugir; pois o intento de partir com bons modos não deu resultado (30,27). Com um oráculo, Deus muda o sentido da fuga em retorno. Mas Jacó precisa da anuência das mulheres.

31,4-16 Conselho de família: serve para debater a situação jurídica, incluindo o desígnio de Deus, e para tomar decisões. Jacó expõe suas razões em termos bilaterais: "serviu" submetido ao arbítrio de Labão, trabalhou sem poupar forças. Ele, que é livre de nascimento, herdeiro de um pai ilustre. Em troca, Labão o explorou sem escrúpulos.

Raquel e Lia acrescentam suas queixas às do marido. Sentem-se excluídas da economia familiar: não lhes resta "parte nem herança" (cf. Pr 17,2). Mais grave: o pai vendeu as filhas como se fossem "estranhas" (cf. Ex 21,7; Jl 4,3), e comeu o produto da venda. Deus acrescenta seu veredicto, recordando o encontro em Betel (13); sua ordem soa como aquela dirigida a Abraão: "sai desta terra". O resultado é que Jacó está livre e as mulheres estão dispostas a "abandonar a casa paterna" para seguir o marido.

31,13 Gn 28,15.
31,15 Nm 36; Jl 4,3.
31,16 Gn 24,58.
31,17-25 A execução é narrada com sentido dramático e com maestria na apresentação da simultaneidade. Pode-se esquematizar assim:
31,17s Jacó se põe a caminho para o país cananeu.
31,19 Enquanto Labão faz a tosquia, Raquel rouba os amuletos. 1Sm 25; Jz 17,5.
31,20s Jacó foge até a serra de Galaad.

com tudo o que era seu, cruzou o rio e se dirigiu aos montes de Galaad. ²²No terceiro dia, informaram Labão de que Jacó tinha fugido. ²³Reuniu seu pessoal e saiu em sua perseguição. No sétimo dia de marcha, alcançou-o nos montes de Galaad.

²⁴Nessa noite, Deus apareceu em sonhos ao arameu Labão e lhe disse:

– Cuidado para não te envolveres com Jacó para o bem ou para o mal!

²⁵Labão se aproximou de Jacó. Este havia montado a tenda numa elevação, e Labão montou a sua na montanha de Galaad. ²⁶Labão disse a Jacó:

– O que fizeste? Por que dissimulaste comigo e levaste minhas filhas como prisioneiras de guerra? ²⁷Por que fugiste às escondidas, furtivamente, sem nada me dizer? Eu te haveria despedido com festas, com cantos, cítaras e pandeiros. ²⁸Nem sequer me deixaste beijar minhas filhas e meus netos. Como foste imprudente! ²⁹Eu poderia fazer-lhes mal, mas o Senhor de teu pai me disse de noite: "Cuidado para não te envolveres com Jacó para o bem ou para o mal!" ³⁰Mas, se partiste com saudades da casa paterna, por que roubaste meus deuses?

³¹Jacó respondeu a Labão:

– Tinha medo, pensando que irias roubar tuas filhas. ³²Todavia, aquele que encontrares com teus deuses não ficará vivo. Na presença de teu pessoal, se reconheces que tenho algo teu, toma-o. (Jacó não sabia que Raquel os havia roubado.)

³³Labão entrou na tenda de Jacó, na tenda de Lia e na tenda das duas criadas, e não encontrou nada. Saiu da tenda de Lia e entrou na tenda de Raquel. ³⁴Raquel tinha recolhido os amuletos, os escondera numa sela de camelo e sentara-se em cima. Labão procurou em toda a tenda e não encontrou nada. ³⁵Ela disse a seu pai:

– Não te aborreças, senhor, se não posso levantar-me diante de ti; é que estou menstruada.

E ele, por mais que procurasse, não encontrou os amuletos.

³⁶Então Jacó, irritado, brigou com Labão e lhe disse:

– Qual é o meu crime, qual é o meu pecado, para me perseguires? ³⁷Depois de revirar

---

31,22s Labão o persegue até a serra de Galaad.
31,24 Pausa noturna: Deus admoesta Labão.
31,25 As tendas dos contendores próximas e separadas.
31,26 Começa o processo. Os dois furtos. O verbo, gnb, roubar, soa oito vezes no capítulo. Jacó foge "furtivamente", furtando a notificação ao sogro, privando-o das despedidas familiares, como se desse uma rasteira por omissão. Raquel furta uns amuletos, talvez deuses penates ou lares. Como compensação? ou para assegurar a si proteção deles? A tosquia era ocasião de trabalho intensivo e festa comum para os pastores (1Sm 25; 2Sm 13), como a colheita para os lavradores. Ocasiona a ausência do dono.
A fuga. A marcha de Jacó é chamada quatro vezes de "fuga", o mesmo verbo usado para a fuga diante das ameaças de Esaú (27,43). Começa a fechar-se um arco narrativo. Com três dias de atraso, o que demora a notícia para chegar, Labão põe-se em marcha. Em sete dias o alcança, já que marcha sem impedimento. Quando os dois se avistam, o autor interpõe uma pausa noturna que detém o relato. Deus comunica ao perseguidor uma ordem peremptória, que o intimida, embora não seja obedecida à letra.
31,26-44 Juízo contraditório. O delineamento de um juízo contraditório é em resumo o seguinte: Supõe uma relação jurídica prévia entre duas pessoas ou grupos. É feito recorrer a um terceiro com autoridade para dirimir ou sentenciar. A parte que se considera ofendida por descumprimento do combinado convoca o suposto ofensor e querela com ele, para que confesse, repare e torne possível o restabelecimento da justiça. Pode haver testemunhas notariais que assistem e garantem o jogo

limpo, podem realizar um registro, dar um parecer, ajudar na resolução final. O presente processo se articula assim:
31,26-30 Requisitório de Labão: pleito duplo.
31,31-32 Resposta de Jacó desculpando-se.
31,33-35 Registro das tendas.
31,36-42 Requisitório de Jacó, com dupla acusação.
31,26-30 O requisitório se articula com três fórmulas judiciais clássicas: a) O que fizeste? Enganar-me e tratar as filhas como prisioneiras de guerra (cf. Nm 31,9.18; Dt 21,10-13; Jz 21,22). "Cometeste uma loucura". b) Por que não me permitiste despedir-me com bons modos? c) Por que roubaste meus deuses?
31,31-32 Responde ao primeiro porquê, consentindo e desculpando-se com o temor de que lhe arrebatasse as esposas; o próprio Labão aludiu à sua possível reação violenta.
31,33-35 Responde ao segundo porquê, a acusação de sacrilégio, que induz pena capital. É um momento de ironia dramática pela ignorância e pelo desafio temerário de Jacó. Narrador e público, junto com Raquel, são cúmplices de um saber oculto a Jacó. Com suas palavras, o marido põe em grave perigo a esposa preferida, uma da matriarca de Israel. Raquel, como que contagiada pela astúcia do marido, excogita um ardil para enganar o pai. Ela ou o narrador acrescentam a burla aos deuses, cobertos por uma mulher em estado de impureza (Lv 15,20-23). Valentes penates!
31,36-42 Jacó sente-se mais seguro e contra-ataca, também em termos judiciais. Ele cumpriu amplamente (Ex 22,9-12). Propõe uma espécie de arbitragem ante um júri misto: "tua gente e a minha". Deus se declarou abertamente a seu favor.

todas as minhas coisas, o que encontraste das coisas de tua casa? Coloca tudo aqui diante dos meus parentes e dos teus, e eles julgarão entre nós dois. ³⁸Passei contigo vinte anos. Tuas ovelhas e cabras não abortaram, não comi os carneiros de teu rebanho. ³⁹Aquilo que as feras despedaçavam, eu não o apresentava a ti, mas o repunha com o que era meu; pedias contas a mim do que fora roubado de dia e de noite. ⁴⁰De dia me consumia o calor, de noite o frio, e eu não conciliava o sono. ⁴¹Desses vinte anos que passei em tua casa, catorze te servi por tuas duas filhas, seis pelas ovelhas, e tu me mudaste o salário dez vezes. ⁴²Se o Deus de meu pai, o Deus de Abraão e o Terrível de Isaac não estivesse comigo, tu me terias despedido de mãos vazias. Mas Deus viu minha aflição e a fadiga de minhas mãos, e me defendeu na noite passada.

⁴³Labão replicou a Jacó:

– Minhas são as filhas, meus são os netos, meu é o rebanho, tudo o que vês é meu. O que posso fazer hoje por estas minhas filhas e pelos filhos que elas deram à luz? ⁴⁴Pois bem, façamos nós dois uma aliança, que sirva de garantia para os dois.

Aliança de Labão e Jacó (Gn 26,28-33) – ⁴⁵Jacó pegou uma pedra, ergueu-a em forma de estela, ⁴⁶e disse ao seu pessoal:

– Recolhei pedras.

Reuniram pedras e fizeram um monte; e comeram aí junto ao monte. ⁴⁷Labão o chamou de Jegar-Saaduta, e Jacó o chamou de Galed. ⁴⁸Labão disse:

– Este monte é hoje testemunha dos dois (por isso se chama Galed). ⁴⁹Chamou-o Masfá*, dizendo:

– Que o Senhor vigie os dois quando não nos pudermos ver. ⁵⁰Se maltratares minhas filhas ou tomares outras mulheres além delas, mesmo que ninguém o veja, Deus o verá e será testemunha entre nós.

⁵¹Labão disse a Jacó:

– Olha o monte e a estela que ergui entre nós. ⁵²Este monte e esta estela são testemunhas de que nem eu ultrapassarei o monte para entrar com más intenções em teu território, nem tu ultrapassarás o monte ou a estela para entrar com más intenções em meu território. ⁵³O Deus de Abraão e o Deus de Nacor serão nossos juízes (os deuses de ambos).

Jacó jurou pelo Terrível de Isaac, seu pai. ⁵⁴Jacó ofereceu um sacrifício na montanha e convidou seu pessoal para comer. Comeram e passaram a noite na montanha.

32 Jacó volta à Palestina

– ¹Labão se levantou cedo, beijou seus filhos e filhas, abençoou-os e voltou para o seu lugar. ²Jacó prosseguia seu caminho, quando

---

31,39 Ex 22,9-12.

31,43-44 A resposta de Labão não é a confissão simples que se esperava (cf. Gn 38,26; 1Sm 24,18). Busca solução intermediária: não confessa sua culpa, tampouco exige reparação, mas propõe uma aliança. Como ele iniciou a causa, sua proposta é praticamente uma derrota ou confissão implícita. Reafirmando seus direitos presumidos, confere aparência de generosidade a uma saída honrosa.

31,45-54 O texto está sobrecarregado e não é redutível a um desenvolvimento linear. Podemos extrair um resultado global: a estela (45.51s), o monte de pedras (46.51s), a atalaia (49), Yhwh (49s), Deus (53) atuarão como testemunhas, garantes e árbitros entre os dois. Somente o monte de pedras dá nome ao lugar. Marca um limite que nenhuma das partes ousará transpor com má intenção. O texto tem repercussão internacional, já que Jacó personifica o povo de Israel e Labão o povo arameu.

31,49 * = Atalaia.

32 Caminho de volta. Jacó tem de prosseguir a marcha, porque o Deus de Betel o chama. Mas o caminho do encontro passa por território controlado por Esaú, região perigosa. Seguir é expor-se a perigo mortal; não seguir é faltar ao encontro com Deus (recordado em 31,3.11.13.16).

Jacó tem que exorcizar seu passado: o próximo e o remoto. Suas armadilhas e fraudes ao irmão e ao pai, com a cumplicidade da mãe. Também sua petulância e artimanha na casa do tio. O caminho para o encontro passa pela reconciliação com o irmão. A linguagem está muito cuidada na escolha e repetição de palavras-guias: "irmão, bênção, servir, prostrar-se". Para a reconciliação, em redor da qual gravitam estes capítulos, colaboram a ajuda de Deus lá do alto e a prudência calculadora do homem.

O itinerário de Jacó é semelhante ao do êxodo: saída carregado de riquezas, perseguição, passagem de um rio, aparição divina, vitória sobre os inimigos, chegada à terra. O processo narrativo é linear, com uma interrupção importante.

O esquema é o seguinte:

32,1-3 Mensageiros de Deus: acampamentos.
32,4-7 Mensageiros a Esaú.
32,8-13 Divisão da caravana; oração.
32,14-24 Presentes para Esaú.
32,25-33 Luta noturna.
33,1-17 Encontro e reconciliação.

32,2-3 Caminhando em direção leste-oeste e norte-sul, Jacó chega a Galaad, delimitada ao sul pela torrente Jaboc. O episódio é explicação etiológica de um

encontrou uns mensageiros de Deus. ³Ao vê-los, comentou:

— É um acampamento de Deus.

E chamou esse lugar de Maanaim*.

⁴Jacó enviou à frente mensageiros a seu irmão Esaú, ao país de Seir, à campina de Edom. ⁵E lhes ordenou:

— Assim falareis a meu senhor Esaú: "Assim diz teu servo Jacó: Prolonguei até agora minha estadia com Labão. ⁶Tenho vacas, asnos, ovelhas, servos e servas; envio esta mensagem a meu senhor para me reconciliar com ele".

⁷Os mensageiros voltaram a Jacó com a notícia:

— Nós nos aproximamos de teu irmão Esaú: ele vem ao teu encontro com quatrocentos homens.

⁸Jacó, cheio de medo e angústia, dividiu em duas caravanas seu pessoal, suas ovelhas, vacas e camelos, ⁹calculando: "Se Esaú atacar uma caravana e a destroçar, a outra se salvará". ¹⁰Jacó orou:

— Deus de meu pai Abraão, Deus de meu pai Isaac! Senhor que me mandaste voltar à minha terra natal, para me coroar de benefícios. ¹¹Não sou digno dos favores e da lealdade com que trataste teu servo; pois com um bastão atravessei este Jordão, e agora conduzo duas caravanas. ¹²Livra-me do poder de meu irmão, do poder de Esaú, pois tenho medo que venha e mate as mães com os filhos. ¹³Tu me prometeste cumular-me de benefícios e tornar minha descendência como a areia incontável do mar.

¹⁴Aí passou a noite. Depois, do que tinha à mão, escolheu presentes para seu irmão Esaú: ¹⁵duzentas cabras e vinte machos, duzentas ovelhas e vinte carneiros, ¹⁶trinta camelas de leite com suas crias, quarenta vacas e dez novilhos, vinte jumentas e dez asnos. ¹⁷Dividiu-os em rebanhos, confiando-os a seus criados, ordenando-lhes:

— Ide à frente, deixando espaço entre cada dois rebanhos.

¹⁸Deu instruções ao primeiro:

— Quando meu irmão Esaú te alcançar e te perguntar a quem pertences e para onde vais, para quem é isso que conduzes, ¹⁹responderás: "Da parte de teu servo Jacó, um presente que ele envia a seu senhor Esaú. Ele vem atrás".

²⁰Deu as mesmas instruções ao segundo e ao terceiro e a todos os que conduziam os rebanhos:

— Assim direis a Esaú quando o encontrardes. ²¹E acrescentareis: "Olha, teu servo Jacó vem atrás".

Pois dizia a si mesmo: "Eu o aplacarei com os presentes que vão à frente. Depois me apresentarei a ele: talvez me receba bem".

²²Os presentes passaram à frente; ele permaneceu aquela noite no acampamento. ²³Ainda de noite, levantou-se, tomou as duas mulheres, as duas criadas e os onze filhos, e cruzou o vau do Jaboc. ²⁴Ele os

---

topônimo. O sentido não é claro: esses mensageiros são talvez funcionários de um santuário local dentro de um acampamento (compare-se com a descrição do êxodo).

32,3 * = Os Castros.

32,4-23 O plano de Jacó inclui várias medidas táticas: a) atitude humilde: chama a si mesmo de servo, chama-o senhor, prostra-se diante dele (invertendo o oráculo e a bênção: "servir e prostrar-se" 25,23; 27,29); b) presentes generosos, para que Esaú participe da sua prosperidade; c) reconhecimento mútuo da riqueza e da dignidade; d) para evitar o pior, Jacó vai escalonando os presentes, para ir abrandando o irmão, e reparte seu pessoal em dois grupos. O termo "irmão" soa sete vezes nesta cena.

Execução do plano. Primeiro, uma mensagem de ensaio (4-7): menciona suas riquezas e declara sua intenção pacífica. O comunicado dos mensageiros é alarmante: quatrocentos homens é uma força temível (cf. os trezentos e dezoito de Gn 14,14). Resultado é o pânico, que Jacó supera com a oração, ousada e confiante (8-9.10-13); na realidade, é Deus que se comprometeu com promessas e benefícios precedentes, e agora não pode desinteressar-se (cf. Sl 138,8).

32,12 Os 10,14.

32,21-22 Ouvimos Jacó pensando em voz alta. Este versículo se destaca pela repetição cinco vezes do termo *panim* em hebraico. Uma tradução literal soaria assim: "aplacarei seu rosto com os dons que vão adiante do meu rosto, depois verei seu rosto; talvez me levante o rosto. E enviou os dons adiante do seu rosto". O som provocará ressonâncias.

32,23-24 Aproveita a noite para fazer os numerosos rebanhos passar o vau; ele dirige a operação. Quando a termina e poderia deitar-se e descansar o pouco que resta da noite, sobrevém um incidente imprevisto, o assalto de um desconhecido, valendo-se da última obscuridade.

32,23-25 A passagem da torrente é a passagem definitiva: Jacó se adentra, se arrisca em território controlado pelo irmão. É um ato valoroso, de confiança no Deus de Betel.

tomou, os fez atravessar o rio com tudo o que possuía. ²⁵E Jacó ficou só.

²⁶Um homem lutou com ele até o despontar da aurora. Vendo que não o dominava, lhe golpeou a cavidade da coxa; e enquanto lutava com ele, a cavidade da coxa de Jacó ficou rija.

²⁷Ele disse:

– Solta-me, pois desponta a aurora.

Jacó respondeu:

– Não te solto, se não me abençoares.

²⁸Disse-lhe:

– Como te chamas?

Ele respondeu:

– Jacó.

²⁹Ele retomou:

– Já não te chamarás Jacó, mas Israel, pois lutaste contra deuses e homens e venceste.

³⁰Jacó, por sua vez, lhe perguntou:

– Dize-me teu nome.

Respondeu:

– Por que perguntas por meu nome?

E o abençoou aí.

³¹Jacó deu a esse lugar o nome de Fanuel*, dizendo: "Vi Deus face a face e permaneci vivo".

³²O sol despontava quando ele atravessava Fanuel; e caminhava mancando ³³(por isso até hoje os israelitas não comem o tendão do músculo da cavidade da coxa; porque Jacó foi ferido na cavidade da coxa, no tendão do músculo).

33 Encontro de Jacó com Esaú –

¹Jacó levantou os olhos e, vendo que Esaú se aproximava com seus quatrocentos homens, repartiu seus filhos entre Lia, Raquel e as duas criadas. ²Pôs à frente as criadas com seus filhos, atrás Lia com os seus e, por último, Raquel com José. ³Ele se adiantou e foi-se prostrando sete vezes por terra, até alcançar seu irmão. ⁴Esaú correu para recebê-lo, abraçou-o, lançou-se ao pescoço dele e o beijou chorando.

⁵Depois, olhando, viu as mulheres com os filhos, e perguntou:

– Que relação têm esses contigo?

Respondeu:

– São os filhos com que Deus favoreceu teu servo.

⁶Aproximaram-se dele as criadas com seus filhos, e se prostraram; ⁷depois, apro-

---

32,25-33 É um relato capital e difícil. Na primeira leitura é preciso deixar-se impressionar pelo tom misterioso, o enunciado conciso, as correspondências, os silêncios. Lutam os dois: um vence, mas sai marcado (motivo de folclore). Perguntam mutuamente pelo nome: um o diz e seu nome é mudado; o outro se cala, mas abençoa. Vários nomes vão sendo explicados: o lugar *Jaboc* combina com Jacó e com *ye'abeq* = lutar; Israel significa lutar com Deus, *Fanuel* é rosto de Deus. Começa na escuridão, avança pela aurora, no final é dia. Creio que o autor despojou o relato, porque não buscava a claridade plena de um encontro misterioso (como os de Moisés e Elias, Ex 33-34 e 1Rs 19). O autor quer esboçar o encontro do seu personagem com Deus. Quer dizer sem exceder-se, quer revelar velando. Dá-lhe a forma de uma luta corpo a corpo e de um diálogo entrecortado.

Em tempos e culturas antigas, a luta pode tomar formas míticas ou legendárias: o deus tem figura humana; o herói tem proporções e forças gigantescas; o deus está limitado ao tempo das trevas; o homem o vence com uma artimanha e lhe arranca uma concessão. Numa religião mais exigente, é talvez Deus quem dobra o homem, embora se deixe reter por ele; Deus mesmo provoca o homem à luta, à busca insatisfeita, ao esforço tenaz, para abençoá-lo no final. Numa religiosidade mais depurada, a luta é pelo nome: o autêntico e limpo, não é gasto e esvaziado pelo uso nem pelo abuso humanos. E deve ficar a sós e lutar de novo com o ser misterioso, para escutar o nome dele, recente, recém-pronunciado por ele mesmo. Desta vez Deus abençoa e cala seu nome. Mas ter ouvido sua palavra, ter sentido seu contato, já é descoberta da sua presença. Da luta o homem sai mancando, o pobre peregrino rumo à terra prometida.

32,26 O personagem se chama *'ish* = homem, indivíduo. Tem forma humana, aprecia-se do duro tato na obscuridade, tem voz humana. Não se identifica. É significativa a ausência de sujeitos identificados no diálogo, contra o costume hebraico. No fim, Jacó identifica o personagem que já desapareceu: era Deus. Ex 33,18-23 + 34,6-8; 1Rs 19,11-13; Jó 42,5.

32,27 É frequente no folclore que o raiar da aurora quebre o encanto ou deixe impotente o personagem sobre-humano.

32,29 A mudança de nome se baseia numa etimologia popular. Será destino de Israel na história – de todo homem – lutar com Deus. A isso alude o "israelita sem engano" de Jo 1,43-45.

Deve-se ouvir a ressonância de "rosto" ou face, no final. Pode-se comparar esse relato com Jz 13,16-18. A esta cena parece aludir Hb 5,7 por meio de Os 12,5.

32,30 Jz 13,16-18.

32,31 * = Rosto de Deus. Dt 34,10.

33,1-4 Uma hábil montagem nos dá o rápido movimento de ambos os personagens. Esaú se aproxima com seu bando, e Jacó o vê chegar. Jacó se aproxima com sua caravana, avança em sete prostrações: homenagem de um vassalo a um xeque ou senhor; Esaú corre para recebê-lo. O abraço emocionado dos inimigos sela a reconciliação. E aqui podia terminar o relato.

33,3 Gn 27,29.

33,5-11 Resta algo importante a dizer. Segue-se a homenagem sucessiva de cada mulher com seus

ximou-se Lia com seus filhos, e se prostraram; finalmente, aproximou-se José com Raquel, e se prostraram.

⁸Esaú perguntou:

– O que significa toda essa caravana que fui encontrando?

Respondeu:

– É para me congratular com meu senhor.

⁹Esaú replicou:

– Eu tenho o suficiente, meu irmão; fica com o que é teu.

¹⁰Jacó insistiu:

– De maneira nenhuma. Faze-me o favor de aceitar esses presentes. Pois vi teu rosto benévolo, e é como ver o rosto de Deus. ¹¹Aceita este obséquio que te trouxe: Deus o deu a mim, e é todo meu.

E, como insistisse, ele aceitou.

¹²A seguir, propôs:

– Em marcha! Eu irei ao teu lado.

¹³Replicou-lhe:

– Meu senhor sabe que as crianças são fracas, que as ovelhas e vacas estão criando: se os faço caminhar uma jornada, todo o rebanho morrerá. ¹⁴Meu senhor, vá à frente do teu servo; eu irei devagar, ao passo da comitiva que vai à frente e ao passo das crianças, até alcançar meu senhor em Seir.

¹⁵Esaú disse:

– Eu te darei alguns de meus homens como escolta.

Replicou:

– Por favor, não te incomodes!

¹⁶Nesse dia, Esaú prosseguiu a caminho de Seir, ¹⁷e Jacó partiu para Sucot*, onde construiu uma casa e fez estábulos para o rebanho. Por isso o lugar se chama Sucot.

Chegada a Canaã – ¹⁸Jacó chegou são e salvo a Siquém, na terra de Canaã, proveniente de Padã-Aram, e acampou fora, diante da cidade. ¹⁹E o terreno em que armou as tendas o comprou por cem moedas dos filhos de Hemor, antepassado de Siquém. ²⁰Ergueu aí um altar e o dedicou ao Deus de Israel.

34 Dina em Siquém (Ex 22,15s; Dt 22,28s; 2Sm 13; Jt 9,2-4) – ¹Certo dia, Dina, a filha que Lia deu a Jacó, saiu

---

filhos. O gesto humilde dobra o rancor de Esaú. Depois os presentes, que define como *berakah*: quer dizer, o termo da bênção roubada (cap. 27). Jacó oferece, Esaú recusa, Jacó insiste. Aceitá-los é prova de reconciliação. E a mudança no personagem Esaú, indicada com os termos "favor, aceitação" e com uma declaração extraordinária. Deixemos que ressoe o "rosto" de 32,21 e o "rosto de Deus" de 32,31: ver o rosto benévolo do irmão é como ver o rosto de Deus. O rosto de um irmão ofendido que perdoa reflete o rosto de Deus.

33,8 Gn 27,37.
33,10 Gn 32,31.
33,12-17 Contudo, os irmãos se separam. Jacó não aceita nem a companhia do irmão nem a escolta.
33,17 * = Cabanas.
33,18-20 Já está no coração de Canaã, futuro centro da vida israelita, onde repete duas ações de seu avô: comprar um terreno como propriedade para habitação, e erigir um altar a seu Deus: gesto sagrado de tomada em propriedade. Antes do encontro em Betel, se interpõe um episódio autônomo.
33,19 Gn 23.
33,20 Gn 12,8; 26,25.

34 Dois motivos se combinam neste relato: o problema de uma moça da família patriarcal e as relações do patriarca com a população nativa. O protagonismo passa de pais a filhos. O relato tem uma série de incoerências que os comentadores tentam explicar com alguma operação crítica. A teoria documentária separa dois fios narrativos:
J 1-3.5.7.11s.14.19.25a.26.29b-31
E 4.6.8-10.13.15-18.20-24.25b.27-29a

Hoje se prefere o modelo da sedimentação sucessiva: a um relato patriarcal de família (A) se acrescenta uma notícia sobre ocupação pacífica da terra (B); o autor final o unifica e transforma em choque violento, de acordo com a legislação posterior (C).
(A) O relato patriarcal está concebido em termos puramente familiares. Um príncipe local se apaixona por uma filha de Jacó, a pretende e pede em matrimônio. Exigem dele como condição que se circuncide. Ele o faz e, quando está convalescente, os irmãos da moça matam o violador para vingar a irmã: 1-3.5-7.11.14.19.25-26.
(B) A notícia fala do estabelecimento de relações pacíficas entre israelitas adventícios e habitantes do país, com vínculos matrimoniais e comerciais 9.10.15-16.18.21-24.
(C) O último autor, escritor consciente e responsável, utiliza o relato antigo como base narrativa, insere a notícia que transforma o assunto familiar em nacional e lhe impõe o caráter violento, presente no relato primitivo e contrário à notícia intermédia.
Por seu turno, a análise literária explica unitariamente o relato, afastando como adições 13b, 17b, uma ditografia no final de 24 e uma frase em 25. Várias expressões são próprias dos códigos legais. O cenário é uma cidade, talvez fortificada, e seu território circundante, de lavoura e pastagens. Numa região marginal se instalou um clã de pastores seminômades e nascem relações pacíficas. O rei ou chefe da cidade tem nome ou título de animal, como era frequente na época.
34,1 A ação começa com a curiosidade inconsciente da filha de Jacó, a única mencionada (cf. Eclo 42,11s).

para ver as mulheres do país. ²Siquém, o filho do heveu Hemor, príncipe do país, tendo-a visto, agarrou-a, deitou-se com ela e a violentou. ³Cativado e apaixonado por ela, cortejou a jovem.

⁴Siquém falou a seu pai Hemor:
– Consegue-me essa jovem como mulher.

⁵Jacó ouviu que sua filha Dina tinha sido infamada; visto porém que seus filhos estavam no campo com o rebanho, esperou em silêncio que voltassem. ⁶Hemor, pai de Siquém, saiu para visitar Jacó e para falar com ele. ⁷Os filhos de Jacó voltavam do campo; quando esses homens ouviram a notícia, ficaram furiosos, pois era uma ofensa contra Israel ter alguém deitado com a filha de Jacó. Coisa que não se faz. ⁸Hemor falou com eles:

– Meu filho Siquém apaixonou-se por vossa jovem. Dai-a em casamento. ⁹Assim seremos parentes: vós nos dareis vossas filhas, tomareis nossas filhas ¹⁰e vivereis conosco. A terra está à vossa disposição: habitai nela, fazei comércio e adquiri propriedades.

¹¹Siquém disse ao pai e aos irmãos:
– Fazei-me este favor, e eu vos darei o que pedirdes. ¹²Estabelecei um dote alto e presentes valiosos para a jovem, e vos darei o que pedirdes, desde que a deis para mim em casamento.

¹³Os filhos de Jacó responderam com astúcia a Siquém e a seu pai Hemor, porque sua irmã Dina tinha sido desonrada. ¹⁴Disseram-lhes:

– Não podemos fazer o que pedis, entregar nossa irmã a um homem não circuncidado, pois é uma desonra para nós. ¹⁵Concedemos com esta condição: que sejais como nós, circuncidando todos os homens. ¹⁶Então vos daremos nossas filhas e tomaremos as vossas, habitaremos convosco e seremos um só povo. ¹⁷Porém, se não aceitais circuncidar-vos, levaremos nossa jovem.

¹⁸A proposta pareceu boa a Hemor e a seu filho Siquém. ¹⁹E o jovem não tardou em executá-la, pois queria a filha de Jacó, e ele era a pessoa mais importante na casa de seu pai. ²⁰Hemor foi, portanto, com seu filho Siquém à praça e dirigiu a palavra aos homens da cidade:

– ²¹Estes homens são gente pacífica. Que habitem conosco no país, fazendo comércio, pois a terra à disposição deles é espaçosa; tomaremos suas filhas como esposas e lhes daremos as nossas. ²²Eles concordam em viver entre nós e ser um só povo, com esta condição: que circuncidemos todos os homens como eles fazem. ²³Seus rebanhos, suas propriedades, seus animais serão nossos. Concordemos, e habitarão entre nós.

34,2 Um jovem nobre a estupra. É uma ação fulminante, arbitrária, violenta. No estilo cananeu? (Lv 18,18).

34,3 O desejo satisfeito acende um amor apaixonado, decidido. A linguagem amorosa se adensa no relato. O culpado pensa que o amor redime a ofensa e que o casamento apaga a infâmia. Jacó num primeiro momento se inibe. Os 2,16.

34,4 Cabe ao pai pedir a mão, se está presente. Com essa intervenção, o assunto passa dos filhos aos pais (cf. Eclo 7,25).

34,5 O relato avança em montagem paralela, indicando a simultaneidade. O verbo "infamar" é próprio da lei cultual: Lv, Nm, Ez, Dt 24,4.

34,7 Não pensam assim os irmãos, antes o declaram uma "infâmia". A expressão supõe a existência de Israel como povo contraposto a outros; não corresponde à situação patriarcal (Dt 22,21; Js 7,15; Jz 20,6).

34,8-10 Começam as negociações: deve-se ter em mente a legislação judaica, especialmente Dt 7,3.6. O chefe da cidade toma o incidente pessoal de seu filho como ocasião para uma proposta política: engloba o caso individual num projeto amplo: relações matrimoniais e comerciais amplas e permanentes. Uma política de exogamia fará crescer robusta a população, uma economia complementar favorecerá a todos. A paixão do filho é mero trampolim. Estende-se um silêncio piedoso e calculado sobre o que todos sabem. Para os irmãos, isso equivale a "ser um só povo" (16.22). É desejável a fusão? Não para um israelita ou para um judeu posterior (Dt 7,3.6).

34,10 Js 22,9.19.

34,11-12 Siquém cuida do assunto pessoal, que deseja resolver generosamente (cf. Ex 22,15s; Dt 22,2). O jovem oferece muito mais de cinquenta siclos de prata; mas, pode-se comprar o amor? (Ct 8,7).

34,12 Eclo 7,25.

34,13 Os irmãos qualificam a ação de Siquém como "profanação", e respondem à afronta com a fraude. Ct 8,8.

34,14-17 Fala-se da circuncisão como uso diferencial e característico de um grupo social. É significativo que Dina não seja consultada. A exigência se bifurca no caso individual do pretendente e no coletivo dos homens da cidade; de acordo com a dupla proposta, do jovem e do pai.

34,15 Js 5,9; Ex 12,48.

34,21-23 Amostra condensada de alocução retórica, de oratória política. Hemor, que não suspeita do engano, apresenta os aspectos favoráveis de seu projeto para tornar aceitável a condição.

²⁴Todos os presentes aceitaram a proposta de Hemor e de seu filho Siquém, e circuncidaram todos os homens (os presentes à reunião).

²⁵No terceiro dia, quando convalesciam, os dois filhos de Jacó e irmãos de Dina, Simeão e Levi, empunharam a espada, entraram sem oposição na cidade, mataram todos os homens, ²⁶executaram à espada Hemor e seu filho Siquém, e tiraram Dina da casa de Siquém.

²⁷Os (outros) filhos de Jacó penetraram entre os mortos e saquearam a cidade que havia desonrado sua irmã: ²⁸ovelhas, vacas e asnos, tudo o que havia na cidade e no campo eles levaram; ²⁹todas as riquezas, as crianças e as mulheres como escravas, e tudo o que havia nas casas.

³⁰Jacó disse a Simeão e Levi:
– Vós me arruinastes, tornando-me odioso ao povo do país (cananeus e ferezeus). Se eles se unirem contra nós para nos matar, eu e minha família morreremos.

³¹Responderam-lhe:
– Por que trataram nossa irmã como prostituta?

35 Jacó volta a Betel (Gn 28) – ¹Deus disse a Jacó:
– Vamos, sobe até Betel, para aí, e aí constrói um altar ao Deus que te apareceu quando fugias de teu irmão Esaú.

²Jacó ordenou à sua família e a todo o seu pessoal:
– Retirai os deuses estrangeiros que tiverdes, purificai-vos e mudai de roupa. ³Vamos subir a Betel, onde construirei um altar ao Deus que me escutou no perigo e me acompanhou em minha viagem.

⁴Eles entregaram a Jacó os deuses estrangeiros que conservavam e os brincos que usavam. Jacó os enterrou sob o carvalho que está junto a Siquém.

⁵Durante sua marcha, um pânico sagrado se apoderava das povoações da região, de modo que não perseguiram os filhos de Jacó.

⁶Jacó chegou a Luza de Canaã (hoje Betel), ele com todo o seu pessoal. ⁷Construiu aí um altar, e deu ao lugar o nome de Betel, porque aí Deus se havia revelado a ele quando fugia de seu irmão.

⁸Débora, ama de Rebeca, morreu, e a enterraram abaixo de Betel, junto ao carvalho chamado Carvalho-dos-Prantos.

⁹Ao voltar Jacó de Padã-Aram, Deus lhe apareceu de novo, o abençoou ¹⁰e lhe disse:
– Teu nome é Jacó:
teu nome não será mais Jacó.
Teu nome será Israel.
(Deu-lhe o nome de Israel.)
¹¹E Deus lhe disse:
– Eu sou o Deus Todo-poderoso:
cresce e multiplica-te.

34,25-26 Desenlace. Os dois irmãos maternos da moça fazem do caso individual um *casus belli*. E recorrem a um estratagema que compense sua debilidade. Um rito medianamente sangrento de iniciação se converte em sinal e antecipação da morte. Circuncidados, ficam consagrados à morte; um pouco de sangue preludia a matança (cf. Dt 20,13s). A guerra se articula em três momentos: assalto ou invasão, matança, saque (Dt 20,13-14). Alguns autores propõem ler depois do v. 29 o v. 35,5.

34,25 Js 5,8. Dt 20,13s; Jz 18,27.

34,30-31 Dois versículos densos apresentam duas avaliações do ocorrido. O pai avalia o fato por suas consequências: a vingança desencadeia represálias, e eles são poucos. Simeão e Levi, sob pretexto de defender a honra da família, põem em grave perigo a existência da família. Jacó nunca fez "armadilhas" para matar. Os irmãos intransigentes não admitem a reparação pacífica e honrosa. Se o sangue fazia falta, não bastava matar o culpado? Atitude beligerante em face da patriarcal conciliadora. Que diz ou que diria Dina? Suponhamos que esteja apaixonada, que esteja disposta a abandonar a casa paterna... Outras avaliações do fato: negativa na boca de um homem Gn 49,5-7, positiva na boca de uma mulher Jd 9,2-4.

35 Em vez de oferecer-nos uma cena solene, do esperado e diferido encontro com Deus em Betel, o presente capítulo se dedica a recolher notícias esparsas e unir fios. Os materiais podem ser assim distribuídos e organizados: a) Série de andanças: para Betel (1); a caminho (5s); em Betel (7-15); para Belém (16-20); para Magdol (21-22); para Mambré (27). b) Tema das promessas: descendência, genealogia e terra: 11s.17s.22-26. c) Ritos: 2-4.7.14s. d) Morrem: Débora (8); Raquel (19s); Isaac (28s).

35,1-4 A peregrinação a Betel impõe uma purificação prévia, de ídolos e de roupas. Em Betel, Jacó pronunciou um voto: *Yhwh* será meu Deus (28,20). Esse Deus é incompatível com outros deuses; por isso, deve-se extirpar toda presença ou rastro deles (cf. Js 24,23).

35,4 Gn 18,33.

35,5 Pânico ou terror sagrado que imobiliza os guerreiros: Js 10,10; Jz 4,15; 1Sm 14,15.

35,9-13 Eco das promessas feitas a Abraão nos cap. 12 e 17. Repete a mudança de nome, como uma nomeação (cf. 32,29).

35,10 Gn 32,29.

Um povo, um grupo de povos
  nascerá de ti;
  reis sairão de tuas entranhas.
¹²A terra que dei a Abraão e Isaac
  eu a dou a ti;
  e darei a terra à descendência
  que te suceder.
¹³Deus partiu do lugar onde havia falado com ele. ¹⁴Jacó ergueu uma estela no lugar em que havia falado com ele, uma estela de pedra. Derramou sobre ela uma libação, derramou sobre ela azeite.
¹⁵E, ao lugar em que Deus havia falado com ele, Jacó deu o nome de Betel.

Morte de Raquel (1Sm 4,19-22) – ¹⁶Depois partiu de Betel; e quando faltava um bom trecho para chegar a Éfrata, chegou para Raquel o momento de dar à luz, e o parto se tornou difícil. ¹⁷Como sentisse a dificuldade do parto, a parteira lhe disse:
 – Não te assustes, pois tens um menino.
¹⁸Estando para morrer, para expirar, chamou-o Filho Sinistro*; seu pai o chamou Filho Destro*.
¹⁹Raquel morreu, e a enterraram no caminho de Éfrata (hoje Belém). ²⁰Jacó ergueu uma estela sobre sua sepultura. É a estela da sepultura de Raquel, que existe até hoje.
²¹Israel partiu daí e acampou além de Magdol-Eder*.

Morte de Isaac – ²²Enquanto Israel habitava aquela terra, Rúben foi e se deitou com Bala, concubina de seu pai. Israel ficou sabendo.
Os filhos de Jacó foram doze: ²³Filhos de Lia: Rúben, primogênito de Jacó, Simeão, Levi, Judá, Issacar e Zabulon. ²⁴Filhos de Raquel: José e Benjamim. ²⁵Filhos de Bala, criada de Raquel: Dã e Neftali. ²⁶Filhos de Zelfa, criada de Lia: Gad e Aser. Estes são os filhos de Jacó nascidos em Padã-Aram.
²⁷Jacó voltou à casa de seu pai, a Mambré, em Cariat-Arbe (hoje Hebron), onde haviam residido Abraão e Isaac. ²⁸Isaac viveu cento e oitenta anos. ²⁹Isaac expirou; morreu e se reuniu com os seus, ancião e coroado de anos. E Jacó e Esaú, seus filhos, o enterraram.

36 ¹Descendentes de Esaú, ou seja, Edom:
²Esaú tomou mulheres cananeias: Ada, filha do heteu Elon; Oolibama, filha de Ana, filho do heveu Sebeon; ³e Basemat, filha de Ismael e irmã de Nabaiot. ⁴Ada gerou Elifaz para Esaú, Basemat gerou Rauel, ⁵Oolibama gerou Jeús, Jalam e Coré. Esses são os filhos de Esaú nascidos no país de Canaã.
⁶Esaú tomou suas mulheres, filhos e filhas, seus criados, seu rebanho, animais e tudo o que havia adquirido no país de

---

35,14 Derramar uma libação sobre a estela é caso único no Gênesis.
35,16 Citado por Jr 31,15.
35,16-20 Na cena e no nome ambíguo se revela o eterno e dramático contraste de vida e morte: uma vida que custa outra vida, um sacrifício fecundo, o relevo radical das gerações, o gozo e a pena que querem apoderar-se simultaneamente do homem. "Dá-me filhos ou acabo morrendo" (30,1): as duas coisas no mesmo dia, quando já não queria morrer. Benjamim completa o número de doze. O nome significa propriamente "meridional", porque a "direita" (yamin, Yêmen, Temã) é o sul. O narrador joga com outras etimologias. *Ben'oni é bivalente: filho de minha potência ou filho de minha desgraça, infausto. *Ben yamin pode-se interpretar como filho da direita, venturoso.
35,21 * = Torre do Rebanho.
35,22 Ver 49,4; e a legislação de Lv 20, 11.
35,28-29 Para apreciar esta notícia deve-se recordar a ameaça vingativa de Esaú: "Quando chegar o luto por meu pai, matarei meu irmão Jacó" (27,41). Agora se encontram os dois irmãos reconciliados, reunidos na morte do pai; como Ismael e Isaac quando morreu Abraão (25,9). A irmandade, tutelada pelo pai, amadureceu com os anos e com as experiências dos filhos.
36 Este capítulo está inteiramente dedicado a Esaú, como filho de Isaac e irmão de Jacó-Israel (Dt 23,8). Edom é identificado com Esaú ou figura como filho de Esaú. Edom é a tribo que limita ao sul com Israel, concretamente com a tribo de Judá. As relações históricas são frequentes e nem sempre pacíficas; alguns clãs ou famílias de Edom se incorporam a Israel (Cenez, Otoniel, Caleb, Coré).
36,1-8 Primeiro se mencionam seus casamentos e filhos e o assentamento no novo território (Dt 2,4-5). As mulheres são cananeias em sentido lato de residência, pois uma é hitita, outra heveia (ou hurrita?), a terceira da linhagem de Agar. A separação dos irmãos é aqui réplica da separação entre Ló e Abrão (12).
Seir é a região montanhosa que se encontra a sudoeste do mar Morto. Tanto Edom como Seir aparecem com frequência na história bíblica.
36,1 1Cr 1,35-54.
36,6 Js 24,4.

Canaã, e se dirigiu para Seir, longe de seu irmão Jacó, ⁷pois tinham muitas propriedades para viver juntos, e a terra em que residiam não podia mantê-los com seus rebanhos. ⁸Esaú habitou na montanha de Seir. (Esaú equivale a Edom.)

⁹Descendentes de Esaú, pai dos edomitas, na montanha de Seir. ¹⁰Lista dos filhos de Esaú: Elifaz, filho de Ada, mulher de Esaú, e Rauel, filho de Basemat, mulher de Esaú. ¹¹Filhos de Elifaz: Temã, Omar, Sefo, Gatam, Cenez. ¹²Elifaz, filho de Esaú, tinha uma concubina chamada Tamna, que lhe gerou Amalec. Estes últimos são os descendentes de Ada, mulher de Esaú. ¹³Filhos de Rauel: Naat, Zara, Sama, Meza. Estes são os filhos de Basemat, mulher de Esaú. ¹⁴Filhos de Oolibama, filha de Ana, filho de Sebeon, mulher de Esaú: Jeús, Jalam e Coré.

¹⁵Chefes dos filhos de Esaú: filhos de Elifaz, primogênito de Esaú: os chefes de Temã, Omar, Sefo, Cenez, ¹⁶Coré, Gatam e Amalec. Estes são os chefes de Elifaz, na terra de Edom, descendentes de Ada. ¹⁷Os seguintes são os filhos de Rauel, filho de Esaú: chefes de Naat, Zara, Sama e Meza. Estes são os chefes de Rauel, no país de Edom: descendentes de Basemat, mulher de Esaú. ¹⁸Os seguintes são os filhos de Oolibama, mulher de Esaú: chefes de Jeús, Jalam e Coré. ¹⁹Estes são os chefes de Oolibama, filha de Ana, mulher de Esaú. ²⁰Até aqui os filhos e chefes de Esaú, isto é, de Edom. Filhos do horreu Seir, habitantes do país: Lotã, Sobal, Sebeon, Ana, Dison, Eser e Disã. ²¹Estes são os chefes horreus dos filhos de Seir, na terra de Edom. ²²Filhos de Lotã: Hori e Emam; irmã de Lotã: Tamna. ²³Filhos de Sobal: Alvã, Manaat, Ebal, Sefo, Onan. ²⁴Filhos de Sebeon: Aía e Ana. Este Ana é o que encontrou água no deserto quando pastoreava os asnos de seu pai Sebeon. ²⁵Filhos de Ana: Dison, Oolibama, filha de Ana. ²⁶Filhos de Dison: Hamdã, Esebã, Jetrã e Carã. ²⁷Filhos de Eser: Balaã, Zavã e Acã. ²⁸Filhos de Disã: Hus e Arã.

²⁹Chefes de Hori: chefes de Lotã, Sobal, Sebeon, Ana, ³⁰Dison, Eser e Disã. Até aqui os chefes de Hori, na terra de Seir.

³¹Reis que reinaram na terra de Edom, antes que os israelitas tivessem rei. ³²Em Edom foi rei Bela, filho de Beor; sua cidade se chamava Danaba. ³³Bela morreu, e Jobab, filho de Zara, de Bosra, lhe sucedeu no trono. ³⁴Jobab morreu, e lhe sucedeu no trono Husam, natural de Temã. ³⁵Husam morreu, e em seu lugar reinou Adad, filho de Badad, que derrotou Madiã no campo de Moab; sua cidade se chamava Avit. ³⁶Adad morreu, e lhe sucedeu no trono Semla, de Masreca. ³⁷Semla morreu, e lhe sucedeu no trono Saul, de Reobot Naar*. ³⁸Saul morreu, e lhe sucedeu no trono Baalanã, filho de Acobor. ³⁹Morreu Baalanã, filho de Acobor, e lhe sucedeu no trono Adar; sua cidade se chamava Fau, e sua mulher Meetabel, filha de Matred, filho de Mezaab.

⁴⁰Xeques de Esaú, por grupos, localidades e nomes: Tamna, Alva, Jetet, ⁴¹Oolibama, Ela, Finon, ⁴²Cenez, Temã, Mabsar, ⁴³o chefe Magdiel e Iram. Até aqui os xeques de Edom, segundo os países próprios em que habitam. (Esaú é o pai dos edomitas.)

CICLO PATRIARCAL: JOSÉ

37 Sonhos de José (Eclo 34,1-8) – ¹Jacó se estabeleceu no país cananeu, a terra em que seu pai havia residido.

36,9-19 Segue-se uma genealogia da linhagem de Esaú e uma lista de chefes ou príncipes. Nesta, os nomes das localidades coincidem com os nomes de descendentes.

36,20-39 Em disposição paralela, segue-se uma genealogia da linhagem de Seir: topônimo frequente, apresentado aqui como antepassado de uma população hurrita. E uma lista de seus reis. Talvez o autor pense que esta é a população originária de Seir, antes do estabelecimento de Esaú.

36,31 1Cr 1,43-40.

36,37 * = Praça do Rio.

36,40-43 É uma lista acrescentada para completar ou corrigir dados. Vários nomes das listas aparecem em outros textos bíblicos; uns poucos nomes são teofóricos. Não podemos verificar se as listas são composição artificial ou se correspondem a informações de arquivos reais. Sabemos, sim, que na antiguidade se prestava muita atenção a essas questões de linhagens e genealogias.

Ciclo de José

Com a palavra "história" nos referimos ao relato, não afirmamos sua historicidade. É um texto que tem causado impressão, provavelmente pela relativa simplicidade narrativa, que não exclui certo enredo da trama e uma emotividade que oscila do patético ao terno. Novas leituras e análises descobrem

²Esta é a história de Jacó. José tinha dezessete anos e pastoreava o rebanho com seus irmãos. Ajudava os filhos de Bala e Zelfa, mulheres de seu pai, e trouxe a seu pai más informações sobre seus irmãos. ³Israel preferia José entre seus filhos, porque lhe havia nascido em idade avançada, e lhe fez uma túnica com mangas. ⁴Seus irmãos, ao ver que seu pai o preferia entre os irmãos, ficaram com rancor contra ele e se negavam até a cumprimentá-lo.

⁵José teve um sonho e o contou aos irmãos, que o odiaram mais ainda. ⁶Disse-lhes:

— Escutai o que sonhei. ⁷Estávamos no campo amarrando feixes, quando meu feixe se levantou e se mantinha de pé, enquanto vossos feixes, ao redor, se prostravam diante do meu feixe.

⁸Seus irmãos replicaram:

— Pretendes ser nosso rei? Pretendes ser nosso senhor?

E por causa dos sonhos que lhes contava, o rancor deles aumentava. ⁹José teve outro sonho, e o contou aos irmãos:

— Tive outro sonho: O sol e a lua e onze estrelas se prostravam diante de mim.

¹⁰Quando o contou a seu pai e a seus irmãos, seu pai o repreendeu:

— O que é isso que sonhaste? Será que eu, tua mãe e teus irmãos vamos nos prostrar por terra diante de ti?

¹¹Seus irmãos tinham inveja dele, mas seu pai conservou o assunto na memória.

¹²Seus irmãos se transferiram a Siquém para apascentar o rebanho de seu pai.

Israel disse a José:

— ¹³Teus irmãos estão pastoreando em Siquém. Quero enviar-te para lá.

Ele respondeu:

— Estou aqui!

¹⁴Disse-lhe:

---

no texto uma grande riqueza de valores humanos permanentes.

Comparado com outros relatos do Gênesis, o último é longo e complexo; comparado com obras posteriores de nossa literatura ocidental, é simples e ingênuo. Ora, um relato simples e bem-composto pode atrair espíritos simples por sintonia, mas também atrai espíritos refinados, que sentem reviver provisoriamente sua infância soterrada.

A história de José é um argumento que se desenvolve por sua lógica interior, não por junção de episódios como a de Jacó. O protagonista tem algo de figura ideal, exemplar, na prova e na exaltação. O cenário tem razoável cor local, que pode ser de segunda mão. Muitos dos motivos literários entretecidos são comuns a outras culturas: a sedutora desprezada que se vinga, o irmão menor que se impõe, o sonho que se cumpre de modo inesperado, o inocente encarcerado reivindicado e triunfante. A intervenção de Deus é discreta e eficaz.

Algumas técnicas narrativas se destacam: a duplicação de cenas e situações; a presença de motivos condutores – o pai, o pecado recordado, os sonhos; – a ocultação e reconhecimento (anagnorisis); a ironia dramática obtida pela ignorância de algum personagem e o saber partilhado pelo narrador ou personagem e leitor.

37,1-2 Diz que "é a história de Jacó", e imediatamente começa a falar de José. É verdade que Jacó continua vivo e atuando quase até o final do livro, mas o protagonista indiscutível é o filho, uma espécie de mensageiro dos irmãos, que continuam corporativamente o ofício paterno. É também um informante, um espia molesto. "Más informações": em outros casos a expressão significa rumor ou difamação (Pr 10,18; 25,10).

37,3 A preferência paterna, talvez por ser filho de Raquel, manifesta-se ostentosamente, numa roupa diferente e principesca (2Sm 13,18s). Mas a razão que o narrador aduz valeria mais para Benjamim. Compare-se com a preferência de Deus por Abel, as preferências repartidas por Esaú e Jacó.

37,4 Com o tempo, a preferência se torna irritante, odiosa. A palavra "irmão" se repete vinte e uma vezes no capítulo (3 x 7).

37,5-7 Os sonhos contados não são brincadeira infantil. Naquela cultura podiam ser oraculares; sabemos que podem expressar obliquamente desejos ocultos (cf. Eclo 34,1-8, sobre a ambiguidade dos sonhos). O narrador não diz que provêm de Deus. O primeiro sonho, de cenário agrícola, anula a igualdade dos irmãos: é presságio ou presunção? Os feixes se colocam em pé, apoiados mutuamente, formando uma pirâmide efêmera. O que José sonha tem algo de dólmen vegetal, com onze feixes "prostrados" (não caídos).

37,7 Gn 27,29.

37,8 Este rei não é próprio da cultura pastoril de seminômades, reflete interesses ou preocupações posteriores; é próprio de Edom-Seir (36,31). Ver o episódio de Abimelec em Jz 9.

37,9 O segundo sonho salta do mundo agrícola para a esfera estelar: algo de astrologia destilada num sonho. A crença de que povos e chefes têm no céu uma constelação que marca seu destino parece implicada nos oráculos de Balaão (Nm 24,17, corrigindo a vocalização). Recorde-se o sinal celeste de Ap 12.

37,10-12 O pai compreende o sentido e repreende o filho: por ter sonhado ou por ter narrado? A pergunta admite o tom que pede resposta negativa e o tom dubitativo de um "quem sabe". Não é justo que o pai se submeta ao filho (cf. Eclo 33,20-24; Mt 22,41-45 par.). Quanto a "tua mãe", já não tinha morrido? Contudo, Jacó não se fecha, continua ponderando o assunto.

37,13-17 Intermédio narrativo, que atrasa e traz nova informação. José atravessa grande parte do território de Israel.

37,13 cf. 1Sm 17,17-19.

– Vai ver como estão teus irmãos e como está o rebanho, e traze-me notícias.

Então o enviou do vale de Hebron, e ele se dirigiu a Siquém.

¹⁵Um homem o encontrou perdido pelo campo e lhe perguntou o que procurava. ¹⁶Ele disse:

– Procuro meus irmãos; peço-te que me digas onde pastoreiam.

¹⁷O homem lhe respondeu:

– Partiram daqui; eu os ouvi dizer que iriam a Dotain.

José foi atrás dos irmãos e os encontrou em Dotain. ¹⁸Quando eles o viram a distância, antes que se aproximasse, tramaram sua morte. ¹⁹E comentavam:

– Lá vem o sonhador! ²⁰Vamos matá-lo e jogá-lo numa cisterna; depois, diremos que uma fera o devorou, e veremos para que servem seus sonhos.

²¹Quando Rúben ouviu isso, disse-lhes, tentando livrá-lo das mãos deles:

– Não cometamos homicídio.

²²E Rúben acrescentou:

– Não derrameis sangue; jogai-o nesta cisterna, aqui no deserto, mas não ponhais as mãos sobre ele.

Era para livrá-lo das mãos deles e devolvê-lo a seu pai.

José vendido – ²³Quando José chegou onde estavam seus irmãos, eles lhe tiraram a túnica de mangas que vestia, ²⁴o agarraram e o jogaram numa cisterna. Era uma cisterna vazia, sem água. ²⁵Depois sentaram-se para comer. Levantando o olhar, viram uma caravana de ismaelitas que transportavam em camelos goma aromática, bálsamo e resina, de Galaad para o Egito. ²⁶Judá propôs aos irmãos:

– O que ganhamos matando nosso irmão e jogando terra sobre seu sangue? ²⁷Vamos vendê-lo aos ismaelitas, mas não ponhamos as mãos sobre ele; afinal, é irmão nosso, de nossa carne e sangue.

Os irmãos aceitaram. ²⁸Ao passar alguns mercadores madianitas, pegaram seu irmão, o tiraram da cisterna, e venderam José aos ismaelitas por vinte moedas de prata. Estes levaram José para o Egito. ²⁹Quando Rúben voltou à cisterna, vendo que José não estava na cisterna, rasgou as vestes, ³⁰voltou a seus irmãos e lhes disse:

– O rapaz não está; e eu, para onde irei agora?

³¹Eles pegaram a túnica de José, degolaram um cabrito, empaparam a túnica em sangue e ³²enviaram a túnica com manchas para o pai dele, com este recado:

– Encontramos isto; olha e vê se é ou não a túnica de teu filho.

³³Ele, ao reconhecê-la, disse:

– É a túnica de meu filho! Uma fera o devorou, despedaçou José.

³⁴Jacó rasgou as vestes, cingiu-se com pano de saco, e por muitos dias fez luto

---

37,18-20 Os irmãos misturam o desprezo com o medo, ou dissimulam o temor com a zombaria. Condecoram José com um apelido: o sonhador, "Sr. Sonhos". O mundo enigmático dos sonhos, as evoluções dos astros, as leis do destino, quem pode compreendê-los e controlá-los? Eliminado o sujeito, deixará de cumprir-se o sonho, e eles não serão vassalos ou servos. A frase final: "veremos para que servem seus sonhos" está carregada de ironia dramática: num tom os irmãos o pronunciam, noutro o pai medita nele, com outra curiosidade o leitor o escuta.
37,18 Jr 11,21.
37,21-22 Comparados com os vers. 26-27, parecem duplicata, com mudança de sujeito ou circunstância: Rúben/Judá; caravana ismaelita/mercadores madianitas; não derramareis sangue/de que nos aproveita matá-lo? O narrador trança dois fios numa montagem de sucessão. Mas pode também referir-se à técnica de duplicar cenas, fazendo avançar o relato. Rúben, como primogênito, é responsável perante o pai (é guardião de seu irmão): consegue evitar por ora o fratricídio. É enfática a acumulação de sinônimos de matar.
37,22 Jr 38,6.

37,23-25 Soam vários motivos condutores: a túnica de José, o pão da refeição, talvez a cisterna como calabouço. Um dia lhes faltará pão e terão de descer ao Egito para comprá-lo; agora falta José na refeição, um dia serão eles comensais que não reconhecerão.
37,28 Quem sonhava ser rei é vendido como escravo: haverá maior vingança? E com as mãos limpas de sangue. Acabaram-se os sonhos e o pesadelo.
37,29-30 Rúben se dissociou do delito, mas continua sendo responsável perante o pai. Judá o salvou da morte por meio da escravidão: fica obrigado a resgatá-lo (cap. 45).
37,31-32 Repete-se o esquema do cap. 27: o filho engana o pai ancião utilizando uma veste. Soam em hebraico as palavras *seir* = cabrito e *dam* = sangue, que recordam Seir e Edom. O cabrito substituiu com seu sangue o de José. O engano é uma como vingança pela preferência.
37,34-36 Que os filhos intentem consolá-lo soa como burla cruel. Sobre o luto Eclo 38,16-23 aconselha: Jacó excede a medida.
Termina o capítulo com balanço trágico. Um pai enganado por uma mentira acreditada que o consome, sem

por seu filho. ³⁵Seus filhos e filhas foram consolá-lo. Mas ele recusou o consolo, dizendo:

– Descerei ao túmulo em luto por meu filho.

Seu pai o chorou. ³⁶E no Egito os madianitas o venderam a Putifar, ministro e chefe da guarda do Faraó.

38 **Judá e Tamar** (Dt 25,5-10; Mt 22,24; Rt) – ¹Nesse tempo, Judá se apartou de seus irmãos e foi viver com um tal de Hira, odolamita. ²Judá viu aí uma mulher cananeia chamada Sué. Tomou-a por esposa e teve relações com ela. ³E ela concebeu e deu à luz um filho, e o chamou Her; ⁴tornou a conceber e deu à luz um filho, e o chamou Onã; ⁵novamente deu à luz um filho, e o chamou Sela. Estava em Casib quando o deu à luz.

⁶Judá procurou uma mulher chamada Tamar para seu primogênito Her. ⁷Mas Her, o primogênito de Judá, desagradava ao Senhor, e o Senhor o fez morrer. ⁸Judá disse a Onã:

– Toma a mulher de teu irmão, conforme tua obrigação de cunhado, para suscitar descendência ao teu irmão.

⁹Mas Onã, sabendo que a descendência não seria sua, quando se deitava com a mulher de seu irmão, derramava por terra para não suscitar descendência a seu irmão. ¹⁰O Senhor reprovou o que ele fazia, e o fez morrer também. ¹¹Judá disse à sua nora Tamar:

– Vive como viúva na casa de teu pai até que meu filho Sela cresça.

Pois temia que também ele morresse como seus irmãos. Tamar foi e habitou na casa do pai.

¹²Passado bastante tempo, Sué, mulher de Judá, morreu. Terminado o luto, Judá subiu a Tamna com seu sócio odolamita, onde estavam os tosquiadores. ¹³Avisaram Tamar:

---

mais perspectiva que a morte. Um grupo de irmãos com a consciência da traição e do engano. Não podem dar esperanças ao pai, porque eles próprios esperam o contrário. Unidos por um segredo que os separa do pai: a confiança não pode ser plena. Tampouco entre si estão perfeitamente unidos, pois Rúben e Judá se dissociaram. Pode-se dizer que existe ainda uma família patriarcal? Poderá voltar a existir?

38 Apenas começado o ciclo narrativo de José, interrompe-se com este relato sobre a descendência de Judá. Por que este texto aqui? Atendendo à extensão, dir-se-ia que José é o sucessor de Jacó na linha patriarcal, e 1Cr 5,1-2 parece corroborá-lo. Mas Judá é o antepassado de Davi, e isto deve constar, com esta interrupção, e com o livro de Rute depois de Juízes. Assim pensa uma tradição rabínica: "Antes da escravidão (Egito), nasce o redentor". Pode-se aduzir outra razão mais vulgar: um relato se atrasa e o correlativo se adianta para efeito de engate ou engrenagem narrativa. Além disso, as bênçãos do cap. 49 concedem espaço maior a Judá e a José.

O episódio de Tamar é uma história bem contada. Uma colocação precisa expõe os dados da situação jurídica: direitos negados, deveres rompidos. Daí surge o engano urdido com êxito por Tamar, no qual Judá fica comprometido. Tamar aparece como culpada; mas um novo ardil transfere a culpa a Judá, e ela se salva. É feliz a fusão do sentido burlesco com o dramatismo. Porque o relato discorre no fio da vida e da morte: dois irmãos mortos, e o terceiro em perigo; a mulher portadora de vida é condenada à morte. E a burla resolvendo a situação para que o drama não acabe em tragédia. A vida triunfa nos gêmeos.

38,1-11 É um caso da lei chamada do levirato (*levir* = cunhado): está formulada em Dt 25,5-6 e se aplica na história de Rute; aludem a ela os saduceus, segundo Mt 22,23-33. É uma lei humanitária em favor do defunto, para que seu nome não se extinga, e da viúva, para que não fique sem lar. A mulher de Judá é cananeia, mas pelo matrimônio se incorpora ao clã israelita (cf. Ez 16,3); provavelmente também a nora seja cananeia.

O narrador não especifica o delito do mais velho. O pecado do segundo, Onã – embora tenha dado nome a um vício – é a rigor um pecado de injustiça contra a viúva, de falta de solidariedade com o irmão defunto. Nega-se à vida, recusa a existência a um ser que está esperando, quer dizer, que é esperado e poderia viver. Morto o segundo marido, compete ao terceiro: apenas um garoto, ainda promessa. Mas o pai vê pairar sobre ele um perigo de morte: deverá expô-lo para prolongar o nome do mais velho? Ou deverá reservá-lo para prolongar a estirpe?

E Tamar, não importa? Morto o segundo e ao não receber o terceiro, poderia retornar à sua gente e aí se casar. Decide ficar no clã hebreu e aí reclamar seu direito. Judá a despede de modo cruel: por um lado a retém, por outro não a mantém; e a entretém com uma promessa que não pensa cumprir. Mas Tamar não se deixa consumir na amargura (cf. 30,1; 2Sm 14,7).

38,9 2Sm 14,7.
38,11 Rt 1,11-13; Tb 3,7.
38,12 1Sm 25,2-8.
38,12-23 Decide, pois, agir: para reivindicar seu direito e atendendo ao clamor da vida. Como se no seu ventre sentisse o molde vazio que não se encheu de vida nova. Não pode pela força, mas sim pela astúcia. Judá, entrementes, ficou viúvo, e ela o enredará com o engano e a clandestinidade. Com um prazer ou desafogo efêmero prenderá firmemente o culpado, enganará o sogro.

Aqui a ironia da situação. Judá crê pagar um serviço profissional, quando realmente está pagando uma dívida capital. Julga deixar uns penhores pessoais recuperáveis, quando está deixando penhor muito mais pessoal. Pois, onde mais se grava o selo pessoal que num filho? Com que inocência ignorante solicita

– Teu sogro está subindo a Tamna para tosquiar.

¹⁴Ela tirou o traje de viúva, cobriu-se com véu, disfarçando-se, e sentou-se junto a Enaim*, no caminho de Tamna. Ela viu que Sela tinha crescido e não a tomava por esposa. ¹⁵Ao vê-la, Judá pensou que fosse uma prostituta, pois ela cobria o rosto. ¹⁶Aproximou-se dela no caminho, e lhe propôs:

– Vem, quero deitar contigo.

Ele não sabia que era sua nora. Ela respondeu:

– O que me darás para deitar-me contigo?

¹⁷Respondeu:

– Eu te enviarei um cabrito do rebanho.

Ela replicou:

– Só se me deres um penhor até que o mandes.

¹⁸Ele perguntou:

– Que penhor queres que te deixe?

Respondeu:

– O anel do selo com o cordão e o cajado que seguras.

Ele os deu, deitou-se com ela e ela ficou grávida. ¹⁹Levantou-se, foi embora, tirou o véu e vestiu o traje de viúva.

²⁰Judá lhe enviou o cabrito por meio de seu sócio odolamita, para recuperar o penhor da mulher; mas este não a encontrou. ²¹Perguntou a uns homens do lugar:

– Onde está a prostituta que ficava em Enaim, à beira do caminho?

Responderam-lhe:

– Aqui não havia nenhuma prostituta.

²²Ele voltou a Judá e o informou:

– Não a encontrei, e alguns homens do lugar me disseram que aí não havia nenhuma prostituta.

²³Judá replicou:

– Que fique com tudo e não zombem de nós. Eu lhe enviei o cabrito, mas tu não a encontraste.

²⁴Passados três meses, informaram a Judá:

– Tua nora Tamar se prostituiu e engravidou.

Judá ordenou:

– Pegai-a e queimai-a.

²⁵Enquanto a conduziam, ela mandou um recado a seu sogro:

– O dono destes objetos me engravidou. Vê se reconheces a quem pertencem o anel do selo com o cordão e o cajado.

²⁶Judá os reconheceu e disse:

– Ela é inocente e eu não, pois não lhe dei meu filho Sela.

E não voltou a ter relações com ela. ²⁷Quando chegou o tempo do parto, havia gêmeos em seu seio. ²⁸Ao dar à luz, um deles estendeu a mão, a parteira a pegou e amarrou-lhe no pulso um fio vermelho, dizendo: "Este saiu primeiro". ²⁹Mas ele retirou a mão, e seu irmão saiu. Então ela disse: "Que brecha abriste!" E o chamou Farés.

³⁰Depois saiu seu irmão com o fio vermelho no pulso, e ela o chamou Zara.

39 José, mordomo de Putifar –
¹Quando levaram José ao Egito, Putifar, um egípcio, ministro e mordomo do Faraó, o comprou dos ismaelitas que o haviam levado.

---

seus serviços! Com que tranquilidade deixa como penhor seu bastão e seu anel de selar!

O narrador quer que tudo saia bem para a primeira. E já está palpitando uma criatura da estirpe de Judá – uma? Porque o pai prestou sem saber os serviços do terceiro filho. Para ela, esperar agora é diferente, porque é crescer por dentro e a partir de dentro. Tamar pode envaidecer-se de sua astúcia, regozijar-se pelo desquite; e saborear o gosto da maternidade. O engano se prolonga até que a maternidade se torne patente.

38,14 * = Duas Fontes. Os 4,13; Pr 7,10.
38,16 Gn 34,31.
38,18 Jr 22,24.
38,24-26 Legalmente Tamar está desposada com Sela, a quem deve fidelidade. Prostituiu-se, cometeu adultério, o filho que leva é ilegítimo. Tem pena de morte e cabe ao pai de família sentenciar e ordenar a execução. O narrador se arroga o prazer de atrasar o desenlace até o último momento, quando ela é conduzida ao suplício. Então apela ao juiz: que reconheça esses penhores e por eles a paternidade. Ao reconhecer os penhores, Judá anula a sentença. Ele é o culpado. Seu delito foi coibir a vida, como se tivesse autoridade para dá-la ou negá-la (cf. Gn 30,2). Judá se tinha fechado no seu afã de segurança, quando a vida continua no risco. Empenhou-se em conservar a vida, guardando-a, quando a vida se salva dando-se, comunicando-se. Paradoxalmente, a nora o salvou e lhe dará descendência duplicada. Rt 4,12 menciona Tamar com loas; ela figura também na genealogia do Messias, Mt 1,3.
38,26 1Sm 24,18.
39-41 São decisivos na carreira de José e põem as bases para o futuro encontro com os irmãos. Em vários episódios concatenados vai-se desenvolvendo a personalidade do protagonista: sua integridade, perspicácia e prudência.
39,1-6 José se transforma em fonte de bênção para o amo egípcio, atualizando assim a promessa feita a

²O Senhor estava com José e lhe deu sorte, de modo que o deixaram na casa de seu amo egípcio. ³Seu amo, vendo que o Senhor estava com ele e que fazia prosperar tudo o que ele empreendia, ⁴apegou-se a ele e o pôs a seu serviço pessoal, constituindo-o à frente de sua casa e confiando-lhe todas as coisas. ⁵Desde que o constituiu à frente de sua casa e de tudo o que possuía, o Senhor abençoou a casa do egípcio por causa de José, e a bênção do Senhor veio sobre tudo o que possuía, em casa e no campo. ⁶Putifar pôs tudo nas mãos de José, sem se preocupar com nada, a não ser com o pão que comia. José era de belo porte e tinha um rosto bonito.

Tentação, calúnia e prisão (Pr 7; Dn 13) – ⁷Passado algum tempo, a mulher do amo pôs os olhos sobre José, e lhe propôs:

– Deita comigo.

⁸Ele recusou, dizendo à mulher do amo:

– Olha, meu amo não se ocupa de nada na casa, mas pôs em minhas mãos tudo o que possui; ⁹não exerce em casa mais autoridade do que eu, e não se reservou nada senão a ti, que és a mulher dele. Como vou cometer semelhante crime, pecando contra Deus?

¹⁰Ela insistia diariamente para que deitasse ou estivesse com ela, mas ele não lhe dava atenção. ¹¹Certo dia, ele entrou em casa para fazer seu serviço, e nenhum dos empregados estava em casa; ¹²ela o agarrou pela roupa, dizendo:

– Deita comigo.

¹³Mas ele soltou a roupa nas mãos dela e saiu correndo. Ela, vendo que lhe havia deixado a roupa na mão e correra para fora, ¹⁴chamou os criados e lhes disse:

– Vede, trouxeram-nos um hebreu para se aproveitar de nós; entrou em meu quarto para deitar comigo, mas eu gritei alto; ¹⁵ao ouvir que eu levantava a voz e gritava, deixou a roupa junto de mim e saiu correndo.

¹⁶E conservou consigo o manto até que seu marido voltasse para casa, ¹⁷e lhe contou a mesma história:

– O escravo hebreu que trouxeste entrou em meu quarto para se aproveitar de mim, ¹⁸mas eu levantei a voz, gritei, e ele deixou a roupa junto a mim e saiu correndo.

¹⁹Quando o marido ouviu a história que a mulher lhe contava, "teu escravo me fez isso", ficou furioso, ²⁰pegou José e o pôs na prisão, onde estavam os presos do rei; assim, ele foi parar na prisão.

²¹Mas o Senhor estava com José, concedeu-lhe favores e fez que caísse nas graças do chefe da prisão. ²²Este confiou a José todos os presos da cadeia, de modo que aí tudo era feito segundo o desejo dele. ²³O chefe da prisão não vigiava nada do que estava sob seu cuidado, pois o Senhor estava com José, e tudo o que este empreendia, o Senhor fazia prosperar.

40 Sonhos do copeiro e do padeiro reais (Dn 2; 4) –

¹Passado certo tempo, o copeiro e o padeiro do rei do Egito ofenderam seu amo. ²O Faraó, enfurecido

---

Abrão (cap. 12), como o tinha feito Jacó para Labão. O v. 5 usa o termo *berakah*. Não se diz que o amo o reconheça. "O Senhor estava com José" (2.21.23) é, paradoxalmente, a chave do que segue, e também de suas aflições.

Assim começa sua ascensão por degraus: torna-se o chefe da economia doméstica de Putifar, torna-se chefe na prisão entre os presos. O último degrau os sonhos lhe propiciarão.

39,2 1Sm 18,14.
39,5 Gn 30,27.
39,6 1Sm 16,12.
39,7 Ecl 26,22.
39,7-18 O motivo literário, na sua formulação e desenvolvimento, é comum em outras literaturas. O autor pode ter-se inspirado em narrações estrangeiras (ver o relato de Belerofonte na *Ilíada* VI,155-197). A beleza de José parece herança de Raquel: invertem-se os papéis de Jacó com Raquel, de Siquém com Dina. Retorna o motivo condutor da veste: prova em mãos da mulher despeitada. A José lhe trocarão a roupa para apresentá-lo ao Faraó (41,44), e se vestirá de linho quando o nomearem vizir (41,42). Sobre a sedução da mulher: Pr 5 e 7. José responde com breve sermão, repelindo o delito contra o marido e contra Deus.

39,20 O castigo ao escravo é moderado: em lugar da morte ou dos trabalhos forçados, o cárcere. O desenvolvimento seguinte do relato assim o exige. Sl 105,18.

39,21 Sb 10,13s.

40 *Os sonhos.* Se o primeiro êxito de José no Egito foi resultado da sua habilidade na administração doméstica, os seguintes estão montados sobre sonhos, isto é, sobre um saber sobre-humano para ler com precisão o futuro nas imagens ambíguas dos sonhos. A fantasia que produz essas imagens assiste a elas sem entendê-las.
O intelecto ensaia diversas traduções compreensíveis. Somente uma luz superior fornece a chave e

contra seus dois ministros, o copeiro-mor e o padeiro-mor, ³prendeu-os na casa do mordomo, na prisão em que estava detido José. ⁴O mordomo os confiou a José, para que cuidasse deles.

⁵Passaram vários dias na prisão, e na mesma noite os dois tiveram um sonho, cada sonho com seu próprio sentido, o copeiro e o padeiro do rei do Egito, que estavam presos no cárcere.

⁶De manhã, José entrou onde eles estavam, e os encontrou deprimidos, ⁷e perguntou aos ministros do Faraó que estavam presos com ele em casa de seu amo:

– Por que tendes o rosto triste?

⁸Eles responderam:

– Tivemos um sonho, e não há quem o interprete.

José replicou:

– Deus interpreta os sonhos; contai-os a mim.

⁹O copeiro contou seu sonho a José:

– ¹⁰Sonhei que havia uma videira diante de mim. A videira tinha três ramos, produziu brotos e flores, e as uvas amadureceram em cachos. ¹¹Eu tinha numa das mãos a taça do Faraó. Espremi os cachos na taça, e pus a taça na mão do Faraó.

¹²José lhe disse:

– ¹³Esta é a interpretação: os três ramos são três dias. Dentro de três dias, o Faraó se lembrará de ti, te restabelecerá em teu cargo, e porás a taça na mão do Faraó como antes, quando eras copeiro dele. ¹⁴Mas lembra-te de mim quando estiveres bem, e faze-me este favor: menciona meu nome ao Faraó, para que me tire desta prisão, ¹⁵pois me trouxeram sequestrado do país dos hebreus, e aqui não cometi nenhum mal, para que me lançassem no calabouço.

¹⁶O padeiro, vendo que José havia interpretado bem, contou-lhe:

– Pois eu sonhei que carregava três cestos de vime na cabeça; ¹⁷no cesto de cima, havia todo tipo de doces para o Faraó, mas as aves os comiam no cesto que eu carregava na cabeça.

¹⁸José respondeu:

– ¹⁹Esta é a interpretação: os três cestos são três dias. Dentro de três dias, o Faraó se lembrará de ti, te enforcará, e as aves comerão a carne de teu corpo.

²⁰No terceiro dia, o Faraó celebrava seu aniversário, e deu um banquete a todos os ministros, e se lembrou do copeiro-mor e do padeiro-mor: ²¹restabeleceu o copeiro-mor em seu cargo de copeiro, para que pusesse a taça na mão do Faraó; ²²quanto ao padeiro-mor, o enforcou, conforme José havia interpretado. ²³Mas o copeiro-mor não se lembrou de José. Pelo contrário, esqueceu-se dele.

41 Sonho do Faraó (Dn 2; 4) – ¹Dois anos depois, o Faraó teve um sonho:

---

torna transparentes as imagens. Eclo 34,1-8 discorre sobre o valor dos sonhos.

Os sonhos vêm aos pares, o que não simplifica necessariamente a sua interpretação. Se os dois primeiros, na casa paterna, eram óbvios, os seguintes, na prisão egípcia, são iguais no fator número, complementares na imagem de comer e beber, contrários em seu sentido de favor e desgraça. Não é patente que pássaros beliscando a cesta de doces sejam de mau agouro; José os vê transformar-se em aves necrófagas que comem os restos mortais de um sentenciado.

40,1-2 São cargos importantes, de confiança (cf. 2Rs 18,17; Ne 2,11).

40,5 O narrador adianta a informação de que os sonhos tinham cada qual o seu sentido. Também é significativa a coincidência na mesma noite. Eclo 34,5.

40,8 Também eles creem que os sonhos têm um sentido, para eles recôndito. No Egito há especialistas em interpretar sonhos, mas na prisão não são acessíveis. Se os sonhos anunciam um perigo, os funcionários não poderão precaver-se contra ele; por isso os sonhos os deprimem. A resposta de José ressoa solene na prisão: o estrangeiro, escravo de presos, pode possuir esse dom de Deus.

40,19 Em hebraico, a expressão "levantar a cabeça" tem duplo sentido: para restabelecê-lo, para enforcá-lo.

40,20 Mc 6,21.

40,22 Ecl 9,15.

40,23 O esquecimento do copeiro serve para diferir o desenlace e para introduzir outra série de sonhos.

41,1 Est 11,2-12.

41,1-36 Os sonhos do Faraó são gêmeos. O número de objetos, que nos sonhos dos funcionários significava dias, nos do Faraó significa anos: José atina com o ritmo e o tempo exatos dessa partitura cifrada. O mundo imaginativo dos seis sonhos é curiosamente heterogêneo, com ingredientes agrícolas, gastronômico e pecuário. Os funcionários fechados num mundo de iguarias da mesa real; o Faraó num mundo agropecuário, e só José livre para saltar às estrelas. Os sonhos servem também para que José se destaque dos sábios egípcios. Só ele demonstra ser "sábio e prudente", porque está dotado de "um espírito sobre-humano". Não se contenta com explicar os sonhos, mas se adianta em dar conselhos, apoiando de passagem e com dissimulação sua cau-

²estava em pé à beira do Nilo, quando viu sair do Nilo sete vacas bonitas e bem gordas, que começaram a pastar nos juncos. ³Atrás delas, saíram do Nilo outras sete vacas fracas e mal alimentadas, e se puseram junto às outras, à beira do Nilo. ⁴E as vacas magras e mal alimentadas comeram as sete vacas bonitas e gordas. O Faraó acordou.
⁵Teve um segundo sonho: sete espigas brotavam de uma haste, bonitas e granadas, ⁶e sete espigas secas e queimadas brotavam atrás delas. ⁷As sete espigas secas devoravam as sete espigas granadas e cheias. O Faraó acordou; tinha sido um sonho.
⁸Na manhã seguinte, agitado, mandou chamar todos os magos do Egito e seus sábios, e lhes contou o sonho, mas nenhum sabia interpretá-lo para o Faraó. ⁹Então o copeiro-mor disse ao Faraó:
– Devo confessar hoje o meu pecado. ¹⁰Quando o Faraó se irritou contra os seus servos e nos pôs na prisão na casa do mordomo, eu e o padeiro-mor, ¹¹ele e eu tivemos um sonho na mesma noite; cada sonho com seu próprio sentido. ¹²Havia aí conosco um jovem hebreu, servo do mordomo; nós lhe contamos o sonho, e ele o interpretou, cada um com sua interpretação. ¹³E tal como ele o interpretou, assim aconteceu: eu fui restabelecido em meu cargo, e ele foi enforcado.

José interpreta os sonhos – ¹⁴O Faraó mandou chamar José. Eles o tiraram depressa do calabouço; barbeou-se, trocou de roupa e apresentou-se ao Faraó. ¹⁵O Faraó disse a José:
– Tive um sonho, mas ninguém soube interpretá-lo. Ouvi dizer que ouves um sonho e o interpretas.
¹⁶José respondeu ao Faraó:

– Sem mérito meu, Deus dará ao Faraó a resposta propícia.
¹⁷O Faraó disse a José:
– Sonhei que estava de pé à beira do Nilo, quando vi sair do Nilo sete vacas bonitas e bem gordas, e ¹⁸começaram a pastar nos juncos; ¹⁹atrás delas, saíram outras sete vacas, fracas e mal alimentadas, em pele e osso; não vi piores em todo o país do Egito. ²⁰As vacas magras e mal alimentadas comeram as sete vacas anteriores, as gordas. ²¹E quando entraram nelas, não se notava que haviam entrado, pois seu aspecto continuava tão feio como no princípio. E acordei. ²²Tive outro sonho: sete espigas cresciam de uma haste, bonitas e granadas, ²³e sete espigas cresciam atrás delas, pequenas, secas e queimadas; ²⁴as sete espigas secas devoravam as sete espigas bonitas. Contei-o a meus magos, mas nenhum deles pôde interpretá-lo.
²⁵José disse ao Faraó:
– Trata-se de um único sonho: Deus anuncia ao Faraó o que vai fazer. ²⁶As sete vacas gordas são sete anos de abundância, e as sete espigas bonitas são sete anos: é o mesmo sonho. ²⁷As sete vacas magras e desnutridas, que saíam atrás das primeiras, são sete anos, e as sete espigas vazias e queimadas são sete anos de fome. ²⁸É o que eu disse ao Faraó: Deus mostrou ao Faraó o que vai fazer. ²⁹Virão sete anos de grande abundância em todo o país do Egito; ³⁰depois, virão sete anos de fome, que farão esquecer a abundância no Egito, pois a fome acabará com o país. ³¹Não haverá rastro da abundância no país por causa da fome que se seguirá, pois será terrível. ³²O fato de o Faraó ter sonhado duas vezes indica que Deus confirma sua palavra e que tem pressa de cumpri-la. ³³Portanto, que o Faraó procure um ho-

---

sa. O esquema se repetirá na história de Daniel e seus companheiros na corte babilônica.

41,2-7 Até mesmo em sonhos, é portentoso que uma vaca coma a outra inteira, e de maior volume. Não menos portentosas são espigas que comem espigas. Realmente, quem sonha é o narrador. Mas a expressão "vacas magras" se tornou proverbial.
41,6 1Rs 3,15.
41,16 José corrige o Faraó com modéstia e audácia, apelando a um Deus que está acima do rei e controla os acontecimentos. Insiste neles nos vv. 25.28.31, e o Faraó o reconhece em 38.39.
41,18-21 É recurso narrativo que o Faraó acrescente detalhes ao contar o sonho.

41,25-36 José divide a resposta em interpretação e conselhos. Enquanto a primeira parte é um futuro incondicional, a segunda exige a colaboração humana. Mas o conselho de José exige fé na interpretação e uma política de longo alcance. O estrangeiro falou mais que o soberano e respondeu mais do que lhe perguntaram. O modo de falar com autoridade sobre-humana, o acerto na interpretação dos sonhos, a sensatez da proposta convencem. O Faraó e sua corte aceitam a interpretação sem discuti-la.
41,28 Am 3,7.
41,33 Dt 1,13.

mem sábio e prudente, e o ponha à frente do Egito; ³⁴estabeleça inspetores que dividam o país em regiões e administrem durante os sete anos de abundância. ³⁵Que reúnam todo tipo de alimentos durante os sete anos bons que virão, coloquem trigo nos celeiros por ordem do Faraó, e os guardem nas cidades. ³⁶Os alimentos serão depositados para os sete anos de fome que virão depois no Egito, e assim o país não morrerá de fome.

José é nomeado vice-rei – ³⁷O Faraó e seus ministros aprovaram a proposta, ³⁸e o Faraó disse a seus ministros:

– Encontraremos um homem como este, dotado de espírito sobre-humano?

³⁹E o Faraó disse a José:

– Já que Deus te ensinou tudo isso, ninguém será tão sábio e prudente como tu. ⁴⁰Estarás à frente de minha casa, e todo o povo obedecerá às tuas ordens; só no trono eu te precederei.

⁴¹E acrescentou:

– Olha, eu te ponho à frente de todo o país.

⁴²E o Faraó tirou da mão o anel do selo e o pôs em José; vestiu-o com roupa de linho e lhe pôs um colar de ouro no pescoço. ⁴³Ele o fez sentar-se na carruagem de seu lugar-tenente, e o povo gritava diante dele: "Grão-vizir!" E assim o pôs à frente do Egito.

⁴⁴O Faraó disse a José:

– Eu sou o Faraó; sem tua permissão, ninguém moverá mão ou pé em todo o Egito.

⁴⁵E chamou José de Safanet-Fanec, e lhe deu por mulher Asenet, filha de Putifar, sacerdote de On. E José saiu para percorrer o Egito.

⁴⁶Tinha trinta anos quando se apresentou ao Faraó, rei do Egito; saindo de sua presença, viajou por todo o Egito. ⁴⁷A terra produziu generosamente nos sete anos de abundância; ⁴⁸durante esse tempo, acumulou alimentos nas cidades: em cada uma pôs as colheitas dos campos da região. ⁴⁹Reuniu trigo em quantidade, como a areia da praia, até que deixou de medi-lo, pois ultrapassava toda medida.

⁵⁰Antes do primeiro ano de fome, nasceram para José dois filhos de Asenet, filha de Putifar, sacerdote de On. ⁵¹Ao primogênito chamou Manassés, dizendo: "Deus me fez esquecer meus trabalhos e a casa paterna". ⁵²Chamou o segundo de Efraim, dizendo: "Deus me fez crescer na terra de minha aflição".

⁵³Terminaram os sete anos de abundância no Egito ⁵⁴e começaram os sete anos de fome, conforme José havia anunciado. Houve fome em todas as regiões, e só no Egito havia pão. ⁵⁵A fome chegou a todo o Egito, e o povo reclamava pão ao Faraó; e o Faraó dizia aos egípcios:

– Ide a José, e fazei o que ele vos disser.

⁵⁶A carestia cobriu todo o país. José abriu os celeiros e vendeu trigo aos egípcios, enquanto a fome aumentava no Egito.

⁵⁷Todo o mundo vinha ao Egito para comprar trigo de José, pois a fome se agravava em toda a terra.

42 Os irmãos de José: primeiro encontro – ¹Ao saber que havia trigo no Egito, Jacó ²disse a seus filhos:

41,37-45 O resultado do processo é que José se incorporou à vida e à cultura egípcias: pelo casamento, pelo nome ou título novo pela função. Quando o Faraó confia nele, o faz a longo prazo: sete anos hão de passar antes que se comprove a segunda parte do presságio, e outros se espera para tirar-lhe as consequências. E lhe dá uma esposa de antemão: esses dados, do duplo setenário e da esposa adiantada, remetem por semelhança à história de Jacó na casa de Labão.

41,38 "Espírito" ou dotes, "sobre-humano" ou divino.

41,39 Sl 105,20-22.

41,40-41 O poder é amplíssimo: estende-se à corte, "minha casa", e ao país. A exceção é clara: o trono significa a dignidade e autoridade supremas e implica a sucessão dinástica. Ver Sl 105,20-22.

41,42 Est 3,10; 8,2.

41,43 A tradução "grão-vizir" é conjetural.

41,50-52 Os nomes dos filhos são hebraicos, não egípcios; Jacó mostra com isso que a bênção da fecundidade o liga à terra dos patriarcas. Os nomes se explicam pelo som, no estilo hebraico. "Esquecer" é paradoxal, pois no ato de pronunciá-lo está lembrando. Na realidade, são os nomes de duas tribos que integram a grande tribo ou "Casa de José" (Dt 33,13.17). Grupo preponderante no reino setentrional (cf. Js 17,17; 18,5; 2Sm 19, 21). Chega a representar e significar o reino setentrional (Ez 37,16.19; Am 5,6.15; 6,6); também equivale a Israel (Sl 80,2).

41,53-57 Até aqui foi-se desenvolvendo a reivindicação e ascensão de José; daí em diante se porá a serviço de missão mais ampla. Muito cedo começa a tornar-se figura internacional.

42 A ação começa com a afluência e confluência de gente ao Egito. Primeiro, egípcios de todas as regiões do país; depois, gente de todo lado; entre

– Por que vos espantais? Ouvi dizer que no Egito há trigo: descei para lá e comprai-nos trigo. Assim viveremos e não morreremos.

³Desceram, pois, dez irmãos de José para comprar trigo no Egito. ⁴Com seus irmãos, Jacó não enviou Benjamim, irmão de José, para que não lhe acontecesse alguma desgraça. ⁵Os filhos de Israel chegaram em meio a outros viajantes para comprar trigo, pois no país cananeu passava-se fome.

⁶No país mandava José; ele vendia o trigo a todo o mundo, de modo que os irmãos de José chegaram e se prostraram diante dele com o rosto por terra. ⁷Ao ver seus irmãos, José os reconheceu, mas dissimulou, falando-lhes duramente:
– De onde vindes?
Responderam:
– De Canaã, para comprar alimentos.
⁸José reconheceu os irmãos; eles porém não o reconheceram. ⁹Lembrou-se José dos sonhos que sonhara a respeito deles, e disse-lhes:
– Sois espiões! Viestes inspecionar as zonas desguarnecidas do país.

¹⁰Responderam-lhe:
– De modo algum, senhor! Teus servidores vieram comprar alimentos. ¹¹Somos todos filhos do mesmo pai, gente honrada; teus servidores não são espiões.
¹²Replicou:
– Como não! Viestes inspecionar as zonas desguarnecidas do país.
¹³Disseram-lhe:
– Éramos doze irmãos, teus servidores, filhos do mesmo pai, de Canaã. O menor ficou com seu pai; o outro desapareceu.
¹⁴José respondeu:
– É como eu vos disse: vós sois espiões. ¹⁵Vou pô-los à prova: não saireis daqui, pela vida do Faraó, se não vier aqui vosso irmão mais novo. ¹⁶Mandai um de vós para buscar vosso irmão, enquanto vós ficais presos. Assim provareis que dissestes a verdade; do contrário, pela vida do Faraó, sois espiões.
¹⁷E os mandou prender por três dias.
¹⁸No terceiro dia, José lhes disse:
– Fazei o seguinte, e conservareis a vida, pois eu respeito a Deus. ¹⁹Se sois gente honrada, um dos irmãos ficará aqui preso, e os outros irão levar trigo às vossas famílias famintas. ²⁰Mas me trareis vosso irmão

---

eles os filhos de Jacó, que passam despercebidos entre a massa de viajantes. A ação exige que se dirijam pessoalmente ao vizir, sem intermediários. José recebeu poder não para si mesmo, mas para outros: para benefício do Egito, de outros povos e para continuar a história que Deus começou com Abraão. Enquanto a salvação do Egito se concretiza no alimento, a de seus irmãos exige um caminho de purificação e conversão. José se converte não só no senhor ante o qual se prostram, mas no juiz que os adverte para que reconheçam a própria culpa e possam recompor a fraternidade rompida. O amor de José tem que diferir a solução. Disfarça dureza, mostra sinais ambíguos, faz amadurecer a atitude do grupo, até que o amor se torna incontido e se declara. Os irmãos percorrem um caminho obscuro, e esta é sua prova; sobre ele vão caindo raios de luz. O leitor sabe mais que eles, embora menos que José: assim se mantém o interesse e aflora a ironia. Neste jogo de ocultação, alguém entrelaça e orienta os fios, descobrindo pouco a pouco seu desígnio, com imensa discrição. Deus é o protagonista oculto.

42,3 O grupo recebe três denominações: irmãos de José indica o papel na trama, filhos de Jacó indica a família patriarcal, filhos de Israel tem valor político. Sem o saber, Jacó encaminha os filhos ao irmão desaparecido; e o faz para conservar a vida. O verbo "viver" aparece em 42,18; 43,8; 45,7.27; 47,19. 25.28; 50,20.22.

42,6 Começam a cumprir-se os sonhos: os irmãos "se prostram" como "servos" (37,9s).

42,7-8 Começa o jogo da ignorância e do reconhecimento. José conta com eles, que não contam com José e têm como bloqueado o mecanismo do reconhecimento. José atua como guiado por um desígnio que se irá executando em passos calculados. Seu fator principal é submeter os irmãos à prova, até que demonstrem que são realmente irmãos.

42,9 Os planos familiar e político começam a sobrepor-se e a cruzar-se, gerando uma aresta de ambiguidade sugestiva. A acusação é grave: espionagem política e militar (cf. Nm 13; Js 2). Embora a acusação seja falsa, pronunciada pelo vizir é aterradora.

42,10-11 Eles se refugiam no âmbito familiar: dirigem-se ao Egito como a um benfeitor, não como a um objetivo militar. A referência familiar "filhos do mesmo pai" dá ocasião a José para apurar o efeito imediato e para continuar seu desígnio.

42,12-14 A referência aos dois irmãos que faltam adensa a ironia da situação. A expressão "desapareceu" é ambígua em hebraico: não está/não existe. Para eles, um dos irmãos "não existe"; mas existe e está presente.

42,15-16 A palavra "verdade" funciona em dois planos: é verdade o que dissestes para desculpar-vos; é verdade que vos sentis e agis como irmãos. A detenção conjunta dos nove, sem saber quanto durará, os intimida e os faz refletir em grupo.

42,18-20 Mudança de tática. O vizir aduz seu sentido religioso, "respeito a Deus": daí a decisão ética de não condenar todos sem provas. Mas a questão continua sendo de vida ou morte: viver não é no momento questão de alimentos, mas de provar a verdade do que disseram.

42,18 Ex 2,17.

mais novo. Assim provareis que dissestes a verdade, e não morrereis.

Eles concordaram. ²¹E diziam entre si: "Estamos pagando o crime contra nosso irmão: quando o víamos suplicando-nos angustiado, e não lhe demos atenção. Agora cabe a nós ficar angustiados".

²²Rúben lhes disse:

– Não vos dizia para não pecar contra vosso irmão? Mas não me destes atenção. Agora nos pedem contas do sangue dele. ²³Eles não sabiam que José os entendia, porque havia usado intérprete. ²⁴Ele se retirou e chorou; depois voltou para lhes falar. Escolheu Simeão e o fez acorrentar na presença deles.

Volta a Canaã – ²⁵José ordenou que lhes enchessem de trigo as sacas, colocassem o dinheiro do pagamento em cada saca e lhes dessem provisões para a viagem. Assim foi feito. ²⁶Eles carregaram o trigo nos asnos e partiram.

²⁷Na pousada, um deles abriu a saca para dar forragem ao asno, e descobriu o dinheiro na boca da saca. ²⁸E disse a seus irmãos:

– Eles me devolveram o dinheiro!

O coração ficou apertado de medo, e disseram entre si: "O que foi que Deus nos fez?"

²⁹Chegando à casa de seu pai Jacó, em Canaã, contaram-lhe tudo o que acontecera.

– ³⁰O senhor do país nos falou com dureza, declarando-nos espiões de sua terra. ³¹Nós lhe respondemos que somos gente honrada, que não somos espiões. ³²Dissemos que éramos doze irmãos, filhos de um só pai; um tinha desaparecido e o mais novo ficara com seu pai em Canaã. ³³O senhor do país nos respondeu: "Assim saberei que sois gente honrada: deixareis comigo um dos irmãos, levareis provisões a vossas famílias famintas, ³⁴e me trareis vosso irmão mais novo. Assim saberei que não sois espiões, mas gente honrada; então vos devolverei vosso irmão, e podereis fazer comércio no meu país".

³⁵Quando esvaziaram as sacas, cada um encontrou uma bolsa de dinheiro em sua saca. Vendo as bolsas de dinheiro, eles e seu pai se assustaram. ³⁶Seu pai Jacó lhes disse:

– Vós me deixais sozinho! José desapareceu, Simeão desapareceu, e quereis levar Benjamim. Tudo se volta contra mim.

³⁷Rúben respondeu a seu pai:

– Mata meus dois filhos, se eu não o trouxer a ti. Coloca-o em minhas mãos, que eu o devolverei.

³⁸Ele respondeu:

– Meu filho não descerá convosco! Seu irmão morreu e só me resta ele. Se lhe acontecer uma desgraça na viagem que empreendereis, de sofrimento fareis meus cabelos brancos descer ao túmulo.

42,21-22 As palavras de José foram um apelo tácito à fraternidade. Usou Benjamim como catalisador sem pronunciar-lhe o nome. Começam eles a relembrar e descobrem que vigora uma espécie de lei do talião: pela "angústia" de José desatendida nos sucede esta "angústia" concreta, na esfera da fraternidade. Agora tomam o caminho da conversão, conduzindo a tribulação presente à sua verdadeira causa pretérita. Rúben se dissocia da culpa, não da pena. É Deus quem "pede contas" do sangue, de um delito antigo já esquecido.

42,23-24 A referência ao intérprete é um refinamento narrativo (que não existe nos relatos de Abraão). O pranto privado de José serve para explicitar o fator emotivo e para desdobrar o personagem no que finge e no que sente, e a dor de representar um papel fictício e ingrato. Acorrentar Simeão na presença de todos é calculadamente cruel (seria de esperar que coubesse a Rúben). Eles são testemunhas impotentes, não insensíveis.

42,23 2Rs 18,26.

42,25-28 O truque do dinheiro nos sacos cumpre duas funções. Primeira, é devolver bem por mal; aquele que foi vendido por vinte moedas devolve agora o dinheiro de uma compra. Não se enriquecerá à custa da fome deles. Segunda, desconcerta os irmãos e os faz refletir e elevar-se a um plano teológico, a intervenção de Deus.

42,29-34 O comunicado ao pai retorna do político ao familiar. Mas, ao voltar o tema da fraternidade, mostram que o levam dentro de si, como enfermidade não curada. "Doze irmãos, filhos de um só pai": prova a inocência, a honradez?, ou antes o contrário: que venderam covardemente um irmão e maltrataram o pai?

42,35 O temor diante de fatos inexplicáveis pode ser mais forte: não se teme o mal, e sim o pior.

42,36 Como se a fraternidade rompida abrisse uma espiral de desgraças. A dor do pai é fator ativo, determinante, no relato. Não é paradoxo cruel que os filhos deixem o pai sem filhos?

42,37 Rúben faz uma oferta heroica: filhos por filho. Oferece seu amor e sua descendência. Mas é uma oferta descabida: matar dois netos para ressarcir-se de um filho. A não ser que ouçamos nessas palavras uma segurança expressa em termos hiperbólicos. Como se dissesse: tão certo como quero bem a meus filhos, pela vida deles te garanto que trarei Benjamim são e salvo.

42,38 A negativa do pai é categórica. E assim acontece uma pausa no relato, enquanto se alimentam da

43 Segundo encontro –

¹A fome apertava no país. ²Quando terminaram as provisões que haviam trazido do Egito, seu pai lhes disse:

– Voltai a comprar provisões para nós.

³Judá lhe respondeu:

– Aquele homem nos garantiu: "Não vos apresenteis a mim sem vosso irmão". ⁴Se permites que nosso irmão nos acompanhe, desceremos para comprar provisões. ⁵Se não permites, não desceremos. Pois aquele homem nos disse: "Não vos apresenteis a mim sem vosso irmão".

⁶Israel lhes disse:

– Por que me prejudicastes, dizendo a esse homem que vos restava outro irmão?

⁷Replicaram:

– Aquele homem perguntava por nós e por nossa família: se nosso pai era vivo, se tínhamos outro irmão. E nós respondemos a suas perguntas. Como íamos saber que nos mandaria levar nosso irmão?

⁸Judá disse a seu pai Israel:

– Deixa que o rapaz venha comigo. Assim iremos, salvaremos a vida, e não morreremos nós, tu e as crianças. ⁹Eu me torno responsável por ele, e dele pedirás contas a mim. Se eu não o trouxer e não o puser diante de ti, rompes comigo para sempre. ¹⁰Se não tivéssemos demorado tanto, já estaríamos de volta pela segunda vez.

¹¹Seu pai Israel respondeu:

– Se não há outra alternativa, fazei assim. Tomai em vossos alforjes produtos do país e levai-os como presentes àquele senhor: um pouco de bálsamo, um pouco de mel e goma aromática, mirra, pistache e amêndoas. ¹²Tomai o dobro de dinheiro, para devolver o dinheiro que puseram na boca das vossas sacas, talvez por descuido. ¹³Tomai vosso irmão e voltai a esse senhor. ¹⁴O Deus Todo-poderoso o faça compadecer-se de vós, para que deixe livre vosso irmão e Benjamim. Se tenho de ficar sem filhos, ficarei.

¹⁵Eles tomaram consigo os presentes, o dobro de dinheiro e Benjamim. Partiram, desceram ao Egito e se apresentaram a José. ¹⁶Quando José viu Benjamim com eles, disse a seu mordomo:

– Faze-os entrar em casa. Matem e preparem, pois ao meio-dia esses homens comerão comigo.

¹⁷O homem cumpriu as ordens de José e os conduziu à casa de José. ¹⁸Eles se assustaram porque os levavam à casa de José, e diziam entre si: "Fazem isso por causa do dinheiro que colocaram nas sacas; é um pretexto para nos acusar, condenar e reter como escravos e ficar com os asnos."

¹⁹Aproximando-se do mordomo de José, falaram-lhe à porta da casa:

– ²⁰Olha, senhor: nós descemos na outra ocasião para comprar provisões. ²¹Quando

---

liberdade de Simeão. A primeira expedição criou mais problemas do que resolveu.

43,1-5 Jacó é o principal obstáculo para que a história continue. Parece inconsciente, embotado pelo cultivo doentio de sua pena. Contemporiza para não tomar a decisão oportuna; e quando a toma, não quer aceitar a condição indispensável. Judá toma a iniciativa, martelando a palavra "irmão"; e enfrenta o pai com uma alternativa radical.

43,6-7 Este busca uma escapatória infantil: não sabe enfrentar o futuro urgente. De que lhe serve recriminar a suposta imprudência dos filhos? Eles se desculpam indignados: que importa agora que o vizir tenha culpa de tudo, se é ele quem tem o poder?

43,8-10 Judá conduz o assunto a seus termos urgentes. Não propõe represálias sangrentas, pouco eficazes porque exageradas (42,37); propõe uma espécie de excomunhão perpétua da família patriarcal. Imaginemos como soam essas palavras para ouvintes que conhecem a dinastia davídica da tribo de Judá e para outros que esperam sua restauração. Judá põe em perigo um ramo da árvore patriarcal, talvez a mais importante. Depois, desce à conclusão prática, porque é o pai quem ameaça a vida de todos, com sua tenaz e desapiedada possessão de Benjamim.

43,11-14 Quando finalmente cede, Jacó recobra a iniciativa e a agilidade para pensar e dar ordens. Acumula os imperativos e conclui com breve oração. Nela uma cláusula soa com duplo sentido: pede a "compaixão daquele homem", daquele que chorou antes de acorrentar Simeão. O pai aceita o sacrifício para a sobrevivência de todos.

43,14 1Rs 8,50.

43,15-34 O segundo encontro dos irmãos com José culmina em banquete, no qual o grupo dos doze irmãos está materialmente recomposto. Tanto que o leitor pode esperar a reconciliação formal nos brindes. O banquete não é necessário em termos comerciais. Mas a esperança do leitor fica frustrada pela astúcia do narrador, que se reserva outro episódio.

43,15-16 O detalhe saliente é que José vê seu irmão Benjamim.

43,18 O clima de ignorância ansiosa continua e aumenta, alimentado pela conduta desconcertante do vizir. A ansiedade e a incerteza os fazem temer o pior: astutas maquinações daquele homem para retê-los como escravos.

chegamos à pousada e abrimos as sacas, cada um encontrou na boca da saca nosso dinheiro intacto. Nós o trouxemos de volta, ²²e outro tanto para comprar provisões. Não sabemos quem o pôs nas sacas.

²³Ele respondeu:

— Ficai tranquilos e não temais: vosso Deus, o Deus de vosso pai, o escondeu nas sacas. Eu recebi o vosso pagamento.

E levou Simeão a eles. ²⁴Assim, pois, o homem os fez entrar na casa de José, levou-lhes água para lavar os pés, e deu forragem aos asnos. ²⁵Eles foram preparando os presentes, esperando que José chegasse ao meio-dia, pois tinham ouvido dizer que comeriam aí.

²⁶Quando José chegou à casa, apresentaram-lhe os presentes que haviam levado e se prostraram por terra diante dele. ²⁷Ele perguntou-lhes amigavelmente:

— Como estais? Como está vosso velho pai, de quem me falastes? Ainda vive?

²⁸Responderam-lhe:

— Teus servos e nosso pai estamos bem; ele ainda vive.

E se prostraram.

²⁹Olhando, José viu Benjamim, seu irmão materno, e perguntou:

— Esse é o vosso irmão mais novo, de quem me falastes?

E acrescentou:

— Deus te conceda graça, meu filho.

³⁰As entranhas de José se comoveram por seu irmão, e teve vontade de chorar; e, entrando depressa no quarto, aí chorou. ³¹Depois lavou o rosto, saiu, e, contendo-se, ordenou:

— Servi a refeição.

³²Serviram-no à parte, eles à parte e à parte também os egípcios que comiam com ele, pois os egípcios não podem comer com os hebreus: seria abominável para os egípcios. ³³Sentaram-se diante dele, começando pelo mais velho e terminando pelo mais novo. Eles se entreolhavam assombrados. ³⁴José mandava-lhes passar porções de sua mesa, e a porção para Benjamim era cinco vezes maior. Beberam com ele e se embriagaram.

44 Benjamim culpado — ¹A seguir, deu ordem ao mordomo:

— Enche de provisões as sacas desses homens, quanto couber, e põe o dinheiro na boca de cada saca, ²e minha taça de prata na boca da saca do mais novo, com o dinheiro da compra.

Ele cumpriu a ordem de José.

³Ao amanhecer, deixaram partir os homens com seus asnos. ⁴Apenas tinham saído, não se haviam distanciado da cidade, quando José disse ao mordomo:

43,23 O mordomo responde no tom de um profeta ou sacerdote capacitado para pronunciar um oráculo de salvação: "não temais" é fórmula técnica. Além disso, mostra estar iniciado nas ações secretas de um deus alheio, "o Deus de vosso pai". Esse Deus pode fazer qualquer coisa "às escondidas" e revelá-la para seus mensageiros, inclusive estrangeiros. Em sentido óbvio é falso que Deus o tenha feito, em sentido profundo é verdade. O autor utiliza o personagem mordomo para que execute as ordens do vizir e também as do narrador: para que avance uma chave teológica. Em termos narrativos, o autor se excedeu. "E trouxe-lhes Simeão": assim, simplesmente. É estranho o narrador não ter explorado um momento tão dramático.

43,25 Os presentes são o dom do pai ao filho perdido e não reconhecido. Outro traço de ironia da situação; outro ato de preferência, desta vez involuntária.

43,26-31 Neste segundo encontro acontecem duas novas prostrações. Desenvolve-se no plano familiar, sem referências políticas. Soam três termos importantes: "paz" ou bem-estar, "favor" de Deus (cf. 42,21) e "comoção" (cf. 42,14). José se comove, se retira, chora, se contém. O narrador nos faz contar já com o desenlace... e o retarda.

43,32-34 O banquete é celebrado segundo o protocolo: solene, em silêncio, feito de gestos. O sinal de união destaca a separação entre duas culturas e posições sociais. O banquete adquire um sentido suplementar no contexto narrativo. Fome e alimento representam a morte e a vida. No Egito há comida graças a José, dispensador de vida. Sentados à mesa e recebendo porções à discrição de José, os irmãos lhe estão submetidos não menos que quando se prostravam diante dele. O vizir é homem enigmático (Pr 20,5). O banquete é dom e submissão correlativos. A diferença arbitrária e ostentosa de trato a favor do caçula é outro gesto de autoridade soberana, contra o que não vale rebelar-se. O último é o primeiro, mas a prova final será mais grave. A atenção de todos há de concentrar-se nele, novo protagonista do próximo episódio.

44,1-13 José cria um corpo de delito, uma prova falsa, para provocar um pleito. Convém recordar neste ponto o furto de Raquel e a querela de Labão (cap. 31). O pleito supõe relação comercial e extracomercial: configura-se como roubo com agravantes. O pleito emprega o estilo próprio do gênero, com a variante de duas instâncias judiciais. O pleito dará lugar a equívocos significativos.

44,3-13 Na primeira sessão, quem acusa é o mordomo: ele que os havia tranquilizado antes com tanta segurança (43,23). Acusação genérica, "pagar o bem com o mal" (Sl 38,21), e específica, controlável. No

– Sai em perseguição desses homens e, quando os alcançares, dize-lhes: "Por que pagastes o bem com o mal? ⁵(Por que roubastes a taça de prata?) É a que meu senhor usa para beber e para fazer adivinhações. Agistes muito mal fazendo isso". ⁶Quando os alcançou, lhes repetiu essas palavras. ⁷Eles responderam:
– Por que o nosso senhor diz isso? Longe de teus servos agir de tal maneira! ⁸Se o dinheiro que encontramos na boca das sacas nós o trouxemos a ti de Canaã, por que iríamos roubar em casa de teu amo ouro ou prata? ⁹Se a encontrares com um de teus servos, que ele morra; e nós seremos escravos de nosso senhor.
¹⁰Ele respondeu:
– Seja conforme dissestes: quem estiver com ela será meu escravo, e os demais estarão livres.
¹¹Cada um desceu depressa ao chão a própria saca, e cada um abriu sua saca. ¹²Ele as examinou, começando do mais velho e terminando no mais novo: a taça foi encontrada na saca de Benjamim. ¹³Então eles rasgaram as vestes, cada qual carregou seu asno, e voltaram à cidade.

Terceiro encontro – ¹⁴Judá e seus irmãos entraram na casa de José – ele ainda estava aí – e se lançaram de bruços. ¹⁵José lhes disse:
– O que é isso que fizestes? Não sabeis que alguém como eu é capaz de adivinhar?
¹⁶Judá respondeu:
– O que podemos responder ao nosso senhor? O que diremos para provar a nossa inocência? Deus descobriu a culpa de teus servos. Somos escravos de nosso senhor, tanto nós quanto aquele com quem foi encontrada a taça.
¹⁷José respondeu:
– Longe de mim fazer tal coisa! Aquele com quem foi encontrada a taça será meu escravo; quanto a vós, subi em paz para a casa de vosso pai.

Defesa de Judá – ¹⁸Então Judá se aproximou dele e lhe disse:
– Senhor, permite a teu servo dirigir algumas palavras ao seu senhor; não te aborreças com teu servo, pois és como o Faraó. ¹⁹O meu senhor perguntou a seus servos se tínhamos pai ou algum irmão. ²⁰Nós respondemos ao meu senhor: "Temos um pai ancião com um menino pequeno nascido em sua velhice. Um irmão seu morreu, e, daquela mulher, só lhe resta este. Seu pai o adora". ²¹Tu disseste a teus servos que o trouxéssemos para conhecê-lo

---

hebraico falta a frase colocada entre parênteses (tomada do grego): um relativo sem antecedente, como dando-o por muito conhecido. Quem pensaria em roubar objeto tão pessoal e inconfundível, do qual o amo logo daria falta?
Eles rechaçam a acusação indignados, aduzindo argumentos judiciais, especialmente a prova da analogia no caso do dinheiro escondido nas sacas. Sua segurança é tão grande, tão compartilhada, que lançam um desafio – como Jacó no caso de Raquel (cap. 31). Com sua ignorância, também compartilhada, pronunciam sentença de morte contra Benjamim.
44,10-12 O mordomo começa restringindo a pena só ao culpado. Os irmãos tinham feito um ato de solidariedade, se não até a morte, reservada ao culpado, no mínimo até a escravidão perpétua. O mordomo rompe a solidariedade em nome da justiça. Mas o passo espiritual dos irmãos está dado, e o processo prosseguirá.
44,13 Rasgar as próprias vestes era o gesto de Rúben e de Jacó (37,29.34): repete-se sem palavras. Voltar à cidade é tacitamente apelar ao tribunal superior. E é ato de solidariedade, porque não se formam dois grupos divergentes. Ainda que juridicamente os dez sejam inocentes, não abandonam Benjamim à própria sorte. Gn 37,29.34.
44,14-17 O juízo em segunda instância. José multiplica a confusão e o desconcerto. Um juiz tem de informar-se e averiguar (Pr 25,2). Pois bem, José possui o dom de adivinhar, já comprovado; e não o perdeu porque lhe surripiaram a taça divinatória. Mas colocando mistério onde não há e exigindo ser crido com uma prova falsa, multiplica a confusão e o desconcerto acumulados.
Por via judicial os irmãos nada podem aduzir em sua defesa. Embora se saibam inocentes, o vizir tem o saber, o poder e o direito aparente. Judá pronuncia uma confissão e se submete a uma pena coletiva: escravidão para todos. Novo ato de solidariedade na pena, sem que haja precedido cumplicidade na culpa recente. Todos por Benjamim e com Benjamim. Na confissão se adensa a ironia dramática em dois planos. Judá confessa a culpa: não a culpa de que são acusados, mas outra culpa, que Deus perseguiu e descobriu. Diz isso pensando que o vizir não entende o duplo sentido. José o entende e o toma como sinal positivo de conversão. A última frase de José é o cúmulo: como se pudessem ir em paz deixando Benjamim como escravo vitalício.
44,15 Pr 25,2.
44,18-34 Adianta-se Judá e, em nome de todos e seu, pronuncia um grande discurso. Exclui dele toda referência política, para concentrar-se na esfera familiar. Exclui o que poderia soar como insinuação contra o vizir, para acumular o que pode comovê-lo como homem; e deixa o aspecto jurídico para o final. Seleciona como personagens centrais Benjamim e o

pessoalmente. ²²Respondemos ao meu senhor: "O rapaz não pode deixar seu pai; se o deixar, seu pai morrerá". ²³Tu disseste a teus servos: "Se vosso irmão mais novo não descer convosco, não voltareis a me ver". ²⁴Quando voltamos à casa de teu servo, nosso pai, e lhe comunicamos o que o meu senhor dizia, ²⁵nosso pai respondeu: "Voltai para comprar-nos provisões". ²⁶Nós lhe dissemos: "Não podemos descer se nosso irmão mais novo não for conosco; pois não poderemos ver aquele homem se nosso irmão mais novo não nos acompanhar". ²⁷Teu servo, nosso pai, nos respondeu: "Sabeis que minha mulher me deu dois filhos; ²⁸um se distanciou de mim, e penso que uma fera o despedaçou, pois não voltei a vê-lo. ²⁹Se tirais do meu lado também a este, e lhe acontecer uma desgraça, de sofrimento fareis meus cabelos brancos descer ao túmulo". ³⁰Pois bem, se eu voltar a meu pai, teu servo, sem levar comigo o rapaz, a quem ele quer de toda a sua alma, ³¹quando vir que falta o rapaz, morrerá; e teu servo, no sofrimento, terá feito os cabelos brancos de teu servo, meu pai, descer ao túmulo. ³²Além disso, teu servo tornou-se responsável pelo rapaz diante de meu pai, garantindo: "Se eu não o trouxer a ti, meu pai, rompe comigo para sempre". ³³Concluindo: Deixa que teu servo fique como escravo de meu senhor em lugar do rapaz, e que o rapaz volte com seus irmãos. ³⁴Pois, como posso voltar a meu pai sem levar o rapaz comigo, e ver a desgraça que se abaterá sobre meu pai?

45 Reconhecimento (Sl 133) – ¹José não pôde conter-se na presença de sua corte, e ordenou:

– Saí todos de minha presença.

E não ficou ninguém com ele, quando José se deu a conhecer a seus irmãos. ²Começou a chorar tão alto, que os egípcios ouviram, e a notícia chegou à casa do Faraó. ³José disse a seus irmãos:

– Eu sou José. Meu pai ainda vive?

Seus irmãos, perturbados, não souberam o que responder. ⁴José disse a seus irmãos:

– Aproximai-vos.

Eles se aproximaram, e lhes disse:

– Eu sou José, vosso irmão, que vendestes aos egípcios. ⁵Mas agora, não fiqueis tristes, nem vos pese ter-me vendido para cá; porque para salvar vidas Deus me enviou à frente. ⁶Há dois anos existe fome no país, e nos restam cinco sem semeadura nem colheita. ⁷Deus me enviou à frente para que

---

pai: é justa a crueldade contra um pai ancião, para defender um direito pessoal lesado?

José escuta em silêncio. Sua missão não é simplesmente repartir trigo e dispensar compaixão, mas recompor uma fraternidade quebrada. O final vitorioso da prova chega quando Judá passa da evocação emotiva à questão jurídica. Está em jogo uma garantia formal, que o vizir há de respeitar por justiça. De acordo com a garantia dada (43,9), Judá toma sobre si a responsabilidade plena e pede para pagar em lugar do irmão. Ou seja, escravidão perpétua, expulsão definitiva da casa paterna, perda de direitos na descendência patriarcal. Contanto que conserve Benjamim, o pai se resignará a perder Judá.

O amor filial gravita sobre o amor fraterno e o reforça. As palavras, a lembrança, o nome invocado do pai atuam e colaboram na transformação espiritual. Ao aceitar a escravidão em lugar de Benjamim, Judá é realmente irmão. A fraternidade foi recomposta e é possível o reconhecimento.

45,1-2 José retira da sala toda presença política, que estorva. O assunto é familiar, e é mister criar-lhe um espaço reservado. Pela terceira vez José chora (42,24; 43,30). Seguindo a fórmula narrativa da duplicação, a identificação se dá em dois tempos: "eu sou José" e "eu sou José, vosso irmão" (v. 4). Este termo é pronunciado doze vezes no capítulo. Ao identificar-se, evoca na sala a presença espiritual de Jacó, como sombra protetora, como polo e força de unificação.

45,3-4 É compreensível o desconcerto: estão perante a vítima de suas invejas e traição. Mas têm de aproximar-se do longínquo, do distante; a aproximação material exprime a espiritual. Desta vez não há prostrações.

45,5-8 José interpreta a história em chave teológica. É um texto formalmente muito elaborado, com repetições e rimas. "Vós me vendestes" é o fato empírico; "Deus me enviou" é a ação de Deus, a "missão"; "à frente" segundo o desígnio previsto; "para que possais sobreviver" é a finalidade de Deus: "salvar vidas". Aqui soa a teologia do "resto", pelo qual continua a salvação histórica.

José tinha sonhado a história antecipadamente e a tinha previsto interpretando os sonhos dos outros. Agora interpreta o passado: o ponto de chegada define o movimento: este ponto é a vida. Além disso, o caminho, já arrematado em seu termo, permite descobrir sua partida, por cima do olhar empírico. José tem de exorcizar a culpa e o sentido de culpa dos irmãos. A culpa foi primeiro submersa pela ação do tempo, e José a fez aflorar à consciência. Uma vez presente aí, provou turbação, medo, suspeita. O modo de exorcizar essa culpa: por um lado, contar com o arrependimento que a apagou e com a tribulação que a expiou; por outro lado, mostrar que mesmo a culpa fica sujeita às rédeas que Deus controla. Ao se referir ao Deus comum e ao pai comum, realizam uma convergência que os une.

possais sobreviver neste país, para conservar a vida de muitos sobreviventes. ⁸Pois bem, não fostes vós que me enviastes para cá, mas Deus; ele me fez ministro do Faraó, senhor de toda a sua corte e governador do Egito. ⁹Depressa, subi à casa de meu pai e dizei-lhe: "Assim diz teu filho José: Deus me fez senhor de todo o Egito; desce para cá sem demora. ¹⁰Habitarás na região de Gessen, e ficarás perto de mim: tu, teus filhos e teus netos, tuas ovelhas, tuas vacas e todas as tuas propriedades. ¹¹Restam cinco anos de fome: eu te manterei aí, para que nada falte a ti, nem à tua família, nem às tuas posses". ¹²Com vossos olhos estais vendo, e também meu irmão Benjamim vê que vos estou falando pessoalmente. ¹³Contai a meu pai sobre meu prestígio no Egito e tudo o que vistes, e trazei para cá meu pai o quanto antes.

¹⁴E lançando-se ao pescoço de seu irmão Benjamim, começou a chorar, e o mesmo fez Benjamim.

¹⁵Depois, chorando, beijou todos os irmãos. Só então seus irmãos falaram com ele.

¹⁶Quando chegou ao palácio do Faraó a notícia de que os irmãos de José haviam chegado, o Faraó e sua corte se alegraram.

¹⁷O Faraó disse a José:

– Dá as seguintes instruções a teus irmãos: Carregai vossos animais e voltai a Canaã, ¹⁸tomai vosso pai e sua família, e voltai para cá; eu vos darei o melhor do Egito, e comereis da fartura do país. ¹⁹Ordena-lhes também: Tomai carros do Egito para transportar neles as crianças, mulheres e vosso pai, e voltai. ²⁰Não vos preocupeis com o que deixais, porque o melhor do Egito será vosso.

²¹Assim fizeram os filhos de Israel. José lhes deu carros, conforme as ordens do Faraó, e provisões para a viagem. ²²Além disso, deu a cada qual uma muda de roupa e a Benjamim, trezentas moedas de prata e cinco mudas de roupa. ²³Enviou a seu pai dez asnos carregados de produtos do Egito e dez jumentas carregadas de trigo, pão e víveres para a viagem de seu pai. ²⁴Despediu os irmãos e, quando partiam, disse-lhes:

– Não brigueis pelo caminho.

²⁵Subiram do Egito, chegaram a Canaã, à casa de seu pai Jacó, ²⁶e lhe comunicaram a notícia:

– José está vivo e é governador do Egito.

Mas seu coração não batia, pois não acreditava. ²⁷Eles lhe repetiram tudo o que José lhes havia dito. Quando viu os carros que José havia enviado para transportá-lo, seu pai Jacó reanimou-se. ²⁸E Israel disse:

– Basta! Meu filho José está vivo. Eu o verei antes de morrer.

46 **Jacó vai ao Egito** (Gn 28) – ¹Israel se pôs a caminho com tudo o que possuía; chegou a Bersabeia e aí ofereceu

---

45,8 Gn 50,20s; Pr 16,9.
45,12-13 São como uma peroração. O que viram e ouviram hão de contar; e o mais importante é ter visto e ouvido José em pessoa. Se estão reunidos os doze irmãos, falta o pai, deve vir o quanto antes.
45,14-15 Recorda o abraço de Esaú e Jacó (33,4). Reata-se o diálogo autêntico, cientemente e em paz. Só agora podem falar na nova situação, em consciência; foi vencida a ignorância que erguia uma barreira no diálogo, pois, enquanto José falava aos irmãos, eles falavam ao vizir.
45,16-20 O círculo familiar se abre de novo ao círculo político. A oferta do Faraó pode encerrar agradecimento e interesse próprio: para não perder seu eficiente vizir. Na perspectiva posterior, essa descida da família patriarcal ao Egito supera a viagem provisória de Abrão e a estadia de Jacó em Harã. A estadia no Egito será uma etapa histórica dos "filhos de Israel-Jacó".
45,21-24 Retorna o motivo da veste. E o conselho final: que não seja vencida a fraternidade recobrada, que as vantagens de Benjamim não suscitem invejas, que Rúben e Judá não o recriminem. O autor o condensa numa frase concisa.

45,25-28 Jacó recebe a notícia em dois tempos. Ao longo dos anos Jacó tinha aprendido a conviver com a dor, a alimentar-se e consumir-se de recordações. De repente, com uma frase, lhe anulam um longo período e lhe juntam violentamente o presente com um passado perdido. E as duas imagens não se encaixam: o adolescente malogrado e o adulto engrandecido. Como se José tivesse saltado da adolescência ingênua e sonhadora para uma maturidade carregada de responsabilidades, sem haver passado por um tempo intermédio. É demais: seu coração não aguenta tanto, e desfalece. O gozo presente será o último compasso ou o último movimento de sua vida. É como se uma possibilidade, não já uma esperança, tivesse prolongado seus anos. O vazio aprofundado de muitos anos se encherá num instante ao ver o filho. Se fosse só a descendência e o sobrenome, restam-lhe onze filhos. Se fosse apenas a lembrança de Raquel, resta-lhe Benjamim. Tampouco é a glória do filho, orgulho legítimo de um pai. É simplesmente seu filho vivo. Isso é tudo.

46,1-7 Antes de abandonar o território de Canaã, Jacó tem uma visão. É clara a intenção do autor

sacrifícios ao Deus de seu pai Isaac. ²Numa visão noturna, Deus disse a Israel:

– Jacó, Jacó!

Ele respondeu:

– Estou aqui!

³Disse-lhe:

– Eu sou Deus, o Deus de teu pai. Não temas descer ao Egito, porque aí te transformarei num povo numeroso. ⁴Eu descerei contigo ao Egito e eu te farei subir. José te fechará os olhos.

⁵Jacó partiu de Bersabeia. Os filhos de Israel fizeram seu pai Jacó, as crianças e as mulheres subir nos carros que o Faraó havia enviado para seu transporte.

⁶Tomaram o rebanho e as propriedades adquiridas em Canaã, e se dirigiram ao Egito, Jacó com toda a sua descendência: ⁷seus filhos e netos, suas filhas e netas, todos os descendentes, ele os levou consigo para o Egito.

⁸Nomes dos filhos de Israel que migraram para o Egito: Rúben, primogênito de Jacó; ⁹filhos de Rúben: Henoc, Falu, Hesron, Carmi; ¹⁰filhos de Simeão: Jamuel, Jamin, Aod, Jaquin, Soar e Saul, o filho da cananeia; ¹¹filhos de Levi: Gérson, Caat, Merari; ¹²filhos de Judá: Her, Onã, Sela, Farés e Zara; Her e Onã tinham morrido em Canaã; filhos de Farés: Hesron e Hamul; ¹³filhos de Issacar: Tola, Fua, Jasub e Semron; ¹⁴filhos de Zabulon: Sared, Elon, Jailel. ¹⁵Até aqui os descendentes de Lia e Jacó em Padã-Haram, além da filha Dina; total entre homens e mulheres, trinta e três.

¹⁶Filhos de Gad: Safon, Hagi, Suni, Esebon, Eri, Arodi e Areli; ¹⁷filhos de Aser: Jamne, Jessui, Jesuí, Beria e sua irmã Sara; filhos de Beria: Héber e Melquiel. ¹⁸Até aqui os filhos de Jacó e Zelfa, a criada que Labão deu à sua filha Lia; total, dezesseis pessoas.

¹⁹Filhos de Raquel, a mulher de Jacó: José e Benjamim. ²⁰Asenet, filha de Putifar, sacerdote de On, deu a José dois filhos no Egito: Manassés e Efraim. ²¹Filhos de Benjamim: Bela, Bocor, Asbel, Gera, Naamã, Equi, Ros, Mofim, Ofim e Ared. ²²Até aqui os descendentes de Raquel e Jacó; total, catorze pessoas.

²³Filhos de Dã: Husim; ²⁴filhos de Neftali: Jasiel, Guni, Jeser e Silém. ²⁵Até aqui os filhos de Jacó e Bala, a criada que Labão deu à sua filha Raquel; total, sete pessoas.

²⁶Todas as pessoas que migraram com Jacó para o Egito, nascidas dele, sem contar as noras, eram no total sessenta e seis. ²⁷Acrescentando os dois filhos de José nascidos no Egito, a família de Jacó que migrou para o Egito chega a setenta.

Encontro de Jacó e José – ²⁸Israel enviou Judá à frente, à casa de José, a fim de preparar o caminho de Gessen. Quando se dirigiam a Gessen, ²⁹José mandou preparar seu carro e subiu a Gessen para receber seu pai Israel. Ao chegar à sua presença, lançou-se ao pescoço dele e chorou abraçado a ele. ³⁰Israel disse a José:

– Agora posso morrer, depois que te vi pessoalmente e com vida.

---

de ir marcando o itinerário do patriarca com manifestações e comunicações divinas (28; 31,3.11-13; 32,26-33; 35,9-15). A descida ao Egito é uma nova e decisiva peregrinação. Abandonar o país de Canaã só é possível com a anuência de Deus. A promessa de crescer até converter-se em povo numeroso se cumprirá no Egito. Nestes versículos se mesclam e se fundem os dois nomes, Jacó e Israel.

46,8-27 É uma lista oficial, que encontramos integrada no primeiro livro das Crônicas.

46,8 Sl 105,23.

46,27 Dt 10,22.

46,28 Gessen é a terra setentrional, próxima da fronteira, o que facilitará a saída dos israelitas no momento oportuno.

46,28-30 O encontro do pai com o filho, depois de tudo o que precede, era para o narrador uma cena difícil de realizar. Sente-se sem remédio na ladeira anticlimática do relato. A solução que adota é a economia: um movimento, um gesto, uma frase. José sai ao encontro do pai cortesmente, filialmente; o carro serve para ganhar tempo e mostrar sua categoria política. O gesto, um abraço com lágrimas, anula um ponto dos sonhos, já que o pai não se prostra diante dele. A frase junta os extremos "morte" e "vida", como relevo de gerações. A morte do pai dá lugar ao protagonismo pleno do filho, a vida do filho dá serenidade à retirada do pai (cf. Ecl 1,4). Mas não morrerá logo, porque lhe resta ainda a tarefa de abençoar.

"Ver o rosto": o rosto identifica a pessoa, o ver instaura a certeza. Teus irmãos me falaram de ti, agora meus olhos te veem. A visão confirma e corrige a imagem da fantasia. Na imaginação do pai persistiu a imagem de um José adolescente. A vista pessoal compara a imagem preservada com a presença atual: esta nova imagem é a mesma, de um José adulto, nobre, senhor de um reino, filho carinhoso, é a última que o pai quer conservar.

³¹José disse a seus irmãos e à família de seu pai:

– Vou subir para informar o Faraó: Meus irmãos e a família de meu pai, que viviam em Canaã, vieram me ver. ³²São pastores de ovelhas e cuidam de rebanhos; trouxeram as ovelhas, as vacas e todas as suas propriedades. ³³Quando o Faraó vos chamar para informar-se de vossas atividades, ³⁴direis a ele: "Teus servos são pastores desde a juventude até hoje, tanto nós quanto nossos pais". E ele vos deixará habitar em Gessen (pois os egípcios consideram impuros os pastores).

47 Jacó no Egito

¹José foi informar o Faraó:

– Meu pai e meus irmãos, com suas ovelhas, vacas e todas as suas propriedades, vieram de Canaã e se encontram em Gessen.

²Escolheu cinco de seus irmãos e os apresentou ao Faraó.

³O Faraó lhes perguntou:

– Qual é a vossa atividade?

Responderam:

– Teus servos são pastores de ovelhas, assim como nossos pais.

⁴E acrescentaram:

– Viemos morar nesta terra, pois em Canaã a fome aperta e não há pastagens para os rebanhos de teus servos; permite a teus servos estabelecer-se em Gessen.

⁵ᵃO Faraó disse a José:

– ⁶ᵇQue se estabeleçam em Gessen, e se conheces entre eles alguns com experiência, põe-nos a cuidar do meu rebanho.

⁵ᵇQuando Jacó e seus filhos chegaram ao Egito, o Faraó, rei do Egito, ficou sabendo, e disse a José:

– Teu pai e teus irmãos vieram ver-te; ⁶ᵃa terra do Egito está à tua disposição; instala teu pai e teus irmãos na melhor terra.

⁷José fez vir seu pai Jacó e o apresentou ao Faraó. Jacó abençoou o Faraó. ⁸O Faraó perguntou a Jacó:

– Quantos anos tens?

⁹Jacó respondeu ao Faraó:

– Cento e trinta foram os anos de minhas andanças, poucos e maus foram os anos de minha vida, e não chegam aos anos de meus pais, nem ao tempo de suas andanças.

¹⁰Jacó abençoou o Faraó e saiu de sua presença.

¹¹José instalou seu pai e seus irmãos, e lhes deu propriedades no Egito, no melhor do país, na região de Ramsés, conforme o Faraó havia mandado. ¹²E deu pão a seu pai, a seus irmãos e a toda a família de seu pai, incluindo as crianças.

Política de José – ¹³Em todo o país faltava pão, pois a fome apertava e esgotava a

---

46,31-34 Para pastores transumantes, a mudança para o Egito é uma transmigração. O pastoreio supõe menor enraizamento na terra: é a tradição patriarcal de "andanças". Essa atividade é tabu para os egípcios. Sobre as relações entre pastores e lavradores, deve-se recordar desde Gn 4 até Jr 35.
46,34 Não está claro quem pronuncia a última frase, se o próprio José ou o narrador, num aparte. "Impuro" em sentido sagrado.
47,7-10 Imaginemos e ponderemos o aparato da visita, que o autor não nos descreve. O Faraó é considerado um dos grandes soberanos do momento; seu país está desempenhando o ofício de alimentar toda classe de populações famintas. O Egito é potência benéfica, garantia de sobrevivência. O Faraó concede audiência a um xeque estrangeiro porque é o pai de seu favorito. No esplendor complicado da corte, recebe o beduíno imigrante. A cena tem algo de conto. Jacó não se prostra rendendo homenagem; seu filho o coloca "de pé" diante do Faraó (que naturalmente está sentado). Jacó não solicita benefícios do monarca, o abençoa (ao contrário de Melquisedec a Abrão; cf. Hb 7,7).
Jacó, que recebeu a bênção paterna e patriarcal de Isaac, é agora portador de bênção. O soberano do mundo tem algo a receber de um xeque estrangeiro.

O diálogo que se segue expressa talvez o estupor do monarca. A resposta é cortês, com um toque de humor. A sua vida e a dos antepassados consistiu em andar errante e peregrino, transumando, como residentes provisórios em terra não possuída. Não se registra a resposta do Faraó.
47,11 A notícia sobre a propriedade de terras serve de contraste ao que se segue no texto atual.
47,13-26 Com efeito, enquanto os irmãos de José se estabelecem e adquirem propriedades, os súditos egípcios as vão perdendo todas. Enquanto aqueles levam uma vida livre de pastores, com o alimento assegurado, estes vão se convertendo em escravos da coroa. José mostra sua habilidade num processo econômico de amplitude nacional, a favor do monarca, à custa do povo. O narrador parece aprová-lo. Trata-se de acumulação de propriedade e poder nas mãos do soberano, até o monopólio estatal; e progride em três etapas: pagamento em dinheiro, pagamento em gado, pagamento em liberdade. Juridicamente todo o povo se converte em servo da gleba do Faraó. O tema da escravidão, que iniciou a história de José, atinge aqui um cume sombrio. Os irmãos se tinham oferecido como escravos ao vizir, e este não o aceitou; agora, proclama essa situação para todo o povo. A resposta popular

terra do Egito e de Canaã. ¹⁴José acumulou todo o dinheiro que havia no Egito e em Canaã em troca dos víveres que eles compravam, e reuniu todo o dinheiro na casa do Faraó.

¹⁵No Egito e em Canaã o dinheiro acabou, de modo que corriam a José, dizendo:
– Dá-nos pão, ou morreremos aqui mesmo, pois o dinheiro se acabou.

¹⁶José respondia:
– Trazei-me vosso gado, e vos darei pão em troca dele, se não há mais dinheiro.

¹⁷Eles traziam o gado a José, e este lhes dava pão em troca de cavalos, ovelhas, vacas e asnos; durante um ano ele os alimentou em troca de todo o seu gado.

¹⁸Depois desse ano, voltaram a ele no ano seguinte, dizendo:
– Não podemos negar ao nosso senhor que, terminado o dinheiro, o rebanho e os animais requisitados pelo nosso senhor, só nos resta oferecer ao nosso senhor nossas pessoas e nossos campos. ¹⁹Por que morrer diante de ti, nós e nossos campos? Toma a nós e a nossos campos em troca de pão, e nós, com nossos campos, seremos servos do Faraó; dá-nos semente para que vivamos e não morramos, e nossos campos não fiquem desolados.

²⁰José comprou para o Faraó toda a terra do Egito, pois todos os egípcios vendiam seus campos, porque a fome apertava; assim, a terra se tornou propriedade do Faraó, ²¹e todo o povo se tornou servo, de uma extremidade à outra do país. ²²Só deixou de comprar as terras dos sacerdotes, porque o Faraó lhes dava uma porção e eles viviam da porção que lhes dava o Faraó; por isso não tiveram de vender seus campos.

²³José disse ao povo:

– Hoje vos comprei, com vossas terras, para o Faraó. Aqui tendes semente para semear os campos. ²⁴Quando chegar a colheita, dareis a quinta parte ao Faraó, e as outras quatro partes vos servirão para semear e como alimento para vós, vossas famílias e crianças.

²⁵Eles responderam:
– Tu nos salvaste a vida, e alcançamos o favor de nosso senhor; seremos servos do Faraó.

²⁶E José estabeleceu uma lei no Egito ainda hoje em vigor: A quinta parte é para o Faraó. Somente as terras dos sacerdotes não passaram a ser propriedade do Faraó.

²⁷Israel se estabeleceu no Egito, no território de Gessen; adquiriu aí propriedades, cresceu e se multiplicou muito. ²⁸Jacó viveu no Egito dezessete anos, e toda a sua vida foi de cento e quarenta e sete anos.

Morte de Jacó – Efraim e Manassés
– ²⁹Quando se aproximava para Israel a hora de morrer, chamou seu filho José e lhe disse:
– Se alcancei teu favor, põe tua mão sob a minha coxa e promete tratar-me com amor e lealdade; não me enterres no Egito. ³⁰Quando eu dormir com meus pais, tira-me do Egito e enterra-me no túmulo deles.

José respondeu:
– Farei o que pedes.

³¹Ele insistiu:
– Jura-me!

E ele jurou.

Então Israel inclinou-se para a cabeceira da cama.

48 Efraim e Manassés (Gn 27) – ¹Depois desses acontecimentos, avisa-

---

ratifica a transação numa frase terrível: escravos, mas vivos; vivos, mas escravos. A tensão de ambos os valores retornará com força nos relatos da saída do Egito.
47,19 Ne 5,3.
47,24 Is 55,10.
47,26 Notícia etiológica, ou de causas, que atribui o José a origem de uma lei. Ver o estatuto do rei, de tom polêmico, em 1Sm 8.
47,27 Sl 105,24.
47,29-31 A morte de Jacó encerra o ciclo patriarcal propriamente dito. Ver 23,19-20: Jacó deve retornar, nem que seja morto, ao país de Canaã.
47,31 Talvez como gesto de adoração e reverência a

Deus. Hb 11,21 dá outra versão: "prostrou-se apoiado na ponta do seu bastão".
48,1-20 Tema unitário são Manassés e Efraim, os dois filhos de José, (Js 17,17; 18,5; 2Sm 19,21), ou seja, Olvido e Aumento (41,50s). O avô Jacó, antes de morrer, adota-os legalmente como filhos e os abençoa, dando preferência ao menor. As duas ações estão verbalmente ligadas pelas palavras *birkaym* = joelhos e *barek* = abençoar; acrescentam-se as aliterações de *bekor* = primogênito e *mapreka* = te farei crescer. As dificuldades do texto provêm da superposição dos traços das doze tribos, que é a preocupação do autor, sobre a figura dos dois irmãos. Na cena familiar de um avô com seu filho e seus netos, ir-

ram José que seu pai estava para morrer. Ele tomou consigo os seus dois filhos, Manassés e Efraim. ²Comunicaram a Jacó que seu filho José estava chegando. Israel, fazendo um esforço, levantou-se na cama. ³Jacó disse a José:
– Deus Todo-poderoso me apareceu em Luza, em Canaã, e me abençoou, ⁴dizendo-me: "Eu te farei crescer e multiplicar até ser um grupo de tribos; aos teus descendentes entregarei esta terra como propriedade perpétua". ⁵Pois bem, os dois filhos que tiveste no Egito, antes de eu vir para viver contigo, serão meus: Efraim e Manassés serão para mim como Rúben e Simeão. ⁶Em troca, os que nascerem para ti, depois, serão teus, e em nome de seus irmãos receberão sua herança.
⁷Quando eu voltava de Padã, Raquel morreu, em Canaã, no caminho, a boa distância de Éfrata, e no caminho de Éfrata (hoje Belém) eu a enterrei.
⁸Vendo Israel os filhos de José, perguntou:

– Quem são eles?
⁹José respondeu a seu pai:
– São os filhos que Deus me deu aqui.
Disse-lhe:
– Aproxima-os para que eu os abençoe.
¹⁰Israel havia perdido a visão por causa da velhice, e quase não enxergava. Quando os aproximou, beijou-os e abraçou-os. ¹¹Israel disse a José:
– Não esperava ver-te; e eis que Deus me fez ver também teus descendentes.
¹²José os tirou do colo e se prostrou com o rosto por terra. ¹³Depois, José pegou os dois: com a mão direita pegou Efraim, e o pôs à esquerda de Israel, e com a esquerda pegou Manassés e o pôs à direita de Israel. E os aproximou. ¹⁴Israel estendeu a direita, pondo-a sobre a cabeça de Efraim, o mais novo, e a esquerda sobre a cabeça de Manassés, cruzando os braços, pois Manassés era o primogênito. ¹⁵E os abençoou:
– O Deus diante do qual caminhavam meus pais Abraão e Isaac.

---

rompe sem tato a consideração política das tribos de Israel. Porque o relato é a projeção etiológica de situação posterior: Simeão e Rúben dissolveram-se como tribos, José não conta como tribo autônoma, no centro do território palestinense dominam duas grandes tribos: Efraim e Manassés. Com a adoção dos netos – ascensão das tribos – completa-se o que Raquel, por sua morte prematura, não pôde terminar. O fato de a mãe ser egípcia não incomoda o narrador nem seus personagens.

48,1-7 O capítulo começa com uma introdução narrativa (1-2) e outra teológica (3-8). O lógico é que na enfermidade compareçam todos os filhos, coisa que se deixa para o capítulo seguinte. A visita separada de José deixa-o em posição privilegiada, quase como se fosse o herdeiro. O patriarca pronuncia uma introdução teológica, com a qual justifica as decisões tomadas e os atos que se dispõe a realizar. É notável que apele imediatamente para as promessas do Deus de Betel, sem mencionar a bênção recebida de seu pai Isaac. A cena pode recordar vagamente a do cap. 27. Ele recebeu de Deus a bênção, a promessa da terra, a propriedade para os seus descendentes. Possui, portanto, a abundância que usa para transmitir: bênção de fecundidade na terra prometida.

48,7 Gn 35,16-20.

48,8-12 Adoção. Ao tomar como filhos os filhos da egípcia, Jacó os incorpora plenamente à família patriarcal; em segundo lugar, privilegia José reservando-lhe duas partes da herança; em terceiro lugar, eleva os netos ao nível da geração precedente; em quarto lugar, compensa o infortúnio de Raquel, que lhe havia dado só dois filhos. Agora os filhos da preferida são quatro.

Sobre o rito de adoção, "nos joelhos", ver 30,3; 50,23; Jó 3,12; Rt 4,16.

48,8.13-14. A cena recorda inevitavelmente a do cap. 27: bênção antes de morrer, dois irmãos, um pai cego, uma preferência, intento de emendá-la, duas bênçãos. O rito da bênção inclui vários momentos: comparecimento (1.8.9), identificação, imposição das mãos e fórmula. A bênção é única, simultânea e partilhada: a mão direita ou esquerda são a única e importante distinção. Jacó inverte a ordem esperada e preparada por seu filho; também Jacó se adiantara a Esaú, mais velho.
Com o gesto de cruzar os braços Jacó expressa sua autoridade e autonomia, e repete nos seus netos sua experiência pessoal. Também ele assumiu o primeiro lugar. Na preferência por Efraim se projeta a situação das tribos centrais. O nome Efraim chegou a designar o reino do Norte (Os 9,11.16; 10,6.11; Jr 31,18; etc.).

48,10 Gn 27,1.

48,12 Gn 30,3; Rt 4,16.

48,15-16 O texto hebraico da fórmula com sua mistura de singular e plural cria dificuldades, que as versões procuram resolver. "Caminhavam" é imagem sintética do processo e das vicissitudes da vida. "Diante de Deus", quer dizer, de acordo, segundo os desígnios (17,1; 24,40): a referência a Deus define o itinerário. "Pastor" tem por objeto primário o povo, depois também o indivíduo; o título soa bem nos lábios de um experiente pastor. "Anjo" é o substituto da presença de Deus (28,11; 31,11). "Redentor" ou resgatador: de um povo escravo e também de indivíduos. "Multiplicar-se", talvez da raiz *dg* = peixe. A "terra" pode ser a prometida. Os netos ficam incorporados à estirpe patriarcal que remonta a Abraão.

O Deus que me apascenta desde o início até hoje.

¹⁶O Anjo que me redime de todo mal abençoe estas crianças.

Que elas levem o meu nome e o nome de meus pais Abraão e Isaac, e se multipliquem sobre a terra.

¹⁷Vendo que seu pai pusera a direita sobre a cabeça de Efraim, José se aborreceu; agarrou a mão de seu pai e a passou da cabeça de Efraim para a cabeça de Manassés, ¹⁸enquanto dizia a seu pai:

– Pai, não é assim. Este é o primogênito. Põe a mão sobre a cabeça dele.

¹⁹O pai recusou, dizendo:

– Eu sei, meu filho, eu sei. Também chegará a ser uma tribo e crescerá. Mas seu irmão mais novo será maior que ele, e sua descendência será toda uma nação.

²⁰Então os abençoou:

– Com vosso nome, Israel será abençoado, dizendo: "Deus vos torne como Efraim e Manassés!"

Assim, pôs Efraim à frente de Manassés.

²¹Israel disse a José:

– Estou para morrer; Deus estará convosco e vos levará de novo para a terra de vossos pais. ²²Eu te entrego Siquém, em preferência aos teus irmãos, aquela que conquistei dos amorreus com minha espada e meu arco.

49 Testamento profético de Jacó (Dt 33) – ¹Jacó chamou seus filhos e lhes disse:

– Reuni-vos, pois vou contar-vos o que vos acontecerá no futuro. ²Agrupai-vos e escutai-me, filhos de Jacó, ouvi vosso pai Israel:

³Tu, Rúben, meu primogênito,
  minha força e primícia
  de minha virilidade,
  primeiro em importância,
  primeiro em poder;
⁴precipitado como água,
  não serás de proveito,
  porque subiste à cama de teu pai,
  profanando meu leito com tua ação.
⁵Simeão e Levi, irmãos,
  mercadores em armas criminosas.
⁶Não quero assistir a seus conselhos,
  não participarei de sua assembleia,
  pois com ferocidade
  mataram homens
  e por capricho despedaçaram bois.
⁷Maldita seja sua fúria, tão cruel,
  e sua cólera inexorável.

48,16 Jr 31,7s.
48,19 A esta preferência parece aludir Jr 31,7.8.20, quando o chama "o primeiro dos povos, o resto de Israel, meu primogênito, meu filho querido, meu encanto".
48,20 Aplica-se aos netos o grande princípio de 12,3; 18,18; 22,18; 26,4 e 28,14.
48,22 Está fora de contexto e é difícil de explicar. Supõe a conquista militar de Siquém e a partilha da terra entre os doze irmãos. A profecia joga com o significado do topônimo *shekem* = ombro. Como se dissesse: "dou-te um ombro acima de", aludindo à altura maior de José (cf. 1Sm 10,23), ou a uma porção especial no banquete (cf. 1Sm 1,4s). A narração da morte continua em 49,33-50,1.

49 Têm sido chamadas de bênçãos, por analogia com outras precedentes (27 e 48). A introdução define melhor o caráter desses oráculos como predição e história, com algo de juízo e desejo. Não conhecemos a pré-história de cada oráculo, nem como se transmitiram. A linguagem imaginativa, emblemática e alusiva gera dificuldades insuperáveis de interpretação. Daí o número de explicações diversificadas, que não passam de aproximadas. Uma variante, ao que parece, mais elaborada deste texto se lê em Dt 33. Os recursos de estilo dominantes são as paronomásias de nomes próprios e os emblemas. "Emblema" é "figura, geralmente com lenda alusiva a seu significado, que um cavaleiro, uma cidade etc. adota como sua".

49,1-2 O paralelismo identifica Jacó com Israel.
49,3-4 O oráculo dirigido ao primogênito mistura predição com maldição (cf. a maldição de Cam: Gn 9,25). O primogênito, concentração da força viril do pai, por delito de incesto perde sua potência e se dilui. A tribo de Rúben se dispersa, sem território próprio. O oráculo não leva em conta a dissociação de Rúben em 37,26-29 e 42,22.37. O estilo é de alocução na segunda pessoa e se articula em denúncia de um delito e anúncio de um castigo. O incesto é como profanação: o leito paterno é sagrado (Lv 19,29).
"De proveito": em hebraico é jogo de palavras com "primeiro". "Precipitado", ou perturbado, insolente; sentido duvidoso (cf. Is 57,20).
49,4 Gn 35,22.
49,5-7 Alude ao episódio do cap. 34, com outro ponto de vista. O espírito vingativo e a crueldade fazem destes irmãos um perigo para as relações pacíficas com os de fora. Dispersadas, as tribos não serão perigosas. Não leva em conta a função dominante dos levitas; compare-se com a versão de Dt 33,8-11. Aquele que fala se distancia de seus planos e projetos, com tom de 1,1. Para a referência aos animais, ver Js 11,6.9; 2Sm 8,4.
"Mercadores", derivando-o da raiz *mkr*. "Despedaçaram": ou cortaram os jarretes (Js 11,6.9; 2Sm 8,4), no saque de Siquém.

Eu os repartirei em Jacó,
   eu os dispersarei em Israel.
⁸A ti, Judá, teus irmãos louvarão,
   porás a mão sobre
   a cerviz de teus inimigos,
   e os filhos de tua mãe
   se prostrarão diante de ti.
⁹Judá é um leão de tocaia:
   voltaste da caça, meu filho;
agacha-se e deita-se como leão,
   ou como leoa,
   quem se atreve a desafiá-lo?
¹⁰Não se afastará de Judá o cetro,
   nem o bastão de comando
   de entre seus joelhos,
   até que lhe tragam tributo
   e os povos lhe prestem homenagem.
¹¹Amarra seu jumento a uma vinha,
   as crias a uma cepa;
   lava sua roupa em vinho
   e sua túnica no sangue de uvas.
¹²Seus olhos são mais escuros que vinho
   e seus dentes mais brancos que leite.
¹³Zabulon habitará no litoral,
   será porto para os barcos,
   sua fronteira chegará até Sidônia.
¹⁴Issacar é asno robusto
   deitado entre os alforjes;
¹⁵vendo que o estábulo é bom
   e que a terra é bonita,
   inclina o lombo à carga
   e aceita trabalhos de escravo.
¹⁶Dã governará seu povo
   como alguém governa
   as tribos de Israel.
¹⁷Dã é serpente junto ao caminho,
   áspide junto à vereda:
   morde o cavalo na pata,
   e o cavaleiro cai para trás.
¹⁸Espero tua salvação, Senhor.
¹⁹Gad: os bandidos o atacarão
   e ele os atacará pelas costas.
²⁰O trigo de Aser é substancioso,
   oferece manjar de reis*.
²¹Neftali é gazela solta
   que tem formosas crias.
²²José é potro selvagem,
   um potro junto à fonte,
   asnos selvagens junto ao muro.
²³Os arqueiros os irritam,
   os desafiam e os atacam.
²⁴Mas o arco deles fica rígido
   e suas mãos e braços tremem
   diante do Chefe de Jacó,

49,8-12 "A ti louvarão" interpreta o nome Yehuda; ressoa no seguinte "tua mão", *yadeka*. Três valores realçam a sua figura: o poder dominador do leão, a riqueza agrária dos vinhedos, a beleza corporal, "olhos, dentes". Podem-se ouvir também alusões veladas a episódios precedentes: o leão a 37,33, o bastão (cetro) a 38,18.25, o "asno" combina com o nome do primogênito morto, segundo 38,6-7, a roupa embebida de sangue (de uva) a 37,31. Ez 19, referindo-se ao rei de Judá, une as imagens do leão e da vinha.
Judá é o antecessor da dinastia davídica. Davi unifica todas as tribos sob seu comando e estende seu domínio a vassalos estrangeiros. O leão é seu animal emblemático (Nm 24,9; Ap 5,5). No v. 10 traduzimos "joelhos" (pés) em sentido físico; outros o tomam como eufemismo de suas partes pudendas, significando que o cetro se transmite na dinastia. Na segunda parte, lemos *yuba' say lô* = "lhe seja trazido tributo" (cf. Is 18,7; Sl 68,30; 76,12). Ez 21,32 tem um texto parecido muito duvidoso. Sobre o "tributo", ver Sl 68,30; 76,12; Is 18,7. A Vulgata leu *"donec veniat qui mittendus est"* (até que venha aquele que deve ser enviado), com ressonância messiânica; outras leituras ou correções: o desejado, o dominador, a tranquilidade que lhe corresponde. Vinho abundante é sinal de prosperidade e causa de gozo; para a imagem do asno e das uvas, ver Zc 9,9 e Is 63,1-3.
49,13 Zabulon parece estar sendo visto como povo pescador e navegador; a não ser que o deixem fronteiriço, sem participar; mas a analogia dos outros favorece a interpretação de uma atividade. A localização não coincide com a indicada em Js 19,10-16. Sidônia era um dos tradicionais portos pesqueiros (ver Jz 5,17).
49,14-15 *skr* significa estar a soldo (cf. 30,18). Aceita a condição por suas vantagens materiais. "Alforjes" ou apriscos (Jz 5,16). O termo "cargas" se aplica à escravidão no Egito (Ex 1,11; 2,11); 1Rs 9,21 fala de "trabalhos forçados".
49,16-17 *Dyn* significa julgar, governar (30,6; cf. Medina). A cavalaria é arma estrangeira (Sl 20,8). Dã, que se encontra na fronteira setentrional, deixa o invasor entrar e o ataca por trás e por baixo, como a cobra a um cavalo.
49,18 Esta jaculatória, com a única menção de *Yhwh*, interrompe a série; suspeita-se que seja glosa. Ver Is 26,8; 59,11.
49,19 Pode-se imitar o jogo do texto original, baseado na raiz *gwd/gdd*: "salteadores te saltearão e tu os saltearás por trás". Além do Jordão, Gad estava mais exposto à pilhagem, mas sabia defender-se e contra-atacar. Ver 1Cr 5,18; 12,8.
49,20 * Ou: *fornece manjares a reis*.
49,21 Para a comparação: 2Sm 2,18; Sl 18,34.
49,22-26 Tomando *porat* como animal emblemático, o sentido fica mais coerente e combina melhor com os anteriores (cf. Os 10,11). Outros preferem interpretação em chave vegetal (cf. Is 17,6; Sl 92,13-15). A Casa de José parece ter desempenhado papel importante nos primeiros tempos do assentamento.

o Pastor e Pedra de Israel.
²⁵O Deus de teu pai te auxilia,
   o Todo-poderoso te abençoa:
bênçãos que descem do céu,
   bênçãos do oceano,
deitado no fundo,
   bênçãos de ventres e de úberes,
²⁶bênçãos de espigas* abundantes,
   bênçãos de montanhas antigas,
   ambição de colinas eternas,
desçam sobre a cabeça de José,
   coroem o escolhido entre seus irmãos.
²⁷Benjamim é lobo voraz:
   de manhã devora a presa,
   à tarde reparte despojos.
²⁸Essas são as doze tribos de Israel, e isso é o que seu pai lhes disse ao abençoá-los, dando uma bênção especial a cada um.

Morte e sepultamento de Jacó – ²⁹E lhes deu as seguintes instruções:

– Quando eu me reunir com os meus, enterrai-me com meus pais na gruta do campo do heteu Efron, ³⁰na gruta do campo de Macpela, diante de Mambré, em Canaã, aquela que Abraão comprou do heteu Efron, como propriedade funerária. ³¹Aí enterraram Abraão e sua mulher Sara; aí enterraram Isaac e sua mulher Rebeca; aí enterrei Lia. ³²O campo e a gruta foram comprados dos heteus.

³³Quando terminou de dar instruções a seus filhos, Jacó recolheu os pés na cama, expirou e se reuniu com os seus.

50 ¹José se lançou sobre ele, chorando e beijando-o. ²Depois, ordenou aos médicos de seu serviço que embalsamassem seu pai, e os médicos embalsamaram Israel. ³Isso durou quarenta dias, pois essa é a duração do embalsamamento, e os egípcios fizeram luto por setenta dias. ⁴Passados os dias de luto, José disse aos cortesãos do Faraó:

– Se alcancei vosso favor, dizei pessoalmente ao Faraó (de minha parte): ⁵"Meu pai me fez jurar: Quando eu morrer, tu me enterrarás no sepulcro que fiz em Canaã. Agora, pois, deixa-me subir para enterrar meu pai, e depois voltarei".

⁶O Faraó respondeu:

– Sobe e enterra teu pai, como juraste.

⁷Quando José subiu para enterrar seu pai, foi acompanhado pelos ministros do Faraó, pelos anciãos da corte e conselheiros dos povoados, ⁸e toda a sua família, seus irmãos, a família de seu pai; ficaram em Gessen apenas as crianças, as ovelhas e as vacas. ⁹Subiram também carros e cavaleiros, e a caravana era imensa.

¹⁰Chegando a Goren-Atad*, do outro lado do Jordão, fizeram um funeral solene e magnífico, e guardaram luto por sete dias. ¹¹Os cananeus que habitavam o país, vendo o funeral de Goren-Atad, comentaram:

– O funeral dos egípcios é solene.

Por isso deram ao lugar o nome de "Luto dos egípcios" (está do outro lado do Jordão).

¹²Seus filhos cumpriram o que lhes havia mandado: ¹³levaram-no a Canaã, o enterraram na cova do campo de Macpela, diante de Mambré, no campo que Abraão tinha comprado do heteu Efron, como propriedade funerária.

¹⁴José com seus irmãos e todos os que tinham subido com ele para enterrar seu pai, voltaram ao Egito após tê-lo enterrado.

As agressões fracassam em face do seu poderio e da proteção do seu Deus guerreiro (1Sm 2,4; Ez 39,3). Outros acreditam que a primeira parte do oráculo se refere à vida de José contada em Gn 37-48. José recebe bênçãos pastoris, agrícolas e cósmicas: água de chuva, que desce da região superior, e água do oceano subterrâneo de água doce, que aflora nos mananciais (cf. Dt 8,7; 11,10). E o que produzem os montes não cultivados pelo homem. "Escolhido" ou príncipe (Dt 33,16; Lm 4,7).
49,26 * Ou: *de teu pai.*
49,27 Destaca-se pela concisão: três verbos e uma jornada de atividade. Não está claro se é louvor ou crítica; pois o lobo costuma ser considerado animal nocivo (Jr 5,6; Ez 22,27; Hab 1,8). Pode ser que aluda aos fatos narrados em Jz 3 e 20-21.
49,28 Do âmbito familiar dos filhos salta ao político das tribos.
49,29 Refere-se ao cap. 22.
49,31 Gn 23.
50,1-14 O autor quis entoar uma homenagem fúnebre ao terceiro patriarca, que dá nome ao povo de Israel. É embalsamado no estilo egípcio, fazem luto por ele dois dias a menos que para o Faraó, uma comitiva imensa o transporta, o luto termina com sete dias de funerais e os filhos o enterram no sepulcro patriarcal, primeira propriedade na terra prometida.
50,5 Gn 47,30s.
50,10-11 Jogo de palavras: *'ebel* = luto, *'abel* = campo.
50,10 * = Eira do Espinho.
50,12 Gn 23.

¹⁵Os irmãos de José, ao ver que seu pai havia falecido, disseram entre si:
– E se José guardar rancor contra nós e quiser cobrar-nos o mal que lhe fizemos?
¹⁶E enviaram uma mensagem a José:
– Antes de morrer, teu pai nos ordenou ¹⁷que te disséssemos: "Perdoa a teus irmãos o crime deles, seu pecado e o mal que te fizeram". Portanto, perdoa o crime dos servos do Deus de teu pai.
Ao ouvir isso, José começou a chorar. ¹⁸Então foram seus irmãos, lançaram-se ao chão diante dele, e lhe disseram:
– Aqui estamos, somos teus servos.
¹⁹José lhes respondeu:
– Não temais. Estou por acaso no lugar de Deus? ²⁰Vós tentastes me fazer mal, e Deus procurava transformá-lo em bem, conservando assim a vida de uma multidão, como somos hoje. ²¹Portanto, não temais. Eu vos manterei e também a vossos filhos.
E os consolou, falando-lhes afetuosamente.

Morte de José – ²²José viveu no Egito com a família de seu pai, e completou cento e dez anos; ²³chegou a conhecer os filhos de Efraim até a terceira geração, e também os filhos de Maquir, filho de Manassés, e os carregou no colo.
²⁴José disse aos irmãos:
– Vou morrer, mas Deus cuidará de vós e vos levará desta terra para a terra que prometeu a Abraão, Isaac e Jacó.
²⁵E os fez jurar:
– Quando Deus cuidar de vós, levareis meus ossos daqui.
²⁶José morreu com cento e dez anos de idade. Embalsamaram-no e o colocaram num sarcófago no Egito.

50,15-21 Depois da morte de Jacó, esta cena soa como epílogo acrescentado. Retorna o tema da fraternidade, mas o autor do livro parece contemplar horizonte mais amplo. Mais que a história de uns irmãos, mais que o itinerário de um patriarca, dilata-se o arco que vai do primeiro ao último capítulo do Gênesis. O pai reunia os irmãos e os mantinha unidos. Por respeito à sua pessoa, umas coisas foram feitas e outras evitadas. Agora que ele veio a faltar, ressurgirão as lembranças amargas, se avivará um rancor encoberto e não apagado? Embora tenha havido reconciliação, os culpados não superaram totalmente o sentimento de culpa. Um fato esquecido se ergue como fantasma na escuridão para vagar e atemorizar as consciências. Porque, quando a culpa é coletiva, quando a cumplicidade ligou vários na maldição, a lembrança pode brotar em qualquer ponto do círculo e propagar-se sem lacunas. Desfazer o que foi feito é impossível, desculpar-se dele não se justifica. Como dependem de José para a moradia e o alimento, assim dependem do seu perdão para a tranquilidade do espírito. O perdão não formulado, simplesmente transmitido num beijo, foi sincero. Foi também definitivo? A incerteza às vezes desgosta mais que a certeza. Quando a situação de incerteza se faz insustentável e antes que seja tarde demais, os irmãos enviam uma mensagem a José e depois se apresentam diante dele. Trazem um novo dado: o pai, antes de morrer, tinha recomendado a todos a união, a José o perdão.
50,15 Gn 27,41; 1Sm 24,18.
50,17 É a quinta vez que chora. Chora pela preocupação e pelo medo dos irmãos, chora vendo que o consideram capaz de guardar rancor, lembrando o pai.
50,18 Gn 37,7.9.
50,19-21 José responde com a fórmula clássica "não temais". Acrescenta que não usurpa o lugar de Deus. Não sou Deus, para receber vossa homenagem, para me reservar a vingança, para dispor da vida e da morte, para dirigir o curso dos acontecimentos, para anular a reconciliação. Sou homem como vós diante de Deus. Foi ele quem controlou desde o começo o curso da história. Até a traição fraterna estava incluída no processo, conduzido ao desenlace. O desígnio de Deus é a vida, e nós somos o testemunho vivo. Depois do pranto e por causa dele, é capaz de consolar os irmãos (cf. 2Cor 1,4).
Conclusão. Podemos agora olhar para trás e abranger amplo espaço narrativo. No princípio da criação, Deus viu que tudo era muito bom. O mal penetrou, e por ele a morte, o fratricídio. Deus intervém, evita o mal extremo, faz com que o bem vá se impondo. A partir de Abrão, embora continuem a hostilidade e a rivalidade, vai triunfando laboriosamente o bem. A tensão entre Abrão e Ló se resolve pacificamente, a ruptura entre Jacó e Esaú é sanada, José abraça os irmãos. No final, até mesmo o mal se põe a serviço do bem. Tal é o desígnio e o poder de Deus. Palavra de consolo dirigida ao coração de todos os leitores.
50,23 Gn 30,3.
50,24 As últimas palavras de José são uma profecia do êxodo, ligando-o à história patriarcal.
50,25 O cumprimento se lê em Ex 13,19 e Js 24,32.w

ÊXODO

INTRODUÇÃO

O Êxodo, segundo livro do Pentateuco, é o livro da libertação e da aliança com seu código, dos primeiros passos pelo deserto e da elaboração do instrumental de culto. Livro heterogêneo pelo tema e pela origem: a divisão temática se dá por blocos bastante diferenciados, a divisão por origem pode obrigar a desfazer o trançado, a separar o unido.

A realidade literária

a) Se olhamos o livro de longe, do alto, contemplamos um começo diminuto e um panorama amplo, uma colossal confrontação, como drama estilizado cujo desenlace é a saída dos escravos. Vemos depois essa massa enfrentar no deserto três inimigos elementares: fome, sede, ataque armado. E de repente acontece um encontro transcendente e tudo se define: Deus desce do céu para firmar aliança com um povo, dando-lhe leis para ordenar sua vida civil e normas para organizar o culto; sucede uma interrupção inesperada e se retoma a ação. Terminada a obra, o Deus celeste se transfere (sua Glória) da montanha à tenda. A marcha pode continuar (continuará em Nm 10,11). b) Se nos aproximamos para olhar, descobrimos grande variedade de formas literárias. Os textos narrativos são básicos: fornecem o bastidor onde o resto se encaixa. São variados: começa com sabor de conto, alguns dos seus elementos se projetam em escala maior num relato épico; carrega muitos momentos dramáticos; acolhe notícias biográficas, episódios e histórias diversas. Textos jurídicos: a aliança com suas estipulações e um código legal. Textos descritivos dos materiais de culto. Poesia: um grande cântico de vitória e múltiplos detalhes poéticos dispersos. Significa que o leitor tem de ir ajustando sua atenção e enfoque a formas diversas.

Origem

Então, qual a origem de livro tão enigmático? Se é que se pode chamar de livro. A gênese deste texto, começo e etapas de elaboração, preocupou muito, talvez em demasia, os pesquisadores, que esperavam encontrar a chave de explicação. Antes de tudo, deve-se recordar que o sentido de um texto não se identifica com sua gênese, nem sequer se explica adequadamente com ela. Pois bem, a teoria documentária identifica e desenreda em Ex, com relativa concórdia, as fontes clássicas: Javista (**J**), Eloísta (**E**) e Sacerdotal (**P**); talvez com vestígios de um (pré-) Deuteronômio. Em várias ocasiões indicaremos essa separação de fontes ou documentos.

Outros autores preferem trabalhar por blocos ou tradições autônomas, remontando à etapa de transmissão oral. Não faltou autor que considere o livro pura ficção de um escritor do séc. VI, que conseguiu convencer seus concidadãos a adotar seu livro como base da própria vida e fé, sua e deles.

Historicidade

Relacionada com as questões precedentes, caráter narrativo e gênese do texto, nos vem ao encontro a grande questão da historicidade.

a) Quis o autor escrever história, ou seja, relatar fatos acontecidos? Em caso afirmativo, que critérios e técnicas empregou? As perguntas correlativas são: partindo do texto, podemos reconstruir um processo histórico? Se não é possível, podemos rastrear vestígios de eventos históricos?

O livro não nos ajuda muito, por suas formas pouco históricas, por sua imprecisão nos detalhes significativos, por seus silêncios e lacunas. Como se chamava o Faraó? Outros livros fornecem nomes, p. ex., Sesac, Necao, Nabucodonosor, Ciro. Não se apresentam datas. Quase tudo é anônimo e indiferenciado.

Fora do livro, não encontramos na literatura circundante referências precisas aos fatos narrados. A arqueologia da Palestina oferece um testemunho ambíguo. Comprova movimentos populacionais e mudanças culturais por volta do ano 1200, na passagem da Idade do Bronze para a do Ferro; mas em muitos detalhes não concorda com o relato bíblico.

b) A favor de uma historicidade básica, da mera substância, se aduz a exatidão do colorido egípcio e de muitos detalhes: nomes, práticas, fenômenos. E resta o argumento da coerência: sem uma experiência egípcia e uma saída sob um guia, é muito difícil explicar a história sucessiva e os textos bíblicos. Entre as hipóteses explicativas (descontando o ceticismo metódico do "nada sabemos"), a pura ficção ou a base histórica, esta segunda é mais satisfatória.

c) Posto isso, indica-se como data mais provável para os acontecimentos o reinado no Egito de Ramsés II, neto de Ramsés I, o soldado fundador da XVIII dinastia e filho de Seti I, que restabeleceu o domínio egípcio sobre a Palestina e a Fenícia. Assinado o tratado de paz com o monarca hitita Hatusilis III, o Faraó sucumbiu a uma febre construtora: cidades, monumentos, estátuas.

Saída do Egito

Este é o grande livro épico da libertação, que culmina num canto heroico. O Senhor penetra na história pondo-se ao lado de um povo de escravos, oprimidos por uma das potências da época. Como resgatador de escravos, como defensor do direito dos sem-direito, como salvador justiceiro, apresenta-se na história o Senhor da história.

O Faraó resiste por razão de Estado: razão política, porque a minoria estrangeira está se tornando maioria; razão militar, porque poderia converter-se em quinta-coluna do inimigo; razão econômica, porque oferece trabalho de graça.

É inevitável o choque de forças. Em dez rodadas ou turnos, o Senhor descarrega seus golpes. Os dois primeiros turnos ficam indecisos; no terceiro, o Senhor se impõe; no sétimo, o Faraó reconhece sua culpa; no décimo, os israelitas são impelidos a sair. O último autor, utilizando textos diversos, compõe um quadro estilizado e grandioso, pontilhado de diversas repetições, desenvolvido com dinamismo contido.

O Senhor atua, em parte, por meio de Moisés, o grande libertador humano, que repete de antemão a experiência do povo, solidariza-se com ele, mobiliza-o. Confronta-se tenazmente com o Faraó e vai crescendo em estatura até tornar-se figura legendária.

O último ato se passa num cenário cósmico: um deserto hostil que se dilata às costas, uma água ameaçadora que fecha a passagem adiante, um vento aliado que cumpre as ordens de Deus. Na batalha cósmica consuma-se a derrota de um exército prepotente e a salvação de um povo inerme.

Estes capítulos ficam gravados na memória do povo, convertendo-se em modelo ou padrão de sucessivas libertações: com a mesma função penetram no Novo Testamento e estendem seu influxo e inspiração, inclusive a povos que não creem nesse Deus libertador. Para Israel o Senhor será para sempre "aquele que nos tirou do Egito, da escravidão".

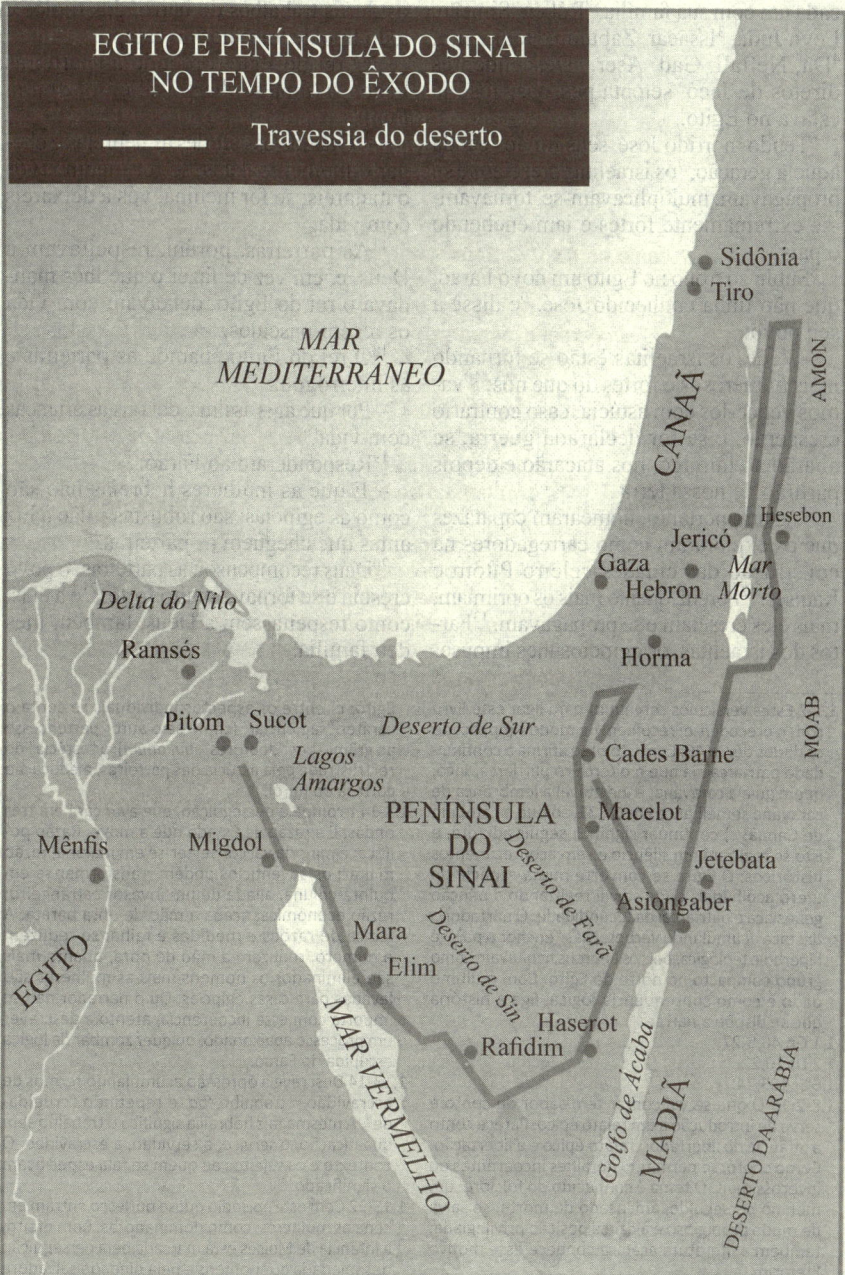

1 Escravidão e genocídio

– ¹Lista dos israelitas que foram ao Egito com Jacó, cada um com sua família: ²Rúben, Simeão, Levi, Judá, ³Issacar, Zabulon, Benjamim, ⁴Dã, Neftali, Gad, Aser. ⁵Descendentes diretos de Jacó, setenta pessoas; José já estava no Egito.

⁶Tendo morrido José, seus irmãos e toda aquela geração, ⁷os israelitas cresciam e se propagavam, multiplicavam-se, tornavam-se extremamente fortes e iam enchendo o país.

⁸Subiu ao trono no Egito um novo Faraó, que não tinha conhecido José, ⁹e disse a seu povo:

– Vede, os israelitas estão se tornando mais numerosos e fortes do que nós; ¹⁰vamos vencê-los com astúcia, caso contrário crescerão; e se for declarada guerra, se aliarão ao inimigo, nos atacarão e depois partirão de nossa terra.

¹¹Assim, portanto, nomearam capatazes que os exploraram como carregadores na construção das cidades-celeiro Pitom e Ramsés. ¹²Porém, quanto mais os oprimiam, mais eles cresciam e se propagavam. ¹³Fartos dos israelitas, os egípcios lhes impuseram trabalhos pesados, ¹⁴e lhes amargaram a vida com dura escravidão, impondo-lhes os duros trabalhos do barro, dos tijolos e todo tipo de trabalhos do campo.

¹⁵O rei do Egito ordenou às parteiras hebreias (uma se chamava Séfora e outra Fua):

– ¹⁶Quando assistirdes as hebreias e chegar o momento delas, se for menino, vós o matareis; se for menina, vós a deixareis com vida.

¹⁷As parteiras, porém, respeitavam a Deus, e, em vez de fazer o que lhes mandava o rei do Egito, deixavam com vida os recém-nascidos.

¹⁸O rei do Egito chamou as parteiras e as interrogou:

– Por que agis assim e deixais as crianças com vida?

¹⁹Responderam ao Faraó:

– É que as mulheres hebreias não são como as egípcias: são robustas e dão à luz antes que cheguem as parteiras.

²⁰Deus recompensou as parteiras: o povo crescia e se tornava muito forte, ²¹e a elas, como respeitassem a Deus, também lhes deu família.

1,1-7 Estes versículos servem *a)* para ligar este livro com o precedente: recolhem de modo simplificado os dados de Gn 46. Com isto *b)* se afirma a continuidade patriarcal, já que é o terceiro patriarca, Jacó, quem guia a caravana; é inevitável a lembrança de caravana semelhante em Gn 31, só que a caminho de Canaã; *c)* continuar significa seguir adiante, e isto se realizará em silêncio e sem acontecimentos históricos. O Egito se converte numa espécie de útero acolhedor, onde se vai realizando a bênção genesíaca e patriarcal da fecundidade. O narrador o destaca acumulando verbos. Mas "encher o país" é hipérbole teológica, pois os hebreus habitavam como grupo compacto no norte do Egito. Com o último dado e como consequência lógica, liga a história que se dispõe a narrar.

1,1 Gn 46,8-27.
1,2 Dt 10,22.
1,6 Sl 105,24.

1,8-2,15 O que se vai contar tem sabor de conto e serve de introdução a um relato épico. Parece conto a infância do libertador; relato épico é a libertação. Como conto, se permitem detalhes incoerentes ou inverossímeis. O tema é conhecido do folclore: um menino perseguido, ameaçado de morte, se salva de modo prodigioso e alcança posição privilegiada; também a literatura acádica conhece esse motivo literário.

Mas o caso presente destaca sua individualidade: a) pelos detalhes locais, o rio, o cesto, a princesa...; b) porque o menino está prefigurando a futura libertação: perigo, passagem pela água, saída do Egito; c) entre os aspectos individuais se conta o caráter "sapiencial" (como se o autor pertencesse ao grêmio dos "doutores", *hakamim*): a "astúcia" do rei frustrada pela astúcia das parteiras, a educação cortesã do herói.

1,8-14 Irrompe a perseguição, que avançará em três ondas. É a razão de Estado que a move. Razão política: a minoria vai converter-se em maioria; razão militar: os advenedios podem transformar-se em quinta-coluna, aliada de um invasor estrangeiro; razão econômica: acaba a mão de obra barata. A lógica de razões e medidas é falha: se reduzem o número, reduzem a mão de obra; quanto mais são eliminados os homens mais as mulheres são levadas para casas egípcias. Ou o narrador não se importa com essa incoerência, atento a descrever um processo apaixonado, ou quer zombar da lógica estúpida do Faraó.

1,13-14 Descreve a opressão acumulando termos de escravidão = trabalho *'bd*, e repetindo "crueldade". A mesma raiz hebraica significa o trabalho sem qualificação, o serviço, a servidão, a escravidão. O contexto e os sujeitos de quem se fala especificam o significado.

1,15-22 Com este episódio quase burlesco entram em cena as mulheres, como dominadoras. Com efeito, a infância de Moisés está marcada pela perseguição desapiedada dos homens e pela piedade salvadora das mulheres: as parteiras, a irmã, a mãe, a princesa. Duas coisas movem as parteiras a enfrentar o perigo, mesmo mortal: sua presença quase materna nas fontes da vida, sua religiosidade ou "respeito

²²Então o Faraó ordenou a todos os seus homens:

– Quando lhes nascer um menino, jogai-o no Nilo; se for menina, deixai-a com vida.

2 Infância de Moisés

¹Um homem da tribo de Levi casou com uma mulher da mesma tribo; ²ela ficou grávida e deu à luz um menino. Vendo que era muito bonito, ela o manteve escondido três meses. ³Não podendo mantê-lo escondido por mais tempo, pegou uma cesta de vime, revestiu-a de barro e piche, pôs nela a criança, depositando-a entre os juncos, à margem do Nilo.

⁴Uma irmã do menino observava a distância, para ver o que iria acontecer. ⁵A filha do Faraó desceu para banhar-se no Nilo, enquanto suas criadas a seguiam pela margem. Ao descobrir a cesta entre os juncos, mandou a criada recolhê-la. ⁶Abriu-a, olhou dentro e encontrou um menino chorando. Comovida, comentou:

– É um menino dos hebreus.

⁷Então a irmã do menino disse à filha do Faraó:

– Queres que eu vá procurar uma ama hebreia a fim de criar o menino para ti?

⁸A filha do Faraó respondeu:

– Vai.

A jovem foi e chamou a mãe do menino. ⁹A filha do Faraó lhe disse:

– Leva este menino e cria-o para mim, e eu te pagarei.

A mulher tomou o menino e o criou. ¹⁰Quando o menino cresceu, o levaram à filha do Faraó, que o adotou como filho e lhe deu o nome de Moisés*, dizendo: "Eu o tirei da água".

Juventude de Moisés

¹¹Passaram-se os anos, Moisés cresceu, saiu para onde estavam seus irmãos e os encontrou transportando cargas. E viu como um egípcio maltratava um hebreu, um de seus irmãos. ¹²Olhou de um e de outro lado e, vendo que não havia ninguém, matou o egípcio, enterrando-o na areia.

¹³No dia seguinte, saiu e encontrou dois hebreus brigando, e disse ao culpado:

– Por que maltratas teu companheiro?

¹⁴Ele respondeu:

– Quem te nomeou nosso chefe e juiz? Pretendes matar-me como mataste o egípcio?

Moisés assustou-se, pensando que o fato fosse conhecido.

¹⁵Quando o Faraó ficou sabendo do caso, procurou Moisés para matá-lo, porém Moi-

---

pelo Senhor". Para elas, respeitar a Deus (não se diz *Yhwh*) é respeitar a vida, mesmo com perigo de morte. A palavra "parteira" se pronuncia sete vezes. Que fossem "hebreias", é pouco lógico; parece adição. O Faraó e sua polícia são enganados, pois não entendem desses delicados misteres e aceitam a resposta das mulheres; e a elas Deus premia com novas vidas, com a maternidade. Fica descrito o contexto narrativo em que nasce o heróí.
1,22 Sb 11,7.

2,1-4 Nasce o libertador: tarde demais? Quando já está em curso a opressão; quanto tempo se deve ainda esperar até que cresça e amadureça? Fica adscrito à tribo de Levi, talvez porque assim o exige seu irmão Aarão. A mãe confia no Nilo mais do que nos homens, e o rio tutelar dos egípcios se faz cúmplice seu para salvar o menino, conduzindo-o até o remanso exato do encontro. A irmã cumpre uma função narrativa: vigia, serve de enlace. O autor não parece pensar na Maria de relatos posteriores. A cesta calafetada é uma como arca que navega com carga leve, mas carregada de futuro. A palavra "menino" se repete sete vezes.

2,5-9 A princesa se comove: não entende a razão de Estado que os homens invocam, não se dobra à política desapiedada de seu pai, não despreza a raça estrangeira; está em favor da vida. A mãe serve de ama de leite do seu próprio filho e o cria para a princesa.

2,10 Etimologia popular. O nome de Moisés pode-se relacionar com nomes egípcios como *Tut-moses*, *Ra-meses*.
* = *Mose* = tirado.

2,11-15 A primeira atuação de Moisés se poderia definir como o fracasso da violência, o que podemos seguir em três rápidas cenas. a) A primeira é um corte radical: Moisés sai. Sua primeira saída, seu êxodo prefigurado. Abandonando privilégios da corte, mas equipado com a cultura e relações ali adquiridas. Sai em ato de solidariedade com seus "irmãos" (a adoção da princesa não anulou nem substituiu definitivamente seus laços de sangue). A opressão redobra a consciência da fraternidade. b) Arrebatado pela indignação diante da injustiça, reage com a violência: o que consegue com esse ato singular? Não promove a libertação dos seus. c) Mais ainda, a sua violência o desacredita diante dos seus concidadãos, entre os quais também se aninham a injustiça e a opressão; inútil seu intento de usar a persuasão e apelar para a razão. Moisés se lançou a agir sem encargo divino: por sua violência é rechaçado pelos irmãos e pode temer a polícia egípcia. Tem que escapar, e é sua segunda saída ou êxodo.
2,15 Gn 24,11; 29,1-3.

sés fugiu do Faraó e se refugiou no país de Madiã. Aí sentou-se junto a um poço.

¹⁶O sacerdote de Madiã tinha sete filhas, que costumavam sair para tirar água e encher os bebedouros para matar a sede do rebanho do pai. ¹⁷Chegaram alguns pastores que tentaram expulsá-las. Então Moisés se levantou, defendeu as jovens e deu de beber ao rebanho delas. ¹⁸Elas voltaram à casa do pai Ragüel, e ele lhes perguntou:

— Como voltastes tão cedo hoje?

¹⁹Responderam:

— Um egípcio nos livrou dos pastores, tirou água para nós e deu de beber ao rebanho.

²⁰O pai replicou:

— Onde está ele? Por que o deixastes partir? Chamai-o, para que venha comer.

²¹Moisés aceitou viver com ele, e este lhe deu sua filha Séfora como esposa. ²²Ela deu à luz um menino, e ele o chamou de Gersam, dizendo: "Sou forasteiro* em terra estrangeira".

²³Passaram-se muitos anos, morreu o rei do Egito, e os israelitas se queixavam da escravidão, e clamaram. Os gritos de socorro dos escravos chegaram a Deus. ²⁴Deus ouviu suas queixas e se lembrou da aliança feita com Abraão, Isaac e Jacó; ²⁵e vendo os israelitas, Deus se interessou por eles.

3 Vocação de Moisés (Jz 6,11-16) – ¹Moisés pastoreava o rebanho de seu sogro Jetro, sacerdote de Madiã. Conduziu o rebanho, transumando pelo deserto, até chegar ao Horeb, o monte de Deus. ²O anjo do Senhor apareceu-lhe numa chama entre as sarças. Moisés prestou atenção: a sarça ardia sem consumir-se.

³Moisés disse:

2,16-22 A atuação de Moisés junto ao poço não é um gesto romântico nem uma história de amor. Simplesmente, por senso de justiça, Moisés se põe do lado do fraco; embora as moças não pertençam ao povo de seus irmãos.

O sogro de Moisés se chama Ragüel em uns relatos e Jetro em outros. Moisés entra para seu serviço como pastor, não como sacerdote. Com o trabalho e o matrimônio, parece incorporar-se ao povo que o acolhe: estabeleceu-se humanamente. Mas o nome do filho, interpretado por Moisés, é uma nova afirmação de que pertence ao povo hebreu. Nem o Egito nem Madiã são a terra prometida aos patriarcas.

2,22 * = *Ger* = Forasteiro.

2,23-25 A vida familiar e pacífica de Moisés se interrompe e muda de direção quando Deus intervém. Quando Moisés tomou a iniciativa, fracassou. Agora Deus toma a iniciativa, movido pela reclamação legal de uns escravos oprimidos.

3,1-4,17 Vamos considerar este texto como uma grande unidade que chamamos provisoriamente vocação e missão de Moisés. Tal como se apresenta agora o texto, podemos dividi-lo em seções ou componentes conforme o seguinte esquema: aparição e identificação de Deus, projeto de libertação, missão de Moisés, diálogo de Moisés com Deus. A missão é acompanhada de um sinal; o diálogo consiste numa série de objeções que Moisés opõe, resistindo à missão e às respostas de Deus. Embora a construção atual do relato seja coerente, não faltam detalhes que se podem tomar como indícios de elaboração secundária. Os partidários da teoria documentária repartem o texto entre os dois fios do Javista e do Eloísta com alguma adição do Sacerdotal; da sua análise tiram uma conclusão importante para definir o perfil do Eloísta. Outros autores preferem recorrer a tradições orais que se fundem e a um processo de elaboração por escrito. Sem negar essa pluralidade de ingredientes, é importante apreciar o desenvolvimento unitário e lógico do relato canônico, observando, p. ex., que a explicação do nome e a nomeação de Aarão figuram como respostas às objeções de Moisés.

3,1-6 Aparição e identificação. Domina o verbo "ver". O lugar se chama "monte de Deus", ou pela próxima aparição ou porque já antes era lugar de culto para os habitantes. A tradição identifica o Horeb com o Sinai. "O anjo do Senhor" é com frequência uma manifestação visual de Deus, ao passo que a fala é atribuída diretamente a Deus ou ao Senhor. O fogo é o elemento da divindade (Gn 15,17; Sl 50,3; 97,3): símbolo da presença inacessível e geradora de vida e ação; símbolo também de ira e castigo de aniquilação. A "sarça", arbusto silvestre e humilde, inútil e até desprezado, é portadora da presença divina em seu elemento, o fogo. Não se consome, porque esse fogo não precisa de combustível; não se consome, porque não tem culpa a expiar. É como altar natural que se oferece, revelando ao mesmo tempo o caráter transcendente desse fogo. Quando vier para a aliança, o Senhor se manifestará também com fogo: Moisés está prefigurando a futura experiência do povo.

É tomado de surpresa ante o fenômeno estranho. A surpresa provoca a curiosidade, a indagação temerária – não a reverência numinosa que se esperava. O Senhor o detém. Pela presença de Deus, o lugar está consagrado: o homem não pode pisá-lo com artifícios que encobrem e protegem. O pé descalço há de sentir o contato da terra consagrada (cf. Js 5,15).

A aparição se identifica, ainda sem pronunciar o próprio nome, como o Deus dos patriarcas; com isso a etapa histórica que começa fica incluída no arco gigantesco do projeto histórico do Senhor.

3,2 Jz 13,20; Is 29,6.

– Vou aproximar-me para olhar este espetáculo tão admirável: como é que a sarça não se queima.

⁴O Senhor, vendo que Moisés se aproximava para olhar, chamou-o do meio da sarça:

– Moisés, Moisés!

Ele respondeu:

– Estou aqui!

⁵Disse Deus:

– Não te aproximes. Tira as sandálias dos pés, pois o lugar que pisas é terreno sagrado.

⁶E acrescentou:

– Eu sou o Deus de teu pai, o Deus de Abraão, o Deus de Isaac, o Deus de Jacó.

Moisés cobriu o rosto, temendo olhar para Deus.

⁷O Senhor lhe disse:

– Vi a opressão do meu povo no Egito, ouvi suas queixas contra os opressores, prestei atenção a seus sofrimentos. ⁸E desci para livrá-los dos egípcios, para tirá-los desta terra e levá-los a uma terra fértil e espaçosa, terra que mana leite e mel, o país dos cananeus, heteus, amorreus, ferezeus, heveus e jebuseus. ⁹A queixa dos israelitas chegou até mim, e vi como os egípcios os tiranizam. ¹⁰Agora, vai, pois te envio ao Faraó, para que tires do Egito o meu povo, os israelitas.

¹¹Moisés replicou a Deus:

– Quem sou eu para ir ao Faraó ou para tirar os israelitas do Egito?

¹²Deus respondeu:

– Eu estou contigo, e este é o sinal de que eu te envio: quando tirares o povo do Egito, prestareis culto a Deus nesta montanha.

¹³Moisés replicou a Deus:

– Vê, eu irei aos israelitas e lhes direi: "O Deus de vossos pais me enviou a vós". Se eles me perguntarem como se chama ele, o que lhes responderei?

¹⁴Deus disse a Moisés:

– "Sou o que sou". Assim dirás aos israelitas: "Eu sou" me envia a vós.

¹⁵Deus acrescentou:

– Dirás isto aos israelitas: O Senhor Deus de vossos pais, Deus de Abraão, Deus de Isaac, Deus de Jacó, me envia a vós. Este é o meu nome para sempre: assim me chama-

---

3,6 Ex 33,20.

3,7-8 O desígnio presente é a libertação do povo oprimido. A iniciativa é de Deus, mas supõe uma situação precedente, pois chama os hebreus "meu povo". A sequência de verbos é significativa: vi, ouvi, conheço, desci. A salvação se formula em dois tempos: libertação da escravidão e condução ao país prometido aos patriarcas. Em linguagem de ascendência mítica, é um país paradisíaco, "que mana leite e mel"; em linguagem histórica, está ocupado por outros povos (na lista, falta um em relação a Dt 7,1; Js 3,10).

3,9-10 Agora é o povo que toma a iniciativa, com uma reclamação judicial, e Deus envia Moisés para que realize o empreendimento. Alguns comentadores descobriram aqui um duplicado e atribuíram os versículos ao Eloísta. Na lógica presente do relato, estes versículos determinam: o que Deus escutava era uma reclamação legal, sua "descida" consiste no envio de um mediador humano; dito de outro modo, a missão de Moisés é a descida de Deus (para outras descidas, ver Gn 11,5.7 e 18,21).

3,11-12 Começa o diálogo: primeira objeção de Moisés. Por seu ofício atual de pastor e pela experiência próxima, sente-se incapaz de realizar o encargo. A resposta de Deus é categórica e simples, corrente em vocações: Gedeão em Jz 6,12; Jr 1,9-19.

O sinal oferecido por Deus é estranho, porque se refere à conclusão do empreendimento. Normalmente, um sinal se dá no ato da missão ou em continuação, mas sempre a precede. Por isso alguns comentaristas pensam que falta algo; outros invertem a ordem e supõem que o sinal era o fogo na sarça (compare-se com Jz 6,17-21.36-40). No relato atual, o sinal vale precisamente como paradoxo. Exige de antemão a fé e a obediência de Moisés. Quando tiver cumprido a sua missão e num ato litúrgico, os israelitas com Moisés serão conscientes da liberdade que virá, e Moisés reconhecerá a validade da sua missão.

3,13-15 Segunda objeção. Ele se fia em Deus; o povo se fiará nele? Quererão saber qual Deus o envia – dado decisivo na missão profética, p. ex. Dt 13; Jr 23,13; – perguntarão pelo nome da divindade. A resposta é ao mesmo tempo positiva e ambígua; vale para Moisés e vale para o povo.

Estes três versículos estão entre os mais analisados e discutidos de todo o AT. Qual a origem do nome *Yhwh*? Existia fora e antes de Israel? Que significa em si? Que função tem no relato? Sobre as duas primeiras perguntas se multiplicaram as conjeturas, sem oferecerem uma resposta plausível. Sobre a terceira: começamos confessando que nossa vocalização é duvidosa, pois nos nomes compostos encontramos as formas *Yah*, *Yo*, *Yeho*. A corrente, *Yahwe*, é uma forma factitiva do verbo *hyh* = ser, existir, aquele que dá o ser, faz existir. Assim podia soar aos ouvidos hebreus.

No texto, Deus muda o verbo em primeira pessoa e forma uma frase aparentemente tautológica. Se o traduzimos pelo indefinido, "o que for", a resposta é evasiva (como em Gn 32): o nome não importa, sou o Deus dos patriarcas e estou contigo. Se o traduzimos como enunciado, "sou o que sou", presta-se para a reflexão. Primeiro, encontra-se na esfera do ser ou existir (cf. Sb 13,1; Jo 8,58; Ap 1,4); segundo, não se define por predicados externos, mas por si mesmo; em nossa terminologia refinada, diríamos: "um ser absoluto". Pois bem, para os israelitas vale o sentido

reis de geração em geração. ¹⁶Vai, reúne as autoridades de Israel, e dize-lhes: "O Senhor Deus de vossos pais, de Abraão, de Isaac e de Jacó, me apareceu e me disse: Eu vos tenho presentes e vejo como os egípcios vos tratam. ¹⁷Decidi tirar-vos da opressão egípcia e fazer-vos subir ao país dos cananeus, heteus, amorreus, ferezeus, heveus e jebuseus, para uma terra que mana leite e mel". ¹⁸Eles te ouvirão, e tu, com as autoridades de Israel, te apresentarás ao rei do Egito, e lhe direis: "O Senhor Deus dos hebreus veio ao nosso encontro, e nós temos de fazer uma viagem de três jornadas pelo deserto, a fim de oferecer sacrifícios ao Senhor nosso Deus". ¹⁹Eu sei que o rei do Egito não vos deixará partir, a não ser pela força; ²⁰mas eu estenderei a mão, ferirei o Egito com prodígios que farei no país, e então ele vos deixará partir. ²¹Farei que este povo ganhe o favor dos egípcios, de modo que, ao sair, não partam de mãos vazias. ²²As mulheres pedirão às suas vizinhas, ou às donas das casas em que se hospedam, objetos de prata e ouro e roupa para vestir seus filhos e filhas. Assim despojareis os egípcios.

4 ¹Moisés replicou:
— E se não crerem em mim nem me derem atenção, e se disserem que o Senhor não me apareceu?

²O Senhor lhe perguntou:
— O que tens na mão?
Ele respondeu:
— Um bastão.
³Deus lhe disse:
— Atira-o no chão.
Ele o atirou no chão, e se transformou em serpente. E Moisés, assustado, pôs-se a correr.
⁴O Senhor disse a Moisés:
— Estende a mão e agarra-a pelo rabo.
Moisés estendeu a mão, e ao agarrá-la ela se transformou em bastão.
— ⁵Para que creiam que te apareceu o Senhor, Deus de seus pais, Deus de Abraão, Deus de Isaac, Deus de Jacó.
⁶O Senhor continuou dizendo-lhe:
— Põe a mão no peito.
Ele a pôs e, ao tirá-la, tinha a pele descolorida como a neve.
⁷Disse-lhe:
— Põe-na outra vez no peito.
Ele a pôs, e ao tirá-la estava normal, como de carne.
— ⁸Se não acreditarem em ti nem derem atenção ao primeiro sinal, acreditarão no segundo. ⁹E se não crerem em ti nem derem atenção nos dois, pega água do Nilo, derrama-a por terra, e a água que tiveres tirado do Nilo se transformará em sangue.

---

enunciativo, "Eu sou", que se oferece como explicação de um nome conhecido e se identifica com o Deus dos patriarcas. E acrescenta uma ordem perpétua: daí em diante Deus será invocado com o nome de Yhwh. E assim foi (Is 42,8; 26,8) até que em tempos posteriores se evitou tal nome, substituindo-o por Adonai.
Na teoria documentária: o Eloísta considera que neste ponto se revela o nome de Yhwh; até o presente ele só usou o nome 'elohim ou um substituto.
3,16-22 Seguem-se de novo o envio e uma predição articulada dos eventos futuros até a saída ou êxodo. A profecia estilizada há de servir para tranquilizar e animar Moisés. Depois, deverá compartilhar dela com as autoridades, para se apresentar corporativamente ao Faraó. Num primeiro momento, essa notícia não é destinada ao povo.
As etapas são estilizadas e condensam o relato detalhado dos capítulos seguintes: petição ou intimação, resistência do Faraó, castigo de Deus, saída do povo enriquecido. O verbo usado para "tirar" é aqui "fazer subir", ou seja, do território baixo do Egito ao montanhoso de Canaã.
3,18 O primeiro pedido – tática? – é licença de três dias para uma peregrinação cultual pelo deserto. Usa-se o nome de Yhwh.

3,20 O castigo de Deus serão a ferida e o prodígio.
3,21-22 Os presentes que se levam têm o caráter de compensação pelos serviços prestados durante a escravidão (cf. Dt 15,13-15); podem significar também os despojos da vitória, que Deus reparte entre suas tropas. A "espoliação dos egípcios" será um tema explorado pelos Santos Padres e aplicado a outras culturas.
3,22 Sl 105,37.
4,1-9 A terceira objeção tem sua lógica: a palavra de Moisés não bastará para convencer o povo. E assim serve para apresentar Moisés como taumaturgo. Os prodígios consistem em transmutações e estão antecipando os que realizará perante o Faraó. O bastão ou cajado, instrumento favorito do pastor, se converte em vara mágica, que será instrumento de vários prodígios; a mão, órgão da ação, fica descolorida, como sem sangue, sem vida: sofre uma espécie de leucodermia ou vitiligem (cf. Nm 12,10); a água transformada em sangue será a primeira praga. Quer dizer, embora os prodígios se deem para convencer o povo, no relato ulterior se empregam para persuadir o Faraó.
4,6 Nm 12,10.
4,8 Is 15,9.

¹⁰Moisés porém insistiu com o Senhor:
— Eu não tenho facilidade de falar, nem antes nem agora que falaste ao teu servo; tenho boca e língua travadas.
¹¹O Senhor replicou:
— Quem dá a boca ao homem? Quem o torna mudo ou surdo ou perspicaz ou cego? Não sou eu, o Senhor? ¹²Portanto, vai; eu estarei em tua boca e te ensinarei o que deves dizer.
¹³Ele insistiu:
— Não, Senhor. Envia quem tiveres de enviar.
¹⁴O Senhor se irritou com Moisés e lhe disse:
— Aarão, teu irmão, o levita, sei que fala bem. Ele já vem ao teu encontro, e se alegrará ao ver-te. ¹⁵Fala-lhe, e põe minhas palavras em sua boca. Eu estarei em tua boca e na dele, e vos ensinarei o que deveis fazer. ¹⁶Ele falará ao povo em teu nome, ele será tua boca, e tu serás seu deus. ¹⁷Quanto a ti, toma o bastão com o qual realizarás os sinais.

Moisés volta ao Egito – ¹⁸Moisés voltou à casa de seu sogro Jetro e lhe disse:

— Vou voltar ao Egito para ver se meus irmãos ainda vivem.
Jetro lhe respondeu:
— Vai em paz.
¹⁹O Senhor disse a Moisés em Madiã:
— Vamos, volta ao Egito, pois morreram os que queriam matar-te.
²⁰Moisés pegou sua mulher e seus filhos, os fez montar em asnos e dirigiu-se ao Egito. Na mão levava o bastão maravilhoso.
²¹O Senhor disse a Moisés:
— Enquanto voltas ao Egito, presta atenção aos prodígios que pus à tua disposição, pois deverás fazê-los diante do Faraó. Eu o tornarei obstinado, e ele não deixará o povo sair. ²²Tu lhe dirás: "Assim diz o Senhor: Israel é meu filho primogênito, ²³e eu te ordeno que deixes meu filho sair, para que me sirva; se te negares a soltá-lo, eu matarei teu filho primogênito".

²⁴Num albergue do caminho, o Senhor veio ao encontro dele para matá-lo. ²⁵Então Séfora pegou uma pedra afiada, cortou o prepúcio do seu filho, aplicou-o nas partes de Moisés e disse:
— És para mim um marido de sangue.
²⁶E o Senhor o deixou quando ela disse

4,10 Jr 1,6-10.
4,11 Eclo 17,6.
4,12-17 A quarta objeção é o último recurso de Moisés para evitar o compromisso, e serve para introduzir o personagem Aarão como colaborador de Moisés. A objeção sobre a linguagem pertence à tradição profética, como mostra Jr 1,6. Deus, que deu ao homem a palavra, lhe dá também sua palavra, e assim se encarna em palavra humana. Para a primeira resposta de Deus, ver Sl 94,9s; Pr 20,12.
Aarão é na tradição de Israel o primeiro sumo sacerdote, pai da linha pontifical. Aqui entra com função profética, como boca de Moisés, que ocupa assim o lugar de Deus na transmissão da mensagem. O autor, talvez pertencente à classe sacerdotal, quis associar como irmão, no começo da libertação, o chefe civil e o sumo sacerdote. (Como na visão de Zc 4.)
4,15 2Sm 14,3.
4,18-31 Convencido finalmente por Deus, Moisés empreende o retorno ao Egito por etapas. As peças reunidas são heterogêneas, uma é indecifrável, e a ordem não é a que esperamos de um bom narrador. O autor dá mais a impressão de lutar para que não lhe escapem materiais. Para colocar certa ordem, tomamos os movimentos como balizas: à casa do sogro (18); para o Egito (20); ao encontro com Aarão (27); para o Egito, perante as autoridades e perante o povo (29); o próximo movimento será rumo ao Faraó.
Nesse movimento se inserem instruções de Deus (19.21-23.27) e uma intervenção dramática (24-26).

4,18-19 De novo, a atração dos "irmãos", seus concidadãos, obrigam-no a romper com a situação pacífica adquirida. Mas o retorno é diferente, porque Moisés vai agora investido de uma grande missão – que não explica ao sogro. Deus ratifica a decisão, urge a execução e acrescenta uma informação importante: a morte do perseguidor criou situação nova para Moisés, não para o povo.
4,20 O bastão maravilhoso manifesta a mudança de ofício: de pastor a taumaturgo. Deus controla esse bastão que Moisés empunha e que recebe uma função nova.
4,21-23 São uma chave teológica do que se aproxima. O Senhor adotou o povo como filho; primogênito, pela posição histórica que ocupa (cf. Os 11,1; Jr 31,9). Pela relação jurídica estabelecida unilateralmente pelo Senhor, toma o povo sob sua responsabilidade. Sendo filho seu, é livre com todos os direitos. Submetê-lo à escravidão é injustiça grave que o pai adotivo toma como ofensa a si. Se o Faraó persiste na injustiça, o Senhor aplicará uma forma de lei do talião: filho por filho. Por ora se fala no singular: do herdeiro legítimo do Faraó.
4,24-26 Aqui estão três versículos que resistem a qualquer explicação. O leitor e o especialista podem brincar de fazer perguntas sem resposta. Alguns comentadores podem conjeturas seguindo vagos vestígios. As alusões são enigmáticas, faltam antecedentes e até o hebraico usa ambiguamente os pronomes. É como se no exíguo terreno do texto tivessem ficado incrustados um par de fósseis desafiando a reconstrução da espécie.

"marido de sangue" (por causa da circuncisão).

²⁷O Senhor disse a Aarão:
– Sai ao deserto para receber Moisés.
Ele foi, alcançou-o no monte de Deus, e o beijou.

²⁸Moisés contou a Aarão todas as coisas que o Senhor lhe havia recomendado e os sinais que o havia encarregado de fazer. ²⁹Moisés e Aarão foram e reuniram as autoridades de Israel. ³⁰Aarão repetiu tudo o que o Senhor havia dito a Moisés, e este realizou os sinais diante do povo. ³¹O povo acreditou e, ao ouvirem que o Senhor se preocupava com os israelitas e prestava atenção à sua opressão, se inclinaram e se prostraram.

5 Moisés e Aarão diante do Faraó (1Rs 12) –

¹Depois, Moisés e Aarão se apresentaram ao Faraó e lhe disseram:
– Assim diz o Senhor, Deus de Israel: "Deixa o meu povo sair, para que celebre minha festa no deserto".

²O Faraó respondeu:
– Quem é o Senhor, para que eu deva obedecer-lhe, deixando os israelitas partir? Não reconheço o Senhor nem deixarei os israelitas partir.

³Eles replicaram:
– O Deus dos hebreus veio ao nosso encontro: temos de fazer uma viagem de três jornadas pelo deserto, a fim de oferecer sacrifícios ao Senhor nosso Deus; caso contrário, ele nos ferirá com peste ou espada.

De uma coisa temos certeza: a importância da circuncisão. O filho incircunciso põe em grave perigo a vida do pai, o rito da circuncisão o salva, o sangue que mancha é a prova (foi outrora sacrifício? era gesto apotropaico?); a circuncisão se relaciona com o matrimônio.

4,27 A entrada de Aarão é artificial, forçada com pouco acerto. O autor não pode ocultar seu afã por atribuir-lhe papel importante no empreendimento. O sacerdote conduz ao chefe civil, transmite a notícia e realiza os prodígios.

5,1-2 Vamos nos deter, porque começa aqui a grande confrontação, que convém abarcar em sua grandiosa composição épica. O canto heroico do cap. 15 é a sua conclusão. Confrontação entre o Senhor (*Yhwh*) e o Faraó. Quer mostrar que o Senhor não desempenha a função de juiz neutro que dirime uma causa entre o Faraó e os israelitas. O Senhor vem como parte ofendida para querelar com o Faraó; porque a exploração contra o seu filho adotivo ele a toma como ofensa pessoal. Não é que busque em primeiro lugar a vingança, o castigo do culpado. O que busca é, como um direito, a liberdade do povo escravo: por ela está disposto ao confronto e a eliminar qualquer obstáculo.

Ou seja, os contendores são o Faraó e o Senhor. O primeiro não reconhece a autoridade do segundo. No plano religioso é lógico: *Yhwh* não faz parte do panteão egípcio, é divindade estrangeira, não se lhe reconhece autoridade nos assuntos do Egito e da coroa. No plano político, o Faraó reafirma a sua atitude: não está disposto a libertar seus escravos. São duas coisas que se devem compreender na sua mútua implicação: porque não reconhece *Yhwh*, não liberta seu povo; porque não quer libertar os escravos, não reconhece o Deus que dele exige isso. Um Deus libertador de escravos não tem lugar na religiosidade do Faraó.

O Senhor se apresentou exigindo, dando ordens: "deixa sair". Reconhece os escravos como "meu povo". A primeira petição parece limitada a uma peregrinação e poucos dias festivos, interrompendo o trabalho. É que a festa será celebração de liberdade, experiência do auxílio do Senhor.

Pois bem, o Senhor demonstrará que tem poder sobre o Egito, descarregando golpes em série, próprios do lugar ou trazidos de fora. Mas avisa antes, convida a discernir, distingue.

O Faraó irá cedendo terreno até a retirada final. Por meio de Moisés, suplicará a esse Deus, a quem não reconhecia, depois reconhecerá a própria culpa, no fim cumprirá o exigido e não poderá invalidar a execução. Nessa confrontação, Moisés e Aarão são delegados de Deus, mediadores para baixo e para cima.

Estilo. Lendo o que se segue como novela ou conto, pode ficar monótono pela semelhança dos episódios. Em chave épica, a repetição, com suas curvas e pausas, é convincente. Entre seus procedimentos, destaco: as palavras e sintagmas condutores, os motivos reiterados, o esquema numérico (vou expô-lo ao começar as pragas, 8,14). As palavras reiteradas mais importantes são os verbos "sair" e "soltar", "ferir" ou "golpear", em formas e construções diversas. O significado se especifica pelo contexto com conotação de emancipação, alforria. Entre os sintagmas se destaca "ficar obstinado".

5,3 Ameaça indireta: o Faraó se expõe a perder a sua mão de obra. Embora não reconheça a autoridade desse Deus em assuntos egípcios, não pode negá-la em assuntos hebraicos.

5,3-23 Este capítulo é uma descrição magistral e concisa de uma política tirânica em suas diversas atitudes e recursos. A finalidade política e econômica é dispor de mão de obra gratuita e manter os estrangeiros submissos. Um recurso é nomear quadros ou capatazes hebreus: desse modo os operários descarregam seu rancor sobre seus concidadãos imediatamente superiores, e estes, por medo dos superiores egípcios, exercem uma supervisão inexorável. Quando os operários direta ou indiretamente protestam, reprime-se o descontentamento endurecendo as condições de trabalho (compare-se com a ocasião do cisma em 1Rs 12). A raiz hebraica de "tijolo" se repete sete vezes. As festas religiosas que afastam do trabalho são declaradas veleidades da ociosidade; é claro que não são produtivas; sem falar que essas festas podem reforçar vínculos de solidariedade, consciência de ser explorados: "sublevam o povo". Consequências dessa política são: dividir e inimizar

⁴O rei do Egito lhes disse:
— Moisés e Aarão, por que sublevais o povo em seu trabalho? Voltai a transportar vossas cargas. ⁵Já são mais numerosos que os nativos, e quereis que deixem de transportar cargas.
⁶No mesmo dia, o Faraó deu ordens aos capatazes e aos inspetores:
— ⁷Não torneis a dar palha para fabricar tijolos, como fazíeis antes; que eles próprios procurem a palha. ⁸Porém, exigireis deles a mesma quantidade de tijolos que faziam antes, sem diminuir nada. São uns preguiçosos, e por isso andam gritando: "Vamos oferecer sacrifícios ao nosso Deus". ⁹Imponde-lhes um trabalho pesado, e que o cumpram, e não presteis atenção às histórias deles.
¹⁰Os capatazes e os inspetores saíram e disseram ao povo:
— Assim diz o Faraó: "Não providenciarei palha para vós; ¹¹ide vós mesmos procurá-la onde a encontrardes, e não diminuirá em nada vossa tarefa".
¹²O povo se dispersou por todo o território egípcio, procurando palha. ¹³Os capatazes os oprimiam:
— Completai vosso trabalho, a tarefa de cada dia, como quando vos davam palha.
¹⁴Os capatazes açoitavam os inspetores israelitas que haviam nomeado, dizendo-lhes:
— Por que não completais hoje vossa quantidade de tijolos como antes?
¹⁵Então os inspetores israelitas foram reclamar ao Faraó:

— Por que tratas teus servos assim? ¹⁶Exigem que façamos tijolos sem nos dar palha; teus servos recebem os açoites, mas o culpado é teu povo.
¹⁷O Faraó respondeu:
— Preguiçosos! é isso que sois, uns preguiçosos; por isso andais dizendo: "Vamos oferecer sacrifícios ao Senhor". ¹⁸E agora, ao trabalho; palha não tereis, mas produzireis vossa quantidade de tijolos.
¹⁹Os inspetores israelitas viram-se em aperto, quando lhes disseram que a quantidade diária de tijolos não diminuiria, ²⁰e, encontrando Moisés e Aarão, que os esperavam à saída do palácio do Faraó, ²¹disseram-lhes:
— O Senhor vos examine e vos julgue. Vós nos tornastes odiosos ao Faraó e à sua corte, e lhe pusestes nas mãos uma espada para nos matar.
²²Moisés voltou ao Senhor e lhe disse:
— Senhor, por que maltratas este povo? Para que me enviaste? ²³Desde que me apresentei ao Faraó para falar em teu nome, o povo é maltratado e tu não libertaste o teu povo.

6 ¹O Senhor respondeu a Moisés:
— Logo verás o que vou fazer ao Faraó: ele vos deixará partir à força, e até vos expulsará de seu território.

Missão de Moisés (I) (Ex 3,7-10) – ²Deus disse a Moisés:
— Eu sou o Senhor. ³Eu apareci a Abraão, Isaac e Jacó como "Deus Todo-poderoso", mas não lhes dei a conhecer meu nome:

---

a população hebreia, desacreditar seus chefes, que pioraram a situação, considerar desejável a situação anterior, comparada com a presente.

5,4-5 O mesmo argumento que em 1,9: o crescimento demográfico.

5,15-16 Embora seja em defesa própria, este é um ato valente. Especialmente porque lança a culpa sobre o povo egípcio ou sobre o Faraó, segundo outra leitura do texto hebraico.

5,20-23 Ao falhar a negociação com o soberano, os capatazes jogam a culpa em Moisés e este a joga em Deus. Segundo eles, Moisés deu ao Faraó uma justificativa ou pretexto para ditar sentenças de morte contra os hebreus.
A queixa de Moisés (cf. Nm 11,11) é que ele tem cumprido todas as instruções recebidas, ao passo que o Senhor não cumpriu as promessas feitas. Ele falou "em nome do Senhor", e este não libertou o povo. A queixa serve como conclusão do capítulo e ao mesmo tempo para introduzir a nova intervenção divina.

6,1 A resposta se volta toda para o futuro próximo. Moisés será testemunha ocular.

6,2-7,7 Este trecho costuma ser chamado de segunda vocação de Moisés e é atribuído ao autor ou escola Sacerdotal. Sob o aspecto narrativo, é um duplicado que não faz a ação avançar e que é mais pobre. Efetivamente se repetem vários elementos típicos de vocação e missão: Deus se apresenta com seu nome, comunica seu projeto libertador, confere a missão, Moisés objeta, o Senhor responde reafirmando a missão e descrevendo o futuro.
Embora a objeção se pareça com a última do cap. 4, o resto é muito diferente. Perdeu o caráter dramático e se carregou de interpretações teológicas. Ou seja, à narração pouco acrescenta, inclusive subtrai; a interpretação oferece um trabalho de reflexão madura. Discute-se aqui se o autor desta seção depende da precedente ou segue uma tradição oral própria.

6,2-4 A ideia é original e não concorda com o que se lê de Gn a Ex. O autor supõe, e no-lo afirma, que a mesma divindade se manifestou com diversos nomes; o nome novo e definitivo é *Yhwh*. Aos patriarcas se deu a conhecer como *El* (Deus supremo) *Shaddai* (significado desconhecido). Compare-se, p.

"Yahweh". ⁴Fiz aliança com eles, prometendo-lhes a terra de Canaã, terra em que moraram como migrantes. ⁵Eu também, ao ouvir as queixas dos israelitas escravizados pelos egípcios, me lembrei da aliança; ⁶portanto, dize aos israelitas: "Eu sou o Senhor. Eu tirarei de cima de vós as cargas dos egípcios, vos livrarei de vossa escravidão, vos resgatarei com braço estendido e fazendo justiça solene. ⁷Eu vos adotarei como meu povo, e serei vosso Deus. Para que saibais que sou o Senhor vosso Deus, aquele que tira de cima de vós as cargas dos egípcios, ⁸eu vos levarei à terra que prometi com juramento a Abraão, Isaac e Jacó, e vo-la darei como posse. Eu, o Senhor".

⁹Moisés comunicou isso aos israelitas, mas eles não lhe deram atenção, porque estavam curvados pelo duríssimo trabalho.

¹⁰O Senhor disse a Moisés:

— ¹¹Vai ao Faraó, rei do Egito, e dize-lhe que deixe os israelitas sair do território dele.

¹²Moisés se dirigiu ao Senhor nestes termos:

— Se os israelitas não me obedecem, como me obedecerá o Faraó, a mim que não tenho facilidade de falar?

¹³O Senhor falou a Moisés e a Aarão, deu-lhes ordens para o Faraó, rei do Egito, e para os israelitas, e mandou-os tirar os israelitas do Egito.

Lista dos chefes de família (Gn 46,8-11)

— ¹⁴Filhos de Rúben, primogênito de Jacó: Henoc, Falu, Hesron e Carmi; são os clãs de Rúben.

¹⁵Filhos de Simeão: Jamuel, Jamin, Aod, Jatin, Soar e Saul, filho da cananeia; são os clãs de Simeão.

¹⁶Lista dos filhos de Levi por gerações: Gérson, Caat e Merari (Levi viveu cento e trinta e sete anos). ¹⁷Filhos de Gérson: Lobni, Semei e seus clãs. ¹⁸Filhos de Caat: Amram, Isaar, Hebron e Oziel (Caat viveu cento e trinta e três anos). ¹⁹Filhos de Merari: Mooli e Musi. Até aqui os clãs de Levi por gerações.

²⁰Amram casou com Jocabed, sua parente, e ela lhe deu Aarão e Moisés (Amram viveu cento e trinta e sete anos). ²¹Filhos de Isaar: Coré, Nefeg e Zecri. ²²Filhos de Oziel: Misael, Elisafã e Setri. ²³Aarão casou com Isabel, filha de Aminadab e irmã de Naasson; ela deu à luz Nadab, Abiú, Eleazar e Itamar.

²⁴Filhos de Coré: Asir, Elcana e Abiasar; são os clãs coreítas.

²⁵Eleazar, filho de Aarão, casou com uma filha de Futiel, e ela deu à luz Fineias. Até aqui os chefes de família levitas por clãs.

²⁶E estes são Aarão e Moisés, a quem o Senhor disse: "Tirai os israelitas do Egito por esquadrões", ²⁷e os que disseram ao Faraó, rei do Egito, que deixasse os israelitas sair do Egito: Moisés e Aarão.

Missão de Moisés (II) — ²⁸Quando o Senhor falou a Moisés no Egito, ²⁹disse-lhe:

---

ex., com Gn 4,26; 12,8; 13,4; 26,25. Alguns comentadores opinam que não se trata simplesmente do nome, mas do seu sentido concreto: "não lhes fez compreender".

6,5-8 O projeto de libertação é denso de conceitos e, com o anterior, está construído segundo o esquema concêntrico, ABCDE N EDCBA. Vou mostrá-lo graficamente:
2 Eu sou Yhwh
 3 Abraão, Isaac, Jacó
  4 fiz aliança, prometendo-lhes a terra
   6 Eu sou Yhwh, tirarei de vossos
     ombros os fardos,
    vos libertarei de vossa escravidão,
    vos redimirei fazendo justiça solene,
   7 vos adotarei como meu povo
   Eu sou Yhwh, tirarei de cima de vós
     as cargas
  8 vos levarei à terra que prometi
     com juramento
 a Abraão, Isaac e Jacó
Eu sou Yhwh
Da parte de Deus, houve primeiro a aliança, como compromisso unilateral com os patriarcas, do qual um dos conteúdos é a terra prometida; essa aliança equivale a uma promessa e juramento. A ação de Deus tem um elemento negativo: tirar as cargas, que significam o trabalho forçado; por isso é "libertação". É "resgate", porque devolve a liberdade aos escravos, o que será um restabelecer da justiça. É finalmente a adoção do povo. O nome de Yhwh soa como cabeçalho e assinatura, abrangendo tudo.

6,9-12 A ordem narrativa é lógica: primeiro ao povo, depois ao Faraó; também é lógico o encadeamento: a resistência do povo justifica a objeção de Moisés.

6,14-27 Para nós não é lógica esta interrupção; pelo visto o era para o autor. Chega o momento em que os dois irmãos vão apresentar-se ao Faraó e confrontar-se com ele: quem são? Pela sua genealogia os conhecereis. Remontam por linha direta a Levi, o terceiro filho de Jacó (copiam-se dados do primeiro e do segundo, Rúben e Simeão). As quatro gerações não concordam com a tradição dos quatrocentos e trinta anos no Egito (12,40).

6,28-30 A interrupção obriga a repetir duas peças para conectar: a ordem de falar ao Faraó e a objeção sobre sua incapacidade oratória.

Faraó e seus ministros, e ele se transformou numa serpente. ¹¹O Faraó chamou seus sábios e feiticeiros, e os magos do Egito fizeram o mesmo com seus encantamentos: ¹²cada um atirou seu bastão, e se transformaram em serpentes, mas o bastão de Aarão engoliu os outros bastões. ¹³E o Faraó se obstinou e não lhes deu atenção, conforme o Senhor havia anunciado.

Primeira praga: a água do Nilo (Sb 11,6; Ap 8,8s; 16,3-7) – ¹⁴O Senhor disse a Moisés:

– O Faraó se obstinou e se nega a deixar o povo partir. ¹⁵Vai amanhã ao Faraó, quando ele for ao rio, e espera-o à margem do Nilo, levando contigo o bastão que se transformou em serpente. ¹⁶E dize-lhe: "O Senhor, Deus dos hebreus, me enviou a ti com esta recomendação: deixa meu povo sair, para que me preste culto no deserto; até agora não me deste atenção". ¹⁷Agora diz o Senhor: "Com isto saberás que eu sou o Senhor: com o bastão que levo na mão ferirei a água do Nilo, e ela se transformará em sangue; ¹⁸os peixes do Nilo morrerão, o rio cheirará mal, e os egípcios não poderão beber água do Nilo".

¹⁹O Senhor disse a Moisés:

– Dize a Aarão: Toma teu bastão, estende a mão sobre as águas do Egito: rios, canais, reservatórios e cisternas, e a água se transformará em sangue. E haverá sangue em todo o Egito: nas vasilhas de madeira e nas de pedra.

²⁰Moisés e Aarão fizeram o que o Senhor lhes ordenava. Levantou o bastão e feriu a água do Nilo diante do Faraó e da sua corte. Toda a água do Nilo se transformou em sangue. ²¹Os peixes do Nilo morreram, o Nilo cheirava mal e os egípcios não podiam beber água, e houve sangue por todo o país do Egito.

²²Os magos do Egito fizeram o mesmo com seus encantamentos, de modo que o Faraó se empenhou em não fazer caso, conforme o Senhor anunciara.

²³O Faraó voltou ao palácio, mas não aprendeu a lição. ²⁴Os egípcios cavavam dos lados do Nilo, procurando água para beber, pois não podiam beber a água do Nilo.

Segunda praga: rãs (Sb 11,16; 16,3; 19,10) – ²⁵Sete dias depois de ter ferido o Nilo, ²⁶o Senhor disse a Moisés:

– Apresenta-te ao Faraó e dize-lhe: "Assim diz o Senhor: deixa o meu povo partir para que me preste culto. ²⁷Se recusas a deixá-lo partir, eu infestarei todo o teu território com rãs; ²⁸o Nilo ferverá de rãs que subirão, entrarão em teu palácio, nos quartos e alcovas, e até em tua cama; o mesmo acontecerá na casa de teus ministros e de teu povo, em fornos e amassadeiras. ²⁹As rãs virão sobre ti, tua corte e teu povo.

8 ¹O Senhor disse a Moisés:

– Dize a Aarão: Estende a mão com o bastão sobre rios, canais e reservatórios, e faze sair rãs por todo o território egípcio.

²Aarão estendeu a mão sobre as águas do Egito, e fez sair rãs que infestaram todo o território egípcio. ³Mas os magos fizeram o mesmo com seus encantamentos: fizeram sair rãs por todo o território egípcio.

⁴O Faraó chamou Moisés e Aarão e pediu-lhes:

– Rezai ao Senhor, para que afaste as rãs de mim e de meu povo, e deixarei o povo partir, a fim de que ofereça sacrifícios ao Senhor.

7,14-24 (Divisão em fontes: J 14.15a.16. 17ab*.18.21a. 24; E 15b.17b*.20b.23; P 19.20a.21b-22). A combinação de documentos explica repetições e incoerências: num caso se trata do Nilo, no outro de toda a água do país; o bastão atua em mãos de Aarão ou de Moisés. Não se entende como os magos fazem o mesmo, se toda a água já se tinha mudado em sangue.
O Nilo é a vida do Egito: serve para beber, para regar, é canal de comunicação e até lugar de celebrações cultuais. A primeira praga acerta na artéria vital; ver a descrição de Is 19,5-10. O nome do Nilo se repete quatorze vezes.

O sangue, sede da vida, torna-se causa de morte. A praga é subversiva. Além disso, o sangue, como morte, pode anunciar o último golpe mortal (em novas leituras).

7,25-8,11 A segunda praga também se relaciona com o Nilo e passa ao reino animal. (Divisão em fontes: J 25-29; 8,4-11a; P 8,1-3.11b.) A invasão incontida de miúdos batráquios está descrita com viveza: o narrador parece segui-los em seus movimentos desrespeitosos.

8,4 O Faraó parece ceder à petição; mas, ao não especificar as circunstâncias concretas da licença, a concessão fica ambígua.

– Eu sou o Senhor. Repete ao Faraó do Egito tudo o que te digo.

³⁰E Moisés respondeu ao Senhor:

– Não tenho facilidade de falar. Como o Faraó me dará atenção?

7 ¹O Senhor disse a Moisés:

– Vê, eu te faço como um deus para o Faraó, e teu irmão Aarão será teu profeta. ²Tu dirás tudo o que eu te ordenar, e Aarão dirá ao Faraó que deixe os israelitas sair do território dele. ³Eu tornarei o Faraó obstinado e farei muitos sinais e prodígios contra o Egito. ⁴O Faraó não vos obedecerá, mas eu estenderei minha mão contra o Egito e tirarei do Egito os meus esquadrões, meu povo, os israelitas, fazendo solene justiça.

⁵Os egípcios saberão que eu sou o Senhor, quando estender minha mão contra o Egito e tirar os israelitas do meio deles.

⁶Moisés e Aarão fizeram tudo o que o Senhor lhes ordenava.

⁷Quando falaram ao Faraó, Moisés tinha oitenta anos, e Aarão oitenta e três.

O bastão maravilhoso (Sl 78) – ⁸O Senhor disse a Moisés e a Aarão:

– ⁹Quando o Faraó vos pedir que façais algum prodígio, dirás a Aarão que pegue seu bastão e o atire diante do Faraó, e se transformará numa serpente.

¹⁰Moisés e Aarão se apresentaram ao Faraó e fizeram o que o Senhor lhes havia mandado. Aarão atirou o bastão diante do

---

7,1-7 Responde à objeção como em 4,15s, com mudança significativa: Moisés aparecerá para o Faraó (não para Aarão) como uma divindade que assiste e fala por meio do seu porta-voz ou profeta. O efeito será produzido pelos prodígios sobre-humanos. Ao longo da narrativa costuma ser Moisés quem fala.

7,3 "Tornarei obstinado" ou endurecerei o coração. Com este verbo *qshh* e com outros dois se repete a ideia: com *kbd* uma vez na forma intransitiva 9,7, quatro na forma transitiva, com Deus como sujeito 10,1, com o Faraó como sujeito (equivale ao reflexivo) 8,11.28; 9,34; com o verbo *hzq*: sujeito o coração do Faraó 7,13.22; 8,15; 9,35; sujeito o Senhor 10,20.27; 11,10; 14,4.8.17. Dada a atitude e os hábitos do Faraó, a ação punitiva do Senhor o enrijece, o impele a reforçar a própria resistência. Deus inclui essa reação no processo total, e, nesse sentido, a provoca. A resistência do Faraó torna dramática a libertação, é ocasião para prodígios ou sinais, e conduzirá finalmente a um reconhecimento não querido.

7,4 "Esquadrões": como em 6,26; 12,41.51. As legiões de Deus (*cebaot*) são os astros no céu e os israelitas na terra. A saída terá algo de desfile ou avanço militar, sem que haja luta violenta.

7,5 Há um reconhecimento gozoso e outro doloroso, o da derrota, e cabe ao homem escolher um dos dois. Ao Faraó é oferecido o papel de libertador na história da salvação, e ele o recusa; mas não pode fugir da história, e tem de aceitar o papel de antagonista até a derrota final. Ez 32,15.

7,6 Antecipa-se à maneira de título geral.

7,8 Aqui começa a série das pragas, que convém ler como unidade, embora recolha e elabore materiais de tradições diversas. A técnica da montagem deixou incoerências menores, e o gênero épico não fica perturbado. Segundo a teoria documentária, cada um dos dois documentos está representado com cinco pragas. Os salmos 78 e 105 parecem recolher sete. O autor do texto atual escolheu o número de dez, como expressão de pluralidade e totalidade. E o empregou como esquema de composição dinâmica, com pontos culminantes na terceira, na sétima e na décima.

Primeira terna: duas vezes os magos repetem os prodígios com suas feitiçarias, invalidando o valor da prova; na terceira são incapazes, e o prodígio de Moisés mostra-se revelador. Quaterna: os magos assistem sem agir; mas na sexta o castigo os atinge e devem retirar-se; ficam apenas Moisés, Aarão e o Faraó; e vem a sétima: a mais longa, mais bem descrita, inusitada no Egito, com caráter patente de teofania (o Faraó confessa a culpa, mas não solta os escravos). Começa a terna final: o Faraó vai cedendo até a décima e definitiva. Esse artifício configura o processo narrativo.

A unidade se manifesta por um esquema básico, repetido com variações nas dez pragas: encargo, pedido com ameaça, execução e final. O narrador mistura outros motivos, como a distinção de grupos, a intercessão, a intervenção de magos e cortesãos, a concessão. Várias fórmulas funcionam como estribilhos para articular ou concluir: "obstinou-se, dize a Aarão, para que saibas, como o Senhor tinha dito". Podemos imaginar que a recitação de profissionais tirava proveito de tais recursos.

Elementos próprios da atividade profética – profeta em face do rei –, da reflexão sapiencial, da linguagem legal e judicial funcionam sem violência no relato. Esta seção do relato contrasta, por um lado, com a violência apressada e estéril de Moisés antes da sua missão, e por outro lado com a opressão recrudescida à primeira tentativa de diálogo. Por isso o narrador anunciava: "Logo verás o que vou fazer" (6,1). Aqui o diálogo ocupa o lugar principal e serve para manifestar o caráter e as reações dos dois personagens: Moisés e o Faraó não se reduzem a tipos esquemáticos.

7,8-13 (Atribuído à fonte **P**.) Os magos eram empregados estáveis na corte egípcia, com função religiosa e política; chegaram até nós abundantes textos de encantamentos. O estranho do texto é que Deus oferece a Moisés, como prova de autoridade, um sinal ambíguo, ao alcance dos magos. A resistência do Faraó tornará ambíguas outras provas mais contundentes. O prelúdio termina com duplo estribilho: obstinação, cumprimento do anunciado.

⁵Moisés respondeu ao Faraó:
– Digna-te indicar-me quando deverei rezar por ti, por tua corte e por teu povo, para que se acabem as rãs em teu palácio, e fiquem somente no Nilo.
⁶Ele respondeu:
– Amanhã.
Moisés disse:
– Assim se fará, para que saibas que não existe outro como o Senhor nosso Deus. ⁷As rãs se afastarão de ti, de teu palácio, de tua corte e de teu povo, e ficarão somente no Nilo.
⁸Moisés e Aarão saíram do palácio do Faraó. Moisés suplicou ao Senhor pelo caso das rãs, conforme havia combinado com o Faraó. ⁹O Senhor cumpriu o que Moisés pedia: as rãs foram morrendo em casas, pátios, campos, ¹⁰e eram recolhidas em montões, de modo que todo o país cheirava mal. ¹¹O Faraó, vendo que lhe davam alívio, obstinou-se e não lhes deu atenção, conforme o Senhor anunciara.

Terceira praga: mosquitos (Sb 19,10) – ¹²O Senhor disse a Moisés:
– Dize a Aarão: Estende teu bastão e fere o pó da terra, e ele se transformará em mosquitos por todo o território egípcio.
¹³Assim fizeram. Aarão estendeu a mão e com o bastão feriu o pó da terra, que se transformou em mosquitos que atacavam homens e animais. Todo o pó da terra se transformou em mosquitos por todo o território egípcio.
¹⁴Os magos tentaram fazer o mesmo, produzindo mosquitos com seus encantamentos, mas não puderam. Os mosquitos atacavam homens e animais.
¹⁵Então os magos disseram ao Faraó:
– É o dedo de Deus.

Mas o Faraó se empenhou em não fazer caso, conforme o Senhor anunciara.

Quarta praga: moscas – ¹⁶O Senhor disse a Moisés:
– Madruga amanhã, apresenta-te ao Faraó quando sai para o rio, e dize-lhe: "Assim diz o Senhor: Deixa o meu povo partir, a fim de que me preste culto; ¹⁷se não soltas meu povo, eu soltarei moscas contra ti, contra tua corte, teu povo e tua família. As casas dos egípcios se encherão de moscas, e também os terrenos em que vivem. ¹⁸Nesse dia, tratarei diferentemente o território de Gessen, onde reside meu povo, de modo que aí não haverá moscas; para que saibas que eu, o Senhor, estou no país. ¹⁹Farei distinção entre o meu povo e o teu. Amanhã acontecerá esse sinal".
²⁰O Senhor o cumpriu: nuvens de moscas invadiram o palácio do Faraó e de sua corte, e todo o território egípcio, de modo que toda a terra estava infestada de moscas.
²¹O Faraó chamou Moisés e Aarão e lhes disse:
– Ide oferecer sacrifícios a vosso Deus em meu território.
²²Moisés respondeu:
– Não nos é permitido fazer isso, porque teríamos de oferecer em sacrifício ao Senhor nosso Deus aquilo que os egípcios detestam; se imolarmos à vista deles aquilo que detestam, eles nos apedrejarão; ²³temos de fazer uma viagem de três jornadas pelo deserto, a fim de oferecer sacrifícios ao Senhor nosso Deus, conforme nos ordenou.
²⁴O Faraó replicou:
– Eu vos deixarei partir para o deserto com vossas vítimas para o Senhor vosso

---

8,6 A intercessão prova a autoridade de Moisés; o fim da praga e o prazo fixado pelo soberano provam que o Senhor controla os fatos. Não tem igual: Is 46,9; Sl 86,10.
8,12-15 (Atribuído a **P**.) Embora breve e despojado de várias fórmulas, é importante porque rompe a ambiguidade. Os próprios magos se veem forçados a reconhecer uma intervenção divina que a magia não pode controlar. Daí para frente assistirão como comparsas mudos.
8,16-28 (Atribuído a J.) Começa uma nova onda, de quatro pragas, marcada pelo novo verbo "madrugar" (retornará em 9,13). Repete dados da primeira e acrescenta dois dados novos ao processo. O primeiro é a distinção de trato entre hebreus e egípcios: fato que o

Faraó poderá comprovar e confirmará a identidade do Deus dos hebreus e de seu poder no território egípcio. O segundo é o processo das negociações: o Faraó repete a licença concedida já em termos vagos e a limita "no meu território", excluindo a peregrinação pelo deserto. Moisés não aceita essa cláusula e busca uma escapatória de caráter cultual, algo em que o Faraó não pode ser versado. O narrador não especifica em que consiste a abominação. O Faraó cede um pouco, em termos vagos, para assegurar a intercessão de Moisés e ver-se livre das moscas. Moisés concorda, mas acrescenta uma advertência. Não sabemos se o termo hebraico designa "moscas" em geral ou uma espécie, como tavões, cínipes etc. O termo se repete sete vezes.

Deus, com a condição de que não vos afasteis. Rezai por mim.

²⁵Moisés disse:

– Quando sair de tua presença, rezarei ao Senhor para que amanhã mesmo afaste as moscas de ti, de tua corte e de teu povo. Contudo, que o Faraó não volte a usar de fraudes para não deixar o povo sair, a fim de oferecer sacrifícios ao Senhor. ²⁶Moisés saiu da presença do Faraó e rezou ao Senhor. ²⁷O Senhor fez o que Moisés pedia: afastou as moscas do Faraó, de sua corte e de seu povo, até não ficar uma sequer. ²⁸Mas o Faraó se obstinou também desta vez, e não deixou o povo sair.

9 Quinta praga: peste – ¹O Senhor disse a Moisés:

– Apresenta-te ao Faraó e fala-lhe: "Assim diz o Senhor, Deus dos hebreus: deixa meu povo sair para que me preste culto. ²Se recusas a deixá-lo sair e continuas retendo-o à força, ³a mão do Senhor se fará sentir no rebanho do campo, cavalos, asnos, camelos, vacas e ovelhas com uma peste maligna. ⁴Mas o Senhor fará distinção entre o rebanho de Israel e o egípcio, de modo que não morra nenhuma rês dos israelitas. ⁵O Senhor estabeleceu um prazo: amanhã o Senhor cumprirá sua palavra contra o país".

⁶O Senhor cumpriu sua palavra no dia seguinte: morreu todo o rebanho dos egípcios, e do rebanho dos israelitas não morreu nenhuma rês.

⁷O Faraó mandou averiguar, e do rebanho dos israelitas não havia morrido nenhuma rês. Mas o Faraó se obstinou e não deixou o povo sair.

Sexta praga: úlceras (Ap 16,2.11) – ⁸O Senhor disse a Moisés e a Aarão:

– Tomai um punhado de fuligem do forno, e Moisés o atire para o céu à vista do Faraó; ⁹ele se transformará, por todo o território egípcio, em pó que cairá sobre homens e animais, produzindo úlceras e chagas em todo o território egípcio.

¹⁰Pegaram fuligem do forno e, à vista do Faraó, Moisés atirou-a para o céu, e homens e animais se cobriram de úlceras e chagas.

¹¹Os magos não puderam resistir diante de Moisés, por causa das úlceras que havia neles e em todos os egípcios.

¹²Mas o Senhor fez que o Faraó se empenhasse em não fazer-lhes caso, conforme o Senhor anunciara.

Sétima praga: tempestade (Ap 11,19; 16,17s; Sl 18; Sb 16,22) – ¹³O Senhor disse a Moisés:

– Madruga amanhã, apresenta-te ao Faraó e dize-lhe: "Assim diz o Senhor, Deus dos hebreus: deixa o meu povo sair, a fim de que me preste culto. ¹⁴Pois desta vez vou soltar todas as minhas pragas contra ti, tua corte e teu povo, para que saibas que não há ninguém como eu em toda a terra. ¹⁵Eu já podia ter soltado minha mão para vos ferir, até que desaparecêsseis. ¹⁶Mas com essa finalidade eu te mantive em teu posto, para mostrar-te minha força e para que minha fama se espalhe em toda a terra.

9,1-7 (Atribuído a J.) A quinta praga atinge o gado doméstico do Egito. O narrador repete o tema da distinção entre hebreus e egípcios, coisa que o Faraó comprova. A apresentação é esquemática.

9,8-12 (Atribuído a P.) Há certo paralelismo entre a peste do gado e as úlceras dos homens: são epidemias gerais. A diferença fundamental é que o gado morre e os homens experimentam na dor do corpo o castigo de Deus. Um dado novo e importante é que os magos, afligidos pelo castigo comum, têm de retirar-se e deixar o terreno da contenda.

9,13-35 Sétima praga (dividida assim: J 13.17-18.23b.2 4a*.24b.25b.26-30.33-34; E 22-23a.24a*.25a.35a; P 35b; adição 14-16. 19-21; 31-32). Pela dimensão, por ser a sétima e por seu caráter, é claro que o narrador atribui importância especial a esta praga, na qual a palavra chave "granizo" se repete quatorze vezes. Uma tempestade de chuva e granizo, com raios e trovões, não é fenômeno meteorológico normal no Egito. Na concepção do narrador, compartilhada com outras culturas, a tempestade é uma teofania: o que outros povos atribuem a um Deus particular, os hebreus o atribuem a Yhwh. A tempestade diz sem ambiguidade que Yhwh domina no território egípcio; é como uma síntese: "todas as minhas pragas".
O narrador não explora nem menciona o estupor ou espanto dos egípcios diante do inusitado fenômeno, mas acrescenta uma série de detalhes muito importantes.

9,15-16 Com outros autores, lemos unidos estes dois versículos, como adversativos, explicando a sucessão das pragas: "Eu podia já ter soltado minha mão para ferir-vos de peste, a ti e a teu povo, até que desaparecêsseis da terra. Mas te mantive no teu posto com essa finalidade..." (citado em Rm 9,17). Como se o leitor, chegado ao anúncio da sétima, perguntasse: não podia o Senhor ter resolvido o pleito na segunda ou na terceira? e o narrador res-

¹⁷Ainda levantas tua barreira diante do meu povo, para não deixá-lo partir. ¹⁸Pois vê, amanhã a estas horas farei cair uma terrível chuva de pedras, como não houve no Egito desde sua fundação até hoje. ¹⁹Agora, pois, manda recolher teu rebanho e tudo o que tens no campo. Homens e animais que se acharem no campo e não se refugiarem nos estábulos, ao cair sobre eles a chuva de pedras, morrerão".

²⁰Os ministros do Faraó que respeitaram a palavra do Senhor fizeram seus escravos se refugiar e, correndo, puseram o rebanho nos estábulos. ²¹Os que não obedeceram à palavra do Senhor deixaram seus escravos e rebanho no campo.

²²O Senhor disse a Moisés:

– Estende tua mão para o céu, e cairá granizo em todo o território egípcio: sobre homens, animais e sobre a erva do campo. ²³Moisés estendeu seu bastão para o céu, e o Senhor enviou à terra trovões, granizo e raios ziguezagueando; o Senhor fez cair granizo no território egípcio. ²⁴Veio o granizo, com raios que se formavam entre o granizo, uma chuva de pedras grandes como não se tinha visto no Egito desde que começou a ser nação. ²⁵O granizo fez destroços em todo o território egípcio: feriu tudo o que se encontrava no campo, homens e animais, destruiu a erva do campo e despedaçou as árvores silvestres. ²⁶Mas no território de Gessen, onde viviam os israelitas, não caiu granizo.

²⁷Então o Faraó mandou chamar Moisés e Aarão, e lhes disse:

– Desta vez agi mal. O Senhor tem razão, e eu e meu povo somos culpados. ²⁸Rezai ao Senhor, pois já basta de trovões e granizo; eu vos deixarei partir sem retê-los mais.

²⁹Moisés lhe respondeu:

– Quando sair da cidade, estenderei as mãos ao Senhor, e cessarão completamente trovões e granizo, para que saibas que toda a terra é do Senhor. ³⁰Mas eu sei que tu e tua corte ainda não respeitais o Senhor Deus.

³¹(O linho e a cevada se perderam, pois a cevada estava espigando e o linho florescia; ³²o trigo e o centeio não se perderam, pois são tardios).

³³Moisés saiu do palácio e da cidade, e estendeu as mãos ao Senhor: os trovões e o granizo cessaram, e a chuva parou de cair sobre a terra. ³⁴O Faraó, vendo que haviam cessado a chuva, o granizo e os trovões, voltou a pecar e se obstinou, tanto ele quanto sua corte, ³⁵e se empenhou em não deixar os israelitas sair, conforme o Senhor havia anunciado por meio de Moisés.

10 Oitava praga: gafanhotos (Jl 1,2-12; Ap 9,1-11) – ¹O Senhor disse a Moisés:

– Apresenta-te ao Faraó, pois eu obstinei a ele e à sua corte, a fim de realizar no meio deles meus sinais; ²para que possas contar a teus filhos e netos como tratei os

---

pondesse: sim, podia, mas... E na resposta oferece a sua interpretação teológica condensada. Deus é o soberano que nomeia reis e os "mantém" em seus postos (Eclo 10,4s) para os seus desígnios: o Faraó há de experimentar o poder controlado de Deus, e por sua experiência pública se difundirá universalmente a fama de Deus (Sl 98,3).

9,18 A expressão é hiperbólica.

9,19-21 Outro elemento novo é condicionar os efeitos do castigo à atuação livre (compare-se com a função do profeta em Ez 33,2-9). Ou seja, que os próprios egípcios serão artífices do seu destino próximo: o jogo é limpo, estão avisados.

9,23 Is 30,30.

9,23-24 Descrição teofânica em Sl 18.

9,26 Esta distinção começou na quarta praga.

9,27 Ez 5,16.

9,27-28 Confissão do culpado em juízo contraditório. O hebraico destaca enfaticamente pondo artigos: o inocente/os culpados. O Faraó se declara disposto a soltar o povo, quando cessar a tempestade. Podia ser o desenlace positivo; mas tanto a condição como a atuação posterior revelam que não houve conversão autêntica: que a promessa brota do Faraó esgotado pelo medo; que, passado o susto, retirará a concessão.

9,29 "A terra" poderia ser o território egípcio, com ênfase particular: aqui manda Yhwh. Se é a terra inteira, diminui a ênfase, mas o Egito fica incluído.

9,31-32 Nota erudita, inserida talvez para justificar a próxima praga dos gafanhotos.

9,34-35 Também o final é fortíssimo, ao acumular (por combinação de documentos?) as expressões de pecado, obstinação e contumácia. Aqui corresponde uma pausa narrativa.

10,1-20 Com a oitava praga começa a terna final (dividida assim: J 1a.3-11.13b. 14b.15a*.15b-19; E 12-13a.15a*. 20; adição 1b-2).

Traz elementos novos, especialmente a introdução e a negociação ampliada em etapas. Repete sete vezes a palavra "gafanhoto".

10,1-2 O novo é a finalidade das pragas para o povo hebreu: hão de ser transmitidas na tradição sucessiva, e pela narração delas o povo há de "reconhecer"

egípcios, e os sinais que executei no meio deles; assim, sabereis que eu sou o Senhor.

³Moisés e Aarão se apresentaram ao Faraó e lhe disseram:

– Assim diz o Senhor, Deus dos hebreus: "Até quando te negarás a humilhar-te diante de mim e deixar o meu povo partir, para que me preste culto? ⁴Se te negares a deixar meu povo partir, amanhã enviarei ao teu território os gafanhotos: ⁵cobrirão a superfície da terra, de modo que não se veja o solo; serão devorados todo o resto e sobra que se salvaram do granizo, todas as plantas que brotam em vossos campos serão devoradas; ⁶encherão tua casa, as casas de teus ministros e de todos os egípcios; algo que teus pais e avós não viram, desde que povoaram a terra até hoje".

Moisés deu meia volta e saiu da presença do Faraó.

⁷Os ministros do Faraó disseram:

– Até quando esse tal nos estará levando à ruína? Deixa essa gente partir, a fim de que preste culto ao Senhor seu Deus. Não compreendes que o Egito está se arruinando?

⁸Fizeram Moisés e Aarão voltar à presença do Faraó, e este lhes disse:

– Ide prestar culto ao Senhor vosso Deus, indicando aqueles que devem ir.

⁹Moisés respondeu:

– Temos de ir com crianças e anciãos, com filhos e filhas, com ovelhas e vacas, para celebrar a festa do Senhor.

¹⁰Ele replicou:

– O Senhor vos acompanhe, se vos deixo partir com vossas crianças... Tendes más intenções. ¹¹Não; vão apenas os homens oferecer culto ao Senhor; é o que pedistes.

E o Faraó os despediu.

¹²O Senhor disse a Moisés:

– Estende tua mão sobre o Egito, faze que o gafanhoto invada o país e devore a erva e tudo o que se salvou do granizo.

¹³Moisés estendeu o bastão sobre o Egito. O Senhor fez soprar sobre o país um vento oriental o dia inteiro e toda a noite; na manhã seguinte, ¹⁴o vento trouxe o gafanhoto, que invadiu todo o Egito e pousou sobre todo o território; gafanhoto tão numeroso como não houve antes nem haverá depois. ¹⁵Cobriu a superfície, devastou as terras, devorou a erva e todos os frutos, tudo o que se salvara do granizo, e não restou nada verde, nem árvores nem erva, em todo o território egípcio.

¹⁶O Faraó chamou depressa Moisés e Aarão, e lhes disse:

– Pequei contra o Senhor vosso Deus e contra vós. ¹⁷Perdoai meu pecado desta vez, rezai ao Senhor vosso Deus, para que afaste de mim esse castigo mortal.

¹⁸Moisés saiu da presença dele e rezou ao Senhor. ¹⁹O Senhor mudou a direção do vento, que começou a soprar do ocidente e levou o gafanhoto, lançando-o em direção ao mar Vermelho: não restou um só deles em todo o território.

²⁰Mas o Senhor fez que o Faraó se empenhasse em não deixar os israelitas partir.

Nona praga: trevas (Sb 17; Ap 16,10) –
²¹O Senhor disse a Moisés:

– Estende tua mão para o céu, e uma escuridão palpável se estenderá sobre o território egípcio.

---

o Senhor. Assim entram na catequese. A notícia pode refletir uma prática: vimos que dois salmos as recolhem (78 e 105) e o livro da Sabedoria as amplifica e comenta.

10,3 As negociações se desenvolvem em três tempos: anúncio (4-6); intervenção dos ministros e novo diálogo (7-11); novo encontro (16-17). O Faraó deve "humilhar-se", reconhecendo a soberania de Deus, a justiça de sua causa, e renunciando às próprias vantagens econômicas. Os gafanhotos são praga comum.

10,7 Acentua-se a distinção entre os egípcios: os cortesãos discordam do soberano. O narrador joga com o verbo que significa reconhecer (o Senhor), e aqui equivale a "compreender" a situação. Os ministros apelam para a responsabilidade política e econômica do soberano: perde mais o Egito com esta série de catástrofes do que soltando a mão de obra que são os escravos.

10,8-11 Esta rodada é mais calculada. O Faraó cede uma vaza com cautela, pedindo a Moisés que descubra as próprias cartas, "aqueles que devem ir". Moisés se sente forte: todos, sem distinção de idade, de sexo, de gado maior ou menor. O Faraó zomba, considera que Moisés mostra demais o próprio jogo. Para uma peregrinação com sacrifícios, bastam os homens adultos e certa quantidade de reses.

10,12-15 As negociações diferiram a execução da ameaça, que vem a seguir, conforme o esquema repetido. Para a descrição da praga, ver Jl 1-2.

10,16-17 A fórmula é nova porque une o Senhor e seus representantes (o verbo "pecar" apareceu em 9,27.34).

10,21-29 (Divide-se assim: **J** 24-26.28-29; **E** 21-23.27.) É uma praga de tipo cósmico, como a sétima. O tema de uma obscuridade prodigiosa e prolongada se prestava à descrição psicológica e à exploração

²²Moisés estendeu a mão para o céu, e uma densa escuridão cobriu o território egípcio durante três dias. ²³Não se viam uns aos outros, nem se moveram de seu lugar durante três dias, ao passo que todos os israelitas tinham luz em seus povoados.
²⁴O Faraó chamou Moisés e Aarão, e lhes disse:
– Ide oferecer culto ao Senhor; também as crianças podem ir convosco, mas deixai as ovelhas e as vacas.
²⁵Moisés respondeu:
– Deves deixar-nos levar vítimas para os sacrifícios que temos de oferecer ao Senhor nosso. ²⁶Também o rebanho deve vir conosco, sem ficar nenhuma rês, pois temos de oferecer parte dele ao Senhor, nosso Deus, e não sabemos o que temos de oferecer ao Senhor até que cheguemos lá.
²⁷Mas o Senhor fez com que o Faraó se empenhasse em não deixá-los partir.
²⁸O Faraó, portanto, lhe disse:
– Sai de minha presença, e cuidado para não voltares a te apresentar; se torno a ver-te, morrerás imediatamente.
²⁹Moisés respondeu:
– Tu o disseste: não voltarei a me apresentar.

11 Décima praga: morte dos primogênitos

– ¹O Senhor disse a Moisés:
– Tenho ainda de enviar uma praga ao Faraó e ao seu país. Depois vos deixará partir daqui, isto é, vos expulsará todos daqui. ²Fala a todo o povo: "Cada homem peça a seu vizinho e cada mulher à sua vizinha objetos de prata e ouro".
³O Senhor fez que o povo ganhasse o favor dos egípcios, e também Moisés era muito estimado no Egito pelos ministros do Faraó e pelo povo.
⁴Disse Moisés:
– Assim diz o Senhor: "À meia-noite eu passarei entre os egípcios; ⁵morrerão todos os primogênitos do Egito, desde o primogênito do Faraó que se senta no trono até o primogênito da serva que trabalha no moinho, e todos os primogênitos do rebanho. ⁶E se ouvirá um imenso clamor por todo o Egito, como nunca houve nem haverá. ⁷Mas, aos israelitas, nenhum cão lhes latirá, nem aos homens nem aos animais; para que saibais que o Senhor distingue entre egípcios e israelitas. ⁸Então todos os teus ministros virão a mim e, prostrados diante de mim, me pedirão: Sai com o povo que te segue. Então sairei".

---

simbólica: o autor do livro da Sabedoria o fez numa de suas melhores páginas (cap. 17). O narrador presente se limita ao fato, e a esta qualificação feliz: palpável, podia-se tocar.
O Faraó cede outro pouco, estendendo a licença às crianças. Mas quer reter o gado como refém. A resposta de Moisés não é convincente em termos objetivos; através de sua debilidade, deixa entrever a verdadeira intenção de Moisés. O autor o deixa à interpretação do leitor.
10,28-29 O final é decisivo: foram rompidas definitivamente as negociações. Mas não combina com a praga seguinte. De algum modo, a décima praga fica assim isolada, apesar dos outros fatores de ligação.

11,1-10 (Divide-se assim: J 4-8; E 1-3; P 9-10.) Chega enfim a última praga, a decisiva; mas aqui acontece uma sacudida violenta na curva do relato. É que a morte dos primogênitos pertence a duas ou três constelações temáticas. Pertence lógica e estilisticamente à série das pragas: demonstra-o com a posição e os elementos comuns. Pertence ao mundo litúrgico da celebração da Páscoa, o que ocasiona uma interrupção longa entre o anúncio do castigo e a sua execução. Pertence também à lei dos primogênitos, à qual se dedica uma seção particular. A imbricação destes campos de atração pode ter tido valor teológico e emotivo para os israelitas. O curso narrativo sofre com essa afluência de águas alheias, com esses remansos que detêm e distraem.

Não resta outro remédio senão ir tomando-os como chegam no texto atual.
11,1 Anúncio formal do Senhor, que controla os acontecimentos e comunica a certeza deles.
11,2-3 Glória para Moisés e riqueza para os hebreus. A primeira combina pela metade com os dados precedentes e seguintes; a segunda pertence ao tema da "espoliação dos egípcios" (12,36).
11,4 A quem Moisés se dirige? Se depende do v. 2, dirige-se ainda ao povo. Mas o v. 8 supõe enfaticamente que ele fala ao Faraó, na presença deste (contra o que se disse em 10,29); o uso das pessoas nos vv. 7-8 o confirma: "israelitas" na terceira pessoa, "teus ministros" na segunda. Esta "saída" do Senhor é como uma saída militar e preludia a grande saída dos israelitas. Ex 12,12.
11,5 Recordemos que em 4,23 se mencionava só o primogênito do soberano. Por que se amplia o castigo? Responde ainda à lei do talião? Podemos raciocinar que o "primogênito" de *Yhwh* é uma coletividade, razão pela qual o castigo deve ser coletivo.
11,6-7 Parece que o narrador opõe ao grande clamor de queixa dos egípcios o silêncio dos cães que não se atrevem a ladrar hostilmente aos israelitas. O cão era animal desprezível, muitas vezes semiferoz.
11,8 Apreciaremos a eficácia deste v. imaginando plasticamente a cena, escutando a triplicação do verbo "sair" até o gesto final: saída do Senhor, de Moisés, do povo.

E saiu irado da presença do Faraó.

⁹O Senhor disse a Moisés:

– O Faraó não vos obedecerá, e assim se multiplicarão meus prodígios no Egito.

¹⁰E Moisés e Aarão fizeram todos esses prodígios na presença do Faraó; mas o Senhor fez com que o Faraó se empenhasse em não deixar os israelitas partir de seu território.

12 Páscoa (Lv 23,5-8; Nm 9,1-14; Dt 16,1-8; Js 5,10) –

¹Naqueles dias, o Senhor disse a Moisés e Aarão no Egito:

– ²Este mês será para vós o principal, será para vós o primeiro mês do ano. ³Dizei a toda a assembleia de Israel: No dia dez deste mês, cada um providenciará uma rês para sua família, uma por casa. ⁴Se a família é muito pequena para consumi-la, junte-se com o vizinho de casa; a rês será repartida conforme o número de comensais e o que cada um comer. ⁵Será um animal sem defeito, macho, de um ano, cordeiro ou cabrito. ⁶Vós o guardareis até o dia catorze do mês, e então toda a assembleia de Israel o matará ao entardecer. ⁷Com um pouco do sangue, aspergireis os dois batentes e a travessa da casa onde o tiverdes comido. ⁸Nessa noite comereis a carne assada ao fogo, acompanhada de pão sem fermento e verduras amargas. ⁹Dela não comereis nada cru, nem cozido em água, mas assado ao fogo: com cabeça, patas e entranhas. ¹⁰Não deixareis restos para a manhã seguinte, e se algo sobrar o queimareis. ¹¹E o comereis assim: com a cintura cingida, as sandálias nos pés, um bastão na mão; e o comereis depressa, porque é a Páscoa do Senhor.

11,9-10 Recolhem na inclusão o começo do cap. 7, como que encerrando o ciclo das pragas; mas fica pendente a execução. Pode-se ler Sb 11-12 e 16-19 como comentário midráxico das pragas. Em Ap 16 ressoam os temas das pragas.

12,1-13,16 Este texto é muito difícil para uma primeira leitura, porque está composto de materiais heterogêneos não bem integrados: peças narrativas, prescrições litúrgicas, frases de catequese.
O que complica mais a leitura é a superposição de perspectivas. Suponhamos dois elementos originários independentes: uns fatos históricos, umas práticas litúrgicas. Em dado momento, os dois elementos se fundem: a história justifica e explica o rito, a liturgia comemora e atualiza dramaticamente os fatos passados. O autor sobrepõe ambos os elementos com perspectiva mutante.
Podemos imaginar uma ação litúrgica em primeiro plano, dentro da qual se recorda e se representa sua suposta origem histórica. Podemos pensar na narração histórica, sobre a qual vai-se projetando sua versão litúrgica posterior. Na narração e no cinema de nossos dias, não são raros procedimentos semelhantes, e nos ajudam a aproximar-nos do texto bíblico.
A parte narrativa inclui: a morte dos primogênitos, comer o cordeiro e o rito de marcar com sangue os batentes, a refeição apressada do pão sem fermento, a fuga precipitada com os presentes ou empréstimos dos egípcios.
A parte litúrgica inclui: o rito da páscoa com suas rubricas e cerimônias, os pães ázimos, a consagração dos primogênitos. Com duas adições de caráter catequético, para instrução das crianças.
A manducação ritual de um cordeiro é prática de pastores, a dos pães ázimos supõe um povo agricultor; a consagração de primogênitos não tem fronteiras culturais. A manducação do cordeiro se liga à lembrança da proteção aos israelitas durante a noite trágica; a manducação dos ázimos se liga à lembrança da saída apressada; a consagração dos primogênitos se liga à matança dos primogênitos do Egito. Assim ficam historicizadas e reunidas essas três práticas, e assim se garante a lembrança perpétua de tradições históricas.
É como se lêssemos um missal ou livro litúrgico seguidamente, passando de um texto narrativo a uma rubrica (em letra vermelha), a uma lei, a uma explicação. A união do fato com sua recordação litúrgica é experiência vivida pelo autor, e serve a nós para entendermos e celebrarmos nossa Páscoa. Podemos articular o texto assim: instruções de Deus: páscoa e ázimos (12,1-20); instruções de Moisés (21-27a); cumprimento (27b-28); relato (29-39); sumário (40-42); instruções de Yhwh (43-49); cumprimento (50); sumário (51); instruções de Yhwh (13,1-2); instruções de Moisés (3-16). Tem sido proposta a seguinte divisão de fontes: (P) 12,1-20.28.40-51; 13,1-2 (E) 12,35-36 (J) 12,12-23.27b.29-34.37-39 (D) 12,24-27a; 13,3-16).

12,1-14 Primeira parte das instruções do Senhor. Até o v. 11 se lê como ritual de cerimônias que se devem observar ao celebrar a páscoa: qualidade do animal, os que vão comê-lo, como prepará-lo e comê-lo, data exata e hora do dia. Os vv. 12-13 funcionam como explicação histórica do rito; no relato, funcionam como anúncio do fato iminente. O v. 14 sanciona o anterior como lei do Senhor. Sobre a origem dessa festa, a manducação ritual de um cordeiro, só temos conjeturas.

12,2 O dado supõe um calendário estabelecido, com um ano que começa na primavera (nisã); diferente do que faz o ano começar no outono.

12,3-4 Tem que haver um número mínimo, de modo que todos participem de um só animal; e a festa deve ter caráter familiar.

12,6 Não sabemos a razão dos quatro dias: para dedicar-lhe cuidados especiais? O entardecer, antes que comece o dia 15 ao pôr do sol.

12,7 A origem do rito pode ser apotropéica, para afastar influxos nefastos. O v. 13 o historia. Segundo 11,7, o Senhor se encarrega de distinguir entre egípcios e hebreus, sem recurso ao sinal do sangue.

¹²Nessa noite, atravessarei todo o território egípcio, matando todos os seus primogênitos, de homens e de animais; e farei justiça sobre todos os deuses do Egito. Eu sou o Senhor. ¹³O sangue será vossa senha nas casas onde estiverdes: quando vir o sangue, passarei adiante; a praga exterminadora não vos tocará, quando eu passar ferindo o Egito. ¹⁴Esse dia será memorável para vós, nele celebrareis festa para o Senhor. Lei perpétua para todas as gerações.

Os ázimos (Nm 9,11; 1Cor 5,7s) – ¹⁵Durante sete dias comereis pães ázimos; no primeiro dia, fareis desaparecer de vossas casas todo fermento, pois aquele que comer algo fermentado será excluído de Israel. Desde o primeiro dia até o sétimo. ¹⁶No primeiro dia se faz a assembleia litúrgica, e o mesmo no sétimo dia: neles não trabalhareis; somente preparareis o que faltar para cada um comer. ¹⁷Observareis a lei dos ázimos, porque nesse dia o Senhor tirou seus esquadrões do Egito. Nesse dia fareis festa: é lei perpétua para todas as vossas gerações. ¹⁸Desde o dia catorze pela tarde até a tarde do dia vinte e um, comereis pães ázimos; ¹⁹durante sete dias não haverá fermento em vossas casas, pois quem comer algo fermentado será excluído da assembleia de Israel, seja forasteiro seja nativo. ²⁰Não comais nada fermentado, mas comei pães ázimos em todos os vossos povoados.

Ordens de Moisés – ²¹Moisés chamou todas as autoridades de Israel e lhes disse:
– Escolhei uma rês por família e degolai a vítima da Páscoa. ²²Tomai um ramo de hissopo, molhai-o no sangue do prato e ungi de sangue a travessa e os dois batentes, e nenhum de vós saia pela porta da casa até a manhã seguinte. ²³O Senhor vai passar ferindo o Egito e, quando vir o sangue na travessa e nos batentes, passará adiante e não permitirá que o exterminador entre em vossas casas para ferir. ²⁴Cumpri esta ordem do Senhor: É lei perpétua para vós e vossos filhos. ²⁵E quando entrardes na terra que o Senhor vos dará, segundo a promessa, observareis esse rito. ²⁶E quando vossos filhos perguntarem o que significa esse rito, ²⁷respondereis: É o sacrifício da Páscoa do Senhor. Ele passou no Egito junto às casas dos israelitas, ferindo os egípcios e protegendo nossas casas.
²⁸O povo se inclinou e se prostrou. E os israelitas foram e puseram em prática o que o Senhor havia ordenado a Moisés e a Aarão.

Saída de Israel (Sb 18,5-19; Sl 105,36-38) – ²⁹À meia-noite, o Senhor matou todos os primogênitos do Egito, desde o primogênito do Faraó que se senta no trono, até o primogênito do preso fechado no calabouço, e os primogênitos dos animais. ³⁰Ainda de noite, levantaram-se o Faraó, sua corte

---

12,12 "Atravessar" ou passar: com o verbo *psh*, da mesma ou da homófona raiz que "páscoa". A Vulgata traduzia *"id est transitus Domini"*. Supõe que os hebreus moram misturados com a população, não à parte, na região de Gessen.
A confrontação com o rei se eleva ao nível das divindades: *Yhwh* julga e condena os deuses do Egito, demonstrando que "não há como ele" (Sl 82).
12,13 "Exterminadora": desta expressão e do v. 23 saiu a fórmula do "anjo exterminador".
12,14 O dia – sem antecedente imediato – seria o dia 15, que começa na tarde precedente. O autor atribui ao Senhor a instituição da festa, a fundamenta num fato passado e lhe garante validade perpétua.
12,15-20 Segue-se a instrução do Senhor sobre a semana dos ázimos. A explicação histórica é forçada. O caráter litúrgico predomina. A prescrição continua sendo observada hoje rigorosamente. Paulo lhe dá interpretação espiritual: 1Cor 5,7-8.
12,21-27a Moisés transmite ao povo as ordens do Senhor. Como de costume, não é pura repetição. Segundo essa versão (J), não devem sair de casa até a manhã: por toda a noite dura o perigo do "exterminador" e a "passagem" do Senhor.
12,22 Hb 9,19.
12,23 Is 26,20.

12,24-27a O modo de inculcar o mandamento, a referência à terra e à catequese infantil recordam a linguagem do Deuteronômio. Explica-se o rito da páscoa com uma paronomásia do termo *pessah*.
12,27b Supõe-se que seja ato de homenagem ao Senhor, acatando suas ordens.
12,29-42 Cumprido o rito, o ritmo narrativo se apressa, sem conseguir uma composição clara; o autor quer reunir todos os dados e, no final, acrescenta um sumário erudito.
O tema da noite abre e encerra com força sugestiva (29-30.42): noite de morte, aterrorizada por um clamor imenso, noite de urgência, noite de vigília. Não concorda com a ordem precedente, de esperar até o amanhecer. Ver a dramática exposição de Sb 18,5-19. No meio se desenvolve velozmente a saída: o Faraó agora convida ou manda sair, os egípcios apressam os israelitas e lhes dão donativos, e estes se põem em marcha. Duas vezes (34 e 39) os pães sem fermento são sinal de uma pressa que contrasta com os minuciosos preparativos da ceia pascal.
O restante são informações tão rigorosas quanto duvidosas sobre o número dos que saíram (exagero fantástico), a direção da marcha (13,20), a duração da estadia (quatro gerações, segundo 6,14-27).

e todos os egípcios, e ouviu-se um clamor imenso em todo o Egito, pois não havia casa em que não houvesse um morto. ³¹O Faraó chamou Moisés e Aarão de noite e lhes disse:

– Levantai-vos, saí do meio do meu povo, com todos os israelitas; ide oferecer culto ao Senhor, conforme pedistes; ³²levai também as ovelhas e as vacas, como dizíeis; despedi-vos de mim, e parti.

³³Os egípcios tinham pressa que o povo saísse o quanto antes do país, pois tinham medo de morrer todos. ³⁴O povo tirou das amassadeiras a massa sem fermentar, envolveu-a em mantos e a carregou no ombro. ³⁵Além disso, os israelitas fizeram o que Moisés lhes havia ordenado: pediram aos egípcios objetos de prata, ouro e roupas; ³⁶o Senhor fez com que ganhassem o favor dos egípcios, que lhes deram o que pediam. E assim despojaram o Egito.

³⁷Os israelitas partiram de Ramsés para Sucot: eram seiscentos mil homens a pé, sem contar as crianças; ³⁸e uma multidão imensa os seguia, com ovelhas e vacas e enorme quantidade de rebanhos. ³⁹Assaram a massa que haviam tirado do Egito, fazendo pão ázimo, pois não havia fermentado, porque os egípcios os expulsavam, e não podiam deter-se, e tampouco levaram provisões.

⁴⁰A estadia dos israelitas no Egito durou quatrocentos e trinta anos. ⁴¹Cumpridos os quatrocentos e trinta anos, os esquadrões do Senhor saíram do Egito, no mesmo dia. ⁴²Noite em que o Senhor vigiou para tirá-los do Egito: noite de vigília para os israelitas, por todas as gerações.

Rito da Páscoa – ⁴³O Senhor disse a Moisés e a Aarão:

– Este é o rito da Páscoa. Nenhum estrangeiro a comerá. ⁴⁴Os escravos que tiveres comprado, circuncida-os, e somente então poderão comê-la. ⁴⁵Nem o criado nem o diarista a comerão. ⁴⁶Cada cordeiro deve ser comido dentro de uma casa, sem excluir nada da carne, e não lhe quebrareis nenhum osso. ⁴⁷A comunidade inteira de Israel a celebrará. ⁴⁸E se o migrante que vive contigo quiser celebrar a Páscoa do Senhor, fará circuncidar todos os homens, e somente então poderá participar dela: será como um nativo. Mas nenhum incircunciso a comerá. ⁴⁹A mesma lei vale para o nativo e o migrante que vive convosco.

⁵⁰Os israelitas assim fizeram, cumprindo tudo o que o Senhor ordenara a Moisés e Aarão. ⁵¹E naquele mesmo dia, o Senhor tirou do Egito os israelitas, por esquadrões.

13 ¹O Senhor disse a Moisés: – ²Consagra-me todos os primogê-

---

12,35 Ex 3,22.
12,37 Nm 33,1-5.
12,39 Dt 16,3.
12,40 Gn 15,13.
12,41 Ex 12,17.
12,43-51 Novo discurso do Senhor a Moisés, com normas para a celebração da páscoa (o título "Rito da Páscoa" é parte do texto bíblico e vem no final do v. 43). O modo de falar do migrante denota uma situação na terra de Canaã; criados e diaristas supõe-se que não sejam israelitas. A Páscoa será uma festa de israelitas, que os une e distingue, e terá caráter familiar. A disposição se chama "rito" e "lei", e com isso fica incluída na legislação (Ex, Nm, Lv) e atribuída a Deus como autor. A exigência da circuncisão inspira o cap. 5 de Josué. Jo 19,36 recolhe e aplica a Jesus, Cordeiro imolado, a prescrição sobre não lhe quebrar osso algum.
12,44 Js 5,2-9.
12,46 Jo 19,36.
13,1-16 Em seu teor e no seu lugar, esta seção se torna difícil. Mas é possível analisá-la e justificar o trabalho do autor final. Antes de tudo, repete-se o esquema: Deus fala a Moisés (1-2); Moisés fala ao povo (3-16). Só que Deus enuncia um só tema novo: os primogênitos; ao passo que Moisés trata de dois: os ázimos (3-10) e os primogênitos (11-16). Estes dois se desenvolvem em termos paralelos: entrada na terra (5 e 11); catequese (8 e 14); função como sinal (9 e 16); fórmula do êxodo (9 e 16).
O discurso de Moisés é mandamento, exortação e motivação (parece-se com o estilo do Deuteronômio). Não se devem contentar apenas com executar um rito, mas hão de compreender seu sentido de modo que atue na vida: será vivamente recordado e terá caráter corpóreo: na fronte, mão e lábios. A mão o executa, os lábios o pronunciam, a fronte o declara.
13,2.11-16 A oferta ou consagração de primogênitos se relaciona estreitamente com a oferta das primícias; é provável que os israelitas a tenham tomado de outros povos. Alguns comentadores pensam até que, na sua origem, se tratava do sacrifício do primogênito, e aduzem o caso de Abraão (Gn 22). Sobre essa consagração legislam outros textos: Ex 22,29s; 34,19; Dt 13,14-16; 15,19-23. Contra o sacrifício de crianças há muitas referências no AT: considera-se prática abominável. O texto presente serve para vincular o rito ao acontecimento do êxodo: o Senhor protegeu do "extermínio" os primogênitos israelitas, agora os reclama para si; e permite resgatá-los.
13,2 Nm 18,15-18.

nitos israelitas; o primeiro parto, tanto de homens quanto de animais, me pertence.

³E Moisés disse ao povo:
– Lembra-te sempre deste dia em que saístes do Egito, da escravidão, quando com mão forte o Senhor vos tirou daí. ⁴Não se comerá nada fermentado nesse dia. Estais saindo hoje, mês de abril.

Os pães ázimos – ⁵Quando o Senhor te houver introduzido na terra dos cananeus, heteus, amorreus, heveus e jebuseus, que jurou a teus pais que te daria, terra que mana leite e mel, então nesse mês celebrarás o seguinte rito: ⁶durante sete dias comerás pães ázimos, e no sétimo dia se fará festa em honra do Senhor. ⁷Durante esses sete dias se comerá pão ázimo, e não deverá aparecer fermento nem nada fermentado em todo o teu território. ⁸E explicarás esse dia a teu filho: "Isso é pelo que o Senhor fez em meu favor, quando saí do Egito". ⁹Isso te servirá como sinal no braço e memória na fronte, para que tenhas nos lábios a Lei do Senhor, que te tirou do Egito com mão forte. ¹⁰Guardarás este mandamento todos os anos, em sua data.

Os primogênitos (Dt 15,19-23; Nm 3,11-13) – ¹¹Quando o Senhor te introduzir na terra dos cananeus, como jurou a ti e a teus pais, e a entregar a ti, ¹²dedicarás todos os primogênitos ao Senhor: o primeiro parto de teus animais, se for macho, pertence ao Senhor. ¹³A primeira cria de asno tu a resgatarás com um cordeiro; se não a resgatares, a desnucarás. Mas os primogênitos humanos sempre os resgatarás. ¹⁴E amanhã, quando teu filho te perguntar: "O que significa isso?", tu lhe responderás: "Com mão forte o Senhor nos tirou do Egito, da escravidão. ¹⁵O Faraó se havia obstinado em não nos deixar sair, e então o Senhor matou todos os primogênitos do Egito, tanto de homens quanto de animais. Por isso eu sacrifico ao Senhor todo primogênito macho dos animais. Mas os primogênitos de meus filhos eu os resgato". ¹⁶Isso te servirá como sinal no braço, e frontal entre os olhos, de que o Senhor te tirou do Egito com mão forte.

Rumo ao mar Vermelho – ¹⁷Quando o Faraó deixou o povo partir, Deus não os guiou pelo caminho da Palestina, que é o mais curto, pensando que se arrependeriam se fossem atacados, e voltariam ao Egito. ¹⁸Por isso Deus fez que o povo desse uma volta pelo deserto rumo ao mar Vermelho. Os israelitas tinham saído do Egito bem armados. ¹⁹Moisés tomou consigo os ossos de José, como ele fizera os israelitas jurar: "Quando Deus vos visitar, levareis daqui meus ossos".

²⁰Partiram de Sucot e acamparam em Etam, à margem do deserto. ²¹O Senhor caminhava diante deles, de dia numa coluna de nuvens para guiá-los, de noite numa coluna de fogo para iluminá-los; assim, podiam caminhar dia e noite. ²²Não se afastava diante deles nem a coluna de nuvens de dia, nem a coluna de fogo de noite.

13,8 Dt 6,20.
13,9 Dt 6,8; 11,18.
13,17-22 Depois da ampla interrupção legal, continua a narração. Estes versículos nos oferecem um panorama genérico do caminho pelo deserto, indicam a segunda etapa e buscam uma razão teológica para a dilação que significou a viagem pelo deserto.
13,17-18 Teoricamente, à saída do Egito devia corresponder a entrada na Palestina rapidamente e pelo caminho mais curto: o caminho era a costa. Os fatos da tradição contradizem a teoria, e devemos buscar uma ou várias explicações. Logo na saída, tropeçamos com a primeira: o rodeio assegura a perseverança dos israelitas.
Bem armados, ou então "em grupos de cinquenta"; talvez em harmonia com a saída "por esquadrões" (12,41.51).
13,19 Assim se cumpre o juramento feito a José (Gn 50,25). Os ossos de José têm de reunir-se aos de seus pais; a linha patriarcal tem de voltar à terra prometida, para dela tomar posse na morte, já que não em vida. A terra do descanso: Canaã e não o Egito.
13,21-22 Não sabemos como o narrador o imaginava: talvez como fumarada artificial e como tocha, ou fogueira transportável, que serve de sinal para a multidão por um deserto sem caminhos. O que está claro é a função desses elementos: significam a presença constante do Senhor e a guia dele concreta em cada caso.
13,21 Is 4,4-6.
13,22 Sl 105,39.

14 Passagem do mar Vermelho (Sb 19,1-9; Sl 136,13-15) – ¹O Senhor disse a Moisés:

– ²Dize aos israelitas que voltem e acampem em Piairot, entre Magdol e o mar, diante de Baal Sefon; acampai em frente ao mar. ³O Faraó pensará que os israelitas estão encurralados no país e que o deserto fecha sua passagem. ⁴Farei que o Faraó se empenhe em perseguir-vos, e me cobrirei de glória, derrotando o Faraó e seu exército, e os egípcios saberão que eu sou o Senhor.

Os israelitas assim fizeram.

⁵Quando comunicaram ao rei do Egito que o povo tinha fugido, o Faraó e sua corte mudaram de opinião sobre o povo e comentaram: "O que fizemos? Deixamos partir nossos escravos israelitas". ⁶Mandou preparar um carro e tomou consigo suas tropas: ⁷seiscentos carros escolhidos e os outros carros do Egito, com seus correspondentes oficiais.

⁸O Senhor fez que o Faraó se empenhasse em perseguir os israelitas, enquanto estes saíam ostensivamente.

⁹Os egípcios os perseguiram com cavalos, carros e cavaleiros, e os alcançaram enquanto acampavam em Piairot, diante de Baal Sefon.

¹⁰O Faraó se aproximava. Os israelitas levantaram os olhos e viram os egípcios que avançavam atrás deles, e, mortos de medo, gritaram ao Senhor. ¹¹E disseram a Moisés:

– Não havia sepulturas no Egito? Trouxeste-nos ao deserto para morrermos. O que nos fizeste, tirando-nos do Egito? ¹²Não te dizíamos ainda no Egito: "Deixa-nos em paz, e serviremos aos egípcios; é melhor para nós servir aos egípcios do que morrer no deserto"?

¹³Moisés respondeu ao povo:

– Não tenhais medo; ficai firmes, e vereis a vitória que o Senhor vai conceder-vos hoje; esses egípcios que vedes hoje, jamais voltareis a vê-los. ¹⁴O Senhor lutará por vós; quanto a vós, esperai em silêncio.

---

14 A passagem do mar Vermelho (em hebraico, dos Caniços) assinala topograficamente a saída do povo: é a última batalha, não combatida, a última fronteira. Concentra todas as tensões precedentes numa jornada definitiva, e por isso sua lembrança é cifra abreviada. O mar Vermelho divide a geografia, divide a história e se converte em linha divisória da existência. Para os israelitas e, como paradigma, para nós: passar é salvar-se.
A recordação dessa passagem aflora muitas vezes no AT. Temos neste livro uma versão poética, o canto heroico do cap. 15; temos uma versão mais realista e psicológica, atribuída ao Javista, e outra mais doutrinal e abstrata, atribuída ao autor Sacerdotal. Com essas duas e um toque do Eloísta – diz a teoria documentária, – o último narrador compôs o presente capítulo. Isso explica as repetições temáticas e as mudanças de tonalidade. A divisão comumente aceita é a seguinte, com algumas dúvidas:
J 5b.6.9aa.10ba.11-14.19b.21ab.24.25b. 27abb.30-31
E 5a.7.19a.25a
P 1-4.8.9abb.15-18.21aab.22-23.26.27a. 28-29.
Segundo o Javista, o Faraó toma a iniciativa, o povo discute com Moisés, entram em jogo os elementos, a derrota egípcia é salvação para os israelitas. Segundo o Sacerdotal, Deus toma a iniciativa, e a narração se transforma em três ordens e anúncios, com a consequente execução e cumprimento. Apesar dessas divergências, o texto atual tem a suficiente coerência para permitir uma leitura seguida e unitária, como o narrador a quis.
Guiados por introduções e conclusões, dividimos o relato em três cenas que iremos comentando: diante do mar domina a perseguição (1-14); entrada no mar (5-25); morte no mar e saída salvadora (26-31).

14,1-14 À linguagem bélica se sobrepõe a visão de um grande juízo histórico, de castigo e libertação, no qual Deus julga como soberano. De fato, não se combate, o povo assiste.

14,1-4 O relato começa com um discurso do Senhor, que contém uma ordem concreta e um anúncio narrativo. O procedimento projeta os acontecimentos até ao seu lugar de origem, Deus, transformando-os em palavra certa e eficaz. Na derrota próxima, o Senhor revelará a sua glória, e os derrotados o reconhecerão, contra a própria vontade.

14,5-9 O cumprimento do anúncio vem em duas versões combinadas. A primeira (5-7) é uma reflexão humana do Faraó sobre a imprudência cometida. A segunda (8-9) toma a perspectiva teológica e, ligando-se com 2, coloca os inimigos em posição próxima.

14,5 Jr 34,11.

14,10-14 A visão inesperada do perseguidor introduz a primeira crise grave depois da fuga, prelúdio de outras semelhantes que sucederão. O grito de auxílio ao Senhor é ainda oração, eco dos gritos de socorro no Egito. Em seguida, o medo provoca o protesto contra Moisés. A liberdade é risco, ela se ganha e se defende entre perigos; os israelitas se sentem divididos entre a ânsia de liberdade e o desejo de segurança: no meio do risco, têm saudades da segurança na escravidão. A queixa é amarga e nega o sentido da libertação: "sair para morrer".
Moisés responde com a fórmula clássica de um oráculo de salvação. Segundo um esquema clássico, o povo deve manter a calma e esperar em silêncio a intervenção de Deus (Is 30,15; Lm 3,26).

14,11 Nm 11,4-6.
14,12 Nm 14,1-4.

¹⁵O Senhor disse a Moisés:
– Por que gritas a mim? Dize aos israelitas que avancem. ¹⁶Quanto a ti, levanta o bastão e estende a mão sobre o mar, e ele se abrirá em dois, de modo que os israelitas possam atravessá-lo a pé enxuto. ¹⁷Eu farei que o Faraó se empenhe para entrar atrás de vós, e mostrarei a minha glória, derrotando o Faraó com seu exército, seus carros e cavaleiros, ¹⁸para que o Egito saiba que eu sou o Senhor, quando mostrar minha glória, derrotando o Faraó com seus carros e cavaleiros.

¹⁹O anjo de Deus, que caminhava à frente do acampamento israelita, levantou-se e passou à sua retaguarda; a coluna de nuvens que estava à frente deles se pôs atrás deles, ²⁰colocando-se entre o acampamento egípcio e o acampamento israelita; a nuvem escureceu e a noite ficou escura, de modo que não puderam aproximar-se uns dos outros durante a noite inteira.

²¹Moisés estendeu a mão sobre o mar, e o Senhor fez o mar se retirar com um forte vento oriental que soprou toda a noite; o mar ficou seco e as águas se dividiram em duas. ²²Os israelitas entraram pelo mar a pé enxuto, e as águas formaram uma muralha à direita e à esquerda. ²³Os egípcios, perseguindo-os, entraram atrás deles no mar, com os cavalos do Faraó, seus carros e seus cavaleiros.

²⁴De madrugada, o Senhor olhou da coluna de fogo e de nuvens e desbaratou o exército egípcio. ²⁵Travou as rodas dos carros, fazendo-os avançar com dificuldade. Os egípcios disseram:
– Fujamos dos israelitas, porque o Senhor combate por eles.

²⁶Mas o Senhor disse a Moisés:
– Estende tua mão sobre o mar, e as águas se voltarão contra os egípcios, seus carros e seus cavaleiros.

²⁷Moisés estendeu a mão sobre o mar: ao despontar o dia, o mar recuperou seu estado normal, os egípcios em fuga foram de encontro a ele, e o Senhor arrojou os egípcios no meio do mar. ²⁸As águas, ao reunir-se, cobriram carros, cavaleiros e todo o exército do Faraó que haviam entrado no mar perseguindo Israel, e não escapou um sequer. ²⁹Mas os israelitas passaram a pé enxuto pelo mar, enquanto as águas formavam como que uma muralha à direita e à esquerda.

³⁰Nesse dia, o Senhor livrou os israelitas dos egípcios, e os israelitas viram os cadáveres dos egípcios à beira-mar. ³¹Os israelitas viram a magnífica mão de Deus e o que fez aos egípcios; temeram ao Senhor e creram no Senhor e em Moisés, seu servo.

15 ¹Então Moisés e os israelitas cantaram este canto ao Senhor:

14,15-18 A pergunta de Deus supõe uma peça que falta: uma oração de Moisés como em 5,22-23. Repete-se o esquema de ordem e anúncio. A ação avançará para enfrentar o limite extremo do perigo. Aí se mostrará a glória do Senhor.
14,16 Sl 106,9; Is 11,15s.
14,19-20 Estes dois versículos interrompem o curso narrativo normal, que seria a execução da ordem e o cumprimento do anúncio. A função narrativa é atrasar a solução e abrir espaço para uma descrição de grande densidade simbólica. A nuvem condutora desempenha uma função nova: adensar a escuridão e imobilizar os atores até o momento oportuno.
14,20 Sl 34,8.
14,21-22 Na escuridão e silêncio da noite, lutam dois elementos cósmicos: o mar hostil, devorador, e o vento a serviço de Deus (Sl 104,4). Como num novo Gênesis, como no final do dilúvio, a água se retira e a terra aparece no meio dela. A água hostil se transforma em muralha protetora, em passagem segura para a luz do amanhecer. Direita e esquerda significam também sul e norte, e se prestam a uma reflexão simbólica.
14,23 Sb 10,18s.

14,24 Menciona-se um elemento que faltava, o fogo. O momento é a terceira vigília em que se divide geralmente a noite. A salvação chega pela manhã (Sl 17,15; 57).
14,26 Nova ordem, sem anúncio, e execução imediata. Como as águas, o desenlace se precipita.
14,30-31 Morte e vida com liberdade, é o final do juízo de separação. Os israelitas são testemunhas e por isso mudam de atitude interna. O medo de antes se transforma em "respeito" reverencial (a mesma palavra hebraica) e a desconfiança se muda em fé. É quase um nascimento do povo.
14,30 Is 37,36.
15,1-2 "Cavaleiros" ou aurigas. Os antigos egípcios usavam carros ligeiros, não cavalgavam; mas o autor do poema talvez não tivesse conhecimento desse dado. "Poder": por coerência de uma provável hendíadis, ou música. "O Senhor": na forma apocopada *Yah*. "Meu pai": seria Jacó, pai das tribos.
15,1-21 Emoldurado por introdução breve e conclusão ampla, soa aqui este canto heroico ou epinício, hino triunfal. Peça antológica da poesia hebraica. Os autores têm discutido sua origem e sua data, alguns tentaram reconstruir seu processo genético.

¹"Cantarei ao Senhor,
 sublime é sua vitória,
 cavalos e cavaleiros
 ele arrojou ao mar.
²Minha força e meu poder
 é o Senhor,
 ele foi minha salvação.
Ele é meu Deus: eu o louvarei;
 o Deus de meu pai:
 eu o exaltarei.
³O Senhor é um guerreiro,
 seu nome é o Senhor.
⁴Os carros e a tropa do Faraó,
 lançou-os ao mar,
 afogou no mar Vermelho
 a elite dos capitães.
⁵As ondas os cobriram,
 desceram até o fundo
 como pedras.
⁶Tua direita, Senhor, é forte
 e magnífica;
 tua direita, Senhor,
 tritura o inimigo;
⁷tua grande vitória
 destrói o adversário,
 atiras teu incêndio
 que os devora como palha.
⁸Ao sopro do teu nariz
 as águas se amontoaram,
 as correntes se levantaram
 como um dique,
 as ondas se retesaram no mar.
⁹O inimigo dizia:
 'Eu os perseguirei e alcançarei,
 repartirei os despojos,
 minha cobiça se saciará,
 desembainharei a espada,
 minha mão os agarrará'.
¹⁰Mas teu alento soprou
 e o mar os cobriu,
 afundaram como chumbo
 nas águas formidáveis.
¹¹Quem é igual a ti
 entre os deuses, Senhor,
 magnífico em tua santidade,
 temível por tuas proezas,
 autor de prodígios?

O poema tem resistido, evidente em sua beleza lírica. A introdução diz que os executores foram Moisés e os israelitas. Daí a designação frequente como "cântico de Moisés" (que também se aplica a Dt 32 e ressoa em Ap 15,3). A ligação com o relato precedente é explícita: "então". O autor quer que o escutemos como resposta jubilosa do povo à intervenção triunfal e libertadora do seu Deus. (Assim o executamos na liturgia pascal do sábado santo.) A conclusão apresenta primeiro uma nota em prosa, 19, de ligação narrativa com o cap. 14. Depois, no 20, atribui a execução a Maria, dirigindo um coro de bailarinas. A nota não contradiz a introdução, mas a completa, chamando a atenção para o papel feminino na celebração; o que harmoniza com o papel preponderante das mulheres no começo do livro. O v. 21 parece definir o primeiro versículo como estribilho, se não é um *incipit*.

O canto consta de duas partes: a cena junto ao mar e a caminhada até entrar na terra. Quer dizer, historicamente não se encaixa neste lugar. Sua função é outra: para uma comunidade que sabe de cor e tem assimilada a sua tradição, o canto é como um obelisco plantado aqui e neste momento, sintetizando a inteira epopeia da libertação. Não percamos de vista os leitores, pois também nós o somos.

O desenvolvimento das duas partes nos oferece um refinamento de composição. A primeira parte se concentra nos egípcios, perseguidores e afogados no mar. Não se menciona a passagem dos israelitas, embora seja sugerida no dique milagroso das águas. A passagem dos israelitas acontece na segunda parte, através de povos "petrificados" (5 e 16). O paralelismo se amplia: como as águas se detêm, se erguem e se precipitam, assim os povos fraquejam, tremem e se petrificam. O inimigo cósmico se põe a serviço do Senhor, o inimigo humano se rende ao povo.

Quanto a temas teológicos, o canto é rico e dá a impressão de maturidade histórica. Como recursos de estilo encontramos: a riqueza de vocabulário e as repetições próximas; a mudança de pessoas: *Yhwh* na terceira, apóstrofes na segunda, o inimigo falando na primeira; a combinação de paralelismos simétricos com acumulações de verbos; as imagens eficazes com sugestões simbólicas. O hino coincide em vários pontos com salmos, mas é obra original de um bom poeta. A segunda parte do salmo 77 oferece uma versão poética.

15,3 No princípio do canto, *Yhwh* ganha seu título militar; no final, o título de Rei (Sl 24,8; 96,1; 99,1; etc).

15,4 O canto menciona mar, águas, ondas ou correntes, profundidades: um mar que no poema tem algo de oceânico. O Senhor o controla: Is 51,15; Jr 31,35.

15,7 Poeticamente não estorva o incêndio devorador no meio das águas: ver Sl 18. O incêndio é também a ira do Senhor.

15,8 "No mar": ou em alto-mar, segundo a expressão hebraica (Ez 27).

15,9 Seis verbos de ação em três hemistíquios exprimem a decisão e a confiança dos egípcios. À derrota segue-se normalmente a espoliação do vencido. A espada mata, a mão agarra prisioneiros como escravos.

15,10 O alento de Deus sopra em forma de vento (14,21); compare-se com o fim do dilúvio (Gn 8,1).

15,11 O Deus incomparável é cantado com variedade de fórmulas: Sl 77,14; aqui não denuncia a nulidade dos outros deuses.

¹²Estendeste tua direita:
  a terra os tragou;
¹³guiaste com tua lealdade o povo
  que havias resgatado,
  levaste-o com teu poder
  até tua santa morada.
¹⁴Os povos ouviram isso
  e tremeram,
  espasmos tomaram conta
  dos chefes filisteus,
¹⁵espantaram-se
  os Touros de Edom,
  tornaram-se presa de tremor
  os Carneiros de Moab,
  fraquejaram
  todos os chefes cananeus;
¹⁶foram assaltados por teu espanto
  e teu pavor,
  a grandeza de teu braço
  deixou-os petrificados,
  enquanto teu povo passava, Senhor,
  enquanto passava o povo
  que havias comprado para ti.
¹⁷Tu o introduzes e o plantas
  no monte de tua herança,
  lugar do qual fizeste
  teu trono, Senhor;
  o santuário, Senhor,
  que tuas mãos fundaram.
¹⁸O Senhor reina
  para todo o sempre".

¹⁹Quando o cavalo do Faraó, seu carro e seus cavaleiros entraram no mar, o Senhor voltou contra eles as águas do mar; os israelitas, porém, atravessaram o mar a pé enxuto.

²⁰Maria, a profetisa, irmã de Aarão, pegou seu pandeiro na mão, e todas as mulheres a seguiram dançando com pandeiros. ²¹Maria entoava:

"Cantai ao Senhor,
  sublime é sua vitória;
  cavalos e carros
  ele arrojou ao mar".

PRIMEIRA ETAPA: NO DESERTO

Água salobra – ²²Moisés fez os israelitas partir do mar Vermelho e os levou para o deserto de Sur; caminhando três dias pelo deserto sem encontrar água, ²³chegaram finalmente a Mara*, mas não puderam beber a água, pois era amarga (por isso se

---

15,12 Is 43,16s.
15,13-17 O começo mostra o Senhor guiando o seu povo, no fim os coloca no termo da marcha. No centro, a série de povos, como em duas filas paralelas, tremendo de medo (Js 2,9); representados por seus chefes (Touros e Carneiros são títulos honoríficos). No meio desfila o povo, tranquilo, entre o espanto dos inimigos (Is 43,16-17; 63,12-14). O povo foi "resgatado e comprado" como um escravo para recuperar a liberdade (Sl 74,2). O monte parece ser o território cananeu visto na sua configuração montanhosa e na sua dedicação ao Senhor (cf. a profanação de Sl 106,38); outros pensam que alude já a Sião, monte do templo. A terra é herança, trono (Jr 17,12; Ez 43,7), santuário.
15,20 Várias profetisas figuram no texto do AT: Débora, Hulda (Jz 5; 1Rs 22).

PRIMEIRA ETAPA: NO DESERTO
Introdução

O povo já está fora do Egito e ainda não chegou à terra prometida. Entre as duas fronteiras, entre os dois momentos decisivos, se alonga uma espécie de noviciado no deserto.
Lugar desamparado, que reduz o povo às necessidades elementares da subsistência e o põe à prova, para que conquiste a partir de dentro a liberdade que lhe foi dada. Tempo intermédio de dilação, para forjar a resistência e cultivar a esperança, para viver da promessa depois de ter experimentado o primeiro favor.
Nasce assim uma oposição entre o povo e seu Libertador, através do mediador Moisés, rico em experiências instrutivas para os protagonistas e seus descendentes. Também essa etapa se torna padrão de futuras peregrinações por outros desertos, à conquista da liberdade e da esperança. Por seu caráter elementar, os fatos adquirem valor simbólico de futuras experiências religiosas (a água, o maná), que culminarão na teologia simbólica de João. Os 2,16 e Jr 2,2 dão um juízo positivo do povo nesta etapa. Os episódios que começam aqui continuam no livro dos Números, especialmente em Nm 11-16 e 20.

15,22-27 O breve fragmento é resultado de montagem ou expansão, e deve-se buscar seu sentido na relação atual de peças heterogêneas. Pode-se identificar um esquema narrativo aceitável: falta água e, quando aparece, é salobra: primeira provação de Deus; o povo murmura, Moisés intercede, o Senhor facilita o remédio. Um nome e um título relembram o ocorrido: no princípio o nome Mara, no final o título divino "médico". Ver a citação em Eclo 38,5. Com certa violência sintática se insere o tema dos mandamentos (três sinônimos), numa linguagem que recorda a pregação do Deuteronômio. Deus deu e continuará dando mandamentos; Deus põe à prova o povo, e vai continuar a fazê-lo. Assim, este fragmento se torna uma espécie de abertura com temas importantes do que vem a seguir.
A visão de Elim, com sua abundância maravilhosa de água e árvores (frutíferas?), prova a fidelidade de Deus.
15,23* = Amarga.

chama Mara). ²⁴O povo protestou contra Moisés, dizendo:

– O que vamos beber?

²⁵Moisés clamou ao Senhor, e o Senhor lhe indicou uma planta; Moisés atirou-a na água, que se converteu em água doce. Aí lhes deu leis e mandamentos, e os pôs à prova, ²⁶dizendo-lhes:

– Se obedeceis ao Senhor, vosso Deus, fazendo o que ele aprova, obedecendo a seus mandamentos e cumprindo suas leis, não vos enviarei as doenças que enviei aos egípcios, porque eu sou o Senhor que te cura.

²⁷Chegaram a Elim, onde havia doze fontes e setenta palmeiras, e aí acamparam à beira-mar.

16

Maná e codornizes (Nm 11; Sl 78,13s; 106,13-15; Sb 16,20-19) ¹Toda a comunidade de Israel partiu de Elim e chegou ao deserto de Sin*, entre Elim e Sinai, no dia quinze do segundo mês depois de sair do Egito. ²A comunidade dos israelitas protestou contra Moisés e Aarão no deserto, ³dizendo:

– Oxalá tivéssemos morrido nas mãos do Senhor no Egito, quando nos sentávamos junto à panela de carne, e comíamos pão até nos fartar! Vós nos tirastes para este deserto, a fim de matar de fome toda esta comunidade.

⁴O Senhor disse a Moisés:

– Eu vos farei chover pão do céu: que o povo saia para recolher a porção diária; vou pô-lo à prova, para ver se guarda ou não a minha lei. ⁵No sexto dia prepararão o que tiverem recolhido, e será o dobro do que recolhem diariamente.

⁶Moisés e Aarão disseram aos israelitas:

– Nesta tarde sabereis que é o Senhor quem vos tirou do Egito, ⁷e amanhã vereis a glória do Senhor. Ele ouviu vossos protestos contra o Senhor; pois, o que somos nós para que protesteis contra nós? ⁸Nesta tarde ele vos dará carne para comer, e amanhã vos saciará de pão; o Senhor vos ouviu protestar contra ele; o que somos nós? Não protestastes contra nós, mas contra o Senhor.

⁹Moisés disse a Aarão:

– Dize à assembleia dos israelitas: "Aproximai-vos do Senhor, pois ele ouviu vossos protestos".

¹⁰Enquanto Aarão falava à assembleia, eles se voltaram para o deserto, e viram a

---

15,24 Nm 20,2.
15,25 2Rs 2,19-22.
15,26 Is 57,18s.

16 O relato do maná se apresenta num estado irremediável. Narrativamente não funciona, sobretudo até o v. 12. Tem-se tentado explicá-lo dividindo fontes (P e J), sem resultado. Alterou-se a ordem dos versículos, sem base documentária e com resultado insatisfatório. Reduziu-se a um esquema recorrente, em Nm 11 e 16: vários versículos se revelavam. Por ora, vamos imaginar que a uma ou duas tradições foram se juntando motivos colaterais, de sorte que o autor não conseguiu integrá-los harmoniosamente. Em resumo, é um relato imperfeito. Em vez de saboreá-lo como tal, será preciso deter-se em seus elementos.
Dissemos uma ou duas tradições, porque aqui se fundem maná e codornizes, que em Nm 11 estão unidos por oposição. Em Ex 16 as codornizes são intrusas. O maná está descrito empiricamente: aspecto, cor, sabor, propriedades; e coincide notavelmente com o fenômeno conhecido da árvore *Tamarix mannifera*, sob a ação de insetos. Mas tem propriedades maravilhosas: desce do céu como chuva ou orvalho que pousa e cobre o solo, funde-se ao calor do sol, dele saem vermes de noite, exceto na noite de sexta-feira, sempre se recolhe a mesma quantidade por pessoa, na sexta-feira cai e se recolhe dupla quantidade, porque no sábado não cai; acompanha o povo por todo o deserto durante quarenta anos. De tão prodigioso alimento se guarda uma amostra numa jarra.

Acrescenta-se a etimologia popular do maná. Resolve-se o problema criado pelo descanso sabático. Nesta ocasião se introduz uma murmuração do povo com suas costumeiras consequências. Há oráculos, mandamentos, provação, manifestação da glória e reconhecimento.
16,1 Atribui-se ao autor Sacerdotal a preocupação pela topografia e pela cronologia.
* = Espinho.
16,2-3 O protesto pertence a um esquema que se repetirá com variações. O primeiro elemento é um juízo comparativo: era melhor a escravidão no Egito, inclusive com morte repentina. O segundo elemento é uma acusação que deforma, inverte o sentido da saída, afirma que é para matar.
16,4-5 Supõe-se uma súplica precedente de Moisés, à qual o oráculo do Senhor responde. O oráculo tem algo de resumo programático: o fato em seu aspecto transcendente, "chove do céu", a sua função como "provação do povo", a modalidade relacionada com o sábado. Não menciona as codornizes.
16,6-8 Em termos narrativos, esta é a resposta de Moisés ao protesto do povo (2-3). No lugar atual funciona como transmissão do oráculo divino; mas acrescenta dados que antecipam o oráculo seguinte. O fato se articulará em duas peças: tarde e manhã, carne e pão; a função será demonstrar a validade da saída como ação do Senhor e manifestação da sua glória.
16,9-12 Aqui se percebe mais a desordem do relato. Os versículos 9-10 são litúrgicos: aproximar-se do Senhor, como entrar no templo e aproximar-se do

glória do Senhor que aparecia numa nuvem. ¹¹O Senhor disse a Moisés:

– ¹²Ouvi os protestos dos israelitas. Dize-lhes: "Ao entardecer comereis carne, pela manhã vos saciarei de pão, para que saibais que eu sou o Senhor vosso Deus".

¹³Pela tarde, um bando de codornizes cobriu todo o acampamento; pela manhã, havia uma camada de orvalho ao redor do acampamento. ¹⁴Quando a camada de orvalho evaporou, apareceu na superfície do deserto um pó fino como geada. ¹⁵Ao vê-lo, os israelitas perguntaram:

– O que é isso*?

Pois não sabiam o que era.

Moisés lhes disse:

– É o pão que o Senhor vos dá para comer. ¹⁶Estas são as ordens do Senhor: Cada um recolha o que possa comer, dois litros por cabeça, para todas as pessoas que houver em cada tenda.

¹⁷Os israelitas assim fizeram: uns recolheram mais, outros menos. ¹⁸Ao medi-lo na vasilha, não sobrava para quem recolhera mais, nem faltava para quem recolhera menos: cada um tinha recolhido o que podia comer.

¹⁹Moisés lhes disse:

– Ninguém guarde para amanhã.

²⁰Mas não lhe deram atenção; alguns guardaram para o dia seguinte, e surgiram vermes que o apodreceram. E Moisés se aborreceu com eles.

²¹Eles o recolhiam a cada manhã, cada um o que iria comer, pois o calor do sol o derretia. ²²No sexto dia recolhiam o dobro, quatro litros cada um. Os chefes da comunidade informaram a Moisés, ²³e ele lhes respondeu:

– É o que havia dito o Senhor: amanhã é sábado, descanso dedicado ao Senhor; cozinhai o que tiverdes de cozinhar e fervei o que tiverdes de ferver. O que sobrar, reservai-o à parte, guardando-o para amanhã.

²⁴Eles o reservaram para o dia seguinte, como havia mandado Moisés, e não produziu vermes, nem apodreceu.

²⁵Moisés lhes disse:

– Comei-o hoje, pois hoje é descanso dedicado ao Senhor, e não o encontrareis no campo; ²⁶recolhei-o durante seis dias, pois o sétimo é descanso, e não o encontrareis.

²⁷No sétimo dia, alguns saíram para recolhê-lo, e não encontraram.

²⁸O Senhor disse a Moisés:

– Até quando vos negareis a cumprir meus mandamentos e preceitos? ²⁹O Senhor é quem vos dá o descanso; por isso, no sexto dia vos dá o pão de dois dias. Cada um fique em seu lugar, sem sair de sua tenda no sétimo dia.

³⁰O povo descansou no sétimo dia.

³¹Os israelitas chamaram àquela substância de "maná": era branca como sementes de coentro e tinha o sabor de biscoito de mel.

³²Disse Moisés:

– Estas são as ordens do Senhor: Conserva dois litros dele para que as gerações futuras possam ver o pão que vos dei de comer no deserto, quando vos tirei do Egito.

³³Moisés ordenou a Aarão:

– Toma uma jarra, põe nela dois litros de maná, e coloca-o diante do Senhor, para que se conserve para as gerações futuras.

³⁴Aarão, segundo a ordem do Senhor a Moisés, colocou-o diante do documento da aliança, para que se conservasse.

³⁵Os israelitas comeram maná durante quarenta anos, até que chegaram à terra habitada. Comeram maná até atravessar a fronteira de Canaã.

---

santuário, aparição da glória como momento culminante, a nuvem de incenso.

16,13-14 Cumprimento do anúncio do v. 8.

16,15 * = *man hû*.

16,16 A pergunta prepara a etimologia popular do v. 31. Porém Moisés dá uma resposta que ressoa na Bíblia, até o NT e depois.

16,16 Jo 6,32.

16,16-20 O mandamento se refere primeiro à ração quotidiana: recolhendo o pão de cada dia, o homem exprime a confiança que Deus lhe dará o pão de amanhã. E os que não confiam recebem uma lição. Deus aparece como bom despenseiro que dá a ração necessária a cada um (Sl 136,25; cf. Mt 24,45 e Pr 31,15).

16,18 2Cor 8,15.

16,22-30 O mandamento se estende à observância do sábado, que adquire o valor do amanhã privilegiado. Como dá o pão, Deus dá também o descanso semanal e o pão antecipado para esse dia ("o pão do amanhã" é uma tradução provável da petição do pai-nosso: o amanhã escatológico).

16,26 Ex 20,9.

16,31 Nm 11,7.

16,35 Assim, o maná se torna o pão ou alimento típico do deserto. Esta notícia se liga com Js 5,10-12. A equivalência (um gomor = 2 litros, vv. 16.32) torna supérfluo, nesta tradução, o v. 36.

17 **Água da rocha** (Nm 20,1-13; Sb 11,4.7) – ¹A comunidade israelita se distanciou do deserto de Sin por etapas, conforme as ordens do Senhor, e acamparam em Rafidim, onde o povo não encontrou água potável. ²O povo discutiu com Moisés, dizendo:

– Dá-nos água potável.

Ele lhes respondeu:

– Por que discutis comigo e tentais o Senhor? ³Mas o povo, sedento, protestou contra Moisés:

– Por que nos tiraste do Egito, para matar-nos de sede a nós, nossos filhos e o rebanho?

⁴Moisés clamou ao Senhor:

– O que faço com este povo? Por pouco não me apedrejam!

⁵O Senhor respondeu a Moisés:

– Passa à frente do povo, acompanhado das autoridades de Israel, empunha o bastão com que feriste o Nilo, e caminha. ⁶Eu te espero aí, junto à rocha de Horeb. Golpeia a rocha, e sairá água para que o povo beba.

Moisés fez isso diante das autoridades israelitas, ⁷e chamou o lugar Massa e Meriba*, porque os israelitas haviam acareado e tentado o Senhor, perguntando: "O Senhor está ou não está conosco?"

Vitória sobre Amalec (Nm 24,20; Sl 83,8) – ⁸Os amalecitas foram e atacaram os israelitas em Rafidim.

⁹Moisés disse a Josué:

– Escolhe alguns homens, faze uma incursão e ataca Amalec. Amanhã eu estarei de pé no topo do monte, com o bastão maravilhoso na mão.

¹⁰Josué fez o que Moisés lhe dizia, e atacou os amalecitas; Moisés, Aarão e Hur, porém, subiram ao topo do monte. ¹¹Enquanto Moisés mantinha a mão levantada, Israel vencia; enquanto a mantinha abaixada, Amalec vencia. ¹²E como as mãos lhe pesassem, eles pegaram uma pedra e a puseram debaixo, para que sentasse; enquanto isso, Aarão e Hur sustentavam os braços dele, um de cada lado. Assim ele sustentou os braços até o pôr do sol.

¹³Josué derrotou Amalec e sua tropa a fio de espada.

¹⁴O Senhor disse a Moisés:

– Escreve-o num livro de memórias e leia-o para Josué: "Apagarei a memória de Amalec debaixo do céu".

¹⁵Moisés ergueu um altar e o chamou "Senhor, meu estandarte", ¹⁶dizendo:

– Monumento ao trono do Senhor; o Senhor está em guerra contra Amalec de geração em geração.

18 **Visita a Jetro** – ¹Jetro, sacerdote de Madiã, sogro de Moisés, ficou sabendo de tudo o que Deus tinha feito com Moisés e com seu povo Israel; como o Se-

---

17,1-7 O episódio da sede e da água mantém a estrutura simples que já conhecemos: uma situação crítica, protesto do povo, súplica de Moisés, oráculo divino, execução e cumprimento. Veja-se o paralelo de Nm 20,2-13. Introduz aqui duas etimologias de topônimos: o povo querelou com Moisés, Meriba (da raiz *ryb*); o povo tentou o Senhor, Massa (da raiz *nsh*). Sós ou combinados, estes dois nomes com frequência aparecem como exemplos no AT.

17,2 Dt 6,16.

17,3 Como em 16,3, no protesto popular o sujeito de "tirar" é o homem.

17,4 Nm 14,10.

17,5 O decisivo é a presença do Senhor dando eficácia à ação de Moisés. O tema da rocha e da água retorna na tradição. Uma lenda judaica conta que a rocha foi seguindo os israelitas por toda a viagem; são Paulo alude a ela em 1Cor 10,4.

17,7 * = Tentação ou Acareação.

17,8-16 Este episódio ou conto ilustra outro tipo de perigo na marcha pelo deserto: a hostilidade de tribos de beduínos. Segundo Gn 36,15s, os amalecitas eram descendentes de Esaú; segundo Jz 6,1-6 e 1Sm 30, praticavam incursões predatórias. A ação de Moisés é outro efeito do bastão maravilhoso: ver em Sl 65,8 o paralelismo entre "o estrondo do mar" e "o tumulto dos povos". Para unificar os dados, temos de imaginar uma alternância da mão que empunha e mantém erguido o bastão; não se fala de oração.

17,9 Pela primeira vez entra em cena Josué, sem ser apresentado, como se fosse conhecido.

17,11 Sl 44,5-8.

17,14 Pela primeira vez lemos no Pentateuco um encargo de escrever um fato. Este germe faz de Moisés o autor do Pentateuco, por ordem de Deus. Josué deve escutá-lo e talvez aprendê-lo de cor. Do livro de memórias cita-se uma só frase que, segundo 1Cr 4,41-43, se cumpre no tempo de Ezequias.

17,15-16 Temos respeitado o texto hebraico, interpretando *yad* como monumento (1Sm 15,12; 2Sm 18,18). Uns tomam a expressão como fórmula de juramento; outros corrigem e traduzem "uma mão no estandarte".

18 Este é um capítulo de pausa e ligação. Na sua primeira parte, nos mostra um Moisés narrador, contando os fatos da saída e da caminhada, resumindo implicitamente os capítulos precedentes; pode-se comparar com a ficção de Dt 1-3. A segunda

nhor havia tirado Israel do Egito. ²Jetro, sogro de Moisés, tinha recolhido Séfora, mulher de Moisés, ³e seus dois filhos, quando Moisés a despediu. Um se chamava Gersam (pelo fato que "fui forasteiro em terra estrangeira") ⁴e o outro Eleazar (pelo fato que "o Deus de meu pai me auxilia* e me livrou da espada do Faraó"). ⁵Jetro foi ver Moisés, com a mulher e os filhos deste, no deserto onde acampavam junto ao monte de Deus.
⁶Quando informaram a Moisés: "Teu sogro Jetro está aí e veio ver-te com tua mulher e teus filhos", ⁷ele saiu para recebê-lo, prostrou-se, beijou-o, e os dois se saudaram; depois, entraram na tenda. ⁸Moisés contou a seu sogro tudo o que o Senhor fizera com o Faraó e os egípcios por causa dos israelitas, e as dificuldades que encontraram pelo caminho, das quais o Senhor os havia livrado. ⁹Jetro se alegrou por todos os benefícios que o Senhor tinha feito a Israel, livrando-o do poder egípcio, ¹⁰e disse:
– Bendito seja o Senhor, que vos livrou do poder dos egípcios e do Faraó. ¹¹Agora sei que o Senhor é o maior de todos os deuses, pois, quando vos tratavam com arrogância, o Senhor libertou o povo do domínio egípcio.
¹²Depois, Jetro, sogro de Moisés, tomou um holocausto e vítimas para Deus; Aarão, com todas as autoridades israelitas, entraram na tenda e comeram com o sogro de Moisés, na presença de Deus.

Governo colegiado (Dt 1,9-18; Nm 11) – ¹³No dia seguinte, Moisés sentou-se para resolver os assuntos do povo, e todo o povo ia a ele, desde cedo até a noite. ¹⁴O sogro de Moisés, vendo tudo o que este fazia pelo povo, disse-lhe:
– O que fazes com o povo? Por que estás aí sentado, sozinho, enquanto todo o povo vem a ti desde cedo até a noite?
¹⁵Moisés respondeu a seu sogro:
– O povo vem a mim para que eu consulte a Deus; ¹⁶quando eles têm pleito, vêm a mim para que eu resolva e lhes explique as leis e mandamentos de Deus.
¹⁷O sogro de Moisés lhe replicou:
– O que fazes não está certo; ¹⁸tu e o povo que te acompanha estais desfalecendo; a tarefa é muito pesada e não podes realizá-la sozinho. ¹⁹Aceita meu conselho, e Deus esteja contigo: tu representas o povo diante de Deus e lhe apresentas os assuntos deles; ²⁰inculcas no povo os mandamentos e preceitos, lhe ensinas o caminho que deve seguir e as ações que deve realizar. ²¹Procura entre todo o povo alguns homens capazes, que respeitem a Deus, sinceros, inimigos do suborno, e nomeia entre eles chefes de mil, de cem, de cinquenta e de

---

parte nos mostra Moisés na sua atividade de julgar e governar, tema que visa aos capítulos seguintes. A figura de Jetro simboliza a presença de um povo diferente, embora aparentado, que oferece seus costumes e experiências a Moisés e a Israel. Provoca a despedida cordial, familiar, de uma etapa da vida que será logo superada de modo extraordinário. Em pura lógica narrativa, este episódio deveria vir depois dos acontecimentos do Sinai: assim o sentiram autores antigos e modernos. (À figura de Jetro se prendeu a teoria, hoje superada, que fazia dos quenitas os instrutores de Israel no javismo.)
18,1-12 O que podia ter acabado num relato de viajante, como tantos outros na literatura universal, toma a figura de ato litúrgico nas mãos do narrador e por combinação orgânica de dados, passa como proto--eucaristia. Lugar, "o monte de Deus" (5); oficiante, Jetro; memória (anamnese) de fatos como ações divinas, "tudo quanto fez Deus/o Senhor" (1.8.9); gozo e bênção = ação de graças (eucaristia), "todos os benefícios..."; bendito *Yhwh* (9-10); sacrifício e banquete sagrado (comunhão), "na presença de Deus" (12). O fato celebrado se chama "tirar" e "libertar".
18,2-3 Os nomes resumem os fatos como memória viva: um filho recorda a vida no Egito como migrante, o outro recorda o auxílio libertador.

18,4 * = '*azar*.
18,6 É curioso que não diga nada do encontro de Moisés com sua família, depois de tudo o que se passou.
18,10 Gn 14,19.
18,11 Sl 89,7.
18,12 Lv 3.
18,13-26 Moisés acumula várias tarefas: ministro sacerdotal ou profético do oráculo, respondendo a "consultas" (cf., p. ex., Gn 25,22-23; 1Sm 9,9; cf. Ex 33,7); letrado que explica com autoridade a legislação sagrada e a aplica a cada caso, formando por acumulação uma lei consuetudinária: juiz-governante em causas civis. Jetro o interpreta a seu modo: Moisés é mediador entre Deus e o povo. Da parte de Deus, comunica e explica os mandamentos ao povo, da parte do povo apresenta seus assuntos a Deus. E a resolução de causas civis? Talvez as considere submetidas a um tribunal sagrado. O episódio projeta no êxodo e faz remontar a Moisés uma organização descentralizada ou colegiada; ver Dt 17,8-13; 19,17-18; e a reforma que 2Cr 19 atribui a Josafá (em virtude do seu nome). Nm 11 dá outra versão sugestiva do fato. O peculiar do presente capítulo é a iniciativa familiar de um estrangeiro.
18,21 As qualidades exigidas para o comando são prudência natural, sinceridade nas relações com os

vinte; ²²eles administrarão regularmente a justiça ao povo: passem a ti os assuntos graves, assuntos simples eles resolverão; assim repartireis a carga, e tu poderás com a tua. ²³Se fizeres o que te digo e Deus te der instruções, poderás resistir, e o povo voltará para casa em paz.

²⁴Moisés aceitou o conselho do sogro e fez o que ele lhe dizia. ²⁵Escolheu entre todos os israelitas pessoas capazes e as pôs à frente do povo, como chefes de mil, de cem, de cinquenta e de vinte. ²⁶Eles administravam regularmente a justiça ao povo; os assuntos complicados, eles os passavam a Moisés, e os simples eles os resolviam. ²⁷Moisés despediu seu sogro, e este voltou para a sua terra.

ALIANÇA

19 Oferta de aliança (Ex 24; Dt 29; Js 24) – ¹Naquele dia, três meses

outros, desinteresse econômico, sentido religioso ou respeito a Deus. A organização supõe uma artificiosa hierarquia piramidal, com Moisés como tribunal supremo.

18,26 Assuntos complicados ou novos, sem precedentes, ou que requerem um oráculo de Deus. Ver a descrição de Dt 1,9-18.

Aliança
Introdução

Depois de alguns incidentes típicos da viagem pelo deserto – fome e sede, hostilidade externa e organização interna – o povo chega ao acontecimento central da sua peregrinação: seu encontro com o Senhor no Sinai e sua constituição como povo de Deus pela aliança. Assim o relato atual do Êxodo quer que o contemplemos. Uma tradição antiga fixou ou escolheu o lugar: o espaço que se abre aos pés do Safsafá e do monte de Moisés.

a) Aliança é instituição jurídica humana: é uma forma particular de contrato entre duas partes livres e responsáveis. A Bíblia toma essa instituição como símbolo para exprimir o mistério das relações de Deus com um povo.

No AT encontramos alianças simplesmente humanas. Entre dois chefes parentes, Labão e Jacó (Gn 31,44-49); entre dois amigos, Davi e Jônatas (1Sm 18,1-4); entre dois reis, Salomão e Hiram de Tiro (1Rs 5,15-32). Também entre superior e inferior, Davi e Abner (2Sm 3,12); Davi com as tribos setentrionais (2Sm 5,1-3) etc. Entre todas, a mais pertinente é a que um soberano estabelece com um vassalo: Nabucodonosor de Babilônia e Sedecias de Judá (Ez 17,13). Em alguns casos o soberano impõe ao súdito o pacto com suas cláusulas, em outros o oferece incluindo as suas condições. Esta segunda forma é a escolhida pelo narrador bíblico. De ambos se conservam exemplos entre reinos do antigo Oriente próximo.

b) Com os patriarcas Deus tinha feito uma aliança, heqim berit, que era na realidade um compromisso unilateral de Deus com algumas exigências acrescentadas. No Sinai se estipula uma aliança, karat berit, que, sendo iniciativa de Deus, tem caráter bilateral; o povo deve aceitá-la livremente. A relação de Deus com os israelitas, que é mistério, se expressou já em várias fórmulas ou símbolos: eleição, implícita na expressão "meu povo"; adoção, implícita em "meu primogênito"; "resgate e compra" do escravo. Agora se propõe um símbolo jurídico mais articulado, que por isso permite compreensão mais precisa e se presta a consequências mais diversificadas.

Sem afirmar que a forma bíblica depende diretamen-

te dos tratados internacionais do Oriente antigo, podem-se apontar várias analogias estruturais, que se resumem assim: as duas partes são um soberano e um vassalo que se vinculam juridicamente. No texto ou instrumento jurídico (caps. 19-20), o soberano enumera benefícios precedentes outorgados à parte inferior – prólogo histórico. Daí procede a oferta de uma relação jurídica estável – declaração fundamental. Seguem-se as condições ou cláusulas particulares (cap. 20) e uma série de prêmios ou penas pelo cumprimento ou descumprimento dos compromissos. No texto bíblico, a penúltima é o decálogo, a última são as bênçãos e maldições, que figuram em outros contextos. O ato é selado com um sacrifício (cap. 24), e o protocolo se registra por escrito – as tábuas de pedra – talvez em duas cópias, e se conserva em lugar sagrado. Ao ler e estudar textos bíblicos sobre a aliança, nunca se deve esquecer que se trata de símbolo humano empregado para exprimir realidade transcendente. Um dos símbolos centrais.

c) Constituição, em seu duplo significado: como ato que constitui, que dá ser à comunidade-povo do Senhor; como texto que rege seu destino. No segundo sentido, a constituição se abre para acolher outras leis ou um código íntegro (caps. 21-23). Sendo sagrada, podemos dizer que a aliança é o sacramento fundacional do povo escolhido. Assim o concebe o texto; mas a descrição pode corresponder a uma renovação cultual da aliança. São especialmente significativas as renovações da aliança em Moab (Dt 29-31) e em Siquém (Js 24).

d) Composição. O relato de um evento ou celebração tão importante não se cristalizou numa forma narrativa fluida e coerente. Talvez o autor tenha querido fundir tradições ou concepções diversas; provavelmente quis encerrar muito material neste lugar. O fato é que o relato se ressente e não é fácil de captar. Eis aqui algumas tensões: Deus fala diretamente ao povo ou por meio de Moisés, e correlativamente, qual é o papel de Moisés, quais são seus movimentos de subida e descida e quais os do povo, distanciado ou aproximando-se. Deus habita na montanha ou desce cada vez até ela. Manifesta-se no vulcão ou na tempestade. Para uma visão de conjunto convém observar: a teofania, que começa em 19,10, termina em 20,18-20 e emoldura o decálogo 20,1-17. A cerimônia, que se prepara em 19,1-9, se executa no cap. 24 e engloba o chamado código da aliança 21-23.

19,1-2 De novo tropeçamos na preocupação topográfica e cronológica do autor sacerdotal. Nos supostos

após a saída do Egito, os israelitas chegaram ao deserto do Sinai; ²saindo de Rafidim, chegaram ao deserto do Sinai e acamparam aí, diante do monte. ³Moisés subiu ao monte de Deus, e o Senhor o chamou do monte e lhe disse:

– Fala assim à casa de Jacó,
dize aos filhos de Israel:
⁴Vós vistes
o que fiz aos egípcios,
eu vos levei em asas de águia
e vos trouxe a mim;
⁵portanto, se quereis obedecer-me
e guardar minha aliança,
sereis minha propriedade
entre todos os povos,
porque toda a terra é minha.
⁶Sereis um povo sagrado,
um reino sacerdotal.
Isso é o que deverás dizer aos israelitas.
⁷Moisés voltou, convocou as autoridades do povo e lhes expôs tudo o que o Senhor lhe havia mandado.
⁸Todo o povo respondeu:

– Faremos tudo o que o Senhor disser.

Moisés comunicou ao Senhor a resposta, ⁹e o Senhor lhe disse:

– Vou aproximar-me de ti numa nuvem espessa, para que o povo possa ouvir o que falo contigo e para que creia sempre em ti.

Moisés comunicou ao Senhor o que o povo havia dito.

Teofania (Dt 4,11s; Mq 1,4; Sl 50,1-3) – ¹⁰E o Senhor lhe disse:

– Volta ao teu povo, purifica-os hoje e amanhã, lavem a roupa, ¹¹e estejam preparados para depois de amanhã, porque depois de amanhã o Senhor descerá ao monte Sinai, à vista do povo. ¹²Traça um limite ao redor e avisa o povo que evite subir ao monte ou aproximar-se da encosta; quem se aproximar do monte é réu de morte. ¹³Vós o executareis, sem tocá-lo, a pedradas ou com flechas, seja homem ou animal; não continuará vivendo. Só quando tocar o chifre, poderão subir ao monte.

¹⁴Moisés desceu do monte em direção ao povo, o purificou e o fez lavar a roupa. ¹⁵Depois lhes disse:

– Ficai preparados para depois de amanhã, e não toqueis vossas mulheres.

¹⁶No terceiro dia, pela manhã, houve trovões e relâmpagos e uma nuvem espessa

---

três meses, couberam os episódios ou experiências da comida e bebida milagrosas, uma vitória e um ato de organização interna.

19,3 Diz "o monte de Deus", dando-o por conhecido. O genitivo indica que é lugar sagrado, dedicado à divindade. Quem fala é *Yhwh*.

19,4-9 Oferta inicial do Senhor e primeira aceitação global, por parte do povo (seguir-se-ão outras duas); Moisés como mediador. O discurso de Deus adota linguagem poética, rítmica.

19,4 A fórmula "levar/trazer à terra" é fixa e conhecida. Ao substituir o termo "terra" por "a mim", o autor expressa certeiramente o sentido pessoal da aliança, o verdadeiro termo da grande peregrinação israelita (e de toda peregrinação humana). Algo equivalente acontecerá quando se tratar do retorno do exílio: para voltar à pátria é preciso voltar = converter-se ao Senhor. Dt 32,11 amplifica a imagem da águia com seus filhotes.

19,5 "Propriedade" é termo econômico aplicável a objetos e a escravos; aqui implica a eleição, a pertença especial que se destaca da pertença universal. A imagem retorna no corpo deuteronomístico (Dt).

19,6 A pertença a Deus o transfere para a esfera sagrada (Jr 2,3): o povo inteiro fica consagrado e se aproxima sacerdotalmente; ver Is 61,6. Pedro aplica isso à Igreja (1Pd 2,5.9). Outros têm traduzido assim: "regido por sacerdotes".

19,7 Os anciãos ou senadores fazem a mensagem chegar a todos os grupos.

19,8 O povo responde aceitando pela primeira vez.

19,9 O tratamento dado a Moisés é privilegiado. O Senhor, velado na nuvem, se aproxima dele, e lhe confere autoridade permanente à frente do povo. "Crer": como em 14,31. Aprecia-se a função mediadora de Moisés: comunica ao povo a proposta de Deus, comunica a Deus a resposta do povo.

19,10-11 Purificações rituais, que preparam para a celebração litúrgica (cf. Lv 11 e 14; refere-se a esta passagem, por contraposição, Hb 12,20). O Senhor "desce" do céu à montanha, não habita nela.

19,12-13 A presença do Senhor se irradia por um espaço sagrado, circunscrito, vedado aos profanos sob pena de morte (ver a legislação sobre o "intruso" em Nm 1,51; 3,10.38; 17,28; 18,7). Não se pode tocar no culpado, porque seu estado contagia; por isso o apedrejam à distância. O apedrejamento era uma das formas legais de executar a pena de morte (Lv 20,27; Nm 15,35; Dt 21,21 etc); não consta em outros lugares a execução capital por lançamento de flechas.

19,15 Para conservar a pureza cultual (cf. 1Sm 21,4). Este é um dos casos de tensão entre sexo e sacralidade, restrita a momentos definidos.

19,16-19 A teofania combina elementos cósmicos com ações litúrgicas. O narrador quer descrever aqui uma cena impressionante. O soberano desce do seu reino celeste, acompanhado de espetacular e terrível agitação cósmica: céu sacudido pela tormenta, terra por terremoto; trovões que denotam a proximidade; trombetas que anunciam a presença. O povo, temeroso e surpreendido,

no monte, enquanto o toque da trombeta crescia em intensidade, e o povo se pôs a tremer no acampamento. ¹⁷Moisés tirou o povo do acampamento para receber a Deus, e ficaram firmes ao pé da montanha. ¹⁸O monte Sinai fumegava, porque o Senhor desceu a ele com fogo; a fumaça se levantava como de um forno, e toda a montanha tremia. ¹⁹O toque da trombeta ia crescendo em intensidade enquanto Moisés falava, e Deus lhe respondia com o trovão. ²⁰O Senhor desceu ao topo do monte Sinai e chamou Moisés ao topo. Quando este subiu, ²¹o Senhor lhe disse:

– Desce ao povo e ordena-lhes que não ultrapassem os limites para ver o Senhor, porque morreriam muitíssimos. ²²E purifica os sacerdotes que se aproximarão do Senhor, para que o Senhor não os ataque.

²³Moisés respondeu ao Senhor:

– O povo não pode subir ao monte Sinai, pois tu nos mandaste traçar um círculo que marque a montanha sagrada.

²⁴O Senhor insistiu:

– Vamos, desce e depois sobe com Aarão; que o povo e os sacerdotes não ultrapassem os limites para subir onde está o Senhor, pois ele os atacaria.

²⁵Então Moisés desceu ao povo e lhe falou.

20 Decálogo (Dt 5; Ex 34; Sl 50,16-20) – ¹Deus pronunciou as seguintes palavras:

– ²Eu sou o Senhor teu Deus, que te tirei do Egito, da escravidão.

---

acorre processionalmente, guiado por Moisés, para receber o soberano.

Alguns interpretam o fogo como erupção vulcânica, mas é redutível a um raio que incendeia o monte (cf. Sl 104,32). São litúrgicos: o duplo toque de trombeta que anuncia a presença de Deus (cf. Sl 47,6; Eclo 50,16), a procissão desde o acampamento até ao pé do monte, a posição estática. O trovão é a voz de Deus (texto clássico: Sl 29). A situação final é ordenada: o povo ao pé da montanha, o Senhor que desce e Moisés que sobe. A montanha medeia entre céu e terra, segundo concepções antigas.

,20-25 A continuação natural dos versículos precedentes se lê em 20,18-20. Em seu lugar, lemos esta dição que repete dados já expostos, com inversão ronológica, introduzindo Aarão, que deve subir com Moisés, e os sacerdotes, que devem esperar com o povo. Como que reclamando sua função numa ação litúrgica. Não fala de apedrejamento, mas de morte imediata, em massa; Yhwh não tolera a proximidade de qualquer impureza cultual. O "círculo" é como um muro que delimita o recinto de um templo, porque montanha agora é templo.

20,1 A introdução é solene e desusada. "Palavras": termo preferido a outros sinônimos frequentes, como mandamentos, preceitos, decretos, prescrições, ordens (veja um exemplo clássico em Sl 119). Deus fala e empregará a primeira pessoa nos primeiros preceitos.

20,1-17 O Decálogo é peça capital no Pentateuco e em todo o AT. O termo grego significa Dez Palavras e é tradução do hebraico em Dt 4,13. Do Decálogo em bloco deve-se considerar: o texto em si, seu lugar atual, seu lugar na tradição.

a) Embora cada mandamento tenha algum paralelo no AT, incluindo textos sapienciais, e alguns tenham paralelos em outras culturas, como bloco unitário e articulado o Decálogo é único. O tom é categórico (estilo apodíctico), os preceitos são breves e gerais, repartidos em deveres para com Deus e para com o próximo, em forma negativa e positiva. Embora breve e seletiva, a série abrange um campo amplíssimo de conduta. Alguns preceitos estão ampliados com motivação ou exortação; mas nenhum leva cláusula penal. Não distingue sexo, idade nem classe; não se cinge a uma cultura agrária sedentária, nem se limita a uma época histórica. Pode-se considerar como um bem-sucedido esforço de síntese.

Na articulação do texto hebraico, os preceitos referentes a Deus são quatro: o Deus exclusivo, as imagens, o nome, o sábado; seis são os restantes. Portanto, o que costumamos chamar "sexto mandamento" é, em hebraico, o sétimo. Positivos na formulação, o quarto e o quinto.

b) O Decálogo, tanto aqui como em Dt 5, está firmemente radicado na aliança. Representa as cláusulas impostas pelo soberano e aceitas pelo povo (24,3.7). Apresenta-se como revelação, não como empréstimo tomado de fora, nem como expressão de suposta lei natural. A ideia de revelação se exprime com duas fórmulas diversas: é o Senhor que o escreve sobre a pedra e o comunica a Moisés oralmente. Sendo revelação, está respaldado pela autoridade de Deus, que se estende aos dois blocos; em outros termos, Deus exige do homem que respeite a Deus e ao homem. Embora faltem as cláusulas penais, os preceitos traçam um perímetro ou fronteira para viver dentro da aliança ou para sair dela por transgressão de qualquer deles.

c) É opinião comum que o Decálogo se formou num processo vital, oral ou escrito, antes de sua formulação definitiva e de sua incorporação ao contexto da aliança e do êxodo. As tentativas de refazer sua pré-história não têm tido êxito. O autor do texto atual recolheu uma tradição já praticada e aceita, ou criou uma formulação que se impôs sem discussão. São algo concludente e concluído, "sem acrescentar mais" (Dt 5,22).

No entanto, na transmissão posterior, ao texto conciso se acrescentaram ampliações homiléticas, que diferem em Ex e Dt. Tais adições revelam a presença do Decálogo na vida do povo.

20,2 O Senhor se apresenta com seu nome: o mesmo pronunciado em 3,15 e 6,2. A libertação do Egito, benefício radical, funda a exigência divina: os mandamentos se arraígam na história e a história

¹⁶Não apresentarás falso testemunho contra teu próximo.

¹⁷Não cobiçarás os bens do teu próximo; não cobiçarás a mulher do teu próximo, nem seu escravo, nem sua escrava, nem seu boi, nem seu asno, nem coisa alguma que pertença a ele".

¹⁸Todo o povo percebia os trovões e relâmpagos, o som da trombeta e a montanha fumegante. O povo estava aterrorizado e se mantinha a distância. ¹⁹E disseram a Moisés:

– Fala-nos tu, e te escutaremos; não nos fale Deus, pois morreremos.

²⁰Moisés respondeu ao povo:

– Não temais: Deus veio para colocar-vos à prova, a fim de que tenhais presente seu temor e não pequeis.

²¹O povo ficou a distância, e Moisés se aproximou da nuvem onde Deus estava.

CÓDIGO DA ALIANÇA

Lei sobre o altar – ²²O Senhor falou a Moisés:

– Dize aos israelitas: "Vós próprios vistes como vos falei do céu. ²³Não me coloqueis entre deuses de prata, nem fabriqueis deuses de ouro para vós. ²⁴Faze-me um altar de terra, e nele oferecerás teus holocaustos, teus sacrifícios de comunhão, tuas ovelhas e tuas vacas. Nos lugares em que pronunciares meu nome, descerei a ti e te abençoarei. ²⁵E se quiseres fazer-me um altar de pedras, não o construas com

---

20,16 Refere-se ao processo jurídico, no qual as testemunhas juram. O tema é frequente também na literatura sapiencial: Pr 6,19; 19,5.9; 25,18. O próximo é membro da comunidade. Ver o caso de Nabot (1Rs 21, 10-13).

20,17 Cobiçar como atitude interna, apaixonada e ativa; o autor não pensa em afetos ineficazes, em veleidades; contudo propõe um princípio de interiorização. Ver a maturação deste começo em Mt 15,19. O objeto são as propriedades, entre as quais e em primeiro lugar figura a mulher. Paulo cita este texto em Rm 7,7. Conclui-se que o Decálogo, na presente formulação, não pode ser proposto sem importantes adaptações como norma de vida cristã.

20,18-21 Continua a narração interrompida em 19,19. De ordinário, é ver em Deus aquele que acarreta a morte; mas, na presença da formidável tempestade, o povo pensa que inclusive ouvi-lo será mortal; por isso se distanciam e apelam à mediação de Moisés (Hb 12,18-19). O povo não deve temer a tormenta, mas sim o Senhor, que submete a existência de Israel à prova da obediência e da fidelidade.

20,19 Hb 12,18s.

20,22-23,19 Costuma-se chamar esta seção código da aliança. Código no sentido amplo de coleção de leis, não no sentido rigoroso de um sistema bem planejado e organicamente desenvolvido. Da aliança, porque atualmente está incorporado ao contexto da aliança do Sinai. Assim se distingue dos outros dois códigos do Pentateuco: o de santidade, no Levítico, e o deuteronômico.

Muitas destas leis são patrimônio comum da cultura legal do antigo Oriente, e se podem ilustrar com paralelos de códigos assírios, inclusive sumérios e, em particular, do código de Hamurábi. Na sua maioria são leis de uma cultura agrícola e urbana; algumas parecem referir-se a seminômades pelo conteúdo. Não podemos traçar o canal pelo qual chegaram a Israel, nem indicar sua data de adoção. Se os israelitas são devedores da cultura cananeia, é razoável pensar que tomaram deles a legislação e a adaptaram aos próprios usos e mentalidade.

Costumam-se distinguir dois tipos principais de leis, subdivididos pelas fórmulas empregadas. O primeiro grupo é de tipo casuístico: quer dizer, formula-se um caso na forma condicional e prescreve-se a norma, distinguindo-se variantes particulares. Surgem ou se cristalizam na prática judicial, que geralmente era civil e local, administrada nos tribunais municipais por "anciãos" ou conselheiros, na "porta" ou lugar de reunião pública. Ocupam a primeira seção, de 21,1 a 22,16, com uma interrupção em 21,12-17. O segundo grupo é de tipo apodítico. São normas mais concisas, pouco diferenciadas, formuladas muitas vezes no particípio. São quase exclusivas na seção de 22,17 a 23,19. Algumas trazem uma adição parenética. Por tema e estilo, esta série se encaixa bem na aliança e induz a suspeitar que se conservava e administrava em contexto cultual.

Outra distinção se baseia na presença ou ausência de cláusulas penais específicas.

As duas partes combinadas estão agora emolduradas em duas peças cultuais: a lei sobre o altar, 20,22-26, e o calendário litúrgico, 23,14-17. No interior do bloco podemos separar grupos temáticos, mas não podemos apontar uma ordem lógica. Tem-se observado que numa série desse tipo as inserções ou adições costumam ser feitas no final da seção, respeitando-se ou não o tema.

O código legal em uso e evolução por séculos, talvez com fase oral, é incorporado mais tarde ao corpo narrativo do Êxodo, na seção da aliança. É um ato de canonização, pelo qual as leis são assumidas pelo direito divino e atribuídas à vontade legisladora do Senhor, à sua palavra ordenadora. Passando a fazer parte da aliança, adquirem um espírito novo: não só porque procedem do Senhor, mas também porque se ligam à história e adquirem sanção sagrada. Quebrantá-las é quebrantar a aliança.

20,22-23 Estes dois versículos servem de ligação. Em primeiro lugar, firmando tudo o que precede como palavra de Deus, que fala "do céu" – não da montanha, – "para vós" – não apenas para Moisés. Em segundo lugar, recordam o primeiro e o segundo mandamentos. O texto hebraico de 23 é duvidoso.

20,24-26 Lei sobre o altar. Um altar de terra parece forma primitiva. Que o trabalho da pedra com instrumentos a profane parece refletir a mesma mentalida-

³"Não terás outros deuses rivais meus. ⁴Não farás para ti uma imagem, nenhuma figura do que há em cima no céu, embaixo na terra, ou na água sob a terra. ⁵Não te prostrarás diante deles nem lhes prestarás culto; porque eu, o Senhor, teu Deus, sou um Deus ciumento: castigo a culpa dos pais nos filhos, netos e bisnetos quando me odeiam; ⁶mas sou leal por mil gerações quando me amam e guardam meus preceitos.
⁷Não pronunciarás em falso o nome do Senhor teu Deus. Porque o Senhor não deixará impune quem pronunciar seu nome em falso.
⁸Lembra-te do sábado para santificá-lo. ⁹Durante seis dias, trabalha e faze tuas tarefas, ¹⁰mas o sétimo dia é dia de descanso, dedicado ao Senhor teu Deus: não farás nenhum trabalho, nem tu, nem teu filho, nem tua filha, nem teu escravo, nem tua escrava, nem teu rebanho, nem o migrante que viver em tuas cidades. ¹¹Porque em seis dias o Senhor fez o céu, a terra, o mar e o que há neles, e no sétimo descansou; por isso o Senhor abençoou o sábado e o santificou.

¹²Honra teu pai e tua mãe; assim prolongarás tua vida na terra que o Senhor teu Deus te dará.

¹³Não matarás.

¹⁴Não cometerás adultério.

¹⁵Não roubarás.

---

desemboca numa constituição religiosa e ética. O homem, emancipado e livre, deve responder livre e responsavelmente. Tiago falará da "lei do reino... a lei dos homens livres" (Tg 2,8.12).

20,3 Não enuncia um monoteísmo absoluto (formulado pelo Segundo Isaías, p. ex., 45,6.14.21; ler a formulação extrema de Zc 14,9), mas um "henoteísmo": outros povos têm pluralidade de deuses; vós tereis somente um, *Yhwh*; exclui-se qualquer sincretismo ou compromisso. Dt 6,4-5 tira uma consequência importante deste primeiro mandamento: a sua assimilação na existência total. Paralelos: Ex 22,19; 23,13; 34,14; Dt 13,1-4; Sl 81,10.

20,4-6 O preceito simples proíbe toda representação plástica de *Yhwh*, exige um culto sem imagens, "aniconíco" (ver Ex 32). A enumeração do mundo em três planos horizontais e se refere a animais (embora "o que há em cima no céu" possa ser aplicado aos astros). Dt 4,15 dá uma motivação histórica: o Senhor revelou-se em palavra, não em imagem. A motivação do v. 5 liga este preceito ao primeiro: do singular ("uma imagem") passa ao plural ("eles"); emprega a terminologia típica da idolatria ("prostrar-se e prestar culto"); apela para o caráter "ciumento" de *Yhwh*, que não admite rivais (Dt 6,14s; Js 24,19). Os pregadores posteriores supõem impossível qualquer representação plástica de seu Deus, razão pela qual toda imagem é automaticamente ídolo.
A retribuição divina penetra e dura temporalmente. Filhos, netos e bisnetos sofrem as consequências do pecado, ou o pai sofre neles. Por outro lado, a bondade de Deus perdura na história até uma distância inatingível. Paralelos: Ex 20,22-23; 34,17; Lv 19,4; 26,1; Dt 27,15. Este princípio genérico e assimétrico de retribuição não deve ser confundido com cláusula penal.

20,7 "Em falso" ou em vão, sem razão, abusando. Deus comunica seu nome para a invocação (Ex 15,3), a bênção (Nm 6,22-27) para autorizar a verdade; não deve servir para manipular a autoridade do Senhor. Uma forma grave é o juramento falso, que tenta dar consistência, com o nome de *Yhwh*, a quem não a tem, porque não é (cf. 23,1). Outro abuso pode ser a blasfêmia (Ez 23,9-12). Outras expressões: profanar (Lv 20,3; Ez 43,8), abusar (Pr 30,9); o contrário de profanar é santificar (pai-nosso).

20,8-11 Formulação positiva e motivação ampla. Não impõe práticas cultuais, e sim descanso, porém dedicado ao Senhor. Como o templo delimita um espaço, assim o sábado delimita um tempo e o consagra a Deus. A motivação é estritamente teológica, ao passo que Dt 5 dá uma motivação social. A observância deste preceito foi ganhando importância (Is 56,1-8), até as fórmulas que provocaram a polêmica de Jesus no NT (significativo, Jo 5,16s). Formulação negativa: Lv 23,7; Jr 17,22; positiva: Ex 23,12; 31,15; 34,21; Lv 23,3. Conjetura-se que o sete surge como divisão do mês lunar.

20,10 Is 56,4-6; Is 58,13s.
Aqui termina a primeira seção, que os antigos chamavam primeira tábua.

20,11 Gn 2,2s.

20,12 A segunda lousa começa em formulação positiva. Honrar inclui também sustentar, manter (ver a polêmica de Mc 7,11 par.). Estabelece a família como primeira realidade social, igualando pai e mãe; Ex 21,17 precisa e acrescenta uma cláusula penal. A promessa usa a linguagem típica do Dt. Ver o comentário de Eclo 3,1-16; o tema é frequente na literatura sapiencial. Ml 1,6 aplica a relação ao próprio Deus.

20,13 À luz de outras leis e da prática constante, que admitem e prescrevem a pena capital, seria preciso entender esta proibição em sentido restritivo: não cometerás assassínio, não matarás ilegalmente. Gn 9,5 parece atribuir a competência a Deus: "pedirei contas". Paralelos: Ex 21,12; Dt 27, 24.

20,14 Na prática de Israel não há igualdade de sexos. A mulher casada comete adultério numa relação com qualquer estranho; o homem casado, só em suas relações com uma casada. A legislação penal distingue entre adultério e fornicação. O Decálogo se refere ao adultério. Ver uma explanação ampla do tema em Eclo 23,16-27; cf. também Pr 6,24-35.

20,15 Parece que em seu alcance original se referia a sequestro de pessoa com fim lucrativo: Ex 21,16; Dt 24,7. Na sua formulação atual, o alcance é geral. No código seguinte, há um capítulo dedicado a leis sobre a propriedade.

pedras lavradas, porque, ao cortar a pedra com o cinzel, ela fica profanada. ²⁶Não subas ao meu altar por degraus, para que não aconteça que, ao subir, sejam vistas tuas partes".

21 — ¹"Decretos que lhes promulgarás".

Leis sobre a escravidão (Lv 25,34-46; Dt 15,12-18) — ²"Quando comprares um escravo hebreu, ele te servirá seis anos, e no sétimo partirá livre, sem pagar nada.

³Se veio sozinho, partirá sozinho. Se trouxe mulher, a mulher partirá com ele.

⁴Se foi seu dono quem lhe deu a mulher, da qual teve filhos ou filhas, então a mulher e os filhos pertencem ao dono; o escravo partirá sozinho.

⁵Mas se o escravo disser: 'Gosto do meu amo, da minha mulher e dos meus filhos; não quero ficar livre', ⁶então seu dono o levará diante de Deus, o aproximará da porta ou da ombreira, e com uma sovela furará a orelha do escravo, e este permanecerá escravo para sempre.

⁷Quando alguém vender sua filha como escrava, esta não partirá livre como os escravos.

⁸Se seu dono, à qual fora destinada, não gostar dela, deixará que a resgatem. Não tem direito de vendê-la a estrangeiros, já que foi desleal com ela.

⁹Se a destinou a seu filho, ele a tratará como filha.

¹⁰Se tomar nova mulher, não privará a primeira de comida, roupa e direitos conjugais. ¹¹E se não lhe der essas três coisas, ela poderá partir gratuitamente, sem pagar nada".

Legislação criminal — ¹²"Quem ferir mortalmente um homem é réu de morte. ¹³Se não foi intencional – Deus o permitiu, – eu te indicarei um lugar onde poderá buscar asilo. ¹⁴Mas, se alguém está de briga com seu próximo e o assassina com premeditação, tu o arrancarás do meu altar e o matarás.

¹⁵Quem ferir seu pai ou sua mãe é réu de morte.

¹⁶Quem sequestrar um homem, para vendê-lo ou retê-lo, é réu de morte.

¹⁷Quem amaldiçoar seu pai ou sua mãe é réu de morte".

Casuística criminal — ¹⁸"Quando surgir uma briga entre dois homens, e um ferir o

---

de que exige ficar descalço em lugar sagrado. O Senhor escolhe o lugar e faz que se pronuncie seu nome sobre ele: toma posse, consagra-o (como faz Abrão em suas andanças: Gn 12,8). Num lugar único, central, mas múltiplos, acessíveis a todos os povoados. O sentido da última proibição é duvidoso, especialmente porque a fórmula "descobrir as partes" tem sentido sexual em outros contextos. Mas este sentido não tem nada a ver com os degraus. Esta prescrição e as precedentes podem responder a uma atitude polêmica perante cultos cananeus.

21,1 O texto hebraico apresenta o título e chama as leis seguintes de *mishpatim*.

21,2-11 A escravidão era instituição social reconhecida, e as leis tendem a defender os direitos dos escravos. A emancipação no sétimo ano é um jubileu individual. Não se trata de escravos de guerra, mas dos que se vendem para pagar dívidas. Distinguem-se os casos do homem e da mulher, porque esta ingressava como concubina. O adjetivo "hebreu" pode ter significado, durante certo tempo, uma condição social; mais tarde se tornou designação étnica (Dt 15,12 acrescenta a designação "irmão"). Ver o caso de alforria em Jr 34.

21,4 O dono lhe concede como esposa outra escrava, nascida em casa ou prisioneira de guerra, sem exigir dote: ela e seus frutos continuam sendo propriedade do amo; por isso não saem emancipados com o pai e o marido. Alude por analogia a esta lei o Sl 116,16, com desenlace oposto.

21,5 O rito se celebra em lugar sagrado e marca o indivíduo como escravo perpétuo. A razão de seu "amor" poderia ser que se sentia bem ou que não quer separar-se da sua família. A porta representa a casa e a orelha parece significar a submissão.

21,7 A moça é vendida para pagar uma dívida ou para obter um benefício. Entende-se que é vendida como concubina ou mulher, para o comprador ou para seu filho. O resgate compete em primeiro lugar aos parentes dela. Adquire direitos de esposa e não pode recair na pura escravidão. "Direitos conjugais" é a tradução comumente admitida; talvez Ef 5,29 aluda a isso.

21,12-17 Breve série de quatro leis de tipo apodítico, com sanção ou cláusula penal incorporada. À primeira se acrescentam especificações casuísticas. Sobre as cidades de asilo, ver Dt 19 e Nm 35; sobre direito de asilo no templo, 1Rs 1,51, e numerosas alusões nos salmos. É importante incorporar na lei a intenção do réu.

21,12 Lv 24,17; Nm 35,11-34.

21,14 1Rs 1,50; 2,28-34.

21,16 "Retê-lo" como escravo. Dt 24,7.

21,17 "Amaldiçoar": o verbo hebraico pode incluir também o abandono na necessidade, não sustentar: Pr 20,20; 30,11; cf. Mt 15,4.

21,18-36 Sobre lesões corporais, de homens e animais, causadas por homens ou animais. A primeira é um exemplo excelente de lei diferenciada pelas

outro a socos ou pedradas, sem causar-lhe a morte, mas obrigando-o a ficar de cama, ¹⁹se o ferido puder levantar-se e sair à rua com a ajuda de uma bengala, então aquele que o feriu será declarado inocente: terá unicamente de pagar as despesas da cura e da convalescença.

²⁰Quando alguém ferir seu escravo ou sua escrava com uma vara, matando-o no momento, será declarado culpado; ²¹mas, se o escravo continuar vivo um ou mais dias, então o dono não será condenado, porque o escravo era propriedade sua.

²²Quando, numa briga entre homens, alguém ferir uma mulher grávida, fazendo que ela aborte, mas sem causar-lhe nenhuma lesão, será imposto ao causador a multa que o marido da mulher exigir, e ele a pagará diante dos juízes. ²³Mas quando houver lesões, serão pagas: vida por vida, ²⁴olho por olho, dente por dente, mão por mão, pé por pé, ²⁵queimadura por queimadura, ferida por ferida, golpe por golpe.

²⁶Quando alguém ferir seu escravo ou escrava no olho e o inutilizar, dará liberdade ao escravo em troca do olho; ²⁷e se lhe quebrar um dente, lhe dará liberdade em troca do dente.

²⁸Quando um touro matar a chifradas um homem ou mulher, ele será apedrejado, e não comerão sua carne; o dono é inocente. ²⁹Se se tratar de um touro que já chifrava antes, e seu dono, avisado, não o prendeu, então, se o touro matar um homem ou mulher, será apedrejado, e também seu dono é réu de morte. ³⁰Se lhe puserem um preço de resgate, pagará em troca de sua vida o que lhe pedirem. ³¹A mesma norma será aplicada quando o touro chifrar um jovem ou uma jovem. ³²Mas se o touro chifrar um escravo ou uma escrava, o dono do escravo cobrará trezentos gramas de prata, e o touro será apedrejado.

³³Quando alguém abrir um poço ou cavar um buraco, e não o cobrir, se um boi ou asno cair nele, ³⁴o dono do poço pagará: devolverá em dinheiro ao dono do animal, ficando com o animal morto.

³⁵Quando um touro matar a chifradas o touro de outro dono, ele venderá o touro vivo e repartirão entre eles o dinheiro; dividirão também entre os dois o touro morto. ³⁶Mas se era sabido que o touro já chifrava, e seu dono não o mantinha preso, então pagará touro por touro, e ele ficará com o touro morto".

Leis sobre a propriedade – ³⁷"Quando alguém roubar um touro ou uma ovelha para matar ou vender, restituirá cinco touros por touro e quatro ovelhas por ovelha".

22 – ¹"Se um ladrão for surpreendido arrombando um muro e o ferem mortalmente, não há homicídio; ²mas se é à luz do dia, é caso de homicídio: o ladrão restituirá, e se não tiver com que pagar, será vendido pelo valor do que foi roubado. ³Se o touro, o asno ou o cordeiro roubados ainda estiverem vivos em poder do ladrão, este restituirá em dobro.

---

circunstâncias. Não se aplica pena, mas ressarcimento econômico. Na rixa, também o lesionado tentava ferir.

21,20-21 É notável a diferença de trato ao escravo, e duríssima a justificação: "era propriedade sua". Não se precisa a sanção do amo que mata a cacetadas um escravo ou uma escrava; se se tratasse de pena capital, a lei o diria.

21,22 Os juízes provavelmente intervinham para arbitrar o ressarcimento exigido.

21,23-25 Lei do talião. É conhecida em outras culturas e significa um avanço em duas direções. Serve para proteger as classes inferiores de poderosos que tentavam encobrir os próprios desmandos com uma multa. Serve também para pôr um freio à lei da vingança, formulada por Lamec (Gn 4,23s).

21,23 Lv 24,19s; Dt 19,21.

21,26-27 Esta lei representa um avanço humanitário com relação à do v. 20, porque refreia a crueldade do amo que implica o próprio interesse pessoal. Com um dente apenas, compra-se a liberdade.

21,28-36 O tema é conhecido em outros países. É interessante a série, embora um tanto desordenada. Pela vítima, em linha descendente: homem ou mulher, rapaz ou moça, escravo ou escrava, animal. Pelo causador: o touro, que se não é responsável, ao menos é perigoso; o dono pode ser responsável de grave negligência. Pela pena: capital com possibilidade de resgate, multa, acordo econômico.

21,37-22,14 Leis acerca da propriedade.

21,37 + 22,2b-3 Formam uma sequência clara: roubo de um animal e distinção de circunstâncias e penas.

22,1-2a No meio introduziu-se esta cunha que limita o direito à defesa e indiretamente protege a vida do ladrão. De noite a situação é outra: da parte do ladrão, é agravante; da parte do amo, pode temer um dano grave e, na obscuridade, não pode calibrar a defesa.

22,2 Jr 2,26; Jó 24,14.

⁴Quando alguém arrasar um campo ou uma vinha, levando seu rebanho para pastar em campo alheio, restituirá com o melhor do seu próprio campo ou vinha.

⁵Quando estourar um incêndio e ele se propagar pelo mato e devorar as plantações, os feixes ou o campo, o causador do incêndio pagará os prejuízos.

⁶Quando alguém confiar, em depósito, dinheiro ou qualquer outro objeto ao seu próximo, e o objeto for roubado da casa deste, então, se for descoberto o ladrão, este restituirá o dobro, ⁷e se não for descoberto o ladrão, o dono da casa se apresentará diante de Deus e jurará que não tocou o objeto do seu próximo.

⁸Em delitos contra a propriedade de touro, asno, ovelha, capa ou qualquer outro objeto perdido, se alguém afirma que o objeto é seu, o pleito será levado diante de Deus, e aquele a quem Deus declarar culpado pagará ao outro em dobro.

⁹Quando alguém confiar a seu próximo, em depósito, um asno, um touro, uma ovelha ou qualquer outro animal, e o animal morrer ou se machucar ou for roubado sem que ninguém veja, ¹⁰então o pleito será decidido com juramento, diante de Deus, de que não tocou o animal de seu próximo. O dono do animal aceitará o juramento, e não haverá restituição; ¹¹mas se o roubaram e ele tiver visto, então será restituído ao dono. ¹²Se o esquartejaram, o animal esquartejado será apresentado como prova, e não haverá restituição.

¹³Quando alguém pedir emprestado a seu próximo um animal, e o animal se ferir ou morrer na ausência de seu dono, deve restituí-lo. ¹⁴Se o dono estava presente, não haverá restituição. Se aquele que tomou emprestado for diarista, será descontado de seu salário.

¹⁵Quando alguém seduzir uma jovem solteira e se deitar com ela, pagará o dote e a tomará como esposa. ¹⁶Se o pai da jovem não a quiser dar, então ele pagará o dote que se dá pelas virgens".

Legislação apodítica – ¹⁷"Não deixarás a feiticeira viver.

¹⁸Quem deitar com animais é réu de morte.

¹⁹Quem oferecer sacrifícios aos deuses – além do Senhor – será exterminado.

²⁰Não afligirás nem envergonharás o imigrante, porque vós fostes migrantes no Egito.

²¹Não explorarás viúvas ou órfãos, ²²porque, se os explorares e eles gritarem a mim, eu os escutarei. ²³Minha ira se inflamará e vos matarei à espada, deixando viúvas as vossas mulheres, e órfãos os vossos filhos.

²⁴Se emprestares dinheiro a alguém de meu povo, a um pobre que habita contigo, não serás usurário com ele, impondo-lhe juros.

²⁵Se tomares como penhor a capa de teu próximo, tu a devolverás antes do pôr do sol, ²⁶porque ele não tem outra roupa para cobrir o corpo e para se deitar. Se gritar a mim, eu o escutarei, porque sou compassivo.

²⁷Não blasfemarás contra Deus e não amaldiçoarás o chefe do teu povo.

²⁸Não atrasarás a oferta de tua colheita e de tua vindima.

Tu me darás o primogênito de teus filhos; ²⁹o mesmo farás com teus touros e ovelhas: durante sete dias a cria ficará com sua mãe, e no oitavo dia tu a entregarás para mim.

22,5 Jz 15,4s.
22,6-12 Casos de depósito. Quando o julgamento humano não basta, recorre-se a Deus: num caso para jurar a própria inocência, noutro caso para que o juízo de Deus designe o culpado.
O juramento de inocência se formula como imprecação contra si mesmo e se considera eficaz; ver Sl 7,3-6.
22,12 Ver a alegação de Jacó em Gn 31,39.
22,13-14 O caso de empréstimo ou aluguel é diferente.
22,15-16 Ver o caso de Dina em Gn 34.
22,17 Começa uma série dominada pelo tipo de lei apodítica; as três primeiras, com pena de morte. A feiticeira é mediadora de poderes ocultos ou de deuses estranhos: ver 1Sm 28 e Ez 14.
22,18 Paralelos em Lv 18,23; 20,15; Dt 27,21.
22,19 Nm 25,1-5.
22,20-23 Viúvas, órfãos e migrantes formam com frequência o trio de um proletariado indefeso e explorado. Significam mais um estatuto social do que uma situação familiar (o herdeiro não se chama órfão). Deus se oferece como protetor pessoal desses desvalidos (Sl 68,6); atenderá sua reclamação judicial e castiga com uma pena como a do talião.
22,21 Is 1,17.23.
22,24 O pobre pede para subsistir, não para negociar. Lv 25,35-37.
22,25 Dt 24,10-13.
22,27 Ver Lv 24,15-16: o governante está investido de autoridade recebida de Deus.
22,27 At 23,5.
22,28 Refere-se às primícias. Dt 26,1.

³⁰Sereis para mim pessoas consagradas: não comais carne de animal despedaçado no campo; deixai-a para os cães".

23 **Legislação judicial** – ¹"Não farás declarações falsas: não conchaves com o culpado para testemunhar em favor de uma injustiça.
²Não tomarás o partido dos poderosos para fazer o mal: não farás declarações num processo tomando o partido dos poderosos e violando o direito.
³Não favorecerás o poderoso* em sua causa.
⁴Quando encontrares extraviados o touro ou o asno de teu inimigo, tu os levarás a seu dono.
⁵Quando vires o asno de teu adversário caído sob a carga, não passes ao largo; presta-lhe ajuda.
⁶Não violarás o direito de teu pobre em sua causa.
⁷Abstém-te das causas falsas: não matarás o justo nem o inocente, nem absolverás o culpado, porque eu não absolvo o culpado.
⁸Não aceitarás suborno, porque 'o suborno cega o perspicaz e falseia a causa do inocente'.
⁹Não maltrateis o migrante: conheceis a sina do migrante, porque fostes migrantes no Egito".

Sábado e ano sabático (Lv 25) – ¹⁰"Durante seis anos semearás tua terra e farás a colheita, ¹¹mas no sétimo ano a deixarás descansar. Deixa os pobres do teu povo comer, e as feras selvagens comerão o que sobrar. Farás o mesmo com tua vinha e teu olival.
¹²Durante seis dias farás teus trabalhos, mas descansarás no sétimo dia, para que teu touro e teu asno repousem, e o filho de tua escrava e o migrante se refaçam.
¹³Observai tudo o que vos disse: não invocareis o nome de deuses estrangeiros, que não se ouça de teus lábios".

Prescrições cultuais (Ex 34,18-23; Dt 16,1-16; Lv 23) – ¹⁴"Três vezes por ano vireis em romaria:
¹⁵Pela festa dos Pães Ázimos, que celebrarás assim: durante sete dias comerás pães ázimos – conforme vos ordenei – na data estabelecida do mês de abril, porque nesse mês saístes do Egito. Não te apresentarás a mim de mãos vazias.
¹⁶Pela festa da Ceifa, das primícias de tudo o que tiveres semeado em tuas terras.
Pela festa da Colheita, no fim do ano, quando terminares de fazer as colheitas de tuas terras.
¹⁷Três vezes por ano todos os homens de teu povo se apresentarão diante do Senhor.
¹⁸Não acompanharás com pão fermentado o sangue de meus sacrifícios, nem deixarás até o dia seguinte a gordura de minha festa.

22,30 O animal dilacerado por uma fera não foi morto segundo as regras, e não se pode comer: Lv 7,24; 17,15.

23,1-9 Preceitos de direito processual. Há vários dados duvidosos. Primeiro: o significado da palavra hebraica *rabbim*, que pode designar os poderosos (Jr 39,3.13; Jó 35,9) ou a maioria; não tem artigo; Eclo 7,6 fala do "nobre". Segundo: no v. 3 o texto hebraico lê *dal*, desvalido, que muitos corrigem para *gadol*, pessoa importante, como o sentido parece pedir. A leitura hebraica provê um antônimo a "poderosos" e se confirma com Lv 19,15; a segunda leitura parece mais coerente e razoável. Terceiro: os vv. 4-5 interrompem o tema? Alguns os justificam supondo que o "inimigo" é o rival num pleito. O mesmo se pergunta sobre o v. 9: se pertence ao tema, "oprimir" se circunscreve a causas judiciais. É mais fácil acrescentar uma peça qualquer a uma série. Os vv. 6-8 mostram que a preocupação principal nos processos é o direito do desvalido; é notável a expressão "o teu pobre".

23,1 Dt 19,6.
23,2 Dt 16,18-20.
23,3 * No hebraico, *dal* = pobre.
23,4 Dt 22,1-4.
23,7 Pr 17,15.
23,8 Dt 27,25.
23,10-12 O ano sabático de descanso e o sábado da semana estão em paralelismo. Aqui se aduz uma motivação social e também ecológica. Sobre o ano sabático, ver Lv 25.
23,13 Tem caráter conclusivo, abrangendo todos os preceitos precedentes. Os 2,19.
23,14-17 Calendário tipicamente agrário, medido pela ceifa da cevada em março-abril, a do trigo em junho, e a colheita de fruta em setembro; depois vem o ano novo. Não se menciona a páscoa do cordeiro, mas não falta a referência histórica à saída do Egito. Paralelos: Lv 23 e Dt 16.
23,18-19a Parecem adição atraída pelo tema cultual.

¹⁹Levarás à casa do Senhor, teu Deus, as primícias de teus frutos. Não cozinharás o cabrito no leite de sua mãe".

Epílogo – ²⁰"Vou enviar um anjo à tua frente, para que cuide de ti no caminho e te leve ao lugar que preparei. ²¹Respeita--o e obedece-lhe. Não te revoltes, porque ele leva o meu nome, e não perdoará tuas revoltas. ²²Se lhe obedeceres fielmente e fizeres o que eu digo, 'teus inimigos serão meus inimigos, teus adversários serão meus adversários'. ²³Meu anjo irá à tua frente e te levará às terras dos amorreus, heteus, ferezeus, cananeus, heveus e jebuseus, e eu acabarei com eles.

²⁴Não adorarás os deuses deles, nem os servirás. E não imitarás suas obras. Ao contrário, destruirás e destroçarás suas estelas.

²⁵Quanto a vós, servi ao Senhor, o vosso Deus, e ele abençoará teu pão e tua água. Afastarei de ti as doenças. ²⁶Não haverá em tua terra mulher estéril nem que aborte. Completarei o número de teus dias.

²⁷Enviarei à tua frente meu terror, e ele destruirá os povos que invadires; farei que teus inimigos te deem as costas. ²⁸Enviarei à tua frente o pânico que espantará da tua frente heveus, cananeus e heteus. ²⁹Mas não os expulsarei todos num ano, para que a terra não fique deserta e as feras se multipliquem. ³⁰Eu os expulsarei aos poucos, até que tenhas crescido e tomes posse da terra.

³¹Marcarei as fronteiras do teu país: do mar Vermelho até o mar dos filisteus, e desde o deserto até o Rio. Porei em tuas mãos os habitantes desse país, e tu os expulsarás de tua presença. ³²Não farás aliança com eles nem com seus deuses, ³³e não deixarás que habitem em teu país, para que não te arrastem a pecar contra mim, adorando os deuses deles, que serão uma armadilha para ti".

23,19b Alguns pensam que se trata de um rito mágico; outros repartem de modo diferente os sintagmas hebraicos e leem "o cabrito mamão".

23,20-32 Sem preparação, sem conexão, saltamos de um conjunto de leis para um olhar em direção ao futuro, a uma etapa posterior, interrompendo violentamente a conclusão da cerimônia. Depois do Sinai, a libertação continua com a peregrinação pelo deserto e a paulatina conquista da terra. Para as duas etapas o Senhor anuncia a sua intervenção e dá normas concretas de conduta, não leis propriamente ditas. À observância dessas normas estão ligadas promessas e ameaças, bênçãos e maldições. A técnica de desenvolvimento é simples: anúncio e mandamento, mandamento positivo e negativo, explicação e motivação, promessa e ameaça; mas o paralelismo não escraviza o tema.

23,20-26 Primeiro envio: o "anjo" pelo caminho e na terra. Anjo é um enviado, mensageiro ou mensagem, homem ou manifestação. Em qualquer caso, é presença sentida do Senhor. Caminho e terra são termos fixos da fé e da teologia, como também o verbo levar; mas não o verbo cuidar. Enquanto Israel crescia no Egito, Deus lhe preparou a terra, dirigindo a ação da natureza e da história (Sl 68,11). Dt 6 e 8 mostram como outros povos trabalharam para Israel.

23,21 O anjo atua em nome do Senhor: daí a gravidade de não acatá-lo.

23,22 Promessa universal, da qual o homem podia abusar; mas condicionada à absoluta fidelidade e obediência do povo.

23,23 Ml 3,1.

23,24-25 O perigo máximo da vida na terra é o sincretismo e a idolatria com suas consequências éticas (Gn 15,16; Lv 18; frequente na pregação profética). Ver o paralelo de Dt 7.

23,25-26 Bênçãos elementares de sustento, saúde e fecundidade. Talvez sejam as bênçãos a razão de introduzir aqui a perícope. Olham para diante enquanto promessa, abrangem o Decálogo e o código, reiterando o primeiro mandamento. Se é assim, têm função estrutural.

23,27-28 O duplo envio, do terror e do pânico, serve de paralelo ao envio do anjo e se refere à ocupação da terra, habitada por outros povos. O autor supõe que o Senhor pode dispor da terra e reparti-la como lhe apraz (19,5).

23,29-30 A explicação é resposta a uma pergunta que alguns colocam: por que Deus não entregou de uma só vez o território inteiro? por que uma conquista e uma ocupação paulatinas? A resposta usa argumentos de razão: o homem domestica e urbaniza a natureza, afastando o deserto, o mato, as feras (Is 34,10-17). Se o homem falta, o vazio é ocupado de novo pelo mato, pela aridez, pelas feras (2Rs 17,25). Como na bênção do Gênesis (1,28) ou na de Abraão (Gn 17), o crescimento em número é condição para a posse e o domínio da terra.

23,31-33 A última seção corresponde ao final do processo de ocupação, com as fronteiras idealizadas no tempo de Davi ou Salomão. Lê-se de novo nestas linhas a constante tentação da cultura cananeia ou pagã para os israelitas. A "armadilha" não foi um perigo puramente hipotético (Dt 28,64-69).

24 Rito da aliança (Ex 19; Dt 29; Js 24) – ¹O Senhor disse a Moisés:

– Sobe até mim com Aarão, Nadab, Abiú e os setenta dirigentes de Israel, e prostrai-vos a distância. ²Depois Moisés se aproximará sozinho, sem eles, e o povo não subirá.

³Moisés desceu e transmitiu ao povo tudo o que o Senhor lhe havia dito, todos os seus mandamentos, e todo o povo respondeu:

– Faremos tudo o que o Senhor diz.

⁴Então Moisés pôs por escrito todas as palavras do Senhor; madrugou e ergueu um altar na encosta do monte e doze estelas pelas doze tribos de Israel. ⁵Mandou alguns jovens israelitas oferecer os holocaustos e oferecer novilhos como sacrifício de comunhão para o Senhor. ⁶Depois pegou a metade do sangue e o pôs em recipientes, e com a outra metade aspergiu o altar. ⁷Tomou o documento da aliança e o leu em voz alta para o povo, que respondeu:

– Faremos tudo o que o Senhor manda, e obedeceremos.

⁸Moisés pegou o resto do sangue e com ele aspergiu o povo, dizendo:

– Este é o sangue da aliança que o Senhor faz convosco mediante essas cláusulas.

⁹Moisés, Aarão, Nadab, Abiú e os setenta dirigentes de Israel subiram ¹⁰e viram o Deus de Israel: sob os pés tinha uma espécie de pavimento de safira, límpida como o próprio céu. ¹¹Deus não estendeu a mão contra os notáveis de Israel, que puderam contemplar Deus e depois comeram e beberam.

¹²O Senhor disse a Moisés:

– Sobe até mim, ao monte, pois estarei aí para dar-te as tábuas de pedra com a lei e os mandamentos que escrevi para instruí-los.

¹³Moisés se levantou e subiu com seu ajudante Josué ao monte de Deus; ¹⁴e disse aos dirigentes:

– Ficai aqui até que eu volte. Aarão e Hur estão convosco; quem tiver alguma questão, leve-a para eles.

¹⁵Quando Moisés subiu ao monte, a nuvem o cobria, ¹⁶e a glória do Senhor descansava sobre o monte Sinai, e a nuvem o cobriu durante seis dias. No sétimo dia, do meio da nuvem chamou Moisés. ¹⁷A glória do Senhor apareceu aos israelitas como fogo devorador sobre o topo do

---

24,1-11 Chegamos ao rito que sela a aliança. Por cima do detalhado código legal, nos ligamos com as ações do cap. 19. O autor final emprega material diverso para construir uma unidade nova superior, sem limar de todo as asperezas da junção.

Não é raro entre escritores bíblicos tomar um texto narrativo, cortá-lo em duas partes e inserir outro texto no meio. Assim se produz uma espécie de inclusão e se obtém um processo narrativo menos linear, do tipo A – M – B. No caso presente resulta a seguinte distribuição: chamado de Deus (1-2), sacrifício com o povo (3-8), subida e banquete (9-11). É uma solene cerimônia litúrgica.

24,1-2 O começo do hebraico é áspero: "E disse a Moisés: Sobe a *Yhwh*..." Como se até aqui alguém se tivesse dirigido ao povo. Nadab e Abiú eram filhos de Aarão. Os "setenta" parecem relacionados com os de Nm 11. Com este chamado especial se estabelece uma hierarquia: o povo, os anciãos, os aaronitas, Moisés; e indicam-se três lugares: distantes, próximos, imediato.

24,3-8 Rito central. Moisés comunica ao povo "todas as palavras do Senhor" (Decálogo?) e os preceitos (código?), e o povo aceita. Depois, "todas as palavras" são escritas no documento ou protocolo da aliança, que confere validade e se conserva para o futuro; a leitura se detém. As doze estelas (talvez em círculo, como um dólmen; compare-se com Js 4,20) representam as tribos, ao passo que o altar (talvez no centro) representa o Senhor. Uns jovens – ainda não funciona o corpo levítico – oferecem holocaustos e sacrifícios de comunhão (Sl 50,5). A vítima oferecida se consagra; seu sangue, que é sua vida, é agora sagrado. Ao ser repartido entre Deus e o povo (cf. Hb 9,18-19), o sangue une com vínculo sagrado as duas partes; é o sinal ou sacramento da aliança. Antes da aspersão do povo, procede-se à leitura ou proclamação do protocolo, e o povo pela terceira vez aceita (cf. 19,8). A nova aliança retomará parte desses ritos e de seus termos: Mt 26,27; Mc 14,24; Lc 22,20; 1Cor 11,23-25; cf. Hb 9,18-20.

24,9-11 Uns poucos privilegiados podem "ver, contemplar" a Deus sem morrer por isso (compare-se com o episódio de Oza com a arca, 2Sm 6,6-9). Embora se mencionem "os pés", eles os veem sem figura definida; na visão domina o esplendor celeste (compare-se com Is 6,1 e Ez 1). O "pavimento" é uma como réplica próxima do firmamento celeste; serve de escabelo do trono divino. O banquete é ritual, participação nos sacrifícios de comunhão.

24,12-14 Nova subida de Moisés sozinho (Dt 9,9), que prepara o episódio do bezerro (cap. 32). Nesta versão, Deus mesmo grava a lei, *torah*, em tábuas de pedra, que terão papel importante no relato posterior, na imagem de Jr 31 e na iconografia cristã.

24,15b-18 Aqui começa uma nova seção. No tecido narrativo, este texto se relaciona com 19,1-2: ao chegarem os israelitas ao Sinai, a nuvem o cobriu; na nuvem se ocultava o Senhor, que chamou Moisés. Na construção teológica, a nova subida se presta a receber uma série de leis que entram também na aliança, embora esta já tenha sido selada. São leis cultuais que formam díptico com o código da aliança.

24,17 A glória do Senhor se manifesta aos israelitas como fogo temível, a Moisés como nuvem miste-

monte. ¹⁸Moisés entrou na nuvem e subiu ao monte, e aí ficou durante quarenta dias e quarenta noites.

O SANTUÁRIO

25 [A] Tributos para a construção do santuário (1Rs 7,13-51) – ¹O Senhor falou a Moisés:
– ²Dize aos israelitas que me ofereçam um tributo; vós aceitareis o tributo de todos os que generosamente o oferecerem a mim. ³Tributos que podereis aceitar: ouro, prata e bronze; ⁴púrpura violeta, vermelha e escarlate; linho e pelo de cabra; ⁵peles de carneiro curtidas; peles de toninha e madeiras de acácia; ⁶azeite para a lâmpada e perfumes para a unção e o incenso aromático; ⁷pedras de ônix e pedras de engaste para o efod e o peitoral.
⁸Faze-me um santuário, e eu morarei entre eles. ⁹Em sua construção, seguirás o modelo do santuário e dos utensílios que eu te mostrei.

---

riosa e acessível. Os seis dias de silêncio completo são a preparação espiritual para o novo encontro; compare-se com a precipitação de Moisés quando da primeira aparição (Ex 3).
24,18 Mt 4,2.

O Santuário
Introdução

Nos capítulos precedentes, muita reflexão posterior se incorporava às velhas tradições narrativas. Dito pelo avesso, as velhas tradições entravam num contexto teológico posterior e se amoldavam a ele mais ou menos bem. Nos capítulos que seguem lemos uma projeção ideal do culto israelita à época do deserto, do êxodo.
a) Não é que os nômades desconheciam o culto: um objeto de culto portátil é historicamente provável, uma tenda de campanha reservada para cerimônias litúrgicas não é improvável. Em vez disso, os capítulos seguintes nos oferecem uma organização calculada e prevista em detalhes, uma riqueza de materiais e uma habilidade técnica que os nômades não possuíam, magnífica montagem, impossível ou muito difícil de transportar pelo deserto. Não é um sonho fantástico sobre o futuro, mas a organização posterior transferida para o deserto, para a aliança do Sinai, para a instituição direta de Deus.
A comunidade judaica, ao retornar do exílio, centra a própria vida e unidade no culto em Jerusalém, pois já não tem rei nem autonomia política. Esta mentalidade, que enforma também a obra do Cronista, explica a importância e amplidão que concedem ao tema os que introduziram estes capítulos no relato fundacional do êxodo.
O texto nos permite distinguir duas concepções. Uma forma mais simples, a tenda do encontro. Quer dizer, uma tenda onde o Senhor dá audiência a Moisés: este se dirige à tenda e Deus desce até ela; aí tratam seus assuntos (25,22; 29,42s; 30,6.36; 34,34). A outra é complexa, o santuário ou tabernáculo, onde "reside" o Senhor ou sua glória (25,3; 29,45). A segunda procura transformar a primeira, sem eliminá-la de todo.
b) O culto é um modo regular e sistemático de expressar e realizar a relação do homem e da comunidade com seu Deus. Para que funcione, para que Deus o aceite, tem que ser legítimo, ou seja, legalmente estabelecido. O homem não o pode impor, isto é, Deus o pode legitimar, instituindo-o diretamente. É isso que querem dizer os capítulos seguintes com duas ou três fórmulas convergentes ou complementares. A primeira, conhecida em outras culturas, é a visão
de um "modelo" celeste, que Deus mostra a seu mediador (25,9.40; 26,8.30; 27,8; Nm 8,4); a segunda é verbal, uma série de "instruções" precisas, que o homem executa. E para assegurar a execução, Deus comunica aos artesãos uma habilidade carismática (28,3; 31,3).
c) Da tenda e do santuário pode-se analisar a forma, a função ou o simbolismo. Comentaristas passados se interessaram muito em reconstruir graficamente o aspecto do santuário. Desde antigamente se tem interpretado como símbolo cósmico, representação do universo. Ou como símbolo do céu, morada do palácio de Deus.
Para descrever a sua função ou funções, seria preciso recordar textos narrativos (p. ex., 1Rs 8), proféticos (p. ex., Ez 40-48) e muitos salmos. O santuário é lugar de culto, presença da glória, asilo, tribunal religioso, proteção da cidade etc.
Mais fácil é concentrar-se na função destes capítulos no seu lugar atual. O mais importante é que ficam radicados na aliança, que são parte integrante da torah promulgada por Moisés; que as instalações e a mobília se montam com a contribuição voluntária de todo o povo e acompanharão o povo desde sua constituição. Outra consequência é apoiar a centralização do culto, ao projetá-lo nas origens em face de práticas históricas admitidas (Jz 6,18; 21,4; 1Sm 7,16 etc.).
d) Composição. O tema está dividido claramente em dois blocos: instruções (25-31); execução (35-40). No meio, o episódio do bezerro e várias tradições sobre Moisés. A execução é em grande parte uma repetição literal. Mas, na ordem e em certos detalhes importantes, afasta-se do primeiro bloco. As disposições se referem especialmente à esfera material: espaços, materiais, utensílios, vestes. Mencionam-se ritos de consagração. O resto do ritual está reunido em Lv e Nm; muitos textos do culto se leem no saltério.
Todo este mundo rígido, hierático, tem sentido como expressão de atitudes profundas do homem. E com este critério temos de orientar nossa leitura e compreensão. Ao mesmo tempo, o uso que dele faz a carta aos Hebreus nos relativiza e o aproveita como iluminação do mistério de Cristo. (As nossas explicações serão breves).

25,1-9 Trata-se de tributos voluntários, nos quais o povo expressa devoção e generosidade. Muitos materiais são preciosos, alguns importados.
25,8 1Rs 8; Nm 8,4.

[B] A arca (Ex 37,1-9) – ¹⁰Farás uma arca de madeira de acácia: cento e vinte e cinco centímetros de comprimento por setenta e cinco de largura e setenta e cinco de altura. ¹¹Tu a revestirás de ouro puro por dentro e por fora, e ao redor aplicarás uma moldura de ouro. ¹²Fundirás ouro para fazer quatro anéis, que colocarás nos quatro ângulos, dois de cada lado. ¹³Farás também alguns varais de madeira de acácia, e os revestirás de ouro, ¹⁴e os colocarás pelos anéis laterais da arca, para poder transportá-la. ¹⁵Os varais permanecerão colocados nos anéis da arca, e não serão tirados. ¹⁶Dentro da arca guardarás o documento da aliança que eu te darei.

¹⁷Farás também uma placa de ouro puro de cento e vinte e cinco centímetros de comprimento por setenta e cinco de largura. ¹⁸Em seus dois extremos farás dois querubins cinzelados em ouro: ¹⁹cada um sairá de um extremo da placa, ²⁰e a cobrirão com as asas estendidas para cima. Estarão um diante do outro, olhando para o centro da placa. ²¹Cobrirás a arca com a placa, e dentro dela guardarás o documento da aliança que te darei. ²²Aí me encontrarei contigo, e de cima da placa, no meio dos querubins da arca da aliança, eu te direi tudo o que deverás ordenar aos israelitas.

[C] Mesa dos pães apresentados (Ex 37,10-16) – ²³Farás uma mesa de madeira de acácia de cem centímetros de comprimento por cinquenta de largura e setenta e cinco de altura; ²⁴tu a revestirás de ouro puro e aplicarás ao redor uma moldura de ouro. ²⁵Porás ao redor dela uma braçadeira de um palmo, e ao redor da braçadeira uma moldura de ouro. ²⁶Farás quatro anéis de ouro e os colocarás nos ângulos dos quatro pés. ²⁷Os anéis estarão presos à braçadeira; através deles se colocarão os varais para poder transportar a mesa. ²⁸Farás os varais de madeira de acácia e os revestirás de ouro, e com eles transportarás a mesa.

²⁹Farás também travessas, bandejas, jarras e taças para a libação, tudo de ouro puro. ³⁰Sobre a mesa porás os pães apresentados, de modo que estejam sempre diante de mim.

[D] O candelabro (Ex 37,17-24) – ³¹Farás um candelabro de ouro puro, todo cinzelado: base, haste, cálices e corolas sairão dele. ³²De seus lados sairão seis braços, três de cada lado. ³³Cada braço terá três taças, como flores de amendoeira, com cálice e corola; os seis braços que saem do candelabro serão iguais. ³⁴O candelabro terá quatro taças, como flores de amendoeira, com cálice e corola. ³⁵Um cálice sobre cada par de braços sob o candelabro; os seis braços do candelabro serão iguais. ³⁶Cálices e hastes sairão dele, todos iguais, cinzelados em ouro puro.

³⁷Farás também sete lâmpadas e as porás sobre o candelabro, de modo que iluminem a parte dianteira. ³⁸Suas espevitadeiras e aparadores serão de ouro puro. ³⁹Empregarás trinta quilos de ouro para fazer o candelabro e todos os seus utensílios. ⁴⁰Seguirás o modelo que te foi mostrado na montanha.

26 O santuário. [A] Cortinas (Ex 36,8-19) – ¹Farás o santuário com

---

25,10-16 A arca era uma caixa ou baú em que se podiam guardar objetos valiosos do culto; em concreto, o protocolo da aliança. A arca é um objeto transportável em varais. Em tempo de guerra serve de paládio, que assegura a presença e proteção da divindade.
25,16 Dt 10,2.5.
25,17-22 A tampa da arca adquire sentido particular. É como o sólio da majestade invisível de Deus; lugar donde se emitem oráculos; lugar onde se expiam pecados com o sangue de vítimas sacrificadas.
25,17 Rm 3,25.
25,22 Lv 1,1.
25,23-30 Os pães, que em outras religiões podem ser alimento oferecido aos deuses, em Israel são oferta simbólica: pão quotidiano para o Senhor.
25,30 1Sm 21,4-7.
25,31-39 A descrição do candelabro é confusa para nós; muitos termos são duvidosos. O candelabro, além de iluminar o recinto, será interpretado como presença vigilante do Senhor (Zc 4,10).

26 O templo era um recinto amplo, com um ou vários átrios e um edifício que se chama santuário. Ao projetar para o deserto a regulamentação de Jerusalém, transforma-se o edifício em tenda, e tudo se fabrica com materiais transportáveis: cortinas, peles, tábuas. Inclusive o altar onde se queimam os holocaustos é feito de madeira e é oco. Peças menores podem ser de ouro, prata ou bronze, em gradação calculada.
Secundárias são as instruções minuciosas, a harmonia das proporções, a riqueza dos materiais. Tudo se ordena a receber e alojar a glória do Senhor no meio do seu povo. O santuário está dividido em duas partes por uma cortina (como o céu pelo firmamento). O santuário é o recinto, o resto é sua mobília e utensílios (como a criação, ar, terra e mar, se povoa de habitantes). O próprio Deus mostra a maquete da construção.
26,1 Os querubins eram imagens de animais fantásticos, às vezes polimorfos, que custodiavam o recinto; como em outras culturas.

dez cortinas de linho retorcido, de púrpura violeta, vermelha e escarlate, e nelas bordarás uns querubins. ²Cada cortina medirá catorze metros de comprimento por dois de largura: todas da mesma medida. ³Juntarás as cortinas em duas séries de cinco cada uma, ⁴e em cada um dos lados das duas séries de cortinas farás laços de púrpura violeta: ⁵cinquenta no lado da primeira série e cinquenta no lado da segunda. Os laços se corresponderão entre si. ⁶Farás também cinquenta colchetes de ouro e com eles juntarás as cortinas, de modo que o santuário forme uma unidade.

⁷Tecerás também onze cortinas de pelo de cabra, para que sirvam de tenda para o santuário. ⁸Cada uma medirá quinze metros de comprimento por dois de largura: as onze terão a mesma medida. ⁹De um lado juntarás cinco cortinas, e seis do outro, e a sexta, dobrada, servirá de portal para a tenda. ¹⁰Porás cinquenta laços nos lados de cada série de cortinas juntadas. ¹¹Farás também cinquenta colchetes de bronze e os colocarás nos laços, e fecharás a tenda, de modo que forme uma unidade. ¹²Do que restar da cortina da tenda, a metade da cortina que sobrar descerá na parte posterior do santuário; ¹³e os cinquenta centímetros que sobrarem ao longo dos dois lados da tenda descerão sobre os dois lados do santuário, cobrindo-o.

¹⁴Farás também para a tenda uma cobertura de peles de carneiro curtidas, e por cima uma cobertura de peles de toninha.

[B] **Tábuas** (Ex 36,20-34) – ¹⁵Farás umas tábuas de madeira de acácia e as colocarás verticalmente no santuário. ¹⁶Cada uma medirá cinco metros de comprimento por setenta e cinco centímetros de largura, ¹⁷tendo dois encaixes para juntar-se com as contíguas. Farás todas as tábuas iguais. ¹⁸Tu as colocarás do seguinte modo: no lado sul, vinte tábuas, ¹⁹e, debaixo delas, quarenta bases de prata, duas para cada tábua, para seus dois encaixes. ²⁰No segundo lado, ao norte, outras vinte tábuas, ²¹com suas quarenta bases, duas por tábua. ²²No lado do fundo, ao poente, seis tábuas de frente, ²³e duas nos ângulos. ²⁴Alinhadas na base e perfeitamente unidas por cima, até o primeiro anel: assim formarão os dois ângulos do santuário. ²⁵No total, oito tábuas com dezesseis bases, duas por tábua.

²⁶Farás também cinco travessas de madeira de acácia para as tábuas de cada lado, ²⁷e cinco para o lado do fundo, ao poente. ²⁸A travessa central, na meia altura das tábuas, atravessará de uma extremidade à outra. ²⁹Revestirás de ouro as tábuas e as travessas, e de ouro farás os anéis por onde passarão as travessas.

³⁰Construirás o santuário segundo o modelo que viste na montanha.

[C] **Cortina e anteporta** (Ex 36,35-38) – ³¹Farás uma cortina de púrpura violeta, vermelha e escarlate e linho retorcido, e nela bordarás querubins. ³²Pendurarás a cortina em quatro colunas de madeira de acácia revestidas de ouro e providas de ganchos e de quatro bases de prata. ³³Tu a pendurarás debaixo dos colchetes, e atrás dela colocarás a arca da aliança. A cortina separará o Santo do Santíssimo.

³⁴Colocarás a placa da expiação sobre a arca da aliança, no Santíssimo. ³⁵Fora da cortina, no lado norte, porás a mesa, e, no lado sul, diante da mesa, colocarás o candelabro.

³⁶Farás também para a tenda uma anteporta de púrpura violeta, vermelha e escarlate e linho retorcido, bordada. ³⁷E para a anteporta farás cinco colunas de madeira de acácia, que revestirás de ouro, assim como seus ganchos, e fundirás em bronze cinco bases para as colunas.

27 [A] **Altar dos holocaustos** (Ex 38,1-7) – ¹Farás o altar de madeira de acácia: será quadrado e medirá dois metros e meio de lado, um metro e meio de altura. ²Nos quatro cantos, farás saliências, que sairão dele, e as revestirás de bronze. ³Farás para ele caldeirões para a cinza,

---

26,33 O Santo e o Santíssimo eram como a nave e o camarim.
26,34 Hb 9,5.
27,1-8 Menciona um só altar (o outro no cap. 30). As saliências dos ângulos, à maneira de acrotérios, concentravam a sacralidade, segundo a interpretação de estudiosos de religiões comparadas. Arrancá-las ou destruí-las execrava o altar (Am 3,14).

pás, aspersórios, garfos e braseiros, todos de bronze. ⁴Farás também uma grelha de bronze, e em seus quatro ângulos porás quatro anéis de bronze. ⁵Tu a colocarás debaixo dos rebordos do altar, de modo que desça até meia altura do altar. ⁶Farás também para o altar varais de madeira de acácia e os revestirás de bronze, ⁷e os colocarás nos anéis dos dois lados do altar, para transportá-lo.

⁸Farás o altar oco, com tábuas, segundo o modelo que viste na montanha.

[B] O átrio do santuário (Ex 38,9-20) – ⁹Farás assim o átrio do santuário: no lado sul do átrio, porás cortinas de linho retorcido, com o comprimento de cinquenta metros. ¹⁰As vinte colunas e bases serão de bronze, os ganchos e vergas das colunas serão de prata. ¹¹O mesmo farás no lado norte: porás cortinas com o comprimento de cinquenta metros, vinte colunas com suas bases de bronze, e de prata os ganchos e vergas das colunas. ¹²Na lateral, no lado do poente, colocarás cortinas com o comprimento de vinte e cinco metros, com dez colunas e dez bases; ¹³a largura será de vinte e cinco metros.

¹⁴De cada lado da porta, porás cortinas com o comprimento de sete metros e meio, ¹⁵com três colunas e três bases. ¹⁶Na entrada do átrio, porás uma anteporta de dez metros, de púrpura violeta, vermelha e escarlate e linho retorcido, bordada, com quatro colunas e quatro bases. ¹⁷Todas as colunas ao redor do átrio terão vergas de prata, seus ganchos serão de prata e suas bases de bronze.

¹⁸O átrio terá cinquenta metros de comprimento por vinte e cinco de largura e dois e meio de altura; ele será todo de linho retorcido, e as bases de bronze. ¹⁹Todos os utensílios do serviço do santuário e todas as suas estacas, como as estacas do átrio, serão de bronze.

[C] Azeite da lâmpada (Lv 24,2-4) – ²⁰Ordena aos israelitas que te tragam azeite de oliva puro e refinado, para alimentar continuamente a lâmpada. ²¹Aarão e seus filhos a prepararão na tenda do encontro, fora da cortina que fecha o documento da aliança, para que arda desde a tarde até a manhã, na presença do Senhor.

Lei perpétua para todas as gerações israelitas.

28 **Ornamentos sacerdotais** (Lv 8,6-9; Eclo 45,8-12) – ¹Dentre os israelitas, escolhe teu irmão Aarão e seus filhos Nadab, Abiú, Eleazar e Itamar, para que sejam meus sacerdotes.

²Farás confeccionar ornamentos sagrados, ricos e faustosos para teu irmão Aarão. ³Ordena a todos os artesãos, aos quais dotei de habilidade, que confeccionem os ornamentos de Aarão, para consagrá-lo meu sacerdote.

⁴Ornamentos que confeccionarão: efod, peitoral, manto, túnica axadrezada, turbante e faixa. Os ornamentos que teu irmão Aarão e seus filhos usarem como meus sacerdotes ⁵serão confeccionados em ouro, púrpura violeta, vermelha e escarlate e linho.

27,9-18 No átrio se congrega o povo, no santuário entram os sacerdotes.

27,20-21 "Desde a tarde até o amanhecer" equivale à noite; faz supor que sua função é iluminar, não prestar homenagem como nos templos católicos.

28,2 Os ornamentos sacerdotais são o resultado de uma acumulação histórica. A descrição não permite fazer imagem precisa, e muitos termos tornam conjectural a tradução. Podemos, sim, fazer ideia do seu sentido. Têm, antes de tudo, valor ornamental, junto com a função de definir o âmbito sagrado, separando-o do âmbito profano. Daí a mudança de vestes para serem consagrados e para oficiarem.

Algumas têm função específica: os calções são usados por decência; as campainhas são apotropaicas, quer dizer, afastam perigos e maus espíritos; além disso, chamam a atenção para a chegada do sumo sacerdote. Mais importantes parecem as pedras e a flor, por sua função em relação ao povo. Duas pedras se aplicam nas ombreiras, como memorial dos israelitas. As pedras do peitoral são todas diferentes e estão belamente dispostas em quatro filas de três: representam nominalmente as doze tribos, diferentes e irmanadas, refulgentes e ordenadas. Belo espetáculo que o sumo sacerdote leva sobre o peito e apresenta ao Senhor, talvez para que se compraza naquilo que fez tão bem, na bênção de fecundidade outorgada aos patriarcas; e para que continue ocupando-se delas. Sobre as pedras pode fluir a unção do sumo sacerdote, através da barba (Sl 133).

Mas o povo pode perturbar a harmonia com alguma transgressão cultual. Para expiá-la e para reconciliar o povo, Aarão leva na fronte uma flor áurea. Na cabeça como sede da responsabilidade, neste caso coletiva e vicária. Uma flor que, com seu fulgor e não com aroma, aplaque o Senhor.

Se algumas destas explicações são duvidosas, é certa

[A] Efod (Ex 39,2-7) – ⁶Mandarás fazer artisticamente o efod em ouro, púrpura violeta, vermelha e escarlate e linho retorcido, trabalho de artesão. ⁷Terá duas ombreiras unidas pelas extremidades. ⁸O cinto para amarrar o efod sairá dele e será do mesmo trabalho: de ouro, púrpura violeta, vermelha e escarlate e linho retorcido.

⁹Tomarás duas pedras de ônix e farás gravar nelas os nomes das tribos israelitas: ¹⁰seis em cada pedra, por ordem de nascimento. ¹¹Gravarão os nomes das tribos israelitas como o ourives grava a pedra de um selo, e as engastarão em filigrana de ouro. ¹²Aplicarás as duas pedras às ombreiras do efod: pedras-memorial dos israelitas. Aarão levará seus nomes sobre as ombreiras, como memorial para o Senhor. ¹³Mandarás fazer filigranas de ouro, ¹⁴e duas correntes de ouro puro, trançadas como cordões, e as prenderás às filigranas.

[B] Peitoral (Ex 39,8-21) – ¹⁵Mandarás fazer artisticamente o peitoral das sortes, do mesmo trabalho que o efod: ouro, púrpura violeta, vermelha e escarlate e linho retorcido. ¹⁶Será duplo e quadrado, com um palmo de comprimento por um de largura. ¹⁷Nele engastarás uma guarnição de quatro fileiras de pedras: na primeira fileira, cornalina, topázio e azeviche; ¹⁸na segunda fileira, esmeralda, safira e diamante; ¹⁹na terceira fileira, jacinto, ágata e ametista; ²⁰na quarta fileira, topázio, ônix e jaspe. As guarnições de pedra serão engastadas em filigrana de ouro. ²¹Terá doze pedras, como o número das tribos israelitas. Cada pedra trará gravado, como um selo, o nome de uma das doze tribos.

²²Além disso, farás para o peitoral correntes de ouro puro, trançadas como cordões, ²³e dois anéis de ouro, que prenderás às duas extremidades do peitoral. ²⁴Passarás os dois cordões de ouro pelos dois anéis do peitoral, e unirás as duas extremidades dos cordões às duas filigranas, ²⁵e as fixarás nas ombreiras do efod, na parte dianteira. ²⁶Farás outros dois anéis de ouro e os colocarás nas duas extremidades do peitoral, na borda interior que toca o efod. ²⁷E outros dois anéis de ouro, que fixarás na parte inferior e dianteira das ombreiras do efod, perto de sua juntura e acima do cinto do efod. ²⁸Mediante um cordão de púrpura violeta serão presos os anéis do peitoral com os do efod, para que fique sobre o cinto do efod, e o peitoral do efod não se desprenda.

²⁹Quando Aarão entrar no santuário, levará sobre o coração, no peitoral das sortes, os nomes das tribos israelitas, como memorial perpétuo diante do Senhor. ³⁰Porás no peitoral das sortes os urim e os tumim, para que fiquem sobre o coração de Aarão quando entrar para se apresentar ao Senhor. Aarão terá constantemente sobre o coração, na presença do Senhor, as sortes dos israelitas.

[C] Manto (Ex 39,22-26) – ³¹Mandarás fazer de púrpura violeta todo o manto do efod. ³²Terá no alto uma abertura no centro, reforçada por uma dobra ao redor, como a abertura de um colete, para que não se rasgue. ³³Na barra do manto, ao redor, porás romãs de púrpura violeta, vermelha e escarlate, e chocalhos de ouro alternando com elas; ³⁴chocalho e romã, tudo ao redor.

³⁵Aarão o vestirá quando oficiar. E ao entrar no santuário para se apresentar ao Senhor e ao sair, o tilintar dos chocalhos será ouvido: assim não morrerá.

[D] A flor de ouro (Ex 39,30s) – ³⁶Mandarás fazer uma flor de ouro puro, e nela gravarás como num selo: "Consagrado ao Senhor". ³⁷Tu a prenderás na parte da frente do turbante com um cordão de púrpura violeta. ³⁸Será colocada sobre a fronte de Aarão, e ele carregará a culpa que os israelitas tiverem cometido ao fazerem suas ofertas sagradas. Ele a terá sempre sobre a fronte, para os reconciliar com o Senhor. ³⁹A túnica e o turbante serão de linho, a faixa será bordada.

---

a função medianeira do sumo sacerdote. É o que relembrará a carta aos Hebreus.

28,30 *Urim* significa "luzes", e *tumim* "perfeições"; mas seu significado não se deduz por etimologia. Alguns pensam nas letras primeira e última do alfabeto, *alef* e *tau*, com que começam estas palavras. A sua função é decidir casos por alternativa. 1Sm 14,41.

28,31-35 À maneira de ampla casula. As campainhas têm função apotropéica.

28,36-39 Nos atos de culto, o povo pode cometer pecados por inadvertência ou descuido ou de outro modo. Estes invalidam o sacrifício, se não se reparam a tempo. Para isso o sumo sacerdote leva, durante suas funções, a flor que reconcilia.

[E] Outras vestes (Ex 39,27-29) – ⁴⁰Para os filhos de Aarão, farás confeccionar túnicas, faixas e turbantes ricos e faustosos. ⁴¹Com elas vestirás teu irmão Aarão e seus filhos, ungindo-os e consagrando-os meus sacerdotes. ⁴²Faze-lhes também calções de linho para cobrir suas partes, da cintura às coxas. ⁴³Aarão e seus filhos os vestirão quando entrarem na tenda do encontro ou quando se aproximarem do altar para oficiar: assim, não incorrerão em culpa e não morrerão.
Lei perpétua para Aarão e seus descendentes.

29 – ¹Rito de consagração de meus sacerdotes:
Tomarás um bezerro e dois carneiros sem defeito, ²pão ázimo, bolos ázimos amassados com azeite, fogaças ázimas untadas com azeite, tudo preparado com flor de farinha. ³Porás isso num cesto e o apresentarás junto com o bezerro e os dois carneiros. ⁴Depois mandarás Aarão e seus filhos se aproximarem da entrada da tenda do encontro, lavando-os com água. ⁵Pegarás os ornamentos e vestirás Aarão com a túnica, o manto do efod, o efod e o peitoral, e prenderás o efod com o cinto. ⁶Porás na cabeça dele o turbante, e sobre ele o diadema santo. ⁷Depois, pegarás o azeite da unção, derramando-o sobre a cabeça dele para ungi-lo. ⁸A seguir, farás seus filhos se aproximar e os vestirás com as túnicas, ⁹cingindo-os com as faixas e pondo neles os turbantes. O sacerdócio lhes pertence por direito perpétuo. Assim consagrarás Aarão e seus filhos.
¹⁰Farás trazer o bezerro à tenda do encontro: Aarão e seus filhos porão a mão sobre a cabeça da vítima. ¹¹A seguir degolarás a rês na presença do Senhor, na porta da tenda do encontro, ¹²e, tomando sangue da rês, untarás com o dedo as saliências do altar. Depois derramarás o sangue ao pé do altar. ¹³Pegarás a gordura que envolve as vísceras, o lóbulo do fígado, os dois rins com sua gordura, e deixarás queimar sobre o altar. ¹⁴Queimarás a carne, o couro e os intestinos fora do acampamento. É um sacrifício expiatório.
¹⁵A seguir, pegarás um dos carneiros. Aarão e seus filhos porão as mãos sobre a cabeça da vítima. ¹⁶Tu o degolarás e, pegando sangue, aspergirás o altar por todos os lados. ¹⁷Esquartejarás o carneiro, lavarás suas vísceras e patas, colocando-as sobre os pedaços e a cabeça, ¹⁸e o deixarás queimar completamente sobre o altar.
É holocausto para o Senhor: oblação aromática que aplaca o Senhor.
¹⁹Depois, pegarás o segundo carneiro. Aarão e seus filhos porão a mão sobre a cabeça da vítima. ²⁰Degolarás o carneiro e, pegando sangue, ungirás com ele o lóbulo da orelha direita de Aarão e de seus filhos, e os polegares de suas mãos e pés direitos: o resto do sangue o jogarás sobre o altar, ao redor. ²¹Depois, com o sangue, aspergirás o altar de todos os lados. Pegarás sangue do altar e azeite da unção, e salpicarás Aarão e suas vestes, os filhos de Aarão e suas vestes. Assim serão consagrados Aarão com suas vestes, seus filhos com suas vestes. ²²Depois, pegarás do carneiro da consagração a gordura, a cauda, a gordura que envolve as vísceras, o lóbulo do fígado, os dois rins com sua gordura e a perna direita; ²³do cestinho dos pães ázimos apresentados ao Senhor pegarás um pão, um bolo de pão amassado com azeite e uma fogaça. ²⁴Porás tudo isso nas mãos de Aarão e de seus filhos, para que o agitem ritualmente na presença do Senhor. ²⁵Tu o receberás de novo das mãos dele e o deixarás queimar no altar, sobre o holocausto, como aroma que aplaca o Senhor. É uma oblação ao Senhor.
²⁶Depois, pegarás o peito do carneiro da consagração de Aarão e o agitarás ritualmente na presença do Senhor. É a parte que te pertence. ²⁷Do carneiro da consagração de Aarão e de seus filhos, consagrarás o peito agitado ritualmente e a perna oferecida como tributo: ²⁸pertencem a Aarão e a seus filhos como porção perpétua da

---

29,1-35 O complexo rito inclui purificação e expiação, unção e consagração. Ver Lv 8. O sumo sacerdócio é hereditário.
29,10 O gesto parece significar que atuam como oferentes.
29,14 Lv 4.
29,18 Lv 1.
29,20 Não sabemos se o lóbulo e os polegares correspondem às saliências do altar. Ao menos há certo paralelismo na unção com sangue.
29,28 Lv 3.

parte dos israelitas; porque é o tributo tomado dos sacrifícios de comunhão que os israelitas oferecem ao Senhor.

²⁹Os ornamentos sagrados de Aarão serão herdados por seus filhos, para vesti-los durante a unção e consagração deles. ³⁰Durante sete dias os vestirá o filho que lhe suceder no sacerdócio, quando entrar na tenda do encontro para oficiar no santuário.

³¹Depois, pegarás o carneiro da consagração, cozinharás sua carne em lugar santo, ³²e Aarão e seus filhos a comerão com o pão do cestinho, na entrada da tenda do encontro. ³³Comerão a parte com a qual se fez a expiação, ao ordená-los e consagrá-los. Nenhum estranho pode comê-la, porque é porção santa. ³⁴E se sobrarem carne e pão da consagração para o dia seguinte, serão queimados. Não se comerão, pois é porção santa.

³⁵Isso é o que farás a Aarão e a seus filhos, ajustando-te a tudo o que te ordenei. A consagração durará sete dias. ³⁶Cada dia oferecerás um bezerro expiatório pelo pecado. Tu o oferecerás sobre o altar para expiar por ele, e ungirás o altar para consagrá-lo. ³⁷A expiação e consagração do altar durará sete dias; o altar será sacrossanto, e aquele que o tocar ficará santificado.

³⁸Oferenda permanente que oferecerás sobre o altar a cada dia: dois cordeiros de um ano. ³⁹Um de manhã, outro de tarde. ⁴⁰Com o primeiro, farás uma oferenda de quatro litros e meio de flor de farinha amassada com meio litro de azeite refinado e uma libação de meio litro de vinho. ⁴¹Oferecerás de tarde o segundo cordeiro, com uma oferenda e uma libação, como as da manhã, como oblação aromática que aplaca o Senhor. ⁴²Este é o holocausto que vossas gerações oferecerão perpetuamente, na presença do Senhor, na porta da tenda do encontro, onde me encontrarei convosco para vos falar.

⁴³Aí me encontrarei com os israelitas, e o lugar ficará consagrado com minha glória. ⁴⁴Consagrarei a tenda do encontro e o altar, consagrarei Aarão e seus filhos como meus sacerdotes. ⁴⁵Habitarei no meio dos israelitas e serei o seu Deus. ⁴⁶Eles reconhecerão que eu sou o Senhor seu Deus, que os tirou do Egito para habitar entre eles.

Eu sou o Senhor seu Deus.

30 [A] O altar do incenso (Ex 37,25-28)

– ¹Farás de madeira de acácia o altar do incenso, ²com cinquenta centímetros de comprimento por cinquenta de largura; será quadrado e terá um metro de altura. Dele sairão algumas saliências. ³Revestirás de ouro puro a parte superior, todos os seus lados e as saliências; ao redor porás uma moldura de ouro. ⁴Sobre a moldura, nos rebordos dos dois lados opostos, porás dois anéis de ouro; neles serão colocados os varais para transportar o altar. ⁵Farás os varais de madeira de acácia, revestidos de ouro. ⁶Porás o altar diante da cortina que fecha a arca da aliança e diante da placa que cobre a arca da aliança, onde me encontrarei contigo.

⁷Aarão queimará sobre ele o incenso aromático de manhã, quando preparar as lâmpadas, ⁸e também ao entardecer, quando as acender. Será o incenso perpétuo que vossas gerações oferecem na presença do Senhor. ⁹Não oferecereis sobre o altar outro incenso, nem holocaustos, nem oferendas, nem derramareis sobre ele qualquer libação.

¹⁰Uma vez por ano Aarão fará a expiação, untando as saliências do altar com o sangue da vítima expiatória; isso uma vez por ano, por todas as vossas gerações.

O altar está consagrado ao Senhor.

[B] Tributo pelo resgate (Ex 38,26-28)

– ¹¹O Senhor falou a Moisés:

29,42-46 Versículos particularmente importantes. Neles se percebem vestígios da fusão de duas concepções: tenda de encontro ou de reunião, santuário de habitação permanente. Tudo isso ordenado à união do povo com Yhwh, o Deus que os tirou do Egito e fez aliança com eles.

30 Parece que assistimos por representação a uma consagração do universo terrestre. O reino animal oferece suas vítimas para o sacrifício e peles protetoras. O reino vegetal se adianta com tecidos, materiais de construção, aromas de unção, e com essa espécie de holocausto vegetal que é o incenso, aroma que agrada a Deus. O reino mineral oferece suas pedras preciosas. O povo, porção escolhida da humanidade, reconhece com o tributo sua vassalagem sagrada.

30,11-16 Os israelitas como povo pertencem ao Senhor. Ao fazer um censo, seria como se fossem subtraídos dessa propriedade (2Sm 24); culpados ou expostos a perigos na nova situação. Pagando um tributo simbólico, reconhecem sua pertença ao Senhor, a qual se ratifica com a destinação do dinheiro ao culto.

— ¹²Quando fizeres o recenseamento completo dos israelitas, cada um, ao ser registrado, dará ao Senhor um resgate por si mesmo, para que não lhes aconteça nenhuma desgraça ao serem registrados. ¹³Cada um dará cinco gramas de prata (siclo do templo, que vale vinte óbolos): o tributo ao Senhor será cinco gramas de prata. ¹⁴Cada um dos registrados, de vinte anos para cima, pagará o tributo do Senhor. ¹⁵Nem o rico pagará mais de cinco gramas nem o pobre menos, quando derem o tributo ao Senhor como resgate de si mesmos. ¹⁶Receberás o dinheiro do resgate dos israelitas e o destinarás para o serviço da tenda do encontro: será o memorial dos israelitas para o Senhor, como resgate de suas vidas.

[C] A bacia e seu pedestal (Ex 38,8) – ¹⁷O Senhor falou a Moisés:

— ¹⁸Farás a bacia para as abluções e seu pedestal de bronze, e a colocarás entre a tenda do encontro e o altar. Porás água na bacia, ¹⁹para que Aarão e seus filhos lavem as mãos e os pés. ²⁰Quando entrarem na tenda do encontro, se lavarão para não morrer; farão o mesmo quando se aproximarem do altar para oficiar, para queimar uma oblação ao Senhor. ²¹Lavarão as mãos e os pés para não morrer.

Lei perpétua para vós, para Aarão e seus descendentes, por vossas gerações.

[D] O azeite da unção – ²²O Senhor falou a Moisés:

— ²³Pega perfumes caros: cinco quilos de mirra em grão, dois quilos e meio de cinamomo, dois quilos e meio de cálamo perfumado, ²⁴cinco quilos (siclos do templo) de acácia e três litros e meio de azeite de oliva. ²⁵Com esses ingredientes farás o azeite da unção santa. Farás a mistura conforme a receita do perfumista, e servirá para a unção santa. ²⁶Untarás com ele a tenda do encontro e a arca da aliança, ²⁷a mesa e todos os seus utensílios, o candelabro com todos os seus utensílios e o altar do incenso, ²⁸o altar dos holocaustos com seus utensílios, a bacia com seu pedestal. ²⁹Tu os consagrarás todos para que sejam sacrossantos. Aquele que os tocar ficará santificado. ³⁰Ungirás também Aarão e seus filhos, para consagrá-los como meus sacerdotes. ³¹Dirás aos israelitas: "Este será o azeite de minha unção santa em todas as vossas gerações. ³²Não será derramado sobre mais ninguém, nem copiareis sua receita. É santo, e como tal o devereis tratar. ³³Quem fizer uma mistura segundo essa receita e a derramar sobre um leigo, será excluído de seu povo".

[E] Incenso (Ex 37,29) – ³⁴O Senhor disse a Moisés:

— Pega resina aromática, âmbar, bálsamo e incenso refinado, em partes iguais, ³⁵e, conforme a receita do perfumista, faze com isso tudo um incenso, põe sal, e será puro e santo. ³⁶Moerás parte dele até reduzi-lo a pó e o porás diante da arca da aliança, na tenda do encontro, onde me encontrarei contigo. Será sacrossanto para vós. ³⁷Não fareis incenso para uso pessoal, conforme a mesma receita. Vós o considerareis consagrado ao Senhor. ³⁸Quem copiar a receita para perfumar-se, será excluído do seu povo.

31

[A] Artesãos do santuário (Ex 35, 30-35) – ¹O Senhor falou a Moisés:

— ²Escolhi pessoalmente Beseleel, filho de Uri, filho de Hur, da tribo de Judá, ³e o cumulei de dotes sobre-humanos, de destreza, habilidade e saber em seu ofício, ⁴para que projete e lavre ouro, prata e bronze; ⁵para que talhe pedras e as engaste; para que talhe madeira, e para as outras tarefas. ⁶Dou-lhe como ajudante Ooliab, filho de Aquisamec, da tribo de Dã. Dei habilidade a todos os artesãos, para que façam tudo o que te mandei, ⁷a tenda do encontro, a arca da aliança, a placa que a fecha e todos os utensílios da tenda; ⁸a mesa com seus

---

30,20-21 O perigo mortal indica que não é ato simplesmente higiênico.
30,30 Sl 133,2.
30,33.38 A pena é excomunhão ou exclusão da comunidade.
31,1-11 Recordamos no relato da criação (Gn 1) o "espírito de Deus", a palavra que chama à existência e dá nome.

No pequeno e concentrado universo cultual que aqui se cria, Deus não se contenta em mostrar e dar instruções, mas envia um "espírito de Deus" aos artesãos escolhidos para que executem eficaz e fielmente seu desígnio. Serão artesãos "inspirados", de modo que Deus possa ver e aprovar o feito e tomar posse dele.

utensílios, o candelabro de ouro puro com seus utensílios e o altar do incenso; ⁹o altar dos holocaustos com seus utensílios, a bacia com seu pedestal; ¹⁰todos os ornamentos sagrados do sacerdote Aarão e de seus filhos, para quando oficiarem; ¹¹o azeite da unção e o incenso do incensório do templo. Eles o farão ajustando-se ao que ordenei.

[B] Descanso do sábado (Nm 15,32-36) – ¹²O Senhor falou a Moisés:

– ¹³Dize aos israelitas: Guardareis meus sábados, porque o sábado é o sinal combinado entre mim e vós, por todas as vossas gerações, pelo qual conhecereis que eu sou o Senhor que vos santifica. ¹⁴Guardareis o sábado, porque é dia santo para vós; quem o profanar é réu de morte; quem trabalhar será excluído do seu povo. ¹⁵Seis dias podeis trabalhar; o sétimo é dia de descanso solene dedicado ao Senhor. Quem trabalhar no sábado é réu de morte. ¹⁶Os israelitas guardarão o sábado em todas as suas gerações, como aliança perpétua. ¹⁷Será o sinal perpétuo entre mim e os israelitas, porque o Senhor fez o céu e a terra em seis dias, e no sétimo descansou.

¹⁸Quando terminou de falar com Moisés no monte Sinai, deu-lhe as tábuas da aliança: tábuas de pedra escritas pelo dedo do Senhor.

MOISÉS E O POVO

32 O bezerro de ouro (1Rs 12,25-33; Sl 106,19-23) – ¹O povo, vendo que Moisés tardava em descer do monte, correu em massa até Aarão e lhe disse:

– Vamos, faze-nos um deus que vá à nossa frente, pois não sabemos o que aconteceu com esse Moisés que nos tirou do Egito.

31,12-17 O relato citado se organizava numa semana de trabalho com uma jornada de descanso. Ao selar aliança com seu povo, Deus quer que o descanso semanal seja sinal perpétuo de pertença. O autor parece aplicar o esquema também às tarefas da construção do santuário.

31,13 A observância do sábado é sinal visível de consagração ao Senhor.

31,17 O sábado chega a ser síntese da aliança, e relaciona o povo com Deus criador do universo.

31,18 Versículo de ligação, para continuar a narração.

32-34 Estes três capítulos são de grande densidade teológica, mas de certa confusão narrativa. O autor final trabalhou com materiais de diferente procedência, sem conseguir uma construção coerente. Para facilitar a leitura de conjunto, podemos indicar três linhas que se entrecruzam.
a) Pecado do povo, que viola a aliança, castigo resultante, perdão e renovação da aliança. Moisés atua como intercessor, como juiz que sentencia e como mediador da aliança renovada: 32,1-35; 34,1-4.10-28.
b) Anúncio sobre a caminhada próxima: Deus se afasta e dá ordens a Moisés; o mediador intercede: 32,34; 33,1-6.12-17; 34,9.
c) Relação de Moisés com Deus: tenda do encontro e aparição radiante de Moisés: 33,7-11; 34,29-35. Intercessão em diálogo com Deus: 32,7-14. Súplica pelo povo: 33,12-17 + 34,9; petições para si: 33,18-23 + 34,6-7.
O desenvolvimento mais coerente é o do tema a). Poder-se-ia tentar um comentário temático, mas é melhor ater-se à ordem escolhida pelo autor final.

32 O primeiro ato do povo, logo que foi selada a aliança, é uma rebelião grave contra a mesma aliança. Logo após ser constituído como povo, em sua própria origem, o povo peca: é seu pecado original. É possível, e muitos autores o julgam provável, que o dado original pertença ao cisma de Jeroboão, que instituiu um culto em Betel (e em Dã) a Yhwh na figura de um touro, imitando costumes cananeus. É o "pecado original" do reino cismático, ao qual se refere reiteradamente o livro dos Reis (1Rs 22,33; 2Rs 2,3; 13,2 etc.). Um autor tardio teria projetado o pecado do cisma às origens de Israel no deserto. Por outro lado – assim pensam alguns – a narração poderia conservar a lembrança de um pecado capital no deserto, embora a forma atual se relacione com o pecado do cisma de Jeroboão, inclusive com uma significativa repetição verbal. Dão testemunho da tradição Ez 20 e Sl 106. Deus não anula definitivamente a aliança: dois castigos exemplares e duas intercessões de Moisés permitem que a história continue. Esse dado é de extrema importância teológica, como veremos. A ordem do capítulo não é cronológica: pecado (1-6); intercessão (7-14); castigo (15-29); intercessão (30-35). A segunda intercessão aclara a primeira e justifica o castigo.

32,1 Trata-se da quarentena de 24,18, que o autor recheou com o código cultual. A ausência do mediador e de sua palavra equivalem a uma ausência intolerável do Deus salvador, já que Deus se dirigiu ao povo por meio de Moisés e o povo não tem acesso direto a seu Deus. Dirigem-se a Aarão, segundo o encargo de 24,14.
A frase com que solicitam a ação dele contém, na perspectiva do narrador, uma ironia amarga: é impossível "fazer" deuses, os deuses são "feitura" de mãos humanas e, embora tenham pés, não podem andar (Sl 115,7). O povo conduz seu deus e segue atrás: manipula seu deus e se engana a si mesmo, pensando receber as direções que ele mesmo projeta na imagem. Com sentido polêmico, atribuem a saída do Egito a Moisés, não a Deus; com isso cortam por cima a mediação e intentam substituí-la por uma operação simplesmente humana.

²Aarão lhes respondeu:

— Tirai os brincos de ouro de vossas mulheres, filhos e filhas, e trazei-os a mim. ³Todos tiraram os brincos de ouro e os levaram a Aarão. ⁴Ele os recebeu, mandou trabalhar o ouro com cinzel, e fabricou um bezerro fundido. Depois lhes disse:

— Este é teu Deus, Israel, que te tirou do Egito.

⁵Depois, com reverência, edificou um altar diante dele, e proclamou:

— Amanhã é festa do Senhor.

⁶No dia seguinte se levantaram, ofereceram holocaustos e sacrifícios de comunhão, o povo se sentou para comer e beber, e depois se levantou para dançar.

⁷O Senhor disse a Moisés:

— Vamos, desce do monte, pois o teu povo, que tiraste do Egito, se perverteu. ⁸Desviou-se logo do caminho que eu lhes havia ordenado. Fizeram um bezerro de metal, se prostram diante dele, lhe oferecem sacrifícios e proclamam: "Este é teu Deus, Israel, que te tirou do Egito".

⁹E o Senhor acrescentou a Moisés:

— Vejo que este povo é um povo teimoso. ¹⁰Por isso, deixa-me: Minha ira vai-se acender contra eles, até consumi-los. E farei de ti um grande povo.

¹¹Então Moisés acalmou o Senhor seu Deus, dizendo:

— Senhor, por que vai se acender a tua ira contra o teu povo, que tiraste do Egito com grande poder e mão forte? ¹²Terão de dizer os egípcios: "Com má intenção os tirou, para fazê-los morrer nas montanhas e exterminá-los da superfície da terra"? Desiste do incêndio de tua ira, arrepende-te da ameaça contra teu povo. ¹³Lembra-te de teus servos Abraão, Isaac e Israel, a quem juraste por ti mesmo, dizendo: "Multiplicarei vossa descendência como as estrelas do céu, e toda esta terra de que falei eu a darei à vossa descendência, para que a possua sempre".

32,2-3 A resposta de Aarão frisa a materialidade do processo: ver a censura de Os 2,10. A generosidade do povo está viciada por seu destino.

32,4 O autor não explica se a imagem é toda de fundição ou de madeira com placas de ouro. Aarão proclama a história salvadora ortodoxa: foi Deus, o seu Deus, quem tirou o povo do Egito. O pecado não é de idolatria ou sincretismo, mas contra o preceito de não representar Yhwh com imagens.

32,6 A festa inclui, ao que parece, uma dança em honra do Senhor (cf. 2Sm 6,14).

32,7 Com audaz mudança de enfoque, o narrador nos transfere do vale à montanha: do barulho da dança à elevada solidão de Moisés. Deus informa a Moisés o que está acontecendo lá embaixo. Muda sutilmente as fórmulas: "teu povo, que tiraste...", como que distanciando-se da eleição e da libertação; ao mesmo tempo, faz Moisés sentir que é membro desse povo, ao qual está ligado pela saída do Egito.

32,8 É um agravante que tenhamos cometido o delito tão cedo, logo ao nascer como povo de Deus. "Bezerro" é talvez nome depreciativo aplicado ao touro (cf. Sl 106,19s).

32,9-10 Estabelecida a culpa, pronuncia-se a sentença: Deus propõe a Moisés um novo plano para o futuro. Anulará a eleição e aniquilará esse povo, pois não há esperança de conversão autêntica. A ira que arde é castigo definitivo, arde até se consumir. Mas a história continuará, recomeçando em Moisés a eleição de Abraão: "farei de ti um grande povo" (Gn 12,2). O plano é submetido à aprovação de Moisés: "deixa-me...". Isso é dar-lhe poder histórico, confrontá-lo com uma grande decisão. Rompendo com seu povo, Moisés será pai de um novo povo. E se não rompe com seu povo? Pode Deus aniquilar Moisés também? Moisés compreende que esse "deixa-me" é conferir-lhe e revelar-lhe um poder e é pedir-lhe que não o deixe...

32,11 Como Abraão intercedia em favor de Ló, agora Moisés intercede em favor de seu povo, e sua intercessão supera a aliança. Moisés retorce as fórmulas: "teu povo, o que tiraste..."

32,12 O primeiro argumento de Moisés é este: está empenhada a fama do Senhor e seu compromisso com a tarefa começada. A fama é o bom "nome", que também os estrangeiros devem respeitar (santificar). Ao ver o desenlace da "libertação", a aniquilação do povo fugitivo, os egípcios profanarão o nome do Deus dos hebreus, de Yhwh. Ver a análise de Ez 36,20-23.

32,13 O segundo argumento é mais forte: a libertação não começou no Egito, mas sim com a saída de Abraão; não se baseia só na aliança, mas também na promessa. Segundo essa promessa, Deus se comprometeu a não romper a história, mas a continuá-la na descendência de Abraão. Destruído o povo, fica Moisés como descendente único — como um novo Noé, — continuador e novo começo. Mas, se Moisés se solidariza com a sorte do seu povo e Deus o faz morrer, a promessa e o juramento de Deus se frustram: coisa impossível. Moisés se solidariza com seu povo, não aceita a exceção (mais explícito no v. 32) e, assim, intercede eficazmente pelo povo. A menção explícita dos patriarcas atrai a figura deles ao presente contexto. Assim, apreciamos que a aliança do Sinai não basta a si mesma. Sendo bilateral, se quebra ao ser quebrantada por uma das partes. Precisa de um ponto de apoio, externo e mais fundamental: é a promessa. A doutrina que Paulo desenvolverá se encontra aqui em germe. A promessa é unilateral e se baseia na misericórdia generosa do Senhor.

¹⁴E o Senhor se arrependeu da ameaça que havia pronunciado contra seu povo.

Castigo – ¹⁵Moisés voltou-se e desceu do monte com as duas tábuas da aliança na mão. As tábuas estavam escritas dos dois lados, na frente e por trás; ¹⁶eram obra de Deus, e a escritura era escritura de Deus gravada nas tábuas.

¹⁷Quando Josué ouviu a gritaria do povo, disse a Moisés:

– Ouvem-se gritos de guerra no acampamento.

¹⁸Ele respondeu:

– Não é grito de vitória e não é grito de derrota. O que ouço são cantos.

¹⁹Quando se aproximou do acampamento e viu o bezerro e as danças, Moisés, enfurecido, atirou as tábuas e as quebrou ao pé do monte. ²⁰Depois, pegou o bezerro que haviam feito, o queimou e triturou até transformá-lo em pó, que atirou à água, fazendo com que os israelitas a bebessem.

²¹Moisés disse a Aarão:

– O que te fez este povo, para atraíres sobre ele tão grande pecado?

²²Aarão respondeu:

– Não te irrites, senhor. Sabes que este povo é perverso. ²³Disseram-me: "Faze-nos um deus que vá à nossa frente, pois não sabemos o que aconteceu com esse Moisés que nos tirou do Egito". ²⁴Eu lhes disse: "Quem tiver ouro, que se desfaça dele e o dê a mim". Eu o atirei ao fogo e saiu esse bezerro.

²⁵Moisés, vendo que o povo estava desenfreado por causa de Aarão, que o expusera ao ataque inimigo, ²⁶pôs-se à porta do acampamento e gritou:

– Venha a mim quem for do Senhor!

E todos os levitas juntaram-se a ele.

²⁷Ele lhes disse:

– Isto diz o Senhor de Israel: Cada um cinja a espada sobre a coxa, passai e repassai o acampamento de porta em porta, matando ainda que seja o irmão, o companheiro, o parente.

²⁸Os levitas cumpriram as ordens de Moisés, e nesse dia caíram uns três mil homens do povo.

²⁹Moisés lhes disse:

– Hoje vos consagrastes ao Senhor à custa do filho ou do irmão, ganhando hoje sua bênção.

Intercessão – ³⁰No dia seguinte, Moisés disse ao povo:

– Cometestes um pecado gravíssimo, mas agora subirei ao Senhor, para ver se posso expiar vosso pecado.

³¹Moisés, pois, voltou ao Senhor e lhe disse:

– Este povo cometeu um pecado gravíssimo, fazendo para si deuses de ouro. ³²Mas agora, ou perdoas seu pecado, ou me apagas de teu registro.

32,14 O resultado é que Deus perdoa; Moisés "não o deixou". A isto o Sl 106,23 chama "ficar na brecha". A última palavra é "seu povo".

32,15-20 Na composição atual do capítulo, perdão significa que não haverá destruição total, não impunidade total. O povo precisa de uma dura lição. O diálogo com Josué acontece a meia altura, numa certeira montagem narrativa: primeiro as vozes indiferenciadas, depois a descida e a visão exata.

32,15-16 É enfática neste lugar a atribuição de tudo ao Senhor: ele fabrica as tábuas, nelas escreve, as entrega. Como se disséssemos na nossa terminologia: "de seu punho e letra". Moisés desce carregado de uma marca lapidar do Senhor.

32,17-18 A ignorância de Josué é recurso narrativo para sublinhar a informação direta de Moisés.

32,19 O gesto simboliza a ruptura da aliança.

32,20 Dt 9,21; Nm 5,11-31.

32,20 O bezerro mostra sua impotência diante da ira de Moisés: o que foi feito é desfeito. E se converte em bebida de maldição, que penetra nos corpos dos culpados, para denunciar a culpa e castigá-la (uma analogia em Nm 5,23-28). Ver uma versão com variantes em Dt 9,15-21.

32,21-24 O interrogatório de Aarão contrasta com a oração precedente de Moisés. O sacerdote culpado se desliga do povo "perverso", jogando nele toda a culpa. E dá uma versão falsa, dir-se-ia mágica, da fabricação. Talvez estes versículos contenham uma polêmica contra sacerdotes aaronitas.

32,25-29 Moisés faz executar um castigo. O povo, ao perder seu autêntico apoio religioso, fica exposto ao poder do inimigo: perdeu sua coerência e unidade. A fidelidade e a rebeldia é que traçam a linha divisória, não os vínculos de família. Os levitas se desligam desses vínculos para executar a sentença de Deus (cf. Ez 9,5-6; Sl 149,9: "executar a sentença prescrita é uma honra para todos os seus leais"), e assim ficam consagrados.

32,27 Ez 9,5s.

32,29 Dt 33,9.

32,30-35 A nova intercessão se apresenta como expiação. Em vez de uma vítima, Moisés oferece sua solidariedade. Ao ser riscado do registro, é entregue à morte (Sl 69,29). Mas a responsabilidade é pessoal (segundo a doutrina de Ez 18): o castigo fica adiado e pendente. A Moisés compete continuar a grande marcha para a terra prometida: conta com a guia do "anjo do Senhor" que atuou na passagem do mar Vermelho (Ex 14,19).

32,32 Rm 9,3.

³³O Senhor respondeu:
— Eu apagarei do livro quem tiver pecado contra mim. ³⁴Agora vai e guia teu povo para o lugar do qual eu te disse: Meu anjo irá diante de ti. E quando chegar o dia das contas, lhes pedirei contas do seu pecado.
³⁵E o Senhor castigou o povo por venerar o bezerro que Aarão havia feito.

33 O Senhor no caminho – ¹O Senhor disse a Moisés:
— Vamos, parte daqui com o povo que tiraste do Egito para a terra que prometi a Abraão, Isaac e Jacó, jurando que a daria à sua descendência. ²Enviarei na frente meu anjo, para que expulse cananeus, amorreus, heteus, ferezeus, heveus e jebuseus; ³para uma terra que mana leite e mel. Mas eu não subirei entre vós, porque sois um povo teimoso, e eu vos aniquilaria no caminho.
⁴Quando o povo ouviu palavras tão duras, ficou de luto e ninguém pôs suas joias.
⁵O Senhor havia dito a Moisés:
— Dize aos israelitas: sois um povo teimoso; se vos acompanhasse por um momento, eu vos aniquilaria. Agora, tirai as joias que usais, e verei o que faço convosco.
⁶Os israelitas se desfizeram de suas joias, a partir do monte Horeb.

Na tenda do encontro (Ex 34,29-35) – ⁷Moisés levantou a tenda de Deus e armou-a fora, longe do acampamento, e a chamou "Tenda do encontro". Quem devia consultar o Senhor saía do acampamento e se dirigia à tenda do encontro. ⁸Quando Moisés saía em direção à tenda, todo o povo se levantava e esperava à entrada de suas tendas, seguindo Moisés com o olhar, até que entrasse na tenda; ⁹quando ele entrava, a coluna de nuvem descia e permanecia à entrada da tenda, enquanto o Senhor falava com Moisés. ¹⁰Ao ver a coluna de nuvem parada à porta da tenda, o povo levantava e se prostrava, cada um à entrada de sua tenda.
¹¹O Senhor falava com Moisés face a face, como um homem fala com um amigo. Depois voltava ao acampamento, ao passo que Josué, filho de Nun, seu jovem ajudante, não se afastava da tenda.

32,34 Ex 23,20.
33-34 Sob o título geral da presença de Deus, estes dois capítulos recolhem várias tradições de capital importância, além de concluir o tema da aliança quebrantada e renovada. Presença de Deus no caminho, na nuvem, na tenda, na montanha. Sobretudo, presença de Deus na profunda experiência do homem. Colocados aqui, estes relatos acrescentam às fórmulas jurídicas da aliança uma dimensão de profundidade e altura. Desde o começo no deserto, há escolhidos que alcançam um plano superior de relação com Deus. Essa relação pessoal, que se apresenta como privilégio, servirá de exemplo, e até outros membros do povo se oferecerão.
Estes capítulos poderiam definir-se como o encontro incomparável de Moisés com o Senhor: excepcional com relação ao resto do povo. Moisés, solidarizado com seu povo, eleva-se agora acima de todos, até a uma proximidade com Deus, para depois voltar, radiante de luz divina.
Mas o autor, preocupado em recolher tradições sobre o personagem ou a viagem, não soube organizá-las com certa ordem narrativa. Se fosse um narrador moderno, poderíamos dizer que adota uma montagem paralela. Sendo autor antigo, diríamos que nos oferece uma antologia em vez de uma narração, e que pode ter-nos deixado um texto menos abrupto. P. ex., a) 33,1-6.12-17 + 34,9; b) 33,7-11 + 34,29-35; 33,18-23 + 34,6-8; c) 34,1-5.9-28. Pode-se fazer a prova de copiá-lo e lê-lo nesta sucessão. Na explicação, seguirei a ordem (ou desordem) do texto. Proponho a seguinte divisão: em consequência do pecado, Deus se afasta dos caminhantes (33,1-6, continua em 12-17); Moisés e Deus na tenda do encontro (7-11 se completa em 34,29-35); súplica de Moisés para que Deus os acompanhe no caminho (12-17); Moisés pede para ver a glória de Deus (18-23 continua em 34,6-8); preparativos para renovar a aliança (34,1-5 continua em 34,9); revelação de Deus a Moisés (34,6-8); súplica de Moisés (34,9); resposta de Deus com ordens para renovar a aliança (10-28), incluindo um novo decálogo (14-26); a glória de Moisés (29-35).
33,1 Sinai e aliança foram a grande pausa no caminho da libertação. É preciso abandonar a montanha sagrada, desarraigar-se e continuar a metade do caminho que falta, rumo à terra prometida. A promessa antiga continua movendo a história para seu cumprimento: com razão Moisés invocou a lembrança dos patriarcas. Nm 10,13.
33,2-6 Mas o povo pecou e não mudou de condição; por isso, o Senhor se distancia e envia um substituto (23,20-23): um anjo que manifesta sua condição polar. Protetor (como em 23,20-23), mas testemunha do distanciamento do Senhor. A proximidade do Deus ciumento (20,5), como fogo, poderia consumir o povo rebelde (cf. Is 33,14). O povo faz penitência, depondo as vestes e joias próprias da festa. Pelo luto, levam presente ao Senhor, na consciência culpada e penitente.
33,7 Deus se distancia sem afastar-se de todo. Já não vai no meio, como parte do acampamento e centro de convergência. É preciso sair para encontrá-lo e consultá-lo.
33,8-11 Moisés tem acesso privilegiado, desde o primeiro encontro na montanha (34,34-35), e goza de

Moisés suplica ao Senhor — ¹²Moisés disse ao Senhor:

— Vê, tu me disseste que eu guiasse este povo, mas não me comunicaste quem me dás como auxiliar, e no entanto dizes que me tratas pessoalmente e que gozo do teu favor. ¹³Portanto, se gozo do teu favor, ensina-me o caminho, e assim saberei que gozo do teu favor; além disso, leva em conta que essa gente é teu povo.

¹⁴O Senhor respondeu:

— Eu pessoalmente irei caminhando para levar-te ao descanso.

¹⁵Moisés replicou:

— ¹⁶Se não vieres pessoalmente, não nos faças sair daqui. Pois, como se conhecerá que eu e meu povo gozamos do teu favor, senão pelo fato de que vais conosco? Isso distinguirá a mim e a meu povo dos demais povos da terra.

¹⁷O Senhor lhe respondeu:

— Eu te concedo também este pedido, porque gozas de meu favor e te trato pessoalmente.

A glória do Senhor (1Rs 19,11-13) — ¹⁸Então ele pediu:

— Mostra-me tua glória.

¹⁹Ele respondeu:

— Eu farei passar diante de ti toda a minha riqueza e pronunciarei diante de ti o nome "Senhor", porque me compadeço de quem eu quero e favoreço a quem eu quero; ²⁰mas não podes ver o meu rosto, porque ninguém pode vê-lo e continuar vivendo.

²¹E acrescentou:

— Aí, junto à rocha, tens um lugar onde ficar; ²²quando minha glória passar, eu te colocarei numa fenda da rocha e te cobrirei com a palma da mão, até que tenha passado, ²³e quando retirar a mão poderás ver minhas costas, mas não verás o meu rosto.

34 Nova aliança. Passagem da glória — ¹O Senhor ordenou a Moisés:

— Lavra duas tábuas de pedra como as primeiras: eu escreverei nelas os mandamentos que havia nas primeiras, que quebraste. ²Prepara-te para amanhã, sobe pelo amanhecer ao monte Sinai, e espera-me aí, no topo do monte. ³Ninguém suba contigo, nem apareça ninguém em todo o monte, nem sequer as ovelhas e as vacas pastarão na encosta do monte.

⁴Moisés lavrou duas tábuas de pedra como as primeiras, madrugou e subiu pelo amanhecer ao monte Sinai, segundo a ordem do Senhor, levando na mão duas tábuas de pedra. ⁵O Senhor desceu na nuvem e aí ficou junto com ele, e Moisés pronunciou o nome do Senhor.

---

um tratamento "amistoso". O povo é só testemunha de sinais externos, pelos quais reconhece que o Senhor não se afastou de todo, mas ao contrário comparece a um encontro; o povo assiste de longe, com reverência silenciosa, superando a atitude penitencial de antes. Por mediação de Moisés, recebe os encargos de Deus (e no rosto dele contempla a irradiação da glória, 34,29-35). A nuvem esconde a entrada da tenda, ao mesmo tempo que declara a presença do Senhor. Josué era o guardião.

33,12-17 Moisés pede ao Senhor duas coisas para o povo, "teu povo": que lhe ensine o caminho, que o acompanhe na viagem; não faz referência à guia do anjo (2-6). Ambas são concedidas. O tramento amistoso com o Senhor é aproveitado em favor do povo. A companhia do Senhor na peregrinação pela história será o distintivo deste povo (Dt 4,7).

33,18-23 Animado pelo diálogo amistoso e não contente com ele, Moisés se atreve a pedir a manifestação máxima de Deus: não só ouvir, mas ver; não só o nome (3,14), mas a pessoa (cf. Jó 42,5). O homem porém não pode abarcar a manifestação de Deus nesta vida (Jz 6,22-23). Deus lhe concede algo do que pede: coberto pela palma de Deus, sentirá sua passagem fugidia, que não poderá deter. Será uma presença sentida, intensa e fugaz. O texto atual joga com a equivalência glória/rosto e a oposição rosto/costas.

33,19 A riqueza inesgotável e simples de Deus desfilará em benefício de Moisés, como oferta de contemplação. Além disso, o próprio Senhor pronunciará seu nome, como no primeiro encontro (Ex 3); pronunciado por Deus, esse nome tem outra consistência, outra força reveladora.

33,23 É muito que possa olhar sem terror as costas de Deus (comparar com a aparição terrível de Is 2,10.19).

34,1-5a.9b-13.14-29 Começa a renovação da aliança rompida, à qual pertencem os vv. 1-5a. Três elementos servem de ligação com o anterior: a atitude do povo, 3 (19,12), a intercessão pelo pecado, 9 (32,7-14), as tábuas escritas, quebradas e substituídas, 4.28 (32,19). A subida e descida de Moisés marcam toda a narração da aliança no Sinai. Não se menciona um rito; talvez se dê por sabido.

34,1-5a Os novos mandamentos não coincidem plenamente com os anteriores de 20 e 23,14-19; supõem-nos. Desta vez Moisés deve fabricar as tábuas e o Senhor escreverá de novo. Não comparece à tenda do encontro, mas sobe de novo à montanha.

34,5b-8 Ao deslocar para cá estes versículos, o autor os faz desempenhar a função de teofania introdutória da aliança. Mas o texto extrapola essa função. Deus mesmo fala, pronunciando um texto litúrgico, síntese de revelação. (Paralelos: Sl 86,15; 103,8; 145,8; Jl 2,13; Jn 1,14; Ne 9,17; etc.)

⁶O Senhor passou diante dele, proclamando: "O Senhor, o Senhor, o Deus compassivo e clemente, paciente, misericordioso e fiel, ⁷que conserva a misericórdia até a milésima geração, que perdoa culpas, delitos e pecados, embora não deixe impune e sem castigo a culpa dos pais nos filhos, netos e bisnetos".

⁸Nesse momento, Moisés se inclinou e se atirou por terra. ⁹E lhe disse:

– Se gozo do teu favor, venha o meu Senhor conosco, ainda que sejamos um povo teimoso; perdoa nossas culpas e pecados, e toma-nos como tua herança.

¹⁰O Senhor respondeu:

– Eu vou fazer uma aliança. Na presença de teu povo, farei maravilhas como não se fizeram em nenhum país ou nação; assim, todo o povo que te rodeia verá a obra impressionante que o Senhor vai realizar contigo. ¹¹Cumpre o que hoje te mando, e tirarei diante de ti amorreus, cananeus, heteus, ferezeus, heveus e jebuseus. ¹²Não faças aliança com os habitantes do país onde vais entrar, porque seria uma armadilha para ti. ¹³Derrubarás seus altares, destroçarás suas estelas, cortarás suas árvores sagradas.

Novo decálogo (Ex 20; Dt 5) – ¹⁴Não te prostres diante de deuses estranhos, porque o Senhor se chama Deus ciumento, e o é de fato. ¹⁵Não faças aliança com os habitantes do país, porque se prostituem com seus deuses; e quando lhes oferecerem sacrifícios, te convidarão para comer das vítimas. ¹⁶Nem tomes as filhas deles como esposas para teus filhos, pois, quando as filhas deles se prostituírem com seus deuses, prostituirão teus filhos com seus deuses.

¹⁷Não faças para ti estátuas de deuses. ¹⁸Guarda a festa dos Ázimos: comerás ázimos durante sete dias, na festa do mês de abril, conforme te mandei, porque nesse mês saíste do Egito. ¹⁹Todos os primeiros filhotes machos de teu rebanho me pertencem, sejam bezerros ou cordeiros. ²⁰Resgatarás com um cordeiro a primeira cria do jumento, e se não a resgatares, tu a desnucarás. Resgatarás o teu primogênito, e ninguém se apresentará diante de mim de mãos vazias.

²¹Trabalharás seis dias e no sétimo descansarás; descansarás durante a semeadura e a ceifa. ²²Celebra a festa das Semanas no início da ceifa do trigo, e a festa da Colheita no fim do ano. ²³Três vezes ao ano, todos os homens se apresentarão ao Senhor, o Deus de Israel. ²⁴Quando eu expulsar as nações da tua frente e alargar tuas fronteiras, se subires para visitar o Senhor teu Deus, três vezes ao ano, ninguém cobiçará tua terra.

²⁵Não ofereças nada fermentado com o sangue de minhas vítimas. Da vítima da Páscoa, não ficará nada para o dia seguinte. ²⁶Oferece no templo do Senhor teu Deus as primícias de tuas terras. Não cozinharás o cabrito no leite da própria mãe.

²⁷O Senhor disse a Moisés:

– Escreve estes mandamentos. Com base nestes mandamentos faço aliança contigo e com Israel.

Moisés escuta a voz de Deus, que se apresenta pelo nome e enuncia as próprias qualidades. No final, verá um dorso que se afasta: é a revelação do mistério. Forma que esconde o rosto, proximidade que se oferece no afastar-se, sempre incitante e inatingível. "Ninguém jamais viu a Deus" (Jo 1,18). Compare-se com a luta de Jacó (Gn 32) e com a visão de Elias no Horeb (1Rs 19): três grandes símbolos da ânsia humana de penetrar no mistério de Deus.
O Senhor descreve para Moisés, para o homem, seu próprio modo de ser e agir. Não menciona aqui a onipotência nem a onipresença, tampouco a justiça. Menciona qualidades que englobam e superam a relação de aliança. Por pura misericórdia, o Senhor se dispõe a renovar uma aliança violada pela outra parte. Os capítulos 19-20 necessitam destes três versículos.

34,9 A intercessão de Moisés serve para preparar a aliança que ele deseja e aceita de antemão: "toma-nos como tua herança".

34,11-13.15-16 O primeiro mandamento engloba todos os demais; desenvolve-se em forma parenética (cf. Dt 7). O contexto da entrada numa terra habitada condiciona este grupo de proibições. A aliança religiosa com o Senhor exclui toda aliança política ou familiar com os habitantes de Canaã. Tornar-se parente convivendo pacificamente com estes habitantes seria perigo insuperável de violar o primeiro mandamento. Os israelitas cairiam na idolatria, que é uma forma de prostituição ou infidelidade ao Senhor.

34,12 Dt 7,1-6.

34,14.17-26 A conta dos mandamentos é duvidosa. O primeiro e segundo (14 e 17) são repetição do Decálogo: impõem um culto exclusivo e sem imagens ao Senhor. Terceiro e quarto (18-20: ázimos e primogênitos); quinto (21): o sábado numa cultura agrária; sexto (22-24): festas anuais; sétimo e oitavo (25): a páscoa separada dos ázimos; nono e décimo (26-27): oferendas e primícias.

[28] Moisés ficou aí com o Senhor quarenta dias e quarenta noites: não comeu pão nem bebeu água, e escreveu nas tábuas as cláusulas da aliança, os dez mandamentos.

A glória de Moisés (2Cor 3-4) – [29] Quando Moisés desceu do monte Sinai, levava as duas tábuas da aliança na mão. Não sabia que seu rosto estava radiante por ter falado com o Senhor. [30] Mas Aarão e todos os israelitas viram Moisés com o rosto radiante, e não se atreveram a aproximar-se dele. [31] Quando Moisés os chamou, Aarão e os chefes da comunidade se aproximaram, e Moisés lhes falou. [32] Depois se aproximaram todos os israelitas, e Moisés lhes comunicou as ordens que o Senhor lhe dera no monte Sinai. [33] E quando terminou de falar com eles, cobriu o rosto com um véu.

[34] Quando Moisés ia ao Senhor para falar com ele, tirava o véu até sair. Quando saía, comunicava aos israelitas o que lhe tinha sido mandado. [35] Os israelitas viam o rosto radiante, e Moisés tornava a pôr o véu sobre o rosto, até que voltasse a falar com Deus.

OBRAS DO SANTUÁRIO

35 [A] **O sábado** (Ex 31,12-17) – [1] Moisés convocou toda a assembleia dos israelitas e lhes disse:

– Isto é o que o Senhor vos manda fazer: [2] Durante seis dias fareis vossos trabalhos, mas o sétimo é o dia do descanso solene dedicado ao Senhor. Quem trabalhar nele será réu de morte. [3] Nesse dia, não acendereis fogo em nenhum de vossos povoados.

[B] **Coleta de materiais** (Ex 25,2-7) – [4] Moisés disse a toda a assembleia dos israelitas:

– São estas as ordens do Senhor: [5] De vossos bens oferecei um tributo ao Senhor; todo homem generoso oferecerá, como tributo ao Senhor, ouro, prata e bronze, [6] púrpura violeta, vermelha e escarlate, linho e pelo de cabra, [7] peles de carneiro curtidas, peles de toninha e madeira de acácia, [8] azeite para a lâmpada, perfumes para a unção e para o incensório, [9] pedras de ônix e de engaste para o efod e o peitoral. [10] Os artesãos se apresentem para fazer o que o Senhor manda: [11] o santuário com sua tenda e cobertura, colchetes e tábuas, travessas, colunas e bases, [12] a arca com seus varais, a placa e a cortina que a fecha, [13] a mesa com seus varais e todos os seus utensílios, os pães apresentados, [14] o candelabro com as lâmpadas, com seus utensílios, e o azeite, [15] o altar do incenso com seus varais, o azeite da unção, o incenso do incensório e a anteporta colocada à entrada do santuário, [16] o altar dos holocaustos com sua grelha de bronze, seus utensílios e varais, a bacia com seu pedestal, [17] as cortinas do átrio com suas colunas e bases, e a anteporta da entrada do átrio, [18] as estacas da morada, as estacas do átrio com suas cordas, [19] os ornamentos sagrados para as funções do santuário, os ornamentos sagrados do sacerdote Aarão e os de seus filhos para oficiar.

34,29-35 Moisés se expôs à luminosidade esplendente, a glória do Senhor, e a luz o transfigurou sem que ele o notasse. Seu rosto tornou-se luminoso, com luz refletida. Nessa radiação luminosa os israelitas reconhecem um reflexo da glória do Senhor. Tudo o que diz é ressonância de Deus, do mesmo modo que sua luminosidade é reflexo de Deus. O esplendor é como um halo que emoldura o oráculo e o mediador. O fenômeno se repetirá, não já na montanha, mas na tenda do encontro. Ver Sl 34,6, convite a toda a comunidade, e a aplicação ao apóstolo em 2Cor 3,7-18; 4,1-4.
Esta seção encerra a última descida do Sinai e todas as outras.

35-40 Nestes capítulos se narra a execução do projeto de santuário apresentado em 25-31. São em grande parte repetição literal, com omissões, adições e mudanças de posição. Não é fácil dar a razão de todas as mudanças. Algumas são lógicas, como a colocação dos objetos em seus respectivos lugares.

São omissões mais notáveis: não se menciona o "modelo" ou maqueta mostrado a Moisés; só se insiste nas instruções verbais de Deus. Desaparece também a menção do "encontro" ou entrevista com Deus.

35,1-3 De novo o tempo sagrado aparece vinculado ao espaço sagrado. Colocado neste lugar, o mandamento visa mais adiante. Vai começar uma etapa de grande atividade para fabricar o lugar e a mobília do culto: o trabalho deve respeitar o preceito do sábado. Mas o texto fala também de "povoados", saindo da situação do deserto. O preceito sobre o fogo é novo e único no AT: fazer lume não era tarefa simples naqueles tempos.

35,4-29 Com o recurso das enumerações, o autor mostra o sentido popular do empreendimento e a generosidade de homens e mulheres, chefes e artesãos. Pode-se falar de voluntariado. Basta ler por alto este parágrafo para comprovar que não se enquadra no deserto.

²⁰Então toda a assembleia dos israelitas se retirou da presença de Moisés, ²¹e todos os homens generosos que se sentiam animados levaram tributos ao Senhor para as obras da tenda do encontro, para seu culto e para as vestes sagradas. ²²Vieram homens e mulheres, e entregaram generosamente fivelas, brincos, anéis, pulseiras e todo tipo de objetos de ouro, e cada um o agitava ritualmente diante do Senhor. ²³Os que possuíam púrpura violeta, vermelha ou escarlate, linho, pelo de cabra, peles de carneiro curtidas e peles de toninha, os levaram. ²⁴Os que desejavam oferecer tributo de prata e bronze o levaram ao Senhor, e os que possuíam madeira de acácia a levaram para os diversos usos. ²⁵As mulheres hábeis no ofício fiaram e levaram os trabalhos em púrpura violeta, vermelha, escarlate e em linho. ²⁶Todas as mulheres hábeis e dispostas a ajudar teceram o pelo de cabra. ²⁷Os chefes levaram as pedras de ônix e de engaste para o efod e o peitoral, ²⁸os perfumes, o azeite da lâmpada, o azeite da unção e o incenso do incensório. ²⁹Os homens e as mulheres israelitas que se sentiam generosos em contribuir com as diversas tarefas que o Senhor havia mandado Moisés fazer, levavam sua contribuição voluntária ao Senhor.

[C] Artesãos do santuário (Ex 31,2-6) – ³⁰Moisés disse aos israelitas:

– O Senhor escolheu Beseleel, filho de Uri, filho de Hur, da tribo de Judá, ³¹e o cumulou de dotes sobre-humanos, de sabedoria, de destreza e de habilidade para o seu ofício, ³²para que projete e lavre ouro, prata e bronze, ³³para que talhe pedras e as engaste, para que talhe madeira, e para as demais tarefas. ³⁴Também lhe deu talento para ensinar outros, assim como Ooliab, filho de Aquisamec, da tribo de Dã. ³⁵Dotou-os de habilidade para realizar qualquer tipo de trabalho: bordar em púrpura violeta, vermelha ou escarlate e em linho; para realizar qualquer tipo de trabalho e fazer projetos.

36 [A] Obras do santuário – ¹Beseleel, Ooliab e todos os artesãos, a quem o Senhor havia dotado de habilidade e destreza para executar os diversos trabalhos do santuário, realizaram o que o Senhor havia ordenado.

²Moisés convocou Beseleel, Ooliab e todos os artesãos, a quem o Senhor havia dotado de habilidade e que estavam dispostos a colaborar na execução do projeto, ³e lhes entregou pessoalmente todos os tributos levados pelos israelitas para executar os diversos trabalhos do santuário. Os israelitas continuavam levando ofertas voluntárias todas as manhãs. ⁴Um dia, os artesãos que trabalhavam no santuário deixaram seus trabalhos, ⁵e foram dizer a Moisés:

– O povo traz mais do que é necessário para terminar os diversos trabalhos que o Senhor ordenou.

⁶Moisés mandou dar um aviso pelo acampamento: "Ninguém, nem homem nem mulher, prepare e traga mais tributos para o santuário". E o povo deixou de levá-los. ⁷Aquilo que tinham levado era mais que suficiente para realizar as obras.

[B] O santuário (Ex 26,1-14) – ⁸Todos os artesãos que colaboravam fizeram o santuário com dez cortinas de linho retorcido de púrpura violeta, vermelha e escarlate, e nelas bordaram querubins. ⁹Cada cortina media catorze metros de comprimento por dois de largura, todas da mesma medida. ¹⁰Juntaram as cortinas em duas séries de cinco cada uma, ¹¹e em cada uma das bordas das duas séries puseram laços de púrpura violeta: ¹²cinquenta na borda da primeira e outros cinquenta na borda da segunda, de modo que se correspondiam. ¹³Fez também cinquenta colchetes de ouro e com eles uniu as cortinas, de modo que o santuário formasse uma unidade. ¹⁴Teceu também onze peças em pelo de cabra, para que servissem de tenda no santuário. ¹⁵Cada cortina media quinze metros de comprimento por dois de largura, as onze da mesma medida. ¹⁶Juntou cinco cortinas de um lado e seis do outro.

35,30-35 Na seção sobre os artesãos, acrescenta-se um detalhe interessante: Deus lhes deu talento "para ensinar" a outros o ofício, como se fossem fundadores de um grêmio. Lemos interessante apresentação da *hokmá* e sinônimos como artesanato unido à função sapiencial de ensinar (é diferente a concepção de Eclo 38-39).

36,1-7 É possível que o autor deseje estimular seus coetâneos com o exemplo dos antepassados. Comparem-se estes dons generosos com os oferecidos a Aarão para fabricar o bezerro.

¹⁷Pôs cinquenta laços nas bordas de cada série de cortinas juntadas. ¹⁸Fez também cinquenta colchetes de bronze para fechar a tenda, e assim formar uma unidade. ¹⁹Além disso, fez para a tenda uma cobertura de peles de carneiro curtidas e por cima uma cobertura de peles de toninha.

²⁰Fez tábuas de madeira de acácia para o santuário e as colocou verticalmente. ²¹Cada tábua media cinco metros de comprimento por setenta e cinco centímetros de largura. ²²E tinha dois encaixes para juntar-se com as contíguas. ²³Pôs assim as tábuas do santuário: na parte sul, vinte tábuas, ²⁴e, sob elas, quarenta bases de prata, duas por tábua, para os encaixes. ²⁵No segundo lado, ao norte, outras vinte tábuas, ²⁶com suas quarenta bases, duas por tábua. ²⁷No fundo do santuário, ao poente, seis tábuas de frente ²⁸e duas formando os ângulos. ²⁹Eram geminadas por baixo e perfeitamente unidas por cima, até o primeiro anel. As duas tábuas formavam assim os ângulos do fundo da morada. ³⁰No total, oito tábuas com dezesseis bases, duas por tábua. ³¹Fez também cinco travessas de madeira de acácia para as tábuas de cada lado ³²e cinco para o lado do fundo, ao poente. ³³A travessa central, à meia altura das tábuas, atravessava de uma extremidade à outra. ³⁴Fez de ouro os anéis por onde passavam as travessas, e revestiu de ouro as tábuas e as travessas.

[C] **Cortina e anteporta** (Ex 26,31-37) – ³⁵Fez uma cortina de púrpura violeta, vermelha e escarlate e linho retorcido, e nela bordou querubins. ³⁶Pendurou-a em quatro colunas de madeira de acácia, revestidas de ouro e providas de ganchos dourados. E fundiu quatro bases de prata.

³⁷Fez também uma anteporta para a tenda, de púrpura violeta, vermelha e escarlate e linho retorcido, bordada, ³⁸e cinco colunas providas de ganchos. Revestiu de ouro seus capitéis e molduras, e de bronze as cinco bases.

37 [A] **A arca** (Ex 25,10-20) – ¹Beseleel fez a arca de madeira de acácia, de cento e vinte e cinco centímetros de comprimento por setenta e cinco de largura e setenta e cinco de altura. ²Revestiu-a de ouro puro por dentro e por fora, e ao redor aplicou-lhe uma moldura de ouro. ³Fundiu ouro para fazer quatro anéis, que pôs nos quatro ângulos, dois de cada lado.

⁴Fez também varais de madeira de acácia e os revestiu de ouro. ⁵Pôs os varais através dos anéis laterais da arca, para poder transportá-la.

⁶Fez também uma placa de ouro puro, de cento e vinte e cinco centímetros de comprimento por setenta e cinco de largura. ⁷Nas duas extremidades fez dois querubins cinzelados em ouro; ⁸cada um saía de uma extremidade da placa ⁹e a cobria com as asas estendidas para cima. Estavam diante um do outro, olhando para o centro da placa.

[B] **A mesa dos pães apresentados** (Ex 25,23-30) – ¹⁰Fez a mesa de madeira de acácia, de um metro de comprimento por cinquenta centímetros de largura e setenta e cinco de altura. ¹¹Revestiu-a de ouro puro e, ao redor, aplicou-lhe uma moldura de ouro. ¹²Pôs ao redor dela uma braçadeira de um palmo, e ao redor da braçadeira uma moldura de ouro. ¹³Fundiu ouro para fazer quatro anéis, e os colocou nos ângulos dos quatro pés. ¹⁴Fixou os anéis à braçadeira, e neles eram colocados os varais para transportar a mesa.

¹⁵Fez também varais de madeira de acácia e os revestiu de ouro: com eles transportava-se a mesa.

¹⁶Fez também os utensílios da mesa: travessas, bandejas, jarras e taças para a libação, tudo de ouro puro.

[C] **O candelabro** (Ex 25,31-40) – ¹⁷Fez o candelabro de ouro puro, todo cinzelado; dele saíam base, haste, cálices e corolas. ¹⁸De seus lados saíam seis braços, três de cada lado. ¹⁹Cada braço tinha três taças, como flor de amendoeira, com cálices e corolas: os seis braços que saíam do candelabro eram iguais. ²⁰O candelabro tinha quatro taças, com flores de amendoeira, com cálices e corolas. ²¹Um cálice sob cada par de braços de candelabro: os seis braços do candelabro eram iguais. ²²Cálices e hastes saíam dele, todos por igual, cinzelados em ouro puro. ²³Fez as sete lâmpadas, com suas espevitadeiras e aparadores de ouro puro. ²⁴Empregou

trinta quilos de ouro para fazer o candelabro e seus utensílios.

[D] O altar do incenso (Ex 30,1-10) – ²⁵Fez de madeira de acácia o altar do incenso. Era quadrado, com cinquenta centímetros de comprimento por cinquenta de largura e um metro de altura. Dele saíam as saliências. ²⁶Revestiu de ouro puro a parte superior, os quatro lados e as saliências. Ao redor aplicou-lhe uma moldura de ouro. ²⁷Abaixo desta, nos rebordos de ambos os lados opostos, pôs dois anéis de ouro, nos quais eram postos os varais para transportar o altar. ²⁸Fez também os varais de madeira de acácia, revestindo-os de ouro.

²⁹Preparou também o azeite da unção santa e o incenso puro do incensório, conforme receita de perfumista.

38 **[A] Altar dos holocaustos** (Ex 27,1-8) – ¹Fez de madeira de acácia o altar dos holocaustos; media dois metros e meio de comprimento por dois e meio de largura. Era quadrado e tinha metro e meio de altura. ²Nos quatro ângulos, fez saliências que saíam dele, e as revestiu de bronze. ³Também fez de bronze todos os utensílios do altar: caldeirões, pás, aspersórios, garfos e braseiros.

⁴Também fez para o altar uma grelha de bronze, colocando-a sobre os rebordos, de modo que descesse até meia altura do altar. ⁵Soldou quatro anéis aos quatro ângulos da grelha de bronze, para passar por eles os varais. ⁶Fez os varais de madeira de acácia, revestindo-os de bronze. ⁷Colocou-os pelos anéis de ambos os lados do altar, a fim de transportá-lo. Fez o altar oco e com tábuas.

⁸Fez de bronze a bacia e seu pedestal, com os espelhos das mulheres que serviam à entrada da tenda do encontro.

[B] O átrio do santuário (Ex 27,9-19) – ⁹Assim fez o átrio: no lado sul, pôs cortinas de linho retorcido, com cinquenta metros de comprimento. ¹⁰As vinte colunas e bases eram de bronze, os ganchos das colunas e as molduras eram de prata. ¹¹No lado norte, pôs cortinas com cinquenta metros de comprimento, pendentes de vinte colunas com suas bases de bronze; os ganchos e as molduras das colunas eram de prata. ¹²No lado poente, pôs cortinas com vinte e cinco metros de largura, com dez colunas e dez bases; os ganchos e as molduras das colunas eram de prata. ¹³O lado nascente tinha a largura de vinte e cinco metros, ¹⁴em ambos os lados da entrada do átrio pôs cortinas de sete metros e meio, ¹⁵com três colunas e três bases.

¹⁶Todas as cortinas que rodeavam o átrio eram de linho retorcido. ¹⁷As bases das colunas eram de bronze; os ganchos e molduras eram de prata. Revestiu de prata os capitéis, e todas as colunas do átrio tinham molduras de prata. ¹⁸A anteporta do átrio era de púrpura violeta, vermelha e escarlate e linho retorcido, e era bordada. Media dez metros de comprimento por dois e meio de altura, assim como as cortinas do átrio. ¹⁹Pendia de quatro colunas, com suas bases de bronze; os ganchos eram de prata. E revestiu de prata os capitéis e as molduras. ²⁰Todas as estacas que rodeavam o átrio do santuário eram de bronze.

[C] Gastos – ²¹Estes são os gastos da construção do santuário, registrados pelos levitas por ordem de Moisés e sob a direção de Itamar, filho do sacerdote Aarão.

²²Beseleel, filho de Uri, filho de Hur, da tribo de Judá, fez tudo o que o Senhor havia ordenado a Moisés. ²³Prestou-lhe ajuda Ooliab, filho de Aquisamec, da tribo de Dã, artesão, desenhista e bordador em púrpura violeta, vermelha e escarlate, e em linho.

²⁴O total de ouro empregado na construção do santuário, ouro da oferta agitada ritualmente, foi de oitocentos e setenta e oito quilos (siclo do templo). ²⁵A prata dos registrados da assembleia foi de três mil e dezoito quilos (siclo do templo). ²⁶Cinco gramas de prata (siclo do templo) para cada um dos registrados no recenseamento, de vinte anos para cima, ou seja, seiscentos e três mil e quinhentos e cinquenta homens. ²⁷Três mil quilos de prata foram empregados na fundição das bases do templo e da cortina, à razão de trinta quilos por base.

38,1 Pelos materiais empregados, deve-se dar preferência ao altar do incenso.

38,21-31 O cômputo total de gastos é elemento novo.

²⁸Com os dezoito quilos restantes, foram feitos os ganchos e as molduras das colunas, e revestidos os capitéis. ²⁹O bronze da oferta agitada ritualmente pesou dois mil, cento e vinte e quatro quilos. ³⁰Foi empregado para fazer as bases da entrada da tenda do encontro, o altar de bronze com sua grelha e todos os utensílios do altar, ³¹as bases do átrio e de sua porta, todas as estacas do santuário e do átrio.

39 Ornamentos sagrados (Ex 28,1-5)
– ¹Confeccionaram os ornamentos sagrados para o serviço do santuário em púrpura violeta, vermelha e escarlate e linho retorcido. E do mesmo material fizeram os ornamentos sagrados de Aarão, conforme o Senhor havia ordenado a Moisés.

[A] Efod (Ex 28,6-14) – ²Fizeram o efod de ouro, púrpura violeta, vermelha e escarlate e linho retorcido. ³Fizeram folhas de ouro e as cortaram em fios, bordando-as em púrpura violeta, vermelha e escarlate, e em linho retorcido. ⁴Fizeram também duas ombreiras unidas pelas extremidades. ⁵O cinto para amarrar o efod saía dele e era do mesmo trabalho: de ouro, púrpura violeta, vermelha e escarlate e linho retorcido, conforme o Senhor havia ordenado a Moisés. ⁶Engastaram as pedras de ônix em filigrana de ouro, e nelas gravaram, como num selo, os nomes das tribos israelitas. ⁷E as aplicaram nas ombreiras do efod: pedras-memorial dos israelitas, conforme o Senhor havia ordenado a Moisés.

[B] Peitoral (Ex 28,15-30) – ⁸Fez artisticamente o peitoral, do mesmo trabalho que o efod: de ouro, púrpura violeta, vermelha e escarlate e linho retorcido. ⁹Era duplo e quadrado, com um palmo de comprimento por um de largura. ¹⁰Nele engastaram quatro fileiras de pedras: na primeira fileira, cornalina, topázio e azeviche; ¹¹na segunda fileira, esmeralda, safira e diamante; ¹²na terceira fileira, jacinto, ágata e ametista; ¹³na quarta fileira, topázio, ônix e jaspe. As guarnições de pedra eram engastadas em filigrana de ouro. ¹⁴Colocaram doze pedras, conforme o número das tribos israelitas. Cada pedra trazia gravado, como um selo, o nome de uma das doze tribos.

¹⁵Além disso, fizeram para o peitoral correntes de ouro puro, trançadas como cordões; ¹⁶dois engastes de ouro e dois anéis de ouro, que prenderam às duas extremidades do peitoral. ¹⁷Passaram os dois cordões de ouro pelos dois anéis do peitoral ¹⁸e uniram as duas pontas dos cordões às duas filigranas, e as fixaram nas ombreiras do efod pela parte da frente.

¹⁹Fizeram outros dois anéis de ouro e os colocaram nas duas extremidades do peitoral, na borda inferior que toca o efod. ²⁰E outros dois anéis de ouro, que fixaram na parte interna e dianteira das ombreiras do efod, na junção e mais acima do cinto do efod. ²¹Com um cordão de púrpura violeta prenderam os anéis do peitoral com os do efod, de modo que ficasse sobre o cinto do efod, e o peitoral não pudesse desprender-se do efod, conforme o Senhor havia ordenado a Moisés.

[C] Manto (Ex 28,31-35) – ²²Fez o manto do efod todo de púrpura violeta. ²³Tinha em cima uma abertura no centro, reforçada ao redor com uma dobra, com a abertura de um corselete, para que não se rasgasse. ²⁴Na barra do manto, ao redor, puseram romãs de púrpura violeta, vermelha e escarlate, ²⁵e chocalhos de ouro alternando com elas; ²⁶chocalho e romã, por toda a volta. Era usado para oficiar, conforme o Senhor havia ordenado a Moisés.

[D] Outras vestes (Ex 28,40-43) – ²⁷Para Aarão e seus filhos, fizeram túnicas tecidas de linho, ²⁸turbantes e barretes com enfeites, e calções de linho retorcido. ²⁹As faixas em linho retorcido, púrpura violeta, vermelha e escarlate, bordadas, conforme o Senhor havia ordenado a Moisés.

[E] A flor de ouro (Ex 28,36-39) – ³⁰Fizeram de ouro puro a flor do turbante santo, e nele gravaram, como num selo: "Consagrado ao Senhor". ³¹E a prenderam na parte superior do turbante com um cordão de púrpura violeta, conforme o

---

39,21 Omite a menção dos *urim* e *tumim* das sortes.

Senhor havia ordenado a Moisés. ³²Assim terminaram os trabalhos do santuário e da tenda do encontro. Os israelitas os fizeram ajustando-se ao que o Senhor havia ordenado a Moisés.

[F] Apresentação da obra a Moisés – ³³Apresentaram a Moisés o santuário, a tenda e todos os seus utensílios: colchetes, tábuas, travessas, colunas e bases; ³⁴a cobertura de peles de carneiro curtidas, a cobertura de peles de toninha e a cortina da anteporta; ³⁵a arca da aliança com varais e placa; ³⁶a mesa com seus utensílios e os pães apresentados; ³⁷o candelabro de ouro puro, com suas lâmpadas em ordem, seus utensílios e o azeite das lâmpadas; ³⁸o altar de ouro, o azeite da unção, o incensório e a anteporta da tenda; ³⁹o altar de bronze com sua grelha, varais e os outros utensílios; a bacia com seu pedestal; ⁴⁰as cortinas do átrio com colunas e bases; a anteporta da entrada do átrio com cordas, estacas e os outros utensílios do serviço do santuário, da tenda do encontro; ⁴¹os ornamentos sagrados para oficiar no santuário, os ornamentos que o sacerdote Aarão e seus filhos usavam para oficiar.

⁴²Os israelitas fizeram todos os trabalhos, ajustando-se ao que o Senhor havia ordenado a Moisés. ⁴³Moisés examinou todos os trabalhos e comprovou que se ajustavam ao que o Senhor havia ordenado, e os abençoou.

CONSTRUÇÃO E CONSAGRAÇÃO DO SANTUÁRIO

40 [A] Mandato do Senhor – ¹O Senhor falou a Moisés:

– ²No primeiro dia do primeiro mês, instalarás o santuário da tenda do encontro: ³nele porás a arca da aliança e a fecharás com a cortina. ⁴Porás a mesa, e nela os pães. Porás o candelabro e acenderás as lâmpadas; ⁵porás o altar de ouro do incenso diante da arca da aliança, e pendurarás a anteporta do santuário; ⁶colocarás o altar dos holocaustos diante da porta do santuário da tenda do encontro; ⁷porás a bacia entre a tenda do encontro e o altar, enchendo-a de água; ⁸ao redor, levantarás o átrio e porás a anteporta da entrada do átrio.

⁹Pegarás o azeite da unção e ungirás o santuário e tudo o que há nele: tu o consagrarás com todos os seus utensílios, e ele ficará consagrado. ¹⁰Ungirás também o altar dos holocaustos com todos os seus utensílios, tu o consagrarás e será sacrossanto. ¹¹Ungirás também a bacia com seu pedestal, e os consagrarás.

¹²Depois, mandarás Aarão e seus filhos se aproximarem junto à porta da tenda do encontro, fazendo-os banhar-se. ¹³Vestirás Aarão com os ornamentos sagrados, o ungirás e o consagrarás como meu sacerdote. ¹⁴Depois, mandarás os filhos se aproximarem e os vestirás com a túnica; ¹⁵tu os ungirás como ungiste o pai deles, para que sejam meus sacerdotes. A unção lhes conferirá o sacerdócio perpétuo em todas as suas gerações.

[B] Execução das ordens (1Rs 7) – ¹⁶Moisés fez tudo conforme o Senhor lhe havia mandado.

¹⁷No primeiro dia do primeiro mês do segundo ano, o santuário foi instalado. ¹⁸Moisés instalou o santuário, pôs as bases, pôs as tábuas com suas travessas e ergueu as colunas; ¹⁹montou a tenda sobre o santuário e pôs a cobertura sobre a tenda, conforme o Senhor havia ordenado a Moisés. ²⁰Pôs na arca o documento da aliança, prendeu os varais à arca, cobrindo-a com a placa. ²¹A seguir, a pôs no santuário, pondo a cortina de modo que fechasse a arca da aliança, conforme o Senhor havia ordenado a Moisés. ²²Colocou também a mesa na tenda do encontro, na parte norte do santuário e fora da cortina. ²³Sobre ela pôs os pães

---

39,32-42 Ouvem-se ressonâncias verbais e temáticas da criação: o "terminar as tarefas", fazer tudo, o "examinar" e aprovar de Moisés, a bênção. Convém ressaltar as diferenças: na criação Deus manda e faz, aqui Moisés e os artesãos trabalham; Deus, do nada; os artesãos, das ofertas; Deus via que era bom, Moisés comprova que se ajusta às ordens recebidas. Tais correspondências sugerem que a fabricação do mundo cultual imita a criação do universo. E o personagem central deste universo cultual será o sumo sacerdote.

40,1-33 Terminada a fabricação, chega a etapa final: montar as peças e colocar cada objeto em seu lugar. No meio, como uma cunha, se mencionam a unção e a consagração.

apresentados ao Senhor, conforme o Senhor havia ordenado a Moisés.

²⁴Colocou o candelabro na tenda do encontro, na parte sul do santuário, diante da mesa; ²⁵acendeu as lâmpadas na presença do Senhor, conforme o Senhor havia ordenado a Moisés. ²⁶Pôs o altar de ouro na tenda do encontro, diante da cortina, ²⁷e sobre ele queimou o incenso do incensório, conforme o Senhor havia ordenado a Moisés. ²⁸Depois colocou a anteporta do santuário. ²⁹Pôs o altar dos holocaustos junto à porta do santuário da tenda do encontro, e sobre ele ofereceu o holocausto e a oferta, conforme o Senhor havia ordenado a Moisés. ³⁰Colocou a bacia entre a tenda do encontro e o altar, enchendo-a de água para as abluções. ³¹Moisés, Aarão e seus filhos lavavam as mãos e os pés, ³²quando entravam na tenda do encontro para aproximar-se do altar, conforme o Senhor havia ordenado a Moisés.

³³Ao redor do santuário e do altar ergueu o átrio, colocando a anteporta à entrada do mesmo. E assim Moisés terminou a obra.

[C] A glória de Deus (1Rs 8,10s; Ez 43,1-5; Ml 2,7-9) – ³⁴Então a nuvem cobriu a tenda do encontro, e a glória do Senhor encheu o santuário.

³⁵Moisés não pôde entrar na tenda do encontro, porque a nuvem se havia colocado sobre ela, e a glória do Senhor enchia o santuário.

³⁶Quando a nuvem se levantava do santuário, os israelitas levantavam o acampamento em todas as etapas. ³⁷Mas quando a nuvem não se levantava, os israelitas esperavam até que a nuvem se levantasse. ³⁸De dia a nuvem do Senhor pousava sobre o santuário, e de noite o fogo, em todas as suas etapas, aos olhos de toda a casa de Israel.

40,34-35 Terminado e consagrado o recinto, o Senhor desce para tomar posse dele com sua presença sem imagem, com sua glória. A glória que estava na montanha se translada com a nuvem para o santuário: termina a função profética de Moisés e começa sua nova função, a sacerdotal.

LEVÍTICO

INTRODUÇÃO

Situação

O que chamamos Levítico é um livro obtido por um corte artificial e violento. Conforme a narração, os israelitas chegam ao Sinai em Ex 19 e daí partem em Nm 10, quase dois anos mais tarde, segundo o narrador. Nesses meses o autor colocou uma enorme atividade legislativa. Se tomássemos esses dois limites, teríamos um livro composto com certa lógica.

Como já vimos, grande parte dos corpos legislativos é posterior, projetando no deserto preocupações e práticas tardias: atribuindo tudo a Moisés e por ele a Deus. Não é que tudo seja invenção posterior: conservam-se nestes corpos literários normas que parecem antigas, até primitivas. Mas há uma ideia que responde a uma situação e condiciona toda a tarefa de compilar e organizar materiais.

É a situação dos judeus como província do império persa, provavelmente no século V a.C. Os judeus não tinham independência política nem soberania nacional, dependiam economicamente do governo imperial. Não tinham rei e talvez nem profetas. Mas eram livres para praticar sua religião, seguir seu direito tradicional e resolver seus pleitos. Muitos judeus viviam e cresciam na diáspora. Nessas circunstâncias, o templo e o culto de Jerusalém são a grande força de coesão, e os sacerdotes seus administradores. A outra força é a torah, conservada zelosamente, interpretada e aplicada com razoável uniformidade nas diversas comunidades. Essa legislação regula também a vida civil.

O Levítico, com o final do Êxodo e boa parte de Números, respondem a essa situação. Com as Crônicas e alguns capítulos de Ezequiel, são testemunhas da importância que o culto e o sacerdócio assumiram na vida dos judeus depois do exílio.

O nome Levítico é posterior e artificial, pois se entende pelo adjetivo o que pertence ao mundo sacerdotal ou clerical, e não se leva em conta a distinção entre sacerdotes e levitas de que falam as Crônicas (1Cr 23,28-32). Embora poucas, o Levítico contém também normas do âmbito civil ou leigo.

Avaliação

De todos os livros do Antigo Testamento, o Levítico é o mais estranho, o mais encrespado e impenetrável. Tabus alimentares, normas primitivas de higiene, meticulosas prescrições rituais afastam ou aborrecem o leitor de mais boa vontade. Há cristãos que começam com os melhores desejos de ler a Bíblia, e desistem ao chegar ao Levítico.

É verdade que este livro pode interessar ao etnólogo, que encontra nele, cuidadosamente formulados e relativamente organizados, múltiplos costumes parecidos com os de outros povos, menos explícitos e articulados. Só que não procuramos satisfazer a curiosidade etnológica. Supomos que o Levítico é um livro sagrado, recolhido inteiro pela Igreja e oferecido aos cristãos para alimento espiritual, como palavra de Deus.

O Levítico, livro cristão, não seria melhor dizer que é um livro abolido por Cristo? Todos os sacrifícios reduzidos a um, e este renovado na simplicidade de um banquete fraterno; todas as distinções de animais puros e impuros envolvidas pelo dinamismo de Cristo, que tudo assume e santifica. A partir da plenitude e simplicidade libertadora de Cristo, o Levítico se nos mostra como catálogo de prescrições

jurídicas abolidas, como país de prisão que recordamos sem nostalgia. Este sentido dialético do livro é interessante, certamente, e chegará até a ser necessário para denunciar a presença desafiadora do passado entre nós, para curar-nos da tentação de recaída.

Então, essas leis eram más? Como é que a Escritura as atribui a Deus? Temos de continuar procurando um caminho vivo que nos leve a estas páginas, e é bom que desafiem nosso conformismo e curiosidade. O Levítico nos obriga a buscar, e isto é alguma coisa.

Leituras

Em primeiro lugar, procuremos transportar-nos para seu contexto vital, não por curiosidade distante, mas buscando o testemunho humano. Pois bem, nestas páginas se expressa um sentido religioso profundo: o homem se põe diante de Deus no fio da vida e da morte, na consciência de pecado e indignidade, na ânsia de libertação e reconciliação; busca a Deus no banquete partilhado. O homem se preocupa com o próximo, testando diagnósticos, adivinhando e prevenindo contágios, ordenando as relações sexuais para a defesa da família. Não é fácil ler os parágrafos e seções do livro como expressão vital. É que nos falta a execução viva, a participação de uma assembleia, o cidadão com seu problema doméstico. Como é difícil ler uma partitura sem escutá-la, ou ler as indicações de um balé sem contemplá-lo. O Levítico é em grande parte um livro de cerimônias, sem a interpretação viva e sem os textos recitados; poder-se-ia ler como ritual dos salmos, embora não saibamos como combiná-los em concreto. Neste sentido, acaba sendo um livro de consulta, mais que de leitura.

Superando o cipoal de meticulosas prescrições, se chegarmos a auscultar um latejo de vida religiosa, teremos descoberto uma realidade humana válida e permanente.

Em segundo lugar, transfiramos o livro ao contexto cristão, e ele liberará toda a sua energia dialética. Antes de tudo, nos fará ver como a complicação se resolve na simplicidade de Cristo. Mas ao mesmo tempo devemos recordar que a simplicidade de Cristo é concentração, e que essa concentração exige um desdobramento, para ser compreendida na sua pluralidade de aspectos e riqueza de conteúdo. Cristo concentra, na sua pessoa e obra, o substancial e permanente das velhas cerimônias; estas, por sua vez, explanam e explicitam diversos aspectos da obra de Cristo. Assim o entendeu o autor da carta aos Hebreus, sem perder-se em detalhes demasiados, mas dando-nos um exemplo de reflexão cristã.

Contemplando o Levítico como elo entre as práticas religiosas de outros povos e a obra de Cristo, veremos nele a pedagogia de Deus. Pedagogia paterna, compreensiva e paciente: compreende o que de bom há em tantas expressões humanas do paganismo, o aprova e o recolhe, o transfere a novo contexto para o depurar e desenvolver. Com esses elementos canaliza a religiosidade do seu povo, satisfaz a necessidade de expressão e prática religiosa. Mas ao mesmo tempo envia a palavra profética para criticar o formalismo, a rotina, o ritualismo, que são perigos inerentes a toda prática religiosa.

Recordemos que a redação final do Levítico é posterior à pregação profética e que em sua forma atual não é mais que uma parte do Pentateuco, do Antigo Testamento, da Bíblia. Tem seu lugar e função no grande organismo: nem o primeiro nem o mais importante.

1

¹O Senhor chamou Moisés e, da tenda do encontro, falou-lhe: – ²Dize aos israelitas: Quando oferecerdes uma oblação ao Senhor, vossa oferta será de gado graúdo ou miúdo.

Holocaustos (Jz 6,19-21; 13,19-21; 2Cr 7,1) – ³[a] Se é *holocausto de gado graúdo*, oferecerá um macho sem defeito e o levará à entrada da tenda do encontro para que o Senhor o aceite. ⁴Porá a mão sobre a cabeça da vítima, e o Senhor o aceitará como expiação. ⁵Degolará a rês na presença do Senhor.

Os sacerdotes aaronitas oferecerão o sangue e, com ele, aspergirão o altar, que está à entrada da tenda do encontro. ⁶Esfolará a vítima e a esquartejará.

SACRIFÍCIOS E SACERDOTES
Introdução

Os capítulos 1-7 classificam os sacrifícios e regulam sua prática e cerimônias. Antes de percorrermos a regulamentação, procuremos entender o espírito. Para tanto, podemos partir do nosso termo português "sacrifício". O homem sacrifica algo seu por um bem superior: sacrifica um órgão próprio à sua própria vida, parte de sua fortuna à sua saúde, sacrifica algo seu por um ideal, por outra pessoa a quem ama, com a qual deseja reconciliar-se. Todo sacrifício é pessoal, porque o sacrificado é nosso, e é querido ou apreciado. Este aspecto pode chegar à sua máxima intensidade quando alguém se sacrifica a si mesmo: "Não há maior amor do que dar a vida pelo amigo".

Esse uso da palavra deixou no esquecimento a etimologia de "sacrifício", "tornar sagrado". Se referimos nosso conceito comum às nossas relações com Deus, o sacrifício alcança seu sentido original e pleno. Deus pessoa e o homem pessoa diante de Deus. O homem como criatura corpórea e mundana. O homem possui a si mesmo e possui outros bens seus, que ama e aprecia com relação pessoal; mas, acima de si mesmo e de seus bens, aprecia a Deus como bem supremo, que lhe deu o ser e todos os bens, que o continuará ajudando, que tudo pode exigir dele para seu bem. Então o homem se entrega a si mesmo ou algo seu: para reconhecer a soberania de Deus, para lhe agradecer os benefícios, para impetrar novos, para expressar arrependimento, para reconciliar-se com ele, para testemunhar fidelidade. Deus aceita o dom e o consagra, selando assim a reconciliação do homem, ou ratificando e cumprindo a finalidade específica do sacrifício; não é que Deus receba propriamente um dom (Sl 50), mas recebe um reconhecimento, que é perfeição do homem.

O sacrifício religioso autêntico é expressão da interioridade humana; do contrário, é farsa. Por isso, no fundo da regulamentação que vamos ler, é mister escutar a denúncia e a exigência proféticas de autenticidade no culto: ver Is 1,10-20; Sl 50; Eclo 34-35, entre outros textos.

O sacrifício adquire seu valor supremo em Cristo, que se oferece totalmente a si mesmo em ato de fidelidade ao Pai e de amor aos homens. Porque o Plano do Pai é precisamente que Cristo se sacrifique pelos homens, para uni-los com Deus. O sacrifício de Cristo é expressão autêntica, é doação total: unidos a ele, nossos sacrifícios têm sentido e validade (cf. Hb 13,15-16; Rm 12,1).

1,1-2 Com estes versículos, tudo o que se segue fica ligado à legislação do Êxodo, que Moisés promulgou por encargo do Senhor. "Oblação" (*qorban,* da raiz *qrb,* "aproximar") é *nome genérico.* Todos os sacrifícios ficam englobados na ideia de "aproximar" do Senhor, levar, oferecer. De modo correlativo, Deus "aproxima" de si seus eleitos, em particular os sacerdotes.

1,3-17 Estes versículos dedicados ao holocausto sintetizam vários aspectos: vítimas, oficiantes, rito, finalidade. As vítimas são distinguidas pelo grau de valor ou preço e, consequentemente, segundo a escala social dos oferentes. Primeiro, o touro, sinal de riqueza ou boa posição (Gn 32,6; Ex 20,17); segundo, a ovelha ou cabra, propriedade dos menos abastados (2Sm 12,1-4); terceiro, a pomba ou rola, de gente pobre.

Oficiantes. O papel principal é desempenhado pelos sacerdotes: oferecem o sangue, preparam o fogo e queimam a vítima. Intervém também o leigo: conduz a vítima e põe a mão sobre ela, depois a degola, esfola e esquarteja. Isso representa uma situação intermediária entre a competência geral dos leigos (patriarcas; Gedeão, Jz 6,26s; Jefté, Jz 11,31.39; Manué, Jz 13,16.19) e o monopólio dos sacerdotes (cf. 2Cr 29,34; 35,11).

Rito. O holocausto, como o nome indica, é oferta total a Deus de algo útil e valioso para o homem. É a oferta, o sacrifício por excelência. O objeto é um animal de uso doméstico, alimento ou trabalho; as espécies estão limitadas (não vale o asno nem muito menos o porco, cf. Is 66,3) e a qualidade deve ser perfeita (Ml 1,8-10). O sangue é sede da vida (Lv 17,10): representa vicariamente a vida do oferente; derrama-se sobre o altar; o resto, com exceção de alguns refugos, se queima; o fogo purifica e transforma. Degolar e esquartejar são preparativos necessários. A mão sobre a cabeça da vítima: alguns o interpretam como sendo carregá-la com os pecados que se devem expiar; mas uma vítima com pecados seria abominável, não agradaria ao Senhor (cf. Lv 16); provavelmente é gesto de oferta pessoal, como se o oferente a nomeasse seu representante ou substituto.

Finalidade: agradar ao Senhor de modo que o aceite, *rsh rswn*; expiar pelos pecados, *kpr*; aplacar com o aroma, *ryh nyhwh*. Da parte do homem e na linguagem aplicada a Deus, a cerimônia é material, corpórea, mas carregada de simbolismo: carne e gordura se tornam aroma insubstancial que Deus aceita e aspira. O que preocupa o autor aqui é a validade do rito, mais do que a atitude interior: a validade depende em última instância do "agrado" ou aceitação de Deus; o homem procura cumprir todas as condições.

⁷Os sacerdotes aaronitas farão fogo sobre o altar e empilharão lenha sobre o fogo. ⁸Depois colocarão cabeça, pedaços e gordura sobre a lenha, sobre o fogo, sobre o altar. ⁹Lavarão vísceras e patas. O sacerdote o deixará queimar-se completamente sobre o altar. É um holocausto: oblação de aroma que aplaca o Senhor.

¹⁰[b] Se é um *holocausto de gado miúdo,* cordeiros ou cabritos, oferecerá um macho sem defeito. ¹¹Ele o degolará no lado norte do altar, na presença do Senhor.

Os sacerdotes aaronitas aspergirão com o sangue todos os lados do altar. ¹²O sacerdote o esquartejará, colocando a cabeça e a gordura sobre a lenha, sobre o fogo, sobre o altar. ¹³Lavarão vísceras e patas. O sacerdote o deixará queimar-se completamente sobre o altar. É um holocausto: oblação de aroma que aplaca o Senhor.

¹⁴[c] Se é um *holocausto de aves,* sua oferta será de rolas ou pombos.

¹⁵O sacerdote a levará ao altar e lhe torcerá o pescoço. Ele a deixará queimar-se sobre o altar, depois de espremer o sangue de um lado do mesmo altar. ¹⁶Tirará seu bucho e penas, e os jogará ao leste do altar, no lugar das cinzas. ¹⁷Rasgará as asas sem arrancá-las, e o sacerdote deixará a vítima queimar-se sobre o altar, sobre a lenha, sobre o fogo. É um holocausto: oblação de aroma que aplaca o Senhor.

OFERTAS

2 **[A] Ofertas cruas** (Nm 15,1-18) – ¹Quando alguém fizer uma oferta ao Senhor, sua oferta será de flor de farinha, sobre a qual se derramará azeite e se porá incenso. ²Ele a levará aos sacerdotes aaronitas, e um destes, pegando um punhado de flor de farinha, com azeite e todo o incenso, o deixará queimar-se sobre o altar, como obséquio. É uma oblação de aroma que aplaca o Senhor.

³O resto da oferta será para Aarão e seus descendentes. É a porção sagrada da oblação ao Senhor.

[B] Ofertas preparadas – ⁴Se fizeres uma oferta *cozida no forno,* esta será de bolos ázimos de flor de farinha amassados com azeite e de roscas ázimas untadas com azeite.

⁵Se tua oferta é *assada na sertã,* será de flor de farinha ázima amassada com azeite. ⁶Tu a farás em migalhas, derramando azeite sobre ela. É uma oferta.

⁷Se tua oferta for *cozida na panela,* será de flor de farinha com azeite. ⁸Apresentarás ao Senhor a oferta assim preparada, levando-a ao sacerdote, que a porá junto do altar. ⁹Da oferta tomará o obséquio, deixando-o queimar-se sobre o altar. É uma oblação de aroma que aplaca o Senhor.

¹⁰O resto da oferta será para Aarão e seus descendentes. É a porção sagrada da oblação ao Senhor.

[C] Determinações particulares – ¹¹Toda oferta que fizerdes ao Senhor será sem fermento, porque nada que contenha fermento ou mel deve ser queimado em oblação ao Senhor.

¹²Podeis oferecê-lo ao Senhor como primícias, mas não o poreis sobre o altar como aroma que aplaca.

¹³Salgareis todas as vossas ofertas. Não deixeis de pôr em vossas ofertas o sal da aliança do teu Deus. Oferecerás todas salgadas.

[D] Primícias – ¹⁴Se fizeres uma oferta de primícias ao Senhor, será de grãos de

---

1,15-17 O rito é mais simples. Rasgam-se as asas, conservando a integridade da vítima, visando a sua destruição como volátil.

2,1-3 O capítulo trata de oferendas vegetais, próprias de uma cultura agrária (não de beduínos). O termo técnico é *minhá,* que significa também tributo. Os primeiros versículos falam em geral: a matéria é o melhor da farinha de trigo; acompanha-se com azeite e incenso. O oferente é lavrador, o sacerdote intervém no rito de queimar. Uma parte pequena, representativa, se queima em honra de Deus; o restante serve de alimento aos sacerdotes. Farinha e azeite são produtos ordinários, o incenso é precioso; é o que se queima totalmente, transformando em aroma que aplaca. "Como obséquio": como algo que se reserva especialmente para o hóspede de honra. A raiz hebraica é *zkr* = recordar, ter presente; nós dizemos "dar atenção". Mas não é alimento de Deus, e sim oferta que o fogo consome e transforma em aroma.

2,11-13 A fermentação destrói a realidade original do produto; algo semelhante parece atribuir-se ao mel (ou xarope de frutas). Por outro lado, o sal produz gosto (Jó 6,6), conserva, saneia (2Rs 2,20s), se compartilha na aliança (Nm 18,19).

2,14-16 As primícias são o primeiro fruto e o melhor, por isso se reservam para o Senhor.

espigas tenras, tostados e moídos. ¹⁵Derramarás azeite neles, pondo-lhes incenso. É uma oferta.

¹⁶O sacerdote queimará, como obséquio, uma porção da massa e o azeite com todo o incenso. É uma oblação ao Senhor.

3 **Sacrifícios de comunhão** – ¹Quando tua oferta for um sacrifício de comunhão,

[A] se é de *gado graúdo*, oferecerá ao Senhor um macho ou uma fêmea sem defeito. ²Porá a mão sobre a cabeça da vítima e a degolará na entrada da tenda do encontro. Os sacerdotes aaronitas aspergirão com o sangue todos os lados do altar.

³Do sacrifício de comunhão oferecerá em oblação ao Senhor a gordura que envolve as vísceras e sua gordura, ⁴os dois rins com sua gordura, a gordura junto ao dorso e o lóbulo do fígado junto aos rins: separará tudo isso.

⁵Os aaronitas a deixarão queimar-se sobre o altar, sobre o holocausto, sobre a lenha, sobre o fogo. É uma oblação de aroma que aplaca o Senhor.

⁶[B] Se é de *gado miúdo*, oferecerá ao Senhor um macho ou uma fêmea sem defeito.

⁷[a] Se for um *cordeiro* aquilo que oferece, ele o levará à presença do Senhor. ⁸Porá a mão sobre a cabeça da vítima e a degolará diante da tenda do encontro. Os sacerdotes aaronitas aspergirão com o sangue todos os lados do altar.

⁹Do sacrifício de comunhão oferecerão em oblação ao Senhor a gordura, a cauda inteira cortada rente à espinha dorsal, a gordura que envolve as vísceras e suas gorduras, ¹⁰os dois rins com sua gordura, a gordura junto ao dorso e o lóbulo do fígado junto aos rins: tudo isso será posto à parte. ¹¹O sacerdote a deixará queimar-se sobre o altar. É alimento em oblação ao Senhor.

¹²[b] Se for um *cabrito* aquilo que oferece, ele o levará à presença do Senhor. ¹³Porá a mão sobre a cabeça da vítima e a degolará diante da tenda do encontro. Os sacerdotes aaronitas aspergirão com o sangue todos os lados do altar.

¹⁴Dele oferecerão em oblação ao Senhor a gordura que envolve as vísceras e suas gorduras, ¹⁵os dois rins com sua gordura, a gordura junto ao dorso e o lóbulo do fígado junto aos rins: tudo isso será posto à parte. ¹⁶O sacerdote o deixará queimar-se sobre o altar. É alimento em oblação de aroma que aplaca o Senhor. Toda a gordura pertence ao Senhor.

¹⁷É lei perpétua para todas as vossas gerações e em todos os vossos povoados: não comereis gordura nem sangue.

4 **Sacrifícios expiatórios** – ¹O Senhor falou a Moisés:

– ²Dize aos israelitas: Quando alguém, por inadvertência, transgredir alguma das proibições do Senhor, fazendo algo proibido,

---

3,1 Discute-se qual o significado exato do nome. O substantivo regente significa por sua etimologia "matar" a vítima: aspecto fundamental e genérico do sacrifício. O substantivo regido, que especifica, vem da raiz *shm*, que abarca vários significados: completo, sadio, paz, devolver, pagar. Podem-se indicar três interpretações: completo, com um rito que completa o sacrifício; ação de graças (em grego *eucharistia*); paz e comunhão com a divindade (cf. Sl 41,10). Deus recebe a sua parte na forma simbólica de um aroma que brota das partes melhores da vítima; a comunidade oferente ou acompanhante reparte entre si, num banquete, o resto da vítima. Deus convidado convida; uma cerimônia prazerosa sela a reconciliação ou amizade.
Numerosos testemunhos do AT e de outros povos atestam o costume do banquete sacrifical: Jetro, Ex 18; Elcana, 1Sm 1,4; Samuel com Saul e trinta convidados, 1Sm 9,12.22-25. Embora o oferente com seus acompanhantes costumassem ser leigos, a cerimônia requeria a atuação de sacerdotes, aos quais também cabia uma parte. Isso se prestava a abusos, como mostra 1Sm 2,12-17. No contexto de Lv salienta-se a função indispensável dos sacerdotes. A divisão em três categorias leva em conta o número de convidados capazes de consumir uma cabeça de gado maior ou menor; não se admite pombo nem rola, que não se podem repartir. O rito do sangue é como no holocausto. Também o do fogo, embora limitado a uma parte. Este rito não exclui as fêmeas, vacas ou ovelhas; mas não menciona cabras.
As definições no final de cada classe são diversas, não sabemos por quê.
3,17 A provisão sobre o sangue se explica no capítulo 17. A proibição de comer gordura, ou se refere só aos sacrifícios precedentes ou é adição difícil de justificar: Dt 32,14 e Sl 63,6 supõem o contrário. "Todos os povoados" poderia aludir à diáspora; é fórmula que se repete.

4,2 "Por inadvertência": em certo grau, implica negligência ou desatenção. A presente lei pode servir para educar a atenção do povo na lei divina; um modo de desenvolver a consciência (com cuidado para não cair no escrúpulo). Em outro grau, a inadvertência é plenamente involuntária. Mesmo assim, perturba uma ordem objetiva estabelecida,

³[a] se for o *sacerdote ungido* que cometeu a transgressão, comprometendo assim o povo, oferecerá ao Senhor pela transgressão cometida um bezerro sem defeito, em sacrifício expiatório. ⁴Ele o levará à entrada da tenda do encontro, na presença do Senhor. Porá a mão sobre a cabeça da vítima e a degolará na presença do Senhor. ⁵O sacerdote ungido pegará sangue do bezerro e o levará à tenda do encontro. ⁶Na presença do Senhor, molhando um dedo no sangue, salpicará com ele sete vezes na direção da cortina do santuário. ⁷Depois, na presença do Senhor, o sacerdote untará com o sangue as saliências do altar do incenso, situado na tenda do encontro, e derramará todo o sangue do bezerro ao pé do altar dos holocaustos, situado à entrada da tenda do encontro. ⁸Tirará toda a gordura do bezerro da expiação: a gordura que envolve as vísceras e suas gorduras, ⁹os dois rins com sua gordura, a gordura junto ao dorso e o lóbulo do fígado junto aos rins; ¹⁰separará tudo isso, como se faz com o touro do sacrifício de comunhão. O sacerdote a deixará queimar-se sobre o altar dos holocaustos.

¹¹O resto do bezerro, o couro, a carne com a cabeça e as patas, vísceras e intestinos, ¹²ele o tirará do acampamento, para um lugar puro, onde se despejam as cinzas, e o queimará sobre a lenha. Deve ser queimado no lugar em que se despejam as cinzas.

¹³[b] Se for toda a *comunidade israelita* que, por inadvertência, transgrediu alguma proibição do Senhor, incorrendo assim em culpa, e o assunto ficar oculto à comunidade, ¹⁴esta, ao dar-se conta da transgressão cometida, oferecerá em sacrifício expiatório um bezerro, levando-o até a tenda do encontro. ¹⁵As autoridades porão as mãos sobre a cabeça da vítima e a degolarão na presença do Senhor.

¹⁶Depois, o sacerdote ungido levará sangue do bezerro para a tenda do encontro. ¹⁷Na presença do Senhor e molhando um dedo no sangue, salpicará com ele sete vezes na direção da cortina do santuário. ¹⁸Untará com o sangue as saliências do altar do incenso, situado diante do Senhor na tenda do encontro, e derramará todo o sangue ao pé do altar dos holocaustos, situado à entrada da tenda do encontro. ¹⁹Ele lhe tirará toda a gordura e a deixará

---

e a perturbação pode alcançar dialeticamente o transgressor e causar-lhe algum dano, se a ordem não se restabelece com um sacrifício. A ordem perturbada consiste na relação do homem com Deus, da comunidade com o Senhor da aliança. Assim, pois, a lei educa para respeitar a ordem objetiva, para não contentar-se com boas intenções. Trata-se de "proibições" que, em linguagem moral, obrigam "sempre e para sempre"; mas não se menciona o grau objetivo de gravidade; o capítulo seguinte mencionará alguns casos concretos.

Sobre o tema pode-se ler a distinção análoga de Nm 15,22-31, referente ao homicídio voluntário ou involuntário. Ver também a gradação de Sl 19,12-14. "Dar-se conta" (v. 14) é descobrir, conhecer e reconhecer: antes de conhecê-lo, não eram responsáveis, mas eram causa; uma vez conhecido, seria culpa formal não reconhecê-lo. Em todo caso, o homem reconhece com esses ritos sua limitação radical, sua imperfeição constitutiva com relação a Deus. Os ritos do sangue e do fogo podem expressar dramaticamente tais sentimentos religiosos. Na igualdade do ato psicológico, conta a diferença das pessoas, pelas consequências que com sua transgressão podem acarretar à comunidade ou ao indivíduo.

4,3 O sacerdote "ungido" é o sumo sacerdote, que representa culturalmente o povo inteiro e pode acarretar-lhe graves danos. "Transgressão" é em hebraico um termo que originariamente significava falhar o tiro, errar, não acertar o alvo; a expiação pretende desfazer, anular o erro ("desfalhar", em hebraico).

4,4-12 O rito para restabelecer a ordem perturbada é minucioso e complexo. O autor identifica tranquilamente a "tenda do encontro" com o santuário dos dois altares e a cortina. A cerimônia é feita "na presença do Senhor". Divide-se em três fases: o sangue, a gordura e as vísceras seletas, o resto. Uma parte menor do sangue é aspergida sobre o altar do incenso ou "defumador"; o resto é derramado sobre o altar dos holocaustos. Uma parte é queimada em honra do Senhor; não tudo: não é holocausto. Não há banquete sacrifical, falta o elemento prazeroso no rito. O restante se queima em lugar puro, mas não sagrado: fora do acampamento; não é cremação sacrifical.

4,13-14 O sujeito agora é a comunidade da aliança, como o indica a terminologia hebraica. O aspecto psicológico cede ao social: a comunidade como tal cometeu a transgressão que compromete a todos. Não explica como se dão conta mais tarde da sua transgressão; talvez porque sofrem uma desgraça coletiva. O importante é que, no momento em que o fato chega à consciência, deve-se pôr em movimento o rito da expiação. É o mesmo que no caso anterior, só que os anciãos, representantes da comunidade, é que põem a mão sobre a vítima.

4,15 Ml 3,8.

4,16 A cerimônia compete ao sumo sacerdote, mas a vítima é degolada pelos anciãos representantes.

queimar-se sobre o altar. ²⁰Fará com esse bezerro como se faz com o do sacrifício expiatório. O sacerdote expia assim por eles, e ficam perdoados.
²¹Tirará o bezerro do acampamento e o queimará como o primeiro. É o sacrifício expiatório da assembleia.
²²[c] Se for um *chefe* que, por inadvertência, transgrediu alguma proibição do Senhor seu Deus, incorrendo assim em culpa, ²³ao dar-se conta da transgressão cometida, oferecerá em oblação um macho sem defeito. ²⁴Porá a mão sobre a cabeça da vítima e, na presença do Senhor, a degolará no matadouro dos holocaustos. É um sacrifício expiatório.
²⁵O sacerdote, molhando um dedo no sangue da vítima, untará com o sangue as saliências do altar dos holocaustos, e derramará o sangue ao pé do mesmo altar. ²⁶Deixará queimar-se sobre o altar toda a gordura, como se faz com os sacrifícios de comunhão. O sacerdote expia assim sua transgressão, e fica perdoado.
²⁷[d] Se for um *proprietário* que, por inadvertência, transgrediu alguma proibição do Senhor, incorrendo assim em culpa, ²⁸ao dar-se conta da transgressão cometida, oferecerá uma cabra sem defeito em sacrifício expiatório. ²⁹Porá a mão sobre a cabeça da vítima e a degolará no matadouro dos holocaustos.
³⁰O sacerdote, molhando um dedo no sangue, untará as saliências do altar dos holocaustos, e derramará o sangue ao pé do mesmo altar. ³¹Ele lhe tirará toda a gordura, como nos sacrifícios de comunhão, e a deixará queimar-se sobre o altar, como aroma que aplaca o Senhor. O sacerdote expia assim sua transgressão, e fica perdoado.
³²Se oferecer um *cordeiro* em sacrifício expiatório, será fêmea e sem defeito. ³³Porá a mão sobre a cabeça da vítima e a degolará como sacrifício expiatório no matadouro dos holocaustos.
³⁴O sacerdote, molhando um dedo no sangue da vítima, untará as saliências do altar dos holocaustos, e derramará todo o sangue ao pé do mesmo altar. ³⁵Ele lhe tirará toda a gordura, como no cordeiro dos sacrifícios de comunhão, e a deixará queimar-se sobre o altar, como oblação ao Senhor. O sacerdote expia assim sua transgressão, e fica perdoado.

5 [A] **Casos particulares** – ¹Se alguém, intimado sob pena a comparecer como testemunha – por ter visto ou ouvido –, não declara, peca e incorre em culpa.
²Se alguém, sem dar-se conta, toca algo impuro, seja o cadáver de uma fera impura, seja o cadáver de animal doméstico impuro, ou de réptil impuro, também, quando toma conhecimento, incorre em culpa.
³Se alguém, sem dar-se conta, tocar uma pessoa impura, manchada por qualquer tipo de impureza, quando toma conhecimento, incorre em culpa.
⁴Se alguém, sem dar-se conta, jura levianamente, para o mal ou para o bem –

4,20 Aqui se explica o efeito do rito. Expiar é afastar do homem o pecado e suas consequências; o perdão é Deus quem o concede (passivo teológico).

4,22 "Chefe", com artigo determinado, poderia ser o rei. Sem determinação, pode ser um entre vários; em todo caso, designa um cargo alto. Não se diz que sua ação comprometa a comunidade.

4,25-26 O rito é mais simples (ou se simplifica a exposição); a vítima, mais modesta. Não se mencionam a cortina nem o altar do incenso; nem a criação do resto.
É igual a divisão de funções: o chefe degola a vítima, o sacerdote executa todo o rito.

4,27 Um indivíduo qualquer, sem cargo especial. Não se diz que sua transgressão afeta a comunidade (comparar com Acã, Js 7). A vítima baixa de valor: uma cabra ou uma ovelha. O rito é mais simples, como no terceiro caso.
O capítulo sabe combinar o aspecto psicológico da consciência individual com o social; mostra que a comunidade como tal é sujeito de reato ante o Senhor.

5,1-4 O capítulo prolonga com rigor o anterior, reunindo quatro casos submetidos à necessidade de expiar.

5,1 O primeiro não parece ser um caso de inadvertência, pois "ouviu". O caso compete à administração judicial. Possíveis testemunhas, desconhecidas, eram citadas a comparecer, pronunciando uma maldição ou imprecação: aonde não chegava o braço humano da justiça, alcançava o poder da "maldição". A testemunha que tinha ouvido a proclamação e não comparecia, carregava a culpa e suas consequências.

5,2-3 Estes dois casos pertencem à legislação dos capítulos 11-15. A impureza cultual ou legal era considerada um fato objetivo, como um contágio. Não dependia do conhecimento subjetivo: o indivíduo podia tocar sem se dar conta ou ignorar que o objeto era impuro. O reato surge quando o homem se dá conta do seu estado.

5,4 A lei pretende salvaguardar o valor e a eficácia dos juramentos, e educar os negligentes ou desconsiderados. Ver Eclo 23, 9-11.

como faz qualquer pessoa –, quando toma conhecimento, incorre em culpa.

⁵Aquele que por qualquer dessas causas incorrer em culpa em qualquer caso, confessará sua transgressão. ⁶E pela transgressão cometida, como penitência oferecerá ao Senhor uma fêmea de gado miúdo, ovelha ou cabra, por sua transgressão. O sacerdote expiará por sua transgressão e será perdoado.

Casos de pobres – ⁷[a] Se não tem o suficiente para um cabrito, pela transgressão cometida oferecerá ao Senhor duas rolas ou dois pombos, um como sacrifício expiatório, e outro como holocausto.

⁸Ele os levará ao sacerdote, que oferecerá em primeiro lugar a vítima do sacrifício expiatório, torcendo o pescoço na nuca, sem arrancar a cabeça. ⁹Com o sangue da vítima, salpicará a parede do altar e espremerá o resto do sangue ao pé do mesmo altar. É um sacrifício expiatório.

¹⁰Oferecerá o segundo como holocausto, conforme o ritual. O sacerdote expiará pela transgressão cometida, e será perdoado.

¹¹[b] E se não tiver o suficiente para duas rolas ou dois pombos, pela transgressão cometida fará uma oferta de vinte e dois decilitros de flor de farinha. Não lhe porá azeite nem incenso, porque é um sacrifício expiatório. ¹²Ele a levará ao sacerdote, e este, tomando um punhado em obséquio, o deixará queimar-se sobre o altar, como oblação ao Senhor. É um sacrifício expiatório.

¹³O sacerdote expiará pela transgressão cometida em qualquer desses casos, e o perdoará. O resto, como as ofertas de flor de farinha, pertence ao sacerdote.

[B] Sacrifício penitencial (2Rs 12,17) – ¹⁴O Senhor disse a Moisés:

– ¹⁵Quem cometer um delito, defraudando por inadvertência alguma coisa consagrada ao Senhor, oferecerá ao Senhor como penitência um carneiro sem defeito, taxado em vinte gramas de prata (siclos do templo). ¹⁶Restituirá aquilo que defraudou com sobretaxa de vinte por cento. Ele o entregará ao sacerdote, e este expiará por ele, com o carneiro do sacrifício penitencial, e será perdoado.

¹⁷Se alguém, sem dar-se conta, transgredir alguma proibição do Senhor, incorre em culpa e responde por ela. ¹⁸Levará ao sacerdote um carneiro sem defeito, taxado proporcionalmente à culpa. O sacerdote expiará pelo pecado cometido por inadvertência, e o perdoará.

¹⁹É um sacrifício penitencial pela culpa em que incorreu contra o Senhor.

Fraude contra o próximo – ²⁰O Senhor disse a Moisés:

– ²¹Quem cometer um delito contra o Senhor, defraudando seu compatriota, em questão de depósito, empréstimo, roubo, exploração ²²ou apropriação com perjúrio de algo perdido – um dos pecados que as pessoas costumam cometer, – ²³pecando e incorrendo em culpa, deverá restituir o roubado, o ganho com exploração, o depósito ²⁴ou o apropriado com perjúrio. Ele o restituirá completamente com a sobretaxa de vinte por cento, e o devolverá ao proprietário ao oferecer o sacrifício penitencial.

²⁵Como vítima, oferecerá ao Senhor um carneiro sem defeito, taxado proporcionalmente ao delito. ²⁶Ele o levará ao sacerdote,

---

5,5-6 Nos quatro casos há possibilidade e necessidade de expiação: o sacrifício afasta o estado de reato e suas consequências. Mas a "confissão" deve preceder: o termo é técnico, clássico de liturgias penitenciais: Dn 9,4.20; Esd 10,1; Ne 1,6; 9,2s. O rito é descrito no quarto caso do capítulo precedente.

5,7-13 Supõem uma situação notável de pobreza. Sobretudo pelo fato significativo de considerar "sacrifício" um rito sem vítima animal; quer dizer, os sacerdotes equiparam a oferenda ao sacrifício em caso de grave necessidade. Mas era tão barata a flor de farinha?

5,15-16 Esta transgressão é mais grave, embora seja inadvertida, porque toca o sagrado. Ao dar-se conta, o homem deve submeter-se à penitência e à restituição. O acréscimo é uma espécie de multa.

5,15 Ml 3,8.

5,17-19 Soam como uma espécie de recapitulação, mas sem diferenciar casos nem vítimas.

5,21 Antes se tratava de um delito contra a propriedade divina, sagrada; agora o delito vai contra a propriedade do próximo. Pois bem, ao defraudar o próximo, peca-se contra o Senhor, principalmente pelo perjúrio com que se invocava a Deus como testemunha. A Deus se oferece o sacrifício de expiação, ao próximo a restituição com acréscimo. Desse modo, o direito sagrado garante os direitos civis. Eclo 35,18-20.

5,22 Ml 3,5.

e este fará a expiação diante do Senhor, e será perdoado por qualquer delito que tenha cometido.

6 Direitos e deveres sacerdotais – [1]O Senhor falou a Moisés:

– [2]Dá estas ordens a Aarão e a seus filhos:

[A] Rito do holocausto – O holocausto arderá sobre o fogo do altar desde a noite até o amanhecer, e o fogo do altar arderá sem se apagar.

[3]O sacerdote, vestindo calção de linho e camisa também de linho, retirará do altar a cinza que o fogo deixa ao consumir o holocausto, e a deixará junto do altar. [4]Depois, mudará de roupa, a fim de tirar a cinza do acampamento, para um lugar puro.

[5]O fogo do altar deverá arder sem se apagar. O sacerdote o alimentará com lenha cada manhã e sobre ela porá o holocausto, deixando que a gordura dos sacrifícios de comunhão se queime. [6]É um fogo que há de arder sobre o altar continuamente, sem se apagar.

[B] [7]Rito da oferta: Os aaronitas levarão a oferta ao altar, até a presença do Senhor. [8]E tomando da oferta um punhado de flor de farinha com azeite e todo o incenso, ele o deixará queimar-se sobre o altar, em obséquio de aroma que aplaca o Senhor. [9]Aarão e seus filhos comerão o resto da oferta.

Será consumido sem fermento, em lugar sagrado; no átrio da tenda do encontro o comerão. [10]Não se cozinhará com fermento; é a porção que lhes dou de minha oblação. É porção sagrada, como no sacrifício expiatório e no sacrifício penitencial.

[11]Podem comê-la todos os homens aaronitas: é vossa porção das oblações do Senhor, nas gerações sucessivas. Quem as tocar ficará consagrado.

6-7 Organização tão minuciosa do culto exige pessoal técnico especializado: levitas, sacerdotes, clero. Ou será que o pessoal técnico inventa um sistema complicado?

Uma interpretação maliciosa escolhe a segunda alternativa, raciocinando que todo culto religioso é criação humana, que um sistema complexo assegura trabalho e ganho a seus funcionários. Não é essa a interpretação do autor bíblico. Embora pareça interesseira, era aceita pela comunidade. Mas é inegável a evolução do ministério e o desejo do autor de atribuí-lo todo a Moisés e ao Senhor.

No livro dos Juízes encontramos um homem da tribo de Levi que oferece seus serviços especializados a uma família e a uma tribo (Jz 17-18); e um levita itinerante, talvez em busca de trabalho (Jz 19). No plano humano aceita-se que um profissional ofereça seus serviços especializados e seja pago para viver de seu trabalho. O caso do sacerdote é só análogo. Igual, enquanto também ele deve viver de seu trabalho; diferente, porque seu ministério o transporta a uma esfera sagrada. Segundo a mentalidade israelita, compete a Deus escolher e "aproximar" os funcionários de seu culto, e eles vivem uma existência à parte. Como os elege e nomeia, o Senhor deve prover-lhes o sustento. Isso é salientado de modo significativo pelos presentes capítulos. Compare-se com a nomeação abusiva de sacerdotes, no reino setentrional, por decisão de Jeroboão (1Rs 12,31). Aceita essa explicação de base, não se pode negar o perigo de abuso. Ilustra-o a história dos filhos de Eli (1Sm 2) e as denúncias proféticas, desde Jeremias até Ageu e Malaquias. Suposta a aceitação do fato e o perigo de abuso, como interpretar o presente capítulo? Como um impulso em afirmar privilégios e garantir para si vantagens materiais? Como um sistema de tarifas que define publicamente e limita os excessos? A resposta se complica, porque os capítulos recolhem materiais de diversas épocas.

6,1-2a De novo, o ponto de partida é a palavra de Deus dirigida a Moisés e, por ele, aos descendentes de Aarão (não aos israelitas); implicando que a instituição não nasce nem depende do povo.

6,2b-6 Fazer fogo não era tão fácil na antiguidade: precisava-se manter algum fogo ou tição (cf. Is 30,14). Como nos lares, acontecia no templo, onde o fogo era indispensável para o culto. Pois bem, este fogo podia ser mantido por um indivíduo qualquer. O fato de seu cuidado estar encomendado a um sacerdote mostra que não era um fogo qualquer, mas "fogo sagrado". Inclusive as cinzas tinham de ser tratadas com precauções cultuais. Nm 3,4 fala de "fogo profano".

6,6 Ez 9.

6,7 Daqui até 7,21 dão-se normas para as diversas classes de sacrifícios (12-16 é uma cunha). O holocausto ficou englobado na lei sobre o fogo, por ser o sacrifício queimado por antonomásia. Seguem-se: a oferta vegetal, o sacrifício expiatório, o penitencial, os de comunhão, repartidos em ação de graças, voluntários ou por voto. O tratamento é desigual, segundo o tema.

6,7-10 Quando Deus aceita a oferta, ela fica consagrada, é santa. Em sinal de aceitação, Deus pede que uma parte se queime e suba como fumaça misturada ao aroma do incenso. Do resto ele dispõe, dando as coisas santas aos consagrados. Mas acrescenta um limite a possíveis abusos e um princípio: o santo deve ser tratado santamente. Nem todos podem comer dele, nem os sacerdotes fora do recinto do templo. Excluem-se mulheres e crianças, e não se permite levar nada para casa. E a comunidade, não o come? Os oferentes comem do não oferecido, que é sem comparação a parte maior.

¹²O Senhor disse a Moisés:
— ¹³*Oferta de Aarão e seus filhos no dia de sua unção:* vinte e dois decilitros de flor de farinha como oferta permanente, metade pela manhã e metade ao entardecer. ¹⁴Tu a apresentarás dissolvida em azeite na sertã, e oferecerás a oferta esmigalhada como aroma que aplaca o Senhor. ¹⁵O sacerdote ungido que o suceder fará o mesmo. É lei perpétua: será toda queimada em honra do Senhor.
¹⁶Toda oferta sacerdotal deverá ser queimada por completo; dela nada se comerá.
¹⁷O Senhor falou a Moisés:
— ¹⁸Dize a Aarão e a seus filhos:

[C] Rito do sacrifício expiatório: A vítima expiatória será degolada no matadouro dos holocaustos, na presença do Senhor. É porção sagrada.
¹⁹O sacerdote que a oferecer a comerá. Será consumida em lugar sagrado, no átrio da tenda do encontro.
²⁰Quem tocar sua carne ficará consagrado. A roupa sobre a qual cair o sangue da aspersão será lavada em lugar sagrado.
²¹A vasilha em que se cozinhar, se for de louça, será quebrada; se for de bronze, será esfregada e enxaguada.
²²Todos os sacerdotes homens podem comer a carne. É porção sagrada. ²³Mas nenhuma vítima expiatória cujo sangue tenha de ser levado à tenda do encontro, para expiar no santuário, será comida; deve ser queimada.

7 [D] ¹**Rito do sacrifício penitencial:** É porção sagrada. ²Degolarão a vítima do sacrifício penitencial no matadouro dos holocaustos. Com o sangue, o sacerdote aspergirá todos os lados do altar. ³Oferecerá toda a gordura: a cauda e a gordura que envolve as vísceras, ⁴os dois rins com sua gordura, a gordura junto ao dorso e o lóbulo do fígado junto aos rins: tudo isso será separado. ⁵Ele o deixará queimar-se sobre o altar, em oblação ao Senhor. É um sacrifício penitencial.
⁶Todo sacerdote homem o pode comer; será comido em lugar sagrado. É porção sagrada.
⁷O mesmo rito vale para o sacrifício expiatório e para o penitencial. Pertence ao sacerdote que faz a expiação. ⁸O couro da vítima pertence ao sacerdote que oferece o holocausto.
⁹Toda oferta cozida no forno, assada na panela ou frita na sertã, pertence ao sacerdote celebrante. ¹⁰Toda oferta amassada com azeite ou seca pertence aos aaronitas, indistintamente.

[E] ¹¹**Rito dos sacrifícios de comunhão oferecidos ao Senhor:** ¹²[a] Se for um *sacrifício de ação de graças*, além da vítima serão oferecidos bolos ázimos amassados com azeite, fogaças ázimas untadas com azeite e flor de farinha dissolvida em azeite. ¹³Com a vítima do sacrifício de comunhão, de ação de graças, fará uma oferta de bolo de pão fermentado.
¹⁴De todas essas oblações se oferecerá uma em tributo ao Senhor. Ela pertence ao sacerdote que aspergiu com o sangue da vítima. ¹⁵A carne desse sacrifício de ação de graças será consumida no dia em que for oferecida, sem deixar nada para o dia seguinte.
¹⁶[b] Se for um sacrifício voluntário ou em cumprimento de um voto, a vítima será

6,12-16 Dir-se-ia que estes versículos ficariam melhor no cap. 8. Mas também se pode justificar seu lugar aqui. Das ofertas do povo, uma parte é para o Senhor, o resto para os sacerdotes. E as ofertas dos sacerdotes? – Tudo é para o Senhor. "Oferta permanente": o sentido é duvidoso; não parece que seja oferta diária, pois a epígrafe fala do dia da unção; indicaria, antes, o tipo, a partilha entre a manhã e a tarde.
6,17-18 Faz a ligação após a interrupção.
6,19-22 Esta norma sobre sacrifício expiatório, do qual se come uma parte, não concorda com o exposto anteriormente, que manda queimar o restante. Ver a denúncia de Os 4,8.
6,23 Parece referir-se à aspersão do sangue sobre a cortina e o altar do incenso (4,6).

7,8 Esta concessão é nova: reserva ao sacerdote uma parte valiosa da vítima do holocausto. Até agora só se havia dito que se "esfolava" a vítima e se atribuía essa tarefa a leigos.
7,12 O sacrifício de ação de graças entra no gênero do sacrifício de comunhão, com banquete. Sua diferença específica consiste na finalidade: dar graças; para tanto eram convidados outros (cf. Sl 22,27). Podemos imaginar que se recitava algum dos múltiplos salmos de ação de graças como acompanhamento deste rito.
7,15 Fica assinalado o tema do mútuo convite: do homem a Deus, de Deus ao homem.
7,16 O sacrifício "voluntário" se oferece por pura iniciativa pessoal; fica claro seu valor como expressão. Sobre os votos pode-se ver: Sl 22,26; 50,14; 54,8; 61,6; etc. Seu cumprimento é um ato público.

comida no dia em que for oferecida; o resto será consumido no dia seguinte. ¹⁷Contudo, se sobrar carne da vítima, será queimada no terceiro dia.

¹⁸[c] E se alguém comer carne desse sacrifício de comunhão no terceiro dia, o sacrifício será inválido, não será levado em conta. O que sobrar será considerado estragado. E quem comer responderá por sua culpa.

¹⁹A carne que tocar algo impuro não poderá ser comida. Deverá ser queimada. Somente quem estiver puro poderá comer a carne. ²⁰Aquele que, estando impuro, comer a carne do sacrifício de comunhão oferecida ao Senhor, será excluído do seu povo. ²¹Aquele que, tendo tocado algo impuro – de homem, de animal doméstico impuro, ou de qualquer bicho impuro, – comer carne do sacrifício de comunhão oferecido ao Senhor, será excluído do seu povo.

PRESCRIÇÕES DIVERSAS

[A] **Proibição de comer gordura e sangue** – ²²O Senhor falou a Moisés:

– ²³Dize aos israelitas: Não comereis gordura de touro, cordeiro ou cabrito. ²⁴A gordura de animal morto ou dilacerado por uma fera servirá para qualquer uso, mas não a podeis comer. ²⁵Porque todo aquele que comer gordura do gado oferecido em oblação ao Senhor, será excluído do seu povo. ²⁶Não comereis sangue de gado ou de ave, em nenhum de vossos povoados. ²⁷Todo aquele que comer sangue será excluído do seu povo.

[B] **Tarifas sacerdotais** – ²⁸O Senhor falou a Moisés:

– ²⁹Dize aos israelitas: Aquele que oferecer um sacrifício de comunhão ao Senhor levará de tal sacrifício sua oferta ao Senhor. ³⁰Ele próprio levará como oblação ao Senhor a gordura e o peito, e o agitará ritualmente na presença do Senhor. ³¹O sacerdote deixará a gordura queimar sobre o altar. O peito pertence a Aarão e seus filhos.

³²De vossos sacrifícios de comunhão, dareis como tributo ao sacerdote a perna direita. ³³Ao aaronita que oferecer o sangue e a gordura do sacrifício de comunhão pertence como taxa a perna direita. ³⁴Porque o peito agitado ritualmente e a perna do tributo eu os recebo dos israelitas, de seus sacrifícios de comunhão, e os dou para Aarão, sacerdote, e para seus filhos. É porção perpétua cedida pelos israelitas.

³⁵Esta é a parte de Aarão e de seus filhos, das oblações ao Senhor, desde que foram promovidos ao sacerdócio do Senhor. ³⁶O Senhor mandou que os israelitas o dessem aos sacerdotes, desde o dia em que estes são ungidos. É lei perpétua para todas as vossas gerações.

³⁷Este é o rito do holocausto, da oferta, do sacrifício expiatório, do penitencial, do sacrifício de consagração e do de comunhão. ³⁸O Senhor o ordenou a Moisés no monte Sinai, quando mandou aos israelitas no deserto do Sinai que lhe oferecessem oblações.

8 Consagração de Aarão e seus filhos
– ¹O Senhor falou a Moisés:

7,19-21 Só em estado de pureza se pode comer a carne consagrada. "Excluir do povo": se alguma vez significou pena de morte, normalmente significa excluir da vida cultual; equivale a excomunhão.

7,19 Ag 2,11-14.

7,22-27 A proibição de comer sangue é universal e clara. Não assim a norma sobre a gordura: dir-se-ia que a gordura de animal doméstico de três espécies, potencialmente sacrificável, pertence exclusivamente ao Senhor. Pertencem as três espécies os animais dilacerados por uma fera? O uso não comestível seria para untar.

7,29 O pagamento de taxas se faz em espécie, com os animais sacrificados. Sobre taxas, pode-se consultar Nm 18,8-19; Dt 18,3-5; Ez 44,29s.

7,30 A agitação ritual é gesto que exprime a entrega da oferenda ao Senhor; ao que parece, consistia num movimento de vaivém. Aqui é o oferente que a realiza, outras vezes é o sacerdote quem a executa.

7,38 Este versículo conclui solenemente a série de sacrifícios, fazendo remontar a Moisés a legislação inteira.

8,1 Vimos que os sacerdotes, para oficiarem no culto, devem pertencer à esfera sagrada. Quem os traslada, quem consagra o primeiro? Moisés, por ordem de Deus; Deus, por meio de Moisés. Fica assim patente que o mediador da aliança e da lei é a instância suprema e primária. O Cronista concederá semelhante honra a Davi, 1Cr 15. A passagem à esfera sagrada se realiza e se manifesta numa cerimônia solene: tema do presente capítulo.

No movimento narrativo, aqui se cumprem as ordens de Ex 40,12-15. Na redação, temos de contar com um autor ou compilador do século V a.C., que projeta para o momento fundacional práticas da sua época ou anteriores. O rito central é a unção, os outros são preparação e acompanhamento. Mas aqui, à

— ²Toma Aarão e seus filhos, as vestes, o azeite da unção, o bezerro do sacrifício expiatório, os dois carneiros e o cestinho de pães ázimos, ³e convoca toda a assembleia à entrada da tenda do encontro.

⁴Moisés cumpriu a ordem do Senhor, e congregou a assembleia à entrada da tenda do encontro. ⁵Moisés disse à assembleia:

— Isso é o que o Senhor manda fazer.

⁶Depois fez Aarão e seus filhos se aproximar e os fez banhar-se. ⁷*Vestiu* nele a túnica e lhe cingiu a faixa, pôs-lhe o manto, pondo por cima o efod, prendendo-o com o cordão. ⁸Impôs-lhe o peitoral com os urim e tumim. ⁹Pôs-lhe um turbante na cabeça e, no lado da frente deste, impôs-lhe a flor de ouro, o diadema santo, como o Senhor havia ordenado.

¹⁰Moisés, tomando depois o azeite da *unção*, ungiu a morada e tudo o que havia nela. E os consagrou. ¹¹Salpicou com o azeite sete vezes sobre o altar e ungiu o altar com todos os seus utensílios, a bacia e seu pedestal, para consagrá-los. ¹²Em seguida derramou azeite sobre a cabeça de Aarão, e o ungiu para consagrá-lo. ¹³Depois Moisés fez os filhos de Aarão se aproximar, vestiu-lhes a túnica, cingiu-lhes a faixa e pôs sobre a cabeça deles os turbantes, conforme o Senhor havia ordenado.

¹⁴Fez trazer o bezerro do *sacrifício expiatório*. Aarão e seus filhos puseram suas mãos sobre a cabeça da vítima. ¹⁵Moisés o degolou e, pegando sangue, untou com o dedo as saliências do altar de todos os lados, e assim purificou o altar. Derramou o sangue ao pé do altar, e assim o consagrou para nele expiar. ¹⁶Pegou toda a gordura que envolve as vísceras, o lóbulo do fígado, os dois rins com sua gordura, e deixou queimar sobre o altar. ¹⁷O resto do bezerro, o couro, carne e intestinos, queimou fora do acampamento, conforme o Senhor havia ordenado.

¹⁸Fez trazer o carneiro do *holocausto*. Aarão e seus filhos puseram suas mãos sobre a cabeça da vítima. ¹⁹Moisés o degolou e aspergiu com o sangue todos os lados do altar. ²⁰Esquartejou o carneiro e deixou queimar a cabeça, os quartos e a gordura. ²¹Lavou vísceras e patas, deixando todo o carneiro queimar sobre o altar, conforme o Senhor havia ordenado.

Foi um holocausto: oblação de aroma que aplaca o Senhor.

²²Fez trazer o segundo carneiro, o da *consagração*. Aarão e seus filhos puseram suas mãos sobre a cabeça da vítima. ²³Moisés o degolou e, pegando sangue, untou com ele o lóbulo da orelha direita de Aarão e os dois polegares da mão e pé direitos. ²⁴Fez os filhos de Aarão se aproximarem, untando-lhes com sangue os lóbulos de suas orelhas direitas e os polegares de suas mãos e pés direitos, e aspergiu com o sangue todos os lados do altar. ²⁵Pegou a gordura e a cauda, toda gordura que envolve as vísceras, o lóbulo do fígado, os dois rins com sua gordura e a perna direita. ²⁶Do cestinho dos pães ázimos, posto na presença do Senhor, pegou um bolo ázimo, um bolo de pão amassado com azeite e uma fogaça, colocando-os sobre a gordura e a perna direita. ²⁷Pôs tudo isso nas mãos de Aarão e seus filhos,

---

diferença de Ez 40,15 e Lv 10,7, só se menciona a unção de Aarão. Dado que no tempo do autor não havia rei, a unção confere ao sumo sacerdote posição eminente.

A ordem da cerimônia é clara: convocação da assembleia, banho e investidura, unção, sacrifício, partilha e banquete, conclusão.

8,3 A cerimônia interessa à comunidade inteira, porque o culto, ainda que oficiado por um representante, é tarefa comunitária. Todo o povo é testemunha da cerimônia que estabelece e legitima.

8,6 "Aproximar" é termo técnico que significa a eleição: o acesso é, pois, litúrgico.

8,7 O versículo passa do plural ao singular. Os paramentos estão descritos em Ex 39: aqui se abrevia, sem esquecer as peças das sortes.

8,10-11 Induzidos por Ex 40, estes versículos interrompem a cerimônia; segundo o final de Ex, a glória do Senhor já tinha tomado posse do santuário. Se quisermos salvá-los, será preciso dizer que o rito torna clara a transformação já sucedida.

8,12 Ver a versão poética do Sl 133.

8,13-21 Com relação a descrições precedentes, deve-se notar que aqui é Moisés o principal oficiante.

8,22 "Consagrar" se diz em hebraico "encher as mãos", talvez com algum instrumento do ofício ou com algum dom exclusivo.

8,23 A direita é o lado primário da ação e da boa sorte. Se os órgãos têm valor simbólico, significariam escutar, agir e caminhar; mas é muito duvidoso.

8,24 Pode-se comparar com o rito da aliança em Ex 24: o sangue = vida de uma vítima consagrada se reparte entre os sacerdotes e o Senhor. Completa-se com a aspersão do v. 30, que tem algo de síntese, porque junta azeite e sangue, abrange pessoas e vestes.

e este o agitou ritualmente na presença do Senhor. ²⁸Depois Moisés o recebeu de suas mãos e o deixou queimar sobre o altar do holocausto.

Foi um sacrifício de consagração, oblação de aroma que aplaca o Senhor.

²⁹Depois tomou o peito e o *agitou ritualmente* na presença do Senhor. Era a parte do carneiro de consagração que pertencia a Moisés, conforme o Senhor havia ordenado. ³⁰Moisés pegou o azeite da unção e o sangue do altar, e salpicou sobre Aarão e suas vestes, sobre os filhos de Aarão e suas vestes, e assim os consagrou.

³¹Moisés disse a Aarão e seus filhos:

– Cozinhai a carne à entrada da tenda do encontro, e aí a comereis com o pão que há no cestinho do sacrifício de consagração; assim me foi ordenado: "Aarão e seus filhos o comerão". ³²Queimareis as sobras de carne e pão. ³³Durante sete dias não saireis pela porta da tenda do encontro, até que termine o tempo de vossa consagração, porque vossa consagração durará sete dias. ³⁴O que se fez hoje, o Senhor ordenou fazê-lo para obter vossa expiação. ³⁵Permanecereis sete dias e sete noites à entrada da tenda do encontro, e respeitareis as proibições do Senhor. Assim não morrereis. Assim me foi ordenado.

³⁶E Aarão e seus filhos cumpriram tudo o que o Senhor havia ordenado por meio de Moisés.

9 **Primeiros sacrifícios públicos** – ¹No oitavo dia, Moisés chamou Aarão, seus filhos e o senado de Israel. ²E disse a Aarão:

– Pega um bezerro para o sacrifício expiatório e um carneiro para o holocausto, ambos sem defeito, e oferece-os na presença do Senhor. ³E dize aos israelitas: "Pegai um bode para o sacrifício expiatório, um bezerro e um cordeiro de um ano e sem defeito, para o holocausto. ⁴Um touro e um carneiro para o sacrifício de comunhão (que sacrificareis na presença do Senhor), e uma oferta com azeite, porque hoje o Senhor vos aparecerá".

⁵Levaram diante da tenda do encontro o que Moisés havia mandado, e toda a comunidade, aproximando-se, colocou-se diante do Senhor. ⁶Moisés lhes disse:

– Cumpri tudo o que o Senhor ordenou, e ele vos mostrará sua glória.

⁷Depois disse a Aarão:

– Aproxima-te do altar para oferecer teu sacrifício expiatório e teu holocausto. Expia assim por ti e pelo povo, apresenta depois a oferta do povo e expia por ele, conforme o Senhor ordenou.

⁸Aarão se aproximou do altar e degolou o bezerro de seu sacrifício expiatório. ⁹Os aaronitas lhe apresentaram o sangue, e ele, molhando um dedo no sangue, untou as saliências do altar. Depois derramou o sangue ao pé do mesmo altar. ¹⁰Deixou queimar sobre o altar a gordura, os rins e o lóbulo do fígado da vítima, conforme o Senhor havia ordenado a Moisés. ¹¹A carne e o couro queimou-os fora do acampamento. ¹²Depois degolou a vítima do holocausto; os aaronitas lhe apresentaram o sangue, e ele aspergiu todos os lados do altar. ¹³Aproximaram dele a vítima esquartejada e a cabeça, e Aarão as deixou queimar sobre o altar. ¹⁴Lavou vísceras e patas, deixando-as queimar sobre o holocausto, sobre o altar.

¹⁵Aarão pegou o bode, vítima expiatória *do povo*, e o degolou como sacrifício expiatório, igual ao primeiro bode. ¹⁶Ofereceu o holocausto segundo o ritual. ¹⁷Fez a oferta. E, pegando um punhado dela, deixou-o queimar sobre o altar (além da oferta que acompanha o holocausto matutino). ¹⁸Degolou o touro e o carneiro do sacrifício de comunhão do povo; os

---

8,31 É o banquete sacrifical, na presença do Senhor.
8,36 A conclusão destaca de novo a iniciativa do Senhor e a função mediadora de Moisés.
9 Concluído o rito de consagração e a semana "de retiro", Aarão começa a oficiar por si e pelo povo. É um momento inaugural, comparável com a ação de Salomão em 1Rs 8.
A cerimônia se articula em três tempos e culmina no encontro com o Senhor, assistindo à sua manifestação. O povo se prepara e se aproxima para assistir à cerimônia (4-5); é abençoado (22-23); contempla a glória do Senhor (23-24). Este encontro mudo, manifestação e adoração, dá sentido ao que precede. Sem ele, tudo seria ritualismo vazio. Ver a descrição entusiasta de Eclo 50,5-21.
9,1 Os anciãos representam a comunidade, que se aproximará depois.
9,3 Aarão começa a agir como mediador entre Moisés e o povo. No entanto, quando o povo se reuniu e se aproximou, Moisés tomou a palavra.
9,7 Aarão executa o que Moisés fazia no capítulo precedente. Tem de expiar primeiro por si, depois pelo povo.

aaronitas lhe apresentaram o sangue, e ele aspergiu todos os lados do altar. ¹⁹A gordura do touro e do carneiro, a cauda, a gordura que envolve as vísceras, os dois rins com sua gordura e o lóbulo do fígado, ²⁰colocou-os junto com a gordura do peito, deixando-os queimar sobre o altar. ²¹Agitou ritualmente o peito e a perna direita na presença do Senhor, conforme Moisés havia ordenado.

Bênção (Nm 6,22-26) – ²²Aarão, levantando as mãos sobre o povo, o abençoou, e desceu depois de ter oferecido o sacrifício expiatório, o holocausto e o sacrifício de comunhão.

²³Aarão e Moisés entraram na tenda do encontro. Quando saíram, abençoaram o povo. E a glória do Senhor apareceu a todo o povo. ²⁴Da presença do Senhor saiu fogo que devorou o holocausto e a gordura. Ao ver isso, o povo aclamou e caiu com o rosto por terra.

10 Morte de Nadab e Abiú

– ¹Nadab e Abiú, filhos de Aarão, pegando cada qual um incensório e pondo neles brasas e incenso, apresentaram ao Senhor um fogo profano que ele não lhes havia ordenado. ²Da presença do Senhor saiu um fogo que os devorou, e morreram na presença do Senhor.

³Moisés disse a Aarão:

– A isso se referia o Senhor, quando disse: "Mostrarei minha santidade em meus ministros e minha glória diante de todo o povo".

Aarão não respondeu.

⁴Moisés depois chamou Misael e Elisafã, filhos de Oziel, tio de Aarão, e lhes disse:

– Retirai vossos irmãos da presença do santuário, para fora do acampamento.

⁵Aproximaram-se e, com suas túnicas, os tiraram do acampamento, conforme Moisés havia ordenado.

⁶Moisés disse a Aarão e a seus filhos, Eleazar e Itamar:

– Não vos despenteeis nem vistais farrapos, assim não morrereis, nem a ira do Senhor se acenderá contra a comunidade. Vossos irmãos, os demais israelitas, se encarregarão de chorar pelo incêndio que

---

9,22-23a O texto clássico da bênção se lê em Nm 6,24-26; ver também Sl 67 e 118, 26s. Em 1Rs 8 é Salomão quem abençoa o povo.

9,23b A glória do Senhor não se descreve, porque não tem figura. Na maioria dos textos, é como uma luminosidade.

9,24 Enviando seu fogo (Sl 104,4), o Senhor declara que aceitou o sacrifício; por isso o povo aclama, jubiloso. Ver o caso de Elias, 1Rs 18.

10 Mal termina a solenidade, acontece um episódio trágico. Dir-se-ia que o autor quis apresentar um paralelo de Ex 32, utilizando materiais que possuía. Em Ex 32 acontecia um delito contra uma das cláusulas da aliança; aqui, contra um preceito cultual que se considera importante. Lá ocorria a morte de muitos, cortando famílias pelo meio; aqui também a morte divide uma família; lá como aqui, há um momento de tensão entre Moisés e Aarão. Mas aqui não há intervenção de Moisés.

De passagem, o autor inculca um ensinamento e explica uma anomalia. O ensinamento é a importância de todas as prescrições cultuais; até mesmo personalidades como os filhos maiores de Aarão, companheiros de Moisés na visão do Senhor (Ex 24), não se salvam do castigo. A anomalia histórica é que a sucessão sacerdotal se concentrou na linhagem de Eleazar, que era o terceiro filho.

Os elementos são heterogêneos. Com eles o autor tentou compor um relato seguido ou concatenado, em 1-7 e 16-20. No meio, umas tantas prescrições interrompem o relato. Assim se pode esquematizar e limar o processo: Nadab e Abiú cometem um delito cultual, pelo qual são castigados imediatamente com uma espécie de lei do talião. O pai e dois irmãos dos mortos fazem luto, e Moisés o proíbe; que outros fiquem de luto. Nessas circunstâncias, os próprios familiares descuidaram de outro preceito cultual; Moisés os censura, e eles respondem com uma desculpa satisfatória. No desenrolar do esquema, incoerências e dúvidas.

10,1-3 "Fogo profano": somente o fogo do santuário, mantido continuamente, é sagrado; só com ele se pode oficiar (16,12). O fogo é elemento privilegiado da divindade: com ele "consome" vítimas, oferendas e incenso. Não é lícito introduzir no santuário outro fogo nem oficiar com ele. Os incensórios móveis, substitutos ou complementos do altar do incenso, tinham forma de sertã, com uma asa comprida para o manejo.

Deus castiga com seu fogo. Assim aparece a polaridade do elemento: motivo de gozo em 9,24, causa de morte aqui. Ver o castigo pelo fogo em Ez 11, Sl 68,2s e outros. Mas também castigando, o fogo revela a glória e a santidade exigente de Deus. Episódio semelhante, sem fogo, em 2Sm 6,6-8.

10,2 Nm 16,35.

10,4 O versículo é enigmático: os cadáveres ou suas cinzas? tinham deixado de lado as túnicas ao oficiar? Em qualquer caso, os sacerdotes não devem tocar os cadáveres.

10,6 Tampouco devem ficar de luto, ainda que sejam parentes próximos: vale para os três o que se ordena ao sumo sacerdote em 21,10-12.

o Senhor enviou. ⁷Não saireis pela porta da tenda, para não morrer, porque estais ungidos com azeite do Senhor.

Eles fizeram o que Moisés havia dito.

Avisos aos sacerdotes – ⁸O Senhor disse a Aarão:

– ⁹Quando tiverdes de entrar na tenda do encontro, tu ou teus filhos, não bebais vinho nem licor, e não morrereis. É lei perpétua para vossas gerações. ¹⁰Separai o sagrado do profano, o puro do impuro. ¹¹Ensinai aos israelitas todos os preceitos que o Senhor vos comunicou por meio de Moisés.

¹²Moisés disse a Aarão e aos filhos que lhe restavam, Eleazar e Itamar:

– Pegai a oferta, o que sobra da oferta ao Senhor, e comei-o sem fermento junto do altar, porque é porção sagrada. ¹³Vós a comereis em lugar sagrado: é tua porção e de teus filhos, da oferta ao Senhor. Assim me foi ordenado. ¹⁴O peito agitado ritualmente e a perna do tributo vós os comereis em lugar puro, tu, teus filhos e filhas; é tua porção e de teus filhos, dos sacrifícios de comunhão dos israelitas. ¹⁵A perna do tributo e o peito agitado ritualmente, que são oferecidos com a oferta da gordura, agitando-os ritualmente diante do Senhor, pertencem a ti e a teus filhos como porção perpétua. Assim o ordenou o Senhor.

Caso de consciência – ¹⁶Moisés perguntou pelo bode do sacrifício expiatório, e já estava queimado. Aborreceu-se contra Eleazar e Itamar, únicos filhos vivos de Aarão, e lhes disse:

– ¹⁷Por que não comestes a vítima expiatória em lugar sagrado? É porção sagrada, e o Senhor a deu a vós para que carregueis a culpa da comunidade, e assim expieis diante do Senhor por eles. ¹⁸Se não se levou seu sangue ao interior do santuário, devíeis tê-la comido em lugar sagrado, conforme me ordenou.

¹⁹Aarão replicou a Moisés:

– No dia em que ofereceram diante do Senhor seus sacrifícios expiatórios e seus holocaustos, se me aconteceu isso, como poderia agradar ao Senhor se eu comesse hoje a vítima expiatória?

²⁰Moisés ficou satisfeito com a resposta.

PUREZA RITUAL E EXPIAÇÃO

11 ¹O Senhor falou a Moisés e Aarão:
– ²Dizei aos israelitas:

[A] Animais comestíveis – ³[a] Dos *animais terrestres* podeis comer todos os ruminantes, bissulcados, de casco fendi-

---

10,7 Como em 9,33, com outra motivação.
10,9 Talvez o perigo mortal de uma infração tenha servido de ligação para introduzir aqui esta breve série de prescrições. Em Israel não se tolera o vinho como meio para induzir experiências religiosas ou estados extáticos (paralelo em Ez 44,21); a proibição poderia ter uma ponta polêmica. Levam ao extremo a proibição os nazireus (Jz 13,4).
10,10 A ligação com o que precede pode-se ilustrar com Is 28,7-8: o sacerdote deve manter-se sóbrio para discernir. Distinguir é ordenar: o verbo se emprega no relato da criação (Gn 1). Os sacerdotes são guardiães da ordem sagrada que lhes foi confiada (p. ex., Aquimelec em Nob, 1Sm 21,5-7; Ez 44,23; Ag 2,11-14).
10,11 A tarefa de instruir o povo na lei não era própria de sacerdotes (2Cr 17,7-9). A disposição parece tardia; talvez corresponda à diáspora, onde indivíduos da tribo de Levi não tinham trabalho no culto.
10,12-15 Volta-se a insistir nos direitos dos sacerdotes como compensação ou paga por seu trabalho. Na formulação, é o Senhor quem lhes paga, não diretamente o povo.
10,16-20 O relato termina com a solução pacífica: dialogando, resolveu-se a tensão.

PUREZA RITUAL E EXPIAÇÃO
Introdução

Acabamos de ler que é ofício dos sacerdotes distinguir o puro do impuro, o santo do profano: com o capítulo 11 começa esta distinção, ou seja, a ordem que classifica e regula. A ordem tem como ponto de vista o culto: aptidão do indivíduo israelita para participar do culto da comunidade; e a esta participação se ordenam também a vida quotidiana, animais, casa e vestes. A distinção não é formalmente higiênica nem ética, e sim sagrada. Divide o mundo do homem em duas zonas perfeitamente separadas: a zona sagrada e a profana; a sagrada se chama também santa. É uma instituição que se encontra em muitas culturas. A rigor, é instituição humana; contudo, é frequente atribuí-la a uma decisão da divindade, que define suas condições e o acesso dos homens, traça a fronteira do seu território reservado. Ele é santo, e santos hão de ser seus interlocutores. Naturalmente, na divisão entram também fatores que definimos como higiênicos ou éticos.
A ordem é sagrada, mas não estática: uma série de normas regulam a passagem de um estado a outro, e pedem a volta sistemática ao estado de pureza. Em teoria, a instituição quereria abranger toda a vida

do; ⁴excetuam-se apenas os seguintes: o camelo, que é ruminante, mas não tem o casco fendido: considerai-o impuro; ⁵o coelho, que é ruminante, mas não tem o casco fendido: considerai-o impuro; ⁶a lebre, que é ruminante, mas não tem o casco fendido: considerai-a impura; ⁷o porco, que é bissulcado e tem o casco fendido, mas não é ruminante: considerai-o impuro. ⁸Não comais sua carne nem toqueis seu cadáver: são impuros.

⁹[b] Dos *animais aquáticos*, de mar ou de rio, podeis comer os que têm escamas e barbatanas. ¹⁰E todo réptil ou animal aquático, de mar ou de rio, que não tenha escamas e barbatanas, considerai-o imundo. ¹¹São imundos: não comais sua carne, e considerai imundo seu cadáver. ¹²Todo animal aquático que não tem escamas e barbatanas, considerai-o imundo.

¹³[c] Das *aves*, considerai como imundas as seguintes (não são comestíveis, pois são imundas): ¹⁴a águia, o falcão e o abutre preto; o milhafre e o abutre em todas as suas variedades; ¹⁵o corvo em todas as suas variedades; ¹⁶o avestruz, o noitibó e a gaivota; o falcão em todas as suas variedades; ¹⁷o mocho, o corvo-marinho e a coruja; ¹⁸a gralha, o pelicano e o calamão; ¹⁹a cegonha e a garça em todas as suas variedades; a poupa e o morcego.

²⁰[d] Todo *inseto* que anda com quatro patas, considerai-o imundo. ²¹Desses insetos de quatro patas podeis comer unicamente os que têm as patas traseiras mais longas que as dianteiras, para saltar com elas sobre o solo. ²²Podeis comer os seguintes: os locustídeos em todas as suas variedades, os acrídeos em todas as suas variedades, o grilo em todas as suas variedades, o gafanhoto em todas as suas variedades. ²³Os demais insetos de quatro patas, considerai-os imundos.

²⁴**[B] Animais que contaminam:** Quem tocar seu cadáver ficará impuro, ²⁵e aquele que transportar seu cadáver lavará as vestes e ficará impuro até a tarde.

²⁶[a] Todo *animal bissulcado* que não seja ruminante nem de casco fendido, considerai-o impuro: quem o tocar ficará impuro até a tarde.

²⁷[b] Dos *animais quadrúpedes*, considerai impuros os plantígrados; ²⁸aquele que tocar seu cadáver ficará impuro até a tarde; aquele que transportar seu cadáver lavará as vestes e ficará impuro até a tarde. Considerai-os impuros.

²⁹[c] Dos *répteis*, considerai impuros os seguintes: a doninha, o rato, o lagarto em todas as suas variedades, ³⁰o geco, a salamandra e o camaleão. ³¹Estes são os répteis que

---

do homem; na prática, o Levítico nos oferece uma seleção significativa: alimentos e vasilha correspondente, partos, enfermidades da pele e contágios de mobília e habitação, vida sexual. Os cinco capítulos formam um bloco compacto, definido pelo tema comum, pelo ponto de vista, por introduções e conclusões homogêneas. Ainda que a perspectiva seja cultual, o templo permanece num segundo plano distante. Esse é o valor global do código de pureza; seus detalhes são para nós em grande parte inacessíveis. Junto a esse sistema de condições de pureza, é preciso ler as exigências éticas dos salmos 15 e 24; Is 33,13-16.

11 Os animais se dividem aqui em comestíveis e não comestíveis: no consumo se define a distinção puro/impuro, que não está baseada na experimentação de suas qualidades higiênicas, mas se apresenta como instituição divina. Impossível determinar quais tabus ancestrais, quais repugnâncias instintivas, quais práticas pagãs confluem nestas listas. Teríamos que reunir nossas repugnâncias culinárias culturais e projetá-las numa visão religiosa, para nos aproximarmos desse sistema de proibições.
Nos capítulos 6 e 7 do segundo livro dos Macabeus, podemos ver com que convicção e heroísmo decidiram observar essas normas alimentares os mártires Eleazar e os sete irmãos com sua mãe. Eles e o perseguidor fizeram de uma proibição dietética o sinal da fidelidade ao Senhor ou da apostasia.
O ensinamento de Jesus soa assim: Não contamina o homem o que entra pela boca, mas o que sai pela boca; isso contamina o homem (Mt 15,11); e o paralelo (Mc 7,19) acrescenta: Com isso ele declarava puros todos os alimentos.
A classificação dos animais não é um tratado de zoologia, e a identificação das espécies é bastante duvidosa.
11,2 Dt 14; Mt 15,10-20.
11,3 "Ruminante": não no sentido técnico, mas segundo a observação externa dos movimentos bucais, prescindindo da fisiologia da digestão.
11,9-12 É curioso que não apareça nenhum nome de animais aquáticos.
11,20 "Inseto" é tradução aproximada. Segundo Mc 1,6, o Batista se alimentava de locustídeos ou gafanhotos e mel silvestre.
11,24 Até aqui a contaminação acontece pela comida. Uma segunda parte declara que também podem contaminar por contato, em graus diversos: em vida (26?), no pé cadáver, através de utensílios.
11,25 O estado de impureza nestes casos dura tempo limitado.
11,29 "Répteis": no sentido genérico de arrastar-se ou caminhar rente ao solo. Não se mencionam ofídios.

considerareis impuros. Aquele que os tocar depois de mortos, ficará impuro até a tarde. ³²Todo objeto de madeira, de pano, de couro ou de pano de saco – todo utensílio – sobre o qual cair um desses animais depois de mortos, ficará impuro. Vós o colocareis na água, e ficará impuro até a tarde. Depois voltará a ser puro.

³³Todo vaso de argila no qual cair um desses animais, vós o quebrareis. O que houver nele ficará impuro: ³⁴a comida preparada com água ficará impura, e a bebida, qualquer que seja o tipo de recipiente, ficará impura.

³⁵Todo objeto sobre o qual cair o cadáver desses animais ficará impuro: o forno e o fogão serão destruídos, pois ficam impuros, e vós os considerareis impuros. ³⁶Excetuam-se somente as fontes, os poços e as cisternas, que continuam puros. Mas aquele que tocar o cadáver de um desses animais ficará impuro.

³⁷Se um desses cadáveres cair sobre uma semente qualquer, esta fica pura; ³⁸mas, se o cereal foi umedecido e cair sobre ele um desses cadáveres, considerai-o impuro.

³⁹[d] Quando morrer um *animal* comestível, aquele que tocar seu cadáver ficará impuro até a tarde; ⁴⁰aquele que comer sua carne lavará as vestes e ficará impuro até a tarde; aquele que transportar seu cadáver lavará as vestes e ficará impuro até a tarde.

⁴¹[e] Todo *réptil* é imundo e não se come. ⁴²Nenhum réptil é comestível, nem os que se arrastam sobre o ventre, nem os que andam sobre quatro patas ou mais: são imundos. ⁴³Não vos torneis imundos também vós com esses répteis, nem vos contamineis com eles, nem vos deixeis manchar por eles.

⁴⁴Eu sou o Senhor vosso Deus. Santificai-vos e sede santos, porque eu sou santo. Não vos torneis impuros com esses répteis que se arrastam pelo solo. ⁴⁵Eu sou o Senhor que vos tirou do Egito para ser o vosso Deus: sede santos, porque eu sou santo.

⁴⁶Esta é a lei sobre os animais terrestres, as aves, os animais que se movem na água e sobre todos os répteis; ⁴⁷a lei que ensina a separar o puro do impuro, os animais comestíveis dos não comestíveis.

12 Partos

¹O Senhor falou a Moisés: – ²Dize aos israelitas: Quando uma *mulher conceber e der à luz um filho*, ficará impura durante sete dias, como na impureza por menstruação. ³No oitavo dia circuncidarão o filho, ⁴e ela passará trinta e três dias purificando seu sangue: não tocará coisa santa nem entrará no templo, até terminar os dias de sua purificação.

⁵Se der à luz uma filha, ficará impura durante duas semanas, como na menstruação, e passará sessenta e seis dias purificando

---

11,34 Entende-se: com a água contida em tais recipientes. O aspecto higiênico destas prescrições é mais patente, embora não seja intencional. A impureza legal está próxima do contágio; só que este não se limita a contágios de animais impuros, como o mostram os versículos 39-40.

11,42 A divisão se aproxima da nossa, em ofídios, sáurios e anelídeos.

11,43-45 Termina com breve parênese de motivação. O primeiro motivo é a santidade do Senhor, e do povo como propriedade sua; a impureza atenta contra essa santidade. O segundo motivo apela para o fato da libertação.

12 Dar à luz é acontecimento capital, que também recebe ordenação sagrada. A impureza da mãe é temporal e está referida à participação no culto. De novo devemos dizer que o autor não tenciona propor regras higiênicas, a favor da mulher ou a favor do homem; nem pronuncia um juízo ético sobre a mulher que deu à luz. Em tom neutro, não diz nada mais do que o seguinte: em tal situação e por tanto tempo, a mulher não pode participar do culto. Também se diz algo semelhante do homem (Ex 19,15; 1Sm 21,5-6).

Contudo, este capítulo, junto com a seção feminina do cap. 15, provoca em nós estupor e perguntas (e mais ainda entre feministas). Se o Senhor é o Deus da vida, por que não considerar sagrado esse momento de exaltação da vida? E se a cautela, a favor dela ou dele, recomenda um compasso de espera, por que é preciso "expiar"? por que a diferença entre menino e menina?

Como o autor não dá a razão do preceito, os comentadores a buscam por própria conta. Aduzem usos semelhantes em outras culturas. Consideram uma defesa da mulher diante da paixão do marido. Ou descobrem o pavor do homem perante o mundo desconhecido da fecundidade (cf. o nome Eva segundo Gn 3,20). O sangue contém algo de magnífico e terrível. O fato é que as duas normas combinadas afastam a mulher do culto durante boa parte do ano. Quando se menciona a maternidade em relatos bíblicos, não aparece em vigor esta lei. Por ex., Ana, mãe de Samuel; em chave poética, ver os festejos de Is 66,10.

12,2 Lc 2,21s.

12,3 A circuncisão, originariamente rito de puberdade ou pré-matrimonial, transforma-se entre os hebreus em rito de pertença ao Senhor e a seu povo.

seu sangue. ⁶Ao terminar os dias de sua purificação – por filho ou por filha – levará ao sacerdote, junto à entrada da tenda do encontro, um cordeiro de um ano em holocausto e um pombo ou uma rola em sacrifício expiatório. ⁷O sacerdote os oferecerá ao Senhor, fará a expiação por ela, e ficará purificada do fluxo de seu sangue.

Esta é a lei sobre a mulher que dá à luz um filho ou filha. ⁸Se ela não tiver meios para comprar um cordeiro, tome duas rolas ou dois pombos: um para o holocausto e outro para o sacrifício expiatório. O sacerdote fará a expiação por ela, e ficará pura.

13 [A] Doenças da pele (2Rs 4) – ¹O Senhor disse a Moisés e a Aarão:

– ²[a] Quando alguém tiver uma inflamação, uma erupção ou mancha na pele, e se produzir uma afecção cutânea, será levado diante do sacerdote Aarão ou de qualquer de seus filhos sacerdotes. ³O sacerdote examinará a parte afetada; se nela o pelo se tornou branco e está afundada, é um caso de afecção cutânea. Depois de examiná-lo, o sacerdote o declarará impuro.

⁴Se se tratar de uma mancha esbranquiçada na pele, mas sem depressão, e o pelo não ficou branco, então o sacerdote isolará o doente durante sete dias. ⁵No sétimo dia o examinará; se observar que o mal está localizado sem estender-se pela pele, tornará a isolá-lo por outros sete dias. ⁶No sétimo dia tornará a examiná-lo; se observar que a mancha está pálida e não se estendeu pela pele, então o declarará puro. É um caso de descamação. O doente lavará suas vestes e ficará puro.

⁷Todavia, se depois de examinado pelo sacerdote e declarado puro, a descamação se estender pela pele, ele se fará examinar de novo pelo sacerdote. ⁸O sacerdote o examinará; se observar que a descamação se estendeu pela pele, ele o declarará impuro. É um caso de afecção cutânea.

⁹[b] Quando alguém tiver uma *afecção cutânea*, será levado ao sacerdote. ¹⁰O sacerdote o examinará; se observar que tem uma inflamação na pele, que o pelo nessa parte se tornou branco e que se formaram chagas na inflamação, ¹¹é um caso de afecção crônica. O sacerdote o declarará impuro. Não o isolará, porque é impuro.

¹²Todavia, se a afecção for atacando a pele até cobrir o doente dos pés à cabeça – até onde o sacerdote pode observar –, ¹³o sacerdote o examinará; se observar que a afecção cobriu toda a sua carne, declarará puro o doente. Toda a sua pele se tornou branca: é puro. ¹⁴Mas quando aparecerem

---

12,6 Isto significa uma participação ativa no culto, como oferente (o que não compete ao marido).

12,7 Nos textos precedentes a expiação trazia o perdão de Deus (caps. 4-5); aqui traz a purificação de um estado não culpado. Em ambos os casos se fala de "expiação". Mas sem transgressão, nem sequer por inadvertência.

12,8 É a oferta de Maria, segundo Lc 2,24.

13 A primeira coisa, para abordar corretamente este capítulo, é não traduzir o termo hebraico por "lepra". Os sintomas descritos não correspondem de maneira alguma ao que a medicina moderna chama lepra; esta era desconhecida no Oriente Médio antes de Alexandre. Certamente, todos os casos descritos se referem a enfermidades da pele, que de algum modo deformam a aparência da pessoa e não lhe permitem apresentar-se diante de Deus, e que podem ser contagiosas ou repugnantes para os demais. Distingui-los com precisão clínica, segundo critérios modernos, é impossível em muitos casos: porque os sintomas não são suficientes, pois suspeitamos que o autor tenha misturado ou confundido dados. Dois casos resultam suficientemente claros: calvície ou alopecia (40-41) e vitiligo ou leucodermia (38-39). O capítulo se divide em sete blocos, provavelmente com o desejo de ser completo. Vários termos que o autor emprega com valor técnico são para nós duvidosos. Não podemos negar o caráter higiênico de muitas destas prescrições: várias moléstias descritas são contagiosas, e a assembleia cultual podia ser lugar de contágio. A legislação cultual favorecia a atenção prestada a enfermos com o diagnóstico tempestivo, a segregação, indiretamente a cura. Mas, não é esse o interesse do autor; a sua perspectiva é rigorosamente cultual, as enfermidades da pele produzem um estado de impureza que, sendo possível, se deve remover.

13,3 A expressão "afecção cutânea" é mais forte em hebraico, pois no termo traduzido por "doença" soa a imagem de assalto ou golpe produzido por força sobre-humana, concretamente pela cólera de Deus. Em vários casos bíblicos essa doença figura como castigo divino: Maria (Nm 12,10-15); Giezi, o criado de Eliseu (2Rs 5); o rei Ozias (2Cr 26,16-21); Joab (2Sm 3,29); e na lista de maldições (Dt 28,27.35). Os sacerdotes adotam uma atitude diríamos clínica, aplicando seu manual de sintomas ao caso particular. A observação repetida, periódica, lhes permite controlar o processo; mas não se encarregam de aplicar remédios. E o exame do doente é puramente visual, reduzido a poucos indícios. Sua competência consiste em declarar autoritativamente o estado de impureza ou de pureza, antes de tudo para o bem da comunidade.

nele novas chagas, será impuro. [15]O sacerdote examinará as chagas e o declarará impuro, porque as chagas são impuras. É um caso de afecção cutânea. [16]E se as chagas se fecham e se tornam brancas, ele se apresentará ao sacerdote. [17]O sacerdote o examinará; se observar que a parte afetada se tornou branca, declarará puro o doente: é puro.

[18][c] Quando alguém tiver uma *úlcera* já curada, [19]e se produzir sobre a úlcera uma inflamação esbranquiçada ou uma mancha avermelhada clara, ele se fará examinar pelo sacerdote. [20]O sacerdote o examinará; se a mancha estiver afundada e o pelo se tornou branco, o sacerdote o declarará impuro. É um caso de afecção produzida na úlcera. [21]Contudo, se ao examinar a mancha o sacerdote observar que o pelo não se tornou branco nem a pele se afundou, e que a mancha se tornou pálida, então o sacerdote isolará o doente durante sete dias; [22]se o mal se estender sobre a pele, o sacerdote o declarará impuro. É um caso de afecção. [23]Contudo, se depois de sete dias a mancha continuar localizada, sem estender-se, trata-se da cicatriz da úlcera. O sacerdote o declarará puro.

[24][d] Quando alguém tiver uma *queimadura* na pele, e se produzir sobre a parte queimada uma mancha branca ou avermelhada clara, [25]o sacerdote o examinará; se observar que o pelo na mancha se tornou branco e que esta aparece afundada, é um caso de afecção produzida na queimadura. O sacerdote o declarará impuro: é um caso de afecção cutânea. [26]Contudo, se ao examiná-lo o sacerdote observar que o pelo não se tornou branco na mancha nem a pele se afundou e que a mancha está pálida, então isolará o doente durante sete dias. [27]No sétimo dia ele o examinará; se o mal se estendeu sobre a pele, o sacerdote o declarará impuro: é um caso de afecção cutânea. [28]Mas se a mancha estiver localizada, sem estender-se sobre a pele, e se tornou pálida, trata-se da inflamação da queimadura. O sacerdote o declarará puro, pois trata-se da cicatriz da queimadura.

[29][e] Quando um homem ou uma mulher tiver uma *afecção na cabeça ou na barba*, [30]o sacerdote examinará a afecção; se observar que está afundada e o pelo se tornou amarelo e ralo, o sacerdote o declarará impuro: é um caso de sarna, afecção da cabeça ou da barba. [31]Mas se ao examinar a sarna o sacerdote vir que, embora a pele não esteja afundada, não lhe resta cabelo preto, isolará o doente durante sete dias. [32]No sétimo dia o examinará; se observar que a sarna não se estendeu, que não há cabelo amarelado nem está afundada, [33]então o doente cortará completamente o cabelo, menos a parte com sarna, e o sacerdote tornará a isolá-lo por outros sete dias. [34]No sétimo dia o sacerdote examinará a sarna; se observar que não se estendeu e que a pele não está afundada, o sacerdote o declarará puro. O doente lavará suas vestes e ficará puro. [35]Mas se depois de declarado puro a sarna se estender, [36]o sacerdote tornará a examiná-lo; se observar que a sarna se estendeu – não precisa que o cabelo esteja amarelado – é impuro. [37]Mas, se vir que a sarna está localizada e cresce cabelo preto, então a sarna está curada: é puro, e o sacerdote o declarará puro.

[38][f] Quando num homem ou numa mulher aparecerem *manchas brancas* na pele, [39]o sacerdote os examinará; se observar sobre a pele manchas brancas pálidas, é um caso de leucodermia formada na pele: é puro.

[40][g] Quando o cabelo de um homem cair, é um caso de *alopecia:* é puro. [41]Se lhe cair o cabelo das têmporas, formando entradas, é puro. [42]Se na calvície ou nas entradas se formarem chagas avermelhado-claras, é um caso de afecção produzida na calvície ou nas entradas. [43]O sacerdote o examinará; se observar na calvície ou nas entradas uma inflamação avermelhado--clara com o mesmo aspecto das afecções cutâneas, [44]trata-se de um homem com afecção cutânea: é impuro. O sacerdote o declarará impuro por afecção na cabeça.

13,29-30 Neste caso e no seguinte, o autor distingue e reúne homem e mulher. A coisa é lógica, se o tema é cabeleira e barba; mas é curioso que não vale para o caso de alopecia (40-44), e sim para a leucodermia. De resto, embora a casuística se expresse no gênero masculino, supõe-se que também as mulheres estavam expostas às mesmas doenças e submetidas às mesmas prescrições.

⁴⁵Quem tiver sido declarado doente por afecção cutânea, andará esfarrapado e despenteado, com a barba coberta e gritando: "Impuro, impuro!" ⁴⁶Enquanto durar a afecção, permanecerá impuro. Viverá à parte e terá sua morada fora do acampamento.

[B] Infecção de roupas – ⁴⁷Quando se produzir uma infecção numa veste de lã ou de linho, ⁴⁸numa trama ou urdidura de lã ou de linho, num couro ou em qualquer objeto de couro, ⁴⁹e neles aparecer uma mancha esverdeada ou avermelhada, é uma infecção que deve ser examinada pelo sacerdote. ⁵⁰O sacerdote examinará a mancha e isolará o objeto durante sete dias. ⁵¹No sétimo dia o examinará; se o mal se estendeu sobre a veste, ou pela trama ou urdidura, ou pelo couro do objeto feito de couro, trata-se de doença corrosiva: é impuro. ⁵²Queimará a veste, a trama ou urdidura de lã ou de linho, ou o objeto de couro em que apareceu o mal, porque se trata de doença corrosiva: será queimado.

⁵³Todavia, se ao examiná-lo o sacerdote observar que o mal não se estendeu pela veste, trama, urdidura ou pelo objeto de couro, ⁵⁴mandará lavar a parte manchada e tornará a isolá-la por outros sete dias.

⁵⁵Depois de lavada, o sacerdote tornará a examinar a mancha, e se não tiver mudado de aspecto, mesmo que não se tenha estendido, é impura. O sacerdote a queimará: está corroída pelo direito ou pelo avesso. ⁵⁶Mas se, depois de lavada, ao examiná-la, o sacerdote observar que a mancha se tornou pálida, então arrancará o pedaço da veste, do couro, da trama ou da urdidura. ⁵⁷E se mais tarde reaparecer a mancha na veste, trama, urdidura ou no objeto de couro, o mal continua. Queimareis tudo o que estiver infectado. ⁵⁸A veste, trama, urdidura ou objeto de couro do qual desapareceu a mancha ao lavá-lo, vós o lavareis de novo, e ficará puro.

⁵⁹Esta é a lei sobre a infecção em vestes de lã ou linho, em trama ou urdidura e em objetos de couro. É a lei segundo a qual serão declarados puros ou impuros.

14 ¹O Senhor disse a Moisés: – ²Rito de purificação das afecções cutâneas:

[a] No dia em que o doente se apresentar ao sacerdote, ³o sacerdote sairá fora do acampamento e comprovará que o doente se curou de sua afecção cutânea. ⁴Depois mandará trazer para o purificando duas aves puras, vivas, ramos de cedro, púrpura escarlate e hissopo.

13,45-46 Em caso extremo, de enfermidade incurável, o doente é afastado da comunidade: para circunscrever o contágio, pensamos nós; para que não contamine o culto, pensa o autor. Ver o episódio de 2Rs 7 e o grito de Lm 4,15. Desse tipo parecem ser os casos que Lc 17par recolhe.

13,47 Ao encontrar aqui um diagnóstico sacerdotal sobre roupas, nós pensamos que podem ser transmissoras de contágio; o que preocupa o autor é sua ameaça potencial contra a pureza cultual: da pele passa à roupa, da roupa às casas. Os sintomas se podem interpretar como invasão de fungos que causam bolor e decomposição de tecidos orgânicos. Mas o autor usa a mesma palavra de antes, "golpe, afecção". Não possuía os nossos conhecimentos e atribuía o fenômeno a causas semelhantes. Por isso aplica o mesmo procedimento para diagnosticar: confinar a peça de roupa durante sete dias. Se o bolor é pertinaz, o modo de separar a peça do uso comum ou é queimá-la. Estranha-nos que as mulheres israelitas não pudessem oferecer uma experiência melhor neste assunto.

14,1-32 Chamamos isto de "rito de purificação", quando a rigor é o rito da declaração oficial de pureza. O ato é essencial para incorporar-se à prática do culto público, e neste sentido pode-se chamar purificação, como a sentença de absolvição de um juiz estabelece juridicamente a inocência do acusado, não a cria. Vimos que os sacerdotes não são médicos, não aplicam um tratamento.

O rito descrito nestas páginas é tão complicado quanto estranho. Nós o lemos e perguntamos: de onde procedem e o que significam semelhantes práticas? eram fases definidas de um processo ou representam uma acumulação artificial? praticava-se realmente, ou é ficção de uma escola sacerdotal? A origem não se pode definir concretamente. Mas nos consta que ritos semelhantes se praticavam e se praticam em diversas culturas: feitiçaria, magia, exorcismos. Recursos do homem para enfrentar e neutralizar poderes ignotos e funestos. A água corrente lava e regenera, o sangue é apotropaico, protetor (Ex 12), a ave que se solta e foge leva para longe as impurezas; os sacrifícios expiam.

O desenrolar e vários detalhes dão a impressão de que o autor tentou reunir cerimônias heterogêneas sem conseguir harmonizá-las. Mistura água com sangue, sangue com azeite; duas vezes o oferente deve raspar-se (8 e 9); exigem-se três sacrifícios: penitencial, expiatório, holocausto. Três vezes se diz que fica puro (8.9.20).

⁵O sacerdote mandará degolar uma das aves numa vasilha de argila sobre água corrente. ⁶Depois pegará a ave viva, os ramos de cedro, a púrpura escarlate e o hissopo, e os molhará, bem como a ave viva, no sangue da ave degolada sobre água corrente. ⁷Salpicará sete vezes aquele que está se purificando da afecção, e o declarará puro. A ave viva será depois solta no campo.

⁸O purificando lavará suas vestes, cortará completamente os cabelos, se banhará e ficará puro. Depois disso poderá entrar no acampamento. Mas durante sete dias ficará fora de sua tenda. ⁹No sétimo dia, rapará a cabeça, cortará a barba, as sobrancelhas e todos os pelos, lavará suas vestes, se banhará e ficará puro.

¹⁰[b] No oitavo dia, pegará dois cordeiros sem defeito, uma cordeira de um ano sem defeito, doze litros de flor de farinha de oferta, amassada com azeite, e um quarto de litro de azeite.

¹¹O sacerdote que oficiar a purificação apresentará tudo isso, junto com o purificando, diante do Senhor, na entrada da tenda do encontro. ¹²O sacerdote pegará um dos cordeiros e o oferecerá como sacrifício penitencial, junto com o quarto de litro de azeite, e os agitará ritualmente diante do Senhor. ¹³Depois degolará o cordeiro no matadouro das vítimas expiatórias e holocaustos em lugar santo, porque a vítima penitencial, assim como as vítimas expiatórias, pertencem ao sacerdote: são porção sagrada.

¹⁴O sacerdote pegará sangue da vítima penitencial e com ele untará o lóbulo da orelha direita, o polegar da mão direita e o polegar do pé direito do purificando. ¹⁵Depois derramará um pouco do azeite em sua mão esquerda, ¹⁶e, untando nele o indicador de sua mão direita, salpicará sete vezes diante do Senhor. ¹⁷Com o azeite que lhe fica na mão, untará o lóbulo da orelha direita, o polegar da mão direita e o polegar do pé direito do purificando, onde havia untado o sangue da vítima penitencial. ¹⁸O resto do azeite que lhe fica na mão, o derramará sobre a cabeça do purificando, e assim expiará por ele diante do Senhor.

¹⁹Depois o sacerdote oferecerá o sacrifício expiatório e fará a expiação por aquele que está se purificando. A seguir, degolará a vítima do holocausto, ²⁰e a oferecerá junto com a oferta sobre o altar. Assim expia pelo purificando, e este fica puro.

²¹[c] Se é pobre e não tem recursos, pegará apenas um cordeiro, vítima penitencial, para a agitação ritual e para a expiação, quatro litros de flor de farinha amassada com azeite para a oferta, e um quarto de litro de azeite ²²e duas rolas ou dois pombos, segundo seus recursos, um para o sacrifício expiatório e outro para o holocausto. ²³No oitavo dia os apresentará ao sacerdote, na entrada da tenda do encontro, na presença do Senhor, para sua purificação.

²⁴O sacerdote pegará o cordeiro penitencial e o quarto de litro de azeite, e os agitará ritualmente diante do Senhor. ²⁵Depois degolará o cordeiro penitencial. O sacerdote pegará sangue da vítima e untará com ele o lóbulo da orelha direita, o polegar da mão direita e o polegar do pé direito do purificando. ²⁶Depois derramará um pouco do azeite em sua mão esquerda, ²⁷e, com o indicador da mão direita, salpicará sete vezes diante do Senhor com o azeite que tem na esquerda.

²⁸Com o azeite que tem na mão, o sacerdote untará o lóbulo da orelha direita,

---

A cerimônia começa "fora do acampamento" (3); já purificado, entra o oferente no acampamento (8); dirige-se à tenda do encontro para os sacrifícios. Ao longo do processo o protagonista da ação é o sacerdote.

Todo o processo é objetivo e em ação. Não há indagação de causas, arrependimento de alguma culpa que tenha provocado o castigo; não se citam textos que acompanhem e expliquem a cerimônia. Utilizavam-se nessa ocasião salmos de doentes?

14,5-7 A vasilha de argila poderia indicar um uso mais antigo; talvez se quebrasse depois da cerimônia. A água corrente é "água viva" com virtude superior para purificar. A ave é degolada para obter sangue, não em sacrifício. Este rito das duas aves recorda o dos bodes da grande expiação (Lv 16); a ave que foge recorda a visão surrealista de Zc 5,5-9.

14,8-9 Raspa-se completamente porque nos cabelos ou pelos podem ter ficado impurezas.

14,14-18 Com o rito do sangue e do azeite, quem tinha vivido fora da comunidade cultual incorpora-se plenamente nela. Não sabemos para que serve essa espécie de unção sobre a cabeça raspada do oferente; talvez complete o rito de se banhar, como em outras circunstâncias (2Sm 12,20).

14,21 Ao pobre se lhe perdoa um dos três cordeiros prescritos; os outros dois são substituídos por aves econômicas.

o polegar da mão direita e o polegar do pé direito do purificando, onde havia untado o sangue da vítima. ²⁹O resto do azeite que lhe fica na mão o derramará sobre a cabeça do purificando, para expiar por ele diante do Senhor.

³⁰Depois oferecerá uma das rolas ou pombas, segundo seus recursos: ³¹uma como sacrifício expiatório e outra como holocausto, junto com a oferta. O sacerdote expia assim pelo purificando na presença do Senhor.

³²Este é o rito para a purificação daquele que sofre de afecção cutânea e não dispõe de recursos.

Infecções de casas – ³³O Senhor disse a Moisés e Aarão:

— ³⁴Quando tiverdes entrado na terra de Canaã, que vos darei como posse, e eu permitir que uma casa de vossa terra fique infectada, ³⁵o dono da casa se apresentará ao sacerdote e informará: "Apareceu uma mancha em minha casa".

³⁶O sacerdote, sem esperar o exame da mancha, mandará desalojar a casa, para que não fique contaminado o que nela houver. Depois o sacerdote entrará na casa para examiná-la. ³⁷O sacerdote examinará a mancha; se observar o mal nas paredes, cavidades esverdeadas ou avermelhadas um pouco afundadas na parede, ³⁸sairá à porta da casa e mandará fechar durante sete dias.

³⁹No sétimo dia voltará; se a mancha se tiver estendido pela parede, ⁴⁰o sacerdote mandará tirar as pedras manchadas e jogá-las em lugar impuro fora da cidade. ⁴¹Mandará raspar por dentro toda a casa, e o pó que sair da raspagem será jogado em lugar impuro, fora da cidade. ⁴²Pegarão outras pedras, colocando-as no lugar das primeiras. E rebocarão a casa com nova cal.

⁴³Se, depois de tiradas as pedras e depois de raspada e rebocada a casa, a mancha reaparecer, ⁴⁴o sacerdote tornará a examinar a casa; se observar que o mal se estendeu pela casa, trata-se de doença corrosiva da casa: é impura. ⁴⁵Mandará derrubar a casa, pedras, madeiramento e toda a cal, e levará tudo para um lugar impuro, fora da cidade. ⁴⁶Aquele que entrar na casa enquanto estiver fechada, ficará impuro até a tarde. ⁴⁷Aquele que dormir na casa lavará suas vestes. Quem comer na casa lavará suas vestes.

⁴⁸Todavia, se o sacerdote entrar, e ao examinar a casa observar que o mal não se estendeu depois de tê-la rebocado, declarará pura a casa, pois o mal foi curado.

⁴⁹Então pegará duas aves, ramos de cedro, púrpura escarlate e hissopo para expiar pela casa. ⁵⁰Degolará uma das aves numa vasilha de argila sobre água corrente. ⁵¹Depois pegará o ramo de cedro, o hissopo, a púrpura escarlate e a ave viva, molhando-os no sangue da ave degolada sobre água corrente, e salpicará a casa sete vezes. ⁵²Assim expia pela casa com o sangue da ave, com a água corrente, com a ave viva, com o ramo de cedro, com o hissopo e com a púrpura escarlate.

⁵³Soltará a ave viva no campo, fora da cidade. Assim expia pela casa, e esta fica pura.

⁵⁴Esta é a lei sobre infecções e sarnas, ⁵⁵sobre manchas de vestes e casas; ⁵⁶sobre inflamações, erupções e manchas, ⁵⁷segundo a qual se declaram os casos de pureza e impureza. Esta é a lei sobre infecções.

15

¹O Senhor falou a Moisés e Aarão: — ²Dizei aos israelitas:

[a] Quando um homem sofrer de *gonorreia*, é impuro. ³São estas as normas de

---

14,33-57 Normas sobre edifícios. Não pertencem à vida no deserto. A incoerência se resolve dando à norma um estatuto futuro, "quando tiverdes entrado...". A casa cria um ambiente impuro que afeta seus moradores, embora o efeito seja temporário e desapareça rapidamente. O sacerdote trata as casas como as vestes e as pessoas: examina e diagnostica, não cura. Suas soluções são drásticas. Não é rara em outras culturas a crença em espíritos, gnomos ou gênios, duendes ou diabretes, que habitam e perturbam as moradias. É curioso que o rito de 48-53 sirva para "expiar".

15 As secreções sexuais, devidas a causas naturais ou a doenças, incapacitam o homem e a mulher para participar do culto: por quê? O autor não o diz, como se se preocupasse apenas com regular situações frequentes. O seu juízo é cultual, não médico nem moral, e a sua intenção é que se restabeleça o estado de pureza; para tanto introduz um sacrifício "expiatório". Ante o silêncio bíblico, os comentadores têm buscado explicações. Uma é que os antigos se sentiam fascinados e atemorizados diante do poder magnífico e terrível do sexo: capaz de unir e dar vida, de dividir e acarretar a morte. Como se no sexo se

impureza em caso de gonorreia, seja fluida seja espessa, pois ambas são impuras. ⁴A cama em que o doente deitar ficará impura. O assento que usar ficará impuro. ⁵Aquele que tocar a cama do doente lavará suas vestes, se banhará e ficará impuro até a tarde. ⁶Aquele que sentar onde estava sentado o doente lavará suas vestes, se banhará e ficará impuro até a tarde. ⁷Aquele que tocar o doente lavará suas vestes, se banhará e ficará impuro até a tarde. ⁸Se o doente cuspir em alguém que está puro, este lavará suas vestes, se banhará e ficará impuro até a tarde. ⁹A sela sobre a qual o doente montar ficará impura. ¹⁰Aquele que tocar um objeto sobre o qual esteve o doente, ficará impuro até a tarde. E aquele que o transportar lavará suas vestes, se banhará e ficará impuro até a tarde. ¹¹Aquele que o doente tocar, antes de lavar as mãos, lavará suas vestes, se banhará e ficará impuro até a tarde. ¹²Todo vaso de argila que o doente tocar deverá ser quebrado; se for de madeira, será lavado.

¹³Quando se curar da gonorreia, o doente contará sete dias até sua purificação. Lavará suas vestes, se banhará com água corrente e ficará puro. ¹⁴No oitavo dia, pegará duas rolas ou dois pombos, se apresentará diante do Senhor, na entrada da tenda do encontro, e os entregará ao sacerdote. ¹⁵O sacerdote os oferecerá, um como sacrifício expiatório e outro como holocausto. Assim expia por ele, por sua gonorreia, diante do Senhor.

¹⁶[b] Quando um homem tiver uma polução, se banhará e ficará impuro até a tarde. ¹⁷Também a roupa ou o couro onde tiver caído o sêmen será lavado, e ele ficará impuro até a tarde.

¹⁸Se um homem se deitar com uma mulher e tiver uma polução, os dois se banharão e ficarão impuros até a tarde.

¹⁹[c] A mulher, quando tiver sua menstruação, ficará manchada durante sete dias. Aquele que a tocar ficará impuro até a tarde. ²⁰O lugar onde ela deitar ou sentar, enquanto estiver manchada, ficará impuro. ²¹Aquele que tocar sua casa lavará suas vestes, se banhará e ficará impuro até a tarde. ²²Aquele que tocar o assento que ela usou, lavará suas vestes, se banhará e ficará impuro até a tarde. ²³Se ela estiver na cama ou no assento, aquele que os tocar ficará impuro até a tarde. ²⁴Se um homem deitar com ela, a mancha também passará para ele: ficará impuro durante sete dias, e deixará impura a cama em que deitar.

²⁵[d] Quando uma mulher tiver hemorragias frequentes fora ou depois da menstruação, ficará impura, como na menstruação, enquanto durarem as hemorragias. ²⁶A cama em que deitar enquanto durarem as hemorragias ficará impura, da mesma forma que na menstruação. E todo assento sobre o qual sentar ficará impuro, da mesma forma que na menstruação.

²⁷Aquele que os tocar ficará impuro. Lavará suas vestes, se banhará e ficará impuro até a tarde.

²⁸Se for curada de suas hemorragias, contará sete dias, e depois ficará pura. ²⁹No oitavo dia, pegará duas rolas ou dois pombos, os apresentará ao sacerdote, na entrada da tenda do encontro. ³⁰O sacerdote oferecerá um como sacrifício expiatório e outro como holocausto. Assim expia por ela, pela impureza de suas hemorragias, diante do Senhor.

³¹Advertireis os israelitas sobre a impureza, para que não morram por sua impureza, por terem profanado minha morada entre vós.

³²Esta é a lei sobre a gonorreia, as poluções que tornam impuro, ³³sobre a menstruação da mulher, as secreções de homem ou de mulher e sobre o homem que deita com uma mulher em estado de impureza.

16 Festa da Expiação (Lv 23,26-32; Hb 9,6-14) — ¹O Senhor falou a

---

ocultasse uma força divina (Gn 4,1, "com *Yhwh*") e se deslizasse uma força demoníaca (Tb: Asmodeu). Outros argumentam que o Deus de Israel, embora imaginado como homem, não exibia atributos sexuais nem tinha uma consorte; por isso o mundo sexual devia ficar afastado do seu culto.

O estado de impureza se transmite por contato imediato e mediato; a sua duração varia segundo o grau do contato. Incorrer em estado desta impureza é normal e tem remédio fácil; o grave seria profanar conscientemente o culto e a "morada" de Deus.

16 Para o autor do Levítico, esta é a grande festa da expiação anual. A *Mishná* lhe dedica um comentário, intitulado "O dia", acrescentando detalhes ao rito

Moisés depois da morte dos filhos de Aarão, que morreram por se aproximar do Senhor:

² Dize a teu irmão Aarão que não entre em qualquer data no santuário, da cortina para dentro, até a placa que cobre a arca. Assim não morrerá. Porque eu apareço numa nuvem sobre a placa da arca.

³ Assim entrará Aarão no santuário: com um bezerro para o sacrifício expiatório e um carneiro para o holocausto. ⁴ Vestirá a túnica sagrada de linho, se cobrirá com calções de linho, se cingirá com uma faixa de linho, pondo um turbante de linho. São vestes sagradas: ele as vestirá depois de banhar-se. ⁵ Além disso, receberá da assembleia dos israelitas dois bodes para o sacrifício expiatório e um carneiro para o holocausto. ⁶ Aarão oferecerá seu bezerro, vítima expiatória, e fará a expiação por si mesmo e por sua família.

⁷ Depois pegará os dois bodes e os apresentará diante do Senhor na entrada da tenda do encontro. ⁸ Lançará a sorte sobre os dois bodes: um será para o Senhor e outro para Azazel. ⁹ Pegará o que tocou por sorte ao Senhor e o oferecerá como sacrifício expiatório. ¹⁰ Aquele que tocou por sorte a Azazel, ele o apresentará vivo diante do Senhor, fará a expiação por ele, e depois o mandará ao deserto, para Azazel.

¹¹ Aarão oferecerá seu bezerro, vítima expiatória, e fará a expiação por si mesmo e por sua família, e o degolará. ¹² Pegará do altar que está diante do Senhor um incensório cheio de brasas, uma porção de incenso aromático pulverizado, atravessando com eles a cortina. ¹³ Porá incenso sobre as brasas, diante do Senhor; a fumaça do incenso esconderá a placa que há sobre o documento da aliança, e assim não morrerá.

¹⁴ Depois pegará sangue do bezerro e salpicará com o dedo a placa, para o lado oriental. Depois, diante da placa, salpi-

---

e comentários com contos e casuística. Os judeus de nossos dias continuam celebrando-a como uma de suas festas mais solenes, dia de penitência com oração e jejum, sem ritos sacrificais. A carta aos Romanos se refere a ela (cap. 3) e a carta aos Hebreus utiliza este capítulo para explicar o mistério de Cristo sacerdote e vítima.

O capítulo nos oferece uma codificação tardia, que recolhe e agrupa ritos diversos de várias épocas, alguns sem dúvida muito antigos. A disposição é a seguinte: depois de uma descrição genérica (3-10), vem a descrição por partes: rito do sangue (11-19); pelas pessoas (11-15); pelo santuário e pelo altar (16-19); rito do bode (20-22); complementos (23-28). A descrição está enquadrada entre uma introdução (1-2) e uma conclusão parenética (29-34).

Apesar da amplitude, restam lacunas e incoerências e faltam explicações sobre o significado de vários detalhes. Tudo fica englobado na ideia de expiação.

16,1 O que há de realista na descrição corresponde ao templo de Jerusalém no século V. O autor o faz remontar à sua instituição no deserto, por ordem de Deus a Moisés, e deste a Aarão. Justifica a limitação do acesso ao "camarim" (o Santíssimo) com o episódio de Nadab e Abiú (cap. 10). Assim, faz a ligação com os acontecimentos do Sinai e com a corrente narrativa do Pentateuco.

16,2 O santuário estava dividido em duas partes: o espaço santo ou nave e o santíssimo ou camarim, separados por uma cortina. Ao primeiro tinham acesso todos os sacerdotes e apenas eles, ao segundo só o sumo sacerdote uma vez por ano, nesta ocasião (Hb 9,7). No espaço santíssimo se guardava a arca da aliança, onde se conservava o documento institucional que constituía Israel como povo do Senhor. Sobre a arca, à maneira de tampa, havia uma placa de ouro, com dois querubins nas extremidades (Ex 25,17-22): era o lugar da presença do Senhor, que aí aceitava a expiação pelo povo. A placa se chama em hebraico *kapporet*, da raiz *kpr* = expiar, que os gregos traduziram por *hylastérion* e os latinos por *propitiatorium*. Como a presença ou manifestação de Deus podia ser mortal para o ser humano, o incenso criava uma nuvem que denotava e velava a presença divina, segundo a reflexão teológica tardia (Nm 7,89).

16,4 Não leva todos os paramentos do ofício, mas alguns especiais, mais simples, para a função.

16,6 O sumo sacerdote não está isento: antes de expiar pelo povo, tem de expiar por si próprio: com um novilho, que é a vítima superior (1,3).

16,8 Os dois animais eram iguais: por meio da sorte Deus decide e designa uma função para cada um. O misterioso Azazel, que aparece só neste capítulo da Bíblia, seria, conforme uma opinião corrente, um chefe de demônios (sátiros) que habita no deserto. Ver Is 13,21; 34,14; Mt 12,43; Lc 11,23, e a descrição fantástica de Zc 5,5-11. Parece tratar-se de crença antiga, tomada de outra cultura e não bem integrada na fé javista. Precisamente por sua estranheza, a cerimônia podia ser mais impressionante.

16,9 Expiação pelo povo.

16,12-13 O autor não explica como uma só pessoa maneja simultaneamente um incensório e um punhado (= oco de duas mãos) de incenso em pó.

16,13 Is 5,4.

16,14-16 O rito duplicado do sangue supõe que também o templo está afetado pelos pecados do povo e necessita ser expiado. Nem o lugar sagrado está isento. Parece ter sido um rito autônomo, mas próprio da dedicação ou renovação; note-se a menção combinada da tenda do encontro e do santuário. Compare-se com Ez 45,18-20 (antes da Páscoa).

cará sete vezes o sangue com o dedo. ¹⁵Degolará o bode, vítima expiatória, apresentado pelo povo; com seu sangue atravessará a cortina, e fará o mesmo que fez com o sangue do bezerro: o salpicará sobre a placa e diante dela. ¹⁶Assim fará a expiação pelo santuário, por todas as impurezas e delitos dos israelitas, por todos os seus pecados.

O mesmo fará com a tenda do encontro, estabelecida entre eles, no meio de suas impurezas. ¹⁷Enquanto estiver fazendo a expiação por si mesmo, por sua família e por toda a assembleia de Israel, desde que entra até que sai, não haverá ninguém na tenda do encontro. ¹⁸Depois sairá, irá ao altar, que está diante do Senhor, e fará a expiação por ele: pegará sangue do bezerro e do bode, e untará com ele as saliências do altar. ¹⁹Salpicará o sangue com o dedo sete vezes sobre o altar. Assim o santifica e o purifica das impurezas dos israelitas.

²⁰Terminada a expiação do santuário, da tenda do encontro e do altar, Aarão apresentará o bode vivo. ²¹Com as duas mãos postas sobre a cabeça do bode vivo, confessará as iniquidades e delitos dos israelitas, todos os seus pecados; ele o lançará na cabeça do bode e, depois, com o encarregado de turno, o mandará ao deserto. ²²O bode leva consigo, para a região desolada, todas as iniquidades dos israelitas. O encarregado o soltará no deserto.

²³Depois Aarão entrará na tenda do encontro, tirará as vestes de linho que havia posto para entrar no santuário, e as deixará aí. ²⁴Ele se banhará em lugar santo e porá suas próprias vestes. Voltará a sair, oferecerá seu holocausto e o holocausto do povo. Fará a expiação por si mesmo e pelo povo, ²⁵e deixará queimar sobre o altar a gordura da vítima expiatória.

²⁶Aquele que tiver levado o bode a Azazel lavará suas vestes, se banhará e depois poderá entrar no acampamento. ²⁷As vítimas expiatórias, o bode e o carneiro, cujo sangue se introduziu para expiar no santuário, serão tirados para fora do acampamento, e serão queimados o couro, a carne e os intestinos. ²⁸O encarregado de queimá-los lavará suas vestes, se banhará e depois poderá entrar no acampamento.

²⁹É lei perpétua. No dia dez do sétimo mês fareis penitência; não trabalhareis, nem o nativo nem o migrante que reside entre vós. ³⁰Porque nesse dia se faz a expiação por vós, para purificar-vos. Ficareis puros de todo pecado diante do Senhor.

³¹É o sábado solene em que fareis penitência: é lei perpétua.

³²A expiação será feita pelo sacerdote ungido que sucedeu a seu pai nas funções sacerdotais. Porá as vestes sagradas de linho ³³e fará a expiação pelo santuário, pela tenda do encontro e pelo altar. Fará a expiação também pelos sacerdotes e por toda a assembleia do povo de Israel.

³⁴Será lei perpétua para vós. Uma vez por ano será feita a expiação por todos os pecados dos israelitas.

Moisés fez o que o Senhor lhe havia mandado.

CÓDIGO DA SANTIDADE: BÊNÇÃOS E MALDIÇÕES

17 **Sobre o sangue** (Dt 12,16.23-25) – ¹O Senhor falou a Moisés:

16,15 Rm 3,25.
16,21 O sentido da cerimônia está claro. O mais importante é a confissão dos pecados, pessoal e coletiva, com a qual o indivíduo e a comunidade se desprendem deles. O animal servirá para dar expressão dramática à transformação interior. O verbo usado, *hitwadde*, é técnico. Imaginamos que neste ponto se recitava alguma fórmula penitencial: do saltério (Sl 51; 106; 130; etc.) ou como as que se leem em Esd 9-10; Ne 9; Dn 3,24-45; 9; Br 1,15-3,8.
16,22 Conforme uma tradição antiga, o animal era conduzido por um estrangeiro e lançado de um barranco. Sl 103,12 dá uma versão depurada da expiação: "como o oriente está longe do acaso, assim ele afasta de nós nossos delitos".
16,29 Corresponde ao nosso setembro. A penitência consiste principalmente em jejuar (cf. Is 58,3.5).

(A *Mishná* proíbe também tomar banho, ungir-se, calçar-se e ter relações sexuais.)
16,30 Sl 51,3-11.
16,32 O que precede é historiado na pessoa de Aarão. Este versículo estabelece a continuidade pela sucessão familiar.
16,34 A comunidade pós-exílica tem assim um remédio institucional e periódico para expiar os pecados anuais: para evitar com isso outra catástrofe? Sobre uma expiação negada e outras formas de expiar, veja Is 22,14; 27,9; Pr 16,6.

CÓDIGO DA SANTIDADE: BÊNÇÃOS E MALDIÇÕES

17-27 Estes capítulos formam um código autônomo incorporado no Levítico. Os autores costumam chamá-lo "Código da santidade", por seu tema do-

—²Dize a Aarão, a seus filhos e aos israelitas: Isto é o que o Senhor ordena: ³Qualquer israelita que no acampamento ou fora dele degolar um touro, um cordeiro ou uma cabra, ⁴e não os levar à entrada da tenda do encontro, para oferecê-los ao Senhor, diante de sua morada, é réu de sangue. Derramou sangue, e será excluído do seu povo.
⁵Assim, pois, os israelitas levarão ao sacerdote as vítimas que matarem no campo, e as oferecerão ao Senhor como sacrifício de comunhão, na entrada da tenda do encontro. ⁶O sacerdote aspergirá com o sangue o altar do Senhor situado na entrada da tenda do encontro, e deixará queimar a gordura como aroma que aplaca o Senhor. ⁷Não mais imolarão suas vítimas aos sátiros, com quem se prostituíram.

É lei perpétua para os israelitas em todas as suas gerações.

⁸Dize-lhes também: Qualquer israelita ou migrante residente entre vós que oferecer um holocausto ou sacrifício, ⁹e não os levar à entrada da tenda do encontro, para oferecê-los ao Senhor, será excluído do seu povo.

¹⁰Qualquer israelita ou migrante residente entre vós que comer sangue, eu o enfrentarei e o extirparei do seu povo. ¹¹Porque a vida da carne é o sangue, e eu vos dei o

---

minante e suas fórmulas frequentes de santidade. Dentro desta visão geral, os temas se nos mostram heterogêneos: sangue de animais, relações sexuais, relações humanas éticas, cultos proibidos, pessoas sagradas, porções sagradas, tempos sagrados, lugares sagrados, o nome sagrado, ano jubilar.
Quanto à forma, encontramos com frequência a justificação categórica: "Eu sou o Senhor vosso Deus", "Eu sou o Senhor", "Eu, o Senhor vosso Deus, sou santo", "Eu sou o Senhor que o santifico". Há várias séries legais, de membros breves e semelhantes, sem explicações; há breves peças parenéticas; o vocabulário tem palavras características. Também é de se notar o parentesco formal com Ezequiel.
A santidade é atributo essencial de Deus, é sua própria natureza transcendente, totalmente diversa e inatingível; em termos de vontade, é ética, perfeita e dinâmica. Deus manifesta sua santidade em ação e em presença: a natureza e o homem, descobertos por Deus, se espantam. Mas o Deus transcendente atua para transmitir e comunicar sua santidade, para arrastar à sua esfera o homem, e por ele outros seres. Assume o título "Santo de Israel" (Isaías) e confere o título "povo santo" (Êxodo). Ao sentir-se arrastado, o homem descobre ainda mais sua indignidade ontológica e ética, ou seja, sua finitude e seu ser de pecado, ao mesmo tempo que descobre a exigência de Deus, que o envolve com sua abertura transcendente. Começa a santificação ou consagração: Deus aproxima de si (hiqrib) o homem, traslada-o a uma ordem objetiva superior, de proximidade pessoal exigente; a diversidade e exigência se exprimem num sistema de prescrições, aparentemente arbitrário, que têm sentido só como símbolo da transformação profunda, como formulação de exigência. A esfera "objetiva" privilegiada desta aproximação e contato é o culto: pelo homem, Deus santifica objetos, tempos, lugares, impondo exigências significativas. Mas a transformação do homem deve ocorrer sobretudo no centro do próprio ser, a liberdade: a santificação tem nítido caráter ético, e é exigência constante e dinâmica. O processo de santificação é dialético: exigência prévia para penetrar, nova exigência para avançar. Além disso, o homem deve reconhecer e proclamar conscientemente a santidade de Deus, que se lhe manifesta como presença e como ação transformadora:
"santificar o nome de Deus" consiste nisso. Por este aspecto central, o "Código da santidade" é uma das chaves do Pentateuco.

17 Há neste capítulo quatro textos que direta ou indiretamente têm a ver com o uso do sangue; e um quinto caso atraído obliquamente pelo tema. Desta vez o autor dá normas e acrescenta sua razão teológica. O sangue clama (Gn 4,10; Dt 21,7-9; Lm 4,13ss); protege (Ex 12,7.13); expia (vida por vida?). Se se trata das três espécies de animais sacrificáveis – as aves não contam –, qualquer abate se considera sacrifício e deve ser executado segundo normas correspondentes: num lugar sagrado e entregando todo o sangue a Deus. Na ficção do Levítico, esse lugar é a tenda do encontro, ou seja, o templo de Jerusalém.
A carne podia ser comida, participando assim de um sacrifício de comunhão. A carne não era alimento corrente nessa época, embora Deus o tenha permitido depois do dilúvio (Gn 9,3): por isso, participar de um desses sacrifícios era ocasião festiva e apetitosa. Só que aqui se invertem as funções: o banquete não é consequência do sacrifício, o sacrifício é que foi meio para o banquete. Abraão não parece preocupar-se com essa norma (Gn 18); ao invés, o assunto cria problema numa campanha de Saul (1Sm 14,32-36).
Ex 20,22-26 aceita a pluralidade de santuários locais, que permite observar essa lei. Quando o culto se centraliza exclusivamente em Jerusalém, essa prescrição se torna impossível, e dá origem ao reconhecimento de um abate profano (permitido em Dt 12,13-16).
17,4 Quebrar a norma equivale a homicídio e acarreta pena de excomunhão. Acrescentamos nós: derramar este sangue num sacrifício é devolver uma vida a Deus.
17,7 Parece uma antiga norma conservada em alguma tradição e recolhida pelo compilador. Se os animais sacrificáveis não são oferecidos ao Senhor, consideram-se oferecidos a divindades de regiões desabitadas. Ver 2Rs 23,8; Is 13,21; 34,14.
17,10-12 Como o alento infundido por Deus é vida do corpo, assim o sangue é vida da carne: derramado o sangue, a carne morre; derramar o sangue é dar morte. A Deus pertence tudo, e de modo especial a vida de homens e animais. A carne é cedida ao

sangue para uso do altar, para expiar por vossas vidas. Porque o sangue expia pela vida. [12]Por isso prescrevi aos israelitas: nem vós nem o migrante residente entre vós comereis sangue.

[13]Qualquer israelita ou migrante residente que apanhar uma caça comestível, de pena ou de couro, derramará seu sangue e a cobrirá com terra, [14]porque a vida da carne é seu sangue. Por isso prescrevi aos israelitas: não comereis o sangue de nenhuma carne, porque a vida da carne é seu sangue; quem a comer será excluído.

[15]Todo nativo ou migrante que comer carne morta ou estraçalhada por uma fera, lavará suas vestes, se banhará e ficará impuro até a tarde; depois estará puro. [16]Se não as lavar nem se banhar, carregará sua culpa.

18 Relações sexuais – [1]O Senhor disse a Moisés:
– [2]Dize aos israelitas:

[A] **Parênese introdutória** – Eu sou o Senhor vosso Deus. [3]Não fareis o que fazem os egípcios, com quem convivestes, ou os cananeus, a cujo país vos levo, nem seguireis a legislação deles. [4]Cumpri meus mandamentos e guardai minhas leis, procedendo de acordo com eles. Eu sou o Senhor vosso Deus.

[5]Cumpri minhas leis e meus mandamentos, que dão vida àquele que os cumpre. Eu sou o Senhor.

[B] **Código legal** (Dt 27,20-23) – [6]Ninguém se aproximará de um parente para ter *relações sexuais* com ele. Eu sou o Senhor.

[7]Não terás relações com tua mãe. Ela é de teu pai e é tua mãe; não terás relações com ela.

[8]Não terás relações com a concubina de teu pai. Ela é carne de teu pai.

[9]Não terás relações com tua irmã, por parte de pai ou de mãe, nascida em casa ou fora.

[10]Não terás relações com tuas netas. Elas são tua própria carne.

[11]Não terás relações com a filha nascida a teu pai de sua concubina. Ela é tua irmã.

[12]Não terás relações com tua tia paterna. Ela é do sangue de teu pai.

---

homem como alimento; o sangue, que é a vida, é reservado, e dele se pede conta (Gn 9,4). Somente é cedido ao homem para o culto, quer dizer, para Deus tornar a recebê-lo em homenagem e expiação; para que o homem salve sua vida oferecendo em sacrifício a do animal (Ex 12,7.13; cf. Hb 9,22). O preceito recolhe o respeito ancestral do homem diante do sangue e lhe infunde um sentido teológico. Como preceito, inculca que a vida é sagrada. Deixar morrer uma pessoa invocando esse preceito é perverter iniquamente seu sentido (Testemunhas de Jeová, com relação a transfusões de sangue).

17,11 Hb 9,7.
17,13 O sangue derramado na terra clama ao céu pedindo vingança; coberto de terra, deixa de gritar (Gn 4,10; Dt 21,7-9; Lm 4,13; Jó 16,18).
17,14 Ver At 15,20-29.
17,15 Não coincide com as normas de Ex 22,30 e Dt 14,21.
18 Entre uma introdução (2-5) e uma conclusão parenética (24-30), o capítulo reúne em dois blocos leis que regulam a vida sexual. Um grupo (6-18) se refere ao incesto, diferenciando conforme o grau de parentesco, no âmbito da grande família patriarcal. Outro grupo menos compacto (19-23) trata do adultério, homossexualidade, bestialidade e estado de impureza. Em dois casos se fala simplesmente de impureza, como em capítulos precedentes; outros casos se qualificam de abominação ou depravação, quer dizer, um juízo grave. Pode-se comparar este capítulo com a legislação de Dt 22,13-23 e com as maldições de Dt 27,20-23.

18,2-5 A parênese, estilizada em três proibições e três mandamentos gerais, frisa a superioridade da legislação israelita em questões sexuais. Se em muitos campos os israelitas tinham aceitado a legislação cananeia, comum no Oriente antigo, o autor pensa que no âmbito sexual estabeleceram normas mais exigentes. Ver as cláusulas penais no cap. 20.
18,5 A motivação é dupla. Antes de tudo, o Senhor, o Deus da aliança, que com seu nome e título ratifica as leis para seu povo. Além disso, essas leis são para o bem do povo, para a sua vida e salvação. Por isso não são atos de autoridade arbitrária, mas vontade salvadora que apela ao cumprimento humano. Ez 20,11; Rm 10,5.
18,6 A primeira lei é genérica e compreende as onze restantes. O incesto é considerado do ponto de vista masculino. A regularidade formal é acentuada, a motivação é concisa. Na proibição do incesto soam repugnâncias ancestrais que se encontram em culturas muito diversas: pode-se consultar o relato sobre as filhas de Ló (Gn 19). Por um lado, a lei previne desordens na vida da grande família; por outro se opõe a uma possível endogamia estreita. As expressões hebraicas não são fáceis de traduzir. O ato sexual se diz literalmente "descobrir a vergonha de" (aqui não se trata unicamente de olhares). Na motivação se usam literalmente "é a vergonha de N" ou "é carne de N". Poder-se-iam traduzir por "é desonra de, seria desonrar a, é consanguínea de, é parente de".
18,9 Ver o episódio de Tamar e Amnon (2Sm 13).
18,10 Filha do filho ou da filha; o hebraico não tem um termo comum.

¹³Não terás relações com tua tia materna. Ela é do sangue de tua mãe.

¹⁴Não ofenderás teu tio, irmão de teu pai, tendo relações com sua mulher. Ela é tua tia.

¹⁵Não terás relações com tua nora. Ela é mulher de teu filho; não terás relações com ela.

¹⁶Não terás relações com tua cunhada. Ela é carne de teu irmão.

¹⁷Não terás relações com uma mulher e com sua filha, ou com duas primas irmãs. São do mesmo sangue; é detestável.

¹⁸Não tomarás ao mesmo tempo uma mulher e sua irmã, criando rivalidades ao ter relações também com ela, enquanto vive a outra.

¹⁹Não terás relações com uma mulher durante sua menstruação.

²⁰Não te deitarás com a mulher de alguém do teu povo. Ficarias impuro.

²¹Não sacrificarás um filho teu a Moloc pelo fogo, profanando o nome do teu Deus. Eu sou o Senhor.

²²Não te deitarás com um homem como se fosse mulher. É uma abominação.

²³Não te deitarás com um animal. Ficarias impuro. A mulher não se oferecerá a um animal para que a cubra. É uma depravação.

[C] Parênese final (Gn 15,15; Sb 12,3-7) – ²⁴Não vos mancheis com nada disso, porque é o que fazem os povos que eu vou tirar do meio de vós. ²⁵A terra está impura: eu lhe pedirei contas, e ela vomitará seus habitantes. ²⁶Vós, ao contrário, cumpri minhas leis e mandamentos, e não cometais nenhuma dessas abominações, tanto o nativo como o migrante que reside entre vós. ²⁷Porque todas essas abominações eram cometidas pelos habitantes que vos precederam na terra, e a terra ficou impura. ²⁸Que ela não vomite também a vós por tê-la manchado, da mesma forma que vomitou os povos que vos precederam! ²⁹Porque todo aquele que cometer uma dessas abominações será excluído do seu povo.

³⁰Assim, pois, respeitai minhas proibições, não fazendo nenhuma das práticas abomináveis que eram feitas antes de chegardes. Não vos mancheis com elas. Eu sou o Senhor vosso Deus.

19
¹O Senhor falou a Moisés:
– ²Dize a toda a comunidade dos israelitas:

18,16 Mc 6,18.

18,18 Compare-se com as duas mulheres de Jacó, as irmãs Lia e Raquel, e as rivalidades que a situação provocou. Só que as rivalidades também surgem mesmo quando as esposas não são parentas: 1Sm 1; Eclo 25,14.

18,19 A partir deste versículo, a série é menos regular quanto ao tema e à forma. Segundo Lv 15,24 o ato provoca estado de impureza; em 20,18 é punido com a excomunhão.

18,20 Surpreende esta qualificação tão leve do adultério, que faz parte do Decálogo (Ex 20,14) e provoca pena de morte para ambos (Lv 20,10).

18,21 Parece sair da série. Se o compararmos com textos como Dt 18,10; Jr 7,31; Ez 20,31; 23,37, devemos pensar em sacrifícios de recém-nascidos a um deus. O rito se costuma designar por "fazer passar pelo fogo"; aqui se usa o verbo sem o "fogo". A divindade à qual se oferece se chama aqui *Molec*: as versões gregas dizem *Moloc*; propriamente, é o título de "rei" vocalizado maliciosamente; em alguns casos, parece confundir-se com o título *Malkom*, do deus de Amon. Outros pensam que não designa um deus, mas um rito. É punido com pena de morte, conforme 20,2-5.

18,22 Gn 19,5.

18,23 Ex 22,18.

18,24-30 Na parênese final, construída com uma inclusão, domina o tema da terra e da pureza. (Em 2Cor 6,14-7,1 Paulo apela para a imagem do templo, inculcando um princípio semelhante.) Recorde-se a relação, comum em muitas culturas, entre a terra fecunda e a fecundidade humana. Os homens creem ativar a fertilidade de seus campos com ritos, que de fato contaminam a terra com perversões sexuais. Então o Senhor vem à terra, à sua terra, e lhe pede contas: a terra reage vomitando, expulsando seus habitantes, e fica deserta e disponível para outros. Não é pura fantasia pensar que desordens sexuais continuadas possam provocar alguma depauperação da terra, nem é fantasia afirmar a relação entre o homem e sua terra. Ainda que a forma poética, com suas raízes míticas, seja hoje menos aceitável, o sentimento profundo aponta para o que hoje chamamos ecologia (cf. Is 24,20). Sustentando e garantindo essa ordem está o Senhor, dono do seu povo e da sua terra.

19 No meio de um desfile de leis, muitas delas rituais ou tabus, ergue-se este capítulo dedicado a deveres para com o próximo. E no meio deste capítulo surgem três palavras que justificam o resto como apogeu e transformam como fermento. Por essas palavras foram citadas por Jesus como metade da lei (Mt 22,39par.). A metade do v. 18 é o centro crítico: atrai em círculo concêntrico certos preceitos, deixa que outros demonstrem sua caducidade e fiquem como fundo de contraste ou aguardando serem transformados. Fundamento da ordem humana é a santidade de Deus; significa que o homem, em suas relações com

[a] *Sede santos, porque eu, o Senhor vosso Deus, sou santo.*

³Respeitai vossos pais e guardai meus sábados. Eu sou o Senhor vosso Deus.

⁴Não vos volteis para ídolos, nem façais para vós deuses de fundição. Eu sou o Senhor vosso Deus.

⁵Quando oferecerdes ao Senhor sacrifícios de comunhão, fazei-o de forma que sejais aceitos. ⁶A vítima será consumida no mesmo dia de sua imolação ou no dia seguinte. O que sobrar será queimado no terceiro dia. ⁷O que se come no terceiro dia é resto e inválido. ⁸O transgressor carregará o peso de sua culpa por ter profanado o santo do Senhor, e será excluído do seu povo.

⁹Quando ceifardes a messe de vossas terras, não ceifareis o campo até as extremidades nem respigareis depois de ceifar. ¹⁰Tampouco rebuscarás tua vinha nem recolherás as uvas caídas: tu as deixarás para o pobre e para o migrante. Eu sou o Senhor, vosso Deus.

¹¹Não roubareis, nem defraudareis, nem enganareis ninguém do vosso povo.

¹²Não jurareis em falso por meu nome, profanando o nome do teu Deus. Eu sou o Senhor.

¹³Não explorarás teu próximo, nem o expropriarás. A diária do trabalhador não ficará contigo até o dia seguinte.

¹⁴Não amaldiçoarás o surdo, nem porás tropeços ao cego. Respeita o teu Deus. Eu sou o Senhor.

¹⁵Não dareis sentenças injustas. Não serás parcial, nem por favorecer o pobre, nem por honrar o rico. Julga com justiça o teu concidadão.

¹⁶Não divulgarás maledicências a respeito dos teus, nem declararás em falso contra a vida do teu próximo. Eu sou o Senhor.

¹⁷Não guardarás ódio do teu irmão. Repreenderás abertamente o teu concidadão, e não serás responsável pelo pecado dele.

¹⁸Não te vingarás nem guardarás rancor dos teus concidadãos. Amarás o teu próximo como a ti mesmo. Eu sou o Senhor.

---

os outros homens, se abre à transcendência última de Deus, e que a santidade tem uma dimensão de conduta responsável. A fórmula reiterada "eu sou o Senhor" destaca e torna consciente a orientação transcendente da conduta. No contexto judaico a santidade de Deus fundamenta e orienta, com mandamentos e proibições, a conduta de uma comunidade "santa" (Ex 19,5) ou consagrada ao Senhor. Mais que um código jurídico, este capítulo apresenta um modelo e ideal de vida para o povo de Deus.

19,3 É notável o lugar primordial que ocupa o preceito sobre os pais, e nele o primeiro lugar da mãe. No Decálogo (Ex 20 e Dt 5) é o primeiro da "segunda tábua", e usa o verbo *kbd*, que significa honrar e sustentar; aqui vai unido ao preceito sobre o sábado, da "primeira tábua", e usa o verbo *yr'*, que significa respeitar, e se usa para definir a relação básica com Deus. O leitor tardio interpreta que o respeito devido aos pais é semelhante ao devido a Deus (cf. Eclo 3,1-16).
O preceito do sábado está aqui sem motivação, a não ser que o possessivo "meus" cumpra essa função. Pode-se comparar com Ex 20,8-11 e Dt 5,12-15.

19,4 Recolhe preceitos do Decálogo, mas se referir-se a uma imagem de *Yhwh*; o autor funde as duas proibições. "Voltar-se" ou "dirigir-se a", para adorar ou para consultar seu oráculo: Dt 31,18.20.

19,5-8 Como Lv 7,16-18. "Inválido" quer dizer não aceito, não grato. Profanar o nome do Senhor é delito grave.

19,9-10 Se na antiguidade as extremidades se ofereciam à divindade do campo, em Israel a prática adquire valor social. É curioso que não mencione a azeitona. Dt 24,19-22 limita a extensão ao que casualmente fica. Ver a história de Rute.

19,9 Rt 2.

19,10 Dt 24,19-22.

19,11-18 Formam uma série compacta de preceitos para com o próximo, que se chama "compatriota, próximo ou irmão". A disposição é curiosa, paralela: 11-15 contém nove proibições que se concluem com um mandamento positivo, "respeita o teu Deus"; no meio, a assinatura "Eu sou o Senhor"; em 16-18 outras nove proibições que terminam com um mandamento positivo, "amar o próximo"; no meio, a mesma assinatura. (Na tradução usamos não e nem.) No detalhe, o desenvolvimento é menos regular, pois forma blocos temáticos e acrescenta algum comentário.

19,11 O Decálogo é mais breve (Dt 5,19). "Defraudar": ver 5,21.

19,12 O falso juramento se menciona aqui, porque geralmente se faz em prejuízo do próximo.

19,13 Ver Dt 24,14; Jr 22,13; Ml 3,5. O salário era pago no fim da jornada, os operários viviam do trabalho diário.

19,14 Lesões mais frequentes entre os antigos. Seria crueldade refinada.

19,15 É um princípio para defender a justiça imparcial: pobre e rico representam uma polaridade, os dois extremos. Na prática, o perigo não é idêntico em ambas as direções. Ver Ex 23,1-3.6-8; Dt 1,16; Sl 82,2; Pr 24,23.

19,16 Caso famoso é o de Nabot, 1Rs 21.

19,17 "Repreender" pode ter sentido forense ou de boas relações, como em Pr 27,5s; 28,23. É duvidoso o sentido da última cláusula: quem é responsável pelo pecado? quem não repreende, ou, quem não é repreendido? Eclo 19,13-17 pode-se ler como comentário aberto.

19,18 Sobre a vingança: Pr 20,22; Eclo 27,30-28,7; Mt 5,39s; Rm 12,17. "Como a ti mesmo" é uma

¹⁹[b] *Guardai minhas leis.*
Não emparelharás animais de espécies diferentes, nem semearás sementes de espécie diferente, nem usarás vestes de pano mesclado.
²⁰Aquele que se deitar com uma escrava prometida a outro, não resgatada, nem alforriada, a ressarcirá; mas não serão réus de morte, por ela não ser livre.
²¹Oferecerá ao Senhor, à entrada da tenda do encontro, um carneiro como vítima penitencial. ²²O sacerdote, com o carneiro do sacrifício penitencial, expiará por ele, pelo pecado que cometeu, na presença do Senhor. E o pecado que cometeu lhe será perdoado.
²³Quando entrardes na terra e plantardes árvores frutíferas, por três anos vos abstereis de cortar seus frutos: vós os deixareis incircuncisos. Seus frutos não se comerão. ²⁴No quarto ano, vós os consagrareis festivamente ao Senhor. ²⁵E no quinto podereis comer deles; assim, incrementareis para vosso proveito o rendimento da árvore. Eu sou o Senhor vosso Deus.

²⁶Não comereis carne com sangue. Não praticareis adivinhação nem magia. ²⁷Não rapareis em redondo a cabeça nem aparareis a barba. ²⁸Não fareis incisões no corpo por um defunto, tampouco tatuagens. Eu sou o Senhor.
²⁹Não profanes tua filha, prostituindo-a. Não se prostitua o país, enchendo-se de depravação.
³⁰Guardai meus sábados e respeitai meu santuário. Eu sou o Senhor.
³¹Não consulteis necromantes nem adivinhos. Ficareis impuros. Eu sou o Senhor vosso Deus.
³²Levanta-te diante dos cabelos brancos e honra o ancião. Respeita o teu Deus. Eu sou o Senhor.
³³Quando um migrante se estabelecer convosco em vosso país, não o oprimireis. ³⁴Ele será para vós como o nativo: tu o amarás como a ti mesmo, porque fostes migrantes no Egito. Eu sou o Senhor vosso Deus.
³⁵Não dareis sentenças injustas nem cometereis injustiças em pesos e medidas.

frase ampla, aberta. Pode significar que não se trata de puro sentimento e menos ainda de sentimentalismo; parece inculcar o respeito ao outro, tão pessoa como a gente mesma; inculca a solidariedade radical que vê no outro algo de si próprio, como em Is 58, 7: "não fechar-te para a tua própria carne".
19,18 Eclo 28,1-7; Mt 19,19; Rm 12,19.
19,19 Começa o segundo bloco. Conforme a concepção de Gn 1, distinguir é ordenar: separam-se a luz das trevas, as águas das águas, a terra do oceano, os seres segundo as espécies. Misturar é confundir, perverter a ordem. Tal é o fundo da presente norma e de Dt 22,9-11.
19,20-22 O sentido desta lei varia conforme sua formulação. Prometida antes de cair escrava, ou sendo já escrava? Em ambos os casos, vale o seu vínculo jurídico. Trata-se do patrão da escrava, ou de qualquer pessoa? A escrava com muita frequência era considerada também concubina; o patrão podia considerar-se com direito. Houve violência ou consentimento?
No caso paralelo de Dt 22,23-27 se diz expressamente que houve violência, e o mesmo no caso de Dina (Gn 34). Alguns pensam que a lei melhora a condição da escrava. Mas o paralelo de Dt dá outra impressão: a escrava não tem os direitos da livre; quem abusa dela é perdoado facilmente.
19,23-24 Na sua origem, pode ter sido concebido como oferenda à divindade do campo. No contexto presente, equivale a uma oferenda de primícias: Ex 23,19; 34,26.
19,26a Ver o cap. 17, em versão mais diferenciada.

19,26b Ver a enumeração diferenciada de Dt 18,9-19, que as opõe à profecia; e como ilustração, a feiticeira de Endor (1Sm 28) e a taça de José (Gn 44,5).
19,27-28 Ritos fúnebres proibidos. Talvez por serem considerados pagãos, ou relacionados com divindades infernais em outros povos. Ver Is 22,12 e Jr 16,6. Serviam as incisões para afastar, com o poder do sangue, influxos funestos dos mortos?
19,29 Profanar é anular a santidade. A profanação passa da mulher para a terra, por contágio. Ver Os 4,13. Alguns suspeitam a presença ou alusão a ritos de puberdade ou de fertilidade, ou o relacionam com Dt 23,18.
19,30 Concisamente emparelhados, o espaço sagrado e o tempo sagrado.
19,31 Dt 18,11; 1Sm 28,3; Is 8,19.
19,32 O ancião ocupa na comunidade lugar parecido com o do pai de família. Ancianidade é bênção de Deus e sabedoria humana. Ver Pr 16,31; 20,29; Lm 5,12.
19,33-34 As normas precedentes pretendem ordenar uma comunidade "santa", consagrada ao Deus Santo. Pertence a essa comunidade o migrante, admitido entre os judeus, talvez não convertido ao javismo? Conforme Ex 12,48, se não está circuncidado, não pode participar do culto. Mas com respeito a outros direitos, dizem estes versículos, goza de igualdade, o que se exprime negativa e positivamente. Até o mais radical, até entrar em discriminação no círculo de solidariedade que se chama "amor" (v. 18). A motivação é histórica e combina com o título divino da aliança.
19,35-36 O tema de pesos e medidas justas é frequente nas literaturas sapiencial e profética: p. ex. Pr 11,1; 20,10.23; Am 8,5; Mq 6,11.

³⁶Tende balança, pesos e medidas exatos. Eu sou o Senhor vosso Deus, que vos tirou do Egito.

³⁷Cumpri todas as minhas leis e mandamentos, pondo-os em prática. Eu sou o Senhor.

20 ¹O Senhor falou a Moisés: – ²Dize aos israelitas:

[A] **Cultos proibidos** (Dt 12,31; 2Rs 17,17; Jr 19,5) – Qualquer israelita ou migrante residente em Israel que entregar um filho seu a Moloc, é réu de morte. Os proprietários de terra o apedrejarão. ³Eu mesmo o enfrentarei e o extirparei do seu povo, por ter entregue um filho seu a Moloc, manchando meu santuário e profanando meu nome santo. ⁴Mas, se os proprietários de terra fecharem os olhos em relação ao homem que entregou um filho seu a Moloc e não executarem o culpado, ⁵eu mesmo o enfrentarei, juntamente com sua família, e extirparei do seu povo, tanto a ele como os outros que, como ele, se prostituem com Moloc.

⁶Se alguém consultar necromantes e adivinhos para se prostituir com eles, eu o enfrentarei e o extirparei do seu povo.

⁷Assim, pois, santificai-vos e sede santos, porque eu, o Senhor, sou vosso Deus.

[B] **Código penal** – ⁸Guardai minhas leis, pondo-as em prática. Eu sou o Senhor, que vos santifico.

⁹Aquele que amaldiçoar seu pai ou sua mãe, é réu de morte. Caia seu sangue sobre ele, por tê-los amaldiçoado.

¹⁰Se alguém cometer adultério com a mulher do seu próximo, os dois adúlteros serão réus de morte.

¹¹Se alguém se deitar com a concubina do seu pai, ofendendo seu próprio pai, ambos serão réus de morte. Que seu sangue caia sobre eles.

¹²Se alguém se deitar com sua nora, ambos serão réus de morte. Cometeram uma depravação. Que seu sangue caia sobre eles.

¹³Se alguém se deitar com um homem como se fosse mulher, ambos cometem uma abominação. Serão réus de morte. Que seu sangue caia sobre eles.

¹⁴Se alguém tomar ao mesmo tempo uma filha e sua mãe, é coisa detestável. Queimarão a ele e a elas, para que o detestável não fique entre vós.

¹⁵Aquele que se deitar com um animal é réu de morte. Matareis o animal.

¹⁶Se uma mulher se oferecer a um animal para que a cubra, matarás a mulher e o animal. Serão réus de morte. Que seu sangue caia sobre eles.

¹⁷Se alguém tomar uma irmã por parte de pai ou mãe e tiver relações, é uma infâmia. Serão publicamente excluídos do seu povo. Por ter tido relações com sua irmã, carregará o peso de sua culpa.

---

20 Código penal que se refere em grande parte a delitos registrados no cap. 18. As penas são diversas: pena de morte, inclusive na fogueira (14), excomunhão ou "ser excluído do seu povo", carregar a culpa sem especificar, ficar sem descendência. Surpreende o rigor destas penas, especialmente se vistas à luz do preceito do Decálogo "não matarás". O autor ou quem codificou estas normas viu nos delitos ações radicalmente inconciliáveis com a santidade de Deus e de seu povo, e não apenas inconciliáveis com o culto; por isso, os culpados tinham de ser extirpados da vida ou da comunidade.

20,1-2 Moisés fala diretamente ao povo, sem a mediação de Aarão, como no cap. 18.

20,2-5 O primeiro é um caso de idolatria que inclui sacrifícios humanos. Podemos explicá-lo de duas maneiras: a idolatria leva até a dar a morte a um filho (cf. Sb 14,23); é uma divindade alheia que pede o sacrifício de crianças. A idolatria se chama "prostituição", como em Ezequiel. Toda a comunidade é responsável por manter a pureza do povo, por isso a pena é o apedrejamento, no qual intervém homens da comunidade (cf. o caso de Acã, Js 7,25). "Extirpar" equivale aqui à execução capital.

Com tom apaixonado soam as palavras do Senhor, ciumento de outros rivais e ao mesmo tempo defensor da vida inocente. Mas a família é culpada? Parece insinuá-lo em "os outros como ele".

20,6 Pena é a excomunhão; ou exílio, conforme 1Sm 28,9.

20,7-8 Em duas formas do verbo "santificar" exprime-se a ação correlativa do Senhor e dos homens.

20,9 O primeiro da série nos situa no âmbito da família. Ver Ex 21,17 e Dt 27,16. Por outro lado, Pr 20,20 invoca uma pena em termos metafóricos.

20,10 É o caso de Davi: 2Sm 11. Conforme Pr 6,35, cabia uma compensação se o marido ofendido aceitasse.

20,11 São os casos de Rúben, Gn 49,3, e Absalão, 2Sm 15,21s (com fins políticos).

20,12 É o caso de Judá e Tamar em Gn 38.

20,13 A pena capital se manteve em vários países e durante séculos. O AT não conta nenhum caso deste delito.

20,14 É possível que fossem mortos e depois queimados, como no caso de Acã (Js 7,25). Ver o caso excepcional de Tamar (Gn 38,24).

20,17 É o caso de Amnon (2Sm 13).

¹⁸Se alguém se deitar com uma mulher durante sua menstruação, descobrindo ambos a fonte do sangue, os dois serão excluídos do seu povo.

¹⁹Não terás relações com uma tia materna ou paterna. Por ter tido relações com alguém do seu próprio sangue, carregarão sua culpa.

²⁰Se alguém se deitar com a cunhada de seu pai, ofende seu tio. Carregarão seu pecado e morrerão sem filhos.

²¹Se alguém tomar sua cunhada, é uma imundície. Ofende seu próprio irmão. Não terão filhos.

[C] Parênese final – ²²Cumpri todas as minhas leis e mandamentos, pondo-os em prática, para que não vos vomite a terra à qual vos levo, para que nela habiteis. ²³Não sigais a legislação dos povos que vou expulsar diante de vós, porque seu proceder me dá nojo. ²⁴Eu vos disse: Possuireis a terra deles, eu vou dá-la a vós como propriedade, uma terra que mana leite e mel. Eu sou o Senhor vosso Deus, que vos separei dos outros povos.

²⁵Também vós separai os animais puros dos impuros, as aves impuras das puras, e não vos contamineis com animais, aves ou répteis que eu separei como impuros.

²⁶Sede santos para mim, porque eu, o Senhor, sou santo, e vos separei dos outros povos, para que sejais meus.

²⁷O homem ou a mulher que praticar a necromancia ou a adivinhação, é réu de morte. Será apedrejado. Que seu sangue caia sobre ele.

21

[A] Santidade sacerdotal – ¹[a] O Senhor falou a Moisés:

– Dize aos sacerdotes aaronitas: o *sacerdote* não se contaminará com o cadáver de um parente, ²a não ser de parente próximo: mãe, pai, filho, filha, irmão ³ou de sua própria irmã solteira, não dada em casamento. Não se inclui a parente casada. ⁴Ficaria profanado. ⁵Não raparão a cabeça, não aparrarão a barba, nem farão incisões no corpo. ⁶Serão santos para seu Deus, e não profanarão o nome do seu Deus, porque são os encarregados de oferecer a oblação do Senhor, o alimento do seu Deus. Devem ser santos. ⁷Não tomará como mulher uma prostituta, alguma que foi violada ou alguma que foi repudiada por seu marido, porque está consagrado ao seu Deus.

⁸Tu o considerarás santo, porque ele é o encarregado de oferecer o alimento do teu Deus. Será santo para ti, porque eu, o Senhor que o santifico, sou santo.

⁹Se a filha de um sacerdote se profanar, prostituindo-se, profana seu próprio pai. Deve ser queimada.

¹⁰[b] O *sumo sacerdote*, escolhido entre seus irmãos, sobre cuja cabeça foi derramado o azeite da unção e que foi consagrado com a investidura dos ornamentos, não andará despenteado nem esfarrapado. ¹¹Não se aproximará de nenhum cadáver, nem se contaminará com o de seu pai ou de sua mãe. ¹²Não sairá do santuário nem profanará o santuário do seu Deus, porque tem a consagração do azeite da unção do seu Deus. Eu sou o Senhor.

20,20 Morrer sem filhos era considerado castigo grave. O executor tinha que ser Deus.

20,22-26 O tema da separação explica de algum modo o conceito de santidade. Esta tem dois tempos. Primeiro, separar e distinguir o sagrado do profano; seu autor é Deus, separar é escolher. Segundo, entrar numa situação nova e permanente, que se realiza e se expressa em subsequentes separações.

21,1 Todo o povo é santo, e de modo especial o são os sacerdotes escolhidos, "aproximados" por Deus, e de modo especialíssimo o sumo sacerdote "ungido". É uma santidade referida ao culto, que tem exigências particulares, de conduta e de integridade corporal.

21,2-6 O reino da morte não pertence ao Deus da vida; os mortos não têm acesso ao culto. São a negação da vida, a corrupção; com a sua presença e proximidade contaminam a esfera do culto. A virtude da piedade familiar impõe algumas exceções definidas. Ver Nm 19; Ez 44,25-27. O caso de Jeremias (Jr 16) tem outro significado; também é especial o caso de Ezequiel (Ez 24). Embora os dois fossem sacerdotes, seu afastamento e abstenção de ritos fúnebres tinha função profética.

21,5 Parece tratar-se de ritos fúnebres, talvez práticas pagãs.

21,7 A esfera sexual é fonte de contaminação; no contexto masculino, só por ação da mulher. Não se menciona a viúva.

21,8 Deus é santo, santifica o sacerdote, o qual é santo e deve ser respeitado como santo. Sua atividade cultual se chama aqui "servir o pão/alimento do teu Deus": uma formulação bem material, que não parece referir-se exclusivamente aos "pães apresentados" (Ex 35,13par.).

21,10-15 Mais graves são as exigências impostas ao sumo sacerdote. Com relação aos mortos, só parece excetuar-se a esposa. A permanência no recinto do templo se refere provavelmente ao tempo de luto familiar,

¹³Tomará como mulher uma virgem. ¹⁴Não tomará como mulher uma viúva, repudiada, violada nem prostituta, mas uma virgem do seu povo. ¹⁵Não profanará seus filhos entre seu povo, porque eu sou o Senhor que o santifico.

[B] Condições corporais do sacerdote – ¹⁶O Senhor falou a Moisés:

– ¹⁷Dize a Aarão: Nenhum dos teus futuros descendentes que tiver um defeito corporal poderá oferecer o alimento do seu Deus, ¹⁸seja ele cego, coxo, com membros atrofiados ou hipertrofiados, ¹⁹com uma perna ou braço quebrados, ²⁰corcunda, anão, com cataratas, com sarna ou tinha, com testículos machucados. Ninguém com algum desses defeitos pode oferecer o alimento do seu Deus. ²¹Nenhum dos descendentes do sacerdote Aarão que tiver um defeito corporal se aproximará para oferecer a oblação do Senhor. Tem um defeito corporal: não pode aproximar-se para oferecer o alimento do seu Deus. ²²Poderá comer o alimento do seu Deus, da porção sagrada e da santa; ²³mas não poderá atravessar a cortina nem aproximar-se do altar, porque tem um defeito corporal. Não profanará meu santuário, porque eu sou o Senhor que os santifico.

²⁴Moisés comunicou isso a Aarão, a seus filhos e a todos os israelitas.

22 [A] A porção santa – ¹O Senhor falou a Moisés:

– ²Dize a Aarão e a seus filhos que tratem com respeito a *porção santa* que os israelitas me consagram, e não profanem meu santo nome. Eu sou o Senhor.

³Dize-lhes: Qualquer de vossos futuros descendentes que em estado de impureza se aproximar da porção santa que os israelitas consagram ao Senhor, será excluído da minha presença. Eu sou o Senhor.

⁴Nenhum descendente de Aarão, doente da pele ou de gonorreia, comerá da porção santa enquanto não estiver puro. Aquele que tocar um cadáver, aquele que tiver polução, ⁵aquele que tocar um animal ou um homem que possam contaminá-lo com qualquer tipo de impureza, ⁶ficará impuro até a tarde. Não comerá da porção santa, mas se banhará, ⁷e ao pôr do sol ficará puro. Então poderá comer da porção santa, que é seu alimento. ⁸Não comerá animal morto ou dilacerado por uma fera: ficaria impuro. Eu sou o Senhor.

⁹Respeitarão minhas proibições, para não incorrer em pecado que lhes acarrete a morte por ter-se profanado. Eu sou o Senhor que os santifico.

¹⁰Nenhum estranho comerá do que é santo: nem o empregado do sacerdote nem o diarista o comerão. ¹¹Mas, se um sacerdote comprar com seu dinheiro um escravo, este o poderá comer, assim como os escravos nascidos em sua casa.

¹²Se a filha de um sacerdote casar com um estranho, não poderá comer do tributo da porção santa. ¹³Mas, se ela enviuvar ou for repudiada sem ter descendência, e voltar para a casa paterna como em sua ju-

---

quando sua casa está contaminada. Se a obrigação de residir no templo é por toda a vida, teria que levar a família para morar no templo; isso parece improvável, pois sua esposa o contaminaria periodicamente.

21,16-21 Enumeram-se doze defeitos corporais (o significado de alguns é duvidoso): alguns incapacitam simplesmente para o exercício da função, outros ferem o decoro exigido, um é declínio da virilidade, outros podem ser contagiosos.

21,22-23 Os defeitos corporais não privam o sacerdote de sua condição sagrada; e, por não possuir herança entre os israelitas, conserva o direito à porção sacrossanta, concedida por Deus a seus sacerdotes.

22,2 A porção santa é a parte da vítima que, por concessão do Senhor, cabe aos oficiantes. Não é uma porção qualquer de um banquete sacrifical, do qual participam os leigos.

22,3 A norma geral vale para os sacerdotes e também para os leigos que oferecem as vítimas. Por isso a instrução é pública: os sacerdotes manejam ofe-rendas do povo. Num sentido, as presentes normas previnem abusos da classe sacerdotal.

"Excluir da presença" pode significar anular a eleição, excluir de toda função cultual (cf. Sl 51,13). O verbo *nkrt* parece indicar exclusão definitiva.

22,4 Ver os cap. 13 e 15.

22,5 Ver o cap. 11.

22,6 O entardecer assinala o começo do novo dia; portanto, a impureza dura só e todo o dia.

22,8 Ver 17,15.

22,10-11 O empregado e o diarista ganham com o seu trabalho o sustento quotidiano; à diferença do escravo, incorporado ao regime familiar.

22,12 A filha casada já não pertence à família, depende do marido para o sustento. Se se casa com um sacerdote, desfruta do privilégio do marido. Esse privilégio cessa quando ela casa com um "estranho".

22,13 Se ela enviúva com filhos, estes a devem sustentar. Todas estas normas supõem que os sacerdotes levavam para casa a porção sagrada.

ventude, poderá comer do alimento do seu pai. Mas nenhum estranho poderá comê-lo. ¹⁴Aquele que por inadvertência comer do que é santo, o restituirá ao sacerdote com sobretaxa de vinte por cento.

¹⁵Os sacerdotes não profanarão a porção santa que os israelitas tributam ao Senhor. ¹⁶Incorreriam em grave culpa ao comer de sua porção santa. Eu sou o Senhor que os santifico.

[B] Condições das vítimas sacrificais – ¹⁷O Senhor falou a Moisés:

– ¹⁸Dize a Aarão, a seus filhos e a todos os israelitas: Qualquer israelita ou migrante residente em Israel que oferecer um holocausto ao Senhor, voluntário ou em cumprimento de um voto, ¹⁹empregará como vítima, para que seja aceito, um macho sem defeito, de gado graúdo, ovino ou caprino. ²⁰Não oferecereis reses com defeito, porque não seriam aceitas.

²¹Aquele que oferecer ao Senhor um sacrifício de comunhão, voluntário ou em cumprimento de um voto, empregará reses de gado graúdo ou miúdo, sem defeito, para que seja aceito. Não terão nenhum defeito. ²²Não oferecereis ao Senhor reses cegas, com fraturas, mutiladas, com verrugas, com sarna ou tinha; nem as colocareis sobre o altar como oferta ao Senhor. ²³Como oferta voluntária, poderás usar touros ou ovelhas com membros hipertrofiados ou atrofiados; mas não serão aceitos como cumprimento de um voto. ²⁴Não oferecereis ao Senhor reses com testículos amassados, moídos, arrancados ou cortados. Jamais fareis isso em vossa terra. ²⁵Nem sequer da parte de um estrangeiro oferecereis tais reses como alimento de vosso Deus. São deformadas e defeituosas e, portanto, inválidas.

[C] Prescrições particulares – ²⁶O Senhor disse a Moisés:

– ²⁷Quando nascer um touro, um cordeiro ou um cabrito, ficarão sete dias com a mãe. A partir do oitavo poderão ser oferecidos validamente como oferta ao Senhor. ²⁸Não degolareis no mesmo dia uma vaca ou uma ovelha com sua cria.

²⁹Quando oferecerdes sacrifícios de ação de graças ao Senhor, fazei-o de forma que sejam aceitos. ³⁰A vítima será consumida no mesmo dia da imolação, sem deixar nada para o dia seguinte. Eu sou o Senhor.

³¹Cumpri meus preceitos, pondo-os em prática. Eu sou o Senhor. ³²Não profanareis meu nome santo, para que eu seja santificado entre os israelitas. Eu sou o Senhor que vos santifico, ³³que vos tirou do Egito para ser vosso Deus. Eu sou o Senhor.

23

¹O Senhor falou a Moisés:
– ²Dize aos israelitas: Festas do Se-

22,18-25 Regula de modo particular os sacrifícios voluntários ou por voto, feitos por iniciativa privada, não prescritos por lei. Nos sacrifícios oficiais se aplica *a fortiori* a norma. Não se mencionam sacrifícios de aves nem oferendas vegetais. A validade depende da aceitação divina: o homem busca critérios objetivos da aceitação ou da rejeição.
22,20 Ml 1,8.
22,25 Sl 50,12s.
22,31-33 A parênese final inculca a resposta humana e sintetiza os motivos que justificam e explicam as normas: motivo histórico ou libertação do Egito; título da aliança, "vosso Deus"; santidade ativa e comunicativa do Senhor.
23 Esta é a versão Sacerdotal do calendário litúrgico, que faz companhia a textos análogos: Ex 23,14-17; 34,18-23; Dt 16; Ez 45,18-25. O autor quer fixar, com precisão de mês e dia, o ciclo das festas anuais, com uma visão de rigor urbano, sem desmentir o fundo agrário das festas. Porque estas festas religiosas são a sacralização de festas agrárias no ciclo das estações. Nem todas as festas se sacralizam: p. ex., desmamar o menino no terceiro ano (Gn 21) é simples festa de família com convidados; o mesmo vale para a festa da tosquia, que é uma colheita do pastor de ovelhas (1Sm 25). Se uma comunidade vive sua religião, é óbvio que consagre à divindade as festas da sua cultura. A festa é um corte no tempo, reservando dias especiais: ver a reflexão de Eclo 33,7-15. Interrompem o curso do trabalho e parcialmente da produtividade utilitária (cf. Ex 5,8); dedicam um tempo à celebração comunitária gozosa; separam um tempo dedicado a honrar a divindade. Em Israel e em outros povos se supõe que as festas foram instituídas pela divindade: o calendário chega a ser sagrado.
Este calendário (do século V?) é mais elaborado que outros precedentes. Mantém as três festas básicas: Páscoa, Pentecostes e Cabanas, e acrescenta ou incorpora outras no sétimo mês (*tishri*), uma sem nome, no dia primeiro do mês, e a festa da Expiação (cap. 16). Além disso, atravessando esta série (4-36), registra sete sábados solenes: uma espécie de super-sábados (7.8.21.25.28.35.36). Uma semana de sábados pontilhando o ano a intervalos regulares. A obrigação cabe a todo o povo. A universalidade se exprime com a dupla forma: "em vossos povoados, para todas as vossas gerações"; o autor insiste no possessivo "vossos". Como vários não falam de peregrinação, podemos supor que a celebração era local ao menos de algumas festas; também para os judeus da diáspora. Mas os sacrifícios, segundo normas vigentes, teriam que ser oferecidos no templo.
23,2 Ex 23,14-19; Dt 16,1-7.

nhor, nas quais convocareis assembleia litúrgica; são minhas festas:

[A] O Sábado – ³Durante seis dias trabalhareis, mas o sétimo é dia de descanso solene, de assembleia litúrgica. Não fareis nenhum trabalho. É dia de descanso dedicado ao Senhor em todos os vossos povoados.
⁴São estas as festas do Senhor, as assembleias litúrgicas que convocareis em seu devido tempo.

[B] A Páscoa (Ex 12-13) – ⁵O dia catorze do primeiro mês, ao entardecer, é a *Páscoa do Senhor*. ⁶O dia quinze do mesmo mês é a festa dos Pães Ázimos dedicada ao Senhor. Comereis pães ázimos durante sete dias. ⁷No primeiro dia, vós vos reunireis em assembleia litúrgica, e não fareis trabalho nem tarefa alguma. ⁸Durante os sete dias oferecereis oblações ao Senhor. No sétimo, voltareis a reunir-vos em assembleia litúrgica, e não fareis trabalho nem tarefa alguma.

[C] O primeiro feixe – ⁹O Senhor falou a Moisés:
– ¹⁰Dize aos israelitas: Quando entrardes na terra que eu vos darei, e ceifardes a messe, levareis o primeiro feixe ao sacerdote. ¹¹Ele o agitará ritualmente na presença do Senhor, para que seja aceito; o sacerdote o agitará no dia seguinte ao sábado. ¹²Nesse mesmo dia oferecereis ao Senhor como holocausto um cordeiro de um ano sem defeito; ¹³fareis também uma oferta de oito litros de flor de farinha amassada com azeite – oblação de aroma que aplaca o Senhor – e uma libação de um litro de vinho. ¹⁴Não comereis pão de grãos tenros tostados até o dia em que levardes vossa oferta a Deus.

É lei perpétua para vossas gerações em todos os vossos povoados.

[D] As primícias (Dt 26,1-11) – ¹⁵Passadas sete semanas completas, a contar do dia seguinte ao sábado – dia em que levareis o feixe para a agitação ritual –, ¹⁶até o dia seguinte ao sétimo sábado, isto é, aos cinquenta dias, fareis nova oferta ao Senhor. ¹⁷De vossos povoados trareis pão para a agitação ritual: dois pães de oito litros de flor de farinha, cozidos com fermento. São as primícias do Senhor.
¹⁸Além do pão, oferecereis como holocausto ao Senhor sete cordeiros de um ano, sem defeito, um bezerro e dois carneiros, que, junto com a oferta e as libações, é oblação de aroma que aplaca o Senhor. ¹⁹Oferecereis também um bode como sacrifício expiatório, e dois cordeiros de um ano como sacrifício de comunhão. ²⁰O sacerdote o agitará ritualmente, junto com o pão das primícias, na presença do Senhor. É porção santa do Senhor, para o sacerdote. ²¹No mesmo dia, vós vos reunireis em assembleia litúrgica, e não fareis trabalho nenhum.

É lei perpétua para vossas gerações em todos os vossos povoados.
²²Quando ceifardes a messe de vossas terras, não ceifarás as extremidades do teu campo, nem respigarás depois de ceifar; tu o deixarás para o pobre e para o migrante. Eu sou o Senhor vosso Deus.

[E] Ano novo (Nm 29,1-6) – ²³O Senhor falou a Moisés:
– ²⁴Dize aos israelitas: O dia primeiro do sétimo mês é dia de descanso solene. Será anunciado com um toque. Vós vos reunireis em assembleia litúrgica. ²⁵Não fareis nenhum trabalho, e oferecereis uma oblação ao Senhor.

23,3 O sábado, baseado no número sete, com seu ritmo ímpar e imutável, tende a converter-se em instituição central e distintiva (cf. Is 56,1-8). Nele se convoca a assembleia santa ou litúrgica: nos Decálogos (Ex 20; Dt 5) não há referência litúrgica. Está dedicado a Deus: o homem deve respeitar o que Deus consagrou.
23,5-8 Estas brevíssimas indicações devem ser completadas com as descrições de Ex 12 e Nm 9. O autor insiste nos ázimos, e não menciona o cordeiro pascal.
23,9-14 Na oferenda das primícias percebemos muito bem o caráter agrário da festa. O cordeiro do v. 12 não é o cordeiro pascal: é holocausto oferecido depois do sábado, ao começar outra semana.
23,15-21 O autor atribui grande densidade litúrgica à festa das Semanas ou Pentecostes, com abundância de sacrifícios de várias espécies, oferendas e libações. Os judeus devem acorrer "de seus povoados".
23,22 Ver Lv 19,9-10; Dt 24,19-22.
23,23-25 Antigamente o ano começava com as tarefas agrícolas, no outono. Depois transferiram o começo para a primavera; o autor adota esta terminologia quando fala do "sétimo mês". Hoje os judeus o celebram de novo em setembro. O texto menciona o toque de anúncio, mas não dá nome a esta festa.

[F] Dia da Expiação (Nm 29,7-11) – ²⁶O Senhor disse a Moisés: – ²⁷Dize aos israelitas: O décimo dia do sétimo mês é o dia da Expiação. Vós vos reunireis em assembleia litúrgica, fareis penitência e oferecereis uma oblação ao Senhor. ²⁸Não fareis nenhum trabalho, porque é dia de Expiação. É o dia em que se expia por vós na presença do Senhor vosso Deus. ²⁹Todo aquele que nesse dia não fizer penitência, será excluído do seu povo. ³⁰Exterminarei do seu povo quem trabalhar. ³¹Não fareis nenhum trabalho. É lei perpétua para vossas gerações em todos os vossos povoados. ³²É dia de descanso solene, no qual fareis penitência. Desde a tarde do nono dia até a tarde do décimo guardareis descanso.

[G] Festa das Cabanas (Nm 29,12-38) – ³³O Senhor falou a Moisés: – ³⁴Dize aos israelitas: No décimo quinto dia do sétimo mês começa a *Festa das Cabanas*, dedicada ao Senhor, e dura sete dias. ³⁵No primeiro dia vós vos reunireis em assembleia litúrgica. Não fareis nenhum trabalho. ³⁶Durante os sete dias oferecereis oblações ao Senhor. No oitavo dia, voltareis a reunir-vos em assembleia litúrgica e a oferecer uma oblação ao Senhor. É dia de reunião religiosa solene. Não fareis nenhum trabalho.

³⁷São estas as festas do Senhor, nas quais vos reunireis em assembleia litúrgica e oferecereis ao Senhor oblações, holocaustos e ofertas, sacrifícios de comunhão e libações, conforme corresponda a cada dia, ³⁸além dos sábados do Senhor, além de vossos dons e de todos os sacrifícios que oferecerdes ao Senhor, quer em cumprimento de um voto ou voluntariamente.

³⁹A partir do décimo quinto dia do sétimo mês, tendo já recolhido a colheita, celebrareis a festa do Senhor durante sete dias. O primeiro e o oitavo são dias de descanso solene. ⁴⁰No primeiro dia cortareis frutos de árvores ornamentais, palmeiras, ramos de árvores frondosas e de salgueiros, e fareis festa durante sete dias na presença do Senhor. ⁴¹Celebrareis anualmente essa festa dedicada ao Senhor, durante sete dias. É lei perpétua para as vossas gerações; vós a celebrareis no sétimo mês.

⁴²Durante os sete dias, habitareis em cabanas. Todo nativo e israelita habitará em cabanas, ⁴³para que vossas futuras gerações saibam que eu fiz os israelitas habitar em cabanas quando os tirei do Egito. Eu sou o Senhor vosso Deus.

⁴⁴Moisés comunicou aos israelitas as festas do Senhor.

24 Cuidado do templo – ¹O Senhor disse a Moisés:

– ²Ordena aos israelitas que te tragam azeite de oliva puro e refinado para alimentar cada dia a lâmpada. ³Na tenda do encontro, diante da cortina da aliança, Aarão preparará cada dia a lâmpada, para que arda da noite até o amanhecer, na presença do Senhor. É lei perpétua para as vossas gerações. ⁴Colocará sempre as lâmpadas no candelabro de ouro puro, na presença do Senhor.

⁵Pega flor de farinha e cozinha com ela doze pães de oito litros cada um. ⁶A seguir, coloca-os em dois montes de seis, sobre a mesa pura, na presença do Senhor. ⁷Põe incenso puro em cada monte, para que sejam pão de obséquio, oblação ao Senhor. ⁸Tu os prepararás todos os sábados na presença do Senhor. É um compromisso perpétuo dos israelitas. ⁹São para Aarão e seus filhos, que os comerão em lugar santo. É a porção sagrada, porção perpétua para Aarão, da oblação ao Senhor.

Caso de blasfêmia. Legislação criminal – ¹⁰Entre os israelitas havia um filho de mãe

---

23,26-32 Ver o cap. 16.
23,33-36.39-43 Esta é a festa agrária mais jubilosa. A sua historização, como lembrança da caminhada pelo deserto, é artificial, pois no deserto não teriam à disposição ramos de árvores abundantes para montar suas cabanas.
23,37.38.44 Formam a conclusão do calendário.
24,2-4 Ver Ex 25,31-40; 37,17-24. O presente texto fala primeiro de uma lâmpada, depois de um candelabro com lâmpadas. A sua função óbvia é iluminar durante a noite; mas a expressão "na presença de *Yhwh*" parece insinuar algo mais, talvez uma espécie de oferenda. Só para iluminar, não faria falta um azeite de tal qualidade.
24,5-9 Ver Ex 25,30; 37,10-16. Em outras religiões era comida dos deuses. Em Jerusalém é uma oferta semanal que o Senhor cede depois a seus sacerdotes.
24,10-16 Saindo da sequência normal do Levítico, figura aqui este texto, que enuncia uma norma e a justifica com uma historieta projetada no tempo

israelita e pai egípcio. Um dia brigou com um israelita no acampamento. [11]Blasfemou e amaldiçoou o nome do Senhor, e por causa disso o levaram diante de Moisés. (Sua mãe se chamava Salomit, filha de Dabri, da tribo de Dã.) [12]Prenderam-no até que se decidisse mediante um oráculo do Senhor.

[13]O Senhor disse a Moisés:
– [14]Tira o blasfemo para fora do acampamento. Todos os que o ouviram ponham as mãos sobre a cabeça dele, e em seguida toda a assembleia o apedrejará. [15]Depois dirás aos israelitas: Todo aquele que amaldiçoar seu Deus carregará o peso do seu pecado. [16]Quem blasfemar o nome do Senhor, é réu de morte. Toda a assembleia o apedrejará. Migrante ou nativo, quem blasfemar o nome do Senhor morrerá.

[17]Quem matar um homem é réu de morte. [18]Quem matar um animal compensará vida por vida.

[19]Quem ferir um concidadão, como ele fez, assim se lhe fará: [20]fratura por fratura, olho por olho, dente por dente. A lesão que causou no outro será causada nele.

[21]Quem matar um animal compensará uma vida com outra; quem matar um homem morrerá.

[22]Aplicareis a mesma sentença ao imigrante e ao nativo. Eu sou o Senhor vosso Deus.

[23]Moisés comunicou isso aos israelitas, e estes, tirando o blasfemo para fora do acampamento, o apedrejaram. Os israelitas fizeram o que o Senhor havia ordenado a Moisés.

25 [1]O Senhor falou a Moisés no monte Sinai:
– [2]Dize aos israelitas:

[A] Ano sabático e jubilar (Lv 26,34s).
Ano sabático – Quando entrardes na terra que vos darei, a terra gozará o descanso do Senhor. [3]Durante seis anos semearás teus campos, e durante seis anos vindimarás tuas vinhas e recolherás suas colheitas. [4]Mas o sétimo será ano de descanso solene para a terra: o descanso do Senhor. Não semearás teus campos nem vindimarás tuas vinhas. [5]Não ceifarás o que nasceu após a ceifa, nem cortarás as uvas de ramos não podados. É ano de descanso para a terra. [6]O descanso da terra vos servirá de alimento, para ti, teu escravo, tua escrava, teu diarista, teu empregado e o migrante que vive contigo. [7]A colheita inteira servirá de pasto para teu gado e para os animais selvagens.

Ano jubilar (Dt 15,1-11) – [8]Faze a conta de sete semanas de anos, sete vezes sete,

---

de Moisés. Tem o refinamento de apresentar um fato novo, sem precedentes, que vai ser resolvido pessoalmente pelo ultrajado, o Senhor. Com isso, a pena de morte por blasfêmia remonta a Moisés e a Deus. Outro refinamento da historieta são os antecedentes familiares do culpado. Quando o autor os recolhe com tanta precisão, é que tenciona descarregar parte da culpa na linha paterna estrangeira. Emprega e reitera dois sinônimos: maldizer e blasfemar. Todos os que o ouvirem blasfemar atuam como testemunhas e executores da sentença divina. A este caso parece aludir Eclo 23,12.

24,17-22 Em curiosa disposição concêntrica com repetições, um fragmento da lei de talião ocupa o centro (cf. Ex 21,25; Dt 19,21). A disposição indica que o autor o apresenta como unidade. Com isso, ressalta a terrível assimetria: por animal morto, animal vivo; por homem morto, homicida morto. A vida do animal e a do homem não tem o mesmo valor.

25,2-7 O autor atribui a Moisés e ao Senhor a instituição de um barbecho setenário. O barbecho é uma prática bem conhecida de lavradores que cultivam terrenos menos férteis. Mas o barbecho que o Levítico descreve ou inventa é peculiar. Não é alterno, mas toma como base o setênio. Não limita o barbecho a uma parte dos terrenos, mas o estende ao território inteiro. Supõe que a terra não defraudará o alimento necessário. A instituição não é realista, os lavradores não a aceitariam. Dá a impressão de um trabalho abstrato de escritório.

Precisamente por isso, o texto manifesta seu sentido teológico. O barbecho é promulgado e dedicado ao Senhor, o qual se encarregará de alimentar seu povo, como fez no deserto aos sábados (Ex 16). Numa visão grandiosa e audaz, o autor unifica o descanso do Senhor (Gn 2,2), o descanso de homens e animais, o descanso da terra. Nesse respeito profundo pela terra, nos seus direitos garantidos por Deus, soa uma nota de índole ecológica. O povo de Deus tem de reconhecer e respeitar as exigências da sua terra, que é terra de Deus.

25,8-17 Não está claro se este descanso é cumulativo ou supre um dos sabáticos. Tampouco nos consta que tenha sido praticado com rigor. Nele confluem o descanso do campo, a alforria de escravos, o perdão de dívidas. A terra de Canaã volta à sua suposta situação inicial, quando Josué a repartiu por sorte. Este ponto de referência, volta cíclica a um momento ideal, deve regular as operações comerciais do tempo intermédio. Parece uma medida teórica para evitar o açambarcamento de terrenos e o excessivo enriquecimento de alguns, que os profetas denun-

ou seja, quarenta e nove anos. ⁹Ao toque de trombeta farás um anúncio por todo o país, no décimo dia do sétimo mês. No dia da Expiação fareis ressoar a trombeta por todo o vosso país.

¹⁰Santificareis o quinquagésimo ano e promulgareis alforria no país para todos os seus habitantes. Celebrareis jubileu: cada um recuperará sua propriedade e voltará à sua família.

¹¹O quinquagésimo ano é jubilar para vós: não semeareis nem ceifareis o que nasceu após a ceifa, nem cortareis as uvas de ramos não podados. ¹²Porque é jubileu, o considerarás sagrado. Comereis a colheita de vossos campos.

¹³Nesse ano jubilar, cada um recuperará sua propriedade. ¹⁴Quando realizardes operações de compra e venda com alguém do vosso povo, não vos prejudiqueis uns aos outros. ¹⁵O que comprares de alguém do teu povo será taxado segundo o número de anos transcorridos depois do jubileu. Ele, por sua vez, o cobrará de ti segundo o número das colheitas anuais: ¹⁶quanto mais anos faltarem, mais alto será o preço; quanto menos, menor será o preço. Porque ele cobra de ti conforme o número de colheitas. ¹⁷Ninguém prejudicará alguém do seu povo. Respeita o teu Deus. Eu sou o Senhor vosso Deus.

Exortação e promessa (Ex 16,22s) – ¹⁸Cumpri minhas leis e guardai meus mandamentos, pondo-os em prática, e habitareis tranquilos na terra. ¹⁹A terra dará seus frutos, comereis até saciar-vos e habitareis tranquilos.

²⁰Se perguntardes: "O que vamos comer no sétimo ano? Não semeamos nem colhemos". ²¹Eu vos mandarei minha bênção no sexto ano, para que produza colheita para os três anos. ²²Semeareis no oitavo ano, e comereis da colheita passada. Até o nono ano, até que chegue sua colheita, continuareis comendo da passada.

[B] Bens imóveis (Rt 4,1-12) – ²³A terra não será vendida sem direito de resgate, porque é minha, e no que é meu sois migrantes e empregados. ²⁴Possibilitareis o resgate a todas as terras de vossa propriedade.

²⁵Se um irmão teu se arruinar e vender parte de sua propriedade hereditária, cabe a seu parente mais próximo resgatar o que foi vendido por seu irmão. ²⁶Aquele que não tiver quem o resgate, se economizar o exigido para o resgate, ²⁷descontará os anos desde sua venda e pagará ao comprador o que faltar, recuperando assim sua propriedade. ²⁸Mas se não economizou o exigido para o resgate, o que foi vendido ficará em poder do comprador, até o ano do jubileu, em que fica livre e volta a ser propriedade sua.

²⁹Quem vender uma *moradia* situada numa cidade amuralhada, tem direito ao resgate até cumprir-se um ano da venda. Seu direito ao resgate é limitado. ³⁰Se não for resgatada no prazo de um ano, a casa situada numa cidade amuralhada perma-

---

ciam e combatem. Tem duplo caráter, sagrado e social. Ver Dt 15,1-11.

25,9-10 A celebração é solene. Começa o dia da expiação, como se o perdão de todos os pecados acarretasse o perdão de toda a dívida. Anuncia-se com o toque especial de um instrumento feito de chifre de carneiro, *yobel*, de onde procede nosso termo "jubileu". Lemos uma fórmula sintética, programática: a propriedade alienada retorna ao proprietário originário, o escravo retorna livre à sua família.

25,14-17 Estas normas são realistas. Mais importante é o espírito que as permeia: não prejudicar o próximo.

25,18-22 A parênese refere-se explicitamente ao ano sabático, mas se pode estender ao jubilar. O Senhor se faz responsável por sustentar os seus. E o meio dele é a bênção, que transmite fertilidade.

25,23-28 Deus entrega a terra prometida, como propriedade coletiva, a todo o povo escolhido; e manda que se reparta por sortes, de modo que todas as famílias possam viver dela (Js 13-21). A propriedade familiar é hereditária e não se deve alienar. Se por algum acidente alguém se vê forçado a vendê-la, a propriedade deve voltar à família proprietária. Para isso se institui a lei do "resgate" (*goelato*).

O resgate incumbe a um parente como direito e dever, por vínculos de solidariedade. Quando o homem falha, Deus intervém como "resgatador" ou redentor: sem pagar, porque é ele quem dispõe de sua propriedade.

25,23 Como o Senhor mantém seu direito de propriedade, os habitantes são imigrantes em relação a ele (cf. Sl 39,13).

25,25 O apelativo "irmão" para o judeu é comum no Deuteronômio.

25,29-31 A razão da diferença parece ser a seguinte: nos povoados a casa se acha dentro do terreno da herança, e por isso deve continuar em poder da família. Ao invés, nas cidades, a zona urbana fica separada dos campos e as casas não têm os mesmos vínculos familiares.

nece como propriedade do comprador e seus sucessores, sem direito de resgate. Não fica livre no ano do jubileu.

³¹Os povoados não amuralhados são considerados como os campos. Suas casas têm possibilidade de resgate: ficam livres no ano do jubileu.

³²No que se refere às cidades dos levitas, estes têm direito perpétuo de resgatar as casas das cidades de sua propriedade. ³³Se não forem resgatadas, ficam livres no ano do jubileu, porque as casas das cidades dos levitas são sua propriedade entre os israelitas. ³⁴Os campos pertencentes às suas cidades não podem ser vendidos, porque são propriedade perpétua dos levitas.

[C] Conduta social (Dt 15,7s) – ³⁵Se um irmão teu se arruinar e não puder manter-se, tu o sustentarás para que viva contigo como o migrante ou o empregado. ³⁶Não exijas dele juros nem sobretaxas. Respeita teu Deus, e viva teu irmão contigo. ³⁷Não lhe emprestarás dinheiro com juros, nem imporás sobretaxas a seu sustento.

³⁸Eu sou o Senhor vosso Deus, que vos tirei do Egito para dar-vos a terra de Canaã e ser vosso Deus.

[D] Escravos (Ex 21,2-6; Dt 15,12-18). *Do próprio povo* – ³⁹Se um irmão teu se arruinar e se vender a ti, não o tratarás como escravo, mas como diarista ou empregado. ⁴⁰Trabalhará contigo até o ano do jubileu, ⁴¹quando ele e seus filhos ficarão livres para voltar à sua família e recuperar sua propriedade paterna.

⁴²Porque são meus servos, a quem tirei do Egito, e não podem ser vendidos como escravos. ⁴³Não o tratarás com dureza. Respeita teu Deus.

Estrangeiros – ⁴⁴Os escravos e escravas de vossa propriedade, vós os adquirireis entre os povos vizinhos. ⁴⁵Ou entre os filhos dos empregados migrantes que vivem convosco, entre suas famílias nascidas em vosso território. Serão propriedade vossa. ⁴⁶Tu os deixarás como propriedade hereditária para os filhos que vos sucederem. Podeis servir-vos deles sempre, mas não tratareis com dureza vossos irmãos israelitas.

Israelita escravo de estrangeiro – ⁴⁷Se um migrante ou empregado melhorarem de posição e um irmão teu se arruinar e se vender ao migrante ou empregado ou a um descendente da família do migrante, ⁴⁸depois de ter-se vendido tem direito a resgate. ⁴⁹Um de seus irmãos o resgatará, ou um tio seu, ou seu primo, ou alguém de sua parentela, ou ele mesmo ajunta o necessário. ⁵⁰Calculará com o comprador os anos desde a venda até o jubileu, e o preço corresponderá ao número de anos, à razão de diárias de diarista. ⁵¹Se restarem muitos anos, se devolverá do preço de compra, como resgate, o que corresponder a tais anos. ⁵²Se restarem poucos anos para o jubileu, pagará o resgate calculando os anos que faltarem. ⁵³Cada ano que passar com ele, será como um diarista. E não permitirás que o tratem com dureza. ⁵⁴Mas se não for resgatado de nenhuma dessas formas, ele e seus filhos ficarão livres no ano do jubileu.

⁵⁵Porque os israelitas me pertencem como servos: são meus servos, que tirei do Egito. Eu sou o Senhor vosso Deus.

25,33-34 Sobre cidades levíticas: Nm 35, 1-8.

25,35-38 Trata de assegurar o sustento ao arruinado, com um empréstimo, se necessário, e em troca de prestações de trabalho. Mas o israelita não deve aproveitar-se da necessidade alheia para explorar o pobre com interesses usurários: ver Ex 22,24-26; Dt 21,20s. A motivação é histórica: os israelitas são libertos do Senhor, e a terra é puro dom.

25,39 A partir daqui seguem-se disposições para três casos de escravidão: israelita escravo de outro, estrangeiro escravo de israelita, israelita escravo de estrangeiro. Chama a atenção para a discriminação do estrangeiro. Em nenhum caso se fala de propriedade familiar.

25,39-43 O primeiro caso está exposto em esquema reduzido. Põe o jubileu como limite (extremo), o qual podia ser vitalício para alguns. Dá uma razão teológica de longo alcance: o "servo" ou vassalo do Senhor não pode ser tratado como escravo. Não menciona, ou dá por suposta, a possibilidade de recobrar a liberdade, poupando do salário obrigatório. Ver Ex 21,11 e Dt 15,12-18.

25,44-46 A sorte do estrangeiro é dura. Podem ser comprados fora ou ser prisioneiros de guerra. Não se lhes concede possibilidade de emancipar-se e contam como propriedade hereditária. Não é fácil conciliar esta norma com a outra, humanitária, de Lv 19,33-34.

25,47-55 Neste caso, o migrante ou forasteiro goza de uma situação econômica folgada, embora não possua terrenos. Em tal caso se aplica a lei do resgate, com mais razão que a das propriedades. É responsabilidade solidária dos parentes fazê-lo recobrar a liberdade.

26 Bênçãos e maldições (Dt 27-28)

¹Não fareis ídolos para vós, nem levantareis estelas, nem colocareis em vosso país relevos em pedra, para prostrar-vos diante deles. Porque eu sou o Senhor vosso Deus.

²Guardai meus sábados e respeitai meu santuário. Eu sou o Senhor.

Bênçãos – ³Se seguirdes minha legislação e cumprirdes meus preceitos, pondo-os em prática, ⁴eu vos mandarei a chuva a seu tempo: a terra dará suas colheitas e as árvores darão seus frutos. ⁵A debulha alcançará a vindima, e a vindima alcançará a semeadura.

Comereis até saciar-vos e habitareis tranquilos em vossa terra.

⁶Porei paz no país, e dormireis sem alarme. Eliminarei as feras, e a espada não cruzará vosso país.

⁷Perseguireis vossos inimigos, que cairão diante de vós ao fio de espada. ⁸Cinco de vós porão em fuga cem, e cem de vós, dez mil. Vossos inimigos cairão diante de vós ao fio de espada.

⁹Eu me voltarei para vós e vos farei crescer e multiplicar, mantendo minha aliança convosco.

¹⁰Comereis de colheitas armazenadas e tirareis o que foi armazenado para dar lugar ao novo.

¹¹Porei minha morada entre vós, e não vos detestarei.

¹²Caminharei entre vós e serei vosso Deus, e vós sereis meu povo.

¹³Eu sou o Senhor vosso Deus, que vos tirei do Egito, da escravidão, quebrei as cangas de vosso jugo e vos fiz caminhar erguidos.

Maldições – ¹⁴Todavia, se não me obedecerdes e não puserdes em prática todos estes preceitos, ¹⁵se rejeitardes minhas leis e detestardes meus mandamentos, não pondo em prática todos os meus preceitos e rompendo minha aliança, ¹⁶então eu vos tratarei assim: enviarei contra vós o terror, o definhamento e a febre, que anuviam os olhos e consomem a vida; semeareis em vão, pois vossos inimigos comerão a colheita; ¹⁷eu vos enfrentarei e sucumbireis diante de vossos inimigos; vossos

---

26 Uma das partes constitutivas da aliança, e de outros pactos, costumam ser as ameaças e promessas, bênçãos e maldições, vinculadas à transgressão ou ao cumprimento dos contratos livremente aceitos. Em nosso caso, podemos chamá-las de castigos e prêmios sancionados por Deus. Não são cláusulas precisas, ligadas a preceitos individuais, mas têm valor global. No texto bíblico encontramos esta série, que encerra um corpo, e as de Dt 27-28, que encerram a nova versão da aliança. Um tom parenético e elementos repartidos de exortação caracterizam a presente série. Esta perspectiva pode explicar os versículos 1-2 como resumo e ligação. Alguns preceitos, tirados do Decálogo e de Lv 19,4.30, fixam um marco representativo em tudo quanto segue. Presente o primeiro mandamento, concretizado em imagens de deuses falsos, acrescentam-se o sábado e o templo, como preocupações da comunidade judaica depois do desterro: o sábado vale como distintivo (Is 56,1-6), o templo é centro de unidade.

26,3-13 As bênçãos estão escritas em prosa rítmica, com fórmulas que variam. O Senhor se dirige à comunidade na segunda pessoa e no plural, promete intervir e indica as consequências. Quanto ao tema, aparecem vinculadas a bênção de fecundidade da terra e a dos homens, repetindo em nova chave duas promessas patriarcais. Acrescenta-se a paz ou a vitória em caso de agressão inimiga. Coroa tudo a promessa máxima: a presença e companhia de um Deus próximo e amigo, o Deus da libertação e da aliança. Ver Sl 144,12-15 e 147,12-20.

26,4-5 A chuva é bênção primária. Compare-se com o ciclo de Os 2,23-25 e com Am 9,13. Chama "vossa terra" a mesma que outras vezes chama "minha terra".

26,6 Os 2,20.

26,7 Sl 18,38-43.

26,8 Ver Dt 32,30 e descrições de vitórias israelitas.

26,9 Jr 30,19.

26,10 Lc 12,16-21.

26,11-12 A "morada" é o templo, imaginado em condição itinerante. Sl 132,14.

26,13 Ver Ez 34,27.

26,14-38 Como em Dt 27-28, as maldições estão mais desenvolvidas que as bênçãos. Embora alguns temas coincidam, não há correspondência, nem na formulação nem na ordem. O princípio de ordenação é outro: é o princípio do escarmento sucessivo, escalonado, que conhecemos em Am 4,6-12. Sucedem-se cinco ondas de rebelião e castigo (14.18.21.23.27) e se reitera a expressão proverbial "multiplicar por sete". O total de rebeldias e castigos é cinco, a metade das pragas do Egito.

As desgraças acumuladas, com muita paixão, sem complacência, em grande parte procedem de experiências históricas do povo, de qualquer povo, muitas vezes anunciadas pelos profetas. O exílio, como experiência mais próxima e mais terrível, projeta sua sombra sobre estas linhas. A descrição está animada por uma fantasia trágica, o tom se torna patético.

26,14-15 A introdução condicional vale para tudo. Reúne três sinônimos de mandamento, refere-os explicitamente à aliança e os sintetiza na relação pessoal "obedecei-me".

26,16-17 Primeiro castigo. A maldição de trabalhar em vão, para proveito de outrem: ver, p. ex., Jz 6; Is 1,7.

adversários vos submeterão e fugireis sem que ninguém vos persiga.

¹⁸E se, apesar disso, não me obedecerdes, multiplicarei por sete meus castigos, por causa de vossos pecados. ¹⁹Quebrarei vossa teimosa soberba. Transformarei vosso céu em ferro, e vossa terra em bronze. ²⁰Vossas forças se esgotarão inutilmente. Vossos campos não darão sua colheita, nem as árvores darão seus frutos.

²¹E se continuardes obstinados em agir contra mim, negando-vos a obedecer-me, multiplicarei por sete meus golpes por causa de vossos pecados. ²²Soltarei contra vós feras selvagens que vos deixarão sem filhos, destroçarão vossos gados, vos dizimarão e assolarão vossos caminhos.

²³E se, apesar disso, não vos corrigirdes, mas agirdes obstinadamente contra mim, ²⁴também eu agirei obstinadamente contra vós, multiplicando por sete meus golpes por causa de vossos pecados. ²⁵Farei vir contra vós a espada vingadora de minha aliança, e vós vos refugiareis em vossas cidades. Eu vos mandarei então a peste, e vós vos entregareis a vossos inimigos. ²⁶Quando eu vos cortar o sustento de pão, dez mulheres cozinharão vosso pão no forno, vos darão o pão racionado, e comereis sem saciar-vos.

²⁷E se, apesar disso, não me obedecerdes, mas agirdes obstinadamente contra mim, ²⁸também eu continuarei obstinado em minha ira contra vós, multiplicando por sete meus castigos por causa de vossos pecados. ²⁹Comereis a carne de vossos filhos, comereis a carne de vossas filhas. ³⁰Destruirei vossos lugares altos, destroçarei vossas estelas, amontoarei os vossos cadáveres sobre os de vossos ídolos, e vos detestarei. ³¹Devastarei vossas cidades, assolarei vossos santuários, vossos aromas não me aplacarão. ³²Eu assolarei o país, e vossos inimigos, seus ocupantes, se horrorizarão dele. ³³Eu vos espalharei no meio dos povos e vos perseguirei com a espada desembainhada. Vossos campos serão desolação e vossas cidades serão ruínas.

³⁴Então, todo o tempo que durar a desolação e estiverdes em país inimigo, a terra desfrutará seus sábados; só então a terra descansará e desfrutará seus sábados. ³⁵Descansará todo o tempo que durar a desolação; descanso de sábado que não lhe destes enquanto habitáveis nela. ³⁶Os que sobreviverem entre vós, eu os farei se acovardarem em país inimigo; alarmados pelo barulho de folhas que voam, fugirão como se fosse da espada, e cairão sem que ninguém os persiga. ³⁷Tropeçarão uns nos outros, como se se tratasse de espada, sem que ninguém os persiga. Não podereis resistir aos vossos inimigos. ³⁸Perecereis em meio aos povos. O país inimigo vos devorará.

Reconciliação – ³⁹Aqueles de vós que sobreviverem, apodrecerão em país inimigo

---

26,18-20 Segundo castigo. Pecado de soberba ou presunção: compare-se com Is 17; Jr 48. A seca pertinaz, descrita com vigorosa metáfora, torna estéril toda a fadiga do homem: Ag 1,10-11; Jr 14.

26,21-22 Terceiro castigo. O homem deixa de dominar os animais, inverte-se a bênção de Gn 1,28. A cultura urbana e agrícola expulsa as feras, a destruição lhes oferece espaço: 2Rs 2,24; 17,25; em contexto escatológico, Is 13 e 34.

26,23-26 Quarto castigo. A espada significa a guerra com sua sequela (cf. Ez 21). Os homens se refugiam em cidades amuralhadas (Jr 4,5; Ez 33,1-6); assediados, morrem de fome (2Rs 7); e estala uma epidemia. Estas três, só ou com as feras, reaparecem na profecia de Jr e Ez; ver também 2Sm 24.

26,27-38 Quinto castigo. Fortíssimo e prolongado. O autor recolhe recordações da grande catástrofe: destruição de Jerusalém, matança e exílio, talvez lidos nas Lamentações, e os coloca na época do Sinai como ameaça de futuro. Faz de Moisés o seu anunciador apaixonado, e de um Senhor irado o seu executor. É preciso escutar e deixar que ressoe o ritmo implacável de verbos na primeira pessoa pronunciados por Deus; quase todos ativos, vários de sentimento, algum de abstenção ou rechaço não menos terrível.

26,29 Fome enlouquecedora, que anula sentimentos humanos radicais: 2Rs 6,29; Lm 4,10; Br 2,3.

26,30 Os cadáveres profanam tudo quanto tocam. Mas estes ídolos já eram cadáveres, seres inertes. O contrário do Deus vivo, que santifica. "Eu vos detestarei" ou sentirei asco de vós.

26,31 Literalmente, não aspirarei vosso aroma que aplaca (expressão consagrada).

26,32 Ver Jr 18,16; 19,8.

26,33 Ver Ez 5,2.

26,34-35 O exílio está ligado à lei do ano sabático e do jubilar. De acordo com Jeremias, o descanso dura setenta anos. É significativa a sonoridade do fragmento, com aliterações e reiteração da raiz "descansar".

26,36-37 Interessante análise psicológica do medo; pode-se comparar com Sb 17,1-13.

26,39-45 A torrente anterior de desgraças desemboca inesperadamente neste lago de serenidade e esperança. Dir-se-ia que a paixão cresceu sem amainar, para ressaltar por contraste o desenlace, o epílogo. Os que escrevem esta página moram em Jerusalém, na pátria,

por sua culpa e de seus pais. ⁴⁰Confessarão sua culpa e de seus pais, por terem sido infiéis a mim e terem agido obstinadamente contra mim; ⁴¹por isso também eu agi obstinadamente contra eles, levando-os a um país inimigo, para ver se seu coração incircunciso se dobrava e expiavam sua culpa.

⁴²Então eu recordarei minha aliança com Jacó, minha aliança com Isaac, minha aliança com Abraão: eu me lembrarei da terra. ⁴³Contudo, eles terão de abandonar a terra, e assim ela desfrutará seus sábados, enquanto ficar desolada na ausência deles. Expiarão a culpa por terem rejeitado meus mandamentos e detestado minhas leis.

⁴⁴Mas, apesar de tudo isso, quando estiverem em país inimigo, eu não os rejeitarei nem os detestarei a ponto de exterminá-los e quebrar minha aliança com eles, porque eu sou o Senhor seu Deus. ⁴⁵Em favor deles recordarei a aliança com os antepassados que tirei do Egito, à vista dos povos, para ser seu Deus. Eu sou o Senhor.

⁴⁶Estes são os preceitos, mandamentos e leis com os quais o Senhor fez aliança com os israelitas no monte Sinai, por meio de Moisés.

27

¹O Senhor falou a Moisés: — ²Dize aos israelitas:

Tarifas do templo (Nm 18,8-19) – Quando alguém fizer um voto especial, oferecendo ao Senhor o valor de uma *pessoa*, serão aplicadas as seguintes tarifas: ³um homem entre os vinte e sessenta anos será taxado em quinhentos gramas de prata (siclos do templo). ⁴Se for mulher, será taxada em trezentos gramas. ⁵Um jovem entre os cinco e vinte anos será taxado em duzentos gramas; se for uma jovem, em cem gramas. ⁶Um menino entre um mês e cinco anos será taxado em cinquenta gramas; se for menina, em trinta gramas. ⁷Dos sessenta anos para cima, o homem será taxado em cento e cinquenta gramas; a mulher, em cem gramas. ⁸Se for tão pobre que não possa pagar a tarifa, o apresentará ao sacerdote, e este o taxará segundo os recursos daquele que fez o voto.

⁹Se se tratar de um *animal* apto para oferta ao Senhor, o animal inteiro ficará consagrado. ¹⁰Não se poderá trocar nem substituir animal bom por ruim, ou vice-versa. E se for trocado um animal por outro, os dois ficarão consagrados. ¹¹Tratando-se de animal impuro, não apto para oferta ao Senhor, será apresentado ao sacerdote, ¹²e este o taxará segundo sua qualidade. A taxação será válida. ¹³E se quiser resgatá-lo, pagará uma sobretaxa de vinte por cento sobre o taxado.

---

e conhecem a história do exílio. Por que sucedeu essa desgraça? – Por nossos pecados. Por que não foi o final, mas sobrevivemos e estamos agora aqui? – Pela lealdade do Senhor a seus compromissos: à aliança ou promessa feita aos patriarcas, à aliança bilateral estipulada com a geração do Egito e do deserto.

A misericórdia e o perdão de Deus estão ligados à conversão do homem, à confissão humilde (cf. Ne 9; Br 1,15-3,8), ao valor "expiatório" do exílio (de ressarcir ou pagar, Is 40,2). Apesar da infidelidade, o Senhor continua fiel à sua aliança e à promessa: assim mostra que as duas são graça, e neste sentido se chamam aliança. Ver Dt 30,1-10. O nome, *Yhwh*, e o título da aliança, "seu Deus", rubricam o anúncio.

26,44 Rejeição: Jr 7,29; Os 4,6; Am 5,21.

26,46 O colofão tem função narrativa: tenciona englobar todas as disposições na instituição do Sinai.

27 É uma adição que trata alguns assuntos financeiros relacionados com o culto no templo. Pressupõe uma economia na qual se usa normalmente o dinheiro, pesado ou cunhado. Até o v. 27 regula tarifas em vários casos de votos. Como em outros casos, a publicação das tarifas pode servir para prevenir abusos e para orientar o oferente.

27,2-8 O primeiro caso é formado por pessoas entregues ao serviço do Senhor, mas não ao culto, que compete a levitas e sacerdotes. Pode-se recordar o caso do menino Samuel (1Sm 2). Alguns suspeitam ou conjecturam que havia sacrifícios humanos na origem remota dessa oferta de pessoas. Certamente nada disso resta no texto e contexto presentes.

O texto nos deixa fisgar os critérios de avaliação da época, conforme sexo e idade. A mulher vale para eles a metade do homem, ou pouco mais. Passados os sessenta anos, o homem está velho e rende menos; outros textos valorizam a experiência e a sensatez dos anciãos. As crianças menores de cinco anos não prestam serviços e estão expostas a muitas enfermidades. Antes dos vinte anos, os homens estão se desenvolvendo e aprendendo seu ofício.

Um siclo era o salário de cada dia. O pobre é recomendado à prudência e à compreensão do sacerdote.

27,9-13 Os animais sacrificáveis oferecidos em voto de tal modo ficam consagrados, que a sua consagração é irreversível. Animais não sacrificáveis (asnos, camelos etc.) serviam para outras tarefas produtivas e eram resgatáveis. Gostaríamos de saber o preço com que eram taxados pelos sacerdotes: mais alto que crianças e mulheres?

¹⁴Quando alguém consagrar sua *casa* ao Senhor, o sacerdote a taxará segundo a sua qualidade. A taxação será válida. ¹⁵Se quem a consagrou quiser resgatá-la, pagará o que foi taxado, com vinte por cento de sobretaxa.
¹⁶Se consagrar ao Senhor uma parte das *terras* de sua propriedade hereditária, será taxada em proporção à sua semeadura: quinhentos gramas de prata por cada duzentos e vinte litros de cevada. ¹⁷Se consagrar o campo durante o ano jubilar, a taxação será válida. ¹⁸Mas se o consagrar depois do jubileu, o sacerdote calculará o dinheiro que corresponde aos anos que faltam até o próximo ano jubilar, e fará o desconto correspondente. ¹⁹Se quem o consagrou quiser resgatá-lo, pagará a taxa com uma sobretaxa de vinte por cento. E o campo será seu. ²⁰Se não o resgatar ou o vender a outro, então o campo já não poderá ser resgatado. ²¹Quando ficar livre no ano jubilar, ficará consagrado ao Senhor, como campo dedicado. Será propriedade do sacerdote.
²²Se alguém consagrar ao Senhor um *campo comprado* que não pertence à sua propriedade hereditária, ²³o sacerdote calculará o valor da taxa até o ano jubilar. Quem consagrou o campo pagará nesse mesmo dia o que foi taxado, como coisa consagrada ao Senhor. ²⁴No ano jubilar, o campo voltará ao vendedor a quem pertencia como propriedade hereditária. ²⁵As taxações serão feitas segundo o siclo do templo: dez gramas equivalem a vinte óbolos.
²⁶Ninguém consagrará o *primogênito dos animais,* porque já pertence ao Senhor como primícia: seja vaca ou ovelha, pertence ao Senhor. ²⁷Tratando-se de *animal impuro,* será resgatado com uma sobretaxa de vinte por cento sobre o que foi taxado. Se não o resgatar, será vendido pelo preço taxado.
²⁸O que alguém separou como *coisa dedicada* ao Senhor, pessoas, animais ou campos de propriedade hereditária, não poderá ser vendido nem resgatado. O que foi dedicado é propriedade sagrada do Senhor.
²⁹Uma *pessoa* dedicada ao extermínio não pode ser resgatada. Deve ser executada.
³⁰Os *dízimos* do campo, da semeadura e dos frutos pertencem ao Senhor e são sagrados. ³¹Se alguém quiser resgatá-los, o fará com uma sobretaxa de vinte por cento sobre o que foi taxado. ³²Os dízimos de animais de gado graúdo ou miúdo, a décima parte de todos os que passarem sob o cajado, serão consagrados ao Senhor. ³³Não é preciso verificar se são bons ou ruins, nem serão substituídos. Trocando-se um animal por outro, os dois ficarão consagrados, sem possibilidade de resgate.
³⁴Estes são os preceitos que o Senhor deu a Moisés no monte Sinai para os israelitas.

27,14-15 Deve-se tratar de propriedades urbanas, já que as rurais pertencem à herança familiar. Notamos que não se indicam datas, coisa para nós muito importante. Não é a mesma coisa resgatar uma casa no momento em que deveria ser entregue, ou passado um ano de uso. Compare-se com o caso seguinte.

27,16-21 Parece tratar-se de alguma propriedade familiar aumentada, da qual se pode desmembrar um lote para o Senhor. As disposições são difíceis de entender: misturam o ano jubilar e falam de venda a um terceiro.

27,22-25 A norma do ano jubilar (25,8-17) sobrepõe-se a outras disposições particulares. Não é provável que o siclo do templo tivesse vigência entre os judeus da diáspora.

27,26-27 Esta norma mostra que o autor quer atar bem os cabos: não se pode dar a outro o que já é dele, não se pode oferecer ao Senhor o que já lhe pertence.

27,28-29 Do terreno do voto passamos à consagração solene, sacrossanta, chamada *hérem.* O modelo mais conhecido é a dedicação ao extermínio na guerra.

27,30-33 Os dízimos de colheitas ou gado se entregavam em espécie. Constituíam tributo ou imposto anual para o Senhor, seu templo e seus sacerdotes.

NÚMEROS

INTRODUÇÃO

Título

O livro que nós chamamos *Números* é chamado pelos judeus *"No deserto"*, tomando como de costume as palavras iniciais para designá-lo. Este segundo título é descritivo, porque a narração começa com os israelitas no Sinai e os vai transladando até os campos de Moab. O translado se reparte em três unidades: 1,1-10,10, no Sinai preparando-se para a viagem; 10,11-20,13, em torno a Cades; 20,14-36,13, caminhada até Moab, preparando-se para a ocupação da terra.

Materiais

Os quarenta anos exatos e os quarenta nomes do itinerário (cap. 33) não dissimulam a irregularidade da viagem, o caráter episódico dos relatos. Deve-se isso às tradições históricas ou lendárias, recolhidas e organizadas na obra. O livro é um alternar-se de leis ou disposições e historietas ou relatos, com alguns poemas intercalados. Nem sempre se descobre o critério de tal montagem, e o leitor moderno se sente desconcertado. O comentário terá de levar em conta essas alternâncias.

Temas dominantes

a) A terra prometida que dinamiza e polariza o movimento: desdenham-na por medo (13-14), começam a ocupá-la (32), vão reparti-la definindo normas de herança e designando cidades para levitas e de refúgio. b) Guerras externas e lutas internas: Madiã, Horma, Edom, Moab, Basã, o adivinho. Rebeliões: do povo contra os chefes (11-14; 21,4-9); de levitas e chefes (16-17). c) Protagonistas: como grupo corporativo, os levitas dominam este livro. Acima de todos, sobressai a figura heroica e crescente de Moisés.

Procedimentos de composição

Quadros paralelos ou contrastantes. Réplicas ou imitações de episódios do Êxodo: idolatria (25), maná (11), água (20), rebeliões do povo e intercessões (13-14). Inclusões (27 com 36). Enumerações regulares. Séries numéricas.

Concepção: Embora o livro recolha relatos e leis mais antigas, a opinião comum é que o livro que hoje lemos foi escrito na terra, depois do exílio. A situação se projeta artificiosamente e modela a redação, com maior ou menor energia, no deserto no tempo de Moisés.

Caso se tratasse simplesmente de escrever história ou histórias, o autor se teria contentado com as tradições lendárias, ou teria inventado verdadeiros relatos ambientados na época e lugar correspondentes. Em vez disso, coloca no deserto uma organização de Judá e Jerusalém, reduzida a um esquema rigoroso. O procedimento causa uma espécie de contágio mútuo: o deserto toma o aspecto de um Estado centralizado, bem organizado, sob o comando supremo de Moisés, mas administrado por uma classe levítica e sacerdotal. Correlativamente, a vida na pátria conserva certa condição itinerante, porque o livro relativiza e condiciona a posse (cf. Dt 8); torna presente a experiência não remota do exílio, talvez pense na diáspora, que completa o número de Israel e se acha em caminho. Os judeus formam uma comunidade sem rei nem independência nacional: os sacerdotes a governam e administram, atendo-se a normas ditadas outrora por Moisés.

Para os capítulos organizativos, pode-se completar o livro com Ez 40-48.

NO DESERTO DO SINAI

1

Recenseamento (Nm 26) – ¹No primeiro dia do segundo mês do segundo ano da saída do Egito, no deserto do Sinai, na tenda do encontro, o Senhor disse a Moisés:

– ²Faze um *recenseamento* completo da comunidade israelita: todos os homens, um por um, por clãs e famílias, registrando seus nomes. ³Tu e Aarão registrareis por esquadrões todos os homens acima de vinte anos aptos para a guerra. ⁴Um homem de cada tribo vos assistirá, todos chefes de família.

⁵Seus nomes são os seguintes: de Rúben, Elisur, filho de Sedeur; ⁶de Simeão, Salamiel, filho de Surisadai; ⁷de Judá, Naasson, filho de Aminadab; ⁸de Issacar, Natanael, filho de Suar; ⁹de Zabulon, Eliab, filho de Helon; ¹⁰dos filhos de José: de Efraim, Elisama, filho de Amiud; e de Manassés, Gamaliel, filho de Fadassur; ¹¹de Benjamim, Abidã, filho de Gedeão; ¹²de Dã, Aiezer, filho de Amisadai; ¹³de Aser, Fegiel, filho de Ocrã; ¹⁴de Gad, Eliasaf, filho de Reuel; ¹⁵de Neftali, Aíra, filho de Enã.

¹⁶Esses foram os nomeados pela comunidade, chefes de tribos e cabeças de clãs.

¹⁷Moisés tomou Aarão e esses homens escolhidos nominalmente, ¹⁸reuniu toda a assembleia no primeiro dia do segundo mês, e todos se inscreveram, um por um, os acima de vinte anos, por clãs e famílias, registrando seus nomes; ¹⁹conforme o Senhor havia ordenado a Moisés, assim fez o recenseamento no deserto do Sinai.

²⁰Filhos e descendentes de Rúben, primogênito de Israel, por clãs e famílias, registrando os nomes, um por um, dos homens acima de vinte anos e aptos para a guerra: ²¹total da tribo de Rúben, quarenta e seis mil e quinhentos.

²²Filhos e descendentes de Simeão, por clãs e famílias, registrando os nomes, um por um, dos homens acima de vinte anos e aptos para a guerra: ²³total da tribo de Simeão, cinquenta e nove mil e trezentos.

²⁴Filhos e descendentes de Gad, por clãs e famílias, registrando os nomes, um por um, dos homens acima de vinte anos e aptos para a guerra: ²⁵total da tribo de Gad, quarenta e cinco mil, seiscentos e cinquenta.

²⁶Filhos e descendentes de Judá, por clãs e famílias, registrando os nomes, um por um, dos homens acima de vinte anos e

---

1,1 Conforme o costume do narrador Sacerdotal, tudo começa com uma ordem do Senhor. O mesmo narrador gosta de fixar as coordenadas do relato. A data supõe uma estada breve no Sinai, incrivelmente breve para todos os trabalhos descritos em Ex 35-40. Os 19 dias que seguem até a partida são dedicados a preparativos imediatos para a marcha. O contraste com a saída apressada do Egito é manifesto: então, eram uma massa de clãs (Ex 12,38), e agora são um povo perfeitamente organizado. Moisés recebe ordens suplementares do Senhor na tenda do encontro. Nas entrelinhas, a casta sacerdotal afirma a centralidade e a autoridade de Jerusalém e do templo para os assuntos de todos os judeus. São os sacerdotes que agora acorrem ao encontro ou entrevista com o Senhor.

1,2 Assim, pois, o recenseamento não é ideia ambiciosa ou vaidosa de Moisés como a censurada em Davi (2Sm 24). É verdade que um recenseamento é ato de domínio e posse: se é Deus quem ordena, é ele o dono e senhor. Preocupa o autor a unidade completa e diferenciada de Israel: todas as tribos estiveram no Sinai, todas selaram a aliança (todas compõem o Israel contemporâneo do autor).

O povo se divide idealmente em tribos, as tribos em clãs, os clãs em famílias ou casas (a terminologia não é rígida). O censo adota um caráter militar: o Senhor passa em revista seus "exércitos" ou esquadrões (Ex 7,4; 12,41.51), como passa em revista os exércitos celestiais (Sl 147,4; Eclo 43,10).

1,3 Bem cedo o autor se apressa a introduzir Aarão em lugar de destaque. Para o recenseamento só conta a idade militar; não se acrescentam outros critérios, como casado ou solteiro, doente etc.

1,4 Os colaboradores escolhidos representam, por um lado, a assembleia como unidade; por outro, mostram e ratificam a pluralidade de tal assembleia (cf. 1Cr 27,16-23). As doze tribos, outrora uma organização política, persistem como sinal de pluralidade na unidade. Entre os nomes, vários são teofóricos, ou seja, estão compostos com algum nome ou título divino: *Çur* = Rocha, *Shadday* (= ?), *El* = Deus; nenhum se compõe de *Yah*. Supõe-se realizada a divisão de José nas duas tribos de Efraim e Manassés (cf. Gn 48).

1,20-46 O recenseamento é apresentado com ordem burocrática, repetindo um esquema. Os números são fantásticos: algumas variantes procuram dar a impressão de realismo, deixando Judá em primeiro lugar. Ao número total deve-se acrescentar: as mulheres da mesma idade, ao menos outras tantas, os acima de sessenta anos e os abaixo de vinte anos de ambos os sexos, a tribo de Levi. Facilmente chegaríamos aos dois milhões. De onde saem os números? Várias explicações têm sido conjecturadas; uma das mais simples é a econômica: conforme o tributo indicado em Ex 30,12 e 38,26; compare-se com 1Cr 12,24-41. Além do mais, o autor pensa e inculca que no momento da aliança a promessa de fecundidade patriarcal se cumpriu maravilhosamente, e agora chega o momento de cumprir a outra promessa, o dom da terra.

aptos para a guerra: ²⁷total da tribo de Judá, setenta e quatro mil e seiscentos.

²⁸Filhos e descendentes de Issacar, por clãs e famílias, registrando os nomes, um por um, dos homens acima de vinte anos e aptos para a guerra: ²⁹total da tribo de Issacar, cinquenta e quatro mil e quatrocentos.

³⁰Filhos e descendentes de Zabulon, por clãs e famílias, registrando os nomes, um por um, dos homens acima de vinte anos e aptos para a guerra: ³¹total da tribo de Zabulon, cinquenta e sete mil e quatrocentos.

³²Filhos e descendentes de Efraim, filho de José, por clãs e famílias, registrando os nomes, um por um, dos homens acima de vinte anos e aptos para a guerra: ³³total da tribo de Efraim, quarenta mil e quinhentos.

³⁴Filhos e descendentes de Manassés, filho de José, por clãs e famílias, registrando os nomes, um por um, dos homens acima de vinte anos e aptos para a guerra: ³⁵total da tribo de Manassés, trinta e dois mil e duzentos.

³⁶Filhos e descendentes de Benjamim, por clãs e famílias, registrando os nomes, um por um, dos homens acima de vinte anos e aptos para a guerra: ³⁷total da tribo de Benjamim, trinta e cinco mil e quatrocentos.

³⁸Filhos e descendentes de Dã, por clãs e famílias, registrando os nomes, um por um, dos homens acima de vinte anos e aptos para a guerra: ³⁹total da tribo de Dã, sessenta e dois mil e setecentos.

⁴⁰Filhos e descendentes de Aser, por clãs e famílias, registrando os nomes, um por um, dos homens acima de vinte anos e aptos para a guerra: ⁴¹total da tribo de Aser, quarenta e um mil e quinhentos.

⁴²Filhos e descendentes de Neftali, por clãs e famílias, registrando os nomes, um por um, dos homens acima de vinte anos e aptos para a guerra: ⁴³total da tribo de Neftali, cinquenta e três mil e quatrocentos.

⁴⁴Esse é o recenseamento que Moisés fez com Aarão, assistidos pelos doze chefes israelitas, um de cada tribo, todos chefes de família. ⁴⁵O total dos israelitas, por famílias, acima de vinte anos e aptos para a guerra, ⁴⁶foi de seiscentos e três mil, quinhentos e cinquenta.

⁴⁷Mas os levitas não foram registrados com os outros, por famílias, ⁴⁸porque o Senhor tinha dito a Moisés:

– ⁴⁹Não incluas os levitas no recenseamento e registro dos israelitas; ⁵⁰encarrega-os da tenda da aliança, de seus objetos e pertences; eles transportarão a tenda da aliança com seus objetos, estarão a seu serviço e acamparão ao seu redor. ⁵¹Quando ela tiver de pôr-se em marcha, os levitas a desmontarão; quando parar, os levitas a montarão. O estranho* que se aproximar dela será morto.

⁵²Os israelitas acamparão por esquadrões, cada um em seu acampamento, junto à sua insígnia. ⁵³Os levitas farão a guarda da tenda da aliança, para que a cólera não se manifeste contra a comunidade israelita. Os levitas cuidarão da tenda da aliança.

⁵⁴Os israelitas fizeram tudo o que o Senhor havia mandado a Moisés; cumpriram tudo.

2 O acampamento (Ez 48) – ¹O Senhor disse a Moisés e Aarão:

– ²Os israelitas acamparão cada um junto à sua insígnia ou estandarte de família, olhando a tenda do encontro e ao redor dela. ³Ao leste, para o oriente, acamparão os da

---

1,47-51 Os levitas ficam excluídos do recenseamento militar, porque seu serviço terá como objeto o santuário. É uma degradação? Assim o explica Ez 44,10-17: "afastaram-se de mim, quando Israel se desviou de mim para ir atrás dos seus ídolos imundos; eles levarão sobre si a sua culpa..." O presente livro lhes atribui funções subordinadas, mas não como castigo. Eles se aproximam e manejam objetos que os leigos não podem tocar, sob pena de morte. Formam um cordão protetor em torno da tenda: para que nenhum intruso se atreva a penetrar, para que a santidade ultrajada do Senhor não se descarregue sobre o povo. Alguns pensam que o autor os imagina armados, com ordem de dar morte imediata a qualquer intruso.
1,51 * = Ou: *o leigo*.

2,1 O acampamento adota disposição geométrica: um quadrilátero externo formado pelas doze tribos com três de cada lado; um quadrilátero interno formado por três clãs de levitas e pelos sacerdotes; no centro, a tenda do encontro, que já não se acha fora do acampamento. O quadrado bem fechado pode ter valor militar defensivo; supõe junções em ângulo. Embora possamos imaginar uma disposição em cruz grega, não parece corresponder ao que o autor imagina. Contudo perguntamos: Onde se instala todo o pes-

insígnia de Judá, por esquadrões. O chefe dos filhos de Judá é Naasson, filho de Aminadab. ⁴Seu exército conta com setenta e quatro mil e seiscentos alistados. ⁵Junto a ele acampa a tribo de Issacar; seu chefe é Natanael, filho de Suar; ⁶seu exército conta com cinquenta e quatro mil e quatrocentos alistados. ⁷Do outro lado, a tribo de Zabulon; seu chefe é Eliab, filho de Helon; ⁸seu exército conta com cinquenta e sete mil e quatrocentos alistados. ⁹Os alistados no acampamento de Judá, por esquadrões, são cento e oitenta e seis mil e quatrocentos. Eles serão os primeiros a pôr-se em marcha.

¹⁰Ao sul, a insígnia do acampamento de Rúben, por esquadrões; o chefe dos rubenitas é Elisur, filho de Sedeur; ¹¹seu exército conta com quarenta e seis mil e quinhentos alistados. ¹²Junto a ele acampa a tribo de Simeão; seu chefe é Salumiel, filho de Surisadai; ¹³seu exército conta com cinquenta e nove mil e trezentos alistados. ¹⁴Do outro lado, a tribo de Gad; seu chefe é Eliasaf, filho de Deuel; ¹⁵seu exército conta com quarenta e nove mil, seiscentos e cinquenta. ¹⁶Os alistados no acampamento de Rúben, por esquadrões, são cento e cinquenta e um mil, quatrocentos e cinquenta. Eles se porão em marcha em segundo lugar.

¹⁷Depois se porão em marcha a tenda do encontro e o acampamento levita, no meio dos outros acampamentos. Eles se porão em marcha conforme acampam, cada um seguindo sua insígnia.

¹⁸Ao oeste, a insígnia do acampamento de Efraim, por esquadrões; o chefe dos efraimitas é Elisama, filho de Amiud; ¹⁹seu exército conta com quarenta mil e quinhentos alistados. ²⁰Junto a ele, a tribo de Manassés; seu chefe é Gamaliel, filho de Fadassur; ²¹seu exército conta com trinta e dois mil e duzentos alistados. ²²Do outro lado, a tribo de Benjamim; seu chefe é Abidã, filho de Gedeão; ²³seu exército conta com trinta e cinco mil e quatrocentos alistados. ²⁴Os alistados no acampamento de Efraim são cento e oito mil e cem. Eles se porão em marcha em terceiro lugar.

²⁵Ao norte, a insígnia do acampamento de Dã, por esquadrões; o chefe dos danitas é Aiezer, filho de Amisadai; ²⁶seu exército conta com sessenta e dois mil e setecentos alistados. ²⁷Junto a ele acampa a tribo de Aser; seu chefe é Fegiel, filho de Ocrã; ²⁸seu exército conta com quarenta e um mil e quinhentos alistados. ²⁹Do outro lado, a tribo de Neftali; seu chefe é Aíra, filho de Enã; ³⁰seu exército conta com cinquenta e três mil e quatrocentos alistados. ³¹Alistados no acampamento de Dã, cento e cinquenta e sete mil e seiscentos. Eles se porão em marcha em último lugar, seguindo suas insígnias.

³²Esse é o recenseamento dos israelitas por famílias; os alistados nos acampamentos por esquadrões, seiscentos e três mil, quinhentos e cinquenta. ³³Os levitas não foram incluídos no recenseamento dos israelitas, conforme o Senhor havia ordenado a Moisés.

³⁴Os israelitas fizeram tudo o que o Senhor havia ordenado a Moisés; conforme acampavam por insígnias, assim se punham em marcha, por clãs e famílias.

3 **Tribo de Levi** – ¹Esta é a descendência de Aarão e Moisés, quando o Senhor falou a Moisés no monte Sinai.

²Nomes dos filhos de Aarão: Nadab, o primogênito, Abiú, Eleazar e Itamar. ³Estes são os nomes dos aaronitas ungidos como sacerdotes, aos quais consagrou sacerdotes. ⁴Nadab e Abiú morreram sem filhos, na presença do Senhor, quando ofereceram ao Senhor um fogo profano no deserto

---

soal não militar, mulheres, anciãos e crianças? Como avança à frente um bloco de 150 mil pessoas em idade militar? A figura geométrica tem valor ideal, militar ou litúrgico (cf. 10,11-28). Em dimensões limitadas pode-se realizar. Também Ez 48 e Ap 21 adotam como ideal o esquema quadrilátero.

2,9 Os que acampam a leste ocupam o lugar melhor e avançam primeiro. A ordem é esta: oriente, sul, poente, norte; contudo, não se dirigem para o oriente.

2,17 Conforme Ex 33,27, a tenda do encontro se achava fora do acampamento, afastada de possível contaminação. Agora se estabelece e avança literalmente "no meio" do povo.

3 Este capítulo se compõe de várias peças sobre os levitas: aaronitas (1-4); levitas (5-10); vicários dos primogênitos (11-13); recenseamento, posição e funções dos levitas (14-39); primogênitos, recenseamento e tributo (40-51).

3,1-10 O autor distingue as funções de aaronitas e levitas: os primeiros exercem funções sacerdotais, os segundos são ajudantes. Nos tempos antigos os levi-

do Sinai. Eleazar e Itamar oficiaram como sacerdotes enquanto vivia seu pai Aarão.

⁵O Senhor disse a Moisés:

– ⁶Faze que se aproxime a tribo de Levi e põe-na a serviço do sacerdote Aarão. ⁷Eles farão a tua guarda e de toda a assembleia diante da tenda do encontro e desempenharão as funções do santuário. ⁸Cuidarão de todos os objetos da tenda do encontro e farão a guarda em lugar dos israelitas e desempenharão as funções do santuário. ⁹Separa os levitas dos outros israelitas e entrega-os a Aarão e a seus filhos como doados. ¹⁰Encarrega Aarão e seus filhos de exercerem o sacerdócio. O estranho que se aproximar será morto.

¹¹O Senhor disse a Moisés:

– ¹²Eu escolhi os levitas do meio dos israelitas em substituição aos primogênitos ou primeiros partos dos israelitas. ¹³Os levitas me pertencem, porque os primogênitos me pertencem. Quando matei os primogênitos no Egito, consagrei a mim todos os primogênitos de Israel, de homens e de animais. Eles me pertencem. Eu sou o Senhor.

¹⁴O Senhor disse a Moisés no deserto do Sinai:

– ¹⁵Faze um recenseamento dos levitas, por famílias e clãs, de todos os homens acima de um mês.

¹⁶Moisés fez o recenseamento, segundo a ordem que o Senhor lhe havia dado.

¹⁷*Nomes dos levitas:* Gérson, Caat e Merari.

¹⁸Nome dos gersonitas, por clãs: Lobni e Semei; ¹⁹dos caatitas, por clãs: Amram, Isaar, Hebron e Oziel; ²⁰dos meraritas, por clãs: Mooli e Musi. São esses os clãs levitas por famílias.

²¹Clãs gersonitas: o clã de Lobni e o clã de Semei. ²²O número dos homens acima de um mês foi de sete mil e quinhentos. ²³Os clãs gersonitas acampavam ao poente, atrás do santuário; ²⁴o chefe da casa de Gérson era Eliasaf, filho de Lael. ²⁵Na tenda do encontro, os gersonitas eram encarregados de guardar a tenda com sua cortina, a cortina da porta, ²⁶as cortinas do átrio, a cortina da porta do átrio que dá para o santuário e rodeia o altar, as cordas e todo o seu serviço.

²⁷Clãs caatitas: o clã de Amram, o clã de Isaar, o clã de Hebron e o clã de Oziel. ²⁸Número dos homens acima de um mês, encarregados das funções do santuário, oito mil e seiscentos. ²⁹Os clãs caatitas acampavam ao sul do santuário. ³⁰Seu chefe era Elisafã, filho de Oziel; ³¹eram encarregados de guardar a arca, a mesa, o candelabro, os altares, os instrumentos sagrados com que oficiavam, a cortina e todo o seu serviço.

³²Eleazar, filho do sacerdote Aarão, era o chefe supremo dos levitas, prefeito dos que exerciam funções no santuário.

³³Clãs meraritas: o clã de Mooli e o clã de Musi; ³⁴o número de homens acima de um mês foi de seis mil e duzentos; ³⁵seu chefe era Suriel, filho de Abiail; acampavam ao norte do santuário. ³⁶Eram encarregados das tábuas do santuário, das trancas, colunas e bases, com todos os seus acessórios, e de todo o seu serviço; ³⁷das colunas que rodeavam o átrio com suas bases, estacas e cordas.

³⁸Diante do santuário, a oriente, diante da tenda do encontro, ao nascente, acampavam

---

tas figuravam como uma tribo entre as demais, sem funções especiais (Gn 29,34; 34; 35,23; 46,11; 49,5). Vários dados indicam que antigamente qualquer pessoa podia exercer funções sacerdotais, embora os levitas pudessem considerar-se especialistas (Jz 17-18). Outros textos distinguem os sacerdotes do resto de Israel, sem mencionar um grupo intermédio (Ex 28,1; Lv 9,1-3; Sl 115; 118; 135).
A seção final de Ez divide os levitas em sadocitas e o restante, com diversidade de funções (especialmente Ez 44,6-16). A distinção de Números é peculiar: compare-se com Dt 18,1-8.

3,2 Ver Ex 6,23.

3,3 Em outros textos, a unção é exclusiva do sumo sacerdote.

3,4 Pecado e castigo se narram em Lv 10,1-7.

3,5-10 Os levitas estão a serviço imediato de Aarão, são seus "doados"; não podem aproximar-se do altar para oficiar. "Aproximar" tem sentido forte, de proximidade física controlada. "Colocar na presença" equivale a "pôr à disposição". Em vez de "funções", alguns o traduzem por guarda, vigilância (para impedir a passagem de intrusos).

3,11-13 Explica historicamente a escolha dos levitas, vinculando-a com a libertação do Egito. Que seja precisamente a tribo de Levi é encarregada de substituir é pura escolha de Deus; a rigor, a tribo "primogênita" era a de Rúben (Gn 29,32). Ex 32,26-28 dá outra explicação histórica. Ver Ex 13,14; 22,29; 34,19s.

3,15 O recenseamento é diverso, porque não atende à idade militar, mas ao momento em que o menino é resgatado (cf. Ex 6,16-19).

3,32 O autor salienta a hierarquia de autoridade a favor dos filhos de Aarão.

3,38 O lugar oriental é o principal. O serviço sacerdotal se exerce em função da comunidade, "pelos israelitas".

Moisés, Aarão e seus filhos; faziam a guarda dos objetos sagrados, a guarda dos israelitas; o estranho que se aproximasse era morto.

³⁹Recenseamento dos levitas feito por Moisés e Aarão, conforme as ordens do Senhor, por clãs: total de homens acima de um mês, vinte e dois mil.

⁴⁰O Senhor disse a Moisés:

– Faze o recenseamento de todos os primogênitos israelitas homens acima de um mês, registrando seus nomes; ⁴¹separa para mim os levitas em substituição dos primogênitos israelitas, e o gado dos levitas em substituição dos primeiros partos dos rebanhos dos israelitas. Eu sou o Senhor.

⁴²Moisés fez o recenseamento dos primogênitos israelitas, conforme o Senhor lhe havia mandado. ⁴³O número dos primogênitos homens acima de um mês, contando seus nomes, foi de vinte e dois mil, duzentos e setenta e três.

⁴⁴O Senhor disse a Moisés:

– ⁴⁵Separa os levitas em substituição dos primogênitos israelitas, e o gado dos levitas em substituição dos primeiros partos do gado dos israelitas, e serão meus. Eu sou o Senhor. ⁴⁶Para resgatar os duzentos e setenta e três primogênitos israelitas que ultrapassam o número dos levitas, ⁴⁷recolhe cinquenta gramas por cabeça (siclos do santuário: dois óbolos por grama), ⁴⁸e entrega o dinheiro a Aarão e a seus filhos como resgate dos que ultrapassam seu número.

⁴⁹Moisés recebeu dos que ultrapassavam o número dos levitas o dinheiro de seu resgate; ⁵⁰recebeu assim dos primogênitos israelitas treze mil, seiscentos e cinquenta gramas (siclos do santuário), ⁵¹e entregou o dinheiro do resgate a Aarão e a seus filhos, conforme as ordens que o Senhor havia dado a Moisés.

4 ¹O Senhor disse a Moisés e Aarão:

– ²Fazei um recenseamento dos caatitas, além dos outros levitas, por clãs e famílias; ³os compreendidos entre trinta e cinquenta anos, aptos para o serviço, para que façam as tarefas da tenda do encontro. ⁴Os caatitas servirão ao sagrado na tenda do encontro. ⁵Quando o acampamento se puser em marcha, Aarão e seus filhos entrarão, soltarão a cortina e cobrirão com ela a arca da aliança, ⁶lançarão por cima uma coberta de pele de toninha, estenderão sobre ela um pano de púrpura violeta e colocarão os varais. ⁷Sobre a mesa dos pães apresentados estenderão um pano violeta, porão em cima as travessas, bandejas, taças e jarras para a libação; em cima estará o pão da oferta contínua. ⁸Sobre ele estenderão um pano de púrpura escarlate e o cobrirão com uma cobertura de pele de toninha, e colocarão os varais. ⁹Pegarão um pano violeta e cobrirão o candelabro com suas lâmpadas, espevitadeiras, cinzeiros e vasilhas de azeite para alimentá-lo. ¹⁰Eles o colocarão com todos os seus utensílios numa cobertura de pele de toninha, e porão os varais. ¹¹Sobre o altar dos sacrifícios estenderão um pano violeta e o cobrirão com uma cobertura de pele de toninha, colocando os varais. ¹²Pegarão todos os utensílios usados no serviço do santuário, os colocarão num pano violeta, os cobrirão com uma cobertura de pele de toninha e porão tudo sobre os varais.

¹³Tirarão a cinza do altar, estenderão sobre ele um pano de púrpura vermelha, ¹⁴porão em cima todos os utensílios de seu

---

3,40-43 Sobre os primogênitos, ver Ex 12-13. O número é artificial e difícil de conciliar com as cifras do capítulo 1.

3,47 Ou seja, que um menino primogênito se avalia cultualmente em uns gramas de prata. O Senhor se contenta com pouco.

4,3 O hebraico emprega a mesma palavra para o "serviço" militar e para o "serviço" do templo. Também os levitas pertencem aos "esquadrões" do Senhor. Muda o verbo, que é "sair" para o serviço militar e "entrar" para o cultual. A faixa mais estreita de idade talvez se deva à dificuldade ou responsabilidade das tarefas atribuídas.

4,5 Ex 35,12.

4,6 Os utensílios do santuário são sacrossantos, por isso podem ser perigosos para a vida dos não consagrados. A santidade pode saltar deles como uma descarga mortal (cf. 2Sm 6,6-7). É preciso tomar precauções em seu manejo. Os véus servem para evitar a vista (20) e o tato imediato (15), que podem ser mortíferos.

Na esfera do culto, não é surpreendente esbarrar em semelhantes prescrições escrupulosas: a qualidade do tecido, linho ou couro, a cor, escarlate ou violeta, a ordem de colocação, os seis lotes, tudo está regulado profissionalmente. Mas sem argumentar sobre cada detalhe: a única razão é que assim se faz e a infração traz perigo grave.

4,7 Ex 25,23-30.

4,9 Ex 25,31-39.

4,11 Ex 25,23-25.

4,14 Ex 27,3.

serviço, cinzeiros, garfos, pás e aspersórios, todos os utensílios do altar; estenderão sobre eles uma cobertura de pele de toninha, colocando os varais.

¹⁵Quando o acampamento se puser em marcha, Aarão e seus filhos terminarão de cobrir o santuário com todos os seus utensílios; depois entrarão os caatitas para transportá-lo, sem tocar as coisas santas, pois morreriam. São esses os objetos da tenda do encontro que os caatitas transportarão. ¹⁶Eleazar, filho do sacerdote Aarão, cuidará do azeite do candelabro, do incenso do incensório, da oferta diária, do azeite da unção. Além disso, cuidará de todo o santuário e de seus utensílios, objetos e utensílios sagrados.

¹⁷O Senhor disse a Moisés e Aarão:

— ¹⁸Não permitais que desapareça da tribo de Levi o clã dos caatitas ¹⁹e, para que não morram, fazei o seguinte: Quando tiverem de aproximar-se dos objetos sagrados, Aarão e seus filhos entrarão e indicarão a cada um sua tarefa e seu encargo. ²⁰Mas eles não entrarão para olhar os objetos sagrados, nem por um momento, pois morreriam.

²¹O Senhor disse a Moisés:

— ²²Faze também um recenseamento dos gersonitas, por clãs e famílias. ²³Todos os compreendidos entre trinta e cinquenta anos, aptos para o serviço, para trabalhar na tenda do encontro.

²⁴Estes são a tarefa e o encargo dos gersonitas: ²⁵transportarão as cortinas do santuário, a tenda do encontro, sua cobertura, a sobrecobertura de pele de toninha e a anteporta da tenda do encontro; ²⁶as cortinas do átrio, a cortina da porta do átrio que rodeia o santuário e o altar, as cordas e todos os utensílios de seu serviço. E cuidarão deles em tudo o que for necessário.

²⁷Os gersonitas prestarão seus serviços sob as ordens de Aarão e seus filhos, que lhes indicarão seus serviços de guarda e de transporte. ²⁸São essas as tarefas dos gersonitas a serviço da tenda do encontro e seu serviço de guarda sob as ordens de Itamar, filho do sacerdote Aarão.

²⁹Faze também o recenseamento dos meraritas, por clãs e famílias, ³⁰todos os compreendidos entre trinta e cinquenta anos, aptos para o serviço, para trabalhar na tenda do encontro.

³¹Isto é o que deverão guardar e transportar, e sua tarefa na tenda do encontro: as tábuas do santuário, as trancas, colunas e bases; ³²as colunas do átrio circundante com suas bases, estacas e cordas, seus utensílios e seu serviço. Indicarás nominalmente os objetos que deverão guardar e transportar. ³³São essas as tarefas dos meraritas na tenda do encontro, sob as ordens de Itamar, filho do sacerdote Aarão.

³⁴Moisés e Aarão, com os chefes da assembleia, fizeram o recenseamento dos caatitas, por clãs e famílias; ³⁵todos os compreendidos entre trinta e cinquenta anos, aptos para o serviço, para trabalhar na tenda do encontro. ³⁶Foram contados, por clãs, dois mil, setecentos e cinquenta. ³⁷Esse é o recenseamento dos clãs caatitas que trabalhavam na tenda do encontro, realizado por Moisés e Aarão, por recomendação do Senhor.

³⁸O recenseamento dos gersonitas, por clãs e famílias, ³⁹compreendidos entre trinta e cinquenta anos, aptos para o serviço, para trabalhar na tenda do encontro, ⁴⁰alcançou o número, por clãs e famílias, de dois mil, seiscentos e trinta. ⁴¹Esse é o recenseamento dos gersonitas que trabalhavam na tenda do encontro, realizado por Moisés e Aarão, por recomendação do Senhor.

⁴²O recenseamento dos meraritas, por clãs e famílias, ⁴³compreendidos entre trinta e cinquenta anos, aptos para o serviço, para trabalhar na tenda do encontro, ⁴⁴alcançou o número, por clãs, de três mil e duzentos. ⁴⁵Esse é o recenseamento dos meraritas, realizado por Moisés e Aarão, por recomendação do Senhor.

⁴⁶Os levitas contados no recenseamento que fizeram Moisés, Aarão e os chefes israelitas, por clãs e famílias, ⁴⁷compreendidos entre os trinta e os cinquenta anos, aptos para o trabalho e o transporte da

---

4,16 "Cuidará", com o sentido forte de ser responsável. O sacerdote está acima dos levitas. Ex 27,20.

4,23 Em 8,23-26 a idade mínima é de 25 anos: 1Cr 23,24 e 2Cr 31,17 a diminuem para 20.

4,24 Ex 26,1-13.

4,26 Além da tenda do encontro, menciona-se o santuário nos versículos 16.25. 31.

tenda do encontro, ⁴⁸somaram oito mil, quinhentos e oitenta.

⁴⁹Moisés fez o recenseamento por recomendação do Senhor, indicando a cada um sua tarefa e seu encargo. Assim foi feito o recenseamento, conforme o Senhor havia ordenado a Moisés.

5 ¹O Senhor falou a Moisés:
– ²Dize aos israelitas que expulsem do acampamento os doentes de pele, os que sofrem de gonorreia e os contaminados com cadáveres. ³Sejam homens ou mulheres, os expulsarão do acampamento, para que não se contamine o acampamento, no meio do qual eu habito.

⁴Assim fizeram os israelitas, expulsando-os do acampamento; os israelitas fizeram o que o Senhor havia ordenado a Moisés.

⁵O Senhor falou a Moisés:
– ⁶Dize aos israelitas: Quando um homem ou uma mulher cometer um pecado contra outro homem, ofendendo ao Senhor e incorrendo em culpa, ⁷confessará seu pecado, restituirá o prejuízo a quem tiver prejudicado, com uma sobretaxa de vinte por cento. ⁸Se o prejudicado não tiver parente a quem seja feita a restituição, esta será feita ao Senhor por meio do sacerdote, sem contar o carneiro com o qual se faz a expiação do réu. ⁹O tributo sagrado que os israelitas levam ao sacerdote será para este. ¹⁰Aquilo que alguém der ao sacerdote pertencerá a este.

Lei dos ciúmes – ¹¹O Senhor falou a Moisés:
– ¹²Dize aos israelitas: Quando um homem for enganado por sua mulher e esta lhe for infiel, deitando-se com outro homem, ¹³e o marido não se der conta, e a mancha ficar escondida, porque não há testemunhas contra ela nem foi surpreendida, ¹⁴se o marido sentir ciúmes de sua mulher, por ela ter-se manchado ou não, ¹⁵então o marido levará sua mulher ao sacerdote, com uma oferta de vinte e dois decilitros de farinha de cevada, sem misturar azeite nem incenso, pois é uma oferta de ciúmes para denunciar uma culpa.

4,48 Os números, embora se harmonizem com os 22 mil do censo anterior, são artificiais.

5,1-4 Todo o acampamento está consagrado pela presença do santuário no meio dele. Por isso, deve-se expulsar do acampamento tudo o que é fonte de contaminação: doenças da pele, sexuais, contato de cadáveres. Fazendo referência a Lv 13, 15 e 21, é curioso que não inclua outros casos; talvez o considere demasiado frequentes e inevitáveis. A expulsão é somente temporária.
Mas fica um problema que o autor não resolveu: se o santuário está no centro do acampamento, quem está impuro deve entrar para cumprir o rito de purificação, e com sua passagem ou presença contamina o acampamento; tal não acontecia quando o santuário ficava fora do acampamento. Além disso, o autor não se preocupa com o cuidado dos enfermos expulsos do acampamento. A provisão cultual não leva em conta razões éticas.

5,2 Lv 13; 15,3.

5,5-10 Complementa a lei de Lv 6,1-7. A injustiça contra o próximo é também ofensa a Deus, e a ambos se deve restituição ou reparação. O parente faz o papel de resgatador, de modo que a propriedade fica dentro da família. Ver Lv 23,20 e, sobre o carneiro, Lv 7,7.

5,11-31 É um caso de ordálio ou juízo de Deus: quando não há meios humanos para estabelecer a verdade, culpa ou inocência, apela-se para o juízo de Deus, que tudo sabe e o manifesta com algum meio combinado. Como tal, deve ser posto em relação com Ex 22,10, talvez Sl 109,18 e as sortes sacerdotais; o procedimento é conhecido em muitas culturas. A apresentação do caso e o rito não ficam claros no texto. Podem-se detectar duplicações: do aproximar-se (16 e 18), do juramento (19 e 21), da bebida (24 e 26). Suspeita-se que tenha havido mistura de ritos e adição de elementos.
O *caso*. Deve-se partir de um caso de ciúme do marido, que pode ser fundado ou infundado: é o que propõe o v. 14. Em vez de deixar-se arrebatar pela paixão ("espírito de ciúme", literalmente) ou por indícios insuficientes, o homem tem de submeter-se a um rito em lugar sagrado, presidido por um sacerdote. A prática vem a ser uma defesa da mulher, sobre quem recai a suspeita, e do marido suspeitoso.
O *rito*, ou melhor, os *ritos*. Em ambos se usa água do santuário, dotada de virtude especial, que se há de beber na presença do sacerdote. Numa versão, a ela se mistura pó sagrado; em outra versão, se dissolve nela o texto de um juramento imprecatório. Pronunciado o juramento de inocência pela mulher, a água bebida delatará com seus efeitos a culpa ou a inocência. O rito tem algo de magia; mas estes juízos foram tomados e praticados com terrível seriedade por muitos povos. O autor bíblico tem o cuidado de tomar o Senhor como autor dos efeitos da água (21). A oferenda vegetal necessita de explicação. Chama-se (15) literalmente "oferenda de ciúme, oferenda recordativa, que recorda/denuncia o pecado"; ou seja, pertence a um processo judicial. A julgar por 25-26, a oferenda é para o Senhor e para o sacerdote (cf. Lv 2,3.9.16; sobre o incenso, 2,1). Sobre "desgrenhar os cabelos", ver Lv 10,6; 13,45.

5,12-13 Se tivesse sido surpreendida ou se houvesse duas testemunhas, incorreria em pena de morte. O adultério é injustiça contra o marido e contaminação da mulher (Eclo 23,23).

¹⁶O sacerdote a fará aproximar-se e a colocará na presença do Senhor; pegará água santa em um vaso de argila, ¹⁷porá na água pó do solo do santuário; ¹⁸colocará a mulher na presença do Senhor, soltará seu cabelo, porá em suas mãos a oferta comemorativa dos ciúmes, enquanto o sacerdote tem na mão a água amarga da maldição, ¹⁹e a fará jurar nestes termos: "Se não se deitou contigo um estranho, se não te manchaste, estando sob o poder de teu marido, que esta água amarga da maldição não te faça mal. ²⁰Mas, se enganaste teu marido, estando sob seu poder, se te manchaste deitando-te com outro que não é teu marido, ²¹(o sacerdote fará a mulher jurar, dizendo-lhe:) então o Senhor te entregue à maldição entre os teus, fazendo com que tuas coxas se afrouxem e teu ventre se inche; ²²entre esta água de maldição em tuas entranhas para inchar-te o ventre e afrouxar-te as coxas". A mulher responderá: "Amém, amém".

²³O sacerdote escreverá esta maldição num documento e o lavará na água amarga. ²⁴Depois, fará a mulher beber a água amarga da maldição, e nela entrará a água amarga da maldição.

²⁵O sacerdote receberá da mulher a oferta dos ciúmes, a agitará ritualmente diante do Senhor e a levará ao altar. ²⁶Pegará um punhado da oferta como obséquio e o queimará sobre o altar. ²⁷Depois, fará a mulher beber a água. Se esta se manchou e foi infiel a seu marido, quando a água amarga da maldição entrar nela, seu ventre se inchará e suas coxas se afrouxarão, e a mulher será amaldiçoada entre os seus. ²⁸Se a mulher não se manchou, mas estiver limpa, não sofrerá dano e poderá conceber.

²⁹Essa é a lei dos ciúmes, para quando uma mulher, sob o poder do marido, o enganar e se manchar, ³⁰ou quando um homem tem ciúmes de sua mulher: o marido a apresentará diante do Senhor, e o sacerdote realizará com ela esse rito. ³¹O marido fica livre de culpa, e a mulher levará sua culpa.

6 Nazireato (Jz 13-16) – ¹O Senhor falou a Moisés:

– ²Dize aos israelitas: Quando um homem ou uma mulher quiser fazer um voto especial ao Senhor, *voto de nazireato*, se ³absterá de vinho e licor, não beberá vinagre de vinho nem de licor, não beberá suco de uvas, nem comerá uvas frescas nem passas. ⁴Enquanto durar seu voto, não provará nenhum produto da videira, nem vinho, nem grãos, nem cascas. ⁵Enquanto durar seu voto de nazireato, a navalha não lhe tocará a cabeça; até que termine o tempo de sua dedicação ao Senhor, está consagrado e deixará crescer o cabelo. ⁶Enquanto durar o tempo de sua dedicação ao Senhor, não se aproximará de nenhum cadáver: ⁷nem de seu pai, nem de sua mãe, nem de seu irmão, nem de sua irmã; se morrerem, não se contaminará com eles, porque leva na cabeça o diadema do seu Deus. ⁸Enquanto durar seu nazireato, está consagrado ao Senhor.

⁹Se alguém morrer de repente junto a ele, e sua cabeça dedicada se contaminar,

---

5,21 A fórmula "coxas... ventre..." se repete; certamente tem a ver com a maternidade; o versículo 28 faz pensar em esterilidade; mas isto seria castigo também para o marido.

5,30 O homem não se considera culpado, ainda que seja infundado o seu ciúme (cf. Pr 6,34; 14,30; 27,4). Todo o juízo gira em torno da responsabilidade da mulher, usando como designação "impureza". Deve-se ainda extirpar a dúvida.

6,1-21 O nazireato era uma consagração ao Senhor. Como tal, trasladava o homem de modo especial para a esfera sagrada e, com isso, o expunha mais à contaminação. O exemplo clássico de nazireu é Sansão (Jz 13). Se o texto é antigo e representativo, a consagração é carismática, imposta por Deus, e é por toda a vida; provavelmente se relaciona com a guerra (possível alusão em Jz 5,2), como um voluntariado especial, e não como culto. Sansão quebranta as três proibições: bebe vinho, toca um cadáver, deixa que lhe cortem o cabelo. Ver também Am 2,12; 1Sm 1,11; 1Mc 3,49-50.

O autor de Nm 6 intervém no assunto: torna isso objeto de voto especial, acessível a homens e mulheres, por tempo limitado, sob a jurisdição sacerdotal. Grande parte do texto se refere a possíveis impurezas e ritos de purificação; daí a dependência estreita de diversas leis do Levítico.

6,3 Três termos são únicos e de significado duvidoso. Compare-se com a prática dos recabitas (Jr 35). Manifesta-se uma tendência a apurar e extremar as proibições: não só renunciar ao vinho, mas a qualquer produto da videira.

6,7 Essa cabeleira que cresce livremente é sinal de uma dignidade que Deus lhe confere, como diadema natural. Cortá-la, aplicando a navalha, é algo como cortar pedras para construir um altar.

rapará a cabeça no dia da purificação, isto é, no sétimo dia. ¹⁰No oitavo, levará ao sacerdote, à porta da tenda do encontro, duas rolas ou dois pombos. ¹¹O sacerdote oferecerá um em expiação e o outro em holocausto, e expiará o pecado cometido com o cadáver. Nesse dia, consagra sua cabeça e dedica ao Senhor o tempo do seu nazireato. ¹²Oferecerá um cordeiro de um ano por sua culpa. E o tempo precedente não conta, porque havia contaminado seu nazireato.

¹³*Instrução sobre o nazireato:* Quando concluir o tempo do seu nazireato, irá à porta da tenda do encontro, ¹⁴levando como oferta ao Senhor um cordeiro de um ano, sem defeito, para o holocausto, uma cordeira de um ano, sem defeito, para a expiação, e um carneiro sem defeito para o sacrifício de comunhão. ¹⁵Além disso, um cesto de pães ázimos de flor de farinha, tortas amassadas com azeite, roscas ázimas untadas com azeite, com suas ofertas e libações correspondentes.

¹⁶O sacerdote o apresentará ao Senhor, fazendo o holocausto e o sacrifício expiatório. ¹⁷O carneiro será oferecido ao Senhor como sacrifício de comunhão, com o cesto de pães ázimos; o sacerdote oferecerá também as ofertas e libações. ¹⁸Então o nazireu rapará a cabeça à porta da tenda do encontro, pegará o cabelo de seu nazireato e o jogará no fogo do sacrifício de comunhão. ¹⁹O sacerdote pegará a perna cozida do carneiro, uma torta ázima e uma rosca ázima do cesto, e colocará tudo nas mãos do nazireu, quando ele tiver rapado seu cabelo. ²⁰Depois o sacerdote as agitará ritualmente diante do Senhor: serão porção santa do sacerdote o peito agitado ritualmente e a perna do tributo; depois o nazireu poderá beber vinho.

²¹Essa é a *lei do nazireu,* a oferta que promete ao Senhor por seu nazireato, sem contar o resto que possa oferecer. Cumprirá o que tiver prometido com voto, segundo a lei do nazireato.

Bênção sacerdotal (Sl 67) – ²²O Senhor falou a Moisés:

– ²³Dize a Aarão e a seus filhos: Assim abençoareis os israelitas:

²⁴"O Senhor te abençoe e te guarde,
²⁵o Senhor te mostre seu rosto radiante
e tenha piedade de ti,
²⁶o Senhor te mostre seu rosto
e te conceda a paz".

²⁷Assim invocarão meu nome sobre os israelitas, e eu os abençoarei.

7 Consagração do santuário: ofertas (Ex 40,16-33) – ¹Quando Moisés terminou de instalar o santuário, o ungiu e consagrou com todos os seus utensílios, e fez o mesmo com o altar e seus utensílios: ungiu-os e consagrou.

²Os chefes israelitas, cabeças de família e chefes dos tribos, que haviam colaborado no recenseamento, ³se aproximaram e apresentaram suas ofertas ao Senhor: seis carros cobertos e doze bois, um carro para cada dois chefes, e um boi para cada um. Eles os ofereceram diante do santuário.

⁴O Senhor disse a Moisés:

6,11-12 É estranho que se fale de "expiar o pecado" e de "culpa", quando o nazireu não cometeu nenhuma transgressão. A contaminação é objetiva, independente da responsabilidade pessoal. Ora, se o nazireato era um voluntariado militar, o consagrado se expunha na batalha pela proximidade de companheiros caídos.

6,18 Alguns opinam que é uma oferta. Antes, deve-se pensar na destruição de algo sagrado, terminada a sua função.

6,21 Estes votos vêm a ser bastante produtivos para o sacerdote, o qual se declara disposto a receber algo mais.

6,22-27 Abençoar é ofício sacerdotal (Lv 9,23; Eclo 50,21-22), embora também o rei abençoasse (2Sm 6,18), e os levitas conforme Dt 10,8; 21,5. O texto da bênção é de uso litúrgico e se assemelha à linguagem dos salmos; em particular o salmo 67 parece inspirar-se no presente texto. O rosto luminoso expressa benevolência e favor (Pr 16,15; Jó 29,24); é frequente nos salmos (31,17; 44,4; 80,4.8.20; etc.). As três invocações de Yhwh "impõem" o nome sobre os israelitas, como prenda eficaz de bênção. Não é raro encontrar em alguns salmos ou seções deles a tríplice invocação de Yhwh. O bem invocado aqui é a "paz", termo que pode incluir também a prosperidade.

7 Parece depender de Ex 40, sobre a consagração do santuário, e poderia trasladar-se a esse lugar. Na lista de nomes e na ordem de acesso, coincide com Nm 1 e 2.

7,1 Liga-se com Ex 40,17.

7,1-11 As carroças de transporte constituem uma novidade. A arca podia ser transportada em carroças, conforme 2Sm 6, ou nos ombros, conforme Js 3,8. O autor pensa que os carros são bons auxiliares para empreender a marcha, mas não nos diz de onde os tiravam no deserto. A ficção é patente.

– ⁵Recebe-os para o serviço da tenda do encontro, e entrega-os aos levitas, a cada um segundo sua tarefa.

⁶Moisés recebeu os carros e os bois, e os entregou aos levitas: ⁷dois carros e quatro bois aos gersonitas, para suas tarefas; ⁸quatro carros e oito bois aos meraritas, para suas tarefas sob as ordens de Itamar, filho do sacerdote Aarão. ⁹Aos caatitas não deu nada, porque estes tinham de levar aos ombros os objetos sagrados.

¹⁰Além disso, os chefes trouxeram ofertas para a dedicação do altar, quando foi ungido; os chefes apresentaram suas ofertas diante do altar.

¹¹O Senhor disse a Moisés:

– Cada dia um chefe trará sua oferta para a dedicação do altar.

¹²No primeiro dia, Naasson, filho de Aminadab, da tribo de Judá, sua oferta ¹³uma bandeja de prata de mil e trezentos gramas, um aspersório de prata de setecentos gramas (siclos do santuário), ambos cheios de flor de farinha amassada com azeite para a oferta; ¹⁴uma bandeja de ouro de cem gramas, cheia de incenso; ¹⁵um bezerro, um carneiro e um cordeiro de um ano para um holocausto; ¹⁶um bode para um sacrifício de expiação; ¹⁷duas vacas, cinco carneiros, cinco bodes e cinco cordeiros de um ano para um sacrifício de comunhão. Essa foi a oferta de Naasson, filho de Aminadab.

¹⁸No segundo dia, Natanael, filho de Suar, chefe de Issacar, sua oferta ¹⁹uma bandeja de prata de mil e trezentos gramas, um aspersório de prata de setecentos gramas (siclos do santuário), ambos cheios de flor de farinha amassada com azeite para a oferta; ²⁰uma bandeja de ouro de cem gramas, cheia de incenso; ²¹um bezerro, um carneiro e um cordeiro de um ano para um holocausto; ²²um bode para um sacrifício de expiação; ²³duas vacas, cinco carneiros, cinco bodes e cinco cordeiros de um ano para um sacrifício de comunhão. Essa foi a oferta de Natanael, filho de Suar.

²⁴No terceiro dia, Eliab, filho de Helon, chefe da tribo de Zabulon, sua oferta ²⁵uma bandeja de prata de mil e trezentos gramas, um aspersório de prata de setecentos gramas (siclos do santuário), ambos cheios de flor de farinha amassada com azeite para a oferta; ²⁶uma bandeja de ouro de cem gramas, cheia de incenso; ²⁷um bezerro, um carneiro e um cordeiro de um ano para um holocausto; ²⁸um bode para um sacrifício de expiação; ²⁹duas vacas, cinco carneiros, cinco bodes e cinco cordeiros de um ano para um sacrifício de comunhão. Essa foi a oferta de Eliab, filho de Helon.

³⁰No quarto dia, Elisur, filho de Sedeur, chefe da tribo de Rúben, sua oferta ³¹uma bandeja de prata de mil e trezentos gramas, um aspersório de prata de setecentos gramas (siclos do santuário), ambos cheios de flor de farinha amassada com azeite para a oferta; ³²uma bandeja de ouro de cem gramas, cheia de incenso; ³³um bezerro, um carneiro e um cordeiro de um ano para um holocausto; ³⁴um bode para um sacrifício de expiação; ³⁵duas vacas, cinco carneiros, cinco bodes e cinco cordeiros de um ano para um sacrifício de comunhão. Essa foi a oferta de Elisur, filho de Sedeur.

³⁶No quinto dia, Salamiel, filho de Surisadai, chefe da tribo de Simeão, sua oferta ³⁷uma bandeja de prata de mil e trezentos gramas, um aspersório de prata de setecentos gramas (siclos do santuário), ambos cheios de flor de farinha amassada com azeite para a oferta; ³⁸uma bandeja de ouro de cem gramas, cheia de incenso; ³⁹um bezerro, um carneiro e um cordeiro de um ano para um holocausto; ⁴⁰um bode para um sacrifício de expiação; ⁴¹duas vacas, cinco carneiros, cinco bodes e cinco cordeiros de um ano para um sacrifício de comunhão. Essa foi a oferta de Salamiel, filho de Surisadai.

7,9 Conforme o prescrito em 4,1-15; embora em 2Sm 6 a arca seja transportada numa carroça.

7,12 Em forma narrativa nos apresenta um registro. Nós o escreveríamos simplificado num quadro: na horizontal superior os dons, na vertical esquerda os nomes e os dias. O autor parece comprazer-se na enumeração; e também na generosidade igualitária dos leigos, por tribos, e na riqueza e esplendor do santuário. Assim, este capítulo vem a ser um dos mais longos da Bíblia.

Calculando o siclo em dez gramas, cada tribo oferece dois quilos de prata e trezentos gramas de ouro, um rebanho de vinte e uma cabeças de gado e farinha. Conforme Is 60, Sl 68 e outros, os estrangeiros serão os portadores de dons. O Cronista atribui a Davi a fartura de materiais preciosos, milhares de toneladas de ouro e prata, "bronze e ferro em quantidade incalculável" (1Cr 22,14).

⁴²No sexto dia, Eliasaf, filho de Reuel, chefe da tribo de Gad, sua oferta ⁴³uma bandeja de prata de mil e trezentos gramas, um aspersório de prata de setecentos gramas (siclos do santuário), ambos cheios de flor de farinha amassada com azeite para a oferta; ⁴⁴uma bandeja de ouro de cem gramas, cheia de incenso; ⁴⁵um bezerro, um carneiro e um cordeiro de um ano para um holocausto; ⁴⁶um bode para um sacrifício de expiação; ⁴⁷duas vacas, cinco carneiros, cinco bodes e cinco cordeiros de um ano para um sacrifício de comunhão. Essa foi a oferta de Eliasaf, filho de Reuel.

⁴⁸No sétimo dia, Elisama, filho de Amiud, chefe da tribo de Efraim, sua oferta ⁴⁹uma bandeja de prata de mil e trezentos gramas, um aspersório de prata de setecentos gramas (siclos do santuário), ambos cheios de flor de farinha amassada com azeite para a oferta; ⁵⁰uma bandeja de ouro de cem gramas, cheia de incenso; ⁵¹um bezerro, um carneiro e um cordeiro de um ano para um holocausto; ⁵²um bode para um sacrifício de expiação; ⁵³duas vacas, cinco carneiros, cinco bodes e cinco cordeiros de um ano para um sacrifício de comunhão. Essa foi a oferta de Elisama, filho de Amiud.

⁵⁴No oitavo dia, Gamaliel, filho de Fadassur, chefe da tribo de Manassés, sua oferta ⁵⁵uma bandeja de prata de mil e trezentos gramas, um aspersório de prata de setecentos gramas (siclos do santuário), ambos cheios de flor de farinha amassada com azeite para a oferta; ⁵⁶uma bandeja de ouro de cem gramas, cheia de incenso; ⁵⁷um bezerro, um carneiro e um cordeiro de um ano para um holocausto; ⁵⁸um bode para um sacrifício de expiação; ⁵⁹duas vacas, cinco carneiros, cinco bodes e cinco cordeiros de um ano para um sacrifício de comunhão. Essa foi a oferta de Gamaliel, filho de Fadassur.

⁶⁰No nono dia, Abidã, filho de Gedeão, chefe da tribo de Benjamim, sua oferta ⁶¹uma bandeja de prata de mil e trezentos gramas, um aspersório de prata de setecentos gramas (siclos do santuário), ambos cheios de flor de farinha amassada com azeite para a oferta; ⁶²uma bandeja de ouro de cem gramas, cheia de incenso; ⁶³um bezerro, um carneiro e um cordeiro de um ano para um holocausto; ⁶⁴um bode para um sacrifício de expiação; ⁶⁵duas vacas, cinco carneiros, cinco bodes e cinco cordeiros de um ano para um sacrifício de comunhão. Essa foi a oferta de Abidã, filho de Gedeão.

⁶⁶No décimo dia, Aiezer, filho de Amisadai, chefe da tribo de Dã, sua oferta ⁶⁷uma bandeja de prata de mil e trezentos gramas, um aspersório de prata de setecentos gramas (siclos do santuário), ambos cheios de flor de farinha amassada com azeite para a oferta; ⁶⁸uma bandeja de ouro de cem gramas, cheia de incenso; ⁶⁹um bezerro, um carneiro e um cordeiro de um ano para um holocausto; ⁷⁰um bode para um sacrifício de expiação; ⁷¹duas vacas, cinco carneiros, cinco bodes e cinco cordeiros de um ano para um sacrifício de comunhão. Essa foi a oferta de Aiezer, filho de Amisadai.

⁷²No décimo primeiro dia, Fegiel, filho de Ocrã, chefe da tribo de Aser, sua oferta ⁷³uma bandeja de prata de mil e trezentos gramas, um aspersório de prata de setecentos gramas (siclos do santuário), ambos cheios de flor de farinha amassada com azeite para a oferta; ⁷⁴uma bandeja de ouro de cem gramas, cheia de incenso; ⁷⁵um bezerro, um carneiro e um cordeiro de um ano para um holocausto; ⁷⁶um bode para um sacrifício de expiação; ⁷⁷duas vacas, cinco carneiros, cinco bodes e cinco cordeiros de um ano para um sacrifício de comunhão. Essa foi a oferta de Fegiel, filho de Ocrã.

⁷⁸No décimo segundo dia, Aíra, filho de Enã, chefe da tribo de Neftali, sua oferta ⁷⁹uma bandeja de prata de mil e trezentos gramas, um aspersório de prata de setecentos gramas (siclos do santuário), ambos cheios de flor de farinha amassada com azeite para a oferta; ⁸⁰uma bandeja de ouro de cem gramas, cheia de incenso; ⁸¹um bezerro, um carneiro e um cordeiro de um ano para um holocausto; ⁸²um bode para um sacrifício de expiação; ⁸³duas vacas, cinco carneiros, cinco bodes e cinco cordeiros de um ano para um sacrifício de comunhão. Essa foi a oferta de Aíra, filho de Enã.

⁸⁴Esta foi a oferta dos chefes israelitas para a dedicação do altar, quando foi ungido: ⁸⁵doze bandejas de prata de mil e trezentos gramas e doze aspersórios de prata de setecentos gramas, no total de vinte e quatro mil gramas de prata (siclos

do santuário); ⁸⁶doze bandejas de ouro de cem gramas cada uma (siclos do santuário), cheias de incenso; no total, mil e duzentos gramas de ouro; ⁸⁷doze bezerros, doze carneiros e doze cordeiros de um ano com suas ofertas correspondentes para holocaustos; doze bodes para sacrifícios de expiação; ⁸⁸vinte e quatro vacas, sessenta carneiros, sessenta bodes e sessenta cordeiros de um ano para sacrifícios de comunhão. Essa foi a oferta para a dedicação do altar, quando foi ungido.

⁸⁹Quando Moisés entrou na tenda do encontro para falar com Deus, ouviu a voz que lhe falava da placa que cobre a arca da aliança, entre os querubins; daí lhe falava.

8 O candelabro (Ex 25,31-40) – ¹O Senhor disse a Moisés:

– ²Dize a Aarão: Quando acenderes as sete lâmpadas, faze-o de modo que ilumine a parte dianteira do candelabro.

³Aarão assim fez. As lâmpadas iluminavam a parte dianteira do candelabro, conforme o Senhor havia ordenado a Moisés. ⁴O candelabro era de ouro cinzelado, desde a haste até as flores. Moisés o fez conforme o modelo que o Senhor lhe havia mostrado.

Consagração dos levitas – ⁵O Senhor disse a Moisés:

– ⁶Dentre os israelitas escolhe os levitas e purifica-os com o seguinte rito: ⁷asperge-os com água expiatória. Depois, eles passarão a navalha por todo o corpo, lavarão as vestes e se purificarão. ⁸Em seguida, pegarão um bezerro com a correspondente oferta de flor de farinha amassada com azeite. Quanto a ti, tomarás outro bezerro para o sacrifício expiatório. ⁹Farás os levitas se aproximar da tenda do encontro, e convocarás toda a assembleia de Israel.

¹⁰Tendo colocado os levitas na presença do Senhor, os outros israelitas lhes imporão as mãos. ¹¹Em nome dos israelitas, Aarão os apresentará ao Senhor com o rito da agitação, para que desempenhem as tarefas do Senhor.

¹²Os levitas porão as mãos sobre a cabeça dos bezerros, e tu os oferecerás para expiar pelos levitas: um como sacrifício expiatório, o outro como holocausto. ¹³Colocarás os levitas diante de Aarão e seus filhos, para que ele os apresente ao Senhor com o rito da agitação. ¹⁴Assim separarás os levitas dos outros israelitas, e eles serão meus.

¹⁵Terminadas as cerimônias, purificados e oferecidos com o rito da agitação, os levi-

---

7,89 Este é um versículo surpreendente, embora anunciado em Ex 25,22. Como outras vezes, vemos Moisés dirigir-se à tenda do encontro, para uma entrevista a fim de receber instruções do Senhor. Mas desta vez Moisés, sem ser sumo sacerdote, penetra no Santíssimo onde se esconde a arca (ele não escuta atrás da cortina). Sobre a arca está a placa de ouro, que é sólio ou trono do Senhor, com os querubins, que sustentam o trono ou assistem. O Senhor está aí, porém mas invisível, acessível como pura voz: o texto diz "a voz", com artigo e sem genitivo. Quem ocupa hoje no lugar de Moisés? Terá sido o único na história de Israel?
Com que se deve unir este versículo? Cabem várias respostas: é conclusão do capítulo, selando a aceitação do Senhor; começa nova etapa da comunicação de Deus vinculada ao templo; ou é peça de enlace.

8,2-4 Além da sua função utilitária de iluminar, o candelabro tem valores simbólicos. A sua forma é de uma árvore estilizada, as lâmpadas são suas flores, a luz é vida. O próprio Deus mostrou o modelo do candelabro.

8,2 Eclo 26,17.

8,5-22 A dedicação dos levitas repete e amplia o material de 3,5-13. São separados ou escolhidos da comunidade; são purificados, não consagrados como os sacerdotes. O rito inclui três fases. A primeira é a limpeza: lavam suas roupas, não colocam vestes especiais; em vez de banho, uma aspersão, espécie de ducha. A segunda fase é a imposição das mãos da comunidade: pode-se imaginar que alguns representantes atuam de fato. O rito significa uma delegação, uma entrega ritual ao Senhor. É frequente em hebraico a expressão "receber das mãos de". A terceira fase é a oferta ritual dos levitas ao Senhor, realizada pelo sumo sacerdote com o rito clássico da "agitação" – que não sabemos como se praticava com pessoas. É Aarão quem o executa, mas em nome da comunidade. Com isso se consuma a entrega e o Senhor poderá sancionar: "serão meus".

8,15-19 Agora o Senhor responde: o que lhe deram e lhe pertence, ele o dá, o cede aos sacerdotes. Os "doados" seus se convertem em "doados" de Aarão. A rigor, os israelitas deram ao Senhor o que já era dele, ou seja, lhe devolveram.
Com este recurso, o autor consegue unir os fios e definir e legitimar a situação e função dos levitas. Na função não se desligam da comunidade: os serviços que prestam na tenda do encontro são os que outros deveriam prestar. Mas o lugar é delicado e perigoso: gente profana e inexperiente se exporia a consequências fatais. Os levitas, como experientes e dedicados, se interpõem e evitam perigos a seus concidadãos leigos. A esta proteção o autor, estranhamente, dá o nome de "expiar".

tas passarão a servir na tenda do encontro. ¹⁶São doados meus, que os israelitas me deram em troca de seus primogênitos, e eu os reservo para mim. ¹⁷Todos os primogênitos israelitas de homens e de animais me pertencem: eu os consagrei a mim quando matei os primogênitos egípcios. ¹⁸Por isso eu reservo os levitas para mim, em troca dos primogênitos israelitas, ¹⁹e os cedo a Aarão e a seus filhos, como doados da parte dos israelitas. Eles apresentarão seus serviços em lugar dos israelitas na tenda do encontro; além disso, expiarão pelos israelitas, para que estes não sofram uma desgraça quando se aproximarem da região sagrada. ²⁰Assim fizeram Moisés, Aarão e toda a comunidade israelita; cumpriram tudo o que o Senhor havia ordenado a Moisés a respeito dos levitas. ²¹Os levitas se purificaram de seus pecados e lavaram suas vestes. Aarão os ofereceu ao Senhor com o rito da agitação, e expiou por eles, para purificá-los. ²²Terminadas as cerimônias, passaram a servir na tenda do encontro, na presença de Aarão e seus filhos. Assim se cumpriu tudo o que o Senhor havia ordenado a Moisés a respeito dos levitas.

²³O Senhor disse a Moisés:

– ²⁴Os levitas de vinte e cinco anos para cima farão os trabalhos da tenda do encontro. ²⁵Aos cinquenta anos se aposentarão e não servirão mais. ²⁶Ajudarão seus irmãos, montando guarda na tenda do encontro, mas não trabalharão. Assim indicarás o serviço de guarda aos levitas.

9 **A Páscoa** (Ex 12,1-13; 2Cr 30) – ¹No segundo ano após os israelitas saírem do Egito, no primeiro mês, o Senhor disse a Moisés no deserto do Sinai:

– ²Os israelitas celebrarão a Páscoa em sua data: ³no dia catorze do primeiro mês, ao entardecer, eles a celebrarão com todos os seus ritos e cerimônias.

⁴Moisés mandou os israelitas celebrar a Páscoa, ⁵e eles a celebraram no dia catorze do primeiro mês, ao entardecer, no deserto do Sinai. Assim cumpriram o que o Senhor havia ordenado a Moisés.

⁶Alguns estavam contaminados por terem tocado um cadáver, e não puderam celebrar a Páscoa em seu dia. Apresentaram-se no mesmo dia a Moisés e a Aarão, ⁷e lhes disseram:

– Estamos contaminados por termos tocado um cadáver. Por que não nos deixas trazer nossa oferta ao Senhor no dia marcado, com os outros israelitas?

⁸Moisés respondeu:

– Esperai até que eu saiba o que o Senhor ordena.

⁹O Senhor falou a Moisés:

– ¹⁰Dize aos israelitas: Se um de vós ou de vossos descendentes estiver contaminado por um cadáver ou se encontrar em viagem, ¹¹celebrará a Páscoa do Senhor no dia catorze do segundo mês, ao entardecer. Ele a comerá com pães ázimos e ervas amargas; ¹²não deixará nada para o dia seguinte, nem lhe quebrará nenhum osso. Ele a celebrará segundo o ritual da Páscoa. ¹³Contudo, aquele que, estando puro e não se encontrando em viagem, deixar de celebrá-la, será excluído do seu povo. Levará a culpa de não ter apresentado ao Senhor a oferta em seu dia. ¹⁴O migrante que residir entre vós celebrará a Páscoa do Senhor seguindo o ritual e cerimonial. O mesmo ritual vale para o nativo e para o migrante.

A nuvem (Ex 24,15-18) – ¹⁵Quando montavam a tenda, a nuvem cobria o santuário so-

---

8,21 Ao resumir as etapas do rito, usa o autor uma forma rara do verbo "pecar", com valor privativo e reflexivo; algo como "desprender-se dos pecados". Isso corresponde à aspersão do v. 7.

8,23 Sobre a idade, uma correção ou esclarecimento: 4,3.

9,1 A data não combina bem com o começo do livro, "o segundo mês". Cronologicamente, este capítulo deveria preceder, mas o autor seguiu outro critério. Primeiro, a nova cláusula legal acrescenta o prazo de outro mês para a celebração dos impedidos. Segundo, o autor quer começar a nova etapa como começou a primeira um ano antes: celebrando a Páscoa (Ex 12).

9,6-14 Com a nova cláusula se quer harmonizar um princípio geral com uma casuística particular. O princípio é que a Páscoa é celebração distintiva, de pertença à comunidade; até o migrante (circuncidado) deve participar. Aquele que, sem devida justificativa, não a celebra, se exclui da comunidade, fica excomungado. Que fazer com os legitimamente impedidos, por impureza ou por viagem? A eles é permitido celebrá-la exatamente um mês mais tarde. Segundo 2Cr 30, Ezequias fez celebrar uma páscoa dois meses mais tarde, em quatorze de maio.

9,15-23 Vão começar a marcha: quem os guiará? Pelo deserto não basta a direção genérica, faz falta a

bre a tenda da aliança, e desde o entardecer até o amanhecer via-se sobre o santuário uma espécie de fogo. ¹⁶Assim acontecia sempre: a nuvem o cobria, e de noite via-se uma espécie de fogo. ¹⁷Quando se levantava a nuvem sobre a tenda, os israelitas se punham em marcha. E onde a nuvem parasse, acampavam. ¹⁸À ordem do Senhor se punham em marcha, e à ordem do Senhor acampavam. Enquanto a nuvem estava sobre o santuário, acampavam. ¹⁹E se ficasse muitos dias sobre o santuário, os israelitas, respeitando a proibição do Senhor, não se punham em marcha. ²⁰Às vezes a nuvem ficava poucos dias sobre o santuário. Então, sob a ordem do Senhor, acampavam, e, sob a ordem do Senhor, punham-se em marcha. ²¹Outras vezes, ficava do entardecer ao amanhecer, e quando, ao amanhecer, se levantava, punham-se em marcha. Ou ficava um dia e uma noite, e quando se levantava, punham-se em marcha. ²²Às vezes ficava sobre o santuário dois dias ou um mês ou mais tempo ainda; durante esse tempo, os israelitas continuavam acampados, sem pôr-se em marcha. Só quando se levantava, eles se punham em marcha. ²³Sob a ordem do Senhor, acampavam, e, sob a ordem do Senhor punham-se em marcha. Respeitavam a ordem do Senhor, comunicada por Moisés.

10 **As trombetas** – ¹O Senhor disse a Moisés: – ²Faze duas trombetas de prata lavrada para convocar a comunidade e pôr o acampamento em marcha. ³Ao toque das duas trombetas, toda a comunidade se reunirá contigo na entrada da tenda do encontro. ⁴Ao toque de uma só, os chefes de clãs se reunirão contigo. ⁵Ao primeiro toque agudo, os que acampam ao leste se porão em movimento. ⁶Ao segundo, os que acampam ao sul. Será dado um toque para que se ponham em marcha. ⁷Para convocar a assembleia será dado um toque, mas não agudo.

⁸Os sacerdotes aaronitas se encarregarão de tocar as trombetas. É lei perpétua para as vossas gerações. ⁹Quando em vosso território fordes lutar contra o inimigo que vos oprime, tocareis com força. E o Senhor vosso Deus se lembrará de vós e vos salvará de vossos inimigos. ¹⁰Também nos dias de festa, solenidades e começo de mês, tocareis as trombetas, anunciando os holocaustos e sacrifícios de comunhão. E o vosso Deus se lembrará de vós. Eu sou o Senhor vosso Deus.

DO SINAI A CADES

Partida – ¹¹No segundo ano, no dia vinte do segundo mês, a nuvem se levantou sobre o santuário da aliança, ¹²e os israelitas partiram do deserto do Sinai, em ordem de marcha. A nuvem se deteve no deserto de Farã. ¹³À ordem do Senhor dada por Moisés, empreenderam a marcha.

¹⁴O primeiro a fazê-lo foi a insígnia de Judá, por esquadrões, sob as ordens de

---

específica e individual. Pode guiá-los o Senhor com seus oráculos particulares; pode guiá-los "um anjo, o meu anjo" (Ex 23,20; 33,2); o Senhor em pessoa (Ex 33,14); um homem experiente? (Nm 10,29-32). O autor introduz aqui a nuvem. Ela, que revela e esconde a presença do Senhor, servirá de guia.

O texto fala simplesmente de "nuvem" que cobre o santuário, protegendo ou isolando da presença do Senhor. Quando se levanta e se põe em movimento, atrás têm de seguir o santuário e todo o acampamento. Outras tradições falam de "coluna de nuvem e coluna de fogo", que se alternam dia e noite (p. ex.: Ex 13,21; Nm 14,14). O autor do presente capítulo (o Sacerdotal, **P**) intenta descrever as evoluções de uma nuvem milagrosa, próxima e atingível, que transmite com sua figura "a ordem do Senhor".

O autor escreve um texto prolixo, com o qual quer traduzir o caráter dessa guia. Não será genérica, mas sim individual; não se submete às categorias temporais de noite e dia, dia ou mês; seus movimentos não se podem prever nem calcular. Os peregrinos dependerão da nuvem, submetidos às suas indica-

ções. A nuvem se levanta como símbolo da vontade concreta de Deus, na peregrinação da vida: ele não se encerra em leis nem se prende a calendários.

10,1-10 Fala-se de trombetas de metal, não de chifres de carneiro (Ex 19,13). Servem para comunicar ordens ou anunciar eventos, e são os sacerdotes que as tocarão. Anunciam assembleias, festas, marcha, batalha, ao que parece, modulando o toque. Seu clangor consegue inclusive chamar a atenção de Deus (10), como se fosse rito ou prece sem palavras. É estranha a fórmula hebraica "tocar o alarido". Sobre seu uso no culto ver Sl 98,6; Esd 3,10. O Cronista fala de cento e vinte trombetas em uníssono (2Cr 5,12).

10,11-13 O acampamento se põe em marcha para a nova etapa. O acampamento, tão geometricamente montado pelo autor, vai agitar-se por dentro ao tropeçar com a realidade do caminho. O deserto de Farã, com seu oásis, segundo a tradição, fica perto do Sinai.

10,14-28 A marcha procede com ordem mais processional que militar, ainda que se chamem "regimentos" ou esquadrões: o autor move suas peças com fácil segurança, auxiliado pelas insígnias. Não

Naasson, filho de Aminadab. ¹⁵Ia acompanhada pelo esquadrão da tribo de Issacar, comandado por Natanael, filho de Suar, ¹⁶e do esquadrão da tribo de Zabulon, comandado por Eliab, filho de Helon.

¹⁷Desmontado o santuário, os gersonitas e meraritas, encarregados do seu transporte, também se puseram em marcha.

¹⁸Em seguida, a insígnia de Rúben o fez por esquadrões, sob as ordens de Elisur, filho de Sedeur. ¹⁹Ia acompanhada pelo esquadrão da tribo de Simeão, comandado por Salamiel, filho de Surisadai, ²⁰do esquadrão da tribo de Gad, comandado por Eliasaf, filho de Reuel.

²¹Seguiam então os caatitas, encarregados de transportar o sagrado. E antes que chegassem, montavam o santuário para eles.

²²Em seguida, a insígnia de Efraim, por esquadrões, sob as ordens de Elisama – filho de Amiud –, ²³acompanhada pelo esquadrão da tribo de Manassés, comandado por Gamaliel, filho de Fadassur, ²⁴e pelo esquadrão da tribo de Benjamim, comandado por Abidã, filho de Gedeão.

²⁵Em último lugar, na retaguarda, partiu a insígnia de Dã, por esquadrões, sob as ordens de Aiezer – filho de Amisadai –, ²⁶acompanhada pelo esquadrão da tribo de Aser, comandado por Fegiel, filho de Ocrã, ²⁷e pelo esquadrão da tribo de Neftali, comandado por Aíra, filho de Enã.

²⁸Essa era a ordem de marcha por esquadrões dos israelitas, quando empreenderam a marcha.

²⁹Moisés disse a seu sogro, Hobab, filho de Ragüel, o madianita:

– Vamos partir para o lugar que o Senhor prometeu dar-nos. Vem conosco, pois te trataremos bem, porque o Senhor prometeu bens a Israel.

³⁰Ele respondeu:

– Não vou. Prefiro voltar à minha terra natal.

³¹Moisés insistiu:

– Não nos deixes, porque conheces este deserto e os lugares onde acampar. Deves ser nosso guia. ³²Se vieres conosco, partilharemos contigo os bens que o Senhor nos conceder e te trataremos bem.

³³Partiram do monte do Senhor e andaram três dias. Durante todo o tempo, a arca da aliança do Senhor marchava diante deles, procurando um lugar onde descansar. ³⁴Desde que se puseram em marcha, a nuvem do Senhor ia sobre eles. ³⁵Quando a arca se punha em marcha, Moisés dizia:

– Levanta-te, Senhor!
Que teus inimigos se dispersem,
fujam de tua presença
os que te odeiam.

³⁶E quando a arca parava, dizia:

– Descansa, Senhor,
entre as multidões de Israel.

11

Incêndio – ¹O povo se queixava de suas desgraças ao Senhor. Ao ouvi-lo, acendeu-se sua ira, e o fogo do Senhor irrompeu contra eles, começando a abrasar a extremidade do acampamento. ²O povo gritou a Moisés, este rezou ao Senhor por eles, e o incêndio se apagou. ³E chamaram

---

sabemos se tem significado especial o fato de ir à frente a tribo de Judá (à qual pertenceu Davi).

10,29-32 Retorna o fio narrativo, interrompido a partir do cap. 34 do Êxodo. O sogro de Moisés se chama aqui Hobab, em vez de Jetro. Como se não bastassem o anjo e a nuvem, Moisés quer contratar seu sogro como guia experiente, com boa remuneração; vale a pena juntar-se a um povo privilegiado pelo Senhor. Deduz-se que não o aceita, embora o relato se interrompa bruscamente. Hobab não volta a figurar na caravana.

10,33-34 É que guiar o povo não era tarefa humana, mas de Deus por seus intermediários: a arca e a nuvem. A arca, como em Js 3-4; a nuvem, como em Nm 9. A arca transportada pelos levitas (Dt 31,9.25) faz o papel do explorador (compare-se com o bezerro de Ex 32,1, "que vai à frente").

10,35-36 O texto da primeira invocação se lê no princípio do Sl 68. "Levanta-te": é um grito de auxílio que se dirige ao Senhor como juiz (Sl 7,7; 17,13; 82,8) ou como guerreiro (3,8; 10,12); também convidando-o a trasladar-se para seu lugar de repouso (Sl 132,8). Aqui, pela menção do inimigo, tem tom militar: a arca marcha como paládio (1Sm 4).

11,1-3 Apenas começada a marcha, começam os problemas internos. O capítulo situa-se em dois lugares: Tabera e Cibrot-ataava. Tem por tema comum dois protestos populares e se articula em dois episódios. O primeiro, mais que relato, é um esquema: pecado do povo, castigo de Deus, intercessão de Moisés, perdão. Animam o esquema: o particípio *hitpael* das queixas, a visão da ira divina como fogo corpóreo que devora e consome; o topônimo deduzido do incêndio. O episódio pode ter sido inventado para explicar um topônimo (que não figura no cap. 33); poderia conservar vaga recordação histórica.

11,3 * = Estalido.

a esse lugar de Tabera*, porque o fogo do Senhor irrompeu contra eles.

Queixas do povo e de Moisés (Ex 5,22s; 16) – ⁴A multidão que ia com eles estava faminta, e os israelitas puseram-se a chorar com eles, dizendo:

– Quem nos dera carne! ⁵Como nos lembramos do peixe que comíamos por um nada no Egito, dos pepinos, melões, porros, cebolas e alhos. ⁶Mas agora, perdemos o apetite, vendo somente este maná. ⁷(O maná parecia-se com semente de coentro, com cor de bdélio; ⁸o povo se espalhava para recolhê-lo, o moíam no moinho ou amassavam no pilão, o cozinhavam na panela e, com ele, faziam fogaças que tinham o sabor de pão de azeite. ⁹De noite o orvalho caía no acampamento, e em cima dele o maná.)

¹⁰Moisés ouviu como o povo, família por família, chorava, cada um à entrada de sua tenda, provocando a ira do Senhor, e desgostoso ¹¹disse ao Senhor:

– Por que maltratas teu servo e não lhe concedes teu favor; pelo contrário, lhe fazes carregar todo esse povo? ¹²Por acaso concebi todo esse povo ou dei à luz, para que me digas: "Toma nos braços esse povo, como a ama de leite carrega a criança no colo, e leva-o à terra que prometi a seus pais"? ¹³De onde tirarei carne para dá-la a todo o povo? Ele vem a mim chorando: Dá-nos carne para comer. ¹⁴Eu sozinho não posso levar todo este povo, pois isso supera as minhas forças. ¹⁵Se me tratas assim, é melhor que me faças morrer; concede-me esse favor, e não terei de suportar tais sofrimentos.

Anúncio e cumprimento (Ex 18,21-26) – ¹⁶O Senhor respondeu a Moisés:

– Traze-me setenta dirigentes que sabes que dirigem e governam o povo, leva-os à tenda do encontro, e esperem aí contigo. ¹⁷Eu descerei e falarei aí contigo. Separarei uma parte do espírito que tens e a passarei a eles, para que repartam contigo a carga do povo, e não tenhas de levá-la sozinho.

¹⁸Dirás ao povo: "Purificai-vos para amanhã, pois comereis carne. Chorastes, pedindo ao Senhor: 'Quem nos dera carne! Estávamos melhor no Egito'. O Senhor vos dará carne para comer. ¹⁹Não um dia, nem dois, nem cinco, nem dez, nem vinte, ²⁰mas um mês inteiro, até que vos dê náusea e

---

11,4-33 Duas ou três narrações foram habilmente entrelaçadas nesta passagem: o maná, as codornizes, os setenta anciãos. Como se fosse pouco, acrescenta-se o apêndice de Eldad e Medad.
O cansaço do maná, prato único quotidiano (!), provoca o desejo de carne e as consequentes queixas do povo; queixas que provocam o desgosto de Moisés e seu cansaço no cargo: estou farto! À queixa de Moisés responde o Senhor, bifurcando sua ação: para o povo, codornizes até se fartar; para Moisés, colaboradores experientes. Tal é o movimento narrativo.

11,4-6 Esta "multidão" aparece já em Ex 12,38. A queixa dos israelitas continua a série de Ex 14; 15,23-25; 17,2-7; e continuará com mais casos. A queixa supõe que não dispõem de rebanhos. A dieta egípcia está descrita exatamente.

11,7-9 A descrição do maná não coincide com a de Ex 16,31. Segundo Ex 16,21, o calor solar o dissolvia; aqui o calor do fogo o cozinha. Outros textos o chamam de "trigo celeste" (Sl 78,24) ou "pão celeste" (Sl 105, 4); leia-se o comentário de Jo 6. Quem busca uma explicação realista do fenômeno o identifica com excrescências estivais da tamargueira.

11,11-15 A súplica de Moisés é admirável pela intimidade revelada. É queixa amorosa e audácia comedida. O Senhor maltrata um servo que o tem servido fielmente, e o amo sai perdendo. O servo não alcança o favor esperado (Ex 33,12.13.16). O povo é uma carga imposta por Deus, não escolhida ambiciosamente por Moisés.

Moisés não está obrigado a levar a carga; não é a mãe do povo nem a nutriz. Quem é a mãe? A ela compete alimentar o povo menino, ainda que seja manhoso; que mostre nele o seu carinho. Sobre a imagem materna, ver Is 49,22s e 66,12. Embora a imagem materna não se costume aplicar a Deus, ele carregou o povo (Ex 19,4; Dt 32,11). Além do mais, Moisés não pode carregá-lo, porque não tem forças para tanto: o povo chora, sempre descontente. Oprimido pelo peso da responsabilidade, pede a Deus por favor que o faça morrer (cf. Elias: 1Rs 19,4; Jonas: Jn 4,3).

11,16-17 Moisés pede a própria renúncia ou a ajuda de Deus: sozinho não posso! Deus lhe responde: procure colaboradores! Os anciãos colaboradores apareceram na proposta de Jetro (Ex 18), como o grupo dos setenta na aliança (Ex 24).
Deus envia seu espírito aos eleitos para que desempenhem a sua função específica a serviço da comunidade: profetizar, governar, tarefas do santuário... A quantidade de espírito é proporcional à responsabilidade do eleito. Moisés possui uma plenitude que, ao se repartir a responsabilidade do governo, tem de se repartir entre todos. A unidade e participação estão bem expressas nesta fórmula, um pouco quântica, do espírito. Deus é o dono: ele o dá, o retira, o reparte como quer. Ver a versão de Dt 1,9-18, com intervenção do povo.

11,18-20 Segundo tema. Deus acede ao pedido do povo, ao mesmo tempo que denuncia o pecado e

a vomiteis. Pois rejeitastes o Senhor, que caminha no meio de vós, e chorastes diante dele, dizendo: 'Por que saímos do Egito?'"

²¹Moisés replicou:

– O povo que está comigo soma seiscentas mil pessoas a pé, e tu dizes que lhes darás carne para comer um mês inteiro. ²²Ainda que matássemos as vacas e as ovelhas, não lhes bastaria, e ainda que reuníssemos todos os peixes do mar, não lhes bastaria.

²³O Senhor disse a Moisés:

– Será que a mão de Deus é tão mesquinha? Agora verás se minha palavra se cumpre ou não.

²⁴Moisés saiu e comunicou ao povo as palavras do Senhor. Depois reuniu os setenta dirigentes do povo, colocando-os ao redor da tenda. ²⁵O Senhor desceu na nuvem, falou com ele, e, separando parte do espírito que possuía, o passou aos setenta dirigentes do povo. Ao pousar sobre eles o espírito, puseram-se a profetizar, uma vez somente.

Eldad e Medad – ²⁶Dois do grupo, chamados Eldad e Medad, haviam ficado no acampamento. Embora constassem na lista, não tinham ido à tenda. Mas o espírito pousou sobre eles, e puseram-se a profetizar no acampamento. ²⁷Um jovem correu para contar a Moisés:

– Eldad e Medad estão profetizando no acampamento.

²⁸Josué, filho de Nun, ajudante de Moisés desde a juventude, interveio:

– Moisés, proíbe-os.

²⁹Respondeu-lhe Moisés:

– Estás com ciúmes por minha causa? Oxalá todo o povo do Senhor fosse profeta e recebesse o espírito do Senhor!

³⁰Moisés voltou ao acampamento com os dirigentes israelitas.

Túmulos de Cibrot-ataava – ³¹O Senhor levantou um vento do mar, que trouxe bandos de codornizes, lançando-as junto ao acampamento, voando a um metro do chão, num raio de uma jornada de caminho. ³²O povo passou todo o dia, a noite e o dia seguinte recolhendo codornizes, e quem menos recolheu, recolheu dez cargas. E as estendiam ao redor do acampamento.

³³Com a carne ainda entre os dentes, antes que acabasse, a ira do Senhor ferveu contra eles e os feriu com uma grave mortandade. ³⁴O lugar se chamou Cibrot-ataava*, porque aí enterraram os gulosos.

³⁵Daí partiram para Haserot*, onde acamparam.

12 Moisés e seus irmãos
– ¹Maria e Aarão falaram contra Moisés por causa da mulher cuchita que ele havia tomado como esposa. ²Disseram:

– Acaso o Senhor falou somente a Moisés? Não falou também a nós?

O Senhor ouviu isso.

---

anuncia o castigo. O povo pecou contra o Senhor, renegando a libertação do Egito. O castigo irá incluí-lo no dom: pela avidez desmedida do povo, o dom que é bom se torna um mal. O povo se purifica ou se santifica para assistir à manifestação divina, para receber a carne como dom de Deus.

11,21-23 A objeção de Moisés é de prudência humana, e toca a honra de Deus; curiosamente, menciona rebanhos de gado maior e menor. Deus responde defendendo a própria honra, apelando à sua mão generosa (Is 50,2; 59,1), à sua palavra segura (Is 55,11).

11,24-25 O primeiro efeito do espírito sobre os anciãos é provocar neles um estado de entusiasmo ou frenesi religioso, com manifestações externas que atestam a presença ativa do espírito (cf. 1Sm 19,20-24). A manifestação é inicial e única; depois vem a tarefa quotidiana de governo. Com isso conclui o tema.

11,26-30 Mas acontece um epílogo inesperado. Provavelmente um relato autônomo de vocação, que o autor introduziu aqui pelo tema comum. Precisamente pelo inesperado, ele nos ensina uma lição importante. Eldad e Medad, na mente do autor,

estariam na lista de anciãos hábeis, mas não na lista dos setenta escolhidos. O espírito os invade fora da liturgia, fora da tenda, fora da forma colegiada; o espírito passa por cima das regras prescritas. O espírito é livre, soberano; está acima de Moisés e da palavra. Josué sente ciúmes pelo prestígio de seu mestre; pensa que Moisés tem de impor sua autoridade e proibir absolutamente tais manifestações, para que o espírito fique circunscrito ao grupo que o mesmo Moisés convocou e consagrou. Moisés responde com disposição magnânima. Seu pedido se torna anúncio em Jl 3,1-2 e cumprimento em At 2.

11,31 O vento está a serviço de Deus (Sl 104,4).

11,34 * = Sepulcros de Avidez ou "sepulcros ávidos", insaciáveis (cf. Pr 21,26). O autor transfere a avidez para os israelitas.

11,35 * = Currais.

12,1-3 Desde o começo se percebe uma incoerência no relato. Um verbo no singular, "falou", e dois sujeitos, Maria e Aarão. A crítica é a propósito de uma mulher núbia que Moisés tomou, mas o protesto é questão de autoridade. O castigo afeta só Maria. O autor

³Moisés era o homem mais sofrido do mundo.

⁴O Senhor falou de repente a Moisés, Aarão e Maria:

– Vinde os três à tenda do encontro.

E os três foram.

⁵O Senhor desceu na coluna de nuvem, pôs-se à entrada da tenda, e chamou Aarão e Maria. Eles se adiantaram, ⁶e o Senhor lhes disse:

– Escutai minhas palavras: Quando há entre vós um profeta do Senhor, eu me dou a conhecer a ele em visão e lhe falo em sonhos; ⁷não se dá assim com meu servo Moisés, o mais fiel de todos os meus servos. ⁸A ele falo face a face; em presença, e não adivinhando, ele contempla a figura do Senhor. Como vos atrevestes a falar contra meu servo Moisés?

⁹A ira do Senhor se acendeu contra eles, e o Senhor se retirou. ¹⁰Quando a nuvem se afastou da tenda, Maria tinha toda a pele descolorida, como a neve. Aarão voltou-se e viu-a com toda a pele descolorida.

¹¹Então Aarão disse a Moisés:

– Perdão; não nos peças contas do pecado que insensatamente cometemos. ¹²Não deixes Maria como um aborto que sai do ventre, com metade da carne consumida.

¹³Moisés suplicou ao Senhor:

– Por favor, cura-a!

¹⁴O Senhor respondeu:

– Se o pai dela lhe tivesse cuspido na cara, teria ficado infamada sete dias. Confinai-a sete dias fora do acampamento, e no sétimo seja novamente admitida.

¹⁵Confinaram-na sete dias fora do acampamento, e o povo não partiu até que Maria se juntou a eles. ¹⁶Depois partiram de Haserot e acamparam no deserto de Farã.

13 Os exploradores (Dt 1,19-40) – ¹O Senhor disse a Moisés:

---

combinou dois relatos "de família" unificados pelo tema comum da oposição a Moisés. Se este capítulo reflete tensões da época do autor, seria uma crítica contra excessivas pretensões dos sacerdotes e uma defesa da *torah*, atribuída a Moisés.

A questão da mulher cuchita não está explicada. A poligamia era aceita, como também o matrimônio com estrangeiras. São ciúmes de Maria? A propósito, esta Maria não coincide facilmente com a irmã mais velha de Moisés criança (Ex 2). Contudo, é interessante apreciar o papel de uma mulher na ação. Tal como se apresenta o relato atual, a questão da mulher cuchita é o pretexto que provoca a descarga de ressentimentos acumulados.

Ao formular o protesto, apelam a uma suposta atividade profética e questionam a autoridade suprema de Moisés. A função profética de Aarão pode apoiar-se em Ex 4,27 e 6,4; a de Maria em Ex 15,20. O juízo sobre Moisés (3) não corresponde a outras atuações que conhecemos dele. Na intenção do narrador, Aarão e Maria poderiam dar voz a reclamações de círculos proféticos contra a autoridade superior atribuída a Moisés. Poderia no futuro um profeta abolir ou suspender um mandamento de Moisés? (cf. Is 56).

12,5-10 O protesto se transforma em pleito, o qual chega sem mais, "de repente", ao tribunal supremo. Celebra-se um juízo estilizado: ordem de comparecer (4-5), o Juiz vem "na nuvem"; não precisa interrogar, porque já "ouviu" (2); passa ao requisitório (6-8), à sentença ("ira" = condenação, 9) e à execução (10).

12,6-8 O requisitório está em verso. É duvidosa a tradução "em presença"; alguns vocalizaram e leram "num espelho", outros o consideram afetado pela negação "não em visão ou em enigma" (como o recolhe Paulo em 1Cor 13,12). A "figura" pode equivaler ao rosto (Sl 17,15; cf. Ex 33,11.20).

Apesar das dúvidas, está muito clara no veredicto do Senhor a posição excepcional e única de Moisés, acima de qualquer profeta. É o administrador de plena confiança, tem acesso ao trato pessoal, "boca a boca" (expressão única); contempla e escuta sem mediadores (Dt 34,10). Em conclusão, não foi ele quem se arrogou a autoridade nem inventou sua missão.

12,7 Hb 3,2; Ex 33,11.

12,10 A enfermidade é uma espécie de vitiligo (Lv 13).

12,11-12 A culpa de Maria está patente na pena sofrida; Aarão se junta a ela na confissão do pecado, pedindo perdão a Moisés. Não se pedem milagres, mas uma reconciliação familiar como pressuposto para que Moisés interceda: ele não pode curar contra a pena imposta pelo Senhor, só pode interceder.

12,14-15 A pena se reduz a uma semana. E todo o acampamento espera que essa mulher se incorpore de novo à comunidade. A crise de autoridade se resolveu satisfatoriamente. Não pela repressão, não apelando ao valor formal da autoridade, não exacerbando a polêmica, mas pela confissão e reconciliação.

13-14 O episódio dos exploradores é decisivo na caminhada rumo à terra prometida. Do Egito ao Sinai, do Sinai à fronteira sul da terra: só falta entrar e ocupá-la? É o desenlace lógico. Mas as velhas tradições o contam de outro modo, mais complicado e dramático: o povo recusa entrar e, como castigo, começa grande e prolongada volta. A história continua, mas o homem que resiste à salvação adia o termo. Segundo a teoria documentária, o texto atual resulta das combinações das versões Javista e Eloísta (Caleb, Josué, o povo), com elementos da Sacerdotal (as doze tribos, todo o país). (Atribuem à **J** 13,17b.20.22.23b.27.28; 14,1.23.39-45; a **E** 13,17b.18-19.23a.24. 26b.29-31.33; 14,1.4.14.15b; a **P** 13,1-3 a [3b-16].17a.21.25.26a.32; 14,1.2.[3]5-7.[8-9].10.16-29.34-38.) A fusão está muito bem-feita. Outra versão se lê em Dt 1. Dados complementares podem ser extraídos de Jz 1,10-15 e Js 14,6-15; 15,13-14.

13,1 O Senhor começa, dando uma ordem. Na versão democratizante de Dt 1, é o povo quem propõe.

– ²Envia gente para explorar o país de Canaã, que eu vou entregar aos israelitas; envia um de cada tribo, e que todos sejam chefes.

³Moisés os enviou do deserto de Farã, segundo a ordem do Senhor; todos eram chefes dos israelitas.

⁴Seus nomes eram os seguintes: da tribo de Rúben, Samua, filho de Zacur; ⁵da tribo de Simeão, Sasfat, filho de Huri; ⁶da tribo de Judá, Caleb, filho de Jefoné; ⁷da tribo de Issacar, Igal, filho de José; ⁸da tribo de Efraim, Oseias, filho de Nun; ⁹da tribo de Benjamim, Falti, filho de Rafu; ¹⁰da tribo de Zabulon, Gediel, filho de Sodi; ¹¹da tribo de Manassés (filho de José), Gadi, filho de Susi; ¹²da tribo de Dã, Amiel, filho de Gemali; ¹³da tribo de Aser, Setur, filho de Miguel; ¹⁴da tribo de Neftali, Naabi, filho de Vapsi; ¹⁵da tribo de Gad, Guel, filho de Maqui.

¹⁶São esses os homens que Moisés enviou para explorar o país; e Moisés deu a Oseias, filho de Nun, o nome de Josué*.

¹⁷Moisés os enviou para explorar o país de Canaã, dizendo-lhes:

– Subi por este deserto até chegar à montanha. ¹⁸Observai como é o país e seus habitantes, se são fortes ou fracos, poucos ou numerosos; ¹⁹como é a terra, boa ou ruim; como são as cidades em que habitam, se de tendas ou amuralhadas; ²⁰como é a terra, fértil ou estéril, com vegetação ou sem ela. Sede corajosos, e trazei-nos frutos do país.

(Era a estação em que amadureciam as primeiras uvas.)

²¹Eles subiram e exploraram o país desde Sin* até Roob*, junto à Entrada de Emat. ²²Subiram pelo deserto e chegaram até Hebron, onde viviam Aimã, Sesai e Tolmai, filhos de Enac. Hebron tinha sido fundada sete anos antes de Soã do Egito. ²³Chegando a Nahal Escol*, cortaram um ramo com um só cacho de uvas, o penduraram numa vara e o levaram entre dois. Também cortaram romãs e figos. ²⁴Esse lugar se chama Nahal Escol por causa do cacho que os israelitas aí cortaram.

Relatório – ²⁵Depois de quarenta dias, voltaram da exploração do país, ²⁶e se apresentaram a Moisés, Aarão e a toda a comunidade israelita, no deserto de Farã, em Cades. Apresentaram o relatório a eles, a toda a comunidade israelita, e lhes mostraram os frutos do país. ²⁷E lhes contaram:

– Entramos no país ao qual nos enviaste; é uma terra que mana leite e mel; aqui tendes os seus frutos. ²⁸Mas o povo que habita o país é poderoso, tem grandes cidades fortificadas (vimos aí os filhos de Enac). ²⁹Na região do deserto habitam os amalecitas; os heteus, jebuseus e amorreus vivem na região montanhosa; os cananeus, junto ao mar e junto ao Jordão.

³⁰Caleb fez o povo calar diante de Moisés, e disse:

– Temos de subir e apoderar-nos dela, pois conseguiremos.

13,2 Explorar ou espiar o território inimigo é prática militar antiga: Js 6,22; 14,7; Jz 1,23; 18,2; cf. Gn 42,9.
13,3-15 Os doze exploradores representam Israel inteiro: o autor generaliza a operação. A lista não coincide com a de 1,5-16, nem na ordem nem nos nomes.
13,16 O novo nome é composto de *Yhwh:* aponta para o futuro cargo. * = Jesus.
13,18-20 A informação requerida concerne à qualidade da terra e também à sua situação militar, defensiva e ofensiva. A data indicada corresponde a meados de julho.
13,21-22 As fronteiras indicadas também generalizam, para dizer que toda a terra prometida foi explorada. Os dados geográficos do v. 22 são mais modestos e realistas. Hebron fica na rota que sobe do sul para Jerusalém. A nota erudita sobre os filhos de Enac prepara a reação posterior.
13,21 * = Espinho. * = Praça.
13,23-24 Nota etiológica, inventada para explicar o nome da localidade ou para ligá-la à época da conquista. O cacho de uva gigantesco pendente de uma vara e levado por dois homens é o emblema turístico do Israel atual.
13,23 * = Torrente do Cacho de Uva.
13,25 O tempo que dura a expedição, em números redondos, também terá função narrativa.
13,27-28 A notícia corresponde às instruções recebidas. Por ora é neutra e realista: apresenta as duas faces da situação.
"Mana leite e mel": fórmula de ascendência mítica que se usa na liturgia; mais que notícia, é uma profissão de fé, como se dissesse que se trata realmente da terra prometida, em contraste com o deserto.
13,29 Outra nota erudita, não isenta de valor histórico.
13,30a Este versículo supõe que o povo começou a protestar; talvez falte algo no texto.
13,30b-33 Enfrentam-se dramaticamente duas atitudes. A fé, que infunde valentia e é comunicativa: "conseguiremos" no plural. A falta de fé, que gera covardia, "não podemos". Então, para justificar-se, passa a desacreditar a terra (a raposa e as uvas). E termina em complexo de inferioridade: "parecíamos gafanhotos".

³¹Mas os que haviam subido com ele replicaram:
– Não podemos atacar o povo, porque é mais forte que nós.
³²E diante dos israelitas desacreditavam a terra que haviam explorado:
– A terra que atravessamos e exploramos é uma terra que devora seus habitantes; ³³o povo que vimos nela é de grande estatura. Vimos aí nefileus*, filhos de Enac: a seu lado parecíamos gafanhotos, e assim eles nos viam.

14 Motim (Ex 14,11-12; 16,3; 17,3; Nm 20,3-5) –

¹Então toda a comunidade começou a gritar, e o povo chorou a noite inteira. ²Os israelitas protestavam contra Moisés e Aarão, e toda a comunidade lhes dizia:
– Oxalá tivéssemos morrido no Egito ou neste deserto! Oxalá tivéssemos morrido! ³Por que o Senhor nos trouxe a esta terra, para que caiamos à espada e nossas mulheres e filhos se tornem prisioneiros? Não é melhor voltarmos ao Egito?
⁴E diziam uns aos outros:
– Nomearemos um chefe e voltaremos ao Egito.
⁵Moisés e Aarão prostraram-se por terra diante de toda a comunidade israelita. ⁶Josué, filho de Nun, e Caleb, filho de Jefoné, dois dos exploradores, rasgaram as vestes, ⁷e disseram à comunidade israelita:
– A terra que percorremos em exploração é excelente. ⁸Se o Senhor nos estima, ele nos fará entrar nela e a dará para nós: é uma terra que mana leite e mel. ⁹Mas não vos revolteis contra o Senhor nem temais o povo do país, pois os devoraremos. Sua sombra protetora se afastou deles, ao passo que o Senhor está conosco. Não os temais!
¹⁰Mas a comunidade inteira falava em apedrejá-los, quando a glória do Senhor apareceu na tenda do encontro, diante de todos os israelitas.

Intercessão (Ex 32,7-14; Dt 9,25-29) – ¹¹O Senhor disse a Moisés:
– Até quando esse povo me desprezará? Até quando não crerão em mim, apesar de todos os sinais que fiz entre eles? ¹²Vou feri-lo de peste e deserdá-lo. De ti tirarei um grande povo, mais numeroso do que eles.
¹³Moisés replicou ao Senhor:
– Os egípcios ficarão sabendo, pois do meio deles tiraste este povo com tua força, ¹⁴e o contarão aos habitantes desta terra. Ouviram que tu, Senhor, estás no meio deste povo; que tu, Senhor, te deixas ver face a face; que tua nuvem está sobre eles, e caminhas à frente na coluna de nuvem

---

13,32 "A terra devora": Lv 26,38; Ez 36,13-15.
13,33 * Ou: gigantes.
14,1-2 Como em Ex 14,17, o povo fraqueja na fé e na confiança, ao confrontar-se com o perigo próximo. O autor acumula dados: "gritos, prantos, murmurações"; os exploradores covardes contagiaram o povo inteiro. Não invocam formalmente a morte, mas desejam morrer de morte natural, no Egito ou no deserto, sem enfrentar a morte violenta e prematura na batalha.
14,3-4 Distorcem e deformam o sentido da saída do Egito e da chegada à "esta terra": foi para a morte, não para a salvação. Atribuem a ação ao Senhor e blasfemam contra ele. Depois se propõem desfazer o que foi feito, desandar o caminho, regressar à escravidão (cf. Jr 42). O pecado é gravíssimo.
14,5 O gesto se faz perante Deus. Feito diante de homens, é um gesto de humildade, indefesa, para conciliar a benevolência. Não é esse o estilo corrente de Moisés.
14,6-9 Entra em ação Josué ao lado de Caleb. O breve discurso refuta as duas objeções ou temas: a terra, os habitantes. Quatro vezes pronunciam a palavra "terra", fazendo eco às quatro de 13,18-20; repete-se a fórmula de profissão de fé. Quanto aos habitantes, a fé muda a visão: "serão nosso pão", expressão proverbial (Sl 14,4). Temer esse povo equivale a rebelar-se contra o Senhor. A "sombra" é título divino (Sl 91,1; 121,5). "Não temais": fórmula frequente em oráculos de salvação e em contextos de guerra santa. "O Senhor está conosco" pode referir-se à arca que os acompanha como paládio (cf. 1Sm 4).
14,10 Como se fossem réus de crime que afeta a todos e cuja execução compete a todos. A manifestação de Deus os salva *in extremis* (Ex 16,10).
14,11-19 A intercessão de Moisés repete em espelho a de Ex 32, depois do pecado "original" do bezerro de ouro. Repetem-se várias expressões e se acrescentam outras.
14,11-12 Começa o Senhor arremedando com suas perguntas as queixas do povo. A peste é uma das pragas do Egito. "Tirar um grande povo" e fazer de Moisés um patriarca (Gn 12,2; 18,18). Falta um detalhe muito importante: "deixa-me", dito por Deus.
14,13-17 O primeiro argumento que Moisés usa é a fama internacional do Deus de Israel: depois das proezas realizadas, se não leva a termo o empreendimento, se mostrará impotente. Ao entrar na história, Deus se compromete a seguir o que começou (cf. Sl 138,8).

durante o dia, e na coluna de fogo durante a noite. ¹⁵Se agora matas esse povo como um só homem, as nações ouvirão a notícia e dirão: ¹⁶"O Senhor não conseguiu levar esse povo à terra que lhes havia prometido; por isso os matou no deserto". ¹⁷Portanto, mostra tua grande força, conforme prometeste. ¹⁸Senhor, paciente e misericordioso, que perdoas a culpa e o delito, mas não deixas ninguém impune; que castigas a culpa dos pais nos filhos, netos e bisnetos: ¹⁹perdoa a culpa deste povo, por tua grande misericórdia, já que o trouxeste do Egito até aqui.

Perdão e castigo – ²⁰O Senhor respondeu:

– Eu perdôo, conforme pedes. ²¹Mas, por minha vida e pela glória do Senhor que enche a terra, ²²nenhum dos homens que viram minha glória e os sinais que fiz no Egito e no deserto, e me puseram à prova, por dez vezes, e não me obedeceram, ²³nenhum deles verá a terra que prometi a seus pais; nenhum dos que me desprezaram a verá. ²⁴Mas a meu servo Caleb, que tem outro espírito, e foi inteiramente fiel a mim, eu o farei entrar na terra que visitou, e seus descendentes a possuirão. ²⁵(Amalecitas e cananeus habitam no vale.) Amanhã vos dirigireis ao deserto, a caminho do mar Vermelho.

²⁶O Senhor acrescentou a Moisés e a Aarão:

– ²⁷Até quando essa comunidade malvada continuará protestando contra mim? Ouvi os israelitas protestarem contra mim. ²⁸Dize-lhes então: Por minha vida, oráculo do Senhor, eu vos farei o que me dissestes na cara; ²⁹neste deserto cairão vossos cadáveres, e de todo o vosso recenseamento, contando de vinte anos para cima, vós que protestastes contra mim, ³⁰não entrareis na terra onde jurei que vos estabeleceria. Excetuo somente Josué, filho de Nun, e Caleb, filho de Jefoné. ³¹Vossos filhos, dos quais dissestes que cairiam prisioneiros, eu os farei entrar para que conheçam a terra que desprezastes. ³²Vossos cadáveres, porém, cairão neste deserto. ³³Vossos filhos serão pastores no deserto durante quarenta anos, carregando o peso de vossa infidelidade, até que vossos cadáveres se consumam no deserto. ³⁴Contando os dias que explorastes a terra, quarenta dias, carregareis vossa culpa um ano por dia, quarenta anos. Para que saibais o que é desobedecer-me. ³⁵Eu, o Senhor, juro que tratarei assim essa comunidade perversa que se amotinou contra mim: neste deserto se consumirão e nele morrerão.

³⁶Quanto aos homens que Moisés enviou para explorar a terra e voltaram e incitaram contra ele toda a comunidade, desacreditando a terra, ³⁷os homens que desacreditaram a terra morreram fulminados diante do Senhor. ³⁸Somente Josué, filho de Nun, e Caleb, filho de Jefoné, ficaram vivos entre todos os que haviam explorado a terra.

³⁹Moisés comunicou essas palavras a todos os israelitas, e o povo fez grande luto.

14,18 Fórmula litúrgica que Ex 34,6s põe na boca do Senhor. Não a fama, coisa externa, mas o modo de ser de Deus.

14,21-24 O perdão significa que não destruirá totalmente o povo e que a história continua; o castigo se limita a um adiamento, com suas consequências. Dez vezes pode ser expressão idiomática. O salmo 106 recolhe sete pecados, começando pelo mar Vermelho. Na exceção não se menciona Josué junto a Caleb.

14,23 Sl 106,24-27.

14,25 É mister desandar o caminho e começar de novo, mas sem entrar no Egito. É o "amanhã" do reiterado adiamento.

14,30 Sl 95,11; Hb 3,18.

14,27-38 Nova versão do castigo. O tempo no deserto, segundo a tradição, é de quarenta anos (números redondos, Am 2,9s; 5,25s). O número mede o adiamento: um ano por dia empregado em explorar a terra. O enlace é artificial, já que o pecado não consistiu em enviar exploradores, mas sim na recusa de entrar. Será um tempo de dilação para "provar" e educar o povo na paciência e na esperança.

A segunda medida do adiamento é a passagem das gerações. Cada geração tem uma função na história. Há de consumir-se uma geração adulta, antes que a seguinte cumpra sua missão de entrar: o tempo biológico se converte em tempo de salvação adiada. O nascimento de filhos assegura biologicamente a continuidade do povo. O deserto fica, assim, sob o signo do pecado e do castigo, mas amparado pela graça. Deus concede aos israelitas a segunda alternativa invocada (2).

14,33 "Serão pastores": alguns traduziram, com ligeira variante consonântica, "errarão, vagarão". De fato, a vida de pastores nômades é uma contínua transumância. Js 5,4-7.

14,37 Os que começaram e provocaram a rebelião sofrem imediatamente o castigo, com morte prematura, como sinal e confirmação da ameaça.

14,39 O luto é sinal de penitência, que não basta sem a conversão plena e a emenda.

Derrota – ⁴⁰Na manhã seguinte, levantaram-se e subiram ao topo do monte, dizendo:

– Subiremos ao lugar de que o Senhor nos falou. Nós pecamos.

⁴¹Moisés respondeu:

– ⁴²Por que violais a ordem do Senhor? Fracassareis! Não subais, porque o Senhor não está convosco, e o inimigo vos derrotará. ⁴³Pois os amalecitas e os cananeus vos enfrentarão, e caireis à espada. Vós vos afastastes do Senhor, e por isso o Senhor não está convosco.

⁴⁴Mas eles insistiram em subir ao topo do monte, enquanto a arca e Moisés não se apartaram do acampamento. ⁴⁵Os amalecitas e cananeus que habitavam na montanha desceram e os derrotaram, desbaratando-os até Horma*.

15 **Ofertas e libações** – ¹O Senhor falou a Moisés:

– ²Dize aos israelitas: Quando entrardes na terra que vou dar-vos para que habiteis nela, ³e fizerdes uma oblação ao Senhor, de gado graúdo ou miúdo – seja holocausto ou sacrifício de comunhão voluntário ou em cumprimento de um voto ou por ocasião de uma festa, oblação de aroma que aplaca o Senhor –, ⁴aquele que fizer a oferta fará uma oferta de vinte e dois decilitros de flor de farinha amassada com um litro de azeite, e acrescentará ao holocausto ou sacrifício de comunhão ⁵uma libação de um litro de vinho para cada cordeiro. ⁶Se se tratar de um carneiro, acrescentará uma oferta de quarenta e quatro decilitros de flor de farinha amassada com doze decilitros e meio de azeite ⁷e uma libação de doze decilitros e meio de vinho, aroma que aplaca o Senhor. ⁸Se o holocausto ou sacrifício de comunhão – em cumprimento de um voto ou em ação de graças ao Senhor – for de um bezerro, ⁹acrescentarás uma oferta de sessenta e seis decilitros de flor de farinha amassada com dois litros de azeite, ¹⁰e uma libação de dois litros de vinho, oblação de aroma que aplaca o Senhor.

¹¹Isso é o que deve ser oferecido com um touro, um carneiro, uma ovelha ou uma cabra. ¹²Aplicareis sempre esta proporção. ¹³Os nativos procederão assim quando oferecerem uma oblação de aroma que aplaca o Senhor. ¹⁴Se no futuro um migrante que viver ou se encontrar entre vós quiser oferecer uma oblação de aroma que aplaca o Senhor, fará o mesmo que vós. ¹⁵Vós e o migrante residente entre vós observareis o mesmo rito. É lei perpétua para todas as vossas gerações. Diante do Senhor, o migrante é igual a vós. ¹⁶O mesmo ritual e cerimonial será observado por vós e pelo migrante residente entre vós.

¹⁷O Senhor falou a Moisés:

– ¹⁸Dize aos israelitas: Quando entrardes na terra para a qual vos levo ¹⁹e comerdes seu pão, oferecereis como tributo ao Senhor, ²⁰da primeira farinha, um pão como tributo da eira. ²¹Por todas as vossas

---

14,40-45 Como é pecado a desconfiança, assim o é a presunção. A situação mudou, e a obediência agora não é atacar, mas aceitar o longo caminho. A valentia humana que não confia no Senhor está condenada ao fracasso. A arca não vai como paládio à batalha, e portanto o Senhor não está com eles (cf. Sl 60,12). Talvez a localidade de Horma preserve a lembrança de uma tentativa fracassada de penetração pelo sul.

14,45 * = Extermínio.

15 Que função desempenha aqui este capítulo? Por que o autor o colocou aqui como cunha? Podemos conjecturar razões que nos ajudem na leitura: a) Pelo gosto de alternar, que domina todo o livro; após uns relatos tensos, dramáticos, uma pausa burocrática; b) são preparativos para a vida na terra. Ocupar-se deles tão minuciosamente demonstra que se encara o futuro com esperança. Na terra haverá ocasião de agradecer ao Senhor tantos benefícios e tanto perdão. O capítulo reúne algumas disposições de ordem cultual e uma lei penal com seu relato de instituição.

15,2-16 Esta lei se acrescenta às do Levítico sobre os sacrifícios. A oferta de animais é mais própria de pastores, a de cereais e vinho é mais própria de lavradores, já desde o tempo de Caim e Abel (Gn 4). A oferta de cereais pode constituir um rito autônomo. Aqui aparecem como complemento dos sacrifícios de animais. Uma carga a mais para os oferentes, que o autor define como quadro de tarifas. Ver Ez 46,5-14.

A união dos três elementos, animais, farinha e vinho, consta em textos narrativos: Ana, 1Sm 1,24; um grupo anônimo, 1Sm 10,3; Acaz, 2Rs 16,13. De libações falam outros muitos textos, inclusive não legais: Jl 1,9.13; Is 57,6; a deuses estrangeiros, Jr 7,18; 19,13; 32,29; 44,17-19; Ez 20,28. Paulo usa a libação como metáfora de sua morte próxima (2Tm 4,6). O estrangeiro ou migrante incorporou-se à comunidade: participa de seus direitos e deveres.

15,17-21 Praticamente constitui um caso especial de primícias, uma espécie de imposto; Ez 44,30 e Ne 10,38 o mencionam. Paulo usa-o como metáfora (Rm 11,16).

gerações, dareis ao Senhor um tributo de vossa primeira farinha.

²²Quando, por inadvertência, descuidardes de algum desses preceitos que o Senhor deu a Moisés, ²³isto é, o que o Senhor vos mandou por meio de Moisés, desde o dia de sua promulgação em diante, por todas as vossas gerações: ²⁴se for toda a comunidade que faltou por inadvertência, oferecerá em holocausto, aroma que aplaca o Senhor, um bezerro com sua oferta e sua libação, conforme o cerimonial, e um bode como sacrifício expiatório.

²⁵O sacerdote expiará por toda a comunidade israelita, e ela ficará perdoada, porque se tratava de uma inadvertência, e por ela ofereceram a oblação e a vítima expiatória ao Senhor. ²⁶Ficará perdoada toda a comunidade israelita e também o migrante que residir entre eles, porque a inadvertência foi de todo o povo.

²⁷Se for um só quem pecou por inadvertência, oferecerá um cabrito de um ano como sacrifício expiatório. ²⁸O sacerdote expiará por ele na presença do Senhor, e ele ficará perdoado. ²⁹A mesma norma vale para o nativo israelita e para o migrante residente entre eles, em casos de inadvertência. ³⁰Mas o nativo ou migrante que conscientemente provocar o Senhor será excluído do seu povo. ³¹Por ter menosprezado a palavra do Senhor e ter violado seus preceitos, será excluído. Carregará sua culpa.

Violação do sábado – ³²Enquanto os israelitas estavam no deserto, surpreenderam um homem recolhendo lenha em dia de sábado. ³³Eles o levaram a Moisés, Aarão e a toda a comunidade. ³⁴Prenderam-no, enquanto se decidia o que fazer com ele.

³⁵O Senhor disse a Moisés:

– Esse homem é réu de morte. Que toda a comunidade o apedreje fora do acampamento.

³⁶A comunidade o tirou fora do acampamento, e o apedrejaram até matá-lo, conforme o Senhor havia mandado a Moisés.

³⁷O Senhor falou a Moisés:

– ³⁸Dize aos israelitas: Fazei borlas e costurai-as com fio violeta na barra de vossas vestes. ³⁹Ao vê-las, elas vos lembrarão os mandamentos do Senhor e vos ajudarão a cumpri-los sem ceder aos caprichos do coração e dos olhos, que vos costumam seduzir. ⁴⁰Assim, recordareis e cumprireis todos os meus mandamentos e vivereis consagrados ao vosso Deus. ⁴¹Eu sou o Senhor vosso Deus, que vos tirou do Egito para ser vosso Deus. Eu sou o Senhor vosso Deus.

16 Motim de Coré, Datã e Abiram
(Dt 11,6; Eclo 45,18s; Nm 26,9-11)

– ¹Coré, filho de Isaar, filho de Caat, levita;

15,22-31 Sobre pecados por inadvertência legisla amplamente Lv 4-5. Talvez se refira aqui a pecados cultuais. O mais importante da passagem é a oposição radical que o autor estabeleceu entre a inadvertência e a transgressão "consciente": a primeira tem remédio litúrgico, "se expia e se perdoa"; a segunda, do indivíduo, recebe pena de excomunhão. Ver a distinção de Sl 19,13-14 que o chama de "arrogância, pecado grave".

15,32-36 Talvez o aduza como exemplo de pecado em consciência. É um caso legal apresentado em forma narrativa, como Lv 24,10-23. É relatado como novidade, sem precedente legal; o Senhor tem de decidir. O castigo, com participação de toda a assembleia, tem força de lição. A sua gravidade mostra a importância que o sábado ia adquirindo após o exílio.

15,37-41 O costume se registra em Dt 22, 12, sem motivação. Contra o perigo de "inadvertência", aqui se propõe um remédio. São quatro borlas nas quatro pontas. Sua função não é decorativa; servem de memorial constante da lei contra desejos internos e contra a inveja do que se vê, que extraviam o homem. A prática externa se liga ao fato central da vida israelita: libertação, aliança, santidade. Os evangelistas mencionam a prática: Mt 9,20; Mc 6,56; Lc 8,14.

16 As rebeliões contra Moisés são tema recorrente na viagem pelo deserto: a água, o pão, a carne, a batalha são motivos de rebelião para o povo. Aarão e Maria representam uma disputa familiar. Mais grave pode ser a rebelião dos rubenitas Datã e Abiram (leigos) contra a autoridade de Moisés, e a de Coré com seus seguidores contra as prerrogativas cultuais de Aarão. Alguns autores distinguem três rebeliões: 250 leigos contra a autoridade de Moisés e seu empreendimento: "não subimos" (13); que a terra os engula. Os rubenitas contra a mediação da tribo de levitas: "estamos todos consagrados" (3). Coré, como expoente de rivalidades entre famílias sacerdotais, entre levitas e sacerdotes. A teoria documentária reparte o texto entre o Javista e círculos sacerdotais:
J 16,1   12-14.15   25.26   27b-34
P   2-11   16-24   27a   35
O autor entrelaçou as duas ou três revoltas, criando uma espécie de aliança da oposição, unidos na queixa e na trágica derrota. Outros elementos penetraram no relato, acrescentando confusão. Contudo, a intenção geral é clara: a rebelião atua em vários níveis e por diversos motivos; Deus mesmo escolhe e atribui funções; Moisés sobressai na narração.

16,1-2 Todos os personagens, com seu séquito, unidos na revolta. Rúben foi outrora a primeira tribo

Datã e Abiram, filhos de Eliab; e On, filho de Felet, rubenitas, ²rebelaram-se contra Moisés, e com eles duzentos e cinquenta homens, chefes da assembleia, escolhidos para seu cargo e de boa reputação. ³Amotinaram-se contra Moisés e Aarão, dizendo:

– Basta! Toda a comunidade é sagrada, e o Senhor está no meio dela. Por que vos colocais acima da assembleia do Senhor?

⁴Moisés, ouvindo isso, lançou-se por terra, ⁵e disse a Coré e a seus seguidores:

– Amanhã o Senhor fará saber quem lhe pertence: aproximará o consagrado, aproximará o escolhido. ⁶Fazei, pois, o seguinte: Coré e todos os seus seguidores, tomai os incensórios, ⁷colocai neles fogo, ponde incenso diante do Senhor amanhã. O homem que o Senhor escolher está consagrado a ele.

⁸Moisés disse a Coré:

– Escutai-me, levitas: ⁹Ainda vos parece pouco? O Deus de Israel vos separou da assembleia de Israel para que fiqueis perto dele, presteis serviço em seu templo e estejais à disposição da assembleia para servi-lo. ¹⁰Ele aproximou a ti e a teus irmãos levitas. Por que reclamais também o sacerdócio? ¹¹Tu e teus seguidores vos rebelastes contra o Senhor, pois quem é Aarão, para que protesteis contra ele?

¹²Moisés mandou chamar Datã e Abiram, filhos de Eliab, que disseram:

– Não iremos. ¹³Não é o bastante ter-nos tirado de uma terra que mana leite e mel para nos matar no deserto, e além disso pretendes ser nosso chefe? ¹⁴Não nos levaste a uma terra que mana leite e mel, nem nos deste em herança campos, nem vinhas: e queres arrancar os olhos desta gente? Não iremos.

¹⁵Moisés se enfureceu e disse ao Senhor:

– Não aceites as ofertas deles. Não recebi deles um asno sequer, nem fiz mal a ninguém.

¹⁶Depois disse a Coré:

– Amanhã, tu e teus seguidores vos apresentareis ao Senhor, e também Aarão com eles. ¹⁷Cada um tome seu incensório, ponha incenso e o ofereça ao Senhor. Cada um dos duzentos e cinquenta pegue seu incensório, e tu com Aarão, o vosso.

¹⁸Cada um, pois, pegou seu incensório, pôs fogo, colocou incenso; e se puseram à entrada da tenda do encontro com Moisés e Aarão. ¹⁹Também Coré reuniu seus seguidores à entrada da tenda do encontro.

(Gn 49,3). Sobre a função dos levitas, compare-se a postura benévola de Dt 18,6-8 com a hostil de 2Rs 23,9. Os duzentos e cinquenta não representam uma tribo determinada: não seguem Coré como levita, mas como chefe de uma causa comum.

16,3 A queixa vai contra os privilégios cultuais de Moisés e Aarão, e o argumento é este: a presença do Senhor santifica toda a assembleia por igual; todos são santos sem distinção, como Deus prometeu (Ex 19,6). Dentro do povo já não há distinção entre sagrado e profano, já que todos são santos; portanto, o cargo de Moisés e de Aarão é usurpação.

16,4-5 Resposta: é Deus quem escolhe e consagra. "Aproximar-se" tem o sentido técnico de ter acesso para oficiar. A causa se submete a um ordálio ou juízo de Deus: só o que ele aceita é válido (cf. Elías em 1Rs 18).

16,6 Os incensórios tinham forma de sertã: um cabo comprido prendia e sustentava um recipiente metálico, no qual se punham as brasas e o incenso.

16,7 A frase final parece estar deslocada, pois Moisés se dirige agora a todo o grupo amotinado. Como se dissesse: ainda que todos sejam membros do povo "santo" ou consagrado, não é de todos que o Senhor aceita a oferta do incenso.

16,8-11 Trata-se de outro problema: a queixa dos levitas contra os privilégios dos sacerdotes aaronitas (cap. 8). Os privilégios dos levitas são grandes, a serviço do Senhor e da comunidade. Ao reclamar também o sacerdócio, rebelaram-se contra o Deus que escolhe: em vez de dar graças pelo dom recebido, protestam porque não lhes dão mais. Por isso se farão indignos do dom recebido.

16,12 Agora trata o assunto dos rubenitas. Moisés convoca os exaltados para escutá-los, antes de pronunciar a sentença. "Não iremos": literalmente "não subiremos": recusando continuar a viagem? (14,2-4).

16,13-14 A libertação fica perversamente deformada na réplica: o país prometido, "que mana leite e mel", é na realidade o Egito; o deserto é lugar mortal; Moisés não é capaz de cumprir suas promessas (Ex 3,8 e 4,30). Usurpou o comando (cf. Ex 2,14). "Queres arrancar-lhes os olhos...?": em sentido próprio é a maldição da cegueira (Pr 30,17); em sentido metafórico, quereis cegá-los para que não vejam o que está acontecendo, o que estais fazendo a eles.

16,15 As ofertas que qualquer israelita pode oferecer ao Senhor; só quando Deus as aceita são válidas. Perante Deus, Moisés proclama seu desinteresse e sua justiça (cf. 1Sm 12,3-4): tudo são calúnias. Continua no v. 25.

16,16 Liga-se com o v. 7. Moisés continua falando a Coré, presente, enquanto Datã e Abiram se recusaram a comparecer (na nossa interpretação). Os 250 figuram como "seguidores" de Coré. O Senhor se apresenta diante de todos como juiz: na sua glória (14,10), na nuvem (12,5). Pronuncia a sentença e anuncia a imediata execução: "consumir" (v. 21) no fogo da sua ira (Ex 32,9; 33,5), que corresponde ao recusado fogo dos incensórios.

²⁰A glória do Senhor se mostrou a todos os reunidos, e o Senhor disse a Moisés e a Aarão:

– ²¹Afastai-vos desse grupo, pois vou consumi-los num instante.

Intercessão e castigo – ²²Eles caíram com o rosto por terra e oraram: "Deus, Deus dos espíritos de todos os viventes, um só pecou, e te irritas contra todos?"

²³O Senhor respondeu a Moisés:

– ²⁴Dize às pessoas que se afastem das tendas de Coré, Datã e Abiram.

²⁵Moisés se levantou e se dirigiu aonde estavam Datã e Abiram, e as autoridades de Israel o seguiram, ²⁶e ele disse à assembleia:

– Afastai-vos das tendas desses homens culpados, e não toqueis nada do que é deles, para não vos comprometer com seus pecados.

²⁷Eles se afastaram das tendas de Coré, Datã e Abiram, enquanto Datã e Abiram, com suas mulheres, filhos e crianças, saíram para esperar à entrada de suas tendas.

²⁸Moisés então disse:

– Nisto conhecereis que é o Senhor que me enviou para agir assim e que não ajo por conta própria. ²⁹Se estes morrerem de morte natural, conforme o destino de todos os homens, é porque o Senhor não me enviou; ³⁰mas, se o Senhor fizer um milagre, se a terra se abrir e os tragar com os seus, e descerem vivos ao abismo, então sabereis que estes homens desprezaram o Senhor.

³¹Logo que terminou de falar, o solo se rachou debaixo deles, ³²a terra abriu a boca e os tragou com suas famílias, e também o pessoal de Coré com suas posses. ³³Eles, com todos os seus, desceram vivos ao abismo; a terra os cobriu e desapareceram da assembleia.

³⁴A seus gritos, todo Israel, que estava ao redor, pôs-se a correr, pensando que a terra os tragava. ³⁵E o Senhor espalhou um fogo que consumiu os duzentos e cinquenta homens que haviam levado o incenso.

17 Prerrogativas dos aaronitas – ¹O Senhor falou a Moisés:

– ²Dize a Eleazar, filho do sacerdote Aarão, que retire do fogo os incensórios e espalhe as brasas, pois são santas; ³com os incensórios desses que morreram por seu pecado, fazei chapas que aplicareis ao altar, pois neles ofereceram incenso ao Senhor, e por isso ficaram consagrados. E serão um sinal para os israelitas.

⁴O sacerdote Eleazar pegou os incensórios de bronze que os mortos no incêndio haviam oferecido, e os transformou em chapas, que aplicou ao altar, ⁵como aviso aos israelitas, para que ninguém que não seja da descendência de Aarão se ponha a oferecer incenso ao Senhor. Para que não lhe aconteça o que aconteceu a Coré

16,22 Como em outras ocasiões, Moisés intercede. A súplica dá a entender que teme a destruição da "assembleia toda", e que o culpado é o instigador. Se os 250 se consideraram representantes de toda a comunidade, o sentido se esclarece. Jó 12,10.
16,24 O Senhor responde distinguindo e limitando; recorde-se o caso de Sodoma em Gn 19.
16,25 Liga-se com o v. 14: já que eles não vêm, Moisés vai buscá-los.
16,26 O simples contato com as posses dos condenados pode contagiar a culpa ou seus efeitos. Moisés os declara já culpados.
16,27 Famílias e possessões, até as crianças pequenas e o gado, compartilham a sorte dos culpados (cf. Js 7,24).
16,28-31 O castigo prodigioso, a morte prematura e anunciada, atuará como juízo de Deus confirmando a missão divina de Moisés. O hebraico o chama uma "criação", porque Deus faz a terra perder a sua natural consistência, a terra se abre e devora os como a água do mar Vermelho não devorou. A terra personificada abre a boca, que é a entrada do Abismo ou Xeol (cf. Is 14,11; Ez 31,15-17; Sl 55,16; Sl 106,17).

16,32 O nome de Coré sobra aqui. Is 5,14; Hb 2,5.
16,35 Conclui a história dos incensórios e o julgamento de Coré com seus seguidores. O fogo devora os que a ambição já consumia. Eliminando os revoltosos, Deus quer que a marcha continue sob a guia do seu servo fiel. Na autoridade de Moisés estava comprometido, de fato, o empreendimento.

17,1-5 Este epílogo acrescentado à história de Coré reforça o lugar privilegiado dos sacerdotes aaronitas, ao mesmo tempo que liga a cobertura de bronze do altar do incenso com uma velha tradição (Ex 27,2). Ainda que Deus não tenha aceito o incenso oferecido pelos culpados, os incensórios ficaram consagrados pelo fogo celeste ou por uma morte de expiação, ou por terem servido para um julgamento de Deus, e por isso não se podem dedicar a usos profanos. Não são oferenda, mas memorial: quer dizer, exemplo perpétuo para os que assistem ao culto. O incenso só pode ser oferecido pelos que o Senhor escolheu.
17,3 Ex 27,2.
17,5 Nm 16.

e a seu bando, conforme o Senhor havia anunciado por meio de Moisés.

⁶No dia seguinte, toda a comunidade israelita protestou contra Moisés e Aarão, dizendo:

– Estais matando o povo do Senhor.

⁷E como se formasse um motim contra Moisés e Aarão, estes se dirigiram à tenda do encontro; a nuvem a cobriu e apareceu a glória do Senhor. ⁸Moisés e Aarão entraram na tenda do encontro, ⁹e o Senhor lhes falou:

– ¹⁰Afastai-vos dessa comunidade, e eu os consumirei num instante.

Mas eles se lançaram com o rosto por terra, ¹¹e Moisés disse a Aarão:

– Pega o incensório, coloca nele brasas do altar, põe incenso e vai depressa à comunidade para expiar por ela, porque se inflamou contra eles a cólera do Senhor, e começou a fazer estragos.

¹²Aarão fez o que Moisés dizia, correu à comunidade e verificou que o povo começara a sofrer estragos. Então pôs incenso para expiar por eles, ¹³e, pondo-se entre os mortos e os vivos, deteve a mortandade. ¹⁴Os mortos foram catorze mil e setecentos, sem contar os mortos no motim de Coré.

¹⁵Quando Aarão voltou a Moisés, à tenda do encontro, a mortandade havia cessado.

Prerrogativas dos levitas (Nm 16) – ¹⁶O Senhor falou a Moisés:

– ¹⁷Dize aos israelitas que te tragam varas, uma para cada chefe de família, doze no total, e que cada um escreva nela o seu nome. ¹⁸Na vara de Levi será escrito o nome de Aarão. Uma vara para cada cabeça de tribo. ¹⁹Colocai-as na tenda do encontro, diante do documento da aliança que fiz com eles. ²⁰A vara daquele que eu escolher florescerá. E assim acabarei com os protestos dos israelitas contra vós.

²¹Moisés disse aos israelitas que lhe trouxessem doze varas, uma para cada chefe de tribo, e entre elas a vara de Aarão. ²²Moisés depositou as varas diante do Senhor na tenda da aliança. ²³No dia seguinte, quando Moisés entrou na tenda da aliança, viu que havia florescido a vara de Aarão, representante da tribo de Levi: lançava brotos e flores, e as flores amadureciam até se tornarem amêndoas.

²⁴Moisés tirou todas as varas da presença do Senhor e as levou aos israelitas. Eles as examinaram, e cada qual recolheu a sua.

²⁵O Senhor disse a Moisés:

– Leva outra vez a vara de Aarão à presença do documento da aliança, para que se conserve como sinal contra os rebeldes. Cessem seus protestos contra mim, e não morrerão.

²⁶Moisés fez exatamente o que o Senhor lhe ordenara.

²⁷Os israelitas disseram a Moisés:

– Morremos, estamos todos morrendo. ²⁸Quem se aproximar da morada do Senhor morrerá. Vamos morrer todos?

17,6-15 O tema dos incensórios continua em outro episódio que confirma a função privilegiada do sacerdote Aarão. O povo protesta pela morte de seus 250 representantes, que ele atribui a Moisés, o qual apelou ao julgamento de Deus. De novo o Senhor se apresenta, ameaçador. Para acalmar a ira de Deus, Moisés interpõe sua intercessão e encarrega Aarão de cumprir um rito de expiação com incenso: assim se detém a praga, depois que morreu uma multidão. Parece copiar o esquema de Ex 32, em que o rito de expiação foi uma matança executada por levitas. O incenso funciona como linha demarcatória entre a morte e a vida; o mau cheiro da corrupção se detém diante do aroma sagrado, o exterminador diante do ungido; o sumo sacerdote interpõe uma barreira em face do avanço da morte. Veja a descrição idealizada de Sb 18,20-25: representante de Deus, do cosmo, dos doze patriarcas.

17,7 Nm 14,1s.
17,10 Nm 16,26.
17,12 Eclo 18,20-25.
17,16-26 Este episódio justifica os privilégios de toda a tribo de Levi, representada por Aarão. Não há separação entre levitas e aaronitas, não há distinções hierárquicas dentro da tribo; é uma unidade compacta e homogênea. É uma das doze e não conta à parte (como em 1-2). O relato responde à objeção dos rubenitas (cap. 16): são igualmente sagradas todas as tribos? De novo um julgamento de Deus o declara.

A mesma palavra hebraica significa tribo e vara (ramo de tronco), mas o autor evita o jogo, falando de "casas" ou famílias. Dar flores e fruto é símbolo óbvio de vitalidade e fecundidade (Is 11,1; 6,13; Os 14,6-8). O processo biológico acontece milagrosamente numa noite, na presença ou pela presença do protocolo da aliança. A vara = tribo de Levi floresce e dá fruto no templo do Senhor: Sl 92,13. Por que amêndoas? Talvez porque a raiz hebraica significa "velar", "vigiar" (cf. Jr 1,11).

17,28 Pode-se escutar o grito como conclusão de todos os julgamentos de Deus que precederam, da manifestação da glória e da ira do Senhor. O povo sente a proximidade abrasadora da santidade de Deus, prorrompe em gritos de pavor e aprende a não se aproximar sem ser chamado.

18 Aaronitas e levitas (Ez 44) – ¹O Senhor disse a Aarão:

– Tu serás responsável pelos objetos sagrados, com teus filhos e família; tu, com teus filhos, sereis responsáveis pelos sacerdotes. ²Trarás contigo teus irmãos da tribo de Levi, a tribo de teu pai, e eles se unirão a ti para ajudar-te quando tu e teus filhos estiverdes na tenda da aliança. ³Guardarão teu recinto e todo o santuário, sem contudo entrar até o altar e os utensílios sagrados, pois eles morreriam e vós também. ⁴Eles se unirão a ti para guardar a tenda do encontro e para as tarefas da tenda, e nenhum estranho se aproximará de vós. ⁵Guardareis o altar e os objetos sagrados, e a cólera não tornará a se inflamar contra os israelitas. ⁶Eu próprio escolhi os levitas, teus irmãos, entre os israelitas: eles são o vosso dom, entregue ao Senhor para o serviço da tenda do encontro. ⁷Tu com teus filhos exercereis o sacerdócio: o que diz respeito ao altar e a tudo o que o véu oculta; desempenhareis suas tarefas, pois a vós eu dei o sacerdócio, e o estranho que tente se aproximar será morto.

Tributos para os sacerdotes (Lv 7,25-36) – ⁸O Senhor disse a Aarão:

– Eu te dou o que é guardado de meus tributos. Dou a ti e a teus filhos, como privilégio da unção, aquilo que os israelitas consagram. É direito perpétuo.

⁹Do sagrado e das oblações que não são queimadas, eis o que te pertence: todas as ofertas, as oferendas, os sacrifícios expiatórios e os sacrifícios penitenciais que me oferecerem. São coisa sagrada que cabe a ti e a teus filhos. ¹⁰Comereis o que é sagrado: todo homem o poderá comer. Considera-o santo.

¹¹Além disso, corresponde a ti o seguinte: a parte reservada dos dons que os israelitas apresentam para a agitação ritual. Eu a dou a ti, a teus filhos e filhas como direito perpétuo. Os de tua casa que estiverem puros o poderão comer.

¹²O melhor do azeite, do vinho e do trigo, as primícias oferecidas ao Senhor, eu os dou a ti. ¹³As primícias de suas terras que eles apresentarem ao Senhor cabem a ti. Os de tua casa que estiverem puros as poderão comer. ¹⁴Aquilo que Israel dedicar a Deus te pertence.

¹⁵Todo primogênito, de animal ou de homem, que eles oferecerem ao Senhor cabe a ti. Mas deixa que resgatem os primogênitos de homem e também os de animais impuros. ¹⁶Eles os resgatarão quando tiverem um mês, taxando-os em cinquenta gramas (siclos do templo), dois óbolos por grama.

¹⁷Os primeiros partos de vaca, ovelha e cabra não serão resgatados: são coisa sagrada. Derramarás seu sangue em torno do altar, queimarás sua gordura como oblação de aroma que aplaca o Senhor: ¹⁸sua carne te pertence, assim como o peito agitado ritualmente e a perna direita.

¹⁹Todos os tributos sagrados dos israelitas eu os dou a ti, a teus filhos e filhas, como direito perpétuo: é uma aliança perpétua, selada com sal diante do Senhor, para ti e teus descendentes.

Dízimos para os levitas (Lv 27,30-33) – ²⁰O Senhor disse a Aarão:

– Tu não receberás herança na terra deles, nem terás uma parte no meio deles.

Acima da eleição de Moisés e de Aarão, revelou-se a santidade de Deus. O versículo serve também de introdução à seção legal seguinte.

18,1-7 Retornamos à distinção entre sacerdotes aaronitas e levitas (1,50-53; 3,5-10). A novidade é que Deus fala diretamente a Aarão, sem a mediação de Moisés. Muitas frases são repetição ou variação de temas já tratados.
"Ser responsável" é literalmente em hebraico "carregar o delito". Note-se a correlação "sacerdócio = santuário". "Unir-se-ão": paronomásia, da raiz *lwy* = unir-se, incorporar-se. São doados, a serviço dos sacerdotes, para tarefas subordinadas da tenda.

18,8 Sobre as taxas ou direitos de sacerdotes e levitas, ver Lv 27; Dt 18; Ez 44. O texto de Nm parece corresponder a uma legislação tardia. Os direitos vão aumentando ao longo da história. O autor os faz remontar às origens e, por meio de Aarão, ao Senhor, que assim paga seus servidores.

18,9 Lv 7,9s.

18,19 O sal compartilhado no banquete sela um contrato ou uma aliança: 2Cr 13,5.

18,20 A justificativa destas taxas está formulada aqui em termos personalíssimos e espiritualizados (cf. Sl 16,5-6). No contexto antigo, o sentido ou o alcance era bem material. Para harmonizar as explicações, deve-se considerar que, pela dedicação e serviço pessoal ao Senhor, recebem dele o sustento. O serviço se deve à pessoa, o pagamento é a manutenção.

Eu sou tua parte e tua herança no meio dos israelitas. ²¹Eu dou como herança aos levitas todos os dízimos em pagamento do serviço que me prestam, o serviço da tenda do encontro. ²²Os israelitas não tornarão a incorrer em pecado e a morrer por se aproximarem da tenda do encontro. ²³Os levitas desempenharão as tarefas da tenda do encontro e serão os responsáveis pelos israelitas. É lei perpétua para vossos descendentes, que não receberão herança no meio dos israelitas. ²⁴Porque eu dou como herança aos levitas os dízimos que os israelitas reservam ao Senhor. Por isso lhes disse que não receberão herança no meio dos israelitas.

²⁵O Senhor falou a Moisés:

– ²⁶Dize aos levitas: Quando receberdes dos israelitas os dízimos que eu vos dou como herança, oferecereis como tributo ao Senhor a décima parte dos dízimos. ²⁷Vosso tributo será computado como se fosse do trigo da eira ou do mosto do lagar. ²⁸Desse modo, também vós pagareis tributo ao Senhor por todos os dízimos que recebeis dos israelitas. E essa parte que reservais ao Senhor, vós a dareis ao sacerdote Aarão. ²⁹De todos os dons que receberdes, reservareis um tributo para o Senhor. Tomai do melhor a parte consagrada.

³⁰Dize-lhes também: Depois de ter separado a gordura, os dízimos serão para os levitas, assim como o fruto da eira e do lagar. ³¹Podeis comê-los em qualquer lugar com vossas famílias, porque é vosso salário pelo serviço que prestais na tenda do encontro. ³²Se reservardes a gordura, não incorrereis em pecado, não profanareis o consagrado pelos israelitas e não morrereis.

19 A vaca vermelha – ¹O Senhor falou a Moisés e a Aarão:

– ²Esta é a lei que o Senhor deu: Dize aos israelitas que te tragam uma vaca vermelha, sem defeito e perfeita, e que nunca tenha sido submetida à canga, ³e a entreguem ao sacerdote Eleazar. Ele a levará para fora do acampamento, onde a degolarão na presença dele.

⁴Eleazar untará um dedo no sangue dela e salpicará sete vezes na direção da tenda do encontro. ⁵E mandará queimar a vaca na sua presença: serão queimados o couro, a carne, o sangue e os intestinos. ⁶Depois o sacerdote pegará ramos de cedro, hissopo e púrpura escarlate e os jogará no fogo em que arde a vaca. ⁷O sacerdote lavará suas vestes, se banhará e depois voltará ao acampamento. Ficará impuro até a tarde. ⁸Quem a queimou lavará suas vestes, se banhará e ficará impuro até a tarde.

⁹Um homem puro se encarregará de recolher as cinzas da vaca, depositando-as num lugar puro fora do acampamento. A comunidade israelita as conservará para preparar a água lustral de expiação. ¹⁰Quem recolheu as cinzas da vaca lavará suas vestes e ficará impuro até a tarde.

18,21 Ver Ne 10,36-40.
18,22 Os levitas, expondo-se ao perigo da proximidade do santo, obtêm segurança e tranquilidade para os leigos. Mas, com tal instituição os leigos ficam distanciados e também dependentes, no culto, de mediações escalonadas (não assim na oração dos salmos).
18,25-29 Os levitas não estão isentos do pagamento de dízimos, e sua contribuição termina nas mãos dos sacerdotes.
19 O tema unitário desta perícope é a purificação do estado de impureza, especialmente pelo contato com cadáver. O meio ritual é a aspersão do impuro com água lustral preparada segundo fórmula complexa. Na sua preparação está envolvido um rito de tom arcaico, mágico, de provável origem pagã. A tarefa do autor foi preservar uma prática tradicional e inseri-la em seu sistema de pureza e impureza, sob a vigilância e a direção do sacerdote. O resíduo mágico passa a segundo plano de importância; o que haveria de culto aos antepassados no contato com cadáveres fica dissimulado. Ao primeiro plano passa a santidade de Deus, com a sua exigência absoluta de pureza cultual. Não se promulga uma condenação, mas uma alternativa. O impuro tem meio ritual controlado para purificar-se; quem o recusa fica excluído da comunidade: esta seria um centro de impureza e contágio que atinge o santuário do Senhor.
O rito da vaca vermelha ou parda parece antigo. O seu significado é inacessível e provavelmente o era para os judeus, que não procuraram explicá-lo com alguma referência histórica. Pelo uso da vaca se aparenta com Dt 21,3; pelos outros ingredientes, com Lv 14,4; pela sétupla aspersão, com Lv 4,6. Cedro e hissopo representam dois extremos do mundo vegetal (1Rs 5,13). A vaca não tem relação alguma com o sacrifício; contudo, o autor tem interesse em submeter o rito inteiro ao sacerdote. É morta fora do acampamento e nada se aproveita, exceto suas cinzas (Hb 9,13).
19,9 A purificação entra no âmbito da expiação.

Leis de pureza ritual — Lei perpétua para os israelitas e para os migrantes que vivem com eles. ¹¹Quem tocar um morto, um cadáver humano, ficará impuro durante sete dias. ¹²Ele se purificará com tal água no terceiro e no sétimo dia, e ficará puro; se não o fizer, não ficará puro. ¹³Quem tocar um morto, um cadáver humano, e não se purificar, contaminará a morada do Senhor, e será excluído de Israel, porque não foi aspergido com água lustral. Continua impuro e nele continua a impureza.

¹⁴Lei para quando um homem morre dentro de uma tenda: Quem entrar na tenda e tudo o que nela houver ficam impuros por sete dias. ¹⁵Todo recipiente aberto que não estava tampado fica impuro. ¹⁶Quem tocar no campo o cadáver de um homem apunhalado, ou qualquer morto ou ossos humanos ou uma sepultura, ficará impuro por sete dias.

¹⁷Para o homem impuro pegarás um pouco de cinza da vítima queimada e porás água corrente num vaso sobre a cinza. ¹⁸Um homem puro pegará um hissopo, o molhará na água e aspergirá a tenda, os utensílios, todas as pessoas que estiverem aí e quem tiver tocado ossos, ou um cadáver, ou um morto, ou uma sepultura. ¹⁹O homem puro aspergirá o impuro no terceiro e no sétimo dias. No sétimo dia ficará livre do seu pecado, lavará suas vestes, se banhará e à tarde ficará puro.

²⁰O homem impuro que não se tiver purificado será excluído da assembleia, por ter contaminado o santuário do Senhor. Não foi aspergido com água lustral: continua impuro.

²¹É lei perpétua: Quem tiver feito aspersão com as águas lustrais lavará suas vestes. Quem tocar as águas lustrais ficará impuro até a tarde. ²²Tudo o que tocar o impuro ficará impuro. A pessoa que tocar o impuro ficará impura até a tarde.

20 **Água da rocha** (Ex 17,1-7) — ¹A comunidade inteira dos israelitas chegou ao deserto de Sin no primeiro mês, e o povo se instalou em Cades. Aí morreu Maria e aí a enterraram. ²Faltou água para o povo, e se amotinaram contra Moisés e Aarão. ³O povo enfrentou Moisés, dizendo:

– Oxalá tivéssemos morrido como nossos irmãos, diante do Senhor! ⁴Por que trouxeste a comunidade do Senhor a este deserto, para que morramos nele nós e nossos animais? ⁵Por que nos tiraste do Egito para trazer-nos a este lugar horrível, que não tem trigo, nem figueiras, nem vinhas, nem romãzeiras, nem água para beber?

⁶Moisés e Aarão se afastaram da comunidade e se dirigiram à entrada da tenda do encontro, e diante dela se prostraram com o rosto por terra. A glória do Senhor lhes apareceu, ⁷e o Senhor disse a Moisés:

– ⁸Pega o bastão, reúne a assembleia com teu irmão Aarão, e na presença deles ordena à rocha que dê água. Tirarás água da rocha para dar de beber a eles e a seus animais.

⁹Moisés retirou o bastão da presença do Senhor, conforme ele o mandara; ¹⁰ajudado

---

19,18 Ver Mc 5,3.

20,1 Supõe-se que se passaram os quarenta anos de peregrinação pelo deserto; agora começa a marcha sistemática rumo à terra prometida. Três mortes vão balizá-la: a de Maria, a de Aarão e a de Moisés. Nem a profecia, nem o sacerdócio, nem a lei entrarão, mas entrarão seus sucessores. Na data incompleta, parece que desapareceu "no ano quarenta". A localidade se encontra no extremo sul da Palestina; o nome Cades (= Santo) não é exclusivo de um lugar. Termina a região desértica e começa a região povoada, os primeiros encontros com povos hostis à marcha.

20,2-13 O episódio da água é uma cópia do narrado em Ex 17, segundo a técnica "de espelho" que indicamos: leem-se no princípio e no fim da marcha. A repetição poderia dever-se ao desejo do autor de submeter às mesmas provas a nova geração (esbarraremos em outras duplicações). É o mesmo problema, repetem-se os protestos, inclusive literalmente, acrescenta-se a referência etimológica ao topônimo Meriba. Há um elemento novo e enigmático: o pecado dos chefes e seu castigo duríssimo.

20,3-5 O protesto repete motivos já ouvidos em algum dos castigos coletivos precedentes: a reclamação "por quê?", a razão pervertida da saída "para que morramos", a invocação à morte "oxalá tivéssemos morrido".

20,6 O gesto de Moisés e Aarão é de intercessão, sem palavras citadas. O oráculo divino as pressupõe.

20,8 O texto distingue duas coisas: bastão e palavra. O bastão pode ser o dos prodígios do êxodo ou a vara florescida de Aarão. Seguro na mão, é sinal de autoridade, não varinha mágica. Moisés deve dar uma ordem à rocha, e esta lhe obedecerá. Sl 78,15s; 1Cor 10,4.

20,10 As palavras da pergunta são claras. É duvidoso o tom: será pergunta retórica que inclui resposta afirmativa? Moisés fica contagiado pela dúvida?

por Aarão, reuniu a assembleia diante da rocha, e lhes disse:

– Escutai, rebeldes: Credes que podemos tirar para vós água desta rocha? [11]Moisés levantou a mão e golpeou duas vezes a rocha com o bastão. E brotou água tão abundante que todo o povo e os animais beberam. [12]O Senhor disse a Moisés e a Aarão:

– Por não terdes acreditado em mim, por não terdes reconhecido minha santidade na presença dos israelitas, não fareis esta comunidade entrar na terra que vou dar-lhes.

[13](Esta é Meriba*, onde os israelitas enfrentaram o Senhor, e ele lhes mostrou sua santidade.)

DE CADES AO JORDÃO

Edom nega passagem (Jz 11,16s) – [14]De Cades, Moisés enviou mensageiros ao rei de Edom com esta mensagem: "Assim diz teu irmão Israel: conheces todas as fadigas que passamos. [15]Nossos pais desceram ao Egito, onde vivemos muitos anos; os egípcios maltrataram a nós e a nossos pais; [16]então gritamos ao Senhor, e ele nos escutou, enviando um anjo para nos tirar do Egito. Agora nos encontramos em Cades, cidade que confina com teu território. [17]Deixa-nos atravessar teu país: não atravessaremos campos, nem pomares, nem beberemos água dos poços; iremos pelo caminho real, sem nos desviar para a direita ou para a esquerda, até atravessarmos teu território".

[18]O rei de Edom lhes respondeu:

– Não passeis pelo meu país, se não quiserdes que vos receba com a espada. [19]Os israelitas insistiram:

– Iremos pela estrada batida. Se nós ou nosso rebanho bebermos tua água, nós te pagaremos sem discutir. Deixa-nos passar a pé. [20]Ele respondeu:

– Não passarás.

E saiu ao encontro deles com numerosa tropa, ao toque de guerra.

[21]E como Edom se negasse a deixar os israelitas passar por seu território, eles fizeram um desvio.

Morte de Aarão (Dt 10,6) – [22]De Cades, toda a comunidade de Israel se dirigiu ao monte Hor. [23]O Senhor disse a Moisés e Aarão no monte Hor, junto à fronteira de Edom:

– [24]Aarão vai se reunir com os seus, pois não deverá entrar na terra que darei aos israelitas, porque vos rebelastes contra a minha ordem em Meriba. [25]Toma Aarão e seu filho Eleazar, e sobe com eles ao monte Hor. [26]Tira os ornamentos de Aarão e veste-os em seu filho Eleazar, pois Aarão morrerá aí.

[27]Moisés cumpriu o que o Senhor lhe mandava, e subiu com eles ao monte Hor,

---

20,11 A execução não coincide com a ordem: Moisés não fala, bate, e o faz duas vezes. Sb 11,7.
20,12 Em que consistiu o pecado de Moisés e Aarão? Que deveriam ter feito e não fizeram para mostrar publicamente a santidade do Senhor? O texto nem o diz nem o insinua; por isso os comentadores se têm ocupado em conjeturá-lo com diversas hipóteses. O Sl 106,32-33 diz que "seus lábios desvairaram", não diz em quê. Alguém chega a suspeitar que a tradição tenha preferido calar ou dizer o menos possível para explicar por que Moisés não pôde entrar na terra.
20,12 Dt 32,52; Nm 27,14.
20,13 Meriba e Cades aparecem unidos em Dt 32,51; Ez 47,19; 48,28. "Santificar" joga com o nome Cades, como "disputar" joga com Meriba. * = Contenda.
20,14 Conforme a tradição, Edom era irmão de Israel, por serem irmãos Esaú e Jacó. Motivo suficiente para permitir uma passagem pacífica. A história e a profecia (Is 63,1-6; Ez 25,12-14; 35,1-10) apresentam Edom como inimigo de Israel; tradição que pode ter influído no presente relato.
Como outrora Jacó se mostrou humilde e generoso para reconciliar-se com o irmão ofendido (Gn 32-33), assim os israelitas se dirigem com modéstia e condições razoáveis a seus parentes, já sedentários. O estilo da mensagem respeita os cânones da época. O que pedem é uma passagem normal de caravanas, evitando causar dano às plantações e pagando o bem mais cobiçado: a água de beber.
20,15-16 Fazem parte de símbolos de fé (cf. Dt 26,5-10).
20,21 A volta continua em 24,4.12-13; mas Dt 2,2-8 dá uma versão pacífica do fato.
20,22 Ao abandonar Cades, começa outra grande etapa da viagem. Alguns autores preferem fazer o corte ao começar o cap. 26.
20,24-29 Na sua morte, Aarão é personagem de tragédia. Seu destino se frustra, e ele se torna impotente. Sua morte é anunciada como um corte violento que o priva do final desejado. A comunidade inteira assiste à partida até o cume da montanha. Aí, entre três, com rito simples de investidura, se consuma a sucessão. Desaparece no alto um dos protagonistas, e para ele é prestado luto nacional; o empreendimento continua.
O autor privilegia a linhagem de Eleazar, antepassado de Sadoc; não menciona a unção nem outros ritos sagrados. Logicamente, o monte ficava fora do acampamento.

aos olhos de toda a comunidade. ²⁸Tirou os ornamentos de Aarão e os vestiu em seu filho Eleazar. Aarão morreu aí, no topo do monte. Moisés e Eleazar desceram do monte, ²⁹e toda a comunidade, toda a casa de Israel, vendo que Aarão tinha morrido, chorou-o durante três dias.

21 Extermínio –
¹Quando o rei cananeu de Arad, no Negueb, ficou sabendo que os israelitas se aproximavam pelo caminho de Atarim, atacou e capturou alguns prisioneiros. ²Então Israel fez voto ao Senhor:

– Se entregares esse povo em meu poder, consagrarei suas cidades ao extermínio.

³O Senhor escutou Israel, entregou os cananeus em seu poder, e eles consagraram suas cidades ao extermínio. E o lugar se chamou Horma*.

Serpentes (Sb 16,5-14; 2Rs 18,4) – ⁴Do monte Hor se dirigiram ao mar Vermelho, rodeando o território de Edom. O povo estava extenuado da viagem, ⁵e falou contra Deus e contra Moisés:

– Por que nos tiraste do Egito, para morrermos no deserto? Não temos nem pão nem água, e esse pão sem sustância nos dá náusea.

⁶O Senhor enviou contra o povo serpentes venenosas, que os mordiam, e muitos israelitas morreram. ⁷Então o povo correu a Moisés, dizendo:

– Pecamos, falando contra o Senhor e contra ti; reza ao Senhor, para que afaste de nós as serpentes.

Moisés rezou ao Senhor pelo povo, ⁸e o Senhor lhe respondeu:

– Faze uma serpente venenosa e coloca-a num estandarte: ao olhá-la, os que foram mordidos por serpentes ficarão curados.

⁹Moisés fez uma serpente de bronze e a pôs num estandarte. Quando uma serpente mordia alguém, ele olhava para a serpente de bronze e ficava curado.

Etapas diversas – ¹⁰Os israelitas prosseguiram e acamparam em Obot*. ¹¹Daí continuaram e acamparam em Ruínas de Abarim, no deserto, que se estende a leste de Moab. ¹²Daí prosseguiram e acamparam na torrente de Zared. ¹³Daí prosseguiram e acamparam do outro lado do Arnon, no deserto, que sai do território dos amorreus (pois o Arnon é fronteira entre Moab e os amorreus). ¹⁴Assim se diz no livro das batalhas do Senhor: Vaeb em Sufa e os afluentes do Arnon, ¹⁵a ladeira das torrentes que se estendem para a várzea de Ar e se apoiam em territórios de Moab.

¹⁶Daí se transferiram para Beer, o Poço. Este é o poço em que o Senhor disse a Moisés: "Reúne o povo, e lhes darei água".

20,28 2Rs 2,13.

21 Na primeira parte, recolhe uma série de histórias e etapas no caminho até Moab; na segunda, narra brevemente os primeiros choques militares, vitórias e ocupação de territórios.

21,1-3 A história soa como lenda etiológica que explica um nome de lugar. Uma explicação contrária se lê no final do cap. 14, e outra explicação diferente em Jz 1,17, que atribui a conquista à tribo de Simeão e menciona uma mudança de nome da cidade conquistada. O extermínio, como prática da guerra santa, inclui a destruição de todos os habitantes e a entrega de todas as possessões ao Senhor. Em outros termos, não permite aos israelitas aproveitar-se materialmente da vitória: ver as disposições de Dt 13,15-19 e os casos de Js 6 e 8.
O autor responsabiliza o rei cananeu pelo início das hostilidades e até lhe concede uma primeira vaza. Ao intervir o voto e a resposta do Senhor, os israelitas são mais fortes. É sua primeira vitória desde o Sinai. Passaram-se quarenta anos; o autor atribui a vitória à nova geração.

21,3 * = Extermínio.

21,4-9 A história está sem determinação local; pode ter sido uma tentativa de explicar etiologicamente a presença de uma imagem de serpente no templo, da qual fala 2Rs 18,4. O adjetivo "venenoso" ou ardente é em hebraico *serapim* que na sua origem pode ter-se referido a animais fantásticos, dragões de fogo. Não sabemos quanto de recordação histórica há e quanto de fantasia, no relato da praga.
Quanto ao remédio, a representação do causador do dano para conjurá-lo corresponde a crenças populares: ao tê-lo em imagem, o homem o controla. É uma espécie de homeopatia mágica em si. Mas o autor faz Moisés intervir intercedendo, o Senhor dando poder ao remédio e os israelitas confessando o pecado. Sb 16,5-14 oferece um comentário do episódio, excluindo da imagem todo poder mágico. João dá uma interpretação cristológica, descrevendo a serpente no estandarte como imagem de Jesus na cruz (Jo 3,14).

21,10 * = Almas.

21,14 Este livro era talvez uma coleção de cantos de gesta da guerra santa, de onde o autor teria tomado sua informação sobre fronteiras. O itinerário adquire assim um ar antigo, apto para marcar etapas de uma viagem.

21,16 *Be'er* significa "poço" e é topônimo corrente, só ou em composição.

¹⁷Os israelitas cantavam esta canção:
"Brota, poço! Cantai-lhe.
¹⁸Poço cavado pelos príncipes,
aberto pelos chefes do povo,
com seus cetros,
com seus bastões".
¹⁹Daí se transferiram para Matana*, depois a Naaliel*, e de Naaliel a Bamot.
²⁰Daí, pelo vale do campo de Moab, até o cume do Fasga, que olha para a estepe.

Vitória sobre Seon (Dt 2,24-37; Sl 136,19)
– ²¹Os israelitas enviaram mensageiros que disseram a Seon, rei dos amorreus:
– ²²Deixa-nos atravessar tua terra. Não nos desviaremos nem pelo campo, nem pelo pomar, nem beberemos água de poço. Iremos pelo caminho real, até atravessarmos teu território.
²³Seon, porém, não permitiu que Israel atravessasse seu território, mas reuniu toda a sua tropa, saiu contra eles no deserto e, chegando a Jasa, atacou Israel. ²⁴Israel o derrotou a fio de espada e se apoderou de seu território, desde o Arnon até o Jaboc e até o país dos amonitas (pois Jazer é fronteira com os amonitas). ²⁵Israel conquistou todas as suas cidades e se estabeleceu em todas as cidades amorreias, Hesebon e os povoados da região. ²⁶Hesebon era a capital de Seon, rei dos amorreus. Ele havia lutado contra o rei anterior de Moab e lhe arrebatara sua terra desde o Jaboc até o Arnon.
²⁷Por isso cantam os poetas:

"Entrai em Hesebon.
Que seja edificada e restaurada
a capital de Seon.
²⁸Saiu fogo de Hesebon,
uma chama da Cidade Seon:
devorou a Cidade Moab,
consumiu as colinas do Arnon.
²⁹Ai de ti, Moab!
Estás perdido, povo de Camos.
Teus filhos que sobrevivem
e tuas filhas são cativos
do rei amorreu Seon.
³⁰Ficam sem descendência
desde Hesebon até Dibon".
................*

Vitória sobre Og (Dt 3,1-8; Sl 136,20)
– ³¹Israel se estabeleceu assim em terra amorreia.
³²Moisés enviou alguns espiões contra Jazer, que se apoderaram dos povoados da região, expulsando seus habitantes amorreus. ³³Depois mudaram de direção e subiram pelo caminho de Basã. Og, rei de Basã, saiu-lhes ao encontro com toda a sua tropa, e os atacou em Edrai.
³⁴O Senhor disse a Moisés:
– Não o temas, pois eu o entrego em teu poder com toda a sua tropa e sua terra. Trata-o como a Seon, rei dos amorreus, que habitava em Hesebon. ³⁵Derrotaram-no a ele e a toda a sua tropa, sem deixar ninguém com vida, e se apoderaram de seu território.

21,17-18 A canção parece popular, composta e cantada por ocasião da abertura de um poço qualquer. Poço em hebraico é feminino, e liga-se à fecundidade materna da terra. A canção transforma o trabalho em empreendimento nobre e principesco (cf. Jo 4,12). Alguns ligam a esta canção a frase seguinte e traduzem "dom do deserto".
21,19 * = Doada; * = Rio de Deus.
21,21-35 Seon, rei de Hesebon, e Og, rei de Basã, são dois personagens ilustres na lembrança de Israel, e aparecem várias vezes no AT (Dt 2,24-27; Jz 11,19-22; Sl 135,11; 136,19). Representam os poderes hostis de reinos pequenos que se opõem à entrada de Israel na terra prometida. Eco débil do grande Faraó, vencido com dez pragas e águas impetuosas. Obstáculo na saída e obstáculo na entrada, encerrando um ciclo de libertação (cf. Ex 15). Além disso, esses dois reis estabelecem um problema teológico sobre a fronteira da terra prometida. A vitória e ocupação de territórios a leste do Jordão são como penhor da próxima vitória e ocupação da terra de Canaã.
21,21-23 Seon era amorreu; não era "irmão" de Israel como Edom. Moisés pede simplesmente uma passagem de caravanas. O rei responde atacando: o autor o torna responsável.
21,24-25 Os termos universais soam como hipérbole narrativa; também poderiam ter intenção polêmica, reclamando ou mantendo direitos sobre territórios. O fato fundamental é que uns israelitas começam a estabelecer-se em zonas urbanas a leste do Jordão.
21,27-30 "Os poetas" ou trovadores. O texto aparece como canto da vitória de Seon sobre Moab. Camos era o deus nacional de Moab: a canção insinua que seu deus não pôde protegê-los. O último versículo é ininteligível. É impossível averiguar a origem e a data desta canção. No contexto presente pode ser lida como polêmica contra pretensões territoriais de Moab.
21,30 * Ininteligível.
21,31-35 A vitória sobre Og, mais que narração, é um esquema de guerra santa, com fórmulas convencionais: "não temas", entrega do território, extermínio, ocupação do território. Vê-se que o autor do livro não dispunha de canções nem poemas sobre este rei. Em vez de "fechar" o texto hebraico diz "senhores".

22 Balac chama Balaão

¹Prosseguiram e acamparam na estepe de Moab, do outro lado do Jordão, diante de Jericó. ²Balac, filho de Sefor, viu como Israel havia tratado os amorreus, ³ e Moab teve medo daquele povo tão numeroso; Moab tremeu diante dos israelitas. ⁴E disse aos senadores de Madiã:

– Essa horda vai se apascentar em nossa região como um boi devora a erva do campo.

Balac, filho de Sefor, era então rei de Moab. ⁵E enviou mensageiros a Balaão, filho de Beor, que habitava em Petor, junto ao Eufrates, em terra amonita, para que o chamassem, dizendo-lhe:

– Saiu do Egito um povo que cobre a superfície da terra, e se estabeleceu à nossa frente. ⁶Vem, por favor, maldizer em meu lugar a esse povo, que me excede em número, para ver se consigo derrotá-lo e expulsá-lo da região. Pois sei que quem abençoares ficará abençoado e quem amaldiçoares ficará amaldiçoado.

⁷Os senadores de Moab e de Madiã foram com o preço do conjuro aonde estava Balaão e lhe transmitiram a mensagem de Balac. ⁸Ele lhes disse:

– Dormi aqui esta noite e eu vos comunicarei o que o Senhor me disser.

Os chefes de Moab ficaram com Balaão.

Balaão se nega a ir

⁹Deus veio ver Balaão e lhe perguntou:

– Quem são esses que estão contigo?

¹⁰Balaão respondeu:

22-24 Atualmente formam um bloco narrativo unificado, não unitário. Podem-se considerar como uma série de oráculos dotados de moldura narrativa. O autor final compõe um texto com materiais mais antigos. Por seu respeito às tradições manuseadas, permanecem algumas incoerências mais ou menos significativas e se conserva certo colorido antigo ou arcaico. Por sua vontade de composição e suas intervenções localizadas, o autor final impõe um sentido coerente a todo o bloco.
É antiga ou pode sê-lo a figura do especialista em adivinhação e conjuros. Em Babilônia o chamavam *baru*, e seus serviços podiam ser muito estimados na côrte ou por particulares. O texto estabelece a atividade profética de Balaão junto ao Eufrates (5); mas outras frases e alguma versão o situam antes no sul (Amon?, Madiã, Amalec, quenitas). O adivinho consulta sinais, interpreta-os e pronuncia presságios; o feiticeiro pronuncia conjuros eficazes. De ambas as atividades há testemunhos nas culturas antigas, e Balaão desempenha ambas as funções.
A história da jumenta também tem sabor antigo ou talvez atemporal. Não parece inventada *ad hoc* pelo autor do livro, e produz algumas estridências. Em vários pontos do relato aflora a antiguidade ou ao menos tempos passados. Dos oráculos falaremos mais abaixo.
É indubitável que o autor tinha uma ideia precisa, e conseguiu que ela desse forma ao relato e se comunicasse ao leitor. É sua função atual no livro, quase no final da grande viagem. O Senhor se tinha confrontado vitoriosamente com as forças ocultas dos magos no Egito; agora se confronta com as forças arcanas e misteriosas e delas se apodera. Fracassado o poderio humano-militar, o inimigo recorre a poderes sobre-humanos, mais temíveis e difíceis de resistir. Pois bem, o Senhor triunfa desses poderes, transformando o adivinho em seu profeta. Balaão passa a ser profeta ilustre das glórias de Israel (cf. Dt 23,5-6; Mq 6,5). Mas uma tradição divergente isolou seus artifícios, seus serviços vendidos ao rei estrangeiro, e o converteu em personagem sinistro, "o mau". Essa interpretação começa neste livro (31,16), ao denunciá-lo como instigador das sedutoras moabitas de Baal-Fegor (cap. 25); continua Js 24,9-10 e ressoa no NT (2Pd e Jd).

22,1 A posição marca o final da marcha e o começo da entrada: à frente fica Jericó, a porta que será preciso forçar. Mas antes acontecem muitas coisas em Moab. O autor quis que lêssemos o episódio de Balaão em Moab, às portas de Canaã. No final da viagem, o perigo extremo. Mas o contexto é artificial e se percebe.

22,2 Balac desempenha papel importante. Toma a iniciativa para desencadear os poderes do feiticeiro. Do pavor militar passa à confiança irracional em seu adivinho importado; passará da desilusão à frustração e ao fracasso completo. Pequeno faraó com um mago de aluguel e sem exército. Os "amorreus": Seon e talvez Og.

22,3 O medo proverbial de Ex 15,14-16, sem referência a Deus (cf. Js 5,1).

22,4 A presença de madianitas é estranha: aliados, empregados da corte, conselheiros? (cf. a presença de uma madianita em Baal-Fegor, 25,6). O medo de Moab é o de um povo agrícola.

22,5 "Amonitas", segundo alguns manuscritos e versões. Em hebraico: "na terra de seu povo" = sua terra, sua pátria.

22,6 Para Balac, a saída dos israelitas do Egito é uma dessas migrações de povos conhecidas na antiguidade. Bendizer e maldizer é o objeto ou o sentido dos conjuros eficazes (compare-se com a fórmula tão próxima quanto divergente de Gn 12,3).

22,8 Era frequente esperar a comunicação divina em sonhos ou em visão noturna (cf. Jó 4); inclusive praticava-se o rito da incubação na presença de uma divindade. Na resposta o autor final já se apoderou do adivinho e o faz pronunciar o nome de *Yhwh*. Talvez seja adiantar demais. O versículo seguinte diz *Elohim*.

22,9-11 Como se esse Deus necessitasse da informação humana; ou simplesmente provoca uma tomada de consciência. "A terra": expressão hiperbólica, que também poderia significar o território.

– Balac, filho de Sefor, rei de Moab, os enviou a mim com esta mensagem: ¹¹"Saiu do Egito um povo que cobre a superfície da terra; vem logo maldizê-los por mim, para ver se consigo lutar contra eles e expulsá-los".
¹²Deus disse a Balaão:
– Não irás com eles nem amaldiçoarás esse povo, pois é bendito.
¹³Balaão levantou-se na manhã seguinte e disse aos ministros de Balac:
– Voltai à vossa terra, pois o Senhor não me deixa ir convosco.
¹⁴Os chefes de Moab se levantaram e, chegados à casa de Balac, disseram-lhe:
– Balaão negou-se a vir conosco.
¹⁵Mas Balac enviou outros chefes mais numerosos e importantes que os anteriores. ¹⁶Chegando aonde estava Balaão, disseram-lhe:
– Assim diz Balac, filho de Sefor: Não te recuses a vir ter comigo, ¹⁷pois te farei muito rico e farei tudo o que me disseres. Vem, por favor, amaldiçoar por mim esse povo.
¹⁸Balaão respondeu aos ministros de Balac:
– Ainda que ele me desse seu palácio cheio de prata, eu não poderia violar a ordem do Senhor meu Deus, nem por pouco nem por muito. ¹⁹Portanto, ficai aqui esta noite, até que eu saiba o que o Senhor me diz desta vez.

A jumenta de Balaão – ²⁰De noite, Deus veio aonde estava Balaão e lhe disse:
– Já que estes homens vieram chamar-te, levanta-te e vai com eles; farás porém o que eu te disser.
²¹Balaão levantou-se de manhã, selou a jumenta e partiu com os chefes de Moab. ²²Ao vê-lo partir, a ira de Deus se acendeu, e o anjo do Senhor postou-se no caminho, para barrar-lhe a passagem. Ele ia montado na jumenta, acompanhado de dois criados. ²³A jumenta, vendo o anjo do Senhor postado no caminho, com a espada desembainhada na mão, desviou-se do caminho, na direção do campo. Mas Balaão espancou-a, para fazê-la voltar ao caminho.
²⁴O anjo do Senhor pôs-se numa passagem estreita, entre vinhas, com uma cerca de cada lado. ²⁵A jumenta, vendo o anjo do Senhor, encostou-se na cerca, apertando a perna de Balaão contra o muro. Ele tornou a espancá-la.
²⁶O anjo do Senhor se adiantou e se pôs numa passagem apertada, que não permitia desviar-se nem para a direita nem para a esquerda. ²⁷Vendo o anjo do Senhor, a jumenta caiu debaixo de Balaão. Ele, enfurecido, começou a espancá-la. ²⁸O Senhor abriu a boca da jumenta, e ela disse a Balaão:
– O que te fiz para me espancares pela terceira vez?
²⁹Balaão respondeu:

22,12 A proibição está no futuro categórico. A maldição do adivinho nada poderá contra a bênção de Deus. Js 24,9.

22,15 Funciona o recurso narrativo de duplicar a situação (explorado na história de José). Balac interpreta a negativa como desacordo sobre preço e condições, e por isso envia outra embaixada prometendo muito mais que o preço do conjuro.

22,18 O narrador carrega a mão e faz Balaão dizer "*Yhwh* meu Deus". O adivinho atua como homem honesto e sincero, desprezador de riquezas, a serviço incondicional do Deus de Israel. A situação repetida serve para enganchar o episódio da jumenta, mas não consegue o encaixe perfeito.

22,20 Começamos a identificar a linguagem da profecia: ir e dizer, missão e palavra; a palavra implícita no "fazer" (cf. Jr 1). Mas este envio inicial dificulta a inserção do próximo episódio, no qual Deus se opõe à viagem.

22,21 Trata-se de introduzir a jumenta na ação. O breve relato tem o encanto de um conto popular. Para lê-lo corretamente, é mister observar ou enxergar a ironia da passagem, feita de simetrias e oposições. O Senhor se irrita com o adivinho, o adivinho com sua jumenta; maneja o bordão na falta de punhal, ao passo que o anjo tem a espada desembainhada; o homem se deixa arrebatar pela paixão, a jumenta procura trazê-lo à razão; o adivinho não percebe a presença sobre-humana, a jumenta a vê e reconhece; o Senhor abre a boca da jumenta e os olhos do adivinho; no final, a humildade tranquila do animal, tratado a pauladas, salva a vida do amo violento. Balaão representa bom papel nas mãos do narrador, que se diverte em deixá-lo no ridículo e convida o leitor a rir-se dele. 1Rs 13,14.

22,22 "Barrar a passagem" é em hebraico *satan*, que significa rivalidade, oposição, e também advogado de acusação.

22,23 Outro animal que fala no AT é a serpente do paraíso. A autoridade "sapiencial" dos animais é atestada em outras passagens: Pr 6,6-9; 30,24-30; Jó 12,7-9; Eclo 1,9-10.

22,23-27 De acordo com módulos do gênero, a ação avança em três etapas análogas, com elementos repetidos e pequenos avanços na reação do animal.

22,28 A fórmula é própria da profecia: Ez 3,27; 33,22. Deus atribui ao animal função profética, dirigida em primeiro lugar ao adivinho. Pode-se comparar com a lição vegetal dirigida ao profeta em Jn 4.

— É porque caçoas de mim. Se tivesse um punhal na mão, eu te mataria agora mesmo.

³⁰A jumenta disse:

— Não sou eu a tua jumenta, na qual montas há tanto tempo? Costumava eu comportar-me assim contigo?

Ele respondeu:

— Não.

³¹Então o Senhor abriu os olhos de Balaão, e ele viu o anjo do Senhor postado no caminho, com a espada desembainhada na mão. E inclinando-se, prostrou-se com o rosto por terra.

³²O anjo do Senhor lhe disse:

— Por que espancas tua jumenta pela terceira vez? Eu saí para enfrentar-te, pois segues um mau caminho. ³³A jumenta me viu e se afastou de mim três vezes. Se ela não se tivesse afastado, eu já te teria matado, deixando-a viva.

³⁴Balaão respondeu ao anjo do Senhor:

— Pequei, pois não sabia que estavas no caminho, diante de mim. Mas agora, se te desagrada minha viagem, volto para casa.

³⁵O anjo do Senhor respondeu a Balaão:

— Vai com esses homens; dirás porém unicamente o que eu te disser.

E Balaão prosseguiu com os ministros de Balac.

Balaão e Balac — ³⁶Quando Balac ouviu que Balaão se aproximava, saiu para recebê-lo em Cidade Moab, na fronteira do Arnon, limite de seu território. ³⁷E lhe disse:

— Mandei chamar-te; por que não querias vir? Não posso eu fazer-te rico?

³⁸Balaão respondeu:

— Acabo de chegar à tua casa; mas que posso eu dizer? Pronunciarei somente a palavra que o Senhor me puser na boca.

³⁹Balaão prosseguiu com Balac até chegarem a Cidade Husot. ⁴⁰Aí Balac mandou matar vacas e ovelhas, oferecendo a carne a Balaão e aos chefes que o acompanhavam. ⁴¹Na manhã seguinte, Balac tomou Balaão e subiu com ele para Monte Baal, de onde se viam as posições extremas do povo.

23 Primeiro oráculo — ¹Balaão disse a Balac:

— Edifica-me aqui sete altares e prepara-me sete bezerros e sete carneiros.

²Balac fez o que Balaão pedia, e juntos ofereceram um bezerro e um carneiro em cada altar.

³Depois Balaão disse a Balac:

— Fica junto aos holocaustos enquanto eu vou ver se o Senhor vem ao meu encontro. O que ele me manifestar, eu te comunicarei.

E dirigiu-se a uma colina desnuda.

⁴Quando Deus saiu ao encontro de Balaão, este lhe disse:

— Preparei os sete altares e ofereci um bezerro e um carneiro em cada um.

⁵O Senhor pôs sua palavra na boca de Balaão e lhe recomendou:

— Volta a Balac e dize-lhe isto.

22,35 Depois de aprendida a lição, o Senhor ratifica a vocação profética: envio e palavra. A partir desse momento, o adivinho mesopotâmico é um profeta do Senhor Deus de Israel.

22,38 Balaão é consciente de sua nova vocação, não baseada numa especialidade profissional, mas na capacidade de transmitir a palavra do Senhor. Balac não se preocupa demais com tal declaração: o importante é que o famoso adivinho chegou a Moab. O banquete de cortesia podia ser sacrifical.

22,41 A primeira localidade, a julgar pelo nome, é um monte ou outeiro dedicado à divindade cananeia Baal. Soava mal para ouvidos judeus. São oferecidos a ele os sacrifícios? Provavelmente, na convicção de Balac (23,2); não na intenção de Balaão (23,4).

23,1 Começa a série dos oráculos: quatro maiores para Israel, três menores para povos pagãos. Quanto à forma se parecem com os oráculos tribais reunidos em Gn 49 e Dt 32. Esses presságios utilizam imagens emblemáticas que caracterizam um grupo e fixam seu destino. Os emblemas são criação literária, porém às vezes se oferecem como visão que o vidente descreve e interpreta. Mas nem todos os emblemas são interpretados: ligeira bruma os envolve sugestivamente.

Pelo conteúdo, são exaltação da história de Israel, com alguma referência à dinastia davídica. Por este último aspecto foram lidos e usados em chave messiânica. Contêm uma parte em primeira pessoa, auto-apresentação do vidente, e uma segunda parte é o anúncio formal.

Os oráculos estão habilmente inseridos e graduados em peças narrativas regulares, com oportunas mudanças de posição e cenários contemplados do alto de montes como observatórios. Os preparativos rituais são solenes, e conhecidos em outras culturas vizinhas: sete altares e sete sacrifícios duplos para cada oráculo, exceto o último.

23,3-6 Repetir-se-á o jogo de proximidade e afastamento. Junto a Balac, o adivinho parece estar a seu serviço; para encontrar-se com o Senhor, o profeta se afasta a sós; porque não dispõe de poderes sobre-humanos, mas deve recebê-los do Senhor. Entreouvimos um toque de ironia na figura do rei vigiando os holocaustos que pouco vão lhe servir.

⁶Ele voltou e o encontrou de pé junto ao holocausto, com todos os chefes de Moab. ⁷Então ele recitou seus versos:

"Da Síria trouxe-me Balac,
dos montes do oriente o rei de Moab:
'Vem e amaldiçoa Jacó para mim,
vem e fulmina Israel'.
⁸Posso amaldiçoar
a quem Deus não amaldiçoa?
Posso fulminar
a quem o Senhor não fulmina?
⁹Do cume do rochedo os vejo,
da altura os contemplo:
É um povo que habita afastado
e não é contado entre as nações.
¹⁰Quem poderá medir a poeira de Jacó,
quem poderá contar a areia de Israel?
Que minha sorte seja a dos justos,
que meu fim seja como o dele".

¹¹Balac disse a Balaão:

– O que fazes? Eu te trouxe para amaldiçoar meu inimigo e tu o abençoas!

¹²Respondeu:

– Eu tenho de dizer o que o Senhor me põe na boca.

Segundo oráculo – ¹³Balac lhe disse:

– Vamos, vem comigo para outro lugar que eu te indicar, de onde verás uma extremidade e não todo o povo. De lá o amaldiçoarás para mim.

¹⁴E o levou a Campo Calvo, no monte Fasga. Ele ergueu sete altares e ofereceu um bezerro e um carneiro em cada um. Balaão ¹⁵disse a Balac:

– Fica aqui, junto aos holocaustos, pois tenho um encontro mais além.

¹⁶O Senhor saiu ao encontro de Balaão, pôs-lhe na boca algumas palavras e ordenou-lhe:

– Volta aonde está Balac e dize-lhe isto.

¹⁷Voltou e o encontrou de pé junto aos holocaustos, com os chefes de Moab. Balac perguntou-lhe:

– O que te diz o Senhor?

¹⁸Ele recitou seus versos:

"Levanta-te, Balac, escuta-me;
Presta atenção, filho de Sefor:
¹⁹Deus não mente como o ser humano,
nem se arrepende
ao modo dos humanos.
Pode dizer e não fazer,
pode prometer e não cumprir?
²⁰Recebi uma bênção
e não posso deixar de abençoar.
²¹Não descobre maldade em Jacó
nem encontra crime em Israel;
o Senhor, seu Deus, está com ele,
e ele o aclama como a um rei.
²²Deus os tirou do Egito
investindo como um búfalo.
²³Não valem presságios contra Jacó
nem conjuros contra Israel;
o tempo dirá a Jacó e a Israel
aquilo que Deus tem feito.
²⁴O povo se levanta como leoa,
ergue-se como leão,
não se deitará
enquanto não devorar a presa
e beber o sangue da matança".

²⁵Balac disse a Balaão:

23,7-10 O oráculo se divide em uma introdução histórica, a visão presente, uma invocação. Síria equivale a Mesopotâmia. A visão é em primeiro lugar empírica: um povo separado e numeroso. É transcendida pela penetração oracular: é um povo escolhido e abençoado com a fecundidade. A invocação exprime o desejo de partilhar essa bênção. Ou seja, repete duas das promessas feitas a Abrão (Gn 12), que se cumpriram e estão se cumprindo neste momento; falta por ora cumprir-se a promessa da terra. A comparação não recorre às estrelas (Gn 15); na perspectiva atual, esse povo é como poeira. A morte encerra o itinerário da vida e marca definitivamente seu sentido: "antes da morte, não beatifiques ninguém, pois em seu fim é que se conhece o homem" (Eclo 11,28).

23,18-24 O segundo oráculo é mais explícito. Depois de uma introdução profética, recorda a libertação do povo e anuncia-lhe um futuro vitorioso. Usa imagens de oráculos tribais: o búfalo, José (Dt 33,17); o leão, Judá (Gn 49,9); a leoa, Gad (Dt 33,20).

23,19 Deus é fiel às suas promessas e tem poder para cumpri-las. Ver Gn 6,6-7; Is 14,24-27; Sl 110,4. É o que se pode ler como confirmação do oráculo precedente no tema das promessas patriarcais.

23,21 Em vez de maldade e crime, outros traduzem desgraça e calamidade. Dada a amplitude semântica das duas palavras hebraicas, poderiam referir-se depreciativamente a ídolos, inconciliáveis com o Deus de Israel. A terceira frase alude à aliança. À realeza do Senhor se refere também Ex 15,18; Dt 33,3-5; ver a confissão de Natanael (Jo 1,49).

23,23 Em nossa tradução, este versículo concorda com o v. 20 e com todo o contexto. Outros traduzem: "*não há feiticarias em Israel*", aduzindo Dt 18,10-1: às práticas dos outros povos se contrapõe a profecia em Israel. Esse povo tem grande futuro, e só com o tempo se apreciará o desígnio de Deus e seu cumprimento (cf. Dt 29,3).

23,24 Para a imagem final: Zc 9,15.

23,25-26 Balac diz: "parece bem a Deus"; Balaão: "parecia bem ao Senhor".

— Se não o amaldiçoas, pelo menos não o abençoes.

²⁶Balaão lhe respondeu:

— Eu já te disse: Farei o que o Senhor me disser.

Terceiro oráculo — ²⁷Balac insistiu:

— Vem, vou levar-te a outro lugar. Quero ver se Deus se agrada que o amaldiçoes daí.

²⁸E o levou ao topo do Fegor, que olha para a estepe.

²⁹Balaão disse a Balac:

— Edifica-me aqui sete altares e prepara-me aqui sete bezerros e sete carneiros.

³⁰Balac fez o que Balaão lhe pedia, e este ofereceu um bezerro e um carneiro em cada altar.

24 ¹Vendo Balaão que o Senhor se agradava em abençoar Israel, não foi como das outras vezes à procura de presságios, mas se voltou para o deserto, ²e erguendo o olhar, viu Israel acampado por tribos. O Espírito de Deus veio sobre ele, ³e ele recitou seus versos:

"Oráculo de Balaão, filho de Beor;
   oráculo do homem de olhos perfeitos,
⁴oráculo daquele
   que escuta palavras de Deus,
   que contempla visões
      do Todo-poderoso,
   em êxtase, com os olhos abertos.
⁵Como são belas as tendas de Jacó
   e as moradas de Israel!
⁶Como várzeas dilatadas,
   como jardins junto ao rio,
   como aloés que o Senhor plantou
      ou cedros junto à torrente;
⁷a água transborda de seus baldes
   e com a água
      sua semente se multiplica.
Seu rei é maior que Agag
   e seu reino se exalta.
⁸Deus o tirou do Egito
   investindo como búfalo.
Devorará as nações inimigas
   e triturará seus ossos,
   as transpassará com suas flechas.
⁹Agacha-se e deita-se como leão,
   ou como leoa: quem o desafiará?
Bendito quem te abençoar,
   maldito quem te amaldiçoar".

¹⁰Balac então, irritado contra Balaão, bateu palmas e disse:

— Chamei-te para amaldiçoar meu inimigo, e já o abençoaste três vezes. ¹¹Agora, portanto, foge para tua pátria. Eu te havia prometido riquezas, porém o Senhor te deixa sem elas.

¹²Balaão respondeu:

— Eu já o havia dito aos mensageiros que enviaste: ¹³Mesmo que Balac me presenteie seu palácio cheio de ouro e prata, não posso violar a ordem do Senhor, fazendo mal ou bem por conta própria; aquilo que o Senhor me disser, eu o direi.

Quarto oráculo — ¹⁴Agora me dirijo a meu povo, mas antes te explicarei o que esse povo fará ao teu no futuro.

24,1-2 Outro modo de profetizar: não vai em busca de conjuros nem recebe palavras na boca; mas olha e, ao contemplar, é invadido pelo espírito de Deus, que transforma a visão em profecia.

24,3-9 Depois da introdução, na qual se apresenta o vidente, segue-se a visão transfigurada, a recordação histórica, o futuro glorioso.

24,3-4 Primeira estrofe: deve-se completar a quarta de acordo com a décima sexta. Balaão se apresenta como profeta extático (cf. 1Sm 19,20-24), que tem visões e escuta mensagens divinas, e as pronuncia como oráculo próprio: *ne'um* (cf. 2Sm 23,1). "Olhos abertos": com o verbo que significa desnudar, destampar, desvelar; como um olhar fixo, com as pálpebras descerradas.

24,5-6 Segunda estrofe. As "tendas" em sentido próprio designam um acampamento de nômades; metaforicamente, também instalações urbanas. A visão é paradisíaca (cf. Gn 13,10). As imagens vegetais sugerem a vitalidade (cf. Sl 92,13-15; Is 61,3) e acrescentam valor simbólico ao que segue.

24,7-8a Terceira estrofe. Símbolo da fecundidade humana, como indica Pr 5,15-18. Agag é o nome de um rei amalecita derrotado por Saul (1Sm 15,8); como *gag* significa terraço, o versículo joga com o nome.

24,8b-9 Quarta estrofe. A imagem emblemática do leão se aplica a Judá em Gn 49,9 com referência davídica. O último versículo é uma bênção que o vidente pronuncia para si, retorcendo as palavras de Balac (22,6); ver Gn 12,3 e 27,29.

24,10-11 A tríplice bênção é definitiva e não pode ser anulada nem neutralizada; por isso Balac despede o adivinho contratado, negando-lhe o pagamento prometido. Mas não se atreve a fazer-lhe mal, temeroso do seu poder. Neste momento Balac usa o nome de *Yhwh*: polemizando com o adivinho? Como se dissesse: não eu, mas esse deus que tu invocas.

24,14 Depois da tríplice bênção e da despedida, a história poderia terminar. O autor as organiza para acrescentar um quarto oráculo importante e outros três menores.

¹⁵E recitou seus versos:
"Oráculo de Balaão, filho de Beor;
 oráculo do homem de olhos perfeitos,
¹⁶oráculo daquele que escuta
 as palavras de Deus,
 e conhece os planos do Altíssimo,
que contempla visões
 do Todo-poderoso,
 em êxtase, com os olhos abertos.
¹⁷Eu o vejo, mas não é agora;
 eu o contemplo, mas não será logo.
Avança a constelação de Jacó
 e sobe o cetro de Israel.
Triturará a fronte de Moab
 e o crânio dos filhos de Set;
¹⁸tomará posse de Edom,
 se apoderará de Seir.
Israel exercerá o poder,
¹⁹Jacó dominará e acabará
 com os que ficarem na capital".
²⁰Depois, vendo Amalec, recitou seus versos:
"Amalec era primícias das nações,
 no final há de perecer".
²¹Vendo os quenitas, pronunciou seus versos:

"Tua morada é duradoura:
 Puseste teu ninho na rocha,
²²porém teu ninho ficará arrasado".
.................*
²³E continuou recitando:
"Barcos chegam do norte,
²⁴navios do extremo do mar,
e oprimirão Assur e Héber,
 contudo, no fim, perecerão".
²⁵Depois, Balaão se pôs a caminho e voltou para sua casa, e Balac também empreendeu sua viagem.

25 Baal-Fegor (Sl 106,28-31) — ¹Estando Israel em Setim*, o povo começou a prostituir-se com as moças de Moab, ²que os convidavam a comer dos sacrifícios a seus deuses e a prostrar-se diante deles. ³Israel fez parelha com Baal-Fegor, e a ira do Senhor acendeu-se contra Israel.

⁴O Senhor disse a Moisés:
— Pega os responsáveis do povo e empala-os diante do Senhor, em pleno dia, e a ira do Senhor se apartará de Israel.

24,15-19 A primeira estrofe é repetição. A segunda se orienta para o futuro. Cada povo tem sua estrela ou constelação (vocalizando como plural). Como astrólogo, novo ofício, Balaão contempla o movimento dos astros do destino: vê como o astro de Jacó "avança" ou domina, segundo outra tradução possível. O "cetro" alude a Davi e sua dinastia (Sl 45,7; compare-se com Gn 49,8-12), e por este capítulo se leu este texto como profecia messiânica. A esta estrela aludem a dos magos (Mt 2) e o emblema da bandeira do moderno Estado de Israel. Talvez haja ecos deste oráculo no Sl 110.
As vitórias sobre Moab e Edom podem corresponder às de Davi (2Sm 8,2-13; 1Rs 11,14-16). Em vez de Set, alguns propõem ler Sutu, nome de antiga tribo da região. O texto hebraico das últimas frases é muito duvidoso.
24,20-24 Estes três oráculos são como germe do que serão os oráculos proféticos contra as nações pagãs. Alguns breves como estes foram acolhidos em coleções proféticas maiores.
24,20 Os amalecitas já apareceram como inimigos de Israel (Ex 17,8-16); retornam no livro dos Juízes (Jz 6-7) e nos tempos de Saul e Davi (1Sm 15,7-9 e 27,8). O oráculo joga com a antítese princípio/final.
24,21-22 Jael, a vencedora de Sísara, era quenita (Jz 4,17; 5,24); sua família ou clã era aliada de Israel. Os amalecitas lhe são hostis, conforme 1Sm 15,6. O oráculo os apresenta como povo montanhês (cf. Ab 4; Hab 2). O verbo significa abrasar ou arrasar.
24,22 * Ininteligível.
24,24 Este Assur não é o império assírio, mas sim uma tribo meridional mencionada em Gn 25,3. Héber figura na genealogia de Gn 10,21-24. Os navios que vêm do ocidente são um fato tão assombroso para os israelitas, que podem ser interpretados como lembrança confusa das migrações dos "povos do mar" (entre eles, os filisteus); mais tarde, pôde-se aplicar o oráculo aos conquistadores gregos. O texto hebraico está corrompido; nossa tradução é reconstrução.

25 O nome do deus e de uma localidade é Ba'al Pe'or, ou seja, nome genérico e título local da divindade cananeia. Daí deriva a forma simplificada Baal-fegor. De Moab, o cenário se transfere para Madiã; depois dos conjuros de Balaão, vem a sedução do culto idolátrico. Os problemas de Canaã estão se apresentando de forma exemplar antes de cruzar o Jordão, como se fossem um ensaio geral. O capítulo narra primeiro um fato geral: pecado e castigo (1-5); depois, se fixa num fato concreto que vem a ser definido pelo contexto imediato (6-9); finalmente, tira as consequências para Fineias e para os madianitas. Prostituir-se soa aqui em sentido próprio. Por todo o contexto e por alguns termos usados, pode referir-se à prostituição sagrada, praticada em diversas culturas (e em Israel: 1Rs 14,24; 22,47; 2Rs 23,7; Os 4,14). O termo se converte em sinônimo de idolatria, enquanto infidelidade ao Senhor, sobretudo em Jr e Ez. Referindo-se ao fato, Os 9,10 usa o verbo *nzr* = consagrar-se: "consagraram-se à Ignomínia e tornaram-se abomináveis como o seu Idolatrado". O Sl 106,28, igual ao nosso texto, usa o verbo *shmd*, que significa emparelhar-se, ajuntar-se (de jugo e junta, presente em con-jugal).
25,1 * = Acácias.
25,2 Dt 7,4.
25,4-5 A pena é legal, a execução é pública como lição. O castigo consistia em empalar numa pica,

⁵Moisés disse aos governadores de Israel:

— Cada um de vós mate os seus que fizeram parelha com Baal-Fegor.

⁶Um israelita foi e trouxe para sua tenda uma madianita, à vista de Moisés e de toda a comunidade israelita, enquanto eles choravam à entrada da tenda do encontro. ⁷Vendo isso, o sacerdote Fineias, filho de Eleazar, filho de Aarão, levantou-se no meio da assembleia, pegou sua lança, ⁸e entrando atrás do israelita na alcova, atravessou os dois, o israelita e a mulher. ⁹E a matança de israelitas cessou quando já haviam morrido vinte e quatro mil.

¹⁰O Senhor disse a Moisés:

— ¹¹O sacerdote Fineias, filho de Eleazar, filho de Aarão, zeloso de meus direitos diante do povo, afastou dos israelitas minha cólera, e meu zelo não os consumiu; ¹²por isso prometo: Eu lhe ofereço uma aliança de paz: ¹³o sacerdócio será para ele e para seus descendentes, em aliança perpétua, como recompensa de seu zelo por Deus, e por ter expiado pelos israelitas.

¹⁴O israelita morto com a madianita chamava-se Zambri, filho de Salu, chefe de família na tribo de Simeão.¹⁵A madianita morta chamava-se Cozbi, filha de Sur, chefe de família em Madiã.

¹⁶O Senhor disse a Moisées:

— ¹⁷Ataca os madianitas e derrota-os, ¹⁸pois eles te atacaram com suas seduções, com os ritos de Fegor e com Cozbi, a filha do príncipe madianita, morta no dia da matança, por ocasião do problema de Fegor.

26 Recenseamento (Nm 1; Gn 46,8-25) — ¹⁹Depois dessa matança, ¹o Senhor falou a Moisés e ao sacerdote Eleazar, filho de Aarão:

— ²Fazei o recenseamento da comunidade, registrando por famílias todos os israelitas acima de vinte anos, aptos para o serviço.

³Moisés com o sacerdote Eleazar fizeram o recenseamento dos israelitas acima de vinte anos, na estepe de Moab, junto ao Jordão, à altura de Jericó, ⁴como o Senhor havia ordenado a Moisés.

Registro dos israelitas que saíram do Egito:

⁵*Rúben*, o primogênito de Israel. Filhos de Rúben: Henoc e a família dos henoquitas, Falu e a família dos faluítas. ⁶Hesrom e a família dos hesronitas, Carmi e a família dos carmitas. ⁷São essas as famílias rubenitas: o total dos registrados foi de quarenta e três mil, setecentos e trinta. ⁸Filho de Falu, Eliab. ⁹Filhos de Eliab: Namuel, Datã e Abiram. Datã e Abiram, membros do Conselho, são os que se revoltaram contra Moisés, junto com o bando de Coré, que se revoltou contra o Senhor. ¹⁰A terra se abriu e os devorou, junto com Coré. Assim morreu todo o bando, e o

---

documentado em relevos assírios. A este verbo alude provavelmente Hb 6,6 combinando-o com crucificar.

25,6 O texto hebraico diz "a seus irmãos" (ou família), como se a tivesse tomado por esposa. A correção proposta, à semelhança de Gn 31,25, faz mais sentido no contexto.

25,7-9 A ação de Fineias equivale à dos levitas em Ex 32, ainda que limitada a uma pessoa. É um ato de "zelo" pelo Deus zeloso. Tem valor de "expiação" e detém o castigo. O número hiperbólico de mortos, múltiplo de doze, sugere que a prática se difundiu rapidamente ou que alguns culpados desencadearam uma "praga" generalizada.

25,8 1Mc 2,26.

25,11-13 O prêmio de seu ato pode refletir rivalidades entre famílias sacerdotais e o desejo de legitimar ou justificar um privilégio, fazendo-o remontar a Moisés. Fineias figura como antecessor de Sadoc (cf. Ez 40,45-46; 44,15; 48,11; Esd 7,1-6). Ben Sirac se faz eco da tradição (Eclo 45,23-24).

25,14-15 Os nomes dos culpados e de suas famílias parecem sugerir uma aliança de famílias ou clãs, mais que um ato de prostituição sagrada.

25,16-18 A sedução constante de nações vizinhas idólatras foi considerada perigo tão grave à fidelidade israelita, que justificou a luta armada. Contra Madiã: cap. 31.

26 O autor sacerdotal introduz um segundo recenseamento. Por quê? Primeiro: o censo se faz agora em vista da ocupação e partilha da terra, no final da longa peregrinação, pois o primeiro tinha sido feito antes da partida do Sinai (1 e 3). Segundo: conforme o narrado nos capítulos 13-14, toda a geração do recenseamento anterior, exceto Caleb e Josué, tinha morrido no deserto; era preciso fazer um recenseamento da nova geração, que vai entrar na terra. O resultado numérico é quase o mesmo: 1.820 leigos a menos, 700 levitas a mais. A correspondência artificial significa, na mente do autor, que o Senhor cumpriu a promessa (14,31), velando pela continuidade e integridade do seu povo. O recenseamento do Sinai tinha caráter militar, reiterava a palavra "esquadrões"; o de Moab não tem esse caráter.

26,1 Morto Aarão (20,28), seu filho Eleazar se associa a Moisés.

26,9-11 Ver cap. 16.

fogo devorou duzentos e cinquenta homens como lição para o povo. ¹¹Mas os filhos de Coré não morreram.

¹²Filhos de *Simeão* por famílias: Namuel e a família dos namuelitas, Jamin e a família dos jaminitas. Jaquin e a família dos jaquinitas, ¹³Zara e a família dos zaraítas, Saul e a família dos saulitas. ¹⁴São essas as famílias simeonitas: vinte e dois mil e duzentos registrados.

¹⁵Filhos de *Gad* por famílias: Sefon e a família dos sefonitas, Agi e a família dos agitas, Suni e a família dos sunitas, ¹⁶Ozni e a família dos oznitas, Heri e a família dos heritas, ¹⁷Arod e a família dos aroditas, Areli e a família dos arelitas. ¹⁸São essas as famílias gaditas: quarenta mil e quinhentos registrados.

¹⁹Filhos de *Judá* por famílias: Her e Onã, que morreram em Canaã. ²⁰Filhos de Judá por famílias: Sela e a família dos selaítas, Farés e a família dos faresitas, Zaré e a família dos zareítas. ²¹Filhos de Farés: Hesron e a família dos hesronitas, Hamul e a família dos hamulitas. ²²São essas as famílias de Judá: setenta e seis mil e quinhentos registrados.

²³Filhos de *Issacar* por famílias: Tola e a família dos tolaítas, Fua e a família dos fuaítas. ²⁴Jasub e a família dos jasubitas, Semrom e a família dos semromitas. ²⁵São essas as famílias de Issacar: sessenta e quatro mil e trezentos registrados.

²⁶Filhos de *Zabulon* por famílias: Sared e a família dos sareditas, Elon e a família dos elonitas, Jalel e a família dos jalelitas. ²⁷São essas as famílias de Zabulon: sessenta mil e quinhentos registrados.

²⁸Filhos de *José* por famílias: Manassés e Efraim.

²⁹Filhos de Manassés: Maquir e a família dos maquiritas. Maquir gerou Galaad. De Galaad se formou a família dos galaaditas. ³⁰Filhos de Galaad: Jezer e a família dos jezeritas, Helec e a família dos elequitas. ³¹Asriel e a família dos asrielitas. Siquém e a família dos siquemitas, ³²Semida e a família dos semidaítas, Héfer e a família dos hefritas; ³³Salfaad, filho de Héfer, não teve filhos homens, mas apenas filhas que se chamavam Maala, Noa, Hegla, Melca e Tersa. ³⁴São essas as famílias de Manassés: cinquenta e dois mil e seiscentos registrados.

³⁵Filhos de Efraim por famílias: Sutala e a família dos sutalaítas, Bequer e a família dos bequeritas, Teen e a família dos teenitas. ³⁶Filhos de Sutala: Herã e a família dos heranitas. ³⁷São essas as famílias de Efraim: trinta e dois mil e quinhentos registrados.

São esses os filhos de José por famílias.

³⁸Filhos de *Benjamim* por famílias: Bela e a família dos belaítas, Asbel e a família dos asbelitas, Airam e a família dos airamitas, ³⁹Sufam e a família dos sufamitas, Hufam e a família dos hufamitas. ⁴⁰Filhos de Bela: Ared e Naamã com as famílias areditas e naamanitas. ⁴¹Estes são os filhos de Benjamim por famílias: quarenta e cinco mil e seiscentos registrados.

⁴²Filhos de *Dã* por famílias: Suam e a família dos suamitas. ⁴³São essas as famílias de Dã: sessenta e quatro mil e quatrocentos registrados.

⁴⁴Filhos de *Aser* por famílias: Jemna e a família dos jemnaítas, Jessui e a família dos jessuítas, Beria e a família dos beriaítas. ⁴⁵Filhos de Beria: Héber e a família dos heberitas, Melquiel e a família dos melquielitas. ⁴⁶A filha de Aser se chamava Sara. ⁴⁷São essas as famílias dos filhos de Aser: cinquenta e três mil e quatrocentos registrados.

⁴⁸Filhos de *Neftali* por famílias: Jasiel e a família dos jasielitas, Guni e a família dos gunitas. ⁴⁹Jeser e a família dos jeseritas, Selém e a família dos selemitas. ⁵⁰São essas as famílias de Neftali: quarenta e cinco mil e quatrocentos registrados.

⁵¹Número total de israelitas registrados: seiscentos e um mil, setecentos e trinta.

⁵²O Senhor falou a Moisés:

— ⁵³Entre todos estes repartirás a terra em herança, em proporção ao número de homens. ⁵⁴Cada um receberá uma herança proporcional ao número de registrados. ⁵⁵Porém, a distribuição das terras será

26,19 Ver Gn 38.
26,52-56 Josué vai cumpri-lo (Js 13-21). É muito difícil repartir por sorte, respeitando a proporção ao número de membros. A sorte desconhece tais matemáticas, a não ser que esteja guiada milagrosamente (cf. Pr 16,33).

feita por sortes: a herança será destinada às diversas famílias patriarcais, ⁵⁶e será distribuída, por sorteio, entre os mais numerosos e os menos numerosos.

⁵⁷*Recenseamento dos levitas* por famílias: Gérson e a família dos gersonitas, Caat e a família dos caatitas, Merari e a família dos meraritas. ⁵⁸São essas as famílias dos levitas: a família dos lobnitas, a família dos hebronitas, a família dos moonitas, a família dos musitas, a família dos coreítas. Caat gerou Amram, ⁵⁹cuja mulher se chamava Jocabed, filha de Levi, que lhe nasceu no Egito. Ela gerou para Amram três filhos: Aarão, Moisés e Maria, irmã deles. ⁶⁰De Aarão nasceram Nadab e Abiú, Eleazar e Itamar. ⁶¹Nadab e Abiú morreram enquanto ofereciam ao Senhor um fogo profano.

⁶²O total dos registrados foi de vinte e três mil homens acima de um mês. Não foram registrados com os demais israelitas porque não tinham de repartir com eles a herança.

⁶³Esse é o recenseamento dos israelitas que Moisés e o sacerdote Eleazar fizeram na estepe de Moab, junto ao Jordão, à altura de Jericó. ⁶⁴Entre os registrados não havia ninguém dos registrados no recenseamento que Moisés e o sacerdote Aarão fizeram no deserto do Sinai. ⁶⁵O Senhor o havia dito: "Morrerão todos no deserto", e não sobrou ninguém vivo, exceto Caleb, filho de Jefoné, e Josué, filho de Nun.

27 Herança das filhas
— ¹Aproximaram-se as filhas de Salfaad, filho de Héfer, filho de Galaad, filho de Maquir, filho de Manassés, do clã de Manassés, filho de José. Elas se chamavam Maala, Noa, Hegla, Melca e Tersa, ²e se apresentaram a Moisés, ao sacerdote Eleazar, aos chefes e a toda a comunidade na entrada da tenda do encontro, declarando:

— ³Nosso pai morreu no deserto. Não pertencia ao bando de Coré, dos que se revoltaram contra o Senhor; ele morreu por seu próprio pecado. E não deixou filhos. ⁴Por não ter deixado filhos, não se apague o nome de nosso pai dentro do seu clã. Dá-nos uma propriedade entre os irmãos do nosso pai.

⁵Moisés apresentou a causa ao Senhor, ⁶e o Senhor disse a Moisés:

— ⁷As filhas de Salfaad têm razão. Dá-lhes uma propriedade como herança entre os irmãos do seu pai; passa-lhes a herança do seu pai. ⁸Depois dize aos israelitas: Quando alguém morrer sem deixar filhos, passareis sua herança à sua filha; ⁹se não tiver filhas, dareis sua herança a seus irmãos; ¹⁰se não tiver irmãos, dareis sua herança aos irmãos de seu pai; ¹¹se seu pai não tiver irmãos, dareis sua herança ao parente mais próximo, entre os do seu clã; este receberá a herança. Essa é para os israelitas a norma justa, como o Senhor ordenou a Moisés.

O Senhor anuncia a Moisés sua morte
— ¹²O Senhor disse a Moisés:

— Sobe ao monte Abarim e contempla a terra que vou dar aos israelitas. ¹³Depois de vê-la, também tu te reunirás com os teus, como Aarão, teu irmão, já se reuniu com eles. ¹⁴Porque vos revoltastes no deserto

---

26,61 Ver Lv 10,1-2.
26,65 Nm 14,27-38.

27,1-11 Falando da partilha da terra, o texto apresenta um caso legal de herança em forma de narração, segundo um esquema conhecido (Nm 9,6-14; 15,32-36). Apresenta-se à autoridade um caso não previsto na lei; as autoridades consultam e o Senhor dá a resposta, que tem força legal permanente.
A nova lei se enraíza no princípio de que a terra é dom do Senhor a Israel e que os terrenos devem permanecer dentro da tribo, e família. O direito e a obrigação de resgate asseguram essa estabilidade. Pode-se considerar paralela e complementar da lei do levirato (Dt 25,5-10). Supõe que as filhas não herdavam terrenos.
27,3-4 O pai foi culpado de algum pecado geral, p. ex., o do cap. 13, mas não participou na rebelião de Coré. Isso faz deduzir que em alguns delitos a herança não passava aos sucessores. Ao receber a herança, elas poderão aceitar um marido que conserve o sobrenome e a propriedade do defunto, dentro da tribo.
27,8-11 Esta é uma inovação importante no direito de sucessão. Não sabemos de quando data.
27,12-23 O relato da morte de Moisés e da sucessão de Josué segue a pauta da morte de Aarão (20,27-29) e repete o anúncio da morte e investidura do sucessor numa montanha. Mas acontecem várias mudanças importantes. A morte não é narrada em seguida, mas se intercalam capítulos diversos e o Deuteronômio inteiro; a morte é narrada no último capítulo do Deuteronômio. Outro dado novo, que se cumprirá mais tarde, é que Moisés contemplará, antes de morrer, a terra prometida e a ele vedada.
27,12-14 O narrador é sóbrio, extremamente sóbrio, ao contar este fato incrível e impressionante. Por um lado se apoia em todo o processo dramático

de Sin*, quando a comunidade protestou, e não lhes fizestes ver minha santidade junto à fonte Meriba, em Cades, no deserto de Sin.

¹⁵Moisés disse ao Senhor:

– ¹⁶Que o Senhor, Deus dos espíritos de todos os viventes, nomeie um chefe para a comunidade; ¹⁷alguém que saia e entre à frente deles, que os conduza em suas entradas e saídas. Que a comunidade do Senhor não fique como rebanho sem pastor.

¹⁸O Senhor disse a Moisés:

– Pega Josué, filho de Nun, homem de grandes qualidades, impõe a mão sobre ele, ¹⁹apresenta-o ao sacerdote Eleazar e a toda a comunidade, ²⁰dá-lhe instruções na presença dela e delega a ele parte de tua autoridade, para que a comunidade de Israel lhe obedeça. ²¹Ele se apresentará ao sacerdote Eleazar, que consultará por ele o Senhor, por meio das sortes, e, conforme o oráculo, sairão e entrarão ele e os israelitas, toda a comunidade.

²²Moisés fez o que o Senhor lhe havia mandado: pegou Josué, colocou-o diante do sacerdote Eleazar e de toda a assembleia, ²³impôs sobre ele as mãos e deu-lhe as instruções recebidas do Senhor.

28

¹O Senhor falou a Moisés:

– ²Ordena aos israelitas: Apresentai-me no tempo determinado minhas ofertas, meus alimentos e as oblações do aroma que aplaca. ³Dize-lhes também:

---

precedente; por outro, não entra na intimidade de Moisés. Deixa-o falar, nada mais e brevemente. Compete ao comentário frisar o tremendo da notícia. Moisés foi escolhido para levar a cabo um empreendimento que aceitou contra a vontade. Depois, foi-se identificando com o empreendimento, viveu e deu a vida por ele. Quando está para tocar com as mãos o final de seus desejos e trabalhos, impõem-lhe o afastamento definitivo. Deus não contradiz suas primeiras palavras (Ex 3,7-10). Não maltrata seu servo fiel? (Nm 11,11-15; 12,7). A comunicação de Deus tem um agravante: que a morte prematura de Moisés será pena infligida como castigo. Não é demasiado cruel o castigo? Não acumulou Moisés méritos que contrabalançam o peso do pecado? Essas reflexões nos ajudam a compreender o que significa para o autor a "santidade" de Deus.

27,14 * = Espinho.

27,15-17 A resposta de Moisés ao anúncio é diferente em Dt 3,23-28 e no presente capítulo. Moisés não pensa em si, pensa em seu povo. Aceita se retirar, contanto que o empreendimento prossiga, porque este é mais importante e está acima de seus interesses e sentimentos pessoais. É uma reação magnânima, exemplar: coerente com sua fidelidade demonstrada a Deus e com sua entrega generosa ao povo.

27,16 O título divino se lê aqui e na rebelião de Coré (16,22). "Espíritos" no sentido primário de vida de homens e animais; mas implicando também dons e carismas para os seres humanos (cf. Sl 36,7-8).

27,17 Entrar e sair sintetizam toda a atividade do chefe, na guerra e na paz. O título de pastor é comum na antiguidade, não só hebraica, e atinge sua figura máxima em Davi (Sl 78,70-72); mas o rebanho não é propriedade do chefe, é "a comunidade do Senhor".

27,18-23 Segunda parte: nomeação e investidura de Josué. O narrador foi introduzindo discretamente Josué: na batalha contra os amalecitas (Ex 17,9-13), ao lado de Moisés quando este sobe ao monte (Ex 24,13) ou desce (Ex 32,17), zeloso de seu chefe (Nm 11,28), no episódio dos exploradores (Nm 14). Deus o Senhor o nomeia. Possuía dotes, ou seja, "espírito" para a missão. Receberá só uma parte da dignidade ou autoridade de Moisés. A sua autoridade estará limitada pela mediação sacerdotal das sortes; porque não pode contar, como Moisés, com a palavra direta de Deus. Temos, pois, uma divisão complementar de poderes, civil e religioso; algo semelhante ao que lemos em Zc 3 (segundo alguns, no Sl 110). O rito se reduz à imposição das mãos, e continuará sendo praticado secularmente.

28-29 São uma espécie de calendário litúrgico, como os de Lv 23; Dt 16; Ez 45,18-25, com a lista exata das oferendas e sacrifícios de cada festa. Além do culto diário, indica-se a festa semanal do sábado, a mensal da lua nova e várias anuais: páscoa, semanas, primeiro dia do sétimo mês, expiação e cabanas. Os números não coincidem com os apontados por Ez 45-46. O autor procurou sintetizar e codificar disposições e práticas anteriores.

Observações de conjunto. a) Somente a páscoa e as cabanas levam o título hebraico de "festa", que costuma indicar peregrinação. b) Chamam a atenção a multidão de vítimas animais sacrificadas e a quantidade de produtos vegetais oferecidos. Faça-se a prova de somar os dados, p. ex., os correspondentes ao oitavário da festa das cabanas: novilhos 70, carneiros 15, cordeiros 105, 690 litros de farinha amassada com azeite, um touro, um bode; mais as oblações quotidianas cumulativas, 16 cordeiros e 32 litros de farinha. São dados reais? Numa comunidade submetida a fortes tributos imperiais, semelhante culto acabaria sendo oneroso. Quem sufragava os gastos? Que parte das oferendas cabia aos funcionários do culto? Os sacrifícios citados estão programados no calendário. Deve-se acrescentar os ocasionais de purificação, expiação ou penitenciais. Para o autor não bastam; ele acrescenta os voluntários ou por voto. c) O ponto de vista é puramente litúrgico. Falta qualquer referência às comemorações populares de cada festa, à participação ou assistência de leigos em tais sacrifícios, à recitação ou canto dos salmos, a celebrações em família e de piedade individual. d) Depois da destruição do templo, os judeus se desprenderam dessas práticas. Os cristãos reduziram tudo ao sacrifício único de Jesus Cristo.

Oblações que oferecereis ao Senhor (Lv 23; Ez 46,1-15) – [A] *Diariamente* dois cordeiros de um ano, sem defeito, como holocausto perpétuo. ⁴Oferecerás um dos cordeiros pela manhã e o outro ao entardecer, ⁵junto com a oferta de vinte e dois decilitros de flor de farinha amassada com um litro de azeite refinado. ⁶É o holocausto perpétuo que se oferecia no monte Sinai, como aroma que aplaca, oblação para o Senhor. ⁷A libação será de um litro por cordeiro. A libação de licor será feita no templo. ⁸Oferecerás o segundo cordeiro ao entardecer, com a mesma oferta e a mesma libação da manhã, em oblação de aroma que aplaca o Senhor.

⁹[B] *No sábado* oferecerás dois cordeiros de um ano, sem defeito, com quarenta e quatro decilitros de flor de farinha amassada com azeite, como oferta, e com sua libação. ¹⁰É o holocausto do sábado acrescentado ao holocausto diário e à sua libação.

¹¹[C] *No primeiro dia do mês* oferecerás em holocausto ao Senhor dois bezerros, um carneiro e sete cordeiros de um ano, sem defeito. ¹²Como oferta para cada bezerro, sessenta e seis decilitros de flor de farinha amassada com azeite; para o carneiro, uma oferta de quarenta e quatro decilitros de farinha amassada com azeite, ¹³e para cada cordeiro, uma oferta de vinte e dois decilitros de flor de farinha amassada com azeite. É um holocausto, oblação de aroma que aplaca o Senhor. ¹⁴A libação será de dois litros de vinho para cada bezerro, de doze decilitros e meio para o carneiro e de um litro para cada cordeiro. É o holocausto mensal para todos os meses do ano. ¹⁵Também será oferecido ao Senhor um bode em sacrifício expiatório, além do holocausto diário e sua oblação.

¹⁶[D] *No dia catorze do primeiro mês celebra-se a Páscoa do Senhor* ¹⁷e o dia quinze é dia de festa. Durante sete dias se comerá pão ázimo. ¹⁸No primeiro dia vos reunireis em assembleia litúrgica e não fareis nenhum trabalho. ¹⁹Oferecereis em oblação, em holocausto ao Senhor, dois bezerros, um carneiro e sete cordeiros de um ano, sem defeito, ²⁰com uma oferta de flor de farinha amassada com azeite: sessenta e seis decilitros por bezerro, quarenta e quatro decilitros para o carneiro ²¹e vinte e dois decilitros para cada um dos sete cordeiros. ²²Oferecereis também um bode em sacrifício expiatório, para expiar por vós, ²³além do holocausto da manhã, o holocausto diário. ²⁴Fareis o mesmo em cada um dos sete dias: é alimento, oblação de aroma que aplaca o Senhor. Fareis isso além do holocausto diário e sua libação. ²⁵No sétimo dia tereis assembleia litúrgica e não fareis nenhum trabalho.

²⁶[E] *No dia das primícias,* quando apresentardes ao Senhor a oferta nova, na festa das Semanas, tereis assembleia litúrgica e não fareis nenhum trabalho. ²⁷Oferecereis, como holocausto de aroma que aplaca o Senhor, dois bezerros, um carneiro e sete cordeiros de um ano, ²⁸com uma oferta de flor de farinha amassada com azeite: sessenta e seis decilitros para cada bezerro, quarenta e quatro decilitros para o carneiro ²⁹e vinte e dois decilitros para cada um dos sete cordeiros. ³⁰Oferecereis um bode para expiar por vós, ³¹além do holocausto diário e de sua oferta. (Não terão defeito e acrescentareis a libação.)

29 ¹[F] *No primeiro dia do sétimo mês* tereis assembleia litúrgica e não fareis nenhum trabalho. Esse dia será para vós dia de aclamação. ²Oferecereis em

---

28,4 No livro de Daniel considera-se uma desgraça a supressão do sacrifício quotidiano (Dn 8,11; 11,31; 12,11).

28,9 Durante séculos o sábado não inclui uma celebração litúrgica. A introdução de sacrifícios especiais é tardia (Ez 46,4).

28,11 Textos mais antigos falam de outras celebrações. O primeiro dia do mês: 1Sm 20; Am 8,5.

28,16 Consumou-se a fusão das duas festas: páscoa do cordeiro e semana dos ázimos. O autor se encerra no templo e não fala do sacrifício dos cordeiros nem da ceia pascal em família (Ex 12).

28,26 Funde a festa das primícias, que é local e obedece às condições agrícolas variáveis, e a festa das semanas, que se fixa no calendário e se celebra em Jerusalém. Lv 23,15-21; Dt 16,9-12.

29,1 É o primeiro dia de um mês especial, por ser o sétimo. O autor o chama dia da aclamação. Aceitando esta interpretação, conjetura-se que nesta festa se aclamava *Yhwh* como rei. Em textos antigos a palavra hebraica designa um grito de guerra ou "alarido".

holocausto de aroma que aplaca o Senhor um bezerro, um carneiro e sete cordeiros de um ano, sem defeito, ³com uma oferta de flor de farinha amassada com azeite: sessenta e seis decilitros para o bezerro, quarenta e quatro decilitros para o carneiro ⁴e vinte e dois decilitros para cada um dos sete cordeiros. ⁵Oferecereis um bode em sacrifício expiatório para expiar por vós, ⁶além do holocausto mensal com sua oferta e do holocausto diário com sua oferta, junto com suas libações, segundo o prescrito. É oblação de aroma que aplaca o Senhor.

⁷[G] *No décimo dia desse mesmo sétimo mês* tereis assembleia litúrgica; fareis penitência e não fareis nenhum trabalho. ⁸Oferecereis em holocausto de aroma que aplaca o Senhor um bezerro, um carneiro e sete cordeiros de um ano, sem defeito, ⁹com uma oferta de flor de farinha amassada com azeite: sessenta e seis decilitros para o bezerro, quarenta e quatro decilitros para o carneiro, ¹⁰e vinte e dois decilitros para cada um dos sete cordeiros. ¹¹Oferecereis um bode em sacrifício expiatório, além do sacrifício expiatório do dia da expiação do holocausto diário, com suas oferendas e libações.

¹²[H] *No dia quinze do sétimo mês* tereis assembleia litúrgica e não fareis nenhum trabalho. Fareis festa em honra do Senhor durante sete dias. ¹³Oferecereis em holocausto, oblação de aroma que aplaca o Senhor, treze bezerros, dois carneiros e catorze cordeiros de um ano, sem defeito, ¹⁴com uma oferta de flor de farinha amassada com azeite: sessenta e seis decilitros para cada um dos treze bezerros, quarenta e quatro decilitros para cada um dos dois carneiros ¹⁵e vinte e dois decilitros para cada um dos catorze cordeiros. ¹⁶Oferecereis um bode em sacrifício expiatório para expiar por vós, além do holocausto diário, com sua oferta e sua libação.

¹⁷No segundo dia oferecereis doze bezerros, dois carneiros e catorze cordeiros de um ano, sem defeito, ¹⁸com as ofertas e libações correspondentes ao número de bezerros, carneiros e cordeiros. ¹⁹Oferecereis um bode em sacrifício expiatório, além do holocausto diário, com sua oferta e suas libações.

²⁰No terceiro dia oferecereis onze bezerros, dois carneiros e catorze cordeiros de um ano, sem defeito, ²¹com as ofertas e libações correspondentes ao número de bezerros, carneiros e cordeiros. ²²Oferecereis um bode em sacrifício expiatório, além do holocausto diário, com sua oferta e suas libações.

²³No quarto dia oferecereis dez bezerros, dois carneiros e catorze cordeiros de um ano, sem defeito, ²⁴com as ofertas e libações correspondentes ao número de bezerros, carneiros e cordeiros. ²⁵Oferecereis um bode em sacrifício expiatório, além do holocausto diário, com sua oferta e sua libação.

²⁶No quinto dia oferecereis nove bezerros, dois carneiros e catorze cordeiros de um ano, sem defeito, ²⁷com as ofertas e libações correspondentes ao número de bezerros, carneiros e cordeiros. ²⁸Oferecereis um bode, além do holocausto diário, com sua oferta e sua libação.

²⁹No sexto dia oferecereis oito bezerros, dois carneiros e catorze cordeiros de um ano, sem defeito, ³⁰com as ofertas e libações correspondentes ao número de bezerros, carneiros e cordeiros. ³¹Oferecereis um bode em sacrifício expiatório, além do holocausto diário, com sua oferta e sua libação.

³²No sétimo dia oferecereis sete bezerros, dois carneiros e catorze cordeiros de um ano, sem defeito, ³³com as ofertas e libações correspondentes ao número de bezerros, carneiros e cordeiros. ³⁴Oferecereis um bode em sacrifício expiatório, além do holocausto diário, com sua oferta e sua libação.

³⁵No oitavo dia tereis reunião solene e não fareis nenhum trabalho. ³⁶Oferecereis em holocausto, oblação de aroma que aplaca o Senhor, um bezerro, um carneiro e sete cordeiros de um ano, sem defeito, ³⁷com as ofertas e libações correspondentes ao bezerro, ao carneiro e ao número dos cor-

---

29,7 Curiosamente não menciona o rito do bode expiatório (Lv 16); menciona a penitência, não a confissão.
29,12 Mais que em outras, se aprecia nesta o horizonte estreito do culto. Nem sequer menciona seu nome, festa das cabanas, nem se percebem os festejos populares em segundo plano.

deiros. ³⁸Oferecereis um bode em sacrifício expiatório, além do holocausto diário, com sua oferta e sua libação.

³⁹Fareis tudo isso para o Senhor em suas datas, independentemente de vossos votos e sacrifícios voluntários, vossos holocaustos, ofertas, libações e sacrifícios de comunhão.

30 ¹Moisés falou aos israelitas conforme o Senhor lhe havia ordenado.

Lei sobre os votos (Dt 23,22-24) – ²Moisés falou aos chefes das tribos de Israel: – ³Isto é o que o Senhor ordena: Quando um homem fizer um voto ao Senhor ou se comprometer com algo sob juramento, não faltará com a palavra: fará como disse.

⁴Quando uma mulher na sua juventude, enquanto viver com seu pai, fizer um voto ou assumir um compromisso, ⁵se seu pai, ao saber do voto ou do compromisso, nada disser, então seus votos são válidos e ficam de pé os compromissos. ⁶Se o pai dela, porém, ao saber disso, o desaprovar, então não ficam de pé seus votos e o compromisso. O Senhor a dispensa, pois seu pai o desaprovou.

⁷Se ela se casar, estando ligada pelo voto ou pelo compromisso saído de seus lábios irrefletidamente, ⁸e o marido ao saber disso não lhe disser nada, então os votos são válidos e ficam de pé os compromissos. ⁹Mas se o marido ao saber disso o desaprovar, então anula o voto que a ligava e os compromissos saídos de seus lábios. O Senhor a dispensa.

¹⁰O voto da viúva e da repudiada e os compromissos que assumir são válidos.

¹¹Quando uma mulher fizer um voto em casa de seu marido ou se comprometer com algo sob juramento, ¹²se o marido dela, ao saber disso, não disser nada e não desaprovar, então seus votos são válidos e ficam de pé os compromissos; ¹³mas se o marido dela, ao saber disso, o anular, então tudo o que saiu de seus lábios, votos e compromissos, é inválido. Seu marido o anulou e o Senhor a dispensa.

¹⁴O marido pode confirmar ou anular todo voto ou juramento de fazer penitência. ¹⁵Se, porém, dentro de dois dias o marido não lhe disser nada, então confirma todos os votos e compromissos que a ligam: ele os confirma com o silêncio que guardou ao tomar conhecimento; ¹⁶e se os anular mais tarde, ele carregará a culpa dela.

¹⁷São essas as ordens que o Senhor deu a Moisés, referentes a marido e mulher, pai e filha quando ainda jovem, vivendo com seu pai.

31 **Guerra santa** (Dt 20) – ¹O Senhor disse a Moisés:

– ²Primeiramente vingarás os israelitas nos madianitas, depois te reunirás com os teus.

---

30 Sobre votos pode-se consultar: Lv 5 e 27; Nm 6; Dt 23; Ecl 5,3-4; também os salmos mencionam os votos (22,26; 61,6; 65,2; 76,12). Aqui o autor trata dos votos das mulheres, e só por contraste introduz o voto dos homens. O varão é *sui iuris* e independente; também a mulher viúva ou divorciada. A solteira está sob o pátrio poder; a casada, sob a autoridade do marido; nem se considera o caso de solteira adulta. Ambas as instâncias se estendem às relações religiosas da mulher com Deus. Como se trata dos votos de oferecer algo, sacrifícios ou oferendas, que tangem a propriedade do pai ou do marido, explicam-se as normas de cautela. Nem a solteira nem a casada possuem propriedade. A lei tende a defender a validade dos votos. Deve intervir um ato positivo e expresso de anulação para invalidar o voto. O silêncio consciente se interpreta como aprovação: quem sabendo se cala, consente. Deus ratifica a anulação e dispensa o voto.

Com suas distinções e subdistinções, este texto é bom exemplo de casuística jurídica. As normas são dirigidas aos "chefes de tribos", ou seja, às autoridades leigas. A expressão "sai da boca" (v. 3, hebraico), indica que o voto foi formulado concretamente; denota a concepção material hebraica da palavra, que sai da boca, viaja pelo ar e entra pelo ouvido.

31 É uma construção com aparência narrativa para ilustrar usos ou teorias militares: o extermínio da população como medida excepcional, a purificação depois da guerra, a partilha dos despojos e a contribuição para sacerdotes e levitas. Quase tudo é artificial e esquemático na apresentação. Os dados são tomados de diversos relatos, em particular do livro dos Juízes. Isaías falou do "dia de Madiã" (Is 9,3), referindo-se à vitória de Gedeão (Jz 7-8); nosso autor fabrica outro dia de Madiã, mais antigo, exemplar e precedente de uma lei.

31,1-2 Ligam o capítulo com o episódio de Baal-Fegor (cap. 25), como mostra o reaparecimento dos personagens. Isso pode explicar por que não é Josué o general da campanha, embora se suponha já nomeado sucessor, mas o levita que deu a primeira lançada. Mas envolver Balaão no assunto é invenção de quem redige esta página.

³Moisés disse ao povo:
– Escolhei homens entre vós e armai-os para a guerra; atacarão Madiã para executar neles a vingança do Senhor. ⁴Armai para a guerra mil homens de cada tribo de Israel. ⁵Assim, mobilizaram para a guerra doze mil homens, mil de cada tribo de Israel.
⁶Moisés os enviou para a guerra, mil de cada tribo, sob as ordens de Fineias, filho do sacerdote Eleazar, com as armas sagradas e as cornetas para o toque de atacar. ⁷Fizeram guerra contra Madiã, como o Senhor havia ordenado a Moisés, e mataram todos os homens. ⁸E mataram os reis de Madiã com os demais caídos: Evi, Recém, Sur, Hur e Reb, os cinco reis de Madiã. E também passaram a fio de espada Balaão, filho de Beor. ⁹Aprisionaram as mulheres e as crianças de Madiã e saquearam suas bestas, seu gado e suas riquezas. ¹⁰Incendiaram todas as cidades habitadas e os povoados, ¹¹levando todos os despojos, homens e animais. ¹²Trouxeram os prisioneiros, o saque e os despojos a Moisés, ao sacerdote Eleazar e a toda a comunidade de Israel, acampada na estepe de Moab, junto ao Jordão, diante de Jericó.
¹³Moisés com o sacerdote Eleazar e os chefes da comunidade saíram para recebê-los fora do acampamento. ¹⁴Moisés enfureceu-se com os chefes da tropa, generais e capitães que voltavam da batalha, ¹⁵e lhes disse:

– ¹⁶Por que deixastes com vida as mulheres? São elas que, incitadas por Balaão, fizeram os israelitas trocar o Senhor por Baal-Fegor, e por causa delas houve uma mortandade na comunidade do Senhor. ¹⁷Agora, pois, matai todos os homens, também as crianças, e todas as mulheres que tiveram relações com homens. ¹⁸As meninas e as jovens que não tiveram relações com homens deixai-as vivas. ¹⁹Quanto a vós, acampai fora do acampamento por sete dias. Os que tiverem matado alguém ou tiverem tocado algum morto, se purificarão com seus prisioneiros no terceiro e no sétimo dia. ²⁰Purificai também toda a roupa, os objetos de couro ou de pelo de cabra e os utensílios de madeira.
²¹O sacerdote Eleazar disse aos guerreiros que voltaram da batalha:
– São essas as prescrições que o Senhor deu a Moisés: ²²ouro, prata, bronze, ferro, estanho e chumbo, ²³tudo o que resistir ao fogo, vós o purificareis no fogo e o lavareis com água lustral, e aquilo que não resistir ao fogo, o lavareis com água. ²⁴Lavai as vestes no sétimo dia para que fiqueis limpos, e assim entrareis no acampamento.

Despojos (1Sm 30,21-25) – ²⁵O Senhor disse a Moisés:
– ²⁶Fazei a contagem dos despojos capturados, de homens e animais, tu com o sacerdote Eleazar e os chefes de família.

31,3-6 A razão da guerra é "vingar *Yhwh* de Madiã". A vingança equivale à justiça vindicativa, à execução de uma pena grave por uma ofensa gravíssima. O Senhor foi ofendido, o povo inteiro foi prejudicado; soldados de todas as tribos hão de participar no empreendimento, como milícias do Senhor. Será um empreendimento sagrado: um levita general, armas e trombetas consagradas.

31,7-8 Não descreve a guerra, somente anuncia o fantástico e fulminante resultado. Os nomes dos reis podem remontar a uma tradição antiga, como também à organização de uma pentarquia. Embora Balaão não fosse madianita, convinha ao autor que aí se encontrasse.

31,9 A palavra hebraica designa meninos pequenos, quer dizer, ainda dependentes das mães.

31,12 Significa que os despojos não são do soldado que os toma, mas da comunidade que os repartirá.

31,13 Fora do acampamento, porque se encontram em estado de impureza.

31,16 Nm 25,1-3.

31,17-18 Os meninos garantem a continuidade do povo que alguém pretende extinguir. As jovens solteiras e as meninas poderão incorporar-se por matrimônio à comunidade judaica. As mulheres que pertenceram a maridos pagãos inimigos (nós as chamaríamos viúvas de guerra), não são aceitas na comunidade nem como escravas; devem morrer. Ainda que o relato seja ficção do autor, é duro ler que é a vingança de *Yhwh*. O autor pensa ainda em categorias de culpa coletiva ou de consequências coletivas, e sente a ameaça à fidelidade do seu povo como mal supremo que se deve evitar sem piedade.

31,19-20 Esta purificação é novidade. Dela deduzimos que o autor pensa que toda guerra induz impureza, pelo contato com mortos; em outras palavras, a guerra é de certo modo o reino da morte.

31,20 Nm 19,11-22.

31,25-27 Trata-se de regulamentar a partilha dos despojos, conforme a norma estabelecida por Davi (1Sm 30,23-25). Compare-se com Js 7,21 e 2Rs 7,8. A partilha pela metade entre os dois grupos. Mas note-se que o grupo dos combatentes é muito menor, doze mil de seiscentos mil; que os chefes do exército recebem porções especiais (cf. Jz 8,24-25; 2Sm 8,7-8). Portanto, a partilha não é igualitária.

⁲⁷Dividirás os despojos, metade para os soldados que foram à guerra e metade para o resto da comunidade. ²⁸Cobra dos soldados que foram à guerra um tributo para o Senhor: um por quinhentos, de homens, vacas, asnos e ovelhas, ²⁹deduzido da metade que lhes cabe, e entrega-o para o sacerdote Eleazar como tributo ao Senhor. ³⁰Da outra metade, da porção dos israelitas, cobrarás um por cinquenta, de homens, vacas, asnos, ovelhas e toda espécie de animais, e o entregarás aos levitas encarregados das funções no templo do Senhor.
³¹Moisés e o sacerdote Eleazar fizeram o que o Senhor ordenava a Moisés.
³²Levantamento dos despojos que as tropas capturaram: seiscentas e setenta e cinco mil ovelhas; ³³setenta e duas mil vacas; ³⁴sessenta e um mil asnos; ³⁵trinta e duas mil mulheres que não tiveram relações com homens.
³⁶Porção que coube aos que lutaram: trezentas e trinta e sete mil e quinhentas ovelhas; ³⁷tributo de ovelhas para o Senhor: seiscentas e setenta e cinco; ³⁸vacas, trinta e seis mil; delas, tributo para o Senhor, setenta e duas; ³⁹asnos, trinta mil e quinhentos, dos quais, tributo para o Senhor, sessenta e um; ⁴⁰dezesseis mil seres humanos; deles, tributo para o Senhor, trinta e dois.
⁴¹Moisés entregou o tributo do Senhor ao sacerdote Eleazar, conforme o Senhor lhe havia ordenado.
⁴²Da outra metade, que Moisés havia requisitado dos soldados para os outros israelitas, ⁴³o levantamento foi o seguinte: trezentas e trinta e sete mil e quinhentas ovelhas; ⁴⁴trinta e seis mil vacas; ⁴⁵ trinta mil e quinhentos asnos; ⁴⁶dezesseis mil seres humanos; ⁴⁷deles, Moisés tomou um tributo de dois por cento, de homens e animais, e o entregou aos levitas encarregados das funções do templo do Senhor, como o Senhor havia ordenado.

⁴⁸Os comandantes das tropas, generais e capitães, se aproximaram de Moisés ⁴⁹e lhe disseram:
– Teus servos fizeram o levantamento dos soldados sob seu comando, e não falta ninguém. ⁵⁰Por isso, cada um de nós oferece ao Senhor, como reconhecimento por ter salvo a vida, daquilo que capturou, objetos de ouro, pulseiras, braceletes, anéis, pingentes e colares.
⁵¹Moisés e o sacerdote Eleazar receberam o ouro que lhes ofereciam e todos os objetos trabalhados. ⁵²O ouro do tributo oferecido ao Senhor pesou mil seiscentos e setenta e cinco siclos. ⁵³Os soldados o haviam recolhido como despojos para si mesmos. ⁵⁴Moisés e o sacerdote Eleazar receberam o ouro dos capitães e generais e o levaram à tenda do encontro, como recordação dos israelitas diante do Senhor.

32 Primeira ocupação: Rúben e Gad

– ¹Os rubenitas e os gaditas possuíam imensos rebanhos e, vendo que a terra de Jazer e de Galaad era excelente para o gado, ²foram a Moisés, ao sacerdote

---

31,28-30 Além do mais – o autor não o esquece –, uma porcentagem dos despojos compete ao Senhor e outra aos levitas. É lógico, já que a campanha foi sagrada e a vitória foi dom do Senhor.

31,32-47 Os despojos são tão fantásticos como a vitória.

31,52 O siclo equivale a 8,33 gramas.

32 Segundo uma concepção teórica, o Jordão é o limite oriental da terra prometida, e as doze tribos de Israel participaram da conquista. De fato, duas tribos e meia habitam na região oriental do Jordão. Pertencem realmente a Israel? Participaram da conquista? São fiéis ao Senhor?
O presente capítulo tenciona responder às duas primeiras perguntas, ao passo que Js 22 responde à terceira. Atribuindo a Moisés a entrega de territórios orientais, fica justificado o território israelita da Transjordânia. A narração se ocupa de duas tribos: Gad e Rúben; no final, alguns acréscimos introduzem a meia tribo de Manassés e o clã de Maquir.

Embora Rúben figure como primogênito, a tribo foi decaindo em número e afluxo (como permitem deduzir Gn 49,4: "não serás de proveito", e Dt 33,6: "não morra"). De Gad, Gn 49,19 louva a valentia; e Dt 33,20-21 menciona seu crescimento e poder. A distribuição de Manassés em duas metades, com o Jordão no meio, é atestada pela tradição.
A interpretação do capítulo faz parte do grande problema do sedentarismo: como os israelitas chegaram a ocupar a Palestina? Os dados do livro se repartem entre a imagem da conquista militar, com ocupação de povoados já existentes, e a imagem da penetração pacífica, com a fundação de povoados em território despovoado. Das localidades citadas, três pertenciam ao reino de Seon (Nm 21), outras a Moab (Is 15-16). O estilo é prolixo, reiterativo, como se se tratasse de um delicado assunto jurídico, que é preciso dominar em todos os seus detalhes.

32,1 A região de Galaad (ao sul do Jaboc) eram campos de pastos, dedicada sobretudo ao pastoreio.

Eleazar e aos chefes da comunidade para lhes propor:

– ³Atarot, Dibon, Jazer, Nemra, Hesebon, Eleale, Sabam, Nebo e Meom, ⁴o território dos povos que o Senhor derrotou, quando os israelitas avançavam, é terra boa para gado, e teus servos possuem rebanhos. ⁵Por favor, faz que entreguem a teus servos essa terra como propriedade, e nós não atravessaremos o Jordão.

⁶Moisés respondeu aos gaditas e rubenitas:

– Irão vossos irmãos à guerra, enquanto vós ficais aqui? ⁷Ireis desmoralizar os israelitas, e eles não passarão à terra que o Senhor pensa dar-lhes. ⁸Foi isso que fizeram vossos pais quando os enviei de Cades Barne para reconhecer o país: ⁹subiram até Torrente de Escol*, reconheceram a terra e desmoralizaram os israelitas, para que não entrassem na terra que o Senhor pensava dar-lhes. ¹⁰Naquele dia acendeu-se a ira do Senhor e jurou: ¹¹"Os homens que saíram do Egito, de vinte anos para cima, não verão a terra que prometi a Abraão, Isaac e Jacó, porque não me foram fiéis. ¹²Excetuo Caleb, filho de Jefoné, o cenezeu, e Josué, filho de Nun, porque foram fiéis ao Senhor". ¹³A ira do Senhor acendeu-se contra Israel e os fez dar voltas pelo deserto por quarenta anos, até que terminou a geração que havia feito o que o Senhor reprova. ¹⁴E agora vós, bando de pecadores, sucedeis a vossos pais, atiçando a ira ardente do Senhor. ¹⁵Portanto, se vos afastardes dele, vos deixará outra vez no deserto, e vós sereis os causadores da destruição deste povo.

¹⁶Eles se aproximaram para dizer-lhe:

– Construiremos aqui currais para os rebanhos e povoados para nossas crianças, ¹⁷e nós iremos depressa armados, à frente dos israelitas, até deixá-los em seu lugar; enquanto isso, nossas crianças permanecerão nas praças-fortes, protegidas dos habitantes do país. ¹⁸Não voltaremos a nossas casas até que cada israelita tenha ocupado sua herança, ¹⁹e não repartiremos com eles a herança do outro lado do Jordão; pelo contrário, nossa herança será deste lado, a leste do Jordão.

²⁰Moisés lhes respondeu:

– ²¹Se vos armardes para a guerra, como o Senhor deseja*, e armados cruzardes o Jordão, como o Senhor deseja, até que ele vos tire da frente o inimigo ²²e a terra fique submetida, como o Senhor deseja, e somente depois voltardes, então sereis inocentes diante do Senhor e diante de Israel, e esta terra será vossa propriedade por vontade do Senhor. ²³Mas, se não agirdes assim, pecareis contra o Senhor, e ficai sabendo que vosso pecado será castigado. ²⁴Agora, portanto, construí povoados para vossas crianças e currais para os rebanhos, e fazei o que prometestes.

²⁵Os gaditas e rubenitas responderam a Moisés:

– Teus servos farão o que o Senhor lhes ordena; ²⁶nossas crianças, mulheres, rebanhos e bestas ficarão aqui, nos povoados de Galaad, ²⁷e teus servos atravessarão, todos armados, para lutar, como o Senhor deseja e tu nos dizes.

²⁸Moisés deu instruções acerca deles ao sacerdote Eleazar, a Josué, filho de Nun, e aos chefes de família nas tribos de Israel:

– ²⁹Se os gaditas e rubenitas atravessarem convosco o Jordão, todos armados, para lutar, como o Senhor deseja, e a terra vos for submetida, vós lhes dareis a terra de Galaad como propriedade. ³⁰Mas, se não passarem armados convosco, receberão sua propriedade na terra de Canaã.

32,3-4 Pertencia a Israel por direito de conquista, porque o Senhor tinha derrotado seus habitantes.

32,6-15 Moisés pronuncia um discurso em tom profético, recriminatório. Negar-se agora a cruzar o Jordão é repetir o que fizeram os da geração precedente, quando se recusaram a penetrar na terra pelo sul. Deter-se neste momento seria afastar-se ou apostatar do Senhor, com fatais consequências para todo o povo, que se sentiria desmoralizado; estará a segunda geração condenada a consumir seus dias no deserto?

32,9 * = Cacho de Uvas. Nm 13-14.

32,16-19 A proposta de Rúben e Gad resolve o problema: assegura o alcance comunitário do empreendimento, inclusive sendo eles a vanguarda na penetração. "Armados": duvidoso; outras leituras: pressurosos, em esquadrões de cinquenta.

32,20-23 É significativa a repetição do nome de *Yhwh* nesta alternativa condicionada: seis vezes em pouco espaço, quatro delas na fórmula *lipne Yhwh*, que se pode traduzir por "diante de *Yhwh*" ou "de acordo com".

32,21 * = Ou: *diante do Senhor*.

32,30 A alternativa soa estranha, mas salienta a teoria. Se eles se estabeleceram a leste do rio, é porque lutaram a oeste.

³¹Os gaditas e rubenitas responderam:
– Faremos o que o Senhor ordena a teus servos. ³²Nós passaremos armados à terra de Canaã, como o Senhor deseja, e nos caberá como propriedade uma herança deste lado do Jordão.

³³Moisés destinou aos gaditas e rubenitas e à metade da tribo de Manassés, filho de José, o reino de Seon, rei dos amorreus, e o reino de Og, rei de Basã, com todas as cidades e povoados do território.

³⁴Os gaditas e rubenitas reconstruíram Dibon, Atarot, Aroer, ³⁵Sofã, Jazer, Jegbaa*, ³⁶Bet-Nemra*, Bet-Arã, fortificando-as, e currais para os rebanhos. ³⁷Os rubenitas reconstruíram Hesebon, Eleale, Cariataim, ³⁸Nebo, Baal-Meon, Sabama, e deram nomes novos aos povoados reconstruídos.

³⁹Os maquiritas, descendentes de Manassés, foram e conquistaram Galaad, expulsando os amorreus que aí habitavam. ⁴⁰Moisés destinou Galaad à tribo de Maquir, filho de Manassés, que se estabeleceu aí. ⁴¹Jair, filho de Manassés, foi e conquistou suas aldeias, chamando-as Aldeias de Jair. ⁴²Nobe foi e conquistou Canat e os povoados vizinhos, chamando-os com seu nome: Nobe.

33
¹*Etapas da viagem* dos israelitas quando saíram do Egito, por esquadrões, sob o comando de Moisés e Aarão. ²Moisés registrou as etapas da marcha, segundo a ordem do Senhor.

³No dia quinze do primeiro mês, no dia após a Páscoa, saíram decididos de Ramsés, à vista do egípcios. ⁴Os egípcios ainda estavam enterrando os primogênitos que o Senhor fizera morrer para fazer justiça contra seus deuses.

⁵Os israelitas saíram de Ramsés e acamparam em Sucot.

⁶Saíram de Sucot e acamparam em Etam, nos limites do deserto.

⁷Saíram de Etam, voltaram a Piairot, diante de Baal-Sefon, e acamparam diante de Magdol.

⁸Saíram de Piairot*, atravessaram o mar em direção ao deserto, caminharam três dias pelo deserto de Etam, e acamparam em Mara.

⁹Saíram de Mara* e chegaram a Elim, onde havia doze fontes e setenta palmeiras, e aí acamparam.

¹⁰Saíram de Elim e acamparam junto ao mar Vermelho.

¹¹Saíram do mar Vermelho e acamparam no deserto de Sin*.

¹²Saíram do deserto de Sin e acamparam em Dafca.

¹³Saíram de Dafca e acamparam em Alus.

¹⁴Saíram de Alus e acamparam em Rafidim, onde não encontraram água para o povo.

¹⁵Saíram de Rafidim e acamparam no deserto do Sinai.

¹⁶Saíram do deserto do Sinai e acamparam em Cibrot-ataava*.

¹⁷Saíram de Cibrot-ataava e acamparam em Haserot*.

32,33 Esta adição alarga a sentença: introduz Manassés e engloba o território de Basã, cuja conquista militar se atribui a dois filhos (dois clãs) de Manassés.

32,35-36 * = Cimeira; * = Casapantera.

32,39-42 O final do capítulo é como o começo do livro de Josué: apresenta o fato como verdadeira conquista militar.

33 A estada dos israelitas no deserto é imaginada ou se descreve como um tempo de vida nômade ou seminômade, sem itinerários precisos. As narrações do Êxodo e de Números confirmam a seu modo a desordem da marcha. O autor sacerdotal transformou esses anos numa espécie de rota de caravanas, balizada por uns quarenta nomes e marcada por algumas datas.
Alguns se ajustam bem em zonas desérticas ou estepes: Retma = Giestal, Sin = Espinhal, Haserot = Currais, Sucot = Cabanas; outros aludem a plantas: Elim = Tamargueiras, Remon = Romãzeiras, Setim = Acácias; outros a acidentes do terreno: Piairot = Precipícios, Taat = Fundo, Hor-Gadgad = Cova Fendida; uma é Mara = Amarga, uma Matca = A Doce, uma Salmona = Sombria, mas a etimologia pode ser dedução enganosa, simples coincidência ou semelhança fonética.
É possível que o autor tenha utilizado uma ou várias listas de nomes, talvez de caravanas; com elas cria a ilusão de um Moisés que anota solicitamente as etapas da viagem.

33,3-4 A saída do Egito é contada num resumo expressionista: deuses sentenciados, muitos cidadãos enterrando seus mortos e vendo com que segurança marcham os hebreus.

33,5-8 Correspondem a um itinerário setentrional, beirando a costa.

33,8-16 O itinerário dobra para o sul e se dirige ao Sinai. Rota tradicional de mineiros e de caravanas.

33,8 * = Precipícios.

33,9 * = Amarga.

33,11 * = Espinhal.

33,16 * = Sepulcros de Avidez.

33,17 * = Currais.

¹⁸Saíram de Haserot e acamparam em Retma*.
¹⁹Saíram de Retma e acamparam em Remon-Farés*.
²⁰Saíram de Remon-Farés e acamparam em Lebna*.
²¹Saíram de Lebna e acamparam em Ressa*.
²²Saíram de Ressa e acamparam em Ceelata*.
²³Saíram de Ceelata e acamparam no monte Séfer.
²⁴Saíram do monte Séfer e acamparam em Harada*.
²⁵Saíram de Harada e acamparam em Macelot*.
²⁶Saíram de Macelot e acamparam em Taat*.
²⁷Saíram de Taat e acamparam em Taré*.
²⁸Saíram de Taré e acamparam em Matca*.
²⁹Saíram de Matca e acamparam em Hesmona.
³⁰Saíram de Hesmona e acamparam em Moserot*.
³¹Saíram de Moserot e acamparam em Benê-Jacã.
³²Saíram de Benê-Jacã e acamparam em Hor-Gadgad*.
³³Saíram de Hor-Gadgad e acamparam em Jetebata.
³⁴Saíram de Jetebata e acamparam em Ebrona.
³⁵Saíram de Ebrona e acamparam em Asiongaber*.
³⁶Saíram de Asiongaber e acamparam no deserto de Sin*, em Cades.
³⁷Saíram de Cades e acamparam no monte Hor, na extremidade do território de Edom. ³⁸O sacerdote Aarão subiu ao monte Hor, por ordem do Senhor, e aí morreu, quarenta anos após a saída do Egito, no dia primeiro do quinto mês. ³⁹Aarão morreu no topo do monte Hor, com a idade de cento e vinte e três anos.
⁴⁰O rei cananeu de Arad, que habitava no Negueb, em território cananeu, ficou sabendo que os israelitas se aproximavam.
⁴¹Saíram do monte Hor e acamparam em Salmona*.
⁴²Saíram de Salmona e acamparam em Finon.
⁴³Saíram de Finon e acamparam em Obot*.
⁴⁴Saíram de Obot e acamparam em Ruínas de Abarim, na fronteira de Moab.
⁴⁵Saíram de Ruínas de Abarim e acamparam em Dibon-Gad.
⁴⁶Saíram de Dibon-Gad e acamparam em Elmon-Deblataim.
⁴⁷Saíram de Elmon-Deblataim e acamparam nos montes de Abarim, diante do Nebo.
⁴⁸Saíram dos montes de Abarim e acamparam na estepe de Moab, junto ao Jordão, na altura de Jericó.
⁴⁹Na estepe de Moab acamparam junto ao Jordão, desde Bet-Jesimot até Abel-setim.
⁵⁰Na estepe de Moab, junto ao Jordão, na altura de Jericó, o Senhor falou a Moisés:
– ⁵¹Dize aos israelitas: Quando atravessardes o Jordão para entrar no território de Canaã, ⁵²expulsareis todos os seus habitantes, destruireis seus ídolos e imagens e demolireis seus santuários. ⁵³Ocupai a terra e habitai-a, pois vo-la dou como propriedade. ⁵⁴Vós a repartireis por sortes entre os clãs. Cada um receberá uma herança em proporção ao número de re-

---

33,18 * = Giestal.
33,19 * = Romãzeira aberta.
33,20 * = Alva.
33,21 * = Orvalho.
33,22 * = Conselho.
33,24 * = Tremedal.
33,25 * = Reunião.
33,26 * = Fundo.
33,28 * = Doce.
33,30 * = Rédeas.
33,32 * = Cova Fendida.
33,35 * = Floresta do Galo.
33,36 * = Espinhal.
33,39 Etapa especial. Conforme Ex 7,7, Aarão era três anos mais velho que Moisés; com este dado concorda Dt 34, segundo o qual Moisés morre na idade de 120 anos.
33,41 * = Sombria.
33,43 * = Almas.
33,50 Terminado o itinerário, o olhar se volta inteiramente para a terra próxima no espaço e no tempo.
33,51 Dt 7,1-6.
33,52 O primeiro é um ato de limpeza geral. São as normas que lemos no código da aliança (Ex 23,31-33), na renovação da aliança (Ex 34,11-16) e em Dt 7,1-6. Os israelitas preservaram lugares sagrados, dedicando-os ao novo culto, e aproveitaram parte do material literário cananeu ou se inspiraram nele.
33,54 A partilha como em 26,52-56.

gistrados. Cada tribo ocupará a parte que lhe couber por sorte. ⁵⁵Se não expulsardes os habitantes do país, os que ficarem serão para vós espinhos nos olhos e aguilhões nos flancos, e vos atacarão na terra que habitareis. ⁵⁶E eu vos tratarei como havia pensado tratar a eles.

34 Fronteiras (Js 13-19) – ¹O Senhor disse a Moisés:

– ²Ordena aos israelitas: Quando entrardes em Canaã, estareis na terra que vos cabe como herança: Canaã com suas fronteiras.

³A região sul terá como limite o deserto de Sin com Edom. A *fronteira do Sul* partirá da extremidade oriental do mar Morto, ⁴descerá ao sul por Maale Acrabbim* e, passando por Sin, chegará ao sul de Cades-Barne; continuará por Hasar-Adar* e passará por Asemona; ⁵em Asemona dobrará rumo à torrente do Egito, terminando no mar.

⁶A *fronteira do Oeste* será o mar Mediterrâneo: é a fronteira ocidental.

⁷Marcareis a *fronteira do Norte* partindo do mar Mediterrâneo até o monte Hor; ⁸daí seguireis até a entrada de Emat, chegando até Sedada. ⁹Continuará por Zefrona, terminando em Hasar-Enon*. É a fronteira do Norte.

¹⁰Marcareis a *fronteira do Leste* desde Hasar-Enon até Sefama; ¹¹daí descerá até Harbel, a leste de Ain*; descerá costeando ao oriente o lago de Genesaré; ¹²continuará descendo ao longo do Jordão, para terminar no mar Morto.

Essa é a vossa terra e os limites que a circundam.

¹³Moisés ordenou aos israelitas:
– Essa é a terra que repartireis por sortes e que o Senhor mandou dar às nove tribos e meia. ¹⁴Porque a tribo de Rúben, por famílias, e a tribo de Gad, por famílias, já receberam sua herança, assim como a meia tribo de Manassés. ¹⁵Essas duas tribos e meia já receberam sua herança do outro lado do Jordão, diante de Jericó, ao oriente.

¹⁶O Senhor falou a Moisés:
– ¹⁷*Lista de pessoas* que repartirão para vós a terra: o sacerdote Eleazar e Josué, filho de Nun. ¹⁸Além deles, um chefe de cada tribo para repartir a terra. ¹⁹Esta é a lista dos chefes: pela tribo de Judá, Caleb, filho de Jefoné; ²⁰pela tribo de Simeão, Samuel, filho Amiud; ²¹pela tribo de Benjamim, Elidad, filho de Caselon; ²²pela tribo de Dã, o príncipe Boci, filho de Jogli. ²³Pelos filhos de José: pela tribo de Manassés, o príncipe Haniel, filho de Efod; ²⁴pela tribo de Efraim, o príncipe Camuel, filho de Seftã; ²⁵pela tribo de Zabulon, o príncipe Elisafã, filho de Farnac; ²⁶pela tribo de Issacar, o príncipe Faltiel, filho de Ozã; ²⁷pela tribo de Aser, o príncipe Aiud, filho de Salomi; ²⁸pela tribo de Neftali, o príncipe Fedael, filho de Amiud.

²⁹São esses que o Senhor encarregou de repartir para os israelitas a herança na terra de Canaã.

35 Cidades levíticas (Js 21; Ez 48, 13s) – ¹O Senhor falou a Moisés na estepe de Moab, junto ao Jordão, na altura de Jericó:

– ²Ordena aos israelitas que deem aos levitas, de sua propriedade hereditária, alguns povoados e seus arredores para viver;

33,55 Cláusula penal condicionada. A tragédia do exílio ressoa nestas linhas.

34 Comparem-se estas fronteiras do território nacional com as de Js 15,1-14 e Ez 47,13-20. O mapa é ideal: considera o território na época de máxima extensão, sob Davi.

34,3-5 É frequente mencionar Bersabeia como sul meridional. A linha aqui traçada vai muito abaixo.

34,4 * = Ladeira dos Escorpiões; Aldeia Nobre.

34,6 Supõe dominados ou desaparecidos os filisteus.

34,7-9 Mais ao norte de Beirute. Outro limite tradicional foi Dã, ao pé de Hermon.

34,9 * = Aldeia da Fonte.

34,10-12 Salvo uma cunha no norte, a fronteira oriental é o Jordão. Pelo que segue, entende-se que é o território de dez tribos.

34,11 * = Fonte.

34,16-28 A lista corresponde à do censo (cap. 1), com as devidas adaptações: Moisés e Aarão são substituídos por Josué e Eleazar; os nomes são novos, exceto Caleb; contam-se dez, excluindo as tribos orientais. A partilha é também tarefa de toda a comunidade, por meio de seus representantes.

35,1-8 Esta teoria das cidades levíticas será pura ficção do autor sacerdotal ou conserva elementos reais? Com certeza é artificial a concepção das pastagens ou prados, em círculo (4) ou em quadrado (5), ao redor das cidades. Também será artificial o restante? Sobre os levitas há testemunhos diversos não concordantes. Alguns textos os apresentam como pobretões, membros de um proletariado constituído por viúvas, órfãos e migrantes (Dt 14,27; 16,11.14;

³terão povoados para viver e arredores para seus animais, gado e bestas. ⁴Os arredores dos povoados que destinareis aos levitas se estenderão num raio de um quilômetro fora dos muros. ⁵Ou seja, medireis um quilômetro a partir do muro do povoado a leste, sul, oeste e norte; o povoado ficará no centro, e esses serão seus arredores. ⁶Destinareis para os levitas os seis povoados de refúgio que tiverdes cedido para asilo do homicida e outros quarenta e dois povoados. ⁷No total, destinareis aos levitas quarenta e oito povoados com seus arredores. ⁸Esses povoados serão tomados da herança dos israelitas em proporção aos que cada tribo tiver. Cada um cederá aos levitas povoados em proporção à herança que tiver recebido.

Cidades de refúgio (Dt 19,1-13; Js 20) – ⁹O Senhor falou a Moisés:

– ¹⁰Dize aos israelitas: Quando atravessardes o Jordão para entrar em Canaã, ¹¹escolhereis várias cidades de refúgio, nas quais possa buscar asilo quem tiver matado alguém sem intenção. ¹²Elas vos servirão de refúgio contra o vingador, e assim o homicida não morrerá antes de comparecer ao julgamento diante da assembleia. ¹³Escolhereis seis cidades de refúgio: ¹⁴três do outro lado do Jordão e três em Canaã. Serão cidades de refúgio. ¹⁵Essas cidades servirão de refúgio aos israelitas, aos migrantes e aos servos que viverem com eles. Aí poderá buscar refúgio quem tiver matado alguém sem intenção.

¹⁶Se o feriu com um objeto de ferro e o matou, é homicida. O homicida é réu de morte. ¹⁷Se o feriu empunhando uma pedra capaz de causar a morte e o matou, é homicida. O homicida é réu de morte. ¹⁸Se o feriu manejando um objeto de madeira capaz de causar a morte e o matou, é homicida. O homicida é réu de morte. ¹⁹Cabe ao vingador do sangue matar o homicida: quando o encontrar o matará.

²⁰Se o derrubou por ódio ou atirou contra ele algo com toda a intenção e o matou, ²¹ou o feriu a socos por inimizade e o matou, então o agressor é réu de morte: é homicida. O vingador do sangue matará o homicida quando o encontrar. ²²Se o derrubou casualmente, sem ódio, ou atirou algo contra ele sem intenção, ²³ou deu-lhe uma pedrada mortal sem tê-lo visto, e o matou, sem que lhe tivesse rancor ou tentasse prejudicá-lo, ²⁴então a comunidade julgará aquele que feriu e o vingador do sangue, conforme estas leis, ²⁵e salvará o homicida das mãos do vingador do sangue. A comunidade o deixará voltar à cidade em que se havia refugiado à procura de asilo, e viverá aí até que morra o sumo sacerdote ungido com óleo sagrado.

²⁶Se o homicida ultrapassar os limites da cidade em que se havia refugiado à pro-

---

26,13). Outros textos supõem que vivem do culto em qualquer cidade (Dt 18,1-2), porque não possuem terrenos (dízimos: Nm 18,20-24; ofertas voluntárias: Dt 12,12; 14,27; Js 13,14.33). Outros textos supõem os levitas concentrados em Jerusalém.
O presente capítulo os apresenta dispersos pelas tribos e lhes atribui propriedades rústicas; não distingue uma classe sacerdotal de uma levítica. Mas fala de "residir" e não chama "herança" os imóveis cedidos. Se com os dados divergentes se reconstrói uma história hipotética, o presente capítulo teria preservado algumas práticas antigas. Js 21 oferece um mapa detalhado dessas cidades ou povoados.
35,9-24 Sobre o tema, ver Js 20 e Dt 4,41-43. Na organização de tribos, clãs e famílias, os parentes têm obrigações jurídicas a respeito dos terrenos: resgatá-los para que permaneçam dentro da família – e a respeito das vidas: vingando sangue com sangue. A presente lei pretende assegurar um juízo de culpabilidade antes de qualquer sentença capital. A lei é uma instituição humanitária. Em caso de culpabilidade demonstrada, a execução legal da sentença cabe ao "vingador" da família. Portanto, não se trata de "vingança" pessoal, no estilo de Lamec, mas do exercício da justiça vindicativa, garantida pela "assembleia" israelita. Esta assembleia não é o conselho municipal, mas uma instância superior que se deveria imaginar centralizada.
"Sem intenção" é em hebraico a mesma fórmula que "por inadvertência"; a lei leva em conta o fator psicológico da consciência no reato (Ex 21,13-14). Além do mais, o refúgio está aberto também para migrantes e empregados: a provisão não é discriminatória. Tradicionalmente o direito de asilo tem sido competência de templos e lugares sagrados; o templo de Jerusalém conservou essa função.
35,13-14 A distribuição nos dois lados do Jordão corresponde à época anterior ao exílio.
35,16-23 Uma série de dados ou indícios ajudarão a determinar a culpabilidade ou inocência (cf. Ex 21,12-14 e Dt 19, 4-12): instrumento usado, inimizade precedente, premeditação.
35,19 Gn 4,14s.
35,25 A indicação do tempo confere certo caráter de duração da vida na cidade de asilo: O refugiado levava consigo a família? De que vivia? Indiretamente inculca o cuidado com a vida alheia.
35,26-28 Ver um caso semelhante em 1Rs 2,36-46: o rei atribui a uma casa a função de asilo ou de lugar de prisão domiciliar.

cura de asilo, ²⁷e o vingador do sangue o encontrar fora dos limites da cidade em que se refugiara, e o matar, não há delito. ²⁸Porque o homicida deve viver na cidade em que se havia refugiado, até que morra o sumo sacerdote. E quando o sumo sacerdote morrer, o homicida poderá voltar à terra em que se encontra sua herança.

²⁹São normas de justiça para vós, para vossas gerações e em todos os vossos povoados.

³⁰Em casos de homicídio, o homicida será morto após ouvir as testemunhas. Mas não basta uma testemunha para decretar pena de morte. ³¹Não aceitareis resgate pela vida do homicida réu de morte, pois deve morrer. ³²Tampouco aceitareis resgate de quem procurou asilo numa cidade de refúgio, para deixá-lo voltar a viver em sua terra antes que morra o sumo sacerdote.

³³Não profanareis a terra em que viveis: com o sangue profana-se a terra, e pelo sangue derramado por terra não há outra expiação senão o sangue de quem o derramou. ³⁴Não contamineis a terra em que viveis e na qual habito. Porque eu, o Senhor, habito no meio dos israelitas.

36 **Herança das mulheres** (Nm 27,1-11) – ¹Os chefes de família do clã dos galaaditas, descendentes de Maquir, filho de Manassés, um dos clãs da casa de José, apresentaram-se a Moisés, aos príncipes e chefes de família israelitas, e declararam:

– ²Deus ordenou a meu senhor que reparta a terra por sorte entre os israelitas. Ordenou também a meu senhor que faça passar a herança de nosso irmão Salfaad para suas filhas. ³Porém, se elas se casam com alguém de outra tribo israelita, sua herança será subtraída da herança de nossos pais; a herança da tribo à qual elas passarem aumentará, e aquela que nos coube diminuirá. ⁴E quando chegar o jubileu para os israelitas, a herança delas será somada à herança da tribo a que tiverem passado, e será subtraída da herança de nossos pais.

⁵Então Moisés, por mandato do Senhor, ordenou aos israelitas:

– ⁶A tribo dos filhos de José tem razão. O Senhor ordena às filhas de Salfaad: Poderão casar-se com quem quiserem, porém sempre dentro de algum clã de sua tribo. ⁷A herança dos israelitas não passará de tribo para tribo; pelo contrário, todo israelita fica ligado à herança da tribo paterna. ⁸As filhas que possuírem alguma herança em qualquer das tribos israelitas se casarão dentro de um dos clãs da tribo paterna. Dessa forma, cada israelita conservará a herança de seu pai; ⁹e uma herança não passará de uma tribo a outra, mas cada tribo estará ligada à sua herança.

¹⁰As filhas de Salfaad fizeram o que o Senhor havia ordenado a Moisés. ¹¹Maala, Tersa, Hegla, Melca e Noa, filhas de Salfaad, casaram-se com primos seus. ¹²Casaram-se em clãs dos manassitas, tribo de José, conservando sua herança dentro da tribo à qual pertencia o clã paterno.

¹³São essas as ordens e as leis que o Senhor, por meio de Moisés, deu aos israelitas na estepe de Moab, junto ao Jordão, diante de Jericó.

35,30 Ver Dt 17,6.
35,31 Ver Sl 49.
35,33-34 A razão da lei é a santidade do Senhor, que habita na terra e quer defender a vida.

36 Esta lei completa a do cap. 27. Aplicada a um caso particular, tem força de precedente legal. Está oportunamente colocada antes da ocupação da terra prometida. Ver o caso no livro de Tobias.

DEUTERONÔMIO

INTRODUÇÃO

Título

O título grego do livro significa segunda lei ou cópia da lei: lei, porque o livro tem muito de código legal; segunda, porque outra a precedeu. Os judeus o chamam debarim, ou seja, palavras: porque o livro, até o final do capítulo 33, é um longo discurso de Moisés. Um discurso no qual cabem muitas coisas. Se nos limitarmos a indicações programáticas, apontaríamos: começa o relato retrospectivo (1,1); começa a legislação (4,44); começa a aliança (28,69); começam as bênçãos (33,1). (O cap. 34 é um apêndice na terceira pessoa.) Esta primeira divisão nos diz algo dos diversos materiais e nos dá chaves de leitura.

Conteúdo

O Deuteronômio que lemos hoje tem algo de final de sinfonia, de conclusão solene. Possui ao mesmo tempo algo de partido, de violentamente interrompido, como se o final não conseguisse chegar à cadência tonal. Final para Moisés, o gigante que saiu do Egito percorrendo sua senda, para encerrá-la no cimo de um monte, sem entrar (ver cap. 34). Final para o povo, porque a massa de escravos saídos do Egito já é um povo livre, em aliança com seu Deus, equipado de leis e instituições. Acabou seu longo peregrinar à margem da cultura agrícola.

Em certo sentido, o movimento do Pentateuco se arremansa e se aquieta aqui, na planície de Moab: silêncio contido, para escutar longos discursos de um homem que se dispõe a morrer. Isso confere ao livro um tom de despedida, de testamento espiritual. Poder-se-ia acrescentar um adjetivo ao título: "Últimas palavras..." A memória repassa os episódios importantes desde o Sinai, salta às vezes até o Egito e ainda remonta aos patriarcas.

Antes de morrer, Moisés dá início ao assentamento de tribos. Promulga um código que prevê e decide as situações mais importantes da comunidade: monarquia, sacerdócio, profetismo, culto, justiça social, guerra e paz, família, escravidão e sociedade, direito civil, processual e penal. Moisés luta para "inculcar" essa lei, para introduzir nas entranhas a fidelidade exclusiva e duradoura ao Senhor único, a suas leis e mandamentos; luta contra o esquecimento, o cansaço, a desesperança. Sentindo que não conseguirá, deixa um poema como testemunho que sobreviva a ele. Renova a aliança, compila suas leis, confronta o povo com a grande decisão de sua história.

Isso é algo do Deuteronômio que chega às nossas mãos. E também nós temos de sentar-nos com calma para escutar a conclusão do Pentateuco.

História

O Deuteronômio, ou grande parte dele, parece que foi lido outrora de outro modo: não como final do Pentateuco, mas como começo de uma grande obra histórica que abrangia o tempo na terra prometida desde a entrada, cruzando o Jordão, até a saída, a caminho do exílio. Não só começo, mas inspiração para modelar em última instância o relato histórico. Quando é que o Deuteronômio mudou de lugar? Supõe-se que foi depois da reforma de Esdras, no final do século V.

Conforme essa teoria, aceita pela maioria dos comentadores, o autor derradeiro da compilação histórica introduziu os capítulos 1-3, que lhe permitiam oferecer um resumo histórico com nova perspectiva, e

acrescentou a transmissão de poderes a Josué. Essa obra se estendia até o final do segundo livro dos Reis.

Nessa posição, o Deuteronômio era o texto da aliança que organizava a vida na terra, prevendo e sancionando a lealdade e deslealdade do povo. E como a história terminava no exílio, o livro justificava de antemão o castigo de Deus. Moisés previa o desfecho e pronunciava uma última palavra de esperança, o que supõe consumado o exílio, que se projeta ao passado como profecia. A aliança em Moab adquire, assim, importância capital. Liga-se com a do Sinai, que guarda na memória; mas lhe atribui somente o Decálogo (cap. 5) como lei promulgada; o restante Moisés escuta, conserva e promulga antes de morrer.

As instituições, legislação e mensagem do livro acompanham o leitor desde o começo da obra histórica: como o que pôde ser e não foi, mas pode e deve voltar a ser. Como ponto de partida que fixa toda a história seguinte sob o signo da liberdade responsável perante Deus. Deus não falhará, se o povo se converter. Nessa perspectiva, o sentido do livro muda notavelmente.

Uma versão breve e simples do Deuteronômio existiu provavelmente antes do exílio. A substância seria um corpo de leis com comentário parenético. Este seria o livro achado no templo e que inspirou a reforma de Josias (2Rs 22), truncada por sua morte. A atividade de legislar e pregar provavelmente continuou com intensidade durante o exílio, com a perspectiva da tragédia. Josias tomou o livro como base para renovar a aliança. Não é provável que o livro tenha sido composto para a ocasião. Era provavelmente fruto de círculos reformistas que continuavam e renovavam uma longa tradição.

Autor

Não podemos falar de autor. Os autores se mostram teólogos, juristas e oradores. Conheciam também o pensamento e a linguagem sapienciais.

Forma

O esquema ou padrão que melhor explica a quase totalidade do livro é a aliança, com sua introdução histórica, princípio fundamental, cláusulas diferenciadas e comentadas, sanções positivas e negativas, cerimônias. Para criar e manifestar a ordem, os autores se valem de frases e palavras repetidas: "mandamentos e preceitos; escuta, Israel", e muitos termos que se convertem em guias do sentido (nós as sublinhamos na tradução). O estilo é jurídico na lei, oratório na exortação (exceto os poucos textos poéticos, caps. 32-33): acumula sinônimos, acrescenta adjetivos (raros no hebraico), constrói períodos, alonga a frase com cláusulas predicativas do relativo. O estilo corresponde à recitação oral: ritmo e sonoridade são fatores da comunicação total. Como retórica, os recursos estão a serviço da interpelação; como ensinamento, ajudam a compreensão e a memória dos que escutam.

Espírito

O livro é de uma excepcional riqueza teológica e ética. Superado o esforço da leitura, o Deuteronômio surpreende por sua caudal inesgotável. A forma jurídica da aliança expressa a fidelidade exclusiva, total e duradoura ao único Senhor. A aliança se articula numa lei, torah, que ordena toda a vida do indivíduo e da sociedade; a fidelidade ao Senhor se traduz no cumprimento da torah. A aliança se baseia na bondade generosa do Senhor, mais do que em promessas humanas: supera o pecado e torna possível a conversão.

Israel é um povo ideal de irmãos. As autoridades estão em função do povo; de modo particular, a favor dos desvalidos e marginalizados. A justiça e o amor fraterno são os princípios de coesão dessa sociedade ideal.

Mais dados, em introduções parciais e no comentário.

INTRODUÇÃO HISTÓRICA

1 ¹*Palavras* que Moisés disse a todo o Israel do outro lado do Jordão, ou seja, no deserto ou estepe que há diante de Suf, entre Farã de um lado, e Tofel, Labã*, Haserot* e Dizaab* do outro; ²são onze jornadas do Horeb a Cades Barne, passando pela serra de Seir. ³Era o primeiro dia do undécimo mês do ano quarenta, quando Moisés se dirigiu aos israelitas por recomendação do Senhor. ⁴Ou seja, depois da derrota de Seon, rei amorreu que residia em Hesebon, e de Og, rei de Basã, que residia em Astarot (em Edrai). ⁵Do outro lado do Jordão, em território moabita, Moisés começou a inculcar esta lei, dizendo assim:

– ⁶O Senhor nosso Deus nos disse no Horeb: Já basta de ir e vir por estas montanhas. ⁷Ponde-vos a caminho e dirigi-vos às montanhas amorreias e aos povoados vizinhos da estepe, da serra, de Sefelá, do Negueb e do litoral. Ou seja, o território cananeu, o Líbano e até o Grande Rio, o Eufrates. ⁸Vê, aí à frente eu te pus a terra; entra para tomar posse da terra que o Senhor prometeu dar a vossos pais Abraão, Isaac, Jacó e, depois deles, à sua descendência. ⁹Então eu vos disse: Sozinho não dou conta, ¹⁰porque o Senhor vosso Deus vos multiplicou, e hoje sois mais numerosos que as estrelas do céu. ¹¹Que o Senhor vosso Deus vos faça crescer mil vezes mais, abençoando-vos como vos prometeu; ¹²porém, como poderei sozinho suportar vossa carga, vossos assuntos e processos? ¹³Escolhei em cada tribo alguns homens hábeis, prudentes e experientes, e eu os nomearei vossos chefes.

¹⁴Vós me respondestes que a proposta vos parecia boa. ¹⁵Então eu peguei alguns hábeis e experientes e os nomeei vossos chefes: para cada tribo, chefes de mil, de cem, de cinquenta e de dez, além de ajudantes. ¹⁶E dei a vossos juízes as seguintes normas: Escutai e resolvei segundo a justiça os processos de vossos irmãos, entre si ou com migrantes. ¹⁷Não sejais parciais na sentença, ouvi da mesma forma peque-

---

1,1-5 Serve de introdução solene ao livro todo, indicando a data, o lugar, o tema, quem fala a quem. A data é dois meses e meio antes da Páscoa (Js 5). O lugar é a fronteira fluvial da terra prometida. Moab não é território israelita: poderia representar simbolicamente o exílio, onde os doutores elaboram a legislação, preparando o retorno à pátria. A ocasião é depois das recentes vitórias e ocupações de terras, que são começo e penhor. Fala Moisés, a quem já anunciaram a morte próxima. Pronuncia "palavras" que serão relato, mandamento e exortação. Assim, cumpre a última incumbência de Deus, depois de ter cumprido as duas primeiras: tirar os israelitas do Egito e conduzi-los até aqui. Seu tema é a "lei" que deve "inculcar" (como quem cava um poço, sugere a etimologia). Dirige-se a "todo Israel" aí presente; na perspectiva do autor, também ao futuro.
1,1 * = Alva; Aldeias; Dourada.
1,4 Nm 21.
1,6-3,29 Estes capítulos formam uma introdução histórica que o autor compõe com materiais de outras tradições e põe na boca de Moisés. O primeiro tema e o último tratam da autoridade: delegação aos anciãos, nomeação do sucessor (1,9-15 e 3,21-28). Entre ambos, uma espécie de díptico recolhe alguns fatos do deserto e vários casos de relações com outros povos. Da longa viagem pelo deserto se recorda a razão, quer dizer, a rebelião do povo na recusa a entrar (1,19-46). Com outros povos: recorda três casos de passagem pacífica – Edom, Moab e Amon (2,1-23) – e dois de batalha (2,24-3,7), que dão lugar à primeira ocupação (3,8-20).
A história das andanças pelo deserto está simplificada, sob o signo de possessão de territórios (outras incidências irão aparecendo em capítulos sucessivos). A fórmula "então/nessa ocasião", repetida dez vezes, baliza o relato.
1,6-8 Horeb é outro nome do Sinai. No mandamento de Deus a etapa prolongada do deserto ainda não existe, pois do monte Sinai se passa diretamente às montanhas da Palestina, e a conquista se anuncia como simples entrada e tomada, sem resistências. A promessa feita aos patriarcas está para se cumprir, entende-se, com a colaboração do povo: "tomai". Se não o faz, pode adiar, não anular a promessa. O ponto de partida é o Sinai, não o Egito, ou seja, a aliança, como momento e ato de fundação. As fronteiras indicadas do território são as maiores em todas as direções, até o Líbano e o Eufrates. Nem Josias sonhou tanto, em sua política comedida de expansão. Será um sonho dos autores pós-exílicos?
1,9-18 O episódio é contado segundo a versão de Nm 11 e Ex 18, com variantes significativas: a mais importante é a democratização. Em vez de dirigir-se a Deus em tom de queixa, Moisés se dirige ao povo; este aprova o plano do chefe e recebe direito de apresentação. O peso do povo se deve ao número, não ao seu temperamento rebelde. É que se cumpriu a bênção patriarcal da fecundidade, premissa para ocupar a terra. Essa bênção se torna peso insustentável para Moisés.
1,11 Nm 11.
1,13 As qualidades que Moisés exige são sapienciais, não carismáticas.
1,14 Ex 18,24-26.
1,16-17 As funções dessas autoridades são estritamente judiciais, de acordo com a partilha de poderes de 17-18. Sua norma suprema é a justiça, igual para todos (e assim ajuda aos fracos), e é garantida por

nos e grandes; não vos deixeis intimidar por ninguém, pois a sentença é de Deus. Se uma causa vos parecer muito difícil, passai-a para mim e eu a resolverei. ¹⁸Na mesma ocasião vos ordenei tudo o que tínheis de fazer.

¹⁹Assim, pois, deixamos o Horeb e nos dirigimos às montanhas amorreias, atravessando aquele imenso e terrível deserto que vistes, e cumprindo as ordens do Senhor nosso Deus chegamos a Cades Barne.

²⁰Então eu vos disse: Chegastes às montanhas amorreias que o Senhor nosso Deus nos dará. ²¹Vê, o Senhor teu Deus colocou diante de ti esta terra. Sobe e toma posse, pois o Deus de teus pais a prometeu para ti. Não temas nem te acovardes.

²²Mas todos vós viestes a mim e me propusestes: "Vamos enviar à frente alguns para examinar a terra e nos informar acerca do caminho que devemos seguir e das cidades em que teremos de entrar".

²³Eu aprovei a proposta, e escolhi entre vós doze homens, um por tribo. ²⁴Eles partiram, subiram a montanha e chegaram a Nahal Escol* e exploraram a região, ²⁵pegaram amostras dos frutos do país, desceram e nos informaram: "É boa a terra que o Senhor nosso Deus vai nos dar".

²⁶Mas vós, rebelando-vos contra a ordem do Senhor vosso Deus, vos negastes a subir. ²⁷E começastes a murmurar em vossas tendas: "O Senhor nos odeia. Por isso nos tirou do Egito, para nos entregar aos amorreus e nos destruir. ²⁸Para onde subiremos? Nossos irmãos nos acovardaram com suas palavras, dizendo que o povo é mais forte e corpulento do que nós, que as cidades são enormes e suas fortificações mais altas que o céu, e que até viram enacitas por lá!"

²⁹Eu vos dizia: Não vos aterrorizeis, não os temais. ³⁰O Senhor, vosso Deus, que vai à frente, lutará por vós, como já fez contra os egípcios, diante de vossos olhos. ³¹No deserto, já viste que o Senhor teu Deus te levou como um filho por todo o caminho, até chegares aqui.

³²Contudo, nem por esses motivos crestes no Senhor vosso Deus que tinha ido à frente, buscando para vós um lugar onde acampar; ³³de noite, vos marcava o caminho com fogo; de dia, com nuvem.

³⁴O Senhor, ouvindo o que dizíeis, irritou-se e jurou: ³⁵"Nenhum dos homens desta geração malvada verá essa terra boa que jurei dar a vossos pais. ³⁶Exceto Caleb, filho de Jefoné: ele a verá, e darei a ele e a seus filhos a terra que pisar, por haver seguido plenamente o Senhor".

Deus (2Cr 19,5-11). Supõe a presença de migrantes na comunidade e prevê uma instância suprema.
1,18 "Tudo" é em hebraico "todas as palavras".
1,19 Os dois adjetivos condensam múltiplas experiências, em visão negativa; compare-se com o cap. 8.
1,20-40 Também o episódio dos exploradores e a rebelião sofrem aqui mudanças significativas. Nasce do povo a ideia de enviar exploradores à frente: Moisés aprova e escolhe os doze. Não há intercessão, e o castigo de Moisés fica vinculado à rebelião do povo. A ação está dominada pelas intervenções faladas dos exploradores, do povo, de Moisés, do Senhor. O autor frisa o caráter de pecado. A cautela é realmente medo e falta de confiança no Senhor. O comunicado dos exploradores é todo positivo (sem referência aos gigantes e às cidades fortificadas). Apesar disso, o povo se recusa a subir e blasfema. De nada vale a exortação de Moisés. Quando o Senhor pronuncia a sentença, o povo não a ouve e decide subir.
1,20 Montanhas amorreias é outra designação da terra. Amorreu significa ocidental; de fato, trata-se de ramos semitas estabelecidos no extremo do poente.
1,21 "Colocou diante de ti": para o povo decidir. Chegou o momento esperado durante séculos, e é momento de salvação, como indica a fórmula "não temais". Nm 13-15.
1,23-25 O comunicado está simplificado. O fator perigo é adiado até o v. 28, e é o povo rebelde que o pronuncia.
1,24 * = Torre do Cacho de Uva.
1,27 Deformação blasfema da saída do Egito. Em vez de justificar sua renúncia culpável, agravam a culpa acusando Deus. O Senhor se revela e a seu plano histórico: é necessária a disposição obediente para entender o sentido da história e da sua revelação. A neutralidade é impossível: negado o sentido autêntico, inventa-se o contrário. O povo reage, como deveria reagir o inimigo diante da intervenção do Senhor.
1,30-33 Fala Moisés, não Caleb, nem Aarão o acompanha. Como de costume, apela à experiência histórica recente (cf. Sl 78). Guiando, Deus mostrou seu afeto pessoal (cap. 8,5): "como águia", diz Ex 19,4. O povo responde desconfiando, com falta de fé (cf. Ex 14,31).
1,31 Dt 8,5; Os 11,1-4.
1,33 Ex 13,21.
1,34-40 Deus distingue as gerações, castigando os rebeldes, mas continuando seu projeto salvador com os filhos, de modo que a promessa patriarcal não falhe. O relato prossegue, extraindo dados da tradição, que supõe conhecida. Voltando ao mar Vermelho, têm de recomeçar o caminho: num instante puseram em jogo a posse e inutilizaram todo

³⁷Também contra mim irritou-se o Senhor por vossa culpa, e me disse: ³⁸"Tampouco tu aí entrarás. Josué, filho de Nun, que está a teu serviço, é quem entrará aí. Confirma-o, porque ele repartirá a herança de Israel. ³⁹Vossos bebês, que já acreditáveis presa do inimigo, e vossas crianças, que ainda não distinguem o bem do mal, entrarão aí e a terra lhes será dada como posse. ⁴⁰Quanto a vós, voltai-vos, ide ao deserto, em direção ao mar Vermelho".

⁴¹Então vós me respondestes: "Pecamos contra o Senhor. Vamos subir para a guerra, como o Senhor nosso Deus nos havia ordenado". E cingistes todos as armas, como se fosse coisa fácil subir a montanha.

⁴²Mas o Senhor me disse: "Dize-lhes que não subam para guerrear, pois não estou com eles, e o inimigo os derrotará". ⁴³Eu vo-lo disse, e não me prestastes atenção; fostes insolentes contra a ordem do Senhor e subistes temerariamente a montanha. ⁴⁴Os amorreus que aí habitavam saíram contra vós, vos perseguiram como abelhas e vos derrotaram em Horma* de Seir. ⁴⁵Voltastes chorando ao Senhor, mas o Senhor não vos escutou nem vos atendeu. ⁴⁶Por isso vivestes tanto tempo em Cades.

2

¹A seguir, demos a volta e fomos ao deserto, em direção ao mar Vermelho, como o Senhor me havia ordenado, e passamos muito tempo dando voltas pela serra de Seir. ²Até que o Senhor me disse: ³"Basta de dar voltas por esta serra. Dirigi-vos ao Norte. ⁴Mas avisa o povo: Vais cruzar a fronteira de Seir, onde habitam vossos irmãos, os descendentes de Esaú; embora vos temam, muito cuidado para não vos envolverdes com eles; ⁵pois não penso em vos dar nem mesmo um pé do território deles. A serra de Seir foi entregue a Esaú. ⁶Pagareis a comida que comerdes e comprareis a água que beberdes. ⁷Pois o Senhor teu Deus te abençoou em todos os teus empreendimentos, vos atendeu na viagem por esse imenso deserto; durante os últimos quarenta anos o Senhor teu Deus esteve contigo, e não te faltou nada".

⁸Assim, pois, cruzamos o território de nossos irmãos, os descendentes de Esaú, que habitavam em Seir; prosseguimos pelo caminho da estepe que começa em Elat e Asiongaber*, e dobrando cruzamos rumo ao deserto de Moab.

⁹O Senhor me disse: "Não provoques os moabitas, nem te envolvas em combate com eles; não te darei posses no território deles, pois o dei como posse aos descendentes de Ló. ¹⁰(Antigamente habitavam aí os emim, povo grande, numeroso e corpulento como os enacitas. ¹¹Comumente acreditava-se que fossem rafaítas, como os

---

o trabalho precedente. Agora entram num tempo de adiamento. Mas a saída do Egito, da escravidão, não é anulada.
1,37 Compare-se com Nm 20,12; 32,51. A tragédia de Moisés se assemelha à de Josias (2Rs 23,25-27).
1,39 Ainda não são responsáveis: Is 7,15s.
1,40-45 Com falso arrependimento, pretendem agora invalidar o novo desígnio de Deus, acrescentando ao anterior o delito de presunção, de desconfiança. As ordens do Senhor são concretas e podem mudar pela incorporação da escolha humana. De nada vale o pranto depois da derrota.
1,41 Nm 14,40-45.
1,44 * = Extermínio. Sl 118,12.
2,1-3,11 Pelo final da viagem e passados os quarenta anos, Israel tem de atravessar em meio a povos estabelecidos. São cinco, repartidos entre paz e hostilidade. O narrador os submete a um esquema simples, que interrompe com informações eruditas sobre a história primitiva de povos e territórios. Israel decide a sua sorte na obediência à ordem de Deus; os outros povos a decidem na sua atitude em relação a Israel e ao projeto do Senhor. Os israelitas devem apresentar-se sempre em tom de paz; somente se defenderão quando forem agredidos.

2,1 Nm 20,14-21.
2,1-3 Na região montanhosa ao sul da Palestina habitavam os idumeus, que o Gênesis considera descendentes de Esaú, irmão de Jacó; são, portanto, um povo aparentado com Israel; o texto os chama de "irmãos" (4.8). O narrador salta as etapas entre o mar Vermelho e Seir. O "basta" do Senhor indica final ou começo de etapa (como em 1,7).
2,5 O Senhor, como soberano, reparte territórios aos povos: Israel há de respeitá-los (como se respeitam os vizinhos dos campos. Cf. Js 24,4).
2,6-8 Na versão de Nm 20,14-21, Edom nega passagem. Aqui se mostra pacífico. Os israelitas realizam uma passagem normal de caravanas, pagando também a água, que é o bem mais precioso nessas regiões.
2,8 * = Floresta do Galo.
2,9 Ló era sobrinho de Abraão e, segundo Gn 19,30-38, dele descendiam Moab e Amon.
2,10-12 Não temos hoje dados para explicar esta glosa erudita. Emim: Gn 14,5; enacitas: Nm 13,33; os rafaítas eram um povo lendário de gigantes. Os horitas eram um povo conhecido em documentos extrabíblicos. É de notar o paralelo histórico que se estabelece entre Edom e Israel e a mudança de povoações (ver a explicação de Eclo 10,8).

enacitas, mas os moabitas os chamavam emim. ¹²Em Seir habitavam antigamente os horitas, mas os descendentes de Esaú os desalojaram e aniquilaram, instalando-se em seu lugar, como fez Israel com o território de sua propriedade que o Senhor lhes deu.) ¹³Agora, cruzai a torrente Zared". E cruzamos a torrente Zared.

¹⁴De Cades Barne até cruzar a torrente Zared, demos voltas por trinta anos, até desaparecer do acampamento toda aquela geração de guerreiros, como o Senhor lhes havia jurado. ¹⁵A mão do Senhor pesou sobre eles até fazê-los desaparecer do acampamento. ¹⁶Quando, finalmente, morreram os últimos guerreiros do povo, ¹⁷o Senhor me disse: ¹⁸"Hoje cruzarás a fronteira de Moab por Ar. ¹⁹Quando estabeleceres contato com os amonitas, não os provoques, nem te envolvas com eles, pois não penso em te dar posses em território amonita, uma vez que o dei como posse aos descendentes de Ló. ²⁰(Também essa região era considerada dos rafaítas, pois antigamente os rafaítas a habitavam, embora os amorreus os chamassem zomzomitas. ²¹Eram um povo grande, numeroso e corpulento, como os enacitas. O Senhor os aniquilou, e os amonitas os desalojaram, instalando-se em seu lugar. ²²O mesmo aconteceu com os habitantes de Seir, descendentes de Esaú; o Senhor aniquilou os horitas, eles os desalojaram e se instalaram em seu lugar, e aí vivem hoje. ²³Quanto aos heveus que habitavam as aldeias de Gaza, os cretenses vindos de Creta os aniquilaram, instalando-se em seu lugar.) ²⁴Vamos! Ponde-vos a caminho para atravessar o rio Arnon. Eu te entrego Seon, o rei amorreu de Hesebon e seu território. Ataca-o e começa a conquista. ²⁵Hoje começo a semear pânico e terror entre todos os povos debaixo do céu; ouvindo tua fama, tremerão e estremecerão diante de ti".

²⁶Do deserto do nascente enviei mensageiros a Seon, rei de Hesebon, com propostas de paz: ²⁷"Deixa-me atravessar teu território. Seguirei sempre em frente, sem me desviar à direita ou à esquerda. ²⁸Nós te pagaremos a comida que nos deres e a água que bebermos; deixa-nos atravessar a pé, ²⁹como fizeram os descendentes de Esaú, que habitam em Seir, e os moabitas, que habitam em Ar, até que atravessemos o Jordão, para entrarmos na terra que o Senhor nosso Deus nos dará".

³⁰Porém, Seon, rei de Hesebon, não quis deixar-nos passar; o Senhor teu Deus o tornou obstinado e teimoso, para entregá-lo em teu poder. Hoje isso é um fato. ³¹O Senhor me disse: "Vê, começo entregando-te Seon e seu território; começa a conquista de seu território".

³²Seon saiu ao nosso encontro com todas as suas tropas em Jasa. ³³E como o Senhor nosso Deus o entregou a nós, nós o derrotamos, bem como a seus filhos e a todo o exército. ³⁴Então conquistamos suas cidades e consagramos ao extermínio os vizinhos, com mulheres e crianças, sem deixar ninguém com vida. ³⁵Somente reservamos para nós, como despojos, o gado e o saque das cidades conquistadas. ³⁶Desde Aroer, às margens do Arnon (a cidade que dá para o rio), até Galaad, não houve aldeia que nos resistisse. O Senhor

---

2,13-19 O pressuposto destes episódios é que toda a geração rebelde tinha morrido no deserto, como castigo da sua rebeldia. Eles não podiam vencer nem entrar na terra. Começou a nova etapa, com novos personagens, protegidos pelo Senhor. O autor gosta de episódios paralelos. Concretamente, a passagem de rios assinala o avanço: a passagem do Zared marca a conclusão do tempo no deserto, a passagem do Arnon será o começo da ocupação da terra.

2,14 Nm 14.

2,15 "Desaparecer": o hebraico diz "transtornar", "desbaratar", termo da guerra santa aplicado aos inimigos.

2,20-23 Na nova glosa erudita há duas mudanças de população, além da já mencionada. Os amorreus entraram a partir do oriente; os cipriotas, do mar ocidental. Os antigos pensavam que os filisteus procediam de Cáftor, provavelmente Creta. A dupla entrada é fato histórico.

2,24-25 Deixados de lado idumeus, moabitas e amonitas, chega o primeiro encontro armado com os amorreus. A ordem de declarar a guerra santa adianta fatos e atribui a iniciativa bélica a uma ordem do Senhor. O pânico sagrado, infundido por Deus, é diferente do simples medo de que fala o v. 4: ver Ex 15,14-16.

2,25 Nm 21,21-30.

2,30 Pela sua resistência às propostas pacíficas, Seon perde a vida e seu território. Isso fica incluído no plano de Deus, de modo que o Jordão já não é a fronteira oriental. A ocupação já é um fato quando Moisés a recorda.

2,31-36 A narração abreviada segue o esquema da guerra santa: oráculo, entrega, vitória, extermínio. Sobre o extermínio, ver 20,10-18.

nosso Deus foi entregando tudo à nossa passagem. ³⁷Apenas evitaste o território amonita, a bacia do Jaboc e os povoados da montanha, como te havia ordenado o Senhor nosso Deus.

3 ¹Voltamo-nos, pois, e começamos a subir em direção a Basã, quando em Edrai saiu ao nosso encontro Og, rei de Basã, com todo o seu exército. ²O Senhor me disse: "Não o temas, pois o entrego a ti, com todo o seu exército e seu território. Trata-o como trataste Seon, o rei amorreu que habitava em Hesebon".

³O Senhor nosso Deus nos entregou também Og, rei de Basã, com todo o seu exército, e os derrotamos, sem deixar ninguém com vida. ⁴Então conquistamos todas as suas cidades, sem deixar de arrebatar-lhes uma sequer. No total, sessenta cidades na região de Argob, domínios de Og de Basã; ⁵todas elas fortificadas com imponentes muralhas e portões com trancas. Sem contar muitíssimas aldeias de camponeses. ⁶Como tínhamos feito com Seon, rei de Hesebon, consagramos ao extermínio todos os vizinhos, com mulheres e crianças. ⁷Somente reservamos para nós como despojos o gado e o saque das cidades. ⁸Assim, conquistamos os territórios dos dois reis amorreus do outro lado do Jordão: do rio Arnon até o monte Hermon. ⁹(Os sidônios chamam o Hermon de Sarion, os amorreus o chamam Sanir.) ¹⁰Todos os povoados da planície, todo Galaad e Basã, até Selca e Edrai, domínios do rei de Basã. ¹¹Og, rei de Basã, era o único sobrevivente dos rafaítas. Na capital, Amã, pode-se visitar seu sarcófago de ferro; mede quatro metros e meio de comprimento e dois metros de largura (padrão normal).

¹²Reparti da seguinte maneira os territórios que conquistamos: aos rubenitas e gaditas destinei a metade da serra de Galaad com seus povoados, a partir de Aroer, junto ao Arnon; ¹³à meia tribo de Manassés destinei o resto de Galaad e todo Basã, domínio de Og, a região de Argob. (Basã é como se chama a terra dos rafaítas.) ¹⁴Jair, filho de Manassés, escolheu Argob, até a fronteira de Gessur e Maacat, e deu a Basã o próprio nome, que subsiste até hoje: Aldeias de Jair. ¹⁵Destinei Galaad a Maquir. ¹⁶Aos rubenitas e gaditas destinei uma parte de Galaad: de um lado, até o Arnon, com fronteira no meio do rio; do outro lado até o Jaboc, fronteira dos amonitas; ¹⁷além disso, a estepe, com o Jordão por fronteira, desde Genesaré ao mar Morto ou mar Salgado, nas encostas orientais do Fasga.

¹⁸Então vos dei estas instruções: O Senhor vosso Deus vos deu esta terra como propriedade. Todos os militares se armarão e passarão à frente de seus irmãos. ¹⁹Nas cidades que vos destinei ficarão somente as mulheres, as crianças e os rebanhos – pois sei que tendes muito gado – ²⁰até que o Senhor conceda a vossos irmãos o descanso como a vós, e também eles tomem posse da terra, que o Senhor vosso Deus lhes dará do outro lado do Jordão. Depois, cada um voltará à posse que vos destinei.

²¹Então dei instruções a Josué: Viste com teus olhos tudo o que o Senhor vosso

---

3,1-10 A vitória sobre Og e a conquista de Basã repetem o esquema precedente. Os dois reis amorreus derrotados soaram como paradigma na tradição da conquista e entraram na lírica (Sl 135 e 136), ao passo que foi esquecido o nome de outros reis cananeus. Inclusive Jabin, chefe dos confederados (Jz 4-5), é menos recordado.
A descrição das cidades amuralhadas é hiperbólica, serve para aumentar a importância da conquista. É correta a distinção entre grupos urbanos com muros e povoados agrícolas abertos. Também é hiperbólica a extensão até o Hermon.
3,1 Nm 21,31-35.
3,9.11 Glosas eruditas. Sl 29,6 e textos ugaríticos mencionam o Sarion. O Sanir é citado em Ct 4,8. A suposta "cama" era um dólmen ou uma formação natural em versão popular e lendária; o "ferro" pode aludir à cor do basalto.

3,12-17 Após a conquista vem a partilha de territórios, conforme o esquema oficial do livro de Josué. Os fatos da Transjordânia antecipam a ocupação oficial da terra de Canaã. A partilha fica confusa, devido à acumulação não harmonizada de dados sucessivos: Rúben desapareceu rapidamente como tribo, Manassés ficou dividido com o Jordão ao meio, Maquir figura como tribo independente em Jz 5, ao passo que outras tradições a consideram clã de Manassés, como também Jair; ver Nm 32.
3,18-20 O assentamento antecipado de algumas tribos cria problema, pois, conforme a ideia tradicional, todo Israel participou da conquista, e o Jordão conservou o caráter de fronteira ideal. Nm 32 narra extensamente esses fatos, atribuindo às tribos a iniciativa. Aqui é Moisés quem dá a ordem.
3,21-28 Como em Nm 27,12-23, o anúncio da morte próxima de Moisés e a nomeação do sucessor

Deus fez a esses dois reis. O mesmo fará o Senhor a todos os reinos em que entrarás. ²²Não os temas, pois o Senhor vosso Deus luta em vosso favor.

²³Então rezei assim ao Senhor: ²⁴Meu Senhor, tu começaste a mostrar a teu servo tua grandeza e a força da tua mão. Que deus há no céu ou na terra que possa realizar as façanhas e proezas que realizas? ²⁵Deixa-me passar e ver essa terra formosa além do Jordão, essas formosas montanhas e o Líbano.

²⁶Mas o Senhor estava irritado comigo por vossa culpa e não consentiu; apenas me disse: "Basta! Não continues falando nesse assunto. ²⁷Sobe ao topo do Fasga, olha para o poente e o levante, o norte e o sul, e contempla com os olhos, pois não atravessarás o Jordão! ²⁸Dá instruções a Josué, infunde-lhe ânimo e coragem, porque ele passará à frente desse povo e lhes repartirá a terra que estás vendo".

²⁹E permanecemos no vale, diante de Bet-Fegor.

4 ¹Agora, Israel, escuta os mandatos e decretos que eu vos ensino a praticar; assim vivereis, entrareis e tomareis posse da terra que o Senhor Deus de vossos pais vos dará. ²Não acrescenteis nada ao que vos ordeno, nem suprimais nada; cumpri os preceitos do Senhor vosso Deus que eu hoje vos ordeno. ³Vossos olhos viram o que o Senhor fez em Baal-Fegor; o Senhor teu Deus exterminou no meio de ti todos os que seguiram o ídolo de Fegor; ⁴mas vós, que vos apegastes ao Senhor vosso Deus, estais hoje todos com vida. ⁵Vede, eu vos ensino os mandatos e decretos que me ordenou o Senhor meu Deus, para que os cumprais na terra onde entrareis para tomar posse dela. ⁶Praticai-os, e eles serão vossa prudência e sabedoria diante dos outros povos, que, ouvindo estes mandatos, comentarão: "Que povo sábio e prudente, e que grande nação! ⁷Pois, que grande nação tem um deus tão próximo como está o Senhor nosso Deus, quando o invocamos? ⁸E que grande nação tem

---

seguem juntos. Só que a reação de Moisés aqui é muito diferente. É uma reação emotiva que revela a dor intensa de Moisés. Se Deus começou o empreendimento, tem de continuar e terminar; se Moisés, por incumbência do Senhor, começou e seguiu até aqui, não poderá terminar? Confessa a grandeza incomparável do Senhor, suplica quase como um menino. Um dia pediu a morte (Nm 11), agora pede para viver até o final da tarefa. Pede para "passar e ver".
O Senhor lhe permite ver, sem passar. "Irritar" soa em hebraico como "passar". Quando intercedeu por outros, inclusive pelo faraó, Moisés foi ouvido; quando suplica por si, não é ouvido. Deus corta o diálogo. A execução desta ordem é adiada até o final do livro; no meio fica o que se apresenta como testamento espiritual de Moisés.

3,27 Dt 34,1.
3,29 Para isso se estabelecem temporariamente no vale.
4,1-40 Este capítulo é adição e serve como grande introdução aos caps. 5-28. Pode-se detectar nele o esquema de código e de aliança. *Código*: prólogo (1-8); corpo legal (9-31); epílogo (32-40). *Aliança*: prólogo histórico (10-14); princípio fundamental (15-19.23-24); sanções (25-31). O tema central é o primeiro mandamento: culto exclusivo ao Senhor e recusa aos ídolos. O cumprimento se inculca com motivos convergentes: benefícios recebidos, grandeza do Senhor, promessas e ameaças. Nisso o capítulo se encaixa no espírito do Deuteronômio, embora no estilo mostre aspectos distintos.
4,1-2 O começo pode ser lido como consequência da história contada por Moisés, mas as fórmulas são de começo. Aparecem as fórmulas "escuta" (5,1; 6,4; 9,1), "mandatos e decretos", "agora" (10,12). O título "Deus de vossos pais" alude à promessa patriarcal. A entrada na terra está condicionada, como em 8,1.
4,3-4 Da história precedente escolhe o exemplo de Baal-Fegor, caso típico de escolha entre "seguir" o ídolo (com prostituição sagrada) e "apegar-se" ao Senhor, fórmula que exprime adesão, lealdade exclusiva. A retribuição sancionou a escolha humana, e a recordação soa como aviso ou advertência: é questão de vida ou morte.
4,5 "Mandatos e decretos" é um dos binômios (hendíadis) que exprimem totalidade. O seu cumprimento se propõe aqui, não como condição para entrar, mas como tarefa na terra já ocupada; e no seu cumprimento concreto e sucessivo se realiza a lealdade radical: do primeiro mandamento dependem os demais.
4,6-7 Sabedoria ou sensatez e prudência são qualidades humanas, internacionais, cultivadas e estimadas por outros povos. Israel possui sensatez própria, recebida de Deus como ordem de vida (ver a identificação em Eclo 24,23; Br 4,1). Uma vida segundo os preceitos será testemunho perante o resto das nações; por ela Israel será reconhecido como "grande nação", e isto se diz quando os judeus formam pequena província do grande império persa. No cumprimento desta lei, mais que no templo, Israel terá perto de si o seu Deus. Pode invocá-lo, pronunciando seu nome, sem necessidade de imagens, com uma relação mais pessoal e exigente. Is 55,6.
4,8 Nem os famosos códigos de outros povos (p. ex., o de Hamurábi) podem-se comparar com o código legal de Israel, que é um humanismo revelado e garantido por Deus.

mandatos e decretos tão justos como esta lei que eu vos promulgo hoje?

⁹Porém, cuidado! Guarda-te muito bem de não esquecer os acontecimentos que teus olhos viram, que não se afastem de tua memória enquanto viveres; conta-os a teus filhos e netos. ¹⁰Aquele dia em que estiveste diante do Senhor teu Deus no monte Horeb, quando o Senhor me disse: "Reúne o povo, e lhes farei ouvir minhas palavras, para que aprendam a me temer enquanto vivem na terra e as ensinem a seus filhos".

¹¹Vós vos aproximastes e permanecestes ao pé da montanha, enquanto a montanha ardia com chamas que chegavam ao céu, no meio de escuras e densas nuvens. ¹²O Senhor vos falava desde o fogo: ouvíeis palavras sem ver nenhuma figura; ouvia-se somente uma voz. ¹³Ele vos comunicou sua aliança e os dez mandamentos que vos ordenava cumprir, e os gravou em duas tábuas de pedra. ¹⁴A mim ordenou que vos ensinasse os mandatos e decretos que devíeis cumprir na terra, para onde cruzareis a fim de tomar posse dela.

¹⁵Muito cuidado! Pois quando o Senhor vosso Deus vos falou no Horeb, desde o fogo, não vistes nenhuma figura. ¹⁶Não vos pervertais, fazendo para vós ídolos ou figuras esculpidas: imagens de homem ou mulher, ¹⁷imagens de animais terrestres, imagens de aves que voam pelo céu, ¹⁸imagens de répteis do solo, imagens de peixes da água sob a terra. ¹⁹Ao erguer os olhos para o céu, ao ver o sol, a lua e as estrelas, todo o exército do céu, não te deixes arrastar, prostrando-te diante deles para prestar-lhes culto; pois o Senhor teu Deus os repartiu entre todos os povos debaixo do céu. ²⁰Quanto a vós, o Senhor vos tomou e tirou do forno de ferro do Egito, para que fôsseis o povo de sua herança, como és hoje.

²¹O Senhor se irritou comigo e jurou-me que eu não atravessaria o Jordão nem entraria nessa boa terra que o Senhor teu Deus te dará como herança. ²²Sim, eu morrerei nesta terra, sem atravessar o Jordão, ao passo que vós o atravessareis e tomareis posse dessa boa terra. ²³Cuidado para não esquecer a aliança que o Senhor

---

4,9 Os fatos recentes apoiam a observância, porque os mandatos se fundamentam nos benefícios precedentes de Deus; seu cumprimento tem algo de resposta agradecida. Daí a importância da memória na religiosidade de Israel (cf. Sl 78).

4,10 O temor é reverência e respeito que se traduzem no cumprimento. Estabelece também o princípio do ensinamento como catequese familiar.

4,10-14 Começa pela aliança e promulgação da lei ou Decálogo, com suas circunstâncias. A primeira é a reunião ou convocação (raiz qhl) do povo, por ordem de Deus executada por Moisés. O povo "se aproxima" (contra Ex 19,12) e se mantém de pé, em atitude litúrgica. Deus se manifesta numa teofania espetacular, enigmática, feita de fogo e obscuridade; mas não se mostra com figura visível – fundamento da proibição de imagens. O protocolo escrito da aliança é constituído pelo Decálogo, escrito ou gravado em duas tábuas: tradicionalmente se dizia e se representava o Decálogo repartido em duas seções, e até se distinguiam os preceitos da primeira e da segunda tábua. Por comparação com a prática antiga, alguns acreditam que se trata de duas cópias do protocolo, para os dois contratantes ou signatários. Conforme a concepção do Dt, Moisés recebeu no Horeb só as "dez palavras" (5,22). Recebeu também a ordem genérica de dar mais tarde aos israelitas uma série articulada de "mandatos e decretos". No deserto, os israelitas se atêm aos dez mandamentos; em Moab, Moisés promulga novos decretos, que de algum modo especificam e comentam o Decálogo (como veremos). Diversa é a concepção de Ex, Lv e Nm, que situam no Sinai a promulgação de códigos legais inteiros.

4,12 Hb 12,18s.

4,15 O argumento contra os ídolos se baseia na oposição entre palavra e figura. O culto de Yhwh não admite representação (culto anicônico); mais ainda, toda tentativa de representá-lo desemboca em fabricação de ídolos. A representação do Senhor não só está proibida, mas além disso é impossível.

4,16-19 Os dois rivais do culto autêntico são o culto idolátrico de imagens de seres vivos (incluídas as figuras humanas) e o culto astral. Em forma de linguagem, é frequente e normal o "antropomorfismo" ou discurso sobre Deus em termos humanos; é pouco frequente o zoomorfismo (p. ex. Dt 32,11; Is 31,4s; Os 13,8). Sobre o culto astral, pode-se ver Jó 31,26-27; Sb 13,2; foi perigo especial para os exilados na Babilônia.

4,19b-20 O hebraico usa jogo de palavras: hlq/lqh = repartir e escolher. É estranho referir a Deus a atribuição de diversas constelações ou astros a diversas nações. Segundo a mentalidade antiga, os astros eram animados, exército de Deus que cumpre suas ordens e recebe tarefas específicas, seres angélicos (cf. Jó 38,7); mas não são deuses nem divinos. Dentro dessa mentalidade deve-se inscrever a presente afirmação (cf. Dt 32,8). O v. 20 sintetiza três elementos: escolha, libertação, propriedade.

4,21-24 Servem para ligar o fato do Horeb com a situação presente diante do Jordão: a entrada na terra dos cananeus redobrará as tentações de idolatria. O povo é herança do Senhor e a "boa terra" é herança do povo, lugar onde há de viver a aliança.

vosso Deus concluiu convosco: não façais para vós ídolos de qualquer figura, coisa que o Senhor teu Deus te proibiu; ²⁴ pois o Senhor teu Deus é fogo devorador, Deus ciumento.

²⁵Quando gerardes filhos e netos e vos tornardes velhos na terra, se vos perverterdes, fazendo para vós ídolos de qualquer figura, fazendo o que o Senhor teu Deus reprova – ²⁶convoco hoje, como testemunhas contra vós, o céu e a terra! –, desaparecereis rapidamente da terra da qual tomarás posse ao atravessar o Jordão; não prolongareis a vida nela, mas sereis destruídos! ²⁷O Senhor vos dispersará entre as nações e sobrarão poucos entre os povos para onde o Senhor vos deportará! ²⁸Aí servireis a deuses fabricados por homens, de madeira e de pedra, que não veem, nem ouvem, nem comem, nem cheiram. ²⁹Aí procurarás o Senhor teu Deus e o encontrarás, se o procurares de todo o coração e com toda a alma. ³⁰Quando, no fim dos anos, te atingirem e angustiarem todas estas maldições, voltarás ao Senhor teu Deus e a ele obedecerás. ³¹Porque o Senhor teu Deus é um Deus compassivo: não te abandonará, não te destruirá, nem esquecerá a aliança que jurou a vossos pais.

³²Sim, pergunta à antiguidade, aos tempos passados, remontando-te ao dia em que Deus criou o homem sobre a terra, e abrangendo o céu de uma extremidade à outra, se aconteceu algo tão grande ou se algo semelhante se ouviu. ³³Algum povo ouviu Deus falando desde o fogo, como tu ouviste, e permaneceu vivo? ³⁴Tentou algum deus tirar um povo do meio de outro com provas, sinais e prodígios, ao toque de guerra, com mão forte e braço estendido, com terríveis prodígios, como fez convosco o Senhor vosso Deus contra os egípcios, diante de vossos olhos?

³⁵Foi a ti que ele mostrou tudo isso, para que saibas que o Senhor é Deus e não há outro fora dele. ³⁶Do céu ele te fez ouvir sua voz para instruir-te, na terra te fez ver seu fogo terrível, e escutaste suas palavras do meio do fogo. ³⁷Porque amava vossos pais e escolheu seus descendentes, ele em pessoa te tirou do Egito com grande poder, ³⁸para desapossar povos mais numerosos e poderosos do que tu, para levar-te à terra deles e dá-la a ti em herança, coisa que hoje é fato. ³⁹Portanto, reconhece hoje e põe em teu coração: o Senhor é Deus, no alto do céu e embaixo na terra, e não existe outro. ⁴⁰Guarda os mandatos e preceitos que hoje te darei; assim, tudo correrá bem para ti e para teus filhos que te sucederem, e prolongarás a vida na terra que o Senhor teu Deus te dará para sempre.

⁴¹Então Moisés separou três cidades ao leste do Jordão, ⁴²para que nelas

---

4,24 "Fogo", como na teofania do Sinai; "ciumento", porque exige adesão total e exclusiva (Ex 20,5; 34,14). Pelo ciúme o amor passa à ira, que é fogo e devora.

4,25-28 Escrito com a perspectiva próxima do exílio, projetada para a previsão profética de Moisés. O exílio será – foi – castigo do exílio (pregação de Jr e Ez). A posse da terra como herança é condicionada: é possível perdê-la, e sua perda implica também diminuição da população; quer dizer, ficam anuladas duas promessas patriarcais. No exílio se cumpre a dialética do pecado: por ter servido, prestado culto aos falsos deuses de Canaã, terão de servir, como escravos, aos deuses de povos estrangeiros.

4,26 Dt 32,1.

4,28 Sl 115,4-8.

4,29-31 Mas o exílio não será – não foi – o fim, porque a compaixão de Deus é o arco supremo que tudo abrange, incorporando, como segmentos históricos, o castigo saudável, o arrependimento e o perdão. A compaixão de Deus transforma em salvação o castigo aceito, porque a sua aliança-promessa com os patriarcas continua em vigor.

4,29 Ver Is 55,6; Jr 29,13.

4,30 A "conversão" pregada repetidamente por Jeremias. 1Rs 8,47.

4,31 Ex 34,6.

4,32-40 Depois da exposição negativa sobre os ídolos, com suas ameaças, o pregador passa a inculcar a doutrina positiva sobre *Yhwh*: um monoteísmo formal e explícito, na linha do Segundo Isaías (Is 45,5.18.22; etc.). A profissão de fé, "reconhecer", se repete à maneira de estribilho (35 e 39).

Ainda que breve, o epílogo é uma peça oratória que utiliza seus melhores recursos: enumera (sete membros, no v. 34), interroga, interpela, solicita a colaboração dos ouvintes, "pergunta" (cf. Jó 8,8). Quer abarcar o espaço celeste de um extremo ao outro e remontar na história até a criação de Adão: colocado nessas coordenadas de espaço e tempo, o feito de Israel é máximo e único, como é único seu Deus, o Senhor.

Entre os feitos recentes, o orador destaca a saída do Egito e a revelação verbal no Sinai. Destaca-se que essa aliança é consequência da promessa feita aos patriarcas. Tudo deve desembocar, por parte do povo, no cumprimento da lei, fonte de bênçãos.

4,41-43 Ligam-se com 3,28. Ver Nm 35,9-15 e Dt 19,1-10.

procurasse refúgio quem sem intenção tivesse matado outra pessoa, sem odiá-la anteriormente; refugiando-se numa delas, salvaria a vida. ⁴³Para os rubenitas, Bosor, no deserto, na planície; para os gaditas, Ramot de Galaad; para os manassitas, Golã de Basã.

LEI
1. DECÁLOGO E PARÊNESE
(Ex 20)

⁴⁴Lei que Moisés promulgou aos israelitas. ⁴⁵Normas, *mandatos e decretos* que Moisés propôs aos israelitas ao sair do Egito, ⁴⁶do outro lado do Jordão, no vale diante de Bet-Fegor, no território de Seon, rei amorreu que habitava em Hesebon. Ao sair do Egito, Moisés o derrotou com os israelitas, ⁴⁷e conquistaram o território dele, como o de Og, rei de Basã, dois reis amorreus, ⁴⁸do lado oriental do Jordão. ⁴⁹Toda a estepe ao leste do Jordão, desde Aroer, às margens do Arnon, até o monte Sarion (ou Hermon) e até o mar Morto, nas encostas do Fasga.

5 ¹Moisés convocou os israelitas e lhes disse:

– *Escuta, Israel, os mandatos e decretos* que hoje vos proclamo, para que os aprendais, os guardeis e os ponhais em prática.

²O Senhor nosso Deus fez aliança conosco no Horeb. ³Não fez essa aliança com nossos pais, mas conosco, com os que estamos vivos hoje, aqui. ⁴Cara a cara o Senhor falou convosco na montanha, desde o fogo. ⁵Eu era mediador entre o Senhor e vós, anunciando-vos a palavra do Senhor, porque aquele fogo vos dava medo e não subistes à montanha.

O Senhor disse: ⁶"Eu sou o Senhor teu Deus. Eu te tirei do Egito, da escravidão.

⁷Não terás outros deuses diante de mim.

⁸Não farás para ti ídolos: nenhuma figura do que há no alto do céu, embaixo

---

LEI
1. DECÁLOGO E PARÊNESE

4,44-48 Com exceção da referência local e temporal, estes versículos pertencem a um cuidadoso sistema de títulos e subtítulos.

4,46 A localidade é a já conhecida Bet-Fegor; o tempo genérico é a época da saída do Egito, em particular depois da vitória sobre os dois reis.

Um primeiro título abrange a lei inteira, com suas sanções, ou seja, até o cap. 28 inclusive: chama-se a Lei ou torah. O segundo título abrange o código legal, 5,1-26,16: são os mandatos e decretos.
O código compreende: amplo prólogo (5-11), o corpo de leis e comentários (12-26); o epílogo (27-28). O binômio "mandatos e decretos" contém por inclusão o prólogo e o corpo: 5,1 com 11,32; 12,1 com 26,16. Pelo tema, propõe o Decálogo ao começar o prólogo; este o amplia e desenvolve livremente no corpo. O prólogo do código se articula em duas peças paralelas (5-8 e 9-11) que começam ambas com "escuta, Israel". Ambas as seções contêm elementos históricos, parêneses e sanções. Esses detalhes acumulados mostram a consciência e diligência com que os doutores compuseram o livro.

5 Moisés torna a pronunciar o Decálogo (6-22), trazendo à memória as circunstâncias da sua primeira promulgação, (1-5 e 23-33).

5,1-5 Esta promulgação, em rigor, foi feita com a geração saída do Egito, já desaparecida no deserto. Moisés a atualiza, em linguagem jurídica, para a segunda geração, a que vive e está presente em Moab. A aliança foi feita com Israel: Israel é o povo aí presente. Os mandatos devem ser aprendidos de cor; o modo de "guardá-los" é "executando-os". Hb 8,6.

5,6-22 No aspecto final distinguimos: a auto-apresentação com nome e títulos, a série de mandatos e proibições com comentários, a nota sobre promulgação oral e registro escrito. Ocupa lugar central o preceito do sábado, unido ao começo pela referência à escravidão no Egito, e ao último preceito pela repetição de "escravo e escrava, boi e jumento". Combinam-se a forma concisa e o enunciado com comentário; o grupo final (17-21) é unido por conjunção copulativa.
No conteúdo: são uma síntese abreviada que abrange o substancial da vida desse povo. Apresentam-se como palavra de Deus, como revelação concreta. Não como resultado da extração de elementos de códigos estrangeiros, nem como fruto de reflexão sapiencial puramente humana. Não pretendem reger a vida ética de todos os povos. Com relação ao Decálogo de Ex 20, varia um pouco na organização e um pouco mais a motivação. Para o detalhe, ver o comentário correspondente.

5,6 O soberano que outorga a aliança se chama *Yhwh*, leva um título de referência, "teu Deus", e outro histórico, "te tirei...". A outra parte da aliança é um tu, um grupo de escravos sem direitos que agora é um povo livre, capaz de receber a sua constituição.

5,7 "Diante de mim": fazendo concorrência, num panteão de iguais ou escalonados. Não é enunciado doutrinal, "não há" (como em 4,35.39); é um mandato de exclusividade: "não terás". "Outros deuses" ou deuses alheios, estrangeiros.

5,8 A divisão céu-terra-água corresponde aos animais, pois não se fazem imagens diretas de astros e constelações; como divindades, são representadas em figura humana. O preceito proibia outrora o culto do Senhor em imagem, e nesse sentido acrescentava algo ao primeiro. Mais tarde, toda imagem de divindade foi considerada idolátrica.

na terra ou na água sob a terra. ⁹Não te prostrarás diante deles nem lhes prestarás culto, porque eu, o Senhor teu Deus, sou um Deus ciumento: castigo o pecado dos pais nos filhos, netos e bisnetos, quando me aborrecem. ¹⁰Mas sou leal por mil gerações, quando me amam e guardam meus preceitos.

¹¹Não pronunciarás o nome do Senhor teu Deus em falso, porque o Senhor não deixará impune quem pronunciar seu nome em falso.

¹²Guarda o dia de sábado, santificando-o, como o Senhor teu Deus te ordenou. ¹³Trabalha e faze tuas tarefas durante seis dias; ¹⁴mas o sétimo é dia de descanso dedicado ao Senhor teu Deus. Não farás nenhum trabalho, nem tu, nem teu filho, nem tua filha, nem teu escravo, nem tua escrava, nem teu boi, nem teu asno, nem teu gado, nem o migrante que viver em tuas cidades, para que o escravo e a escrava descansem como tu. ¹⁵Recorda que foste escravo no Egito e que daí o Senhor teu Deus te tirou, com mão forte e com braço estendido. Por isso o Senhor teu Deus te ordena guardar o dia de sábado.

¹⁶Honra teu pai e tua mãe, como te ordenou o Senhor, teu Deus; assim, prolongarás a vida, e tudo te correrá bem na terra que o Senhor teu Deus te dará.

¹⁷Não matarás.

¹⁸Nem cometerás adultério.

¹⁹Nem roubarás.

²⁰Nem darás falso testemunho contra teu próximo.

²¹Nem pretenderás a mulher do teu próximo. Nem cobiçarás sua casa, nem suas terras, nem seu escravo, nem sua escrava, nem seu boi, nem seu asno, nada do que lhe pertença".

²²São esses os mandamentos que o Senhor pronunciou com voz potente diante de toda a vossa assembleia, na montanha, desde o fogo e as nuvens. E, sem acrescentar nada, gravou-os em duas tábuas de pedra, entregando-as a mim.

²³Ouvindo a voz que saía das trevas, enquanto o monte ardia, vossos chefes de tribo e autoridades se aproximaram de mim ²⁴e me disseram: "O Senhor nosso Deus mostrou-nos sua glória e sua grandeza, e ouvimos sua voz que saía do fogo. Hoje vemos que Deus pode falar a um homem, e este continuar vivo. ²⁵Mas agora tememos morrer, devorados por esse fogo violento; se continuarmos ouvindo a voz do Senhor nosso Deus, morreremos. ²⁶Pois, que mortal é capaz de ouvir, como nós, a voz de um Deus vivo, falando desde o fogo, e sair vivo? ²⁷Aproxima-te e escuta tudo o que o Senhor nosso Deus tem para te dizer. Em seguida, tu nos comunicarás tudo o que te disser o Senhor nosso Deus; nós escutaremos e obedeceremos".

²⁸O Senhor ouviu o que me dizíeis, e me disse: "Ouvi o que esse povo te diz; ele tem razão. ²⁹Oxalá conservem sempre essa atitude, respeitando-me e guardando meus mandamentos; dessa forma, tudo correrá bem a eles e a seus filhos, para sempre. ³⁰Vai e dize-lhes: Voltai às tendas. ³¹Tu,

---

5,9 A motivação vale contra toda idolatria. O castigo de Deus penetra na história, de modo que os descendentes sofrem as consequências do pecado paterno.

5,10 Por outro lado, a bondade de Deus penetra na história até uma distância inatingível. Mil gerações seriam quarenta mil (ou vinte e cinco mil) anos.

5,11 "Em falso": para provar com juramento algo falso, para dar consistência com o nome de Deus ao que não a tem. Inclui também a blasfêmia (cf. Eclo 23,7-12).

5,12-15 Santificá-lo é consagrá-lo ao Senhor. A motivação é social, igualitária, estendida inclusive aos animais domésticos, ao passo que Ex 20 dava motivação teológica. Cessando o trabalho, o homem experimenta sua liberdade; o escravo tem de trabalhar sem descanso: a lembrança do Egito o confirma.

5,16 "Honrar" inclui sustentar, manter, cuidar, quando for preciso. Ver o comentário de Eclo 3,1-16.

5,17-19 Três campos fundamentais: a vida individual, a família, a propriedade.

5,21 Cobiçar em sentido ativo, movendo à ação, pondo os meios. Separando-se de Ex 20, distingue com verbos diferentes a mulher e as posses.

5,22 A promulgação que confere vigência se faz de viva voz, a escritura é instrumento jurídico para o futuro; escrito em cópia dupla. "Sem acrescentar nada": segundo a concepção de Dt (vv. 30-31), o Senhor comunicou a Moisés oralmente outras instruções que se comunicam e se promulgam agora.

5,23-27 A explicação do povo não é muito coerente. Geralmente é ver a Deus que provoca a morte, não ouvi-lo; conforme Ex 20, a voz era terrível, com acompanhamento de trovões. Aqui o povo distingue dois tempos: até agora ouviram e não morreram; doravante temem morrer se ouvem. A consequência deveria ser o contrário: doravante podem continuar ouvindo sem temor. O autor quer democratizar a mediação de Moisés: a proposta nasce do povo, e o Senhor a sanciona.

5,25 Hb 12,19s.

porém, fica aqui comigo, e te farei conhecer todos os mandamentos, mandatos e decretos que deverás ensinar-lhes, a fim de que os cumpram na terra que lhes darei para que tomem posse dela". ³²Ponde em prática o que o Senhor vosso Deus vos mandou; não vos afasteis nem à direita nem à esquerda. ³³Segui o caminho que vos indicou o Senhor vosso Deus, e vivereis; tudo vos correrá bem e prolongareis a vida na terra que ides ocupar.

6 ¹São esses os mandamentos, os *mandatos e decretos* que o Senhor vosso Deus vos ordenou aprender e cumprir na terra em que entrareis para tomar posse dela. ²Respeita o Senhor teu Deus guardando por toda a vida todos os mandatos e mandamentos que te dou – e também teus netos –, e te prolongarão a vida. ³Escuta, Israel, e põe-no em prática para que te corra bem e cresçais muito. O Senhor Deus de teus pais já te disse: "É uma terra onde corre leite e mel".

⁴*Escuta, Israel*, o Senhor nosso Deus é somente um. ⁵Amarás o Senhor teu Deus com todo o coração, com toda a alma, com todas as forças. ⁶As palavras que hoje te digo permanecerão em tua memória, ⁷e tu as inculcarás a teus filhos e falarás delas estando em casa e a caminho, deitado e de pé; ⁸tu as atarás ao teu punho como um sinal, serão na tua testa um sinal; ⁹tu as escreverás nos umbrais de tua casa e em teus portais.

¹⁰Quando o Senhor teu Deus te introduzir na terra que jurou a teus pais – a Abraão, Isaac e Jacó – que te daria, com cidades grandes e ricas, que tu não construíste, ¹¹casas transbordantes de riquezas que tu não encheste, poços já cavados que tu não cavaste, vinhas e oliveiras que tu não plantaste, quando comeres até fartar-te, ¹²cuidado para não esquecer o Senhor, que te tirou do Egito, da escravidão.

¹³Respeitarás o Senhor teu Deus, a ele somente servirás, somente em nome dele jurarás.

¹⁴Não seguireis deuses estrangeiros, deuses dos povos vizinhos, ¹⁵porque o Senhor teu Deus é um Deus ciumento no meio de ti. Não se acenda contra ti a ira do Senhor teu Deus e te extermine da superfície da terra.

¹⁶Não tentareis o Senhor vosso Deus, pondo-o à prova, como o tentastes em Massá*.

5,32-33 Na situação presente, junto ao Jordão, os mandatos dizem respeito à terra: condição para entrar e tarefa quando se estabelecerem. O caminho, como forma de vida, continua na terra.

6,1-3 Unidos aos dois anteriores, formam uma transição parenética, com os motivos já conhecidos, especialmente bênçãos pelo cumprimento. "Respeitar" é um dos termos com que o livro expressa a entrega ao Senhor. Combina-se com ou substitui-se por: seguir, apegar-se, amar, escutar, obedecer.

6,4-9 Esta é a famosa profissão israelita, oração de todos os dias, que se completa com Nm 15,37-41 e Dt 11,18-21. Funciona aqui como comentário ao primeiro mandamento, que fundamenta e abrange os demais. Jesus a recolhe em Mc 12,28-30. Discute-se sobre o sentido dessa unicidade de Deus: para Israel ou em absoluto, ou em oposição aos muitos baais. A tradição posterior o entendeu em sentido absoluto, como profissão de estrito monoteísmo; e assim seria na sua origem, se o texto fosse criação posterior ao Segundo Isaías; ver o anúncio de Zc 14,9. A unicidade do Senhor exige a entrega total, sem divisões, sem reservas. O amor deve apoderar-se da pessoa toda, e não pode limitar-se a mero afeto, mas deve traduzir-se na observância dos mandamentos. É possível que na unicidade do amado e na entrega total do amante soe a linguagem do amor (Ct 6,8-9). Mas a expressão também se lê em pactos de soberano com vassalo.

Os mandatos, não só o Decálogo, serão objeto de aprendizado, de catequese; a recitação oral servirá de distintivo. Como pulseira na mão, para agir; como broche no turbante, entre os olhos, para não perdê-los de vista; nas portas das casas e nos portões da cidade; em todas as posições e situações.

6,10-19 Ampliação e exortação. De novo se inculca o primeiro mandamento, apoiado em benefícios prévios e sancionado por ameaças e promessas.

6,10-11 A entrega da terra inclui todas as melhorias introduzidas pela cultura humana, de ordem urbana e agrícola; não menciona o pastoreio, ao qual poderiam aludir os poços. Outros povos trabalharam para que Israel agora desfrute (cf. Jo 4,38); tema desenvolvido no cap. 8.

6,12-14 Ao mesmo tempo, a terra será uma nova situação, cheia de tentações. Porque a cultura urbana e agrícola de seus habitantes se encontra sob a invocação e proteção de numerosos deuses ou baais. A lembrança da libertação ajudará contra tais tentações.

6,13 Citado em Mt 4,10 e Lc 4,8.

6,15 O Deus ciumento não admite rivais; do ciúme passa à cólera: Ex 20,5.

6,16 Citado em Mt 4,7 e Lc 4,12. Massá como exemplo: Sl 95,8-9. * = Tentação.

¹⁷Guardareis os mandamentos do Senhor vosso Deus, as normas e mandatos que te ordenou.

¹⁸Farás o que o Senhor teu Deus aprova e considera bom; assim, tudo correrá bem para ti, entrarás e tomarás posse dessa boa terra que o Senhor prometeu a teus pais, ¹⁹expulsando diante de ti todos os teus inimigos, como o Senhor te disse.

²⁰Quando, amanhã, teu filho te perguntar: "O que são essas normas, esses mandatos e decretos que o Senhor vosso Deus vos ordenou?" ²¹Tu responderás a teu filho: "Éramos escravos do Faraó no Egito, e o Senhor nos tirou do Egito com mão forte; ²²o Senhor fez sinais e prodígios grandes e funestos contra o Faraó e toda a sua corte, diante dos nossos olhos. ²³Tirou-nos daí, para nos trazer e nos dar a terra que havia prometido a nossos pais. ²⁴E nos mandou cumprir todos esses mandatos, respeitando o Senhor nosso Deus, para nosso bem perpétuo, para que continuemos vivendo como hoje. ²⁵Ficaremos justificados diante do Senhor nosso Deus, se pusermos em prática todos os mandamentos que nos ordenou".

7 ¹Quando o Senhor teu Deus te introduzir na terra em que entras, para tomar posse dela, e expulsar à tua chegada as nações maiores do que tu – heteus, gergeseus, amorreus, cananeus, ferezeus, heveus e jebuseus –, sete povos mais numerosos e fortes do que tu; ²quando o Senhor teu Deus os entregar em teu poder e tu os venceres, os consagrarás sem remissão ao extermínio. Não farás pacto com eles nem terás piedade deles. ³Não te tornarás parente deles: não darás teus filhos a suas filhas, nem tomarás suas filhas para teus filhos. ⁴Porque eles os afastarão de mim, para que sirvam a deuses estrangeiros, e a ira do Senhor se acenderá contra vós e não demorará em vos destruir.

6,20-25 Moisés institui a catequese como recurso de continuidade (cf. Ex 12,26; 13,14). No âmbito familiar, os pais instruem seus filhos; no nacional, uma geração instrui a seguinte. Instruir não é só fazer aprender de cor os mandamentos, mas dar seus motivos, explicar seu sentido; para isso, ligá-los à experiência histórica da libertação do Egito. O Senhor emancipou uns escravos para fazer deles seu povo, pelo que tem direito a ser obedecido. Mas não busca impor sua autoridade, busca a vida dos seus. Alguns chamaram de "pequeno credo" este esboço de catequese, porque resume o substancial da salvação, desde a promessa aos patriarcas até o estabelecimento na terra.

6,25 Gn 15,6.

7 No meio do capítulo aparecem duas definições complementares: o que é Israel para o Senhor (6-7); o que é o Senhor para Israel (9-10). À sombra delas uma concepção radical e intolerante de Israel entre outros povos. Que se devam destruir práticas e instrumentos de idolatria, é consequência lógica e razoável. Que se devam exterminar populações inteiras para evitar contágio, é uma consequência surpreendente, alarmante. Especialmente se o contágio se deve mais à fraqueza dos adventícios que à malícia dos habitantes tradicionais.

Pois bem, esta página foi escrita com a perspectiva do exílio. A enorme catástrofe nacional foi explicada pelos profetas como consequência ou castigo pela idolatria e pelo sincretismo religioso. Durante séculos, esta foi a tentação constante e o pecado repetido, que conduziu à catástrofe. Quase parece que a aliança terminou, que o povo perdeu sua identidade, que o Senhor abandonou seu povo.

A essa luz sombria, os habitantes cananeus recebem o papel de tentadores pacíficos: pelos pactos políticos, pelas relações comerciais e culturais, pelos enlaces matrimoniais, os habitantes pagãos de Canaã tinham sido a perdição de Israel. O povo escolhido devia ter vivido separado, ciumento de sua aliança exclusiva com o Senhor. Recém-chegado do Egito e do deserto, não estava ainda preparado para sobreviver e superar a ameaça pacífica da idolatria.

Numerosos testemunhos e indícios demonstram que Israel não soube superar a prova. Devia tê-lo feito e não o fez. O pensamento *a posteriori*, o que Israel devia ter feito, é transformado pelo autor em mandato *a priori*, posto na boca de Moisés, antes da entrada na terra. O mandamento de separação pode ser antigo; a intolerância na sua formulação se explica pela experiência trágica do exílio.

Pois bem, a lei não era plenamente aplicável no território da Babilônia, ou em outras localidades da diáspora judaica. Era aplicável na província do império persa, onde os repatriados habitavam? Esdras e Neemias em parte respondem à questão.

7,1 A lista de sete povos reaparece em páginas sucessivas; já encontramos listas de seis ou de cinco. A categoria étnica desses nomes é variada: cananeus e amorreus é designação ampla, ao passo que os jebuseus são um povo minúsculo que habita na comarca de Jerusalém e logo desaparece; hititas ou heteus são restos dispersos do grande império. "Mais numerosos e fortes que tu" é fórmula tópica que exalta a vitória do Senhor.

7,2 Recorde-se o contrato pacífico de Abraão com os heteus em Hebron (Gn 23); é que Abraão era peregrino na terra.

7,3 Recorde-se a proposta dos siquemitas: "dareis a nós vossas filhas e tomareis as nossas" (Gn 34,9).

7,4 Ver o caso exemplar de Salomão (1Rs 11,1-8).

⁵Eis o que fareis com eles: demolireis seus altares, destruireis suas estelas, arrancareis seus postes sagrados, queimareis suas imagens. ⁶Porque tu és um povo consagrado ao Senhor teu Deus; ele te escolheu para que sejas o povo de sua propriedade entre todos os povos da terra.

⁷Se o Senhor se enamorou de vós e vos escolheu, não foi por serdes mais numerosos que os demais – porque sois o povo menor –, ⁸mas por puro amor a vós, para conservar o juramento que fizera a vossos pais; por isso o Senhor vos tirou do Egito com mão forte e vos resgatou da escravidão, do domínio do Faraó, rei do Egito. ⁹Assim saberás que o Senhor teu Deus é Deus, um Deus fiel: aos que o amam e guardam seus mandamentos, lhes mantém sua aliança e seu favor por mil gerações; ¹⁰a quem o detesta ele paga pessoalmente sem se fazer esperar, a quem o detesta ele paga pessoalmente. ¹¹Pratica esses mandamentos e os *mandatos e decretos* que hoje te ordeno.

¹²Se escutares esses decretos, os mantiveres e cumprires, também o Senhor teu Deus manterá contigo a aliança e o favor que prometeu a teus pais. ¹³Ele te amará, te abençoará e te fará crescer; abençoará o fruto do teu ventre e o fruto de tuas terras: teu trigo, teu mosto e teu azeite; as crias de tuas vacas e o parto de tuas ovelhas, na terra que te dará, conforme fez promessa a teus pais. ¹⁴Serás bendito entre todos os povos; não haverá estéril nem impotente entre os teus, nem no teu gado. ¹⁵O Senhor desviará de ti a doença; jamais te mandará epidemias malignas, como as do Egito, que conheces, mas afligirá com elas os que te odeiam.

¹⁶Devora todos os povos que o Senhor teu Deus te entregar. Não tenhas compaixão deles nem prestes culto a seus deuses, porque serão um laço para ti.

¹⁷Se alguma vez pensares: "Estes povos são mais numerosos do que eu; como poderei expulsá-los?", ¹⁸não os temas; recorda o que o Senhor teu Deus fez com o Faraó e com todo o Egito. ¹⁹As provas tremendas que teus olhos viram, os sinais e prodígios, a mão forte e o braço estendido com que o Senhor teu Deus te retirou; assim o Senhor teu Deus fará com todos os povos que te assustam. ²⁰O Senhor teu Deus mandará contra eles o pânico, até aniquilar os que se tiverem escondido de ti. ²¹Não os temas, pois está no teu meio o Senhor teu Deus, um Deus grande e terrível.

²²O Senhor teu Deus irá expulsando esses povos pouco a pouco. Não poderás acabar com eles rapidamente, para que as feras não se multipliquem perigosamente contra ti. ²³O Senhor teu Deus os entregará diante de ti, semeando o pânico em suas fileiras, até destruí-los. ²⁴Entregará seus reis em teu poder, e tu farás desaparecer seu nome debaixo do céu. Não haverá quem te resista, até que destrua todos.

²⁵Queimarás as imagens de seus deuses. Não cobices o ouro nem a prata que os reveste, nem os tomes para ti; assim, não cairás em sua armadilha. Lembra que são

---

7,6 Define o povo. Consagrado, passa à esfera da santidade (Ex 19,6; Lv, frequente); escolhido, com preferência a outros, por iniciativa de Deus; propriedade pessoal, inalienável, do Senhor.

7,7-8 É o favor e o amor de Deus que engrandece, não o número. Esta afirmação contradiz a promessa patriarcal de fecundidade? Antes, a relativiza: o que eram os judeus no imenso império persa? (cf. Esd 9,8). Mas Deus escolhe o pequeno e o fraco para nele exercer e manifestar seu poder e grandeza. Ao jurar, Deus se compromete; mas por que jura? Por amor à descendência futura, "vós", ou por amor ao patriarca? Ver Is 41,8.

7,9-10 O princípio da retribuição introduz condições de resposta humana ao favor de Deus; ao mesmo tempo, ressalta a diferença entre o castigo individual, "em pessoa", e o favor indefinido (5,10; Ex 20,6). O "amor" do homem deve responder ao de Deus.

7,12-15 As bênçãos são parte da aliança, como sanção pelo cumprimento dos mandamentos. A primeira bênção é de fertilidade e fecundidade.

7,13 Lv 26,3-12.

7,16 "Devorar" significa destruir, aniquilar: Lv 26,38; Nm 13,32; Sl 14,4.

7,17-21 Condição básica da guerra santa é vencer o medo natural com a confiança no Senhor. O número e o poderio militar não contam, porque o Senhor envia seu pânico ou terror sagrado, que desbarata o inimigo (Sl 18,15.46; 48,6-7 etc.)

7,22-24 Historicamente, os israelitas se estabeleceram aos poucos em Canaã (é opinião de muitos), convivendo com povos e assimilando-os, até impor-se como soberano da Palestina. O crescimento era condição para a ocupação – a família de Abraão não podia realizá-lo. Não se pode deixar um vazio na terra, porque imediatamente se transformaria em deserto ou bosque, habitação de feras (cf. 2Rs 17,25; Is 34,13-15).

7,25 "Abominação" é o execrável, inconciliável com o Senhor; é termo corrente no livro.

uma abominação para o Senhor teu Deus. ²⁶Não introduzas em tua casa uma abominação; senão, serás consagrado ao extermínio como foi ela. Rejeita-a e detesta-a, pois está consagrada ao extermínio.

8 ¹Praticai todos os mandamentos que hoje vos ordeno; assim vivereis, crescereis, entrareis e conquistareis a terra que o Senhor prometeu a vossos pais com juramento.

²Recorda o caminho que o Senhor teu Deus te fez percorrer nestes quarenta anos pelo deserto, para afligir-te, para pôr-te à prova e conhecer tuas intenções, se guardas ou não seus mandamentos. ³Ele te afligiu, fazendo-te passar fome, e depois te alimentou com o maná – que tu não conhecias nem teus pais conheceram –, para ensinar-te que o homem não vive somente de pão, mas de tudo o que sai da boca de Deus. ⁴Tuas vestes não se gastaram, nem os teus pés se incharam durante esses quarenta anos, ⁵para que reconheças que o Senhor teu Deus te educou como um pai educa seu filho; ⁶para que guardes os mandamentos do Senhor teu Deus, sigas seus caminhos e o respeites.

⁷Quando o Senhor teu Deus te introduzir na boa terra, terra de torrentes, de fontes e mananciais que jorram no monte e na planície; ⁸terra de trigo e cevada, de vinhas, figueiras e romãzeiras, terra de oliveiras e de mel; ⁹terra em que não comerás pão racionado, em que não necessitarás de nada; terra que tem ferro em suas rochas e de cujos montes extrairás cobre; ¹⁰então, quando comeres até fartar-te, bendize o Senhor teu Deus pela boa terra que te deu.

¹¹Cuida de não esquecer o Senhor teu Deus, não cumprindo os mandamentos, mandatos e decretos que hoje te ordeno. ¹²Não aconteça que, quando comeres até te fartares, quando edificares casas

---

8 Este capítulo é escrito com a perspectiva da prosperidade econômica na terra, que se transforma em tentação ao favorecer uma concepção imanente da vida. O ciclo produção-consumo se explica por si; ele se justifica e se fecha à intervenção de Deus: sua explicação adequada é a força e o talento humano aplicados a uma terra boa. Deus desaparece do horizonte prático: é esquecido; não é necessário, nem para realizar o processo nem para explicá-lo. O resultado é que o povo peca contra o primeiro mandamento da lealdade total, de modo racionalista, iluminado, sem substituir o Senhor por outros ídolos. Contra a tentação do esquecimento, o autor propõe o remédio da memória, não só do Senhor, mas também de sua ação histórica. Remonta-se ao momento crítico em que os israelitas vão entrar na terra. Entrada que não é um dado neutro, que está aí, mas é dom histórico, contingente. Olha para trás, para o deserto, que impunha uma visão transcendente da existência, e projeta essa experiência no presente – futuro – na ficção. A história gravita, assim, no presente, revelando sua contingência. O que é dom pode-se perder. A vida na terra continua sendo caminho. A prosperidade é dom do Senhor, bênção da aliança pelo cumprimento dos mandatos. (Não era a prosperidade que caracterizava a vida dos judeus sob o domínio persa.)

O capítulo está construído com grande esmero, aplicando o esquema que chamam concêntrico, cuja fórmula é A B C N C B A, na disposição de temas, motivos e palavras repetidas; contém um dos períodos mais longos da literatura hebraica, 7-18 no original.

8,1 O primeiro versículo formula o tema: observar os mandatos é condição para entrar na terra, e o será para nela permanecer.

8,2-6 Propõem o tema da memória. O povo deve percorrer três etapas interligadas: recordar, reconhecer, guardar (2.5.6). Lembra três aspectos do deserto, cada um com sua explicação teológica: caminho, alimento, veste.

8,2 Dado, o caminho; autor, Deus; razão, pôr à prova. Na decisão livre, o homem se realiza e se manifesta; Deus, que o conhecia por dentro, o conhece agora na execução.

8,3 A vida depende não só do alimento, mas também da palavra de Deus, que se pronuncia como mandato: citado em Mt 4,4 e Lc 4,4. Recorde-se o dom do maná e as normas que regulam seu uso (Ex 16).

8,4 Dado lendário. Não menciona Deus como autor, mas está implícito.

8,5 A revelação de Deus é paterna, carinhosa; não teórica, mas pela experiência. Ensinando o povo, Deus vai revelando um estilo de paternidade. Os livros sapienciais chamam o aluno de "filho": cf. Eclo 17,18; 36,17.

8,7 Começa o grande período, cuja prótase abrange até o v. 9 e cuja apódose se divide em um membro positivo (10) e outro negativo (11-17).

8,7-9 Canto à terra, mencionada sete vezes. Nas duas menções extremas, a terra é simplesmente "boa"; as outras cinco enumeram suas riquezas agrícolas e minerais. Não menciona a chuva (cf. 11,11-17), porque a terra se abre em fontes e mananciais.

8,10 Eis aqui o movimento correto: comer e agradecer a Deus (cf. Is 62,9). Dessa maneira, o bem-estar pode conduzir a Deus; insere-se na religiosidade porque se abre à transcendência.

8,11 Começa a apódose negativa. O processo errado percorre três etapas psicológicas: esquecimento, soberba, arrogância.

8,12-13 Está indicado o ciclo de produção e consumo e também o crescimento econômico; junto a outros bens, prata e ouro representam o dinheiro, que no tempo do autor já se cunhava; com o dinheiro, o comércio. (Cf. Sl 62,11; Jó 31,24-25; Eclo 8,2.)

bonitas e nelas habitares, ¹³quando tuas reses e ovelhas criarem, tua prata e teu ouro aumentarem e tiveres abundância de tudo, ¹⁴te tornes soberbo e te esqueças do Senhor teu Deus que te tirou do Egito, da escravidão; ¹⁵que te fez percorrer aquele deserto imenso e terrível, com dragões e escorpiões, uma secura sem uma gota d'água; que tirou para ti água de uma rocha dura; ¹⁶que te alimentou no deserto com um maná que teus pais não conheciam: para afligir-te, provar-te e, no fim, fazer-te o bem. ¹⁷E não digas: "Por minha força e pelo poder de meu braço criei para mim estas riquezas". ¹⁸Lembra-te do Senhor teu Deus. É ele quem te dá força para te criar essas riquezas, e assim mantém a promessa que fez a teus pais, como o faz hoje.

¹⁹Se esqueceres o Senhor teu Deus e seguires deuses estrangeiros, prestares culto a eles e te prostrares diante deles, hoje eu vos garanto que certamente perecereis. ²⁰Como os povos que o Senhor destruirá à vossa passagem, assim perecereis, por não obedecerdes ao Senhor vosso Deus.

9 ¹*Escuta, Israel*, hoje atravessarás o Jordão para conquistar povos maiores e mais fortes do que tu, cidades maiores e mais fortificadas do que o céu; ²um povo numeroso e corpulento, os enacitas, que conheces de ouvido, pelo ditado: "Quem resistirá aos filhos de Enac?" ³Assim saberás hoje que o Senhor teu Deus é quem cruza à tua frente, como fogo devorador, e os destroçará, derrotando-os diante de ti, para que tu os expulses e destruas rapidamente, como o Senhor te prometeu.

⁴Quando o Senhor teu Deus os expulsar diante de ti, não digas: "É por minha justiça que o Senhor me trouxe para tomar posse desta terra, e por causa da injustiça destes povos o Senhor os despoja diante de mim". ⁵Se estás para conquistar essas terras, não é por tua justiça e honradez, mas porque o Senhor teu Deus despoja esses povos pela injustiça deles e para manter a palavra que jurou a teus pais, a Abraão, Isaac e Jacó. ⁶E saberás que, se o Senhor teu Deus te dá em posse essa boa terra, não é por tua própria justiça, já que és um povo teimoso; ⁷recorda e

---

8,14 O tema do esquecimento serve habilmente para introduzir a lembrança da libertação em duas etapas: saída da escravidão e caminho pelo deserto; a entrada na terra se inclui na disposição do capítulo.

8,15-16 O deserto está transfigurado na lembrança como síntese de sede, fome e animais venenosos; tudo superado pela proteção divina.

8,15 Nm 21,6-9; Sl 78.

8,17-18 Aqui culmina a visão imanente, a satisfação terrena do homem. (Compare-se com a pretensão de Senaquerib, Is 10,13, ou do rei de Tiro, Ez 28,4-5.) Não se nega a função do homem, "submetei a terra", mas se reduz à sua instância suprema. O Deus que dá a terra, dá as forças para cultivá-la; e assim, com a cooperação humana, Deus cumpre sua promessa.

8,19-20 Terminam as maldições, com tríplice menção de *Yhwh* e dupla ameaça. Os verbos aliterados servir e perecer, *'bd* e *'bd*, formam em hebraico um jogo de palavras.

9,1-8 Coloca uma questão semelhante à do capítulo anterior e avança um bom pedaço na reflexão teológica, que tenta explicar os fatos professados pela fé. A questão é esta: O Senhor desapossou os cananeus e entregou aos israelitas o seu território – por quê? (Sb 12 fará uma pergunta semelhante, em chave de teodiceia). Respondem alguns, aplicando a regra simétrica da retribuição: eles eram injustos, nós justos; a eles desapossou, a nós nos estabeleceu (Sl 80,9). O pregador corrige tal explicação: a primeira parte é certa, trata-se de um castigo (Gn 15,16); a segunda parte é falsa, porque a terra não é prêmio por méritos, mas dom gratuito. Não é pagamento, mas graça. Com isso o autor esboça uma teologia da graça que preludia o ensinamento maduro de Paulo. A observância dos mandatos é, sim, condição para entrar na terra (8,1); daí não se segue que a terra lhe seja devida como justiça pela observância. Com sua boa conduta, o homem não obriga a Deus; Deus é que se obriga soberanamente, com sua promessa e juramento (v. 5). Que Israel não possa alegar méritos nem justiça, prova-o a seguir o pregador com alguns exemplos explicados.

9,1-6 O primeiro obstáculo sobressai pelo tamanho: os gigantes enacitas, proverbialmente invencíveis, e suas cidades fortificadas e com muralhas até o céu (Nm 13). Uma vez que o Senhor os derrotou, os israelitas poderão destruí-los rapidamente. O esquema é: poderosos eles – fracos nós; agora os vencedores tentam transportá-lo ao terreno ético e invertê-lo: injustos eles/justos nós.

9,4-6 Cuidado! adverte o pregador. Em 8,17 o homem se gloriava de uma qualidade física, "por minha força", aqui se gloria de uma qualidade ética, "por minha justiça". É uma arrogância mais perigosa e mais grave. Não é "justiça", mas "obstinação" que caracteriza Israel: a obstinação ou "cerviz dura" do boi ou novilho que rechaça o jugo e o trabalho.

9,5 Gn 15,16.

9,7 Até 10,11 vai expor dois casos capitais de rebeldia, introduzindo entre parênteses outros nomes que recordam outras tantas rebeliões. Algumas informações, provavelmente acrescentadas, interrompem a exposição. A ordem e o desenrolar dos fatos não coincidem exatamente com a versão de Ex 32 e Nm 13-14. Moisés pregador toma suas liberdades segundo a finalidade de seu discurso, que é de-

não te esqueças que provocaste o Senhor teu Deus no deserto; desde o dia em que saístes do Egito até que chegastes a este lugar, fostes rebeldes contra o Senhor; ⁸no Horeb provocastes o Senhor, e o Senhor se irritou contra vós e quis destruir-vos.

⁹Quando subi ao monte para receber as tábuas de pedra, as tábuas da aliança que o Senhor concluiu convosco, permaneci no monte quarenta dias e quarenta noites, sem comer pão nem beber água. ¹⁰A seguir, o Senhor me entregou as duas tábuas de pedra, escritas pela mão de Deus; nelas estavam todos os mandamentos que o Senhor vos deu na montanha, do meio do fogo, no dia da assembleia. ¹¹Passados os quarenta dias e quarenta noites, o Senhor me entregou as duas tábuas de pedra, as tábuas da aliança, ¹²e me disse: "Levanta-te, desce depressa daqui, pois o teu povo, que tiraste do Egito, se perverteu. Já se afastaram do caminho que lhes marcaste, fundindo para si um ídolo". ¹³O Senhor acrescentou: "Vi que esse povo é um povo teimoso. ¹⁴Deixa-me destruí-lo e apagar seu nome debaixo do céu; de ti farei um povo mais forte e mais numeroso do que ele".

¹⁵Comecei a descer da montanha, enquanto a montanha ardia; trazia nas mãos as duas tábuas da aliança. ¹⁶Olhei, e era verdade. Tínheis pecado contra o Senhor vosso Deus; fizestes um bezerro fundido. Bem depressa vos afastastes do caminho que o Senhor vos indicara. ¹⁷Então peguei as tábuas, atirei-as com as duas mãos e as despedacei diante de vossos olhos. ¹⁸Em seguida, prostrei-me diante do Senhor quarenta dias e quarenta noites, como anteriormente, sem comer pão nem beber água, pedindo perdão pelo pecado que cometestes, fazendo o que é mau para o Senhor, irritando-o, ¹⁹porque eu temia que a ira e a cólera do Senhor contra vós vos destruíssem. Também dessa vez o Senhor me escutou.

²⁰O Senhor se irritou tanto com Aarão, a ponto de querer destruí-lo, e então eu tive de interceder também por Aarão.

²¹Depois, peguei o pecado que tínheis fabricado para vós, o bezerro, e o queimei, triturei e esmigalhei até pulverizá-lo como cinza, atirando a cinza na torrente que desce da montanha.

²²Depois continuastes provocando o Senhor em Tabera*, em Massa* e em Cibrot-ataava*. ²³E quando vos enviou de Cades Barne, dizendo-vos que subísseis para conquistar a terra que vos havia entregue, vós vos revoltastes contra a or-

---

monstrar o temperamento rebelde dos israelitas: inverte a ordem tradicional dos acontecimentos e acrescenta detalhes. "Quarenta dias e quarenta noites" se repete como *leitmotiv*.

9,8 Primeiro caso – no Horeb, celebração da aliança, delito contra ela, renovação da aliança – baseado em Ex 20, 24, 32 e 34. O relato de Moisés em primeira pessoa é de grande intensidade dramática; pede uma boa declamação. É preciso escutar a repetição, "tábuas de pedra, da aliança", e dirigir para elas a vista, porque nelas flui a ação. Também se repete "a montanha", cenário grandioso das subidas e descidas de Moisés: do povo para Deus, de Deus para o povo; vejamos a montanha que arde e o riacho que desce dela e leva as cinzas do ídolo.

9,9 Este primeiro jejum é preparação para o encontro com Deus (cf. Elias em 1Rs 19). Em Ex 32 conta-se o que acontece no acampamento: aqui se reduz à breve informação de Deus.

9,10 Conforme Ex 24,4, Moisés escreve as primeiras tábuas de pedra; conforme Ex 32,16, as tábuas são feitura e escritura de Deus. Dt adota a segunda versão, que intensifica por contraste o delito. A "assembleia" sugere um contexto litúrgico.

9,12 Conserva a expressão "teu povo" na boca de Deus, mas não explora o jogo de possessivos como Ex 32. O ídolo é "feitura" humana.

9,14 Conserva o verbo "deixa-me", capital na intercessão de Moisés em Ex 32,9-14, aqui adiada. Muda o adjetivo de "povo grande", que faz referência à promessa patriarcal em Ex 32.

9,16 Falta a interrupção e o diálogo com Josué: Ex 32,17-18.

9,17 Rompendo-se o protocolo escrito, a aliança fica anulada: o povo é testemunha muda.

9,18-19 Esta segunda quarentena penitencial é adição do autor. Com ela se substitui aqui a súplica de Moisés. Mas se acrescenta que o Senhor "escutou" a súplica sem palavras.

9,20 Este dado sobre Aarão parece adição, que corresponde melhor ao relato de Ex 32, onde Aarão era o principal culpado.

9,21 Segundo gesto dramático, descrito com detalhe e rapidez. Não ficou rasto do pecado e é possível recomeçar; segundo Ex 32,20, ele dá as cinzas para o povo pecador beber. Mas Moisés porém se interrompe, com três referências concisas e com a segunda rebeldia importante, deixando pendente a renovação da aliança, como acontecimento final.

9,22 Alusão a Ex 17 e Nm 11. * = Estalido, Tentação e Sepulcros de Avidez.

9,23 É o episódio dos exploradores, de que já falou o cap. 1.

dem do Senhor nosso Deus, não crendo nele nem lhe obedecendo. ²⁴Desde que vos conheço, fostes rebeldes ao Senhor.

²⁵Prostrei-me diante do Senhor, estive prostrado durante quarenta dias e quarenta noites, pois o Senhor queria destruir-vos. ²⁶Orei ao Senhor, dizendo: Meu Senhor, não destruas teu povo, a herança que redimiste com tua grandeza, que tiraste do Egito com mão forte! ²⁷Lembra-te de teus servos Abraão, Isaac e Jacó; não leves em conta a teimosia deste povo, seu crime e seu pecado, ²⁸para que não digam na terra de onde nos tiraste: "O Senhor não pôde introduzi-los na terra que lhes prometera", ou: "Tirou-os com ódio, para matá-los no deserto". ²⁹São teu povo, a herança que tiraste com teu poderoso esforço e com teu braço estendido.

10 ¹Nessa ocasião o Senhor me disse: "Corta duas tábuas de pedra, como as primeiras; leva-as à montanha e faze uma arca de madeira; ²vou escrever sobre essas tábuas os mandamentos escritos nas primeiras tábuas, que despedaçaste, para que as coloques na arca". ³Fiz uma arca de madeira de acácia, cortei duas tábuas de pedra como as primeiras e subi à montanha com as duas tábuas. ⁴Ele escreveu nas tábuas o mesmo texto de antes, os Dez Mandamentos que o Senhor vos dera na montanha, no meio do fogo, no dia da assembleia, e as entregou a mim. ⁵Desci da montanha e pus as duas tábuas na arca que havia preparado, e aí ficaram, como me ordenara o Senhor.

⁶(Dos Poços de Enac os israelitas dirigiram-se a Moserot*. Aí morreu Aarão e aí o enterraram. Seu filho Eleazar sucedeu-lhe no sacerdócio. ⁷Daí dirigiram-se a Gadgad*, e daí a Jetebata*, região de torrentes. ⁸Nessa ocasião o Senhor separou a tribo de Levi para que carregasse a arca da aliança do Senhor, estivesse à disposição do Senhor para servi-lo e para que abençoasse em seu nome, como o fazem ainda hoje. ⁹Por isso o levita não recebe parte na herança de seus irmãos, mas o Senhor é sua herança, como lhe disse o Senhor teu Deus.)

¹⁰Permaneci na montanha quarenta dias e quarenta noites, como anteriormente, e também desta vez o Senhor me escutou. Não quis destruir-vos, ¹¹mas me disse: "Levanta-te e parte à frente do povo. Que eles vão e tomem posse da terra que lhes darei, como prometi a seus pais".

¹²*Agora, Israel*, o que exige de ti o Senhor teu Deus? Que respeites o Senhor teu Deus; que sigas seus caminhos e o ames; que sirvas ao Senhor teu Deus com todo

---

9,24 Com a lembrança, Moisés remonta ao tempo do Egito, onde começa a rebeldia do povo. Nm 14.
9,26-29 A intercessão, densa de argumentos, vale para toda a série de rebeliões: Moisés apela para a aliança, a libertação, a promessa patriarcal, a honra de Deus diante das nações. Começa e termina dizendo "teu povo", convencido de que a eleição continua vigorando.
10,1-11 A entrega do novo protocolo significa a renovação da aliança; apresenta-se aqui como consequência da intercessão de Moisés. Está bastante resumido o episódio contado em Ex 34,1-3.28. Dado que Moisés está contando o fato, é lógico que não recite o texto escrito nas novas tábuas. Em troca, acrescenta um detalhe: a fabricação da arca, onde se conservará o protocolo da aliança renovada.
10,4 Repete 9,10 literalmente, frisando a continuidade na renovação.
10,6-7 Estações da viagem que em parte correspondem às de Nm 33,31-33.
10,6 * = Rédeas.
10,7 * = Rachada; Melhorada.
10,8-9 A menção da arca atrai por associação esta nota sobre os levitas, encarregados de custodiá-la e transportá-la. "Abençoar": compare-se com Nm 6,22-27, que o atribui aos aaronitas.

10,11 Como Ex 32,34 e 33,1.
10,12 A pergunta introduz um programa (cf. Mq 6,8). Começa a quarta e última série de exortações sobre a aliança e os mandamentos, antes de passar ao código legal. A exortação soa como um tema com variações ou como explanação de alguns motivos literários correlativos. O estilo é retórico, o texto pede a declamação.
Amar o Senhor implica cumprir seus mandamentos; o amor se traduz em obediência. O que se pode ler em duas direções: se existe amor, segue-se o cumprimento, porque é um amor dinâmico; ou então se cumpre, não por ética humanista, mas por amor a Deus. Fundamento é aquilo que o Senhor é em si e para os israelitas: o que fez por eles e o que fará em forma de bênçãos condicionadas.
O pregador desfia uma série de sinônimos equivalentes, os quais se combinam sem tensão ou se permutam. Juntando só 12 com 20, registramos: respeitar ou temer, seguir seus caminhos, amar, servir, respeitar, seguir, apegar-se, aderir. Diríamos nós: adesão, entrega, amor, lealdade, respeito, serviço... Temor e amor não se consideram opostos ou inconciliáveis, mas integrantes de uma atitude amorosa e reverencial. O v. 21 acrescenta o louvor como atitude cultual. Para os mandamentos, usa guardar e praticar.

o coração e toda a alma; ¹³que guardes os mandamentos do Senhor teu Deus e os mandatos que eu te ordeno hoje, para o teu bem.

¹⁴Certo: ao Senhor teu Deus pertencem os céus, até o último céu; a terra com tudo o que nela habita; ¹⁵no entanto, o Senhor se enamorou somente de vossos pais, amou-os, e de sua descendência vos escolheu entre todos os povos, como acontece hoje.

¹⁶Circuncidai vosso coração, não endureçais vossa cerviz; ¹⁷pois o Senhor vosso Deus é Deus dos deuses e Senhor dos senhores; Deus grande, forte e terrível; não é parcial nem aceita suborno; ¹⁸faz justiça ao órfão e à viúva; ama o migrante, dando-lhe pão e roupa.

¹⁹Amareis o migrante, porque fostes migrantes no Egito.

²⁰Respeitarás o Senhor teu Deus e somente a ele servirás, apegando-te a ele; em nome dele jurarás. ²¹Ele será teu louvor, ele será teu Deus, pois ele fez em teu favor as terríveis façanhas que teus olhos viram.

²²Setenta eram teus pais, quando desceram ao Egito, e agora o Senhor teu Deus tornou-te numeroso como as estrelas do céu.

11 ¹Amarás o Senhor teu Deus; guardarás suas ordens, seus decretos e mandamentos enquanto durar tua vida.

²Sabei-o hoje. *Não se trata de vossos filhos*, que não entendem nem viram o exemplo de vosso Deus, sua grandeza, sua mão forte e seu braço estendido, ³os sinais e façanhas que fez em pleno Egito contra o Faraó, rei do Egito, e contra todo o seu território; ⁴o que fez ao exército egípcio, aos seus carros e cavalos: precipitou sobre eles as águas do mar Vermelho, quando vos perseguiam; o Senhor acabou com eles, até o dia de hoje; ⁵o que fez convosco no deserto, até chegardes a este lugar; ⁶o que fez a Datã e Abiram, filhos de Eliab, filho de Rúben: a terra abriu sua garganta e os engoliu com suas famílias e tendas, com seus servos e gados, no meio de todo o Israel. ⁷*Trata-se de vós*, que vistes com vossos olhos as grandes façanhas que o Senhor fez.

⁸Guardareis fielmente os mandamentos que eu vos ordeno hoje; assim sereis fortes, entrareis e tomareis posse da terra para onde atravessais a fim de conquistá-

---

10,14-15 Um motivo: a escolha qual ato de amor afetuoso, como no namoro (cf. Siquém e Dina, Gn 34). Escolhe primeiro os patriarcas; de seus descendentes, que são vários povos, escolhe Israel. Escolher é estreitar, preferir.

10,16 Ao outorgar a aliança a Abraão, pediu-lhe como sinal a circuncisão. Um rito externo que significava pertença, entrega. Se não é expressão de uma atitude interna, de despojamento e entrega, de nada vale (Jr 4,4; Rm 2,29; Cl 2,11-13).

10,17-18 O Senhor está descrito como soberano imperial, embora sem usar o título explícito de rei. Está acima de todos, com poder universal. Forte na guerra, juiz incorruptível, justo na paz (cf. Sl 45). Sua justiça é primariamente defender o indefeso, fazer valer os direitos do desvalido. Órfão, viúva e migrante constituem a classe social do proletariado.

10,19 Semelhante justiça se impõe como modelo que os israelitas devem imitar, já que experimentaram a condição de migrantes explorados e o auxílio do Senhor nessa situação. O versículo interrompe a exposição, indicando o que é importante para o autor. Os mandamentos são "para o bem", para estabelecer uma sociedade justa.

10,20 A pessoa jura em nome da divindade que venera (cf. Gn 31,53). Por isto, esse mandamento se reduz ao primeiro.

10,21 Objeto único do louvor litúrgico (cf. Sl 22,4; 148).

10,22 Primeira bênção de Abraão (Gn 15). As estrelas são a população celeste, os exércitos do Senhor, aos quais corresponde na terra o povo escolhido (Ex 12,41). Sobre o número setenta, Gn 46,8-27.

11,1 Tem valor de síntese, o amor como princípio de tudo, mediante quatro sinônimos que indicam a totalidade dos mandamentos, e para a totalidade da vida.

11,2-7 Esquema de gerações. Segundo Nm 14, algumas gerações recebem tarefas particulares: a geração rebelde deve viver e morrer no deserto; à geração seguinte cabe entrar na terra e iniciar a nova vida do povo; a outras caberá continuar com tarefas próprias ou comuns. Conforme o autor, Moisés se confronta com uma geração única na história: testemunhas ainda não responsáveis da libertação, autores no caminho do deserto, hoje responsáveis pela entrada. A aliança renovada diante do Jordão significa o assumir plenamente essa responsabilidade da mesma aliança com suas consequências. Entre as ações de Deus, seleciona o benefício fundamental e um castigo exemplar. Em ambos, o Senhor se confronta com dois grupos opostos e associados. Opostos eram o Faraó com os egípcios e um grupo de israelitas que fogem. Em seguida associados diante de Deus: o Faraó por sua resistência arrogante, Datã e Abiram por sua rebelião. Quer dizer que o Senhor pode encontrar inimigos também dentro de Israel: um alerta para os ouvintes.

11,2 Instrução ou educação, que inclui também repreensão e castigo.

11,8-9 Começa o tema da terra, segunda promessa patriarcal. Enquanto objeto da promessa, a entrega seria incondicionada; Moisés a apresenta condicionada à observância dos mandatos; não só a entrega, mas também a conservação.

-la; ⁹prolongareis vossos anos sobre a terra que o Senhor vosso Deus prometeu dar a vossos pais e à sua descendência: uma terra que mana leite e mel. ¹⁰A terra à qual te diriges para conquistá-la não é como a terra do Egito, de onde saíste: lá semeavas tua semente e a regavas como uma horta, tocando a roda d'água com os pés. ¹¹A terra a qual atravessas para tomar posse dela é uma terra de montes e vales, que bebe a água da chuva do céu; ¹²é uma terra da qual o Senhor teu Deus se ocupa e está sempre olhando por ela, do começo ao fim do ano.

¹³Se prestares atenção e obedeceres aos mandamentos que hoje eu te ordeno, amando o Senhor vosso Deus e servindo-o de todo o coração e com toda a alma, ¹⁴eu mandarei à vossa terra a chuva em seu tempo: as primeiras chuvas e as últimas; colherás teu trigo, teu mosto e teu azeite; ¹⁵porei erva em teus campos para teu gado, e comerás até te fartares.

¹⁶Porém, não vos deixeis seduzir, nem vos desvieis servindo a deuses estrangeiros e prostrando-vos diante deles; ¹⁷porque a ira do Senhor se acenderá contra vós, fechará o céu e não haverá mais chuva, o campo não dará suas colheitas e desaparecereis logo dessa boa terra que o Senhor vos dará.

¹⁸Colocai estas minhas palavras no coração e na alma, atai-as ao pulso como um sinal, colocai-as como sinal em vossa testa, ¹⁹ensinai-as a vossos filhos, falai--lhes delas estando em casa e a caminho, deitado e de pé, ²⁰escreve-as nos umbrais de tua casa e em teus portais, ²¹para que dures e durem teus filhos na terra que o Senhor jurou dar a teus pais, enquanto durar o céu sobre a terra.

²²Se fielmente puserdes em prática os mandamentos que hoje vos ordeno, amando o Senhor vosso Deus, seguindo seus caminhos e apegando-vos a ele, ²³o Senhor irá à frente, expulsando esses povos maiores e mais fortes do que vós, e vós ireis ocupando a terra deles; ²⁴tudo o que vossos pés pisarem será vosso; vossas fronteiras se estenderão do Deserto ao Líbano, do Rio (Eufrates) ao mar Ocidental. ²⁵Ninguém poderá resistir a vós, porque o Senhor vosso Deus semeará vosso pânico e vosso terror por toda a terra que pisardes, como vos disse.

²⁶Vê! Hoje ponho diante de vós bênção e maldição: ²⁷a bênção, se acatardes os mandamentos do Senhor vosso Deus que hoje vos ordeno; ²⁸a maldição, se não acatardes os mandamentos do Senhor vosso Deus e vos desviardes do caminho que hoje vos indico, indo atrás de deuses estrangeiros que não tínheis conhecido.

11,10-17 A terra de Canaã é dom de Deus (repete sete vezes "terra", como no cap. 8); mas sua fertilidade depende da chuva, que também é dom de Deus. Pela chuva em seu tempo se atualiza o dom inicial, e Deus atende aos seus sem se descuidar (Sl 65,10-14). O Egito tem o Nilo e as rodas d'água; em Canaã, os israelitas, pela chuva, viverão dependentes de Deus. Assim se pode apontar na chuva as bênçãos e maldições da aliança: chuva na estação é bênção, negada é maldição. E como dela depende o alimento, é vida ou morte. (Era diversa a descrição de 8,7.) Assim a chuva e a seca serão interpretadas pelos profetas e nos salmos. Neste capítulo observamos também o caráter polar da água: Deus precipita sobre o exército egípcio as águas mortíferas, dará aos israelitas águas benéficas de chuva.
A alternativa é radical: entrega total ao Senhor e a seus mandamentos, ou culto e serviço aos deuses estrangeiros (13.16). Os cananeus praticavam cultos de fertilidade, fortemente ligados à terra; Baal era deus dos meteoros. Moisés se mantém no contexto do primeiro mandamento.
11,14 Jr 5,24.
11,15 Sl 104,14.
11,17 Desaparecer: significa morte pelo contexto textual próximo; pelo contexto histórico pressuposto, inclui também o exílio. Maldição não ligada à chuva, e sim à terra.
11,18-21 Recolhe com algumas variantes a exortação com a qual começa o primeiro "escuta" (6,6-9). Dirige-se a cada israelita em sua conduta pessoal e como membro responsável na série de gerações. A presença de "estas palavras", mandato e exortação, há de ser penetrante e envolvente: dentro na alma e fora no corpo. Na fronte que se mostra e na mão que atua, na porta da casa e no portão da cidade, a boca as carrega nas diversas situações da vida. Ao morrer o indivíduo, as palavras continuam vivas nos filhos e descendentes, com duração cósmica. O processo é dialético, porque elas asseguram perpetuidade ao homem, e o homem a elas.
11,22-25 As fronteiras correspondem aos domínios de Davi (1,7). O deserto do Neguebe ao sul. Não são as fronteiras dos judeus no império persa. "Pisar", percorrer, pode ser gesto de tomada de posse.
11,26-28 A seção, que começou com o Decálogo (cap. 5), termina com a recapitulação sobre bênçãos e maldições, como pede o esquema da aliança. São o desafio à liberdade do homem: não como objeto imediato de eleição, mas como consequência divinamente garantida de sua conduta. Ao escolher um objeto, uma ação, o homem escolhe as consequências destes.

²⁹Quando o Senhor teu Deus te introduzir na terra à qual vais para tomar posse dela, darás a bênção no monte Garizim e a maldição no monte Ebal. ³⁰(Encontram-se no outro lado do Jordão, a caminho do poente, na terra dos cananeus que habitam na Estepe, diante de Guilgal, perto do carvalhal de Moré.)
³¹Estais para atravessar o Jordão e tomar posse da terra que o Senhor vosso Deus vos dará. Quando tomardes posse dela e nela habitardes, ³²poreis em prática todos os mandatos e decretos que hoje vos promulgo.

LEI
2. CORPO LEGAL

12 ¹*Mandatos e decretos* que poreis em prática na terra que o Senhor Deus de teus pais te dará como propriedade, enquanto durar vossa vida sobre a terra.

Cultos (2Rs 23) – ²Destruirás todos os santuários em que esses povos, que ireis desapossar, cultuavam seus deuses, no alto dos montes, sobre as colinas, sob qualquer

---

11,29-30 É um rito cujo texto são os capítulos 27-28 (ou uma fórmula mais breve) e cuja execução se narra em Js 8,30-35, quando se considera assegurada a entrada na terra. Faria pleno sentido, ao terminar a grande renovação da aliança de Js 24.
Os dois montes se encontram junto a Siquém, no centro da Palestina. As bênçãos correspondem à direita que é o sul, as maldições à esquerda que é o norte. O autor adota o ponto de vista de Moisés, no outro lado do Jordão.
11,32 A fórmula tem função de estribilho: liga-se com 4,45 e com 6,1, os inícios da seção anteposta ao corpo legal. Servem também de transição para o bloco que começa a seguir.

LEI
2. CORPO LEGAL

Esta série legal pode ser difícil de ler: primeiro, não é puramente legal, mas introduz motivações parenéticas; segundo, não apresenta a organização que esperaríamos de um código.

12,1-26,16 Chamamos este bloco de código legal, sem ignorar que muitas leis são acompanhadas de motivação e exortação. Num código buscamos uma ordem temática; numa primeira leitura do presente código encontramos, antes, uma coleção de leis heterogêneas. Contudo, é possível descobrir alguns blocos temáticos e alguns agrupamentos por parentesco parcial. Assim, por exemplo, começa o tema cultual (12), que se liga bem com a legislação criminal contra a idolatria (13) e com os tabus alimentares vistos como lei de pureza cultual (14); não é violenta a passagem para as observâncias periódicas de dons anuais, trienais, septenais, e para as festividades do Senhor (14-16); encerra o bloco uma legislação criminal sobre a idolatria (17). Legislação esta que serve de passagem para o tema do juízo, e por ele, através do tema das testemunhas, entramos no bloco de "autoridades": tribunal, sacerdotes, rei e profetas (17-18); à administração da justiça pertencem também as leis sobre cidades de asilo e sobre testemunhas (19). Há um bloco sobre relações sexuais e familiares (22-25) e outro sobre primícias (26). Intercalam-se grupos menores e leis soltas.
Tem-se procurado também uma correspondência com o Decálogo do cap. 5. Sem dúvida, a primeira parte se relaciona com o primeiro mandamento, o culto exclusivo do Senhor (12-13); mais difícil é encontrar correspondência com a lei do respeito ao nome do Senhor; os ciclos festivos guardam certo paralelismo com o ciclo semanal do sábado (14-16), e as autoridades são no social o que os pais são na família (16-18). Na segunda parte, a correspondência é mais patente: sobre a vida, não matar (19-21); sexo e família, não fornicar (22-23); propriedade, não roubar (24); julgamentos, não levantar falso testemunho (24), não cobiçar (25). Os números são aproximativos, como as correspondências temáticas. Mais interessante para o leitor é deter-se no aspecto "humanitário" desta legislação; normas que fazem progredir o sentido de justiça, e ainda o superam com o sentido de caridade. O progresso é avaliado melhor comparando-se este código com o da Aliança (Ex 21-23). Provisões "humanitárias" são tema explícito de várias leis, breves ou ampliadas: a remissão de dívidas (15), as mulheres (21) e escravas (15; 23,16-17), contra a usura (23,20-21), sobre objetos perdidos (22,1-4), direitos dos pobres (24). Além disso, o tema da caridade que aperfeiçoa a justiça penetra em diversos contextos cultuais: no Decálogo como motivação (5,14-15), na lei de centralização do culto (12,12.18.19), sobre festividades (16,11.12.14), primícias (26,11-13), guerra (20,5-7.19). É muito importante a concepção da radical fraternidade dos israelitas, incluído o pobre (15), e da terra como propriedade radical do povo todo (26).

12,1 Serve de título jurídico ao corpo legal. Os mandatos se promulgam para tarefa de toda a vida na terra.
12,2-31 A lei de centralização do culto aparece incluída em provisões contra cultos idolátricos (2-3 e 29-31). O núcleo se articula em quatro seções: novas normas (4-7 e 8-12); sobre o comer carne (13-19); mais antigo, talvez no tempo de Ezequias (20-27). A centralização do culto alcança seu valor máximo e duradouro com a imposição de Jerusalém como centro religioso único; mas não começa aí. Ainda que os israelitas dispusessem de santuários locais, onde p. ex. celebravam suas festas agrárias (fato implícito em Dt 26), já em tempos antigos se fala de santuários centrais para várias tribos: Siquém (Js 8 e 24), Silo (1Sm 1-4; Jr 7,12), Masfa e Betel (Jz 20), Gabaon (1Rs 3). Ezequias (727-698) deu o primeiro passo: "destruiu os lugares altos e os altares" (2Rs 18,4.22). Com a reforma de Josias (2Rs 23), a preeminência bem estabelecida de Sião se converte em direito exclusivo, à luz do qual se adaptam textos antigos e se julga a conduta dos reis.

árvore frondosa; ³demolireis seus altares, destroçareis suas estelas, queimareis seus postes sagrados, derrubareis as imagens de seus deuses e extirpareis seus nomes daquele lugar.

⁴Não os imitarás, ao prestar culto ao Senhor vosso Deus. ⁵Ireis visitar a morada do Senhor, o lugar que o Senhor vosso Deus escolher para si, numa de vossas tribos, para aí pôr seu nome. ⁶Aí oferecereis vossos holocaustos e sacrifícios: os dízimos e ofertas, votos e ofertas voluntárias e os primogênitos de vossas reses e ovelhas. ⁷Aí comereis, tu e tua família, na presença do Senhor vosso Deus, e festejareis todos os empreendimentos que o Senhor teu Deus tiver abençoado.

⁸Então não fareis o que fazemos hoje aqui: cada qual o que lhe parece bem, ⁹porque ainda não alcançastes vosso repouso, a herança que o Senhor teu Deus vai te dar. ¹⁰Quando atravessardes o Jordão e habitardes a terra que o Senhor vosso Deus vai repartir em herança para vós, e acabar com as hostilidades dos inimigos que vos rodeiam, e viverdes tranquilos, ¹¹levareis ao lugar que o Senhor vosso Deus escolher para si, como morada de seu nome, tudo o que vos tenho ordenado: vosso holocausto, sacrifícios, dízimos, ofertas e o melhor de vossos votos que tiverdes feito ao Senhor, ¹²e fareis festa na presença do Senhor vosso Deus, vós, vossos filhos e filhas, vossos servos e servas, e o levita que viver perto de ti, ao qual não coube nada na divisão de vossa herança.

¹³Cuidado! Não oferecerás sacrifício em qualquer santuário que vires, ¹⁴mas somente no lugar que o Senhor escolher para si, numa de tuas tribos: aí oferecerás teus holocaustos e aí farás o que te ordenei. ¹⁵Podes matar e comer carne em qualquer povoado quando tiveres vontade, conforme os dons que o Senhor teu Deus te conceder; podem comê-la o puro e o impuro, como se se tratasse de gazela ou cervo; ¹⁶mas não comerás o sangue; tu o derramarás por terra, como água.

A centralização se justifica como escolha pessoal do Senhor; seu símbolo é a arca da aliança. Pretende extirpar a constante tentação de idolatria ou sincretismo e fomentar a unidade religiosa do povo; tal é o fator negativo. O autor a concebe como consequência teológica: ao Senhor único (Dt 6,4) corresponde o culto num único lugar; tal é o fator positivo.

12,2-3 A rigor, os santuários locais estavam dedicados a *Yhwh* (cf. Gn 13,4; 21,33; 26,25); mas acontecia que se infiltravam outros cultos proibidos, sincretismos. O autor se detém só no negativo e apresenta como idolátricos todos os santuários locais.

As estelas ou cipos costumavam ser de pedra, com figuras lavradas ou lisas (talvez símbolos fálicos em honra do Baal da fecundidade). Os postes eram paus ou estacas, substitutos de árvores sagradas, geralmente ligados a uma deusa, Aserá ou Astarte (1Rs 15,13). Ao destruir imagens e nomes, se destroem a presença e a lembrança dos ídolos (cf. Os 2,19). Mas *Yhwh* absorveu alguns títulos de outras divindades, p. ex., El e Elion.

12,4 Em parte, a lei é exposta alternando-se proibição e mandamento, com acompanhamento parenético. Sl 122.

12,4-7 Opõe-se a práticas religiosas dos cananeus, que multiplicam seus santuários como multiplicam seus ídolos e deuses, ligando-os a lugares determinados.

12,5 O Senhor, que habita no céu (26,15), comunica seu nome à invocação (Ex 3,15); e o "impõe" ou coloca num lugar, num altar, consagrando-o. Porque o nome é um modo de presença mental e vocal, como é de apropriação.

12,6 Comparada com Lv 1-7, esta lista prescinde dos sacrifícios penitencial e expiatório.

12,7 Refere-se ao banquete litúrgico, especialmente em sacrifícios de comunhão. O culto centralizado conserva o caráter festivo e social, sem anular seu tradicional caráter familiar.

12,8-12 Nesta segunda seção, o fundo negativo são práticas históricas do povo; na boca de Moisés, o que precede é o deserto. Não concorda com a visão regulamentada de Lv e Nm.

12,9 A terra é considerada repouso diante do trabalho forçado do Egito e depois nas andanças do deserto. Habitarão em terra própria, com todas as suas consequências. Este repouso não contradiz a atividade do v. 7. Ver Sl 95 e o comentário de Hb 3-4. O "repouso" pode conotar o templo, como repouso do Senhor (Sl 132).

12,10 Um componente do repouso é a paz que permite desfrutar a terra. Guerras e hostilidades são castigo da infidelidade.

12,12 Ao inculcar de novo o aspecto festivo da lei, o autor inclui o levitas, que já não vivem como tribo à parte, mas dispersos entre os outros; vivem na terra sem possuir um lote. Não seria festejo deixar fora o necessitado.

12,13-19 Vamos construir um modelo escalonado, que pode ter tido vigência histórica parcial. a) Ao matar *qualquer animal*, ele é sacrificado, e sua vida é sagrada; b) restringe-se a *animais domésticos*, excluídos os de caça; c) restringe-se a *animais sacrificais*, vaca, ovelha, cabra; d) centralizado o culto, restringe-se aos que se matam em Jerusalém. Fica em vigor, universalmente, a proibição de consumir o sangue. Esta escala ajudará a compreender o sentido e a razão destes versículos. Compare-se com Lv 17,1-16 e 1Sm 14,32-33. Em outros termos, nem todo abate de animais é automaticamente sagrado (cf. Gn 9,3). A sacralidade se limita a casos especiais e se estende a todo sangue.

12,15 1Sm 14,32-34.

¹⁷Na tua residência não poderás comer os dízimos do trigo, do mosto e do azeite; os primogênitos de tuas reses e ovelhas; os votos, as oferendas e ofertas voluntários. ¹⁸Tu os comerás somente na presença do Senhor teu Deus, no lugar que o Senhor teu Deus escolher para ti: tu, teu filho, tua filha, teu servo, tua serva e o levita que viver perto de ti. Celebrarás na presença do Senhor teu Deus o êxito de tuas tarefas.

¹⁹Cuidado! Não abandones o levita enquanto durar tua vida na terra. ²⁰Quando o Senhor teu Deus alargar tuas fronteiras, como te prometeu, e decidires comer carne, porque tens vontade de comê-la, podes comê-la à vontade. ²¹Se estiver longe o lugar que o Senhor teu Deus escolher para aí pôr o seu nome, matarás reses ou ovelhas que o Senhor te dará, conforme tenho prescrito a ti, e comerás em tua cidade sempre que tiveres vontade; ²²comerás essa carne como se fosse de gazela ou cervo; podem comê-la o puro e o impuro.

²³Mas de modo algum comas sangue, porque o sangue é a vida, e não comerás a vida com a carne. ²⁴Não o comas, derrama-o por terra, como água. ²⁵Não o comas, e tudo correrá bem para ti e para teus filhos que te sucederem, por terem feito o que agrada a Deus.

²⁶O que tiveres consagrado ou oferecido com voto, leva-o ao lugar que o Senhor escolher. ²⁷Dos holocaustos, oferecerás carne e sangue sobre o altar do Senhor teu Deus; dos sacrifícios de comunhão, derramarás o sangue sobre o altar do Senhor teu Deus e comerás a carne.

²⁸Pratica tudo o que eu te ordeno hoje, para que tudo corra bem, a ti e a teus filhos que te sucederem perpetuamente, por terem agido bem, fazendo o que agrada ao Senhor teu Deus.

²⁹Quando o Senhor teu Deus eliminar os povos cujas terras ocuparás, quando os desalojares para te instalares em sua terra, uma vez tirados do meio, ³⁰não caias na armadilha atrás deles; não consultes seus deuses nem perguntes como tais povos lhes prestavam culto, para fazeres o mesmo. ³¹Tu não farás o mesmo com o Senhor teu Deus, pois eles faziam para seus deuses coisas que o Senhor detesta e abomina. Até queimam seus filhos e filhas em honra de seus deuses.

13 ¹Poreis em prática tudo o que vos ordeno; não acrescentarás nada nem suprimirás nada.

Caso pessoal de idolatria – ²Se entre os teus aparecer um profeta ou vidente de sonhos e, anunciando um sinal ou prodígio, te propuser: ³"Vamos seguir deuses estrangeiros e prestar-lhes culto"; mesmo

---

12,17 Nm 18,20-32.
12,23-25 Ver Lv 17,10-16.
12,26-27 Sobre as espécies de sacrifícios, consulte-se Lv 1-5.
12,27 Nm 18,17.
12,29-31 No culto de *Yhwh* não se podem misturar nem incluir ritos e cerimônias pagãs que contradizem o espírito daquele. Um caso extremo de práticas abomináveis são os sacrifícios de crianças (2Rs 17,31; Jr 7,31; Sl 106,37-38). Por outro lado, sabemos que cerimônias e formas literárias cananeias entraram no culto de Israel.

13 A lealdade ou fidelidade exclusiva ao Senhor é o fator constitutivo e o valor supremo do povo israelita. O primeiro mandamento é mais que uma lei de um código. Sendo tão valiosa, tal fidelidade está e estará ameaçada; será preciso vigiá-la com atenção e defendê-la com decisão. É este o sentido deste capítulo tão sério, que não é redutível a simples cláusula penal. Seu estilo é casuístico na formulação, embora na segunda pessoa: exposição do caso, processo ou sentença, pena. À formulação estritamente jurídica se misturam elementos de exortação. Os três casos, com situações bem delimitadas, podem representar outros semelhantes. Ante a fidelidade ao Senhor devem ceder: a instituição e a autoridade do profeta, os vínculos familiares, o ordenamento político.

13,1 Tem valor programático. A legislação de Moisés é completa e intocável, não admite adição nem subtração.

13,2-6 O primeiro caso implica um problema de discernimento. Porque o profeta se apresenta como enviado de Deus e, falando em seu nome, tem poder superior para corroborar as palavras com sinais. Além disso, em suas palavras não rechaça o Deus de Israel, mas alarga o espaço para acolher outras divindades veneradas por outros povos. Como reconhecer que profetiza em falso? Bem simples: não pode ser oráculo do Senhor aquele que vai contra a exigência básica do Deus da aliança. Surge uma dificuldade teológica: como se explica o prodígio, que é ação de Deus? – Deus o fez para pôr-te à prova. Será na terra uma prova mais grave que todas as penalidades no deserto (8,1). Também os magos faziam sinais, não atribuídos ao Senhor (cf. 2Ts 2,9-12).

13,2 Os sonhos podiam ser oraculares, como mostram relatos do Gênesis ou do Êxodo; Jl 3,1 os promete e Eclo 34,1-8 os distingue.

13,3 Jr 23,13.27.

que o sinal ou prodígio se cumpra, ⁴não dês atenção a esse profeta ou vidente de sonhos, pois se trata de uma prova do Senhor vosso Deus, para ver se amais o Senhor vosso Deus com todo o coração e com toda a alma.

⁵Seguireis o Senhor vosso Deus e o respeitareis, cumprireis seus mandamentos, obedecereis a ele, prestareis culto a ele, e a ele vos apegareis.

⁶Esse profeta ou vidente de sonhos será executado, por ter pregado a rebelião contra o Senhor vosso Deus que vos tirou do Egito e vos redimiu da escravidão, e por ter tentado afastar-te do caminho que o Senhor teu Deus te ordenou seguir. Assim extirparás de ti a maldade.

Caso familiar – ⁷Se um irmão teu, de pai ou de mãe, ou teu filho, tua filha, ou a mulher que dorme em teus braços, ou teu amigo do peito te incitar às escondidas, propondo-te: "Vamos prestar culto a deuses estrangeiros, desconhecidos para ti e para teus pais" – ⁸sejam deuses de povos vizinhos e próximos ou de povos distantes de uma extremidade a outra da terra – ⁹não lhe darás atenção nem o escutarás, não terás piedade dele, não terás compaixão dele, nem o acobertarás. ¹⁰Pelo contrário, tu o matarás; tua mão será a primeira na execução, e as mãos dos parentes a seguirão. ¹¹Tu o apedrejarás até morrer, pois tentou afastar-te do Senhor teu Deus que te tirou do Egito, da escravidão. ¹²Assim todo o Israel, ao tomar conhecimento, aprenderá, e semelhante maldade não se cometerá outra vez entre os teus.

Caso coletivo – ¹³Se souberes que de alguma das cidades que o Senhor teu Deus te deu para habitar ¹⁴saíram canalhas que extraviam os vizinhos, propondo-lhes: "Vamos prestar culto a deuses estrangeiros e desconhecidos", ¹⁵primeiramente investiga, examina, interroga cuidadosamente; e se realmente se cometeu essa abominação entre os teus, ¹⁶passarás os vizinhos a fio de espada, dedicarás ao extermínio a cidade com tudo o que houver dentro e com o gado; ¹⁷amontoarás os despojos na praça e incendiarás a cidade com todos os despojos em honra do Senhor teu Deus. Ficará como ruína perpétua, sem ser reedificada. ¹⁸Que nada do que foi dedicado ao extermínio se apegue às tuas mãos. Assim, o Senhor renunciará à própria cólera, te tratará com compaixão e, compadecido, te fará crescer como fez promessa a teus pais. ¹⁹ Isso por teres obedecido ao Senhor teu Deus, por teres cumprido seus mandamentos que hoje eu te ordeno, e por teres feito o que o Senhor teu Deus aprova.

14 ¹Sois filhos do Senhor vosso Deus. Não fareis incisões nem rapareis a cabeça por um morto. ²És um povo consagrado ao Senhor, teu Deus; o Senhor te escolheu entre todos os povos da terra

---

13,5 Abandonado o tom jurídico, a paixão prorrompe e se expressa no acúmulo de seis verbos categóricos.

13,6 A pena capital corresponde à gravidade do delito, que é afastar do Senhor a pessoa e afastá-la do caminho dele. Pode ilustrar isso a execução de profetas ordenada por Elías (1Rs 18).

13,7-12 O profeta abusa do seu prestígio e se vale da publicidade; o familiar ou íntimo abusa do afeto e da confiança e se vale do segredo.
Que fazer? A sentença em segunda pessoa aumenta a intensidade, acumula cinco imperativos negativos e desemboca no imperativo da execução (no caso do profeta, usava a voz passiva, "será executado", v. 6). Mas a execução há de ser pública, como diz 17,5.7, para alertar a comunidade. Recorde-se o caso da execução coletiva de familiares em Ex 32.

13,13-19 O terceiro caso podemos chamá-lo de político, no sentido etimológico. A população inteira se contagiou, talvez por relações particulares com estrangeiros, e estabeleceu o culto de outras divindades. O caso é mais grave, porque significaria no povo de Deus uma cisão, que poderia ampliar-se. Pela gravidade do delito e da pena prevista, o legislador exige uma profunda investigação prévia (17,4). A pena é o extermínio da guerra santa. As ruínas da cidade permanecerão como alerta. Talvez pela mente do autor passe a lembrança de Jerusalém, incendiada e arrasada por suas idolatrias (segundo Ez 1-11), embora reconstruída. Recorde-se o episódio de Jz 20, onde o crime não é de idolatria. O Senhor pagará com sua compaixão o zelo desapiedado de seu povo (cf. Sl 149,9).

14,1-21 É extraordinário que esta série de proibições, que nós chamamos tabus, sejam emblema de um "povo santo" (2.21), de "filhos do Senhor" (1). Será esta fórmula, benê Yhwh, imitação e correção de outra semelhante, benê elohim? Ou o termo benê tem significado mais fraco de pertença? Ou procura aclarar e sublimar o corrente benê yisrael?
A série começa com ritos funerários (1) e termina referindo-se a animais mortos (21). Os primeiros devem ser entendidos em ligação com cultos estrangeiros,

como povo de sua propriedade. ³Não comerás nada abominável:

⁴[a]*Animais terrestres comestíveis:* o touro, o cordeiro, o cabrito, ⁵o cervo, a gazela, o corço, a cabra montesa, o antílope, o bisão, a camurça. ⁶Dos animais terrestres podereis comer todos os ruminantes bissulcados de casco fendido; ⁷excetuam-se apenas os seguintes: o camelo, a lebre e o texugo, que são ruminantes, mas não têm o casco fendido, considerai-os impuros; ⁸o javali, que tem casco fendido, mas não é ruminante, considerai-o impuro. Não comais suas carnes nem toqueis seus cadáveres.

⁹[b]*Animais aquáticos comestíveis:* podereis comer os que têm barbatanas e escamas; ¹⁰mas os que não têm barbatanas nem escamas, não podereis comer, considerai-os impuros.

¹¹[c] Podereis comer todas as aves puras, ¹²mas não podereis comer a águia, o falcão e o abutre preto, ¹³o abutre, o milhafre em todas as suas variedades, ¹⁴o corvo em todas as suas variedades, ¹⁵o avestruz, o noitibó, a gaivota e o falcão em todas as suas variedades, ¹⁶o mocho, a coruja, o camaleão, ¹⁷o pelicano, o calamão, o corvo-marinho, ¹⁸a cegonha e a garça em todas as suas variedades, a poupa e o morcego, ¹⁹e os insetos, considerai-os impuros, não são comestíveis. ²⁰Podeis comer todas as aves puras.

²¹Não comereis seus cadáveres, deixai-os ao migrante que vive próximo de ti, para que os coma, ou vende-os ao estrangeiro, pois tu és um povo santo para o Senhor teu Deus.

Não cozinharás um cabrito no leite de sua mãe.

Dízimos e remissão (Nm 18,20-32) – ²²[a] *Todos os anos* separarás o dízimo dos produtos de teus campos, ²³e comerás na presença do Senhor teu Deus no lugar que ele escolher para morada do seu nome, o dízimo do teu trigo, teu mosto e teu azeite e os primogênitos de tuas reses e ovelhas, para que aprendas a respeitar o Senhor teu Deus enquanto durar tua vida. ²⁴Se o caminho te parecer longo e não conseguires carregar tudo, porque o Senhor teu Deus te abençoou, e porque está longe o lugar que o Senhor teu Deus tiver escolhido para aí pôr seu nome, ²⁵tu o venderás, porás o dinheiro numa bolsa e o levarás ao lugar que o Senhor teu Deus escolher. ²⁶Aí comprarás o que te aprouver: reses, ovelhas, vinho, licores, tudo o que o apetite te pedir, e o comerás na presença do Senhor, desfrutando-o tu e os teus. ²⁷Mas não descuides do levita que mora próximo de ti, pois não lhe coube nada na divisão da herança.

²⁸[b] *A cada três anos* separarás o dízimo da colheita do ano e o depositarás

---

já que outros ritos funerários são permitidos e são praticados por israelitas (Is 22,12; Jr 16,6; Ez 7,18). Os animais se dividem em puros e impuros, comestíveis e proibidos, não por critérios higiênicos, mas por costume sancionado pela lei. Essa distinção fica abolida por Cristo, como atesta a visão de Pedro em Jafa (At 10; cf. Mc 7).
A identificação e tradução de algumas espécies é conjetural.
14,21b Talvez se trate de um rito mágico. A proibição também se lê em Ex 23,29 e 34,26.
14,22 Aqui começa uma série de temática econômico e social, que se articula pela periodicidade: cada ano (22-27); de três em três anos (28-29); de sete em sete anos (15,1-11). Depois de uma digressão, atraída pelo tema, sobre escravos e primogênitos de animais (15,12-23), retorna a outro ciclo periódico, ao longo do ano (16,1-20).
14,22-27 Já Gn 28,22 atribui a Jacó uma fundação de dízimos para um santuário do Senhor em Betel. Na sua origem, o dízimo era uma oferenda agrária para a divindade local, em reconhecimento pela colheita. A centralização do culto transfere a oferta para o templo de Jerusalém e a transforma num banquete festivo, familiar, "na presença do Senhor".

O banquete em si é um fato secular; a referência explícita a *Yhwh* lhe infunde caráter de confissão religiosa. Celebrá-lo em Jerusalém supõe uma peregrinação: pode-se conjeturar que se aproveitava a festa das cabanas.
A centralização cria um problema: a conservação e o transporte de alguns produtos agropecuários. Para resolvê-lo se aproveita um progresso econômico: o uso fácil do dinheiro como instrumento comercial, em substituição de operações só em espécie.
O resultado desta provisão é múltiplo: inculcar o culto exclusivo do único Deus de todos os israelitas, fazer que experimentem o caráter festivo de sua religiosidade, fomentar a unidade nacional e os laços familiares à sombra do Senhor.
14,28-29 Além do ano sabático, de barbeito (Ex 23,10-11 e Lv 25), a presente lei introduz um ciclo trienal de dízimos, a favor de classes necessitadas, que são conservados e distribuídos localmente, sem intervenção burocrática centralizada. Entre essas classes tradicionais, espécie de proletariado, se incluem os levitas, que não possuem outros meios de sustento. A prescrição é humanitária, de justiça social: depende do seu cumprimento o bem-estar econômico que procura a bênção do Senhor. Em outras palavras, a

às portas da cidade. ²⁹Então, virá o levita, que não se beneficiou na divisão de vossa herança, o migrante, o órfão e a viúva que vivem próximos de ti, e comerão até fartar-se. Assim, o Senhor teu Deus te abençoará em todas as tarefas que empreenderes.

15 ¹[c] *A cada sete anos* farás a remissão. ²Assim diz a lei sobre a remissão: "Todo credor perdoará a dívida do empréstimo feito a seu próximo; não oprimirá seu próximo, porque foi proclamada a remissão do Senhor". ³Poderás pressionar o estrangeiro, mas perdoarás o que tiveres emprestado ao teu irmão.
⁴É verdade que não haverá pobres entre os teus, porque o Senhor teu Deus te abençoará, na terra que o Senhor teu Deus te dará para que possuas como herança, ⁵desde que obedeças ao Senhor teu Deus, praticando este preceito que hoje te ordeno. ⁶O Senhor teu Deus te abençoará, como te disse; tu emprestarás a muitos povos e não pedirás emprestado, dominarás muitos povos e não serás dominado.
⁷Se houver entre os teus um pobre, um irmão teu, numa cidade tua, nessa tua terra que o Senhor teu Deus te dará, não endureças o coração nem feches a mão a teu irmão pobre. ⁸Abre-lhe a mão e empresta-lhe na medida de sua necessidade.
⁹Cuidado, não te ocorra este pensamento vil: "Aproxima-se o sétimo ano, ano de remissão", e sejas mesquinho com teu irmão pobre, não lhe dando nada, pois ele apelará ao Senhor contra ti e serás culpado. ¹⁰Dá-lhe, e não de má vontade, pois por essa ação o Senhor teu Deus abençoará todas as tuas obras e todos os teus empreendimentos.
¹¹Nunca deixará de haver pobres na terra; por isso eu te ordeno: abre a mão a teu irmão, a teu pobre, a teu indigente de tua terra.
¹²Se teu irmão, hebreu ou hebreia, se vender a ti, ele te servirá seis anos, e no

---

religiosidade não acarreta automaticamente o bem-estar econômico, mas o condiciona à solidariedade efetiva. Não está claro se o dízimo trienal substitui o anual, ou se é acrescentado a ele.

15,1-3 *A lei.* Ex 23,10-11 fala de outra "remissão", que é um barbeito das terras. Coincide com a presente no nome, no período de sete anos, em seu caráter sagrado, "remissão do Senhor", em ser um benefício aos necessitados. A presente lei se refere, não ao empréstimo como negócio, mas como benefício ao necessitado. Por "próximo" entende-se apenas o israelita, que o Dt costuma chamar de "irmão".
O Senhor é dono da terra e é soberano. Como tal, pode promulgar remissão geral ou perdão de dívidas em seus domínios. O teor da lei supõe que o sétimo ano esteja fixado no calendário; é possível que outrora se praticasse o sétimo ano depois de efetuado o empréstimo. Sobre a prática, ver Lv 25, a referência de Ne 10,32 e o comentário de Eclo 29,1-13.
15,4-11 Parênese sobre a lei. O mais curioso é o aparente contradição entre o primeiro versículo e o último: "não haverá pobres... haverá pobres". A primeira fala de um estado ideal e condicionado: se os israelitas cumprissem esta legislação social, a terra de Canaã poderia sustentar a todos, sem haver pobres, porque ao cumprimento corresponderia a bênção do Senhor, que concede bem-estar e abundância.
Mas as coisas não acontecem assim, e na terra alguns israelitas se empobrecem. Em tal caso, não vale apelar para o direito de propriedade nem para uma suposta justiça comutativa, mas vigora a lei da caridade, o direito de todos a desfrutar dos bens da terra de todos. Mais ainda, a presença do pobre, aceita e confrontada desse modo, converte-se em elemento dinâmico e criativo: um empreendimento do homem que Deus abençoa.

O inaceitável seria amparar-se na letra de uma lei, a do perdão no sétimo ano, para destruir o espírito de tal lei, que é a ajuda ao necessitado. Semelhante cálculo "rasteiro", ainda que pareça respeitar a lei, é delito perante o Senhor.
É de notar o tom intensamente pessoal, a multiplicação de formas na segunda pessoa, os repetidos possessivos "teu", indicando responsabilidade.
15,7 São "teus": o povo, o pobre, a cidade, a terra, Deus. Isso impõe uma atitude total, por dentro e por fora, de coração e de mão. Is 58,7.10.
15,8 A medida do empréstimo não é um limite objetivo, uma taxa invariável, mas sim a necessidade. Eclo 29,1-13.
15,9 Clamam ao Senhor pedindo justiça.
15,10 Processo dialético: pelo ato de caridade limitado, Deus abençoa "todas as tuas obras".
15,11 No hebraico há um acúmulo enfático de possessivos. A condição de pobreza não anula, antes exalta a condição radical de fraternidade. Ver Is 58,7: "não te fecharás à tua própria carne", e a intervenção extraordinária de Neemias (Ne 5). Para Cristo, "irmãos" serão todos os seres humanos, e próximo será o necessitado (p. ex., Lc 10).
15,12-18 A lei de alforria de escravos é paralela à anterior; pode-se chamar "sabática", porque o prazo é o sétimo ano desde o começo da escravidão, tem aspectos materiais econômicos, um espírito humanitário e uma motivação religiosa. Comparado com a versão de Ex 21,2-6, este texto é um progresso, porque estende a validade à serva, é mais humano, amplia a motivação. Ver o caso particular de Jr 32.
15,12 Em Ex 21 não se chama "irmão". Semelhante condição é básica e permanente, não é destruída nem superada pela condição temporária de escravidão.

sétimo o deixarás partir em liberdade. ¹³Quando o deixares partir em liberdade, não o despeças com as mãos vazias: ¹⁴carrega-o com presentes do teu gado, da tua eira e do teu lagar, dando-lhe segundo o Senhor teu Deus te houver abençoado. ¹⁵Recorda que foste escravo no Egito e que o Senhor teu Deus te redimiu; por isso eu te imponho hoje esta lei. ¹⁶Mas se ele te disser: "Não quero partir, pois amo a ti e a tua família" – porque estava bem contigo –, ¹⁷pega um ponteiro, crava-lhe a orelha contra a porta, e será teu escravo para sempre; farás o mesmo com tua escrava. ¹⁸Não te pareça difícil deixá-lo partir em liberdade; o fato de te haver servido seis anos equivale ao salário de um diarista; além disso, o Senhor teu Deus abençoará tudo o que fizeres.

¹⁹Todo primogênito macho que nascer de tuas reses e ovelhas, tu o consagrarás ao Senhor teu Deus. Não trabalharás com o primogênito de tuas vacas nem tosquiarás o primogênito de tuas ovelhas. ²⁰Tu o comerás a cada ano com tua família, na presença do Senhor teu Deus, no lugar que o Senhor teu Deus escolher. ²¹Se tiver algum defeito – coxo, cego ou qualquer outro defeito –, não o sacrificarás ao Senhor teu Deus. ²²Podes comê-lo em tua cidade, em estado de pureza ou impureza, como se fosse gazela ou cervo. ²³Mas não comerás o sangue; tu o derramarás por terra, como água.

16 Festas do Senhor (Ex 23,14-16; Lv 23) – ¹[a] Respeita o mês de abril,

celebrando a *Páscoa* do Senhor teu Deus, porque no mês de abril o Senhor teu Deus te tirou do Egito. ²Como vítima pascal imolarás ao Senhor teu Deus uma rês de gado graúdo ou miúdo, no lugar que o Senhor teu Deus escolher para morada do seu nome. ³Não acompanharás a comida com pão fermentado. Durante sete dias comerás pães ázimos (pão de aflição), porque saíste do Egito apressadamente; assim recordarás por toda a vida tua saída do Egito. ⁴Durante sete dias não se encontrará fermento em todo o teu território. Da carne imolada na tarde do primeiro dia, não sobrará nada para o dia seguinte.

⁵Não podes sacrificar a vítima pascal em qualquer um dos povoados que o Senhor teu Deus te dará. ⁶Somente no lugar que o Senhor teu Deus escolher para morada do seu nome. Aí, ao entardecer, sacrificarás a páscoa ao pôr do sol, hora em que saíste do Egito. ⁷Tu a cozinharás e a comerás no lugar que o Senhor teu Deus escolher, e na manhã seguinte voltarás para tua casa. ⁸Durante seis dias comerás pães ázimos, e no sétimo dia haverá assembleia em honra do Senhor teu Deus. Não farás nenhum trabalho.

15,13 Ex 21 manda deixá-lo livre de graça. Dt ordena a entrega de bens, ou melhor, de participações no bem-estar do senhor a quem serviu; provavelmente, o servo colaborou com seu trabalho para esse bem-estar.

15,14 Carrega-o, como um colar rico e honorífico, sugere a metáfora hebraica.

15,15 Motivação religiosa: no fundo, todos são escravos libertos do Senhor, que deseja a liberdade em seu povo.

15,16-17 Inclusive a alforria se relativiza e se subordina aos desejos livres do escravo. Ou porque o trataram bem e cresceu o afeto mútuo, ou porque teme a insegurança de outro regime de vida, o escravo pode escolher livremente continuar no mesmo estado. O rito simboliza a pertença à casa.

15,18 É um acréscimo do Dt, apelando à razão humana e à bênção divina. A presente lei nos mostra como o fermento da justiça social, baseada na aliança, faz a mesma legislação progredir.

15,19-23 Sobre os primogênitos de animais, ver Ex 13,2.11-16; 22,29; 34,19-20; Lv 27,26-27; Nm 18,15-18. Consagrados ao Senhor, não devem servir para utilidade profana; mas sim para um banquete festivo e familiar em Jerusalém, como os dízimos do capítulo precedente.

16,1-17 Este calendário litúrgico pode ser comparado com os de Ex 23,14-17; 34,18.22-24 e com o mais detalhado em Lv 23.

16,1-8 Aparecem já fundidas duas festividades que antes se distinguiam: a festa pastoril da páscoa e a agrária dos pães sem fermento. As duas estão historizadas, quer dizer, referidas ao fato da libertação do Egito. Ex 12 vincula as duas à saída do Egito; por seu turno, Ex 23 e 34 não mencionam a páscoa do cordeiro. Antigamente se celebrava a páscoa nos lares, em cada povoado; o Dt a transfere para o santuário central, seguindo o precedente de Josias (2Rs 23,21-23). No tempo de Cristo, os cordeiros eram abatidos no templo, por pessoal consagrado, e se comiam em casa.

16,1 Abib é o nome cananeu do mês e significa "espiga" (sobrevive no atual Tel Aviv). Cai em março/abril.

16,2 Ao centralizar a páscoa, considera-se o abate dos animais sacrifício e se admite gado graúdo junto ao miúdo; quer dizer, iguala-se no rito a outros sacrifícios. Deixa de ser estritamente "a páscoa do cordeiro"; parece que na prática não vingou tal ampliação.

16,4 Ver a aplicação metafórica de 1Cor 5,7.

16,7 Cozinhar as vítimas era prática antiga (Jz 6,19; 1Sm 2,13); por outro lado, Ex 12,19 exige que se asse o cordeiro.

⁹[b] Contarás sete semanas; a partir do dia em que começares a ceifar a messe, contarás sete semanas, ¹⁰e celebrarás a *festa das Semanas* em honra do Senhor teu Deus. A oferta voluntária que fizeres será proporcional ao modo como o Senhor teu Deus te houver abençoado. ¹¹Celebrarás a festa na presença do Senhor teu Deus, com teus filhos e filhas, escravos e escravas, e com o levita que vive próximo a ti, com os migrantes, órfãos e viúvas que houver entre os teus, no lugar que o Senhor teu Deus escolher para a morada do seu nome. ¹²Recorda que foste escravo no Egito; guarda e cumpre todos esses preceitos.

¹³[c]*A festa das Cabanas*, tu a celebrarás durante sete dias, quando tiveres recolhido a colheita da tua eira e do teu lagar. ¹⁴Celebrarás a festa com teus filhos e filhas, escravos e escravas, com os levitas, migrantes, órfãos e viúvas que vivem próximos de ti. ¹⁵Farás festa por sete dias em honra do Senhor teu Deus, no lugar que o Senhor teu Deus escolher. Tu o festejarás, porque o Senhor teu Deus abençoou tuas colheitas e tuas tarefas.

¹⁶Três vezes ao ano, todos os homens irão em peregrinação ao lugar que o Senhor teu Deus escolher: na festa dos Ázimos, na festa das Semanas e na festa das Cabanas. E não se apresentarão ao Senhor teu Deus de mãos vazias. ¹⁷Oferecei cada um o vosso dom segundo a bênção que o Senhor teu Deus vos tiver dado.

¹⁸Nomearás *juízes e magistrados* por tribos, nas cidades que o Senhor teu Deus te dará, para que julguem o povo com justiça. ¹⁹Não violarás o direito, não serás parcial nem aceitarás suborno, "pois o suborno cega os olhos dos sábios e falseia a causa do inocente". ²⁰Procura unicamente a justiça, e assim viverás e tomarás posse da terra que o Senhor teu Deus te dará.

Cultos proibidos – ²¹Não plantarás postes sagrados nem árvores junto ao altar que ergueres ao Senhor teu Deus; ²²não erigirás estelas, porque o Senhor teu Deus as detesta.

17 ¹Não sacrificarás ao Senhor teu Deus touros ou cordeiros mutilados ou deformados: seria uma abominação para o Senhor teu Deus.

Processo por idolatria (Dt 13) – ²Se numa das cidades que o Senhor teu Deus te dará se encontrar um homem ou uma mulher que faça o que desagrada o Senhor teu Deus, violando sua aliança; ³que preste culto a deuses estrangeiros e se prostre diante deles ou diante do sol, da lua ou de todo o exército do céu, fazendo o que eu proibi, ⁴e os denunciarem a ti ou tu mesmo tomares conhecimento, primeiramente investigarás a fundo; se for verdade que se cometeu tal abominação em Israel, ⁵farás sair às portas o homem ou a mulher que cometeu o delito, e o apedrejarás até morrer.

⁶Somente com o depoimento de duas ou três testemunhas se procederá à execução do réu; não será executado com o depoimento de uma só testemunha. ⁷A mão das testemunhas será a primeira na execução, e

---

16,9-12 Festa da colheita do trigo: cronologicamente corresponde à nossa festa de Pentecostes. O Dt insiste no caráter festivo e social dessa festa: toda a família e todas as classes necessitadas devem participar da alegria comum. Na oferta o lavrador reconhece que a colheita foi bênção de Deus. Além disso, a festa renova a consciência da liberdade recebida por graça de Deus.

16,13-15 Celebra o final da colheita e da vindima. É a mais alegre do ano. Lv 23 a liga com a lembrança da vida acampando em tendas no deserto.

16,16 São festas de peregrinação a Jerusalém.

16,18-20 Pelo tema estes versículos pertencem à seção de "autoridades". Antecipam-se aqui como introdução aos processos por idolatria, cujo tema é cultual e completa a lei do cap. 13. Instituem uma magistratura de leigos estabelecida em cada povoado. As normas de justiça são as de Ex 23,6.8; Dt 1,17. Ver 1Sm 8,32; 2Cr 19,5-7; Pr 24,23; 28,31.

16,21-22 São símbolos cultuais cananeus. A norma pode aludir a Manassés (2Rs 21,3-7); desapareceram na reforma de Josias (2Rs 23,6.12).

17,1 Ampliação da lei de 15,21.

17,2-7 Processo criminal por delito religioso, referido concretamente à idolatria do cap. 13. Tratando-se de pena capital, o processo deve oferecer todas as garantias possíveis. Tão responsáveis são as mulheres quanto os homens: 13,7 "a mulher que dorme em teus braços"; talvez pense na participação específica de mulheres em determinados cultos idolátricos (Jr 44,15; Ez 8,14). As testemunhas são três ou duas, conforme se inclua ou não o denunciante. O processo é celebrado na localidade e a pena é executada no lugar de reunião pública dos cidadãos ("fora do acampamento", em Lv 24,14 e Nm 15,35). Na execução participa toda a população para "extirpar" o mal. Ao atirar as primeiras pedras, as testemunhas se comprometem: se seu testemunho foi falso, são réus de homicídio.

todo o povo em seguida. Assim extirparás a maldade do teu meio.

[A] Tribunal do templo – ⁸Se uma causa te parecer muito difícil de julgar, causas duvidosas de homicídio, litígios, lesões que surgirem em tuas cidades, subirás ao lugar escolhido pelo Senhor, ⁹irás aos sacerdotes levitas, ao juiz que estiver em função, e os consultarás; eles te comunicarão a sentença. ¹⁰Aquilo que te disserem no lugar escolhido pelo Senhor, tu o farás, cumprindo a decisão deles. ¹¹Cumprirás sua decisão e porás em prática sua sentença, sem te afastares à direita ou à esquerda. ¹²Aquele que por arrogância não obedecer ao sacerdote posto a serviço do Senhor teu Deus, nem aceitar sua sentença, morrerá. ¹³Assim extirparás do meio de ti a maldade; o povo, ao tomar conhecimento, aprenderá a lição e ninguém tornará a agir com arrogância.

[B] Sobre o rei (1Sm 8; 12) – ¹⁴Quando entrares na terra que o Senhor teu Deus te dará, tomares posse dela e nela habitares, e disseres: "Vou nomear para mim um rei, como os povos vizinhos", ¹⁵nomearás rei aquele que o Senhor teu Deus escolher. Nomearás rei um dos teus irmãos; não poderás nomear um estrangeiro que não seja teu irmão.

¹⁶Ele, porém, não aumentará sua cavalaria, não enviará tropas ao Egito para aumentar sua cavalaria, pois o Senhor vos disse: "Jamais retornareis por esse caminho". ¹⁷Não terá muitas mulheres, para que seu coração não se extravie, nem acumulará prata e ouro. ¹⁸Quando subir ao trono, fará escrever num livro uma *cópia desta lei*, segundo o original dos sacerdotes levitas. ¹⁹Ele a levará sempre consigo e a lerá todos os dias de sua vida, para que aprenda a respeitar o Senhor seu Deus, pondo em prática as palavras desta lei e destes mandatos. ²⁰Que ele não

---

17,8 Podemos colocar aqui a série articulada sobre as autoridades: tribunal do templo (8-13); o rei (14-20); sacerdotes e levitas (18,1-8); o profeta (9-22). São possíveis outras combinações, p. ex., unindo tribunais locais (2-7) com o tribunal do templo (8-13). Seja qual for a composição, o importante é a distinção hierárquica de competência e a instância à parte do profeta como mediador da palavra de Deus.

17,8-13 Se Moisés inicia um processo de descentralização ou delegação do poder judiciário (1,9-18), a presente lei sanciona a centralização de algumas causas mais complicadas. Não é apresentada como tribunal de apelação para o réu, mas como instância superior, consultiva, à qual apelam os juízes locais. Supõe-se que os levitas estejam capacitados para resolver tais casos por sua maior experiência, por acumulação de precedentes no templo, sobretudo por sua investidura sacra. O juiz de que se fala seria o que está em função nesse momento (alguns pensam que é o rei, segundo Am 2,3 e Mq 4,14). Não se diz se a consulta incluía petição de oráculo ou solução por sortes.

17,10-11 A execução da sentença formulada compete ao juiz que consultou. Rechaçar esta sentença ou não cumpri-la conscientemente, seria arrogar-se um poder superior e desprezar a autoridade sacerdotal. Delito punido com a pena de morte. Não se deve confundir este oráculo, estritamente forense, com outros cultuais, dos quais alguns salmos dão indícios.

17,14-20 A lei sobre o rei compreende duas partes: obrigações do povo ao elegê-lo e obrigações do rei em seu cargo. A parênese se mistura à lei. A figura que traça este texto é a de um monarca constitucional, cuja constituição é a *torah*. No tempo em que se compõe esta parte do Dt, ou na sua redação final, os judeus não tinham rei nem podiam tê-lo. Por outro lado, a experiência histórica da monarquia tinha sido frustrante: só três se salvam, conforme Eclo 49,4. Já a instalação da monarquia esbarrou em forte resistência de Samuel (1Sm 8 e 12).

O Dt aceita o fato e descreve a sua ideia de rei, definindo e limitando seus poderes.

17,14-15 No reino meridional, Judá, reinou uma dinastia estável, garantida pela eleição e promessa divinas (2Sm 7); no reino setentrional, Israel, sucederam-se monarcas sem continuidade dinástica (cf. Os 8,4). O presente texto sintetiza a iniciativa popular, democrática, com a intervenção divina: o povo nomeia, o Senhor elege. Única condição: que seja "irmão", quer dizer, israelita. O autor ignora a promessa dinástica e não limita: qualquer "irmão" poderia ser nomeado.

17,16-17 Não fará alarde de poder militar, de um harém numeroso, de fausto esbanjador. Talvez pense em Salomão: 1Rs 5; 9,26-28; 10; ver também a denúncia de Jeremias (Jr 22,14-15).

Pelo visto, os cavalos eram vendidos pelo Egito em troca de escravos ou de empreitadas em seu território; por isso alguns eram forçados a "voltar ao Egito", contra a proibição divina. Só se permitiam o intercâmbio comercial e os mensageiros. A cavalaria tinha função militar, induzia o rei a confiar em seu exército e não no Senhor (cf. Is 31,1-4).

17,18-19 O rei não é legislador, é só executor da lei ou constituição. Os levitas custodiam no templo o texto autêntico e escrito da lei. O rei tem de possuir uma cópia, "segunda lei" (em grego, *deuteros nomos*), e recitá-la diariamente: para "respeitar o Senhor", soberano a quem está submetido, e para pô-la em prática. Ao povo é inculcada a recitação (6,4-6).

17,18 2Rs 23,1-3.

17,19 Js 1,8.

17,20 Compare-se este aviso com a teologia dinástica de alguns salmos e textos afins. Aqui a continuidade da dinastia depende da observância da lei, não só da promessa – influxo da experiência do exílio. É preciso recordar que inclusive os profetas dinásticos recordavam ao rei os preceitos da aliança e lhe denunciavam suas transgressões.

se erga orgulhoso sobre seus irmãos, nem se afaste deste preceito à direita ou à esquerda; assim ele e seus filhos no meio de Israel prolongarão os anos de seu reinado.

18 [C] **Sobre os sacerdotes** (Nm 17) – ¹Os sacerdotes levitas, toda a tribo de Levi, não terão parte na herança de Israel; comerão da herança do Senhor, de suas obrigações; ²não terá parte na herança de seus irmãos; o Senhor será sua herança, como lhe disse.

³*Direitos sacerdotais.* Se alguém do povo sacrificar um touro ou uma ovelha, dará ao sacerdote uma espádua, as queixadas e o estômago. ⁴Darás a ele as primícias do teu trigo, teu mosto e teu azeite, e a primeira lã ao tosquiar teu rebanho. ⁵Porque o Senhor teu Deus os escolheu para sempre, a ele e a seus filhos, entre todas as tribos, para que estejam a serviço pessoal do Senhor.

⁶Se um levita residente em qualquer povoado de Israel se transferir por vontade própria ao lugar escolhido pelo Senhor, ⁷poderá servir pessoalmente ao Senhor seu Deus, como os outros seus irmãos levitas que estão aí a serviço do Senhor, ⁸e comerá uma parte igual à dos demais. (Excetuam-se os sacerdotes adivinhos.)

[D] **Sobre os profetas** – ⁹Quando entrares na terra que o Senhor teu Deus te dará, não imites as abominações desses povos. ¹⁰Não haja entre os teus quem queime seus filhos ou filhas, nem adivinhos, nem astrólogos, nem agoureiros, ¹¹nem feiticeiros, nem encantadores, nem espiritistas, nem adivinhos, nem necromantes. ¹²Pois quem pratica isso é abominável ao Senhor. E por tais abominações o Senhor teu Deus os deserdará.

¹³Sê íntegro em tuas relações com o Senhor teu Deus. ¹⁴Esses povos que desapossarás escutam astrólogos e adivinhos, porém o Senhor teu Deus não te permite isso.

¹⁵Um *profeta* dos teus, dentre teus irmãos, como eu, o Senhor teu Deus suscitará para ti; vós o escutareis.

18,1-9 O texto não distingue entre levitas e aaronitas como duas ordens hierárquicas. Fala de levitas que exercem funções sacerdotais. Depois da centralização do culto, os levitas dos santuários locais ficam sem trabalho: a presente lei lhes dá direito de mudar para Jerusalém, a fim de oficiar aí e viver das entradas do templo. Se permanecerem no seu povoado, não possuindo propriedades, descem à classe dos necessitados.
O levita de Jz 17 tem colocação na casa de uma família. O relato de Jr 32 fala de propriedades sacerdotais em Anatot; Ezequiel, em sua partilha ideal, lhes atribui propriedades (45,1-8).
O princípio é econômico, mas a formulação extrapola o contexto e se abre a interpretações personalistas e espirituais, das quais pode ser testemunho o salmo 16.
18,8 A frase final é muito duvidosa. A tradução proposta corrige o texto. Outra tradução: "prescindindo da herança paterna".
18,9-22 Ao legislar sobre o rei, o autor contava com uma tradição secular e interrompida. A partir dela remontava ao tempo anterior, fazendo de Moisés seu legislador. Outro tanto acontece com o profeta, que conta também com ampla tradição de profetas autênticos e falsos. Ao remontar aos começos, faz de Moisés o protoprofeta e modelo dos profetas. Da simples ordem rei-sacerdote-profeta, não se segue que o profeta seja o mais importante. De outros textos se deduz a sua posição única. Dos levitas o rei tem de tomar o texto autêntico da *torah*, do profeta tem de escutar a palavra de Deus. O profeta representa uma instância externa ao poder e superior a ele: introduz na história, por meio da palavra, a soberania permanente do Senhor. O profetismo é e não é instituição. O Dt fala dele como se fosse, pela sua continuidade; mas não o é, porque cada vez depende de uma missão e comunicação de Deus. O profetismo em Israel não é imitação de instituições ou práticas estrangeiras; antes, se opõe a elas. O texto segue um esquema conhecido: proibição motivada (9-14), preceito com promessa (15-18), sanções (19-20), um critério para reconhecê-lo (21-22).
18,10-11 É a lista mais completa do AT: oito categorias que não podemos identificar com exatidão. Têm em comum a pretensão de conhecimentos e poderes arcanos, sobre-humanos ou infra-humanos. Pretendem superar a razão, na realidade prescindem dela. Contudo, sistematizam suas técnicas e profissionalizam sua atividade. Falta o nome técnico dos magos do Egito, *hartumim*.
Com uma margem de dúvida, procuraremos identificar alguns. De "adivinho" é representante clássico Balaão (Nm 22-24); os filisteus os consultam (1Sm 6,2); Jr 27,9 e 29,8 os denuncia. Segue-se uma dupla duvidosa: pela raiz, o primeiro interpreta formas e movimentos de nuvens, Isaías os relaciona com os filisteus (Is 2,6); o segundo se relaciona com a serpente (falso oráculo do paraíso), José no Egito o pratica (Gn 44,5.15); Manassés os praticou (2Rs 21,6). Seguem-se dois do campo da magia, feitiçaria, encantamentos: o primeiro se pratica no Egito (Ex 7,11), em Babilônia (Is 47,9), na Assíria (Na 3,4); o segundo pela fenícia Jezabel (2Rs 9,22). Assemelham-se espiritistas e necromantes, como mostra o episódio de Saul em Endor (1Sm 28); ironiza sobre eles Isaías (Is 8,19) e os supõe no Egito (Is 19,3).
18,15 Com a palavra "profeta" em posição enfática começa o contraste, o distintivo de Israel. Embora tenha existido algo semelhante aos profetas em outras culturas, nada se pode comparar nem de

¹⁶Foi o que pediste ao Senhor teu Deus no Horeb, no dia da assembleia: "Não quero continuar escutando a voz do Senhor meu Deus, nem quero mais ver esse terrível incêndio, para não morrer".

¹⁷O Senhor me respondeu: "Eles têm razão. ¹⁸Suscitarei um profeta como tu, dentre seus irmãos. Porei minhas palavras em sua boca, ele lhes dirá o que eu lhe mandar. ¹⁹Eu pedirei contas a quem não escutar as palavras que ele pronunciar em meu nome. ²⁰E o profeta que tiver a arrogância de dizer em meu nome o que eu não lhe ordenei, ou falar em nome de deuses estrangeiros, esse profeta morrerá".

²¹E se perguntares a ti mesmo: "Como distinguir se uma palavra não é palavra do Senhor?"

²²Quando um profeta falar em nome do Senhor e não acontecer nem se cumprir sua palavra, é coisa que o Senhor não disse; esse profeta fala com arrogância, não o temas.

19 Cidades de refúgio (Nm 35) –

¹Quando o Senhor teu Deus tiver extirpado as nações, cuja terra o Senhor teu Deus te dará, e habitares em suas cidades e em suas casas, ²separarás três cidades na terra que o Senhor teu Deus te dará como propriedade. ³Medirás bem as distâncias e dividirás em três regiões a terra que o Senhor teu Deus te dará em herança, como *refúgio* dos homicidas.

⁴Lei sobre o homicida que pede refúgio para salvar sua vida:

[a] Se alguém matar seu próximo sem querer, sem odiá-lo; ⁵por exemplo, alguém vai com seu próximo ao bosque cortar lenha, e, ao levantar o machado para cortar a lenha, o ferro escapa do cabo, atinge o próximo e o mata, esse receberá refúgio numa dessas cidades e salvará a vida. ⁶Não aconteça que o vingador do sangue o persiga enfurecido, o alcance, pois o caminho é longo, e o mate sem motivo suficiente, porque o homicida não tinha ódio do outro.

⁷Por isso eu te ordeno: Separa três cidades. ⁸Se o Senhor teu Deus alargar tuas fronteiras, como jurou a teus pais, e te der toda a terra que prometeu dar a teus pais – ⁹se puseres em prática este preceito que eu te ordeno hoje, a mando do Senhor teu Deus e seguindo seus caminhos por toda a vida –, acrescentarás outras três cidades às anteriores. ¹⁰Não aconteça que se derrame sangue inocente na terra que

---

longe ao corpo profético que conservamos de Israel. O profeta surge no meio da comunidade, por intervenção direta de Deus. Quando Moisés diz "como eu", o autor lhe atribui um lugar único; tanto assim que em tempos posteriores se leu este versículo como anúncio escatológico de um profeta individual: At 3,22.

18,16-19 O autor liga a instituição profética com uma tradição mosaica, e a interpreta democratizando-a: foi iniciativa do povo assustado, que o Senhor aceitou e sancionou. Assim se relaciona a origem do profetismo com a aliança e se faz de Moisés seu protótipo.

18,16 Dt 5,17.
18,17 Jr 1,9; Ez 3,1-10.
18,19 Ez 33,4.
18,20 Não só o profeta é escolhido e enviado de Deus, mas cada oráculo ele o recebe diretamente e não o pode inventar. Às vezes, terá de esperar (Jr 42; Hab 2). A grande confrontação de Jeremias com Ananias (Jr 28) pode ilustrar este versículo.
18,21-22 A atuação dos falsos profetas foi um pesadelo para Miqueias e na época crítica de Jeremias e Ezequiel. O texto oferece um critério útil, mas insuficiente.
19,1-13 Sobre as cidades de refúgio, deve-se consultar a versão sacerdotal de Nm 35 e a execução de Js 20, que se costumam considerar posteriores.

A instituição está muito prolongada em tempo e espaço, geralmente privilégio de santuários. Assim deve ter sido por muito tempo em Israel. Quando se centralizou o culto e desapareceram os santuários locais, secularizou-se parcialmente o direito de asilo, ao se criarem cidades especiais para o exercício de tal direito. Todo o aspecto sagrado se concentrou no templo de Jerusalém: ver o caso de Joab (1Rs 2, 28-33) e várias referências, literais ou metafóricas, nos salmos (com outro verbo hebraico).
A finalidade da lei é proteger, "salvar a vida" do inocente. Para isso, a primeira coisa é distinguir entre homicídio involuntário e assassinato; distinção que leva em conta a intenção, ao medir a responsabilidade para restringi-la. São dados critérios para distinguir e algum exemplo: a inimizade precedente, a premeditação e o modo de execução. O direito de asilo vale para o inocente, não para o culpado. Outros textos explicam que ao menos vale enquanto se indaga o assunto.
Matar o inocente, ainda que o faça um parente do morto, é considerado assassinato. Não matar o culpado seria cumplicidade no assassinato. Por isso as cidades de refúgio estão obrigadas à extradição do culpado declarado.

19,6 O "vingador do sangue" é parente ou encarregado de executar legalmente o homicida; poderíamos chamá-lo de justiceiro.

o Senhor teu Deus te dará em herança, e não recaia sobre ti um homicídio.

¹¹[b] Mas se alguém que odeia seu próximo se puser de tocaia, o atacar, o ferir de morte e depois buscar refúgio numa dessas cidades, ¹²os anciãos de tal cidade mandarão tirá-lo daí e o entregarão ao vingador do sangue para ser morto. ¹³Não tenhas piedade dele; assim extirparás de Israel o homicídio, e tudo correrá bem para ti.

¹⁴Não deslocarás os marcos do teu próximo, plantados pelos antepassados no patrimônio que herdares na terra que o Senhor teu Deus te dará como propriedade.

Lei sobre as testemunhas – ¹⁵Não é válido o testemunho de uma única pessoa contra alguém, em qualquer caso de pecado, culpa ou delito. Somente mediante o depoimento de duas ou três testemunhas se poderá decidir uma causa.

¹⁶Se uma testemunha de má-fé se apresentar contra alguém, acusando-o de rebelião, ¹⁷as duas partes comparecerão diante do Senhor, diante dos sacerdotes e juízes que estiverem em função nessa ocasião, ¹⁸e os juízes investigarão a fundo; se resultar que o testemunho é falso e que caluniou seu irmão, ¹⁹fareis com ele o que tentava fazer a seu irmão, e assim extirparás de ti a maldade, ²⁰e os demais, ao tomar conhecimento, aprenderão a lição, e não voltarão a cometer semelhante maldade entre os teus. ²¹Não tenhas piedade dele: vida por vida, olho por olho, dente por dente, mão por mão, pé por pé.

20 Lei sobre a guerra

– ¹[A] Quando saíres para *combater* contra teus inimigos, e vires cavalos, carros e tropas mais numerosas que as tuas, não os temas, porque está contigo o Senhor teu Deus, que te fez subir do Egito. ²Quando iniciares o combate, o sacerdote se adiantará para discursar à tropa, ³e lhes dirá: "Escuta, Israel, hoje vós combatereis o inimigo; não vos acovardeis, não os temais, não vos perturbeis, não vos aterrorizeis diante deles, ⁴pois o Senhor vosso Deus avança ao vosso lado, lutando a vosso favor, contra vossos inimigos, para vos dar a vitória".

⁵A seguir, os ajudantes falarão à tropa: "Quem tiver edificado uma casa e ainda não a tiver inaugurado, retire-se e volte

---

19,14 O mandamento é importantíssimo na cultura agrária de pequenos proprietários, e é o próprio Deus que o sanciona. Lê-se na legislação (Lv 26,45), nos profetas (Os 5,10), nos sapienciais (Pr 22,28; 23,10-11). O delito é mais grave, se cometido na terra que é dom do Senhor.

19,15-21 O que 17,2-7 ordenava para casos de incitação à idolatria, este texto o estende a qualquer causa criminal. A indagação começa por uma denúncia, no processo depõem testemunhas, das quais depende em grande parte a sentença. Falamos de condenação, não de absolvição. Uma testemunha falsa pode conseguir a absolvição do culpado: este caso não é considerado aqui. Como a condenação do réu pode ser uma pena corporal, inclusive a morte, a testemunha "falsa" se chama aqui "violenta". Recorde-se o caso de Nabot (1Rs 21).

Ambos, acusado e testemunha, são israelitas, "irmãos". A causa é levada ao templo, onde os sacerdotes a defendem e os juízes competentes a investigam: objeto é a verdade ou falsidade da acusação grave. Se a culpa é demonstrada, aplica-se a lei do talião, a princípio estabelecida para pôr limites à vingança (Ex 21,23-25; Lv 24,19-20). Serve também como advertência para os outros. Pode explicar salmos como o 109, em que o acusado inocente invoca o castigo para o caluniador.

20 Pode-se intitular lei da guerra e se divide em duas partes: sobre recrutamento e sobre assédio e conquista de cidades inimigas. Quando se escreve esta página, se no exílio ou depois, os judeus não podem sonhar com guerras de extermínio ou conquista. Se foi escrita no tempo de Josias, durante suas campanhas de expansão ou reconquista, a presente lei é hiperbólica.

O autor pode ter recolhido lembranças de outros tempos ou então ideias e práticas comuns. Disso se vale para enunciar seu princípio fundamental e regulamentar duas questões importantes. Vamos explicá-lo por partes.

20,1-4 Quem enuncia o princípio é Moisés e, por ordem deste, o sacerdote lhe pronuncia o discurso. Com esse artifício, o princípio se prende diretamente à legislação mosaica e se atualiza por um sacerdote: a guerra de que se trata é santa, é do Senhor. A ele cabe defender os seus e desbaratar o inimigo. A atitude correspondente de Israel deve ser de total confiança no Senhor; uma confiança que se sobreponha ao medo e o anule: expressa com quatro sinônimos do clássico "não temais". Não importa o número nem a superioridade militar do adversário, porque mais poderoso é Deus, que dá a vitória aos fracos.

Carros e cavalos trazem ressonâncias do mar Vermelho (Ex 14-15), são emblema de potência militar. Podem-se ver outras referências: Js 11,4; Jz 1,19; 4,3; nos profetas: Is 31,1; no saltério: Sl 20.

O discurso começa com a interpelação "escuta, Israel", típica deste livro: a confiança no Senhor em meio ao perigo é uma forma de adesão e entrega.

20,5-7 A ordem não é cronológica nem lógica. Tampouco parece estratégico o modo de recrutar concedendo-

para sua casa; não aconteça que morra em combate e outro a inaugure. ⁶Quem tiver plantado uma vinha e ainda não a tiver colhido, retire-se e volte para casa; não aconteça que morra em combate e outro a colha. ⁷Quem estiver prometido a uma mulher e ainda não tiver casado, retire-se e volte para casa; não aconteça que morra em combate e outro se case com ela".

⁸Os ajudantes dirão ainda à tropa: "Quem tiver medo e se acovardar, retire-se e volte para casa; não aconteça que sua covardia contamine seus irmãos".

⁹Quando os ajudantes tiverem terminado de discursar para a tropa, serão nomeados chefes para o comando da tropa.

¹⁰[B] Quando te aproximares para *atacar uma cidade*, primeiramente propõe-lhe a paz. ¹¹Se ela te responder "Paz" e te abrir as portas, todos os seus habitantes te servirão em trabalhos forçados. ¹²Mas se não aceitarem tua proposta de paz, mantendo as hostilidades, tu a sitiarás, ¹³e quando o Senhor teu Deus a entregar em teu poder, passarás todos os seus homens a fio da espada. ¹⁴Tomarás como despojos as mulheres, as crianças, o gado e os outros bens da cidade, e comerás os despojos dos inimigos, que o Senhor teu Deus te entregar.

¹⁵Farás a mesma coisa com todas as cidades remotas que não pertencem a esses povoados. ¹⁶Mas, nas cidades desses povoados cuja terra o Senhor teu Deus te entregar como herança, não deixarás alma viva:¹⁷dedicarás ao extermínio heteus, amorreus, cananeus, ferezeus, heveus e jebuseus, como o Senhor teu Deus te ordenou, ¹⁸para que não vos ensinem a cometer as abominações que eles cometem com seus deuses, e não pequeis contra o Senhor vosso Deus.

¹⁹Se tiveres de sitiar por muito tempo uma cidade antes de tomá-la de assalto, não destruas suas árvores a golpes de machado, porque poderás comer seus frutos; não as cortes, pois as árvores não são homens para que as trates como aos sitiados. ²⁰Mas, se sabes que uma árvore não é frutífera, podes destruí-la e cortá-la, para com ela construir obras de assédio contra a cidade que te combate, até que ela se entregue.

---

do dispensas. Aqui não se pensa num exército regular, estável, a soldo do rei, mas numa mobilização de voluntários (cf. Jz 5). As três isenções do serviço ativo exprimem uma atitude compreensiva, humanitária: a morte em campanha não deve frustrar o desfrute das primícias de três bens elementares, a casa, o pomar, a mulher. O autor não reflete sobre os resquícios ou brechas que abre semelhante disposição.

20,8 A última dispensa contempla a debilidade humana de um grupo ante o perigo: o medo se propaga. Nós dizemos "o medo contagia".

20,9 Não conta com um comandante supremo, como Joab ou Jeú, ou o rei em pessoa, mas com chefes inferiores.

20,10-18 Esta é a parte mais difícil, se não de entender, certamente de aceitar. Na forma se apresenta como legislação casuística, com uma abertura comum e duas bifurcações: a cidade se rende/não se rende, é remota/encontra-se em Canaã.

Podemos começar, enfocando os aspectos mais humanitários ou menos violentos: o começo é sempre uma oferta de paz, em caso de rendição se salva a vida de todos os vizinhos, em cidades remotas se salva a vida de mulheres e crianças, não combatentes. Desocupado o terreno, ressaltam as dificuldades e a crueldade desta lei. Em caso de rendição, trabalhos forçados; em caso de conquista de cidade remota, matança de todos os varões (excetuados os meninos pequenos); em caso de cidade dentro do território, extermínio total. Com o agravante de que isso, até o "sacro extermínio", se propõe como legislação de Moisés por incumbência do Senhor.

Com outros autores, ensaiaremos algumas explicações ou atenuantes. É muito duvidoso que historicamente os israelitas tenham praticado isso, exceto em algum caso extraordinário de oráculo ou voto (cf. Nm 21,2-3; Jz 1,17); embora fosse prática ocasional de outros povos e às vezes se reduzisse a renunciar aos despojos. Excluir a possibilidade de aproveitar-se dos despojos cortava pela raiz ações ofensivas de saque. O texto foi redigido com a perspectiva trágica do exílio (ver cap. 7) e em parte tinha como finalidade a propaganda religiosa, para levantar os ânimos e fazer confiar no Senhor.

Confessados os atenuantes, fica de pé o terrível agravante de atribuir ao Senhor esta lei, sobretudo lendo-se o texto à luz do evangelho. Em tal caso, não denuncia o evangelho outras formas modernas de guerras, trabalhos forçados e aniquilação de populações?

20,10 Não se esclarece sobre quem inicia as hostilidades e por quê.

20,11 Geralmente em serviços públicos: compare-se com Js 9,21.27; Jz 1,17-36.

20,13-14 Destaca: "o Senhor a entregar".

20,15 Isto supõe o assentamento no território de Canaã e as guerras de expansão, como se lê nos livros dos Reis.

20,16 "Alma viva": pelo contexto, "homens".

20,19-20 Dir-se-ia que as árvores são tratadas com mais consideração do que os homens: podem ser mais úteis (não seduzem?). A norma se opõe ao vandalismo destruidor, à estratégia de terra queimada.

21 **Caso de assassínio** — ¹Se encontrarem um homem apunhalado, estendido no despovoado, na terra que o Senhor teu Deus te dará como propriedade, e não se souber quem o matou, ²sairão teus anciãos e juízes, calcularão a distância entre o cadáver e os povoados dos arredores; ³os anciãos do povoado mais próximo pegarão uma bezerra que ainda não tenha trabalhado, ainda não submetida à canga, ⁴a farão descer a uma torrente de água perene, onde ninguém cultiva nem semeia, e aí a desnucarão; ⁵a seguir se aproximarão os sacerdotes levitas, que o Senhor teu Deus escolheu para que sirvam e abençoem em nome dele, competentes no civil e no criminal; ⁶e os anciãos do povoado mais próximo do lugar do crime lavarão as mãos na torrente, sobre a bezerra desnucada, ⁷recitando:
"Nossas mãos
 não derramaram este sangue,
 nossos olhos nada viram.
⁸Perdoa a Israel, teu povo,
 que tu redimiste, Senhor;
não permitas que sangue inocente
 recaia sobre teu povo Israel;
 que este sangue lhes seja expiado".
⁹Assim, extirparás de ti o homicídio e farás o que o Senhor aprova.

Prisioneiras de guerra — ¹⁰Quando saíres para guerrear contra teu inimigo e o Senhor teu Deus o entregar em teu poder e fizeres prisioneiros, ¹¹se vires entre eles uma mulher formosa, te apaixonares por ela e quiseres tomá-la como mulher, ¹²a levarás para tua casa: ela rapará a cabeça, cortará as unhas, ¹³tirará o manto de prisioneira e durante um mês chorará seu pai e sua mãe em tua casa; passado o luto, tu te unirás a ela, serás seu marido e ela será tua mulher. ¹⁴Se, mais tarde, ela já não te agradar, tu a deixarás partir, se ela quiser, mas não a venderás; não faças comércio com ela, após tê-la humilhado.

Caso de primogenitura — ¹⁵Se alguém tiver duas mulheres, uma muito amada e outra menos, e as duas, a mais amada e a outra, lhe derem filhos, e o primogênito for filho da menos querida, ¹⁶ao repartir a herança entre os filhos, não poderá enriquecer o filho da primeira à custa do filho da segunda, que é o primogênito; ¹⁷reconhecerá o primogênito, filho da menos querida, dando-lhe dois terços de todos os seus bens, pois é a primícia de sua virilidade e a primogenitura lhe pertence.

Caso de filho rebelde — ¹⁸Se alguém tiver um filho rebelde e incorrigível, que não

---

21,1-9 Na terra que Deus entrega a seu povo não se pode tolerar o assassinato. Se não se conhece o assassino, o sangue derramado contamina o território, clama ao céu pedindo justiça e compromete os habitantes. Estes não podem desentender-se, têm de exorcizar ou "expiar" o delito e assegurar a sua não responsabilidade. Para o primeiro se oferece um rito, para o segundo um juramento.
Responsáveis da comunidade são os anciãos ou conselheiros, aos quais o texto acrescenta juízes competentes e sacerdotes levitas, que teoricamente se devem deslocar de Jerusalém para o lugar da cerimônia.
Sobre o significado do rito só podemos oferecer conjeturas. Tudo acontece na zona e esfera não urbana, não domesticada. A novilha não trabalhou no campo, o terreno não é cultivado, o cadáver apareceu em lugar despovoado (cf. o fratricídio de Abel, Gn 4), a torrente não é de irrigação. Talvez se suponha que a novilha carregue a culpa (como o bode de Lv 16).
O juramento é de confissão negativa. Embora esteja em jogo a responsabilidade de um grupo reduzido, local, a cerimônia se coloca expressamente no contexto da terra inteira e de todo Israel. Assim, é importante a vida de um só.

21,10-14 Esta lei é humanitária. Não pensa no possível influxo religioso da mulher estrangeira; o cap. 7 se refere a mulheres cananeias. Ela não é um capricho ou um objeto (cf. Jz 5,30), porque ele se enamora deveras e a toma como mulher legítima, não como simples concubina; é um contexto de poligamia. Com o longo rito fúnebre, ela se desliga da casa paterna e a abandona (cf. Sl 45,11). É introduzida na casa do marido para ter aí um lugar (cf. Sl 113,9). Em caso de divórcio, sai como mulher livre. A tradução "fazer comércio" é duvidosa; poderia ser "vendê-la como escrava".

21,15-17 Também esta lei supõe a poligamia, no caso presente com duas mulheres. A expressão hebraica soa literalmente "querida/detestada": forma de comparação que poderíamos traduzir também por "preferida/não preferida"; uma boa ilustração encontramos na história de Jacó com Raquel e Lia. O autor conhece casos célebres, em que o mais novo foi nomeado herdeiro: Jacó em lugar de Esaú (Gn 27), Efraim em lugar de Manassés (Gn 48); o rei escolhia o sucessor entre seus muitos filhos.
A lei salvaguarda os direitos da mulher não preferida e atribui direitos por razão biológica: é a primícia (consagrada ao Senhor).

21,18-21 Comparada com a extensão do pátrio poder em tempos antigos, com poderes de vida e morte,

obedece a seu pai nem a sua mãe, e não lhes dá atenção apesar de o corrigirem, ¹⁹seus pais o agarrarão, o conduzirão às portas do lugar, aos anciãos da cidade, ²⁰e declararão na presença deles: "Este nosso filho é rebelde e incorrigível, não nos obedece, é um comilão e um beberrão". ²¹Então os homens da cidade o apedrejarão até morrer. Assim extirparás a maldade de ti, e todo Israel, ao sabê-lo, aprenderá a lição.

O executado – ²²Se um condenado à pena de morte for executado e pendurado a uma árvore, ²³seu cadáver não ficará na árvore durante a noite; tu o enterrarás nesse mesmo dia, porque Deus amaldiçoa quem é suspenso a uma árvore, e não deves contaminar a terra que o Senhor teu Deus te dará como herança.

22 Objetos perdidos (Ex 23,4s) – ¹Se vires extraviados o boi ou a ovelha do teu irmão, não fiques indiferente: deverás devolvê-los a teu irmão. ²Se teu irmão não vive perto ou não o conheces, recolhe a rês em teu curral, onde ficará até que teu irmão venha buscá-la, e então a devolverás a ele. ³Farás o mesmo com seu asno, com seu manto, com qualquer objeto perdido do teu irmão, que encontrares: não fiques indiferente. ⁴Se vires caídos no caminho o asno ou o boi do teu irmão, não fiques indiferente, ajuda-os a se levantar.

Casos vários (Lv 19,19) – ⁵A mulher não usará artigos masculinos, nem o homem vestirá roupas de mulher, pois o que assim age é abominável para o Senhor teu Deus.

⁶Se pelo caminho encontrares um ninho de pássaros, num arbusto ou no chão, com filhotes ou ovos e a mãe sobre eles, não pegarás a mãe com os filhotes; ⁷soltarás a mãe e poderás ficar com os filhotes. Assim tudo te correrá bem e prolongarás os teus dias.

⁸Se construíres uma casa nova, farás um parapeito no terraço, e assim não tornarás tua casa responsável pelo sangue, caso alguém caia dele.

⁹Não semearás tua vinha com sementes misturadas, para que não fique tudo consagrado: a semente que semeares e a colheita de tua vinha.

¹⁰Não lavrarás com um boi e um asno na mesma junta.

¹¹Não vestirás pano mesclado de lã e linho.

¹²Faze borlas nas quatro pontas do manto com o qual te cobrires.

Relações sexuais – [A] *Caso de reclamação do marido*. ¹³Se alguém se casar com uma mulher e, após coabitar com

---

a autoridade paterna fica rompida e limitada por esta lei e suas circunstâncias. Não considera um fato isolado, mas toda uma conduta grave, contumaz, incorrigível. O filho perturba a ordem e a economia da família. Devem estar de acordo o pai e a mãe: subentende-se que a mãe cederá mais dificilmente; em assunto tão grave, o seu consentimento é decisivo (não contam as outras mulheres que o marido possa ter). Não compete aos pais a sentença nem a execução: devem fazer declaração pública diante dos conselheiros do lugar. Os vizinhos executam a sentença na forma coletiva costumeira (cf. a pena de morte em Ex 21,15.17).

21,22-23 É pendurado numa árvore ou numa trave depois da execução: Js 8,29; 10,26; 2Sm 4,12. A finalidade pode ter sido a manifestação pública, o exemplo. Contamina a terra sagrada como qualquer cadáver. Dar-lhe sepultura é ato de piedade e respeito: compare-se com 2Rs 9,34 (Jezabel); Jr 7,33; 16,4; 19,7; 34,20. Paulo o cita em Gl 3,13.

22,1-3 Ex 23,4-5 se refere ao inimigo ou ao rival num processo. Dt se refere ao irmão, ou seja, a qualquer israelita, por solidariedade. A lei protege a propriedade do camponês e a vida dos animais domésticos. Recolhê-lo no curral significa alimentá-lo e cuidar dele.

22,4 Neste caso o dono está presente e é preciso ajudá-lo.

22,5 Pertence a uma concepção geral da distinção e separação, que fundamenta a ordem do universo (Lv 19,19; Gn 1). Provavelmente proíbe também práticas pagãs de culto.

22,6-7 A mãe é portadora da vida: merece a liberdade.

22,8 A casa ficaria maldita pela morte causada.

22,9-11 Leis de distinção e separação.

22,12 Nm 15,37-41 acrescenta uma explicação à prática, que na sua origem talvez tenha sido mágica ou apotropaica. Outros pensam que servem de peso para manter para baixo o manto e cobrir a nudez.

22,13 Começa uma série sobre relações sexuais: casada, adultério, violação de noiva, de solteira, incesto. O primeiro e o terceiro se desdobram em dois casos. A iniciativa em todos esses casos é do homem.

22,13-21 Trata-se de mulher casada que vive com o marido. Espera-se e supõe-se que tenha chegado virgem ao matrimônio, o que é garantido pelo pai (Eclo 42,9-11). Acontece uma denúncia de que não era virgem. Aqui se separam os casos opostos: a denúncia é pura difamação e calúnia, a denúncia é verdadeira. Em ambos os casos, o marido não pode tomar uma decisão e executá-la, mas deve

ela, a detesta, ¹⁴a calúnia e a difama, dizendo: "Casei-me com esta mulher e ao aproximar-me dela descobri que não é virgem", ¹⁵o pai e a mãe da jovem pegarão as provas de sua virgindade, as levarão aos anciãos da cidade, junto às portas, ¹⁶e o pai da jovem declarará diante deles: "Dei a este homem minha filha como mulher; ¹⁷ele a detesta e agora a difama, afirmando que minha filha não era virgem. Aqui estão as provas da virgindade de minha filha!" E estenderá o lençol diante dos anciãos da cidade.

¹⁸Os anciãos da cidade deterão o marido e lhe imporão um castigo ¹⁹e o multarão em cem siclos de prata – que darão ao pai da jovem – por haver difamado uma virgem israelita; além disso, ela continuará sendo sua mulher, e ele não poderá despedi-la por toda a vida.

²⁰Mas, se sua denúncia for verdadeira, se a jovem não era virgem, ²¹levarão a jovem à porta da casa paterna e os homens da cidade a apedrejarão até morrer, por haver cometido em Israel a infâmia de prostituir a casa de seu pai. Assim extirparás a maldade de ti.

[B] *Adultério*. ²²Se surpreenderem alguém deitado com a mulher de outro, os dois terão de morrer: aquele que se deitou com ela e a mulher. Assim extirparás a maldade de ti.

[C] *Casos de violação*. ²³Se alguém encontrar num povoado uma jovem prometida a outro e se deitar com ela, ²⁴conduzirão os dois às portas da cidade e os apedrejarão até morrer: a jovem, porque dentro do povoado não pediu socorro, e o homem, por ter violado a mulher de seu próximo. Assim extirparás a maldade de ti.

²⁵Mas se foi no despovoado que o homem encontrou a jovem prometida, a forçou e se deitou com ela, morrerá somente o homem que se deitou com ela; ²⁶não farás nada à jovem, não é ré de morte; é como se alguém atacasse o outro e o matasse: ²⁷ele a encontrou no despovoado e a jovem gritou, mas ninguém podia defendê-la.

²⁸Se alguém encontrar uma jovem solteira, a agarrar e se deitar com ela, e os surpreenderem, ²⁹o homem que se deitou com a jovem dará ao pai dela cinquenta siclos de prata e terá de aceitá-la como mulher por tê-la violado; não poderá despedi-la por toda a vida.

23

[D] *Incesto*. ¹Ninguém tomará a mulher de seu pai, não descobrirá o que é de seu pai.

Leis sobre a pureza [A] *Pureza de sangue*. ²Não se admite na assembleia do Senhor quem tiver os testículos esmagados ou tenha sido castrado.

---

submeter o assunto a processo diante da autoridade competente. As duas partes são o marido e o pai da esposa. As "provas da virgindade" são o lençol nupcial com manchas de sangue que os pais dela recebem e conservam com as devidas garantias.
A calúnia se castiga com dura multa. O texto não explica como se prova que a denúncia era verdadeira. A pena de morte infligida à mulher supõe que cometeu o ato quando estava prometida juridicamente àquele homem. A execução se realiza, não na porta da cidade, mas diante da casa paterna; como se o pai fosse em alguma medida culpado, ou como purificação jurídica de sua casa.
A lei defende o bom nome da mulher inocente e o direito do marido. Mas há enorme diferença entre a pena de um e a da outra.

22,22 A lei subtrai ao marido o direito de vingar-se por própria conta (cf. Pr 6,32-35) e transfere o caso de adultério à competência da autoridade. Os dois foram surpreendidos em flagrante. Ver o caso da adúltera em Jo 7,53-8,11.

22,23-27 Também este caso se desdobra em duas variantes. A prometida pertence juridicamente ao homem, embora ainda não se tenham celebrado as núpcias e não tenha começado a coabitação. Se a jovem não grita pedindo auxílio onde possa ser ouvida, presume-se que tenha consentido. Em lugar despovoado seus gritos teriam sido inúteis, e se presume que não tenha sido consentido. Em ambos os casos, o homem cometeu adultério e sofre pena de morte; no segundo caso, a jovem sofreu violência, é vítima inocente. Parece que Jeremias o emprega como metáfora de sua vida profética (Jr 20,7-8).

22,28-29 O texto não define se houve violência ou sedução. O verbo "surpreenderem" sugere o consentimento dela. A solução para a que perdeu a virgindade é o matrimônio; além disso, o homem deve pagar um dote ao pai. Compare-se com Ex 22,15 e ver o caso de Diná (Gn 34).

23,1 Entende-se que esta mulher não é sua mãe, mas uma das mulheres do pai. O enunciado é geral, portanto exclui a possibilidade de tomá-la depois da morte do pai. Os casos que se podem citar do AT falam de concubinas (2Sm 16,21-22 e 1Rs 2,22, ambos em contexto político). Ver também 1Cor 5,1.

23,2-9 A "assembleia do Senhor" tem alcance cultual, não abrange todos os israelitas. O texto não define sua composição nem suas funções, somente regulamenta sua pureza por exclusão.

³Não é admitido na assembleia do Senhor nenhum bastardo; não são admitidos na assembleia do Senhor até a décima geração.

⁴Não se admitem na assembleia do Senhor amonitas nem moabitas; não se admitem na assembleia do Senhor nem na décima geração. ⁵Pois não saíram ao teu encontro com pão e água, quando estavas a caminho, saindo do Egito, e porque alugaram, para te amaldiçoar, Balaão, filho de Beor, de Petor, na Mesopotâmia ⁶(embora o Senhor teu Deus não tenha dado atenção a Balaão; o Senhor teu Deus mudou a maldição em bênção, porque o Senhor teu Deus te amava). ⁷Não procures sua paz nem sua amizade enquanto viveres.

⁸Não consideres abomináveis os edomitas, pois são teus irmãos. Não consideres abomináveis os egípcios, pois foste migrante em sua terra, ⁹e seus descendentes da terceira geração serão admitidos na assembleia do Senhor.

[B] *Pureza no acampamento*. ¹⁰Quando acampares diante do inimigo, evita toda espécie de maldade. ¹¹Se um dos teus ficar impuro por polução noturna, sairá para fora do acampamento e não voltará; ¹²ao entardecer, se banhará, e ao pôr do sol voltará ao acampamento.

¹³Terás um lugar fora do acampamento para as tuas necessidades, e levarás em tua bagagem uma estaca. ¹⁴Quando saíres para fazer tuas necessidades, farás com ela um buraco, e no fim cobrirás os excrementos. ¹⁵Porque o Senhor teu Deus anda pelo acampamento para te dar a vitória e entregar-te o inimigo; teu acampamento deve ser santo, para que o Senhor não veja nada de vergonhoso e não se afaste de ti.

Leis diversas – ¹⁶Se um escravo escapar e se refugiar em tua casa, não o entregues a seu amo; ¹⁷permanecerá contigo, entre os teus, no lugar que escolher numa de tuas cidades, onde melhor lhe parecer, e não o explores.

¹⁸Não haverá prostitutas sagradas entre as israelitas, nem prostitutos sagrados entre os israelitas. ¹⁹Não entregarás, na casa do Senhor teu Deus, como cumprimento de um voto, pagamento de prostituta nem salário de prostituto*, porque os dois são abomináveis para o Senhor teu Deus.

²⁰Não cobres juros de teu irmão: nem sobre dinheiro, nem sobre alimentos, nem sobre qualquer empréstimo. ²¹Poderás cobrar juros dos estrangeiros, mas não do teu irmão. Para que o Senhor teu Deus te abençoe em todos os teus empreendimentos, na terra aonde vais para tomares posse dela.

²²Se ofereceres um voto ao Senhor teu Deus, não demores em cumpri-lo, porque o Senhor teu Deus o reclamará, e tu cometerias um pecado. ²³Se te abstiveres de fazer voto, não pecarás. ²⁴Porém, cumpre

---

Os primeiros artigos se relacionam com a geração, que assegura a continuidade de Israel por famílias e tribos. Os que não contribuem para esta bênção não são membros de direito. Os bastardos não continuam a linhagem paterna (cf. Eclo 23,22-25). Is 56,1 anuncia a abolição do primeiro artigo. Conforme Gn 19, moabitas e amonitas descendem de Ló, sobrinho de Abraão. O texto acrescenta uma explicação histórica. Ver a versão do cap. 2, também para o tratamento favorável dispensado aos idumeus, descendentes de Esaú, irmão de Jacó. Do Egito recorda a etapa anterior à perseguição. Lm 1,10 exclui todos os estrangeiros da assembleia.

23,10-15 Da assembleia cultual passa ao acampamento militar. Também é sagrado porque combate na guerra santa e porque a arca do Senhor o acompanha como proteção (1Sm 4; 2Sm 11,11). Na arca está presente o Senhor, vigiando e velando pelos seus (cf. 2Sm 7,6-7 e Sl 60,12). As medidas de higiene adquirem um sentido sagrado.

23,16-17 Pelo contexto se trata do escravo de um amo estrangeiro. A lei do Dt lhe assegura direito de asilo e liberdade para escolher residência. Explorá-lo: p. ex., submetê-lo à escravidão, aproveitar-se de sua condição de fugitivo. Esta lei não tem paralelos em outros povos da época. Ver 1Sm 30,15.

23,18-19 A prostituição sagrada se praticava oficialmente em templos fora de Israel. Eram homens e mulheres consagrados às respectivas divindades de modo permanente ou por voto ocasional. Com seus serviços, permitiam ao devoto cliente unir-se à divindade e favoreciam ao templo boas rendas. Vários testemunhos dizem que o costume se introduziu em Israel: 1Rs 14,24; 15,22; 22,47; 2Rs 23,7; Os 4,14. Prostituta e prostituto aparecem com outra designação, não como consagrados. Veja Is 23,17-18; Mq 1,7. * = Literalmente, cão.

23,20-21 Irmão designa o israelita. Os juros costumavam ser tão altos, que a essa prática chamaríamos usura. Ex 22,24 e Lv 25,35 se referem a casos de grave necessidade do próximo; Dt o estende a qualquer caso. Em 15,1-11 recomendava o empréstimo na medida da necessidade. Ver o comentário de Eclo 29,1-13.

23,22-24 Nm 30 oferece casos diferenciados. Ecl 5,3-6 previne contra a facilidade em fazer votos.

o que teus lábios pronunciarem, pois o que espontaneamente prometeste é um voto ao Senhor teu Deus.

²⁵Se entrares na vinha do teu próximo, come até te fartares, mas não ponhas nada no cesto. ²⁶Se entrares nas messes do teu próximo, colhe espigas com a mão, mas não ponhas a foice na messe do teu próximo.

24

¹Se alguém se casa com uma mulher e em seguida ela lhe desagrada, pois descobre nela algo vergonhoso, escreve-lhe ata de divórcio, a entrega, e a expulsa de casa, ²e ela sai de casa e se casa com outro, ³e o segundo também a detesta, escreve-lhe ata de divórcio, a entrega, e a expulsa de casa, ou se o segundo marido morre, ⁴o primeiro marido que a despediu não poderá casar outra vez com ela, pois está contaminada; seria uma abominação diante do Senhor: não lances um pecado sobre a terra que o Senhor teu Deus te dará como herança.

⁵Se alguém for recém-casado, não está obrigado ao serviço militar, nem a outros trabalhos públicos; terá um ano de licença para desfrutar em casa com a mulher com quem se casou.

⁶Não tomarás como penhor as duas pedras de um moinho, nem mesmo a mó superior, porque seria tomar como penhor uma vida.

⁷Se descobrirem que alguém sequestrou um irmão seu israelita, para explorá-lo ou vendê-lo, o sequestrador morrerá; assim extirparás a maldade de ti.

⁸Cuidado com as afecções da pele; cumpri exatamente as instruções dos sacerdotes levitas: cumpri o que lhes ordenei. ⁹Recorda o que o Senhor teu Deus fez a Maria, quando saístes do Egito.

¹⁰Se fizeres algum empréstimo a teu irmão, não entres na sua casa para recuperares o penhor; ¹¹espera fora, e quem tomou o empréstimo sairá para te devolver o penhor. ¹²E se for pobre, não te deitarás sobre o penhor; ¹³tu o devolverás ao pôr do sol, e assim ele se deitará sobre seu manto e te abençoará, e será teu o mérito diante do Senhor teu Deus.

¹⁴Não explorarás o diarista, pobre e necessitado, seja irmão teu ou migrante que vive em tua terra, em tua cidade; ¹⁵tu lhe darás a cada dia sua diária, antes que o sol se ponha, pois passa necessidade e depende do salário. Se não, ele apelará ao Senhor, e tu serás culpado.

23,25-26 Usar sem abusar. Ver Mc 2,23.

24,1-4 Apesar do detalhe e da articulação com que está redigida esta lei, não conseguimos entender seu sentido. Comparando-a com o direito matrimonial de outros povos vizinhos, alguns conjeturam que há interesses econômicos no meio. O texto emprega uma linguagem pesada: ela tem algo "vergonhoso", depois da segunda separação está "impura" ou contaminada; tornar a tomá-la em terceira instância seria "abominação" diante do Senhor, e contágio de "pecado" para a terra. O autor considera claro o caso e sua motivação. Notamos que o marido pode tomar a iniciativa do divórcio com fundamento, e que a mulher divorciada pode casar-se de novo com toda liberdade. Podia depois casar-se, com um terceiro? Oseias e Isaías empregam a imagem da mulher abandonada pelo Senhor e acolhida de novo (Os 2; Is 54). Malaquias se opõe à prática ou ao abuso (Ml 2,16). Jesus proíbe o divórcio (Mt 5,31; 19,7; Mc 10,4).

24,5 Com relação à lei sobre a guerra (20,7), a presente lei concede ao recém-casado um ano inteiro de isenção do serviço militar e de outros serviços civis. "Desfrutar de": a forma hebraica admite a tradução "alegrar a"; um matiz que coloca a mulher no lugar principal (mas ver Is 62,5).

24,6 Refere-se ao moinho manual, manejado pelas mulheres, com o qual se prepara o sustento quotidiano. É uma peça "vital" entre os utensílios domésticos (cf. Jr 25,10).

24,7 Ver 5,19 e Ex 21,16.

24,8-9 Ampla exposição em Lv 13-14: o texto supõe a competência e perícia dos levitas, porque as enfermidades da pele têm uma conotação cultual. Ver o caso de Maria em Nm 12.

24,10-18 Esta série, aparentemente heterogênea, corresponde em quase todos os detalhes à série de Ez 18, que trata, com casos concretos, da responsabilidade pessoal. O tema se concentra aqui no v. 16; os outros preceitos têm sentido social humanitário.

24,10-13 O ponto de partida pode ser Ex 22,25-26, sobre o tomar em penhor o manto. Este caso particular está introduzido aqui com uma fórmula geral. O pobre dispõe só de um manto, que lhe serve como roupa de cama: retê-lo seria uma crueldade inaceitável. O pobre tem direito de comer e também de dormir decentemente. A motivação é típica do Dt: o pobre expressa seu agradecimento bendizendo, quer dizer, pedindo que Deus o abençoe (cf. 31,19-20); entende-se que o Senhor escuta a súplica. O caso oposto se lê na lei seguinte e em 15,9, com o antônimo de "mérito", isto é, "pecado".

24,14-15 É notável nesta lei a igualação do migrante com o israelita em direitos trabalhistas (cf. Lv 19,33-34). Os diaristas, recrutados em grande parte entre os forasteiros, viviam do dia, da "diária". Ver Jó 7,2; Tb 4,14; Tg 5,4.

¹⁶Não serão executados os pais pelas culpas dos filhos, nem os filhos pelas culpas dos pais: cada um será executado por seu próprio pecado.

¹⁷Não defraudarás o direito do migrante e do órfão, nem tomarás como penhor roupas da viúva; ¹⁸recorda que foste escravo no Egito, e de lá o Senhor teu Deus te resgatou; por isso eu hoje te ordeno cumprir esta lei.

¹⁹Quando ceifares a messe do teu campo e esqueceres no chão um feixe, não voltes para recolhê-lo; deixa-o ao migrante, ao órfão e à viúva, e assim o Senhor abençoará todas as tuas tarefas.

²⁰Quando sacudires os frutos das tuas oliveiras, não repasses os galhos; deixa-as ao migrante, ao órfão e à viúva.

²¹Quando vindimares tua vinha, não rebusques os cachos; deixa-os ao migrante, ao órfão e à viúva. ²²Recorda que foste escravo no Egito; por isso eu hoje te ordeno cumprir esta lei.

25

¹Quando dois homens disputarem entre si e forem ao tribunal, julgai-os, absolvendo o inocente e condenando o culpado. ²Se o culpado merecer espancamento, o juiz o fará deitar-se no chão, e na sua presença lhe darão os açoites que o delito merecer; ³poderão dar-lhe até quarenta golpes, não mais: que não excedam o número, o espancamento não seja excessivo e teu irmão não fique difamado a teus olhos.

⁴Não amordaçarás o boi que debulha.

⁵Se dois irmãos viverem juntos e um deles morrer sem filhos, a viúva não sairá de casa para casar-se com um estranho; seu cunhado se casará com ela e cumprirá com ela os deveres legais de cunhado; ⁶o primogênito que nascer continuará o nome do irmão morto, e assim não se apagará o nome dele em Israel. ⁷Porém, se o cunhado se negar a casar-se, a cunhada irá junto às portas, aos anciãos, e declarará: "Meu cunhado se nega a transmitir o nome de seu irmão em Israel; não quer cumprir comigo seu dever de cunhado". ⁸Os anciãos da cidade o intimarão e procurarão convencê-lo; mas, se ele resistir e disser que não quer tomá-la, ⁹a cunhada se aproximará dele, na presença dos anciãos, lhe tirará uma sandália do pé, cuspirá na cara dele e lhe responderá: Isto é o que se faz com um homem que não edifica a casa do irmão. ¹⁰E em Israel o chamarão com o apelido "a Casa do Sem-sandálias".

¹¹Se um homem estiver brigando com seu irmão, e se aproximar a mulher de um deles e, para defender seu marido daquele que lhe dá socos, estender a mão e agarrar o outro por suas vergonhas, ¹²tu lhe cortarás a mão sem compaixão.

¹³Não guardarás na bolsa dois pesos: um mais pesado que o outro. ¹⁴Não terás

---

24,16 Podem-se colocar em série cronológica: o castigo partilhado, em Ex 22,23; o limitado à pessoa, em Ez 18, e a presente lei. É lei humana, que não restringe a soberania de Deus quando castiga.
Veja o caso de Amasias em 2Rs 14,6.

24,17-18 Ver Ex 22,20-23.

24,19-22 Ver Lv 19,9-10; 23,22. O livro de Rute ilustra este costume, destacando seu valor humanitário de solidariedade com uma jovem viúva moabita.

25,1-3 Regulamenta e limita a pena de açoites, corrente na época. Fala do tribunal no plural, como se fosse composto pelos conselheiros; em seguida, "o juiz" no singular. O número de golpes depende da gravidade da culpa, mas há um limite máximo. Também o culpado é "irmão" e tem direito a conservar sua dignidade e reputação. A esta pena alude Paulo em 2Cor 11,24.

25,4 1Cor 9,9 e 1Tm 5,18 o citam para justificar *a minore ad maius* o direito do apóstolo ou do catequista a receber seu sustento.

25,5-10 É a lei chamada do "levirato" (*levir* = cunhado). Deve-se entender num contexto de poligamia e numa ordem econômica que deixava sem recursos algumas viúvas. Daí a importância de legar o nome a um descendente direto: o nome é o que permanece do homem (Eclo 40,19; 41,11). A lei do levirato conserva no filho da viúva o nome do defunto, e obtém para a viúva um lar no âmbito familiar. Levará o nome do defunto o primeiro filho da união.
A aplicação da lei podia trazer complicações econômicas, ou então a mulher podia não ser agradável ou aceitável para o cunhado. Este podia resistir primeiro e negar-se depois, num ato jurídico público. Com isso não se expunha a outro castigo senão ao desprezo zombeteiro. A intervenção das autoridades mostrava o interesse em garantir os dois valores na vizinhança.
Ilustram aspectos da lei: o episódio de Judá e Tamar (Gn 38), o livro de Rute, onde quem recusa não aparece difamado. Talvez se refira a esta prática, em chave simbólica, João Batista (Mt 3,11; Mc 1,7; Lc 3,16; Jo 1,27; At 13,25).

25,11-12 Além da lei do talião, este é o único caso de pena por mutilação corporal.

25,13-16 Esta lei se repete no corpo legal (Lv 19,35-36), no profético (Am 8,5) e no sapiencial (Pr 20,10).

em casa duas medidas: uma com maior capacidade que a outra. ¹⁵Deves ter pesos íntegros e justos, medidas íntegras e justas. Assim prolongarás tua vida na terra que o Senhor teu Deus te dará, ¹⁶pois quem pratica a fraude é abominável ao Senhor.

¹⁷Recorda o que te fizeram os amalecitas no caminho, quando saías do Egito: ¹⁸saíram ao teu encontro quando estavas cansado e abatido, atacando pelas costas os retardatários, sem respeitar a Deus.

¹⁹Quando o Senhor teu Deus puser fim às hostilidades com os inimigos que te rodeiam, na terra que o Senhor teu Deus te dará como herança para que a possuas, apagarás a memória dos amalecitas debaixo do céu. Não te esqueças!

26 Primícias

¹Quando entrares na terra que o Senhor teu Deus te dará como herança, quando tomares posse dela e nela habitares, ²pegarás primícias de todos os frutos que colheres da terra que o Senhor teu Deus te dará, os porás num cesto, irás ao lugar que o Senhor teu Deus tiver escolhido para morada do seu nome, ³te apresentarás ao sacerdote em função nesses dias e lhe dirás: "Hoje confesso diante do Senhor meu Deus, que entrei na terra que o Senhor jurou a nossos pais que nos daria". ⁴O sacerdote pegará o cesto da tua mão, o colocará diante do altar do Senhor teu Deus, ⁵e tu recitarás diante do Senhor teu Deus: "Meu pai era um arameu errante: desceu ao Egito e aí habitou com uns poucos homens; aí se tornou um povo grande, forte e numeroso. ⁶Os egípcios nos maltrataram e humilharam, impondo-nos dura escravidão. ⁷Gritamos ao Senhor Deus de nossos pais, e o Senhor escutou nossa voz; viu nossa miséria, nossos trabalhos, nossa opressão. ⁸O Senhor nos tirou do Egito com mão forte, com braço estendido, com terríveis portentos, com sinais e prodígios, ⁹e nos trouxe a este lugar e nos deu esta terra, uma terra que mana leite e mel. ¹⁰Por isso trago aqui as primícias dos frutos do solo que me deste, Senhor". E o depositarás diante do Senhor teu Deus; tu te prostrarás diante do Senhor teu Deus ¹¹e farás festa com o levita e o migrante que viver próximo de ti, por todos os bens que o Senhor teu Deus houver dado a ti e à tua casa.

25,17-19 A tribo de Amalec não existia quando foi composto o Dt. Sua presença aqui é emblemática: representa a covardia e a crueldade, atacando pobres indefesos, consequência de sua falta de senso religioso ("respeito a Deus"). O fato aludido se narra em Ex 17,8-16; outra presença hostil em Jz 6 e 1Sm 15,30.

26,1-15 Esta seção foi lida como peça chave para entender o Pentateuco, por conter o chamado credo histórico. Hoje está claro que o suposto credo não é uma peça antiquíssima, mas uma síntese tardia e madura. Divide-se em dois atos litúrgicos relacionados com a colheita. O primeiro é ação de graças ao Senhor pela colheita, o segundo tem a ver com a ajuda ao necessitado.

26,1-11 Primeira ação cultual: é uma festa anual, agrária, oferta das primícias da colheita. Antigamente, era celebrada nos santuários locais, seguindo o ritmo dos trabalhos no campo; o Dt introduz referências ao culto centralizado. A cerimônia se compõe de um rito, oferenda de primícias ao Senhor por meio do sacerdote, e de um texto recitado, que explica seu sentido.

A composição literária utiliza uma palavra ou raiz chave, que estabelece a unidade de sentido, articulando o todo e enlaçando as partes: é a raiz *bw'* = entrar, chegar. O povo entra na terra prometida e faz entrar a colheita nos celeiros; entra processionalmente no santuário, reconhecendo que hoje entrou na terra; professa que o Senhor o fez entrar na terra e por isso faz entrar diante do Senhor as primícias.

(A tradução brasileira não consegue reproduzir o processo literário original.)

Essas relações verbais significam: a entrada única e histórica na terra se atualiza cada ano na entrada da colheita; pela colheita, entra o homem cada ano na posse da terra. A liturgia repete em chave sagrada o movimento histórico: entrou na terra, entra no santuário. O homem responde a Deus, reconhecendo seu dom e dando o que recebeu.

26,1 Acumula termos significativos: entrada, dom, herança, propriedade, habitação. O momento inicial e a continuidade.

26,2-3 O "lugar escolhido" é, na linguagem do Dt, o templo de Jerusalém.

26,5-10 Em outras culturas a oferenda das primícias, como festa agrária, incluiria a recitação de um mito de fecundidade, p. ex., a descida do deus às profundidades da terra e seu retorno. Israel não recita um mito, mas uma história. O "credo" está elaborado num movimento alternado de aflição e salvação: errante – grande povo – oprimido – libertado.

26,5 Refere-se a Jacó, segundo os relatos do Gn. Errante indica uma condição de desamparo e risco. Povo grande é uma fórmula da promessa feita a Abrão (Gn 12,2).

26,7 Deus de nossos pais: o mesmo que escolheu os patriarcas; não é um deus novo (Ex 3,16).

26,8-9 Os verbos sair e entrar, tirar e introduzir articulam a libertação em seus dois momentos fundamentais. Outros esquemas interpõem o deserto.

¹²Quando terminares de separar o dízimo de todas as tuas colheitas, a cada três anos, o ano do dízimo, e o tiveres dado ao levita, ao migrante, ao órfão e à viúva, para que comam até se fartarem em tuas cidades, ¹³recitarás diante do Senhor teu Deus: "Separei de minha casa o consagrado: eu o dei ao levita, ao migrante, ao órfão e à viúva, segundo o mandamento que me deste. Não violei nem esqueci nenhum mandamento. ¹⁴Não comi dele estando de luto, nem o separei estando impuro, nem o ofereci a um morto. Escutei a voz do Senhor meu Deus, cumpri tudo o que me ordenaste. ¹⁵De tua morada santa, do céu, dirige o olhar e abençoa teu povo Israel, e esta terra que nos deste, conforme tinhas jurado a nossos pais, uma terra que mana leite e mel".

¹⁶Hoje o Senhor teu Deus te ordena que cumpras esses mandatos e decretos. Guarda-os e cumpre-os com todo o coração e com toda a alma.

¹⁷Hoje te comprometeste em aceitar o que o Senhor te propõe: Ele será teu Deus, tu irás por seus caminhos, guardarás seus mandatos, mandamentos e decretos e escutarás sua voz.

¹⁸Hoje o Senhor se compromete em aceitar o que tu lhe propões: Serás o próprio povo dele – como te prometeu –, guardarás todos os seus mandamentos, ¹⁹ele te elevará em glória, nome e esplendor, acima de todas as nações que criou, e serás o povo santo do Senhor teu Deus, como ele disse.

LEI
3. BÊNÇÃOS E MALDIÇÕES
(Lv 26; Js 8,32s)

27 ¹Moisés e os anciãos de Israel ordenaram ao povo:
– Guardai todos os mandamentos que eu hoje vos ordeno. ²No dia em que atravessardes o Jordão, para entrar na terra que o Senhor teu Deus te dará, levantarás grandes pedras rebocando-as com cal, e quando atravessardes ³escrevereis nelas todos os artigos desta lei, em comemoração de tua entrada na terra que o Senhor

---

26,12-14 A segunda ação cultual combina um antigo rito de dízimos com uma prática posterior de ordem social (14,28-29). O resultado é que a partilha se faz em favor dos necessitados, ao passo que a confissão negativa é de ordem sagrada. Os quatro grupos citados coincidem em não possuir terras: sua participação nos bens da terra se realiza pela instituição dos dízimos trienais.

26,13 No texto atual, torna-se sagrada a parte reservada aos necessitados.

26,14 Estados de impureza ritual. Alguém quis ver neste "morto" o deus da vegetação; mas veja-se Eclo 30,18, sobre oferendas mortuárias.

26,15 A invocação abrange os dois atos litúrgicos. Terminada a oferenda de agradecimento, o homem invoca a nova bênção de Deus, que põe em marcha o novo ciclo da terra.

26,16 Cláusula final do corpo legal: corresponde a 12,1.

26,17-19 Ratificação formal e bilateral da aliança, formulada pelas duas partes, por meio de um mediador. Pela forma poder-se-ia pensar numa aliança entre iguais; o conteúdo e todo o contexto do livro desmentem a suposta paridade.

Cada uma das partes propõe e aceita um compromisso duplo mútuo: oferece e exige à outra parte. O Senhor propõe ser o Deus de Israel e exige obediência a seus mandamentos; o povo se oferece para ser o povo de Deus e exige que Deus o honre e consagre.

Observe-se o lugar que ocupa esta fórmula de ratificação: depois da introdução histórica e do Decálogo (1-5), da seção parenética (6-11), do corpo legal (12-26); antes das bênçãos e maldições que completam a aliança. Estes versículos devem ser colocados junto a Ex 24 e Js 24.

LEI
3. BÊNÇÃOS E MALDIÇÕES

27 Muitos pensam que este capítulo é adição, em todo ou em parte. Depois da ratificação solene de 26,17-19, passava-se às bênçãos e maldições para concluir. Agora se interrompe ou se detém o passo, como se estendesse uma longa ponte.

Considerando a forma, reconhecemos três introduções. Na primeira (1), Moisés com os anciãos se dirige ao povo; na segunda (9), Moisés com os sacerdotes levitas se dirige a todo Israel; na terceira (11), Moisés sozinho fala ao povo. As duas primeiras, Moisés com as autoridades civis e religiosas, exortam a cumprir fielmente a aliança: poderiam servir de ponte para o cap. 28. Na terceira uma cerimônia que se celebrará no centro da Palestina, e se pronunciam algumas maldições que antecipam as do cap. 28. Vamos por partes.

27,2-8 À conclusão da aliança pertencem também a escritura do protocolo e a celebração do sacrifício (Ex 19-20; 24; 34; Js 24). Para o primeiro, podem-se empregar tábuas em que se grava o texto ou pedras caiadas nas quais se escreve. Para o segundo, é preciso um altar, que pode completar-se com um conjunto de pedras erigidas em círculo.

Para dar a razão de tais cerimônias, a presente passagem utilizou dados e versões que não harmonizou suficientemente. Encontramos algumas pedras que poderiam comemorar a passagem do Jordão, como em Js 4, as quais se empregam para escrever a lei; pedras que depois são erguidas em Ebal, sem dizer se como escritura pública ou como dólmen comemorativo (não diz que eram doze).

O altar é construído segundo a lei de Ex 20,25, mas em Ebal, contra a lei do Dt sobre a centralização do

teu Deus te dará, terra que mana leite e mel, como te disse o Senhor Deus de teus pais. ⁴Quando atravessardes o Jordão, levantareis no monte Ebal as pedras que eu ordeno hoje, e as rebocareis com cal. ⁵Aí construirás um altar ao Senhor teu Deus, um altar de pedras não lavradas a ferro; ⁶construirás ao Senhor teu Deus um altar de pedras inteiras; sobre ele oferecerás holocaustos ao Senhor teu Deus; ⁷oferecerás sacrifícios de comunhão e aí os comerás, fazendo festa diante do Senhor teu Deus, ⁸e escreverás sobre as pedras, bem gravados, todos os artigos desta lei.

⁹Moisés e os sacerdotes levitas disseram a todo o Israel:

– Faze silêncio e escuta, Israel: hoje te tornaste o povo do Senhor teu Deus; ¹⁰escutarás a voz do Senhor teu Deus e cumprirás os mandamentos e mandatos que eu hoje te ordeno.

¹¹Nesse dia, Moisés ordenou ao povo:

– ¹²Quando atravessardes o Jordão, sobre o monte Garizim se colocarão as tribos de Simeão, Levi, Judá, Issacar, José e Benjamim, ¹³para pronunciar a bênção ao povo; e no monte Ebal as tribos de Rúben, Gad, Aser, Zabulon, Dã e Neftali, para ameaçar o povo com a maldição. ¹⁴Os levitas entoarão e recitarão com voz forte diante de todos os homens de Israel:

¹⁵Maldito quem fizer
   para si uma imagem
   ou fundir para si um ídolo
   – abominação do Senhor,
   obra de artesão –
e o guardar escondido!
E todo o povo responderá: Amém!
¹⁶Maldito quem desprezar
   seu pai ou sua mãe!
E todo o povo responderá: Amém!
¹⁷Maldito quem deslocar
   os marcos do seu vizinho!
E todo o povo responderá: Amém!
¹⁸Maldito quem extraviar
   um cego no caminho!
E todo o povo responderá: Amém!
¹⁹Maldito quem defraudar
   de seus direitos
   o imigrante, o órfão ou a viúva!
E todo o povo responderá: Amém!
²⁰Maldito quem se deitar
   com a mulher do seu pai
   (por ter descoberto o que é do seu pai)!
E todo o povo responderá: Amém!
²¹Maldito quem se deitar com animais!
E todo o povo responderá: Amém!
²²Maldito quem se deitar com sua irmã,
   filha de seu pai ou de sua mãe!
E todo o povo responderá: Amém!
²³Maldito quem se deitar com sua sogra!
E todo o povo responderá: Amém!
²⁴Maldito quem matar
   às escondidas o seu irmão!
E todo o povo responderá: Amém!
²⁵Maldito quem se deixar subornar
   para matar um inocente!
E todo o povo responderá: Amém!
²⁶Maldito quem não mantiver
   os artigos desta lei,
   e não os puser em prática!
E todo o povo responderá: Amém!

---

culto. Pode ser uma tradição antiga, que testemunha com outras a posição central de Siquém antes da monarquia. O rito da aliança, como nos informa Js 8,30-35, inclui também a proclamação das bênçãos e maldições que leremos a seguir.

27,9-10 Sobre o silêncio sagrado ou litúrgico, ver Sf 1,7; Hab 2,20; Zc 2,17.

27,11-14 O desenrolar da cerimônia não está claro: falam os levitas, ou são todas as tribos que proclamam em dois grupos? O texto, provavelmente, combina duas versões da cerimônia. Geograficamente, Garizim representa o sul, a direita, onde se pronuncia a bênção; Ebal é o norte, a esquerda, onde se prescreve a maldição. (O esquema de direita e esquerda perdura até o discurso escatológico de Mt 25.) A lista de tribos não coloca Levi à parte, e por isso não divide José em Efraim e Manassés. Parece uma lista antiga. Uma vez que se inseriu esta descrição, o texto discorre em fase tríplice: maldição (15-20); bênção (28,1-14); maldição (15-68).

27,15-20 Esta série de doze maldições costuma-se chamar, por seu conteúdo, o dodecálogo de Siquém, quer dizer, os doze mandamentos da aliança em Siquém. A sua forma é simples, categórica e uniforme, com duas adições parenéticas que perturbam a regularidade original. A primeira trata das relações com o Senhor: proíbe a idolatria e a feitura de imagens do Senhor; segue o tema da família, relações sociais, relações sexuais, homicídio; a última abrange todas.

Quase todos os delitos condenados têm caráter oculto, secreto: aonde não chega a justiça humana, chega a maldição de Deus, que o povo inteiro invoca. Todos os casos se repetem com outras fórmulas, nos corpos legais do Pentateuco. Eis aqui uma lista sumária: *15*: 5,7 e 9,12; *16*: Ex 21,17 e Lv 20,9; *17*: 19,14; *18*: Lv 19,14; *19*: Ex 22,20-23 e 23,3; *20*: Lv 18,7-17; *21*: Ex 22,18; Lv 18, 23 e 20,15; *22*: Lv 18,9 e 20,17; *23*: Lv 18,17 e 20,14; *24*: Ex 21,12 e Lv 24,17; *25*: Ex 23,8.

28

¹Se obedeceres e escutares a voz do Senhor teu Deus, pondo em prática todos os mandamentos que eu hoje te ordeno, o Senhor teu Deus te elevará acima de todas as nações do mundo. ²Sobre ti virão, até alcançar-te, todas estas bênçãos, se escutares a voz do Senhor teu Deus.

³Bendito sejas na cidade, bendito sejas no campo.

⁴Bendito o fruto do teu ventre, o fruto do teu solo, o fruto do teu gado, as crias das tuas reses e o parto das tuas ovelhas.

⁵Benditos teu cesto e tua amassadeira.

⁶Bendito sejas ao entrar, bendito sejas ao sair.

⁷Que o Senhor te entregue já vencidos os inimigos que se levantarem contra ti; sairão contra ti por um caminho e por sete caminhos fugirão.

⁸Que o Senhor mande contigo a bênção em teus celeiros e em teus empreendimentos, e te abençoe na terra que o Senhor teu Deus te dará.

⁹Que o Senhor te nomeie seu povo santo, conforme te prometeu, se guardares os mandamentos do Senhor teu Deus e andares por seus caminhos; ¹⁰assim todos os povos da terra verão que foi invocado sobre ti o nome do Senhor e terão medo de ti.

¹¹Que o Senhor te enriqueça com o fruto do teu ventre, o fruto do teu gado e o fruto do teu solo, na terra que o Senhor prometeu a teus pais que te daria.

¹²Que o Senhor te abra seu rico armazém do céu, dando a seu tempo a chuva para a tua terra e abençoando todas as tuas tarefas; assim emprestarás a muitas nações, e tu não pedirás emprestado.

¹³Que o Senhor te ponha como cabeça, e não como cauda; sempre estarás por cima, nunca por baixo; se escutares os mandamentos do Senhor teu Deus que eu hoje te ordeno, praticando-os, ¹⁴e não te afastares à direita ou à esquerda do que eu hoje te ordeno, indo atrás de deuses estrangeiros para prestar-lhes culto.

¹⁵Mas, se não escutares a voz do Senhor teu Deus, não pondo em prática todos os mandamentos e mandatos que eu hoje te ordeno, virão sobre ti até alcançar-te todas estas maldições:

¹⁶Maldito sejas na cidade, maldito sejas no campo.

¹⁷Malditos teu cesto e tua amassadeira.

¹⁸Maldito o fruto do teu ventre, o fruto do teu solo, as crias das tuas reses e o parto das tuas ovelhas.

¹⁹Maldito sejas ao entrar, maldito sejas ao sair.

²⁰Que o Senhor te mande a maldição, o pânico e a ameaça em todas as tarefas que empreenderes, até que sejas exterminado,

---

28 Este longo capítulo final da aliança está dedicado a bênçãos e maldições: prática normal. Mas, lendo o texto, a divisão desigual nos surpreende: para as bênçãos (1-14); para as maldições (15-68). A que se deve a desigualdade?

Oferece o exemplo de pactos e códigos estrangeiros, que dedicam todo ou quase todo o espaço a maldições para os transgressores, que pode ter inspirado o texto do Dt. As adições de 45-57 e 58-68 e de elementos parenéticos reduzem a desigualdade, não a anulam. Talvez seja mais fácil descrever desgraças que felicidades: o bem na integridade, o mal por qualquer defeito (*bonum ex integra causa, malum ex quocumque defectu*). Ou será que a presença e a lembrança do exílio induzem este relato com que de desgraças? Pode-se supor um formulário original simples, uniforme, simétrico; mas é impossível reconstruir semelhante original suposto. Podem-se distinguir as formas mais simples "bendito... maldito", a forma optativa e o enunciado de futuro. Compare-se este capítulo com o 26 do Levítico.

28,1-2 Embora bênçãos e maldições sejam promulgadas por Deus, funcionam como forças de uma dialética provocada pela aliança. Pela resposta do homem, ambas se põem em movimento até alcançá-lo.

28,3-6 A primeira série compreende seis enunciados de "bendito", organizados em duplas polares ou complementares: cidade e campo sintetizam a cultura urbana e agrária da época, sair e entrar sintetizam todos os movimentos; vacas e ovelhas sintetizam o gado doméstico; cesto e amassadeira representam os produtos naturais e elaborados. Têm afinidade especial ventre e terra? Podem indicar o paralelismo tradicional de fecundidade e fertilidade.

28,4 Lc 1,42.

28,7-14 O segundo grupo repete algumas bênçãos precedentes em forma optativa, com comentários parenéticos. Podem-se resumir em paz e prosperidade, de paz como ausência de guerra (cf. Sl 144,12-15).

28,7 A formulação corresponde a uma agressão militar.

28,8 O celeiro expressa a conclusão do ciclo; o empreendimento, o começo e o desenvolvimento.

28,9 Confirmação da aliança: conforme Ex 19,6 e a recente ratificação em 26, 17-19.

28,11 Como "terra", emprega aqui o termo que designa a terra de cultivo.

28,12 Ver 11,14 e Sl 65. Sobre o empréstimo: 15,6.

28,13 Ver Is 9,13.

28,14 Na exortação conclusiva, retorna ao primeiro mandamento e frisa o valor condicional das bênçãos.

28,16-19 Repetem o grupo de 3-6, como em espelho e em forma de maldição.

28,20-44 Observações de conjunto sobre a série optativa: a) Algumas repetem bênçãos, invertendo

até que morras sem demora, por tê-lo abandonado com tuas obras más.

²¹Que o Senhor te faça pegar peste, até acabar contigo, na terra à qual vais para tomar posse dela.

²²Que o Senhor te fira com a tísica, a febre e os delírios; seca, esgotamento e mofo; que te persigam até que morras.

²³Que o céu seja de bronze sobre tua cabeça, e a terra seja de ferro sob teus pés.

²⁴Que o Senhor te mande pó ao invés de chuva, e faça descer cinza do céu, até que sejas exterminado.

²⁵Que o Senhor te entregue já vencido ao inimigo: sairás contra ele por um caminho e por sete caminhos fugirás; serás o espanto de todos os reinos da terra; ²⁶teu cadáver será pasto das aves do céu e das feras da terra, não havendo quem as espante.

²⁷Que o Senhor te fira com varíola, tumores, tinha e sarna que não possas curar.

²⁸Que o Senhor te fira com loucura, cegueira e demência; ²⁹andarás às apalpadelas ao meio-dia, como às apalpadelas anda um cego na sua escuridão. Fracassarás em todos os teus caminhos, serás explorado e roubado enquanto viveres, e não haverá quem te salve.

³⁰Tu te comprometerás com uma mulher, e outro fará amor com ela; edificarás uma casa e não habitarás nela; plantarás uma vinha e não a colherás.

³¹Matarão teu boi diante de teus olhos e não o comerás; roubarão teu asno e não o devolverão; entregarão teu rebanho ao inimigo e não haverá quem te salve.

³²Teus filhos e tuas filhas serão entregues a um povo estrangeiro; teus olhos verão isso e irão consumindo-se por eles, sem que lhes possas estender a mão.

³³Um povo desconhecido comerá o fruto do teu solo, tuas fadigas; tu te verás explorado e totalmente maltratado enquanto viveres, ³⁴até te tornares louco, diante do espetáculo que teus olhos contemplarão.

³⁵Que o Senhor te fira nos joelhos e nas coxas com chagas que não possas curar, da planta dos pés ao crânio.

³⁶Que o Senhor te faça ir, junto com o rei que estabeleceres, a uma nação desconhecida por ti e pelos teus pais; aí cultuarás deuses estrangeiros de pedra e de madeira. ³⁷Serás o assombro, o provérbio e a caçoada de todos os povos para onde o Senhor teu Deus te deportar.

³⁸Irás ao campo carregado de sementes e colherás uma miséria, pois o gafanhoto as comerá.

³⁹Plantarás e cultivarás vinhas, e não beberás nem estocarás vinho, pois o verme o comerá.

⁴⁰Terás oliveiras em todos os teus terrenos, e não te ungirás com azeite, pois as azeitonas cairão.

⁴¹Gerarás filhos e filhas, e não serão para ti, porque irão para o cativeiro.

⁴²Os insetos tomarão conta de tuas árvores frutíferas e colheitas.

⁴³O estrangeiro que viver entre os teus se levantará sobre ti, cada vez mais acima, e tu descerás cada vez mais para baixo; ⁴⁴ele te emprestará e tu não poderás emprestar-lhe; ele será cabeça, e tu, cauda.

---

sujeito e complemento: Israel padecerá o que antes cabia ao inimigo. b) Algumas parecem inspiradas em textos assírios de maldição, no Dt sem referência a outras divindades. Outras podem estar inspiradas em oráculos proféticos. c) O fracasso constitui grave maldição: o trabalho em vão, sem desfrutar do produto, porque outros o levam; no terreno da família e do trabalho. d) Algumas formam blocos menores dentro da série. e) Várias falam de exterminar, aniquilar, perecer, acabar com, consumir. f) Os elementos parenéticos se reduzem ao mínimo.

28,20 Começa com ênfase: acumulando substantivos, universalizando "todas", extremando: "morras". Má conduta é abandonar o Senhor.

28,21 A peste: nome genérico de qualquer epidemia grave: uma das quatro pragas clássicas de Jr e Ez.

28,22 Também é enfática esta enumeração. A identificação das doenças é duvidosa. Am 4,9.

28,24 Inverte a função do céu, atribuindo-lhe o que é próprio da terra.

28,25 Sl 44,10-15.

28,26 Como 1Sm 17,46 (Davi a Golias); Jr 15,4 e paralelos.

28,27 Como 1Sm 5,6; Lv 21,20.

28,28 Ver Zc 12,4.

28,29 Ver Is 59,10.

28,30 A mesma série na lei da guerra: 20,5-7.

28,32 Como despojos de guerra ou em pagamento de dívidas.

28,33 Por ex., Jz 6; Is 1,7.

28,35 Expressão semelhante em Is 1,6.

28,36 Parece aludir ao exílio de Joaquim e Sedecias (2Rs 24-25), pondo o Senhor como sujeito agente. A segunda parte é como uma humilhante pena do talião, porque os deuses estrangeiros são "pedra e madeira".

28,37 Ver Jr 18,16; 24,9.

28,38-42 Animais desprezíveis fazem o papel de carrascos, frustrando o trabalho dos camponeses.

⁴⁵Sobre ti virão todas essas maldições, te perseguirão e te alcançarão, até exterminar-te, por não teres escutado a voz do Senhor teu Deus, desobedecendo aos mandamentos e mandatos que ele te ordenou, ⁴⁶e elas serão sinal e prodígio contra ti e contra tua descendência para sempre.

⁴⁷Por não teres servido ao Senhor teu Deus com alegria e generosidade em tua abundância, ⁴⁸servirás ao inimigo que o Senhor mandar contra ti: na fome e sede, nudez e miséria total; ele porá aos teus ombros um jugo de ferro, até exterminar-te.

⁴⁹O Senhor levantará contra ti uma nação distante – ela se lançará contra ti como abutre desde os confins do mundo –; ⁵⁰uma nação de língua incompreensível, nação cruel e sem respeito para com o ancião, sem piedade para com o jovem; ⁵¹ela devorará o fruto do teu gado e o fruto do teu solo, até exterminar-te; ela não deixará rastro do teu trigo, teu mosto e teu azeite, das crias do teu gado e do parto das tuas ovelhas, até destruir-te; ⁵²ela te sitiará em todas as tuas cidades, até que caiam as altas e sólidas muralhas que acreditavas fossem tua segurança em toda a tua terra; ela te sitiará em todas as tuas cidades, por toda a terra que o Senhor teu Deus te dará, ⁵³e tu comerás o fruto do teu ventre, a carne dos filhos e filhas que o Senhor teu Deus te deu, na angústia do assédio com que o inimigo te apertará. ⁵⁴O mais refinado e excelente olhará com inveja o seu irmão, a mulher que se deitava em seus braços e os filhos que lhe restarem, ⁵⁵por ter de repartir com outros a carne que come do próprio filho, por não lhe ter sobrado nada na angústia do assédio em que o teu inimigo te apertar em todas as tuas cidades; ⁵⁶a mais refinada e excelente, a que nunca se aventurava a pousar a planta do pé sobre a terra, de tanta fineza e excelência, olhará com inveja o homem que se deitava em seus braços, seu filho e sua filha, ⁵⁷a placenta que lhe sai de entre as pernas e o filho que acaba de parir, pois desejaria comê-los às escondidas, ao faltar-lhe tudo, na angústia do assédio com que o inimigo te apertar em todas as tuas cidades.

⁵⁸Se não puseres em prática todos os artigos desta lei, escritos neste código, temendo este nome glorioso e terrível: "o Senhor teu Deus", ⁵⁹o Senhor produzirá, em ti e em teus descendentes, feridas impressionantes, feridas tremendas e inflamadas, doenças malignas e crônicas; ⁶⁰ele voltará contra ti as epidemias egípcias que te causam horror e te fará pegá-las, ⁶¹e também lançará contra ti todas as doenças e feridas que não aparecem no código desta lei, até exterminar-te.

⁶²Poucos de vós sobrarão, depois de terdes sido numerosos como as estrelas do céu, por não teres escutado a voz do Senhor teu Deus.

⁶³Da mesma forma que o Senhor sentiu prazer fazendo-vos o bem, fazendo-vos crescer, da mesma forma sentirá prazer destruindo-vos e exterminando-vos; sereis arrancados da terra em que entrarás para tomar posse dela, ⁶⁴e o Senhor vos

---

28,45-46 Servem de conclusão e de ligação para continuar. A forma de infinitivo composto mostra que Israel consumou a desobediência. Na boca de Moisés, equivaleriam ao futuro do subjuntivo.

28,47 Começa outra série, na qual escutamos ressonâncias da terrível queda de Jerusalém e do exílio. É fácil identificar ecos dos profetas. O autor projeta os acontecimentos, em forma de maldição, ao tempo de Moisés, e explica assim que estavam previstos e tinham sido ameaçados. O fundamento de semelhante operação podem ter sido as breves maldições que faziam parte da aliança primitiva. Pode-se comparar com as Lamentações. Ver no cap. 8 a descrição da abundância como dom e como tentação.

28,48 O jugo representa a escravidão: ver Jr 28,13; Sl 2,3.

28,49 Ver Is 5,26; Jr 48,40.

28,50 Is 33,19; Jr 5,15.

28,51 Jr 5,17; Is 62,8s.

28,52 2Rs 17,5; 25,1-4.

28,53-57 2Rs 6,28; Jr 19,9; Lm 4,10; Br 2,3. O autor descreve atos de canibalismo com realismo aterrador; compõe uma cena com vários personagens e momentos.

28,58-68 Começa uma última série, dependente de uma condição inicial. O mais grave e significativo deste bloco é o ir revogando e desfazendo a libertação. A promessa de descendência patriarcal: "poucos sobrarão"; o dom da terra: "sereis arrancados"; o culto ao Senhor: "deuses estrangeiros"; a saída do Egito: "te fará voltar". Talvez pensando na revelação do nome (Ex 3,14-16), menciona enfaticamente "o nome" na condição inicial (cf. Sl 99).

28,62 Ver Jr 42,2; Br 2,29; Ne 7,4.

28,63 Cf. Pr 1,26; Ez 5,13.

28,64 Jr 19,4; 44,3.

dispersará entre todos os povos, de uma extremidade a outra da terra; e aí prestarás culto a deuses estrangeiros, desconhecidos por ti e por teus pais, feitos de pedra e madeira; ⁶⁵jamais descansarás entre esses povos, nunca a planta do teu pé repousará; aí o Senhor te tornará assustado, cego e covarde; ⁶⁶viverás por um fio, tremerás dia e noite, jamais viverás seguro; ⁶⁷de manhã dirás: "Oxalá anoitecesse", e de tarde: "Oxalá amanhecesse", por causa do pavor que fará estremecer teu coração, por causa do espetáculo que teus olhos verão.

⁶⁸O Senhor te fará voltar em barcos ao Egito, por este caminho do qual Deus te disse: "Não tornarás a vê-lo". E aí sereis postos à venda como escravos e escravas para vossos inimigos, e não haverá comprador.

Aliança em Moab (Js 24) – ⁶⁹Termos da aliança que o Senhor mandou Moisés concluir com os israelitas em Moab (além da aliança que havia concluído com eles no monte Horeb).

29
¹Moisés convocou todo Israel e lhes disse:
– Vós sois testemunhas de tudo o que o Senhor fez no Egito contra o Faraó, seus ministros e todo o seu país. ²Aquelas grandes provas que vossos olhos viram, aqueles grandes sinais e prodígios; ³mas o Senhor não vos deu inteligência para entender, nem olhos para ver, nem ouvidos para escutar até hoje: ⁴"Eu vos fiz caminhar quarenta anos pelo deserto: vossas vestes não se gastaram, nem se gastaram as sandálias de vossos pés; ⁵não comestes pão nem bebestes vinho ou licor, para que reconheçais que eu, o Senhor, sou vosso Deus".

⁶Chegando a este lugar, Seon, rei de Hesebon, e Og, rei de Basã, saíram ao nosso encontro em toque de guerra; nós os vencemos, ⁷conquistamos seus territórios e os demos como herança aos rubenitas, aos gaditas e à meia tribo de Manassés.

⁸Por isso, guardareis os termos desta aliança e os cumprireis, e assim prosperareis em todas as vossas obras.

28,65 Lm 1,3.
28,66 Jó 24,22.
28,67 Jó 7,4
28,68 Dt 17,16; Os 8,13; 9,3. Não termina, como Lv 26 ou 1Rs 8, com a conversão e a esperança.
28,69 Na disposição atual do livro, este versículo funciona como introdução ao que segue. E propõe a distinção de alianças. Já no Êxodo figuravam duas alianças: capítulos 24 e 34, cada uma com seu Decálogo. Também o Dt distingue duas alianças: uma no Horeb, com o Decálogo de Dt 5, e a nova em Moab, com os mandamentos e decretos promulgados por Moisés. Ambos os casos, Ex e Dt, podem ser considerados como renovação da mesma aliança; outra série de textos fala de renovação da aliança como ato litúrgico periódico ou em ocasiões transcendentais (p. ex., Josué: Js 24; Josias: 2Rs 23). Quando Jr 31 fala de uma segunda aliança futura, se refere a outra coisa, de um modo novo de aliança eficaz. Com a de Jeremias, não com a de Moab, é que se identifica a nova aliança de Jesus Cristo.
Por influxo, talvez, de Jeremias, alguns detalhes dos capítulos seguintes sugerem a interioridade da aliança em Moab.

29-30 Pode-se descobrir nestes capítulos o esquema de aliança, apesar das seções parenéticas. Sendo a aliança um ato litúrgico, sua unidade não é puramente literária, mas de ação: prólogo histórico (1-7); declaração de princípio (8); compromisso mútuo em termos gerais (9-14); maldição (19-20 e 30,17-18); bênção e maldição (30,15-18); invocação de testemunhas (30,19).

Os trechos parenéticos acrescentam um elemento importante: a maldição do exílio (29,21-27); conversão e retorno com bênçãos (30,1-10). Os elementos se encontram, a disposição não segue a ordem rigorosa; é provável que o texto seja fruto de elaboração sucessiva. Na explicação, iremos comentando por unidades menores.

29,1-7 A visão retrospectiva inclui as três etapas simplificadas: saída do Egito, caminhada pelo deserto, aproximação da terra e começo de ocupação. Muda o sujeito que fala: Moisés dirigindo-se ao povo, com ele na primeira pessoa do plural (6-7), Yhwh em citação textual não introduzida (4-5).

29,1 Convocação litúrgica, como em Js 24 ou Sl 50. No Egito o povo não foi agente, mas testemunha; uma de suas vocações é ser testemunha do Senhor (Is 43,8-13).

29,3 O sentido pleno dos fatos se revela quando estes chegam a uma conclusão. Muitas vezes, em meio à provação, o povo não soube compreender o sentido da saída, deformou-o; agora, nas vésperas de atravessar o Jordão, tudo adquire forma e sentido. O hoje litúrgico aperfeiçoa a compreensão. Mas Deus tem de intervir, capacitando o homem. O esquema pode-se aplicar também à geração pós-exílica, para a qual o autor escreve.

29,4-5 Toma dados do cap. 8.
29,6 Nm 21.
29,8 Os termos ou "palavras" da aliança são os mandamentos, que não é necessário repetir aqui, depois dos capítulos 12-25. Na declaração de princípio se inclui a bênção global.

⁹Vós vos colocastes hoje na presença do Senhor vosso Deus – vossos chefes de tribo, conselheiros e magistrados e todos os homens de Israel; ¹⁰vossas crianças e mulheres e os migrantes que estão no acampamento (teus carregadores de água e lenhadores) – ¹¹para entrar em aliança com o Senhor teu Deus e aceitar o pacto que o Senhor teu Deus estabelece contigo hoje; em virtude dele,
¹²*ele te constitui povo seu*
e ele será teu Deus,
conforme te disse e conforme havia jurado a teus pais Abraão, Isaac e Jacó.

¹³Não somente convosco estabeleço esta aliança e este pacto; ¹⁴eu o estabeleço com quem está hoje aqui conosco, na presença do Senhor nosso Deus e com quem não está hoje aqui conosco.

¹⁵Vós sabeis que habitamos no Egito e que atravessamos em meio a todos aqueles povos, ¹⁶vimos seus monstruosos ídolos, de pedra e madeira, de prata e ouro. ¹⁷Que não haja ninguém entre vós, homem ou mulher, família ou tribo, cujo coração se afaste hoje do Senhor nosso Deus, indo cultuar os deuses desses povos; e não cresçam entre vós plantas amargas e venenosas, ¹⁸alguém que, ouvindo os termos deste pacto, se congratule, dizendo interiormente: "Terei paz, mesmo continuando em minha obstinação; pois a enchente levará o seco e o irrigado", ¹⁹porque o Senhor não está disposto a perdoá-lo; sua ira e seu ciúme se inflamarão contra esse homem, pousará sobre ele a maldição deste código, e o Senhor apagará seu nome debaixo do céu; ²⁰para perdição dele, o Senhor o afastará de todas as tribos de Israel, segundo as maldições que sancionam a aliança, escritas neste código.

²¹As gerações futuras, os filhos que vos sucederem e os estrangeiros que vierem de terras distantes, quando virem as pragas desta terra, as doenças com as quais o Senhor a castigará – ²²enxofre e sal, terra queimada, onde nada se semeia nem brota, nem cresce a erva, catástrofe como a de Sodoma e Gomorra, Adama e Seboim, arrasadas pela cólera do Senhor –, ²³todos esses povos perguntarão a si mesmos: "Por que o Senhor tratou assim essa terra? O que significa essa terrível cólera?" ²⁴E lhes responderão: "Porque abandonaram a aliança do Senhor, Deus de seus pais, o pacto que fez com eles ao tirá-los do Egito, ²⁵porque foram cultuar deuses estrangeiros, prostrando-se diante deles – deuses que não conheciam, deuses que ele não lhes havia designado –; ²⁶por isso a ira do Senhor se acendeu contra esta terra, fazendo recair sobre ela todas as maldições escritas neste código; ²⁷por isso o Senhor os arrancou do seu solo, com ira, furor e indignação, e os atirou numa terra estranha, como acontece hoje".

²⁸As coisas ocultas são do Senhor nosso Deus; as coisas reveladas são nossas e de nossos filhos para sempre, para que cumpramos todos os artigos desta lei.

29,9-14 Como texto de um protocolo, menciona as duas partes, as classes que participam no ato e se comprometem, chefes e povo inteiro, presentes e futuros, e o conteúdo essencial.

29,11 A fórmula é única, literalmente "entrar em aliança": pode recordar Gn 15,17.

29,12 A fórmula é clássica; mas é importante notar que está vinculada à promessa feita aos patriarcas, insinuando que a presente aliança atualiza um compromisso secular. Ez 36,18.

29,13-14 O hoje litúrgico se repete em cada geração. Todas as gerações devem sentir-se solidárias com Moisés e com a geração do êxodo.

29,15-20 A parênese recapitula elementos do pacto: prólogo histórico (15-16); mandamento fundamental de lealdade exclusiva ao Senhor (17); maldição (19-20). Em vez de interpelar o povo todo, dirige-se agora a um indivíduo qualquer, mesmo no caso de pecado interno de atitude.

29,18 A aliança não funciona mecanicamente, mas exige o cumprimento de suas cláusulas; não é garantia para o obstinado. Mais grave do que faltar em atos particulares, é a atitude que destrói a lealdade. Em suas palavras mentais expressa a arrogância, o pecado grave (Nm 15,30-31; Sl 19,14).

29,19-20 Tal delito é "imperdoável" porque provocou o Deus ciumento: a pena é a exclusão da comunidade e o cancelamento do nome.

29,21-27 Nova parênese, olhando para o futuro, em equilíbrio com a memória do passado. É de grande efeito a encenação, que se inspira em vários textos de Jeremias: em uns o povo ou um indivíduo pergunta, em outros são povos estrangeiros que perguntam (Jr 5,19; 13,22; 16,10-13; 22,8-9). O pregador nos faz contemplar a desgraça com os olhos atônitos de estrangeiros e nos faz escutar um diálogo expressivo: uma pergunta cheia de espanto e uma resposta que explica a razão da desgraça. A catástrofe se oferece à contemplação e meditação das nações, como a catástrofe de Sodoma e Gomorra foi advertência para Israel (Is 1,7-9). O texto repete sete vezes sinônimos de ira.

29,22 Gn 19; Os 11,8.

29,27 Jr 52.

29,28 Como a reflexão histórica acrescentava um dado sobre a compreensão do povo, assim o olhar para o

30 ¹Quando se cumprirem em ti todas essas palavras – a bênção e a maldição que te propus – e as meditares, vivendo entre os povos para onde o Senhor teu Deus te expulsará, ²tu te converterás ao Senhor teu Deus; escutarás sua voz, o que hoje te ordeno, com todo o coração e com toda a alma, tu e teus filhos.

³O Senhor teu Deus, compadecido de ti, mudará tua sorte; o Senhor teu Deus voltará e te reunirá, tirando-te de todos os povos por onde te dispersou; ⁴mesmo que teus dispersos se encontrem nos confins do céu, o Senhor teu Deus te reunirá, te recolherá de lá; o Senhor teu Deus ⁵vai trazer-te para a terra que teus pais haviam possuído, e tomarás posse dela; ele te fará o bem e te fará crescer mais que teus pais; ⁶o Senhor teu Deus circuncidará teu coração e o dos teus descendentes, para que ames o Senhor teu Deus com todo o coração e com toda a alma, de modo que vivas.

⁷O Senhor teu Deus mandará essas maldições contra teus inimigos, os que te perseguiram com ódio, ⁸e tu te converterás, escutarás a voz do Senhor teu Deus, cumprindo todos os seus mandamentos que eu hoje te ordeno.

⁹O Senhor teu Deus fará prosperar teus empreendimentos, o fruto de teu ventre, o fruto de teu gado e o fruto de tua terra, porque o Senhor teu Deus tornará a se alegrar contigo por tua prosperidade, como se alegrava com teus pais; ¹⁰se escutares a voz do Senhor teu Deus, guardando seus mandamentos e mandatos, o que está escrito no código desta lei; se te converteres ao Senhor teu Deus com todo o coração e com toda a alma.

¹¹Porque o mandamento
que eu hoje te ordeno
não é coisa
que te exceda, nem inalcançável;
¹²não está no céu,
para que digas:
"Quem de nós
subirá ao céu
e o trará para nós
e o proclamará para nós,
para que o cumpramos?"
¹³Nem está além do mar,
para que digas:

---

futuro acrescenta uma reflexão de origem e estilo sapiencial: Pr 25,2; 30,1-6; Eclo 3,21-24. Alguns o referem à escritura do protocolo em dois rolos: um selado para o Senhor, o outro aberto e patente, para leitura e cumprimento do povo (cf. o procedimento de Jr 32).

30,1-14 O desfecho favorável da conversão e o retorno, cuja falta sentimos no final do cap. 28, os encontramos aqui, num trecho magnífico pelo conteúdo teológico e pelo tom cordial. "Cordial" vem de *cor* = coração: palavra que aparece oito vezes na seção 1-14. Coração, sede da memória atual, do pensamento, da decisão e do amor; coração teu e de teus descendentes. Se nos limitamos a 1-10, a palavra repetida sete vezes é "voltar", em diversas formas e acepções. "Mudar a sorte" é uma expressão que Jr 29,14 enuncia, e depois ressoa sete vezes no bloco de Jr 30-33 (também presente em outros profetas: Os 6,11; Jl 4,1; Am 9,14; Sf 3,20).

As duas palavras nos dão a chave teológica do capítulo, que ultrapassa o fato da repatriação. Há esperança de voltar à pátria, mas primeiro é preciso voltar = converter-se ao Senhor; também o Senhor voltará (Sl 85,7; 90,13) a compadecer-se, a reunir-te e alegrar-se contigo. A aliança é a base que torna sempre possível a conversão.

A segunda palavra é o coração. Deixa-se arrastar, endurece-se com a obstinação, divide suas lealdades. É preciso ter um coração novo (Sl 51,12; Ez 36,26) e inteiro. Será obra do Senhor, que "circuncida" o coração (cf. Jr 4,4), o despoja, o dedica ao amor do Senhor. Com fórmula diversa, essa transformação interior equivale àquela que Jr 31,33 anuncia.

30,1-10 O exílio poderia parecer o fim da aliança (28,58-68), o abandono definitivo do povo por parte de seu Deus. Não foi assim: o exílio foi o grande castigo saudável que curou da idolatria o povo. Foi escatológico como final de uma era, não como final definitivo. O fato de que precisamente as maldições podem provocar a conversão, mostra como a aliança é obra do amor de Deus a seu povo. O título da aliança, "o Senhor teu Deus", se repete catorze vezes no breve fragmento, assegurando que a aliança continua de pé.

30,1-2 O processo de conversão é este: cumpre-se o castigo anunciado, o povo medita o castigo, recordando as ameaças passadas, e se converte. A conversão inclui: a volta pessoal ao Senhor e a observância de todos os seus mandamentos. De todo coração, como pede Dt 6,4.

30,3-5 A nova libertação repete o movimento do Êxodo: reunir o povo, tirá-lo, levá-lo à terra prometida, dá-la como propriedade. Para compensar as enormes perdas humanas, renova-se a bênção da fecundidade. A dispersão se refere ao vasto império babilônico.

30,3 Ez 36,24.
30,4 Is 43,6.
30,5 Jr 30,19.
30,6 Deus faz o que pedia em 10,16, renovando assim por dentro o seu povo.
30,7-9 A conversão será seguida pelas bênçãos. Tornará a se alegrar: cf. 28,63.
30,10 Inclusão sobre os três temas básicos.
30,11-14 Uma vez que Deus manifestou sua vontade em forma de mandamentos da aliança, estes já não são inacessíveis ao israelita, que pode recitá-los de

"Quem de nós
atravessará o mar
e o trará para nós
e o proclamará para nós,
para que o cumpramos?"
¹⁴O mandamento está
ao teu alcance:
em teu coração
e em tua boca. Cumpre-o.

¹⁵Vê, hoje ponho diante de ti a vida e o bem, a morte e o mal. ¹⁶Se obedeceres aos mandatos do Senhor teu Deus que eu hoje te promulgo, amando o Senhor teu Deus, seguindo seus caminhos, guardando seus mandamentos, mandatos e decretos, viverás e crescerás; o Senhor teu Deus te abençoará na terra em que entrarás para conquistá-la. ¹⁷Mas, se teu coração se afastar e não obedeceres, se te deixares arrastar e te prostrares, prestando culto a deuses estrangeiros, ¹⁸eu hoje te anuncio que com certeza morrerás, que após atravessar o Jordão e entrares na terra para tomar posse dela, não viverás muitos anos nela.

¹⁹Hoje convoco o céu e a terra como testemunhas contra vós; ponho diante de ti bênção e maldição. Escolhe a vida, e vivereis tu e tua descendência, ²⁰amando o Senhor teu Deus, escutando sua voz, apegando-te a ele, pois ele é tua vida e teus muitos anos na terra que havia prometido dar a teus pais Abraão, Isaac e Jacó.

ÚLTIMAS DISPOSIÇÕES E MORTE DE MOISÉS

31 ¹Quando Moisés terminou de dizer essas palavras para os israelitas, acrescentou:

– ²Já completei cento e vinte anos, e me encontro impedido; além disso, o Senhor me disse: "Não atravessarás esse Jordão". ³O Senhor teu Deus atravessará à tua frente. Ele destruirá à tua frente esses povos, para que tomes posse deles. Josué atravessará à frente de ti, como disse o Senhor. ⁴O Senhor os tratará como tratou os reis amorreus Seon e Og, e suas terras, que arrasou. ⁵Quando o Senhor os entregar a vós, fareis com eles o que eu vos ordenei. ⁶Sede fortes e valentes, não temais, não vos acovardeis diante deles, pois o Senhor teu Deus avança a teu lado, não te deixará nem te abandonará.

⁷Depois Moisés chamou Josué e lhe disse, na presença de todo Israel:

– Sê forte e valente, porque tu irás introduzir este povo na terra que o Senhor teu Deus prometeu dar a teus pais, e tu repartirás entre eles a herança. ⁸O Senhor avançará diante de ti. Ele estará contigo, não te deixará nem te abandonará. Não temas nem te acovardes.

⁹Moisés escreveu esta lei e a entregou aos sacerdotes levitas, que carregam a

---

cor com a boca e retê-los na mente ou coração. Assim interioriza e personaliza o preceito, que deixa de ser externo e remoto. Sobre as fórmulas, ver Sl 139; Pr 30,4; Br 3,29-30: o sapiencial penetra na parênese.

30,15-18 A aliança oferecida por Deus deve ser aceita pelo homem com ato livre, numa decisão radical (cf. Js 24). O povo deve tomar a decisão com plena consciência do conteúdo e de suas consequências. A aliança, como as árvores do paraíso, confronta o homem com o mal e o bem, a bênção e a maldição, a vida e a morte. Ver Eclo 15,4-17.

30,19 Céu e terra são as testemunhas legais de Deus, duas testemunhas que compõem o universo. Cf. Sl 50,4; Is 1,2.

30,20 Com a menção dos três patriarcas, a aliança fica firmemente ancorada na promessa.

31 Aqui começa uma série narrativa, cujo tema são as últimas disposições de Moisés e sua morte. Liga-se com o fio narrativo interrompido nos últimos capítulos de Nm. A seleção dos temas é lógica; a disposição das peças nos parece caprichosa. Teria sido tão fácil ordená-las, seguindo o esquema de mandamento e execução.

Como chefe militar e guia do povo, Moisés deixa Josué como sucessor: 2-7.14.23. Como mediador da aliança e da lei, deixa o texto escrito e o recomenda aos levitas: 9-13.24-26. Como confidente do Senhor, deixa a tenda do encontro: 14-15. E sua voz, mediadora da palavra de Deus, fica gravada num cântico testemunhal para a posteridade: 19-22.27-30. Falam: o narrador, o Senhor, Moisés; este se dirige aos israelitas, a Josué, aos levitas e aos anciãos.

31,1 Tradução segundo a versão grega e um manuscrito de Qumrã.

31,2-3 Impedido pela idade (mas veja-se 34,7) e pela proibição do Senhor. A tríplice repetição do verbo "atravessar" resume o fato: tu não passarás, o Senhor atravessará adiante (1,30.33), Josué atravessará.

31,4 Nm 21,21-35.

31,5 Dt 7,1-5.

31,6 Fragmento de discurso militar, com fórmulas de oráculos de salvação.

31,7-8 Fórmula de investidura. Indica a dupla missão próxima de Josué: chefe na conquista e repartidor da herança. A Josué caberá dar cumprimento a uma das promessas patriarcais. Com estes dois versículos, o deuteronomista nos prepara para a leitura do livro de Josué, que vem a seguir.

31,9-13 Escrever a lei é ato jurídico da aliança; o protocolo escrito é conservado em lugar sagrado

arca da aliança do Senhor, e a todos os conselheiros de Israel, ¹⁰e lhes ordenou:

– A cada sete anos, no ano da remissão, na festa das Cabanas, ¹¹quando todo Israel vier apresentar-se diante do Senhor teu Deus no lugar que ele escolher, será proclamada esta lei diante de todo o povo. ¹²Reuni o povo, homens, mulheres e crianças, e o migrante que viver próximo de ti, para que ouçam e aprendam a respeitar o Senhor vosso Deus e ponham em prática todos os artigos desta lei, enquanto durar vossa vida na terra da qual tomareis posse ao atravessar o Jordão. ¹³(Também teus filhos, embora não tenham o uso da razão, deverão escutar a lei, para que vão aprendendo a respeitar o Senhor vosso Deus.)

¹⁴O Senhor disse a Moisés:

– Aproxima-se o dia da tua morte. Chama Josué, apresentai-vos na tenda do encontro, e eu lhe darei minhas ordens.

Moisés e Josué se apresentaram na tenda do encontro. ¹⁵O Senhor lhes apareceu na tenda, numa coluna de nuvem, que se pôs à entrada da tenda. ¹⁶O Senhor disse a Moisés:

– Vê, irás descansar com teus pais, e o povo se prostituirá com os deuses estrangeiros da terra para a qual se dirige. Ele me abandonará e quebrará a aliança que estabeleci com eles. ¹⁷Nesse dia meu furor se acenderá contra eles: eu o abandonarei e me esconderei dele, será devorado e lhe acontecerão inúmeras desgraças e sofrimentos. Então dirá: "Meu Deus não está comigo; por isso me acontecem essas desgraças." ¹⁸E eu, nesse dia, me esconderei ainda mais, por causa da maldade que cometem, voltando-se para deuses estrangeiros. ¹⁹E agora, escrevei este cântico, ensinai-o aos israelitas, fazei que o recitem, porque este cântico será minha testemunha contra os israelitas. ²⁰Quando eu tiver levado este povo à terra que prometi a seus pais, uma terra que mana leite e mel, comerá até fartar-se, engordará e se voltará para deuses estrangeiros, a fim de prestar-lhes culto; ele me desprezará e violará minha aliança. ²¹Então, quando lhe ocorrerem inúmeras desgraças e sofrimentos, este cântico testemunhará contra ele – que a posteridade não o esqueça! – pois conheço os maus instintos que já hoje alimenta, antes mesmo de tê-lo introduzido na terra prometida.

²²Nesse dia Moisés escreveu este cântico e o ensinou aos israelitas.

²³O Senhor ordenou a Josué, filho de Nun:

– Sê forte e valente, pois irás introduzir os israelitas na terra que prometi. Eu estarei contigo.

---

e se relê periodicamente ou em ocasiões extraordinárias. A arca é o lugar onde se conserva o texto escrito; os levitas são seus portadores materiais e seus guardiães espirituais: eles leem e explicam a lei e exortam o povo.

31,10-11 A repetição está ligada à festa das cabanas, que comemora festivamente a peregrinação pelo deserto. O texto supõe a centralização do culto. A aliança é assunto de todo o povo.

31,12 Ne 8.

31,13 O cumprimento da lei, condição para entrar na terra, será tarefa quando morarem nela.

31,14-15 É um momento solene: Moisés e Josué se afastaram e se dirigem à tenda do encontro; outrora Moisés ia sozinho (Ex 33,7-11). Chegados aí, o Senhor comparece ao encontro, na teofania da nuvem que vela e revela. Aí – grande novidade – dará diretamente a Josué as ordens que costumava dar a Moisés apenas.

Dentro da teofania entra o tema seguinte, o cântico. Esta é a ordem que Moisés recebe, como tarefa testamental. Pela repetição do verbo "ordenar" em 14 e em 23, parece que a investidura de Josué por parte do Senhor pertence ainda à teofania; embora o v. 22 adiante o cumprimento da ordem recebida por Moisés.

31,16-18 Esta profecia sombria, recebida por Moisés quase *in articulo mortis*, recorda pela forma a que Abraão recebeu (Gn 15,13-16); pelo conteúdo é contrária, porque os israelitas serão os culpados: serão expulsos da sua terra.

A idolatria recebe o nome de "prostituição"; quebrando o primeiro mandamento, quebram a aliança inteira. Porque o povo "abandona" o Senhor, o Senhor "abandona" o povo. Será devorado por povos estrangeiros (Sl 14,4). O povo não reage corretamente ao castigo, por isso o castigo persiste ou aumenta.

A formulação desse processo não está clara; é preciso esclarecê-la com o texto do cântico; "não estar no meio" e "ocultar o rosto" parecem corresponder-se: Para o primeiro: Nm 14,42; Jz 6,13; para o segundo: Is 8,17; 54,8; Jr 33,5.

31,19-21 Como profecia do amor de Deus e da infidelidade do povo, o cântico se converte em testemunho escrito, que tornará a testemunhar contra o povo, quando for recitado publicamente. Sobre os maus instintos ou inclinações, ver Gn 6,5; 8,21; Eclo 17,16.

31,23 Não é pura repetição no texto atual: à nomeação feita por Moisés se acrescenta a nomeação por Deus. A sucessão fica garantida.

²⁴Quando Moisés terminou de escrever no documento os artigos desta lei até o fim, ²⁵ordenou aos levitas que carregavam a arca da aliança do Senhor:

– ²⁶Pegai este código da lei, depositai-o junto à arca da aliança do Senhor vosso Deus, para que fique aí como testemunho contra ti. ²⁷Eu conheço tua rebeldia e tua teimosia; se vos revoltais contra o Senhor, estando eu ao vosso lado, o que será quando eu tiver morrido? ²⁸Reuni junto a mim todos os conselheiros das tribos e os magistrados; quero recitar em sua presença estas palavras e convocar contra eles como testemunhas o céu e a terra, ²⁹pois sei que, quando eu morrer, vós vos perverteis e vos afastareis do caminho que vos indiquei. Com o passar dos anos, se fizerdes o que o Senhor reprova, irritando-o com vossas obras, a desgraça vos atingirá.

³⁰Então Moisés recitou até o final este cântico na presença da assembleia de Israel:

CÂNTICO DE MOISÉS

32 – ¹Escutai, céus, eu vou falar;
escuta, terra,
as palavras da minha boca;
²desça como chuva minha doutrina,
destile como orvalho minha palavra;
como chuvisco sobre a erva,
como orvalho sobre o capim;
³vou proclamar o nome do Senhor:
reconhecei a grandeza do nosso Deus.
⁴Ele é a Rocha,
suas obras são perfeitas,
seus caminhos são justos,
é um Deus fiel, sem maldade,
é justo e reto.
⁵Filhos degenerados
comportaram-se mal diante dele,
geração malvada e pervertida.
⁶É assim que pagas ao Senhor,
povo idiota e insensato?
Não é ele teu pai e teu criador,
aquele que te fez e te constituiu?
⁷Lembra-te dos dias remotos,

31,24 Entende-se do corpo íntegro que ele promulgou oralmente.

31,26 Lei e cântico serão duas testemunhas de acusação escritas e conservadas. Sobre o testemunho, ver Sl 81.

31,28 As outras duas testemunhas são o céu e a terra, invocados no princípio do cântico.

32,1-43 O "cântico de Moisés", composto e recitado às margens do Jordão, compõe um díptico com aquele cantado junto ao mar Vermelho, só pela posição, depois de sair e antes de entrar. Na forma e no conteúdo, é bem diverso. Poema de grande originalidade e fôlego, no qual confluem e se fundem elementos variados, rico em imagens e em linguagem seleta. É fácil detectar nele formas sapienciais, e mais ainda uma pregação profética; tem muito de disputa judicial (testemunha de acusação). Incorpora concepções antigas, ideias atípicas, ao mesmo tempo que registra audaciosamente um monólogo de Deus. Não podemos descrever sua origem nem datá-lo com segurança. A título de conjetura, suponhamos que seja uma composição exílica, de um grande poeta, que talvez tenha empregado um texto mais antigo ou nele se tenha inspirado. Para orientar a leitura, podemos propor uma visão global simplificada: numa grande querela do Senhor com seu povo, projeta castigá-lo e acabar com ele; mas, antes de ditar a sentença, pensa que o executor estrangeiro seja mais culpado, volta-se contra ele e salva seu povo. Em outras ocasiões se interpôs a intercessão de Moisés; aqui tudo se resolve no interior misterioso de Deus. Ao longo do comentário iremos recolhendo ecos, reminiscências e coincidências de textos variados. Dividimos o poema assim: exórdio (1-4); exposição do tema em forma de interpelação (5-6); benefícios de Deus (7-14); infidelidade do povo (15-18); ameaça de castigo (19-25); corte (25); maldade do inimigo (26-35) e do povo (36-38); castigo do inimigo (39-42); conclusão em hino (43).

32,1-4 Exórdio em tom sapiencial (parecido com o que lemos no Sl 49; Jó 29,22); mas a comparação com a chuva também se lê em Is 55,10-11, e a quádrupla comparação é típica do estilo do Segundo Isaías. O estilo é amplo, em consonância com o ritmo lento do poema. Compare-se com os exórdios de Is 1,2; Sl 49 e 78; Pr 8,4-6.
"Nosso Deus" é título da aliança. Como parte da disputa e com respeito a seus compromissos, ele é perfeito, reto, justo, fiel. Testemunho antecipado, como em Sl 50,6, que também menciona céu e terra como testemunhas legais. O título "Rocha" volta ainda nos vv. 15.18.30.31.37. "Caminhos" são os desígnios e também o estilo de agir (cf. Is 55,8-9). O cântico vai precisamente combinar um caminho ordinário com um extraordinário, ambos justos.

32,5-6 Pelo contrário, a outra parte da aliança não tem cumprido seus compromissos. A voz de Deus feita poesia a repreende na segunda pessoa (também no Sl 50). À imagem subjacente da aliança se sobrepõe o símbolo da paternidade, que corresponde a Ex 4,22-23 e é um eco próximo de Is 1,2-4, também com qualificação sapiencial. Enuncia um título quádruplo do Senhor.

32,7 "Lembra-te" tem dois valores: um genérico, conforme o princípio da tradição, que permite remontar às origens. Outro específico, de depoimento judicial. É preciso recordar o grande contraste de benefícios e ingratidão (8-14 e 15-18). De novo usa o paralelismo quádruplo. Seguir-se-ão quatro tempos: eleição remota, acolhida histórica, transferência para a terra, vida próspera nela.

considera as eras passadas,
pergunta a teu pai, e ele te contará,
 a teus anciãos, e eles te dirão:
⁸Quando o Altíssimo
 dava a cada povo sua herança
 e distribuía os filhos de Adão,
 traçando as fronteiras das nações,
 segundo o número dos filhos de Deus,
⁹a porção do Senhor foi seu povo,
 Jacó foi o lote de sua herança.
¹⁰Ele o encontrou numa terra deserta,
 numa solidão povoada de uivos;
cercou-o, cuidando dele,
 guardou-o como as pupilas
 de seus olhos.
¹¹Como a águia incita sua ninhada
 revoando sobre os filhotes,
 assim ele estendeu suas asas,
 tomou-os e os carregou
 sobre suas penas.
¹²Só o Senhor os conduziu,
 não houve deuses estrangeiros
 com ele.
¹³Ele os pôs a cavalo em suas montanhas,
 e os alimentou com as colheitas
 de seus campos;
criou-os com mel silvestre,
 com azeite de rochas de pedreira;
¹⁴com requeijão de vaca
 e leite de ovelhas,
 com gordura de cordeiros e carneiros,
 gado de Basã e cabritos,
com a flor de farinha do trigo

e, por bebida, com o sangue
 fermentado da uva.
¹⁵Jacó comeu até saciar-se,
 meu amor* engordou, deu coices,
 – estavas gordo, cevado, corpulento –
 e recusou a Deus, seu criador;
 desonrou sua Rocha salvadora.
¹⁶Eles o enciumaram
 com deuses estrangeiros,
 o irritaram com suas abominações,
¹⁷ofereceram vítimas
 a demônios que não são deuses,
 a deuses desconhecidos,
novos, importados de perto,
 que vossos pais não veneravam.
¹⁸Desprezaste a Rocha que te gerou,
 e esqueceste o Deus que te deu à luz!
¹⁹O Senhor viu isso e, irritado,
 rejeitou seus filhos e filhas,
²⁰pensando: "Vou esconder-lhes
 meu rosto,
 para ver como vão acabar,
 porque são uma geração depravada,
 uns filhos desleais;
²¹eles me enciumaram
 com um deus ilusório,
 irritaram-me com ídolos vazios;
pois eu os enciumarei
 com um povo ilusório,
 eu os irritarei
 com uma nação insensata.
²²Está ardendo o fogo de minha ira
 e abrasará até o fundo do abismo,

32,8-9 A eleição recebe aqui uma interpretação não comum, num horizonte de politeísmo: "filhos de Deus" ou divindades, seres divinos (Sl 29,1; 82,6), corte do Deus supremo, a quem se atribuem tarefas diversas: a cada um o cuidado de um povo. O Senhor é o soberano que reparte os cargos (e pede contas, Sl 82), e reserva a si como povo os descendentes de Jacó, aos quais destinará um território. Compare-se com Eclo 24,8.
32,10 Estranhamente, a história não começa no Egito, mas no deserto (cf. Os 9,10). Israel era como uma criança abandonada e encontrada, como enjeitada que Deus adota (em figura feminina, Ez 16,6). A comparação final se lê no Sl 17,8.
32,11-12 Inspirado em Ex 19,4; toda a viagem pelo deserto é um sobrevoar; um só pode com todos (não como Moisés: Nm 11; cf. Is 46,3-4).
32,13 A terra prometida é região montanhosa, e o povo se senta "a cavalo" em suas montanhas: Is 58,14. Embora a terra seja montanhosa e rochosa, serve em sua mesa produtos variados, para "criar" os pequenos e dar banquetes aos adultos. Podem--se contar sete produtos (compare-se com 8,7-9).
32,15a * *"Yeshurun"* é título carinhoso de Israel, e seu sentido é duvidoso. A abundância conduz à saciedade, e esta, ao pecado de rebeldia.
32,15b-18 Pecado radical contra o primeiro mandamento. Encerra-se com quatro títulos do Senhor: dois são mais correntes, Criador e Salvador; os outros dois usam o símbolo da geração maternal. Como o Senhor exige dedicação exclusiva, torna-se ciumento quando lhe aproximam rivais. Note-se a segunda pessoa nos v. 15 e 18. Deuses estrangeiros: como em Jr 2,25; 3,13; Is 43,12; 44,19. De perto, do mesmo território (Js 24,15). Demônios é nome raro, compartilhado com Sl 106,37.
32,19 O amor provoca o ciúme, o ciúme se transforma em cólera, e a cólera se desafoga ferindo.
32,20-21 Começa o monólogo em forma de sentença judicial: declaração do delito e anúncio da pena, com a correspondência entre ambos, numa espécie de lei do talião expressa com palavras repetidas ou alteradas. Outros monólogos de Deus: Jr 31,18-20; Os 11,8-9.
32,22 O fogo da ira estala e ganha proporções cósmicas, como uma conflagração universal em profundidade (cf. Am 7,4). Anunciam-se imagens escatológicas ou apocalípticas.

consumirá a terra e suas colheitas
e queimará os alicerces dos montes.
²³Recrutarei desastres contra eles,
esgotarei neles minhas flechas;
²⁴caminharão enfraquecidos pela fome,
consumidos por febres
e epidemias malignas;
eu lhes enviarei dentes de feras
e veneno de serpentes que rastejam;
²⁵nas ruas, a espada
ceifará seus filhos;
nas casas, o espanto;
aos jovens com as moças,
às crianças de peito com os anciãos.
²⁶Eu pensava: "Vou dispersá-los
e apagar sua memória
entre os homens".
²⁷Mas não; pois temo
a arrogância do inimigo
e a má interpretação do adversário,
que diriam: "Nossa mão venceu,
não foi o Senhor quem o fez".
²⁸Porque são uma nação
que perdeu o juízo
e carece de inteligência.
²⁹Se fossem sensatos, o entenderiam,
compreenderiam seu destino.

³⁰Como pode um perseguir mil
e dois pôr em fuga dez mil?
Não será porque sua Rocha os vendeu,
porque o Senhor os entregou?
³¹Porque a rocha deles
não é como a nossa Rocha;
nossos próprios inimigos
podem julgá-lo.
³²São cepa das vinhas de Sodoma,
dos campos de Gomorra;
suas uvas são venenosas
e seus cachos são amargos;
³³seu vinho é veneno de monstros,
é veneno mortal de víboras.
³⁴Não tenho tudo isso reunido
e lacrado em meus arquivos?
³⁵Minha será a vingança e a desforra,
quando seus pés tropeçarem,
pois se aproxima o dia de sua perdição
e sua sorte se apressa
³⁶ – porque o Senhor defenderá seu povo
e terá compaixão de seus servos.
Quando vir que suas mãos fraquejam
e se consomem amos e criados,
³⁷dirá: "Onde estão seus deuses,
ou a rocha em que se refugiavam?
³⁸Não comiam a gordura

32,24-25 Os quatro males: fome, febre, feras e espada são típicos dos profetas, especialmente de Ezequiel (só três em 2Sm 24,13). O poeta desenvolve a quarta, emblemática da guerra, que não respeita nem lugar nem sexo nem idade.

32,26-43 A segunda parte do monólogo divino é muito difícil, pelas mudanças da pessoa que fala. Teoricamente, o Senhor fala ou pensa em voz alta, como mostram os verbos e o pronome eu (26). Fala o inimigo, e suas palavras são introduzidas pelo Senhor (27). Em vários versos o declamador irrompe, como o mostra a terceira pessoa (36); mais ainda, ele mesmo introduz novas palavras do Senhor (37). Também o povo fala, na primeira pessoa (31). Deve-se interpretar essa mobilidade como liberdade poética? Ou será o resultado de adições não bem harmonizadas?
O que está claro, e muito importante, é a reflexão teológica apresentada como pensamento manifesto de Deus. Por que, sendo culpados o povo e os pagãos, castigou estes e perdoou aquele? (ver 9,4-7). O texto oferece duas razões: primeira, a fama do Senhor, que será vilipendiada se o inimigo triunfar (argumento de Moisés em Ex 32,12 e Nm 14,13-16); segunda, a compaixão do Senhor para com seu povo. Não há simetria: se o inimigo é castigado por sua culpa, Israel não é salvo por seus méritos. Com efeito, o povo é néscio (28) e foi idólatra (37-38). Contudo, por pura misericórdia do Senhor, Israel continua sendo "seu povo, seus servos".
Tal solução nos apresenta outra dificuldade: essa diversidade de tratamento não é discriminatória?

O problema preocupará ainda o autor do livro da Sabedoria (Sb 12).

32,26 Acabar com Israel no presente e no futuro: dispersos e assimilados por outras nações, deixarão de ser um povo com nome próprio.

32,27 O inimigo não sabe interpretar a história em chave teológica: atribui a si as vitórias (como Israel a prosperidade, 8,17): ver Is 10,13-14; 37,24-25; 47,8.10.

32,28-30 Inclinamo-nos a pensar que este "povo" é Israel, o qual também não sabe interpretar a história e atribui à sua própria força o que é dom de Deus (Lv 26,8; Dt 28,7).

32,30-31 Rocha equivale aqui a Deus: também o inimigo tem sua rocha = deus. Mas não há comparação: Ex 15,11; 1Sm 2,2; 1Rs 8,23; Jr 10,6; Mq 7,18; Sl 35,10; 86,8.

32,32-33 Vigorosa imagem, do mundo dos venenos vegetais e animais: ver Is 59,5; Sl 58,5. Pela sua perversão, estão maduros para a catástrofe.

32,34-35 O Senhor vai agir como juiz. O delito consta no seu arquivo judicial, a sentença será exercício da justiça "vindicativa", ou seja, castigo legal do delinquente.

32,36 Irrompe a voz do declamador. Em vez de "porque", poderia significar "certo". O anúncio se lê em Sl 135,14 e é citado em 2Mc 7,6.

32,37-38 Mas, antes de executá-lo, lança-lhe ao rosto a idolatria, em tom sarcástico. Se o inimigo tinha de reconhecer que o Senhor é uma "Rocha" diferente, os israelitas terão de se convencer da impotência dos ídolos, "a rocha em que se refugiaram" (cf. Jr 2,26-28).

de seus sacrifícios
 e bebiam o vinho de suas libações?
Que se levantem para socorrê-los
 e sejam vosso refúgio".
³⁹Mas agora olhai: eu sou eu,
 e não há outro além de mim;
eu dou a morte e a vida,
 eu dilacero e eu curo,
 e não há quem liberte da minha mão.
⁴⁰Ergo a mão ao céu e juro:
"Tão verdade
 como vivo eternamente,
⁴¹quando afiar o relâmpago
 de minha espada
 e tomar em minha mão a justiça,
farei vingança contra o inimigo
 e darei a paga ao adversário;
⁴²embriagarei minhas flechas
 em sangue;
 minha espada devorará carne;
sangue de mortos e cativos,
 cabeças de chefes inimigos".
⁴³Nações, aclamai-o com seu povo,
 porque ele vinga
 o sangue de seus servos,
porque se vinga do inimigo
 e perdoa sua terra e seu povo.
⁴⁴Moisés foi e recitou todo esse canto na presença do povo. Josué, filho de Nun, acompanhava. ⁴⁵E quando terminou de dizer tudo isso aos israelitas, ⁴⁶acrescentou:
– Prestai muita atenção a todas as palavras com que hoje vos ameacei, e ordenai a vossos filhos que pratiquem todos os artigos desta lei. ⁴⁷Pois não são para vós palavra vazia; pelo contrário, por ela vivereis e prolongareis a vida na terra que tomareis como propriedade, depois de atravessar o Jordão.
⁴⁸Nesse mesmo dia o Senhor disse a Moisés:
– ⁴⁹Sobe ao monte Abarim (monte Nebo), que está em Moab, em frente a Jericó, e contempla a terra que darei como propriedade aos israelitas. ⁵⁰Depois morrerás no monte e te reunirás aos teus, como teu irmão Aarão, que morreu no monte Hor e se reuniu aos seus. ⁵¹Pois vos comportastes mal comigo no meio dos israelitas na Fonte de Meriba, em Cades, no deserto de Sin, não reconhecendo minha santidade no meio dos israelitas. ⁵²De longe verás a terra, mas não entrarás na terra que darei aos israelitas.

33 ¹*Bênção* que Moisés pronunciou sobre ors israelitas antes de morrer*:
– ²O Senhor vem do Sinai

32,39 Diante da impotência dos ídolos, ergue-se a realidade do Senhor: único, como na proclamação do profeta do exílio (Is 41,4; 48,12), soberano da morte e da vida (1Sm 2,6; 2Rs 5,7; Tb 13,2).
32,40 Deus jura por si mesmo, por sua vida: Is 45,23; 62,8; Jr 22,5; 51,14; Am 4,2; 6,8.
32,42 A guerra como execução de uma sentença judicial (cf. Is 34,6-8; Jr 46,10).
32,43 O texto deste final hínico é duvidoso. A leitura da versão grega é plausível: "Aclamai-o, céus, com ele, servi-o, filhos de Deus".
32,44-47 Completam o quadro em torno do cântico, entendido como vinculado à lei. Ambos são "palavra" autêntica e vital: a lei que propõe a conduta da vida, o cântico que denuncia o pecado e dá esperança. O texto escrito tem valor jurídico de testemunha, sua eficácia será real se conservado na memória, viva tradição do povo.
32,48-52 Variante de Nm 27,12-14, introduzida para salvar a distância narrativa produzida ao inserir o Deuteronômio. Liga-se com Dt 3,27. "Nesse mesmo dia" é o de 1,3, começo da promulgação, e 34,5, morte. Tudo foi testamental, e o próximo capítulo é pronunciado imediatamente antes de morrer. Subir para contemplar o panorama de cima é uma esplêndida experiência; subir à montanha para ver e morrer, para ver o paraíso sem poder entrar nele, é uma profunda tragédia. O narrador não explora o fato psicológico, mas repete a razão teológica, o pecado de Moisés (Nm 20,2-13).
33 Intitula-se "bênçãos de Moisés", mas é em rigor uma série de oráculos sobre as tribos (6-25), inseridos em duas partes hínicas (2-5 e 26-29). Pelo estilo, correspondências e situação, este capítulo assemelha-se a Gn 49, sem repreensão para nenhuma tribo. A intenção do autor está patente no paralelismo. Moisés é um novo Jacó para seu povo, embora não seja patriarca nem pai do povo (cf. Nm 11,12). É antes um profeta que traça o perfil e anuncia o destino de cada tribo.
Os oráculos existiram talvez como peças autônomas do antigo folclore. Alguns exegetas acreditam que sejam antigos, inclusive que este é um dos textos mais antigos da Bíblia. Com nossos meios, não é fácil distinguir o que é genuinamente antigo, arcaico, do que é imitação arcaizante. Alguns detalhes revelam o influxo de tradições não tão antigas do Pentateuco; outros dados soam como vestígios de um passado remoto. Também se podem tomar como indícios os silêncios, o que esperamos e não encontramos. Pelo texto, pelo estilo imaginativo e alusivo, estes oráculos são muito difíceis de interpretar.
33,1 Bênção antes de morrer: Gn 27.
* A tradução é duvidosa em vários versículos.
33,2-5 e 26-29 Compõem um hino a ser comparado com o Sl 68. Descreve um caminho celeste do Se-

amanhecendo desde Seir;
radiante desde o monte Farã,
avança de Meriba de Cades.
³À frente vai o favorito dos povos,
à sua direita vão os guerreiros,
com a esquerda rege seus santos;
eles se rendem à sua passagem
e marcham sob suas ordens.
⁴Moisés nos deu a lei em herança
para a assembleia de Israel.
⁵"Meu amor" teve um rei,
ao se reunirem os chefes do povo,
ao se reunirem as tribos de Israel.
⁶Viva Rúben, e não morra,
e sejam inumeráveis seus homens!

⁷*Para Judá.*
Escuta, Senhor, a voz de Judá
e traze-o a teu povo;
suas mãos o defenderão,
se tu o protegeres de seus inimigos.

⁸*Para Levi.*
Para teus leais, os tumim e urim.
Tu os puseste à prova em Massá*,
os desafiaste em Meriba*;
⁹disse a seus pais: "Não vos obedeço";
a seus irmãos: "Não vos reconheço";
a seus filhos: "Não vos conheço".
Cumpriram teus mandatos
e guardaram tua aliança,
¹⁰Ensinarão teus mandamentos a Jacó
e tua lei a Israel;
oferecerão incenso em tua presença
e holocaustos em teu altar.
¹¹Abençoa, Senhor, suas propriedades,
e aceita a obra de suas mãos.
Fere as costas de seus rivais,
e seus inimigos não se levantem.

¹²*Para Benjamim.*
Favorito do Senhor, habita tranquilo;
o Altíssimo cuida dele
continuamente,
e ele habita entre seus ombros.

¹³*Para José.*
O Senhor abençoa sua terra
com o dom e o orvalho do céu
e com o oceano deitado
na profundidade,
¹⁴com as melhores colheitas do ano
e os melhores frutos do mês,
¹⁵com as primícias das velhas montanhas
e o selecionado das colinas duradouras,
¹⁶com o melhor da terra e o que ela contém
e o favor de quem habita na sarça;
desçam sobre a cabeça de José
e coroem o escolhido entre os irmãos.
¹⁷Belo como cria de vaca,

---

nhor, guiando seus exércitos para um território onde viverão separados e seguros.
33,2 O avanço do Senhor de sul a norte é uma marcha teofânica, "radiante". Assinala quatro etapas, se aceitarmos esta leitura do quarto hemistíquio. Outra leitura é "com miríades de santos", que antecipa o versículo seguinte (cf. Zc 14,5; Dt 7,10).
33,3 Outra leitura, emendando o texto: "à sua direita fogo chamejante, a ira abrasa todos os povos" (cf. Sl 97,3). Transferimos o último hemistíquio do v. 2 para obter o paralelismo lógico "direita/esquerda". O favorito pode ser Israel, que, à maneira de arauto, abre a marcha processional. Os santos podem ser os exércitos celestes (cf. Sl 89,8; Jó 15,15; Zc 14,5). Também podem ser os israelitas, santos por sua participação na guerra santa (cf. Is 13,2-4).
33,4 A lei, parte da aliança do Sinai (cf. Eclo 24,23).
33,5 O rei pode ser o Senhor (Is 33,22; Sl 93,1; 96,10; 97,1; 99,1; 146,10). Mas pode referir-se à instauração da monarquia. O rei, com nova força de coesão, unifica as tribos, sucedendo de certo modo a Moisés. O Sl 78 termina com a eleição de Davi (cf. 2Sm 5,1: "todas as tribos... a Davi").
33,6 Rúben era o primogênito. Talvez o pedido reflita uma época em que a tribo estava em perigo de se extinguir.
33,7 Judá suplica a Deus: para voltar do exílio e incorporar-se ao resto do povo?
33,8-11 Os fatos se leem em Ex 32,27-29. Tumim e urim são instrumentos das sortes oraculares (Ex 28,30). O ofício de Levi é instruir na lei (17,10; 31,9.25); nem todas as tradições lhes reconhecem funções sacerdotais (Nm 16). É surpreendente que se mencionem suas propriedades (cf. Ez 48).
* = Prova, Acareação.
33,12 Em sentido físico, os ombros podem ser as encostas das montanhas (Js 15,10; 18,12.16), onde habita tranquilo. Em sentido próprio corporal, pode significar "aos ombros, às costas" (1Sm 17,6). Em sentido figurado, não sabemos se alude a um rito especial, ou simplesmente ao cuidado. Outra explicação é que o Senhor o abraça e o leva nos ombros.
33,13-16 Se Benjamim é favorito, José é privilegiado, rico de bênçãos cósmicas. As duas grandes fontes, a superior, acima do firmamento, e a subterrânea, de água doce, que aflora nos mananciais, asseguram uma fertilidade inesgotável.
Ano e mês são, neste versículo hebraico, sol e lua: as estações se relacionam com os luminares celestes (que homenageavam José em sonhos, Gn 37,8). Montes e colinas antecedem a presença do homem e da história (cf. Sl 90,2).
A sarça é o Sinai (Ex 3,2-4), onde começou a marcha (v. 2).
33,17 Para a imagem, ver um oráculo de Balaão, Nm 23,22. Benjamim era o segundo, mas foi nomeado

com grandes chifres de búfalo,
com eles investirá contra os povos
e os acossará até os confins da terra.
Assim são as miríades de Efraim,
assim são os milhares de Manassés.

¹⁸*Para Zabulon.*
Zabulon gosta de sair;
Issacar, de viver na tenda.
¹⁹Convidarão povos à montanha
para oferecer sacrifícios legítimos,
pois exploram as riquezas do mar,
os tesouros ocultos das praias.

²⁰*Para Gad.*
Bendito quem alargar Gad.
Deita-se como leoa
e destroça braços e crânios.
²¹Escolheu para si as primícias,
o lote reservado ao capitão.
Cumpriu a justiça do Senhor
e os compromissos com Israel.

²²*Para Dã.*
Dã, filhote de leão,
que pula diante da serpente.

²³*Para Neftali.*
Neftali se sacia de favores
e se enche das bênçãos do Senhor,
possui o mar e sua região.

²⁴*Para Aser.*
Bendito Aser entre todos,
o favorito dos irmãos,
que banha os pés no azeite.
²⁵Com ferrolhos de ferro e bronze,
com tanta força como anos.
²⁶Ninguém como Deus, "meu Amor",
que cavalga pelo céu em teu auxílio,
cavalga montado nas nuvens.
²⁷O Deus antigo te oferece morada,
pondo seus braços eternos
por debaixo,
expulsa diante de ti o inimigo
e ordena: "Destrói".
²⁸Israel habita tranquilo
e separado vive Jacó,
em terra de trigo e de mosto,
sob um céu que destila orvalho.
²⁹Felicidades, Israel!
Quem como tu?
Povo salvo pelo Senhor,
teu escudo protetor
e espada vitoriosa.
Teus inimigos te adularão
e tu pisarás suas costas.

34

¹Moisés subiu da estepe de Moab ao monte Nebo, ao topo do Fasga, diante de Jericó, e o Senhor lhe mostrou toda a terra: Galaad até Dã, ²o território de Neftali, de Efraim e de Manassés, o de Judá até o mar Ocidental; ³o Negueb e a região do vale de Jericó (a cidade das palmeiras), até Segor, ⁴e lhe disse:
— Esta é a terra que prometi a Abraão, Isaac e Jacó, dizendo-lhes: Eu a darei à

---

primogênito (Gn 48,13-15). Manassés era o primogênito, mas foi relegado a partir do segundo posto (Gn 48,13-15). Manassés é aqui dez vezes menos numeroso que Efraim.
33,18-19 Zabulon tinha vocação marinheira de pescador: "sai" ao mar. Issacar era lavrador, fica dentro. Ambos se reúnem no santuário comum, talvez no Tabor, para onde convidam pessoas de outras tribos.
33,20-21 Gad habitava na Transjordânia. Cumpriu seus compromissos lutando junto às outras tribos (Nm 32). Seu extenso território pode ser considerado como primícias, porque o ocupou antes que as outras.
33,22 Dã era a tribo mais setentrional, depois da sua migração a partir da costa (Jz 17-18). O oráculo parece exaltar o valor da tribo. Alguns traduzem como topônimo: Basã (que não foi território de Dã).
33,23 Refere-se ao lago de Genesaré. Neftali se enriquece com a pesca e a agricultura.
33,24-25 A Galileia era rica em olivais; para a expressão, ver Jó 29,6. Ferro e bronze representam as cidades fortificadas.

33,26 Sem mencionar Simeão, passa à segunda parte do quadro hínico. Para as imagens: Sl 18,11; 68,34; 104,3; Hab 3,8.
33,27 Antigo: em seu ser (Sl 90,1), ainda que manifestado na história. Destrói: é a ordem de 7,1-6 e paralelos.
33,28 Como no oráculo de Balaão: Nm 23,9. Compare-se com a bênção de Gn 27,28.
33,29 Títulos litúrgicos provenientes da guerra santa.
34 Emoção contida vibra levemente nesta narração concisa da morte de Moisés e na espécie de epitáfio ou memória fúnebre que o autor lhe dedica. A narração liga-se de perto com 32,48-52 e leva à conclusão outra série de momentos, especialmente: Nm 27,12-17; Dt 3,23-28; 31,14.
34,1-3 A visão da terra inteira é fisicamente impossível. O texto diz que o Senhor lhe fez vê-la; como outrora com Abraão, quando este se separou de Ló; mas Abraão pôde "percorrê-la", sem possuí-la (Gn 13, 15.17).
34,4-5 Mesmo aos 120 anos, a morte é violenta, porque interrompe o cumprimento da missão: o que

tua descendência. Eu te fiz vê-la com teus próprios olhos, mas não entrarás nela.

⁵E aí morreu Moisés, servo do Senhor, em Moab, como o Senhor havia dito.

⁶Foi enterrado no vale de Moab, diante de Bet-Fegor, e até hoje ninguém conheceu o lugar de seu túmulo.

⁷Moisés morreu com a idade de cento e vinte anos: não havia perdido a visão, nem seu vigor havia diminuído. ⁸Os israelitas choraram Moisés na estepe de Moab por trinta dias, até que terminou o tempo do luto por Moisés.

⁹Josué, filho de Nun, tinha grandes dotes de prudência, pois Moisés lhe havia imposto as mãos. Os israelitas lhe obedeceram e fizeram o que o Senhor havia ordenado a Moisés.

¹⁰Nunca mais surgiu em Israel outro profeta como Moisés, com quem o Senhor tratava cara a cara; ¹¹nem semelhante a ele nos sinais e prodígios que o Senhor lhe mandou fazer no Egito contra o Faraó, sua corte e seu país; ¹²nem na mão poderosa, nos terríveis feitos que Moisés realizou na presença de todo Israel.

---

começou não pode concluir. A sós com Deus, Moisés contempla a terra e fecha os olhos cheios com a visão. A dor e a nostalgia se expressaram antes (3,23-26). Pelas palavras de Deus, Moisés não só contempla o espaço, mas surge na história que ele preparou e vai logo começar. Ao morrer, recebe o título de "servo do Senhor".

34,6 A ignorância contrasta com os dados precisos dos juízes menores: Jz 10,2.5; 12, 7.10.12.15; e mais ainda com o sepulcro patriarcal de Abraão (Gn 23).
34,8-11 Embora a história continue e se sucedam os profetas, segundo o anunciado (Dt 18,15), o lugar de Moisés é único: pela sua missão na libertação do Egito e por sua intimidade com Deus (Ex 33,11; Nm 12,8).

HISTÓRIA

JOSUÉ E JUÍZES
INTRODUÇÃO

Na introdução ao Pentateuco expusemos as alternativas de Hexateuco e de Tetrateuco. A hipótese comumente aceita hoje é de que, num certo período, existiu uma grande obra de historiografia que abrangia desde a entrada na terra até a saída para o exílio. O Deuteronômio, construído em esquema de aliança, era o grande prólogo e chave teológica dessa história. Essa obra recebe o nome de História Deuteronomista, e sua sigla é Dtr. Tal hipótese (proposta por M. Noth em 1942) tem orientado muitas análises especiais dos livros que compreende – Js, Jz, Sm, Rs –, e se aplica como marco de referência da exegese.

Conteúdo

Depois dos derradeiros atos e da morte de Moisés (ver comentário ao Dt), a ele sucede Josué, que dirige a conquista e reparte o território entre as tribos; antes de morrer, renova a aliança (Js 24). Segue-se uma espécie de idade média, a era dos Juízes (Jz). O último juiz, Samuel, introduz a monarquia de Saul e Davi (Sm). A este sucede Salomão; e quando ele morre, acontece o cisma que divide o povo em dois reinos: o setentrional, chamado Israel, e o meridional, chamado Judá. Ambos continuam sua vida paralela (Rs) até a destruição de Israel (722) e de Judá (586). É uma história linear e contínua, desigualmente desenvolvida. O intento de escrever a história de um povo durante setecentos anos é nesses tempos uma façanha cultural de primeira ordem.

Época

A obra não foi terminada antes do exílio, e fica marcada pela desgraça recente, com uma mistura de saudade e esperança. Mais importante, o autor tenta compreender a catástrofe por suas causas; e isto é historiografia madura. Dá preferência às causas religiosas sobre as políticas e militares.

Uma análise mais atenta leva muitos a distinguir duas redações da obra: a primeira na época da reforma de Josias e a segunda durante o exílio.

Autor

Temos de supor ao menos dois autores. Muitos pesquisadores, no entanto, preferem falar de "escola". É um conceito maleável e indefinido. Se era escola, deve ter havido uma formação comum, critérios e procedimentos partilhados, dependência ou intercâmbio. E, por último, um autor responsável.

Tema

Se é preciso indicar um tema central, escolhemos a monarquia hereditária na terra. Josué é o ponto de partida. Os Juízes são o "antes da monarquia", com uma tentativa frustrada (Js 9). Samuel é o anel de enlace que atua entre duas forças opostas (1Sm 8; 12). Com o cisma, os do norte perdem a continuidade dinástica; os do sul a mantêm, superando repetidas ameaças. A tensão inicial, pró e contra a monarquia, é a marca do relato até o balanço final. Da parte de Deus, a tensão brota do contraste entre promessa incondicionada e aliança condicionada.

Outro tema, que considero subordinado, é a terra: conquistada e repartida por Josué, habitada durante o grande ciclo que termina no exílio. A sua posse também acarreta tensões: é dom e tarefa, é posse tranquila e ameaçada de fora e de dentro. É mais que simples cenário da história.

Alguns descobrem prefigurações ou semelhanças nos relatos patriarcais: descida e subida de Abraão ao Egito; desterro e volta de Jacó; relações com os siquemitas e outros estrangeiros; conflitos de sucessão; conflitos entre irmãos.

Método de trabalho

O Deuteronomista unifica materiais preexistentes num esquema simplificado. Acolhe textos já elaborados pela tradição e lança sobre eles uma rede de malhas largas. Os fios paralelos e perpendiculares dessa rede seriam: a) reflexões do autor, que põe na boca dos seus personagens ou pronuncia com autoridade de narrador; b) palavras divinas que prometem ou admoestam. Entre as malhas, escapam ou se delatam os materiais aprisionados.

a) Moisés (Dt 29,1-28; 30,1-6); Josué (Js 23); Samuel (1Sm 12); Davi (2Sm 23,1-7; 1Rs 2,2-4); Salomão (1Rs 8,23-53); o autor: para o reino setentrional (2Rs 17,7-23), para o meridional (2Rs 21,10-15).

b) Prescindindo da missão de Moisés e de Josué, as mensagens divinas marcam a história; poucas vezes pronunciadas diretamente pelo Senhor, geralmente transmitidas por algum profeta. Ao povo pecador (Jz 2,1; 10,11); a Gedeão (6,8); a Manué, pai de Sansão (Jz 13); a Samuel (1Sm 3); a Saul (1Sm 28); Natã a Davi (2Sm 7 e 12); a Salomão (1Rs 3 e 9; 11,11-13; Aías a Jeroboão (1Rs 11,29-39 e 14,1-11); Semeías a Roboão (12,23-24); um profeta de Judá a Jeroboão (1Rs 13); Jeú a Baasa (1Rs 16,1-4); ciclos paralelos de Elias e Eliseu (1Rs 17 a 2Rs 13); Miqueias, filho de Jemla (1Rs 22); Jonas a Jeroboão II (2Rs 14,25); Isaías a Ezequias (2Rs 19-20); Hulda a Josias (2Rs 22,14-20). É curioso e estranho que na série não figurem Oseias, Amós, Miqueias e Jeremias.

Materiais

Através das malhas do tecido unitário e acrescentado, surgem materiais heterogêneos, que o autor copia ou elabora.

a) Listas: de pessoas, de ofícios, de localidades. Não é improvável que as listas tenham sido tomadas de arquivos ou conservadas por uma memória tenaz e cultivada nessa cultura.

b) Crônicas e Anais. Os livros dos Reis mencionam de vez em quando os anais do reino, dando a entender que eles foram consultados e usados e que o leitor pode controlá-los. A existência de arquivos reais está amplamente documentada pela arqueologia, desde o século XXV; seus registros costumam ser de tema econômico ou diplomático. Em nosso caso perguntamos: eram os cronistas oficiais tão bons narradores, tão artistas da linguagem?

c) Lendas. Há lendas que são pura ficção; há lendas que têm base histórica, e há traços legendários que aderem a figuras históricas. Na obra do Deuteronomista, as lendas parecem agrupar-se em blocos: no livro dos Juízes, p. ex., o ciclo de Sansão, e no ciclo do profeta Eliseu. Traços legendários aureolam figuras importantes, como a de Davi; podemos quase dizer que é o modo de contar do autor ou dos textos que ele recolhe. Como geralmente faltam elementos externos de juízo, não podemos isolar com segurança o núcleo histórico; por isso, não podemos nem afirmar nem negar a historicidade dos relatos. Podemos, sim, julgar que o autor quis ou pensou contar fatos acontecidos.

Melhor do que às sagas escandinavas, muitos relatos desta obra podem equiparar-se aos antigos romances de cavalaria: romances heroicos, históricos, fronteiriços, ciclos. (Seria fácil traduzir livremente, em forma de romance, episódios tirados do Deuteronomista).

O heterogêneo dos materiais acolhidos na historiografia do autor revela seu respeito pelas lembranças do seu passado, sua tolerância para conceder a palavra a pontos de vista opostos.

Princípios

Como os materiais previamente elaborados tendem a fragmentar e romper a unidade, era preciso ater-se a alguns princípios para compor unitariamente a obra. Impera o princípio teológico: um Deus e um povo seu, e suas mútuas relações ao longo da história.

Deus é o protagonista: umas vezes discreto, nos bastidores; outras vezes espetacular, "com sinais e prodígios". Em particular com a sua palavra: quer institucional, que instaura uma ordem estável, quer conjuntural, que dá instruções para uma situação concreta. Ou seja, aliança renovada (Js 24; 2Rs 11,17; 23,3) e palavra profética.

Deus age na história num povo e por um povo. Não move marionetes, porém associa a liberdade e a responsabilidade do povo com os seus dirigentes. Como o povo é responsável diretamente perante o Senhor, em virtude de compromissos formais, entra num processo que chamamos de retribuição. O Senhor pode retribuir, deixando que se desenvolva a dialética da história ou de forma extraordinária e patente. Havia anunciado, e aconteceu; tinha prometido e cumpriu; tinha ameaçado e executou. Se o dom da terra é cumprimento de uma promessa, sua perda é execução de uma ameaça. Esse esquema se repete em escala maior ou menor, coletiva ou individual.

Uma história assim composta glorifica o Senhor pelos benefícios outorgados, e o justifica diante dos castigos infligidos. As malhas da rede se apertam quando o Deuteronomista toma a palavra (2Rs 17); elas se afrouxam quando cede a palavra a relatos mais antigos. O livro dos Juízes é uma excelente ilustração.

Finalidade

Para que o Deuteronomista compôs a sua grande obra histórica? Não só para preservar lembranças do passado no momento em que a nação perecia. Para glorificar o Deus que salvou ou para justificar o Deus que castigava? Para infundir esperança ou para expressar sua desesperança? O Salmo 77,9 pergunta: "Esgotou-se a sua misericórdia, terminou para sempre sua promessa?" Lm 3,26-31 exorta à esperança; o Sl 81 fala na forma condicional.

Penso que o breve final da obra (2Rs 25,27-30), pelo inesperado, é uma porta aberta à esperança. Ao longo da obra, foram semeados outros germes de esperança. Ligados à conversão do homem: 1Sm 7,3; 1Rs 8,33.47.50; 2Rs 17,13; 23,25. Ligados às promessas ou à compaixão de Deus: 2Sm 7,14; 1Rs 11,31-34; 15,4; 2Rs 8,19; 13,23; 14,26. Acrescentamos que, ao se dar a última demão à obra, Jeremias já havia convidado à esperança (Jr 29; 31).

Os textos citados permitem fazer um balanço. As promessas patriarcais eram incondicionais; garantiam a sobrevivência do povo. A aliança sinaítica estava condicionada à lealdade do povo: justificava o castigo e oferecia perdão a quem se convertesse. A promessa dinástica é incondicional: garante a continuidade da descendência e tomará uma direção inesperada.

Consequências

O método de composição do Deuteronomista não facilita a tarefa do intérprete. Não é história em nosso estilo. Muitas vezes não é história em sentido algum. Contudo, procurarei analisar cada episódio como se se tratasse de um relato histórico: averiguando a coerência de suas motivações e seguindo o fio de suas consequências. Mas não pronunciarei a cada vez a dúvida metódica sobre a historicidade. Contento-me com essa declaração de princípio.

O modelo de sedimentação

Guiados por esse modelo, alguns exegetas preferem trabalhar com seções menores: perícopes ou blocos, relatos ou ciclos. Imaginam que um relato é resultado de um processo de sedimentação de camadas sobre um texto primitivo (com efeitos secundários de erosão e deslocamento): mediante a análise do resultado final, o único que temos, pretendem separar anatomicamente os estratos e atribuir cada um a determinada época ou corrente ou intenção. Os indícios principais costumam ser incoerências de conteúdo ou forma, marcas de sutura. A incoerência vertical, de estratos, é correlativa à coerência do mesmo estrato em perícopes diversas.

Na teoria a hipótese é plausível. Na prática se expõe a muita especulação, porque faltam dados externos, e os indícios inter-

nos são polivalentes. Devido ao caráter da presente obra, daremos pouco espaço a esse tipo de análise.

Arte narrativa

A obra do Deuteronomista contém relatos estupendos, que pertencem à literatura universal e que têm sido modelos tácitos ou reconhecidos de narradores ocidentais. No panorama literário do antigo Oriente Médio, dois textos sobressaem: o de Gilgamesh e os relatos do Antigo Testamento. Aqui devo contentar-me com chamar a atenção do leitor para o fato e registrar alguns aspectos extraordinários.

Antes de tudo, a riqueza dos temas interessantes: patéticos, cômicos, burlescos, heroicos, misteriosos, trágicos, novelescos, fantásticos; e a destreza com que são tratados.

a) O que não encontramos: descrição da paisagem ou do cenário, que agradeceríamos em várias ocasiões; análise da interioridade dos personagens, não aproveitando ocasiões magníficas; reflexões generalizadoras, que acrescentam um contexto humano mais amplo.

b) Essencialidade e imediação. A ação avança rápida, apoiada em momentos culminantes. Acertando com o essencial, o narrador pode sacrificar o resto ou deixá-lo à fantasia do leitor. Também o diálogo é conciso: dois interlocutores de cada vez e poucas interrupções. A ação pode ser descrita com um traço decisivo ou articular-se numa sequência de movimentos.

c) A narração costuma ser linear. Usa retardar ou acelerar o tempo narrativo; raras vezes recorre à sustentação. Não conduz simultaneamente ações paralelas, embora em alguns detalhes indique a simultaneidade para algum efeito. Ainda que costume respeitar a ordem cronológica, permite-se antecipar em forma de pressentimento ou de predição, e também adiar uma informação para o momento mais eficaz ou necessário.

d) Os personagens, salvo raras exceções, não são bem delineados. Raras vezes se fixa o narrador no aspecto externo. O caráter se declara na ação e nas palavras. O personagem coletivo assiste, é interpelado. Poucas vezes toma a iniciativa de protagonista.

e) O ponto de vista costuma ser o do narrador onisciente. No Dt se interpõe a voz narradora de Moisés. Nos ciclos de Elias e Eliseu parecemos ouvir a voz de um membro da comunidade.

O narrador delata suas preferências; mas é capaz de contar com distância, quase com frieza: o narrador não se altera, para que se altere o leitor. O autor em parte pressupõe seu leitor, os judeus de sua época, em parte o vai criando.

f) Pelo grau diverso de identificação ou dissociação do autor com seus personagens e contando com o impacto sobre o leitor, o texto se povoa de tensões e ambiguidades valiosas. As tensões nem sempre são resolvidas.

g) Notas ao estilo. Alguns fatores são inseparáveis do texto original, p. ex., o material sonoro, as paronomásias, aliterações, jogos de palavras. Mais acessível é o ritmo, que se alarga ou se estreita expressivamente. A repetição de palavra ou raiz é um dos recursos mais importantes, nem sempre reproduzível na tradução. São frequentes os esquemas numéricos, especialmente sete, dez e doze. Muito importantes e não tão fáceis de captar são os valores simbólicos.

Ao longo do comentário irei fazendo observações de caráter literário.

JOSUÉ

INTRODUÇÃO

O livro

O livro de Josué olha para duas direções. Para trás, completando a saída do Egito com a entrada em Canaã. Para diante, inaugurando a nova etapa do povo com a passagem para a vida sedentária.

Por causa da primeira, alguns acrescentaram este livro ao Pentateuco para obter um Hexateuco. Sem a figura e a obra de Josué, a gesta de Moisés fica violentamente truncada. Com o livro de Josué, o livro do Êxodo alcança sua conclusão natural.

Por causa da segunda, outros juntam este livro aos seguintes, para formar a obra que chamam História Deuteronomista (sigla Dtr); obra que começa com o Deuteronômio atual ou com uma versão precedente mais simples (ver a introdução ao Pentateuco).

Simplificação

O autor tardio que compôs este livro, valendo-se de materiais existentes, guiou-se pelo princípio da simplificação. O que conforme muitos foi uma penetração lenta e desigual está apresentado como um esforço coletivo sob uma direção unificada: o povo todo às ordens de um chefe supremo e imediato, Josué.

Tarefa atribuída no livro a Josué é conquistar toda a terra e reparti-la entre todas as tribos. Em outras palavras, a passagem do regime seminômade ao sedentário, de uma cultura pastoril e transumante a uma cultura agrária e urbana. Um processo lento, talvez secular, se reduz narrativamente a um impulso bélico e a uma partilha única. Uma penetração militar, uma campanha ao sul e outra ao norte, e a conquista são concluídas em poucos capítulos. Em algumas seções, o cadastro está terminado.

Para a gênese do presente livro, ver a introdução geral ao Deuteronomista e o comentário a alguns capítulos.

Historicidade

Semelhante simplificação não dá garantias de historicidade. Pelos resquícios do esquema escapam umas tantas estórias ou breves episódios que poderiam remontar a tempos remotos. A arqueologia, que outrora quiseram alegar a favor da historicidade do livro, desmentiu tal pretensão com sua ambiguidade ou com dados contrários. Este juízo de conjunto se confirma com os dados seguintes.

História

Quanto ao aparecimento dos israelitas em território de Canaã, trata-se de saber como foi – reconstrução histórica – ou de imaginar como pode ter sido – modelos históricos. – As preferências dos exegetas se repartem em três modelos: a) Israel vem de fora, numa vaga compacta, e conquista pela força uma parte substancial do território de Canaã. b) Israel vem de fora e vai penetrando por infiltração pacífica e assentamentos estáveis, ao longo de duas gerações aproximadamente. c) Israel se levanta de dentro e desbanca a hegemonia das cidades-Estado.

A primeira é proposta pela Bíblia e aceita por vários arqueólogos e exegetas da geração precedente. Hoje conta com poucos adeptos. A segunda cita alguns dados da arqueologia e se concentra nos textos, especialmente na versão de Jz 1 e em frases soltas e significativas de Josué: Js 11,22; 13,1.13; 16,10; 17,11; 18,2. Esta hipótese predominou até anos recentes e ainda é adotada por muitos. A terceira é de cunho sociológico; alega

informação externa sobre a situação na Palestina durante o século XIV e se apoia em escavações mais recentes e difusas por todo o território.

Esses modelos podem acolher como fator determinante a fé javista. Para alguns intérpretes, a fé num Yhwh guerreiro, que auxilia seu povo e lhe dá a vitória. Para outros, a fé num Yhwh ético frente a deuses míticos que apoiam o poder estabelecido e asseguram a fertilidade da terra. Para outros ainda, é o Deus exigente e ciumento de Ex 34,10-26, que não admite rivais diretos nem indiretos. Finalmente, a fé em Yhwh, vivida com entusiasmo e transmitida eficazmente por um grupo dinâmico que contribui com sua experiência transformadora. Ver também o quadro histórico.

A figura de Josué

O livro o apresenta como continuador e imitador de Moisés. Além dos capítulos 4-5, simétricos da saída, podem-se apontar outras semelhanças: o envio de exploradores (Nm 13 e Js 2), a vara na mão de Moisés e a lança empunhada por Josué (Ex 17 e Js 8), intercessão (Ex 32; Nm 14 e Js 7,6-9), renovação da aliança (Ex 24; 34; Dt 29-31 e Js 24), testamento espiritual (Dt 32-33 e Js 23).

Contudo, a distância entre ambos é insuperável. Josué não promulga leis em nome de Deus, tem de cumprir ordens e encargos recebidos de Moisés ou contidos na lei, não goza da mesma intimidade com Deus.

Ao contrário, a figura de Josué resulta no conjunto tanto apagada como esquemática. O autor ou autores se preocuparam com introduzi-lo aos poucos no relato, como colaborador de Moisés. Já em Ex 17, no Sinai (Ex 32), em momentos críticos do deserto (Nm 11; 14 etc.); finalmente foi nomeado sucessor de Moisés (Nm 27; Dt 31). No livro que tem seu nome, seu perfil não se destaca por cima de sua tarefa específica: não ganha densidade nem estatura.

Fora do livro, chama a atenção sua ausência onde esperávamos encontrá-lo: nem ele nem suas façanhas peculiares se mencionam nos resumos clássicos: 1Sm 12; Sl 78; 105; 106; 136; Ne 9; tampouco figura em textos que se referem à ocupação da terra: Sl 44; 68; 80. Ben Sirac, o Eclesiástico, lhe dedica onze versículos de seus louvores (46,1-8). O NT o cita duas vezes: At 7,45 e Hb 4,8.

Deus protagonista

Acima de Moisés e de Josué, garantindo a continuidade do comando e do empreendimento, ergue-se o protagonismo de Deus. A terra é promessa de Deus, quer dizer, já era palavra antes de ser fato, e será fato em virtude dessa palavra. Se Josué ocupa a terra, é porque o Senhor já lha havia entregue. A valentia de Josué se funda na assistência divina: é confiança religiosa, mais do que pura valentia humana. Josué executa ordens concretas de Deus, ou seja, palavras que criam história por intermédio da obediência humana. É Deus que elege e nomeia Josué; ao povo cabe reconhecer a nomeação divina. O Deus de Josué é o Deus da aliança, por isso o livro termina com a renovação da aliança e fica aberto para a nova era.

Arte narrativa

O livro de Josué é o menos agraciado numa série extraordinária. Descontemos os capítulos 1 e 23, moldura em que os discursos propõem o pensamento da obra. Retiremos as listas geográficas da partilha (13-21), com o problema teológico do 22. Restam doze capítulos para a narração; ainda sobram dois, as notícias concisas do 11 e a recapitulação de nomes no 12.

Dez capítulos dão muito de si para um bom narrador bíblico. Não acontece assim neste livro, sobretudo pela importância concedida ao material cultual. É lógico que a renovação da aliança é texto litúrgico, mais do que relato (8,30-35 e 24). Recordemos a travessia do mar Vermelho: Ex 14-15 têm dramaticidade, momentos espetaculares, profundidade simbólica, entusiasmo religioso. Para a travessia do Jordão nos oferecem uma procissão litúrgica com seus preparativos e seus movimentos irregulares: quem pode imaginar plasticamente a cena?

A conquista de Jericó tem feito sucesso em versões pictóricas: o fantástico se sobrepõe ao bélico. As trombetas desencadeiam uma energia cinética que faz desabar de vez a colossal muralha. Pois bem, o relato está estilizado como celebração litúrgica durante uma semana.

Grande parte do cap. 5 está ocupado por dois ritos com sua explicação. No episódio de Acã (7) entra o problema do hérem e assistimos ao rito das sortes.

Concluindo, é pouco o que podemos saborear como relato no livro: o episódio dos espiões (2), a derrota e conquista de Hai (8), a astúcia dos gabaonitas (9). Se levarmos em conta que a partilha das terras se faz "perante o Senhor", como rito sagrado, segue-se que quase todo o livro de Josué está estilizado como libreto de uma grande celebração cultual. Mais do que apresentar narrativamente a conquista, ele a representa liturgicamente. Refiro-me ao procedimento literário, o "como se"; não postulo a celebração de festas litúrgicas particulares, que não se encontram no calendário oficial.

O problema ético

Como se justifica a invasão de territórios alheios, a conquista pela força, a matança de reis e populações, que o narrador parece comemorar com alegria exultante?

Alguém responde que não houve tal conquista violenta nem tais matanças coletivas; os israelitas pacificamente infiltrados se defenderam, talvez excessivamente, quando foram agredidos pelos reizinhos locais com os quais conviviam. Mas, se os fatos foram mais pacíficos que violentos, por que contá-los dessa maneira? Por que aureolar Josué com um círculo de sangue inocente? Ainda por cima, tudo é atribuído a Deus, que dá ordens e assiste à execução. Em que sentido Yhwh é um Deus libertador? Há um território pacificamente habitado e cultivado pelos cananeus: com que direito os israelitas se apoderam dele, desalojando seus donos pela força? A resposta do livro é que o seu Deus o entrega a eles. Isto torna ainda mais difícil a leitura.

Já os antigos sentiram de algum modo o problema. E responderam que essas populações são castigadas por seus pecados, tornaram-se indignas de continuar ocupando o território: Gn 15,16 o diz como profecia, Lv 18,24 o incorpora à legislação. Sb 12,1-12 o discute com mais amplidão, apelando para a soberania divina e o princípio da retribuição.

Acrescentemos uma reflexão por nossa conta. A posse de um território, a soberania sobre ele, estão sempre garantidas e justificadas, prescindindo de razões éticas? Por razões de ecologia e de humanidade, será legítimo em algum caso despojar uma sociedade do seu direito originariamente legítimo, atualmente abdicado? A lei retira às vezes dos pais o pátrio poder sobre os filhos. Mas quem tem autoridade para julgar e executar? Humanamente seria uma instância supranacional reconhecida. Para o olhar transcendente, Deus tem essa autoridade. E como executa as sentenças? Muitas vezes deixando agir a dialética da história; aceitando, embora não justificando, a execução humana inábil de um desígnio superior. Atribuir a Deus a execução é como se disséssemos que "agia como Deus".

Nem este relato da conquista nem a História Deuteronomista são a última palavra. O povo de Israel é escolhido por Deus no estágio cultural em que se encontra e é conduzido num processo de amadurecimento. Acima do yehoshua deste livro está o yehoshua de Nazaré que pronuncia e é a última palavra, porque é a primeira.

Moldura histórica

Se aceitarmos como hipótese a historicidade básica, parece que a época em que melhor se encaixa a migração dos israelitas é o século XIII. A breve exposição que se segue não é um argumento a favor da historicidade, mas uma simples moldura na qual encaixar razoavelmente os relatos e os fatos.

Pela metade do século XIII a. C., o Oriente Médio, onde pulsava e crescia a cultura humana, tinha chegado a um equilíbrio de forças organizado num triângulo geográfico: Mesopotâmia,

Egito, Ásia Menor. Na Mesopotâmia era a vez do jovem império assírio, que tinha conseguido submeter o rival meridional, Babilônia; na Ásia Menor imperavam os heteus ou hititas, na segunda e última etapa do seu reino; no Egito culminava a dinastia dos Ramsés, com o segundo do seu nome. Tukulti Ninurta I, Hatusilis III e Ramsés II eram os soberanos.

Não será preciso abrir o triângulo e convertê-lo em quadrilátero? Se nos movemos do Oriente Médio para o Ocidente, recordamos que a cultura não termina nos portos fenícios e no Delta do Nilo. No Mediterrâneo oriental, ao império marítimo e comercial da Creta Minoica tinha sucedido o novo império marítimo e comercial dos micênios, os gregos que a Ilíada e a Odisseia recordam. Este império, que podemos chamar de ocidental, mantinha certo equilíbrio de interesses e muitas relações com os heteus da Ásia Menor.

A faixa costeira, Síria e Palestina, era, como de costume, uma vastíssima ponte de comunicação, disputada pelo Egito e pela Ásia. O Rio do Cão (Nahr el Kelb, perto da atual Beirute) marcava a fronteira norte do Egito, até que Ramsés ousou cruzá-la e teve de medir forças com o heteu Muwatalis, em Cades junto ao Orontes. A batalha ficou sem vencedor, e uns anos depois se firma um pacto selado por um matrimônio real. A chancelaria da capital heteia (desenterrada em Bogazkoy) dá provas de uma série de pactos com outros monarcas ou vassalos.

O equilíbrio dos impérios estava ameaçado, e sua decadência precipitou-se na segunda metade do século XIII. O triângulo tinha três vértices firmes, mas seus lados não eram sólidos, porque se abriam à inundação do deserto, fecundo em homens; ao passo que o império de ilhas em torno da península grega era um trampolim disseminado, que convertia o Mediterrâneo oriental em águas vadeáveis.

Ora, não sabemos exatamente quando, nem por que lei misteriosa da história, duas zonas humanas remotas entre si e afastadas da cultura começam a mover-se e a propagar o movimento. Como dois lagos tranquilos que receberam dois fortes impactos vindos de um fundo desconhecido. No Ocidente, os ilírios da Europa central, com os dórios e os frígios nos Bálcãs; no Oriente, grupos nômades que ostentam o denominador comum de arameus. Quando as ondas concêntricas impulsionadas pelos dois focos se encontram, a inundação terá coberto o triângulo dos impérios.

Ilírios, dórios e frígios avançam, juntam-se a eles outros povos, derrubam o império micênico, expulsam e empurram outros povos, sículos, etruscos, dânaos... Esses últimos se lançam ao mar em busca de novas terras habitáveis. São os chamados "povos do mar", presentes como mercenários já na batalha de Cades (Sardana, Pelashat, Dardana), mencionados talvez na Odisseia (canto XIV), esculpidos no templo de Medinet Habu; o comentário às cenas dos relevos fala dos filisteus, Tcheker (Teucros?), Shekelesh (Sículos?), Denyen (Dânaos?). Esses povos destruíram os empórios das costas mediterrâneas orientais e se instalaram em alguns deles. A esta época pertence a conquista de Troia, cantada por Homero.

Por outro lado, o deserto empurra suas tribos nômades, como o vento empurra as dunas. Por toda parte se infiltram essas tribos, de movimentos flexíveis, para saquear, ou em busca de uma vida sedentária, fixa e segura. Já haviam perturbado as vias comerciais entre babilônios e heteus no tempo de Hatusilis III. Fustigam os assírios, voltam a penetrar em Babilônia, fazem pressão rumo à costa, e fundam uma série de reinos menores, detendo-se nessas paragens do deserto, onde a areia começa a dar lugar à água e ao verde: Alepo, Emat, Damasco.

As duas ondas concêntricas se juntaram. Onde está o harmonioso triângulo dos impérios? Os hititas sucumbem como nação e dispersam seus homens em pequenas colônias de exilados; o último rei conhecido leva só um nome glorioso, Supiluliuma II; por volta de 1200 o império hitita deixa de existir. O império assírio começa a decair no final do reinado do impetuoso Tukulti-Ninurta (no fim do século XIII). E um século mais tarde Tiglat Piléser I não consegue restabelecer seu poderio. O

trono do Egito vai acrescentando números à dinastia dos Ramsés e tirando-lhes força e esplendor. Na Assíria fica latente o ideal de um domínio universal; em Babilônia e no Egito fica o rescaldo de antigas glórias, que um dia poderá acender-se e arder.

Mas, por ora, o triângulo é sepultado, e sucede uma espécie de vazio.
É também o tempo em que fermenta uma nova cultura. A Idade do Ferro vai sucedendo à do Bronze; a língua aramaica vai-se estendendo e ganhando prestígio.

Dados cronológicos

Ramsés II 1301-1234:	Batalha em Cades do Orontes: 1288.
	Opressão e saída dos israelitas.
	Moisés e Josué.
Merneptá 1234-1200:	Estela de 1229: vitória sobre Israel.
	Entrada na Palestina sob Josué.
Ramsés III 1197-1165:	Luta contra os "povos do mar": 1194.
	Tempo dos Juízes.
Ramsés IV-XI 1165-1085:	Vitória de Barac, cerca de 1125.
	Migração dos danitas.
Dinastia XX (?) 1085-945:	Divisão do Egito entre Tânis e Tebas.
	Vitória filisteia em Afec, cerca de 1050.
	Saul e Davi.

Cronologia comparada (aproximada)

	Egito	Hititas	Assíria
1300:	Ramsés II	Muwatalis	
		Urhi Tesup	
		Hatusilis	
			Salmanasar I
		Tuthalia IV	
1250:	Merneptá		Tukulti-Ninurta I
		Arnuwanda III	
1200:	Dinastia XX	Supiluliuma II	Asur-nadin-apli

Passagem da Idade do Bronze à Idade do Ferro.
Fim do império hitita.
Instalam-se na Palestina: israelitas e filisteus.

1200-1100: Em Babilônia reinam as dinastias cassita e de Isin; luta contra Elam, até a vitória de Nabucodonosor I, no fim do século.

1100: Na Assíria sobe ao trono, no fim do século, Tiglat Piléser I: derrota os nômades vizinhos (Ahlamu), com expedições a Síria e Fenícia, invade Babilônia, funda uma biblioteca.

Josué 1

Conquista da terra – ¹Depois que morreu Moisés, servo do Senhor, o Senhor disse a Josué, filho de Nun, ministro de Moisés:

– ²Moisés, meu servo, morreu. Vamos, atravessa o Jordão com todo esse povo, em marcha para o país que lhes darei. ³A terra em que puserdes o pé eu vo-la dou, como prometi a Moisés. ⁴Vosso território se estenderá do deserto ao Líbano, do grande rio Eufrates ao Mediterrâneo, a ocidente. ⁵Enquanto viveres, ninguém poderá resistir a ti. Assim como estive com Moisés, estarei contigo; não te deixarei nem te abandonarei. ⁶Coragem, sê valente, pois repartirás para esse povo a terra que prometi com juramento a vossos pais. ⁷Quanto a ti, coragem e sê valente para cumprir tudo o que te ordenou o meu servo Moisés; não te desvies à direita ou à esquerda, e serás bem-sucedido em todos os teus empreendimentos. ⁸Que este livro da lei não se afaste de teus lábios; medita-o dia e noite, para pôr em prática todas as suas cláusulas; assim teus empreendimentos prosperarão e serás bem-sucedido. ⁹Eu te ordeno: Coragem, sê valente! Não te assustes nem te acovardes, pois contigo está o Senhor teu Deus, em todos os teus empreendimentos.

¹⁰Então Josué disse aos ajudantes:

– ¹¹Percorrei o acampamento anunciando ao povo: "Abastecei-vos de víveres, pois dentro de três dias atravessareis o Jordão para tomar posse da terra que o Senhor vosso Deus vos dá como propriedade".

¹²E Josué disse aos de Rúben, Gad e à meia tribo de Manassés:

– ¹³Lembrai-vos daquilo que ordenou Moisés, servo do Senhor. O Senhor vosso Deus vos dará descanso, entregando-vos esta terra. ¹⁴Vossas mulheres, crianças e gado podem ficar na terra que Moisés vos deu na Transjordânia; mas vós, os soldados, atravessareis o Jordão bem armados à frente de vossos irmãos, para ajudá-los, ¹⁵até que o Senhor lhes dê o descanso, da mesma forma que a vós, e também eles tomem posse da terra que o Senhor vosso Deus lhes dará; depois

---

1 É um capítulo artificiosamente composto com intenção programática. Interessa ao autor mostrar a continuidade na missão histórica de libertação. Josué é o continuador legítimo de Moisés pela eleição e assistência divinas. O nome do falecido Moisés domina o capítulo: total significativo de dez vezes. Também os conteúdos no-lo dizem: "como prometi a Moisés", "como estive com Moisés", "como Moisés mandou", "a terra que Moisés vos deu". É uma rica constelação teológica: promessa de Deus, ou seja, promessa da terra, assistência de Deus nos empreendimentos, mandato de Moisés como mediador, e entrega da terra por encargo de Deus.
Junto à memória recente e ativa de Moisés há uma realidade que lhe sobrevive, "o livro da Lei"; é como um testamento de Moisés; é outro modo de assistência de Deus para dirigir e levar a termo a empresa pendente. Nem Moisés nem Josué estão acima da Lei, e sim a seu serviço.

1,1 Segundo Nm 13,8.16, o nome antes era Oseias, e Moisés "mudou-lhe o nome para Josué". Servo do Senhor é título honorífico de Moisés: ver Nm 11,11; 12,7.8; Dt 34,5.

1,2 Três dados que unificam: um povo, um país, uma fronteira. A terra, dom de Deus a seu povo, dado frequente no Deuteronômio, por exemplo, 1,25; 2,29; 3,20 etc.

1,3 Ver Dt 1,6-8. Pisar é ato de tomar posse, ato que realiza o dom de Deus.

1,4 Como em Dt 11,24. Trata-se do território amplo, incluindo os povos vassalos de Davi e Salomão rumo ao nordeste. O deserto do Neguebe é o limite meridional, e os contrafortes do Líbano e Antilíbano é o setentrional. Entenda-se o Eufrates em sua curva do noroeste, na zona habitada, e não no deserto oriental desabitado. Ver Gn 15,18 (visão de Abrão), Ex 23,31 (como limite setentrional); Dt 1,7.

1,5 Referência militar, como em Dt 7,24; 11,25.

1,7 Dt 29,8.

1,9 A cláusula final resume os elementos principais das anteriores. Ver as fórmulas semelhantes em 2Cr 19,9-11; 2Cr 28, 20-21.

1,10 O ofício não está bem diferenciado; agem como capatazes em Ex 5, e como comissários em outras ocasiões.

1,11 Fórmulas típicas do Dt. A entrada na terra completará a saída do Egito; a tomada de posse cancela definitivamente a condição de escravos no Egito e a situação de peregrinos pelo deserto.

1,12 Liga-se com a narração de Nm 32 e a referência de Dt 3,18-20. A posse de terras na Transjordânia, antes da entrada formal na terra, tem algo de primícias, nas quais intervém Moisés, antecipando-se de algum modo ao destino do povo. Essa é a explicação dos que têm de conciliar o fato das tribos que habitam na Transjordânia com a função do Jordão como fronteira.

1,13 Embora já tenha começado a tomada de posse, não podem dar por começado o "descanso" que põe fim ao nomadismo e às batalhas. Tal descanso há de chegar simultaneamente para todos, depois que todos tiverem lutado pela causa comum. Mais ainda, os que precederam na ocupação irão à frente na guerra.

1,14 Em ordem de batalha, ou seja, um corpo central ladeado por duas alas, com vanguarda e retaguarda. Outros interpretam "bem armados". Ver Ex 13,18 e Nm 32,17.

voltareis à terra de vossa propriedade, a terra que Moisés, servo do Senhor, vos deu na Transjordânia.

¹⁶Eles lhe responderam:

— ¹⁷Faremos o que ordenares, iremos aonde nos mandares; nós te obedeceremos como obedecemos a Moisés. Basta que o Senhor esteja contigo como esteve com ele. ¹⁸Quem se revoltar e não obedecer às tuas ordens, quaisquer que sejam, deve morrer. Quanto a ti, coragem, sê valente!

2 Os espiões

— ¹Josué, filho de Nun, enviou secretamente de Setim* dois espiões com a tarefa de examinar o país. Eles foram, chegaram a Jericó, entraram na casa de uma prostituta chamada Raab e aí se hospedaram. ²Porém o aviso chegou ao rei de Jericó:

1,17-18 É como um juramento de obediência, expresso em três breves sentenças e referendado pela pena de morte para a desobediência militar. Baseia-se nos três elementos que o Senhor mencionou: a sucessão de Moisés, sua assistência pessoal, a resposta de Josué. A valentia que Josué recebe do Senhor se comunicará a seus soldados; sua tarefa não é só mandar, mas antes de tudo infundir uma atitude; também nisso age como mediador.

2 Quem entra na Palestina, cruzando o Jordão pelo sul, encontra-se numa planície fértil, ridente, plantada de palmeiras; nela se levanta uma cidade com nome de lua (*yareah*) ou de vento (*ruah*): Jericó. É lógico considerar esta cidade como a chave de acesso que se deve possuir antes de subir ao espinhaço central. Um manancial abundante garante água para beber e regar; por isso, foi centro habitado desde o quinto milênio antes de Cristo. A geografia não tinha mudado quando o último autor compôs seu livro: uma entrada oriental, partindo de Moab, tem de se encontrar, antes de tudo, com Jericó.

A história corresponde à geografia? As últimas escavações demonstraram que no século XIII a.C., suposta época da entrada dos israelitas, Jericó não tinha muralhas, nem sequer estava habitada desde a destruição alguns séculos antes. É verdade que a fértil planície deve ter atraído novos moradores, talvez em outro lugar próximo; a este se poderia referir a história presente. Mais provável é pensar que o autor coloca sua história no local que na sua própria época lhe pareceu mais conveniente.

O relato poderia, por seus elementos esquemáticos, entrar numa antologia de folclore. Com a cumplicidade de um nativo, uns espiões enganam o rei e sua polícia. Relato útil numa série de guerras, contado pelos vencedores, que vão desfrutar do engano irônico antes de desfrutar da vitória. Esse tema genérico se especifica, porque o cúmplice nativo é uma mulher; com ela pode entrar no relato, ou a emoção do amor, ou o sabor de uma mulher que zomba do rei, nada menos. Não só: essa mulher é uma hospedeira e prostituta: assim entra o contraste do seu ofício e seu apoio aos invasores. Esses ingredientes tornam saboroso e razoavelmente original o relato. Mas, por que se põe ao lado dos visitantes, que são seus inimigos? Aqui o narrador introduz a instância teológica que domina os valores narrativos. A prostituta estrangeira vem a ser uma espécie de profetisa iluminada que interpreta correta e consequentemente os fatos recentes e prevê com segurança seu futuro iminente. Balaão era afinal um adivinho transformado pelo Senhor em profeta; Raab é uma rameira que cumpre um desígnio semelhante. Os israelitas saboreiam mais esse testemunho da estrangeira e sua conversão do que o simples acerto literário.

A história dos exploradores é um bom modelo literário. Enviar exploradores antes de aventurar-se em terreno desconhecido é boa tática militar, e já Moisés a praticara, segundo Nm 13-14 (outro exemplo em Js 17-18). A história do presente capítulo tem características próprias.

Distingue-se pela técnica narrativa de inversões cronológicas, de dados que se antecipam e dados que se retardam (note-se o uso do mais-que-perfeito). Com essa técnica, o autor pode entrar rapidamente em ação e criar o interesse, deixando para mais tarde os diálogos; também consegue contrastar ironicamente a ação da polícia e a dos exploradores. No princípio e no final, uma grande densidade de verbos articula e apressa a exposição e o desenlace.

A história é contada aqui por motivos religiosos: o movimento culminante é a confissão da mulher cananeia, que dá ao leitor a interpretação teológica dos fatos passados e do futuro próximo. Esse recurso enaltece o valor do ensinamento, porque é pronunciado por uma estrangeira, uma prostituta (o livro de Judite explorará o recurso da confissão do estrangeiro). No reconhecimento dessa estrangeira, o Senhor já está conquistando supostos inimigos, já está presente no território "inimigo"; é lógico que desse reconhecimento se passe à salvação da mulher e de sua família. Primeiro caso de uma mulher cananeia incorporada à comunidade de Israel (sem escrúpulos de impedimentos matrimoniais).

Pelo tríplice aspecto da sua fé, da sua boa ação, da sua salvação, a figura de Raab é comemorada por Hb 11,31; Tg 2,25; Mt 1,5 (na genealogia de Cristo); e os Santos Padres viram nela uma figura da salvação dos gentios; na sua casa, uma figura da Igreja, fora da qual não há salvação; no cordão escarlate, uma figura do sangue de Cristo como sinal de salvação.

No atual livro de Josué, depois da introdução solene, quadra bem essa história vivaz e divertida.

2,1 Praticamente esta é a primeira ação militar que Josué empreende. O texto hebraico diz "o país e Jericó". Quanto ao verbo "hospedar-se", seu sentido normal é deitar-se; nesse sentido seria uma antecipação resumida dos fatos. * = Acácias.

2,2 A existência de reizinhos locais concorda com a situação da Palestina durante o século XIII; mas já vimos que tal não acontecia em Jericó. A informação fornecida ao rei é muito exata. Coisa fácil é distinguir os estrangeiros, não tão fácil conhecer suas intenções.

— Cuidado, nesta tarde chegaram aqui alguns israelitas para reconhecer o país.

³O rei de Jericó mandou dizer a Raab:

— Faze sair os homens que entraram em tua casa, porque vieram reconhecer todo o país.

⁴Ela, que havia posto os dois homens num esconderijo, respondeu:

— É verdade, vieram aqui; mas eu não sabia de onde eram. ⁵E quando, ao entardecer, iam fechar as portas, eles partiram, não sei para onde. Se fordes logo atrás deles, os alcançareis.

⁶Raab fizera os espiões subir ao terraço, e os escondera entre os feixes de linho que aí havia amontoado. ⁷Os guardas saíram à sua procura pelo caminho do Jordão, até os vales; quando saíram, as portas da cidade foram fechadas.

⁸Antes que os espiões se deitassem, Raab subiu até eles, no terraço, ⁹e lhes disse:

— Sei que o Senhor vos entregou o país, que caiu sobre nós uma onda de terror e que todo o povo daqui treme diante de vós; ¹⁰de fato, ouvimos que o Senhor secou a água do mar Vermelho diante de vós, quando vos tirou do Egito, e o que fizestes com os reis amorreus da Transjordânia, que exterminastes; ¹¹ouvindo isso, nosso coração desfaleceu, e todos ficaram sem alento diante de vós; pois o Senhor vosso Deus é Deus no alto do céu e embaixo na terra. ¹²Agora, como vos fui leal, jurai-me pelo Senhor que vós o sereis com minha família, e dai-me um sinal seguro ¹³de que deixareis com vida meu pai e minha mãe, meus irmãos e irmãs e todos os seus, e que nos livrareis da matança.

¹⁴Eles lhe juraram:

— Nossa vida em troca da vossa, desde que não nos denuncies! Quando o Senhor nos entregar o país, nós te perdoaremos a vida.

¹⁵Então ela começou a descê-los com uma corda pela janela, porque a casa em que vivia estava junto à muralha, ¹⁶e lhes disse:

— Ide ao monte para que os que estão à vossa procura não vos encontrem, e ficai aí escondidos três dias, até que eles retornem; depois, seguireis vosso caminho.

¹⁷Responderam:

— Nós nos comprometemos com esse juramento que exigiste de nós, sob esta condição: ¹⁸quando entrarmos no país, amarra este cordão vermelho à janela pela qual nos fazes descer, e reúne aqui, em tua casa, teu pai e tua mãe, teus irmãos, e toda a tua família. ¹⁹Quem sair à rua será responsável por sua morte, não nós; nós seremos responsáveis pela morte de qualquer pessoa que estiver contigo em tua casa, se alguém a tocar. ²⁰Contudo, se nos denunciares, não corresponderemos ao juramento que exigiste de nós.

²¹Raab respondeu:

2,3 O encargo se pode imaginar quando o rei o dá e quando a polícia o comunica; o autor salta o caminho e a repetição. Isso deixa tempo para a ação de esconder, no versículo seguinte.

2,4 O engano é fácil, porque a mulher presta seus serviços sem pedir informações; por outro lado, mostra-se pronta a colaborar.

2,9 A confissão de Raab é introduzida com o clássico verbo "sei" dos salmos, que implica o reconhecimento religioso. Com o mesmo tema de confissão se encerra. No meio, muito estilizadas, se enumeram as ações históricas desse Deus. Vários elementos são típicos da "guerra santa": a terra entregue, o pânico; as últimas palavras deste versículo recordam o cântico do Êxodo (Ex 15,15-16); poderia ser citação livre do autor, já que esse cântico parece antigo e bem conhecido. A confissão está composta em estilo elevado, incluindo expressões litúrgicas; três vezes pronuncia o nome do Senhor, Javé.

2,10 Os dois fatos selecionados são ominosos: a passagem do mar Vermelho anuncia a passagem do Jordão, a sorte dos reis transjordanianos é um aviso para os reis de Canaã. A fama das ações do Senhor precede os israelitas: todos a ouviram, alguns a compreenderam. Comparar com as fórmulas de Dt 3,8; 4,47; Js 24,12.

2,11 Céu e terra compõem o universo: o Senhor é Deus do céu e também da terra, sem limitação. Ver a fórmula de Dt 1,28; 20,8 e a profissão de Dt 4,39.

2,12-13 O juramento sela um pacto de lealdade mútua e tem por objeto comum salvar as vidas. A mulher está cumprindo sua parte, por isso tem direito de exigir a promessa jurada e uma garantia ou sinal para o futuro.

2,14 Eles acrescentam ao juramento uma cláusula restritiva, porque ainda não estão a salvo.

2,15 At 9,25.

2,17-20 A função destas palavras é completar o juramento, oferecer o sinal pedido e dar instruções. Dentro de casa estarão a salvo, como os israelitas na última noite do Egito (Ex 12), protegidos pelo sinal na porta quando passava o anjo exterminador; as condições estão expressas em estilo estritamente legal.

2,18 Ex 12,13.

2,21 Hb 11,31; Tg 2,25.

— Estou de acordo.

E os despediu. Partiram, e ela amarrou o cordão vermelho à janela.

²²Partiram para o monte, e estiveram aí três dias, até que voltaram os que tinham ido à procura deles; por mais que os procurassem por todo o caminho, não os encontraram. ²³ Os dois espiões desceram do monte, atravessaram o rio, chegaram a Josué e lhe contaram tudo o que lhes acontecera; ²⁴e disseram-lhe:

— O Senhor nos entrega todo o país. O povo todo treme diante de nós.

3 Travessia do Jordão (Ex 14-15) —

¹Josué madrugou, levantou o acampamento de Setim*, chegou ao Jordão com todos os israelitas e passaram a noite junto à margem, antes de atravessá-lo.

²Depois de três dias, os ajudantes percorreram o acampamento, ³anunciando ao povo:

— Quando virdes mover-se a arca da aliança do Senhor nosso Deus, carregada pelos sacerdotes levitas, começai a segui-la do vosso lugar, ⁴porém a uma distância de mil metros da arca; conservai-vos a distân-

---

2,24 O comunicado resume as palavras de Raab. Os espiões de fato não sondaram o território; contentaram-se com ouvir um testemunho, no qual reconheceram a voz de Deus. Como se Raab tivesse pronunciado um oráculo.

3-4 Estes dois capítulos narram, descrevem ou evocam um acontecimento: a passagem do Jordão para entrar na terra prometida. Se os tomarmos como relato e os compararmos com outros, p. ex., com o capítulo precedente, eles nos servirão como exemplo de relato artificioso e artificial, pouco acertado. Sobre a arte narrativa prevaleceram outros interesses e técnicas.

Que haja repetições podemos aceitá-lo, caso tenham alguma função. Aqui estorvam o processo narrativo (4,11 e 4,16s). Há ainda incoerências que tornam confusa a descrição: a relação entre os doze homens e os sacerdotes (3,12s); as pedras erigidas "no meio do rio" e "em Guilgal" (4,9.20); a ordem de discursos e movimentos. O autor que deu a última demão a seus materiais ficou atrancado, como as águas do Jordão, mas não milagrosamente.

Houve quem pretendesse historicizar o relato, despojando-o da aura milagrosa: tratar-se-ia de um desprendimento de terras rio acima. Outros reconstruíram, reunindo versículos esparsos, uma travessia arriscada por um vau. Essa mistura de apologética e racionalismo hoje não convence. Mais razoável é outra explicação: o povo celebrava com uma procissão festiva a recordação do passado, e alguns elementos da festa são projetados no relato; mas nenhum texto bíblico menciona tal festa nem alude a ela.

O autor quer descrever um fato decisivo na sua dimensão transcendente. Decisivo, porque é a fronteira da entrada na terra. Transcendente, porque é Deus quem abre prodigiosamente a porta, ou faz saltar o fosso.

O texto apresenta esta passagem como paralela à do mar Vermelho e a mostra com dados explícitos: o chefe, as águas, a passagem da multidão. Ao mesmo tempo, marca as diferenças: não é mar e sim rio; não há vara mágica nem ordem às águas; em vez de massa, doze tribos disciplinadas; não há inimigos pelas costas; a função da nuvem é desempenhada pela arca; não é noite e sim dia. Sobretudo, a grandiosidade épica e a riqueza simbólica de Ex 14-15 dão lugar a prescrições e gestos rituais: purificação (Ex 19,10s; 1Sm 16,15), procissão etc.

A palavra chave é "passar"; mas o centro da atenção é ocupado pela arca e pelas doze pedras. A arca entra na água, se detém enquanto o povo passa, sai e se põe à frente. Quanto às pedras, não se esclarecem sua origem, função e destino no relato: se já estavam no rio esperando; se as colocaram então para formar um vau; se as erigem na água, seriam grandes, para sobressair; se as carregam, seriam pequenas. São doze como as tribos – clara simplificação –; são erigidas em terra, talvez em forma de dólmen (cf. Ex 24,4 e Dt 27,2-4).

A passagem do mar Vermelho é comemorada com um canto heroico, que gerações de israelitas recitarão; não se erige um obelisco no meio da água. O autor destes capítulos não soube erigir um monumento poético à passagem do Jordão.

Ao rito das pedras vincula-se uma explicação catequética semelhante às de Ex 12,26; 13,14; Dt 6,20. Tudo é remontado a Josué, que é a personalidade dominante. Duas vezes, na posição central, o autor apresenta Josué como sucessor de Moisés. No seu discurso se ouve sem dificuldade a voz do Deuteronomista.

Este capítulo está construído com a técnica "concêntrica", segundo o esquema A B C D E D C B A. No princípio e no fim se encontram a partida e a chegada, cada qual com suas referências geográficas; na segunda e na penúltima posição, as instruções e a execução; depois, os discursos regem o movimento: Josué ao povo – Josué aos sacerdotes – o Senhor a Josué – Josué aos sacerdotes (dentro do discurso do Senhor) – Josué ao povo. No centro, como orador principal, o Senhor pronuncia as palavras-chave. O versículo 17 fica fora do esquema, como peça de ligação. O versículo 12 serve para introduzir o tema das pedras, que o capítulo seguinte desenvolve.

3,1 O capítulo se liga com 1,10-11, sem apurar exatamente os três dias previstos.
* = Acácias.

3,2 Nm 10,35s; Dt 10,8.

3,3 A arca é paládio bélico e contém o documento da aliança; é uma espécie de santuário transportável. Compete aos levitas transportar a arca, segundo Dt 10,8.

3,4 A distância costuma ter sentido cultual. O autor, ao transformar a rubrica litúrgica em fato histórico, atribui à arca a mesma função de guia, que têm o fogo e a fumaça em algumas narrações do deserto; já se vê que a arca se presta menos a semelhante função.

cia para ver o caminho por onde tendes de ir, pois nunca passastes por ele.

⁵Josué ordenou ao povo:

– Purificai-vos, porque amanhã o Senhor fará prodígios no meio de vós.

⁶E disse aos sacerdotes:

– Levantai a arca da aliança e atravessai o rio à frente do povo.

Levantaram a arca da aliança e caminharam à frente do povo.

⁷O Senhor disse a Josué:

– Hoje começarei a engrandecer-te diante de todo Israel, para que vejam que estou contigo, como estive com Moisés. ⁸Ordena aos sacerdotes que carregam a arca da aliança, que se detenham no Jordão, quando chegarem à margem.

⁹Josué disse aos israelitas:

– Aproximai-vos para escutar as palavras do Senhor vosso Deus. ¹⁰Assim conhecereis que um Deus vivo está no meio de vós, e que ele expulsará diante de vós os cananeus, heteus, heveus, ferezeus, gergeseus, amorreus e jebuseus. ¹¹Vede, a arca da aliança do senhor de toda a terra irá atravessar o Jordão à vossa frente. ¹²(Escolhei doze homens das tribos de Israel, um de cada tribo.) ¹³Quando os pés dos sacerdotes que carregam a arca da aliança do senhor de toda a terra pisarem o Jordão, a corrente do Jordão se dividirá: a água que vem de cima se deterá, formando uma represa.

¹⁴Quando o povo levantou acampamento para atravessar o Jordão, os sacerdotes que carregavam a arca da aliança caminharam à frente do povo. ¹⁵E, chegando ao Jordão, quando molharam os pés na água – o Jordão transborda todo o tempo da ceifa –, ¹⁶a água que vinha de cima se deteve (cresceu formando uma represa que ia muito longe, até Adam, povoado próximo de Sartã) e a água que descia ao mar do deserto, o mar Morto, separou-se completamente. O povo atravessou diante de Jericó.

¹⁷Os sacerdotes que carregavam a arca da aliança do Senhor estavam parados no leito seco, firmes no meio do Jordão, enquanto Israel ia passando pelo leito seco, até que todos acabassem de passar.

4 ¹Quando todo o povo acabou de atravessar o Jordão, o Senhor disse a Josué:

– ²Escolhei doze homens do povo, um de cada tribo, ³e mandai-os tirar daqui, do meio do Jordão onde os sacerdotes pisaram, doze pedras; que eles as carreguem e as ponham no lugar em que passareis a noite.

⁴Josué chamou os doze homens de Israel que havia escolhido, um de cada tribo, ⁵e lhes disse:

– Passai à frente da arca do Senhor vosso Deus para o meio do Jordão, e carregai no ombro uma pedra cada um, uma para cada tribo de Israel, ⁶para que sejam entre nós um

---

3,9-13 Josué pronuncia estas palavras em nome do Senhor. No milagre que vai suceder se revelará ao povo o "Deus vivo", que entra em ação para salvar a vida do seu povo; ele não é inerte como os ídolos, ele é Senhor da vida. O título ou suas derivações se leem no Sl 42,3; 84,3.

A lista completa dos sete nomes se lê em Dt 7,1; Js 24,11 e Ne 9,8; em outros textos faltam os gergeseus. Os heteus são restos dispersos do grande império da Ásia Menor; difíceis de identificar são os heveus (Gn 34,2; 2Sm 24,7), ferezeus (Gn 13,7; 34,30) e gergeseus (Gn 10,16); os jebuseus conservarão por longo tempo sua capital Jerusalém; amorreus é um nome genérico que significa ocidentais.

3,5 Ex 19,10s; Nm 11,18.

3,9 Sl 84,3; Dt 7,1.

3,11 Dono de toda a terra é título que se lê no salmo de Deus rei (Sl 97,5).

3,12 Narrativamente este versículo está fora de lugar, pois interrompe a continuidade de 11 e 13.

3,15 Conforme o capítulo 5, estamos nas vésperas da Páscoa; portanto, ainda não chegou a colheita; mas é certo que por todo esse tempo o Jordão está cheio: ver 1Cr 12,15 e Eclo 24,26.

3,16 Surpreende a menção geográfica tão exata. Sartã se encontra a uns 25 km ao norte de Jericó, mas os meandros do rio multiplicam a distância percorrida.

3,17 O versículo serve para preparar o novo tema das pedras. A última parte é repetida no começo do capítulo seguinte, antecipando fatos.

4 Este capítulo é ainda mais complicado que o anterior. Podemos isolar duas séries contadas segundo o esquema "o Senhor manda a Josué – este transmite a ordem – execução": a primeira se refere aos doze representantes das tribos, a segunda aos sacerdotes, 1-8 e 15-20; ambas falam da instrução catequética sobre as pedras. Essa divisão permite ordenar assim os atos: entra a arca e se detém no meio do rio, todo o povo vai passando, os doze tiram as pedras para fora, saem os sacerdotes com a arca.

Entre as duas peças indicadas se lê, em lugar central, a nota de Josué como continuador de Moisés, uma explicação sobre as tribos da Transjordânia (como em 1,12ss), e um resumo da atuação dos sacerdotes (10-11), resumo que repete alguns dados e adianta outros.

4,2 Ex 24,4.

4,6-7 As pedras servirão de memorial ou lembrança, quer dizer, são objetos que refrescam a memória

monumento. Quando, amanhã, vossos filhos vos perguntarem o que são essas pedras, ⁷lhes direis: "É porque a água do Jordão deixou de correr diante da arca da aliança do Senhor; quando a arca atravessava o Jordão, a água deixou de correr". Essas pedras recordarão isso aos israelitas perpetuamente.

⁸Os israelitas fizeram o que Josué ordenou: tiraram doze pedras do meio do Jordão, como o Senhor havia ordenado a Josué, uma para cada tribo de Israel; levaram-nas até o lugar onde iam passar a noite e as colocaram aí.

⁹Josué ergueu doze pedras no meio do Jordão, no lugar onde tinham parado os sacerdotes que levavam a arca da aliança, e até hoje aí estão.

¹⁰Os sacerdotes que carregavam a arca estiveram parados no meio do Jordão, até que terminaram de fazer tudo o que Josué ordenou ao povo, por ordem do Senhor. O povo se apressou em atravessar. ¹¹E, quando todos acabaram de atravessar, a arca do Senhor atravessou, e os sacerdotes se puseram à frente do povo. ¹²Os de Rúben, Gad e a meia tribo de Manassés passaram em ordem de batalha à frente dos israelitas, como lhes havia ordenado Moisés. ¹³Cerca de quarenta mil homens, equipados militarmente, desfilaram diante do Senhor em direção à planície de Jericó. ¹⁴Nesse dia o Senhor engrandeceu Josué diante de todo Israel, para que o respeitassem, como haviam respeitado Moisés durante sua vida.

¹⁵O Senhor disse a Josué:

— ¹⁶Ordena aos sacerdotes carregadores da arca da aliança que saiam do Jordão.

¹⁷Josué ordenou-lhes:

— Saí do Jordão.

¹⁸E, quando os sacerdotes carregadores da arca da aliança do Senhor saíram do Jordão, apenas puseram os pés em terra, a água do Jordão voltou ao seu leito e correu como antes, até as margens.

¹⁹O povo saiu do Jordão no décimo dia do primeiro mês e acampou em Guilgal, a leste de Jericó. ²⁰Josué pôs em Guilgal aquelas doze pedras tiradas do Jordão, ²¹e disse aos israelitas:

— Amanhã, quando vossos filhos perguntarem o que são essas pedras, ²²lhes direis: "Israel passou o Jordão a pé enxuto. ²³O Senhor vosso Deus secou a água do Jordão diante de vós até que atravessásseis, como fez com o mar Vermelho, que secou à nossa frente até que o atravessássemos. ²⁴Para que todas as nações do mundo saibam que a mão do Senhor é poderosa, e vós respeiteis sempre o Senhor vosso Deus".

5

¹Quando os reis amorreus da Cisjordânia e os reis cananeus do Ocidente

---

de um fato; sua função se atualiza sobretudo na comemoração festiva do fato. Ver Ex 28,12 (as pedras preciosas do peitoral, lembrança dos israelitas diante do Senhor); Nm 17,5 (as placas dos incensórios).

4,9 A notícia é estranha e difícil de explicar. O tempo verbal não segue a série cronológica. Além disso, algumas pedras no leito do rio não são visíveis quando este volta a subir, ou não resistem muito tempo ao ímpeto da corrente.

4,10 O texto hebraico acrescenta: "tudo o que Moisés tinha ordenado a Josué".

4,13 Um dos poucos versículos que dão caráter militar ao fato. Desfilam diante do Senhor para a guerra santa. Nm 22,23.

4,14 Recorda sobretudo o final de Ex 14 (passagem do mar Vermelho), quando o povo confia em Moisés.

4,19 Março-abril, o mês da Páscoa. Datação artificial, imposta por razões litúrgicas.

4,24 A passagem do Jordão será revelação também para outros povos, como a saída do Egito.

5 Este capítulo é de grande densidade teológica. O autor final do texto quer encerrar como num espelho o empreendimento iniciado na saída do Egito. Aí dominavam alguns fatos: a Páscoa, que exige como pré-requisito a circuncisão (a); a passagem noturna do Senhor e do exterminador (b); a passagem do mar Vermelho (c); a saída (d). Em Js 2 encontramos a passagem do rio (c) e a entrada na terra (d); em Js 5 a circuncisão antes da Páscoa (a), a visão noturna do anjo do Senhor (b). Podemos fixar-nos mais nas correspondências. Três aspectos ou motivos literários são comuns aos episódios: semelhança, continuidade, novidade. Primeiro episódio do capítulo, a circuncisão: corresponde àquela realizada no Egito, conforme Ex; a norma de Ex 12,44-45.50 realiza a continuidade através da nova geração nascida no deserto, inaugura um tempo de liberdade do opróbrio passado. O segundo episódio é a Páscoa: corresponde à Páscoa inaugural do Egito, conforme Ex 12,1-14.43-50, realiza a continuidade ligando com o maná do deserto, inaugura a etapa em que viverão dos frutos da terra entregue. Terceiro episódio, a aparição do anjo do Senhor: corresponde por sua vez à passagem noturna do Senhor segundo Ex 12,23.27, e à visão de Moisés no Horeb; continua a guia pelo deserto, inaugura e sela a entrada na terra.

Denominador comum da passagem do Jordão, circuncisão e Páscoa são o caráter litúrgico (algo semelhante acontece em Ex 12). A presença do anjo é como uma consagração da terra.

A vontade construtiva predomina sobre os valores narrativos; se se passa da informação, é para cair na

souberam que o Senhor havia secado a água do Jordão diante dos israelitas até que o atravessassem, ficaram consternados e desanimaram diante deles.

Circuncisão (Gn 17,23-27; Ex 12,44-49) – ²Nessa ocasião, o Senhor disse a Josué:
– Faze facas de pedra, senta-te e faze nova circuncisão de israelitas. ³Josué fez facas de pedra e circuncidou os israelitas em Guibat Haaralot*. ⁴O motivo dessa circuncisão foi que todos os homens saídos do Egito, assim como todos os guerreiros, morreram no deserto, no caminho desde o Egito. ⁵Todos os que saíram do Egito estavam circuncidados, mas todos os nascidos no deserto, no caminho desde o Egito, não foram circuncidados. ⁶Pois os israelitas vagaram quarenta anos pelo deserto, até que se acabou a geração de guerreiros que haviam saído do Egito e não obedeceram ao Senhor, conforme o juramento de que não veriam a terra que o Senhor jurara dar a seus pais, uma terra que mana leite e mel.
⁷Deus suscitou-lhes descendentes: a estes Josué circuncidou, pois não eram circuncidados, não os haviam circuncidado durante a viagem. ⁸Quando todos foram circuncidados, repousaram até curar-se. ⁹Então o Senhor disse a Josué:

– Hoje tirei de vós o opróbrio do Egito.
Deram a esse lugar o nome de Guilgal, e ainda se chama assim.

Páscoa (Ex 12; 16) – ¹⁰Os israelitas estiveram acampados em Guilgal e celebraram a Páscoa no dia catorze do mesmo mês, à tarde, na planície de Jericó. ¹¹No dia seguinte à Páscoa comeram os produtos do país; no dia da Páscoa, comeram pães ázimos e trigo tostado. ¹²A partir do dia seguinte, quando comeram os produtos do país, o maná cessou. Os israelitas não tiveram mais maná; nesse ano comeram os frutos do país de Canaã.
¹³Estando já perto de Jericó, Josué ergueu os olhos e viu um homem de pé diante dele, com a espada desembainhada na mão. Josué foi até ele e perguntou-lhe:
– És dos nossos ou do inimigo?
¹⁴Respondeu:
– Não. Sou o general do exército do Senhor, e acabo de chegar.
Josué caiu com o rosto por terra, adorando-o. A seguir, perguntou-lhe:
– Que ordem meu senhor traz a seu servo?
¹⁵O general do exército do Senhor lhe respondeu:
– Tira o calçado, pois o lugar que pisas é sagrado.
Josué tirou o calçado.

---

argumentação. Mas a construção tem uma grandeza impressionante. Em Dt 29,3 o autor admoesta por boca de Moisés: "O Senhor não vos deu inteligência para entender, nem olhos para ver, nem ouvidos para escutar até hoje". No presente capítulo, amadureceu plenamente essa compreensão dos eventos que faltava no princípio.

5,1 O versículo continua as indicações de 1,5 e 2,9-11.24, termina a passagem do Jordão, e como em Ex 15,14-16 canta a impressão produzida pela passagem do mar Vermelho. "Amorreus e cananeus" quer englobar todos os habitantes da montanha central e da costa: efetivamente, ao entrarem os israelitas, a Palestina estava dividida em pequenos reinos. Não sabemos se conta os filisteus como cananeus, ou se aqui se pensa que estes ainda não se estabeleceram na Palestina.

5,2-9 A circuncisão se apresenta como rito antigo: é feita com facas de pedra; aquele que circuncida se senta, sinal de que se trata de adultos. Chama-se "nova" ou segunda, em relação àquela realizada no Egito antes da saída (suposta e não contada nas tradições que conhecemos do êxodo). Pela circuncisão o povo se consagra ao Senhor, já não é um povo de escravos em terra estrangeira; por isso se pode dizer que lhes foi tirado o opróbrio do Egito. Em Gn 17 o autor sacerdotal (P) apresenta a circuncisão de Abraão e sua família como sinal da aliança com o Senhor; Ex 4,24-26 conta enigmaticamente a circuncisão do filho de Moisés; Ex 12,44-49 impõe a circuncisão para que se possa comer a Páscoa: "Nenhum incircunciso a comerá". O raciocínio do autor recolhe os fatos de Nm 13-14.

5,3 * = Colina dos Prepúcios.

5,9 É solene a data: como em Ex 12,51, que arremata o tema da circuncisão. A etimologia de Guilgal – como tantas outras – é artificial e fabricada para a ocasião: *gll* significa rodar ou girar, remover. É possível que nesta localidade se praticassem em tempos antigos o rito da circuncisão; também pode tratar-se de uma associação artificial condicionada por razões narrativas.

5,10-12 O autor supõe já reunidas a festa pastoril do cordeiro e a festa agrária dos pães sem fermento. A fórmula "no mesmo dia" aparece em Ex 12,17.41.51, e se emprega no calendário do Levítico, 23,14.21.28.29.30. Sobre o maná, ver Ex 16.
A Páscoa é para Israel a festa da libertação. Daí a ligação litúrgica, "no mesmo dia", entre a saída e a entrada.

5,13-15 O terceiro episódio é mais sugestivo. Pelo tema e tom, pode recordar a luta de Jacó com o anjo, Gn 32, ou a visão de Davi na eira de Areúna, 2Sm 24. Mais próxima está outra noite fatídica e salvadora, a

6 Conquista de Jericó (Nm 10,1-10; Ap 8) –

¹Jericó estava fortemente fecha da diante dos israelitas. Ninguém saía nem entrava.

²O Senhor disse a Josué:

– Vê, eu entrego em teu poder Jericó e seu rei. ³Todos os soldados, rodeai a cidade, dado uma volta ao seu redor, durante seis dias. ⁴Sete sacerdotes levarão sete trombetas à frente da arca; no sétimo dia, rodeareis sete vezes a cidade, e os sacerdotes tocarão as trombetas; ⁵quando derem um toque prolongado, quando ouvirdes o som da trombeta, todo o exército dará o grito de guerra; as muralhas da cidade desmoronarão, e cada um a assaltará do seu lugar.

⁶Josué, filho de Nun, chamou os sacerdotes e ordenou-lhes:

---

noite da Páscoa no Egito, quando o Senhor "passou ferindo o Egito" e "não permitiu ao exterminador entrar para ferir". O anjo é o próprio Senhor que se apresenta e se manifesta; é também (mais tarde) um enviado sobre-humano do Senhor. Josué não o reconhece, e em vez de perguntar pelo nome, como Jacó, pergunta em nome do povo pela sua filiação. O anjo se apresenta por seu ofício: exército do Senhor são as hostes estelares no céu e também os batalhões de Israel na terra, segundo Ex 12,17 ("neste mesmo dia o Senhor tirou suas legiões do Egito"), 12,51 ("nesse dia o Senhor tirou seus esquadrões do Egito"). Além disso, o anjo guiou os israelitas pelo deserto: Ex 14,19 (antes da passagem do mar Vermelho); 23,23 "meu anjo irá adiante e te levará às terras..."; 32,34 "meu anjo irá adiante de ti"; 23,20; 33,2 e Nm 20,16 "enviou um anjo para nos tirar do Egito".

Depois de identificar-se, o anjo pronuncia uma mensagem densíssima: "Cheguei" (que muitos comentadores consideram incompleta). Mas essas duas sílabas hebraicas dizem tudo: a presença do mensageiro é a mensagem (ver Is 52,6: "Por isso o meu povo conhecerá o meu nome, saberá, nesse dia, que era eu quem falava, e aqui estou"). A salvação do povo se realiza em dois atos: sair do Egito, entrar na terra; em forma ativa, tirar e introduzir; os dois verbos são correlativos e frequentíssimos no Antigo Testamento para descrever a salvação. Já ouvimos que "o anjo os tirou", e a promessa que o anjo os introduziria. Agora se cumpre a promessa e termina a empresa começada. Se o general do exército do Senhor chegou, é que também chegou o exército, é que a salvação se cumpre. Não é preciso dizer mais. Contudo, uma nova referência insiste no paralelismo: as palavras que o Senhor disse a Moisés quando lhe apareceu no Sinai (Ex 3,5), o anjo as repete agora a Josué. A terra em que se encontram é terreno sagrado, é a terra do Senhor, que a entrega a seu povo; é como um santuário no qual devem entrar descalços. Será uma entrada litúrgica, mais que militar. Josué compreende: tira as sandálias por respeito à terra e adora seu Senhor presente. Na pessoa de Josué, todo o povo faz seu primeiro encontro na terra prometida: com o Senhor.

6 Chegamos ao capítulo talvez mais conhecido e colorido do livro, um dos favoritos para um olhar não crítico. As trombetas que soam e as muralhas que caem bastam para produzir uma história inesquecível. O problema surge quando alguém se põe a ler o capítulo com olhar crítico; pior ainda quando, suscitado o problema crítico, quiser lê-lo como história de um fato. Já dissemos que Jericó naquela época não tinha muralhas nem estava habitada: este é um dado da arqueologia. Por seu lado, a análise literária descobre em seguida muitos elementos litúrgicos no trecho; tantos, que a transposição litúrgica é quase a chave de leitura da passagem.

Algo parecido ao que sucede com a travessia do Jordão. Também aqui o autor, mais do que narrar um fato, parece descrever uma comemoração festiva. A arca levada em procissão, as voltas em rigoroso silêncio, o toque das trombetas e os sete dias são dados inconfundíveis. Se se trata de uma guerra santa, o adjetivo devorou o substantivo.

A versão litúrgica exalta o sentido teológico do fato, que Josué comenta. Não são os homens que lutam e vencem, mas o Senhor presente na arca. Sua é a cidade inimiga e os que nela habitam, seus os tempos, ele dá consistência às pedras e derruba as muralhas. Ao povo cabe obedecer, seguir, esperar e ser testemunha do fato maravilhoso; mais tarde lhe caberá contá-lo e celebrá-lo. O texto é uma celebração. Se o fato não aconteceu em Jericó, nem aconteceu em tais termos, é certo que o Senhor venceu o inimigo e entregou a terra a seu povo.

Lendo o capítulo nessa chave poética, ele pode recobrar seu fascínio, inclusive para uma mente crítica. O caráter litúrgico do capítulo facilitou a leitura simbólica dos Santos Padres e dos autores medievais, que viram nos muros de Jericó as forças do mal ou os poderes do mundo; nas trombetas, a pregação apostólica; nas sete voltas, as diversas eras da história, com muitos outros detalhes curiosos.

A narração está relativamente bem construída, com algumas incoerências que a nossa tradução suaviza. Domina a técnica de mandato-execução, e se aproveita o mandato – parte oral – para incluir nele elementos subordinados. O texto está escrito em prosa muito rítmica, com várias fórmulas repetidas quase como estribilhos.

6,2-5 O discurso do Senhor antecipa quase todos os dados (menos a ordem de silêncio), diminuindo o interesse da narração. As trombetas eram originariamente chifres de carneiro (*yobel*), que depois se empregaram para anunciar o jubileu (*yobel*), e em outros usos litúrgicos; mais tarde se empregaram trombetas de metal. O alarido é originariamente o grito de guerra (o "alalaço" dos gregos e o ulular dos romanos), que também passa para o culto como aclamação ao Senhor (traduzido por "aplaudir" nos salmos). A arca funciona como paládio militar, dentro do novo contexto litúrgico.

6,6-10 A disposição não é cronológica. As armas terão primeiro uma função litúrgica, como no salmo 149, e se empregarão só dentro da cidade. A distribuição da tropa e do povo é processional, não estratégica. O povo não armado desfila como se fosse a retaguarda de um exército.

– Levai a arca da aliança e sete sacerdotes levem sete trombetas à frente da arca do Senhor.

⁷A seguir disse à tropa:

– Ide rodear a cidade; aqueles que carregam armas passem à frente da arca do Senhor.

⁸(Depois que Josué deu essas ordens à tropa, sete sacerdotes, levando sete trombetas, puseram-se à frente do Senhor e começaram a tocar. A arca do Senhor os seguia; ⁹os soldados armados marchavam à frente dos sacerdotes que tocavam as trombetas; o resto do exército marchava atrás da arca. As trombetas acompanhavam a marcha.) ¹⁰Josué havia dado esta ordem à tropa:

– Não deis o grito de guerra, não levanteis a voz, não vos fuja uma só palavra até o momento em que eu vos mandar gritar; então gritareis.

¹¹Deram uma volta ao redor da cidade com a arca do Senhor e voltaram ao acampamento a fim de passar a noite. ¹²Josué levantou-se de madrugada, e os sacerdotes pegaram a arca do Senhor. ¹³Sete sacerdotes, levando sete trombetas à frente da arca do Senhor, acompanhavam a marcha com as trombetas. ¹⁴No segundo dia, deram uma volta ao redor da cidade e voltaram ao acampamento. Fizeram assim por seis dias. ¹⁵No sétimo dia, ao raiar o sol, levantaram-se e deram sete voltas ao redor da cidade, segundo o mesmo cerimonial. A única diferença foi que no sétimo dia deram sete voltas ao redor da cidade. ¹⁶Na sétima volta, os sacerdotes tocaram as trombetas, e Josué ordenou à tropa:

– Gritai, pois o Senhor vos entrega a cidade! ¹⁷Esta cidade, com tudo o que nela houver, é consagrada ao extermínio, em honra do Senhor. Ficarão com vida somente a prostituta Raab e todos os que estiverem com ela em casa, pois escondeu nossos emissários. ¹⁸Cuidado, não cobiceis e não pegueis nada do consagrado ao extermínio, pois traríeis uma desgraça, tornando execrável o acampamento de Israel. ¹⁹Toda a prata, o ouro e os objetos de bronze e ferro são consagrados ao Senhor: irão para o seu tesouro.

²⁰Tocaram as trombetas. Ao ouvir o toque, todos deram o grito de guerra. As muralhas desmoronaram e o exército assaltou a cidade, cada qual do lugar em que estava, e a conquistaram. ²¹Consagraram ao extermínio tudo o que havia nela: homens e mulheres, jovens e anciãos, vacas, ovelhas e burros, todos foram passados a fio de espada.

²²Josué havia recomendado aos dois espiões:

– Ide à casa da prostituta e retirai-a de lá com tudo o que ela tiver, como lhe jurastes.

²³Os espiões foram e retiraram Raab, seu pai, mãe e irmãos e tudo o que possuía, e os deixaram fora do acampamento israelita.

²⁴Incendiaram a cidade e tudo o que nela havia. Somente a prata, o ouro e os objetos de bronze e ferro foram destinados ao tesouro do Senhor.

²⁵Josué perdoou a vida de Raab, a prostituta, sua família e tudo o que tinha. Raab viveu no meio de Israel até hoje, por ter escondido os emissários que Josué enviou para explorar Jericó.

²⁶Nessa ocasião Josué jurou:

– Seja amaldiçoado por Deus aquele que reedificar esta cidade! A vida do primogê-

---

6,11-20 A execução é repartida em três tempos (segundo técnica conhecida), cada vez mais longos: o primeiro dia, os cinco seguintes, o último. Ao aproximar-se o final, um discurso de Josué retarda o desenlace com instruções detalhadas. Não estão bem harmonizadas as duas indicações: Josué dá a ordem de gritar; é um toque especial que serve de sinal.

6,17-19 A lei do extermínio se lê em Lv 27,28-29 e Dt 20. Nm 21,2-3 fala de um voto que Israel faz. Práticas semelhantes eram comuns entre os antigos e na guerra santa dos árabes. Tal consagração se praticava só em casos extremos (como indica Dt 20) e tinha diversas cláusulas e graus. As riquezas materiais são consagradas ao culto ou guardadas no tesouro do Senhor; o que vive é sacrificado em honra do Senhor. Desse modo o povo não se aproveita da conquista em nada, e não deve assaltar cidades só por ganância.

Em outros casos se eliminavam apenas os guerreiros; os demais podiam ser tomados como escravos. Para nós, essa prática não tem justificativa, nem como castigo (pois inclui pessoas inocentes), nem como meio de intimidação. Veremos no capítulo seguinte o desenvolvimento desse tema.

6,24 Também o incêndio de cidades era prática comum, como a arqueologia tem comprovado.

6,25 Mt 1,5 inclui Raab na genealogia de Cristo, como tetravó de Davi (naturalmente, é uma composição artificial).

6,26 A maldição se cumpre, segundo 1Rs 16,34 (reinado de Acab, século IX). O dado não concorda com 2Sm 10,5 nem com Js 18,21.

nito lhe custem os alicerces, e a vida do caçula, as portas.

²⁷O Senhor esteve com Josué, e sua fama se divulgou por toda a região.

7 O sacrilégio de Acã –

¹Os israelitas, porém, cometeram um pecado com o consagrado. Acã, filho de Carmi, filho de Zabdi, de Zaré, da tribo de Judá, roubou do consagrado. E o Senhor se encolerizou contra Israel.

²Josué enviou gente de Jericó a Hai, a leste de Betel, com esta ordem:

– Ide reconhecer a região.

Foram, fizeram o reconhecimento e, ³ao voltar, disseram a Josué:

– Não é necessário que vá toda a tropa; bastam uns dois ou três mil para conquistar a cidade. Não canses toda a tropa com esse ataque, pois são poucos.

⁴Então foram até Hai uns três mil do exército; mas tiveram de fugir diante dos de Hai, ⁵que lhes causaram umas trinta e seis baixas e os perseguiram desde as portas da cidade até Sabarim*, derrotando-os na descida. O ânimo do exército se desfez em água.

⁶Josué rasgou o manto, caiu com o rosto por terra diante da arca do Senhor, e ficou assim até o entardecer, junto com os conselheiros de Israel, jogando pó na cabeça. ⁷Josué rezou:

– Ai, meu Senhor! Por que fizeste este povo atravessar o Jordão, para depois nos entregar aos amorreus e nos exterminar? Oxalá tivéssemos ficado do outro lado do Jordão! ⁸Perdão, Senhor! O que direi depois que Israel deu as costas diante do inimigo? ⁹Os cananeus e todo o povo do país ouvirão isso, nos cercarão e apagarão nosso nome da terra. E tu, o que farás com o teu nome ilustre?

¹⁰O Senhor lhe respondeu:

– Vamos, levanta-te! O que fazes aí com o rosto por terra? ¹¹Israel pecou,

---

7 Este capítulo se une ao anterior como continuação e consequência; os versículos 17-19 o preparam, com os dois verbos-chave "dedicar ao extermínio" (*hrm*) e "acarretar uma desgraça" (*'kr*). Continuamos no contexto da guerra santa: se a narração não é rigorosamente litúrgica, contém vários elementos cultuais.

7,1 O primeiro versículo coloca os elementos da tragédia.

a) O consagrado. A raiz *hrm* é o *leitmotiv* da narração; repete-se oito vezes em formas várias, unificando todo o processo. Trata-se de parte dos despojos que, pela lei da guerra santa, pertence ao Senhor como coisa sagrada (a raiz significa originariamente "separar"). Diz a legislação (recolhida posteriormente): "Nada do que foi dedicado ao extermínio se apegue às tuas mãos" (Dt 13,18). "O que alguém separou como coisa dedicada ao Senhor... não poderá ser vendido nem resgatado. O que foi dedicado é propriedade sagrada do Senhor" (Lv 27,28). Sendo coisa "sagrada", quem dela se apropria comete "sacrilégio" ou execração, e o objeto se converte em "execração" do ambiente onde se encontra. "Consagrar, execrar, reparar" são os matizes que o verbo vai tomando no curso da narração. (Dt 7,26 o aplica aos ídolos de materiais preciosos, que se devem exterminar.)

b) A comunidade. O pecado de um afeta toda a comunidade de Israel, porque todo o exército forma uma unidade solidária na guerra santa. Continua a ficção de um Israel completo, dividido em tribos, participando da conquista. "Todo Israel, os israelitas" participam no pecado, nas consequências, nas sortes, no castigo do culpado; e o Senhor traz o título de "Deus de Israel".

c) O culpado. Ao dar desde o princípio o nome do causador, a cerimônia das sortes perde o interesse narrativo. O nome do culpado, por meio de uma aliteração aproximada, se prende a uma localidade, conforme costume frequente nessas narrações. O versículo 1 se poderia ler como um dos títulos antigos "de como os israelitas..."

d) A ira do Senhor, provocada pelo sacrilégio, paira sobre toda a narração e sobre todo Israel, até que se aplaca com a execução final. Por essa ira, a travessia do Jordão parece resultar inútil, o inimigo triunfa, Israel se desalenta, seu nome fica ameaçado. A ira do Senhor, que na guerra santa se dirige contra o inimigo, se volta contra seu povo.

7,3 O motivo "são poucos" não é típico da guerra santa; no caso de Jericó, não importava o número, porque o pânico ou o temor sagrado já os havia vencido. Dois mil ou três mil é um exagero posterior, dado o tamanho das aldeias antigas.

7,5 * = Canteiras, ou então: "até desbaratá-los".

7,6 Ritos penitenciais, como em Jn 3,6; Dn 9,3; Jó 42,6; os anciãos formam o senado do povo: ver Nm 11 e Dt 1.

7,7-9 Josué intercede pelo povo, como fizera Moisés (Ex 32; Nm 14). Sua oração, ainda que repita algumas razões, não alcança a altura das de Moisés. O primeiro argumento é a continuidade da obra salvadora, o segundo é o perigo grave do povo, o terceiro é a honra e fama do Senhor.

É frequente a ideia de que o Senhor age, salva, perdoa, pela honra do seu nome; por exemplo, os salmos invocam muitas vezes esse argumento: 23,3; 25,11; 31,4; 54,3; 79,9; 106,8; 109,21; 143,11. Aqui se acrescenta outro aspecto: que, ao desaparecer o nome de Israel, fica comprometido o nome do Senhor; porque compete a Israel invocar o nome do Senhor e dá-lo a conhecer a outros povos.

A oração é composta de três perguntas e tem desenvolvimento bastante rítmico.

7,10-15 À oração responde um oráculo que explica a causa e oferece o remédio. Se Israel virou as costas

violaram o pacto que estabeleci com eles, pegaram do consagrado, roubaram, dissimularam, escondendo-o entre seus pertences. ¹²Os israelitas não poderão resistir a seus inimigos; eles lhes voltarão as costas, pois se tornaram execráveis. Não estarei mais convosco, enquanto não extirpardes a execração do meio de vós. ¹³Levanta-te, purifica o povo, dize-lhes: Purificai-vos para amanhã, pois assim diz o Senhor Deus de Israel: "Existe algo de execrável dentro de ti, Israel! Não podereis resistir a vossos inimigos, enquanto não extirpardes a execração do meio de vós". ¹⁴Pela manhã vos aproximareis por tribos. A tribo que o Senhor indicar por sorteio se aproximará por clãs. O clã que o Senhor indicar por sorteio se aproximará por famílias. A família que Senhor indicar por sorteio se aproximará por indivíduos. ¹⁵Aquele que for surpreendido com algo consagrado será queimado com todos os seus bens, por ter violado o pacto do Senhor e ter cometido uma infâmia em Israel.

¹⁶Josué madrugou e ordenou aos israelitas que se aproximassem por tribos. A sorte caiu na tribo de Judá. ¹⁷A tribo de Judá foi aproximando-se por clãs e a sorte caiu no clã de Zaré. O clã de Zaré foi aproximando-se por famílias, e a sorte caiu na família de Zabdi. ¹⁸A família de Zadi foi aproximando-se por indivíduos, e a sorte caiu em Acã, filho de Carmi, de Zabdi, de Zaré, da tribo de Judá.

¹⁹Josué lhe disse:

— Meu filho, glorifica o Senhor Deus de Israel, fazendo tua confissão. Dize-me o que fizeste, não me escondas nada.

²⁰Acã respondeu:

— É verdade, pequei contra o Senhor Deus de Israel. Fiz isto e isso: ²¹vi entre os despojos um manto babilônio muito bom, duzentas moedas de prata e uma barra de ouro de meio quilo; cobicei e o peguei. Vê, está tudo escondido num buraco no meio de minha tenda, o dinheiro por baixo.

²²Josué enviou alguns que foram correndo à tenda de Acã: tudo estava aí escondido, o dinheiro embaixo. ²³Eles o tiraram da tenda, o levaram a Josué e aos israelitas e o depositaram diante do Senhor.

²⁴Josué pegou Acã, filho de Zaré (com o dinheiro, o manto e a barra de ouro), seus filhos e filhas, seus bois, burros e ovelhas e sua tenda com todos os seus bens. Em companhia de todo Israel os fez subir ao vale de Acor*, ²⁵e Josué disse:

— O Senhor te faça sofrer hoje mesmo a desgraça que nos provocaste!

Todos os israelitas apedrejaram Acã. Depois o queimaram e o cobriram de pedras. ²⁶A seguir, ergueram um monte de pedras por cima, que se conserva ainda hoje. E o Senhor aplacou o incêndio de sua ira. Esse lugar por isso se chama até hoje vale de Acor.

---

na batalha, é porque pecou. No discurso de Deus se concentram as seis menções que restam do termo *hrm*. Como o oráculo contém a razão teológica dos fatos, está bastante desenvolvido, com repetições e enumerações. Esta é a estrutura: introdução (10), denúncia do pecado de Israel em seis verbos (11), consequências do pecado e sua duração (12); ordem de convocar a assembleia e transmitir o oráculo do Senhor; resume suas duas cláusulas (13); achado do culpado por sorte (14); sentença (15).

7,10 Deus responde às perguntas de Josué com outra pergunta. Não basta a oração, cabe-lhe agir.

7,11 Pelo pecado, todo Israel é responsável: os verbos estão no plural ou no singular coletivo; o pecado vai contra a aliança. Os sinônimos dão ênfase.

7,12 A execração é como um contágio que afeta a todos e torna incompatível a presença do Senhor "no meio" do seu povo. Todo Israel fica comprometido a "extirpar" esse contágio.

7,13-14 As sortes se costumam tirar por meio dos *urim* e *tumim*, numa cerimônia sagrada (espécie de ordálio); ver por exemplo 1Sm 10,20 (eleição de Saul). "As sortes se agitam no colo, mas a sentença vem do Senhor", diz Pr 16,33.

7,15 O pecado tem dupla dimensão; contra o Senhor, por violar o pacto, e contra a comunidade. Toda a família sofre o castigo, segundo o velho costume, por exemplo, Nm 16,27.

7,17 Pr 16,33.

7,19 O homem pode confessar duas coisas: a bondade de Deus e a maldade própria: em ambas as confissões glorifica o Senhor, porque o reconhece e proclama bom e livre de culpa. Acã é convidado a uma confissão pública, perante Deus e a assembleia. Caso semelhante em 1Sm 14,43 (Saul e Jônatas); também Sl 32,5.

7,20-21 Acã faz confissão plena, primeiro reconhecendo o pecado, depois descrevendo-o em particular. O processo do pecado — ver, desejar, tomar — é parecido com o de Gn 3 e 2Sm 12.

7,24 * = Desgraça.

7,24-26 Na execução da sentença, algumas incoerências, que a tradução respeitou: não há razão para tomar os objetos já entregues ao Senhor; fala-se de apedrejar um e queimar todos. Na pena da lapidação intervém todo o povo. A assonância entre Acã e Acor é fraca e artificial; Os 2,17 e Is 65,10 mencionam a renovação deste vale.

8 Conquista de Hai (Eclo 46,2) –

¹O Senhor disse a Josué:

– Não temas nem te acovardes. Vai com teu exército atacar Hai. Pois eu ponho em tuas mãos o seu rei, sua gente, a cidade e seus campos. ²Trata a cidade e seu rei como trataste Jericó e seu rei. Levareis para vós somente os despojos e o gado. Põe emboscadas do outro lado do povoado.

³Josué e seu exército prepararam o ataque contra Hai. Josué escolheu trinta mil soldados ⁴e os enviou de noite com estas instruções:

– Ficai de emboscada atrás do povoado, mas sem vos afastar muito, e ficai alertas; ⁵eu e os meus nos aproximaremos. Quando o inimigo sair contra nós, como na primeira vez, fugiremos deles; ⁶eles sairão atrás, pensando que fugimos como na primeira vez, e assim conseguiremos afastá-los do povoado. ⁷Saí então da emboscada e apoderai-vos da cidade – o Senhor a entregará a vós – ⁸e, ocupando-a, incendiai-a. Fazei o que disse o Senhor. São essas as minhas ordens.

⁹Ele os enviou, e foram pôr-se de emboscada entre Betel e Hai, a oeste de Hai. Josué passou essa noite entre a tropa. ¹⁰Levantou-se cedo, passou em revista a tropa e marchou contra Hai. Ele ia à frente com os anciãos de Israel. ¹¹Todos os soldados que os acompanhavam foram-se aproximando de Hai até chegar diante dela, e acamparam ao norte, deixando o vale entre eles e o povoado. ¹²(Josué havia tomado uns cinco mil homens e os pusera de emboscada entre Betel e Hai, a oeste da cidade. ¹³O grosso do exército acampou ao norte, na retaguarda, a oeste da cidade. Josué foi nessa noite até a metade do vale.)

¹⁴Quando o rei de Hai o descobriu, acordou rapidamente o povo e saiu com seu exército para combater Israel, na baixada diante da estepe, sem saber que atrás de Hai havia uma emboscada. ¹⁵Josué e os israelitas cederam diante deles e começaram a fugir pelo caminho da estepe. ¹⁶Os de Hai saíram gritando atrás deles e perseguiram Josué, afastando-se da cidade; ¹⁷não ficou ninguém que não saísse em perseguição dos israelitas; perseguindo-os, deixaram a cidade desguarnecida.

¹⁸O Senhor disse a Josué:

– Estende em direção de Hai a lança que tens na mão, pois a entrego em teu poder.

¹⁹Josué estendeu em direção de Hai a lança que tinha na mão, e os da emboscada saíram correndo de suas posições, entraram na cidade, a ocuparam, incendiando-a logo. ²⁰Os de Hai voltaram-se para olhar e viram que da cidade subia fumaça até o céu e que não podiam escapar por nenhum lado, pois os que haviam fugido para a estepe voltaram-se contra seus perseguidores ²¹(porque Josué e os israelitas, vendo que os da emboscada haviam incendiado a

---

8 Uns 20 quilômetros a noroeste de Jericó, sobre a montanha central, encontra-se a localidade chamada Et Tell; *tell* significa ruína e costuma designar esses montículos procedentes da sedimentação de sucessivas cidades destruídas sobre o mesmo lugar. Quase todos os pesquisadores identificam esse *Et Tell* com a bíblica *Hai*, que também significa ruína, e se encontra a uns dois quilômetros de Betel (a árabe Beitin). O texto bíblico usa o artigo para indicar a cidade (ha'ay), e no v. 28 diz que Josué a converteu em *Tell* perpétuo.

Mas acontece que, como Jericó, Hai não estava habitada na época em que se supõe que os israelitas entraram na Palestina. É possível que um episódio famoso da conquista, um estratagema feliz, tenha recebido em pouco tempo uma localização transladada pela sugestão do lugar; o autor teria respeitado a velha narração e sua localização também antiga. Afora a identificação inicial, o texto contém abundantes dados topográficos de detalhe que não é fácil harmonizar nem compreender. Atrás e diante podem significar em hebraico poente e levante.

Os movimentos estratégicos de um exército são tema que os narradores bíblicos não dominam; geralmente, quando chegam ao desenrolar da batalha, contentam-se com a informação concisa "derrotaram". O capítulo presente é relativamente acertado neste ponto, se lhe perdoamos algumas repetições supérfluas e alguma insistência inútil. A ação domina sobre as palavras (nada de influxos litúrgicos).

Duas vezes o Senhor fala brevemente, introduzindo duas chaves teológicas; também Josué fala pouco, para dar instruções precisas.

8,1 Expiado o pecado de Acã, o exército está reconciliado com o Senhor; volta inteiramente à situação da guerra santa. O oráculo do Senhor começa com seus dois elementos tradicionais.

8,2 Desta vez, Deus cede ao povo os despojos de guerra. (Daqui para a frente, nossa tradução evita a repetição monótona do original "cidade" e "Hai": a primeira em quatro setenários, a segunda em número alfabético e as duas num total de cinquenta.

8,10 Na noite da entrada, Josué estava só quando se encontrou com o anjo: 5,13-15.

8,18 De novo há de imitar Moisés, como na batalha contra Amalec (Ex 17,12). É um sinal que Josué dá a seus soldados.

cidade, pela fumaça que subia, voltaram-se e atacaram os de Hai) ²²e os da emboscada, por sua vez, saíram de Hai a seu encontro, e assim se viram presos entre dois exércitos israelitas. Israel os derrotou, até não deixar deles nenhum sobrevivente ou fugitivo. ²³Prenderam vivo o rei e o levaram a Josué.

²⁴Quando os israelitas acabaram de matar todos os de Hai que haviam saído a campo aberto em sua perseguição, fazendo-os cair todos a fio de espada, até o último, voltaram-se contra Hai e passaram a fio de espada seus habitantes. ²⁵As baixas desse dia foram doze mil, entre homens e mulheres, todo o povo de Hai. ²⁶Josué manteve estendido o braço com a lança até que exterminaram todos os de Hai.

²⁷Os israelitas levaram apenas o gado e os despojos, como o Senhor havia ordenado a Josué. ²⁸Josué incendiou a cidade e a reduziu a um montão de escombros, que dura até hoje. ²⁹Enforcou numa árvore o rei de Hai, deixando-o aí até à tarde; ao pôr do sol mandou descer da árvore o cadáver, o atiraram junto à porta da cidade e o cobriram com um monte enorme de pedras, que se conserva até hoje.

³⁰Josué então ergueu um altar ao Senhor, Deus de Israel, no monte Ebal, ³¹como ordenara Moisés, servo do Senhor, aos israelitas – está escrito no livro da Lei de Moisés –: um altar de pedras inteiras, não lavradas a ferro, e ofereceram sobre ele holocaustos e sacrifícios de comunhão.

³²Aí Josué escreveu sobre as pedras uma cópia da Lei que Moisés havia escrito na presença dos israelitas. ³³Todo Israel, os conselheiros, os ajudantes e os juízes estavam dos dois lados da arca, diante dos sacerdotes, carregadores da arca da aliança do Senhor; tanto o estrangeiro quanto o nativo: metade do lado do monte Garizim, a outra metade do lado do monte Ebal, como havia ordenado Moisés, servo do Senhor, quando pela primeira vez abençoou o povo israelita.

8,26 Trata-se do extermínio sagrado, como no caso de Jericó.

8,29 Conforme a lei de Dt 21,22-23. O amontoar as pedras é uma prática que voltamos a encontrar em 10,26-27, Dt 21,22s; 2Sm 18,17.

8,31-35 Estes cinco versículos são extremamente importantes, embora não saibamos por que aparecem aqui, fora de contexto. Geograficamente, o acampamento israelita se encontra ainda em Guilgal, ao começar o capítulo seguinte. E não se falou de uma campanha ou marcha que tenha aberto o caminho de Hai até Siquém (mais de 20 km). Além disso, pelo tema e por alguns motivos, está estreitamente vinculado ao cap. 24. Tanto que alguns autores transpõem esses versículos para o cap. 24. Mas deve-se levar em conta também Dt 11 e 27. É sabida a função programática do Dt para o escritor Deuteronomista, a quem costumamos atribuir a composição final de Josué.

a) Dt 11,26-30 se encontra no final da seção parenética (caps. 6-11), imediatamente antes da seção legal (12-26). Aí lemos: "Quando o Senhor teu Deus te introduzir na terra aonde vais para dela tomares posse, darás a bênção no monte Garizim e a maldição no monte Ebal". (Encontram-se do outro lado do Jordão... na terra dos cananeus... diante de Guilgal, perto do carvalhal de Moré). Fala de bênçãos e maldições, como parte da aliança; e indica a situação geográfica com certo afã de precisão, supondo que Moisés fala na planície de Moab.

b) Dt 27,1-8 se encontra imediatamente depois do corpo legal (12-26) e se liga com Dt 11, já que introduz o texto amplo de bênçãos e maldições (caps. 27-28). Notem-se neste capítulo: as pedras escritas (2.3), o altar de pedras não lavradas (5), os sacrifícios (6-7), uma fórmula de aliança (9). Ou seja, as bênçãos e maldições que seguem são texto de um ritual de renovação de aliança.

c) Por seu turno, Dt 31,10-13 impõe a leitura pública da lei, na festa das Cabanas, em presença do povo inteiro sem distinção. Com o seu calculado tecido narrativo, o autor quer dizer-nos que a entrada na terra aconteceu conforme o programa, segundo as instruções de Moisés.

Contudo, não apuremos a coerência, para além do que o faz o autor ou o texto. A conquista de Jericó e Hai por um lado permitiu a penetração no coração da terra, por outro lado não distancia a data da travessia do Jordão. Respeitemos a sua decisão de colocar esses versículos aqui. Também o êxodo começava com uma páscoa e culminava com a aliança no Sinai. Ebal e Garizim são como o Sinai dentro da Palestina, para usos litúrgicos.

8,30 O monte Ebal se encontra ao lado de Siquém, e é o mais alto da Palestina. O livro nada diz de uma conquista militar desse importante centro urbano; historicamente deve ter-se tratado de uma incorporação pacífica (cf. Gn 34). Mas é o único caso em que o Ebal assume essa função cultual, que de ordinário está reservada ao Garizim. Talvez haja um pouco de polêmica contra os samaritanos.

8,31 Sobre o altar: Ex 20,25; 1Rs 18,31 (implicitamente): o contato metal-pedra profana. Em Dt 27 se mencionam também os holocaustos.

8,32 Não se trata das pedras do altar, mas de estelas erigidas como réplica das tábuas ou lousas em que Moisés escreveu a lei, Ex 24,4; 32,1s; 34,1 e Dt 27,4-8.

8,33 Conforme Dt 10,1-5, o texto escrito da lei é depositado na arca. Na presente cerimônia, a arca é o santuário portátil que centra a comunidade, criando os dois lados, direita e esquerda. Daí provém a representação de colocar os benditos à direita e os malditos à esquerda (cf. Mt 25,33).

³⁴Josué leu todo o texto da Lei, bênçãos e maldições, tal como está escrito no livro da Lei. ³⁵De tudo o que Moisés prescreveu, não sobrou sequer uma palavra que Josué não lesse diante da assembleia de Israel, incluindo crianças, mulheres e os estrangeiros que iam com eles.

9 Os gabaonitas

¹Quando ficaram sabendo, os reis da Cisjordânia, da montanha, da Sefelá e de toda a costa mediterrânea até o Líbano (heteus, amorreus, cananeus, ferezeus, heveus e jebuseus) ²aliaram-se para lutar sob um único comando contra Josué e Israel.

³Os de Gabaon ficaram sabendo do que Josué havia feito com Jericó e com Hai ⁴e agiram por sua vez, com astúcia; foram e tomaram provisões, carregaram os burros com velhos alforjes e velhos odres de vinho, rasgados e remendados; ⁵calçaram sandálias velhas e remendadas e vestiram mantos velhos; todo o pão que levavam como alimento era pão duro e esmigalhado.

⁶Foram ao acampamento de Guilgal e disseram a Josué e aos israelitas:

– Viemos de um país distante. Fazei um tratado de paz conosco.

⁷Os israelitas responderam a esses heveus:

– Porventura não habitais aqui perto? Como faremos um tratado de paz convosco?

8,34 Dt 11,26-30; 27-28; Dt 31,12.
8,35 O versículo frisa a totalidade: totalidade do povo, leitura integral, cumprimento de tudo. Segundo a ficção, Josué nada acrescenta à legislação de Moisés. Ver a enumeração de Dt 31,12.

9 O episódio dos gabaonitas é parecido, em escala ampla, com o de Raab. Está dominado pela confissão de uns pagãos, pelo juramento dos israelitas, e termina com a incorporação de um povo à comunidade de Israel. Se Raab representava a incorporação de famílias isoladas, os gabaonitas representam a incorporação de populações inteiras; e assim equilibram o aspecto militar da ocupação da Palestina. Historicamente muitos indícios mostram que a ocupação do território cananeu foi sobretudo pacífica, começando por zonas despovoadas e disponíveis e estendendo e consolidando as relações com populações que permaneceram no território. O livro de Josué quis dar relevo ao aspecto militar, selecionando alguns episódios e completando-os com construções esquemáticas. Por essa tendência "militarista" do livro, é mais interessante o contraste pacífico do presente capítulo.

Literariamente o relato extrai seu sabor de um tema muito conhecido no folclore: o enganador enganado, ou engano e resposta. O gênero está ironicamente representado por Labão e tragicamente por Jacó. O narrador se compraz em detalhar os preparativos e a dinâmica do engano, sem preocupar-se demais com a verossimilhança.

Sobre esse tecido narrativo se sobrepõe a visão religiosa e se faz sentir a preocupação programática do Deuteronomista. Com efeito, Dt 20,10.18 dá instruções sobre o comportamento com populações pagãs.

Os gabaonitas eram heveus (v. 7): só pelo estatuto de cidade remota e com o pacto de vassalagem podiam salvar a vida. Conseguem a primeira coisa com engano e astúcia (v. 4), e obtêm a segunda com o juramento dos novos senhores. Os chefes israelitas agem impensadamente, "sem consultar o Senhor" (v. 14). Sua pequena vingança é submeter os enganadores a trabalhos servis. Assim se cumpre afinal o que a lei de Dt 20 estabelece.

O autor último parece utilizar uma velha tradição. O texto apresenta repetições inegáveis e algumas incoerências: servirão à comunidade (21), ao templo (23), a ambos (27); o relato fala de Gabaon; no v. 17 se mencionam quatro cidades (uma confederação ou tetrápole?); agem e decidem os oficiais (v. 14), os representantes ou chefes (18.19.21), Josué (6.8.22-26). O papel de Josué parece acrescentado (poderia ser eliminado sem prejudicar o relato). É como se o autor final ou intermediário tivesse introduzido a figura de Josué numa narração precedente em que ele não figurava.

9,1-2 A notícia serve para introduzir as futuras campanhas (caps. 10-11) e mostrar o caráter excepcional do presente episódio. Na lista de povos faltam os gergeseus. A Sefelá é a zona de colinas, entre a montanha central e a costa. Esta aliança de todos é uma ficção, assim como a ideia de um Israel único e total; trata-se de alianças parciais, que se repetirão até o tempo dos Juízes.

9,3 Gabaon se encontra a uns 12 quilômetros a noroeste de Jerusalém. O nome é um dos derivados de *gb'* (que significa altura, montículo, outeiro). É uma localidade importante ainda nos tempos de Salomão, e era habitada nos tempos da conquista, como têm provado as escavações; do v. 17 se deduz que era a capital de uma tetrápole. Não dista muito de Hai e Betel; por isso, embora seja procedimento convencional de ligação, o dado de que ficaram sabendo não destoa na composição do autor tardio.

9,4 A astúcia pode ser considerada como virtude sapiencial, Pr 1,4; é chave e como que título da narração. O autor se compraz nos detalhes minuciosos, repetindo quatro vezes o adjetivo "gastos" (no texto hebraico).

9,6 Para chegar a Guilgal, onde se supõe que Josué tenha seu acampamento de general, bastam duas jornadas cômodas descendo rumo ao vale do Jordão (uns 30 km). As negociações começam em estilo lacônico. Ao pedir uma aliança se apresentam como inferiores.

9,7 O grego leu "hurritas" em vez de heveus. A resposta revela uma consciência de donos do país e de incompatibilidade com outras populações; ou seja, reflete a legislação tardia recolhida em Dt 7,1-6 e as distinções de Dt 20,9-18 entre cidades distantes e próximas.

⁸Eles responderam a Josué:

— Somos teus vassalos.

Ele insistiu:

— Quem sois e de onde vindes?

⁹Responderam-lhe:

— Viemos de um país muito distante, por causa da fama do Senhor teu Deus; pois ouvimos tudo o que ele fez no Egito ¹⁰e aos dois reis amorreus da Transjordânia: Seon, rei de Hesebon, e Og, rei de Basã, em Astarot. ¹¹Nossos anciãos e o povo do nosso país nos recomendaram: "Tomai provisões para a viagem e ide a seu encontro, oferecendo-vos como vassalos seus". Portanto, fazei um tratado de paz conosco. ¹²Vede nosso pão: estava quente quando o tomamos em casa no dia que iniciamos viagem para cá, e agora vede: está duro e bolorento. ¹³São estes os odres de vinho: novos os enchemos, e agora estão rasgados. São estes os nossos mantos e sandálias, gastos pelo longo caminho.

¹⁴Então os oficiais de Josué tomaram das provisões dos viajantes, sem consultar o Senhor. ¹⁵E Josué fez com eles um tratado de paz, comprometendo-se a respeitar suas vidas; o mesmo juraram também os representantes da assembleia.

¹⁶No entanto, três dias depois de terem feito o pacto com eles, souberam que eram vizinhos, que viviam aí perto; ¹⁷porque os israelitas levantaram o acampamento e no terceiro dia de marcha chegaram a seus povoados: Gabaon, Cafira*, Berot* e Cariat-Iarim*. ¹⁸Não os atacaram, pois os representantes da assembleia lhes haviam jurado pelo Senhor Deus de Israel; mas toda a assembleia murmurou contra seus representantes.

¹⁹Então os chefes deram explicações à assembleia:

— Nós lhes fizemos um juramento pelo Senhor Deus de Israel, de modo que não podemos atacá-los. ²⁰Mas vamos fazer o seguinte: respeitaremos suas vidas, e assim não nos virá um castigo por quebrar um juramento que lhes fizemos. ²¹Que fiquem com vida, mas sejam lenhadores e carregadores de água para toda a assembleia.

Aquilo que os representantes propuseram foi aceito. ²²Josué mandou chamar os gabaonitas e lhes disse:

— Por que nos enganastes, dizendo que éreis de muito longe, sendo que vivieis perto de nós? ²³Pois bem, sede malditos! Sereis para sempre lenhadores e carregadores de água no templo do meu Deus.

²⁴Responderam-lhe:

— Nós, teus servidores, sabíamos o que o Senhor teu Deus havia dito a seu servo Moisés, que ele vos daria todo o país e aniquilaria diante de vós todos os seus habitantes; então, temendo por nossa vida, agimos assim. ²⁵Agora estamos em tuas mãos: faze de nós o que te parecer bom e justo.

²⁶Josué os tratou como havia dito: protegeu-os dos israelitas para que não os matas-

---

9,8 A nova resposta concretiza os termos do pacto, um pacto de vassalagem que pede proteção em troca de submissão.

9,9-11 Na resposta não dizem seu nome, obviamente; substituem-no por uma confissão religiosa, do mesmo gênero que a de Raab (2, 9-11): capaz de impressionar os israelitas na ficção narrativa, e apta para agradar os leitores ou ouvintes; ao mesmo tempo expressa a consciência de um Israel que é convicto de ser portador do nome do Senhor na história, para si e para outros povos. Se não são mencionados os reis de Hai e Jericó, é pelo caráter convencional da confissão, na qual o Egito e os dois reis transjordanianos são dados obrigatórios. Os viajantes se apresentam como enviados plenipotenciários para pedir uma aliança e autorizados por seu governo e seu povo.

9,14 Parece tratar-se de um comer e beber em sinal de aliança; pois, para convencer-se de que o pão estava duro, não era preciso prová-lo, ao passo que o vinho não envelhece tão depressa nos odres. "Consultar o Senhor": a mesma fórmula se lê em Is 30,2, atacando o pacto com o Egito.

9,15 Diz-se apenas o que Josué oferece, não o que exige. Geralmente se pedia serviço militar e determinados tributos.

9,17 * = Leoa; Poços; Vila Moitas.

9,18 Emprega-se o nome sagrado e técnico "assembleia".

9,19 O juramento terá consequências graves no tempo de Davi, 2Sm 21,1-11.

9,21 Dt 29,10 registra lenhadores e aguadeiros como ofícios desempenhados por forasteiros ou imigrantes em Israel.

9,22-23 O discurso de Josué tem algo de interrogatório judicial e sentença; a maldição corrobora o castigo. Pela referência ao templo, alguns quiseram identificar os gabaonitas com os "doados" (netineus) de Esd 2,43.50; 8,20; Ne 3,26.31; mas esses textos são tardios. O texto do v. 23 é um tanto inseguro. Recorde-se a maldição de Noé a Canaã, segundo Gn 9,25. Os gabaonitas se consideram cananeus.

9,25 Entende-se, dentro das condições do pacto jurado antes. Jr 26,14.

sem, ²⁷mas nesse dia os tornou lenhadores e carregadores de água da assembleia e do altar do Senhor, até hoje, onde o Senhor quisesse.

10 A campanha do Sul
¹Quando Adonisedec, rei de Jerusalém, ouviu que Josué havia tomado Hai e a tinha arrasado (fez com Hai e seu rei o mesmo que fez com Jericó e seu rei) e que os de Gabaon haviam feito as pazes com Israel e viviam com os israelitas, ²assustou-se enormemente. Porque Gabaon era toda uma cidade, como uma das capitais reais, maior que Hai, e todos os seus homens eram valentes.

³Então enviou esta mensagem a Hoam, rei de Hebron; a Faram, rei de Jarmut; a Jáfia, rei de Laquis, e a Debir, rei de Eglon*:

– ⁴Vinde com reforços para derrotar Gabaon, que fez as pazes com Josué e os israelitas.

⁵Então os cinco reis aliados – o de Jerusalém, o de Hebron, o de Jarmut, o de Laquis e o Eglon – subiram com seus exércitos, acamparam diante de Gabaon e a atacaram.

⁶Os de Gabaon enviaram mensageiros a Josué, ao acampamento de Guilgal, com este pedido:

– Não abandones os teus vassalos. Vem depressa salvar-nos. Ajuda-nos, pois os reis amorreus da montanha se aliaram contra nós.

⁷Então Josué subiu de Guilgal com todo o seu exército, com todos os seus guerreiros, ⁸e o Senhor lhe disse:

9,27 A última cláusula é típica adição da escola deuteronômica, que alude à centralização do culto em Jerusalém.

10 A aliança de paz suscita uma coalizão militar, e assim liga logicamente este capítulo com o anterior. Por outro lado, uma coalizão permite tratar simultaneamente uma ampla matéria. Depois da coalizão heveia, que faz as pazes, forma-se a amorreia, que declara a guerra.
Geograficamente temos uma extensão considerável de terreno, com cidades importantes de grande valor estratégico. É uma espécie de triângulo, com a base quase horizontal Eglon-Laquis-Hebrón, um lado quase vertical paralelo ao mar Morto, Jerusalém-Hebron, e um lado oblíquo e um tanto curvo Jerusalém-Jarmut-Eglon. Nas proximidades de Jarmut encontram-se Azeca, Maceda e Lebna, ao passo que Bet-Horon, Aialon e Gezer se encontram a ocidente, quase na altura de Gabaon e Guilgal. Em linha reta, o triângulo teria uns 30, 35 e 50 quilômetros, penetrando em cunha rumo à costa. Mas a geografia do capítulo apresenta seus problemas: primeiro, porque a lista de cidades no final difere da primeira; segundo, porque Debir é nome de cidade, como aparece na segunda lista, e não nome de pessoa, como diz a primeira. Algumas mudanças se explicariam bem por razões estratégicas, pois diminuem a rigidez do esquema e o tornam mais verossímil; não se explica a confusão de Debir.
Historicamente, uma coalizão de reis locais contra o invasor é razoável; mas não no começo da penetração, e sim quando Israel começa a estabelecer-se, a submeter territórios, a firmar alianças. Algo semelhante se dará um século mais tarde, nos tempos de Débora e Sísara (Jz 4-5); é menos verossímil que acontecesse no tempo de Josué. A organização do país em cidades-reinos corresponde à situação da Palestina naqueles séculos; várias das cidades citadas foram escavadas com resultados positivos. Em resumo, uma coalizão militar hostil e uma vitória inesperada de Israel podem muito bem ter acontecido e se ter conservado na tradição épica do povo;

atribuí-lo a Josué, pouco depois de entrar na Palestina, é uma simplificação histórica típica do nosso livro. Literariamente o capítulo está construído com bastante clareza: apresentação (1-6), batalha (7-14), os reis na caverna (15-27), campanha contra as cidades (28-39); os versículos restantes são uma recapitulação de campanhas no sul. O estilo é diverso em cada seção.
Teologicamente estamos perante um episódio de guerra santa, as fórmulas concentradas na seção da batalha. Josué já não parece ter de apoiar-se no exemplo e nas ordens de Moisés, mas atua por conta própria e ganha méritos pessoais. É um chefe militar que sobressai sobre os reis de cidades importantes.

10,1 Jerusalém gozava de uma situação estratégica privilegiada e pertencia aos jebuseus. Davi a conquistará. O nome do rei é muito semelhante a Melquisedec, que foi ao encontro de Abraão, segundo Gn 14; volta a aparecer o nome em Jz 1,1-8.

10,2 Não se menciona um rei em Gabaon, porque a organização da tetrápole era antes uma aliança de principados. Segundo este versículo, se os gabaonitas fizeram as pazes com Josué, foi por cálculo e prudência, não por covardia. Supõe-se que os gabaonitas prestarão ajuda militar a Josué; e a tetrápole está muito perto de Jerusalém, formando um arco; se Josué, partindo de Guilgal, continua traçando um arco para o sul, pode constituir uma séria ameaça para os jebuseus.

10,3 Esse tipo de coalizões era comum, dada a situação política do tempo; parece supor que entre os cinco reis já existiam relações de amizade, inclusive algum pacto de ajuda mútua, que o rei de Jerusalém – o mais ameaçado – pode invocar. A coalizão vem a ser muito mais poderosa que o grupo heveu, mas o papel de atacantes fora de suas bases é mais perigoso.
* = Bezerros.

10,6 A mensagem supõe que na aliança Josué se comprometeu a prestar ajuda militar. Em todo caso, convém a ele que seus vassalos não sejam derrotados. 1Sm 11,3.

10,8 É o típico oráculo da guerra santa: Deus já decidiu as sortes.

– Não os temas, pois eu os entrego a ti. Nenhum deles poderá resistir a ti.

⁹Josué caminhou toda a noite desde Guilgal e caiu sobre eles de repente; ¹⁰o Senhor os derrotou diante de Israel, que lhes infligiu uma grande derrota junto a Gabaon, e os perseguiu pela descida de Bet-Horon, destroçando-os até Azeca e Maceda. ¹¹E, quando fugiam dos israelitas pela descida de Bet-Horon, o Senhor lançou sobre eles, do céu, uma forte e mortífera chuva de pedras no caminho para Azeca; morreram mais por causa do granizo do que pela espada dos israelitas.

¹²Quando o Senhor entregou os amorreus aos israelitas, nesse dia Josué falou ao Senhor e gritou na presença de Israel:

– Sol, para em Gabaon! E tu, lua, no vale de Aialon*!

¹³E o sol ficou parado e a lua imóvel, até que se vingou dos povos inimigos.

10,9 Supõe a marcha de mais de 30 quilômetros com forte subida; partindo ao escurecer, teriam tempo para algum descanso intermédio e para preparar-se antes do assalto decisivo, que teve lugar de manhã bem cedo (um dia muito longo).

10,10 Derrotadas em campo aberto, as tropas aliadas fogem para o poente, e entre Bet-Horon superior e Bet-Horon inferior tratam de abrir caminho rumo ao sul, pelo vale de Aialon até suas cidades (a mais difícil de alcançar de novo é Jerusalém). Neste momento se precipita a tragédia.

10,11-14 É necessário tratar à parte estes versículos, tristemente célebres. O nome de Galileu ainda paira sobre eles.

O texto se compõe de uma citação poética confessada e outras frases em verso ou prosa muito rítmica. Um fenômeno literário semelhante se encontra na passagem do mar Vermelho (Ex 14 e 15) e na batalha de Barac contra Sísara (Jz 4 e 5); é provável que a versão poética seja mais antiga e que dela dependa de algum modo a versão, menos fantástica, em prosa. Esta segunda não tenta renunciar ao elemento maravilhoso que a poesia exalta. Nenhuma deve ser tomada como crônica exata de fatos.

Os motivos literários se encontram em diversos textos sobre a guerra santa: uma batalha, um dia memorável, uma tormenta, um fenômeno celeste. Ou seja, trata-se de um "dia do Senhor", em que ele mesmo intervém contra o exército hostil, utilizando meteoros como armas, com acompanhamento estelar. Em Ex 14, luta o vento contra a água; em Jz 5 se trata de uma tormenta e aguaceiro que impedem a manobra dos carros, e que o poema canta em tons exaltados: "Do céu combateram as estrelas"; em 1Sm 7 Samuel ora a Deus, que envia trovões para desbaratar os filisteus. Outros textos poéticos de teofania: Hab 3,11; Is 13: oráculo contra Babilônia: O motivo literário passa depois para textos escatológicos, como Is 34,4; Jl 3,4; 4,15. Quer dizer, a união de tormenta com fenômenos celestes, ou a passagem de uma aos outros, é um fato literário bem conhecido.

Também é sabido que os meteoros são armas do Senhor: Eclo 39,29; Jó 38,22-23; ver também o texto tardio de Sb 5,17-23. Uma tormenta naqueles tempos podia ter valor psicológico ou valor tático decisivos.

Tampouco é raro que o homem em perigo peça a Deus sua intervenção e este responda com a teofania: Samuel, no texto citado; Davi, em Sl 18. Nosso autor considera excepcional esse dado.

Resumidos, estes dados permitem compreender e interpretar a passagem sem maiores dificuldades. Nem sempre foi assim, nem muito menos. Ben Sirac tomou a passagem ao pé da letra no seu canto aos varões ilustres de Israel.

Assim leram o texto os Santos Padres e os autores medievais, com mentalidade acrítica. O problema surgiu quando a mentalidade crítica que se ia impondo tropeçou com um dogmatismo ignorante e simplista. A comissão que julgou a obra de Galileu sentenciou que sua posição era "filosoficamente absurda e formalmente herética porque contradiz asserções explícitas da Sagrada Escritura"; à segunda acusação Galileu já tinha respondido, aconselhado por teólogos ou amigos mais críticos. Seu esforço, porém, não valeu e, o que um século antes Copérnico pôde expor nos jardins do Vaticano, então veio a ser condenado, e assim continuou por muito tempo. Sob Bento XIV (1740-58) a proibição não urgia, em 1822 Pio VII permitiu publicar as teses antes condenadas, em 1835 a edição do Índice retirou as obras incriminadas. Hoje em dia esses fatos são uma lembrança dolorosa, difícil de compreender; devem ser também um aviso contra os dogmatismos.

10,11 Soa um jogo de palavras, *habbarad* e *behareb* = com granizo, com espada. A espada é arma humana, o granizo é arma divina, como de um fundeiro celeste. Funciona também a oposição entre arma de perto que se empunha, e arma que se atira de longe.

10,12 * = Veadeiro.

10,12a A introdução põe em paralelo um falar a Deus, talvez por invocação ou súplica, e um pronunciar em voz alta. Só nos dá o texto do segundo, que não se dirige a Deus, mas interpreta os astros.

10,12b Sol e lua representam uma concentração celeste, uma aliança de poderes estelares. No cântico de Débora (Jz 5,20) se diz: "do céu combateram as estrelas". Josué, chefe do exército israelita, obtém a aliança dos dois chefes dos esquadrões celestes. Sua colaboração será simplesmente a imobilidade, decisiva para concluir a vitória.

10,13 Nm 21,14 cita um "livro das batalhas do Senhor"; 2Sm 1,18 cita nosso livro, tirando dele a elegia por Saul e Jônatas; o texto grego de 1Rs 8,53 menciona um "livro de cânticos". Não sabemos se se trata da mesma coleção ou de diversas; o texto hebraico escreve o Y antes do S, de modo que se lê "livrinho do justo": o comentário se fixa apenas no sol, quieto e sem pressa de se pôr. Recorde-se Sl 19,6-7. Ecl 1,5 diz que o sol "se apressa para chegar ao seu lugar".

* Ou: no livro de Yaser; cf. 1Rs 8,53.

Assim consta no livro de Iasar*:
O sol se deteve no meio do céu
e demorou um dia inteiro para pôr-se.
¹⁴Nem antes nem depois
houve um dia como aquele,
quando o Senhor obedeceu
à voz de um homem,
porque o Senhor lutava por Israel.
¹⁵Josué e os israelitas voltaram ao acampamento de Guilgal. ¹⁶Os cinco reis conseguiram fugir e se esconderam na caverna de Maceda.

¹⁷Avisaram Josué:

– Os cinco reis estão escondidos na caverna de Maceda.

¹⁸Josué ordenou:

– Rolai pedras grandes à entrada da caverna e colocai aí guardas. ¹⁹Quanto a vós, não deixeis de perseguir o inimigo, atacai-lhes a retaguarda; não os deixeis chegar a seus povoados, pois o Senhor vosso Deus os entrega a vós.

²⁰Quando Josué e os israelitas os derrotaram até acabar com eles – foi uma grande derrota –, os que conseguiram salvar-se, fugindo, refugiaram-se em suas praças-fortes. ²¹Todo o exército retornou vitorioso ao acampamento de Josué, em Maceda. Ninguém soltou a língua contra os israelitas.

²²Josué ordenou:

– Abri a entrada da caverna e tirai esses cinco reis.

²³Cumprindo suas ordens, tiraram da caverna os cinco reis: o de Jerusalém, o de Hebron, o de Jarmut, o de Laquis e o de Eglon. ²⁴Quando os fizeram sair, Josué convocou todos os israelitas e disse a seus oficiais:

– Aproximai-vos para pisar o pescoço desses reis.

Eles se aproximaram e puseram o pé no pescoço dos reis. Ele acrescentou:

– ²⁵Não temais, nem vos acovardeis. Coragem, sede valentes! Pois assim o Senhor tratará todos os inimigos com os quais ireis lutar.

²⁶Dito isso, os executou, pendurando-os em cinco árvores; aí estiveram pendurados até à tarde. ²⁷Ao pôr do sol mandou descê-los das árvores e atirá-los na caverna em que se haviam escondido; a seguir colocaram grandes pedras na entrada da caverna e elas aí estão ainda hoje.

²⁸Nesse dia Josué tomou Maceda. Passou-a a fio de espada, consagrando ao extermínio seu rei e todos os seus habitantes. Não restou um sobrevivente sequer; tratou o rei de Maceda como ao rei de Jericó.

²⁹De Maceda, Josué e os israelitas passaram a Lebna* e a atacaram. ³⁰O Senhor entregou-lhes também Lebna e seu rei, e passaram a fio de espada todos os habitantes. Não restou nela um sobrevivente sequer; Josué tratou seu rei como ao rei de Jericó.

³¹De Lebna, Josué e os israelitas passaram a Laquis, acamparam em frente dela e a atacaram. ³²O Senhor a entregou: tomaram Laquis no segundo dia e passaram todos os habitantes a fio de espada, como haviam feito em Lebna. ³³Horam, rei de Gazer, subiu em auxílio de Laquis, mas

---

10,14 Outro modo de expressar a guerra santa; ver Ex 14,14.25; Dt 1,30; 3,22; 2Cr 20,29; Sl 35,1.

10,16-27 O autor se compraz em repetir "os cinco reis", mencionando suas cinco capitais, para salientar a humilhação total: fuga, ocultação, execução como criminosos, sepultura sem honras. Em contraste, ressalta a vitória de Israel. Até se pode escutar certo tom irônico na fuga dos reis desamparados pela tropa e escolta – como Sísara em Jz 4 – no cárcere da caverna, prisão improvisada, na impotência dos reis presos, enquanto lá fora se desenrola a ação. O narrador retarda habilmente o desenlace, prolongando assim a captura dos reis.

10,16 Não é certa a localização de Maceda; estaria perto de Azeca. As cavernas desempenham papel importante nas histórias de Saul e Davi.

10,21 Expressão semelhante se lê também em Ex 11,7, referida aos israelitas quando iam sair do Egito.

10,24-25 É como um rito acompanhado de sua explicação. Sl 110,1 alude ao gesto simbólico de vitória; e no museu do Cairo se pode ver um escabelo com cabeças de inimigos pintadas. O que Josué recomenda a seus oficiais é o que o Senhor lhe disse: 1,6.7.9.

10,26 = Dt 21,22s.

10,27 Ver Dt 21,22-23. Uma gruta com a entrada meio tampada, e umas árvores perto, servem para localizar a lembrança da vitória.

10,29 * = Alva. Alva está perto de Azeca, a ocidente.

10,28-29 Mortos os reis, Josué se dirige contra suas capitais e outras vizinhas. O fragmento utiliza uma lista em parte nova: Maceda, Lebna, Laquis, Gazer, Eglon, Hebron, Dabir. É justo que falte Jerusalém; falta também Jarmut. A exposição utiliza oito fórmulas repetidas com variantes. É curioso que em Hebron se encontre o rei (já executado em Maceda). A ordem é estranha e estrategicamente não justificada.

10,33 Gezer fica a noroeste de Aialon, mais perto da costa; por isso se diz que sobe.

Josué derrotou a ele e a seu exército, sem deixar um sobrevivente.

³⁴De Laquis, Josué e os israelitas passaram a Eglon; acamparam em frente dela e a atacaram. ³⁵Nesse mesmo dia a tomaram e passaram a fio de espada, consagrando ao extermínio todos os seus habitantes, como haviam feito com Laquis.

³⁶De Eglon, passaram a Hebron e a atacaram. ³⁷Eles a tomaram, e passaram a fio de espada seu rei e toda a população. Não restou um sobrevivente sequer, como haviam feito em Eglon; consagraram-na ao extermínio com todos os seus habitantes.

³⁸Depois voltaram-se contra Dabir e a atacaram. ³⁹Apoderaram-se dela, do rei e de seus povoados e os passaram a fio de espada, consagrando ao extermínio todos os seus habitantes. Não restou um sobrevivente sequer; trataram Debir e seu rei como trataram a Lebna e seu rei.

⁴⁰Dessa forma, Josué conquistou toda a montanha, o Negueb e a Sefelá e as encostas da serra, com seus reis. Não restou um sobrevivente sequer. Consagraram ao extermínio todo ser vivo, como o Senhor Deus de Israel ordenara. ⁴¹Josué conquistou desde Cades Barne até Gaza e todo o país de Gósen até Gabaon. ⁴²Num único ataque apoderou-se de todos esses reis e suas terras, porque o Senhor Deus de Israel combatia por Israel. ⁴³A seguir, Josué e os israelitas que iam com ele voltaram ao acampamento de Guilgal.

11 A campanha do Norte –

¹Quando soube disso, Jabin, rei de Hasor, enviou mensageiros a Jobab, rei de Madon, ao rei de Semeron, ao rei de Acsaf ²e aos reis do norte na montanha e da estepe, ao sul de Genesaré, da Sefelá e do distrito de Dor, junto ao mar, ³aos cananeus do leste e do oeste, aos amorreus, heteus e ferezeus, aos jebuseus da montanha e aos heveus ao pé do Hermon, na região de Masfa*. ⁴Saíram com todos os seus exércitos, uma tropa numerosa como a areia da praia, muitíssimos cavalos e carros. ⁵Todos esses reis se aliaram, e todos juntos foram acampar perto do arroio de Merom para lutar contra Israel.

⁶O Senhor disse a Josué:

– Não os temas, pois amanhã, por estas horas, farei todos eles cair diante de Israel; cortarás os jarretes dos seus cavalos e queimarás seus carros.

⁷Josué e seus soldados marcharam contra eles perto do arroio de Merom, caindo so-

---

10,40-42 A recapitulação repete algumas fórmulas e amplia consideravelmente a extensão das conquistas. O Negueb é o deserto meridional; nele se encontra o oásis de Cades Barne; Gaza fica na altura de Laquis e Hebron, junto à costa; o Gósen aqui mencionado está na região de Bersabeia. A amplificação chega ao extremo. Compare-se com a notícia de 11,18.

11,1-15 *Geografia*. Encontramo-nos na zona setentrional da Palestina. Se tomarmos como orientação a linha do Jordão, desde o lago Hule até o sul do lago de Genesaré, encontramos a capital Hasor a poucos quilômetros a sudoeste de Hule; um pouco mais ao sul e a oeste a localidade de Merom, por onde passa o arroio do mesmo nome, que desemboca no lago de Genesaré; a meia altura deste lago, a poucos quilômetros da margem, está Madon. Na costa fica Dor, uns 20 quilômetros ao sul do Carmelo; uns 30 quilômetros ao norte temos a localidade Maserefot-Maim (Termas). Acsaf está um pouco ao nordeste de Jafa; Semeron na planície de Esdrelon, não longe de Nazaré. Aprecia-se certa unidade geográfica a leste, com uma expansão para a costa.

História. Já vimos que as coalizões são coisa verossímil. A arqueologia confirmou a importância de Hasor e sua destruição no século XIII. Uma tradição antiga recorda a coalizão setentrional e uma derrota por surpresa. Mas, é de todo inverossímil que isso acontecesse durante uma primeira penetração de Israel, sob o comando de Josué.

Aspecto literário. Com alguns dados da antiga tradição, o autor posterior compôs seu capítulo: introduzindo Josué, ampliando a extensão, empregando fórmulas que mostram o paralelismo com o capítulo precedente. Assim temos uma campanha setentrional fazendo jogo com a meridional; mas, a do sul estava justificada pela penetração de Israel, a do norte não está justificada no seu lugar atual.

11,2 A menção de um Negueb e uma Sefelá nessas latitudes soa estranha. É preciso dar às palavras seu sentido etimológico: paramo ou deserto e zona de colinas.

11,3 A menção dos cananeus à parte poderia indicar um predomínio de população cananeia ao norte; por outro lado, é raro encontrar jebuseus ao norte, sendo seu pequeno território um círculo em torno de Jerusalém. Masfa é nome comum a várias localidades, devido às suas condições geográficas. * = Atalaia.

11,4 Expressão proverbial: Gn 22,17; 32,13; Jz 7,12; 1Sm 13,5; Is 10,22; Sl 139,18. O elemento novo são os carros de combate puxados por cavalos, arma temida pelos israelitas. Mas não é permitido a Israel usar essas armas: Dt 17,16; e o Salmo 20,8 diz: "Uns confiam em carros, outros na cavalaria; nós invocamos o Senhor nosso Deus". Uma perseguição até Sidônia, acima no Líbano, é exagero manifesto.

11,5 Sl 83.

11,6 Dt 17,16.

bre eles de repente. ⁸O Senhor os entregou a Israel, que os derrotou e perseguiu até a capital de Sidônia, até Maserefot-Maim* e a parte oriental do vale de Masfa. Eles os derrotaram até não restar um sobrevivente.

⁹Josué os tratou como o Senhor havia dito: cortou os jarretes dos seus cavalos e queimou seus carros. ¹⁰A seguir, voltou-se, apoderou-se de Hasor e executou seu rei (Hasor era há muito tempo a capital desses reinos), ¹¹e passou a fio de espada todos os seus habitantes, consagrando-os ao extermínio; não restou um vivo sequer. E incendiou Hasor.

¹²Josué apoderou-se de todos esses povoados e seus reis; passou-os a fio de espada, consagrando-os ao extermínio, como havia ordenado Moisés, servo do Senhor. ¹³Mas os israelitas não incendiaram as cidades situadas sobre colinas; a única exceção foi Hasor, incendiada por Josué. ¹⁴Levaram todos os seus despojos e o rebanho; passaram a fio de espada somente as pessoas, não deixando uma viva.

¹⁵Aquilo que o Senhor ordenara a seu servo Moisés, este o ordenou a Josué, e Josué o cumpriu, não descuidou nada de tudo o que o Senhor havia ordenado a Moisés.

¹⁶Foi assim que Josué se apoderou de todo o país: a montanha, o Negueb, a região de Gósen, a Sefelá e a estepe, a montanha de Israel e sua planície, ¹⁷desde o monte Halac*, que sobe em direção de Seir, até Baal-Gad, no vale do Líbano, ao pé do monte Hermon. Apoderou-se de todos os seus reis e os executou.

¹⁸Por muito tempo Josué guerreou contra todos esses reis. ¹⁹Nenhuma cidade fez as pazes com os israelitas, exceto os heveus que viviam em Gabaon; todas foram conquistadas pelas armas, ²⁰pois foi obra de Deus endurecer seus corações para que resistissem a Israel, de modo que Israel os exterminasse sem piedade, destruindo-os, como o Senhor havia ordenado a Moisés.

²¹Josué destruiu os enacitas da montanha, Hebron, Dabir, Anab, dos montes de Judá e dos montes de Israel. Exterminou-os

---

11,8 * = Termas.
11,11 Salomão a reconstruiu e fez dela uma de suas praças-fortes, 1Rs 9,15.
11,15-23 Nesta recapitulação, obra de autor posterior, há um claro esforço de generalizar, que exagera o aspecto militar. Muitos indícios mostram que a ocupação dos israelitas foi em grande parte pacífica; quer dizer, começou pela montanha não ocupada e foi-se estendendo paulatinamente; mas também é certo que sua presença provocou receios e ataques, de modo que os novos colonizadores tiveram de se defender mais de uma vez com as armas. Assim, entre alguma campanha inicial e outras provocadas pela população local, Israel foi-se impondo, até que assimilou ou eliminou as demais populações. Para o autor, isso era desígnio de Deus, e para nós também (em sentido simbólico): em Israel estabelecido na Palestina ia caminhar a história da salvação.
De fato, mais de uma população continuou em convivência pacífica com Israel; o autor simplifica também este aspecto, excetuando apenas os gabaonitas. Aqui ensaia uma explicação teológica (como outras que apresentará ao longo de sua grande obra). Trata-se do endurecimento ou "empedernimento". O autor também simplifica os dados, traçando o seguinte processo:
1. Mandato de Deus a Moisés.
2. Endurecimento da população.
3. Resistência a Israel.
4. Derrota e destruição.
Assim se fecha um círculo férreo, no qual triunfa a soberania de Deus na história: Deus é autor de tudo, também do endurecimento humano, e o faz com finalidade definida. Desse modo falam muitos textos do Antigo Testamento; outros se detêm de preferência na ação humana: trata-se de uma negação sucessiva do homem à oferta ou exigência de Deus, que vai crescendo em processo dialético, até que o homem caia vítima de seu próprio endurecimento, incapaz de romper sua constrição. Esta segunda visão acentua a responsabilidade humana e completa a primeira. O endurecimento é progressivo e costuma pressupor vários atos que se transformam numa atitude. Poder-se-ia continuar perguntando: por que Deus decidiu pela destruição? Outros textos responderão: por causa de seus pecados e abominações.
Em todo caso, seja o desígnio de Deus, seja a capacidade humana de negar-se, são duas realidades terríveis, que não deveríamos domesticar ou reduzir a dimensões humanas razoáveis, ou seja, ao alcance de nossa razão.
11,15 Josué continua na dimensão de executor de ordens, continuando a obra de Moisés; ao longo da história, também Josué recebeu ordens concretas do Senhor, supõe-se que atualizando as transmitidas por Moisés.
11,16-17 A enumeração dos territórios meridionais é mais explícita. A montanha de Seir é o território de Edom, ao sul do mar Morto.
11,17 * = Liso.
11,18 Esta notícia contraria a impressão deixada por 10,42.
11,20 = Ex 4,21.
11,21-22 Os enacitas são uma raça de gigantes que aparece repetidas vezes nas páginas do Antigo Testamento: Nm 13,22.28 (episódio dos exploradores); Dt 1,28; 9,2. Outras tradições sobre a destruição deles se leem em Js 14,12-15; 15,13; Jz 1,20. Só ficam no território que logo será filisteu.

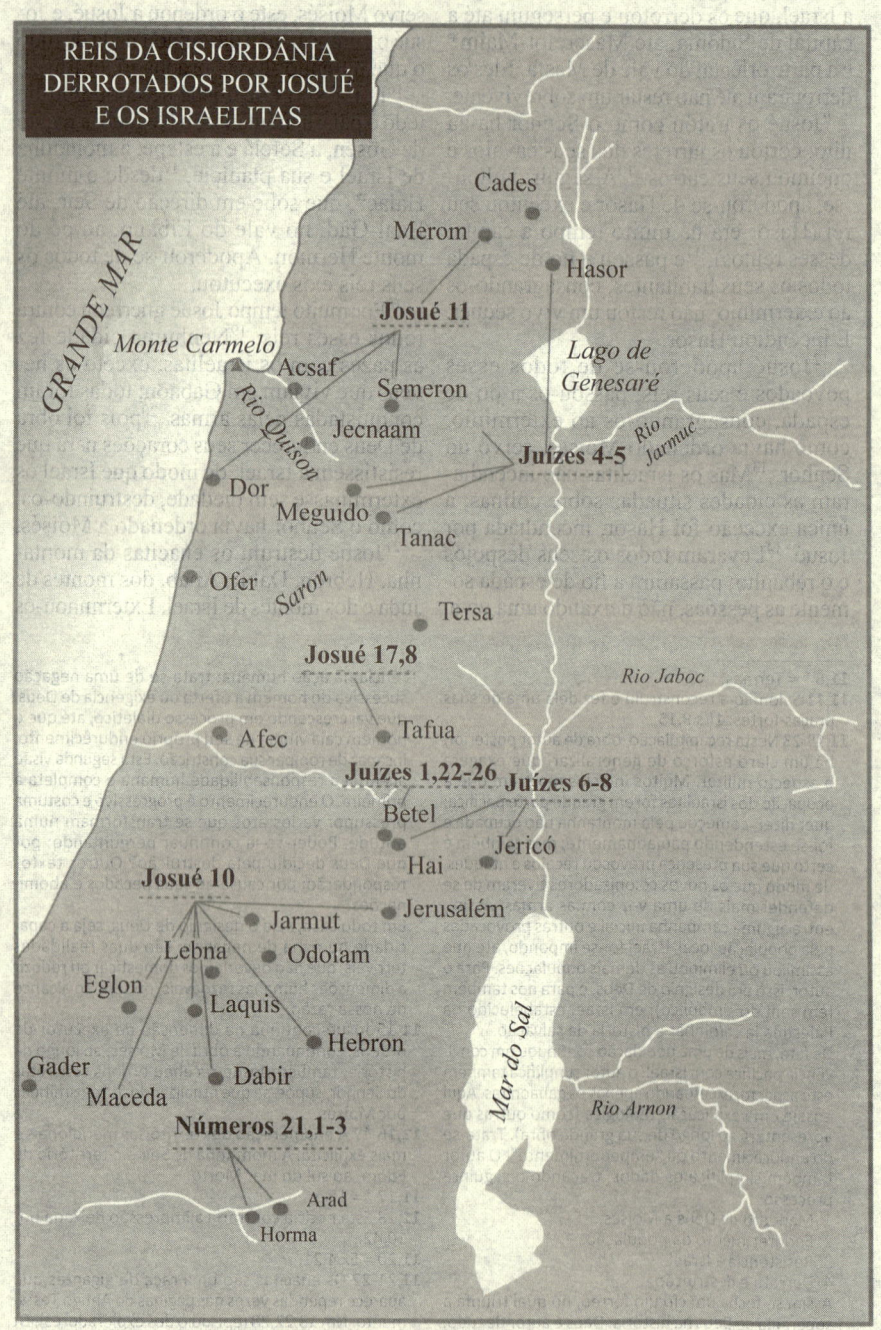

com seus povoados. ²²Não restaram enacitas no território de Israel; ficaram apenas alguns em Gaza, em Gat e em Azoto.

²³Josué apoderou-se de todo o país, como o Senhor havia dito a Moisés. E o deu a Israel como herança, repartindo-o em lotes. E o país ficou em paz.

12

¹Reis da Transjordânia que os israelitas derrotaram e de cujas terras se apoderaram, desde o rio Arnon até o monte Hermon, incluindo toda a estepe oriental:

²Seon, rei amorreu, que residia em Hesebon. Seus domínios eram: desde Aroer, às margens do Arnon, desde o meio do vale, a metade de Galaad até o Jaboc, fronteira dos amonitas; ³a estepe, desde a parte oriental do mar da Galileia até a parte oriental do mar do deserto, o mar Morto, até o caminho de Bet-Jesimot e as encostas do Fasga, ao sul.

⁴Og, rei de Basã, dos últimos rafaítas, que morava em Astarot e Edrai. ⁵Seus domínios eram: o monte Hermon, Saleca e todo o Basã até a fronteira dos gessuritas

---

11,23 Este versículo é uma síntese do que segue. A fórmula final retornará em Jz 3,11. 30; 5,31 etc.

12 Este capítulo oferece um resumo, encerrando a primeira parte do livro, dedicada à conquista. Sobre a Transjordânia nos oferece a dupla tradicional, com uma descrição geográfica mais detalhada. A parte da Cisjordânia nos apresenta uma lista que tem aparência de antiga; mais ampla e completa que os dados até agora fornecidos no livro. Entre os novos nomes convém destacar: O Cerco (Afec), cenário de lutas com os filisteus; Betel, as fortalezas de Meguido e Tanac, próximas da planície de Esdrelon; Tersa, a futura capital.
12,2 Nm 21,21-23.
12,7 * = Liso.
12,13 * = Cerca.
12,14 * = Extermínio.
12,15 * = Alva.
12,17 * = Macieira.
12,18 * = Cerco. Este é o cenário de lutas com os filisteus.

PARTILHA DA TERRA

Começa a segunda parte do livro, que trata da partilha da terra. A uma primeira leitura, um catálogo de nomes geográficos, bastante indigesto, nem sequer agraciado com um pouco de disposição esquemática. Esta permitiria a consulta fácil, já que os capítulos dificilmente convidam à leitura.
Quem não tiver interesse geográfico muito intenso, o viajante de grupos turísticos, de Bedekker ou Guide Bleu, prescindirá da confusa enumeração bíblica, preferindo uma seleção moderna bem-disposta; quem se interessa pela geografia, encontra nestes capítulos mais problemas de estudo do que respostas claras. Que fazer então com estes capítulos? Podemos tentar um esforço para descobrir primeiro os materiais empregados pelo autor e examinar depois a intenção de sua composição.
Materiais. a) Aparentemente, o autor usa uma lista de fronteiras e uma lista de povoados. A primeira tenta definir os limites de cada tribo; o traçado não é geométrico (como o de Ezequiel 40ss), há repetições e incoerências. Faz pensar numa lista antiga, quando as tribos se tinham consolidado em sua diversidade dentro do território da Palestina e ainda não eram uma monarquia unificada. A lista expressa uma consciência de unidade e totalidade, pretensão de um direito de propriedade mais do que o domínio atual do território delimitado. Simeão ainda conserva sua autonomia e Levi já desapareceu como tribo profana; o desdobramento de Manassés não impede o número de doze. b) A segunda é uma lista de povoados. A lista é detalhada e parece aspirar a ser completa nas tribos do sul, mas é fragmentária nas tribos do norte e falha nas tribos do centro. Isso faz pensar numa série de listas, mais ou menos completas, mais ou menos bem conservadas, que o autor compôs para formar uma série completa. Assim se explicam algumas repetições e incoerências. É possível, e mesmo provável, que já em tempos antigos se tenham começado a compilar tais listas e que tenham ido crescendo; por outro lado, é muito fácil acrescentar nomes a uma lista já existente. Quando terminou esse processo de crescimento? É de supor que a sorte do reino setentrional fosse diversa da do reino meridional; para este poderíamos pensar numa época próxima do exílio. Nessa visão estilizada confluem muitas experiências posteriores e algo da pregação profética. Antes de tudo, convém comparar essa economia com a patriarcal. Abraão, Isaac e Jacó se movem com imensos rebanhos, buscando poços e zonas de pastos. A riqueza deles não priva a outros, antes acresce o valor de uma terra pouco povoada. Quando os israelitas se assentam na Palestina, só uma partilha equitativa pode assegurar o bem-estar mínimo de todos. Já não é bênção a riqueza individual, porque a acumulação de terras e possessões só se consegue à custa dos demais, despojando e explorando. Sobre o fundo de uma partilha igualitária, adquirem sentido e força relatos como o de Nabot (1Rs 21), o episódio da viúva (2Rs 8,1-6), muitas denúncias proféticas, como a clássica de Is 5,8 ou Mq 2,2. Esse é o fundo do importante Sl 37. Pode-se inverter a explicação e dizer que a triste experiência histórica se decanta e cristaliza nessa visão ideal projetada no passado.
c) Trata-se de uma visão teológica, um tanto idealizada com respeito à realidade, porém mais profunda que a simples experiência de cultivar. A concepção, com sua constelação de termos técnicos, passa para a literatura profética, em sentido próprio e figurado, para as visões escatológicas, e se conserva com grande vitalidade no Novo Testamento. Da tradução grega de Irzg, klhros, sorte, procede a nossa palavra clero e seus derivados. Os estranhos capítulos do livro de Josué oferecem um fundo realista a um aspecto importante da teologia do Novo Testamento.
O capítulo começa, como é devido, pelas tribos da Transjordânia, ainda que isto obrigue a repetir coisas de Nm 32.

e maacatitas, além de meio Galaad, até a fronteira de Seon, rei de Hesebon.

⁶Moisés, servo do Senhor, e os israelitas os derrotaram, e Moisés, servo do Senhor, deu suas terras como propriedade aos de Rúben, Gad e à meia tribo de Manassés.

⁷Reis da Cisjordânia que Josué e os israelitas derrotaram, desde Baal-Gad, no vale do Líbano, até o monte Halac*, que sobe em direção a Seir, cujas terras Josué deu como propriedade às tribos de Israel, repartindo-as em lotes; ⁸na montanha, na Sefelá, na estepe, nas encostas da serra, no deserto e no Negueb, onde estavam os heteus, amorreus, cananeus, ferezeus, heveus e jebuseus: ⁹rei de Jericó, um; rei de Hai, perto de Betel, um; ¹⁰rei de Jerusalém, um; rei de Hebron, um; ¹¹rei de Jarmut, um; rei de Laquis, um; ¹²rei de Eglon, um; rei de Gazer, um; ¹³rei de Dabir, um; rei de Gader*, um; ¹⁴rei de Horma*, um; rei de Arad, um; ¹⁵rei de Lebna*, um; rei de Odolam, um; ¹⁶rei de Maceda, um; rei de Betel, um; ¹⁷rei de Tafua*, um; rei de Ofer, um; ¹⁸rei de Afec*, um; rei de Saron, um; ¹⁹rei de Madon, um; rei de Hasor, um; ²⁰rei de Semeron, um; rei de Acsaf, um; ²¹rei de Tanac, um; rei de Meguido, um; ²²rei de Cedes, um; rei de Jecnaam do Carmelo, um; ²³rei de Dor, no distrito de Dor, um; rei dos povos da Galileia, um; ²⁴rei de Tersa, um. Soma total: trinta e um reis.

PARTILHA DA TERRA

13 ¹Josué era velho, de idade avançada, e o Senhor lhe disse:

– Já estás velho, de idade avançada, e ainda resta muita terra para ocupar, ²toda a parte filisteia e todo Gessur; ³desde o Sior, na terra do Egito, até o fim de Acaron, ao norte, região considerada cananeia; além dos cinco principados filisteus (Gaza, Azoto, Ascalon, Gat e Acaron), e os heveus ⁴do sul, todo o país cananeu, desde a Caverna dos fenícios até Afeca*, até a fronteira dos amorreus; ⁵todo o país de Biblos e o Líbano oriental, desde Baal-Gad, ao pé do Hermon, até a Passagem de Emat. ⁶Eu expulsarei diante dos israelitas todos os habitantes da montanha, desde o Líbano até Maserefot-Maim*, e todos os fenícios. Tu tens somente de repartir por sortes a herança deles para Israel, como te ordenei. ⁷Assim, pois, reparte esta terra como herança entre as nove tribos e a meia tribo de Manassés.

Transjordânia – ⁸A outra meia tribo de Manassés, os de Rúben e os de Gad já haviam recebido a herança que Moisés, servo do Senhor, lhes havia destinado na Transjordânia: ⁹desde Aroer, que está à margem do Arnon, com o povoado que há no meio do vale, toda a planície de Medaba até Dibon, ¹⁰e todas as cidades de Seon, rei amorreu que reinava em Hesebon, até a fronteira dos amonitas, ¹¹mais Galaad, o território dos jessuritas e maacatitas, todo o Hermon e todo o Basã até Saleca, ¹²e todo o reino de Og de Basã, que reinava em Astarot e Edrai, e era um dos últimos rafaítas que Moisés derrotou e expulsou. ¹³(Os israelitas, porém, não puderam expulsar os jessuritas e os maacatitas, que continuaram vivendo no meio de Israel até hoje.)

¹⁴Somente à tribo de *Levi* é que Moisés não destinou uma herança; o Senhor Deus de Israel é sua herança, como lhes havia prometido.

13,1-7 Estes versículos formam uma introdução composta: por uma parte, temos os versículos 1 e 7; entre eles há uma inserção. O início fala da velhice de Josué, da qual se segue a urgência de completar sua missão histórica repartindo a terra. O dado da velhice concorda com a nota de 11,18, e talvez com 14,10, pois é de supor que Josué era coetâneo de Caleb. Como o tema da velhice se repete em 23,1, a partilha aparece como um bloco inserido no meio de duas notícias iguais. Ao introduzir entre 1 e 7 os outros versículos, frisa-se a urgência de completar a partilha da terra, embora a conquista ainda não esteja concluída.

13,2-3 Já estão presentes na costa os grandes rivais de Israel, que serão submetidos no tempo de Davi e que se vingarão dando ao país o nome de Palestina. Parece que procedem da Ásia Menor, através de Chipre, e estão organizados em pentápole.

13,4 * = Cerco.

13,4-6 Os territórios do norte correspondem ao império de Davi e Salomão, isto é, trata-se de reinos vassalos, não de território nacional israelita.

13,6 * = Termas.

13,11-13 Com os gessuritas Davi fará uma aliança matrimonial (2Sm 3,3); os maacatitas serão por ele submetidos como vassalos, 2Sm 10,6-8.

13,14 A notícia se repete em 13,33; 14,3-4 e 18,7. Quer dizer que os levitas hão de viver do culto, como explica Nm 18,20-32 e Dt 10,8-9. O livro de Josué vai cumprindo o que manda o Dt pela mão do autor

¹⁵Moisés destinou à tribo de *Rúben*, por clãs, uma herança cujo território era: ¹⁶desde Aroer à margem do Arnon, com o povoado que há no meio do vale, toda a planície de Medaba; ¹⁷Hesebon e todos os povoados da planície, Dibon e as alturas de Baal, Bet-Baal-Meon, ¹⁸Jasa, Cedimot, Nefaat*, ¹⁹Cariataim*, Sábama e Sarat-Asaar, no monte e no vale, ²⁰Bet-Fegor, as encostas do Fasga e Bet-Jesimot: ²¹todos os povoados da planície e todo o reino de Seon, rei amorreu que reinava em Hesebon, que Moisés derrotou, com Evi, Recem, Sur, Hur e Reb, chefes madianitas vassalos de Seon que viviam no país. ²²Os israelitas passaram a fio de espada Balaão, filho de Beor, e os demais. ²³Território dos rubenitas foi o Jordão e sua ribeira. Essa foi, com seus povoados e aldeias, a herança dos rubenitas, repartida por clãs.

²⁴Moisés destinou à tribo de *Gad* (aos gaditas), por clãs, ²⁵uma herança cujo território compreendia: Jazer, todos os povoados de Galaad, a metade do país amonita, até Aroer, diante de Habá, ²⁶e a partir de Hesebon até Ramat Hammispe* e Betonim, desde Maanaim* até os confins de Lo-Dabar*. ²⁷No vale: Bet-Aaram* e Bet-Nemra*, Sucot* e Safon, o que restava do reino de Seon, rei de Hesebon. O Jordão servia de limite até a margem do mar da Galileia na Transjordânia. ²⁸Essa foi, com povoados e aldeias, a herança dos gaditas, por clãs.

²⁹Moisés havia destinado à meia tribo de *Manassés,* por clãs, ³⁰uma herança cujo território compreendia, a partir de Maanaim, todo o Basã, todo o reino de Og, rei de Basã, todas as aldeias de Jair, em Basã: sessenta povoações. ³¹Meio Galaad, Astarot e Edrai, cidades do reino de Og de Basã, couberam aos maquiritas de Manassés (meia tribo de Manassés), por clãs. ³²Essa foi a terra que Moisés repartiu como herança nas estepes de Moab, na Transjordânia, a leste de Jericó. ³³Não destinou herança à tribo de *Levi*. O Senhor Deus de Israel é sua herança, como lhes havia prometido.

14

Introdução – ¹Herança que o sacerdote Eleazar com Josué, filho de Nun, e os chefes de famílias das tribos de Israel ²repartiram entre os israelitas no país de Canaã, lançando sortes, como o Senhor havia ordenado por meio de Moisés, para as nove tribos e meia, ³porque Moisés já havia destinado herança às duas tribos e meia da Transjordânia, e aos levitas não lhes destinou nenhuma dentre as outras tribos ⁴(os descendentes de José formavam duas tribos: Manassés e Efraim); aos levitas, não lhes destinaram um lote no país, mas povoados para habitar e terrenos para seu gado e rebanhos. ⁵Os israelitas fizeram a partilha da terra como o Senhor havia ordenado a Moisés.

---

final. Dessa disposição seguem-se obrigações graves para os israelitas, como indicam Dt 12,12; 14,27-29; 26,13. Contudo, deve-se comparar esta notícia com o cap. 21 do livro.

13,18 * = Fonte do Clamor.
13,19 * = Duas Vilas.
13,21-22 A notícia coincide quase com Nm 31,8, que implica Balaão com os cinco reis da confederação madianita, como instigadores do delito de Baal Fegor (Nm 31,16). Muito diversa é a figura de Balaão em Nm 23-24, por imposição divina cantor das glórias futuras de Israel.

13,26 * = Altos de Atalaia; Acampamentos; Pouca Coisa.
13,27 * = Casa Alta; Casa da Pantera; Cabanas.
13,31 Sobre Maquir, cf. a genealogia de Gn 50,23.
13,33 Ver o v. 14 com sua nota.

14,1-5 À dupla Moisés-Aarão sucede a dupla Josué-Eleazar, num intento de associar o sacerdócio à cerimônia transcendental da partilha da terra. Nm 34,17-29 apresenta uma lista dos chefes de família, na qual não falta Caleb, pela tribo de Judá. Três vezes se faz remontar a cerimônia a um mandato de Moisés.

O número das tribos constitui uma preocupação. Têm de ser doze na partilha; por isso, ao ficar de fora Levi, José se desdobra em duas, segundo a tradição recolhida por Gn 48.

Por seu caráter introdutório, estes versículos reúnem três dos termos clássicos da partilha da terra: herança, lote, sorte.

O episódio de Caleb interrompe a série regular da partilha. Alude aos fatos narrados em Nm 13-14, a exploração prévia da terra; apresenta-se ainda como cumprimento da ordem de Moisés em Dt 1,36. Como outros chefes antigos, Caleb traz nome honorífico de animal: cão, animal valente não domesticado. Entre os exploradores, ele demonstrou com Josué ânimo esforçado, era membro do clã dos cenezeus, que segundo Gn 36,11. 15.42, pertencia aos edomitas descendentes de Esaú; esse clã provavelmente foi assimilado mais tarde pela tribo de Judá. Cabe a ele uma localidade de grande ressonância histórica: pela presença de Abraão (identifica-se Hebron com Mambré) e pela coroação de Davi como rei de todo Israel. Em seu discurso, repete com insistência os nomes do Senhor e de Moisés.

Caleb (Nm 14) – ⁶Os de Judá se aproximaram de Josué em Guilgal, e Caleb, filho de Jefoné, o cenezeu, lhe disse:

– Tu conheces o encargo que, por ordem do Senhor, te deu a meu respeito Moisés, homem de Deus, em Cades Barne. ⁷Quarenta anos tinha eu quando Moisés, servo do Senhor, me enviou de Cades Barne para reconhecer o país, e voltei com uma informação fidedigna. ⁸Os companheiros que foram comigo desanimaram o povo; eu, pelo contrário, segui plenamente o Senhor meu Deus, ⁹e naquele dia Moisés jurou: "A terra que teus pés pisaram será tua herança e de teus filhos para sempre, pois seguiste plenamente o Senhor meu Deus". ¹⁰Pois bem, o Senhor me conservou a vida, como prometeu. Passaram-se quarenta e cinco anos desde que o Senhor o disse a Moisés, quando Israel andava pelo deserto; hoje faço oitenta e cinco anos, ¹¹e ainda estou tão forte como no dia em que Moisés me enviou: sinto-me tão forte agora como então para lutar e para fazer qualquer coisa. ¹²Assim, pois, dá-me esse monte que o Senhor prometeu naquele dia; tu o ouviste: aqui viviam os enacitas, e suas cidades eram grandes e fortificadas. Oxalá o Senhor esteja comigo e consiga expulsá-los, como ele prometeu.

¹³Então Josué o abençoou e deu Hebron como herança a Caleb, filho de Jefoné. ¹⁴Por isso, Hebron pertence por herança a Caleb, filho de Jefoné, o cenezeu, até o dia de hoje, por ter seguido plenamente o Senhor Deus de Israel. ¹⁵Antigamente Hebron se chamava Cariat-Arbe, por causa do gigante enacita.

E o país ficou em paz.

15 Sorte da tribo de Judá por clãs

– ¹Ela caía em direção à fronteira de Edom, ao sul do deserto de Sin*, na extremidade meridional. ²Seu limite sul partia da extremidade do mar Morto, desde a baía que olha para o sul; ³em seguida, saía à frente de Maale Acrabbim*, passava por Sin, subia ao sul de Cades Barne, passava por Hesron, subia a Adar, rodeava Carca, ⁴passava depois por Asemon*, e vinha sair no rio do Egito, para acabar no mar: "Essa será vossa fronteira meridional".

⁵Seu limite oriental era o mar Morto até a foz do Jordão.

⁶Seu limite norte ia desde a baía que há na foz do Jordão, subia a Bet-Hogla, passava ao norte de Bet-Arabá*, subia à Pedra de Boen, filho de Rúben, ⁷até Dabir, pelo vale de Acor*, dirigindo-se a seguir para Guilgal, diante de Maale Adummim*, que está ao sul do vale; passava junto ao arroio de En-Sames*, para terminar em En-Roguel*; ⁸depois subia pelo vale de Ben-Enom, pela vertente sul dos jebuseus (ou seja, Jerusalém); subia ao topo do monte que há sobre o vale de Enom a oeste e que chega pelo norte à extremidade do vale de Rafaim; ⁹a seguir, dobrava-se desde o topo do monte até a fonte do arroio Neftoa e saía nos povoados do monte Efrom, dobrava por Baala (ou seja, Cariat-Iarim*), ¹⁰de Baala dava a volta pelo oeste até os montes de Seir e, passando a vertente norte de Har-Iarim* (ou seja, Queslom*), descia a Bet-Sames*, passava por Tamna, ¹¹chegava a Jebneel e terminava no mar. ¹²O mar Mediterrâneo era a fronteira.

Esses eram os limites do território da tribo de Judá, por clãs.

14,6 Dt 1,36.
14,10 Isto deixa cinco anos para a conquista da Palestina; mas tais números têm aparência de ser artificiais.
14,13 Segundo Nm 13-14, Caleb era companheiro de Josué; agora Josué é seu superior. Não está aí o sacerdote Eleazar para pronunciar a bênção. Josué abençoa aqui e em 22,6s.
14,15 Não se vê a relação entre o homem da cidade e o gigante. Como 'arba significa quatro, o nome da cidade pode ter sido Quatro Caminhos ou Quatro Ventos ou Vila Quadrada.
A fórmula final pode indicar uma pausa na exposição ou pode referir-se ao território de Caleb; no segundo caso antecipa o que Caleb pede no v. 12.
15 É notável o detalhe e a abundância com que se apresentam os domínios da tribo de Judá; influi nisso a importância capital que esta tribo adquiriu na história posterior, pela dinastia e pela sua permanência como reino meridional, quando Samaria caiu.
15,1-12 As fronteiras de Judá são generosas, especialmente a ocidente; com muito cuidado está delimitado o território que circunda Jerusalém, conquistado por Davi.
15,1 * = Espinho.
15,3 * = Encosta dos Escorpiões.
15,4 * = Fortaleza.
15,6 * = Casa Só.
15,7 * = Desgraça; Costa Vermelha; Fonte do Sol; Fonte do Explorador.
15,9 * = Vila Moitas.
15,10 * = Monte Moitas; Simplório; Casa do Sol.

Caleb e Otoniel – (Jz 1,10-15) [13]Josué, seguindo a ordem do Senhor, destinou a Caleb, filho de Jefoné, uma propriedade no meio de Judá: Cariat*-Arbe (o pai de Enac), ou seja, Hebron. [14]Caleb expulsou daí os três filhos de Enac, descendentes de Enac: Sesai, Aimã e Tolmai. [15]Daí subiu contra os de Dabir, antigamente chamada Cariat-Sefer*, [16]e prometeu:

– Darei minha filha Acsa como esposa a quem tomar de assalto Cariat-Sefer.

[17]Otoniel, filho de Cenez, parente de Caleb, tomou a cidade, e Caleb lhe deu por esposa sua filha Acsa. [18]Quando ela chegou, Otoniel a estimulou a pedir um terreno a seu pai; ela desceu do burro e Caleb lhe perguntou:

– O que queres? [19]Respondeu:

– Dá-me um presente. A terra que me deste é seca; dá-me alguma fonte de água.

Caleb lhe deu a fonte superior e a inferior. [20]Essa foi a herança da tribo de Judá, por clãs.

Povoações da tribo de Judá – [21]Na fronteira do sul, junto a Edom: Cabseel, Eder*, Jagur, [22]Cina*, Dimona, Adada*, [23]Cades, Hasor*, Jetnã, [24]Zif, Telém, Balot*, [25]Hasor-Adata*, Cariat-Hesron* (ou seja, Hasor*), [26]Amam, Sama, Molada, [27]Haser-Gada*, Hasemon, Bet-Félet*, [28]Hasor-Sual*, o município de Bersabeia, Biziotia, [29]Baala, Jim*, Esem*, [30]Eltolad, Cesil, Horma*, [31]Siceleg, Madmana, Sensena*, [32]Lebaot*, Selim*, En-Remon*. Vinte e nove povoados com suas aldeias.

[33]Na Sefelá: Estaol, Saraá, Asena, [34]Zanoe, En-Ganim*, Tafua* e Enaim*, [35]Jarmut, Odolam, Soco*, Azeca*, [36]Saraim*, Adita, Aditaim, Gedera*, Geredotaim*. Catorze povoados com suas aldeias.

[37]Sanã*, Hadasa*, Magdol-Gad*, [38]Deleã, Hamispe*, Jecetel, [39]Laquis, Bascat, Eglon*, [40]Quebon, Leemas, Cetlis, [41]Gederot*, Bet-Dagon*, Naama*, Maceda. Dezesseis povoados com suas aldeias.

[42]Lebna*, Eter, Asã*, [43]Jefta*, Esna, Nesib*, [44]Ceila, Aczib, Maresa. Nove povoados com suas aldeias.

[45]O município de Acaron com suas aldeias [46]e desde Acaron até o mar, todos os povoados que ficam do lado de Azoto, com suas aldeias.

[47]O município de Azoto e suas aldeias, o município de Gaza e suas aldeias até o rio do Egito. O Mediterrâneo era a fronteira.

[48]Na montanha: Saamir*, Jeter*, Soco*, [49]Dana, Cariat-Sana* (ou seja, Dabir), [50]Anab*, Estemo, Anim, [51]Gósen, Holom, Gilo. Onze povoados com suas aldeias.

[52]Arab*, Rumá*, Esaã*, [53]Janum, Bet-Tafua*, Afeca*, [54]Hamata*, Cariat*-Arbe (ou seja, Hebron), Esior. Nove povoados com suas aldeias.

[55]Maon, Carmel*, Zif, Jota, [56]Jezrael, Jucaam, Zanoe, [57]Acaim*, Gabaá*, Tamna. Dez povoados com suas aldeias.

15,13-20 Esta estória continua e completa a notícia de 14,6-15, e se repete quase literalmente em Jz 1,11-15. Otoniel representa outro ramo da tribo ou clã de Cenez, incorporado a Judá. O método das sortes fica suspenso também nesta estória, com a qual se justificam direitos de propriedade locais.
15,13 * = Vila.
15,15 * = Vila do Escrivão.
15,21 * = Rebanho.
15,22 * = Ninho; Perpétua.
15,23 Cades (*qdsh*) significa santo: poderia fazer alusão a santuário ou lugar sagrado primitivo. * = Aldeia.
15,24 * = Donas.
15,25 * = Aldeia Nova; Herança; Aldeia.
15,27 * = Aldeia Ribeira; Refúgio.
15,28 * = Aldeia da Raposa.
15,29 * = Ruínas; Forte.
15,30 Eltolad poderia significar o Deus da geração ou da fecundidade. O primeiro componente é 'el = Deus. * = Extermínio.
15,31 * = Espinhal.
15,32 * = Leoas; Canais; Fonte da Romã.
15,34 * = Fonte dos Jardins; Macieira; Duas Fontes.
15,35 * = Sebe; Cavada.
15,36 * = Duas Portas; Cerca; Dois Muros.
15,37 Gad é, entre outras coisas, o nome do deus da fortuna. * = Ovina; Nova; Torre Gad.
15,38 * = Outeiro.
15,39 * = Bezerros.
15,41 * = Muros; Casa do Trigo; Formosa.
15,42 * = Alba; Fumaça.
15,43 * = Abrideira; Acampamento.
15,45-47 É uma região que pertencia aos filisteus.
15,48 * = Sarçal; Eminência; Sebe.
15,49 * = Vila do Escrivão.
15,50 * = Uva.
15,52 * = Espreita; Calada; Pontal.
15,53 * = Casa da Macieira; Cerco.
15,54 * = Lagarteira; Vila.
15,55 * = Várzea.
15,57 * = Ninho; Alto.

⁵⁸Halul*, Bet-Sur*, Gedor*, ⁵⁹Maret*, Bet-Anot*, Eltecom. Seis povoados com suas aldeias.

Técua*, Éfrata (ou seja, Belém), Fegor, Etam*, Culon, Tatam, Sores, Carem*, Galim*, Beter, Manaat. Onze povoados com suas aldeias.

⁶⁰Cariat-Baal* (ou seja, Cariat-Iarim*), Rabá*. Dois povoados com suas aldeias.

⁶¹No deserto: Bet-Arabá*, Medin, Sacaca*, ⁶²Nebsã, Ir-Hammela*, Engadi*. Seis povoados com suas aldeias.

⁶³Mas a tribo de Judá não pôde expulsar os jebuseus que habitavam em Jerusalém; por isso continuaram vivendo em Jerusalém, no meio de Judá, até hoje.

16 Sorte da tribo de José

– ¹O limite partia do Jordão, a leste de Jericó, e subia de Jericó até a montanha de Betel. ²Saindo de Betel (Luza*), ia até a fronteira dos arquitas, em Atarot. ³Descia pelo oeste até a fronteira dos jeflatitas, até o final de Bet-Horon Inferior e Gazer, e terminava no mar. ⁴Essa foi a herança de Manassés e Efraim, filhos de José.

⁵Território dos efraimitas por clãs. O limite de sua herança ia de Atarot-Adar ao leste, até Bet-Horon Superior, ⁶terminando no mar; de Macmetat, ao norte, dava uma volta para o leste de Tanat* de Silo, passava a seguir ao leste de Janoe; ⁷daí descia a Atarot e Naarata*, chegava a Jericó e terminava no Jordão. ⁸De Tafua* ia em direção oeste pelo vale de Caná*, terminando no mar. Essa foi a herança da tribo de Efraim por clãs, ⁹além dos povoados reservados aos efraimitas na herança de Manassés, povoados com suas aldeias. ¹⁰Efraim não pôde expulsar os cananeus de Gazer; os cananeus continuaram vivendo no meio de Efraim, até hoje, embora submetidos a trabalhos forçados.

17 Sorte da tribo de Manassés, primogênito de José

– ¹A Maquir, primogênito de Manassés, pai de Galaad, que era homem guerreiro, couberam Galaad e Basã. ²Aos outros filhos de Manassés coube-lhes por clãs (ao clã de Abiezer, de Helec, de Esriel, de Sequem, de Héfer, de Semida, ou seja, os filhos homens de Manassés, filho de José). ³Salfaad, filho de Héfer, de Galaad, de Maquir, de Manassés, não teve filhos homens, somente filhas; chamavam-se Maala, Noa, Hegla, Melca e Tersa. ⁴Elas se apresentaram ao sacerdote Eleazar, a Josué, filho de Nun, e aos representantes das tribos, reclamando:

– O Senhor ordenou a Moisés que nos desse uma herança entre nossos parentes.

Então lhes deram, segundo a ordem do Senhor, uma herança entre os parentes de seu pai. ⁵Dessa forma, couberam a Manassés dez partes, além de Galaad e Basã, na Transjordânia, ⁶porque as filhas de Manassés receberam uma herança entre seus parentes, ao passo que o país de Galaad foi para os outros filhos de Manassés.

⁷O limite de Manassés (vizinho de Aser) partia de Macmetat, diante de Siquém,

---

15,58 * = Tremedal; Casa da Rocha; Cercado.
15,59 A partir de Técua falta no texto hebraico. * = Cova, Casa Anot, Técua etc. acrescentado do grego, falta no hebraico; Águias; Vinha; Entulheira.
15,60 Senhor; quer dizer, *ba'al*, nome da divindade, mas também do chefe do lugar.
 * = Vila Senhor; Vila Moitas; Grande.
15,61 Sacaca (Valado) é a mesma formação semântica que Ceuta (do latim Septa). * = Casa Só; Valado.
15,62 * = Salinas; Fonte do Cabrito.
15,63 O v. 8 dá a mesma identificação; em troca, 18,26 o coloca no território de Benjamim. Como Dt 7,1 e 20,17 ordena a expulsão dos jebuseus – na lista de sete povos –, a notícia deste versículo, repetida em Jz 1,21, é uma exceção digna de nota. E a observação "até hoje" parece indicar que ao menos alguns continuaram vivendo sem assimilar-se aos israelitas, embora convivendo com eles.

16,2 * = Amendoal.
16,3 Os jeflatitas parecem ser uma povoação cananeia não submetida.

16,6 * = Figueira.
16,7 * = Moça.
16,8 * = Macieira; Canas.

17,3-4 O episódio recolhe no final de Números, e mostra a importância que o autor atribui à partilha inicial e à sua continuidade através das gerações. O caso de haver só descendência feminina coloca um problema em que se definirão as prioridades. As mulheres nesse caso recebem herança? – Sim. Podem elas casar-se livremente? – Sim. Mas, casando-se fora da tribo, devem renunciar à herança paterna, para que esta permaneça na tribo. A partilha, em sua qualidade de propriedade hereditária, cria o espaço de enraizamento da tribo. Diverso é o caso de Rute, no qual a propriedade arrasta consigo a proprietária viúva e sem filhas. A falta de filhos varões, que se costuma considerar uma desgraça, não o é no grande projeto de partilha da terra. Por outro lado, vimos (15,17-19) que a intervenção de uma mulher deixa Otoniel substancialmente melhorado.

17,7 * = Fonte da Macieira.

continuava ao sul de En-Tafua* (⁸a região de Tafua* pertencia a Manassés, mas o povoado, nos confins de Manassés, era de Efraim), ⁹e descia pelo vale de Caná*; os povoados ao sul do vale eram os povoados que Efraim possuía no meio de Manassés; Manassés chegava até a parte norte do vale; seu limite terminava no mar. ¹⁰Confinavam com o mar: ao sul, Efraim, e ao norte, Manassés; este confinava ao norte com Aser, e a leste com Issacar. ¹¹Manassés tinha distritos em Issacar e Aser: o município de Betsã, o de Jeblaam, os habitantes do município de Dor, os do município de Endor*, os do município de Tanac e os do município de Meguido; três quartos do distrito.

¹²Todavia, Manassés não conseguiu desalojar essas cidades, e os cananeus puderam permanecer nessa região. ¹³Quando os israelitas se tornaram fortes, os submeteram a trabalhos forçados, apesar de não conseguirem expulsá-los.

¹⁴Os filhos de José reclamaram com Josué:

– Por que nos deste como herança somente uma sorte e uma parte, sendo que nós, graças a Deus, somos tantos?

¹⁵Josué respondeu-lhes:

– Se sois muitos, subi aos bosques e desmatai a região dos ferezeus e rafaítas, se é verdade que a serra de Efraim é estreita para vós.

¹⁶Os de José replicaram:

– A serra não nos é suficiente. Por outro lado, os cananeus que vivem no vale possuem carros de ferro (os do município de Betsã e os do vale de Jezrael).

¹⁷Josué respondeu aos filhos de José, Efraim e Manassés:

– Sois muitos e fortes: não tereis uma parte somente. ¹⁸Tereis uma montanha; é verdade que é uma floresta, mas a desmatareis, e seus confins serão vossos. Além disso, expulsareis os cananeus, apesar de terem carros de ferro e serem poderosos.

18

¹Toda a assembleia israelita se reuniu em Silo e instalou aí a tenda do encontro. O país estava submisso a eles. ²Mas restavam sete tribos israelitas que ainda não haviam recebido sua herança. ³Josué lhes disse:

– Até quando ficareis de braços cruzados, sem ir para tomar posse da terra que o Senhor Deus de vossos pais vos deu? ⁴Escolhei três homens de cada tribo; eu os mandarei percorrer o país para que façam um plano dividido por heranças, e eles me trarão o projeto. ⁵Dividirão o país em sete partes. Judá continuará em seu território, ao sul, e a casa de José no seu, ao norte. ⁶Fazei o plano do país em sete partes e trazei-me o projeto. Depois as sortearei aqui, diante do Senhor nosso Deus. ⁷(Os levitas não têm parte própria entre vós; sua herança é

17,8 * = Macieira.
17,9 * = Canas.
17,11 * = Fonte Dor.
17,12-13 Trata-se de praças-fortes, de excelentes condições estratégicas.
17,14-18 A tribo de José, que se apresentou dividida em Manassés e Efraim nas páginas precedentes, se mostra aqui como unidade; o que demonstra como o autor final trabalha com materiais heterogêneos. Que sejam muito numerosos corresponde à realidade histórica; além disso, é uma alusão à etimologia de *Yosep* = aumente, acrescente. Encontram-se estreitados entre duas barreiras: da parte do vale, pela barreira humana e militar dos cananeus, com os quais não podem travar batalha; da parte da montanha, pela barreira de bosques inabitáveis e incultiváveis. A resposta de Josué desmente o método bélico de penetração e propõe uma conquista paciente da natureza, lavrando bosques. Talvez essa solução reflita melhor a realidade histórica do que outras versões militares. Contudo, Josué se sente um pouco profeta e promete também que prevalecerão sobre os bem armados cananeus. O autor pode ter pensado na derrota de Jabin e Sísara (Jz 4-5), quando a supremacia dos carros acabou sendo fatal.

18,1-10 Estes versículos são uma pausa que divide a partilha em duas partes desiguais. Observemos três dados significativos. Primeiro, que todo o território está submetido, não despovoado, não abandonado pelos habitantes anteriores; o dado pertence à simplificação esquemática do livro. Segundo, o acampamento militar se transferiu de Guilgal, no sul, ao coração do país, a Silo, uns 20 km ao sul de Siquém, lugar do santuário da arca até o tempo de Davi. Terceiro, menciona-se a "tenda do encontro", designação típica do autor sacerdotal (**P**).
Ante a inação de sete tribos, Josué deve tomar de novo a iniciativa para completar sua missão. A viagem dos enviados não é de exploração, mas de registro. O fato de dividir as porções primeiro, e sorteá-las depois, parece procedimento imparcial; mas apenas supondo que as tribos sejam iguais em número. Outra consequência da construção esquemática do livro.
18,1 Silo se encontra no coração da terra ocupada; o acampamento militar de Guilgal se transferiu para o centro e já tem caráter pouco militar.
18,5 Judá e José ao sul, vistos de Silo; mas estão bem localizados em relação mútua.

serem sacerdotes do Senhor. Quanto a Gad, a Rúben e à meia tribo de Manassés, já receberam na Transjordânia a herança que lhes destinou Moisés, servo do Senhor.)

⁸Quando aqueles homens se puseram a caminho para fazer o mapeamento do país, Josué ordenou-lhes:

– Percorrei o país e trazei-me um mapa; quando voltardes, lançarei as sortes diante do Senhor, aqui em Silo.

⁹Eles foram e percorreram o país, registrando por escrito os povoados em sete partes, e voltaram a Josué no acampamento de Silo. ¹⁰Josué lançou sortes em Silo, diante do Senhor; aí distribuiu a terra entre os israelitas, por partes.

¹¹Saiu a sorte de Benjamim, por clãs. O território que lhe coube está entre Judá e José. ¹²Seu limite norte partia do Jordão, subia pela vertente norte de Jericó, depois pelo monte em direção ao oeste, terminando no deserto de Bet-Áven. ¹³Daí passava a Luza* (ou seja, Betel) pelo lado sul, descendo a seguir a Atarot-Adar pelo monte que há ao sul de Bet-Horon Inferior. ¹⁴A seguir, dobrava, dando uma volta pela parte oeste, em direção ao sul, desde o monte que está diante de Bet-Horon, ao sul, para terminar em Cariat-Baal* (ou seja, Cariat-Iarim*), povoado que pertencia a Judá. Esse era o limite ocidental.

¹⁵Pelo sul, do fim de Cariat-Iarim, ia em direção à fonte do arroio de Neftoa. ¹⁶A seguir, pela extremidade do monte que há diante do vale de Enom, ao norte do vale de Rafaim*, descia ao vale de Enom pelo lado sul dos jebuseus, até En-Roguel*; ¹⁷depois dobrava para o norte, chegava a En-Sames* e às colinas que há diante de Maale Adomim*, descia até a pedra de Boen, filho de Rúben, ¹⁸passava pelo lado norte, diante de Bet-Arabá*, descia até a estepe, ¹⁹passava pelo lado norte de Bet* Hegla, terminando na baía do mar Morto, a baía norte, na foz do Jordão. Esse era o limite meridional.

²⁰Ao leste, o Jordão lhe servia de limite.

Essa foi a herança de Benjamim, por clãs, seguindo o traçado de seus limites.

²¹Povoados da tribo de Benjamim, por clãs: Jericó, Bet-Hegla, Vale Casis*, ²²Bet--Arabá, Samaraim*, Betel, ²³Avim, Fara, Efra, ²⁴Povoado do Amonita, Ofni, Gaba*. Doze povoados com suas aldeias.

²⁵Gabaon, Ramá*, Berot*, ²⁶Masfa*, Cafira*, Mosa, ²⁷Recém, Jarafel, Tarala, ²⁸Sela-Elef*, Jebus (ou seja, Jerusalém), Gabaá, Cariat-Iarim. Catorze povoados com suas aldeias.

Essa foi a herança de Benjamim, por clãs.

19

¹Em segundo lugar, saiu a sorte de Simeão, por clãs. Sua herança ficava no meio da herança de Judá.

²Couberam-lhe como herança: Bersabeia, Saba, Molada, ³Hasar-Sual*, Bela, Asem, ⁴Eltolad, Betul, Holma*, ⁵Siceleg, Bet-Marcabot*, Hasar-Susa*, ⁶Bet-Lebaot*, Saroen. Treze povoados com suas aldeias. ⁷Ain Remon*, Atar, Asã*. Quatro povoados com suas aldeias.

⁸Mais todas as aldeias que há em volta desses povoados até Baalat-Beer* e Ramá do Negueb.

Essa foi a herança da tribo de Simeão, por clãs.

18,12 Bet-Áven se converte em nome depreciativo para designar Betel: de Casa de Deus passa a Casa de Nulidade. Mas é possível que em certo tempo existisse um santuário chamado Casa de Potência, escrito com as mesmas letras que Bet-Áven.
18,13 * = Amendoal.
18,14 * = Vila Senhor; Vila Moitas.
18,15 Neftoa parece corrupção do nome do faraó Merneptá, ligado a uma fonte bem conhecida.
18,16 *= Refa'im é o nome de uma população autóctone. Mais tarde se converte para os israelitas em algo parecido com o nosso "as almas". * = Fonte do Explorador.
18,17 * = Fonte do Sol; Costa Vermelha.
18,18 * = Casa Só.
18,19 * = Casa.
18,21 * = Cortado.
18,22 * = Laneira.
18,24 * = Alto.
18,25-26 Reaparecem os nomes da tetrápole heveia, protagonista do capítulo 9.
18,25 * = Maçada; Poços.
18,26 * = Atalaia; Leoa.
18,28 * = Costela de Boi.
19,3 * = Aldeia da Raposa.
19,4 * = Extermínio.
19,5 * = Casa dos Carros; Aldeia da Égua.
19,6 * = Casa das Leoas.
19,7 Para chegar ao número quatro deveria introduzir o nome Talca, que uma tradução grega oferece.
* = Fonte da Romã; Fumaça.
19,8 Segundo a escrita hebraica r'mt, poderia significar búfala; segundo a identificação com rmt, significa antes alta, altura. * = Ama do Poço.

⁹A herança de Simeão situava-se na parte de Judá, pois a Judá coubera uma parte muito grande; por isso, os de Simeão tinham sua herança no meio de Judá.

¹⁰Em terceiro lugar, saiu a sorte de Zabulon, por clãs. ¹¹Seu limite chegava até Sarid, subia pelo oeste a Merala*, chegava a Debaset* e ao vale de Jecnaam. ¹²De Sarid voltava para o leste, até o fim de Ceselet-Tabor, avançava em direção a Daberet e subia a Jáfia*; ¹³daí, seguindo para o leste, passava por Gat-Héfer* até Etacasim*, chegava a Remon* e voltava em direção a Noa; ¹⁴depois dava a volta pelo norte de Hanaton, para terminar no vale de Jectael; ¹⁵Catet, Semeron, Jerala e Belém. Doze povoados com suas aldeias. ¹⁶Essa foi a herança de Zabulon, por clãs, os povoados com suas aldeias.

¹⁷Em quarto lugar, saiu a sorte da tribo de Issacar, por clãs. ¹⁸Seu território compreendia: Jezrael, Casalot, Suném, ¹⁹Hafaraim*, Seon, Anaarat, ²⁰Rabit*, Cesion*, Abes, ²¹Ramet, En-Ganim*, En-Hada*, Bet-Fases*; ²²o limite chegava ao Tabor, Sien e Bet-Sames*, terminando no Jordão. Dezesseis povoados com suas aldeias. ²³Essa foi a herança de Issacar, por clãs, os povoados com suas aldeias.

²⁴Em quinto lugar, saiu a sorte da tribo de Aser, por clãs. ²⁵Seu território compreendia: Halcat*, Cali, Beten, Acsaf, ²⁶Elmelec*, Amaad e Messal*; o limite ocidental chegava ao Carmelo e Sior-Labanat*; ²⁷dobrando para o leste até Bet-Dagon*, chegava a Zabulon e à parte norte do vale de Jeftael, a Bet-Emec* e Neiel, saindo pelo norte a Cabul*, ²⁸Abdon, Roob*, Hamor*, Caná e Sidônia, a capital; ²⁹voltava em direção a Ramá e à fortaleza de Tiro, a seguir voltava por Hosa e terminava no mar. Maaleb, Aczib, ³⁰Aco, Afec* e Hoob. Vinte e dois povoados com suas aldeias. ³¹Essa foi a herança da tribo de Aser, os povoados com suas aldeias.

³²Em sexto lugar, saiu a sorte da tribo de Neftali, por clãs. ³³Seu limite partia de Helef, o Carvalho de Saananim, Adami-Neceb* e Jebnael, até Lecum, terminando no Jordão; ³⁴a seguir voltava-se para o leste, para Aznot-Tabor; daí saía para Hucoca e confinava com Zabulon ao sul, com Aser a oeste e com o Jordão a leste; ³⁵compreendia as fortalezas de Assedim, Ser, Emat*, Recat, Genesaré, ³⁶Edema*, Rama*, Hasor, ³⁷Cedes, Edrai, En-Hasor*, ³⁸Jeron, Magdalel, Horém, Bet*-Anat e Bet-Sames*. Dezenove povoados com suas aldeias. ³⁹Essa foi a herança da tribo de Neftali, por clãs, os povoados com suas aldeias.

⁴⁰Em sétimo lugar, saiu a sorte da tribo de Dã, por clãs. ⁴¹O território de sua herança compreendia: Saraá, Estaol, Ir-Sames*, ⁴²Salebim, Aialon*, Itla, ⁴³Elon*, Tamna, Acaron, ⁴⁴Eltece, Gebeton, Baalat, ⁴⁵Jeud, Benê-Barac*, Gat-Remon*, ⁴⁶Rio Jacon*, terminando diante de Jope. ⁴⁷Mas, para os danitas, o território era apertado, e subiram para atacar Laís; eles a conquistaram, passaram seus habitantes a fio de espada, tomaram posse e se instalaram nela, chamando-a Dã, em memória de seu antepassado.

⁴⁸Essa foi a herança de Dã, por clãs, os povoados com suas aldeias.

19,10 * = Ama do Poço.
19,11 * = Álamo; Giba.
19,12 * = Fulgente.
19,13 * = Lagar da Cova; Itá do Príncipe; Romã.
19,19 * = Duas Cavas.
19,20 * = Grande; Pedra de Amolar.
19,21 * = Fonte dos Jardins; Fonte Rábida; Casa Moída.
19,22 * = Casa do Sol.
19,25 * = Sítio.
19,26 O hebraico lê *sihor*, que significa turvo e designa o rio do Egito, e poderia usar-se como genérico de rio; alguns pensam em dois rios que se fundem numa zona pantanosa, e que seriam o turvo e o claro.
 * = Azinheira do rei; Demanda; Rio Branco.
19,27 * = Casa do Trigo; Casa do Vale; Terreno Baldio.
19,28 * = Praça; Termas.
19,30 * = Cerco.
19,33 * = Campo Perfurado.

19,35 Duvidosos os nomes de Assedim e Ser, que alguns consideram como duplicado mal escrito de Sidônia e Tiro, v. 28. * = Termas.
19,36 * = Campos; Alta.
19,37 * = Fonte da Aldeia.
19,38 * = Casa; Casa do Sol.
19,41 Talvez se venerasse antes a divindade solar em Vila do Sol. * = Vila do Sol.
19,42 * = Veadeiro.
19,43 * = Carvalheira.
19,45 Relâmpagos ou Filhos do Raio. Barac, chefe da coalizão israelita animada por Débora; é o mesmo nome de Amílcar Barca (que, segundo alguns, dá nome a Barcelona, Barcino). O nome poderia referir-se à família de um chefe famoso.
 * = Relâmpagos; Lagar da Romã.
19,46 * = Verde.
19,47 Antecipa os acontecimentos de Jz 17-18.

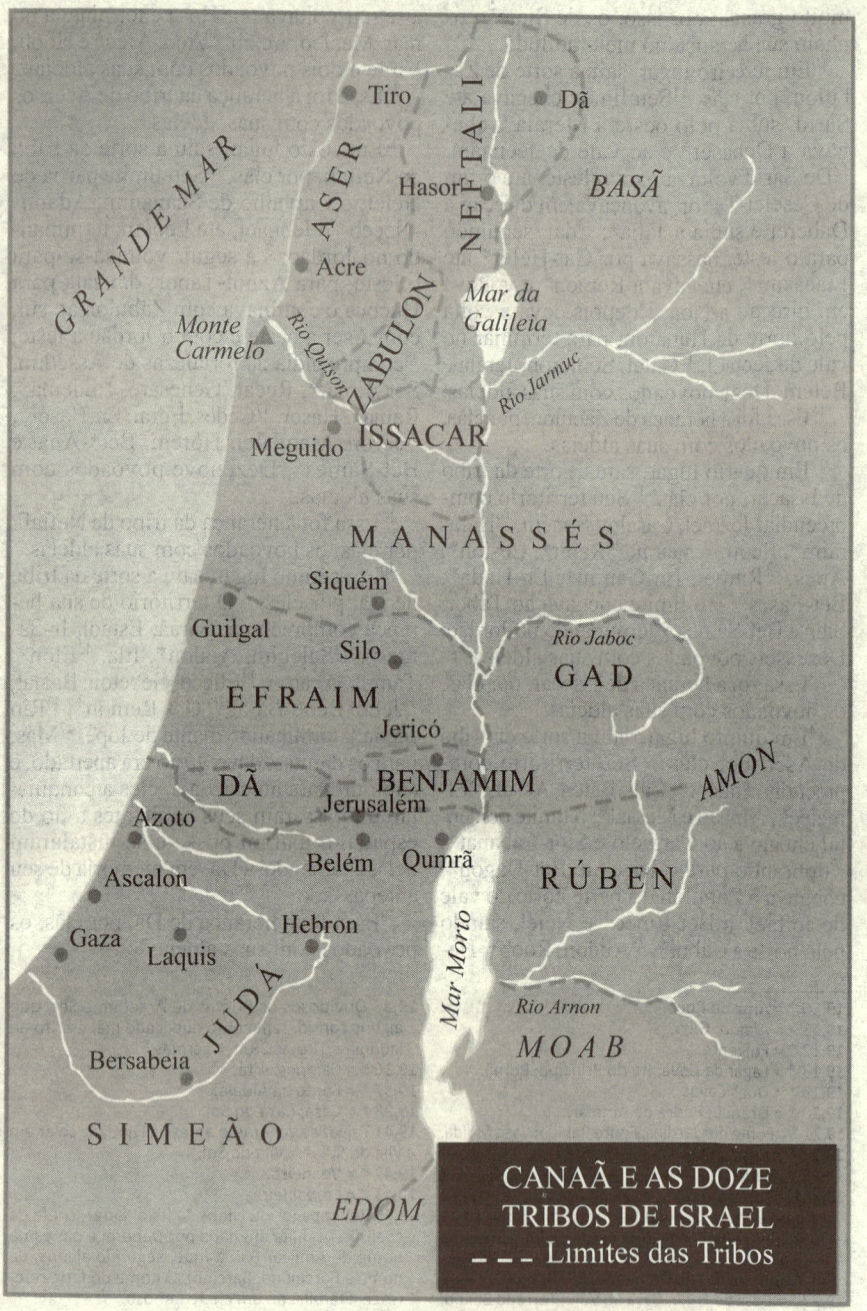

⁴⁹Assim acabaram de repartir a terra segundo suas fronteiras. Depois, os israelitas deram a Josué, filho de Nun, uma herança no meio deles. ⁵⁰Seguindo a ordem do Senhor, deram-lhe o povoado que pediu: Tamnat-Saraá, na serra de Efraim. Josué o reconstruiu e aí se instalou.

⁵¹Essa foi a herança que o sacerdote Eleazar, Josué, filho de Nun, e os chefes de família repartiram entre as tribos de Israel lançando sortes em Silo, na presença do Senhor, na entrada da tenda do encontro. Assim terminaram de repartir o país.

20 Cidades de refúgio (Nm 35; Dt 19) – ¹O Senhor disse a Josué:

– ²Dize aos israelitas: ³Estabelecei as cidades de refúgio, das quais falou Moisés, onde possa refugiar-se quem tiver matado alguém sem intenção, para que lhe sirvam de refúgio contra o vingador do sangue. ⁴Se buscar refúgio numa dessas cidades, ele se porá na praça junto à porta da cidade, exporá seu caso aos conselheiros; estes o admitirão no povoado e lhe designarão uma casa para viver entre eles. ⁵Se o vingador do sangue chegar em sua perseguição, não lhe entregarão o homicida, pois matou involuntariamente, sem ter ódio do outro. ⁶Viverá nessa cidade até comparecer ao julgamento diante da assembleia, até que morra o sumo sacerdote em função nesse tempo. Depois, o assassino poderá voltar à sua cidade, à sua casa, à cidade da qual fugiu.

⁷Então os israelitas separaram Cades da Galileia, nos montes de Neftali; Siquém, na serra de Efraim; Vila Arbe (ou seja, Hebron), na serra de Judá. ⁸Na Transjordânia, a leste de Jericó, designaram Bosor Bamidbar*, na planície da tribo de Rúben; Hamot de Galaad, na tribo de Gad, e Golã de Basã, na tribo de Manassés.

⁹Essas foram as cidades designadas pelos israelitas e imigrantes que habitavam entre eles, a fim de que nelas o homicida involuntário pudesse encontrar refúgio, escapando de morrer nas mãos do vingador do sangue, antes de comparecer diante da assembleia.

21 Cidades levíticas (Nm 35,1-8) – ¹Os chefes de família da tribo de Levi aproximaram-se do sacerdote Eleazar, de Josué, filho de Nun, e dos chefes de família das tribos de Israel, ²em Silo, no país de Canaã, e lhes disseram:

– O Senhor ordenou, por meio de Moisés, que se nos dessem povoados para viver e pastagens para nossos rebanhos.

³Então os israelitas, seguindo a ordem do Senhor, deram de suas heranças aos levitas os seguintes povoados com suas pastagens.

⁴Tiraram-se as sortes para o clã de Caat; aos levitas descendentes do sacerdote Aarão couberam treze povoados das tribos

---

19,50 É o lugar onde será enterrado (Js 24,30).
19,51 Termina em perfeita inclusão, repetindo quase literalmente o versículo inicial (Js 18,1).
20 O direito de asilo é um costume praticado e sancionado em muitos povos e em diversas culturas; em geral é privilégio dos templos. A instituição de povoados inteiros com direito de asilo parece condicionada pela duração eventual da estância. Três das cidades mencionadas: Cades, como seu nome indica, Siquém e Hebron.
Primeiro, a legislação se encontra numa lei breve de Ex 21,12.13: refere-se a casos de homicídio não culpável, e não indica lugares. Segundo, numa ampla exposição de Nm 35,9-24, que nos informa detalhadamente sobre a prática. Terceiro, em Dt 19,1-13, que insiste também na distinção entre homicídio involuntário e culpável.
O "vingador do sangue" é uma figura jurídica particular da lei do "goelato" = resgate, vindicação. Resgate de propriedades familiares hereditárias, resgate de familiares escravos, vindicação (sendo impossível o resgate) de um familiar morto. É uma obrigação de solidariedade e a execução é ato de justiça vindicativa. Vige como norma ordinária antes do estabelecimento de tribunais competentes. Quando estes se instituem, o homicida e o vingador ficam submetidos à sua jurisdição superior, garantia mais segura de justiça (ver Sl 72); se falham os homens, Deus mesmo pode encarregar-se de fazer justiça (ver o relato de Caim em Gn 4).
A morte do sumo sacerdote parece marcar um prazo de prescrição. No meio da partilha geral da terra, este capítulo ultrapassa o tema e atesta a preocupação pela justiça na convivência dos cidadãos, particularmente em casos onde está em jogo a vida de alguns membros.
20,8 * = Fonte do Deserto.
21 Este capítulo se apresenta como execução da ordem recolhida em Nm 35,1-8. É certo que a tribo de Levi não teve território próprio, e por isso lhe reservaram os emolumentos do culto. "Ser sacerdotes do Senhor é sua herança", diz Dt 18.5; 18,7. As seis vilas de refúgio do capítulo precedente vêm a ser também cidades levíticas.
Com essa ordenação, grupos de levitas ficavam dispersos por todo o território de Israel. Atuavam como centros religiosos? Alguém os tem comparado com os mosteiros medievais, em sua função religiosa e colonizadora. Muito diversa é a ordenação artificial que Ez 48 propõe.

de Judá, Simeão e Benjamim. ⁵Aos outros filhos de Caat, por clãs, couberam no sorteio dez povoados das tribos de Efraim, Dã e a metade de Manassés. ⁶Aos filhos de Gérson, por clãs, couberam no sorteio dez povoados das tribos de Issacar, Aser e Neftali e a metade de Manassés, em Basã. ⁷Aos filhos de Merari, por clãs, couberam doze povoados das tribos de Rúben, Gad e Zabulon. ⁸Os israelitas destinaram por sorteio esses povoados com suas pastagens, como o Senhor havia ordenado a Moisés.

⁹Das tribos de Judá e Simeão destinaram-lhes os povoados indicados a seguir: ¹⁰Aos levitas filhos de Aarão, dos clãs de Caat, (¹¹porque a eles coube a sorte por primeiro), Cariat-Arbe (o pai de Enac), ou seja, Hebron, na serra de Judá, com suas pastagens ao redor; ¹²seus campos e aldeias haviam sido dados como propriedade a Caleb, filho de Jefoné. ¹³Com direito de asilo para os homicidas destinaram-lhes Hebron e suas pastagens, Lebna* e suas pastagens, ¹⁴Jeter e suas pastagens, Estemo e suas pastagens, ¹⁵Holon* e suas pastagens, Dabir e suas pastagens, ¹⁶Asã e suas pastagens, Jeta e suas pastagens, Bet-Sames* e suas pastagens. Nove povoados das duas tribos citadas.

¹⁷Da tribo de Benjamim: Gabaon e suas pastagens, Gaba* e suas pastagens, ¹⁸Anatot e suas pastagens, Almon e suas pastagens: quatro povoados.

¹⁹Soma total dos povoados dos sacerdotes, filhos de Aarão: treze povoados e suas pastagens.

²⁰Aos demais levitas descendentes de Caat, dos clãs de Caat, couberam-lhes por sorte povoados da tribo de Efraim; ²¹destinaram-lhes, com direito de asilo para os homicidas, Siquém e suas pastagens, na serra de Efraim, Gazer e suas pastagens, ²²Jecmaan e suas pastagens, Bet-Horon e suas pastagens: quatro povoados.

²³Da tribo de Dã: Eltece e suas pastagens, Gebaton e suas pastagens, ²⁴Aialon* e suas pastagens, Gat-Remon* e suas pastagens: quatro povoados. ²⁵E da meia tribo de Manassés: Tanac e suas pastagens, Remon* e suas pastagens: dois povoados.

²⁶Soma total dos povoados com suas pastagens para os clãs dos restantes filhos de Caat: dez.

²⁷Para os levitas, filhos de Gérson e suas famílias: da meia tribo de Manassés, com direito de asilo para os homicidas, Golã de Basã e suas pastagens, Astarot e suas pastagens: dois povoados. ²⁸Da tribo de Issacar: Cesion* e suas pastagens, Daberat e suas pastagens, ²⁹Jarmut e suas pastagens, En-Ganim* e suas pastagens: quatro povoados. ³⁰Da tribo de Aser: Masal* e suas pastagens, Abdon e suas pastagens, ³¹Helcat* e suas pastagens, Roob* e suas pastagens: quatro povoados. ³²Da tribo de Neftali, com direito de asilo para os homicidas: Cades da Galileia e suas pastagens, Hamot* de Dor e suas pastagens, Povoados e suas pastagens: três povoados.

³³Soma total dos povoados dos gersonitas, por clãs: treze povoados e suas pastagens.

³⁴Para os outros clãs levíticos descendentes de Merari: da tribo de Zabulon, Jecnaan e suas pastagens, Carta* e suas pastagens, ³⁵Dimna e suas pastagens, Naalol* e suas pastagens: quatro povoados. ³⁶Da tribo de Rúben, na Transjordânia, com direito de asilo para os homicidas: Bosor* e suas pastagens, Jasa e suas pastagens, ³⁷Cedimot* e suas pastagens, Mefaat* e suas pastagens: quatro povoados. ³⁸Da tribo de Gad, com direito de asilo para os homicidas: Altos de Galaad e suas pastagens, Maanaim* e suas pastagens, ³⁹Hesebon e suas pastagens, Jazer e suas pastagens: quatro povoados.

⁴⁰Soma total de povoados que couberam por sorteio aos outros clãs levíticos descendentes de Merari, por clãs: doze povoados.

21,13 * = Alva.
21,15 * = Areal.
21,16 * = Casa do Sol.
21,17 * = Alto.
21,24 * = Veadeiro; Lagar da Romã.
21,25 * = Romã.
21,28 * = Pedra de Amolar.
21,29 * = Fonte dos Jardins.
21,30 * = Demanda.
21,31 * = Sítio; Praça.
21,32 * = Termas.
21,34 * = Sementeira.
21,35 * = Bebedouro.
21,36 * = Forte.
21,37 * = Antiga; Fonte do Clamor.
21,38 * = Acampamentos.

⁴¹Soma total de povoados levíticos em meio ao território de propriedade dos israelitas: quarenta e oito povoados e suas pastagens. ⁴²Cada um desses povoados compreendem suas pastagens ao redor; assim para todos os povoados citados.

⁴³Dessa forma, foi entregue a Israel a terra que o Senhor havia prometido a seus pais; os israelitas tomaram posse e se instalaram nela. ⁴⁴O Senhor deu-lhes paz com todos os povos vizinhos, exatamente como havia jurado a seus pais; nenhum inimigo pôde resistir-lhes; o Senhor entregou-lhes todos os seus inimigos. ⁴⁵O Senhor não deixou de cumprir sequer uma palavra de todas as promessas que havia feito à casa de Israel. Tudo se cumpriu.

CONCLUSÃO

22 **O altar da Transjordânia** – ¹Então Josué chamou os de Rúben, os de Gad e os da meia tribo de Manassés, ²e lhes disse:

– Vós obedecestes às ordens de Moisés, servo do Senhor, e também obedecestes a mim naquilo que vos ordenei; ³não abandonastes vossos irmãos durante este longo tempo; cumpristes as ordens que vos deu o Senhor vosso Deus. ⁴Pois bem, o Senhor vosso Deus já deu o descanso a vossos irmãos, como lhes havia prometido. Agora, portanto, ide para casa, para a terra de vossa propriedade, que Moisés, servo do Senhor, vos deu na Transjordânia. ⁵Cumpri rigorosamente os mandatos e leis que vos deu Moisés, servo do Senhor: amar o Senhor vosso Deus, andar por seus caminhos, cumprir seus mandamentos e apegar-se a ele, servindo-o com todo o coração e com toda a alma.

⁶Josué os abençoou e despediu. Eles voltaram para suas casas.

⁷Moisés havia dado terras em Basã à meia tribo de Manassés; à outra meia tribo, Josué deu terras na Cisjordânia, em meio a seus irmãos. Também a estes despediu, abençoando-os assim:

– ⁸Voltai para casa repletos de riquezas, com rebanhos abundantes, com prata e ouro, com bronze, ferro e muita roupa. Reparti com vossos irmãos os despojos tomados do inimigo.

⁹Os de Rúben, os de Gad e os da meia tribo de Manassés deixaram os israelitas em Silo de Canaã, pondo-se a caminho para o país de Galaad, terra de sua propriedade, que Moisés lhes entregara por ordem do Senhor. ¹⁰Foram à região do Jordão, em Canaã, e ergueram aí um altar junto ao Jordão, um grande altar, bem visível.

¹¹Os israelitas ficaram sabendo que os de Rúben, os de Gad e os da meia tribo de Manassés haviam erguido um altar diante do país de Canaã, na região do Jordão, à margem do território israelita, ¹²e reuniram a assembleia em Silo, para ir lutar contra eles.

---

22 O Jordão continua sendo um problema mais teológico que geográfico no livro. O tema se anunciou já no primeiro capítulo, reapareceu logicamente na travessia do Jordão, retornou na partilha da terra e se encerra aqui. O Jordão é o limite teológico da terra prometida? A Transjordânia é terra estrangeira, "profana"? A repetida referência a Moisés dá uma primeira resposta: a partilha que ele fez mantém seu valor jurídico e prova que aqueles são territórios israelitas.

22,1-6 Despedida e retorno. O fragmento insiste no "mandato" (três vezes o verbo e duas vezes o substantivo): no mandato são postos em linha Moisés e Josué, remontando-se ao próprio Deus; até agora Josué cumpriu os mandatos e deverá continuar cumprindo-os. O cumprimento desses mandatos foi o mérito das tribos transjordânicas, e será sua tarefa: o tema se repete em forma positiva e negativa, com diversos verbos. Josué passa do testemunho para a exortação. A acumulação de verbos expressando a fidelidade, no v. 5, é de estilo deuteronômico.

22,7-9 Há uma enumeração setenária de bens requisitados ao inimigo, entre os quais figura anacronicamente o ferro. A partilha dos despojos corresponde à norma de Nm 31, supondo que estes irmãos são soldados de intendência; mas poderia tratar-se dos soldados de outras tribos que participaram na luta; então o versículo insinuaria uma partilha equitativa entre os guerreiros, acima da sorte ou habilidade de cada grupo.

22,9 A terminologia está bem marcada: país de Canaã = Cisjordânia, país de Galaad = Transjordânia. O versículo é conclusivo nesse remontar a Moisés e a Deus, e poderia ser o final da história.

22,10-12 O incidente do altar faz com que não seja o final. A rigor, esse é o tema do capítulo, como o mostra a fórmula "levantar um altar", repetida sete vezes.

O texto não deixa claro se o altar é construído na Cisjordânia ou na Transjordânia; em todo caso, é erguido junto ao Jordão. Se é autêntica a indicação "em Canaã", segundo a terminologia estabelecida se trata da Cisjordânia; o que indicaria uma cabeça de ponte no território de Benjamim, vigiando um dos vaus do Jordão (ver Jz 12,1-6); nada se diz de tal encrave na partilha. Se consideramos esta nota como

¹³Enviaram-lhes Fineias, filho do sacerdote Eleazar, ¹⁴com dez notáveis, um de cada tribo de Israel, chefes de família. ¹⁵Apresentaram-se aos rubenitas, aos gaditas e à meia tribo de Manassés, do país de Galaad, e lhes disseram:

— ¹⁶Assim diz a assembleia do Senhor: "Que pecado é esse que cometestes contra o Deus de Israel, voltando hoje as costas ao Senhor, fazendo para vós um altar, revoltando-vos contra o Senhor? ¹⁷Como se não nos bastasse o crime de Fegor, que não conseguimos cancelar de nós até hoje, e o castigo que sobreveio à comunidade do Senhor! ¹⁸Vós hoje voltastes as costas ao Senhor! E porque hoje vos revoltastes contra o Senhor, amanhã ele estará encolerizado contra toda a comunidade de Israel. ¹⁹Se a terra que vos coube está contaminada, passai à propriedade do Senhor, na qual está seu santuário, e escolhei uma propriedade no meio de nós. Mas não vos revolteis contra o Senhor, não nos torneis cúmplices de vossa rebeldia, erguendo um altar diferente do altar oficial do Senhor nosso Deus! ²⁰Quando Acã, filho de Zaré, pecou com o consagrado, morreu por seu pecado; mas a ira de Deus atingiu toda a comunidade de Israel, apesar de se tratar de uma única pessoa".

²¹Os rubenitas, os gaditas e a meia tribo de Manassés responderam aos chefes de família de Israel:

— ²²O Senhor Deus dos deuses, o Senhor Deus dos deuses o sabe muito bem, e que Israel o saiba! Se houve revolta ou peca-

glosa inexata, o altar se encontraria do outro lado, na Transjordânia, bem visível pelas suas proporções, como um desafio para os que o veem.

A narração pressupõe o princípio de um único altar central – na época em Silo –; ao não falar de Jerusalém nem empregar a fórmula clássica "o lugar que o Senhor escolher", o texto não supõe a centralização cultual de Josias. Suposto um único altar central, qualquer outro altar está erigido em honra e a serviço de outra divindade; é, portanto, idolatria, apostasia, constitui *casus belli*. Tudo isso revela a ideia de Israel fortemente unificado pelo vínculo religioso: o povo leva o nome de assembleia, comunidade (vv. 12. 16.17.18.20.30), título sagrado dominante em documentos posteriores.

A guerra seria uma expedição punitiva entre irmãos, como a que narra Jz 20. Mas, antes de lutar, têm o bom senso de parlamentar, o que permitirá ao autor fabricar dois discursos em que se expõe a teologia do problema.

22,13-15 Este sacerdote é neto de Aarão, representa a terceira geração; o nome se perpetuará na família até os tempos de Samuel. Dirige a embaixada um sacerdote, por tratar-se de assunto cultual. O número dez supõe que a meia tribo de Manassés da Cisjordânia também está representada.

22,16-20 O discurso dos delegados é ao mesmo tempo interrogatório, acusação e exortação, e apresenta estrutura coerente. O paralelismo estrutural está sublinhado por várias repetições e correspondências de frases e palavras.

Ponto teológico capital é a solidariedade ou responsabilidade coletiva: Israel é uma assembleia unitária, o delito de um grupo é delito de todos, o castigo alcança toda a comunidade, como os dois casos citados o provam. O delito se define em termos consabidos e em termos pouco frequentes fora desta passagem: o primeiro (*m'l*) é favorito de escritos aparentados com a escola sacerdotal; o segundo, "apostasia" (*shub me'aharê*), e o terceiro, "rebelião" (*mrd*), são característicos deste capítulo.

22,16 O título "Deus de Israel", nesta passagem, tem particular importância, porque indica desde o princípio a unidade religiosa de todas as tribos e alude à aliança. É lógico que os delegados não definem a quem está dedicado o altar; é bastante declarar o fato como apostasia e rebeldia. O nome de *Yhwh* (Senhor), fechando três das quatro cláusulas, salienta com sua rima o sentido.

22,17 Ver a narração de Nm 25. Aí se diz que Fineias expiou pelos israelitas e afastou a cólera do Senhor. O termo hebraico para apagar o pecado (*thr*) é de estirpe cultual; quer dizer que o delito cometido em Baal Fegor – acoplar-se sexualmente com a divindade – impossibilita toda a comunidade para o culto ao Senhor.

22,18 O versículo central, em suas três cláusulas, resume os elementos do discurso: apostasia, rebelião, ira de Deus.

22,19 Segue-se a linguagem cultual com o termo "contaminada" (*tm'*). Pode-se compreender a ideia lendo Lv 24,30; os povos que habitavam a terra de Canaã contaminavam o território com suas abomináveis práticas sexuais, pelo que a própria terra os vomita. A contaminação cultual é algo que se agarra à terra como contágio que não é fácil extirpar. Por isso, é concebível que a terra, assinalada por Moisés como terra prometida, faça aparecer mais tarde uma contaminação arraigada, que incapacita para o culto ao Senhor. Em tal caso, é melhor abandonar essa terra e passar a outra, consagrada pela presença do Senhor no seu santuário.

22,20 O texto é duvidoso, como o demonstram as traduções antigas. Conforme o capítulo 7, Acã morre com sua família, mas antes caíram vários israelitas ao assaltar Hai.

22,21-29 A resposta rebate todas as objeções, explicando o sentido do altar. Para mais clareza o define em forma negativa e positiva, repetindo-o. Se os delegados tinham repetido tantas vezes o nome do Senhor, eles os ganharão com ampla margem. O altar há de ser sinal de união, e não de separação, pois por ele todas as tribos invocarão o nome do Senhor.

A resposta também está estruturada. Um duplo juramento a engloba, vv. 21-23 e 29. O corpo está

do contra Senhor, que nos castigue hoje mesmo. ²³Se fizemos um altar para voltar as costas ao Senhor, para nele oferecer holocaustos, apresentar ofertas e fazer sacrifícios de comunhão, que o Senhor nos peça contas. ²⁴Mas não. Nós o fizemos com esta preocupação: no dia de amanhã vossos filhos dirão aos nossos: "O que tendes a ver com o Senhor Deus de Israel? ²⁵O Senhor pôs o Jordão como fronteira entre nós e vós, os de Rúben e os de Gad. Não tendes nada a ver com o Senhor!". E assim vossos filhos afastarão os nossos do culto ao Senhor. ²⁶Então dissemos: "Vamos fazer um altar, não para oferecer holocaustos ou sacrifícios de comunhão, ²⁷mas como testemunho entre vós e nós com nossos sucessores de que continuaremos prestando culto ao Senhor em seu templo com nossos holocaustos e sacrifícios de comunhão". Que os vossos filhos, no dia de amanhã, não digam aos nossos: "Não tendes nada a ver com o Senhor". ²⁸Nós dissemos: Se no dia de amanhã disserem algo a nós e a nossos sucessores, responderemos: "Observai a forma desse altar do Senhor que nossos pais fizeram: não serve para holocaustos nem sacrifícios de comunhão, mas como testemunho entre vós e nós". ²⁹Longe de nós revoltar-nos contra o Senhor ou dar hoje as costas ao Senhor, erguendo um altar para oferecer holocaustos, apresentar ofertas e sacrifícios de comunhão fora do altar do Senhor nosso Deus, que está no seu santuário.

³⁰Quando o sacerdote Fineias, os notáveis da comunidade e os chefes de família israelitas que o acompanhavam ouviram a explicação dos rubenitas, gaditas e da meia tribo de Manassés, ficaram satisfeitos. ³¹E Fineias, filho do sacerdote Eleazar, disse aos rubenitas, gaditas e à meia tribo de Manassés:

– Agora sabemos que Senhor está entre nós, porque não cometestes esse pecado contra ele. Livrastes os israelitas do castigo do Senhor.

³²Depois, o sacerdote Fineias, filho de Eleazar, e os notáveis, deixaram os rubenitas, gaditas e a meia tribo de Manassés no país de Galaad e voltaram ao país de Canaã, aos israelitas, informando-lhes o acontecido. ³³O relato convenceu os israelitas. Louvaram o Senhor Deus de Israel, e não mais se falou em subir contra eles com planos de guerra para devastar a região onde se haviam instalado os rubenitas e os gaditas.

³⁴Estes deram àquele altar o nome de "Altar do Testemunho", explicando:

– Ele nos servirá de testemunho de que o Senhor é Deus.

23 Despedida de Josué – ¹Passaram-se muitos anos desde que o Senhor pôs fim às hostilidades de Israel com seus inimigos de fronteira. Josué tinha idade avançada, ²e convocou todo o Israel, os anciãos, chefes de família, juízes e ajudantes, e lhes disse:

---

construído num calculado jogo de previsões condicionais do futuro, montadas sobre a repetição sete vezes do verbo 'mr, que significa pensar e dizer; poder-se-ia esquematizar assim: "nós dissemos: se disserem – lhes diremos – e já não dirão; nós dissemos: se disserem – lhes diremos"; no original a série está em movimento alterno e disposição quiástica. Conforme o costume, a peça central é a chave: trata-se de uma dupla negação, equivalente a uma robusta afirmação "não dirão: 'não tereis parte'". Realmente, é disso que se trata, de ter parte com as demais tribos, de participar com elas no culto comum ao Senhor, e superar a barreira física do Jordão e a barreira espiritual de uma excomunhão. Outro jogo importante de palavras destaca o tema: no hebraico soam muito parecidas as duas fórmulas "vossos filhos – nossos filhos" e "entre nós e vós" (*banekem-banenu, benenu-benekem*). Essas duas fórmulas, que já levam uma inversão, se sucedem em rigorosa alternância, três vezes pronunciadas por vós, três vezes por nós.

22,31 Na sua resposta, parecem recolher toda a tensão dos versículos precedentes, resolvendo-a no enunciado "o Senhor entre nós".
22,34 Falta o título do altar no texto hebraico. Conforme Ex 17,15, Moisés erige um altar e o chama "Senhor, meu estandarte"; este poderia chamar-se "Senhor, nossa testemunha", ou algo parecido.
23 Na composição unificada deste corpo histórico, o autor vai pondo na boca de cada personagem ilustre um discurso de despedida antes de morrer: Moisés começou dando o exemplo, segue-o Josué, Samuel continuará. Esses discursos têm a função de recapitular os fatos precedentes e de abrir-se à visão do futuro; estão escritos em estilo muito semelhante, com variação temática.
O presente discurso seleciona da vida de Josué dois temas: os povos de Canaã e a terra ocupada; fala de "esses povos, essa terra". O tema "esses povos" (note-se a ênfase do demonstrativo repetido) conduz o fio da exposição: Deus eliminou esses povos – eu os reparti para vós – Deus continuará eliminando-os

—³Já estou velho, de idade avançada. Vós tendes visto como o Senhor vosso Deus tratou todos esses povos diante de vós; o Senhor vosso Deus foi quem lutou contra eles.

⁴Vede: sorteei como herança para vossas tribos todos esses povos que ainda restam (além dos que destruí), desde o Jordão até o Mediterrâneo no Ocidente. ⁵O Senhor vosso Deus os tirará da vossa frente e os desapossará para que possuais suas terras, como vos prometeu o Senhor vosso Deus.

⁶Esforçai-vos muito em praticar tudo o que foi prescrito no livro da Lei de Moisés, em não vos desviar à direita ou à esquerda, ⁷em não vos misturar com esses povos que continuam entre vós.

Não invoqueis seus deuses, nem jureis por eles, nem lhes presteis culto, nem vos prostreis diante deles; ⁸pelo contrário, permanecei unidos a vosso Deus, como tendes feito até hoje.

⁹Ele tirou de vossa frente povos grandes e fortes, sem que ninguém vos tenha resistido até hoje. ¹⁰Um de vós sozinho pode perseguir mil, porque o Senhor vosso Deus luta por vós, como vos prometeu.

¹¹Esforçai-vos com toda a alma em amar o Senhor vosso Deus; ¹²mas, se voltardes as costas e vos unirdes a esses povos que continuam entre vós e criardes parentesco com eles, se vos misturardes com eles e eles convosco, ¹³estai certos de que o Senhor vosso Deus não voltará a tirá-los da vossa frente; serão para vós laço e armadilha, chicote nas costas e espinhos nos olhos, até desaparecerdes dessa terra magnífica, que o Senhor vosso Deus vos deu.

¹⁴Hoje eu empreendo a viagem de todos. Reconhecei de todo o coração e com toda a alma que não deixei de cumprir uma só das promessas que o Senhor vosso Deus vos fez. Todas se cumpriram, nenhuma ficou sem cumprimento. ¹⁵Portanto, da mesma forma que vieram sobre vós todas as bênçãos que o Senhor vosso Deus vos anunciou, do mesmo modo o Senhor enviará contra vós todas as maldições, até vos exterminar desta terra magnífica que o Senhor vosso Deus vos deu.

¹⁶Se violardes a aliança que o Senhor vosso Deus vos deu e fordes atrás de outros deuses, adorando-os, o Senhor se encherá de cólera contra vós, e sereis expulsos imediatamente da terra magnífica que vos deu.

– se vos assemelhais a eles – não os eliminará. O tema da terra (três vezes com o adjetivo "magnífica") soa com tom pessimista, como se a realidade do exílio pesasse sobre as palavras colocadas na boca de Josué, justificando de tão longa distância o acontecido. O autor diz a seus contemporâneos: Josué já nos avisara que a terra podia ser perdida, que era preciso conservá-la, guardando a aliança. Na dinâmica do livro, este discurso acompanha com ressonância ominosa os últimos dias de Josué.
O discurso está dividido em duas partes desiguais pela repetição enfática do eu: velhice e morte (v. 3 e 14). A primeira parte expõe e amplifica o tema, a segunda avisa sobre a validade dessas palavras.

23,3-13 Esta seção está construída em forma de repetição paralela com uma inversão significativa: a) benefícios de Deus e resposta do povo em forma negativa e em forma positiva; b) benefícios de Deus e resposta do povo em forma positiva e em forma negativa. Marcam o paralelismo palavras repetidas: os verbos *yrsh* e *shmr* e a partícula *ki 'im*; a mudança acontece na função da partícula que, na primeira vez, equivale a: "ao contrário, senão..." Quer dizer, a condicional introduz a desobediência como fato futuro possível – não só como exortação –, e desemboca no final trágico da perda da terra. O contraste está salientado com a repetição do verbo *dbq* (= apegar-se, unir-se) referido ao Senhor no v. 8, e aos povos cananeus no v. 12.
Algumas repetições retóricas e uma fórmula poética realçam o estilo da passagem.

23,3 Ter visto é função das testemunhas do Senhor: é um eco inconfundível das palavras de Moisés ao transmitir a oferta de aliança, Ex 19,3. O que viram é a intervenção vitoriosa do Senhor na guerra santa.

23,5 Este ato tem o caráter de cumprimento de uma promessa e prova a fidelidade do Senhor à sua palavra.

23,6 É precisamente a ordem que Josué recebeu no começo da sua tarefa, 1,7.

23,7 A quádrupla proibição é enfática, desejando afastar toda relação com os deuses estranhos.

23,10 Ver a fórmula em Lv 26,8; Dt 32,30; Is 30,17; Sl 90,7.

23,12 Ver a proibição de aparentar-se em Dt 7,3 e o fato narrado em Gn 34, que empregam o mesmo verbo (pouco frequente).

23,14-16 Como o trecho anterior estava montado sobre a antítese cumprimento-descumprimento, atitude fundamental do povo, o que segue está montado sobre a antítese bênção-maldição (palavra boa e má), atitude do Senhor em relação à sua palavra. Como fiel às promessas, o será às ameaças, ambas contidas na aliança, como paga à fidelidade ou infidelidade do povo. A geração do exílio, que lê estas palavras como pronunciadas por Josué, compreende que não pode queixar-se do Senhor, e que mereceu o castigo. Mas também sabe, por outros profetas, que ainda restam palavras boas, promessas do Senhor.

23,15 Dt 27-28.

24

Renovação da aliança (Ex 19; 24; Dt 29-30) – ¹Josué reuniu as tribos de Israel em Siquém. Convocou os anciãos de Israel, os chefes de família, juízes e ajudantes, e eles se apresentaram diante do Senhor. ²Josué falou ao povo:

– Assim diz o Senhor Deus de Israel: "No outro lado do rio Eufrates viveram antigamente vossos pais, Taré, pai de Abraão e de Nacor, servindo a outros deuses. ³Tomei Abraão, vosso pai, do outro lado do rio, o conduzi por todo o país de Canaã e multipliquei sua descendência, dando-lhe Isaac. ⁴A Isaac dei Jacó e Esaú. A Esaú dei como propriedade a montanha de Seir, ao passo que Jacó e seus filhos desceram ao Egito.

⁵Enviei Moisés e Aarão para castigar o Egito com os portentos que fiz, e depois

---

24 Depois do discurso de Josué, última vontade do chefe, que empreende "a viagem de todos", esperávamos a notícia da sua morte e sepultura. Esta se retarda para dar espaço a um acontecimento capital: a renovação da aliança. É patente a intenção do último autor, a de marcar no final o paralelismo Moisés-Josué, paralelismo que assegura a sucessão. Em dois pontos se respeita o paralelismo: discurso de admoestação e cerimônia da aliança. Em outros pontos falta a correspondência: Josué não compõe um cântico nem pronuncia bênçãos tribais, como fizera Moisés (Dt 32 e 33). O autor não está com veia poética e considera suficientes os oráculos tribais de Gn 49 e Dt 33. Em compensação, dedica grande atenção e cuidado em compor a cena da renovação da aliança. Por isso, este capítulo, completado com 8,30-35, nos oferece um modelo muito interessante que deve ser estudado junto com Ex 19-20 e 24.

Josué congrega o povo para uma ação litúrgica no centro da terra prometida. Em nome de Deus, como liturgo oficiante, pronuncia o "prólogo histórico", ou seja, a série articulada de benefícios históricos que o soberano outorgou a seu povo e que vão justificar a aliança (vv. 2-13). Segue-se um diálogo conciso e estilizado de Josué com a assembleia, para conseguir uma aceitação da aliança plenamente responsável e formulada com validade jurídica (14-24). Vem a seguir o rito simplificado de conclusão da aliança, (25-27). Finalmente, Josué despede o povo (28). Não enumera explicitamente as estipulações da aliança, que são primeiro o decálogo e depois um código e também as adições de Moab; basta uma referência global a elas (25-28). Quanto às bênçãos e maldições, estão aludidas e são o tema do fragmento complementar, antecipado em 8,30-35.

A recordação dos benefícios, que à primeira vista pode dar a impressão de uma série desligada, está cuidadosamente construída. O esquema fundamental da salvação se expressa com o binômio sair-entrar ou tirar-introduzir, conforme o sujeito da ação seja o homem ou Deus. Este esquema binário se faz ternário pela inserção de uma etapa intermédia no deserto, com os verbos caminhar-conduzir. A versão presente dedica bastante espaço ao tirar e ao introduzir, e condensa numa única frase os quarenta anos do deserto: sair (5-7ab), deserto (7c), entrada (8-13).

Novidade notável deste prólogo histórico é remontar à etapa dos patriarcas. Assim apresenta a posse como cumprimento da promessa, e faz com que tudo comece com uma eleição pessoal (v. 3).

Algumas repetições estilísticas marcam ou matizam em contraponto a composição. O verbo *yshb* = habitar, aparece três vezes: na Mesopotâmia (v. 2), no deserto, uso anômalo (7c), no país cananeu (13), e é evitado quando se fala do Egito (4). O verbo *ntn* = dar, é repetido seis vezes, três na etapa patriarcal, três na etapa final, na posse da terra; a simetria produz algumas assimetrias significativas com respeito ao dom; Deus é o doador.

Os numerosos verbos na primeira pessoa enunciam o protagonismo de Deus na história, do princípio ao fim. Por isso, os verbos destoam com Yhwh sujeito na terceira pessoa, como se fossem citações de outra versão litúrgica não harmonizada. É um protagonismo que não anula a intervenção de personagens e forças históricas: o que sucede é que o Senhor derrota as forças hostis, submete as rivais, utiliza outras. Assim se frustra a agressão bélica de vários povos, a perseguição dos egípcios, a maldição intentada de Balaão, a barreira das águas. Este prólogo é um quadro dramático e não uma enumeração monótona. Por sua parte, alguns verbos na segunda pessoa, dirigidos aos israelitas, indicam sua participação ativa nos eventos e negam enfaticamente sua participação no dom final.

Devem-se ler em voz alta, bem declamados, estes versos livres. Vários séculos de história estão condensados numa visão unitária de grande alento: é a visão de uma fé madura que abrange séculos de reflexão.

24,2 Dt 26,5-9.

24,2-4 Etapa patriarcal. Começa a história em tempos imemoriais na Mesopotâmia, onde se encontravam as raízes étnicas do povo. Na perspectiva do capítulo, os antepassados serviam ou prestavam culto a "outros deuses".

"Tomei" é verbo de eleição. Tudo se concentra num só homem, introduzido com seu segundo nome, Abraão (não Abrão, que seria coerente com a versão do Gênesis). Deus "o faz caminhar" pela terra, prometida e ainda não entregue. O dom por ora não é a terra, mas um descendente legítimo, Isaac.

24,3 Gn 12.

24,4 Novos dons em que a história começa a bifurcar-se. Deus "dá" a Isaac dois filhos: o mais novo antecede o mais velho; a Esaú entrega uma terra, a Jacó nada. Esaú repousa (é diversa a versão de Gn 27,40) e sai da história dramática: não será ator nem testemunha dela. Jacó, em vez de receber o dom, tem de emigrar para o Egito. E no Egito conclui a etapa patriarcal.

24,5-7b Desaparecem os quatrocentos anos oficiais de estadia no Egito e se salta para a saída ou libertação. Começa com uma "missão" (mediante o verbo *shlh*), primeira de três presenças.

A saída apresenta algumas incoerências gramaticais quanto à pessoa que age: vós/vossos pais. "Eu os

os tirei daí. ⁶Tirei vossos pais do Egito, e chegastes ao mar. Os egípcios perseguiram vossos pais com cavalarias e carros até o mar Vermelho; ⁷mas gritaram ao Senhor, e ele pôs uma nuvem escura entre vós e os egípcios; depois, fez desabar sobre eles o mar, afogando-os. Vossos olhos viram o que fiz no Egito. Depois, vivestes muitos anos no deserto. ⁸Eu vos levei ao país dos amorreus que viviam na Transjordânia; eles vos atacaram e eu os entreguei a vós; vós tomastes posse de seus territórios, e eu os tirei da vossa frente.

⁹Então Balac, filho de Sefor, rei de Moab, atacou Israel; mandou chamar Balaão, filho de Beor, para que vos amaldiçoasse; ¹⁰mas eu não quis ouvir Balaão, que não teve outra saída senão abençoar-vos, e eu vos livrei de suas mãos.

¹¹Atravessastes o Jordão e chegastes a Jericó. Os chefes de Jericó vos atacaram, os amorreus, ferezeus, cananeus, heteus, gergeseus, heteus e jebuseus, mas eu os entreguei a vós; ¹²semeei o pânico diante de vós, e expulsastes os reis amorreus, não com tua espada nem com teu arco; ¹³eu vos dei uma terra pela qual não suastes, cidades que não construístes e nas quais agora viveis, vinhas e olivais que não plantastes e dos quais agora comeis.

¹⁴Pois bem, temei o Senhor, servi a ele com toda a sinceridade; tirai de vosso meio os deuses a quem vossos pais do outro lado do rio e no Egito serviram, e servi o Senhor. ¹⁵Se vos parecer difícil servir o Senhor, escolhei hoje a quem quereis servir: aos deuses a quem vossos pais serviram do outro lado do rio, ou aos deuses dos amorreus em cujo país habitais; mas eu e minha casa serviremos o Senhor".

---

tirei... tirei vossos pais... vós chegastes... eles gritaram... vós e os egípcios... vossos olhos viram". Na incoerência gramatical se aprecia, à primeira vista, certo torpor narrativo; à segunda vista se aprecia a vontade de unificar liturgicamente a geração da saída e a da entrada.

O longo vagar como beduínos ou seminômades por desertos e estepes não merecia a denominação "habitar". Não creio que tenha escapado ao autor por descuido. Talvez tenha querido equilibrar, com um verbo importante, a brevidade do espaço dedicado à etapa recente do deserto.

24,6 Ex 14-15.

24,8-13 O espaço dedicado à etapa final chama a atenção. Começa com um resumo programático no v. 8. A entrada na terra vem a ser mais belicosa que a saída, nos dois lados do Jordão.

Na Transjordânia, o episódio de Balaão ocupa o lugar tradicional de Seon, rei amorreu, e de Og, rei de Basã. Por suas artes mágicas, ele é a contrapartida dos magos do Egito. Logicamente, Balaão invoca suas divindades para maldizer os intrusos; ilogicamente o Senhor não invocado diz: "não quis ouvi-lo". Porque impera outra lógica superior: só o Senhor controla bênçãos e maldições e converte Balaão em oráculo seu. A travessia do Jordão é simplesmente mencionada, sem amplificação. Na Cisjordânia recomeça a guerra. A versão militar se impõe: na conquista de Jericó, contra a versão do cap. 6; na acumulação enumerativa de inimigos, inclusive os "dois reis amorreus", que pertencem à Transjordânia, que são Seon e Og. Mas é uma guerra santa, não decidida por armas humanas, "espada e arco", mas pelo "pânico" infundido por Deus. Pânico que atua como contrapartida das águas que se precipitaram sobre os egípcios.

24,13 O dom da terra destaca a gratuidade, com expressões semelhantes às de Dt 6,10-11. No momento inicial, os israelitas não se cansam, não constroem nem plantam, encontram casa e mesa posta. Tudo é graça. Na próxima etapa terão de acrescentar o próprio esforço. O verbo *yshb* = habitar, encerra com pausa de repouso o grande prólogo histórico.

24,14-24 Neste diálogo Josué vai conduzindo o povo para uma aceitação consciente e responsável da aliança. A aceitação radical e global, que é o fundamento da aliança e que no NT se chamará fé, no presente contexto se chama "servir o Senhor". É o verbo chave da passagem, repete-se quatorze vezes, duas vezes sete, em pontos estratégicos.

Na sua primeira intervenção, mais ampla, Josué repete o verbo sete vezes, culminando na última, na qual proclama, como testemunho e exemplo, a sua adesão ao Senhor. As outras sete vezes se repartem no resto do diálogo, de modo que o povo repete três vezes a sua decisão de servir o Senhor. O movimento pode ser esquematizado assim: não serviremos outro Deus/serviremos o Senhor; não podeis servir o Senhor/se servis outros deuses; serviremos o Senhor/escolheis servir o Senhor. Também se repete quatorze vezes o nome do Senhor, dominando o diálogo; ao passo que o termo deus se reparte entre as outras divindades e o Deus de Israel.

24,14 Começa o diálogo com uma partícula enfática que expressa a consequência do que foi dito: pois bem, portanto, por conseguinte. E, como o serviço é exclusivo, o povo deve retirar do seu meio as imagens dos outros deuses: compare-se com Gn 35,2-4. *Yhwh* não aceita ser um a mais no panteão, nem sequer aceita o primeiro lugar da série; há de ser o único para Israel.

24,15 Se esta condição vem a ser demasiado exigente, o povo terá de fazer uma nova escolha. Não se costuma dizer que o povo escolhe o Senhor, mas sim o contrário. (Recorde-se o que Jesus diz aos seus discípulos em Jo 15,16). O verbo escolher introduz aqui o tema da liberdade. A aliança deve ser aceita com um ato de liberdade responsável, não indiferente. A "casa" de José pode ser a grande família e

¹⁶O povo respondeu:

– Longe de nós abandonar o Senhor para servir outros deuses! ¹⁷Porque o Senhor nosso Deus é quem tirou a nós e a nossos pais da escravidão do Egito, quem fez diante de nossos olhos aqueles grandes prodígios, guardou-nos em todo o nosso peregrinar e entre todos os povos que atravessamos. ¹⁸O Senhor expulsou diante de nós os povos amorreus que habitavam o país. Nós também serviremos o Senhor: ele é o nosso Deus!

¹⁹Josué disse ao povo:

– Não podereis servir o Senhor, porque é um Deus Santo, um Deus ciumento. Não perdoará vossos delitos nem vossos pecados. ²⁰Se abandonardes o Senhor e servirdes deuses estrangeiros, ele se voltará contra vós, e depois de vos ter tratado bem, vos matará e destruirá.

²¹O povo respondeu:

– Não! Nós serviremos ao Senhor.

²²Josué insistiu:

– Sois testemunhas contra vós próprios de que escolhestes servir o Senhor.

Responderam:

– Somos testemunhas!

– ²³Pois bem, tirai de vosso meio os deuses estrangeiros que conservais e colocai-vos do lado do Senhor Deus de Israel.

²⁴O povo respondeu:

– Serviremos o Senhor nosso Deus, e a ele obedeceremos.

²⁵Nesse dia Josué selou a aliança com o povo e lhe deu leis e mandatos em Siquém. ²⁶Escreveu as cláusulas no livro da Lei de Deus, pegou uma grande pedra e a ergueu aí, sob o carvalho do santuário do Senhor, ²⁷e disse a todo o povo:

– Olhai esta pedra, que será testemunha contra nós, pois ouviu tudo o que o Senhor nos disse. Será testemunha contra vós, para que não possais renegar vosso Deus.

---

pode abranger toda uma tribo. Segundo Nm 13,16 e 1Cr 7,20-27, Josué pertence à tribo de Efraim, e por isso à "casa de José".

24,16 A resposta do povo é unívoca. "Longe de nós" equivale a tachar de blasfêmia a proposta de apostasia, o não servir. "Abandonar" é o contrário de servir; mas abandonar implica uma situação precedente de aceitação. Não estão perante uma escolha inicial, mas perante uma renovação no começo da nova etapa. Poderia recuar, poderia desligar-se do Deus do Egito e do deserto. Mas, de modo algum seria uma escolha neutra, indiferente; seria ato formal de apostasia. A proposta de Josué é retórica, é aclaradora e urgente. Moisés propunha ao povo escolher entre "o bem e o mal, a bênção e a maldição, a morte e a vida" (Dt 30,15.19). De modo semelhante, Josué propõe ao povo escolher entre o Senhor e os outros deuses.

24,17-18 "Nosso Deus" equivale a uma profissão de fé no Deus da aliança. O povo faz seu o prólogo histórico, resumindo em três tempos a história da libertação: saída do Egito como libertação da escravidão; caminho pelo deserto, que não é "habitar", mas "caminhar" (como que corrigindo Josué); entrada em Canaã.

24,19-20 Josué parece comprazer-se em pôr dificuldades ao propósito do povo. Primeiro descreve um Deus transcendente e exigente, o Deus "ciumento", que não admite rivais: Ex 20,1; 34,14; Dt 4,24; 5,5; 6,15. Depois, alude às bênçãos e maldições da aliança: quem escolhe esse Deus aceita sua aliança, aceita em princípio as consequências da própria resposta. O tema do bem e do mal se coloca aqui radicalmente, em harmonia com Dt 30.

24,21 A resposta do povo é mais enérgica, porque a consciência da responsabilidade é mais clara.

24,22 Josué insiste, pedindo uma espécie de juramento, um testemunho solene. Em alianças internacionais invocam-se como testemunhas os deuses de ambas as partes; aqui o próprio povo dá testemunho por si, em virtude de sua aceitação solene e pública. Na aliança de Moab, Moisés invoca testemunhas como "céu e terra" e deixa como testemunha o "código da lei" (Dt 31,28-29). Aqui, o povo é testemunha, e o será a pedra ou estela erigida (v. 27).

O rito. Não se descreve com detalhe o rito, que costumava incluir um sacrifício: ver Ex 24,1-10. O texto da aliança é escrito para sua validade e é posto no santuário para sua conservação. A expressão "livro da lei" = *séfer torá* se encontra em Dt 28,61; 29,20; 30,10; também em Js 8,31.34; 23,6.26; 2Rs 22,1 etc. Poderia tratar-se de um pergaminho. Moisés escreveu em lousas de pedra, as chamadas "tábuas da lei", conferindo solenidade e duração lapidar ao protocolo. O texto aqui não diz que Josué grava as estipulações na "grande pedra" erigida como outras. Em 8,32 se diz que "escreveu sobre as pedras uma cópia da lei..." Uma estela, com ou sem inscrição, podia ser um monumento comemorativo de aliança, como o indica Gn 31,31.

É interessante a menção de uma árvore sagrada junto ao santuário. Israel aceita sem dificuldade o costume cananeu, não isento de perigos: ver Gn 35,4 (os ídolos enterrados junto ao carvalho de Siquém); 1Cr 10,12; Ez 6,13. Essa notícia, a ereção de uma estela, aparentemente contra a prescrição de Dt 16,22, e a concepção de que a pedra "ouviu", podem sugerir uma notável antiguidade da tradição aqui conservada. Siquém com o santuário do Senhor, uma estela comemorativa e uma árvore sagrada, lugar e recordação histórica da aliança, são talvez locais de outras renovações periódicas. E na vizinhança, o Ebal e o Garizim, ressonadores de maldições e bênçãos para o povo.

24,23 Gn 35,2.

24,25 Ex 15,25.

²⁸A seguir, despediu o povo, cada um para a sua herança.

Morte de Josué – ²⁹Algum tempo depois, morreu Josué, filho de Nun, servo do Senhor, com a idade de cento e dez anos. ³⁰Foi enterrado nos confins de sua herança, em Tamnat-Sare, na serra de Efraim, ao norte do monte Gaás.

³¹Israel serviu o Senhor enquanto viveram Josué e os anciãos que sobreviveram a ele e que tinham visto as façanhas do Senhor em favor de Israel.

³²Os ossos de José, trazidos do Egito pelos israelitas, foram sepultados em Siquém, no campo que Jacó comprara dos filhos de Hemor, pai de Siquém, por cem peças de prata, e que pertencia aos filhos de José.

³³Morreu também Eleazar, filho de Aarão. Foi enterrado em Gabaá*, povoado de seu filho Fineias, que recebera como propriedade na serra de Efraim.

24,28 Despedir cada um para sua herança significa mais uma vez que a tarefa de Josué está cumprida, que todas as famílias têm sua casa e seu terreno onde morar.

24,29 No princípio do livro, Moisés era o servo do Senhor, e Josué era só ministro de Moisés. Ao morrer, Josué é canonizado ou declarado "servo do Senhor", como homenagem a uma vida eleita e dedicada ao cumprimento de uma missão.

24,30 A tradução grega aqui acrescenta que enterraram com ele as facas de pedra empregadas para a circuncisão dos israelitas.

24,32 Ver as notícias de Gn 50,25 (última vontade de José); Ex 13,19 (Moisés toma os ossos de José); Gn 33,19 (compra do campo).

24,33 Com a morte do sumo sacerdote Eleazar e de Josué, termina a segunda geração, embora ainda fiquem alguns anciãos sobreviventes. Alto de Fineias não entrava nas localidades levíticas.

* = Alto.

JUÍZES

INTRODUÇÃO

Personagens

O título do livro é antigo, mas não original. Enquanto o livro de Josué é dominado por um protagonista que lhe dá seu nome, este é repartido entre muitos protagonistas sucessivos, admitidos a um título comum. Juiz é título de ofício: fato institucional e vitalício, bastante definido e homogêneo. No entanto, ao lermos o livro, nos deparamos com chefes militares, uma profetisa, um estranho nazireu (ou soldado consagrado), um usurpador e vários chefes políticos pouco definidos.

Poderíamos agrupar os personagens que intervêm militarmente contra a opressão ou a agressão estrangeira. Em outro grupo, ficam os restantes, registrados em forma de lista (10,1-5 e 12,8-15): Tola, Jair, Abesã, Elon, Abdon. Destes não se contam façanhas, não se lhes dedicam cantos épicos; só se registra que exerceram o cargo tantos anos (23, 22, 7, 10, 8), morreram e foram sepultados em sua terra. Figuram em listas de fórmulas repetidas, com aparência de lista oficial, conservada talvez em arquivos judiciais. Nem a fantasia poética nem interesses particulares podem ter inventado essas pálidas figuras; parecem responder a uma instituição, da qual o autor salvou uma página.

Até que ponto essa página pertence aos anos obscuros antes da monarquia, é quase impossível averiguar. As avaliações estão em função da imagem que alguém faz sobre essa época. Terá havido uma administração judicial central e um lugar de culto comum? A sucessão é real ou artificial? A soma dos anos dá setenta, número redondo que não cobre o tempo previsto.

O que os grandes chefes "salvadores" têm a ver com esses anos? Eles não se sucedem continuamente, mas surgem quando o espírito do Senhor os arrebata; não dirimem litígios, mas vencem o inimigo em campanha aberta ou com estratagemas; recusam um cargo vitalício, como Gedeão (8,22s), ou morrem relativamente jovens, como Sansão. Costumamos chamar a estes de "juízes maiores" e aos funcionários "juízes menores". O sociólogo Max Weber chamou os primeiros de chefes carismáticos, denominação que fez sucesso.

Como se explica a unificação de materiais tão díspares? Também dos maiores se diz que "julgaram Israel"; isso porém se diz na moldura narrativa, não no relato. Há um que age primeiro como salvador e entra depois na lista de funcionários; é Jefté. No livro serve de ponte entre ambos os grupos.

Método do autor

Podemos imaginá-lo assim. Intenta encher o vazio histórico que transcorre em Canaã antes da monarquia. Para tanto, lança mão de material antigo à sua disposição e o encaixa num quadro seu. Os materiais são cantigas de gesta ou romances tradicionais, transmitidos talvez oralmente, e listas de funcionários. Sua moldura é um padrão comum, não extraído dos relatos, mas de produção teológica própria.

Aos funcionários não se pode atribuir o título de salvadores nem a ação de salvar, que é ação divina; aos salvadores se pode acrescentar o título e a função de julgar. O parentesco entre livrar o povo na guerra e julgá-lo na paz está bem documentado no Antigo Testamento (1Sm 8,20; Sl 45). Ademais, fazer justiça ao desvalido é salvá-lo. Finalmente, julgar era quase sinônimo de governar (Sl 96 e 98).

A substância deste livro são os relatos de salvação prodigiosa, sobre-humana, não regida pelo calendário. Os temas de salvar e julgar avançam paralelos e às vezes se sobrepõem, como mostra o quadro seguinte:

Julgar	Salvar	Ambos
Jair	Sangar	Otoniel
Abesã	Aod	Jefté
Elon	Gedeão	Sansão
Abdon	Tola	Débora

A contaminação no caso de Tola é suspeita. Por seu turno, 2,16 realiza conscientemente a síntese: "o Senhor fazia surgir juízes que os livravam".

O autor unifica simplificando: todo Israel fica afetado, a etapa inteira fica coberta. Em nenhum outro livro como neste podemos apreciar o método de trabalho do autor. Constrói um esquema teológico articulado, o expõe em abstrato, o ilustra com alguns nomes, depois o aplica aos relatos, de modo que suas etapas se encaixem no esquema.

Composição

O que dissemos até aqui vale para o bloco dos capítulos 2-16. Depois temos um capítulo dedicado à conquista por tribos. À maneira de apêndice, seguem-se dois episódios tribais "quando não havia rei".

A época dos Juízes

Admitida a historicidade substancial, embora seja exígua, entre o assentamento das tribos e a monarquia transcorrem cerca de dois séculos. Como se organizavam as tribos nessa época? O livro nos apresenta várias tribos autônomas, unidas com vínculos de solidariedade, sem governo central permanente. O que garante a união? Como funciona? Deve-se buscar uma instituição jurídica que explique a tensão dos dados transmitidos. Em teoria, a unidade pode ser natural, por parentesco, e artificial, por convenção ou acordo. A artificial pode ser ficção literária ou realidade. A imagem que o livro oferece se explica como pura ficção? Por detrás dos dados, houve uma instituição jurídica real? Os comentaristas respondem com modelos.

a) *O modelo da* anfictionia. Foi exposto por M. Noth, aplicando ao mundo bíblico uma instituição que antigamente funcionou na Grécia e na Itália e que traz o nome técnico de anfictionia. Etimologicamente, anfictíones são os que habitam unidos em torno de um centro. Historicamente, eram grupos de seis ou doze tribos autônomas, cujo centro de unidade era um santuário. Aí celebravam reuniões periódicas ou extraordinárias, para resolver assuntos de interesse comum; aí se conservavam textos escritos e tradições orais.

Noth encontra no texto bíblico dados que correspondem a essa ordenação jurídica; outros dados podem ser interpretados à luz dos primeiros. Há doze tribos, um santuário central, uma divindade e um culto comum, reuniões especiais, delitos que afetam a todos, mobilização em caso de ataque externo.

b) *O modelo das* sociedades segmentadas *(descobertas na África)*. São associações formadas por grandes famílias, agrupadas em clãs, sem autoridade central, mas unidas por laços de solidariedade local ou tribal. A falta de mando central se supre pela solidariedade em vários planos ou esferas: entre grupos real ou convencionalmente aparentados (antepassados comuns), entre grupos que habitam num território, entre grupos generativos.

No texto bíblico se encontram dois fatores conjugados: ausência de governo central e solidariedade fundada em parentesco comum.

c) Historicidade. *O salto do modelo à realidade é inseguro. O modelo é um "como se". Os dados bíblicos, casuais e fragmentários, podem ser combinados num esquema interpretativo, do qual não se segue a realidade histórica da instituição. Noth defendeu a realidade histórica do seu modelo; outro tanto os propugnadores do novo modelo. Há razões para duvidar cautelosamente.*

O esquema jurídico, em boa parte, é mental e extrapolado. Não será projeção da vida dos judeus durante o exílio? Na desgraça sentiram, talvez mais do que antes, os vínculos de solidariedade; aí apelaram para as origens, recriando velhas lendas. Naquele tempo, o santuá-

rio de Jerusalém, já perdido, era ponto central de referência; não havia rei; o poder opressor de Babilônia receberia seu castigo. Jz 20-21 era uma parábola da necessária reconciliação entre tribos irmãs, esperança de superação do cisma. Se tudo isso é hipótese, os modelos não o são menos.

O balanço final é que não podemos reconstruir uma história do período. Mas podemos, sim, saborear alguns relatos magistrais. Os Juízes mal deixam rastros no resto da Bíblia. Provavelmente aludem a eles: Is 1,26; Sl 106,34-43; 136,23-24. O Eclesiástico lhes dedica três versículos entusiastas: Eclo 46,11-12. No NT uma citação: Hb 11,32.

1 Campanhas das tribos (Js 10)

¹Depois que Josué morreu, os israelitas consultaram o Senhor:

— Quem de nós subirá por primeiro para lutar contra os cananeus?

²O Senhor respondeu:

— Judá, pois já lhe entreguei o país.

³Então Judá disse a seu irmão Simeão:

— Vem comigo à região que me coube por sorte; lutaremos contra os cananeus, e depois irei contigo à tua.

Simeão foi com ele. ⁴Judá subiu, e o Senhor lhe entregou os cananeus e ferezeus; mataram dez mil em Bezec. ⁵Encontraram Adonibezec*, lutaram contra ele e derrotaram cananeus e ferezeus. ⁶Adonibezec conseguiu escapar, mas eles o perseguiram e o prenderam, cortando-lhe os polegares das mãos e dos pés.

⁷Adonibezec comentou:

— Setenta reis com os polegares de mãos e pés amputados recolhiam as migalhas que caíam da minha mesa. Deus me paga o que mereço.

Eles o levaram a Jerusalém e aí morreu.

⁸A tribo de Judá assediou Jerusalém; eles a conquistaram, passaram a fio de espada seus habitantes, incendiando a cidade. ⁹Depois desceram para lutar contra os cananeus da montanha, do Negueb e da Sefelá.

¹⁰Judá marchou contra os cananeus de Hebron (antigamente chamada Cariat*-Arbe), e derrotou Sesai, Aimã e Tolmai. ¹¹Daí marchou contra os de Dabir (antigamente chamada Cariat-Sefer*), ¹²e prometeu:

— Darei por esposa minha filha Acsa a quem tomar de assalto Cariat-Sefer.

¹³Otoniel, filho de Senez, parente de Caleb (mais jovem que ele), tomou a cidade e Caleb lhe deu sua filha Acsa por esposa.

¹⁴Quando ela chegou, Otoniel a incentivou a pedir um terreno a seu pai; ela desceu do burro, e Caleb lhe perguntou:

— O que queres?

¹⁵Respondeu:

---

1 Tem certo parentesco com o livro de Josué, inclusive correspondências literais, conforme a seguinte lista:

Josué	Juízes
15,14-19	1,20.10b.11-15
15,63	1,21
17,11-13	1,27-28
16,10	1,29

Além disso, a notícia de 17b parece com a de Nm 21,1-3, que é continuação de Nm 14,40-45.

As semelhanças fazem ressaltar as diferenças, inclusive oposições. Em Js entrava em ação todo Israel, aqui tribos soltas; lá se descrevia uma entrada partindo do oriente, aqui parecem subir do sul; lá as notícias se disseminam pela partilha da terra, aqui formam unidade à parte; lá Josué era o chefe, aqui já morreu. Na lista das tribos faltam Levi e as orientais, e aqui notamos as ausências de Issacar e Benjamim. É curiosa a colaboração de Simeão com Judá, sob a direção do segundo. Lê-se uma lista de fracassos que sugere um processo lento de penetração e ocupação.

1,1-21 A tribo de Judá abre dominadora o capítulo, provavelmente por ser a tribo de Davi. A primazia se atribui a um oráculo do Senhor. A tribo de Simeão dá a impressão de uma tribo quase absorvida na política, como os clãs de Cenez e Hobab o quenita. A enumeração não evita repetições; a inclusão com Jerusalém torna mais estranha a notícia. Eis aqui o esquema:

Judá	+	Simeão	Adonisedec	Jerusalém
Caleb	+	Otoniel	Enacitas	Hebron e Dabir
Hobab			Amalec	Arad
Judá	+	Simeão		Horma
Caleb		Enacitas		Hebron
Judá				não pôde com Jerusalém

1,1 Liga-se com Js 24,29-30; mas cf. Jz 2,6-10. O verbo hebraico "subir" pode significar também ataque militar. É normal consultar o Senhor: 1Sm 14,37; 22,10; 23,2; 30,8.

1,2 Resposta típica da guerra santa: a sorte da batalha já está decidida.

1,3 A frase supõe que já foi feita a partilha, conforme Js 15,1-12; mas, comparando Js 19,1-8 (sorte de Simeão) com 15,26-32.42 (cidades de Judá), atenua-se a distinção territorial. O versículo tem ritmo decrescente, 5 + 4 + 3, com rimas insistentes.

1,5-8 O episódio de Jerusalém é enigmático. Consta que Jerusalém se manteve como encrave independente e inexpugnável, até que Davi a conquistou para fazê-la sua capital. O versículo 21 dirá expressamente que não puderam conquistar Jerusalém.

O personagem que o texto hebraico chama Adonibezec parece ser o mesmo que Js 10,1 chama Adonisedec, rei de Jerusalém e chefe de uma coalizão meridional. O mesmo componente se encontra no nome do rei sacerdote de Jerusalém, Melquisedec, conforme Gn 14. A mutilação é castigo degradante, que respeita a vida; em Js 10,26 o rei de Jerusalém morre suspenso numa árvore.

O número setenta, por mais exagerado que seja, dá ideia do tamanho desses reinos e da importância desses reizetes.

"Pagar", em hebraico *shlm,* faz consonância com o nome da cidade; o hebraico *bazaq* significa relâmpago; *bezeq* significa calhau ou migalha, e se prestava ao jogo de palavras malicioso. Pode-se dar um salto mental deste versículo para o final de 2Rs.

1,5 * = Ou Adonisedec? Cf. Js 10,1.

1,10-15 A estória serve para justificar uma propriedade de família ou de clã em território de Judá. * = Vila.

1,11 * = Vila do Escrivão.

— Dá-me um presente. A terra que me deste é seca. Dá-me alguma fonte.

Caleb lhe deu a fonte de cima e a de baixo.

[16] A família de Hobab, o quenita, sogro de Moisés, subiu da cidade de Temarim*, junto com os de Judá, para o deserto de Arad, e se estabeleceram entre os amalecitas.

[17] Judá foi com seu irmão Simeão e derrotou os cananeus de Sefat; exterminaram o povoado e o chamaram Horma*. [18] Mas não pôde apoderar-se de Gaza e seu território, nem de Acaron e seu território; [19] não conseguiu expulsar os habitantes do vale, pois tinham carros de ferro, mas o Senhor estava com Judá, que conquistou a montanha.

[20] Como Moisés recomendara, destinaram Hebron a Caleb; este expulsou daí os três filhos de Enac. [21] Mas a tribo de Judá não pôde expulsar os jebuseus que habitavam Jerusalém; por isso continuaram vivendo até hoje em Jerusalém, no meio de Judá.

[22] Por sua parte, a casa de José subiu a Betel e o Senhor estava com eles, [23] e fizeram um reconhecimento nos arredores de Betel (antigamente chamada Luza*); [24] as sentinelas viram um homem saindo da cidade, e lhe disseram:

— Mostra-nos por onde se entra na cidade, e te pouparemos a vida.

[25] O homem lhes mostrou por onde entrar na cidade, e eles a passaram a fio de espada, exceto aquele homem e sua família, que deixaram ir livres; [26] o homem migrou para o país dos heteus e fundou uma cidade: chamou-a Luza, nome que conserva até hoje.

[27] Manassés, porém, não conseguiu expulsar os habitantes do município de Betsã, nem os do município de Tanac, nem os do município de Dor, nem os do município de Jeblaã, nem os do município de Meguido. Os cananeus continuaram nessa região. [28] Quando Israel se impôs, não conseguiu expulsá-los, mas os submeteu a trabalhos forçados.

[29] Tampouco Efraim conseguiu expulsar os cananeus de Gazer. Os cananeus continuaram em Gazer, no meio dos efraimitas.

[30] Tampouco Zabulon conseguiu expulsar os de Cetron, nem os de Naalol*. Os cananeus continuaram vivendo no meio de Zabulon, apesar de submetidos a trabalhos forçados.

[31] Tampouco Aser conseguiu expulsar os de Aco, nem os de Sidônia, nem os de Maaleb, nem os de Aczib, nem os de Afec*, nem os de Roob*, [32] instalando-se no meio dos cananeus que habitavam o país, pois não pôde expulsá-los.

[33] Tampouco Neftali conseguiu expulsar os de Bet-Sames* nem os de Bet*-Anat; instalou-se no meio dos cananeus que habitavam o país, mas submeteu a trabalhos forçados os vizinhos de Bet-Sames e Bet-Anat.

[34] Os amorreus empurraram os danitas para a montanha, sem deixá-los descer ao vale; assim os amorreus puderam continuar

---

1,16 É duvidosa a leitura: no texto hebraico falta o nome, que se costuma suprir tomando-o de 4,11 comparado com Nm 10,29. A cidade é Jericó, em cujas vizinhanças esses beduínos teriam suas tendas. Não mudam seu estilo de vida; por isso, em vez de cidade, lhes atribuem um deserto com seus oásis. Os amalecitas são também beduínos e pouco amigos de Israel: Gn 36,12 (como ramo de Edom); Ex 17,8-13; Dt 25,17-19; Jz 3,13; 6,3; 7,12; 1Sm 15. * = Palmeiras.

1,17 A rigor, hrm poderia significar zona reservada ou santuário (como o templo árabe Al Haran). * = Extermínio. Nm 14,40-45.

1,18 O texto hebraico lê em forma positiva, mas é quase certo que caiu a negação, como indica a tradução grega; o versículo seguinte e Js 13,3 o confirmam.

1,19 Refere-se ao vale que desce para o mar. Ver 1Rs 20,23. O ferro é uma novidade extraordinária nessa época.

1,20 Refere-se a Nm 14,24.

1,22-26 Fala-se primeiro da casa de José, antes de distingui-la em suas duas tribos, Efraim e Manassés. Betel era cidade importante, cheia de lembranças patriarcais, segundo o Gênesis; seu destino é semelhante ao de Jericó, mas sem arrasá-la. A cidade foi centro importante ao dividir-se a monarquia. Js 12,16 menciona o rei de Betel entre os derrotados por Josué.

1,23 * = Amendoal.

1,27 Betsã controla uma passagem importante do Jordão; Tanac e Meguido controlam grande parte da planície de Esdrelon. Js 17,11-13.

1,28 Sorte semelhante à dos gabaonitas, Js 10. Era a situação dos israelitas no Egito, Ex 1.

1,29 Sobre Gazer, ver as notícias de Js 10, 33 e 1Rs 9,16.

1,30 * = Bebedouro.

1,31 * = Cerco; Praça.

1,33 * = Casa do Sol; Casa Anat.

1,34 Chama os cananeus de amorreus; supõe que aí os filisteus ainda não se instalaram. Ver os capítulos 13-16 (Sansão) e 17-18 (os danitas). * = Monte do Sol; Veadeiro.

em Ar-Hares*, Aialon* e Salebim. ³⁵Mas a casa de José os manteve sob controle, submetendo-os a trabalhos forçados.

³⁶As fronteiras do território edomita iam de Maale Acrabbim até Hassela*, e continuavam mais acima.

2 Liturgia penitencial (1Sm 12) –
¹O anjo do Senhor subiu de Guilgal a Betel e disse:

– Eu vos tirei do Egito e trouxe ao país que prometi com juramento a vossos pais: "Jamais violarei minha aliança convosco, ²desde que não façais aliança com o povo desse país, destruindo seus altares". Mas não me obedecestes. O que fizestes? ³Por isso vos digo: "Não os expulsarei diante de vós, serão vossos inimigos, e seus deuses serão vossa tentação".

⁴Quando o anjo do Senhor terminou de falar contra os israelitas, o povo começou a chorar aos gritos – ⁵ por isso chamaram esse lugar Boquim*. A seguir, ofereceram sacrifícios ao Senhor.

⁶Josué despediu o povo, e os israelitas voltaram cada qual a tomar posse do seu território.

⁷Enquanto viveram Josué e os anciãos que sobreviveram a ele e que tinham visto as façanhas do Senhor em favor de Israel, os israelitas serviram ao Senhor. ⁸Mas Josué, filho de Nun, servo do Senhor, morreu com a idade de cento e dez anos, ⁹e foi enterrado nos confins de sua herança, em Tamnat-Hares, na serra de Efraim, ao norte do monte Gaás. ¹⁰Toda aquela geração também se reuniu com seus pais e sucedeu-lhe outra geração que não conhecia o Senhor nem o que ele fizera por Israel.

1,36 * = Penha.

2,1-5 Oferecem-nos uma liturgia penitencial. Seguir-se-ão outras no livro: 6,8-10 e 10,11-16. A presente parece querer explicar o fracasso nos intentos de desalojar a população cananeia; coloca os fatos precedentes sob o signo do castigo e do luto (cf. Ex 33,1-6).
O anjo do Senhor é uma manifestação divina, pela qual o Senhor fala na primeira pessoa (cf. caps. 6 e 13). Seu discurso é antes uma minuta, que nos permite reconhecer o esquema do gênero. O Senhor se apresenta em juízo como parte ofendida. Na denúncia menciona o benefício inicial, os compromissos da aliança e a infração. Segue-se a sentença, que corresponde ao delito.
"Inimigos" é emenda do hebraico, que diz "costados": aludindo a Nm 33,55 ou Js 23,13? Em lugar da paz pretendida, o castigo introduz uma situação ambígua de tentação e hostilidade: os deuses cananeus atraem, as armas rechaçam. Ao longo do livro, essa duplicidade retornará alternativamente.
O povo responde com o pranto de arrependimento e com sacrifícios, que poderiam ser expiatórios.

2,5 * = Pranto.

2,6-9 Com alguma variante, repetem o final, Js 24,28-31. Servem para ligar e prosseguir.

2,7 Js 24,28-31.

2,10 Com este versículo, o autor passa à próxima etapa. É artificial traçar uma linha tão clara de separação de gerações (mas veja Nm 14 e os esforços de Moisés em Dt 29,13-14). Além do mais, é preciso contar com o princípio da tradição. É uma notícia simplificada, de intenção teológica.
O esquema e os relatos: antes dos relatos individuais, uma visão teológica de conjunto, composta de frases idênticas ou semelhantes ou de motivos com variação de fórmulas. Um quadro esquemático clareará mais que muitas explicações:
a) pecado: em geral repetido
b) ao Senhor: abandonam, irritam e desobedecem
c) a outros deuses: seguem e prestam culto
d) castigo: ira, entrega; vende, submete a outros
e) súplica
f) um salvador: lugar do relato
g) vitória
h) paz por X anos
a) 2,11;   3,7;   3,12; 4,1;   6,1;   10,6; 13,1;
b) 2,12; 2,17; 3,7;   6,10; 10,6;
c) 2,11; 2,19; 3,7;   10,6;
d) 2,14; 2,21; 3,8; 3,12; 4,2; 6,1; 10,7; 13,1;
e) 2,16;   3,9; 3,15; 4,3; 6,7; 10,10
f) 2,18;   3,9; 3,15;
g) 3,9; 3,30; 4,23;   8,28; 11,33
h) 3,11; 3,30;   5,31; 8,28;

Pecado e castigo tendem a ir juntos no começo; vitória e paz no final; a súplica pode atrasar. As fórmulas compõem um esquema que fica fora da narração, sem modificá-la, mas interpretando-a. Em termos narrativos, o livro é variado e ameno; em termos teológicos, o livro é regular e monótono. A repetição do esquema dá a impressão de movimento circular: a visão cíclica não contradiz o processo linear da história? O esquema é realmente tirado dos fatos, ou é produção sobreposta? A tensão entre esquema e narrações é inegável. O autor respeitou os relatos e seus personagens, ainda que sua história não se encaixasse perfeitamente no molde previsto; não pretendeu passar-nos uma ideia, mas ensinar-nos a meditar sobre certos fatos. Ensina-nos que Deus realiza seu plano respeitando o jogo das liberdades humanas; por isso, o autor respeitou os relatos tradicionais.
Mas, o que dizer da forma cíclica do esquema? Não é um girar sem sentido? Não, já que enuncia um sentido, uma direção teológica. Além disso, a repetição ordenada de constantes não perturba o caráter linear do acontecer.
Finalmente, Deus pode romper o círculo, como veremos. O livro não é história edificante nem história de tese.

Grande introdução – ¹¹Os israelitas fizeram o que o Senhor reprova: prestaram culto aos ídolos, ¹²abandonaram o Senhor Deus de seus pais, que os havia tirado do Egito, e foram atrás de outros deuses, deuses das nações vizinhas, e os adoraram, irritando ao Senhor. ¹³Abandonaram o Senhor e prestaram culto a Baal e a Astarte.

¹⁴O Senhor se encolerizou contra Israel: entregou-os a bandos de saqueadores, que os saqueavam; vendeu-os aos inimigos vizinhos, e os israelitas não podiam resistir-lhes. ¹⁵Em tudo o que faziam, a mão do Senhor lhes era contra, exatamente como ele lhes havia dito e jurado, chegando assim a uma situação desesperadora.

¹⁶Então o Senhor fazia surgir juízes que os livravam dos bandos de salteadores; ¹⁷porém, nem aos juízes davam atenção, mas prostituíam-se com outros deuses, prestando-lhes culto, desviando-se logo do caminho pelo qual seus pais andaram, obedientes ao Senhor. Não faziam como eles.

¹⁸Quando o Senhor fazia surgir juízes, o Senhor estava com o juiz; enquanto o juiz vivia, salvava-os de seus inimigos, pois sentia pena ao ouvi-los gemer sob a tirania de seus opressores. ¹⁹Mas, quando morria o juiz, recaíam e comportavam-se pior que seus pais, indo atrás de outros deuses, adorando-os; não se afastavam de suas maldades nem de sua conduta obstinada.

²⁰O Senhor se encolerizou contra Israel e disse:

– Visto que este povo violou minha aliança, que estabeleci com seus pais, e não quiseram obedecer-me, ²¹tampouco eu continuarei tirando da frente deles qualquer uma das nações que Josué deixou ao morrer; ²²com elas tentarei Israel, para ver se seguem ou não o caminho do Senhor; se caminham por ele como seus pais.

²³Por isso o Senhor deixou aquelas nações, sem expulsá-las logo, e não as entregou a Josué.

3 ¹Lista das nações que o Senhor deixou para tentar os israelitas que não haviam conhecido as guerras de Canaã ²(somente para ensinar a estratégia militar às novas gerações dos israelitas sem experiência de guerra): ³os cinco principados

---

2,11-3,6 Até o v.19 ou 21, o autor propõe o esquema desnudo, de fórmulas sem dados concretos; depois acrescenta algumas motivações e consequências. É como grande abertura que expõe os temas ou *leitmotiv* em seu encadeamento.
É o esquema exposto mais acima, com três peculiaridades significativas. Primeira: falta o clamor do povo, e assim a passagem do castigo para a graça não acontece como resposta, mas por pura iniciativa de Deus. Segunda: a libertação desemboca imediatamente em novo pecado e castigo, denotando assim a circularidade. Terceira: uma vez indicado o círculo, o texto sai dele e se espraia em outras explicações menos esquemáticas.

2,11-13 O pecado é de idolatria. Os títulos do Senhor agravam a culpa. No centro, o tema dominante dos povos cananeus com seus deuses.

2,11 2Rs 17,7.

2,12 2Rs 17,12.

2,14-15 Castigo. Ira é a reação pessoal do Senhor e sua sentença. Entregar equivale a inverter os fatores da guerra santa. Vender sugere a escravidão. As iniciativas de Israel, sobretudo bélicas, fracassam. O castigo estava previsto nas maldições da aliança.

2,14 Dt 28,25.32.

2,16 Libertação: a situação desesperada mobiliza a iniciativa do Senhor. Israel, caído na escravidão, continua sendo seu povo.

2,17 Novo pecado: fecha-se o círculo e recomeça. O primeiro versículo é um enunciado geral que os dois seguintes matizam ou corrigem. O juiz, terminada a libertação, tinha de instaurar uma era de fidelidade ao Senhor, segundo o modelo da geração da aliança no deserto; mas, ao contrário, o povo desobedece e comete adultério com deuses estranhos.

2,18-19 Desdobram o processo em duas etapas: durante a vida do juiz e quando da sua morte. O "gemido" equivale a uma súplica (Ex 2,24; 6,5). A morte do juiz é como a de Josué.

2,20-21 Castigo. Repete-se o segundo tempo. O castigo está formulado como sentença judicial: denúncia do delito, anúncio da pena. Recolhe dois temas da aliança: dos pais que pactuaram e da desobediência. Assim voltamos à situação em que se encontrava o povo na morte de Josué, como se a história não tivesse progredido. A partir daí, saímos do movimento circular.

2,22-3,6 O Senhor tinha prometido entregar a terra inteira de Canaã a Israel, conduzido por Josué. Diante dessa promessa se impõe o fato: em Canaã subsistem outros povos em paz ou em guerra com Israel. Como resolver a contradição? Uma primeira resposta foi o pecado do povo. A nova resposta diz: Deus deixou esses povos para castigar os pecados, para adestrar o povo, para pô-lo à prova. Acumula razões, como se uma não bastasse. Convencem ou deixam dúvidas? Se Deus tivesse acabado com os inimigos, não precisaria treinar Israel para a guerra; e para provar o povo, não bastaria a nova situação de vida sedentária? (cf. Dt 8). O autor vê uma convergência das três razões, que ele propõe sob a tríplice epígrafe da tentação ou da prova.

3,3 Os filisteus só aparecem no livro de Josué em 13,2-3: na seção da partilha, não nas batalhas.

filisteus, todos os cananeus, fenícios e heteus que habitam o Líbano, desde a cordilheira de Baal-Hermon até a passagem de Emat. [4]Essas nações serviram para tentar Israel, para ver se obedecia às ordens do Senhor, promulgadas a seus pais por meio de Moisés.

[5]Assim, pois, os israelitas viveram no meio de cananeus, heteus, amorreus, ferezeus, heveus e jebuseus. [6]Tomaram suas filhas por esposas, entregaram as suas em matrimônio e prestaram culto a seus deuses.

Otoniel – [7]Os israelitas fizeram o que o Senhor reprova: esqueceram-se do Senhor seu Deus, e prestaram culto a Baal e Astarte. [8]Então o Senhor se encolerizou contra Israel e os vendeu a Cusã-Rasataim, rei de Aram Naaraim*. Os israelitas estiveram submetidos a ele por oito anos. [9]Mas clamaram ao Senhor, e o Senhor fez surgir um salvador para salvá-los: Otoniel, filho de Cenez, parente de Caleb, mais jovem que ele. [10]O espírito do Senhor veio sobre ele, governou Israel e saiu para lutar; o Senhor pôs em suas mãos Cusã-Rasataim, rei de Aram Naaraim, e Otoniel se impôs a ele. [11]O país esteve em paz por quarenta anos. E morreu Otoniel, filho de Cenez.

Aod – [12]Os israelitas tornaram a fazer o que o Senhor reprova. Então o Senhor fortaleceu Eglon, rei de Moab, contra Israel, porque faziam o que o Senhor reprova.

[13]Eglon aliou-se aos amonitas e amalecitas, foi e derrotou Israel, conquistando a cidade de Temarim*. [14]Os israelitas estiveram dezoito anos submetidos a Eglon, rei de Moab. [15]Mas clamaram ao Senhor, e o Senhor fez surgir um salvador: Aod, filho de Gera, benjaminita, com a mão direita impedida; por sua mão os israelitas enviaram o tributo a Eglon, rei de Moab.

[16]Aod fizera para si um punhal de dois gumes, de um palmo de cumprimento, prendeu-o sob o manto, junto à coxa direita. [17]Apresentou o tributo a Eglon, rei de Moab, que era gordíssimo, [18]e, ao terminar de apresentar o tributo, partiu com o grupo que o havia levado. [19]Mas ele, ao chegar a Happesilim*, que está perto de Guigal, voltou e disse a Eglon:

– Majestade! Tenho de comunicar-vos uma mensagem secreta.

Eglon ordenou:

– Silêncio!

E todos os cortesãos saíram de sua presença.

[20]Então Aod se aproximou do rei, que estava sentado em sua varanda privativa de verão, e lhe disse:

– Tenho de comunicar-vos um oráculo divino.

Eglon se levantou do trono, [21]e Aod pôs a mão esquerda no punhal, junto à coxa direita, o pegou e o enfiou na barriga de Eglon: [22]o cabo entrou atrás da lâmina e a gordura fechou-se sobre ela, porque Aod

---

3,5-6 Ver Ex 34,16; Dt 7,3.

3,7-13 Esperamos que comecem as narrações, e nos encontramos com uma espécie de pantomima estilizada. Excetuando dois nomes e uma data, a suposta narração não é mais que o desfile de fórmulas que já conhecemos; desta vez todas, em perfeita ordem, sem faltar nenhuma. É como se o autor quisesse fazer-nos aprender de memória o esquema.

3,8 * = Síria Entre Rios.

3,9 Já conhecemos Otoniel cenezita, e sua presença aqui é pelo menos suspeita. Impossível identificar o rei estrangeiro: seu apelido ou apodo significa "maldade" (duplamente mau), e soa à deformação satírica. Seu reino cai na região da Mesopotâmia (Entre Rios), e é habitado por tribos arameias.

3,10 Fora das fórmulas se menciona pela primeira vez a ação do espírito, que moverá Gedeão, Jefté e Sansão, e dará pé para a denominação de chefes carismáticos.

3,11-31 Aod. Podemos distinguir facilmente as fórmulas do esquema, a narração do fato, sua extensão a todo Israel. É um relato minúsculo e magistral. Os protagonistas: Aod (com nome de majestade ou esplendor) e Eglon (com nome de bezerro); Aod canhoto, Eglon gordíssimo.

3,13 * = Palmeiras.

3,15 O tema da mão: benjaminita a rigor significa meridional, mas no hebraico se presta a um jogo de palavras, porque o sul é a direita (orientam-se olhando para o oriente); quer dizer, era um "membro da direita" com a mão direita impedida. Por sua mão ("por seu meio" anularia o jogo de palavras) enviam um tributo, veremos qual, quando sua mão agir.

3,16 O punhal se leva logicamente à esquerda; aí o buscam os que revistam.

3,19 Talvez se tratasse de grandes estátuas, que davam nome à localidade. Como Moab fica na Transjordânia, Aod volta com seu séquito até uma localidade israelita. Moab ocupava as duas margens do rio. * = ídolos. Hab 2,20.

3,20-22 O assassinato está descrito numa série rápida de momentos, marcados no original com rimas e aliterações. Preste-se atenção nesta mão certeira. O tom é de crueldade burlesca. Aod anunciava um oráculo de Deus, evitando o nome de Javé. Fecha-se a gordura, fecha-se a porta, guarda-se o segredo.

não retirou o punhal do ventre. ²³A seguir, fugiu pela porta dos fundos, saiu ao pórtico e deixou bem trancadas as portas da varanda. ²⁴Enquanto saía, os servos entravam; olharam e viram que as portas da varanda estavam trancadas. Comentaram:
– Certamente está fazendo suas necessidades no quarto de verão.
²⁵Esperaram um pouco, até se aborrecerem; visto que ninguém abria as portas da varanda, pegaram a chave, abriram e olharam: seu senhor jazia morto ao chão. ²⁶Enquanto eles estiveram esperando, Aod pôde fugir até Happesilim, refugiando-se em Seir.
²⁷Quando chegou, tocou o alarme na serra de Efraim. Os israelitas desceram dos montes com ele à frente. ²⁸Aod lhes disse:
– Segui-me, pois o Senhor pôs vosso inimigo, Moab, em vosso poder.
Desceram atrás dele e ocuparam os vaus do Jordão, impedindo a passagem de Moab; não deixaram ninguém passar. ²⁹Nessa ocasião derrotaram uns dez mil moabitas, todos armados; não escapou um sequer. ³⁰Nesse dia, Moab esteve sob a mão de Israel. E o país viveu em paz por oitenta anos.

Samgar – ³¹Samgar, filho de Anat, sucedeu a Aod. Com uma queixada de boi matou trezentos filisteus, e assim também ele salvou Israel.

4 Débora* e Barac – ¹Depois que Aod morreu, os israelitas tornaram a fazer o que o Senhor reprova, ²e o Senhor os vendeu a Jabin, rei cananeu que reinava em Hasor; o general de seu exército era Sísara, com residência em Haroset-Goim*. ³Os israelitas clamaram ao Senhor, porque Sísara tinha novecentos carros de ferro e fazia vinte anos que os tiranizava.
⁴Débora, profetisa, casada com Lapidot, governava Israel nesse tempo. ⁵Tinha seu tri-

---

3,23-25 A simultaneidade do sair e do entrar sublinham o ridículo da cena. A descoberta está marcada no original com três partículas "eis aqui" (*hinné*): as portas fechadas, ninguém abre, o senhor caído.
3,27 O mesmo verbo hebraico se usa para enfiar a espada e tocar a trombeta. Com este recurso se prende o que vem a seguir, uma ampliação do fato a outra tribo, com consequências para todo Israel.
3,28 Jz 7,24s.
3,31 O nome de Samgar não parece israelita. Anat é o nome de uma deusa cananeia. Sua gesta se parece com a de Sansão, com a queixada, e com as de Sama, soldado de Davi (2Sm 23,11). Enquanto os filisteus dispõem de armas de ferro, Sangar se vale de um aguilhão provavelmente arrematado em ponta metálica. O personagem reaparece no cântico de Débora.
4 Duas versões, uma em prosa narrativa, outra em verso épico, recolhem o importante acontecimento da vitória sobre os reis cananeus aliados. Se o relato tem base histórica, teríamos de situá-lo na metade do século XII. Em qualquer caso, o relato funciona no quadro do que podemos reconstruir com coerência. Israel já se estabeleceu firmemente em dois blocos divididos por uma franja central, e se tornou grave ameaça para as populações e reinos locais. Se conseguirem ocupar a fértil franja central, logo se tornarão os únicos donos do território palestino; os reinos autóctones que ainda subsistem terão de submeter-se, desaparecer, ser absorvidos. Por outro lado, a planície central pode ser o ponto de partida de um ataque que mantenha separados os dois grupos de tribos e ponha um freio a seu afã expansionista. Vários reis cananeus formam uma coalizão, nomeiam um general e reúnem suas armas mais avançadas, os carros. Oferecerão batalha na planície, onde seu exército tem superioridade absoluta. Inclusive podem contar com a indiferença de algumas tribos, que não se sentem diretamente ameaçadas. O exército cananeu avança pela planície, os destacamentos israelitas se derramam do Tabor; de repente sobrevém uma tormenta, um aguaceiro, e os carros armados cananeus ficam sem ação. Não podem manobrar, nem sequer podem fugir nos caminhos enchardacos; não podem subir as montanhas controladas pelos israelitas. O general foge a pé e morre nas mãos de uma mulher beduína. É uma vitória decisiva que dá a Israel o predomínio sobre os cananeus, une geograficamente as tribos e confirma seu sentido de unidade.
Os personagens da história se reduzem a quatro. A primeira dupla tem nomes significativos: Débora (= abelha) é a mulher valente e decidida; Barac (= raio) é o homem indeciso; a mulher é profetisa e possui a palavra de Deus; o homem é militar e está desanimado. A segunda dupla é formada por Jael (= cabra montês, camurça) e Sísara, um general que era também rei.
4,1-3 A presença de Jabin nesta narração é suspeita: em Js 11,1-9 é o chefe da coalizão setentrional derrotada por Josué junto ao arroio de Merom; não aparece no resto da narração nem no poema; o versículo 3 parece indicar que o opressor é Sísara. Sua residência se encontrava provavelmente a oeste da grande planície, perto do mar e do Carmelo; até aí não tinham chegado os filisteus.
4,1 * = Abelha. 2Rs 22,14.
4,2 * = dos Povos.
4,3 Js 11,6; 17,18.
4,4-5 Seu ofício principal é conciliar disputas, resolver pleitos; era então o modo comum de governar. Seu prestígio irradiava da zona central para outras tribos, incluídas as do norte. Mas sua autoridade para convocar Barac lhe vem de um oráculo do Senhor, porque é profetisa. Barac devia ter um cargo importante nas tribos do norte; tem o mesmo nome que o

bunal sob a Palmeira de Débora, entre Ramá e Betel, na serra de Efraim, e os israelitas iam a ela para que decidisse seus litígios.

⁶Débora mandou chamar Barac*, filho de Abinoem, de Cades de Neftali, e lhe disse:

— Por ordem do Senhor Deus de Israel, vai recrutar gente e reúne no Tabor dez mil homens de Neftali e Zabulon; ⁷eu levarei Sísara, general do exército de Jabin, à torrente do Quison, com seus carros e suas tropas, e o entregarei a ti.

⁸Barac replicou:

— Se vieres comigo, vou; se não vieres comigo, não vou.

⁹Débora respondeu:

— Está bem. Irei contigo. Mas a glória desta campanha que empreenderás não será tua, porque o Senhor entregará Sísara nas mãos de uma mulher.

A seguir, pôs-se a caminho para reunir-se com Barac, em Cades. ¹⁰Em Cades, Barac mobilizou Zabulon e Neftali; dez mil homens o seguiram, e também Débora subiu com ele.

¹¹(Héber, o quenita, separara-se de sua tribo, dos descendentes de Hobab, sogro de Moisés, e havia acampado junto ao Carvalho de Saananim, perto de Cades.)

¹²Enquanto isso avisaram a Sísara que Barac, filho de Abinoem, havia subido ao Tabor. Então Sísara mobilizou seus carros — ¹³novecentos carros de ferro – e toda a sua infantaria, e avançou de Haroset até a torrente do Quison.

¹⁴Débora disse a Barac:

— Vamos! Hoje mesmo o Senhor entrega Sísara em tuas mãos. O Senhor marcha à tua frente!

Barac desceu do Tabor, e atrás dele seus dez mil homens. ¹⁵O Senhor desbaratou Sísara, todos os seus carros e todo o seu exército diante de Barac, a ponto de Sísara ter de pular do seu carro de guerra e fugir a pé.

¹⁶Barac foi perseguindo o exército e os carros até Haroset-Goim*. Todo o exército de Sísara caiu a fio de espada, sem sobrar um.

¹⁷Enquanto isso, Sísara fugira a pé para a tenda de Jael, esposa de Héber, o quenita, porque havia boas relações entre Jabin, rei de Hasor, e a família do quenita Héber.

¹⁸Jael saiu a seu encontro, convidando-o:

— Entra, senhor; entra, não temas.

Sísara entrou na tenda, e Jael o escondeu com uma manta. ¹⁹Sísara pediu-lhe:

— Por favor, dá-me um pouco de água, pois estou morrendo de sede.

Ela abriu o odre de leite, deu-lhe de beber, e o escondeu. ²⁰Sísara lhe disse:

— Fica na entrada da tenda, e se vier alguém e te perguntar se há alguém dize-lhe que não há ninguém.

---

general cartaginês Amílcar Barca, enquanto o nome do seu pai "meu pai é formoso" parece referir-se ao deus Tamuz ou a seu equivalente fenício.

4,6-9 O diálogo põe em confronto dois caracteres. O autor o expressa com refinamento estilístico: Débora fala em verso bastante regular, começando com um mandato categórico "vai"; Barac responde pondo condições, repete quatro vezes o verbo ir, insistindo na vogal i; é irônica a indecisão deste "Raio" para ir; Débora replica repetindo o verbo ir em forma categórica.

"Pôr nas mãos de" ou "entregar" é uma das fórmulas da guerra santa, faz parte do oráculo em que Deus dá a segurança da vitória. O narrador vai jogar com a palavra *mão* (embora de modo diverso que no relato de Aod). "Nas mãos de uma mulher": o leitor pensa que essa mulher será Débora, a única mulher que apareceu em cena até agora.

4,6 * = Raio.

4,10 Zabulon e Neftali são duas tribos setentrionais; o relato em prosa nada diz sobre as outras tribos, tema importante do poema. Pode ser que as tribos setentrionais fossem menos temidas e menos belicosas, e os dados bíblicos dão preferência militar em geral às tribos da montanha central ou meridional; Tanac, Meguido e Betsã, fortalezas cananeias, custodiavam os acessos do lado sul.

4,11 A notícia serve para preparar os acontecimentos da segunda parte. A localidade traz o nome comum Cades (= santuário), e se encontrava talvez entre Meguido e Tanac. A tribo dos quenitas habitava no Neguebe, ao passo que Héber tinha emigrado para o norte, continuando sua vida de nômade.

4,14 A frase de Débora é oracular e tem ritmo marcado com várias rimas. Sair à frente é expressão militar (ver Ex 11,4), e significa que o Senhor será o general. A saída se podia realizar com a arca como paládio militar; mas não é provável que Barac pudesse contar com ela.

4,15-16 Não se descreve a batalha. Tudo é realizado pelo Senhor com a ação típica da guerra santa: semeando o pânico, perturbando, desbaratando (*hmm*). A ação é separada em dois fios simultâneos: enquanto Sísara foge a pé, Barac persegue o exército derrotado. É muito enfático esse fugir "a pé" do general que comandava com seus carros.

4,16 * = dos Povos.

4,17 O segundo ato muda a cena: em vez de acampamento, tenda de campanha; em vez de batalha, boas relações ou paz.

4,18-20 A cena tem ressonâncias ambíguas. Que a mulher tome a iniciativa e saia ao encontro, que convide a entrar, que cubra o soldado; o convite soa sedutoramente *sura adoni sura 'elay 'al tira*'; e não

²¹Porém Jael, esposa de Héber, pegou uma estaca da tenda, tomou um martelo na mão, aproximou-se nas pontas dos pés e lhe afundou a estaca na têmpora, atravessando-a até o chão. Sísara, que dormia profundamente, morreu. ²²Barac, por sua vez, ia em perseguição a Sísara. Jael saiu ao seu encontro e lhe disse:
– Vem, vou te mostrar o homem que procuras.

Barac entrou na tenda: Sísara jazia morto, com a estaca na têmpora.

²³Nesse dia, Deus derrotou Jabin, rei cananeu, diante dos israelitas. ²⁴E estes foram se tornando sempre mais fortes diante de Jabin, rei cananeu, até que conseguiram exterminá-lo.

5 Canto de vitória (Ex 15; Hab 3) –

¹Nesse dia, Débora e Barac, filho de Abinoem, cantaram:
²Porque pendem as cabeleiras em Israel,
pelos voluntários do povo,
bendizei o Senhor!
³Ouvi, reis; escutai, príncipes;
vou cantar, cantar ao Senhor,
e tocar para o Senhor Deus de Israel.
⁴Senhor, quando saías de Seir,
avançando desde os campos de Edom,
a terra tremia, os céus destilavam,
as nuvens água destilavam;
⁵os montes se agitavam
diante do Senhor, o do Sinai;
diante do Senhor Deus de Israel.
⁶No tempo de Samgar, filho de Anat,
no tempo de Jael,
os caminhos não eram transitados,
as caravanas
andavam por sendas tortuosas;
⁷já não havia aldeões,
não os havia em Israel,
até que te levantaste, Débora;
tu te levantaste, mãe de Israel.

---

esqueçamos a homofonia em hebraico de "dá-me de beber" e "dá-me um beijo" (ver Is 27,2-5 e o começo do Cântico dos Cânticos). As últimas palavras de Sísara reduzem a dignidade do general à sua pura dimensão humana, o anônimo que desaparece: "Vem alguém... há alguém... ninguém".

4,21 Com precisão de detalhes, com rapidez na sucessão e com sonoridade áspera, o autor descreve a ação de Jael. A mão de uma mulher agiu. Jt 13,6-8.

4,24 A conclusão sugere que Jabin continuou no poder e que a derrota foi o começo de sua decadência definitiva. Canaã (*kn'n*) é assonante de derrotar (*kn'*).

5 O chamado "cântico de Débora" é uma explosão lírica sem perder o controle. Que o autor tenha utilizado material de outros é muito possível, mas interessa menos, porque o resultado se impõe como um dos melhores poemas da antiguidade. Muitos indícios fazem suspeitar que este cântico é antigo.

A técnica de composição é muito livre: quadros intensos e rápidos se justapõem, criando contrastes violentos, ou se interrompem com intermédios líricos, invocações ou imprecações. Ação narrativa e diálogo, inclusive um desfile de tribos, se fundem no fervor do entusiasmo. O poeta convoca com a palavra os personagens, dirige-se na segunda pessoa aos de Israel, deixa a terceira pessoa para o inimigo. Num olhar amplo, contrasta Israel com Canaã, julgando as tribos por sua atitude na hora decisiva; mas na batalha intervém forças cósmicas, as estrelas e a torrente, como exército do Senhor. O poema canta Débora e bendiz Jael; mas sobretudo bendiz e louva ao Senhor pelas vitórias de Israel.

O poema emprega um ritmo algo flexível, se compraz em repetições próximas segundo a fórmula abc-bcd ou semelhantes; sutis repetições de palavras criam relações a distância, que um ouvido treinado escuta. O poema tem vários pontos de contato com o Sl 68, que parece ser arcaizante.

5,1 O título é posterior e não corresponde ao conteúdo: no poema a poeta se distingue expressamente dos protagonistas. Compare-se com Ex 15,1.20-21.

5,2 O soltar a cabeleira poderia estar em relação com o nazireato (Nm 6,1-21). Parece que alguns destes consagrados eram militares. Outros pensam em simples gesto guerreiro.

5,3 Dirigindo-se a reis, o poeta finge uma audiência de estrangeiros, enquanto exalta a soberania do Senhor.

5,4-5 Segundo uma tradição bem atestada, o Senhor habita no sul, e daí sai para lutar por seu povo: Dt 33,2; Hab 3,3; Sl 68,8-9. Seir é praticamente sinônimo de Edom. Estes versículos podem referir-se à grande saída do Senhor tirando seu povo do Egito e a novas teofanias históricas; também pode ligar poeticamente a teofania atual com a tradicional, em unidade de desígnio histórico. Em tempos antigos, o Senhor está vinculado ao Sinai; mais tarde ao monte Sião, e de Sião vem a teofania (por exemplo, Sl 50,2-3; Sl 76). A teofania inclui um aguaceiro e um terremoto, seja em sentido próprio, seja como impressão de tremor causado por violentos trovões; ver Sl 29.

5,6 Já encontramos este chefe de nome hitita (ou lúvio): em 3,31 aparecia como salvador de Israel, aqui define uma época sombria. Mais estranho é encontrar Jael definindo uma etapa. Será que se trata de uma confusão com Jabin?

5,6-7 Os caminheiros parecem ser mercadores, talvez caravanas menores, que têm de evitar as rotas normais por causa do perigo de bandidos (ver Jz 9,25); opõem-se aos camponeses, que habitam povoados abertos e desguarnecidos.

Mãe de Israel soa como título honorífico, como se diz "mãe pátria". No contexto atual, ouve-se uma oposição entre Samgar, incapaz de defender o povo, e Débora, que se levanta e toma a iniciativa de salvá-lo. Ao pôr-se em pé, vai mobilizar os israelitas, também no poema.

⁸Havia escolhido
  deuses novos para si;
  a guerra já chegava às portas;
  não se viam nem escudo nem lança
  entre quarenta mil israelitas.
⁹Meu coração pelos capitães de Israel,
  pelos voluntários do povo!
  Bendizei ao Senhor.
¹⁰Vós que cavalgais burras pardas,
  sentai-vos sobre albardas,
  a caminho, atendei:
¹¹tocando trombetas,
  entre os bebedouros,
  celebrai as vitórias do Senhor,
  as vitórias dos aldeões de Israel,
  quando o povo do Senhor
  acorreu às portas.
¹²Desperta, desperta, Débora!
  Desperta, desperta, entoa um canto!
  De pé, Barac!
  Pega teus cativos,
  filho de Abinoem!
¹³Sobrevivente,
  submete os poderosos;
  povo do Senhor,
  submete-me os guerreiros.

¹⁴De Efraim,
  enraizado em Amalec,
  seguindo-te Benjamim
  com suas famílias;
  de Maquir desceram os capitães;
  de Zabulon os que empunham
  o bastão de comando;
¹⁵os príncipes de Issacar com Débora;
  Issacar também com Barac;
  os infantes destacados ao vale.
  Rúben entre os açudes*
  decide coisas grandes.
¹⁶O que fazes sentado nos apriscos,
  escutando a flauta dos pastores?
  Rúben entre os açudes
  decide coisas grandes!
¹⁷Galaad ficou
  do outro lado do Jordão;
  Dã continua com seus barcos;
  Aser ficou à margem do mar
  e continua em suas enseadas.
¹⁸Zabulon é um povo
  que desprezou a vida,
  como Neftali em seus campos elevados.
¹⁹Chegaram os reis para o combate,
  combateram os reis de Canaã:

5,8a Se lemos o texto hebraico como está – aceitando alguma anomalia de construção – o versículo dá a razão desse estado de coisas: é um castigo pela idolatria, e o sujeito é Israel. Com a primeira expressão deve-se comparar Js 24,15; com a segunda, Is 28,6.
5,8b Recordando que Samgar lutou com um aguilhão, esta notícia indica que Israel, estabelecido já como povo agrícola sedentário, não dispunha de armas. Quando muito se fazia sentir já o que conta 1Sm 13,19-22, que os filisteus se reservavam a técnica da fabricação do ferro, inclusive afiar os instrumentos para a lavoura. É a época em que o uso do ferro se estende, mas demora a chegar aos israelitas; os filisteus o trouxeram em seus barcos, os cananeus o importaram da Ásia Menor. O número de quarenta mil parece generosamente arredondado.
5,9 Repetindo parte do v. 2, este versículo e a estrofe seguinte introduzem a segunda parte.
5,10 O camelo, domesticado durante o século XII, ainda não se tinha tornado comum em Israel, e menos ainda o cavalo de tração. Cavalgar uma burra era já sinal de riqueza ou de honra; assim o confirmam as notícias sobre os juízes menores nos próximos capítulos. Mais tarde se empregará a mula para esses fins.
5,11 Segundo a etimologia, "vitórias" são os atos pelos quais o Senhor faz triunfar a causa do oprimido, defende seu direito, e lhe faz justiça. A vitória é também dos aldeões, do povo, por sua decisão de defender-se. Estes são os voluntários do v. 9, já que não bastava o exército regular.
5,12-13 A invocação aos dois chefes e ao resto do povo está cheia de aliterações, além das manifestas repetições: deborá – dabberi, yorid (?) – sarid – addir.

5,14-18 Na lista das tribos faltam as meridionais Judá e Simeão; Maquir representa Manassés ocidental, Gad se chama Galaad, Zabulon é mencionada duas vezes; no total são dez. Já que o poeta louva e reprova, parece considerar completa a sua lista; por algum motivo as tribos do sul estão dispensadas. Na versão em prosa, só se mencionam Zabulon e Neftali. Esta recordação e caracterização de tribos recorda um pouco Gn 49 e Dt 33, embora a função aqui seja diversa.
5,14 É estranho encontrar Efraim entre os amalecitas, beduínos que habitavam a estepe do sul; o grego, suprimindo uma letra, leu "no vale", que é mais aceitável, ainda que Efraim habitasse antes uma zona montanhosa, "a serrania de Efraim".
5,15 É estranha a repetição de Issacar; mas esta tribo residia na planície de Esdrelon, e no seu território estava encravado o Tabor, onde Barac concentrou suas tropas.
* = Ou: entre clãs.
5,16 A referência a Rúben é irônica. A tribo de pastores da Transjordânia não se solidarizou com os camponeses do outro lado. Compare-se com sua atuação em Js 1 e 22.
5,17 Os capítulos 17-18 supõem a migração de Dã, da região vizinha aos filisteus para o extremo norte de Canaã. A destruição de Lais parece que se deu no final do século XII, que é uma data posterior aos fatos do presente capítulo. Os barcos estariam em relação com os fenícios ou com algum dos "povos do mar", ou com a tribo vizinha, Aser.
5,19-22 A batalha não está descrita. Alguns dados objetivos se associam a duas audazes personificações cósmicas e a um traço impressionista. As estrelas

em Tanac, junto às águas de Negueb,
não ganharam sequer
uma peça de prata.
²⁰Do céu, as estrelas combateram,
de suas órbitas
combateram contra Sísara.
²¹A torrente do Quison os arrastou,
a torrente do Quison os enfrentou,
a torrente pisoteou seus valentes.
²²Martelavam os cascos dos cavalos
a galope,
ao galope dos bridões.
²³Maldita seja Meroz, amaldiçoai-a,
diz o mensageiro do Senhor;
amaldiçoai seus habitantes,
porque não vieram
em auxílio ao Senhor,
com suas tropas em auxílio do Senhor.
²⁴Bendita entre as mulheres é Jael,
mulher do quenita Héber,
bendita entre as que habitam
em tendas!
²⁵Água lhe pediu, leite lhe deu;
serviu-lhe nata em taça de príncipes.
²⁶Com a esquerda pegou a estaca,
com a direita
o martelo do trabalhador;
golpeou Sísara,
esmigalhando-lhe o crânio,
destroçou-o
atravessando-lhe as têmporas.
²⁷Encurvou-se entre seus pés,
caiu deitado;
encurvou-se entre seus pés, e caiu;
encurvado, aí mesmo caiu sem vida.
²⁸Na janela,
aparece, grita,
a mãe de Sísara, através da grade:
– Por que seu carro demora a chegar,
por que se atrasam
os passos de seus cavalos?
²⁹A mais sábia de suas damas
lhe responde,
e ela repete a si mesma as palavras:
³⁰– Estão pegando
e repartindo os despojos,
uma ou duas jovens
para cada soldado,
panos coloridos para Sísara,
bordados e recamados
para o pescoço das cativas.
³¹Pereçam assim, Senhor, teus inimigos!
Teus amigos sejam fortes,
como o sol que desponta!
E o país esteve em paz por quarenta anos.

---

formam o exército do Senhor, ao passo que a torrente pode recordar o mar Vermelho.

5,19 O poema alude a uma confederação cananeia, que é o mais provável. Só menciona o nome de Sísara. A primeira aliteração une os dois nomes Canaã e Tanac (*kn'n t'nk*). Outra aliteração abrange toda a estrofe: combater-torrente-ganhar-martelar (*nlhm nhl lqh hlm*).
O galope é famoso como exemplo de onomatopeia: *halemu 'iqqebe susim daharot daharot abbirayu*.

5,23 Não sabemos onde se encontra este povoado que ocupa lugar tão proeminente no poema. Esta maldição, que começa com um oráculo e é respondida em coro pelo povo, equivale a uma excomunhão ou exclusão da comunidade. O Senhor faz recrutamento e o povo responde, enviando-lhe tropas auxiliares.

5,24-27 A versão poética omite o detalhe da manta e o momento do sono. Este martelar parece fazer eco aos cascos dos cavalos do v. 22 (o mesmo verbo em hebraico). A ação de Jael se desdobra em momentos rápidos, e a morte se alonga em frases de duplo sentido. É provável que o autor do livro de Judite se tenha inspirado nesta cena.

5,26 Jt 16,9.

5,28-30 Singular acerto do poeta é acrescentar, com montagem audaz, este epílogo que expressa pateticamente a ausência do general morto. A mãe de Sísara se opõe a Débora, a mãe de Israel; a dama de corte cria em suas palavras uma cena magnífica, mas inexistente; que irônico seu título de sábia!

5,31 Soa como invocação litúrgica. Narração e poema se comprazeram em desenvolver o motivo literário "vitória do fraco": Israel, aldeão, mais fraco que seu inimigo bem armado; Débora, a mulher, mais fraca que Barac; Jael diante do general. Inclusive no campo inimigo domina a presença feminina: a rainha, a dama, moças e vestidos; embora os sonhos dessas mulheres sejam vãos. Para a imagem do sol, ver Sl 19,6.

Gedeão

Débora e Barac se confrontavam com os senhores cananeus que, por tradição, ocupavam a Palestina; a vitória dos primeiros quebrou definitivamente a resistência dos habitantes precedentes. Gedeão tem de enfrentar uma agressão que vem do leste. Parece que a história se compraz em repetir-se: os amorreus (= ocidentais) eram tribos semíticas que invadiram a franja costeira e aí se estabeleceram; também o conjunto dos israelitas vinha do deserto e penetrou cruzando o Jordão, para desalojar lentamente os ocupantes anteriores; uma nova maré se agita no deserto oriental, enviando ondas sucessivas, capazes de cobrir o território e seus novos ocupantes. Tocará aos israelitas, há pouco instalados, a sorte dos cananeus? Vão medi-los com a mesma medida? A nova onda introduz um fator novo, revolucionário: o camelo domesticado. Os madianitas são uma tribo nômade que se dedicou em parte ao transporte de mercadorias, o que se realizava antigamente no

6 Gedeão (Jz 13) – ¹Os israelitas fizeram o que o Senhor reprova, e o Senhor os entregou a Madiã por sete anos. ²O regime de Madiã foi tirânico. Para livra-se dele, os israelitas tiveram de utilizar as covas dos montes, as cavernas e os refúgios.

³Quando os israelitas semeavam, os madianitas, os amalecitas e os orientais vinham incomodá-los; ⁴acampavam diante deles e destruíam todas as lavouras, até a entrada de Gaza. Não deixavam nada com vida em Israel, nem ovelha, nem boi, nem asno; ⁵pois vinham com seus rebanhos e tendas, numerosos como gafanhotos, homens e camelos sem conta, e invadiam a região, arrasando-a. ⁶Com isso, Israel ia empobrecendo por causa de Madiã.

⁷Então os israelitas clamaram ao Senhor. E quando os israelitas clamaram ao Senhor por causa de Madiã, ⁸o Senhor enviou um profeta para dizer-lhes:

– Assim diz o Senhor Deus de Israel: Eu vos fiz subir do Egito, vos tirei da escravidão, ⁹vos libertei dos egípcios e de todos os vossos opressores, os expulsei diante de vós para vos entregar suas terras, ¹⁰e vos disse: "Eu sou o Senhor vosso Deus; não adoreis os deuses dos amorreus, em cujo país irás viver". Mas não me obedecestes.

¹¹O anjo do Senhor veio e sentou-se sob o Carvalho de Efra, propriedade de Joás, de Abiezer, enquanto seu filho Gedeão estava trilhando trigo a chicote no lagar, para escondê-lo dos madianitas.

---

lombo de asnos. Este sistema limita as rotas a zonas com fontes pouco distantes. Durante o século XII se consuma e se difunde a domesticação do camelo (os camelos de Gn 37,25 são um anacronismo), com isso se abrem novas rotas, se podem cobrir maiores distâncias e a velocidade do transporte se multiplica. O camelo se demonstra útil para outro tipo de atividade, não menos lucrativa que o transporte de mercadorias, a saber, o roubo e a pilhagem. Um esquadrão de ginetes montados em camelos podem partir de longe, irromper de improviso e escapar sem ser alcançados.

Os madianitas se aliam com outros beduínos: com os amalecitas já conhecidos em Ex 17,8-16 e com outra tribo que traz o nome geográfico de "orientais" (o mesmo que benjaminitas significa "meridionais"). Seu caminho de penetração é através dos vaus do Jordão, em frente da planície de Esdrelon ao norte, e talvez mais ao sul, diante da serra de Efraim; ou então penetravam pelo norte e dobravam para o sul. Sua tática é refinada: deixam as populações sedentárias trabalhar, e se apresentam para apanhar as colheitas. Esses beduínos com seus camelos podem vir a ser tão perigosos como os cananeus com seus carros de combate. A tática repetida ano após ano ameaça matar de fome e desespero os pobres aldeões israelitas.

Nesse contexto histórico, assim reconstruído ou imaginado, atua o novo herói, Gedeão Jerobaal. Comparados com os vinte versículos dedicados a Aod (incluindo quadro e ampliação), são apreciáveis os cem versículos que Gedeão ganha no livro. O material narrativo sobre o herói procede de diversas tradições, a princípio orais; com elas o autor último construiu uma narração articulada em breves cenas bem encadeadas, bastante variadas, com justa proporção entre ação e diálogo; a maestria narrativa alcança acertos excepcionais. O sentido religioso dos fatos está explícito, sobretudo nos diálogos.

Vamos dividir este capítulo numa série de cenas ou seções: a situação (1-6), requisitório profético (7-10), vocação do herói (11-24), Deus põe à prova Gedeão (25-32), situação (33-35), Gedeão põe Deus à prova (36-40).

6,1 Conforme Gn 25,1-4, Madiã é um dos filhos de Abraão e de Cetura, ao passo que Gn 37 relaciona os madianitas com os ismaelitas, também descendentes de Abraão. A lembrança de um parentesco ancestral parece significativa nessas notícias.

6,4 Gaza nessa época já estava em poder dos filisteus; talvez o autor tome Gaza como denominação dos principados, e pareça pensar numa penetração também ao longo da costa.

6,5 A comparação com o gafanhoto, que chega a tornar-se tópica (Jr 46,23; Na 3,15), é muito eficaz para descrever o avanço rapidíssimo do exército de camelos, os saltos, a poeira, sua passagem desoladora.

6,7-10 Segunda aparição e requisitório do livro. Sua função estrutural é semelhante: 2,1-5 explica o fracasso descrito antes, como castigo pelo pecado; o mesmo faz a primeira peça. Também o conteúdo é semelhante: recordação de benefícios, que resumem a salvação em dois tempos, e denúncia da desobediência. Em vez do anjo do Senhor, havia um profeta anônimo (o requisitório é frequente na atividade profética); não se lê a resposta do povo, que devia ser penitência e confissão. Talvez falte esta conclusão em vista dos eventos dos vv. 25-32. O discurso do profeta é como um resumo esquemático: benefício do Senhor, título da aliança, exigência de culto exclusivo. O discurso está em versos de quatro ou três acentos.

6,8 Jz 2,1-5.

6,11-24 Personagens. O anjo do Senhor é a aparição do Senhor; por isso o texto emprega essa fórmula quando aparece, se senta, age, enquanto diz simplesmente "o Senhor" quando fala. Ver a aparição do Senhor acarreta perigo de morte. Gedeão significa "aquele que arranca, assola, destroça"; Jerobaal significa "defenda, pleiteie Baal". O narrador diz que o segundo é um apodo, mas é estranho que deem um nome teofórico de Baal ao inimigo de Baal; alguns autores invertem a explicação do autor, dizendo que Jerobaal é o nome original – nome baalista – e Gedeão é o apodo. Note-se que seu pai tem um nome teofórico javista, Joás. Abiezer (= meu pai auxilia) é o nome, também teofórico, de um clã de Manassés, conforme Nm 26,30 e Js 17,2.

¹²O anjo do Senhor lhe apareceu e disse:
– O Senhor está contigo, valente.
¹³Gedeão respondeu:
– Perdão; se Senhor está conosco, por que nos aconteceu tudo isso? Onde foram parar aqueles prodígios dos quais nos falavam nossos pais: "O Senhor nos tirou do Egito…"? A verdade é que agora o Senhor nos desamparou e nos entregou aos madianitas.
¹⁴O Senhor voltou-se para ele e disse:
– Vai, e com tuas próprias forças salva Israel dos madianitas. Eu te envio.
¹⁵Gedeão replicou:
– Perdão, como posso libertar Israel? Precisamente minha família é a menor de Manassés, e eu sou o mais novo da casa do meu pai.
¹⁶O Senhor respondeu:
– Eu estarei contigo, e derrotarás os madianitas como se fossem um só homem.
¹⁷Gedeão insistiu:
– Se conquistei teu favor, dá-me um sinal de que és tu quem fala comigo. ¹⁸Não te afastes daqui, até que eu volte com uma oferta e a ofereça a ti.

O Senhor disse:
– Ficarei aqui até que voltes.
¹⁹Gedeão foi preparar um cabrito e uns pães ázimos com um almude de farinha; a seguir pôs a carne no cesto e derramou o caldo numa vasilha; e o levou ao Senhor, oferecendo-lhe debaixo do carvalho.
²⁰O anjo do Senhor lhe disse:
– Pega a carne e os pães ázimos, coloca-os sobre esta rocha e derrama por cima o caldo.
Assim fez. ²¹Então o anjo do Senhor estendeu a ponta do cajado que carregava, tocou a carne e os pães, e da rocha levantou-se uma labareda que os consumiu. E o anjo do Senhor desapareceu.
²²Quando Gedeão percebeu que se tratava do anjo do Senhor, exclamou:
– Ai, meu Deus! Vi o anjo do Senhor face a face!
²³Mas o Senhor lhe disse:
– Paz! Não temas, não morrerás!
²⁴Então Gedeão ergueu aí um altar ao Senhor, chamando-o de "Senhor da Paz". Esse altar está ainda hoje em Efra de Abiezer.

A *passagem* tem um tom que recorda intensamente as cenas patriarcais, especialmente Gn 18: a divindade assume figura antropomórfica, embora demonstre poder sobre-humano e se reserve a liberdade de aparecer e desaparecer. O homem pode rogar, não mandar nem dispor. Em Gn 18, a divindade aceitava o banquete, aqui o transforma em holocausto.
O *diálogo*, diante do que costuma fazer o Antigo Testamento, é bastante longo – quatro intervenções duplas – e muito elaborado. Coloca-se no gênero de "vocação" e deve ser estudado em paralelo com a vocação de Moisés, de Jeremias etc. Deus confia uma missão ao homem, o homem resiste, Deus lhe promete ajuda, o homem pede um sinal, Deus lhe concede: são esses os possíveis elementos de um relato de vocação, e se encontram de modo diverso em cada caso.
6,11 Efra de Manassés encontra-se a poucos quilômetros ao sul do Tabor, muito exposta às incursões madianitas. O carvalho ou terebinto poderia ter caráter sagrado, sobretudo considerando sua proximidade de uma rocha que servirá de altar; o artigo distingue este carvalho entre os outros.
6,12-16 As palavras do Senhor, com sua insistência no valor e na força, fazem o homem descobrir a própria incapacidade para a missão. Esta leva o verbo "salvar", o dos juízes maiores, e tem como objeto todo Israel. A incapacidade humana, uma vez confessada, fica abolida pela presença ativa do Senhor; lemos "o Senhor contigo" duas vezes, como saudação e como fundamento da missão; e a objeção de Gedeão implica a mesma ideia: são inconciliáveis as desgraças com essa presença.
Com grande claridade e com sentido teológico se coloca o motivo da vitória do menor, recorrente no livro; sua explanação virá no capítulo seguinte. Podem-se recordar a eleição de Saul (1Sm 9,21) e a de Davi (1Sm 16).
6,13 Sl 60,12.
6,14 Ex 3,10.
6,15 1Sm 9,21.
6,17-21 Enquanto Moisés pede um sinal que garanta sua missão, Gedeão pede um sinal que identifique seu interlocutor; não aconteça que se trate de um sonho ou alucinação.
Talvez espere um sinal relacionado com a oferenda; o de Moisés está relacionado com o culto (Ex 3,12). Lv 1-2 explica, perfeitamente, a diferença entre oferenda, holocausto e outros sacrifícios; nas oferendas não entram os animais; pode ser que o nosso texto represente costumes mais antigos, menos diferenciados. A quantidade de comida é fabulosa para um só comensal. Caldo, cabrito e pão estavam destinados a um banquete; o Senhor pede que o caldo seja oferecido em libação, o resto arderá; não é normal que o pão se queime no sacrifício.
O fogo milagroso como sinal revela o Senhor: recorde-se o de Moisés (Ex 3), Elias (1Rs 18) e Lv 9,24. O fogo do templo é sagrado por seu uso, este o é também por sua origem.
6,22-23 Isto acontece fora e depois da visão; portanto, o oráculo do Senhor é visto, como tantos outros na literatura profética, como resposta pessoal, interna. A saudação normal, pronunciada pelo próprio Deus, se impõe com sua eficácia e evidência. "Ver face a face" é expressão clara, que também se poderia traduzir "em pessoa"; é privilégio de homens como Moisés, Ex 33,11.
6,24 Construir um altar para comemorar uma visão no local é costume antigo: Gn 12,7 (Abraão); 26,25

²⁵Nessa noite o Senhor disse a Gedeão:

– Pega o boi de sete anos que pertence a teu pai, derruba o altar de teu pai dedicado a Baal, e corta a árvore sagrada que está perto dele; ²⁶ergue, a seguir, um altar ao Senhor teu Deus, no topo do barranco, com as pedras bem colocadas; pega o boi e oferece-o em sacrifício, aproveitando a lenha da árvore já cortada.

²⁷Gedeão escolheu dez de seus servos e fez o que o Senhor tinha mandado; não se atrevendo, porém, a fazê-lo de dia, com medo de seus familiares e da gente do povoado, fez isso de noite.

²⁸Quando os habitantes se levantaram de manhã, encontraram destruído o altar de Baal, a árvore sagrada cortada e junto dela o boi sacrificado junto do altar recém-construído. ²⁹Perguntavam entre si:

– Quem teria sido?

Indagaram, averiguaram e chegaram à conclusão:

– Foi Gedeão, filho de Joás.

³⁰Então disseram a Joás:

– Faze sair teu filho, a fim de que morra, pois destruiu o altar de Baal e cortou a árvore sagrada que havia junto dele.

³¹Joás respondeu a todos os que o ameaçavam:

– Por que defendeis Baal? Como se devêsseis salvá-lo! Se alguém o defender, morrerá antes que desponte o sol. Se Baal é deus, que se defenda, visto que destruíram seu altar.

³²Por isso, nesse dia, apelidaram Gedeão de Jerobaal, comentando:

– Que Baal se defenda, visto que destruíram seu altar!

³³Os madianitas, os amalecitas e os orientais aliaram-se, atravessaram o rio e acamparam na planície de Jezrael.

³⁴O espírito do Senhor tomou conta de Gedeão. Ele tocou o alarme, e Abiezer correu para unir-se a ele. ³⁵Enviou mensageiros a Manassés, e este se uniu a ele; em seguida, a Aser, Zabulon e Neftali e também eles vieram unir-se com ele.

(Isaac); 28,18 (Jacó erige uma estela); 35,1-7 (o altar em Betel). O nome do altar pode concretizar a lembrança, por exemplo Ex 17,15 (Moisés depois de vencer Amalec); Gn 22,14 (Abraão depois de sacrificar o carneiro).

6,25-32 A presença de outro altar, tão perto na narração e na região, pode insinuar uma tradição paralela. O autor último não vê contradição; antes, justapõe os dois relatos de altares. Uma vez que Gedeão se apresentou como fiel javista, terá de demonstrar seu zelo religioso num gesto ousado.

A ação cumprirá duas funções: comprovará e temperará o eleito, expiará pela comunidade. O primeiro se verá vencendo o medo e enfrentando seu próprio clã. A segunda o fará cumprindo a ordem do Senhor, que também se lê em Dt 7,5.

A narração nos mostra sem comentários uma situação de sincretismo. Em Efra, não muito longe de Siquém, há um chefe de família com nome javista, que possui um altar onde os vizinhos prestam culto a um deus cananeu da fecundidade, ao passo que seu filho presta culto a Javé (e não seria o único). Precisamente esse pecado de sincretismo é a causa dos males que o povo sofre, como disse o profeta no início. Deve-se expiar o pecado, como no caso do bezerro de ouro (Ex 32) ou no da prostituição sagrada do Baal de Fegor (Nm 25); desta vez, o ato não será cruento, e sim arriscado. A ação terá algo do julgamento de Deus, que revelará as atitudes de muitos e obrigará a tomar partido; destrói-se um altar e se constrói outro (recorde-se a destruição de ídolos em Js 24).

6,25 O texto hebraico, mal-conservado, menciona dois bois. A árvore sagrada pode ser um pau ou haste fincada na terra, como símbolo da divindade feminina cananeia.

6,26 O destino da árvore, combustível do sacrifício autêntico, simboliza o triunfo do culto de Javé e expressa a fidelidade dos bons javistas.

6,29-30 A ação do jovem foi sacrílega e merece a morte; do contrário, Baal enviará uma calamidade sobre a população.

6,31-32 Na reação de Joás, não basta o amor paterno (recorde-se o caso de Saul e Jônatas em 1Sm 14,25-45). Com a ação de seu filho, descobriu a impotência de Baal, esse deus que deve ser defendido por seus fiéis e não pode defendê-los. O segundo verbo é ainda mais enérgico: Deus deve salvar o homem, não o homem a Deus. Está claro que Baal não é Deus e que seus defensores é que merecem a morte, e não ele que destruiu o altar – alguns duvidam que esta ameaça de morte seja parte do texto antigo. Joás se atreve inclusive a desafiar essa divindade publicamente: suas palavras equivalem a uma abjuração e pedem outro tanto dos seus vizinhos.

O apodo é a rigor uma invocação, "Baal defenda", e tem uma correspondência javista em Joiarib (1Cr 9,10); a rigor refere-se à defesa judicial. O autor dá uma explicação maliciosa, usando ambiguamente o sufixo da terceira pessoa "Baal se/o defenda, visto que destruíram seu altar": a segunda leitura é o cúmulo da zombaria. A tradição posterior conhecerá Gedeão também por este outro nome, 1Sm 12,11, deformado em Jeroboset, 2Sm 11,21.

6,33-35 Pode ser que estes dois versículos constituíam o começo da história, ligando com o clamor de 1,6. Em vez de uma eleição bem articulada, teríamos a irrupção imprevista e incontida do espírito, que impulsionará Jefté e Sansão.

A preocupação por determinar as tribos que participam na empresa pode ser antiga, como o testemunha o cântico de Débora; o modo sintático de introduzi-las

³⁶Gedeão disse a Deus:

– Se realmente salvarás Israel por meio de mim, como garantiste, ³⁷vê, vou estender na eira este velo: se cair o orvalho sobre a lã e todo o solo ficar seco, ficarei convencido de que salvarás Israel por meio de mim, como garantiste.

³⁸Assim aconteceu. No dia seguinte, Gedeão madrugou, retorceu a lã, espremendo-lhe o orvalho, e enchendo uma vasilha de água. ³⁹Então Gedeão disse a Deus:

– Não te aborreças comigo se te faço outra proposta; farei somente outra vez a prova com o velo: quero que somente ele fique seco e, ao contrário, caia orvalho sobre o solo.

⁴⁰Assim fez Deus nessa noite: somente o velo ficou seco ao passo que caiu orvalho por todo o solo.

7 ¹Jerobaal, isto é, Gedeão, madrugou com sua gente e acampou junto de En-Harod*. O acampamento de Madiã ficava ao norte, junto à colina de Moré, no vale.

²O Senhor disse a Gedeão:

– Tens muita gente para que eu vos entregue Madiã. Não aconteça que, a seguir, Israel se glorie à minha custa, dizendo: "Minha mão me deu a vitória". ³Dá este aviso à tropa: "Quem tiver medo ou tremer, volte".

Voltaram para casa vinte e dois mil homens, ficando dez mil.

⁴O Senhor disse a Gedeão:

– Ainda é muita gente. Faze-os descer à fonte, e aí os selecionarei para ti. Aquele que eu te disser que poderá ir contigo, contigo irá; mas aquele que eu te disser que não poderá ir contigo, esse não irá.

⁵Gedeão mandou a tropa descer à fonte, e o Senhor lhe disse:

– Todos os que lamberem a água com a língua, como os cães, coloca-os de um lado; os que se ajoelharem para beber, coloca-os do outro lado.

⁶Os que lamberam a água (levando a água à boca com a mão) foram trezentos. Os outros ajoelharam para beber.

⁷Então o Senhor disse a Gedeão:

– Com estes trezentos que beberam lambendo, eu vos salvarei, entregando Madiã em vosso poder. Todos os outros voltem para casa.

⁸Pegaram, pois, suas provisões e suas trombetas, e Gedeão despediu os israelitas, cada qual para sua casa, retendo consigo os trezentos.

---

aqui se presta a uma manipulação posterior. Temos a tribo própria e as três setentrionais, sem Dã. A maneira de responder ao chamado parece indicar prestígio e fama que não se improvisam num dia. Zabulon e Neftali são as tribos que sobressaem na batalha contra os reis cananeus; Aser se desentendeu. Pode causar estranheza a ausência de Issacar, cujo território os beduínos invadem; estariam talvez demasiado controlados ou intimidados pelos inimigos.

6,36-40 Novo sinal. Antes, Gedeão queria identificar quem falava, agora quer estar certo de seu auxílio. Os antigos exploraram o simbolismo do orvalho fecundante e do velo.

7 Multidão de beduínos belicosos é difícil de ser enfrentada em batalha aberta: sabe contra-atacar ou escapar velozmente. É melhor recorrer a um estratagema que os perturbe e os disperse: é o que fará Gedeão. Para o estratagema, um exército numeroso pode ser obstáculo; um grupo manejável de gente espevitada e ágil prestará melhores serviços. O idealizar e realizar o estratagema é o que tornou Gedeão famoso e cantado. O presente capítulo contará isso em três tempos sugestivos.

7,1-8 O primeiro tempo trata da seleção dos guerreiros para o estratagema. O autor os explora para propor o paradoxo do auxílio divino, que se realiza no motivo da vitória do fraco. O homem se gloria diante de Deus quando se arroga o êxito, o triunfo, o mérito: Dt 8; Jr 48,42; 1Cor 1,29; 3,21; 4,7. O final do v. 8 explica a situação estratégica: a gente de Gedeão ocupa um lugar mais alto de onde se pode ver o vasto acampamento inimigo.

7,1 O nome da fonte servirá para a primeira aliteração: os que tremem se retiram * = Fonte Tremor.

7,2 Esta expressão se reserva para o Senhor: Is 59,16; 63,5, e é como que a resposta a 6,14. Ver também Jr 17,14; Jó 40,14 (irônico).

7,3 Segundo a legislação de Dt 20,8 (mudando o segundo verbo para obter a aliteração). O texto hebraico contém uma frase ininteligível sobre o "monte de Galaad".

7,4 Conforme o texto, é Deus mesmo quem fará a seleção, e não Gedeão por critérios de razão; não serão as qualidades mostradas no gesto, mas a palavra do Senhor que decide. É o mesmo que tirar a sorte.

7,5 O versículo continua deixando a solução suspensa. O modo de beber servirá para fazer dois grupos desiguais; a escolha de Deus virá depois. O modo de beber não está bem definido no texto, pois parece confundir o lamber e o levar a água à boca com a mão.

7,7 Se há alguma relação entre o modo de beber e a escolha, é que o Senhor escolheu os que se abaixaram para beber, como os cachorros; mas basta pensar na relação quantitativa: o Senhor para revelar seu poder escolheu o grupo menor.

7,8 O começo do versículo é duvidoso: não está claro o sujeito do verbo, nem se vê a razão do dado. Mudando uma consoante se leria "cântaros" em vez de provisões: Gedeão quer garantir um número abundante de cântaros e trombetas.

⁹O acampamento de Madiã ficava abaixo, no vale. Nessa noite, o Senhor falou a Gedeão:

— Levanta-te, desce contra o acampamento inimigo, pois eu o entrego a ti. ¹⁰Se não te atreves, desce com teu escudeiro Fara até o acampamento. ¹¹Quando ouvires o que dizem, tu te sentirás animado para atacá-los.

Gedeão e seu escudeiro Fara desceram até as vanguardas do acampamento. ¹²Madianitas, amalecitas e orientais estavam deitados pelo vale, numerosos como gafanhotos; seus camelos eram incontáveis como a areia da praia. ¹³Quando Gedeão se aproximou, casualmente alguém estava contando um sonho ao companheiro:

— Olha o que sonhei: Um pão de cevada vinha rodando contra o acampamento de Madiã, chegou à tenda, investiu contra ela, caiu sobre ela e a revolveu de alto a baixo. ¹⁴O outro comentou:

— Isso significa a espada do israelita (de Gedeão, filho de Joás): Deus pôs Madiã e todo o acampamento nas mãos dele.

¹⁵Quando Gedeão ouviu o sonho e sua interpretação, prostrou-se. Depois, voltou ao acampamento israelita e ordenou:

— De pé! O Senhor vos entrega o acampamento de Madiã!

¹⁶Dividiu os trezentos homens em três grupos e entregou a cada soldado uma trombeta, um cântaro vazio e uma tocha no cântaro. ¹⁷Deu-lhes, a seguir, estas instruções:

— Prestai-me atenção e fazei o que eu faço. Quando chegar às vanguardas do acampamento, fazei o que eu fizer. ¹⁸Tocarei a trombeta, eu e todos os do meu grupo; então, também vós tocai em volta do acampamento e gritai: O Senhor e Gedeão!

¹⁹Gedeão chegou com os cem homens do seu grupo às vanguardas do acampamento, justamente quando começava a troca da meia-noite; enquanto se fez a troca de guarda, Gedeão tocou a trombeta, quebrando o cântaro que trazia na mão.

²⁰Enão os três grupos tocaram as trombetas e quebraram os cântaros; depois, empunhando na mão esquerda as tochas, e com as trombetas na direita para poder tocar, gritaram:

— O Senhor e Gedeão!

²¹E permaneceram todos em seu lugar ao redor do acampamento. Todo o acampamento se alvoroçou, e começaram a gritar e a fugir, ²²enquanto continuavam tocando as trombetas. O Senhor fez que se apunhalassem uns aos outros no acampamento e que fugissem até Bet-Seta*, em direção de Sartã, até os confins de Abel-Meúla*, diante de Tebat. ²³Os israelitas de Neftali, Aser e todo o Manassés uniram-se em perseguição de Madiã. ²⁴Gedeão havia enviado mensageiros para avisar na serra de Efraim:

— Descei contra Madiã, ocupai antes deles os vaus do Jordão até Bet-Bera.

²⁵Todo o Efraim correu para ocupar os vaus até Bet-Bera, prendendo dois chefes madianitas, Oreb e Zeb. Degolaram Oreb em Sur-Oreb*, e Zeb em Jequeb-Zeb*. Continuaram perseguindo os madianitas, levando a Gedeão, do outro lado do Jordão, as cabeças de Oreb e Zeb.

7,9-15 O segundo tempo tem valor de sinal, indicando que chegou o momento. Todos reconheciam o valor revelador dos sonhos (recordem-se os de José); o pão de cevada representa o povo de agricultores, a tenda lembra os beduínos; também é significativa a desproporção entre o pão e a tenda bem segura com estacas e cordas.
7,11 2Rs 7,5.8.
7,16-22 O famoso estratagema é fácil de imaginar, mais no seu conjunto do que nos detalhes. Os três grupos de Gedeão avançarão sigilosamente até rodear Madiã por três lados, deixando saída só para o Jordão. Uma vez situados, no momento que a nova guarda se espreguiça de sono e se acostuma à obscuridade, Gedeão dará o sinal combinado. De repente, os beduínos despertarão sobressaltados ao estrondo de trezentas trombetas, e ao sair das tendas verão o chamejar de centenas de tochas por três lados do acampamento. Tantas luzes e trombetas anunciam um exército imenso; perturbados pelo pânico e tropeçando na escuridão, se precipitarão para salvar seus pertences, montar nos camelos e na confusão se ferirão uns aos outros.
Não é tão fácil imaginar como sustentam os cântaros com as tochas e como os quebram. Para essa operação precisam das duas mãos; levariam a trombeta pendurada na cintura ou no ombro. Podemos imaginar o grito de guerra repetido ritmicamente pelos guerreiros. O exército inimigo tenta salvar-se na Transjordânia, e na perseguição intervêm os soldados que não participaram do estratagema noturno.
7,22 * = Casa da Acácia; Prado da Dança.
7,24-25 e 8,1-3 A intervenção de Efraim neste momento é difícil de explicar. São verossímeis as tensões entre tribos irmãs: Efraim e Manassés se consideram descendentes de José. A estória ilustra igualmente o entusiasmo de Efraim e a habilidade de Gedeão.
7,25 Não é raro entre os chefes antigos ter nomes de animais (também os têm Débora e Jael). O nar-

8

¹Mas os efraimitas queixaram-se:
– O que fizeste, não nos chamando quando saías para lutar contra Madiã?
E o criticaram duramente. ²Ele lhes respondeu:
– O que significa minha façanha comparada com a vossa? Vale mais o rebusco de Efraim que toda a vindima de Abiezer. ³O Senhor vos entregou Oreb e Zeb, chefes de Madiã. O que pude eu fazer em comparação a isso?
Com essa resposta, acalmou-se a cólera dos efraimitas contra Gedeão.
⁴Gedeão chegou ao Jordão e o atravessou com seus trezentos homens, esgotados e famintos. ⁵E disse aos habitantes de Sucot*:
– Por favor, dai-me alguns pães para a tropa que marcha comigo, porque estão esgotados, e eu estou perseguindo Zebá e Sálmana, reis madianitas.
⁶As autoridades de Sucot lhe responderam:
– Por acaso já tens em tua mão Zebá e Sálmana para que demos de comer a teus soldados?
⁷Gedeão respondeu:
– Quando o Senhor me entregar Zebá e Sálmana prisioneiros, eu vos debulharei as carnes com espinhos e cardos do deserto.
⁸Daí subiu a Fanuel, pedindo-lhes o mesmo favor; mas os de Fanuel lhe responderam como os de Sucot. ⁹E também aos de Fanuel respondeu:
– Quando eu voltar vitorioso, derrubarei esta torre.
¹⁰Zebá e Sálmana estavam em Carcar com suas tropas, uns quinze mil homens. Era tudo o que sobrava dos soldados orientais armados de espada, pois as baixas haviam sido cento e vinte mil.
¹¹Gedeão subiu pela rota dos beduínos, a leste de Nob e Jegbaá, e atacou o inimigo quando este menos esperava. ¹²Zebá e Sálmana conseguiram fugir, mas Gedeão os perseguiu, capturando os dois reis madianitas, Zebá e Sálmana. O resto do exército fugiu em debandada.
¹³Gedeão, filho de Joás, voltou da batalha por Maale de Haarés*. ¹⁴Deteve um rapaz de Sucot, o submeteu a interrogatório, e o rapaz lhe deu uma lista das autoridades e conselheiros de Sucot, setenta e sete pessoas. ¹⁵Então Gedeão foi aos habitantes de Sucot e lhes disse:
– Aqui estão Zebá e Sálmana, a propósito dos quais zombastes de mim, dizendo: "Por acaso já tens em tua mão Zebá e Sálmana, para que demos de comer a teus soldados, que caminham esgotados?"
¹⁶Pegou os conselheiros da cidade e os esfolou com espinhos e cardos do deserto. ¹⁷Destruiu também a torre de Fanuel, passando a população a fio de espada. ¹⁸Depois, perguntou a Zebá e Sálmana:
– Como eram os homens que matastes no Tabor?

---

rador parece insinuar que sua morte dá nome a dois lugares.
* = Rocha do Corvo; Lagar do Lobo (*Oreb* = corvo; *Zeeb* = lobo).
8,1 A reclamação dos efraimitas pode estar ditada pela cobiça, e não só pela honra, pois uma vitória como essa permite uma substanciosa presa.
8,2-3 Gedeão parece adaptar um provérbio, ou forma proverbial, opondo à tribo de Efraim o clã de Abiezer. A frase se presta a jogos de palavras, dadas as semelhanças fonéticas de rebusco-façanhas-meninos ('*olelota-lilot-'olalim*) e vindima-fortaleza (*basir-basor*).
8,4-12 Poderia tratar-se de outra campanha de Gedeão na Transjordânia, com exército maior. O narrador quer apresentá-lo como exploração da vitória conseguida perseguindo o inimigo no próprio território. O caminho é longo e exige a passagem da torrente Jaboc, junto a Fanuel; Carcar poderia estar perto da moderna Amã; é lógico que os beduínos de camelos não temam, a essa distância, uma incursão dos israelitas. O povo de Sucot (= Cabanas) e de Fanuel pertencia à tribo de Gad. Sua resposta significa desentender-se da causa comum de Israel. Dir-se-ia que eles não têm de sofrer a pilhagem dos beduínos.
8,5 Os nomes dos dois chefes soam a "Matança" e "Refúgio negado", o que faz pensar numa deformação burlesca de nomes originais; o segundo poderia ser teofórico, composto de "refúgio" mais o nome de seu deus (há um Meni, deus da fortuna). * = Cabanas. 1Sm 21,4.
8,7 O hebraico descreve o suplício de esfolar com o verbo "debulhar", que pode ser uma metáfora (cf. Sl 129,3).
8,13 * = Costa do Sol.
8,14 O texto indica um conhecimento notável da arte de escrever nessa época. Talvez sejam sete chefes e setenta anciãos ou conselheiros.
8,18-21 Este é um caso de vingança do sangue, que era exercício da justiça vindicativa naqueles tempos. É lei aceita por tribos e povos diversos, e codificada em Nm 35 e Dt 19. Gedeão, o irmão, cede o ofício a Jeter, o sobrinho, como para treiná-lo: deve ser um da família que executa a vingança. Os chefes inimigos preferem morrer nas mãos de Gedeão; será menos desonra ser mortos por um valente: ver os casos de Abimelec (9,54) e de Saul (1Sm 31,4).

Responderam:
— Parecidos contigo. Tinham aspecto de príncipes.

¹⁹Gedeão exclamou:
— Meus irmãos maternos! Por Deus, se os tivésseis deixado com vida, eu não vos mataria!

²⁰E ordenou a Jéter, seu primogênito:
— Vamos, mata-os!

Mas o rapaz não desembainhou a espada, pois tinha medo; era ainda um jovem.

²¹Então Zebá e Sálmana pediram-lhe:
— Vamos, mata-nos tu, pois tu és um valente.

Gedeão foi e degolou Zebá e Sálmana. Depois, recolheu os crescentes de seus camelos.

²²Os israelitas disseram a Gedeão:
— Tu serás nosso chefe e, posteriormente, teu filho e teu neto, pois nos salvaste dos madianitas.

²³Gedeão lhes respondeu:
— Nem eu nem meu filho seremos vosso chefe. Vosso chefe será o Senhor.

²⁴E acrescentou:
— Vou pedir-vos uma coisa: dai-me cada um de vós um anel da vossa parte dos despojos (os vencidos usavam anéis de ouro, pois eram ismaelitas).

²⁵Responderam:
— Com prazer.

Ele estendeu seu manto, e cada um foi jogando um anel da sua parte nos despojos. ²⁶O peso dos anéis de ouro que Gedeão pediu foi de dezenove quilos de ouro, sem contar os crescentes, pingentes e as vestes de púrpura que os reis madianitas usavam, além dos colares dos camelos. ²⁷Com tudo isso, Gedeão fez um efod, colocando-o na cidade de Efra. Com ele, todo Israel se prostituiu: foi a tentação de Gedeão e sua família.

²⁸Madiã ficou submetido aos israelitas e não levantou mais a cabeça. Por isso, o país esteve em paz por quarenta anos, enquanto Gedeão viveu.

²⁹Jerobaal, filho de Joás, foi viver em sua casa. ³⁰Gedeão teve setenta filhos, pois tinha muitas mulheres. ³¹Uma concubina de Siquém também lhe deu um filho, ao qual pôs o nome de Abimelec.

³²Gedeão, filho de Joás, morreu numa velhice feliz, e o enterraram na sepultura de seu pai Joás, em Efra, de Abiezer. ³³Todavia, depois de sua morte, novamente os israelitas se prostituíram com os ídolos, escolhendo Baal do Pacto como seu deus, ³⁴sem lembrar-se do Senhor seu Deus, que

---

8,20 Nm 35,19.

8,22-23 A primeira parte do desenlace nos revela algo das antigas tentativas de institucionalizar o comando, no estilo de outros países. Que o vencedor na guerra se converta em "juiz" de tribo ou da confederação, é coisa normal; aqui lemos duas inovações. Primeira: o cargo não é julgar, mas governar; parece implicar maior poder, embora se evite o título de rei. Segunda: o cargo será hereditário, como se vem fazendo no sacerdócio. É de notar que os juízes menores não instalam seus filhos no cargo, mas este vai passando por tribos e localidades (tampouco o fizeram Moisés ou Josué). Se o sujeito "os israelitas" é original, a proposta introduz uma mudança grave na confederação, favorecendo a tribo de Manassés. Gedeão apela para o princípio teocrático e recusa categoricamente, com uma frase enfática. O título se aplica ao Senhor: Sl 59,14 (Jacó); 22,29 (as nações); 2Cr 29,12 (os reis).

8,24-27 Segunda parte do desenlace. Gedeão, por outro lado, não renuncia a uma parte escolhida dos despojos, como se quisesse retirar-se para gozar do prêmio de sua vitória. O efod aparece no Antigo Testamento como objeto de culto transportável e como ornamento do sacerdote. Conforme a teoria mais provável hoje, seria um manto cônico ricamente adornado (como o de algumas imagens de Nossa Senhora); com ele se vestia a estátua da divindade ou então se expunha sozinho como símbolo da sua presença; à imitação sua se fazia um ornamento para o sacerdote (Ex 28,6-14). Segundo a opinião do narrador, esse efod é um objeto idolátrico que extravia "todo Israel"; isso faria supor que o santuário local de Efra se torna centro de atração. A notícia parece posterior; a referência à família seria antiga.

8,28 A fórmula típica do esquema narrativo serve de conclusão para a história de Gedeão libertador. Gedeão não recebe o título de juiz, como Otoniel, Jefté e Sansão. A memória de sua façanha sobrevive também na fórmula "o dia de Madiã" (Is 9,3); a carta aos Hebreus (11,32) o recordará.

8,29-34 Estes versículos preparam o capítulo seguinte. Gedeão, como grande senhor, tem várias mulheres legítimas, que lhe dão filhos pertencentes à sua família e clã; também tem uma concubina siquemita, que lhe dá um filho pertencente ao clã da mãe. O nome Abimelec é teofórico; invoca seu Deus como pai e rei. Sendo o pai quem impõe o nome, esse filho parece encarnar a recusa de Gedeão em aceitar o mando hereditário, e é uma confissão teocrática.

8,32 Hb 11,32.

8,33 A fórmula genérica de 2,19 se especifica com o nome ou título da divindade. A rigor, Baal do Pacto podia ser um título de *Yhwh*, unido como soberano a seu povo com um pacto. O capítulo seguinte nos tira a dúvida: trata-se de um deus cananeu venerado em Siquém; mas não sabemos a que pacto se refere. Um pacto de convivência com os israelitas? Um pacto com a própria divindade? Simplesmente o deus que garante os pactos humanos?

8,34 O narrador julga duramente o fato, que equivale a esquecer-se do Senhor seu Deus e seu libertador. Ou seja, mais apostasia que sincretismo.

os havia livrado do poder de todos os inimigos vizinhos. ³⁵E não se mostraram agradecidos à família de Jerobaal-Gedeão, como ele merecia, por tudo o que fizera por Israel.

9 **Abimelec** – ¹Abimelec, filho de Jerobaal, foi a Siquém, à casa de seus tios maternos e propôs o seguinte a eles e a todos os parentes de seu avô materno:

– ²Dizei aos siquemitas: O que é mais conveniente para vós: que vos governem setenta, ou seja, todos os filhos de Jerobaal, ou que vos governe apenas um? Não esqueçais que eu tenho vosso sangue.

³Seus tios maternos o comunicaram aos siquemitas, e estes se puseram do lado de Abimelec, pensando:

– É nosso parente!

⁴Deram-lhe setecentos gramas de prata do templo de Baal do Pacto, e com esse dinheiro Abimelec pagou alguns desocupados e aventureiros que se puseram às suas ordens. ⁵A seguir, foi à casa de seu pai, em Efra, e assassinou seus irmãos, os filhos de Jerobaal, setenta homens sobre a mesma pedra. Restou apenas Joatão, filho mais novo de Jerobaal, que se escondera.

⁶Os de Siquém e todos os de Bet-Melo* se reuniram para proclamar rei a Abimelec, junto ao carvalho de Siquém.

⁷Quando soube disso, Joatão foi e, de pé sobre o cume do monte Garizim, gritou-lhes a plenos pulmões:

8,35 Esta nova introdução confunde um pouco os eventos sucessivos, ao tornar os israelitas culpados de deslealdade, sem distinções. É generalizar demais.

Abimelec

Como o último capítulo de Josué, este nos transporta ao coração da Palestina, a Siquém, cidade situada entre o Ebal e o Garizim, bem comunicada, medianamente defensável; cidade central, se olhamos Dã e Bersabeia, o lago de Genesaré e o mar Morto, os vales do Jordão e de Saron.

O livro de Josué não faz nenhuma referência a uma conquista militar de Siquém, não obstante o afã do autor por enriquecer suas listas; a arqueologia confirma esse silêncio, pois não houve destruição da cidade até fins do século XII. Também o Gênesis fala de uma presença de Jacó-Israel na região, que termina violentamente por causa de Simeão e Levi, Gn 34. Js 24,32 recolhe uma tradição, segundo a qual Jacó havia comprado perto de Siquém uma propriedade, na qual foram enterrados os ossos de José. Levi como tribo se dispersa. Simeão reaparece no sul, onde se funde com Judá. O presente capítulo supõe uma convivência pacífica de povoações cananeias e israelitas na comarca.

Na dinâmica da obra, o capítulo serve de contraste, e seu personagem de antagonista. Elege a si mesmo, rompe a paz, perde em vez de salvar. Sua morte violenta é como vingança celeste que restabelece o curso da história. Literariamente é um dos capítulos mais ricos. Tem tipos mais bem traçados, variedade de cenas, intervenção coral. Com material heterogêneo, o autor último soube compor um relato que se impõe pela beleza trágica.

É estranho que o tema não tenha sido explorado por dramaturgos e compositores. Para montar as peças, o autor utiliza naturalmente o enlace normal: "informaram-lhe, ficou sabendo", tão frequente em narrativas hebraicas; a isso acrescenta outras correspondências sutis que iremos notando. A história é bastante "profana" em seu desenrolar; ou seja, Deus atua na penumbra ou deixa correr os acontecimentos. Só na metade o autor atribui a Deus a mudança radical de direção, e no final reflete sobre essa ação como que tirando a lição moral.

9,1-6 Dir-se-ia que em Siquém há uma população mista de cananeus e israelitas; a família materna de Abimelec seria cananeia e a mensagem se dirige aos senhores (proprietários?) da cidade. Abimelec apela para seu parentesco e propõe um governo monárquico, sem empregar no entanto o termo rei; ao siquemitas impressiona o argumento do parentesco, que equivale a um governo local, em vez da submissão a um poder externo, com a consequente paga de tributos.

9,4-5 No templo se guardava o tesouro religioso e também o civil. Os começos de Abimelec não diferem muito dos de Davi. Seu exército, por sua vez, se parece bem pouco com os voluntários que combateram sob Barac e com os soldados de Gedeão: gente sem ofício e sem escrúpulos, que aureolam tal chefe. Desde o princípio, Abimelec se distingue pela rapidez em decidir e agir. Essa pedra única faz pensar num lugar de execução, num assassinato por encomenda e desapiedado.

9,6 * = O Aterro poderia ser um bairro ou uma seção fortificada (uma fortaleza). É notável a aliteração deste versículo, montada sobre as consoantes de rei *mlk*.

9,7-21 Joatão, gritando da montanha sagrada, é a voz sobrevivente de Gedeão, é como a voz da consciência que acusa, quase voz profética. Natã, Isaías, Ezequiel imitarão seus procedimentos oratórios. Joatão pode ser nome teofórico que significa "Yhwh é perfeito", e tem estranha semelhança com órfão, *yatom*. Não lhe restam mais armas senão a voz e a palavra, mas sua maldição será mais forte que o valor e as armas do seu meio-irmão. Não tem personalidade independente, aparece na narração e desaparece, com a função exclusiva de pronunciar este discurso. Suas últimas palavras são como uma síntese das bênçãos e maldições pronunciadas liturgicamente naquele lugar, segundo Js 8,30ss, com acento enfático sobre a maldição.

9,7 É um pouco exagerado dizer que do alto se faz ouvir; o efeito é antes exaltar sua figura e seu púlpito; recorde-se Is 13,2; 40,9. Suas primeiras palavras são um novo alarde de aliteração.

– Escutai-me, habitantes de Siquém, para que Deus vos escute! ⁸Certa vez as árvores foram eleger para si um rei, e disseram à oliveira: "Reina sobre nós." ⁹Mas a oliveira disse: "Renunciaria ao meu azeite, com o qual engordam deuses e homens, para ir balançar-me sobre as árvores?" ¹⁰Então disseram à figueira: "Vem, reina sobre nós". ¹¹Mas a figueira disse: "Renunciaria ao meu doce fruto saboroso, para ir balançar-me sobre as árvores?" ¹²Então disseram à videira: "Vem, reina sobre nós". ¹³Mas a videira disse: "Renunciaria ao meu mosto, que alegra deuses e homens, para ir balançar-me sobre as árvores?" ¹⁴Então disseram todas ao espinheiro: "Vem, reina sobre nós". ¹⁵E o espinheiro lhes disse: "Se de fato quereis ungir-me vosso rei, vinde abrigar-vos debaixo de minha sombra; se não, saia fogo do espinheiro e devore os cedros do Líbano".

¹⁶Portanto, agistes sincera e lealmente proclamando rei a Abimelec? Agistes bem com Jerobaal e sua família? Agistes com ele como mereciam os favores que vos fez? ¹⁷Arriscando a vida, meu pai lutou por vós e vos livrou do poder de Madiã. ¹⁸Vós, ao contrário, vos revoltastes hoje contra a família de meu pai, assassinando seus filhos, setenta homens, sobre a mesma pedra, e nomeastes rei dos siquemitas a Abimelec, filho de uma serva de meu pai, com o pretexto de que é vosso parente. ¹⁹Se vos comportastes hoje sincera e lealmente com Jerobaal e sua família, celebrai-o com Abimelec e que ele o celebre convosco; ²⁰mas, se não for assim, saia de Abimelec fogo para devorar os de Siquém e os de Bet-Melo, saia fogo dos de Siquém e dos de Bet-Melo para devorar Abimelec!

²¹Depois, Joatão fugiu, indo para Bera*; ficou aí por medo de seu irmão Abimelec.

²²Abimelec governou Israel por três anos. ²³Deus tornou tensas as relações entre Abimelec e os siquemitas, que o traíram. ²⁴Dessa forma, o assassínio dos setenta filhos de Jerobaal, o sangue de seus irmãos recaiu sobre Abimelec que os assassinara, e sobre os de Siquém, cúmplices do assassínio. ²⁵Os de Siquém puseram-lhe emboscadas nos desfiladeiros da serra e despojavam os que passavam por aí. Abimelec ficou sabendo.

9,8 O apologo não parece de origem israelita, já que põe em dupla complementar deuses e homens. O estilo se baseia na repetição sucessiva de fórmulas, ao gosto popular ou infantil; o ritmo faz variar levemente algumas fórmulas; repetição e mudanças preparam e salientam o elemento final. Oliveira, figueira e videira (ou parreira) são plantas básicas na economia do país; com elas contrastam a nobreza dos cedros do Líbano (de boa madeira, mas sem frutos) e a mesquinhez daninha e perigosa do espinheiro.

9,9 O verbo kbd significa engordar, enriquecer, sustentar, honrar. O óleo é usado também no culto para ungir reis e sacerdotes. A primeira visita das árvores é para ungir a oliveira: há ironia na proposta? Há uma alusão à primeira tentativa de ungir Gedeão?

9,13 Alegrar ou também festejar.

9,15 Não carece de ironia que o espinheiro ofereça sua sombra e seu asilo às árvores; por outro lado, não estranha que seja causa de um incêndio florestal. O tema do fogo e dos ramos se materializa em 48-49; o tema da sombra ressoa com outra função no v. 36. A parábola já é bastante significativa: os nobres cedros de Siquém escolheram como rei um espinheiro sinistro que será a ruína deles.

9,16-20 Joatão aplica a parábola explorando os últimos elementos numa peroração eloquente e apaixonada. Em suas palavras, indica que também os siquemitas sofriam sob os golpes de Madiã.

Tratando-se de uma pequena peça de oratória antiga, é interessante observar seus recursos: as perguntas retóricas, os condicionais, a forte antítese entre duas condutas, a ponderação dos fatos, a periodização em grupos ternários (agistes – procedestes – tratastes/lutou – arriscou – livrou/levantastes – assassinastes – fizestes rei), o movimento rítmico de contração e expansão da frase.

9,21 * = Poço.

9,22 A concisa notícia é problemática, porque não explica seu alcance e porque não sabemos se é histórica. O verbo empregado pode significar reinar, na linguagem semítica oriental. Israel costuma designar a confederação de tribos.

9,23-24 A mudança de situação não se produz por razões visíveis, num quadro narrativo lógico. Um pouco ex machina, o autor o introduz com uma reflexão teológica, redigida em fórmulas muito intelectuais, com paralelismos e desenvolvimento por sucessiva bifurcação; o ponto capital é que o castigo mútuo pagará a mútua cumplicidade. É significativo o destaque dado ao termo irmãos: os siquemitas nomearam Abimelec rei, e para isso ajudaram a quebrantar outra fraternidade mais íntima; cúmplices de um fratricídio, o sangue envenenará a amizade que fundou.

O "mau espírito" (que turva as relações) se opõe ao espírito que move os heróis autênticos: Jefté e Sansão.

9,25 O movimento de caravanas garante o comércio exterior e rende para quem cobra impostos de trânsito; o banditismo desarticula essa comunicação e faz com que as caravanas busquem rotas mais seguras. Se se trata de grupos menores de caminheiros, o dano sofrido cria inimizades e rancores de grupos. Desse modo começa a tensão entre os siquemitas e Abimelec. Este fica sabendo, mas adia a ação.

²⁶Gaal, filho de Obed, veio a Siquém com seus irmãos e ganhou a confiança dos siquemitas. ²⁷Saíram ao campo para a vindima, pisaram a uva e celebraram a festa; foram ao templo do seu deus, comeram e beberam entre maldições contra Abimelec. ²⁸Gaal, filho de Obed, disse-lhes:

– Quem é Abimelec e quem é Siquém para que sejamos seus escravos? Um filho de Jerobaal, e Zebul, seu governador, que serviram em casa de Hemor, pai de Siquém! Por que deveríamos ser escravos dele? ²⁹Ah, se eu tivesse poder sobre este povo! Eliminaria Abimelec. Eu lhe diria: "Reforça teu exército e sai".

³⁰Zebul, governador da cidade, ouviu o discurso de Gaal, filho de Obed, e se encolerizou, ³¹e enviou mensageiros a Abimelec, para avisá-lo:

– Vê, Gaal, filho de Obed, veio com seus parentes a Siquém e está sublevando a cidade contra ti. ³²Vem de noite com tua gente e põe emboscadas no campo; ³³ao nascer do sol, ataca a cidade. Gaal e os seus sairão para combater-te; age então, pois é o teu momento.

³⁴De noite, Abimelec se pôs em marcha com sua gente e ficaram emboscados diante de Siquém, divididos em quatro grupos. ³⁵Gaal, filho de Obed, saiu e se deteve às portas da cidade, e Abimelec, com sua gente, saiu da emboscada. ³⁶Quando os viu, Gaal disse a Zebul:

– Vê, há gente descendo do topo dos montes.

Zebul respondeu:

– As sombras dos montes te parecem homens.

³⁷Mas Gaal insistiu:

– Desce gente de Tabur-Haares*, e um grupo avança pelo caminho de Elon-Meonenim*.

³⁸Então Zebul lhe disse:

– Onde está esta boca que dizia: "Quem é Abimelec para que sejamos seus escravos?" Esses são os que desprezavas! Sai agora e luta contra eles.

³⁹Gaal saiu à frente dos siquemitas e lutou contra Abimelec. ⁴⁰Abimelec o perseguiu. Gaal começou a fugir, e muitos caíram mortos quando fugiam para as portas da cidade. ⁴¹Abimelec voltou a Aruma, e Zebul desterrou de Siquém a Gaal e seus parentes.

⁴²No dia seguinte, os de Siquém saíram ao campo, e Abimelec ficou sabendo; ⁴³pegou sua gente, dividiu-a em três grupos e se emboscou no campo. Quando os viu sair da cidade, lançou-se ao ataque e os destruiu. ⁴⁴Abimelec e os do seu grupo lançaram-

---

9,26-41 O episódio de Gaal tem aparências de inserção: a narração poderia sustentar-se sem ele, Gaal aparece e desaparece sem antecedentes nem consequências, como também Zebul. Contudo, enriquece o relato com uma figura interessante e uma cena sugestiva; ao atrasar o desenlace, permite que cresça a tensão entre as duas partes.
O nome do personagem, tal como o texto atual o dá, se traduz por "Fastio, filho de Escravo". A raiz *g'l* significa também rechaçar, repudiar, abortar; *'ébed* faz parte de nomes teofóricos como Abdias, Abdula, Abdeel. O começo do episódio joga com o nome, e o final com o apelido.
Gaal repete com variações os começos de seu rival: convence os siquemitas e os atrai para seu lado. Apela para a honra dos vizinhos – Abimelec para a convivência; – traz sua família – Abimelec impôs o mando de um só; – fica morando em Siquém – Abimelec reside fora. – Gaal fala, ao passo que Abimelec age. Bem cedo se verá que a tática de Abimelec é superior; contudo, já não conseguirá sanar a divisão.
9,26 A rapidez de seu êxito parece indicar que Gaal era também siquemita: o plural "nós" do seu discurso o confirma.
9,27 O narrador tem pressa de avançar e acumula oito verbos numa frase. A festa da vindima era especialmente alegre, incluía sacrifícios com banquete sagrado. No meio da bebedeira soltam-se as línguas; maldizer o rei é delito de lesa-majestade: ver Is 8,21; 2Sm 16,10; 19,22; 1Rs 21,10.
9,28-29 Esta nova peça oratória é antes um exemplo minúsculo de demagogia, com recursos simples, perguntas retóricas, admirações, tríplice repetição do verbo servir. No v. 28 outros traduzem por "sirvam" em vez de "serviram". O verbo "sair" é militar, e funciona como palavra-chave no episódio.
9,30 Zebul significa "príncipe". Representava na cidade o rei, que residia fora. Não se atreve a intervir pessoalmente, porque conhece a situação: as simpatias de que goza Gaal.
9,34-38 O autor coloca a si mesmo e ao leitor num lugar que abrange os dois acampamentos e os vai apresentando com olhar alternado, em rápido progresso; depois, adia o encontro com um diálogo que revela a covardia do fanfarrão Gaal.
9,37 * = Umbigo da terra: é o lugar onde a terra se une ao céu, e é o centro religioso do orbe: Babilônia para os babilônios, Roma para os romanos etc.
* = Carvalho dos Adivinhos.
9,39-40 Ao chegar ao encontro das duas forças, o narrador não nos defrauda. A vitória deve ter sido parcial, quando Gaal pode abandonar incólume a cidade.
9,42 A saída dos siquemitas ao campo parece pacífica. Expulso o principal culpado, talvez se creiam seguros. Para Abimelec, chegou o momento da vingança. Espalhou sal, segundo Dt 29,22.

-se contra a cidade e tomaram posição às portas, enquanto os outros dois grupos atacavam e derrotavam os que estavam no campo. ⁴⁵Abimelec atacou a cidade o dia inteiro; conquistou-a, passou a fio de espada todos os seus habitantes, arrasou-a e semeou sal nela.

⁴⁶Ao saber disso, os de Torre Siquém se refugiaram na cripta do templo do deus do Pacto. ⁴⁷Abimelec ficou sabendo que os de Torre Siquém estavam reunidos; ⁴⁸subiu ao Har-Salmon* com toda a sua gente, pegou um machado, cortou o galho de uma árvore e o pôs nos ombros, enquanto dizia aos seus:

– Depressa, fazei o que me vedes fazer!

⁴⁹Cada um cortou um galho e seguiram Abimelec. Apoiaram os galhos sobre a cripta e puseram fogo no teto. Morreram todos os de Torre Siquém, uns mil entre homens e mulheres.

⁵⁰Depois, Abimelec foi a Tebes, sitiou-a e conquistou-a. ⁵¹No centro da cidade havia uma torre fortificada, e aí se refugiaram todos os homens e mulheres da cidade, fecharam por dentro os ferrolhos e subiram ao terraço. ⁵²Abimelec chegou junto à torre, tentando assaltá-la; aproximou-se da porta para incendiá-la, ⁵³mas uma mulher deixou cair sobre a cabeça dele a mó de um moinho, rachando-lhe o crânio. ⁵⁴Abimelec chamou logo seu escudeiro e lhe disse:

– Tira a espada e mata-me, para que não se diga que "uma mulher o matou".

Seu escudeiro o atravessou, e morreu.

⁵⁵Os israelitas, vendo que Abimelec estava morto, foram cada qual para sua casa. ⁵⁶Assim Deus pagou a Abimelec o mal que fez a seu pai, assassinando seus setenta irmãos. ⁵⁷E todo o mal que os de Siquém fizeram, Deus o fez recair sobre eles. Caiu sobre eles a maldição de Joatão, filho de Jerobaal.

JUÍZES MENORES (I)

10 ¹Tola, filho de Fua, de Dodo, da tribo de Issacar, sucedeu a Abimelec como salvador de Israel. Vivia em Samir*, na serra de Efraim. ²Governou Israel por vinte e três anos. Morreu e foi sepultado em Samir.

³Sucedeu-lhe o galaadita Jair, que governou Israel por vinte e dois anos. ⁴Teve trinta filhos, que montavam em trinta asnos e que eram senhores de trinta aldeias, chamadas até hoje Aldeias de Jair, em Galaad. ⁵Jair morreu e foi sepultado em Camon.

9,46 Dá a impressão de que Torre-Siquém se encontra separada da capital, talvez templo-fortaleza.
9,48 * = Monte Sombrio.
9,48-49 Literalmente, sai fogo do espinheiro, como dizia o apologo de Joatão. E o Monte Sombrio (assim chamado por seu arvoredo) oferece estranha sombra ou refúgio à cidade: Sombrio é *salmon* aliterado com *sel*.
9,50 Tebes fica a uns quinze quilômetros a nordeste de Siquém.
9,54 1Sm 31,4.
9,55 Trata-se daqueles israelitas que seguiam Abimelec na luta contra os cananeus de Siquém.

JUÍZES MENORES

Aqui começa a série de seis juízes "menores", dos quais o terceiro, Jefté, pertence também aos "maiores". Vários desses nomes aparecem nas genealogias de Gn 46 e Nm 26. Tola representa a tribo de Issacar, e Jair a de Gad, na Transjordânia.

10,1 * = Sarçal.
10,6-11,40 Os amonitas eram um povo de origem nômade, que se constituíram como reino, talvez muito avançado no século XII, e deixaram seu nome na moderna capital Amã, na Transjordânia. Sua principal ocupação na época deve ter sido o serviço das caravanas, atividade que recebe enorme impulso com a domesticação do camelo. Uma velha tradição, Gn 19,30-38, os considera aparentados com os moabitas e descendentes de Ló por turvas relações; Moisés contudo não os encontra no seu caminho pela Transjordânia.

O presente episódio os mostra num movimento de expansão para o ocidente, ameaçando uma das tribos transjordânicas; quando os amonitas conseguem estabelecer uma cabeça de ponte na Cisjordânia, a sua presença ameaça outras tribos, o que significa de fato uma séria ameaça contra a confederação. Isso basta ao autor posterior para generalizar o fato, conforme sua visão unificada e esquemática dos acontecimentos.

O episódio de Jefté se distingue no livro por seu caráter "falado"; a ação chega como resultado ou consequência de um falar ou parlamentar. Isso dá coerência ao relato. Primeiro, o povo parlamenta com o Senhor numa liturgia penitencial; depois, os galaaditas (ou os gaditas habitantes em Galaad) parlamentam com Jefté, para que assuma o comando militar; a seguir, Jefté parlamenta com os chefes amonitas, intentando salvar uma paz justa. Assim, temos vários exemplos da arte da palavra, relativamente antigos; embora provavelmente sejam mais tardios do que outras partes do livro.

À maneira de apêndices, o relato incorpora duas tradições ricas em ação, mais características e mais famosas na literatura europeia: a filha de Jefté, a luta com os efraimitas, 11,34-40 e 12,1-6.

Liturgia penitencial – ⁶Os israelitas tornaram a fazer o que o Senhor reprova: prestaram culto a Baal e a Astarte, aos deuses da Síria, aos deuses da Fenícia, aos deuses de Moab, aos deuses dos amonitas, aos deuses dos filisteus. Abandonaram o Senhor, e não lhe prestaram culto.

⁷Então o Senhor se encolerizou contra Israel e o vendeu aos filisteus e aos amonitas ⁸que, a partir de então, oprimiram tiranicamente durante dezoito anos os israelitas da Transjordânia, no território amorreu em Galaad.

⁹Os amonitas atravessaram o Jordão com a intenção também eles de lutar contra Judá, Benjamim e a tribo de Efraim; e Israel chegou a uma situação desesperadora.

¹⁰Então os israelitas clamaram ao Senhor:

– Pecamos contra ti! Abandonamos o Senhor nosso Deus, para prestar culto aos baais.

¹¹O Senhor lhes respondeu:

– Eu vos livrei dos egípcios, dos amorreus, dos amonitas e dos filisteus. ¹²Os fenícios, amalecitas e madianitas eram vossos tiranos. Clamastes a mim e eu vos salvei. ¹³Mas vós me abandonastes, prestastes culto a outros deuses. Por isso, não tornarei a vos salvar. ¹⁴Ide clamar aos deuses que escolhestes. Que eles vos salvem na hora do perigo!

¹⁵Os israelitas insistiram:

– Pecamos! Faze de nós o que te parecer bem, mas livra-nos hoje.

¹⁶Então tiraram do meio deles os deuses estrangeiros e prestaram culto ao Senhor, que fez cessar sua cólera diante dos sofrimentos de Israel.

¹⁷Os amonitas, mobilizados, acamparam em Galaad. Os israelitas se mobilizaram também e acamparam em Masfa*. ¹⁸O povo dizia:

– Aquele que começar a guerra contra os amonitas será chefe militar dos que vivem em Galaad.

11 Jefté

¹O galaadita Jefté era um grande guerreiro; era filho de Galaad e de uma prostituta. ²Galaad teve outros filhos com sua esposa legítima e, quando chegaram à maioridade, expulsaram Jefté de casa, dizendo-lhe:

10,6 Jz 2,1-5.

10,6-8 As fórmulas do esquema se expandem com afã enumerativo e vão voltando às dimensões originais: primeiro, deuses de cinco países; depois, dois povos; finalmente, os amonitas. Síria e Fenícia estão ao nordeste e noroeste, Amon e Moab a leste, os filisteus a oeste. Com Edom ao sul teríamos fechado o círculo. Vem a ser estranho, embora não impossível, que os israelitas tenham adotado os deuses filisteus. Também não parece provável, um domínio dos filisteus na Transjordânia, embora em tempos precedentes tenha havido uma guarnição filistéia em Betsã. Vê-se que o autor amplia, escrevendo uma espécie de primeira página para os capítulos seguintes, incluindo os de Sansão: isso justifica falar de amonitas e filisteus.

10,10-16 Também a liturgia penitencial serve de pórtico às duas figuras seguintes. É a terceira peça de seu gênero no livro: o anjo do Senhor em O Pranto (Boquim), capítulo 2, o profeta do capítulo 6, e o Senhor aqui. A liturgia penitencial é diferente de outras: em lugar do esquema normal, acusação-confissão, segue um esquema próprio, confissão-acusação-confissão. Desse modo, as palavras de Deus adquirem função de urgência, de chamar à seriedade na conversão; são uma negativa dialética que denuncia a gravidade da recaída, mostrando o jogo cômodo de reincidir no vício (precisamente o círculo que a "grande abertura" traçava).
Os outros deuses são incapazes de salvar Israel, ao passo que a salvação define o Deus de Israel: "nosso Deus é um Deus que salva", diz o salmo 68,21. A lista de sete povos parece ter sofrido manipulações. A isso se deve a presença de amonitas e filisteus: do domínio fenício não temos notícia, os amorreus podem ser os dois reis da Transjordânia, Seon e Og. O rito de eliminar os ídolos repete o de Js 24,23 e Gn 35,2.

10,14 Jr 2,28.

10,15 Jr 3,22-25.

10,17 Este versículo antecipa acontecimentos, pois acampar frente a frente supõe a existência de um exército com seu chefe. Além disso, Galaad é toda uma região, ao passo que Masfa é uma localidade.

10,17 * = Atalaia.

10,18 Se o sujeito é "o povo", o texto parece falar de uma opinião: diante da ameaça presente e das futuras possíveis, Galaad precisa de um chefe militar; inclusive poderia implicar que o auxílio da confederação não funciona. No texto hebraico há uma adição que limita o sentido: "os chefes de Galaad".

11,1-3 O novo herói encarna o tema da vitória do fraco como variante particular: trata-se de um bastardo desterrado que se torna chefe de bandidos. É inevitável compará-lo com Abimelec e com a primeira etapa de Davi. Se o nome do pai coincide com o da região, o nome do filho aparece como localidade em Js 19,14. Jefté *yiptah* significa "abra", sem explicitar o nome da divindade – com certeza a mãe não era israelita – o nome poderia ser uma invocação da mãe, pedindo fecundidade: "Deus abra meu seio", ver Is 66,9. O texto hebraico dá a impressão de que os filhos legítimos nascem mais tarde, e que Jefté durante certo tempo tinha sido considerado como

— Tu não podes ter herança na casa de nosso pai, pois és filho de outra mulher.

³Jefté fugiu para longe de seus irmãos e se estabeleceu no país de Tob. A ele se juntaram alguns desocupados que faziam incursões sob seu comando.

⁴Algum tempo depois, os amonitas declararam guerra a Israel. ⁵Os conselheiros de Galaad foram ao país de Tob à procura de Jefté, ⁶suplicando-lhe:

— Vem ser nosso chefe militar na guerra contra os amonitas.

⁷Mas Jefté lhes respondeu:

— Por ódio, vós me expulsastes de casa; por que vindes a mim, agora que estais em apuros?

⁸Os conselheiros de Galaad lhe responderam:

— É isso mesmo. Agora nos dirigimos a ti para que venhas conosco lutar contra os amonitas. Serás chefe nosso e de todos os que estão em Galaad.

⁹Jefté lhes disse:

— Quer dizer que estais me chamando para lutar contra os amonitas? Pois, se o Senhor os entregar a mim, serei vosso chefe.

¹⁰Responderam-lhe:

— Que o Senhor nos julgue, se não fizermos o que nos dizes.

¹¹Jefté partiu com os conselheiros de Galaad. O povo o nomeou comandante e chefe militar, e Jefté fez o juramento de posse diante do Senhor, em Masfa.

¹²Depois enviou alguns mensageiros ao rei dos amonitas com esta mensagem:

— O que te fiz para que venhas contra mim, para guerrear contra meu país?

¹³O rei dos amonitas respondeu aos mensageiros de Jefté:

— Quando vinha do Egito, Israel apoderou-se do meu país desde o Arnon até o Jaboc e o Jordão; agora, portanto, devolve-o em paz.

¹⁴Jefté enviou uma segunda embaixada ao rei dos amonitas, ¹⁵com esta resposta:

— Assim diz Jefté: "Os israelitas não se apoderaram do país de Moab, nem do país de Amon, ¹⁶mas, ao vir do Egito, marcharam pelo deserto até o mar Vermelho e chegaram a Cades. ¹⁷Enviaram mensageiros ao rei de Edom, pedindo-lhe que os deixasse atravessar o país, mas o rei de Edom não lhes deu atenção. Enviaram também mensageiros ao rei de Moab, que tampouco permitiu. Então os israelitas se instalaram em Cades.

¹⁸Depois vagaram pelo deserto, margeando Edom e Moab; chegaram à parte oriental de Moab e acamparam na outra margem do Arnon, sem violar a fronteira (pois o Arnon é a fronteira de Moab).

¹⁹Enviaram mensageiros a Seon, rei dos amorreus, que reinava em Hesebon, pedindo que os deixasse atravessar seu território de passagem para nossa terra; ²⁰mas Seon, não confiando no pedido de Israel para atravessar sua fronteira, reuniu suas tropas, acampou em Jasa e atacou Israel. ²¹O Senhor Deus de Israel entregou Seon e todas as suas tropas em poder de Israel, que os derrotou e tomou posse das

---

o possível herdeiro. Expulso e sem esperança, sua atividade como chefe de uma quadrilha podia ser assaltar caravanas ou então alugar, ocasionalmente, seus serviços a qualquer chefe necessitado.
Todos os traços parecem escolhidos para salientar a sua indignidade, não compensada pelo valor e pela experiência militar. Aqui, precisamente, a história começa a mudar de direção: ao expulsá-lo, seus irmãos criaram as bases de sua carreira, de sua desforra e reabilitação. A região onde atua (*Tob* = Bom ou Fértil) encontra-se, provavelmente, no território de Edom, a sudeste do mar Morto.

11,3 Jz 9,4.
11,4-11 Jefté conduz agora as negociações numa posição vantajosa. Na proposta que lhe fazem, não parece ressoar a história de Joatão, das árvores oferecendo seu comando ao espinheiro? Sem usar o termo, a narração sugere a conclusão de um pacto com juramentos mútuos.
11,13 Dt 2,16-25.

11,12-13 Depois de um contexto tão militar, com os acampamentos alinhados, com a pressa de enviar o capitão à batalha, não esperávamos essas negociações diplomáticas, elaboradas com tanto escrúpulo legal. É um Jefté inesperado e surpreendente. Quando Israel vinha do Egito, o território junto ao Jordão, entre o Arnon e o Jaboc, pertencia a Seon, rei de Hesebon; Moab ficava ao sul de Amon, e os clãs amonitas se dispersavam a oriente. Conforme Nm 21,26, Seon tinha arrebatado esse território ao rei de Moab.
11,15-27 Na segunda embaixada, Jefté introduz o relato de três embaixadas precedentes: as três são prova da vontade pacífica de Israel; a terceira serve de advertência aos amonitas. Os fatos narrados se leem em Nm 20,14-21 (Edom); 21,21-30; Dt 2,22-37; nada se diz de uma embaixada a Moab. O feito clássico de Moab é a intervenção falida de Balaão, da qual falará mais adiante (ver como Josué a recorda em 24,9-10).
11,19 Nm 21,21-26.

terras dos amorreus que habitavam aquela região. ²²Tomaram posse da demarcação dos amorreus, do Arnon até o Jaboc, e do deserto até o Jordão.

²³Portanto, se o Senhor Deus de Israel expulsou os amorreus diante do seu povo Israel, tu agora queres expulsar-nos? ²⁴Já tens aquilo que te destinou Camos, teu deus, da mesma forma que nós temos o que nos destinou o Senhor nosso Deus. ²⁵Vamos ver: vales tu mais que Balac, filho de Sefor, rei de Moab? Atreveu-se ele a pleitear com Israel? Declarou-lhe guerra? ²⁶Quando Israel se instalou no município de Hesebon e no de Aroer e nos povoados à margem do Arnon, há trezentos anos, por que não os livrastes então?

²⁷Eu, portanto, não te ofendi. Mas és tu quem me ofende, declarando-me guerra. Que o Senhor dê hoje a sentença de juiz entre israelitas e amonitas!"

²⁸Mas o rei dos amonitas não quis dar atenção à mensagem de Jefté.

²⁹O espírito do Senhor veio sobre Jefté. Ele atravessou Galaad e Manassés, passou para Masfa de Galaad, daí marchou contra os amonitas, ³⁰fazendo um voto ao Senhor:

— Se entregares os amonitas em meu poder, ³¹o primeiro que sair para receber-me à porta de minha casa, quando eu voltar vitorioso da campanha contra os amonitas, será para o Senhor, e eu o oferecerei em holocausto.

³²Depois marchou para combater os amonitas. O Senhor os entregou a ele: ³³derrotou-os de Aroer até a entrada de Menit (vinte povoados) e até Abel-Carmim*. Foi uma grande derrota, e os amonitas ficaram submetidos a Israel.

³⁴Jefté voltou para sua casa em Masfa. E foi precisamente sua filha quem saiu para recebê-lo com pandeiro e danças; era sua filha única, pois Jefté não tinha outros filhos ou filhas. ³⁵Quando a viu, rasgou a túnica, gritando:

— Ai, minha filha, como sou infeliz! Tu és minha desgraça, porque fiz uma promessa ao Senhor e não posso voltar atrás.

³⁶Ela lhe disse:

— Pai, se fizeste uma promessa ao Senhor, cumpre o que prometeste, pois o Senhor permitiu que te vingasses dos teus inimigos.

³⁷E pediu a seu pai:

— Concede-me isto: deixa-me ir dois meses pelos montes, chorando com minhas amigas, pois ficarei virgem.

³⁸Seu pai lhe disse:

— Vai.

11,23-24 Os mensageiros empregam linguagem diplomática, apelando para a crença comum que vê os diversos países como propriedade de deuses diversos, que os entregam a seus povos. Camos é a rigor o nome do deus de Moab, enquanto o dos amonitas se costuma chamar Melcom; mas, é possível que este segundo seja antes do título "rei", e que originariamente os dois povos aparentados compartilhassem a mesma divindade. Numa visão mais ortodoxa ou mais evoluída, é o Senhor quem reparte os territórios, como Deus universal (Dt 32,8; Js 24,4). A vitória e a ocupação durante certo tempo são provas do ato divino de entrega, ato que o homem não pode invalidar.
11,25 Nm 22.
11,27 As negociações tomam forma e termos de um pleito: protesto de inocência, acusação formal e apelação a um tribunal superior. Aqui Jefté renuncia à diplomacia e apela a seu próprio Deus, ao Senhor. Este juízo acontecerá na batalha que se aproxima, juízo de Deus que dará a vitória ao inocente. Jefté invoca o Senhor como juiz da história, e o livro dos Juízes se levanta a uma instância definitiva. 1Rs 24,13.
11,30 Nm 30,1-10.
11,31 Jefté promete ao Senhor um sacrifício humano, coisa não rara na época, mas proibida aos israelitas: Dt 12,31; Lv 18,21; 20,2; 2Rs 3,27; 17,31; Sl 107,38. Naturalmente, é preciso recordar Gn 22 (Isaac). Designando a vítima desse modo, deixa a Deus a escolha. O holocausto exige queimar a vítima depois de imolada. O narrador antigo não parece condenar o voto. Nem Ben Sirac, Eclo 46,11, nem Hb 11,32 fazem censuras ou ressalvas a Jefté, e a tradição antiga em geral louva e justifica sua conduta.
11,32-33 Embora não se possa identificar com segurança a zona, parece que se trata de cidades amonitas na região sudoeste da atual Amã.
11,33 * = Prado das Vinhas.
11,34 O versículo supõe que Jefté, antes de sair à luta, se tenha instalado com todas as honras em Masfa; isso teria sucedido quando assumiu o cargo. A filha sai conduzindo um grupo de dançarinas: ver Ex 15 (Maria) e 1Sm 18,6.
11,35 Pr 20,25.
11,37 O sentido mais coerente com o conjunto da narração é que a moça chora o ter de morrer sem ter sido esposa e mãe (ver Is 54,4). Muitas mães, jovens ou não, morriam então em consequência do parto, mas com o consolo de dar vida a um filho (ver por exemplo Gn 35,16-18; 1Sm 4,19-21). A filha de Jefté passa sem deixar rasto vivo.
Fica sua presença literária. O autor operou com meios extremamente simples, marcando alguns contrastes elementares. Jefté, que "era todo um guerreiro", é ao termo da sua vitória um pai arrasado, que mal pode se expressar, a não ser repetindo o mesmo verbo e multiplicando irregularmente a vogal i. A filha é uma donzela que sai dançando ao

E deixou-a ir dois meses, e vagou com suas amigas pelos montes, chorando porque iria ficar virgem.

³⁹Terminado o prazo dos dois meses voltou para casa, e seu pai cumpriu com ela o voto que fizera. A jovem era virgem.

Assim começou em Israel este costume: ⁴⁰todos os anos as jovens israelitas vão cantar elegias durante quatro dias para a filha do galaadita Jefté.

12 Briga com os efraimitas – ¹Os efraimitas se amotinaram, atravessaram o Jordão em direção ao norte e foram protestar com Jefté:

– Por que foste combater os amonitas e não nos chamaste para que fôssemos contigo?

²Jefté lhes respondeu:

– Quando eu tive um conflito com os parentes, e os amonitas me pressionavam, pedi vossa ajuda, mas não me salvastes. ³Então, vendo que não havia quem me salvasse, arrisquei a vida, marchei contra os amonitas, e o Senhor os entregou a mim. Portanto, por que me atacais hoje?

⁴Em seguida reuniu todos os de Galaad e atacou os de Efraim. Os galaaditas derrotaram os efraimitas. ⁵Ocuparam os vaus do Jordão, cortando a passagem a Efraim. E quando os efraimitas fugitivos lhes pediam: "Deixai-nos passar!", os galaaditas perguntavam: "És de Efraim?". ⁶O outro respondia: "Não". Então lhe ordenavam: "Dize 'espiga' ". Ele dizia: "Eshpiga", pois não sabia pronunciar corretamente; então o agarravam e o degolavam junto aos vaus do Jordão. Assim, nessa ocasião morreram quarenta e dois mil efraimitas.

⁷Jefté governou Israel por seis anos. Morreu, e foi enterrado em seu povoado de Galaad.

JUÍZES MENORES (II)

⁸Depois dele, governou Israel Abesã, natural de Belém. ⁹Teve trinta filhos e trinta filhas. Suas filhas, ele as casou fora, e casou seus filhos com estrangeiras. Governou Israel por sete anos. ¹⁰Morreu, e foi enterrado em Belém.

¹¹Depois dele, governou Israel o zabulonita Elon. Governou Israel por dez anos. ¹²Morreu, e foi enterrado em Aialon*, no território de Zabulon.

¹³Depois dele, governou Israel Abdon, filho de Ilel, natural de Faraton. ¹⁴Teve quarenta filhos e trinta netos, que montavam setenta jumentos. Governou Israel por oito anos. ¹⁵Abdon, filho de Ilel, natural de Faraton, morreu, e foi enterrado em Faraton, na serra de Efraim, nos confins de Saalim.

---

encontro da sua desgraça, e que pede um adiamento da sua sentença só para chorar. É um momento da história que chega a nos comover.
Mas também nos perturba. Essa moça é vítima de religiosidade autêntica, ou de preconceitos religiosos? É vítima oferecida ao Senhor da vida e da salvação, ou a um deus da guerra e da morte, um deus cruel que cobra as vitórias com vidas inocentes e jovens? Qual o sentido desse sacrifício? Quando muito, para ficar como lembrança de tempos superados, como advertência contra usos pagãos; quando muito, seu sentido é continuar denunciando a crueldade dos homens que continuam oferecendo vítimas humanas a seus ídolos seculares e cruéis. A filha de Jefté e suas companheiras ainda continuam vagando e chorando pelos montes.
11,39 2Rs 3,27.
11,40 Eclo 46,11; Hb 11,32.
12,1-6 Este episódio é outro testemunho das antigas rivalidades entre tribos, que durarão até se firmar a monarquia. Parece que a Efraim cabe chegar sempre tarde, como no caso de Aod, 3,27, e de Gedeão, 8,1-3, ou não chegar, como acontece aqui. Efraim se mostra muito ciumento de sua participação, sobretudo quando vê a vitória. Essas três histórias parecem expressar certo sentimento de hostilidade e burla para com Efraim. Não assim o cântico de Débora, no qual Efraim abre a marcha.

12,4 O texto hebraico acrescenta "que diziam: Fugitivos de Efraim é o que sois vós! Galaad no meio de Efraim, no meio de Manassés!" A frase repete quatro palavras que se leem mais abaixo e alude a outros motivos de rivalidade.
12,6 Há aqui um testemunho curioso das antigas diferenças dialetais, que também podiam dar origem a caçoadas maliciosas ou cruéis. Aqui se trata de algo mais que uma caçoada, mas os velhos narradores puderam contá-lo entre risadas. Em hebraico se trata da variação do s inicial, que os efraimitas pronunciam s; a palavra hebraica é *shibbôlet* (espiga). O resultado é trágico por tratar-se de uma tribo de Israel, porque a vitória contra o estrangeiro provocou uma divisão interior. O fato se apresenta sem sinais religiosos explícitos, embora a arrogância seja castigada e o herói reivindicado. Uma diferença dialetal se faz símbolo de divisões mais profundas; a pacífica espiga se torna fatal e produz uma colheita de vidas junto ao rio divisório. E Jefté sai aureolado de tragédia.
12,7 Seis anos não é cifra convencional.
12,8 Esta Belém se encontra provavelmente na zona fronteiriça entre Zabulon e Aser. A tribo de Aser entraria assim na lista dos Juízes. Os casamentos de seus filhos e filhas com estrangeiros podiam obedecer a razões diplomáticas ou de prestígio.
12,12 * = Veadeiro.

13 Sansão

¹Os israelitas tornaram a fazer o que o Senhor reprova, e o Senhor os entregou aos filisteus por quarenta anos. ²Havia em Saraá um homem da tribo de Dã, chamado Manué. Sua mulher era estéril e não tivera filhos.

Sansão

A Sefelá. A cadeia central da Palestina, na extensão da Samaria, vai descendo para a planície do Saron e para o mar por terraços escalonados, em continuidade descendente; pelo contrário, a zona da Judeia desce rapidamente, quase se precipita em vales e gargantas paralelas ao mar, e volta a subir num sistema de colinas de meia altura assomadas à planície marítima. Essa zona de colinas se chama a Sefelá, ou seja, a Baixa; entende-se, comparada com as montanhas de Hebron e Jerusalém. Por essa divisão, a Sefelá tem uma vida independente: é uma zona de aspecto e clima mais suave, cruzada por largos vales perpendiculares, que do chegarem à cadeia central se convertem em desfiladeiros. Por esses desfiladeiros se penetra com dificuldade no coração da Judeia, ao passo que pelos vales da Sefelá se desce facilmente à planície filisteia, por onde passa a estrada do mar. Essa zona aprazível e exposta tocou em sorte à tribo de Dã; e numa das bacias mais aprazíveis, formada pela confluência de vários vales ou desfiladeiros, se encontram Saraá e Estaol, lugares em que, segundo a lenda, nasceu e cresceu o herói dos danitas, Sansão, o rival dos filisteus, cujo nome sugere uma dedicação ao sol. Os filisteus entram decididamente em cena nestes capítulos bíblicos e não se afastarão até os dias de Davi. Um dia serão a ameaça máxima aos israelitas; por ora são constante incômodo para os danitas.
Traziam uma cultura mediterrânea desenvolvida, sabiam trabalhar o ferro, durante certo tempo sem dúvida controlaram as vias marítimas ocidentais (antes da expansão fenícia). Organizavam-se politicamente numa pentápole, cujos chefes traziam o título de seranin (seran-im tyrann-os). Suas relações com os vizinhos danitas eram de paz instável; pela sua cultura e armas, seriam os prováveis vencedores. Rival dos filisteus não é a tribo inteira, mas um herói individual. Em nível de história, suas façanhas são travessuras, cócegas ou pontadas em um inimigo superior. Morto o herói, os danitas terão de imigrar. Mas, literariamente, Sansão supera em fama o próprio Golias.
O ciclo de Sansão. Esta denominação dá ideia do caráter composto destes relatos e da sua unidade de protagonista. Podemos ler estas páginas com diversas atitudes, que não se excluem.
A primeira será uma leitura divertida, pelo prazer de escutar uma boa narração. Pouco importa que haja incoerências ou irregularidades entre as diversas peças, inclusive não é impossível que se atribuam ao herói triunfos alheios: hoje não há como determiná-lo. Os velhos narradores tinham ingredientes abundantes para compor bons relatos: variedade de cenas e situações, um herói que reúne força e astúcia, engenho e paixão, burlas que permitem zombar do inimigo mais poderoso, e a tragédia final. Sem perder sua vivacidade original, Sansão assume sentido simbólico para nós. Sansão e Dalila, Hércules e Ônfale, a força e o amor, o herói cego antes de ser cegado, as voltas monótonas do moinho. Essa dimensão simbólica tem contribuído para a fama e a popularidade destes relatos.

A nós interessa, sobretudo, a leitura religiosa do ciclo, sentido buscado pelo autor último e presente de diversos modos nos capítulos, por vários de seus elementos, por sua inserção no livro. O sentido religioso do personagem se propõe antes de ele nascer, na sua anunciação, que ocupa um capítulo inteiro; escolhido antes de nascer, como nenhum dos demais heróis do livro, consagrado a Deus por toda a vida. Sua consagração é um nazireato, que lhe impõe renúncias ascéticas e cultuais. Quando jovem recebe a bênção do Senhor, e o espírito de Deus começa a movê-lo. Sansão cumpre os deveres de um consagrado e o ofício de um salvador?
Parece, antes, empenhar-se em violar seus votos: bebendo vinho nos banquetes, comendo mel contaminado pelo contato com um cadáver, unindo-se a mulheres pagãs, entregando sua cabeleira. Mais que salvador, parece pecador que servirá de advertência, porque Deus não pode deixar impune seu sacrilégio. Sansão é movido com mais força pela paixão do que pelo espírito de Deus.
Como salvador, também não se enquadra bem na série dos "fracos vitoriosos". Demasiado forte e astuto para manifestar o poder de Deus. Contudo, o forte Sansão se debilita a si mesmo, dilapidando suas forças em aventuras guerreiras e amorosas. Como guerreiro, é individualista, incapaz de recrutar e guiar os seus a vitórias substanciais; como homem, sua fraqueza são as mulheres, e também sua perdição. Já temos o fraco de que precisávamos para salvar; mas, como se trata de um pecador, infiel a seus compromissos religiosos, o processo de sua ação salvadora toma um curso paradoxal. Por seus pecados tem de morrer, como libertador tem de salvar: sua morte heroica será a conjunção das duas exigências. Morre salvando, e sua memória é gloriosa.

13 Este é o mais desenvolvido relato de anunciação no Antigo Testamento. O núcleo é realmente a fórmula clássica de anunciação, dita pelo anjo do Senhor e repetida pela mulher; a partir desta, toma corpo um relato de aparição.
Quem aparece? Quando a mulher fala, é "um homem de Deus" (que equivale a um profeta), "aquele que veio"; quando o marido fala, também é um "homem de Deus", "aquele que falou"; só no final o chama "deus"; o narrador o chama quase sempre "o anjo do Senhor", e diz simplesmente "o Senhor" quando fala da oração ou do altar. Como anjo a rigor significa mensageiro, podemos resumir assim: não se diz que o Senhor aparece, porque a aparição é como um sair de si tomando figura, e por isso se emprega a perífrase "o mensageiro/anjo do Senhor"; para aparecer toma figura humana, por isso às pessoas veem um homem que fala como profeta, com aspecto de "mensageiro divino". Quando essa figura desaparece subindo na chama do altar, as pessoas descobrem que era o próprio Deus que se manifestava e falava. Esses dados completam os da aparição a Gedeão no capítulo 6.

13,2 É comum o tema da esterilidade da mãe do herói: Sara, Raquel, Ana. O filho é puro dom de Deus.

³O anjo do Senhor apareceu à mulher e lhe disse:

– És estéril e não tiveste filhos. ⁴Mas conceberás e darás à luz um filho; toma cuidado para não beber vinho ou licor, nem comer nada impuro, pois conceberás e darás à luz um filho. ⁵A navalha não passará por sua cabeça porque o menino será consagrado a Deus antes de nascer. Ele começará a salvar Israel dos filisteus.

⁶A mulher foi contá-lo a seu marido:

– Visitou-me um homem de Deus; por seu aspecto terrível, parecia um mensageiro divino; mas nem perguntei de onde era, nem ele me disse seu nome. ⁷Disse-me apenas: "Conceberás e darás à luz um filho; toma cuidado para não beber vinho ou licor, nem comer nada impuro, pois o menino estará consagrado a Deus antes de nascer até o dia de sua morte".

⁸Manué rezou assim ao Senhor:

– Perdão, Senhor: que esse homem de Deus que enviaste volte e nos indique o que temos de fazer com o menino quando nascer.

⁹Deus escutou a oração de Manué e o anjo de Deus voltou a aparecer à mulher enquanto estava no campo, e seu marido não estava com ela. ¹⁰A mulher correu logo para avisar seu marido:

– Apareceu-me aquele homem que me visitou naquele dia.

¹¹Manué seguiu sua mulher, foi até o homem e lhe perguntou:

– És tu aquele que falou com esta mulher? Ele respondeu:

– Sim.

¹²Manué insistiu:

– Quando se realizar a promessa, que tipo de vida deve levar o menino, e o que terá de fazer?

¹³O anjo do Senhor respondeu:

– Abster-se de tudo o que proibi à tua mulher: ¹⁴não tomar mosto, não beber vinho nem licores, nem comer coisa impura; deve levar a vida que eu estabeleci.

¹⁵Manué disse ao anjo do Senhor:

– Não vás embora, e te prepararemos um cabrito.

(Não se dera conta de que era o anjo do Senhor.)

¹⁶Mas o anjo do Senhor lhe disse:

– Ainda que me faças ficar, não provarei tua comida. Se queres oferecer um sacrifício ao Senhor, faze-o.

¹⁷Manué lhe perguntou:

– Como te chamas, para que te prestemos homenagem quando se cumprir tua promessa?

¹⁸O anjo do Senhor respondeu:

– Por que perguntas meu nome? É Misterioso.

¹⁹Manué pegou o cabrito e a oferta e ofereceu sobre a rocha um sacrifício ao Senhor

---

13,3-5 O esquema completo de anunciação tem as seguintes peças: concepção e parto, nome do menino e sua explicação, uma dieta, história futura do menino. Vejam-se os seguintes textos: Gn 16,11-12 (Ismael); Is 7,13-14 (o filho de Acaz); o padrão passa ao Novo Testamento, onde Mateus e Lucas o utilizam, Mt 1,20-23; Lc 1,11-20.26-37. Aqui falta o nome, talvez porque Sansão não é nome teofórico (ou alude a uma divindade pagã); em compensação, desenvolve-se o motivo da dieta, de acordo com o destino do herói; quer dizer, nem através de sua mãe a criatura deve tocar o vinho. Seu destino será "começar" o que outros continuarão: Samuel, Saul e Davi.

13,7 Em geral, o voto do nazireato era temporário, Nm 6; o caso de Sansão é extraordinário.

13,11-18 No diálogo há um dado concreto, a dieta do menino. A primeira identificação é vaga, o personagem recusa o banquete e não diz seu nome, é evasivo e alusivo. Insinua-se algo que ainda não se aclara. Pode-se comparar com a cena de Gedeão no capítulo 6.

13,15 Jz 6,18s; Gn 18,6.

13,16 Há sacrifícios concebidos como banquetes; outros queimam a vítima e se chamam holocaustos. O desconhecido joga com alusões: como alimento não aceita nada, como holocausto o Senhor o aceitará.

13,17-18 A pergunta pelo nome recorda as visões de Jacó (Gn 32) e Moisés (Ex 3). Só que Manué considera ainda o seu interlocutor como ser humano; quer fazer uma homenagem ou obséquio ao mensageiro que lhe trouxe a grande notícia.

A resposta avança pela linha da alusão: é um adjetivo que se poderia ler como nome, "que é: misterioso"; a raiz hebraica significa o que excede a mente humana: misterioso; ou a capacidade humana: milagroso; e geralmente se diz da divindade (por exemplo, Is 9,5, Maravilha de Conselheiro, Sl 139,6). Ao negar-se a dizer seu nome, aponta para cima.

13,18 Gn 32,10.

13,19 Manué aceita a sugestão ao oferecer seu sacrifício. No título está contida uma confissão: o Senhor poderá fazer o milagre de dar um filho à mulher estéril, e até parece adiantar a ação de graças pelo benefício.

13,19-20 Os versículos estão marcados pelo movimento ascendente, expresso pela raiz 'lh (= subir), que designa também o sacrifício (= elevação): sobe a vítima sobre a rocha, sobe a chama sobre o altar para o céu, sobe o anjo do Senhor. Em forte contraste, os esposos caem por terra.

Misterioso. ²⁰Quando a chama subiu do altar para o céu, o anjo do Senhor também subiu na chama, diante de Manué e sua mulher, que caíram com o rosto por terra.

²¹O anjo do Senhor já não lhes apareceu mais. Manué deu-se conta de que aquele era o anjo do Senhor, ²²e comentou com sua mulher:

– Vamos morrer, pois vimos Deus!

²³Mas sua mulher respondeu:

– Se o Senhor quisesse matar-nos, não teria aceito nosso sacrifício e nossa oferta, não nos teria mostrado tudo isso nem nos teria comunicado uma coisa desse tipo.

²⁴A mulher de Manué deu à luz um filho e o chamou Sansão. O menino cresceu e o Senhor o abençoou. ²⁵E o espírito do Senhor começou a agitá-lo em Mahné-Dã*, entre Saraá e Estaol.

14

¹Sansão desceu a Tamna e viu aí uma jovem filisteia. ²Quando voltou, disse a seus pais:

– Vi uma jovem filisteia em Tamna. Tomai-a por esposa para mim.

³Seus pais lhe responderam:

– Por acaso não há uma mulher em tua parentela e em todo o povoado, para que te cases com uma jovem desses incircuncisos filisteus?

Mas Sansão insistiu com seu pai:

– Pede-a para minha esposa, pois ela me agrada.

⁴(Seu pai e sua mãe não suspeitavam de que o Senhor dispunha assim as coisas, procurando um pretexto contra os filisteus, que nesse tempo dominavam Israel.)

⁵Sansão desceu a Tamna. Quando chegava perto dos parreirais de Tamna, um leãozinho saiu rugindo ao encontro dele; ⁶o espírito do Senhor invadiu Sansão, e ele, sem ter nada nas mãos, esquartejou o leão como quem esquarteja um cabrito. Mas não o contou a seus pais.

⁷Sansão falou com a jovem, e ela lhe agradou.

13,21 O desaparecimento final liga-se em inclusão com a primeira aparição (v. 3). O verbo "deu-se conta" recolhe e resolve o "não se dera conta" do v. 15.

13,22 Não é concedido aos mortais ver a Deus, porque é uma visão terrível que mata. Ex 33,20.

13,23 A mulher impõe a sensatez humana acima de uma teologia oficial, como se ficasse mais fácil para ela entrar no mundo do divino.

13,25 O espírito do Senhor é o elemento dinâmico que não dará descanso ao herói, que o moverá de modo imprevisível para que cumpra sua missão. * = Acampamento de Dã.

14 A narração está centrada numa fracassada festa de casamento, com o episódio de um leão morto e um jogo de enigmas; tudo está bem-composto e se articula em cinco ou seis parágrafos.

O casamento normalmente era feito por meio dos pais. Muitas vezes, eles mesmos escolhiam a esposa, sempre pagavam o dote ao pai; a festa podia durar ao menos uma semana, e os noivos tinham seus respectivos cortejos, nos quais se destacava por seu papel o "amigo do noivo" (espécie de padrinho que prepara tudo); a noiva era levada à casa do marido ou à de seus pais. Havia uma variante, na qual a esposa ficava na casa dos pais, onde o marido a visitava, e os filhos pertenciam ao clã dela. Enigmas e apostas podiam ser um dos entretenimentos das festas. Nos relatos, os enigmas ou adivinhações adquirem importância decisiva, não só para influir no curso da ação, mas também para simbolizar os fatos. O verbo *ngd* = informar (de um fato, de uma solução) aparece quatorze vezes em forma negativa, positiva, de petição ou de condição; fala-nos, sobretudo, da reserva de Sansão que há de ser conquistada, coisa que somente a noiva conseguirá.

O primeiro enigma e sua resposta parecem conter alusões sexuais: força e doçura; o que é mais forte que o amor, o que é mais doce que o amor? (e se poderia buscar alusões mais explícitas). O enigma resume no relato o episódio do leão; mas por que se introduz tal episódio desnecessário?

Se nos detivermos na correspondência do leão e dos inimigos mortos pelas mãos de Sansão, descobriremos um sentido que ultrapassa os comensais, inclusive o herói. A fera vai ser o povo hostil, que Sansão vai atacar só com a força de suas mãos; desse povo vizinho e inimigo sai algo doce, que é a moça de Tamna. Sansão a leva despreocupado. Mas um mel em contato com o cadáver da fera está contaminado e pode ser fatal para o nazireu. Se o relato presente não acabar em tragédia, nele estão soando já os motivos de outro episódio semelhante. O capítulo é uma espécie de ensaio, em escala reduzida, do que vai suceder. O relato tem o tom bastante profano (salvo o parêntese e a referência ao espírito), e contrasta fortemente com a religiosidade do capítulo precedente.

14,1 Tamna se encontra a poucos quilômetros ao sul de Saraá, ainda na Sefelá, numa colina mais baixa; é cidade fronteiriça de pouca importância. Dt 7,3.

14,2 Pode-se comparar com a história de Dina em Gn 34.

14,3 O adjetivo "incircuncisos" retornará muitas vezes com caráter depreciativo e certa conotação cultual: são um povo profano, ao passo que Sansão está consagrado de maneira especial. Gn 24.

14,4 O parêntese parece acrescentado pelo último autor, que além disso generaliza, conforme o costume. Nesse tempo, nem todo Israel se encontrava sob o domínio filisteu.

14,6 A presença do espírito em sua luta com a fera dá ao acontecimento um sentido particular: a fera, especialmente o leão, é imagem frequente do inimigo.

⁸Passado algum tempo, quando voltava para casar com ela, desviou-se um pouco para ver o leão morto, e encontrou no esqueleto um enxame de abelhas com mel; ⁹tirou o favo com a mão e foi comendo pelo caminho; quando chegou a seus pais, deu-lhes mel, e eles comeram, mas não lhes contou que o havia retirado do esqueleto do leão.

¹⁰Desceu à casa da moça e houve aí um banquete, como os jovens costumam fazer; ¹¹e, visto que o temiam, destinaram-lhe trinta companheiros para que cuidassem dele.

¹²Sansão lhes disse:

– Vou propor-vos um enigma; se adivinhardes sua resposta nestes sete dias de banquete, eu vos darei trinta lençóis e trinta mudas de roupa; ¹³se não o adivinhardes, vós me dareis trinta lençóis e trinta mudas de roupa.

Responderam-lhe:

– Aceitamos. Mostra o enigma.

¹⁴Ele disse:

– Do que come saiu comida, do forte saiu doçura.

Durante os primeiros dias, não conseguiram encontrar a solução. ¹⁵No quarto dia, disseram à mulher de Sansão:

– Engana teu marido, para ver se conseguimos achar a solução; senão, poremos fogo em ti e na casa de teu pai. Por acaso nos convidastes para nos deixar sem nada? ¹⁶Então a mulher de Sansão foi choramingar com ele:

– Já me aborreceste, já não me queres. Propuseste um enigma a meus concidadãos e não me contas a resposta.

Ele lhe respondeu:

– Não contei a meu pai e a minha mãe; iria contá-la a ti?

¹⁷Ela choramingou os sete dias do banquete. Por fim, no sétimo dia, de tanto importuná-lo, deu-lhe a resposta, e ela a contou a seus concidadãos. ¹⁸E eles deram a resposta a Sansão no sétimo dia, antes que entrasse no quarto:

"O que é mais doce que o mel,
o que é mais forte que o leão?"

Sansão replicou:

"Se não tivésseis lavrado
com minha novilha,
não teríeis resolvido meu enigma".

¹⁹Então o espírito do Senhor o invadiu; ele desceu a Ascalon, matou aí trinta homens, tirou-lhes a roupa e deu as mudas aos que haviam resolvido o enigma. Depois, furioso, voltou para a casa de seu pai. ²⁰E sua mulher passou a pertencer a um dos companheiros que haviam cuidado dele.

15

¹Algum tempo depois, na ceifa do trigo, Sansão foi visitar sua mulher, levando-lhe um cabrito. Pensou:

– Vou aproximar-me de minha mulher, no quarto.

Mas o sogro dele não o deixou entrar, dizendo:

14,8-9 A ossada devia estar muito seca para as abelhas nela se alojarem; mesmo assim, será um cadáver que contamina. Por isso, ele não diz aos pais de onde procede o mel.
14,8 Nm 6,6.
14,9 Nm 5,2.
14,14 Gn 29,27.
14,19 A repetição da frase liga enfaticamente esta cena com a do leão, v. 6. Ascalon é uma das capitais filisteias, perto do mar. A cólera de Sansão é a ruptura de hostilidades, motivada pela traição. O mel tornou-se amargo.
14,20 Não se realiza a união, e cada um dos dois retorna a seu próprio povo.
15 Este relato está bem ligado com o anterior, por continuação e semelhança. Mas a narração se alarga pela dialética da vingança. Os danitas são uma tribo pequena que separa os filisteus dos judeus, como a Sefelá separa a planície marítima da montanha central; até agora Sansão agiu deixando para trás a cadeia montanhosa onde reside a grande tribo de Judá; agora se acende a rivalidade, propagada pelo fogo de Sansão. A tribo de Judá parece reconhecer um senhorio moderado dos filisteus, talvez enviando algum tributo pacífico, evitando motivos ou pretextos de irritação. Pois os filisteus estão mais bem armados e organizados, e podem querer uma expansão para o ocidente.
No processo, Sansão vai crescendo em força e isolamento. Retiram-se de cena seus pais, não o acompanham os da sua tribo, os de Judá o perseguem; em torno dele se movem grupos anônimos; só ele tem um nome. Os inimigos de ontem parecem reconciliados contra ele. Sansão é um caçador de raposas, que envia como seu exército pessoal, e se retira onde habitam os sobrinhos. Negam-lhe sua mulher e na vingança a matam. Sua arma será um osso de animal, e para beber terá de gritar ao Senhor, cujo espírito o agita. Que diferença dos outros heróis, Barac ou Gedeão!
15,1 Das alturas da Sefelá, Sansão pode contemplar uma paisagem escalonada de olivais, vinhedos e extensos campos de messes na planície. Passou sua cólera, sente a paixão por aquela moça filisteia que ainda considera esposa.

— ²Eu tinha certeza de que a detestavas, por isso a dei a um dos teus companheiros. Mas sua irmã mais nova é mais bonita; aceita-a no lugar dela.

³Sansão replicou:

— Desta vez, ficarei quite com os filisteus, fazendo-lhes mal.

⁴Foi e capturou trezentas raposas; preparou tochas, atou as raposas rabo com rabo, com uma tocha entre os dois rabos, ⁵pôs fogo nas tochas e soltou as raposas pelas messes dos filisteus, incendiando os feixes, a messe por ceifar e até vinhas e olivais.

⁶Os filisteus perguntaram:

— Quem fez isso?

Responderam-lhes:

— Sansão, o genro do tamnita, porque este lhe tirou sua mulher e a deu a um companheiro.

Então os filisteus subiram e incendiaram a mulher e a casa de seu pai. ⁷Sansão lhes disse:

— Por terdes feito isso, não sossegarei até vingar-me de vós.

⁸E sacudiu contra eles um bastão. Depois foi viver na cova do Sela-Etam*.

⁹Os filisteus foram e acamparam contra Judá, fazendo incursões pela região de Lequi*. ¹⁰Judá protestou:

— Por que viestes contra nós?

Os filisteus responderam:

— Viemos capturar Sansão para pagar-lhe por aquilo que nos fez.

¹¹Então três mil judaítas desceram à cova de Sela-Etam e disseram a Sansão:

— Não sabes que estamos sob a dominação dos filisteus? Por que nos fizeste isso?

Respondeu-lhes:

— Paguei-lhes com a mesma moeda.

¹²Insistiram:

— Pois viemos para prender-te e entregar-te aos filisteus.

Sansão lhes disse:

— Jurai-me que não me matareis.

¹³Eles juraram:

— Queremos somente prender-te e entregar-te; não pretendemos matar-te.

Então o ataram com duas cordas novas e o tiraram do penhasco.

¹⁴Quando chegou a Lequi, os filisteus saíram para recebê-lo com grande algazarra; mas o espírito do Senhor o invadiu, e as cordas de seus braços foram como mecha que se queima, e as ataduras de suas mãos se desfizeram. ¹⁵Então encontrou uma queixada fresca de asno, pegou-a, e com ela matou mil homens. ¹⁶Depois cantou:

"Com a queixada de um burro,
   zurra que zurro,
com a queixada de um burro,
   mil homens matei".

¹⁷Ao terminar, atirou para longe a queixada e chamou esse lugar de Ramat-Lequi*. ¹⁸Mas sentia grande sede e exclamou ao Senhor:

— Tu me concedeste esta grande vitória, mas agora vou morrer de sede e cair nas mãos desses incircuncisos!

¹⁹Então Deus abriu a cova que há em Lequi e brotou água. Sansão bebeu, recuperou as forças e reviveu. Por isso, a fonte de Lequi se chama até hoje En-Coré*.

²⁰Sansão governou Israel durante vinte anos da dominação filisteia.

16

Sansão e Dalila – ¹Sansão foi a Gaza, viu aí uma prostituta e entrou em sua casa. ²A notícia correu entre os de Gaza:

— Sansão chegou!

15,5 Ex 22,5.

15,8a A expressão hebraica poderia significar uma chave na briga; mas o autor não parece pensar em desafios corpo a corpo. Literalmente soa "perna sobre coxa".

15,8 * = Penha do Abutre.

15,9 * = Alto da Queixada. Este nome é devido talvez ao perfil que oferece, visto de determinado lugar.

15,11 Os danitas que contam esta história sentem talvez animosidade contra a tribo de Judá, que não os ajudou em seus momentos difíceis. Não teria sido melhor enviar os três mil homens contra o inimigo comum, o filisteu? O narrador não tem medo dos números: um confronto de três mil contra um.

15,13 Nas cordas soa um motivo que será central no capítulo seguinte.

15,17 * = Queixada.

15,19 * = Fonte da Perdiz, com toda probabilidade. O narrador adapta a toponímia à sua intenção narrativa, e assim o lugar recordará a façanha de Sansão.

15,20 A fórmula tem valor conclusivo nos diversos episódios do livro; o número vinte (metade de quarenta) é convencional. Corresponde a uma tradição que não conhecia a morte heroica de Sansão, ou a um autor que a considerou ignominiosa e a censurou.

16,1-3 As portas de uma cidade eram fechadas geralmente ao anoitecer. Sansão se meteu numa armadilha, e seus inimigos podem descansar despreocupados até a aurora, quando tornam a abrir as portas. Gaza era uma das capitais filisteias e seu nome significa A Forte.

Então o cercaram e se postaram junto à porta da cidade. Estiveram tranquilos toda a noite, pensando:

— Ao amanhecer nós o mataremos.

³Sansão ficou deitado até meia-noite; à meia-noite levantou-se, pegou os batentes da porta da cidade com suas ombreiras, arrancou-os com ferrolhos e tudo, carregou-os nas costas e os levou ao topo do monte, diante de Hebron.

⁴Mais tarde, Sansão se apaixonou por uma mulher de Vale Sorec, chamada Dalila. ⁵Os príncipes filisteus foram visitá-la e lhe disseram:

— Seduze-o e descobre onde reside sua grande força e como nos apoderaríamos dele para dominá-lo e amarrá-lo. Cada um de nós te dará mil e cem siclos de prata.

⁶Dalila disse a Sansão:

— Vamos, dize-me o segredo de tua grande força e como poderiam amarrar-te e dominar-te.

⁷Sansão lhe respondeu:

— Se me amarrarem com sete cordas úmidas, sem deixá-las secar, perderei a força e serei como qualquer um.

⁸Os príncipes filisteus levaram a Dalila sete cordas úmidas, sem deixá-las secar, e com elas o atou. ⁹Postaram-se de tocaia à entrada do quarto, e ela gritou:

— Sansão, os filisteus!

Ele arrebentou as cordas como se arrebenta um cordão de estopa chamuscada, e não se descobriu o segredo de sua força.

¹⁰Dalila se queixou:

— Ah, tu me enganaste; mentiste para mim. Vamos, dize-me como poderiam dominar-te.

¹¹Ele respondeu:

— Se me amarrarem bem com cordas novas, não usadas, perderei a força e serei como qualquer um.

¹²Dalila pegou cordas novas e com elas o amarrou. E gritou:

— Sansão, os filisteus!

(Estavam postados de tocaia à entrada do quarto.) Mas ele arrebentou as cordas de seus braços como se fossem um fio.

¹³Dalila se queixou:

— Até agora me enganaste, mentiste para mim. Vamos, dize-me como poderiam dominar-te.

Ele respondeu:

— Se trançares as sete tranças de minha cabeça com a urdidura e as fixares com o pino, perderei a força e serei como qualquer um.

¹⁴Dalila deixou que dormisse, trançou as sete tranças da cabeça com a urdidura, fixou-as com o pino, e gritou:

— Sansão, os filisteus!

Ele acordou e arrancou o pino e a urdidura.

¹⁵Ela se queixou:

— Tu dizes que me amas, mas teu coração não é meu! É a terceira vez que me enganas e não me contas o segredo de tua força.

¹⁶E como o importunasse com suas queixas dia após dia, até aborrecê-lo, ¹⁷já desesperado, Sansão lhe contou seu segredo:

O brevíssimo relato se compraz em alongar o desenlace. Essas portas são a proteção da cidade e o símbolo de seu poder. Sansão se contenta com uma burla magnífica. Não sabemos por que se menciona Hebron a 900 metros de altitude e a uns 60 quilômetros de distância.

16,4 Aqui começa o episódio mais famoso da história de Sansão. Podem ter influído um pouco em nossa sensibilidade os nomes: Sansão e Dalila fazem uma feliz dupla fonética, ele vigorosamente masculino, ela finamente feminina. Ainda que a ouvidos hebreus o nome Dalila lhes possa trazer ressonâncias de *dll* = exíguo, fraco, ou de *zll* = vil, libidinoso. Dalila é além do mais a única personagem com nome nas andanças de Sansão (sem contar o pai).

A história é contada segundo as exigências da narração popular. Estilizada em quatro atos breves, construídos com peças equivalentes e frases repetidas, preparando o último, que se amplia e traz o desenlace fatal. Não se busca verossimilhança realista, e sim o efeito do movimento e dos detalhes. Os ouvintes aceitam sem dificuldade que nada menos que os cinco chefes da pentápole vão entrevistar a amante de Sansão e participam dela em todas as incidências; não perguntam como se pode amarrar um homem sem que ele desperte. Os ouvintes conhecem a história porque a ouviram muitas vezes, e veem como pela terceira vez os filisteus chegam à cabeleira prodigiosa de Sansão; sabem que o segredo não deveria ser crível para os filisteus, e apreciam assim a percepção da mulher que reconhece a voz da sinceridade.

Sorec se encontra na Sefelá, a pouca distância de Saraá; é um vale que deu nome a uma qualidade especial de uvas. O autor não identifica a nacionalidade de Dalila, mas é justo inferir que seja filisteia.

16,9 Parece que os filisteus não saem do esconderijo também a última vez. O número sete, as cordas frescas ou sem uso, indicam que se trata de virtudes mágicas, não do simples fato de atá-lo.

16,13 Deste modo, a melena de Sansão fica entretecida no tear onde a mulher trabalha. A imagem do herói tão enredado na teia de Dalila é particularmente sugestiva.

16,17 Nm 6,5.

— Nunca a navalha passou por minha cabeça, pois sou consagrado a Deus antes de nascer. Se cortar o cabelo, perderei a força, ficarei fraco e serei como qualquer um.

[18]Dalila percebeu que ele havia revelado seu segredo a ela, e mandou chamar os príncipes filisteus:

— Vinde agora, pois ele me revelou seu segredo.

Os príncipes foram para lá com o dinheiro. [19]Dalila deixou que Sansão dormisse sobre seus joelhos; chamou então um homem, que cortou as sete tranças da cabeça de Sansão. Sansão começou a enfraquecer-se, e sua força desapareceu. [20]Dalila gritou:

— Sansão, os filisteus!

Ele acordou e pensou:

— Serei bem-sucedido como das outras vezes e os sacudirei de cima de mim (sem saber que o Senhor o abandonara).

[21]Os filisteus o agarraram, furaram-lhe os olhos e o desceram a Gaza; amarraram-no com correntes e o mantinham moendo trigo no cárcere. [22](Mas o cabelo da cabeça começou a crescer depois de cortado.)

[23]Os príncipes filisteus reuniram-se para oferecer um grande banquete em honra do seu deus Dagon e fazer festa. Cantavam:

"Nosso deus nos entregou
nosso inimigo Sansão".

[25]Quando já estavam alegres, disseram:

— Tirai Sansão para que nos divirta.

Tiraram Sansão do cárcere, e ele dançava na presença deles. Depois o colocaram entre as colunas. [24]Ao vê-lo, o povo louvou o seu deus:

"Nosso deus nos entregou
nosso inimigo Sansão,*
que devastava nossos campos
e aumentava nossos mortos".

[26]Sansão pediu àquele que o conduzia pela mão:

— Deixa-me tocar as colunas que sustentam o edifício, para me apoiar nelas.

[27](A sala estava repleta de homens e mulheres; estavam aí todos os príncipes filisteus, e no terraço havia uns três mil e trezentos homens e mulheres vendo Sansão dançar.) [28]Ele gritou ao Senhor:

— Senhor, lembra-te de mim! Dá-me força pelo menos desta vez, para poder vingar nos filisteus, num só golpe, a perda dos olhos.

[29]Apalpou as duas colunas centrais, apoiou as mãos contra elas, a direita sobre uma e a esquerda sobre a outra. [30]E, ao grito de: "À morte com os filisteus!", abriu os braços com força e o edifício desmoronou sobre os príncipes e sobre o povo que aí estava. Os que Sansão matou ao morrer foram mais que os que matou em vida.

[31]Depois, seus parentes e toda a sua família desceram, recolheram o cadáver e o levaram para sepultá-lo entre Saraá e Estaol, no túmulo de seu pai Manué.

Sansão havia governado Israel por vinte anos.

A CONFEDERAÇÃO ISRAELITA

17 Micas, o ídolo e o levita – [1]Havia um homem na serra de Efraim

---

16,20 É a primeira vez que durante a narração soa o nome do Senhor. Seu distanciamento é a medida teológica do fato. Sansão cai na inconsciência, e desta passará à cegueira.

16,21 Provavelmente se trata, não do moinho comum de mão, mas um moinho grande, no qual um animal faz o trabalho.

16,23 Dagon é o deus do trigo. O canto ou estribilho se distingue pela acumulação de rimas produzidas pelos sufixos. Como se os filisteus cantassem em hebraico: é parte da convenção narrativa.

* O v. 24 vai depois do v. 25.

16,25 Devemos imaginar um pátio com uma galeria superior apoiada em colunas, de modo que o público pode olhar de cima e de baixo. O narrador prepara muito bem o desenlace, acumulando detalhes alegres: festa, banquete, cantos, espetáculo, dança; e, uma embriaguez popular de triunfo com pretensões religiosas. Sansão tem de ouvir tudo.

16,28 É uma oração em voz alta, em contraponto com os cantos filisteus. O nome do Senhor é invocado na festa de Dagon, e a contenda adquire proporções sobre-humanas: dando a vitória a Sansão, Yhwh derrota Dagon. É o primeiro encontro nas páginas bíblicas.

16,29-30 Segundo a teoria normal, o autor alonga a cena final com descrição precisa. A última frase, com a tríplice repetição do verbo morrer, soa como epitáfio literário de Sansão.

17 Com a morte de Sansão, termina a série de juízes e heróis. O que se segue são assuntos de tribos ou histórias de levitas, conforme olharmos. A primeira seção (17-18) conta a migração dos danitas, personalizando o fato na figura do levita errante. A segunda (19-21) conta uma luta de tribos provocada pela injúria feita a um levita. Quem colecionou as histórias declarou que seu ponto de vista era a monarquia, a partir do qual esses fatos são "pré-monárquicos", quando cada qual "fazia o que bem lhe parecia". A arte narrativa não decai; antes, alcança o cume no capítulo 19.

chamado Micas. ²ᵃUm dia ele disse à sua mãe:

– Aqueles mil e cem siclos que desapareceram, pelos quais pronunciaste uma maldição em minha presença, vê, esse dinheiro está comigo, eu o peguei. ³ᵇMas agora eu o devolvo.

²ᵇSua mãe exclamou:

– Deus te abençoe, meu filho!

³ᵃTrouxe à sua mãe os mil e cem siclos, e ela disse:

– Consagro este meu dinheiro ao Senhor, em favor de meu filho, para fazer uma estátua chapeada.

Então ele entregou o dinheiro à sua mãe. ⁴Ela pegou duzentos siclos, levou-os ao ourives, e ele fez uma estátua chapeada. E a puseram na casa de Micas.

⁵Esse Micas tinha uma capela, fez um efod e uns amuletos e consagrou um de seus filhos como sacerdote.

⁶Nessa ocasião não havia rei em Israel. Cada um fazia o que lhe parecia bem.

⁷Um jovem de Belém de Judá (da tribo de Judá), que era levita e aí residia como migrante, ⁸saiu de Belém de Judá com a intenção de estabelecer-se onde pudesse; foi à serra de Efraim e, a caminho, foi dar com a casa de Micas.

⁹Este perguntou-lhe:

– De onde vens?

O levita respondeu:

– De Belém de Judá. Estou viajando, com intenção de me estabelecer onde puder.

¹⁰Micas lhe disse:

– Fica comigo. Tu me servirás de capelão. Eu te darei dez moedas por ano, roupa e comida.

E o convenceu.

¹¹Assim, pois, o levita consentiu em ficar com ele, e Micas o tratou como filho. ¹²Ele o consagrou, e o jovem esteve na casa de Micas como sacerdote. ¹³Micas pensou:

– Agora tenho certeza de que o Senhor me favorecerá, pois tenho um levita como sacerdote.

O fato de esses relatos fazerem parte do livro dos Juízes se deve a razões cronológicas, e não literárias: podiam muito bem formar um livro à parte. Por outro lado, pensando em termos de confederação, este final do livro é muito interessante. Também são preciosos pela quantidade de informações que nos oferecem sobre a vida israelita em tempos antigos. O sentido religioso pertence ao corpo narrativo, não está confiado a esquemas sobrepostos.
Segundo o v. 13, Micas é javista, o que faz pensar que o ídolo queria representar o Senhor. A tribo de Levi já então tinha perdido seu ser profano, com território à parte, e parece ter-se convertido em especialista do culto.
O autor escolhe como centro narrativo um lugar anônimo na serra de Efraim: para aí convergem os personagens e vão atando os fios do enredo. O estilo narrativo sobressai pela vivacidade dos diálogos.

17,1 O nome é teofórico, javista, e soa como desafio: "Quem como o Senhor?" (recorde-se o nome semelhante *mika'el* = Quem como Deus?).

17,2-3 O fato de não aparecer o pai poderia indicar que ele já morreu e que Micas é agora o chefe da família; mas sua mãe ocupa ainda lugar importante. A devolução do dinheiro se articula na maldição e bênção: ao não encontrar seu dinheiro, a mãe pronuncia em voz alta uma maldição, que persegue o culpado até se cumprir nele; também aquele que souber algo pode ser atingido pela maldição (ver o uso judicial em Lv 5,1). Micas se sente ameaçado e confessa; mas, antes de devolver o dinheiro, exige que a mãe desfaça o poder da maldição, pronunciando a bênção oposta. Então o filho apresenta a quantia, e a mãe, antes de recebê-la, faz o voto de consagrar uma parte ao Senhor, pois a recuperou por intermédio dele. No voto e no juramento, a mãe se professa javista.

A quantidade de dinheiro é, certamente, notável. Nesse tempo, o dinheiro era pesado, e não cunhado; onze quilos de prata é uma quantidade respeitável (o sacerdote ganhará cem gramas ao ano, além de comida e roupa).

17,4 Provavelmente se trata de uma imagem folheada a prata, representação humana ou animal do Senhor.

17,5 O efod, segundo conjeturas, era um manto cônico ornamentado, que podia simbolizar sem imagem a presença da divindade... O sacerdócio aparece aqui como função doméstica, e o pai de família tem autoridade para investir ou consagrar sacerdote a um filho. Esses usos contradizem a lei mosaica ou usos posteriores; por isso, aquele que escreve a história se sente obrigado a distanciar-se deles, atribuindo-os à época pré-monárquica.

O oratório de Micas se chama em hebraico *bet-'elohim*, que soa muito parecido a *betel*; como Betel e Dã foram os dois centros do culto cismático instituídos por Jeroboão, poderia haver nessa história uma alusão maliciosa; caso haja, para ambos os centros, é apenas perceptível.

17,6 Jz 21,25.

17,7 Insiste-se no caráter errante ou itinerante do levita. Atendo-nos ao texto hebraico, o levita já é forasteiro no ponto de partida, Belém de Judá; mas as palavras hebraicas "forasteiro aí" podem ser lidas como o nome próprio Gersam (*gershom*), de acordo com 18,30 e Ex 2,22; o levita aparece como descendente de Moisés.

17,10-12 O sacerdote doméstico traz o título hebraico de "pai". Embora o levita tenha o culto como profissão, o chefe de família o consagra como seu sacerdote.

17,13 Evitou-se o nome do Senhor ao falar do oratório, da imagem, do sacerdote; no final, Micas volta a pronunciá-lo.

18 Os danitas

¹Nesse tempo não havia rei em Israel. Então, também a tribo de Dã ia à procura de sua herança para se estabelecer, pois ainda não recebera sua herança entre as tribos de Israel.

²Os danitas enviaram cinco de seus homens, gente aguerrida, de Saraá e Estaol, para explorar o país, com a missão de examinar o país. Foram à serra de Efraim, e chegaram à casa de Micas para passar aí a noite.

³Quando estavam próximos à casa de Micas, reconheceram a voz do levita e se aproximaram. Perguntaram-lhe:

– Quem te trouxe aqui? O que fazes aqui? Do que te ocupas?

⁴Ele contou-lhes como Micas o trouxera, e acrescentou:

– Contratou-me como capelão.

⁵Eles lhe pediram:

– Consulta a Deus, para sabermos se esta viagem que fazemos será bem-sucedida.

⁶O sacerdote deu-lhe esta resposta:

– Ide tranquilos. O Senhor vê com bons olhos vossa viagem.

⁷Os cinco homens se puseram a caminho e chegaram a Lais. Observaram a gente que vivia nesse povoado: era gente confiável, como costumam ser os fenícios; viviam tranquilos e seguros, ninguém cometia ações vergonhosas e estavam bem abastecidos. Sidônia ficava longe e não tinham relações com os sírios.

⁸Os exploradores voltaram a Saraá e Estaol, a seus concidadãos, que lhes perguntaram:

– Irmãos, que notícias trazeis?

⁹Responderam:

– Vamos, marchemos contra eles! Vimos aquele país, e é ótimo. Por que ficais aí parados? Não duvideis em marchar para lá e vos apoderar do país; ¹⁰encontrareis gente confiável, terrenos espaçosos que Deus vos dá, um lugar em que não escasseiam os produtos do campo.

¹¹Então migraram de Saraá e Estaol seiscentos homens armados da tribo de Dã. ¹²Subiram e acamparam em Cariat-Iarim* de Judá. Por isso, esse lugar se chama até hoje Mahné-Dã* (fica a oeste de Cariat-Iarim). ¹³Daí passaram à montanha de Efraim e chegaram perto da casa de Micas.

¹⁴Os cinco exploradores do país disseram a seus concidadãos:

– Sabei que nesta casa há um efod, uns amuletos e uma estátua chapeada. Pensai bem no que ireis fazer.

¹⁵Desviaram-se para lá, chegaram à casa do levita e o saudaram. ¹⁶Os seiscentos danitas armados ficaram de guarda junto à porta de entrada, ¹⁷e os cinco exploradores do país avançaram e entraram para pegar a estátua, o efod, os amuletos e o sacerdote, enquanto os seiscentos homens armados estavam de guarda junto ao portão de entrada. ¹⁸Entraram na casa e pegaram o

---

18,1 Veja-se o lugar de Dã na partilha de Josué, Js 19,40-48. Coube a Dã uma região na partilha, mas somente pôde ocupar uma parte, e mesmo esta ele não conseguiu manter, por culpa dos filisteus. Subindo para o norte, encontrarão todos os territórios ocupados por outras tribos, até chegarem ao extremo setentrional.

18,2 Repete-se a exploração como em Nm 13 e Js 2. Podemos pensar que outras tribos tiveram de fazer sua própria exploração antes de avançar. A novidade em Dã é que grande parte do território já era israelita.

18,3 Não está claro se reconhecem a voz da pessoa, velha conhecida, ou se reconhecem um sotaque particular; embora Dã confine com Judá, Belém fica um tanto longe.

18,5 1Sm 23,9-12.

18,6 Na sua resposta, o levita fala em nome do Senhor, comunicando o oráculo que obteve talvez com o efod (1Sm 23,9; 30,7).

18,7 A descrição tem a imediação de abundantes partícipios. Em vez de "ninguém cometia..." outros leem "não escasseiam os produtos do campo", harmonizando com o v. 10; mas, devem-se notar as diferenças da mensagem. Trata-se de um lugar ideal: um povo pacífico, honesto, rico, isolado, bem pouco parecido com os vizinhos filisteus. Perto das fontes do Jordão, ao pé do Hermon, fértil e aprazível, encontra-se o lugar da antiga Lais, na altura de Tiro, entre os fenícios e os arameus de Damasco; a continuação meridional do Líbano e do Hermon a isolam de perigos e contatos; para alcançá-la, deve-se subir pelo vale do Jordão, passando o lago de Genesaré e o lago Hule.

18,9-10 Mais que uma informação, trazem uma exortação, na qual apelar para Deus é o principal argumento.

18,11 A essa cifra deve-se acrescentar mulheres, crianças e pessoas incapazes de lutar.

18,12 * = Vila Moitas; Acampamento de Dã.

18,15-18 O relato não procede com clareza. Podemos imaginar uma taipa e um portal que dá para um pátio ou cercado; dentro dele, a casa de Micas, e a capela separada ou fazendo parte do edifício. Os cinco conhecidos entram e saúdam sem despertar suspeitas; mas, quando começam a apanhar os objetos sagrados, o levita intervém. Entretanto, os soldados montam guarda fora, junto ao portal, ao

ídolo, o efod e as imagens, mas o sacerdote lhes disse:

— O que estais fazendo?

¹⁹Responderam-lhe:

— Cala-te! Cala a boca e vem conosco para ser nosso pai e sacerdote. O que é mais conveniente para ti; ser capelão na casa de um particular ou sacerdote de uma tribo e de um clã israelita?

²⁰O sacerdote achou boa a proposta. Recolheu o efod, os amuletos e o ídolo e foi com eles. ²¹Retomaram o caminho, pondo à frente as mulheres e crianças, o gado e seus pertences. ²²Já estavam longe da casa quando Micas e os seus, dando o alarme, os perseguiram bem de perto. ²³Como viessem gritando, os danitas olharam para trás e perguntaram a Micas:

— O que tens, por que esse alarme?

²⁴Micas respondeu:

— Roubastes o meu deus que fiz para mim e para o meu sacerdote, e partis sem me deixar nada, e ainda me perguntais o que tenho?

²⁵Os danitas responderam:

— Que não te ouçamos outra vez! Não aconteça que nos irrites e caiamos sobre vós, matando a ti e aos teus.

²⁶E continuaram seu caminho. Micas teve medo, pois eram mais fortes, e voltou para casa.

²⁷Os danitas, com o ídolo que Micas havia feito e com o sacerdote que tinham, foram a Lais, a essa gente tranquila e confiável. Eles os passaram a fio de espada e incendiaram a cidade. ²⁸Não houve quem os livrasse, pois estavam longe de Sidônia e não tinham relações com os sírios. Estava situada no vale chamado Bet-Roob*. Eles a reconstruíram e se instalaram nela, ²⁹chamando-a Dã, em memória do patriarca filho de Israel. Antigamente chamava-se Lais.

³⁰Os danitas entronizaram o ídolo. E Jônatas, filho de Gersam, filho de Moisés, com seus filhos, foram sacerdotes da tribo de Dã até o desterro. ³¹Por todo o tempo em que o templo de Deus esteve em Silo, eles tiveram a estátua de Micas instalada entre eles.

19 O crime de Gabaá (Gn 19) – ¹Nesse tempo não havia rei em Israel. Na serra de Efraim vivia um levita que tinha

---

passo que o acampamento fica a certa distância. O mais significativo é a rapacidade sem escrúpulos desses danitas e a venalidade do levita.

18,24 Para ouvidos hebreus, a expressão "meu deus, que fiz para mim" tem um tom irônico ou blasfemo; como pode o homem fazer um deus para si? Também o sacerdote o fez, consagrando-o. "Sem me deixar nada": é possível que Micas obtivesse lucros do seu sacerdote, se pessoas das redondezas acorriam para consultar o oráculo.

18,28 * = Casa Grande.

18,30 Remontar o sacerdócio à família de Moisés parece originalmente uma tentativa de justificação; os escribas tardios mudaram o nome de Moisés para Manassés, acrescentando a letra n. Se durou até o exílio, significa que se liga com a reforma cismática de Jeroboão; ou seja, que o usurpador se apoia num culto já existente.

18,31 Talvez Silo seja um erro, casual ou intencional, em vez de Lais. A arca esteve em Silo até que os filisteus a capturaram, 1Sm 4.

Guerra civil

19-21 O protagonista destes capítulos é realmente a confederação, e o assunto é interno. O espírito de solidariedade vincula as tribos: o delito cometido numa tribo afeta a todas, e o castigo é um ato coletivo, mas também é compartilhado o desejo de que não se menoscabe a união com a destruição de uma tribo. Como no fim predomina esse desejo salvador, a tragédia se abre à esperança. A narração está construída em três atos ou quadros bem diferenciados: o delito, a luta, a paz. De tal construção surgem algumas relações sugestivas: o início é uma relação matrimonial intertribal que se quebra e se restaura; daí procede a grande ruptura entre as tribos, que no fim se recompõe; precisamente num ato matrimonial coletivo. A dieta em Masfa decreta o castigo, a festa em Silo sela a reconciliação.

O perfil estilístico das cenas é variado. O primeiro capítulo é uma das melhores narrações que se leem no Antigo Testamento; o segundo, por sua vez, é confuso no seu estado atual; o terceiro capítulo é pouco chamativo.

Nestas relações entre tribos – que já encontramos várias vezes ao longo do livro – tem papel decisivo um levita, ou seja, um membro de uma tribo sem terra, ligado por residência a Efraim, por matrimônio a Judá; entre Efraim e Judá se encontra a tribo culpada, Benjamim. As localidades sagradas do relato se encontram no território de Efraim: Silo no centro, Masfa e Betel na fronteira sul. Também aparece Jabes de Galaad, para que não falte uma presença da Transjordânia.

Belém de Judá, Benjamim como antagonista, Jabes de Galaad que apoia Judá na luta contra Benjamim, Jebus = Jerusalém nos levam sem querer a evocar a história de Davi. Essas estórias "pré-monárquicas" seriam contadas na pátria do rei Davi? Houve uma tentativa posterior de ligá-las à sua memória? O texto não oferece mais dados do que essa acumulação de coincidências.

Por este capítulo podemos chegar a medir a maestria dos antigos narradores. O processo avança linear-

uma concubina de Belém de Judá. ²Ela lhe foi infiel e voltou para a casa de seu pai em Belém de Judá, e esteve aí quatro meses. ³Seu marido se pôs a caminho atrás dela, para ver se a convencia a voltar. Levou consigo um servo e uma parelha de burros. Chegou à casa do sogro e, ao vê-lo, o pai da moça saiu contente para recebê-lo. ⁴Seu sogro, o pai da moça, o reteve e o levita ficou com ele três dias, comendo, bebendo e dormindo aí. ⁵No quarto dia, madrugou e se preparou para partir. Mas o pai da moça lhe disse:

– Refaze tuas forças, come alguma coisa e depois partireis.

⁶Sentaram-se para comer e beber juntos. Depois, o pai da moça disse ao genro:

– Vamos, fica mais um dia, e será bom para ti.

⁷O levita estava pronto para partir; seu sogro, porém, insistiu tanto, que ele mudou de ideia e ficou aí.

⁸Na manhã do quinto dia madrugou para partir, e o pai da moça lhe disse:

– Vamos, refaze as forças.

E se entretiveram comendo juntos, até quase o fim do dia.

⁹Quando o levita se levantou para partir com sua mulher e o servo, o sogro, pai da moça, lhe disse:

– Vê, já é tarde; passa a noite aqui, e será bom para ti; amanhã madrugarás e voltarás para casa. ¹⁰Mas o levita não quis ficar e começou a viagem; chegou à vista de Jebus (ou seja, Jerusalém). Ia com os dois burros arreados, a mulher e o servo. ¹¹Chegaram perto de Jebus ao entardecer, e o servo disse ao seu amo:

– Podemos desviar-nos para essa cidade dos jebuseus e passar aí a noite.

¹²Mas o amo lhe respondeu:

– Não iremos a uma cidade de estrangeiros, de gente não israelita. Seguiremos até Gabaá*.

¹³E acrescentou:

– Vamos aproximar-nos de um desses lugares, e passaremos a noite em Gabaá ou em Ramá.

¹⁴Continuaram sua viagem, e o pôr do sol os surpreendeu em Gabaá de Benjamim.

---

mente alternando cenas de quietude e movimento, lentas e rápidas, calibrando a mistura de diálogo e ação. Faz-nos passar do tom gozoso ao temor, do encontro sereno à noite sombria. O narrador repete no princípio para deter, no final sacrifica tudo ao dado conciso e decisivo. É como um milagre de contenção: uns poucos traços recriam toda a cena, tensa de paixão, sem que a voz do narrador trema sequer. Se algo existe não sentimental, é essa descoberta do cadáver e do seu esquartejamento. Além disso, a velocidade estonteante do final espanta, sem dar lugar às lágrimas.

Motivo constante é a hospitalidade, sagrada para os antigos. Hospitalidade cordial na casa do sogro, não esperada dos jebuseus e negada pelos de Gabaá; de novo hospitalidade generosa na casa do forasteiro, e o delito contra o hóspede.

A narração tem evidentes pontos de contato com a de Sodoma, Gn 19, e com a de Saul, 1Sm 11; talvez aluda a ela Jó 31,1-32.

19,1 As concubinas estão admitidas na legislação. Com certeza, o levita tinha uma esposa da sua mesma tribo.
19,2-3 Assim lê o texto hebraico, e teria sido causa de repúdio se a legislação estrita estivesse então em vigor. Outras traduções, começando pelas antigas, falam só de um enfado transitório. Mas não é fora de propósito recordar Oseias, que fala também de infidelidade e de "falar ao coração" (a mesma fórmula que o v. 3). Tal como se lê no texto, a iniciativa do marido é um ato de perdão em busca da reconciliação. Em vez de "chegou à casa do sogro", o texto hebraico diz "ela o introduziu na casa de seu pai". A alegria do sogro pode ter um componente de interesse, porque uma filha separada do marido é um problema doméstico.
19,4 Soa pela primeira vez o verbo *lyn* (pernoitar, ficar), que será dominante na narração até o v. 20.
19,4-9 Estes relatos se recitavam e se escutavam repetidas vezes. Se quem os ouvia pela primeira vez era incitado pela curiosidade sobre o desenlace, o ouvinte já inteirado apreciava valores mais importantes. Assim, sabido o desenlace, a insistência do pai tem algo de pressentimento; e como o hebraico "refazer forças, sentir-se bem" emprega a palavra *lbb* (coração, mente), o pressentimento fica salientado. Produz um ritmo lento a repetição cinco vezes de "levantou-se para partir". É como que uma preguiça narrativa: a ação não quer deslanchar. Nada mais quotidiano que este comer, beber e deitar-se. "O que vai sair daí?" pergunta impaciente quem não conhece a história; "e olha só o que vai sair daí!" comenta quem a conhece.
19,10-15 A distância aproximada do caminho é de duas léguas até Jerusalém, e outras duas até Gabaá, umas quatro longas horas de caminhada. Jebus é o nome da tribo; só aqui e em 1Cr 11,4-5 a cidade recebe este nome: até a conquista de Davi, foi um encrave inexpugnável para os israelitas. Segundo a tradição recolhida por Jr 31,15, Ramá é o lugar onde Raquel morreu ao dar à luz Benjamim (ver Gn 35); se os ouvintes conheciam essa tradição, a menção de Ramá despertaria ressonâncias sugestivas.
19,12 * = Alto.
19,13 Ramá (= Alto) e Gabaá ficam à esquerda e à direita do caminheiro que vem de Jerusalém; os viajantes vão para a direita, e não com bom presságio.

¹⁵Dirigiram-se até aí, a fim de entrar e passar a noite. O levita entrou no povoado e se instalou na praça, mas ninguém o convidou à própria casa para passar a noite.
¹⁶Ao cair da tarde, um velho chegou do seu trabalho. Era oriundo de Efraim, portanto, também migrante em Gabaá. Os habitantes do povoado eram benjaminitas.
¹⁷O velho ergueu o olhar e viu o viajante na praça do povo. Perguntou-lhe:
– Aonde vais e de onde vens?
¹⁸Respondeu-lhe:
– Estamos de passagem, de Belém de Judá para a serra de Efraim. Eu sou de lá e estou voltando de Belém para minha casa. Mas ninguém me convida à própria casa, ¹⁹apesar de trazer palha e forragem para os burros, e tenho comida para mim, para tua servidora e para o servo que acompanha teu servidor. Nada nos falta.
²⁰O velho lhe disse:
– Sê bem-vindo! Aquilo que te faltar corre por minha conta. Vamos, não fiques de noite na praça.
²¹Ele o introduziu em sua casa, deu forragem aos burros; os viajantes lavaram os pés e se puseram à mesa.
²²Já estavam se reanimando quando os do povoado, uns pervertidos, rodearam a casa e, batendo na porta, gritaram ao velho, dono da casa:
– Faze sair o homem que entrou em tua casa, para que nos aproveitemos dele.
²³O dono da casa saiu e lhes suplicou:

– Por favor, irmãos, não cometais uma barbaridade com esse homem, pois entrou em minha casa; não cometais tal infâmia. ²⁴Vede, tenho uma filha solteira: vou fazê-la sair, e podereis abusar dela e fazer com ela o que desejardes; mas não queirais cometer tal infâmia contra esse homem.
²⁵Visto que não queriam dar-lhe atenção, o levita pegou sua mulher e a fez sair. Eles se aproveitaram dela e a maltrataram a noite toda até de madrugada; quando amanhecia a soltaram.
²⁶Ao raiar do dia, a mulher voltou e caiu diante da porta da casa em que seu marido se hospedara; ficou aí até clarear.
²⁷Seu marido se levantou de manhã, abriu a porta da casa e saiu para continuar viagem, quando encontrou a mulher caída à porta da casa, as mãos sobre o umbral. ²⁸Disse-lhe:
– Levanta-te, vamos!
Mas ela não respondia. Então a tomou, a carregou sobre o burro e começou a viagem até seu povoado.
²⁹Quando chegou em casa, pegou uma faca, tomou o cadáver de sua mulher, despedaçou-o em doze partes e as enviou por todo Israel.
³⁰Todos os que viam isso comentavam:
– Jamais aconteceu nem se viu coisa igual desde o dia em que os israelitas saíram do Egito até hoje. Refleti sobre o assunto e dai vossa opinião.

19,15 A aldeia era aberta, sem muralha nem porta, e a praça é o local de reunião, patente à curiosidade de todos. Não há desculpa para essa grave falta de hospitalidade. Só outro forasteiro sabe compreender e compadecer-se.
19,16 Jó 31,31s.
19,21-22 O paralelismo com o começo do capítulo vai preparar de perto a tragédia. "Introduzir em casa, comer e beber, recobrar forças ou sentir-se bem (= fazer bem ao coração)", deve-se ouvir como eco que atualiza o começo: outra vez o gozo da hospitalidade, pois também em território desconhecido se encontra uma acolhida como a do sogro. Simultaneamente sobrevém a tragédia. Há outra ressonância, a do versículo 16 (que soa clara no hebraico): "Os do lugar eram benjaminitas", "os do lugar eram uns pervertidos" (– *benê yemini – benê beliya'al*).
19,22-23 A palavra "casa", recinto sagrado da hospitalidade, soa uma e outra vez em breve espaço.
19,24 O ancião é um forasteiro que hospeda outro forasteiro; nada pode contra a população local que rodeia a casa, ameaçando; em vez de sacrificar seu hóspede, prefere sacrificar sua filha donzela. Como comida lançada às feras para aplacá-las.
19,25 O mesmo tenta o levita com sua concubina, e com êxito. Recorde-se o expediente de Abraão no Egito e em Canaã, Gn 12 e 20; e, deixando a iniciativa às mulheres, como se expõem Jael e Judite. Os dois homens pensam que são recursos lícitos em caso de legítima defesa.
19,26-27 Uma pesada e insistente aliteração de sons *pt/bt* destaca com sua música a cena. Mas aqui o visual é mais importante.
19,28-29 De repente, o movimento que se havia detido nos dois versículos anteriores se torna vertiginoso. A densidade de verbos o realiza.
19,30 O texto grego traz como mensagem as palavras que o levita põe na boca dos mensageiros. Lendo o texto hebraico, escutamos uma resposta coral ao silêncio terrível do versículo 28 "mas não respondia". A saída do Egito, com tudo o que ela encerra, se considera como a origem da confederação.

20

A guerra — ¹Todos os israelitas, de Dã a Bersabeia, incluído o país de Galaad, foram como um só homem reunir-se em assembleia diante do Senhor em Masfa. ²Assistiram à assembleia do povo de Deus os dignitários do povo e todas as tribos de Israel, quatrocentos mil soldados armados de espada.

³Os benjaminitas ficaram sabendo que os israelitas tinham ido a Masfa. Os israelitas começaram:

— Vós direis como se cometeu esse crime.

⁴O levita, marido daquela que havia sido assassinada, respondeu:

— Minha mulher e eu chegamos a Gabaá de Benjamim para passar a noite. ⁵Os do povoado se levantaram contra mim, rodearam a casa de noite, tentando matar-me, e abusaram de minha mulher, que acabou morrendo. ⁶Então peguei a mulher, a despedacei e enviei as partes por toda a herança de Israel, pois foi cometido um crime infame em Israel. ⁷Todos vós sois israelitas: deliberai e tomai uma decisão.

⁸Todo o povo se levantou como um só homem, dizendo:

— Ninguém de nós voltará para sua tenda nem voltará para sua casa. ⁹Agora vamos agir assim contra Gabaá: sortearemos os que deverão atacá-la; ¹⁰de todas as tribos de Israel tomaremos dez homens de cada cem, cem de cada mil, mil de cada dez mil, para que se encarreguem de comandar o exército que irá contra Gabaá de Benjamim, para castigar como merece essa infâmia que cometeram em Israel.

¹¹Todos os israelitas, como um só homem, se reuniram contra a cidade. ¹²Então as tribos israelitas enviaram mensageiros à tribo de Benjamim, para dizer-lhes:

— Que crime é esse que se cometeu entre vós? ¹³Vamos! Entregai-nos esses pervertidos de Gabaá, para que os matemos, e assim seja apagado esse crime do meio de Israel.

Mas os de Benjamim não quiseram dar atenção a seus irmãos israelitas. ¹⁴E, saindo de suas cidades, se reuniram em Gabaá para combater os israelitas. ¹⁵Das cidades de Benjamim alistaram-se nesse dia vinte e seis mil homens armados de espada, sem contar os habitantes de Gabaá. ¹⁶Em todo esse exército se alistaram setecentos homens escolhidos, canhotos, capazes de, com a funda, acertar um cabelo sem errar.

¹⁷Os israelitas, excluídos os benjaminitas, alistaram quatrocentos mil homens armados de espada, todos eles gente aguerrida. ¹⁸Puseram-se a caminho de Betel e consultaram a Deus:

---

20 Este capítulo pode ser dividido em duas partes: a dieta ou assembleia dos israelitas (1-13) e a batalha (14-48). O autor insiste no caráter nacional do fato: trata-se de todo Israel, de todas as tribos, dos israelitas, o crime ofende todo Israel; significativamente se opõem israelitas e benjaminitas, ou "filhos de Benjamim" e "filhos de Israel". Na mesma linha estão os termos de reunião e assembleia (qahal e 'eda), povo de Deus, e a expressão "como um só homem". A reunião é sagrada e se celebra numa localidade próxima a Gabaá, em território de Efraim. Dada essa proximidade, os benjaminitas teriam de sabê-lo; sem falar que os de Judá passam pelo território benjaminita a caminho da assembleia geral.

20,2 Em todo o capítulo imperam os números exagerados.

20,4-7 Na narração resumida, o nome da cidade culpada ocupa lugar inicial enfático.

20,8-10 O começo da resposta também é muito rítmico, como se fosse uma fórmula em verso recitada em coro.

20,13 A execução dos culpados teria solucionado pacificamente o caso; mas os benjaminitas se solidarizam com os culpados, provocando o *casus belli*. Dt 17,12.

20,14-48 A batalha, tal como se encontra no texto atual, está mal contada, com repetições, retrocessos e incoerências. Tendo em conta os fatos de Hai (Js 7–8), é fácil reconstruir o esquema dos acontecimentos. Duas tentativas de ataque frontal fracassam, com perdas para os atacantes; na terceira adotam outra tática, que é destacar uma emboscada atrás da cidade, atacar, simular a fuga, para que o inimigo se afaste da cidade; nesse momento, os da emboscada atacarão a população indefesa e incendiarão algumas casas; ao sinal da fumarada, o grosso do exército voltará de repente, o inimigo tentará refugiar-se na cidade; mas, ao ver a coluna de fumaça, fugirá para o campo; então, os da emboscada o atacarão de flanco, enquanto o grosso os perseguirá e derrotará. Isso poderia ser contado com bastante simplicidade, mesmo reconhecendo a dificuldade de manejar os três fios simultâneos da ação.

A tradução segue a ordem do texto atual, já que não é possível reconstruir o original com suficiente probabilidade.

20,16 Como não se fala ainda de arcos e flechas, a funda vem a ser uma vantagem importante no armamento. Alguns traduzem "ambidestros" em vez de canhotos; temos o mesmo jogo de palavras que encontramos na figura de Aod.

20,18 Consulta e resposta soam como variantes de 1,1-2; chega a ser patético que uma guerra civil comece com os termos da conquista. Mas há uma diferença significativa: em 1,2 o Senhor promete entregar a terra; esta cláusula falta na primeira consulta do presente capítulo, e só se lê na terceira consulta, depois da primeira lamentação, da segunda lamentação com jejum, e após os sacrifícios.

— Quem de nós, irá por primeiro à guerra contra os benjaminitas?

O Senhor respondeu:

— Judá.

[19] Os israelitas acordaram cedo e acamparam diante de Gabaá. [20] Saíram para o combate contra Benjamim e se dispuseram em ordem de batalha diante de Gabaá. [21] Mas os benjaminitas saíram de Gabaá e nesse dia deixaram estendidos no chão vinte mil israelitas*.

[23] Os israelitas foram a Betel chorar até a tarde diante do Senhor. E o consultaram:

— Voltamos a guerrear contra nosso irmão Benjamim?

O Senhor respondeu:

— Atacai-o.

[22] Então se refizeram, voltaram a se dispor em ordem de batalha no mesmo lugar do dia anterior [24] e se aproximaram dos de Benjamim nesse segundo dia. [25] Mas os de Benjamim saíram de Gabaá a seu encontro nesse segundo dia e deixaram estendidos no chão outros dezoito mil israelitas armados de espada.

[26] Então subiram a Betel todos os israelitas, todo o exército, para aí chorar, sentados diante do Senhor. Jejuaram nesse dia até a tarde, ofereceram ao Senhor holocaustos e sacrifícios de comunhão [27] e o consultaram (nessa época a arca da aliança estava aí [28] e oficiava Fineias, filho de Eleazar, filho de Aarão):

— Voltamos a guerrear contra nosso irmão Benjamim, ou desistimos?

O Senhor respondeu:

— Atacai-o, pois amanhã o entregarei a vós.

[29] Então puseram emboscadas em torno de Gabaá [30] e marcharam contra Benjamim no terceiro dia, dispondo-se em ordem de batalha diante de Gabaá, como das outras vezes.

[31] Os benjaminitas saíram a seu encontro, afastando-se do povoado e, como nas vezes anteriores, começaram a destroçar e a ferir pelos caminhos, por aquele que sobe a Betel e por aquele que vai a Gabaon. Assim, mataram em campo aberto uns trinta israelitas, [32] e comentaram:

— Já estão derrotados como no primeiro dia.

Os israelitas, porém, haviam combinado:

— Começaremos a fugir para afastá-los do povoado em direção dos caminhos.

[33] (O forte do exército se reorganizou em Baal-Tamar*.) Os que estavam emboscados saíram de suas posições da clareira de Gabaá.

[34] (Dez mil homens selecionados de Israel chegaram à frente de Gabaá, e deu-se um combate duro, sem que os benjaminitas percebessem que o desastre caía sobre eles. [35] O Senhor os castigou diante de Israel: nesse dia os israelitas provocaram em Benjamim vinte e cinco mil e cem baixas, todos soldados armados de espada.)

[36] (Os benjaminitas viram-se derrotados.) Os israelitas recuavam diante de Benjamim, contando com a emboscada que haviam armado contra Gabaá. [37] Os da emboscada assaltaram rapidamente Gabaá; foram e passaram a fio de espada toda a população.

[38] Os israelitas haviam combinado com os da emboscada que, quando fizessem subir fumaça do povoado, [39] eles se voltariam para trás na batalha.

Os de Benjamim começaram a destruir e ferir os israelitas, uns trinta, e comentaram:

— Já estão derrotados, como no primeiro combate.

[40] Mas nesse momento começou a subir a fumaça do povoado. Os benjaminitas olharam para trás e viram que o povoado

---

20,21 *O v. 22 vem depois do v. 23.
20,23 Jz 2,4.
20,26 Jó 2,13.
20,28 Se a notícia fosse original, o episódio teria acontecido durante a geração que sucede a Josué, coisa de todo improvável e que não está de acordo com o resto do livro.
20,29 Js 8,3-25.
20,31 Dada a posição da cidade, os atacantes têm de subir, os defensores têm a vantagem da altura; num ponto a direção muda, e os israelitas começam a ganhar altura.

20,33 * = Palmeira.
20,34-35 Este resumo genérico do ataque e da vitória interrompe a narração e parece provir de outro contexto.
20,40 Reconstrução hipotética: "Mas nesse momento começou a subir a fumarada do povoado; então os israelitas voltaram e os benjaminitas se desconcertaram; olharam para trás e viram que o povoado inteiro subia em chamas ao céu e, vendo que o desastre caía sobre eles, fugiram diante dos israelitas em direção ao deserto, com o inimigo pisando-lhes os calcanhares".

inteiro subia em chamas para o céu; ⁴¹então os israelitas se voltaram, e os de Benjamim ficaram aterrorizados, vendo que o desastre caía sobre eles, ⁴²e fugiram dos israelitas, no caminho do deserto, com o inimigo pisando-lhes os calcanhares.

⁴³Aqueles que haviam arrasado o povoado os atacaram pelos flancos e os dividiram, perseguindo-os sem descanso; perseguiram-nos até chegar diante de Gaba, a leste. ⁴⁴As baixas de Benjamim foram dezoito mil homens.

⁴⁵Em sua fuga dirigiram-se ao deserto, a Sela-Remon*; mas os israelitas alcançaram cinco mil pelos caminhos, os perseguiram de perto, até Gadaam, matando dois mil homens. ⁴⁶Nesse dia, as baixas de Benjamim foram vinte e cinco mil homens armados de espada, todos gente de guerra. ⁴⁷Em sua fuga, seiscentos homens dirigiram-se ao deserto, a Sela-Remon, e estiveram aí quatro meses.

⁴⁸Os israelitas voltaram-se contra os de Benjamim. Passaram-nos a fio de espada, das pessoas ao gado e tudo o que encontravam; incendiaram todas as cidades que encontraram.

21 **A paz** – ¹Os israelitas haviam feito este juramento em Masfa:

– Ninguém de nós dará sua filha em casamento a um benjaminita.

²Foram a Betel e estiveram aí sentados diante de Deus até a tarde, gritando e chorando inconsoláveis; ³e diziam:

– Por que, Senhor Deus de Israel, por que aconteceu isso em Israel, desaparecendo hoje uma tribo de Israel?

⁴No dia seguinte madrugaram, construíram um altar e ofereceram holocaustos e sacrifícios de comunhão. ⁵Depois perguntaram:

– Quem dentre todas as tribos de Israel não veio à assembleia diante do Senhor?

Porque se haviam solenemente comprometido com juramento contra aquele que não se apresentasse diante do Senhor em Masfa, nestes termos: "É réu de morte".

⁶Os israelitas sentiam pena por seu irmão Benjamim, e comentavam:

20,43 "Pelos flancos" ou "apanhando-os entre dois fogos"; o texto hebraico é confuso. Este versículo é difícil. Outra tradução: "Derrotaram-nos e os perseguiram desde Nocá até avistar Gaba".

20,45 Sela Harimmon se encontra a pouca distância a nordeste do campo de batalha. O fato de seiscentos homens terem encontrado refúgio seguro nesse lugar benjaminita, desmente a amplitude da batalha que outros versículos sugerem. "Alcançaram": o verbo hebraico oferece a imagem de uma rebusca agrícola. Gadaam: alguns o leem como verbo "até eliminá-los". * = Penha da Romã.

21 A batalha terminou com uma grande vitória. Estranhamente, os israelitas não a celebram com hinos, mas chorando diante do Senhor, porque foi uma vitória numa guerra entre irmãos. O preço de castigar uma culpa foi muito alto: uma tribo "foi desgalhada", que é como se tivesse ficado fora da confederação; com isso, ficaram só onze. O Senhor "abriu brecha" rompendo a unidade e a consistência da confederação. Mais ainda: o juramento de não entregar mulheres ameaça com extinguir os que restam da tribo; o que está ordenado pela lei com respeito a mulheres estrangeiras, está agora proibido pelo juramento, com respeito a uma tribo irmã. Por isso predomina o pranto, a queixa ao Senhor, a compaixão. Talvez seja casualidade (embora os hebreus gostassem desses procedimentos numéricos): o nome de Israel soa doze vezes no capítulo (prescindindo do colofão), a última vez quando se reconstituiu a unidade da totalidade. Contudo, o castigo não terminou. Uma cidade importante da Transjordânia (muito unida a Benjamim, segundo as tradições de Saul e Davi) faltou à solidariedade e aos deveres da confederação, e conforme a lei tem de ser castigada. Seu castigo é o começo da recuperação de Benjamim. O complemento é um curioso exemplo de casuística, num contexto pitoresco.

A narração não pode ser comparada com as boas narrações do livro. Seu ponto de vista é a assembleia, onde se celebra uma liturgia, se delibera, se tomam decisões. A execução das duas decisões, versículos 11 e 23, é por demais breve. Assim, sobressai a ação do centro, a saudação de paz entre as tribos.

21,2-3 Outros relatos falam de castigos semelhantes entre as tribos: os levitas no episódio do bezerro de ouro (Ex 32), Fineias no fato do Baal de Fegor (Nm 25); só aqui encontramos uma reação de dor. Essa breve lamentação, que pede contas a Deus pelo sucedido, é patética; a tríplice repetição de "Israel" em tão breve espaço exprime a consciência de unidade; também é expressiva a indefinição "isso... uma tribo", que não se atreve a pronunciar os nomes; o Senhor tem aqui seu título "Deus de Israel".

21,4 A liturgia penitencial se celebra pela tarde, os sacrifícios de comunhão a completam pela manhã. Assim começa a assembleia sob o signo litúrgico.

21,6 O original nos oferece alguns versículos muito elaborados; no primeiro, ressalta a colocação com a assonância; literalmente seria: "os filhos de Israel condoíam-se de Benjamim, seu irmão" (*benê yisra'el – binyamin*). No segundo, a palavra tribo, que significa ramo, serve para a metáfora de desgalhar (ver Is 10,33).

—⁷Uma tribo foi cortada hoje de Israel. Como prover de mulheres os sobreviventes? Pois nós juramos pelo Senhor em não lhes dar nossas filhas em casamento. ⁸Quem das tribos de Israel não se apresentou diante do Senhor em Masfa?

Resultou que nenhum homem de Jabes de Galaad tinha ido ao acampamento, à assembleia; ⁹ao passarem revista a tropa, viram que aí não havia ninguém de Jabes de Galaad. ¹⁰Então a assembleia enviou para lá doze mil soldados, com esta ordem:

— Ide e passai a fio de espada Jabes de Galaad, sem perdoar mulheres nem crianças. ¹¹Fazei-o de modo a exterminar todos os homens e as mulheres casadas, deixando as solteiras com vida.

Assim fizeram. ¹²E resultou que em Jabes de Galaad havia quatrocentas moças jovens não casadas, e as levaram ao acampamento de Silo, na terra de Canaã. ¹³A seguir a assembleia enviou uma embaixada aos benjaminitas de Sela-Remon, com propostas de paz. ¹⁴Os benjaminitas voltaram e lhes deram as mulheres que restaram de Jabes de Galaad, mas não havia para todos.

¹⁵O povo se compadeceu de Benjamim, porque o Senhor havia aberto uma brecha nas tribos israelitas. ¹⁶Os anciãos da assembleia perguntavam entre si:

— Como prover de mulheres os sobreviventes? Porque as mulheres de Benjamim foram exterminadas. ¹⁷Que os sobreviventes de Benjamim tenham herdeiros e não se apague uma tribo de Israel! ¹⁸Claro que nós não podemos dar-lhes nossas filhas em casamento. (Porque haviam jurado: Maldito quem der uma mulher a Benjamim!)

¹⁹Então propuseram:

— Eis a festa do Senhor, celebrada todos os anos em Silo (ao norte de Betel, ao leste do caminho que vai de Betel a Siquém, ao sul de Lebona*).

²⁰E deram estas instruções aos benjaminitas:

— Vinde esconder-vos entre as vinhas e ficai atentos. ²¹Quando as moças de Silo saírem para dançar em ciranda vós saireis das vinhas, raptareis cada um de vós uma moça e voltareis à vossa terra. ²²Se depois vierem seus pais ou irmãos a brigar convosco, nós lhes diremos: "Compadecei-vos deles, pois não as raptaram como escravas de guerra, nem vós as destes a eles, pois nesse caso seríeis culpados".

²³Os benjaminitas fizeram assim, e das dançantes que haviam raptado ficaram com as mulheres que necessitavam. Depois voltaram à sua herança, reconstruíram suas cidades e nelas habitaram.

²⁴Os israelitas se dispersaram, cada qual para sua tribo e seu clã, e partiram daí, cada qual para sua herança. ²⁵Nesse tempo não havia rei em Israel. Cada um fazia o que lhe parecia bem.

21,9 Jabes é apenas um povoado do território de Galaad, importante por sua situação estratégica junto ao Jordão, na altura de Betsã. Nos tempos de Saul, tem papel importante; não se nota que tenha sido aniquilado pouco antes.

21,11 Nm 31,15-18.

21,13 Nova mensagem depois da fatídica de 20,12-13.

21,14 O verbo voltar tem grande ressonância: é a volta e a conversão. Não se diz para onde, mas pode-se subentender para a confederação, para o lugar sagrado, para o Senhor.

21,15 Israel, visto antes como uma árvore, toma aqui a imagem de uma cidade ou muralha: ver Ex 19,22.24; Sl 106,23.

21,19 Tudo vai encerrar-se durante uma festa em honra do Senhor, solenidade alegre de todo o povo. (É como se o autor quisesse explicar o acesso aos participantes, ou como se o glosador quisesse identificar a cidade destruída.) * = Alva.

21,21 Ex 15,20; 1Sm 18,6.

21,23 Com a reconstituição das famílias e a reconstrução das cidades, começa a nova etapa, à espera da monarquia.

21,25 Jz 17,6.

RUTE

INTRODUÇÃO

A narrativa

a) O breve livro de Rute, quatro capítulos, é considerado uma das obras-primas da narrativa hebraica. Para nossos usos é um relato extremamente breve, um simples conto. Para a tradição hebraica, situa-se entre o relato breve no estilo de alguns Juízes ou Samuel e a narrativa ampla de Josué, Tobias e Judite.

As coordenadas concentram e tornam tenso o relato. A topografia é elementar: Moab situa a introdução e passa logo à distância recordada; o resto se desenvolve na aldeia de Belém. Quanto ao tempo, salvo a introdução recordada, tudo acontece num dia, numa noite e numa manhã, saltando tempos intermédios.

A sustentação narrativa não é desenvolvida, nem os personagens são analisados. Muitas circunstâncias se supõem conhecidas dos leitores. O pateticismo se concentra em algumas frases e poucas lágrimas, o júbilo se manifesta em breves felicitações. Todo o relato avança sob o signo da contenção. Mas a simplicidade é um dos atrativos do relato, um pouco à maneira de Gn 24.

b) O autor constrói sábia e discretamente seu relato. Pode ser reduzido a quatro cenas centrais, com seu respectivo cortejo de preparação, desfecho parcial e passagens de ligação. A sucessão das cenas é linear, em sugestiva alternância: não seria difícil transformar a narrativa num drama em quatro atos.

A primeira cena é o retorno: detém-se e culmina na despedida. Três personagens e um final coral. A segunda cena, no dia seguinte, no campo de Booz, durante a ceifa. Uma parada para o encontro de Rute e Booz sobre um discreto fundo coral. A terceira cena é muito sugestiva: de noite, na eira, na solidão desejada. Termina aberta à expectativa. A quarta cena acontece na manhã seguinte, na praça do povoado, com ampla presença e intervenção coral. O nascimento do primeiro filho é o desfecho, decantado por homens e mulheres. E pelo leitor israelita.

c) Nesta narrativa, as partes faladas predominam sobre a ação pura; isso permite mostrar melhor os caracteres e enunciar o sentido dos fatos. Porque a intervenção dos personagens é variada: declaram, fazem profissão, desafiam, felicitam. O relato se torna assim mais dramático. Dentro da sobriedade, a obra contém em germe múltiplos elementos que a arte narrativa e dramática saberá desenvolver mais tarde.

O autor recria um ambiente de aldeia em que todos se conhecem e partilham a vida; o tempo é medido pelas tarefas agrícolas, desembocando no tempo da fecundidade humana. Nesse ambiente se desenvolve o processo da infelicidade para a felicidade, do vazio para a plenitude.

Personagens

a) Destacam-se três personagens principais: Noemi, Rute, Booz. Duas mulheres e um homem. O autor se compraz em dar mais relevo aos personagens femininos, segundo a tradição patriarcal (Rebeca, Tamar), dos Juízes (Débora, Jael), que continuará e se ampliará (Judite, Ester).

Em segundo plano, figuram duas personagens que se retiram: Orfa e o Fulano anônimo. São personagens dialéticos que servem para realçar por contraste as figuras principais, para apresentar o tema da escolha humana com suas consequências.

Em terceiro plano, distinguimos a presença coral: os vizinhos, os ceifadores e as

respigadoras, os conselheiros, as mulheres de Belém.

b) *Noemi é a atriz principal*: põe em marcha a ação, e como matriarca recebe o neto no final. No centro, ela costura a trama: é o ponto de partida e de retorno. Reconhece e cala, interpreta, dá ordens e espera, provoca a reação de Booz. Define a situação legal, adivinha sentimentos apenas confessados, infunde confiança.

Rute intervém mais intensamente no começo (1,16), quando decide ficar com a sogra. Depois executa oportunamente as ordens, embora estranhas e perigosas. Outras qualidades são ouvidas entre as notícias ou reações de outros. Não se diz que seja bonita, mas laboriosa (cf. Pr 31, 10-31).

Booz é rico, maduro, talvez outonal. É bom, generoso, compreensivo. Sabe assumir com decisão suas obrigações legais, e com sua solidariedade as ultrapassa. Por ele realiza-se o espírito da lei, para além da letra. É também o mediador da generosidade divina: é o doador humano que recebeu de Deus a lição de dar e recebeu os bens a serem dados. Daí passará a dar um filho a seu primo, um neto a Noemi, uma casa ilustre a Israel.

O personagem Deus atua com suma discrição e por seus mediadores. Diz-se que Deus dá (1,6-9 e 2,11-12) e também os homens (3,17 e outros sinônimos); a lealdade é de Deus (1,8; 2,20) e dos homens (1,8; 3,10); as asas/orla, kanaf, de Deus (2,12) e de Booz (3,9); o pão, de Deus (1,6) e de Booz (2,14); a bênção, de Deus (2,4) e dos homens (1,8; 2,12.19-20; 3,10; 4,14-15).

O fundo legal

Duas instituições legais, expressão da solidariedade civil, amarram com força o relato: o levirato, que pretende salvar o nome de um defunto e a solidão da viúva, e o goelato, que é exercido no resgate das terras para a família, e da liberdade para as pessoas. Uma instituição legal subordinada é o direito dos pobres de respigar. Prática legal importante são o matrimônio com estrangeiras e a incorporação de estrangeiros à comunidade de Israel.

Sobre o levirato, Dt 25,5-10 dá leis. Sobre o goelato, ver Lv 25,23-43. Sobre o direito de respigar, ver Lv 19,9-10; 23,22 e Dt 24,19-22. O goelato é função obrigatória do parente, e não simples esmola nem pura compaixão; é função do rei (Sl 72) e do Senhor (Is 40-55). Noemi toma o termo em sentido amplo. A raiz predomina no relato:

verbo: 3,13; 4,4 três vezes; 4,6 duas vezes
particípio: 2,20; 3,9.12 bis; 4,1.3.6.8.14
substantivo: 4,6.9.

Mesmo durante sua ausência, Noemi conservou a propriedade dos terrenos familiares; na volta, forçada talvez pela necessidade, os põe à venda. Por seu casamento com o falecido Quelion, também Rute pertence aos bens familiares. Terra e mulher formam um lote inseparável: no terreno familiar, o nome do falecido Elimelec se perpetuará.

Amor e lealdade

Sobre o fundo legal paira o amor, despertado em forma de curiosidade, interesse, inclinação, afago; atiçado numa provocação. Mas o próprio amor não é isento de obrigações legais. O relato não é um idílio. Não se vislumbra aqui o mundo encantado do Cântico dos Cânticos: não há jardim, mas eira; não há contemplação mútua, mas medidas práticas; não há diálogos ternos, mas chamado aos deveres. Rute será uma boa dona de casa e dará um filho: é o mais importante.

A virtude da lealdade se sobrepõe a tudo. A lealdade de Rute à sua sogra não é legislada nem é ação interesseira nem efeito de uma atração. A lealdade de Booz a seus parentes entrelaça seus atos legais com um sentimento refinado. A lealdade humana é reflexo da divina; não é menos fecunda que o amor.

Sentido religioso

A atuação de Deus é discreta. A primeira menção chega em forma de notícia, ou seja, pela reação humana que registra um fato, a boa colheita, e o interpreta: "o Senhor havia escutado o seu povo" (1,6).

Deus é o doador. Aquele que deu a palavra-promessa aos patriarcas, deu a terra a seus descendentes; aquele que deu a terra, dá a chuva e, com ela, a colheita. Assim, a

terra, abençoada por Deus, atrai migrantes que tiveram de abandoná-la quando se mostrava inclemente. É o itinerário de Abraão que volta do Egito, de Jacó que volta de Harã; de todos os que voltam de um desterro.

Depois, o dom de Deus se atualiza por dois caminhos: a legislação social de Israel e o sentimento de lealdade. No final do relato, Deus recupera o explícito papel principal: "fez Rute conceber" (4,13). A fecundidade humana corresponde à fertilidade da terra: duas promessas patriarcais. Deus age em silêncio, sem milagres: é o protetor das viúvas Noemi e Rute.

O desterro da "mãe" israelita serve para atrair uma estrangeira para a família, para a terra, para o Deus do povo. Não se opõe uma lei de segregação (Esd 10). É tarefa missionária por caminhos humanos. Os personagens vivem seu sentido religioso sem expressões de culto.

Autor, data, valor histórico

Não conhecemos o autor, nem temos meios para adivinhá-lo. Tampouco sabemos com certeza a data da composição. Alguns indícios fazem pensar numa composição tardia; outros, numa origem antiga.

A legislação sobre levirato e goelato podem sugerir uma época em que as práticas legais ainda estavam pouco formalizadas; ou uma época em que o rigor legal retrocedeu e vários detalhes são lembrança arcaica. A atitude diante de casamentos com estrangeiras é liberal, como em textos antigos; ou então, pode ser polêmica perante a reforma de Esdras e Neemias. A história situa-se no passado, no tempo dos Juízes: pode ser o modo de falar durante a monarquia, ou então uma tentativa de unir o presente, em que já não há monarquia, com o passado remoto. O interesse por Davi, sua pátria e sua tribo, pode sugerir uma atitude contra a casa de Saul ou o reino do Norte, no tempo da monarquia; ou então pode ser lembrança nostálgica em tempos de desolação e esperança.

Em síntese, a análise interna do livro não permite sua datação. Entre os comentaristas atuais predomina a datação tardia, pós-exílica, que define o sentido. Na falta de certeza ou sólida probabilidade, vou oferecer alternativas de leitura.

A mesma incerteza reina sobre o valor histórico. Embora o relato seja verossímil, a maioria dos comentaristas o consideram hoje um relato de ficção.

Leituras do livro de Rute

a) Como relato divertido, bem contado, de grata ingenuidade. Mas não como relato de amor: no AT o tema amoroso é mais tema da lírica que da narrativa. É um relato edificante sobre fundo legal, que exalta virtudes humanas: espírito de sacrifício, laboriosidade, solidariedade. Não há bons e maus. Há os menos bons, para que outros se mostrem melhores. Há pobres e ricos que convivem sem conflitos.

b) Leitura davídica. Belém era a pátria de Davi (não Jerusalém; cf. Mq 5,1), Judá a sua tribo. A família de Davi refugiou-se em Moab quando ele andava fugitivo (1Sm 22,3-4). Embora Davi nunca leve o título de goel, segundo Sl 72,12-14, é função que compete ao rei ideal. Não está Booz prefigurando a missão do rei davídico? A bênção dos conselheiros (4,11-12) exalta a dinastia davídica: tão importante como qualquer das tribos, como todas juntas, é a casa de Davi, que corresponde dignamente a toda a casa de Israel. A genealogia no final do livro sublinha essa leitura.

Isso vale para uma leitura histórica e escatológica da dinastia davídica.

c) Leitura simbólica. O relato está cheio de possibilidades simbólicas. O símbolo comporta um superávit de sentido, mas não um sentido alternativo. Enquanto possibilidade, não se pode afirmar que o autor a tenha atualizado. As mais notáveis são: a relação mulher-terra, a mulher como representante da comunidade.

As possibilidades ficam decantadas e disponíveis no texto, permitindo-lhe desprender-se do seu contexto original e transferir-se a novos contextos.

d) Parábola do desterro e do repatriamento. Apoia-se no esquema: migração para Moab – volta a Belém. Leva em conta textos das Lamentações e de Is 40-66:

A primeira entre as nações tornou-se viúva (Lm 1,1). Judá partiu para o desterro... hoje habita entre gentios (1,3). A cidade de Sião perdeu toda a sua formosura (1,6). Dentro, meu coração fica transtornado de tanta amargura (1,20). Mas tu, Senhor, és rei para sempre (5,19).

Uso simbólico da viúva desterrada, que perde a formosura e sofre a amargura. No livro de Rute não se fala de pecado nem de inimigo externo.

Is 54,4	Não temas, não terás de envergonhar-te... já não recordarás a afronta de tua viuvez.
51,18	Entre os filhos que gerou, não há quem a guie...
49,21	Mas tu te perguntarás: Quem me gerou estes? Eu, sem filhos e estéril, quem os criou?
56,3.8	(incorporação do estrangeiro)
57,13	Mas quem se refugia em mim herdará o país.
55,3-5	Um povo que não te conhecia (Davi) acorrerá a ti, por causa do Senhor teu Deus.

O relato de Rute enquadra-se bem no mundo espiritual do desterro iminente (Jeremias), ou consumado (Lamentações), e do retorno. Isso não prova que sejam contemporâneos. Noemi poderia representar a comunidade judaica: antes mãe fecunda, agora viúva e sem filhos; antes formosa e feliz, agora infeliz, desterrada e voltando vazia; contudo, pode esperar um futuro feliz de fecundidade em sua terra.

e) Leitura escatológica. Repete-se o esquema básico do desterro ou diáspora e do retorno, do vazio e da plenitude. A mulher personifica a comunidade; a esperança é projetada para o futuro indefinido. O povo escolhido, comunidade do Senhor, ainda é fecundo. A terra ainda dará seus frutos. Ainda esperamos o novo Davi, que nasce do tronco de Jessé e faz suas raízes penetrar em Belém de Judá. Até pagãos se incorporarão ao povo, testemunha e missionário do Senhor. Os tempos presentes são como nova época dos Juízes, prólogo da monarquia. E, embora não tenhamos rei, continuamos pronunciando um nome, Elimelec = Meu Deus é Rei.

É fácil o salto daí para a escatologia realizada: Belém, pátria de Jesus, o Messias. Assim o viram a liturgia, os Santos Padres, nossos autos sacramentais e alguns poetas modernos.

1 A jovem estrangeira

¹No tempo dos Juízes houve fome no país, e um homem migrou, com sua mulher e seus dois filhos, de Belém de Judá à planície de Moab. ²Chamava-se Elimelec; sua mulher, Noemi, e seus filhos, Maalon e Quelion. Eram efrateus, de Belém de Judá. Chegando à planície de Moab, aí se estabeleceram.

³Elimelec, marido de Noemi, morreu, e ficaram com ela seus dois filhos, ⁴que casaram com duas mulheres moabitas: uma se chamava Orfa, e a outra, Rute. Depois de dez anos que moravam aí, ⁵morreram também os dois filhos, Maalon e Quelion, e a mulher ficou sem marido e sem filhos.

⁶Ao saber que o Senhor havia escutado seu povo dando-lhe pão, Noemi com as duas noras retomou o caminho de volta da planície de Moab. ⁷Em companhia das duas noras, saiu do lugar onde moravam e começaram a voltar ao país de Judá.

⁸Noemi disse às duas noras:

– Ide, voltai cada qual à própria casa. Que o Senhor vos trate com piedade, como fizestes com meus mortos e comigo. ⁹O Senhor vos conceda viver tranquilas na casa de um novo marido.

E as abraçou. Elas, começando a chorar, ¹⁰lhe responderam:

– De modo algum. Voltaremos contigo ao teu povo.

¹¹Noemi insistiu:

– Voltai, filhas. Por que quereis vir comigo? Credes que poderei ter outros filhos para casardes com eles? ¹²Ide, voltai, filhas, pois estou muito velha para casar. Mesmo pensando que me restasse alguma esperança e que me casasse esta noite e tivesse filhos, ¹³iríeis esperar que crescessem, iríeis renunciar por eles a casar? Não, filhas. Minha sorte é mais amarga que a vossa, pois a mão do Senhor desabou sobre mim.

¹⁴De novo começaram a chorar. Orfa despediu-se da sogra e voltou ao seu povo, ao passo que Rute ficou com Noemi.

¹⁵Noemi lhe disse:

– Vê, tua cunhada voltou ao seu povo e ao seu deus. Volta também tu com ela.

1,1-18 Colocam-se vários temas centrais e algumas circunstâncias funcionais: época, topografia, personagens, instituição legal.

a) *Época*. O autor parece remontar a um tempo remoto; seu começo tem sabor de ficção. Se o autor escreve no retorno do desterro, acha a época dos Juízes mais identificada com a sua situação; a partir dela poderá falar em código a seus contemporâneos. Em tal suposição, pensa nas etapas de paz e justiça (cf. Is 1,26), não nas de guerra ou anarquia (cf. Jz 17-21). Fome e carestia eram calamidades periódicas de uma cultura agrária de sobrevivência, num território não muito favorecido por chuvas e mananciais (não obstante Dt 8,7 e 10,10-11). É paradoxal que na Casa do Pão (*Bet Léhem*) falte o pão. Esvazia-se para dar lugar a nova plenitude.

b) *Lugar*. Moab: no tempo dos Juízes foi um dos opressores de plantão (Jz 3); foi o lugar da última atividade de Moisés. Pode simbolizar qualquer desterro não definitivo. Belém é escolhida por sua relação com Davi; é curioso que não se fale de pastoreio; tudo é agrícola.

1,2 *Elimelec* é nome teofórico (= Meu Deus é Rei). Talvez contenha uma ponta de polêmica referente a *Abimelec* (= Meu Pai é Rei; Jz 10), tentativa fracassada de monarquia hereditária. *Maalon* vem da raiz "estar doente"; *Quelion*, da raiz "consumir-se". Sua função narrativa é morrer no tempo certo e criar uma situação legal.

1,4 O autor não reprova esses casamentos; não parece tomar a morte prematura como castigo de Deus. Distancia-se ou opõe-se à legislação de Dt 7,3; 23,4 e à prática de Esd 9,1-2 e Ne 13,23-25.

1,5 Sem marido e sem filhos é situação de grande abandono, como indicam Is 47,8-9; 51 e Lm. Noemi pode simbolizar uma comunidade decaída. Além disso, começa a aparecer o tema do levirato, abrangendo sogra e noras.

1,6-7 O caminho de volta a Belém é como uma repatriação. "Havia escutado": é o mesmo verbo lido em Ex 3,16; 4,31; 13,19; Sf 2,7. "Dando-lhe pão": soa do mesmo modo que o nome Belém.

1,8-18 A importância desta cena reside na escolha livre dos personagens. Duas estrangeiras enfrentam uma escolha que parece doméstica, mas é histórica. Orfa volta à sua pátria, à sua família, a seu deus; Rute se incorpora a Israel; Orfa fica fora do curso histórico, Rute se lança nele. Querendo, os estrangeiros podem incorporar-se (cf. Is 56,3-8).

1,8 Lealdade com o próximo e piedade com os familiares ocupam um âmbito mais profundo e mais amplo que uma instituição legal. Até agora elas a praticaram com Noemi e podem continuar exercendo-a com uma nova família. Não é ação má retornar; e, caso subsista algum vínculo, Noemi as dispensa dele.

1,9 "Conceda" é em hebraico o mesmo verbo que "dar". Noemi o atribui ao seu Deus, não ao delas.

1,10 A primeira resposta, embora testemunho valioso de adesão pessoal, é reação emotiva; não é ainda a escolha lúcida com plena consciência.

1,11-13 Pressupõe a lei do levirato: se um homem casado morre sem deixar filhos, um irmão se casará com a viúva, dando o nome do falecido ao primeiro filho que nascer. Noemi aceita a própria sorte com certa amargura, e não quer impô-la às noras. Sua dor é como a de Jerusalém viúva que vê seus filhos mortos (Lm 1,4; 3,15).

1,15 Falando com Rute, Noemi se dispõe a beber até o fim do cálice da solidão.

A entrada de Rute no povo e na religião de Noemi é momento culminante do capítulo e pista para compreender toda a história. Suas palavras, solenes

¹⁶Mas Rute respondeu:
— Não insistas para que eu te deixe e volte.
Aonde fores eu irei;
aonde viveres, eu viverei;
teu povo é o meu;
teu Deus é meu Deus;
¹⁷onde morreres, aí morrerei,
e aí me enterrarão.
Somente a morte
poderá separar-nos, e se não,
que o Senhor me castigue.
¹⁸Vendo que estava decidida a ir com ela, Noemi não insistiu mais. ¹⁹E as duas continuaram caminhando até Belém. Quando chegaram, toda a população se alvoroçou, e as mulheres diziam:
— Sim, é Noemi!
²⁰Ela corrigia:
— Não me chameis Noemi*. Chamai-me Mara*, porque o Todo-poderoso me encheu de amargura. ²¹Cheia parti, e vazia o Senhor me traz. Não me chameis Noemi, pois o Senhor me afligiu, o Todo-poderoso me maltratou.
²²Foi assim que Noemi, com a nora Rute, a moabita, voltou da planície de Moab. Quando chegaram a Belém, começava a ceifa da cevada.

2 O rico do povo

— ¹Noemi tinha, por parte de seu marido, um parente de elevada posição chamado Booz, da família de Elimelec.
²Rute, a moabita, disse a Noemi:
— Deixa-me ir ao campo respigar onde me aceitarem por caridade.
Noemi respondeu:
— Pode ir, filha.
³Partiu e foi respigar nas terras, seguindo os ceifadores. Foi parar numa das terras de Booz, da família de Elimelec; ⁴nesse momento ele chegava de Belém e cumprimentava os ceifadores:
— A paz de Deus!
Responderam:
— Deus te abençoe!
⁵Em seguida, perguntou ao capataz:
— De quem é essa jovem?
⁶O capataz respondeu:
— É uma jovem moabita que veio com Noemi da planície de Moab. ⁷Pediu-me para deixá-la respigar atrás dos ceifadores até recolher alguns feixes; desde que chegou de manhã esteve de pé até agora, sem parar um momento.
⁸Então Booz disse a Rute:
— Escuta, filha. Não vás respigar em outro lugar, não saias daqui e não te afastes

---

e rimadas, são juramento de lealdade a uma parenta; isoladas do contexto, representam o juramento de qualquer prosélito (cf. Zc 8,23).
Chegou o momento em que o Deus de Israel está disposto a ser o Deus de outros, contanto que se incorporem ao povo da aliança.
1,16 2Sm 15,21; Dt 23,4.
1,17 A "morte": ver 2Sm 1,23.
1,20 *Não me chameis Noemi, chamai-me Mara, pois o Todo-poderoso encheu-me de amargura.*
* = Formosa; Amarga.
1,21 *Cheia parti, e vazia o Senhor me trouxe. Por que me chamais Noemi, se o Senhor me afligiu, o Todo-poderoso me maltratou?*
O capítulo conclui com uma cena coral. Seu nome, pronunciado pelas vizinhas, provoca um jogo de palavras que se poderia imitar em português: Não me chameis Graça, mas Desgraçada; ou, com mais cor: Não me chameis Maria das Graças, e sim Maria das Dores. O texto é muito rítmico, próprio para ser declamado. "Vazia": se Noemi representa a comunidade repatriada, o vazio terá de encher-se. Os israelitas saíram do Egito carregados de dons (Ex 12,36); não se deve despedir o escravo "de mãos vazias" (Dt 15,13). Que função histórica tem esse vazio provocado por Deus? (cf. 2Rs 8,1-6).

2 Introduz novo personagem e se concentra em seu primeiro encontro com Rute. O desenvolvimento é artificial: Noemi e Rute – Booz e os ceifadores – Rute e Booz – Booz e os ceifadores – Rute e Noemi.
2,1 Booz é da família de Elimelec, o falecido marido de Noemi. Não poderia exercer vicariamente a função do levirato? Primeiramente em relação a Noemi; se não, quem sabe com Rute. Se não é apto para o levirato, o será ao menos para o goelato (2,20). Nas listas genealógicas de Israel, o nome de Booz alcançou fama quase patriarcal: dom que recebe aquele que soube dá-lo.
2,2-3 Segundo Dt 24,19-22, o direito de respigar cabe a migrantes, órfãos e viúvas. Booz dá à lei uma interpretação maximalista, usando um artifício para favorecer Rute.
2,3 Lv 23,22.
2,5 1Sm 17,55.
2,6-7 Mais que um comunicado, parece um testemunho. A frase final é duvidosa.
2,8-14 Encontram-se o rico e a pobre: ver Pr 14,20; 18,23; 22,2 e Ecl 13,1-23 (pessimista). Booz é exceção. Que motivos o impelem? Ao que parece, o parentesco reconhecido ou a compaixão reforçada pela boa notícia do capataz; parece que seu coração começa a se enternecer. O narrador não analisa; deixa os personagens agirem.
2,8 "Escuta, filha": é curiosa, talvez casual, a semelhança com Sl 45,11. "Minha filha" é título carinhoso, justificado talvez pela diferença de idade.

de minhas terras. ⁹Presta atenção nas terras em que os homens ceifam e segue as respigadoras. Deixo uma ordem aos meus servos para que não te perturbem. Quando tiveres sede, vai onde estão os cântaros e bebe do que os servos tirarem.

¹⁰Rute se curvou, prostrou-se diante dele por terra e lhe disse:

– Sou uma estrangeira. Por que encontrei graça diante de ti e te interessaste por mim?

¹¹Booz respondeu:

– Contaram-me tudo o que fizeste por tua sogra depois que teu marido morreu: deixaste teus pais e tua terra natal, e vieste viver com gente desconhecida. ¹²O Senhor te pague essa boa ação. O Deus de Israel, sob cujas asas vieste refugiar-te, te recompense com acréscimos.

¹³Ela disse:

– Oxalá eu saiba agradar-te, senhor; tu me tranquilizaste e chegaste ao coração de tua servidora, embora eu nem sequer seja uma serva tua.

¹⁴Quando chegou a hora de comer, Booz lhe disse:

– Aproxima-te, come pão e umedece teu bocado no molho.

Ela sentou junto aos ceifadores, e ele ofereceu-lhe trigo tostado. Rute comeu até ficar satisfeita, e ainda sobrou. ¹⁵Depois levantou-se para respigar, e Booz ordenou aos servos:

– Mesmo que respigue entre os feixes, não a importuneis; ¹⁶podeis até deixar cair algumas espigas dos vossos feixes; não a repreendais quando as recolher.

¹⁷Rute respigou nesse campo até a tarde; depois, bateu o que havia respigado e recolheu meio almude de cevada. ¹⁸Ela o pôs nas costas e voltou ao povoado. Mostrou à sogra o que havia respigado, tirou o que havia sobrado de comida e lhe deu. ¹⁹Sua sogra perguntou:

– Onde respigaste hoje e com quem trabalhaste? Bendito seja aquele que se interessou por ti!

Rute lhe contou:

– O homem com quem trabalhei hoje se chama Booz.

²⁰Noemi disse à nora:

– O Senhor te abençoe; o Senhor, que não deixa de se compadecer de vivos e mortos.

E acrescentou:

– Esse homem é nosso parente, um dos que têm de responder por nós.

²¹Então a moabita Rute prosseguiu:

–Disse-me também que não me afastasse de seus servos até que terminem toda a ceifa.

²²Noemi lhe disse:

– Filha, é melhor que saias com as servas dele; dessa forma, não te perturbarão em outra parte.

2,9 O tema da bebida se justifica por ser um país quente (cf. Pr 25,13). Pertence também ao repertório de cenas amorosas: Rebeca, Raquel (Gn 24 e 29).

2,10 Com um jogo de palavras que podemos imitar assim: reconheceste uma desconhecida. Lv 19,33-34.

2,11-12 Resumem o movimento da incorporação. Rute deixou seus pais (cf. Gn 2,24 e Sl 45,11); deixou sua nação (como Abrão, Gn 12,1). Vem a um povo desconhecido, a um Deus novo, capaz de pagar ações precedentes. O "pagamento" é prometido a Abrão e a Raquel na forma de fecundidade (Gn 15,1 e Jr 31,16). "Refugiar-se sob as asas" é fórmula de oração: Sl 17,8; 36,8; 57,2; 63,8. O hebraico *kanaf* significa asa e também orla do manto.

2,13 Pela terceira vez soa a fórmula de "encontrar favor", que corresponde a vários aspectos de uma situação: pedir por favor, receber por caridade, agradecer um favor. O contrário de exigir justiça ou reclamar um direito. Rute entra no povo judeu em regime de favor, e Booz é o despenseiro. "Falar ao coração" é usado também em contextos amorosos (Os 2,16; Is 40,1). A frase final é ambígua, depende do tom: "não sou sequer uma de tuas criadas", expressando humildade; "não sou uma criada a mais além das tuas", com propósitos mais altos.

2,14 A palavra "pão" ganha densidade pela localidade e pelo contexto (1,6). O "trigo torrado" é uma distinção especial e pública.

2,17 Meio almude (23 litros) é uma quantidade extraordinária para uma respigadora numa jornada de trabalho.

2,18-22 Dois desconhecimentos são resolvidos por casualidade. Rute não sabe que Booz é parente; Noemi não sabe onde a nora respigou. Isso permite a declaração triunfal de Rute. Triunfal e inocente. A sogra recebe a notícia com a mesma inocência? Sua atuação posterior dá a entender que não. No ânimo de Noemi caíram uns germes que farão pensar, esperar e planejar.

2,19 Primeiro germe: "se interessou".

2,20 Segundo: na ação benéfica revelou-se a piedade do Senhor. "Vivos e mortos", ou seja, os descendentes dos mortos; ele cumpre e paga aos filhos o que prometeu e está devendo aos pais (cf. Eclo 3,14). Terceiro: Booz é parente e legalmente pode; a ele cabe defendê-las. Veremos no último capítulo que Noemi possuía um terreno; ao chegar durante a ceifa, ela o encontraria sem ser cultivado. As duas sozinhas poderão cultivá-lo?

²³Ela, portanto, continuou com as servas de Booz, respigando até acabar a ceifa da cevada e do trigo. E vivia com a sogra.

3 A noite na eira

¹Um dia, a sogra lhe disse:

— Filha, devo procurar para ti um lar em que vivas feliz. ²Sei que Booz, com as servas do qual estiveste trabalhando, é nosso parente. Nesta noite irá joeirar o monte de cevada. ³Lava-te, perfuma-te, põe o manto e desce à eira. Que ele não te veja enquanto come e bebe. ⁴E quando se deitar para dormir, presta atenção onde se deita; depois irás, descobrirás seus pés e te deitarás aí. Ele te dirá o que deverás fazer.

⁵Rute respondeu:

— Farei tudo o que me ordenas.

⁶Depois desceu à eira e fez exatamente o que a sogra lhe recomendara.

⁷Booz comeu, bebeu e ficou satisfeito. Depois, foi deitar-se numa extremidade de um monte de cevada. Rute se aproximou nas pontas dos pés, descobriu-lhe os pés e se deitou.

⁸À meia-noite o homem sentiu um calafrio, ergueu-se e viu uma mulher deitada a seus pés. ⁹Perguntou:

— Quem és?

Ela disse:

— Sou Rute, tua servidora. Estende teu manto sobre tua servidora, pois a ti cabe responder por mim.

¹⁰Ele disse:

— O Senhor te abençoe, filha. Esta segunda obra de caridade é melhor do que a primeira, pois não procuraste um pretendente jovem, pobre ou rico. ¹¹Portanto, filha, não temas; farei por ti o que me pedires, pois no povoado todos sabem que és uma mulher de valor. ¹²É verdade que devo responder por ti, mas há outro parente mais próximo do que eu. ¹³Fica aqui esta noite, e amanhã cedo, se ele quiser cumprir seu dever familiar, que o faça logo; se não quiser, eu o farei, por Deus! Deita-te até o amanhecer.

¹⁴Ela dormiu a seus pés até de manhã, e se levantou quando as pessoas ainda não se reconheciam (pois Booz não queria que soubessem que a mulher tinha ido à eira).

¹⁵Booz lhe disse:

— Traze o manto e segura firme.

Mediu para ela seis medidas de cevada, ajudou-a para carregá-las, e Rute voltou ao povoado. ¹⁶Ao chegar à casa da sogra, esta lhe perguntou:

---

3 Está para acabar a ceifa da cevada e chega o tempo de ventilar. Os agricultores se deitam em suas respectivas eiras, cobertos com manta contra o relento. Alguém vigia e dá o alarme quando o vento se levanta, os lavradores e seus criados empunham os forcados e vão lançando o cereal debulhado ao vento para que este carregue a palha. É possível que o homem rico durma em sua eira à parte, deixando o trabalho aos braçais.

Noemi aproveita o momento para sua função de casamenteira. Tem um plano irregular e perigoso. Normal teria sido falar com Booz, recordando-lhe sua obrigação. Parece-lhe mais seguro precipitar o que viu amadurecer: Rute, sem intermediários, falará com mais persuasão. As intenções de Noemi não são "românticas", segundo a mentalidade moderna, mas interesseiras, calculadas. Não pretende a desonra da nora, nem pretende comprometer com um deslize aquele que quer como esposo de sua nora. Deseja confrontá-lo com a decisão final. Durante a colheita, Booz mostrou-se amável e generoso; está na hora de ele dar o último passo, como o pede a lei. Noemi pede a Rute que cumpra as instruções sem escrúpulos. O relato dessa noite junta sugestão com ironia. Refiro-me à ironia do narrador em relação a seus leitores (este capítulo era omitido nas leituras monacais públicas). Acumula expressões de possível sentido sexual, açula a expectativa do leitor, e no fim lhe faz saber que não houve nada. Banho e perfume são como os da noiva no dia do casamento (Ex 16,9; é o recurso de Jt 10); o verbo "deitar-se" repetido; o duplo sentido de "pés", eufemismo corrente; o acompanhar o jantar bebendo vinho (Jt 12,17-20); o calafrio ou estremecimento do homem adormecido. O que falta? – Falta tudo, senhores, aqui não aconteceu nada.

A noite e a eira: dois fatores conjugados que criam o clima sugestivo. A noite, por fim, depois de tantos dias de trabalho, de sol a sol. A noite preferida pelo Cântico dos Cânticos (3,1; 5,2).

O monte de cereal sugere beleza e fecundidade (Ct 7,3). Até agora Booz doou dos frutos da sua terra: não terá chegado o momento de semear em outra terra? (Eclo 26, 19-21).

3,2 Jt 10,2.

3,7 Jz 19,5.

3,8 "Calafrio" ou estremecimento de susto. "Ergueu-se": significado duvidoso.

3,9 Estender o manto é gesto de promessa matrimonial, Ez 16,8. A "orla" ou franja: ver "asas" em 2,12.

3,10 "Obra de caridade", ou lealdade, ou piedade familiar. Casando com um jovem qualquer do lugar, Rute deixaria perder-se os nomes de Quelion e Elimelec. Booz se sente também afagado pela escolha da jovem.

3,11 "Mulher de valor" ou laboriosa, como em Pr 12,4 e 31,10.

3,12 Dt 25,5-10.

3,15 Cobrir com o manto, encher o manto de semente: impossível subtrair-se às conotações matrimoniais.

— Que tal, filha?

Rute contou o que Booz havia feito por ela, [17]e acrescentou:

— Presenteou-me ainda com estas seis medidas de cevada, dizendo-me: "Não voltes de mãos vazias para a casa de tua sogra".

[18]Noemi lhe disse:

— Fica tranquila, filha, até que saibas como se resolve a questão; ele não descansará até deixar isso resolvido hoje mesmo.

4 O casamento (Dt 25,5-10)

– [1]Booz, por sua vez, foi à praça do povoado e aí sentou-se. Nesse momento passava por aí o parente de quem Booz havia falado. Chamou-o:

— Escuta, fulano, vem e senta-te aqui.

O outro chegou e sentou.

[2]Booz reuniu dez conselheiros e lhes disse:

— Sentai-vos aqui.

Eles sentaram.

[3]Então Booz disse ao outro:

— Vê, a terra que pertencia ao nosso parente Elimelec, Noemi, aquela que voltou da planície de Moab, a põe à venda. [4]Resolvi informar-te disso e dizer-te: "Compra-a na presença dos conselheiros que estão aqui, se desejas resgatá-la; se não, faze-me sabê-lo, pois tu és o primeiro com direito de resgatá-la, e eu venho depois de ti".

O outro disse:

— Eu a compro.

[5]Booz prosseguiu:

— Ao comprar de Noemi essa terra, adquires também a moabita Rute, esposa do defunto, com o objetivo de conservar o nome do defunto em sua herança.

[6]Então o outro disse:

— Não posso fazer isso, pois prejudicaria meus herdeiros. Cedo-te meu direito; para mim não é possível.

[7]Antigamente havia esse costume em Israel, quando se tratava de resgate ou permuta: para fechar o contrato, um tirava a sandália e a dava ao outro. Assim se faziam os contratos em Israel.

[8]O outro, então, disse a Booz:

— Compra-o tu.

Tirou a sandália e a entregou. [9]Então Booz disse aos conselheiros e ao povo:

— Hoje eu vos tomo por testemunhas de que adquiro das mãos de Noemi todas as posses de Elimelec, Quelion e Maalon, [10]e que adquiro por esposa a moabita Rute, mulher de Maalon, a fim de conservar o nome do defunto em sua herança, para que não desapareça o nome do defunto entre seus parentes e compatriotas. Sois testemunhas?

[11]Todos os que estavam aí presentes responderam:

3,17 Assim Rute não volta de mãos vazias: 1,21.

4 Muda a cena com forte contraste. Do amor e lealdade passamos à execução legal, da noite a sós passamos a uma cena coral. O assunto de uma família interessa e compromete todos os vizinhos, que pressentem algo transcendental. Um coro de homens no casamento e um de mulheres no nascimento do primogênito projetam o acontecimento para um futuro glorioso.

4,1-2 É o lugar em que se resolvem os assuntos públicos. As pessoas sentam no chão; os anciãos atuam como conselheiros e notários. O fulano é para Booz o que Orfa é para Rute. Coloca-se a segunda escolha decisiva.

4,3-4 Trata-se de um terreno familiar, que deve ficar dentro da grande família ou clã. O direito e dever de resgate estava escalonado segundo relações precisas de parentesco. Não é questão de precedência temporal na assembleia.

4,6 Estando em uso a poligamia, podia acontecer que o primeiro parente da lista já estivesse casado. Ora, o campo comprado ficará no nome de Elimelec, será do filho que nascer do novo casamento. Portanto, o dinheiro da compra é tirado dos bens hereditários do comprador e de seus filhos tidos com outra mulher. Para um camponês experiente é fácil calcular os interesses da família.

Certo é que a inserção de uma mulher na negociação complica os cálculos econômicos. O espírito da lei, que pretende fomentar a solidariedade, pode entrar em conflito com a letra da lei. Mas, onde se legisla essa vinculação entre a nora e o terreno? Poderia ser um ato de jurisprudência ou lei consuetudinária. No plano simbólico, é bem conhecida a vinculação entre terra e esposa (p. ex. Os 2,23-25; Is 62,4; Eclo 40,19).

4,7 Esta notícia erudita revela a distância entre o narrador e os fatos narrados ou a época fingida. Dt 25,9 explica em outros termos o uso da sandália.

4,8 Mc 1,7 par.

4,10 A declaração de Booz sintetiza a finalidade do ato. Em chave simbólica: os judeus que voltaram do desterro perpetuarão o nome de Israel na terra que é herança do povo. Mas não com os métodos de Esdras e Neemias.

4,11 Raquel e Lia eram as duas irmãs, esposas de Jacó, que deram à luz os doze ancestrais do povo. Três casas se sobrepõem: Casa do Pão (*Bet Léhem*), a casa-lar de Booz, a casa de Israel. E a moabita Rute é anunciada como nova matriarca. Cada lar israelita representa em ponto pequeno a grande casa de Israel, e cada mãe israelita tem algo de matriarca. Os judeus continuam pronunciando hoje esta bênção.

— Somos testemunhas.

E os conselheiros acrescentaram:

— O Senhor torne a mulher que irá entrar em tua casa como Raquel e Lia, as duas que construíram a casa de Israel. Que tu tenhas riquezas em Éfrata e renome em Belém! ¹²Pelos filhos que o Senhor te der com essa jovem, tua casa seja como a de Farés, o filho que Tamar deu a Judá!

¹³Foi assim que Booz se casou com Rute. Uniu-se a ela; o Senhor fez Rute conceber e dar à luz um filho.

¹⁴As mulheres disseram a Noemi:

— Bendito seja Deus, pois te deu hoje quem responda por ti. O nome do defunto será pronunciado em Israel. ¹⁵O menino será descanso para ti e ajuda em tua velhice; pois quem o deu à luz para ti foi tua nora, que te ama tanto e vale para ti mais que sete filhos.

¹⁶Noemi pegou a criança, a pôs no colo e se encarregou de criá-la. ¹⁷As vizinhas procuravam um nome, dizendo:

— Noemi teve um filho!

E lhe puseram o nome de Obed. Foi pai de Jessé, pai de Davi.

¹⁸Lista dos descendentes de Farés: Farés gerou Hesron, ¹⁹Hesron gerou Ram. Ram gerou Aminadab, ²⁰Aminadab gerou Naasson, Naasson gerou Salmon, ²¹Salmon gerou Booz, Booz gerou Obed, ²²Obed gerou Jessé e Jessé gerou Davi.

4,12 Tamar é outro caso de levirato. Foi primeiro esposa de dois filhos de Judá. De suas relações com o sogro nascem dois gêmeos, um dos quais se chamava Farés (Gn 38).

4,14-15 A bênção das mulheres é mais efusiva; dirige-se a Noemi, não a Rute. Por que as mulheres se esquecem dos noivos e felicitam Noemi? Por que atribuem a ela o filho? Logicamente, o goel é de Rute, o sobrenome é de Quelion, o filho é de Booz. No plano simbólico rege outra lógica. Noemi é a viúva fiel à memória do marido, de um marido que se chama Meu-Deus-é-Rei. Noemi representa a comunidade carente de Israel, que continua fiel ao seu Senhor e rei; como Is 40-55 ensina repetidamente, ele é o goel da comunidade e fará com que esta tenha descendência. Com um neto, Noemi chega à terceira geração: "Verás os filhos de teus filhos. Paz para Israel!" (Sl 128,6).

4,16 Gesto de carinho e cuidado (cf. Nm 11,12), talvez gesto legal de adoção.

4,17 O fato de as vizinhas escolherem e imporem o nome ao menino parece ser intrusão na competência do pai e da mãe. Além disso, o contexto não justifica o nome escolhido: Obed = Servo. Poderia ser abreviatura de Abdiel ou Abdias, correlativo de Elimelec, ou seja, servo de Deus – Meu Deus é Rei. Mas essa explicação não passa de especulação. Pode-se suspeitar que o relato original tinha outro nome e que alguém o substituiu para enganchar a genealogia de Davi.

4,18-22 Em muitos indícios mostra-se que Davi pertence ao relato. A lista genealógica parece acréscimo. A genealogia detalhada encontra-se em 1Cr 2,5-15.

PRIMEIRO E SEGUNDO LIVROS DE SAMUEL

INTRODUÇÃO

O livro de Samuel se chama assim por causa de um de seus personagens decisivos, não porque ele seja o autor. Está artificialmente dividido em duas partes, que se costumam chamar primeiro e segundo livro; as versões antigas os chamaram primeiro e segundo livro dos Reis; em terminologia moderna os chamaríamos primeira e segunda parte.

Tema

O tema central é o advento da monarquia sob a guia de Samuel como juiz e profeta.

Samuel atua como juiz com residência fixa e itinerante. Sendo da tribo de Efraim, é respeitado pelas outras tribos. Por esse título, Samuel prolonga a série de Débora, Gedeão, Jefté e Sansão, em suas etapas não belicosas. Mas Samuel recebe uma vocação nova: mediador da palavra de Deus e profeta. Ao autor interessa muito o dado, e projeta essa vocação à adolescência de Samuel. Em virtude de tal vocação, o rapaz se confronta com o sacerdote do santuário central; mais tarde introduz uma mudança radical de regime: unge o primeiro rei, condena-o, unge o segundo, se retira, desaparece, levanta-se do túmulo por um momento. Quando morre, é sucedido pelo turno de Gad e de Natã.

Em outras palavras, o autor, que escreve no tempo de Josias, um dos reis bons, ou o que escreve durante o exílio, nos faz saber que a monarquia está submetida à palavra profética. É o princípio formulado em Dt 17-18, que continuará atuando nos dois livros dos Reis.

A monarquia

Foi para os israelitas uma experiência ambígua, com mais peso no prato negativo da balança. Iluminado pela reforma forçosa e forçada de Josias e pelo resplendor sombrio do exílio, o autor chega a um balanço negativo: poucos monarcas responderam à sua missão religiosa e política. Em Judá, e mais ainda em Israel. Embora seja verdade que houve reis bons: Davi, Josafá, Ezequias, Josias (cf. Eclo 49,4).

Essa avaliação ambígua se estende ao longo da história. O Deuteronômio democratiza muitas decisões. Oseias é muito crítico sobre as origens da monarquia. Amós no Norte e Jeremias ao Sul ilustram a oposição de profetas a monarcas individuais (não à instituição).

Por outro lado, os salmos dão testemunho de aceitação sincera e até de entusiasmo hiperbólico pela monarquia. Antes de serem lidos em chave messiânica, os salmos régios expressaram a esperança de justiça e paz, como bênção canalizada pelo Ungido; ao passo que outros salmos exaltavam a realeza do Senhor.

Pois bem, o autor projeta a ambiguidade e as tensões para a própria origem da monarquia – remontar às origens para explicar o presente ou a história é hábito mental hebraico. Não queremos afirmar que seja pura invenção. Que diante de uma mudança tão profunda de regime houvesse duas tendências entre as tribos, é bastante provável porque é lógico. Nos tempos difíceis da ameaça filisteia, podem ter surgido entre as tribos duas tendências opostas: uns, conservadores, defensores da autonomia tribal, satisfeitos com a intervenção providencial de alguns heróis; outros, renovadores, mais conscientes da ameaça contínua e das novas exigências dos tempos. Mas aqui falamos sobre a versão literária do que há de histórico nos relatos.

Pró e contra

Explícita e implicitamente o livro nos faz presenciar ou deduzir as duas tendências. É ato de honradez do autor ter, em suas páginas, concedido voz aos dois partidos.

Assim, pois, os conservadores consideram a monarquia uma veleidade do povo, sem confiança, desleal a seu Deus, desejoso de imitar os povos vizinhos. Certamente Moab, Amon, Edom, Fenícia tiveram reis antes de Israel; para não falar dos inumeráveis reis cananeus, espécie de prefeitos ou governadores de pequenas cidades-estado. Diante de tal desejo, Samuel reage, defendendo a soberania do Senhor e acusando o povo (ver cap. 8).

Os outros olham a monarquia como inovação providencial, querida por Deus para orientar por caminhos novos a história do seu povo. Em relação aos juízes, o rei traz duas novidades: a unificação do poder e o princípio dinástico. A primeira é uma necessidade, comprovada por acontecimentos recentes (cf. Jz 17-21). O segundo é garantia de continuidade: por que seria um atentado contra a soberania do Senhor?

Sem enunciá-lo como teoria, é contando que o livro nos faz compreender. O primeiro rei fracassa, o segundo triunfa. É o contraste que ocupa grande parte desta obra. A tribo de Efraim dá o primeiro profeta, a de Benjamim o primeiro rei, a de Judá o segundo e a dinastia duradoura.

Histórias ou história

À primeira vista, julgamos estar lendo uma obra de historiografia moderna. Escrita com viveza, com realismo, com ar de verossimilhança. É verdade que o livro tem traços ou cenas pouco verossímeis, que encerra incoerências patentes, versões não harmonizadas. No conjunto é mais forte a sensação de verossimilhança, de coerência humana e política. Contudo, isso não basta para inferir a historicidade.

Em primeiro lugar, o Deuteronomista tem ideias bastante claras e precisas, que orientam o relato no seu conjunto. Os critérios do Deuteronômio e a situação histórica condicionam seriamente o autor. Sua historiografia é tendenciosa. Em segundo lugar, estes livros de Samuel são abertamente favoráveis a Davi, contra Saul, e portanto não menos tendenciosos.

No entanto, é mister suavizar o peso de ambas as afirmações. Porque o último autor reúne e respeita muitas tradições, quase sem interferir; e quando quer dar sua opinião, ele a põe na boca de algum personagem, e o leitor o nota. Nos livros de Samuel, não dissimula as fraquezas, o crime do seu protagonista, ao passo que o antagonista alcança grandeza trágica.

De acordo com os dados à nossa disposição, os julgamentos sobre a historicidade são divergentes. Há os que concedem à obra um valor histórico muito limitado: os radicais a declaram simples ficção; e há os que reconhecem na obra uma historicidade básica, impossível de definir com precisão. Na última hipótese, onde e quando se deve situá-la?

Quadro histórico

Com razoável probabilidade, situamos os relatos nos séculos XI e X. A batalha de Afec teria sido por volta de 1050; alguns decênios depois, a acessão de Saul; em 1010 o reinado de Davi em Hebron; a acessão de Salomão em 971.

É uma etapa vazia ou átona em meio à política dos impérios. No Egito, à série cada vez mais fraca dos Ramsés sucede a XXI dinastia, que reina modestamente em Tânis, enquanto que em Tebas uma classe sacerdotal governa de fato. Na Mesopotâmia, o final do século XII registra um monarca importante, Nabucodonosor I, vencedor definitivo dos elamitas e restaurador do reino. O começo do século XI está dominado pelo grande Tiglat Piléser I da Assíria, pacificador, conquistador, grande caçador, fundador de uma importante biblioteca, criador de um parque botânico e zoológico. Depois dele, o império decai. As tribos nômades continuam fermentando: primeiro são os ahlamu, que fustigam os assírios; depois os arameus, que vão fundando e consolidando reinos na Síria oriental e chegam a usurpar o trono de Babilônia.

Neste longo compasso de silêncio, podem atuar como solistas no solo da Palestina os povos relativamente recentes no país: filisteus e israelitas.

Arte narrativa

O que dissemos sobre a historicidade destes livros é hipotético. O que é indubitável e indiscutível é a maestria narrativa das páginas que se seguem. Aqui a prosa hebraica atinge um ápice clássico. A arte de contar se mostra inesgotável nos temas, intuitiva do essencial, criadora de cenas impressionantes e inesquecíveis, capaz de dizer muito em pouco espaço e de sugerir mais. Por mais devoto ou mais crítico que seja, o leitor não deve saltar esta etapa: a fruição de alguns relatos magistrais.

Samuel

No seu elogio dos antepassados, Ben Sirac, o Eclesiástico, traça um perfil de Samuel em doze versículos. Lemos:

46,13 *consagrado como profeta do Senhor, Samuel, juiz e sacerdote.*

Sacerdote, porque oferecia sacrifícios. Juiz, do tipo institucional, porque resolve pleitos e casos, não empunha a espada nem o bastão de comando. Quando sua judicatura tenta converter-se em assunto familiar, pela passagem aos filhos, fracassa. Profeta, por receber e transmitir a palavra de Deus. At 13,20s o chama profeta; Hb 11,32 o coloca em sua lista entre os Juízes e Davi.

Um monte nas vizinhanças de Jerusalém perpetua seu nome: *Nebi Samwil*. Não é Samuel como montanha? Avantajado, próximo ao céu e bem plantado na terra, solitário, provocador de tormentas, reunindo a primeira luz de um novo sol e projetando ampla sombra sobre a história.

PRIMEIRO LIVRO DE SAMUEL

1 **Nascimento de Samuel** – ¹Havia um homem sufita, natural de Ramá, na serra de Efraim, chamado Elcana, filho de Jeroam, filho de Eliú, filho de Tou, filho de Suf, efraimita. ²Tinha duas mulheres: uma se chamava Ana, e a outra Fenena. Fenena tinha filhos, e Ana não tinha. ³Aquele homem costumava subir do seu povoado todos os anos para adorar e oferecer sacrifícios ao Senhor dos exércitos em Silo, onde estavam como sacerdotes do Senhor os dois filhos de Eli, Hofni e Fineias.

⁴Chegando o dia de oferecer o sacrifício, repartia porções para sua mulher Fenena, para seus filhos e filhas, ⁵ao passo que para Ana dava apenas uma porção, apesar de amá-la, porque o Senhor a tornara estéril. ⁶Sua rival a insultava, irritando-a para mortificá-la, porque o Senhor a tornara estéril. ⁷Assim fazia todos os anos; sempre que subiam ao templo do Senhor, costumava insultá-la dessa forma. Certa vez, Ana chorava, sem comer. ⁸Elcana, seu marido, lhe disse:

– Ana, por que choras e não comes? Por que te afliges? Não valho eu para ti mais que dez filhos?

⁹Então, depois da refeição em Silo, enquanto o sacerdote Eli estava sentado em sua cadeira, junto à porta do templo do Senhor, ¹⁰Ana se levantou e, com a alma cheia de amargura, pôs-se a rezar ao Senhor, chorando sem parar. ¹¹E acrescentou esta promessa:

– Senhor dos exércitos, se prestares atenção à humilhação de tua serva e te lembrares de mim, se não te esqueceres de tua serva e deres a tua serva um filho homem, eu o entregarei ao Senhor por toda a vida, e a navalha não passará por sua cabeça.

¹²Enquanto rezava longamente ao Senhor, Eli observava seus lábios. ¹³Como Ana falava para si e não se ouvia sua voz, apesar de mover os lábios, Eli acreditou que estivesse bêbada, ¹⁴e lhe disse:

– Até quando durará tua bebedeira? Livra-te do efeito do vinho.

¹⁵Ana respondeu:

---

1 O nascimento de Samuel entra na categoria do nascimento de heróis, como os de Isaac ou Sansão. Com o primeiro tem em comum outro elemento: o tema das duas mulheres, como Sara e Agar, esposas de Abraão, ou Raquel e Lia, esposas de Jacó. A fecundidade de uma e a esterilidade da outra destacam o caráter maravilhoso do nascimento: o nascituro será filho da promessa e da oração, mais que simples filho da carne. O Senhor da vida demonstra o seu poder precisamente na fraqueza, outorgando com sua palavra explícita uma fecundidade que o homem ia considerar natural. Por isso a oração de Ana ocupa na narração um lugar primordial; a ela e ao seu cumprimento se subordina o resto da narração, a peregrinação, o papel do sacerdote, as reprovações. Seu marido a repreende carinhosamente, ela não responde, dirige-se a Deus; o sacerdote a censura duramente, e ela se explica. Uma romaria no princípio e outra no final compõem o capítulo.

1,1 Elcana significa "Deus cria ou compra". Conforme 1Cr 6,34-38 (testemunha propriamente parcial), Elcana era de família levítica, residente no território de Efraim.

1,2 Ana significa "graça", e Fenena "corais".

1,3 Silo foi durante bom tempo a cidade central do culto. Conforme Js 18,1, já hospedara a arca no tempo de Josué; Jz 21 a apresentava como centro de uma romaria celebrada com danças. Sua situação é geograficamente central. Não estão claras suas relações com Siquém, onde foi renovada a aliança (Js 24). A arca, que tinha sido paládio durante as campanhas militares, tem agora morada estável, não sabemos se em forma de tenda, segundo a tradição do deserto, ou num edifício com pátio e anexos, no estilo cananeu. Em todo caso, dispõe de altar e de um sacerdócio levítico. Os nomes dos filhos são egípcios; Pinehas (Fineias) é o nome de um influente vice-rei sob o último Ramsés.

1,4-5 Trata-se de sacrifícios de comunhão, de cuja carne participavam os oferentes. Neste momento festivo e comunitário, Ana sente mais a solidão.

1,4 2Sm 6,19.

1,6 Sobre as rivalidades das mulheres, pode-se ler Eclo 25,14-16.

1,7 Gn 30.

1,9 Sentar-se numa cadeira é gesto de dignidade. Da porta do edifício ou recinto onde se guarda a arca, é possível ver o que acontece no átrio onde o povo se reúne.

1,11 É humilhação não ter filhos, porque é costume considerar o fato como castigo de Deus por alguma culpa. Ana promete entregar ao Senhor o filho que dele receber, renunciando ao direito de resgate: Ex 12,13; 22,28; 34,19; Nm 3,45-48. Sobre o nazireato, ver Nm 6 e a história de Sansão.

1,12-13 A oração costumava-se fazer em voz alta ou murmurando. Ana está concentrada em seu interior, onde o Senhor escuta. Alguns supõem que a festa anual correspondia ao tempo da vindima; veja-se o costume pagão de Jz 9; se no templo se passava o cálice (Sl 23), isto não bastava para embriagar.

1,15 Desabafar é em hebraico "derramar a alma", e é o mesmo verbo usado para a libação (Ex 29,38-42; Nm 29,6.11). Com a menção do vinho, a resposta torna-se engenhosa.

– Não é verdade, senhor. Sou uma mulher que sofre. Não bebi vinho nem licor, estava desabafando diante do Senhor. [16]Não creias que esta tua serva seja uma descarada; se estive falando até agora, foi por puro abatimento e aflição.

[17]Então Eli disse:

– Vai em paz. Que o Deus de Israel te conceda o que lhe pediste.

[18]Ana respondeu:

– Oxalá possas favorecer sempre esta tua serva.

Depois seguiu seu caminho, comeu e não parecia a de antes. [19]Na manhã seguinte madrugaram, adoraram o Senhor e voltaram. Chegados a sua casa em Ramá, Elcana se uniu à sua mulher Ana, e o Senhor se lembrou dela. [20]Ana concebeu, deu à luz um filho e o chamou Samuel, dizendo:

– Eu o pedi ao Senhor!

[21]Passado um ano, seu marido Elcana subiu com toda a família para fazer o sacrifício anual ao Senhor e cumprir a promessa. [22]Ana se desculpou para não subir, dizendo a seu marido:

– Quando desmamar a criança, então a levarei para apresentá-la ao Senhor, a fim de que fique sempre lá.

[23]Seu marido Elcana lhe respondeu:

– Faze o que te parece melhor; fica até desmamá-la. E que o Senhor te conceda cumprir tua promessa.

[24]Ana ficou em casa e criou seu filho até desmamá-lo. Então subiu com ele ao templo do Senhor em Silo, levando um bezerro de três anos, uma medida de farinha e um odre de vinho. [25]Quando mataram o bezerro, Ana apresentou o menino a Eli, [26]dizendo:

– Senhor, por tua vida, eu sou a mulher que esteve aqui, junto de ti, rezando ao Senhor. [27]Este menino é o que eu pedia; o Senhor atendeu meu pedido. [28]Por isso eu o entrego ao Senhor por toda a vida, para que seja seu.

Depois prostraram-se diante do Senhor.

2 Canto de Ana (Sl 113; Lc 1,46-55) –
[1]E Ana rezou esta oração:

"Meu coração se alegra pelo Senhor,
meu poder se exalta por Deus,

1,17 As palavras de Eli poderiam ser entendidas também como futuro, "dará" (embora o comum em semelhantes oráculos seja o perfeito *natan*, também se usa o futuro: Sl 16,10; 29,11; 37,4; 85,13 etc.). A mulher toma essas palavras como oráculo sacerdotal que responde à sua prece, e se sente segura e consolada.

1,18 Outro jogo de Ana consiste em aludir a seu nome, "favor, graça", pedindo o favor de Eli.

1,19 No momento em que o marido a possui, o Senhor se lembra dela; assim o autor expressa a bênção da fecundidade.

1,20 Aqui é a mulher que dá o nome. Mas a etimologia não convém, não passa de assonância; Samuel poderia significar "nome de Deus", seu componente divino não é Javé. "Pedido" se diz *sha'ul*, como mostra o v. 28.

1,22 O período da lactação costumava durar dois anos, e ao terminá-lo celebrava-se uma festa familiar: Gn 21,8.

1,27-28 Último jogo de palavras montado sobre a raiz "pedir" *sh'l*; o português o imita em parte com os verbos conceder-ceder. Conforme a versão grega, o capítulo termina com "e o deixou ali na presença do Senhor".

2 No capítulo não se lê – como se podia esperar – um oráculo de anunciação pronunciado pelo sacerdote (como nos casos de Ismael e Sansão). Repetindo 21 vezes o nome do Senhor, salienta o sentido religioso do fato e articula a narração: sete vezes a primeira parte, sobre a esterilidade, com a oitava começa a súplica, com a décima quinta começa a volta da mulher. Fazem eco as sete presenças do verbo chave "pedir".

2,1-10 A rigor, este hino é um canto de vitória pronunciado por um rei ao voltar da batalha. Faria boa companhia aos salmos 20 e 21, formando com eles um tríptico.

A vitória é obra do Senhor, que atua na teofania cósmica (v. 10a) e comunica sua força ao rei (v. 10b). Por isso o rei pode sentir-se unido ao Senhor na alegria pela vitória. Diante do poder dos inimigos, apoiados em outras divindades, o Senhor mostrou sua santidade exclusiva, ou seja, sua superioridade transcendente e seu governo justo, e também sua fortaleza protetora (v. 2).

Na vitória do fraco revelou-se a soberania do Senhor, que dirige eficazmente o curso da história. Esta se apresenta aos olhos como um balanço em que o baixo sobe e o alto desce: valentes e covardes, saciados e famintos, fecunda e estéril (vv. 4-7). Essa alternância extrema das sortes não é a cega fortuna que repete seu eterno girar sem sentido. É ação de Deus, que se encontra com a responsabilidade humana: porque o alto leva o sinal da arrogância (v. 3) e da maldade (v. 9), ao passo que o baixo representa a humildade e a amizade com Deus. A mudança das sortes é a ação de quem conhece exatamente as ações humanas (v. 3) e pode julgá-las com autoridade.

A vitória de Deus ultrapassa os limites da história e alcança outras duas esferas: a cósmica, já que Deus firmou o orbe (v. 8), e o limite definitivo do homem, a fronteira da vida e da morte (v. 6). A vitória foi como o ângulo com que incide na história um colossal triângulo: um ato breve e insignificante sobre o qual gravita a soberania transcendente de Deus. Isso é o que a história revela e o rei canta isso

Minha boca ri dos meus inimigos,
  porque celebro tua salvação.
²Não há santo como o Senhor,
  não há rocha como nosso Deus.
³Não multipliqueis discursos altivos,
  não brotem da boca arrogâncias,
porque o Senhor é um Deus que sabe,
  ele é quem pesa as ações.
⁴Os arcos dos valentes se rompem,
  mas os covardes se cingem de coragem;
⁵os fartos são contratados por pão,
  mas os famintos engordam;
a mulher estéril dá à luz sete filhos,
  mas a mãe de muitos fica estéril.
⁶O Senhor dá a morte e a vida,
  afunda no abismo e levanta;
⁷dá a pobreza e a riqueza,
  o Senhor humilha e eleva.
⁸Ele ergue do pó o desvalido,
  levanta do lixo o pobre,
para fazê-lo sentar entre príncipes
  e herdar um trono glorioso,
pois ao Senhor pertencem
  os pilares da terra,
  e sobre eles firmou o mundo.
⁹Ele guarda os passos de seus amigos,
  enquanto os maus perecem nas trevas,
porque o homem não triunfa
  por sua força.
¹⁰O Senhor desbarata seus contrários,
  o Altíssimo troveja do céu,
  o Senhor julga até o confim da terra.
Ele dá autoridade a seu rei,
  exalta o poder do seu Ungido".

Samuel e Eli – ¹¹Ana voltou para sua casa em Ramá, e o menino estava a serviço do Senhor, às ordens do sacerdote Eli. ¹²Os filhos de Eli, ao contrário, eram uns

---

em tonalidade de alegria maior (v. 1), que assume esse pequeno riso de triunfo sobre os inimigos.
E por que Ana pronuncia este hino de vitória real? O autor, introduzindo este hino posterior neste lugar, deixou-se levar talvez pela referência à fecunda e à estéril: Ana, desprezada por sua rival fecunda, agora é mãe de um filho que será famoso. Também a sua é uma vitória que pode revelar ou conjurar o repertório das ações soberanas de Deus. E talvez essa referência ao rei no princípio do livro contenha uma sutil alusão aos futuros acontecimentos. O autor que aqui insere este hino sabe muito bem que o filho de Ana irá ungir reis.
O hino está cheio de reminiscências dos salmos ou de coincidências com eles. O desenvolvimento se baseia nas oposições simétricas, regulares, de extremos, destacadas com múltiplos efeitos sonoros, mais evocativos que engenhosos. Parece ter inspirado o *Magnificat*.
2,1 O começo se destaca pela sua construção: três enunciados muito paralelos, morfologicamente na terceira pessoa, desembocam violentamente no hemistíquio que torna explícito o diálogo: mente, poder (chifre), boca, eu-tu. A terceira peça serve para fechar em inclusão o salmo, indicando que o eu anônimo é o rei.
A salvação equivale à vitória, e assim se poderia traduzir. Ver Sl 5,12; 9,2; 35,21.
2,2 Ver Sl 95,1; 99.
2,3 O texto hebraico parece zombar do estilo dos arrogantes: *'al tarbu tedabberu geboha geboha*. Ver Sl 75,6; 94,4.
2,5 Ver Sl 113,9.
2,6 No meio do hino soa esta confissão central: aqui se exalta o Senhor, mais que no seu poderio cósmico. Porque a estéril tem a matriz morta (Rm 4,19), dar a fecundidade é fazer reviver (veja Sl 30,4). Este versículo com o seguinte, repetindo o nome do Senhor, lhe atribuem sete particípios começados por m; autêntica concentração de predicados.
2,7 Ver Sl 75,8.
2,8 Ver Sl 113,7 e 24,2; 75,4; 104,5. O cósmico aparece aqui com uma estabilidade que contrasta com as mudanças da história.
2,9 Ver Jz 6,14; Sl 20,8; 21,2.
2,10 Ver Sl 29; 72,8; 96,10.
2,11-36 Aqui começa uma montagem paralela que vai opondo o crescer de Samuel ao agravar-se do pecado dos filhos de Eli, e também do próprio Eli. Os membros ou peças da montagem se repartem assim:
2,11 Ministério de Samuel
2,12-17 Os filhos de Eli abusam do cargo
2,18-21 Samuel cresce e cresce a sua família
2,22-25 Novo pecado de imoralidade; repreensão e endurecimento
2,26 Samuel continua crescendo
2,27-36 Oráculo de um profeta a Eli
3,1ss Oráculo do Senhor chamando Samuel.
O crescimento de Samuel é físico e espiritual, e é fonte de bênção para seus pais em virtude da renúncia, é uma presença silenciosa que condena os ministros do culto. Não sendo de família sacerdotal, ocupar-se-á de serviços secundários no templo.
O pecado dos filhos de Eli é tríplice: contra o culto, contra as mulheres a serviço do santuário, contra seu pai. Culto: uma coisa é viver do altar, o que é permitido e regulamentado (a legislação posterior de Lv 7,28-36 reúne tradições mais antigas; compare-se com Jz 17), outra coisa é abusar da oferenda, não a respeitando e desacreditando-a diante do povo. O segundo pecado também é abuso do cargo; desacredita e ameaça o serviço das mulheres no templo (de que falam Ex 35,25ss; 38,8). O terceiro é pecado de contumácia.
2,11 Sobre os serviços complementares no santuário, ver Nm 8,23-26, posterior à reforma do culto.
2,12 "Respeitar", conhecer, reconhecer o Senhor é em síntese a atitude do homem religioso; muito mais devido ao mediador do culto; ver Jr 2,8 (sacerdotes e doutores da lei); 4,22 (o povo); 9,2.5; 10,25 (negativo); 31,34 (nova aliança); Os 2,22 (o povo); 5,4. O autor joga de modo burlesco com o nome dos jovens: *benê 'eli-benê beliya'al*.

desalmados: ¹³não respeitavam o Senhor nem as obrigações dos sacerdotes com o povo. Quando alguém oferecia um sacrifício, enquanto se cozinhava a carne, vinha o ajudante do sacerdote empunhando um garfo, ¹⁴o mergulhava dentro da panela ou caldeirão ou tacho ou travessa, e tudo o que garfava o levava ao sacerdote. Assim faziam com todos os israelitas que iam a Silo. ¹⁵E também, antes de queimar a gordura, o ajudante do sacerdote ia e dizia ao que estava para oferecer o sacrifício:

– Dá-me a carne para o assado do sacerdote. Deve ser crua, pois não aceitarei carne cozida.

¹⁶E se o outro respondesse:

– Antes é preciso queimar a gordura, depois podes levar o que quiseres.

Replicava-lhe:

– Não. Ou me dás agora a carne, ou a levo à força.

¹⁷Esse pecado dos ajudantes era grave aos olhos do Senhor, pois as ofertas ao Senhor ficavam desacreditadas.

¹⁸Samuel, entretanto, continuava a serviço do Senhor e usava um roquete de linho. ¹⁹Sua mãe costumava fazer-lhe uma túnica, e a levava cada ano, quando subia com seu marido para oferecer o sacrifício anual. ²⁰E Eli dava a bênção a Elcana e à sua mulher:

– O Senhor te dê um descendente desta mulher, em compensação pelo empréstimo que ela fez ao Senhor.

Depois voltavam para casa.

²¹O Senhor cuidou de Ana, que concebeu e deu à luz três meninos e duas meninas. O menino Samuel crescia no templo do Senhor.

²²Eli era muito velho. Às vezes, ficava sabendo como seus filhos tratavam a todos os israelitas e que se deitavam com as mulheres que serviam à entrada da tenda do encontro. ²³E lhes dizia:

– Por que fazeis isso? O povo me conta como agis mal. ²⁴Não, filhos, o que me contam não é bom; vós escandalizais o povo do Senhor. ²⁵Se um homem ofende outro, Deus pode ser o árbitro; mas, se um homem ofende o Senhor, quem intercederá por ele?

Eles, porém, não davam atenção a seu pai, pois o Senhor havia decidido que morreriam.

²⁶Entretanto, o menino Samuel ia crescendo, apreciado pelo Senhor e pelos homens.

2,13 Outros traduzem começando a frase neste versículo: "Os sacerdotes procediam assim com o povo". Esta leitura inclui um gracejo amargo, porque a palavra hebraica que designa o costume, *mishpat*, é a palavra técnica que designa o direito e o dever do sacerdote. Sobre os sacrifícios, Lv 1-7.
2,14 Os nomes dos utensílios são diversos – talvez posteriores – em Ex 35,25ss.
2,16 "O que quiseres" no original contém um gracejo dissimulado e cruel, porque a expressão significa desejar e também ter apetite; compare-se "dar vontade-ter vontade". Compare-se com a avidez no deserto, com o mesmo verbo ou raiz: Nm 11,31-34; Sl 106,14.
2,17-18 Repetido a fórmula "na presença do Senhor" (na construção original), o autor frisa o contraste entre pecado e serviço.
2,23-25 O argumento de Eli não está claro: no paralelismo se repete o verbo ofender (pecar), muda-se Deus-Senhor, arbitrar-interceder. Talvez se refira aos sacrifícios "pelo pecado", com os quais se expiam ofensas contra o próximo (Lv 5,20-26); se forem invalidados os ritos sacrificais como fazem os jovens, fecha-se o caminho da reconciliação. Só a conversão radical poderá restituir o valor do culto e sua eficácia expiatória.
Eli é brando na repreensão, não toma outras medidas, e assim se torna cúmplice de seus filhos. Deus decidiu sua morte por causa de sua contumácia: ver Ex 10,1; Is 6,10.27-28.

O autor principal do livro insere aqui uma profecia que antecipa um fato, para iluminar a história próxima. O profeta (homem de Deus, Jz 6,8 e 13,6) propõe uma profecia e uma reflexão teológica explicativa. A fórmula empregada é clássica: recorda o benefício de Deus, ou seja, a eleição de Aarão, para salientar por contraste o pecado; depois denuncia o pecado concreto e prescreve a pena; acrescenta um sinal que comprova o oráculo.
Benefício: supõe já estabelecida a tradição, que lemos no Êxodo, de Aarão como sumo sacerdote. Revelação e eleição se articulam como em Ez 1-2, ou Is 6 ou Ex 3 (Moisés). *Pecado*: os filhos retiram de Deus as oferendas para engordar à custa do culto, o pai honra (*kbd*) seus filhos mais que a Deus: o que devia ser honra para Deus se converte em seu desprezo, o culto se profana nas mãos dos sacerdotes. *Castigo*: enuncia a lei geral da retribuição e a aplica ao caso; o castigo corresponde ao pecado: ambição por ambição, fraqueza por afã de engordar, pranto por glória. O sinal se encontra na mesma linha, porque nos dois filhos a sentença começa a ser executada.
Finalmente – o autor nos diz intencionalmente – a profecia introduz a eleição de uma nova dinastia sacerdotal, a dinastia sadocita, com a consequente degradação da dinastia de Eli: ver o cumprimento em 2Rs 23. A adição deste elemento repete o esquema de Is 22,15-25 (o intendente do palácio).
2,26 Lc 2,52.

²⁷Um profeta se apresentou a Eli e lhe disse:

— Assim diz o Senhor: "Eu me revelei à família do teu pai quando ainda eram escravos do Faraó no Egito. ²⁸Entre todas as tribos de Israel, eu o escolhi para mim, para que fosse sacerdote, subisse ao meu altar, queimasse meu incenso e levasse o efod em minha presença, e concedi à família do teu pai participar nas oblações dos israelitas. ²⁹Por que tratastes com desprezo meu altar e as ofertas que mandei fazer em meu templo? Por que respeitas mais a teus filhos do que a mim, engordando-os com as primícias do meu povo Israel, diante de meus próprios olhos?

³⁰Por isso – oráculo do Senhor, Deus de Israel –, apesar de eu ter prometido que tua família e a família de teu pai estariam sempre em minha presença, agora – oráculo do Senhor – não será assim. Porque eu honro os que me honram, e os que me desprezam serão humilhados.

³¹Vê, chegará um dia em que arrancarei teus brotos e os da família do teu pai, e ninguém em tua família chegará à velhice. ³²Olharás com inveja todo o bem que vou fazer; ninguém na tua família chegará à velhice. ³³E se eu deixar algum dos teus para servir ao meu altar, seus olhos se consumirão e irá se acabando; mas a maior parte de tua família morrerá pela espada de homens. ³⁴O que acontecerá a teus filhos Hofni e Fineias será um sinal para ti: os dois morrerão no mesmo dia.

³⁵Nomearei para mim um sacerdote fiel, que fará o que quero e desejo; eu lhe darei uma família estável e viverá sempre na presença do meu ungido. ³⁶E os que sobreviverem de tua família irão prostrar-se diante dele para mendigar um pouco de dinheiro ou um pedaço de pão, suplicando-lhe: por favor, dá-me um emprego qualquer como sacerdote, para que eu possa comer um pedaço de pão".

3 Vocação de Samuel (Is 6; Jr 1) – ¹O menino Samuel oficiava com Eli diante do Senhor. A palavra do Senhor naquele tempo era rara e as visões não eram abundantes. ²Um dia Eli estava deitado em seu quarto. Seus olhos começavam a apagar-se e não podia ver. ³A lâmpada de Deus ainda não se apagara, e Samuel estava deitado no santuário do Senhor, onde estava a arca de Deus. ⁴O Senhor o chamou:

— Samuel, Samuel!

Ele respondeu:

— Estou aqui!

⁵Foi correndo onde estava Eli e lhe disse:

— Estou aqui; venho porque me chamaste.

Eli respondeu:

— Não te chamei; volta a deitar.

Samuel foi deitar, ⁶e o Senhor o chamou outra vez. Samuel se levantou, foi aonde estava Eli e lhe disse:

— Estou aqui; venho porque me chamaste.

Eli respondeu:

— Não te chamei, filho; volta a deitar.

⁷(Samuel ainda não conhecia o Senhor; a palavra do Senhor ainda não lhe fora revelada.)

2,30 A expressão hebraica é quase um juramento, qualificando de execrável o que se rechaça, e tem força especial quando atribuída a Deus, Gn 18,25.

2,33 Ver as maldições de Lv 26,16 e Dt 28,65. Os possessivos são duvidosos: o hebraico diz "teus olhos, irás acabando".

2,35 A linguagem é semelhante à da promessa davídica (2Sm 7); ver também 1Rs 11,38 (Salomão). Aqui está formulada, na ficção da profecia, a vinculação da família sacerdotal à dinastia de Davi.

2,36 É curioso que o verbo hebraico (muito raro) de dar colocação, associar, tenha aqui as mesmas consoantes em ordem diversa do nome de Fineias. Os cinco incisos (incluindo 3,1) que falam de Samuel o apresentam na presença ou na companhia do Senhor.

3 Embora o capítulo conte a vocação profética de Samuel, seu protagonista é a palavra de Deus. Aparece negativamente no v. 1, outra vez em relação com Samuel no v. 7 "ainda não"; no final do capítulo penetrou plenamente na história. Samuel será seu mediador: a mesma palavra cria para si este instrumento humano com seu chamado. A tríplice voz noturna, além de ser um recurso narrativo popular, ilumina um contraste: até agora Samuel esteve às ordens de Eli, escutou sua voz; doravante escutará a voz do Senhor, para cumprir e transmitir suas ordens.

3,1 Visão e palavra podem ser duas formas ou dois componentes do saber profético: Am 7; Jr 1 etc. O profeta, homem da palavra, era chamado em outra época "vidente".

3,2-3 Não podendo encarregar-se da vigilância, o velho Eli dorme em um dos anexos, o jovem Samuel dorme no recinto propriamente dito (tenda ou edifício). O candelabro de que fala Ex 25,31-40; 27,21, era talvez evolução de uma instituição mais antiga.

3,4 Este primeiro chamado equivale a uma vocação, como Ex 3,4, ainda que não inclua todos os elementos de uma vocação profética.

3,7 Samuel ainda não tem trato pessoal e familiar com o Senhor, como o têm os profetas (Am 3); a palavra

⁸O Senhor tornou a chamar pela terceira vez. Samuel se levantou, foi aonde estava Eli e lhe disse:

– Estou aqui; venho porque me chamaste.

Então Eli compreendeu que era o Senhor quem chamava o menino, ⁹e lhe disse:

– Vai deitar. E se alguém te chamar, diz: "Fala, Senhor, pois teu servo escuta".

Samuel foi e deitou em seu lugar. ¹⁰O Senhor se apresentou e o chamou como antes:

– Samuel, Samuel!

Samuel respondeu:

– Fala, pois teu servo escuta.

¹¹E o Senhor lhe disse:

– Vê, vou fazer uma coisa em Israel que fará retumbar os ouvidos de quem o ouvir. ¹²Naquele dia, executarei contra Eli e sua família tudo o que anunciei, sem que nada falte. ¹³Comunica-lhe que condeno definitivamente sua família, pois ele sabia que seus filhos amaldiçoavam a Deus, mas não os repreendeu. ¹⁴Juro por isso à família de Eli que seu pecado jamais será expiado, nem com sacrifícios nem com ofertas.

¹⁵Samuel ficou deitado até a manhã seguinte, e depois abriu as portas do santuário. Não se atrevia a contar a visão a Eli; ¹⁶mas Eli o chamou:

– Samuel, meu filho.

Respondeu:

– Estou aqui.

¹⁷Eli perguntou:

– O que foi que te disse? Não me escondas. Que o Senhor te castigue se me esconderes uma palavra de tudo o que te disse.

¹⁸Então Samuel contou-lhe tudo, sem nada esconder. Eli comentou:

– É o Senhor! Que ele faça o que achar melhor.

¹⁹Samuel crescia e o Senhor estava com ele; nenhuma de suas palavras deixou de cumprir-se. ²⁰E todo Israel, de Dã até Bersabeia, soube que Samuel era profeta credenciado diante do Senhor. ²¹O Senhor continuou manifestando-se em Silo, onde se havia revelado a Samuel.

4

¹A palavra de Samuel era ouvida em todo Israel.

---

não se revelou ou manifestou a ele pessoalmente, porque é necessária uma atualização com a força do Espírito, para que o homem capte essa palavra em seu caráter único de palavra de Deus.

3,10 O fato de o Senhor apresentar-se seria uma visão (Jó 4,16: visão de Elifaz): v. 15.

3,11 Com a vocação coincide o primeiro oráculo, ou melhor, este dá ocasião ao chamado. É uma sentença pronunciada contra Eli pelo pecado de seus filhos e pela negligência ou tolerância dele. O castigo será terrível advertência para todos os que ficarem sabendo, vai estender-se a toda a família e sucessão; será inevitável. Como precedeu a síntese de 2,27-36, o oráculo presente não contém dados concretos: é possível que o autor do livro tenha retirado informações do oráculo de Samuel para compor seu oráculo; é um resumo posto na boca de um profeta anônimo.

3,14 Os sacrifícios têm valor expiatório quando o Senhor os aceita; ou seja, sua validez consiste na aceitação divina. Os mesmos culpados atentaram contra a instituição sacrifical. Sobre a fórmula ver Is 22,14; 27,9.

3,16-18 O chamado de Eli é como um eco do chamado do Senhor: como nesta dominava o verbo chamar, aqui domina a raiz falar-palavra; daqui seu domínio se difunde a todo o capítulo. Assim, o ato de chamar e de falar do Senhor formam a substância narrativa desta passagem: chamado que produz resposta, e palavra que se cumprirá.

3,19-21 No final, o ofício profético de Samuel está afirmado: o Senhor está com ele (Jr 1), suas palavras são do Senhor (também em hebraico é ambíguo o possessivo suas), o povo o reconhece como tal. Israel está descrito segundo os limites do reino unido sob Davi.

Os versículos resumem globalmente toda uma etapa, pois Samuel por certo tempo desaparece do cenário no qual sua palavra profética vai atuar.

3,20 Jz 20,1.

3,21 A revelação do Senhor faz eco ao v. 7, convertendo o fato em linha divisória: antes não, agora sim. No final do versículo algumas traduções antigas acrescentam: "Eli estava muito velho e seus filhos continuavam piorando sua conduta diante do Senhor". Nestes três primeiros capítulos a presença do Senhor é envolvente, quase cativante; doravante tomarão corpo os acontecimentos humanos.

4,1a Esta frase conclui o capítulo precedente com uma visão unificada: Samuel é agora guia de todo Israel, talvez morando no santuário central, como em outro tempo Débora debaixo do seu carvalho (Jz 4). Protagonista deste capítulo é a arca, que continuará com o mesmo papel até o final do capítulo 6. É outro modo da presença do Senhor, digamos, algo mais institucional; embora sem imagem, pode-se localizar. Parece entrar em contraste narrativo com a palavra, que irrompe imprevisível; como se a palavra, para ocupar o centro, empurrasse a arca e a expulsasse do território. É um drama enigmático e significativo: abolida temporariamente uma presença, o Senhor cria para si outra mais imaterial, mais penetrante. Com doze menções, a arca é o centro de tudo: a primeira derrota traz sua recordação e a faz vir ao acampamento; ela é a melhor presa; a notícia da sua captura é o golpe de graça para Eli e o golpe mortal para sua nora.

Os filisteus estão bem estabelecidos em dois portos – a partir deles no mar –, na planície costeira, e subiram um pouco pela Sefelá. Agora aspiram a estender seu

Vitória filisteia – Nessa ocasião, os filisteus se reuniram para atacar Israel. Os israelitas saíram para enfrentá-los e acamparam perto de Ebenezer*, enquanto os filisteus acampavam em Afec*. ²Os filisteus puseram-se em linha de batalha diante de Israel. Iniciada a luta, Israel foi derrotado pelos filisteus; de suas fileiras morreram no campo uns quatro mil homens. ³A tropa voltou ao acampamento, e os conselheiros de Israel deliberaram:

– Por que o Senhor nos fez sofrer hoje uma derrota nas mãos dos filisteus? Vamos a Silo buscar a arca da aliança do Senhor, para que esteja entre nós e nos salve do poder inimigo.

⁴Enviaram gente a Silo para trazer a arca da aliança do Senhor dos exércitos, entronizado sobre querubins. Os dois filhos de Eli, Hofni e Fineias, foram com a arca da aliança de Deus. ⁵Quando a arca da aliança do Senhor chegou ao acampamento, todo Israel deu o grito de guerra a plenos pulmões e a terra tremeu. ⁶Ouvindo o estrondo do grito, os filisteus perguntaram entre si:

– O que significa esse grito que ressoa no acampamento hebreu?

Então ficaram sabendo que a arca do Senhor havia chegado ao acampamento, ⁷e diziam, mortos de medo:

– Seu Deus chegou ao acampamento! Ai de nós! É a primeira vez que nos acontece isto! ⁸Ai de nós! Quem nos livrará da mão desses deuses poderosos, os deuses que feriram o Egito com toda espécie de calamidade e epidemias? ⁹Coragem, filisteus! Sede homens, e não sereis escravos dos hebreus, como eles o foram de nós! Sede homens, e ao ataque!

¹⁰Os filisteus lançaram-se à luta e derrotaram os israelitas, que fugiram em debandada. Foi uma derrota tremenda: caíram trinta mil da infantaria israelita. ¹¹A arca de Deus foi capturada, e os filhos de Eli, Hofni e Fineias, morreram.

Morte de Eli – ¹²Um benjaminita saiu correndo das fileiras e chegou a Silo nesse mesmo dia, com a roupa esfarrapada e pó na cabeça. ¹³Quando chegou, aí estava

---

domínio pela Palestina, penetrando rumo ao nordeste; contam talvez com um ponto de apoio em Betsã, junto ao Jordão. Como são militarmente superiores, decidem expor-se numa batalha importante, antes que seus vizinhos israelitas se tornem numerosos e fortes demais. São as duas forças jovens no território. Para Israel, a migração forçada dos danitas é um aviso.

4,1b Os filisteus sobem para a planície de Saron e daí pelo curso do Rio Verde (Jarcon) a uma localidade bem defendida; os israelitas se reúnem a certa distância. Parece que são os filisteus que tomam a iniciativa, e a primeira derrota é parcial. O autor conta simplesmente, sem explicar as causas: poder-se-ia ligar a desgraça com o delito dos sacerdotes, embora o texto não o diga explicitamente. * = Pedra da Ajuda; Cerco.

4,3 Os israelitas podem retirar-se e reorganizar-se no seu acampamento, regido por um conselho de anciãos – não se mencionam comandos militares. Os anciãos consideram o Senhor como causador da derrota, talvez por sua ausência (cf. Sl 60,12), por isso mandam vir a arca, que é paládio dos israelitas. Pela arca, a divindade guerreira está presente entre a tropa e atua, salvando ou dando a vitória. Silo se encontrava a pouca distância; sem dúvida, meia jornada bastava para transportar a arca. Era um objeto bastante pesado e se transportava com varais (Ex 37,1-5).

4,4 A arca aparece com os seus títulos: da aliança, porque continha o documento do tratado; do Senhor dos Exércitos, que é o título cósmico e guerreiro do seu Deus; seus exércitos são os astros e o seu povo; os querubins são dois animais alados que sustentam um trono real ou imaginário. Essa acumulação poderia ser posterior. Os dois sacerdotes custodiam a arca e se espera que serão protegidos por ela. Ex 37,1-5.

4,5 A chegada da arca é saudada com o "alarido", grito ritual, bélico e litúrgico. Prática militar antiga (*alalaço* dos gregos, *ululatus* dos romanos, alarido dos muçulmanos), com que os guerreiros se excitam e aterrorizam o inimigo. Pelo seu caráter sacro, deve produzir uma como que descarga de valentia religiosa em seus fiéis, e um terror pânico irresistível no inimigo. O tremor da terra descreve a ressonância do grito, mas pode insinuar além disso uma reação à teofania. Js 6,5.20.

4,6-9 A reação dos filisteus vai progredindo: primeiro surpresa, depois temor, em seguida ânimo. A referência à vitória sobre os egípcios pode ser simplesmente um recurso do narrador para introduzir a recordação da grande libertação nacional, precisamente na boca de pagãos, como em Js 2,10 (Raab). "Hebreus" é o nome que os estrangeiros dão aos israelitas (por exemplo: Ex 1,16), e é talvez depreciativo. Nesta batalha está em jogo o domínio, os senhores ou vassalos.

4,10 Os gritos e discursos duraram narrativamente mais que a batalha, a derrota, a fuga, a captura da arca, as mortes. O israelita não sabe descrever uma batalha, e compensa sua incapacidade com a rapidez do ritmo dos verbos.

4,11 A derrota é desconcertante: o Deus que salvou do Egito não pode salvar agora? Aquele que salvou a outros não pode salvar-se agora, presente na arca?

4,12-18 O acerto desta minúscula cena reside na alternância de ação verbal e descrição substantiva. Compare-se com 2Sm 1 (morte de Saul), 2Sm 18 (morte de Absalão).

4,12 Gestos rituais de luto. 2Sm 1,2.

4,13 Da porta do santuário o ancião percebe os ruídos no caminho que passa diante do recinto total do templo.

Eli, sentado em sua cadeira, junto à porta, observando com ansiedade o caminho, porque tremia pela arca de Deus. Aquele homem entrou pelo povoado dando a notícia, e toda a população se pôs a gritar. ¹⁴Eli escutou a gritaria e perguntou:

– Que alvoroço é esse?

Enquanto isso, o homem corria a dar a notícia a Eli. ¹⁵Eli completara noventa e oito anos; tinha os olhos imóveis, sem poder ver. ¹⁶O fugitivo lhe disse:

– Sou o homem que chegou do campo de batalha.

Eli perguntou:

– O que aconteceu, meu filho?

¹⁷O mensageiro respondeu:

– Israel fugiu diante dos filisteus, foi uma grande derrota para nosso exército; teus dois filhos, Hofni e Fineias, morreram, e a arca de Deus foi capturada.

¹⁸Quando mencionou a arca de Deus, Eli caiu da cadeira para trás, junto à porta; a base do crânio rompeu-se, e morreu. Era já velho e pesado. Havia sido juiz em Israel por quarenta anos.

¹⁹Sua nora, a mulher de Fineias, estava grávida e prestes a dar à luz. Quando ouviu a notícia de que haviam capturado a arca e que seu sogro e seu marido tinham morrido, sobrevieram-lhe as dores, encurvou-se, e deu à luz. ²⁰Estando ela para morrer, as mulheres que a assistiam a reanimavam:

– Não temas, deste à luz um menino.

Mas ela não respondeu nem se deu conta. ²¹Chamaram o menino Icabod*, dizendo:

– A glória de Israel foi exilada (referia-se à captura da arca e à morte do sogro e do marido dela).

²²E repetiam:

– A glória de Israel foi exilada, pois capturaram a arca de Deus.

5 A arca no templo de Dagon – ¹Os filisteus capturaram a arca de Deus e a

---

4,18 A frase final coloca-o na série dos juízes, juntando esse cargo ao de sumo sacerdote. Não é impossível nem improvável que do santuário central se administrasse justiça para toda a confederação; por outro lado, a notícia é estereotipada e parece adição posterior, em vista da atividade de Samuel.

4,19-22 O neto mais velho, herdeiro da família, levará um nome fatídico: durante toda a vida recordará a tragédia da arca. A Glória do Senhor, sua presença invisível e ativa, protetora e exigente, pode abandonar o povo. Não se pode controlar mecanicamente, não se pode manipular a presença do Senhor.
Para os leitores que souberam do exílio, o episódio e o nome soam como pressentimento simbólico, como sombra da tremenda tragédia que eles viveram. O profeta Ezequiel contemplará numa visão o exílio voluntário da Glória pouco antes da catástrofe final (Ez 10). Outros povos – por exemplo, Babilônia em relação aos elamitas – lamentarão o roubo de uma estátua, de uma imagem; um israelita chora pela Glória. Mas a Glória está ainda ligada a um objeto.

4,20 Gn 35,17.

4,21 * = Sem Glória.

5 A arca do Senhor entra em território inimigo: na aparência, vencida e conquistada; na realidade, aceitando um desafio em nível de deuses. E não só entra em território estrangeiro, mas penetra no santuário da divindade rival. Penetra, não vencedora, mas na condição de cativa. Ironicamente, os filisteus introduzem seu inimigo.
A luta com outros deuses, já travada no Egito e em Moab (episódio de Balaão), continuará na terra prometida, se consumará em território estrangeiro, em Babilônia (como canta Is 46 e todo o Segundo Isaías). O salmo 82 canta o destronamento dos outros deuses pela mão do Senhor. Para Israel, a longo prazo vem a ser mais difícil resistir à tentação dos deuses alheios do que à agressão dos inimigos invasores; também a estes o Senhor deixa entrar na terra prometida, para derrotá-los "em seus montes". Ambas as vitórias são necessárias para a salvação de Israel. Dessa maneira, o duelo *Dagon-Yhwh* é prelúdio e símbolo de uma hostilidade duradoura e de uma vitória decisiva. O Senhor não admite outros deuses diante de si (Ex 20,3; Dt 5,7: primeiro mandamento do decálogo); agora lhe cabe estar junto de Dagon, em posição secundária. Não se sabe como, no silêncio da noite (como junto ao mar Vermelho, Ex 14), acontece o primeiro encontro e a primeira vitória decisiva. É irônico que seus devotos tenham de levantar e colocar seu deus caído ("têm pés e não andam", Sl 115,7), e é significativo que o deus perca mãos e braços, demonstrando sua impotência. A cabeça cortada significa a morte: "Ainda que sejais deuses, morrereis como um homem qualquer" (Sl 82). Uma vez que acabou com o deus, a arca começa a executar sua sentença contra os filisteus: numa peregrinação movida pelos próprios inimigos; a epidemia (talvez de peste bubônica) vai-se estendendo pela Pentápole, da qual o autor menciona só três cidades, segundo conhecido esquema narrativo. Segue-se a ironia: os próprios inimigos vão transportando a arca fatídica, colaborando na execução da própria sentença. A epidemia revela a presença numinosa do Senhor, que produz terror e pânico entre os filisteus; uma espécie de reconhecimento prestado ao poderoso Deus de Israel. E pensar que esse deus parecia tão fraco no campo de batalha! O esquema narrativo é semelhante à captura de Sansão, o inimigo trazido ao próprio território, à festa do deus, e que causará a ruína dos filisteus.

5,1 Para ouvidos hebreus, Azoto soa parecido com devastação (verbo *sdd*): a arca se desloca de Ajuda para Devastação.

* = Pedra da Ajuda.

levaram de Ebenezer* a Azoto. ²Pegaram a arca de Deus, a puseram no templo de Dagon, colocando-a junto a Dagon. ³Na manhã seguinte, os azotitas se levantaram e encontraram Dagon caído de bruços diante da arca do Senhor; eles o recolheram e o colocaram em seu lugar. ⁴Na manhã seguinte, levantaram-se e encontraram Dagon caído de bruços diante da arca do Senhor, com a cabeça e as mãos cortadas, sobre o umbral. Restava-lhe apenas o tronco. ⁵(Por isso, ainda hoje se conserva em Azoto este costume: os sacerdotes e os que entram no templo de Dagon não pisam o umbral.)

A arca em território filisteu – ⁶A mão do Senhor pesou sobre os azotitas, aterrorizando-os, e feriu com tumores o povo de Azoto e suas redondezas. ⁷Ao ver o que acontecia, os azotitas disseram:

– A arca do Deus de Israel não pode ficar entre nós, pois sua mão é dura para conosco e para com nosso deus Dagon.

⁸Então mandaram convocar em Azoto os príncipes filisteus e os consultaram.

– O que faremos com a arca do Deus de Israel?

Responderam:

– Seja trasladada a Gat.

⁹Levaram a arca do Deus de Israel para Gat; mas logo que chegou, o Senhor fez pesar sua mão sobre o povo, causando terrível pânico, pois feriu com tumores toda a população, pequenos e grandes.

¹⁰Então trasladaram a arca de Deus para Acaron; mas quando chegou aí, os acaronitas protestaram:

– Trouxeram-nos a arca de Deus para que mate a nós e a nossas famílias!

¹¹Então mandaram convocar os príncipes filisteus, dizendo-lhes:

Devolvei a seu lugar a arca do Deus de Israel; do contrário, ela nos matará, juntamente com nossas famílias.

Todo o povoado estava com pânico mortal, pois a mão de Deus havia pesado aí com toda a sua força. ¹²Quem não morria, tinha tumores. E o clamor do povo subia até o céu.

6 ¹A arca do Senhor esteve em país filisteu por sete meses.

Devolução da arca – ²Os filisteus chamaram os sacerdotes e adivinhos, consultando-os:

– O que fazemos com a arca do Senhor? Indicai-nos como podemos mandá-la ao seu lugar.

5,2 Dagon parece ser uma divindade semítica da tribo e que é adotada pelos filisteus ao estabelecer-se em território cananeu. Os movimentos da arca são muito regulares.

5,3 Is 46,1s.

5,4 O esquema narrativo normal pede dois tempos semelhantes e um terceiro tempo decisivo. O autor salta o segundo tempo, talvez respondendo aos dois tempos da vitória filisteia com a captura da arca no segundo. É notável a sonoridade com que se descreve o deus caído (*'aron-dagon, npl-lpn*).

5,5 Pode ser rito apotropaico, para evitar os espíritos que aí vigiam, ou pode ser rito de passagem do mundo profano ao sagrado, rito representado num salto. O autor liga a conhecida prática com a história da arca.

5,6 Começa a peregrinação, e a arca continua mudando de título, ao longo do episódio (até 6,1 inclusive): quando é transportada pelos filisteus se chama "a arca de Deus", os filisteus a chamam "a arca do Deus de Israel", o narrador a chama "arca do Senhor". A "mão do Senhor" que fere triunfa sobre as mãos cortadas de Dagon.

5,9 Ex 9,8-12.

6,1-18 Uma vez que o deus Dagon fracassou, os sacerdotes e adivinhos terão de salvar a ele e a seus devotos. A deliberação se desenvolve em estilo de calculadas condicionais. Sem dúvida, é preciso soltar ou enviar a arca; além disso, deve-se apurar o sentido dos fatos.

A volta da arca, recordam expressamente os sacerdotes, se parece com a saída dos hebreus do Egito: os filisteus retêm injustamente a arca, o Senhor os fere com uma praga, os filisteus se endurecem e, em vez de soltá-la, a fazem passear pelo território, a praga percorre o território, os filisteus decidem soltar a arca cativa. Há vários contatos de vocabulário entre as duas narrações.

O sentido dos fatos se esclarecerá numa espécie de juízo de Deus: o primeiro sinal será a cura, que provará o poder do Senhor sobre a saúde e a enfermidade; o segundo sinal será a reação das vacas, que provará o poder do Senhor sobre o reino animal. A alternativa da mão do Senhor é um acidente casual. A devolução da arca vai acompanhada de um dom expiatório, ou compensação ritual, o qual por sua vez expressa o ato interno de reconhecer a glória do Senhor e o próprio pecado. A arca volta a entrar em território israelita numa espécie de procissão, com filisteus por assistentes; a procissão se conclui com um sacrifício litúrgico um pouco improvisado, no qual os filisteus fazem o gasto de vítimas e lenha, enquanto que uma grande pedra se oferece como altar intacto. Este sacrifício, que os filisteus presenciam de longe, será a expiação realizada.

³Responderam:

— Se quiserdes devolver a arca do Deus de Israel, não a devolvais vazia, mas pagando uma indenização. Então, se vos curardes, saberemos por que sua mão não nos deixava em paz.

⁴Perguntaram-lhes:

— Que indenização temos de lhe pagar? Responderam:

— Cinco tumores de ouro e cinco ratos de ouro, um para cada príncipe filisteu, porque vós sofrestes a mesma praga que eles. ⁵Fazei imagens com os tumores e os ratos que devastaram o país, e assim reconhecereis a glória do Deus de Israel. Quem sabe o peso de sua mão se afaste de vós, de vosso país e de vosso deus. ⁶Não sejais teimosos, como fizeram os egípcios e o Faraó. Esse Deus os maltratou até que deixaram Israel partir. ⁷Agora, fazei uma carroça nova, pegai duas vacas que estejam criando e nunca tenham usado canga e atrelai-as à carroça, deixando os bezerros presos no estábulo. ⁸Depois, pegai a arca do Senhor e colocai-a na carroça; colocai num cesto junto à arca os objetos de ouro que pagais como indenização e soltai a carroça. ⁹Prestai atenção: se tomar o caminho de seu território e subir a Bet-Sames*, é porque esse Deus nos causou essa calamidade terrível; do contrário, saberemos que sua mão não nos feriu, mas foi um acidente.

¹⁰Assim fizeram. Pegaram duas vacas que estavam criando, as atrelaram à carroça, deixando os bezerros presos no estábulo; ¹¹puseram na carroça a arca do Senhor e a cesta com os ratos de ouro e as imagens dos tumores. ¹²As vacas tomaram diretamente o caminho de Bet-Sames; caminhavam mugindo, sempre pelo mesmo caminho, sem desviar-se à direita ou à esquerda. Os príncipes filisteus foram atrás, até o confim de Bet-Sames.

¹³Os habitantes deste povoado estavam ceifando o trigo no vale; ergueram os olhos e, ao ver a arca, alegraram-se. ¹⁴A carroça entrou no campo de Josué, de Bet-Sames, e parou aí. Ao lado havia uma grande pedra. Então o povo fez lenha com a carroça e ofereceu as vacas em holocausto ao Senhor. ¹⁵(Os levitas tinham descarregado a arca do Senhor e a cesta com os objetos de ouro, colocando-os sobre a grande pedra. Nesse dia os de Bet-Sames ofereceram holocaustos e sacrifícios de comunhão ao Senhor.) ¹⁶Os cinco príncipes filisteus ficaram observando e nesse mesmo dia voltaram a Acaron.

¹⁷Lista dos tumores de ouro que os filisteus pagaram como indenização ao Senhor: um por Azoto, um por Gaza, um por Ascalon, um por Gat, um por Acaron. ¹⁸Os ratos de ouro eram pelas cidades da Pentápole filisteia, incluindo praças fortificadas e aldeias desguarnecidas. E a grande pedra em que depositaram a arca do Senhor pode ser vista hoje no campo de Josué de Bet-Sames.

¹⁹Os filhos de Jeconias, apesar de verem a arca, não fizeram festa com os demais, e

---

O estilo narrativo se mantém no mesmo nível de acerto com novos elementos de variedade: o estudo do caso, as instruções minuciosas dos sacerdotes, por um lado; por outro, a descrição das vacas (seu mugido enche o silêncio do caminho), a passagem suave dos filisteus aos israelitas, a retirada silenciosa dos primeiros; e em toda a narração, um tom irônico que, em certo momento, se torna mais explícito.

6,3 Sobre a "indenização" como sacrifício "penitencial", ver Lv 5; 7 e 14. Trata-se de ex-votos ao revés, entregam-se antes da cura, recordando a enfermidade e seus propagadores. Lv 5.

6,5 O narrador joga com a oposição *kbd-qll*, ser pesado e ser leve, e com o duplo sentido de *kbd*: "ser pesado" e "glória". O tema da "mão pesada" já soava em 5,6.11; o verbo se repete no versículo seguinte (obstinar-se = tornar pesado o coração). No castigo ficaram unidos o povo, a terra e os deuses, a tríplice rima o destaca sonoramente. Js 7,19.

6,6 Ex 7,13; 8,19.

6,7 É importante que tudo seja novo, isento de possível contaminação. O versículo se distingue pela acumulação do som *ayn*.

6,9 Normalmente se espera que as vacas voltem ao estábulo onde estão os bezerros. Ao deus estrangeiro caberá arrastá-las para si, se quer ficar com os dons; do contrário, tudo voltará ao poder dos filisteus. Como se vê, o juízo de Deus é quase um desafio. * = Casa do Sol.

6,12 A localidade de Bet-Sames (Casa do Sol) aparece como zona fronteiriça, e se encontra a uns 35 quilômetros da costa, defendendo um importante acesso para o interior. Isso significa uma expansão filisteia em território israelita, sem dúvida como consequência da sua vitória recente.

6,14 1Rs 19-21; 2Sm 24,22.

6,15 Este versículo parece adição que pretende aclarar a forma da cerimônia, segundo usos posteriores: os levitas a dirigem, oferecem-se holocaustos e sacrifícios de comunhão.

6,19 Começa a primeira etapa da arca em terra israelita, primeira etapa de uma peregrinação que dura-

o Senhor castigou setenta homens. O povo ficou de luto, pois o Senhor os havia ferido com grande castigo, ²⁰e os de Bet-Sames diziam:

— Quem poderá resistir ao Senhor, a esse Deus santo? Para onde poderemos enviar a arca, a fim de nos desfazermos dela?

²¹E mandaram este recado a Cariat-Iarim*:

— Os filisteus devolveram a arca do Senhor. Descei para buscá-la.

7 ¹Os de Cariat-Iarim foram, recolheram a arca e a levaram a Gabaá*, para a casa de Abinadab, e consagraram seu filho Eleazar para que guardasse a arca.

²Desde o dia em que instalaram a arca em Cariat-Iarim passou muito tempo, vinte anos. ³Todo Israel tinha saudade do Senhor. Samuel disse aos israelitas:

— Se vos converterdes ao Senhor de todo o coração, tirai do vosso meio os deuses estrangeiros, Baal e Astarte, permanecei constantes com o Senhor, servindo somente a ele, e ele vos libertará do poder filisteu.

⁴Então os israelitas retiraram as imagens de Baal e Astarte e serviram somente ao Senhor.

⁵Samuel ordenou:
— Reuni todo Israel em Masfa*, e rezarei por vós ao Senhor.

⁶Reuniram-se em Masfa, tiraram água e a derramaram diante do Senhor; jejuaram nesse dia e disseram:

— Pecamos contra o Senhor.

Samuel julgou os israelitas em Masfa. ⁷Os filisteus ficaram sabendo que os israelitas haviam-se reunido em Masfa, e os príncipes filisteus subiram contra Israel. Ao sabê-lo, os israelitas ficaram com medo, ⁸e disseram a Samuel:

— Não te cales, clama por nós ao Senhor nosso Deus, para que nos salve do poder filisteu.

⁹Samuel pegou um cordeiro de mama e o ofereceu ao Senhor em holocausto; clamou ao Senhor em favor de Israel, e o Senhor o escutou. ¹⁰Enquanto Samuel oferecia o holocausto, os filisteus aproximaram-se para combater contra Israel; mas nesse dia o Senhor enviou uma grande trovoada contra os filisteus e os desbaratou; Israel os derrotou. ¹¹Os israelitas saíram de Masfa, perseguindo os filisteus, e os foram destroçando até abaixo de Bet-Car*. ¹²Samuel

---

rá muitos anos e culminará com sua entrada num templo próprio em Jerusalém.
O texto hebraico deste versículo é muito duvidoso: seja porque não fizeram festa, seja por zombarem interiormente, a arca exerce seu poder numinoso entre os vizinhos (a epidemia os atinge).
6,20 Os vizinhos parecem imitar os filisteus, desfazendo-se da arca. Sl 76,8.
6,21 Vila Moitas (Cariat-Iarim) se encontra a uns vinte quilômetros de distância a leste. Por que não escolhem um dos lugares tradicionais, Guilgal ou Betel ou Silo? Pode ser que os filisteus não o tenham permitido. Ver Sl 132. * = Vila Moitas.
7 Este capítulo soa como sumário genérico, que serve para colocar Samuel na série dos juízes e para preparar o advento da monarquia. Os motivos típicos do livro dos Juízes voltam a se apresentar reunidos, com alguns detalhes novos. Lemos uma liturgia penitencial, uma batalha vitoriosa, uma notícia sobre a judicatura.
Samuel tinha desaparecido nos capítulos precedentes e esteve em silêncio por vinte anos. Sua última atuação tinha sido o oráculo comunicado a Eli, que incluía a derrota próxima. De repente reaparece e é para voltar a falar; sua palavra introduz nova etapa. Antes e depois da batalha, recebe seu título ou atividade de juiz. É juiz salvador por sua intercessão.
7,1 * = Alto.
7,2-6 Liturgia penitencial: pode-se comparar com Jz 2,1-5; 6,7-10; 10,10-16 (especialmente o último texto). Contém alguns elementos típicos: linguagem de sabor deuteronômico, retirada dos ídolos (Js 24,23; Jz 10,16), o jejum, a confissão do pecado. O término da lamentação inicial e o rito da água são elementos novos.
Este rito parece ter valor de libação e de oferenda à divindade: a água é dom precioso nesses climas, e se é tirada de um poço (como pode sugerir o verbo usado), poder-se-ia pensar num poço sagrado.
7,5 * = Atalaia. 1Sm 12,19.23.
7,7-9 O primeiro detalhe é individual: se os filisteus têm os israelitas sob seu domínio, é natural que suspeitem de uma concentração israelita. A ação de Samuel é clamar, como nos salmos de lamentação pública; interceder, função mais profética; e sacrificar, função sacerdotal. Isso indica o desejo de sintetizar vários aspectos na figura de Samuel e a falta de diferenciação rigorosa nas funções.
7,10-11 Batalha – se assim se pode chamar – e vitória parecem feitas de reminiscências: por exemplo, da passagem do mar Vermelho. A aproximação do inimigo, o temor do povo, a ação teofânica. O trovão é arma cósmica do Senhor, que infunde terror numinoso no inimigo (Sl 18,14; 29,3). Historicamente pode-se pensar numa vitória local e limitada, que o autor converte em caso típico e decisivo; uma vitória parecida mais com as de Aod ou Gedeão do que com a de Barac.
7,11 * = Casa do Cordeiro.
7,12 Outros testemunhos antigos leram A Antiga em vez de Mó (*yeshanashen*). De Ebenezer (Pedra da Ajuda) já falou 4,1. * = Mó; Pedra da Ajuda.

pegou uma pedra e a plantou entre Masfa e Sem* e a chamou Ebenezer*, explicando:

— Até aqui o Senhor nos ajudou.

¹³Os filisteus tiveram de submeter-se e não tornaram a invadir o território israelita. Enquanto Samuel viveu, a mão do Senhor pesou sobre eles. ¹⁴Israel reconquistou as cidades que os filisteus haviam ocupado; assim, de Acaron a Gat e seu território, voltaram ao poder de Israel. E houve paz entre Israel e os amorreus.

¹⁵Samuel foi juiz de Israel até sua morte. ¹⁶Anualmente visitava Betel, Guilgal e Masfa e aí governava Israel. ¹⁷Depois voltava a Ramá, onde tinha sua casa e costumava exercer suas funções. Aí ergueu um altar ao Senhor.

8 Os israelitas pedem um rei. A monarquia

— ¹Quando envelheceu, Samuel nomeou seus filhos como juízes de Israel. ²O filho mais velho chamava-se Joel e o segundo, Abias; exerciam sua função em Bersabeia. ³Mas não se comportavam como seu pai; atentos apenas a seus interesses, aceitavam subornos e julgavam contra a justiça. ⁴Então os conselheiros de Israel se reuniram e foram entrevistar-se com Samuel em Ramá. ⁵Disseram-lhe:

— Vê, estás velho e teus filhos não se comportam como tu. Nomeia para nós um rei que nos governe, como se faz em todas as nações.

⁶Samuel aborreceu-se porque pediam para ser governados por um rei, e começou a orar ao Senhor. ⁷O Senhor lhe respondeu:

— Atende o povo em tudo o que te pedirem. Não é a ti que rejeitam, mas a mim; não me querem como rei. ⁸Eles te tratam como me trataram desde o dia em que os

---

7,13-14 Esta generalização não corresponde a nenhum fato ou situação da vida de Samuel. Quando muito pode ser um modo hiperbólico de falar de uma trégua que, por certo tempo, deixou os israelitas tranquilos. A vida de Samuel entra assim no esquema que antecede a série de juízes (Jz 2,18). Mais compreensível é a última notícia, quer tomemos "amorreu" em sentido estrito, como habitantes da Transjordânia, quer em sentido lato, incluindo os cananeus da Cisjordânia.

7,16 As localidades se encontram numa área bastante restrita, e são lugares famosos desde a conquista. A condição de juiz itinerante é uma novidade curiosa. Com o altar erigido por Samuel, Ramá podia converter-se num centro religioso da comarca; Samuel podia além disso atender às necessidades dos que aí acorriam com pleitos para resolver.

8 A respeito da instituição do regime monárquico o livro nos dá duas versões discordantes, sem se esforçar por harmonizá-las: uma negativa e outra positiva (ver a Introdução ao livro).

Samuel se opõe à petição do povo. Israel deve ter o Senhor por único rei, deve confiar nele na vida política e militar; o profeta será o intermediário que dará a conhecer em cada caso a vontade de Deus que dirige a história. Mais ainda, a monarquia se voltará contra o povo por suas exigências despóticas. Samuel recita o que significa ter um rei: escravidão mais que libertação. Recordemos que quando o autor quer falar, costuma fazê-lo pela boca de algum dos protagonistas. Mas Samuel não está exagerando? Um mediador humano não desbanca a soberania do Senhor. O rei é o defensor do povo diante da prepotência dos poderosos, é garante da justiça e defensor na guerra. Isso justifica outra postura, e os fatos o comprovam. O livro conta que Samuel o ungiu, o povo o aclamou, o rei começou bem a sua tarefa salvadora.

Para explicar a presença das duas visões opostas no livro, alguns propõem uma sucessão temporal. No tempo de Salomão, foi redigida a versão positiva, favorável a Davi, prolongando a consciência pré-monárquica do final do livro dos Juízes. À medida que foi crescendo a oposição de vários profetas a vários monarcas, ia-se consolidando a postura hostil ou crítica representada no livro por Samuel.

No capítulo 8 assistimos à versão antimonárquica em forma dramática de diálogo. Para o povo, o rei representa governo firme e defesa militar; para Samuel, representa impostos e servidão. O drama consiste em que ambos têm razão. A verdadeira liberdade e segurança está em reconhecer e servir ao Senhor, que liberta e não escraviza; só quando o rei for servidor do Senhor a serviço da comunidade, é que protegerá sem escravizar (cf. Dt 17,14-20).

8,1 O ato de Samuel é novo. Quando Josué se velho (Js 23), exorta o povo à fidelidade, mas não nomeia um sucessor; os juízes menores não formam uma dinastia familiar, mas pertencem inclusive a diversas tribos; os juízes salvadores são enviados individualmente pelo Senhor. Gedeão recusa fundar uma dinastia. Samuel nomeia pessoalmente seus dois filhos.

8,2 Os personagens têm no nome o componente divino yo-ya. Joel significa "o Senhor é Deus", Abias "o Senhor é meu pai". É estranho deslocar sua residência para o extremo sul do território; não sabemos as razões nem entendemos o significado.

8,3 A experiência falha. A corrupção administrativa é um delito condenado com muita frequência: ver, por exemplo, Ex 23,8; Dt 16,19.

8,5 Os anciãos fazem a síntese de julgar e reinar. O termo "julgar" adquire pouco a pouco o nosso sentido mais genérico de governar; o que Samuel fez até agora, o rei doravante o fará.

8,6-8 O desgosto de Samuel parece ter algo de pessoal e não ser pura questão de princípio: embora se assemelhem os filhos, rechaçam toda a instituição dos juízes. É uma situação parecida com a de Moisés em suas tensões com o povo, e a terminologia no-lo recorda: ver Ex 16,8 (fala Moisés). O Senhor corrige a visão pessoal de Samuel: a rigor, o que o povo rejeita é a

tirei do Egito, abandonando-me para servir outros deuses. ⁹Atende-os; mas avisa-os claramente, explicando-lhes os direitos do rei.

¹⁰Samuel comunicou a palavra do Senhor ao povo que lhe pedia um rei:

— ¹¹Estes são os direitos do rei que vos governará: levará vossos filhos para alistá-los em destacamentos de carros e cavalaria e para que andem à frente do seu carro; ¹²ele os empregará como chefes e oficiais em seu exército, como aradores de seus campos e ceifadores de sua colheita, como fabricantes de armamentos e de peças para seus carros. ¹³Tomará vossas filhas como perfumistas, cozinheiras e padeiras. ¹⁴Vossos campos, vinhas e os melhores olivais, ele os tirará de vós para dá-los a seus ministros. ¹⁵Dos vossos cereais e de vossas vinhas exigirá dízimos para dá-los a seus funcionários e ministros. ¹⁶Levará vossos servos e servas, vossos melhores burros e bois para usá-los em sua fazenda. ¹⁷Exigirá dízimos de vossos rebanhos. E vós próprios sereis seus escravos! ¹⁸Então gritareis contra o rei que escolhestes, mas Deus não vos responderá.

¹⁹O povo não quis dar ouvidos a Samuel, e insistiu:

— ²⁰Não importa. Queremos um rei! Assim seremos como os outros povos. Que o nosso rei nos governe e saia à frente de nós para lutar na guerra.

²¹Samuel ouviu o que o povo pedia e o comunicou ao Senhor. ²²O Senhor lhe respondeu:

— Atende-os e nomeia-lhes um rei.

Então Samuel disse aos israelitas:

— Volte cada um para seu povoado!

SAMUEL E SAUL

9 ¹Havia um homem de Gabaá* de Benjamim chamado Cis, filho de Abiel, de

---

soberania direta do Senhor; Samuel apenas sofre de rejeição. Mas "o servo não é maior que o senhor". O Senhor conserva sua soberania, inclusive em frente a Samuel, e cabe ao Senhor conceder ou negar. Como outras vezes, Deus concede a petição, manda Samuel obedecer ou dar atenção aos representantes do povo – três vezes repete o mandato – mas no pecado levarão a penitência. Contudo, antes da decisão, o povo deve conhecer bem as condições; o diálogo pretende informar bem o povo antes de formalizar a eleição, e recorda remotamente o diálogo de Josué com o povo na renovação da aliança (Js 24).

8,9 O versículo joga com a raiz comum a julgar-governar e a direitos-estatuto (*shpt*): o povo deseja o governo de um rei, mas o estatuto de um rei é...

8,11-17 Esta descrição corresponde ao que sabemos por outros documentos antigos. Lida em contexto bíblico, soa uma legalização do que o décimo mandamento proíbe (e, na sua forma antiga, o sétimo: "não roubar homens"). Os verbos que definem a atividade real são tirar ou levar, dizimar, para si e seus ministros; a lista de bens inclui os três capítulos fundamentais: família, terras, gado. A abundante enumeração tem aqui uma função retórica, como também outros recursos de estilo, como anáforas, aliterações e rimas, a inversão começando pelo complemento; o possessivo da terceira pessoa –ô (antigo *ahu*) soa quatorze vezes, repetindo que tudo é para ele.

Tudo desemboca na terrível frase final: é a eterna tensão dos homens entre liberdade e autoridade, entre segurança e escravidão. Recorde-se a história de José culminando em Gn 47,25: "Tu nos salvaste a vida... seremos servos do Faraó".

8,12 1Rs 9,15-23; 10,15.

8,17 Gn 47,25.

8,18 Com o verbo *gritar* acrescentado ao *servir*, entramos em outro esquema, bem conhecido pelo livro dos Juízes: o estrangeiro subjugava Israel, que gritava ao Senhor; mas a história se rompe, porque o Senhor não responderá. É um pouco como o argumento de Jz 10,14; se se empenham em buscar a salvação em um rei, que o rei os salve.

8,19-20 O povo parece querer contestar o discurso de Samuel, opondo uma barreira de sufixos da primeira pessoa do plural: não para ele, mas para nós, repete sete vezes o sufixo. De novo se juntam os termos julgar-rei, dando a vitória ao segundo; todo o capítulo orquestrou a passagem, repetindo doze vezes a raiz *mlk*, contra seis vezes a de juiz *shpt*.

8,21 Samuel continua em seu papel de mediador, como Moisés (Ex 19,9).

8,22 A execução da ordem do Senhor fica em suspenso. Com a última frase, Samuel dissolve a assembleia (Js 24,28). No fundo, esta narração, bastante formalizada, pode conservar a lembrança de negociações entre os dois partidos: o renovador, representado pelos anciãos, e o conservador, representado por Samuel. O "juiz" compreende que é preciso submeter-se aos desejos do povo, mesmo prevendo inconvenientes.

9 O relato da eleição e unção de Saul nos transporta para um mundo de simplicidade e viveza aldeã, em forte contraste com as deliberações do capítulo precedente. As jumentas perdidas, o estipêndio para o profeta, as aguadeiras, o pernil no banquete, a esteira no terraço, definem a tonalidade da narração. Neste mundo destacam-se a figura corpulenta, ingenuamente ignorante, de Saul, e o saber milagroso de Samuel, que lhe permite antecipar-se aos fatos e pronunciar palavras enigmáticas.

O enredo parece desenvolver-se casualmente, à força de coincidências; mas o fortuito humano se encaixa num plano de Deus, que se cumpre por etapas e se revela a Samuel passo a passo.

9,1 É a terceira aparição de Benjamim. A primeira é gloriosa, Aod; a segunda ignominiosa, o crime de

Seror, de Becorat, de Afia, benjaminita, de boa posição social. ²Tinha um filho chamado Saul, um belo jovem; era o israelita mais alto: sobressaía acima de todos, dos ombros para cima. ³Algumas burras de seu pai Cis haviam-se extraviado, e ele disse a seu filho Saul:

— Leva contigo um dos servos e vai buscar as burras.

⁴Ultrapassaram a serra de Efraim e atravessaram a região de Salisa, mas não as encontraram. Atravessaram à região de Salim, e nada. Atravessaram a região de Benjamim, e tampouco encontraram.

⁵Quando chegaram à região de Suf, Saul disse ao servo que estava com ele:

— Vamos voltar, não aconteça que meu pai deixe de se preocupar com as burras e comece a preocupar-se conosco.

⁶Mas o servo respondeu:

— Nesse povoado há um famoso homem de Deus; o que ele diz acontece sem falta. Vamos lá. Talvez nos oriente sobre o que estamos procurando.

⁷Saul replicou:

— E se formos, o que levaremos a esse homem? Pois não temos pão nos alforjes e não temos nada para levar a esse profeta. O que nos resta?

⁸O servo respondeu:

— Tenho aqui dois gramas e meio de prata; vou dá-los ao profeta e ele nos orientará*.

¹⁰Saul comentou:

— Muito bem. Vamos!

E foram em direção ao povoado em que morava o profeta. ¹¹Subindo pela ladeira do povoado, encontraram umas jovens que saíam para buscar água; perguntaram-lhes:

— O vidente mora aqui?

⁹(Antigamente, em Israel, quem ia consultar a Deus, dizia assim: "Vamos ao vidente!", porque aquele que hoje chamamos profeta, antigamente se chamava vidente.)

¹²Elas responderam:

— Sim; está um pouco à vossa frente. Chegou hoje mesmo ao povoado, porque hoje o povo celebra o sacrifício no lugar alto. ¹³Se entrardes no povoado, vós o encontrareis antes que suba ao lugar alto para o banquete; porque não começarão a comer antes de ele chegar, pois compete a ele abençoar o sacrifício, e depois os convidados comem. Subi agora, e logo o encontrareis.

¹⁴Subiram ao povoado. E quando entravam no povoado, Samuel encontrou-se com eles enquanto subia para o lugar alto.

¹⁵Um dia antes que Saul chegasse, o Senhor havia revelado a Samuel:

— ¹⁶Amanhã eu te enviarei um homem da região de Benjamim para que o unjas chefe do meu povo Israel, e livre meu povo da dominação filisteia; pois vi a aflição do meu povo, seus gritos chegaram a mim.

¹⁷Quando Samuel viu Saul, o Senhor o avisou:

— Esse é o homem de quem te falei; ele governará meu povo.

¹⁸Saul aproximou-se de Samuel no meio da entrada, e lhe disse:

— Faze-me o favor de me dizer onde está a casa do vidente.

¹⁹Samuel lhe respondeu:

— Eu sou o vidente. Sobe à minha frente ao lugar alto; hoje comereis comigo e amanhã te deixarei partir e te direi tudo o que pensas. ²⁰Não te preocupes com as burras

---

Gabaá. A vinculação à tribo será importante, por demais importante na história futura; talvez fosse inevitável na época. * = Alto.

9,4 Começa uma articulação ternária: as três comarcas atravessadas em vão; virão três diálogos: com o criado, com as aguadeiras, com Samuel.

9,7 Nm 22,7.

9,8 * O v. 9 vai depois do v. 11.

9,11 Começa outra narrativa característica: a simultaneidade, que salienta a sucessão casual dos encontros. Dado o predomínio de pretéritos narrativos na prosa hebraica, sobressai a presente construção.

9,12-13 Muitas aldeias tinham um lugar alto com santuário local (como as capelas do nosso interior), nem sempre com edifício, mas sim com uma árvore cobrindo um altar. Aí se celebrava o culto local, e o costume durou séculos. Parece tratar-se aqui de um sacrifício de comunhão, que conclui com um banquete sagrado para todos os oferentes ou seus convidados. "Abençoar o sacrifício" é terminologia incomum.

9,16 Ex 3,7.

9,16-17 As duas palavras do Senhor garantem a autenticidade do encontro e endereçam a ação do profeta. Deus diz três vezes "meu povo", não emprega o termo "rei", mas *nagid* = chefe; será um salvador, como os juízes.

9,20 Com a informação sobre as jumentas, Samuel demonstra seu saber superior, ao mesmo tempo minimiza este acontecimento e orienta a atenção para o que virá no dia seguinte. O que Saul pensa pode ser uma indicação genérica ou pode supor em Saul uma preocupação pelos feitos de Israel. Nem agora nem depois o autor especifica. Alguns

que se perderam há três dias, pois já apareceram. Além disso, por quem todo o Israel suspira? Por ti e pela família do teu pai.

²¹Saul respondeu:

– Mas eu sou de Benjamim, a menor das tribos de Israel! E entre todas as famílias de Benjamim, minha família é a menos importante. Por que me dizes isto?

²²Então Samuel pegou Saul e seu servo, introduziu-os no refeitório e os pôs na presidência dos convidados, umas trinta pessoas. ²³Depois disse ao cozinheiro:

– Traze a porção que te recomendei que separasses.

²⁴O cozinheiro tirou o pernil e o rabo, e os serviu a Saul. Samuel disse:

– Aí está o que reservaram para ti; come, pois o reservaram para esta ocasião, para que o comas com os convidados.

Assim, portanto, Saul comeu nesse dia com Samuel. ²⁵Depois desceram do lugar alto ao povoado, prepararam a cama para Saul no terraço, ²⁶e ele se deitou.

Unção de Saul – Ao raiar o sol, Samuel foi ao terraço chamá-lo:

– Levanta-te, vim despedir-me.

Saul se levantou os dois, ele e Samuel, saíram de casa. ²⁷Quando haviam decido até os limites, Samuel lhe disse:

– Dize ao servo que vá na frente; quanto a ti, para um momento, e te comunicarei a palavra de Deus.

10 ¹Tomou o frasco de azeite, derramou azeite sobre a cabeça de Saul e o beijou, dizendo:

– O Senhor te unge como chefe de sua herança! ²Hoje mesmo, quando te separares de mim, encontrarás dois homens junto ao túmulo de Raquel, nos confins de Benjamim; eles te dirão: "As burras que procuravas apareceram; vê, teu pai esqueceu o caso das burras e está preocupado convosco, pensando o que terá acontecido a seu filho". ³Segue adiante, e vai até o Carvalho do Tabor; aí encontrarás três homens que sobem para visitar Deus em Betel: um com três cabritos, um com três pães e outro com um odre de vinho; ⁴depois de cumprimentar-te, te entregarão dois pães, e tu os aceitarás. ⁵Vai depois a Gabaá* de Deus, onde está a guarnição filisteia; ao chegar ao povoado encontrarás um grupo de profetas que descem do morro em dança frenética, atrás de uma banda de harpas e cítaras, pandeiros e flautas. ⁶O espírito do Senhor te invadirá, tu te converterás em outro homem e te misturarás na dança deles. ⁷Quando te acontecerem esses sinais, vai, faze o que te parecer bem, pois Deus está contigo. ⁸Desce à minha frente a Guilgal; eu irei depois, para oferecer holocaustos e sacrifícios de comunhão. Espera sete dias até que eu chegue e te diga o que tens de fazer.

⁹Assim que Saul voltou as costas e se afastou de Samuel, Deus mudou-lhe o coração, e todos aqueles sinais lhe aconteceram nesse mesmo dia. ¹⁰Daí foram a Gabaá e logo encontraram um grupo de profetas. O espírito de Deus invadiu Saul e ele se

---

traduzem assim a penúltima frase: "Para quem serão os tesouros de Israel? – Para ti..."; ou seja, as jumentas são nada em comparação com as riquezas que o esperam.

9,21 Samuel não responde com palavras à objeção de Saul; mas toma a iniciativa numa série de ordens precisas. Jz 6,15.

9,22 Começam os privilégios de Saul: a presidência do banquete, a melhor ração, o lugar mais fresco para dormir.

10,1 A unção é um rito sacramental: o óleo, que protege a pele e penetra e revigora os tecidos, simboliza a penetração de uma força divina que capacita o homem para a sua missão específica. Até agora, nenhum dos juízes fora ungido. O beijo do profeta é o primeiro reconhecimento oficial da consagração.

10,2-7 Alguns sinais externos comprovarão a transformação operada por Deus. O primeiro cancela definitivamente o pequeno problema familiar referente às jumentas; problemas mais sérios esperam o jovem rei. O segundo indica um reconhecimento popular, ainda inconsciente: cedem a Saul uma parte das oferendas que levam ao templo; uma parte menor, porque os cabritos e o vinho são para o Senhor. O terceiro manifesta a presença de Deus no eleito: um grupo de "profetas", dervixes a serviço do santuário local, circulam entregues a manifestações orgiásticas de entusiasmo religioso. Diante do espetáculo, Saul sentirá como que um contágio, ou como a ressonância interna de quem também está repleto do Senhor. O povo não compreende a transformação operada em Saul; Samuel sabe que Saul é outro homem.

10,5 * = Alto.

10,8 Este versículo intercalado prepara os acontecimentos de 13,7-15 e destoa um pouco na situação presente. É uma correção acrescentada ao anterior: embora Saul conte com o apoio de Deus, continua subordinado ao profeta, mediador da palavra de Deus.

10,10 Jz 11,29; 14,19.

pôs a dançar entre eles. ¹¹Aqueles que o conheciam antes e o viam dançando com os profetas, comentavam:

– O que está acontecendo com o filho de Cis? Até Saul anda com os profetas!

¹²Alguém do povo replicou:

– Vamos ver quem é o pai destes!

(Assim se tornou proverbial a frase: "Até Saul anda com os profetas!").

¹³Quando passou o frenesi, Saul foi para casa. ¹⁴Seu tio lhes perguntou:

– Por onde andastes?

Saul respondeu:

– Procurando as burras. Visto que não apareciam, fomos ver Samuel.

¹⁵Seu tio lhe disse:

– Vamos, conta-me o que Samuel vos disse.

¹⁶Respondeu:

– Anunciou-nos que as burras haviam aparecido.

Mas não lhe contou aquilo que Samuel lhe dissera a respeito do reino.

Eleição do rei por sortes – ¹⁷Samuel convocou o povo diante do Senhor, em Masfa, ¹⁸e disse aos israelitas:

– Assim diz o Senhor Deus de Israel: "Eu tirei Israel do Egito, vos livrei dos egípcios e de todos os reis que vos oprimiam". ¹⁹Mas vós rejeitastes hoje vosso Deus, aquele que vos salvou de todas as desgraças e perigos, e dissestes: "Não importa, dá-nos um rei". Pois bem, apresentai-vos diante do Senhor por tribos e por famílias.

²⁰Samuel fez as tribos de Israel se aproximarem, e a sorte caiu sobre a tribo de Benjamim. ²¹Fez a tribo de Benjamim se aproximar, por clãs, e a sorte caiu sobre o clã de Metri; depois fez o clã de Metri se aproximar, por pessoas, e a sorte caiu sobre Saul, filho de Cis; eles o procuraram, mas não o encontraram. ²²Novamente consultaram o Senhor:

– Saul veio para cá?

O Senhor respondeu:

– Está escondido entre as bagagens.

²³Foram correndo tirá-lo de lá, e ele se apresentou no meio do povo: sobressaía acima de todos, dos ombros para cima.

²⁴Então Samuel disse a todo o povo:

– Vede quem o Senhor escolheu! Não há ninguém como ele em todo o povo!

Todos aclamaram:

– Viva o rei!

²⁵Samuel explicou ao povo os direitos do rei e os escreveu num livro, colocando-o diante do Senhor. Depois despediu o povo, cada qual para a sua casa. ²⁶Também Saul voltou para sua casa, em Gabaá. Com ele foram os melhores, dos quais Deus tocou o coração. ²⁷Os vadios, porém, comentaram:

– Será que esse vai nos salvar?

Desprezaram-no e não lhe ofereceram presentes. Saul calava.

10,12 A resposta soa para nós um tanto estranha: talvez aluda ao título "filho de Cis", indicando que tampouco os outros são profetas por herança. (Sete vezes soa a raiz nb' em 9-12.)

10,14 O tio tinha muitas vezes uma responsabilidade particular na família.

10,17-27 Nova versão, que se prende aos fatos do capítulo 8, repetindo, ampliando ou resumindo seus elementos. O discurso do Senhor, de sabor deuteronômico, corresponde a 8,7-8 (e de certo modo também a 7,3-4 e a outros do livro dos Juízes); 20-24 se encaixam depois de 8,22a como execução do mandamento divino; 25 é um resumo do que Samuel amplia em 8,11-17, cumprindo a ordem de 8,9; 25c repete 8,22c. Por outro lado, a passagem tem ligações verbais com 9,1-10.16, que poderiam ser significativas. Em contraste com o fato privado e secreto do relato precedente, a eleição aqui é pública; a presença e a participação do "povo", de "todo o povo", está bem marcada nas sete repetições da palavra (no original).

10,18-19 A contragosto – o autor parece dizer – Deus concorda, denunciando ao mesmo tempo que concorda. Em geral – podemos comentar – Deus respeita a liberdade humana, não impede suas decisões, embora ponha de sobreaviso, a ponto de colaborar com a execução dos planos humanos. Deus presente, respeitosamente. Já no Sinai o povo pediu a Moisés que Deus não falasse diretamente. O homem tem de rejeitar a Deus para salvar-se a si mesmo?

10,20 O método das sortes serve para deixar a decisão nas mãos de Deus, que governa as sortes: ver, por exemplo, Js 7.

10,22 O autor não diz se Saul se escondia por timidez ou por cálculo; o detalhe serve para ele preparar uma aparição sensacional. Já que o verbo "encontrar" foi dominante no relato anterior, parece significativo que agora "não encontrem" Saul. Consultar se diz em hebraico s'l, patente alteração com o nome do eleito.

10,24 Parece ecoar 9,2: pela descrição física de Saul e pela assonância entre eleger e moço (bakar e bahur). 1Rs 1,34; 2Rs 11,12.

10,25 Esta escritura tem caráter oficial e valor jurídico; é como a constituição que define as relações entre o rei e seu povo. Não deve substituir o protocolo da aliança, constituição do povo em relação com o Senhor soberano.

10,27 Talvez um erro na leitura de uma letra da notícia cronológica que segue tenha originado aqui uma frase de grande valor narrativo: "ele calava".

11 Saul vence os amonitas

¹O amonita Naás fez uma incursão e acampou diante de Jabes de Galaad. Os de Jabes lhe pediram:

– Faze um pacto conosco e seremos teus vassalos.

²Porém Naás lhes disse:

– Farei um pacto convosco sob a condição de arrancar-vos o olho direito. Assim provocarei todo Israel.

³Os conselheiros de Jabes lhe pediram:

– Dá-nos sete dias para que mandemos mensageiros por todo o território de Israel. Se não houver quem nos salve, nos entregaremos.

⁴Os mensageiros chegaram a Gabaá de Saul, comunicaram a notícia ao povo, e todos começaram a chorar aos gritos. ⁵Ora, aconteceu que Saul chegava do campo, do cuidado com os bois, e perguntou:

– O que há com o povo, que está chorando?

Contaram-lhe a notícia que trouxeram os de Jabes; ⁶ao ouvir isso, o espírito de Deus invadiu Saul; enfurecido, ⁷pegou a junta de bois, esquartejou-os e repartiu-os por todo Israel, aproveitando os mensageiros com este aviso: "Assim acabará o gado de quem não for à guerra com Saul e Samuel".

O temor do Senhor caiu sobre o povo, e foram à guerra como um só homem. ⁸Saul os passou em revista em Besec*: os de Israel eram trezentos mil e trinta mil os de Judá. ⁹E disse aos mensageiros que tinham vindo:

– Dizei aos de Jabes de Galaad: "Amanhã, quando o sol esquentar, a salvação chegará para vós".

Os mensageiros partiram para comunicá-lo aos de Jabes, que se encheram de alegria, ¹⁰e disseram a Naás:

– Amanhã nos entregaremos, e fareis de nós o que vos parecer melhor.

¹¹No dia seguinte, Saul distribuiu a tropa em três grupos; invadiram o acampamento do inimigo ao raiar da manhã e foram matando amonitas até o sol esquentar; os inimigos que ficaram vivos se dispersaram, de forma que não iam dois juntos. ¹²Então o povo disse a Samuel:

– Quem eram os que diziam que Saul não reinaria? Entregai-os para que os matemos!

¹³Saul porém disse:

– Hoje ninguém deve morrer, pois o Senhor salvou Israel.

---

11 Jabes de Galaad fica perto da margem oriental do Jordão, e o reino dos amonitas se estende a sudeste. Quer dizer, Israel se encontra de novo ameaçado em seu flanco oriental, como nos tempos de Jefté, um tanto longe do coração do país. Bom lugar para pôr à prova a unidade do povo, sobretudo levando em conta o fronte ocidental dos filisteus, mais perigoso. As relações entre Jabes de Galaad e a tribo de Benjamim se manifestaram na guerra civil de Jz 19-21.

A função do novo rei é governar na paz e salvar na guerra: tem de comprovar sua capacidade e eficácia salvadora numa empresa, que interessa a uma pequena localidade, mas compromete todo Israel. O rei tem de ser polarizador, aquele que faz sentir a solidariedade de todo o povo, que mobiliza as forças de todos diante do perigo de alguns.

O autor pode unir habilmente um fragmento em que Saul reage como juiz da série, sem prerrogativas reais, com outro fragmento que pressupõe ao menos a nomeação para rei.

11,1 Os nomes são agourentos para ouvidos israelitas. Saul = Pedido, tem de vencer a Serpente.
Não é raro entre os monarcas da época ter nomes de animais, talvez como nome do reinado: raposa, urso, carneiro (recordem-se os animais emblemáticos das tribos em Gn 49).

11,2 O pacto de vassalagem obriga sobretudo a tributos e prestações pessoais, assegurando a soberania. A resposta do amonita é de crueldade inútil, expressamente dirigida para afrontar todo Israel. Afronta equivale a derrota e se opõe à salvação, que é vitória: os dois polos da narração.

11,3 As negociações são surpreendentes. Talvez Serpente queira poupar-se o risco e as perdas de um ataque frontal e prefere intimidar os sitiados; talvez conte com a desunião de tribos e cidades, e sabe que ninguém virá socorrer a insignificante aldeia da Transjordânia. Mas não conta com a mudança de situação em Israel, e aceita a proposta, saboreando de antemão o triunfo: o fracasso dos mensageiros será a última afronta de Israel.

11,4 É uma distância de uns setenta quilômetros.

11,6 Como a Sansão, Jz 14,6-19; 15,14, como no ensaio pacífico de 10,10.

11,7 O gesto recorda o do levita que pediu vingança, provocando a guerra civil de Jz 19.

11,8 Besec (Centelha) fica perto da margem ocidental do Jordão, a uns vinte quilômetros de Jabes. É curiosa a divisão em Judá e Israel e são exageradas as cifras.
* = Centelha.

11,9 É clássico considerar o amanhecer como tempo de graça e salvação. A vantagem estratégica de Saul terá assim algo de rito religioso. A data parece coincidir com o sétimo dia do prazo. Sl 46,6.

11,11 A tática é conhecida: Jz 7,16 (Gedeão); 9,42 (Abimelec). A marcha noturna até Besec permitiu chegarem sem ser observados.

11,13 Na consciência de Saul e do povo, a salvação veio do Senhor; a monarquia conserva o caráter de mediação humana. 2Sm 19,23.

¹⁴E Samuel disse a todos:

– Vinde, vamos a Guilgal, para inaugurar aí a monarquia.

¹⁵Todos foram a Guilgal e aí coroaram Saul diante do Senhor; ofereceram ao Senhor sacrifícios de comunhão, e aí Saul e os israelitas celebraram uma grande festa.

12 Despedida de Samuel

– ¹Samuel disse aos israelitas:

– Eis que vos atendi em tudo o que me pedistes, e vos dei um rei. ²Pois bem, aqui tendes o rei! Já estou velho e de cabelos brancos, e meus filhos estão no meio de vós. Agi à vista de todos, desde a minha juventude até agora. ³Aqui estou, respondei-me diante do Senhor e seu ungido: a quem tomei um boi? A quem tomei um burro? A quem fiz injustiça? A quem maltratei? De quem aceitei suborno para fazer vista grossa? Dizei-o e eu o devolverei.

⁴Responderam:

– Não nos fizeste injustiça, nem nos maltrataste, nem aceitaste suborno de ninguém.

⁵Samuel acrescentou:

– Hoje, diante de vós, tomo como testemunha o Senhor e seu ungido: não me surpreendestes com nada na mão.

Responderam:

– Sejam testemunhas.

⁶Samuel disse ao povo:

– É testemunha o Senhor, que enviou Moisés e Aarão e fez subir vossos pais do Egito. ⁷Ficai de pé, pois vou querelar convosco na presença do Senhor, repassando todos os benefícios que o Senhor fez a vós e a vossos pais. ⁸Quando Jacó foi com seus filhos ao Egito, e os egípcios os oprimiram, vossos pais gritaram ao Senhor, e o Senhor enviou Moisés e Aarão para que tirassem vossos pais do Egito e os estabelecessem neste lugar. ⁹Mas esqueceram o Senhor seu Deus, e ele os vendeu a Sísara, general do exército de Jabin, rei de Hasor, aos filisteus e ao rei de Moab, e tiveram de lutar contra eles. ¹⁰Então clamaram ao Senhor: "Pecamos, pois abandonamos o Senhor para servir a Baal e Astarte; livra-nos do

---

11,14 Inaugurar ou renovar solenemente a nomeação precedente. Com a vitória, Saul se fez credor do título.

11,15 O último versículo reúne em síntese pacífica os três membros da nova ordenação: o Senhor, Saul, Israel.

12 Depois da primeira vitória e da inauguração solene do reino, ou seja, quando Samuel reduz sua autoridade, o autor do livro insere uma das suas recapitulações teológicas, postas na boca de um personagem importante, como Js 23. Por conter diálogo e ação litúrgica, este capítulo também está aparentado a Js 24.

O conjunto da cerimônia consta dos seguintes elementos: juramento de inocência (2-5); requisitório (6-15); teofania que a confirma (6-18); confissão do pecado (19); exortação conclusiva. Tudo tem caráter de presença, inclusive a vida passada e a história, como a têm Samuel, Saul e o povo; presença mútua e perante Deus (salientada por partículas apropriadas, *hinnê*, *neged*).

12,2-3 Juramento de inocência. Contrapõe a integridade e o desinteresse de Samuel diante das futuras exigências do rei (cf. 8,10-18). A mesma fórmula, negada e afirmada, define o passado de Samuel e o futuro do rei, com a mesma repetição do verbo tomar. Em vez de "fazer vista grossa", Ben Sirac (46,19) e algumas traduções antigas leram: "...ou um par de sandálias? Respondei-me".

12,5-6 Samuel toma duas testemunhas. E o rei já figura como distinto do povo, num papel que manterá ao longo do capítulo. "Ungido" é título real clássico. No testemunho do Senhor, já assoma a visão histórica.

12,7 Requisitório. Conhecemos o gênero em versões amplas ou reduzidas. Fundamentalmente, trata-se de um pleito de Deus com o seu povo, com a mediação de um profeta ou de um liturgo. O pleito visa à confissão e conversão do povo, para que se reconcilie com seu Deus. É normal fazer uma recordação de benefícios, denunciar os pecados, convidar à penitência, ameaçando e prometendo; o Senhor pode apresentar-se numa teofania; o povo responde, confessando o pecado e apelando à misericórdia, diretamente ou por um intercessor.

Ora, Samuel chama a sua atividade "julgar", o mesmo verbo que enuncia a atividade do juiz e do governante. Se escolhe este termo de preferência a outros mais frequentes ou também possíveis (*rlb* e *ykh*), é provavelmente para unificar a sua atividade com um termo comum.

12,8-12 Nos versículos 8-12 contrastam benefícios e pecados. Remontando ao Egito, Samuel pode propor uma espécie de ciclo em que a história se repete, e se repetem os atos com apenas uma variação de termos: gritaram – enviou – tiraram – estabeleceram-se/gritaram – enviou – livraram – estabeleceram-se (correspondências do original, que a tradução não pode reproduzir literalmente). A primeira série recorda a primeira libertação, do Egito para Canaã, depois vem o pecado do esquecimento e o castigo com a terminologia típica do livro dos Juízes; em seguida começa a segunda série. Neste momento muda a direção dos acontecimentos. Ao apresentar-se um perigo semelhante aos anteriores, o lógico seria aceitar Samuel como salvador; no entanto, o povo pede um rei.

Temos, pois, uma terceira motivação: primeiro era a má conduta dos filhos de Samuel; depois parece ser a ameaça filisteia; aqui é o ataque amonita (que segundo os capítulos anteriores é posterior à eleição).

REINO DE SAUL (1030-1010)

poder de nossos inimigos e te serviremos". ¹¹O Senhor enviou Jerobaal, Barac, Jefté e Sansão, e vos livrou do poder de vossos vizinhos, e pudestes viver tranquilos. ¹²Mas quando vistes que Naás*, rei amonita, vos atacava, pedistes que eu vos nomeasse um rei, apesar de o Senhor ser o vosso rei. ¹³Pois bem, aí tendes o rei que pedistes e elegestes; vedes que o Senhor vos deu um rei. ¹⁴Se respeitardes o Senhor e o servirdes, se lhe obedecerdes e não vos revoltardes contra seus mandatos, vós e o rei que reinar sobre vós vivereis sendo fiéis ao Senhor vosso Deus. ¹⁵Mas, se não obedecerdes ao Senhor e vos revoltardes contra seus mandatos, o Senhor fará pesar sua mão sobre vós e sobre vosso rei, até vos destruir. ¹⁶Agora, preparai-vos para assistir ao prodígio que o Senhor realizará diante de vossos olhos. ¹⁷Estamos na ceifa do trigo, não é verdade? Pois vou invocar o Senhor para que envie uma trovoada e uma chuvarada; assim reconhecereis a grave maldade que cometestes diante do Senhor, pedindo para vós um rei.

¹⁸Samuel invocou o Senhor, e o Senhor enviou nesse dia uma trovoada e uma chuvarada. ¹⁹Todo o povo, cheio de medo diante do Senhor e diante de Samuel, disse a Samuel:

– Reza ao Senhor teu Deus, para que teus servos não morram, porque a todos os nossos pecados acrescentamos a maldade de pedir um rei.

²⁰Samuel respondeu-lhes:

– Não temais. Já que cometestes essa maldade, pelo menos de agora em diante não vos aparteis do Senhor; servi ao Senhor de todo o coração; ²¹não sigais os ídolos, que não auxiliam nem libertam, porque são puro vazio. ²²Pela honra do seu Nome ilustre, o Senhor não rejeitará o seu povo, pois o Senhor se dignou fazer de vós o seu povo. ²³De minha parte, livre-me Deus de pecar contra o Senhor, deixando de rezar por vós. Eu vos mostrarei o caminho bom e reto, já que vistes os grandes benefícios que o Senhor vos fez; ²⁴respeitai o Senhor e servi-o sinceramente de todo o coração. ²⁵Mas, se agirdes mal, morrereis, vós e o vosso rei.

13 Ameaça filisteia – ¹Saul tinha...* anos quando começou a reinar, e reinou sobre Israel vinte e dois anos.

Contudo, mais grave que o desprezo em relação a Samuel é o desprezo em relação ao Senhor, verdadeiro rei de Israel. Seus benefícios eram chamados no v. 7 *sidqot*, ou seja, "vitórias" (a favor de Israel = benefícios), "atos de justiça". Por elas adquire direitos sobre o povo, será inocente perante ele, ao passo que o povo será pecador (vv. 10 e 19).
Os versículos 14-15 são a peroração em forma clássica (ver p. ex. Sl 50,22-23; Is 1,19-20 em condicionais). A peroração se concentra em quiasmos e paralelismos muito marcados: se-se não, obedecer-não rebelar-se, não obedecer-rebelar-se; no primeiro condicional empregam-se os verbos costumeiros "temer-servir". O Senhor vai aparecendo na sua voz, na sua boca (obediência, mandato), na sua mão (que castiga). Um mesmo destino unirá o povo e seu rei, porque o decisivo é obedecer ao Senhor: ao povo não se inculca a submissão ao rei, mas ao Senhor.
12,11 Jz 11,13-16.
12,12 * = Serpente.
12,13 Sl 93,1; 99,1.
12,14 Dt 27-28.
12,16-19 A teofania precede o requisitório no Sl 50, precede e acompanha a proclamação da lei em Ex 19-20; aqui segue, em termos que recordam o Sinai (Ex 19,10-19; 20,18-21), e destaca o discurso de Samuel, sobretudo as ameaças. Quer dizer, uma função oposta à da tormenta contra os filisteus em 7,10.
12,20 O verbo "temer", "ter medo", apresenta no contexto seu duplo sentido: o povo deve "temer" o Senhor (v. 14), tem medo por causa da tormenta, não deve temer. Assim se forma no povo uma atitude de respeito e confiança diante do Senhor, que definirá sua vida religiosa. As palavras que seguem contêm implícito o perdão e exortam de novo. Ainda que o povo se arrependa, a monarquia fica estabelecida. O autor projeta nestas frases a experiência de muitas gerações de israelitas com seus reis. Dt 6,14.
12,21 Sl 115.
12,22 Não é a bondade do povo, nem sequer seu arrependimento, que justifica a eleição e a graça divina. Só por graça foram eleitos, e a eleição não fica abolida. Ez 36,22.
12,23 No seu papel de intercessor, Samuel continua a grande tradição de Moisés (Ex 32; Nm 14).
12,25 Dt 11,16s.
13 Depois da vitória na Transjordânia, Saul vai enfrentar o perigo filisteu dentro de casa. A situação parece ser esta: os filisteus mantêm submissos os israelitas como vassalos não muito convencidos. Para assegurar o seu domínio, empregam sobretudo duas medidas militares: pequenas guarnições destacadas em pontos estratégicos, desarmamento sistemático dos israelitas. Os filisteus tinham trazido consigo a técnica do ferro quando desembarcaram na Palestina, e se adiantaram notavelmente a Israel na "idade do ferro". A situação entre os dois povos é instável, tensa, e de um momento para outro podem irromper as hostilidades. Saul precisa de valor, rapidez e prudência. A última decalida parece faltar ao seu filho Jônatas, o novo personagem que penetra violentamente em cena, e que dará o que fazer a seu pai.

²Selecionou três mil homens de Israel: dois mil estavam com ele em Macmas e na montanha de Betel, e mil estavam com Jônatas em Gabaá* de Benjamim. Dispensou o resto do exército.

³Jônatas derrotou a guarnição filisteia que havia em Gabaá. Os filisteus souberam que os hebreus haviam-se revoltado. Saul deu o alarme por todo o país. ⁴Então os israelitas souberam que Saul havia derrotado uma guarnição inimiga e que se desencadearam as hostilidades com os filisteus, e se reuniram com Saul em Guilgal. ⁵Os filisteus concentraram-se para a guerra contra Israel: três mil carros, seis mil cavalos e infantaria numerosa como a areia da praia; foram acampar junto de Macmas, a leste de Bet-Áven. ⁶Vendo-se em perigo diante do avanço filisteu, os israelitas foram esconder-se nas cavernas, nas covas, nos penhascos, nos refúgios e nos poços. ⁷Muitos atravessaram o Jordão em direção a Gad e Galaad. Saul continuava em Guilgal, ao passo que o povo, assustado, ia embora. ⁸Esperou sete dias, até o prazo marcado por Samuel; porém Samuel não chegou a Guilgal, e o povo se dispersava. ⁹Então Saul ordenou:

— Trazei-me as vítimas do holocausto e dos sacrifícios de comunhão.

E ofereceu o holocausto.

Samuel condena Saul – ¹⁰Mal havia terminado, Samuel apareceu. Saul saiu ao seu encontro e o saudou. ¹¹Samuel, porém, lhe disse:

— O que fizeste?

Respondeu:

— Vi que o povo se dispersava e não vinhas no prazo determinado, e os filisteus se concentravam diante de Macmas; ¹²então pensei: agora os filisteus descerão contra mim em Guilgal, sem que eu tenha aplacado o Senhor. E me atrevi a oferecer o holocausto.

¹³Samuel lhe disse:

— Estás louco! Se tivesses cumprido a ordem do Senhor teu Deus, ele consolidaria

---

Em Israel a monarquia, tão desejada por muitos – não por todos –, não vingou de todo. A uma vitória segue-se o entusiasmo; ao perigo, o desânimo. Outros o experimentaram antes, sobretudo Moisés: quando um novo curso de libertação impõe sacrifícios duros, os escravos preferem a escravidão segura. Uma coisa são os amonitas distantes, do outro lado do Jordão; outra coisa são os filisteus, instalados no coração do país.

A Saul pede-se algo mais: a prova da fé, que toma a forma de paciência. E esta virtude não parece fácil para o impulsivo monarca, feliz nas decisões rápidas. A norma geral "faze o que bem te parecer" (10,7) fica suspensa pela ordem explícita "espera sete dias" (10,8): poderá Saul aguardá-la?

Os fatos acontecem no acampamento de Guilgal, perto do Jordão e no espinhaço montanhoso e irregular de Benjamim. Gaba de Saul é uma altura dominadora (839m), pelo lado nordeste se descobre Gabaá (713m), lugar de uma guarnição filisteia; aí o monte se despenha num desfiladeiro, e em frente surge a altura de Macmas (607m), que vigia e defende a passagem de sul a norte.

13,1 * O texto hebraico está mutilado.

13,2 É despedido o grosso do exército depois da campanha contra os amonitas, pois no momento não tenciona oferecer batalha aos filisteus. Os três mil homens, como exército permanente, seriam para enfrentar imprevistos e ganhar tempo. É uma novidade inclusive com respeito aos bandos de Abimelec e de Jefté. Para convocar mais tropas, toca-se a trombeta, como fez Aod (Jz 3,27) ou Gedeão (Jz 6,34). * = Alto.

13,3-4 Guilgal, com o Jordão na retaguarda, é um bom lugar para concentrar-se. Em caso adverso, é fácil cruzar os vaus e salvar-se do outro lado; em caso favorável, é um tradicional ponto de partida.

13,5-8 O autor apresenta vigorosamente o drama de Saul, como se quisesse justificar o rei. Ele se compraz em salientar o contraste: a grande concentração filisteia – muitos substantivos e verbos de batalha – diante da dispersão israelita – muitos substantivos com verbos de fuga, presença e ocultação. No meio desse duplo movimento, Saul cada vez mais só, esperando em Deus que não responde, aguardando o profeta que não vem.

Bet-Áven, como soa, significa Casa da Vaidade (quer dizer, do ídolo), e é denominação polêmica posterior de Betel; mudando as vogais, seria Casa da Abundância.

13,8 1Mc 9,5s.

13,9 Pode ser que o sacrifício fosse acompanhado pela consulta do oráculo. O holocausto servia para expiar, os sacrifícios de comunhão para reconciliar-se com Deus. Não estava proibido ao rei sacrificar, pois ainda não era ação exclusiva do sacerdote; a ação de Saul teria sido louvável, se não tivesse mediado uma ordem do Senhor.

13,10-14 Samuel aparece no meio da cerimônia. Saul resume perfeitamente a situação; mas as suas razões, humanamente tão convincentes, se esfumam diante da ordem de Deus. A sentença de Samuel parece adiantar os acontecimentos, especialmente o desenlace do capítulo 15. Não se rejeita explicitamente a dinastia, porque o princípio dinástico ainda não foi formulado (como sucedeu no caso de Gedeão); as palavras de Samuel não excluem a possibilidade de que Deus eleja o filho de Saul; mas, à luz da história posterior, vemos que o autor se refere a Davi, sem mencioná-lo.

13,13 Sl 89,21.

para sempre teu reinado sobre Israel. ¹⁴Agora, pelo contrário, teu reinado não durará. O Senhor procurou para si um homem que lhe agrada e o nomeou chefe do seu povo, pois não soubeste cumprir a ordem do Senhor.

¹⁵Samuel voltou a Guilgal por seu caminho. O resto do exército subiu atrás de Saul ao encontro do inimigo e foram de Guilgal a Gabaá de Benjamim. Saul passou em revista as tropas que estavam com ele: cerca de seiscentos homens.

Saul e Jônatas – ¹⁶Saul, seu filho Jônatas e suas tropas se estabeleceram em Gabaá de Benjamim; os filisteus, por sua parte, acamparam junto a Macmas. ¹⁷Do acampamento filisteu saiu uma força de ataque dividida em três colunas; uma se dirigiu a Efra, para a região de Sual*, ¹⁸outra se dirigiu a Bet-Horon, e a terceira se dirigiu à colina que domina o vale Seboim, em direção ao deserto.

¹⁹Nesse tempo não havia um ferreiro na terra de Israel, pois o plano dos filisteus era que os hebreus não forjassem espadas nem lanças. ²⁰Todos os israelitas tinham de descer ao país filisteu para afiar sua relha, sua enxada, seu machado, sua foice. ²¹Para afiar uma relha ou uma enxada, cobravam-lhes dois terços de siclo e um terço de siclo para um machado ou um aguilhão.

²²Foi assim que, na hora da batalha, não havia espada ou lança além das de Saul e de seu filho Jônatas.

²³Um destacamento dos filisteus saiu em direção ao passo de Macmas.

14 Façanha de Jônatas
– ¹Um dia, Jônatas, filho de Saul, disse a seu escudeiro:

– Vamos atravessar até o destacamento filisteu, do outro lado do vale.

Mas não o disse a seu pai.

²Saul estava então nos limites de Gabaá*, sob a romãzeira da eira. Sua tropa tinha uns seiscentos homens. ³Aías, filho de Aquitob, irmão de Icabod*, filho de Fineias, filho de Eli, sacerdote do Senhor em Silo, levava um efod.

A tropa não se deu conta de que Jônatas se afastava. ⁴De ambos os lados do vale, que Jônatas tentava atravessar para chegar ao destacamento filisteu, havia duas saliências rochosas: uma se chamava Boses* e a outra Sene*. ⁵Uma se erguia em direção ao norte, diante de Macmas, e a outra em direção ao sul, diante de Gabaá.

⁶Jônatas disse a seu escudeiro:

– Vamos atravessar até o destacamento desses incircuncisos; talvez o Senhor nos dê a vitória, quer sejamos muitos ou poucos.

⁷O escudeiro respondeu:

13,15 Ao retirar-se Samuel, temos a impressão de que com ele Deus se afasta de Saul; no entanto, o capítulo seguinte trará uma nova vitória; nova prova de que a sentença de Samuel é uma antecipação. Saul até agora não venceu os filisteus.
13,17 Segundo o original, trata-se dos "devastadores", ou, como pronunciaria a linguagem antiga, "gastadores".
* = Raposa.
13,21 O texto hebraico é muito duvidoso, as traduções são conjeturais.

14 Este capítulo está bem-composto, salvo a cena dos versículos 31-34. É manifesta a intenção de exaltar a figura de Jônatas, enquanto que o papel de Saul é menos feliz. Os filisteus se encontram numa altura escarpada, que desaconselha um ataque frontal; precisamente desta circunstância se aproveita o jovem príncipe para um ataque de surpresa; sua façanha desencadeia uma batalha de certa amplitude e uma vitória importante para os israelitas. Jônatas se atreve a criticar uma decisão do pai e conquista as boas graças do povo: é ele o herói da jornada. Quem escreveu e quem conservou esta narração detalhada levavam no coração a lembrança do jovem malogrado.

A narração se distingue por ser bem planejada. Enquanto outras costumam ir dando informações à medida que o desenvolvimento pede, esta adianta os elementos essenciais da situação. Mais que outras, ela nos dá a conhecer o modo dos fatos. O enlace visual das cenas (v. 16) é menos comum e mais eficaz que o frequente "ficou sabendo"; a partir dele, em ondas sucessivas e alternadas vai-se estendendo a batalha, segundo o seguinte esquema: debandada filisteia – Saul investiga – cresce o tumulto filisteu – Saul ataca – pânico filisteu – os prófugos passam, os escondidos acorrem; no final dessa expansão bélica, a frase culminante: "Nesse dia o Senhor salvou Israel" (v. 23).
14,2 * = Alto.
14,3 "Levar o efod" equivale a ser sumo sacerdote; não está claro se se trata da roupa que veste ou do objeto de culto que serve para a consulta (exemplo do primeiro: 1Sm 2,28; 22,18; do segundo: 1Sm 23,9; 30,7); o verbo usado faz pensar na segunda acepção (ver o v. 18). Aías continua ainda a dinastia de Eli: 4,19-22.
* = Sem Glória.
14,4 * = Brilhante; Espinha.
14,6 Jônatas invoca um princípio clássico: Jz 7,4-7.

— Faze o que desejas; estou à tua disposição.

⁸Jônatas disse:

— Vê, iremos em direção a esses homens, e eles nos descobrirão. ⁹Se nos disserem: "Parai! Não vos movais até chegarmos aí!", ficaremos parados onde estamos, sem subir a eles. ¹⁰Mas se nos disserem: "Subi para cá!", subiremos, porque o Senhor os entrega a nós; esta será a senha.

¹¹O destacamento filisteu os descobriu, e comentaram:

— Vede, uns hebreus saem das cavernas em que se haviam escondido.

¹²Depois disseram a Jônatas e a seu escudeiro:

— Subi para cá, que vos contaremos uma coisa.

Então Jônatas ordenou a seu escudeiro:

— Sobe atrás de mim, pois o Senhor os entrega a Israel.

¹³Jônatas subiu engatinhando, seguido por seu escudeiro; os filisteus caíam diante de Jônatas, e seu escudeiro, atrás, os ia matando. ¹⁴Foi a primeira vitória de Jônatas e seu escudeiro: uns vinte homens, como na metade de um sulco de terra lavrada. ¹⁵Os filisteus do acampamento e toda a tropa temeram. Temeram também os da guarnição e a força de ataque. A terra tremeu: houve um pânico sobre-humano.

¹⁶As sentinelas de Saul que estavam em Gabaá de Benjamim viram que o exército inimigo fugia em debandada. ¹⁷Então Saul ordenou aos seus:

— Passai em revista, para ver quem se separou dos nossos.

Passaram em revista, e faltavam Jônatas e seu escudeiro.

¹⁸Saul ordenou a Aías:

— Aproxima de mim o efod. (Porque Aías era quem carregava então o efod em Israel.)

¹⁹Enquanto Saul falava ao sacerdote, o tumulto do acampamento filisteu aumentava. Saul disse ao sacerdote:

— Retira a mão.

²⁰Todo o exército de Saul se reuniu e se lançou ao combate; os filisteus se apunhalavam uns aos outros, em meio a enorme confusão. ²¹E os hebreus, mobilizados há tempo pelos filisteus, e que haviam subido com eles ao acampamento, passaram aos israelitas de Saul e Jônatas. ²²Todos os israelitas que se esconderam na serra de Efraim ouviram que os filisteus estavam fugindo, e se juntaram também em sua perseguição. ²³Nesse dia o Senhor salvou Israel. A batalha chegou até Bet-Áven. ²⁴Aqueles que seguiam Saul eram cerca de dois mil homens. A batalha estendeu-se por toda a serra de Efraim.

Nesse dia, Saul cometeu um grave erro ao conjurar a tropa:

— Maldito quem provar um bocado antes da tarde, antes que eu me vingue de meus inimigos.

Ninguém provou coisa alguma. ²⁵No chão havia uns favos*, ²⁶e o exército aproximou-se dos favos que destilavam mel, mas ninguém o levou à boca, com medo do

---

14,10 Depois de invocar o auxílio de Deus, atreve-se a pedir um sinal do céu, do qual serão mediadores os próprios inimigos. É uma situação irônica destacada pelo duplo sentido do verbo 'ly, subir-atacar.

14,11 Provavelmente se mostram desarmados, com as armas escondidas, como dois israelitas extraviados ou fugitivos. O comentário dos filisteus é depreciativo: a denominação "hebreus", a alusão à covardia.

14,12 Ao cumprir-se o sinal combinado, Jônatas se identifica com todo Israel, empregando uma fórmula da guerra santa.

14,14-15 A vitória é na realidade modesta, só notável pela desproporção de forças; suas consequências vão ser graves, porque essa guarnição parecia inexpugnável. Numa visão épica, até a terra se ressente do temor e pânico que a divindade infunde. Ver Is 5,25; Am 8,8 etc.

14,18 O texto hebraico contém uma correção posterior: arca em vez de efod. Saul quer consultar as sortes antes de ordenar um ataque, mas não pode terminar. É preciso salvar Jônatas e aproveitar a confusão do inimigo. 1Sm 30,7s.

14,20 São dados típicos da guerra santa: Jz 7,22; 2Cr 20,23. O detalhe (v. 21) indica que os israelitas estavam submetidos a prestações militares a serviço dos filisteus. É medida de duplo efeito.

14,24 A narração volta atrás para introduzir um episódio importante. Traduzimos o texto grego deste versículo, malconservado em hebraico. O erro de Saul (*shegaga*) é uma inadvertência, algo que afeta o agente e que se torna pecado formal quando, tomando consciência, não o corrige; ver Lv 4 e 5; Nm 15. Por afã de piedade inoportuna, está a ponto de provocar uma desgraça. Porque o juramento é ativo, equivale a um jejum oferecido com uma imprecação. A maldição atinge qualquer um – não a todo o exército em bloco –: em princípio não é necessário que se descubra e se julgue o culpado; este pode incorrer na maldição sem sabê-lo. Saul parece fatalmente destinado a errar em assuntos litúrgicos.

14,25 O texto hebraico está malconservado; seguimos uma reconstrução provável.

juramento. ²⁷Jônatas não escutara o juramento imposto por seu pai ao povo, estendeu a ponta da vara que tinha na mão, afundou-a no favo de mel, o levou à boca e seus olhos brilharam. ²⁸Alguém da tropa disse:

– Teu pai nos impôs um juramento, amaldiçoando quem provasse hoje um bocado, apesar de a tropa estar esgotada.

²⁹Jônatas exclamou:

– Meu pai trouxe a desgraça ao país! Vede como meus olhos brilham por ter chupado um pouco de mel. ³⁰Se a tropa tivesse hoje comido dos despojos que tomou do inimigo, a derrota dos filisteus seria hoje muito maior.

³¹Nesse dia derrotaram os filisteus de Macmas até Aialon*, e o exército ficou esgotado. ³²Então pegaram os despojos, pegaram ovelhas, vacas e bezerros, os degolaram no chão e os comeram com o sangue. ³³Avisaram a Saul:

– A tropa está pecando contra o Senhor, tomando sangue.

Saul respondeu:

– Rolai para cá uma grande pedra.

³⁴Depois ordenou:

– Ide pelo meio do povo e dizei-lhes que cada um me traga seu touro e sua ovelha; aqui os degolareis e comereis; mas não pequeis contra o Senhor tomando sangue.

Cada um levou o que tinha, e Saul degolou aí os animais. ³⁵Ergueu um altar ao Senhor (foi o primeiro que ergueu), ³⁶e depois disse:

– Desceremos atrás dos filisteus nesta noite para saqueá-los até o amanhecer, sem deixar ninguém vivo.

Responderam-lhe:

– Faze o que te parecer bem.

O sacerdote ordenou:

– Aproximemo-nos para consultar a Deus.

³⁷Saul consultou a Deus:

– Posso descer atrás dos filisteus? Irás entregá-los em poder de Israel?

Nesse dia não obteve resposta. ³⁸Então ordenou:

– Aproximem-se todos os chefes do povo, para ver quem cometeu hoje este pecado. ³⁹Porque, pela vida do Senhor, salvador de Israel, mesmo que seja meu filho Jônatas, certamente morrerá.

Ninguém lhe respondeu. ⁴⁰Então se dirigiu a todo Israel:

– Colocai-vos de um lado, e eu e meu filho Jônatas nos colocaremos do outro.

Responderam-lhe:

– Faze o que te parecer bem.

⁴¹Então Saul consultou o Senhor Deus de Israel:

– Por que não respondes hoje a teu servo? Senhor Deus de Israel, se eu e meu filho Jônatas somos culpados, que dê cara; se o culpado é Israel, teu povo, que dê coroa.

A sorte caiu em Jônatas e Saul, e a tropa ficou livre. ⁴²Então Saul disse:

– Lançai as sortes entre mim e meu filho Jônatas.

E caiu em Jônatas. ⁴³Saul lhe perguntou:

– Dize-me o que fizeste.

Jônatas contou-lhe:

– Provei um pouco de mel com a ponta da vara que tinha na mão. E agora devo morrer!

⁴⁴Saul lhe disse:

– Que Deus me castigue se não morreres, Jônatas!

⁴⁵Mas a tropa disse a Saul:

14,27 O versículo é notável pela plasticidade e pelo estreitamento rítmico da ação: 5 + 5 + 4 + 3 + 2.
14,31 * = Veadeiro.
14,32-34 Sobre a proibição, ler Lv 17. O breve episódio, no lugar em que se encontra, atrasa o desenlace da maldição. Um ponto de enlace com o que precede é a fome da tropa ao terminar a jornada.
14,35 Talvez se trate de um altar comemorativo.
14,37-39 Saul se encontra fechado entre dois silêncios: o de Deus, que não responde, e o do povo, que parece saber e ocultar alguma coisa. O segundo silêncio parece desaprovar o novo juramento de Saul, expressão de uma religiosidade desatinada. De resto, o movimento do diálogo é notável em toda a seção 36-44, com um número de interlocutores pouco frequente.
14,37 1Sm 28,6.
14,41 O texto hebraico está incompleto; a tradução grega completa o que falta. Trata-se das famosas sortes com dois objetos chamados urim e tumim.
14,42 Js 7,16-18.
14,43 A intensidade da resposta é marcada pelo tecido das aliterações (ta'om ta'amti... hammatte... me'at... 'amut).
14,45 A tropa rompe seu silêncio agourento numa espécie de rebelião democrática. Se o amor paterno fica satisfeito, a autoridade real começa a quebrantar-se. As palavras soam com tom ameaçador, mitigado pela razão religiosa com que se concluem. Se Deus estava com ele, não deve morrer. A sorte, mais do que designar um culpado, designou o herói.

— Como pode morrer Jônatas, ele que deu esta grande vitória a Israel? De modo nenhum! Por Deus! não cairá por terra sequer um cabelo de sua cabeça; a façanha de hoje, ele a fez ajudado por Deus.

Assim salvaram a vida de Jônatas. ⁴⁶Saul desistiu de perseguir os filisteus, e estes voltaram para suas casas.

⁴⁷Depois de ser proclamado rei de Israel, Saul lutou contra todos os seus inimigos vizinhos: Moab, os amonitas, Edom, o rei de Soba, os filisteus, e vencia em todas as campanhas, ⁴⁸fazendo proezas; derrotou Amalec e livrou Israel de seus opressores.

⁴⁹Seus filhos foram: Jônatas, Isbaal, Melquisua. De suas duas filhas, a mais velha chamava-se Merob; a caçula, Micol. ⁵⁰Sua mulher chamava-se Aquinoam, filha de Aquimaás. O general do seu exército chamava-se Abner, filho de Ner, tio de Saul. ⁵¹Cis, pai de Saul, e Ner, pai de Abner, eram filhos de Abiel.

⁵²Durante todo o reinado de Saul houve guerra aberta contra os filisteus. Saul alistava em seu exército todo jovem valente e aguerrido que visse.

15 Saul é rejeitado – ¹Samuel disse a Saul:

— O Senhor me enviou para te ungir rei do seu povo Israel. Portanto, escuta as palavras do Senhor. ²Assim diz o Senhor dos exércitos: "Vou pedir contas a Amalec do que fez contra Israel, atacando-o quando subia do Egito. ³Agora, vai e ataca-o; entrega ao extermínio todos os seus pertences, e não o perdoes; mata homens e mulheres, bebês e crianças, touros, ovelhas, camelos e burros".

14,46 A derrota dos filisteus não foi definitiva, nem as perdas foram por demais graves. Mas, seu prestígio decresceu à medida que aumentou a confiança dos israelitas.

14,47-52 Sumário do reinado de Saul antes dos eventos trágicos do capítulo seguinte. Dá-nos uma visão muito positiva de seus êxitos militares. Parece um pouco exagerado o elenco de vitórias, sobretudo se Soba é a região próxima ao Anti-Líbano povoada de arameus; por outro lado, se o último autor respeitou aqui esta lista tão favorável a um personagem que ele não aprova, pode-se pensar que a considerou autorizada.

14,52 Esta nota define melhor o reinado de Saul e nos fala de uma instituição militar nova: o exército permanente.

15 Neste capítulo se consuma a rejeição de Saul. Ele continuará atuando como rei, mas seu reino começa a dividir-se e não passará a um sucessor da família. É fácil de entender a sentença de Samuel: "Porque rejeitaste o Senhor, o Senhor te rejeita". É difícil compreender a causa de tão dura condenação. É justo acabar com todo um povo, mulheres e crianças inclusive, e isso por um crime cometido há séculos?

Quando as guerras são produtivas, porque terminam em saque e porque dão mulheres e crianças para o trabalho e para a escravidão, um povo pode sentir-se tentado a declarar guerra apenas por interesse: essa guerra seria um ato de banditismo legalizado. Quando está proibida toda espécie de saque, a guerra não será tentação; apenas se empreenderá em legítima defesa. Este resultado secundário da lei do extermínio total é bom; mas justifica tal extermínio? E se a guerra tem por finalidade executar uma sentença, por que os justos hão de pagar pelos pecadores? E, caso admitamos que acidentalmente os inocentes sofram não como culpados castigados, mas como membros de um corpo social de cuja sorte participam, por que, concluída a guerra, se há de executar o extermínio total?

Esse é o problema que o presente capítulo e outros semelhantes do AT nos colocam. À luz do ensinamento de Cristo, o mandato de Samuel nos desconcerta, nos repugna. Visto como etapa superada na história da revelação, ainda não o compreendemos plenamente. O que nos ocorre é sobretudo isto: o Senhor escolhe um povo, com seus costumes e instituições, para conduzi-lo lentamente a níveis mais altos e puros. O Senhor da vida, que não anula nem mais a mortalidade infantil, que castiga os pais nos filhos até a quarta geração, que não impede os acidentes mortais nem as catástrofes naturais, aceita provisoriamente uma instituição guerreira que causa a morte de inocentes. O autor sagrado, ao contar a história, transforma essa aceitação genérica num mandamento concreto e formal. Aliás, que Saul não acabou com os amalecitas prova-o a sua presença em tempos posteriores: 1Sm 27,8; 30,2, (cf. 1Cr 4,43); embora seja certo que Amalec tenha desaparecido como povo autônomo. Mas não tentemos dissimular o espanto nem reprimir o protesto. Este capítulo perturba um cristão repetidas vezes; essa perturbação é um componente do seu sentido que nos obriga a perguntar.

15,1 Samuel se apresenta com autoridade profética, definindo as coordenadas do capítulo: o Ungido deve estar à disposição do seu Soberano, e essa missão genérica se concretiza agora numa ordem específica. Desde o princípio sabemos o que está em jogo para Saul: seguir seus próprios planos políticos, ou aceitar sem reserva o plano de Deus.

15,2-3 A missão concreta é executar, como verdugo, uma sentença pronunciada pelo Senhor contra um delito antigo de Amalec. Na ação injusta e agressiva contra um povo pacífico e desprovido, Amalec decidiu sua sorte: Ex 17,8-16; Dt 25,17-19. Parecia que a história o esquecia, mas o Senhor sabe esperar (Is 18). Sobre o extermínio sagrado, ver o comentário a Jz 7-8. O verdugo de Deus não tem direito de perdoar por razões pessoais. Amalec nesta época já está provido de camelos adestrados, como Amon e outras tribos caravaneiras.

⁴Saul convocou o exército e o passou em revista em Telém: duzentos mil de infantaria e dez mil de cavalaria. ⁵Marchou contra as cidades amalecitas e pôs emboscadas no vale. ⁶Enviou esta mensagem aos quenitas:

– Saí do território amalecita e descei. Vós agistes muito bem com os israelitas quando subiam do Egito, e eu não quero misturar-vos com Amalec.

⁷Os quenitas se afastaram dos amalecitas. Saul derrotou os amalecitas desde Hévila até Sur*, na fronteira do Egito. ⁸Capturou vivo Agag, rei de Amalec, mas passou a fio de espada seu exército. ⁹Saul e seu exército perdoaram a vida de Agag, das melhores ovelhas e vacas, do gado gordo, dos cordeiros e de tudo o que valia a pena, sem querer exterminá-lo; mas exterminaram o que não valia nada.

¹⁰O Senhor dirigiu a palavra a Samuel:
– ¹¹Arrependo-me de ter feito rei a Saul, porque ele se afastou de mim e não cumpre minhas ordens.

Samuel entristeceu-se e passou a noite clamando ao Senhor. ¹²De manhã madrugou e foi encontrar Saul; mas lhe disseram que tinha ido a Carmel*, onde havia erguido uma estela, e depois, dando uma volta, descera a Guilgal. ¹³Samuel apresentou-se a Saul, e este lhe disse:
– O Senhor te abençoe. Cumpri a ordem do Senhor.

¹⁴Samuel lhe perguntou:
– O que são estes balidos que ouço e esses mugidos que escuto?

¹⁵Saul respondeu:
– Foram trazidos de Amalec. A tropa deixou com vida as melhores ovelhas e vacas, para oferecê-las em sacrifício ao Senhor. O resto foi exterminado.

¹⁶Samuel replicou:
– Pois deixa-me que te conte o que o Senhor me disse nesta noite.

Saul respondeu:
– Dize-o.

¹⁷Samuel disse:
– Embora te imagines pequeno, és a cabeça das tribos de Israel, pois o Senhor te nomeou rei de Israel. ¹⁸O Senhor te enviou a esta campanha com ordem de exterminar esses pecadores amalecitas, combatendo até acabar com eles. ¹⁹Por que não obedeceste ao Senhor? Por que te apropriaste dos despojos, fazendo o que o Senhor reprova?

²⁰Saul replicou:
– Mas eu obedeci ao Senhor! Fiz a campanha para a qual me enviou, trouxe Agag, rei de Amalec, e exterminei os amalecitas. ²¹Se dos despojos a tropa pegou ovelhas e vacas, o melhor do que era destinado ao extermínio, ela o fez para oferecê-las em sacrifício ao Senhor teu Deus, em Guilgal.

²²Samuel respondeu:

15,4 Telém fica provavelmente na região meridional de Judá, perto dos amalecitas do deserto meridional.
15,6 A exceção dos quenitas recorda a de Ló por ocasião da catástrofe de Sodoma. Sobre as relações amistosas dos quenitas com os israelitas, ver Nm 10,29-32; Jz 1,16; 4,11.
15,7 * = Muralha.
15,9 O termo hebraico do extermínio sagrado é *hérem* (da mesma raiz é o árabe *harém*); o substantivo e o verbo se repetem sete vezes, definindo a passagem.
Outra vez aparece o verbo "perdoar" (poupar, guardar, *hml*). E perdoar será um delito imperdoável! É que o povo transformou a ação militar em ato de cobiça e pilhagem, ao passo que o rei Saul perdoa a vida a outro rei, talvez por questões políticas. E não parecem úteis e humanas essas razões econômicas e políticas? Pouco se ganha com destruir; todavia, oferecer um holocausto a Deus não é destruir o valor útil?
Dt 13,16-18.
15,11 Ver Gn 6,7. Os gritos de Samuel parecem de súplica em favor do homem que ele ungiu; como profeta cumpre o ofício de interceder, esperando talvez que pela manhã chegue o "tempo de graça"
e Deus perdoe. Mas em toda a noite não recebe o oráculo solicitado, e tem de partir.
15,12 Trata-se de uma estela comemorativa da vitória. * = Vergel.
15,13 Saul diz o contrário do que o Senhor disse no v. 11: é embuste ou inconsciência?
15,15 Saul se sente enredado no interrogatório e tenta justificar-se. O extermínio sagrado era uma consagração das vidas ao Senhor, equivalia a um sacrifício no contexto quase litúrgico da guerra santa; portanto, não tinha sentido subtrair o consagrado para voltar a sacrificá-lo. Pela terceira vez se usa o verbo perdoar, deixar com vida.
15,17-19 Segundo o esquema conhecido da denúncia profética, com elementos de interrogatório judicial. Aquele que nomeou Saul rei pode dar-lhe ordens e pode exigir contas. Um rei pela graça de *Yhwh* que não obedece a *Yhwh* não pode apoiar-se em oferendas a *Yhwh*.
15,22-23 O oráculo propõe um princípio geral sobre o sentido e valor dos sacrifícios, que reaparece no AT com variações; pode-se aplicar ao culto. Podem-se consultar as passagens clássicas: Sl 50; Is 1; Eclo 34-35. Do princípio geral flui a sentença condenatória: pode haver um culto que seja apostasia, uma piedade que rejeita o Senhor.

– O Senhor quer sacrifícios e holocaustos ou quer que lhe obedeçam? Obedecer vale mais que um sacrifício; ser dócil, mais que gordura de carneiros. ²³Pecado de adivinhos é a rebeldia, crime de idolatria é a obstinação. Por teres rejeitado o Senhor, o Senhor te rejeita hoje como rei.

²⁴Então Saul disse a Samuel:

– Pequei, transgredi o mandato de Deus e tua palavra; tive medo da tropa e lhe dei atenção. ²⁵Mas agora, te peço, perdoa meu pecado; volta comigo, e adorarei o Senhor.

²⁶Samuel respondeu-lhe:

– Não voltarei contigo. Por teres rejeitado a palavra do Senhor, o Senhor te rejeita como rei de Israel.

²⁷Samuel deu meia volta para ir embora. Saul agarrou-lhe a orla do manto, que se rasgou, ²⁸e Samuel lhe disse:

– Hoje o Senhor te arranca o reino e o entrega a outro mais digno do que tu. ²⁹O Campeão de Israel não mente nem se arrepende, pois não é um homem para se arrepender.

³⁰Saul lhe disse:

– Certo, pequei; mas desta vez salva minha honra diante dos conselheiros do povo e diante de Israel. Volta comigo para que eu faça a adoração ao Senhor teu Deus.

³¹Samuel voltou com Saul e este fez a adoração ao Senhor. ³²Então Samuel ordenou:

– Aproximai Agag, rei de Amalec.

Agag se aproximou tremendo e disse:

– Agora se afasta a amargura da morte.

³³Samuel lhe disse:

– Tua espada deixou muitas mães sem filhos; entre todas, tua mãe ficará sem filhos.

E o esquartejou em Guilgal, na presença do Senhor. ³⁴Depois voltou a Ramá, e Saul voltou para casa em Gabaá* de Saul. ³⁵Enquanto viveu, Samuel não tornou a ver Saul. Mas fez luto por ele, pois o Senhor se arrependera de ter feito Saul rei de Israel.

SAUL E DAVI

16 **Davi é ungido rei** (1Sm 9-10) – ¹O Senhor disse a Samuel:

15,24-25 Finalmente Saul confessa o pecado e pede perdão, como se faz na liturgia penitencial (p. ex. Sl 51). Também o Faraó disse "pequei", e foi em vão (Ex 9,27).

15,24 2Sm 12,13.

15,27 O sinal, que outras vezes ratifica a certeza de uma profecia, agora é provocado pelo próprio Saul, em seu esforço desesperado por reter o homem de Deus, e com ele o favor de Deus. É um gesto de ironia trágica. 1Rs 11,30.

15,29 Samuel parece enunciar outro princípio. Não contradiz os versículos 11 e 35? Como se Deus se arrependesse do benefício e não da condenação. Não se arrependeu para perdoar, a pedido de Moisés? (Ex 32,14); e Oseias diz: "Não tornarei a destruir Efraim, porque eu sou Deus e não homem" (Os 11,9). Samuel fala mais do caso atual, no qual Deus pronuncia a sentença final. Contudo, esta sentença permitirá a Saul viver e morrer como rei; vai castigá-lo "nos seus filhos", não deixando que continuem a dinastia dele.

15,32 Se Agag tivesse ficado com vida, acarretaria uma execração ao povo. Alguns traduzem de outro modo o texto hebraico duvidoso: "Aproximou-se alegre e disse: Já passou a amargura da morte".

15,34 * = Alto.

16 Davi é uma das grandes figuras da história de Israel, figura ao mesmo tempo militar, política e religiosa. É o começo de uma nova eleição, de uma instituição salvadora estável; sua lembrança será terreno em que se descobre e amadurece a esperança messiânica.

Por isso Davi é uma figura exaltada e idealizada, formada pela história e pela lenda, pela memória e pela fantasia, sem que seja hoje possível separar com rigor seus componentes. Provavelmente muito cedo começaram a formar-se diversas tradições sobre sua vida e suas façanhas, que o autor do nosso livro não pôde descartar, nem conseguiu harmonizar. O Davi guerreiro e o Davi músico produzem duas versões da sua chegada à corte de Saul; o Davi pastor e o capitão se harmonizam em etapas sucessivas.

A esses fios narrativos, soltos ou trançados, foram se sobrepondo novas variações ou complementos, segundo as condições históricas dos sucessores e segundo a reflexão teológica da escola que elaborava os textos já existentes. Assim, encontramos um Davi teólogo que, no meio da ação narrativa, revela em sábios discursos o sentido religioso dos eventos.

Por trás de simplificações de um olhar distante, por entre a ornamentação épica ou lírica, se entrevê uma vida de riscos que desemboca no trono e numa dinastia estável. Esse processo, pensam os autores, foi assumido e dirigido por Deus para salvar seu povo. Por isso é legítimo marcar o conjunto dos fatos com duas narrações iluminadoras: a eleição inicial de Deus, incluída a unção antecipada, e a profecia de Natã, referendando a nova monarquia. Essa maneira de projetar para o passado e para o futuro mostra a visão superior dos autores bíblicos, sua tranquila certeza ao ininterruptamente os fatos. Em suas palavras revela-se a salvação que foi se realizando nos fatos. Sobre os valores artísticos das perícopes se destaca o jogo contrastado dos personagens: Saul, antagonista indeciso e arbitrário, lentamente devorado pela inveja e pela suspeita; Jônatas, dividido entre a piedade filial e a amizade. Entretanto, Samuel se retira discretamente, para que seus personagens ocupem todo o cenário. Deve-se ler primeiro essa história ininterruptamente, até a morte de Saul, antes de reler com atenção seus episódios.

– Até quando te lamentarás por Saul, se eu o rejeitei como rei de Israel? Enche de azeite o chifre e vai, sob minha ordem, a Jessé, de Belém, pois escolhi um rei entre os filhos dele.

²Samuel respondeu:

– Como posso ir? Se Saul ficar sabendo, me matará.

O Senhor lhe disse:

– Leva uma novilha e dize que vais fazer um sacrifício ao Senhor. ³Convida Jessé para o sacrifício, e eu te indicarei o que terás de fazer; ungirás para mim aquele que eu te disser.

⁴Samuel fez o que o Senhor lhe ordenou. Quando chegou a Belém, os anciãos do povoado foram ansiosos ao encontro dele:

– Vens pacificamente?

⁵Respondeu:

– Sim, venho fazer um sacrifício ao Senhor. Purificai-vos e vinde comigo ao sacrifício.

Purificou Jessé e seus filhos, convidando-os ao sacrifício. ⁶Ao chegar, viu Eliab, e pensou:

– Certamente o Senhor tem diante de si o seu ungido.

⁷Mas o Senhor lhe disse:

– Não repares as aparências nem na sua grande estatura. Eu o rejeito. Porque Deus não vê como os homens, que veem a aparência. O Senhor vê o coração.

⁸Jessé chamou Abinadab, fazendo-o passar diante de Samuel. E Samuel lhe disse:

– Também este o Senhor não escolheu.

⁹Jessé fez passar Sama, e Samuel disse:

– Também este o Senhor não escolheu.

¹⁰Jessé fez passar diante de Samuel sete filhos seus, e Samuel lhe disse:

– Também estes o Senhor não escolheu.

¹¹Depois perguntou a Jessé:

– Acabaram-se os rapazes?

Jessé respondeu:

– Falta o caçula, que está cuidando das ovelhas.

Samuel disse:

– Manda buscá-lo, pois não sentaremos à mesa enquanto ele não chegar.

¹²Jessé mandou buscá-lo e o fez entrar. Tinha cor bonita, olhos formosos e belo aspecto. Então o Senhor disse a Samuel:

– Vamos, unge-o, porque é ele.

16,1-13 É doutrina clássica que Davi foi eleito expressamente pelo Senhor. A primeira aparição de Davi no livro já se enquadra nessa doutrina, graças ao recurso literário da antecipação: a unção, que provavelmente veio sancionar um processo já adiantado, coloca-se na primeira juventude ou adolescência de Davi, na primeira página da sua história. O Senhor toma a iniciativa, Samuel é o executor oficial, o povo não conta. Comparemo-la com a eleição de Saul: iniciativa dos israelitas, viciada desde o começo, aceita por Deus como concessão tolerante. No caso de Davi, o Senhor aceitou o princípio monárquico e o toma em suas próprias mãos. O contraste está ligeiramente marcado com a apresentação do primeiro eliminado: Eliab era de boa aparência e grande estatura, como Saul; por dentro não era como o Senhor queria, também como Saul.

Na descoberta do eleito, o autor utiliza o conhecido motivo, tão comum no folclore, do irmão caçula que se antepõe a seus irmãos. Na explanação, emprega uma variante da conhecida articulação: uma série de três, o resto até sete, o último. Ao mesmo gênero narrativo pertence a frase repetida como estribilho.

16,1 Os verbos rejeitar e escolher (*m's* e *bhr*) se opõem: em 10,24 Samuel disse que o Senhor escolheu Saul; em outras duas ocasiões diz que foi o povo. Neste primeiro versículo emprega-se o verbo *r'h* ver, fixar-se em, eleger. Toda a história dramática que vai ser contada está concentrada nessa simples oposição, oferecida como palavra inicial e ativa de Deus. Ao leitor é dada como chave de leitura teológica; quando Samuel chegou a compreendê-lo?

A função profética de ungir reis se prolongará em outros, como Aías de Silo e Eliseu. Sl 89,21.

16,2 Belém possuía seu santuário e seu altar, antes da centralização do culto. A objeção do profeta indica que Saul já suspeitava; o fato é posterior.

16,3 O procedimento de dizer as coisas pela metade, para não descobrir tudo desde o princípio, é comum na narração bíblica (Gn 12 e 22, Abraão; Nm 22, Balaão). Tem função narrativa e, além disso, reserva a iniciativa a Deus, que se declara por etapas.

16,4 A viagem a Belém não desdiz o juiz itinerante que conhecemos por 7,16, embora Belém fique um tanto longe da sua cidade (uns 50 quilômetros). O termo "ansiosos" é forte, algo mais que simples temor reverencial. Implica que o profeta podia denunciar e condenar com palavra eficaz.

16,5 A purificação incluía ritos de continência e banhos para conseguir a pureza cultual (Lv 7,19). O sacrifício, pretexto diante de Saul, vai converter-se em contexto litúrgico da eleição.

16,6 Os seis primeiros nomes significam: "Meu deus é pai", "meu pai é príncipe" (não tem o componente *-Ya, Yo*, de Javé).

16,7 Joga com o verbo ver (= eleger) do v. 1: Deus "fixou-se em um", Samuel se fixa em outro; "aparência" se forma da mesma raiz. Compare-se a oposição com a de Is 55,8.

16,11 Narrativamente, está muito marcada a separação de Davi. Seu ofício pastoril é dado importante da tradição (por exemplo: Sl 78,70-72). Sem ele não se celebrará o banquete sacrifical.

16,12 Dir-se-ia que o narrador está se detendo nas aparências. A beleza de Davi pode pertencer, ao

¹³Samuel pegou o chifre de azeite e o ungiu em meio a seus irmãos. Nesse momento, o espírito do Senhor invadiu Davi, e esteve com ele desse dia em diante. Samuel pôs-se a caminho de Ramá.

Davi na corte de Saul — ¹⁴O espírito do Senhor havia-se afastado de Saul, e um mau espírito enviado pelo Senhor o agitava. ¹⁵Seus cortesãos lhe disseram:
— Eis que um mau espírito te agita. ¹⁶Dá uma ordem, e nós, teus servos, procuraremos alguém que saiba tocar a cítara; quando o mau espírito te atacar, ele tocará, e tu te sentirás melhor.
¹⁷Saul ordenou:
— Procurai um bom músico e trazei-o.
¹⁸Então um dos cortesãos disse:
— Conheço um filho de Jessé, de Belém, que sabe tocar e é um rapaz muito valioso, bom guerreiro, que fala bem, de boa aparência, e o Senhor está com ele.

¹⁹Saul mandou mensageiros a Jessé com esta ordem:
— Envia-me teu filho Davi, que está com o rebanho.
²⁰Jessé pegou cinco pães, um odre de vinho e um cabrito e os mandou a Saul por meio de Davi. ²¹Davi chegou ao palácio e apresentou-se a Saul; causou boa impressão ao rei, que o tornou seu escudeiro.
²²Saul mandou este recado a Jessé:
— Davi ficará a meu serviço, porque gosto dele.
²³Quando o mau espírito atacava Saul, Davi pegava a harpa e tocava. Saul sentia-se aliviado e o ataque do mau espírito se afastava dele.

17 Davi e Golias (Eclo 47,3-6)

— ¹Os filisteus reuniram seu exército para a guerra; concentraram-se em Soco* de Judá e acamparam entre Soco e Azeca*,

---

menos em parte, à figura idealizada do monarca; é provável que tenha fundamento histórico. Em todo caso, é de notar que em Saul e Eliab ressaltavam a corpulência, a robustez; em Davi, a beleza. (Golias as considera incompatíveis: capítulo 17.)

16,12-13 A eleição é estável: o espírito, que irrompe ocasionalmente nos juízes, permanece em Davi. Além disso, este "espírito" cumpre uma função narrativa secundária, em contraste com o "mau espírito" de Saul (v. 14).

16,14-23 O que Samuel anunciou em 15, 28 começa a se cumprir: o espírito penetrou em Davi e abandonou Saul. A passagem do espírito do Senhor e a vinda do mau espírito são a ponte narrativa para realizar o primeiro encontro de Davi com Saul; quer dizer, o primeiro, de acordo com uma das versões, a pacífica. A ponte não pode anular nem dissimular a discrepância entre as três perícopes iniciais: a unção de Davi (16,1-13), Davi cantor (14-23), o vencedor de Golias (17).

16,14 Em termos psicológicos, este "espírito mau" é um primeiro ataque ou sintoma do mal que doravante afligirá Saul, e que irá crescendo: fortes depressões e ataques violentos de ira (maníaco-depressivo).

16,16 É interessante ler, num texto tão antigo, um testemunho sobre o valor terapêutico da música, capaz de serenar o ânimo, com poder sobre os maus espíritos. Sobre o uso da música para profetizar, ver 2Rs 3,15.

16,17 A figura de Davi músico está muito arraigada na tradição, especialmente na tradição cultual das Crônicas.

16,18 Ao narrador parece pouco esta habilidade musical, e pela boca de um criado pronuncia o elogio completo do jovem: aspecto físico, valor militar, temperamento artístico, proteção do Senhor. O jovem músico é um ideal humano na boca do servo; historicamente, é inegável que Davi possuiu um atrativo humano extraordinário. O de falar muito bem pode referir-se a qualidades de narrador de histórias, coisa que se podia fazer com acompanhamento musical.

16,21 "Escudeiro" é a rigor um cargo militar; mas não os veremos sair juntos para a guerra; não sabemos se era cargo puramente honorífico na corte. A ascensão rápida de Davi é toda obra de Saul.

17 A história de Davi e Golias apresenta suas dificuldades. Primeiro, o relato desconhece tudo o que precede. Saul ainda não conhece Davi; segundo, conforme 2Sm 21,19, é Elcanã de Belém, um dos campeões de Davi, quem mata o filisteu Golias de Gat. Poder-se-ia pensar numa vitória de Davi sobre um soldado filisteu que a tradição confundiu com outro. Por outro lado, a vitória sobre Golias se supõe em 19,5; 21,10; 22, 10.13.

Apesar das dificuldades, o autor do livro tinha razão ao conservar este capítulo: é uma narrativa clássica. Clássica porque se incorporou à tradição ocidental, como uma das páginas favoritas do AT. E, se quisermos, também por seu indubitável parentesco com a épica homérica. A armadura do gigante, toda em bronze – só a ponta da lança era de ferro –, o desafio, o duelo singular, são detalhes mais frequentes na Ilíada do que na Bíblia.

Salvo uma incoerência no final e uma tentativa de harmonização em 12-15, a narração está bem construída e equilibrada. Entre um prólogo e um epílogo, 1-3 e 55-58, o relato discorre numa série de cenas variavelmente compostas de ação (A), ou descrição (D) e palavra (P). O esquema é o seguinte:
a) D.P.A. 4-7.8-10.11: o acampamento; solo de Golias; efeito nos israelitas.
b) A.P.A. 12-15.17-19.20-22: Davi é enviado pelo pai.
c) A.P. 23-24.25-30: Davi no acampamento, diálogos.
d) A.P.A.P. 31.32-37.38-39c.39b: Davi diante de Saul (*flashback*).
e) A.P.A. 40-42.43-47.48.51a: luta singular.
f) A. 51b-54: vitória geral; desenlace.

em Efes-Domim. ²Saul e os israelitas se reuniram e acamparam no vale de Ela* e se puseram em ordem de batalha contra os filisteus. ³Os filisteus tinham suas posições num monte e os israelitas no outro, com o vale no meio.

⁴Do exército filisteu adiantou-se um valente, chamado Golias, natural de Gat, com quase três metros de altura. ⁵Tinha capacete de bronze na cabeça, couraça de malha de bronze que pesava quase sessenta quilos, ⁶caneleiras de bronze nas pernas e um dardo de bronze às costas; ⁷a haste de sua lança era como a travessa de um tear e seu ferro pesava seis quilos. Seu escudeiro caminhava à frente dele. ⁸Golias parou e gritou às fileiras de Israel:

– Não é preciso que saiais em formação de batalha! Eu sou o filisteu, vós, os escravos de Saul. Escolhei um que desça até mim; ⁹se for capaz de lutar comigo e me vencer, seremos vossos escravos; mas, se

O v. 16 é como uma peça de montagem: a figura do gigante projeta a sua sombra sobre a aldeia; o v. 54 antecipa fatos e serve para fechar em inclusão com a figura de Golias.
Também se pode notar a alternada presença da multidão nas cenas primeira, terceira e última, como fundo de cenas com dois personagens: Davi com o pai, Davi com Saul, Davi com Golias.
Junto com a construção temos de considerar os personagens. Das duas multidões apresentadas no começo se destacam dois solistas: Golias e Davi; isto significa que Saul está relegado à multidão de Israel, com a qual se confunde no medo (v. 11). Se Saul se destaca na quarta cena (na tenda real), seu papel é negativo; o máximo que faz é "enviar", o mesmo que Jessé tinha feito; nem sequer as armas dele servirão vicariamente; na perseguição final Saul desaparece, só se destaca Davi.
O lógico é que Saul tivesse saído para responder ao desafio de Golias: este se chama a si mesmo "o filisteu"; caberia a Saul ser o israelita. Mais ainda, Golias o chama indiretamente de senhor de escravos. Fora Saul, ficam Golias e Davi, reservados para o combate singular, representantes dos dois povos e exércitos.
Há outra oposição que percorre todo o relato e é mais significativa: o contraste do guerreiro e do pastor. A figura pastoril de Davi é o *leitmotiv* do episódio. As duas primeiras cenas colocam a oposição: irrompe em cena o "guerreiro": grande estatura, armadura completa, desafio; à distância e em segundo plano aparece o filho mais novo de Jessé recebendo ordens paternas; os três irmãos mais velhos foram para a guerra, ele ficou com o rebanho; irá ao acampamento por breve tempo como mensageiro, para voltar ao seu ofício (o v. 15 o salienta); se vai ao acampamento militar, é para perguntar como estão (em hebraico: por sua paz); as últimas palavras do pai (v. 19) destacam o dado: os irmãos com Saul e todos os israelitas estão no fronte. Quando Davi parte, confia o rebanho a um vigia.
Na terceira cena, Davi anda como perdido no acampamento, recolhendo notícias que ouve: "Pergunta a seus irmãos", "escuta o filisteu", "pergunta ao povo". Eliab se encarrega de recordar ao irmão o seu verdadeiro ofício de pastor, e Davi se defende afirmando que nada fez, que foram apenas palavras. Paradoxalmente, será Saul quem começará a transformar o pastor em guerreiro. A quarta cena prepara e atrasa a mudança. Em primeiro lugar, Saul tenta dissuadir o moço, ou seja, quer relegá-lo à massa indiferenciada dos israelitas; depois cede e tenta transformá-lo em guerreiro: é um intento exterior, apenas de traje e armas, e fracassa; Davi sai para a luta, mas está claro que sai na pura qualidade de pastor: as armas reais não servem. No diálogo com Saul, Davi argumentou na qualidade de pastor: tais são suas vitórias e suas armas; o *flashback* exalta a sua experiência e valentia de pastor, em forte contraste com Golias, "guerreiro desde a juventude". A cena culminante leva o contraste ao extremo: o guerreiro diante do pastor. Golias o observa, Davi o sabe, o narrador o mostra, concentrando-se com precisão descritiva na pedra e na funda. Na cena final, Davi se apresenta como o filho de Jessé, o pastor com a cabeça cortada do guerreiro.
O motivo do pastor tem dois complementos: um é a insistência no fato de ele ser pequeno, jovem (vv. 14.28.33.43.55.56); o outro é que o mais novo conta com o apoio do Senhor. Assim encontramos o motivo clássico do menor-maior, na sua versão teológica.
Ora, o esquema do pastor se destaca com valor simbólico. O pastor cuida de suas ovelhas e as defende das feras; o rei deveria cuidar do seu povo, defendendo-o do inimigo; rei/pastor, povo/rebanho, inimigo/feras. Saul não é capaz de cumprir seu ofício; Davi o cumpre, mostrando capacidade para reinar. O pastor assume o cuidado do povo (incluindo o rei) e o defende do inimigo/fera. Até o final, pastor. Só no capítulo seguinte Saul o nomeará capitão. Externamente os fatos são casuais: parece que é Saul quem faz a promoção; na realidade, é o Senhor mesmo quem da companhia das ovelhas o fez vir para apascentar Jacó, seu povo (cf. Sl 78,70-71).

17,1 Quase a metade do caminho entre Belém e a costa, num lugar que controla um dos acessos ao interior. Entre várias eminências se forma uma espécie de circo, em cujo flanco corre um arroio. A última localidade, tal como está escrita no texto hebraico, significaria "término do sangue".
* = Valado; Cavada.
17,2 * = Carvalho.
17,3-7 Golias é um bom nome filisteu: *Walyata-Alyata*. Conforme o texto hebraico, só o metal da lança era de ferro. Coisa estranha, pois os filisteus apoiavam a sua superioridade no monopólio do ferro. Golias parece um herói de outros tempos ou usa uma armadura herdada. Ainda não se menciona sua espada.
17,4 Nm 13,33.
17,8-9 Golias zomba do regime monárquico, que escraviza os homens a um rei. No seu desafio propõe um jogo: quem será vassalo de quem.

eu for mais forte e o vencer, sereis nossos escravos e nos servireis.

¹⁰E continuou:

— Eu hoje desafio o exército de Israel! Dai-me um homem e lutaremos corpo a corpo! ¹¹Saul e os israelitas ouviram o desafio daquele filisteu e se encheram de medo. ¹²Davi era filho de um efrateu de Belém de Judá, chamado Jessé, que tinha oito filhos e já era velho, de idade avançada, quando Saul reinava; ¹³seus três filhos mais velhos tinham ido à guerra com Saul; o primeiro chamava-se Eliab; o segundo, Abinadab, e o terceiro, Sama. ¹⁴Davi era o caçula. Os três mais velhos haviam servido a Saul; ¹⁵Davi ia e vinha do fronte a Belém, para cuidar do rebanho de seu pai.

¹⁶O filisteu se aproximava e aí se punha pela manhã e pela tarde; fazia isso há quarenta dias.

¹⁷Jessé disse a seu filho Davi:

— Pega meia vasilha de grão tostado e estes dez pães, e leva-os depressa a teus irmãos no fronte; ¹⁸ leva também estes dez queijos ao comandante. Pergunta sobre a saúde de teus irmãos e traze o pagamento que te derem. ¹⁹Saul, teus irmãos e os soldados de Israel estão no vale de Ela, lutando contra os filisteus.

²⁰Davi acordou cedo, deixou o rebanho sob o cuidado do vigia, apanhou as coisas e partiu, como Jessé havia recomendado. Quando chegava ao cerco dos carros, os soldados tomaram posição, lançando o grito de guerra. ²¹Israelitas e filisteus se aproximaram, linha contra linha. ²²Davi deixou sua carga ao cuidado dos bagageiros, correu até as fileiras e perguntou a seus irmãos como estavam. ²³Enquanto falava com eles, um valente, o filisteu chamado Golias, natural de Gat, subiu das fileiras do exército filisteu e começou a dizer aquelas coisas. Davi o ouviu; ²⁴os israelitas, ao ver aquele homem, fugiram apavorados. ²⁵Alguém disse:

— Vistes esse homem que sobe? Ele sobe para desafiar Israel! O rei coroará de riquezas quem o vencer, lhe dará sua filha e livrará de impostos a família de seu pai em Israel.

²⁶Davi perguntou aos que estavam com ele:

— O que darão a quem vencer esse filisteu e salvar a honra de Israel? Pois, quem é esse filisteu incircunciso para desafiar o exército do Deus vivo?

²⁷Os soldados repetiram-lhe a mesma coisa:

— Darão este prêmio a quem o vencer.

²⁸Eliab, o irmão mais velho, ouviu-o falar com os soldados e se aborreceu:

— Por que vieste? Nas mãos de quem deixaste aquelas quatro ovelhas no deserto? Eu sei que és arrogante e sei o que pretendes: vieste para assistir à batalha.

²⁹Davi respondeu:

— O que fiz eu agora? Estava só perguntando.

³⁰Voltou-se para outro e perguntou:

— O que estão dizendo?

Os soldados responderam-lhe as mesmas coisas de antes.

³¹Os que ouviram as palavras de Davi foram contá-las a Saul, que mandou chamá-lo.

³²Davi disse a Saul:

— Majestade, não desanimes. Este teu servidor irá lutar contra esse filisteu.

³³Porém Saul respondeu:

— Não poderás aproximar-te desse filisteu para lutar com ele, pois és jovem, e ele é guerreiro desde a juventude.

³⁴Davi lhe respondeu:

17,12-15 Com tantos detalhes parece que procura retardar os fatos. Para mais detalhes da genealogia de Davi, consulte-se o final do livro de Rute.
17,17 Gn 37,13s.
17,20 1Sm 4,5.
17,25-26 Da mesma raiz vem o verbo que traduzimos por "desafiar" (salvar a honra) e o substantivo "desonra": com o seu desafio, Golias coloca Israel em situação desastrosa, de derrota prática; só aceitando o desafio e vencendo se devolverá a honra a Israel. Acima do duelo humano, um homem contra um exército, se ergue o capitão celeste do exército israelita, o verdadeiro desafiado e injuriado pelo "incircunciso". O título não coincide com o clássico "Senhor dos Exércitos" (Yhwh Sabaot), mas é equivalente. Aqui começa a emergir o Davi teólogo, que compreende e explica, na sua profundidade autêntica, o sentido de todos os fatos.
17,26 Js 3,10.
17,32 Não carece de ironia o fato de apresentar o jovem pastor animando o rei: é presunção ou ingenuidade? A resposta de Saul o toma no segundo sentido.
17,34-36 Com velocíssima acumulação de verbos de ação, o jovem resume suas façanhas contra as feras; dir-se-ia um novo Sansão, que lutou com leões e filisteus.

— Teu servidor é pastor das ovelhas de meu pai, e se aparece um leão ou um urso e leva uma ovelha do rebanho, ³⁵saio atrás dele, o ataco e lhe tiro a presa da boca; se me ataca, agarro-o pela juba e o golpeio até matá-lo. ³⁶Teu servidor matou leões e ursos; esse filisteu incircunciso será mais um, pois desafiou o exército do Deus vivo.
³⁷E acrescentou:
— O Senhor, que me livrou das garras do leão e das garras do urso, me livrará das mãos desse filisteu.
Então Saul lhe disse:
— Vai com Deus.
³⁸Depois vestiu Davi com seu uniforme, pôs um capacete de bronze na cabeça dele, pôs uma couraça, ³⁹e o cingiu com sua espada sobre o uniforme. Davi tentou em vão caminhar, pois não estava treinado, e disse a Saul:
— Com isso não posso caminhar, pois não estou treinado.
Então tirou tudo, ⁴⁰pegou o cajado, pegou cinco pedras lisas do riacho, colocou-as no seu bornal, apanhou a funda e aproximou-se do filisteu. ⁴¹Este, precedido por seu escudeiro, ia avançando e aproximando-se de Davi; ⁴²olhou-o de alto a baixo e o desprezou, porque era um jovem de cor bonita e era formoso; ⁴³e gritou-lhe:
— Sou por acaso um cão para que venhas a mim com um bastão?
⁴⁴Depois, invocando seus deuses, amaldiçoou Davi e lhe disse:

— Vem cá, e atirarei tua carne às aves do céu e às feras do campo.
⁴⁵Mas Davi lhe respondeu:
— Tu vens a mim armado de espada, lança e dardo; eu vou a ti em nome do Senhor dos exércitos, Deus das tropas de Israel, que tu desafiaste. ⁴⁶Hoje o Senhor te entregará em minhas mãos. Eu te vencerei, arrancarei tua cabeça dos ombros e atirarei teu cadáver e os cadáveres do acampamento filisteu às aves do céu e às feras da terra, e o mundo inteiro reconhecerá que há um Deus em Israel. ⁴⁷E todos os que estão aqui reunidos reconhecerão que o Senhor dá a vitória sem necessidade de espadas ou lanças, porque esta é uma guerra do Senhor, e ele vos entregará em nosso poder.
⁴⁸Quando o filisteu se pôs em marcha e se aproximava de Davi, este saiu da formação e correu velozmente na direção do filisteu; ⁴⁹pôs a mão no bornal, tirou uma pedra, disparou a funda e atingiu o filisteu na testa: a pedra se encravou na testa, e ele caiu de bruços por terra. ⁵⁰Assim Davi venceu o filisteu, com a funda e uma pedra; matou-o num golpe, sem empunhar espada. ⁵¹Davi correu e parou junto ao filisteu, pegou a espada, a desembainhou e acabou de matá-lo, cortando-lhe a cabeça. Os filisteus, vendo que o seu valente estava morto, fugiram. ⁵²Então os soldados de Israel e de Judá, de pé, lançaram o grito de guerra e perseguiram os filisteus até a entrada de

---

17,37 O epifonema soa quase como estribilho de um possível salmo, de marcado paralelismo.

17,38-39 A armadura de Saul vem a ser mais modesta que a de Golias, embora provavelmente mais elaborada que a dos seus soldados. Pela relação pessoal das vestes e armadura com seus donos, as armas reais tinham de comunicar ao jovem um suplemento de vigor. Ao primeiro "não poderás" do rei, Davi responde: "com isto não posso", o que prepara por contraste o versículo seguinte.

17,40 Os preparativos são descritos com minúcia, como as armas de Golias no começo; e as marcadas aliterações dão forte destaque a este versículo.

17,43 "Cão", em sentido depreciativo; os pastores ainda não usavam cães domesticados. A aliteração usada pelo gigante parece que pretende transformar o pau desonroso em maldição (keleb = cão, maqqel = pau, qalal = amaldiçoar); nos seus sons ressoa a sonoridade do evocativo versículo 40.

17,44 Frase estereotipada: 1Rs 14,11; 16,4; 21,24; Jr 7,33. É ficar sem sepultura.

17,45-47 O discurso de Davi é uma confissão teológica que reconhece o Senhor como protagonista. Ritmicamente, às três armas do filisteu se opõe o Senhor com seu nome e títulos. A intervenção divina levará a um reconhecimento universal e local. Está claro quem são os rivais do duelo, no qual Davi é modesto representante, executor do fato já consumado.

17,45 Sl 20,8.

17,46 2Rs 19,19.

17,47 2Cr 20,15.

17,48-49 Talvez o filisteu não conhecesse a funda como arma de combate, e imagina que Davi vem desarmado. Ele precisa aproximar-se, ao menos para o tiro seguro do arco, enquanto que a Davi ajuda a manter certa distância; por isso vem a ser estranho que corra até ele. Talvez se possa traduzir "correu para as filas, ao aproximar-se o filisteu".

17,49-51 Os versículos 49 e 51 empregam a técnica conhecida de articular a ação em momentos precisos e rápidos, com acumulação verbal; o versículo 50, ao invés, é como um comentário que faz coro ao princípio de que "o Senhor dá a vitória sem espada". Também expressa a oposição guerreiro-pastor explicada mais acima.

17,51 Jt 13,8.

17,52-53 A distância entre Judá e Israel mais tarde será decisiva, porém já tinha fundamento: Davi e Saul a

Gat e até as portas de Acaron; os filisteus caíram feridos pelo caminho de Saraim* até Gat e Acaron. ⁵³Os israelitas deixaram de perseguir os filisteus e voltaram para saquear o acampamento. ⁵⁴Davi pegou a cabeça do filisteu e a levou a Jerusalém, guardando as armas em sua tenda.

⁵⁵Quando Saul viu Davi sair ao encontro do filisteu, perguntou a Abner, general do exército:

– Abner, esse jovem é filho de quem? Abner respondeu:

– Por vossa vida, majestade, não sei.
⁵⁶O rei lhe disse:

– Pergunta de quem esse jovem é filho.
⁵⁷Quando Davi voltou após ter matado o filisteu, Abner o levou e o apresentou a Saul, com a cabeça do filisteu na mão. ⁵⁸Saul lhe perguntou:

– De quem és filho, jovem?
Davi respondeu:

– Do teu servidor Jessé, de Belém.

18 Inveja de Saul
– ¹Quando Davi terminou de falar com Saul, Jônatas se afeiçoou a Davi e o amou como a si mesmo. ²Saul então reteve Davi e não o deixou voltar à casa de seu pai. ³Jônatas e Davi fizeram um pacto, porque Jônatas o amava como a si mesmo; ⁴tirou o manto que levava e o deu a Davi e também sua roupa, a espada, o arco e o cinturão. ⁵Davi era tão bem-sucedido em todas as incursões que Saul lhe confiava, que o rei o pôs à frente dos soldados, e era bem-visto pela tropa e até pelos ministros de Saul.

⁶Quando voltaram da guerra, depois que Davi matou o filisteu, as mulheres de todos os povoados de Israel saíram para cantar e receber com danças o rei Saul, ao som alegre de pandeiros e sistros, ⁷e cantavam em coro este refrão:

"Saul matou mil,
  mas Davi matou dez mil".
⁸Saul indignou-se com esse refrão, e comentou enfurecido:

– Dez mil para Davi e mil para mim! Só lhe falta ser rei!
⁹E a partir desse dia Saul ficou com inveja de Davi.

¹⁰No dia seguinte, Saul teve o ataque do mau espírito, e andava frenético pelo palácio, enquanto Davi tocava harpa como de costume. ¹¹Saul tinha a lança na mão

---

representam cada qual à sua maneira. A derrota filisteia é em boa parte questão de prestígio, uma fuga desonrosa, um revés sem muitas perdas.
17,52 * = Duas Portas.
17,54 Naturalmente a notícia não se enquadra: porque Jerusalém ainda não tinha sido conquistada, e quando Davi a conquistou, daquela cabeça ficaria a caveira e o casco. O sentido no contexto é simplesmente o de um troféu de guerra. Jt 13,15.
17,55-58 Este epílogo não combina com a narração, e serve mais para introduzir o capítulo seguinte, ligando-o com o 17. O procedimento de voltar atrás é normal, mas a ignorância de Saul é inexplicável. Abner é tio de Saul e seu primeiro general. A cena termina propriamente em 18,2.
18 Este capítulo reúne notícias e episódios diversos que se ligam por dois temas contrapostos: o êxito crescente de Davi e o temor crescente de Saul. A oposição produz um movimento dialético, porque precisamente o temor de Saul provoca o êxito de Davi, e vice-versa. Unidade artística e simplificada de um processo.
O êxito de Davi é geral e rápido: o filho do rei se afeiçoa a ele, a filha do rei se apaixona por ele, tem a simpatia da tropa, os ministros o estimam, Judá e Israel o querem; triunfa na guerra, escapa de um atentado; finalmente, o Senhor está com ele. Por sua parte, Saul se irrita por causa do triunfo sobre Golias, depois teme, sente pânico, atenta contra a vida dele, torna-se inimigo permanente seu. Assim, bem cedo Davi é amado por todos e odiado pelo rei ('oheb 'oyeb). E, com sua atitude diante de Davi, os outros decidem a sorte do rei.
Este capítulo não é modelo de imparcialidade. Por alguma razão Saul temia: o princípio monárquico era recente em Israel e o princípio dinástico ainda não se tinha firmado; se Saul fora aceito por suas vitórias militares, agora havia outro que ganhava dele nesse terreno; o povo podia muito bem escolher para si outro monarca. Além disso, Saul tinha tomado posição contra Davi. A essas razões objetivas se uniu o processo patológico que o rei sofreu.
18,1-3 Jônatas sente-se atraído por Davi e se liga com o vínculo da "camaradagem" em sentido antigo: união com compromissos mútuos, selada pela mudança ritual de traje e armas (da qual há exemplos na literatura clássica). Amizade regulamentada de companheiros de armas: ficou para trás o Davi pastor.
18,3 Pr 17,17.
18,5 O versículo resume um processo de ascensão militar que pode ter sido rápido. No versículo seguinte remontamos a fatos anteriores.
18,6 Sobre esse costume, ver Ex 15 (Maria), Jz 11,34 (a filha de Jefté).
18,10 Em hebraico está muito marcado o contraste: a cítara na mão de Davi, a lança na mão de Saul. Um episódio semelhante em 19,9ss. Com frequência veremos Saul com sua lança: 20,24; 26,7; 2Sm 1,6.
18,11 "Arremessou", ou então brandiu em gesto ameaçador, que Davi compreende. "O Senhor se afasta de Saul", "Saul afasta Davi de si": Saul vai agravando sua solidão. 1Sm 19,9s.

e a arremessou, tentando cravar Davi na parede; mas Davi desviou-se duas vezes.

[12] Saul ficou com medo de Davi, pois o Senhor estava com ele e se afastara de Saul. [13] Então afastou Davi, nomeando-o comandante: ele fazia expedições à frente das tropas. [14] E todas as suas campanhas eram bem-sucedidas, pois o Senhor estava com ele.

[15] Saul viu que Davi era bem-sucedido em tudo, e entrou em pânico. [16] Todo Israel e Judá amavam Davi, porque os guiava em suas expedições.

Davi, genro de Saul – [17] Certa vez, Saul disse a Davi:

– Vê, dou-te por esposa minha filha mais velha, Merob, desde que te comportes como um valente e combatas as batalhas do Senhor.

Pois pensou:

"É melhor que o matem os filisteus e não eu".

[18] Davi respondeu:

– Quem sou eu e quem são meus irmãos – a família de meu pai – em Israel para me tornar genro do rei?

[19] Mas quando chegou o momento de entregar Merob, filha de Saul, como esposa a Davi, a deram a Adriel de Meola*. [20] Micol, filha de Saul, estava apaixonada por Davi. Disseram-no a Saul e isso pareceu-lhe bem, [21] pois calculou:

– Eu a darei a ele como isca, a fim de que caia em poder dos filisteus.

E renovou sua proposta a Davi:

– Hoje podes tornar-te meu genro.

[22] Depois disse a seus ministros:

– Dizei confidencialmente a Davi: "Vê, o rei gosta de ti e todos os seus ministros te amam; aceita ser genro dele". [23] Os ministros de Saul insinuaram isso a Davi e ele respondeu:

– Ser genro do rei não significa nada! Eu sou um plebeu sem recursos.

[24] Os ministros comunicaram a Saul o que Davi respondera, [25] e Saul lhes disse:

– Falai-lhe assim: "O rei não tem interesse no dinheiro; contenta-se com cem prepúcios de filisteus, como vingança contra seus inimigos". (Planejava que Davi caísse em poder dos filisteus.)

[26] Então os ministros de Saul comunicaram a Davi essa proposta e pareceu-lhe uma condição justa para ser genro do rei.

Ainda não havia expirado o prazo, [27] quando Davi empreendeu a marcha com sua gente, matou duzentos filisteus e levou ao rei o número completo de prepúcios, para que o aceitasse como genro. Então Saul deu-lhe sua filha Micol por esposa.

[28] Saul percebeu que o Senhor estava com Davi e que sua filha Micol estava apaixonada por ele. [29] Assim, cresceu o medo que tinha de Davi, tornando-se seu inimigo por toda a vida. [30] Os generais filisteus saíam para fazer incursões, e sempre que saíam, Davi era mais bem-sucedido que os oficiais de Saul. Seu nome tornou-se muito famoso.

19 Saul e Jônatas (Eclo 6,14-17) –
[1] Diante de seu filho Jônatas e de

18,16 1Sm 8,20.
18,17-27 O episódio do matrimônio com a filha do rei segue o esquema das duas irmãs, a mais velha e a mais nova (recordem-se Lia e Raquel, Sansão). Em ambos os casos, conforme o narrador, Saul utiliza sua filha para se desfazer de Davi, com perversa crueldade para ambos.
O rei tinha prometido "sua filha" (17,25: supomos que seja a mais velha), agora a deve pela vitória sobre o filisteu; a nova exigência já é uma primeira negativa.
18,18 A resposta de Davi, mais que uma desculpa para não aceitar, é um modo cortês e modesto de aceitar, exaltando a qualidade da oferta. Assim resulta do que se segue.
18,19 * = Dança.
18,23 Eclo 13,2-7.
18,25 O preço significa a morte atestada de cem filisteus. Tem especial valor aplicado aos "incircuncisos" filisteus; outros povos cortavam o membro viril dos caídos.

18,28 A assistência do Senhor a Davi provoca em Saul medo sagrado, que não consegue racionalizar e desemboca em hostilidade. O rei entra numa situação ambígua, entre os impulsos agressivos e o terror insuperável.
19 O autor continua costurando episódios diversos, ou repetidos, no fio da sua narração. O fio condutor da hostilidade de Saul e a repetida libertação de Davi por intercessão de Jônatas, pela habilidade do mesmo Davi, pelo engenho de Micol, pelo espírito de Deus. O verbo *mlt* = salvar-se, escapar com vida, liga vários episódios. Quanto à disposição, repete-se parcialmente e prolonga-se o capítulo 18: Saul-Jônatas-Davi; episódio da lança: Saul-Davi-Micol.
O motivo dominante em segundo plano (os filisteus) prolonga a sua presença no inciso do v. 8, com o qual o autor quer recordar-nos a situação; como se dissesse que, em tempo de guerra, Saul tenta eliminar seu melhor capitão. Falta o tema da ascensão de Davi. Esta disposição não pode ser considerada como

seus ministros, Saul falou em matar Davi. Jônatas, filho de Saul, amava muito a Davi, ²e o avisou:

– Meu pai Saul te procura para te matar. Fica atento amanhã e esconde-te num lugar seguro; ³eu sairei e irei ao lado de meu pai ao campo em que tu estiveres; falarei de ti, e se conseguir alguma informação, te comunicarei.

⁴Assim, portanto, Jônatas falou a seu pai Saul em favor de Davi:

– Que o rei não ofenda seu servo Davi! Ele não te ofendeu, e o que ele faz é para teu proveito; ⁵arriscou a vida quando matou o filisteu, e o Senhor deu uma grande vitória a Israel; ao vê-lo, tu te alegraste. Não peques, derramando sangue inocente, matando Davi sem motivo!

⁶Saul deu atenção a Jônatas, e jurou:

– Por Deus, ele não morrerá!

⁷Jônatas chamou Davi e contou-lhe a conversa; depois o levou onde estava Saul, e Davi continuou no palácio como antes.

⁸A guerra recomeçou e Davi saiu para lutar contra os filisteus; infligiu-lhes tal derrota, que fugiram diante dele.

⁹Saul estava sentado em seu palácio com a lança na mão, enquanto Davi tocava harpa. Um mau espírito enviado pelo Senhor apoderou-se de Saul, ¹⁰que tentou cravar Davi na parede com a lança. Mas Davi desviou-se. Saul cravou a lança na parede e Davi salvou-se, fugindo.

Micol salva Davi – Nessa noite ¹¹Saul mandou emissários à casa de Davi para vigiá-lo e matá-lo ao amanhecer. Mas Micol, sua mulher, o avisou:

– Se não escapas esta noite, amanhã serás cadáver.

¹²Ela o desceu pela janela e Davi salvou-se, fugindo. ¹³Depois Micol pegou o ídolo, o pôs na cama, colocou na cabeceira um travesseiro de pelo de cabra e o cobriu com uma colcha. ¹⁴Quando Saul mandou os emissários a Davi, Micol lhes disse:

– Está doente.

¹⁵Saul, porém, enviou os emissários para que buscassem Davi:

– Trazei-o na cama, pois quero matá-lo.

¹⁶Os emissários chegaram e encontraram um ídolo na cama e um travesseiro de pelo de cabra à cabeceira.

¹⁷Então Saul disse a Micol:

– Por que me traíste? Deixaste meu inimigo escapar!

Micol respondeu-lhe:

– Ele me ameaçou: "Se não me deixas partir, eu te mato".

Saul em transe – ¹⁸Enquanto isso, Davi salvou-se, fugindo, e chegou a Ramá, o povoado de Samuel, e contou-lhe tudo o que Saul fizera. Então os dois foram hospedar-se no convento. ¹⁹Quando avisaram Saul que Davi estava no convento de Ramá, ²⁰enviou emissários para prendê-lo.

---

puramente cronológica; obedece mais a intenções temáticas. Nos dois últimos episódios ouve-se um tom irônico, quase zombeteiro: Saul se torna uma figura trágico-cômica; o narrador cede ao próprio Davi a piedade e o respeito pelo rei, e só se contagiará com eles no final. Os episódios são minúsculos, não permitem desenvolvimento narrativo rico; seu mérito está na invenção do tema (ou seleção, em termos de história), e na agudeza do desenlace.

19,1-7 Primeiro episódio. Intercessão de Jônatas. Seu recurso é a palavra, naturalmente apoiada no seu duplo amor por Saul e por Davi; tem de livrar Davi da morte, e seu pai do crime. Seu brevíssimo discurso é uma apologia maciça: Davi é inocente, seria injusto fazer-lhe mal; Davi é um benfeitor, seria injusto não lhe retribuir; Davi foi instrumento do Senhor, seria perigoso atentar contra ele. Jônatas enuncia aqui o grande tema dos capítulos seguintes: o duelo entre Davi e Saul acerca da inocência e culpabilidade de ambos. São termos correlativos.

19,4 Eclo 37,5.
19,5 Dt 19,10-13.

19,9-10 Quase repetição de 18,10-11, com o detalhe acrescentado da lança que se crava na parede. Embora a sucessão não seja cronológica, o autor dá a impressão das mudanças violentas na conduta de Saul.

19,11-17 O episódio está articulado em três envios (segundo fórmula conhecida). O engano preparado por Micol tem alguns elementos duvidosos: o "ídolo" (terafim) costumava ter figura humana e proporções pequenas, por isso dificilmente encheria uma cama; também é uma conjetura o tecido de pelo de cabra. Daí procede a variedade de traduções e explicações. Contudo, o sentido do gracejo parece bastante claro.

19,18-24 Este episódio acrescenta o interesse de introduzir o velho profeta Samuel. Vive na sua aldeia e visita um "convento" ou lugar onde habita um grupo de profetas. Não sabemos se o lugar tinha direito de asilo. O esquema narrativo de 3 + 1 dá relevo a Saul. É irônico pensar no rei nu, prostrado por terra diante do profeta; e aumenta a ironia a lembrança do primeiro transe profético de Saul, que comprovava sua eleição (capítulo 10).

19,19-20 2Rs 1,9-12.

Encontraram a comunidade dos profetas em transe, presididos por Samuel; o espírito de Deus apoderou-se dos emissários de Saul e eles também entraram em transe. ²¹Avisaram Saul, e ele mandou outros emissários, que também entraram em transe. Pela terceira vez despachou emissários, e estes também entraram em transe.

²²Então ele foi pessoalmente a Ramá e, ao chegar ao poço da eira junto ao morro, perguntou:

– Onde estão Samuel e Davi?

Responderam-lhe:

– No convento de Ramá.

²³Prosseguiu até o convento de Ramá, e também dele apoderou-se o espírito de Deus, entrou em transe e caminhou assim até o convento de Ramá. ²⁴Tirou a roupa e ficou nu em transe diante de Samuel, estendido no chão, todo esse dia e toda a noite. (Por isso dizem: "Até Saul entre os profetas!")

20 Davi e Jônatas — ¹Davi fugiu do convento de Ramá e foi dizer a Jônatas:

– O que fiz, qual é meu delito e meu pecado contra teu pai, para que ele tente matar-me?

²Jônatas lhe disse:

– Nada disso! Não morrerás! Meu pai não faz coisa grande nem pequena sem antes me avisar. Por que meu pai me esconderia isso? É impossível!

³Mas Davi insistiu:

– Teu pai sabe perfeitamente que me favoreces, e dirá: "Que Jônatas não o saiba, para que não sofra". Mas, por Deus, por tua vida, estou a um passo da morte.

⁴Jônatas lhe respondeu:

– Farei o que me disseres.

⁵Então Davi lhe disse:

– Amanhã é lua nova, e eu devo comer com o rei. Deixa-me partir e esconder-me no campo até depois de amanhã à tarde. ⁶Se teu pai notar minha ausência, tu lhe dirás que Davi te pediu licença para ir correndo a Belém, pois sua família celebra aí o sacrifício anual. ⁷Se ele disser que está bem, estou salvo; mas, se ficar furioso, quer dizer que já decidiu matar-me. ⁸Sê leal com este servidor, pois um pacto sagrado nos une. Se errei, mata-me tu mesmo; não é preciso que me entregues a teu pai.

⁹Jônatas respondeu:

– Deus me livre! Se eu ficar sabendo que meu pai decidiu matar-te, certamente te avisarei.

¹⁰Davi perguntou:

Quem me avisará, se teu pai te responde com maus modos?

¹¹Jônatas respondeu:

– Vamos ao campo!

Os dois saíram ao campo, ¹²e Jônatas lhe disse:

– Eu te prometo pelo Deus de Israel; amanhã, por esta hora, sondarei meu pai

---

20 Este capítulo contém uma narração linear e dramática. Pelo desdobramento do primeiro diálogo em duas cenas resultam quatro breves cenas, que se equilibram e avançam até o momento decisivo: a) Jônatas e Davi na corte. b) Os dois no campo. c) Jônatas e Saul no palácio. d) Jônatas e Davi no campo. Grande parte da ação é diálogo, e o tom dramático procede da situação e das palavras.

Jônatas e Davi renovam seu pacto de amizade, que os une fortemente no momento em que vão separar-se. Davi apela ao pacto, oprimido pelo perigo de morte que percebe com clareza; Jônatas, cheio de pressentimentos sombrios, quer alongar o pacto para além da morte. Saul os separa: tenta quebrar a lealdade de Jônatas, apelando para o dever filial e a esperança de suceder-lhe no trono; não o consegue, mas os separa pelo resto da vida.

20,1-11 Jônatas confia no êxito da sua primeira intercessão: a primeira cena do capítulo precedente ressoa aqui, e obriga o leitor a fazer uma ponte de continuidade narrativa. Davi tem de desenganá-lo de tal confiança na bondade última de Saul. O diálogo de quatro duplas intervenções é longo para o estilo bíblico.

20,1-2 O começo é apaixonado: Davi pronuncia uma única pergunta urgente, marcada pela aliteração inicial; Jônatas responde agitadamente com uma imprecação, uma negação categórica, em ritmo irregular e expressivo.

20,3 Davi continua em estilo enfático; sua dupla imprecação pela vida do Senhor e pela do amigo ensombrece a lembrança da morte ameaçadora.

20,5-7 O plano de Davi aclarará a situação e ao mesmo tempo lhe permitirá escapar. A lua nova ou começo do mês é dia festivo.

20,8 A aliança selada diante do Senhor vincula os dois soldados: se um violar gravemente a lealdade, o outro poderá matá-lo sem recorrer a uma instância superior. Eclo 14,16.

20,11-23 Esta saída dos dois amigos ao campo nos recorda uma outra de dois irmãos, chamados Caim e Abel. Jônatas começa respondendo ao pedido de Davi, mas bem depressa se refaz olhando para o futuro: com suas palavras renuncia praticamente a seus direitos de sucessão, está vendo Davi como sucessor de Saul, invoca o favor de Deus para o novo rei e o favor do novo rei para ele e sua família.

para ver se está de bem ou de mal contigo, e te enviarei um recado. ¹³Se tramar algum mal contra ti, que o Senhor me castigue se eu não te avisar para que te salves. O Senhor esteja contigo como esteve com meu pai! ¹⁴E se eu ainda viver, cumpre comigo o pacto sagrado; e se eu morrer, ¹⁵nunca deixes de favorecer minha família. E quando o Senhor destruir os inimigos de Davi sobre a face da terra, ¹⁶que o nome de Jônatas na casa de Davi não se apague. Que o Senhor se encarregue dos inimigos de Davi!

¹⁷Jônatas fez também Davi jurar pela amizade que lhe tinha, pois o amava com toda a alma, ¹⁸e lhe disse:

— Amanhã é lua nova. Notarão tua falta, pois verão teu lugar vazio. ¹⁹Depois de amanhã, tua ausência chamará muito a atenção. Tu vais aonde te escondeste aquela vez, e fica junto às pedras; ²⁰eu dispararei três flechas nessa direção, como que atirando ao alvo, ²¹e mandarei um servo recolher as flechas. Se lhe disser: "Estão mais para cá, recolhe-as", podes vir, pois tudo corre bem para ti, não há problema, por Deus. ²²Porém, se disser ao servo: "Estão mais para lá", então vai, o Senhor quer que partas. ²³Quanto à promessa que eu e tu fizemos, o Senhor estará sempre entre nós dois.

²⁴Assim, pois, Davi se escondeu no campo.

Chegou a lua nova e o rei sentou-se à mesa para comer. ²⁵Ocupou seu lugar de sempre, junto à parede; Jônatas sentou-se à frente, e Abner de um lado, e notou-se que o lugar de Davi estava vazio. ²⁶Mas nesse dia Saul nada disse, pois pensou: "Certamente não está limpo, não se purificou". ²⁷Mas, no dia seguinte, o segundo do mês, o lugar de Davi continuava vazio, e Saul perguntou a Jônatas:

— Por que o filho de Jessé não veio comer nem ontem nem hoje?

²⁸Jônatas respondeu-lhe:

— Ele me pediu licença para ir a Belém. ²⁹Disse-me que o deixasse ir, pois sua família celebrava no povoado o sacrifício anual e seus irmãos pediram para que fosse; e, se não me parecesse mal, ele iria ver seus irmãos. Por isso não veio à mesa do rei.

³⁰Então Saul encolerizou-se contra Jônatas, e lhe disse:

— Filho de mãe transviada! Eu sabia que estavas de conchavo com o filho de Jessé, para vergonha tua e de tua mãe! ³¹Enquanto o filho de Jessé estiver vivo sobre a terra, nem tu nem teu reino estarão seguros. Portanto, manda buscá-lo, pois merece a morte.

³²Jônatas lhe replicou:

— E por que deve morrer? Que mal fez ele? ³³Então Saul atirou-lhe a lança para matá-lo. Jônatas convenceu-se de que seu pai estava decidido a matar Davi. ³⁴Levantou-se enfurecido, e não comeu nesse dia (o segundo do mês), afligido porque seu pai havia desonrado Davi.

³⁵De manhã Jônatas saiu ao campo com um servo para o encontro que tinha com Davi. ³⁶Disse ao jovem:

Lealdade para além da morte. É como se Jônatas prestasse homenagem que não poderá prestar em vida e, como antecipando a própria morte, põe seus descendentes sob a proteção de Davi. Esta é a força da amizade e da aliança.

Fala-se do nome de Jônatas, não de Saul. Nessas duas cenas o narrador evita mencionar Saul; é "teu pai", "meu pai", conforme quem fala; uma vez é "o rei"; quando o narrador toma a palavra na terceira cena, então o mencionará.

20,13 1Sm 10,7.

20,17 Eclo 25,9.

20,23 O Senhor sanciona o pacto sagrado (*sanctus* = sancionado): sanciona a mútua aceitação, a manutenção, e sancionará as transgressões de qualquer uma das partes. Gn 31,50.

20,25-34 O esquema clássico dos três tempos ou dias se cumpre aqui com grande densidade, abrangendo esta cena e a seguinte: no primeiro dia reina um silêncio agourento, no segundo irrompe a cólera, no terceiro se consuma a fuga.

20,26 Não só o banquete sagrado, mas qualquer banquete exigia estado de pureza, para não contaminar os outros; era muito fácil adquirir uma contaminação, e complicado purificar-se dela.

20,27 Na boca de Saul (vv. 27.30.31), Davi é "o filho de Jessé"; evita o nome pessoal.

20,30-33 Saul reage com violência inusitada: trata-se da traição do herdeiro. A ordem obriga Jônatas a tomar partido contra Davi, por seu pai (o que será tomar partido por seus próprios direitos): agindo como esbirro e trazendo Davi para que seja executado, trairá seu amigo, será fiel a seu pai, garantirá para si o trono. Como Jônatas se nega, Saul vê consumada a traição, não pode contar com seu herdeiro; em novo arrebatamento ou ataque, tenta matá-lo aí mesmo. Jônatas, com sua intenção pacificadora, precipita a ruptura e o ódio final de Saul. É uma figura trágica.

20,30 Pr 15,20.

20,35-42 Davi fala na primeira cena com paixão, depois se cala, escutando; em seguida se esconde, e finalmente desaparece. Em quase toda esta cena,

— Corre e procura as flechas que vou atirar!

O jovem começou a correr, e Jônatas disparou uma flecha que o ultrapassou. ³⁷O jovem chegou onde havia caído a flecha de Jônatas, ³⁸e este gritou:

— Estão mais para lá! Corre depressa, não fiques aí parado!

O rapaz recolheu a flecha e a levou a seu amo, ³⁹sem nada suspeitar. Apenas Jônatas e Davi o entenderam. ⁴⁰Jônatas deu suas armas ao servo e lhe disse:

— Vamos, leva-as para casa.

⁴¹Enquanto o rapaz ia, Davi saiu do seu esconderijo; caiu diante dele por terra, prostrando-se três vezes; depois os dois abraçaram-se chorando copiosamente. ⁴²Jônatas lhe disse:

— Vai em paz. Conforme juramos um ao outro em nome do Senhor: que o Senhor seja sempre nosso juiz e de nossos filhos.

21 Davi em Nob – ¹Davi partiu e Jônatas voltou à cidade. ²Davi chegou a Nob e foi ao sacerdote Aquimelec. Este saiu ansioso a seu encontro e perguntou-lhe:

— Por que vens sozinho, sem ninguém contigo?

³Davi respondeu-lhe:

— O rei me confiou uma missão e me ordenou que ninguém saiba uma palavra de suas ordens e da missão que me confiava. Marquei um encontro com os jovens em tal lugar. ⁴Agora dá-me cinco pães, se os tens à mão, ou o que tiveres.

⁵O sacerdote respondeu-lhe:

— Não tenho à mão pão comum. Tenho apenas pão consagrado, com a condição de que os jovens se tenham preservado pelo menos do contato com mulheres.

⁶Davi respondeu-lhe:

— Certamente. Sempre que saímos para uma campanha, mesmo que seja de caráter

---

cabe a Davi ficar escondido; e no final não diz nada. Nessas flechas disparadas parece-nos ver uma figura da situação. Flechas, brincadeira de guerreiros, Jônatas não acertou o alvo; vão mais além do criado com sua mensagem cifrada; e estão disparando a Davi para o desconhecido. Davi arrojado acertará o alvo? Mas, ainda que os hebreus gostassem da linguagem das ações simbólicas, não podemos afirmar que deram tal alcance a essas flechas. Contudo, devemos escutar com Davi escondido estas palavras de Jônatas: "Rápido, depressa, não fiques aí parado". O criado não o entende. Davi e Jônatas têm agora um segredo.

20,41 Prostra-se em sinal de respeito ao amigo: ver, por exemplo, Gn 42,6 (os irmãos diante de José); Gn 33,3 (Jacó diante de Esaú).

Davi e Saul

Quando Davi se despede de Jônatas e abandona definitivamente a corte, começa uma vida errante de proscrito. Primeiro em território israelita povoado, depois pelas montanhas e no descampado, com intervalo em Moab e finalmente em território filisteu (a perícope 21,11-16 antecipa o capítulo 27; a visita a Moab, 22,1-5, também parece estar antecipada. A notícia da morte de Samuel, 25,1, e a visita do rei à feiticeira, capítulo 28, antecipam e preparam a morte de Saul). Excetuando o conselho do profeta (22,5) e as repetidas consultas a Deus nos capítulos 23 e 30, a narração discorre em plano simplesmente humano. A hostilidade de Saul não se diz provocada por um espírito maligno, mas se explica pelo temor de perder o trono para si e seu filho; temor exacerbado doentiamente, embora não injustificado. As sucessivas deliberações de Davi são fruto de sua astúcia, presença de espírito, decisão rápida, de um acontecimento inesperado; através desses fatores humanos, o Senhor vai dirigindo a carreira de Davi,

sem intervenções milagrosas ou espetaculares. Embora o estilo das narrações não seja puramente histórico, e ainda que alguns episódios tomem cores legendárias, grande parte do narrado corresponde a fatos históricos. Um Davi valente, agitado, sem demasiados escrúpulos, vai subindo para o trono; ao passo que um Saul também valente, mas colérico e instável, caminha para a ruína. O autor viu neste duplo curso a mão de Deus guiando a história do seu povo.

21,1-10 Nob parece ser uma localidade próxima a Jerusalém (conforme Is 10,32). Talvez depois da queda de Silo se tenha transformado em centro importante do reino, pela presença do sumo sacerdote e de um grupo de 85 sacerdotes. Esse número, se não é a correspondência numérica de *kohanê* = sacerdotes, parece bastante exagerado. Em Nob se consulta o oráculo, se despacham processos, se conservam ex-votos, e o v. 7 supõe que já então se apresentavam pães ao Senhor como oferenda (ver Lv 24). Aquimelec (= meu irmão é rei) deve ser o mesmo Aías, que apareceu em 14,3, já que "melek" é título de Yhwh, daí a variante do nome. O sacerdote conhecia Davi e seu alto cargo na corte, mas nada sabe da nova situação. Não parece ter relações com Samuel, o juiz-profeta.

Davi busca duas coisas elementares: pão para manter a vida e uma espada para defendê-la. O que encontra é de bom augúrio: pois, que melhor pão do que o consagrado ao Senhor? E qual melhor espada que a do filisteu?

21,5 Mt 12,1-4 aduz este uso profano do pão consagrado, em caso de necessidade, para defender os discípulos famintos que arrancam espigas no sábado.

21,6 A continência é um dos elementos da pureza ritual (Ex 19,15) e também se pratica na guerra santa. Davi estende o costume a todas as saídas militares.

profano, nos abstemos de mulheres. Quanto mais hoje os jovens se conservam limpos! ⁷Então o sacerdote deu-lhe pão consagrado, pois não havia aí outro pão, a não ser o apresentado ao Senhor, retirado da presença do Senhor, para pôr o pão novo do dia. ⁸(Nesse dia estava aí, retido no templo, um dos empregados de Saul; chamava-se Doeg, edomita, chefe dos pastores de Saul.) ⁹Davi perguntou a Aquimelec:

– Não tens à mão uma lança ou uma espada? Eu não trouxe sequer a espada nem as armas, pois a ordem do rei era urgente.

¹⁰O sacerdote respondeu:

– A espada de Golias, o filisteu, que mataste no vale de Ela. Está aí, envolta num pano, atrás do efod. Se quiseres, leva-a. Aqui não há outra.

Davi disse:

– Não existe outra melhor. Dá-me essa.

Davi em Gat – ¹¹Nesse dia, fugindo Davi para longe de Saul, chegou a Aquis, rei de Gat. ¹²Mas os cortesãos de Aquis comentaram com o rei:

– Esse é Davi, rei do país. Não era a esse que cantavam dançando: "Saul matou mil, mas Davi matou dez mil"?

¹³Esse comentário não escapou a Davi, e ele teve medo de Aquis, rei de Gat. ¹⁴Então começou a fazer-se de bobo diante deles; fingindo-se louco quando iam prendê-lo, pôs-se a arranhar as portas, deixando cair a baba pela barba. ¹⁵Então Aquis disse a seus cortesãos:

– Esse homem está louco! Por que o trouxestes a mim? ¹⁶Faltam-me bobos para trazerdes este, a fim de fazer bobagens? Para que vem ele ao meu palácio?

22 Davi fugitivo

¹Davi partiu daí e se escondeu no refúgio de Odolam. Seus parentes e toda a sua família, quando souberam, foram para lá. ²Juntaram-se a ele uns quatrocentos homens, pessoas em apuros ou cheias de dívidas ou desesperadas da vida. Davi foi seu chefe. ³Daí foi a Masfa, de Moab, e disse ao rei de Moab:

– Permite que meus pais vivam entre vós até que eu veja o que Deus quer de mim.

⁴Apresentou-os ao rei de Moab, e ficaram aí todo o tempo que Davi esteve no refúgio.

⁵O profeta Gad disse a Davi:

– Não continues no refúgio, vai para a terra de Judá.

Então Davi foi e se escondeu na floresta de Haret.

Matança dos sacerdotes – ⁶Saul estava em Gabaá, debaixo da tamargueira, no

---

21,8 Talvez para prestar algum serviço no templo, talvez por algum processo. É um estrangeiro a serviço de Saul.

21,10 O efod era usado sobretudo para obter o oráculo. Alguns pensam que era como um manto cônico, que de algum modo indicava a presença da divindade. 1Sm 17,51.

21,11-15 Este episódio parece antecipar fatos do capítulo 27, pois apresenta Davi em território filisteu. O louco, tocado pela divindade, tinha algo de sagrado e intocável. Se *mélek* não é um erro de grafia, é estranho ouvir chamar Davi "rei do país". Supremo talento de Davi: fazer-se de bobo de modo convincente. Ao mesmo tempo, um gracejo maligno dos filisteus, que "não tinham falta de bobos".

22,1-5 Este episódio, com o anterior, serve para retardar o desenlace do episódio de Nob, pelo que é difícil determinar sua posição cronológica correta. Além disso, o povo que se juntou a Davi deve ter crescido aos poucos; o autor resume numa notícia muitos casos diversos. A família se junta a Davi porque teme as represálias do rei, os outros são pessoas que rompem com a sociedade e com o estado.

Odolam é minúsculo povoado em território montanhoso rico em cavernas, situado a meia distância entre Belém e Gat; lugar bom para refúgio, esconderijo e retirada.

22,2 Jz 9,4.

22,3 Conforme a tradição que o final do livro de Rute recolhe, Davi tinha ascendência moabita, o que poderia justificar seu pedido de asilo para seus pais. Moab, do outro lado do Jordão, fica à margem das lutas israelitas com os filisteus. Deus irá manifestando a Davi o que quer dele, por oráculos proféticos, consultas sacerdotais, e pelo desenrolar dos acontecimentos.

22,5 O profeta Gad reaparece em 2Sm 24; conforme 1Cr 29,29, escreveu uma história do reino de Davi. Haret fica entre Odolam e Hebron.

22,6-23 A narração liga-se com os acontecimentos de Nob. Está construída linearmente, como um processo diante do tribunal régio: denúncia, interrogatório, sentença, execução. Acumulam-se os detalhes para mostrar o odioso do fato: denúncia de um estrangeiro, não se admite a resposta justa do réu, pela suposta culpa de um toda a população paga, há uma matança de sacerdotes, o mesmo estrangeiro a executa, porque os outros se negam a ferir pessoas consagradas.

Saul tentou cortar, com um castigo exemplar, possíveis adesões a seu rival; mas violou a justiça, ofendeu seus militares, matou sacrilegamente. Saul fica totalmente condenado a atuar como juiz iníquo, ele que deveria ser defensor da justiça. O epílogo nos mostra, diante do Saul temível, o Davi protetor.

22,6 Muitos povoados israelitas se chamam Alto nessa região montanhosa. Saul estabeleceu sua corte

alto, com a lança na mão, rodeado de toda a sua corte, quando chegou a notícia de que Davi e sua gente tinham sido vistos. [7]Então Saul falou:

— Escutai, benjaminitas: pelo visto, para vós o filho de Jessé irá repartir campos e vinhas e vos nomeará chefes e oficiais de seu exército. [8]Estais todos conspirando contra mim; ninguém me informa sobre o pacto de meu filho com o filho de Jessé, ninguém sente compaixão por mim, nem me revela que meu filho incitou um vassalo meu para que me espreite, como acontece agora.

[9]O edomita Doeg, chefe dos pastores de Saul, respondeu:

— Eu vi o filho de Jessé chegar a Nob, a Aquimelec, filho de Aquitob. [10]Pediu-lhe por amor de Deus, e Aquimelec deu-lhe provisões, e deu-lhe também a espada do filisteu Golias.

[11]O rei mandou chamar o sacerdote Aquimelec, filho de Aquitob, e toda a sua família, sacerdotes de Nob. Todos se apresentaram diante do rei, [12]e este lhes disse:

— Escuta, filho de Aquitob.

Respondeu:

— Estou aqui, senhor.

[13]Saul perguntou:

— Por que tu e o filho de Jessé conspirastes contra mim? Deste-lhe comida e uma espada, e consultaste Deus por ele, para que me espreite, como acontece agora.

[14]Aquimelec respondeu:

— Que servo tinhas de tão grande confiança como Davi, genro do rei, chefe de tua guarda e tratado com honra em teu palácio? [15]Como se fosse hoje a primeira vez que consulto a Deus por ele! Deus me livre! Não misture o rei, nesse assunto, este servidor e sua família, pois teu servidor não sabia nem pouco nem muito sobre esse assunto.

[16]Mas o rei replicou:

— Certamente morrerás, Aquimelec, tu e toda a tua família.

[17]Depois disse aos que o escoltavam:

— Aproximai-vos e matai os sacerdotes do Senhor, pois se puseram do lado de Davi e, sabendo que fugia, não o denunciaram.

Mas os guardas não quiseram mover a mão para ferir os sacerdotes do Senhor. [18]Então Saul ordenou a Doeg:

— Aproxima-te e mata-os.

O edomita Doeg aproximou-se e os matou. Nesse dia morreram oitenta e cinco homens que vestiam o efod. [19]Em Nob, povoado dos sacerdotes, passou a fio de espada homens e mulheres, crianças e bebês, bois, asnos e ovelhas. [20]Um filho de Aquimelec, filho de Aquitob, chamado Abiatar, escapou. [21]Chegou fugindo atrás de Davi e contou-lhe que Saul havia assassinado os sacerdotes do Senhor. [22]Davi disse-lhe:

— Eu senti naquele dia que o edomita Doeg, que estava aí, avisaria Saul. Sinto-me culpado pela morte de teus familiares! [23]Fica comigo, não temas, pois quem tentar matar-te, tentará matar-me também; comigo estarás bem protegido.

---

num deles e lhe deu seu nome, Alto de Saul; está situado a uns 4 quilômetros ao norte de Jerusalém. Em algumas épocas do ano, a corte se reúne ao ar livre, sob uma tamargueira ou carvalho, para tratar questões de governo, administrar justiça etc. Na falta de cetro, a lança parece ser o distintivo real de Saul: 18,10; 20,24; 26,7; 2Sm 1,6. Quase um *leitmotiv*.

22,7-8 Saul apela para o princípio "quem não está comigo, está contra mim", supondo que seus ministros estejam informados e que o silêncio deles seja culpável. Em tom irônico e patético, que inclui uma grave acusação, tenta vencer o silêncio. Um acumular-se de possessivos de primeira pessoa modela o discurso com rima evocativa. Também importam os contrastes: Saul escolheu da sua tribo, Benjamim, os seus ministros, ao passo que Doeg é edomita; Jônatas é filho de um rei, enquanto que Davi é filho de Jessé, é um escravo do rei.

22,13 Saul tem por certo que Davi está conspirando contra ele; por isso, todo ato de colaboração com Davi é delito de lesa-majestade. E intrometer Deus na conspiração, pedindo um oráculo, é agravante imperdoável. (Saul já não dispõe de oráculo profético, já que rompeu com Samuel, e não lemos que continue consultando o oráculo sacerdotal).

22,14-15 Aquimelec retorce a acusação: Davi é filho de Jessé, mas além disso genro do rei; Aquimelec deu uma espada, mas Davi é chefe da guarda real; deu comida ao que come honorificamente no palácio. Quanto à conspiração, não sabia de nada.

22,19 Como numa guerra santa: Dt 20.

22,20-23 É conhecido o motivo narrativo do filho que se salva da matança: Joatão, filho de Gedeão; Joás, rei de Judá. Desse modo continua a casa sacerdotal de Eli, segundo o anunciado em 2,33, e Davi tem do seu lado aquele que será sumo sacerdote. Como a ruptura de Saul com Samuel fez com que Gad passasse para o lado de Davi. Saul continua construindo sua própria ruína e a ascensão do seu rival: é a trágica ironia.

23 Davi em Ceila

¹Chegou a Davi este aviso:

— Os filisteus estão atacando Ceila e andam saqueando as eiras.

²Davi consultou o Senhor:

— Posso ir matar os filisteus?

O Senhor respondeu-lhe:

— Vai, pois os derrotarás e libertarás Ceila.

³A gente de Davi lhe disse:

— Aqui em Judá estamos com medo; quanto mais se formos a Ceila atacar os esquadrões filisteus!

⁴Davi tornou a consultar o Senhor. E o Senhor lhe respondeu:

— Começa a marcha para Ceila, pois eu te entrego os filisteus.

⁵Davi foi a Ceila com sua gente, lutou contra os filisteus, infligiu-lhes uma grande derrota e levou seus rebanhos. Assim salvou os habitantes de Ceila. ⁶(Quando Abiatar, filho de Aquimelec, fugiu para Ceila, onde estava Davi, levou consigo um efod.)

⁷Informaram Saul que Davi tinha ido a Ceila, e ele comentou:

— Deus o entrega em minhas mãos; caiu na armadilha, entrando numa cidade com portas e ferrolhos.

⁸Depois convocou todo o seu exército para a guerra, a fim de descer a Ceila e cercar Davi e sua gente. ⁹Davi soube que Saul tramava sua ruína e disse ao sacerdote Abiatar:

— Traze o efod.

¹⁰E rezou:

— Senhor Deus de Israel, ouvi que Saul tenta vir a Ceila arrasar a cidade por minha causa. ¹¹Descerá Saul como escutei? Senhor Deus de Israel, responde-me!

O Senhor respondeu:

— Descerá.

¹²Davi perguntou:

— E os notáveis da cidade me entregarão com minha gente em poder de Saul?

O Senhor respondeu:

— Eles vos entregarão.

¹³Então Davi e sua gente, uns seiscentos, saíram de Ceila e vagaram a esmo. Avisaram Saul que Davi fugira de Ceila, e ele desistiu da campanha.

Davi e Jônatas – ¹⁴Davi instalou-se no deserto, nos cumes, na região montanhosa do deserto de Zif. Saul o procurava constantemente, mas Deus não o entregava. ¹⁵Quando Saul saiu à sua procura para matá-lo, Davi estava no deserto de Zif, em Horesa, e teve medo. ¹⁶Mas Jônatas, filho de Saul, se pôs a caminho de Horesa para ver Davi; apertou-lhe a mão, invocando a Deus, ¹⁷e lhe disse:

— Não temas, a mão de meu pai Saul não te atingirá. Tu serás rei de Israel e eu serei teu segundo. Até meu pai Saul sabe disso.

¹⁸Os dois fizeram um pacto diante do Senhor, e Davi ficou em Horesa, ao passo que Jônatas voltou para casa.

Davi perseguido – ¹⁹Alguns de Zif foram a Gabaá dizer a Saul:

23,1 Ceila fica alguns quilômetros a sudeste da mata de Haret; os filisteus fazem incursões repentinas, adentrando por vales e desfiladeiros até os povoados israelitas desprevenidos.

23,2-4 Como indica o v. 6, o sumo sacerdote se encarrega de fazer a consulta; o segundo oráculo pronuncia a fórmula clássica da guerra santa.

23,5 Com sua rápida reação, Davi ocupa seus homens, treina-os, prova a fidelidade deles à causa israelita, conquista a gratidão de alguns povoados e a confiança de outros.

23,7 Começa um esquema semelhante ao do v. 1: o anúncio, o inimigo. Saul conta com a vitória: "Deus o entrega nas minhas mãos"; fórmula parecida com a anterior. Mas com uma diferença decisiva: o que antes era oráculo do Senhor, aqui é cálculo de Saul, que já não conta com o profeta ou o sacerdote. Ceila é cidade fechada: a muralha ou as casas não deixam mais que uma entrada, é fácil de cercar e assaltar. Saul compreende que Davi se colocou numa armadilha.

23,9 O versículo parece indicar que Davi dispunha de ligações e espiões na corte.

23,10-12 Os notáveis da cidade sentem mais medo de Saul que gratidão a Davi; por um fugitivo, embora benfeitor, não estão dispostos a sacrificar toda a população. Deve ter sido essa a atitude de muitos durante esta etapa da vida de Davi.

23,13 Davi compreende que o mesmo pode acontecer em qualquer povoado, e doravante tem de viver nos montes.

23,14-18 Os montes de Zif se encontram na região de Hebron; até a coroação, serão seu campo preferido de operações. A visita de Jônatas faz eco à despedida do capítulo 20, com o mesmo tema da aliança e do futuro reinado de Davi. Nenhum pressentimento de morte soa nestas palavras. O narrador coloca aqui a notícia para mostrar a lealdade de Jônatas, inclusive na desgraça e no perigo.

23,19-28 O episódio conta muito bem a rápida aproximação dos dois grupos, numa série de movimentos alternados, que se ligam por verbos de informar. No

— Davi está escondido entre nós, nos cumes, em Horesa, na colina de Áquila, na vertente que dá para a estepe. ²⁰Majestade, se tens tanta vontade de descer, desce, pois cabe a nós entregá-lo ao rei.

²¹Saul disse:

— Deus vos pague, pois vos compadéceste de mim. ²²Ide, preparai-vos bem, assegurai-vos bem do lugar por onde anda, pois me disseram que é muito esperto. ²³Informai-vos em quais esconderijos se esconde e voltai, trazendo-me informações exatas. Eu irei convosco e, se ele estiver nessa região, darei uma batida por todas as aldeias de Judá.

²⁴Puseram-se a caminho na direção de Zif, à frente de Saul. Davi e sua gente estavam no deserto, ao sul da estepe. ²⁵Saul e os seus foram à sua procura, mas a notícia chegou a Davi, e ele desceu ao penhasco da estepe de Maon. ²⁶Saul ia por um lado do monte e Davi com os seus pelo outro; quando Davi se afastava precipitadamente de Saul, e este com os seus já o estava cercando para prendê-lo, ²⁷apresentou-se um mensageiro a Saul:

— Vem depressa, pois os filisteus estão saqueando o país.

²⁸Então Saul deixou de perseguir Davi e voltou para perseguir os filisteus. Por isso esse lugar se chama Sela-Hamalacot*.

24 Saul e Davi na caverna — ¹Davi subiu daí e se instalou nos penhascos de Engadi*. ²Quando Saul voltou da perseguição aos filisteus, o avisaram:

— Davi está no deserto de Engadi.

³Então Saul, com três mil soldados de todo o Israel, partiu para Surê-Haielim* à procura de Davi e sua gente; ⁴chegou a uns currais de ovelhas perto do caminho, onde havia uma caverna, e entrou nela para fazer suas necessidades.

Davi e os seus estavam no fundo da caverna*, ⁵ᵃe seus homens disseram a Davi:

— Este é o dia de que o Senhor te disse: "Eu te entrego teu inimigo. Faze com ele o que quiseres".

⁷Mas ele respondeu-lhes:

— Deus me livre de fazer isso a meu senhor, o ungido do Senhor, estendendo a mão contra ele! É o ungido do Senhor!

⁸ᵃE proibiu-lhes energicamente que se lançassem contra Saul; ⁵ᵇmas ele se levantou sem fazer barulho e cortou a barra do manto de Saul; ⁶mais tarde, porém, a consciência lhe pesava por ter cortado a barra do manto de Saul.

⁸ᵇQuando Saul saiu da caverna e continuou seu caminho, ⁹Davi levantou-se, saiu da caverna atrás de Saul e gritou-lhe:

— Majestade!

Saul voltou-se para ver, e Davi prostrou-se com o rosto por terra prestando-lhe vassalagem. ¹⁰Disse-lhe:

— Por que dás ouvido ao que o povo diz, que Davi procura tua ruína? ¹¹Vê, hoje

---

final, Saul se mostra fiel à sua missão real, que é lutar contra os filisteus. Não deveriam os dois entrar em acordo contra o inimigo comum?

23,28 * = Penha das Despedidas.

24,1 Seguindo para o oriente chega-se ao oásis de Engadi (Fonte do Cabrito), perto do mar Morto. O autor supõe que Saul tenha terminado sua campanha contra os filisteus e pode continuar a perseguição ao seu rival interno. Mas o episódio é autônomo e contém alguns pontos inverossímeis, de sabor legendário.
* = Fonte do Cabrito.

24,3 É um recrutamento de todo Israel, porque o assunto concerne a todo o povo, não só às tribos de Benjamim (Saul) e Judá (Davi).
* = Penha das Camurças.

24,4 Continuamos em paisagem animal: cabrito, camurças, ovelhas; lugar vantajoso para o pastor Davi. Parece-nos ouvir um riso contido do autor ao apresentar Saul inerme, agachado numa gruta.
* Do v. 5 ao v. 9 a ordem está alterada.

24,5-8 Os companheiros parecem citar um oráculo em favor de Davi, aplicando-o ao momento presente; ele corrige o sentido, porque na lista dos inimigos não pode entrar o rei, que pela unção é sagrado e intocável. O olhar prospectivo ao futuro remorso dá à narrativa um caráter de recordação pessoal, com um esboço de análise psicológica.

24,7 1Sm 9,16.

24,10-16 O discurso de Davi tem caráter judicial de *rib* ou pleito bilateral, com apelação última a Deus juiz. Davi e Saul estão em relação mútua de vassalo e soberano e também de parentes: o título "meu pai" cobre ambos os aspectos.
Nessa relação, que há de ser de justiça e lealdade, Davi demonstrou que cumpre seu dever; a orla do manto é uma prova judicial. Portanto, a perseguição de Saul não tem justificativa, é uma ruptura arbitrária e injusta dos compromissos. Davi ganhou o pleito agindo com generosidade (são Paulo aconselhará: "Vence o mal com o bem", Rm 12,21). Esta evidência basta para rebater o falso testemunho de outros. Enquanto que "maldade" é genérico, "traição e ofensa" são delitos específicos. A vingança que Davi invoca é um ato de justiça vindicativa: ele pode acusar Saul e provar a acusação, mas não tem direito de condenar nem de executar a sentença.

estás vendo com teus próprios olhos: o Senhor te havia posto em meu poder dentro da caverna; disseram-me para matar-te, mas eu te respeitei, e disse que não estenderia a mão contra meu senhor, porque és o ungido do Senhor. ¹²Meu pai, vê em minha mão a barra do teu manto; se cortei a barra do teu manto e não te matei, percebes que minhas mãos não estão manchadas de maldade, nem de traição, nem de ofensa contra ti, ao passo que tu me espreitas para matar-me. ¹³Que o Senhor seja nosso juiz. E que ele me vingue de ti, mas minha mão não se levantará contra ti. ¹⁴Como diz o velho refrão: "A maldade sai dos maus...", minha mão não se levantará contra ti. ¹⁵Atrás de quem saiu o rei de Israel? A quem persegues? A um cão morto, a uma pulga! ¹⁶O Senhor seja juiz e sentencie nosso pleito, veja e defenda minha causa, livrando-me da tua mão.

¹⁷Quando Davi terminou de dizer isso a Saul, este exclamou:

— Mas esta é a tua voz, Davi, meu filho? ¹⁸Depois levantou a voz, chorando, enquanto dizia a Davi:

— Tu és inocente e eu não! Pois tu me pagaste com bens e eu te paguei com males, ¹⁹e hoje me fizeste o maior favor, pois o Senhor me entregou a ti e tu não me mataste. ²⁰Pois se alguém encontra seu inimigo, será que o deixa partir em paz? O Senhor te pague pelo que fizeste comigo hoje! ²¹Agora vê, sei que tu serás rei e que o reino de Israel se consolidará em tuas mãos. ²²Portanto, jura-me pelo Senhor que não destruirás minha descendência, não apagarás meu nome.

²³Davi jurou. Saul voltou para casa e Davi e sua gente subiram aos penhascos.

25 Davi, Nabal e Abigail – ¹Samuel morreu. Todo Israel se reuniu para fazer seus funerais, e o enterraram em sua posse de Ramá. Depois Davi desceu à estepe de Maon.

²Havia um homem de Maon que tinha suas posses em Carmel*. Era muito rico: tinha três mil ovelhas e mil cabras, e estava em Carmel, tosquiando as ovelhas. ³Chamava-se Nabal, da família de Caleb, e sua mulher, Abigail; a mulher era sensata

---

O texto da parte final é muito rítmico. O contraste "rei de Israel", "cão morto, pulga", quer mostrar o absurdo da situação; mas não concorda com o canto das moças: "Saul matou mil, mas Davi matou dez mil". A invocação final completa o processo: em princípio, Saul teria autoridade para julgar, sentenciar e executar um súdito; apelando para o Senhor, Davi subtrai sua causa à competência do rei, fica isento de uma possível causa criminal. E como o Senhor defende a causa do perseguido, Saul entra em pleito perdido diante do Senhor.

24,13 Jr 20,12.

24,17-22 Diz o provérbio: "Se teu inimigo tem fome, dá-lhe de comer; se tem sede, dá-lhe de beber; assim o farás corar" (Pr 25,21-2a). Saul reconhece a justeza da colocação e as razões do adversário. Saul começa a falar sob o choque de sentir que esteve a um passo da morte; seu pranto é mistura de terror e arrependimento. Ao se reconhecer culpado, a causa está terminada e não precisa apelar para o Senhor juiz; melhor é invocar o Senhor benfeitor, que igualará com seus benefícios o desequilíbrio causado pelo rei entre mal e bem. Saul, que se livrou da vingança de Davi, quer livrar-se também da temível vingança de Deus; para tanto, invoca o Senhor em favor de seu rival e pede a este um juramento que contradiga a apelação do v. 14.

O autor vai mais longe e aproveita o momento para pôr na boca de Saul um ato de homenagem antecipada ao futuro rei de Israel; Jônatas o dizia em 23,17. O juramento de Davi inclui mentalmente seu amigo Jônatas.

24,18 Gn 38,26; Pr 25,22.

24,23 Os dois se separam. Davi não é convidado nem volta à corte. Para o autor, é só uma trégua, que ele vai encher com um episódio menos dramático.

25,1 Em silêncio, Samuel desaparece do cenário da história, deixando em marcha o futuro de Israel; e o autor lhe oferece a homenagem de todo Israel. Quer dizer que também Saul assistiu aos funerais? Samuel juiz já não tem sucessores; como profetas, lhe sucedem Gad e Natã. Entretanto, Davi volta à sua região preferida, não longe da pátria.

25,2 Começa uma dessas narrações bíblicas com personagem feminino como protagonista, nas quais parecem comprazer-se os narradores, que fazem brilhar o próprio talento e sensibilidade; aqui se recorda a história de Rebeca ou de Rute. A ação é simples e contada com habilidade: depois da apresentação do lugar e dos personagens (2-3), a primeira cena está ocupada pela mensagem de Davi e a resposta de Nabal (4-11); na cena seguinte se põem em movimento Davi e Abigail para o encontro (12-22); segue-se a grande cena do encontro, com o discurso de Abigail e a resposta de Davi (23-35); os v. 36-42 contam o desfecho. * = Vergel.

25,2-3 Esse Vergel (Carmel) fica ao sul de Hebron, onde reside o clã de Caleb, parte da tribo de Judá, segundo dados bíblicos (Nm 13-14; 26,65; Js 14,6-15). Os personagens estão apresentados já desde o princípio com uma breve caracterização, que determinará o desenvolvimento da ação. Nabal significa "néscio": poderia ser um motejo ou nome apotropaico para evitar a inveja da divindade. A mulher se chama Abigail, que pode significar "meu pai (Deus) responde por mim".

e muito bonita, mas o marido era grosseiro e mal-educado. ⁴No deserto, Davi ouviu dizer que Nabal estava tosquiando, ⁵e mandou dez recrutas com esta ordem:

– Subi a Carmel, apresentai-vos a Nabal e cumprimentai-o por mim. ⁶Direis: "Saúde! A paz esteja contigo, paz para tua família, paz para tua fazenda. ⁷Ouvi dizer que estás tosquiando; pois bem, teus pastores estiveram conosco; não os importunamos nem lhes faltou nada enquanto estiveram em Carmel. ⁸Pergunta a teus servos, e eles o dirão. Atende favoravelmente a estes recrutas porque estamos vindo num dia de alegria. Faze o favor de dar a Davi, servo e filho teu, o que tiveres à mão".

⁹Quando chegaram, os recrutas de Davi o disseram a Nabal, da parte de Davi, e ficaram esperando. ¹⁰Nabal respondeu-lhes:

– Quem é Davi, quem é o filho de Jessé? Hoje em dia são muitos os escravos que fogem do amo. ¹¹Pegarei meu pão e minha água e as ovelhas que matei para meus tosquiadores e irei dá-los a uma gente que não sei de onde vem?

¹²Os recrutas retomaram o caminho de volta e, quando chegaram, contaram tudo. ¹³Davi ordenou a seus homens:

– Cada um cinja a sua espada!

Todos, também Davi, cingiram a espada. Depois subiram atrás de Davi uns quatrocentos, enquanto duzentos ficaram com a bagagem.

¹⁴Um dos servos avisou Abigail, mulher de Nabal:

– Davi mandou do deserto uns emissários para saudar nosso amo, e ele os tratou com maus modos, ¹⁵apesar de eles terem-se comportado muito bem conosco, não nos importunaram nem nos faltou nada por todo o tempo que andamos com eles quando estivemos no deserto; ¹⁶dia e noite nos protegeram enquanto estivemos com eles cuidando das ovelhas. ¹⁷Vê, portanto, o que podes fazer, pois a ruína de nosso amo e de toda a sua casa já está decidida; ele é um idiota, a quem não se pode dizer nada.

¹⁸Abigail juntou depressa duzentos pães, dois odres de vinho, cinco ovelhas preparadas, trinta e cinco litros de trigo tostado, cem cachos de passas e duzentos pães de figos; carregou tudo nos burros, ¹⁹e ordenou aos servos:

– Ide à minha frente, e eu vos guiarei.

Mas não disse nada a seu marido Nabal. ²⁰Enquanto ela, montada no burro, descia beirando o monte, Davi e sua gente desciam na direção oposta, até que se encontraram. ²¹Davi, por sua parte, havia comentado:

– Perdi tempo guardando as coisas desse homem no deserto, para que não perdesse nada. Agora me paga mal por bem! ²²Deus me castigue se antes do amanhecer eu

---

25,4-11 A mensagem de Davi é cortês na forma, embora esteja respaldada por seiscentos homens às suas ordens. Apela para o princípio comum da hospitalidade, particularmente num dia de abundância e alegria; é lógico convidar em tais ocasiões. Além disso, apela para os benefícios prestados aos pastores, benefícios aliás negativos, por não terem abusado; a velha condição do pastor transparece nessa atitude.
A saudação com a tríplice "paz" indica as boas intenções e é augúrio de prosperidade; Davi não vem em clima de guerra.
Davi se chamou servo e filho de Nabal, que retorce os títulos: filho de Jessé (de condição inferior) e escravo fugitivo. A resposta é tacanha e insultante, e cria uma situação de benefícios pagos com ofensas. Ainda que o título de escravos fugitivos não fique mal para alguns dos homens de Davi. O discurso de Nabal está marcado por uma insistência na vogal i longa, não sabemos se com intenção burlesca.
25,8 Pr 3,27.
25,12-19 Habilmente o autor apresenta duas cenas distintas e paralelas. Nabal se retira, deixando o lugar para Davi e Abigail. Ambos reagem com decisão e rapidez; Davi em clima de guerra: note-se no original a tríplice repetição da espada; Abigail em clima de paz: note-se a acumulação de presentes saborosos.
25,13 Gn 32,7.
25,14-17 No discurso, o criado contrapõe as duas partes em causa, Davi e Nabal. A desproporção das duas partes é calculada: pela segunda vez, soa o elogio da conduta de Davi, protetor de pastores; quanto a Nabal, basta aludir a coisas conhecidas, que Abigail aceita sem surpresa nem enfado.
25,18-19 Envia à frente os presentes, como Jacó indo ao encontro do irmão Esaú (Gn 32-33). A ordem de Abigail não é muito mais longa que a de Davi, e entre as duas sobressai o discurso do criado como espécie de testemunho judicial.
25,20-22 O autor se compraz em mostrar como se aproximam as duas comitivas. E, para encher o tempo narrativo, reservou um comentário de Davi à mensagem de Nabal, a qual, pronunciada no começo, teria atrasado a rapidez da decisão. É um juízo sobre a situação jurídica do assunto com uma sentença: Nabal é culpado, Davi tem direito de fazer justiça. Com juramento, pronuncia a sentença e marca o prazo da execução. O modo de mencionar os homens parece depreciativo.
25,21 Gn 44,4.

deixar vivo, em toda a posse de Nabal, um entre os que mijam na parede!

²³Quando viu Davi, Abigail desceu do burro e prostrou-se diante dele com o rosto por terra. ²⁴Prostrada a seus pés, disse-lhe:

– A culpa é minha, senhor. Mas deixa que tua servidora fale, escuta as palavras de tua servidora. ²⁵Senhor, não leves a sério Nabal, esse idiota, porque é como diz seu nome: chama-se "Néscio"*, e a necedade anda com ele. Tua servidora não viu os servos que enviaste. ²⁶Agora, senhor, viva o Senhor que te impede de derramar sangue e fazer justiça com tuas próprias mãos, por tua vida, sejam como Nabal teus inimigos e os que tentarem prejudicar-te. ²⁷Agora, este obséquio que tua servidora trouxe a seu senhor, seja para os servos que acompanham o meu senhor. ²⁸Perdoa a falta de tua servidora, pois o Senhor dará a meu senhor uma casa estável, pois meu senhor combate as guerras do Senhor, e em toda a tua vida não se encontrará nenhuma falta. ²⁹Mesmo que alguém te persiga para matar-te, a vida do meu senhor está bem amarrada ao bornal da vida, sob o cuidado do Senhor teu Deus, ao passo que a vida dos teus inimigos ele a lançará como pedras com a funda. ³⁰Quando o Senhor cumprir ao meu senhor tudo o que prometeu e o tiver constituído chefe de Israel, ³¹que meu senhor não tenha de sentir remorsos nem desânimo por haver derramado sangue inocente e por ter feito justiça com suas próprias mãos. Quando o Senhor coroar de bens o meu senhor, lembra-te de tua servidora.

³²Davi lhe respondeu:

– Bendito seja o Senhor Deus de Israel, que hoje te enviou ao meu encontro! ³³Bendita a tua prudência e bendita tu, que me impediste de derramar hoje sangue e de fazer justiça com minhas próprias mãos! ³⁴Viva o Senhor Deus de Israel, que me impediu de fazer-te mal! Se não te apressasses em vir ao meu encontro, ao amanhecer Nabal não teria com vida sequer um dos que mijam na parede.

³⁵Davi aceitou o que ela lhe trazia, e disse-lhe:

25,23-31 Abigail tem de contradizer e desfazer as ofensas do marido, ou seja, as injúrias verbais e o ter negado as provisões. O segundo delito, no seu aspecto material, é fácil de reparar; o insulto que contém e que as palavras expressaram é um delito que fere mais profundamente. Abigail pronuncia um discurso mais psicológico que lógico. Ainda que não projetemos sobre o texto uma sensibilidade cavalheiresca medieval ou romântica, parece que o autor não é insensível a esse quadro da beleza aos pés da valentia: não o diz a insistência importuna no título "meu senhor" em correlação com "tua serva"? Mais importante é o título que lhe reconhece no final, "chefe de Israel" (*nagid*), um reconhecimento a mais na coroa que o autor vai tecendo em honra do seu herói.

25,24-25 Abigail se faz responsável pela culpa, ao mesmo tempo que a nega, declarando irresponsável o marido. O resultado é que não houve reato, e que Abigail se oferece como vítima inocente: um castigo de Davi não seria ato de justiça, mas de crueldade. Claro está que isso ainda não se pronuncia.

25,25 * = Nabal.

25,26 Segue-se ao invés uma invocação ao Senhor, que é um augúrio para Davi, mas que contém, em forma de predicado divino, uma admoestação: se Davi quer que o Senhor o salve dos seus inimigos, não deverá fazer justiça por suas próprias mãos, derramando sangue.

25,27 A mão indicando os dons é uma descida da invocação a Deus para um argumento mais material, e reduz a tensão das palavras precedentes. Gn 33,11.

25,28 Recomeça, confessando-se culpado e apelando para a misericórdia. O novo argumento é como uma profecia, na qual soa o tema dinástico "uma casa estável", e remonta de novo à razão teológica. Como o Senhor lhe fará grandes benefícios, também ele tem de se mostrar generoso. Davi trava as guerras do Senhor (Nm 21,14; 1Sm 18,17), não pode distrair-se em vinganças pessoais.

25,29 A imagem do bornal e da funda, dirigidas a Davi, tem ressonâncias inevitáveis; talvez seja uma expressão popular, talvez alusão a práticas da época. Uma imagem parecida se lê em Is 22,17-18.

25,31 Volta à argumentação do delito projetada com singular eficácia no futuro, na forma de recordação que atormenta. É mais explícita, porque fala de "sangue inocente". A peroração resume, com brevidade comovente, os principais elementos do discurso: Deus, a servidora, seu senhor, o futuro ditoso, a recordação futura. Gn 40,14.

25,32-34 Bendizer equivale a dar graças e a fazer favores. Abigail traz seus dons como "bênção" (*beraká*), como obséquio e demonstração de agradecimento; Davi recebe o tema e o devolve na forma ampla do agradecimento. Ou seja, bendizendo/agradecendo a Deus, que dirigiu os acontecimentos, invocando a bênção sobre o homem que os realizou (compare-se com Gn 14,19-20). Os personagens estabelecem, além do simples perdão, uma nova relação de mútua benevolência, selada pelo Senhor.

25,35 A etimologia da dupla expressão hebraica é "ouvir a voz e erguer o rosto" de quem suplica, para que não esteja inclinado e possa sem medo olhar o outro. A despedida deseja a paz: essa paz que Abigail restabeleceu com sua audácia e bom senso.

— Vai em paz para tua casa. Percebes que te dei atenção e te levei em consideração. ³⁶Ao voltar, Abigail encontrou Nabal celebrando em casa um banquete régio; estava de bom humor e bastante bêbado, de modo que ela não lhe disse nada até o amanhecer. ³⁷De manhã, quando havia passado a bebedeira, sua mulher contou-lhe o que acontecera; o coração de Nabal se apertou no peito e ficou como pedra. ³⁸Passados uns dez dias, o Senhor feriu mortalmente Nabal e ele faleceu.

³⁹Davi ficou sabendo que Nabal morrera, e exclamou:

— Bendito seja o Senhor, que se encarregou de defender minha causa contra o ultraje que Nabal me fez, livrando seu servo de fazer o mal! Fez recair sobre Nabal o mal que havia feito!

Depois mandou pedir a mão de Abigail para casar com ela. ⁴⁰Alguns servos de Davi foram a Carmel, à casa de Abigail, para lhe propor:

— Davi nos enviou para pedir-te que cases com ele.

⁴¹Ela se levantou, prostrou-se com o rosto por terra e disse:

— Aqui está tua escrava, disposta a lavar os pés dos servos do meu senhor.

⁴²Depois se levantou depressa e montou no burro; cinco servas suas a acompanhavam, atrás dos emissários de Davi. E casou-se com ele.

⁴³Davi casou também com Aquinoam de Jezrael. As duas foram suas esposas. ⁴⁴Saul, por sua vez, havia dado sua filha Micol, mulher de Davi, a Falti, filho de Lais, natural de Galim.

26 Último encontro de Davi com Saul (1Sm 24) –

¹Os de Zif foram a Gabaá informar Saul:

— Davi está escondido na colina de Áquila, na vertente que dá para o deserto.

²Então Saul se pôs a caminho do deserto de Zif, com três mil soldados israelitas, para dar uma batida à procura de Davi. ³Acampou na colina de Áquila, na vertente que dá para o deserto, junto ao caminho. ⁴Quando Davi, que vivia no deserto, viu que Saul vinha à sua procura, enviou alguns espiões para ver onde estava Saul. ⁵Então foi ao acampamento de Saul e viu o lugar em que se deitavam Saul e Abner, filho de Ner, general do exército; Saul estava deitado no cerco dos carros, e a tropa acampava ao redor. ⁶Davi perguntou ao heteu Aquimelec e a Abisaí, filho de Sárvia, irmão de Joab:

— Quem quer vir comigo ao acampamento de Saul?

Abisaí disse:

— Eu vou contigo.

⁷Davi e Abisaí chegaram de noite ao acampamento. Saul estava deitado, dormindo em meio ao cerco dos carros, a lança fincada no chão, à cabeceira. Abner e a

---

25,36-39 A breve cena joga com contrastes fortes: o coração alegre – o coração apertado (os sons B destacando a correspondência); Nabal ficou como pedra (em hebraico *nabal* – *le'aben*, com inversão de consoantes). O narrador e Davi interpretam a morte como castigo de Deus, quer dizer, como ato de justiça contra o culpado e em defesa do inocente. Assim, esperando a justiça do Senhor, Davi se livrou de cometer um delito. Deus se encarrega da causa dos ultrajados e oprimidos: ver Sl 35,1; 43,1; 119,154; Pr 22,23; 23,11.

25,40-42 Com este casamento, Davi se liga a um clã influente na zona de Hebron. Abigail tem pressa e o narrador também, dando a entender que a mulher seguiu Davi ainda perseguido, confiando no futuro dele.

25,44 Isto indica que Micol não acompanhou Davi na fuga, nem no princípio nem mais tarde, e Saul a considera praticamente abandonada. Mais adiante, Davi a reclamará (2Sm 3,13-14).

26 Em toda a estrutura narrativa, na intenção e até em várias expressões, o capítulo 26 se parece muito com o 24, tanto que alguns o consideram um duplicado procedente de outra tradição oral. Como as situações são bem diversas, pode-se pensar por quem compôs o livro harmonizou espontaneamente duas narrações que corriam sobre o herói Davi. Impossível determinar quanto há de acontecimento e quanto de lenda.

A narração tem pontos fracos: não explica bem a primeira visita de inspeção de Davi, não diz por que ele executa a ordem que deu a Abisaí, não justifica a alusão ao exílio. Mas fica clara a intenção do episódio e suas variações em relação ao capítulo 24. A magnanimidade de Davi brilha outra vez, unida à sua valentia; prepara-se o exílio forçado; grande parte da culpa recai agora sobre ministros ou cortesãos aludidos; pressente-se a morte próxima de Saul. O capítulo se enquadra no movimento narrativo do livro.

26,1-2 Zif e Áquila apareceram em 23,19ss; a perseguição com três mil é semelhante à de 24,3.

26,6 Aquimelec é um estrangeiro a serviço de Davi. Seu nome hebraico poderia significar sua incorporação religiosa (também Urias é heteu: 2Sm 11). Sárvia é irmã de Davi; seus três filhos são Abisaí, Joab e Asael.

tropa estavam deitados ao redor. ⁸Então Abisaí disse a Davi:

– Deus te põe o inimigo nas mãos. Vou cravá-lo na terra com uma lançada; não será necessário repetir o golpe.

⁹Mas Davi lhe disse:

– Não o mates, pois não se pode atentar impunemente contra o ungido do Senhor! ¹⁰Por Deus, somente o Senhor o ferirá: chegará a hora dele e morrerá ou acabará caindo na batalha! ¹¹O Senhor me livre de atentar contra o ungido do Senhor! Pega a lança que está à cabeceira e a bilha d'água, e vamos.

¹²Davi pegou a lança e a bilha d'água da cabeceira de Saul e partiram. Ninguém os viu, nem percebeu, nem acordou; estavam todos adormecidos, pois um sono pesado, enviado pelo Senhor, os invadira.

¹³Davi atravessou até a outra parte, pôs-se no alto do monte, longe, deixando muito espaço no meio, ¹⁴e gritou à tropa e a Abner, filho de Ner:

– Abner, não respondes?

Abner perguntou:

– Quem és tu, que gritas ao rei?

¹⁵Davi lhe disse:

– Que homem és tu! O melhor de Israel! Por que não defendeste o rei, teu senhor, quando um do povo entrou para matá-lo? ¹⁶Agiste mal! Por Deus, mereces a morte por não teres defendido o rei, vosso senhor, o ungido do Senhor! Vê onde está a lança do rei e a bilha d'água que tinha à cabeceira.

¹⁷Saul reconheceu a voz de Davi e disse:

– É tua voz, Davi, meu filho?

Davi respondeu:

– É minha voz, majestade.

¹⁸E acrescentou:

– Por que me persegues assim, meu senhor? O que fiz? Que culpa tenho? ¹⁹Que vossa majestade se digne escutar-me: se é o Senhor quem te impele contra mim, seja aplacado com uma oblação; mas, se são os homens, sejam amaldiçoados por Deus! Pois hoje me expulsam e me impedem de participar da herança do Senhor, dizendo-me que vá servir outros deuses. ²⁰Que meu sangue não caia por terra longe da presença do Senhor, visto que o rei de Israel saiu perseguindo-me até a morte, como se caça uma perdiz pelos montes.

²¹Saul respondeu:

– Pequei! Volta, meu filho Davi, pois não te farei nenhum mal, por teres respeitado hoje minha vida. Fui um néscio, enganei-me totalmente.

²²Davi respondeu:

– Aqui está a lança do rei. Venha um dos recrutas pegá-la. ²³O Senhor pagará a cada um sua justiça e sua lealdade. Porque ele te pôs hoje em minhas mãos, mas eu não quis atentar contra o ungido do Senhor. ²⁴Assim como hoje respeitei tua vida, respeite o Senhor a minha e me livre de todo perigo.

²⁵Então Saul lhe disse:

– Bendito sejas, Davi, meu filho! Serás bem-sucedido em todas as tuas coisas.

Depois Davi seguiu seu caminho e Saul voltou ao seu palácio.

26,8 Saul morto por sua própria lança seria uma façanha singular (como a cabeça do filisteu cortada com sua própria espada). O leitor recorda que com essa lança Saul tentou atravessar Davi, e sabe talvez que essa lança porá fim à vida de Saul (o ouvinte ou leitor antigo o sabia, pois escutava uma vez ou outra a história). A lança é a arma real, *leitmotiv* narrativo da sua pessoa. De três maneiras pode o Senhor dar a morte a Saul: com uma enfermidade mortal (*ngp*), deixando que chegue sua hora, ou fazendo que caia na guerra. Davi deseja e pressente: morrer na batalha é a morte menos humilhante para o Ungido do Senhor. Pela boca de Davi, o narrador nos prepara.

26,9 Lm 4,20.

26,12 O autor se dá conta do inverossímil do fato, e o justifica, apelando para uma intervenção especial de Deus. A frase é muito rítmica, quase uma respiração acompanhada pelo sono.

26,13 Muito espaço para os pés que descem e sobem, não para a voz que atravessa a ribanceira nem para a vista que já distingue os objetos; o autor supõe que já está clareando.

26,15-16 A ironia de Davi tem algo de ameaça e sentença. Com tal escolta, o Ungido do Senhor vive ameaçado; aquele que seus soldados não guardam, tem de guardá-lo o seu suposto inimigo. "Devolverá" (pagará) a cada um seus méritos. É justiça não tocar no Ungido, é lealdade não atentar contra o soberano.

26,19 1Sm 10,1.

26,20 Gn 4,14.16.

26,21 1Sm 15,24.

26,25 Ainda que não se realize a plena reconciliação, soam serenas e nobres a despedida de Saul e suas últimas palavras a Davi. "Meu filho", como servo e como genro; "bendito", em invocação de agradecimento; "terás êxito", como augúrio profético. Os caminhos se separam: Davi para continuar caminhando, Saul para sua residência. Gn 33,16s.

27 Davi entre os filisteus (1Sm 21,11-16) – ¹Davi pensou:

– No dia em que eu menos pensar, Saul irá me eliminar. Não me resta outra solução senão refugiar-me no país filisteu; assim, Saul deixará de me perseguir por todo Israel e eu estarei seguro.

²Então, com seus seiscentos homens, passou para Aquis, filho de Maon, rei de Gat. ³Davi e sua gente viveram com Aquis em Gat, cada qual com sua família: Davi com suas duas mulheres, Aquinoam, a jezraelita, e Abigail, a esposa de Nabal, de Carmel. ⁴Avisaram Saul que Davi tinha fugido para Gat, e ele cessou de persegui-lo.

⁵Davi pediu a Aquis:

– Se queres fazer-me um favor, destina-me um lugar num povoado do campo para que me estabeleça aí; pois este teu servidor não tem por que residir contigo na capital.

⁶Nesse mesmo dia Aquis lhe destinou Siceleg. (Por isso Siceleg pertence até hoje aos reis de Judá.)

⁷Davi esteve na planície filisteia um ano e quatro meses. ⁸Costumava subir com sua gente para saquear os gessuritas, os gersitas e os amalecitas, povos que habitavam na região que vai de Telém até o passo de Sur* e até o Egito. ⁹Davi devastava o país, sem deixar vivo homem ou mulher; tomava ovelhas, vacas, burros, camelos e roupa e voltava ao país de Aquis. ¹⁰Aquis lhe perguntava:

– Onde saqueaste hoje?

Davi respondia:

– Ao sul de Judá.

Ou então:

– Ao sul dos jerameelitas.

Ou então:

– Ao sul dos quenitas.

¹¹Davi não trazia a Gat nenhum prisioneiro vivo, homem ou mulher, para que não o denunciassem pelo que fazia. Esse foi seu modo de proceder por todo o tempo em que viveu na planície filisteia. ¹²Aquis confiava em Davi, pensando que Davi se tornara inimigo do seu povo, Israel, e que seria sempre seu vassalo.

28 ¹Nesse tempo, os filisteus concentraram suas tropas para ir à guerra contra Israel. Aquis disse a Davi:

– Comunico-te que tu e teus homens devereis ir comigo à frente de batalha.

²Davi lhe respondeu:

– De acordo. Verás como se comporta um vassalo teu.

Aquis lhe disse:

– Muito bem. Eu te nomeio meu guarda pessoal para sempre.

---

27 Para salvar sua vida e a dos seus, Davi se refugia em território filisteu. Situação extremamente paradoxal e perigosa para o herói, e nada cômoda para o narrador.

Por que não se refugiou em Moab, do outro lado do Jordão, onde tinha parentes? Geograficamente, Gat é o principado filisteu mais próximo da sua terra; politicamente, é a pátria de Golias e de seus piores inimigos externos. Se não fosse um fato, o autor não poderia tê-lo inventado.

Ao príncipe filisteu serve muito bem a presença de Davi: é um soldado valente que comanda um grupo aguerrido; pertence ao país inimigo e, ao transferir-se, o enfraquece. Aquis faz uma pequena aliança à custa de Israel: Davi se torna seu vassalo e recebe (talvez como feudo) uma cidade ao sul.

A longo prazo, a situação é perigosa para Davi: é difícil conservar a fé javista em terra estrangeira, difícil livrar-se de uma luta contra seus compatriotas. Aquele que não estendeu a mão contra Saul, a estenderá contra israelitas inocentes?

Em Siceleg, cidade fortificada ao sul do principado, a uns 20 km a sudoeste de Gat, Davi está mais seguro que na corte. Ele, seus soldados e sua família têm lugar onde morar e terras para cultivar. Davi realiza uma série de campanhas ou saques contra tribos cananeias. Trata-se em parte de inimigos tradicionais de Israel, de povos que ocupam territórios prometidos a Israel (ver Js 13,13; Dt 25,17-19; Jz 6–7). Davi pensa que tais campanhas não lhe mancham as mãos, que a aversão recairá sobre os filisteus, que está talvez desocupando um território. As falsas razões que dá ao príncipe filisteu, o autor as conta como amostra de uma astúcia digna de admiração.

27,1 Repete o verbo *nmlt*, escapar, salvar a vida, *leitmotiv* de todas as suas andanças de perseguido.

27,8 O texto fala de gersitas, povo desconhecido. Para chegar a Gazer, cidade cananeia, teria de atravessar todo o território filisteu. * = Muralha.

27,10 Quer dizer, em território de seus compatriotas. Isso tranquiliza o filisteu.

27,12 Em contraste com a primeira visita, quando o expulsou como louco (21,11-16). Mas os dois episódios parecem independentes na tradição e não bem harmonizados no livro.

28,1-3 O começo do capítulo 28 nos apresenta nova ruptura de hostilidades; a notícia continua no capítulo 29. Por outro lado, o resto do capítulo supõe a campanha muito avançada, a favor dos filisteus. A resposta de Davi é ambígua. No verbo soa como obediência, mas não diz o complemento.

Saul e a necromante (Eclo 46,20; Dt 18,10s) – ³Samuel morreu; todo Israel assistiu aos funerais, e ele foi enterrado em Ramá, seu povoado. Por outra parte, Saul havia desterrado necromantes e adivinhos.

⁴Os filisteus se concentraram e foram acampar em Sunam. Saul concentrou todo Israel e acamparam em Gelboé. ⁵Mas, vendo o acampamento filisteu, Saul temeu e começou a tremer. ⁶Consultou o Senhor, mas o Senhor não lhe respondeu, nem por sonhos, nem por sortes, nem por profetas. ⁷Então Saul disse a seus ministros:

– Procurai-me uma necromante para que a consulte.

Disseram-lhe:

– Há uma em Endor.

⁸Saul disfarçou-se com roupas diferentes; partiu com dois homens, chegaram de noite aonde estava a mulher, e pediu-lhe:

– Adivinha para mim o futuro, evocando os mortos, e faze que me apareça quem eu te disser.

⁹A mulher lhe disse:

– Tu sabes o que fez Saul, desterrando necromantes e adivinhos. Por que me pões uma armadilha para depois me matar?

¹⁰Saul jurou-lhe pelo Senhor:

– Por Deus, não te castigarão por isso!

¹¹Então a mulher perguntou:

– Quem queres que te apareça?

Saul disse:

– Chama Samuel.

¹²Quando a mulher viu aparecer Samuel, deu um grito e disse a Saul:

– Por que me enganaste? Tu és Saul!

¹³O rei disse-lhe:

– Não temas. O que vês?

Respondeu:

– Um espírito que sobe do fundo da terra.

¹⁴Saul perguntou-lhe:

– Que aspecto tem?

Respondeu:

– O de um ancião que sabe, envolto num manto.

Então Saul compreendeu que era Samuel e inclinou-se com o rosto por terra, prostrando-se.

¹⁵Samuel lhe disse:

– Por que me chamaste, perturbando meu descanso?

Saul respondeu:

– Estou numa situação desesperadora: os filisteus me combatem, Deus se afastou de mim e não me responde mais, nem por profetas nem por sonhos. Por isso te chamei, para que me digas o que devo fazer.

¹⁶Samuel, porém, lhe disse:

– Se o Senhor se afastou de ti e se tornou teu inimigo, por que me perguntas? ¹⁷O Senhor executou o que te havia anunciado por meio de mim: arrancou o reino de tuas mãos e o deu a outro, a Davi. ¹⁸Por não teres obedecido ao Senhor, por não teres executado sua condenação contra Amalec, por isso agora o Senhor executa esta

---

28,4-24 A história de Saul é uma tragédia: ao começar o último ato da sua vida, uma cena misteriosa e sombria espalha o pressentimento até torná-lo certeza inevitável.
Saul surgiu para salvar Israel dos filisteus: vai acabar em breve nas mãos dos filisteus, arrastando consigo Israel. Aquele que o ungiu rei, e que pronunciou sua primeira sentença condenatória, agora lhe fala do túmulo, cominando-lhe a próxima execução da sentença. Saul, consciente de sua sentença e de sua próxima execução, caminha valentemente para a própria morte. O fato de ser culpado não diminui a intensidade e a grandeza de sua figura trágica; o fato de o autor estar contra ele, não lhe impede de apresentá-lo na morte como herói extraordinário.
A voz do túmulo. Os magos burlados no Egito, o adivinho Balaão transformado em profeta e a legislação codificada em Dt 18 nos dão a pista: em Israel não haverá agoureiros nem adivinhos nem magos; basta-lhes a palavra de Deus, para se guiarem pela história, para confundir os magos estrangeiros. E quando a palavra do Senhor emudece, o que fazer? Isaías responde: "esperar" (Is 8,16-20), e zomba dos que consultam os mortos sobre assuntos dos vivos. A mudez de Deus significa que abandonou realmente Saul, que a última palavra de Deus para Saul foi uma sentença condenatória; e não há mais o que acrescentar. O silêncio já é castigo, começa o castigo final. Mas Saul não o aguenta em vida, e no seu desespero vai escutar a voz da morte que o convoca. Chama, evoca Samuel, o juiz a quem sucedeu, o profeta que o ungiu. Aquele que chorou pela sua desgraça. O poder do Senhor atinge o reino da morte, e a voz do morto será pela última vez palavra do Senhor: denúncia e condenação.
Que rápida viagem descendente! Disfarçada a sua figura, na noite encobridora, ao esconderijo da necromante, ao reino da morte. A queda de Saul ("como era grande!") está ensaiando a próxima queda final.
No fim, resta-lhe uma viagem curta: também ele precisa comer e recobrar forças. Com essa comida volta ao reino dos vivos, para representar o pouco que lhe resta de seu papel.
28,8 São quase três horas de caminhada, em grande parte encosta abaixo. Is 8,20.
28,16 Perguntar é em hebraico *sh'l*, que alude ao nome de Saul.
28,17 Recorda 15,28, acrescentando o nome do novo eleito.

condenação contra ti. ¹⁹Contigo, o Senhor entregará aos filisteus também Israel; amanhã, tu e teus filhos estareis comigo, e o Senhor entregará em poder dos filisteus o exército de Israel.

²⁰De repente Saul caiu inteiramente estirado no chão, espantado por aquilo que Samuel dissera; estava exausto, pois nada comera naquele dia e noite. ²¹A mulher aproximou-se e, vendo-o aterrado, lhe disse:

– Esta tua servidora te obedeceu e arriscou a vida para fazer o que pedias; ²²agora tu deves também obedecer à tua servidora: vou trazer-te alimento para que comas e recuperes as forças para retomares o caminho.

²³Ele recusava:

– Não quero!

Mas seus oficiais e a mulher insistiram, e ele obedeceu. Levantou-se e sentou-se na esteira.

²⁴A mulher tinha um bezerro cevado. Degolou-o logo, pegou farinha, amassou e cozinhou alguns pães. ²⁵Serviu-os a Saul e seus oficiais. Comeram e se puseram a caminho nessa mesma noite.

29 Davi é excluído da batalha – ¹Os filisteus concentraram suas tropas em Afec*. Israel estava acampado junto à fonte de Jezrael. ²Os generais filisteus desfilavam por batalhões e companhias. Davi e os seus iam na retaguarda, com Aquis. ³Os generais filisteus perguntaram:

– O que fazem aqui esses hebreus?

Aquis respondeu-lhes:

– Esse é Davi, vassalo de Saul, rei de Israel. Está comigo há uns dois anos, e desde que passou para mim até hoje não tenho nenhuma ressalva contra ele.

⁴Mas os generais filisteus lhe responderam, irritados:

– Despede esse homem! Que volte ao povoado que lhe destinaste. Não desça conosco ao combate, para que não se volte contra nós em plena batalha; pois o melhor presente para reconciliar-se com seu senhor seriam as cabeças de nossos soldados. ⁵Não é esse Davi de quem cantavam dançando: "Saul matou mil, mas Davi matou dez mil"?

⁶Então Aquis chamou Davi e lhe disse:

– Por Deus, és homem honrado, não tenho queixa do teu comportamento no exército! Não tenho nada a te reprovar desde que entraste em meu território até hoje, mas os príncipes não te veem com bons olhos; ⁷portanto, volta em paz para não desagradá-los.

⁸Davi replicou:

– Mas, o que fiz? Em que te ofendi desde que me apresentei a ti até hoje? Por que não posso ir à guerra contra os inimigos do rei, meu senhor?

⁹Aquis lhe respondeu:

– Sabes que te estimo como a um enviado de Deus; mas os generais filisteus disseram que não deves ir com eles ao combate. ¹⁰Dessa forma, tu e os servos do teu senhor madrugareis e, quando clarear, partireis.

¹¹Davi e sua gente madrugaram e partiram cedo, de volta ao país filisteu. E os filisteus subiram a Jezrael.

28,19 Como Israel se ligou a Saul ao pedir um rei que o salvasse dos filisteus, também agora seguirá a sorte desse rei, caindo com ele nas mãos dos filisteus. É isso que a menção de Israel implica aqui.

28,24-25 Segundo o costume, o autor precipita o desenlace com a rápida sucessão de verbos.

29 Recordemos que continua a narração começada em 28,1-3. Para entender os movimentos das tropas, é preciso ter presente a posição da planície de Esdrelon, estendida de oeste a leste, ao norte do Carmelo, dividindo as tribos centrais das setentrionais. Os filisteus subiram pela costa e penetraram pelo ocidente na planície. As tropas de Saul vão descendo de Siquém para a parte oriental da planície. Concentram-se ou retiram-se na zona montanhosa que se ergue ao sul de Jezrael, porque se sentem mais fortes na montanha do que na planície.
É uma campanha em regra, mais ambiciosa que as penetrações do litoral até a montanha, através de vales e desfiladeiros. Cada um dos cinco príncipes filisteus reúne suas tropas, há um comando unificado. Tropas mercenárias são coisa normal na época, mas o batalhão de desertores que Davi comanda não merece fé numa batalha contra israelitas.
De modo inesperado, sem intervenção explícita de Deus, Davi se livra de erguer a mão contra seu povo. O narrador aproveita o momento para acumular dois testemunhos estrangeiros na cadeia de louvores ao seu herói, citando mais uma vez o famoso estribilho das moças israelitas.

29,1 * = Cerco.

29,5 1Sm 18,7.

29,8 A indignação de Davi é fingida e deve ser lida em chave irônica; suas palavras são ambíguas: "Os inimigos do meu senhor" podem ser os filisteus.

29,9 O grego suprime a frase "como um enviado de Deus"; poderia ser adição.

29,10 Depois de "partireis", o grego acrescenta: "para o lugar que vos indiquei, sem fazer caso dessas palavras injuriosas, porque eu te estimo". Assim Davi se afasta da batalha decisiva.

30 Davi em Siceleg (Gn 14,1-17) –

¹Davi e sua gente chegaram a Siceleg no terceiro dia. Os amalecitas haviam feito uma incursão pelo Negueb e Siceleg, assaltando Siceleg e incendiando-a. ²Sem matar ninguém, levaram prisioneiros mulheres e habitantes, pequenos e grandes e, tocando os rebanhos, voltaram por seu caminho. ³Davi e seus homens chegaram ao povoado e o encontraram incendiado e suas mulheres e filhos levados prisioneiros. ⁴Gritaram e choraram até não mais poder. ⁵As duas mulheres de Davi, a jezraelita Aquinoam e Abigail, a esposa de Nabal, de Carmel*, também tinham caído prisioneiras. ⁶Davi encontrou-se em grande apuro, porque a tropa, aflita por seus filhos e filhas, falava em apedrejá-lo. Mas, confortado pelo Senhor seu Deus, ⁷ordenou ao sacerdote Abiatar:

– Traze-me o efod.

Abiatar o trouxe, ⁸e Davi consultou o Senhor:

– Persigo esse bando? Irei alcançá-lo?

O Senhor lhe respondeu:

– Persegue-os. Tu os alcançarás e recuperarás o roubado.

⁹Então Davi marchou com seus seiscentos homens; porém, ao chegar ao vau de Besor, ficaram duzentos, muito cansados para atravessar o vau, ¹⁰e Davi continuou a perseguição com quatrocentos homens. ¹¹Encontraram um egípcio no campo e o levaram a Davi; ¹²deram-lhe pão para comer e água para beber, um pouco de pão de figos, além de dois cachos de passas; com a comida ele recuperou as forças, pois estava a três dias e três noites sem comer nem beber. ¹³Davi perguntou-lhe:

– A quem pertences e de onde vens?

O jovem egípcio respondeu:

– Sou escravo de um amalecita; meu amo me abandonou porque adoeci há três dias. ¹⁴Tínhamos feito uma incursão pelo lado sul dos cereteus, de Judá e de Caleb, e incendiamos Siceleg.

¹⁵Davi lhe disse:

– Podes conduzir-me até esse bando?

O jovem respondeu:

– Se me jurares por Deus que não me matarás nem me entregarás a meu amo, eu te guiarei até esse bando.

¹⁶E os guiou. Eles os encontraram espalhados por todo o campo, banqueteando-se e festejando os ricos despojos conquistados no país filisteu e em Judá. ¹⁷Davi os massacrou do amanhecer até a tarde. Ele os exterminou sem que ninguém escapasse, exceto quatrocentos jovens que fugiram no lombo de camelos. ¹⁸Davi recuperou tudo o que os amalecitas lhes haviam roubado, também suas duas mulheres. ¹⁹Não lhes faltou nada, nem pequeno nem grande, filhos ou filhas; Davi recuperou tudo o que lhes haviam roubado. ²⁰Pegaram todas as ovelhas e bois, e apresentaram os bois a Davi, dizendo:

– Esta é a parte que cabe a Davi.

30,1 Já encontramos os amalecitas nos tempos de Moisés (Ex 17), e na frente de Gedeão (Jz 6-7): Saul os tinha derrotado (cap. 15). Ao ficarem sabendo da boa campanha dos filisteus, talvez na época tradicional da primavera, pagam a Davi suas incursões, só que respeitando as vidas. A técnica dos saques é normal em povos que não pretendem conquistar cidades nem tornar-se sedentários: saque e incêndio são ao mesmo tempo vingança e proveito.
A lógica dos fatos é perfeita. Na composição geral do livro, constitui um paralelismo: enquanto Saul luta com os filisteus e é derrotado, Davi contra-ataca os amalecitas e os derrota. Ao norte e ao sul decidem-se os destinos de Israel e de seus chefes históricos.

30,3-6 A primeira cena nos oferece a descoberta: a princípio, de modo geral, com o pranto de todos; depois, concentra-se em Davi. O esquema apuros-libertação é clássico nos salmos de súplica e ação de graças; entre os dois verbos, o autor pode supor uma oração de Davi ou um oráculo do sacerdote. Neste lugar caberia comodamente um salmo, mas o autor não perde o fio narrativo.

30,5 * = Vergel.

30,6 Nm 14,10.

30,7-8 Confortado por Deus, Davi já decidiu aceitar os fatos como coisa irremediável; o oráculo serve para confirmar o plano de ataque rápido. O estilo do oráculo é categórico e muito marcado na sonoridade.

30,9 1Sm 25,13.

30,14 Os cereteus são provavelmente grupos filisteus; Davi os tomará mais tarde a seu serviço. A tribo de Caleb está assentada na região de Hebron.

30,17 O narrador parece supor que Davi se precipitou sobre eles de madrugada, quer dizer, encontrou-os banqueteando-se de noite e deixou-os dormir parte da bebedeira. O autor se compraz em sugerir a multidão do inimigo: é preciso um dia inteiro para destruí-lo; salvam-se apenas quatrocentos jovens em camelos, que já é um número enorme.

30,20 Corrigindo o texto hebraico, que não faz sentido.

²¹Depois Davi voltou onde estavam os duzentos homens que, muito cansados para segui-lo, tinham ficado no vau de Besor. Saíam para receber Davi e sua gente. E, quando chegaram, os cumprimentaram. ²²Mas alguns mesquinhos entre os homens de Davi disseram:

— Por não terem vindo conosco, não lhes daremos dos despojos recuperados, mas apenas a mulher e os filhos de cada um; que os peguem e partam.

²³Mas Davi disse:

— Não façais isso, camaradas, depois que o Senhor nos deu a vitória, nos protegeu, e nos entregou esse bando que nos havia atacado. ²⁴Nisso ninguém estará de acordo convosco,

"porque cabem partes iguais
ao que desce ao campo de batalha
e ao que fica guardando a bagagem".

²⁵Nesse dia Davi estabeleceu para Israel essa norma, que vigora até hoje.

²⁶ᵃQuando entrou em Siceleg, Davi mandou parte dos despojos aos conselheiros de Judá e seus amigos: ²⁷aos conselheiros Betul, aos de Ramá do Sul, aos de Jatir, ²⁸aos de Aroer, aos de Sefamot, aos de Estemo, ²⁹aos de Carmel, aos das cidades de Jerameel, ³⁰aos de Horma* e aos de Bor-Asã*, aos de Atac, ³¹aos de Hebron e aos de todas as localidades por onde andou Davi com sua gente, ²⁶ᵇe o acompanhou com estas palavras:

— Aqui vai um presente dos despojos tomados dos inimigos do Senhor.*

31 Morte de Saul

— ¹Enquanto isso, os filisteus entraram em combate com Israel. Os israelitas fugiram diante deles, e muitos caíram mortos no monte Gelboé. ²Os filisteus perseguiram de perto Saul e seus filhos, feriram Jônatas, Abinadab e Melquisua, filhos de Saul. ³Então o peso do combate caiu sobre Saul; os arqueiros o atingiram, ferindo-o gravemente. ⁴Saul disse a seu escudeiro:

— Tira a espada e atravessa-me, para que não cheguem esses incircuncisos e abusem de mim.

Mas o escudeiro não quis, porque entrou em pânico. Então Saul pegou a espada e

---

30,21-25 Algo semelhante se conta em Nm 31,25-31 sobre uma guerra santa contra Madiã; também aquele incidente tem valor normativo, ainda que não se diga expressamente.

30,23 A declaração de Davi tem algo de sentença motivada, estabelecendo um direito consuetudinário, e o motivo é teológico. A presa é dom de Deus, e como tal se há de distribuir entre todos; assim, todos se alegrarão por igual com a vitória. A sentença tem ritmo de provérbio, fácil de reter na memória.

30,26-31 O epílogo amplia o alcance desta última campanha de Davi: foi uma guerra santa contra os inimigos do Senhor, foi uma vitória para todos os amigos de Davi numa grande extensão, dentro do território de Judá. A lista repete vários nomes de Js 15; Hebron é a cidade mais setentrional. Com esta lista o autor está preparando de perto a coroação de Davi em Hebron.

O capítulo tem pontos de contato com Gn 14: o roubo de pessoas e posses, a perseguição e libertação, a partilha da presa, os obséquios; embora se mudem as relações entre os personagens. Como não podemos datar Gn 14, não podemos dizer se há mútua influência. Tal como lemos a Bíblia hoje, o parentesco é evocativo, e nos faz pensar numa dimensão "patriarcal" de Davi; inclusive sua presença em Hebron – como veremos – recorda o grande patriarca Abraão.

30,26b * depois do v. 30.

30,30 * = Extermínio; Poço de Fumaça.

31 Entre dois acontecimentos históricos, a derrota de Israel e a morte de Saul, o autor se interessa mais pelo segundo.

A batalha foi importante, e a vitória concedeu aos filisteus uma supremacia indiscutível: ao ocupar os vales de Esdrelon e de Jezrael, até a chave dos vaus do Jordão, os filisteus se apossaram de uma região fertilíssima, isolaram as tribos do norte, possuem novas vias de acesso à zona central de Efraim. Muitos povoados, antes cananeus e depois israelitas, trocam de dono. A planície já foi testemunha da importante batalha de Débora e do estratagema de Gedeão.

A morte de Saul liga-se diretamente com o capítulo 28, mas o autor não explora o aspecto psicológico, a angústia dos pressentimentos. Por outro lado, os narradores hebreus não sabiam descrever batalhas, contentavam-se com dados gerais, e costumavam concentrar-se em algum personagem. Desta vez cabe a Saul com sua família e escolta.

31,1 O narrador concede a iniciativa aos filisteus, enquanto que os israelitas se retiram montanha acima.

31,2 A derrota do rei significa a derrota de todo o povo; por isso os filisteus se concentram sobre o grupo de Saul, cuja situação se torna portanto mais difícil.

30,3 Texto duvidoso. O grego diz "o feriram na virilha". Ferida que traz morte, mas não imediata.

31,4 É uma afronta morrer nas mãos de incircuncisos, como o era para Abimelec morrer pelas mãos de uma mulher (Jz 9,53ss). O escudeiro teme atentar contra a vida do rei, pois seria um sacrilégio; tem de esperar que lhe chegue o momento. Para o autor, essa espécie de suicídio de Saul não é objeto de reprovação (ver 1Rs 16,18 e 2Mc 14,36-47).

deixou-se cair sobre ela. ⁵Quando o escudeiro viu que Saul tinha morrido, também ele atirou-se sobre a própria espada e morreu com Saul. ⁶Assim morreram Saul, três filhos seus, seu escudeiro e os de sua escolta, todos no mesmo dia.

⁷Quando os israelitas do outro lado do vale e os da Transjordânia viram que os israelitas fugiam e que Saul e seus filhos haviam morrido, fugiram, abandonando seus povoados. Os filisteus os ocuparam. ⁸No dia seguinte foram despojar os cadáveres, e encontraram Saul e seus três filhos mortos no monte Gelboé. ⁹Cortaram-lhe a cabeça, o despojaram de suas armas e as enviaram por todo o território filisteu, levando a boa notícia a seus ídolos e ao povo. ¹⁰Colocaram as armas no templo de Astarte e empalaram os cadáveres na muralha de Betsã.

¹¹Os habitantes de Jabes de Galaad ficaram sabendo do que haviam feito com Saul, ¹²e os mais valentes caminharam toda a noite, tiraram da muralha de Betsã o cadáver de Saul e de seus filhos, levando-os a Jabes, onde os incineraram. ¹³Recolheram os ossos e os enterraram sob a tamargueira de Jabes, e celebraram um jejum de sete dias.

31,5 O capítulo seguinte dará outra versão do momento final. Se quisermos harmonizar ambas as narrações, teríamos de traduzir aqui: "vendo que Saul estava morrendo, lançou-se sobre sua própria espada, para morrer com ele".

31,6 O versículo tem caráter conclusivo e está marcado pela quádrupla rima do possessivo hebraico.

31,7 Isto supõe uma penetração filisteia na Transjordânia.

31,9 O mesmo que Davi fizera com Golias caído, e era uso frequente, como atestam velhos monumentos.

31,10 O templo de Astarte é provavelmente o de Ascalon; parece que a veneram como deusa da guerra.

31,11 Jabes de Galaad tinha provocado a primeira batalha de Saul, o qual libertou a cidade assediada. É um ato de agradecimento.

31,12-13 Simultaneamente, a cabeça de Saul é troféu no templo filisteu e seu corpo recebe honras fúnebres de alguns israelitas. Essa divisão material e póstuma poderia simbolizar a polaridade do seu caráter e história; seu valor e seu destino trágico, seus méritos e culpas. Ao se dividir seu cadáver, Israel está outra vez dividido. Descansa no sepulcro alheio, embora em território de Israel.

31,13 Eclo 38,16s.

SEGUNDO LIVRO DE SAMUEL

1 Davi chora a morte de Saul e Jônatas
(1Cr 10,1-12) — ¹Ao voltar de sua vitória sobre os amalecitas, Davi deteve-se dois dias em Siceleg. ²Três dias após a morte de Saul, chegou um do exército com a roupa esfarrapada e pó na cabeça; quando chegou, caiu por terra, prostrando-se diante de Davi. ³Davi perguntou-lhe:

— De onde vens?

Respondeu:

— Fugi do acampamento israelita.

⁴Davi disse:

— O que aconteceu? Conta-me.

Ele respondeu:

— A tropa fugiu da batalha e houve muitas baixas na tropa e muitos mortos, e também mataram Saul e seu filho Jônatas.

⁵Davi então perguntou ao jovem que o informava:

— Como sabes que mataram Saul e seu filho Jônatas?

⁶Respondeu:

— Eu estava por acaso no monte Gelboé, quando encontrei Saul apoiado em sua lança, com os carros e os cavaleiros perseguindo-o de perto; ⁷voltou-se e, ao me ver, me chamou, e eu disse: "Estou aqui!" ⁸Perguntou-me: "Quem és?" Respondi: "Sou um amalecita". ⁹Então me disse: "Aproxima-te e mata-me, pois estou nos estertores e não consigo morrer". ¹⁰Aproximei-me e o matei, pois vi que, uma vez caído, não viveria. Depois lhe tirei o diadema da cabeça e o bracelete do braço e os trouxe aqui, a meu senhor.

¹¹Então Davi pegou suas vestes e as rasgou, e seus acompanhantes fizeram o mesmo. ¹²Fizeram luto, choraram e jejuaram até o entardecer por Saul e por seu filho Jônatas, pelo povo do Senhor, pela casa de Israel, pois haviam sido mortos à espada.

¹³Davi perguntou ao que dera a notícia:

— De onde és?

Respondeu:

— Sou filho de um migrante amalecita.

¹⁴Então Davi lhe disse:

— Como te atreveste a levantar a mão para matar o ungido do Senhor?

¹⁵Chamou um de seus oficiais e ordenou-lhe:

— Aproxima-te e mata-o!

O oficial o feriu e o matou. ¹⁶E Davi sentenciou:

— És responsável por tua morte! Pois tua própria boca te acusou quando disseste: "Matei o ungido do Senhor".

---

1 O anúncio da derrota e morte de Saul é uma narração que recorda a relatada em 1Sm 4, quando Eli recebe a notícia da morte de seus filhos e da captura da arca. O amalecita conhece a residência de Davi e a hostilidade de Saul; considera Davi desertor dos seus e vassalo fiel dos filisteus. A vitória filisteia, a derrota de Israel, a morte de Saul e de seu herdeiro será uma boa notícia para Davi, merecedora de generosas alvíssaras. Corre para ser o primeiro; o que indica que a notícia ainda não chegou ao território filisteu nem começaram os festejos já narrados.

É discutível se a narração do mensageiro é verídica ou embusteira. O amalecita traz as joias reais: só pode tê-las recolhido se chegou muito cedo ao lugar onde Saul morreu, antes dos outros, antes dos filisteus. Davi toma sua narração como verídica, e por ela o sentencia e manda executá-lo. Por outro lado, o mensageiro fala da lança, enquanto a precedente versão mencionava a espada; diz ele que Saul "se voltou", coisa difícil, se ele jazia atravessado. Caso verídica, nos apresenta o final patético do rei: incapaz mesmo de morrer, pedindo como última esmola um golpe de misericórdia. A lança com que tentou atravessar Davi contra a parede o prende agora à terra.

1,2 É inverossímil esta rapidez do mensageiro; a indicação "ao terceiro dia" poderia ser fórmula estereotipada. O autor salienta a rapidez dos acontecimentos e a simultaneidade das batalhas. A aparição do mensageiro é espetacular, realçada com sinais de luto; não precisa de recomendações para obter pronta audiência.

1,4 Para o amalecita, Saul é o rival de Davi, e Jônatas é o herdeiro; para Davi se trata do amigo íntimo e do Ungido do Senhor.

1,9 Este versículo é particularmente difícil, porque a tradução "estertores" é puramente conjetural.

1,12 O luto abarca a todos: rei, herdeiro e povo; a expressão "povo do Senhor" poderia entender-se em sentido restrito: "tropa, exército do Senhor", mas este sentido não é comum.

1,13 Como filho de imigrante acolhido em Israel, desfrutava de muitos privilégios e estava submetido à legislação local.

1,14 É o mesmo argumento de 1Sm 24 e 26: o Ungido é sacrossanto, intocável; matá-lo é sacrilégio e tem como pena capital. Conforme 1Sm 26,10, "só o Senhor o ferirá", na batalha ou quando chegar a hora; o homem não pode adiantar o prazo. Embora Davi tivesse invocado o juízo de Deus (1Sm 24,13.16), agora não se alegra, como no caso de Nabal (1Sm 25,39).

1,15-16 Davi vinga o sangue do seu parente, do seu soberano, do consagrado. Começa a administrar a justiça. E deve ficar bem claro que não se alegra com a morte de Saul.

¹⁷Davi entoou esta lamentação por Saul e seu filho Jônatas, ¹⁸para que os de Judá a aprendessem (assim consta no livro de Iasar):

¹⁹"Ai, a flor de Israel,
ferida em tuas alturas!
Como caíram os valentes!
²⁰Em Gat não o conteis,
nem o anuncieis
pelas ruas de Ascalon;
não se alegrem as jovens filisteias,
não o celebrem as filhas
de incircuncisos.
²¹Montes de Gelboé,
altos planaltos,
nem orvalho nem chuva
caiam sobre vós!
Aí ficou manchado
o escudo dos valentes,
²²escudo de Saul,
não untado com azeite,
mas com sangue de feridos
e gordura de valentes.
Arco de Jônatas,
que não retrocedia!
Espada de Saul,
que não voltava em vão!
²³Saul e Jônatas,
meus amigos queridos:
nem vida nem morte
os puderam separar;
mais ágeis que águias,
mais bravos que leões.
²⁴Moças de Israel,
chorai por Saul,
que vos vestia de púrpura e de joias,
que adornava com ouro
vossos vestidos.
²⁵Como caíram os valentes
em meio ao combate!
Jônatas, ferido em tuas alturas!
²⁶Como sofro por ti,
Jônatas, meu irmão!
Ai, como te amava!
Teu amor para mim
era mais caro
que o amor das mulheres.
²⁷Como caíram os valentes,
os raios da guerra pereceram!"

DAVI REI

2 Davi é ungido rei em Hebron (Eclo 47,7-12) – ¹Depois Davi consultou o Senhor:

1,17-27 O canto se chama em hebraico *qina*, quer dizer, elegia ou lamentação, gênero bem conhecido na literatura israelita, e que mais tarde costuma adotar ritmo regular de fórmula 3 + 2 (acentos). A coleção se chama em hebraico Livro do Justo (*yashar*), mencionada também em Js 10,13; mas a tradução grega leu "livro do canto" (*shir*), ou seja, coleção de cânticos. Não há razão para negar a Davi a paternidade desta elegia, pela qual ocupa um bom lugar entre os antigos poetas de Israel. O poema é um pranto, cuja tonalidade se ouve já na espécie de estribilho com que começa. O poeta vê cenas de júbilo, e as conjura para que não sucedam, perturbando o luto; vê montanhas regadas e campos fecundos, e os conjura para que façam luto com aridez perpétua. Poeticamente, calado, o júbilo das moças filisteias convida ao pranto as moças israelitas, e desafoga sua dor pessoal. Daí a abundância de partículas negativas diante de verbos de ação, ao passo que sobram adjetivos e particípios.
Uma série de assonâncias e aliterações estilizam esta peça, composta para a recitação oral, provavelmente com acompanhamento. As duplas marcadas, geminadas ou em paralelismo, servem aqui para prolongar a tristeza: chuva e orvalho, arco e espada, águias e leões, sangue e gordura, amados e queridos. Se as moças choram Saul, seu amigo chora Jônatas, com amor mais forte.
1,20 Gat e Ascalon representam toda a Pentápole filisteia.
1,22 "Untado" é em hebraico o mesmo que ungido, e pode aludir à unção de Saul.
1,25 Mudando levemente o texto, outros traduzem: "Jônatas, eu me aflijo por tua morte", versão mais próxima da tradução grega.

Davi Rei

A divisão do livro único de Samuel em duas partes é totalmente artificial, e seu intento parece ter sido dedicar a Davi um livro inteiro. Esta segunda parte segue uma ordem temática mais que cronológica. Davi, rei de Judá, em contraste com Isbaal, até que se proclame também rei de Israel. Lutas contra os filisteus, Jerusalém, a arca, a promessa dinástica; guerras com outros povos; Betsabeia; rebelião de Absalão, rebelião de Seba. Um apêndice final completa com dados soltos a narração precedente.
Davi é para os israelitas o rei maior, uma figura que se coloca depois de Moisés e Elias. Historicamente, Davi é um rei muito importante: recebe uma nação desfeita, e em poucos anos a transforma no principal reino da faixa costeira; recebe um reino dividido, e estabelece uma monarquia unificada; mais além de suas fronteiras, submete à vassalagem quase todos os reinos ao redor. Dá a seu reino uma capital administrativa e religiosa de grande influxo e atrativo; organiza um governo e um exército; dá origem a uma dinastia estável.
Teologicamente, é o beneficiário de uma nova eleição e de uma promessa. A sua eleição se soma à do povo e à dos outros chefes, constituindo um novo artigo da fé israelita; à sua eleição se junta a de Jerusalém, como morada do Senhor: outro artigo religioso fundacional. Como beneficiário da promessa, é quase um

– Posso ir a alguma cidade de Judá? O Senhor lhe respondeu:
– Sim.
Davi perguntou:
– A qual devo ir?
Respondeu:
– Hebron.
²Então subiram para lá Davi e suas duas mulheres, a jezraelita Aquinoam e Abigail, a mulher de Nabal, de Carmel. ³Levou também todos os seus homens e suas famílias, estabelecendo-se nos arredores de Hebron. ⁴Os de Judá foram aí para ungir Davi rei de Judá. E o informaram:
– Os de Jabes de Galaad sepultaram Saul.

⁵Davi mandou alguns mensageiros aos de Jabes de Galaad para dizer-lhes:
– O Senhor vos abençoe por essa obra de misericórdia, por terdes sepultado Saul, vosso senhor. ⁶O Senhor vos trate com misericórdia e lealdade, e eu também vos recompensarei por essa ação. ⁷Agora, coragem, sede valentes; Saul, vosso senhor, morreu, mas Judá me ungiu seu rei.

Abner e Joab – ⁸Abner, filho de Ner, general do exército de Saul, levara consigo Isbaal, filho de Saul; transferiu-o para Maanaim*, ⁹nomeando-o rei de Galaad, dos de Aser, de Jezrael, Efraim, Benjamim e de todo Israel. ¹⁰ᵇSomente Judá seguiu

novo patriarca, pai de uma dinastia, como Abraão o foi de um povo grande.
Por essa promessa, Davi se carrega de futuro. Quer dizer que os israelitas não se contentarão em ter saudade do passado, quando recordam seu rei favorito, mas que em seu nome esperam um sucessor legítimo, digno dele, um restaurador, um futuro libertador. Sobre esse eixo se desenvolve e cresce a esperança messiânica. Por Davi e sua dinastia, entra na religião de Israel todo um repertório de símbolos de salvação, que servirão para expressar e alimentar a esperança messiânica.
Davi, segundo a imagem que o autor traça, foi homem de singular atrativo para seus coetâneos. Quando jovem, atraiu a si múltiplas simpatias: a guerra e a perseguição o curtiram e a mesma política; os filisteus têm de dar sua aprovação ao que foi seu vassalo durante dezesseis meses; terceira, a mais importante, Deus tem de sancionar este novo passo decisivo. O autor põe no início da consulta ao oráculo, como bênção formal da nova etapa do eleito.
Os filisteus não ampliaram sua penetração no território de Israel; não era preciso, porque a nação ficou fraca demais depois da derrota. Davi, aceito como rei no sul, será razoável e fiel a seus senhores e protetores; além disso, a divisão interna dos israelitas em duas minúsculas monarquias é um trunfo para os filisteus. Ainda que o autor não o diga, a coroação sucederia com a aprovação filisteia.
A Judeia é a região do nascimento de Davi, de suas incursões, de seus presentes bem calculados (1Sm 30,26-31). Aí ele é um capitão conhecido, um lati-

fundiário bem relacionado. Ter um rei do próprio sangue ou tribo é melhor que depender dos setentrionais, que tão ineptos se mostraram. Se alguma esperança resta para o povo, é Davi que a encarna, não a dinastia caída e fantasmagórica.
Hebron conserva o santuário do patriarca Abraão, que é um padroado e doravante terá um sacerdote legítimo, Abiatar. A unção teria lugar em algum santuário, com intervenção do sacerdote, ainda que o eleitor seja o povo (ver a história de Abimelec, Jz 9). O chefe militar sobe à categoria de rei: é um momento histórico, ano 1000 a.C.

2,4-7 *Jabes de Galaad, do outro lado do Jordão, é uma cidade distante e muito afeiçoada a Saul; pode constituir um forte ponto de apoio para a dinastia. A mensagem de Davi está muito calculada: felicitando o povo de Jabes, une-se ao luto por Saul; em seguida, fala numa posição vantajosa, prometendo por sua parte benefícios – gesto de boa vontade e ao mesmo tempo afirmação de poder –; concluindo, sugere finalmente que, se morreu um rei, há um novo rei. Os habitantes de Jabes foram fiéis a Saul até a sepultura; agora têm a quem oferecer sua fidelidade e seu valor militar. Saul foi um chefe carismático, mas não fundou uma dinastia estável.*

2,8-10 *Abner e Isbaal. Abner saiu vivo, não sabemos como, da batalha contra os filisteus, e se considera chamado a salvar o que resta de Israel. Isbaal, filho e herdeiro da casa de Saul, é um símbolo que se levanta e maneja habilmente. Tiveram de abandonar a primeira capital, Alto de Saul, e se transferiram para uma cidade da Transjordânia, aonde não chega o senhorio filisteu, mas de onde o governo é pouco eficaz. Contudo, ao menos se salva a continuidade, que Abner está disposto a explorar. Para esse projeto, Davi rei é obstáculo sério, que convém eliminar ou enfraquecer. Davi por seu turno não tem pressa, nem quer subir pela força. Bem cedo na história se está delineando a fatal divisão e até oposição entre Israel e Judá.*

2,8 *Várias vezes se lê no texto hebraico o nome de Isbaal deformado em Isboset. Em tempos posteriores, os israelitas, para não pronunciar o nome de Baal, o substituem pelo depreciativo "infâmia", "vergonha" (boshet). * = Acampamentos.*

Davi. ¹⁰ᵃIsbaal, filho de Saul, tinha quarenta anos quando começou a reinar em Israel, e reinou dois anos.

¹¹Davi foi rei de Judá, em Hebron, sete anos e meio.

¹²Abner, filho de Ner, e os súditos de Isbaal, filho de Saul, foram de Maanaim a Gabaon.

¹³Por sua parte, Joab, filho de Sárvia, e os de Davi saíram de Hebron, os encontraram junto a um açude de Gabaon e se detiveram, uns de um lado do açude e outros do outro.

¹⁴Abner propôs a Joab:

– Que os jovens se desafiem diante de nós.

Joab disse:

– Muito bem!

¹⁵Prepararam-se e desfilaram doze benjaminitas por Isbaal, filho de Saul, e doze por Davi. ¹⁶Cada qual agarrou seu adversário pela cabeça, afundou a espada nas costas do outro e caíram todos juntos. Por isso, esse lugar é chamado Helcat-Hassiddim*; fica perto de Gabaon. ¹⁷Nesse dia, a batalha foi muito violenta. Os de Davi derrotaram Abner e os de Israel. ¹⁸Estavam aí os três filhos de Sárvia: Joab, Abisaí e Asael. Asael corria como um gamo, ¹⁹e perseguiu Abner em linha reta, sem se desviar de um lado ou de outro. ²⁰Abner virou a cabeça e perguntou:

– És Asael?

Respondeu:

– Sim.

²¹Abner lhe disse:

– Desvia-te à direita ou à esquerda, agarra um dos recrutas e tira-lhe as armas.

Mas Asael não quis deixar de segui-lo. ²²Abner repetiu-lhe:

– Deixa de me perseguir, senão terei de esmagar-te, e com que cara me apresento depois diante do teu irmão Joab?

²³Visto que Asael não quis afastar-se, Abner deu para trás com a lança, que se cravou na barriga e saiu por trás. Aí caiu e aí mesmo morreu. Todos os que chegavam ao local em que Asael morrera, paravam. ²⁴Joab e Abisaí perseguiram Abner. Ao pôr do sol chegaram à colina de Ama, diante do vale, no caminho do deserto de Gabaon. ²⁵Os benjaminitas se concentraram atrás de Abner, em pelotão fechado, e ficaram firmes no alto da colina. ²⁶Então Abner gritou a Joab:

– A espada estará sempre degolando? Não sabes que depois acaba amargando? Quando dirás à tua gente que deixe de perseguir seus irmãos?

²⁷Joab respondeu:

– Por Deus, se não tivesses falado, minha gente continuaria perseguindo seus irmãos até o amanhecer!

2,12-32 O episódio é difícil de explicar. São dois episódios autônomos, ou o desafio e a batalha são continuação lógica? Trata-se de um desafio mortal, com consequências militares, ou de um torneio com desenlace trágico? A segunda parte é a perseguição de um vencido que foge, ou é um desafio de velocidade e destreza?
Parece tratar-se de uma batalha, na qual os contendores não querem perder muita gente, e se trava com certa desigualdade: Abner quer impor a sua hegemonia aos do sul, mas não quer enfraquecer os seus, nem dizimar o povo; Joab não precisa atacar a fundo, basta-lhe manter suas posições. Quer dizer, Abner aspira a mandar no sul, Davi por ora se contenta com Judá.

2,12 Gabaon é a fronteira de ambos os reinos, situada a uns 15 quilômetros a nordeste de Jerusalém; muito mais perto de Hebron que de Acampamentos.

2,14 A palavra hebraica *shq* significa em geral brincar, dançar, saltar. O que acontece aqui é um desafio mortal.

2,16 * = Campo das Costelas.

2,17 O combate dos doze não decidiu nada, e se trava a batalha. "Os de Isbaal" se chamam agora "os de Israel". Supõe-se que a batalha termina com a fuga, como é normal, e se deduz do que segue.

2,18a Sárvia é irmã de Davi. Joab é o general, Abisaí apareceu acompanhando Davi na expedição noturna ao acampamento de Saul (1Sm 26), Asael aparece e desaparece neste capítulo.

2,18b-22 Correndo, Asael está certo de alcançar Abner; mas, medir-se com ele é temeridade. A agilidade era uma das qualidades principais de um guerreiro da época (Sl 18,34.37), e Abner parece conceder a vitória a Asael nesta especialidade. Por outro lado, ocupado como está em recolher e pôr a salvo suas tropas, não quer ver-se obrigado a excitar a cólera de Joab, matando-lhe um irmão. Por isso o convida a medir-se com um soldado qualquer e contentar-se com despojá-lo. Asael aspira talvez a vencer pessoalmente o chefe inimigo, o que lhe daria glória e vantagens no exército de Davi.

2,23 A morte de Asael impressiona seus camaradas e irrita seus irmãos. Abner derramou um sangue que pede vingança, e a terá. Essa morte teve muitas testemunhas.

2,26 Recorde-se a fama de bons guerreiros dos benjaminitas, por exemplo: Jz 20. Abner se dá praticamente por vencido, só quer poupar uma matança e voltar à sua corte. Os dois contendores reconhecem que foi uma luta "entre irmãos". A Joab, talvez segundo instruções de Davi, tampouco interessa continuar matando e perseguindo, e aceita a proposta. Tudo termina razoavelmente, mas não de modo estável.

²⁸Então tocou a trombeta e todos pararam, deixando de perseguir os de Israel; não recomeçaram a batalha. ²⁹Abner e os seus caminharam pelo deserto toda aquela noite, atravessaram o Jordão, caminharam toda a manhã e chegaram a Maanaim. ³⁰Joab, por sua vez, deixou de perseguir Abner, reuniu toda a tropa e viu que dos de Davi faltavam dezenove homens, além de Asael. ³¹Eles, por sua vez, haviam feito trezentos e sessenta baixas entre os de Benjamim e Abner. ³²Levaram o cadáver de Asael e o enterraram em Belém, na sepultura da família. Joab e os seus caminharam toda a noite, e amanheceram em Hebron.

3 ¹A guerra entre as famílias de Davi e Saul se prolongou. Davi se fortalecia, ao passo que a família de Saul se enfraquecia.

²Davi teve vários filhos em Hebron: o primeiro foi Amnon, da jezraelita Aquinoam; ³o segundo foi Queleab, de Abigail, a mulher de Nabal, de Carmel; o terceiro, Absalão, de Maaca, filha de Tolmai, rei de Gessur; ⁴o quarto, Adonias, filho de Hagit; o quinto, Safatias, de Abital; ⁵o sexto, Jetraam, de sua esposa Egla. Esses foram os filhos que Davi teve em Hebron.

Assassínio de Abner – ⁶Abner fortaleceu-se na casa de Saul enquanto esta esteve em guerra com a de Davi. ⁷Saul tivera uma concubina chamada Resfa, filha de Aías. Isbaal disse a Abner:

– Por que deitaste com a concubina de meu pai?

⁸Abner aborreceu-se muito com essa pergunta de Isbaal e lhe respondeu:

– Como se eu fosse um cão! Eu estou trabalhando lealmente pela casa de teu pai Saul, seus irmãos e companheiros, e não te entrego em poder de Davi; e agora me jogas na cara um assunto de mulheres! ⁹Que Deus me castigue se eu não trabalhar para que se cumpra o juramento do Senhor a Davi: ¹⁰"Passarei a ele o reino de Saul, fortalecerei o trono de Davi sobre Israel e Judá, de Dã a Bersabeia".

¹¹Isbaal, cheio de medo, não pôde replicar-lhe. ¹²Então Abner enviou uns emissários a Hebron para fazer esta proposta a Davi:

– De quem é o país? (Queria dizer: "Faze um pacto comigo e eu te ajudarei a pôr todo Israel do teu lado".)

¹³Davi respondeu:

– Está bem. Farei um pacto contigo, mas exijo uma coisa: quando vieres ver-me, não

---

3,1 Guerra no sentido de oposição, hostilidade, e em alguns momentos com luta declarada.

3,3-5 Destes filhos, o primeiro, o terceiro e o quarto figurarão na história posterior. Os dois últimos têm nome teofórico javista. Aparentado com o rei de Gessur, reino arameu ao nordeste do lago de Genesaré, Davi adquire prestígio e apoio político em caso de necessidade.

3,6-21 Passados alguns anos, Abner percebe que o reino de Isbaal não tem futuro. A fraqueza quimérica do rei, muito cômoda para os planos de quem governa de fato, volta-se contra ele e o denuncia como mantenedor de uma causa perdida. Com efeito, o povo não segue Abner, mas sim a monarquia de Saul. Essa monarquia, nascida para defender o povo contra os filisteus, fracassou em Saul e no seu filho; só Davi poderá realizar de novo a independência. A opinião pública a favor de Davi vai-se tornando forte em Benjamim, tribo de Saul. Abner o reconhece, e a tempo decide partir em direção ao sul. Assim, tomando a iniciativa, poderá pôr condições a Davi e conseguir um lugar relevante na corte do novo senhor, inclusive desbancando Joab, sobrinho de Davi.
Falta um pretexto para começar a ação, e o próprio Isbaal o procura. Tomar a concubina do rei falecido é em primeiro lugar uma injustiça, porque o harém cabe em herança ao sucessor; além disso, pode significar pretensões de subir ao trono, como indicam 16,20-22 e 1Rs 2,13-25. A queixa do rei é justificada, mas Abner não tolera reprovações do seu protegido real; considera-se gravemente ofendido em sua lealdade à casa real, e por isso livre do dever de lealdade. Se isso não basta, pode invocar um dos oráculos que Davi recebeu de algum profeta. A formulação do oráculo bem que pode ser devida ao narrador, pois se a primeira parte corresponde a palavras de Samuel (1Sm 15,28-29), a segunda parte define *a posteriori* os limites do reino de Davi.
Este compreende a importância da oferta: mais ou menos o que vinha esperando; e antes de aceitar, põe uma condição importante. Pedindo Micol, reclama um direito, põe à prova o general Abner com um assunto comprometedor, sonda a capacidade de resistência de Isbaal, restabelece seu vínculo familiar com Saul, consolidando assim sua pretensão ao trono unificado. Isbaal não sabe resistir, e o próprio Abner se encarrega de buscar a princesa.
A mensagem de Abner parece intencionalmente ambígua. Em forma de pergunta, pode conter uma oferta ampla (ver 1Sm 9,20). Suas palavras no final do banquete mostram uma segurança absoluta, reforçada pelos três verbos na primeira pessoa e a quíntupla aliteração: assume o papel de protagonista, capaz de mover "todo Israel", e conhece as aspirações de Davi.

3,7 1Rs 2,13-15.
3,10 1Sm 15,28.

te receberei se não me trouxeres Micol, filha de Saul.

¹⁴Davi mandou também emissários a Isbaal, filho de Saul, pedindo-lhe:

– Devolve minha mulher Micol, com quem casei pagando por ela cem prepúcios de filisteus.

¹⁵Então Isbaal mandou tirá-la de seu marido Faltiel, filho de Lais. ¹⁶Faltiel a seguiu até Baurim, chorando atrás dela. Abner lhe disse:

– Vamos, volta!

Ele voltou.

¹⁷Abner havia dito aos conselheiros de Israel:

– Há tempo queríeis que Davi fosse vosso rei. ¹⁸Pois bem, o momento chegou; com efeito, o Senhor disse a respeito de Davi: "Por meio de meu servo Davi, salvarei meu povo Israel do poder dos filisteus e de todos os seus inimigos".

¹⁹Abner falou também aos de Benjamim. Depois foi também a Hebron falar pessoalmente com Davi e comunicar-lhe o acordo feito entre Israel e Benjamim. ²⁰Quando Abner, com vinte homens, chegou a Hebron para falar com Davi, este os convidou. ²¹Abner lhe disse:

– Vou reunir todo Israel, diante do rei, meu senhor, para que façam um pacto contigo e sejas rei segundo tuas aspirações.

Davi o despediu e ele partiu em paz.

²²Mas os soldados de Davi vinham com Joab de uma incursão e traziam grandes despojos. Abner já não estava em Hebron, porque Davi o despedira e ele partira em paz. ²³Quando Joab e seu exército entraram, deram-lhes a notícia:

– Abner, filho de Ner, veio visitar o rei; o rei o despediu e ele partiu em paz.

²⁴Então Joab se apresentou ao rei e lhe disse:

– O que fizeste? Agora que se apresentou Abner, por que o despediste, deixando-o partir sem mais nem menos? ²⁵Não sabes que Abner, filho de Ner, veio enganar-te para averiguar teus movimentos e ficar a par do que pensas?

²⁶Joab saiu do palácio e, sem que Davi o soubesse, mandou emissários atrás de Abner, que o fizeram voltar do Poço de Sira. ²⁷Quando Abner voltou a Hebron, Joab o levou à parte, a um lado da entrada, para falar sozinho com ele, e aí o feriu na barriga e o matou, para vingar a morte de seu irmão Asael. ²⁸Imediatamente Davi ficou sabendo e disse:

– Diante do Senhor e para sempre, eu e meu reino somos inocentes do sangue de Abner, filho de Ner. ²⁹Respondam por ele Joab e sua casa! Jamais falte em sua casa doentes de tinha e de gonorreia, castrados, mortos à espada e mortos pela fome.

³⁰Joab e seu irmão Abisaí assassinaram Abner, porque havia matado seu irmão Asael na guerra em Gabaon.

³¹Davi ordenou a Joab e seus acompanhantes:

– Rasgai as vestes, vesti panos de saco e ficai de luto por Abner.

O rei Davi caminhava atrás do féretro. ³²E, quando enterraram Abner em Hebron, o rei gritou e chorou junto ao túmulo dele.

3,22-27 Parece que Davi mora em Hebron, dedicado a governar, e que delegou a Joab o exercício militar das incursões pelo sul. Joab é impulsivo, violento; atreve-se a repreender o rei, seu tio, e a agir sem o seu consentimento em assuntos graves. Mas tem os seus motivos para enfrentar Abner: em primeiro lugar, cabe-lhe vingar o sangue do seu irmão Asael; em segundo lugar, facilmente descobre que Abner é uma ameaça para sua posição no reino de Davi; por isso, sua acusação contra Abner parece simples pretexto. O mais provável é que Joab estivesse a par das negociações e da mudança de opinião em Israel. O modo de executar a vingança é mais eficaz do que nobre.

3,27 Nm 35,19.

3,28-29 O desenlace prejudica seriamente Davi. Agora que a fruta desejada está madura e a ponto de cair, o assunto se complica: tiraram-lhe o homem de poder e prestígio que iria realizar a transmissão pacífica de poderes; além disso, criou-se a impressão de que tudo foi urdido por Davi, de que foi um ato de felonia; poderão fiar-se dele? Dentro do seu reino, a pessoa de Joab se torna perigosa para o próprio rei. Davi reage imediatamente e com toda energia. Primeiro, faz um juramento público de inocência, como se usava na época, e que tem valor decisivo, porque o Senhor castiga o perjuro. Ao mesmo tempo, faz recair publicamente a culpa sobre Joab. Não pode castigar o vingador do sangue fraterno, mas o amaldiçoa, deixando o castigo a Deus. Depois ordena para o morto funerais solenes, aos quais preside, dedicando-lhe uma elegia pessoal; e força o assassino a assistir aos funerais. Joab tem de submeter-se publicamente ao mandato real e escutar a elegia que o afronta. Aos funerais segue-se um jejum da corte.

A reação de Davi causou grande impressão e provavelmente se divulgou fora do seu reino de Judá; é o que quer dizer o narrador no v. 37.

Todos choraram, ³³e o rei entoou esta lamentação por Abner:

"Tinha de morrer Abner
como morre um insensato?
³⁴Suas mãos não conheciam cadeias
nem seus pés grilhões.
Caíste como se cai
nas mãos de traidores".

³⁵Todos continuaram chorando e depois se aproximaram de Davi para obrigá-lo a comer enquanto fosse dia; mas Davi jurou:

— Deus me castigue se antes de anoitecer eu provar pão ou qualquer coisa!

³⁶Todo o povo notou isso e o julgou bom, porque o povo aprovava tudo o que o rei fazia. ³⁷Nesse dia souberam todos, e todo Israel o soube, que o assassínio de Abner, filho de Ner, não havia sido coisa do rei.

³⁸O rei disse a seus cortesãos:

— Vistes que hoje um grande general caiu em Israel. ³⁹Hoje eu fui brando, apesar de ser ungido como rei, ao passo que essa gente, os filhos de Sárvia, foram mais duros que eu. Que o Senhor pague ao malfeitor o que merece.

4 Assassínio de Isbaal

— ¹Quando Isbaal, filho de Saul, soube que Abner tinha morrido em Hebron, acovardou-se, e todo Israel se alarmou. ²Isbaal, filho de Saul, tinha dois chefes de guerrilhas: um se chamava Baana, e o outro, Recab, filhos de Remon de Berot*, benjaminitas (porque também Berot era considerada pertencente a Benjamim; ³os de Berot fugiram para Getaim*, e ainda continuam aí, residindo como imigrantes). ⁴Por outro lado, Jônatas, filho de Saul, tinha um filho aleijado de ambos os pés: tinha cinco anos quando chegou a Jezrael a notícia da morte de Saul e Jônatas; sua babá o levou na fuga, mas, com a pressa de escapar, a criança caiu e ficou coxa; chamava-se Meribaal.

⁵Baana e Recab, filhos de Remon de Berot, estavam a caminho e, quando o sol esquentava, chegaram à casa de Isbaal, que fazia a sesta. ⁶A porteira pegou no sono enquanto limpava o trigo. Recab e seu irmão Baana entraram livremente na casa, ⁷chegaram ao quarto em que Isbaal estava deitado e o feriram mortalmente; depois cortaram-lhe a cabeça, a recolheram e caminharam toda a noite através da estepe. ⁸Levaram a cabeça de Isbaal a Davi, em Hebron, dizendo ao rei:

— Aqui está a cabeça de Isbaal, filho de Saul, teu inimigo, que tentou matar-te. Hoje o Senhor vingou o rei, meu senhor, de Saul e sua estirpe.

⁹Mas Davi disse a Recab e a Baana, filhos de Remon de Berot:

— Pelo Deus que me salvou a vida de todo perigo! ¹⁰Se aquele que me anunciou "Saul morreu", crendo dar-me uma boa notícia, eu o agarrei e sentenciei em Siceleg, pagando-lhe assim a boa notícia, ¹¹com maior razão quando uns malvados assassinaram um inocente em sua casa,

---

3,33-34 A elegia é difícil pela sua concisão. O versículo central pode ser interpretado como lembrança da sua carreira militar: jamais caiu prisioneiro. Os versículos primeiro e último são um alarde de efeitos sonoros, gerados pelo nome 'bnr e o verbo cair (napal), insensato (nabal), diante (lipnê), filhos (benê).

3,39 A oposição brando-duro é entendida por outros como fraco-forte. Mas Davi pretende dar testemunho da sua vontade conciliadora.

4 Morto Abner, Isbaal ficou sem apoio e sem iniciativa. Os que esperavam na dinastia de Saul estão desconcertados; os que esperavam na união com Davi, organizada por Abner, não sabem o que vai suceder. O rei Isbaal, essa sombra de monarca, impotente e mal consciente, morre na quietude e inconsciência de um sono. Na capital emprestada da Transjordânia, num palácio guardado por uma mulher desarmada e sonolenta. Que diferença da morte de Saul e Jônatas em plena campanha!

4,2 * = Poços.

4,2-3 A população cananeia da localidade fugiu para o território filisteu no tempo da ocupação israelita.

4,3 * = Dois Lagares.

4,4 Esta notícia se enquadraria melhor depois de 9,3. Na presente situação, pode recordar que a dinastia de Saul não se extingue com Isbaal, mas seus representantes são, por diversos motivos, incapazes.

4,5-8 Os dois chefes guerrilheiros pretendem talvez ocupar o posto, vacante com a morte de Abner. De um só golpe retirarão o último obstáculo à unificação e assegurarão para si o favor do novo rei, Davi. Recordando a hostilidade de Saul, apresentam-se como vingadores e até atribuem a ação à justiça de Deus.

4,9-11 Mas Davi quer chegar ao trono unificado sem manchar-se com o sangue da dinastia de Saul. Sua ascensão já está segura; para que precisa de um assassínio? Com julgamento sumaríssimo vinga o sangue do cunhado (não se diz que fora ungido), condena os traidores e demonstra a todo o povo sua própria inocência. É o segundo ato importante com que administra a justiça.

4,10 2Sm 1,5-10.

em sua cama, vingarei o sangue que derramastes, eliminando-vos da terra.

¹²Davi deu uma ordem a seus oficiais, e os mataram. Depois cortaram-lhes mãos e pés e os penduraram junto ao Açude de Hebron; entretanto, enterraram a cabeça de Isbaal na sepultura de Abner, em Hebron.

5 Davi, rei de Israel (1Cr 11,1-3; Sl 78,70-72) —
¹Todas as tribos de Israel foram a Hebron dizer a Davi:

— Estamos aqui. Somos do mesmo sangue. ²Já antes, quando Saul ainda era nosso rei, eras tu o verdadeiro general de Israel. O Senhor te disse: "Tu apascentarás meu povo Israel; tu serás chefe de Israel".

³Foram, portanto, a Hebron todos os conselheiros de Israel para visitar o rei. O rei Davi fez um pacto com eles em Hebron, diante do Senhor, e eles ungiram Davi rei de Israel. ⁴Tinha trinta anos quando começou a reinar, e reinou quarenta anos; ⁵em Hebron reinou sete anos e meio sobre Judá, e em Jerusalém reinou trinta e três anos sobre Israel e Judá.

Conquista de Jerusalém (1Cr 4-8; 14,1-7) —
⁶O rei e seus homens marcharam sobre Jerusalém, contra os jebuseus que habitavam o país. Os jebuseus disseram a Davi:

— Não entrarás aqui. Os cegos e os coxos te rechaçarão. (Era um modo de dizer que Davi não entraria.)

⁷Davi conquistou a fortaleza de Sião, ou seja, a chamada Cidade de Davi.

⁸Naquele dia Davi dissera:

5,1-5 Eliminados Abner e Isbaal, Davi atrai todas as esperanças. A oposição de Israel a Judá fica coberta por um sentimento mais forte de irmandade. O que Abimelec dizia aos habitantes de Siquém para apoiarem sua candidatura real (Jz 9), as tribos o confessam a Davi. Este não é um estrangeiro imposto, e poderá livrar os seus do poder estrangeiro.

Um oráculo do Senhor confirma a esperança de anos melhores. Este oráculo emprega a tradicional imagem do chefe-pastor, que no caso de Davi adquire ressonâncias particulares (ver Sl 78,70-72).

O pacto entre rei e povo tem algo de constituição: implica juramento de lealdade mútua e contém normalmente uma série de cláusulas. Os anciãos, como responsáveis de todo o povo, agem como intermediários na unção.

Como vemos, Davi começou destacando-se por suas qualidades numa série de circunstâncias militares, externa e internamente; os acontecimentos mostrarão um dia que Davi é o homem de quem se precisa. Esse modo de descobrir, reconhecer, designar, é uma eleição de Deus. Os oráculos não são operações milagrosas. É curioso que esses oráculos sejam recordados mais tarde, à luz dos acontecimentos: 3,10 (Abner), 3,18 (Abner), 5,2.

5,6-9 A conquista de Jerusalém e seu estabelecimento como capital do reino tiveram lugar certamente depois da vitória definitiva sobre os filisteus; provavelmente depois de outras campanhas externas. O autor tem muito interesse teológico em juntar a eleição de Davi rei e a de Jerusalém capital. Doravante vão formar uma forte unidade, como nova eleição do Senhor e ponto de partida de uma nova etapa histórica. Nesse sentido é justo pôr os dois fatos juntos no início da narração. A intenção teológica impera sobre a cronologia.

Saul tinha ficado na sua aldeia, como os juízes tribais, para aí governar. Alto de Benjamim não reunia condições estratégicas nem tinha prestígio especial, além de estar muito ligada à tribo de Benjamim. Davi residiu em Hebron, lugar excelente para um rei de Judá, cidade bastante central e aureolada com a recordação de Abraão. Mas, para unificar e governar todo Israel, Hebron não basta: está ligada demais a uma tribo e fica muito no sul. Davi decide inaugurar uma capital: uma cidade sem vínculo tribal, conquista sua pessoal, bem situada e de grande valor estratégico.

É a antiga *Urushalimu*, cidade até então inexpugnável para os israelitas, encrave cananeu na montanha central, que dividiu as tribos. Jerusalém é símbolo da persistência e resistência cananeia não domada. Jz 1,8 adianta acontecimentos para oferecer uma síntese. Não são apenas os filisteus que impedem a ocupação da terra prometida.

A decisão de Davi é um ato de audácia e de clarividência. De audácia, porque é dificílimo conquistá-la, e um ataque fracassado poderia desprestigiar o novo rei. Clarividência, como mostra a história sucessiva até hoje: Jerusalém adquire para Israel, e mais tarde para os judeus, um valor espiritual que supera amplamente seu valor geográfico, estratégico e urbanístico. Jerusalém será o segundo polo da escatologia.

Mais inexpugnável que a cidade parece o texto bíblico, que muitas gerações de exegetas até hoje não têm conseguido decifrar. Mesmo reunindo os dados de Samuel com os de Crônicas, não chegamos a uma explicação satisfatória. Uma das hipóteses mais atraentes vê as coisas assim: Davi cerca a cidade, os defensores zombam dos atacantes, "cegos e coxos bastam para rechaçar-vos" (tão segura é a cidadela); Davi, talvez depois de ataques infrutíferos e de longo assédio, promete algum privilégio a quem penetrar na cidade; então alguns soldados conseguem infiltrar-se e subir pelo túnel de acesso ao manancial, e de dentro facilitam a entrada dos outros.

Trata-se de uma hipótese acerca do modo; a substância é que Davi, com esta conquista, se soma aos heróis da conquista sob Josué, submete o baluarte simbólico dos cananeus, dispõe de uma capital. (Talvez o capítulo 14 do Gênesis tenha a ver com o presente fato: aí o patriarca de Hebron rende homenagem ao sacerdote de Jerusalém).

5,8 * Texto duvidoso. Lv 21,18. Mt 21,14.

— Quem matar um jebuseu e subir pelo túnel...* Davi detesta esses coxos e cegos. (Por isso se diz: "Nem coxo nem cego entre no templo".)

⁹Davi instalou-se na fortaleza e a chamou Cidade de Davi. Depois edificou uma muralha ao redor, do aterro para dentro. ¹⁰Davi crescia em poder e o Senhor dos exércitos estava com ele. ¹¹Hiram, rei de Tiro, mandou uma embaixada a Davi com madeira de cedro, carpinteiros e pedreiros para lhe construir um palácio. ¹²Assim Davi compreendeu que o Senhor o engrandecia como rei de Israel e que engrandecia seu reino por causa de seu povo Israel. ¹³Depois que veio de Hebron, Davi tomou em Jerusalém outras concubinas e esposas que lhe deram mais filhos e filhas. ¹⁴Os nomes dos filhos que teve em Jerusalém são: Samua, Sobab, Natã, Salomão, ¹⁵Jebaar, Elisua, Nafeg, Jáfia, ¹⁶Elisama, Baaliada, Elifalet.

Batalhas contra os filisteus (1Cr 14,8-16; Sl 18,33-43) — ¹⁷Quando os filisteus souberam que haviam ungido Davi rei de Israel, subiram todos para prendê-lo. Davi ficou sabendo, e desceu ao refúgio de Odolam. ¹⁸Os filisteus chegaram e se espalharam em Valrafaim. ¹⁹Davi consultou o Senhor:

— Posso atacar os filisteus? Irás entregá-los em minhas mãos?

O Senhor lhe respondeu:

— Ataca-os, e eu os entregarei a ti.

²⁰Davi foi a Baal-Farasim* e aí os derrotou. E comentou:

— O Senhor abriu uma brecha no fronte inimigo, como brecha de água num dique. (Por isso esse lugar se chama Brechas.)

²¹Os filisteus deixaram seus ídolos aí abandonados; Davi e seus homens os recolheram. ²²Os filisteus fizeram outra incursão e se espalharam em Valrafaim. ²³Davi consultou o Senhor, e ele lhe respondeu:

— Não ataques. Cerca-os pela retaguarda e depois ataca-os diante das amoreiras. ²⁴Quando ouvires barulho de passos na copa das amoreiras, atira-te ao ataque, porque então o Senhor sai à tua frente para derrotar o exército filisteu.

²⁵Davi fez como o Senhor lhe ordenou e derrotou os filisteus, de Gob até a entrada de Gazer.

6 A arca transportada a Jerusalém
(1Cr 13,5-14; 15,25-29; Sl 132) — ¹Davi

5,9-12 O autor continua adiantando dados. O crescer em poderio estende sua dominação fora das próprias fronteiras. O comércio com Hiram, rei de Tiro, só pode ter lugar no final do reinado de Davi, quando Hiram começa a reinar sobre Tiro; Davi começara por reforçar o baluarte, e só no final do seu reinado construiria um palácio.

5,12 Meditando sobre os fatos, derrota dos filisteus e cananeus e fundação da nova capital, Davi chega a compreender seu destino religioso: é rei pela graça de Deus a serviço do povo. Eleição, não como privilégio, mas como função, já que o povo é do Senhor; Davi é um vassalo e mediador a serviço desse povo. Sua espécie de vassalagem em Gat e a provável vassalagem em Hebron são pura sombra da nova situação histórica. Sl 18,49.

5,13-16 O futuro herdeiro se encontra entre os filhos nascidos em Jerusalém, não entre os de Hebron.

5,17-25 Cronologicamente, esta é a primeira tarefa de Davi enquanto rei da monarquia unificada. O autor resume em brevíssimo espaço acontecimentos que devem ter durado vários anos; detém-se em algumas batalhas. A essa época pertencem alguns dados que se leem no apêndice (2Sm 21 e 23). Aí se fala de repetidas batalhas e de façanhas pessoais de seus melhores soldados.

Davi trava batalha na zona montanhosa, onde os filisteus se desenvolvem com menos meios e maior dificuldade. Valrafaim ou Vale dos Gigantes (para o povo Vale das Almas) está situado junto a Jerusalém, onde os filisteus se encontram protegidos pelo encrave jebuseu de Jerusalém, ao passo que Davi, evitando as cidades, se refugia no lugar que tão bem conhece de Odolam (1Sm 22,1.4; 24,23). Daí iria agrupando tropas e mandando pequenas incursões contra os filisteus. Do capítulo 23 se conclui que eles estão instalados também em Belém.

Os filisteus acampam em terreno vantajoso, plano, no vale que começa a sudoeste de Jerusalém e se alonga para o poente. Davi parte de Odolam, rodeia pelo oeste, sobe a Farasim (As Brechas) e do norte ataca e põe em fuga o inimigo.

5,21 Os ídolos são levados ao campo de batalha como proteção. Israel paga agora aos filisteus a captura da arca (1Sm 4). São o troféu mais valioso.

5,22-25 Os filisteus insistem no mesmo lugar, que consideram vantajoso. O oráculo do Senhor oferece desta vez um sinal nada fácil de entender: tratar-se-ia do barulho do vento nas copas das amoreiras. Outros interpretam o nome como toponímico, "nas alturas de Becaim".

A localidade de Gob figura várias vezes no capítulo 21. Gazer fica a oeste, perto da Pentápole filisteia; provavelmente estava então sob seu domínio. A batalha decisiva contra os filisteus alude 8,1.

6 Para que Jerusalém tenha plena força de unificação, tem de ser também centro religioso das tribos. Saul descuidou desse aspecto. A arca esteve em Silo no tempo de Eli, foi capturada pelos filisteus, e quando a devolveram, passou a Vila Moitas (Cariat-Iarim).

reuniu novamente os recrutas israelitas: trinta mil homens. ²Com todo seu exército marchou para Baalá de Judá, para trasladar daí a arca de Deus, que carrega a inscrição "Senhor dos exércitos", entronizado sobre querubins. ³Puseram a arca de Deus numa carroça nova e a tiraram da casa de Abinadab, em Gabaá. Oza e Aio, filhos de Abinadab, guiavam a carroça com a arca de Deus; ⁴Aio ia à frente da arca. ⁵Davi e os israelitas iam dançando diante do Senhor com todo o entusiasmo, cantando ao som de cítaras e harpas, pandeiros, tamborins e címbalos. ⁶Quando chegaram à eira de Nacon, os bois tropeçaram e Oza estendeu a mão para a arca de Deus, a fim de segurá-la. ⁷O Senhor se encolerizou com Oza por seu atrevimento, o feriu e ele morreu aí mesmo, junto à arca de Deus. ⁸Davi se aborreceu porque o Senhor havia atacado Oza, e chamou esse lugar de Pérès*-Oza, e assim se chama até agora. ⁹Nesse dia, Davi temeu o Senhor e disse:

– Como pode a arca do Senhor vir à minha casa?

¹⁰E não quis levar a arca do Senhor para sua casa, à Cidade de Davi, mas a trasladou à casa de Obed-Edom de Gat. ¹¹A arca do Senhor esteve três meses na casa de Obed-Edom de Gat, e o Senhor abençoou Obed-Edom e sua família. ¹²Informaram a Davi:

– O Senhor abençoou a família de Obed-Edom e tudo o que ele faz, em atenção à arca de Deus.

Então Davi foi e levou a arca de Deus da casa de Obed-Edom à Cidade de Davi, fazendo festa. ¹³Quando os carregadores da arca do Senhor avançaram seis passos, sacrificou um touro e um bezerro cevado. ¹⁴E ia dançando diante do Senhor com todo o entusiasmo, vestido apenas com um efod de linho. ¹⁵Assim Davi e os israelitas iam levando a arca do Senhor entre aclamações e ao som das trombetas.

¹⁶Quando a arca do Senhor entrava na cidade de Davi, Micol, filha de Saul, estava olhando pela janela, e, ao ver o rei Davi fazendo piruetas e pulando diante do Senhor, o desprezou em seu íntimo. ¹⁷Introduziram a arca do Senhor e a instalaram em seu lugar, no centro da tenda que Davi lhe havia preparado. Davi ofereceu ao Senhor holocaustos e sacrifícios de comunhão ¹⁸e, quando terminou de oferecê-los, abençoou o povo em nome do Senhor dos exércitos; ¹⁹depois repartiu entre todos, homens e mulheres da multidão israelita, um pedaço de pão, uma porção de carne e um doce de uvas passas para cada pessoa. Depois todos partiram, cada qual para sua casa.

²⁰Davi voltou para abençoar sua casa, e Micol, filha de Saul, saiu a seu encontro e disse:

Por seu turno, a família sacerdotal dos élidas se estebeleceu em Nob, dissociada da arca.

A arca é o objeto religioso por excelência, paládio na guerra e testemunho da aliança, cujo documento guarda. Davi decide trasladá-la para sua nova capital e concentrar aí os principais sacerdotes. É uma decisão transcendental. O salmo 132 diz que a arca se encontrava "nos Campos de Jaar" (que parece ser Vila Moitas); Baalá é palavra hebraica com a mesma localidade, segundo Js 15,9-11. Por ser protagonista da narração, a arca é mencionada catorze vezes, sete vezes como "arca de Deus", sete vezes como "arca do Senhor".

6,1 Davi quis fazer da transladação um acontecimento nacional, uma ocasião para robustecer a consciência de unidade religiosa, cujo centro doravante será Jerusalém (isso não quer dizer que a cifra de participantes seja objetiva).

6,2 A denominação corresponde ao que descreve Ex 25, texto que parece tardio. À maneira oriental, os querubins (animais alados) sustentam um trono invisível, sobre o qual se senta o soberano dos exércitos estelares.

6,3 A carroça tem de ser nova, ou seja, não utilizada para tarefas profanas.

6,5 Sl 149,3s.

6,6-7 Um acidente mortal é interpretado pelos assistentes como castigo de Deus, devido a uma profanação objetiva. A sacralidade ainda é vista de maneira muito concreta, quase material, embora o autor personalize o efeito mortífero do sagrado. Como o homem não pode ver a Deus sem morrer, assim o profano não pode tocar impunemente o objeto sagrado; recorde-se a sacralidade da montanha do Sinai. É duvidosa a palavra hebraica que traduzimos por "atrevimento".

6,8 * = Arremetida.

6,8-9 O acontecimento é teofânico, infunde terror sagrado nos presentes, inclusive em Davi.

6,10-11 Não sabemos se é um israelita nascido em Gat ou um estrangeiro naturalizado em Israel; parece estranho deixar a arca na casa de um estrangeiro.

6,16 Dançar diante da arca é para o narrador o mesmo que dançar diante do Senhor.

6,17 Isto indica que a tenda do deserto não é conservada. A arca teve uma casa própria em Silo e casa emprestada em outros povoados.

6,18-19 Davi oficia como sacerdote: Lv 9,22; Nm 6,22-27.

6,19 Ne 8,10-12.

6,20-22 A ironia de Micol é salientada com o uso desses dois verbos, que em hebraico significam também "gloriar-se" (kbd) e "revelar-se" (glh). A resposta de Davi contém um princípio importante de espirituali-

– Como se cobriu de glória o rei de Israel, descobrindo-se à vista das servas de seus ministros, como o faria um palhaço qualquer!

²¹Davi lhe respondeu:

– Diante do Senhor, que me preferiu a teu pai e a toda a tua família e me escolheu como chefe de seu povo, eu dançarei ²²e me rebaixarei ainda mais; se te pareço desprezível diante das servas de que falas, diante delas ganharei prestígio.

²³Micol, filha de Saul, não teve filhos por toda a vida.

PROMESSA E PECADO

7 **Promessa dinástica e oração de Davi** (1Cr 17; Sl 89; 132) – ¹Quando Davi

---

dade: diante de Deus e para Deus, sente o ímpeto de saltar ou dançar; ocupação pouco séria e que pode parecer humilhante para um rei, vista com critérios de soberba humana; mas Davi está consciente de ser eleito pelo Senhor como vassalo, sua glória será festejar o valor do gesto. É a consciência e a ação do *homo ludens* e o espírito festivo.

6,23 O autor entende o fato como castigo.

7 O ápice na história de Davi não são suas empresas, seu valor militar ou sua clarividência política; o ápice é a promessa que Deus lhe faz. Este capítulo é o verdadeiro centro da história de Davi. Acima de Davi como protagonista, eleva-se como verdadeira protagonista a palavra de Deus, criadora de história. Natã é o seu profeta privilegiado.

O oráculo original foi provavelmente breve, baseado no duplo sentido da palavra casa: edifício e dinastia (também nós dizemos a Casa de Bragança). Davi quer construir para Davi uma casa = templo, o Senhor o recusa, e ao invés promete construir uma casa = dinastia para Davi.

Este oráculo original e conciso produz uma reação viva no povo que o recebe, criando uma corrente histórica; então o povo receptor por sua vez reage diante do oráculo, explicando-o e enriquecendo-o. Sobretudo os profetas fazem ressoar nos seus oráculos o de Natã, colocando-o numa perspectiva sempre mais rica e tensa rumo ao futuro. Autores do NT o lerão à luz do mistério de Cristo, fixando seu sentido definitivo: Lc 2,32-33; Hb 1,5.

A ação histórica de comentar não ficou à margem do nosso corpo narrativo, mas penetrou nele, sedimentando suas adições junto ao oráculo primitivo. Separar agora o oráculo original e as diversas adições, atribuindo a cada qual sua época, é hoje tarefa arriscada que conduz só a hipóteses inseguras.

Duplo sentido de "casa". No seu sentido normal, a casa é própria da cultura sedentária, urbana: espaço material fixo, lar que acolhe e protege, meta de repouso e centro de convergência (ver Gn 4,17 e 11,4). Em sentido metafórico, é a família (Gn 16,2), que se constrói com os filhos e sucessores; da família ordinária pode-se passar à família reinante. Esta segunda casa não é espacial, mas temporal, é vida histórica, ramificação ou estreitamento. No espaço pode ser derrubada a casa material, no tempo pode extinguir-se a casa familiar; as duas têm sua própria estabilidade. Davi quis dar ao Senhor uma casa: como que fixá-lo num espaço sagrado, centro de atração imóvel e permanente, com que se pode contar. Nesse ponto está presente o Senhor do espaço. Mas o Senhor se revelou ao seu povo em movimento, tirando, guiando, conduzindo; Deus desprendido do espaço fixo, companheiro de caminhadas e peregrinações. Inclusive quando termina a peregrinação e o povo se estabelece na terra, durante uma longa etapa o Senhor conserva a sua mobilidade original: uma tenda de campanha é o símbolo adequado da sua habitação. A tanto chega essa concepção teológica, que uma escola posterior falará da tenda não como morada, mas como lugar de reunião e encontro.

É verdade que junto a essa visão se desenvolve outra paralela, do templo como espaço sagrado, morada permanente da divindade. Encontramo-la na oração de Salomão (1Rs 8) e se faz presente no v. 13 deste capítulo (adição). Recolhe práticas anteriores, por exemplo, do templo de Silo.

O Senhor não aceita a oferta de Davi. Só se deixa levar em procissão a Jerusalém para aí continuar numa tenda, livre para mover-se.

O Senhor quer revelar-se como dono de uma nova etapa histórica, que de algum modo continuará sem termo. Ele funda uma dinastia com sua palavra, a consolida com sua promessa, a acompanhará em seu peregrinar histórico; um peregrinar exposto ao imprevisto, ao perigo dramático, inclusive à tragédia. A história humana de uma dinastia num povo será o âmbito móvel da presença e da revelação do Senhor. Davi não pode dar estabilidade ao Senhor, assinalando-lhe um espaço habitável; o Senhor pode dá-la a Davi, paradoxalmente, lançando-a na torrente da história mutável.

Caminho e repouso. Suposto isso, podemos examinar a oposição que percorre e articula o oráculo. O povo já viveu duas etapas: a do deserto, que era uma caminhada de um lugar para outro; a etapa dos juízes, que conservou bastante dessa mobilidade, com os juízes como pastores. Começa uma terceira etapa, e o povo terá um lugar onde arraigar-se: à imagem pastoril sucede a imagem agrícola. Os inimigos espantavam e sacudiam a população como a rebanhos, agora a população crescerá em paz como plantas. Algo semelhante acontece com Davi: andava transumante atrás das ovelhas; daí o Senhor o tirou para fazê-lo príncipe do seu povo (Sl 78,71). Durante certo tempo, ainda foi um príncipe agitado pela hostilidade de diversos inimigos. Doravante inaugura uma etapa de paz e tranquilidade. E quando chegar para Davi o repouso definitivo "com seus antepassados", a estabilidade se prolongará na sua descendência para sempre. A reação de Davi nasce do contraste entre riqueza e pobreza, casa de cedro, espaço de lonas. Ato de piedade, sem especial profundidade teológica.

A resposta de Natã não é oracular, mas de simples conselho. Já que o Senhor está com Davi, a ideia tem de estar inspirada por Deus e é preciso realizá-la. Natã julga o caso, reduzindo-o a um princípio geral, sem especial discernimento teológico. (As instruções de Samuel a Saul, 1Sm 10,7, são oraculares). Não cabe à iniciativa humana, mas à de Deus.

7,1-2 Eclo 47,1.

se estabeleceu em sua casa e o Senhor o livrou de seus inimigos vizinhos, ²disse o rei ao profeta Natã:

– Vê, eu estou vivendo em uma casa de cedro, ao passo que a arca de Deus vive numa tenda.

³Natã lhe respondeu:

– Vai, faze o que pensaste, pois o Senhor está contigo.

⁴Mas nessa noite Natã recebeu esta palavra do Senhor:

– ⁵Vai dizer a meu servo Davi: Assim diz o Senhor: "És tu quem me construirá uma casa para que habite nela? ⁶Desde o dia em que tirei os israelitas do Egito até hoje não habitei numa casa, mas viajei de cá para lá numa tenda que me servia de santuário. ⁷E em todo o tempo em que viajei de cá para lá com os israelitas, por acaso recomendei a algum juiz de Israel, aos que mandei pastorear meu povo Israel, que me construísse uma casa de cedro?" ⁸Pois bem, dize a meu servo Davi: Assim diz o Senhor dos exércitos: "Eu te tirei dos currais, onde pastoreavas as ovelhas, para ser chefe de meu povo Israel. ⁹Estive contigo em todos os teus empreendimentos; destruí todos os teus inimigos; eu te farei famoso como os mais famosos da terra; ¹⁰darei um lugar a meu povo Israel: eu o plantarei para que viva nele sem sobressaltos, sem que os malvados voltem a humilhá-lo como no passado, ¹¹quando nomeei juízes em meu povo Israel; eu te darei paz com todos os teus inimigos e, além disso, o Senhor te comunica que te dará uma dinastia. ¹²E quando chegares ao fim de tua vida e descansares com teus antepassados, estabelecerei depois de ti uma descendência tua, nascida das tuas entranhas, e consolidarei teu reino. ¹³Ele edificará um templo em minha honra, e eu consolidarei seu trono real para sempre. ¹⁴Eu serei para ele um pai, e ele será para mim um filho; se praticar o mal, eu o corrigirei com varas e golpes, como costumam os homens; ¹⁵mas não retirarei dele minha lealdade como a retirei de Saul, que afastei de minha presença. ¹⁶Tua casa e teu reino durarão para sempre em minha presença; teu trono permanecerá para sempre".

¹⁷Natã comunicou a Davi toda a visão e todas essas palavras. ¹⁸Então o rei Davi foi apresentar-se diante do Senhor e disse:

– Quem sou eu, meu Senhor, e quem é minha família para que me tenhas feito chegar até aqui? ¹⁹E como se fosse pouco para ti, meu Senhor, fizeste à casa do teu servo uma promessa para o futuro, enquanto existirem homens, meu Senhor! ²⁰O que mais pode acrescentar Davi, se tu, meu Senhor, conheces teu servo? ²¹Por tua palavra e conforme teus desígnios, foste magnânimo com teu servo, revelando-lhe essas coisas. ²²Por isso és grande, meu

---

7,3 1Sm 10,7.
7,7 Ex 25-31; 35,40; Nm 10,11-36; e o livro dos Juízes.
7,8 Sl 78,70s.
7,9 Sl 18,41.
7,12 A fórmula vem a ser um pouco ambígua, sobretudo pela inserção do v. 13. Este versículo refere-se diretamente a Salomão, descendente em sentido singular. Ao invés, a promessa se refere à descendência, como a promessa feita a Abraão (Gn 12,7; 15,18; 17,7-10), que se individualiza em 21,13.
7,14 Fórmula de adoção ou de escolha, que ressoa em Sl 2 e 110.
7,16 Is 9,6; Lc 1,32s.
7,18 Para "apresentar-se", o hebraico emprega o verbo *yshb*, que cobre uma gama de significados: sentar-se, deter-se, habitar... Talvez o autor o tenha escolhido para fazer eco ao começo do capítulo.
7,19-29 A oração de Davi, um tanto difusa numa primeira leitura, não carece de certa articulação coerente: dá graças (19-24), suplica (25-27), pede a bênção (28-29).
A ação de graças fala de si e do povo (19-22.23-24). São muitas palavras de quem ficou sem palavra e prorrompe em expressões de estupor. Enquanto alguns hinos se maravilham da grandeza do Senhor, Davi se maravilha da própria pequenez, que revela a grandeza e unicidade do Senhor. Davi não tem nada a dizer, porque o Senhor conhece seus sentimentos, porque é o Senhor quem fez que conhecessem a Davi. É digno de nota o novo sentido de "casa": a humilde família de onde o rei procede. Por isso, seu título diante do Senhor é "o teu servo", repetido dez vezes: três na ação de graças, quatro na súplica, três no final. Davi recorda a redenção e a aliança do povo, repetindo o verbo que usou para a promessa (*kwn*). Súplica: o Senhor há de manter a palavra (*qwm*), e assim se manterá a dinastia (*kwn*). Retoma a promessa numa frase que difere do v. 11 e que poderia ser mais original, pois faz eco exatamente ao v. 6.
Bênção: poderia ter uso litúrgico (pode-se ver Sl 67), e talvez contenha uma referência ou alusão à terceira promessa de Abraão, Gn 12,2-3: a bênção de Deus será fecundidade e continuidade perpétua, cumprindo a palavra do Senhor.
Em toda a oração domina a palavra e a fala de Deus. O estilo é elevado e um pouco retórico, adotando formas rítmicas flexíveis.
7,22 Sl 40,17.

Senhor, como ouvimos; não há ninguém como tu, não há Deus fora de ti. ²³E que nação há no mundo como o teu povo Israel, a quem Deus veio libertar para torná-lo seu, para dar-lhe fama, e fazer prodígios terríveis em seu favor, expulsando as nações e seus deuses diante do povo que libertaste do Egito? ²⁴Estabeleceste teu povo Israel como povo teu para sempre, e tu, Senhor, és o seu Deus. ²⁵Agora, pois, Senhor Deus, conserva sempre a promessa que fizeste a teu servo e sua família, cumpre tua palavra. ²⁶Que teu nome seja sempre famoso. Que digam: "O Senhor dos exércitos é Deus de Israel!" e que a casa de teu servo Davi permaneça em tua presença. ²⁷Tu, Senhor dos exércitos, Deus de Israel, fizeste a teu servo esta revelação: "Eu te edificarei uma casa"; por isso teu servo atreveu-se a dirigir-te esta oração. ²⁸Agora, meu Senhor, tu és o Deus verdadeiro, tuas palavras merecem confiança e fizeste essa promessa a teu servo. ²⁹Digna-te, pois, abençoar a casa de teu servo, para que esteja sempre em tua presença; uma vez que tu, meu Senhor, o dissete, seja sempre abençoada a casa do teu servo.

8 Vitórias de Davi (1Cr 18; Sl 18; 89,25s) –

¹Depois disso, Davi derrotou os filisteus e os submeteu, arrebatando-lhes a capital Gat. ²Derrotou Moab: os fez deitar-se por terra e mediu-os com o cordel; mediu duas cordas de condenados à morte, e deixou com vida a outra corda. Moab passou para Davi na qualidade de vassalo tributário. ³Derrotou também Adadezer, filho de Roob, rei de Soba, quando ia restabelecer sua soberania na região do Eufrates. ⁴Davi capturou mil e setecentos cavaleiros e vinte mil soldados de infantaria; jarretou os cavalos de tiro, deixando o tiro de cem carros. ⁵Os sírios de Damasco vieram em socorro de Adadezer, rei de Soba, mas Davi matou vinte e dois mil homens, ⁶e impôs governadores aos sírios de Damasco, que se tornaram vassalos tributários de Davi.

O Senhor deu vitória a Davi em todas as suas campanhas. ⁷Recolheu as insígnias de ouro que os oficiais de Adadezer carregavam, e as levou a Jerusalém. ⁸E em Tebá e Berotai, povoados de Adadezer, recolheu uma enorme quantidade de bronze.

⁹Toú, rei de Emat, soube que Davi derrotara o exército de Adadezer, ¹⁰e mandou seu filho Adoram para saudar o rei Davi e felicitá-lo pelo combate e derrota de Adadezer, pois Adadezer atacava Toú com frequência. Adoram levou uma baixela de prata, ouro e bronze. ¹¹O rei Davi consagrou ao Senhor todos esses presentes, acrescentando a prata e o ouro que havia tomado das nações dominadas ¹²(Edom, Moab, os

---

7,24 Dt 26,17s.
7,25 Dt 9,5.

8 Capítulo de síntese sobre as conquistas de Davi. Ficam de fora as campanhas contra os filisteus. Também fica de fora a campanha contra Amon, porque é a ocasião em que se desenvolvem outros acontecimentos importantes, a partir do capítulo 10. Cronologicamente, parece vir primeiro a campanha contra Amon, ao qual prestam ajuda alguns reinos arameus do norte e noroeste, e assim se estende a luta. Depois viria a campanha contra Moab a sudeste e a de Edom ao sul. Neste momento histórico descansam os grandes impérios do Ocidente e do Oriente. O Egito está dividido por lutas internas. A Babilônia é importante. A Assíria mal se levanta no horizonte histórico. É o momento propício para Davi, se souber consolidar-se na ponte costeira entre o Egito e a Mesopotâmia. Davi começa a reinar num território ameaçado por reinos vizinhos; enquanto começa a consolidar-se e a ganhar poder, tem talvez de sofrer a provocação desses vizinhos, assustados diante do poder crescente do novo reino. O livro nos conta a provocação amonita e supõe a penetração dos edomitas pelo sul. No seu começo ou no seu desenlace, estas guerras davídicas são guerras de expansão. No final delas, Davi é um rei consolidado em seu país e soberano de reinos tributários numa grande extensão: desde a Torrente do Egito no sul até perto do Eufrates pelo nordeste e até o deserto inabitado ao oriente.

8,1 É duvidosa a expressão hebraica *meteg ha'amma*. O paralelo de 1Cr 18,1 lê "Gat e seus povoados"; outros pensam em poderio, cercado etc. Este primeiro versículo é como um título que resume o resultado das campanhas. A vitória significa paz e independência dentro de casa, sem perigo a ocidente. Os filisteus se retiram para a costa, para viver em paz com Israel, independentes ou como vassalos.

8,2 Entende-se dos guerreiros. Não sabemos a razão deste castigo cruel.

8,3 Soba fica ao norte de Damasco. É um reino arameu que conseguiu submeter outros grupos em direção ao Eufrates. Em vez de "filho de Roob", outros leem "natural de Bet Roob" (Casa Grande).

8,4 Como havia feito Josué, conforme Js 11,6.9; ver Dt 17,16.

8,9 Não se trata da conhecida Emat junto ao Orontes, mas provavelmente de outra mais ao sul, junto ao rio Litani.

8,11 Davi parece inaugurar o tesouro do templo futuro com esta dedicação ao Senhor. É um tributo oferecido ao verdadeiro Soberano.

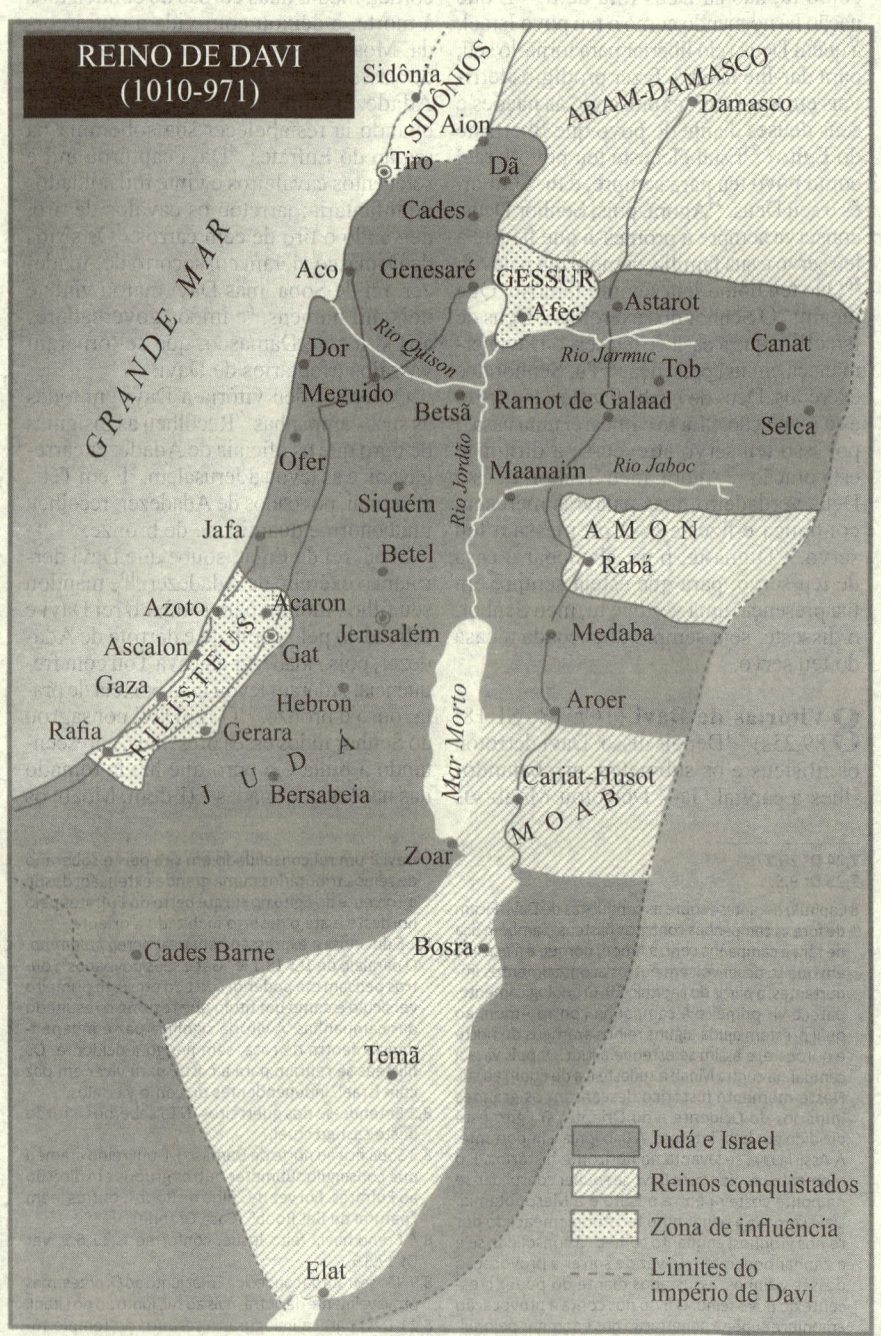

amonitas, filisteus, Amalec e Adadezer, rei de Soba) e havia consagrado ao Senhor.

¹³Quando Davi, vitorioso de Damasco, derrotou Edom em Gue-Hammela*, matando oito mil homens e aumentando sua fama, ¹⁴impôs governadores a Edom, que se tornou vassalo de Davi.

¹⁵O Senhor deu vitória a Davi em todas as suas campanhas. Davi reinou sobre todo Israel e governou seu povo com justiça. ¹⁶Joab, filho de Sárvia, era general-em-chefe do exército; Josafá, filho de Ailud, arauto; ¹⁷Sadoc, filho de Aquitob, e Abiatar, filho de Aquimelec, sacerdotes; Saraías, cronista; ¹⁸Banaías, filho de Joiada, chefe dos cereteus e feleteus. Os filhos de Davi oficiavam no culto.

9 Meribaal é acolhido por Davi (2Sm 21) – ¹Davi perguntou:

– Resta alguém da família de Saul a quem eu possa favorecer por amor a Jônatas?

²A família de Saul tinha um servo chamado Siba; trouxeram-no e o rei lhe perguntou:

– Tu és Siba?

Respondeu:

– Teu servidor.

³O rei lhe perguntou:

– E não resta ninguém da família de Saul a quem eu possa favorecer por amor a Deus?

Siba lhe respondeu:

– Resta ainda um filho de Jônatas, aleijado de ambos os pés.

⁴O rei lhe perguntou:

– Onde está?

Siba lhe respondeu:

– Em Lo-Dabar*, na casa de Maquir, filho de Amiel.

⁵O rei Davi mandou buscá-lo de lá. ⁶E Meribaal, filho de Jônatas, filho de Saul, apresentou-se a Davi. Caiu com o rosto por terra, prostrando-se. E Davi disse:

– És Meribaal?

Ele respondeu:

– Teu servidor.

⁷Davi lhe disse:

– Não temas, pois estou decidido a te favorecer por amor a Jônatas, teu pai; eu te devolverei todas as terras do teu avô Saul, e comerás sempre à minha mesa.

⁸Meribaal prostrou-se e disse:

– Quem sou eu para que dês atenção a um cão morto como eu?

⁹Então o rei chamou Siba, servo de Saul, e lhe disse:

– Todas as posses de Saul e de sua família eu as entrego ao filho do teu amo. ¹⁰Tu, teus filhos e teus servos cultivareis suas terras e lhe entregareis as colheitas para seu sustento. Meribaal, filho de teu amo, comerá sempre à minha mesa.

Siba, que tinha dez filhos e quinze escravos, ¹¹respondeu:

8,13 * Vale do Sal fica entre Bersabeia e o mar Morto. Mais dados sobre esta campanha em 1Rs 11,15-17.

8,15 Dessa forma Davi cumpre perfeitamente as duas funções do rei: guiar seu povo na guerra, administrar justiça na paz.

8,18 Cereteus e feleteus formam a guarda pessoal do rei; parece que pertencem a reinos submetidos (de Creta e Filisteia?).

9 É muito difícil situar cronologicamente o capítulo 9. A narração de 21,1-14 seria uma boa introdução ao capítulo presente, não fosse 21,7. Por outro lado, a resposta de Siba no v. 3 dá a impressão de que não conhece outros membros da família de Saul. O gesto de Davi é ato de lealdade ou fidelidade a um juramento (1Sm 20,11-17.42). É também gesto magnânimo para com a família do seu rival. Além disso, é sagaz medida política: trazendo à corte o descendente de Saul, ele o mantém vigiado e neutralizado.

Este favorecer tem outro sentido especial: é uma concessão que liga o beneficiário com o vínculo de lealdade. Em Meribaal, a "Casa de Saul" se prostra e rende homenagem ao novo rei, cumprindo a homenagem antecipada de Saul e de Jônatas; expressamente se declara "servo", que pode significar vassalo. Davi outorga as propriedades de família, que se tornam agora dom seu (v. 9).

A honra de comer à mesa real é um reconhecimento quotidiano de dependência. Houve um tempo em que Davi comia à mesa de Saul (1Sm 20). Se temos presente a promessa dinástica à "casa de Davi", que acabamos de ler no capítulo 7, sentiremos o contraste ao ouvir mencionar quatro vezes "a casa (família) de Saul"; como a primeira se estabelece pela graça de Deus, a segunda subsiste pela graça de Davi. Mas deixou de ser a família real: vivia em casa emprestada, "na casa de Maquir", numa aldeia que soa a "Pouca Coisa" (*Lo dabar*); viverá na cidade pessoal de Davi.

9,3 No final deste versículo se enquadraria bem a nota de 4,4, sobre o aleijão do personagem.

9,4 Na Transjordânia, provavelmente não longe de Castelos, onde se refugiou Isbaal.

* = Pouca Coisa.

9,7 Ver 1Rs 18,19; 2Rs 25,29-30.

9,10 Entenda-se para o sustento da sua casa, que se transferiria com ele a Jerusalém, e não comia à mesa real.

9,11 1Rs 18,19.

— Teu servo fará tudo o que o rei ordenar.

Meribaal comia à mesa de Davi, como um dos filhos do rei. ¹²Tinha um filho pequeno chamado Micas, e toda a casa de Siba estava a serviço de Meribaal, ¹³que se transferiu para Jerusalém, pois comia sempre à mesa do rei. Era aleijado de ambos os pés.

10 Guerra contra os amonitas (1Cr 19) —

¹Depois disso, o rei dos amonitas morreu, e seu filho Hanon reinou em seu lugar. ²Davi disse:

— Vou devolver a Hanon, filho de Naás*, os favores que seu pai me fez.

E por meio de embaixadores enviou-lhe pêsames pela morte de seu pai. Mas quando os embaixadores de Davi entraram no território amonita, ³os generais amonitas disseram a seu senhor Hanon:

— Crês que Davi te dá pêsames para mostrar sua estima por teu pai? Não será para examinar a cidade, explorá-la e depois destruí-la?

⁴Hanon prendeu os embaixadores de Davi, barbeou-os pela metade, cortou-lhes a roupa pela metade, à altura das nádegas, e os despediu. Eles voltaram envergonhados. ⁵Avisaram Davi, e ele enviou-lhes este recado:

— Ficai em Jericó até que a barba cresça, e depois vinde.

⁶Quando os amonitas perceberam que haviam provocado Davi, enviaram gente para contratar vinte mil mercenários de infantaria dos sírios de Bet-Roob* e dos de Soba, mil homens do rei de Maaca e doze mil do rei de Tob. ⁷Ao saber disso, Davi enviou Joab com todo seu exército e seus valentes. ⁸Os amonitas saíram para a guerra e puseram-se em linha de combate à entrada da cidade, enquanto os sírios de Soba, Bet-Roob e a gente de Tob e de Maaca ficavam à parte, no campo. ⁹Joab viu-se envolvido pela frente e por trás; escolheu então um grupo de soldados israelitas e os pôs em linha de batalha diante dos sírios. ¹⁰Pôs o resto da tropa em linha de batalha diante dos amonitas, sob o comando de seu irmão Abisaí, ¹¹com esta recomendação:

— Se os sírios me vencerem, vem libertar-me, e se os amonitas te vencerem, eu irei te libertar. ¹²Coragem! Lutemos valentemente por nosso povo e pelas cidades de nosso Deus, e que o Senhor faça o que lhe agrada.

¹³Joab e os seus travaram combate com os sírios e os puseram em fuga. ¹⁴Os amonitas, vendo que os sírios fugiam, fugiram também eles diante de Abisaí, e entraram na cidade. Joab voltou a Jerusalém, suspendendo o ataque aos amonitas.

¹⁵Vendo-se derrotados por Israel, os sírios se uniram. ¹⁶Adadezer ordenou

---

10 A partir daqui, os fatos se encadeiam com rigor trágico. O autor reservou para o final a campanha de Amon, porque nela se insere o ponto de partida da nova trama.

Pela primeira vez o autor nos diz algo sobre a estratégia de uma batalha, e não se contenta com expressões genéricas de vitória e derrota. A guerra contra Amon ocupa vários anos, e só no final do capítulo 12 se narra o desenlace.

Aqui se narram duas batalhas importantes, a primeira dirigida por Joab, a segunda por Davi (o esquema se repetirá na tomada da cidade).

Do v. 2 podemos deduzir que Davi, quando andava foragido e perseguido por Saul, recebeu asilo ou auxílio do rei amonita, o que estabeleceu uma relação de lealdade. Com gesto simples e sincero, Davi tenta continuar em boas relações com os vizinhos do oriente. Mas a ascensão política de Davi criou na vizinhança um clima de medo e suspeita, que os cortesãos do novo rei amonita exploram. (Recorde-se como Joab tentou semear suspeitas contra Abner). Uma coisa é proteger um súdito acossado, outra coisa é apoiar um rei vizinho em ascensão.

10,2 * = Serpente.
10,3 Gn 42,9-15; Js 2.
10,4 Is 7,20; 20,4.
10,5-6 A ofensa aos embaixadores é gravíssima: ver Is 7,20; 20,4. Davi não reage imediatamente, talvez porque não é época propícia para uma campanha (ver 11,1); isso implica que os amonitas têm tempo para reunir um importante exército de mercenários.
10,6 * = Casa Grande.
10,7 Os valentes de Davi são trinta e tantos soldados excepcionais que se distinguiram nas lutas contra os filisteus (capítulos 21 e 23).
10,8 Casa Grande (Bet-Roob) fica na encosta oriental do Hermon; um pouco mais ao sul está Maaca (cujo rei é sogro de Davi: 3,3).
10,11-12 A arenga de Joab sintetiza a visão do narrador: os homens atuam e Deus decide o que lhe agrada. Deus ocupa uma posição discreta e é necessária muita fé e discernimento para descobrir a sua soberania histórica. A frase final não expressa resignação fatalista, mas autêntica confiança: lutam pela causa de "seu Deus e seu povo".
10,12 1Sm 4,9; 1Mc 3,43.58.
10,14 Não se acha com forças para sitiar a capital.
10,16 Em geral "o rio" designa o Eufrates, mas não é provável que se estendesse tanto a soberania de Adadezer. Muitos pensam no Jordão.

mobilizar os sírios da outra parte do rio, e vieram a Helam, sob as ordens de Sobac, general-em-chefe do exército de Adadezer. ¹⁷Quando informaram a Davi, ele concentrou todo o exército de Israel, atravessaram o Jordão e marcharam a Helam. Os sírios dispuseram-se em linha diante de Davi, e a batalha começou. ¹⁸Os sírios fugiram diante dos israelitas; Davi matou setecentos cavalos de tiro e quarenta mil homens, ferindo Sobac, general do exército, que morreu aí mesmo. ¹⁹Os reis vassalos de Adadezer, vendo-o derrotado por Israel, fizeram as pazes com Israel, submetendo-se; a partir disso, os sírios não se atreveram a auxiliar os amonitas.

11 **Davi e Betsabeia** – ¹No ano seguinte, na época em que os reis vão à guerra, Davi enviou Joab com seus oficiais e todo Israel para devastar a região dos amonitas e sitiar Rabá. Davi, entretanto, ficou em Jerusalém, ²e uma tarde, levantou-se da cama e se pôs a passear pelo terraço do palácio, e do terraço viu uma mulher banhando-se, uma mulher muito bonita. ³Davi mandou perguntar pela mulher, e lhe disseram:

– É Betsabeia, filha de Eliam, esposa do heteu Urias.

⁴Davi enviou alguns para buscá-la; a mulher chegou e Davi deitou com ela, que estava purificando-se de suas regras. Depois Betsabeia voltou para sua casa; ⁵ficou grávida e mandou este aviso a Davi:

– Estou grávida.

⁶Então Davi mandou esta ordem a Joab:

– Envia-me o heteu Urias.

Joab o enviou. ⁷Quando Urias chegou, Davi perguntou-lhe por Joab, o exército e a guerra. ⁸Depois lhe disse:

– Vai para casa e lava os pés.

10,19 Esta notícia deve ser relacionada com os dados do capítulo precedente. Sl 18,48s.

11 É surpreendente esta narração no presente lugar. O rei ideal de Israel é descrito como criminoso abjeto, e na narração o autor demonstra toda a sua maestria narrativa. Sobressaem a gradação das cenas em crescendo dramático, o complicar-se da trama, o traço psicológico, a imediação que se pode dizer impassível.
Muitos séculos depois, Jesus Ben Sirac recorda impressionado o crime de Davi, ao elogiar os antepassados (Eclo 46,11). Não houve mão violenta que destruísse este relato, nem mão piedosa que o sepultasse para a posteridade.
O autor que o compôs e o que o recolheu na obra olhavam da altura teológica. Se até agora Deus parecia ter-se retirado discretamente, diante do pecado de Davi entra vigorosamente em cena, dominando os eventos. Dir-se-ia que o pecado de Davi é mais revelador que suas vitórias.

11,1-5 Primeira cena: Davi e Betsabeia.

11,1 O primeiro versículo apresenta toda a situação: o contraste entre as tropas numerosas que marcham para a guerra e o rei que fica na capital; frase longa para os soldados, frase breve para Davi; (o contraste entre frases longas e breves é procedimento que se observa no relato). Embora quase toda a ação se passe na corte, sentimos estar envolta numa presença dominadora e acusatória da guerra: visitas, mensagens, o grande quadro que se abre em 11,1 e se fecha em 12,26-31. O primeiro versículo nos impõe uma leitura de contrastes e nos faz pensar na primeira aparição de Davi no campo de batalha, tendo deixado suas ovelhas.

11,2 O segundo versículo aproxima a figura de Davi: a sesta, o ocioso passear, o olhar curioso. Tudo isso do alto do seu terraço, da altura do seu poder real que ordena, manda, reclama, comenta. Contrasta a frase longa sobre o rei com a frase breve dedicada à mulher, vista pelos olhos do rei.

11,3-4 A rápida ação está articulada pelo duplo envio: para informar-se, para trazer. Suposta a informação, o trazer equivale a um rapto para o adultério. Nada diz o autor da atitude de Betsabeia: consente de boa vontade? poderia resistir ao rei? Uma frase breve encerra o episódio, que poderia concluir sem consequências: "Voltou para sua casa" (o motivo da casa é importante).

11,4 Lv 15,9; Ex 20,14.

11,4-5 A reação de Betsabeia é de pânico: a adúltera tem pena de morte, e a prova do adultério está no seu seio: cabe ao rei remediar. Os quatro verbos quase seguidos do original expressam a urgência. Contrasta a brevíssima mensagem na frase final. Assim terminou a primeira cena. Notemos nela os termos-chave: a cama (*mshkb*), deitar-se (*shkb*), ficar (*yshb*).

11,6 Este versículo introduz a segunda cena, repetindo três vezes, no texto hebraico, o verbo mandar.

11,7-13 Segunda cena: Urias e Davi. O autor não diz se Urias sabe alguma coisa ou suspeita. O envio e a viagem, Jerusalém-Amã (Rabá) ida e volta, requerem um pouco mais de uma semana. O chamado real pode se tornar suspeitoso; a conduta real não dissipa, antes favorece a suspeita; as palavras de Urias parecem uma advertência, e sua conduta um desafio ao rei. Em todo caso, o leitor tem de observar a forte contraposição das duas figuras.

11,7 A frase longa, com três complementos, resume uma conversa e apresenta o interesse fingido do rei. Em hebraico se pergunta pela paz ou bem-estar (*shalom*); no contexto da guerra essa palavra, repetida três vezes no original, soa estranha.

11,8 A fórmula inclui o repouso completo em sua própria casa. O verbo lavar-se é o mesmo de Betsabeia banhando-se.

Urias saiu do palácio e, depois que saiu, levaram-lhe um presente do rei. ⁹Mas Urias dormiu à porta do palácio, com os guardas do seu senhor. Não foi para casa. ¹⁰Avisaram Davi que Urias não tinha ido para casa, e Davi lhe disse:

– Chegaste de viagem, por que não vais para casa?

¹¹Urias respondeu-lhe:

– A arca, Israel e Judá vivem em tendas; Joab, meu chefe, e seus oficiais acampam ao relento; por acaso iria eu para minha casa banquetear-me e deitar com minha mulher? Por Deus, por tua vida, não farei isso!

¹²Davi lhe disse:

– Fica aqui hoje, e amanhã te deixarei ir.

Urias ficou em Jerusalém nesse dia. ¹³E, no dia seguinte, Davi o convidou a um banquete e o embriagou. Ao entardecer, Urias saiu para deitar-se com os guardas do seu senhor e não foi para casa. ¹⁴Na manhã seguinte Davi escreveu uma carta a Joab, enviando-a por meio de Urias. ¹⁵O texto da carta era: "Põe Urias na primeira linha, onde a luta é mais dura, e retirai-vos, deixando-o só, para que seja ferido e morra".

¹⁶Joab, que mantinha o cerco da cidade, pôs Urias onde sabia que estavam os defensores mais valentes. ¹⁷Os da cidade fizeram uma saída, travaram combate com Joab, e houve algumas baixas no exército entre os oficiais de Davi; morreu também o heteu Urias. ¹⁸Joab mandou a Davi o relatório da guerra, ¹⁹ordenando ao mensageiro:

– Quando terminares de fazer o relatório ao rei, ²⁰se o rei se encher de cólera e perguntar: "Por que vos aproximastes da cidade para combater? Não sabeis que os arqueiros disparam da muralha? ²¹Quem feriu Abimelec, filho de Jerobaal? Uma mulher, do alto da muralha, fez cair sobre ele uma pedra de moinho, e assim morreu em Tebes! Por que vos aproximastes da muralha?" Tu então acrescentarás: "Morreu também teu servo Urias, o heteu".

²²O mensageiro partiu, apresentou-se a Davi e comunicou-lhe a mensagem de Joab. Davi aborreceu-se, ²³mas o mensageiro lhe disse:

– O inimigo lançou-se contra nós, fazendo uma incursão em campo aberto; nós os fizemos recuar até a entrada da cidade, ²⁴e então os arqueiros dispararam contra nós do alto da muralha; alguns soldados do rei morreram e morreu também teu servo Urias, o heteu.

²⁵Então Davi disse ao mensageiro:

– Dize a Joab que não se preocupe com o que aconteceu, pois guerra é assim mesmo: um dia cai um e outro dia cai outro; continue o assalto à cidade até arrasá-la. Quanto a ti, encoraja-o.

11,9 A frase final sublinha a desobediência do soldado. O motivo da casa se torna obsessivo nos versículos seguintes.

11,11 Urias trouxe consigo para a corte um ar de guerra, de austeridade militar. Suas palavras formulam o contraste, e, no contexto, soam a reprovação. A arca, e com ela o Senhor, Judá e Israel numa campanha nacional: Davi ficou com as mulheres e alguns cortesãos. As frases de Urias são amplas e apaixonadas, a sua descrição sobre o exército denuncia o ócio e sensualidade de Davi. O verbo deitar-se soa aqui com sentido sexual.

11,13 No final da cena se repetem, em outra chave, os termos da primeira cena: deitar-se, cama, ficar em Jerusalém. Fazendo eco ao v. 9, soa outra vez a casa. Urias desobedeceu ao rei, recordou-lhe coisas desagradáveis, fez fracassar seu plano simples. Davi pensa que Urias sabe ou suspeita? Sente-se descoberto e ameaçado? Ao menos viu que não pode submeter o soldado nem com presentes nem com vinho.

11,14-17 A terceira cena, breve e rapidíssima, está iluminada por uma luz trágica: Urias portador de sua própria sentença de morte. A carta podia ir escrita numa tabuinha de barro ou em pergaminho, e ia selada. Davi dá uma ordem sem explicações. Joab a executa sem pestanejar.

A carta termina com uma frase breve "que seja ferido e morra", à qual faz eco uma frase um tanto mais longa com que termina a cena: "morreu também Urias, o heteu"; isto soará de novo, quase como estribilho.

11,18-25 A quarta cena se desenrola no acampamento e na corte com elementos paralelos; a tradução grega sublinha esse paralelismo, pondo na boca de Davi as palavras previstas por Joab; o efeito é de uma ironia pungente.

11,20-21 De novo o contraste entre o discurso longo e a resposta final breve: são quatro interrogações de Davi, quase um interrogatório, e uma notícia concisa, eco do final do v. 17.

11,23-24 A resposta do mensageiro utiliza a mesma técnica: uma explicação detalhada dos fatos e uma frase breve sobre a morte de Urias, repetindo o final do v. 21.

11,25 Davi consuma cinicamente sua maldade: tranquilizado com a notícia, passa a consolar Joab. A vida de alguns soldados é bom preço pela morte de Urias: salvaram-se a autoridade e o prestígio do rei, morre um inocente, triunfa a razão de estado. Joab não deve afligir-se por tal perda, são coisas da guerra – uma força impessoal e irresponsável –, não foram os planos e ordens de Davi. Finalmente, o rei covarde pede valentia a Joab; literalmente o original soaria "insiste na tua guerra contra a cidade".

²⁶A mulher de Urias soube que seu marido havia morrido e ficou de luto por ele. ²⁷Terminado o luto, Davi mandou buscá-la e a recebeu em sua casa; tomou-a por esposa, e ela deu à luz um filho. Mas o Senhor reprovou o que Davi fizera.

12 Penitência de Davi (Sl 51) – ¹O Senhor enviou Natã. Natã entrou na presença do rei e lhe disse:

– Em certo povoado havia dois homens, um rico e outro pobre. ²O rico tinha muitos rebanhos de ovelhas e bois; ³o pobre tinha apenas uma ovelhinha que havia comprado; ele a criava, e ela crescia com ele e com seus filhos, comendo do seu pão, bebendo do seu copo, dormindo em seu colo; era como uma filha. ⁴Chegou uma visita à casa do rico, e não querendo perder uma ovelha ou um boi, para servir a seu hóspede, pegou a ovelhinha do pobre e serviu seu hóspede.

⁵Davi ficou furioso contra aquele homem e disse a Natã:

– Por Deus, quem fez isso é réu de morte! Não quis respeitar o que é do outro, ⁶e deverá pagar quatro vezes o valor da ovelhinha.

⁷Então Natã disse a Davi:

– Esse homem és tu! Assim diz o Senhor Deus de Israel: Eu te ungi rei de Israel, te livrei de Saul, ⁸te dei a filha de teu senhor, pus em teus braços suas mulheres, te dei a casa de Israel e Judá e, se for pouco, acrescentarei outros favores. ⁹ªPor que desprezaste o Senhor, fazendo o que ele

---

11,26-27 O desenlace é breve, com um versículo breve para Betsabeia e outro longo para Davi. Este pronuncia a última ordem. A frase final do capítulo é lapidar, e na fórmula "foi mau aos olhos de" ("reprovou") recolhe as palavras de consolo a Joab "não seja mau a teus olhos" ("não te preocupes"); é o contraste mais enérgico do capítulo.
Não é o rei quem estabelece o direito, porque o rei humano é vassalo de Deus; e, diante da injustiça do poderoso, Deus se põe da parte do fraco ofendido. Ante o olhar de Deus, não valem ofícios nem dignidades, nem sequer méritos adquiridos; seu juízo sobre a história é decisivo. Ao narrador basta consigná-lo numa frase, sem ponderações.

12 Quando os homens se calam, a palavra de Deus se levanta para acusar. Os homens têm motivos para se calar: por complacência cortesã, por medo de subordinados. Talvez corressem por Jerusalém comentários maliciosos, reprovadores ou indulgentes, da conduta real. O autor não recolhe a voz do povo. O mais grave é que a consciência de Davi também se cala. Ao profeta que pronunciou a promessa dinástica, cabe agora pronunciar a acusação e a sentença condenatória, em nome de Deus. É encargo arriscado, e o profeta prepara o oráculo com uma parábola. O primeiro verbo é "mandou": o Senhor toma a iniciativa que no capítulo anterior Davi tinha tomado.

12,1-4 A parábola é breve e eficaz. Ritmo e sonoridade estão muito estilizados, sobretudo em duplas paralelas e opostas. Tudo é anônimo, reduzido a tipos elementares: o homem rico, o homem pobre, o homem viajante; anônima é a cidade. E "um, um, um", repetido no texto hebraico, culmina na quarta vez em "uma ovelhinha".
À oposição dos personagens soma-se a do desenvolvimento: o rico "tem" simplesmente, o pobre cuida, atende, convive; o que num é relação de posse, no outro é relação quase pessoal (e por aí se torna transparente a parábola).
Três palavras se referem ao capítulo precedente: "comia, bebia, deitava-se". Não há alusão explícita ao verbo matar, implicitamente pode aludir ao verbo *hml* (poupar, perdoar). É difícil saber se o verbo *'sah*

= fazer, preparar, significava já oprimir, violentar; em caso afirmativo, a frase é terrivelmente ambígua.

12,1 Recorde-se o provérbio: "O rico e o pobre se encontram: o Senhor fez os dois" (Pr 22,2).

12,5-6 Davi escuta a parábola como um caso que ele tem de sentenciar com sua autoridade suprema, e o sentencia sem perguntar nomes. A compensação do quádruplo está prevista na lei (Ex 21,37); o reato de morte, não previsto na lei, parece sugerido pela vilania da ação.
Então o profeta dá um nome ao rico da parábola, e com ele nomeia também o pobre e sua ovelha. "Tu": a narração bíblica, embora simples ficção, interpela e encurrala o homem, é luz que penetra e delata, como diz Hb 4,12.

12,7-12 Agora vem o oráculo propriamente dito. Segue com alguma liberdade o esquema clássico: benefícios de Deus = agravante (7b-8), denúncia (9), sentença motivada com a repetição da denúncia (10), continua a sentença com nova introdução (11-12). Além disso, conserva-se a clássica correspondência de delito e pena: a espada castiga a espada, o roubo de muitas mulheres pune o roubo de uma; sublinha-o a repetição de algumas palavras-chave: espada, arrebatar, mulher. O oráculo está ligado ao capítulo precedente por outras repetições: "O Senhor reprova", como em 11,27: "matar", "deitar-se", "tomar por esposa", são repetições óbvias.
O oráculo acrescenta uma dimensão nova: personaliza fortemente a ofensa ao Senhor (cf. Sl 51,6). A rigor se diria que Davi ofendeu Urias; mas o Senhor toma a ofensa como feita a si, e esta é a sua maior gravidade. Isso cria um novo sistema de relações: Davi na parábola é o rico malvado; com relação a Deus, tinha sido a ovelha escolhida e tratada com carinho especial "como uma filha". Ao abandonar esse papel, toma o lugar do rico, e ofende seu Senhor, o qual se transforma em vingador do pobre e da sua ovelhinha. A abertura transcendente do homem para Deus e o interesse pessoal de Deus pelo homem conferem grandeza e gravidade à caridade e à justiça humanas.

12,9 Alguns suprimem 9c.

reprova? Assassinaste o heteu Urias para casar com sua mulher. ¹⁰Pois bem, a espada jamais se afastará de tua casa por me teres desprezado, casando com a mulher do heteu Urias, ⁹ᵇe matando-o com a espada amonita. ¹¹Assim diz o Senhor: Farei que a desgraça nasça da tua própria casa; arrebatarei tuas mulheres, e diante dos teus olhos as darei a outro, que deitará com elas à luz do sol que nos ilumina. ¹²Tu agiste às escondidas, mas eu o farei diante de todo Israel, em pleno dia.

¹³Davi disse a Natã:

– Pequei contra o Senhor!

Natã respondeu:

– O Senhor já perdoou teu pecado; não morrerás, ¹⁴mas, por teres desprezado o Senhor com o que fizeste, o filho que nasceu para ti morrerá.

¹⁵Natã foi para casa.

O Senhor feriu o bebê que a mulher de Urias havia dado a Davi, e ele caiu gravemente doente. ¹⁶Davi pediu a Deus pela criança, prolongou seu jejum e de noite deitava no chão. ¹⁷Os anciãos de sua casa tentaram levantá-lo, mas ele se recusou, nem quis comer nada com eles. ¹⁸No sétimo dia a criança morreu. Os cortesãos de Davi temeram dar-lhe a notícia de que a criança morrera, pois comentavam:

– Se, quando a criança estava viva, nós falávamos ao rei e ele não nos escutava, como lhe diremos agora que a criança morreu? Cometerá alguma loucura!

¹⁹Davi percebeu que seus cortesãos cochichavam e adivinhou que a criança tinha morrido. Perguntou-lhes:

– A criança morreu?

Eles disseram:

– Sim.

²⁰Então Davi ergueu-se do chão, banhou-se e trocou de roupa; foi ao templo adorar o Senhor; depois foi ao palácio, pediu comida, eles a serviram, e ele comeu. ²¹Seus cortesãos lhe disseram:

– Que modo de agir é esse? Quando a criança estava viva jejuavas e choravas por ela, mas agora que morreu, tu te levantas e comes!

²²Davi respondeu:

– Enquanto a criança estava viva jejuei e chorei, pensando que talvez o Senhor tivesse piedade de mim e a criança ficasse boa. ²³Mas agora morreu: o que ganho com o jejum? Poderei fazê-la voltar? Eu é que irei onde ela está; ela não voltará a mim.

²⁴Depois consolou sua mulher Betsabéia, foi e deitou-se com ela. Betsabéia deu à luz um filho, e Davi o chamou Salomão; o Senhor

---

12,11 O verbo *heqim*: fazer nascer, estabelecer, cumprir, é um dos verbos clássicos da promessa dinástica; aqui toma um complemento terrível: "desgraça", como resposta ao mal que Davi fez. Voltam exageradas neste versículo as rimas do v. 8; e também o verbo "dar", que em 8 falava de benefícios, aqui fala de castigo.

12,13-14 A resposta de Davi é brevíssima: iluminado pela palavra de Deus, descobre-se como é diante de Deus, e confessa sem comentário o seu pecado contra o Senhor. Deus perdoa, anulando a sentença de morte. Acaso porque Davi perdoou Saul? Só pelo arrependimento atual? É isto que a palavra de Deus busca va: salvar. Inclusive quando acusa é salvadora, talvez mais salvadora quando acusa. Mas uma pena é imposta a Davi. Em termos forenses, se lhe comuta a pena de morte na perda do fruto do pecado. O pai é castigado no filho ao perdê-lo, o filho não é castigado.

12,15-25 O episódio tem um movimento narrativo muito regular, que é endereçado à explicação final de Davi. Os cortesãos tomam o lugar do leitor, ao passo que Davi adota um tom sapiencial que pode recordar o salmo 49.

Somando ação e explicação, descobrimos uma construção em duplo enfoque, que graficamente representaríamos por um quadrado e duas diagonais.

    filho vivo   Davi mortificado
    filho morto   Davi vivificado

Quer dizer, enquanto o filho vive, a ação de Davi é negativa, de renúncia, como se quisesse tomar sobre si a doença do filho para curá-lo, embora não por substituição, mas orando a Deus; sua única atividade então é suplicar. No momento em que o filho morre, sucedem-se rapidamente ações vitais de Davi, ao passo que sua visita ao templo é silenciosa, de simples adoração. O filho vivo ainda lhe conservava a esperança, não em meios humanos, mas na misericórdia do Deus da vida; o filho morto lhe traz resignação melancólica, como se o filho começasse a puxá-lo para o túmulo; e Davi se agarra à vida. A vida presente é todo o horizonte de Davi: Deus não fará o filho morto refazer seu último caminho, nem deterá a marcha do pai vivo. Geralmente se diz de quem morre que "vai reunir-se com seus pais", agora se acrescenta esta nota triste: "também com teu filho". Nesse horizonte, Davi pode consolar a mãe com seu amor e esperança de um novo filho que ocupe o lugar do primeiro. A frase do v. 24 "deitou-se com ela" é a mesma de 11,4, mas soa muito diferente: à paixão violenta sucedeu um amor amadurecido na dor partilhada.

Rejeitado o primeiro filho, o Senhor escolhe o segundo: é como um selo de reconciliação com Davi. Jedidias significa "favorito do Senhor", e seu primeiro componente é assonante de Davi; Salomão é assonante de paz e prosperidade e da cidade de Jerusalém. É outra vez Natã quem traz a mensagem do Senhor sobre o recém-nascido.

12,23 Tb 13,2; Sl 71,20.

o amou, ²⁵e enviou o profeta Natã, que lhe pôs o nome Jededias,* por ordem do Senhor.
 ²⁶Enquanto isso, Joab tinha atacado a capital dos amonitas e se apoderara dela. ²⁷Enviou mensageiros para dizerem a Davi:
 – Ataquei Rabá. Conquistei o bairro dos reservatórios. ²⁸Mobiliza os reservistas, acampa contra a cidadela e ocupa-a; do contrário, eu a conquistarei e lhe porão meu nome.
 ²⁹Davi recrutou os reservistas, foi a Rabá, atacou e conquistou-a. ³⁰Tirou a coroa de Melcom (que pesava trinta quilos de ouro), com uma pedra preciosa que Davi pôs em seu diadema, e levou imensos despojos da cidade. ³¹Fez sair todos os habitantes e os pôs a trabalhar com serras, picaretas e machados, e a trabalhar nas olarias. Fez o mesmo com todos os povoados dos amonitas. Depois Davi voltou a Jerusalém com todo o exército.

ABSALÃO

13 ¹Passou certo tempo. Absalão, filho de Davi, tinha uma irmã muito bonita, chamada Tamar, ²e Amnon, filho de Davi, enamorou-se dela tão apaixonadamente a ponto de ficar doente, pois sua irmã Tamar era solteira, e Amnon achava impossível tentar qualquer coisa com ela. ³Amnon tinha um amigo chamado Jonadab, filho de Sama, irmão de Davi. Jonadab era muito esperto, ⁴e lhe disse:
 – O que tens, príncipe, que a cada dia estás mais abatido? Por que não me contas?
 Amnon respondeu:
 – É por causa de Tamar, irmã de meu irmão Absalão; estou apaixonado por ela.
 ⁵Então Jonadab lhe propôs:
 – Deita-te, como se estivesses doente, e quando teu pai for visitar-te, pedirás que tua irmã Tamar vá dar-te de comer: que ela prepare algo diante de ti, para que possas ver, e ela própria te sirva.
 ⁶Amnon se deitou e fingiu estar doente. O rei foi vê-lo, e Amnon lhe disse:
 – Por favor, venha minha irmã Tamar e frite aqui na minha frente dois bolinhos, servindo-os ela mesma.
 ⁷Davi mandou um recado para a casa de Tamar:
 – Vai à casa de teu irmão Amnon e prepara algo para ele comer.
 ⁸Tamar foi à casa de seu irmão Amnon, que estava deitado; pegou farinha,

---

12,25 * = Amado do Senhor.
12,26-31 A intensidade dos relatos precedentes nos fez esquecer o assédio de Amã (Rabá). Também Davi tem de recordá-lo para voltar ao acampamento e compartilhar a sorte de seus soldados, ainda que seja só para a vitória final.
Mudar o nome de uma cidade é praticamente comum: Nm 32,41-42; Jz 18,29. Davi não o fez com a cidade jebuseia que tinha conquistado: "Cidade de Davi" designa somente a parte velha de Jerusalém. No entanto, traz muitos prisioneiros para a construção, provavelmente para ampliar a capital.
Levar a coroa do deus é um ato de prepotência, e aos olhos dos amonitas é um sacrilégio. O deus que traz o nome de Rei (Moloc) fica sem coroa.
12,31 Js 9,23.27.
13,1-22 Comparado com Saul, Davi aumentou o número de mulheres e concubinas, que podem ser sinal de riqueza e prestígio. Os filhos dessas mulheres vivem em casa própria com criados pessoais, as filhas não casadas vivem reclusas numa seção à parte. As relações familiares se realizariam em ocasiões especiais, talvez em festas.
Na legislação antiga, não estava proibido o casamento entre parentes; a legislação de Lv 18 e Dt 27,22 proíbe o casamento entre irmãos de pai ou mãe. O casamento de Amnon e Tamar estaria permitido na legislação antiga. Segundo Dt 22,28-29, quem viola uma donzela tem de pagar uma compensação ao pai e casar-se com ela.

A presente narração é notável pelo atraso calculado dos fatos: o conselho de Jonadab se detém pela metade, a execução repete os passos de tal conselho e segue adiante; neste momento se atrasa o desfecho detendo-se em detalhes culinários; outro atraso é introduzido pela resistência de Tamar. Depois, tudo se precipita, sobressaindo essa mudança violenta do amor em aborrecimento.
A cena culinária aumenta o clima sensual, sobretudo se considerarmos que as tortas (tradução hipotética) são em hebraico "corações" (leb), e cozinhá-las se diz "coraçonar" (lbb), verbo que em Ct 4,9 significa apaixonar-se. Também são notáveis alguns efeitos de sonoridade em momentos-chave, que iremos assinalando. Finalmente, como pano de fundo desta história, devemos ter presente o adultério de Davi; repete-se uma história parecida: o primogênito imita o pai.
13,1 Amnon é o primogênito, filho de Aquinoam de Jezrael; Absalão é o terceiro, filho de Maaca, filha de Tolmai, rei de Gessur; Tamar significa Palmeira. Toda a história acontece entre irmãos ou meio-irmãos, com a condescendência do pai. Jonadab é primo deles.
13,4 As seis palavras que Amnon pronuncia começam por alef (uma oclusiva que precede a vogal inicial), como em suspiros entrecortados.
13,6-7 Ao repetir as palavras sugeridas por seu primo, Amnon muda e concretiza, tornando a petição mais insinuante; Davi não capta o duplo sentido das palavras.
13,8-9a A ação de Tamar se fraciona em seis verbos solícitos, minuciosos, aos quais corresponde a desembaraçada afronta do irmão.

amassou-a, preparou-a e fritou dois bolinhos diante de Amnon. ⁹Depois tirou-os da frigideira à frente dele, mas Amnon não quis comer. E ordenou:

– Saí todos!

Quando todos saíram, ¹⁰Amnon disse a Tamar:

– Traz a comida para o quarto e dá-me tu mesma de comer.

Tamar pegou os bolinhos e levou-os a seu irmão no quarto; ¹¹mas, ao aproximar-se dele para lhe dar de comer, Amnon agarrou-a, dizendo:

– Vem, minha irmã, deita comigo.

¹²Ela replicou:

– Não, meu irmão; não me forces; isso não se faz em Israel, não cometas essa infâmia. ¹³Aonde irei com minha desonra? Tu serás um infame em Israel. Por favor, dize-o ao rei, e ele não se oporá para que eu seja tua.

¹⁴Mas Amnon não quis ouvi-la, forçou-a violentamente e dormiu com ela. ¹⁵Depois sentiu terrível aversão por ela, uma aversão maior que o amor que lhe tivera, e lhe disse:

– Levanta-te e vai!

¹⁶Mas ela suplicou-lhe:

– Não, irmão; expulsar-me agora seria maldade mais grave do que essa que me fizeste!

Mas ele não lhe deu atenção; ¹⁷chamou um criado e lhe ordenou:

– Põe essa mulher na rua e fecha a porta!

¹⁸(Ela usava uma túnica com mangas, pois assim se vestiam tradicionalmente as filhas solteiras do rei.) O criado a pôs na rua e fechou a porta.

¹⁹Tamar jogou pó na cabeça, rasgou a túnica e foi gritando pelo caminho com as mãos na cabeça. ²⁰Seu irmão Absalão perguntou-lhe:

– Esteve contigo teu irmão Amnon? Agora, irmã, cala-te; é teu irmão, não te angusties por isso.

Tamar, desolada, ficou na casa de seu irmão Absalão.

²¹O rei Davi soube do que acontecera e indignou-se, mas não quis desgostar seu filho Amnon, a quem amava por ser seu primogênito. ²²Absalão não dirigiu a Amnon palavra boa ou ruim, mas guardou rancor por ter violentado sua irmã Tamar.

Assassínio de Amnon – ²³Dois anos depois, estando Absalão a tosquiar em Baal-Hasor, em Efraim, convidou todos os filhos do rei. ²⁴Apresentou-se ao rei e lhe disse:

– Um servidor está agora tosquiando. Digne-se o rei e sua corte vir comigo.

²⁵O rei respondeu:

13,9b-10 Em contraste, as ordens do irmão são breves.

13,11 A petição amorosa de Amnon acumula a vogal i, como peças semelhantes do Cântico dos Cânticos; neste livro, "irmã" é termo carinhoso para a amada.

13,12-13 Nas palavras de Tamar se formula a reprovação do fato, curiosamente sem nenhuma referência religiosa. É algo que não se faz em Israel, é uma vilania (*nebalá*, como nos casos de violação de Gn 34,7 e Jz 19,23-24). A resposta tem certa regularidade rítmica, com algo de sentença moral. É forte o paralelo "eu-tu", pronomes enfáticos encabeçando orações gramaticais.

13,15 Repetindo quatro vezes a raiz "detestar" e duas vezes a raiz "amar", o narrador sublinha a mudança súbita e a intensidade do aborrecimento. É um acerto psicológico. A ordem final de Amnon é a mais breve que pronunciou em toda a passagem.

13,17 Evita o nome, diz "essa" com tom depreciativo.

13,18-19 A aparição de Tamar com vestido de virgem é patética, e o gesto comum de rasgar as vestes assume aqui profundidade simbólica.

13,21 Completamos a frase hebraica com as traduções antigas, que denunciam a fraqueza de Davi. 1Sm 2,29.

13,23-36 A vingança de Absalão se alonga nos preparativos e nas consequências, ao passo que o núcleo, o assassinato, se menciona indiretamente: "Os criados cumpriram suas ordens". Dessa maneira, o autor destaca a paciente espera; além disso, faz ressaltar o caráter familiar: o próprio rei há de entrar no jogo e todos os príncipes hão de participar. A vingança vai ter testemunhas de exceção, a tragédia vai ter ambiente familiar e festivo. Não nos esqueçamos de que esta família é "casa de Davi", e como tal está incluída na promessa dinástica.

Pela mesma razão, o autor nos dá o ponto de vista da corte, os feitos da ação mais do que a própria ação. O fato chega à corte em três tempos, cada qual com valor próprio: primeiro é uma falsa notícia que se adianta, depois um tropel de ginetes que sobem, finalmente são os filhos do rei.

O alarme falso implica algo gravíssimo: se morreram todos os filhos de Davi e só fica o assassino de todos eles, quem sucederá a Davi? Que será da promessa de fundar uma dinastia? O caso de Abimelec, filho de Gedeão, parece repetir-se. Terá Davi de justiçar o filho assassino? Jonadab, o cínico conselheiro de Amnon, conserva a calma para interpretar corretamente a notícia e tranquilizar o rei. Suas palavras têm mais lucidez que tato, quando pede ao rei que "não se preocupe", como se a morte do primogênito não fosse notícia má.

13,23 Sobre a festa da tosquia, ver o exemplo de Nabal (1Sm 25).

– Não, filho, não vamos todos, para não sermos pesados.

Ele insistiu, mas Davi não quis ir, e o despediu com sua bênção. ²⁶Absalão lhe disse:

– Então venha conosco pelo menos meu irmão Amnon.

O rei perguntou:

– Por que deveria ir contigo?

²⁷Mas Absalão insistiu; então Davi mandou com ele Amnon e todos os filhos do rei. Absalão preparou um banquete régio ²⁸e ordenou a seus criados:

– Atenção! Quando Amnon estiver bêbado e eu vos der a ordem de feri-lo, matai-o sem medo nenhum; eu estou mandando. Coragem, sede valentes!

²⁹Os criados de Absalão cumpriram suas ordens. Então todos os filhos do rei começaram a fugir, cada qual em seu jumento. ³⁰Ainda estavam a caminho, e a notícia já chegara a Davi:

– Absalão matou todos os filhos do rei. Não sobrou nenhum!

³¹O rei levantou-se, rasgou as vestes e atirou-se ao chão. Todos os ministros rasgaram suas vestes. ³²Mas Jonadab, filho de Sama, irmão de Davi, disse:

– Não pense sua majestade que mataram todos os filhos do rei. Morreu apenas Amnon. Absalão o decidiu no dia em que Amnon violentou sua irmã Tamar. ³³Portanto, não se preocupe sua majestade pensando que mataram todos os filhos do rei, porque apenas Amnon morreu, ³⁴e Absalão fugiu.

A sentinela, erguendo os olhos, viu muita gente pelo caminho de Aarain, na ladeira, e avisou o rei:

– Vi gente no caminho de Aarain, na ladeira do monte.

³⁵Jonadab disse ao rei:

– São os filhos do rei chegando. É como dizia teu servidor.

³⁶Acabava de falar, quando entraram os filhos do rei gritando e chorando. Também o rei e toda a sua corte começaram a chorar, inconsoláveis.

³⁷ªAbsalão foi refugiar-se no território de Tolmai, filho de Amiud, ³⁸rei de Gessur, onde permaneceu três anos.

³⁷ᵇO rei Davi ficou de luto por seu filho todo esse tempo. ³⁹Mas, depois de se conformar com a morte de Amnon, o rei fez cessar sua cólera contra Absalão.

14 ¹Joab, filho de Sárvia, compreendeu que o rei voltara a amar Absalão.

13,26 Vem à mente a lembrança dos irmãos Caim e Abel.
13,27 O detalhe do banquete se lê só nas traduções antigas.
13,28 1Mc 16,16.
13,30 Jz 9,5.
13,34 A sentinela não fala de ginetes, mas de gente; a rigor poderia ser o séquito dos príncipes.
13,37 É o seu avô materno.

14 Mais uma vez Joab demonstra sua percepção aguda e sua capacidade de agir rapidamente. Por sua parte, o rei começa a sentir falta de seu filho Absalão, mas razões de estado o coíbem; com um empurrão discreto, o rei poderá fazer o que na realidade deseja, e Joab o percebe. Por outro lado, Absalão é um provável candidato à sucessão: morto o primogênito, poderia o terceiro filho ser o pretendente (do segundo não se fala nesta história; só se menciona sua certidão de nascimento em 2Sm 3,3). Se Joab ajudar eficazmente Absalão a repatriar-se, poderá contar com seu favor e conservar o segundo no reino. Mas Joab não quer atacar de frente, e por isso prepara uma astuta encenação: uma mulher de Técua, destra em imitar e fingir, aplanará o caminho, sondará o rei. Se o resultado for favorável, Joab se apresentará.

O núcleo da cena será um caso de consciência, que se apresentará personalizado, como objeto de uma representação dramática.

O caso é a colisão de dois princípios de justiça: o dever de vingar o homicídio e o dever de conservar o nome. No antigo Israel há uma instituição, que podemos chamar "goelato" (do verbo *g'l*), e que se baseia na solidariedade da família ou clã: quando uma propriedade foi ou vai ser alienada, alguém da família ou clã, por ordem de parentesco, tem de comprá-la ou resgatá-la para que fique no seio da família; quando um membro se torna escravo, deve ser resgatado nas mesmas condições; se um membro é assassinado, deve-se vingar sua morte, matando o assassino e restabelecendo a justiça. Sem pertencer à família ou à tribo, o rei pode assumir o papel de *go'el* = resgatador ou vingador.

E se o assassino é membro da mesma família? O parente mais próximo tem de matá-lo? É preciso restabelecer a justiça duplicando as mortes? O caso chega ao extremo quando só restam dois filhos: vingar a morte de um significaria acabar com o nome. E também há um dever, que cabe à família, de conservar o nome.

Este é o caso, que não se pode aplicar a Davi literalmente, já que lhe restam mais filhos. Mas a formulação extremada serve para ressaltar o dilema. *Personalização.* Trata-se da mãe viúva: morto o marido, cabe a ela a responsabilidade da família. A mulher deve dar filhos ao marido, para garantir-lhe sucessão e continuidade do nome; também deve cuidar deles e protegê-los, sobretudo se o marido morre. Por

²Então mandou a Técua uns homens para que buscassem daí uma mulher habilidosa. Joab lhe disse:

— Finge que estás de luto, põe roupa de luto e não te perfumes; deves parecer uma mulher que há muito está de luto por um defunto. ³Tu te apresentas ao rei e lhe dizes isto (Joab ensaiou toda a cena):

⁴*Mulher de Técua* (apresentando-se ao rei e caindo com o rosto por terra): — Majestade, salva-me!

⁵*Rei*: — O que tens?

Mulher: — Ai de mim! Sou uma viúva, meu marido morreu. ⁶E esta servidora tinha dois filhos; os dois brigaram no campo, sem ninguém para apartá-los, e um deles feriu o outro, matando-o. ⁷E agora toda a família se voltou contra tua servidora; pedem para lhes entregar o homicida a fim de matá-lo, para vingar a morte do seu irmão, e assim acabar com o herdeiro. Assim me apagarão a última brasa que tenho, e meu marido ficará sem nome nem descendência sobre a terra!

⁸*Rei*: — Vai para casa, pois eu me encarrego da tua questão.

⁹*Mulher*: — Majestade, eu e minha casa seremos responsáveis; o rei e seu trono não serão responsáveis.

¹⁰*Rei*: — Se alguém te ameaçar, traze-o a mim, e não te incomodará mais.

¹¹*Mulher*: — Que o rei pronuncie o nome do Senhor seu Deus, para que o vingador do sangue não aumente o mal, eliminando meu filho!

Rei: — Por Deus, não cairá por terra um cabelo de teu filho!

¹²*Mulher*: — Posso acrescentar uma palavra ao rei, meu senhor?

Rei: — Fala.

¹³*Mulher*: — Com o que acabas de dizer condenas a ti mesmo, pois, não permitindo que volte o desterrado, estás planejando contra o povo de Deus. ¹⁴Todos morreremos; somos água derramada por terra, que não se pode recolher. Deus não matará quem toma medidas para que o desterrado não continue no desterro. ¹⁵Vim dizer isso ao rei, pois alguns me assustaram, e uma servidora pensou: "Vou contá-lo ao rei, talvez siga meu conselho; ¹⁶o rei compreenderá e livrará uma servidora dos que

---

dever de justiça para com o marido, precisa defender a vida dos filhos; sem falar no amor maternal, que lhe dará forças para cumprir seu dever de fidelidade. O grito inicial "salva-me!" exprime esse perigo da família; com a exclamação seguinte, expressa a comoção pessoal da mãe. Seu discurso está articulado sobre a tríplice menção da morte: morreu o marido – matou o irmão – mataremos o assassino. Poética é a imagem da vida como última brasa. Nas palavras da mulher, advertimos o recurso já conhecido de começar várias palavras da frase com o som *alef;* cinco palavras das seis na frase inicial. Na frase final, a acumulação de sibilantes e a série de vogais i chamam a atenção (trata-se de pequenos efeitos que valorizam a declamação).

A mulher não pode furtar-se a essa responsabilidade familiar: se é culpa não matar o assassino, ela carrega a culpa; se é culpa deixar matá-lo, ela seria responsável. Por isso, não pode aceitar as palavras evasivas do rei, não pode ceder enquanto não conseguir uma promessa com juramento. O rei promete intervir: não basta, porque o que conta é a vida do filho, não a sua. O rei precisa decidir contra o vingador do sangue a favor de uma vida e de um nome.

Representação. Joab foi uma espécie de autor, apontador e diretor de cena; a mulher foi personagem única; o público é Davi com seu tribunal. Mas, como não o sabe, Davi se torna personagem sem querer, tem de tomar partido, a representação a interpela até o extremo do juramento. Algo parecido com o que sucedeu na parábola de Natã, só que mais complexo. *Aplicação*. Davi tem de assumir sua responsabilidade. Até agora, parece que todos ficavam de fora: o rei,

porque a responsabilidade caía sobre a "casa" ou família da mulher; a mulher, porque estava representando uma peça teatral. Agora mudam as duas atitudes: o rei, que faria justiça executando o filho assassino, faria injustiça destruindo sua própria casa; a mulher se sente comprometida, porque com a casa do rei está comprometido o "povo de Deus".

Matando Absalão, o rei não devolve a vida a Amnon. A mulher o diz de modo geral, embora na primeira pessoa do plural, que indica sua participação e a de todo o povo. Nestas palavras, ela é como a mãe de Israel, pedindo: "Salva-nos" (recorde-se o título de Débora in Jz 5,7). E, porque participa da vida de todo o povo, atreveu-se a falar ao rei: no fundo, sua peça não era ficção, mas metáfora do seu amor ao povo. O rei com sua conduta está atentando contra um filho de Israel e contra uma mãe do povo. Davi está fazendo um mal, pensando agir bem; as palavras da mulher, em tom de adulação cortesã, tentam mudá-lo, para que distinga e escolha o verdadeiro bem. Então o rei será mensageiro de Deus, mediador para o bem de todo o povo.

A invocação final descobre a última dimensão do que acontece. Fazia tempo que não ouvíamos falar dessa assistência do Senhor a Davi.

14,6 Gn 4,8.
14,7 Ver a legislação em Nm 35,9-29; Dt 19,11-13, e o exemplo de Gedeão (Jz 8,19-21). Naqueles tempos não era fácil fazer fogo, e deviam conservá-lo em casa com os maiores cuidados.
14,9 Recordemos o afã de Davi por manter e mostrar sua inocência nos assassinatos de Abner e de Isbaal.
14,11 1Rs 1,52.

tentam extirpar-nos da herança de Deus para mim e meu filho ao mesmo tempo".
¹⁷Tua servidora pensou: "A palavra do rei, meu senhor, me servirá de alívio, porque o rei é como um enviado de Deus, que sabe distinguir o bem e o mal. O Senhor teu Deus esteja contigo!"

¹⁸Rei: – Não me escondas nada daquilo que vou te perguntar.

Mulher: – Fala, majestade.

¹⁹Rei: – Por acaso não tem a mão de Joab em tudo isso?

Mulher: – Majestade, por tua vida! As palavras de vossa majestade acertaram na mosca. Teu servo Joab foi quem me enviou e ensaiou toda a cena. ²⁰Planejou isso para não apresentar o tema abertamente; mas meu senhor possui a sabedoria de um enviado de Deus e conhece tudo o que acontece na terra.

²¹O rei disse a Joab:

– Sabes que dei minha palavra. Vá. Vá buscar o jovem Absalão.

²²Joab prostrou-se com o rosto por terra, fazendo uma reverência, e bendisse o rei:

– Majestade, percebi hoje que estás de bem comigo, pois aceitaste o pedido do teu servo.

²³Levantou-se e foi a Gessur e trouxe Absalão a Jerusalém.

²⁴O rei ordenou:

– Que vá para sua casa, pois não quero recebê-lo.

Absalão voltou para casa, sem ser recebido pelo rei.

²⁵Não havia em todo Israel homem mais bonito nem tão admirado quanto Absalão: dos pés à cabeça não tinha um defeito. ²⁶Quando cortava o cabelo – costumava fazê-lo uma vez por ano, porque lhe pesava muito –, o cabelo cortado pesava mais de dois quilos, conforme o peso-padrão do rei. ²⁷Teve três filhos e uma filha, chamada Tamar, uma jovem muito bonita.

²⁸Absalão morou dois anos em Jerusalém sem ser recebido pelo rei. ²⁹Então chamou Joab para que fosse ao rei como seu enviado, mas Joab não quis ir; chamou-o pela segunda vez, e tampouco quis. ³⁰Absalão disse a seus servos:

– Vede, Joab semeou cevada na terra junto à minha. Ide queimá-la.

Os servos de Absalão a queimaram. ³¹Então Joab foi à casa de Absalão e lhe disse:

– Por que teus servos queimaram minha terra?

³²Absalão respondeu:

– Vê, mandei dizer-te que viesses para que eu te enviasse ao rei com esta mensagem: "Por que voltei de Gessur? Eu estava melhor lá! Quero que o rei me receba e, se sou culpado, que me mate".

³³Joab foi contá-lo ao rei. O rei chamou Absalão, que se apresentou diante dele e lhe fez uma reverência, prostrando-se por terra. E o rei abraçou Absalão.

15 Conspiração de Absalão (Jz 9) –

¹Absalão providenciou imediata-

14,17 Is 7,15.
14,20 Recordemos o provérbio: "É glória de Deus ocultar um assunto, é glória de reis averiguar um assunto" (Pr 25,2).
14,21-24 O rei não emprega a designação comum "meu filho". Poupa-lhe a vida, mas não lhe devolve seu favor. Desse modo, Absalão fica à margem da vida da corte e não pode pensar em suceder a Davi.
14,25-28 O narrador aproveita o espaço vazio para fazer uma apresentação de Absalão, importante em vista dos próximos acontecimentos. O tom é poético, sem temor de exageros. O dado da cabeleira tem função narrativa capital; o autor quer que reparemos nela. Sobre os três filhos, notemos o que se lê em 18,18. A filha é talvez sogra do rei Roboão (1Rs 15,15; 2Cr 13,2).
14,30 Jz 15,4s.
14,32 Para as ambições de Absalão, o afastamento forçado do palácio é intolerável. Contando com o juramento do pai e aceitando algum risco, enfrenta-o com extrema decisão: ou a morte ou o favor pleno. O rei se rende sem palavras. A brevidade extrema da última frase recolhe e resolve toda a tensão do capítulo.

15 A sublevação e derrota de Absalão são narradas com bastante amplidão. O autor, detendo-se em detalhes, não perde de vista o conjunto, e articula a história em blocos simples, divididos por sua vez em breves cenas. Estas se desenvolvem sobre um fundo amplo, apenas definido, de modo que o leitor recebe uma impressão de viveza e presença. Como de costume, é relativamente abundante o diálogo, ao qual o narrador confia várias vezes a interpretação dos fatos. Os blocos podem ser divididos assim:
1. *Absalão: preparativos e sublevações (15,1-12).*
2. *Davi: fuga (15,13-16,13).*
3. *Absalão em Jerusalém: conselho e espionagem (16,14-17,23).*
4. *Davi em Acampamentos: batalha e morte de Absalão (17,24-18,18).*
5. *Davi: a notícia, pranto e homenagem (18,19-19,9).*
6. *Davi: volta para Jerusalém (19,10-44).*

15,1-6 Absalão se considera com direitos à sucessão e não quer esperar demais. Filho do rei e de uma princesa estrangeira, é agora o primeiro por idade (morto Amnon e desaparecido Queleab). Deixando as coisas no curso normal, Absalão teme perder seus

mente um carro, cavalos e cinquenta homens de escolta. ²Colocava-se bem cedo à entrada da cidade, chamava os que iam ao rei com algum processo e lhes dizia:

— De que povoado és?

O outro respondia:

— Teu servidor é de tal tribo israelita.

³Então Absalão dizia:

— Olha, tua causa é justa e clara; mas ninguém te atenderá na audiência do rei.

⁴E acrescentava:

— Ah, se eu fosse juiz no país! Poderiam vir a mim os que tivessem processos ou pleitos e eu lhes faria justiça.

⁵E, quando se aproximava alguém prostrando-se diante dele, Absalão estendia-lhe a mão, o erguia e o beijava. ⁶Fazia assim com todos os israelitas que iam ao tribunal do rei, e assim os ia ganhando. ⁷Depois de quatro anos, Absalão disse ao rei:

— Deixa-me ir a Hebron cumprir uma promessa que fiz ao Senhor, ⁸pois quando estive em Gessur de Aram fiz esta promessa: "Se o Senhor me deixar voltar a Jerusalém, oferecerei um sacrifício em Hebron".

⁹O rei lhe disse:

— Vai em paz.

¹⁰Absalão foi a Hebron, mas enviou agentes a todas as tribos de Israel com esta recomendação:

— Quando escutardes o som da trombeta, dizei: "Absalão é rei de Hebron".

¹¹De Jerusalém partiram com Absalão duzentos convidados; caminhavam inocentemente, sem nada suspeitar. ¹²Durante os sacrifícios, Absalão mandou gente a Gilo para fazer vir do povoado o gilonita Aquitofel, conselheiro de Davi. A conspiração foi tomando força, pois aumentava o povo que seguia Absalão.

Fuga de Davi – ¹³Alguém levou essa notícia a Davi:

— Os israelitas puseram-se do lado de Absalão.

¹⁴Então Davi disse aos cortesãos que estavam com ele em Jerusalém:

— Vamos fugir! Pois, se Absalão chegar, não nos deixará escapar. Vamos sair apressadamente, para que não se antecipe, nos alcance e precipite a ruína sobre nós, passando a cidade a fio de espada.

¹⁵Os cortesãos lhe responderam:

---

direitos, porque o rei pode eleger o sucessor. Parecia que o rei mostrava preferência por Salomão; ao menos não ocultava sua preferência por Betsabeia. Além do mais, os fatos precedentes tinham posto o jovem em posição desvantajosa, pois o perdão do rei não fora incondicional. Absalão não pode esperar indefinidamente.
Mas sabe esperar o suficiente para preparar-se bem, explorando uma série de vantagens. Primeiro, sua prestância física, qualidade que, no caso de Saul e de Davi, provou sua validez; essa aparência se realça com o aparato principesco de carruagem e escolta; trata-se de impor uma imagem ao povo. Segundo, as tensões latentes nunca resolvidas entre as tribos do sul e as do norte, Judá e Israel; Judá saiu favorecido na presente situação, provocando invejas e rancores. Terceiro, consequência do anterior, a deficiente administração da justiça central; é tarefa específica do rei em tempo de paz, e desempenha com seus tribunais da capital ou pessoalmente (Sl 122,5). Muitos, sobretudo de Israel, se queixam dessa situação. Absalão oferece generosamente imagem, cordialidade fácil, promessas hipotéticas. Durante quatro anos realiza uma tarefa de penetração no povo, provavelmente nos conselhos, inclusive na corte.
Nesta primeira parte domina a linguagem dos processos: a justiça é o lema do candidato a rei.

15,2 Jr 21,12.
15,3 Is 1,23.
15,7-12 No momento da sublevação, Absalão invoca motivos religiosos. Pelo visto, Davi tolerou até então o comportamento do filho; o fato é que agora aceita sem discutir o motivo da piedade religiosa (não tinha aceito tão facilmente o motivo profano da tosquia). Sem sabê-lo, pronuncia as últimas palavras ao filho ainda vivo: "Vai-te em paz", que rima com seu nome (*lek beshalom-'abshalom*). Despedida trágica na realidade, para a guerra, a fuga, a morte.
Hebron está bem escolhida. Aí Davi começou, é a cidade natal do príncipe, foi postergada com a eleição de Jerusalém. Ainda pode atrair clãs meridionais de Judá. Simultaneamente, Absalão assegura a sublevação no norte, por todas as tribos, de modo que a capital e o rei fiquem encurralados.
Entre os convidados supõe-se a presença de homens importantes, que com tal manobra são afastados da corte e se tornam inofensivos. Se não sabiam de nada, é porque Absalão não se fiava deles para tratar da revolta.
O apoio de Aquitofel é precioso: suas palavras são recebidas como oráculos (16,23); sua deserção é golpe terrível para a causa real. Por outro lado, Absalão não parece ter contado com a classe sacerdotal; ao menos o narrador nada diz. Gilo fica provavelmente entre Belém e Hebron.
15,6 Sl 122,5.
15,10 2Sm 5,5.
15,13-14 Davi intui a gravidade da situação e decide num momento. Abrange de um golpe o conjunto da dinastia, da capital, da arca, do reino.
A dinastia: lutando dividirá mais ainda a família, ao expô-la a grandes matanças; fugindo, mesmo

— Seja como vossa majestade decidir. Estamos às ordens!

[16] O rei deixou dez concubinas para cuidar do palácio e saiu acompanhado de toda a sua corte. [17] Pararam junto à última casa da cidade; [18] os ministros se puseram ao seu lado, e os cereteus, os feleteus, Etai e os de Gat (seiscentos homens que o tinham seguido desde Gat) foram passando à frente do rei.

[19] O rei disse a Etai de Gat:

— Por que também tu vens conosco? Volta e fica com o rei, pois também tu és um estrangeiro, longe de tua terra. [20] Chegaste ontem: como vou permitir que saias hoje errante conosco, quando eu próprio caminho sem rumo? Volta e leva contigo teus concidadãos. Que o Senhor seja bom e fiel contigo!

[21] Mas Etai respondeu:

— Por Deus e pelo rei, meu senhor! Onde estiver o rei meu senhor, aí estarei eu, na vida e na morte.

[22] Então o rei lhe disse:

— Vamos, passa!

E passou Etai de Gat com seus homens e suas crianças.

[23] Todo o povo chorava e gritava. O rei estava junto à torrente Cedron, enquanto todos passaram à frente dele pelo caminho do deserto. [24] Sadoc, com os levitas, levavam a arca da aliança de Deus e a depositaram junto a Abiatar, até que toda a gente saiu da cidade. [25] Então o rei disse a Sadoc:

— Volta para a cidade com a arca de Deus. Se eu obtiver o favor do Senhor, ele me deixará voltar e ver a arca e sua morada. [26] Mas, se ele disser que não me quer, aqui estou, que ele faça de mim o que lhe parecer bem.

[27] Depois acrescentou ao sacerdote Sadoc:

— Tu, com teu filho Aquimaás, e Abiatar com seu filho Jônatas, voltai em paz para a cidade. [28] Vede, eu ficarei nas passagens do deserto até que me chegue algum aviso vosso.

[29] Sadoc e Abiatar voltaram a Jerusalém com a arca de Deus e ficaram aí.

[30] Davi subiu a Encosta das Oliveiras; subia chorando, de cabeça coberta e pés descalços. Todos os seus acompanhantes iam de cabeça coberta e subiam chorando.

[31] Disseram a Davi:

---

disposto a perder o trono, a dinastia continuará com Absalão. A capital: Davi sabe muito bem como é fácil defender Jerusalém; provavelmente está agora mais guarnecida do que no tempo dos jebuseus; contudo, um assédio e uma defesa significariam condenar a cidade e seus habitantes à ruína; fugindo, salva a capital. A arca, como veremos, fica na cidade.
O reino: a difícil unificação dos dois reinos ficaria gravemente comprometida com uma guerra civil nos começos, ao passo que Absalão parece capaz de manter unida a nação.
É surpreendente a atuação de Davi diante do futuro, sua síntese de aceitação resignada e acolhida providente. O cimento último dessa atitude é o Senhor. Davi, vilão no seu esplendor, se refaz em sua desgraça.
A narração da fuga se decompõe em seis cenas de encontros, articuladas por breves dados sobre a marcha:
15,18-22: desfile, diálogo com Etai.
15,23-29: no Cedron, diálogo com Sadoc e Abiatar.
15,30-31: subida, notícia sobre Aquitofel.
15,32-37: no alto, diálogo com Cusai.
16,1-4: descida, encontro com Siba.
16,5-13: em Baurim, encontro com Semei.
Aquitofel e Semei contrastam com Etai e Siba, o judeu da corte com um estrangeiro mercenário, um benjaminita com outro. Essa oposição serve para o desenrolar dramático e para sintetizar as atitudes com respeito a Davi.
15,17-22 Saem na direção oriental, a única escapatória prudente, descendo a torrente do Cedron. Cereteus e feleteus formam a escolta. Etai deve ao rei uma lealdade limitada, pela sua condição de estrangeiro e pelo tempo do seu serviço; assim sendo, o rei o desliga de toda obrigação. Não podendo dar-lhe nada neste momento, invoca para ele a proteção do Senhor. Etai poderá passar para o serviço do novo "rei": assim Davi chama Absalão. Ele vê a si mesmo como em outros tempos, fugitivo e sem rumo; mas desta vez, perseguido por seu próprio filho.
15,21 2Sm 1,23.
15,23-29 Os sacerdotes e a arca devem voltar a Jerusalém para cumprir dupla missão: os sacerdotes garantem a presença da arca na cidade santa, pois serão respeitados por Absalão (ao menos por motivos políticos) e servirão de ligação com o fugitivo. Quanto à arca, seu lugar é Jerusalém, a cidade que ela consagra com sua presença. Davi não a leva como paládio, porque não sai por motivo de guerra. Além disso, a arca pode ser uma presença que o atrai para Jerusalém: recordemos a figura de Jacó, que fugiu para uma terra distante e era atraído para Betel por uma promessa de Deus.
A solicitude de Davi pela arca foi ocasião da promessa dinástica; talvez essa promessa ainda ampare a pessoa de Davi. Mas, como o rei ouviu do profeta também uma ameaça, não sabendo qual é a última palavra do Senhor, deposita a própria sorte nas mãos dele.
15,25 Sl 27,4.
15,28 Sl 55,8.
15,30-31 Pela importância, é a segunda traição. Como nas cenas anteriores, Davi conclui com uma invocação ao Senhor, que poderá converter em ignorância o plano do sábio.

— Aquitofel uniu-se à conspiração de Absalão.

Davi orou:

— Senhor, que o plano de Aquitofel fracasse!

³²Quando Davi chegou ao oratório que havia no cume, saiu a seu encontro o araquita Cusai, de túnica rasgada e com pó na cabeça. ³³Davi lhe disse:

— Se vieres comigo, serás um peso para mim. ³⁴Mas poderás fazer que fracasse o plano de Aquitofel, se voltares à cidade e disseres a Absalão: "Majestade, sou teu escravo; antes o fui de teu pai, agora sou teu". ³⁵Aí tens os sacerdotes Sadoc e Abiatar; tudo o que ouvires no palácio conta-o aos sacerdotes Sadoc e Abiatar. ³⁶Com eles estarão aí Aquimaás, filho de Sadoc, e Jônatas, filho de Abiatar, e por meio deles me comunicareis tudo o que observardes.

³⁷Cusai, amigo de Davi, foi à cidade. E Absalão entrou em Jerusalém.

16 Siba, Semei e Davi

¹Davi havia ultrapassado o cume quando se encontrou com Siba, servo de Meribaal, com um par de burros apetrechados, carregados com duzentos pães, cem cachos de passas, cem pães de figos e um odre de vinho. ²O rei lhe disse:

— O que significa isso?

Siba respondeu:

— Os burros são para a família do rei montar; o pão e as frutas, para os servos comerem; e o vinho, para os que desfalecerem no deserto poderem beber.

³O rei perguntou:

— Onde está o filho do teu amo?

Siba respondeu:

— Está em Jerusalém, pois espera que a casa de Israel lhe devolva agora o reino de seu pai.

⁴Então o rei disse a Siba:

— Tudo o que é de Meribaal é teu.

Siba disse:

— A teus pés, majestade! Obrigado pelo favor que me concedes!

⁵Quando o rei Davi chegou a Baurim, saiu daí um da família de Saul, chamado Semei, filho de Gera, insultando-o enquanto caminhava. ⁶E começou a atirar pedras em Davi e seus cortesãos – toda a gente e os militares iam à direita e à esquerda do rei – ⁷e o amaldiçoava:

— Vai, vai, assassino, canalha! ⁸O Senhor te paga a matança da família de Saul, cujo trono usurpaste. O Senhor entregou o reino a teu filho Absalão, ao passo que tu caíste em desgraça, pois és um assassino.

⁹Abisaí, filho de Sárvia, disse ao rei:

15,32-37 A pátria de Cusai parece estar situada perto de Betel, na fronteira de Benjamim com Efraim. "Amigo de Davi" podia ser título específico. O que Davi pediu ao Senhor, ele o recomenda também a seu amigo. Do alto podem ver pela última vez a capital. Neste momento o narrador introduz a notícia da entrada de Absalão em Jerusalém.

16,1 2Sm 9,1s.

16,2 1Sm 25,18.

16,4 A atitude de Siba é ambígua para o leitor. Por um lado, acusa o seu amo de deslealdade com Davi e implicitamente o acusa de ingenuidade, pois Absalão não vai sublevar-se para restaurar a monarquia de Saul; mais adiante (19,25-31), Meribaal acusará o criado de tê-lo enganado. Por outro lado, Siba não ganha muito passando para o lado de Absalão, enquanto que o seu obséquio a Davi custa pouco e vale muito. Como administrador dos bens de Meribaal, pode facilmente carregar dois jumentos com dons. No momento da desgraça, Davi aceita comovido o gesto.

16,5-13 Baurim fica um pouco a leste do Monte das Oliveiras. Semei se sente solidário com a família ou clã de Saul, e sua acusação principal é de homicídio; pode ser que se refira à morte de Abner e de Isbaal e provavelmente também às execuções narradas em 21,1-10. Suas palavras proferidas do alto monte têm algo de acusação pública (como as de Joatão em Jz 9), o apedrejar é intento simbólico de executar o criminoso e, ao mesmo tempo, invoca o Senhor como vingador do sangue derramado.

Na frase "entregou o reino" ressoam as ameaças de Samuel a Saul (1Sm 3,14; 15,28). Esta é a visão de um benjaminita, uma tentativa de explicação teológica da história viva.

Alguma coisa no coração de Davi corresponde a essa interpretação teológica: há pouco chamou seu filho de rei, e também é certo que derramou sangue inocente; na desgraça atual vê cumprir-se a sentença pronunciada por Natã (capítulo 12). Mas não perde por completo a esperança, precisamente porque confia no Senhor que defende os humildes e humilhados: aceitando como castigo as maldições de Semei, talvez aplaque a Deus. Ora, a esperança de Davi é humilde e nem sequer se converte em súplica formal, mas fica na insinuação.

Que Deus considere a aflição, é tema comum: Sl 9,14; 25,18; 31,8; 119,153; Lm 1,9; 3,19. Neste momento Davi se submete à justiça do Senhor como vassalo, e renuncia formalmente a fazer justiça como soberano. Tudo ascende a um plano de visão teológica, não teórica, porém vivida pelo personagem.

16,5 1Rs 21,13.

16,8 1Sm 13,14; 15,28.

– Como pode esse cão morto amaldiçoar meu senhor? Deixa-me ir lá e cortar-lhe a cabeça!

¹⁰Mas o rei disse:

– Não vos intrometais em meus assuntos, filhos de Sárvia! Deixa-o amaldiçoar, pois se o Senhor o mandou amaldiçoar Davi, quem vai pedir-lhe contas?

¹¹Depois Davi disse a Abisaí e a todos os seus cortesãos:

– Vede, um filho meu, saído de minhas entranhas, tenta matar-me; no entanto, achais estranho esse benjaminita! Deixai-o amaldiçoar-me, pois o Senhor lhe ordenou. ¹²Talvez o Senhor olhe minha humilhação e me pague com bênçãos essa maldição de hoje.

¹³Davi e os seus continuaram seu caminho, enquanto Semei ia na direção paralela pela colina do monte, amaldiçoando enquanto caminhava, atirando pedras e levantando poeira.

Absalão em Jerusalém – ¹⁴O rei e seus acompanhantes chegaram exaustos ao Jordão e aí descansaram. ¹⁵Enquanto isso, Absalão e os israelitas entravam em Jerusalém; Aquitofel ia com ele. ¹⁶Quando o araquita Cusai, amigo de Davi, se apresentou a Absalão, disse-lhe:

– Viva o rei! Viva o rei!

¹⁷Absalão respondeu:

– Essa é tua lealdade para com teu amigo? Por que não foste com ele?

¹⁸Cusai respondeu-lhe:

– Não, de modo nenhum! Eu estarei e viverei com aquele que o Senhor, este povo e todo Israel elegeram. ¹⁹E, além disso, a quem servirei senão a seu filho? Como servi a teu pai, servirei a ti!

²⁰Então Absalão perguntou:

– O que me aconselhais fazer?

²¹Aquitofel lhe respondeu:

– Dorme com as concubinas que teu pai deixou para cuidar do palácio. Todo Israel saberá que rompeste com teu pai e teus partidários ganharão confiança.

²²Então instalaram para Absalão uma tenda no terraço e ele deitou com as concubinas de seu pai à vista de todo Israel.

²³Nessa época, os conselhos de Aquitofel eram recebidos como oráculos, tanto quando aconselhava Davi como quando aconselhava Absalão.

17 **Aquitofel diante de Cusai** – ¹Aquitofel propôs a Absalão:

– Vou selecionar doze mil homens para sair em perseguição de Davi nesta mesma noite. ²Eu o alcançarei, porque estará

16,10 2Sm 12,9-12.

16,14-15 Estabelecendo a simultaneidade narrativa, o autor passa ao quadro contraposto, de Absalão, que chega até 17,23. O quadro todo é dominado pela oposição de Cusai e Aquitofel, ampliada com o episódio dos espiões. A corte do rei serve de quadro de referência; o povo é público mudo. A disposição é a seguinte:

16,15: Aquitofel acompanha Absalão.
16,16-19: Cusai promete lealdade a Absalão.
16,20-22: conselho de Aquitofel sobre as concubinas.
17,1-4: conselho de Aquitofel sobre Davi.
17,5-14: conselho de Cusai sobre Davi.
17,15-22: informação dos espiões a Davi.
17,23: suicídio de Aquitofel.

A seção está unificada pelo tema da traição: Aquitofel traidor de Davi, e Cusai traidor de Absalão. O jovem aspirante a rei fica cego e sucumbe no jogo.

16,16-19 O diálogo quer provar a lealdade. O narrador introduz Cusai com o título "amigo de Davi", Absalão diz duas vezes no original "teu amigo". Pode fiar-se em um traidor? Cusai apela para essa mesma lealdade, que se transfere toda inteira do pai ao filho: coisa lógica num servidor da casa. Davi foi rei pela eleição do Senhor e do povo; agora a eleição passa para o filho: não é justo secundar o desejo de Deus e do povo? A lógica de Cusai é tão aduladora que Absalão se rende; além do mais, está acostumado a conquistar o povo. O diálogo é muito ritmado e cheio de aliterações que se correspondem e se opõem.

16,20-22 Assim se cumpre a segunda parte da sentença de Natã. Absalão se declara na posse do palácio e com prerrogativas reais de sucessão. As concubinas se transferem publicamente do harém ao terraço, e Absalão entra ostentosamente na tenda aí colocada.

16,23-17,14 No conteúdo e na forma dois conselhos se confrontam. O versículo inicial orienta a leitura a favor de Aquitofel, o versículo final remonta ao que pode frustrar os conselhos humanos.

O plano de Aquitofel quer conjugar a rapidez com a reserva. Rapidez: Davi demonstrou que não quer enfrentar uma batalha, é preciso atacá-lo neste momento de cansaço e desânimo, antes que possa refazer-se; se o surpreendem de madrugada, o golpe é seguro. Reserva: não se deve comprometer todo o exército com Absalão à frente, porque os preparativos atrasariam o golpe e porque não convém arriscar tudo num golpe. Reserva também com relação ao inimigo: pretende-se isolar e eliminar Davi; os seus homens se submeterão ao novo rei sem mais perdas humanas e sem exasperar as rivalidades já existentes. Este conselho sensato está proposto em estilo rápido e eficaz, com predomínio de verbos e linearidade no processo. Em vinte e uma palavras há seis verbos de ação própria e três do inimigo: escolherei,

cansado e acovardado; eu lhe darei um susto, e todos os que o acompanham fugirão. Então, quando ficar só, eu o matarei ³e trarei todos a ti, como uma esposa retorna a seu marido. Tu queres matar somente uma pessoa e que todo o povo fique em paz.

⁴A proposta pareceu boa a Absalão e a todos os conselheiros de Israel. ⁵Absalão ordenou:

– Chamai também o araquita Cusai, para ver o que diz.

⁶Cusai apresentou-se a Absalão, e esse lhe disse:

– Aquitofel propõe isto. Devemos fazê-lo? Caso contrário, o que propões?

⁷Cusai respondeu:

– Desta vez o conselho de Aquitofel não é bom. ⁸Tu conheces teu pai e seus homens: são valentes e estão furiosos como uma ursa da qual roubaram os filhotes no campo, e teu pai é perito na guerra e não irá passar a noite junto com a tropa. ⁹Agora estará escondido em alguma gruta ou em outro lugar. Se as primeiras baixas forem dos teus, se espalhará a notícia de que derrotaram a tropa de Absalão, ¹⁰e até os melhores dos teus, valentes como leões, perderão a coragem, porque todo Israel sabe que teu pai é um bravo e seus homens são valentes. ¹¹Aconselho o seguinte: concentra aqui todo Israel, de Dã a Bersabéia, numeroso como a areia da praia, e sai tu pessoalmente com eles. ¹²Iremos onde Davi estiver, cairemos sobre ele como orvalho sobre a terra e não deixaremos vivo nenhum daqueles que o acompanham. ¹³E, se entrar em algum povoado, todo Israel levará cordas e arrastaremos a cidade ao rio, até que não sobre aí uma pedra sequer.

¹⁴Então Absalão e os israelitas exclamaram:

– O conselho do araquita Cusai vale mais que o de Aquitofel!

(O Senhor havia determinado fazer fracassar o plano de Aquitofel, que era o bom, para provocar a ruína de Absalão.)

¹⁵Cusai informou os sacerdotes Sadoc e Abiatar:

– Aquitofel aconselhou aquilo a Absalão e aos conselheiros de Israel, e eu lhes aconselhei isto. ¹⁶Portanto, mandai este recado urgente a Davi: "Não passes a noite nas estepes do deserto; atravessa para o outro lado, a fim de que não te destruam com toda a tua gente".

Davi e Absalão na Transjordânia (Js 2) – ¹⁷Jônatas e Aquimaás estavam em En-Roguel*, pois não podiam ser vistos na cidade; uma serva lhes passaria os avisos, e eles iriam comunicá-los ao rei Davi. ¹⁸Entretanto, um rapaz os viu e informou Absalão; eles partiram apressadamente e entraram na casa de um homem de Baurim. Esse homem tinha um poço no curral, e entraram nele. ¹⁹A mulher jogou por cima um manto, estendeu-o sobre a boca

---

sairei, perseguirei, alcançarei; cansado, acovardado, assustarei, fugirão, matarei. O último é o desenlace. Aquitofel passa da descrição militar a uma comparação pacífica e sugestiva: Absalão noivo de todo Israel. Cusai compreende que o conselho é bom e que é difícil contestá-lo. Não o conseguirá aconselhando calma e inação, por isso tenciona superar o adversário. Propõe algo muito mais grandioso e definitivo, mais coerente com a primeira grande vitória do rei. Impõe assim um adiamento apressado, envolve os soldados escolhidos como massa não aguerrida; e ganha tempo para avisar o seu senhor.
O estilo é amplo e redundante, descrevendo e excitando a fantasia com imagens. O discurso é três vezes mais longo: nele predominam os adjetivos e frases adjetivais que o alongam e detêm. Faz um elogio de Davi soldado, e astutamente torna os ouvintes cúmplices do elogio: "Tu conheces... todo Israel sabe..." Na primeira frase, começa com treze substantivos aos adjetivos, até chegar a dois verbos muito pouco ativos "dorme, se esconde"; colocou a primeira comparação, tópica (Os 13,8 e Pr 17,12), mas certeira. Dedica a segunda frase aos atacantes: nova comparação animal "coração de leão", poucos e significativos verbos "cairão", "ouvirão", "perderão a coragem", "sabem", "dirão"; termina com outro louvor a Davi e seus seguidores.
Até aqui virou às avessas a descrição triunfal de Aquitofel. O conselho que dá não vem a ser muito mais dinâmico: as ações militares se transformam em comparações desmesuradas ou em gestos sonhados. No final, apela para a exaltação do vencedor: não ficará nem mesmo um só dos inimigos, ou uma pedra da cidade deles.

17,8 Pr 17,12.
17,10 2Sm 23.
17,11 Js 11,4.
17,14 Ver Sl 33,10; Is 8,10; 19,3; Esd 4,5; Ne 4,9.
17,17 * = Fonte do Explorador.
17,17-22 O episódio recorda o dos exploradores de Js 2. A Fonte do Explorador (ou do Pisoeiro), En-Roguel, fica na confluência da torrente do Cedron com o vale de Enom, na ponta sudeste da cidade. A criada podia buscar água sem despertar suspeitas. O moço é talvez um vigilante.

do poço e pôs grãos por cima, de modo que não se notava nada. ²⁰Os servos de Absalão chegaram à casa daquela mulher e perguntaram:

– Onde estão Aquimaás e Jônatas?

Ela respondeu:

– Partiram em direção ao rio.

Eles os procuraram, mas, não os encontrando, voltaram a Jerusalém.

²¹Quando os de Absalão partiram, saíram do poço e foram avisar o rei Davi. Disseram-lhe:

– Vamos, atravessai rapidamente o rio, porque Aquitofel propôs contra vós este plano.

²²Davi e os que o acompanhavam atravessaram o Jordão; estiveram passando toda a noite, até que todos o atravessaram.

²³Enquanto isso, Aquitofel, vendo que não haviam aceitado seu conselho, selou o burro e foi para casa, ao seu povoado; fez um testamento, enforcou-se e morreu. Foi enterrado na sepultura familiar.

²⁴Quando Davi chegava a Maanaim*, Absalão atravessava o Jordão com todo Israel. ²⁵Absalão havia nomeado Amasa chefe do exército em substituição a Joab; Amasa era filho de um tal Jetra, ismaelita, que vivia com Abigail, filha de Jessé, irmã de Sárvia, mãe de Joab. ²⁶Israel e Absalão acamparam na terra de Galaad. ²⁷Quando Davi chegou a Maanaim, Sobi, filho de Naás*, de Rabá de Amon, Maquir, filho de Amiel, de Lo-Dabar*, e Berzelai, o galaadita, de Rogelim, ²⁸trouxeram colchões, jarras e vasos de barro; trigo, cevada, farinha e grão tostado; favas, lentilhas, ²⁹mel, requeijão de ovelhas, e queijos de vaca; eles os ofereceram a Davi e ao povo que o acompanhava para que comessem, dizendo:

– O povo está cansado, faminto e sedento por causa da caminhada pelo deserto.

18 Derrota e morte de Absalão

– ¹Davi passou em revista as suas tropas, nomeando chefes e oficiais. ²Depois

---

17,20 É duvidoso o termo hebraico que traduzimos por "rio"; alguns propõem "depósito de água".

17,23 Aquitofel é a figura do traidor, colaborador decisivo na ascensão de Absalão, e diríamos que precursor da sua morte. O narrador registra os fatos sem comentários; mas o lugar onde coloca a notícia é significativo: a passagem do Jordão é a salvação de Davi e com ela coincide a perdição do traidor.

17,24 A simultaneidade é literária, não necessariamente histórica. Davi pôde deter-se antes de se dirigir a Acampamentos. Trata-se do povoado onde se tinha refugiado Isbaal depois da derrota e da morte de seu pai Saul (capítulo 2). Por sua parte, Absalão precisou de algum tempo para reunir o exército e preparar a campanha. * = Acampamentos.

17,27-29 Sobi era irmão de Hanon, o rei amonita que injuriou os embaixadores de Davi (capítulo 10); é possível que Davi o tivesse nomeado rei vassalo, depondo o irmão. Maquir tinha acolhido Isbaal em outra época (capítulo 9). Berzelai é até agora desconhecido. Os três representam a benevolência das populações da Transjordânia para com Davi. Com o apoio destas, Davi pôde reorganizar um exército para defender-se do ataque que lhe preparavam. * = Serpente; Pouca Coisa.

18-19 Estes capítulos narram a batalha, a morte de Absalão, a notícia levada a Davi, seu pranto e sua recuperação pelas palavras de Joab. Quer dizer, temos uma disposição semelhante à do assassínio de Amnon. É o terceiro filho que Davi vai chorar. Joab toma a iniciativa, como se o rei tivesse perdido a fortaleza com os últimos acontecimentos. Joab, artífice da reconciliação entre pai e filho, assume o papel de vingador do sangue. O fratricida perdoado que aspira a parricida é ameaça impenitente. Sua morte salvará Davi da morte e da própria fraqueza, e também salvará o povo.

Este tema domina a narração. Aquitofel já havia anunciado o desígnio de Absalão: Davi tinha de morrer para que todo o povo se salvasse. Davi se preocupa com a vida do filho, mais do que com o bem do seu exército; inclusive quereria ter morrido no lugar do filho. Os soldados põem a vida de Davi acima da vida de meio exército.

Cabe a Deus decidir, disse o autor em aparte (17,14). Até o último momento Davi não sabe se vai morrer na batalha como Urias, ou em Acampamentos como Isbaal, ou se a vingança do Senhor se deterá antes. Absalão descreve a parábola de um foguete: depois de longos preparativos, numa jornada se proclamou rei; entre o céu e a terra fica truncada sua ascensão, e sua vida se apaga longe de Jerusalém.

Narrativamente, o autor dá preferência ao ponto de vista de Davi, dado que culmina na chegada da notícia. Fora disso, o autor faz alarde de contenção: o tema e numerosos detalhes se prestam à reflexão, ao menos no destaque teológico moralizante; o autor se limita a contar. Cabe ao leitor, introduzido no grande processo do contexto, descobrir o sentido dos fatos. Para conseguí-lo poderá apoiar-se em indícios, e basta escutar a ressonância simbólica de alguns detalhes. Como outras vezes, o diálogo é capital. Podemos dividir assim as cenas:

18,1-5: Davi envia as tropas.
18,6-8: Batalha e derrota.
18,9-17: Morte de Absalão.
18,18-32: Levam a notícia a Davi.
19,1-5: Pranto de Davi.
19,6-8: Repreensão de Joab.
19,9: Davi recebe a tropa.

18,2 Recordemos que Davi tinha ficado em casa por ocasião da campanha contra Amã (Rabá), ocasião do seu pecado. A divisão do exército em três cor-

dividiu o exército em três corpos: um sob o comando de Joab, o segundo sob o comando de Abisaí, filho de Sárvia, irmão de Joab, e o terceiro sob o comando de Etai, de Gat. E disse aos soldados:

– Eu também irei convosco.

³Responderam-lhe:

– Não venhas. Se tivermos de fugir, isso não nos importa; se a metade de nós morrer, não nos importa. Tu vales por mil de nós; é melhor que nos ajudes vindo da cidade.

⁴O rei lhes disse:

– Farei o que vos parecer melhor.

E ficou junto às portas, enquanto todo o exército saía para o combate, por companhias e batalhões.

⁵O rei deu esta ordem a Joab, Abisaí e Etai:

– Cuidai do rapaz Absalão!

Todos ouviram a ordem do rei a seus generais.

⁶O exército de Davi saiu ao campo para enfrentar Israel. A batalha começou na floresta de Efraim, ⁷e aí o exército de Israel foi derrotado pelos de Davi; nesse dia, a derrota foi grande: vinte mil baixas. ⁸A luta se estendeu por toda a região, e a floresta devorou nesse dia mais gente do que a espada. ⁹Absalão se encontrou com um destacamento de Davi. Montava seu burro, e ao entrar o burro sob a ramagem de um carvalho frondoso, a cabeça de Absalão prendeu-se ao carvalho e ficou suspenso entre o céu e a terra, enquanto o burro que ele cavalgava fugiu.

¹⁰Alguém o viu e avisou Joab:

– Acabei de ver Absalão pendurado num carvalho!

¹¹Joab disse ao que lhe dava a notícia:

– Se o viste, por que não o cravaste na terra? Agora eu te daria dez moedas de prata e um cinturão!

¹²Mas o homem lhe respondeu:

– Ainda que eu sentisse na palma da mão o peso de mil moedas de prata, não atentaria contra o filho do rei; estávamos presentes quando o rei ordenou a ti, a Abisaí e a Etai para que cuidásseis de seu filho Absalão. ¹³Se eu tivesse cometido por minha conta esse crime, visto que o rei sabe de tudo, tu te colocarias contra mim*.

¹⁴Então Joab disse:

– Não vou ficar perdendo tempo contigo!

Pegou três dardos e cravou-os no coração de Absalão, ainda vivo na ramagem do carvalho.

¹⁵Os dez ajudantes de Joab aproximaram-se de Absalão e o golpearam, matando-o.

¹⁶Joab tocou a trombeta para deter a tropa, e o exército deixou de perseguir Israel. ¹⁷Depois pegaram Absalão e o atiraram num buraco grande da floresta, cobrindo-o com um monte de pedras. Os israelitas fugiram todos em debandada.

¹⁸Quando vivia, Absalão erigira uma estela em Emec-Ammelec*, pensando:

---

pos vai-se tornando tradicional na arte da guerra. A proposta de Davi e a resposta de sua gente são muito rítmicas e marcadas.

18,4 Há certo paralelismo entre esta saída e a saída de Jerusalém: aqui começa o movimento de volta.

18,5 Como em outras expressões de afeto, a aliteração sublinha as palavras; o termo "rapaz" pode ser carinhoso.

18,6 O texto hebraico diz Efraim, ainda que na realidade se encontrem no território de Galaad. A floresta não favorece os movimentos do exército numeroso.

18,8 O sentido é duvidoso: o autor poderia pensar nas feras ou nas irregularidades do terreno; talvez indique simplesmente que o lugar da batalha foi mais nefasto que as armas inimigas.

18,9 O texto não diz expressamente que se enredasse com a famosa cabeleira, nem o exclui; é a leitura tradicional. O importante é que fica pendurado na árvore. Um texto legal (provavelmente posterior) diz que "Deus amaldiçoa quem é suspenso a uma árvore" (Dt 21,23); por semelhança, alguns leitores posteriores viram o fato como uma execução pela mão de Deus.

O burro é cavalgadura de reis ou príncipes: o privilégio se torna fatalidade. Absalão fica sem burro e sem reino.

18,13 * = Ou: "tu afetarias ignorância".

18,14 Outras traduções: "Mentira; eu começarei diante de ti". "Pois eu o atravessarei na tua presença".

18,16 2Sm 2,28.

18,17 Sepultura ignominiosa: ver Js 7,26 (Acã) e 8,29 (o rei de Hai).

18,18 A notícia não concorda com 14,27, que fala de três filhos de Absalão. Para harmonizar os dois versículos, deveríamos supor a morte prematura dos três. Um filho leva o nome do pai e assim o perpetua como criatura viva; na falta de filhos, o nome se perpetua na fama póstuma, e um monumento o conserva. Trata-se de uma estela com o nome gravado; ergue-se no chão como um antebraço (em hebraico *yad*), fazendo sinal aos transeuntes. Um sinal fatídico à luz da narração precedente.

18,18 * = Vale do Rei.

"Não tenho um filho que leve meu nome". Gravou seu nome na estela; até hoje chama-se Monumento de Absalão.

Davi recebe a notícia (2Sm 1) – ¹⁹Aquimaás, filho de Sadoc, disse:

– Vou correndo levar ao rei a boa notícia de que o Senhor o livrou de seus inimigos.

²⁰Mas Joab lhe disse:

– Não leves hoje a boa notícia, pois o filho do rei morreu. Tu o farás outro dia.

²¹Depois ordenou a um etíope:

– Vai comunicar ao rei o que viste.

O etíope fez uma reverência a Joab e começou a correr.

²²Aquimaás, filho de Sadoc, insistiu com Joab:

– Aconteça o que acontecer, também eu vou correndo atrás do etíope.

Joab lhe disse:

– Para que vais correr, filho? Não receberás nada por isso!

²³Aquimaás replicou:

– Aconteça o que acontecer, vou correndo.

Então Joab lhe disse:

– Vai.

Aquimaás começou a correr e, atalhando pelo vale, chegou antes do etíope.

²⁴Davi estava sentado entre as duas portas. A sentinela subiu ao terraço, acima da porta, sobre a muralha, ergueu o olhar e viu: um homem vinha correndo sozinho. ²⁵A sentinela gritou e avisou o rei. O rei comentou:

– Se vem sozinho, traz boas notícias.

²⁶O homem ia-se aproximando. Então a sentinela viu outro homem correndo atrás, e sobre a porta gritou:

– Está chegando outro homem correndo sozinho.

O rei comentou:

– Também esse traz boas notícias.

²⁷Depois a sentinela disse:

– Reconheço o modo de correr do primeiro; corre como Aquimaás, filho de Sadoc.

O rei comentou:

– É boa pessoa, vem com boas notícias.

²⁸Quando se aproximou, Aquimaás disse ao rei:

– Paz!

E prostrou-se diante do rei, com o rosto por terra. Depois disse:

– Bendito seja o Senhor teu Deus, pois te entregou os que se haviam revoltado contra o rei, meu senhor!

²⁹O rei perguntou:

– O jovem Absalão está bem?

Aquimaás respondeu:

– Quando teu servo Joab me enviou, vi um grande alvoroço, mas não sei o que era.

³⁰O rei disse:

– Retira-te e espera aí.

³¹Ele se retirou e esperou aí. Nesse momento chegou o etíope, dizendo:

– Boas notícias, majestade! O Senhor hoje te fez justiça diante dos que se haviam revoltado contra ti!

³²O rei lhe perguntou:

– Meu filho Absalão está bem?

O etíope respondeu:

– Acabem como ele os inimigos de vossa majestade e todos os que se revoltarem contra ti!

19 Davi chora a morte do filho –
¹Então o rei estremeceu, subiu ao

18,19-32 A narração se alonga, adia a notícia, jogando com a expectativa do rei. Uma palavra, repetida nove vezes no original, percorre o texto: é o substantivo "boa notícia" e seu verbo denominativo *bsr* (donde o português "alvíssaras", através do árabe). Era costume dar uma recompensa (alvíssaras) a quem trazia uma boa notícia: Aquimaás quer ser ele, mas Joab tenta dissuadi-lo, repetindo quatro vezes a raiz; três vezes Davi menciona "a boa notícia"; quem usa o verbo pela última vez é o etíope ao anunciar a vitória. Para completar a série, falta uma menção, a décima: falta, porque no final sobrevém a má notícia. O diálogo de Aquimaás e Joab vai estreitando cada vez mais o comprimento das frases, expressando a impaciência do jovem.

18,24 A entrada na cidade é um corredor com portas em ambas as extremidades e com entradas laterais; em cima se erguem as torres de observação. É um lugar bem protegido, e o primeiro a receber as notícias.
18,25 Em caso de derrota ou de desgraça, viria muita gente em debandada. Recorde-se o capítulo 10.
18,28 Fórmula de agradecimento a Deus. A fórmula "entregar", como em 1Sm 17,46; 24,19; 26,8; Sl 31,9.
18,29 Como a pergunta "está bem" (*shalom*) rima com Absalão, a frase que o rei pronuncia soa muito marcada.
18,31-32 Para o etíope, Absalão é inimigo e rebelde.
19,1-9 A semelhança com a morte do filho de Betsabeia serve para sublinhar a diferença. Antes era o filho recém-nascido, agora é o filho que ele viu crescer; antes soube refazer-se virilmente, agora

terraço sobre a porta e começou a chorar, dizendo enquanto subia:

– Meu filho Absalão, meu filho! Meu filho Absalão! Oxalá eu tivesse morrido em teu lugar, Absalão, meu filho!

²Avisaram Joab:

– O rei está chorando e lamentando-se por Absalão.

³Assim, a vitória desse dia tornou-se luto para o exército, porque os soldados ouviram dizer que o rei estava deprimido por causa de seu filho. ⁴Nesse dia o exército entrou na cidade às escondidas, como se escondem os soldados envergonhados que fugiram do combate.

⁵O rei cobria o rosto e gritava:

– Meu filho Absalão! Absalão, meu filho, meu filho!

⁶Joab foi ao palácio e disse ao rei:

– Teus oficiais, que hoje salvaram tua vida e a de teus filhos e filhas, mulheres e concubinas, hoje sentem vergonha de ti, ⁷porque amas os que te odeiam e odeias os que te amam. Hoje deixaste claro que não há para ti generais nem soldados. Hoje me dou conta de que mesmo que tivéssemos morrido todos, desde que Absalão tivesse ficado vivo, tu acharias tudo muito bem. ⁸Levanta-te, sai para animar teus soldados, pois, juro pelo Senhor, se não sais esta noite, ficas sem ninguém, e esta desgraça te pesará mais do que todas as que te aconteceram desde a juventude até agora.

⁹O rei levantou-se e sentou-se junto à porta; avisaram a todos:

– O rei está sentado junto à porta!

Todos foram para lá.

Volta de Davi – Os israelitas de Absalão tinham fugido em debandada. ¹⁰E em todas as tribos de Israel se comentava:

– O rei nos livrou de nossos inimigos e nos salvou dos filisteus. Se agora fugiu do país, foi por causa de Absalão. ¹¹Absalão, que nós ungimos rei, morreu na batalha. Portanto, por que estais de braços cruzados e não trazeis o rei para seu palácio?

¹²A proposta de todo Israel chegou aos ouvidos do rei, que enviou esta ordem aos sacerdotes Sadoc e Abiatar:

– Dizei aos conselheiros de Judá: "Não sejais os últimos a chamar o rei. ¹³Sois meus parentes, de minha carne e sangue. Não sejais os últimos a chamar o rei". ¹⁴Dizei a Amasa: "És de minha carne e sangue. Que Deus me castigue se não te nomeio por toda a vida general-em-chefe do meu exército em lugar de Joab".

¹⁵Davi conquistou todos os de Judá, e eles o seguiram como um só homem, mandando-lhe este pedido:

– Volta com todos os teus homens.

---

precisa da repreensão enérgica de Joab. Até agora, Davi chamou Absalão de "o rapaz", agora grita oito vezes "meu filho": grito único que domina o silêncio da tropa.

O autor destaca também o tema do dia: "nesse dia", "hoje", em frases narrativas e na boca de Joab. Terrível dia em que a vitória se converte em luto, em que Davi revela sua fraqueza paterna, e seu general a repreende com liberdade. Esse dia pode desembocar na noite fatal, em que Davi perde tudo. Joab fala com lógica militar e política: tantas vidas salvas, a honra da tropa, a desordem dos sentimentos. Essas palavras dão maior relevo à dor de Davi, incapaz de odiar o filho que o odiava, absorto na perda de uma só vida irrecuperável. Mas o rei escuta em silêncio o conselho do seu general.

19,10-44 A volta de Davi repete ao contrário à saída de Jerusalém, e também está construída em uma série de breves cenas representativas. São quase os mesmos personagens, sobre um fundo coral não menos importante:

19,10-16: Israel e Judá.
19,17-24: Semei.
19,25-31: Meribaal.
19,32-40: Berzelai.
19,41-44: Israel e Judá.

Dominada a sublevação com a morte do chefe, o povo se apressa em declarar fidelidade a Davi: se conseguiu superar esta crise gravíssima, terá de contar com ele como rei. Veleidade em muitos, resignação em alguns, esperança em outros, restabelecem a monarquia de Davi. Mas a divisão profunda entre Israel e Judá não se curou em um só dia. É muito significativo que um aventureiro possa explorar tão cedo essa divisão, para embarcar em uma nova revolta.

19,10-16 As palavras dos israelitas têm paralelismo tão marcado e ritmo tão perfeito que parecem citação de alguns versos exaltando as façanhas de Davi contra os filisteus. A lembrança se converte em esperança. Os de Judá talvez temam represálias de Davi. O rei invoca os laços de sangue, oferecendo implicitamente uma reconciliação; além disso, provoca ciúmes. Davi pretende uma aceitação total e unitária do povo, quer ser chamado antes de vir.

19,14 Com esta oferta ao parente Amasa, castiga a desobediência de Joab e garante para si a fidelidade das tropas de Israel.

19,15 Assim começa uma dupla marcha, do levante e do poente, para o Jordão: o rio será o cenário da reconciliação geral e sinal da nova entrada de Davi no seu reino. A partir de Castelos descem aos vaus de Jericó; Guilgal se encontra em frente, a uns 5 quilômetros do rio.

¹⁶O rei voltou e desceu ao Jordão, enquanto os de Judá iam a Guilgal, ao encontro do rei, para acompanhá-lo na passagem do Jordão.

¹⁷Semei, filho de Gera, benjaminita de Baurim, apressou-se em descer ao encontro do rei Davi e dos de Judá. ¹⁸Por sua vez, Siba, servo da família de Saul, com seus quinze filhos e vinte criados, atravessaram o Jordão na frente do rei e, pondo-se à disposição do rei, ¹⁹ajudaram a família real a atravessar o vau. Semei, filho de Gera, prostrou-se diante do rei quando este ia atravessar o Jordão, ²⁰e lhe disse:

– Não leves em conta, majestade, meu delito; não recordes a má ação de um servidor quando vossa majestade saía de Jerusalém; não o guardes. ²¹Um servidor reconhece seu pecado; mas, de toda a casa de José, vim hoje por primeiro para descer ao encontro de vossa majestade.

²²Abisaí, filho de Sárvia, interveio:

– Deixaremos vivo Semei, que amaldiçoou o ungido do Senhor? Semei amaldiçoou o ungido do Senhor; vamos deixá-lo vivo pelo que fez hoje?

²³Mas Davi disse:

– Não te intrometas em meus assuntos, filho de Sárvia. Não me tentes. Sinto que hoje volto a ser rei de Israel. Iríamos hoje matar um homem em Israel?

²⁴Depois disse a Semei:

– Não morrerás.

E jurou.

²⁵Meribaal, neto de Saul, desceu ao encontro do rei. Não havia lavado os pés, nem feito a barba, nem lavado a roupa desde que o rei teve de partir até o dia em que voltava vitorioso. ²⁶E quando, de Jerusalém, chegou onde estava o rei, este lhe disse:

– Meribaal, por que não vieste comigo?

²⁷Respondeu:

– Majestade, meu servo me traiu. Eu pensava: "Vou selar a mula para montar e ir com o rei" (porque teu servidor é coxo). ²⁸Mas meu servo me caluniou diante de vossa majestade. Contudo, vossa majestade é como um enviado de Deus; faze, pois, o que bem te parecer. ²⁹Nem todos os da família de meu pai são réus de lesa-majestade, mas apenas alguns. Além disso, fizeste-me sentar à tua mesa; que direito tenho de reclamar diante do rei?

³⁰O rei lhe disse:

– Por que falas sem parar? Eu ordeno: tu e Siba repartireis as terras.

³¹Meribaal respondeu:

– Ele pode ficar com tudo, visto que vossa majestade volta para casa vitorioso.

³²Por sua parte, o galaadita Barzelai desceu de Rogelim e foi até o Jordão para escoltar o rei no rio. ³³Barzelai era muito velho, tinha oitenta anos; tinha sido provedor real quando Davi morava em Maanaim*, pois Barzelai era de boa posição social.

³⁴O rei lhe disse:

– Atravessa comigo, pois eu serei teu provedor em Jerusalém.

³⁵Barzelai respondeu:

– Quantos anos me restam para subir com o rei a Jerusalém? ³⁶Hoje faço oitenta anos! Teu servidor não distingue o

---

19,17-24 Semei se diz da casa de José, que no princípio abrangia Efraim e Manassés, e mais tarde designa todo o reino do norte. A rigor é de Benjamim, da tribo de Saul; mas soma-se ao grupo de Judá para chegar entre os primeiros.

Siba também é benjaminita, criado de Meribaal; tem muito empenho em mostrar-se solícito com o rei.

As palavras de Abisaí são eco das que pronunciou contra o mesmo Semei na saída (16,9-10). Semei apelou para a misericórdia, e Davi rejeita como tentação o grito de vingança.

19,20 Sl 32,2.
19,22 2Sm 16,9s.
19,23 1Sm 11,13.
19,25-31 É difícil averiguar até que ponto são verdadeiras as razões de Meribaal; pelo visto, tampouco Davi consegue discernir o valor das acusações mútuas, e sentencia, sem voltar de todo atrás nem comprometer-se. Siba poderá ficar contente com a metade das terras, e Meribaal por não ter perdido tudo. A frase final pode ser de cortesia.

19,28 2Sm 14,17.
19,29 Outros traduzem: "Os da família do meu pai não são réus de lesa-majestade".
19,32-40 O episódio de Barzelai encerra aprazivelmente a breve etapa na Transjordânia, antes que se acenda a nova sublevação. A melancólica resignação do velho contrasta com a vida agitada do rei e da sua corte. Barzelai entrou brevemente nas páginas da história com aspecto de patriarca, um pouco como Abraão diante de Melquisedec. Os anos, que não o deixam distinguir os sabores, lhe permitem saber que é melhor dar que receber. O filho que vai para a corte não perpetuou seu nome, mas sim esta página simples; e sua memória é bendita.

19,33 * = Castelos.
19,35-36 Ou então: "Quantos anos me restam?" O ancião sentencia sabiamente: as coisas de agora não são piores, é ele que já não pode degustá-las.

bem do mal, não saboreia o que come ou bebe, nem ouve os cantores ou cantoras. Por que iria ser um peso a mais para sua majestade? ³⁷Irei um pouco além, acompanhando o rei; não é necessário que o rei me pague. ³⁸Deixa-me voltar ao meu povoado, e que, ao morrer, me enterrem na sepultura de meus pais. Aqui está meu filho Camaam; ele irá contigo e o tratarás como te parecer bem.

³⁹Então o rei disse:

— Venha comigo Camaam e eu o tratarei como te parecer bem, e tudo o que quiseres que eu faça, eu o farei.

⁴⁰O povo atravessou o Jordão. Passou-o também o rei; depois abraçou Barzelai, o abençoou, e Barzelai voltou a seu povoado.

⁴¹O rei prosseguiu até Guilgal. Camaam ia com ele. Todo Judá e metade de Israel acompanhavam o rei. ⁴²Os israelitas foram ao rei para lhe dizer:

— Por que se apossaram de ti nossos irmãos de Judá, ajudando o rei, sua família e toda a sua gente a atravessar o Jordão?

⁴³Mas todo Judá respondeu aos de Israel:

— É porque o rei é mais nosso parente! Por quê vos irritais? Nós não comemos à custa do rei nem nos aproveitamos disso.

⁴⁴Os de Israel responderam aos de Judá:

— A nós cabem dez partes do rei, e além disso somos o primogênito! Não nos desprezeis! Não fomos os primeiros a fazer o rei voltar?

Mas os de Judá responderam-lhes ainda mais duramente.

20 Revolta de Seba

¹Por acaso estava aí um vagabundo chamado Seba, filho de Bocri, benjaminita. Ele tocou a trombeta e disse:

— Não temos parte com Davi, não temos herança com o filho de Jessé! Para tuas tendas, Israel!

²Os israelitas, deixando Davi, seguiram Seba, filho de Bocri, ao passo que os de Judá, do Jordão até Jerusalém, continuaram fiéis ao rei.

³Quando Davi chegou a seu palácio em Jerusalém, trancou no harém as dez concubinas que havia deixado para cuidar do palácio; ele as sustentava, mas não dormiu com elas; ficaram como viúvas por toda a vida.

⁴Depois ordenou a Amasa:

— Mobiliza os homens de Judá. Tens três dias. A seguir, apresenta-te aqui.

⁵Amasa partiu para recrutar os de Judá, mas atrasou-se no prazo estabelecido. ⁶Então Davi disse a Abisaí:

— Seba, filho de Bocri, agora será mais perigoso para nós do que Absalão. Vai persegui-lo com os soldados, para que não chegue às praças-fortes e escape de nós.

⁷Saíram, pois, com Abisaí, Joab, os cereteus, os feleteus e todos os valentes de Davi; saíram de Jerusalém perseguindo Seba, filho de Bocri. ⁸Quando estavam

---

19,42-44 Estes versículos completam o tema da volta e preparam nova revolta. A discussão está concentrada em poucas frases. Por um lado, mostram que as velhas rixas entre norte e sul continuam; ver Jz 8,1-3 (Gedeão) e 12,1-7 (Jefté); por outra parte, mostram que Davi não conseguiu unificar profundamente seu povo, pois até o rei pode ser objeto de discórdia. Os de Judá invocam o parentesco, os de Israel o número, e nenhuma das duas razões serve para apaziguar. Davi não sabe invocar razões superiores, políticas ou religiosas. Ao ficar mais velho, fica fatalmente maior e mais larga a brecha do seu reino. O homem que se despediu do ancião Barzelai não é mais um jovem com vigor criativo.
Não é provável que a rebelião de Seba sucedesse ali mesmo. Como o pretexto são as divisões entre Israel e Judá, o autor quis unir as duas rebeliões, mostrando a continuidade dialética dos fatos. A espada anunciada por Natã continua desembainhada contra Davi. A vontade de estilizar do narrador, também se manifesta quando fala dos "israelitas": na realidade, e apesar dos temores de Davi, Seba não conseguiu ganhar muitos adeptos nem excitar o entusiasmo.

Não basta o descontentamento, mas é necessária ainda uma pessoa que o concentre e o eleve como bandeira; Seba não possui a personalidade de Absalão: é "um vagabundo", diz o autor ao longo da apresentação.
O episódio é grave só como sintoma, e o narrador quer tratá-lo rapidamente. Inclusive nos distrai com a cena de Joab e Amasa.

20,1 Os versículos apresentam o grito da divisão no tempo de Jeroboão (1Rs 12,16).

20,3 Estão contaminadas pelo trato com Absalão. É como se Davi encerrasse uma etapa de sua vida e terminasse uma recordação atormentadora. Gn 38,11.

20,4-6 Está clara a intenção de marginalizar Joab, imitando sua rapidez na ação.

20,6 A última frase é duvidosa; outros leem: "E nos obscureça a vista".

20,8-10 A descrição fica um tanto obscura, porque parece estar incompleta no original. Provavelmente deixa cair a espada de propósito e a pega com a mão esquerda, enquanto Amasa se aproxima; assim não chama a atenção. Agarrar a barba é gesto amistoso, que se converte facilmente em uma chave.

junto à pedra grande que há em Gabaon, Amasa apareceu. Joab carregava sobre o uniforme um cinturão com a espada embainhada, junto à coxa; a espada saiu e caiu. ⁹Joab cumprimentou Amasa:

– Como estás, irmão?

Enquanto o beijava, agarrou-lhe a barba com a mão direita ¹⁰(Amasa não percebeu a espada que Joab tinha na esquerda), e cravou-lhe a espada na barriga, os intestinos saíram, e, sem necessidade de outro golpe, Amasa morreu.

Joab e seu irmão Abisaí perseguiram Seba, filho de Bocri. ¹¹Um dos soldados de Joab se colocou junto a Amasa e disse:

– Os de Joab e os de Davi sigam Joab!

¹²Amasa continuava banhado em seu sangue, no meio do caminho. Aquele homem, vendo que todos os que chegavam junto ao cadáver paravam, tirou Amasa do caminho e o pôs no campo, jogando-lhe por cima um manto. ¹³Quando o cadáver foi tirado do caminho, todos seguiram Joab perseguindo Seba, filho de Bocri.

¹⁴Seba atravessou todas as tribos de Israel. Depois foi a Prado de Bet*-Maaca, e todo o clã de Bocri o seguiu. ¹⁵Joab chegou e cercou Prado de Bet-Maaca; ergueu um terrapleno contra a cidade e os soldados começaram a solapar a muralha.

¹⁶Certa mulher perspicaz gritou de dentro da cidade:

– Escutai, escutai! Dizei a Joab que se aproxime, pois preciso falar com ele.

¹⁷Joab aproximou-se, e ela perguntou:

– És tu Joab?

Ele disse:

– Sim.

E ela disse então:

– Escuta as palavras de tua servidora.

Joab respondeu:

– Escuto.

¹⁸A mulher falou assim:

– Antigamente se costumava dizer: "Perguntem em Prado e assunto encerrado". ¹⁹Somos genuinamente israelitas. Pretendes destruir uma capital de Israel. Por que queres aniquilar a herança do Senhor?

²⁰Joab respondeu:

– Livre-me Deus de aniquilar e destruir! ²¹Não se trata disso, mas de um da serra de Efraim, chamado Seba, que se revoltou contra o rei Davi. Basta que o entregueis, e eu me afastarei da cidade.

Então a mulher disse a Joab:

– Nós te jogaremos a cabeça dele pela muralha.

²²Com sua perspicácia ela convenceu o povo. Decapitaram Seba, filho de Bocri, e atiraram a cabeça dele a Joab. Joab tocou a trombeta e, deixando o assédio, partiram cada qual para sua casa. Joab voltou a Jerusalém, ao palácio real.

²³Joab era general-em-chefe do exército; Banaías, filho de Joiada, comandava os cereteus e feleteus; ²⁴Adoram era encarregado dos trabalhos forçados; Josafá, filho de Ailud, arauto; ²⁵Sisa, cronista, e Sadoc e Abiatar, sacerdotes. ²⁶Também Ira, de Jair, era capelão real.

APÊNDICE

21 Vingança de sangue – ¹No reinado de Davi, houve fome durante

---

20,11 Esta ordem de um soldado declara quem é o verdadeiro general de Israel: Joab não admite rivais, apesar do rei, e seus soldados o apoiam. Dessa maneira, exerce sua lealdade para com Davi.

20,12 Recorde-se o caso de Asael (2Sm 2,23); diríamos que o cadáver suscita o terror dos que se aproximam. Mas o cadáver do rival não deve interromper a ação militar.

20,14 Parece que falta algo no versículo: alguma notícia sobre a reação negativa das tribos. * = Casa.

20,15 Solapar, ou melhor, investir a golpes de aríete para abrir uma brecha. Abel-Bet-Maaca, como cidade fronteiriça, estava bem fortificada.

20,18 A versão grega oferece outra leitura: "Acabou-se o que os conselheiros de Israel estabeleceram". O provérbio citado pela mulher exalta as qualidades da cidade, pelas quais merece sobreviver. Capital em hebraico é "mãe". Em certo sentido, a mulher representa a cidade. A ação de Joab vai contra os interesses de todo Israel e é um atentado contra o Senhor. O discurso concentra os argumentos mais fortes que se podem aduzir. Por sua intervenção, esta mulher anônima merece um lugar junto à mulher de Técua e junto a Abigail.

20,23 A efêmera rebelião de Seba serviu apenas para restabelecer Joab no seu cargo militar; Davi tem de reconhecê-lo.

21 Os gabaonitas são um exemplo de população cananeia incorporada pacificamente aos novos habitantes; tinham uma aliança com Israel, com direito à vida em troca de algumas prestações (Js 9). Saul, no seu exclusivismo fanático, tinha cometido um crime gravíssimo contra o direito da época; é perfeitamente razoável que o delito exija reparação. O que não parece tão razoável é que a justiça vindica-

três anos consecutivos, e Davi consultou o Senhor. O Senhor respondeu:

– Saul e sua família ainda estão manchados de sangue por terem matado os gabaonitas.

[2]Os gabaonitas não pertenciam a Israel, mas eram um resto dos amorreus; os israelitas haviam feito um pacto com eles; porém Saul, em seu zelo por Israel e Judá, quis exterminá-los. [3]O rei Davi os convocou e lhes disse:

– O que posso fazer por vós e como indenizar-vos, para que abençoeis a herança do Senhor?

[4]Os gabaonitas responderam:

– Não queremos prata nem ouro de Saul e sua família, nem queremos que ninguém morra em Israel.

Davi lhes disse:

– Farei o que me pedirdes.

[5]Então disseram:

– Um homem quis exterminar-nos, e pensou em nos destruir e nos expulsar do território de Israel. [6]Entreguem-nos sete de seus filhos homens, e nós os empalaremos em honra do Senhor, em Gabaon, na montanha do Senhor.

Davi respondeu:

– Eu os entregarei.

[7]Perdoou a vida de Meribaal, filho de Jônatas, filho de Saul, por causa do pacto sagrado que unia Davi e Jônatas; [8]mas Armoni e Meribaal, os dois filhos de Saul e Resfa, filha de Aías, e os cinco filhos de Adriel, filho de Berselai, de Meola*, e de Merob, filha de Saul, [9]ele os entregou aos gabaonitas, que os empalaram no monte diante do Senhor. Morreram os sete de uma vez; foram sentenciados durante a ceifa, no começo da ceifa da cevada.

[10]Resfa, filha de Aías, pegou um pano de saco, estendeu-o sobre a rocha e, desde o começo da ceifa até a chegada das chuvas, esteve aí espantando dia e noite as aves e as feras. [11]Quando contaram a Davi o que fizera Resfa, filha de Aías, concubina de Saul, [12]ele foi pedir aos de Jabes de Galaad os ossos de Saul e de seu filho Jônatas (haviam sido recolhidos às escondidas na praça de Betsã, onde os filisteus os haviam enforcado após a derrota de Saul em Gelboé), [13]trouxe de lá os ossos de Saul e de seu filho Jônatas e os juntaram aos ossos dos que tinham sido executados. [14]Enterraram todos no território de Benjamim, em Sela, na sepultura de Cis. Fizeram tudo o que o rei ordenou, e Deus teve piedade do país.

Batalha contra os filisteus (1Cr 20,4-8)
– [15]Acendeu-se novamente a guerra entre os filisteus e os de Israel. Davi desceu com seus oficiais, acampou em Gob e combateram os filisteus. Davi estava exausto.

---

tiva se encarnice nos sucessores de Saul. O direito da época torna responsável a família inteira. Um valor positivo dessa legislação era sancionar e robustecer os vínculos de solidariedade e dissuadir os criminosos; o aspecto negativo, a nosso ver, é que castiga inocentes. O delito de sangue exige sangue, e os parentes, por ordem de proximidade, têm de vingá-lo: é a instituição social do go'el. Quando o homem afeta ignorância, Deus escuta o clamor do sangue e realiza ou exige a reparação da justiça. O oráculo interpreta a fome pertinaz como reclamação de Deus. Em alguns casos podia-se aceitar uma compensação em dinheiro, outras vezes tal compensação estava proibida. Uma vez que o Senhor intervém, a execução é um ato em sua honra, as vítimas são oferecidas a ele, numa espécie de consagração ao Senhor da vida.

As vítimas podem ficar à mercê de feras ou aves; a legislação posterior pede que se retirem os cadáveres antes do pôr do sol (Dt 21,22-23); e os cadáveres dos justiçados são enterrados em vala comum.

21,3 A bênção tem de cancelar a prévia maldição: Jz 17,2; Nm 22,6; essa bênção dará lugar à chuva e porá fim à fome.
21,5 Dt 7,22-24.
21,6 Enforcar ou empalar (Nm 25,4). Davi se encarrega do assunto porque ele próprio quer escolhê-los.
21,7 1Sm 20,14-16.
21,8 Merob era a filha mais velha de Saul, oferecida a Davi e depois negada (1Sm 18,19).
* = Dança.
21,9 Este monte sobressai uns 150m sobre o resto; é lugar de um santuário cananeu e mais tarde de um javista (1Rs 3,4).
21,10 De maio a outubro.
21,13-14 O sepultamento no túmulo familiar é ato de piedade.
21,15-22 Começa aqui uma série de apêndices que tentam completar a história de Davi. O que importa é o tema e não a cronologia. As campanhas contra os filisteus pertencem à primeira etapa do reinado (capítulo 5). As quatro façanhas são semelhantes, e também as fórmulas, como se fosse uma lista de menções honoríficas. O mais curioso é encontrar de novo Golias de Gat, desta vez morto por Elcanã, e não por Davi. A série dá a entender que entre os filisteus havia alguns soldados de enorme corpulência. Detalhes pitorescos ou expressões poéticas animam a sobriedade da lista. Gob ficava provavelmente nas proximidades de Jerusalém.

¹⁶Aproximou-se um da raça dos gigantes, com uma lança de bronze de três quilos e uma espada nova, dizendo que ia matar Davi. ¹⁷Porém Abisaí, filho de Sárvia, defendeu Davi, feriu o filisteu e o matou. Então os de Davi exigiram:

– Por Deus, não saias mais conosco para a batalha, para que não apaguem a lâmpada de Israel!

¹⁸Depois disso, a batalha contra os filisteus recomeçou em Gob. O husita Sobocai matou Saf, um da raça dos gigantes. ¹⁹Depois reacendeu-se em Gob a batalha contra os filisteus, e Elcanã, filho de Jair, de Belém, matou Golias de Gat, que tinha uma lança comprida como cilindro de tear. ²⁰Depois reacendeu-se a batalha em Gat. Havia um gigantão com seis dedos nas mãos e nos pés, vinte quatro ao todo, que também era da raça dos gigantes; ²¹ele desafiou Israel; porém Jônatas, filho de Sama, irmão de Davi, o matou. ²²Esses quatro homens da raça dos gigantes eram de Gat, e caíram pelas mãos de Davi e seus oficiais.

22 Salmo de Davi (Sl 18) – ¹Quando o Senhor o livrou de seus inimigos e de Saul, Davi entoou esse canto:

²"Senhor, minha rocha, minha fortaleza,
  meu libertador.
³Meu Deus, meu rochedo,
  meu refúgio, meu escudo,
  minha força salvadora,
  meu baluarte,
  meu refúgio, que me salvas
  dos violentos.
⁴Invoco o Senhor do meu louvor
  e fico livre de meus inimigos.
⁵Quando me cercavam ondas mortais,
  torrentes destruidoras me aterravam,

21,16 1Sm 17.
21,17 2Sm 18,3.

22 Com ligeiras variantes, este é o Salmo 18 do Saltério. A atribuição a Davi não é segura. A forma é de ação de graças ao Senhor, recitada na presença da comunidade; o contexto litúrgico explica a passagem da segunda à terceira pessoa. O favorecido conta aos circunstantes o insigne benefício recebido de Deus; pode desdobrá-lo numa descrição da situação desesperada, uma descrição do ato salvador, e algumas reflexões. O cantor se faz testemunha de Deus diante da comunidade.
Em alguns versículos, o favorecido conta ao Senhor os favores que ele mesmo lhe fez. Não parece lógico este contar ao protagonista a sua proeza, muito menos se o protagonista é Deus, que a conhece muito melhor; mas semelhante modo de orar manifesta intimidade e profundo reconhecimento. O Senhor não precisa sabê-lo, mas quer escutá-lo, fazendo-se ouvinte do que sabe. Falando assim ao Senhor na segunda pessoa, a sinceridade é absoluta.
A primeira parte do salmo tem uma construção muito clara. Depois de uma invocação cumulativa, descreve o perigo mortal em que se encontrava, a teofania do Senhor e a libertação; em seguida, reflete sobre o motivo dessa libertação e enuncia um princípio geral sobre a conduta de Deus.
Na segunda parte se repetem de modo irregular os mesmos temas. É possível descobrir algumas vezes o seguinte esquema: ação de Deus na segunda pessoa, efeito nos inimigos, ação do salmista. O final liga-se ao começo na invocação, enquanto repete o tema dominante.
Teologia. Supondo a concepção do universo em três planos – céu, terra, abismo – o salmo se projeta sobre um eixo vertical que domina o plano horizontal. O protagonista, situado na terra, se encontra rodeado, envolto, sem escapatória; a invasão do oceano abissal fecha definitivamente o cerco. Em sua dimensão, o homem é impotente, precisa transcendê-la com uma terceira dimensão de altura: é a dimensão de Deus.

Deus aparece na altura, adejando sem limites, descendo para auxiliar; e a visão já começa a libertar o homem da sua estreiteza insuperável. Depois vem a ação, que se expressa em duas direções: romper o cerco, dar largueza e espaço (20.37); e mais ainda levantar, pôr no alto (34.49). Vários títulos divinos expressam direta ou indiretamente essa altura: rocha, fortaleza, baluarte.
O mundo da morte e do perigo extremo são vistos como elementos profundos: abismo (6), fundo do mar, fundamentos do orbe (16).
Paralelamente ao movimento no eixo dos elementos, colocam-se verticalmente ataque e derrota: os inimigos que resistem são, em hebraico, "os que se levantam" (40.49), a derrota é queda sem levantar-se (39), é curvar-se, rebaixar-se, pôr-se debaixo dos pés (39.40.48).
Pois bem, esta vitória que se canta como dom de Deus, exigiu a luta humana. Muitos termos falam da guerra, mas era Deus quem ensinava, treinava e auxiliava Davi. A este campo pertencem os motivos de fraqueza e firmeza, e os títulos divinos "refúgio", "escudo".
22,2-3 A invocação inicial acrescenta dez títulos ao nome do Senhor: títulos referidos ao salmista e sentidos pessoalmente ("meu", "mim"). Alguns vão reaparecer, inclusive para marcar seções: rocha (3.32.47) e a variante penhasco, escudo (3.31.36), libertador (2.44). A raiz de "salvação" se torna palavra-chave (3.4.28.34.42.47.51), sobretudo unida aos sinônimos liberar e libertar (2.18.44.49).
22,4 O Senhor é objeto e tema de seu louvor, de seus hinos. No princípio encontramos o verbo técnico do hino (hll), no final do verbo técnico de dar graças (hwdh). Dois polos que unificam a atitude do salmista.
22,5-6 Primeiro, o perigo mortal na imagem mítica das torrentes de um oceano que envolve e engole; depois, na imagem cinegética de redes e laços. Ou seja, o homem como pobre animal acossado e como existência débil, confrontando-se com forças insuperáveis e incompreensíveis (ver Jn 2 e Sl 42).

⁶envolviam-me os laços do Abismo,
  alcançavam-me os laços da morte,
⁷no perigo invoquei o Senhor,
  invoquei o meu Deus:
do seu templo ele escutou minha voz,
  meu grito chegou a seus ouvidos.
⁸Tremeu e vacilou a terra,
  vacilaram os alicerces do céu*,
  sacudidos por sua cólera.
⁹Do seu nariz erguia-se fumaça,
  de sua boca fogo devorador,
  que lançava carvões acesos.
¹⁰Inclinou o céu e desceu
  com nuvens debaixo dos pés;
¹¹voava montado num querubim,
  planava sobre as asas do vento,
¹²envolto num toldo de escuridão,
  denso aguaceiro e nuvens espessas;
¹³ao fulgor de sua presença
  acendiam-se centelhas*;
¹⁴o Senhor trovejava do céu,
  o Soberano fazia ouvir sua voz.
¹⁵Disparando suas flechas os dispersava,
  seu relâmpago os enlouquecia.
¹⁶Apareceu o fundo do mar
  e viam-se os alicerces do orbe,
  ao bramido do Senhor,
  com seu nariz bufando de cólera.

¹⁷Do céu estendeu a mão e me tomou,
  para tirar-me das águas caudalosas,
¹⁸livrou-me de um inimigo poderoso,
  de adversários mais fortes que eu.
¹⁹Enfrentavam-me no dia da desgraça,
  mas o Senhor foi meu apoio:
²⁰levou-me a um lugar espaçoso,
  livrou-me porque me amava.
²¹O Senhor pagou-me pela retidão,
  retribuiu a pureza de minhas mãos,
²² porque segui os caminhos do Senhor,
  e não me revoltei contra meu Deus;
²³porque tive presentes seus mandatos,
  e não me afastei de seus preceitos;
²⁴estive inteiramente do seu lado,
  guardando-me de toda culpa;
²⁵o Senhor retribuiu minha retidão,
  minha pureza em sua presença.
²⁶Com o leal tu és leal,
  com o íntegro tu és íntegro,
²⁷com o sincero tu és sincero,
  com o malicioso tu és sagaz.
²⁸Tu salvas o povo afligido,
  teu olhar humilha os soberbos*.
²⁹Senhor, tu és minha lâmpada;
  Senhor, tu iluminas minhas trevas.
³⁰Confiado em ti entrego-me à luta,
  confiado em meu Deus
  assalto a muralha.

22,7 O perigo é etimologicamente o aperto ou o cerco. O templo é a morada celeste. O grito da súplica humana pode superar a distância até o mundo celeste. Foneticamente são parecidos "grito" e "salvar".

22,8-16 A teofania apresenta fatores de uma tormenta, com a resposta da terra em forma de terremoto. Um tema tão frequente no AT torna-se individual pela personalização antropomórfica do Senhor (como Hab 3) e por vários traços descritivos. Deus é uma figura corpórea, de dimensões cósmicas: respira fumaça, vomita fogo, cavalga nuvens, dispara raios, grita trovões. A criação inteira se agita e se descobre na sua presença. * = Ou: *dos montes*.

22,8 O Salmo 18 diz "fundamentos dos montes", paralelo dos fundamentos do orbe. É estranha a representação de um céu com fundamentos; Jó 26,11 fala das colunas do céu. Lendo a variante do presente texto hebraico, destaca-se o movimento de descida: do céu (8) até o fundo do mar (16), totalidade vertical.

22,9 A fumarada é a única coisa que se eleva; algo como a fumaça de um vulcão.

22,11 As nuvens levadas pelo vento são vistas como um quadrúpede alado (touro, leão etc.), que é a figura dos querubins mitológicos.
Ver sobretudo Ez 1 e 10.

22,13 * O salmo diz: *"as nuvens se desfizeram em granizo e centelhas"*.

22,14 O Salmo 29 estiliza a tormenta em sete trovões do Senhor. Esta voz de Deus é resposta à voz do homem (7).

22,15 Complemento implícito são os inimigos. Trata-se de terror infundado: Ex 14,24; Js 10,10; 1Sm 7,10.

22,17-20 Segue-se a imagem corpórea; descreve-se a libertação, igualando os inimigos às águas caudalosas, sem perder a imagem de "acossa-apoio". Na última frase começa a reflexão sobre os motivos de Deus: o primeiro de todos é a benevolência, o amor. Pura iniciativa do Senhor.

22,21-25 Os outros motivos são méritos humanos: fidelidade à pessoa (24), obediência a seus mandamentos, justiça de obras que se realiza como resposta a Deus; doutrina clássica da retribuição. As expressões não coincidem com as tradicionais da pregação deuteronômica. Justiça e pureza encerram em inclusão a série positiva e a negativa.

22,26-28 O que ele experimentou em si é o modo constante da atuação de Deus: as atitudes de Deus e do homem se correspondem; mas num ponto a correspondência se rompe: na predileção de Deus pelo humilde e pelo aflito.
A frase final no salmo é: "humilhas os olhos soberbos". O princípio geral está na segunda pessoa, personalizando a confissão; o salmista diz como ele vê.

22,28 * Ou: *humilhas os olhos soberbos*.

22,29 O título, em posição quase central, se afasta das imagens dominantes, ainda que se relacione com o brilho e a obscuridade da teofania.

³¹O Senhor, de conduta perfeita,
 o Senhor, de promessa purificada,
 é escudo para os que a ele acorrem.
³²Quem é Deus além do Senhor?
 Que rocha há além do nosso Deus?
³³Deus é meu forte refúgio,
 ele me mostra um caminho perfeito;
³⁴ele me dá pés de cervo
 e me põe nas alturas;
³⁵ele adestra minhas mãos
 para a guerra
 e meus braços para esticar a besta.
³⁶Tu me emprestaste
 o escudo de tuas vitórias,
 multiplicaste teus cuidados comigo.
³⁷Alargaste o caminho diante
 de meus passos,
 e meus tornozelos não fraquejaram.
³⁸Perseguirei o inimigo até destruí-lo,
 e não voltarei sem tê-lo aniquilado.
³⁹Eu os destruirei*, os derrotarei,
 e não poderão refazer-se:
 caíram sob meus pés!
⁴⁰Tu me cingiste de coragem
 para a guerra,
 dobraste os que me resistiram;
⁴¹fizeste meus inimigos
 voltar as costas,
 reduzi ao silêncio meus adversários.
⁴²Pediam auxílio, e ninguém os salvava;
 gritavam ao Senhor,
 e não lhes respondia.
⁴³Eu os reduzi a pó da terra,
 eu os esfarelei como barro da rua.
⁴⁴Livraste-me das contendas
 do meu povo,
 reservaste-me para cabeça de nações.
 Um povo estranho foi meu vassalo,
⁴⁵os estrangeiros me adulavam,
 me escutavam e me obedeciam.
⁴⁶Os estrangeiros fraquejavam
 e saíam tremendo de seus baluartes.
⁴⁷Viva o Senhor,
 bendita seja minha Rocha!
 Exaltado seja meu Deus,
 Rocha salvadora:
⁴⁸o Deus que me deu a vingança
 e me submeteu os povos;
⁴⁹que me tirou do meio dos inimigos,
 ergueu-me sobre os que me resistiam,
 e me salvou do homem cruel.
⁵⁰Por isso te darei graças
 no meio das nações,
 e tocarei, Senhor, em tua honra:
⁵¹tu deste grande vitória ao teu rei,
 foste leal com teu ungido,
 com Davi e sua linhagem
 para sempre".

23 Últimas palavras de Davi (Sl 101)

¹Oráculo de Davi,
 filho de Jessé;

22,31-32 Reunindo os títulos "escudo", "rocha" e o "refugiar-se", estes versículos fazem ressoar a invocação inicial em posição central. Assim ressalta a confissão de fé no Deus único.

22,33-35 Agilidade e força são as duas qualidades básicas do guerreiro.

22,36-37 Disposição quiástica com os versículos precedentes: "Pés-arco-escudo-passos". Retorna à segunda pessoa.

22,38-39 Enquanto o salmo parece falar de um futuro repetido, o primeiro verbo de nosso texto indica um futuro intencional e arrasta os seguintes. Além disso, estes dois versículos correspondem aos anteriores, assim como a ação do salmista corresponde à do Senhor.

22,39 * Ou: *derrotei-os e não puderam*.

22,42 Em oposição ao grito do salmista (7).

22,44-46 Estes versículos parecem resumo e balanço de um reinado: Davi, que começou seus dias perseguido de morte, conseguiu superar as rebeliões internas e estendeu sua soberania aos povos vizinhos. "Cabeça de nações" está em consonância com as imagens de eixo vertical que governam o salmo. Corrigimos levemente o texto hebraico.

22,47-49 Retorna à invocação com títulos e predicados de Deus, todos referidos ao salmista: sete ao todo.

23,1-7 Há razões suficientes para pensar que este poema é antigo e até original de Davi, e poucas em contrário. Na construção do livro, o oráculo tem função conclusiva: o contexto da morte próxima de Davi é indicação importante para explicar tal oráculo. Quanto à forma, apresenta-se como oráculo: quer dizer, como enunciado profético; muito semelhante no começo a dois oráculos de Balaão, o adivinho transformado em profeta pelo poder de Deus (Nm 24). O v. 2 esclarece o caráter profético da peça, sem deixar dúvidas.
Mas, quando lemos o conteúdo, nos sentimos transportados ao mundo sapiencial da reflexão humana com valor didático. Ainda que essa reflexão esteja iluminada por Deus de maneira genérica, o sapiencial é especificamente tarefa humana, diversa da profética. Sapiencial é a oposição entre os destinos de justos e perversos, embora o termo comum para *perverso* em tais contextos seja *rasha'* e não *beliya'al* como no presente oráculo; o segundo termo se encontra em descrições ou séries proverbiais como Pr 6,12ss; 16,27ss, no espelho de príncipes (Sl 101,3), nas histórias de Saul e Davi, na oração davídica do capítulo 22 (= Sl 18). Sapiencial é a comparação do justo com imagens de luz (Sl 112,4), e mais ainda a imagem da poeira ou da palha (cf. Sl 1), esta como exemplo de

oráculo do homem enaltecido,
ungido do Deus de Jacó,
favorito dos cantores de Israel.
²O espírito do Senhor fala por mim,
sua palavra está em minha língua.
³Disse-me o Deus de Jacó,
falou-me a Rocha de Israel:
"Quem governa
os homens com justiça,
quem governa respeitando a Deus,
⁴é como a luz da alvorada
ao sair o sol,
manhã sem nuvens depois da chuva,
que faz brilhar a erva do solo".

⁵Minha casa está firme junto a Deus,
que fez comigo um pacto eterno,
bem formulado e mantido.
Ele fará prosperar
meus desejos de salvação!
⁶Mas os perversos serão como cardos,
que são rejeitados e ninguém recolhe;
⁷ninguém se aproxima deles,
a não ser com o ferro
e a haste da lança
e com fogo para abrasá-los.

⁸**Nomes dos valentes de Davi:** O haquemonita Isbaal, primeiro do trio, que brandiu

---

plantas inúteis; o presente oráculo escolhe a imagem dos espinheiros, que na literatura profética e em algum salmo (118,12) descreve o inimigo. Muito sapiencial é o tom sentencioso dos dois enunciados contrapostos. E também é sapiencial a instrução sobre o bom governo e suas consequências: por exemplo, Pr 16,10-15; 25,1-7; 29,4.14.
Quanto ao versículo 5, recorda o oráculo de Natã, mas em si não soa como enunciado profético (recordar uma profecia não é por si outra profecia). Portanto, o que significa essa tensão entre a solene introdução profética (mais de um terço do poema) e o ensinamento sapiencial comum? Davi podia resumir sua longa experiência e transmiti-la a seus sucessores sem necessidade de tanto aparato. Como se consuma o salto do simplesmente humano ao formalmente inspirado?
"Há um oráculo nos lábios do rei (*qosem*)", diz Pr 16,10, aludindo a esse conhecimento extraordinário que o rei recebe pela unção. Semelhante texto pode subministrar um degrau, mas não explica o salto. Ben Sirac, autor sapiencial, o sente: "derramarei doutrina como profecia" (Eclo 24,33); mas trata-se de um autor muito tardio, e não chega à consciência clara e categórica de Davi no presente oráculo. Decisivo parece ser o momento final: Davi fala inspirado antes de morrer, como Jacó (Gn 49), como Moisés (Dt 33), ocupando assim um lugar junto a eles.
Neste momento recorda rapidamente a sua história: "Varão exaltado, ungido de Deus, cantado pelo povo". Neste momento sente-se invadido pelo espírito do Senhor, para anunciar o futuro que nele começa. Trata-se de sua dinastia, pela qual penetra e continua no futuro: reafirmando a profecia de Natã, transmite-a como profeta a seus descendentes com autoridade divina, e não como simples repetidor. A promessa dinástica ergue à esfera profética os elementos sapienciais; a promessa é vista como pacto, quer dizer, com exigências que condicionam os dons. Se foi eleito rei, é para viver como mediador da justiça divina que dá paz e bem-estar a seu povo; se os perversos dentro ou fora tentam perturbar seu reino de justiça, o ferro e o fogo os consumirão. Não têm outro sentido a sua escolha e as suas vitórias. Só nessas condições se transmitirá a seus sucessores. Mas é pacto eterno: Davi anuncia e deseja o reino de justiça. É seu programa, seu legado, sua esperança.

Sente-o germinar em si e prevê seu crescimento sem mais detalhes. Desse modo, o oráculo de Davi é "germinalmente" messiânico: caberá a leitores posteriores, instruídos pela história e iluminados por Deus, ir descobrindo seu sentido e fazer que continue crescendo para o futuro.
O ideal de justiça será cantado por textos como o Salmo 72. "Germe" se converte em termo messiânico em Jr 23,5; 33,15; Is 4,2; Zc 3,8; 6,12 (ao menos na leitura posterior). Is 11,1-9 junta ambos os motivos literários. Entre as diversas passagens do II Isaías, podemos citar Is 45,8: "Céus, destilai o orvalho; nuvens, derramai a vitória; abra-se a terra e brote a salvação, e com ela germine a justiça".
O texto parece arcaico e a sua interpretação é duvidosa em várias partes.
23,1 O começo está regido por três verbos passivos, que fazem ressaltar a pura atividade divina do v. 2. Curioso resumo de uma vida tão ativa: é vista como atraída por dois polos: Deus e o povo. A última palavra do versículo poderia ser nome divino: "Altíssimo", "Excelso".
23,2 Ver, por exemplo, Jr 1,9.
23,3 Encontramos o título divino "rocha" no capítulo precedente: 22,3.32.47, e é frequente nos salmos (por exemplo, Sl 19,15; 28,1; 62,3.7.8).
23,3b Justiça e temor de Deus também estão unidos em Is 11,2-3.
23,4 Alguns mudam o texto e leem "faz brotar". A imagem apresenta o governante adejando sobre o campo do seu reino, como um sol. No campo, os cidadãos honestos são a erva que brota no calor do sol, ou brilha fecundada pela chuva, ao passo que os maus são os cardos que o sol seca e o fogo consome. O soberano como sol benéfico será imagem messiânica em Is 62.
23,5 "Formulado e mantido", ou então "legitimamente outorgado e conservado".
23,6 Ver Sl 129,6-8.
23,7 Ver Is 7,23-24.
23,8-28 Seguem-se as listas começadas no início do capítulo 21. Parece tratar-se de uma organização no exército de Davi, honorífica e real: demonstra-o o título "Três", "Trinta", que não corresponde à contagem exata. Procedem de diversas partes do país e de outros países; a maior parte são veteranos dos tempos em que Davi vivia em Gat, ou de suas lutas contra os filisteus.

o machado e matou oitocentos de uma só vez. ⁹Segundo, Eleazar, filho do aoíta Dodô. Esteve com Davi em Afes-Domim quando os filisteus aí se concentraram para o combate; os israelitas se retiravam, ¹⁰mas ele esteve matando filisteus até que o braço se rendeu e a mão se apegou à espada. Nesse dia o Senhor deu a Israel uma grande vitória; após ele, o exército retornou para saquear. ¹¹Terceiro, Sama, filho do ararita Agê. Os filisteus concentravam-se em Lequi*, onde havia um terreno semeado de lentilhas; o exército fugiu diante dos filisteus, ¹²porém Sama se pôs no meio do terreno e o recuperou, matou os filisteus, e o Senhor concedeu uma grande vitória*. ¹⁷ᵇEstas foram as façanhas dos três valentes.

¹³Três dos trinta foram a Davi, no começo da ceifa, no refúgio de Odolam, quando um bando de filisteus acampava no vale de Rafaim. ¹⁴Davi estava então no refúgio, e a guarnição filisteia estava em Belém. ¹⁵Davi sentiu sede e exclamou:

— Quem me dera água, água do poço junto à porta de Belém!

¹⁶Os três valentes abriram passagem no acampamento filisteu, tiraram água do poço, junto à porta de Belém, e a levaram a Davi. Porém Davi não quis bebê-la, mas a derramou como libação ao Senhor, dizendo:

— ¹⁷ᵃDeus me livre! Seria beber o sangue desses homens que foram lá expondo a própria vida!

E não quis bebê-la*.

¹⁸Abisaí, irmão de Joab, filho de Sárvia, era chefe dos trinta. Brandindo sua lança matou trezentos, ganhando fama entre os trinta; ¹⁹destacou-se entre eles; foi seu chefe, mas não chegou aos três. ²⁰Banaías, filho de Joiada, natural de Cabseel, era homem aguerrido, pródigo em façanhas. Matou os dois moabitas, filhos de Ariel, e desceu para matar o leão na cisterna, no dia da neve. ²¹Matou também um egípcio de grande estatura, que empunhava uma lança: Banaías foi a ele com um bastão, arrebatou-lhe a lança, e com ela o matou. ²²Essa foi a façanha de Banaías, filho de Joiada, com a qual ganhou fama entre os trinta valentes. ²³Destacou-se entre eles, mas não chegou aos três. Davi o pôs à frente de sua escolta pessoal. ²⁴Asael, irmão de Joab, era um dos trinta.

Pertenciam ao grupo dos trinta: Elcanã, filho de Dodô, de Belém; ²⁵Sama de Harod; Elica, de Harod; ²⁶Heles, o feleteu; Ira, filho de Aces, de Técua; ²⁷Abiezer, de Anatot; Sobocai, o husita; ²⁸Selmon, o aoíta; Maarai, de Netofa; ²⁹Héled, filho de Baana, de Netofa; Etai, filho de Ribai, de Gabaá* de Benjamim; ³⁰Banaías, de Faraton; Hedai, de Rio Gaás; ³¹Abibaal, de Arabá; Azmot, de Baurim; ³²Eliaba, o saalbonita; Jasen; Jônatas, ³³filho de Sama, o ararita; Aiam, filho de Sarat, o ararita; ³⁴Elifalet, filho de Aasbaí, de Maaca; Eliam, filho de Aquitofel, gilonita. ³⁵Hessai, de Carmel*; Farai, de Arab; ³⁶Igaal, filho de Natã, de Soba; Bani, o gadita; ³⁷Selec, o amonita; Naarai, de Berot*, escudeiro de Joab, filho de Sárvia; ³⁸Ira, de Jeter, Gareb, de Geter; ³⁹Urias, o heteu. Total, trinta e sete.

24 A peste (1Cr 21) – ¹O Senhor voltou a encolerizar-se contra Israel e incitou Davi contra eles:

23,9 1Sm 17,1.
23,11 * = Queixada.
23,12 * O v. 13 vai depois do v. 17b.
23,13 No começo da ceifa já faz calor na Palestina.
23,17a * v. 17b depois do v. 12.
23,17 A legislação israelita proíbe severamente beber sangue de animais (Lv 17,6); mas é claro que a frase tem aqui um sentido humano nada legalista.
23,20 O texto hebraico é duvidoso; outros leem: "matou dois leões gigantescos na sua guarida". Estas empresas cinegéticas eram tão estimadas quanto as façanhas de guerra.
23,25-39 A leitura dos nomes é duvidosa na tradição manuscrita e nas traduções, e talvez não tenha grande importância.
23,24 Ver 2Sm 2,18-23.

23,27 Ver 21,8.
23,29 * = Alto.
23,34 Talvez o mesmo de 15,12; 16,21 (traidor de Davi).
23,35 * = Vergel.
23,36 Talvez filhos dos dois profetas de Davi.
23,37 * = Poços.
23,39 Ver capítulo 11.
24 Compõe-se de três peças ou seções: o recenseamento (1-9), a peste (10-15), o altar (16-25). A primeira tem caráter administrativo, a segunda é numinosa, a terceira é cultual. As três se organizam perfeitamente: partindo do fato da peste, o recenseamento é sua causa, o altar é seu remédio. Não custa compreender que a peste apareça como castigo de Deus: o "enviado do Senhor" fere de peste o exército de Senaquerib, o "exterminador"

— Vai, faze o recenseamento de Israel e Judá.

²O rei ordenou a Joab e aos oficiais do exército que estavam com ele:

— Percorrei todas as tribos de Israel, de Dã a Bersabeia, e fazei o recenseamento da população, para que eu saiba quanta gente tenho.

³Joab lhe respondeu:

— Que o Senhor teu Deus multiplique por cem a população, e que vossa majestade o veja com os próprios olhos! Porém, o que pretende vossa majestade com esse recenseamento?

⁴A ordem do rei se impôs ao parecer de Joab e dos oficiais do exército, e saíram do palácio para fazer o recenseamento da população israelita. ⁵Atravessaram o Jordão e começaram por Aroer e pelo povoado que há no meio do vale, em direção a Gad e até Jazer. ⁶Chegaram a Galaad e ao território heteu, a Cades. Chegaram a Dã e daí dirigiram-se a Sidônia. ⁷Chegaram à fortaleza de Tiro e a todos os povoados dos heveus e dos cananeus; depois partiram para o sul de Judá, para Bersabeia. ⁸Assim percorreram todo o território e, ao fim de nove meses e vinte dias, voltaram a Jerusalém. ⁹Joab entregou ao rei os resultados do recenseamento: em Israel havia oitocentos mil homens aptos para o serviço militar, e em Judá havia quinhentos mil.

¹⁰Contudo, depois de ter feito o recenseamento do povo, a consciência de Davi pesou, e ele disse ao Senhor:

— Cometi um erro grave. Agora, Senhor, perdoa a culpa do teu servo, pois cometi uma loucura.

¹¹Antes que Davi se levantasse pela manhã, o profeta Gad, vidente de Davi, recebeu a palavra do Senhor:

— ¹²Vai dizer a Davi: "Assim diz o Senhor: eu te proponho três castigos; escolhe um, e eu o executarei".

---

feria os egípcios, "fome-espada-peste-feras" são quaternidade clássica de vingadores divinos. Concretamente a peste, mais que outras desgraças, aterrorizava estranhamente o homem antigo: sua difusão rápida e incontida, sua execução sumária e sem distinção de idades ou pessoas, junto com a ignorância de suas causas e processo, envolviam a peste em aura numinosa. Era uma força demoníaca, ou um verdugo a serviço de um Deus misterioso: "A peste que desliza nas trevas, a epidemia que faz estragos ao meio-dia" (Sl 91,6).

Numa concepção javista, que reconhece um só Deus (ao menos para Israel), a peste não pode ser instrumento de outra divindade adversa, mas deve estar submetida ao Senhor. Por isso denuncia violentamente um estado de pecado ou contaminação, que se há de remover expiando, aplacando, confessando a culpa. Davi confessa o seu pecado e edifica um altar para aplacar a cólera divina.

Nesses termos, e respeitando o caráter arcaico, o episódio faz sentido. O mais estranho é o modo de contá-lo. No seu afã de começar e concluir com a ação do Senhor, o autor dificulta a compreensão de seu relato: fica muito clara a grande inclusão, a soberania do Senhor que abrange o curso inteiro dos acontecimentos, causas, efeitos e remédios; vem a ser estranho o seu modo de agir. Se tudo houvesse começado com o pecado de Davi, não nos custaria entendê-lo: afinal, Davi é mediador de bens e de desgraças para o seu povo. Mas o versículo 1 diz que Deus instiga Davi para cometer um pecado, para castigar por essa ocasião o povo (que se supõe pecador). O primeiro livro das Crônicas, 21,1, corrige, dizendo que foi Satã quem instigou Davi; Satã é o adversário de Israel e do plano de Deus. O narrador primitivo não tenciona racionalizar Deus: aceita sua santidade incompreensível, reconhece o seu domínio sobre os motivos humanos, expressa à sua maneira, em termos antropomórficos, a sua misteriosa ação na história humana. Leremos um caso parecido em 1Rs 22; e o genial autor do Livro de Jó resolverá em termos dramáticos a figura desse "satã" ou adversário do plano de Deus.

24,1 Embora a fórmula seja diferente, recordemos os quadros narrativos do livro dos Juízes.

24,2 O mesmo verbo "ir por", *shwt*, empregado por Jó 1,7, é aplicado a Satã.

24,3 Ter muitos súditos é uma glória do monarca. Mas Joab faz objeção a essa medida administrativa. Talvez tema os receios e resistência da população, já que um recenseamento era feito para exigir tributos ou prestações militares. Pela boca de Joab, fala também um velho javismo que recusa a complacência e confiança nos exércitos humanos; não é o número de soldados que salva. Pr 14,28.

24,9 Depois de tanta exatidão no itinerário e na duração da viagem, o narrador cede à complacência por números elevados. A população total dificilmente chegaria a um milhão nos tempos de Davi; a proporção de meio milhão para duas tribos e oitocentos mil para dez tribos, tampouco é convincente. O autor parece pensar assim: é um grande benefício de Deus que fossem tantos, foi um pecado de Davi contá-los; mas, já que os contou, louvemos a Deus com suas cifras.

24,10 Só depois de consumado, Davi compreende seu erro; o verbo é usado por Samuel na sua denúncia a Saul (1Sm 13,13), e Saul na sua confissão (1Sm 26,21). A aliteração sublinha a confissão de Davi.

24,11 Gad acompanhou Davi desde o princípio (1Sm 22,5).

24,12 O Senhor perdoa a culpa, mas impõe uma penitência. O castigo dizimará a população, que com tanto cuidado o rei mandou contar.

¹³Gad apresentou-se a Davi e lhe disse:
– Qual castigo escolhes? Três anos de fome em teu território, três meses fugindo perseguido por teu inimigo, ou três dias de peste em teu território? O que respondo ao Senhor que me enviou?

¹⁴Davi respondeu:
– Estou em grande aflição! É melhor cair nas mãos de Deus, que é compassivo, do que cair nas mãos dos homens.

¹⁵Então o Senhor mandou a peste a Israel da manhã até o tempo determinado. E de Dã a Bersabeia morreram setenta mil homens do povo. ¹⁶ᵃO anjo estendeu sua mão para Jerusalém, a fim de exterminá-la. ¹⁷Então Davi, vendo o anjo que feria a população, disse ao Senhor:
– Fui eu quem pecou! Eu sou o culpado! O que fizeram essas ovelhas? Descarrega tua mão sobre mim e sobre minha família.

¹⁶ᵇO Senhor arrependeu-se do castigo e disse ao anjo que estava exterminando o povo:
– Basta! Detém tua mão!

¹⁸O anjo do Senhor estava junto à eira do jebuseu Areúna. Nesse dia Gad foi dizer a Davi:
– Vai edificar um altar ao Senhor na eira do jebuseu Areúna.

¹⁹Davi foi, segundo a ordem que o Senhor havia comunicado a Gad, ²⁰e quando Areúna chegou e viu o rei aproximando-se com toda sua corte, saiu para prostrar-se diante dele com o rosto por terra. ²¹E disse:
– Por que vossa majestade vem a mim?
Davi respondeu:
– Venho comprar tua eira para construir um altar ao Senhor, para que cesse a mortandade no povo.

²²Areúna lhe disse:
– Que sua majestade a tome e ofereça em sacrifício o que lhe agradar. Aí estão os bois para o holocausto e a grade e a canga para a lenha. ²³Teu servidor entrega tudo ao rei.
E acrescentou:
– O Senhor teu Deus aceite teu sacrifício!

²⁴Mas o rei lhe disse:
– Não, não. Eu a comprarei a dinheiro. Não oferecerei ao Senhor meu Deus vítimas que não me custem.

Então Davi comprou a eira e os bois de Areúna por meio quilo de prata. ²⁵Aí construiu um altar ao Senhor, ofereceu holocaustos e sacrifícios de comunhão. O Senhor teve piedade do país, e a mortandade cessou em Israel.

24,13 Davi conhece o que é a fome (21,1) e o que é fugir diante do inimigo; não conhece a peste. O tríplice castigo está marcado por correspondências sonoras. 2Sm 21,1; 1Sm 18-23.
24,14 Ver Eclo 2,18.
24,16a Ver 2Rs 19,35; Is 37,36 (Senaquerib).
24,16b Depois do v. 17.
24,17 A oração de Davi está fortemente aliterada: a insistência na vogal i da primeira pessoa e a repetição enfática do pronome pessoal fazem escutar a emoção do rei que assume toda a culpa; o povo são agora "suas ovelhas". Neste momento Davi é o rei-pastor, fiel à sua eleição.
24,16b A sua oração é eficaz como a de Moisés (Ex 32,15): a fórmula se repete. Em rigor cronológico, esta notícia poderia ser lida no final, conforme a seguinte ordem: a peste avança – Davi vê o anjo – Davi ora – Gad o encarrega de construir um altar – Davi compra a eira – sacrifica e aplaca – o Senhor dá ordem de cessar. O estado do texto pode indicar que o autor quis ligar a este episódio a compra da eira, lugar da localização do futuro templo.
24,18 Isto indica que a população jebusaica continuava morando aí, incorporada ou em paz com os israelitas.
24,22 Eclo 2,18.
24,22-23 A oferta pode ser simples ato de cortesia; recordemos as negociações de Abraão com os hititas (Gn 23). Ver também 1Sm 6,14 (volta da arca).
24,24 Desta maneira, o espaço do futuro templo foi adquirido pacificamente; um altar erigido por Davi será predecessor do altar salomônico. O autor quer apresentar Davi como fundador do culto.

PRIMEIRO E SEGUNDO LIVROS DOS REIS

INTRODUÇÃO

Tema e disposição

Pelo tema, os dois livros dos Reis continuam a história da monarquia começada com Saul e Davi, e a conduzem, em movimento paralelo dos dois reinos, até a catástrofe sucessiva de ambos. Dir-se-ia uma história trágica ou a crônica de uma decadência. Se consideramos ascensional o tempo dos Juízes até Davi – e talvez Salomão –, o seguinte seria o anticlímax. O tema não é só trágico; muitas vezes se escuta uma voz sombria que difunde a sua tonalidade sobre o material circundante e nos prepara para a catástrofe. Vista de perto, essa geometria não é tão regular, pois se quebra em vários altos e baixos.

À primeira vista, a disposição do material histórico se revela, a partir da morte de Salomão, como uma história paralela dos dois reinos, Israel ao norte e Judá ao sul. Dezenove reis ao norte e dezenove ao sul é a aritmética elementar da história; com uma duração de duzentos e dez anos para Israel e trezentos e quarenta e seis para Judá; a diferença mais séria é que Israel se afasta da dinastia davídica e muda oito vezes de casa reinante, ao passo que Judá mantém sempre a dinastia davídica.

Este fato constitui um dos polos significativos do livro. O paralelismo serve ao autor para se ver a diferença. Há conspirações em ambos os reinos: ao norte uma conspiração leva a uma mudança de dinastia, ao sul leva a uma mudança de monarca da mesma dinastia. Ambos os reinos sofrem ataques externos: ao norte as pressões externas favorecem as mudanças dinásticas, ao sul até os monarcas impostos pertencem à dinastia de Davi. Por que acontece assim? Porque a dinastia davídica tem uma promessa do Senhor (o autor no-lo diz ou no-lo faz ver).

Os momentos dramáticos em que a Casa de Davi se vê ameaçada e se salva maravilhosamente detêm o autor e o leitor; até produzem uma parada no reino do Norte, para que se aprecie melhor a diferença.

Elementos de unificação

Uma primeira leitura nos revela no autor a vontade de unificar, imposta sobre a unidade temática relativa. Além da disposição paralela antes exposta, podemos apontar dois recursos dominantes para unificar, as fórmulas e os discursos, e alguns esquemas.

a) Encontramos repetidas vezes as fórmulas organizadas no seguinte esquema:
a) N. filho de N. subiu ao trono de Judá/Israel na cidade N.
b) No ano X do reinado de N. de Israel/Judá
c) Tinha X anos quando subiu ao trono, e reinou X anos
d) Sua mãe se chamava N., filha de N.
e) Avaliação do reinado
f) Para mais dados sobre N. e seus X, vejam-se os Anais de Judá/Israel
g) N. morreu, e foi sepultado em N.
h) N. reinou em seu lugar

A primeira metade de c) e todo d) são usados no reino do sul. A fórmula b) nos oferece o sincronismo de ambos os reinos, pois sempre se refere ao ano de reinado do outro rei. A avaliação e) toma como norma para o reino do norte o pecado de Jeroboão, para o reino do sul o culto dos lugares altos (como norma geral); a avaliação permite mais mudanças ou expansões das fórmulas.

b) Se o esquema é bastante rigoroso, as fórmulas são heterogêneas. A maioria nos dão nomes em suas coordenadas de espaço, tempo e família; f) é uma nota de

historiografia, não muito moderna, porque o autor remete a suas fontes para o que não citou ou utilizou. (Procede da mesma fonte o material incorporado? Provavelmente não.)

Quanto à avaliação do reinado, é evidente o caráter de julgamento pessoal do autor: temos de agradecer-lhe a honradez com que expressou seu ponto de vista uniforme, e tê-lo expresso nos esquemas, sem interferir nas narrações propriamente ditas. Assim o leitor poderá colocar-se na perspectiva correta e apreciar as avaliações do autor.

c) Os discursos. Tomamos a palavra em sentido amplo: algumas vezes são discursos ou comentários postos na boca de algum personagem, muitas vezes um profeta; outras vezes são reflexões pronunciadas pelo próprio autor em momentos culminantes; pausas narrativas para olhar para trás e talvez para frente. Esses discursos se distinguem por seu estilo retórico inconfundível e por sua doutrina simplificada (que veremos adiante). O leitor deveria deter-se nesses momentos e acompanhar o autor em suas reflexões: são os momentos em que o autor fala mais abertamente; com suas palavras quer instruir, exortar, convidar à reflexão. Embora depois não nos convença plenamente, faremos bem se o escutarmos com atenção.

d) Outro elemento de unificação é a palavra profética como anúncio: sucessivas predições vão traçando arcos e dirigindo a história para o seu cumprimento. O arco pode inscrever-se na vida de uma pessoa, pode abranger uma dinastia, pode alongar-se até o fim. Junto a essas predições há outra série de palavras proféticas, originais ou ampliadas ou insinuadas pelo autor, muito parecidas com os discursos. A palavra profética pode funcionar como motor da história e como sua explicação antecipada ou posterior.

Princípio teológico

a) A história do povo e da monarquia se desenvolve sob o signo da aliança. Esta constitui Israel como povo de Deus e exige dele fidelidade total ao Senhor e cumprimento de seus mandamentos. Fidelidade e cumprimento são pagos com bênçãos; rebeldia e desobediência, com maldições. É um princípio de retribuição não de acordo com um código natural e "objetivo", mas baseado na relação pessoal do povo com o seu Deus.

Por isso, é tão importante a fidelidade exclusiva e incondicional ao Senhor, cumprindo pessoalmente os mandamentos. Essa fidelidade pode ser chamada "o primeiro mandamento", que inclui todos os demais na forma de atitude.

A princípio, a fidelidade ao Senhor toma a forma de veneração e culto exclusivo a um só Deus, eliminando deuses estrangeiros, ou a idolatria, ou o sincretismo; esse culto pode e deve ser celebrado em santuários locais, ou então num santuário central que reúna os confederados em ocasiões solenes. Estas podem ser: renovação da aliança, peregrinações anuais, reuniões em momentos de crise. De tudo isso dão testemunho os livros de Josué, Juízes, Samuel e também o nosso.

b) Mas acontece bem cedo que a fidelidade exclusiva é ameaçada por diversas formas de sincretismo nos santuários locais: deuses e cultos de fertilidade, introdução de deuses estrangeiros, culto com imagens proibidas; então surgiu a ideia de atacar a raiz do mal, purificando constantemente esses cultos locais e até extirpando-os com uma forte centralização do culto. Chegados a esse momento, o culto exclusivo a um só Senhor toma a forma de culto num só templo.

Indubitavelmente, as deformações dos cultos locais influíram na história dos dois reinos, com efeitos religiosos e também políticos. O autor toma o resultado final, a unificação do culto, e o erige em critério de interpretação e avaliação de toda a história precedente. Como se vê, é um procedimento que projeta para trás um ponto de vista, julgando o passado segundo uma lei ainda não promulgada (nesse sentido é um julgamento anacrônico); é além disso um procedimento que simplifica os fatos (nesse sentido é um julgamento simplista). Portanto, devemos rejeitá-lo? Pelo contrário, devemos lê-lo com clara consciência de sua limitação, e sobretudo completá-lo com nossa reflexão e com a leitura de textos proféticos,

como Amós, Oseias, Isaías, Miqueias, Jeremias, Ezequiel.

c) Ou seja, o grande princípio da fidelidade ao Senhor se desdobra num sistema bipolar: um mandato originário, equipado com bênçãos e maldições, rege a história sucessiva; uma aplicação posterior, a centralização do culto, explica e mede a história precedente. O sistema funciona com pouco rigor: por uma parte, bênçãos e maldições são uma orientação, um dado importante nas relações do Senhor com seu povo; não são tudo, nem são a última coisa, nem são aplicadas de modo mecânico; por outra parte, o critério posterior se sobrepõe aos fatos sem configurá-los realmente nem explicá-los em profundidade.

d) Assim chegamos à característica principal desta obra, que é a tensão. O trabalho de unificação se apresenta sobreposto, não chega a configurar o material histórico e literário incorporado. Falta a unidade de redação, porque a obra não foi escrita ou composta a partir de uma visão teológica prévia; os relatos tinham sido escritos ou compostos antes, e o autor teve o bom senso histórico e artístico de respeitá-los e incorporá-los à sua obra.

É verdade que o princípio teológico levou a eliminar muito material e que muitas vezes o esquema devora os fatos. Não poucas vezes o fato contrasta com o esquema e o ultrapassa. Por exemplo, o rei piedoso fracassa, ao passo que o rei ímpio tem um longo reinado, o rei justo fracassa e o rei perverso prospera; o autor não esconde a contradição. Mais interessantes são os casos em que as narrações ultrapassam simplesmente o esquema: são os melhores momentos do livro. Testemunham a força dos fatos, a vontade de lembrança popular ou de grupos, o gênio ou talento de narradores anônimos, a existência de tradições orais já fixadas ou de documentos que mereciam ser conservados. Exemplo notável é o ciclo de Elias.

Valores literários

É preciso degustar esses relatos em sua qualidade literária, e é perigoso reduzi-los a esquemas, fórmulas e princípios. Só assim assumiremos a atitude dos antigos ouvintes e leitores, só assim captaremos uma parte fundamental do seu sentido religioso.

Os autores empregavam alguns procedimentos narrativos comuns à narrativa simples de qualquer país ou tempo, e outros procedimentos desusados entre nós. Com frequência os números têm valor construtivo, por exemplo, o número de frases, o número de vezes que um relato repete uma palavra ou sua raiz. O material sonoro é com frequência muito importante, coisa normal numa recitação oral – pensemos nos efeitos sonoros dos contos contados em voz alta às crianças: um nome pode ser tomado para jogo de palavras, para articular o destino de quem o leva; algumas frases mais importantes são sublinhadas com aliterações e assonâncias, ou por contraste sonoro. O narrador pode afastar-se da fluidez narrativa normal, criando diversos efeitos rítmicos: dilatando ou estreitando o volume das frases, introduzindo em ressalto frases muito rítmicas; em geral os diálogos são mais rítmicos que o resto. Os autores sabem manejar o tempo narrativo: acelerando e atrasando, adiando o desfecho, trabalhando a simultaneidade, com olhadas retrospectivas (flashback). A sua maestria indiscutível é a arte do essencial e imediato: sem explicações nem rodeios, economizando detalhes, numa linguagem despojada de substantivos e verbos. Alguns preferirão outros valores mais sutis, como o tecido de relações internas que fazem a estrutura, ou a tonalidade sugestiva de algumas passagens, ou a dimensão simbólica que cresce e se dilata sobre personagens e fatos.

É difícil captar esses valores literários essenciais, não ornamentais. Em primeiro lugar, porque alguns não podem ser reproduzidos na tradução (números, efeitos sonoros); em segundo lugar, pelo nosso mau costume de ler sem escutar; em terceiro lugar, porque cremos que a Bíblia, como livro religioso, está fora e acima do literário (essa ideia é uma forma de docetismo); finalmente, os comentaristas não costumam interessar-se por esses aspectos. Por essas razões, pareceu-me necessário chamar a atenção do leitor sobre os procedimentos narrativos em cada caso; se

o leitor sensível e treinado não precisa dessas chamadas, creio que o leitor médio me será grato por elas.

Horizonte histórico

O autor tem como horizonte do seu livro o povo de Israel unido ou dividido. Se cruza a fronteira nacional, é porque algum personagem estrangeiro se intrometeu no espaço ou no tempo dos israelitas. Mas falta-lhe visão de conjunto, a capacidade de situar a história nacional no quadro da história internacional. Talvez por falta de informação, ou por falta de interesse, ou por princípio.

Não pedimos um horizonte universal, nem sequer supranacional, a um narrador popular das gestas de um herói; bastam-nos os personagens imediatos da ação, em concentração épica ou dramática. Pediríamos a um autor que escreve uma história de conjunto, dispondo de fontes oficiais e trabalhando com perspectiva temporal, uma consciência mais refletida sobre a política internacional.

Por exemplo, por muitos anos a Assíria está determinando, mediata ou imediatamente, a história de todos os reinos do Oriente; no entanto, o narrador nos apresenta esse novo personagem somente quando põe o pé em território de Israel. Os profetas escritores dessa época tiveram um horizonte mais amplo.

E ao faltar esse horizonte amplo, falta a motivação complexa de muitos fatos que o autor conta ou recolhe. Ou seja, o seu horizonte de explicação causal se reduz. Podemos dizer que era o modo da época; a arte de escrever história ainda não tinha adquirido o nosso senso de perspectiva; os narradores bíblicos e o autor final fizeram até demais. Essa é uma desculpa válida; mas na hora de explicar a obra, temos de alargar o horizonte e utilizar material complementar, para compreendermos melhor os fatos e o seu sentido.

Assim trabalhamos conjuntamente em três níveis: o nível dos fatos acontecidos, e dos personagens reais com suas motivações; a esse nível chegamos mediatamente. Ao nível do texto em sua realidade literária, que podemos captar na primeira leitura e aprofundar com a análise, chegamos imediatamente na obra, ou mediatamente na tradução. Ao nível da compreensão teológica – o discreto papel de protagonista de Deus, do homem e sua história que discorrem diante de Deus – chegamos pelo texto, pelo que o autor diz expressamente, pelo que apresenta, pelo que cala, pela estrutura da obra; esse terceiro nível ficará bem nivelado se o olharmos com a perspectiva de Cristo. Isso nos leva a uma última palavra.

Conversão e esperança. Ao longo dessa história, retorna com insistência o tema da conversão do povo e do perdão de Deus. Exigência de conversão e profissão de esperança. A fidelidade do povo não é a última coisa, a fidelidade de Deus a abrange e ultrapassa. A destruição não é a última coisa, a história continua. Não só a história universal – que continua quando desaparece a Assíria –, mas também a história de Israel como povo de Deus. O autor não quer contar a história de um povo desaparecido, mas fala aos filhos e netos, chamados a continuar a história dramática. Não por méritos do povo, mas pela fidelidade de Deus, restam outros capítulos por viver e por escrever.

CRONOLOGIA DE "REIS"

	Saul 1030-1010	
	Davi 1010-971	
950	Salomão 971-931	950

Divisão do Reino (931)

931 — 931

Israel		Judá	
930		930	930
	Jeroboão I 931-910	Roboão 931-914	
		Abias 914-911	
	Nadab 910-909	Asa 911-870	
900	Baasa 909-885		900
	Ela 885-884		
	Zambri .... 7 dias		
	Amri 884-874		
	Acab 874-853	Josafá 870-848	
850	Ocozias 853-852		850
	Jorão 852-841	Jorão 848-841	
		Ocozias 841	
	Jeú 841-813	Atalia 841-835	
800	Joacaz 813-797	Joás 835-796	800
	Joás 797-782	Amasias 796-767	
	Jeroboão II 782-753		
	Zacarias .... 6 meses	Azarias 767-739	
	Selum .... 1 mês		
750	Manaém 752-741		750
	Faceias 741-740		
	Faceia 740-731	Joatão 739-734	
	Oseias 731-722	Acaz 734-727	
720		Ezequias 727-698	720
	Fim do reino de Israel		

PRIMEIRO LIVRO DOS REIS

1 **Salomão sucede a Davi** (1Cr 29, 23-25) – ¹O rei Davi já estava velho, de idade avançada; por mais que o cobrissem com roupas, não se aquecia. ²Os cortesãos disseram-lhe:

– Procure-se uma jovem solteira para servir e assistir vossa majestade; quando dormir em vossos braços, vossa majestade se aquecerá.

³Foram, então, por todo o território israelita, à procura de uma jovem bonita; encontraram Abisag, de Sunam, e a levaram ao rei. ⁴Era muito bonita; servia o rei e cuidava dele, mas o rei não se uniu a ela.

⁵Enquanto isso, Adonias, filho de Hagit, que ambicionava o trono, arranjou para si um carro, cavalos e cinquenta homens de escolta. ⁶(Seu pai nunca o havia desgostado pedindo-lhe contas do que fazia.) Ele também era extraordinariamente bonito, mais jovem que Absalão. ⁷Aliou-se com Joab, filho de Sárvia, e com o sacerdote Abiatar, que apoiaram sua causa. ⁸Mas o sacerdote Sadoc, Banaías, filho de Joiada, o profeta Natã, Semei e seus companheiros e os valentes de Davi não se uniram a Adonias.

⁹Junto a Ében-Hazoélet*, perto de En-Roguel*, Adonias sacrificou ovelhas, touros e bezerros cevados; convidou todos os seus irmãos, os filhos do rei, e todos os funcionários reais de Judá, ¹⁰mas não convidou o profeta Natã, Banaías, os valentes de Davi, nem seu irmão Salomão.

¹¹Natã disse então a Betsabeia, mãe de Salomão:

– Não ouviste que Adonias, filho de Hagit, proclamou-se rei sem que Davi, nosso senhor, o saiba? ¹²Vou dar-te um conselho para que tu e teu filho Salomão

---

1,1-4 A sucessão de Davi é um momento delicado na história da monarquia. O Senhor prometeu ao filho de Jessé que lhe construiria uma casa, isto é, uma dinastia estável; até agora a sucessão foi uma experiência trágica: o primogênito Amnon, assassinado por seu irmão Absalão; este, morto vítima de sua ambição. O que vai acontecer agora que o rei está velho e fraco? O rei governa realmente? É curioso que em todo o capítulo a forma verbal "reinar" só se atribui a Adonias e Salomão, enquanto que se esbanja o título de rei para Davi. Davi será capaz de garantir um herdeiro que continue sua grande criação? Como o Senhor cumprirá sua promessa?

1,5-6 Por ordem de idade, a sucessão cabe a Adonias, o quarto dos filhos nascidos em Hebron (2Sm 3,4), embora nesta monarquia a questão de idade não seja decisiva. Faz tempo que Davi escolheu Salomão, o filho de Betsabeia, e até o prometeu à mãe com juramento. Provavelmente descobriu no jovem uma prudência e habilidade pelas quais se destaca entre os demais príncipes.

O juramento deve ter sido privado, secreto, partilhado por Betsabeia e Natã. Adonias, que sente ameaçado o seu suposto direito de sucessão, decide precipitar os acontecimentos, aproveitando-se da senilidade do pai, para chegar ao trono antes que seja tarde. Repete-se com variações a história de Absalão. Desta vez não é preciso planejar uma revolução apelando para os sentimentos separatistas do norte, nem precipitar uma morte que não tardará a chegar. Basta apoiar-se nos personagens influentes do reino: Joab, o número dois desde que seu tio Davi reina, e Abiatar, fiel companheiro desde os anos difíceis da perseguição. A rebelião acontece em nome da continuidade, não da ruptura.

1,2 Ecl 4,11s.
1,5 2Sm 15,1.
1,6 2Sm 14,25.

1,7-8 Joab devia conhecer as preferências de Davi; mais de uma vez, porém, se atreveu a dar uma lição ao rei em questões de governo; pode ser que não sentisse simpatias por Salomão e Betsabeia – o caso do adultério acontecera enquanto ele estava em campanha contra os amonitas. Apoiando Adonias, considerava mais segura sua própria futura posição; quem sabe se não o terá incitado e animado em seus projetos ambiciosos. Os motivos de Abiatar não são claros.

Sadoc é apresentado como descendente de Aarão. Banaías representava a nova ordem militar. Natã é o profeta da sucessão dinástica.

1,9-10 Mais que um começo formal do seu reinado, o banquete que Adonias organiza pode ser chamado de proclamação solene da candidatura. É lógico que não convidou Salomão, pois não desconhecia as preferências do velho rei. Salomão era o verdadeiro rival, ao passo que os outros filhos do rei parecem reconhecer os direitos do mais velho.

1,9 * = Pedra da Cobra; Fonte do Explorador.

1,11 Natã intervém para clarear a situação. Se Natã pronunciou a promessa dinástica, ele mesmo pronunciou a acusação do rei adúltero e homicida. Desta vez não atua obedecendo a um oráculo de Deus, mas apoiado num juramento de Davi.

1,12 Natã excita o ciúme materno de Betsabeia, a rivalidade com Hagit, e assusta com um perigo de morte para ela e para seu filho. O profeta exagera outra vez? Natã tem de fazer Betsabeia intervir no jogo; basta que os argumentos a impressionem, não é preciso que sejam rigorosamente exatos.

salveis a vida: ¹³vai ao rei Davi e dize-lhe: "Majestade, tu me juraste: 'Teu filho Salomão me sucederá no reino e sentará no meu trono'. Então, por que Adonias se proclamou rei?" ¹⁴Enquanto estiveres aí falando com o rei, entrarei atrás de ti para confirmar tuas palavras.

¹⁵Betsabeia apresentou-se ao rei no quarto. O rei era muito velho, e a sunamita Abisag cuidava dele. ¹⁶Betsabeia inclinou-se, prostrando-se diante do rei; ele perguntou-lhe:

– O que queres?

¹⁷Betsabeia respondeu:

– Senhor! Juraste à tua servidora, pelo Senhor teu Deus: "Teu filho Salomão me sucederá no reino e sentará no meu trono". ¹⁸Ora, eis que Adonias se proclamou rei sem que vossa majestade o saiba. ¹⁹Sacrificou touros, bezerros cevados e ovelhas em quantidade, convidando todos os filhos do rei, o sacerdote Abiatar, o general Joab, sem convidar teu servo Salomão. ²⁰Majestade! Todo Israel depende de ti, esperando que lhe anuncies quem irá suceder no trono ao rei, meu senhor; ²¹pois o rei vai reunir-se com seus antepassados, e meu filho Salomão e eu passaremos por usurpadores.

²²Ainda estava falando com o rei, quando chegou o profeta Natã. ²³Avisaram o rei:

– Está aí o profeta Natã.

Natã apresentou-se ao rei, prostrou-se diante dele com o rosto por terra, ²⁴e disse:

– Majestade! Sem dúvida disseste: "Adonias me sucederá no reino e sentará em meu trono", ²⁵pois hoje foi sacrificar touros, bezerros cevados e ovelhas em quantidade, convidando todos os filhos do rei, generais e o sacerdote Abiatar; estão aí, banqueteando-se com ele e aclamando-o: "Viva o rei Adonias!" ²⁶Mas não convidou este teu servidor, nem o sacerdote Sadoc, nem Banaías, filho de Joiada, nem teu servo Salomão. ²⁷Se isso foi feito por ordem de vossa majestade, por que não comunicaste a teus servidores quem iria suceder-te no trono?

²⁸O rei Davi disse:

– Chamai-me Betsabeia.

Ela se apresentou ao rei e ficou de pé diante dele. ²⁹Então o rei jurou:

– Por Deus, que me livrou de todo perigo! ³⁰Eu te jurei pelo Senhor, Deus de Israel: "Teu filho Salomão me sucederá no reino e sentará em meu trono". Vou fazer isso hoje mesmo!

³¹Betsabeia inclinou-se com o rosto por terra diante do rei e disse:

– Viva para sempre o rei Davi, meu senhor!

³²O rei Davi ordenou:

– Chamai o sacerdote Sadoc, o profeta Natã e Banaías, filho de Joiada.

Quando se apresentaram diante do rei, ³³disse-lhes:

1,13 Natã já é o ponto e próximo ator do drama. O juramento de sucessão será peça-mestra de todo o relato, repetida sete vezes com variações em forma positiva (vv. 13.17.24.30. 35.46 e 48), com exceção de duas interrogações incompletas (vv. 20 e 27). Os personagens Betsabeia, Natã e Davi vão-se entrosando, até estender-se a todos e remontar ao Senhor. O relato, profano na aparência, revela assim seu movimento religioso transcendente.

1,15 Ao entrar, Betsabeia descobre um ancião atendido por uma enfermeira: o narrador nos coloca no ponto de vista do personagem.

1,20 Davi é confrontado com toda a expectativa do povo: Betsabeia quer forçá-lo a desempenhar o seu papel na história. A ambiguidade deve terminar, o segredo deve tornar-se público.

1,21 Betsabeia apelou para o juramento: por ele o rei ligou-se ao Senhor, e cometeria perjúrio ao não cumpri-lo; além disso, devia agir por respeito ao povo, que queria ver assegurada a sucessão com a autoridade e o prestígio do rei, para não acontecer que, morrendo sem ter nomeado o herdeiro, estourasse a guerra civil.

1,22-27 Natã acrescenta um detalhe, o grito de: "Viva o rei Adonias!". Sobretudo se compraz em provocar o amor próprio do rei, como se dissesse: o rei não conta para nada, nem no assunto gravíssimo da sucessão.

1,28-30 Davi recupera na mesma hora sua lucidez e energia. Com novo juramento, que marca o prazo imediato da execução, referenda o juramento precedente. Parece que o narrador joga com o nome de Betsabeia, que significa "filha do juramento".

1,31 A saudação final repete uma fórmula de corte; no contexto presente, dirigida ao ancião, não carece de ironia.

1,32-33 O que se segue é construído numa visão triangular, com o vértice no monte do palácio e os ângulos nas duas fontes da torrente do Cedron, En-Roguel = Fonte do Explorador e Gion = Manancial. Os três pontos se encontram a pouca distância, ao alcance de um grito. O narrador acrescenta detalhes em cada cena: o mandato real menciona as principais pessoas, na execução aparecem também a escolta e o povo; o mensageiro completará a cena. Em outros tempos, a cavalgadura de honra eram jumentas (Jz 5,10; 10,4; 12,14), nos tempos de Davi é a mula; Salomão disporá de cavalos (1Rs 10,25ss).

1,33 * = Manancial.

— Tomai convosco os ministros de vosso senhor. Fazei meu filho Salomão montar em minha mula. Fazei-o descer a Gion*. ³⁴Aí o sacerdote Sadoc o ungirá rei de Israel. Tocai a trombeta e aclamai: "Viva o rei Salomão!" ³⁵Depois subireis atrás dele e, quando chegar, sentará em meu trono e me sucederá no reino, pois o nomeio chefe de Israel e Judá.

³⁶Banaías, filho de Joiada, respondeu ao rei:

— Amém! Que o Senhor confirme a ordem de vossa majestade! ³⁷O Senhor esteja com Salomão como esteve com vossa majestade! Torne seu trono mais glorioso que o trono de vossa majestade!

³⁸Então o sacerdote Sadoc, o profeta Natã e Banaías, filho de Joiada, os ceretéus e os feletéus fizeram Salomão descer montado na mula do rei Davi, conduzindo-o a Gion. ³⁹O sacerdote Sadoc pegou o chifre de azeite do santuário e ungiu Salomão. Tocaram as trombetas, e todos aclamaram: "Viva o rei Salomão!" ⁴⁰Depois subiram todos atrás dele ao som de flautas e fazendo tanta algazarra que a terra se rachava com o estrondo.

⁴¹Adonias e seus convidados ouviram isso quando acabavam de comer. Joab ouviu o som da trombeta e perguntou:

— Por que a cidade inteira está alvoroçada?

⁴²Ainda estava falando quando apareceu Jônatas, filho do sacerdote Abiatar. Adonias disse:

— Entra, pois és uma pessoa de bem e trarás boas notícias.

⁴³Jônatas respondeu-lhe:

— Pelo contrário. Sua majestade, o rei Davi, nomeou Salomão rei. ⁴⁴Mandou que o sacerdote Sadoc, o profeta Natã, Banaías, filho de Joiada, os ceretéus e os feletéus fizessem Salomão montar na mula do rei; ⁴⁵o sacerdote Sadoc e o profeta Natã o ungiram rei em Gion. E daí subiram festivos; a cidade está alvoroçada. Essa é a gritaria que ouvistes. ⁴⁶Mais ainda, Salomão sentou-se no trono real, ⁴⁷e os cortesãos foram parabenizar sua majestade, o rei Davi: "Deus torne Salomão mais famoso que tu, e seu trono mais glorioso que o teu!" E o rei, na cama, exclamou, inclinando-se: ⁴⁸"Bendito seja o Senhor, Deus de Israel, que hoje me concede ver um filho meu sentado em meu trono!"

⁴⁹Todos os convidados entraram em pânico e, levantando-se da mesa, foram cada um para seu lado.

⁵⁰Adonias teve medo de Salomão e foi agarrar-se aos salientes do altar. ⁵¹Avisaram Salomão:

— Adonias tem medo de ti e está agarrado aos salientes do altar, pedindo que jures hoje que não o matarás.

⁵²Salomão disse:

— Se ele se comportar como homem honrado, nenhum cabelo seu cairá por terra. Mas, se for surpreendido em alguma falta, morrerá.

⁵³O rei Salomão mandou que o fizessem descer do altar. Adonias apresentou-se ao rei Salomão e prostrou-se diante dele; o rei lhe disse:

— Vai para casa.

2 **Testamento de Davi** — ¹Estando prestes a morrer, Davi fez estas recomendações a seu filho Salomão:

1,34 A unção já é competência do sacerdote, e neste ato Sadoc está ascendendo. Um glosador (ao que parece) acrescentou "e o profeta Natã", recordando talvez o privilégio de Samuel.

1,35 A última fórmula é conhecida. Nestes casos era o Senhor que nomeava; agora Davi profere a fórmula, como um privilégio que o Senhor lhe outorgou. Salomão entra na série legítima pela escolha de Davi.

1,36 Mas, para sua validade, essa escolha tem de ser referendada pelo Senhor: é o que os cortesãos invocam ao oferecer a sua homenagem e aprovação.

1,40 No contexto de proclamação real, e em forma hiperbólica, registra-se o contágio terrestre; o motivo literário passará mudado nos salmos do Senhor Rei (Sl 96; 97; 98).

1,48 A ação se conclui com uma oração de ação de graças; comunicada, conforme a técnica do capítulo, por um dos personagens do relato.

1,49 2Sm 13,29.

1,50-53 Adonias busca asilo no lugar sagrado. Salomão lhe poupa a vida. Seu juramento é uma garantia, mas contém uma cláusula ameaçadora; doravante será vigiado em todos os seus movimentos. Adonias se prostra diante do irmão mais novo, rendendo homenagem ao novo rei.

2,1-4 O testamento de Davi começa com uma exortação em estilo deuteronomista. É parecido com o primeiro capítulo de Josué e recorda o testamento de Samuel (1Sm 12). O texto parece ter sido acres-

– ²Vou seguir o caminho de todos. Coragem, sê homem! ³Guarda as ordens do Senhor teu Deus, andando por seus caminhos, guardando seus preceitos, mandatos, decretos e normas, como estão escritos na Lei de Moisés; para que sejas bem-sucedido em todos os teus empreendimentos, por onde fores; ⁴para que o Senhor cumpra a promessa que me fez: "Se teus filhos souberem comportar-se, agindo sinceramente de acordo comigo, com todo o coração e com toda a alma, não faltará um descendente teu no trono de Israel". ⁵Tu sabes o que me fez Joab, filho de Sárvia, o que fez aos generais israelitas, Abner, filho de Ner, e Amasa, filho de Jeter; ele os assassinou, vingando em tempo de paz o sangue derramado na guerra, sangue que manchou meu uniforme e minhas sandálias. ⁶Faz o que tua prudência te ordenar: não permitas que seu cabelo branco passe ao outro mundo em paz. ⁷Ao contrário, perdoa a vida aos filhos do galaadita Berzelai. Conta-os entre teus comensais, porque também eles me socorreram quando eu fugia de teu irmão Absalão. ⁸Tens também Semei, filho de Gera, benjaminita de Baurim. Ele me amaldiçoou cruelmente quando me dirigia a Maanaim*; depois desceu ao Jordão para me receber, e eu lhe jurei pelo Senhor que não o mataria à espada. ⁹Mas agora não o deixes impune. És inteligente e sabes o que fazer com ele, para que seu cabelo branco passe para o outro mundo manchado de sangue.

¹⁰Davi foi reunir-se com seus antepassados e foi enterrado na Cidade de Davi. ¹¹Reinou em Israel quarenta anos: sete em Hebron e trinta e três em Jerusalém. ¹²Salomão reinou em seu lugar e seu reino se consolidou.

Salomão e seus inimigos – ¹³Adonias, filho de Hagit, foi ver Betsabeia, mãe de Salomão. Ela perguntou-lhe:

---

centado depois da reforma de Josias, quando a "Lei de Moisés" equivalia ao Deuteronômio; e também quando já acontecera o desterro, que projeta sua sombra trágica sobre as últimas palavras de Davi. A geração do desterro devia saber que a continuidade dinástica estava subordinada ao cumprimento da aliança e também que ainda era possível o restabelecimento de tal promessa pelo caminho da fidelidade à aliança. Aquele que inseriu estas palavras nos diz que a história da monarquia deve ser lida à luz desses tremendos fatos.

2,2 Js 23,14; Dt 17,18s.
2,4 2Sm 7,12-16.
2,5-9 O corpo do testamento se ocupa de três casos pessoais à espera de solução: Joab, Semei, Barzelai. A leitura dessas linhas produz uma impressão de dor; mas, antes de julgá-las, devemos esforçar-nos por compreender as razões de Davi segundo a mentalidade da época.
O sangue pede vingança (justiça vindicativa) e se aplaca com o sangue do assassino; do contrário, contamina a terra e recai sobre o encarregado de vingá-lo. Se, ao morrer, Davi não repara esse estado de injustiça, legará a seu filho uma carga maldita. É o que diz o v. 5, que tem sido mal-entendido e mal interpretado desde tempos antigos.
Para ambos os casos, Davi apela à sabedoria de Salomão. Um rei sábio não pode deixar impunes a injustiça e o crime. São opostos: passar "ao outro mundo em paz" e passar "manchado de sangue". Contrasta com os dois o caso de Barzelai, para o qual não apela à sabedoria, mas à lealdade e agradecimento (2Sm 19,32). Não sabemos por que fala aqui de filhos no plural.
2,5 2Sm 3,27; 20,10.
2,7 2Sm 19,33-40.
2,8 * = Acampamentos.
2,10 Aquilo que hoje é mostrado e venerado como sepulcro de Davi é uma ficção tardia, mas reflete a estima incomparável do povo por seu grande monarca e fundador da dinastia. Não o enterram no sepulcro da família (como os juízes e Saul), mas na nova capital, como perpetuando na morte a posse adquirida, algo semelhante ao venerável sepulcro do patriarca Abraão em Hebron. O sepulcro de Davi acrescenta importância e força de atração à capital do reino unificado.
2,11 Ver 2Sm 5,5. Hoje em dia se coloca a sucessão de Salomão no ano 971; a morte de Davi aconteceria um pouco mais tarde.
2,12 O reino que se consolida é o fundado por Davi: é a obra inteira da monarquia unificada, da soberania sobre reinos vassalos, do novo regime monárquico. Para consolidar sua posição, Salomão se antecipa eliminando inimigos presentes e potenciais, em parte cumprindo o testamento do pai, em parte vigiando o seu rival. O tema do capítulo é a primeira etapa sangrenta de consolidação. O narrador não esconde nem acha escandaloso que a continuidade dinástica e o reino do rei prudente tenham de ser garantidos com um banho de sangue.
Trata-se de quatro figuras importantes e representativas: Adonias pela casa real, Joab pelo exército, Abiatar pelo sacerdócio, Semei pela tribo de Saul. Cada qual poderoso a seu modo; unidos, são capazes de derrubar a casa do rei.
2,13-25 Adonias parece esquecer que é fortemente vigiado, e comete grave imprudência. Segundo a tradição, o harém real passa em herança ao sucessor, e tomar posse do harém pode ser ato oficial de usurpação (2Sm 16, Absalão em Jerusalém); pedir uma mulher do harém pode revelar a ambição de reinar.

– Vens como amigo?
Respondeu:
– Sim.
¹⁴E acrescentou:
– Preciso dizer-te uma coisa.
Betsabeia respondeu:
– Podes falar.
¹⁵Adonias então disse:
– Sabes que a coroa me pertencia, e todo Israel esperava ver-me rei; porém a coroa fugiu de mim e foi para meu irmão, pois o Senhor a havia destinado a ele. ¹⁶Agora vou pedir-te um favor, não o negues.
Ela lhe disse:
– Fala.
¹⁷Adonias pediu:
– Por favor, dize ao rei Salomão que me dê a sunamita Abisag por esposa, espero que ele não o negue.
¹⁸Betsabeia respondeu:
– Está bem. Falarei disso ao rei.
¹⁹Betsabeia foi ao rei Salomão para lhe falar de Adonias. O rei se levantou para recebê-la, fazendo-lhe uma reverência; depois sentou-se no trono, mandou pôr um trono para sua mãe, e Betsabeia sentou-se à sua direita.
²⁰Betsabeia lhe falou:
– Vou pedir-te um pequeno favor, não o negues.
O rei respondeu:
– Mãe, podes pedir, não te negarei.
²¹Ela continuou:
– Dá a sunamita Abisag como esposa a teu irmão Adonias.
²²Mas o rei Salomão respondeu:
– Por que pedes a sunamita Abisag para Adonias? Podias pedir para ele a coroa! Porque é meu irmão mais velho que eu, e tem do seu lado o sacerdote Abiatar e Joab, filho de Sárvia.
²³Depois jurou pelo Senhor:
– Que Deus me castigue se Adonias, ao pedir isso, não atentou contra a própria vida! ²⁴Pelo Senhor, que me sentou firmemente no trono de meu pai Davi e me deu uma dinastia como lhe havia prometido, juro que hoje Adonias morrerá!
²⁵O rei deu uma ordem, e Banaías, filho de Joiada, matou Adonias.
²⁶O rei disse ao sacerdote Abiatar:
– Vai para Anatot, para tuas terras. Mereces a morte, mas hoje não vou matar-te, pois carregaste a arca do Senhor diante de meu pai Davi e o acompanhaste em suas tribulações.
²⁷Assim Salomão destituiu Abiatar de sua função sacerdotal, cumprindo a profecia do Senhor contra a família de Eli, em Silo.
²⁸Quando essas notícias chegaram a Joab (que havia passado ao partido de Adonias, apesar de não ter sido do partido de Absalão), ele foi refugiar-se no santuário do Senhor, agarrando-se às saliências do altar. ²⁹Porém, quando avisaram o rei Salomão que Joab se refugiara no santuário do Senhor e que estava junto ao altar, Salomão lhe enviou esta mensagem:
– O que tens para refugiar-te junto do altar?
Joab respondeu:
– Tive medo e busquei asilo junto ao Senhor.
Então Salomão ordenou a Banaías, filho de Joiada:
– Vai matá-lo!
³⁰Banaías entrou no santuário do Senhor e disse a Joab:

2,19 Betsabeia desfruta dos privilégios da rainha-mãe (ver 15,13 e 2Rs 10,13).

2,20-21 Betsabeia considera o pedido de Adonias uma questão de namoro.

2,22-24 Salomão, pelo pedido de Adonias, intui que continua com esperanças de reinar. Para Salomão, é muito bem-vinda essa ocasião legítima de desfazer-se do seu rival sem tornar-se réu de sangue; religiosamente, o rei invoca o Senhor, que consolidou o reino cumprindo nele a promessa feita a Davi. Ou seja, sente-se executor do desígnio do Senhor sobre a dinastia.

2,26-27 O delito de Abiatar, que Salomão declara digno de pena capital, foi unir-se ao partido de Adonias. O caráter religioso do sacerdote salva-o da morte. Deposto do cargo, já não será perigoso para o rei. Com todas as suas atribuições sagradas, o sacerdote é um funcionário do rei a serviço do religioso; muito diferente é o profeta, que traz a palavra do Senhor, e é algo mais que mero funcionário real. O profeta esteve do lado de Salomão.

2,28-34 Joab só se considera culpado de ter apoiado o candidato fracassado, não pela morte de Abner e Amasa. Refugia-se no lugar sagrado, mas o direito de asilo protege só o homicida involuntário (Ex 21,13-14; Dt 27,24). O fim do grande general é patético, e o narrador o expressa nos três tempos rápidos da ação: primeiro, o soldado vencido pelo medo; segundo, já sem saída, encontra forças para desafiar o rei a que o mate no lugar sagrado; morte do soldado, não na batalha, e enterro sem solenidade.

2,30 Ex 21,13s; Dt 19,11-13.

— O rei ordena que saias.

Joab respondeu:

— Não. Eu quero morrer aqui.

Banaías levou a resposta de Joab ao rei, [31]e o rei ordenou:

— Faz o que ele diz. Mata-o e enterra-o. Assim tirarás de cima de mim e de minha família o sangue inocente que Joab derramou. [32]O Senhor faça recair o sangue dele sobre sua cabeça por ter matado dois homens mais honrados e melhores do que ele, assassinando-os sem que meu pai Davi o soubesse: o general israelita Abner, filho de Ner, e o general judeu Amasa, filho de Jeter! [33]O sangue desses homens caia sobre Joab e sua descendência para sempre! E a paz do Senhor esteja sempre com Davi, seus descendentes, sua casa e seu trono!

[34]Banaías, filho de Joiada, foi e matou Joab; depois o enterrou em suas posses, no deserto. [35]O rei pôs Banaías, filho de Joiada, à frente do exército, em substituição a Joab, e deu ao sacerdote Sadoc o posto de Abiatar.

[36]O rei mandou chamar Semei e lhe disse:

— Constrói para ti uma casa em Jerusalém e fica aí, sem sair para lugar algum. [37]No dia em que saíres e atravessares a torrente Cedron, podes ter certeza de que morrerás, e tu serás responsável.

[38]Semei respondeu:

— Está bem. Este servidor fará o que vossa majestade ordena.

Semei viveu em Jerusalém muito tempo. [39]Mas três anos depois, dois escravos seus escaparam e passaram para Aquis, filho de Maaca, rei de Gat. Avisaram Semei:

— Teus escravos estão em Gat.

[40]Então Semei selou o burro e foi a Aquis, em Gat, à procura dos escravos. Foi a Gat e os trouxe de lá. [41]Mas informaram a Salomão que Semei tinha ido a Gat e voltado. [42]O rei mandou chamá-lo e disse-lhe:

— Não te fiz jurar pelo Senhor, avisando-te que no dia em que saísses e fosses a qualquer lugar, poderias estar certo de que morrerias? Tu me disseste que estavas de acordo. [43]Por que não cumpriste o que juraste pelo Senhor e pela ordem que te dei?

[44]Depois acrescentou:

— Tu conheces todo o mal que fizeste a meu pai Davi. Que o Senhor faça tua maldade recair sobre ti! [45]Mas, bendito o rei Salomão, e o trono de Davi permaneça diante do Senhor para sempre!

[46]Então o rei deu ordens a Banaías, filho de Joiada, que se aproximou e matou Semei. Assim o reino se consolidou nas mãos de Salomão.

3 Visão de Salomão (2Cr 1,7-12; Sb 9)

[1]Salomão tornou-se genro do Faraó

2,35 Banaías e Sadoc são duas criaturas de Davi e Salomão. O segundo funda uma dinastia sacerdotal que durará até o tempo dos Macabeus (2Mc 4,24); Ez 44,5 a coloca na futura restauração. Ver também Eclo 51,12.

2,36-46 Semei, dentro da tribo de Benjamim, pode ser um elemento perigoso para o rei. É encerrado numa casa em Jerusalém, bem vigiado. Quando crê que sua culpa prescreveu ou que a vigilância oficial se afrouxou, sai do seu recinto e cai na armadilha. Depois de um interrogatório sumário, Salomão pronuncia a sentença. E sua dupla súplica, de bênção e maldição, invalida definitivamente a maldição que Semei pronunciou em outro tempo. Salomão pensa em termos da sua pessoa e da dinastia.

2,46 Nenhum membro do partido de Adonias ficou vivo. Agora começa a grande tarefa de consolidar a obra de Davi, fazendo-a progredir nos aspectos fundamentais da vida civil. Ao reinado de tipo militar de Davi segue-se o reinado pacífico de Salomão, no qual progride a vida civil: administração política, diplomacia e comércio exterior, arte e literatura, religião. Esta será a grande contribuição do novo rei. Seu nome o predestinou para a tarefa, sua sabedoria o ajudará a realizá-la.

3-5 Estes capítulos recolhem material de caráter e valor muito diferentes, e o agrupam sob o tema unificador da sabedoria. Dados históricos e narra-

ções legendárias tecem uma coroa narrativa ao rei magnífico, e as gerações posteriores se somam ao louvor, refletindo suas preferências e preocupações. A sabedoria tem uma dimensão artesã: "saber é saber fazer". Salomão faz construir o templo. Para a geração de Josias, o centralizador do culto, este é o empreendimento mais glorioso de Salomão. Mas Salomão não extirpou os santuários locais, e isso os reformistas do tempo de Josias não lhe perdoam. O tema do templo atrai também o tema do comércio exterior, e embora o autor não o diga, também o fato das influências artísticas do exterior.

Sabedoria é capacidade de julgar com retidão. Julgar é uma das tarefas primárias do rei. Sabedoria é arte de governar. A sabedoria é também literária, conhecimento e formulação de experiências comprovadas e diferenciadas. Se os dados que o autor recolhe têm caráter e dimensão legendárias, não há dúvida de que remontam a uma tradição autêntica. Salomão deve ter sido grande patrocinador de tarefas literárias, abrindo as portas às influências internacionais e dando a seu reino certo ar cosmopolita.

A narração do reinado de Salomão é a mais extensa nos dois livros dos Reis.

3,1 Esse casamento real é avaliado positivamente, e por isso não pertence à série do capítulo 9; além

do Egito, casando com uma filha dele. Levou-a para a Cidade de Davi, até que terminassem as obras do palácio, do templo e da muralha ao redor de Jerusalém.

²O povo continuava sacrificando nos lugares altos, pois ainda não fora construído o templo em honra do Senhor, ³e, apesar de amar o Senhor, agindo segundo as normas de seu pai Davi, Salomão sacrificava e queimava incenso nos lugares altos.

⁴O rei foi a Gabaon oferecer aí sacrifícios, pois aí estava o mais importante lugar alto. Nesse altar Salomão ofereceu mil holocaustos. ⁵Em Gabaon, nessa noite o Senhor apareceu em sonhos a Salomão e lhe disse:

– Pede-me o que quiseres.

⁶Salomão respondeu:

– Tu fizeste uma grande promessa a teu servo Davi, meu pai, porque agiu de acordo contigo, com lealdade, justiça e retidão de coração, e cumpriste para com ele essa grande promessa, dando-lhe um filho que senta em seu trono: é o que acontece hoje. ⁷Pois bem, Senhor meu Deus, tornaste teu servo sucessor de meu pai Davi; mas eu sou um jovem que não sabe cuidar de si próprio. ⁸Teu servo está no meio do povo que escolheste, um povo tão numeroso que não se pode contar nem calcular. ⁹Ensina-me a escutar, para que saiba governar teu povo e discernir entre o bem e o mal; se não, quem poderá governar teu povo tão numeroso?

¹⁰O Senhor se agradou porque Salomão pediu isso, ¹¹e lhe disse:

– Por teres pedido isso, e não teres pedido vida longa, nem teres pedido riquezas, nem teres pedido a vida de teus inimigos, mas inteligência para acertar no governo, ¹²eu te darei o que pediste: uma mente sábia e prudente, como não houve antes de ti, nem haverá depois de ti. ¹³E te darei também o que não pediste: riquezas e fama maiores que as de qualquer rei. ¹⁴E se andares por meus caminhos, guardando meus preceitos e mandatos, como fez teu pai Davi, eu te darei vida longa.

¹⁵Salomão acordou: tivera um sonho. Então foi a Jerusalém e, de pé diante da arca da aliança do Senhor, ofereceu holocaustos e sacrifícios de comunhão, dando um banquete a toda a corte.

Julgamento de Salomão – ¹⁶Nessa ocasião, foram ao rei duas prostitutas;

---

disso, provavelmente é anterior, pertencente à primeira época do reinado. Nesse tempo o reino do Egito era dividido praticamente em dois estados: a dinastia oficial reinava ao norte, em Tânis, ao passo que em Tebas reinava a dinastia sacerdotal de Herihor. O sogro de Salomão poderia ser o rei Siamon, penúltimo da XXI dinastia. Casar com uma das filhas do Faraó era uma aliança valiosa.

3,2 Dt 16,2.7.11.15; 2Rs 23.

3,2-3 O autor pretende talvez desculpar o sacrifício de Salomão num desses lugares altos. Trata-se de santuários locais, com uma árvore frondosa, um altar, uma estela sagrada... geralmente herdados dos cananeus e dedicados aos baais. Os israelitas os dedicam a *Yhwh*, não sem expor-se ao sincretismo religioso. Josias pretende suprimi-los totalmente.

3,4-5 Até agora a escolha do novo rei não foi oficialmente confirmada por Deus. O profeta agiu com prudência humana, o rei designou o sucessor. A presente perícope oferece a peça que faltava. O esquema se parece com alguns modelos egípcios: o rei se afasta da corte para visitar um santuário famoso, aí oferece um sacrifício, tem em sonhos uma visão com deus lhe ordenando alguma coisa ou confirmando seus planos, volta à corte e comunica a visão a seus ministros.

3,6-9 A oração do rei é composta e desenvolvida com certa amplidão. Em vez de pedir imediatamente, atrasa o pedido, colocando antes dupla confissão, de onde resulta uma estrutura ternária. As duas confissões têm por tema Davi e Salomão, os dois começos sublinham o paralelismo, e sobretudo a iniciativa divina.

Pela fraseologia, a oração recorda o Deuteronômio e também algum salmo (por exemplo, 89). O livro da Sabedoria, atribuído por ficção ao rei Salomão (embora tenha sido escrito mais de nove séculos depois), amplia com grande riqueza esta oração (Sb 9). Os títulos correlativos "Senhor meu Deus" – "teu servo", expressam aqui a relação de soberano e vassalo.

3,7 Jr 1,6.

3,8 Pr 14,28.

3,9 Para governar, Salomão pede mente dócil, ou seja, a arte de escutar, e o discernimento concreto entre o bem e o mal, que é suprema sabedoria (recorde-se Gn 2-3); ver também Is 7,15; 5,20; Mq 3,2; note-se no livro dos Provérbios como são frequentes as avaliações: "é bom", "é melhor", "não é bom".

3,11-14 A resposta do Senhor também é muito estilizada. A construção geral se reduz a um quiasma: não pediste/pediste/te darei o que pediste/e o que não pediste. Há uma desproporção entre os dons e o pedido. A sabedoria extraordinária de Salomão é dom de Deus.

3,14 Dt 17,20.

3,15 Não é claro se o banquete é sagrado, ou seja, participação nos sacrifícios de comunhão (a fórmula em Ex 24,11 e 32,6 é diferente).

3,16-28 A arte de governar realizava-se em grande parte na arte de julgar. Um exemplo disso é a presente narração, contada com certo gosto popular, com

apresentaram-se diante dele ¹⁷e uma delas disse:

— Majestade, esta mulher e eu vivíamos na mesma casa; eu dei à luz quando ela estava em casa. ¹⁸Três dias depois, também esta mulher deu à luz. Estávamos juntas em casa, não havia ninguém além de nós, somente nós duas. ¹⁹Certa noite, o filho desta mulher morreu, pois ela deitou sobre ele; ²⁰ela se levantou de noite e, enquanto tua servidora dormia, pegou meu filho que estava comigo e o pôs junto dela, e pôs junto a mim seu filho morto. ²¹Levantei-me de manhã para dar de mamar ao meu bebê, e o encontrei morto; olhei bem e vi que não era o bebê que eu tinha dado à luz.

²²Mas a outra mulher replicou:

— Não. Meu filho é o que está vivo, o teu é o morto.

E discutiam diante do rei.

²³Então o rei falou:

— Esta diz: "Meu filho é este, o que está vivo; o teu é o morto". E esta outra diz: "Não, teu filho é o morto, o meu é o que está vivo".

²⁴E ordenou:

— Dai-me uma espada.

Apresentaram a espada; ²⁵disse:

— Dividi em dois o bebê vivo; dai metade a uma e metade à outra.

²⁶Então a mãe do bebê vivo comoveu-se nas entranhas por seu filho e suplicou:

— Majestade, dai-lhe o bebê vivo, não o mateis!

Mas a outra dizia:

— Nem para ti nem para mim. Cortai-o!

²⁷Então o rei deu a sentença:

— Dai a essa o bebê vivo, não o mateis. É ela a mãe dele!

²⁸Todo Israel ficou sabendo da sentença que o rei havia pronunciado. E respeitavam o rei, vendo que tinha uma sabedoria sobre-humana para administrar a justiça.

4 Administração do reino (2Sm 20,23-26; 1Cr 15-17) – ¹O rei Salomão reinou sobre todo Israel.

²Lista dos membros de seu governo: Azarias, filho de Sadoc, sumo sacerdote; ³Eliaf e Aías, filhos de Sisa, secretários; Josafá, filho de Ailud, arauto; ⁴Banaías, filho de Joiada, ministro do Exército; ⁵Azarias, filho de Natã, ministro do Interior; Zabud, filho de Natã, do conselho privativo do rei; ⁶Aisar, mordomo do palácio; Adoniram, filho de Abda, encarregado dos trabalhos forçados.

⁷Salomão tinha doze governadores em todo Israel, provedores da casa real, um para cada mês do ano. ⁸Eram estes: Um Hur, na serra de Efraim. ⁹Um Decar, em Maces, Salebim, Bet-Sames* e Aialon*,

---

vivacidade de detalhes, sem temor de repetições. Supõe-se que as duas prostitutas não vão se esmerar na veracidade, e a sagacidade do juiz se revelará em descobrir qual das duas diz a verdade. O juiz autêntico conhece o coração, que se encobre com falsas palavras e é descoberto e se trai diante dos fatos (Pr 25,2). Em algumas culturas, "julgamento salomônico" passou a significar: dividir a razão enganando a justiça e o direito. Ficamos no símbolo da espada que não corta, não na sentença que preserva íntegra a vida. Se tratamos de observar essa penetração dos sentimentos humanos, a revelação do amor ante a morte e a vida, a justiça que salva o inocente, poderemos reconhecer que há um reflexo de Deus no sentido humano da justiça.

3,28 Chamar isso de sabedoria sobre-humana parece algo exagerado. O narrador quer salientar a impressão que produz no povo, sobressaltado com um respeito quase religioso. Pr 25,2; Sb 8,10s.

4 À medida que o governo se centraliza, cresce a estrutura administrativa. Saul foi ainda um chefe carismático; Davi começou a divisão de funções e cargos estáveis. Salomão completa a tarefa, instruído provavelmente pela prática do Egito.

Nem todos os cargos podem ser descritos com suficiente exatidão; além disso, o texto hebraico apresenta algumas incoerências que devem ser corrigidas com a ajuda da versão grega ou da lista correspondente das Crônicas. Embora os cargos, a rigor, não sejam hereditários, o rei parece preferir certa continuidade das famílias.

4,3 Os secretários se ocupavam da correspondência e talvez da redação dos anais do reino.

4,4 O ministro do Exército é o comandante supremo.

4,5 O ministro do Interior é chefe dos governadores de província. O conselheiro, em hebraico, tem o título de "amigo do rei".

4,6 Aisar figura estranhamente sem sobrenome. Algumas versões acrescentam "e Eliab, filho de Joab, ministro do Exército".

4,7 Em outros tempos, Israel era uma confederação um tanto frouxa de doze tribos, com distinção étnica e, mais tarde, também territorial; Salomão recolhe o esquema antigo, respeitando em parte o caráter das tribos e estabelecendo novas fronteiras.

Na divisão territorial, uma série de cidades cananeias aparecem plenamente incorporadas a Israel. Os governadores tinham de prover não só para os gastos administrativos, mas para todas as construções da capital e a vida magnífica do soberano; sem demora serão agentes do descontentamento geral.

4,9 * = Casa do Sol; Veadeiro.

até Bet-Hanã. ¹⁰Um Hesed, em Arubot*; entravam sob sua jurisdição Soco* e a região de Héfer. ¹¹Um Abinadab, casado com Tabaat, filha de Salomão, em todo o distrito de Dor. ¹²Baana, filho de Ailud, em Tanac e Meguido, até além de Jecmaam; todo Betsã, ao lado de Jezrael, de Betsã até Abel-Meula*, perto de Sartã. ¹³Um Gaber, em Ramot de Galaad; entravam sob sua jurisdição as aldeias de Jair, filho de Manassés, em Galaad, e a região de Argob, em Basã; sessenta grandes cidades amuralhadas, com ferrolhos de bronze. ¹⁴Ainadab, filho de Ado, em Maanaim*. ¹⁵Aquimaás, em Neftali; também este casou com uma filha de Salomão, Basemat. ¹⁶Baana, filho de Husi, em Aser e Baalot*. ¹⁷Josafá, filho de Farué, em Issacar. ¹⁸Semei, filho de Ela, em Benjamim. ¹⁹Gaber, filho de Uri, na região de Gad, a região de Seon, rei amorreu, e de Og, rei de Basã. ²⁰Havia também um governador na região de Judá. Israelitas e judeus eram numerosos como a areia da praia. Tinham o que comer e beber e podiam descansar.

5

Riqueza e sabedoria (2Cr 2,3-16) – ¹Salomão tinha poder sobre todos os reinos, do Eufrates até a região filisteia e a fronteira do Egito. Enquanto viveu, pagaram-lhe tributo e foram seus vassalos. ²Os víveres que recebia diariamente somavam trezentas medidas de flor de farinha, seiscentas de farinha comum, ³dez bois cevados, vinte touros e cem ovelhas, além de cervos, gazelas, corças e aves de corte. ⁴Porque seu poder se estendia até o outro lado do Eufrates, de Tafsa até Gaza, sobre todos os reis do outro lado do rio, e havia paz em todas as suas fronteiras. ⁵Enquanto Salomão viveu, Judá e Israel viveram tranquilos, cada qual debaixo de sua parreira e sua figueira, de Dã a Bersabeia.

⁶Salomão tinha estábulos para quatro mil cavalos de tração e doze mil de montaria. ⁷Os governadores mencionados proviam ao rei Salomão e aos que comiam à custa do rei, um cada mês, de modo que não faltasse nada. ⁸Forneciam também cevada e palha para os cavalos de tração e de montaria, cada governador em seu lugar, quando lhe tocava.

⁹Deus concedeu a Salomão sabedoria e inteligência extraordinárias e mente aberta como as praias do mar. ¹⁰A sabedoria de Salomão superou a dos sábios do Oriente

---

4,10 * = Troneiras; Valado.
4,12 * = Prado da Dança.
4,14 * = Acampamentos.
4,16 * = Donas.
4,19 Este governador, que completa o número doze, é duvidoso, porque seu nome coincide com o sexto da lista, e o seu território com o sétimo. Se conservamos o texto hebraico, então Judá fica de fora dos doze, como dependência imediata da coroa.
5,1-14 Em duas séries, estes versículos exaltam as riquezas e a sabedoria extraordinária do rei Salomão. A ordem dos versículos é algo anormal, e a versão grega oferece a seguinte ordem: 7-8.2-4.9-14 (omite 5-6). O estilo se distingue pela escassez de verbos ativos, suplantados pela abundância de substantivos, particípios, formas adjetivais. Segundo o gosto antigo, apoiado no caráter oral da recitação, o compilador se compraz em vários jogos verbais com o nome do rei *shelomô*: "tinha poder" = *moshel*; tinha paz = *shalom*; trinta = *sheloshim*; mesa = *shulhan*; provérbio = *mashal*; a escutar = *lishmô* (embora a semelhança seja variável, conta a acumulação).
5,1-8 Na primeira série, chama-nos a atenção um contraste: de um lado, a paz exterior e interior que permite aos cidadãos uma vida simples e aprazível; e do outro, o luxo real alimentado por tributos externos e internos. O narrador não parece sentir o contraste, antes, se deleita elencando. Conhecer a riqueza e o prestígio do seu rei, "mais que os outros", pode refletir no povo uma primeira impressão de orgulho; mas esse sentimento em breve mudará. É verdade que sob Salomão o nível de vida em Israel subiu, mas também começaram de modo alarmante as diferenças sociais irritantes.
5,5 Eclo 47,13; Mq 4,4.
5,6 Dt 17,16.
5,7 1Sm 8,11-16.
5,9-14 A perícope obedece ao desejo de acumular aspectos do cultivo da sabedoria. Importa menos que alguns dados sejam pura lenda ou estejam tingidos de tons legendários; dificilmente se pode negar que com Salomão começa oficialmente em Israel uma nova corrente intelectual, que vai conviver com a profética, completando a revelação com seu humanismo. Salomão não inventou essa sabedoria: era um valor internacional no Egito e na Mesopotâmia, séculos antes de existir a monarquia israelita. Sob Salomão começa a circular em Israel uma corrente de intercâmbios culturais. A tradição que fez de Davi o iniciador do canto litúrgico, fez de Salomão pai espiritual de grande parte da literatura sapiencial.
O autor desta perícope demonstra sua estima pelo gênero e sabe distinguir os seus aspectos principais. A raiz-chave de "sabedoria", *hkm*, soa sete vezes na perícope.
5,9 Eclo 47,14s; Sb 7.

e do Egito. ¹¹Foi o mais sábio de todos, mais que o ezraíta Etã, mais que os poetas Emã, Calcol e Darda, filhos de Maol. Tornou-se famoso em todos os países vizinhos. ¹²Compôs três mil provérbios e mil e cinco canções. ¹³Dissertou sobre botânica, do cedro do Líbano ao hissopo que cresce nas paredes. Dissertou também sobre quadrúpedes e aves, répteis e peixes. ¹⁴De todas as nações vinham escutar o sábio Salomão, de todos os reinos do mundo que ouviam falar de sua sabedoria.

Aliança com Hiram de Tiro – ¹⁵Quando Hiram, rei de Tiro, soube que Salomão sucedera a seu pai no trono, mandou-lhe uma embaixada, pois Hiram sempre tinha sido aliado de Davi. ¹⁶Salomão respondeu-lhe:

– ¹⁷Sabes que meu pai Davi não pôde construir um templo em honra do Senhor seu Deus, por causa das guerras em que se envolveu, enquanto o Senhor ia pondo seus inimigos sob seus pés. ¹⁸Agora o Senhor meu Deus me deu paz em todo o território: não tenho adversários nem problemas graves. ¹⁹Pensei em construir um templo em honra do Senhor meu Deus, como o Senhor disse a meu pai Davi: "Teu filho, que farei sucessor teu no trono, será quem construirá um templo em minha honra". ²⁰Assim, pois, manda cortar para mim cedros do Líbano. Meus escravos irão com os teus; eu te pagarei a diária que estabeleceres para teus escravos, pois sabes que nós não temos cortadores tão capazes quanto os fenícios.

²¹Hiram, ao ouvir o pedido de Salomão, encheu-se de alegria e exclamou:

– Bendito seja hoje o Senhor, que deu a Davi um filho sábio à frente de tão grande nação!

²²Depois enviou esta resposta a Salomão:

– Recebi teu pedido. Cumprirei teus desejos, enviando madeira de cedro e de cipreste; ²³meus escravos descerão os troncos do Líbano ao mar; eles os rebocarão por mar em balsas, até onde tu nos disseres; aí desfaremos as balsas e tu os farás subir. Por tua vez, cumpre meus desejos, abastecendo meu palácio.

²⁴Hiram deu a Salomão toda a madeira de cedro e de cipreste que Salomão quis, ²⁵e este deu a Hiram vinte mil medidas de trigo para a manutenção de seu palácio, além de vinte mil cântaros de azeite virgem. Era o que Salomão mandava anualmente a Hiram. ²⁶O Senhor, segundo sua promessa, concedeu sabedoria a Salomão. Hiram e Salomão assinaram um tratado de paz.

²⁷O rei Salomão recrutou trabalhadores em todo Israel: reuniu trinta mil homens. ²⁸Mandou-os ao Líbano por turnos, dez mil cada mês, um mês no Líbano e dois em casa. Adoniram estava à frente dos trabalhadores. ²⁹Salomão tinha também setenta mil carregadores e oitenta mil cortadores de pedra na serra, ³⁰além dos capatazes das obras, em número de três mil e trezentos, que comandavam os trabalhadores. ³¹O rei

---

5,11 Em vez de "poetas", outros entendem diretores de coro, compositores de salmos.

5,12 "Provérbios" é aqui uma designação genérica que inclui formas variadas. Por outro lado, as canções parecem pertencer à lírica; o compilador dos maravilhosos cantos de amor, conhecidos com o título de Cântico dos Cânticos, quis honrar seu livro atribuindo-o a Salomão.

5,15-32 Esta perícope coloca os preparativos para edificar o templo no contexto da política e comércio internacionais; ou então, subordina estes à grande tarefa de construir o templo. Os fenícios ou sidônios foram um povo pacífico e comerciante, mais cidadão do mar que da terra firme, com território rico em árvores e pobre em lavouras. Para seu comércio, era muito útil contar com um estado firme e poderoso na Palestina; por isso, o rei de Tiro se entende bem com o rei Davi e procura renovar a amizade com o sucessor.

Segundo a teologia oficial, a construção do templo depende totalmente da aprovação de Deus. Mais ainda, em Babilônia se dizia, e a Bíblia o registra (Ex 25,40), que o próprio Deus revela o modelo, imagem da estrutura celeste. Aqui o narrador se contenta com uma referência a 2Sm 7.

5,17-20 A carta de Salomão, tal como o autor a apresenta, é uma bela lição de teologia para justificar a compra da madeira de cedro. É verdade que essa madeira foi apreciadíssima na antiguidade: até os reis da Mesopotâmia viajavam para roubá-la ou comprá-la; os gigantescos cedros, mais velhos que muitas gerações humanas, podiam ser considerados como plantados pelo próprio Deus (Sl 104,16).

A tríplice expressão "em honra de" (= nome), soa em hebraico *leshem, lishmi*; poderia ser continuação do jogo com o nome do rei.

5,17 Sl 110,1.

5,19 2Sm 7,12s; Eclo 47,13.

5,21-23 Hiram reage à leitura da carta com uma bem ensaiada ação de graças ao Deus de Israel, na qual entra um solícito louvor ao rei Salomão e ao seu povo. O narrador se compraz nessa homenagem estrangeira.

5,26 Ao dom da sabedoria somam-se os planos para construir o templo e o pacto com o rei fenício.

5,27 Ex 31,1-11.

mandou extrair grandes blocos de pedra de qualidade para com eles fazer os alicerces do templo. ³²Os trabalhadores de Salomão, os de Hiram e os de Biblos lavravam a pedra e preparavam a madeira e a pedra para construir o templo.

6 Construção do templo (2Cr 3-4) – ¹No ano quatrocentos e oitenta da saída do Egito, no quarto ano do reinado de Salomão em Israel, no mês de maio (isto é, o segundo mês) Salomão começou a construir o templo do Senhor. ²O templo do Senhor construído por Salomão media trinta metros de comprimento, dez de largura e quinze de altura. ³O vestíbulo diante da nave do templo ocupava dez metros no sentido da largura do edifício e cinco de profundidade. ⁴Fez no templo janelas oblíquas com molduras e grades. ⁵Ao redor, encostado às paredes do templo, construiu um anexo, rodeando a nave e o santuário com andares: ⁶o andar térreo media dois metros e meio de largura; o andar intermediário, três metros de largura; o terceiro, três metros e meio de largura; porque tinha feito ao redor do templo, por fora, umas encostas, para não ter de fixar as vigas nas paredes do templo. ⁷(O templo foi construído com pedra já talhada na pedreira; durante as obras não se ouviram no templo martelos, machados ou ferramentas.) ⁸A entrada do andar térreo estava na fachada sul do templo, e por escadas em caracol subia-se ao segundo andar e daí ao terceiro.

⁹Salomão rematou a construção do templo cobrindo-o com um forro de cedro. ¹⁰Fez uma varanda anexa a todo o edifício, de dois metros e meio de altura, unida ao templo por vigas de cedro.

¹¹O Senhor falou a Salomão:

– ¹²Por este templo que estás construindo, se andares segundo meus mandatos, puseres em prática meus decretos e cumprires todos os meus preceitos, agindo de acordo com eles, eu cumprirei em teu favor a promessa que fiz a teu pai Davi; ¹³habitarei entre os israelitas e não abandonarei meu povo Israel.

¹⁴Quando Salomão terminou a construção do templo, ¹⁵revestiu as paredes internas com madeira de cedro, do solo ao forro; ¹⁶revestiu de madeira todo o interior; cobriu o chão com tábuas de cipreste; recobriu os dez metros de fundo com tábuas de cedro, do solo às vigas do teto, e o destinou à capela ou santíssimo.

---

6 Com toda a solenidade este capítulo começa indicando a data com toda a precisão. Para o autor que escreve estas linhas, a construção do templo inaugura uma etapa na história de Israel, ao mesmo tempo que conclui a grande etapa da peregrinação, do Egito até o descanso na terra prometida. O Deus peregrino, que acompanhou seu povo peregrino, se faz agora Deus urbano, fixando residência entre seu povo.

Quanto a nós, se considerarmos que essa habitação do Senhor no templo entre os seus era o prelúdio da sua habitação em Cristo entre os homens, saberemos ler estas páginas ao mesmo tempo com respeito e com liberdade.

Como o noivo do Cântico dos Cânticos descreve o corpo amado e suas joias, assim o nosso narrador se compraz em descrever a forma, as proporções e a ornamentação do templo amado.

O edifício propriamente dito é alongado, bastante alto, e é dividido em três partes no comprimento: cinco metros para o vestíbulo, quinze para a nave, dez para o camarim ou santíssimo. A forma dos três espaços vai mudando curiosamente: o vestíbulo dá impressão de altura, pois se eleva quinze metros sobre dez de largura e cinco de comprimento; a nave começa a igualar comprimento e altura, quinze metros por dez de largura; o santíssimo é um cubo perfeito de dez metros de lado. Neste cubo perfeito, as asas dos querubins traçam uma espécie de eixo central: a meia distância, a meia altura, e também a meio comprimento, pela divisão simétrica de ambos os querubins; em outras palavras, o ponto em que as duas asas internas dos querubins se tocam é o centro matemático do cubo. Debaixo desse ponto se encontra a arca, com a tampa de ouro (propiciatório, *kapporet*), onde reside, invisível, a divindade. As proporções podem ter sentido: o vestíbulo levanta, a nave empurra para a frente sem perder altura, o santíssimo repousa, porque em termos arquitetônicos é a perfeição cósmica e celeste. Mas a maioria dos israelitas que devem ficar de fora, no átrio, não apreciam isso, nem sequer o veem. Só os sacerdotes têm acesso, em hierarquia eliminatória; porque a divisão e disposição longitudinal mede a aproximação gradual em direção ao centro e plenitude do sagrado; e esse termo só pode aceder o sumo sacerdote uma vez ao ano (isso na legislação posterior; de resto, a prática egípcia antiga era muito rígida a respeito).

6,1 Ex 12,40s.

6,7 Segundo a antiga legislação (Ex 20,25; Dt 27,5), o altar devia ser construído com pedras não lavradas, porque o metal profana a pedra.

6,11-13 O oráculo anuncia que o Senhor aceita o templo; depois, explica seu sentido. Mas, à luz dos acontecimentos do ano 586 (destruição do templo e desterro do povo), a promessa se torna condicionada.

6,12 2Sm 7.

¹⁷O templo, ou seja, a nave na frente do santíssimo, media vinte metros. ¹⁸O cedro do interior do templo tinha baixos-relevos de grinaldas com frutos e flores; era tudo de cedro e não se viam as pedras. ¹⁹Destinou o santíssimo, no fundo do templo, para aí colocar a arca da aliança do Senhor. ²⁰O santíssimo media dez metros de comprimento, dez de largura e dez de altura; revestiu-o de ouro puro. Fez um altar de cedro ²¹diante do santíssimo, revestindo-o de ouro puro. ²²(Revestiu de ouro todo o templo, até o último espaço.) ²³Para o santíssimo talhou dois querubins em madeira de oliveira silvestre: mediam cinco metros de altura. ²⁴As asas do primeiro mediam dois metros e meio cada uma, no total de cinco metros de envergadura; ²⁵o outro querubim também media cinco metros. ²⁶Os querubins tinham as mesmas dimensões e a mesma forma; os dois mediam cinco metros de altura. ²⁷Salomão os colocou no meio do recinto interior, com as asas estendidas, de modo que suas asas externas chegavam às duas paredes, enquanto que as asas internas se tocavam uma à outra no centro do recinto. ²⁸E revestiu de ouro os querubins.

²⁹Sobre as paredes do templo, no santíssimo e nave, tudo ao redor, esculpiu baixos-relevos de querubins, palmeiras e grinaldas de flores. ³⁰O pavimento do templo, tanto do santíssimo quanto da nave, ele o revestiu de ouro. ³¹Para a entrada do santíssimo fez as portas de madeira de oliveira selvagem, com enquadramento de cinco ângulos. ³²Sobre as portas de madeira de oliveira selvagem esculpiu baixos-relevos de querubins, palmeiras e grinaldas de flores, e os recobriu de ouro, revestindo com lâminas de ouro o relevo dos querubins e as palmeiras. ³³Para a entrada da nave fez também enquadramentos de quatro ângulos, em madeira de oliveira selvagem, ³⁴e duas portas em madeira de cipreste, cada uma com duas folhas giratórias; ³⁵sobre elas esculpiu querubins, palmeiras e grinaldas de flores, e os recobriu de ouro bem aplicado aos relevos. ³⁶Construiu o átrio interno com três fileiras de pedra talhada e uma de vigas de cedro.

³⁷No quarto ano, no mês de maio, lançou os alicerces do templo, ³⁸e no décimo primeiro ano, no mês de novembro (isto é, o oitavo mês), terminou todos os detalhes, segundo o projeto. Ele o construiu em sete anos.

7 Construção do palácio
– ¹Quanto ao seu palácio, Salomão empregou treze anos para terminá-lo. ²Construiu o salão chamado Bosque do Líbano: media cinquenta metros de comprimento, vinte e cinco de largura e quinze de altura, com três séries de colunas de cedro, que sustentavam vigas de cedro. ³Sobre as vigas que estavam em cima das colunas (quarenta e cinco colunas no total, quinze em cada série) pôs um pranchão de cedro. ⁴Havia três séries de janelas com grades, umas diante das outras, de três em três. ⁵Todas as portas e janelas tinham uma moldura retangular, umas diante das outras, de três em três. ⁶Construiu o Pórtico das Colunas, com vinte e cinco metros de comprimento, por quinze de largura, e diante dele outro pórtico com colunas e uma varanda na frente. ⁷Fez o Salão do Trono ou Audiência, onde administrava a justiça; ele o revestiu com madeira de cedro, do piso ao forro. ⁸Sua residência pessoal, em outro átrio dentro do pórtico, era de estilo semelhante. Fez também outro palácio semelhante ao Pórtico para a filha do Faraó, com quem se casara. ⁹Dos alicerces à cornija, tudo era feito com magníficas pedras talhadas, lavradas com esquadro, serradas nas duas faces. ¹⁰Os alicerces eram de grandes blocos de pedra de qualidade, de cinco por quatro metros, ¹¹e em cima, pedras especiais lavradas com esquadro, e madeira de cedro. ¹²O grande átrio tinha

---

6,23 Os querubins costumavam ter figura de animais alados, geralmente touros ou leões. Sua função podia ser a de guardar, proteger, venerar.

6,29 A representação simples de homens e animais era proibida. Excluem-se os querubins, porque não há perigo de serem venerados como deuses, sua função é tradicionalmente bem definida.

6,37-38 Mês de Ziv, "florido", é o nome cananeu, correspondente a abril-maio; mês de Bul, "regado", corresponde a outubro-novembro.

7,1-12 A descrição do palácio é ainda menos exata, detendo-se apenas nos edifícios acessíveis ao público.

7,7 Recorde-se que o rei era a suprema instância, e que julgar era uma de suas principais atividades.

três fileiras de pedras talhadas e uma de vigas de cedro, como o átrio interno do templo e o vestíbulo do palácio.

Trabalhos para o templo – ¹³O rei Salomão mandou chamar Hiram de Tiro. ¹⁴Esse Hiram era filho de uma viúva da tribo de Neftali e de pai fenício. Trabalhava o bronze, era artesão talentoso e hábil para qualquer trabalho em bronze. Apresentou-se ao rei Salomão e executou todas as suas ordens.

¹⁵Fez duas colunas de bronze de oito metros de altura e seis de perímetro cada uma, medidos com cordel. ¹⁶Para rematá-las, fez dois capitéis de bronze fundido, de dois metros e meio de altura cada um. ¹⁷E para adornar os capitéis fez dois trançados em forma de corrente, um para cada capitel. ¹⁸Depois fez as romãs: duas séries rodeando cada trançado, para cobrir o capitel que rematava cada coluna ¹⁹ᵇ(quatrocentas romãs no total, ²⁰duzentas em torno de cada capitel), postas em cima, junto à moldura que acompanhava o trançado. ¹⁹ᵃOs capitéis das colunas tinham todos forma de açucena. ²¹Erigiu as colunas no pórtico do templo. Quando levantou a coluna da direita, chamou-a "Firme"*; depois a da esquerda, e chamou-a "Forte"*. ²²Assim terminou o serviço das colunas.

²³Fez também um reservatório de metal fundido: media cinco metros de diâmetro; era redondo, com dois metros e meio de altura e quinze de perímetro, medidos com cordel. ²⁴Debaixo da borda, tudo ao redor, duas séries de temas vegetais contornavam o reservatório, com vinte frutas em cada metro, fundidas numa só peça com o reservatório. ²⁵O reservatório descansava sobre doze touros, que olhavam três ao norte, três ao oeste, três ao sul e três ao leste; tinham a parte posterior voltada para dentro. Sobre eles estava o reservatório. ²⁶Sua espessura era de oito centímetros, e sua borda como a de um cálice de açucena. Sua capacidade era de uns oitenta mil litros.

²⁷Fabricou também dez suportes de bronze, de dois metros de comprimento por dois de largura e um e meio de altura cada um, ²⁸feitos desta forma: eram revestidos com painéis emoldurados numa estrutura metálica; ²⁹sobre esses painéis havia leões, touros e querubins, e sobre a moldura, por cima e por baixo dos leões e dos touros, pendiam grinaldas. ³⁰Cada suporte tinha quatro rodas de bronze, com eixos também de bronze; seus quatro pés tinham suportes de metal fundido sobre os quais estava a bacia, ultrapassando as grinaldas. ³¹Dentro dos suportes abria-se uma embocadura e, meio metro mais abaixo, uma embocadura redonda, de setenta e cinco centímetros de diâmetro e, por baixo, a embocadura dos painéis com baixos-relevos, quadrada, não redonda. ³²As quatro rodas estavam sob os painéis, e os eixos das rodas estavam fixos ao suporte; cada roda media setenta e cinco centímetros de diâmetro, ³³e eram como as rodas de um carro: os eixos, os aros, os raios, o cubo, tudo era de fundição. ³⁴Os quatro suportes nos quatro ângulos de cada base formavam uma só peça com o suporte. ³⁵A parte superior do suporte rematava numa peça circular de setenta e cinco centímetros de altura, formando uma única peça com a armação e os painéis. ³⁶Sobre as pranchas da armação e os painéis, segundo o espaço disponível, gravou querubins, leões e palmeiras, com grinaldas ao redor. ³⁷Assim fez os dez suportes de metal fundido, com o mesmo molde, as mesmas medidas e o mesmo desenho para todos. ³⁸Depois fez dez bacias de bronze, uma para cada suporte, com a capacidade de cento e sessenta litros cada uma. ³⁹Pôs cinco suportes na parte sul do templo e cinco na parte norte; pôs o reservatório na parte sul do templo.

7,13 Ex 31,2-5.

7,15-22 Trata-se de duas colunas livres, erigidas diante do santuário. Sua função é simbólica, mas não sabemos exatamente o que simbolizam, se a coluna de fogo e nuvem do deserto, ou a presença de Deus e do rei, ou as colunas cósmicas do céu e da terra. Tampouco conhecemos o sentido dos seus nomes, que deu origem a múltiplas interpretações. A tradução oferecida respeita as raízes dos dois nomes, sem mais pretensões.

7,21 * = Jaquin; Booz.

7,23-26 Este reservatório se chama em hebraico "Mar", o que poderia indicar um significado cósmico, o oceano rebelde e dominado.

7,27-39 A descrição dos suportes é técnica e complicada, e contém muitos detalhes que não entendemos. Suas proporções são enormes; mesmo sobre rodas, se moveriam com dificuldade.

⁴⁰Hiram fez também os recipientes, os cinzeiros e os aspersórios. Assim concluiu todas as ordens de Salomão para o templo do Senhor: ⁴¹as duas colunas, as duas esferas dos capitéis que rematam as colunas, as duas grinaldas para cobrir essas esferas, ⁴²as quatrocentas romãs para as duas grinaldas (duas séries de romãs em cada grinalda), ⁴³os dez suportes e as dez bacias, ⁴⁴o reservatório sobre os doze touros, ⁴⁵os recipientes, cinzeiros e aspersórios. Todos os utensílios que Hiram fez para o rei Salomão, para o templo, eram de bronze polido. ⁴⁶Ele os fundiu no vale do Jordão, no vau de Adama, entre Sucot* e Sartã. ⁴⁷Salomão colocou todos esses objetos. Eram tantos, que não se pôde calcular o peso do bronze.

⁴⁸Salomão fez também todos os outros utensílios do templo: o altar de ouro, a mesa de ouro sobre a qual eram postos os pães apresentados, ⁴⁹os candelabros de ouro puro, cinco à direita e cinco à esquerda do santíssimo, com seus cálices, lâmpadas e tenazes de ouro, ⁵⁰os suportes, facas, aspersórios, bandejas, incensórios de ouro puro, os gonzos de ouro para as portas do santíssimo e da nave.

⁵¹Quando foram concluídas todas as ordens do rei para o templo, Salomão fez trazer as oferendas de seu pai Davi: prata, ouro e vasos, e depositou-as no tesouro do templo.

8 Dedicação do templo (2Sm 7; 2Cr 5-6)

— ¹Então Salomão convocou ao palácio, em Jerusalém, os conselheiros de Israel, os chefes de tribo e os chefes de família dos israelitas para trasladar da Cidade de Davi (isto é, Sião) a arca da aliança do Senhor. ²Todos os israelitas se reuniram em torno do rei Salomão no mês de outubro (o sétimo mês), na festa das Cabanas. ³Quando chegaram todos os conselheiros de Israel, os sacerdotes carregaram a arca do Senhor, ⁴e os sacerdotes levitas levaram a tenda do encontro, além dos utensílios do culto que havia na tenda.

⁵O rei Salomão, acompanhado de toda a assembleia de Israel reunida com ele diante da arca, sacrificava ovelhas e bois em quantidade incalculável.

⁶Os sacerdotes levaram a arca da aliança do Senhor ao seu lugar, a capela do templo (o santíssimo) sob as asas dos querubins, ⁷pois os querubins estendiam as asas sobre o lugar da arca e cobriam por cima a arca e os varais. ⁸ᵃ(Os varais eram tão longos que, da nave, diante do santíssimo, podiam-se ver as extremidades, mas não podiam ser vistas de fora.) ⁹Na arca havia somente as duas tábuas de pedra que Moisés aí colocou no Horeb, quando o Senhor fez aliança com os israelitas, ao sair do Egito, ⁸ᵇe aí se conservam atualmente.

7,46 * = Cabanas.
7,48 Ex 25-30.
8 A dedicação do templo ocupa espaço amplo e lugar capital no livro. A exposição é construída segundo um esquema simples e lógico: Convocação e cerimônias (1-13); bênção da assembleia, ação de graças e súplica (14-27); súplica em sete casos (28-53); bênção e exortação (54-61); cerimônias e despedida (62-66). A parte falada supera notavelmente a descrição das cerimônias, porque nas palavras postas na boca de Salomão o autor desenvolve uma reflexão teológica sobre o templo relacionado à vida e à história de Israel. Salomão, não o sumo sacerdote, é o protagonista da cerimônia. O rei é o iniciador e realizador do empreendimento. Ele próprio oficia como sacerdote. Salomão é assim a figura do rei sacerdote, como Melquisedec, como canta o Sl 110. Isso é colocado no momento histórico da dedicação do templo.
8,1 Os três grupos representam o povo enquanto distinto da corte: ordem natural das famílias, divisão tradicional das tribos e um senado popular. A cerimônia tem caráter nacional. 2Sm 6.
8,2 A data marca o final de todas as tarefas agrícolas e a preparação para o novo ciclo vegetal, quando vêm as chuvas do outono e a terra se amacia para receber a semente (Sl 65).
8,4 Supõe que a tenda montada por Davi para a arca é na realidade a venerável e elaboradíssima tenda que acompanhou o povo pelo deserto, conforme a ficção da escola sacerdotal.
8,6-9 Chegando ao santíssimo, a arca termina finalmente sua peregrinação, iniciada no deserto como santuário móvel, continuada no tempo dos Juízes, Saul e Davi. Não parece que doravante volte a sair para a guerra como em outros tempos.
O autor nos diz que a arca só continha as tábuas da aliança, ou seja, não era um depósito de lembranças devotas, como diziam outros (Ex 16,33: uma vasilha com maná; Nm 17,10: a vara de Aarão). Tampouco menciona a tampa da presença divina; e esse silêncio é mais chamativo na presença da nota sobre os varais, ao que parece, acrescentada por um leitor escrupuloso de Ex 25.
Ao sublinhar a relação da arca com a aliança, e ao lhe destinar o lugar mais sagrado do templo, este fica ligado à história de Israel, e não é simplesmente um templo cósmico. Além disso, o Horeb ou Sinai fica ligado espiritualmente ao monte do templo.

¹⁰Quando os sacerdotes saíram da nave, a nuvem encheu o templo, ¹¹de modo que os sacerdotes não podiam continuar oficiando por causa da nuvem, porque a glória do Senhor enchia o templo.

¹²Então Salomão disse:

– O Senhor pôs o sol no céu, o Senhor quer habitar na treva, ¹³e eu te construí um palácio, um lugar onde possas viver para sempre*.

¹⁴Depois voltou-se para abençoar toda a assembleia de Israel (toda a assembleia de Israel estava de pé) ¹⁵e disse:

– Bendito seja o Senhor Deus de Israel! Com a boca prometeu a meu pai Davi e com a mão o cumpriu: ¹⁶"Desde o dia que tirei meu povo Israel do Egito, não escolhi nenhuma cidade das tribos de Israel para me fazer um templo em que residisse meu Nome, mas escolhi Davi para que estivesse à frente do meu povo Israel". ¹⁷Meu pai Davi pensou em edificar um templo em honra do Senhor, Deus de Israel, ¹⁸e o Senhor lhe disse: "É bom que conserves o projeto que tens de construir um templo em minha honra; ¹⁹mas tu não construirás esse templo, e sim um filho de tuas entranhas; ele construirá esse templo em minha honra". ²⁰O Senhor cumpriu a promessa que fez: sucedi a meu pai Davi no trono de Israel, como o Senhor o prometeu, e construí este templo em honra do Senhor Deus de Israel. ²¹E nele estabeleci um lugar para a arca, na qual se conserva a aliança que o Senhor fez com nossos pais quando os tirou do Egito.

²²De pé diante do altar do Senhor, na presença de toda a assembleia de Israel, Salomão estendeu as mãos para o céu ²³e disse:

– Senhor, Deus de Israel! Nem no alto do céu nem na terra embaixo, há um Deus como tu, fiel à aliança com teus vassalos, se agem de todo o coração como tu queres; ²⁴mantiveste a palavra a meu pai Davi, teu servo: com a boca prometeste, com a mão o cumpres hoje. ²⁵Agora, pois, Senhor, Deus de Israel, conserva em favor de teu servo, meu pai Davi, a promessa que fizeste: "Jamais te faltará um descendente diante de mim no trono de Israel, desde que teus filhos saibam comportar-se, agindo de acordo comigo, como tu agiste". ²⁶Agora, pois, Deus de Israel, confirma a promessa que fizeste a meu pai Davi, teu servo. ²⁷Mas, é possível que Deus habite na terra?

8,10-13 A nuvem é um tema teológico de singular êxito no pensamento de Israel através dos séculos. Representa a presença velada do Senhor, ou seja, é testemunho de presença que impede de ver uma imagem. No templo o incenso podia criar essa nuvem litúrgica. A glória do Senhor tem muitas vezes o aspecto do esplendor, é luminosa como o sol; então é livre e demonstra sua liberdade. Quando essa glória entra numa morada para habitar, se encobre e se recusa. É, em termos simbólicos, algo assim como "a obscuridade da fé".

8,13 * Segundo o grego, se poderia acrescentar: Tomado do *Livro dos Cânticos*.

8,14 Tal como está o texto, dir-se-ia que o discurso seguinte é a fórmula de bênção ao povo. Em Nm 6,24-26 temos uma fórmula clássica de bênção. Aqui Salomão bendiz, ou seja, agradece ao Senhor o grande benefício de ter-lhe permitido construir o templo.

8,15-27 Como mostra a segunda introdução (22-23), a oração se divide em duas partes: ação de graças (15-21) e pedido (23-27); sem salientar a distinção. O tema predominante é a construção do templo, como o dizem as sete repetições da expressão "construir o templo" (= a casa). Expressão que recorda o jogo de palavras da promessa dinástica: construir a casa = templo, construir a casa = dinastia.

Acrescenta-se outro dado teológico importante: a promessa, à qual estes versículos se referem sete vezes (vv. 15.20.20.24.24.25. 26).

Duas das fórmulas sobre o cumprimento da promessa são notáveis. Uma, repetida nos vv. 15 e 24, é muito rítmica, tem sabor antigo e é própria desse contexto: prometer com a boca – cumprir com a mão.

A segunda fórmula, repetida nos vv. 24 e 25, emprega o verbo *shmr* e é mais corrente. A última fórmula contém o verbo da fidelidade *'mn*. No final do capítulo, o tema da promessa se estenderá para trás até Moisés (vv. 53 e 56).

8,16 Não se leva em conta o modesto edifício de Silo; ver Jr 7,12 e Sl 78,60. A fórmula "onde reside o meu nome" é comum no Deuteronômio: por parte do homem, indica que o templo é dedicado pessoalmente, *nominatim*, ao Senhor; por parte de Deus, indica sua presença em pessoa; mais tarde a fórmula serve para salvar a transcendência de Deus em relação ao templo. A antítese é muito marcada, e quer dizer: não escolhi uma cidade, mas um homem; não um templo, mas um homem.

8,23 A rigor, ainda não é uma expressão de monoteísmo, mas o enunciado da categoria incomparável do Senhor; o que o torna incomparável é a sua relação concreta com seu povo, generosa, leal e exigente.

8,23 Dt 3,24; 4,7s.

8,27 Sublinha-se o sentido espiritual do templo. O templo imita o céu na terra, por ser morada de Deus; como o céu ultrapassa o recinto do templo, assim Deus ultrapassa a imensidão do céu. O caráter cósmico do templo não deve estreitar o Senhor,

Se não cabes no céu e no mais alto do céu, quanto menos neste templo que construí! ²⁸Volta teu rosto à oração e súplica do teu servo. Senhor meu Deus, escuta o clamor e a oração que hoje teu servo te dirige. ²⁹Estejam teus olhos abertos dia e noite sobre este templo, sobre o lugar onde quiseste que teu Nome residisse. Escuta a oração que teu servo te dirige neste lugar! ³⁰Escuta a súplica do teu servo e do teu povo Israel, quando rezarem neste lugar; escuta da tua morada do céu, escuta e perdoa.

³¹Quando alguém pecar contra o outro, se lhe é exigido juramento e vier para jurar diante do teu altar neste templo, ³²escuta do céu e faz justiça a teus servos: condena o culpado dando-lhe o que merece, e absolve o inocente pagando-lhe segundo sua inocência.

³³Quando os do teu povo Israel forem derrotados pelo inimigo por terem pecado contra ti, se eles se converterem a ti e te confessarem seu pecado, e rezarem e suplicarem neste templo, ³⁴escuta do céu e perdoa o pecado do teu povo Israel, fazendo-os retornar à terra que deste a seus pais.

³⁵Quando, por terem pecado contra ti, o céu se fechar e não houver chuva, se rezarem neste lugar, confessarem a ti seu pecado e se arrependerem quando tu os afligires, ³⁶escuta do céu e perdoa o pecado do teu servo, teu povo Israel, mostrando-lhe o bom caminho que deve seguir, e envia a chuva à terra que deste como herança a teu povo.

³⁷Quando no país houver fome, peste, seca, ferrugem, gafanhotos ou pulgões; quando o inimigo fechar o cerco em torno de alguma de suas cidades; em qualquer calamidade ou doença, ³⁸se qualquer pessoa ou todo teu povo Israel, diante dos remorsos de sua consciência, estender as mãos para este templo e te dirigir orações e súplicas, ³⁹escuta-as do céu, onde moras, perdoa e age, paga a cada um segundo sua conduta, tu que conheces o coração, pois só tu conheces o coração humano; ⁴⁰assim te respeitarão enquanto viverem na terra que deste a nossos pais.

⁴¹Também o estrangeiro, que não pertence a teu povo Israel, quando vier de um país distante atraído por tua fama – ⁴²porque ouvirão falar de tua grande fama, de tua mão forte e teu braço estendido –, quando vier rezar neste templo, ⁴³escuta-o do céu, onde moras; faze o que ele te pedir, para que todas as nações do mundo conheçam tua fama e te temam como teu povo Israel, e saibam que teu nome foi invocado neste templo que construí.

⁴⁴Quando teu povo sair à guerra contra o inimigo, pelo caminho que lhes indicares, se rezarem ao Senhor voltados para a cidade que escolheste e para o templo

---

mas deve revelar dialeticamente sua imensidão. Esse templo foi Salomão, um homem, que o construiu, ao passo que o céu é construção de Deus. O templo não deve ser um ídolo, "obra de mãos humanas", deve ser o espaço onde o homem se abre à transcendência de Deus.

8,28-30 Estes três versículos servem para introduzir a ampla e articulada oração do rei.

8,29 Jr 32,19.

8,30 Ne 9,27s.

8,31-53 O corpo da oração se articula em sete casos de súplica e concessão. O templo aparece especificamente como "casa de oração", e não tanto como lugar de sacrifícios; isso poderia ser devido a concepção tardia (ver Jr 7).
A relação entre templo e céu, entre rezar e escutar, é comum aos sete casos. O templo é a princípio o lugar em que se reza, depois é o lugar para o qual se reza, mais tarde se torna o ponto de referência que centraliza a cidade (sexto caso) e a terra (último caso).

8,31-32 Primeiro caso. Ver Ex 22,7-12 e Nm 5,11ss. Esse juramento equivale a uma apelação ao tribunal de Deus, que conhece o coração do homem. O altar serve de tribunal.

8,33-34 Segundo caso. A derrota denuncia o pecado, servindo de castigo salutar. Recorde-se Sl 99,8.

8,33 Dt 28,25s.

8,34 Sl 99,8.

8,35-36 Terceiro caso. A seca é também desgraça comum e antiga, e ainda pode servir para denunciar um pecado do povo (Jr 14).

8,37-40 O quarto caso é mera acumulação de casos possíveis, com afã de incluir todos os não especificados; o texto insiste na totalidade de casos, de súplicas, de pessoas. O remorso demonstra que as calamidades são recebidas como castigo do pecado, segundo o esquema clássico da aliança, com suas bênçãos e maldições.

8,39 Jr 11,20.

8,41-43 Quinto caso. Interrompe o esquema precedente, pois não fala de pecados cometidos ou desgraças sofridas. O templo de Jerusalém adquire força expansiva e atrativa, se o Senhor escuta os que nele rezam.

8,42 Is 56,7.

8,44-45 Sexto caso. Aqui também não se fala de pecado. A batalha tem analogia com um julgamento, e o Senhor se constitui em juiz, castigando o culpado com a derrota.

que construí em tua honra, ⁴⁵escuta do céu sua oração e súplica, fazendo-lhes justiça.

⁴⁶Quando pecarem contra ti – porque ninguém está livre de pecado – e tu, irritado contra eles, os entregares ao inimigo e os vencedores os desterrarem num país inimigo, distante ou próximo, ⁴⁷se no país em que viverem deportados refletirem e se converterem, e no país dos vencedores te suplicarem, dizendo: "Pecamos, erramos, somos culpados", ⁴⁸se no país dos inimigos que os deportaram se converterem a ti com todo o coração e com toda a alma, e rezarem a ti voltados para a terra que tinhas dado a seus pais, para a cidade que escolheste e o templo que construí em tua honra, ⁴⁹escuta do céu, onde moras, sua oração e súplica, e faze-lhes justiça; ⁵⁰perdoa os pecados que teu povo cometeu contra ti, suas rebeliões contra ti, e faze que seus vencedores se compadeçam deles, ⁵¹porque são teu povo e tua herança, que tiraste do Egito, do forno de ferro.

⁵²Mantém os olhos abertos diante da súplica do teu servo, diante da súplica do teu povo Israel, para atendê-los sempre que te invocarem. ⁵³Pois entre todas as nações do mundo tu os apartaste como herança, como disseste por meio do teu servo Moisés, quando tiraste, Senhor, nossos pais do Egito.

⁵⁴Quando Salomão terminou de rezar esta oração e esta súplica ao Senhor, levantou-se de onde estava ajoelhado com as mãos estendidas para o céu, diante do altar do Senhor. ⁵⁵De pé, em voz alta abençoou toda a assembleia israelita:

– ⁵⁶Bendito seja o Senhor, que deu descanso a seu povo Israel, conforme suas promessas! Não falhou nenhuma das promessas que nos fez por meio de seu servo Moisés. ⁵⁷O Senhor nosso Deus esteja conosco como esteve com nossos pais; não nos abandone nem nos rejeite. ⁵⁸Incline para ele nosso coração, para que sigamos todos os seus caminhos e guardemos os preceitos, mandatos e decretos que deu a nossos pais. ⁵⁹Que as palavras desta súplica feita diante do Senhor permaneçam junto ao Senhor nosso Deus, dia e noite, para que faça justiça a seu servo e a seu povo Israel, segundo a necessidade de cada dia. ⁶⁰Assim todas as nações do mundo saberão que o Senhor é o Deus verdadeiro e não existe outro; ⁶¹e vosso coração será totalmente do Senhor nosso Deus, seguindo seus preceitos e guardando seus mandamentos, como fazeis hoje.

⁶²O rei, e com ele todo Israel, ofereceram sacrifícios ao Senhor. ⁶³Salomão imolou, como sacrifício de comunhão em honra do Senhor, vinte e dois mil bois e cento e

---

8,46-53 Sétimo caso. Supera em extensão até o quarto, e é escrito com a perspectiva do desterro projetada para o dia da dedicação do templo. Em semelhante contexto, a súplica soa como gigantesco ato de fé: o templo foi incendiado, a cidade destruída, a terra está perdida, mas, sua memória surge como ponto de referência estável, chamando à conversão e oferecendo perdão. Essa compaixão que o Senhor infunde nos vencedores que deportaram o povo é o começo da grande volta para a pátria. O templo nunca foi tão grande como agora que está destruído; nunca sua transcendência espiritual superou de modo semelhante sua realidade material.

8,46 É no AT uma das confissões mais claras do pecado universal dos homens. Lv 26,39-42.

8,47 Em hebraico, são parecidos os verbos desterrar *shbh* e voltar *shub*; isso permite ao autor uma série de assonâncias. São como duas partes de um movimento que o Senhor dirige e abrange de sua habitação (*yshb*) celeste. Mas, o movimento de volta à pátria começa com uma volta interior para o Senhor (*converto* vem de *verto*). A terra estrangeira não é impedimento para essa volta pessoal ao Senhor, muito ao contrário.

8,48 A saudade do templo se torna força transformadora, e não é alimento da melancolia.

8,50 Movendo os sentimentos humanos, o Senhor move a história: com o sofrimento paciente de um povo indefeso, começa a converter o inimigo cruel, atraindo-o para o humanismo da compaixão. Processo salvador para ambos: para o servo paciente e para o inimigo que o atinge.

8,51 Dt 9,26.

8,52-53 A conclusão recolhe a introdução do tema dos olhos abertos e do escutar (vv. 28-29), formando inclusão; recolhe e sublinha o tema da escolha. Saber-se povo escolhido é especialmente difícil e eficaz durante o desterro.

8,55 2Sm 6,18.

8,56-57 Esta nova bênção ao povo é na realidade uma nova ação de graças.

8,58-61 A lealdade não é simplesmente obra do povo, mas ação de Deus que inclina o coração.
A oração de Salomão tem valor fundacional, e seu efeito deve perpetuar-se ante o Senhor no dia-a-dia.

8,61 Ez 36,27.

8,62-66 O capítulo termina com alguns dados sobre as cerimônias e a despedida. Os números são exagerados: vinte e dois é número alfabético (as letras do alfabeto hebraico); cento e vinte é múltiplo das doze tribos. Sete dias é a duração clássica das grandes festas; não é autêntica a glosa do texto hebraico

vinte mil ovelhas. Assim o rei e todos os israelitas dedicaram o templo. ⁶⁴Nesse dia o rei consagrou o átrio interno que há diante do templo, oferecendo aí os holocaustos, as ofertas e a gordura dos sacrifícios de comunhão; pois sobre o altar de bronze que estava diante do Senhor não cabiam os holocaustos, as ofertas e a gordura dos sacrifícios de comunhão.

⁶⁵Nessa ocasião, Salomão, com todo Israel, celebrou a festa diante do Senhor nosso Deus, durante sete dias; acorreu ao templo que havia construído uma multidão imensa, desde a Passagem de Emat até o rio do Egito. Comeram, beberam e fizeram festa cantando hinos ao Senhor nosso Deus. ⁶⁶No oitavo dia, Salomão despediu o povo, e eles deram graças ao rei. Voltaram para suas casas alegres e felizes por todos os benefícios que o Senhor tinha feito a seu servo Davi e a seu povo Israel.

9 **Nova aparição e oráculo** (2Cr 7,11-22; Sl 132) – ¹Quando Salomão terminou o templo, o palácio real e tudo o que queria e desejava, ²o Senhor lhe apareceu outra vez, como em Gabaon, ³e lhe disse:

– Escutei a oração e súplicas que me dirigiste. Consagro esse templo que construíste, para que meu Nome resida nele para sempre; meu coração e meus olhos estarão sempre nele. ⁴Quanto a ti, se agires de acordo comigo como teu pai Davi, de coração íntegro e reto, fazendo exatamente o que te mando e cumprindo meus mandatos e preceitos, ⁵conservarei perpetuamente teu trono real em Israel, como prometi a teu pai Davi: "Jamais faltará um descendente teu no trono de Israel". ⁶Porém, se vós ou vossos filhos me abandonardes ou não guardardes os preceitos e mandatos que vos dei, e fordes prestar culto a outros deuses, adorando-os, ⁷apagarei Israel da terra que lhe dei, rejeitarei o templo que consagrei ao meu Nome, e Israel será o refrão e a caçoada de todas as nações. ⁸Este templo será um montão de ruínas; os que passarem se espantarão e assobiarão, comentando: "Por que o Senhor tratou dessa forma este país e este templo?" ⁹E lhes dirão: "Porque abandonaram o Senhor seu Deus, que havia tirado seus pais do Egito; porque aderiram a outros deuses, adorando-os e prestando-lhes culto; por isso o Senhor fez cair sobre eles essa catástrofe".

Eres-Cabul* (2Cr 8,1-4) – ¹⁰Salomão construiu os dois edifícios, o templo e o palácio, durante vinte anos, ¹¹com a ajuda de Hiram, rei de Tiro, que lhe forneceu madeira de cedro e cipreste e todo o ouro que quis. Ao terminar, o rei Salomão deu a Hiram vinte aldeias na província da Galileia.

¹²Hiram saiu de Tiro para visitar os povoados que Salomão lhe dava, mas não lhe agradaram, ¹³e ele protestou:

– Que aldeias me dás, irmão!

Chamou-as Eres-Cabul, e assim se chama hoje essa região. ¹⁴Hiram havia mandado ao rei Salomão quatro mil quilos de ouro.

Recrutamento de trabalhadores (2Cr 8,7-18) – ¹⁵Modo como o rei Salomão recrutou

---

que acrescenta outros sete, até completar quatorze. Para leitores críticos, este capítulo tem sido um testemunho da tendência israelita a projetar situações da história para o momento fundacional.

9,1-9 A resposta a uma súplica pode ser o oráculo divino anunciando a concessão. Como Salomão foi o protagonista de toda a cerimônia, parece que cabe a ele receber o oráculo sem intermediários.

9,3 A primeira parte da resposta se refere especificamente ao templo e soa como promessa incondicional e para sempre.

9,4-5 Do templo se passa à dinastia. A promessa é condicionada à observância.

9,6-9 Da condição positiva, de observância, se passa à negativa, de rebelião; mas o esquema é estendido para abranger todo o povo como protagonista, que agora assume a responsabilidade. A experiência do desterro pesa sobre estas palavras.

A ruína do templo e o estupor dos estrangeiros estão em Dt 29,23-27 e em várias passagens de Ezequiel; desterro e destruição do templo aconteceram em 586; porém as ameaças graves, também contra o templo, já se encontram em Mq 3,12 e Jr 7,26. Como o templo consagra toda a nação, assim sua destruição acarreta a destruição do país.

9,9 * = Terreno Baldio.

9,10-14 Paga o ouro com as cidades. Pela Galileia passava uma das mais importantes rotas comerciais, e isso era de grande importância para um povo comerciante como os fenícios; as cidades poderiam servir para proteção e abastecimento das caravanas. Pelo visto, Hiram esperava receber terrenos para lavoura, com os quais compensaria a escassez da Fenícia; talvez interessasse a Salomão continuar exportando trigo a seu vizinho. (Para outra versão, leia-se 2Cr 8,2.)

9,15-24 A antiga muralha da "Cidade de Davi" é ampliada para abranger as novas dimensões da capital;

trabalhadores para construir o templo, o palácio, o aterro, a muralha de Jerusalém, Hasor, Meguido e Gazer [16](o Faraó, rei do Egito, apoderara-se de Gazer, incendiando-a e degolando os cananeus que nela habitavam; depois deu-a como dote à sua filha, a esposa de Salomão, [17]e este a reconstruiu), Bet-Horon Inferior, [18]Baalat, Tamar* do Deserto, [19]todos os centros de armazenamento que Salomão possuía, as cidades com quartéis de cavalaria e carros, e tudo o que quis construir em Jerusalém, no Líbano e em todas as terras do seu Império.

[20]Salomão fez primeiramente um recrutamento de trabalhadores forçados não israelitas [21]entre os descendentes que ainda restavam dos amorreus, heteus, ferezeus, heveus e jebuseus (povos que os israelitas não haviam podido exterminar). [22]Não impôs trabalhos forçados aos israelitas, mas eles lhe serviam como soldados, funcionários, chefes e oficiais de carros e cavalaria. [23]Os chefes e capatazes das obras, que comandavam os trabalhadores, eram quinhentos e cinquenta.

[24]Logo que a filha do Faraó passou da Cidade de Davi ao palácio que Salomão lhe havia construído, fez-se o aterro.

[25]Três vezes ao ano Salomão oferecia holocaustos e sacrifícios de comunhão sobre o altar que havia construído para o Senhor, e queimava perfumes diante do Senhor, mantendo o templo em bom estado.

[26]O rei Salomão construiu uma frota em Asiongaber*, perto de Elat, na costa do mar Vermelho, no país de Edom. [27]Hiram enviou escravos seus como tripulantes, marinheiros hábeis, junto com os escravos de Salomão. [28]Chegaram a Ofir e daí trouxeram para o rei Salomão uns quinze mil quilos de ouro.

10 Visita da rainha de Sabá (2Cr 9,1-12) – [1]A rainha de Sabá ouviu falar da fama de Salomão e foi desafiá-lo com enigmas. [2]Chegou a Jerusalém com grande caravana de camelos carregados de perfumes, ouro em grande quantidade e pedras preciosas. Entrou no palácio de Salomão e lhe propôs tudo o que pensava. [3]Salomão resolveu todas as suas perguntas; não houve nenhuma questão tão obscura que o rei não pudesse resolver.

[4]Quando a rainha de Sabá viu a sabedoria de Salomão, a casa que havia construído, [5]os manjares de sua mesa, toda a corte sentada à mesa, os camareiros com seus uniformes servindo, as bebidas, os holocaustos que oferecia no templo do Senhor, ficou assombrada, [6]e disse ao rei:

– É verdade tudo o que no meu país me contaram de ti e de tua sabedoria! [7]Eu não queria acreditar; mas agora que vim e vejo com meus próprios olhos, constato que não

---

assim Jerusalém conserva o seu velho caráter de praça-forte e sua capacidade de resistir. Salomão moderniza seu exército, acrescentando um corpo de carros, no estilo de outras nações.

9,18 * = Palmeira.

9,25 Três é o número das grandes festas dos calendários posteriores. A notícia é um pouco convencional; contudo, o autor parece comprazer-se nas assonâncias com o nome do seu herói (como já fez antes): os sacrifícios de comunhão se chamam *shelamim*, e manter o templo é *shillem*.

9,26-28 Os fenícios eram os grandes marinheiros da antiguidade, por muito tempo senhores do Mediterrâneo. Salomão abre um caminho marítimo pelo sul, na ponta do golfo de Ácaba; isso exigia manter Edom submetido e em paz.

Ofir é no AT o país do melhor ouro, até soar quase como nome legendário.

9,26 * = Floresta do Galo.

10,1-13 A visita da rainha de Sabá é um episódio que ilustra as afirmações genéricas do capítulo 5, exaltando a sabedoria e as riquezas de Salomão. Através de traços provavelmente legendários, nos permite apreciar a atividade comercial do rei.

Os fenícios não eram os únicos comerciantes da época: pelo sul da península da Arábia, zarpavam naves mercantis para a Índia e a África; ao norte, a Fenícia concentrava o comércio marítimo. Por terra, as caravanas, frotas do deserto, eram o grande meio de comunicação mercantil; ao norte, Damasco era uma encruzilhada importante entre a Mesopotâmia e o Egito ou Arábia meridional; ao sul, vários reinos árabes repartiam a tarefa entre si, e a um deles pertencia a rainha da história. Israel se encontrava em posição de passagem obrigatória para boa parte do comércio, e a expansão territorial de Davi lançou as bases para uma expansão comercial. Chegando ao golfo de Ácaba, Salomão entra em relações obrigatórias e pacíficas com os mercadores do sul; graças ao seu tratado com Tiro e a suas relações com Damasco, chega a ser uma autêntica potência de intercâmbios comerciais.

Salomão parece um gênio comercial dominado pela pressa de construir e pelo afã de luxo.

10,1 A exercitação com enigmas é um duelo de talento no contexto de reis. Ecl 47,16; Jz 14,13-18.

10,7-9 Nas palavras da rainha, o autor implica uma escala de valores; primeiro, uma sabedoria espetacular

me disseram nem a metade. Superas em sabedoria e riquezas tudo o que eu ouvi. ⁸Feliz o teu povo, felizes os cortesãos, que estão sempre em tua presença aprendendo de tua sabedoria! ⁹Bendito seja o Senhor teu Deus, que, pelo amor eterno que tem a Israel, te escolheu para te colocar no trono de Israel e te nomeou rei para governares com justiça! ¹⁰A rainha presenteou o rei com quatro mil quilos de ouro, grande quantidade de perfumes e pedras preciosas. Nunca chegaram tantos perfumes como os que a rainha de Sabá a deu de presente ao rei Salomão*. ¹³Por sua vez, o rei Salomão presenteou a rainha de Sabá com tudo o que ela desejou, além daquilo que o próprio rei Salomão, com sua grandiosidade, lhe deu de presente. Depois, ela e seu séquito retomaram a viagem de volta a seu país.

Comércio exterior e riquezas (2Cr 9,13-28) – ¹¹A frota de Hiram, que transportava o ouro de Ofir, trouxe também madeira de sândalo em grande quantidade e pedras preciosas. ¹²Com a madeira de sândalo, o rei fez balaustradas para o templo do Senhor e o palácio real, cítaras e harpas para os cantores. Nunca chegou madeira de sândalo como essa, nem jamais se voltou a ver até hoje. ¹⁴Salomão recebia anualmente vinte e três mil e trezentos quilos de ouro, ¹⁵sem contar o que provinha dos impostos dos comerciantes, do trânsito de mercadorias, dos reis da Arábia e dos governadores do país.

¹⁶O rei Salomão fez duzentos escudos de ouro batido, gastando seis quilos e meio em cada um, ¹⁷e trezentos pequenos escudos de ouro batido, gastando meio quilo de ouro em cada um; ele os pôs no salão chamado Bosque do Líbano. ¹⁸Fez um grande trono de marfim recoberto de ouro fino: ¹⁹tinha seis degraus, a cabeceira do respaldo redonda, braços de ambos os lados do assento, dois leões de pé junto aos braços ²⁰e doze leões de pé de ambos os lados dos degraus; nunca se havia feito coisa igual em nenhum reino. ²¹Toda a baixela do rei Salomão era de ouro e todos os utensílios do salão Bosque do Líbano eram de ouro puro; nada de prata, pois no tempo de Salomão não se lhe dava importância; ²²pois o rei tinha no mar uma frota mercante, junto com a frota de Hiram, e a cada três anos chegavam os navios carregados de ouro, prata, marfim, macacos e pavões.

²³O rei Salomão superou todos os reis da terra em riqueza e sabedoria. ²⁴De todo o mundo vinham visitá-lo, para aprender da sabedoria com que Deus o havia dotado. ²⁵E cada qual trazia seu presente: baixelas de prata e ouro, mantos, armas e aromas, cavalos e mulos. Isso acontecia todos os anos. ²⁶Salomão juntou carros e cavalos. Chegou a ter mil e quatrocentos carros e doze mil cavalos. Colocou-os nas cidades com quartéis de carros e em Jerusalém, perto do palácio.

²⁷Salomão conseguiu que em Jerusalém a prata fosse tão corrente como as pedras, e os cedros como os sicômoros da Sefelá. ²⁸Os cavalos de Salomão vinham da Cilícia, onde os mercadores do rei os compravam à vista. ²⁹Cada carro importado do Egito valia seiscentos siclos de prata. Um cavalo valia cento e cinquenta; o mesmo valiam os importados dos reinos heteus e dos reinos sírios.

11 Idolatria de Salomão

¹O rei Salomão, porém, apaixonou-se por

---

que surpreende por uns dias a visitante; segundo, a sabedoria que ensina e instrui cotidianamente os súditos; terceiro, é o governo justo, dom que Deus concede por seu amor ao povo. Pondo essas palavras na boca de uma rainha, o autor realça o valor do testemunho; o rei está em função do povo para a justiça.
10,9 2Sm 23,3.
10,10 * Vv. 11-12 depois de 13.
10,16-17 Não conhecemos a função dos escudos recobertos de ouro. Podia ser um modo de conservar o ouro, atribuindo-lhe função decorativa.
10,18-20 Desse modo o rei se senta no sétimo degrau, símbolo da sua majestade. Os leões podiam ser animais emblemáticos.

10,21 A identificação de vários itens é duvidosa. 1Mc 15,32.
10,24 Sb 7,13.

11 Depois de tantas glórias de Salomão, o presente capítulo recorda uma série de reveses políticos, que parecem desmentir sua sabedoria e justiça no governo. Trata-se de três rebeliões: Edom, ao sul; Damasco, ao norte; Jeroboão, dentro do reino. São três fatos que o autor registra e interpreta.
A primeira interpretação consiste em agrupá-los num capítulo, pois cronologicamente não coincidem.
A rebelião de Edom apresenta-se como ocorrida logo depois da morte de Davi, como vingança pela crueldade de Joab.

muitas mulheres estrangeiras, além da filha do Faraó: moabitas, amonitas, edomitas, fenícias e heteias, ²das nações das quais o Senhor havia dito aos israelitas: "Não vos unais com elas nem elas convosco, pois desviarão vosso coração para outros deuses". Salomão apaixonou-se perdidamente por elas; ³teve setecentas esposas e trezentas concubinas. ⁴Assim, quando ficou velho, suas mulheres desviaram seu coração para deuses estrangeiros; seu coração já não pertenceu inteiramente ao Senhor, como o coração do seu pai Davi.

⁵Salomão seguiu Astarte, deusa dos fenícios, e Melcom, ídolo dos amonitas. ⁶Fez o que o Senhor desaprova; não seguiu plenamente o Senhor, como seu pai Davi. ⁷Então construiu uma capela para Camos, ídolo de Moab, no monte que se ergue diante de Jerusalém, e a Melcom, ídolo dos amonitas. ⁸Fez o mesmo para suas mulheres estrangeiras, que queimavam incenso e sacrificavam em honra de seus deuses.

⁹O Senhor encolerizou-se contra Salomão, porque havia desviado seu coração do Senhor, Deus de Israel, que lhe aparecera duas vezes, ¹⁰e que lhe havia proibido expressamente seguir deuses estrangeiros; porém Salomão não cumpriu essa ordem. ¹¹Então o Senhor lhe disse:

– Porque agiste assim comigo, sendo infiel à aliança e aos mandamentos que te dei, vou arrancar o reino de tuas mãos para dá-lo a um servo teu. ¹²Não o farei enquanto viveres, em consideração a teu pai Davi; eu o arrancarei da mão de teu filho. ¹³Mas não lhe tirarei o reino todo; deixarei a teu filho uma tribo, em consideração a meu servo Davi e a Jerusalém, minha cidade escolhida.

Revoltas contra Salomão – ¹⁴O Senhor suscitou para Salomão um adversário: o edomita Adad, da estirpe real de Edom.

¹⁵Quando Davi derrotou Edom, o general-em-chefe Joab foi enterrar os mortos, e matou todos os homens de Edom. ¹⁶Joab e o exército israelita estiveram aí acampados seis meses, até que exterminaram todos os homens de Edom. ¹⁷Mas Adad conseguiu fugir para o Egito com alguns edomitas, funcionários de seu pai. Adad era então criança. ¹⁸Partiram de Madiã e chegaram a Farã. Juntaram-se a eles alguns de Farã, entraram no Egito e se apresentaram ao Faraó, rei do Egito, que lhes deu casa, sustento e terras. ¹⁹Adad ganhou completamente o favor do Faraó, que o casou com sua cunhada, a irmã da rainha Táfnis. ²⁰Sua mulher deu-lhe um

---

A rebelião de Damasco pode ter acontecido no primeiro período de Salomão. Explicaria o afã do rei em apoiar-se no aliado fenício. A derrota implica que Salomão não pôde cobrar mais tributos dos mercadores e caravanas arameias do norte.

A terceira rebelião teve lugar provavelmente depois de terminados os trabalhos de construção da cidade. Um segundo recurso de interpretação é encabeçar o capítulo com a notícia do pecado de Salomão. Cometeu-o na juventude, suas consequências se manifestam na velhice.

O terceiro recurso de interpretação consiste na explicação de motivos, introduzidos em pontos capitais.

11,1-13 O pecado capital é a idolatria; o germe e a ocasião são os casamentos com estrangeiras. O Deuteronômio proíbe tais casamentos "mistos" exatamente para evitar esse perigo (Dt 7,3). Mas também Davi casou com estrangeiras, e o autor não protestou por isso. Tais casamentos eram em boa parte atos políticos que contribuíam para a paz do reino e para o prestígio do soberano. O autor recolhe o fato de fontes fidedignas, e acrescenta sua interpretação explícita.

Moab, Amon e Edom eram reinos vassalos, herdados de Davi; o Egito e Tiro eram reinos aliados; os heteus eram grupos de população dispersos entre outros reinos da época. Sendo muitas delas esposas de primeira categoria, provavelmente de sangue real, não é estranho que trouxessem seu séquito e sua religião; não parece que se exigisse delas uma conversão formal ao javismo. Teriam "liberdade de culto" em Jerusalém, seus santuários poderiam ser visitados e utilizados pelos mercadores de diversos países que acorriam à cidade; e não faltariam israelitas que participassem desses cultos.

Ao que parece, também Salomão caiu no laço para agradar a suas mulheres. Essa espécie de sincretismo divide o coração, impede de seguir "plenamente" o Senhor, violando o primeiro mandamento da lei. O autor introduz uma condenação na forma de oráculo profético, segundo o esquema clássico: denúncia do pecado – anúncio do castigo; a limitação da pena é um dado específico. Com esse recurso literário, o autor quer dar aos fatos uma interpretação "profética".

11,1 Dt 17,17.
11,2 Dt 7,14.
11,11 1Sm 15,28.
11,14-22 O extermínio de todos os homens soa como conclusão da guerra santa; o alcance da ação é exagerado.

Em resumo, a história de Adad se parece com a dos israelitas e com a de José: primeiro se refugia no Egito, depois pede licença para sair, tem um filho de família real educado na corte.
11,18 Ex 1-2.

filho, Genubat, e o criou no palácio do Faraó, com os filhos do Faraó.

²¹Quando, no Egito, Adad soube que Davi falecera e que o general-em-chefe Joab tinha morrido, pediu ao Faraó:

— Deixa-me ir à minha terra.

²²O Faraó lhe respondeu:

— O que te falta na minha casa para desejares voltar para tua terra?

Adad lhe disse:

— Nada. Mas deixa-me ir.*

²⁵ᵇAdad reinou em Edom e não deixou Israel em paz.

²³O Senhor suscitou também como adversário de Salomão a Razon, filho de Aliada, que havia fugido de seu amo Adadezer, rei de Soba; ²⁴juntaram-se a ele alguns homens e tornou-se chefe de guerrilhas; enquanto Davi massacrava os sírios, ele se apoderou de Damasco, estabeleceu-se aí e chegou a ser rei de Damasco. ²⁵ᵃFoi adversário de Israel durante todo o reinado de Salomão.

²⁶Jeroboão, filho de Nabat, era efraimita, natural de Sareda; sua mãe, chamada Sarva, era viúva. Sendo funcionário de Salomão, revoltou-se contra o rei. ²⁷Esta foi a ocasião para revoltar-se contra o rei: Salomão estava construindo o aterro para preencher o fosso da Cidade de Davi, seu pai. ²⁸Jeroboão era um homem valente, e Salomão, vendo que o jovem trabalhava bem, o nomeou capataz de todos os carregadores da casa de José.

²⁹Certo dia Jeroboão saiu de Jerusalém, e o profeta Aías de Silo, envolto num manto novo, o encontrou no caminho; estavam sozinhos, em campo aberto. ³⁰Aías pegou seu manto novo, rasgou-o em doze pedaços ³¹e disse a Jeroboão:

— Recolhe dez pedaços, pois assim diz o Senhor, Deus de Israel: "Vou arrancar o reino de Salomão e vou dar a ti dez tribos; ³²o resto será para ele, em consideração a meu servo Davi e a Jerusalém, a cidade que escolhi entre todas as tribos de Israel; ³³pois ele me abandonou e adorou Astarte, deusa dos fenícios; Camos, deus de Moab; Melcom, deus dos amonitas, e não andou em meus caminhos praticando o que eu aprovo, meus mandatos e preceitos, como seu pai Davi. ³⁴Não lhe tirarei todo o reino; em consideração a meu servo Davi, que escolhi, que guardou minhas leis e preceitos, eu o manterei como chefe enquanto viver; ³⁵mas tiro do seu filho o reino e te dou dez tribos. ³⁶Darei uma tribo ao filho dele, para que meu servo Davi tenha sempre uma lâmpada diante de mim em Jerusalém, a cidade que escolhi para que aí residisse meu Nome. ³⁷Quanto a ti, vou escolher-te para que sejas rei de Israel, segundo o que ambicionas. ³⁸Se obedeceres em tudo o que eu te ordenar e andares em meus caminhos e praticares o que eu aprovo, guardando meus mandamentos e preceitos, como fez meu servo Davi, eu estarei contigo e te darei uma dinastia

---

11,22 * V. 23 depois de 25 b. V. 25a depois de 24.

11,23-25 Damasco, milagre das águas no meio do deserto, ocupa posição privilegiada como centro comercial.

A pequena história de Razon tem interessantes semelhanças com a de Israel: a passagem de algumas tribos nômades à vida sedentária, o golpe de Estado de um chefe de guerrilhas (no estilo de Davi). Por que o narrador não o quer ver?

11,24 Jz 9.

11,26-40 A fracassada rebelião de Jeroboão é o mais grave dos três episódios, pois ameaça por dentro a unidade e estabilidade do reino.

11,27 O aterro cobria o fosso que, à maneira de bissetriz, partia do ângulo formado pelo Cedron e o vale de Enom, e que transformava a Cidade de Davi em agudo esporão. Expandindo-se a cidade, esse fosso tornava-se grave inconveniente.

11,28 Como tantas vezes na história, a autoridade está promovendo seu futuro inimigo; o ímpeto construtor do rei é a ocasião específica desta história. É um sintoma da fraqueza incubada pela magnificência de Salomão, e pode ter sido um aviso salutar. Comandando os proletários de Efraim e Manassés, Jeroboão conheceu a miséria deles (como outrora Moisés) e aprendeu a arte de comandar. Mas, também como Moisés, ainda não tinha aprendido a paciência.

11,29 O manto novo servirá para uma função sagrada e oracular; recorde-se o episódio de Saul rasgando o manto de Samuel (1Sm 15,27ss). Parece tratar-se de manto especial, símbolo do ofício profético (1Sm 28,14, aparição de Samuel).

11,30 1Sm 15,28s.

11,31-39 Neste oráculo, o narrador quer dar-nos a chave de leitura do próximo evento transcendental. A escolha e a promessa condicionada de uma dinastia legitimam de antemão o novo reino que vai surgir. Um profeta de Silo, a velha e sagrada cidade do norte, situada em território de Efraim, assiste à concepção desse novo reino. O profeta de Silo evoca recordações de tempos heroicos e singelos (Js 18,1; Jz 21,19-24; 1Sm 1-3).

Uma vez que a dinastia de Davi empreendeu um caminho falso, Deus já não quer o reino unido, que não subsistirá; contudo, o Senhor mantém sua promessa a Davi. Nesse momento e sob a palavra de Deus, a história de Israel se bifurca. A primeira fracassada intentona de Jeroboão inicia um período de

duradoura, como fiz com Davi, e te darei Israel. ³⁹Humilharei os descendentes de Davi por causa disso, mas não para sempre".

⁴⁰Salomão tentou matar Jeroboão, mas Jeroboão fugiu para o Egito, onde reinava Sesac, e esteve aí até que Salomão morreu.

⁴¹Para mais dados sobre Salomão, seus empreendimentos e sua sabedoria, vejam-se os Anais de Salomão.

⁴²Salomão reinou quarenta anos em Jerusalém sobre todo Israel. ⁴³Quando morreu o enterraram na Cidade de Davi, seu pai. Seu filho Roboão reinou em seu lugar.

O CISMA: OS REINOS

12 O cisma (2Cr 10,1-11,4) – ¹Roboão foi a Siquém, pois todo Israel tinha ido para lá a fim de proclamá-lo rei. ²(Quando Jeroboão, filho de Nabat, soube disso – estava ainda no Egito, para onde fugira do rei Salomão –, voltou do Egito, ³pois haviam mandado chamá-lo.) Jeroboão e toda a assembleia israelita falaram a Roboão:

— ⁴Teu pai nos impôs pesado jugo. Agora, alivia a dura servidão a que teu pai nos

---

gestação, e na sua ausência a situação amadurecerá (como na ausência de Moisés).

11,32 O hebraico diz "uma tribo", o grego "duas", o que é mais lógico.

11,36 Uma lâmpada, como uma presença que rende homenagem e ilumina os que entram.

11,37 No paralelismo falta um dado a Jeroboão: a cidade escolhida. Justamente essa diferença será a chave da próxima história.

11,38 A partir deste momento, o autor nos convida a contemplar paralelamente a casa de Davi e a casa de Jeroboão. 2Sm 7.

11,40 Trata-se provavelmente do fundador da XXII dinastia.

11,42 Salomão é assim o único rei que reinou do princípio ao fim sobre todo Israel.

11,43 Eclo 47,22s.

12 Ao iniciar-se a terceira geração, a monarquia começa sua decadência com uma ruptura irremediável. O sólido edifício não racha por um acidente grave; antes, a fratura revela que o edifício não era tão sólido. À primeira vista, tal como o autor a apresenta, tratou-se de um protesto contra as cargas fiscais, impostos ou serviços pessoais. Mas isso era ocasião para que entrassem em ação causas mais profundas. A política fiscal de Salomão tinha posto em movimento a riqueza, os bens importados; o ouro tinha servido ao prestígio do monarca e ao orgulho de um povo que por fim se sente importante e bem representado. Mas os prolongados sacrifícios que semelhante política exigia despertaram as velhas recordações e a saudade da liberdade perdida. São os da velha geração que recomendam a mudança de política, sobretudo a redução de impostos; fazendo isso, empregam uma linguagem que nos faz recordar a escravidão do Egito: a "dura servidão" é justamente o que o Faraó impôs aos israelitas. O povo que conta e canta a epopeia da sua libertação da escravidão, vai acabar escravo de uma espécie de Faraó doméstico? A ameaça de Samuel a respeito da monarquia está se cumprindo cedo demais, e os representantes do povo voltam a sonhar com algo perdido, embora não pensem em renunciar ao regime monárquico.

Salomão foi escolhido e imposto pelo próprio Davi; com seu prestígio pessoal pôde tornar a decisão aceitável. Não sabemos se Roboão era o primogênito ou foi designado por Salomão (o narrador não menciona aqui outros irmãos rivais). Seja como for, uma monarquia "constitucional" poderia mudar a direção despótica perigosamente introduzida por Salomão. Esse pode ser o significado da assembleia em Siquém. Não Jerusalém, a nova capital da dinastia, tão vinculada a Davi, mas Siquém, a velha cidade cananeia das grandes assembleias gerais de Israel, da renovação da aliança (Js 24), a cidade central que representava o primeiro assentamento pacífico na terra de Canaã. O rei tem de comparecer em Siquém, abandonando sua cidade, para que a assembleia representativa do povo o "proclame rei". Siquém, como Hebron, conserva recordações patriarcais; e em Hebron, antes da conquista de Jerusalém, os anciãos de Israel proclamaram Davi rei.

A assembleia de Siquém representa a primeira e importante concessão do rei: nada semelhante aconteceu com Salomão, e ainda tem caráter pacífico, de mútuo reconhecimento. Bem cedo subirão à superfície o descontentamento, os rancores, as invejas profundas. No final, o grito de independência não invocará razões tributárias, mas denunciará a substância da monarquia davídica, sentida como estranha, contraposta à monarquia do benjaminita Saul. A divisão interna assume outras manifestações e denominações. É o grupo do Israel autêntico contra Judá usurpador, Siquém contra Jerusalém, os veneráveis santuários contra as pretensões ameaçadoras do templo, o povo contra o exclusivismo clerical da tribo de Levi, o profetismo fiel ao santuário de Silo. Jeroboão se apoiará em todas essas forças, bem controladas, sinal de que eram as forças motrizes da revolta e divisão.

Salomão podia ter evitado o desastre, trabalhando com mais consciência e acerto, com mais "sabedoria", para fomentar a unidade nacional? Ou se embriagou com seu próprio esplendor? Morto ele, Roboão teve como afastar o perigo e sanar a herança ameaçada? Parece que sim, pois os representantes de Israel ainda desejavam preservar o reino unido, em condições mais justas. Mas Roboão era cria do luxo salomônico, crescido com as novas ideias cortesãs. Faltaram-lhe perspicácia e tato, e precipitou os fatos. Além disso – diz o narrador – aí estava Deus, imprimindo com sua palavra profética novo curso à história.

12,2-3 Não é totalmente clara a participação de Jeroboão nas novas negociações.

12,4 A queixa contra o jugo pesado repete-se quatro vezes. Os delegados impõem condições com autoridade: a desproporção entre prótase (onze palavras) e apódose (uma palavra) exprime a divisão de forças.

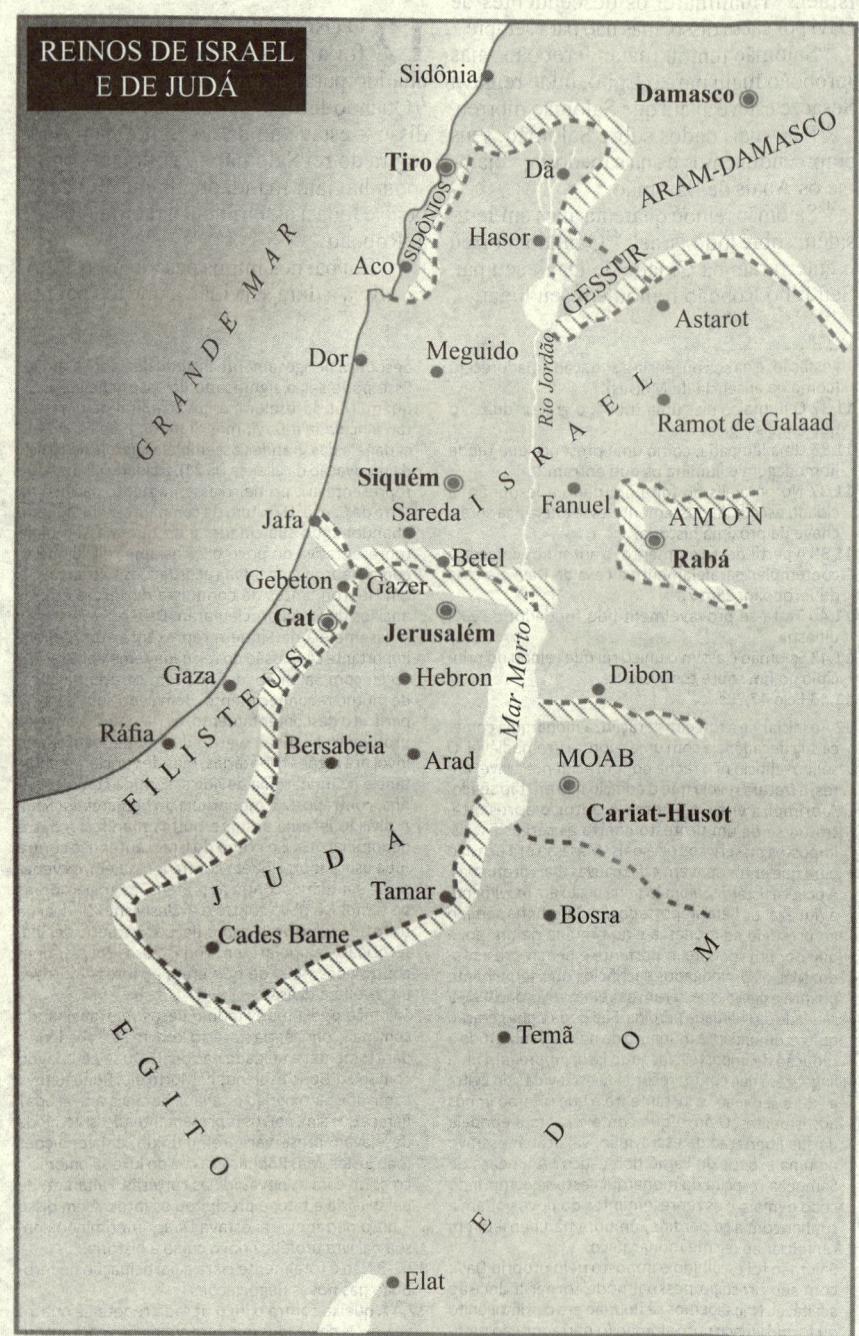

submeteu, e o pesado jugo que nos impôs, e nós te serviremos.

⁵Ele disse-lhes:

– Ide e voltai daqui a três dias.

Eles partiram, ⁶e o rei Roboão consultou os anciãos que tinham estado a serviço de seu pai Salomão enquanto vivia:

– O que me aconselhais responder a essa gente?

⁷Disseram-lhe:

– Se hoje entrares em acordo com esse povo, colocando-te a seu serviço, e lhes responderes com boas palavras, serão teus servos por toda a vida.

⁸Mas ele desprezou o conselho dos anciãos e consultou os jovens que haviam sido educados com ele e estavam a seu serviço. ⁹Perguntou-lhes:

– Essa gente pede que alivie o jugo que meu pai lhes impôs. O que me aconselhais responder?

¹⁰Os jovens que haviam sido educados com ele responderam:

– Essa gente te disse: "Teu pai nos impôs pesado jugo; alivia-o". Responde-lhes: "Meu dedo mínimo é mais grosso que a cintura de meu pai. ¹¹Se meu pai vos impôs um jugo pesado, eu aumentarei a carga; meu pai vos castigou com açoites, e eu vos castigarei com escorpiões".

¹²No terceiro dia, na data marcada pelo rei, Jeroboão e todo o povo foram ver Roboão. ¹³Este lhes respondeu asperamente; desprezou o conselho dos anciãos, ¹⁴e falou-lhes conforme o conselho dos jovens:

– Se meu pai vos impôs
pesado jugo,
eu vos aumentarei a carga;
meu pai vos castigou com açoites,
eu vos castigarei com escorpiões.

¹⁵Dessa forma, o rei não deu atenção ao povo, pois era uma ocasião provocada pelo Senhor para que se cumprisse a palavra que Aías de Silo comunicou a Jeroboão, filho de Nabat.

¹⁶Vendo os israelitas que o rei não lhes dava atenção, replicaram-lhe:

– O que partilhamos com Davi?
Não temos herança junto com o filho de Jessé!
Para tuas tendas, Israel!
Agora, Davi, cuida da tua casa!

Os de Israel voltaram para casa; ¹⁷mas os israelitas que viviam nos povoados de Judá continuaram submetidos a Roboão. ¹⁸O rei Roboão enviou então Aduram, encarregado dos trabalhos forçados; mas os israelitas o receberam a pedradas até matá-lo, enquanto o rei montava depressa em seu carro, fugindo para Jerusalém. ¹⁹Foi assim que Israel se tornou independente da casa de Davi, até hoje.

²⁰Quando Israel soube que Jeroboão tinha voltado, mandaram chamá-lo para que fosse à assembleia, e o proclamaram rei de Israel. Somente a tribo de Judá ficou com a casa de Davi. ²¹Quando Roboão chegou a Jerusalém, mobilizou cento e oitenta mil soldados de Judá e da tribo de Benjamim para lutar contra Israel e recuperar o reino para Roboão, filho de Salomão. ²²Mas Deus dirigiu a palavra ao profeta Semeías:

– ²³Dize a Roboão, filho de Salomão, rei de Judá, a todo Judá e Benjamim e ao resto do povo: ²⁴Assim diz o Senhor: "Não luteis contra vossos irmãos israelitas; volte cada qual para sua casa, pois isso aconteceu por minha vontade".

Obedeceram à palavra do Senhor e desistiram da campanha, como Deus havia ordenado.

12,7 Os anciãos aconselham uma linha de equilíbrio entre as duas forças: propõem, na realidade, um pacto de serviço mútuo. É a forma constitucional de monarquia que o Deuteronômio aconselha (Dt 17), realizada por Davi em Hebron (2Sm 5,3).

12,10-11 A forma em verso parece recolher e aplicar um provérbio popular.

12,13-14 A atitude de Roboão não difere muito da atitude do Faraó diante das reclamações dos israelitas escravos, embora a linguagem seja diferente.

12,16 O apelido "filho de Jessé" é polêmico (Saul geralmente o empregava); pretende tirar-lhe o título de rei e confiná-lo numa família insignificante. Sua "casa" já não é uma dinastia, mas uma família camponesa. Repartir entre si a herança é o que fazem os irmãos do mesmo pai; mas Davi já não é irmão na família de Israel, porque quis arrebatar a parte dos outros. O sentimento das tribos cresce até submergir o sentimento de unidade.

12,18 Aduram (ou Adoniram) encarna a política odiosa de Salomão. Não é mediador de paz, e sim a mão dura da repressão.

12,19 Eclo 47,21.23s.

12,21-24 A divisão se consuma. A história mostrará que os israelitas do norte continuam se considerando povo escolhido, povo do Senhor, até mais que os do sul, e o Senhor não lhes negará sua palavra profética. A ideia de divisão e convivência pacífica não entrava na cabeça de Roboão; um autor que escreve mais tarde, introduz aqui a confirmação divina da situação.

O culto cismático – ²⁵Jeroboão fortificou Siquém, na serra de Efraim, e morou aí. Depois saiu de Siquém para fortificar Fanuel. ²⁶E pensou consigo mesmo: "O reino ainda pode voltar à casa de Davi. ²⁷Se o povo continuar indo a Jerusalém para fazer sacrifícios no templo do Senhor, acabarão colocando-se do lado de seu senhor Roboão, rei de Judá. Eles me matarão e voltarão a unir-se a Roboão, rei de Judá". ²⁸Depois de aconselhar-se, o rei fez dois bezerros de ouro, dizendo à sua gente:

– Chega de subir a Jerusalém! Este é teu deus, Israel, que te tirou do Egito!

²⁹Depois colocou um bezerro em Betel e o outro em Dã. ³⁰Isso incitou Israel ao pecado, pois uns iam a Betel e outros a Dã. ³¹Edificou também capelas nos lugares altos; pôs como sacerdotes pessoas do povo, que não pertenciam à tribo de Levi. ³²Instituiu também uma festa no décimo quinto do oitavo mês, como a festa que se celebrava em Jerusalém, e subiu ao altar que tinha erguido em Betel, para oferecer sacrifícios ao bezerro que fizera. Em Betel estabeleceu os sacerdotes das capelas que havia construído nos lugares altos. ³³Subiu ao altar que havia feito em Betel, no décimo quinto dia do oitavo mês (o mês que lhe pareceu bem). Instituiu uma festa para os israelitas e subiu ao altar para oferecer incenso.

13 O profeta de Judá

¹Quando Jeroboão, de pé junto do altar, se preparava para queimar incenso, chegou de Judá a Betel um homem de Deus enviado pelo Senhor. ²Por ordem do Senhor, gritou contra o altar:

– Altar, altar! Assim diz o Senhor: Nascerá um descendente de Davi (chamado Josias) que sacrificará sobre ti os sacerdotes dos lugares altos que queimam incenso sobre ti e queimará ossos humanos sobre ti.

³E ofereceu um sinal:

– Este é o sinal anunciado pelo Senhor: o altar rachará e a cinza que está sobre ele se derramará.

⁴Quando o rei ouviu que o homem de Deus gritava contra o altar de Betel, do altar estendeu o braço, ordenando:

– Prendei-o!

Mas o braço estendido contra o profeta ficou rígido, sem poder encostar-se ao corpo, ⁵enquanto o altar se rachava e a cinza se derramava, conforme o sinal anunciado pelo homem de Deus, em nome do Senhor.

12,25 Fanuel era uma cidade estratégica do outro lado do Jordão, com recordações de Jacó (Gn 32) e Gedeão (Jz 8). Jeroboão a fortificou para garantir a lealdade das tribos da Transjordânia e, talvez, para manter a vassalagem de Moab. Mais tarde o novo rei transferirá sua residência para Tersa.

12,27-33 Jeroboão não esquece o peso decisivo do fator religioso na política; Davi lhe ensinou a lição. Quem poderá competir com a magnificência do templo salomônico? O rei procura frear essa força de atração, apelando para outros valores.
Dois deles são a antiguidade e a tradição. Betel está ligada a Abraão. Dã remonta ao tempo dos Juízes, e é um centro de atração para as tribos do norte. Em segundo lugar, o culto com imagens, no estilo cananeu, atrai o povo com mais força que o culto sem imagens de Jerusalém. Em terceiro lugar, escolhe entre o povo os sacerdotes sem privilégios cortesãos: as relações familiares assim criadas vincularão o povo com o novo culto. Por fim, institui uma grande festa de peregrinação popular no outono.

12,28 A expressão é lida literalmente na narração do bezerro de ouro (Ex 32). Muitos supõem que tal narração foi redigida posteriormente, com espírito polêmico contra o culto de Betel. É uma fórmula que reconhece o Senhor como Deus e libertador do povo; sublinha a história, e não a fecundidade da terra.

12,30 Para o autor que escreve no tempo da reforma de Josias, este é o pecado original do reino do norte: Jeroboão o inicia, outros reis o repetem e continuam, a destruição do reino lhe porá fim. Junto a esse pecado, a criação de santuários nas colinas é simples agravante.

13 Este capítulo está dominado pela palavra de Deus: o Senhor a envia de Judá por meio de um profeta anônimo, é mais forte que o altar de pedra, mais que o braço do rei. É anúncio e ordem: o anúncio se cumprirá, a ordem não cumprida é vingada com novo oráculo. A profecia traça um arco daqui até seu cumprimento em 2Rs 23,15-19; é uma das técnicas de composição deste livro.

13,1 Betel, por tradição e situação geográfica, foi praticamente o santuário real (ver Am 7).

13,2 O sacrifício dos sacerdotes é ao mesmo tempo castigo deles e profanação do altar (ver Ez 6,1-9).

13,3 O sinal oferecido antecipa de algum modo a futura profanação do altar: as cinzas contêm gordura derretida, que é devida ao Senhor. Se for derramada, é porque o Senhor não aceita o sacrifício. Lv 3,16.

13,4 A ordem do rei é um atentado à palavra profética; mas o rei se converte involuntariamente em novo sinal; uma engenhosa aliteração sugere a correspondência.

13,5-6 O rei põe em ação outra função profética, a intercessão; nisto reconhece a missão do profeta e a validade da sua palavra; implicitamente reconhece o Senhor que o enviou.

⁶Então o rei suplicou ao homem de Deus:
– Por favor, aplaca o Senhor teu Deus, e reza por mim, para que eu recupere o movimento do braço.

O homem de Deus aplacou o Senhor, e o rei recuperou o movimento do braço, que ficou como antes. ⁷Então o rei lhe disse:
– Vem comigo ao palácio, recupera as forças, e te darei um presente.

⁸Mas o homem de Deus replicou:
– Não irei contigo, mesmo que me dês meio palácio. Não comerei nem beberei nada aqui, ⁹pois o Senhor me proibiu comer, beber ou retornar pelo mesmo caminho.

¹⁰Depois foi por outro caminho, sem voltar pelo caminho pelo qual tinha ido a Betel.

¹¹Vivia em Betel um velho profeta, e quando seus filhos foram contar-lhe o que o homem de Deus tinha feito naquele dia em Betel e o que havia dito ao rei, ¹²seu pai lhes perguntou:
– Que caminho tomou?

Seus filhos lhe indicaram o caminho que havia tomado o homem de Deus vindo de Judá, ¹³e ele ordenou-lhes:
– Selai o burro.

Eles o selaram, montou ¹⁴e partiu atrás do profeta; encontrou-o sentado sob um carvalho e perguntou-lhe:
– És o homem de Deus que veio de Judá?

O outro respondeu:
– Sim.

¹⁵Disse-lhe então:
– Vem à minha casa tomar alguma coisa.

¹⁶Mas o outro respondeu:
– Não posso voltar contigo, nem comer ou beber nada aqui, ¹⁷pois o Senhor me proibiu comer ou beber aqui ou voltar pelo mesmo caminho.

¹⁸O outro então lhe disse:
– Também eu sou profeta como tu, e um anjo me disse, por ordem do Senhor, que te leve à minha casa para que comas e bebas alguma coisa.

E assim o enganou; ¹⁹levou-o consigo, e ele comeu e bebeu em sua casa. ²⁰Mas, quando estavam sentados à mesa, o Senhor dirigiu a palavra ao profeta que o fizera voltar, ²¹e este gritou ao homem de Deus vindo de Judá:

– Assim diz o Senhor: Por teres desafiado a ordem do Senhor, não fazendo o que te ordenava o Senhor teu Deus, ²²por voltares para comer e beber aí onde ele te havia proibido, não enterrarão teu cadáver na sepultura de tua família.

²³Depois selou-lhe o burro, e o outro partiu. ²⁴Mas pelo caminho saiu ao encontro dele um leão e o matou. Seu cadáver ficou estendido no caminho, e o burro e o leão ficaram de pé junto a ele. ²⁵Alguns viajantes viram o cadáver estendido no caminho e o leão de pé junto ao cadáver, e foram dar a notícia na cidade em que vivia o velho profeta. ²⁶Quando o soube, comentou:

13,6 Ex 8,4-10; 9,28s.
13,7 O banquete podia significar a reconciliação, ao passo que o presente pagava a intercessão eficaz. Era lógico aceitar.
13,8 Mas o profeta não aceita, pois Deus proibiu. Qual o sentido dessa proibição? A melhor maneira de compreender o mandato categórico do Senhor talvez seja não procurar razões. Nm 22,18s.
13,10 Até aqui a ordem do Senhor foi cumprida em todos os seus detalhes. Aqui o episódio poderia terminar. O narrador continua com outro episódio um tanto enigmático, intimamente ligado ao anterior.
13,11 Por que tanto interesse em extraviar o colega? Queria provar sua fidelidade? Queria pervertê-lo por ciúmes? Queria comprovar a validade do oráculo? À luz do desfecho da história, o último parece mais provável. Se o profeta seguisse seu caminho, a obediência a Deus autenticaria sua missão; se o profeta desobedecesse e ficasse impune, sua missão seria duvidosa; se desobedecesse e fosse castigado, sua missão seria autêntica. Essa explicação supõe que os dois sinais contados por seus filhos, o do altar e o da mão do rei, não bastaram ao profeta.

De novo temos de comentar: esse modo de buscar razões e explicações é o melhor para compreender e explicar o estranho episódio? Não deveríamos antes contemplar o dinamismo dialético da palavra de Deus acima da lógica humana?
O autor que preservou aqui o relato, talvez quisesse sublinhar tal aspecto. As narrações proféticas são uma das características deste livro. Além disso, o relato explica a razão de um sepulcro de dois profetas anônimos em Betel (2Rs 23).
13,18 Um "anjo" é simplesmente um mensageiro da parte do Senhor. Nesse primeiro momento, o profeta de Betel age como falso profeta; o encontro é o primeiro de uma longa corrente. Ez 13.
13,21-22 De repente Deus se apodera do profeta mentiroso e o faz pronunciar um oráculo verdadeiro.
13,24 A guarda fúnebre dos dois animais reconciliados tem sabor de lenda hagiográfica. Como a pedra do altar obedeceu à palavra do Senhor, assim agem os animais até onde Deus lhes permite. (O leão é animal emblemático de Judá, mas o autor não parece notar a coincidência.)

– É o homem de Deus que desafiou a ordem do Senhor! O Senhor o terá entregue ao leão, que o matou e despedaçou, como o Senhor disse.

[27] Depois ordenou a seus filhos:

– Selai o burro.

Eles o selaram. [28] Foi e encontrou o cadáver estendido no caminho; o burro e o leão estavam de pé junto ao cadáver; o leão não havia devorado o cadáver nem despedaçado o burro. [29] Ele recolheu o cadáver do homem de Deus, acomodou-o sobre o burro e o levou à cidade, para fazer-lhe os funerais e enterrá-lo. [30] Pôs o cadáver em sua própria sepultura, entoando para ele a lamentação: "Ai, irmão!" [31] Depois de o enterrar, falou a seus filhos:

– Quando eu morrer, enterrai-me na sepultura em que está enterrado esse homem de Deus; colocai meus ossos junto aos seus, [32] porque certamente se cumprirá a ameaça que proferiu, por ordem do Senhor, contra o altar de Betel e contra todas as capelas dos lugares altos que há nos povoados de Samaria.

[33] Mas, depois disso, Jeroboão não se converteu de sua má conduta e voltou a nomear gente do povo como sacerdotes dos lugares altos; consagrava sacerdote dos lugares altos quem o desejasse. [34] Esse modo de agir levou a dinastia de Jeroboão ao pecado, motivando sua destruição e extermínio da terra.

14 Sentença contra Jeroboão

[1] Nesse tempo, adoeceu Abias, filho de Jeroboão, [2] e este disse à sua mulher:

– Vamos, disfarça-te para que ninguém perceba que és minha mulher, e vai a Silo; aí está o profeta Aías, que profetizou que eu seria rei desta nação. [3] Leva contigo dez pães, bolos e um pote de mel, e apresenta-te a ele; ele te dirá o que acontecerá com o menino.

[4] Assim fez; pôs-se a caminho de Silo e entrou na casa de Aías. Aías estava quase cego, tinha os olhos apagados por causa da velhice, [5] mas o Senhor lhe havia dito: "Virá a mulher de Jeroboão pedir-te um oráculo sobre seu filho doente; tu lhe dirás isto e isto". Ela chegou, fazendo-se passar por outra, [6] e, quando Aías ouviu o barulho de seus passos na porta, disse-lhe:

– Podes entrar, mulher de Jeroboão. Por que te fazes passar por outra? Tenho uma notícia má para te dar. [7] Vai dizer a Jeroboão: Assim diz o Senhor, Deus de Israel: "Eu te tirei do meio do povo e te fiz chefe do meu povo Israel, [8] arrancando o reino da dinastia de Davi para dá-lo a ti. Mas visto que tu não foste como meu servo Davi, que guardou meus mandamentos e me seguiu de todo o coração, fazendo unicamente o que eu aprovo, [9] mas te comportaste pior que teus predecessores, fazendo para ti deuses estranhos, ídolos de metal, para me irritar, e voltaste as costas para mim, [10] por isso trarei a desgraça à tua casa: exterminarei todo israelita que mija na parede, escravo ou livre, e varrerei tua casa completamente, como se faz com o esterco. [11] Os teus que morrerem no povoado serão devorados pelos cães, e os que morrerem em campo aberto serão devorados pelas aves do céu". O Senhor o disse: [12] Quanto a ti, levanta-te, vai para tua casa; quando puseres os pés na cidade, o menino morrerá. [13] Todo Israel fará luto

---

13,28 Jó 12,7.9.

13,30 É o começo de uma lamentação conhecida (ver Jr 22,18).

13,32 O raciocínio parece ser este: se o leão o matou, a ordem do Senhor era autêntica, e também o eram a missão e o oráculo; em tal caso, é uma honra ser enterrado junto a esse profeta.
O oráculo se referia ao altar de Betel; o autor posterior acrescentou os lugares altos e introduziu o nome de Samaria, que no tempo do oráculo ainda não era usado. 2Rs 23,16-18.

13,33-34 A nota final é um sumário que generaliza e simplifica: o altar de Betel entra na categoria de um lugar alto a mais. Não é a explicação comum.

14,1-8 Por seu começo, o episódio recorda a visita de Saul à feiticeira de Endor. Aías termina seus dias na cidade do velho santuário, cheia de recordações de Samuel, e é como outro Samuel condenando o rei de Israel. Aías está quase cego, mas escuta agudamente e distingue os ruídos, escuta a voz interior do oráculo e vê o final trágico e próximo da dinastia que ele próprio instaurou. A consulta do rei é ao mesmo tempo familiar e dinástica.

14,3 1Sm 9,7s.

14,4 1Sm 4,15.

14,8b-9 A linguagem sobre os ídolos é deuteronomista: para essa escola as imagens de Yhwh são, sem mais, ídolos, deuses estranhos. É a infidelidade máxima que se pode pensar.

14,12 1Rs 15,29.

14,13 A morte do menino é castigo para o pai, não para filho. (Recorde-se o primeiro filho de Davi e

por ele e o enterrarão, pois será o único da família de Jeroboão a acabar num sepulcro; pois, de toda a tua família, apenas nele se pode encontrar algo que agrade ao Senhor, Deus de Israel. ¹⁴O Senhor suscitará um rei de Israel para exterminar a dinastia de Jeroboão. ¹⁵O Senhor ferirá Israel, que vacilará como um junco na água; arrancará Israel desta terra fértil, que deu a seus pais, e os dispersará para o outro lado do rio, porque fizeram para si estelas, irritando o Senhor. ¹⁶Entregarei Israel pelos pecados que cometeste e fizeste Israel cometer.

¹⁷A mulher de Jeroboão retomou o caminho. Chegou a Tersa e, quando atravessava o umbral da casa, o menino morreu. ¹⁸Todo Israel fez luto por ele e o enterraram, como o Senhor havia dito por meio de seu servo, o profeta Aías.

¹⁹Para mais dados sobre Jeroboão, suas batalhas e reinado, vejam-se os Anais do Reino de Israel.

²⁰Jeroboão reinou vinte e dois anos. Morreu, e seu filho Nadab reinou em seu lugar.

Roboão de Judá *(931-914)* (2Cr 11-12) – ²¹Roboão, filho de Salomão, subiu ao trono de Judá com quarenta e um anos. Reinou dezessete anos em Jerusalém, a cidade que o Senhor escolheu entre todas as tribos de Israel para aí estabelecer seu Nome. Sua mãe chamava-se Naama e era amonita.

²²Os de Judá fizeram o que o Senhor reprova. Provocaram seus ciúmes, mais que seus antepassados, com todos os pecados que cometeram: ²³construíram capelas nos lugares altos, ergueram postes sagrados e estelas nas colinas elevadas e sob as árvores frondosas; ²⁴houve até prostituição sagrada no país; imitaram todos os ritos abomináveis das nações que o Senhor havia expulsado diante dos israelitas.

²⁵No quinto ano do reinado de Roboão, Sesac, rei do Egito, atacou Jerusalém. ²⁶Apoderou-se dos tesouros do templo e do palácio, levou tudo, com os escudos de ouro que Salomão havia feito. ²⁷Para substituí-los, o rei Roboão fez escudos de bronze, e os confiou aos chefes da escolta que vigiavam o acesso ao palácio; ²⁸toda vez que o rei ia ao templo, os da escolta os pegavam, e depois voltavam a deixá-los na sala dos guardas.

²⁹Para mais dados sobre Roboão e seus empreendimentos, vejam-se os Anais do Reino de Judá. ³⁰Houve guerras contínuas entre Roboão e Jeroboão.

³¹Roboão morreu, e o enterraram com seus antepassados na Cidade de Davi. Seu filho Abias reinou em seu lugar.

15 **Abias de Judá** *(914-911)* (2Cr 13) – ¹Abias subiu ao trono de Judá no ano décimo oitavo de Jeroboão, filho de

---

Betsabéia.) O autor não estranha que um inocente morra. Antes, trata-se de um favor: Deus o preservava da catástrofe geral, e só a ele concede a honra póstuma do sepulcro.

14,14-16 Abandonando o estilo clássico do oráculo, o autor nos antecipa um resumo da história do reino: a queda da primeira dinastia, a instabilidade permanente, o desterro final. Sobre toda a história do reino do Norte pesa o pecado de Jeroboão como um mal que contagia e envenena.

14,21-28 De Roboão o autor escolhe só a campanha do Faraó Sesac. Numa inscrição do templo de Karnak, o Faraó se gloria de ter conquistado muitas localidades de Judá e Israel (sem fazer distinção).
O narrador quer que nos detenhamos nos contrastes: Salomão casa com uma filha do Faraó, Roboão tem de submeter-se. Símbolo da decadência são esses escudos de ouro: se o ouro era abundante ao ponto de tirar o valor da prata, agora o bronze é o que de mais precioso resta a Roboão, e mesmo isso ele tem de guardar com cautela.

14,22-24 A lista de pecados é bastante convencional, exceto o detalhe da prostituição sagrada (recorde-se Baal de Fegor, Nm 25). Da decadência religiosa provém a decadência política.

14,30 No sentido de hostilidades continuadas, não exatamente de batalhas formais. Embora seja certo que Roboão não soube aceitar o fato da divisão, e com isso enfraqueceu ainda mais o seu reino. 1Rs 12,24.

14,31 Apesar de tudo, algo continua: Jerusalém permanece como a cidade escolhida, o rei é enterrado com seus antepassados, sucede-lhe seu próprio filho. Embora humilhada, a dinastia de Davi vive da promessa do Senhor.

15-16 Doravante o autor tem de dirigir alternadamente o olhar ao reino do Norte e ao do Sul: para ele, ambos são parte do povo de Deus. Durante os próximos quarenta anos, dois reis passam pelo trono de Judá e cinco pelo de Israel, em duas mudanças de dinastia. Toda essa época agitada se reduz no livro a umas poucas avaliações religiosas. Às vezes, só fica o esquema sem os fatos; geralmente, a explicação do autor é simplista. O leitor não satisfaz suas curiosidades de leitor de história nem resolve suas dúvidas: às vezes se aborrece, às vezes se irrita. Refletindo, vence o desgosto, e poderá abrir-se à surpresa: esse autor que tem à sua disposição os arquivos ou anais, os consulta para ir convocando os reis perante o tribunal da história; e, após um julgamento sumário ou sumaríssimo, dá a sentença

Nabat. ²Reinou três anos em Jerusalém. Sua mãe chamava-se Maaca, filha de Absalão. ³Imitou em tudo os pecados que seu pai havia cometido; seu coração não pertenceu completamente ao Senhor seu Deus, como o coração de seu antepassado Davi. ⁴Em consideração a Davi, o Senhor seu Deus lhe deixou uma lâmpada em Jerusalém, dando-lhe descendentes e conservando Jerusalém. ⁵Porque Davi fez o que o Senhor aprova, sem desviar-se de seus mandamentos por toda a vida, exceto no caso do heteu Urias. ⁶Houve guerras contínuas entre Abias e Jeroboão.

⁷Para mais dados sobre Abias e seus empreendimentos, vejam-se os Anais do Reino de Judá.

⁸Abias morreu, e o enterraram na Cidade de Davi. Seu filho Asa reinou em seu lugar.

Asa de Judá *(911-870)* (2Cr 14-16) – ⁹Asa subiu ao trono de Judá no vigésimo ano do reinado de Jeroboão de Israel. ¹⁰Reinou quarenta anos em Jerusalém. Sua avó chamava-se Maaca, filha de Absalão. ¹¹Fez o que o Senhor aprova, como seu antepassado Davi. ¹²Desterrou a prostituição sagrada e retirou todos os ídolos feitos por seus antepassados. ¹³Tirou de sua avó Maaca o título de rainha-mãe, por ter feito uma imagem de Astarte. Asa quebrou a imagem e a queimou na torrente Cedron. ¹⁴Não desapareceram as capelas nos lugares altos, mas o coração de Asa pertenceu inteiramente por toda a sua vida ao Senhor. ¹⁵Levou ao templo as ofertas de seu pai e as suas próprias: prata, ouro e objetos.

¹⁶Houve contínuas guerras entre Asa e Baasa de Israel. ¹⁷Baasa de Israel fez uma campanha contra Judá e fortificou Ramá, para cortar as comunicações de Asa de Judá. ¹⁸Então Asa pegou a prata e o ouro que havia nos tesouros do templo e do palácio e, entregando-os a seus ministros, enviou-os a Ben-Adad, filho de Tabremon, de Hezion, rei da Síria, que morava em Damasco, com esta mensagem: ¹⁹"Façamos um tratado de paz, como fizeram o teu pai e o meu. Envio-te este presente de prata e ouro; vai, rompe tua aliança com Baasa de Israel, para que se retire do meu território". ²⁰Ben-Adab deu-lhe atenção e enviou seus generais contra as cidades de Israel, devastando Aion, Dã, Abel-Bet*-Maaca, a região do lago e toda a região de Neftali. ²¹Quando Baasa ficou sabendo, suspendeu as obras de Ramá e voltou a Tersa. ²²Então Asa mobilizou todo Judá, sem exceção. Desmontaram as pedras e a madeira com que Baasa fortificara Ramá e as aproveitaram para fortificar Gaba* de Benjamim e Masfa*.

²³Para mais dados sobre Asa, suas façanhas militares e as cidades que fortificou, vejam-se os Anais do Reino de Judá.

Quando velho, ficou doente de gota. ²⁴Morreu, e o enterraram com seus antepassados na Cidade de Davi. Seu filho Josafá reinou em seu lugar.

Nadab de Israel *(910-909)* – ²⁵Nadab, filho de Jeroboão, subiu ao trono de Israel

---

com gesto soberano. Sentença, não segundo leis humanas, não segundo avaliações comuns, mas segundo a aprovação ou desaprovação de Deus. E o autor faz isso com monarcas "pela graça de Deus". Se lermos paralelamente a essas páginas alguns salmos reais (p. ex., Sl 2; 21; 72; 110), sentiremos a enorme tensão a que está submetida a teologia da realeza. O que define essa teologia é a polaridade, a tensão entre forças opostas, e não alguns princípios claros e facilmente harmonizáveis. Forças do idealismo e do realismo, da esperança e da desilusão, da escolha e da rebelião. A história sagrada da monarquia não é uma história edificante. Quem a contou pertence, segundo a tradição judaica, aos "profetas anteriores".

15,1-8 Abias, o filho de Roboão, é um esquema do pecado: o breve reinado e a morte prematura são seu castigo. E se a dinastia não acaba junto com ele, é pela promessa do Senhor a Davi.

15,4 1Rs 11,36.
15,5 1Rs 11.
15,9-24 Asa é a figura contrária, e seu reinado dura muito, até que o rei morra de velhice. O fato de a rainha-avó ocupar o lugar oficial de rainha-mãe, parece indicar que sua mãe morreu prematuramente. Durante o seu reinado, entra em cena Damasco, ansiosa por explorar o desacordo entre Israel e Judá. Interessava a Damasco sobretudo a rota das caravanas ao sul do lago de Genesaré, através da planície de Esdrelon, até rodear o Carmelo junto ao mar. Por isso, precisava da aliança ou da submissão do Estado de Israel.
15,12 2Rs 23.
15,20 * = Prado da Casa.
15,22 * = Colina; Atalaia.
15,25-32 O assédio de uma cidade filisteia, situada na ponta sudoeste do reino, parece indicar que os filisteus fazem sentir de novo seu poder, como nos dias de Saul. Outra consequência da divisão interna.

no segundo ano do reinado de Asa de Judá. Reinou dois anos em Israel. ²⁶Fez o que o Senhor reprova. Imitou seu pai e os pecados que ele fez Israel cometer.

²⁷Baasa, filho de Aías, da tribo de Issacar, conspirou contra ele e o assassinou em Gebeton, que pertencia aos filisteus, quando Nadab e todo Israel a estavam sitiando. ²⁸Baasa o matou no terceiro ano do reinado de Asa de Judá, e reinou em seu lugar. ²⁹Logo que se proclamou rei, matou toda a família de Jeroboão, até destruí-la, sem deixar alma viva, como o Senhor havia dito por meio do seu servo, o silonita Aías; ³⁰por causa dos pecados que Jeroboão fez Israel cometer e por provocar a indignação do Senhor, Deus de Israel.

³¹Para mais dados sobre Nadab e seus empreendimentos, vejam-se os Anais do Reino de Israel.

Baasa de Israel (909-885) – ³²Houve guerras contínuas entre Asa e Baasa de Israel.

³³Baasa, filho de Aías, subiu ao trono de Israel, em Tersa, no terceiro ano do reinado de Asa de Judá. Reinou vinte e quatro anos. ³⁴Fez o que o Senhor reprova; imitou Jeroboão e os pecados que este fez Israel cometer.

16 ¹O Senhor dirigiu a palavra a Jeú, filho de Hanani, contra Baasa:

– ²Eu te tirei do pó e te fiz chefe do meu povo Israel; mas tu imitaste Jeroboão, fizeste pecar meu povo Israel, irritando-me com seus pecados; ³por isso, vou varrer Baasa e sua casa, deixando-a como a de Jeroboão, filho de Nabat. ⁴Os de Baasa que morrerem no povoado serão devorados pelos cães, e quem morrer em campo aberto será devorado pelas aves do céu.

⁵Para mais dados sobre Baasa e suas façanhas militares, vejam-se os Anais do Reino de Israel.

⁶Baasa morreu, e o enterraram em Tersa. Seu filho Ela reinou em seu lugar.

⁷Por meio do profeta Jeú, filho de Hanani, o Senhor dirigiu a palavra a Baasa e à casa dele, por ter imitado a casa de Jeroboão, fazendo o que o Senhor reprova, irritando-o com suas obras, e também porque exterminou a casa de Jeroboão.

Ela de Israel (885-884) – ⁸Ela, filho de Baasa, subiu ao trono de Israel em Tersa, no vigésimo sétimo ano do reinado de Asa de Judá. Reinou dois anos.

⁹Seu oficial Zambri, chefe de meia divisão de carros, conspirou contra ele enquanto se embebedava em Tersa, na casa de Arsa, mordomo do palácio. ¹⁰Zambri entrou e o assassinou no vigésimo sétimo ano do reinado de Asa de Judá, reinando em seu lugar. ¹¹Logo que subiu ao trono e se proclamou rei, matou toda a família de Baasa; ¹²acabou com todo o que mija na parede, parente ou amigo. Zambri exterminou toda a família de Baasa, conforme o Senhor havia profetizado contra Baasa por meio do profeta Jeú, ¹³por causa dos pecados de Baasa e de seu filho Ela; aqueles que eles cometeram e que fizeram Israel cometer, irritando com seus ídolos o Senhor, Deus de Israel.

¹⁴Para mais dados sobre Ela e seus empreendimentos, vejam-se os Anais do Reino de Israel.

Zambri de Israel (884) – ¹⁵Zambri ocupou o trono em Tersa sete dias, no vigésimo sétimo ano do reinado de Asa de Judá. A tropa acampava junto a Gebeton, que pertencia aos filisteus. ¹⁶Quando os acampados souberam que Zambri havia conspirado e matado o rei, no mesmo dia proclamaram rei de Israel ao general Amri. ¹⁷Amri, com todo o exército israelita, partiu de Gebeton para sitiar Tersa. ¹⁸Quando viu que a cidade estava para cair, Zambri trancou-se na torre do palácio, pôs fogo no palácio, e assim morreu. ¹⁹Foi por causa dos pecados que cometeu, fazendo o que o Senhor reprova,

---

16,1-7 O oráculo contra Baasa é imitação clara do anterior contra Jeroboão (14, 8-11).

16,4 1Rs 14,11.

16,7 Exterminando a família de Jeroboão, Baasa executa a sentença de Deus e, ao mesmo tempo, se torna culpado. Isso significa que também as injustiças e crueldades humanas podem cumprir desígnios do castigo divino; mas isso não absolve os homens da sua crueldade.

16,8-14 Zambri se ilude ao proclamar-se rei sem apoio do exército; seu reinado de sete dias passa à história como exemplo (2Rs 9,31).

16,12 2Rs 9,31.

16,15 2Rs 9,31.

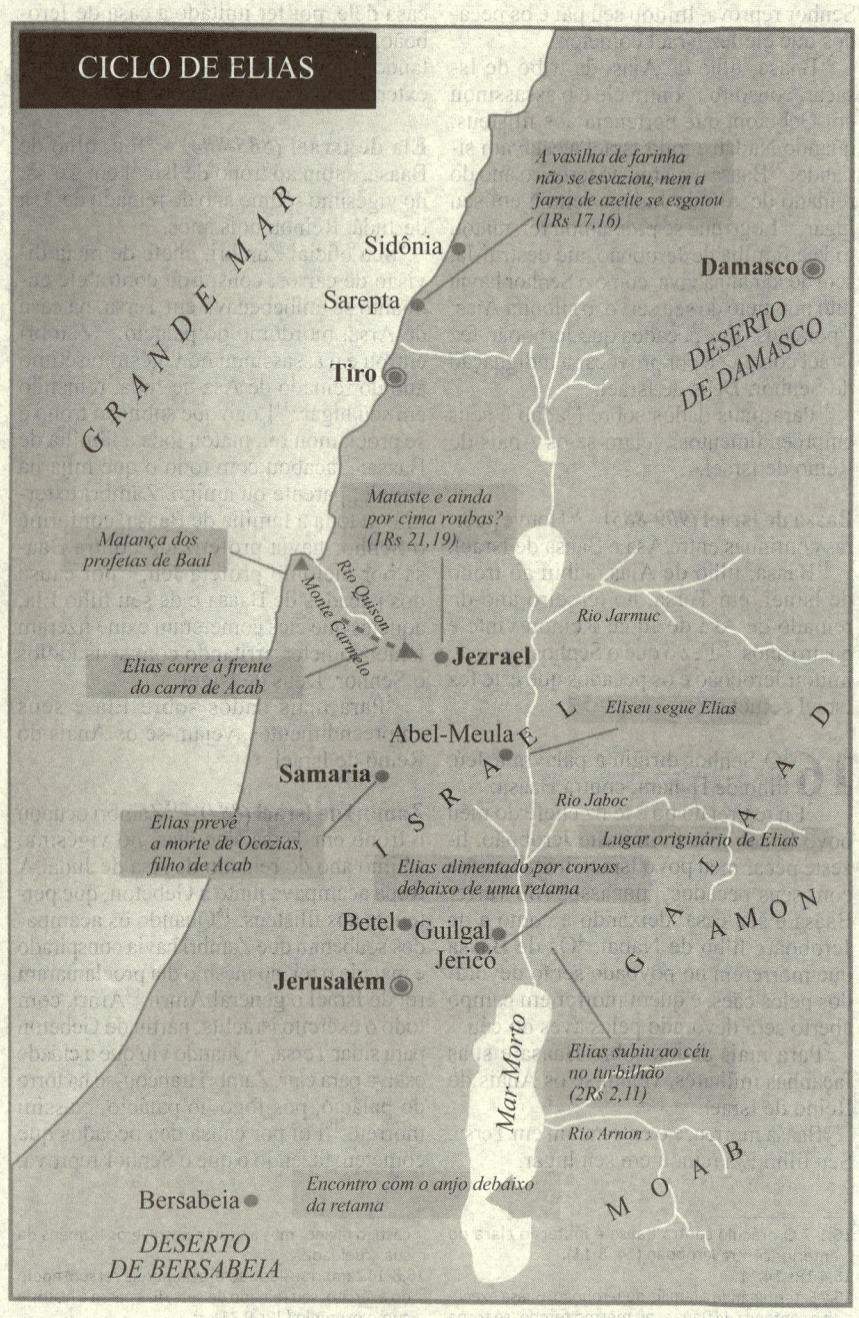

imitando Jeroboão e os pecados que este fez Israel cometer.

²⁰Para mais dados sobre Zambri e a conspiração que tramou, vejam-se os Anais do Reino de Israel.

Amri de Israel *(884-874)* – ²¹Então os israelitas se dividiram: metade apoiou Tebni, filho de Ginet, querendo proclamá-lo rei, e a outra metade seguiu Amri. ²²Os partidários de Amri se impuseram aos de Tebni, filho de Ginet. Tebni caiu morto e Amri subiu ao trono.

²³Amri subiu ao trono de Israel no trigésimo primeiro ano do reinado de Asa de Judá. Reinou doze anos, seis em Tersa. ²⁴Comprou de Semer o monte de Samaria por sessenta quilos de prata e edificou aí uma cidade, chamando-a Samaria (por causa de Semer, proprietário do monte). ²⁵Amri fez o que o Senhor reprova, foi pior que todos os seus predecessores. ²⁶Imitou em tudo Jeroboão, filho de Nabat, e os pecados que este fez Israel cometer, irritando com seus ídolos o Senhor, Deus de Israel.

²⁷Para mais dados sobre Amri e suas façanhas militares, vejam-se os Anais do Reino de Israel.

²⁸Amri morreu, e o enterraram em Samaria. Seu filho Acab reinou em seu lugar.

Acab de Israel *(874-853)* – ²⁹Acab, filho de Amri, subiu ao trono de Israel no trigésimo oitavo ano do reinado de Asa de Judá. Reinou sobre Israel, em Samaria, vinte e dois anos.

³⁰Fez o que o Senhor reprova, mais que todos os seus predecessores. ³¹Como se não lhe bastasse imitar os pecados de Jeroboão, filho de Nabat, casou-se com Jezabel, filha de Etbaal, rei dos fenícios, prestando culto e adorando a Baal. ³²Ergueu um altar a Baal no templo de Baal que construiu em Samaria; ³³pôs também uma estela e continuou irritando o Senhor, Deus de Israel, mais que todos os reis de Israel que o precederam.

³⁴No seu tempo, Hiel de Betel reconstruiu Jericó: os alicerces custaram a vida de Abiram, seu primogênito, e as portas a de Segub, seu caçula, como o Senhor havia dito por meio de Josué, filho de Nun.

CICLO DE ELIAS

17 Elias: a seca (Jr 14) – ¹O tesbita Elias (de Tesbi de Galaad) disse a Acab:

16,21-28 A guerra civil durou quatro anos, no fim dos quais Amri inaugura a terceira dinastia em Israel. A criação da nova capital foi um ato de grande importância política e estratégica, algo assim como a Jerusalém de Davi. O paralelismo sublinha a diferença: Samaria não é a cidade escolhida por Deus para nela habitar, não é centro religioso. Contudo, Samaria chega a dar nome ao reino do Norte, como Amri dá nome a uma dinastia (reconhecida com esse nome nos anais assírios, mesmo depois de cair a dinastia). Amri conseguiu dar estabilidade à monarquia, embora não tenha podido afastar totalmente o domínio sírio. Segundo fontes estrangeiras (a estela de Mesa, rei de Moab), conseguiu submeter Moab. E parece que reatou relações comerciais e políticas com a Fenícia.

16,29 O reinado de Acab inaugura, em diversos aspectos, uma nova época. No campo político, deve-se ressaltar o tratado de paz assinado com Judá e as relações estreitas com a Fenícia; no militar, suas campanhas contra os arameus; no religioso, a penetração do Baal de Tiro e o surgimento do profeta Elias.

16,30-33 É correto o julgamento do autor: o pecado é mais grave. No tempo de Acab, penetra um deus conquistador que pretende eliminar o javismo para ocupar o seu lugar. A técnica da usurpação, que muda periodicamente as dinastias, terá aplicação também na esfera divina? Conseguirá Baal usurpar o trono de Javé?

16,31 Dt 7,1-4.

16,34 Sobre Jericó pesava a maldição de Josué (Js 6,26). Não é claro se aqui se trata de um sacrifício de fundação que o reconstrutor oferece, ou de uma desgraça familiar que a tradição ligou à velha maldição.

CICLO DE ELIAS E ELISEU

17 Elias aparece repentinamente. Fala-se dele como se fosse personagem conhecido. Nisso se afasta notavelmente de Moisés e Samuel, cujas biografias remontam à infância prodigiosa. O primeiro capítulo é preparação e começo. Preparação para a sua missão, porque aprende rapidamente o que é ser profeta solitário, sem comunidade de apoio, dependendo somente do Senhor que o envia e conduz. O capítulo está cheio de milagres realizados nos domínios que os deuses estrangeiros arrogam para si. A palavra de Elias esvazia de trigo os campos e enche de farinha a vasilha da viúva; mortalmente perseguido, devolve a vida a um órfão. A palavra do Senhor, que Elias recebe em forma de ordem e comunica em forma de anúncio, move e unifica este capítulo.

Desde o começo, deve-se notar o predomínio do tema da comida: os corvos trazem de comer ao profeta; ele fornece alimento à viúva; Abdias sustenta os profetas do Senhor, Jezabel os de Baal (18,4.13.19); o rei procura sustento para os animais (18,5), Elias se preocupa para que o rei coma (18,41), o mesmo fará Jezabel (21,5-7) e será o próprio Deus quem concederá alimento a Elias no deserto (19,5).

17,1 Eclo 48,1s; Lv 26,18-20.

— Pelo Senhor, Deus de Israel, a quem sirvo! Nestes anos não cairá orvalho nem chuva, se eu não ordenar.

²Depois o Senhor lhe dirigiu a palavra:

— ³Parte daqui para o Oriente e esconde-te junto à torrente Carit, que fica perto do Jordão. ⁴Bebe da torrente, e eu ordenarei aos corvos que levem a esse lugar comida para ti.

⁵Elias fez o que o Senhor lhe ordenou e foi viver junto à torrente Carit, que fica perto do Jordão. ⁶Os corvos levavam-lhe pão pela manhã e carne à tarde, e ele bebia da torrente. ⁷Mas depois de certo tempo a torrente secou, pois não havia chovido na região. ⁸Então o Senhor dirigiu a palavra a Elias:

— ⁹Levanta-te, vai a Sarepta da Fenícia para viver aí; eu ordenarei a uma viúva que te dê comida.

¹⁰Elias se pôs a caminho de Sarepta e, ao chegar à entrada do povoado, encontrou aí uma viúva recolhendo lenha. Chamou-a e disse-lhe:

— Por favor, traze-me numa jarra um pouco de água para beber.

¹¹Enquanto ela ia buscá-la, Elias gritou:

— Por favor, traze-me na mão um pedaço de pão.

¹²Ela respondeu:

— Pelo Senhor, teu Deus! Não tenho pão; resta-me apenas um punhado de farinha numa vasilha e um pouco de azeite na jarra. Estava recolhendo uns gravetos: vou fazer um pão para mim e meu filho, vamos comer e depois morrer.

¹³Elias lhe disse:

— Não temas. Vai fazer o que dizes, mas antes prepara-me um pãozinho e traze-o; depois o prepararás para ti e teu filho. ¹⁴Pois assim diz o Senhor, Deus de Israel:

"A vasilha de farinha não se esvaziará, a jarra de azeite não se esgotará, até o dia que o Senhor enviar a chuva sobre a terra".

¹⁵Ela foi fazer o que Elias lhe dissera, e comeram ele, ela e seu filho por muito tempo. ¹⁶A vasilha de farinha não se esvaziou nem a jarra de azeite se esgotou, como dissera o Senhor por meio de Elias.

¹⁷Mais tarde, o filho da dona da casa caiu doente; a doença era tão grave, que morreu. ¹⁸Então a mulher disse a Elias:

— Não quero nada contigo, profeta! Vieste à minha casa para recordar minhas culpas e matar meu filho?

¹⁹Elias respondeu:

— Dá-me teu filho.

E tomando-o do colo dela, o levou ao quarto de cima, onde dormia, e o deitou na cama. ²⁰Depois clamou ao Senhor:

— Senhor, meu Deus, irás castigar também esta viúva que me hospeda em sua casa, fazendo seu filho morrer?

²¹Depois se deitou três vezes sobre o menino, clamando ao Senhor:

— Senhor meu Deus, ressuscita este menino!

²²O Senhor escutou a súplica de Elias, a vida voltou ao menino, que ressuscitou. ²³Elias pegou o menino, o desceu do quarto e o entregou à mãe, dizendo-lhe:

— Aqui está o teu filho vivo.

²⁴A mulher disse a Elias:

— Agora reconheço que és um profeta e que se cumpre a palavra do Senhor que pronuncias.

18 Julgamento de Deus no Carmelo

—¹Muito tempo passou. No terceiro ano, o Senhor dirigiu a palavra a Elias:

— Apresenta-te a Acab, pois vou mandar chuva à terra.

17,9 Sarepta é um pequeno povoado na Fenícia, justamente a região de onde veio Jezabel com o seu culto estrangeiro. O poder do Senhor se estende também a essa terra, e o profeta leva aí a presença do Senhor. Por meio do seu profeta, o Senhor traz o pão de que vive o homem, vinculado ao mandato que dá vida (recorde-se Dt 8,3).

17,12 Jurar pelo nome do Senhor era profissão de fé: o narrador apresenta a viúva como se ela cresse no Deus de Israel. Deve-se escutar no original a série regular e inexorável dos verbos: "Irei e o cozinharei, e o comeremos e morreremos": a última refeição dos condenados a morrer de fome.

17,13-14 Elias exige um ato de caridade extraordinário, unido a um ato de fé na sua palavra.

17,18 A viúva vê na morte do filho um castigo dos seus próprios pecados. O homem de Deus (= profeta) atrai a atenção de Deus sobre os pecados da viúva, a presença do profeta é nefasta. A aliteração na vogal longa i (em oito palavras entre onze) torna expressiva a queixa da mulher.

17,22 Eclo 48,5.

17,24 Dt 18,18.

18,1-18 Pela terceira vez, a palavra de Deus põe em movimento seu profeta; desta vez, para que volte a

²Elias se pôs a caminho para se apresentar a Acab.

A fome apertava em Samaria, ³e Acab chamou Abdias, mordomo do palácio. (Abdias era muito religioso, ⁴e quando Jezabel matava os profetas do Senhor, ele recolheu cem profetas e os escondeu em duas cavernas em grupos de cinquenta, fornecendo-lhes comida e bebida.) ⁵E lhe disse:

– Levanta-te, vamos percorrer o país, para ver todos os mananciais e arroios; talvez encontremos pasto para conservar a vida de cavalos e mulos, sem que tenhamos de sacrificar os animais.

⁶Repartiram entre si o país: Acab foi para seu lado e Abdias para o seu. ⁷Enquanto Abdias caminhava, Elias saiu-lhe ao encontro. Ao reconhecê-lo, Abdias caiu com o rosto por terra e lhe disse:

– És tu Elias, meu senhor?

⁸Elias respondeu:

– Sim. Vai dizer a teu amo que Elias está aqui.

⁹Abdias respondeu:

– Que pecado cometi para que me entregues a Acab e ele me mate? ¹⁰Pelo Senhor, teu Deus! Não há país nem reino aonde meu amo não haviam encontrado gente para te procurar, e quando lhe respondiam que não estavas, fazia o reino ou o país jurar que não te haviam encontrado. ¹¹E agora tu me mandas dizer ao meu amo que Elias está aqui! ¹²Quando eu me separar de ti, o espírito do Senhor te levará não sei aonde; eu informo Acab, mas depois ele não te encontra, e me mata. ¹³E teu servidor respeita o Senhor desde jovem. Não te contaram o que fiz quando Jezabel matava os profetas do Senhor? Escondi dois grupos de cinquenta em duas cavernas e lhes forneci comida e bebida. ¹⁴E agora tu me mandas dizer a meu amo que Elias está aqui! Ele me matará!

¹⁵Elias respondeu:

– Pelo Senhor dos exércitos, a quem sirvo! Hoje ele me verá.

¹⁶Então Abdias foi à procura de Acab e o informou. Acab foi ao encontro de Elias, ¹⁷e, ao vê-lo, disse-lhe:

– És tu, ruína de Israel?

¹⁸Elias lhe respondeu:

– Não fui eu quem arruinou Israel, mas tu e tua família, por deixar os mandatos do Senhor e seguir os baais! ¹⁹Agora, ordena que se reúna em torno a mim todo Israel no monte Carmelo, com os quatrocentos e cinquenta profetas de Baal, comensais de Jezabel.

²⁰Acab enviou ordens a todo Israel, e os profetas se reuniram no monte Carmelo. ²¹Elias se aproximou do povo e disse:

– Até quando caminhareis com muletas? Se o Senhor é o verdadeiro Deus, segui-o; se é Baal, segui Baal.

O povo não respondeu uma palavra. ²²Então Elias disse-lhes:

---

apresentar-se ao rei. O narrador adia o encontro de Elias com o rei, não só para criar tensão, mas principalmente para dar uma informação que tornará o encontro mais dramático. O profeta arriscará a vida se voltar a apresentar-se ao rei; com semelhante risco tem de cumprir a ordem do Senhor. Por sua vez, o profeta exige que Abdias participe do mesmo risco. O rei, que considera Elias causador da seca, espera talvez que, matando o profeta, poderá anular a maldição que pesa sobre a terra. Não há indícios para pensar que Acab se tenha convertido à religião da sua mulher (deu nomes javistas a seus filhos), embora esteja claro que não se atreve a contradizê-la.

18,5 A preocupação do rei por seus cavalos e mulos, enquanto o povo passa fome, nos desgosta; não sabemos se o autor partilha do nosso sentimento.

18,10-12 Abdias sabe que Elias é um profeta a quem o espírito move o quê. Com rapidez e perspicácia, vê de antemão o desenrolar dos fatos e até sua própria morte.

18,12 2Rs 2,16.

18,15 Com esse juramento Abdias pode convencer-se de que Elias não pretende escapar; por isso, o anúncio que leva ao rei pode ser um ponto a seu favor.

18,17 O apelido empregado pelo rei, "ruína de Israel", traz (a quem leu os livros anteriores) uma lembrança agourenta: trata-se de Acã, que roubou algo consagrado e atraiu a destruição ao povo (Js 7,16-26).

18,19-40 No novo episódio, passamos dos baais ao Baal de Tiro, e da casa real a todo Israel. Chegou o momento da grande decisão diante das infidelidades, compromissos e concessões. Vem-nos à memória não tanto Moisés no Sinai, quanto Josué em Siquém (Js 24), exigindo do povo uma cabal decisão religiosa. O monte Carmelo tem algo de espinhaço que divide obliquamente o reino em duas metades, com uma vertente olhando para o norte, e outra para o sul (esquerda e direita na orientação israelita); algo como as duas direções do Ebal e do Garizim (Js 8,30-35). Neste momento vai celebrar-se o grande julgamento de Deus, uma espécie de ordálio presidido por seu profeta.

18,21 Sem introduções, a primeira frase coloca a necessidade de escolher. O povo pensa que sempre será útil garantir o apoio das duas divindades, *Baal* e *Yhwh*; Elias zomba de semelhante pretensão com

— Fiquei sozinho como profeta do Senhor, ao passo que os profetas de Baal são quatrocentos e cinquenta. ²³Que nos deem dois bezerros: escolhei um, esquartejai-o, e colocai-o sobre a lenha, sem lhe pôr fogo; eu prepararei o outro bezerro e o colocarei sobre a lenha, sem lhe pôr fogo. ²⁴Vós invocareis vosso deus e eu invocarei o Senhor. E o deus que responder enviando fogo, esse é o Deus verdadeiro.

Todo o povo concordou:

— Boa ideia!

²⁵Elias disse aos profetas de Baal:

— Escolhei um bezerro e preparai-o vós por primeiro, porque sois mais numerosos. Invocai depois o vosso deus, mas sem acender o fogo.

²⁶Pegaram o bezerro que lhes deram, o prepararam e estiveram invocando Baal da manhã até o meio-dia:

— Baal, responde-nos!

Mas não se ouvia nenhuma voz, nenhuma resposta, enquanto pulavam ao redor do altar que tinham feito.

²⁷Ao meio-dia, Elias começou a zombar deles:

— Gritai mais forte! Baal é deus, mas estará meditando, ou muito ocupado, ou estará viajando. Talvez esteja dormindo e acorde!

²⁸Então gritaram mais forte, fizeram cortes em si mesmos, segundo seu costume, com espadas e lanças, até jorrar sangue por todo o corpo. ²⁹Passado o meio-dia, entraram em transe, e assim estiveram até a hora da oferta. Mas não se ouvia nenhuma voz, nenhuma palavra, nenhuma resposta.

³⁰Então Elias disse ao povo:

— Aproximai-vos!

Todos se aproximaram, e ele construiu o altar do Senhor, que estava demolido: ³¹pegou doze pedras, uma para cada tribo de Jacó (a quem o Senhor havia dito: "Tu te chamarás Israel"); ³²com as pedras ergueu um altar em honra do Senhor, fez um canal ao redor do altar, com capacidade de duas medidas de semente; ³³empilhou a lenha, esquartejou o bezerro, o pôs sobre a lenha ³⁴e disse:

— Enchei quatro cântaros de água e derramai-a sobre a vítima e sobre a lenha.

Depois disse:

— Outra vez!

E o fizeram outra vez.

Acrescentou:

— Outra vez!

Eles o repetiram pela terceira voz. ³⁵A água correu ao redor do altar, e até o canal se encheu de água.

³⁶Chegada a hora da oferta, o profeta Elias aproximou-se e orou:

— Senhor, Deus de Abraão, Isaac e Israel! Saiba-se hoje que tu és o Deus de Israel e eu sou o teu servo que fiz isto sob tua ordem. ³⁷Responde-me, Senhor, responde-me, para que este povo saiba que tu, Senhor, és o Deus verdadeiro e que és tu quem lhes mudará o coração.

³⁸Então o Senhor enviou um raio que incendiou a vítima, a lenha, as pedras e o pó, secando a água do canal. ³⁹Vendo isso, todos caíram com o rosto por terra, exclamando:

---

um jogo de palavras. Apela, implicitamente, ao primeiro mandamento: o Senhor não admite diante de si outro deus. Querer o dualismo é considerá-los ou transformá-los em muletas (ou ramos). O povo não responde, porque a alternativa não admite resposta ou porque tem medo de se decidir. O silêncio é um fator importante nessa narração: também o verdadeiro Deus responderá sem palavras. O verbo 'nh (= responder) repete-se oito vezes no relato. Um eixo semântico da perícope é a oposição gritos/silêncio. Também contrasta a calma de Elias, um só, com a agitação orgiástica de quatrocentos e cinquenta.

18,23-24 O fogo é o raio. O deus que o enviar demonstrará ser o deus cósmico, senhor também da chuva e das colheitas. Será também o Senhor que decide a validade dos sacrifícios, aceitando ou rejeitando; portanto, é inútil oferecer vítimas a outros deuses.

18,27 A zombaria de Elias ilustra os limites impostos ao uso do antropomorfismo para representar Deus. Também nos ensina como um símbolo pode ser usado corretamente e com valor depreciativo: os israelitas podem gritar ao Senhor que desperte e volte (Sl 44,24; 73,20). O fato de já ser meio-dia sublinha a zombaria.

18,29 1Sm 10,5.

18,31-33 A intervenção de Elias é descrita com detalhes que atrasam o desfecho e tornam tensa a ação; em contraste com os dervixes, todas as suas ações são calculadas, executadas com ordem e controle. Exceto sua função específica, os elementos parecem possuir função simbólica: a água, o fogo, a montanha. O fogo é elemento divino: vence a água que os homens lhe opõem. Em outro contexto e com outra referência, Sb 19,20 comentarão: "O fogo ganhava força na água, e a água esquecia sua condição de extintor".

18,38 A resposta acontece em silêncio: o raio sem o acompanhamento normal de trovão. Os cinco complementos mostram o poder desse fogo divino sobre todos os elementos: animais, madeira, pedra, terra, água. Lv 9,24.

— O Senhor é o Deus verdadeiro! O Senhor é o Deus verdadeiro!

⁴⁰Elias disse-lhes:

— Prendei os profetas de Baal; que nenhum deles escape.

Eles os prenderam. Elias os fez descer à torrente Quison e aí os degolou.

⁴¹Elias disse a Acab:

— Vai comer e beber, pois já se ouve o barulho da chuva.

⁴²Acab foi comer e beber, enquanto Elias subia ao topo do Carmelo; aí se curvou até o chão, com o rosto entre os joelhos, ⁴³e ordenou a seu servo:

— Sobe e olha o mar.

O servo subiu, olhou e disse:

— Não se vê nada.

Elias ordenou:

— Volta outra vez.

O servo voltou sete vezes, ⁴⁴e na sétima disse:

— Sobe do mar uma nuvenzinha como a palma da mão.

Então Elias ordenou:

— Vai dizer a Acab que prepare o carro e parta, para que a chuva não o surpreenda.

⁴⁵Num instante o céu se escureceu com nuvens empurradas pelo vento e caiu chuva torrencial. Acab montou no carro e foi a Jezrael. ⁴⁶E Elias, com a força do Senhor, cingiu-se e foi correndo à frente de Acab, até à entrada de Jezrael.

19 Elias no monte Horeb

¹Acab contou a Jezabel o que Elias fizera, como passara os profetas a fio de espada. ²Então Jezabel mandou este recado a Elias:

— Que os deuses me castiguem se amanhã, a estas horas, não faço contigo o mesmo que fizeste para cada um deles.

³Elias temeu e se pôs a caminho para salvar a vida. Chegou a Bersabeia de Judá, deixando aí seu servo. ⁴Continuou pelo deserto uma jornada de caminho e no fim sentou-se sob uma retama, desejando a morte:

— Basta, Senhor! Tira-me a vida, pois não valho mais que meus pais!

⁵Deitou-se sob a retama e dormiu. Mas um anjo o tocou e lhe disse:

— Levanta-te e come!

⁶Elias olhou e viu à sua cabeceira um pão cozido sobre pedras e uma jarra de água. Comeu, bebeu e tornou a deitar. ⁷Mas o anjo do Senhor voltou a tocá-lo, dizendo:

— Levanta-te e come! O caminho é superior às tuas forças.

⁸Elias levantou-se, comeu e bebeu, e com a força desse alimento caminhou quarenta dias e quarenta noites até o Horeb, o monte de Deus. ⁹Aí entrou numa caverna, onde passou a noite. E o Senhor dirigiu-lhe a palavra:

— O que fazes aqui, Elias?

¹⁰Respondeu:

— O zelo pelo Senhor Deus dos exércitos me consome, pois os israelitas abandonaram tua aliança, derrubaram teus altares e assassinaram teus profetas; fiquei somente eu, e me procuram para matar-me.

18,46 Elias parece movido pelo ímpeto do espírito: atravessa a planície de Esdrelon, como arrebatado por um vento, mais veloz que o carro de Acab.

19 Elias, mortalmente perseguido, empreende uma espécie de peregrinação de retorno, como voltando ao passado. Com ele, algo de Israel volta à origem autêntica do povo. Começa como fuga, empurrado pela ira de Jezabel; deixa a cidade, o reino do Norte, o reino do Sul; no limite entre cultura e deserto, sua fuga se torna peregrinação. Não é a força da rainha que o afasta, mas a força de Deus que o atrai. No limite urbano da cultura, um mensageiro de Deus lhe faz compreender o sentido da sua marcha. Antes do deserto, a fuga quis desembocar na morte; a partir do deserto, nova comida milagrosa o transporta à experiência do primeiro Israel. As etapas da viagem são a cidade, o deserto, a montanha, o anjo, a presença.

No seu itinerário, Elias toca os limites da existência, onde esta confina com a morte. Morte que vai mudando de rosto: perseguição, tédio, fome, pânico avassalador ao sentir o mistério. No cume do Horeb culmina a vida de Elias.

19,4 Aquele que foge para salvar a vida, sente de repente o cansaço da existência e da luta, a tentação da última retirada (recorde-se a história de Jonas). O verbo que traduzimos "tira-me" é o verbo usado para o arrebatamento de Henoc e para o já próximo de Elias.

19,7 Sendo que "caminho" tem com frequência sentido metafórico, na expressão do anjo pode ressoar a ideia de um "empreendimento superior a suas forças", síntese da missão de Elias.

19,8 Ex 24,18; 34,28; 33,21-23.

19,9 A pergunta do Senhor o convida a tomar consciência da sua atividade, a desabafar confiante. Interpelado por Deus, Elias se confessa.

19,10 A frase prova que Elias não se opõe à pluralidade de altares locais, contanto que estejam dedicados ao Senhor. O autor não censura a narração antiga.

¹¹O Senhor lhe disse:

– Sai e fica de pé no monte diante do Senhor. O Senhor vai passar!

Veio um furacão tão violento que despedaçava os montes e quebrava os rochedos diante do Senhor; mas o Senhor não estava no vento. Depois do vento veio um terremoto; mas o Senhor não estava no terremoto. ¹²Depois do terremoto veio um fogo; mas o Senhor não estava no fogo. Depois do fogo ouviu-se uma brisa suave; ¹³ao senti-la, Elias cobriu o rosto com o manto, saiu e ficou de pé à entrada da caverna. Então ouviu uma voz que lhe dizia:

– O que fazes aqui, Elias?

¹⁴Respondeu:

– O zelo pelo Senhor Deus dos exércitos me consome, pois os israelitas abandonaram tua aliança, derrubaram teus altares e assassinaram teus profetas; fiquei somente eu, e me procuram para matar-me.

¹⁵O Senhor lhe disse:

– Retoma teu caminho em direção ao deserto de Damasco e, quando chegares, unge Hazael como rei da Síria; ¹⁶Jeú, filho de Namsi, como rei de Israel, e Eliseu, filho de Safat, de Abel-Meula*, como profeta e teu sucessor. ¹⁷Aquele que escapar da espada de Hazael, Jeú o matará; aquele que escapar da espada de Jeú, Eliseu o matará. ¹⁸Mas eu reservarei para mim sete mil homens em Israel: os joelhos que não se dobraram diante de Baal, os lábios que não o beijaram.

¹⁹Elias partiu daí, e encontrou Eliseu, filho de Safat, arando com doze juntas em fila, ele com a última. Elias passou perto dele e atirou sobre ele o manto. ²⁰Então Eliseu, deixando os bois, correu atrás de Elias e lhe pediu:

– Permite que me despeça de meus pais, depois retorno e te sigo.

Elias lhe disse:

– Vai, mas volta. Quem te impede?

²¹Eliseu afastou-se, pegou a junta de bois e os ofereceu em sacrifício; aproveitou a lenha do arado para assar a carne e convidou sua gente. Depois levantou-se, seguiu Elias e se pôs a seu serviço.

20 Batalhas contra Ben-Adad da Síria – ¹Ben-Adad, rei da Síria,

---

19,11-13 A revelação do Senhor, simples passagem, é um momento capital que deve ser comparada com a que Moisés recebeu, segundo Ex 33,18-23. Furacão, terremoto e fogo são elementos comuns da teofania (entre muitos outros textos, ver Sl 50,3; 97,3-5): neles o homem pode perceber uma presença de poder que transforma e consome o mais forte e estável. Vento e fogo estão particularmente ligados à vida do profeta. Mas Elias, o fogoso e impetuoso, descobre o Senhor numa brisa tênue, num sussurro que mal se ouve. Primeiro, teve de afastar-se da cidade, atravessar o deserto, subir à solidão da montanha; depois, teve de descobrir a ausência de Deus nos elementos barulhentos; finalmente, calado o tumulto, a voz cessada traz a presença que surpreende.

19,12 Is 30,27; Sl 18.

19,14 Repete-se o diálogo, que soa diferente. Embora seja uma voz única e tênue, salva da matança, Elias poderá mediar a presença do Senhor; embora o persigam mortalmente, sua vida está repleta da realidade de Deus.

19,15 Eclo 48,8.

19,16 * = Prado da Dança.

19,18 O verbo "reservar" enuncia a ideia do "resto", o grupo reduzido que se salva da catástrofe, para garantir a continuidade da vida e da escolha.

19,19-21 O manto parece representar a dignidade profética; Elias acolhe pessoalmente Eliseu. É uma escolha.

19,19 2Rs 2,13s.

19,20 Lc 9,61s.

20 Este capítulo parece tratar simplesmente de guerras entre Israel e Damasco, mas o capítulo 22 continua a série com um dado importante, a aliança militar de Israel com Judá. Temos de contemplar um panorama mais amplo para compreender as mudanças de situação e de alianças.
O interesse primordial de Damasco é o comércio. Dentro de casa, uma monarquia sediada no grande oásis procura unificar sob seu domínio uma multidão de reis ou xeques do vasto território da Síria. Lá fora, lhe convém a submissão de Israel, ou ao menos um tratado vantajoso. Enquanto Judá e Israel litigavam, vimos que Damasco podia pesar na balança. Se apoiasse Israel, este podia pôr em grave perigo o reino irmão; se retirasse o apoio, Judá podia libertar-se do vizinho do norte. Era um jogo político bastante simples.
Sob Acab de Israel e Josafá de Judá se realiza enfim a reconciliação: o filho de Josafá casa com uma filha de Acab, assina-se um tratado um tanto desigual, porque Judá se obriga a serviços militares, ao passo que Israel se reserva a iniciativa. Agora estão Israel e Judá contra Damasco. E o esquema se repete em escala maior: acima deles cresce outro poder que, aproveitando as divisões, pretende impor sua hegemonia: é a Assíria. Quando a Assíria aperta Damasco, Israel e Judá podem respirar tranquilos e recuperar posições; quando a Assíria cede, Damasco pode reatar sua expansão com intenções comerciais.
A Assíria, que surgiu na história no fim do século XII, na pessoa do seu rei Teglat-Falasar I, e que ador-

concentrou todas as suas tropas e, acompanhado de trinta e dois reis vassalos, com cavalaria e carros, foi sitiar e assaltar Samaria. ²Mandou à cidade uma embaixada para Acab de Israel com esta mensagem:

– ³Assim diz Ben-Adad: Dá-me tua prata e teu ouro; podes ficar com tuas mulheres e crianças.

⁴O rei de Israel respondeu:

– Como vossa majestade quiser. Sou vosso com tudo o que tenho.

⁵Mas os embaixadores voltaram com nova mensagem:

– Assim diz Ben-Adad: Mando dizer-te que me dês tua prata, teu ouro, tuas mulheres e crianças. ⁶Amanhã a estas horas eu te enviarei meus oficiais para revistar teu palácio e os de teus ministros; tomarão o que mais amas e o levarão.

⁷O rei de Israel convocou os senadores do país e lhes disse:

– Reparai e vede como esse homem procura o meu mal. Exige minhas mulheres e filhos, minha prata e ouro, embora eu não me tenha negado.

⁸Todos os senadores e o povo lhe responderam:

– Não lhe dês atenção, não lhe obedeças.

⁹Então deu esta resposta aos embaixadores de Ben-Adad:

– Dizei a sua majestade: Farei o que me disseste na primeira vez; mas o resto não posso fazê-lo.

Os embaixadores foram levar-lhe a resposta. ¹⁰Então Ben-Adad enviou-lhe esta mensagem:

– Que os deuses me castiguem, se houver em Samaria pó suficiente para que cada um dos meus soldados possa apanhar um punhado.

¹¹Mas o rei de Israel respondeu:

– Dizei-lhe que ninguém canta vitória ao pôr a espada e sim ao tirá-la.

¹²Ben-Adad estava bebendo nas tendas com os reis e, quando ouviu a resposta, ordenou a seus oficiais:

– A postos!

E postaram-se diante da cidade.

¹³Enquanto isso, um profeta apresentou-se a Acab de Israel e lhe disse:

– Assim diz o Senhor: "Vês todo esse exército imenso? Hoje mesmo eu o entregarei a ti, para que saibas que eu sou o Senhor".

¹⁴Acab perguntou:

– Por meio de quem?

O profeta respondeu:

– Assim diz o Senhor: "Pela guarda pessoal dos governadores".

Acab perguntou:

– E quem ataca primeiro?

Respondeu:

– Tu.

¹⁵Acab passou em revista a guarda pessoal dos governadores, que eram duzentos e trinta e dois, e em seguida o exército

---

meceu por quase dois séculos, volta a despertar com desejos de poder. Sua expansão a leva para o Ocidente, para o mar; no caminho se encontra com as tribos arameias e a capital Damasco; depois pode continuar até Emat e a Fenícia.

O rei de Israel tem de medir muito bem seus golpes: tem de enfraquecer Damasco para poder subsistir; tem de ceder e não destruí-la, para que Damasco possa aparar os golpes mais duros da Assíria. Por ora, Judá não pode tomar a iniciativa, embora esteja interessado no jogo. A Fenícia parece que se salva com tributos extraordinários, sem aceitar o papel de beligerante. E se um dia Damasco se unir a Israel para atacar Judá? Josafá viu talvez o perigo potencial (insinuado nos tempos de Baasa e Asa), e isso em parte o havia movido à aliança com Israel. Os irmãos fazem as pazes: até quando?

Os documentos assírios (anais e cilindros inscritos) completam nossa informação, e no caso de Acab a complicam. Há um dado exato: em Carcar, no ano 853, Salmanasar III derrota uma coalizão de Damasco, Emat, reis heteus (Hatti) e Acab de Israel. E como essa coalizão se concilia com Damasco, com as lutas contra Damasco que o texto bíblico narra? Diversas soluções têm sido propostas: que o capítulo originariamente não se referia a Acab; que no tabuleiro das alianças aconteceram mudanças rápidas e interinas; um erro na informação assíria, que menciona Acab, quando na verdade se trata de um sucessor.

O Acab dos capítulos 20 e 22 é um rei corajoso, que consulta o povo e se sente apoiado pelos profetas de *Yhwh* – na ausência de Elias, outros profetas cumprem as suas funções. É além do mais um rei que sabe avaliar a situação política internacional.

20,1 Parece que se trata de Ben-Adad II. Os trinta e dois reis são xeques ou chefes de tribo, vassalos do rei de Damasco. Se ele se dispõe a sitiar Samaria, é porque já conquistou a região norte.

20,4 O pagamento do tributo equivale a um ato de vassalagem.

20,6 Fala das mulheres do harém real. A investigação pessoal é muito humilhante.

20,14 Outros supõem que se trate de forças de choque com armadura leve, que ao avançar não dão a impressão de um ataque em regra.

israelita: sete mil homens. ¹⁶Ao meio-dia fizeram uma incursão, enquanto Ben-Adad estava embebedando-se nas tendas com os trinta e dois aliados. ¹⁷A guarda pessoal dos governadores começou a marcha, e chegou a Ben-Adad este aviso:

– Saiu gente de Samaria.

¹⁸Ordenou:

– Se saíram com intenções pacíficas, prendei-os vivos, e se saíram para combater, prendei-os vivos igualmente.

¹⁹Dizíamos que a guarda pessoal dos governadores havia saído da cidade, e o exército atrás dela; ²⁰cada um matou um inimigo, e os sírios fugiram perseguidos por Israel. Ben-Adad, rei da Síria, escapou a cavalo com alguns cavaleiros. ²¹Então o rei de Israel saiu, derrotou os cavalos e carros, infligindo grande derrota aos sírios.

²²O profeta aproximou-se do rei e lhe disse:

– Vamos, conserva tua vantagem e faze bem teus planos, pois no ano que vem o rei da Síria voltará a atacar-te.

²³Por seu lado, os ministros do rei da Síria propuseram:

– O Deus deles é um deus de montanha, por isso nos venceram. Se lutarmos contra eles na planície, os venceremos. ²⁴Faze o seguinte: depõe todos esses reis, substituindo-os por governadores. ²⁵Reúne depois um exército como aquele que perdeste, outros tantos cavalos e carros; lutaremos contra eles na planície e certamente os venceremos.

Ben-Adad deu-lhes atenção e agiu assim. ²⁶No ano seguinte, passou em revista os sírios e foi para Afec* lutar contra Israel. ²⁷Os israelitas, após passar em revista e reunir provisões, saíram a seu encontro, acampando diante deles; pareciam um rebanho de cabras, ao passo que os sírios cobriam a planície.

²⁸O profeta aproximou-se para dizer ao rei de Israel:

– Assim diz o Senhor: "Por terem os sírios dito que o Senhor é um deus de montanha e não de planície, entrego-te esse exército imenso, para que saibais que eu sou o Senhor".

²⁹Estiveram acampados frente a frente sete dias. No sétimo dia, travou-se a batalha e, num dia apenas, os israelitas mataram cem mil da infantaria dos sírios. ³⁰Os sobreviventes fugiram para Afec, mas a muralha caiu sobre os vinte e sete mil homens que sobraram.

Enquanto isso, Ben-Adad, que havia fugido, entrou na cidade, passando de casa em casa. ³¹Seus ministros lhe disseram:

– Vê, ouvimos dizer que os reis de Israel são misericordiosos. Vamos vestir um pano de saco e amarrar uma corda na cabeça, rendendo-nos ao rei de Israel. Talvez te perdoe a vida.

³²Vestiram um pano de saco, ataram uma corda à cabeça e se apresentaram ao rei de Israel, dizendo:

– Teu servo Ben-Adad pede que lhe perdoes a vida.

O rei disse:

– Ainda está vivo? É meu irmão!

³³Aqueles homens acolheram essas palavras como um bom augúrio e, tomando-as ao pé da letra, responderam:

– Ben-Adad é teu irmão!

Acab disse:

– Ide buscá-lo.

Quando chegou, Acab o fez subir em seu carro, ³⁴e Ben-Adad lhe disse:

– Eu te devolverei os povoados que meu pai arrebatou do teu. E em Damasco te darei um bairro como aquele que meu pai tinha em Samaria. Com esse pacto, deixa-me ir livre.

20,20 Jz 4,15-17.
20,22 Isso indica que a derrota não foi tão grave.
20,23 Ex 15,17; Dt 32,13.
20,24 A participação dos xeques com sua guarda ou tropas próprias não permitia uma organização militar unificada. Os ministros propõem que o rei implante um novo sistema de recrutamento e comando.
20,26 * = Cerco. 1Sm 4.
20,28 Exceto os números fantásticos, o processo da batalha é compreensível. Os sírios se aquartelam na cidade amuralhada; no fim de sete dias de inação, fazem uma incursão que acaba sendo catastrófica. Correm para refugiar-se na cidade e se postam na muralha para defender-se. Os israelitas conseguem derrubar um lanço da muralha, que esmaga os defensores, penetram na cidade e vão em busca dos chefes. Não se deve esquecer o tamanho reduzido das cidades antigas. O narrador vai esclarecendo e concentrando a cena: na planície, na muralha, numa casa.
20,31 Os ministros se apresentam desarmados e com veste penitencial, o rei se chama servo ou vassalo.
20,32 Irmão, quer dizer, aliado. Sl 18,45.
20,33 Ao subir ao seu carro, demonstra publicamente seu desejo de paz. 1Rs 15,20.

Acab assinou um pacto com ele e o deixou em liberdade.

³⁵Alguém da comunidade de profetas disse a um companheiro, por ordem do Senhor:

– Fere-me!

O outro negou-se; ³⁶então lhe disse:

– Por não teres obedecido à ordem do Senhor, um leão te matará quando te separares de mim.

E quando se afastava, um leão o encontrou e o matou.

³⁷Aquele profeta encontrou outro homem e disse-lhe:

– Fere-me!

O homem o feriu e o deixou em mau estado.

³⁸O profeta ficou aguardando o rei no caminho, disfarçado com uma atadura sobre os olhos. ³⁹Quando o rei passava, o profeta gritou para ele:

– Teu servidor avançava para o centro da batalha quando um homem se aproximou e me entregou outro homem, dizendo-me: "Toma conta deste; se desaparecer, pagarás com a vida ou com dinheiro". ⁴⁰Pois bem, enquanto eu estava ocupado aqui e ali, o outro desapareceu.

O rei de Israel lhe disse:

– A sentença é clara! Tu mesmo a pronunciaste.

⁴¹Então o profeta tirou de repente a atadura dos olhos (o rei de Israel percebeu que era um profeta) ⁴²e disse ao rei:

– Assim diz o Senhor: "Por teres deixado escapar o homem que eu havia consagrado ao extermínio, pagarás sua vida com tua vida e seu exército com teu exército".

⁴³O rei de Israel foi para casa triste e aflito, e entrou em Samaria.

21 A vinha de Nabot – ¹O jezraelita Nabot possuía uma vinha ao lado do palácio de Acab, rei de Samaria. ²Acab lhe propôs:

– Dá-me a vinha para eu fazer uma horta, pois está ao lado, junto à minha casa; em troca eu te darei uma vinha melhor; ou, se preferires, te pago em dinheiro.

³Nabot respondeu:

– Deus me livre de ceder-te a herança de meus pais!

⁴Acab foi para casa mal-humorado e enfurecido com a resposta do jezraelita Nabot: "Não te cederei a herança de meus pais". Deitou na cama, virou o rosto e não quis comer. ⁵Sua esposa Jezabel se aproximou e lhe disse:

– Por que estás mal-humorado e não queres comer?

⁶Ele respondeu:

– Falei ao jezraelita Nabot e lhe propus: "Vende-me a vinha; ou, se preferires, troco-a por outra". E ele me disse: "Não te dou minha vinha".

⁷Então Jezabel disse:

– E não és tu quem manda em Israel? Vamos! Come, pois te fará bem. Eu te darei a vinha do jezraelita Nabot!

⁸Escreveu cartas em nome de Acab, selou-as com o selo do rei e as enviou aos conselheiros e notáveis da cidade, concidadãos de Nabot. ⁹As cartas diziam:

20,35 Para o profeta, essa aliança é condenável, porque supõe desobediência ao Senhor: contra algum oráculo específico não mencionado, ou contra uma lei da guerra; recorde-se o caso de Agag, rei de Amalec (1Sm 15). A vida do rei inimigo é propriedade do Senhor, e não compete ao rei de Israel matar ou poupar a vida, mas sim cumprir a ordem do Senhor. É o ensinamento que a ação simbólica e o caso fictício propõem. No caso de poupar-lhe a vida, Acab não tinha direito de soltar o depósito que o Senhor lhe tinha posto "nas mãos".
20,42 1Sm 15.
21 O soldado valente das batalhas contra os sírios é de novo o marido fraco diante da esposa estrangeira. Acab era fiel ao Senhor, mas tolerava a propaganda aberta do baalismo; respeitava a tradição de Israel e os direitos de seus súditos, mas tolerou o falso testemunho e o assassinato.

A maldição das esposas estrangeiras, que havia começado seus estragos durante o reinado de Salomão, continuou envenenando a monarquia. E Jezabel não será a última, já que uma filha sua chegará a ser rainha de Judá.
21,1-7 Jezrael se encontra no ângulo oriental da planície de Esdrelon, perto do Jordão, numa região muito fértil. Nabot era provavelmente um dos notáveis da vila, na qual também o rei tinha posses. Dt 17,14-20; 1Sm 8,14.
21,2 Ez 46,18.
21,8 O plano de Jezabel se baseava numa série de leis e costumes judaicos. Supondo alguma calamidade na região (seca, epidemia etc.), os chefes do povo têm de procurar a causa e eliminá-la. Nabot, sem saber nada, será convidado a presidir a assembleia ou conselho, para buscar uma saída para a situação; e aí mesmo duas testemunhas declararão que é ele o culpado (recorde-se o caso dos gabaonitas,

"Proclamai um jejum e fazei Nabot sentar na primeira fila. ¹⁰Fazei sentar diante dele dois canalhas que declarem contra ele: 'Tu amaldiçoaste a Deus e ao rei'. Tirai-o para fora e apedrejai-o até que morra".

¹¹Os concidadãos de Nabot, os conselheiros e notáveis que viviam na cidade fizeram como Jezabel lhes dizia, conforme estava escrito nas cartas que receberam. ¹²Proclamaram um jejum e fizeram Nabot sentar na primeira fila; ¹³chegaram dois canalhas, sentaram-se diante dele e testemunharam publicamente contra Nabot:

— Nabot amaldiçoou a Deus e ao rei.

Levaram-no para fora da cidade e o apedrejaram até que morreu. ¹⁴Então avisaram Jezabel:

— Nabot morreu apedrejado.

¹⁵Quando Jezabel soube que Nabot tinha morrido apedrejado, disse a Acab:

— Vamos, toma posse da vinha do jezraelita Nabot, pois não quis vendê-la a ti. Nabot já não vive, morreu.

¹⁶Quando soube que Nabot estava morto, Acab levantou-se e desceu para tomar posse da vinha do jezraelita Nabot.

¹⁷Então o Senhor dirigiu a palavra ao tesbita Elias:

— ¹⁸Vai, desce ao encontro de Acab, rei de Israel, que mora em Samaria. Vê, está na vinha de Nabot, para a qual desceu a fim de tomar posse. ¹⁹Dize-lhe: "Assim diz o Senhor: assassinaste, e além disso roubas?" Por isso: "Assim diz o Senhor: no mesmo lugar em que os cães lamberam o sangue de Nabot, os cães lamberão também o teu".

²⁰Acab disse a Elias:

— Então me surpreendeste, meu inimigo? Elias disse:

— Sim, eu te surpreendi! Porque te vendeste, fazendo o que o Senhor reprova, ²¹estou aqui para te castigar. Eu te deixarei sem descendência, exterminarei todo israelita que mija na parede, escravo ou livre. ²²Farei com tua casa como fiz com a casa de Jeroboão, filho de Nabat, e com a casa de Baasa, filho Aías, pois me irritaste e fizeste Israel pecar. ²⁴Os de Acab que morrerem no povoado serão devorados pelos cães, e os que morrerem em campo aberto serão devorados pelas aves do céu. ²³(O Senhor falou também contra Jezabel: "Os cães a devorarão no campo de Jezrael".)*

²⁵(Não houve outro que se vendesse como Acab para fazer o que o Senhor reprova, incitado por sua mulher Jezabel. ²⁶Agiu de modo abominável, seguindo os ídolos, como faziam os amorreus que o Senhor tinha expulsado diante dos israelitas.)

²⁷Quando Acab ouviu essas palavras, rasgou as vestes, vestiu um pano de saco e jejuou; deitava-se vestido com pano de saco e andava triste.

²⁸O Senhor dirigiu a palavra ao tesbita Elias:

— ²⁹Viste como Acab se humilhou diante de mim? Por ter-se humilhado diante de mim, não o castigarei enquanto viver; castigarei sua família nos tempos de seu filho.

22 O profeta Miqueias (2Cr 18) –
¹Passaram-se três anos sem haver

2Sm 21, e a peste no tempo de Davi, 2Sm 24). O crime é previsto em Ex 22,27, a pena de morte por lapidação é prevista em Lv 24,16, e a exigência de duas testemunhas consta em Dt 17,6. Também é legal apedrejar o culpado fora da cidade, para não contaminá-la (Lv 24,14).
21,10 Ver Is 8,21 e Pr 24,21.
21,13 Ex 22,27.
21,15 Jezabel fala duas vezes ao marido no relato. A primeira vez em tom de zombaria: "Reinar é isso?" Seu conceito de poder não tem limites morais (Mq 2,1). Na segunda vez lhe oferece o fruto proibido, a vinha cujo preço é o sangue inocente.
21,17 Como Natã diante de Davi, é a vez de Elias denunciar a culpa do rei.
21,19 Não matar e não cobiçar são dois preceitos do decálogo, violados pelo rei (também isso se parece com o duplo crime de Davi). Ex 20,13.15.
21,20 Na sua réplica, Acab parece reconhecer-se culpado, não arrependido.

21,21-24 O autor posterior acrescentou à sentença uma ampliação. É evidente sua intenção de igualar este oráculo a outros dois precedentes, contra Jeroboão e contra Baasa.
21,23 Parece um acréscimo introduzido com base nos fatos acontecidos durante a revolta de Jeú. * Este v. vai depois de 24.
21,24 1Rs 14,11.
21,25-26 Comentário de um editor que vê a idolatria como raiz de todos os crimes, também de injustiça. Os deuses da fecundidade cananeus não exigem a justiça humana, como o faz o Deus de Israel com as condições de sua aliança.
21,27-29 A penitência de Acab consegue abrandar a sentença, sem anulá-la totalmente. De fato, sua dinastia continua nos seus filhos, e termina neles. E não podemos dizer que a sua morte tenha sido totalmente ignominiosa.

22 Voltamos às batalhas contra a Síria.

guerra entre Síria e Israel. ²Mas no terceiro ano, Josafá, rei de Judá, foi visitar o rei de Israel, ³e este disse a seus ministros:

– Sabeis que Ramot de Galaad nos pertence; mas nós estamos parados, sem recuperá-la das mãos do rei sírio.

⁴E perguntou a Josafá:

– Queres vir comigo à guerra contra Ramot de Galaad?

Josafá lhe respondeu:

– Tu e eu, teu exército e o meu, tua cavalaria e a minha, somos um.

⁵Depois acrescentou:

– Consulta antes o oráculo do Senhor.

⁶O rei de Israel reuniu os profetas, uns quatrocentos homens, e perguntou-lhes:

– Posso atacar Ramot de Galaad, ou desisto?

Responderam:

– Vai, o Senhor a entrega ao rei.

⁷Então Josafá perguntou:

– Não resta por aí algum profeta do Senhor para o consultarmos?

⁸O rei de Israel lhe respondeu:

– Resta ainda um: é Miqueias, filho de Jemla, mediante o qual podemos consultar o Senhor; mas eu o detesto, porque não me profetiza sorte, mas desgraça.

Josafá disse:

– Que o rei não fale assim!

⁹O rei de Israel chamou um funcionário e lhe ordenou:

22,1-5 Ramot de Galaad era provavelmente uma praça-forte de importância estratégica, e se encontrava na Transjordânia.

22,6-7 A intervenção do profeta Miqueias, filho de Jemla, é introduzida com grande aparato narrativo, numa série de contrastes e retardando o oráculo. As suas palavras são tão extensas como as de qualquer dos oráculos de Elias, e até quase mais instrutivas para nós; contudo, seu nome é uma aparição efêmera na história da monarquia.

Não se trata de simples oráculo, mas de confrontação do profeta verdadeiro com os profetas falsos: uma história que se repetirá nas figuras críticas de Jeremias e Ezequiel.

Nesta narração encontramos três momentos da profecia. O primeiro é coletivo, uma corporação de profetas que testemunham a presença do Senhor no meio do seu povo, lutam por sua fidelidade a esse Senhor e podem aconselhar o rei. Na sua resposta não empregam a fórmula profética oracular "assim diz o Senhor", mas afirmam a ação soberana desse Senhor. Em resumo, não apelam para uma revelação especial do Senhor, mas para a tradição javista, que aplicam ao caso presente.

O segundo momento é individual: um profeta do grupo, que tem um nome javista, Sedecias (*Justiça* ou *Vitória do Senhor*). Esse profeta faz uma ação simbólica e pronuncia um oráculo com a fórmula clássica da profecia: "assim diz o Senhor". Sedecias profetiza sorte ao rei: se os demais profetas da irmandade o apoiam, é porque o tomam como seu porta-voz que recebeu uma mensagem do Senhor e a comunica. O terceiro momento é um indivíduo desligado do grupo, a serviço do oráculo, independente do rei. Ganhou a fama de profeta de desgraças. Comparado com o grupo, tem o título específico de "profeta do Senhor"; comparado com Sedecias, atreve-se a contradizer os desejos do rei, porque está totalmente a serviço de um soberano mais elevado.

Miqueias começa repetindo quase literalmente o oráculo de Sedecias. Alguma coisa soava em sua voz, talvez um tom de imitação irônica, que fez o rei suspeitar. Sem falar do fato de não ter pronunciado a fórmula clássica de introdução: "assim diz o Senhor". Finalmente Miqueias pronuncia o oráculo. Pode tratar-se de autêntica visão profética, como nos oráculos de Amós e alguns de Jeremias.

São esses os três momentos da presente profecia. Nos ouvintes da época pode ter surgido a dúvida: qual dos profetas tem razão? Se todos são profetas, será que alguns se arrogam a mensagem sem a ter recebido? E se receberam uma mensagem do Senhor, como se explica a contradição? A visão de Miqueias responde a essas perguntas. É uma tentativa de explicar a complexidade do plano de Deus e seus meios para realizá-lo; é peça capital na história da profecia israelita.

Deus é visto no estilo de um soberano, com sua corte e ministros, à semelhança das religiões antigas e das cortes de Israel e Judá. Na corte há personagens que agem com a verdade e personagens que agem com a astúcia e o engano. O plano completo de Deus é que Acab vá para a guerra e morra nela. Para que vá, o Senhor envia uma profecia, "um espírito" de incentivo e esperança que engana o rei; anuncia sua morte como fato futuro, execução de uma sentença pronunciada. Em Sedecias fala o espírito enganoso, por Miqueias a palavra autêntica; entre os dois se desenvolve a dialética da história. E o rei, ao dar crédito a Sedecias, garante a veracidade de Miqueias ("torna acreditados os profetas", Ecl 36,15).

Tudo isso é tentativa de explicação teológica, ainda muito condicionada por uma representação particular de Deus. Tentativa que pretende salvar a soberania de Deus na história, sua ação por meio de profetas, a complexidade real dos fatos e motivações humanas (pode-se recordar o personagem "Satã" no drama de Jó). Uma interpretação mais refinada diria que o Senhor, ao enviar profetas, "permite" que surjam falsos profetas e falsas profecias e "permite" que o homem engane a si mesmo escutando o que deseja. Com essas ressalvas e correções, podemos encontrar na visão algo certo e permanente: a ambiguidade do mundo dos espíritos, o engano de nossos desejos profundos, a cilada da adulação, a necessária vigilância constante para discernir os espíritos.

22,8 Já escutamos a atitude radical do rei: detesta o que lhe desgosta, não se abre à verdade nem ao oráculo divino. Nessa atitude do rei já está agindo um mau espírito.

— Que venha logo Miqueias, filho de Jemla.

¹⁰O rei de Israel e Josafá de Judá estavam sentados em seus tronos, com suas vestes reais, na praça, junto à porta de Samaria, enquanto todos os profetas gesticulavam diante deles.

¹¹Sedecias, filho de Canaana, fez para si uns chifres de ferro e dizia:

— Assim diz o Senhor: Com estes chifrarás os sírios até acabar com eles.

¹²E todos os profetas faziam coro:

— Ataca Ramot de Galaad! Triunfarás, o Senhor a entrega a ti.

¹³Enquanto isso, o mensageiro que tinha ido chamar Miqueias lhe disse:

— Lembra-te que unanimemente todos os profetas profetizam a sorte ao rei. Vamos ver se teu oráculo é como o de qualquer um deles e tu anuncias a sorte.

¹⁴Miqueias replicou:

— Por Deus, direi o que o Senhor me mandar!

¹⁵Quando Miqueias se apresentou ao rei, este lhe perguntou:

— Miqueias, podemos atacar Ramot de Galaad, ou desistimos?

Miqueias lhe respondeu:

— Vai, triunfarás. O Senhor a entrega ao rei.

¹⁶O rei lhe disse:

— Quantas vezes terei de fazer-te jurar que me digas somente a verdade em nome do Senhor?

¹⁷Então Miqueias disse:

— Vejo Israel esparramado pelos montes como ovelhas sem pastor. E o Senhor diz: "Não têm patrão. Volte cada qual em paz para sua casa".

¹⁸O rei de Israel comentou com Josafá:

— Não te disse? Não me profetiza a sorte, mas a desgraça.

¹⁹Miqueias continuou:

— Por isso, escuta a palavra do Senhor: Vi o Senhor sentado em seu trono. Todo o exército celeste estava em pé junto dele, à direita e à esquerda, ²⁰e o Senhor perguntou: "Quem poderá enganar Acab para que vá e morra em Ramot de Galaad?" Uns propunham uma coisa e outros outra. ²¹Então adiantou-se um espírito e, de pé diante do Senhor, disse: "Eu o enganarei". O Senhor lhe perguntou: "Como?" ²²Respondeu: "Irei e me transformarei em oráculo falso na boca de todos os profetas". O Senhor lhe disse: "Conseguirás enganá-lo. Vai e faze-o!" ²³Como vês, o Senhor pôs oráculos falsos na boca de todos os teus profetas, porque o Senhor decretou tua ruína.

²⁴Então Sedecias, filho de Canaana, se aproximou de Miqueias e deu-lhe um tapa, dizendo-lhe:

— Por onde me escapou o espírito do Senhor para te falar?

²⁵Miqueias respondeu:

— Tu mesmo o verás no dia em que fores escondendo-te de quarto em quarto.

²⁶Então o rei de Israel ordenou:

— Prende Miqueias e leva-o ao governador Amon e ao príncipe Joás. ²⁷Dize-lhes: "Por ordem do rei, colocai esse homem na cadeia e racionai-lhe a porção de pão e água até que eu volte vitorioso".

²⁸Miqueias disse:

— Se voltares vitorioso, o Senhor não falou por minha boca.

²⁹O rei de Israel e Josafá de Judá foram contra Ramot de Galaad. ³⁰O rei de Israel disse a Josafá:

— Vou me disfarçar antes de entrar no combate. Quanto a ti, vai com tua roupa.

Disfarçou-se e foi ao combate.

³¹O rei sírio havia ordenado aos comandantes dos carros que não atacassem nem pequeno nem grande, mas somente o rei de Israel. ³²Quando os comandantes do carro viram Josafá, comentaram:

— Aquele é o rei de Israel.

22,11 Os chifres são símbolo de poder (Nm 23,22).
22,14 Nm 22,18.
22,17 É a paz de ter renunciado ao empreendimento, de aceitar o fracasso; nesse momento, uma paz mais desejável que a posse de Ramot.
22,19 Os astros são vistos como personagens de um exército celeste, ao serviço imediato do Senhor; como divindades astrais rebaixadas. Estão de pé, como convém a ministros e servos. O estilo da pergunta recorda também Is 6.
22,22 Oráculo falso é o que usa a serpente no paraíso, e o Sl 36 fala de um oráculo do pecado.
22,24 Sedecias não aceita a ideia da pluralidade de espíritos e reclama o monopólio do espírito profético.
22,25 Segundo a doutrina tradicional, o cumprimento da profecia credencia o profeta (Dt 18; Jr 28).
22,26 Jr 37,21.
22,30 Josafá entra em combate vestido com as insígnias reais, mas Acab se disfarça de soldado raso para não ser reconhecido.

E lançaram-se contra ele. Mas Josafá deu uma ordem, ³³e então os comandantes viram que aquele não era o rei de Israel, e o deixaram. ³⁴Um soldado disparou o arco ao acaso e feriu o rei de Israel, atravessando-o numa brecha da couraça. O rei disse ao cocheiro:

– Dá a volta e tira-me do campo de batalha, pois estou ferido.

³⁵Mas nesse dia o combate tornou-se violento, de modo que mantiveram o rei de pé em seu carro diante dos sírios, e morreu ao entardecer; o sangue gotejava dentro do carro. ³⁶Ao pôr do sol um grito correu pelo acampamento:

– Cada um para seu povoado! Cada um para sua terra! ³⁷O rei morreu!

Levaram o rei a Samaria e aí o enterraram. ³⁸Lavaram o carro na piscina de Samaria; os cães lamberam seu sangue e as prostitutas se lavaram nela, como o Senhor havia dito.

³⁹Para mais dados sobre Acab e seus empreendimentos, o palácio de marfim e as cidades que construiu, vejam-se os Anais do Reino de Israel. ⁴⁰Acab morreu, e seu filho Ocozias reinou em seu lugar.

Josafá de Judá *(870-848)* (2Cr 17-19) – ⁴¹Josafá, filho de Asa, subiu ao trono de Judá no quarto ano do reinado de Acab de Israel. ⁴²Quando subiu ao trono tinha trinta e cinco anos, e reinou vinte e cinco anos em Jerusalém. Sua mãe chamava-se Azuba, filha de Selaqui. ⁴³Seguiu o caminho de seu pai Asa, sem se desviar, fazendo o que o Senhor aprova. ⁴⁴Mas não desapareceram as capelas dos lugares altos; o povo continuava oferecendo aí sacrifícios e queimando incenso. ⁴⁵Josafá viveu em paz com o rei de Israel.

⁴⁶Para mais dados sobre Josafá, as vitórias que ele teve e as guerras que fez, vejam-se os Anais do Reino de Judá. ⁴⁷Desterrou do país os restos de prostituição sagrada que seu pai Asa havia deixado. ⁴⁸O trono de Edom estava então vacante. ⁴⁹Josafá construiu uma frota mercante para ir a Ofir à procura de ouro, mas não pôde zarpar, pois a frota naufragou em Asiongaber*. ⁵⁰Então Ocozias, filho de Acab, propôs a Josafá:

– Meus homens vão com os teus na expedição.

Mas Josafá não quis.

⁵¹Josafá morreu, e o enterraram com seus antepassados na Cidade de Davi, seu antecessor; e seu filho Jorão reinou em seu lugar.

Ocozias de Israel *(853-852)* – ⁵²Ocozias, filho de Acab, subiu ao trono de Israel, em Samaria, no décimo sétimo ano de Josafá de Judá. Reinou sobre Israel dois anos. ⁵³Fez o que o Senhor reprova, imitando seu pai, sua mãe e Jeroboão, filho de Nabat, que fez Israel pecar. ⁵⁴Prestou culto a Baal; adorou-o, irritando o Senhor, Deus de Israel, como fizera seu pai.

22,34 Se é meritório ser ferido em combate, ser ferido por um soldado qualquer é vergonhoso para um rei (recorde-se o episódio de Gedeão, Jz 8,21, e o de Abimelec, Jz 9,54).
22,37 1Rs 21,19.
22,48 O hebraico acrescenta uma frase duvidosa que se poderia ler: "reinava um governador". A fraqueza de Edom permite a Josafá renovar os empreendimentos marítimos que Salomão realizou.
22,49 * = Floresta do Galo.

SEGUNDO LIVRO DOS REIS

1 Ocozias e Elias —

¹Quando Acab morreu, Moab se rebelou contra Israel. ²Em Samaria, Ocozias caiu da sacada, do andar de cima, e feriu-se gravemente. Então enviou mensageiros com esta recomendação:

— Ide consultar Belzebu, deus de Acaron, para ver se vou sarar destas feridas.

³Mas o anjo do Senhor disse ao tesbita Elias:

— Levanta-te, sai ao encontro dos mensageiros do rei de Samaria e dize-lhes: "Por acaso não há Deus em Israel, para irdes consultar Belzebu, deus de Acaron?" ⁴Por isso, assim diz o Senhor: "Tu não te levantarás da cama em que deitaste. Morrerás na certa".

Elias foi. ⁵Os mensageiros voltaram, e o rei lhes perguntou:

— Por que voltastes?

⁶Responderam-lhe:

— Veio ao nosso encontro um homem e nos disse que voltássemos ao rei que nos havia enviado e lhe disséssemos: "Assim diz o Senhor: Por acaso não há Deus em Israel, para mandares consultar Belzebu, deus de Acaron? Por isso, não te levantarás da cama em que deitaste. Morrerás na certa".

⁷O rei lhes perguntou:

— Como era o homem que foi ao vosso encontro e vos disse isso?

⁸Responderam-lhe:

— Era um homem peludo e usava uma pele amarrada com um cinto de couro.

O rei comentou:

— O tesbita Elias!

⁹E enviou à sua procura um oficial com cinquenta homens. Quando ele subiu à procura de Elias, encontrou-o sentado no topo do monte. O oficial lhe disse:

— Profeta, o rei ordena que desças.

¹⁰Elias respondeu:

— Se sou um profeta, caia um raio e te queime com teus homens.

Então caiu um raio e queimou o oficial e seus homens.

¹¹O rei mandou outro oficial com cinquenta homens. Subiu e lhe disse:

— Profeta, o rei ordena que desças logo.

¹²Elias respondeu:

— Se sou um profeta, caia um raio e te queime com teus homens.

Então caiu um raio e queimou o oficial e seus homens.

¹³Pela terceira vez o rei mandou um oficial com cinquenta homens. Subiu, e quando chegou diante de Elias, ajoelhou-se e pediu-lhe:

— Profeta, eu te peço, respeita minha vida e a destes cinquenta servos teus. ¹⁴Já caíram raios e queimaram os oficiais que vieram antes e seus homens. Agora respeita minha vida.

¹⁵O anjo do Senhor disse então a Elias:

— Desce com ele, não tenhas medo.

Elias levantou-se, desceu com ele para apresentar-se ao rei, e ao chegar ¹⁶lhe disse:

— Assim diz o Senhor: Por teres mandado mensageiros consultar Belzebu, deus de Acaron, como se em Israel não houvesse um Deus para consultar seu oráculo, não te levantarás da cama em que deitaste. Morrerás na certa.

¹⁷O rei morreu, segundo a profecia de Elias, e seu irmão Jorão reinou em seu lugar no segundo ano do reinado de Jorão de Judá, filho de Josafá (porque Ocozias não tinha filhos).

¹⁸Para mais dados sobre Ocozias, vejam-se os Anais do Reino de Israel.

---

1 Este capítulo recolhe a última intervenção de Elias antes de desaparecer. Mudou o rei de Israel, mas as relações do profeta com o monarca são semelhantes. Elias não é um profeta de corte, mas um que vem com seu oráculo "vai ao encontro".

1,2 A sacada teria um parapeito que cedeu quando o rei se apoiou. Belzebu é uma deformação maliciosa dos israelitas: originariamente é *Baal Zebul* = Baal Príncipe, que facilmente se deforma em *Baal Zebub* = Baal das Moscas; através do NT passa a nossas línguas como designação do diabo, Belzebu.

1,3 "Sou eu que mato e faço viver, sou eu que firo e torno a curar", diz o Senhor em Dt 32,39b; ver também Is 19,22; Os 6,1; Jó 5,18.

1,4 Is 38,1.

1,8 Zc 13,4.

1,9 Há um jogo de palavras no diálogo: o verbo "descer-cair" é o mesmo, o sujeito são o profeta e o raio. O rei pretende dar ordens ao homem de Deus, este dá ordens ao raio.

1,10 Eclo 48,3.

1,15 Elias desce quando recebe uma ordem do mensageiro do Senhor; não está submetido às ordens do rei.

CICLO DE ELISEU

2 **Elias arrebatado ao céu** (Eclo 48,9-12; Ml 3,23s) – ¹Quando o Senhor ia arrebatar Elias ao céu no turbilhão, Elias e Eliseu partiram de Guilgal. ²Elias disse a Eliseu:

– Fica aqui, pois o Senhor me envia só a Betel.

Eliseu respondeu:

– Por Deus! Por tua vida, não te deixarei.

Desceram a Betel, ³e a comunidade de profetas de Betel saiu para receber Eliseu. Disseram-lhe:

– Estás sabendo que hoje o Senhor irá te deixar sem chefe e sem mestre?

Ele respondeu:

– Claro que sei. Calai-vos!

⁴Elias disse a Eliseu:

– Fica aqui, pois o Senhor me envia só a Jericó.

Eliseu respondeu:

– Por Deus! Por tua vida, não te deixarei.

Chegaram a Jericó, ⁵e a comunidade de profetas de Jericó aproximou-se de Eliseu. Disseram-lhe:

– Estás sabendo que hoje o Senhor irá te deixar sem chefe e sem mestre?

Ele respondeu:

– Claro que sei. Calai-vos!

⁶Elias disse a Eliseu:

– Fica aqui, pois o Senhor me envia só até o Jordão.

Eliseu respondeu:

– Por Deus! Por tua vida, não te deixarei.

E os dois continuaram caminhando.

⁷Também partiram cinquenta homens da comunidade de profetas, que pararam

---

2 O arrebatamento de Elias é um relato transcendental. Algum comentarista quis explicá-lo como uma tempestade de areia, um simum ardente que leva o profeta; ou como explicação de um título do profeta, "carro e cocheiro". Não faltou quem viu nessas páginas a reelaboração de um mito: o cavalo é animal solar; ou então o mito da fênix. Penso que não é este o caminho para entender esse magnífico relato. Examinemos seus elementos fundamentais.
a) Antes de tudo, o verbo *lqh* = tomar, levar para si, arrebatar. Em 1Rs 19,4 o profeta pedia a Deus: "Tira-me a vida" ou leva a minha vida, leva-me; em hebraico *qah nafshi*. O pedido se cumpre agora. O mesmo verbo, tendo Deus como sujeito, enuncia a libertação em Sl 18,17, e uma salvação final e misteriosa em Sl 49,16 e 73,24.
O verbo hebraico foi traduzido em grego por *lambano* e em latim por *assumere*, donde vem o substantivo *assumptio*, que dá origem ao nosso termo técnico "assunção". Por outro lado, a subida ou "ascensão" se exprime no relato com o verbo *'lh*. Deus toma e leva para si o que é seu, a vida do seu profeta, quando quer e onde quer; e não permite interferências humanas.
b) O carro de fogo e o turbilhão são representação poética da teofania. O fogo é elemento da divindade, como Moisés o descobriu no Horeb, na sarça ardente e inacessível. De carros e cavalos nos falam entre outros Sl 18,11 e 104,3.
2,1-18 O desaparecimento de Elias é contado numa tonalidade misteriosa, com um ritmo quase litúrgico. Criam esse tom os rumores das corporações proféticas, o pressentimento de Eliseu, a estranha condição: "se conseguires ver-me"; misterioso é o desfecho, enquanto que fracassa, sublinhando o mistério, a tentativa dos profetas de buscar uma solução simples. O ritmo quase transforma a viagem numa procissão que poderia terminar num sacrifício: Betel – Jericó – o Jordão, passagem do Jordão como rito de passagem, arrebatamento ao céu.
Podemos comparar essa viagem com a outra grande viagem do profeta para o Sinai, com etapas em Ber-sabeia, no deserto, na montanha, até a teofania e a ordem de voltar. Desta vez a passagem do rio substitui a passagem pelo deserto, e Deus está no fogo; quanto ao voltar, isso cabe ao sucessor. Também podemos comparar a viagem com uma peregrinação e procissão litúrgica: subida ao monte, passagem pelos átrios; a entrada dos dois escolhidos na nave, ficando os outros de fora; no último reduto, onde o Senhor está presente, só entra o sumo sacerdote. Elias não torna a sair, porque viu o Senhor; Deus se aproxima dele e o profeta sobe no fogo como um sacrifício vivo. Só que tudo acontece em paisagem aberta e quase sem palavras.
Não é que o autor tenha utilizado expressamente um esquema litúrgico para o seu relato; trata-se de uma analogia estrutural baseada em experiência profunda. A liturgia quer exprimir dramaticamente, em ação, o homem se aproximando de Deus, ou a atração misteriosa e irresistível da divindade.
O homem chega sozinho ao último encontro. No começo, os dois encontram grupos de profetas, depois ficam só o mestre e o discípulo, no fim Elias se afasta.
E assim o relato se carrega de significados simbólicos. Porque temos de recordar Moisés e Josué diante do Jordão: Josué passará para viver, Moisés ficará para morrer. Os israelitas poderão ler isso no futuro, pensando na caminhada para o desterro e no retorno, com as figuras proféticas de Jeremias, Ezequiel e Baruc. Ampliando o horizonte, o relato pode simbolizar a morte do justo arrebatado por Deus, mesmo que morra nas mãos de homens violentos. Deles dirá Sb 3,6: "recebeu-os como sacrifício de holocausto", e: "Deus o levou, o arrebatou" (cf. 4,10). A história se concentra no mestre e no discípulo, os profetas fazem o papel de coro e de testemunhas distantes. Um pouco como a passagem de Moisés a Josué: Moisés morre no monte Nebo, e Elias desaparece na mesma região. Eliseu lhe sucede no cenário da história: Elias chega a criar uma dinastia? A natureza do carisma profético não permite a sucessão rigorosa e garantida de mestre e discípulo.

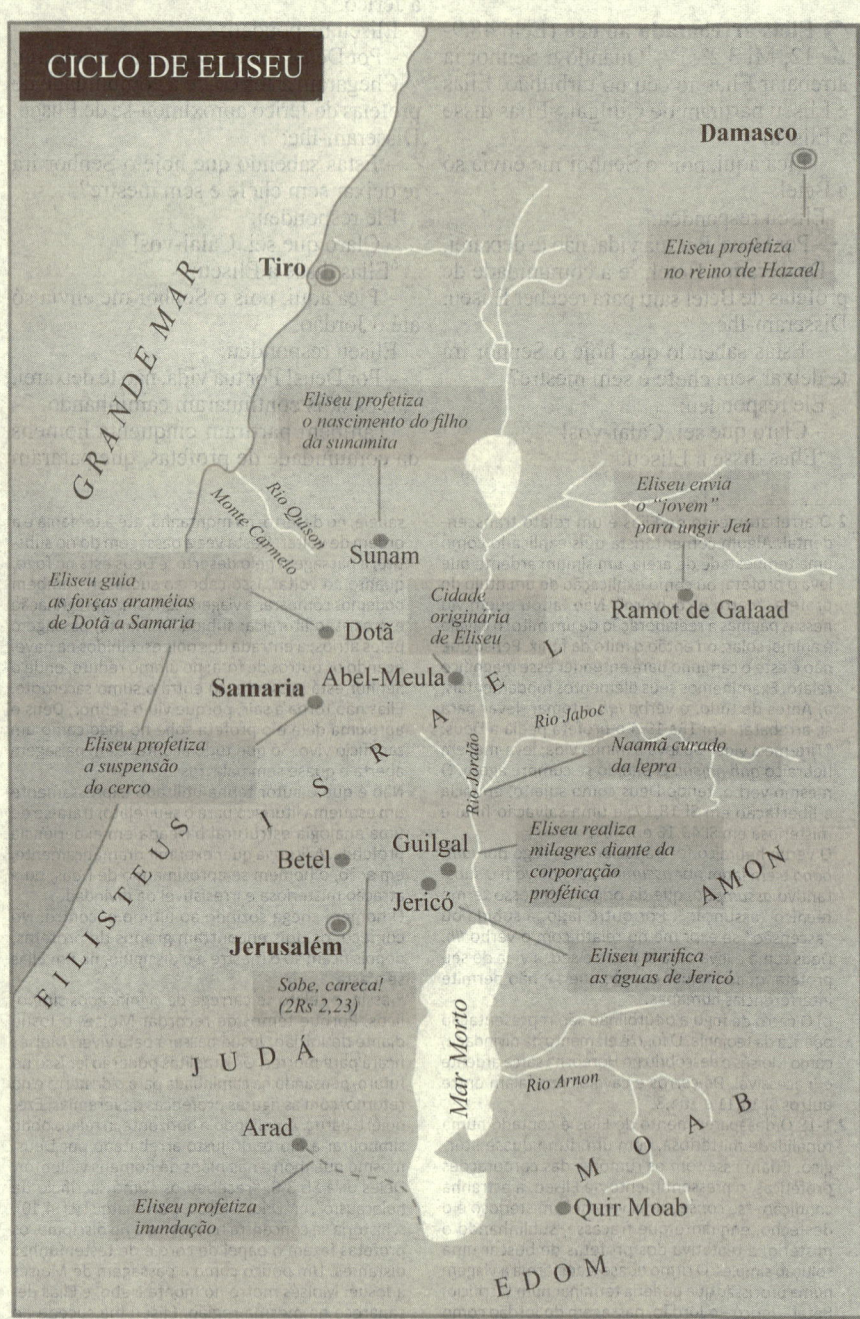

diante deles, a certa distância. Os dois se detiveram junto ao Jordão. ⁸Elias tomou seu manto, o enrolou, bateu na água e a água se dividiu pelo meio, e assim ambos passaram a pé enxuto. ⁹Enquanto atravessavam o rio, Elias disse a Eliseu:

– Pede-me o que quiseres antes que me afastem do teu lado.

Eliseu pediu:

– Deixa-me em herança dois terços do teu espírito.

¹⁰Elias comentou:

– Não estás pedindo nada! Se conseguires ver-me quando me afastarem de teu lado, então o terás; se não me vires, não o terás.

¹¹Enquanto continuavam conversando pelo caminho, um carro de fogo com cavalos de fogo os separou, e Elias subiu ao céu no turbilhão. ¹²Eliseu olhava para ele e gritava:

– Meu pai, meu pai, carro e cocheiro de Israel!

E não o viu mais. Então pegou sua túnica e a rasgou ao meio; ¹³depois recolheu o manto que havia caído de Elias, voltou-se e parou à margem do Jordão; ¹⁴e tomando o manto de Elias, bateu na água, dizendo:

– Onde está o Deus de Elias?

Bateu na água, a água se dividiu pela metade e Eliseu atravessou. ¹⁵Ao ver isso, os irmãos profetas que estavam à frente dele comentaram:

– O espírito de Elias tomou posse de Eliseu!

Então foram ao seu encontro, prostraram-se diante dele, ¹⁶e lhe disseram:

– Aqui entre teus servos tens cinquenta valentes; deixa-os ir à procura do teu mestre. Talvez o espírito do Senhor o tenha arrebatado, lançando-o sobre algum monte ou em algum vale.

Eliseu disse-lhes:

– Não mandeis ninguém.

¹⁷Mas como insistissem até aborrecê-lo, disse:

– Podeis mandar.

Eles mandaram cinquenta homens que o procuraram por três dias sem o encontrar. ¹⁸Quando voltaram a Eliseu, que havia ficado em Jericó, disse-lhes:

– Não vos dizia que não fôsseis?

Milagres de Eliseu (Ex 15,22-26) – ¹⁹Os habitantes de Jericó disseram a Eliseu:

– O lugar da cidade é bom, como o senhor pode ver. Mas a água é insalubre e faz as mulheres* abortar.

2,8 O manto, em vez da vara milagrosa, é instrumento do poder taumatúrgico do profeta.
2,9 Dois terços é a herança do primogênito, a sucessão legítima. Nm 11.
2,12 Jr 2,6.8.
2,13-14 Depois de um rito de luto, recolhe o manto do mestre; e ao recolhê-lo, recebe a sua herança, fica "investido" da sua missão. O mar Vermelho foi dividido pelo vento, o Jordão o foi pela arca, agora se divide pelo manto do profeta.
2,16 Ez 3,14.
2,17 Dt 34,6.

CICLO DE ELISEU

2,19-25 O tempo do profeta Eliseu estende-se teoricamente de sua vocação neste capítulo até sua morte em 13,20; na prática, o ciclo se esfuma e até desaparece, para reaparecer numa presença final espetacular. Eliseu é antes de tudo o continuador de Elias e uma imitação do grande profeta. Como continuador, tem de completar o que Elias deixou pendente. Jezabel ainda vive e manda; a sua filha Atalia logo usurpará o trono de Judá. O que Eliseu não realiza pessoalmente, o levará a cabo nomeando executores fiéis.
A imitação de Elias condiciona a seleção e a redação de alguns milagres: conseguir alimento, água potável, ressuscitar mortos. Mas outros milagres e suas ações políticas e militares não são imitação de Elias. O ciclo de Eliseu é alternado. Podemos seguir nele uma linha de milagres e outra de ação política: milagres: 2,19-25; 4; 6,1-7; 8,1-6; 13,21

política: 3; 5; 6,8-7,20; 8,7-15; 9,1-13; 13,14-20.
No conjunto, Eliseu parece um santo milagreiro de lenda, especializado em milagres de água: saneia um poço da cidade, prevê uma enxurrada, recupera um machado afundado no rio. Em número de milagres, ganha de Elias e de qualquer personagem do AT. Isso não engrandece sua figura, mas nos distrai. São milagres em benefício de uma mulher simples ou de um ministro poderoso, da sua comunidade profética ou dos monarcas. A acumulação de milagres, além do paralelo com Elias, pode dever-se a círculos proféticos onde sua lenda foi forjada e transmitida. Quando cura o sírio Naamã, cruza o poder taumatúrgico com a ação internacional. Sua ação política se estende aos monarcas de Israel, Judá e Damasco; mediatamente ao rei de Moab. As relações entre Israel e Judá são num primeiro momento amistosas (cap. 3); as relações com a Síria são propriamente hostis. A Assíria ainda não aparece no mapa internacional.
Eliseu vai desaparecendo. No cap. 9 Jeú assume o papel principal; em Judá, o sacerdote Joiada será protagonista; é significativa a notícia inserida em 13,5: "O Senhor deu a Israel um salvador, que o livrou da dominação síria"; esse salvador não é Eliseu. Tampouco literariamente o ciclo de Eliseu pode ser comparado com o de Elias. Não há nada que se possa comparar com o julgamento do Carmelo (cap. 18), ou com a viagem ao Horeb (cap. 19).
2,19 * Duvidoso.

²⁰Eliseu respondeu:

— Trazei-me um prato novo com sal.

Quando o levaram, ²¹foi à fonte, jogou aí o sal e disse:

— Assim diz o Senhor: "Eu curo esta água. Já não sairá daqui morte nem esterilidade".

²²E a água tornou-se potável até o dia de hoje, conforme o que disse Eliseu.

²³Depois subiu daí para Betel, e enquanto subia pelo caminho, saíram do povoado uns meninos que caçoavam dele:

— Sobe, careca! Sobe, careca!

²⁴Eliseu voltou-se, ficou olhando para eles e os amaldiçoou invocando o Senhor. Então saíram da mata duas ursas que despedaçaram quarenta e dois desses meninos.

²⁵Eliseu foi ao monte Carmelo, e daí voltou para Samaria.

3 **Jorão de Israel (*852-841*)** — ¹Jorão, filho de Acab, subiu ao trono de Israel, em Samaria, no décimo oitavo ano do reinado de Josafá de Judá. Reinou doze anos. ²Fez o que o Senhor reprova, porém não tanto quanto seus pais, pois retirou a estela de Baal erguida por seu pai. ³Mas repetiu todos os pecados que Jeroboão, filho de Nabat, fizera Israel cometer.

⁴Mesa, rei de Moab, criava gado e pagava ao rei de Israel um tributo de cem mil cordeiros e a lã de cem mil carneiros. ⁵Mas, quando Acab morreu, Mesa rebelou-se contra Israel. ⁶Então o rei Jorão saiu de Samaria, passou em revista todo Israel ⁷e mandou esta mensagem a Josafá de Judá:

— O rei de Moab rebelou-se contra mim. Queres vir comigo lutar contra Moab?

Respondeu:

— Sim. Tu e eu, teu exército e o meu, tua cavalaria e a minha, somos um.

⁸Depois perguntou:

— Por qual caminho subiremos?

Jorão respondeu:

— Pelo caminho do deserto de Edom.

⁹Assim, pois, os reis de Israel, Judá e Edom empreenderam a marcha. Mas, depois de darem uma volta de sete dias, faltou água para o exército e para as bestas de carga. ¹⁰Então o rei de Israel exclamou:

— Ai, o Senhor reuniu três reis para nos entregar em poder de Moab!

¹¹Mas Josafá perguntou:

— Não há por aqui algum profeta para consultar o Senhor?

Um dos oficiais do rei de Israel respondeu:

— Está aí Eliseu, filho de Safat, que derramava água nas mãos de Elias.

¹²Josafá comentou:

— A palavra do Senhor está com ele!

Então o rei de Israel, Josafá e o rei de Edom desceram para ver Eliseu, ¹³mas Eliseu disse ao rei de Israel:

— Deixa-me em paz! Vai consultar os profetas de teu pai e de tua mãe!

O rei de Israel respondeu:

— Vê, o Senhor reuniu três reis para nos entregar em poder de Moab.

2,21 Recorde-se o milagre de Moisés em Ex 15,25 e a grande transposição do tema em Ez 47,1-12.

2,23-25 O episódio nos parece desconcertante. Se a calvície ou tonsura era sinal da sua função profética, a zombaria tinha caráter blasfemo.

3 Transferimo-nos para a região sudeste da Palestina, para Edom e Moab. O exército de Israel unido ao de Judá pode dar a volta ao sul do mar Morto e atacar Moab pela fronteira menos fortificada, com a condição de ter trânsito livre pelo território de Edom. O capítulo supõe que há em Edom um rei vassalo ou aliado de Judá.

Ao sul do mar Morto começa o vale que desce até o golfo de Elat; Edom se assenta em ambos os lados dessa depressão. Os exércitos aliados passam o vale e avançam para as montanhas à frente, penetram até onde o rio Zared pode ser atravessado, e oferecem batalha do lado leste, numa região afastada do rio. A grande volta é uma vantagem estratégica, e ao mesmo tempo apresenta sério problema logístico: o abastecimento de água para um tríplice exército. Moab, por sua parte, não sofre o último problema. Uma vez mais, a água é fator de vitória ou derrota, de vida ou morte. Aqui se insere a ação de Eliseu, profeta das águas.

3,4 Desse rei Mesa conserva-se uma estela que conta sua luta pela independência, e que pode ser datada em torno de 830. Nela o rei fala apenas de Israel, e não de Judá.

É duvidosa a tradução "criava gado"; outros preferem traduzir "fazia agouros".

3,7 A resposta de Josafá é a mesma de 1Rs 22,4.

3,10 A frase de Jorão expressa a sua fé no Senhor e sua falta de confiança.

3,11 Jz 20,18; 1Rs 22,7.

3,12 Isto indica que a fama de Eliseu se estendera também a Judá: os profetas não são monopólio de um dos reinos. Se é Jorão quem formula a consulta, é por ser o chefe da expedição.

¹⁴Então Eliseu disse:
– Pela vida do Senhor dos exércitos, a quem sirvo! Se não fosse em consideração de Josafá de Judá, nem te olharia na cara. ¹⁵Mas, tudo bem, trazei-me um músico.

Enquanto o músico tocava, a mão do Senhor veio sobre Eliseu, ¹⁶que disse:
– Assim diz o Senhor: "Abri canais por todo o vale". ¹⁷Porque assim diz o Senhor: "Não vereis vento, nem vereis chuva, mas este vale se encherá de água e bebereis vós, vossos exércitos e vossas bestas de carga". ¹⁸E se isso fosse pouco, o Senhor porá Moab em vossas mãos: ¹⁹conquistareis suas praças-fortes, cortareis suas melhores árvores frutíferas, tapareis as fontes e enchereis de pedras os melhores campos.

²⁰De fato, na manhã seguinte, na hora da oferta, veio uma enxurrada do lado de Edom e toda a região ficou inundada. ²¹Enquanto isso, os moabitas, sabendo que os reis iam atacá-los, tinham feito uma mobilização geral dos que estavam em idade militar para cima, e se haviam postado na fronteira. ²²Madrugaram. O sol brilhava sobre a água, e, ao vê-la de longe, vermelha como o sangue, ²³os moabitas exclamaram:
– É sangue! Os reis se apunhalaram, matando-se uns aos outros. Ao saque, Moab!

²⁴Mas quando chegaram ao acampamento israelita, Israel se levantou e derrotou Moab, que fugiu diante deles. Os israelitas entraram no território de Moab e o devastaram: ²⁵destruíram as cidades, cada um atirou uma pedra nos melhores campos até enchê-los, taparam as fontes e cortaram as melhores árvores, deixando apenas Quir-Hares; os arremessadores de funda a cercaram e atacaram. ²⁶Quando o rei de Moab viu que ia ser derrotado, tomou consigo setecentos homens armados de espada para abrir passagem em direção ao rei da Síria, mas não conseguiu. ²⁷Então pegou seu filho primogênito, aquele que devia suceder-lhe no trono, e o ofereceu em holocausto sobre a muralha. Levantou-se enorme onda de indignação contra Israel, que teve de retirar-se e voltar ao seu país.

4 Milagres de Eliseu (1Rs 17,13-16)

¹Uma mulher, esposa de um da irmandade de profetas, suplicou a Eliseu:
– Meu marido, teu servidor, morreu. E tu sabes que era homem religioso. Mas o credor veio tomar meus dois filhos como escravos.

²Eliseu lhe disse:
– O que posso fazer por ti? Dize-me o que tens em casa.

Ela respondeu:
– Tudo o que tenho em casa é um vaso de azeite.

³Então Eliseu lhe disse:
– Vai, pede a tuas vizinhas vasilhas vazias em abundância. ⁴Entra depois em casa, tranca-te por dentro com teus filhos e põe azeite em todas as vasilhas; à medida que as encheres, tu as porás à parte.

3,15-16 A música é um dos meios para induzir o transe profético (cf. 1Sm 10,5).

3,20 Numa região afastada a oeste cai chuva abundante, que enche as torrentes da montanha; a água desce de repente e enche os canais do vale. O fato é perfeitamente natural; é extraordinário que o profeta o tenha previsto e tenha sugerido o meio para aproveitar a passagem efêmera da água.

3,22 O original joga com as palavras semelhantes sangue e vermelho (*dam*, '*adummim*), que recordam também Edom; pela sétima vez na narração soa a palavra "água".

3,23 Jz 7,22.

3,25 Antes de entrar em vigor a lei de Dt 20,19, aplicavam-se essas represálias brutais contra o país inimigo.

3,27 O rei Mesa recorre a uma medida extrema. Supondo que a derrota procede da ira do seu deus Camos, oferece-lhe o sacrifício mais precioso de todo o reino, seu herdeiro. Oferece-o sobre a muralha, na presença do seu exército assediado e dos atacantes. O fato é surpreendente para ambos: os moabitas recuperam ânimo, os israelitas se consideram sob a ira do deus protetor da cidade, e escapam antes de cair sob seus golpes. Essa explicação é bastante provável e supõe que se mantém o mesmo sujeito em todas as orações sucessivas. A palavra hebraica *qéçef* significa geralmente a ira de Deus (Is 54,8; 60,10; Jr 10,10; 21,5; Sl 8,2; 102,11), raras vezes significa a indignação humana.

O texto hebraico escreve Edom (em vez de Aram); isso significaria que o rei de Moab esperava encontrar auxílio entre os idumeus, coisa pouco de acordo com o fato da coalizão; mais razoável é ler Aram: o rei de Moab tenta abrir passagem para o norte, mas o cerco o impede.

4,1-7 Os profetas viviam com suas famílias em comunidades ou irmandades. Eliseu mantinha relações amistosas com eles.

4,1 A religiosidade do marido é causa de bênçãos para a família. Sobre a escravidão para pagar dívidas, ver Ex 21,7.

⁵A mulher foi. Quando se trancou por dentro com seus filhos, eles lhe aproximavam as vasilhas e ela ia pondo azeite. ⁶Todas ficaram cheias, e ela pediu a um dos filhos:

– Traze outra.

Ele respondeu:

– Não há mais.

Então o azeite deixou de correr. ⁷Ela foi contá-lo ao profeta, e ele lhe disse:

– Vai vender o azeite, paga teu credor, e tu e teus filhos vivereis do que sobrar.

O filho da sunamita (1Rs 17,17-24) – ⁸Certo dia, Eliseu passou por Sunam. Havia aí uma mulher rica que o obrigou a comer em sua casa; depois, sempre que ele passava, entrava aí para comer. ⁹Um dia a mulher disse a seu marido:

– Vê, esse que vem sempre à nossa casa é um profeta santo. ¹⁰Se te parecer bem, lhe faremos no terraço um pequeno quarto de tijolos; colocaremos aí cama, mesa, cadeira e candeeiro, e quando vier à nossa casa, poderá hospedar-se aí.

¹¹Certo dia, Eliseu chegou a Sunam, subiu ao quarto do terraço e aí dormiu. ¹²Depois disse a seu servo Giezi:

– Chama a sunamita.

Chamou-a, e ela se apresentou diante dele. ¹³Então Eliseu disse a Giezi:

– Dize-lhe: Tu te preocupaste conosco. O que posso fazer por ti? Se quiseres alguma recomendação para o rei ou para o general...

Ela disse:

– Eu vivo com os meus.

¹⁴Mas Eliseu insistiu:

– O que poderíamos fazer por ela?

Giezi comentou:

– Eu não sei. Não tem filhos e seu marido é velho.

¹⁵Eliseu disse:

– Vai chamá-la.

Chamou-a. Ela parou junto à porta, ¹⁶e Eliseu lhe disse:

– No ano que vem, por esta data, abraçarás um filho.

Ela respondeu:

– Por favor, não, senhor, não enganes tua servidora.

¹⁷Mas a mulher concebeu e deu à luz um filho no ano seguinte por aquela data, como Eliseu lhe havia predito. ¹⁸O menino cresceu. Certo dia foi a seu pai, que estava com os ceifadores, ¹⁹e disse:

– Estou com dor de cabeça!

Seu pai disse a um servo:

– Vai levá-lo à sua mãe.

²⁰O servo o pegou e o levou à sua mãe; ela o segurou sobre os joelhos até o meio-dia, e o menino morreu. ²¹Ela o levou para cima e o deitou na cama do profeta. Fechou a porta e saiu. ²²Chamou seu marido e lhe disse:

– Faz o favor de me mandar um servo e uma jumenta; vou correndo aonde está o profeta e volto logo.

²³Ele disse-lhe:

– Por que vais visitá-lo hoje, se não é lua nova nem sábado?

Mas ela respondeu:

– Até logo.

²⁴Mandou selar a jumenta e ordenou ao servo:

4,5-6 É o primeiro milagre de multiplicação de alimentos que Eliseu faz, e se parece bastante com o de Elias em Sarepta.

4,8-10 Sunam fica perto do monte Tabor. Hospedar um profeta santo é uma honra, e também uma fonte de bênçãos. Mesa e cadeira são um luxo; e para a mulher também é algo extraordinário um quarto pessoal construído no terraço. A mulher quer garantir independência ao homem santo.

4,11-12 Vê-se que Eliseu é profeta itinerante, reconhecido pelas comunidades locais e respeitado nas altas esferas.

4,16 A expressão hebraica indica o processo vital: "nesta data, segundo o tempo da vida". O sacerdote Eli prometeu a Ana coisa parecida. A mulher sente medo de entregar-se à fantasia e à esperança do que mais deseja; seria belo demais, e uma desilusão nesse ponto seria trágica.

4,20-22 Aparentemente morre de insolação. É pior tê-lo perdido do que não tê-lo tido.

4,24 Como outras vezes, o relato é construído em dois tempos, ou num desdobramento repetido: o servo e o profeta. Esse recurso permite adiar o desfecho e sublinhar sua importância. Se em outras ocasiões se busca a palavra profética, aqui encontramos uma busca apaixonada do contato, como se a força taumatúrgica estivesse encarnada na carne do profeta. Este não tem o direito de ficar nas alturas, de enviar de lá mensageiros, nem sequer é suficiente o seu bastão, no qual reside tradicionalmente um poder maravilhoso (como na vara de Moisés). Não basta; a mulher abraça seus pés, desabafando ou recuperando confiança no contato silencioso. O profeta terá de chegar ao contato total com a carne inerte do menino, transferindo-lhe seu próprio calor vital, no qual reside agora a virtude milagrosa. A vida que os joelhos

– Pega as rédeas e anda. Não diminuas a marcha, a não ser que eu te ordene.

²⁵Partiu, pois, e chegou aonde estava o profeta, no monte Carmelo. Quando Eliseu a viu chegando, disse a seu servo Giezi:

– Aí vem a sunamita. ²⁶Corre ao encontro dela e pergunta-lhe como estão ela, seu marido e o menino.

Ela respondeu:

– Estamos bem.

²⁷Mas ao chegar junto ao profeta, no alto do monte, abraçou-lhe os pés. Giezi aproximou-se para afastá-la, mas o profeta lhe disse:

– Deixa-a, pois está amargurada, e o Senhor escondeu isso de mim, sem o revelar.

²⁸Então a mulher disse:

– Por acaso te pedi um filho? Eu te disse para não me enganar!

²⁹Eliseu ordenou a Giezi:

– Cinge-te, pega meu bastão e põe-te a caminho; se encontrares alguém, não o cumprimentes, e se alguém te cumprimentar, não lhe respondas. E põe meu bastão sobre o rosto do menino.

³⁰Mas a mãe exclamou:

– Por Deus! Por tua vida, não te deixarei.

Então Eliseu se levantou e a seguiu. ³¹Enquanto isso, Giezi se havia adiantado e tinha colocado o bastão sobre o rosto do menino, mas o menino não falou nem reagiu. Giezi voltou ao encontro de Eliseu e lhe comunicou:

– O menino não despertou.

³²Eliseu entrou na casa e encontrou estendido em sua cama o menino morto. ³³Entrou, fechou a porta e orou ao Senhor. ³⁴Depois subiu à cama e se deitou sobre o menino, boca com boca, olhos com olhos, mãos com mãos, encolhido sobre ele; a carne do menino foi-se aquecendo. ³⁵Então Eliseu se pôs a caminhar no quarto, de lá para cá; subiu novamente à cama e se encolheu sobre o menino, sete vezes; o menino espirrou e abriu os olhos. ³⁶Eliseu chamou Giezi, ordenando-lhe:

– Vai chamar a sunamita.

Chamou-a e, quando chegou, Eliseu lhe disse:

– Toma teu filho.

³⁷Ela entrou e se lançou a seus pés, prostrada por terra. Depois pegou o filho e saiu.

³⁸Quando Eliseu voltou a Guilgal, nessa região passava-se fome. A comunidade de profetas estava sentada junto dele, e Eliseu ordenou a seu servo:

– Põe a panela grande no fogo e prepara uma sopa para a comunidade.

³⁹Um deles saiu ao campo para apanhar verduras; encontrou umas uvas-de-cão, arrancou-as, encheu o manto e, chegando, foi jogando-as na sopa sem saber o que fazia. ⁴⁰Quando serviram a comida aos homens e provaram a sopa, gritaram:

– Profeta, isso tem gosto de veneno!

E não puderam comê-la.

⁴¹Então Eliseu ordenou:

– Trazei-me farinha.

Jogou-a na panela, e disse:

– Serve às pessoas, para que comam.

E a sopa já não tinha gosto ruim.

⁴²Um homem de Baal-Salisa veio trazer ao profeta o pão das primícias, vinte pães de cevada e trigo novo no alforje. Eliseu disse:

– Oferece-os às pessoas, para que comam.

⁴³O servo replicou:

– O que faço eu com isto para cem pessoas?

Eliseu insistiu:

– Oferece-os às pessoas para que comam. Porque assim diz o Senhor: Comerão e sobrará.

⁴⁴Então o servo os serviu, comeram e sobrou, como o Senhor havia dito.

---

acolhedores da mãe não puderam conservar, virá outra vez do céu. A ressurreição do filho se apresenta aqui com todo o realismo corpóreo. Não é estranho que esta passagem tenha sido lida como símbolo da vida que Cristo traz com sua encarnação: "em carne".

4,27 Sobre o silêncio de Deus, ver Am 3,7.

4,28 A frase é reprovação e acusação; um jogo de palavras marca a oposição de pedir e enganar. O engano consiste em ter criado esperança e amor materno, para que tudo desembocasse no engano final da morte.

4,29 As saudações poderiam ser assunto longo, e o remédio urgia.

4,32 No seu próprio quarto, deitado em seu próprio leito, o cadáver é como o corpo do delito.

4,33-35 O espirro (tradução duvidosa; outros leem "bocejos") indica que algo se agita dentro do menino; e abrir os olhos é como ser dado à luz de novo. Pela segunda vez Deus dá o filho à mulher.

4,42-44 O outro milagre é uma multiplicação de pães. A semelhança com o relato evangélico é clara (Mt 14), sobretudo pela pergunta do servo. Desta vez o profeta pronuncia o oráculo. E já temos Eliseu dispensador de água, pão e azeite, como uma bênção do Deus ambulante.

5 Naamã da Síria e Eliseu (Lv 13)

¹Naamã, general do exército do rei sírio, era um homem que gozava da estima e do favor de seu senhor, pois por seu intermédio o Senhor havia dado vitória à Síria; mas tinha uma doença de pele. ²Numa incursão, um bando de sírios levou de Israel uma jovem, que ficou a serviço da mulher de Naamã. ³Ela disse à sua senhora:

– Oxalá meu senhor fosse ver o profeta de Samaria; ele o livraria de sua doença.

⁴Naamã foi informar seu senhor:

– A jovem israelita me disse isto e isto.

⁵O rei da Síria lhe disse:

– Vem, vou dar-te uma carta para o rei de Israel.

Naamã se pôs a caminho levando trezentos quilos de prata, seis mil moedas de ouro e dez trajes. ⁶Apresentou ao rei de Israel a carta, que dizia assim: "Quando receberes esta carta, verás que te envio meu ministro Naamã para que o livres de sua doença".

⁷Quando o rei de Israel leu a carta, rasgou as vestes, exclamando:

– Sou por acaso um deus capaz de matar ou dar a vida, para que este me encarregue de livrar um homem da sua doença? Prestai atenção e vereis que está buscando um pretexto contra mim.

⁸O profeta Eliseu ficou sabendo que o rei de Israel rasgara as vestes, e lhe enviou este recado:

– Por que rasgaste as vestes? Que ele venha a mim e verá que há um profeta em Israel.

⁹Naamã chegou com seus cavalos e carros e parou diante da porta de Eliseu. ¹⁰Eliseu mandou alguém lhe dizer:

– Vai lavar-te sete vezes no Jordão, e tua carne ficará limpa.

¹¹Naamã se aborreceu e decidiu ir embora, comentando:

– Eu imaginava que ele sairia pessoalmente para me ver, e que, de pé, invocaria o Senhor seu Deus, passaria a mão sobre a parte doente e me livraria da doença. ¹²Por acaso os rios de Damasco, o Abana e o Farfar, não valem mais que toda a água de Israel? Não posso lavar-me neles e ficar limpo?

Deu meia-volta e ia embora furioso. ¹³Porém seus servos se aproximaram e lhe disseram:

– Senhor, se o profeta te houvesse prescrito algo difícil, tu o farias. Quanto mais se o que te prescreve para ficar limpo é simplesmente que te laves.

¹⁴Então Naamã desceu ao Jordão e lavou-se sete vezes, como havia ordenado o profeta, e sua carne ficou limpa, como a de uma criança.

¹⁵Voltou com sua comitiva e se apresentou ao profeta, dizendo:

– Agora reconheço que não há Deus em toda a terra além do de Israel. Aceita um presente do teu servidor.

---

5 O episódio do sírio Naamã é na realidade um milagre doméstico que ameaça converter-se em assunto de política internacional. Sírios (ou arameus) e israelitas mantinham uma paz instável, aproveitada por bandos de guerrilheiros para suas incursões bem-sucedidas.

A doença não é propriamente lepra: se fosse, o perigo de contágio o afastaria de qualquer cargo de governo e de acompanhar o rei ao templo; trata-se de uma doença crônica da pele; a julgar pelo final do capítulo, leucodermia ou vitiligo (ver Lv 13). Conforme técnica conhecida, o relato empregará sete vezes a raiz que designa a doença, seguindo o processo e desfecho da história (na boca do narrador, da criada, de um rei, do outro rei, de Naamã, de Eliseu, do narrador).

O assunto começa em nível doméstico: é uma sugestão da criada. Desta sobe à patroa, dela ao marido, do marido ao rei da Síria, deste ao rei de Israel, deste ao poder divino mediado pelo profeta. Conforme a confissão do rei de Israel, trata-se de um poder de vida e morte. Em contraponto com esse movimento ascensional, descobrimos outro movimento de humilhação: o magnata Naamã tem de descer do rei ao profeta, deste a um servo, depois desce ao Jordão; uma vez curado e convertido, pedirá terra para prostrar-se na Síria, confessando o Senhor.

5,1 Não se dizem os nomes dos reis: provavelmente são Ben-Adad da Síria, Jorão de Israel e Josafá de Judá. O nome Naamã soa como "formoso", um significado irônico para ouvidos hebreus; mas pode significar a dedicação ao "deus formoso", Tamuz.

5,7 Dt 32,39; Os 6,1.

5,8 Reconhecer que há um profeta autêntico é um passo para a conversão, porque o poder de Deus se revela através do profeta; recorde-se a fórmula semelhante: "que há um Deus em Israel".

5,12 O sírio tem razão: no meio do deserto, esses rios geram uma apoteose de canais e árvores e uma cidade florescente.

5,14 Também as sete imersões têm caráter ritual. Neste caso implica fé e obediência ao profeta.

5,15 É uma confissão de monoteísmo: o Deus de Israel é Deus universal.

¹⁶Eliseu respondeu:

— Por Deus, a quem sirvo! Não aceitarei nada.

¹⁷E embora insistisse, ele recusou. Naamã disse:

— Então, seja permitido a teu servidor levar terra, a carga de duas mulas, porque daqui para a frente teu servidor não oferecerá holocaustos nem sacrifícios a outros deuses, exceto ao Senhor. ¹⁸E que o Senhor me perdoe: se o meu senhor ao entrar no templo de Remon para o adorar, se ele se apoiar em minha mão e eu também me prostrar diante de Remon, que o Senhor me perdoe esse gesto.

¹⁹Eliseu lhe disse:

— Vai em paz.

Naamã partiu. Já havia percorrido um bom trecho, ²⁰quando Giezi, servo do profeta Eliseu, pensou: "Meu amo foi muito generoso com esse sírio Naamã, não aceitando nada daquilo que oferecia. Por Deus! Vou correr atrás dele para que me dê algo". ²¹Giezi seguiu Naamã, e, quando este o viu correr atrás dele, desceu do carro para ir ao seu encontro, saudando-o. Giezi respondeu à saudação, ²²e disse:

— Meu amo me manda dizer-te que justamente neste momento se apresentaram a ele dois jovens da serra de Efraim, da comunidade dos profetas; faze o favor de me dar para eles três arrobas de prata e duas mudas de roupa.

²³Naamã disse:

— Faze o favor de aceitar o dobro.

E insistiu com ele, até pôr-lhe em dois sacos seis arrobas com duas mudas, entregando-as a dois escravos para que as levassem. ²⁴Ao chegar à colina, Giezi recolheu tudo, guardou em sua casa e despediu os homens, que partiram. ²⁵Quando se apresentou a seu amo, Eliseu lhe perguntou:

— Giezi, de onde vens?

Respondeu:

— Não saí daqui.

²⁶Eliseu lhe disse:

— Meu pensamento te seguia quando aquele homem desceu do seu carro para ir ao teu encontro. É este o momento de aceitar dinheiro e vestes, olivais e vinhas, ovelhas e vacas, servos e servas? ²⁷Que a doença de Naamã se apegue a ti e a teus descendentes para sempre!

Giezi saiu com a pele descolorida como neve.

6 Milagre do machado – ¹A comunidade de profetas disse a Eliseu:

— Vê, o lugar em que moramos sob tua direção é pequeno. ²Deixa-nos ir ao Jordão para cada um pegar uma viga de madeira para fazermos uma casa.

Eliseu lhes disse:

— Ide.

³Um deles lhe pediu:

— Faze o favor de vir conosco.

Eliseu respondeu:

— Eu vou.

⁴E foi com eles. Quando chegaram ao Jordão, começaram a cortar galhos, ⁵mas o ferro do machado de um deles caiu no rio, enquanto estava derrubando um tronco. Ele gritou:

— Ai, mestre, era emprestado!

⁶O profeta perguntou:

— Onde caiu?

O outro lhe indicou o lugar. Eliseu cortou um pau, atirou-o lá, e o ferro veio à tona. ⁷Eliseu disse:

— Apanha-o.

O outro estendeu o braço e o pegou.

Guerra com a Síria – ⁸O rei da Síria estava em guerra com Israel e, num conselho de ministros, decidiu:

5,17 "Outros deuses" ou "deuses estranhos" é típico do pensamento deuteronomista; é pôr na boca do sírio uma profissão de fé exclusiva em Javé. Pedir um carregamento de terra indica uma visão menos espiritual: embora Javé seja Deus de todo o universo, só a terra de Israel é sagrada.

5,22 Giezi comete duplo delito, de avareza e de mentira, abusando da autoridade do profeta.

5,26 O texto está malconservado. Talvez se refira ao dinheiro para comprar os bens citados.

5,27 Ver o caso da irmã de Moisés (Nm 12,10).

6,1-7 O novo milagre se relaciona também com o elementar, com a moradia de uma comunidade de profetas; e também tem a ver com a água do Jordão.

6,8-23 Neste episódio predomina o saber sobre-humano do profeta: ouve o que é dito à distância, e às escondidas descobre emboscadas secretas, vê exércitos celestes protetores, pede a Deus que abra os olhos a uns e cegue outros. Não lhe resistem o terreno acidentado nem a escuridão da noite.

6,8 Neste versículo passamos ao contexto internacional, as guerras contra a Síria. Neste contexto

— Vamos pôr uma emboscada em tal lugar. ⁹Então o profeta mandou este recado ao rei de Israel:

— Cuidado ao passar por tal lugar, pois os sírios estão emboscados aí.

¹⁰O rei de Israel mandou reconhecer o lugar indicado pelo profeta. Eliseu o avisava e ele tomava precauções. E isso não uma nem duas vezes. ¹¹Diante disso, o rei da Síria alarmou-se, convocou seus ministros e lhes disse:

— Dizei-me quem dos nossos informa o rei de Israel.

¹²Um dos ministros respondeu:

— Não é isso, majestade. Eliseu, o profeta de Israel, é quem comunica ao seu rei as palavras que pronuncias no teu quarto.

¹³Então o rei ordenou:

— Ide ver onde está, e mandarei prendê-lo.

Eles o avisaram:

— Está em Dotã.

¹⁴O rei mandou para lá cavalaria, carros e um forte contingente de tropas. Chegaram de noite e cercaram a cidade. ¹⁵Quando o profeta se levantou no dia seguinte para sair, encontrou-se com um exército cercando a cidade com cavalaria e carros. O servo disse a Eliseu:

— Mestre, o que fazemos?

¹⁶Eliseu respondeu:

— Não temas. Os que estão conosco são mais do que eles.

¹⁷Depois rezou:

— Senhor, abre-lhe os olhos para que veja.

O Senhor abriu os olhos do servo e ele viu o monte coberto de cavalaria e carros de fogo em volta de Eliseu.

¹⁸Quando os sírios desceram contra ele, Eliseu orou ao Senhor:

— Ofusca-os!

O Senhor os ofuscou, como Eliseu pedia, ¹⁹e este lhes disse:

— Não é este o caminho nem é esta a cidade. Segui-me. Eu vos levarei ao homem que procurais.

E os levou a Samaria.

²⁰Quando já tinham entrado em Samaria, Eliseu rezou:

— Senhor, abre-lhes os olhos para que vejam.

O Senhor lhes abriu os olhos e viram que estavam no centro de Samaria.

²¹Vendo-os, o rei de Israel disse a Eliseu:

— Pai, devo matá-los?

²²Respondeu:

— Não os mates. Por que irias matar os que não prendeste com tua espada e teu arco? Serve-lhes pão e água, para que comam, bebam e voltem ao seu senhor.

²³O rei lhes preparou um grande banquete. Comeram e beberam; depois os despediu e voltaram ao seu senhor. As guerrilhas sírias não tornaram a entrar em território israelita.

Assédio e fome em Samaria — ²⁴Depois disso, Ben-Adad, rei da Síria, mobilizou todo o seu exército e cercou Samaria. ²⁵Houve terrível fome em Samaria. O assédio foi tão duro, que um asno chegou a custar oitocentos gramas de prata, e trinta

---

a tradição projeta o mesmo mundo milagroso de Eliseu, adaptado às diferentes circunstâncias.

6,12-14 Em termos militares, Eliseu é um espião fenomenal, que deve ser capturado com enorme aparato de recursos: um esquadrão inteiro contra um homem. Dotã ficava a uns doze quilômetros ao sul da capital, e não era praça-forte.

6,17 É uma visão de teofania: Deus mesmo tem de abrir os olhos do homem para que possa ver o mundo sobre-humano. Os exércitos celestes que servem o "Senhor dos exércitos" (*Yhwh Sabaot*) se materializam na forma de uma cavalaria fantástica. Compare-se com 2Rs 2 (arrebatamento de Elias), Jl 2,3-9 (a praga dos gafanhotos), Is 13,4. O símbolo religioso se transforma em visão.

6,18-19 A mesma luz que ilumina o profeta e seu servo, ofusca seus inimigos (Hab 3,4); ver também Sl 76,5 e Jó 37,22.

6,22-23 O profeta que os trouxe tem poder sobre sua vida, e não o rei. Ao aceitar comida e bebida do rei de Israel, os prisioneiros ficam comprometidos com laços de lealdade.

6,24 Começa um episódio importante: com uma série de cenas breves, bem concatenadas, o autor compõe uma narração que pode ser lida em três atos. No primeiro se coloca a situação: o cerco da cidade e a fome. No segundo, o rei enfrenta o profeta e este pronuncia dois oráculos. O terceiro traz o desfecho, que é o cumprimento dos dois oráculos de modo inesperado.

6,25-31 A fome é apresentada em três momentos: o preço dos alimentos geralmente baratos, o caso de canibalismo, e a penitência do rei. O rei passeia pela muralha visando à inspeção, e aí uma mulher apela para a sua autoridade apresentando-lhe uma disputa: os termos do contrato, a briga pelo descumprimento, o apelo ao tribunal supremo do rei, dão a dimensão da

gramas de ervilha custavam cinquenta gramas de prata. ²⁶O rei de Israel passava pela muralha, e uma mulher gritou para ele:

– Salva-nos, majestade.

²⁷O rei respondeu:

– Se Deus não te salva, de onde posso tirar algo para te salvar? Do cesto de pão ou da adega? ²⁸O que tens?

Ela respondeu:

– Esta mulher me disse: "Traze teu filho, e o comeremos hoje, e amanhã comeremos o meu". ²⁹Cozinhamos meu filho e o comemos; mas no dia seguinte, quando lhe pedi seu filho para o comermos, ela o escondeu.

³⁰Quando o rei ouviu o que a mulher dizia, rasgou as vestes. (Ele passava pela muralha e o povo viu que usava um pano de saco sobre o corpo.) ³¹Ele disse:

– Que Deus me castigue se Eliseu, filho de Safat, mantiver hoje a cabeça no lugar!

³²Enquanto isso, Eliseu estava sentado em sua casa com os senadores. O rei enviou-lhe um mensageiro; mas, antes que chegasse, Eliseu disse aos senadores:

– Vereis como esse assassino mandou alguém para me cortar a cabeça! Vede: Quando chegar, trancai a porta e não o deixeis passar; atrás dele ouvem-se as pisadas do seu senhor.

³³Ainda estava falando, quando apareceu o rei, que desceu até ele e lhe disse:

– É o Senhor quem nos manda esta desgraça. O que posso esperar dele?

7 ¹Eliseu respondeu:

– Escuta a palavra do Senhor. Assim diz o Senhor: "Amanhã, a estas horas, no mercado de Samaria, sete litros de flor de farinha valerão dez gramas, e catorze litros de cevada, dez gramas".

²O preferido do rei, que oferecia seu braço ao soberano, replicou-lhe:

– Suponhamos que o Senhor abrisse as comportas do céu: essa profecia se cumpriria?

Eliseu respondeu-lhe:

– Verás, mas não provarás!

³Junto à entrada da cidade havia quatro homens leprosos. Disseram entre si:

– O que fazemos aqui esperando a morte? ⁴Se decidirmos entrar na cidade, morreremos nela, pois a fome aperta; se ficarmos aqui, morreremos do mesmo jeito. Vem, vamos passar para os sírios! Se nos deixarem com vida, viveremos; e se nos matarem, nos mataram.

⁵Ao escurecer, puseram-se a caminho para o acampamento sírio. Chegaram aos postos avançados do acampamento, e... aí não havia ninguém! ⁶(O Senhor fizera o exército sírio ouvir um fragor de carros e cavalos, o fragor de um exército poderoso, e disseram uns aos outros: "O rei de Israel pagou os reis heteus e os egípcios para nos atacar!" ⁷E assim, ao escurecer, abandonando tendas, cavalos, burros e o acampamento tal como estava, empreenderam a fuga para salvar a vida.)

⁸Os leprosos chegaram aos postos avançados do acampamento; entraram numa tenda, comeram e beberam; levaram prata, ouro e roupa e foram esconder tudo. Depois voltaram, entraram em outra tenda, levaram mais coisas daí e foram escondê-las. ⁹Mas comentaram:

---

tragédia. No fundo soa a maldição de Dt 28,53-57 e de algum modo a briga das duas prostitutas diante de Salomão. O rei deve ser o salvador do seu povo, mas fazendo justiça deste modo não trará salvação. Mas fará justiça em Eliseu, causador da situação desesperada. O rei jura pelo Senhor: talvez esta morte sirva de expiação por todos.

6,31 1Rs 19,2.
6,32 Ez 14,1.
7,1 O oráculo de Eliseu ressoa, retumba na profundidade desse desespero.
7,2 Ex 16.
7,3 Trata-se de doentes incuráveis e contagiosos que, segundo a lei (Lv 13,45), devem morar fora da cidade. Os sitiadores os consideram inofensivos em termos militares. A salvação chegará exatamente por meio desses doentes irrecuperáveis, porque na sua situação física e social desesperadora conservam a lucidez para argumentar, até com refinamento casuístico; e a mesma situação lhes dá forças para se arriscar: o último risco pode trazer a salvação.

7,4 Lm 2,12.19.
7,6-7 O narrador volta atrás explicando o fato com causas sobre-humanas. Situações semelhantes não são raras nas narrativas antigas. É estranho que na fuga abandonem cavalos e burros.
7,8 Voltamos aos doentes incuráveis, abandonados no momento da descoberta: de repente, os argutos raciocinadores desenvolvem uma atividade febril, que o autor expressa acumulando verbos (dez verbos em dezessete palavras).
7,9 Fartos de comer e cansados de trabalhar, readquirem a lucidez e, o que é mais importante, se lembram de seus concidadãos cercados e famintos.

— Estamos fazendo algo que não é certo. Hoje é um dia de alegria. Se nos calarmos e esperarmos que amanheça, seremos culpados. Vamos, pois, ao palácio para avisar.

[10] Ao chegar, chamaram as sentinelas da cidade e informaram:

— Fomos ao acampamento sírio, e aí não há ninguém nem se ouve ninguém; apenas cavalos amarrados, burros amarrados, e as tendas tal como estavam.

[11] As sentinelas gritaram, transmitindo a notícia para dentro do palácio. [12] O rei levantou-se de noite e comentou com seus ministros:

— Vou dizer-vos o que os sírios nos aprontaram: sabendo que passamos fome, saíram do acampamento para se esconder em campo aberto, pensando que quando sairmos nos prenderão vivos e entrarão na cidade.

[13] Então um dos ministros propôs:

— Tomem-se cinco cavalos dos que sobram na cidade, e os mandaremos para ver o que acontece; em poucas palavras, se eles se salvam, serão como a tropa que ainda vive; se morrem, serão como os que já morreram.

[14] Escolheram dois cavaleiros, e o rei mandou que seguissem o exército sírio, recomendando-lhes:

— Ide ver o que está acontecendo.

[15] Eles os seguiram até o Jordão: o caminho estava semeado de roupa e material abandonado pelos sírios que fugiram apressadamente. Voltaram para avisar o rei. [16] E então todo o povo saiu para saquear o acampamento sírio. E sete litros de flor de farinha foram pagos com dez gramas, e catorze de cevada, também com dez gramas, como o Senhor havia dito.

[17] O rei havia encarregado o seu preferido, aquele que lhe oferecia o braço, para vigiar a entrada. Ao sair pela porta, o povo o pisoteou, e morreu, como havia dito o profeta quando o rei foi vê-lo. [18] Pois quando o profeta disse ao rei que no dia seguinte, naquela mesma hora, no mercado de Samaria catorze litros de cevada custariam dez gramas, e sete litros de flor de farinha, dez gramas, [19] o preferido replicou-lhe que, mesmo supondo que o Senhor abrisse as comportas do céu, aquela profecia não se cumpriria, então Eliseu lhe disse: "Verás, mas não provarás!" [20] Foi isso que aconteceu: o povo o pisoteou na entrada, e ele morreu.

8 Volta da sunamita

[1] Eliseu disse à mãe do menino que havia ressuscitado:

— Levanta-te, vai com tua família, migra para onde puderes; pois o Senhor chamou a fome, e ela virá ao país por sete anos.

[2] A mulher pôs mãos à obra, segundo as instruções do profeta; migrou com sua família para o território filisteu e ficou aí sete anos; [3] no fim dos sete anos voltou do país filisteu e foi reivindicar do rei sua casa e seu campo. [4] O rei estava falando com Giezi, servo do profeta:

— Conta-me todos os milagres de Eliseu.

[5] E justamente quando Giezi estava contando ao rei como Eliseu havia ressuscitado o menino morto, a mãe do menino entrou para reivindicar do rei sua casa e seu campo. Giezi disse ao rei:

— Majestade, é esta, e este é o menino ressuscitado por Eliseu.

[6] O rei perguntou à mulher, e ela contou-lhe tudo. Então o rei pôs à sua disposição um funcionário, a quem ordenou:

7,10-14 Em plena noite se reúne um conselho urgente. A interpretação pessimista do rei faz sentido, apoia-se sobretudo no fato de terem deixado o acampamento como estava; que sentido teria uma fuga precipitada? O dado dos burros e cavalos poderia ter sua explicação nisto: não se foge deixando-os amarrados. Mas um dos ministros se apoia também na situação desesperadora para propor uma inspeção ousada.

7,11 Jz 8.

7,13 O texto hebraico é duvidoso.

7,16 O desfecho repete o oráculo de Eliseu. O cumprimento da profecia é para o narrador o verdadeiro desfecho.

8,1-6 O episódio completa a história da sunamita narrada no capítulo 4, mas nem todos os detalhes se harmonizam com o precedente.

8,1 A profecia de Eliseu recorda em parte a de seu mestre Elias (1Rs 17) e em parte a interpretação de sonhos genuína de José no Egito. Migrar em tempo de fome era o recurso normal: fizeram-no Abraão, Jacó e o próprio Elias.

8,2-3 A expressão hebraica "reivindicar" pode significar que a mulher apela para o tribunal do rei contra o atual ocupante; e se o tinha vendido, poderia invocar o direito do jubileu setenário, quando as posses familiares voltavam a seus donos. O fato de ser a mulher quem reivindica pode sugerir que o marido já havia morrido.

8,4-5 É como se o narrador nos revelasse de passagem uma fonte oral das narrações sobre Eliseu: o seu servo. A legenda de Eliseu se divulga e cresce.

— Faze que entreguem a esta mulher todas as suas posses e a renda das terras desde o dia em que partiu até hoje.

Eliseu e Hazael, em Damasco — ⁷Eliseu foi a Damasco. Ben-Adad, rei da Síria, estava doente, e o avisaram:

— Veio o profeta.

⁸O rei ordenou a Hazael:

— Pega um presente, vai ver o profeta e consulta o Senhor por meio dele, para ver se saio desta doença.

⁹Hazael foi ver Eliseu, levando-lhe como presente quarenta camelos carregados com os melhores produtos de Damasco. Quando chegou diante dele, disse de pé:

— Teu filho Ben-Adad, rei da Síria, me envia para te consultar: Sairei desta doença?

¹⁰Eliseu respondeu-lhe:

— Vai dizer-lhe que ficará bom; mas o Senhor me revelou que morrerá na certa.

¹¹Depois imobilizou o olhar, ficou fora de si por longo tempo e começou a chorar. ¹²Hazael lhe perguntou:

— Mestre, por que choras?

Eliseu respondeu:

— Porque sei o mal que farás aos israelitas: incendiarás suas praças-fortes, passarás seus soldados a fio de espada, esmagarás suas crianças e rasgarás o ventre das grávidas.

¹³Hazael disse:

— Sou por acaso mais que um cão para levar a cabo tal façanha?

Eliseu respondeu:

— O Senhor me fez ver-te rei da Síria.

¹⁴Hazael despediu-se de Eliseu, e, quando chegou a seu senhor, este lhe perguntou:

— O que Eliseu te disse?

Respondeu:

— Disse-me que ficarás bom.

¹⁵Mas no dia seguinte Hazael pegou uma colcha, empapou-a de água e estendeu-a sobre o rosto do rei, até que morreu. Hazael o suplantou no trono.

Jorão de Judá *(848-841)* (2Cr 21) — ¹⁶Jorão, filho de Josafá, subiu ao trono no quinto ano do reinado de Jorão de Israel, filho de Acab. ¹⁷Tinha trinta e dois anos quando subiu ao trono, e reinou oito anos em Jerusalém. ¹⁸Imitou os reis de Israel, como havia feito a dinastia de Acab (ele casara com uma filha de Acab). Fez o que o Senhor reprova, ¹⁹mas o Senhor não quis destruir Judá, por amor a seu servo Davi, segundo sua promessa de lhe conservar sempre uma lâmpada em sua presença.

²⁰Em seu tempo, Edom se tornou independente de Judá e nomeou para si um rei. ²¹Jorão foi a Seir com todos os seus carros; levantou-se de noite e, apesar de desbaratar o exército idumeu que cercava a ele e aos oficiais do esquadrão de carros, a tropa fugiu em debandada. ²²Assim Edom se tornou independente de Judá até hoje. Nessa ocasião, também Lebna* se rebelou.

²³Para mais dados sobre Jorão e seus empreendimentos, vejam-se os Anais do Reino de Judá.

8,7-15 A presença de uma comunidade de mercadores israelitas em Damasco pode justificar a viagem do profeta; também pode ter sido motivada por uma perseguição do rei de Israel. Sua visita não é oficial nem solicitada por Ben-Adad; mas sua fama era bem conhecida pela cura de Naamã. Por isso o rei consulta o Deus de Eliseu.
8,8 2Rs 1.
8,9 2Rs 5,5.
8,10 A resposta de Eliseu tem uma ambiguidade talvez proposital. Ao ouvido a frase pode soar: "Dize: não ficarás bom", ou: "Dize a ele: ficarás bom". Até agora Eliseu está nos limites da doença, não alude a morte violenta.
8,11-13 O versículo é duvidoso porque não é claro quem seja o sujeito. Nós o interpretamos como êxtase repentino, no qual o profeta vê o futuro de Israel. Às vezes uma pessoa sonha, imagina um futuro, e a visão da sua fantasia mobiliza suas forças para realizá-la; em certo sentido viu o futuro, porque se pôs a realizar sua visão; mais do que ver o que será, realiza o que viu. No presente caso, a visão do profeta atua vicariamente no mensageiro: para Eliseu é uma visão que dá calafrios, para Hazael é "uma façanha". A última frase de Eliseu inflama Hazael, que já tinha um bom lugar na corte, com acesso ao rei doente; assim passamos a um desfecho violento e precipitado.
8,12 Is 13,16; Os 14,1.
8,13 1Rs 19,15.
8,14 A resposta de Hazael é ainda mais ambígua: "Disse-me que ficarás bom", "Disse-me: viverás". A concentração narrativa não esclarece quem é o sujeito do verbo na segunda pessoa. Logicamente o rei o toma como referido a si.
8,15 As crônicas assírias falam de uma morte violenta de Adadezer de Damasco e da usurpação da parte de certo Hazael de estirpe não real.
8,19 1Rs 11,36.
8,20 Gn 27,40.
8,22 * = Alva. É uma fortaleza em território filisteu.

²⁴Jorão morreu e o enterraram com seus antepassados na Cidade de Davi. Seu filho Ocozias reinou em seu lugar.

Ocozias de Judá *(841)* (2Cr 22) – ²⁵Ocozias, filho de Jorão, subiu ao trono no décimo segundo ano do reinado de Jorão de Israel, filho de Acab. ²⁶Tinha vinte e dois anos quando subiu ao trono e reinou um ano em Jerusalém. Sua mãe chamava-se Atalia, filha de Amri de Israel. ²⁷Imitou Acab. Fez o que o Senhor reprova (pois havia contraído parentesco com a família de Acab). ²⁸Junto com Jorão, filho de Acab, foi lutar contra Hazael da Síria em Ramot de Galaad. Mas os sírios feriram Jorão, ²⁹que retornou a Jezrael para se curar das feridas que recebeu dos sírios em Ramot, lutando contra Hazael da Síria. Então, quando estava doente em Jezrael, Ocozias de Judá, filho de Jorão, foi visitá-lo.

9 Jeú ungido rei – ¹O profeta Eliseu chamou um da comunidade de profetas e lhe ordenou:

– Amarra o cinturão, pega na mão este frasco de azeite e vai a Ramot de Galaad. ²Quando chegares, procura Jeú, filho de Josafá, filho de Namsi; entrarás, o farás sair dentre seus camaradas e o levarás a uma casa à parte. ³Pega o frasco de azeite e derrama-o sobre sua cabeça, dizendo: "Assim diz o Senhor: Eu te unjo rei de Israel". Depois abrirás a porta e fugirás imediatamente.

⁴O jovem profeta foi a Ramot de Galaad. ⁵Ao chegar, encontrou os generais do exército reunidos, e disse:

– Trago-te uma mensagem, meu general.

Jeú perguntou:

– Para quem de nós?

Respondeu:

– Para ti, meu general.

⁶Jeú levantou-se e entrou na casa. O profeta lhe derramou o azeite sobre a cabeça e lhe disse:

– Assim diz o Senhor, Deus de Israel: Eu te unjo rei de Israel, o povo do Senhor. ⁷Derrotarás a dinastia de Acab, teu senhor; vingarei em Jezabel o sangue de meus servos, os profetas, o sangue dos servos do

---

8,28-29 A notícia prepara acontecimentos do capítulo seguinte.

CICLO DE JEÚ

Começa nova etapa na história do reino de Israel. O narrador concede grande espaço à rebelião de Jeú. A situação da política internacional continua aproximadamente a mesma: os exércitos da Assíria percorrem os territórios da Síria rumo ao ocidente, assustando e enfraquecendo periodicamente Damasco. A Síria continua sua política de agressão contra Israel nos momentos livres, procurando conservar as posições ganhas, quando não pode atacar. Judá vive em paz com Israel, embora debilitado pelas perdas ao sul.

A situação interna do reino de Israel é ainda de profunda divisão religiosa e política. Estes dois elementos não podem ser separados: se a distância nos dificulta a distinção, aqueles que os viveram os sentiram como fato unitário. Em Israel havia dois partidos: o baalista e o javista. Do lado de Baal estava antes de tudo Jezabel, a rainha-mãe. Com o seu influxo nefasto dominava o marido, e não parece que seus filhos tenham tentado opor-se ou resistir. O outro partido defendia a tradição javista, pura e exclusiva por constituição. Elias tinha sido o grande animador do movimento; Eliseu e outros profetas tinham recolhido sua herança, uma parte do povo os seguia, e também nas fileiras do exército havia fiéis "que não tinham dobrado o joelho diante de Baal". Se para Elias o javismo, a religião, era o primeiro e único valor, para outros a política pesava igualmente,

e a ambição se misturava com as boas intenções religiosas. De modo que é impossível decidir se a religião era pretexto para a ambição política ou se o poder era posto a serviço da religião.

Ao partido javista somou-se um movimento restrito, que conhecemos pelo testemunho de Jeremias, uns séculos mais tarde (Jr 35), provando sua vitalidade e persistência. Era o movimento dos recabitas, fundado talvez por Recab no tempo de Elias e cujo chefe então era Jonadab. Seu ideal era a vida nômade simples, na qual se mantinha um javismo puro; renegavam a cultura agrícola e urbana, viviam em tendas, não bebiam vinho. O grupo tinha força como testemunho vivo e austero de javismo, e se vê que tinha prestígio entre o povo. Uma revolução tinha de contar com eles.

No momento em que a história começa, o exército se encontra assediando Ramot de Galaad, a corte está na capital, o rei está de cama em Jezrael convalescendo das feridas recebidas em combate; e o rei de Judá está com ele.

9,1-3 Tudo se põe em movimento pela ação de Eliseu, que dá a seu enviado instruções específicas: uma série detalhada de ações que querem conjugar a rapidez com o segredo, culminando no rito da unção e nas palavras da consagração real. A irrupção desse profeta anônimo será um instante que põe em marcha uma história.
9,3 1Rs 19,15.
9,6 1Sm 10,1; 16,13.
9,7 1Rs 18,4; Sl 79.

Senhor; ⁸toda a casa de Acab perecerá; extirparei de Israel todos os homens de Acab: todo aquele que urina na parede, escravo ou livre. ⁹Tratarei a casa de Acab como tratei a casa de Jeroboão, filho de Nabat, e a de Baasa, filho de Aías. ¹⁰Os cães comerão Jezabel no campo de Jezrael, e ninguém a sepultará.

Depois abriu a porta e fugiu.

¹¹Jeú saiu para se reunir com os oficiais do seu senhor. Perguntaram-lhe:

– Boas notícias? Para que esse louco veio ver-te?

Respondeu-lhes:

– Já conheceis esse homem e o que anda resmungando.

¹²Disseram-lhe:

– Histórias! Explica-te!

Então Jeú lhes disse:

– Disse-me textualmente: "Assim diz o Senhor: Eu te unjo rei de Israel".

¹³Imediatamente cada um pegou seu manto e o estendeu aos pés de Jeú sobre os degraus. Tocaram a trombeta e aclamaram:

– Jeú é rei!

¹⁴Então Jeú, filho de Josafá, filho de Namsi, organizou uma conspiração contra Jorão do seguinte modo: Jorão estava com todo o exército israelita defendendo Ramot de Galaad, contra Hazael, rei da Síria, ¹⁵mas havia voltado a Jezrael para se curar das feridas recebidas dos sírios na guerra contra Hazael da Síria. Jeú disse:

– Se vos parecer bem, não saia ninguém da cidade para levar a notícia a Jezrael.

¹⁶Subiu num carro e partiu para Jezrael, onde Jorão estava de cama. Ocozias de Judá tinha ido visitá-lo. ¹⁷O vigia, de pé sobre a torre de Jezrael, viu o grupo de Jeú se aproximando e disse:

– Estou vendo uma tropa.

Jorão ordenou:

– Procura um cavaleiro e manda-o ao encontro para lhe perguntar se trazem boas notícias.

¹⁸O cavaleiro saiu ao seu encontro e disse:

– O rei pergunta se trazeis boas notícias.

Jeú respondeu:

– O que te importam as boas notícias? Passa para trás!

A sentinela anunciou:

– O mensageiro chegou até eles, mas não retorna.

¹⁹Então o rei mandou outro cavaleiro que, ao chegar junto deles, disse:

– O rei pergunta se trazeis boas notícias.

Jeú respondeu:

– O que te importam as boas notícias? Passa para trás!

²⁰A sentinela anunciou:

– Chegou até eles, mas não volta. E a forma de guiar é a de Jeú, filho de Namsi, porque guia como louco.

²¹Jorão ordenou:

– Atrela!

Atrelaram o carro, e Jorão de Israel e Ocozias de Judá saíram, cada qual em seu carro, ao encontro de Jeú. Eles o alcançaram junto à herança do jezraelita Nabot, ²²e Jorão, ao vê-lo, perguntou:

– Boas notícias, Jeú?

Jeú respondeu:

– Como pode haver boas notícias enquanto Jezabel, tua mãe, continuar com seus ídolos e bruxarias?

9,8 1Rs 14,10.
9,9-10 Na execução da ordem, o autor posterior ampliou as palavras concisas da consagração, acrescentando um oráculo com fórmulas e elementos já conhecidos. Com esse acréscimo, a repressão sangrenta de Jeú fica unida a uma palavra profética.
9,10 1Rs 21,23.
9,13 A revolta de um general não é novidade na história do reino de Israel, de modo que os generais aceitam sem discussão, diríamos com entusiasmo, a nova nomeação. A quarta dinastia começa aos noventa anos da separação do reino de Israel.
9,14 Como desapareceu o profeta anônimo, Eliseu desaparece da cena. Agora Jeú concentra toda a iniciativa.
9,16-20 Conhecemos já a técnica narrativa do vigia (rebelião de Absalão, notícia da sua morte). O narrador se coloca num ponto de onde domina os dois cenários. A rápida aproximação torna a expectativa tensa; cada mensageiro que passa para trás de Jeú é um passo a mais na defecção do povo, até o rei ficar sozinho e ter de enfrentar pessoalmente a situação. "Boas notícias" se expressa em hebraico com a palavra *shalom*, e se poderia interpretar "vens com intenções pacíficas?" O rei pede notícias sobre a guerra e o assédio de Ramot.
9,22 Jeú caracteriza a idolatria de Jezabel com o termo hebraico metafórico "fornicação" ou "adultério", que fará sucesso na pregação profética. "Bruxarias" pode referir-se a práticas específicas, e pode ser um modo infamante de designar suas práticas religiosas. No momento do encontro decisivo, Jeú abriga sua rebelião sob a luta religiosa: o javismo não pode conceder paz ao baalismo, porque o Senhor não tolera diante de si outros deuses.

²³Jorão deu meia-volta para fugir, dizendo a Ocozias:

– Traição, Ocozias!

²⁴Mas Jeú já havia esticado o arco, e flechou Jorão pelas costas. A flecha atravessou-lhe o coração e Jorão dobrou-se sobre o carro. ²⁵Jeú ordenou a seu assistente Badacer:

– Pega-o e atira-o na herança do jezraelita Nabot; recorda-te que quando tu e eu cavalgávamos juntos seguindo Acab, o pai dele, o Senhor pronunciou este oráculo contra ele: ²⁶"Ontem vi o sangue de Nabot e seus filhos, oráculo do Senhor. Juro que na mesma herança te darei o que mereces, oráculo do Senhor". Portanto, pega-o e atira-o na herança de Nabot, como disse o Senhor.

²⁷Vendo isso, Ocozias de Judá fugiu pelo caminho de Bet-Gã*. Mas Jeú o perseguiu, dizendo:

– A ele também!

Eles o feriram em seu carro, na encosta de Gur, perto de Jeblaam. Mas conseguiu fugir para Meguido e aí morreu. ²⁸Seus servos o levaram de carro para Jerusalém, enterrando-o na sepultura familiar, na Cidade de Davi; ²⁹havia subido ao trono de Judá no décimo primeiro ano de Jorão, filho de Acab.

³⁰Jeú chegou a Jezrael. Jezabel, sabendo disso, sombreou os olhos, arrumou o cabelo e se pôs na sacada. ³¹E quando Jeú entrava pela porta, Jezabel lhe disse:

– Como vai Zambri, o assassino de seu senhor?

³²Jeú ergueu os olhos para a sacada e perguntou:

– Quem está comigo? Quem?

Apareceram dois ou três eunucos, ³³e Jeú ordenou:

– Jogai-a para baixo!

Eles a jogaram; seu sangue salpicou a parede e os cavalos que a pisotearam. ³⁴Jeú entrou, comeu, bebeu, e depois disse:

– Encarregai-vos dessa maldita e enterrai-a, pois afinal de contas é filha de rei.

³⁵Mas, quando foram para enterrá-la, encontraram apenas a caveira, os pés e as mãos. ³⁶Voltaram para informá-lo, e Jeú comentou:

– Cumpre-se a palavra que Deus disse a seu servo, o tesbita Elias: "No campo de Jezrael os cães comerão a carne de Jezabel; ³⁷seu cadáver será como esterco no campo, e ninguém poderá dizer: esta é Jezabel".

10 Banho de sangue

¹Acab tinha setenta filhos em Samaria. Jeú escreveu cartas e as enviou a Samaria, aos notáveis da cidade, aos conselheiros e aos preceptores dos príncipes, com este texto: ²"Tendes aí os filhos de vosso senhor, seus carros e cavalos, uma cidade fortificada e um arsenal. Pois bem, quando receberdes esta carta, ³observai qual dos filhos de vosso senhor é mais capaz e mais reto; sentai-o no trono de seu pai e preparai-vos para defender a dinastia de vosso senhor".

⁴Eles, mortos de medo, comentaram:

9,27 * = Casa do Horto.

9,28 A trasladação dos restos mortais pode ter ocorrido mais tarde; se o autor a menciona aqui, é para que vejamos a oposição entre os dois destinos: os dois reis morrem assassinados, só o de Judá recebe sepultura real.

9,30 Restava Jezabel, mãe de Jorão e sogra de Ocozias; seria então uma mulher com mais de cinquenta anos. Não pode ou não quer fugir para a Fenícia e se refugiar aí em seu país natal. Dispõe-se a enfrentar Jeú com seus próprios meios, com dignidade de consorte real.

9,31 Chamá-lo Zambri é recordar-lhe o fracasso do rei que reinou sete dias e morreu no incêndio do seu palácio (1Rs 16,15-22): metade zombaria, metade ameaça. Naturalmente, se Jeú a tomasse por esposa, poderia legitimar seu título real. Nas palavras de Jezabel não se escuta nada de tal pretensão; e se aprontando-se ela o pretendia, as palavras contradizem ou invalidam tal pretensão. Sua atitude é mais bem interpretada como gesto soberbo e audacioso.

9,32-33 Começa a série que continua em 10,6.15; Cf. 9,19s. Os eunucos que deviam protegê-la se tornam seus carrascos. A queda da rainha sacada abaixo é um símbolo da queda de toda uma política religiosa. Sua morte cruel não é menor que sua cruel perseguição contra os profetas e seu crime contra Nabot.

9,36 1Rs 21,23.

10 A morte dos dois reis e da rainha-mãe é só o começo; segue-se um banho de sangue, primeiro sobre a dinastia e seus agregados, em seguida sobre os fiéis de Baal. Jeú põe sua decisão e astúcia a serviço de sua crueldade; e acontece que, por essa crueldade, se cumpre a palavra do Senhor.

10,1-5 Para desfazer-se da dinastia, isto é, dos filhos do rei, envolve os nobres da capital no crime. Apresenta-lhes uma alternativa cruel: lealdade à casa de Acab, e será a guerra; ou lealdade a Jeú, ao preço da vida de todos os de sangue real. Na sua proposta nos parece escutar um tom sarcástico: os nobres têm todo o necessário para manter sua lealdade à casa reinante.

— Se dois reis não puderam com ele, como poderemos nós?

⁵Então o mordomo do palácio, o governador, os conselheiros e os preceptores enviaram esta resposta a Jeú: "Somos teus servos. Faremos tudo o que nos disseres. A ninguém nomearemos rei. Faze o que te parecer melhor".

⁶Jeú escreveu-lhes esta outra carta: "Se estais do meu lado e quereis obedecer-me, amanhã por estas horas vinde ver-me em Jezrael, trazendo-me as cabeças dos filhos de vosso senhor". (Os filhos do rei viviam com as pessoas mais importantes da cidade, que os criavam.)

⁷Quando a carta chegou a eles, prenderam os setenta filhos do rei, os degolaram, puseram as cabeças em cestos e as enviaram a Jeú em Jezrael. ⁸Chegou o mensageiro e comunicou-lhe:

— Trouxeram as cabeças dos filhos do rei.

Jeú disse:

— Colocai-as em dois montes, à entrada da cidade, e deixai-as aí até o amanhecer.

⁹De manhã saiu, se pôs de pé e disse ao povo:

— Vós sois inocentes; eu conspirei contra meu senhor e o matei. Mas quem matou todos estes? ¹⁰Observai como não falha nada daquilo que o Senhor disse contra a casa de Acab. E o Senhor cumpriu o que disse por meio de seu servo Elias.

¹¹Jeú acabou com os da dinastia de Acab que restavam em Israel: dignitários, parentes, sacerdotes, até não deixar ninguém vivo. ¹²Depois empreendeu marcha para Samaria. Durante a viagem, quando chegava a Bet-Eced-Haroim*, ¹³encontrou uns parentes de Ocozias de Judá e lhes perguntou:

— Quem sois?

Responderam:

— Somos parentes de Ocozias, e vamos saudar os filhos do rei e da rainha-mãe.

¹⁴Jeú deu uma ordem:

— Prendei-os vivos!

Eles os prenderam vivos e os degolaram junto ao poço de Bet-Eced-Haroim. Eram quarenta e dois homens, e não sobrou ninguém.

¹⁵Partiu daí e encontrou Jonadab, filho de Recab, que saiu a seu encontro. Saudou-o e disse-lhe:

— Estás lealmente do meu lado como eu estou contigo?

Jonadab respondeu:

— Sim.

Jeú replicou:

— Então, dá-me a mão.

Deu-lhe a mão, e Jeú o fez subir com ele em seu carro, ¹⁶dizendo-lhe:

— Vem comigo e verás meu zelo pelo Senhor.

E o levou em seu carro.

¹⁷Quando chegou a Samaria, matou todos os de Acab que aí restavam, até acabar com a família, como o Senhor havia dito a Elias. ¹⁸Depois reuniu todo o povo e lhes falou:

— Se Acab foi devoto de Baal, Jeú o será muito mais; ¹⁹por isso, chamai todos

---

10,6 A segunda carta de Jeú é astuta: redigida em forma condicional, não é menos cruel que a primeira. Para provar sua lealdade ao novo rei, deverão romper com todos os vínculos precedentes numa matança coletiva. Assim Jeú não precisará matar pessoalmente os príncipes rivais; e quando o acusarem de crueldade, poderá reverter a acusação contra os ministros do rei precedente. Em ambas as cartas o usurpador chamou Jorão de "vosso senhor".

10,8 A porta da cidade é o mercado, o conselho, o lugar de reunião. Esses dois montes, regulares e simétricos, como que guardando a porta da cidade, aquelas bocas entreabertas e aqueles olhos sem olhar, devem ter produzido espanto nos habitantes de Jezrael; deve ter sido uma noite de terror na qual muitos não dormiram.

10,9-10 De manhã, Jeú pronuncia umas declarações. Sua interpretação teológica do fato, que o narrador compartilha, é tremenda: Deus fez o que tinha dito. 1Rs 21,21.

10,12-14 A notícia é estranha neste lugar. Se esses familiares conheciam a morte violenta de Ocozias, não se aventurariam na boca do lobo. Nem o narrador nem Jeú tentam justificar essa nova matança; podemos pensar que, assassinado o rei, convinha a Jeú matar os possíveis vingadores do assassinado. * = Malhadas.

10,15 Jr 35.

10,16 O chefe religioso dos recabitas, junto ao chefe militar no mesmo carro; o fato deve ter impressionado muita gente do lugar. O autor continua jogando com o nome importante de Recab; saudar é *barek*, e cavalgar *rakab*.

10,18 Antes de ler este novo episódio de crueldade, convém recordar que a oposição do novo culto contra o javismo tinha sido violenta e sanguinária: Jezabel organizara uma caça aos profetas javistas, e Elias foi mortalmente perseguido. À luz disso, a matança no templo de Samaria é o último ato da luta. Um ato do novo rei, tão astuto e cruel como os precedentes.

10,19 A ironia se torna clara para o leitor: Jeú pensa oferecer "um sacrifício solene" a Baal; este será seu ato de culto, mais solene que todos os de Acab. Entre parênteses, o narrador continua com seus jogos de palavras. 1Rs 18.

os profetas de Baal, todos os seus fiéis e sacerdotes. Que não falte ninguém, pois quero oferecer um sacrifício solene a Baal. Quem faltar morrerá.

(Jeú agia assim astutamente para eliminar os fiéis de Baal.) [20]Depois ordenou:

— Convocai uma assembleia litúrgica em honra de Baal.

Eles a convocaram. [21]E Jeú mandou um aviso para todo Israel. Chegaram todos os fiéis de Baal (não ficou ninguém sem comparecer) e entraram no templo de Baal, que ficou lotado de uma extremidade à outra. [22]Então Jeú disse ao sacristão:

— Traze os ornamentos para os fiéis de Baal.

Ele os trouxe. [23]A seguir, Jeú e Jonadab, filho de Recab, entraram no templo, e Jeú disse aos fiéis de Baal:

— Assegurai-vos de que aqui há somente devotos de Baal e nenhum do Senhor.

[24]Aproximaram-se para oferecer sacrifícios e holocaustos. Porém Jeú havia colocado fora oitenta homens com esta ordem:

— Quem deixar escapar um dos que eu vos puser nas mãos, pagará com a vida.

[25]E assim, quando terminaram de oferecer o holocausto, Jeú ordenou aos guardas e oficiais:

— Entrai para matá-los! Ninguém pode escapar!

Os guardas e oficiais os passaram ao fio da espada e entraram até a capela do templo de Baal. [26]Tiraram a estátua de Baal e a queimaram, [27]derrubaram o altar e transformaram o templo em latrinas, até o dia de hoje. [28]Assim Jeú eliminou o culto de Baal em Israel. [29]Mas não se afastou dos pecados que Jeroboão, filho de Nabat, fez Israel cometer: os bezerros de ouro de Betel e Dã. [30]O Senhor lhe disse:

— Porque executaste bem o que eu queria e porque realizaste na família de Acab tudo o que eu havia decidido, teus filhos, até a quarta geração, sentarão no trono de Israel.

[31]Mas Jeú não perseverou no cumprimento da lei do Senhor, Deus de Israel, com todo o seu coração; não se afastou dos pecados que Jeroboão fez Israel cometer.

[32]Nesse tempo, o Senhor começou a desmembrar Israel. Hazael o derrotou em toda a fronteira, [33]do Jordão até o leste, todo o país de Galaad, dos gaditas, rubenitas e os de Manassés; desde Aroer, junto ao Arnon, até Galaad e Basã.

[34]Para mais dados sobre Jeú e suas façanhas militares, vejam-se os Anais do Reino de Israel.

[35]Jeú morreu e o enterraram em Samaria com seus antepassados. Seu filho Joacaz reinou em seu lugar. [36]Jeú foi rei de Israel, em Samaria, vinte e oito anos.

11 Reinado e morte de Atalia (2Cr 22,10-23,21) – [1]Quando Atalia, mãe de Ocozias, viu que seu filho estava morto,

---

10,23-24 No mesmo templo de Baal, Jeú organiza uma espécie de julgamento, como o de Elias no Carmelo; deve-se fazer perfeita separação entre os fiéis de Baal e os fiéis do Senhor; os primeiros professarão sua fé tomando parte nos sacrifícios.

10,25 A matança se consuma no templo, que fica assim dessacralizado.

10,26-27 Jeú cumpre o que manda a lei sobre as estelas e altares cananeus. Assim acaba com o culto de Baal em Israel: tinha sido o mais grave perigo para o povo de Deus no reino do Norte. Durante quase um século, Israel continuará sendo povo de Deus, apesar de separado de Judá; gozará de algum tempo de prosperidade e escutará a voz de grandes profetas.

10,28-30 O julgamento do autor deuteronomista sobre Jeú nos desconcerta, sobretudo porque o põe na boca de Deus. O julgamento é mais estranho, porque nas palavras que o autor põe na boca de Deus, não louva Jeú por ter extirpado o culto de Baal, mas por ter executado a sentença divina pronunciada contra a família de Acab.

É doutrina lida em outras partes do AT o fato de o homem, mesmo sem pretender, cumprir os desígnios de Deus. À luz disso devemos ler o suposto oráculo do v. 30.

A promessa de permanência da dinastia até a quarta geração é outra profecia *ex eventu*.

10,32-33 Os reveses na Transjordânia parecem ter durado até o reinado de Jeroboão II.

11 O paralelo que se segue, do reino de Judá, é um dos mais importantes da história dos reis. Depois que Jeú matou os reis dos dois reinos e se proclamou rei de Israel, podia-se esperar que continuaria as matanças no sul, até unificar os dois reinos sob sua coroa; seria a renovação dinástica total.

O pecado arraigou também em Judá, em Atalia, filha de Jezabel, mulher de Jorão de Judá. Parece que a rainha quer arrebatar o trono de Judá para sua família fenícia. Quais eram seus motivos? O autor não o diz; só lhe interessa mostrar o fracasso da ação dela. As duas dinastias não são iguais, porque a dinastia de Davi tem uma promessa de Deus que a do norte não tem. O autor quer que vejamos em detalhes como a promessa de Deus se cumpre contra a expectativa humana.

O templo e o sacerdote têm papel decisivo na conservação da dinastia; como se a vinculação da dinastia

começou a exterminar toda a família real. ²Mas quando os filhos do rei estavam sendo assassinados, Josaba, filha do rei Jorão e irmã de Ocozias, raptou Joás, filho de Ocozias, e o escondeu com sua ama de leite no dormitório; assim, ocultou-o de Atalia e o livrou da morte. ³O menino esteve escondido com ela no templo enquanto Atalia reinava no país.

⁴No sétimo ano, Joiada mandou buscar os centuriões dos caritas e da escolta; chamou-os à sua presença no templo, fez um juramento com eles e apresentou-lhes o filho do rei. ⁵Depois deu-lhes estas instruções:

– Fareis o seguinte: A terça parte que está de serviço no palácio ao sábado ⁶(a terça parte que está na porta das cavalariças e a terça parte da porta atrás do quartel da escolta, fareis a guarda no templo por turnos) ⁷e os outros dois corpos, todos os que estiverdes livres no sábado, fareis a guarda no templo perto do rei. ⁸Rodeai o rei de todos os lados, de armas na mão. Se alguém quiser meter-se entre as fileiras, matai-o. E ficai junto do rei em todo lugar aonde ele for.

⁹Os oficiais fizeram o que o sacerdote Joiada lhes ordenou; cada um reuniu seus homens, os que estavam de serviço no sábado e os que estavam de folga, e se apresentaram ao sacerdote Joiada. ¹⁰O sacerdote entregou aos oficiais as lanças e os escudos do rei Davi, guardados no templo. ¹¹Os da escolta empunharam as armas e puseram-se entre o altar e o templo, do ângulo sul até o ângulo norte do templo, para proteger o rei. ¹²Então Joiada fez sair o filho do rei, colocou-lhe o diadema e as insígnias, ungiu-o rei, e todos aplaudiram, aclamando:

– Viva o rei!

¹³Atalia ouviu o clamor da tropa e dos oficiais e se dirigiu ao povo, no templo. ¹⁴Mas quando viu o rei de pé sobre o estrado, como é costume, e os oficiais e a banda próximos ao rei, toda a população em festa e as trombetas tocando, rasgou as vestes e gritou:

– Traição! Traição!

¹⁵O sacerdote Joiada ordenou aos oficiais que comandavam as forças:

– Tirai-a das fileiras e matai quem a seguir (pois não queria que a matassem no templo).

¹⁶Eles foram empurrando-a com as mãos, e quando chegava ao palácio pela porta das cavalariças, aí a mataram.

¹⁷Joiada selou a aliança entre o Senhor e o rei e o povo, para que este fosse o povo do Senhor. ¹⁸Toda a população se dirigiu depois ao templo de Baal: eles o destruíram, derrubaram seus altares, trituraram as imagens e diante do altar degolaram

---

com o templo fosse garantia da sua permanência. No templo se esconde e cresce o herdeiro legítimo, e no templo é proclamado rei.

11,1 Atalia imita a violência de Jezabel e a crueldade de Jeú.

11,2 O livro das Crônicas diz que Josaba era esposa do sacerdote Joiada; isso explica que pudesse estar e mover-se no templo sem levantar suspeitas.

11,4 O sétimo ano tem caráter jubilar. Depois de uma espécie de cativeiro sob o comando ilegítimo, acontece a libertação. Podemos supor que durante esses anos, sem revelar o segredo, o sacerdote foi consolidando o partido javista fiel à memória de Davi: uma espécie de oposição silenciosa e de espera. Em vez de caritas, mudando uma letra outros leem cereteus.

11,5-7 O palácio e o templo formavam um complexo único, com vários acessos, e o templo ocupava uma plataforma mais alta. Com essa tática, o palácio fica desguarnecido e a força se concentra no templo.

11,10 2Sm 8,7-11.

11,11 No meio do átrio e na frente do edifício propriamente dito havia um altar: no corredor formado pela fachada do edifício e esse altar, a guarda forma um duplo cordão, que se estende até a porta de acesso do palácio; o povo fica no átrio na frente da fachada. Do interior do templo ou das suas dependências sacerdotais, vem o cortejo que acompanha e protege o menino-rei, com Joiada à frente. Nesse momento, ainda não tocam as trombetas de costume.

11,12-13 Amplia-se a cena, antes concentrada no sacerdote e na guarda: de um lado surge Atalia; no átrio sabemos que está o povo aplaudindo e aclamando. Sinal de que a revolução do palácio podia contar com o apoio popular.

11,15 "Quem a seguir" como gesto de pôr-se do seu lado. O sacerdote quer prevenir uma possível reação, intimidando os que não aprovarem a ação. A rainha não deve morrer no templo, pois seu cadáver o profanaria.

11,17-18 A cerimônia culmina com a renovação da aliança. Nela se mencionam três partes: o Senhor, o rei, o povo. Seu antecedente próximo é o pacto com Davi em Hebron, quando foi reconhecido como rei de todo Israel (2Sm 5,3).
Conforme Js 24, na renovação da aliança havia um rito de purificação, que consistia em eliminar todas as imagens de ídolos. Essa parte da cerimônia é desta vez celebrada no final, destruindo pública e coletivamente o templo de Baal.

Matã, sacerdote de Baal. O sacerdote Joiada pôs guardas no templo, ¹⁹e depois, com os centuriões, os caritas, os da escolta e toda a população, fizeram o rei descer do templo e o levaram ao palácio pela porta da escolta. E Joás sentou no trono real. ²⁰Toda a população fez festa, e a cidade ficou tranquila. Tinham matado Atalia à espada no palácio.

12 Joás de Judá *(835-796)* (2Cr 24) —

¹Quando subiu ao trono, Joás tinha sete anos ²(era o sétimo ano de Jeú) e reinou em Jerusalém quarenta anos. Sua mãe chamava-se Sebias, natural de Bersabeia. ³Joás fez sempre o que o Senhor aprova, seguindo os ensinamentos do sacerdote Joiada. ⁴Mas não desapareceram as capelas dos lugares altos; o povo continuava oferecendo aí sacrifícios e queimando incenso.

⁵Joás disse aos sacerdotes:

— Todo o dinheiro das coletas do templo, o dinheiro do recenseamento, o dos impostos segundo a tarifa pessoal e o das ofertas voluntárias, ⁶seja recolhido pelos sacerdotes por meio de seus ajudantes, para restaurar as falhas do templo.

⁷Contudo, no vigésimo terceiro ano do reinado de Joás, os sacerdotes ainda não haviam restaurado as falhas do templo. ⁸Então Joás convocou o sacerdote Joiada e os outros sacerdotes, e lhes disse:

— Por que ainda não restaurastes as falhas do templo? A partir de hoje, não ficareis com o dinheiro recebido por meio de vossos ajudantes; devereis entregá-lo para as falhas do templo.

⁹Os sacerdotes aceitaram não receber dinheiro do povo nem encarregar-se de restaurar as falhas do templo. ¹⁰O sacerdote Joiada pegou um cofre, fez nele um buraco na tampa e o pôs junto do altar, do lado direito de quem entra no templo. Os sacerdotes porteiros punham aí todo o dinheiro que era trazido ao templo. ¹¹Quando viam que havia muito dinheiro no cofre, o secretário real subia com o sumo sacerdote, o esvaziavam e contavam o dinheiro que havia no templo. ¹²Depois entregavam o dinheiro já contado aos mestres-de-obra encarregados do templo para pagar os carpinteiros e pedreiros que aí trabalhavam, ¹³construtores de muro e cortadores de pedra, para comprar madeira e pedra de cantaria, para restaurar as falhas do templo e para todas as despesas de manutenção do edifício. ¹⁴Com o dinheiro trazido ao templo não se faziam bacias de prata, facas, aspersórios, trombetas nem qualquer utensílio de ouro ou de prata para o templo; ¹⁵entregavam o dinheiro aos mestres-de-obra e com ele restauravam o edifício. ¹⁶E não se pediam contas àqueles a quem se entregava o dinheiro, pois agiam com honradez. ¹⁷O dinheiro dos sacrifícios penitenciais e dos sacrifícios pelo pecado não ia parar no templo, mas era para os sacerdotes.

¹⁸Nessa ocasião, Hazael, rei da Síria, atacou Gat e a conquistou. Depois, voltou-se para atacar Jerusalém. ¹⁹Joás de Judá, porém, recolheu todas as ofertas votivas dos reis de Judá, seus predecessores, Josafá, Jorão e Ocozias, suas próprias ofertas, além de todo o ouro que havia no tesouro do

---

11,19 Recorde-se a escolha de Salomão (1Rs 1); com certeza se conservava ainda em Jerusalém o trono fabricado por ordem de Salomão (1Rs 10,18-20).

11,20 "Ficou tranquila": é o verbo usado no esquema narrativo de Juízes, assinalando o começo de uma etapa de paz.

12 O interesse do rei pelo templo não é estranho, dado o papel decisivo que o templo e o sacerdote desempenharam na salvação da dinastia; sobretudo durante a menoridade, quando o sacerdote Joiada era seu conselheiro imediato. Mas acontece que os sacerdotes começam a explorar a situação para proveito pessoal, especialmente econômico. Era um pecado semelhante ao dos filhos de Eli, e é provável que criasse descontentamento entre o povo, e que as ofertas não obrigatórias diminuíssem.
Quando o rei completou trinta anos, decidiu enfrentar a situação e a classe sacerdotal do templo.

Sinal de que nesse momento o rei se sentia forte e apoiado pelo povo, pois a medida imposta foi rigorosa. Os sacerdotes tiveram de submeter-se, e o próprio Joiada inventou o cofre das ofertas (uma invenção de êxito secular). A medida do rei deve ter criado uma tensão entre a coroa e o sacerdócio. Pode-se pensar que o assassinato de Joás tenha a ver com essa hostilidade latente. Durante o seu reinado aconteceu o assassinato de Zacarias, filho de Joiada (ou Baraquias).

12,3 Ml 2,7.
12,5 Lv 27,1-8.
12,17 Lv 7,1-7.
12,18 Gat se achava em território filisteu e era a porta de um dos acessos do litoral para o interior. Essa campanha supõe que o rei da Síria contornou o Carmelo a oeste e continuou descendo junto ao mar.

templo e do palácio real, e o enviou a Hazael da Síria, que se afastou de Jerusalém.

²⁰Para mais dados sobre Joás e seus empreendimentos, vejam-se os Anais do Reino de Judá.

²¹Seus cortesãos tramaram uma conspiração e o mataram quando descia o aterro. ²²Seus cortesãos Jozabad, filho de Semaat, e Jozabad, filho de Somer, o assassinaram. Foi enterrado com seus antepassados na Cidade de Davi, e seu filho Amasias reinou em seu lugar.

13

Joacaz de Israel *(813-797)* – ¹Joacaz, filho de Jeú, subiu ao trono de Israel em Samaria no vigésimo terceiro ano do reinado de Joás de Judá, filho de Ocozias. Reinou dezessete anos. ²Fez o que o Senhor reprova: repetiu todos os pecados que Jeroboão, filho de Nabat, fez Israel cometer. ³O Senhor se encolerizou contra Israel, e durante todo esse tempo o entregou em poder de Hazael da Síria e de Ben-Adad, filho de Hazael. ⁴Joacaz implorou ao Senhor e o Senhor o escutou, vendo como o rei da Síria oprimia Israel. ⁵O Senhor deu a Israel um salvador, que o livrou da dominação síria, e os israelitas puderam habitar em suas casas como antes. ⁶Mas não se afastaram dos pecados que a dinastia de Jeroboão fizera Israel cometer. Também a estela continuou de pé em Samaria. ⁷Por isso, o Senhor não deixou a Joacaz mais de cinquenta cavaleiros, dez carros e dez mil soldados de infantaria; o rei da Síria os havia destroçado e reduzido a pó de debulhadora.

⁸Para mais dados sobre Joacaz e suas façanhas militares, vejam-se os Anais do Reino de Israel.

⁹Joacaz morreu e o enterraram com seus antepassados em Samaria. Seu filho Joás reinou em seu lugar.

Joás de Israel *(797-782)* – ¹⁰Joás, filho de Joacaz, subiu ao trono de Israel em Samaria no trigésimo sétimo ano de Joás de Judá. Reinou dezesseis anos. ¹¹Fez o que o Senhor reprova. Repetiu todos os pecados que Jeroboão, filho de Nabat, fez Israel cometer; imitou sua conduta.

¹²Para mais dados sobre Joás e suas façanhas militares contra Amasias de Judá, vejam-se os Anais do Reino de Israel.

¹³Joás morreu e Jeroboão reinou em seu lugar. Enterraram Joás com os reis de Israel em Samaria.

Morte de Eliseu – ¹⁴Quando Eliseu adoeceu mortalmente, Joás de Israel desceu para visitá-lo e lançou-se sobre ele chorando e repetindo:

– Meu pai, meu pai, carro e cocheiro de Israel!

¹⁵Eliseu lhe disse:

– Pega um arco e algumas flechas.

Pegou um arco e algumas flechas, ¹⁶e Eliseu lhe ordenou:

– Empunha o arco.

Ele o empunhou, e Eliseu pôs as próprias mãos sobe as do rei, ¹⁷ordenando:

– Abre a janela que dá para o leste.

Joás abriu-a, e Eliseu disse:

– Dispara!

Ele disparou, e Eliseu comentou:

– Flecha vitoriosa do Senhor, flecha vitoriosa contra a Síria! Derrotarás a Síria em Afec* até aniquilá-la.

¹⁸Depois ordenou:

– Pega as flechas.

12,21 No texto hebraico, o final do versículo é duvidoso.
12,22 Também uma conspiração é diferente no Reino do sul, pois não serve a usurpadores do trono: a dinastia de Davi perdura.
13,1-6 Pelo esquema narrativo (talvez acrescentando-se os vv. 22-23) e por várias fórmulas, parece que estamos lendo um capítulo do livro dos Juízes. Aí o esquema era: pecado-castigo, súplica-libertação. Aqui o pecado é de Jeroboão, o castigo vem pela mão de dois reis da Síria, Hazael e Ben-Adad, a súplica é pronunciada pelo rei em nome e em favor de todo o povo, a libertação ocorre por meio de um salvador, cujo nome não é pronunciado.
13,1 Jz 2,11-23.
13,5 Literalmente "suas tendas", expressão frequente que recorda a antiga vida nômade de Israel, e que os recabitas tomavam ao pé da letra. O estilo imita fórmulas, sendo arriscado conjeturar.
13,14-19 Eliseu devia ser muito velho nessa época. Os círculos proféticos conservaram um último episódio de suas relações bastante amistosas com a monarquia. Antes de morrer, Eliseu recebe o título que deu a seu mestre quando este era arrebatado ao céu. A mão do profeta sobre a mão do rei é o contato que transmite poder (como transmitiu vida ao menino morto).
13,14 2Rs 2,12.
13,17 * = Cerco.

O rei as pegou, e Eliseu disse:
– Golpeia o solo.
Ele golpeou três vezes e parou. ¹⁹Então o profeta se aborreceu:
– Se tivesses batido cinco ou seis vezes, derrotarias a Síria até aniquilá-la; mas dessa forma, a derrotarás apenas três vezes.
²⁰Eliseu morreu e o enterraram.
As guerrilhas de Moab faziam incursões anuais pelo país. ²¹Certa vez, enquanto alguns estavam enterrando um morto, vendo os bandos de guerrilheiros, atiraram o cadáver no túmulo de Eliseu e partiram. Ao tocar os ossos de Eliseu, o morto reviveu e se pôs de pé.
²²Hazael, rei da Síria, havia oprimido Israel durante todo o reinado de Joacaz. ²³Mas o Senhor se compadeceu e teve misericórdia deles; voltou-se para eles, por causa da aliança que fizera com Abraão, Isaac e Jacó, e não quis exterminá-los, nem os afastou de sua presença até agora.
²⁴Hazael da Síria morreu, e seu filho Ben-Adad reinou em seu lugar. ²⁵Então Joás, filho de Joacaz, recuperou do poder de Ben-Adad, filho de Hazael, as cidades que Hazael havia arrebatado pelas armas a seu pai Joacaz. Joás o derrotou três vezes, e assim recuperou as cidades de Israel.

ATÉ A QUEDA DE SAMARIA

14 Amasias de Judá *(796-767)* (2Cr 25) – ¹Amasias, filho de Joás, subiu ao trono de Judá no segundo ano do reinado de Joás de Israel, filho de Joacaz. ²Quando subiu ao trono tinha vinte e cinco anos, e reinou vinte e nove anos em Jerusalém. Sua mãe chamava-se Joaden, natural de Jerusalém. ³Fez o que o Senhor aprova, mas não como seu antepassado Davi; comportou-se como seu pai Joás; ⁴porém não desapareceram as capelas dos lugares altos: aí o povo continuava sacrificando e queimando incenso. ⁵Quando se firmou no poder, matou os ministros que haviam assassinado seu pai. ⁶Contudo, seguindo o que diz o livro da Lei de Moisés, promulgada pelo Senhor: "Os pais não serão executados por causa das culpas dos filhos nem os filhos por causa das culpas dos pais; cada um morrerá por seu próprio pecado", não matou os filhos dos assassinos.

⁷Amasias derrotou os idumeus em Gue-Hammela*, num total de dez mil, e tomou de assalto a cidade de Petra, chamando-a Jecetel, nome que conserva até hoje. ⁸Então mandou uma embaixada a Joás, filho de Joacaz, de Jeú, rei de Israel, com esta mensagem:
– Vem, para medirmos forças!
⁹Joás de Israel, porém, enviou-lhe esta resposta:
– O espinheiro do Líbano mandou dizer ao cedro do Líbano: Dá-me tua filha para esposa de meu filho. Porém, as feras do Líbano passaram e pisotearam o espinheiro. ¹⁰Tu derrotaste Edom e te encheste de soberba. Desfruta tua glória ficando em tua casa! Por que te queres meter numa guerra catastrófica, provocando a tua queda e a de Judá?
¹¹Amasias, porém, não lhe deu atenção.
Então Joás de Israel subiu para guerrear contra Amasias de Judá, em Bet-Sames* de Judá. ¹²Israel derrotou os judaítas, que

---

13,20-21 O sepulcro do profeta tornou-se famoso, e a lenda recorda que com seu contato deu vida até na morte (Eclo 48,14).

13,22-25 A narração reúne as mortes de Eliseu, Joacaz e Hazael. Os êxitos militares de Joás se explicam pelo oráculo *in articulo mortis* de Eliseu e por um ato de graça do Senhor. Israel continua sendo herdeiro das promessas patriarcais, embora se tenha separado de Judá e herde do pecado de Jeroboão. O Senhor se compadece do seu povo, mantém a monarquia; por causa da promessa davídica, a atitude em relação à dinastia do sul é diferente. Em ambos os casos, a misericórdia do Senhor é a última instância.

14,1-5 Se Amasias tinha sido co-regente com seu pai, conhecia bem a situação do reino. Não pode agir imediatamente, o que indica que o assassinato do seu pai tinha o apoio de um partido, diante do qual o novo rei teve de se consolidar.

14,6 Ver Dt 24,16. É um progresso na administração da justiça penal; o autor supõe que é uma volta à Lei de Moisés.

14,7 Petra é nome comum, sobretudo na região montanhosa. Pode tratar-se da capital de Edom (famosa na história e ainda hoje). A mudança de nome é sinal de anexação ou submissão; não sabemos o significado do novo nome. Com essa campanha, Amasias tenta restabelecer seu domínio sobre a rota comercial do sul, abrir caminho para Elat e ter garantida a retaguarda quando empreender incursões ao norte. * = Vale do Sal.

14,8 Os motivos do desafio são ambíguos.

14,11 * = Casa do Sol.

fugiram em debandada. ¹³Em Bet-Sames, Joás de Israel capturou Amasias de Judá, filho de Joacaz, de Ocozias, e o levou a Jerusalém. Abriu na muralha de Jerusalém uma brecha de duzentos metros, desde a Porta de Efraim até a Porta do Ângulo; ¹⁴apoderou-se do ouro, da prata, dos utensílios que havia no templo e no tesouro do palácio, fez reféns e voltou a Samaria.

¹⁵Para mais dados sobre Joás e suas façanhas militares na guerra contra Amasias de Judá, vejam-se os Anais do Reino de Israel.

¹⁶Joás morreu e foi enterrado com os reis de Israel em Samaria. Seu filho Jeroboão reinou em seu lugar.

¹⁷Amasias de Judá, filho de Joás, sobreviveu quinze anos a Joás de Israel, filho de Joacaz.

¹⁸Para mais dados sobre Amasias, vejam-se os Anais do Reino de Judá.

¹⁹Em Jerusalém tramaram uma conspiração contra ele, que fugiu para Laquis, mas o perseguiram até Laquis e aí o mataram. ²⁰Eles o carregaram sobre cavalos e o enterraram com seus antepassados em Jerusalém, na Cidade de Davi. ²¹Então Judá inteiro tomou Azarias, de dezesseis anos, e o nomearam rei, sucessor de seu pai Amasias. ²²Depois que o rei morreu, reconstruiu Elat, devolvendo-a para Judá.

Jeroboão II de Israel (782-753) – ²³Jeroboão, filho de Joás, subiu ao trono em Samaria no décimo quinto ano do reinado de Amasias de Judá, filho de Joás. Reinou quarenta e um anos. ²⁴Fez o que o Senhor reprova, repetindo os pecados que Jeroboão, filho de Nabat, fez Israel cometer. ²⁵Restabeleceu a fronteira de Israel desde a Passagem de Emat até o mar Morto, como o Senhor, Deus de Israel, havia dito por meio de seu servo, o profeta Jonas, filho de Amati, natural de Gat-Ofer; ²⁶pois o Senhor viu a terrível desgraça de Israel: não havia escravo, nem livre, nem quem ajudasse Israel. ²⁷O Senhor não havia decidido apagar o nome de Israel debaixo do céu, e o salvou por meio de Jeroboão, filho de Joás.

²⁸Para mais dados sobre Jeroboão e suas façanhas militares contra Damasco, recuperando Emat para Israel, vejam-se os Anais do Reino de Israel.

²⁹Jeroboão morreu e o enterraram com os reis de Israel. Seu filho Zacarias reinou em seu lugar.

15 **Azarias (Ozias) de Judá (767-739)** (2Cr 26) – ¹Azarias, filho de Amasias, subiu ao trono de Judá no vigésimo sétimo ano do reinado de Jeroboão de Israel. ²Tinha dezesseis anos quando subiu ao trono e reinou cinquenta anos em Jerusalém. Sua mãe chamava-se Jequelias, natural de Jerusalém. ³Fez o que o Senhor aprova, como seu pai Amasias. ⁴Mas não desapareceram as capelas dos lugares altos: aí o povo continuava sacrificando e queimando incenso.

⁵O Senhor enviou-lhe uma doença de pele até a morte, de modo que viveu fechado em casa. Seu filho Joatão regia o palácio e governava a nação.

14,19 Pode ser que a conspiração partisse de sua guerra desastrosa com Israel. A facção rebelde não contava com o apoio popular, como indica a imediata escolha do sucessor. Laquis era uma das mais importantes praças-fortes, e se encontra a sudoeste de Jerusalém.

14,22 1Rs 22,49.

14,23-29 O reinado de Jeroboão II foi muito importante para Israel, por sua duração, pelas consideráveis conquistas militares, pela prosperidade que devolveu ao país. Os Anais do reino devem ter contado muito dele. Mas o autor não lhe mostra simpatia, e em poucas linhas procura despachar muitos anos de história.

14,25 Um autor posterior escreveu uma história maravilhosa, atacando a mentalidade estreita de muitos israelitas, e deu ao protagonista o nome desse profeta; assim, pelas aventuras que não viveu, a não ser na fantasia do anônimo, o nome de Jonas, filho de Amati, tornou-se famoso.

14,26 As palavras "escravo", "livre", são tradução conjetural (ver 1Rs 14,10). A forma rítmica e a aliteração fazem pensar aqui num texto poético, talvez litúrgico.

O reinado de Jeroboão II foi importante também porque nessa ocasião viveu e agiu Amós, o primeiro profeta escritor. Embora fosse natural de Judá, o Senhor o enviou a pregar no Norte, e o rei o expulsou do seu território. A profecia de Amós se abre a uma visão internacional. Embora não tenha assistido à decomposição do reino, anunciou sua queda próxima.

15,1-7 Quantitativamente, é o reinado mais longo da história de Judá; na realidade, o rei conservou o título sem reinar. Isaías dá a esse rei o nome de Ozias. Militarmente se distinguiu pela reconquista de Elat.

15,5 Nm 12,14.

⁶Para mais dados sobre Azarias e seus empreendimentos, vejam-se os Anais do Reino de Judá.

⁷Azarias morreu e foi enterrado com seus antepassados na Cidade de Davi. Seu filho Joatão reinou em seu lugar.

Zacarias de Israel *(753)* – ⁸Zacarias, filho de Jeroboão, subiu ao trono de Israel em Samaria no trigésimo oitavo ano do reinado de Azarias de Judá. Reinou seis meses. ⁹Fez o que o Senhor reprova, como seus antepassados, repetindo os pecados que Jeroboão, filho de Nabat, fez Israel cometer. ¹⁰Selum, filho de Jabes, conspirou contra ele e o matou em Jeblaam; matou-o e o suplantou no trono.

¹¹Para mais dados sobre Zacarias, vejam-se os Anais do Reino de Israel.

¹²Realizou-se o que o Senhor havia dito a Jeú: "Teus filhos sentarão no trono de Israel até a quarta geração".

Selum de Israel *(753)* – ¹³Selum, filho de Jabes, subiu ao trono no trigésimo nono ano do reinado de Azarias de Judá, e reinou um mês em Samaria. ¹⁴Manaém, filho de Gadi, subiu de Tersa, entrou em Samaria e aí matou Selum, filho de Jabes; matou-o e o suplantou no trono.

¹⁵Para mais dados sobre Selum e sua conspiração, vejam-se os Anais do Reino de Israel.

¹⁶Então Manaém castigou Tafsa e seus confins, matando todos os seus habitantes por não lhe ter aberto as portas quando saiu de Tersa; ocupou-a e rasgou o ventre das mulheres grávidas.

Manaém de Israel *(752-741)* – ¹⁷Manaém, filho de Gadi, subiu ao trono de Israel no trigésimo nono ano do reinado de Azarias de Judá. Reinou dez anos em Samaria. ¹⁸Fez o que o Senhor reprova, repetindo os pecados que Jeroboão, filho de Nabat, fez Israel cometer. No seu tempo, ¹⁹Pul*, rei da Assíria, invadiu o país, mas Manaém lhe entregou mil talentos de prata para que o apoiasse e o mantivesse no trono. ²⁰Manaém impôs essa contribuição a todos os ricos de Israel, à base de meio quilo de prata para cada um, em favor do rei da Assíria. Então o rei da Assíria se retirou, encerrando a ocupação do país.

²¹Para mais dados sobre Manaém e seus empreendimentos, vejam-se os Anais do Reino de Israel.

²²Manaém morreu, e seu filho Faceias reinou em seu lugar.

15,8-12 Com Zacarias termina a dinastia mais numerosa e duradoura do reino do norte: cinco reis em quase noventa anos. Com a queda dessa dinastia, o destino de Israel se precipita. Os golpes de Estado se sucedem com rapidez, dividindo incuravelmente o país. Enquanto isso, o poder da Assíria cresce ameaçador: Teglat-Falasar III sobe ao trono em 745; a aliança com Damasco valerá pouco. A queda do reino arameu abrirá para a Assíria o caminho até Israel, e assim chegará a batalha definitiva.

Nesse tempo de crise surgem grandes figuras proféticas: depois de Amós veio Oseias, que provavelmente começou sua atuação no reinado de Jeroboão II. Amós (exceto o capítulo 7) e Oseias não registram fatos no plano de historiadores; confrontam-se com eles sem especificar suas coordenadas. São contrapartida e complemento aos livros dos Reis. Seria preciso ler simultaneamente ambos os textos para tirar uma imagem mais viva da situação social e religiosa desses anos. Embora os profetas selecionem e simplifiquem, sua voz sobrevive como testemunho do javismo puro em confronto com a depravação da religião e da justiça.

15,12 2Rs 10,30.

15,13-16 Dir-se-ia que já durante o reinado de Jeroboão II foram- se formando partidos de oposição que esperavam a morte do grande monarca. Só assim se explica que no espaço de sete meses houve duas mudanças violentas de monarcas. Parece que um dos pretendentes conseguiu tornar-se forte em Tersa, a velha capital, ao passo que o outro conseguiu antecipar-se em Samaria. Não contando com o apoio do povo e do exército, num mês sucumbiu diante de seu rival de Tersa; nem sequer as vantagens estratégicas da capital lhe serviram.

Selum foi uma espécie de Zambri (1Rs 16,15-20); não houve tempo para sabermos se ele fez o que o Senhor reprova.

15,16 Os 14,1.

15,17-22 Manaém inaugurou seu reinado com violenta repressão. O nome da Assíria soa no livro pela primeira vez. Pul é Teglat-Falasar III (745-726). A política assíria de Manaém se mostrará fatal: para conseguir o apoio assírio, se torna seu vassalo. Isso provoca forte oposição interna, e lá fora acalma só por um momento o imperialismo da Assíria. À primeira vista, parece que Manaém expulsou da sua casa o invasor com bons modos; na realidade abriu-lhe um caminho que só terminará com a destruição do reino de Israel.

15,19 * = Teglat-Falasar III.

Faceias de Israel *(741-740)* – ²³Faceias, filho de Manaém, subiu ao trono de Israel no quinquagésimo ano do reinado de Azarias de Judá. Reinou dois anos em Samaria. ²⁴Fez o que o Senhor reprova, repetindo os pecados que Jeroboão, filho de Nabat, fez Israel cometer. ²⁵Seu oficial Faceia, filho de Romelias, conspirou contra ele: com cinquenta galaaditas (com Argob e Arié) o matou em Samaria, na torre do palácio. Matou-o e suplantou-o no trono.

²⁶Para mais dados sobre Faceias e seus empreendimentos, vejam-se os Anais do Reino de Israel.

Faceia de Israel *(740-731)* – ²⁷Faceia, filho de Romelias, subiu ao trono de Israel em Samaria no quinquagésimo segundo ano do reinado de Azarias de Judá. Reinou dez anos. ²⁸Fez o que o Senhor reprova, repetindo os pecados que Jeroboão, filho de Nabat, fez Israel cometer. ²⁹No tempo dele, Teglat-Falasar, rei da Assíria, foi e apoderou-se de Aion, Abel-Bet*-Maaca, Janoe, Cedes, Hasor, Galaad, Galileia e toda a região de Neftali, e levou seus habitantes deportados para a Assíria.

³⁰Oseias, filho de Ela, tramou uma conspiração contra Faceia, filho de Romelias, matou-o e suplantou-o no trono no vigésimo ano do reinado de Joatão, filho de Azarias.

³¹Para mais dados sobre Faceia e seus empreendimentos, vejam-se os Anais do Reino de Israel.

Joatão de Judá *(739-734)* (2Cr 27) – ³²Joatão, filho de Azarias, subiu ao trono de Judá no segundo ano do reinado de Faceia de Israel, filho de Romelias. ³³Quando subiu ao trono, tinha vinte e cinco anos e reinou dezesseis anos em Jerusalém. Sua mãe chamava-se Jerusa, filha de Sadoc. ³⁴Fez o que o Senhor aprova, como seu pai Azarias. ³⁵Mas não desapareceram as capelas dos lugares altos; aí o povo continuava sacrificando e queimando incenso. Joatão construiu a porta superior do templo.

³⁶Para mais dados sobre Joatão e seus empreendimentos, vejam-se os Anais do Reino de Judá. ³⁷Nesse tempo, o Senhor começou a mandar Rason, rei de Damasco, e Faceia, filho de Romelias, contra Judá.

³⁸Joatão morreu e o enterraram com seus antepassados na Cidade de Davi, seu antecessor. Seu filho Acaz reinou em seu lugar.

16 Acaz de Judá *(734-727)* (2Cr 28)

– ¹Acaz, filho de Joatão, subiu ao trono de Judá no décimo sétimo ano do

---

15,23-26 Não pensemos que a Assíria tivesse sempre as mãos livres para seus empreendimentos imperialistas; o território doméstico era ameaçado pelos vizinhos e guerreiros povos de Urartu, medianamente submetidos. O partido antiassírio ou independente de Israel espreitava os momentos de fraqueza assíria para realizar sua política; e um de seus procedimentos comuns era liquidar o monarca dócil aos assírios. Essas supostas libertações na realidade excitavam a ira e a represália da Assíria. Israel avançava assim por um processo dialético rumo à ruína. Mais que os detalhes de cada reinado, bem escassos no texto, interessa captar esse movimento.

15,27-31 A campanha tem um aspecto de expedição punitiva; num segundo momento amplia o objetivo, explorando os primeiros êxitos e a fraqueza do adversário. Uma parte do reino de Israel incluindo toda uma província da Transjordânia e algumas praças-fortes, tornam-se domínio assírio. O imperador aplica a política brutal da deportação, que inclui a transferência de populações em massa; na região conquistada estabeleciam colonos fiéis ao império. Este é o segundo golpe contra Israel, mais forte que o primeiro; o terceiro será definitivo.

No reinado de Faceia vêm os acontecimentos do capítulo seguinte, nos quais intervém Acaz de Judá.
15,29 * = Prado da Casa. Is 7,16; 8,4.

15,30 O golpe de Estado de Oseias é o quarto desde a morte de Jeroboão II. Parece que Oseias tentava recuperar a independência apoiando-se numa aliança com o Egito.

15,32-38 Durante esse reinado estoura a guerra siro-efraimita. Israel se alia com Damasco contra Judá. Talvez para forçar Judá a uma aliança contra o império assírio. No princípio do seu reinado ocorre outro fato importantíssimo: a vocação profética de Isaías.
15,37 Is 7,8s.

16 A figura do ímpio Acaz revive nesta página de história e nos oráculos do profeta Isaías: seria bom ler ao mesmo tempo ambos os textos.

Acaz herda do pai a guerra com os vizinhos do norte, que tentam destruí-lo para instaurar nova dinastia em Jerusalém. Ao ver a ameaça iminente, Acaz treme "como as folhas das árvores". Nessa ocasião, Isaías pronuncia um de seus oráculos memoráveis: a rainha acaba de conceber um filho, no qual se cumprirá a promessa do Senhor a Davi. No oráculo, o menino se chama Emanuel (= Deus-conosco), na história se chama Ezequias. A tentativa de implantar em Jerusalém uma nova dinastia fracassará; mais ainda, Damasco e Israel, atacados pela Assíria, deixarão Judá livre. No plano religioso, o julgamento de Isaías sobre Acaz é negativo. Conforme a presente narração, o delito de Acaz supera o de seus predecessores: primeiro,

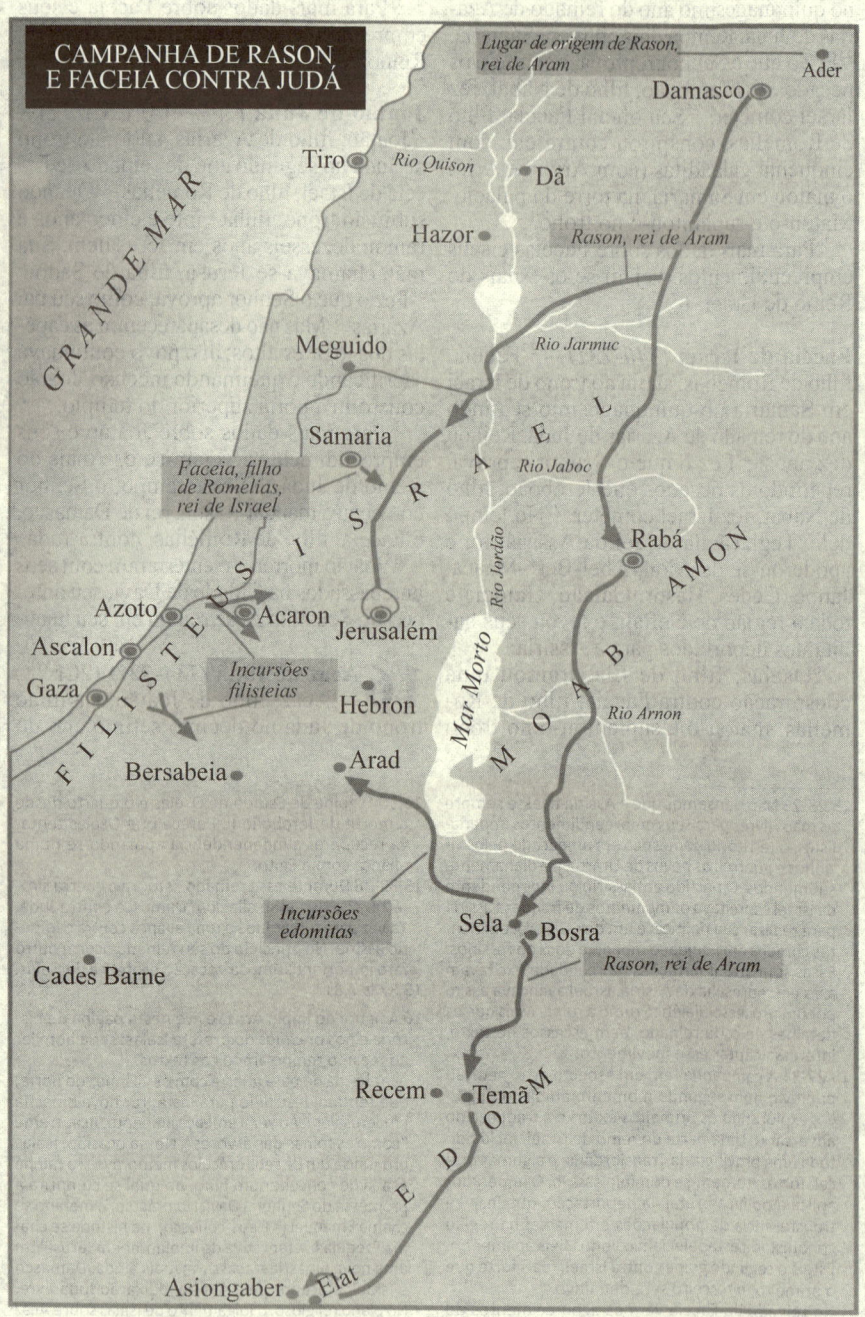

reinado de Faceia, filho de Romelias. ²Tinha vinte anos quando subiu ao trono, e reinou dezesseis anos em Jerusalém. Não fez, como seu antepassado Davi, o que o Senhor aprova. ³Imitou os reis de Israel, chegando a sacrificar seu filho na fogueira, segundo os detestáveis costumes das nações que o Senhor havia expulsado diante dos israelitas. ⁴Sacrificava e queimava incenso nos lugares altos e sob as árvores frondosas.

⁵Nessa ocasião, Rason de Damasco e Faceia de Israel, filho de Romelias, subiram para atacar Jerusalém; eles a cercaram, mas não conseguiram conquistá-la. ⁶Também nessa ocasião o rei de Edom reconquistou Elat e expulsou os judaítas daí; os de Edom foram a Elat e aí se estabeleceram até o dia de hoje.

⁷Acaz mandou uma embaixada a Teglat-Falasar, rei da Assíria, com esta mensagem: "Sou teu filho e vassalo. Vem livrar-me do poder do rei da Síria e do rei de Israel, que pegaram em armas contra mim". ⁸Acaz recolheu a prata e o ouro que havia no templo e no tesouro do palácio e enviou ao rei da Assíria como presente. ⁹O rei da Assíria o atendeu, subiu contra Damasco, apoderou-se dela, deportou seus habitantes para Quir e matou Rason.

¹⁰Então o rei Acaz foi a Damasco apresentar-se a Teglat-Falasar, rei da Assíria. E quando viu o altar que havia em Damasco, enviou ao sacerdote Urias a planta do altar com todos os seus detalhes. ¹¹Antes que o rei voltasse de Damasco, o sacerdote Urias construiu um altar seguindo todas as instruções enviadas pelo rei. ¹²Quando Acaz voltou de Damasco, viu o altar, aproximou-se, subiu a ele, ¹³queimou seu holocausto e sua oferta, derramou sua libação e aspergiu o altar com o sangue dos sacrifícios de comunhão que acabava de oferecer. ¹⁴Ele retirou da fachada do edifício, isto é, entre o altar novo e o templo, o antigo altar de bronze, situado diante do Senhor, e o pôs no lado norte do novo altar. ¹⁵Depois deu estas ordens ao sacerdote Urias:

– Queima sobre o altar grande o holocausto da manhã e a oferta da tarde, o holocausto do rei e sua oferta, o holocausto do povo e sua oferta; derrama sobre ele suas libações e o sangue dos sacrifícios. Eu cuidarei do altar de bronze.

¹⁶O sacerdote Urias fez o que o rei Acaz lhe ordenou. ¹⁷O rei arrancou as braçadeiras que cobriam a base e retirou o reservatório; tirou de seu suporte o depósito montado sobre os touros de bronze e o pôs sobre as lajes do pavimento. ¹⁸Em atenção ao rei da Assíria, tirou também a tribuna do trono, construída no templo, e a entrada externa para o rei.

¹⁹Para mais dados sobre Acaz e seus empreendimentos, vejam-se os Anais do Reino de Judá.

---

porque ele mesmo participa do culto sincretista dos lugares altos; segundo, por ter sacrificado seu próprio filho.
É a primeira vez que se registra um monarca de Judá caindo em semelhante abominação: sobre o tema pode-se ver Gn 22 (Isaac); Dt 12,31; Sl 106,37; Jr 7,31; 32,35; Ez 20,26.

16,3 Dt 12,31; Jr 7,31.

16,5 Jerusalém foi atacada outras vezes com êxito variável. Desta vez o ataque fracassa porque visa remover a dinastia davídica. Cada reino tem sua capital, e cada capital sua dinastia: em Judá a capital é Jerusalém, e em Jerusalém reina pela graça de Deus a casa de Davi: Is 7,7-9.

16,6 2Rs 14,22.

16,7-9 Estes versículos nos dão a versão histórica dos acontecimentos. Para livrar-se do inimigo imediato, Acaz introduz em casa o inimigo mais perigoso: "as águas do rio caudaloso e impetuoso" (cf. Is 8,7). Durante a infância de Ezequias acontece a libertação, com a queda de Damasco; apaga-se o primeiro: "pedaço de tição fumegante" (Is 7,4). Também cai então a infância do filho de Isaías, que tem o nome oracular "Pronto-saqueio, Rápido-despojo" (Is 8,1-4).

Damasco é a primeira, Israel será a segunda; será Judá a terceira? (ver Is 10,9-11).

16,10 É uma viagem para render homenagem ao rei da Assíria. Datam dessa época algumas reformas no templo, que o narrador não vê com bons olhos: por quê? O templo de Salomão se inspirava em modelos estrangeiros, e o autor o descrevia com entusiasmo, com paixão. Mas Salomão agia como soberano, ao passo que Acaz introduz suas mudanças cultuais como ato de submissão ao poder estrangeiro.

16,11-12 Como rei, Acaz tinha direito e dever de cuidar do aspecto material do templo (ver capítulo 12) e de oferecer sacrifícios. Como vassalo do rei da Assíria, tem de retirar do templo os sinais que possam significar soberania.

16,13 Sobre os diversos sacrifícios e o rito de consagração do altar, ver Lv 1-9.

16,15 Em vez de "eu cuidarei", outros leem "para adivinhar", pensando na inspeção das vítimas como prática adivinhadora. Ver Lv 9,17.

16,17 1Rs 8,23-26.

16,18 É duvidoso o sentido dessa "tribuna do trono"; outros leem "a barreira do sábado", de acordo com Ez 46,1-2.

²⁰Acaz morreu e o enterraram com seus antepassados na Cidade de Davi. Seu filho Ezequias reinou em seu lugar.

17 Oseias de Israel *(731-722)* –
¹Oseias, filho de Ela, subiu ao trono de Israel em Samaria no décimo segundo ano do reinado de Acaz de Judá. Reinou nove anos. ²Fez o que o Senhor reprova, porém não tanto como os reis de Israel, seus predecessores. ³Salmanasar, rei da Assíria, o atacou, e Oseias submeteu-se a ele, pagando-lhe tributo. ⁴Mas o rei da Assíria descobriu que Oseias o traía: tinha enviado mensageiros a Sais, rei do Egito, e não pagou o tributo como fizera em outros anos. Então o rei da Assíria o prendeu e trancou no cárcere. ⁵O rei da Assíria invadiu o país e cercou Samaria por três anos. ⁶No nono ano de Oseias, o rei da Assíria* conquistou Samaria, deportou os israelitas para a Assíria, instalando-os em Hala, às margens do Habor, rio de Gozã, nos povoados da Média. ⁷Isso aconteceu porque os israelitas, servindo a outros deuses, haviam pecado contra o Senhor seu Deus, que os havia tirado do Egito, do poder do Faraó, rei do Egito; ⁸agiram segundo os costumes das nações que o Senhor havia expulsado diante deles e que os reis nomeados por eles próprios introduziram. ⁹Os israelitas blasfemaram contra o Senhor seu Deus; em todo lugar habitado, das torres de vigia às praças-fortes, ergueram para si lugares de culto. ¹⁰Ergueram postes e estelas nas colinas altas e sob as árvores frondosas; ¹¹aí queimavam incenso, como faziam as nações que o Senhor havia desterrado diante deles. Agiram mal, irritando o Senhor. ¹²Prestaram culto aos ídolos, coisa que o Senhor lhes havia proibido.

16,20 Acaz morreu deixando ao filho uma herança ameaçada. Isaías chamou o rei Acaz de "herdeiro de Davi"; acusou-o de "cansar o Senhor"; ameaçando, o convidou a confiar: "se não crerdes, não subsistireis". Em Judá houve muita gente que acreditava, começando pelo profeta com sua família e discípulos (Is 8,16-18), e também o herdeiro do trono de Davi.

17 Chega o último conspirador da série, o último rei que ocupará o trono de Israel. O reino que começou com uma conspiração, termina com outra. Oseias, que ocupa o trono apoiado pelo partido pró-Egito, esperando salvar sua pátria, consegue apenas provocar o assírio e precipitar a ruína. Do Egito saíram os israelitas; o Senhor proibiu-lhes voltar para lá ou buscar seu apoio; Israel naufraga por causa do Egito. Na Assíria, Salmanasar V (726-722) tinha sucedido a Teglat-Falasar, continuando sua política de expansão pelas armas. O nome do Faraó é duvidoso: as tentativas de identificá-lo a partir do texto hebraico não deram resultado; tomamos como nome de cidade, Sais, o que antes era tomado como nome do Faraó. O Egito tentava reavivar as ânsias de independência das nações do litoral.

17,3-4 Não pagar tributo é ato de rebelião que pode até significar a renúncia ao contrato de vassalagem. Para ser preso, Oseias devia encontrar-se fora de Samaria; talvez tivesse ido visitar pessoalmente o rei da Assíria. Dessa forma, nos três últimos anos da sua história, Israel é um reino sem rei.

17,5-6 Preso o rei, o partido antiassírio ainda resistia na capital fundada por Amri. A força estratégica da cidade demonstrou-se resistindo três anos ao assédio do exército mais poderoso da época. Salmanasar não conseguiu ver a vitória. A duvidosa honra de executar, qual carrasco, a sentença do Senhor, coube ao seu sucessor, Sargon II. Conquistada a capital, Sargon II realiza em seguida uma deportação em massa. De estado vassalo, Israel ou Samaria passa a ser província assíria. É o ano 722. Para o autor bíblico, isso é o fim. Nos anais assírios se fala de nova rebelião, liderada pelo rei de Emat (arameu), aliado a um general egípcio. Sargon os derrotou no ano 720.

17,6 * = Salmanasar V.

17,7 Aqui o historiador pronuncia uma oração fúnebre, não de elogio, mas de reprovação. O tema é uma reflexão teológica sobre a história, com desejo de apresentar o caso como exemplo. O estilo é típico da escola, um bom exemplo de ampliação retórica. Repetindo temas ou motivos, desdobrando ações, unindo sinônimos, acrescentando orações relativas, o autor enche uma página. Se na poesia é frequente a frase de três ou quatro palavras, e na prosa narrativa a frase de cinco ou seis, aqui encontramos muitas frases de 9 e 10 palavras: é uma cadência retórica que não destoa na oração fúnebre. Deve ser declamada em tom patético.
O discurso tem uma construção pouco rigorosa. Esquematicamente: pecados de Israel (7-12); o Senhor admoesta por meio de profetas (13); nova série de pecados (14-17); ira de Deus e castigo (18-20); recapitulação de Jeroboão até o desterro (21-23).

17,7-12 O primeiro pecado é a idolatria: é descrito com diversos traços, de forma genérica ou específica.

17,7 Pecado, pecar, é o termo que o autor já repetiu mais de vinte vezes ao longo da história. A referência à libertação do Egito foi pronunciada por Jeroboão quando inaugurou seus centros de culto.

17,8 A expulsão de outros povos é ao mesmo tempo um benefício mal pago e uma lição não aceita. A alusão aos reis é duvidosa.

17,9 As torres de vigia podiam ser simplesmente agrícolas, como em Is 5,2.

17,11 "Desterrar" será o termo técnico do desterro de Israel.

¹³O Senhor tinha advertido Israel (e Judá) por meio dos profetas e videntes: "Voltai de vosso mau caminho, guardai meus mandatos e preceitos, seguindo a lei que dei a vossos pais, que lhes comuniquei por meio de meus servos, os profetas". ¹⁴Eles, porém, não fizeram caso, mas se tornaram teimosos, como seus pais, que não confiaram no Senhor seu Deus. ¹⁵Rejeitaram seus mandatos, a aliança que o Senhor havia feito com seus pais e as advertências que lhes fez; foram atrás dos ídolos vazios e se esvaziaram, imitando as nações vizinhas, coisa que o Senhor lhes havia proibido. ¹⁶Abandonaram os preceitos do Senhor seu Deus, fizeram para si ídolos de fundição (os dois bezerros) e uma estela; prostraram-se diante do exército do céu e prestaram culto a Baal. ¹⁷Sacrificaram seus filhos e filhas na fogueira, praticaram adivinhação e magia e se venderam para fazer o que o Senhor reprova, irritando-o. ¹⁸O Senhor se irritou tanto contra Israel, que os expulsou de sua presença. Sobrou apenas a tribo de Judá ¹⁹(embora tampouco Judá tenha guardado os preceitos do Senhor seu Deus, imitando a conduta de Israel). ²⁰O Senhor rejeitou toda a raça de Israel, a humilhou, a entregou ao saque até expulsá-la de sua presença. ²¹Pois quando Israel se separou da casa de Davi e escolheram como rei Jeroboão, filho de Nabat, Jeroboão desviou Israel do culto ao Senhor e o induziu a cometer grave pecado. ²²Os israelitas imitaram todo o pecado de Jeroboão, ²³até que o Senhor os expulsou de sua presença, como havia dito por meio de seus servos, os profetas, e foram deportados de sua terra para a Assíria, onde ainda estão.

²⁴O rei da Assíria trouxe gente de Babilônia, Cuta, Ava, Emat e Sefarvaim e a estabeleceu nas povoações de Samaria, para substituir os israelitas. Eles tomaram posse de Samaria e se instalaram em seus povoados. ²⁵Mas, ao começar a se instalar aí, não prestavam culto ao Senhor, e o Senhor lhes enviou leões que causavam estrago entre os colonos. ²⁶Então disseram ao rei da Assíria:

– O povo que levaste para Samaria como colonos não conhece os ritos do deus do país, e por isso ele lhes enviou leões que causam estrago entre eles, porque não conhecem os ritos do deus do país.

17,13 Antes de recorrer ao castigo, o Senhor admoesta seu povo. Assim os profetas entram no esquema histórico, como repetida tentativa do Senhor para converter seu povo. Pense-se em Aías, Elias, Eliseu, Miqueias filho de Jemla, Amós e Oseias. A menção de Judá é acréscimo posterior, que tenta aplicar o sermão ao reino do Sul já exilado.

17,14-17 Depois da repetida admoestação, o pecado é mais grave, é obstinação, teimosia.

17,15 Os mandamentos são as cláusulas da aliança. Segundo o Salmo 115,8, os que veneram ídolos se tornam como eles. Esse princípio teológico se expressa num jogo de palavras com uma das designações depreciativas dos ídolos: "vazio", "vaidade" (ver Jr 2,5). Os gentios, uma vez expulsos, se tornam um cerco cultural e religioso, e a ordem do Senhor deve ser a muralha de separação.

17,16 "Os dois bezerros": parece ser glosa. O culto astral se soma aos cultos de fertilidade. Dt 4,13-20.

17,17 Ver 2Rs 16,3 e Dt 18.

17,18-20 Sentença definitiva. O castigo, que materialmente é o desterro, teologicamente é ser expulso da presença do Senhor. Porque o povo "rejeitou" os mandamentos (v. 15), o Senhor os "rejeita" (v. 20); porque o povo se afastou, o Senhor o afasta; porque se vendeu, o Senhor o entrega.

17,18 Como o termo "Israel" é ambíguo (pode designar todo o povo escolhido ou o reino do Norte), o autor esclarece o sentido.

17,19 É uma glosa acrescentada depois da queda de Judá. Ver o grande paralelo de Ez 23.

17,20 O verbo "humilhar" se aplica a Israel escravo, que provocava a compaixão de seu Deus (Dt 26,7); é também a ação do Senhor que educa seu povo (Dt 8,2-3). Aqui o sentido se volta de forma definitiva contra o povo escolhido.

17,21-23 O pecado continua um processo dialético: o povo escolhe Jeroboão (compare-se com Os 8,4), Jeroboão induz o povo a pecar, o povo perpetua o pecado do fundador do reino. A cadeia de pecados que provocou a rejeição final remonta a um duplo pecado original: um rei escolhido pelos homens e uma imagem de Deus feita por mãos humanas. Israel se dispersa e dissipa. Deixa de ser nação e começa a desaparecer como povo. Perdeu sua força de coesão, o sentido da sua existência; não sendo mais "povo do Senhor", deixa de ser povo. Dessa população alguns ficarão na pátria, mas não se chamarão israelitas, e sim samaritanos; outros se voltarão para Judá e Jerusalém, onde encontrarão novas forças para subsistir e esperar. Jeremias pronunciou vários oráculos de esperança para esses grupos fiéis, que de maneira nova continuam sendo Israel.

17,21 1Rs 12.

17,24-34 Este episódio revela a situação da Samaria como mistura étnica e religiosa. É verdade que veneram também o Senhor; mas ao Senhor não se venera "também", mas "só", porque é um Deus ciumento.

17,25-26 Os leões habitam nos bosques dos lugares desabitados. Por ficarem muitas regiões despovoadas por causa da deportação, os leões irrompem no território abandonado pelos homens. O humano e domesticado cede o lugar ao feroz, a cidade ao deserto, o cultivo às sarças.

²⁷O rei de Assur ordenou:

– Levai para lá um dos sacerdotes deportados de Samaria, para que se estabeleça aí e lhes ensine os ritos do deus do país.

²⁸Um dos sacerdotes deportados de Samaria foi então estabelecer-se em Betel, e lhes ensinou como se devia prestar culto ao Senhor. ²⁹Todos aqueles povos, porém, fizeram para si seus deuses, e, na cidade em que viviam, os puseram nas capelas dos lugares altos que os de Samaria haviam construído. ³⁰Os de Babilônia fizeram Sucot-Benot, os de Cuta fizeram Nergel, os de Emat fizeram Asima, ³¹os de Ava fizeram Nebaaz e Tartac, os de Sefarvaim sacrificavam seus filhos na fogueira em honra de seus deuses Adramelec e Anamelec. ³²Prestavam também culto ao Senhor; nomearam pessoas do povo como sacerdotes, para que oficiassem nas capelas dos lugares altos. ³³Dessa forma, prestavam culto ao Senhor e a seus deuses, segundo a religião do país de onde vieram. ³⁴Até hoje agem segundo seus antigos ritos; não veneram o Senhor nem agem segundo seus mandatos e preceitos, segundo a lei e a norma dada pelo Senhor aos filhos de Jacó, ao qual impôs o nome de Israel.

³⁵O Senhor havia feito uma aliança com eles e lhes havia ordenado:

– Não venereis outros deuses, nem os adoreis, nem lhes presteis culto, nem lhes ofereçais sacrifícios, ³⁶mas deveis venerar o Senhor, que vos tirou do Egito com grande força e braço estendido; a ele adorareis e a ele ofereceries sacrifícios. ³⁷Cuidai de pôr sempre em prática os preceitos e normas, a lei e os mandatos que vos deu por escrito. Não venereis outros deuses. ³⁸Não esqueçais a aliança que fez convosco. Não venereis outros deuses, ³⁹mas ao Senhor vosso Deus, e ele vos livrará de vossos inimigos.

⁴⁰Eles, porém, não deram atenção; pelo contrário, agiram segundo seus antigos ritos. ⁴¹Assim, essa gente honrava o Senhor e prestava culto a seus ídolos. E até hoje seus descendentes continuam fazendo a mesma coisa que seus antepassados.

ATÉ A QUEDA DE JERUSALÉM

18 **Ezequias de Judá** *(727-698)* (2Cr 29-32) – ¹Ezequias, filho de Acaz, subiu ao trono de Judá no terceiro ano do reinado de Oseias de Israel, filho de Ela. ²Quando subiu ao trono tinha vinte e cinco anos, e reinou vinte e nove anos em Jerusalém. Sua mãe chamava-se Abia, filha de Zacarias. ³Fez o que o Senhor aprova,

---

17,27-28 Betel tinha sido o berço do pecado. Dir-se-ia que este episódio foi escrito por um autor que não condena o culto de Betel. A fórmula hebraica de "prestar culto" é ortodoxa, e é técnico também o termo "ensinar". Quem assim escreve vê na atividade do sacerdote uma tentativa louvável de restabelecer o autêntico culto do Senhor. Mas fracassa com essa população heterogênea, agarrada às suas tradições religiosas. O sincretismo, que tinha sido o grande pecado de Israel, torna-se agora seu castigo.

17,29-31 A pequena província da Samaria se transforma num mostruário de deuses e cultos. Os nomes de algumas divindades são duvidosos. Pode ser devido à nossa ignorância ou a uma deliberada deformação do autor. Nergel era deus da guerra e da peste, Adramelec e Anamelec parecem ser deuses celestes.

17,32 Como 1Rs 12,31; 13,33.

17,34 Um acréscimo especifica o sentido. Na realidade, não "temem" o Senhor, já que não aceitam seus mandatos; já não se podem chamar Israel ou Filhos de Jacó.

17,35-40 Estes versículos ampliam o sentido do pecado precedente. Mostram conhecer a teologia da aliança, cujos elementos manejam com certa liberdade.

O primeiro mandamento é inculcado dez vezes: quatro em forma positiva referida ao Senhor; seis em forma negativa referida aos ídolos, a metade do total como verbo "temer" ("venerar"). É como se todo o decálogo se concentrasse nesse martelar incansável. O resto dos mandamentos se resume em quatro sinônimos genéricos; e toda a aliança é sintetizada globalmente numa sentença.

17,40 O pecado é resposta à aliança. O versículo repete pela terceira vez o esquema sintático "não... pelo contrário...", que articulava a seção da aliança. É a breve resposta humana aos insistentes esforços de Deus. O autor desses versículos contava com um público familiarizado com a pregação sobre a aliança e com as técnicas, esquemas e procedimentos da recitação oral.

17,41 Liga-se ao v. 32 e estende a história até sua própria época.

18 A queda da Samaria deve ter causado uma tremenda impressão em Judá. Nos últimos anos de sua vida e provavelmente sob o influxo de Isaías, Acaz tinha conseguido manter-se à margem de rebeliões provocadoras para o imperador assírio. Seu filho Ezequias tinha cinco anos quando subiu ao trono (nasceu em 733), e era ainda rapaz quando aconteceu a catástrofe de Israel.

18,3 Nesse momento difícil, Davi tem um digno sucessor. Parte do crédito caberá ao regente durante a menoridade.

como seu antepassado Davi. ⁴Suprimiu as capelas dos lugares altos, destruiu os postes sagrados, cortou as estelas e triturou a serpente de bronze que Moisés fizera (porque os israelitas continuavam queimando-lhe incenso; eles a chamavam Noestã). ⁵Pôs sua confiança no Senhor, Deus de Israel, e não pode ser comparado com nenhum dos reis de Judá, antes ou depois dele. ⁶Aderiu ao Senhor, sem afastar-se dele, e cumpriu os mandamentos que o Senhor havia dado a Moisés. ⁷O Senhor esteve com ele, e assim teve êxito em todos os seus empreendimentos. Rebelou-se contra o rei da Assíria e não lhe rendeu vassalagem. ⁸Derrotou os filisteus até Gaza, devastando todo o seu território, das torres de vigia às praças-fortes.

⁹No quarto ano do reinado de Ezequias, que corresponde ao sétimo do reinado de Oseias de Israel, filho de Ela, Salmanasar, rei da Assíria, atacou Samaria e a cercou. ¹⁰Depois de três anos, no sexto ano de Ezequias, que corresponde ao nono ano de Oseias de Israel, ele a conquistou.

¹¹Salmanasar deportou os israelitas para a Assíria, e os instalou em Hala, às margens do Habor, rio de Gozã, nos povoados da Média, ¹²por não terem obedecido ao Senhor seu Deus e terem violado sua aliança; não obedeceram nem cumpriram o que Moisés, servo do Senhor, lhes havia ordenado.

¹³No décimo quarto ano do reinado de Ezequias, Senaquerib, rei da Assíria, atacou todas as praças-fortes de Judá e as conquistou. ¹⁴Então Ezequias mandou a Laquis esta mensagem para o rei da Assíria: "Sou culpado. Retira-te e te pagarei a multa que me impuseres". O rei assírio impôs a Ezequias de Judá o pagamento de nove mil quilos de prata e novecentos quilos de ouro. ¹⁵Ezequias entregou-lhe toda a prata que havia no templo e no tesouro do palácio. ¹⁶Foi nessa ocasião que Ezequias quebrou as portas do santuário e os pilares que Azarias de Judá havia recoberto de ouro, e os entregou ao rei da Assíria.

¹⁷De Laquis, o rei da Assíria enviou o general-em-chefe, o prefeito dos eunucos

---

18,4 Ver Nm 21,6-9. Em geral, a serpente estava associada aos cultos de fertilidade; sua vinculação a Moisés não parece ser original. O nome tem o mesmo som de serpente *nahash* e de bronze *nehoshet*.

18,5 Dos anteriores, deve-se pensar sobretudo em Josafá; dos sucessores, em Josias. No seu sentido religioso sobressai a confiança, a virtude mais necessária nesse tempo ameaçador.

18,6 Síntese de religiosidade deuteronômica: fidelidade pessoal ao Senhor e cumprimento dos mandamentos.

18,7 "O Senhor com ele" é ressonância e cumprimento do nome oracular pronunciado por Isaías antes do seu nascimento: "Deus-conosco" (= *Emanuel*).

18,8 No afã de cantar as glórias do monarca piedoso, o versículo simplifica bastante os fatos. É preciso alargar a visão histórica para compreender o que se segue, sem tropeçar nesta síntese tão parcial. Toda a situação política está centralizada no poder da Assíria, e se move em ritmo alternado de submissão e rebelião. As campanhas de agressão e a expansão territorial de Assur produzem a submissão em regime de terror, e a rebelião em momentos de alívio. Ao multiplicar seus súditos, a Assíria multiplica seus inimigos. Os polos da rebelião se encontram em dois extremos: um ao sul da Assíria, e outro no Egito. O primeiro é o rei de Elam, Merodac (ou seja, Marduc) Baladã, que em 721 ocupa o trono de Babilônia; em 712 envia uma embaixada a Ezequias e em 710 é destronado por Sargon II. No Egito está o rei da Etiópia, Taraca, que se proclamou Faraó. A política constante do Egito consistia em incitar contra a Assíria os reinos da faixa siro-palestinense: filisteus, judaítas e fenícios.

Elam e Babilônia achavam-se longe demais para ajudar diretamente Judá; só podiam aliviar a pressão assíria com seus ataques pelo sul; mas, ao cair Merodac-Baladã, o império da Assíria se estendia seguro até as costas do oceano Índico. Por sua vez, o Egito persistiu em oferecer-se como salvador. Isaías lutou sem trégua, com êxito parcial, contra a aproximação com o Egito e contra a política de rebelião.

Numa ocasião, Ezequias atacou o reino filisteu, governado por um vassalo da Assíria, e levou prisioneiro a Jerusalém o seu reizete. Mas Sargon II atacou o reino filisteu de Azoto, o submeteu e ocupou uma praça-forte em território de Judá.

18,9-12 Introduzindo os fatos do capítulo precedente no contexto da monarquia de Judá, o autor mostra que a queda de Israel afeta também Judá. Embora inimigos, os dois reinos são irmãos, membros da única aliança com o Senhor. Nenhum habitante de Jerusalém podia alegrar-se com a desgraça do reino irmão ou assistir indiferente.

18,13-16 Ezequias era vassalo da Assíria, obrigado a um tributo anual. No ano 705 Sargon II morreu em campanha, e sucedeu-lhe seu filho Senaquerib. Em 703 Ezequias violou o juramento de fidelidade (Is 33,7-9), e em 701 Senaquerib invadiu Judá. Portanto, a data do v. 13 se refere à doença de Ezequias.

18,14 Is 33,7-9.

18,17 Laquis era uma praça-forte, a uns quarenta quilômetros a sudoeste de Jerusalém, conquistada por Senaquerib e escolhida como quartel general. O Canal da Piscina Superior era o lugar do famoso encontro de Isaías com Acaz (Is 7,3).

e o copeiro-mor para que fossem com forte destacamento a Jerusalém, ao rei Ezequias. Foram, e, quando chegaram a Jerusalém, pararam diante do Canal da Piscina Superior, que está junto ao caminho do Campo do Pisoeiro. [18]Chamaram o rei; e Eliacim, filho de Helcias, mordomo do palácio, o secretário Sobna e o arauto Joaé, filho de Asaf, saíram para recebê-los. [19]O copeiro-mor lhes disse:

— Dizei a Ezequias: Assim diz o imperador, o rei da Assíria: "Em que baseias tua confiança? [20]Tu pensas que a estratégia e a valentia militares são questão de palavras. Em quem confias para rebelar-te contra mim? [21]Confias nesse caniço rachado que é o Egito? Ele crava a mão de quem se apoia nele, atravessando-a; o Faraó é isso para os que confiam nele. [22]E se me responderes: eu confio no Senhor nosso Deus, não é esse o deus cujas capelas e altares Ezequias suprimiu, exigindo que Judá e Jerusalém se prostrem diante desse altar em Jerusalém? [23]Portanto, faze uma aposta com meu senhor, o rei da Assíria, e te darei dois mil cavalos, se é que tens quem os monte. [24]Como te atreves a desprezar um dos últimos servos do meu senhor, confiando que o Egito te fornecerá carros e cavaleiros? [25]Crês que subi para arrasar esta cidade sem consultar o Senhor? Foi o Senhor quem me disse para subir e devastar este país".

[26]Eliacim, filho de Helcias, Sobna e Joaé disseram ao copeiro-mor:

— Por favor, fala-nos em aramaico, pois o entendemos. Não nos fales em hebraico, diante do povo que está nas muralhas.

[27]Mas o copeiro-mor lhes replicou:

— Crês que meu senhor me enviou para que comunique esta mensagem a ti e a teu senhor? É também para os homens que estão na muralha, e que convosco comerão o próprio excremento e beberão a própria urina.

[28]E, erguendo-se, gritou com voz forte, em hebraico:

— Escutai as palavras do imperador, rei da Assíria! [29]Assim diz o rei: "Não vos engane Ezequias, pois não poderá livrar-vos de minha mão. [30]Ezequias não vos faça confiar no Senhor, dizendo: O Senhor nos libertará e não entregará esta cidade ao rei da Assíria. [31]Não deis atenção a Ezequias, porque isto diz o rei da Assíria: Rendei-vos e fazei as pazes comigo, e cada um comerá de sua vinha e sua figueira, bebendo de seu poço, [32]até que eu chegue para vos levar a uma terra como a vossa, terra de trigo e de mosto, terra de pão e de vinhedos, terra de azeite e mel, para que vivais e não morrais. Não deis atenção a Ezequias, pois vos engana, dizendo: O Senhor nos libertará. [33]Por acaso os deuses das nações libertaram seus países da mão do rei da Assíria? [34]Onde estão os

---

18,19-25 O discurso é uma tentação contra a confiança em Deus: vai desmontando primeiro as confianças humanas, palavras, estratégia, pacto com o Egito, e depois ataca a confiança em Deus. Não nega o poder do Senhor, mas o declara contrário a Ezequias e favorável ao imperador assírio. Esta parte do discurso repete sete vezes o verbo confiar (ver v. 5).

18,21 Vejam-se os diversos oráculos de Isaías contra o Egito, não menos enérgicos do que o que diz o assírio: Is 19; 30,1-7 (o Egito é a "fera que ruge e folga"); Is 31,1-3.

18,22 A fórmula de confiança é litúrgica. A centralização do culto, com a destruição dos santuários locais, é interpretada como desfavorável ao Senhor e ao povo. Não faltaria, em Judá também, quem pensasse dessa maneira.

18,24 "Os egípcios são homens e não deuses, seus cavalos são carne e não espírito": assim se lê em Is 31,3a.

18,25 Na perspectiva do assírio, o próprio *Yhwh* o enviou para atacar e destruir; na perspectiva profética, atacar é verdadeiro, destruir é falso. Ao contrário, Is 14,25; ver também Is 10,6-7 sobre o plano de Deus e do imperador assírio.

18,26 O aramaico já era então a língua das relações internacionais.

18,27-35 Ante o medo dos judaítas, o mensageiro reage com arrogância: pronuncia uma ameaça insultadora, tenta separar o povo do rei, promete paz e bem-estar, nega o poder do Senhor. A palavra-chave desta seção é "libertar".

18,29 Is 22.

18,30 Num primeiro momento, Ezequias tinha incitado à confiança no Egito, depois tinha tomado medidas desesperadas para proteger a cidade (Is 22). Só mais tarde se afirma a pregação de Isaías, que exorta à confiança exclusiva no Senhor e no templo como garantia (Is 7,12-14; 30,15; 29,6-8; 31,4-6). O embaixador não leva em conta Isaías, mas confirma indiretamente a sua pregação.

18,31-32 As promessas do rei da Assíria soam como as de um Deus deuteronômico: paz e bem-estar, vida ou morte, levá-los a uma terra melhor.

18,33 Cada nação tem seu deus, cada deus cuida do seu país; a guerra entre nações é como uma versão terrestre de uma guerra superior entre deuses. O assírio coloca o Senhor no nível dos restantes deuses nacionais; ver Is 10,9-11.

deuses de Emat e Arfad, os deuses de Sefarvaim, Ana e Ava? Libertaram Samaria do meu poder? ³⁵Qual deus desses países pôde libertar seus territórios de minha mão? Irá o Senhor libertar Jerusalém de minha mão?"

³⁶Todos calaram e não responderam nada. Tinham ordem do rei para não responder. ³⁷Eliacim, filho de Helcias, mordomo do palácio, o secretário Sobna e o arauto Joaé, filho de Asaf, se apresentaram ao rei com as vestes rasgadas, e lhe comunicaram as palavras do copeiro-mor.

19 ¹Quando ouviu isso, o rei Ezequias rasgou as vestes, pôs um pano de saco e foi ao templo; ²e enviou Eliacim, mordomo do palácio, o secretário Sobna e os sacerdotes mais velhos, vestidos de pano de saco, para que fossem dizer ao profeta Isaías, filho de Amós:

– ³Assim diz Ezequias: Hoje é um dia de angústia, castigo e vergonha; os filhos chegam ao parto e não há força para os dar à luz. ⁴Oxalá o Senhor teu Deus ouça as palavras do copeiro-mor, a quem seu senhor, o rei da Assíria, enviou para ultrajar o Deus vivo, e castigue as palavras que o Senhor teu Deus ouviu. Reza pelo resto que ainda sobrevive!

⁵Os ministros do rei Ezequias se apresentaram a Isaías, ⁶e ele lhes disse:

– Dizei a vosso senhor: Assim diz o Senhor: "Não te assustes com as palavras que ouviste, com as blasfêmias dos servos do rei da Assíria. ⁷Vou insuflar-lhe um espírito, e quando ouvir certa notícia, voltará a seu país, e aí o farei morrer pela espada".

⁸O copeiro-mor voltou e encontrou o rei da Assíria combatendo contra Lebna*, pois ouvira falar que se havia retirado de Laquis ⁹ao receber a notícia de que Taraca, rei da Etiópia, havia saído para lutar contra ele. Senaquerib enviou novamente mensageiros a Ezequias para lhe dizer:

– ¹⁰Falai a Ezequias, rei de Judá: Não te engane o teu Deus, em quem confias, pensando que Jerusalém não cairá nas mãos do rei da Assíria. ¹¹Tu mesmo ouviste como os reis da Assíria trataram todos os países, exterminando-os: acaso tu te livrarás? ¹²Os deuses dos povos que meus predecessores destruíram: Gozã, Harã, Resef e os edenitas de Telassar, acaso os salvaram? ¹³Onde estão o rei de Emat, o rei de Arfad, o rei de Sefarvaim, de Ana e de Ava?

¹⁴Ezequias pegou a carta das mãos dos mensageiros e a leu; depois subiu ao templo, desdobrou-a diante do Senhor ¹⁵e orou:

¹⁵Senhor, Deus de Israel,

18,36 A ordem do rei era evitar neste momento uma disputa dialética; seu silêncio tem por base a confiança no Senhor.

19 O templo é precisamente a garantia da cidade e de seus habitantes (por exemplo, Sl 46; 48). O rei acorre em atitude penitencial, como disposto a rezar um salmo de lamentação.

19,1 Is 37.

19,3 A imagem evoca o amadurecimento quase biológico da história, para o fracasso = dores infecundas (Is 26,18).

19,4 Motivo de súplica frequente nos salmos: que o Senhor se levante por sua honra ultrajada (Sl 79,9-12; 74,10.18.22-23). "O Deus vivo" é título polêmico no contexto: diferente dos outros deuses que são ídolos inertes (Sl 115).

Uma das funções do profeta é interceder (Jr 7,16; 11,14; 14,11). O conceito de "resto" é uma peça típica da teologia de Isaías: o resto é a continuidade do povo depois da desgraça, o resto volta ao Senhor (Is 1,9; 6,13; 10,20-21).

19,6 Supõe-se que Isaías tenha rezado e recebido em resposta um oráculo de salvação, como o indica a fórmula "não te assustes".

19,7 Muito longe da pátria, em seu quartel general de campanha, o imperador depende continuamente das notícias que chegam do centro e da margem do enorme império. E como as notícias muitas vezes tardam a chegar, com o atraso vão-se tornando urgentes. O "espírito" é um sentimento de pânico ou desconcerto, pelo qual reage sem medida à notícia.

19,8 * = Alva.

19,10-28 Soa como segunda versão da mesma embaixada, embora possa ser uma segunda mais urgente. Insiste-se na cena histórica, com brevíssimo oráculo de Isaías; aqui a narrativa se encolhe, deixando espaço à súplica do rei e ao oráculo do profeta. O povo não entra em cena. As palavras "confiar" e "livrar" soam outra vez, sem serem desenvolvidas.

19,10 Jr 20,7; 1Rs 22,20-23.

19,14 O gesto de desdobrar a carta no templo significa manifestar ao Senhor os ultrajes.

19,15-19 A súplica abrevia o esquema clássico. A visão universal abre e encerra a oração. É muito oportuna essa largueza de horizonte no momento em que os fatos e as palavras do inimigo impõem uma visão "universal" da história. No cenário do mundo, um imperador mostrou a impotência dos ídolos; no cenário de Jerusalém, o Senhor mostrará a impotência desse imperador. Será o ato culminante do drama, inesperado e surpreendente. Como um auto sacramental ao vivo: Jerusalém, cenário para o mundo; todos os povos, o público.

19,15 "Sentado sobre querubins", ou seja, entronizado como soberano. Referência à arca. Ex 25,18; Gn 1,1.

sentado sobre querubins:
somente tu és o Deus
de todos o reinos do mundo.
Tu fizeste o céu e a terra.
¹⁶Inclina teu ouvido, Senhor, e escuta;
abre teus olhos, Senhor, e vê.
Escuta a mensagem
que Senaquerib enviou
para ultrajar o Deus vivo.
¹⁷É verdade, Senhor:
os reis da Assíria
assolaram todos os países
e seu território,
¹⁸queimaram todos os seus deuses
– porque não são deuses,
mas obra de mãos humanas,
madeira e pedra –
e os destruíram.
¹⁹Agora, Senhor, nosso Deus,
salva-nos de sua mão
para que saibam
todos os reinos do mundo
que somente tu, Senhor, és Deus.
²⁰Isaías, filho de Amós, mandou dizer
a Ezequias:
– Assim diz o Senhor, Deus de Israel:
"Eu ouvi o que me pedes a respeito de
Senaquerib, rei da Assíria". ²¹Esta é a palavra que o Senhor pronuncia contra ele:
Despreza-te e caçoa de ti
a jovem, a cidade de Sião;
balança a cabeça às tuas costas
a cidade de Jerusalém.
²²A quem ultrajaste e insultaste,
contra quem ergueste a voz
e levantaste os olhos para o alto?
Contra o Santo de Israel!
²³Por meio de teus mensageiros
ultrajaste o Senhor:

"Subi com meus numerosos carros
ao topo dos montes,
aos cumes do Líbano;
cortei a altura de seus cedros
e seus melhores ciprestes;
entrei em seu último reduto,
na espessura do seu bosque.
²⁴Cavei e bebi águas estrangeiras,
sequei sob a planta de meus pés
todos os canais do Egito".
²⁵Não o ouviste?
Há muito tempo o decidi,
em tempos remotos o preparei
e agora o realizo;
por isso tu reduzes suas praças-fortes
a montes de escombros.
²⁶Seus habitantes, já sem força,
com a vergonha da derrota,
foram como erva do campo,
como o verde dos prados,
como grama dos terraços,
esgotada antes de crescer.
²⁷Conheço quando sentas e levantas,
quando entras e sais;
²⁸quando te agitas contra mim
e quando te acalmas,
sobe aos meus ouvidos.
Porei minha argola no teu nariz,
e meu freio no teu focinho,
e te levarei pelo caminho
por onde vieste.
²⁹Isto te servirá de sinal:
Neste ano comereis
o grão abandonado;
no ano que vem,
o que brota sem semear;
no terceiro ano semeareis e ceifareis,
plantareis vinhas
e comereis seus frutos.

19,18 Dt 32,17.
19,19 1Rs 8,60.
19,20 Um oráculo sacerdotal ou profético costuma responder à súplica do povo ou do rei. Isaías desempenha aqui essa função. O oráculo é dirigido contra Senaquerib, no estilo dos oráculos contra as nações.
19,21 A cidade assediada, donzela não submetida à vassalagem do senhor estrangeiro, pode caçoar do conquistador de povos.
19,22 porque Senaquerib desta vez não ataca um povo qualquer, mas se atreve sacrilegamente contra o Santo.
19,23-24 O discurso recorda Is 10; só que, em vez de povos, o conquistador contempla a natureza submetida em suas campanhas.

19,25-26 O Senhor interrompe o discurso arrogante (a mesma técnica de Is 10); ele é o verdadeiro sujeito da história. Ele a planeja com tempo, a executa em seu momento; e o homem é mero executor do plano divino.
Em contraste com as árvores centenárias do Líbano, os homens se convertem em erva efêmera.
19,27-28 Como um domador que vigia todos os momentos de uma fera e a reduz à obediência com um pequeno artifício (ver Jó 40,25-32). A palavra hebraica "nariz" significa também cólera, "focinho" pode significar a linguagem, e "caminho" a conduta; é uma ambiguidade irônica.
19,29-31 O oráculo de salvação para o rei e seu povo liga-se com o oráculo precedente, ou com os versícu-

³⁰Novamente o resto da casa de Judá
lançará raízes por baixo
e dará frutos por cima;
³¹pois de Jerusalém sairá um resto,
do monte Sião os sobreviventes.
O zelo do Senhor o cumprirá!
³²Por isso, assim diz o Senhor
a respeito do rei da Assíria:
não entrará nesta cidade,
  não disparará contra ela sua flecha,
não se aproximará com escudo,
  nem levantará contra ela um aterro.
³³Pelo caminho por onde veio voltará,
  mas não entrará nesta cidade
  – oráculo do Senhor.
³⁴Eu serei escudo para esta cidade
para salvá-la,
  por minha honra e pela de Davi,
  meu servo.

³⁵Nessa mesma noite o anjo do Senhor saiu e feriu cento e oitenta e cinco mil homens no acampamento assírio. De manhã, ao acordar, eles os encontraram já mortos.

³⁶Senaquerib, rei da Assíria, levantou acampamento, voltou a Nínive e ficou aí. ³⁷Certo dia, enquanto estava prostrado no templo de seu deus Nesroc, Adramelec e Sarasar o assassinaram, fugindo para o território de Ararat. Seu filho Asaradon reinou em seu lugar.

20 Doença de Ezequias

– ¹Nesse tempo, Ezequias caiu mortalmente enfermo. O profeta Isaías, filho de Amós, foi visitá-lo e lhe disse:

– Assim diz o Senhor: Prepara o testamento, porque morrerás na certa.

²Então Ezequias voltou o rosto para a parede e orou ao Senhor:

– ³Senhor, recorda que caminhei na tua presença de coração sincero e íntegro e fiz o que te agrada.

E chorou longamente.

⁴Isaías não tinha ainda deixado o pátio central, quando recebeu esta palavra do Senhor:

– ⁵Volta para dizer a Ezequias, chefe do meu povo: Assim diz o Senhor, Deus de teu pai Davi: "Escutei tua oração, vi tuas lágrimas. Vê, vou curar-te: dentro de três dias poderás subir ao templo; ⁶e acrescento aos teus dias mais quinze anos. Eu te livrarei das mãos do rei da Assíria, a ti e a esta cidade; protegerei esta cidade, por mim e por meu servo Davi".

⁷Isaías ordenou:

– Usai um emplastro de figos; aplicai-o na ferida, e ele ficará bom.

⁸Ezequias lhe perguntou:

– Qual é o sinal de que o Senhor vai me curar e dentro de três dias poderei subir ao templo?

---

los 6-7. É anúncio de paz através do sofrimento; de restauração, depois de diminuir a população. A terra continuará seu ritmo fecundo, e o povo igualmente, como árvore frutífera. Jerusalém, último reduto da resistência, será novo começo de vitalidade, devido ao amor apaixonado do Senhor (Is 9,6).

Estes versículos, originais de Isaías, plantam um sistema de símbolos que crescerão e se desenvolverão na teologia da esperança escatológica. Mais tarde, também eles poderão ser lidos como expressão dessa esperança.

19,32-34 Terceiro oráculo. O assédio não se coroará com o assalto final e a conquista; nesse sentido, a campanha de Senaquerib foi um fracasso, embora o imperador tenha cobrado um forte tributo. Jerusalém é a cidade de Davi, a cidade da presença de Deus no templo; ele será seu escudo e salvação. Ver Sl 18,3.31; 33,20; 84,12; 89,19.

19,35-37 Epílogo narrativo, apresentado como cumprimento dos oráculos precedentes.

19,35 Pode ter-se tratado de uma peste violenta que dizimou o exército e forçou a retirada. O fato é contado recordando a noite da matança dos primogênitos (Ex 12). Na travessia do mar Vermelho, o amanhecer descobre os cadáveres (Ex 14,24).

19,36 Na retirada também puderam influir as notícias do Egito.

19,37 O narrador considera essa morte violenta como castigo de Deus. É assassinado justamente no templo do seu próprio deus, incapaz de livrá-lo. A rigor, Senaquerib morreu vinte anos mais tarde, em 681, e sua morte foi o começo da decadência do seu império.

20 Aqui se encaixa a notícia cronológica de 18,9: quarto ano do seu reinado, 724; muito antes dos fatos narrados no capítulo precedente, que caem no ano 701. O rei tinha apenas vinte anos quando caiu doente.

20,1 Is 38,1-8.21s; 2Rs 1,4.

20,3 A vida reta e sincera diante de Deus tem como resposta a bênção de "longos anos". Ezequias apela para as bênçãos de Deus, em estilo deuteronômico. A súplica é breve e se prolonga no pranto.

20,5-6 A promessa que lhe fazem é limitada, mas apreciável para quem está às portas da morte: quinze anos a mais de reinado, segurança para ele e sua cidade; implicitamente, também um herdeiro (a julgar pela idade de Manassés ao suceder-lhe, Ezequias neste momento ainda não tem filhos). Esses quinze anos de reinado seguro entendam-se no contexto da catástrofe de Samaria (722), pois assim os entendeu o jovem rei.

⁹Isaías respondeu:

— Este é o sinal de que o Senhor cumprirá a palavra dada: Queres que a sombra avance dez graus ou recue dez?

¹⁰Ezequias comentou:

— É fácil a sombra avançar dez graus; difícil é recuar dez.

¹¹O profeta Isaías clamou ao Senhor, e o Senhor fez a sombra recuar dez graus no relógio de Acaz.

Embaixada de Merodac-Baladã — ¹²Nesse tempo, quando Merodac-Baladã, filho de Baladã, rei da Babilônia, soube que o rei Ezequias se havia recuperado de sua doença, enviou-lhe cartas e presentes. ¹³Ezequias alegrou-se e mostrou seu tesouro aos mensageiros: a prata e o ouro, os bálsamos e os unguentos, a baixela e tudo o que havia em seus depósitos. Não ficou nada em seu palácio e em suas dependências que Ezequias não lhes mostrasse.

¹⁴Mas o profeta Isaías apresentou-se ao rei Ezequias e lhe disse:

— O que disseram essas pessoas e de onde vêm para te visitar?

Ezequias respondeu:

— Vieram de um país distante, da Babilônia.

¹⁵Isaías perguntou:

— O que viram em tua casa?

Ezequias disse:

— Tudo. Não deixei nada de meus tesouros sem lhes mostrar.

¹⁶Então Isaías lhe disse:

— Escuta a palavra do Senhor: ¹⁷Vê, chegarão dias em que levarão para Babilônia tudo o que há em teu palácio, tudo o que entesouraram teus avós até hoje. Não sobrará nada, diz o Senhor. ¹⁸E os filhos que saíram de ti, que tu geraste, serão levados a Babilônia, para servir como cortesãos do rei.

¹⁹Ezequias disse:

— A palavra do Senhor que pronunciaste é favorável (pois dizia a si mesmo: Enquanto eu viver, haverá paz e segurança).

²⁰Para mais dados sobre Ezequias e suas vitórias e sobre as obras que realizou, a piscina e o canal para conduzir as águas à cidade, vejam-se os Anais do Reino de Judá.

²¹Ezequias morreu, e seu filho Manassés reinou em seu lugar.

21 Manassés de Judá *(698-643)* (2Cr 33,1-20)

— ¹Manassés tinha doze anos quando subiu ao trono, e reinou em Jerusalém cinquenta e cinco anos. Sua mãe chamava-se Hafsiba. ²Fez o que o

---

20,9-10 O prodígio do relógio de sol simboliza o afastamento da morte, o prolongamento da luz da vida.

20,11 Neste lugar, o livro de Isaías (Is 39,9-20) introduz o cântico de Ezequias depois de curado. É interessante repetir sua leitura aqui.

20,12 Merodac-Baladã tinha-se proclamado rei de Babilônia em 721, e do seu reino meridional hostilizava o império da Assíria, promovendo alianças e rebeliões. A embaixada ao rei de Judá não é desinteressada.

20,13 Ezequias responde à cortesia com um misto de vaidade e confiança nas suas possibilidades de resistir. É então um jovem de vinte anos.

20,14-15 O profeta se apresenta como quem exige contas, o rei lhe responde com vaidade e ingenuidade: Babilônia ainda é um nome ilustre que pode encher a boca; além disso, é um bom aliado contra a Assíria.

20,16-17 A visão profética, a palavra de Deus, superam o horizonte histórico próximo. A imagem do futuro desterro atravessa sombria o momento atual, subestimando a ameaça da Assíria.

20,19 O jovem rei não quer tremer por um futuro remoto que não lhe dirá respeito, prefere desfrutar seu próprio futuro limitado. Mede o bem e o mal segundo as suas próprias dimensões.

20,20 Trata-se do famoso túnel escavado na rocha para transportar a água do Manancial (Gion) até o reservatório de Siloé, dentro do recinto amuralhado. Era uma medida necessária para aumentar a capacidade de resistência da cidade. Ainda se pode percorrer seu traçado irregular de mais de quinhentos metros. Os operários trabalharam começando por ambas as extremidades até juntar-se; e deixaram uma lápide em recordação da façanha.

No Canto aos Pais, Ben Sirac dedica uma série de versículos a esse monarca, unido a Isaías (Eclo 48,17-24).

21 Ezequias morreu dois anos depois da espetacular retirada de Senaquerib, sucedendo-lhe um filho totalmente contrário ao pai ("fez o que o Senhor reprova"). O rei piedoso viveu trinta e cinco anos, o rei ímpio sessenta e sete. A incongruência não preocupa o autor do livro.

Manassés subiu ao trono ainda menor de idade; é lógico que durante sua regência fosse aconselhado por seguidores da conduta religiosa do pai. Não sabemos se Manassés apostatou logo no início, ou só quando chegou à maioridade.

O autor vê os pecados de Manassés como o prelúdio da queda de Judá e Jerusalém; por isso, esse capítulo, mais que uma notícia histórica sobre um reinado, soa como um resumo de reflexão teológica, semelhante ao dedicado à queda de Israel, com a diferença de que este se antecipa aos fatos.

Senhor reprova, imitando os detestáveis costumes das nações que o Senhor tinha expulsado diante dos israelitas. ³Reconstruiu as capelas dos lugares altos derrubadas por seu pai Ezequias, ergueu altares a Baal e erigiu uma estela, semelhante à que Acaz de Israel fez; adorou e prestou culto a todo o exército do céu; ⁴pôs altares no templo do Senhor, do qual o Senhor havia dito: "Porei meu nome em Jerusalém"; ⁵edificou altares a todo o exército do céu nos átrios do templo, ⁶queimou seu filho; praticou adivinhação e magia; instituiu necromantes e adivinhos. Fazia continuamente o que o Senhor reprova, irritando-o. ⁷Pôs a imagem de Astarte, que havia fabricado, no templo do qual o Senhor dissera a Davi e a seu filho Salomão: "Neste templo e em Jerusalém, cidade que escolhi entre todas as tribos de Israel, porei meu Nome para sempre; ⁸já não deixarei que Israel ande errante, longe da terra que dei a seus pais, sob a condição de que ponham em prática o que lhes ordenei, seguindo a Lei que meu servo Moisés lhes promulgou". ⁹Mas eles não obedeceram. E Manassés os extraviou, para que se comportassem pior que as nações que o Senhor havia exterminado diante dos israelitas.

¹⁰Então o Senhor disse por meio de seus servos, os profetas:

— ¹¹Visto que Manassés de Judá fez essas coisas detestáveis, comportou-se pior que os amorreus que o precederam e fez Judá pecar com seus ídolos, ¹²assim diz o Senhor Deus de Israel: Vou trazer sobre Jerusalém e Judá catástrofe tão grande, que fará retumbar os ouvidos de quem ouvir falar. ¹³Estenderei o cordel sobre Jerusalém como fiz em Samaria, o mesmo nível com que medi a dinastia de Acab, e esfregarei Jerusalém como se esfrega um prato esfregado por dentro e por fora. ¹⁴Rejeitarei o resto da minha herança, o entregarei em poder de seus inimigos, será presa e despojos de seus inimigos, ¹⁵pois fizeram o que eu reprovo, irritaram-me desde o dia em que seus pais saíram do Egito até hoje.

¹⁶Além disso, Manassés derramou rios de sangue inocente, de modo que inundou Jerusalém de ponta a ponta, sem falar do pecado que fez Judá cometer, fazendo o que o Senhor reprova.

¹⁷Para mais dados sobre Manassés e os crimes que cometeu, vejam-se os Anais do Reino de Judá.

¹⁸Manassés morreu e o enterraram no jardim do seu palácio, o jardim de Oza. Seu filho Amon reinou em seu lugar.

Amon de Judá *(643-640)* (2Cr 33,21-25) — ¹⁹Amon tinha vinte e dois anos quando subiu ao trono, e reinou dois anos em Jerusalém. Sua mãe chamava-se Mesalemet, filha de Harus, natural de Jeteba. ²⁰Fez o que o Senhor reprova, como seu pai Manassés; ²¹imitou seu pai: prestou culto aos mesmos ídolos de seu pai e os adorou; ²²abandonou o Senhor, Deus de seus pais, não andou por seus caminhos. ²³Seus cortesãos conspiraram contra ele e o assassinaram no palácio; ²⁴mas a população matou os conspiradores, nomeando Josias, filho de Amon, como rei sucessor.

²⁵Para mais dados sobre Amon e seus empreendimentos, vejam-se os Anais do Reino de Judá.

²⁶Eles o enterraram em sua sepultura no jardim de Oza. Seu filho Josias reinou em seu lugar.

21,3 Dt 4,19.
21,6 Dt 18,9-12.
21,7-8 As duas partes desta promessa recolhem a teologia de 1Rs 8 sobre a dedicação do templo: com a construção de uma morada permanente para o Senhor, o povo alcançou o descanso depois da longa peregrinação começada no Egito. A promessa era condicionada à observância.
21,11-15 A denúncia profética apresenta a estrutura clássica ampliada: denúncia do pecado, anúncio da sentença.
21,12 Ver 1Sm 3,11.
21,13 Instrumentos de construção empregados para a destruição, como em Is 34,11.
21,15 Audaz resumo de toda a vida na Palestina, como única e continuada história de pecado. Jr 7,25s.
21,16 Talvez sangue de profetas, como aconteceu em Israel sob Acab e Jezabel. Segundo a lenda, Isaías morreu serrado por ordem do rei.
21,17 O autor não tem outras coisas interessantes a relatar sobre esse longuíssimo reinado. No seu tempo morreu Senaquerib, sucedeu-lhe Asaradon e depois Assurbanipal; esses reis fizeram campanhas vitoriosas contra o Egito; depois o Egito começou a erguer-se sob Psamético, ao passo que a Assíria principiou a desagregar-se por dentro.
O livro das Crônicas (2Cr 33) fala de uma deportação de Manassés com uma consequente conversão.

22 Josias de Judá *(640-609)* (2Cr 34-35)

— ¹Josias tinha oito anos quando subiu ao trono, e reinou trinta e um anos em Jerusalém. Sua mãe chamava-se Idida, filha de Hadaia, natural de Besecat. ²Fez o que o Senhor aprova. Seguiu o caminho de seu antepassado Davi, sem desviar-se para a direita ou para a esquerda. ³No décimo oitavo ano de seu reinado ordenou ao cronista Safã, filho de Aslias, filho de Mesolam, que fosse ao templo com esta recomendação:

— ⁴Apresenta-te ao sacerdote Helcias, para que tenha preparado o dinheiro que entrou no templo pelas coletas dos porteiros entre o povo. ⁵Que o entregue aos encarregados das obras do templo, para que o repartam entre os operários que trabalham no templo restaurando os defeitos do edifício ⁶(carpinteiros, pedreiros e construtores de muros) ou para comprar madeira e pedras talhadas para restaurar o edifício. ⁷Mas não se lhes peçam contas do dinheiro que lhes é entregue, pois agem com honradez.

⁸O sumo sacerdote Helcias disse ao cronista Safã:

— Encontrei no templo o Livro da Lei.

Entregou o livro a Safã, que o leu. ⁹Depois foi avisar o rei:

— Teus servos recolheram o dinheiro que havia no templo e o entregaram aos encarregados das obras.

¹⁰E comunicou-lhe a notícia:

— O sacerdote Helcias me deu um livro.

Safã o leu diante do rei, ¹¹e quando o rei ouviu o conteúdo do Livro da Lei, rasgou

---

22 Quando Josias subiu ao trono, a situação política tinha mudado notavelmente. A Assíria tinha iniciado já o curso da sua decadência definitiva. O rei Assurbanipal é famoso, mais pela grande biblioteca que organizou do que por suas campanhas militares (é o Sardanápalo da lenda). Na sua época se prepararam as mudanças que deram lugar a uma nova época. Os inimigos do império assírio cresciam e se consolidavam: os "bárbaros" citas varriam a região norte, a caminho para o ocidente; os medos, povo indo-europeu, tornavam-se ameaçadores; em Babilônia o arameu Nabopolassar se proclamava rei, dando início ao novo império babilônico; o Egito voltava a ser uma potência. Durante o reinado de Josias, caiu Nínive, capital do império assírio, sob a pressão combinada de medos e babilônios: acontecimento profetizado por Naum. Depois do silêncio imposto pela perseguição de Manassés, os profetas voltam a falar: primeiro Sofonias, depois Jeremias. Como Ezequias teve Isaías a seu lado, assim Josias contou com Jeremias; são duas duplas extraordinárias. A vocação de Jeremias aconteceu em 627, mas é difícil dizer quando começou sua colaboração com o rei (quando em 622 encontram o livro, consultam Hulda, não Jeremias). Josias passa à história pela sua radical reforma cultual e pela sua morte trágica. A reforma religiosa começou provavelmente enquanto o rei se consolidava no trono e o partido pró-assírio perdia terreno. O autor concentra os fatos de tal modo que é impossível reconstruir as etapas da reforma.

22,2 Diz Ben Sirac (49,4a): "Exceto Davi, Ezequias e Josias, todos se perverteram".

22,4-7 Recomeçam as obras iniciadas por Joás um século antes (cap. 12).

22,8-20 A descoberta do Livro da Lei ou Livro da Aliança é um dos fatos transcendentais desse reinado. Provavelmente se tratava de uma versão anterior, menos desenvolvida, do nosso Deuteronômio. O núcleo desse livro, caps. 12-26, é uma espécie de código legal, com explicações e exortações incorporadas à série de leis. O livro é estilizado, aproximadamente, em forma de documento de aliança: com uma introdução histórica, uma série de leis, uma lista de bênçãos e maldições. Os capítulos 29-31 apresentam uma segunda aliança em terras de Moab, ao passo que uma seção do capítulo 27 se refere à renovação da aliança em Siquém. Nenhum livro como o Deuteronômio merece o duplo título de Livro da Lei e Livro da Aliança.

É certo que várias partes do livro são posteriores a Josias, e que algumas pressupõem o desterro. Por outro lado, é impossível indicar as datas de composição do resto.

No campo político, o livro tem espírito democrático; no religioso, postula uma rígida centralização do culto; no militar, renova o antigo ideal da guerra santa; etnicamente, toma uma atitude intolerante perante a população cananeia; no social, é um livro animado de profundo senso de justiça e caridade. O narrador vai concentrar-se na reforma cultual de Josias, sem nada dizer de suas reformas sociais, que devem ter sido importantes. Deve-se completar esses dois capítulos com a leitura do profeta Jeremias. A descoberta do livro parece fato casual. Como o templo ocultou por algum tempo o sucessor de Davi até sua coroação (Joás sob Atalia, 2Rs 11), assim agora o templo guarda um precioso documento de renovação e volta ao ideal primitivo da aliança.

22,8 Introduz-se com artigo, como coisa conhecida. Teoricamente, a arca continha o livro ou protocolo da aliança sinaítica. O novo livro é coisa diferente, não radicalmente nova, porém, reconhecível. O sacerdote que o encontrou foi quem deu a notícia; na sua atividade sacerdotal, devia estar familiarizado com muitos conteúdos desse livro.

22,11-13 Basta ler algumas maldições dos capítulos 27 e 28 do Dt (até mesmo a versão breve), para compreender a surpresa e o terror do rei. Enquanto o rei vai lendo, o livro se transforma em interpretação teológica do momento atual: se Judá e Jerusalém chegaram ao presente estado, é como castigo enviado pela cólera do Senhor. Aos ouvidos do rei, o livro soa como voz profética, denunciando delitos; ou melhor, dos delitos acumulados em gerações, que pesam sobre a geração presente. A consulta busca um meio de expiar o delito e afastar a cólera de Deus.

as vestes. ¹²e ordenou ao sacerdote Helcias, a Aicam, filho de Safã, a Acobor, filho de Micas, ao cronista Safã e ao funcionário real Asaías:

– ¹³Ide consultar o Senhor por mim, pelo povo e por todo Judá acerca desse livro que encontraram; porque o Senhor estará enfurecido conosco, pois nossos pais não obedeceram aos mandatos desse livro, cumprindo o que está prescrito nele.

¹⁴Então o sacerdote Helcias, Aicam, Acobor, Safã e Asaías foram ver a profetisa Hulda, esposa de Selum, o guarda-roupeiro, filho de Tícua de Haraas. Hulda vivia em Jerusalém no Bairro Novo. Expuseram-lhe o caso ¹⁵e ela lhes respondeu:

– Assim diz o Senhor, Deus de Israel: Dizei a quem vos enviou: ¹⁶Assim diz o Senhor: "Vou trazer a desgraça sobre este lugar e todos os seus habitantes, todas as maldições desse livro que o rei de Judá leu; ¹⁷por ter-me abandonado e queimado incenso a outros deuses, irritando-me com seus ídolos, minha cólera está ardendo contra este lugar, e não se apagará". ¹⁸E dizei ao rei de Judá que vos enviou para consultar o Senhor: Assim diz o Senhor, Deus de Israel: ¹⁹"Visto que ao ouvir a leitura teu coração se comoveu e te humilhaste diante do Senhor, ao ouvir minha ameaça contra este lugar e seus habitantes, que serão objeto de espanto e de maldição; visto que rasgaste as vestes e choraste em minha presença, também eu te escuto – oráculo do Senhor. ²⁰Por isso, quando eu te reunir com teus pais, serás enterrado em paz, sem que chegues a ver com teus olhos a desgraça que vou trazer para este lugar".

Eles levaram a resposta ao rei.

23

¹O rei ordenou que se apresentassem diante dele todos os anciãos de Judá e de Jerusalém. ²Depois subiu ao templo acompanhado de todos os judaítas e dos habitantes de Jerusalém, dos sacerdotes, dos profetas e de todo o povo, pequenos e grandes. O rei leu para eles o livro da aliança encontrado no templo. ³Depois, em pé sobre o estrado, selou diante do Senhor a aliança, comprometendo-se a segui-la e cumprir seus preceitos, normas e mandatos, de todo o coração e de toda a alma, cumprindo as cláusulas da aliança escritas nesse livro. Todo o povo aderiu à aliança.

⁴Depois o rei mandou o sumo sacerdote Helcias, o vigário e os porteiros para tirarem do templo todos os utensílios fabricados para Baal, Astarte e todo o exército do céu. Queimou-os fora de Jerusalém, nos campos do Cedron, e levaram as cinzas a Betel. ⁵Suprimiu os sacerdotes estabelecidos pelos reis de Judá para queimar incenso nos lugares altos dos povoados de Judá e arredores de Jerusalém, e os que ofereciam incenso a Baal, ao sol e à lua, aos signos do zodíaco e ao exército do céu. ⁶Tirou

---

22,14 Nesse momento, não basta um oráculo sacerdotal ordinário; os dignitários da corte, incluído o sumo sacerdote, têm de recorrer ao oráculo profético. Por que Hulda? Será porque Jeremias ainda não era acreditado? O autor não acha nada de estranho na escolha. Jeremias pertencia a uma família sacerdotal de Anatot, ao passo que Hulda era a mulher de um empregado subalterno do templo. Essa profetisa faz companhia a Débora.

22,16-20 O oráculo foi reelaborado em estilo deuteronomista, sobretudo na parte que se refere ao templo.

22,17 A cólera é o incêndio metafórico que se converterá em realidade (ver o capítulo final e Ez 9).

22,18-19 A favor do rei se anotam a conversão interna e os gestos externos que exprimem a penitência. É a atitude inicial, antes das obras de reforma.

22,20 A cláusula "em paz" deve ser entendida em posição adversativa: sem que vejas a desgraça do templo e da cidade. Nesse sentido, a profecia se cumpre, a morte prematura do rei é um ato de misericórdia. Não se cumpre, se pensamos na morte natural. A palavra hebraica *shalom* tem ampla gama de significados; pode ser que os contemporâneos a interpretassem em sentido estrito, o que aumentaria o escândalo da morte em batalha.

23,1-3 As cerimônias de renovação da aliança eram conhecidas, e o autor não se detém em descrevê-las todas. O rei age qual mediador, como Moisés e Josué em outros tempos – não segue o modelo de Joás. O povo escutava a leitura pública e respondia com aceitação, talvez repetindo o tríplice "serviremos" (como em Ex 19 e Js 24).

23,3 Dt 26,16; 30,2.10.

23,4 Uma parte da renovação da aliança era a remoção dos ídolos (Js 24). O narrador introduz neste lugar toda a série de reformas, como um colossal rito de purificação (compare-se com o caso de Joás, capítulo 12).

23,5 O culto astral cresceu sob a pressão assíria, sobretudo no tempo de Manassés. Os 10,5.

23,6 Os sepulcros são lugar profano e reino da morte. A cerimônia simboliza a morte dos ídolos (cf. Sl 82) e de seus cultos (outro tipo de profanação em Is 2,20). A proximidade da torrente parece ter valor ritual (recorde-se a matança dos sacerdotes de Baal, 1Rs 18, e o caso do assassinato em Dt 21,1-9).

do templo a estela, levou-a para fora de Jerusalém, para a torrente Cedron, queimou-a junto à torrente, a reduziu a cinzas, lançando-as na vala comum. ⁷Demoliu os quartos do templo dedicados à prostituição sagrada, onde as mulheres teciam mantos para Astarte. ⁸Fez vir dos povoados de Judá todos os sacerdotes e, de Gaba* até Bersabeia, profanou os lugares altos em que esses sacerdotes ofereciam incenso. Derrubou a capela dos sátiros que havia na entrada da porta de Josué, governador da cidade, à esquerda de quem entra. ⁹(Não era permitido aos sacerdotes das capelas subir ao altar do Senhor em Jerusalém, apenas comiam pães ázimos entre seus irmãos.) ¹⁰Profanou o forno do vale de Ben-Enom, para que ninguém queimasse o filho ou a filha em honra de Moloc. ¹¹Fez desaparecer os cavalos que os reis de Judá haviam dedicado ao sol, na entrada do templo, junto ao quarto do eunuco Natã-Melec, nas dependências do templo; queimou o carro do sol. ¹²Também derrubou os altares no terraço da varanda de Acaz, construídos pelos reis de Judá, e os altares construídos por Manassés nos dois átrios do templo; ele os triturou e espalhou o pó na torrente Cedron. ¹³Profanou as capelas que olhavam para Jerusalém, ao sul do monte das Oliveiras, construídas por Salomão, rei de Israel, em honra de Astarte (ídolo detestável dos fenícios), Camos (ídolo detestável de Moab) e Melcom (ídolo detestável dos amonitas). ¹⁴Quebrou os postes sagrados, cortou as estelas e encheu o seu local com ossos humanos. ¹⁵Derrubou também o altar de Betel e o santuário construído por Jeroboão, filho de Nabat, com o qual fez Israel pecar. Triturou-o até reduzi-lo a pó, e queimou a estela.

¹⁶Voltando-se, Josias viu os sepulcros que havia aí no monte; então mandou recolher os ossos desses sepulcros, queimou-os

---

23,7 O texto hebraico diz "casas", que é inexplicável. Algumas versões antigas falam de vestes para a divindade; mudando uma letra (confusão fonética), poder-se-ia ler "linho". 1Rs 14,24.

23,8a Isto indica a extensão limitada da reforma na sua primeira etapa. Gaba era a fronteira norte do reino de Judá. Com essa ação, Josias vai completando a reforma iniciada por Ezequias e interrompida e abolida por Manassés. A destruição dos santuários locais é a norma que o autor emprega para julgar os reis. Os santuários locais tinham tido uma função decisiva na piedade das populações agrícolas (ver, por exemplo, Dt 26); a medida de Josias foi radical. Quis extirpar o perigo evidente de contaminação e sincretismo; não terá arrancado ao mesmo tempo as raízes da religiosidade? Bastará o culto centralizado e reduzido a poucas ocasiões, para compensar a perda de uma prática religiosa mais frequente e enraizada? Impressiona o entusiasmo do rei que chegou a contagiar, entre outros, o autor da história. * = Alto.

23,8b Os sátiros eram divindades ou numes adversos que povoavam os lugares desertos; ver Is 34, onde os numes invadem a cidade destruída. O altar na porta da cidade serviria para protegê-la da influência nociva dessas divindades campestres. (Talvez o misterioso Azazel de Lv 16,10 seja um deles.)

23,9 Ficando os sacerdotes locais sem trabalho, a primeira ideia foi transferi-los para o serviço do templo; mas seu número era excessivo, e os sacerdotes estabelecidos fizeram valer os seus direitos. Assim ficaram relegados a uma função secundária, com inevitáveis tensões e ressentimentos (do que dá testemunho Nm 17-18).

23,10 Trata-se do famoso "Tofet" (vocalização depreciativa de *tefat* = estufa), que se torna lugar de profanação e símbolo do lugar infernal (ver Is 30,33; Jr 7,13-14).

23,11 Parece tratar-se de um culto assírio, que imagina o sol transportado num carro celeste. Os cavalos eram vivos, e serviam para puxar o carro nas procissões.

23,12 A "varanda" de Acaz parece um esclarecimento. Trata-se de altares construídos no palácio, à maneira de capelas privadas. O autor não diz que eram dedicados a Baal ou a outras divindades, por isso podemos pensar que se tratava de algum altar em honra de *Yhwh*, à margem do altar central do templo. No afã de purificar e unificar, Josias dá exemplo no palácio real. Jr 19,13.

23,13 Eram capelas ou altares erigidos em honra dos deuses de suas mulheres estrangeiras (1Rs 11,5-8).

23,14 Lv 21,1.11.

23,15 Esta nova medida mostra que Josias tinha estendido seu domínio político até a região de Efraim. Isso era possível pela decadência da Assíria, quando Assurbanipal estava ocupado com outros inimigos de maior envergadura. Dir-se-ia que na mente de Josias dominava a imagem de um novo reino unificado, como nos tempos de Davi, com um santuário central, como nos tempos de Salomão.
Betel era o símbolo do cisma, o começo de um pecado que terminou com a destruição do reino. Por isso, a purificação de Betel era um ato simbólico de importância capital para todos os habitantes do norte que ainda se sentiam fiéis ao Senhor.

23,16-18 O autor mostra seu interesse em marcar a ligação dessa ação com a de Jeroboão; é a ligação mais poderosa que o autor conhece, o vínculo entre palavra e cumprimento. E Josias é o mediador de tal cumprimento.
Trata-se de sepulcros de homens venerados pelo povo (beatos); a ação do rei indica que essa veneração estava unida a cultos ilegítimos. Em contraste, aquele que profetizou contra Jeroboão era verdadeiro profeta do Senhor.

sobre o altar e o profanou, conforme a palavra do Senhor anunciada pelo profeta, quando Jeroboão, na festa, estava de pé diante do altar. Ao voltar-se, o rei ergueu os olhos para o sepulcro do profeta que havia anunciado esses fatos, [17]e perguntou:

— O que é aquele mausoléu que estou vendo?

Os da cidade lhe responderam:

— É o sepulcro do profeta que veio de Judá e anunciou o que acabas de fazer com o altar de Betel.

[18]Então o rei ordenou:

— Deixai-o! Que ninguém remova seus ossos.

Assim se conservaram seus ossos junto com os do profeta que viera de Samaria.

[19]Josias fez desaparecer também todas as capelas dos lugares altos que havia nos povoados de Samaria, construídas pelos reis de Israel para irritar o Senhor; fez com elas o mesmo que fez em Betel. [20]Sobre os altares degolou os sacerdotes das capelas que havia aí, queimando sobre os altares ossos humanos. Depois voltou a Jerusalém, [21]e ordenou ao povo:

— Celebrai a Páscoa em honra do Senhor vosso Deus, como está prescrito neste livro da aliança.

[22]Não se havia celebrado uma Páscoa semelhante desde o tempo em que os juízes governavam Israel, nem no tempo de todos os reis de Israel e Judá. [23]Foi no décimo oitavo ano do reinado de Josias que se celebrou essa Páscoa em Jerusalém, em honra do Senhor.

[24]Para cumprir as cláusulas da lei escritas no livro que o sacerdote Helcias encontrou no templo, Josias extirpou também os necromantes e os adivinhos, ídolos, fetiches e todas as monstruosidades que se viam no território de Judá e em Jerusalém, para cumprir as cláusulas da lei escritas no livro que o sacerdote Helcias encontrou no templo do Senhor. [25]Nem antes nem depois houve um rei como ele, que se convertesse ao Senhor com todo o coração, com toda a alma e com todas as suas forças, em tudo fiel à Lei de Moisés. [26]Todavia, o Senhor não aplacou seu furor contra Judá, por causa das irritações que Manassés lhe havia causado. [27]O Senhor disse:

— Afastarei de minha presença também Judá, como fiz com Israel; e repudiarei Jerusalém, minha cidade escolhida, e o templo no qual decidi estabelecer meu Nome.

[28]Para mais dados sobre Josias e seus empreendimentos, vejam-se os Anais do Reino de Judá.

[29]No seu tempo, o faraó Necao, rei do Egito, subiu para ver o rei da Assíria, a caminho do Eufrates. O rei Josias saiu para enfrentá-lo, e Necao o matou em Meguido,

---

23,19 Partindo de Betel como centro, o zelo reformador vai-se estendendo pela região de Samaria, à medida que o rei de Judá amplia seus domínios.

23,20 Este detalhe sangrento não estava previsto, e não sabemos se é elaboração posterior. Apresenta-nos um Josias contagiado pelo zelo de Elias.

23,21-23 Na grande concentração de fatos que o autor realizou, a reforma culmina numa grande festa litúrgica. Com a celebração da Páscoa, o povo e o rei repetem um momento primordial da sua história: a libertação do Egito, e também a primeira Páscoa celebrada por Josué logo ao entrar na terra prometida (Js 5). Todas as Páscoas intermédias não se podem comparar com esta Páscoa transcendental: será o começo de nova época na terra prometida. Provavelmente semelhante emoção e expectativa tomaram conta do povo nessa data memorável. Josias, novo Davi, novo Josué.

23,24 Ver Dt 18,10-12.

23,25-26 Um autor posterior corrige esse otimismo, expressando a amarga desilusão dos fatos e explicando-a pela decisão irrevogável do Senhor. Josias permanece como modelo de "conversão", e como tal, com seu exemplo continua pregando à geração do desterro. Mas sua conversão não é suficiente para que o Senhor "se converta" (o mesmo verbo em hebraico) e retire sua sentença de condenação. Os pecados de Manassés pesam mais que a piedade de Josias; por ora, o autor se contenta com essa explicação um tanto simplista.

É preciso ler o profeta Jeremias para ver que os pecados de Manassés eram o ápice de uma cadeia de pecados precedentes, e que, depois de Josias, o povo e os reis voltaram a pecar. Jeremias nos proporciona uma interpretação muito mais matizada da tragédia.

23,27 2Rs 17,18.

23,29-30 Aconteceu de modo pouco heroico. No Egito, Necao tinha sucedido a Psamético II. Este Faraó considerou chegado o momento de reconquistar a velha supremacia sobre a Palestina e a Síria; e para alcançar a hegemonia, se dispôs a oferecer batalha ao imperador da Assíria. Do Egito subiu pelo litoral, avançou até a vertente sul do Carmelo e penetrou numa das passagens tradicionais da montanha. À saída, junto à praça de Meguido, esperava por ele o rei de Judá, que tinha estendido o seu domínio até essas regiões. Necao lidera um exército para enfrentar a potência da Assíria, e não encontrou inimigo à altura no reduzido e novato exército do rei de Judá. Josias morreu na batalha.

no primeiro encontro. ³⁰Seus servos puseram o cadáver num carro, o transladaram de Meguido a Jerusalém e o enterraram em seu sepulcro. Então o povo pegou Joacaz, filho de Josias, o ungiram e o nomearam rei sucessor.

Joacaz de Judá *(609)* (2Cr 36,1-4) – ³¹Joacaz tinha vinte e três anos quando subiu ao trono e reinou três meses em Jerusalém. Sua mãe chamava-se Hamital, filha de Jeremias, natural de Lebna*. ³²Joacaz fez o que o Senhor reprova, como seus antepassados. ³³O faraó Necao o prendeu em Rebla, província de Emat, para impedi-lo de reinar em Jerusalém, e impôs ao país um tributo de três mil quilos de prata e trinta de ouro.

³⁴O faraó Necao nomeou rei a Eliacim, filho de Josias, como sucessor de seu pai Josias, mudando-lhe o nome para Joaquim. Levou Joacaz ao Egito, onde morreu. ³⁵Joaquim entregou ao Faraó a prata e o ouro, mas para isso teve de impor à nação uma contribuição: cada um, segundo sua tarifa, pagou a prata e o ouro que deviam ser entregues ao Faraó.

Joaquim de Judá *(609-598)* (2Cr 36,5-8) – ³⁶Joaquim tinha vinte e cinco anos quando subiu ao trono e reinou onze anos em Jerusalém. Sua mãe chamava-se Zebida, filha de Fadaías, natural de Ruma. ³⁷Fez o que o Senhor reprova, como seus antepassados.

24 ¹Duante seu reinado, Nabucodonosor, rei da Babilônia, fez uma expedição militar, e Joaquim lhe esteve submetido por três anos. Mas rebelou-se.

²Então o Senhor mandou contra ele guerrilhas de caldeus e sírios, moabitas e amonitas; enviou-os contra Judá para aniquilá-lo, conforme a palavra que havia

---

Por que Josias agiu tão temerariamente? Parece que tinha observado o ressurgir do inimigo tradicional desde os dias de Psamético II, e temia perder a independência e os territórios anexados; esperava resistir ao Faraó antes que fosse tarde demais; contava com a capacidade estratégica do desfiladeiro de Meguido. Numa cartada jogou tantas vantagens e as perdeu todas com a vida. E o Faraó seguiu adiante.

23,30 Os representantes do povo nomearam rei um filho menor de Josias, que pensava e sentia como seu pai; ele continuaria a obra de reforma e conseguiria conquistar a independência. Vê-se em que em Judá o partido antiegípcio era forte, e que o ímpeto renovador de Josias podia sobreviver a ele.

23,31 * = Alva.

23,33-34 Não aconteceu assim, porque o Faraó não queria ter inimigos na retaguarda, quando se preparava para o grande encontro. Necao depôs o rei nomeado pelo povo e impôs um que reinasse pela graça do Faraó. Ao mudar-lhe o nome, respeitou os sentimentos religiosos da população: *Yaho* (*Yhwh*, Senhor), já que afirmou seu domínio, em vez de *El* (deus). Judá voltou à vassalagem, com mudança de dono. O Faraó realizou tudo isso a partir do seu quartel general instalado em Rebla.

23,35 E o povo começou a sentir no bolso o domínio estrangeiro. Penetra a desilusão, formam-se partidos segundo as preferências, entre eles um forte partido de resistência.

23,36-37 Joaquim (*Yehoyaqim*) parece encarnar o espírito de resistência política unida a uma recaída na apostasia religiosa e na injustiça. Sua breve presença nestas linhas deve ser completada com a leitura do livro de Jeremias. "O que o Senhor reprova" é fórmula genérica, quase tópico, neste livro; no livro de Jeremias, nós o vemos agindo: ver entre outras passagens Jr 22,10-30; 7 e 26; 36. Entretanto, o mapa internacional mudou.

24,1 De repente, sem aviso prévio, deparamos em cena com o famoso Nabucodonosor, rei de Babilônia. O seu pai Nabopolassar, aliado de Ciáxares, rei da Média, no ano 612 conquistou Nínive, cumprindo a profecia de Naum. O reino assírio subsistiu alguns anos e desapareceu para sempre. Dos dois aliados, Babilônia mostrou-se mais forte; talvez porque os medos começaram já as lutas com outro povo indo-europeu, os persas. No espaço de apenas um reinado, o domínio do Oriente passou da Assíria à Babilônia: é o segundo império babilônico, regido por uma dinastia arameia, como o primeiro (626-539).

Quando Necao chegou finalmente ao encontro para a batalha decisiva em Carquemis, encontrou-se com o inimigo novo, Nabucodonosor de Babilônia. E foi derrotado tão gravemente (605), que por muito tempo não pôde refazer-se. Assim o reino de Babilônia se converte no império da vez, senhor de uma constelação de vassalos. Um entre tantos é Judá. E quando o soberano não se digna enfrentar algum vassalo, pode incitar outros vassalos a realizar gratuitamente seus desígnios. Bastam-lhe pequenos destacamentos antes de apresentar-se em batalha campal.

24,2 Jr 25,9.

24,2-4 O autor considera essas hostilidades catastróficas; na realidade, eram só o prelúdio da catástrofe, provocada por Joaquim e seu partido de patriotas. Jeremias declarou que a salvação estava em reconhecer o domínio babilônico, que o templo não era um talismã, capaz por si de proteger a cidade e o povo. Os patriotas declararam Jeremias inimigo da pátria, desmoralizador das tropas, prendendo-o e tentando matá-lo. O espírito de resistência tornou-se cada vez mais fanático, e cada vez mais cega a vã confiança no templo. Dessa maneira, eles próprios aceleraram o cumprimento da sentença divina.

pronunciado por meio de seus servos, os profetas. ³Isso aconteceu a Judá por ordem do Senhor, para afastá-lo de sua presença por causa dos pecados que Manassés havia cometido, ⁴pelo sangue inocente que derramou até inundar Jerusalém; o Senhor não quis perdoar.

⁵Para mais dados sobre Joaquim e seus empreendimentos, vejam-se os Anais do Reino de Judá.

⁶Joaquim morreu, e seu filho Jeconias reinou em seu lugar.

⁷O rei do Egito não voltou a sair do seu país, porque o rei da Babilônia se havia apoderado das antigas posses do rei do Egito, do Nilo até o Eufrates.

Jeconias de Judá *(598-597)* (2Cr 36,9-10) – ⁸Jeconias tinha dezoito anos quando subiu ao trono e reinou três meses em Jerusalém. Sua mãe chamava-se Noesta, filha de Elnatã, natural de Jerusalém. ⁹Fez o que o Senhor reprova, como seu pai.

¹⁰Nesse tempo, os oficiais de Nabucodonosor, rei da Babilônia, subiram contra Jerusalém e a cercaram. ¹¹Nabucodonosor, rei da Babilônia, chegou a Jerusalém quando seus oficiais a mantinham cercada. ¹²Jeconias de Judá rendeu-se ao rei da Babilônia com sua mãe, ministros, generais e funcionários. O rei da Babilônia os prendeu no oitavo ano do seu reinado. ¹³(Levou os tesouros do templo e do palácio, e quebrou todos os utensílios de ouro que Salomão, rei de Israel, fizera para o templo segundo as ordens do Senhor*. ¹⁴Deportou Jerusalém inteira, os generais, os ricos – dez mil deportados –, os ferreiros e os serralheiros; ficou somente a população pobre.) ¹⁵Nabucodonosor deportou Jeconias para Babilônia. Levou deportados de Jerusalém para Babilônia o rei, a rainha-mãe, suas mulheres, funcionários e os grandes do reino, ¹⁶todos os ricos: sete mil deportados; os ferreiros e serralheiros: mil deportados; todos aptos para a guerra. ¹⁷Em seu lugar, nomeou rei seu tio Matanias, mudando-lhe o nome para Sedecias.

Sedecias de Judá *(597-587)* (2Cr 36,11-14) – ¹⁸Sedecias tinha vinte e um anos quando subiu ao trono, e reinou onze anos em Jerusalém. Sua mãe chamava-se Hamital, filha de Jeremias, natural de Lebna. ¹⁹Fez o que o Senhor reprova, como fizera Joaquim. ²⁰Isso aconteceu a Jerusalém e a Judá por causa da cólera do Senhor, até que os expulsou de sua presença. Sedecias rebelou-se contra o rei da Babilônia.

25 Queda de Jerusalém (Jr 52) –
¹Mas no nono ano de seu reinado,

24,6 Joaquim morreu jovem, sem ver a catástrofe.

24,8 O partido da resistência esperava que o filho Jeconias (*Yehoyakin* = Joaquin) continuasse a política paterna. No começo, o jovem cedeu aos ministros; mas quando um exército aparelhado assediou a capital, Jeconias se rendeu para salvar a vida e a cidade. O imperador fez represálias, impôs fortes tributos e nomeou um rei vassalo, da família de Josias: Sedecias.

24,12 Entre o primeiro grupo de deportados, foi para Babilônia um jovem sacerdote que no desterro receberia sua vocação profética; anunciou a queda definitiva e a esperança de restauração: chamava-se Ezequiel. Para esse profeta, Jeconias continua sendo o rei legítimo, e os anos continuam sendo contados segundo sua subida ao trono.

24,13-14 Acréscimo posterior que antecipa fatos da segunda deportação. Ver Jr 27,22. Os versículos seguintes dão a versão original. *Ou: conforme o que o Senhor tinha anunciado, Is 20,17s.

24,15-16 Com essas medidas, Nabucodonosor julgou dominada a resistência dos judeus. Engano.

24,17 É um filho de Josias, irmão uterino de Joacaz, rei deposto por Necao. Também Nabucodonosor respeitou os sentimentos religiosos do povo, dando ao novo rei um nome javista. Sedecias significa "justiça (ou vitória) do Senhor". Será um toque de ironia esse nome? (cf. Jr 23,6).

24,20 Outra vez Jeremias teve de enfrentar o rei e o partido dos patriotas. O profeta pregava a rendição, a vassalagem, como único meio para salvar o que restava da nação nacional. Os novos ministros reavivaram o espírito de resistência, e o rei foi fraco demais para tomar uma decisão corajosa e salvadora. No Egito, Psamético II sucedeu a Necao (593-588). No seu tempo, uma embaixada de confederados – Amon, Moab, Edom e Tiro – foi a Jerusalém com a intenção de atrair o rei para uma rebelião contra o poder babilônico. Sedecias vacilou, sem chegar a consumar a rebelião. A Psamético sucedeu Hofra (588-569), que recomeçou a velha política de influência sobre a Síria e a Palestina. Contra os conselhos e ameaças de Jeremias, o partido da resistência se impôs ao rei, e este se rebelou. Nabucodonosor não podia tolerar o ressurgimento do Egito, pressentido nessa rebelião; por isso, dirigiu-se à Síria com grande exército. Estabeleceu o quartel general em Rebla e daí despachou dois corpos de exércitos: um contra a Síria, outro contra Judá e Jerusalém.

25,1 Começa o cerco da cidade (587). Jerusalém, ajudada por suas defesas naturais e artificiais, e animada pelo patriotismo, resistiu ao invasor. Durante

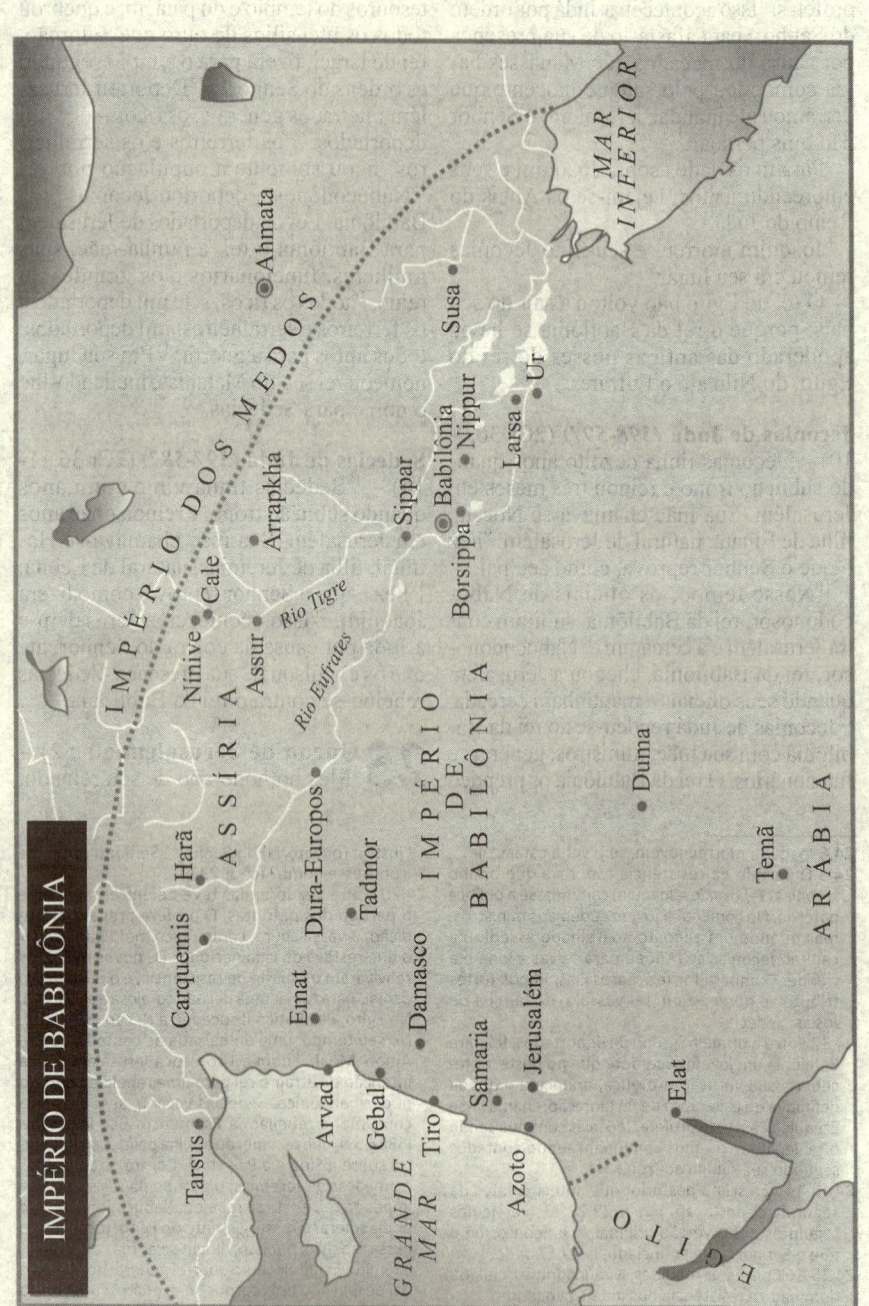

no décimo dia do décimo mês, Nabucodonosor, rei da Babilônia, veio a Jerusalém, com todo o seu exército, acampou diante dela, construindo torres de assédio ao redor. ²A cidade ficou sitiada até o décimo primeiro ano do reinado de Sedecias, no nono dia do quarto mês. ³A fome apertou na cidade e não havia pão para a população. ⁴Abriu-se uma brecha na cidade, e os soldados fugiram de noite, pela porta entre as duas muralhas, junto aos jardins reais, enquanto os caldeus rodeavam a cidade, e tomaram o caminho da estepe. ⁵O exército caldeu perseguiu o rei; eles o alcançaram na estepe de Jericó, enquanto suas tropas se dispersavam, abandonando-o. ⁶Prenderam o rei e o levaram ao rei da Babilônia, que estava em Rebla, e pronunciou a sentença contra ele. ⁷Fez executar os filhos de Sedecias em sua presença. Cegou Sedecias, pôs-lhe correntes de bronze e o levou a Babilônia.

⁸No primeiro dia do quinto mês (que corresponde ao décimo nono ano do reinado de Nabucodonosor em Babilônia) chegou em Jerusalém Nabuzardã, chefe da guarda, funcionário do rei da Babilônia. ⁹Incendiou o templo, o palácio real e as casas de Jerusalém, pondo fogo em todos os palácios. ¹⁰O exército caldeu, sob as ordens do chefe da guarda, derrubou as muralhas que rodeavam Jerusalém. ¹¹Nabuzardã, chefe da guarda, levou cativo o resto do povo que havia ficado na cidade, os que haviam passado ao rei da Babilônia e o resto da população pobre. ¹²Deixou alguns da classe baixa, como vinhateiros e agricultores.

¹³Os caldeus quebraram as colunas de bronze, os pedestais e o reservatório de bronze que havia no templo, para levar o bronze a Babilônia. ¹⁴Levaram também as panelas, pás, facas, bandejas e todos os utensílios de bronze que serviam para o culto. ¹⁵O chefe da guarda pegou os braseiros e os aspersórios, e tudo o que havia, em duas partes, de ouro e de prata, ¹⁶e as duas colunas, o reservatório e os pedestais que Salomão fizera para o templo (impossível calcular quanto pesava o bronze desses objetos; ¹⁷cada coluna media nove metros e era rematada por um capitel de bronze, de metro e meio de altura, adornado com trançados e romãs ao redor, tudo de bronze).

¹⁸O chefe da guarda prendeu o sumo sacerdote Saraías, o vigário Sofonias e os três porteiros; ¹⁹prendeu na cidade um dignitário chefe do exército e cinco homens do serviço pessoal do rei, que se encontravam na cidade, o secretário do general-em-chefe, que fizera a mobilização dos latifundiários, e sessenta cidadãos que se encontravam na cidade. ²⁰Nabuzardã, chefe da guarda, os prendeu e os levou ao rei da Babilônia, em Rebla. ²¹O rei da Babilônia os fez executar em Rebla, província de Emat.

Assim Judá foi para o desterro.

---

o cerco, Hofra saiu do Egito e avançou ameaçador, obrigando os sitiadores a levantar o cerco. É a libertação – pensam os ministros –, o Senhor protege seu templo e cidade, fracassam as profecias de Jeremias. Mas este repete um oráculo terrível: "Os caldeus voltarão". Não é que queira ter razão a todo custo; dói-lhe na alma a desgraça do seu povo, mas tem de anunciá-la. Efetivamente, o exército babilônio volta e aperta mais e mais o cerco.

25,3 Leiam-se as descrições poéticas das Lamentações.

25,4 Era o dia 18 de julho de 586. O rei fugiu em direção ao Jordão, talvez para se refugiar em território moabita.

25,7 Desde então, dois reis de Judá viveram na prisão de Babilônia: Jeconias, que se tinha rendido, e Sedecias, que se tinha rebelado.

25,8-9 Assim se cumpriram as profecias de Ezequiel. Numa visão, o profeta do desterro tinha contemplado os pecados de idolatria de anos e até de séculos: um panorama histórico de crimes. E tinha escutado uma ordem que mandava incendiar e matar. O tempo entre a ocupação e o incêndio foi dedicado ao saque sistemático da cidade e do templo.

25,12 Assim quebrou a resistência urbana, sem entregar o país à desolação.

25,13-17 O sadismo no templo marca o fim de uma etapa histórica começada com Salomão. O Senhor abandonou seu templo; Ezequiel viu a glória do Senhor desaparecer rumo ao oriente. Jeremias o tinha predito: como os filisteus destruíram o templo de Silo, assim os caldeus destruiriam o templo de Jerusalém. A edificação do templo, com todos os bens que tinha trazido à nação, havia criado também uma falsa confiança, como se o templo fosse um talismã, à margem das terríveis exigências do Senhor. Os caldeus haveriam de destruir os muros de um templo material e, com eles, a falsa confiança nele. Podemos supor que o sumo sacerdote tinha alimentado a falsa confiança no templo.

25,13 1Rs 7.

Godolias (Jr 40-41) – ²²Nabucodonosor, rei da Babilônia, nomeou Godolias, filho de Aicam, filho de Safã, governador dos que ficavam no território de Judá, o povo que ele deixava. ²³Quando os capitães e seus homens ouviram que o rei da Babilônia havia nomeado Godolias governador, foram a Masfa* para visitá-lo: Ismael, filho de Natanias, Joanã, filho de Carea, Saraías, filho do netofatita Taneumet e Jezonias de Maaca; todos eles com seus homens. ²⁴Godolias jurou-lhes:

– Não temais em submeter-vos aos caldeus. Estabelecei-vos no país, obedecei ao rei da Babilônia e tudo irá bem para vós.

²⁵No sétimo mês, porém, Ismael, filho de Natanias, filho de Elisama, de sangue real, chegou com dez homens e assassinou Godolias, os judaítas e caldeus do seu séquito em Masfa. ²⁶Todo o povo, pequenos e grandes, com os capitães, partiram em fuga para o Egito, com medo dos caldeus.

Anistia – ²⁷No trigésimo sétimo ano do desterro de Jeconias de Judá, no vigésimo quarto dia do décimo segundo mês, Evil-Merodac, rei da Babilônia, no ano de sua subida ao trono, concedeu anistia a Jeconias de Judá e o tirou da prisão. ²⁸Prometeu-lhe seu favor e pôs seu trono mais alto que os dos outros reis que havia com ele na Babilônia. ²⁹Mudou-lhe a roupa de prisioneiro e, enquanto viveu, o fez comer à sua mesa. ³⁰E, enquanto viveu, era-lhe dada uma pensão diária por parte do rei.

25,22-24 Dobrada a resistência da cidade, o imperador de Babilônia transformou o território em província do império e nomeou um governador nativo. Era um ato de tolerância, que prometia bons resultados. Godolias pertencia ao partido de Jeremias, que tinha sido posto em liberdade pelo general Nabuzardã, aceitava a submissão a Nabucodonosor não só como fato consumado, mas como desígnio do Senhor, e tinha energia suficiente para recomeçar das ruínas. Era plenamente um espírito que poderíamos chamar "do Resto", se Ezequiel não nos dissesse que o verdadeiro Resto eram os deportados.

25,23 * = Atalaia.

25,25-26 Começaram a semear, e a terra respondeu à esperança desses homens com uma colheita. Mas em Judá continuavam as facções e os grupos anárquicos. Por excesso de confiança, Godolias caiu assassinado: nova provocação ao domínio estrangeiro. O assassino fugiu, refugiando-se em território amonita, enquanto que os judaítas, aterrorizados, correram a buscar refúgio no Egito. Inúteis os esforços de Jeremias para dissuadi-los: ele próprio teve de ir para o Egito, como prisioneiro dos seus.

Nos dois extremos do antigo mundo, dois profetas partilham o desterro do seu povo. Uma voz se apaga no Egito, ao que parece derrotada; outra ressurge em Babilônia, convidando à esperança.

25,27-29 A esperança volta a iluminar no rescaldo. Ainda há em Babilônia um homem que representa seu povo como Ungido do Senhor, a quem os desterrados respeitam como rei. Passou pelo sofrimento, desterro, prisão; salvou a vida. É o descendente de Davi, o portador da promessa.

Em 562 morre Nabucodonosor e sucede-lhe Evil-Merodac. O novo imperador de Babilônia concedeu a Jeconias uma espécie de anistia: devolve-lhe o título, as honras, o regime de rei vassalo. Será o início de uma nova época para o povo e a monarquia? Voltarão à pátria, como anunciaram Jeremias e Ezequiel?

PRIMEIRO E SEGUNDO LIVROS DAS CRÔNICAS

INTRODUÇÃO

Os judeus chamam este livro dibrê hayyamim, *que equivale a* Anais. *Os gregos o chamaram* Paralipômenon, *que equivale a* Restos. *No ocidente se impôs o nome de Crônicas, e o autor costuma ser chamado de Cronista. O nome grego é pouco feliz, porque o livro, mais que recolher dados excedentes, exclui boa parte de sua fonte principal, e o que oferece é de origem duvidosa. Os outros dois títulos nos conduzem ao mundo da historiografia, a um modo muito peculiar de escrever a história, como veremos.*

O livro

Durante muito tempo, também entre autores críticos, o conjunto de Crônicas, Esdras e Neemias (ou Esdras I e II) considerou-se como um só livro, uma história que abrange de Adão até Esdras. Esta opinião continua respeitada, embora já não seja comum. Entre as diversas opiniões hoje defendidas, contento-me em citar as principais: são dois livros autônomos unidos pela repetição de uma peça; dois livros do mesmo autor; Crônicas é resultado de duas (ou três) redações sucessivas; acolhe acréscimos de blocos e detalhes.

Data

Deixando uma margem requerida pelas diversas hipóteses citadas, pode-se indicar como mais provável uma data pouco anterior ao ano 400 (alguns a têm rebaixado até o ano 200 a.C.).

Novidade

Era necessário voltar a escrever a história? Não bastava acrescentar ao Deuteronomista (Js, Jz, Sm, Rs) uns capítulos sobre a volta do desterro e a comunidade judaica do século V? Ou seja, Zorobabel e Josué, Ageu e Zacarias, Esdras e Neemias.

O autor, que conhecia a situação de primeira mão, pensou que era necessário ou conveniente; os judeus formavam parte de uma província do grande império persa. Os sucessores incorporaram essa obra entre os escritos canônicos (no final da Bíblia hebraica). Por isso estamos perante uma obra que exige do leitor moderno notável esforço de compreensão. Também essa obra é escrita "para nós"? Em que sentido?

Fontes

O autor recolhe grande parte de seus materiais de livros históricos existentes. Em parte para compilar longas listas genealógicas, em parte para copiar com retoques capítulos inteiros. O que ele copia de outros ocupa quase a metade da obra, as listas ocupam quase a metade do resto; no espaço remanescente há vários discursos.

Não sabemos com certeza se o autor utilizou uma obra já elaborada, que chama Midraxe (estudo ou ensaio) dos Reis (2Cr 24,27). Quando cita escritos proféticos como fontes, não parece usar os originais, e sim materiais já incorporados em Sm e Rs. É uma pergunta sem resposta segura: além disso, teve acesso a arquivos familiares ou tribais, a documentos da corte e do templo?

Aquilo que o autor exclui de Sm e Rs é tão importante como aquilo que aproveita. Principalmente: a) a história de Saul e do reino do Norte; b) os episódios menos edificantes de seus heróis, Davi e Salomão; c) muito da atividade civil, militar e política de ambos. Ora, o autor não eliminou nem censurou as obras existentes; reconheceu seu uso e presença. Se o autor da obra inteira é Esdras,

seria ele mesmo que codificou (segundo a tradição) os escritos precedentes. O autor sabia que seus leitores conheciam ou tinham acesso a tais obras; ele oferece uma leitura alternativa.

Princípio de unidade

Sua alternativa é concentrar. O eixo de cristalização é o templo, construído por Davi-Salomão, servido principalmente pelos levitas. Chama o templo hekal, ou miqdash = santuário, geralmente bet Yhwh/'elohim. Para esse centro histórico tendem as gerações desde Adão, com um sucessivo afunilamento do tronco pela escolha: Adão, Set, Noé, Abraão, Isaac, Jacó, Judá e Levi, sem podar ramificações.

Davi reinou em vista desse empreendimento cultual; suas guerras são contadas para justificar que ele pessoalmente não podia edificar o templo; o episódio do recenseamento fatal é contado porque introduz o terreno onde se erguerá o templo. Salomão completa seu pai Davi segundo o esquema projetado: execução, preparativos, realização. O que se segue depende desse centro histórico, sobretudo em forma de sucessivas restaurações ou reformas: Josafá, Joás, Ezequias e Josias. Segundo essa concepção, a restauração de Ciro (final de 2Cr), contada por Esdras, parece postulada pelo dinamismo da obra. A prática do culto ocupa grande espaço no livro; é critério para julgar muitos reis; é o lugar em que se convoca a história passada, em forma de lembrança, como tema de louvor.

É como se a função primária da história fosse reunir-se no templo para encontrar o Senhor e louvá-lo: missão litúrgica, mais que missão apostólica da comunidade pós-exílica. Nessa função ocupam lugar privilegiado os levitas, mencionados umas cem vezes em Cr, umas sessenta em Esd, Ne (contra três em Sm, Rs); entre os levitas, os cantores. O reformador Esdras pertencia à classe levítica, e alguns profetas citados na obra ostentam certo ar levítico. Davi, da tribo de Judá, é o fundador e patrono da instituição; mas o rei não deve usurpar funções sacerdotais. O louvor é complementado com a súplica confiante: nas dificuldades e batalhas o povo tem de rezar, confiar e esperar; Deus faz milagrosamente o resto.

Princípio do processo

O decurso da história se desenvolve pela aplicação rígida e estreita do princípio da retribuição: a fidelidade à lei, concretamente às exigências do culto, determina o destino de cada rei individualmente, no espaço da sua vida; mas o autor, instruído por Ezequiel, deixa espaço para a conversão, que muda o curso da retribuição. Somente os reis "bons", ou na sua etapa boa, ganham batalhas e erguem edifícios; quatro reis "bons" ocupam quase a metade do livro. Para que o princípio funcione, o autor não vê inconveniente em inventar pecados e conversões. A teoria é mais importante que os fatos, e o relato se transforma em parábola. Frequentemente, a sanção soa num oráculo profético fabricado pelo autor. Esses oráculos e os discursos de personagens importantes resumem bastante bem as diretrizes simples do autor. Também o princípio da retribuição concentra.

Mas a concentração não impede certa desagregação: a escolha do povo em muitas escolhas menores, a responsabilidade do povo na dos reis, a lei em numerosos preceitos.

Além do processo sucessório, cultiva o autor um olhar para o futuro escatológico ou messiânico? Em alguns momentos parece esperar a restauração da dinastia bíblica; no resto, o autor parece contentar-se com que a vida religiosa do povo continue.

Autor e finalidade

Agora perguntamos: Quem escreveu essa estranha história, mostrando pouco apreço pelas já escritas? Duas respostas nos ocorrem: a) um porta-voz dos levitas cantores, para mostrar sua visão do corpo religioso; b) um personagem com uma tarefa difícil e urgente, que precisa de um documento simples e eficaz para sua tarefa.

a) Na primeira hipótese, a obra consegue valor limitado, testemunho de uma tendência um tanto estreita e fragmentária da comunidade judaica ao retornar do desterro. Conseguiria um grupo do clero, mesmo influente, impor sua visão

particular? Não preferiria a maioria dos leitores as versões precedentes?

b) Na segunda hipótese, temos de buscar uma situação grave e uma personalidade robusta. A situação grave seria a da comunidade judaica na segunda metade do século V: dependente do império persa, como grupo tolerado e levemente suspeito; com problemas internos de decadência religiosa, de dissolução entre os habitantes da região, ameaçada pelos vizinhos samaritanos, que também se consideram povo escolhido e apelam para Moisés e sua Torá. A personalidade robusta seria de um homem com clara consciência da situação, conhecimento da história e energia para enfrentar os problemas. Sua ação se desenvolveria em dois planos paralelos: reformas concretas e enérgicas, um documento que as justificasse (como o Deuteronômio para a reforma de Josias).

Na segunda hipótese, o livro adquire mais relevo e muitos aspectos se explicam organicamente.

a) As genealogias unem, repartem, organizam, porque esse povo de judeus ameaçados por fora e por dentro está preso à história universal com fortes cadeias, com identidade própria que não pode perder, já que é resultado de uma escolha divina. Os poucos e fracos judeus do século V são realmente o Israel escolhido como centro da história universal.

b) Fica de fora o reino do Norte, pois os samaritanos invocam essa ascendência para misturar-se com os judeus e dissolvê-los.

c) Centra-se em Davi, porque nele se cristalizam a instituição e a lei de Moisés, que os samaritanos quiseram possuir como monopólio. Diga-se o mesmo de Jerusalém, verdadeiro e único centro religioso diante das pretensões de Siquém e do monte Garizim (onde no final do século V os samaritanos constroem um templo rival).

d) Atenção preferencial ao mundo cultual, pois exaltar êxitos políticos e militares pode tornar suspeita a reforma diante da corte do imperador persa; porque já não há rei descendente de Davi, e o governo é exercido por membros do clero.

e) Simplificação da história em termos de retribuição, para que a geração presente aprenda que está diante de uma decisão histórica, da qual depende seu destino; não pode omitir-se da tarefa.

f) Prática do culto, porque nele se atualiza a história, o povo sente sua unidade diante de Deus, e nele acontece o encontro com o Senhor. O louvor infunde otimismo, e a oração ouvida excita à confiança, duas coisas que os judeus necessitam para os próximos anos.

A hipótese explica muitas coisas, mas é limitada e só é oferecida como proposta de leitura. Quanto à prática da reforma, paralelo do documento teórico, deve ser lida nos livros de Esdras e Neemias.

Resultado

O autor conseguiu o que pretendia? Embora a historiografia seja avara em detalhes, sabemos que a comunidade judaica continuou sem perder sua identidade e, um século mais tarde, soube enfrentar a onda avassaladora do helenismo. Não é que o livro das Crônicas explique por si tal êxito, mas provavelmente teve sua parte.

Língua e estilo

O autor escreve em hebraico de gramática sofrível, se é que Sm e Rs devem servir de parâmetro. Chama a atenção o recurso contínuo à partícula le-; *a tradução portuguesa suaviza o original. O vocabulário se distingue por palavras novas, ou por significados novos, ou pela frequência do seu uso. O estilo narrativo fica muito longe dos magistrais relatos de Sm e Rs. Cultiva de modo aceitável o estilo oratório, e nas orações próprias imita os salmos com escasso alento poético.*

Nosso texto

Imprimimos em grifo os fragmentos copiados de Samuel e Reis, mas não as frases soltas citadas, nem os decalques de fraseologia. Esse procedimento permitirá ao leitor distinguir facilmente o que o autor apresenta, e poupará muitos comentários. Por outro lado, o que suprime será preciso indicá-lo no comentário.

Para os nomes próprios seguimos geralmente o critério adotado pela Bíblia de Jerusalém.

PRIMEIRO LIVRO DAS CRÔNICAS

1 **De Adão a Abraão** (Gn 10; 25,1-4.12-15) — ¹Adão, Set, Enós, ²Cainã, Malaleel, Jared, ³Henoc, Matusalém, Lamec, ⁴Noé, Sem, Cam e Jafé.

⁵*Descendentes de Jafé:* Gomer, Magog, Madai, Javã, Tubal, Mosoc e Tiras.

⁶*Descendentes de Gomer:* Asquenez, Rifat e Togorma.

⁷*Descendentes de Javã:* elisos, Társis, ceteus e rodenses.

⁸*Descendentes de Cam:* Cuch, Egito, Fut e Canaã.

⁹*Descendentes de Cuch:* Seba, Hévila, Sabata, Regma e Sabataca.

Descendentes de Regma: Sabá e Dadã. ¹⁰Cuch gerou Nemrod, o primeiro soldado do mundo.

¹¹Egito gerou os lídios, anamitas, laabitas, naftuítas, ¹²patrositas, casluítas e cretenses, dos quais procedem os filisteus.

¹³Canaã gerou Sídon, seu primogênito, e Het, ¹⁴e também os jebuseus, amorreus, gergeseus, ¹⁵heveus, araceus, sineus, ¹⁶arvadeus, samareus e emateus.

¹⁷*Descendentes de Sem:* Elam, Assur, Arfaxad, Lud e Aram. Descendentes de Aram: Hus, Hul, Jeter e Mes. ¹⁸Arfaxad gerou Salé, e este gerou Héber. ¹⁹Héber

---

1-9 *Genealogias.* De repente, sem introdução, começa uma lista. 9,1 poderia servir de título.

Um dos gostos mais importantes desse autor são as listas de nomes. Um quinto da obra é constituída por essas listas.

Desfilam aí alguns nomes ilustres, como um friso com muita história carregada aos ombros; outros ainda são personagens secundários; outros são simples parceiros em termos de ação. E o autor não deixa de mencionar os chefes.

Por que semelhante afã? Com certeza, existe o desejo de registrar com a fidelidade burocrática de arquivar e copiar. É claro que essas listas por si mesmas não interessam ao leitor comum, e é lógico que as salte. Muitos personagens e pouca ação.

Existe algo mais nesse afã? Um certo gosto nobre pelas árvores genealógicas: Davi se liga com Abraão e Adão, muitos israelitas se ligam com os doze patriarcas e com seu pai Jacó. O pobre Israel do século V antes de Cristo tem um título de nobreza histórica: descende daqueles personagens que interpretaram uma história cujo protagonista era Deus.

Essa história é movimento "de geração em geração"; nada de mitos nem de heróis legendários, mas homens de carne e osso com seus nomes próprios (não figuram as mulheres). E essa história é prova da fidelidade de Deus, que não deixou o seu povo perder-se nem extinguir-se, mas sempre o acompanhou com a bênção patriarcal da fecundidade, umas vezes acrescendo, outras vezes conservando um resto.

Como há outro livro que registra os nomes dos que vivem, assim este livro conserva o nome e a memória dos que viveram, transmitindo-os à posteridade. Trata-se de homens históricos, ou o autor está inventando? Temos de contar com o fato de lembranças que perduram no seio das famílias e com a possibilidade de arquivos salvos da catástrofe. Carecemos de dados objetivos para controlar a validade das listas. Quanto à transmissão escrita, o gênero se prestava às corrupções, adaptações e demais erros de cópia e transliteração. Em alguns nomes é possível perceber mudança de pronúncia ou de escrita.

1 Os dados são tomados do Gênesis, segundo a seguinte correspondência:

Cr	Gn
1-4	5,1-32
5-10	10,2-8
11-23	10,13-29
24-27	10,10-26
28-31	25,13-16
32-33	25,1-4
35-42	36,1-4.10-14.20-28
43-54	36,31-43

1,4 Tudo começa rigorosamente a partir de um e avança em série linear, abandonando pelo caminho nomes dos que o autor não quer lembrar-se (como Caim). A primeira série é uma dezena de puros nomes, sem verbos que os introduzam ou descrevam; série que avança depressa para deter-se em Noé, onde o tronco se divide em três ramos.

1,5-27 É como uma tentativa de classificação etnológica simplificada. Atitude científica incipiente que se revela no interesse e na curiosidade pelos dados, o gosto pela ordem e a distinção na classificação; não faltam agrupamentos e atribuições muito dignos de se considerar. Observamos uma correspondência aproximada de jafetitas com a Europa e a Anatólia, de camitas com a África, de semitas com a Ásia.

1,5-7 Pode-se notar o grupo mediterrâneo de Javã (= jônios): elisos (Chipre), Társis (Itália ou Espanha), ceteus (Chipre), rodenses (Rodes).

1,8-16 Parece tendencioso incluir os cananeus no ramo camita, já que são indiscutivelmente semitas; é inegável a influência de Gn 9,18-29. Canaã substitui Cam e carrega a maldição. Algo parecido se pode dizer do agrupamento de fenícios e filisteus como camitas, pois os filisteus pertencem aos famosos "povos do mar" e os fenícios são semitas. Quanto a Het, sabemos que os hititas eram indo-europeus. Ou seja, os tradicionais inimigos dos israelitas foram listados no ramo camita.

1,17-27 Os semitas distraem mais o autor, que despeja e repete no final para dar-nos outra dezena até Abraão. Héber é o epônimo dos hebreus: assim esse gentílico se torna mais extenso que "israelitas". Hévila e Sabá se encontram também entre os camitas.

gerou dois filhos: um se chamava Faleg, pois em seu tempo a terra foi dividida; seu irmão chamava-se Jectã. [20]Jectã gerou Elmodad, Salef, Asarmot, Jaré, [21]Aduram, Uzal, Decla, [22]Ebal, Abimael, Sabá, [23]Ofir, Hévila e Jobab, todos descendentes de Jectã.

[24]Sem, Arfaxad, Salé, [25]Héber, Faleg, Reú, [26]Sarug, Nacor, Taré, [27]Abrão, isto é, Abraão.

De Abraão a Israel (Gn 36) – [28]Descendentes de Abraão: Isaac e Ismael; [29]seus descendentes: Nabaiot, primogênito de Ismael, Cedar, Adbeel, Mabsam, [30]Masma, Dumã, Massa, Hadad, Tema, [31]Jetur, Nafis e Cedma. Estes são os filhos de Ismael.

[32]Cetura, concubina de Abraão, deu à luz Zamrã, Jecsã, Madã, Madiã, Jesboc e Sué. Descendentes de Jecsã: Sabá e Dadã. [33]Filhos de Madiã: Efa, Ofer, Henoc, Abida, Eldaá. Todos descendentes de Cetura.

[34]Abraão gerou Isaac. Filhos de Isaac: Esaú e Israel.

[35]Filhos de Esaú: Elifaz, Rauel, Jeús, Jalam e Coré. [36]Filhos de Elifaz: Temã, Omar, Sefo, Gatam, Cenez, Tamna e Amalec. [37]Filhos de Rauel: Naat, Zara, Sama e Meza. [38]Filhos de Seir: Lotã, Sobal, Sebeon, Ana, Dison, Eser e Disã. [39]Filhos de Lotã: Hori e Emam; irmã de Lotã: Tamna. [40]Filhos de Sobal: Alvã, Manaat, Ebal, Sefo e Onam. Filhos de Sebeon: Aía e Ana. [41]Filho de Ana: Dison. Filhos de Dison: Hamrã, Esebã, Jetrã e Carã. [42]Filhos de Eser: Balaã, Zavã e Acã. Filhos de Disã: Hus e Arã.

[43]Reis que reinaram no país de Edom antes que os israelitas tivessem rei: Bela, filho de Beor; sua cidade chamava-se Danaba. [44]Bela morreu e reinou em seu lugar Jobab, filho de Zara, natural de Bosra. [45]Jobab morreu, e em seu lugar reinou Husam, natural de Temã. [46]Husam morreu, e seu lugar reinou Adad, filho de Badad, que derrotou Madiã no campo de Moab; sua cidade chamava-se Avit. [47]Adad morreu, e em seu lugar reinou Semla, natural de Masreca. [48]Semla morreu, e em seu lugar reinou Saul, natural de Reobot Hanaar*. [49]Saul morreu, e em seu lugar reinou Baalanã, filho de Acobor. [50]Baalanã morreu, e em seu lugar reinou Adad; sua cidade chamava-se Fau e sua mulher Meetabel, filha de Matred, filha de Mezaab. [51]Após a morte de Adad, houve xeques em Edom: Tamna, Alva, Jetet, [52]Oolibama, Ela, Finon, [53]Cenez, Temã, Mabsar, [54]Magdiel e Iram. Até aqui os xeques de Edom.

2 Descendentes de Israel (Gn 35,23-26) – [1]Filhos de Israel: Rúben, Simeão, Levi, Judá, Issacar, Zabulon, [2]Dã, José, Benjamim, Neftali, Gad e Aser.

[3]Filhos de Judá: Her, Onã e Sela; os três nasceram de uma cananeia chamada Sua. Her, o primogênito de Judá, não agradava ao Senhor, e o Senhor o fez morrer. [4]Tamar, sua nora, teve com ele dois filhos: Farés e Zara. No total, os filhos de Judá foram cinco.

[5]Filhos de Farés: Hesron e Hamul.

[6]Filhos de Zara: Zambri, Etã, Emã, Calcol e Darda; cinco ao todo.

[7]Filho de Carmi: Acar, que perturbou Israel, prevaricando contra o anátema.

[8]Filho de Etã: Azarias.

[9]Filhos que nasceram de Hesron: Jerameel, Ram e Calubi. [10]Ram gerou Aminadab. Aminadab gerou Naasson, príncipe dos judeus. [11]Naasson gerou Salma. Salma

---

1,28-42 Comparado com o anterior, Abraão é um tronco que se ramifica como pai de povos. De Agar e Cetura se chega à terceira geração; de Sara, por Isaac e Esaú, se desce até a quinta ou sexta. Muitos desses nomes se referem a tribos ou clãs nômades, alguns dos quais habitaram perto de Israel e tiveram relações hostis ou amistosas com eles.

1,43-54 Edom se considera descendente de Esaú, o que justifica sua menção neste lugar. A dinastia não é hereditária, mas é fácil que estivesse registrada nos anais da nação. A passagem dos reis aos xeques pode indicar decadência de poder.

1,48 * = Praça do Rio.

2,1-2 É a lista de Gn 29-30. São as doze tribos, antes da divisão de José em Efraim e Manassés, e com Levi como uma das doze (compare-se com Nm 1).

2,3-4 Dados tomados de Gn 38, calando-se a sorte de Onã. Judá, a tribo de Davi, ocupa o primeiro lugar na genealogia.

2,7 Alude ao fato contado em Js 7.

2,9 Embora Ram seja o segundo, vai primeiro, porque é o antecessor de Davi.

2,10-17 Ver o final do livro de Rute e 1Sm 16-17. Contando a partir de Farés, temos outra dezena até Davi; teremos catorze se contarmos desde Abraão. (Cf. a genealogia de Mt 1,1-17).

gerou Booz. ¹²Booz gerou Obed. Obed gerou Jessé. ¹³Jessé gerou Eliab, seu primogênito; Abinadab, o segundo; Samaá, o terceiro; ¹⁴Natanael, o quarto; Radai, o quinto; ¹⁵Asom, o sexto, e Davi, o sétimo. ¹⁶Suas irmãs foram Sárvia e Abigail.

Filhos de Sárvia: Abisaí, Joab e Asael, três. ¹⁷Abigail deu à luz Amasa. O pai de Amasa foi o ismaelita Jeter.

¹⁸Caleb, filho de Hesron, teve filhos com sua mulher Azuba e com Jeriot. Os filhos que teve com Azuba foram: Jaser, Sobab e Ardon. ¹⁹Quando Azuba morreu, Caleb casou-se com Éfrata, que lhe deu Hur. ²⁰Hur gerou Uri, e este gerou Beseleel.

²¹Quando tinha sessenta anos, Hesron uniu-se à filha de Maquir, pai de Galaad, e ela deu-lhe à luz Segub. ²²Segub gerou Jair, que teve vinte e três cidades na terra de Galaad. ²³Os gessuritas e os sírios roubaram-lhes as aldeias de Jair e Canat com seu distrito, num total de sessenta povoados. Todos esses eram filhos de Maquir, pai de Galaad. ²⁴Depois da morte de Hesron, Caleb uniu-se a Éfrata, que lhe deu Asur, fundador de Técua.

²⁵Os filhos de Jerameel, primogênito de Hesron, foram: Ram, o primogênito; Buna, Oren e Asom, seus irmãos. ²⁶Jerameel teve outra mulher, chamada Atara, que foi a mãe de Onam. ²⁷Os filhos de Ram, primogênito de Jerameel, foram Moós, Jamim e Acar. ²⁸Os filhos de Onam foram Semei e Jada. Filhos de Semei: Nadab e Abisur. ²⁹A mulher de Abisur chamava-se Abiail; deu-lhe Aobã e Molid. ³⁰Filhos de Nadab: Saled e Afaim. Saled morreu sem filhos. ³¹Filho de Afaim: Jesi. Filho de Jesi: Sesã. Filho de Sesã: Oolai. ³²Filhos de Jada, irmão de Semei: Jeter e Jônatas. Jeter morreu sem filhos. ³³Filhos de Jônatas: Falet e Ziza. Estes são os descendentes de Jerameel.

³⁴Sesã não teve filhos, mas sim filhas. Sesã tinha um escravo egípcio chamado Jaraá, ³⁵e lhe deu uma de suas filhas como esposa; ela deu à luz Etei. ³⁶Etei gerou Natã; Natã gerou Zabad; ³⁷Zabad gerou Oflal; Oflal gerou Obed; ³⁸Obed gerou Jeú; Jeú gerou Azarias; ³⁹Azarias gerou Helés; Helés gerou Elasa; ⁴⁰Elasa gerou Sisamoi; Sisamoi gerou Selum; ⁴¹Selum gerou Icamias; Icamias gerou Elisama.

⁴²Filhos de Caleb, irmão de Jerameel: Mesa, o primogênito, que foi pai de Zif, e Maresa, pai de Hebron. ⁴³Filhos de Hebron: Coré, Tafua, Recém e Sama. ⁴⁴Sama gerou Raam, pai de Jercaam. Recém gerou Samai. ⁴⁵Filho de Samai: Maon, fundador de Betsur*. ⁴⁶Efa, concubina de Caleb, deu à luz Harã, Mosa e Gezez. Harã gerou Gezez. ⁴⁷Filhos de Jaadai: Regom, Joatão, Gesã, Falet, Efa e Saaf. ⁴⁸Maaca, concubina de Caleb, deu à luz Saber e Tarana. ⁴⁹Também deu à luz Saaf, fundador de Madmana, e Sué, fundador de Macbena e Gabaá*. A filha de Caleb chamava-se Acsa.

⁵⁰Estes foram os descendentes de Caleb, descendente de Hur, primogênito de Éfrata: Sobal, fundador de Cariat-Iarim*; ⁵¹Salma, fundador de Belém; Harif, fundador de Haggadera*.

⁵²Sobal, fundador de Cariat-Iarim, foi pai de Haroe e antepassado da metade dos manaatitas. ⁵³Clãs de Cariat-Iarim: Jetritas, futitas, sematitas e maseritas. Deles saíram os saraítas e estaolitas. ⁵⁴Descendentes

---

2,18 Nesta genealogia, Caleb ocupa lugar privilegiado ou vários postos rivais. (Ver sua intervenção em Nm 13-14). O fato de Caleb pertencer à região de Hebron, onde Davi foi coroado rei, não explica totalmente a extensão e a diversidade desta sua posição.
Nas tradições de Nm 13-14, Caleb é filho de Jefoné e companheiro de Josué. Aqui encontramos um Caleb filho de Hesron (vv. 9.18-24.50-55), que parece identificar-se com o Calubi do v. 9. Caleb pertencia à tribo de Judá, Josué à de Efraim de José.
Os versículos 18-19 iriam muito bem entre as duas partes do v. 50, ou seja, introduzindo a descendência de Hur.

2,19 Éfrata é outro nome de Belém, pátria de Davi (cf. Sl 132).

2,22 Jair aparece como filho de Manassés em Nm 32,41 e Dt 3,14; há um Jair galaadita em Jz 10,3-5, também relacionado com as citadas vilas. É, como Caleb, um dos artífices dignos de menção na conquista da terra.

2,24 Técua é famosa por ser a pátria do profeta Amós e pela mulher hábil que arrancou de Davi o perdão para Absalão (2Sm 14). Há nessa genealogia muitas coincidências de nomes de pessoas com nomes de lugar; não era raro que o fundador desse seu nome à cidade, mas também o nome de uma cidade pode tornar-se o seu epônimo.

2,45 * = Casa da Rocha.

2,49 * = Colina.

2,50 * = Vila Soutos é um dos pontos de parada da arca, antes de ser trasladada para Jerusalém por Davi.

2,51 * = Cerca.

2,53 Saraá e Estaol são as cidades danitas das narrações de Sansão.

de Salma: Belém e os netofatitas, Atarot, Bet-Joab, a metade dos manaatitas e os saraítas. ⁵⁵Clãs dos sofritas que vivem em Jabes: os tiriateus, os simeateus, os sucateus. Esses eram os quenitas, descendentes de Emat, antepassado dos recabitas.

3 Descendentes de Davi

¹Filhos de Davi nascidos em Hebron: o primogênito, Amnon, de Aquinoam, de Jezrael; o segundo, Daniel, de Abigail, de Carmel*; ²o terceiro, Absalão, de Maaca, filha de Tolmai, rei de Gessur; o quarto, Adonias, filho de Hagit; ³o quinto, Safatias, de Abital; o sexto, Jetraam, de Egla, sua esposa. ⁴Estes seis nasceram em Hebron, onde ele reinou sete anos e seis meses. Em Jerusalém reinou trinta e três anos.

⁵Filhos nascidos em Jerusalém: Samua, Sobab, Natã e Salomão, os quatro de Betsabeia, filha de Amiel. ⁶Teve ainda outros nove: Jebaar, Elisama, Elifalet, ⁷Noge, Nafeg, Jáfia, ⁸Elisama, Eliada e Elifalet. ⁹Todos esses foram os filhos de Davi, sem contar os que teve com as concubinas. Tamar era irmã deles.

¹⁰Sucessores de Salomão em linha direta: Roboão, Abias, Asa, Josafá, ¹¹Jorão, Ocozias, Joás, ¹²Amasias, Azarias, Joatão, ¹³Acaz, Ezequias, Manassés, ¹⁴Amon e Josias. ¹⁵Filhos de Josias: primogênito, Joanã; segundo, Joaquim; terceiro, Sedecias; quarto, Selum. ¹⁶Filhos de Joaquim: Jeconias e Sedecias. ¹⁷Filhos de Jeconias: Asir, Salatiel, ¹⁸Melquiram, Fadaías, Senasser, Jecemias, Hosama e Nadabias. ¹⁹Filhos de Fadaías: Zorobabel e Semei.

Filhos de Zorobabel: Mosolam, Hananias e sua irmã Salomit. ²⁰Havia outros cinco: Hasaba, Ool, Baraquias, Hasadias, Josab e Hesed. ²¹Filhos de Hananias: Faltias e Jeseías, pai de Rafaías, pai de Arnã, pai de Abdias, pai de Sequenias. ²²Filho de Sequenias: Semeías. Filhos de Semeías: Hatus, Jegaal, Barias, Naarias e Safad; ao todo, seis. ²³Filhos de Naarias: Elioenai, Ezequias, Ezricam; ao todo, três. ²⁴Filhos de Elioenai: Oduías, Eliasib, Feleías, Acub, Joanã, Dalaías e Anani: sete.

4 Descendentes de Judá

¹Filhos de Judá: Farés, Hesron, Carmi, Hur e Sobal. ²Reaías, filho de Sobal, gerou Jaat; Jaat gerou Aumai e Laad. Estes foram os clãs dos saraítas.

³Filhos de Etam: Jezrael, Jesema e Jedebos, que tinham uma irmã chamada Asalelfuni. ⁴Também Fanuel, que fundou Gedor*, e Ezer, que fundou Hosa.

Filhos de Hur: Efrata, o primogênito, que fundou Belém. ⁵Asur, fundador de Técua, teve duas mulheres: Halaá e Naara. ⁶Naara deu-lhe Oozam, Héfer, Tamni e Aastari; estes foram os filhos de Naara. ⁷Filhos de Halaá: Seret, Saar e Etnã.

⁸Cós foi o pai de Anob, de Soboba e dos clãs de Aareel, filho de Arum. ⁹Jabes foi mais importante que seus irmãos; sua mãe lhe pôs esse nome porque dizia: "Eu o dei à luz com dores". ¹⁰Jabes fez este pedido ao Deus de Israel: "Abençoa-me, alarga meu território e ajuda-me. Preserva-me do mal, para que eu não sofra". Deus concedeu-lhe o que havia pedido.

---

3 Este capítulo se liga com 2,10-11 para enumerar os descendentes de Davi. Divide-se em três seções: a primeira enumera os filhos, a segunda dá a lista de reis de Judá até o desterro (não coincide exatamente com os dados de 2Rs), a terceira enumera descendentes de Jeconias.

3,1-4 Tomado de 2Sm 3,2-5.

3,1 * = Várzea.

3,5-8 Tomado de 2Sm 5,13-16. O herdeiro será um dos nascidos em Jerusalém, não em Hebron.

3,9 Tamar, famosa pelo relato de 2Sm 13.

3,15-16 Conforme 2Rs, o sucessor de Jeconias foi seu tio Sedecias, irmão de Joaquim. O v. 16 menciona outro Sedecias, que seria o seu sucessor, conforme 2Cr 36,10.

3,17-24 A descendência de Davi não termina no desterro, mas a função real se interrompe. Zorobabel é o chefe dos repatriados (Ageu e Zacarias), e aparece como filho de Salatiel. Contando toda a série, temos doze gerações, muitas para terminar no tempo do Cronista; para remediar isso, alguns propõem ler todos os nomes do v. 21 como irmãos, filhos de Hananias. As genealogias de Mt e Lc não registram esses descendentes de Zorobabel.

4,1-23 Esta seção serve para acrescentar alguns complementos às listas do cap. 2, segundo as seguintes correspondências: 1-15 a 2,50-55; 16-20 a 2,42-50a; 21-23 a 2,3.

Note-se a extensão desproporcional concedida à tribo de Judá, que é a tribo de Davi.

4,4 Ou: pai de Gedor... pai de Hosa. * = Cercado.

4,9-10 O conto pode ter-se conservado na família. O personagem, que tem um nome de mau agouro, pede a Deus que o livre de suas más consequências. Nome e petição usam a paronomásia e um jogo de palavras por inversão de consoantes.

¹¹Calub, irmão de Suaá, gerou Mair, que foi pai de Eston. ¹²Eston gerou Bet-Rafa, Fesse e Teina, fundador de Cariat-Naás*. Estes foram os homens de Reca.

¹³Filhos de Cenez: Otoniel e Saraías. Filho de Otoniel: Hatat.

¹⁴Maonati gerou Ofra. Saraías gerou Joab, fundador de Gue-Harasim*, pois eram ferreiros.

¹⁵Filhos de Caleb, filho de Jefoné: Hir, Ela e Naam. Filho de Ela: Cenez.

¹⁶Filhos de Jaleleel: Zif, Zifa, Tirias e Asrael.

¹⁷Filhos de Ezra: Jeter, Mered, Éfer e Jalon. Jeter gerou Maria, Samai e Jesba, fundador de Estemo. ¹⁸Mered casou-se com Betias, filha do Faraó. Ela deu-lhe Jared, fundador de Gedor*; Héber, fundador de Soco*, e Icutiel, fundador de Zanoe. ¹⁹Os filhos que teve com sua outra mulher, Odias, irmã de Naam, foram: o pai do garmita Ceila e o maacatita Estemo.

²⁰Filhos de Simão: Amnon, Rina, Ben-Hanã e Tilon. Filhos de Jesi: Zoet e Ben-Zoet.

²¹Filhos de Sela, filho de Judá: Her, fundador de Leca; Laada, fundador de Maresa; os clãs que trabalham o linho em Bet-Asbea; ²²Joaquim, os homens de Cozeba, Joás e Saraf, que dominaram em Moab; depois voltaram a Belém. (Esses dados são muito antigos.) ²³Eram oleiros; habitavam em Nataim* e em Gedor*, junto ao rei, e trabalhavam para ele.

Descendentes de Simeão – ²⁴Filhos de Simeão: Namuel, Jamin, Jarib, Zara e Saul. Descendentes de Saul. ²⁵Selum; o filho deste, Mabsam, e o deste, Masma. ²⁶Descendentes de Masma: seu filho Hamuel; o deste, Zacur, e o deste, Semei. ²⁷Semei teve dezesseis filhos e seis filhas. Seus irmãos não tiveram muitos filhos, e suas famílias não se multiplicaram tanto como as dos filhos de Judá. ²⁸Habitavam em Bersabeia, Molada e Hasar-Sual*, ²⁹Bala, Asem, Tolad, ³⁰Batuel, Horma*, Siceleg, ³¹Bet-Marcabot*, Hasar-Susim*, Bet-Berai* e Saaraim*. Estes foram seus povoados até que Davi subiu ao trono. ³²Suas aldeias eram Etam*, Aen*, En-Remon*, Toquen e Asã*: cinco. ³³E as aldeias que rodeavam esses povoados, até Baal. Esses são os lugares em que residiam.

Registro de seus clãs: ³⁴Masobab, Jemlec; Josa, filho de Amasias; ³⁵Joel, Jeú, filho de Josabias, filho de Saraías, filho de Asiel. ³⁶Elioenai, Jacoba, Isuaías, Asaías, Adiel, Isimiel, Banaías, ³⁷Ziza, filho de Sefei, filho de Alon, filho de Jedaías, filho de Semri, filho de Samaías. ³⁸Eram chefes de seus clãs; suas famílias foram muito numerosas.

³⁹Procurando pastagens para seus rebanhos, chegaram perto de Gedor, até o oriente do vale. ⁴⁰Encontraram abundantes e boas pastagens numa região espaçosa, tranquila e agradável; antes era habitada pelos camitas. ⁴¹Estes, cujos nomes citamos anteriormente, vieram no tempo de Ezequias de Judá, atacaram seus acampamentos e os meunitas que aí se encontravam, destruindo-os completamente até o dia de hoje. Ocuparam seu lugar, pois aí havia pastagem para o rebanho.

⁴²Quinhentos deles, dos descendentes de Simeão, dirigiram-se à montanha de Seir, comandados por Faltias, Naarias, Rafaías e Oziel, filhos de Jesi. ⁴³Derrotaram os sobreviventes de Amalec e aí habitam até o dia de hoje.

4,12 * = Vila da Serpente.
4,13-14 Conforme Jz 1,11ss, Otoniel e Caleb tornaram-se famosos pela conquista de Cariat-Séfer (= Vila do Escrivão).
4,14 * = Vale dos Ferreiros.
4,17-19 Texto duvidoso.
4,18 * = Cercado; Sebe.
4,22 "Esses dados são muito antigos" (tradução duvidosa). Poderia ser uma glosa ("as palavras estão afastadas"), aludindo a alguma desordem.
4,23 * = Plantio; Cerca.
4,24-27 Depende de Nm 26,28-33: Simeão está tradicionalmente ligado a Judá.
4,28-33 Depende de Js 19,2-8, e este por sua vez depende de Js 15,26-32.
4,28 * = Aldeia da Raposa.
4,30 * = Extermínio.
4,31 * = Casa dos Carros; Aldeia dos Cavalos; Casa do Poço; Duas Portas.
4,32 * = Aquilino; Ruínas; Fonte da Romãzeira; Fumaça.
4,39 A situação precária da tribo, menos numerosa que Judá e desalojada por ela, empurra esses seminômades para uma expansão em busca de pastagens. Fizeram-no para o oeste e para sudeste.
4,40 Esses camitas podem ser os sobreviventes de alguma migração antiga.
4,43 Sobreviventes das campanhas de Saul (1Sm 15,7-8) e Davi.

5

Descendentes de Rúben (Gn 46,9; Nm 26,5-9) – ¹Filhos de Rúben, primogênito de Israel. (Era de fato o primogênito; mas, por ter manchado o leito paterno, a primogenitura passou para os filhos de José, filho de Israel, e não foi registrado como primogênito. ²É certo que Judá foi mais poderoso que seus irmãos e foi chefe deles, mas a primogenitura pertenceu a José.) ³Filhos de Rúben, primogênito de Israel: Henoc, Falu, Hesron e Carmi. ⁴Linha dos descendentes de Joel: Samaías, Gog, Semei, ⁵Micas, Reaías, Baal e ⁶Beera; Teglat-Falasar, rei da Assíria, levou preso este último; era príncipe dos rubenitas. ⁷Seus parentes, família por família, tal como estão registrados na árvore genealógica, foram: o chefe Jeiel; Zacarias; ⁸Bela, filho de Azaz, filho de Sama, filho de Joel, que habitou em Aroer; suas propriedades se estendiam até Nebo e Baal-Meon, ⁹e para o oriente, até o começo do deserto, desde o rio Eufrates, pois tinha muitos rebanhos na terra de Galaad. ¹⁰No tempo de Saul, lutaram contra os agarenos, que caíram em suas mãos; habitaram em suas tendas, em toda a região oriental de Galaad.

Descendentes de Gad (Nm 26,15-18) – ¹¹Diante deles viviam os filhos de Gad, no território de Basã, até Selca: ¹²Joel, o chefe; segundo, Safam; depois, Janaí e Safat, em Basã. ¹³Seus parentes pertenciam às famílias de Miguel, Mosolam, Sebe, Jorai, Jacã, Zie e Héber; ao todo, sete. ¹⁴Estes eram os filhos de Abiail, filho de Uri, filho de Jaroe, filho de Galaad, filho de Miguel, filho de Jesesi, filho de Jedo, filho de Buz. ¹⁵Ai, filho de Abdiel, filho de Guni, era o chefe da família. ¹⁶Habitavam em Galaad, em Basã, nas aldeias do distrito e nas pastagens de Saron, até seus confins. ¹⁷Sua genealogia foi registrada no tempo de Joatão de Judá e de Jeroboão de Israel.

¹⁸Entre os descendentes de Rúben, de Gad e da meia tribo de Manassés havia quarenta e quatro mil, setecentos e sessenta soldados em idade militar, armados de escudo e espada, peritos no manuseio do arco e treinados na guerra. ¹⁹Combateram contra os agarenos e os jetureus, contra Nafis e Nodab. ²⁰No meio do combate clamaram a seu Deus e, por terem confiado nele, escutou sua oração, ajudou-os contra aqueles, pondo em suas mãos os agarenos e seus aliados. ²¹Apoderaram-se de seu rebanho: cinquenta mil camelos, duzentas e cinquenta mil ovelhas, dois mil asnos. Também fizeram cem mil prisioneiros, e houve muitos outros mortos, ²²pois essa guerra foi coisa de Deus. Estabeleceram-se em seu território até o desterro.

Descendentes da meia tribo de Manassés (Nm 26,29-34) – ²³Meia tribo de Manassés habitava a região entre Basã e Baal-Hermon, Sanir e o monte Hermon. Eram também numerosos no Líbano. ²⁴Seus chefes de família foram: Éfer, Jesi, Eliel, Ezriel, Jeremias, Odoías e Jediel, homens valentes, famosos, chefes de suas famílias. ²⁵Mas pecaram contra o Deus de seus pais, prostituíram-se com os deuses dos habitantes do país que Deus havia destruído diante deles. ²⁶Então Deus

---

5,1-3 Alude a Gn 35,22 e à maldição de Gn 49,34. Dando a Judá a precedência de poder sobre José, o autor poderia polemizar com os samaritanos, descendentes de José. A dinastia davídica decide quem realmente conta entre as tribos. Os nomes dos filhos são dados conforme Gn 46,9 ou Nm 26,5.

5,4-6 Em sete gerações, chegamos a uma deportação de grupos do Norte sob o domínio de Teglat-Falasar II (734), relatada em 2Rs 15,29; basta supor que o nome de Galaad é tomado em sentido muito amplo.

5,7-10 Esses grupos se apresentam como seminômades que se movimentam em busca de pastagens, se preciso expulsando os anteriores ocupantes. Nisso se parecem com os simeonitas do capítulo precedente.

5,11 Com a tribo de Gad continuamos em território da Transjordânia.

5,17 Trata-se de Jeroboão II (782-753) na metade do século VIII, antes da deportação assíria.

5,18-22 A razão geográfica atrai essas notícias sobre as tribos da Transjordânia. Os inimigos são beduínos que fazem incursões ou pretendem instalar-se em regiões mais favoráveis. A batalha é descrita em puros termos do Cronista: a oração vale mais que as armas e, para glorificar o Senhor das batalhas, não dói ao cronista o número de mortos e prisioneiros. Não diz quando aconteceu esse empreendimento; naturalmente, seria antes da deportação. Se Josué pôde um dia ter dúvidas sobre as tribos da Transjordânia (Js 22), nem Deus nem o Cronista duvidam: elas são parte integrante de Israel em território israelita.

5,23-26 Em contraste com a vitória anterior, encontra-se o pecado de idolatria e o consequente castigo divino por meio do rei assírio. Isso também é pura teologia do Cronista.

incitou contra eles Pul, rei da Assíria (ou seja, Teglat-Falasar da Assíria) que desterrou os rubenitas, os gaditas e a meia tribo de Manassés, conduzindo-os para Hala, Habor, Ara e o rio Gozã, onde vivem atualmente.

Descendentes de Levi (Nm 3,17-20) – [27]Filhos de Levi: Gérson, Caat e Merari. [28]Filhos de Caat: Amram, Isaar, Hebron e Oziel. [29]Filhos de Amram: Aarão, Moisés e Maria. Filhos de Aarão: Nadab, Abiú, Eleazar e Itamar. [30]Eleazar gerou Fineias; Fineias gerou Abisue; [31]Abisue gerou Boci; Boci gerou Ozi; [32]Ozi gerou Zaraías; Zaraías gerou Meraiot; [33]Meraiot gerou Amarias; Amarias gerou Aquitob; [34]Aquitob gerou Sadoc; Sadoc gerou Aquimaás; [35]Aquimaás gerou Azarias; Azarias gerou Joanã; [36]Joanã gerou Azarias, que exerceu o sacerdócio no templo construído por Salomão em Jerusalém; [37]Azarias gerou Amarias; Amarias gerou Aquitob; [38]Aquitob gerou Sadoc; Sadoc gerou Selum; [39]Selum gerou Helcias; Helcias gerou Azarias; [40]Azarias gerou Saraías; Saraías gerou Josedec, [41]e Josedec foi para o cativeiro quando o Senhor desterrou Judá e Jerusalém por meio de Nabucodonosor.

6

[1]Filhos de Levi: Gérson, Caat e Merari. [2]Nomes dos gersonitas: Lobni e Semei; [3]dos caatitas: Amram, Isaar, Hebron e Oziel; [4]dos meraritas: Mooli e Musi. São esses os clãs levitas por famílias.

[5]Linha de descendentes de Gérson: Lobni, Jaat, Zama, [6]Joa, Ado, Zara, Jetrai. [7]Linha de descendentes de Caat: Aminadab, Coré, Asir, [8]Elcana, Abiasaf, Asir, [9]Taat, Uriel, Ozias, Saul. [10]Filhos de Elcana: Amasai e Aquimot, [11]pai de Elcana, pai de Sofai, pai de Naat, [12]pai de Eliab, pai de Jeroam, [13]pai de Elcana, pai de Samuel; filhos de Samuel: Joel, o primogênito, e Abias, o segundo.

[14]Linha dos descendentes de Merari: Mooli, Lobni, Semei, Oza, [15]Samaá, Hagias, Asaías.

[16]Mestres do coro nomeados por Davi para o templo do Senhor quando aí se colocou a arca. [17]Sua função consistia em cantar diante do tabernáculo da tenda do encontro, até que Salomão edificou para o Senhor o templo de Jerusalém, e nele realizaram seu ministério, segundo as normas prescritas.

[18]Encarregados, com seus filhos: dos caatitas, Emã, cantor, filho de Joel, de Samuel, [19]de Elcana, de Jeroam, de Eliel, de Toú, [20]de Suf, de Elcana, de Maat, de Amasai, [21]de Elcana, de Joel, de Azarias, de Sofonias, [22]de Taat, de Asir, de Abiasaf, de Coré, [23]de Isaar, de Caat, de Levi, de Israel. [24]Seu colega Asaf estava à sua direita: Asaf era filho de Baraquias, de Samaá, [25]de Miguel, de Basaías, de Melquias, [26]de Atanai, de Zara, de Adaías, [27]de Etã, de Zama, de Semei, [28]de Jaat, de Gérson, de Levi. [29]À sua esquerda estavam seus parentes meraritas: Etã, filho de Cusi, de Abdi, de Maloc, [30]de Hasabias, de Amasias, de Helcias, [31]de Amasai, de Boni, de Somer, [32]de Mooli, de Musi, de Merari, de Levi.

5,27-41 Depois das três primeiras gerações, conforme Ex 6,16-23, o autor nos dá uma lista de sumos sacerdotes divididos em duas séries: doze até a construção do templo por Salomão e onze até o desterro. A primeira parte é artificial e parece motivada pelo desejo de fornecer uma ascendência aaronita legítima a Sadoc, já que nos textos tradicionais Sadoc aparece sem árvore genealógica. Também os números são artificiais, pois não bastam para cobrir os respectivos períodos históricos: doze é número redondo, onze pode indicar que o desterro interrompeu a totalidade. Note-se que na segunda série faltam o benemérito Joiada e o infeliz Urias (2Rs 16). Também é curioso encontrar na segunda série como na primeira a mesma sucessão Amarias-Aquitob-Sadoc. Compare-se essa lista com a de Esd 7,1-5. Note-se o espaço desproporcional concedido à tribo de Levi.

5,29-30 Como simples peças da cadeia, soam os nomes de ilustres protagonistas de Ex e Nm: a história transformou-se em genealogia.

6,1-15 Segue-se uma lista de levitas tomada de Nm 3,17-20. Há duas linhas descendentes de sete membros, mais ou menos até o tempo de Davi. É estranho encontrar o efraimita Samuel na árvore genealógica dos levitas; à expressa indicação de 1Sm 1,1 se opõe o fato de que servira no templo de Silo, e daí o nosso autor conclui que Samuel tinha de ser levita (compare-se com Sl 99,6).

6,16-32 O cargo e a função dos cantores do templo são algo de suma importância para o autor (ver capítulos 15, 16 e 25); por isso lhes dedica lugar especial já nessa seção de genealogias. Assim fica bem claro: primeiro, que os cantores são levitas de ascendência pura; segundo, que receberam o seu ofício diretamente de Davi quando cessaram em sua função de carregadores da arca. Assim fica o capítulo dividido em três grupos: sumos sacerdotes, levitas e cantores.

6,22 Aos filhos desse Coré se atribuem os salmos 42-49 e 84-88.

³³Seus irmãos levitas foram nomeados para todos os serviços do tabernáculo do templo. ³⁴Aarão e seus filhos ofereciam os sacrifícios no altar dos holocaustos e o incenso no altar dos perfumes, encarregados de todos os dons sacrossantos e de fazer a expiação por Israel, como havia ordenado Moisés, servo de Deus.

³⁵Linha de descendentes de Aarão: Eleazar, Fineias, Abisue, ³⁶Boci, Ozi, Zaraías, ³⁷Meraiot, Amarias, Aquitob, ³⁸Sadoc, Aquimaás.

Cidades levíticas (Js 21) – ³⁹Lugares em que residiam nos povoados dentro de seu território: aos filhos de Aarão, do clã de Caat (porque a sorte caiu primeiro para eles), ⁴⁰couberam Hebron, no território de Judá, e suas pastagens ao redor; ⁴¹seus campos e granjas haviam sido dados como propriedade a Caleb, filho de Jefoné. ⁴²Com direito de asilo destinaram-lhes Hebron, Lebna* e suas pastagens, Jeter e Estemo e suas pastagens, ⁴³Helon* e suas pastagens, Dabir e suas pastagens, ⁴⁴Asã* e suas pastagens, Bet-Sames* e suas pastagens. ⁴⁵Da tribo de Benjamim: Gaba* e suas pastagens, Almat e suas pastagens, Anatot e suas pastagens. Total, treze povoados com suas pastagens.

⁴⁶Aos demais clãs dos caatitas couberam por sorte dez cidades da tribo de Efraim, da tribo de Dã e de meia tribo de Manassés. ⁴⁷Aos clãs gersonitas couberam treze cidades da tribo de Issacar, da tribo de Aser, da tribo de Neftali e da tribo de Manassés em Basã. ⁴⁸Aos clãs meraritas couberam doze cidades da tribo de Rúben, da tribo de Gad e da tribo de Zabulon.

⁴⁹Os filhos de Israel entregaram aos levitas essas cidades com suas pastagens. ⁵⁰(Os povoados das tribos de Judá, Simeão e Benjamim, indicados anteriormente por seu nome, foram entregues por sorteio.)

⁵¹Aos clãs de Caat couberam por sorte povoados da tribo de Efraim. ⁵²Destinaram-lhes, com direito de asilo, Siquém com suas pastagens, na serra de Efraim, Gazer e suas pastagens, ⁵³Jecmaam e suas pastagens, Bet-Horon e suas pastagens, ⁵⁴Aialon* e suas pastagens, Gat-Remon* e suas pastagens. ⁵⁵Da meia tribo de Manassés: Aner e suas pastagens, Balaam e suas pastagens foram entregues aos outros clãs caatitas.

⁵⁶Para os filhos de Gérson e suas famílias: da meia tribo de Manassés, Golã de Basã e suas pastagens, Astarot e suas pastagens. ⁵⁷Da tribo de Issacar, Cesion* e suas pastagens, Daberet e suas pastagens, ⁵⁸Jarmut e suas pastagens, En-Ganim* e suas pastagens. ⁵⁹Da tribo de Aser, Masal* e suas pastagens, Abdon e suas pastagens, ⁶⁰Hucoc* e suas pastagens, Roob* e suas pastagens. ⁶¹Da tribo de Neftali, Cedes da Galileia e suas pastagens, Hamon* e suas pastagens, Cariataim* e suas pastagens.

⁶²Para os outros descendentes de Merari: da tribo de Zabulon, Remon* e suas pastagens, Tabor e suas pastagens. ⁶³Na Transjordânia, diante de Jericó, a oriente do Jordão, da tribo de Rúben, Bosor Bammidbar* e suas pastagens, Jasa e suas pastagens, ⁶⁴Cedimot* e suas pastagens, Mefaat* e suas pastagens. ⁶⁵Da tribo de Gad: Altos de Galaad e suas pastagens, Maanaim* e suas pastagens, ⁶⁶Hesebon e suas pastagens, Jazer e suas pastagens.

6,33-34 Funções dos outros levitas e dos sacerdotes aaronitas. A questão de funções e competências era assunto delicado: ver Nm 16-18.

6,38 A lista pretende legitimar a sucessão sacerdotal de Aarão pela linha de Sadoc, os sadocitas ou saduceus.

6,39-66 A lista de povoados levíticos é tomada de Js 21. Aparecem como grupos as três linhas dos três filhos de Levi, e Aarão com a sua descendência forma um quarto grupo. Distinguem-se as cidades de simples residência e as que tinham direito de asilo. Estavam repartidas por todo o território das doze tribos, porque os levitas não tinham território próprio. Os aaronitas ficam ligados ao território de Judá e Benjamim, ou seja, a região tipicamente judaica depois da divisão. O direito de asilo dessas cidades podia ser considerado como extensão do direito do templo, guardado pelos levitas, ministros do templo. Estes administram assim um direito sagrado na comunidade.

6,42 * = Alva.
6,43 * = Areal.
6,44 * = Fumaça; Casa do Sol.
6,45 * = Colina.
6,54 * = Cerval; Lagar da Romãzeira.
6,57 * = Esporão.
6,58 * = Fonte dos Jardins.
6,59 * = Demanda.
6,60 * = Sítio; Praça.
6,61 * = Caldas; Duas Vilas.
6,62 * = Romãzeiras.
6,63 * = Fonte do Deserto.
6,64 * = Antiga; Fonte do Clamor.
6,65 * = Acampamentos.

Descendentes de Issacar (Nm 26,23-25)

¹Filhos de Issacar: Tola, Fua, Jasub e Semron, quatro. ²Filhos de Tola: Ozi, Rafaías, Jeriel, Jemai, Jebsem e Samuel, chefes de família de Tola, homens de armas. No tempo de Davi eram vinte e dois mil e seiscentos. ³Filho de Ozi: Izraías. Filhos de Izraías: Miguel, Abdias, Joel, Jesias; no total, cinco chefes. ⁴Segundo sua árvore genealógica por famílias, contavam com um exército de trinta e seis mil homens de guerra, pois tinham muitas mulheres e filhos. ⁵Seus parentes de todos os clãs de Issacar eram oitenta e sete mil homens de armas; estavam todos registrados.

Descendentes de Benjamim (Nm 26,38-41)

⁶Filhos de Benjamim: Bela, Bocor e Jediel: três. ⁷Filhos de Bela: Esbon, Ozi, Oziel, Jerimot e Urai: cinco. Eram chefes de família e homens de armas. Estavam registrados vinte e dois mil e trinta e quatro. ⁸Filhos de Bocor: Zamira, Joás, Eliezer, Elioenai, Amri, Jerimot, Abias, Anatot e Alamat. Todos eles eram filhos de Bocor, ⁹chefes de família e homens de armas, conforme consta em sua árvore genealógica. Estavam registrados vinte mil e duzentos. ¹⁰Filho de Jediel: Balã. Filhos de Balã: Jeús, Benjamim, Aod, Canana, Zetã, Társis e Aisaar. ¹¹Todos eles eram descendentes de Jediel, chefes de família e homens de armas. Contavam com um exército de dezessete mil e duzentos homens. ¹²Os sufanitas e hufamitas eram filhos de Ir; os husitas, de Aer.

Descendentes de Neftali (Nm 26,48-50)

¹³Filhos de Neftali: Jasiel, Guni, Jeser e Selum. Estes eram filhos de Bala.

Descendentes da outra metade de Manassés (Nm 26,29-33)

¹⁴Filho de Manassés nascido de sua concubina, uma arameia: Maquir, pai de Galaad. ¹⁵(Maquir casou-se com uma mulher chamada Maaca.) O segundo filho chamava-se Salfaad; Salfaad teve filhas. ¹⁶Maaca, esposa de Maquir, deu à luz um filho e o chamou Farés; seu irmão chamava-se Sares, e seus filhos foram Ulam e Recém. ¹⁷Filho de Ulam: Badã. Esses são os filhos de Galaad, filho de Maquir, filho de Manassés. ¹⁸Sua irmã Amaléquet deu à luz Isod, Abiezer, e Moola. ¹⁹Filhos de Semida: Ain, Siquém, Leci e Aniam.

Descendentes de Efraim (Nm 26,35-37)

²⁰Filhos de Efraim: Sutala, pai de Bared, pai de Taat, pai de Elada, pai de Taat, ²¹pai de Zabat, pai de Sutala; os outros dois filhos, Ezer e Elada, os nativos de Gad os mataram quando desceram para recolher seu rebanho. ²²Seu pai Efraim fez luto por eles durante muito tempo; seus parentes foram consolá-lo. ²³Depois uniu-se à sua mulher que concebeu e deu à luz um filho; chamou-o Berias*, por causa da desgraça que havia atingido a família.

²⁴Tinha uma filha chamada Sara, que construiu Bet-Horon Alta, Bet-Horon Baixa e Ozensara. ²⁵Tinha um filho chamado Rafa, pai de Resef, pai de Tela, pai de Taã, ²⁶pai de Laadã, pai de Amiud, pai de Elisama, ²⁷pai de Nun, pai de Josué.

²⁸Suas posses e lugares de residência: Betel e seu distrito; a oriente, Norã; a ocidente, Gazer, Siquém e Ai com seus distritos. ²⁹Em poder de Manassés estavam Betsã, Tanac, Meguido e Dor com seus respectivos distritos. Os descendentes de José, filho de Israel, habitaram nelas.

Descendentes de Aser (Nm 26,44-47)

³⁰Filhos de Aser: Jemna, Jesua, Jessui, Beria e sua irmã Sara. ³¹Filhos de Beria:

---

7 O texto deste capítulo parece ter sofrido na transmissão.
7,1-5 Depende de Nm 26,23-25. Issacar, o tradicional servo da gleba (Gn 49,14-15), aparece aqui como tribo militar, não menos que as outras.
7,6-12 Numa lista de benjaminitas, podia-se buscar o nome do rei Saul, embora fosse de família pouco importante (1Sm 9,21). Isso não entra nos planos do Cronista; outro autor o suprirá no cap. 8.
 No v. 12 temos de reconstruir a presença de Dã, segundo Gn 46,32: a lista de tribos o exige, e este é o lugar que lhe corresponde entre os filhos de Bala.
 Em tal caso, os husitas devem ser os descendentes de Suam, conforme Nm 26,42.
7,13 Conforme Nm 26,48-49.
7,14 Conforme Nm 26,29-30.
7,20-27 O mais importante nesta genealogia é a linha que conduz de Efraim a Josué, o conquistador da terra prometida.
7,23 * = bera'á.
7,28-29 Posses dos filhos de José, ou seja, Efraim e Manassés da Cisjordânia.
7,30-40 Liga-se com Gn 46,17-18.

Héber e Melquiel, pai de Barzait. ³²Héber gerou Jeflat, Somer, Hotam e Suaá, irmã deles. ³³Filhos de Jeflat: Fosec, Bamaal e Asot. Estes são os filhos de Jefla. ³⁴Filhos de Somer: Ai, Roaga, Haba e Aram. ³⁵Filhos de Hélem, seu irmão: Sufa, Jemna, Seles e Amal. ³⁶Filhos de Sufa: Sue, Harnafer, Sual, Beri, Jamla, ³⁷Bosor, Od, Sama, Salusa, Jetrã e Beera. ³⁸Filhos de Jetrã: Jefoné, Fasfa, Ara. ³⁹Filhos de Ola: Area, Haniel e Resias. ⁴⁰Todos esses descendentes de Aser eram chefes de família, homens de armas seletos, chefes de comando. Estavam alistados no exército. Somavam vinte e seis mil homens.

8 Descendentes de Benjamim (Nm 26,38-41) – ¹Benjamim gerou Bela, seu primogênito; Asbel, o segundo; Ahrah, o terceiro; ²Noaá, o quarto; e Rafa, o quinto. ³Filhos de Bela: Adar, Gera, Abiud, ⁴Abisue, Naamã, Aoe, ⁵Gera, Sefufam e Huram. ⁶Filhos de Aod, chefes de família dos que habitam em Gaba; eles a seguir se transladaram para Manaat: ⁷Naamã, Aías e Gera, que foi quem os transladou; este gerou Oza e Aiud.

⁸Saaraim teve filhos nas terras de Moab, após ter deixado suas mulheres Husim e Baara. ⁹De outra mulher, Hodes, teve Jobab, Sebias, Mesa, Melcam, ¹⁰Jeús, Sequias e Marma. Esses foram seus filhos, chefes de família. ¹¹Husim lhe havia dado Abitob e Elfaal. ¹²Filhos de Elfaal: Héber, Misaam e Samad, que edificou Ono, Lod e seus distritos.

¹³Berias e Sama, chefes de família de Aialon*, puseram em fuga os habitantes de Gat.

¹⁴Aio, Sesac, Jerimot, ¹⁵Zabadias, Arod, Éder, ¹⁶Miguel, Jesfa e Joá eram filhos de Berias. ¹⁷Zabadias, Mosolam, Hezeci, Haber, ¹⁸Jesamari, Jeslias e Jobab eram filhos de Elfaal. ¹⁹Jacim, Zecri, Zabdi, ²⁰Elioenai, Seletai, Eliel, ²¹Adaías, Baraías e Samarat eram filhos de Semei. ²²Jesfã, Héber, Eliel, ²³Abdon, Zecri, Hanã, ²⁴Hananias, Elam, Anatotias, ²⁵Jefdaías e Fanuel eram filhos de Sesac. ²⁶Semsari, Soorias, Otolias, ²⁷Jersias, Elias e Zecri eram filhos de Jeroam.

²⁸Em sua árvore genealógica aparecem como chefes de família. Habitavam em Jerusalém.

²⁹Jeiel, fundador de Gabaon, habitava em Gabaon. Sua mulher chamava-se Maaca. ³⁰Seu primogênito era Abdon. Depois vinham Sur, Cis, Baal, Ner, Nadab, ³¹Gedor, Aio, Zaquer e Macelot. ³²Macelot gerou Samaá. Viviam em Jerusalém, com seus parentes. ³³Ner gerou Cis; Cis gerou Saul, Saul gerou Jônatas, Melquisua, Abinadab e Isbaal. ³⁴Filho de Jônatas foi Meribaal, e este gerou Micas. ³⁵Filhos de Micas: Fiton, Melec, Taraá e Aaz. ³⁶Aaz gerou Joada; este gerou Almat, Azmot e Zambri. Zambri gerou Mosa, ³⁷e Mosa gerou Banaá, pai de Rafa, pai de Elasa, pai de Asel. ³⁸Asel teve seis filhos, chamados Ezricam, Bocru, Ismael, Sarias, Abdias e Hanã. Estes foram os filhos de Asel. ³⁹Filhos de seu irmão Esec: Ulam, o primogênito; Jeús, o segundo; Elifalet, o terceiro. ⁴⁰Os filhos de Ulam eram homens de armas, arqueiros. Tiveram muitos filhos e netos: cento e cinquenta.

Todos esses foram os descendentes de Benjamim.

9 A comunidade de Jerusalém após o desterro (Ne 11,3-22) – ¹Todos os israelitas estavam registrados e inscritos nos Anais do Reino de Israel. Judá, por seus pecados, foi prisioneiro para Babilônia. ²Os primeiros a ocupar novamente suas propriedades e cidades eram israelitas leigos, sacerdotes, levitas e doados. ³Em Jerusalém se estabeleceram judeus, benjaminitas, e homens de Efraim e Manassés.

⁴Judeus: Otei, filho de Amiud, filho de Amri, filho de Omrai, filho de Bani, descendente de Farés, filho de Judá. ⁵Silonitas:

---

8 Essa reaparição de Benjamim, quando outras tribos ocupam tão pouco espaço, é suspeita: nada mais fácil que manipular listas. Encontramos no v. 6 um Aod que talvez se deva identificar com o Aod libertador de Jz 3.

8,13 * = Cerval.

8,29-40 Aqui, no final, encontramos a árvore genealógica de Saul, prolongada até a duodécima geração.

Compare-se com a genealogia de Saul, de 1Sm 9,1.

9,1a Esta frase se une com 2,1 formando inclusão.

9,2-34 A nova comunidade de Jerusalém está dividida nas seguintes categorias: judaítas, benjaminitas, sacerdotes, levitas, porteiros e cantores. É uma comunidade sagrada, reunida em torno do templo e de seus funcionários. Compare-se essa lista com a de Ne 11.

Asaías, o primogênito, com seus filhos. ⁶Zaraítas: Jeuel e seus parentes: seiscentos e noventa. ⁷Benjaminitas: Salo, filho de Mosolam, filho de Oduías, filho de Asana; ⁸Joabnias, filho de Jeroam; Ela, filho de Ozi, filho de Mocori; Mosolam, filho de Safatias, filho de Reuel, filho de Jebanias, ⁹e seus parentes registrados: novecentos e cinquenta e seis. Todos eles eram chefes de família de suas linhagens.

¹⁰Sacerdotes: Jedaías, Joiarib e Jaquin; ¹¹Azarias, filho de Helcias, filho de Mosolam, filho de Sadoc, filho de Maraiot, filho de Aquitob, prefeito do templo; ¹²Adaías, filho de Jeroam, filho de Fassur, filho de Melquias; Maasai, filho de Adiel, filho de Jezra, filho de Mosolam, filho de Mosolamot, filho de Emer, ¹³e seus parentes, chefes de família: mil, setecentos e sessenta homens de armas, ocupados no serviço do templo.

¹⁴Levitas: Semeías, filho de Hassub, filho de Ezricam, filho do merarita Hasabias; ¹⁵Bacbacar, Hares, Galal, Matanias, filho de Micas, filho de Zecri, filho de Asaf; ¹⁶Abdias, filho de Semeías, filho de Galal, filho de Iditun; Baraquias, filho de Asa, filho de Elcana, que habitava nas propriedades dos netofatitas.

¹⁷Porteiros: Selum, Acub, Telmon e Aimã; seu irmão Selum era o chefe. ¹⁸Até então eram encarregados da porta real, ao leste, e eram porteiros dos bairros dos levitas. ¹⁹Selum, filho de Coré, filho de Abiasaf, filho de Cora, e seus parentes da família coreíta eram encarregados de guardar a entrada da tenda; seus antepassados haviam guardado a entrada no acampamento do Senhor. ²⁰Fineias, filho de Eleazar, foi outrora chefe deles; o Senhor esteve com ele. ²¹Zacarias, filho de Mosolamias, era porteiro da tenda do encontro. ²²Ao todo, os escolhidos para porteiros eram duzentos e doze; estavam registrados por povoados. Davi e o vidente Samuel os escolheram por sua fidelidade. ²³Eles e seus filhos faziam os turnos de guarda diante das portas do templo, a tenda. ²⁴Havia porteiros nas quatro direções: leste, oeste, norte e sul. ²⁵Seus parentes, que viviam em aldeias, tinham de vir ajudá-los em turnos de sete dias. ²⁶Os quatro porteiros principais ficavam lá constantemente; eram levitas e eram encarregados das salas e armazéns do templo. ²⁷Passavam a noite nos arredores do templo, pois deviam guardá-lo e abri-lo a cada manhã. ²⁸Alguns levitas eram encarregados dos objetos do culto; eles os contavam ao recebê-los e ao entregá-los. ²⁹Outros cuidavam dos utensílios, dos vasos sagrados, da flor de farinha, do vinho, do azeite, do incenso e dos perfumes. ³⁰Alguns sacerdotes faziam a mistura dos perfumes. ³¹O levita Matatias, primogênito de Selum, coraíta, se encarregava sempre das tortas fritas na sertã; ³²e alguns dos seus parentes caatitas preparavam para cada sábado os pães apresentados.

³³Os cantores, chefes de família dos levitas, habitavam nas salas e estavam isentos de qualquer outro trabalho, pois seu ofício os ocupava dia e noite. ³⁴Esses eram os chefes de família dos levitas, segundo sua árvore genealógica. Viviam em Jerusalém.

³⁵Jeiel, fundador de Gabaon, habitava aí; sua mulher chamava-se Maaca. ³⁶Seu primogênito era Abdon; a seguir vinham Sur, Cis, Baal, Ner, Nadab, ³⁷Gedor, Aio, Zacarias e Macelot. ³⁸Macelot gerou Samaam. Viviam em Jerusalém, com seus parentes.

³⁹Ner gerou Cis; Cis gerou Saul; Saul gerou Jônatas, Melquisua, Abinadab e Isbaal. ⁴⁰Filho de Jônatas foi Meribaal, que gerou Micas. ⁴¹Filhos de Micas: Fiton, Melec, Taraá e Aaz. ⁴²Aaz gerou Jara, Jara gerou Almat, Azmot e Zambri. Zambri gerou Mosa, ⁴³e Mosa gerou Banaá, pai de Rafaías, pai de Elasa, pai de Asel. ⁴⁴Asel teve seis filhos, chamados Ezricam, Bocru, Ismael, Sarias, Abdias e Hanã. Esses foram os filhos de Asel.

9,19-27 Os porteiros são dignos de menção especial por serem também levitas e por suas funções no templo. Eram os guardiães do recinto sagrado, o defendiam, impedindo o acesso às pessoas não autorizadas. Assim evitavam que uma profanação, voluntária ou por descuido, pudesse afetar toda a comunidade com graves consequências; ver Nm 1,51-53; 3,10. 38. Embora sua função remonte ao tempo em que funcionava a tenda do encontro (v. 21), sua instituição procede de Davi, como a dos cantores (v. 22).

9,33 O autor exagera ou supõe o canto de um ofício noturno; em todo caso se trataria de turnos (Sl 134,1).

9,35-44 É repetição de 8,28-38, para introduzir a narração que se segue.

10 **Morte de Saul** (1Sm 31,1-13) – ¹Enquanto isso, os filisteus entraram em guerra com Israel. Os israelitas fugiram diante deles, e muitos caíram mortos no monte Gelboé. ²Os filisteus perseguiram de perto Saul e seus filhos, ferindo Jônatas, Abinadab e Melquisua, filhos de Saul. ³Então o peso do combate caiu sobre Saul; os arqueiros o alcançaram e o feriram com flechas. ⁴Saul disse a seu escudeiro:

– Tira a espada e atravessa-me, para que não cheguem esses incircuncisos e abusem de mim.

Mas o escudeiro não quis, pois entrou em pânico. Então Saul pegou a espada e deixou-se cair sobre ela. ⁵Quando o escudeiro viu que Saul estava morto, também ele lançou-se sobre a espada e morreu. ⁶Assim morreram Saul e seus três filhos; de uma só vez, toda a sua casa desapareceu.

⁷Quando os israelitas do vale viram que Israel fugia e que Saul e seus filhos estavam mortos, fugiram abandonando seus povoados. Os filisteus os ocuparam; ⁸no dia seguinte foram despojar os cadáveres e encontraram Saul e seus filhos mortos no monte Gelboé. ⁹Eles os despojaram, pegaram suas cabeças e suas armas e as fizeram circular por todo o território filisteu, levando a boa notícia a seus ídolos e ao povo. ¹⁰Puseram as armas no templo de seus deuses e pregaram as cabeças no templo de Dagon.

¹¹Os habitantes de Jabes de Galaad souberam o que os filisteus haviam feito a Saul, ¹²e os mais valentes puseram-se em marcha, pegaram os cadáveres de Saul e de seus filhos, e os levaram a Jabes. Enterraram seus ossos sob o carvalho de Jabes e celebraram um jejum de sete dias.

¹³Saul morreu por ter-se revoltado contra o Senhor, não dando atenção à sua palavra e por ter consultado os espíritos ¹⁴em vez de consultar o Senhor. O Senhor o entregou à morte e fez passar o reino a Davi, filho de Jessé.

11 **Davi, rei de Israel** (2Sm 5,1-3.6-10; 23,8-39) – ¹Os israelitas se reuniram com Davi em Hebron e lhe disseram:

– Vê, temos o mesmo sangue. ²Já antes, quando Saul ainda era rei, o verdadeiro general de Israel eras tu. O Senhor teu Deus te disse: "Tu apascentarás meu povo, Israel; tu serás chefe do meu povo Israel".

³Todos os conselheiros de Israel foram, pois, a Hebron para visitar o rei. Davi fez um pacto com eles diante do Senhor, e eles ungiram Davi rei de Israel, como o Senhor havia dito por meio de Samuel.

---

10 No livro de Samuel, o rei Saul é uma figura humana que surge, cresce, se confronta com o profeta, depois com Davi, e termina tragicamente.

O autor das Crônicas introduz Saul para que represente uma única cena: a sua morte. Assim o subordina totalmente a Davi, como um grande fracasso que prepara e faz ressaltar um grande triunfo. Com essa morte, neste livro desaparece o que pertencia a Saul: seus descendentes e a sombra do reino que sobrevive ao Norte e na Transjordânia. Suprimindo esses dados, o autor limpa de uma só vez o terreno, para maior glória do reino unificado sob Davi; mas sua tática empobrece a figura humana do herói, eliminando a dramática luta de forças que conduziu à exaltação de Davi. E a visão dramática da tradição é substituída por uma visão triunfalista.

Reduzindo assim a figura de Saul, eliminou também toda a tensão interna em torno da monarquia, devidamente registrada no livro de Samuel. A monarquia davídica é aqui algo que se tem como certo: toda a história precedente tendia para ela sem oposições. A gigantesca personalidade de Samuel se encolheu ao entrar no quadro de uma tribo estranha: em vez de juiz e profeta, ele entre os juízes e os reis, converteu-se num elo da corrente regular dos levitas.

Não menos que seus acréscimos, os grandes silêncios do Cronista revelam seu pensamento, e são confessados pela presença de outra história oficial. É preciso ler a presente obra recortada sobre o fundo das precedentes.

10,10 Mudanças menores: Evita pronunciar o nome da deusa Astarte – exagerando talvez o propósito de Sl 16,4 –; não menciona a exposição na muralha de Betsã do cadáver decapitado de Saul nem a cremação de cadáveres.

10,13-14 Isto é acréscimo do autor. É como um epitáfio de advertência. Refere-se sobretudo a 1Sm 15 e 28. A relação pecado-morte soa com força no primeiro capítulo narrativo do livro e ressoará incansavelmente: haverá outros reis que seguirão a sorte de Saul.

11-12 A coroação real de Davi também é muito simplificada. Desaparece a primeira coroação, que fez de Davi rei do território do Sul, rival do reino de Saul. De repente surge Davi como rei de todo o território unificado, de todas as tribos de Israel: surge num plebiscito unânime, preparado por adesões anteriores. Ao mesmo tempo desaparece a brilhante e difícil carreira de Davi, tão dramaticamente contada no primeiro livro de Samuel; só ficam nomes e alusões fugazes.

Conquista de Jerusalém — ⁴Davi e os israelitas *marcharam sobre Jerusalém*, ou seja, Jebus, *cujo território estava nas mãos dos jebuseus.* ⁵Os habitantes de Jebus disseram a Davi:

— Não entrarás aqui.

Mas Davi conquistou a fortaleza de Sião, a Cidade de Davi.

⁶*Davi havia prometido:*

— Nomearei general-em-chefe o primeiro *que matar um jebuseu.*

Joab, filho de Sárvia, subiu primeiro e chegou a general.

⁷*Davi instalou-se na fortaleza, que por isso se chama Cidade de Davi.* ⁸*Alargou* a cidade *a partir do aterro,* enquanto Joab restaurava o resto da cidade. ⁹*Davi ia crescendo em poder, e o Senhor dos exércitos estava com ele.*

¹⁰Capitães de Davi que se distinguiram durante seu reinado e com todo Israel o nomearam rei, como o Senhor havia predito a Israel. ¹¹*Lista dos campeões de Davi:*

Jesbaam, *o hacamonita,* primeiro do *trio, que brandiu sua lança* e *matou trezentos de uma só vez.*

¹²*Segundo, Eleazar, filho do aoíta Dodô; também pertencia ao trio.* ¹³*Esteve com Davi em Afes Domim, quando os filisteus aí se concentraram para o combate; havia um campo todo semeado de* cevada. *O exército fugia diante dos filisteus,* ¹⁴*mas ele se pôs no meio do campo, o defendeu e matou os filisteus. O Senhor concedeu uma grande vitória.*

¹⁵*Três dos trinta desceram à rocha, ao refúgio de Odolam, onde se encontrava Davi, enquanto um bando de filisteus acampava no vale dos Rafaim.* ¹⁶*Davi estava então no refúgio, e a guarnição filisteia ocupava Belém.* ¹⁷*Davi sentiu sede e exclamou:*

— *Quem me dera água, água do poço que há junto à porta de Belém!*

¹⁸*Os três irromperam no acampamento filisteu, tiraram água do poço, junto à porta de Belém, e a levaram a Davi. Mas Davi não quis bebê-la, derramando-a como obséquio ao Senhor,* ¹⁹*dizendo:*

— Deus me livre de fazer isso! *Seria beber o sangue desses homens que arriscaram sua vida* para trazê-la.

E não quis bebê-la. Essas foram as façanhas dos três campeões.

²⁰*Abisaí, irmão de Joab, era chefe dos trinta. Brandindo sua lança, matou trezentos e ganhou fama entre os trinta;* ²¹*destacou-se entre eles e foi seu chefe, mas não chegou aos três.*

²²*Banaías, filho de Joiada, natural de Cabseel, era um tipo aguerrido, rico em façanhas. Matou os dois moabitas filhos de Ariel e desceu para matar o leão na cisterna no dia da neve.* ²³*Matou também um egípcio* de dois metros e meio e *que empunhava uma lança do tamanho de um cilindro de tear; Banaías foi a ele com um pau, arrancou-lhe a lança e com ela o matou.* ²⁴*Essas foram as façanhas de Banaías, filho de Joïada, com as quais ganhou fama entre os trinta campeões.* ²⁵*Destacou-se entre eles, mas não chegou aos três. Davi o pôs à frente de sua escolta.*

²⁶Os guerreiros mais famosos eram:

Asael, irmão de Joab. Elcanã, filho de Dodô, de Belém.

²⁷*Samot, o harorita. Heles, o felonita.*

²⁸*Ira, filho de Aces, de Técua. Abiezer, de Anatot.*

²⁹*Sobocai, o husita.* Ilai, *o aoíta.*

³⁰*Maarai, de Netofa. Héled, filho de Baana, de Netofa.*

³¹*Etai, filho de Ribai, de Gabaá de Benjamim. Banaías, de Faraton.*

³²*Hurrai, de Rio Gaás. Abiel, de Arabá.*

³³*Azmot, de Baurim. Eliaba, o saalbonita.*

³⁴*Asem, o gunita. Jônatas, filho de Saage, de Arar.*

³⁵*Aiam, filho de Sacar, o ararita. Elifalet, filho de Ur.*

11,4-9 A conquista de Jerusalém está fora do seu lugar cronológico. Não importa, porque o autor quer unir desde o princípio a escolha de Davi e a escolha da capital, embora a coroação seja celebrada em Hebron. Por algum motivo, Josué e os seus não puderam conquistar o encrave jebuseu: estava reservado a Davi, para que seu nome entrasse na lista dos conquistadores da terra prometida.

11,10 Num olhar retrospectivo, não cronológico, do alto da coroação, assistimos a uma espécie de recrutamento de nomes ilustres, até de personagens que se incorporaram e se distinguiram mais tarde. A lista dos trinta é mais longa que a recolhida no livro de Samuel; mais que um número exato, trinta é uma categoria militar. A predição profética está citada no v. 2; podemos pensar em 1Sm 15,28.

³⁶Héfer, de Maquera. Aías, o felonita. ³⁷Hesro, de *Carmel**. Naarai, filho de Azbai. ³⁸*Joel,* irmão de *Natã.* Mibaar, filho de Agarai. ³⁹*Selec, o amonita. Naarai, de Beerot*, escudeiro de Joab, filho de Sárvia.* ⁴⁰*Ira, de Jeter. Gareb, de Jeter.* ⁴¹*Urias, o heteu.* Zabad, filho de Ooli. ⁴²Adina, filho de Siza, o rubenita, chefe dos rubenitas, e com ele trinta. ⁴³Hanã, filho de Maaca. Josafá, o matanita. ⁴⁴Ozias, de Astarot. Sama e Jaiel, filhos de Hotam, de Aroer. ⁴⁵Jediel, filho de Samri. Joás, seu irmão, o tasaíta. ⁴⁶Eliel, o maumita. Jeribai e Josaías, filhos de Elnaem. Jetma, o moabita. ⁴⁷Eliel, Obed e Jasiel, de Soba.

12 Guerreiros que se uniram a Davi no tempo de Saul

– ¹Lista dos que foram a Siceleg para unir-se a Davi quando ele se havia exilado por causa de Saul, filho de Cis. Eram os soldados mais valentes no combate, ²manejavam o arco e podiam atirar pedras e disparar flechas com as duas mãos. Pertenciam a Benjamim, a tribo de Saul. ³Abiezer, o chefe, e Joás, filhos de Samaá, de Gabaá*; Jaziel e Falet, filhos de Azmot; Baraca e Jeú, de Anatot; ⁴Ismaías, de Gabaon, um dos trinta valentes e destacado; ⁵Jeremias, Jeeziel, Joanã, Jozabad, de Gaderot*; ⁶Eluzaí, Jerimot, Baalias, Samarias e Safatias, de Harif; ⁷Elcana, Jesias, Azareel, Joezer, Jesbaam, coreítas; ⁸Joela e Zabadias, filhos de Jeroam, de Gedor*.

⁹Também alguns *gaditas* passaram para Davi no refúgio do deserto: homens aguerridos, acostumados ao combate, hábeis com o escudo e a lança, ousados como leões, ágeis como cabras montesas. ¹⁰Seu capitão era Ezer; Abdias, segundo; Eliab, terceiro; ¹¹Masmana, quarto; Jeremias, quinto; ¹²Eti, sexto; Eliel, sétimo; ¹³Joanã, oitavo; Elzebad, nono; ¹⁴Jeremias, décimo; Macbanai, décimo primeiro. ¹⁵Todos esses gaditas eram comandantes do exército: o inferior comandava cem homens, o superior comandava mil. ¹⁶São esses os que no mês de abril cruzaram o rio, quando o Jordão transborda pelas margens e fecha os vales a leste e a oeste.

¹⁷Também alguns benjaminitas e *judaítas* foram ao refúgio de Davi. ¹⁸Ele saiu ao seu encontro e lhes disse:

– Se vindes como amigos, para ajudar-me, eu irei de acordo convosco; mas, se vindes para entregar-me a meus inimigos, não sendo eu um criminoso, que o Deus de nossos pais nos examine e julgue.

¹⁹Então o Espírito apoderou-se de Amasai, chefe dos trinta, e exclamou:

– Somos teus, Davi.
Estamos contigo, filho de Jessé.
A paz será tua
e de teus partidários,
porque teu Deus está do teu lado.

Davi os acolheu e os destinou aos batalhões de guerrilhas.

11,37 * = Várzea.
11,39 * = Poços.

12,1-8 A lista é original do autor. Encabeça a série um grupo de benjaminitas, ou seja, da tribo de Saul; e se aliam a Davi quando se desterrou para o território filisteu. É como uma lembrança dramática de tempos difíceis no momento da coroação. Conquistando esses benjaminitas, Davi perseguido ia ganhando terreno, estabelecia uma cabeça-de-ponte na tribo rival. A destreza dos benjaminitas como fundeiros era proverbial.
12,3 * = Colina.
12,5 * = Taipas.
12,8 * = Cercado.
12,9-16 Os gaditas eram da Transjordânia, outra cabeça-de-ponte para o futuro poderio de Davi. Sua destreza bélica se exercita na luta corpo-a-corpo; passando o Jordão demonstrarão ainda mais sua coragem. Valentia e agilidade são as virtudes tradicionais do guerreiro israelita (é o que Davi garante na sua lamentação por Saul e Jônatas, 2Sm 1,23).
12,17-19 Ao chegar ao grupo de judaítas, em vez de uma lista de nomes lemos um oráculo profético, provocado pelo apelo ao Deus de Davi. Suas palavras têm um vago antecedente no discurso de Joatão (Jz 9). Segundo o profeta, Deus se pôs do lado do inocente perseguido, à frente do perseguidor culpado; por meio de Davi, apoiará seus partidários (compare-se com Gn 12,3). Estar com Davi é estar do lado de Deus. Um guerreiro se transforma em profeta para dar testemunho a favor de Davi; nessas palavras parece ouvir-se uma alusão polêmica ao grito do cisma (1Rs 12,16).
A desconfiança de Davi ao recebê-los se explica pela situação dele no refúgio de Odolam, acossado pelas tropas de Saul; recorde-se o caso semelhante de Sansão em Jz 15,9-13.

²⁰Também alguns de *Manassés* passaram para Davi quando ele ia com os filisteus para lutar contra Saul. Na realidade, não combateu com eles, porque os príncipes filisteus decidiram dispensá-lo, pensando: "Ele passará para Saul, seu senhor, levando-lhe nossas cabeças". ²¹E quando voltava a Siceleg, alguns de Manassés passaram para ele: Ednas, Jozabad, Jediel, Miguel, Jozabad, Eliú e Salati, generais de Manassés. ²²Combateram em guerrilhas a favor de Davi. Eram todos homens de armas que chegaram a chefes do exército.

²³Dia após dia chegavam a Davi novos reforços, até que dispôs de uma tropa incontável.

Guerreiros que foram a Hebron para fazer Davi rei
– ²⁴Número dos guerreiros que em Hebron se apresentaram a Davi armados, para transferir-lhe o reino de Saul, cumprindo o oráculo do Senhor:

²⁵Seis mil e oitocentos de Judá, armados de escudo e lança, equipados para o combate. ²⁶Sete mil e cem valentes de Simeão, armados. ²⁷Quatro mil e seiscentos de Levi. ²⁸Joiada, chefe dos aaronitas, com três mil e setecentos. ²⁹Sadoc, jovem e valente, com vinte e dois chefes de sua família. ³⁰Três mil de Benjamim, parentes de Saul, que até então tinham em sua maioria permanecido fiéis à casa de Saul. ³¹Vinte mil e oitocentos valentes de Efraim, famosos em suas famílias. ³²Dezoito mil da meia tribo de Manassés, designados nominalmente para ir proclamar Davi rei. ³³Duzentos chefes de Issacar, e todos os seus irmãos sob suas ordens, inteligentes e capacitados para avaliar os rumos de Israel. ³⁴Cinquenta mil de Zabulon em idade militar, equipados com todo tipo de armas e que lutavam com toda a alma. ³⁵Mil chefes de Neftali, com trinta e sete mil homens armados de escudo e lança. ³⁶Vinte e oito mil e seiscentos danitas armados. ³⁷Quarenta mil de Aser, em idade militar e armados. ³⁸Da Transjordânia, cento e vinte mil entre rubenitas, gaditas e a meia tribo de Manassés, equipados com todo o tipo de armas.

³⁹Todos esses homens de guerra, em idade militar, decididos, chegaram a Hebron dispostos a nomear Davi rei de todo Israel. Também os demais israelitas estavam de acordo em nomear Davi rei. ⁴⁰Permaneceram aí três dias, comendo e bebendo à custa de seus irmãos. ⁴¹Além disso, todos os da região, também os de Issacar, Zabulon e Neftali, vinham com asnos, camelos e bois trazendo provisões: farinha, pão de figos, passas, vinho, azeite, bois e ovelhas em abundância, porque Israel estava em festa.

13 A arca transportada a Jerusalém
(2Sm 6,2-11) – ¹Davi consultou seus comandantes, chefes e oficiais. ²Depois disse a toda a assembleia de Israel:

12,20-22 1Sm 29. Não nos diz se esses manassitas são do grupo oriental ou do ocidental. Em todo caso, representam uma tribo numerosa e bem situada. Com esse olhar para trás, o autor evocou alguns momentos difíceis da carreira de Davi, porém sublinhando mais seus triunfos que seus insucessos.

12,24 O que parecia um plebiscito nacional era na realidade o cumprimento de uma profecia e uma escolha divina. O oráculo move os homens, cria a unanimidade, move a história.

12,25-38 Com a menção de Levi à parte, o número das tribos sobe para treze, excluído o tradicional desdobramento de Manassés. O autor reúne na aldeia de Hebron, ou melhor, nesta página, mais de trezentos e trinta mil guerreiros, e não conta os voluntários de intendência. É quase um primeiro recenseamento. No concerto dos esquadrões bélicos destaca esse grupinho de Issacar (v. 33), que sobressai pela prudência política. Não se parece muito com o "asno robusto" de Gn 49,14.

13-15 Em relação a 2Sm, a trasladação da arca para Jerusalém segue uma ordem diferente. Aí tínhamos primeiro algumas batalhas com os filisteus e depois a trasladação em duas etapas; aqui as batalhas com os filisteus são lidas dividindo as duas etapas. Assim, vemos que, depois da sua coroação, o primeiro ato oficial de Davi é decidir a trasladação e realizar a primeira etapa; vem a interrupção das batalhas, e só depois se realiza a segunda etapa. Esse bloco é tão longo quanto a coroação. Descreve-se com mais detalhe a cerimônia e perdemos as andanças da arca descritas nos livros de Samuel; assim, não nos é dito como a arca chegou a *Cariat-Iarim* (= Vila Soutos).

13,1-5 Davi reúne o conselho, primeiro com seus oficiais, depois com a assembleia aí presente, e acrescenta a consulta a Deus, a ser feita por meio de um oráculo; a mesma arca pode ter sido o meio da consulta. Segundo o contexto, estavam ainda em Hebron; o ponto de vista é Jerusalém. A trasladação tem de ser uma festa de peregrinação de todo Israel, cujos limites o autor estende enfaticamente ao norte e ao sul, para além do território das doze tribos, alcançando os domínios imperiais.

— Se vos parecer bem, e se o Senhor nosso Deus o aprovar, vamos convidar nossos irmãos que ficaram no território de Israel e os sacerdotes e levitas em suas cidades e pastagens, para que se reúnam conosco. ³Depois traremos a arca do nosso Deus, pois durante a vida de Saul não a consultamos.

⁴O povo aprovou a ideia, e a comunidade decidiu colocá-la em prática. ⁵Então Davi reuniu *todos* os israelitas, da torrente do Egito até a entrada de Emat, para transportar a arca de Deus de Cariat-Iarim*. ⁶*Davi e todo* Israel foram a *Baala*, isto é, Cariat-Iarim* *de Judá, para transladar a arca de Deus, que traz a inscrição: "Senhor entronizado sobre os querubins".*

⁷*Puseram a arca de Deus numa carroça nova, tirando-a da casa de Abinadab. Oza e Aio conduziam a carroça.* ⁸*Davi e os israelitas iam dançando diante de Deus com todo* o entusiasmo, cantando ao som de *cítaras e harpas, pandeiros, címbalos* e trombetas. ⁹*Quando chegaram à eira de Quidon, os bois tropeçaram, e Oza estendeu a mão para segurar a arca.* ¹⁰*O Senhor se encolerizou contra Oza* por ter estendido a mão para a arca, *e morreu aí mesmo,* diante de Deus. ¹¹*Davi entristeceu-se porque o Senhor investiu contra Oza, e pôs a esse lugar o nome de Investida de Oza, e assim se chama atualmente.* ¹²*Nesse dia, Davi temeu a Deus e disse:*

— Como irei levar *para minha casa a arca* de Deus?

¹³*E não a levou para sua casa, na Cidade de Davi, mas a transladou para a casa de Obed-Edom de Gat.* ¹⁴*A arca de Deus esteve três meses na casa de Obed-Edom,* e *o Senhor abençoou* a família de *Obed-Edom* e todas as suas coisas.

14 Davi em Jerusalém (2Sm 5,11-16)

— ¹*Hiram, rei de Tiro, mandou uma embaixada a Davi com madeira de cedro, pedreiros e carpinteiros, para lhe construir um palácio.* ²*Assim Davi compreendeu que o Senhor o consolidava como rei de Israel e que engrandecia extraordinariamente seu reino por amor de Israel, seu povo.*

³*Em Jerusalém, Davi tomou outras esposas e gerou mais filhos e filhas.*

⁴*Nome dos filhos que teve em Jerusalém: Samua, Sobab, Natã, Salomão,* ⁵*Jebaar, Elisua, Elfalet,* ⁶*Noga, Nafeg, Jáfia,* ⁷*Elisama, Baaliada e Elifalet.*

Batalhas com os filisteus (2Sm 5,17-25)

⁸*Quando os filisteus souberam que haviam ungido Davi rei de todo Israel, subiram todos para prendê-lo. Davi ficou sabendo e saiu ao encontro deles.* ⁹*Os filisteus haviam chegado e se espalharam no vale dos Rafaim.* ¹⁰*Davi consultou Deus:*

— Posso atacar os filisteus? Tu os entregarás a mim?

O Senhor lhe respondeu:

— Ataca-os, e eu os entregarei a ti.

¹¹*Atacou-os em Baal Farasim* e aí os derrotou. E Davi comentou:*

— Por minha mão Deus abriu uma brecha no fronte inimigo, como brecha num dique.

(É por isso que esse lugar se chama Baal-Farasim.)

¹²*Os filisteus deixaram seus deuses aí abandonados, e Davi ordenou que os queimassem.*

13,6 * = Vila Soutos.

13,7-11 O autor segue de perto 2Sm 6,2-11. O incidente lhe interessa porque sublinha a divisão de funções, que conhecemos pela tradição sacerdotal de Lv e Nm. Oza e Aio não eram levitas; podiam guiar a carroça, mas não tocar a arca, coisa reservada aos levitas. Ainda bem que o castigo da profanação limitou-se ao culpado, e a descarga de sacralidade não atingiu toda a comunidade, como podia acontecer por causa do atentado. O culpado foi executado pelo próprio Deus, sem intervenção humana. É algo como o círculo sagrado do Sinai, no qual nenhum profano podia penetrar, sob pena de morte (Ex 19,21). Tampouco Davi era de linhagem sacerdotal ou levítica; daí seu temor sagrado. A arca aparece já como objeto numinoso, com sua dupla virtude de fulminar e abençoar.

14 Na composição literária, não cronológica, que segue com poucas variantes o modelo de 2Sm, o autor apresenta também Davi como figura polar no meio de outras nações. A benevolência dos tírios lhes traz paz e bons negócios; a malevolência dos filisteus lhes acarreta derrotas. Davi começa a decidir a sorte dos seus vizinhos. E, como outro homem depois do dilúvio (Gn 9,7), impõe temor e respeito ao redor.

14,3-7 Como Hebron foi simplesmente o lugar da coroação, o autor não falou dos filhos nascidos em Hebron; por isso causa estranheza a expressão "outras esposas". O que falta se encontra na genealogia (3,1-4).

14,11 * = Brechas.

14,12 Em vez de seguir a versão da sua fonte (2Sm 5,21), o autor prefere seguir as prescrições de Dt 7,5.25; 12,3: Davi não recolhe os deuses como troféu, seguindo o costume de outros povos, mas os queima.

¹³Os filisteus fizeram outra incursão e se espalharam pelo vale. ¹⁴Novamente Davi consultou Deus, que lhe respondeu:

– Não ataques. Rodeia-os pela retaguarda, sem enfrentá-los, e depois os atacarás diante das amoreiras. ¹⁵Quando ouvires barulho de passos na copa das amoreiras, atira-te ao ataque, porque Deus sai à tua frente para derrotar o exército filisteu.

¹⁶Davi fez como Deus lhe ordenou, e derrotaram o exército filisteu de Gabaon até Gazer. ¹⁷A fama de Davi se estendeu por todo o território e Deus fez com que todos os povos o temessem.

15 Transladação da arca a Jerusalém

(2Sm 6,12-16) – ¹Davi construiu para si um palácio na Cidade de Davi, preparou um lugar para a arca de Deus e ergueu para ela uma tenda. ²Deu então uma ordem:

– Ninguém pode transportar a arca de Deus, exceto os levitas, pois o Senhor os escolheu para transportar a arca e para servi-lo eternamente.

³Davi reuniu em Jerusalém todos os israelitas para transladar a arca do Senhor ao lugar que lhe havia preparado. ⁴Depois reuniu os filhos de Aarão e os levitas.

⁵Filhos de Caat: o príncipe Uriel com cento e vinte de sua família. ⁶Filhos de Merari: o príncipe Asaías com duzentos e vinte de sua família. ⁷Filhos de Gérson: o príncipe Joel com cento e trinta de sua família. ⁸Filhos de Elisafã: o príncipe Semeías com duzentos de sua família. ⁹Filhos de Hebron: o príncipe Eliel com oitenta de sua família. ¹⁰Filhos de Oziel: o príncipe Aminadab com cento e doze de sua família.

¹¹Davi chamou também os sacerdotes Sadoc e Abiatar, e os levitas Uriel, Asaías, Joel, Semeías, Eliel e Aminadab, ¹²e lhes disse:

– Vós sois os chefes de famílias dos levitas: purificai-vos com vossos irmãos, para fazer a arca do Senhor, Deus de Israel, subir ao lugar que lhe preparei. ¹³Na primeira vez não estáveis presentes nem consultamos o Senhor, como se deve; por isso o Senhor nosso Deus abriu uma brecha entre nós.

¹⁴Os sacerdotes e levitas se purificaram para transladar a arca do Senhor, Deus de Israel. ¹⁵Depois os levitas puseram os varais aos ombros e ergueram a arca de Deus, conforme Moisés havia mandado por ordem do Senhor.

¹⁶Davi mandou os chefes dos levitas organizar os cantores de suas famílias para que entoassem cantos festivos acompanhados de instrumentos, harpas, cítaras e címbalos. ¹⁷Os levitas encarregaram Emã, filho de Joel, seu parente Asaf, filho de Baraquias, e Etã, filho de Casaías, descendente de Merari e parente dos anteriores. ¹⁸Junto com eles, no segundo posto, seus parentes Zacarias, filho de Oziel, Semiramot, Jaiel, Ani, Eliab, Banaías, Maasias, Matatias, Elifalu, Macenias, Obed-Edom e Jeiel, porteiros.

¹⁹Os cantores Emã, Asaf e Etã tocavam címbalos de bronze. ²⁰Zacarias, Ozoiel, Semiramot, Jaiel, Ani, Eliab, Maasias e Banaías tinham harpas agudas. ²¹Matatias,

---

15 Como um cronista provinciano ou local ou de confraria, o autor se deleita descrevendo amplamente festejos religiosos. Aproveitando os dados sóbrios de 2Sm 6, constrói um capítulo cheio de nomes e cerimônias perfeitamente organizadas. O entusiasmo espontâneo do rei Davi se transforma em organização minuciosa de ritos e funções; o confronto dramático de Davi com Micol perde importância e se converte em apêndice.

15,1 Uma tenda: porque ainda é morada provisória, até que se construa o templo. A Cidade de Davi designa um setor limitado da capital.

15,2 Ver Dt 10,8.

15,3 Com grande ênfase, usa o verbo congregar, *qhl*, e menciona "todo Israel": é uma festa nacional, como a da coroação.

15,5-10 Às três famílias levíticas clássicas acrescenta três famílias de caatitas com a mesma categoria.

15,11 Sadoc e Abiatar ainda não são os dois ramos rivais.

15,12 A purificação exigia um tempo antes da cerimônia (Ex 19,10.15).

15,15 Sobre o transporte, ver Ex 25,13-14.

15,16-24 É claro o gosto do autor pela música litúrgica. Muitos pensam que o autor fosse membro do grupo. Antes da organização do cap. 16, lemos aqui alguns dados antecipados. Uma orquestra reduzida à corda e percussão; os três "cantores" diretores tocam os címbalos; as trombetas são reservadas a sete sacerdotes (Nm 10,8), que as tocam em outro momento. Interpretando duas palavras enigmáticas, pensamos que harpas e cítaras se distinguem pela afinação e se dividem em dois grupos, de oito e de quatro.

15,20 Texto duvidoso.

15,21 Texto duvidoso.

Elifalu, Macenias, Obed-Edom, Jeiel e Ozazias tinham cítaras de oitava para dirigir o canto. ²²Conenias, chefe dos levitas, entoava, porque era perito. ²³Baraquias e Elcana eram porteiros da arca. ²⁴Os sacerdotes Sebanias, Josafá, Natanael, Amasai, Zacarias, Banaías e Eliezer tocavam as trombetas diante da arca de Deus. Obed-Edom e Jeías eram porteiros da arca.

²⁵*Davi, os conselheiros de Israel e os generais foram transladar a arca da aliança do Senhor, da casa de Obed-Edom, com grande festa.* ²⁶E porque Deus protegeu os levitas que a transportavam, sacrificaram sete bezerros e sete carneiros. ²⁷Davi vestia um manto de linho, como todos os levitas (os carregadores da arca e os cantores) e como Conenias, diretor do coro. Davi usava também *um roquete de linho.* ²⁸Todo Israel acompanhava a arca da aliança do Senhor com aclamações, ao som de trompas, trombetas e címbalos e tocando harpas e cítaras. ²⁹*Quando a arca da aliança do Senhor entrava na Cidade de Davi, Micol, filha de Saul, estava olhando da janela, e, ao ver o rei Davi dando pulos e dançando, o desprezou em seu íntimo.*

16 A arca na tenda (2Sm 6,17-19) –
¹*Introduziram a arca de Deus e a instalaram no centro da tenda que Davi havia preparado. Ofereceram a Deus holocaustos e sacrifícios de comunhão,* ²*e quando Davi terminou de oferecê-los, abençoou o povo em nome do Senhor.* ³*Depois distribuiu a todos os israelitas, homens e mulheres, um pedaço de pão, um pedaço de carne e um bolo de uvas passas para cada um.*

⁴Constituiu alguns levitas a serviço da arca do Senhor para que invocassem, dessem graças e louvassem o Senhor, Deus de Israel. ⁵Asaf, chefe; Zacarias, segundo; depois Oziel, Semiramot, Jaiel, Matatias, Eliab, Banaías, Obed-Edom e Jeiel, com harpas e cítaras. Asaf tocava os címbalos. ⁶Os sacerdotes Banaías e Jaziel tocavam diariamente as trombetas diante da arca da aliança de Deus. ⁷Nesse dia, por meio de Asaf e seus irmãos, Davi inaugurou o louvor do Senhor:

⁸*Dai graças ao Senhor,*
invocai seu nome,
anunciai suas façanhas aos povos;
⁹*cantai para ele*
ao som de instrumentos,
comentai todas as suas maravilhas;
¹⁰*gloriai-vos de seu nome santo,*
alegrem-se os que buscam o Senhor.
¹¹*Procurai o Senhor e seu poder,*
buscai sempre sua presença.
¹²*Recordai as maravilhas que fez,*
seus prodígios e as sentenças
de sua boca.

15,26 A proteção consistiu em não fulminá-los. Os sacrifícios são de ação de graças.
15,27 A veste de Davi não é clerical, mas se destina ao serviço do templo, como o mostra o exemplo de Samuel (1Sm 2,18).
15,29 Ao reduzir o tamanho do incidente com Micol, o autor perde a ocasião de inculcar a correspondência pecado-castigo; quis talvez evitar as palavras humildes do rei.
16,4-7 Instalada, a arca já não recebe sacrifícios de animais, mas a oferta do louvor. Um dom mais espiritual, mais artístico, menos dramático. Os instrumentos musicais e a palavra poética tomam o lugar dos mugidos das vítimas, do sangue em borbotões e da gordura crepitando. Compare-se a presente complacência na música vocal e instrumental com a refinada classificação de Lv 1-8: o autor tem consciência do contraste? quer sublinhá-lo? ou pretende antes oferecer um complemento? A maneira de falar e o tom enfático favorecem a primeira interpretação. Ao associar a função da música com Davi, com o momento original do culto em Jerusalém, o autor parece atribuir-lhe um valor de primícia.
16,4 Menciona só ação de graças e louvor, omite ou não recolhe a súplica; a invocação se distribui por todos os gêneros. O saltério nos dá um repertório mais rico.
16,8-36 O primeiro exemplo de hino nos oferece é uma composição de três fragmentos, com leves retoques: 8-22 vem de Sl 105,1-15; 23-33, de Sl 96,1-13; 34-36, de Sl 106,1.47-48. Pelo mesmo saltério, por exemplo Sl 108, conhecemos essa maneira de compor para fins litúrgicos.
A primeira peça canta a palavra de Deus em forma de promessa aos patriarcas; interrompe-se logo, na etapa da peregrinação de Abraão por Canaã e Egito. Isso significa saltar Moisés, o libertador do Egito e guia pelo deserto, para ligar diretamente com o patriarca. As últimas palavras citadas teriam ressonância particular para os repatriados de Babilônia. Quando seria hora de falar da entrada na terra para tomar posse – versículos finais do salmo –, o autor introduz um canto à realeza do Senhor, a quem vêm processionalmente render homenagem. A vinda do Egito e a volta do desterro adquirem a característica de peregrinação litúrgica. Davi e o seu povo reconhecem o Senhor como rei universal de todos os povos e do cosmo.
A conclusão é convencional e cabe em diversos contextos.

¹³*Estirpe de Abraão, seu servo,*
filhos de Jacó, seu escolhido!
¹⁴*O Senhor é nosso Deus,*
ele governa a terra inteira.
¹⁵*Recorda-se sempre de sua aliança,*
da palavra dada, por mil gerações;
¹⁶*da aliança selada com Abraão*
e do juramento feito a Isaac,
¹⁷*confirmado como lei para Jacó,*
como aliança eterna para Israel:
¹⁸*"Eu te darei o país cananeu*
como parte de tua herança".
¹⁹*Quando eram uns poucos mortais,*
contados e migrantes no país,
²⁰*quando vagavam de povo em povo,*
de um reino a outra nação,
²¹*não permitiu que ninguém*
os oprimisse, e por eles castigou reis:
²²*"Não toqueis em meus ungidos,*
não maltrateis meus profetas".
²³*Canta ao Senhor a terra inteira,*
anunciai dia após dia sua vitória.
²⁴*Contai aos povos sua glória,*
suas maravilhas a todas as nações;
²⁵*porque o Senhor é grande,*
muito digno de louvor,
mais temível que todos os deuses.
²⁶*Pois os deuses dos pagãos*
são aparência,
ao passo que o Senhor fez os céus;
²⁷*honra e majestade estão*
em sua presença,
força e beleza em seu santuário.
²⁸*Tributai ao Senhor, famílias dos povos,*
tributai ao Senhor glória e poder,
²⁹*tributai ao Senhor*
a glória do seu nome,
entrai em seus átrios
trazendo-lhe ofertas;
prostrai-vos diante do Senhor
no átrio sagrado,
³⁰*trema em sua presença a terra inteira.*
Ele fixou o universo,
que não vacilará.

³¹*Alegrem-se os céus, exulte a terra,*
e digam os povos:
"O Senhor é rei".
³²*Ressoe o mar e tudo o que ele contém,*
exulte o campo e tudo o que há nele,
³³*aclamem as árvores silvestres*
diante do Senhor que está chegando,
está chegando para governar a terra.
³⁴*Dai graças ao Senhor porque é bom,*
porque sua misericórdia é eterna.
³⁵*Dizei: Salva-nos, Senhor Deus nosso,*
reúne-nos do meio dos pagãos,
e daremos graças a teu nome santo
e louvar-te será nossa glória.
³⁶*Bendito o Senhor, Deus de Israel,*
desde sempre e para sempre.
Todo o povo respondeu:
"Amém! Aleluia!".

³⁷Ele deixou Asaf e seus irmãos para que cuidassem da arca da aliança do Senhor e prestassem diante dela seu serviço permanente, conforme os ritos de cada dia. ³⁸Nomeou porteiros Obed-Edom, filho de Iditun, Hosa e sessenta e oito de sua família. ³⁹Encarregou o sacerdote Sadoc e seus irmãos sacerdotes do santuário do Senhor que se encontrava na ermida de Gabaá, ⁴⁰para que oferecessem diariamente ao Senhor no altar o holocausto da manhã e da tarde, de acordo com tudo o que está escrito na lei que o Senhor prescreveu a Israel. ⁴¹Com eles, Emã, Iditun e os outros escolhidos e designados nominalmente para cantar ao Senhor: "Sua misericórdia é eterna". ⁴²Estes tinham trombetas, címbalos e outros instrumentos para acompanhar os cantos do Senhor. Os filhos de Iditun eram porteiros.

⁴³A seguir, todos partiram, cada qual para sua casa, e Davi foi abençoar sua casa.

17 Promessa dinástica e oração de Davi (2Sm 7,1-29) – ¹*Quando Davi se estabeleceu em sua casa, o rei disse ao profeta Natã:*

16,16-17 A aliança com os patriarcas se atualiza no reinado de Davi, sem passar pela aliança do Sinai.
16,33 Em virtude do uso litúrgico concreto, a entrada da arca em Jerusalém é o ingresso do Senhor para reinar no mundo.
16,35 O pedido supõe uma diáspora dos judeus.
16,39-40 Como ainda não se construiu o templo, alguns santuários locais continuam funcionando,

concretamente a ermida de *Gabaá* (= Colina), aonde Salomão irá para consultar o Senhor.
Nesse santuário, dotado de um altar, continuam os sacrifícios, mas não falta a presença da música.

17 Segundo a tradição oficial, Davi quis construir um templo ao Senhor, e o Senhor não o permitiu por causa do seu passado guerreiro; tal honra caberia a seu filho Salomão, o pacífico. Era preciso respeitar

– Vê, eu estou vivendo em uma casa de cedro, e a arca da aliança do Senhor está debaixo de lonas.

²Natã lhe respondeu:

– Vai, faz o que pensaste, pois Deus está contigo.

³Mas nessa noite Natã recebeu esta palavra de Deus:

– ⁴Vai dizer a meu servo Davi: Assim diz o Senhor: Não serás tu quem me construirá a casa para habitar. ⁵Desde o dia em que libertei Israel até hoje, não habitei numa casa, mas fui de tenda em tenda e de santuário em santuário. ⁶E em todo o tempo em que viajei de cá para lá com os israelitas, por acaso recomendei a algum juiz de Israel, aos que mandei governar meu povo, que me construíssem uma casa de cedro? ⁷Pois bem, dize isto a meu servo Davi: Assim diz o Senhor dos exércitos: Eu te tirei dos currais, de tuas idas atrás das ovelhas, para seres chefe de meu povo Israel. ⁸Estive contigo em todos os teus empreendimentos; destruí todos os teus inimigos. Eu te farei famoso como os mais famosos da terra; ⁹darei uma terra a meu povo Israel, eu o plantarei para que viva nela sem sobressaltos, sem que os perversos voltem a abusar dele como no passado, ¹⁰quando nomeei juízes em meu povo Israel, e humilhei todos os seus inimigos; além disso, eu te comunico que o Senhor te dará uma dinastia. ¹¹E quando chegar o momento de ir com teus pais, estabelecerei depois de ti um descendente teu, um de teus filhos, e consolidarei seu reino. ¹²Ele me edificará um templo, e eu consolidarei seu trono para sempre. ¹³Eu serei para ele um pai, e ele será para mim um filho; e não lhe retirarei minha lealdade, como a retirei do teu predecessor. ¹⁴Eu o estabelecerei para sempre em minha casa e em meu reino, e seu trono permanecerá eternamente.

¹⁵Natã comunicou a Davi toda a visão e todas essas palavras. ¹⁶Então o rei Davi foi apresentar-se diante do Senhor e disse:

– Quem sou eu, Senhor Deus, e o que é minha família para que me tenhas feito chegar até aqui? ¹⁷E como se fosse pouco para ti, Deus meu, fizeste à casa do teu servo uma promessa para o futuro, enquanto existirem homens, Senhor Deus. ¹⁸O que mais pode acrescentar Davi em tua honra, se tu conheces teu servo? ¹⁹Senhor, por amor a teu servo e segundo teus desígnios, foste magnânimo com teu servo, revelando todas essas maravilhas. ²⁰Senhor, como ouvimos, não há ninguém como tu, não há Deus além de ti. ²¹E que nação há no mundo como teu povo Israel, ao qual Deus veio libertar para torná-lo seu e ganhar fama para ti com prodígios terríveis em seu favor, expulsando as nações diante do povo que libertaste do Egito? ²²Estabeleceste teu povo Israel, como povo teu para sempre, e tu, Senhor, és seu Deus. ²³Agora, pois, Senhor, mantém sempre a promessa que fizeste a teu servo e sua família, cumpre tua palavra. ²⁴Que teu nome perdure e seja sempre famoso. E digam: "O Senhor dos exércitos é Deus de Israel". E que a casa de Davi

---

essa tradição, e o autor a recolhe no presente capítulo; inclusive nos dois seguintes nos mostra Davi empenhado em batalhas e ganhando vitórias, ou seja, tornando-se incapaz de construir o templo. Mas, já que é impossível mudar o que todos sabem, o autor, com seus acréscimos, fará de Davi o autor moral do templo. Ele adquire o terreno (cap. 21, conforme a tradição), reúne os materiais para a construção (22), organiza o pessoal de levitas (23), sacerdotes (24), cantores (25), porteiros ou guardiães (26). Depois de terminar rapidamente a organização militar e administrativa do reino (27), ele mesmo prepara e consuma a sucessão dinástica. Os trâmites e cerimônias dessa sucessão estão totalmente polarizados pelo templo. Depois pode morrer tranquilo.

Essa imagem não se parece muito com a oferecida pela tradição, tão humana e dramática. Em compensação, a importância do templo cresce sem medida. É como se as pessoas, também o grande Davi, vivessem simplesmente para realizar essa obra material, que para o autor não é simplesmente material, porque significa a presença do Senhor dando ser e persistência ao seu povo.

O capítulo segue muito de perto 2Sm 7, com leves retoques.

17,1 Essa aliança do Senhor ligada à arca é a aliança mosaica, à qual o autor alude de vários modos, evitando dar-lhe importância primordial.

17,6 As andanças pelo deserto e as mudanças durante a época dos Juízes têm valor exemplar, revelam algo importante sobre a presença e assistência do Senhor. Agora a monarquia estável de Davi introduz um elemento novo, também a serviço dessa revelação.

17,11 Sublinha o caráter individual da promessa: o descendente é Salomão.

17,14 Israel continuará sendo casa e reino do Senhor; por isso o rei não será mais que vassalo ou vice-rei.

17,21 Em 2Sm 7 é o povo quem ficou famoso.

17,24 O nome do Senhor "perdura" na invocação do povo e no reconhecimento dos estrangeiros.

permaneça na tua presença. ²⁵*Tu,* Deus meu, *revelaste a teu servo que lhe edificarás uma casa; por isso teu servo se atreveu a dirigir-te esta prece.* ²⁶*Agora, Senhor, tu és o Deus verdadeiro, e fizeste esta promessa a teu servo.* ²⁷*Digna-te, pois, abençoar a casa do teu servo para que esteja sempre em tua presença; pois o que tu, Senhor,* abençoas, fica abençoado *para sempre.*

18 Vitórias de Davi (2Sm 8,1-18) –
¹*Depois disso, Davi derrotou os filisteus e os submeteu, arrebatando-lhes* Gat e seu distrito. ²*Derrotou Moab, e os moabitas serviram a Davi na condição de vassalos tributários.* ³*Derrotou também Adadezer, rei de Soba, em Emat, quando ia estabelecer sua soberania na região do Eufrates.* ⁴*Davi capturou dele* mil carros, sete mil *cavaleiros e vinte mil soldados de infantaria, e cortou os jarretes dos cavalos de tração, deixando apenas cem carros.* ⁵*Os sírios de Damasco foram em auxílio de Adadezer, rei de Soba, mas Davi matou vinte e dois mil homens,* ⁶*e impôs governadores aos sírios de Damasco, que se tornaram vassalos tributários de Davi. O Senhor deu a Davi a vitória em todas as suas campanhas.* ⁷*Recolheu as insígnias de ouro que os oficiais de Adadezer carregavam e levou-as a Jerusalém.* ⁸*E em Tebat e Cun, povoações de Adadezer, tomou uma enorme quantidade de bronze, com a qual Salomão fez o reservatório, as colunas e os utensílios de bronze.*

⁹*Toú, rei de Emat, soube que Davi havia derrotado o exército de Adadezer,* rei de Soba, ¹⁰*e enviou seu filho Adoran para saudar o rei Davi e felicitá-lo pelo combate e pela derrota de Adadezer, porque com frequência Adadezer atacava Toú.* Adoran levou *uma baixela de ouro, prata e bronze.* ¹¹*O rei Davi consagrou esses presentes ao Senhor, juntando-os à prata e ao ouro que havia tomado das nações de Edom, Moab, os amonitas, filisteus e Amalec.*

¹²*Abisaí, filho de Sárvia, derrotou Edom em Gue-Hammélah*, matando dezoito mil homens;* ¹³*impôs governadores a Edom, que se tornou vassalo de Davi.*

O Senhor deu vitória a Davi em todas as suas campanhas. ¹⁴*Davi reinou em todo Israel e governou seu povo com justiça e retidão.* ¹⁵*Joab, filho de Sárvia, era general-em-chefe do exército. Josafá, filho de Ailud,* arauto. ¹⁶*Sadoc, filho de Aquitob, e Aquimelec, filho de Abiatar, sacerdotes. Susa,* cronista. ¹⁷*Banaías, filho de Joiada, comandava os cereteus e os feleteus. Os filhos de Davi* ocupavam os primeiros postos junto ao rei.

19 Guerra contra os amonitas (2Sm 10,1-19; 12,26.30-31) – ¹*Depois morreu Naás*, o rei dos amonitas, e seu filho reinou em seu lugar.* ²*Disse Davi:*

– Tratarei bem Hanon, filho de Naás, porque seu pai me tratou bem.

E, por meio de alguns embaixadores, enviou-lhe pêsames pela morte de seu pai. Mas, quando os embaixadores de Davi entraram em território amonita para dar-lhe pêsames, ³*os generais amonitas disseram a Hanon:*

– Crês que Davi te dá pêsames para mostrar-te sua estima por teu pai? Essa gente veio examinar, explorar e destruir o país.

⁴*Hanon prendeu os embaixadores de Davi, cortou-lhes a barba, cortou-lhes a*

17,25 Em vez de "Deus de Israel" diz "Deus meu", indicando a relação pessoal.

18-20 Vitórias de Davi sobre filisteus, moabitas, sírios, edomitas, amonitas e outra vez filisteus. Segue muito de perto o modelo de 2Sm. As omissões são particularmente importantes.

18,2 Suprime a cruel represália de Davi contra os moabitas.

18,4 Acrescenta os mil carros e transforma em sete mil os mil e setecentos cavaleiros.

18,8 Acréscimo: os despojos de guerra ficam reservados para o templo.

18,12 A morte de 18.000 homens não é atribuída a Davi, mas a um de seus generais; em 2Sm os mortos eram oito mil. * = Vale do Sal.

18,13b-14 Estes versículos completam o esquema: paz nas fronteiras – justiça no interior. É a tarefa própria do rei, e Davi a toma em suas últimas palavras, 2Sm 23,3.

18,17 Conforme 2Sm 8,18, os filhos de Davi oficiavam no culto; o Cronista não pode admitir isso, porque Davi não é de estirpe levítica; por isso lhes atribui ofícios civis.

19 Salta-se o episódio de Meribaal, filho de Saul. Embora tenha sido um ato de benevolência muito calculada por parte de Davi, o autor não quer interferências com a casa de Saul.

Segue o modelo e dá importância à guerra, acrescentando alguns milhares de carros (que ao autor não custam muito), uns reis mercenários e elevando os cavalos de setecentos para sete mil.

19,1 * = Serpente.

roupa pela metade, à altura das nádegas, e os despediu. Eles voltaram envergonhados. ⁵*Avisaram Davi, e ele enviou-lhes este recado:*

— *Ficai em Jericó até que vos cresça a barba e depois podeis vir.*

⁶*Quando os amonitas se deram conta de que haviam provocado Davi,* Hanon e os amonitas enviaram trinta mil quilos de prata a Aram-Naaraim*, a Maaca e a Soba para contratar *carros e cavaleiros.* ⁷Contrataram trinta e dois mil carros *e o rei de Maaca* com seu exército, que veio acampar diante de Medaba. Os amonitas se reuniram em suas cidades e se puseram em pé de guerra. ⁸*Ao saber disso, Davi mandou Joab com todo o exército e seus campeões.* ⁹*Os amonitas saíram para a guerra e formaram-se em linha de combate na entrada da cidade,* ao passo que os reis mercenários *ficavam à parte, no campo.*

¹⁰*Joab viu-se cercado pela frente e por trás; então escolheu um grupo de soldados e colocou-os diante dos sírios.* ¹¹Colocou o resto da tropa diante dos amonitas, sob a chefia de seu irmão Abisaí, ¹²com esta recomendação:

— *Se os sírios prevalecerem sobre mim, vem livrar-me, e se os amonitas prevalecerem sobre ti, eu te livrarei.* ¹³*Coragem! Lutemos valentemente por nosso povo e pelas cidades do nosso Deus, e que o Senhor faça o que lhe agradar.*

¹⁴*Joab e os seus travaram combate com os sírios e os puseram em fuga.* ¹⁵*Vendo que os sírios fugiam, os amonitas fugiram também eles diante* de seu irmão *Abisaí e entraram na cidade. Joab voltou a Jerusalém.* ¹⁶*Vendo-se derrotados por Israel, os sírios enviaram mensageiros para mobilizar os sírios do outro lado do Eufrates.* Sofac, general-em-chefe do exército de Adadezer, *pôs-se à frente deles.* ¹⁷*Quando informaram Davi, ele concentrou todo Israel, atravessou o Jordão, chegou* aonde estavam, tomou posição, pôs-se em ordem de combate *e entrou em batalha com* os sírios. ¹⁸*Estes fugiram diante dos israelitas; Davi matou* sete mil *cavalos de tração* e quarenta mil homens, *entre eles Sofac, general do exército.*

¹⁹*Os vassalos de Adadezer, vendo que haviam sido derrotados por Israel, fizeram as pazes* com Davi *e se submeteram. Os sírios perderam a vontade de voltar a ajudar os amonitas.*

20 ¹*No ano seguinte, na época em que os reis saem para a guerra,* Joab tomou a elite do exército, devastou o território *amonita* e foi *sitiar Rabá, enquanto Davi permanecia em Jerusalém. Joab venceu Rabá e arrasou-a.* ²*Davi tirou a coroa da cabeça de Melcom,* e verificou-se que pesava trinta e quatro quilos de ouro. Havia nela uma pedra preciosa que passou para a coroa de Davi. Levou da cidade imensos despojos. ³*Capturou também seus habitantes e os pôs a trabalhar com serras, formões e machados. Fez o mesmo com todos os povoados dos amonitas. A seguir, voltou a Jerusalém com todo o exército.*

Guerras com os filisteus (2Sm 21,18-22) — ⁴*Mais tarde aconteceu uma batalha com os filisteus em Gazer. Foi nessa ocasião que o husita Sobocai matou Safai, da raça dos gigantes. Os filisteus foram subjugados.* ⁵*Quando recomeçou a guerra contra os filisteus, Elcaná, filho de Jaír,* matou Lami, que era irmão de *Golias, de Gat, e cuja lança tinha uma haste como um cilindro de tecelão.* ⁶*A guerra prosseguiu em Gat, onde havia um gigante com vinte e quatro dedos – seis em cada mão e em cada pé – que também era da raça dos gigantes.* ⁷*Desafiou Israel, mas Jônatas, filho de Samaá, irmão de Davi, o matou.* ⁸*Essa gente descendia dos gigantes de Gat e caíram nas mãos de Davi e de seus oficiais.*

19,6 * = Síria Entre-Rios.
19,7 O texto hebraico diz Medeba', que fica muito longe da região; por isso alguns corrigem e leem Fonte de Rabá; mas o autor gosta de ampliar.
20,1 O capítulo começa com "no ano seguinte". Entrementes, o autor salta o homicídio e adultério de Davi, a denúncia de Natã, a penitência e o castigo (dados que o Eclesiástico não suprime em seu elogio aos Pais).

20,2 Em 2Sm, é Davi quem conquista a cidade.
20,4 Foram subjugados: texto duvidoso.
20,5 Aqui temos uma tentativa de harmonizar dois dados da fonte: Elcaná não matou Golias, como diz 2Sm 21,19, mas um irmão de Golias.
   Com esse episódio, o autor saltou toda a história de Absalão, a rebelião de Seba e o salmo de Davi.

21 Recenseamento de Israel (2Sm 24,1-25) —

¹Satã ergueu-se contra Israel *e induziu Davi* a fazer *um recenseamento de Israel*. ²*Davi ordenou a Joab* e aos chefes da tropa:

— Ide fazer o recenseamento de *Israel, de Bersabeia a Dã*, e trazei-me o resultado *para que eu saiba quanta gente tenho.*

³*Joab respondeu:*

— *Que o Senhor multiplique seu povo por cem*. Porém, se todos estão submetidos a vossa majestade, o que pretende meu senhor com esse recenseamento? Irá acarretar uma culpa para Israel.

⁴*Mas a ordem do rei se impôs ao parecer de Joab, que se pôs a caminho* e percorreu todo Israel. Quando voltou a *Jerusalém,* ⁵entregou a Davi *o resultado do recenseamento: em Israel havia* um milhão e cem mil *homens aptos para o serviço militar, e em Judá* havia quatrocentos e setenta mil. ⁶Joab não incluiu Levi e Benjamim no recenseamento, pois detestava a ordem do rei. ⁷Deus o desaprovou e castigou Israel.

⁸*Então Davi disse a Deus:*

— *Cometi um grande erro fazendo esse recenseamento. Agora, perdoa a culpa do teu servo, pois cometi uma loucura.*

⁹*O Senhor disse a Gad, vidente de Davi:*

— ¹⁰*Vai dizer a Davi: "Assim diz o Senhor: Eu te proponho três castigos; escolhe um, e eu o executarei".*

¹¹*Gad apresentou-se a Davi e comunicou-lhe:*

— Assim diz o Senhor: Escolhe ¹²ou três *anos de fome, ou três meses* fugindo *dos teus inimigos* e perseguido pela espada de teus adversários, ou *três dias* de espada do Senhor, isto é, de peste no país, enquanto o anjo do Senhor causa estragos em todo o território de Israel. *O que respondes a quem me enviou?*

¹³*Davi respondeu a Gad:*

— *Estou em grande apuro. É melhor cair nas mãos de Deus, que é muito compassivo, do que cair nas mãos de homens.*

¹⁴*Então o Senhor mandou a peste a Israel* e morreram *setenta mil israelitas.* ¹⁵*Depois, Deus enviou um anjo a Jerusalém para devastá-la.* Mas logo após ter

---

21 No original de 2Sm 24 e na presente versão, o episódio do recenseamento e da peste é importante porque determina a compra do terreno onde se erguerá o novo templo. Nos dois, mediante um pecado, um castigo e uma expiação, se chega à feliz escolha do lugar. Como se esses acontecimentos anunciassem uma função central do templo, a expiação. Nosso autor explora o tema, introduzindo uma série de mudanças significativas.

Deus fica mais distante, embora dominando com sua soberania todo o processo; o lugar mais próximo ao homem é ocupado pelo anjo tradicional, que ganha mais relevo, e pelo personagem novo, Satã. São duas figuras sobre-humanas que se opõem nesta atividade, não em confronto direto, mas num processo referido ao homem. Esse Satã (= rival, opositor) poderia ser inspirado no espírito enganador de 1Rs 22,22 e está aparentado com o Satã do livro de Jó e um pouco menos com o Satã fiscal de Zc 3,1-2. Como espírito tentador, que se insinua na mente do homem, pode relacionar-se com o "oráculo" de Sl 36,2. O mau desejo e projeto de Davi procedem desse personagem maligno, não do Senhor; enquanto tal, ele é inimigo do povo de Deus. De fato, está pondo em marcha um processo salvador, porque Deus pode transformar o mal em bem (Gn 50,20). No processo, Davi é intermediário e representante do povo. O outro personagem é um anjo mediador, que se situa entre o céu e a terra, sem pôr os pés no chão (compare-se com a palavra mediadora de Sb 18,16). Satã permanece invisível, ao passo que o anjo se manifesta. É um anjo exterminador, como o de Ex 13,23 e o de 2Rs 19,35; só que executa a sentença divina contra Israel. Pode dar ordens ao profeta, mas não elimina a atividade mediadora do profeta nem a intercessão de Davi.

No recenseamento, Davi age como guerreiro; na súplica, como pastor.

A narração avança em três atos, de modo que o final do primeiro (7) adianta o segundo ato à maneira de título (8-15), e o final do segundo é como que o título do terceiro (16-27).

21,3-6 Sublinha se a resistência de Joab à ordem do rei, fazendo ressaltar o pecado de Davi. A tribo de Levi será objeto do recenseamento à parte, quando Deus o mandar (como em Nm 3, cumprindo a ordem de Nm 1,49). Todo Israel estava submetido a Davi, e isso bastava. O rei não devia contar súditos para gloriar-se de suas forças, pois seria tentar a Deus. A culpa recai sobre Israel pelo lugar que o rei ocupa e talvez porque o recenseamento o subtrai ao controle exclusivo de Deus; o incontável supera o homem (Gn 15,5; Sl 139,18; Jr 33,22; Os 2,1). A exclusão de Levi é lógica, dado o caráter militar do recenseamento; a exclusão de Benjamim aparece imotivada.

21,12 Opõem-se a espada do inimigo e a espada do Senhor, aqui identificada com a peste (versão diferente e ampliada da espada em Is 34,5ss, e da peste em Sl 91,6), e é manejada pelo anjo.

21,15 A narração procede com mais coerência que no original. A cidade de Jerusalém começa a cumprir uma função protetora, anunciando a futura função do templo. O castigo se deterá diante dela (anjo exterminador e espada retornarão a Jerusalém nas visões de Ezequiel), como se deteve o exército de Senaquerib.

começado, o Senhor o viu, *arrependeu-se do castigo e disse ao anjo exterminador:*
– *Basta, detém tua mão.*
O anjo do Senhor encontrava-se junto à eira do jebuseu Ornã. ¹⁶Davi levantou os olhos e viu o anjo do Senhor erguido entre a terra e o céu, com a espada desembainhada na mão, apontando para Jerusalém. Davi e os anciãos, cobertos de pano de saco, caíram com o rosto por terra. ¹⁷*Então Davi disse a Deus:*
– Fui eu quem ordenou o recenseamento do povo. Sou eu quem *pecou.* O culpado sou eu. *O que fizeram essas ovelhas?* Senhor, Deus meu, *descarrega a mão sobre mim e sobre minha família,* mas não firas o teu povo.
¹⁸Então Gad, por ordem do anjo do Senhor, ordenou a Davi que fosse *edificar um altar ao Senhor na eira do jebuseu Ornã.* ¹⁹*Davi foi, conforme lhe havia dito Gad* em nome *do Senhor.* ²⁰*Ornã* estava debulhando o trigo, e seus quatro filhos se haviam escondido; voltou-se e viu o anjo. ²¹Davi aproximou-se de Ornã e este, vendo Davi, *saiu da eira* e *prostrou-se diante dele com o rosto por terra.* ²²*Davi disse a Ornã:*
– Dá-me *a eira* para *construir um altar ao Senhor. É para que cesse a mortandade no povo.* Eu te pagarei seu preço exato.

²³*Ornã respondeu-lhe:*
– *Vossa majestade* pode tomá-la e fazer *o que lhe agradar.* Dou-lhe também *os bois para os holocaustos, os trilhos para a lenha* e o trigo como oferta. Eu entrego tudo.
²⁴*Mas o rei* Davi *lhe disse:*
– *Não, não. Eu o comprarei* por seu justo preço. Não vou tomar o que é teu para *oferecer ao Senhor vítimas que não me custam.*
²⁵*Davi* deu a Ornã seis quilos de ouro pela eira. ²⁶*Construiu aí um altar ao Senhor. Ofereceu holocaustos e sacrifícios de comunhão,* invocou o Senhor, que lhe respondeu enviando fogo do céu sobre o altar dos holocaustos. ²⁷E o Senhor ordenou ao anjo que embainhasse a espada. ²⁸Então, vendo que o Senhor lhe respondia na eira do jebuseu Ornã, Davi ofereceu aí sacrifícios.
²⁹O santuário do Senhor que Moisés fez no deserto e o altar dos holocaustos se encontravam nesse tempo na ermida de Gabaon. ³⁰Mas Davi não se atreveu a ir até lá para consultar Deus, pois a espada do anjo do Senhor o assustava.

22 Preparativos para a construção do templo – ¹Davi disse:
– Aqui serão erguidos o templo do Senhor Deus e o altar dos holocaustos de Israel.

21,17 A intercessão de Davi é um tanto desenvolvida, para dar mais ênfase ao seu senso de responsabilidade. Com o recenseamento, Davi queria considerar o povo como algo próprio; agora, porém, confessa que é de Deus: "não firas o teu povo". Poder-se-ia comparar com as intercessões de Moisés, especialmente em Ex 32 e Nm 14.
21,20 É novidade que também Ornã veja o anjo. Ornã é pagão, sobrevivente da população local, e a visão o ensina a respeitar Davi e a submeter-se a ele. A prostração é ato de homenagem (mudam-se os papéis de Abraão e Melquisedec, vassalo e rei).
21,22-25 As negociações recordam as de Abraão comprando um sepulcro para Sara (Gn 23). A atitude de Ornã pode ser lida como expressão de reverência sagrada e de vassalagem: o terreno em que o anjo apareceu já é sagrado, com tudo o que contém, e o dono não pode retê-lo para usos profanos. O Cronista acrescenta o trigo para a oferta que deve acompanhar o sacrifício. Quanto ao preço, sofreu o aumento imposto pelo autor: passa de meio quilo de prata a 6 quilos de ouro.
21,26 Como na história de Elias no Carmelo (1Rs 18) e em outras ocasiões (Jz 6,21; Lv 9,24), o raio é fogo celeste, sagrado, que consagra o altar e a vítima.
21,28 Ao holocausto, consumido pelo fogo celeste e que precede a ordem de embainhar a espada, sucedem-se os sacrifícios (talvez de comunhão) oferecidos por Davi. O rei compreendeu que o Senhor escolheu um lugar, antes pagão e profano.
21,29-30 Mais ainda, a espada do anjo lhe fecha o caminho, como a outro Balaão, e o confina a esse terreno jebuseu. Teria sido lógico ir oferecer os sacrifícios no lugar tradicional e no altar oficial; mas Deus interveio criando uma situação nova. Pela clara escolha de Deus, fica legitimado o lugar do templo. Assim termina felizmente o drama do rei e do seu povo.
22-29 O relato da sucessão de Davi é dividido em duas peças, que emolduram a exposição sobre o pessoal do templo: 22,2-23,2/23,3-27,34/28-29. O autor abandona totalmente seu modelo para escrever por conta própria. O relato da sucessão é constituído em sua maior parte por discursos de Davi:
a) Davi fala a seu filho Salomão contando o oráculo de Deus sobre a construção do templo (22,6-16);
b) discurso às autoridades, solicitando cooperação (22,18-19);
c) discurso às autoridades, contando o oráculo de Deus (28,2-8);
d) conselhos a Salomão, com entrega de plantas e informações (28,9-21);
e) discurso à assembleia, convidando para a nova coleta (29,1-5);
f) oração pública de Davi, acompanhada pela assembleia (29,10-20).

²Depois mandou reunir os estrangeiros que residiam na terra de Israel e os designou talhadores para lavrar pedras para construir o templo de Deus. ³Reuniu também grande quantidade de ferro para fazer cravos e ganchos para as portas, grande quantidade de bronze, ⁴e uma quantidade incalculável de madeira de cedro que os sidônios e tírios lhe traziam em abundância. ⁵Davi pensou: "Meu filho Salomão ainda é jovem e fraco. E o templo que terá de construir ao Senhor deve ser grandioso, para que sua fama e glória se estendam a todos os países. Vou começar os preparativos". E assim fez generosamente antes de morrer. ⁶Chamou depois seu filho Salomão e ordenou-lhe construir um templo ao Senhor, Deus de Israel, ⁷dizendo-lhe:

— Meu filho, eu havia pensado em edificar um templo em honra do Senhor, meu Deus. ⁸Ele porém me disse: "Derramaste muito sangue e combateste em grandes batalhas. Não edificarás um templo em minha honra, porque derramaste muito sangue em minha presença. ⁹Mas terás um filho que será um homem pacífico, e eu o farei viver em paz com todos os inimigos vizinhos. Seu nome será Salomão, e em seus dias concederei paz e tranquilidade a Israel. ¹⁰Ele edificará um templo em minha honra; será para mim um filho, eu serei para ele um pai, e consolidarei para sempre seu trono real em Israel". ¹¹Meu filho, que o Senhor esteja contigo e te ajude a construir um templo ao Senhor teu Deus, conforme seus desígnios a teu respeito. ¹²Basta que o Senhor te conceda prudência e inteligência para governar Israel, cumprindo a Lei do Senhor teu Deus. ¹³Teu êxito depende de colocares em prática os mandatos e preceitos que o Senhor ordenou a Israel por meio de Moisés. Coragem, sê valente! Não te assustes nem te acovardes! ¹⁴Vê, com grandes sacrifícios fui ajuntando para o templo do Senhor trinta e quatro mil toneladas de ouro, trezentas e quarenta mil toneladas de prata, bronze e ferro em quantidade incalculável; além disso, madeira e pedra. Tu acrescentarás ainda mais. ¹⁵Dispões também de grande quantidade de artesãos: talhadores, pedreiros, carpinteiros e operários para todos os ofícios. ¹⁶Há ouro, prata, bronze e ferro de sobra. Mãos à obra, e que o Senhor te acompanhe.

¹⁷Davi ordenou que todas as autoridades de Israel ajudassem seu filho Salomão. Disse-lhes:

O narrador não tem medo de repetir repisando sua ideia; é também como se lhe custasse desprender-se do herói e deixá-lo morrer em paz. Vimos o caráter um pouco "patriarcal" de Davi: isso justifica suas palavras testamentárias, dirigidas a Salomão e aos contemporâneos de Davi; mas que o autor dirige a seus contemporâneos, com a autoridade "patriarcal" de Davi.

22,1 É a conclusão do episódio. As palavras de Davi são modeladas segundo as de Jacó em Betel (Gn 28,17), e assim vêm a ser uma afirmação polêmica: em Jerusalém, não em Betel, se encontra o santuário escolhido por Deus. Davi se alinha com o pai das doze tribos, não para continuar simplesmente, mas para inaugurar uma etapa histórica; como o lugar sagrado de Betel atraía Jacó peregrino em terra estrangeira, assim agora o novo lugar sagrado será o centro de gravidade da dinastia e do povo.

Pode-se comparar essa intercessão de Davi com a de Moisés em Nm 11,1-3 e especialmente com a expiação de Aarão em Nm 17,6-15; episódios do deserto que não deixam vestígio local.

22,2-4 O rei não recruta operários nativos, como ocorre em 1Rs 5,27-32. O estoque começa pelos materiais mais toscos da construção, na ordem pedra-ferro-bronze-madeira.

22,5 A partir deste versículo vão ser repetidas com insistência as três palavras do tema: construir, templo (= casa), nome. A aliteração de oito palavras começadas com a partícula *le-* creio que se deve mais à falta de habilidade que à maestria estilística do autor; a frase tem ênfase pesada, diferente da ênfase retórica do Deuteronômio.

22,6-16 Das últimas palavras de Davi a Salomão lidas em 1Rs 2,1-9, o autor recolhe só uma frase de alento e o convite a respeitar os mandatos do Senhor; salta todas as instruções de vingança política, pois Davi, na narração do Cronista, não teve adversários de quem vingar-se.

Outros dados são inspirados no discurso de Natã (2Sm 7) e na carta de Salomão a Hiram de Tiro (1Rs 5,17-19).

O discurso é construído sobre a oposição guerra-paz, Davi-Salomão. O derramamento de sangue, mesmo em guerra legítima, incapacita para construir um templo; tem algo de contaminação que afasta do culto. Por quê? Por que o Deus dos Exércitos (astros), o Deus das batalhas, agora se distancia do guerreiro? Talvez subsista um parentesco entre os sacrifícios humanos e a guerra, mesmo legítima. Note-se a frase "derramaste muito sangue em minha presença"; se da terra o sangue do homicídio clama ao céu, parece que o sangue da batalha estaria na presença do Senhor. O Senhor aceitará sangue de animais, não de homens. Também poderia significar que o templo inaugura uma etapa de paz e descanso, e por isso deve ser construído sob o signo da paz. Pois bem, Salomão leva no seu nome esse signo (v.

¹⁸O Senhor vosso Deus está convosco e vos deu paz nas fronteiras, após ter colocado em minhas mãos os habitantes desta terra, que agora está submetida ao Senhor e a seu povo.

¹⁹Agora, de corpo e alma, servi o Senhor e construí um santuário, para colocar a arca da aliança do Senhor e os objetos sagrados nesse templo construído em honra do Senhor.

23 Os levitas: número e funções –

¹Sendo já ancião, coroado de dias, Davi nomeou seu filho Salomão rei de Israel. ²Depois reuniu todas as autoridades de Israel, os sacerdotes e os levitas. ³Nesse tempo fizeram o recenseamento dos levitas acima de trinta anos, que somaram trinta e oito mil homens. ⁴Vinte e quatro mil dirigiam as obras do templo do Senhor, seis mil eram secretários e juízes, ⁵quatro mil porteiros e quatro mil músicos, que louvavam o Senhor acompanhados pelos instrumentos feitos por Davi. ⁶Ele os distribuiu em três classes, correspondendo aos três ramos de Levi: Gérson, Caat e Merari.

⁷Filhos de Gérson: Leedã e Semei. ⁸Filhos de Leedã: Jaiel, o primeiro, Zetam e Joel: três. ⁹Filhos de Semei: Salomit, Hoziel e Arã; três, que eram chefes de família de Leedã. ¹⁰Filhos de Semei: Jeet, Ziza, Jeús, Berias: quatro. ¹¹Jeet era o primogênito, Ziza, o segundo. Jeús e Berias não tiveram muitos filhos; formaram uma só família e foram registrados como uma.

¹²Filhos de Caat: Amram, Isaar, Hebron e Oziel: quatro. ¹³Filhos de Amram: Aarão e Moisés. Aarão e seus descendentes foram colocados à parte perpetuamente para oferecer os dons sacrossantos, queimar incenso diante do Senhor, servi-lo e abençoar em seu nome. ¹⁴Os filhos de Moisés, o homem de Deus, foram contados com a tribo dos levitas. ¹⁵Filhos de Moisés: Gérson e Eliezer. ¹⁶O primogênito de Gérson foi Subael; ¹⁷o primogênito de Eliezer, Roobias. Eliezer não teve outros filhos, mas Roobias teve muitos. ¹⁸O primogênito de Isaar foi Salomit. ¹⁹Filhos de Hebron: Jerias, o primogênito; Amarias, o segundo; Jaaziel, o terceiro, e Jecmaam, o quarto. ²⁰Filhos de Oziel: Micas, o primogênito, e Jesias, o segundo.

²¹Filhos de Merari: Mooli e Musi. Filhos de Mooli: Eleazar e Cis. ²²Eleazar morreu sem filhos. Tinha apenas filhas. Seus primos, os filhos de Cis, casaram com elas. ²³Filhos de Musi: Mooli, Éder e Jerimot: três.

²⁴ᵃEsses eram os levitas divididos por famílias, registrados conforme suas linhagens, quando se fez o recenseamento de todos os indivíduos acima de vinte anos.* ²⁷(Porque, de acordo com as últimas disposições de Davi, os levitas entravam no recenseamento a partir dos vinte anos.) ²⁴ᵇEstavam a serviço do culto no templo do Senhor. ²⁵De fato, Davi tinha dito: "O Senhor, Deus de Israel, concedeu

---

9); é como o selo de que Deus concede a paz a seu povo depois das tempestades (ver Sl 29). Basta que o sucessor cumpra todos os mandatos do Senhor para assegurar a bênção da paz. Assim entra no discurso uma referência à Lei de Moisés, que equivale a uma alusão implícita à aliança sinaítica. Mais ainda, as palavras de alento do v. 13 são um eco da recomendação de Moisés a seu sucessor Josué (Js 1,9). Os títulos do Senhor pontuam o processo: o Deus de Israel (6), meu Deus (7), teu Deus (11.12).
A quantidade dos materiais se multiplica facilmente sob a pena do narrador, para maior esplendor de um templo que já não existe.

22,18-19 Às autoridades compete a prestação pessoal nas obras, pois servir ao Senhor consiste agora em construir seu templo. Repete-se o tema da paz, que cria finalmente a situação propícia para a tarefa. Agora o título do Senhor é "vosso Deus", o qual, já antes de entrar na sua morada, "está com" eles e com Salomão.

23 O recenseamento dos levitas não cria problemas, porque não vem de uma tentação de Satã, mas é exigido pelo serviço do templo. A idade mínima é no v. 3 de trinta anos (como em Nm 4,3), no v. 27 é de vinte anos (em Nm 8,24 de vinte e cinco anos); o autor atribui a diminuição da maioridade a Davi, talvez para justificar uma inovação. A lista de nomes se parece com outras que já conhecemos. A rigor, não é uma genealogia, pois se detém mais ou menos na quarta geração; parece antes uma lista de grupos levíticos divididos por estirpes. Chega ao total de 22 grupos contra os 24 de outros textos.

23,1 Com esta nota o autor salta o dramático relato da sucessão de 1Rs 1.

23,13 Ver Ex 28,1; 30,7 e Nm 6,23.

23,14 Sendo Moisés da tribo de Levi, é lógico que seus filhos pertençam a tal tribo. Talvez o autor sugira que não sucedem a Moisés como chefes e que não são sacerdotes (compare-se com Jz 18,30, que os chama sacerdotes).

23,24a Nm 4,3; 8,23. * Os vv. 24a-28 não têm ordem correlativa.

23,25 O autor não leva em conta a etapa do desterro com a ausência do Senhor, como a contemplou Ezequiel (Ez 1-10).

paz a seu povo e habita em Jerusalém para sempre. ²⁶Os levitas já não precisam transportar o santuário e os objetos de culto". ²⁸Por isso ficaram sob as ordens dos aaronitas para o serviço do templo do Senhor, dos átrios e das salas, para limpar todos os objetos sagrados e ocupar-se do culto do templo. ²⁹Eram encarregados dos pães apresentados, da flor de farinha para as ofertas, dos pães ázimos, das ofertas na sertã ou dissolvidas em azeite e de todos os pesos e medidas. ³⁰Deviam apresentar-se de manhã e de tarde para louvar e dar graças ao Senhor; ³¹e deviam oferecer regularmente em sua presença os holocaustos dos sábados, começo de mês e dias festivos, segundo o número e o rito prescrito. ³²Vigiavam a tenda do encontro e o santuário; seus irmãos aaronitas vigiavam o serviço do templo.

24 Distribuição dos sacerdotes –
¹Classe dos aaronitas:

Filhos de Aarão: Nadab, Abiú, Eleazar e Itamar. ²Visto que Nadab e Abiú morreram antes de seu pai, sem deixar filhos, Eleazar e Itamar exerceram o sacerdócio. ³Davi, Sadoc, da família de Eleazar, e Aquimelec, da família de Itamar, os distribuíram em classes para que prestassem serviço por turno. ⁴Aconteceu que a família de Eleazar tinha mais homens que a de Itamar; por isso, aos de Eleazar couberam dezesseis chefes de família, e oito aos de Itamar. ⁵A distribuição foi feita por sorteio, visto que tanto os eleazaritas como os itamaratitas tinham funcionários sagrados e funcionários de Deus. ⁶Um levita, o secretário Semeías, filho de Natanael, inscreveu-os na presença do rei, das autoridades, do sacerdote Sadoc, de Aquimelec, filho de Abiatar, e dos chefes de família sacerdotais e levíticos: duas famílias de Eleazar, uma de Itamar, e assim sucessivamente.

⁷No sorteio foram saindo: primeiro, Joiarib; segundo, Jedeías; ⁸terceiro, Harim; quarto, Seorim; ⁹quinto, Melquias; sexto, Miamin; ¹⁰sétimo, Acos; oitavo, Abias; ¹¹nono, Jesua; décimo, Sequenias; ¹²décimo primeiro, Eliasib; décimo segundo, Jacim; ¹³décimo terceiro, Hofa; décimo quarto, Isbeab; ¹⁴décimo quinto, Belga; décimo sexto, Emer; ¹⁵décimo sétimo, Hezir; décimo oitavo, Hafses; ¹⁶décimo nono, Fetatias; vigésimo, Ezequiel; ¹⁷vigésimo primeiro, Jaquin; vigésimo segundo, Gamul; ¹⁸vigésimo terceiro, Dalaías; vigésimo quarto, Maazias.

¹⁹Esses foram os turnos para ir ao templo do Senhor, segundo as normas estabelecidas por seu pai Aarão, de acordo com o mandato do Senhor, Deus de Israel.

²⁰*Outros membros de famílias levíticas:*
Da família de Amram, Subael; da família de Subael, Jeedias; ²¹da família de Roobias, o chefe era Jesias; ²²dos isaaritas, Solomot; da família de Solomot, Jaat; ²³da família de Hebron, o chefe era Jerias; segundo, Amarias; terceiro, Jaaziel; quarto, Jecmam. ²⁴Da família de Oziel, Micas; da família de Micas, Samir. ²⁵Jesias era irmão de Micas; o chefe da família de Jesias era Zacarias.

²⁶Filhos de Merari: Mooli e Musi; também Jazias era filho seu. ²⁷Descendentes de Merari por parte de Jazias: Soam, Zacur, Hebri. ²⁸Por parte de Mooli: Eleazar, que não teve filhos, ²⁹e Cis. Por parte de Cis: seu filho Jerameel. ³⁰Filhos de Musi: Mooli, Éder e Jerimot. Essas eram as famílias dos levitas.

³¹Como seus irmãos aaronitas, também eles fizeram um sorteio, tanto as famílias principais como as menores, na presença do rei Davi, de Sadoc, de Aquimelec e dos chefes de família sacerdotais e levíticos.

23,28-32 As funções dos levitas são subordinadas. Talvez se deva interpretar o v. 31 como o acompanhamento musical durante a oferta periódica de holocaustos, pois oferecer esses sacrifícios era função própria dos sacerdotes. Os pesos e medidas podem referir-se ao culto (ver a regulamentação em Nm 15) e às taxas; não sabemos se existia um padrão guardado no templo. Todas essas funções supõem o templo já construído e em plena atividade.

24,1-19 O autor cala a razão da morte de Nadab e Abiú (Nm 26,61). Depois, parece querer eliminar uma discussão dos dois ramos sacerdotais: o livro dos Números faz uma distinção entre Itamar e Eleazar; o primeiro é inspetor ou superintendente de gersonitas e meraritas (Nm 4,28.33), o segundo é chefe supremo de levitas (Nm 3,32). O autor lhes concede a mesma categoria, ao mesmo tempo que reconhece a diferença numérica.

24,3 Evita mencionar Abiatar, rival de Sadoc e caído em desgraça (1Rs 2,26-27).

24,7 Joiarib é o antecessor dos chamados Macabeus.

24,20-31 A lista parece um complemento de 23,6-24. Também aqui o sorteio decide, respeitando a igualdade das famílias.

25 Distribuição dos cantores

¹Davi e os dirigentes do culto separaram para o culto os filhos de Asaf, Emã e Iditun, que improvisavam ao som de cítaras, harpas e címbalos.

Lista das pessoas empregadas nessa tarefa do culto:

²Da família de Asaf: Zacur, José, Natanias e Asarela, filhos de Asaf, sob a direção de Asaf, que improvisava sob as ordens do rei. ³Da família de Iditun: Godolias, Isari, Jesaías, Semei, Hasabias e Matatias; seis ao todo, sob a direção de seu pai Iditun, que improvisava ao som da cítara, louvando e dando graças ao Senhor. ⁴Da família de Emã: Bocias, Matanias, Oziel, Subael, Jerimot, Hananias, Hanani, Eliata, Gedelti, Romenti-Ezer, Jesbacasa, Meiloti, Otir, Maaziot. ⁵Todos eles eram filhos de Emã, vidente do rei, segundo a promessa divina de exaltar seu prestígio. Deus concedeu a Emã catorze filhos e três filhas. ⁶Todos eles, sob a direção de seu pai, cantavam no templo do Senhor com címbalos, harpas e cítaras, exercendo o culto no templo de Deus. Asaf, Emã e Iditun se encontravam sob as ordens imediatas do rei.

⁷Seu número, incluído o de seus parentes, era duzentos e oitenta e oito; todos dominavam a arte de cantar ao Senhor. ⁸Sortearam o serviço, sem discriminar entre pequenos e grandes, mestres e discípulos.

⁹No sorteio saíram: primeiro, José; com seus irmãos e filhos, doze. Segundo, Godolias; com seus irmãos e filhos, doze. ¹⁰Terceiro, Zacur; com seus irmãos e filhos, doze. ¹¹Quarto, Isari; com seus irmãos e filhos, doze. ¹²Quinto, Natanias; com seus irmãos e filhos, doze. ¹³Sexto, Bocias; com seus irmãos e filhos, doze. ¹⁴Sétimo, Asarela; com seus irmãos e filhos, doze. ¹⁵Oitavo, Jesaías; com seus irmãos e filhos, doze. ¹⁶Nono, Matanias; com seus irmãos e filhos, doze. ¹⁷Décimo, Semei; com seus irmãos e filhos, doze. ¹⁸Décimo primeiro, Azareel; com seus irmãos e filhos, doze. ¹⁹Décimo segundo, Hasabias; com seus irmãos e filhos, doze. ²⁰Décimo terceiro, Subael; com seus irmãos e filhos, doze. ²¹Décimo quarto, Matatias; com seus irmãos e filhos, doze. ²²Décimo quinto, Jerimot; com seus irmãos e filhos, doze. ²³Décimo sexto, Hananias; com seus irmãos e filhos, doze. ²⁴Décimo sétimo, Jesbacasa; com seus irmãos e filhos, doze. ²⁵Décimo oitavo, Hanani; com seus irmãos e filhos, doze. ²⁶Décimo nono, Meiloti; com seus irmãos e filhos, doze. ²⁷Vigésimo, Eliata; com seus irmãos e filhos, doze. ²⁸Vigésimo primeiro, Otir; com seus irmãos e filhos, doze. ²⁹Vigésimo segundo, Gedelti; com seus irmãos e filhos, doze. ³⁰Vigésimo terceiro, Maaziot; com seus irmãos e filhos, doze. ³¹Vigésimo quarto, Romenti-Ezer; com seus irmãos e filhos, doze.

---

25 Também os cantores formam 24 grupos. Já vimos que os três chefes representam as três grandes famílias levíticas (capítulo 6).

Aos três chefes se atribuem qualidades de "improvisar". A palavra hebraica é empregada para a atividade profética, extática ou não. É claro que aqui não se trata da missão divina para pronunciar oráculos, mas de serviço litúrgico. Podemos pensar na habilidade ou "inspiração" para o canto, que muitas vezes seria improvisado; também se pode pensar na composição literária de textos litúrgicos, mas isso é menos provável. Se a interpretação é correta, constata-se que os artesãos construtores da arca eram dotados de destreza, esses cantores possuíam "inspiração". E isso nos leva a comparar a minuciosa organização arquitetônica do templo de Ezequiel com a organização do canto litúrgico deste livro. Se a Davi foi negado realizar a arquitetura, em compensação concentrou-se na música.

Ao especificar, o autor distingue: Asaf improvisava, sob as ordens do rei (ou seguindo o texto do rei?); Iditun improvisava louvando o Senhor; Emã é "vidente" do rei, isto é, profeta oficial, como Gad e Natã.

25,4 Os cinco primeiros nomes da lista são normais; a partir do sexto encontramos formas anômalas. Tomando as consoantes desses nomes, os comentaristas reconstruíram um fragmento de salmo de súplica, que se pode traduzir assim: *"Piedade, Senhor, piedade: tu és meu Deus. Exalto e celebro teu auxílio. Quando estava oprimido, eu disse: Redobra teus sinais"*. Tratando-se de especialistas do canto, é possível que recebessem ou tomassem nomes de textos litúrgicos (fato conhecido na cultura sumérica); como se seus nomes bem-ordenados fossem por si um canto ao Senhor. A frase se desfaz na lista que se segue.

25,5-6 É duvidosa a tradução "segundo a promessa divina de exaltar seu prestígio"; poder-se-ia traduzir: "para os assuntos religiosos e para os interesses da coroa" (do poder real). Segundo o texto, também as filhas cantavam no templo, num coro misto.

25,7 Diante da capacidade de "improvisar", o resto está "educado" ou ensaiado em cantar ao Senhor; pode tratar-se do canto coral, programado, diante do canto improvisado dos solistas.

26

¹Classes dos porteiros:
Dos coreítas: Meselemias, filho de Coré, descendente de Abiasaf. ²Filhos de Meselemias: Zacarias, o primogênito. Segundo, Jediel; terceiro, Zabadias; quarto, Jatanael; ³quinto, Elam; sexto, Joanã; sétimo, Elioenai. ⁴Filhos de Obed-Edom: Semeías, o primogênito; segundo, Jozabad; terceiro, Joaá; quarto, Sacar; quinto, Natanael; ⁵sexto, Amiel; sétimo, Issacar; oitavo, Folati, pois Deus o tinha abençoado. ⁶Seu filho Semeías teve vários filhos, que se impuseram em suas famílias por suas grandes qualidades. ⁷Filhos de Semeías: Otni, Rafael, Obed, Elzabad e seus irmãos Eliú e Samaquias, de grandes qualidades. ⁸Todos esses eram descendentes de Obed-Edom. Eles, seus filhos e seus irmãos eram setenta e dois ao todo, homens de qualidades e robustos para o trabalho. ⁹Meselemias teve filhos e irmãos, dezoito homens capazes.

¹⁰Os filhos de Hosa, descendente de Merari, foram: Semri, o chefe, pois embora não fosse o primogênito, seu pai deu-lhe o primeiro lugar; ¹¹segundo, Helcias; terceiro, Tebelias; quarto, Zacarias. Os filhos e irmãos de Hosa foram treze ao todo. ¹²Esses grupos de porteiros, tanto os chefes como seus irmãos, foram encarregados do serviço do templo. ¹³Pequenos e grandes sortearam as portas por famílias. ¹⁴A porta oriental coube a Selemias. A do norte, a seu filho Zacarias, que era um conselheiro prudente. ¹⁵A do sul, a Obed-Edom, e a seus filhos os armazéns. ¹⁶A Hosa coube a ocidental, a porta do Tronco, que dá para a ladeira. Os turnos de guarda eram proporcionais: ¹⁷seis levitas por dia na oriental, quatro por dia ao norte, quatro por dia ao sul, e de dois em dois nos armazéns; ¹⁸junto aos átrios, a oeste, quatro para a ladeira e dois para os átrios.

¹⁹Essas eram as classes dos porteiros, descendentes de Coré e de Merari.

²⁰*Levitas encarregados do tesouro do templo e dos dons votivos:*
²¹Jaiel, filho de Leedã, gersonita. ²²Os filhos de Jaiel, Zatam e seu irmão Joel, guardavam os tesouros do templo.

²³Descendentes de Amram, Isaar, Hebron e Oziel: ²⁴Subael, filho de Gérson, filho de Moisés, era o tesoureiro-mor. ²⁵Seus irmãos, por parte de Eliezer, eram: Roobias, Isaías, Jorão, Zecri e Salomit. ²⁶Esse Salomit e seus irmãos guardavam os dons votivos presenteados pelo rei Davi, pelos chefes de família e pelos generais, chefes e oficiais do exército; ²⁷parte dos despojos de guerra havia sido dedicada à fábrica do templo; ²⁸guardavam também tudo o que haviam doado o vidente Samuel, Saul, filho de Cis, Abner, filho de Ner, e Joab, filho de Sárvia. Tudo o que foi consagrado estava sob a responsabilidade de Salomit e seus irmãos.

²⁹Dos isaaritas, Conenias e seus filhos encarregavam-se dos assuntos profanos de Israel como ajudantes e juízes. ³⁰Dos hebronitas, Hasabias, com seus parentes, mil e setecentos homens capazes, administravam os assuntos do Senhor e da coroa em Israel, a oeste do Jordão. ³¹O chefe dos hebronitas era Jerias. No quadragésimo ano do reinado de Davi, pesquisou-se a árvore genealógica dos hebronitas e se encontrou entre eles gente capaz em Jazer de Galaad.

26,1-19 Apreciamos a mesma ordem e organização de um templo já em função. Encontramos as expressões variadas *gibborê hayl, benê hayl, 'ysh hayl*, de sentido ambíguo. A primeira era um termo militar, as outras duas podem aplicar-se a qualidades civis. Pode ser que o autor queira aludir à valentia desses guardiães do recinto sagrado; pelo livro dos Números, sabemos que tinham de defender os acessos, até eliminando o intruso. Pois, se Deus não manda alguém aproximar-se, "quem ousaria aproximar-se de mim?" (Jr 30,21b). Por outro lado, Zacarias se caracteriza como "conselheiro prudente" (v. 14); pode ser uma qualidade ou um cargo, não sabemos se relacionado com o ofício de guardião.

26,20-28 Era normal que os templos tivessem seus "tesouros" de objetos preciosos, armazéns e arcas de dinheiro, para a fábrica e os gastos do culto. Esse acúmulo os fez muito cobiçados pelos conquistadores (Nabucodonosor e de modo particular Heliodoro, 2Mc 3).
É estranho encontrar o rei Saul e seu general Abner entre os doadores ou fundadores do tesouro. Talvez aluda a Nm 31,54 ou lhe acrescente um ato semelhante.

26,29-32 Aqui termina a cuidadosa separação de funções, e encontramos levitas encarregados de assuntos civis. É impossível definir suas funções específicas (a tradução é conjetural); parece que sua tarefa era a arrecadação de impostos para o templo e o palácio. Sua capacidade pode ser entendida em sentido militar ou civil. Também é estranho encontrar um enclave tão considerável de levitas na Transjordânia.

³²Seus parentes eram dois mil e setecentos chefes de família, todos homens de armas; o rei Davi os pôs à frente dos rubenitas, dos gaditas e da meia tribo de Manassés para todos os assuntos religiosos e da coroa.

27

¹*Israelitas leigos:*
Os chefes de família, chefes de mil e oficiais de cem, com seus ajudantes, estavam a serviço do rei para todo tipo de assunto. Faziam o turno por divisões de mês em mês, o ano inteiro, e cada divisão tinha vinte e quatro mil homens.

²Comandando a primeira, a do primeiro mês, estava Jesboam, filho de Zabdiel, com vinte e quatro mil homens. ³Era descendente de Farés e chefe de todos os oficiais do primeiro mês. ⁴Comandando a divisão do segundo mês estava Eleazar, filho do aoíta Dudi; o chefe Macelot fazia parte dela; tinha vinte e quatro mil homens. ⁵Chefe da terceira divisão, a do terceiro mês, era Banaías, filho do sumo sacerdote Joiada, com vinte e quatro mil homens; ⁶Banaías era um dos trinta campeões e chefe deles; seu filho Amizabad pertencia a essa divisão. ⁷Chefe da quarta, para o quarto mês, Asael, irmão de Joab, a quem sucedeu seu filho Zabadias, com vinte e quatro mil homens. ⁸Chefe da quinta, para o quinto mês, o general Samaot de Zara, com vinte e quatro mil homens. ⁹Chefe da sexta, para o sexto mês, Hira, filho de Aces, de Técua, com vinte e quatro mil homens. ¹⁰Chefe da sétima, para o sétimo mês, o felonita Heles, da tribo de Efraim, com vinte e quatro mil homens. ¹¹Chefe da oitava, para o oitavo mês, Sobocai de Husa, zaraíta, com vinte e quatro mil homens. ¹²Chefe da nona, para o nono mês, Abiezer da Anatot, benjaminita, com vinte e quatro mil homens. ¹³Chefe da décima, para o décimo mês, Marai de Netofa, zaraíta, com vinte e quatro mil homens. ¹⁴Chefe da décima primeira, para o décimo primeiro mês, Banaías de Faraton, efraimita, com vinte e quatro mil homens. ¹⁵Chefe da décima segunda, para o décimo segundo mês, Holdai de Netofa, descendente de Otoniel, com vinte e quatro mil homens.

¹⁶*Chefes das tribos de Israel:*
De Rúben: Eliezer, filho de Zecri. De Simeão: Safatias, filho de Maaca. ¹⁷De Levi: Hasabias, filho de Camuel. De Aarão: Sadoc. ¹⁸De Judá: Eliab, irmão de Davi. De Issacar: Amri, filho de Miguel. ¹⁹De Zabulon: Jesmaías, filho de Abdias. De Neftali: Jerimot, filho de Ozriel. ²⁰De Efraim: Oseias, filho de Ozazias. Da meia tribo de Manassés: Joel, filho de Fadaías. ²¹Da outra meia tribo de Manassés em Galaad: Jado, filho de Zacarias. De Benjamim: Jesiel, filho de Abner. ²²De Dã: Ezriel, filho de Jeroam. Esses eram os chefes das tribos de Israel.

²³Davi não fez o recenseamento dos menores de vinte anos, porque o Senhor havia prometido multiplicar Israel como as estrelas do céu. ²⁴Joab, filho de Sárvia, começou o recenseamento – que motivou a cólera de Deus contra Israel –; mas não o concluiu, e por isso não consta no número dos Anais do rei Davi.

²⁵*Superintendentes:*
Do tesouro da coroa: Azmot, filho de Adiel. Dos silos do campo, povoados, aldeias e granjas: Jônatas, filho de Ozias. ²⁶Dos lavradores que cultivavam a terra: Ezri, filho de Quelub. ²⁷Dos vinhedos: Semei, de Ramá. Dos produtos das vinhas e

---

27,1-15 Esses israelitas não levitas, hierarquicamente organizados, estavam a serviço direto da coroa; não se especifica em quais funções. O contexto em que a lista aparece faz pensar em serviços relacionados com o templo. Entre os nomes citados se destaca de modo estranho esse Banaías, de família sacerdotal, campeão militar e chefe de um grupo.

27,16-22 A lista das tribos é semelhante à do cap. 2. Como é preciso manter o número doze e, por outro lado, José é desdobrado em Efraim e Manassés, e Levi aparece como tribo autônoma, desaparecem Gad e Aser, uma tribo da Transjordânia e outra da costa ocidental. Contudo, o mais estranho é ver Aarão contado como tribo à parte, diferente de Levi; o chefe Sadoc não exibe seu sobrenome genealógico.

27,23-24 A notícia não está de acordo com a narração do cap. 21. Aqui parece ser Joab quem toma a iniciativa do recenseamento, e não o conclui; Davi fica livre de culpa. Parece ser uma nota mais que tenta explicar por que a lista precedente só oferece nomes de chefes e não os números das tribos.

27,25-31 A lista nos dá um bom resumo de uma economia baseada na agricultura e pecuária. Compõe-se de doze nomes, dois dos quais são estrangeiros, ao que parece especialistas no ofício de pastores. Tais riquezas supõem um sistema tributário eficaz. Compare-se essa lista com a admoestação de Samuel em 1Sm 8,11-17.

das adegas: Zabdi, de Sefam. ²⁸Dos olivais e dos sicômoros da Sefelá: Baalanã, de Ha-Gadera*. Das reservas de azeite: Joás. ²⁹Das vacadas que pastavam em Saron: Setrai, saronita. Das vacadas nas várzeas: Safat, filho de Adli. ³⁰Dos camelos: Obil, de Ismael. Das jumentas: Jadias, de Meranot. ³¹Do gado miúdo: Jaziz, de Agar. Todos eles eram superintendentes dos bens pertencentes ao rei Davi.

³²Jônatas, tio de Davi, homem inteligente e culto, era conselheiro; ele e Jaiel, filho de Hacamon, eram preceptores dos filhos do rei. ³³Aquitofel era conselheiro do rei. O araquita Cusai era amigo do rei. ³⁴Joiada, filho de Banaías, e Abiatar sucederam a Aquitofel. O general-em-chefe era Joab.

28 Recomendações para a construção do templo

¹Davi reuniu em Jerusalém todas as autoridades de Israel: os chefes das tribos e das divisões a serviço do rei, os generais e oficiais, os superintendentes dos bens e dos rebanhos reais, os cortesãos, os campeões e todos os homens mais valentes. ²O rei Davi se pôs de pé e disse:

— Meus irmãos, meu povo, escutai-me. Eu tinha pensado em construir um templo para descanso da arca da aliança do Senhor e como estrado para os pés do nosso Deus. Realizei os preparativos para a construção, ³mas Deus me disse: "Tu não edificarás um templo em minha honra, pois passaste a vida guerreando e derramaste muito sangue". ⁴O Senhor, Deus de Israel, me havia escolhido entre toda a minha família para ser rei vitalício de Israel. De fato, escolheu Judá como tribo chefe, dentro de Judá escolheu minha família, e entre os meus irmãos me escolheu para me tornar rei de todo Israel. ⁵E entre os muitos filhos que o Senhor me deu, ele escolheu meu filho Salomão para ocupar o trono real do Senhor em Israel. ⁶E disse-me: "Teu filho Salomão edificará meu templo e meus átrios, pois o escolhi como filho e serei um pai para ele. ⁷Se ele se esforçar em cumprir meus preceitos e decretos, como faz agora, eu consolidarei seu reino para sempre." ⁸Portanto, na presença de todo Israel, comunidade do Senhor, e pondo como testemunha o nosso Deus, eu vos digo: Observai e estudai todos os preceitos do Senhor vosso Deus; assim possuireis este magnífico país e o transmitireis a vossos descendentes para sempre. ⁹E tu, Salomão, meu filho, reconhece o Deus do teu pai e serve a ele de todo o coração, com generosidade de espírito, pois o Senhor examina os corações e penetra todas as intenções. Se o procuras, ele se deixará encontrar; se o abandonas, ele te rejeitará definitivamente. ¹⁰Vê, o Senhor escolheu-te para construir um santuário. Coragem, mãos à obra.

27,28 * = Cerca.
27,32-34 Trata-se da corte próxima ao rei. "Amigo do rei" poderia significar predileto ou favorito. O segundo livro de Samuel conta fatos interessantes desses personagens, aqui reduzidos a nomes e cargos.
28,1 Liga-se com 23,3, depois da longa inserção. Este versículo recolhe vários dos grupos descritos, que deverão assistir ao ato formal da sucessão. Temos aqui um bom exemplo do estilo oratório do autor.
28,2 O templo tem dimensão histórica: é encerramento das andanças pelo deserto e lugar de descanso do Senhor no meio do seu povo; além disso, tem dimensão cósmica: é apenas um estrado onde o Senhor entronizado no céu apoia os pés na terra. Representa uma presença e um transbordamento.
28,3 O passado guerreiro pesa demais quando se deve construir um templo sob o signo do descanso e da estabilidade cósmica. A expressão "derramar sangue" significa normalmente cometer homicídio. Alude o autor sutilmente ao assassinato de Urias? (Ver 22,8).
28,4-5 O autor reduz os dramáticos incidentes da sucessão a poucas frases, que no modelo vão de 2Sm 13 a 1Rs 2.
28,6 Conforme 2Sm 7,14 e Sl 89,27-28.
28,7 Essa condição parece insinuar o final infeliz de Salomão e também pode incluir retrospectivamente o desterro. Essa condição inicial justifica os fatos trágicos que todos conhecem.
28,8 O discurso sobre a sucessão e a construção do templo desemboca numa exortação de sabor deuteronômico. Assim se obtém que o templo não é só lugar para o exercício do culto, mas também atualiza as exigências morais do Senhor. Insinua-se apenas o que Jeremias tinha pregado com tanta força (Jr 7 e 26). Além do mais, o templo fica ligado à terra prometida e entregue sob condições; de novo podemos escutar uma alusão ao desterro.
28,9-10 A exortação é muito rítmica. Outra vez se joga com o nome de Salomão (*beleb shalem*). Também vemos que a escolha não é privilégio, mas missão. Para realizá-la, o sucessor deve conjugar a atitude interna com a ação externa.

¹¹Davi entregou a seu filho Salomão as plantas do átrio e do templo, dos armazéns, das salas superiores, das naves internas e da câmara do propiciatório. ¹²Entregou também o projeto que havia concebido sobre os átrios do templo e as salas circundantes para o tesouro do templo de Deus, para os dons votivos, ¹³para as classes sacerdotais e levíticas, para os diversos serviços do culto do templo e para os objetos sagrados do templo. ¹⁴Indicou-lhe a quantidade de ouro que deviam ter os objetos de ouro segundo suas funções e a quantidade de prata que deviam ter os objetos de prata segundo suas funções; ¹⁵o peso dos candelabros de ouro com suas lâmpadas e dos de prata com as suas, segundo o uso dos diversos candelabros; ¹⁶a quantidade de ouro de cada uma das mesas dos pães apresentados e a quantidade de prata das mesas de prata; ¹⁷o ouro de lei dos garfos, aspersórios e taças, a quantidade de ouro e de prata de cada uma das taças. ¹⁸O ouro refinado do altar do incenso e o projeto do carro dos querubins de ouro que cobrem, com suas asas, a arca da aliança do Senhor. ¹⁹Tudo isso se encontrava num escrito que o Senhor lhe havia entregue, explicando a fabricação do modelo.

²⁰Davi disse ainda a seu filho Salomão:
– Coragem; sê valente; mãos à obra. Não te assustes nem te acovardes, pois o Senhor Deus, o meu Deus, está contigo. Não te deixará nem te abandonará até que termines todas as obras do serviço do templo. ²¹Estão à tua disposição as classes sacerdotais e levíticas que se encontram a serviço do templo de Deus, além das autoridades e do povo, que estão plenamente às tuas ordens; também te ajudarão nessa tarefa muitos profissionais que se oferecerão espontaneamente.

29 Ofertas para o templo (Ex 25; 35-36) – ¹Depois o rei Davi disse a toda a comunidade:

– Meu filho Salomão, que Deus escolheu, é jovem e imaturo; todavia, a tarefa é enorme, porque não se trata de construir uma casa qualquer, mas um templo ao Senhor Deus. ²Por isso, fui fazendo os preparativos segundo minha capacidade: ouro para os objetos de ouro, prata para os de prata, bronze para os de bronze, ferro para os de ferro, madeira para a mobília, ônix, pedras de engaste, azeviche, pedras para mosaicos, todo tipo de pedras preciosas e grande quantidade de alabastro. ³Além disso, por amor ao templo do meu Deus, além do que já preparei para o santuário, entrego meus tesouros de ouro e prata: ⁴cem toneladas de ouro, ouro de Ofir; duzentas e quarenta toneladas de prata finíssima para recobrir as paredes internas do templo, ⁵para os diversos objetos de ouro e prata e para os trabalhos dos ourives. Quem quer hoje oferecer generosamente ao Senhor?

⁶Os chefes de família, os chefes das tribos de Israel, os chefes e oficiais e os superintendentes ⁷ofereceram generosamente para a construção do templo cento e setenta toneladas de ouro, dez mil daricos, trezentas e quarenta toneladas de prata, seis mil, cento e setenta e quatro toneladas de bronze e três mil, quatrocentas e trinta toneladas de ferro. ⁸Os que possuíam pedras preciosas as entregaram ao gersonita Jaiel, para o tesouro do templo. ⁹O povo, cheio de generosidade, se alegrava em oferecer algo ao Senhor, e também Davi sentia grande alegria.

Oração de Davi – ¹⁰Então bendisse ao Senhor na presença de toda a comunidade, dizendo:

28,11-19 Conforme antigas crenças, a divindade entrega a planta ou modelo do templo que se há de edificar; o templo terrestre há de ser imagem do celeste, que só Deus conhece e pode revelar. Nesse sentido, a estrutura do templo é uma espécie de revelação. O Senhor entrega a Davi a planta desenhada (v. 19) e também lhe dá uma inspiração interior sobre o modelo (v. 12).
A ideia da revelação minuciosa de Deus preside os capítulos 25-30 do Êxodo e 40-46 de Ezequiel; o termo técnico *tabnit* é lido em Ex 25,9.40.

28,14 Nessa atividade, o Davi do Cronista suplanta o Moisés do Êxodo.

28,20-21 Outra vez ressoa a exortação de Moisés a Josué (Js 1,9). Salomão pode confiar na assistência de Deus e na colaboração humana forçada ou espontânea. O rei terá a virtude e o encargo de mobilizar as forças do povo para a gigantesca tarefa.

29,1-9 Com seu próprio exemplo, Davi quer promover uma última coleta generosa, como a de Ex 25 e 35-36. O prazer de dar a Deus é recomendado por Eclo 35,8, e de dar aos homens, por 2Cor 9,7.

29,7 Darico é o nome da moeda cunhada no tempo de Dario II da Pérsia (423-404).

29,10-19 A oração de Davi desenvolve estes temas: Deus acima de tudo, nós diante de Deus, nossos dons

— Bendito sejas, Senhor, Deus de nosso pai Israel, desde sempre e para sempre. ¹¹A ti, Senhor, a grandeza, o poder, a honra, a majestade e a glória, porque tudo é tudo o que há no céu e na terra. Teu é o reino e o que está acima de todos. ¹²Riqueza e glória vêm de ti. Tu governas tudo. Em tuas mãos estão a força e o poder, em tuas mãos engrandecer e fortalecer a quem queres. ¹³Nós, Deus nosso, te damos graças e louvamos teu nome glorioso. ¹⁴Nem eu nem meu povo somos coisa alguma para te oferecer tudo isso, porque tudo é teu, e te oferecemos o que tua mão nos deu. ¹⁵Diante de ti somos migrantes e estrangeiros, como nossos pais. Nossa vida terrena não passa de uma sobra sem esperança. ¹⁶Senhor Deus nosso, tudo o que preparamos para construir um templo ao teu nome santo vem de tuas mãos e te pertence. ¹⁷Eu sei, meu Deus, que sondas o coração e amas a sinceridade. De coração sincero te ofereço tudo isso, e vejo com alegria teu povo aqui reunido oferecendo-te seus dons. ¹⁸Senhor Deus de nossos pais Abraão, Isaac e Israel, conserva sempre no teu povo essa forma de pensar e de sentir, mantém seus corações fiéis a ti. ¹⁹Concede a meu filho Salomão um coração íntegro para pôr em prática todos os teus preceitos, normas e mandatos e para te edificar esse templo que projetei.

²⁰Davi disse a toda a comunidade:
— Bendizei o Senhor vosso Deus.

Toda a comunidade bendisse o Senhor, Deus de seus pais, e, prostrando-se, renderam homenagem ao Senhor e ao rei.

²¹No dia seguinte ofereceram sacrifícios e holocaustos ao Senhor: mil bezerros, mil carneiros e mil cordeiros, com suas libações, e numerosos sacrifícios por todo Israel. ²²Festejaram esse dia comendo e bebendo na presença do Senhor. Pela segunda vez, entronizaram Salomão, filho de Davi, e o ungiram chefe pela graça de Deus. Ungiram Sadoc como sacerdote.

Morte de Davi e reinado de Salomão – ²³Salomão sentou-se no trono do Senhor como sucessor de seu pai Davi, e teve êxito. Todo Israel lhe prestou obediência, ²⁴e todos os generais, os campeões e os filhos do rei Davi prestaram juramento ao novo rei. ²⁵O Senhor engrandeceu Salomão diante de todo Israel e lhe deu uma majestade régia que os reis de Israel anteriores não tinham conhecido.

²⁶Davi, filho de Jessé, foi rei de todo Israel. ²⁷*Reinou quarenta anos, sete em Hebron, e trinta e três em Jerusalém.* ²⁸Morreu em idade avançada, coroado de anos, riquezas e glória. Seu filho Salomão

---

e seu sentido, súplica pelo povo e pelo novo rei. Com repetições insistentes, o autor expressa o sentido do culto e das ofertas: tudo é de Deus, tudo vem de Deus e tudo volta para Deus; dele o recebemos e a ele o devolvemos, com o reconhecimento e o dom; recebemos os dons de dar e a vontade de dar; damos do que nos deram, e o nosso melhor dom é a sinceridade.

29,10 No princípio menciona o patriarca Israel; no final, os três patriarcas, em inclusão pouco acentuada.

29,11-12 Começa com o reconhecimento (que inspirará diversos hinos inseridos no Apocalipse do NT). O "reino e o que está acima" são a nação israelita e seu rei; são a posse particular do Senhor na terra. Portanto, o reino é propriedade do rei, mas, referidos ambos a Deus, mostram uma diferença muito relativa.

Deus comunica a outros algo do seu, escolhendo homens e mantendo a soberania da história. (Evita-se o título de "rei" para o homem e para Deus; isso não acontece no salmo citado no cap. 16.)

29,14 A segunda parte é modelo de "ofertório" litúrgico: "que recebemos da vossa bondade e agora vos apresentamos".

29,15 Ver Sl 39,13. Sendo a terra propriedade de Deus, o homem se encontra como migrante. Ou seja, referido e aberto a Deus, sua existência e pertença ao mundo se relativizam. No culto, fechando o círculo de Deus a Deus, parece que culmina essa vida precária. O autor não sabe superar a radical limitação da existência terrena (ver 2Sm 14,14); no entanto, seus personagens são capazes de autêntica alegria.

29,17 Essa sinceridade profunda é totalmente diferente do pânico numinoso que dobra o homem diante de Deus e, sob o medo, o força a oferecer seus sacrifícios; também é radicalmente oposta ao cálculo da religião do interesseiro *do ut des*.

29,18 O olhar do rei ancião remonta ao passado até os patriarcas do povo e quer com sua oração abraçar o futuro do povo. Seu último legado, mais que o tempo material, é uma súplica pela atitude vital do povo. Essa oração deve pesar mais que os longos capítulos de organização. Ela condena o ritualismo mecânico de um culto extrínseco. E também condena, no último versículo, um culto separado da observância dos mandatos.

29,21-22 A cerimônia litúrgica dos sacrifícios é celebrada no dia seguinte. Há sacrifícios de comunhão e o consequente banquete sagrado

29,23-25 Desaparecem todas as intrigas dos irmãos que ambicionam o trono (1Rs 1-2).

reinou em seu lugar. ²⁹As proezas de Davi, da primeira à última, estão escritas nos livros de Samuel, o vidente, na história do profeta Natã e na história do vidente Gad, ³⁰com tudo o que se refere a seu reinado, suas batalhas, o que aconteceu a ele, a Israel e a todos os reinos vizinhos.

29,29-30 As fontes citadas são provavelmente os capítulos correspondentes de Samuel e Reis. É tradicional atribuir esses livros a "profetas antigos", e o nosso autor sugere nomes que lhe parecem razoáveis, dando a cada um título diferente, embora equivalente.

SEGUNDO LIVRO DAS CRÔNICAS

Visão de Salomão (1Rs 3,4-15) – ¹Salomão, filho de Davi, consolidou-se no trono, pois o Senhor seu Deus estava com ele e o engrandeceu. ²Depois de falar com os israelitas, com os chefes e oficiais, os juízes, os príncipes e todos os chefes de família, ³Salomão e toda a comunidade com ele foram à ermida de Gabaon, onde estava a tenda do encontro com Deus, que Moisés, servo de Deus, tinha feito no deserto. ⁴(Quanto à arca de Deus, Davi a tinha transportado de Cariat-Iarim* ao lugar que lhe havia preparado, porque tinha erguido para ela uma tenda em Jerusalém. ⁵O altar de bronze feito por Beseleel, filho de Uri, filho de Hur, também se encontrava aí, diante do santuário do Senhor. Salomão e a comunidade o consultavam.) ⁶Salomão subiu ao lugar em que se encontrava o altar de bronze – aquele que está na presença do Senhor, diante da tenda do encontro – e sobre ele ofereceu *mil holocaustos*.

⁷Nessa *noite*, Deus apareceu a Salomão e lhe *disse*:

– Pede-me o que quiseres.

⁸Salomão respondeu a Deus:

– Com grande misericórdia trataste meu pai Davi e me nomeaste seu *sucessor*. ⁹Pois bem, Senhor Deus, conserva a promessa que fizeste ao meu pai Davi, porque foste tu quem me fez reinar sobre um *povo numeroso* como o pó da terra. ¹⁰Concede-me ciência e sabedoria para dirigir esse povo. Do contrário, *quem poderia governar esse teu povo tão* numeroso?

¹¹*Deus respondeu* a Salomão:

– *Por ter sido este o teu desejo, em vez de pedir-me riquezas,* bens, glória, *a morte dos teus* inimigos *ou longa vida;* por teres pedido ciência e sabedoria para governar meu povo, do qual eu te constituí rei, ¹²te serão concedidas a sabedoria e a ciência, e também *riquezas,* bens e *glória como não a tiveram os reis* que te precederam, nem a terão teus sucessores.

¹³*Salomão* saiu da tenda do encontro e *voltou* da ermida de Gabaon para *Jerusalém,* onde reinou em Israel.

Riqueza de Salomão (1Rs 10,26-29) – ¹⁴*Salomão juntou carros e cavalos. Chegou a ter mil e quatrocentos carros e doze mil cavalos. Ele os aquartelou nas cidades com quartéis para carros e em Jerusalém, junto ao palácio.* ¹⁵*O rei fez com que em Jerusalém a prata e o ouro fossem tão comuns como as pedras, e os cedros tão numerosos como os sicômoros da Sefelá.* ¹⁶*Os cavalos*

1,1 Este versículo resume sem complicações todos os problemas da sucessão e as medidas repressivas com que começa o reino do "Pacífico" Salomão.

1,2-3 A visita à ermida de Gabaon é um fato que aproveita a fonte e que não se enquadra na unificação do culto sob Josias, nem na teologia do autor de Reis. Neste livro, a arca já se encontra em Jerusalém, mas o santuário móvel, em forma de tenda, que acompanhou os israelitas pelo deserto, fica em Gabaon. Chama-se "tenda do encontro" (ou da reunião) e não "da presença"; é como se Deus descesse cada vez para se encontrar com o homem. É uma instituição mosaica. Salomão tem um encontro com Deus no lugar tradicional, antes de trazê-lo para habitar no templo de Jerusalém. De passagem realiza um ato de homenagem a Moisés, o fundador. Ver, por exemplo, Ex 33. O nosso autor transforma a visita pessoal de 1Rs 3 numa visita de Estado com dimensões de peregrinação, porque assistem todos os representantes oficiais da corte e do povo.

1,4 Se levamos em conta que a arca tinha sido garantia militar dos israelitas, ao instalar-se na "pacífica" cidade de Jerusalém, parece pôr fim a essa função; se queremos, a transfere a todo o complexo do templo, como dizem vários salmos (46; 48 e 76). * = Vila Soutos.

1,5 Conforme Ex 27 e 30, o altar do incenso era mais estimado que o dos holocaustos. O primeiro estava revestido de ouro, o segundo de bronze. Beseleel é o grande artesão de Ex 31,7.

1,7 Suprime o dado "em sonhos" do original; poderia estar implícito na especificação "nessa noite"; mas o Cronista evita toda menção de sonhos oraculares.

1,8-10 A oração de Salomão é resumida, conservando alguns dados e deixando detalhes interessantes sobre o sentido do governo, ou seja, a arte de escutar (e compreender) e de discernir entre o bem e o mal.

1,11-13 A resposta muda significativamente a distribuição das peças: a superação de todos os reis se dá na glória e nas riquezas, não na sabedoria (a não ser que a indicação contenha tudo). E falta a condição de guardar os mandamentos.

Na sequência dessa visita, a fonte introduz o famoso "julgamento do rei Salomão". Aqui desaparece uma demonstração de sua capacidade judicial, parte integrante do governo, e fica só seu talento intelectual e literário, além do talento para realizar as obras do templo.

1,15 O original só fala da prata. Além disso, traz estas notícias no final, depois da construção do templo.

de Salomão vinham do Egito e da Cilícia, onde os mercadores do rei os compravam à vista. ¹⁷*Cada carro importado do Egito valia seiscentos siclos, e um cavalo, cento e cinquenta. Seus intermediários os vendiam pelo mesmo preço aos reis heteus e sírios.*

¹⁸Salomão decidiu construir um templo em honra do Senhor e um palácio real.

2 **Aliança com Hiram de Tiro** (1Rs 5,20-30) –

¹Recrutou setenta mil carregadores e oito mil talhadores, e pôs à frente deles três mil e seiscentos capatazes.

²*Depois enviou esta mensagem a Hiram, rei de Tiro:*

– Há tempos enviaste a meu pai Davi madeira de cedro para que construísse um palácio para morar. ³Vê, eu penso em construir agora um templo em honra do Senhor meu Deus, para consagrá-lo a ele, queimar incenso perfumado em sua presença, ter sempre os pães apresentados, oferecer os holocaustos da manhã e da tarde, dos sábados, do começo de mês e das solenidades do Senhor nosso Deus. Assim se fará sempre em Israel. ⁴O templo que irei construir deve ser grande, pois o nosso Deus é o maior dos deuses. ⁵Quem se atreverá a construir-lhe um templo, quando o céu e o mais alto do céu são pequenos para contê-lo? E quem sou eu para lhe construir um templo, ainda que seja somente para queimar incenso em sua presença? ⁶De qualquer modo, envia-me um homem que domine a arte de trabalhar o ouro, a prata, o bronze, o ferro, o escarlate, o carmesim, a púrpura, e que saiba gravar. Trabalhará com os artesãos que meu pai Davi preparou e que estão à minha disposição em Judá e Jerusalém. ⁷Envia-me também madeira de *cedro,* cipreste e sândalo *do Líbano.* Eu sei que teus servos são peritos *em cortar árvores* do Líbano. Meus escravos irão com os teus ⁸para preparar-me grande quantidade de madeira, porque o templo que irei construir será grande e magnífico. ⁹Darei aos cortadores, para sua manutenção, vinte mil medidas de trigo, vinte mil medidas de cevada, vinte mil cântaros de vinho e vinte mil de azeite.

¹⁰Hiram, rei de Tiro, respondeu por escrito a Salomão: "O Senhor te fez rei do seu povo porque o ama muito". ¹¹E acrescentava: *"Bendito seja o Senhor,* Deus de Israel, que fez o céu e a terra, *por ter dado* ao rei *Davi um filho sábio,* dotado de prudência e inteligência, disposto a construir um templo ao Senhor e um palácio real. ¹²Eu te envio Hiram-Abi, homem perito e inteligente, ¹³*filho de mãe* danita e *de pai* fenício. Ele sabe trabalhar o ouro, a prata, *o bronze,* o ferro, a pedra, a madeira, a púrpura vermelha e violeta, o carmesim, o linho, e fazer todo tipo de gravação. Realizará todos os projetos que lhe confiarem em colaboração com teus artesãos e com os de teu pai Davi, meu senhor. ¹⁴Envia a teus servidores o trigo, a cevada, o vinho e o azeite de que falas. ¹⁵Nós cortaremos todas as árvores *do Líbano* de que necessitas, e as

---

1,18 Como Davi já tinha um palácio (1Cr 14,1; 17,1), o de Salomão podia ser novo ou ampliação do precedente. No que se segue, o autor utiliza muitos dados da sua fonte, multiplicando generosamente as cifras.

2 O capítulo é ocupado pela correspondência diplomática com o rei de Tiro, encerrada com a inclusão da notícia dos carregadores e operários estrangeiros. Beseleel e seus ajudantes (Ex 31) eram israelitas, mas a alta direção artística e a mão de obra de Salomão era estrangeira. Visto que se salva o modelo entregue por Deus a Davi, a coisa não é grave.
Mediante essa simplificação entrevemos que as artes plásticas não se tinham desenvolvido em Israel e que Salomão impulsionou seu desenvolvimento importando artistas estrangeiros (coisa que aconteceu tantas vezes na história).

2,1 Num versículo resume todos os preparativos de 1Rs 7,1-12.

2,2-9 A carta de Salomão começa com uma descrição esquemática do culto, como para orientar o corresponsável.

2,4 A profissão de fé, talvez pouco diplomática, está em consonância com declarações de salmos (95,3; 97,7.9); não nega a existência de outras divindades.

2,5 Um templo do qual se eleve o incenso ao céu não exigiria a habitação de Deus; a presença celeste e cósmica da divindade lhe bastaria. No templo de Jerusalém se concebia Deus presente detrás da cortina, e diante dela se queimava o incenso. O céu era imaginado como uma série de estratos; o supremo era "o céu do céu" (ver Sl 148).

2,7 A tradução "sândalo" é conjetural, pois o sândalo não cresce no Líbano; poderia tratar-se de outra conífera.

2,11 O tírio responde com uma profissão de fé no Deus de Israel como Deus criador do universo (que não consta na fonte); assim se sublimam seus interesses comerciais na operação.

2,13 O mestre bronzista de 1Rs se transforma numa espécie de artista universal da Renascença, embora sem a "sabedoria sobre-humana" de Beseleel (Ex 31).

enviaremos em balsas a Jafa, por via marítima, e tu te encarregarás de transportá-las a Jerusalém".

[16]Salomão fez o recenseamento de todos os migrantes que se encontravam em território israelita, recenseamento posterior ao que fez seu pai Davi. Eram cento e cinquenta e três mil e seiscentos. [17]*Destinou setenta mil como carregadores, oitenta mil como talhadores na montanha e três mil* e seiscentos como capatazes à frente do pessoal.

3 Construção do templo (1Rs 6)

[1]Salomão começou a construir o templo do Senhor em Jerusalém, no monte Moriá, onde o Senhor havia aparecido a seu pai Davi, no lugar que este havia preparado, na eira do jebuseu Ornã. [2]Começou a construir no segundo mês do quarto ano do seu reinado. [3]Salomão determinou a planta do templo: *trinta metros* de comprimento, no antigo padrão, e *dez de largura*. [4]*O vestíbulo diante* da nave do templo ocupava *dez metros de largura do edifício,* e tinha cinco metros de profundidade, com dez de altura. *Revestiu-o por dentro de ouro puro.* [5]Recobriu a nave principal com madeira de cipreste e adornou-a com palmeiras e correntinhas engastadas em ouro fino. [6]Adornou o templo com pedras preciosas e com ouro autêntico de Parvaim. [7]Também revestiu de ouro a nave, as vigas, os umbrais, as paredes e as portas. E fez relevos de querubins nas paredes.

[8]Depois fez a câmara do santíssimo. Ocupava dez metros de largura do edifício e tinha dez de profundidade; ele a recobriu com vinte toneladas e meia de ouro fino. [9]Os cravos, que eram de ouro, pesavam meio quilo cada um. Revestiu de ouro as salas superiores. [10]Para a câmara do santíssimo recomendou aos escultores *dois querubins,* recobrindo-os de ouro. [11]As asas dos querubins tinham dez metros; *uma asa do primeiro, de dois metros e meio,* tocava a parede interna do edifício; *a outra, também de dois metros e meio,* tocava o segundo querubim. [12]Uma asa do segundo querubim, de dois metros e meio, tocava a parede do outro lado, e a outra asa, de dois metros e meio, chegava até uma asa do primeiro querubim. [13]No total, as asas estendidas dos querubins tinham dez metros. Estavam de pé, olhando para dentro. [14]Fez a cortina de púrpura violeta, escarlate, carmesim e linho, com querubins bordados.

[15]Diante da nave pôs *duas colunas* de dezessete metros e meio de altura, *rematadas* com um capitel de *dois metros e meio.* [16]Fez *grinaldas* em forma de colar e as pôs *nos capitéis; fez também* cem *romãs* e as pôs nas grinaldas. [17]Ergueu as colunas à entrada do templo, uma à direita e outra à esquerda. *Chamou a da direita "Firme" e a da esquerda "Forte".*

2,16 A notícia se apoia em 1Rs 9,22 contra 1Rs 5,27. Aqui temos os "migrantes" como categoria social oprimida, uma espécie de proletariado que fornece mão de obra barata; sua situação não se diferencia muito da dos israelitas no Egito. A legislação do Deuteronômio sobre eles é muito mais humanitária. A dissonância não impressiona o autor; parece pensar que esses estrangeiros, com seu trabalho, prestam homenagem ao Deus de Israel.

3 Os dados deste capítulo provêm de Ex 25-31, de 1Rs 6 e provavelmente da experiência direta do segundo templo. O autor maneja os materiais com mais esplendidez, e não lhe importa esbanjar o ouro. A descrição não permite reconstruir o complexo com razoável probabilidade. Há muitos termos técnicos, talvez mal transcritos, além de glosas que não clareiam a imagem.

3,1 O autor acumula detalhes de localização. Monte Moriá é tradicionalmente o lugar do sacrifício de Abraão, quando o carneiro substitui Isaac, a vítima humana. Identifica-se com a eira do jebuseu Ornã (Areúna; os samaritanos o identificavam com o Garizim), indicada por Deus com a aparição de um anjo. Isso acrescenta prestígio ao novo templo, ao mesmo tempo que delineia um processo no culto sacrifical. Gn 22,2; 2Sm 24.

3,2 Omite a menção dos 480 anos desde a saída do Egito (1Rs 6,1).

3,3 Trata-se do edifício situado dentro do recinto total; ele incluía também os dois átrios escalonados com suas dependências. O templo se dividia, quanto ao comprimento, em vestíbulo ou nártex, nave e câmara do santíssimo. Para simplificar números, damos ao côvado o valor de meio metro.

3,6 Talvez inspirado em Is 54,11-12.

3,8 Esquece-se de dizer que a câmara media dez metros de altura, ou seja, que era um cubo perfeito. Além disso, como tudo é revestido de ouro, inclusive a madeira de cipreste, não ressalta a diferença dessa câmara interna.

3,11-12 Esses querubins, animais fantásticos alados, não estão gravados ou em relevo sobre a tampa da arca, mas erguidos como estátuas livres.

3,15-17 Se o edifício media quinze metros de altura (1Rs 6,3), as colunas livres, de vinte metros, contando o capitel, tinham de estar fora do edifício.

4

Trabalhos para o templo (1Rs 7,23-26.40-51) – ¹Fez um altar de bronze com dez metros de comprimento, dez de largura e cinco de altura. ²*Construiu também um reservatório de metal fundido. Media cinco metros de diâmetro. Era redondo, com dois metros e meio de altura e uns quinze de perímetro, medidos a cordel.* ³*Debaixo da borda, ao redor, davam a volta ao reservatório duas séries de figuras de touros – vinte por metro – fundidas com o reservatório numa única peça.* ⁴*O reservatório descansava sobre doze touros; os touros, que olhavam três para o norte, três para o oeste, três para o sul e três para o leste, tinham os traseiros voltados para dentro; sobre eles estava o reservatório.* ⁵*Sua espessura era de um palmo, e sua borda como um cálice de açucena. Sua capacidade,* cerca de cento e vinte mil litros.

⁶*Fez dez bacias; pôs cinco à direita e cinco à esquerda.* Nelas lavava-se o material dos holocaustos, ao passo que o reservatório era destinado às abluções dos sacerdotes. ⁷Fez também dez candelabros de ouro, segundo a forma prescrita, e os pôs no santuário, cinco à direita e cinco à esquerda. ⁸Pôs também no santuário dez mesas, cinco à direita, cinco à esquerda. Fabricou cem aspersórios de ouro.

⁹Construiu o átrio dos sacerdotes, o átrio maior e suas portas, recobrindo-o de bronze. ¹⁰*Pôs o reservatório à direita, a sudoeste.*

¹¹*Hiram fez também os caldeirões, os cinzeiros e os aspersórios.* Assim terminou todas as recomendações de Salomão para o templo do Senhor: ¹²*as duas colunas, as duas esferas dos capitéis que rematavam as colunas, as duas grinaldas para adornar essas esferas,* ¹³*as quatrocentas romãs para as duas grinaldas (duas séries de romãs por grinalda),* ¹⁴*as dez bases e as dez bacias,* ¹⁵*o reservatório sobre os* doze touros, ¹⁶*os caldeirões, cinzeiros* e garfos. *Todos os utensílios que Hiram-Abi fez para o rei Salomão para o templo do Senhor eram de bronze* polido. ¹⁷*Ele os fundiu no vale do Jordão, perto do vau de Adama, entre Sucot* e* Sareda.

¹⁸*Salomão fez todos esses objetos; eram tantos que não se calculou o peso do bronze.* ¹⁹*Fez também os outros utensílios do templo: o altar de bronze, as mesas sobre as quais se põem os pães apresentados,* ²⁰*os candelabros com suas lâmpadas, de ouro puro, para que ardessem diante da capela como está prescrito,* ²¹*os cálices, lâmpadas e tenazes de ouro, de ouro puríssimo,* ²²*as facas, aspersórios, bandejas, incensórios de ouro* puro, e também de ouro os gonzos *das portas da capela e da nave.*

5

Dedicação do templo (1Rs 8,1-52.62-66) – ¹*Quando foram terminadas todas as recomendações do rei para o templo, Salomão fez trazer as ofertas de seu pai Davi (prata, ouro e utensílios), e as depositou no tesouro do templo de Deus.* ²*Então Salomão convocou em Jerusalém os conselheiros de Israel, os chefes das tribos e os chefes de família dos israelitas para transportar da Cidade de Davi, isto é, Sião, a arca da aliança do Senhor.* ³*Todos os israelitas se reuniram em torno do rei na festa do sétimo mês.* ⁴*Quando chegaram todos os conselheiros de Israel, os levitas carregaram a arca,* ⁵*e os sacerdotes levitas a trasladaram, junto com a tenda do encontro e os utensílios do culto que havia na tenda.* ⁶*O rei Salomão, acompanhado de toda a assembleia de Israel, reunida com ele diante da arca, sacrificava uma quantidade incalculável de ovelhas e bois.*

⁷*Os sacerdotes levaram a arca da aliança do Senhor para seu lugar, na capela do templo, o santíssimo, sob as asas dos querubins;* ⁸*os querubins estendiam suas*

4,1 Se Salomão constrói um altar de holocaustos, quer dizer que não traslada para Jerusalém o de Gabaon. As dimensões são gigantescas e a altura exige uma grande escadaria para fazer as vítimas subir. Aquele descrito por Ex 27 mede 2,5 metros de comprimento e largura por 1,5 de altura.
4,7-8 Os dados são multiplicados em relação ao modelo.
4,17 * = Cabanas.

5 Há uma mudança significativa em relação ao original, onde, ao saírem os sacerdotes, a nuvem enche o templo, ou seja, quando a arca da aliança fica instalada na capela. Aqui, o autor introduz a música, à maneira de epiclese ou convite para fazer o Senhor vir; a nuvem chega no meio de um concerto estrondoso, não em silêncio. O autor não podia suportar que seus queridos cantores assistissem passivos à solene cerimônia inaugural.

asas sobre o lugar da arca e cobriam por cima a arca e os varais. ⁹*(Os varais eram bastante longos para que se visse o remate desde a nave, diante da capela, mas não a partir de fora.) Aí estão atualmente.* ¹⁰Na arca havia apenas as duas tábuas que Moisés escreveu no Horeb, quando o Senhor fez aliança com os israelitas ao sair do Egito.

¹¹Quando os sacerdotes saíram do santuário (todos os sacerdotes presentes tinham-se purificado sem distinção de classes), ¹²os levitas cantores – Asaf, Emã, Iditun, seus filhos e seus irmãos –, vestidos de linho fino, com címbalos, harpas e cítaras, estavam de pé a leste do altar, acompanhados de cento e vinte sacerdotes que tocavam as trombetas. ¹³Trombeteiros e cantores entoaram em uníssono os hinos e a ação de graças ao Senhor; e em meio ao fragor de trombetas, címbalos, instrumentos musicais e hinos ao Senhor, "porque é bom, porque sua misericórdia é eterna", uma nuvem encheu o templo, de forma que os ¹⁴sacerdotes não podiam continuar oficiando, por causa da nuvem, porque a glória do Senhor enchia o templo de Deus.

6
¹*Então Salomão disse:*
– *O Senhor quer habitar na treva;* ²*e eu te construí um palácio, um lugar em que vivas para sempre.*

³Depois voltou-se para abençoar toda a assembleia de Israel (toda a assembleia de Israel estava de pé) ⁴e disse:

– Bendito o Senhor, Deus de Israel, que com sua boca fez uma promessa a meu pai Davi, e com sua mão a cumpriu: ⁵ "Desde o dia em que tirei meu povo do país do Egito, não escolhi nenhuma cidade das tribos de Israel para me fazer um templo em que residisse o meu Nome, e não escolhi ninguém para que fosse chefe do meu povo Israel, ⁶mas escolhi Jerusalém para aí pôr meu Nome, e *escolhi Davi para que estivesse à frente do meu povo Israel".* ⁷Meu pai Davi pensou edificar um templo em honra do Senhor, Deus de Israel, ⁸e *o Senhor lhe disse:* "Fazes bem em conservar esse projeto que tens de construir um templo em minha honra; ⁹mas tu não construirás esse templo, e sim um filho de tuas entranhas construirá esse templo em minha honra". ¹⁰O Senhor cumpriu a promessa que fez; sucedi a meu pai Davi no trono de Israel, como o Senhor prometeu, e construí este templo em honra do Senhor, Deus de Israel. ¹¹E nele coloquei a arca, na qual se conserva a aliança que o Senhor selou com os filhos de Israel.

¹²Salomão, de pé diante do altar do Senhor, na presença de toda a assembleia de Israel, estendeu as mãos. ¹³Salomão fizera um estrado de bronze de dois metros e meio de comprimento por dois e meio de largura e um e meio de altura, e o havia colocado no centro do átrio; subiu nele, ajoelhou-se diante de toda a assembleia de Israel, ergueu as mãos *ao céu* ¹⁴*e disse:*

– Senhor Deus de Israel. Nem no céu nem na terra há um Deus como tu, fiel à aliança com teus vassalos, se de todo o coração agem de acordo contigo; ¹⁵mantiveste tua palavra a meu pai Davi, teu servo (por tua boca o prometeste e com tua mão o cumpres hoje). ¹⁶Agora, pois, Senhor, Deus de Israel, mantém em favor do teu servo, meu pai Davi, a promessa que lhe fizeste: "Não faltará em minha presença um descendente teu no trono de Israel, desde que teus filhos saibam comportar-se, caminhando segundo minha Lei, como caminhaste tu". ¹⁷Agora, pois, Senhor, Deus de Israel, confirma a promessa que fizeste a teu servo Davi. ¹⁸Mas é possível que Deus habite na terra com os homens? Se não cabes no céu e no mais alto do céu, quanto menos neste templo que te construí!

¹⁹Volta teu rosto à oração e súplica do teu servo, Senhor meu Deus, escuta o clamor e a oração que teu servo te dirige. ²⁰Dia e noite estejam teus olhos abertos sobre este

---

5,10 Essa referência à aliança do Horeb (= Sinai) e a menção de Moisés compensam modestamente muitos silêncios do autor. Mais que a extensão da notícia, o que conta é o lugar em que é pronunciado, na festa da dedicação do templo.
A arca é a ligação entre os fatos fundacionais.

5,14 Pela mediação de 1Rs 8, esta notícia se liga a Ex 40,34.

6,5-6 Deve-se sempre unir mentalmente as sentenças para entender: não escolhi ninguém... a não ser Davi. Assim se restabelece o paralelismo entre a cidade e o monarca.

6,13 Orar de joelhos é um gesto bastante raro (Sl 95,6).

6,18 O acréscimo "com os homens" tem um potencial teológico imprevisível.

templo, sobre o lugar onde quiseste que teu Nome residisse. Escuta a oração que teu servo te dirige neste lugar! ²¹Escuta as súplicas do teu servo e do teu povo Israel, quando rezarem neste lugar; escuta da tua morada do céu, escuta e perdoa.

²²Quando alguém pecar contra outro, se lhe é exigido juramento e vier jurar diante do teu altar neste templo, ²³escuta do céu e faze justiça a teus servos, condenando o culpado, devolvendo-lhe o que merece, e absolvendo o inocente, pagando-lhe segundo sua inocência.

²⁴Quando teu povo Israel for derrotado pelo inimigo por ter pecado contra ti, se eles se converterem e confessarem seu pecado e rezarem e suplicarem diante de ti neste templo, ²⁵escuta do céu e perdoa o pecado do teu povo Israel, e faze-os voltar à terra que deste a eles e a seus pais.

²⁶Quando, por terem pecado contra ti, o céu se fechar e não houver chuva, se rezarem neste lugar, confessarem a ti seu pecado e se arrependerem quando tu os afligires, ²⁷escuta do céu e perdoa o pecado do teu servo, do teu povo Israel, mostrando-lhe o bom caminho que deve seguir, e envia a chuva à terra que deste como herança a teu povo.

²⁸Quando no país houver fome, peste, seca e ferrugem, gafanhotos ou pulgões; quando o inimigo fechar o cerco em torno de alguma de suas cidades; em qualquer calamidade ou doença, ²⁹se qualquer pessoa, ou todo o teu povo Israel, diante dos remorsos e da dor, estender as mãos para este templo e te dirigir orações e súplicas, ³⁰escuta do céu onde moras, perdoa e paga a cada um segundo sua conduta, tu que conheces o coração humano; ³¹assim te respeitarão e andarão por teus caminhos enquanto viverem na terra que deste a nossos pais.

³²Também o estrangeiro que não pertence a teu povo Israel: quando vier de um país distante, atraído por tua grande fama, tua mão forte e teu braço estendido, quando vier rezar neste templo, ³³escuta-o do céu onde moras, faze o que te pedir, para que todas as nações do mundo conheçam tua fama e te respeitem como teu povo Israel, e saibam que teu Nome foi invocado neste templo que construí.

³⁴Quando teu povo sair para a guerra contra seus inimigos pelo caminho que lhe indicares, se rezarem a ti voltados para esta cidade que escolheste e para o templo que construí em tua honra, ³⁵escuta do céu sua oração e súplica e faze-lhes justiça.

³⁶Quando pecarem contra ti – porque ninguém está livre de pecado – e tu, irritado contra eles, os entregares ao inimigo, e os vencedores os desterrarem num país distante ou próximo, ³⁷se no país em que viverem deportados refletirem e se converterem, e no país de seu desterro te suplicarem, dizendo: "Pecamos, erramos, somos culpados"; ³⁸se no país do desterro para onde tiverem sido deportados se converterem a ti de todo o coração e de toda a alma, e rezarem voltados para a terra que havias dado a seus pais, para a cidade que escolheste e o templo que construí em tua honra, do céu onde moras ³⁹escuta sua oração e súplica, faze-lhes justiça e perdoa os pecados que teu povo cometeu contra ti. ⁴⁰Que teus olhos, meu Deus, estejam abertos e teus ouvidos atentos às súplicas que forem feitas neste lugar.

⁴¹E agora, *levanta-te*, Senhor Deus, vem à tua *mansão*, vem com a arca do teu *poder; que teus sacerdotes*, Senhor Deus, *se vistam de gala, que teus fiéis transbordem de felicidade.* ⁴²Senhor Deus, *não negues audiência a teu ungido; recorda* a lealdade *de Davi*, teu servo.

7

¹Quando Salomão terminou sua oração, desceu fogo do céu e devorou o do capítulo sobre o recenseamento (1Cr 21,26). A glória do Senhor não é descrita, porque não tem forma. Talvez o autor a imagine como um resplendor irresistível, na linha de Ex 16, 10 e das visões de Ezequiel. O fenômeno tem de ser visível para todo o povo reunido no átrio, a quem não é permitido entrar no edifício. É uma teofania à qual responde a adoração; significa que o Senhor desceu para tomar posse da sua morada.

6,41-42 Onde o original remontava à saída do Egito e a Moisés, o autor introduz um fragmento do Salmo 132, que se refere a Davi e à sua solicitude pela arca. O Salmo se encaixa tão bem nas circunstâncias que não se nota a substituição.
6,41 Sl 132,8-10.
7,1 O autor suprime aqui a bênção que Salomão deu ao povo; talvez porque abençoar era função levítica. Em seu lugar coloca um raio do céu, semelhante ao

holocausto e os sacrifícios. A glória do Senhor encheu o templo, ²e os sacerdotes não podiam entrar nele, porque a glória do Senhor enchia o templo. ³Os israelitas, vendo que o fogo e a glória do Senhor desciam ao templo, prostraram-se com o rosto por terra sobre o pavimento, adoraram e deram graças ao Senhor, "porque é bom, porque sua misericórdia é eterna".

⁴*O rei e todo o povo ofereceram sacrifícios ao Senhor.* ⁵O rei *Salomão imolou vinte e dois mil touros e cento e vinte mil ovelhas. Assim o rei e todo o povo dedicaram o templo de Deus.* ⁶Os sacerdotes oficiavam de pé, ao passo que os levitas cantavam ao Senhor com os instrumentos que o rei Davi tinha feito para louvar e dar graças ao Senhor, "porque sua misericórdia é eterna"; os sacerdotes estavam diante deles, e todos os israelitas mantinham-se de pé.

⁷*Salomão consagrou o átrio interno que há diante do templo, oferecendo aí os holocaustos e a gordura dos sacrifícios de comunhão, pois no altar de bronze que Salomão fez não cabiam os holocaustos, a oferta e a gordura.* ⁸*Nessa ocasião, Salomão celebrou a festa por sete dias; veio todo Israel, uma multidão imensa, desde a passagem de Emat até o rio do Egito.* Depois de festejar a dedicação do altar durante sete dias, ⁹no oitavo celebraram uma assembleia solene, e a seguir outros sete dias de festa. ¹⁰No vigésimo terceiro dia do sétimo mês, Salomão *despediu o povo;* voltaram para suas casas, alegres *e contentes por todos os benefícios que o Senhor havia feito a Davi,* a Salomão *e a seu povo Israel.*

Aparição e oráculo (1Rs 9,1-9) – ¹¹*Salomão concluiu o templo do Senhor e o palácio real; tudo o que* havia desejado fazer para o templo e o palácio foi bem-sucedido. ¹²*De noite o Senhor lhe apareceu e disse:*

– Escutei tua *oração* e escolho este lugar como templo para os sacrifícios. ¹³Quando eu fechar o céu e não houver chuva, quando ordenar ao gafanhoto que devore a terra, quando enviar a peste contra meu povo, ¹⁴se meu povo, que leva o meu Nome, se humilhar, orar, me procurar e abandonar sua má conduta, eu o escutarei do céu, perdoarei seus pecados e curarei sua terra. ¹⁵Conservarei os olhos abertos e os ouvidos atentos às súplicas que forem feitas neste lugar. ¹⁶Escolho e *consagro este templo para que nele esteja meu Nome eternamente. Meu coração e meus olhos estarão sempre nele.* ¹⁷*Quanto a ti, se agires de acordo comigo como teu pai Davi, fazendo exatamente o que eu te ordeno e cumprindo meus mandatos e decretos,* ¹⁸*conservarei teu trono real como me comprometi com teu pai Davi:* "Não te *faltará um descendente* que governe Israel". ¹⁹*Mas se me abandonardes e descuidardes os mandatos e preceitos que vos dei e fordes prestar culto a outros deuses e os adorardes,* ²⁰*eu vos* arrancarei *de minha terra que vos dei,* rejeitarei *o templo que consagrei ao meu Nome* e o converterei *no refrão e na caçoada de todas as nações.* ²¹*E todos os que passarem junto a este templo que foi tão magnífico se espantarão, comentando: "Por que o Senhor tratou dessa forma este país e este povo?"* ²²*E lhes dirão: "Porque abandonaram o Senhor, o Deus de seus pais, que os havia tirado do Egito, e foram atrás de outros deuses, adorando-os e prestando-lhes culto; por isso fez vir sobre eles essa catástrofe".*

7,3 Pavimento: o grego traduz *lithóstrotos* (cf. Jo 19,13).

7,9 A festa da Dedicação está ligada com a alegre festa das Cabanas (recordação da caminhada pelo deserto).

7,13-16 Acrescenta um oráculo divino, resposta à oração de Salomão, da qual cita três casos. O oráculo resume a dupla função do templo: sacrifícios e oração. Os dois atos incluem o arrependimento interior e a correção efetiva. Desse modo, a presença do Senhor no templo é ao mesmo tempo promessa e exigência constante. A terra se contagia e adoece com o pecado do homem (cf. Gn 3,17).

7,17-22 Quando o Cronista escrevia, havia um templo em Jerusalém, mas não havia um rei de estirpe davídica. As palavras sobre o templo recordam o desterro, merecido pela deslealdade do povo. Na promessa ao rei, falta precisamente o advérbio "perpetuamente" (que está em 1Rs 9,5). O que insinua o autor com tal silêncio: que o templo pode suceder à monarquia e cumprir suas funções? Neste livro o templo não é função da monarquia, mas o contrário. Também pode surpreender que não haja a mais remota insinuação de uma esperança messiânica.

8 Diversas notícias sobre Salomão

(1Rs 9,10-28) – ¹*Durante vinte anos Salomão construiu o templo do Senhor e o palácio.* ²*Fortificou as cidades que lhe dera* Hiram *e nelas instalou os israelitas.* ³*Depois marchou contra Emat de Soba e apoderou-se dela.* ⁴*Fortificou Tadmor, no deserto, e todas as cidades-armazéns que havia construído em Emat.* ⁵*Transformou Bet-Horon Alta e Bet-Horon Baixa em praças-fortes, com muralhas, portas e ferrolhos.* ⁶*Fez o mesmo com Baalat, com os centros de armazenamento que tinha Salomão, as cidades com quartéis de carros e cavalaria, e tudo o que quis construir em Jerusalém, no Líbano e em todas as terras do seu Império.*

⁷*Salomão fez um recrutamento de trabalhadores não israelitas* ⁸*entre os descendentes que ainda restavam dos heteus, amorreus, ferezeus, heveus e jebuseus (povos que os israelitas não tinham exterminado).* ⁹*Não impôs trabalhos forçados aos israelitas, mas lhe serviam como soldados, funcionários, chefes e oficiais de carros e cavalaria.* ¹⁰*Os chefes e capatazes que comandavam os operários eram* duzentos e cinquenta.

¹¹*Fez a filha do Faraó mudar da Cidade de Davi ao palácio que lhe havia construído,* porque pensava: "O palácio de Davi, rei de Israel, ficou consagrado pela presença da arca do Senhor; minha mulher não pode viver nele".

¹²*Salomão oferecia holocaustos ao Senhor sobre o altar* do Senhor *que havia construído* diante do átrio. ¹³Observava o rito diário dos holocaustos e as prescrições de Moisés referentes aos sábados, ao começo de mês e às três solenidades anuais: a festa dos Ázimos, a das Semanas e a das Cabanas. ¹⁴Seguindo as prescrições do seu pai Davi, destinou às classes sacerdotais seus serviços; aos levitas, suas funções de cantar e oficiar na presença dos sacerdotes, segundo o rito de cada dia; encarregou os porteiros, por grupos, de cada uma das portas. Assim tinha disposto Davi, o homem de Deus. ¹⁵Não se desviaram em nada do que o rei havia ordenado aos sacerdotes e aos levitas, nem no que se refere aos armazéns. ¹⁶Assim terminou toda a obra, do dia em que pôs os alicerces do templo do Senhor até sua conclusão.

¹⁷*Salomão partiu então para Asiongaber* e Elat, na costa de Edom.* ¹⁸Por meio de seus ministros, *Hiram enviou-lhe* uma frota e marinheiros *peritos. Foram com os funcionários de Salomão a Ofir, e daí trouxeram ao rei Salomão cerca de dezesseis mil quilos de ouro.*

9 Visita da rainha de Sabá

(1Rs 10,1-13) – ¹*A rainha de Sabá soube da fama de Salomão e foi desafiá-lo com enigmas. Chegou a Jerusalém com grande caravana de camelos carregados de perfumes, ouro em grande quantidade e pedras preciosas. Entrou no palácio de Salomão e lhe propôs tudo o que pensava.* ²*Salomão resolveu todas as suas perguntas; não houve uma questão tão obscura que Salomão não pudesse resolver.*

³*Quando a rainha de Sabá viu a sabedoria de Salomão, a casa que tinha construído,* ⁴*os manjares de sua mesa, os camareiros servindo com seus uniformes, os copeiros com seus uniformes, os holocaustos que oferecia no templo do Senhor, ficou assombrada* ⁵*e disse ao rei:*

– É verdade o que me contaram de ti e de tua sabedoria no meu país. ⁶Eu não queria acreditar, mas agora que cheguei e o vejo com meus próprios olhos, constato que não me haviam dito nem a metade. Superas em abundância de sabedoria tudo o que eu tinha ouvido. ⁷Feliz tua gente,

---

8,2 Conforme 1Rs 9, foi Salomão quem concedeu cidades a Hiram. Se o dado é histórico, seria uma devolução?

8,3 Uma campanha militar estrangeira não combina com a fama de "rei pacífico". Como desculpa, pode-se alegar que isso acontece quando o templo já está terminado. O resto da sua atividade militar é de caráter defensivo.

8,4 Tadmor corresponde a Palmira.

8,11 O escrúpulo cultual é do Cronista: uma mulher estrangeira não podia aproximar-se de um recinto santificado. A arca tinha estado perto do palácio de Davi.

8,13 Conforme Nm 28-29.

8,14-15 Confirma as disposições de Davi, amplamente descritas antes. Ampliando a notícia concisa do original, o autor incorpora atividades cultuais, as atividades de fortificar.

8,17 * = Floresta do Galo.

9,1-12 As mudanças com relação ao original são mínimas e pouco significativas.

Talvez a visita tenha sido realmente, no fundo, um tratado comercial.

felizes os cortesãos que estão sempre em tua presença, aprendendo de tua sabedoria! ⁸Bendito seja o Senhor teu Deus! Pelo amor que mantém para sempre a Israel, escolheu-te para te colocar no trono, como rei deles pela graça do Senhor teu Deus, para que governes com justiça!

⁹A rainha presenteou o rei com quatro mil quilos de ouro, grande quantidade de perfumes e pedras preciosas; nunca houve perfumes como os que a rainha de Sabá deu de presente ao rei Salomão.

¹⁰(Os vassalos de *Hiram* e os de Salomão, que transportavam o *ouro de Ofir*, trouxeram também madeira de sândalo e pedras preciosas. ¹¹Com a madeira de sândalo, o rei fez soalhos para o templo do Senhor e o palácio real, e cítaras e harpas para os cantores. Nunca se tinha visto madeira semelhante na terra de Judá.)

¹²De sua parte, o rei Salomão presenteou a rainha de Sabá com tudo o que ela desejou, superando o que ela própria havia levado ao rei. *A seguir, ela e sua comitiva empreenderam a viagem de volta a seu país.*

Riqueza, sabedoria e comércio exterior
(1Rs 10,14-28; 11,41-43) — ¹³*O ouro que Salomão recebia anualmente somava vinte e três mil e trezentos quilos,* ¹⁴sem contar o que provinha de impostos dos comerciantes e da circulação de mercadorias; *e todos os reis da Arábia e os governadores do país levavam ouro e prata a Salomão.*

¹⁵O rei Salomão fez duzentos escudos de ouro batido, gastando seis quilos e meio em cada um, ¹⁶e trezentos pequenos escudos de ouro batido, gastando meio quilo de ouro em cada um; ele os pôs no salão chamado Bosque do Líbano. ¹⁷Fez um grande trono de marfim, recoberto de ouro puro; ¹⁸tinha seis degraus, um cordeiro de ouro no encosto, *braços nos dois lados do assento, dois leões de pé junto aos braços* ¹⁹e doze leões de pé nos dois lados dos degraus. Nunca se havia feito coisa igual em nenhum reino.

²⁰Toda a baixela de Salmão era de ouro, e todos os utensílios do salão Bosque do Líbano eram de ouro puro; nada de prata, pois nos tempos de Salomão não tinha valor, ²¹porque o rei tinha uma frota que ia a Társis com os servos de Hiram, e a cada três anos as naves voltavam de Társis carregadas de ouro, prata, marfim, macacos e pavões.

²²O rei Salomão superou todos os reis da terra em riqueza e sabedoria. ²³Todos os reis *do mundo* vinham visitá-lo para aprender da sabedoria com que Deus o havia cumulado. ²⁴E cada um trazia sua doação: baixelas de prata e ouro, mantos, armas e aromas, cavalos e jumentos. Isso acontecia todos os anos.

²⁵*Salomão tinha* em suas cavalariças quatro mil cavalos de tração, carros *e doze mil cavalos de montaria.* Ele os aquartelou nas cidades com quartéis de carros e em Jerusalém, perto do palácio. ²⁶Tinha poder sobre todos os reis, desde o Eufrates até a região filisteia e a fronteira do Egito. ²⁷Salomão conseguiu que em Jerusalém a prata fosse tão comum como as pedras, e os cedros, como os sicômoros da Sefelá. ²⁸Os cavalos de Salomão vinham do Egito e de outros países.

²⁹*Para mais dados sobre Salomão,* do começo ao fim do seu reinado, *veja-se* a História do profeta Natã, a profecia de Aías de Silo, e as visões do vidente Ido acerca de Jeroboão, filho de Nabat. ³⁰Salomão reinou quarenta anos em Jerusalém sobre todo Israel. ³¹Quando morreu, foi enterrado na Cidade de Davi, seu pai. Seu filho Roboão reinou em seu lugar.

10 O cisma (1Rs 12,1-19.21-24) — ¹Roboão foi a Siquém, porque todo Israel tinha ido para lá a fim de proclamá-lo rei. ²Quando soube disso, Jeroboão, filho de Nabat, que estava no Egito, para onde

---

9,25 Compare-se com Dt 18,16.
9,29 Os dados aqui omitidos são a idolatria do rei, a ameaça de Deus, a rebeldia do edomita Adad, a primeira conjuração de Jeroboão, o oráculo de Aías a Jeroboão. Com tais supressões, o cisma chegará sem preparação nem justificação; tudo começará com a atitude do sucessor. O autor quis salvar duas figuras idealizadas, Davi e Salomão. As fontes citadas podem ser simplesmente páginas do livro dos Reis, que o Cronista gosta de atribuir diretamente à atividade literária de diversos profetas.
10 Repete o original sem mudanças dignas de menção.

fugira do rei Salomão, voltou do Egito, ³pois haviam mandado chamá-lo. Jeroboão e todo Israel disseram a Roboão:
— ⁴Teu pai nos impôs pesado jugo. Alivia agora a dura servidão a que teu pai nos submeteu e o jugo pesado que nos impôs, e te serviremos.
⁵Ele disse-lhes:
— Voltai daqui a três dias.
Eles partiram, ⁶e o rei Roboão consultou os anciãos que estiveram a serviço de seu pai Salomão, enquanto ele vivia:
— O que me aconselhais responder a essa gente?
⁷Disseram-lhe:
— Se te mostras bom com esse povo, se concordas com eles e lhes respondes com boas palavras, serão teus servos para sempre.
⁸Mas ele desprezou o conselho dos anciãos e consultou os jovens que se haviam educado com ele e estavam a seu serviço.
⁹Perguntou-lhes:
— Essa gente me pede que alivie o jugo que meu pai lhes impôs. O que me aconselhais responder?
¹⁰Os jovens que se haviam educado com ele responderam-lhe:
— Essa gente te disse: "Teu pai nos impôs pesado jugo; alivia-o". Pois dize-lhes isto: "Meu dedo mínimo é mais grosso que a cintura de meu pai. ¹¹Se meu pai vos impôs um jugo pesado, eu aumentarei vossa carga; se meu pai vos castigou com açoites, eu vos castigarei com chicotadas".
¹²No terceiro dia, na data marcada pelo rei, Jeroboão e todo o povo foram ver Roboão. ¹³O rei lhes respondeu asperamente; desprezou o conselho dos anciãos ¹⁴e falou-lhes conforme o conselho dos jovens:
— Se meu pai vos impôs pesado jugo, eu o aumentarei;
se meu pai vos castigou com açoites, eu o farei com chicotadas.
¹⁵Assim, o rei não deu atenção ao povo, porque era uma ocasião desejada pelo Senhor para que se cumprisse a palavra do Senhor que Aías de Silo comunicou a Jeroboão, filho de Nabat.
¹⁶Os israelitas, vendo que o rei não lhes dava atenção, replicaram-lhe:
— O que temos em comum com Davi?
Não herdamos junto
com o filho de Jessé!
Para tuas tendas, Israel!
Agora, Davi, cuida da tua casa!
¹⁷Os de Israel voltaram para casa, mas os israelitas que viviam nos povoados de Judá continuaram submetidos a Roboão. ¹⁸Então o rei Roboão enviou Aduram, encarregado das brigadas de trabalhadores, mas os israelitas o apedrejaram até matá-lo, enquanto o rei montava depressa em seu carro para fugir a Jerusalém.
¹⁹Foi assim que Israel se tornou independente da casa de Davi até hoje.

11 ¹Quando Roboão chegou a Jerusalém, mobilizou cento e oitenta mil soldados de Judá e Benjamim para lutar contra Israel e recuperar o reino. ²Mas o Senhor dirigiu a palavra ao profeta Semeías:
— ³Fala a Roboão, filho de Salomão, rei de Judá, e a todos os israelitas de Judá e Benjamim: ⁴Assim diz o Senhor: "Não luteis contra vossos irmãos; volte cada qual para sua casa, porque isso aconteceu por minha vontade".
Obedeceram às palavras do Senhor e desistiram da campanha contra Jeroboão.

Roboão de Judá *(931-914)* (1Rs 14,26-31) – ⁵*Roboão habitou em* Jerusalém e *construiu* fortalezas em Judá. ⁶Restaurou Belém, Etam, Técua, ⁷Betsur*, Soco*, Odolam, ⁸Gat, Maresa, Zif, ⁹Aduram, Laquis, Azeca, ¹⁰Saraá, Aialon* e Hebron, fortalezas de Judá e Benjamim. ¹¹Reforçou essas fortalezas, pôs nelas comandantes e as abasteceu de armazéns de víveres, azeite e vinho. ¹²Todas as cidades tinham escudos e lanças, e estavam perfeitamente armadas. Reinou em Judá e Benjamim.
¹³Os sacerdotes e levitas de todo Israel saíam de suas terras para unir-se a ele;

11,5-12 Como prêmio por sua obediência, Roboão pode contabilizar notáveis êxitos na organização do seu reino, também nas medidas de defesa militar.
11,7 * = Casa da Rocha; * Sebe.
11,10 * = Cerval.
11,13-17 Historicamente, a coisa é possível. Não é improvável que no momento da separação alguns habitantes do Norte preferiram ser leais à dinastia

¹⁴os levitas abandonaram suas pastagens e propriedades para se estabelecerem em Judá e Jerusalém, porque Jeroboão e seus filhos os haviam proibido de exercer o sacerdócio do Senhor, ¹⁵*nomeando por própria conta sacerdotes para as capelas dos lugares altos, para os sátiros e para os bezerros que haviam fabricado.* ¹⁶Depois deles, israelitas de todas as tribos, desejosos de servir ao Senhor, Deus de Israel, foram a Jerusalém para oferecer sacrifícios ao Senhor, Deus de seus pais. ¹⁷Consolidaram o reino de Judá e tornaram forte Roboão, filho de Salomão, durante três anos, tempo em que imitaram a conduta de Davi e Salomão.

¹⁸Roboão casou-se com Maalat, filha de Jerimot, filho de Davi e de Abigail, filha de Eliab, de Jessé. ¹⁹Ela deu-lhe vários filhos: Jeús, Somorias e Zoom. ²⁰Depois casou-se com Maaca, filha de Absalão, que lhe deu Abias, Etai, Ziza e Solomit. ²¹Roboão amava Maaca mais que todas as suas outras mulheres e concubinas; teve dezoito esposas e setenta concubinas, e gerou vinte e cinco filhos e setenta filhas.

²²Ele pôs Abias, filho de Maaca, à frente de seus irmãos, escolhendo-o como sucessor. ²³Repartiu prudentemente seus filhos por todo o território de Judá e Benjamim e por todas as fortalezas, dando-lhes grande quantidade de víveres e providenciando-lhes muitas mulheres.

12 ¹Mas quando Roboão consolidou seu reino e se tornou forte, ele e todo Israel abandonaram a Lei do Senhor. ²Por ter-se rebelado contra o Senhor, *no quinto ano de seu reinado, o rei do Egito Sesac atacou Jerusalém* ³com mil e duzentos carros, sessenta mil cavaleiros e inumerável multidão de líbios, suquitas e cuchitas procedentes do Egito. ⁴Conquistaram as fortalezas de Judá e chegaram a Jerusalém. ⁵Então o profeta Semeías apresentou-se a Roboão e às autoridades de Judá que se haviam reunido em Jerusalém com medo de Sesac, e disse-lhes:

– Assim diz o Senhor: Vós me abandonastes, e por isso eu agora vos abandono nas mãos de Sesac.

⁶As autoridades de Israel e o rei confessaram humildemente:

– O Senhor tem razão.

⁷Quando o Senhor viu que se tinham humilhado, dirigiu sua palavra a Semeías:

– Foram humildes, não os destruirei. Em breve eu os salvarei e não derramarei minha cólera sobre Jerusalém por meio de Sesac. ⁸Mas ficarão submetidos a ele, a fim

---

de Davi, a ponto de mudar-se. Conviria a alguns escapar de se tivessem promovido durante a administração precedente; convinha aos sacerdotes, porque ficavam sem emprego no novo regime cultual instaurado por Jeroboão (1Rs 12,31). Disso o autor tira dupla lição para os seus contemporâneos: primeiro, que a autêntica continuidade, a presença de Deus e o culto legítimo se encontram em Judá e Jerusalém, não na região dos samaritanos; segundo, que os levitas foram, desde o princípio, fiéis a esse templo.
Por outro lado, a fronteira não ficou militarmente cortada, e alguns habitantes do Norte puderam muito bem sentir desejos de visitar o famoso santuário de Jerusalém, mais impressionante que o de Dã; mas se trataria de visitas ocasionais. O autor nos apresenta algo radical: em Jerusalém reside "o Deus dos pais"; no Norte oferecem culto a "demônios e bezerros", que nem sequer têm o nome de deuses; portanto, os que desejam servir ao Senhor têm de migrar para Judá. A postura é polêmica: não corresponde à intenção de Jeroboão nem às suas palavras (1Rs 12,28), nem à visão do reino do Norte que aparece em outras fontes.
11,18-21 Nessa seção se mostra a bênção do Senhor: a fecundidade garante um sucessor ao rei; os bons tempos de Davi e Salomão continuam.

11,22-23 Repartindo seus filhos pelas fortalezas, se o dado é histórico, os mantém ocupados e afastados de intrigas palacianas. Naturalmente essas medidas supõem os filhos já bem crescidos (Sl 45,17).

12 Segue-se o revés, de acordo com o esquema do autor. É baseado numa notícia de 1Rs 14,25-28: o revés é explicado aplicando a doutrina rigorosa da retribuição; e como a derrota afetou todo o povo, supõe-se um pecado coletivo. Mas a última palavra não será de castigo, mas de perdão. O pecado é genérico no primeiro caso. De passagem se saltam os acontecimentos graves do reino do Norte narrados em 1Rs 14,1-20.

12,5-8 A lição é posta na boca de um profeta, e é como uma liturgia penitencial sem sacrifícios. O ato de humilhação pode estar inspirado em 1Rs 21,27-29, sobre o arrependimento de Acab. Emprega-se o esquema do talião, que ajusta a culpa; os culpados pronunciam a fórmula abreviada de confissão (está implícito no v. 6 o membro correlativo "e nós não temos" (razão); compare-se com as confissões de Ne 10; Dn 9 e Br 3).

12,8 Retorna o velho tema da escravidão; foi a situação dos israelitas no Egito e a repetida vassalagem no tempo dos Juízes. Servir ao Senhor é a verdadeira liberdade. Como soa esse enunciado no tempo do autor, quando Judá é uma província do império persa?

de que aprendam a distinguir entre servir a mim e servir aos reis da terra.

⁹Sesac, rei do Egito, atacou Jerusalém *e se apoderou dos tesouros do templo e do palácio; levou tudo, também os escudos de ouro que Salomão tinha feito.* ¹⁰*Para substituí-los, o rei Roboão fez escudos de bronze, confiando-os aos chefes da escolta que vigiavam o acesso ao palácio;* ¹¹toda vez que o rei ia ao templo, os da escolta os pegavam e depois tornavam a deixá-los no corpo da guarda. ¹²Por ter-se humilhado, o Senhor afastou dele sua cólera e não o destruiu completamente. Também em Judá houve certo bem-estar.

¹³*O rei Roboão se reafirmou em Jerusalém e continuou reinando. Quando subiu ao trono tinha quarenta e um anos, e reinou dezessete em Jerusalém, a cidade que o Senhor havia escolhido como propriedade pessoal entre todas as tribos de Israel. Sua mãe chamava-se Naama e era amonita.* ¹⁴*Agiu mal,* porque não se dedicou de coração em servir ao Senhor.

¹⁵*As façanhas de Roboão, das primeiras às últimas, estão escritas* na História do profeta Semeías e do vidente Ado. *Houve contínuas guerras entre Roboão e Jeroboão.* ¹⁶*Quando morreu, foi enterrado na Cidade de Davi. Seu filho Abias reinou em seu lugar.*

13 Abias de Judá *(914-911)* (1Rs 15,1-2.7-8) –

¹*Abias subiu ao trono de Judá no décimo oitavo ano de Jeroboão.* ²*Reinou três anos em Jerusalém. Sua mãe chamava-se Maaca e era filha de* Uriel, de Gabaá. *Houve guerra entre Abias e Jeroboão.* ³Abias começou a guerra com um exército de quatrocentos mil soldados valentes. Jeroboão o enfrentou com oitocentos mil soldados valentes. ⁴Abias se posicionou no topo do monte Semeron, na serra de Efraim, e gritou:

– Jeroboão, israelitas, escutai-me: ⁵Por acaso não sabeis que o Senhor, Deus de Israel, com aliança de sal, concedeu a Davi e a seus descendentes o trono de Israel para sempre? ⁶Mas Jeroboão, filho de Nabat, empregado de Salomão, filho de Davi, revoltou-se contra seu senhor, ⁷cercando-se de gente desocupada e sem escrúpulos que se impuseram a Roboão, filho de Salomão, aproveitando-se do fato de que não podia

---

12,12-13 Passado o breve intervalo de cólera, sobrevém a terceira etapa de fidelidade ao Senhor e de bem-estar...

12,14-15 ...à qual se segue outra etapa de infidelidade e guerras contínuas com o reino cismático.

13 Ao passar do livro dos Reis ao das Crônicas, a figura do rei Abias fica profundamente transformada. Não ganha em humanidade e relevo pessoal, mas amplia-se o espaço posto a serviço do autor.
Ele não pode negar a brevidade do reinado que, segundo a tese, seria consequência de algum pecado; assim o apresenta o modelo. O autor recolhe um dado, as guerras com Jeroboão, e a partir dele constrói uma batalha exemplar; comparado com Jeroboão, o rei de Judá aparece inocente, o reino autêntico não deve ser derrotado pelo cismático.
A batalha se reduz a um discurso do rei por parte dos vencedores e a um ataque desastroso por parte dos vencidos.

13,3-4 Oitocentos mil é o total do recenseamento de Joab, ao passo que quatrocentos mil é resultado um tanto rebaixado, para que a proporção seja do dobro e a vitória apareça mais famosa. A soma dos dois números dá um múltiplo de doze, número das tribos.
Abias se eleva sobre o pedestal de uma montanha (como Joatão, Jz 9), para que os dois exércitos contendentes o ouçam (o autor se alça às páginas do livro, usando Abias como alto-falante, para gritar a sua verdade). O discurso é ideológico, e como tal simplificado, porque ideológica e esquemática é a visão do autor sobre a situação da sua época.

13,5-12 O discurso simplifica e exalta os dados do problema sem concessões. Os do Norte não são reino do Senhor, não têm dinastia legítima, mas sim um rei rebelde e usurpador; não têm Deus verdadeiro, mas ídolos que não são deuses, não têm sacerdotes nem culto válido. Toda a culpa do cisma recai sobre Jeroboão, sem que nada se atribua a Salomão e Roboão; os que seguiram o rebelde eram gente perversa, não homens que buscavam uma reivindicação. A coisa chega a tal ponto que lutar contra Judá é lutar contra o Senhor; o reino de Jeroboão se comporta exatamente como um reino pagão. (Assim se define a relação samaritanos-judeus quando o autor escreve.)
A identidade e a continuidade do povo eleito estão garantidas por umas práticas tradicionais de culto. Sacrifícios, pães oferecidos, candelabros iluminando, tudo sob um pessoal legítimo, provam que esse povo não abandonou seu Deus.

13,5 Na perspectiva histórica, Abias representa a quarta geração (contando Davi) e é penhor de continuidade, ao passo que Jeroboão é um iniciador. Na perspectiva do autor, temos de recordar que nesse tempo não reinava um rei de dinastia davídica; a sua se tinha interrompido.

13,6 Quer dizer, Jeroboão é um personagem sem berço e sem classe, um "escravo", filho de um qualquer.

13,7 Igual ao arrogante Abimelec ou ao bastardo Jefté (Jz 9,4; 11,3).

dominá-los por ser jovem e fraco de caráter. ⁸Agora estais dispostos a enfrentar o reino do Senhor, administrado pelos descendentes de Davi. Vós sois muito numerosos, tendes convosco os ídolos feitos por Jeroboão, os bezerros de ouro; ⁹expulsastes os aaronitas, sacerdotes do Senhor, e os levitas; fizestes sacerdotes para vós como os povos pagãos: ordenais sacerdote dos falsos deuses qualquer pessoa que traga um bezerro e sete carneiros. ¹⁰Quanto a nós, o Senhor é nosso Deus e não o abandonamos; os sacerdotes que servem ao Senhor são os aaronitas, e os encarregados do culto são os levitas; ¹¹oferecem ao Senhor holocaustos de manhã e de tarde e perfumes aromáticos, apresentam os pães sobre a mesa pura e acendem todas as tardes o candelabro de ouro com suas lâmpadas. Porque nós observamos as prescrições do Senhor nosso Deus, que vós abandonastes. ¹²Sabei que Deus está conosco na vanguarda. Seus sacerdotes darão com as trombetas o toque de guerra contra vós. Israelitas, não luteis contra o Senhor, Deus de vossos pais, pois não podereis vencer.

¹³Enquanto isso, Jeroboão destacou uma patrulha para surpreendê-los pelas costas. O exército ficou diante dos de Judá, e o destacamento às suas costas. ¹⁴Voltando-se, os judaítas perceberam que eram atacados pela frente e por trás. ¹⁵Clamaram então ao Senhor, os sacerdotes tocaram as trombetas, a tropa lançou o grito de guerra e nesse momento Deus derrotou Jeroboão e os israelitas diante de Abias e Judá. ¹⁶Os israelitas fugiram diante dos judaítas, e o Senhor os entregou em suas mãos. ¹⁷Abias e sua tropa lhes infligiram grande derrota, caindo mortos quinhentos mil soldados de Israel. ¹⁸Nessa ocasião os israelitas foram humilhados, ao passo que os de Judá se tornaram fortes por se terem apoiado no Senhor, Deus de seus pais.

¹⁹Abias perseguiu Jeroboão e lhe arrebatou algumas cidades: Betel e seu distrito, Jesana e seu distrito, Efron e seu distrito. ²⁰Jeroboão não conseguiu recuperar-se nos tempos de Abias. O Senhor o feriu, e ele morreu. ²¹Abias, ao contrário, tornou-se sempre mais forte. Teve catorze mulheres e gerou vinte e dois filhos e dezesseis filhas.

²²*As outras façanhas de Abias,* sua conduta e seus empreendimentos, *estão escritos* no Comentário do profeta Ado. ²³*Quando morreu, foi enterrado na Cidade de Davi, e seu filho Asa reinou em seu lugar.* Nesse tempo, o país gozou de paz durante dez anos.

14 Asa de Judá *(911-870)* (1Rs 15,13-22) – ¹*Asa fez o que o Senhor seu Deus aprova* e aprecia. ²Suprimiu os altares estrangeiros e as capelas dos lugares altos, destroçou as estelas e cortou os postes. ³Animou Judá a servir o Senhor, Deus de seus pais, e a observar a Lei e os preceitos. ⁴Suprimiu as capelas dos lugares altos e

---

13,8 "Reino do Senhor" pode ser interpretado exatamente como "teocracia", que para o Cronista já começou na história.

13,12 O toque de trombetas e o grito de guerra foram as armas de Josué em torno das muralhas de Jericó.

13,15-16 O clamor é o grito tradicional do oprimido ou do homem em perigo. Como os homens não fazem mais que gritar e tocar, fica claro que a vitória é pura ação de Deus. Os quatrocentos mil guerreiros assistiram para serem testemunhas do fato.

13,18 Neste versículo e no 23, o autor utiliza a parte final do esquema de Juízes, ou seja, vitória e etapa de paz.

13,19 A conquista de Betel, centro do culto cismático, contradiz tudo o que sabemos ou podemos deduzir das fontes. Teria sido um golpe incalculável, e esperaríamos uma purificação desapiedada do santuário. Abias não iria deixar em pé a fonte de pecado e sedução do reino do Norte. Parece, antes, uma fórmula esquemática: conquista da cidade hostil e morte do rei inimigo.

14-16 A figura de Asa é ambígua nos dezesseis versículos que o livro dos Reis lhe concede. A seu favor contam o zelo pelo Senhor e o longo reinado; contra ele falam o pacto com os arameus de Damasco, as guerras contínuas com Baasa de Israel e a doença da gota. O Cronista soluciona essas contradições introduzindo uma divisão temporal (já o fizera com Roboão), sem resolver todas as dificuldades. A primeira etapa é selada pela reforma religiosa, também no seio da própria família, e culmina numa magnífica vitória sobre o agressor; continua a reforma, ou se volta a contar com novos dados. Depois acontece o duplo pecado: buscar o apoio de uma potência estrangeira e perseguir um profeta; como consequência, sobrevêm guerras e a gota que acaba com ele. Assim se salva o princípio da retribuição.

14,2-4 Essa reforma religiosa é como uma antecipação da de Josias, sem que tenham precedido reis ímpios e tempos de dissolução religiosa. O original diz que Asa destruiu ídolos e respeitou capelas dos lugares altos. Este autor suprime toda referência aos ídolos e se concentra em formas ilegítimas de culto, segundo Dt 16,21-22.

os postes em todas as cidades de Judá. ⁵Em sua época, o reino desfrutou de paz. Aproveitando essa paz que o Senhor lhe concedeu, a calma que reinava no país e a ausência de guerras durante esses anos, construiu fortalezas em Judá. ⁶Por isso propôs aos judaítas:

— Podemos dispor livremente do país, porque servimos o Senhor nosso Deus e ele nos concedeu paz com os vizinhos. Vamos construir essas cidades e rodeá-las de muralhas com torres, portas e ferrolhos.

Assim fizeram, com pleno êxito.

⁷Asa teve um exército de trezentos mil judaítas, armados de escudo e lança, e vinte e oito mil benjaminitas, armados de pequenos escudos e arco. Eram todos bons soldados.

⁸Zara de Cuch saiu ao seu encontro com um exército de um milhão de homens e trezentos carros. Quando chegou a Maresa, ⁹Asa o enfrentou e travaram batalha no vale de Sefata, perto de Maresa.

¹⁰Asa invocou o Senhor seu Deus:

— Senhor, quando queres ajudar, não fazes distinção entre poderosos e fracos. Ajuda-nos, Senhor Deus nosso, pois em ti nos apoiamos e em teu nome vamos contra essa multidão. Tu és nosso Deus. Não te deixes vencer por um homem.

¹¹O Senhor derrotou os cuchitas diante de Asa e de Judá. Os cuchitas fugiram, ¹²mas Asa os perseguiu com sua tropa até Gerara. O Senhor e seus exércitos os destruíram. Morreram tantos cuchitas que não puderam refazer-se. Os despojos foram enormes. ¹³Aproveitando o fato de os povoados da região de Gerara estarem tomados de pânico sagrado, eles os assaltaram e saquearam, pois havia neles grandes despojos. ¹⁴Mataram também alguns pastores e voltaram a Jerusalém com grande quantidade de ovelhas e camelos.

15 ¹O Espírito do Senhor veio sobre Azarias, filho de Obed. ²Saiu ao encontro de Asa e lhe disse:

— Escutai-me, Asa, Judá e Benjamim: Se estais com o Senhor, ele estará convosco, se o procurais, ele se deixará encontrar, mas se o abandonais, ele vos abandonará. ³Por muitos anos Israel viveu sem Deus verdadeiro, sem sacerdote para instruí-lo, sem lei. ⁴Mas no perigo voltaram ao Senhor, Deus de Israel; eles o buscaram, e ele se deixou encontrar. ⁵Naqueles tempos ninguém vivia em paz, todos os habitantes do país sofriam grandes perturbações. ⁶Povos e cidades se destruíam mutuamente, porque o Senhor os perturbava com toda espécie de perigos. ⁷Quanto a vós, recobrai ânimo, não desfaleçais, pois vossas obras terão recompensa.

⁸Quando Asa escutou essa profecia de Azarias, filho de Obed, animou-se em suprimir os ídolos de todo o território de

---

14,5 Com ênfase insiste na paz, corrigindo a notícia de 1Rs 15,16.

14,6-7 As medidas militares, tanto praças-fortes como tropas bem armadas, são defensivas e de prestígio. A proposta do rei é rítmica e rimada, como se se tratasse de canto festivo; as rimas parecem atar fortemente a fidelidade do povo e a paz concedida por Deus.

14,8-9 As fortalezas não resistem à formidável invasão de cuchitas, que penetram pelo sul, aproximando-se de Jerusalém (como Sesac no tempo de Roboão), e a batalha não se decide com as armas. O inimigo se meteu numa armadilha para servir à revelação do apoio divino. O exército invasor supera em número até o de Jeroboão.

14,10 A oração do rei repete temas tradicionais (ver, por exemplo, Sl 20, a oração por um rei antes da batalha). De novo a batalha é travada entre um exército humano e o próprio Deus; os judaítas são testemunhas que podem participar da perseguição e do saque.

14,13-14 Esses dados parecem refletir uma incursão de beduínos, localizados numa região pequena e com alguns povoados não defendidos; algo mais parecido com as incursões de madianitas no tempo de Gedeão (Jz 6), ou de Davi em Siceleg (1Sm 27,8-9), do que com um exército imperial.

15,1-7 O aparecimento do profeta e seu sermão religioso se parecem com as intervenções de mensageiros divinos no livro dos Juízes (por exemplo, 2,1-5; 6,8-10; 10,6-16). Também no conteúdo há claras alusões ao tempo dos Juízes, quando não havia rei nem sacerdote (sobretudo Jz 17), mas sem desenvolvimento concreto, só com dados generalizados. O começo, de ritmo muito marcado e correspondências rigorosas, soa como *slogan*. O "Deus convosco" é como eco do Emanuel de Isaías. Ver também 1Cor 28,9 e 2Cr 12,5.

O viver "sem Deus verdadeiro" é uma versão do culto aos baais ou ídolos cananeus, tema repetido em Juízes.

15,8 Se a reforma já terminou e já trouxe como presente uma vitória impressionante, parece que reforma não é mais necessária. Mas aqui encontramos mais propriamente um esquema de renovação da aliança, no estilo de Js 24. A cerimônia incluía, como

Judá e Benjamim e das cidades que havia conquistado na serra de Efraim, e restaurou o altar do Senhor que estava diante do vestíbulo. ⁹Depois reuniu os judaítas, os benjaminitas e os de Efraim, Manassés e Simeão que residiam entre eles (porque muitos israelitas haviam passado para o seu lado, vendo que o Senhor seu Deus estava com eles). ¹⁰Reuniram-se em Jerusalém em maio do décimo quinto ano do reinado de Asa. ¹¹Sacrificaram ao Senhor setecentos touros e sete mil ovelhas dos despojos que haviam trazido, ¹²e fizeram um pacto, comprometendo-se a servir o Senhor, Deus de seus pais, de todo o coração e de toda a alma, ¹³e a condenar à morte todo aquele que não o observasse, grande ou pequeno, homem ou mulher. ¹⁴Assim juraram ao Senhor em altas vozes, entre aclamações e ao toque de trombetas e chifres. ¹⁵Judá inteiro festejou o juramento; eles o tinham feito de coração, buscando o Senhor com vontade sincera; ele se deixou encontrar por eles e concedeu-lhes paz com seus vizinhos.

¹⁶O rei Asa *tirou de sua mãe Maaca o título de rainha-mãe por ela ter feito uma imagem de Astarte. Quebrou a imagem, a reduziu a pó e a queimou na torrente Cedron.* ¹⁷Não desapareceram de Israel as capelas dos lugares altos, mas o coração de Asa pertenceu integralmente ao Senhor durante toda a sua vida. ¹⁸*Levou ao templo as ofertas de seu pai e as próprias: prata, ouro e utensílios.*

¹⁹Nos primeiros trinta e cinco anos de seu reinado não houve guerras.

16 ¹Mas no trigésimo sexto ano do reinado de Asa, *Baasa de Israel fez uma campanha contra Judá e fortificou Ramá para cortar as comunicações a Asa de Judá.* ²*Este então tirou prata e ouro dos tesouros do templo e do palácio e os enviou a Ben-Adad, rei da Síria, que morava em Damasco, com esta mensagem:* ³*"Façamos um tratado de paz, como fizeram teu pai e o meu. Eu te envio prata e ouro. Vamos, rompe tua aliança com Baasa de Israel, para que se retire de meu território."* ⁴*Ben-Adad deu-lhe atenção e enviou seus generais contra as cidades de Israel, devastando Aion, Dã, Abelmaim* e todos os depósitos das cidades de Neftali.* ⁵*Quando soube disso, Baasa desistiu de fortificar Ramá, fazendo parar as obras.* ⁶*O rei Asa mobilizou então Judá inteiro; desmontaram as pedras e madeiras com que Baasa fortificava Ramá e as aproveitaram para fortificar Gaba* e Masfa*.*

⁷Nessa ocasião, o vidente Hanani apresentou-se diante de Asa, rei de Judá, e lhe disse:

— Porque te apoiaste no rei da Síria em vez de te apoiares no Senhor teu Deus, o exército do rei da Síria escapou das tuas mãos. ⁸Também os cuchitas e os líbios

---

15,8 rito preparatório, a destruição de toda espécie de ídolos e amuletos proibidos pela lealdade exclusiva ao Senhor (Js 24,23); o autor pode referir-se a isso com o termo hebraico genérico e depreciativo. Note-se que aqui não se fala de capelas e lugares altos. Também fez parte daquela aliança a ereção de um altar (Js 8,30, supondo a vinculação desse fragmento com o cap. 24). Como já não pode erigir um altar em Jerusalém, o rei Asa o repara.

15,9 Outro argumento, é a grande assembleia do povo (Js 24,1). O mesmo argumento, em campo internacional, é invocado em Is 45,14 e Zc 8,20-23.

15,10 A data parece coincidir com Pentecostes ou festa das Semanas, dia em que se comemorava a promulgação da Lei no Sinai.

15,12-13 O compromisso utiliza terminologia deuteronômica. A pena de morte corresponde a Dt 13 e 17,2-5. O que se castiga é a idolatria, ou seja, dar parte do coração e da alma ao Senhor e parte a outros deuses; ao Senhor devem pertencer *todo* o coração e *toda* a alma.

15,15 Esse pacto sincero e entusiasta garante longa etapa de paz.

16,1 A cronologia é condicionada pelo esquema teológico do autor.

16,4 * = Prado Regado.

16,6 * = Colina; Atalaia.

16,7a Conforme 1Rs 16,1, Hanani dirigiu seu oráculo a Baasa, rei de Israel. O Cronista se interessa pelos reis de Israel só enquanto se relacionam com os de Judá; por isso transfere a palavra profética ao reino do Sul (aos do Norte o rei de Judá dirige um sermão, cap. 13).

16,7b-9 Com seu olhar o Senhor controla o cenário da história universal (a frase é citação de Zc 4,10 ou de uma fonte comum). Entregar-se ao jogo das alianças humanas é deslealdade, porque indica desconfiança no Senhor (doutrina tradicional desde Isaías); é além disso loucura política, porque, uma vez metidos em política alheia, os sírios ou arameus não se retirarão. Além do mais, o autor garante que Asa podia ter vencido e aprisionado o exército sírio; que, apoiando-se só no Senhor e deixando a aliança de Damasco com Israel, podia ter vencido a ambos. Agora, porém, ganhou um inimigo desleal e perigoso. A última cláusula do oráculo recorda o que Natã disse a Davi em termos mais duros (2Sm 12).

constituíam grande exército, com inumeráveis carros e cavalos; mas naquela ocasião tu te apoiaste no Senhor teu Deus, e ele os pôs em tuas mãos. ⁹Pois com seus olhos o Senhor repassa a terra inteira para fortalecer os que lhe são leais de coração. Cometeste uma loucura, e de agora em diante viverás em guerra.

¹⁰Asa indignou-se com o vidente e, irritado com ele por suas palavras, o pôs na prisão. Nessa ocasião, enfureceu-se também com outras pessoas do povo.

¹¹Para *as façanhas de Asa*, das primeiras às últimas, *vejam-se os Anais dos reis de Judá e Israel*.

¹²No trigésimo nono ano de seu reinado, *adoeceu de gota*. Apesar de a doença ir agravando-se, recorreu apenas aos médicos, sem recorrer ao Senhor, nem mesmo na enfermidade. ¹³Asa morreu no quadragésimo primeiro ano do seu reinado, *indo reunir-se com seus antepassados*. ¹⁴*Foi enterrado* no sepulcro que havia cavado para si *na Cidade de Davi*. Puseram-no num leito cheio de unguento confeccionado à base de aromas e perfumes, acendendo grande fogueira em sua honra.

17 Josafá de Judá *(870-848)* (1Rs 22,1-35.41-51) – ¹Reinou em seu

16,10 A reação do rei nos traz à memória a história de Jeremias. As "outras pessoas" seriam partidários do profeta, defensores da política de não aliança com os sírios. A linguagem genérica do autor só nos permite fazer suposições: fica claro que o autor fala de oposição à política real e de repressão por parte da autoridade. Pecado que explica a doença do rei. 1Rs 22.

16,12 Se a doença era castigo de um pecado, a primeira providência para curar-se era arrepender-se e corrigir-se. Recorrendo somente a remédios humanos, o rei mostra que não compreendeu o sentido salutar da sua doença e agrava o pecado cometido; como se os médicos pudessem com as suas artes contrariar o desígnio do Senhor. Diferente é o caso de Ezequias (Is 38; ver também a doutrina de Ben Sirac sobre os médicos, Eclo 38,9-12).

16,13-14 A duração do reinado e os funerais solenes dão um balanço favorável ao rei Asa; os últimos cinco anos desse reinado foram a etapa triste de guerras e doença, na versão do Cronista.

17-20 A tradição apresentava uma imagem bastante favorável do rei Josafá: viveu em paz com o reino do Norte e trabalhou na reforma religiosa do seu país. O Cronista desenvolve amplamente essa figura em quatro quadros complementares e opostos, que se vão alternando: reforma religiosa e militar (17), uma batalha (18), reforma judiciária (19), outra batalha (20). Sobressaem no seu governo a reforma religiosa, as medidas militares, a reorganização judiciária.

Para realizar a reforma religiosa, não se contenta em cortar abusos, mas empreende uma campanha de instrução catequética entre o povo. A instituição de pregadores e catequistas ambulantes era uma medida de renovação religiosa e de unificação política. Se a comparamos com o recenseamento ordenado por Davi, notamos que seus resultados foram mais convincentes, também no aspecto econômico, pois, segundo o autor, a pontualidade no pagamento dos tributos foi um prêmio à fidelidade religiosa do rei. As medidas militares continuaram ou renovaram as empreendidas por seu pai Asa. Além de dispor ou manter guarnições permanentes, possuía um registro de famílias para casos bélicos. Como essas disposições não diminuíam sua confiança no Senhor, o autor não as reprova.

A organização da magistratura honra seu nome (= o Senhor julga). Tradicionalmente, os conselheiros (ou "anciãos") administravam justiça em cada localidade e, em apelação ou em casos difíceis, recorriam ao tribunal central. A nova magistratura estava mais unificada e provavelmente mais bem instruída. Contudo, a alma de tal reforma era o fiel cumprimento das disposições do Deuteronômio e as advertências dos profetas sobre os juízes (Dt 1,16-17; Is 1; Jr 22,15-17 etc.). Quanto às expedições militares, o Cronista encontrou na sua fonte uma sugestiva narração que não quis suprimir nem podia aprovar inteiramente. Então criou um quadro paralelo, forçando o contraste e dando a entender sem ambiguidade sua avaliação. O primeiro quadro é tomado de 1Rs 22, o segundo é de sua colheita. A primeira batalha é ofensiva; a segunda, defensiva. A primeira se trava por compromisso familiar e por instigação do rei de Israel; a segunda, por iniciativa do rei de Judá. A primeira é decidida num banquete régio, a segunda é preparada com jejum e oração. Na primeira atua um espírito mentiroso, na segunda fala um levita inspirado. Assim acontece que a primeira termina com uma derrota, na qual um rei morre e o outro apenas se salva, ao passo que a segunda é concluída com esplêndida vitória e riquíssimos despojos.

O ruim (para nós) é que a primeira é basicamente histórica, enquanto que a segunda é ficção. Para a intenção didática do autor, parece que bastava uma ficção parabólica. Nos tempos do domínio persa, quando as medidas militares ou eram impossíveis ou podiam ser suspeitas, o Cronista parece instruir seus concidadãos: confiai no Senhor, sede fiéis a ele, não vos envolvais em guerras por motivos fúteis ou por compromissos; deixai que outros povos se envolvam e se destruam mutuamente; a nós toca contemplar como o Senhor age nos acontecimentos e receber o prêmio de nossa lealdade sem reservas. Nossa força não está nas armas, mas na proteção de Deus; se entramos no caminho militar, nos arriscamos, seremos derrotados, com muito custo nos salvaremos; se somos fiéis à nossa vocação religiosa, ficaremos fora da luta, como espectadores e beneficiados.

17,1 Por 1Rs sabemos que em Israel reinava então Acab, esposo da fenícia Jezabel; os reinados de Acab

lugar seu filho Josafá, que conseguiu impor-se ao reino de Israel. ²Instalou guarnições em todas as fortalezas de Judá e nomeou governadores no território de Judá e nas cidades de Efraim, que seu pai Asa havia conquistado.

³O Senhor esteve com Josafá porque imitou a antiga conduta de seu pai e não servia aos baais, ⁴mas ao Deus de seu pai, cumprindo seus preceitos; não imitou a conduta de Israel. ⁵O Senhor consolidou o reino em suas mãos; Judá inteiro lhe pagava tributo, e Josafá chegou a ter grande riqueza e prestígio. ⁶Seu orgulho era andar nos caminhos do Senhor, e tornou a suprimir as capelas dos lugares altos e as estelas de Judá.

⁷No terceiro ano do seu reinado, enviou alguns chefes, Ben-Hail, Abdias, Zacarias, Natanael e Miqueias, para instruir os habitantes das cidades de Judá. ⁸Com eles iam os levitas Semeías, Natanias, Zabadias, Asael, Semiramot, Jônatas, Adonias, Tobias, Tobadonias e os sacerdotes Elisama e Jorão. ⁹Como instrutores de Judá, percorreram todas as cidades de Judá, levando o livro da Lei do Senhor, e instruíram o povo.

¹⁰Todos os reinos vizinhos de Judá, tomados de pânico sagrado, se abstiveram de lutar contra Josafá. ¹¹Os filisteus lhe pagavam abundante tributo em dinheiro; também os árabes lhe traziam gado miúdo: sete mil e setecentos carneiros e sete mil e setecentos bodes. ¹²Josafá se tornou sempre mais poderoso. Construiu fortalezas e cidades-armazéns em Judá. ¹³Tinha muitos empregados nas cidades de Judá. Em Jerusalém dispunha de soldados valentes e aguerridos, ¹⁴alistados por famílias:

Alto Comando de Judá: Ednas, capitão geral, com trezentos mil soldados; ¹⁵às suas ordens, o general Joanã, com duzentos e oitenta mil, ¹⁶e Amasias, filho de Zecri, que servia o Senhor como voluntário, no comando de duzentos mil.

¹⁷De Benjamim: o corajoso Eliada, com duzentos mil homens, armados de arco e escudo pequeno; ¹⁸às suas ordens estava Jozabad, com cento e oitenta mil homens disponíveis. ¹⁹Todos esses encontravam-se a serviço do rei, sem contar os que ele havia destinado para as fortalezas de Judá.

18

¹Quando Josafá chegou ao máximo de sua riqueza e prestígio, tornou-se parente de Acab. ²Anos mais tarde desceu a Samaria para visitar Acab. Este matou grande quantidade de ovelhas e touros para ele e sua comitiva; depois o induziu

---

e Josafá são contemporâneos, com ligeira margem de diferença. O Cronista prescinde do reino do Norte e com isso elimina todo o ciclo do profeta Elias, tão significativo na história do povo escolhido. Os leitores da presente história conheciam muito bem a história de Elias.

17,4 Precisamente no reino do Norte a rainha realizava intensa propaganda a favor do Baal fenício; o rei se manchava com o assassinato de Nabot e o profeta era mortalmente perseguido. Josafá se abstém da idolatria e da injustiça.

17,7-8 A colaboração de leigos com levitas e sacerdotes podia dar eficácia à tarefa. Apresentavam-se concentrando toda a autoridade central, civil e religiosa. Se lemos o primeiro nome como substantivo, indicaria atribuições militares.

17,9 O "livro da Lei" incluía, na mentalidade do Cronista, o decálogo, o Código da Aliança e provavelmente o Deuteronômio; talvez entrasse também a legislação sacerdotal do Levítico. Em todo caso, esse livro engloba todas as leis do reino, porque só Deus tem poder legislativo. Daí o valor político da catequese ambulante. Por outro lado, a instrução do povo significava uma promoção que substituía vantajosamente as medidas repressivas.

17,10 Ver Js 5,1; Ex 15,16; 1Sm 11,7; Dt 2,25. Ou seja, o Senhor responde à fidelidade do rei dando-lhe uma como invisível muralha de proteção e cumprindo assim suas promessas.

17,11 Os filisteus representam o ocidente, os árabes o oriente; os primeiros, a cultura comercial; os outros, a cultura pastoril seminômade. Dos restantes reinos o Cronista se ocupará mais adiante.

18 O livro dos Reis narra esse episódio como parte da história de Israel, no reinado de Acab. O Cronista o transfere e acrescenta leves retoques significativos.

18,1 O primeiro é um ato que se reprova e que historicamente trouxe consequências fatais para Judá. Trata-se do casamento do herdeiro, Jorão, com Atalia, educada por Jezabel (2Rs 8,18).

Para o autor, esse parentesco por razões políticas soa como os casamentos proibidos com cananeus (Dt 7,3).

18,2 A rigor, desce a Samaria no final do seu reinado. "Induziu": o verbo significa também seduzir, enganar, instigar, e vai por conta do Cronista. O parentesco, a grande recepção e o banquete esplêndido seduzem Josafá. E tudo acontece sob o signo do engodo: falsos profetas, espírito mentiroso, disfarce de Acab. Também a libertação de Josafá, se lermos o verbo do texto hebraico do v. 31 (que é o mesmo do v. 2): "o Senhor veio em sua ajuda, enganando-os para que se afastassem dele".

O Cronista omite que Ramot pertencia de direito ao rei de Israel e que a guerra era reconquista.

a atacar Ramot de Galaad. ³Acab, *rei de Israel, disse a Josafá,* rei de Judá:

— *Queres vir comigo contra Ramot de Galaad?*

Josafá lhe respondeu:

— *Tu e eu, teu exército e o meu,* juntos iremos à guerra.

⁴Depois acrescentou:

— Consulta antes o oráculo do Senhor.

⁵O rei de Israel reuniu os profetas, quatrocentos homens, e perguntou-lhes:

— Podemos atacar Ramot de Galaad, ou devo desistir?

Responderam:

— *Vai. Deus a entrega ao rei.*

⁶Então Josafá perguntou:

— *Não resta por aí algum profeta do Senhor para eu lhe perguntar?*

⁷O rei de Israel lhe respondeu:

— *Resta ainda um, Miqueias, filho de Jemla, por meio do qual podemos consultar o Senhor; mas eu o detesto, pois nunca me profetiza sucessos, mas sempre desgraças.*

Josafá disse:

— *Que o rei não fale assim!*

⁸O rei de Israel chamou um funcionário e lhe disse:

— *Faze vir logo Miqueias, filho de Jemla.*

⁹O rei de Israel e Josafá de Judá estavam sentados em seus tronos, com suas vestes reais, na praça, junto à porta de Samaria, enquanto todos os profetas gesticulavam diante deles. ¹⁰Sedecias, filho de Canaana, fez para si uns chifres de ferro e dizia:

— *Assim diz o Senhor: Com estes chifrarás os sírios até acabar com eles.*

¹¹E todos os profetas diziam em coro:

— *Ataca Ramot de Galaad! Triunfarás! O Senhor a entrega a ti.*

¹²Enquanto isso, o mensageiro que fora chamar Miqueias lhe disse:

— *Tem presente que todos os profetas, em coro, estão profetizando sucessos para o rei. Oxalá teu oráculo seja como o deles e anuncies sucessos.*

¹³Miqueias replicou:

— *Por Deus! Direi o que Deus me mandar!*

¹⁴Quando se apresentou ao rei, este lhe perguntou:

— *Miqueias, podemos atacar Ramot de Galaad, ou devo desistir?*

Miqueias lhe respondeu:

— *Ide. Triunfareis. O Senhor a entrega a vós.*

¹⁵O rei lhe disse:

— *Quantas vezes devo fazer-te jurar que me digas unicamente a verdade em nome do Senhor?*

¹⁶Então Miqueias disse:

— *Vejo Israel esparramado pelos montes, como ovelhas sem pastor. E o Senhor diz: "Eles não têm amo. Volte cada um para sua casa e em paz".*

¹⁷O rei de Israel comentou com Josafá:

— *Não te disse? Não me profetiza sucessos, mas desgraças.*

¹⁸Miqueias continuou:

— *Por isso, escutai a palavra do Senhor: Vi o Senhor sentado em seu trono. Todo o exército celeste estava de pé à direita e à esquerda,* ¹⁹*e o Senhor perguntou: "Quem poderá enganar Acab, rei de Israel, para que vá e morra em Ramot de Galaad?" Uns propunham uma coisa, outros outra.* ²⁰*Até que se adiantou um espírito e, posto de pé diante do Senhor, disse: "Eu o enganarei". O Senhor lhe perguntou: "Como?"* ²¹*Respondeu: "Irei e me transformarei em oráculo falso na boca de todos os profetas". O Senhor lhe disse: "Conseguirás enganá-lo. Vai e faze-o".* ²²*Como vês, o Senhor pôs oráculos falsos na boca desses teus profetas, pois o Senhor decretou tua ruína.*

²³Então Sedecias, filho de Canaana, aproximou-se de Miqueias e lhe deu um tapa, dizendo-lhe:

— *Por onde escapou de mim o espírito do Senhor para falar a ti?*

²⁴Miqueias respondeu:

— *Tu mesmo o verás no dia em que te fores escondendo de quarto em quarto.*

²⁵Então o rei de Israel ordenou:

— *Prendei Miqueias e levai-o ao governador Amon e ao príncipe Joás.* ²⁶*Dizei-lhes: "Por ordem do rei, colocai-o no cárcere e dai-lhe pão e água racionados, até que eu volte vitorioso."*

²⁷Miqueias disse:

— *Se voltares vitorioso, o Senhor não falou por minha boca.*

²⁸O rei de Israel e Josafá de Judá foram contra Ramot de Galaad. ²⁹O rei de Israel disse a Josafá:

— *Vou disfarçar-me antes de entrar em combate. Tu, vai com tua tropa.*

Disfarçou-se e partiram para o combate. ³⁰*O rei sírio havia ordenado aos comandantes dos carros que não atacassem pequeno ou grande, mas apenas o rei de Israel.* ³¹*Quando os comandantes dos carros viram Josafá, comentaram:*

— *Aquele é o rei de Israel!*

E se lançaram contra ele. Mas Josafá gritou e o Senhor veio em seu auxílio, afastando-os dele. ³²*Os comandantes viram que aquele não era o rei de Israel, e o deixaram.* ³³*Um soldado disparou seu arco ao acaso e feriu o rei de Israel, atravessando-lhe a couraça. O rei disse ao cocheiro:*

— *Dá a volta e tira-me do campo de batalha, pois estou ferido.*

³⁴*Mas nesse dia o combate tornou-se duro, de modo que mantiveram o rei de Israel de pé em seu carro diante dos sírios até o entardecer. Morreu ao pôr do sol.*

19 ¹Josafá de Judá voltou são e salvo a seu palácio de Jerusalém. ²Mas o vidente Jeú, filho de Hanani, saiu ao encontro dele e disse:

— Como podes ajudar os malvados e aliar-te aos inimigos do Senhor? O Senhor se indignou contra ti por causa disso. ³Mas tens também boas ações: queimaste as estelas deste país e serviste a Deus com constância.

⁴Josafá estabeleceu sua residência em Jerusalém, mas voltou a visitar o povo, de Bersabeia até a serra de Efraim, convertendo-o ao Senhor, Deus de seus pais. ⁵Estabeleceu juízes em cada uma das fortalezas do território de Judá ⁶e advertiu-os:

— Cuidado com o que fazeis, porque não julgareis com a autoridade de homens, mas com a de Deus, que estará convosco quando pronunciardes sentença. ⁷Portanto, temei o Senhor e agi com cuidado. Porque o Senhor nosso Deus não admite injustiças, favoritismos, nem subornos.

⁸Também em Jerusalém estabeleceu alguns levitas, sacerdotes e chefes de família para que se encarregassem do direito divino e dos litígios dos habitantes de Jerusalém. ⁹Deu-lhes esta ordem:

— Atuai com temor de Deus, com honradez e integridade. ¹⁰Quando vossos irmãos que habitam em suas cidades vos apresentarem um caso de assassinato ou vos consultarem sobre leis, preceitos, mandatos ou decretos, avisai-os para que não se tornem culpados diante do Senhor e não se derrame

---

18,31 O autor introduz explicitamente o Senhor como libertador de Josafá; tacitamente diz que não protege Acab. Acrescenta a intervenção do Senhor em defesa do rei de Judá (corrigido o suspeito verbo hebraico).

18,34 Suprime o desfecho narrado em 1Rs 22,36-38.

19,1 Sl 139,21s.

19,2-4 O Cronista põe na boca de um profeta seu julgamento global e diferenciado sobre o rei Josafá. Fugiu derrotado por causa de sua má aliança, mas por causa de suas boas ações salvou a vida.
Em compensação, o rei inicia uma tarefa pessoal de reforma religiosa. Agora ele próprio é o pregador itinerante da conversão. Como alguém que aprendeu com a desgraça de seu colega e seu próprio perigo extremo. Um jogo de palavras fala da continuidade das ações.

19,5-11 A reforma religiosa serve de base a uma reforma judiciária em grande escala. Ver especialmente Dt 16,18-20 e 17,8-13, que provavelmente recolhem ordens mais antigas.

19,5 A presença de um magistrado nas cidades fortificadas podia evitar abusos da guarnição militar e resolver questões de competência; por sua parte, a guarnição podia garantir a autoridade dos magistrados. Como essas cidades eram facilmente acessíveis, a instituição criava uma instância intermédia, uma espécie de comarca.

19,6-7 A frase é programática: O Senhor se revela como fonte e supremo garante da justiça humana; os juízes humanos são responsáveis diante dele. Por isso, eles devem sentir quase um "pânico sagrado" no exercício de sua função. Dessa maneira a justiça humana recebe sua maior importância e cumpre-se o nome simbólico do rei, "o Senhor julga". Ver Sb 12 e também Dt 1,17; 10,17.

19,8 É um tribunal misto com autoridade local para assuntos profanos e nacional para assuntos religiosos; também pode ser considerado como tribunal supremo quando os litigiosos apelam à autoridade do templo.

19,10 Pode tratar-se da distinção entre homicídio e assassinato, de dirimir conflitos entre diversas leis e decretos. Se a justiça humana não segue seu curso correto, surge a responsabilidade perante o Senhor, com possíveis consequências graves para toda a comunidade.
A administração da justiça atinge não só os diretamente interessados nos conflitos, mas toda a comunidade; por isso os juízes têm responsabilidade coletiva. Dt 17,8-13.

19,11 Os assuntos "contenciosos" (= do rei): os interesses da coroa ou então os assuntos civis em oposição aos religiosos. A última frase é ambígua: pode significar que o Senhor está do lado dos bons

sua cólera sobre vós e vossos irmãos. Se agirdes assim, estareis isentos de culpa. ¹¹O sumo sacerdote Amarias presidirá as causas religiosas, e Zabadias, filho de Ismael, chefe da casa de Judá, as civis. Os levitas estarão a vosso serviço. Coragem, mãos à obra, e que o Senhor esteja com os bons.

20 ¹Algum tempo depois os moabitas, os amonitas e alguns meunitas vieram lutar contra Josafá. ²Informaram isso a Josafá:

— Uma grande multidão vinda de Edom, do outro lado do mar Morto, se dirige contra ti; já se encontram em Asasontamar* (a atual Engadi*).

³Josafá, assustado, decidiu recorrer ao Senhor, proclamando um jejum por todo Judá. ⁴Judaítas de todas as cidades se reuniram para pedir conselho ao Senhor. ⁵Josafá se pôs no meio da assembleia de Judá e Jerusalém, no templo, diante do átrio novo, ⁶e exclamou:

— Senhor, Deus de nossos pais. Não és tu o Deus do céu, que governa os reinos da terra, cheio de força e de poder, a quem nada pode resistir? ⁷Não foste tu, Deus nosso, que diante de teu povo Israel expulsaste os moradores desta terra, e a entregaste para sempre à estirpe do teu amigo Abraão? ⁸Eles a habitaram e construíram nela um santuário em tua honra, pensando: ⁹"Quando nos acontecer uma calamidade – espada, inundação, peste ou fome – nos apresentaremos diante de ti neste templo – porque estás presente nele –, te invocaremos em nosso perigo e tu nos escutarás e salvarás". ¹⁰Quando Israel vinha do Egito, não lhe permitiste atravessar o território dos amonitas, dos moabitas e a montanha de Seir; em vez de destruí-los, afastou-se deles. ¹¹E agora nos pagam dispostos a expulsar-nos da propriedade que nos concedeste. ¹²Tu os julgarás, Deus nosso, pois nós nada podemos contra essa horda que cai sobre nós. Não sabemos o que fazer, a não ser fixar os olhos em ti.

¹³Todos os judaítas com suas mulheres e filhos, até as crianças, permaneciam de pé diante do Senhor. ¹⁴No meio da assembleia, um descendente de Asaf, o levita Jaaziel, filho de Zacarias, filho de Banaías, filho

---

(sem favoritismos, v. 7), o que se torna realidade pela reta administração da justiça, ou que o Senhor acompanha e assiste os juízes dispostos a desempenhar honradamente seu ofício (em 17,3 vimos que o Senhor estava com Josafá).

20 A segunda batalha parece um ato litúrgico, semelhante ao famoso desfile em torno de Jericó. Na véspera, o rei proclama um jejum com assembleia litúrgica; pronuncia nesta uma oração, à qual responde o oráculo divino acompanhado em coro por aclamações dos cantores. Na manhã seguinte o rei pronuncia uma exortação religiosa e organiza suas tropas à maneira de procissão. Durante os cantos Deus derrota o inimigo, e os judaítas sobem para contemplar a derrota. Segue-se o saque, a ação de graças a Deus e a procissão solene a Jerusalém. É um caso exemplar de guerra santa sem luta, que servirá de modelo ao autor do segundo livro dos Macabeus.

20,1 Do que se segue deduzimos que os meunitas (ou meinitas) habitavam nas montanhas de Seir, como parte de Edom. Temos, pois, os três inimigos tradicionais dos israelitas, ao leste e ao sul de Judá. Seu itinerário costeia a margem ocidental do mar Morto, para penetrar pelo deserto de Judá, região pouco apta para grandes manobras.

20,2 * = Pedreira da Palmeira; Fonte do Cabrito.

20,3-5 Outra vez encontramos o rei desempenhando funções religiosas (como Davi ou Salomão): convoca a assembleia e a preside intercedendo.

20,6-12 A oração do rei contém muitos elementos clássicos do gênero, com uma ressonância particular. Josafá empenhou-se totalmente na promoção da reta administração da justiça entre os homens, honrando seu nome (*Yhwh* julga); agora apela ao Senhor para que ele pessoalmente julgue, fazendo justiça contra os agressores, cumprindo assim o que o nome do rei proclama ou invoca. Essa batalha, como tantas outras, será um julgamento de Deus. As motivações são tradicionais: a autoridade e a competência universais do Senhor (6), a entrega da terra conferindo direito perpétuo de posse (7), a construção do templo e suas funções, segundo Salomão (8-9, cf. cap. 6); depois expõe-se o caso, provando com a história a culpa alheia e a própria inocência (10-11); conclui a apelação à maneira de súplica. Os títulos divinos "Deus de nossos pais", "Deus nosso" enunciam a continuidade histórica do povo e implicam a fidelidade do Senhor (cf. Dn 4,17.25.32).

20,9 Se em vez de "inundação" lemos "justiceira", teríamos outra alusão ao nome do rei; na leitura corrente, que respeita o número tradicional de quatro pragas, só se ouve uma assonância. O templo funciona como lugar de apelação, 1Rs 8.

20,10 Nm 20-21.

20,13 Js 8,35.

20,14-17 Um levita inspirado, de uma família de cantores, pronuncia o oráculo de salvação, com fórmulas tradicionais: a chave é que o Senhor está com eles (como o Emanuel de Isaías). Enquanto na administração da justiça o homem age para cumprir a vontade de Deus, na batalha o homem cumpre essa vontade não agindo, mas contemplando com respeito e confiança.

de Jeiel, filho de Matanias, teve uma inspiração do Senhor [15]e disse:

– Judaítas, habitantes de Jerusalém, e tu, rei Josafá, prestai atenção. Assim diz o Senhor: Não vos assusteis nem vos acovardeis diante dessa imensa multidão, porque a batalha não é coisa vossa, mas de Deus. [16]Amanhã descereis contra eles quando forem subindo pela Encosta de Sis*; saireis ao encontro deles no fim do precipício que há diante do deserto de Jeruel. [17]Não tereis necessidade de combater; ficai sossegados e firmes contemplando como o Senhor vos salva. Judá e Jerusalém, não vos assusteis nem vos acovardeis. Saí amanhã ao encontro deles, pois o Senhor estará convosco.

[18]Josafá prostrou-se com o rosto por terra, e todos os judaítas e habitantes de Jerusalém prostraram-se diante do Senhor para adorá-lo. [19]Os levitas coreítas descendentes de Caat se levantaram para louvar em altas vozes ao Senhor, Deus de Israel.

[20]De madrugada puseram-se em marcha para o deserto de Técua. Quando saíam, Josafá parou e disse:

– Judaítas e habitantes de Jerusalém, escutai-me: Confiai no Senhor vosso Deus, e estareis seguros; confiai em seus profetas, e vencereis.

[21]De acordo com o povo, dispôs que um grupo revestido de ornamentos sagrados marchasse à frente cantando e louvando o Senhor com estas palavras: "Dai graças ao Senhor, porque sua misericórdia é eterna".

[22]Mal começaram os cantos de júbilo e de louvor, o Senhor semeou discórdias entre os amonitas, os moabitas e os serranos de Seir que vinham contra Judá, e se mataram uns aos outros. [23]Os amonitas e moabitas decidiram destruir e aniquilar os de Seir, e quando acabaram com eles, ajudaram-se mutuamente na matança. [24]Judá chegou à colina que domina o deserto, dirigiu seu olhar para a multidão e não viram senão cadáveres estendidos pelo chão; ninguém se salvara. [25]Josafá e seu exército foram saquear os despojos. Encontraram muito gado, provisões, vestes e objetos de valor. Recolheram até não mais poder. Os despojos foram tão abundantes que demoraram três dias para os recolher. [26]No quarto dia se reuniram em Emec-Baraca* – deram este nome ao lugar que é conhecido assim até hoje, porque aí bendisseram ao Senhor – [27]e todos os judaítas e jerosolimitanos, com Josafá à frente, regressaram a Jerusalém festejando a vitória que o Senhor lhes havia concedido sobre seus inimigos. [28]Chegados a Jerusalém, desfilaram até o templo ao som de harpas, cítaras e trombetas.

[29]Os reinos vizinhos foram tomados de pânico sagrado ao saber que o Senhor lutava contra os inimigos de Israel. [30]O reino de Josafá desfrutou de calma, e seu Deus lhe concedeu paz com seus vizinhos.

[31]*Josafá reinou em Judá. Tinha trinta e cinco anos quando subiu ao trono, e reinou vinte e cinco anos em Jerusalém. Sua mãe chamava-se Azuba e era filha de Selaqui. [32]Imitou a conduta de seu pai Asa, sem se desviar dela, fazendo o que o Senhor aprova. [33]Mas não desapareceram as capelas dos lugares altos e o povo* não se manteve fiel ao Deus de seus pais.

[34]Para mais dados sobre Josafá, do começo ao fim do seu reinado, veja-se a História de Jeú, filho de Hanani, inserida no livro dos reis de Israel. [35]Josafá de Judá aliou-se com Ocozias de Israel, embora este fosse

---

20,15 O duplo imperativo é clássico: Dt 1,21; 31,8; Js 8,1; 10,25.
20,16 * = Flores.
20,17 Ver Ex 14,13; Is 30,15.
20,20 A manhã é tradicionalmente tempo de graça (Sl 57; 90,14; 130). O rei usa na sua breve exortação a fórmula cunhada por Isaías (Is 7,9) para pedir dupla confiança, em Deus e no profeta (como Ex 14,31): a primeira como condição para subsistir, a segunda como condição para ter êxito. A primeira significa confiar numa pessoa, a segunda confiar numa instrução específica.
20,22-23 Em contexto histórico, ver Jz 7,22; em contexto escatológico, Ez 38,21. Os verbos usados são tradicionais da guerra santa e da aniquilação total: os agressores se tornam carrascos, executores recíprocos de sentença divina. O texto hebraico fala de espreitadores: se conservamos a leitura, tratar-se-ia de emissários divinos, e seria um termo inusitado.
20,24 Como no final da travessia do mar Vermelho, Ex 14,30.
20,26 *O nome poderia significar Vale Bendito, ou seja, Várzea Fértil.
20,29 Outra vez como Js 5,1. Deus luta por eles: Ex 14,14.25; Dt 1,30; 3,22; Js 10,14.42; Is 63,10.
20,35-37 O episódio da frota destroçada, neutro em 1Rs 22,48-50, aqui se torna castigo de Deus pela aliança ilegítima. Ocozias reinou dois anos como sucessor de Acab. O livro dos Reis (2Rs 3) nos conta

um perverso. ³⁶Fez isso para construir *uma frota* com destino a *Társis;* construíram *as naves em Asiongaber*.* ³⁷Mas o maresita Eliezer, filho de Dodias, profetizou contra Josafá, dizendo:

— Porque te aliaste com Ocozias, o Senhor destruirá tua obra.

De fato, *as naves se despedaçaram* e não puderam ir a Társis.

21 Jorão de Judá *(848-841)* (2Rs 8,17-22) – ¹*Josafá morreu e foi enterrado com seus antepassados na Cidade de Davi. Seu filho Jorão reinou em seu lugar.* ²Tinha vários irmãos por parte de pai: Azaria, Jaiel, Zacarias, Azarias, Miguel e Safatias, todos filhos de Josafá de Judá. ³Seu pai lhes deixou grande quantidade de prata, ouro e objetos de valor, além de fortalezas em Judá; mas deixou o trono a Jorão, por ser ele o primogênito. ⁴Quando se consolidou no trono de seu pai, assassinou todos os seus irmãos e também alguns chefes de Israel.

⁵*Tinha trinta e dois anos quando subiu ao trono, e reinou oito anos em Jerusalém.* ⁶*Imitou a conduta dos reis de Israel, as ações da casa de Acab, pois casou-se com uma filha deste. Fez o que o Senhor reprova.* ⁷*Mas o Senhor não quis destruir a casa de Davi, por causa da aliança que fizera com Davi, e porque lhe prometera manter sempre acesa sua lâmpada e a de seus filhos.*

⁸*No seu tempo, Edom tornou-se independente de Judá e nomeou um rei para si.* ⁹*Jorão foi com seus generais e todos os seus carros, levantou-se de noite, e, apesar de ter destruído o exército idumeu que o cercara e que cercara também os oficiais do esquadrão de carros,* ¹⁰*Edom tornou-se independente de Judá até hoje; nessa ocasião, também Lebna* conseguiu a independência.* Isso aconteceu por ele ter abandonado o Senhor, Deus de seus pais.

¹¹Ergueu capelas nos lugares altos das cidades de Judá, induziu os habitantes de Jerusalém à idolatria e desviou Judá. ¹²O profeta Elias lhe mandou dizer por escrito: "Assim diz o Senhor Deus de teu pai Davi: Por não teres imitado a conduta de teu pai Josafá e de Asa, rei de Judá, ¹³mas a conduta dos reis de Israel; por teres incentivado a idolatria em Judá e entre os habitantes de Jerusalém, copiando as práticas idolátricas da casa de Acab, e por teres assassinado teus irmãos, a casa de teu pai, que valiam todos mais do que tu, ¹⁴o Senhor ferirá teu povo, teus filhos, tuas mulheres e tuas posses com terrível praga. ¹⁵E tu mesmo sofrerás uma doença grave, um câncer que te consumirá as entranhas dia após dia".

¹⁶O Senhor atiçou contra Jorão a hostilidade dos filisteus e dos árabes que habitavam perto dos cuchitas. ¹⁷Subiram a Judá, o invadiram e levaram todas as riquezas que encontraram no palácio, com suas mulheres e filhos. Restou apenas o menor, Joacaz. ¹⁸Depois disso, o Senhor feriu-lhe as entranhas com uma doença

---

outra aliança de Josafá, com Jorão de Israel e o rei de Edom, na qual conseguiram uma vitória milagrosa sobre Moab por intervenção do profeta Eliseu. É uma narrativa muito mais interessante que a que acabamos de ler neste livro; o Cronista não podia incorporá-la à sua obra.

20,36 * = Floresta do Galo.

21 Os breves dados de 2Rs 8,16-24 se ampliam para traçar uma figura sombria de Jorão de Judá (contemporâneo de Jorão de Israel). O casamento com Atalia, (suposta) filha de Acab e Jezabel, parece apresentar-se como raiz dos delitos. Jezabel uniu a injustiça e o assassinato ao culto idolátrico de Baal; Jorão começa com assassinato e cai na idolatria.

21,4 O fratricídio inaugura um reino de terror, e o primeiro castigo parece ser a independência de Edom. Josafá, que derrotou os meunitas de Seir-Edom, tinha trânsito livre pelo território idumeu até Asiongaber.

21,10 * = Alva.

21,11 Exatamente o contrário do seu pai Josafá, missionário ambulante da conversão.

21,12-15 A atuação histórica de Elias limitou-se ao reino do Norte. Como se vê, o autor não se resigna a prescindir totalmente do grande profeta e, já que não pode trazê-lo a Judá, finge essa carta legendária que supere a distância geográfica.

O texto da carta segue o esquema tradicional: denúncia da culpa, anúncio da sentença. O autor insinua que Josafá teve de deixar o trono, não ao mais velho, mas ao melhor? Poderia ter pensado no antecedente de Davi. Recorde-se também a frase de 19,11: "que o Senhor esteja com os bons".

21,16-17 Foram vassalos de Josafá; agora a história se volta em sentido contrário.

21,18-20 A morte de Jorão tem todas as agravantes de um castigo de Deus: prematura, dolorosa, sem funeral nem sepultura real. Nem sequer pôde nomear pessoalmente rei o filho que lhe restava. Joacaz (v. 17) é Ocozias.

incurável. ¹⁹Os dias se passaram e, no fim de dois anos, a doença lhe consumiu as entranhas; morreu entre dores terríveis. Seu povo não lhe acendeu uma fogueira, como tinha feito com seus predecessores.

²⁰Tinha trinta e dois anos quando subiu ao trono, e reinou oito anos em Jerusalém. Desapareceu sem que ninguém o lamentasse. E o *enterraram na Cidade* de Davi, mas não no panteão real.

22 **Ocozias de Judá** *(841)* (2Rs 8, 24-29) – ¹Os habitantes de Jerusalém nomearam rei seu filho mais novo, *Ocozias,* pois o bando que ia ao acampamento dos árabes assassinou os outros. *Assim reinou Ocozias, filho de Jorão de Judá.*

²*Tinha quarenta e dois anos quando subiu ao trono e reinou um ano em Jerusalém; sua mãe chamava-se Atalia e era filha de Amri.* ³*Ele também imitou a conduta da casa de Acab,* pois sua mãe o incitava ao mal. ⁴*Fez o que o Senhor reprova, como a casa de Acab, pois,* ao morrer seu pai, eles foram seus conselheiros para sua perdição. ⁵Seguindo seu conselho, *acompanhou Jorão, filho de Acab,* rei de Israel, *para lutar contra Hazael, rei da Síria, em Ramot de Galaad. Os sírios feriram Jorão,* ⁶*e este voltou a Jezrael para se curar das feridas que lhe haviam infligido em Ramot, durante a batalha contra Hazael da Síria. Então Ocozias, filho de Jorão, rei de Judá, desceu a Jezrael para visitar Jorão, filho de Acab, que estava doente.* ⁷Com essa visita, o Senhor provocou a ruína de Ocozias. Durante sua permanência, *saiu com Jorão* ao encontro de Jeú, filho de Namsi, que o Senhor havia ungido para exterminar a dinastia de Acab. ⁸E enquanto *Jeú* fazia justiça na dinastia de Acab, encontrou as autoridades de Judá e os parentes de Ocozias que estavam a seu serviço, e os matou. ⁹Depois procurou Ocozias; eles o prenderam em Samaria, onde se escondera, e o levaram a Jeú, que mandou matá-lo. Mas *o enterraram,* pensando: "Era filho de Josafá, que serviu ao Senhor de todo o coração".

Na família de Ocozias não ficou ninguém capaz de reinar.

Reinado e morte de Atalia (2Rs 11,1-20) – ¹⁰*Quando Atalia, mãe de Ocozias, viu que seu filho tinha morrido, começou a exterminar toda a família real* da casa de Judá. ¹¹*Mas quando os filhos do rei estavam sendo assassinados, Josaba, filha do rei Jorão, esposa do sacerdote Joiada e irmã de Ocozias, raptou Joás, filho de Ocozias, e o escondeu com sua ama de leite no dormitório; assim ela o ocultou de Atalia, que não pôde matá-lo.* ¹²*Esteve escondido com elas no templo durante seis anos, enquanto Atalia reinava no país.*

---

22 Os dados são tomados de 2Rs 8,24-29 e 10,13-14. O autor os modifica um pouco e os une num relato coerente. O quadro negativo da fonte é mais explícito e intenso. Todos os males vêm do parentesco com a dinastia do Norte, corrompida pela influência fenícia: o parentesco, a aliança, os exemplos e os conselhos corrompem também o rei de Judá. Da culpa nasce o castigo. Como Jeú teve por missão destruir toda a família de Acab e Jezabel, também entrava na lista o jovem neto de Jezabel. Sua colaboração com o filho de Acab agravou sua responsabilidade.

22,7-10 As circunstâncias da morte estão mudadas sem tocar no substancial. Conforme 2Rs 9,28, Ocozias morreu em Meguido, em consequência dos ferimentos; o Cronista transforma o fato numa espécie de execução judicial.

22,9 A morte violenta aos vinte e dois anos é castigo merecido. E o mais grave é que não aparece ninguém capaz de recolher a herança davídica. É como se a aliança com Israel estivesse precipitando o destino de Judá. Fato exemplar para os leitores, bem sublinhado pelo Cronista: a aliança com os samaritanos é impossível.

22,10-23,21 Na história de Atalia e Joás, o autor segue muito de perto seu modelo de 2Rs 11, com algumas mudanças significativas: a execução do empreendimento é clericalizada, a aceitação do rei se universaliza.

A *primeira.* A guarda real no templo é formada aqui por sacerdotes e levitas, únicos que podem legalmente entrar no edifício do templo; cabe a eles impedir que alguém entre na área proibida. Na cerimônia os cantores tomam parte ativa. No fim, o templo fica guardado segundo as normas estabelecidas por Davi. Assim se clericaliza a operação.

A *segunda.* Visto que a continuação da monarquia davídica é quase um milagre, todo Judá deve participar e comprometer-se, como aconteceu no tempo de Davi. Assim o autor cria uma improvável conjuração por todas as cidades (23,2) e coloca "todo o povo" (vv. 5.10) nos átrios.

As etapas do milagre são: "não ficou ninguém capaz de reinar" (22,9), "deve reinar um filho do rei" (23,3), "trouxeram o filho do rei" (23,11); "o proclamaram rei... e o ungiram" (11), "instalaram o rei no trono real" (20).

23 ¹No sétimo ano, Joiada encheu-se de coragem e reuniu os centuriões: Azarias, filho de Jeroão, Ismael, filho de Joanã, Azarias, filho de Obed, Maasias, filho de Adaías, e Elisafat, filho de Zecri. Fez um juramento com eles ²e percorreram Judá reunindo os levitas de todas as cidades e os chefes de família de Israel. Quando voltaram a Jerusalém, ³toda a comunidade *fez no templo um pacto* com o rei. Depois disse-lhes:

– Deve reinar um filho do rei, como o Senhor prometeu à descendência de Davi. ⁴*Fareis o seguinte: A terça parte de vós, sacerdotes* e levitas, *que entra em serviço no sábado*, guardará as portas; ⁵outro terço ocupará *o palácio*, e o último terço ocupará a Porta do Fundamento. O povo ficará nos átrios do templo. ⁶Ninguém deve entrar no templo, exceto os sacerdotes e os levitas de serviço. Eles podem fazê-lo porque estão consagrados; mas o povo *deverá observar as prescrições do Senhor*. ⁷Os levitas *rodearão o rei de todos os lados, com armas nas mãos. Se alguém pretender entrar no palácio, matai-o. E permanecei junto do rei, vá aonde for*.

⁸Os levitas e os judaítas *fizeram o que o sacerdote Joiada lhes ordenou*; cada qual reuniu seus homens, os que estavam de serviço no sábado e os que estavam de folga, porque o sacerdote Joiada não dispensou nenhum dos grupos. ⁹O sacerdote Joiada entregou aos oficiais as lanças, escudos e pequenos escudos do rei Davi, guardados no templo. ¹⁰Colocou todo o povo, *com armas* de arremesso, *do ângulo sul ao ângulo norte do templo, entre o altar e o templo, para proteger o rei*. ¹¹Então fizeram sair o príncipe, colocaram-lhe o diadema e as insígnias, o proclamaram rei, e Joiada e seus filhos *o ungiram*, aclamando:

– Viva o rei!

¹²Atalia ouviu o clamor da tropa que corria e aclamava o rei, e foi em direção ao povo, ao templo. ¹³Mas quando viu o rei de pé sobre seu estrado, junto à entrada, e os oficiais e a banda próximos ao rei, toda a população em festa, as trombetas tocando e os cantores acompanhando os cânticos de louvor com seus instrumentos, rasgou as vestes e disse:

– Traição, traição!

¹⁴O sacerdote Joiada ordenou aos oficiais que comandavam as forças:

– Tirai-a do átrio. Matai quem a seguir. (Pois não queria que a matassem no templo.)

¹⁵Foram empurrando-a com as mãos, e, quando chegava ao palácio pela Porta das Cavalariças, aí a mataram.

¹⁶Joiada selou um pacto com todo o povo e com o rei para que fosse o povo do Senhor. ¹⁷Toda a população se dirigiu em seguida ao templo de Baal: eles o destruíram, derrubaram seus altares e suas imagens, e degolaram Matã, sacerdote de Baal, diante do altar.

¹⁸Joiada *pôs guardas no templo*, sob as ordens dos sacerdotes e levitas que Davi havia distribuído na casa de Deus para oferecer holocaustos ao Senhor – conforme ordena a Lei de Moisés – com alegria e com os cânticos compostos por Davi. ¹⁹Pôs porteiros nas portas do templo, para que nada de impuro pudesse entrar. ²⁰Depois, com os centuriões, os notáveis, as autoridades e todos os habitantes, desceram o rei do templo, o levaram ao palácio pela Porta Superior e instalaram o rei no trono real. ²¹Toda a população fez festa e a cidade ficou tranquila. Atalia tinha sido morta à espada.

24 **Joás de Judá** *(835-796)* (2Rs 12,1-22) – ¹Joás tinha sete anos quando

---

23,1 Cinco centuriões ou capitães parecem um grupo modesto em número e influência. O Cronista lhes atribui unicamente a função de fazer um recrutamento por todo o território.

23,2 Os chefes de família ou clãs tinham também responsabilidade militar. Supõe-se que deveriam dirigir a massa do povo.

23,3 A promessa do Senhor a Davi é uma força histórica que age com a colaboração dos homens, infunde confiança e decisão. O sacerdote, não um profeta, é o intérprete da promessa.

23,11 Também a unção é competência sacerdotal: 1Rs 1,39 (Salomão); Saul e Davi foram ungidos pelo profeta Samuel.

24 Conforme a tradição, 2Rs 12, Joás "fez sempre o que o Senhor aprova", distinguiu-se por seus cuidados pelo templo; no final da vida teve de comprar a paz com forte tributo, morrendo assassinado numa conspiração.

Na teoria da retribuição do Cronista, o final contradiz o começo; assim, pois, corrige a contradição dividindo a vida do rei em duas etapas, como fez com outros.

subiu ao trono, e reinou quarenta anos em Jerusalém. Sua mãe chamava-se Sebias e era natural de Bersabeia. ²Enquanto viveu o sacerdote Joiada, fez o que o Senhor aprova. ³Joiada procurou-lhe duas mulheres, e ele gerou filhos e filhas. ⁴Mais tarde, Joás sentiu vontade de restaurar o templo. ⁵Reuniu os sacerdotes e levitas e disse-lhes:

– Ide pelas cidades de Judá recolhendo dinheiro de todo Israel para restaurar anualmente o templo do vosso Deus. Depressa!

Mas os levitas não se apressaram. ⁶Então o rei chamou o sumo sacerdote Joiada e lhe disse:

– Por que não te preocupaste para que os levitas cobrassem em Judá e Jerusalém o tributo imposto por Moisés, servo do Senhor, e pela comunidade de Israel para a tenda da aliança? ⁷Não percebes que a perversa Atalia e seus seguidores destruíram o templo e dedicaram aos baais todos os objetos sagrados dele?

⁸Então, por ordem do rei, fizeram *um cofre e o colocaram na porta do templo*, por fora. ⁹Depois anunciaram em Judá e Jerusalém que era necessário oferecer ao Senhor o tributo que Moisés, servo de Deus, havia imposto a Israel no deserto. ¹⁰As autoridades e a população o fizeram de boa vontade e depositaram dinheiro até que o cofre ficou cheio. ¹¹Cada vez que os levitas levavam o cofre à inspeção real e *viam que havia muito dinheiro*, apresentavam-se um secretário do rei e um inspetor do sumo sacerdote, esvaziavam o cofre e voltavam a colocá-lo em seu lugar. Assim fizeram periodicamente, reunindo grande soma de dinheiro.

¹²O rei e Joiada *o entregavam aos capatazes da obra* do templo, e estes pagavam os talhadores e *carpinteiros que restauravam o templo* e os ferreiros e bronzistas que o *reparavam*. ¹³Os operários fizeram sua tarefa; sob suas mãos foi ressurgindo a estrutura, até que ergueram solidamente o templo segundo os planos. ¹⁴Ao terminar, devolveram ao rei e a Joiada o dinheiro que sobrou, com o qual fizeram objetos para o templo, utensílios para o culto e para os holocaustos, taças *e objetos de ouro e prata*. Enquanto Joiada viveu, ofereceram os holocaustos regulares no templo. ¹⁵Ele chegou à velhice e morreu em idade avançada, com cento e trinta anos. ¹⁶Foi enterrado com os reis na Cidade de Davi, pois foi bom com Israel, com Deus e com seu templo.

¹⁷Quando Joiada morreu, as autoridades de Judá foram prestar homenagem ao rei, e este seguiu seus conselhos; ¹⁸esquecendo o templo do Senhor, Deus de seus pais,

---

E para ser mais claro, coloca como linha divisória a morte do sumo sacerdote que o tinha ungido rei. Na primeira etapa, o rei era um exemplar cumpridor da Lei de Moisés, graças aos conselhos do seu pontífice; na segunda etapa, torna-se idólatra e homicida, seguindo os conselhos da nobreza.

24,3 Para garantir a continuidade da dinastia. Só duas, seguindo talvez o conselho de Dt 17,17.

24,5-6 A negligência dos levitas (estranha no Cronista) contrasta com a diligência do rei. O caso é resolvido com uma repreensão, sem chegar às medidas rigorosas de que fala a fonte narrativa. O papel dos levitas é acréscimo do Cronista. Também é própria dele a insistência na Lei de Moisés: Ex 30 e 38; Ne 10,33-34, apenas aludida em 2Rs 12,5.

24,7 O rei tem de refazer em parte a tarefa de Davi e Salomão, e todo o povo deve contribuir de boa vontade. O Cronista sublinha a vinculação das sortes do templo e da dinastia. A dinastia esteve em grave perigo, e assim o templo sofreu; a dinastia se restaurou com a colaboração de todos, assim há de acontecer com o templo.

24,8-11 É possível que com essas linhas o autor pretenda com o exemplo animar seus concidadãos e contemporâneos, dando-lhes garantias de que suas contribuições serão usadas responsavelmente. O poder civil e o religioso controlam a operação.

24,9 Ex 30,12-16.

24,14 Conforme 2Rs, o dinheiro não era aplicado em fabricar objetos ou utensílios, mas apenas na reparação e manutenção do edifício. O Cronista exalta a restauração impulsionada por Joiada. Os holocaustos regulares são expressão e garantia da continuidade. Joás está dando uma lição aos contemporâneos do Cronista.

24,15-16 A velhice do sumo sacerdote é fruto da bênção divina, como nos casos de Moisés e Josué. A sepultura real é honra inusitada, recompensa de seus méritos num momento crítico da história de Israel. Em certo sentido, foi o sumo sacerdote quem assegurou a continuidade da dinastia davídica. O fato é muito significativo nos tempos do Cronista, quando não existe um rei davídico.

24,17 A morte de Joiada tem um efeito igual à morte de Josué, conforme Js 2. Diríamos que o autor polemiza sobre a capacidade da nobreza em aconselhar (conheça a história de Jeremias), em oposição aos sacerdotes.

A mudança de conduta e de situação é violenta e não justificada. Não sucedeu a Joiada um sacerdote competente? ou careceu de toda ascendência benéfica sobre o rei? Exatamente esse sucessor, num arroubo de inspiração profética, foi a ocasião da catástrofe, pelo endurecimento do rei.

prestaram culto às estelas e aos ídolos. Esse pecado desencadeou a cólera de Deus contra Judá e Jerusalém. ¹⁹Enviou-lhes profetas para convertê-los, mas não deram atenção às suas admoestações. ²⁰Então o Espírito de Deus apoderou-se de Zacarias, filho do sacerdote Joiada, que se apresentou diante do povo e lhe disse:

– Assim diz Deus: Por que violais os preceitos do Senhor? Estais caminhando para a ruína. Abandonastes o Senhor e ele vos abandona.

²¹Mas conspiraram contra ele e o apedrejaram no átrio do templo por ordem do rei. ²²O rei Joás, sem levar em conta os benefícios recebidos de Joiada, matou seu filho, que morreu dizendo:

– Que o Senhor julgue e dê a sentença!

²³Um ano depois, um exército da *Síria dirigiu-se* contra Joás, penetrou em Judá até *Jerusalém,* matou todos os chefes do povo e *enviou* todos os despojos *ao rei de Damasco.* ²⁴O exército da Síria era reduzido, mas o Senhor entregou-lhe um exército numeroso, porque o povo havia abandonado o Senhor, Deus de seus pais. Assim se vingaram de Joás. ²⁵Quando os sírios se retiraram, deixando-o gravemente ferido, *seus cortesãos conspiraram contra ele* para vingar o filho do sacerdote Joiada. Eles o assassinaram na cama, e *morreu. Foi enterrado na Cidade de Davi,* mas não lhe deram sepultura no panteão real. ²⁶Os conspiradores foram Zabad, filho da amonita Semaat, e Jozabad, filho da moabita Semarit.

²⁷Para o que se refere a seus filhos, às numerosas profecias contra ele e à restauração do templo, veja-se o Comentário aos Anais dos reis. *Seu filho Amasias reinou em seu lugar.*

25 Amasias de Judá *(796-767)* (2Rs 14,2-20) – ¹Amasias *tinha vinte e cinco anos quando subiu ao trono, e reinou em Jerusalém vinte e nove anos. Sua mãe chamava-se Joaden e era natural de Jerusalém.* ²*Fez o que o Senhor aprova, mas não de todo o coração.* ³*Quando se consolidou no poder, matou os ministros que haviam assassinado seu pai.* ⁴*Contudo, seguindo o que diz o livro da Lei de Moisés, promulgada pelo Senhor: "Os pais não serão executados por causa das culpas dos filhos, nem os filhos por causa da culpa dos pais; cada qual morrerá por seu próprio pecado",* não matou os filhos deles.

⁵Amasias reuniu o povo de Judá e pôs todos os judaítas e benjaminitas, por famílias, sob as ordens de chefes e oficiais. Fez o recenseamento dos maiores de vinte anos; o resultado foi de trezentos mil em idade militar e equipados de lança e escudo. ⁶Recrutou em Israel cem mil mercenários por

---

24,20 Ao falharem os profetas, surge um sacerdote inspirado (como o levita inspirado que pronunciou o oráculo na batalha de Josafá, 20,14). Provavelmente Mt 23,35 se refere a esse profeta.

24,21-22 Sublinham-se os agravantes do crime: em recinto sagrado e contra a lei da gratidão. A um delito de idolatria segue-se um delito de sangue (ver o caso de Hanani sob o rei Asa, 16,10); a dinastia e o templo continuam vinculados na história. O apelo de Zacarias (v. 20) tem valor de programa: é o sacerdócio e a profecia ante a realeza (Amós era a profecia contra o sacerdócio e a realeza, Am 7,10-17). Para isso Joás salvou a vida e reconstruiu o templo? Procura-se silenciar a denúncia profética, mas o sangue sacrilegamente derramado prolonga o pedido de justiça do inocente assassinado.

24,23 E assim sobrevém logo o castigo, mais grave que o descrito em 2Rs e antecipando um pouco o de Nabucodonosor: invasão, matança, saque. Recordemos que Asa estimulou os sírios, os quais agora são executores da sentença divina; os cortesãos se dão o golpe de misericórdia. E assim a conspiração contra o profeta se volta contra o rei. Com ênfase soa "todos os chefes, todos os despojos".

24,24 Cumpre-se a maldição ameaçada em Dt 32,30.

25 Repete-se o esquema. No original de 2Rs 14 encontramos um rei piedoso, embora não perfeito, que morre assassinado, vencedor dos edomitas e derrotado pelos israelitas. Essas contradições devem ser explicadas segundo a rigorosa doutrina da retribuição, e o autor recorre à divisão em duas etapas, de fidelidade e de infidelidade ao Senhor. As etapas são animadas pela intervenção de dois profetas: o rei obedece ao primeiro, mas rejeita o segundo, e as consequências são vitória e derrota, correspondendo às atitudes. Para que se veja a diferença que há em obedecer ou não à palavra profética. O autor vincula as duas batalhas, fazendo da primeira vitória uma ocasião do próximo desafio. No conjunto é uma narração bem concatenada em seu processo.

25,5 Sobre o recenseamento o autor não se pronuncia, parece aceitá-lo como fato neutro; mais ainda, será esse exército de judaítas e benjaminitas quem derrotará os edomitas.

25,6 Por outro lado, o emprego de mercenários israelitas é reprovável. É algo semelhante à aliança de Josafá com Jorão de Israel ou de Jorão de Judá com os conselheiros de Jezabel, com a agravante de pôr

cem talentos de prata. ⁷Mas um profeta apresentou-se diante dele e disse-lhe:

– Majestade, não leves contigo o destacamento de Israel, pois o Senhor não está com os efraimitas. ⁸Se te apoiares neles, Deus te derrotará diante dos teus inimigos. Pois Deus pode dar a vitória e a derrota.

⁹Amasias perguntou ao profeta:

– E como ficam os cem talentos de prata que dei ao destacamento de Israel?

O profeta lhe respondeu:

– O Senhor pode devolvê-los a ti com juros.

¹⁰Amasias dispensou a tropa procedente de Efraim, para que voltasse para a sua terra. Eles se indignaram contra Judá e voltaram furiosos a suas terras. ¹¹Amasias encheu-se de coragem, assumiu o comando da tropa, marchou para *Gue-Hammela** e matou dez mil seiritas. ¹²Aprisionaram vivos outros dez mil, levando-os ao topo da Rocha e precipitando-os daí. Todos morreram estraçalhados.

¹³Enquanto isso, o destacamento que Amasias dispensara para que não lutasse a seu lado dispersou-se pelas cidades de Judá – de Samaria até Bet-Horon – matando três mil pessoas e capturando grandes despojos. ¹⁴Quando Amasias voltou após ter derrotado os edomitas, trouxe os deuses dos seiritas, adotou-os como deuses próprios, adorou-os e queimou-lhes incenso. ¹⁵O Senhor indignou-se contra Amasias e lhe enviou um profeta, que lhe disse:

– Por que serves a deuses que não puderam salvar o seu povo de tuas mãos?

¹⁶Amasias cortou-lhe a palavra, dizendo:

– Quem te fez conselheiro do rei? Cala-te, se não queres que te matem.

O profeta concluiu com estas palavras:

– Porque fizeste isso, e não escutaste meu conselho, tenho certeza de que Deus decide tua destruição.

¹⁷*Depois de aconselhar-se, Amasias de Judá enviou uma embaixada a Joás, filho de Joacaz, de Jeú, rei de Israel, com esta mensagem:*

– *Vem para medirmos forças!*

¹⁸*Mas Joás de Israel enviou a Amasias de Judá esta resposta:*

– *O espinheiro do Líbano mandou dizer ao cedro do Líbano: "Dá tua filha por esposa a meu filho". Mas as feras passaram e pisotearam o espinheiro.* ¹⁹*Tu dizes: "Derrotei Edom", e te orgulhaste. Desfruta de tua glória ficando em tua casa. Por que queres meter-te numa guerra catastrófica, provocando tua queda e a de Judá?*

²⁰*Mas Amasias não lhe deu atenção, pois Deus queria entregá-lo nas mãos de Joás por ter servido aos deuses de Edom.* ²¹*Então Joás de Israel subiu para enfrentar Amasias de Judá em Bet-Sames* de Judá.* ²²*Israel derrotou os judaítas, que fugiram em debandada.* ²³*Em Bet-Sames, Joás de Israel prendeu Amasias de Judá, filho de*

---

em casa um inimigo em potencial. Recordemos que os leitores do Cronista pensam, naturalmente, nos samaritanos da sua época.

25,7-8 "O Senhor não está com Israel" é uma expressão que retorce a clássica promessa e profissão "o Senhor está com Israel"; é que agora Israel equivale a efraimitas, ao passo que Judá recolhe a herança do velho Israel.

25,9 Entende-se na forma de despojos tomados do inimigo. Sacrificando o dinheiro, o rei ganha méritos diante do Senhor, que pode dar a vitória e a riqueza.

25,11-12 Seir é a serra em que habitam os edomitas, e uma das suas cidades mais importantes é Petra. A cruel matança é como uma consagração ao extermínio; o lugar em que é executada é funesto para os edomitas, que se sentiam fortes nas montanhas. Como quem diz: precipitados do alto da sua soberba e confiança (ver especialmente Ab 3-4).

25,11 * = Vale do Sal.

25,13 A notícia é provável. Os mercenários, além de receber um soldo, se ressarciam saqueando as cidades conquistadas. Os efraimitas, impedidos dos despojos que esperavam capturar e que outros levaram, se compensam saqueando as cidades do território, e o rei nada pode fazer, sob pena de maiores desgraças. Assim a medida de pagar mercenários se volta contra ele.

25,14 A crueldade usada com as pessoas contrasta com o respeito concedido aos deuses. A coisa era normal: apoderar-se dos ídolos do país vencido era sinal de vitória e garantia de poderio. Mas esse costume era rigorosamente proibido em Israel (Dt 7,5-6). Davi contentou-se em tirar a coroa de Melcom e dedicá-la a uso profano: 2Sm 12,30.

25,16-17 A nova ação é articulada com os termos "conselho/aconselhar", num processo de endurecimento. O profeta não é conselheiro oficial do rei, como um funcionário a mais; no entanto vem com a palavra soberana de Deus; ele conhece o "conselho" (ou desígnio) de Deus e tem de proclamá-lo (Am 3). Rejeitado o conselho do profeta e esquecida sua ameaça, o rei se aconselha com seus cortesãos para outro empreendimento. O duelo verbal é muito estilizado, com repetições e rimas: o profeta ameaça mencionando a pessoa de Deus.

25,20 O Cronista acrescenta a razão teológica do fato.

25,21 * = Casa do Sol.

Joás, de Joacaz, e o levou a Jerusalém. Abriu uma brecha de duzentos metros na muralha de Jerusalém, da Porta de Efraim à Porta do Ângulo, ²⁴*apoderou-se do ouro, da prata, dos utensílios que estavam no templo sob os cuidados de Obed-Edom, dos tesouros do palácio e dos reféns, e voltou para Samaria.* ²⁵*Amasias de Judá, filho de Joás, sobreviveu quinze anos a Joás de Israel, filho de Joacaz.*

²⁶*Para mais dados sobre Amasias, do começo ao fim do seu reinado, veja-se o livro dos Reis de Judá e Israel.* ²⁷*Depois que Amasias se afastou do Senhor, tramaram contra ele uma conspiração em Jerusalém; fugiu para Laquis, mas o perseguiram até Laquis e aí o mataram.* ²⁸*Eles o carregaram sobre cavalos e o enterraram com seus antepassados na capital de Judá.*

26 **Azarias (Ozias) de Judá *(767-739)*** (2Rs 14,21-22; 15,5-7) – ¹*Então Judá inteiro tomou Ozias, de dezesseis anos, e o nomearam rei sucessor de seu pai Amasias.* ²*Depois que o rei morreu, reconstruiu Elat, devolvendo-a a Judá.* ³*Ozias tinha dezesseis anos quando subiu ao trono, e reinou cinquenta e dois anos em Jerusalém. Sua mãe chamava-se Jequelias, natural de Jerusalém.* ⁴*Fez o que o Senhor aprova, como seu pai Amasias.* ⁵*Serviu ao Senhor enquanto vivia Zacarias, que o educara no temor de Deus; e enquanto serviu o Senhor, Deus o fez triunfar.*

⁶*Saiu para lutar contra os filisteus, derrubou as muralhas de Gat, Jabne e Azoto, e construiu cidades em Azoto e no território filisteu.* ⁷*Deus o ajudou na guerra contra os filisteus, os árabes que habitam em Gur-Baal e os meunitas.* ⁸*Os amonitas pagaram tributo a Ozias, e chegou a ser tão poderoso que sua fama se estendeu até a fronteira do Egito.*

⁹*Em Jerusalém, Ozias construiu e fortificou torres na Porta do Ângulo, na Porta do Vale e na Esquina.* ¹⁰*Ergueu também torres no deserto e cavou muitos poços para os numerosos rebanhos que possuía na planície e no planalto; tinha também lavradores e vinhateiros nos montes e nas hortas, pois Ozias gostava do campo.*

¹¹*Teve um exército em pé de guerra, agrupado em esquadrões, segundo o recenseamento realizado pelo secretário Jeiel e pelo comissário Maasias por ordem de Hananias, funcionário real.* ¹²*O número dos chefes de família que comandavam soldados era dois mil e seiscentos.* ¹³*Tinham às suas ordens um exército de trezentos e sete mil e quinhentos guerreiros corajosos, que lutavam contra os inimigos do rei.* ¹⁴*Ozias equipou toda a tropa com escudos pequenos, lanças, capacetes, couraças, arcos e fundas.* ¹⁵*Fez uns artefatos inventados por um engenheiro que lançavam flechas e pedras; colocou-os nas torres e nos ângulos de Jerusalém. Com a ajuda prodigiosa de Deus tornou-se forte, e sua fama chegou muito longe.* ¹⁶*Mas, ao se tornar poderoso, a soberba o arrastou para a perdição. Revoltou-se contra o Senhor seu Deus, entrando no templo para queimar incenso no altar dos perfumes.* ¹⁷*O sacerdote Azarias e oitenta valentes sacerdotes foram atrás*

---

26 O Cronista não se cansa de repetir seu esquema, esperando que também o leitor não se canse. Sob sua pena, o rei piedoso e leproso de 2Rs 15,1-7 se converte numa vida em duas etapas: seu longo reinado presta-se a tudo. No original, o longo reinado de cinquenta e dois anos pode ser visto como bênção divina e a doença crônica da pele, que o mantém recluso e o impede de governar, pode ser interpretada como castigo ou como prova de Deus. No começo, o Cronista nos apresenta um rei piedoso e próspero, depois um rei sacrílego e ferido por Deus. É coisa bem-sabida e fácil de desenvolver e inculcar que a prosperidade leva à soberba e esta ao castigo de Deus (por exemplo, Dt 8). O autor nos apresenta um pecado tipicamente cultual numa cena dramática bastante artificial.

26,5 Zacarias seria o sumo sacerdote, preceptor do príncipe herdeiro e conselheiro do jovem rei; é o já conhecido esquema de Joiada e Joás.

26,6-8 Trata-se dos vizinhos do ocidente, oriente e sul. "Deus o ajudou", cumprindo o que significa o nome do rei *Azarias* (= O Senhor ajuda). Note-se que Isaías e o Cronista usam o outro nome do rei, Ozias (= Fortaleza do Senhor).

26,10 A atenção ao campo, à agricultura e à pecuária é um dado a favor do rei (ver Ecl 5,8). Implicitamente podemos ler: em vez de construir palácios luxuosos e gastar na corte (como Joaquim, Jr 22), promove as riquezas naturais do país.

26,12 Ou chefes de clãs.

26,14 Era costume que os guerreiros abastados trouxessem suas próprias armas. Talvez tenham trazido espadas, arma não citada entre as fornecidas pela coroa.

26,16-18 O pecado parece ter, como modelo ou inspiração, os fatos de Nm 16-17 sobre a oferta do incenso e o castigo dos rebeldes Coré, Datã e Abiram. Aqui não intervêm levitas, pois se trata de funções sacerdotais. Ver Ex 30,7-10 e Nm 18,1-7.

dele, ¹⁸puseram-se diante do rei Ozias e lhe disseram:

— Ozias, não cabe a ti queimar incenso ao Senhor. Podem fazê-lo apenas os sacerdotes aaronitas consagrados para isso. Sai do santuário, pois teu pecado não te honra diante do Senhor!

¹⁹Ozias, que tinha o turíbulo na mão, indignou-se com os sacerdotes. E no mesmo momento, no templo, diante dos sacerdotes, junto ao altar dos perfumes, a lepra brotou em sua testa. ²⁰O sumo sacerdote Azarias e os outros sacerdotes ficaram olhando para ele e viam que tinha lepra na testa. Eles o expulsaram daí, enquanto ele próprio se apressava em sair, ferido pelo Senhor.

²¹O rei Ozias *permaneceu leproso até o dia de sua morte. Viveu no leprosário, proibido de ir ao templo. Seu filho Joatão encarregou-se da corte e de julgar o povo.*

²²*Para mais dados sobre Ozias,* do começo ao fim do seu reinado, *veja-se o livro do profeta Isaías, filho de Amós.* ²³*Quando morreu, foi enterrado com seus antepassados no* campo do cemitério real, visto que era "um leproso". *Seu filho Joatão reinou em seu lugar.*

27 Joatão de Judá *(739-734)* (2Rs 15,32-38) — ¹*Quando subiu ao trono, Joatão tinha vinte e cinco anos, e reinou dezesseis anos em Jerusalém. Sua mãe chamava-se Jerusa, filha de Sadoc.* ²*Fez o que o Senhor aprova, como seu pai Ozias. Mas não ia ao templo, e o povo continuava corrompendo-se.* ³Construiu a Porta Superior do templo e fez muitas obras na muralha do Ofel. ⁴Construiu cidades na serra de Judá e ergueu fortalezas e torres na floresta. ⁵Lutou contra o rei dos amonitas e o venceu. Nesse ano, os amonitas lhe pagaram cem talentos de prata, dez mil tonéis de trigo, e dez mil de cevada; e igual quantidade nos dois anos seguintes. ⁶Joatão tornou-se poderoso porque agiu retamente diante do Senhor seu Deus.

⁷*Para mais dados sobre Joatão,* suas guerras e empreendimentos, *veja-se o livro dos reis de Israel e Judá.* ⁸*Subiu ao trono com a idade de vinte e cinco anos, e reinou dezesseis anos em Jerusalém.* ⁹*Quando morreu, foi enterrado na Cidade de Davi. Seu filho Acaz reinou em seu lugar.*

28 Acaz de Judá *(734-727)* (2Rs 16,2-4.19-20) — ¹*Acaz tinha vinte anos*

26,19-20 São testemunhas os próprios sacerdotes, a quem cabe diagnosticar, conforme Lv 13.

27 Conforme 2Rs 15,33-35. Acrescenta os dados da sua atividade construtora. Conforme a teoria do Cronista, o rei bom e cumpridor tem êxito na sua atividade construtora e na guerra.

28 O reinado de Acaz é descrito com dados históricos fornecidos pelo livro dos Reis, com veladas alusões ao livro de Isaías e outros dados criados ou explorados com função construtiva. O Cronista quer por contraste preparar o reinado glorioso de Ezequias, e para isso acumula dados negativos no reinado do seu antecessor. Acaz tem de desfazer muita coisa, na ordem militar e religiosa, para que seu filho possa refazer.

Historicamente são tempos difíceis para Judá e mais ainda para Israel. Judá está sitiado: no sul os edomitas atacam de novo, no oeste os filisteus se refazem e hostilizam seus vizinhos, ao norte surge um inimigo formidável, Israel, o reino irmão, aliado e protegido da Síria. O lógico, que Isaías prega, é recorrer confiantemente ao Senhor; mas Acaz é um rei ímpio e desconfiado (Is 7). Pede ajuda à nova potência da época, a Assíria. Assim repete o jogo perigoso que Asa tinha iniciado com Damasco; porque tampouco a Assíria, uma vez desatada, se deterá.

Essa funesta convocação acarreta a seguir graves consequências econômicas e religiosas, atiça a infidelidade do monarca e prepara acontecimentos fatais. A impiedade chega a tal ponto, que o rei fecha as portas do templo, como se acabasse com o culto e encerrasse uma época histórica. Em termos de templo e culto, é algo semelhante ao reinado de Atalia quanto à dinastia. Será preciso um novo começo, nova abertura. É o que o autor pretende. Também para Israel a situação é grave: depois de rápida sequência de conspirações e mudanças de dinastia, os dois últimos reis, Faceia e Oseias, precipitam a catástrofe, a destruição final de Israel, que acontecerá no reinado de Ezequias. O Cronista, fiel ao seu programa, não narra esses fatos, mas sabe que seus leitores os conhecem e os têm presentes quando leem. Pois bem, também esse final trágico prepara novo começo, quando não poucos sobreviventes se incorporarão política e religiosamente a Judá. É preciso preparar o fato, e que melhor preparação do que esse nobre ato de perdão fraterno? O episódio, inesperado na mentalidade do Cronista, se explica muito bem em função do que vai acontecer. A situação vivida pelo autor e seus leitores pesa em toda a construção narrativa: uns judaítas continuadores do povo escolhido e uns samaritanos que podem começar, rompem com o passado, um só templo legítimo. As obras de misericórdia podem provar que o chamado de Deus está de pé. O autor prega além das fronteiras a piedade para com Deus e para com o próximo.

quando subiu ao trono, e reinou dezesseis anos em Jerusalém. Não fez, como seu antepassado Davi, o que o Senhor aprova. ²*Imitou os reis de Israel, fazendo estátuas aos baais.* ³*Queimava incenso no vale de Ben-Enom e até sacrificou seu filho na fogueira, segundo o costume detestável das nações que o Senhor tinha expulsado diante dos israelitas.* ⁴*Sacrificava e queimava incenso nos lugares altos, nas colinas e debaixo das árvores frondosas.* ⁵O Senhor seu Deus o entregou nas mãos *do rei sírio*, que o derrotou, capturou numerosos prisioneiros e os levou a Damasco. Entregou-o também nas mãos do *rei de Israel, que lhe infligiu grande derrota.*

⁶Faceia, filho de Romelias, matou num só dia cento e vinte mil judaítas, todos valentes, por terem abandonado o Senhor, Deus de seus pais. ⁷E Zecri, um soldado de Efraim, matou Maasias, filho do rei, Ezricam, mordomo do palácio, e o primeiro ministro Elcana. ⁸Entre mulheres, filhos e filhas, os israelitas tomaram de seus irmãos duzentos mil prisioneiros; apoderaram-se também de grandes despojos, levando-os para Samaria.

⁹Havia aí um profeta do Senhor chamado Oded. Quando o exército voltava a Samaria, saiu a seu encontro e lhes disse:

– O Senhor, Deus de vossos pais, indignado com Judá, o pôs em vossas mãos. Porém, a sanha com que os matastes clama ao céu. ¹⁰Além disso, quereis converter em escravos e escravas os habitantes de Judá e Jerusalém. Já não pecastes o suficiente contra o Senhor vosso Deus? ¹¹Prestai-me atenção e devolvei vossos irmãos que tomastes como prisioneiros, porque a ardente cólera do Senhor vos ameaça.

¹²Alguns chefes efraimitas – Azarias, filho de Joanã, Baraquias, filho de Mosolamot, Ezequias, filho de Selum, e Amasa, filho de Hadali – também se puseram contra o exército que voltava ¹³e lhes disseram:

– Não introduzais aqui esses prisioneiros, porque seríamos réus diante do Senhor. Já pecamos o suficiente para que vos dediqueis em aumentar nossas faltas e culpas, irritando o Senhor contra Israel.

¹⁴Então os soldados deixaram os prisioneiros e os despojos à disposição das autoridades e da comunidade. ¹⁵Nomearam expressamente alguns para que se encarregassem dos prisioneiros. Vestiram os que estavam nus, com roupas e sandálias dos despojos; depois deram-lhes de comer e beber, os ungiram, fizeram montar em burros os que não podiam caminhar, levando-os a Jericó, a cidade das palmeiras, com seus irmãos. A seguir, regressaram a Samaria.

¹⁶Nesse tempo, o rei *Acaz enviou* uma embaixada *ao rei da Assíria*, pedindo-lhe ajuda. ¹⁷(Os edomitas tinham feito nova incursão, derrotando Judá e fazendo prisioneiros; ¹⁸os filisteus saquearam as cidades da Sefelá e do Negueb de Judá, apoderando-se de Bet-Sames*, Aialon*, Gederot*, Soco e sua região, Tamna e sua região, Gamzo e sua região, estabelecendo-se nelas. ¹⁹O Senhor humilhava Judá por causa de Acaz que havia trazido o desregramento

---

28,2 O Cronista lê uma idolatria implícita nas referências da sua fonte, que fala simplesmente de culto ilegítimo a Yhwh.
28,5 O original menciona só uma invasão e um assédio fracassado da capital.
28,6-8 O autor supõe que o rei arrastou a tropa e o povo à infidelidade. Se os números são astronômicos, é interessante a designação "seus irmãos", repetida nos versículos 11 e 15: é a chave do episódio.
28,9-11 Um profeta na Samaria é um agente do verdadeiro Deus: com razão pode chamar o Senhor "Deus de vossos pais", "vosso Deus". Esse Deus não rejeitou totalmente os efraimitas, antes continua interpelando-os com a palavra profética e os põe à prova, oferecendo-lhes uma chance definitiva. Ser executores da sentença divina não autoriza tamanha crueldade: os libertados da escravidão do Egito não deverão ser escravos (Lv 25,39-43).
28,12 "Efraimitas" designa os cidadãos do Norte. Esses chefes se põem do lado do profeta, reforçando a palavra dele.
Note-se a ausência de sacerdotes no reino do Norte e a não menção do rei.
28,14 Mas se indica, sim, o caráter coletivo da operação.
28,15 É impressionante a homenagem que o autor presta aos israelitas nas vésperas da sua catástrofe nacional, sobretudo se comparada com a resistência de alguns reis judaítas a exigências proféticas mais simples. Dar comida ao faminto, bebida ao sedento, vestir o nu, libertar o cativo, cuidar do doente: a lista de obras de misericórdia está quase completa.
28,17 Segundo a fonte, os edomitas reconquistaram a extremidade sul de Elat; o autor os situa em território israelita.
28,18 * = Casa do Sol; Cerval; Taipas.
28,19 No termo raro "desregramento" ressoa o pecado do bezerro de ouro (Ex 32,25).

a Judá e se mostrava rebelde ao Senhor.) ²⁰Mas Teglat-Falasar, rei da Assíria, em vez de ajudá-lo, marchou contra ele e o sitiou. ²¹E embora Acaz tenha despojado o templo, o palácio e as casas das autoridades para ganhar o rei da Assíria, de nada lhe serviu. ²²Até durante o assédio continuou revoltando-se contra o Senhor. ²³Ofereceu sacrifícios aos deuses de Damasco, que o haviam derrotado, pensando: "Os deuses da Síria, sim, ajudam seus reis. Eu lhes oferecerei sacrifícios para que me ajudem". Mas foram sua ruína e a de Israel.

²⁴Acaz reuniu os objetos do templo e os fez em pedaços; fechou as portas do templo, construiu altares em qualquer canto de Jerusalém ²⁵e ergueu capelas em todas as cidades de Judá para queimar incenso a deuses estrangeiros, irritando o Senhor, Deus de seu pais.

²⁶*Para suas restantes atividades e empreendimentos, do começo ao fim do seu reinado, veja-se o livro dos reis de Judá e Israel. ²⁷Quando Acaz morreu, não o levaram ao panteão real de Judá, mas o enterraram na cidade, em Jerusalém. Seu filho Ezequias reinou em seu lugar.*

29 Ezequias de Judá *(727-698)* (2Rs 18,1-3) –

¹*Ezequias tinha vinte e cinco anos quando subiu ao trono, e reinou vinte e nove anos em Jerusalém. Sua mãe chamava-se Abia, filha de Zacarias.* ²*Fez o que o Senhor aprova, como seu antepassado Davi.*

³No primeiro ano de seu reinado, no mês de março, abriu e restaurou as portas do templo. ⁴Fez vir os sacerdotes e levitas, reuniu-os na Praça do Oriente ⁵e lhes disse:

– Levitas, escutai-me: Purificai-vos e purificai o templo do Senhor, Deus de vossos pais. Tirai do santuário a impureza, ⁶pois nossos pais pecaram, fizeram o que o Senhor nosso Deus reprova, o abandonaram e descuidaram completamente a morada do Senhor. ⁷Como se não bastasse, fecharam as portas da nave e apagaram as lâmpadas, deixando de queimar incenso e de oferecer holocaustos no santuário do Deus de Israel. ⁸Então o Senhor ficou indignado contra Judá e Jerusalém e o tornou objeto de estupor, de espanto e de caçoada, como pudestes ver com vossos próprios olhos. ⁹Nossos pais morreram à espada, e por esse motivo nossos filhos, filhas e mulheres foram para o desterro. ¹⁰Agora tenho a intenção de selar uma aliança com o Senhor, Deus de Israel, para que cesse sua ira contra nós. ¹¹Portanto, meus filhos, não sejais negligentes, pois o Senhor vos escolheu para estar em sua presença, servi-lo, ser seus ministros e queimar incenso.

¹²Então os levitas – Maat, filho de Amasai, e Joel, filho de Azarias, descendentes de Caat; Cis, filho de Abdi, e Azarias, filho de Jalaleel, descendentes de Merari; Joá, filho de Zema, e Eden, filho de Joá, descendentes de Gérson; ¹³Samri e Jeiel, descendentes de Elisafã; Zacarias e Matanias, descendentes de Asaf; ¹⁴Jaiel e Semei,

---

28,20-21 O original diz que "o rei da Assíria o atendeu" (cf. 2Rs 16,9) e que os presentes enviados ao monarca estrangeiro lhe valeram.

28,23 Conforme o original, Acaz mandou construir um altar segundo o desenho de um altar de Damasco e realizou outras reformas para agradar ao rei assírio; o Cronista transforma isso em idolatria formal.

28,24 Isso é o mais grave: o sucessor de Davi e Salomão fecha o templo (em 2Rs se fala de uma reforma no acesso reservado ao rei). Se a dinastia existia em função do templo, diríamos que a dinastia já não tem razão de existir. Mas o autor sabe que já nasceu o sucessor glorioso, provavelmente o filho anunciado por Isaías (Is 7,14).
Aqui o livro dos Reis narra a queda de Samaria e de Israel.

29-31 Ezequias aparece como o grande renovador religioso e cultual. Sua obra é antes de tudo uma volta a Davi e Salomão. A brevíssima notícia de 2Rs 18,4 cresce até encher três capítulos minuciosos, que abrangem a purificação do templo e das pessoas, a celebração da Páscoa, a organização do serviço.

29,3 A primeira coisa que faz, no primeiro mês do primeiro ano, é abrir as portas do templo, inaugurando a nova época. Dentro de uns anos, quando os templos do Norte forem destruídos, este templo se levantará único e central. 2Cr 28,24.

29,4 Embora congregue sacerdotes e levitas, os últimos terão papel preponderante na reforma.

29,5 Sobre a purificação, pode-se ver Lv 8 e Nm 8. Note-se no que se segue a insistência no nome do Senhor com diversos títulos: Deus de vossos pais, nosso Deus, Deus de Israel. O problema é de fidelidade pessoal, mais que de restauração material (como no caso de Joás).

29,9 Tem de referir-se a prisioneiros de guerra ocasionais, sem chegar a uma deportação em massa; mas a própria frase pode soar como antecipação do que vai acontecer.

29,11 Os mestres costumam dar o título "meus filhos" a seus discípulos; com menos frequência um superior o dá a um subordinado (Js 7,19).

descendentes de Emã; Semeías e Oziel, descendentes de Iditun – ¹⁵reuniram seus irmãos, purificaram-se e foram purificar o templo, como o rei havia mandado, por ordem do Senhor. ¹⁶Os sacerdotes penetraram no interior do templo para purificá-lo; removeram para o átrio todas as coisas impuras que encontraram no templo, e os levitas as pegaram e jogaram fora, na torrente Cedron. ¹⁷O trabalho de purificação começou no primeiro dia do primeiro mês; no oitavo chegaram à nave do templo, e durante outros oito dias purificaram o templo, terminando no décimo sexto dia do mesmo mês. ¹⁸A seguir apresentaram-se ao rei Ezequias e lhe disseram:

– Já purificamos todo o templo: o altar dos holocaustos com todos os seus utensílios e a mesa dos pães apresentados, com todos os seus utensílios. ¹⁹Restauramos e purificamos também todos os objetos que o rei Acaz profanou com sua rebeldia durante seu reinado. Nós os deixamos na frente do altar do Senhor.

²⁰Bem de madrugada, o rei Ezequias reuniu as autoridades da cidade e subiu ao templo. ²¹Levaram sete touros, sete carneiros, sete cordeiros e sete bodes como sacrifício expiatório pela monarquia, pelo santuário e por Judá. Depois ordenou aos sacerdotes aaronitas que os oferecessem sobre o altar do Senhor. ²²Sacrificaram os touros, e os sacerdotes recolheram o sangue, derramando-o sobre o altar; sacrificaram os carneiros e derramaram o sangue sobre o altar; sacrificaram os cordeiros e derramaram o sangue sobre o altar. ²³Depois levaram os bodes da expiação à presença do rei e da comunidade para que lhes impusessem as mãos. ²⁴Os sacerdotes os degolaram e derramaram o sangue sobre o altar para obter o perdão para todo Israel, visto que o rei ordenara que o holocausto e o sacrifício de expiação fossem para todo Israel. ²⁵O rei tinha instalado os levitas no templo, com címbalos, harpas e cítaras, como o tinham ordenado Davi, Gad, o vidente do rei, e o profeta Natã. A ordem vinha de Deus, por intermédio de seus profetas. ²⁶Assim, pois, achavam-se presentes os levitas com os instrumentos de Davi e os sacerdotes com as trombetas.

²⁷Ezequias ordenou oferecer o holocausto diante do altar, e no mesmo instante em que começou o holocausto começaram o canto do Senhor e o som das trombetas, acompanhados pelos instrumentos de Davi, rei de Israel. ²⁸Toda a comunidade permaneceu prostrada até que terminou o holocausto, enquanto os cantos prosseguiam e as trombetas tocavam. ²⁹Quando terminou, o rei e sua comitiva se prostraram em adoração. ³⁰A seguir, Ezequias e as autoridades pediram aos levitas que louvassem o Senhor com canções de Davi e do vidente Asaf. Eles o fizeram em tom festivo e adoraram o Senhor fazendo reverência. ³¹Depois Ezequias tomou a palavra e disse:

– Agora estais consagrados ao Senhor. Aproximai-vos e oferecei sacrifícios de ação de graças pelo templo.

A comunidade ofereceu sacrifícios de ação de graças e as pessoas generosas ofereceram holocaustos.

³²O número de vítimas que a comunidade ofereceu foi de setenta touros, cem carneiros e duzentos cordeiros, todos como holocausto ao Senhor. ³³As ofertas sagradas foram seiscentos touros e três mil ovelhas. ³⁴Visto que os sacerdotes eram poucos e não davam conta de esfolar tantas vítimas, seus irmãos levitas os ajudaram, até que terminaram o trabalho e os sacerdotes se purificaram (porque os levitas se mostraram mais dispostos a se purificar do que os sacerdotes). ³⁵Houve muitos holocaustos, além da gordura dos sacrifícios de comunhão e das libações dos holocaustos. Assim se restabeleceu o culto do templo.

29,16 O Cedron funcionou repetidas vezes como depósito de objetos impuros ou contaminados.

29,17 Superando assim a data regular da Páscoa, dia catorze do primeiro mês.

29,21 Conforme as normas de Lv 4.

29,25-26 Este é o dado do Cronista. O acompanhamento musical da cerimônia é talvez parte essencial, não menos que a oferta das vítimas (parece dizer o autor); e é coisa que remonta ao rei Davi, a oráculos proféticos, ao próprio Deus.

29,31-35 Generosidade, abundância e alegria caracterizam a renovação do culto, valores exemplares para a comunidade do Cronista. A alegria que se expressa e brota do culto é uma constante do autor (1Cr 29,9; 2Cr 15,15; 23,21; 24,10; 30,25).

³⁶Ezequias e o povo se alegraram por Deus ter movido o povo, pois tudo aconteceu num abrir e fechar de olhos.

30 ¹Ezequias enviou mensageiros por todo Israel e Judá, e escreveu cartas a Efraim e Manassés para que fossem ao templo de Jerusalém, a fim de celebrar a Páscoa do Senhor, Deus de Israel. ²O rei, as autoridades e toda a comunidade de Jerusalém decidiram em conselho celebrar a Páscoa durante o mês de maio, ³já que não tinham podido fazê-lo no tempo certo, pois muitos sacerdotes não se haviam purificado e o povo ainda não se tinha reunido em Jerusalém. ⁴A decisão pareceu boa ao rei e a toda a comunidade. ⁵Decidiram então anunciar por todo Israel, de Bersabeia a Dã, para que fossem a Jerusalém celebrar a Páscoa do Senhor Deus de Israel, porque muitos não a celebraram como está ordenado. ⁶Os mensageiros percorreram todo Israel e Judá, levando as cartas do rei e das autoridades, e anunciando por ordem do rei:
— Israelitas, voltai ao Senhor, Deus de Abraão, Isaac e Israel, e o Senhor voltará a estar com todos os que sobreviveram ao poder dos reis assírios. ⁷Não sejais como vossos pais e irmãos, que se revoltaram contra o Senhor, Deus de seus pais, e ele os transformou em objeto de espanto, como vós próprios podeis ver. ⁸Não sejais teimosos como vossos pais. Entregai-vos ao Senhor, ide ao santuário que foi consagrado para sempre. Servi ao Senhor vosso Deus, e ele afastará de vós o ardor de sua cólera. ⁹Se vos converterdes ao Senhor, aqueles que deportaram vossos irmãos e filhos sentirão compaixão deles e os deixarão voltar a este país. Porque o Senhor vosso Deus é clemente e misericordioso, e não vos dará as costas se voltardes a ele.

¹⁰Os mensageiros percorreram de cidade em cidade a terra de Efraim e Manassés, até Zabulon, mas riam e caçoavam deles. ¹¹Somente alguns de Aser, Manassés e Zabulon se mostraram humildes e foram a Jerusalém. ¹²Os judaítas, pela graça de Deus, cumpriram unânimes o que o Senhor tinha decidido por ordem do rei e das autoridades.

---

30 Deve-se recordar o caráter fundacional da Páscoa: ao sair do Egito (Ex 12), ao pôr-se em marcha no deserto (Nm 9), ao entrar na terra prometida (Js 5). A Páscoa da nova época tem de congregar e unificar todos os israelitas de boa vontade. Também os arrastados pelo exílio, os que estão dispostos a responder ao chamado do Senhor por meio de Ezequias. As romarias a Jerusalém, que Jeroboão quis impedir, devem começar a impor-se na nova situação. Quando sobrevier a catástrofe, alguns israelitas já possuirão uma experiência viva e pessoal das festas em Jerusalém, e saberão a que ater-se.
Este é, em rigor cronológico, o primeiro ano do reinado de Ezequias. Mas o Cronista quer neste capítulo abranger o que acontecerá uns cinco ou seis anos mais tarde, depois da queda de Samaria. Volta também a antiga geografia, de Dã a Bersabeia. Ezequias pode permitir-se o envio de mensageiros a todo o território do antigo Israel, sem omitir a divisão Israel-Judá. A resposta tem de ser livre, e assim esta Páscoa funciona como fator que distingue fiéis de infiéis, recriando um povo escolhido. Começa a realizar-se o velho ideal da unidade: um Senhor, um povo, um templo, uma Páscoa.
30,1 Efraim e Manassés são a parte mais importante do Norte. "Deus de Israel" é o título da aliança com o povo inteiro.
30,2 A celebração atrasa um mês, segundo o precedente de Nm 9, dando assim tempo para que os distantes cheguem.
30,3 Nm 9,6-12.
30,5 Nos tempos antigos, a Páscoa era celebrada em família; mais tarde constituiu uma das romarias anuais à capital.
30,6-9 Outrora Josafá pregou a conversão em todo Judá; assim agora Ezequias a prega em todo Israel. A palavra-chave do discurso é *shub*: se eles voltam (= se convertem) a Deus, Deus voltará a eles, se voltará (se afastará) de sua cólera, e os desterrados poderão voltar (= retornar) à sua pátria. O discurso se refere aos patriarcas, antecessores dos dois reinos. O discurso pressupõe claramente a vitória assíria e a deportação. Através da inexatidão cronológica, a intenção do autor abre passagem, querendo apresentar-nos nova época. O imperador assírio liquidou a maldade do Norte, os templos e a dinastia cismática; sobra o povo, para quem ainda é possível a conversão.
30,9 A compaixão dos deportadores é expressa com uma frase tirada da oração de Salomão ao dedicar o templo (1Rs 8,50); ver também Sl 106,46. Nessa compaixão humana inesperada se realiza e se revela a compaixão de Deus, segundo seu título clássico (Sl 86,15; 103,8; Ex 34,8 etc.).
30,10-12 A enumeração de tribos não é coerente: em primeiro lugar, o extremo Norte não é Zabulon, mas Dã; além disso, no v. 18 se menciona Issacar; ao todo saem cinco tribos do Norte e duas do Sul, não se mencionam as da Transjordânia.
Mais importante para o autor é a divisão de atitudes perante o chamamento (Neemias emprega o mesmo verbo "caçoar", referindo-se aos inimigos da reconstrução da muralha: Ne 2,19; 3,33.) Essa divisão já era conhecida nos tempos de Débora (Jz 5). Só em Judá não existe tal divisão, por graça de Deus.

¹³No mês de maio, reuniu-se em Jerusalém grande multidão para celebrar a festa dos Ázimos; foi uma assembleia numerosíssima. ¹⁴Suprimiram todos os altares que havia em Jerusalém e eliminaram todos os altares de incenso, jogando-os na torrente Cedron.

¹⁵No dia catorze de maio imolaram a Páscoa. Os sacerdotes levíticos confessaram seus pecados, purificaram-se e levaram os holocaustos ao templo. ¹⁶Cada um deles ocupou o lugar que lhe cabia conforme a Lei de Moisés, homem de Deus; os sacerdotes derramavam o sangue que os levitas lhes passavam. ¹⁷Visto que muitos da comunidade não se tinham purificado, os levitas se encarregaram de imolar os cordeiros pascais de todos os que não estavam puros, para consagrá-los ao Senhor. ¹⁸Grande número de pessoas, em sua maioria de Efraim, Manassés, Issacar e Zabulon, não observaram o prescrito e comeram a Páscoa sem se terem purificado. Mas Ezequias intercedeu por eles, dizendo:

– O Senhor, que é bom, perdoe ¹⁹todos os que de coração servem a Deus, ao Senhor Deus de seus pais, mesmo que não tenham a pureza ritual.

²⁰O Senhor atendeu Ezequias e curou o povo.

²¹Os israelitas que se encontravam em Jerusalém celebraram com grande júbilo a festa dos Ázimos durante sete dias; os sacerdotes e levitas louvavam o Senhor dia após dia com todo o entusiasmo.

²²Ezequias felicitou os levitas por suas boas disposições para com o Senhor. Passaram os sete dias de festa oferecendo sacrifícios de comunhão e confessando ao Senhor, Deus de seus pais. ²³Depois a comunidade decidiu prolongar a festa por outros sete dias. E puderam fazê-lo, com grande júbilo, ²⁴porque Ezequias, rei de Judá, lhes proporcionou mil touros e sete mil ovelhas, e as autoridades, mil touros e dez mil ovelhas; além disso, muitos sacerdotes se purificaram. ²⁵Reinava alegria na comunidade de Judá, entre os sacerdotes, os levitas, os que tinham vindo de Israel, os estrangeiros procedentes de Israel e os residentes de Judá. ²⁶Desde os tempos de Salomão, filho de Davi, rei de Israel, não se celebrava em Jerusalém uma festa tão magnífica.

²⁷Os sacerdotes levíticos levantaram-se para abençoar o povo. O Senhor escutou sua voz, e a oração chegou até sua santa morada dos céus.

31

¹Terminada a festa, todos os israelitas presentes percorreram as cidades de Judá *destruindo os postes sagrados,* cortando *as estelas* e demolindo as capelas e os altares de todo Judá, Benjamim, Efraim e Manassés, até não sobrar nenhum. Depois, cada qual voltou para sua casa e sua cidade.

²Ezequias organizou os sacerdotes e levitas por classes, designando a cada um sua função sacerdotal ou levítica: oferecer holocaustos e sacrifícios de comunhão, dar graças, louvar e servir à entrada dos acampamentos do Senhor. ³Destinou parte dos bens da coroa a todo tipo de holocaustos: da manhã e da tarde, dos sábados, começo de mês e festividades, como manda a Lei do Senhor. ⁴Ordenou aos habitantes de Jerusalém que ajudassem economicamente os sacerdotes e levitas para que pudessem dedicar-se à Lei do Senhor. ⁵Quando a

---

30,15 O mês não coincide exatamente com o nosso; é mais abril-maio, como se pode ver pela nossa Páscoa, que pode cair em março ou em abril, e corresponde ao "primeiro mês" dos judeus. A confissão antes de celebrar a Páscoa não é mencionada em outros textos.

30,18b-19 A intercessão do rei faz prevalecer a disposição interior sobre a prescrição ritual externa (Lv 15,31); estabelece um precedente importante e também ilumina muitas páginas sobre cerimônias prescritas e descritas.

30,25 Estrangeiros ou migrantes que residiam no território do Norte incorporados à comunidade.

30,27 Ver Nm 6,22-23 e Sl 67.

31,1 A purificação se estende além do território judaico; com a dupla Efraim e Manassés, paralela de Judá e Benjamim, talvez o autor designe a totalidade do reino do Norte. Aí podem ficar israelitas fiéis, não ficam sacerdotes nem levitas. Quando se fala do povo do Senhor (v. 8), emprega-se o termo clássico Israel.

31,2 "O acampamento" é uma designação arcaizante do templo.

31,3 Ver as disposições do Levítico.

31,4 Ver Lv 7 e 27.

31,5 O autor mistura aqui duas instituições diferentes, primícias e dízimos. Sobre as primícias pode-se ver Dt 26; Ex 22,29; 23,19; Lv 23,15-21; sobre os dízimos, Lv 27,30-31; Nm 18,20-32; Dt 14,22-29.

ordem se espalhou, os israelitas recolheram as primícias do trigo, do mosto, do azeite, do mel e de todos os produtos agrícolas, entregando abundantes dízimos de tudo. ⁶Também os israelitas e judaítas que habitavam nas cidades de Judá entregaram o dízimo do gado graúdo e miúdo e o dízimo das coisas sacrossantas dedicadas ao Senhor, dispondo-os em montões. ⁷Começaram a fazer os montões em maio e terminaram em outubro. ⁸Quando Ezequias e as autoridades chegaram e viram os montões, bendisseram o Senhor e seu povo Israel. ⁹Ezequias pediu aos sacerdotes e levitas que o informassem a respeito deles. ¹⁰O sumo sacerdote Azarias, da família de Sadoc, disse-lhe:

– Desde que começaram a trazer ofertas ao templo comemos até nos saciar; mas sobrou muito, pois o Senhor abençoou seu povo. Sobrou toda esta quantidade.

¹¹Ezequias ordenou que preparassem celeiros no templo. ¹²Feito isso, levaram fielmente as ofertas, o dízimo e os dons sacrossantos. Encarregaram disso o levita Conenias e, como ajudante, seu irmão Semei. ¹³Por ordem do rei Ezequias e de Azarias, prefeito do templo, nomearam inspetores Jaiel, Ozazias, Naat, Asael, Jerimot, Jozabad, Eliel, Jesmaquias, Maat e Banaías, sob as ordens de Conenias e de seu irmão Semei. ¹⁴O levita Coré, filho de Jemna, porteiro da Porta do Oriente, era encarregado das ofertas voluntárias e de administrar as ofertas do Senhor e os dons sacrossantos. ¹⁵Sob suas ordens estavam Eden, Miniamin, Jesua, Semeías, Amarias e Sequenias, divididos pelas cidades sacerdotais para prover permanentemente a seus irmãos, segundo suas classes, ¹⁶quer grandes, quer pequenos, desde que estivessem inscritos entre os homens a partir dos três anos; ou seja, proviam a todos os que entravam diariamente a serviço do templo para realizar as funções sagradas designadas para suas classes.

¹⁷Os sacerdotes estavam registrados por famílias e os levitas – a partir dos vinte anos – por suas funções e classes. ¹⁸Deviam registrar-se com toda a sua família, mulheres, filhos e filhas, todo o grupo, porque deviam ser fiéis à sua consagração. ¹⁹Em relação aos sacerdotes aaronitas que viviam nas pastagens de suas cidades, em todas elas havia pessoas nominalmente encarregadas de prover aos sacerdotes homens e a todos os levitas inscritos no registro.

²⁰Ezequias impôs essa norma a todo Judá. Agiu com bondade, retidão e fidelidade, de acordo com o Senhor seu Deus. ²¹Tudo o que empreendeu a serviço do templo, da Lei e dos preceitos, ele o fez servindo a seu Deus de todo o coração. Por isso foi bem-sucedido.

32

¹Depois desses atos de lealdade, *Senaquerib, rei da Assíria, se pôs em marcha,* chegou a Judá, sitiou *as fortalezas* e ordenou que as conquistassem. ²Ezequias percebeu que Senaquerib vinha disposto a atacar Jerusalém. ³Reunido em conselho com as autoridades civis e militares, propôs tapar as fontes que havia fora da cidade; e eles o apoiaram. ⁴Reuniram muita gente e taparam todas as fontes e a torrente que atravessava a cidade, pensando: "Faltaria só essa que o rei da Assíria, ao chegar, encontrasse água em abundância". ⁵Com grande energia restaurou toda a muralha arruinada, a coroou com torres, edificou uma barbacã, fortificou a região do aterro, a Cidade de Davi, e fez numerosas armas de

---

31,8 "Bendisseram": trata-se da expressão íntegra do agradecimento a Deus e ao homem.
31,10 Funciona uma espécie de dialética fecunda: o povo dá generosamente, Deus abençoa generosamente, o povo pode dar mais. Ver Eclo 35,10-11.
31,12 Lv 7,14; Nm 5,9.
31,15 As taxas devidas aos sacerdotes se separavam das oferendas feitas ao templo (ver Nm 18).
31,18 Ver Lv 21.
31,19 Ver Lv 25,34 e Nm 35,5.
31,20-21 Resumo que prepara o episódio seguinte.
32 Enquanto a breve nota do original se convertia em três capítulos do Cronista, os três capítulos de relatos do original (2Rs 18-20) são resumidos num só capítulo. Nele retira fatos e cita o texto, variando e comentando. Pode-se ler este capítulo como exemplo de comentário midráxico narrativo. Comparando-o com a fonte, se comprovará a grande superioridade desta como peça de arte narrativa.
32,1 Segundo a fonte, o ano catorze do seu reinado. 2Rs 18,13-37; 19,35.
32,2 O Cronista omite que Ezequias se ofereceu para comprar a independência, pagando pesada multa.
32,5 "Com grande energia", jogando com o nome do rei numa conhecida paronomásia. "Fortificou", nova paronomásia.

arremesso e pequenos escudos. ⁶Nomeou chefes militares à frente da população, os reuniu na Praça Maior e os estimulou com estas palavras:

— ⁷Ânimo e coragem! Não vos assusteis nem vos acovardeis diante do rei da Assíria e da multidão que o acompanha. ⁸Nós contamos com algo maior do que ele. Ele conta com forças humanas, nós com o Senhor nosso Deus, que nos auxilia e combate conosco.

O povo se animou com as palavras de Ezequias, rei de Judá.

⁹Mais tarde, enquanto Senaquerib, rei da Assíria, sitiava Laquis com todas as suas tropas, *enviou* alguns cortesãos a Jerusalém para que dissessem a *Ezequias*, rei de Judá, e a todos os judaítas que se achavam em Jerusalém:

— ¹⁰*Assim diz* Senaquerib, *rei da Assíria:* Em que confiais para permanecer numa cidade sitiada como Jerusalém? ¹¹Não vedes que Ezequias vos engana e vos leva a morrer de fome e de sede quando diz: *"O Senhor nosso Deus nos salvará da mão do rei da Assíria"?* ¹²*Não foi ele quem suprimiu suas capelas e seus altares, ordenando a judaítas e jerosolimitanos que se prostrem e queimem incenso diante de um único altar?* ¹³Não sabeis o que fiz e o que fizeram meus antepassados com todos os povos do mundo? Acaso *os deuses desses povos puderam libertar seus territórios da minha mão?* ¹⁴*Qual deus* desses povos que meus antepassados exterminaram conseguiu *libertar* seu povo *de minha mão?* Poderá vosso Deus salvar-vos? ¹⁵*Não vos deixeis enganar* e iludir *por Ezequias.* Não confieis nele. Nenhum deus de nenhuma nação ou reino pôde libertar seu povo de minha mão e da mão de meus antepassados. Tampouco vosso Deus vos poderá libertar!

¹⁶Os cortesãos continuaram falando contra o Senhor Deus e contra seu servo Ezequias. ¹⁷(Senaquerib tinha também escrito uma mensagem ultrajando o Senhor, Deus de Israel, e dizendo contra ele: "Da mesma forma que os deuses nacionais não libertaram seus povos de minha mão, tampouco o Deus de Ezequias libertará seu povo.") ¹⁸*Falavam aos gritos, em hebraico,* ao povo de Jerusalém que se encontrava na muralha, para atemorizá-lo e assustá-lo, a fim de se apoderar da cidade. ¹⁹Falaram do Deus de Jerusalém como se fosse de um deus qualquer, fabricado por homens.

²⁰Por causa disso, o rei *Ezequias* e o profeta Isaías, filho de Amós, *puseram-se em oração* e clamaram ao céu. ²¹Então o Senhor enviou *um anjo,* que aniquilou todos os soldados, chefes e oficiais *do acampamento* do rei assírio. Ele retornou derrotado a seu país, e, tendo entrado *no templo de seu deus,* aí seus próprios filhos o assassinaram.

²²O Senhor salvou Ezequias e os habitantes de Jerusalém das mãos de Senaquerib, rei da Assíria, e de todos os inimigos, concedendo-lhes paz nas fronteiras. ²³Muita gente foi a Jerusalém oferecer dons ao Senhor e presentes a Ezequias de Judá, que por causa disso adquiriu prestígio em todas as nações.

²⁴*Nessa ocasião, Ezequias adoeceu gravemente. Orou ao Senhor,* que prometeu curá-lo e lhe concedeu um prodígio. ²⁵Mas Ezequias não correspondeu a esse benefício; pelo contrário, orgulhou-se, atraindo a cólera do Senhor sobre si, sobre Judá e sobre Jerusalém. ²⁶Mas depois se arrependeu de seu orgulho, juntamente com todos os habitantes de Jerusalém, e o Senhor não voltou a irritar-se contra eles enquanto viveu Ezequias. ²⁷Teve grande riqueza e prestígio. Acumulou grande quantidade de prata, ouro, pedras preciosas, aromas, pequenos escudos e objetos de valor de toda espécie; ²⁸construiu armazéns para

---

32,7 "Ânimo". Na exortação ressoam a teologia e a terminologia de Isaías (Is 7,4).

32,8 Depois de tomar todas as medidas humanas, o rei põe sua confiança em Deus. Ver Is 22,8-11. Deus está com eles, conforme Is 8,9-10 e Sl 20,8.

32,10-11 Morte de fome e sede, devido ao cerco prolongado, sem necessidade de assalto militar.

32,12-14 Suprime a menção do Faraó e o desafio a Ezequias, para concentrar-se no tema dos deuses, martelando a mesma ideia, até repeti-la oito vezes.

32,22 "Salvou" é o verbo do nome teofórico de Isaías (*Yesha'yahu*).

32,25 Refere-se talvez à vaidade do rei, mostrando seus tesouros aos embaixadores estrangeiros (2Rs 20,13).

32,27-29 A avaliação das riquezas contrasta com o duro julgamento de Is 2,6-7. Ezequias é como um novo Salomão.

as colheitas de trigo, mosto e azeite, estábulos para todo tipo de gado e currais para os rebanhos. ²⁹Edificou cidades e reuniu imenso rebanho de ovelhas e vacas, pois Deus lhe concedeu muitíssimos bens.

³⁰Foi Ezequias quem tapou a saída superior das águas de Gion e, por um túnel, as desviou para a parte ocidental da Cidade de Davi. Triunfou em todos os seus empreendimentos; ³¹e quando os príncipes da Babilônia lhe enviaram mensageiros para saber do prodígio que havia acontecido em seu país, se Deus o abandonou foi para o pôr à prova e conhecer suas intenções.

³²*Para mais dados sobre Ezequias e sobre suas obras de piedade, vejam-se o livro do profeta Isaías, filho de Amós, e o livro dos reis de Judá e Israel.* ³³*Quando morreu, Ezequias foi enterrado na ladeira dos túmulos dos descendentes de Davi. Os judaítas e a população de Jerusalém fizeram-lhe grande funeral. Seu filho Manassés reinou em seu lugar.*

33 Manassés de Judá *(698-643)* (2Rs 21,1-18) –

¹*Manassés tinha doze anos quando subiu ao trono, e reinou cinquenta e cinco anos em Jerusalém.* ²*Fez o que o Senhor reprova, imitando os detestáveis costumes das nações que o Senhor tinha expulsado diante dos israelitas.* ³*Reconstruiu as capelas dos lugares altos derrubadas por seu pai Ezequias, ergueu altares aos baais, levantou estelas, adorou e prestou culto a todo o exército celeste;* ⁴*pôs altares no templo do Senhor, do qual o Senhor dissera: "Meu nome estará para sempre em Jerusalém";* ⁵*edificou altares a todo o exército celeste nos átrios do templo;* ⁶*queimou seus filhos no vale de Ben-Enom; praticou a adivinhação, a magia e a feitiçaria, instituindo necromantes e adivinhos. Fazia continuamente o que o Senhor reprova, irritando-o.* ⁷*Colocou a imagem do ídolo que havia fabricado no templo de Deus, do qual Deus dissera a Davi e a seu filho Salomão: "Neste templo e em Jerusalém, a cidade que escolhi entre todas as tribos de Israel, colocarei meu Nome para sempre;* ⁸*já não deixarei que Israel vagueie longe da terra que destinei a vossos pais, desde que pratiquem aquilo que lhes ordenei, seguindo a Lei, os preceitos e normas de Moisés".*

⁹*Manassés, porém extraviou Judá e a população de Jerusalém para que se comportassem pior que as nações que o Senhor havia exterminado diante dos israelitas.*

¹⁰*O Senhor dirigiu sua palavra a Manassés e a seu povo, mas não lhe deram atenção.* ¹¹*Então fez vir contra eles os generais do rei da Assíria, que prenderam Manassés com ferros, o amarraram com cadeias de bronze e o conduziram a Babilônia.* ¹²*Em sua angústia, procurou aplacar o Senhor seu Deus, e humilhou-se profundamente diante do Deus de seus pais,* ¹³*suplicando-lhe. O Senhor o atendeu com benignidade, escutou sua súplica e o fez retornar a Jerusalém, a seu reino. Manassés reconheceu que o Senhor é o verdadeiro Deus.*

¹⁴*Mais tarde construiu uma barbacã na Cidade de Davi, do oeste de Gion, na fonte, até a Porta dos Peixes, rodeando o Ofel; ele a fez bem alta. Pôs oficiais em todas as fortalezas de Judá.*

¹⁵*Suprimiu do templo os deuses estrangeiros e o ídolo; lançou para fora da cidade todos os altares que havia construído no monte do templo e em Jerusalém.* ¹⁶*Restaurou o altar do Senhor e sobre ele imolou sacrifícios de comunhão e de ação de

---

32,30 Túnel que ainda se conserva e que desvia a água até o tanque de Siloé.
32,31 O prodígio é sua cura inesperada (2Rs 20). "Pô-lo à prova" (ver Dt 8,2).
32,33 Não inclui israelitas nos funerais.
33 O Manassés de 2Rs 21 é o monarca de memória maldita, que multiplicou ídolos e altares, extraviou seu povo, derramou rios de sangue inocente e não fez caso dos profetas; foi a causa próxima do desterro. Mas reinou cinquenta e cinco anos e não chegou a ver a desgraça nacional. No curso da história, Manassés é uma negação entre a reforma de Ezequias e a de Josias.

O Manassés do Cronista é um modelo de conversão. Todos os seus crimes acontecem na primeira época de sua vida. Depois aceita o castigo, reconhece o pecado, converte-se e empreende uma séria reforma no seu reino. Assim se justifica seu longo reinado, mas não se explica a reforma de Josias.
33,10 O profeta de 2Rs anuncia aqui o castigo definitivo e próximo da nação.
33,11 Refere-se ao tempo em que o monarca assírio Assurbanipal residiu em Babilônia.
33,12 Aplacar: Ex 32,11 (Moisés), 1Rs 13,6 (um profeta), Jr 26,19 (Ezequias) etc. Como modelo de humilhação pode-se recordar Acab (1Rs 21,29).

graças. E ordenou que os judaítas prestassem culto ao Senhor, Deus de Israel. ¹⁷Mas o povo continuou sacrificando nas capelas dos lugares altos, ainda que somente ao Senhor seu Deus.

¹⁸Para mais dados sobre Manassés, a oração que fez e os oráculos dos videntes que lhe falavam em nome do Senhor, Deus de Israel, veja-se a história dos reis de Israel. ¹⁹Sua oração e a acolhida divina, seu pecado e sua rebeldia, os lugares em que ergueu capelas e levantou estelas e ídolos antes de sua conversão, estão registrados na história de seus videntes. ²⁰Quando morreu, Manassés foi enterrado em sua casa. Seu filho Amon reinou em seu lugar.

Amon de Judá *(643-640)* (2Rs 21,19-26) – ²¹Amon tinha vinte e dois anos quando subiu ao trono, e reinou dois anos em Jerusalém. ²²Fez o que o Senhor reprova, como seu pai Manassés. ²³Mas não se humilhou diante do Senhor, como fizera seu pai; pelo contrário, multiplicou suas culpas. ²⁴Seus cortesãos conspiraram contra ele e o assassinaram no palácio. ²⁵Mas a população matou os conspiradores; e nomearam Josias, filho de Amon, rei em seu lugar.

34 **Josias de Judá** *(640-609)* (2Rs 22,1-20; 23,1-5.22.29-30) – ¹Josias tinha oito anos quando subiu ao trono, e reinou trinta e um anos em Jerusalém. ²Fez o que o Senhor aprova. Imitou a conduta de seu antepassado Davi, sem desviar-se à direita ou à esquerda. ³No oitavo ano do seu reinado, quando ainda era um jovem, começou a servir ao Deus de seu antepassado Davi, e no décimo segundo ano começou a purificar Judá e Jerusalém de capelas, estelas, estátuas e ídolos. ⁴Em sua presença destruíram os altares dos baais, e ele abateu os postes sagrados que havia sobre eles; triturou as estelas, estátuas e ídolos até reduzi-los a pó, espalhando-o sobre os túmulos dos que lhes tinham oferecido sacrifícios. ⁵Sobre seus altares queimou os ossos dos sacerdotes. Assim purificou Judá e Jerusalém. ⁶Nas cidades de Manassés, Efraim, Simeão e até de Neftali, em todos os seus lugares, ⁷destruiu os altares, triturou até o pó as estelas e as estátuas, abatendo os postes sagrados em todo o território de Israel. Depois voltou a Jerusalém.

⁸No décimo oitavo ano do seu reinado, quando acabou de purificar o país e o templo, mandou Safã, filho de Aslias, o prefeito Maasias e o chanceler Joá, filho de Joacaz, para restaurar o templo do Senhor seu Deus. ⁹Apresentaram-se ao sumo sacerdote Helcias para recolher o dinheiro que havia entrado no templo por meio das coletas dos porteiros levitas em Manassés, Efraim, o resto de Israel, e em Judá, Benjamim e na população de Jerusalém. ¹⁰Eles o entregaram aos encarregados das obras do templo, e os mestres-de-obra que trabalhavam no templo o usaram para reparar e restaurar o edifício, ¹¹entregando-o aos carpinteiros

---

33,18 A chamada Oração de Manassés costuma ser impressa como apêndice não canônico da Vulgata.

34-35 Conforme 2Rs 22-23, Josias foi monarca piedoso e grande reformador, exatamente o contrário do seu avô Manassés. Não obstante, morreu tragicamente numa batalha inútil. A sorte do rei querido foi um escândalo ou um mistério para os judaítas. O Cronista resolve isso introduzindo um pecado do rei, interpretando como desobediência a Deus um ato de imprudência política. Também muda a ordem dos fatos.
Conforme 2Rs, a ordem é: aos oito anos sobe ao trono, é fiel a Deus; dezoito anos depois (aos vinte e seis de idade) encontra o livro da Lei, renova a aliança, empreende a grande reforma, celebra a Páscoa; morre aos trinta e nove anos de idade.
Segundo o Cronista: aos oito anos sobe ao trono, oito anos depois (aos dezesseis de idade) se entrega ao Senhor, quatro depois (aos vinte de idade) empreende a reforma de Judá, seis anos mais tarde (vinte e seis) encontra o livro da Lei, renova a aliança, prossegue a reforma em Israel, celebra a Páscoa; morre aos trinta e nove anos de idade.
Além dessa mudança, resume muito as medidas concretas da reforma e narra a celebração da Páscoa com toda amplidão.

34,3-4 Ver Dt 7,5. Mas, conforme o nosso autor, Josias ainda não encontrou o livro da Lei.

34,3 A frase soa como se se tratasse de uma conversão pessoal. Segundo as datas, Josias conheceu na infância seu avô Manassés e cresceu no começo da juventude de seu pai (nasceu quando Amon tinha dezesseis anos); pode ter recebido uma educação perversa.
Nada disso diz a fonte. É possível que os que mataram os conspiradores fossem partidários de uma reforma religiosa e tenham influído no rei menino. Nem 2Rs nem 2Cr nos iluminam a esse respeito.

34,6-7 Tal atividade desenvolvida livremente no território do Norte se enquadraria melhor depois da morte de Assurbanipal, quando o poder assírio tinha entrado em decadência.

e pedreiros para comprar pedras talhadas para os muros e madeira para as vigas dos edifícios, que os reis de Judá haviam deixado cair em ruínas. ¹²Aqueles homens realizaram seu trabalho com toda honradez. Tinham como inspetores das obras os levitas Jaat e Abdias, descendentes de Merari, e Zacarias e Mosolam, descendentes de Caat. Os levitas, visto que sabiam tocar diversos instrumentos, acompanhavam os carregadores ¹³e dirigiam todos os operários, qualquer que fosse sua tarefa. Outros levitas eram secretários, inspetores e porteiros.

¹⁴Quando estavam tirando o dinheiro que havia entrado no templo, o sacerdote Helcias encontrou o livro da Lei do Senhor escrito por Moisés. ¹⁵Então Helcias disse ao cronista Safã:

– Encontrei no templo o livro da Lei.

E o entregou a Safã. ¹⁶Este o levou ao rei quando foi prestar-lhe contas de sua tarefa:

– Teus servos já fizeram tudo o que lhes recomendaste. ¹⁷Recolheram o dinheiro que havia no templo e o entregaram aos encarregados e aos operários.

¹⁸E comunicou-lhe a notícia:

– O sacerdote Helcias deu-me um livro.

Safã o leu diante do rei, e, ¹⁹quando este ouviu o conteúdo da Lei, rasgou as vestes ²⁰e ordenou a Helcias, a Aicam, filho de Safã, a Abdon, filho de Micas, ao cronista Safã e ao funcionário real Asaías:

– ²¹Ide consultar o Senhor por mim, pelo resto de Israel e por Judá acerca do livro encontrado; o Senhor desafoga contra nós uma cólera violenta, pois nossos pais não obedeceram à palavra do Senhor, cumprindo o que está prescrito neste livro.

²²Helcias e os nomeados pelo rei foram ver a profetisa Hulda, esposa do guarda-roupa Selum, filho de Técua, de Haraas, que vivia em Jerusalém, no bairro novo. Expuseram-lhe o caso, ²³e ela respondeu-lhes:

– Assim diz o Senhor, Deus de Israel: Dizei a quem vos enviou: ²⁴"Assim diz o Senhor: Vou trazer a desgraça sobre este lugar e seus habitantes, todas as maldições escritas no livro que leram diante do rei de Judá. ²⁵Por me terem abandonado e terem queimado incenso a outros deuses, irritando-me com seus ídolos, minha cólera está ardendo contra este lugar e não se apagará. ²⁶E dizei ao rei de Judá, que vos enviou para consultar o Senhor: Assim diz o Senhor, Deus de Israel: ²⁷Por teres escutado essas palavras com dor de coração, humilhando-te diante de Deus ao ouvir suas ameaças contra este lugar e seus habitantes, porque te humilhaste diante de mim, rasgaste as vestes e choraste em minha presença, também eu te escuto – oráculo do Senhor. ²⁸Quando eu te reunir com teus pais, serás enterrado em paz, sem que teus olhos cheguem a ver a desgraça que vou trazer a este lugar e a seus habitantes".

²⁹Eles levaram a resposta ao rei, e ele ordenou que se apresentassem os anciãos de Judá e de Jerusalém. ³⁰Depois subiu ao templo, acompanhado de todos os judaítas, os habitantes de Jerusalém, os sacerdotes, os levitas e todo o povo, pequenos e grandes. O rei leu para eles o livro da aliança encontrado no templo. ³¹A seguir, de pé sobre seu estrado, selou a aliança diante do Senhor, comprometendo-se em segui-lo e cumprir seus preceitos, normas e mandatos com todo o seu coração e com toda a sua alma, pondo em prática as cláusulas da aliança escritas nesse livro. ³²Fez todos os que se achavam em Jerusalém assinar a aliança. A população de Jerusalém agiu segundo a aliança do Deus de seus pais.

³³Josias suprimiu as abominações de todos os territórios israelitas e fez que todos os residentes em Israel prestassem culto ao Senhor seu Deus. Durante sua vida não se afastaram do Senhor, Deus de seus pais.

35

¹Josias celebrou em Jerusalém a Páscoa do Senhor, imolando-a no décimo quarto dia do primeiro mês. ²De-

---

34,12-13 O uso da música instrumental para dirigir o ritmo do trabalho era bem conhecido no mundo antigo. Tratando-se de tarefas do templo, é lógico que o Cronista encomende esse serviço a seus queridos levitas.

34,33 O versículo é um julgamento de conjunto; o termo "Israel" parece ser usado no seu sentido primitivo para designar todo o povo escolhido. De Manassés tinha dito: "ordenou que os judaítas prestassem culto ao Senhor" (33,16). Ou seja, Josias continua o trabalho começado por seu avô já convertido.

35 Com relação a Josafá, Josias atribui novas funções aos levitas. Embora os sacerdotes se reservem a função primária de aspergir o sangue, aos levitas

signou aos sacerdotes suas funções e os confirmou no serviço do templo. ³E disse aos levitas consagrados ao Senhor, encarregados de instruir Israel:

– Deixai a arca santa no templo que construiu Salomão, filho de Davi, rei de Israel; não é preciso trasladá-la nos ombros. Dedicai-vos agora em servir o Senhor vosso Deus e o seu povo Israel. ⁴Organizai-vos em turnos por famílias, como dispuseram por escrito o rei Davi e seu filho Salomão. ⁵Ocupai vossos lugares no santuário, dividindo vossas famílias de forma que cada grupo levítico se encarregue de um grupo de famílias leigas. ⁶Imolai a Páscoa, purificai-vos e preparai-a para vossos irmãos, a fim de que possam cumprir o que o Senhor ordenou por meio de Moisés.

⁷Josias forneceu ao povo cordeiros e cabritos – trinta mil ao todo – para sacrifícios pascais de todos os presentes, e três mil bois, todos da propriedade real. ⁸As autoridades ajudaram voluntariamente o povo, os sacerdotes e os levitas. Helcias, Zacarias e Jeiel, intendentes do templo, deram aos sacerdotes dois mil e seiscentos animais pascais e trezentos bois. ⁹Conenias, Semeías, seu irmão Natanael, Hasabias, Jeiel e Jozabad, chefes dos levitas, forneceram aos levitas cinco mil animais pascais e quinhentos bois.

¹⁰Quando a cerimônia estava preparada, os sacerdotes ocuparam seus lugares e os levitas se distribuíram por classes, como o rei havia ordenado. ¹¹Imolaram a Páscoa. Os sacerdotes derramavam o sangue, enquanto os levitas esfolavam as vítimas. ¹²Separavam a parte que devia ser queimada e a entregavam às diversas famílias leigas para que elas a oferecessem ao Senhor, como está escrito no livro de Moisés. Fizeram o mesmo com os bois. ¹³Assaram a páscoa, como está ordenado, e cozinharam os alimentos sagrados em panelas, caldeirões e frigideiras, repartindo-os depois entre todos os leigos. ¹⁴Em seguida a prepararam para si próprios e para os sacerdotes; visto que os sacerdotes aaronitas estiveram ocupados até a noite em oferecer os holocaustos e as gorduras, os levitas a prepararam para si próprios e para eles.

¹⁵Os cantores, descendentes de Asaf, estavam em seus lugares, como haviam ordenado Davi, Asaf, Emã e Iditun, vidente do rei. Os porteiros ocuparam cada qual seu lugar, sem necessidade de abandonar seu trabalho, porque seus irmãos levitas lhes prepararam tudo. ¹⁶Toda a cerimônia foi realizada nesse mesmo dia: celebrou-se a Páscoa e imolaram-se holocaustos no altar do Senhor, como o rei Josias havia ordenado. ¹⁷Os israelitas que estavam presentes celebraram então a Páscoa e em seguida a festa dos Ázimos durante sete dias.

¹⁸Desde os tempos do profeta Samuel, nenhum rei de Israel havia celebrado uma Páscoa como a que organizaram Josias, os sacerdotes, os levitas, todos os judaítas, os israelitas que se encontravam aí e os habitantes de Jerusalém. ¹⁹Foi celebrada no décimo oitavo ano do reinado de Josias.

²⁰Muito tempo depois que Josias restaurou o templo, Necao, rei do Egito, dirigiu-se a Carquemis, no Eufrates, para fazer

---

competem todos os trabalhos que fazem funcionar a cerimônia. É-lhes atribuída uma função mediadora importantíssima: estar em contato com as famílias leigas enquanto os sacerdotes ficam distanciados. Quando a festa é definitivamente transferida das casas para o templo, alguns ritos desaparecem e sacrifícios complementares são acrescentados ao pascal. Vítimas pascais são reses de gado miúdo, preferentemente cordeiros; para os outros sacrifícios se empregam reses de gado graúdo.

O autor apresenta algumas novidades, empenhando-se em remontar à instituição de Moisés. É provável que reflita usos da sua própria época.

35,3 A notícia soa estranha vários séculos após a construção do templo (cf. 1Cr 16,37; 23,4). Será que os levitas levavam processionalmente a arca em algumas festividades? A escola de Ezequiel e escritos posteriores falam de um carro em que se transportava a arca. Em todo caso, semelhante tarefa de alguns levitas seria excepcional e não impediria o serviço ordinário. Conforme Nm 9, os israelitas celebram uma Páscoa e em seguida empreendem a marcha transportando todos os utensílios do culto; isso não é mais necessário.

35,7 Se calculamos cinco pessoas por rês, temos uma multidão de quase duzentas mil pessoas; é gente demais para caber nos átrios do templo.

35,11 Com o sangue se aspergia o altar. No Egito foram aspergidos os umbrais das portas.

35,15 Se ocupavam seu lugar, seria para acompanhar a cerimônia com música.

35,19 Se a descoberta do livro e a celebração da Páscoa ocorrem no mesmo ano, a reforma teve de acontecer antes. Também em 2Rs se dá a mesma data, embora coloque a laboriosa reforma entre os dois fatos.

35,20-23 O império da Assíria desmoronava rapidamente. Em 612 caiu Nínive, em 610 foi conquistada Harã, a nova capital. Embora os medos tivessem

guerra. Josias saiu para enfrentá-lo. ²¹Então Necao enviou-lhe esta mensagem:

– Não te intrometas em meus assuntos, rei de Judá. Não estou indo contra ti, mas contra a dinastia que me faz guerra. Deus me disse que me apresse. Deixa de opor-te a Deus, que está comigo, para que ele não te destrua.

²²Mas Josias, em vez de deixá-lo passar, decidiu dar-lhe combate. Não dando atenção ao que Deus lhe dizia por meio de Necao, deu-lhe combate na planície de Meguido. ²³Os arqueiros dispararam contra o rei Josias, e este disse a seus servidores:

– Tirai-me do combate, pois estou gravemente ferido.

²⁴Seus servidores o tiraram do carro, o trasladaram ao outro que possuía e o levaram a Jerusalém, onde morreu. Eles o enterraram nos túmulos de seus antepassados. Todo Judá e Jerusalém fizeram luto por Josias. ²⁵Jeremias compôs uma lamentação em sua honra, e todos os cantores e cantoras continuam recordando-o em suas lamentações. Elas se tornaram tradicionais em Israel; podem ser vistas nas Lamentações.

²⁶Para mais dados sobre Josias, as obras de piedade que fez segundo a Lei do Senhor ²⁷e todas as suas façanhas, das primeiras até as últimas, veja-se o livro dos reis de Israel e de Judá.

36

Joacaz de Judá *(609)* (2Rs 23,30-34) – ¹O povo pegou Joacaz, filho de Josias, e o nomeou rei sucessor em Jerusalém. ²Joacaz tinha vinte e três anos quando subiu ao trono, e reinou três meses em Jerusalém. ³O rei do Egito o destronou, impôs ao país um tributo de cem talentos de prata e um talento de ouro, ⁴e nomeou rei de Judá e Jerusalém seu irmão Eliaquim, mudando-lhe o nome para Joaquim. Necao levou seu irmão Joacaz para o Egito.

Joaquim de Judá *(609-598)* (2Rs 23,36-37) – ⁵Joaquim tinha vinte e cinco anos quando subiu ao trono, e reinou onze anos em Jerusalém. Fez o que o Senhor seu Deus reprova. ⁶Nabucodonosor de Babilônia subiu contra ele e o conduziu para Babilônia amarrado com correntes de bronze. ⁷Levou também alguns objetos do templo e os colocou em seu palácio de Babilônia.

⁸Para mais dados sobre Joaquim, as iniquidades que cometeu e tudo o que lhe aconteceu, veja-se o livro dos reis de Israel e Judá. Seu filho Jeconias reinou em seu lugar.

Jeconias de Judá *(598-597)* (2Rs 24,8-9) – ⁹Jeconias tinha oito anos quando subiu ao trono, e reinou três meses e dez dias em Jerusalém. Fez o que o Senhor reprova. ¹⁰No início do ano, o rei Nabucodonosor mandou prendê-lo e o levaram a Babilônia junto com os objetos de valor do templo. Nomeou seu irmão Sedecias rei de Judá e Jerusalém.

---

colaborado no empreendimento, o novo poder histórico era Babilônia e seu rei se chamava Nabopolassar. O Faraó quis, ao que parece, opor-se a essa rápida ascensão, apoiando o fraco monarca assírio. Buscava quase um protetorado que lhe assegurasse uma vantajosa penetração até o Eufrates. Sua ação tinha de ser rápida para obter êxito. Josias sentiu-se ameaçado pelo Faraó e temeu que o assírio pudesse reconquistar os territórios de Israel; por isso lhe opôs resistência na clássica passagem estratégica de Meguido, frustrando a pressa do egípcio.
O Cronista dá uma versão religiosa do fato: a urgência política e militar do Faraó é uma urgência da divindade, da qual se sente servo e mensageiro. Josias não reconhece nessa voz a voz de Deus e paga a culpa. E como podia reconhecê-la? O autor não explica a sua teoria. Talvez a deduza de um princípio geral: Israel não deve imiscuir-se na política dos impérios, pois não é sua missão interpor-se entre as duas potências, visto que Deus dirige a história por seus caminhos.

35,24 Conforme 2Rs, Josias morreu em Meguido.
35,25 Historicamente, a intervenção literária de Jeremias é possível, até provável. Mas o livro que nós chamamos Lamentações não é de Jeremias, nem é uma lamentação pelo rei Josias.
36 Parece que o Cronista tem pressa de terminar essa etapa e não quer repetir com detalhes os últimos passos da catástrofe. Seleciona e resume dados de 2Rs e do livro de Jeremias. Em compensação, amplia a interpretação religiosa dos fatos, como tinha feito o livro dos Reis na queda de Samaria (2Rs 17).
36,6-7 Parece tratar-se da campanha de Nabucodonosor antes de ocupar o trono. Joaquim não foi conduzido a Babilônia; o Cronista lhe atribui a mesma sorte de Manassés e Jeconias.
36,9 O original diz dezoito anos e tem razão; pode tratar-se de erro textual.
36,10 Trata-se da primeira deportação, na qual o rei, rendendo-se, consegue salvar um resíduo de autonomia. Sedecias era tio de Jeconias.

Sedecias de Judá *(597-587)* (2Rs 24,18-20) – ¹¹Sedecias tinha vinte e um anos quando subiu ao trono, e reinou onze anos em Jerusalém. ¹²Fez o que o Senhor seu Deus reprova; não se humilhou diante do profeta Jeremias, que lhe falava em nome de Deus. ¹³Além disso, revoltou-se contra o rei Nabucodonosor, que solenemente o fizera jurar fidelidade. Tornou-se teimoso e negou-se por completo a converter-se ao Senhor, Deus de Israel. ¹⁴Também as autoridades de Judá, os sacerdotes e o povo agiram iniquamente, imitando as abominações dos pagãos e profanando o templo que o Senhor havia consagrado em Jerusalém.

¹⁵O Senhor, Deus de seus pais, enviava-lhes continuamente mensageiros, pois sentia compaixão de seu povo e de sua morada; ¹⁶mas eles caçoavam dos mensageiros de Deus, riam de suas palavras e zombavam dos profetas, até que a ira do Senhor se acendeu sem remédio contra seu povo. ¹⁷Então enviou contra eles o rei dos caldeus, que matou seus filhos em seu santuário; entregou todos em suas mãos, sem poupar adolescente, moça, velho ou homem de cabelos brancos. ¹⁸Levou para Babilônia todos os objetos do templo, grandes e pequenos, os tesouros do templo, os do rei e os dos magnatas. ¹⁹Incendiaram o templo, derrubaram a muralha de Jerusalém, incendiaram todos os seus palácios e destruíram todos os objetos de valor. ²⁰Levou desterrados para Babilônia os sobreviventes da matança, e foram escravos seus e de seus descendentes até o triunfo do reino persa. ²¹Assim se cumpriu o que o Senhor anunciou por meio de Jeremias, e a terra desfrutou de seu descanso sabático todo o tempo em que esteve desolada, até se cumprir setenta anos.

²²No primeiro ano de Ciro, rei da Pérsia, para cumprir o que havia anunciado por meio de Jeremias, o Senhor moveu Ciro, rei da Pérsia, para que promulgasse oralmente e por escrito em todo o seu reino: ²³"Ciro, rei da Pérsia, decreta: O Senhor, Deus do céu, entregou-me todos os reinos da terra e me encarregou de lhe construir um templo em Jerusalém de Judá. Todos os que são desse povo e vivem entre nós podem voltar. E o Senhor seu Deus esteja com eles".

36,14 Abominações: ver Dt 18,9-12; 20,18; 2Rs 21,2 e também a série de 2Rs 17. Profanação: ver Ez 5,11; 9,7.
36,15 Ou seja, profetas. O tema reaparece em Jeremias, o profeta que encerra uma época, e volta em Zc 1, no começo da época seguinte.
36,20-21 Em dois versículos resume a etapa do desterro, uma etapa de setenta anos (em números redondos). Para a terra é um descanso "sabático" forçado: Lv 26,2 enuncia a lei do descanso setenário das terras, ao passo que Lv 26,34-35 recolhe entre as maldições esse descanso forçado de compensação: "descanso de sábado que vós não lhe destes enquanto a habitáveis". Para os sobreviventes da matança, uma etapa de escravidão em terra estrangeira, repetindo a experiência do Egito: ver Dt 28,48.68 (série de maldições).
Trata-se de uma evidente simplificação teológica. Os fatos históricos foram mais complexos e diferenciados. A terra continuou a ser cultivada não só no primeiro ano, durante a administração de Godolias (Jr 40,12), mas também nos anos seguintes, pois a deportação não foi total. Quanto à deportação, se para muitos significou o cárcere ou trabalhos forçados, outros foram-se estabelecendo com certa independência e até prosperidade econômica; o Segundo Isaías é testemunha da primeira afirmação, Ezequiel da segunda. Contudo, pode-se falar de um descanso forçado em comparação com o cultivo bem organizado de antes, e de uma escravidão consistente na vassalagem total.

Nesses anos se desenvolve a segunda atividade profética de Ezequiel, dominada por magníficos oráculos de restauração, incluindo os trabalhos de seus discípulos, incorporados no atual livro de Ezequiel. Mais adiante surge a pregação entusiasta do "evangelista" anônimo (Is 40-55), que chamamos Segundo Isaías, um dos maiores poetas e teólogos da literatura hebraica, que soube acender e alimentar a esperança dos exilados. O povo judeu no desterro não ficou em descanso; ao contrário, realizou progressos definitivos.
A população em geral seguiu os conselhos de Jeremias (Jr 29), garantindo a continuidade. Alguns mantiveram um espírito de resistência passiva, juramentados na sua fidelidade à pátria (Sl 137); outros se resignaram com a sorte, como se a experiência histórica com o Senhor tivesse terminado (como testemunha o profeta do desterro), outros souberam instalar-se e manter a fidelidade ao Senhor e a seu povo, sem intenção de voltar à pátria.
No cenário internacional se incubavam mudanças importantes, que o clarividente Segundo Isaías soube captar e interpretar.
36,22-23 Quando separaram os livros de Esdras das Crônicas, ou quando colocaram as Crônicas no final da Bíblia hebraica, repetiram aqui o começo de Esdras. Assim se marca a união, e a cadência final deste livro é de esperança, analogamente ao que acontece no final de 2Rs.

ESDRAS E NEEMIAS

INTRODUÇÃO

A época

586	Segunda deportação para Babilônia.
553	Ciro conquista a Média, Lídia (547) e Babilônia (539).
538	Edito de tolerância: 2Cr 36; Esd 1.
537	Primeiro grupo de repatriados sob Sasabassar; recomeça o culto: Esd 2-3.
536	Preparativos para a reconstrução do templo, impedimentos internos e externos: Esd 4-5.
529	Cambises sucede a Ciro. Submete o Egito (525). Problemas internos.
522-486	Dario I, filho de Histaspes, instala-se no trono depois de derrotar o embusteiro Gaumata. Inscrição de Behistus. Organiza o império. Conquistas na Índia e Líbia, lutas na Ásia Menor.
520	Pregação de Ageu e Zacarias.
518	Obras do templo interrompidas e recomeçadas: Esd 5-6.
515	Dedicação do templo: Esd 6.
490	Primeira guerra contra a Grécia. Maratona. Xerxes I (= Assuero).
486-465	Xerxes reprime uma primeira rebelião no Egito.
480-479	Segunda guerra contra a Grécia: Salamina, Plateia, Micala.
466	Vitória de Cimon em Eurimedon.
465-425	Artaxerxes I.
459-454	Rebelião de Inaro no Egito, apoiado por uma frota grega, derrotado por Megabizo.
448	O sátrapa Megabizo é derrotado. Paz de Kalias com os gregos. Época de Péricles. Uma colônia de judeus se transfere para Jerusalém: Esd 4,8-22.
445	Neemias vai a Jerusalém: Ne 1-2. Construção da muralha. É nomeado governador: Ne 5,14.
433	Neemias volta a Susa: Ne 13. Pregação de Malaquias.
430	Neemias e Esdras em Jerusalém; leitura da Lei, reformas: Ne 8-10 e 13.
429	Artaxerxes concede poderes a Esdras para promulgar a Lei: Esd 7-8. Morte de Péricles.
428	Reformas de Esdras: Esd 9-10.
423-404	Dario II. Os samaritanos constroem o templo no Garizim.
405	Rebelião de Amirteu e independência do Egito; XXVIII, XXIX e XXX dinastias até 342.
404-359	Artaxerxes II.
401	Rebelião de Ciro, o Jovem, batalha de Kunaxa; retirada dos dez mil (= Anábase).
399	Morte de Sócrates.

Os livros de Esdras e Neemias

Antes de tudo, perguntamos sobre os livros. Primeiro: São um só, cortado pela metade, com dois nomes? É provável. Uma antiga tradição distinguia primeiro e segundo livro de Esdras (como no caso dos dois livros de Samuel). A divisão atual dá relevo ao personagem Neemias, atribuindo-lhe um livro.

Segundo: Que relação têm com as Crônicas? São possíveis várias respostas: formavam uma só obra e foram separados; para salvar o corte, 2Cr repete no final o começo de Esd. Eram obras diferentes, unidas artificialmente por meio da repetição; o autor da obra completa recebeu o nome de "o Cronista". São obras independentes e autônomas. As três opiniões são hoje defendidas com argumentos,

conforme o comentarista seja mais sensível ao comum que ao diferente. Nós nos inclinamos a pensar que formam uma só obra: a obra do Cronista, ou com título mais aberto, o corpo cronístico.

Terceiro: De onde procedem os materiais? Os fragmentos que falam na primeira pessoa podem ser tomados como autobiográficos, não como ficção. Os documentos de chancelaria citados poderiam ser autênticos ou versões estilizadas e corrigidas do narrador, que reúne todos os materiais, englobando-os em seu relato.

Ordem dos livros e ordem dos fatos

Os vinte e três capítulos não estão em ordem cronológica. Referem-se a duas etapas separadas por intervalo de um século: a primeira repatriação, com a atividade de Ageu e Zacarias; outra repatriação, com a atividade de Esdras e Neemias. A primeira é capital, porque afirma e descreve a continuidade do povo e da sua história. A segunda é importante para os seus protagonistas e fonte de informação fidedigna para nós.

Sobre a segunda pergunta-se: Quem atua antes, Esdras ou Neemias? Em outros termos, o texto respeita a cronologia ou segue outro critério? Há um momento em que ambos trabalham juntos, e esse momento faz cristalizar o resto. Alguns defendem a ordem atual do texto. A cronologia que antepõe Neemias parece-nos mais provável, provada com melhores argumentos. E de acordo com ela, propomos a seguinte reordenação cronológica da obra:

Esdras 1-6: Repatriação de 538
1: O Decreto de tolerância. *2:* Lista dos repatriados. Chegada. *3:* Construção de um altar, recomeça o culto, festa das Cabanas. Preparativos para o templo, lançam-se os alicerces. *4,1-5.24:* Impedimentos contra as obras. *4,5:* Recomeçam os trabalhos. *6:* Dedicação do templo. *4,6-23:* Intrigas contra os judeus.

Neemias 1-7: Construção da muralha
1: Na corte: más notícias, oração. *2:* Licença, viagem, inspeção noturna, dificuldades. *3:* Divisão do trabalho de construção, zombarias. *4:* Ameaças; os construtores se armam. *5:* Problemas sociais e desinteresse de Neemias. *6:* Intrigas dos inimigos, intimidação e falsa profecia. *7,1-3:* As portas da cidade.

Neemias 7,4-72; 11-12: Repovoamento de Jerusalém
7: Repovoamento da capital, lista de repatriados. *11:* Continuação das listas. *12:* Listas de sacerdotes e levitas. Inauguração da muralha. Resumo.

Neemias 8-10; 13: Aliança e reformas
8: Leitura da Lei. Festa das Cabanas. *9:* Liturgia penitencial, oração de Esdras. *10:* Renovação da aliança. *13:* Reformas de Neemias.

Esdras 7-10
7: Esdras recebe poderes do rei persa. *8:* Lista de repatriados. Viagem a Jerusalém. *9:* Casamentos mistos: penitência. *10:* Assembleia, compromisso e execução. Lista.

Outra ordenação (Rudolph):
Esd 1-8; Ne 7,72b-8,18;
Esd 9-10; Ne 9-10;
Ne 1,1-7,72a; 11-13.

Fontes, autor, época

O autor utilizou as seguintes fontes: a) listas de pessoas, famílias e lugares; talvez conservadas no arquivo do templo ou num arquivo civil; algumas já estavam incorporadas às memórias; b) documentos de chancelaria, editos, cartas; c) um relato em aramaico sobre a reconstrução do templo, que o autor recolhe sem traduzir; Esd 5-6 e 4,6-23; d) as memórias de Esdras, que abrangem: Esd 7,12-8,36; Ne 8; Esd 9-10; Ne 9-10; as memórias de Neemias, que abrangem: Ne 1-7 e 11-13.

Em várias ocasiões o autor retoca e acrescenta; geralmente respeita o texto original. E temos de agradecer-lhe por ter deixado seus personagens falar.

O autor do conjunto, ou seja, o narrador na terceira pessoa, julgamos ser o Cronista. Mas é opinião hoje muito debatida.

A data mais provável é cerca do ano 400, durante o reinado de Artaxerxes II. Outros fazem a data avançar até o ano 200, sob o reinado selêucida de Antíoco III. Mas, interrompendo a narração com a primeira atividade de Esdras, o livro parece considerar que os anos seguintes

não tinham trazido acontecimentos decisivos. Se escreveu por volta de 200, não se compreende que não tenha encontrado nada digno de menção em duzentos anos de história pátria. Ao terminar esta obra, começa um longo silêncio histórico.

ESDRAS

1 A volta do desterro – ¹No primeiro ano de Ciro, rei da Pérsia, para cumprir o que havia anunciado por boca de Jeremias, o Senhor moveu Ciro da Pérsia a promulgar oralmente e por escrito em todo o seu reino: ²"Ciro, rei da Pérsia, decreta: O Senhor Deus do céu me entregou todos os reinos da terra e me encarregou de lhe construir um templo em Jerusalém de Judá. ³Quem dentre vós pertence a esse povo, que seu Deus o acompanhe e suba a Jerusalém de Judá para reconstruir o templo do

---

1 Começa uma nova época. Aqueles que separaram este livro dos capítulos precedentes, que conhecemos com o nome de Crônicas, sentiram que com esta página começava nova época: para nova época, novo livro. O Cronista já tinha consciência desse novo começo e o tinha sublinhado com o procedimento da concentração e simplificação: o Cronista quis descrever um final, e o concentrou em Jerusalém, templo e muralha. Dos habitantes, uns morreram e outros foram deportados como escravos. Ou seja, na terra prometida não ficava nada, nem templo, nem cidade, nem habitantes. Ficava um grupo humano, um resto, em Babilônia; e ficava a fidelidade do Senhor, soberano da história.

É exatamente esse interesse de Deus na história dos homens que torna a nova época possível e real. O Senhor, que "incitou" Nabucodonosor para o castigo, "suscita" Ciro para a restauração. Assim se afirma que Deus é o personagem principal: a história poderá ser avaliada por reinados humanos, mas seu verdadeiro motor é Deus. E seu instrumento é o coração do homem: "O coração do rei é um canal de água nas mãos de Deus: este o dirige para onde quer" (Pr 21,1). Não só dirige a história, mas a anuncia de antemão por meio de seus profetas. Jeremias é mencionado, porque com palavras e ações profetizou o desterro e a volta. Não menos se poderia citar o Segundo Isaías, o grande cantor da volta, que nos fornece as melhores chaves teológicas para compreender os acontecimentos da nova época. Reconheceu a distância o destino de Ciro e o saudou como libertador; algumas vezes usou exatamente o verbo *suscitar* (Is 41,25; 45,13); repetiu o princípio da absoluta soberania do Senhor, que anuncia e cumpre seus desígnios (41,4; 41,21-27; 43,11-12; 44,25-26; 46,8-13; 48,3-8). À luz dessa teologia, a primeira página de Esdras torna-se uma nova revelação histórica do Senhor e exemplo para futuras ocasiões.

E qual é a novidade? Na história universal, o advento de um novo império, que substitui Assíria e Babilônia, trazendo formas novas de vida internacional. Ciro é como um momento novo: não são os tradicionais rivais (Assíria, Egito e Babilônia) que repartiram entre si regiões de influência e épocas de domínio; é um povo que até agora não desempenhou função de liderança na história. Podia-se olhar para o persa sem as associações angustiantes que os três nomes suscitavam (Assíria, Babilônia e Egito).

Também na história de Israel começa nova época. Já o nome o diz: doravante os israelitas serão os judeus, o sacerdote sucederá ao rei; a escatologia à profecia. Nesta etapa se modelará a nova comunidade futura. Também é novidade a relação entre Ciro e os judeus. O Senhor não suscita juízes que libertem o povo oprimido pelos estrangeiros, não suscita um rei como Saul ou Davi para realizar a independência e a expansão; suscita um monarca estrangeiro. Submetida a ele, como província de um grande império, a comunidade judaica se salvará dos inimigos vizinhos e de tentações políticas internas. O Cronista, que tinha e inculcava tão alta ideia de Davi, deve reconhecer que a continuidade mudou de sinal: ele não discute o problema, mas também não dissimula os fatos. Promulgando um edito de tolerância religiosa "no primeiro ano do seu reinado", o novo imperador define sua política e anuncia o advento de nova época. O modo de promulgação por arautos é óbvio, a promulgação por escrito supõe certa organização dos territórios submetidos. Desde o princípio, o reino de Ciro inclui Média, Pérsia e o que pertencia ao império babilônico; a proclamação de um edito é ato de soberania que confirma o poder do novo rei em forma de concessão benévola. Nascia de uma convicção e servia como medida política.

1,2 Embora o decreto seja histórico, o autor nos dá aqui uma versão livre em função programática; uma versão mais literal, não completa, pode-se ler em 6,3-5. Ciro não professava a nova doutrina religiosa de Zaratustra (Zoroastro), chamada mais tarde Parsismo, cuja divindade era Ahura Mazda (Ormuz). Contudo, o título "Deus do céu" é suficientemente genérico para se adequar a diversas divindades. Num texto de propaganda, Ciro se apresenta como escolhido por Marduc: *"Marduc examinou todos os países em busca de um governante justo..., escolheu nominalmente Ciro e o nomeou senhor de todo o mundo"*. A reconstrução de templos entrava na política do soberano e de seus sucessores. O texto citado diz que Marduc escolheu Ciro "ao ver os santuários de Sumer e de Acad em ruínas...". Sabemos que fizeram o mesmo no Egito. Era a maneira de ganhar a simpatia das populações locais e, sobretudo, ganhar o apoio da casta sacerdotal, em geral muito influente.

1,3 A repatriação era um modo de desfazer a política dos monarcas babilônios. Transladando os mais influentes como colonos e como escravos, eles haviam violado o nacionalismo judaico. Ciro, permitindo a volta dos desterrados, conquistava a simpatia deles (e assegurava talvez um apoio numa região crítica na fronteira do seu império com o Egito). O "Deus do céu" recebe agora seu nome específico "*Yhwh* Deus de Israel", e professa-se que reside em Jerusalém. O fato de o Deus do céu residir num santuário não contradiz o modo de pensar da época.

Contudo, nessas expressões podia-se ouvir a voz do Cronista, concretamente o "subir" ao templo (Is 40,1-11; 52,7-12; 2Cr 29,20; 34,30). A ideia de que a repatriação está em função do templo pode muito

Senhor Deus de Israel, o Deus que habita em Jerusalém. ⁴E a todos os sobreviventes, onde quer que residam, o povo do lugar lhes providenciará prata, ouro, bens e rebanhos, além das ofertas voluntárias para o templo de Deus em Jerusalém".

⁵Então, todos os que se sentiram movidos por Deus – chefes de família de Judá e Benjamim, sacerdotes e levitas – se puseram a caminho e subiram para reedificar o templo de Jerusalém. ⁶Seus vizinhos lhes providenciaram tudo: prata, ouro, bens, rebanhos e muitas outras doações, além das ofertas voluntárias.

⁷O rei Ciro mandou tirar os utensílios do templo que Nabucodonosor havia levado de Jerusalém para colocá-los no templo de seu deus. ⁸Ciro da Pérsia os entregou ao tesoureiro Mitrídates, que os contou diante de Sasabassar, príncipe de Judá. ⁹Era a seguinte quantidade: trinta taças de ouro, mil taças de prata, vinte e nove facas, ¹⁰trinta copos de ouro, quatrocentos e dez copos de prata e mil objetos de outros tipos. ¹¹Total de objetos de ouro e prata: cinco mil e quatrocentos. Sasabassar os levou todos consigo quando os desterrados subiram de Babilônia para Jerusalém.

2 ¹*Lista* dos pertencentes à província de Judá, deportados para Babilônia por Nabucodonosor, que voltaram do desterro para Jerusalém e Judá – cada qual para seu povoado. ²Foram com Zorobabel, Josué, Neemias, Saraías, Raelaías, Mardoqueu, Belsã, Mesfar, Beguai, Reum e Baana.

---

bem corresponder à sua mentalidade. Também para o Segundo Isaías a volta à pátria era como uma procissão para o monte do templo. Se algo dessas ideias e dessa linguagem entrou de fato no texto do decreto de Ciro, talvez se deva à colaboração de judeus empregados na chancelaria imperial.

1,4 Neste dado se repete a antiga ideia do "despojar os egípcios": Ex 11,2; 12,35-36. No termo "sobreviventes" pode-se ouvir a teologia do "resto": na mentalidade do Cronista, os sobreviventes se identificam com os desterrados, segundo a doutrina de Jr 24.

1,5 A execução do decreto poderia aparecer como submissão a uma ordem imperial. O autor quer sublinhar outra vez que Deus é o ator principal: nem todos voltam, mas só os que Deus "move". O segundo êxodo é, do princípio ao fim, obra do Deus que move o rei estrangeiro e alguns chefes do seu povo. Historicamente foi assim: na primeira expedição só voltaram uns escolhidos. Os entusiastas pela pátria, os contagiados com a esperança que o Segundo Isaías pregou, os que esperavam ansiosos a licença de voltar. Muitos outros ficaram: os que haviam perdido definitivamente a esperança, os que se haviam misturado e confundido com a população e a cultura de Babilônia, os conformados sem ânimo, os que tinham feito fortuna no desterro e não queriam sacrificá-la. Nesse momento era preciso sentir a pobreza ou ter desprendimento para pôr-se em marcha. Nem todos "se sentiram movidos por Deus". Foi assim que só os que esperavam tornaram a esperança uma realidade.

O autor menciona aqui três grupos de chefes. Entende-se que voltaram com suas famílias, como explicita o capítulo seguinte. Judá e Benjamim representam as duas tribos fiéis; as outras dez eram do reino do Norte. Mais abaixo porém se faz alusão às doze tribos, e os levitas são um grupo à parte.

1,7 Quando se tratou de outros templos, Ciro procurou que as estátuas das divindades fossem restituídas a seus templos: *"Eu restituí aos santuários por longo tempo arruinados as imagens que neles residiam... voltei a colocar intatos em suas capelas todos os deuses de Sumer e Acad que Nabônides tinha levado para Babilônia..."*. O caso dos israelitas é diferente, porque o Deus deles não tinha imagem; na falta dela, os utensílios sagrados tinham sido o sinal material da conquista. Por isso Ciro tinha de devolvê-los como sinal da restauração. Sobre esses utensílios, ver Jr 27-28; também o relato do festim de Baltazar, Dn 5, explora o tema.

1,8-10 A operação adquire caráter de entrega oficial; os peregrinos se transformam em portadores dos utensílios sagrados, como cantou Is 52,11. O autor não pensa que esses objetos tenham sido profanados. Sasabassar será o chefe da caravana e o novo chefe da comunidade de Jerusalém. Como não tem outro título nem identificação de família, devemos pensar que fosse um nobre influente, não um descendente de Davi. Ficava às ordens do sátrapa do território ocidental ou Transeufratênia.

1,11 Na frase final soa resumido o tema do segundo êxodo; compare-se com o começo do Salmo 114: agora os "desterrados" ocupam o lugar de "Israel".

2 O gosto do Cronista por listas e genealogias reaparece aqui com redobrada razão. Trata-se de recolher para recordação os nomes daqueles primeiros cidadãos que voltaram à pátria. A lista é como uma lápide escrita para a posteridade; de fato, ainda hoje há judeus que fazem seu sobrenome remontar a algum desses repatriados. A lista se encontra com ligeiras variantes em Ne 7.

Para as autoridades persas, essa lista servia a fins administrativos: controle de movimento de pessoas ou famílias, impostos; também podia ter objetivos militares, ao menos em momentos de emergência. Os repatriados se transformavam assim em aliado potencial muito bem situado. Por parte dos judeus, a lista mostra o cuidado com que muitas famílias de desterrados conservavam seus registros familiares. É provável que o autor tenha inserido aqui uma lista existente, conservada nos arquivos de Jerusalém.

2,2 Encabeça a lista esta série de onze nomes (doze em Ne 7), talvez como representação simbólica das doze tribos. Notamos entre eles os dois próximos chefes da comunidade, o davidita Zorobabel e o aaronita Josué. Não se menciona Sasabassar.

Lista dos leigos:

³Descendentes de Faros, dois mil, cento e setenta e dois.

⁴Descendentes de Safatias, trezentos e setenta e dois.

⁵Descendentes de Area, setecentos e setenta e cinco.

⁶Descendentes de Faat-Moab, descendentes de Josué e de Joab, dois mil, oitocentos e doze.

⁷Descendentes de Elam, mil, duzentos e cinquenta e quatro.

⁸Descendentes de Zetua, novecentos e quarenta e cinco.

⁹Descendentes de Zacai, setecentos e sessenta.

¹⁰Descendentes de Bani, seiscentos e quarenta e dois.

¹¹Descendentes de Bebai, seiscentos e vinte e três.

¹²Descendentes de Asgad, mil, duzentos e vinte e dois.

¹³Descendentes de Adonicam, seiscentos e sessenta e seis.

¹⁴Descendentes de Beguai, dois mil e cinquenta e seis.

¹⁵Descendentes de Adin, quatrocentos e cinquenta e quatro.

¹⁶Descendentes de Ater, de Ezequias, noventa e oito.

¹⁷Descendentes de Besai, trezentos e vinte e três.

¹⁸Descendentes de Jora, cento e doze.

¹⁹Descendentes de Hasum, duzentos e vinte e três.

²⁰Descendentes de Gebar, noventa e cinco.

²¹Cento e vinte e três homens de Belém.

²²Cinquenta e seis de Netofa.

²³Cento e vinte e oito de Anatot.

²⁴Quarenta e dois de Azmot.

²⁵Setecentos e quarenta e três de Cariat-Iarim*, Cafira* e Berot*.

²⁶Seiscentos e vinte e um de Ramá e Gaba.

²⁷Cento e vinte e dois de Macmas.

²⁸Duzentos e vinte e três de Betel e Hai.

²⁹Descendentes de Nebo, cinquenta e dois.

³⁰Descendentes de Megbis, cento e cinquenta e seis.

³¹Descendentes do outro Elam, mil, duzentos e cinquenta e quatro.

³²Descendentes de Harim, trezentos e vinte.

³³Descendentes de Lod, Hadid e Ono, setecentos e vinte e cinco.

³⁴Descendentes de Jericó, trezentos e quarenta e cinco.

³⁵Descendentes de Senaá, três mil, seiscentos e trinta.

³⁶Sacerdotes:

Descendentes de Jedaías, da família de Josué, novecentos e setenta e três.

³⁷Descendentes de Emer, mil e cinquenta e dois.

³⁸Descendentes de Fasur, mil, duzentos e quarenta e sete.

³⁹Descendentes de Harim, mil e dezessete.

⁴⁰Levitas:

Descendentes de Josué e Cadmiel, da família de Odovias, setenta e quatro.

⁴¹Cantores:

2,3-35 A lista de leigos inclui dois tipos: uns pertencem a famílias ou clãs registrados e se apresentam com o gentílico comum; outros pertencem à localidades, sem definição familiar. Talvez nessa distinção estejam refletidas duas classes sociais, mais ou menos como patrícios e plebeus. As duas especificações, família e geografia, garantem a pertença ao povo. Entre os povoados notamos Betel e Hai, que pertenciam ao reino do Norte, e foram anexados a Judá durante o reinado de Josias; alguns nomes são duvidosos. Entre os nomes pessoais aparece um persa: Bigvay = Beguai.
2,25 * = Vila Soutos; Leoa; Poços.
2,36-39 O número de sacerdotes é proporcionalmente muito alto, quase dez por cento dos repatriados. O dado pode sugerir duas coisas: que especialmente entre os grupos sacerdotais se cultivou a esperança de voltar à pátria e por isso muitos responderam à primeira chamada; que uma repatriação polarizada pela reconstrução do templo e posta a serviço do templo requeria um número alto de funcionários do culto. Também é possível que para essa classe sacerdotal não houvesse trabalho nem posição aceitáveis em Babilônia, ao passo que Jerusalém prometia uma ocupação adequada.
2,40 Contrasta o número baixíssimo de levitas. Talvez esses levitas, funcionários mais do ensino religioso que dos sacrifícios, pudessem desenvolver uma atividade satisfatória nas comunidades de desterrados. (Esdras encontrará a mesma dificuldade em recrutar levitas um século mais tarde: Esd 8.)
2,41-42 Cantores e porteiros representam uma especialização no culto, à qual o Cronista dá grande importância (1Cr 25).

Descendentes de Asaf, cento e vinte e oito. ⁴²Porteiros:

Descendentes de Selum, Ater, Telmon, Acub, Hatita e Sobai, cento e trinta e nove ao todo.

⁴³Doados:

Descendentes de Siá, Hasufa, Tabaot, ⁴⁴Ceros, Siaá, Fadon, ⁴⁵Lebana, Hagaba, Acub, ⁴⁶Hagab, Semlai, Hanã, ⁴⁷Cidel, Gaer, Raaías, ⁴⁸Rasin, Necoda, Gazam, ⁴⁹Uza, Fasea, Besai, ⁵⁰Asena, meunitas, nefusitas, ⁵¹Bacbuc, Hacufa, Harur, ⁵²Baslut, Maida, Harsa, ⁵³Bercos, Sísara, Tema, ⁵⁴Nasias e Hatifa.

⁵⁵Servos de Salomão:

Descendentes de Sotai, Soferet, Feruda, ⁵⁶Jaala, Darcon, Gidel, ⁵⁷Safatias, Hatil, Foqueret-Hassebaim, e Ami.

⁵⁸Total de doados e servos de Salomão, trezentos e noventa e dois.

⁵⁹Lista dos que subiram de Tel-Mela, Tel-Harsa, Querub, Adon e Emer, mas não puderam provar sua ascendência ou sua origem israelita: ⁶⁰Descendentes de Dalaías, Tobias e Necoda, seiscentos e cinquenta e dois.

⁶¹E entre os sacerdotes, os descendentes de Habias, Acos e Berzelai (que se casou com uma filha do galaadita Berzelai e tomou seu nome). ⁶²Procuraram seu registro genealógico, mas não o encontraram, e foram excluídos do sacerdócio. ⁶³O governador lhes ordenou que não comessem dos alimentos sagrados até que aparecesse um sacerdote experiente em consultar as sortes.

⁶⁴A comunidade tinha ao todo quarenta e duas mil, trezentas e sessenta pessoas, ⁶⁵sem contar os escravos e escravas, que eram sete mil trezentos e trinta e sete. Tinham duzentos, entre cantores e cantoras; ⁶⁶setecentos e trinta e seis cavalos, duzentos e quarenta e cinco mulas, ⁶⁷quatrocentos e trinta e cinco camelos e seis mil, setecentos e vinte jumentos.

⁶⁸Quando chegaram ao templo do Senhor em Jerusalém, alguns chefes de família fizeram doações para que fosse reconstruído em seu mesmo lugar. ⁶⁹De acordo com suas possibilidades, entregaram ao fundo do culto sessenta e uma mil dracmas de ouro, cinco mil minas de prata e cem túnicas sacerdotais.

2,43-58 Doados e servos de Salomão constituíam o grupo de empregados de baixo escalão do templo. Seu número é bastante reduzido.

2,59-63 O dado serve de contraprova: à caravana se juntam alguns que se sentem membros do povo, mas não podem provar sua ascendência israelita. No caso dos leigos, podiam facilmente entrar como "migrantes", na espera da plena incorporação. No caso dos sacerdotes, não bastava a vontade de pertencer ao povo ou o desejo de desempenhar funções sagradas. Isso havia ficado para o sacerdócio improvisado de Israel (2Cr 11,15); em Judá a vocação sacerdotal era questão de linhagem controlada (recorde-se por contraste a figura de Melquisedec, Hb 7,3). O próprio governador resolve o caso (provavelmente Sasabassar); isso indica que não bastava a competência sacerdotal ordinária, mas devia-se recorrer a um julgamento de Deus mediante a técnica oficial das sortes (*urim* e *tumim*). A decisão da autoridade civil é interina, e em Ne 3,4 notamos que ao menos um já tinha provado sua legitimidade. Sobre o galaadita Berzelai, ver 2Sm 19,31-39.

2,64-65 O número de escravos não é muito elevado. Contudo, se pensamos nas circunstâncias, é fácil deduzir que muitas famílias judaicas tinham conseguido refazer-se e prosperar no desterro. Não devemos pensar que esses escravos fossem judeus: seria muito estranho; seriam, antes, membros de outros povos, habitantes em território babilônico, talvez subjugados ou deportados pelos monarcas precedentes. O consistente grupo nutrido de "cantores e cantoras" não pertence ao pessoal do templo, já registrado oficialmente. Podemos pensar em grupos de escravos que entretinham a população com suas músicas e histórias cantaroladas (recorde-se a posição de Ezequiel em 30,30-33).

2,66-67 Não há gado, todos são animais de carga de diversas espécies. Se as cifras são exatas, deduzimos que algumas famílias não podiam permitir só para si nem sequer um burro de carga, teriam de partilhá-lo com outros; também constatamos que nem todos os animais de carga contavam com um escravo. As diferenças sociais do grupo serão confirmadas mais adiante.

2,68-69 Chama por antecipação "templo do Senhor" o lugar onde esteve e estará o templo. As doações em dinheiro são muito significativas (compare-se com Ne 7). O nome da moeda é duvidoso: desde o século VI se começa a usar o darico persa (do nome do rei Dario) e a dracma (ou tetradracma) grega; podemos pensar que o autor dá os números com as equivalências da sua época; o texto hebraico nos dá as consoantes *drkmnm*. A quantidade das doações é notável, tanto se lermos daricos (8,4 gr.) quanto se lermos dracmas (4 gr.). A quantidade das doações cunhadas é muito importante, chega a mais de uma unidade por pessoa. Como no grupo havia muita gente pobre e também proletários, segue-se que também havia famílias abastadas. Gente que em Babilônia se tinha dedicado ao comércio e dispunha de dinheiro em espécie, cunhado ou não, e gente que no momento do retorno vendeu suas posses e levou o dinheiro a Jerusalém. Também se devem incluir as doações dos que ficaram em Babilônia e que podem ter sido importantes. Não parece que nesse momento se pudesse cobrar dos desterrados o imposto pessoal pelo templo.

⁷⁰Os sacerdotes, os levitas e parte do povo se estabeleceram em Jerusalém; os cantores, os porteiros e os doados em seus povoados, e o resto de Israel nos seus.

3 Restauração do altar e do culto (Ag; Zc 3; 6) –

¹Os israelitas já se encontravam em suas povoações quando, ao chegar o mês de outubro, se reuniram todos juntos em Jerusalém. ²Então Josué, filho de Josedec, com seus parentes sacerdotes, e Zorobabel, filho de Salatiel, com seus parentes, se puseram a construir o altar do Deus de Israel para nele oferecer holocaustos, como manda a Lei de Moisés, homem de Deus. ³Levantaram o altar em seu antigo lugar – apesar de intimidados pelos colonos estrangeiros – e nele ofereceram ao Senhor os holocaustos matutinos e vespertinos.

⁴Celebraram a festa das Cabanas, como está ordenado, oferecendo holocaustos segundo o número e o ritual de cada dia, ⁵e continuaram oferecendo o holocausto diário, o de início do mês, o das solenidades dedicadas ao Senhor e os oferecidos voluntariamente ao Senhor.

⁶No primeiro dia de outubro começaram a oferecer holocaustos ao Senhor. Mas

---

2,70 Isso daria para a capital uma população inicial de repatriados acima de cinco mil habitantes; os outros empregados do templo não poderiam morar muito longe da capital, ainda que acorressem por turnos. A notícia deixa um vazio narrativo porque supõe um vazio geográfico. Quando os repatriados chegaram, não havia habitantes em Jerusalém e em Judá? Basta recordar a cobiça dos povos vizinhos, idumeus, filisteus e também moabitas e amonitas, que podiam entrar numa terra de ninguém; acrescentemos a prática de estabelecer colonos, militares ou civis, nas regiões despovoadas; contemos também com os judeus que não foram para o desterro (2Rs 25,12) e com os vizinhos samaritanos. Se alguns judeus residentes na velha pátria esperavam seus irmãos com ânsia ou com afeto, muitos outros veriam neles intrusos e rivais. A chegada não seria tão fácil e pacífica como a impressão que o relato dá. Por outro lado, se a cidade era um campo de ruínas, onde se hospedaram os recém-chegados? Cinquenta mil pessoas entrando de repente numa região reduzida e parcialmente povoada, não é algo indiferente. Vê-se que nesse momento transcendental o autor prescinde de detalhes dolorosos, para exaltar o acontecimento histórico transcendental.

3 Por analogia com Esd 8, podemos calcular que a viagem se iniciaria na primavera e se concluiria em pleno verão. Imagine-se o que significava deslocar uma caravana de cinquenta mil pessoas com os recursos da época. Ao chegar, demorariam algumas semanas para a primeira instalação, e assim chega logo a primeira festa tradicional a ser celebrada.
O capítulo está centrado no tema do *templo*. É possível que o autor esteja informando sobre os fatos da primeira repatriação: era tema de suma importância e sua memória pode ter-se conservado viva. Também é possível que ao descrever esse fato tenha projetado dados que historicamente pertencem à etapa seguinte. No primeiro caso, é estranha a ausência de Sasabassar; no segundo, explicam-se as semelhanças com Ag e Zc.
O templo. Já vimos (até à saciedade) que o Cronista faz gravitar a sua obra sobre esse centro de gravidade. É consequente que a restauração tenha de se consumar sob o signo do templo. O Cronista não inventa a ideia nem está sozinho ao propô-la. Recordemos que o livro de Ezequiel se abre com a profanação do templo e se conclui com sua reconstrução; o desterro é resultado de o Senhor ter abandonado o templo; a repatriação virá quando o Senhor retornar. O Segundo Isaías não menciona explicitamente o templo, só se refere a Sião como meta do novo êxodo. Muitos salmos fomentaram o amor ao templo, e eles continuaram a ser recitados no desterro. A restauração do culto restabelece a legislação de Moisés e as instituições de Davi. Isso significa que a nova época é continuidade.

3,2 Josué e Zorobabel serão os protagonistas da restauração cultual apoiada por Ageu e Zacarias. Zorobabel era neto de Jeconias, o rei do desterro que, com sua parcial libertação, deixa o livro dos Reis aberto à esperança; para alguns, Jeconias continuou sendo até o fim o representante legítimo da dinastia, ao passo que Jeremias reconheceu a legitimidade de Sedecias. Salatiel era o primogênito de Jeconias; outros textos fazem Zorobabel, filho de Fadaías, terceiro filho do mesmo rei (1Cr 3,19).
O altar é a primeira coisa indispensável, mesmo antes de se fechar o recinto e se levantar o edifício. Assim tinha acontecido desde os tempos patriarcais até a reforma de Josias. Um altar podia ser dedicado a um nome (Ex 17,15) e podia significar uma tomada de posse cultual. Não é preciso um recinto ou um edifício em que more a glória do Senhor.

3,3 A continuidade do lugar é importante porque se trata do lugar escolhido pela própria divindade (1Cr 21). A frase "intimidados..." é duvidosa: em outras ocasiões se diz que os israelitas se tornam temíveis para os povos vizinhos (por exemplo Js 2,11; 5,1), doutrina essa conhecida pelo Cronista (1Cr 14,17, Davi; 2Cr 20,29, Josafá). No caso presente, parece que o autor quer registrar a constante oposição que os judeus encontraram em seu programa de restauração.

3,4 A festa das Cabanas correspondia ao final da vindima e de todas as tarefas do campo. Originariamente uma festa agrícola, passou a comemorar a caminhada pelo deserto após a saída do Egito. Era oportuno celebrar essa festividade alegre e popular como primeira festa na pátria: também os repatriados tinham morado em tendas, repetindo de certa forma a experiência dos que saíram do Egito.

3,6 Também a dedicação do templo de Salomão foi celebrada no sétimo mês (2Cr 5,3).

ainda não haviam sido lançados os alicerces do templo. ⁷Então, de acordo com a autorização de Ciro da Pérsia, contrataram pedreiros e carpinteiros, e deram alimentos, bebidas e azeite aos sidônios e tírios para que enviassem a Jafa, por via marítima, madeira de cedro do Líbano.

⁸Dois anos depois de terem chegado ao templo de Jerusalém, no mês de abril, Zorobabel, filho de Salatiel, Josué, filho de Josedec, seus outros parentes sacerdotes e levitas, e todos os que haviam voltado a Jerusalém do cativeiro, começaram a obra do templo, pondo à frente dela os levitas acima de vinte anos. ⁹Josué, seus filhos e irmãos, Cadmiel e seus filhos, Odovias, os filhos de Henadad, seus filhos e seus irmãos, os levitas, puseram-se todos à frente dos operários que trabalhavam no templo.

¹⁰Quando os pedreiros terminaram de lançar os alicerces, os sacerdotes revestidos se apresentaram, com trombetas, e os levitas, descendentes de Asaf, com címbalos, para entoarem hinos ao Senhor, segundo ordenou Davi, rei de Israel. ¹¹Louvaram e deram graças ao Senhor "porque é bom, porque é eterna sua misericórdia" para com Israel.

Todo o povo louvou o Senhor com aclamações por terem sido lançados os alicerces do templo. ¹²Muitos sacerdotes, levitas e chefes de família – os anciãos que tinham visto o primeiro templo com seus próprios olhos – lamentavam-se em voz alta, enquanto muitos outros gritavam de alegria. ¹³E era impossível distinguir entre gritos de alegria e soluços, porque o clamor do povo era tão grande que se ouvia de longe.

4 Interrupção das obras – ¹Quando os rivais de Judá e de Benjamim souberam que os desterrados estavam construindo o

---

3,7 Muita pedra tinha ficado no lugar; por outro lado, a madeira tinha sido consumida pelo fogo. Por isso, era necessário fazer provisão de madeira de lei e recorrer aos tradicionais exportadores de madeira de cedro. Nessa ocasião, o mais lógico era guiar-se pela recordação e exemplo de Salomão.

3,8 A tarefa começa no segundo mês, ou seja, depois de celebrada a Páscoa na pátria. O autor tem interesse em sublinhar a cooperação de todos na obra: embora numericamente poucos, os levitas assumiram a direção das obras.

3,10 Quinze ou dezesseis anos mais tarde começou outra reconstrução. É mais lógico pensar que os repatriados tivessem pressa em começar a obra dos seus sonhos. Dificuldades externas e internas fizeram as obras parar. É preciso lembrar também que o templo não era um simples edifício, mas um amplo recinto sobre esplanadas escalonadas, dentro do qual se erguia o edifício. O altar dos holocaustos ficava no pátio. É possível que tivessem sido lançados os alicerces de uma parte, adiando o resto; o pátio era o lugar de reunião da comunidade, o edifício era a morada do Senhor: Qual era o mais urgente? Qual o mais digno de ser celebrado? O relato não nos permite conclusões, mas não é inverossímil na sua indefinição.

3,11 Somente o Cronista menciona os címbalos entre os instrumentos do culto (1Cr 13,8; 15) instituídos por Davi. Os levitas cantam o clássico estribilho (Sl 136 e outros). Os vivas são típicos, não exclusivos, de salmos que celebram o reinado do Senhor (Sl 47; 95; 98; 100); a mesma palavra designa o grito de guerra.

3,12-13 "Lamentavam-se", ou melhor "choravam", de emoção. O pranto seria suscitado pela comparação desvantajosa; e a emoção, pela realização de um sonho. A notícia encaixaria muito melhor na etapa seguinte, quando puderam ver a obra terminada; não aqui, quando veem só uns alicerces.

4 Este capítulo tem coerência temática, a oposição às obras, mas não segue a ordem cronológica. Além disso, a partir do v. 8 o relato continua em aramaico. É fácil reconstruir a ordem cronológica unindo o começo (1-5) com o fim (24), para explicar por que as obras foram suspensas por uns anos. Entre essas duas partes coerentes de uma narração, que corresponde ao tempo de Ciro, colocou-se a cunha (6) sobre Xerxes e outra sobre Artaxerxes (7-23), por parentesco temático. O capítulo seguinte nos falará de fatos semelhantes sob o reinado de Dario. Em resumo, no texto as incidências estão na seguinte ordem: sob Ciro (4,1-5); Xerxes (6); Artaxerxes (7-23), Ciro e Cambises (24), Dario (caps. 5 e 6). A última seção inclui o edito de tolerância de Ciro, e é tratada com maior amplitude por sua importância histórica, realçada pela atividade de dois profetas. Para restabelecer a ordem cronológica basta ordenar assim: Ciro, Dario, Xerxes e Artaxerxes.

4,1 Os rivais se identificam como descendentes dos colonos transladados pelos assírios. Não na deportação realizada por Salmanasar (conforme 2Rs 17), mas numa deportação suposta, realizada por Asaradon. A descrição de 2Rs 17 ilustra perfeitamente o assunto: os colonos estrangeiros tinham aprendido a venerar o Deus de Israel junto com seus deuses. Eram representantes de um sincretismo religioso inconciliável com a fé israelita. Pode ser que parte desses colonos tiveram de desocupar suas terras durante a expansão de Josias; na queda de Judá poderiam recuperá-las e estender-se para o sul. Mudando a situação com o novo império e vendo que os favorecidos agora são os judeus, os vizinhos querem tirar partido. Aquilo que soa como oferta de colaboração é na realidade um modo de incorporar-se ao grupo para participar de seus privilégios.

templo do Senhor Deus de Israel, ²apresentaram-se a Zorobabel, a Josué e aos chefes de família, e lhes disseram:

– Vamos ajudar-vos, porque também nós servimos vosso Deus, como vós, e lhe oferecemos sacrifícios desde que Asaradon da Assíria nos instalou aqui.

³Zorobabel, Josué e os outros chefes de família lhes responderam:

– Não edificaremos juntos o templo do nosso Deus. Nós o faremos sozinhos, conforme nos ordenou Ciro da Pérsia.

⁴Então os colonos estrangeiros se puseram a desmoralizar os judeus e a intimidá-los para que deixassem de construir. ⁵Desde os tempos de Ciro até o reinado de Dario da Pérsia subornaram conselheiros para que fizessem fracassar os planos deles.

⁶Quando Xerxes subiu ao trono, no começo de seu reinado, redigiram uma denúncia contra os habitantes de Judá e Jerusalém. ⁷E nos tempos de Artaxerxes, Bislan, Mitrídates, Tabel e outros colegas enviaram um relatório a Artaxerxes da Pérsia. O documento estava redigido em aramaico, com esclarecimentos também em aramaico.

⁸O governador Reum e o secretário Samsai escreveram ao rei Artaxerxes uma carta contra Jerusalém. ⁹Exatamente a assinaram o governador Reum e o secretário Samsai, seus outros colegas, os juízes e os legados, funcionários persas, cidadãos de Uruc, Babilônia, Susa – isto é, elamitas – ¹⁰os restantes povos que o ilustre imperador Assurbanipal deportou e instalou nas cidades da Samaria e no resto da Transeufratênia etc.

¹¹Cópia da carta que enviaram:

"Ao rei Artaxerxes, teus súditos, habitantes da Transeufratênia etc.

¹²Comunicamos ao rei que os judeus que vieram de tua região pensam reconstruir Jerusalém, cidade rebelde e perversa;

4,2-3 Isso representa um perigo grave para a comunidade nascente. Não se exclui que estrangeiros sejam incorporados por conversão religiosa; mas a aceitação de um grupo compacto de sincretistas religiosos invalidaria o esforço renovador pela raiz. As autoridades judaicas rejeitam a oferta apelando para a autoridade do imperador, sem explicar suas razões profundas, que poderiam ferir. Um tom polêmico pode ser ouvido na oposição entre Ciro da Pérsia (o senhor do momento) e Asaradon da Assíria (uma lembrança caduca).

4,4 "Colonos estrangeiros" traduz a conhecida expressão hebraica 'am ha'areç, supondo que a narração continue sem mudar de sujeito. A expressão hebraica designou por certo tempo os fazendeiros ricos ou acomodados com voz ativa na política; agora começa a designar um grupo hostil. Também poderia incluir o povo do campo que não foi para Babilônia e que durante o desterro se tinha contaminado sob o ponto de vista religioso.

4,5 Se os repatriados contam com o apoio do imperador distante, os colonos sabem conquistar o apoio dos burocratas subalternos, que decidem na prática as questões. Havia muitos meios legais para boicotar os adventícios sem enfrentar diretamente o imperador ou o governador, que residia ao que parece em Damasco.

4,6 Pode ter acontecido quando Xerxes voltava depois de reprimir uma rebelião no Egito, entre a primeira e a segunda guerra dos persas contra os gregos.

4,7 O episódio seguinte acontece num momento indeterminado do reinado de Artaxerxes; podemos supor que precede cronologicamente o que se segue no texto. Não sabemos o conteúdo do relatório; pelo contexto temos de supor que se tratava de denúncia.

O aramaico foi-se estendendo primeiro como língua comercial das caravanas e depois como língua comum de populações mistas no tempo das grandes deportações. Quando os persas assumiram a hegemonia, tornaram o aramaico a língua diplomática para todos os territórios ocidentais, também o Egito. Foram-se formando populações bilíngues; logo o aramaico tornou-se a língua falada, e o hebraico a língua culta e religiosa. Os judeus da colônia egípcia de Elefantina escrevem seus documentos oficiais em aramaico. Em suas chancelarias, os monarcas persas deviam dispor de numeroso corpo de intérpretes; os governadores locais do Ocidente tinham de ser bilíngues. Isso explica por que o aramaico aparece em vários textos do AT.

4,8 É provável que se trate do governador da província de Samaria, subordinado ao sátrapa da região Transeufratênia e superior dos prefeitos locais, incluído o de Jerusalém.

4,9 Para nós é estranha a coalizão de assinantes de tão diferentes regiões. É mais simples supor que em Samaria ainda existissem colônias de elamitas, descendentes dos rebeldes, deportados por Assurbanipal ao derrotar seu irmão Samasumukin. É o que o texto sugere.

4,12 Poderia tratar-se de novas caravanas ou de descendentes de repatriados do século precedente. O movimento de Babilônia não cessaria nesse tempo; os já instalados convidariam seus irmãos residentes no exterior. Visto que para essas datas Jerusalém estava bastante reconstruída, o trabalho de construir a muralha, que transformava Jerusalém em praça-forte, assustou as populações vizinhas.

Nos oráculos de Ezequiel, a comunidade judaica tem o apelido de "Casa Rebelde"; entende-se, contra Deus. Aqui os inimigos lhe dão o mesmo título, pensando nas frequentes rebeliões nos tempos da Assíria e Babilônia. Artaxerxes era um monarca impressionável, e essas notícias históricas poderiam causar-lhe impacto.

estão dispostos a erguer a muralha e já lançaram os alicerces. ¹³Saiba o rei que, se reconstruírem essa cidade e erguerem suas muralhas, não continuarão pagando tributo, nem contribuição nem pedágio, o que definitivamente prejudicaria sua majestade.

¹⁴Como nós vivemos a soldo da coroa, não podemos tolerar essa ofensa a sua majestade e lhe comunicamos o que acontece. ¹⁵Que investiguem nos anais de teus predecessores e verás como se trata de uma cidade rebelde, que trai propositadamente os reis e as províncias e que sempre fomentou insurreições. Por isso a destruíram.

¹⁶Nós fazemos saber ao rei que, se se reconstruir essa cidade e se terminarem suas muralhas, perderás logo os territórios da Transjordânia".

¹⁷O rei respondeu:

"Ao governador Reum, ao secretário Samsai e a seus outros colegas que residem na Samaria e nas restantes localidades da Transeufratênia, paz etc.

¹⁸Leram-me uma tradução do documento que enviastes. ¹⁹Mandei investigar o caso e, efetivamente, essa cidade se rebelou desde outrora contra os reis e nela se produziram sedições e revoltas. ²⁰Em Jerusalém houve reis poderosos que dominavam toda a Transeufratênia, e aos quais se pagavam impostos, contribuições e pedágios. ²¹Ordenai, pois, que se impeça a esses homens reconstruir a cidade, até nova ordem. ²²Cuidado para não agir com negligência neste assunto, para que não piore a situação em prejuízo dos reis".

²³Quando leram ao governador Reum, ao secretário Samsai e a seus outros colegas a cópia do documento do rei Artaxerxes, dirigiram-se em seguida a Jerusalém, aos judeus, e com as armas os obrigaram a parar as obras. ²⁴Foram suspensas, pois, as obras do templo de Jerusalém e estiveram paradas até o segundo ano do reinado de Dario da Pérsia.

5 **A construção é retomada** – ¹Então o profeta Ageu e o profeta Zacarias,

---

4,13 Também é historicamente certo que muitas vezes a rebelião dos vassalos não chegava às armas, mas consistia simplesmente em negar os tributos prometidos no juramento de vassalagem. Deduz-se destas linhas que Neemias teve todo o cuidado de pagar fielmente os tributos; seus inimigos têm de acusá-lo de supostas intenções.

4,14 Sem dúvida, as autoridades tinham de vigiar atentamente e informar o governo central. Mas também é verdade que muitas vezes os subordinados buscam as boas graças do superior, denunciando outros súditos.

4,15 Não pode referir-se aos predecessores persas, pois nessa etapa não tinha havido nem reis nem rebeliões em Judá. Deve referir-se aos predecessores em Babilônia e supõe que os arquivos deles estejam conservados. Já vimos como esses documentos remontam a soberanos assírios, concretamente a Assurbanipal, fundador da grande biblioteca.

4,16 A previsão é descabida. Os denunciantes fingem uma Jerusalém capaz de encabeçar uma rebelião geral ou ao menos capaz de contagiar com o seu exemplo uma série inteira de províncias. Isso sem negar a posição estratégica de Judá na região vizinha ao mar e próxima ao Egito.

4,20 Corresponde às épocas em que reinos vizinhos eram vassalos ou pagavam impostos a monarcas israelitas (Moab, Edom, Damasco etc.). Em mais de uma profecia dinástica o poder se estende "do Eufrates até a torrente do Egito", exatamente a região chamada Transeufratênia. Isso deixou de ser uma pretensão política dos repatriados, que aceitam a situação de vassalagem. Essa atitude foi prudência política e salvação para os judeus: se nessa época fossem um reino a mais, seriam envolvidos ou tragados pelos estrangeiros; como província de um vasto império, vivem sob a sua proteção.

Artaxerxes (segundo o teor da carta) acreditou muito facilmente nos falsos informantes, o que não contradiz o que sabemos do seu caráter e atuação.

4,23 Na época, os judeus tiveram de aceitar a intimação, até que se apresentasse outra ocasião favorável. Será a contribuição de Neemias.

4,24 O resultado foi que os judeus desanimaram e interromperam as obras. Contentaram-se com o culto regular oferecido no altar legítimo e dedicaram seu esforço à reconstrução civil. Ageu dá a entender que às pressões externas se somaram a negligência e o cansaço dos repatriados. Talvez tivessem tido a ilusão de uma reconstrução fulminante e quase milagrosa; esperavam talvez a contribuição generosa de outros povos, como havia cantado o Segundo Isaías; não aguentaram o choque com a realidade. Passados quinze anos, Deus teve de enviar-lhes dois vigorosos profetas para que continuassem a obra apenas começada. Enquanto isso morreu Ciro, e Cambises subiu ao trono, submetendo o Egito; irrompeu a rebelião do impostor Smerdis, morreu Cambises, e Dario teve de empregar toda a sua energia para submeter diversas rebeliões e firmar-se no trono. Em seguida iniciou a imensa obra de organização do império. Historicamente seguem-se os caps. 5-6, completados com os oráculos de Ageu e Zacarias.

5-6 Nestes capítulos passamos à segunda etapa do livro: a reconstrução do templo no reinado de Dario I, nos anos 520-515, ou seja, do início da pregação dos profetas Ageu e Zacarias até a dedicação do templo e a Páscoa sucessiva.

filho de Ido, começaram a profetizar aos judeus de Judá e Jerusalém como legados em nome do Deus de Israel. ²Zorobabel, filho de Salatiel, e Josué, filho de Josedec, puseram-se a reconstruir o templo de Jerusalém, acompanhados e animados pelos profetas de Deus. ³Mas Tatanai, sátrapa da Transeufratênia, Setar-Buzanai e seus colegas se aproximaram e lhes disseram:

— Quem vos ordenou construir esse templo e armar esse madeiramento? ⁴Como se chamam os homens que mandaram construir esse edifício?

⁵Mas Deus velava pelas autoridades de Judá, e lhes permitiram continuar as obras, enquanto não chegasse um decreto de Dario e lhes entregassem o escrito.

⁶Cópia da carta que Tatanai, sátrapa da Transeufratênia, Setar-Buzanai, seus colegas e as autoridades da Transeufratênia enviaram ao rei Dario. ⁷O escrito estava redigido nos seguintes termos:

"Ao rei Dario, paz completa.

⁸Saiba o rei que fomos à província de Judá e acontece que os judeus com seu senado estão construindo em Jerusalém um grande templo com pedras lavradas, e recobrem suas paredes de madeira; trabalham com consciência e o trabalho progride. ⁹Então perguntamos ao senado: 'Quem vos ordenou reconstruir essa casa e armar esse madeiramento?' ¹⁰Também lhes pedimos seus nomes, e tomamos por escrito os de seus chefes para poder informar-te. ¹¹Deram-nos a seguinte resposta: 'Nós somos servidores do Deus do céu e da terra, e estamos reconstruindo um templo edificado outrora, que um grande rei de Israel construiu e terminou. ¹²Mas nossos pais irritaram o Deus do céu, e este os entregou nas mãos do caldeu Nabucodonosor, rei da Babilônia, que destruiu este templo e deportou o povo para Babilônia. ¹³Todavia, no primeiro ano de seu reinado, Ciro da Babilônia ordenou reconstruí-lo. ¹⁴Além disso, os objetos de ouro e prata

---

Os capítulos se compõem de breve parte narrativa, no começo e no fim, e de longa parte documentária. Os documentos podem ser textos de arquivo apenas copiados ou retocados pelo narrador aramaico. Para entender sua linguagem, temos de considerar as circunstâncias. O primeiro documento é uma carta informativa que recolhe e transmite as explicações dadas pelas autoridades judaicas: pode-se aceitar sem dificuldade que os judeus se tenham expressado conforme sua mentalidade e linguagem, e que os funcionários tenham reproduzido essa declaração dos acusados. O segundo documento é uma carta do imperador referindo parte do decreto de Ciro. Ambos os textos são verossímeis se levarmos em conta que nas chancelarias de Ciro e de Dario devia haver empregados judeus, especialistas nos seus assuntos nacionais e religiosos. É o que faria qualquer monarca enquanto não houvesse graves razões contrárias. Ciro e Dario tinham razões a favor, pois em Babilônia muitos judeus tinham apoiado sua ascensão, e nos consta de alguns que foram funcionários no império ou na corte. Nos arquivos reais poderia conservar-se o original ou traduções. Tratando-se de um edito referente aos judeus, é provável que Ciro confiasse a redação a conhecedores do aramaico, a língua diplomática, e dos assuntos judaicos. Concluindo, os documentos apresentados possuem boas garantias históricas.

5,1 Junto com 6,14, este versículo insere toda a atividade na intervenção da palavra profética. Convidam-nos a ler os três oráculos de Ageu, datados entre agosto e dezembro de 520, e Zc 1-8. De Ageu sabemos que a interrupção das obras era em boa parte culpável e injustificada, e também notamos dificuldades econômicas, interpretadas pelo profeta como castigo pela negligência dos judeus. Em 2,6-9 Ageu afasta-se e anuncia coisas que podiam despertar o entusiasmo de uns e as suspeitas de outros. Zacarias oferece uma imagem mais dramática, na qual os dados históricos brincam de ocultar-se ou se convertem em penhor do futuro messiânico. Alude a uma grave prova do sumo sacerdote (3,1-8), descarta uma muralha material para a capital (2,5-9), promete a reconstrução total do templo (4,8-10) e prega a justiça social (7).

5,2 Os dois poderes se unem na grande obra. Outrora Davi e Salomão fizeram tudo; agora, o descendente de Davi não traz o título de rei, o sacerdote vai crescendo em autoridade. Zacarias os vê ainda como duas oliveiras iguais em ambos os lados do candelabro da presença de Deus (Zc 4,11-14).

5,3-4 Parece tratar-se de simples viagem de inspeção, pois não se nota hostilidade nem na pergunta nem na decisão imediata. Apelar para a autoridade de Ciro era razão poderosa para conter o sátrapa, se é que havia neste alguma intenção menos favorável.

5,5 "Velava": literalmente lemos "o olho de seu Deus estava sobre"; Zc 4,10 fala dos olhos vigilantes de Deus; era um dos pedidos de Salomão ao dedicar o templo (1Rs 8,29.52).

5,8 A diligência no trabalho contrasta com a negligência denunciada por Ageu.

5,11-16 A resposta judaica corresponde à sua fé e história em termos inteligíveis às autoridades estrangeiras. O já citado documento de Ciro menciona a cólera de Marduc contra o soberano babilônio e diz que esse deus submete os povos a Ciro. Opor a dureza de Nabucodonosor à benevolência de Ciro é tão correto quanto hábil, especialmente por se tratar de atitudes religiosas.

que Nabucodonosor levou do templo de Jerusalém para o da Babilônia, o rei Ciro mandou tirá-los deste último e os entregou a um homem chamado Sasabassar, a quem nomeou sátrapa, ¹⁵dizendo-lhe: Toma estes objetos, leva-os ao templo de Jerusalém e que reconstruam a casa de Deus em seu mesmo lugar. ¹⁶Sasabassar veio, lançou os alicerces do templo de Jerusalém e desde então o estamos construindo; mas, ainda não terminamos.

¹⁷Por conseguinte, se ao rei parece bem, que investiguem nos arquivos reais da Babilônia, para ver se é verdade que o rei Ciro ordenou reconstruir este templo de Jerusalém. E que nos comuniquem o que o rei decidir".

6 ¹O rei Dario mandou investigar na tesouraria da Babilônia, que servia também de arquivo, ²e constatou-se que em Ecbátana, a fortaleza da província da Média, havia um rolo redigido nos seguintes termos:

"Memorando.

³No primeiro ano de seu reinado, o rei Ciro decretou a respeito do templo de Jerusalém: Construa-se um templo para oferecer sacrifícios e lancem seus alicerces. Sua altura será de trinta metros e sua largura de outros trinta. ⁴Terá três fileiras de pedras lavradas e uma fileira de madeira nova. Os gastos correrão por conta da coroa. ⁵Além disso, os objetos de ouro e prata da casa de Deus, que Nabucodonosor transladou do templo de Jerusalém para o da Babilônia, serão devolvidos ao templo de Jerusalém para que ocupem seu lugar na casa de Deus.

⁶Por conseguinte, Tatanai, sátrapa da Transeufratênia, Setar-Buzanai e vossos colegas, as autoridades da Transeufratênia, mantende-vos à margem ⁷e permiti ao sátrapa e ao senado de Judá que trabalhem reconstruindo o templo de Deus em seu antigo lugar. ⁸Quanto ao senado de Judá e à construção do templo, eu vos ordeno que se paguem a esses homens todos os gastos pontualmente e sem interrupção, utilizando os fundos reais dos impostos da Transeufratênia. ⁹Os bezerros, carneiros e cordeiros de que necessitarem para os holocaustos do Deus do céu, assim como o trigo, o sal, o vinho e o azeite serão entregues a eles sem falta a cada dia, segundo as indicações dos sacerdotes de Jerusalém, ¹⁰para que ofereçam sacrifícios ao Deus do céu, pedindo pela saúde do rei e de seus filhos.

¹¹Ordeno também: a quem não cumprir este edito, arrancarão uma viga de sua casa e o empalarão nela, e transformarão sua casa num montão de escombros. ¹²E todo

---

5,17 Os fatos não eram remotos (menos de vinte anos); contudo, os judeus apelam a documentos de arquivo. A isso o governador não podia negar-se sem arriscar-se. Quanto mais fielmente transmitir a declaração dos judeus, mais seguro se encontrará na sua posição. A resposta era praticamente uma apelação; Daniel, Ester e outros testemunhos concordam em ponderar a seriedade dos decretos persas.

6,1-2 Babilônia era a capital de inverno; Susa e Ecbátana, capitais de verão. É possível que Ciro se encontrasse em Ecbátana quando chegou o momento de promulgar seu edito de tolerância e que o documento se conservasse nesse arquivo real.

6,3-5 Sabemos por outros documentos conservados que os monarcas persas se dignavam regularmente questões cultuais de seus vassalos. A rigor, esses decretos respondiam a pedidos concretos de quem queria estar autorizado pelo poder supremo; soavam como ordens e eram licenças. Se Ciro se assessorou de funcionários judeus, compreende-se que estes quisessem expressar no próprio decreto, pelo lugar e estrutura, o vínculo do novo templo com o antigo. Também é conhecido o costume de financiar semelhantes gastos religiosos à custa da coroa; na prática significava canalizar parte dos impostos.
Por economia narrativa ou por razões administrativas, cita-se apenas uma parte do decreto imperial, o suficiente para responder à consulta.

6,7 O versículo indica que Judá tinha administração própria, com um governador e um senado; segundo outros dados, o governador era Zorobabel. Alguns chefes de família ou clã e talvez alguns sacerdotes formavam o senado.

6,8 Com esta disposição, a coroa não desembolsa fundos próprios; quando muito renuncia a uma parte dos impostos, encaminhando-os diretamente para os interessados. Tudo ficava dentro dos confins da Transeufratênia.

6,10 As orações pelo imperador são coisa conhecida; ver Jr 29,7. Era um modo de reconhecer a vassalagem no âmbito do culto. Uma contrapartida valiosa em troca da subvenção, mesmo prescindindo das convicções religiosas do monarca. No citado documento de Ciro, são os deuses inferiores que devem suplicar a Marduc pelo bem-estar de Ciro.

6,11-12 O final não é específico da presente carta, mas acompanha os decretos imperiais. O autor de Ester escolhe o mesmo tipo de castigo para fazer Amã morrer (Est 7) e é conhecido por relevos antigos. Porém, o deus interessado deverá vingar o segundo delito. A fórmula "dar nome" ou impor seu nome é de ascendência deuteronomista.

rei ou povo que, transgredindo esta ordem, tentar destruir o templo de Jerusalém, o Deus que lhe deu seu nome o aniquile.

A ordem é minha e quero que se cumpra plenamente. Dario".

¹³Tatanai, sátrapa da Transeufratênia, Setar-Buzanai e seus colegas fizeram exatamente o que o rei Dario havia mandado. ¹⁴Desse modo, o senado de Judá adiantou muito a construção, cumprindo as instruções dos profetas Ageu e Zacarias, filho de Ido, até que finalmente a terminaram, conforme o que fora ordenado pelo Deus de Israel e por Ciro, Dario e Artaxerxes, reis da Pérsia.

¹⁵O templo foi terminado no dia três do mês de março, no sexto ano do reinado de Dario. ¹⁶Os israelitas – sacerdotes, levitas e o resto dos deportados – celebraram com júbilo a dedicação do templo, ¹⁷oferecendo por esse motivo cem touros, duzentos carneiros, quatrocentos cordeiros e doze bodes – um por tribo – como sacrifício expiatório para todo Israel. ¹⁸O culto do templo de Jerusalém foi confiado aos sacerdotes, por grupos, e aos levitas, por classes, como manda a Lei de Moisés.

¹⁹Os deportados celebraram a Páscoa no dia catorze do mês de abril; ²⁰visto que os levitas, junto com os sacerdotes, se haviam purificado, estavam puros e imolaram a vítima pascal para todos os deportados, para os sacerdotes seus irmãos e para eles mesmos. ²¹Comeram-na os israelitas que tinham voltado do desterro e todos os que, renunciando à impureza dos colonos estrangeiros, se uniram a eles para servir o Senhor Deus de Israel. ²²Celebraram com alegria a festa dos Ázimos durante sete dias; festejavam ao Senhor porque, mudando a atitude do rei da Assíria, os animou a trabalhar no templo do Deus de Israel.

6,13-14 O resultado final da inspeção foi muito favorável para os judeus; pois, se o sátrapa cumpriu fielmente a ordem real, teve de fornecer fundos para a empresa. Esse apoio econômico, unido ao esforço dos judeus, fez adiantar as obras, terminadas em menos de cinco anos. Mencionar aqui o rei Artaxerxes é evidente anacronismo.

6,15-18 Para o Cronista, estes versículos devem ser lidos tendo presentes os capítulos sobre a primeira construção e organização do culto (2Cr 3-7). É uma festa dos "deportados", segundo a legislação tradicional e representando as doze tribos. Os repatriados são agora o verdadeiro Israel das promessas. Sobre a legislação aludida, ver Nm 7.

6,19 Com este versículo se retoma a língua hebraica. A celebração da Páscoa é sugerida em primeiro lugar pela data da dedicação; como no retorno a festa das Cabanas foi a primeira, assim agora é a vez da Páscoa. Pode haver outra razão mais substancial: quando os israelitas penetraram na terra de Canaã, celebraram logo a Páscoa, encerrando o ciclo da saída do Egito e abrindo a etapa histórica na terra (Js 5). É lógico que a nova etapa também seja inaugurada com essa festa. A novidade fundamental é a presença do templo: sua construção teve tal importância teológica, que só com ela se encerrou a etapa da caminhada e começou o descanso. Também agora, depois dos trabalhos de reconstrução do templo, começa uma etapa histórica inaugurada com a solene Páscoa dos judeus.

6,21 Isto muda um pouco a visão simplista do v. 16: os repatriados admitem outros como participantes da celebração. A legislação de Ex 12,48-49 permite que os migrantes circuncidados comam a Páscoa, pois por esse rito são incorporados à comunidade de Israel. O presente texto não fala de circuncisão, mas de afastar-se da impureza ou contaminação: trata-se de judeus não desterrados ou de estrangeiros prosélitos? É mais provável o primeiro. Os judeus que não foram para o desterro não constituem o núcleo autêntico do povo, mas podem reintegrar-se plenamente. Para tanto não precisam circuncidar-se, pois nunca deixaram de fazê-lo, mas precisam renegar práticas ilegítimas ou renunciar a elas. A "impureza" de que se fala corresponde ao "opróbrio" do Egito que os israelitas removem antes de comer a Páscoa na terra prometida (Js 5,9), e corresponde analogamente à exigência de renúncia antes de renovar a aliança (Js 24,23).

Conforme essa interpretação, o templo reconstruído começa a atrair e a reconstruir a unidade nacional. Algo semelhante aconteceu nos tempos de Josias (2Cr 34). Contudo, a formulação é genérica, talvez intencionalmente, como que deixando a porta aberta aos prosélitos, correspondendo à visão universalista de Zacarias (8,20-23).

6,22 Soa-nos estranha essa menção do "rei da Assíria". Embora Dario seja herdeiro do trono de Babilônia e mediatamente do da Assíria, nunca um monarca persa teve semelhante título. Se lêssemos sem artigo "de um rei assírio", o adjetivo serviria para sugerir uma qualidade; como quem diz: "de um rei hostil". Pode simplesmente ser devido à mudança posterior, quando os selêucidas ou sírios eram designados em código "assírios". Deus muda o coração (1Rs 18,37). Com o templo reconstruído e com o correr do calendário litúrgico, começa uma etapa de silêncio histórico que dura quase setenta anos (515-448). É a época das guerras com a Grécia. A Dario sucede Xerxes, o Assuero do livro de Ester, e a este segue Artaxerxes. Diversos oráculos recolhidos na seção de Isaías 56-66 situam-se provavelmente nessa época. Também nessa época aconteceria um intercâmbio cultural dos judeus com ideias do parsismo.

7 Esdras chega a Jerusalém

¹Anos mais tarde, durante o reinado de Artaxerxes da Pérsia, Esdras, filho de Saraías, de Azarias, de Helcias, ²de Selum, de Sadoc, de Aquitob, ³de Amarias, de Azarias, de Maraiot, ⁴de Zaraías, de Ozi, de Boci, ⁵de Abisue, de Fineias, de Eleazar, filho do sumo sacerdote Aarão, subiu da Babilônia. ⁶Era um letrado perito na Lei que o Senhor Deus de Israel deu por meio de Moisés. O rei lhe concedeu tudo o que pedia, porque o Senhor seu Deus estava com ele.

⁷No sétimo ano do rei Artaxerxes, subiram a Jerusalém alguns israelitas, sacerdotes, levitas, cantores, porteiros e doados. ⁸Chegaram a Jerusalém em julho do sétimo ano do rei. ⁹No dia primeiro de março decidiu sair da Babilônia e no dia primeiro de julho chegou a Jerusalém, com a ajuda de Deus, ¹⁰porque Esdras se dedicara a estudar a Lei do Senhor para cumpri-la e para ensinar a Israel seus estatutos e preceitos.

¹¹Cópia do documento que o rei Artaxerxes entregou a Esdras, sacerdote-letrado, especialista nos preceitos do Senhor e em seus estatutos a Israel:

¹²"Artaxerxes, rei de reis, ao sacerdote Esdras, doutor na lei do Deus do céu. Paz perfeita etc.

¹³Disponho que possam ir contigo os meus súditos israelitas, incluindo seus sacerdotes e levitas, que desejem ir a Jerusalém. ¹⁴O rei e seus sete conselheiros te enviam para ver como se cumpre em Judá e Jerusalém a lei de Deus, que te confiaram, ¹⁵e para levar a prata e o ouro que o rei e seus conselheiros ofereceram voluntariamente ao Deus de Israel, que habita em Jerusalém, ¹⁶além da prata e do ouro que recolheres na província da Babilônia e dos dons que o povo e os sacerdotes oferecerem ao templo de seu Deus em Jerusalém. ¹⁷Emprega exatamente esse dinheiro para comprar bezerros, carneiros e cordeiros,

---

7,1 Na expressão inicial cabe tudo. Se aceitamos a hipótese da inversão cronológica nestes livros, os capítulos que se seguem contêm a última informação histórica dos presentes livros. Segundo esta hipótese, a data original dizia 37, que se mudou em 7 atraída pelo "sexto" de 6,15. O ano 37 de Artaxerxes é 428 a.C.
A ordem atual dos textos coloca primeiro o reformador religioso e depois o civil, com uma mudança de perspectiva em relação à etapa em que Zorobabel vai à frente de Josué (Ag 2,4). Como Esdras atuou alguns anos antes junto com Neemias, sua estadia em Babilônia seria uma viagem especial para receber poderes do imperador.
Os que leem a data do texto situam a primeira atividade de Esdras no ano 458, em tempos agitados e difíceis para o Império, e o mostram residente habitual de Babilônia.
Pela genealogia, Esdras (= Azarias) é descendente de Saraías, último sacerdote do primeiro templo (2Rs 25,18-21), executado por Nabuzardã. A lista, segundo o costume, salta nomes intermédios.

7,6 Com Esdras surge nova classe intelectual e religiosa na história dos judeus: o letrado ou perito na Lei. A função pôde muito bem nascer e desenvolver-se no desterro, quando faltava o culto; então os sacerdotes preservaram só a sua função de intérpretes oficiais da Lei; a nova classe formou-se dessa função cultivada com diligência. Um século mais tarde, ao acabar-se praticamente a classe profética, o perito da Lei via crescer sua autoridade. A Lei era antes de tudo o corpo de prescrições, mas também por extensão um corpo literário, que os letrados ajudaram a selecionar, fixar, conservar e transmitir. Daqui pode ter surgido a lenda que fez de Esdras o criador do primeiro cânon das Escrituras hebraicas. No presente livro, a sua atividade é legal. À proteção do Senhor puderam somar-se os bons ofícios do seu companheiro Neemias, que exercia grande influência na corte e sobre a pessoa do imperador. A notícia significa algo mais: o autor reconhece que Esdras recebe seu poder do rei pagão, que poderá urgir a Lei de Moisés por força da lei dos persas. Isso é a casca, porque é o próprio Senhor quem dirige e controla a ação humana. O imperador é, na realidade profunda, uma peça intermédia e subordinada entre o Senhor e seu sacerdote Esdras.

7,7-9 Forma-se nova caravana, constituída como a do ano 537 (os servos de Salomão estão incluídos entre os doados). Esta breve notícia é ampliada mais adiante.

7,10 Aqui temos descrita a vocação do "letrado": dedica-se a estudar para "praticar" e "ensinar". A observância é parte da sua profissão. Em Eclo 39 descreve-se essa profissão como a mais ilustre.

7,11 Alguns detalhes dão a impressão de que o texto foi elaborado pelo autor a favor de Esdras. Mesmo contando com conselheiros judeus na corte e com a influência de Neemias, alguns detalhes resultam inverossímeis. De uma competência intelectual, o rei eleva Esdras a uma autoridade jurídica, e o letrado aceita semelhantes poderes sem objeções. O documento é citado em aramaico.

7,14-16 A primeira tarefa é uma inspeção. A segunda coisa é a licença de reunir fundos e transportar a subvenção real. Isso supera o que lemos até agora, pois Dario mandava entregar uma parte dos tributos, e Artaxerxes faz uma contribuição pessoal. Além disso, o sacerdote podia recolher de seus concidadãos ofertas voluntárias e talvez também um tanto como imposto pessoal para o serviço do templo (conforme Ex 30, 11-15).

7,17 Por meio de um papiro de Elefantina sabemos que o rei Dario II regulava a celebração da Páscoa pela comunidade judaica, e um mensageiro judeu transmitia a ordem; isso acontecia em 419.

com as oblações e libações correspondentes, e oferece-os no altar do templo dedicado ao vosso Deus em Jerusalém. ¹⁸O ouro e a prata que sobrarem, vós os empregareis como melhor parecer a ti e a teus irmãos, de acordo com a vontade de vosso Deus. ¹⁹Tu porás a serviço de Deus em Jerusalém os objetos que te entregarem para o culto do templo de teu Deus. ²⁰Qualquer outra coisa que necessitares para o templo será proporcionada a ti na tesouraria real.

²¹Eu, o rei Artaxerxes, ordeno a todos os tesoureiros da Transeufratênia que entreguem pontualmente a Esdras, sacerdote e doutor na Lei do Deus do céu, tudo o que lhes pedir, ²²até o montante de três mil quilos de prata, cem cargas de trigo, cem medidas de vinho e cem de azeite; o sal sem restrições. ²³Faça-se exatamente tudo o que o Deus do céu ordenar em relação ao seu templo, para que não se irrite contra o reino, o rei e seus filhos. ²⁴E vos fazemos saber que todos os sacerdotes, levitas, cantores, porteiros, doados e servidores dessa casa de Deus estão isentos de imposto, contribuição e pedágio.

²⁵Tu, Esdras, com essa prudência que Deus te deu, nomeia magistrados e juízes para administrar a justiça a todo o teu povo da Transeufratênia, isto é, a todos os que conhecem a Lei de teu Deus; e ensina-a aos que não a conhecem.

²⁶Quem não cumprir exatamente a Lei de Deus e a ordem do rei, seja condenado à morte, ou ao desterro, ou a pagar uma multa, ou ao cárcere".

²⁷Bendito seja o Senhor Deus de nossos pais, que moveu o rei para honrar o templo de Jerusalém, ²⁸e me granjeou seu favor, de seus conselheiros e das autoridades militares. Animado ao ver que o Senhor meu Deus me ajudava, reuni alguns israelitas importantes para que subissem comigo.

8 ¹Lista dos chefes de família, indicando sua genealogia, que subiram comigo da Babilônia durante o reinado de Artaxerxes:

²Dos descendentes de Fineias, Gersam.

Dos descendentes de Itamar, Daniel.

Dos descendentes de Davi, Hatus, ³filho de Sequenias.

Dos descendentes de Faros, Zacarias e com ele cento e cinquenta registrados.

⁴Dos descendentes de Faat-Moab, Elioenai, filho de Zaraías, com duzentos homens.

⁵Dos descendentes de Zetua, Sequenias, filho de Jaaziel, com trezentos homens.

⁶Dos descendentes de Adin, Abed, filho de Jônatas, com cinquenta homens.

7,18 O detalhe pode recordar o que narra Ex 36,5-7.

7,24 Tal isenção de tributos é prática que conhecemos por meio de documentos posteriores. Podia converter-se em instrumento para assegurar a lealdade da influente classe sacerdotal.

7,25 Passamos a atribuições civis, e numa medida que nos faz duvidar da sua autenticidade. Na mentalidade do Cronista, isso faz de Esdras um sucessor da reforma da magistratura de Josafá (2Cr 19), mas em maior escala. Do rescrito se seguiria que Esdras adquiria autoridade sobre todos os judeus dispersos na metade ocidental do império. Em qual relação de competência com as autoridades locais? Também essa suposta campanha de catequese pela diáspora judaica a oeste do Eufrates se parece com a reforma de Josafá. Por outro lado, se o lemos como um esforço de organização central para que a Lei seja conhecida por todos os judeus em qualquer parte, então nos aproximamos da realidade pós-exílica; Esdras se converte no personagem-chave de tão extensa reforma, e com autoridade o templo de Jerusalém é reconhecido como centro espiritual.

Uma coisa é indubitável: a legislação de Moisés abrange a vida civil e a administração da justiça.

7,26 Essa autoridade é consequência lógica do que vem antes. A pena de morte era prevista na Lei. O desterro fará Judá entender isso como exclusão da comunidade central.

7,27 O texto passa à língua hebraica e continua na primeira pessoa. Supõe-se que o próprio Esdras redigiu estas suas memórias, nas quais lemos como se realizou o rescrito do rei.

8 Na lista encontramos primeiro dois sacerdotes e depois um davidita. Não parece que o descendente de Davi voltou com poderes civis, como outrora Zorobabel; contudo, vê-se que a linhagem é respeitada.

Aparecem depois doze chefes de família, como que reconstruindo o número tradicional, embora sem representar todas as tribos. Ao todo são quase mil e quinhentos homens. É como se a comunidade de Judá precisasse periodicamente desses reforços de população vinda da diáspora. Esses numerosos e compactos grupos tinham de influir poderosamente sobre a comunidade. Pelo que se lê em capítulos posteriores, parece que esses novos repatriados conservavam a identidade nacional e os ideais tradicionais com mais pureza. Se isso é certo, compreendemos melhor que Esdras necessitasse do respaldo do imperador e do apoio de um forte grupo para enfrentar os abusos da comunidade em Judá.

⁷Dos descendentes de Elam, Isaías, filho de Atalia, com setenta homens.
⁸Dos descendentes de Safatias, Zebedias, filho de Miguel, com oitenta homens.
⁹Dos descendentes de Joab, Abdias, filho de Jaiel, com duzentos e dezoito homens.
¹⁰Dos descendentes de Bani, Salomit, filho de Josfias, com cento e sessenta homens.
¹¹Dos descendentes de Bebai, Zacarias, filho de Bebai, com vinte e oito homens.
¹²Dos descendentes de Azgad, Joanã, filho de Ectã, com cento e dez homens.
¹³Dos descendentes de Adonicam, os últimos, chamados Elifalet, Jeiel e Semeías, com sessenta homens.
¹⁴Dos descendentes de Beguai, Utai e Zabud, com setenta homens.

A viagem a Jerusalém – ¹⁵Eu os reuni junto ao rio que corre para Aava; acampamos aí três dias, e observei que havia leigos e sacerdotes, mas não encontrei levitas. ¹⁶Então enviei os chefes Eliezer, Ariel, Semeías, Elnatã, Jarib, Elnatã, Natã, Zacarias e Mosolam, e Joiarib e Elnatã, homens prudentes, ¹⁷com a ordem de apresentar-se a Ado, chefe da localidade de Casfia, a fim de que nos fornecessem empregados para o templo de nosso Deus. ¹⁸Graças a Deus, enviaram-nos um homem prudente, descendente de Mooli, de Levi, de Israel: Serebias, que veio com dezoito pessoas entre filhos e irmãos. ¹⁹Também nos enviaram Hasabias e Isaías, descendentes de Merari, com vinte pessoas, entre filhos e irmãos. ²⁰E duzentos e vinte doados, dos que Davi e as autoridades destinaram ao serviço dos levitas. Todos foram designados nominalmente.

²¹Aí, junto ao rio Aava, proclamei um jejum para fazer penitência diante de nosso Deus e pedir-lhe uma boa viagem para nós, nossas crianças e nossos bens. ²²Porque tínhamos vergonha de pedir ao rei infantaria e cavalaria para nos proteger dos inimigos durante a viagem, depois de ter-lhe dito: "Nosso Deus protege os que o servem, mas seu poder e sua cólera se voltam contra os que o abandonam". ²³Por essa intenção jejuamos e suplicamos ao Senhor, que nos atendeu benignamente.

²⁴Escolhi doze príncipes dos sacerdotes e também Serebias e Hasabias com dez de seus irmãos. ²⁵Pesei diante deles a prata, o ouro e os objetos que o rei, seus conselheiros e os israelitas aí residentes haviam entregue como oferta ao templo de nosso Deus. ²⁶Eu pesei e lhes entreguei dezenove mil e quinhentos quilos de prata, cem objetos de prata que pesavam sessenta quilos, e três mil quilos de ouro, ²⁷vinte taças de ouro de mil daricos e os objetos

---

8,15-20 O baixo número de levitas já apareceu na primeira caravana de repatriados. Vê-se que suas perspectivas de trabalho na pátria não superavam as vantagens da sua situação na diáspora.

8,21-23 Aqui vemos o guia espiritual da caravana. Uma viagem tão longa era constante risco por causa dos bandos de salteadores que espreitavam as rotas comerciais; o risco se multiplicava quando os peregrinos transportavam cargas valiosas. Por essa razão, o imperador ou seus funcionários tinham oferecido uma escolta militar. Esdras teria podido aceitá-la tranquilamente, mas preferiu um jogo perigoso. Perante o imperador demonstrava a grandeza de seu Deus e o realismo de sua confiança; aos peregrinos ensinava praticamente a confiar em Deus mais que nos homens, segundo a genuína tradição israelita. Isso representava uma experiência como de noviciado, como de velhos israelitas pelo deserto após a saída do Egito (Is 43,2).
É tradicional que o deserto desempenhe a função de prova. Quem superar essa prova chegará curtido, consolidado na confiança em Deus e capaz de valer-se por si mesmo.
Esdras aceitou o apoio político do rei e recusou a proteção militar. No seu próprio nome (= o Senhor protege) leva um penhor do céu; delicadamente o texto hebraico chama a atenção sobre o sentido do nome.

8,22-23 Os dois versículos soam como citação ou imitação de algum salmo (ver, por exemplo, Sl 27,1-3).

8,24-27 A quantidade é muito elevada. Sabemos que muitos judeus tinham prosperado em diversas regiões do império, alguns faziam parte do banco internacional. Com suas doações para o templo professavam sua fidelidade judaica. Também os judeus da classe média trariam suas contribuições. Quem escreve estas linhas deleita-se ao ver o amor de tantos judeus pelo templo distante. E até pode insinuar-nos o cumprimento de algumas profecias: "Farei tremer todas as nações, e virão as riquezas de todos os povos, e encherei este templo de glória – diz o Senhor dos exércitos. Minha é a prata, meu é o ouro – oráculo do Senhor dos exércitos" (Ag 2,7-8). O dado pode ser lido sobre o pano de fundo da comunidade de Elefantina no Egito, que havia construído seu próprio templo, e da comunidade samaritana, que o construirá em breve. Esdras representa a pura tradição do templo central único, ponto de referência e centro de unidade e de atração para os judeus pós-exílicos. De certo modo, a obra do Cronista gravita rumo a esse momento que, cronologicamente, é o final da história.

de bronze fino dourado, valiosos como o ouro. ²⁸E lhes disse:

– Vós estais consagrados ao Senhor. Estes objetos são sagrados e a prata e o ouro são ofertas voluntárias para o Senhor Deus de nossos pais. ²⁹Vigiai-os e guardai-os até que os peseis em Jerusalém, nas salas do templo, diante dos príncipes dos sacerdotes, dos levitas e dos chefes de família de Israel.

³⁰Os sacerdotes e levitas pegaram a prata, o ouro e os objetos que haviam contado para levá-los a Jerusalém, ao templo de nosso Deus.

³¹No dia doze de março partimos do rio Aava e nos encaminhamos para Jerusalém. Nosso Deus nos protegeu durante a viagem e nos livrou de inimigos e assaltantes. ³²Chegamos a Jerusalém e aí descansamos três dias. ³³No quarto dia contamos a prata, o ouro e os objetos no templo de nosso Deus e os entregamos ao sumo sacerdote, Meremot, filho de Urias, na presença de Eleazar, filho de Fineias, e dos levitas Jozabad, filho de Josué, e Noadaías, filho de Benui. ³⁴Depois de contar e pesar tudo, fez-se o inventário por escrito.

³⁵Os deportados que voltavam do cativeiro ofereceram holocaustos ao Deus de Israel: doze bezerros para todo Israel, noventa e seis carneiros, setenta e sete cordeiros e doze bodes como sacrifício expiatório; todos em holocausto ao Senhor. ³⁶Depois entregaram os decretos do rei aos sátrapas imperiais e aos governadores da Transeufratênia, que ajudaram o povo e o templo de Deus.

9 O problema dos casamentos com estrangeiras (Ne 13) – ¹Mais adiante, as autoridades se aproximaram de mim para dizer:

8,28-29 Aquele que parecia despreocupado com a segurança humana dos peregrinos redobra a atenção no que se refere aos dons votivos.

8,31 Isso significa que a Páscoa os alcança logo que começam a caminhada. Não há incidentes da viagem para contar. Tudo se resume na proteção de Deus concedida aos que confiaram nele. Em Jerusalém devem ter recebido hospedagem de familiares e de outras pessoas antes de instalar-se cada qual em seu lugar.

8,35 Os repatriados continuavam se chamando "os deportados que voltavam do cativeiro", embora sua situação política fosse muito diferente. Já não viviam forçados ou explorados em terra estranha, já estavam enraizados em novas posses, em comunidades judaicas. Do ponto de vista de Jerusalém e Judá, todo o resto era deportação, dispersão; do ponto de vista dos dispersos, Jerusalém era centro espiritual que não exigia a presença física. Essa polaridade de um centro e muitos centros define a situação dos judeus pós-exílicos. A volta é como uma romaria que culmina com a celebração no templo. Os repatriados, uma vez mais, representam todo Israel. A celebração não deixaria de impressionar pessoas que não estavam acostumadas ao culto com sacrifícios. Este versículo e o seguinte passam para a terceira pessoa.

9 Neste capítulo e no seguinte, Esdras narra seu agir num assunto que considera transcendental: a questão dos casamentos mistos. Trazia a questão em pauta quando voltou da Babilônia? O relato começa com uma ligação indefinida e o autor fala como se não estivesse a par do problema, como se outros tivessem tomado a iniciativa. O que encontrava o "perito letrado" na Lei? Nos livros históricos podia ver um Abraão ansioso por casar seu filho como uma mulher do clã (Gn 24,4.10), e algo semelhante no caso de Jacó (Gn 28,1-2); mas ao mesmo tempo encontrava José casado com uma estrangeira (Gn 41,45), e o próprio Moisés, sem que Deus o reprovasse (Ex 2,21; Nm 12,1). Davi e Salomão tomaram mulheres estrangeiras por razões políticas ou por amor, sem perigo para o primeiro, com graves consequências para o segundo. Em Rute semelhantes casamentos aparecem como coisa natural. Se Ex 34,16 e Dt 7,1-4 os proíbem energicamente, Dt 20,14ss e 21,10ss os permitem. O letrado tinha de interpretar os textos segundo a situação presente.

Esdras reprova isso com toda a alma: chama-o infâmia, pecado, reato, também delito, má ação, infração da Lei (os três últimos, no texto da confissão). Reage com paixão e energia. Por quê?

Em suas palavras aponta o motivo racial e de identidade nacional: "A raça (= semente) santa se misturou", e predomina o perigo religioso da contaminação. O que motivava a proibição de Ex e Dt era o perigo de idolatria ou sincretismo, um perigo que voltava a apresentar-se. Numa época de convivência relativamente pacífica de muitos povos dentro de um grande império unificado, o perigo máximo era perder a identidade nacional, que era de índole religiosa; o perigo já não consiste em serem esmagados ou arrastados por tropas inimigas. O exemplo da Samaria surgia ameaçador. Pouco valia um templo único, se as famílias o acompanhavam com cultos e ritos estranhos; pouco valia a muralha levantada por Neemias, se o tentador se infiltrava dentro: "se a mulher que dorme em teus braços te incita às escondidas..." (Dt 13,7).

É o perigo de cometer as "abominações" dos pagãos, de cair na sua "impureza", tanto no culto como no modo de vida. Se os judeus não conservam pura sua fé, que função específica conservam no meio dos povos? Se violam o mandamento do Senhor, o irritarão e serão aniquilados. Se Jerusalém queria conservar uma posição de liderança na dispersa "comunidade" dos judeus, tinha de conservar energicamente sua identidade e integridade.

— O povo de Israel, os sacerdotes e os levitas cometeram as mesmas abominações dos povos pagãos, cananeus, heteus, ferezeus, jebuseus, amonitas, moabitas, egípcios e amorreus; ²eles e seus filhos casaram com estrangeiras, e a semente santa misturou-se com povos pagãos. Os chefes e os conselheiros foram os primeiros a cometer essa infâmia.

³Quando soube disso, rasguei as vestes e o manto, rapei a cabeça e a barba e me sentei desolado. ⁴Todos os que respeitavam a Lei do Deus de Israel se reuniram junto de mim ao saber dessa infâmia dos deportados. Permaneci abatido até a hora da oblação da tarde. ⁵Mas ao chegar esse instante, acabei minha penitência, e com a veste e o manto rasgados, me ajoelhei e levantei as mãos ao Senhor meu Deus, ⁶dizendo:

— Meu Deus, de pura vergonha não me atrevo a levantar o rosto para ti, porque nossos delitos ultrapassam nossa cabeça, e nossa culpa chega ao céu. ⁷Desde os tempos de nossos pais até hoje temos sido réus de grandes culpas e, por nossos delitos, nós com nossos reis e sacerdotes fomos entregues a reis estrangeiros, à espada, ao desterro, ao saque e à ignomínia, que é a situação atual. ⁸Mas agora o Senhor nosso Deus nos concedeu um momento de graça, deixando-nos um resto e uma estaca em seu lugar santo, dando luz a nossos olhos e concedendo-nos alento em nossa escravidão. ⁹Porque éramos escravos, mas nosso Deus não nos abandonou em nossa escravidão;

Esse parece ter sido o raciocínio de Esdras (pode-se completar com as indicações de Neemias em Ne 13,23-27). O registro deu um total de 113 casos: suficientes para pôr em perigo uma população de muitos milhares? Os judeus repatriados já estavam há mais de um século em Judá: em alguma ocasião faltaram talvez mulheres, já que ainda se praticava a poligamia; ou então as frequentes relações com outras populações ofereciam ocasiões frequentes para aparentar-se com elas. A ação enérgica de Esdras pretende cortar e prevenir.
A lista de povos citados é o velho setenário, mais o Egito: é uma alusão ao Dt, mais que uma descrição realista, ou uma mistura do presente com o passado.
9,2 "Semente santa": conforme a expressão de Is 6,13 (anúncio de restauração). "Misturou-se": segundo a expressão de Sl 106,35 (liturgia penitencial).
9,3 A reação de Esdras é teatral. Não se dispõe a agir, só assinala seus gestos e palavras de dor, para contagiar outros, para fazer-se rogar. Em outros tempos, um Jeremias ou um Ezequiel executavam pantomimas para pronunciar seus oráculos e denunciar os pecados dos israelitas; o letrado não dispõe de oráculos, mas sabe recorrer a gestos dramáticos.
Como a atuação é modelo penitencial, convém notar os ritos e o texto. Primeiro, a penitência feita sentado no chão, em silêncio, com mostras convencionais de luto; depois, vem a confissão dos pecados, de joelhos com os braços para cima, acompanhando a súplica com pranto.
9,4 Isso o sacerdote o faz num lugar aberto ao templo, acompanhado de um grupo que vai engrossando. "Os que respeitavam...": o sentido poderia ser também: "Todos os que temiam as ameaças de Deus por essa infâmia...". O entardecer é a hora penitencial em Sl 30,6 e em Dn 9,21 (texto parecido a este).
9,5 De joelhos como postura cultual: 1Rs 8,54; 19,18; Dn 10,10.
9,6 "Chega ao céu", por sua quantidade, porque se acumula; também porque provoca o olhar e reação de Deus.
9,6-15 A confissão dos pecados corresponde a um modelo repetido depois do desterro (Ne 9; Dn 9; Br 1,15-3,8). A situação é de julgamento bilateral ou acareação entre Deus e o povo; ou seja, Deus não se apresenta como juiz, e sim como parte ofendida. Uma das duas partes tem razão, a outra não; uma é inocente e a outra culpada; uma é justa e a outra injusta. O homem responde à acusação (ao menos implícita) do Senhor, confessando sua culpa e a correlativa inocência de Deus nas relações mútuas. Nessa confissão é frequente remontar aos pecados dos antepassados, fazendo-se solidário com eles; o pecado se amplia com agravantes diversos: repetição, gravidade, não se corrigir; depois vem a súplica de perdão e a promessa de emenda.
O texto lido aqui é típico, adaptado à situação presente. Esdras se faz porta-voz da comunidade. Não é difícil, nas suas palavras, escutar reminiscências de salmos penitenciais.
9,7 A situação atual continua a precedente enquanto são um povo vassalo, simples província de um império.
9,8 O momento de graça é o favor do soberano. Is 54,8 afirma que a cólera é brevíssima; o favor, duradouro; a oração de Esdras deixa uma impressão mais pessimista. Como "estaca" na qual prender uma tenda de campanha ou como prego na parede em que penduramos utensílios. A primeira interpretação se inspira na visão da terra e da cidade como grande tenda de campanha que acolhe os cidadãos (Is 54,2); a segunda se inspira em Is 22,23-24. Em ambos os casos, a estaca seria metáfora do chefe da comunidade, designada aqui como "resto". Tratar-se-ia do chefe civil, ou seja, Neemias, se ainda exercia o poder; não parece referir-se ao descendente de Davi, Hatus, filho de Sequenias (8,3).
"Dando luz...": Sl 13,4 (conservar a vida): Pr 29,13. A escravidão é a vassalagem, evocando de passagem a escravidão do Egito.
9,9 O abrigo figura como metáfora de proteção de limites: referido a Jerusalém, é a muralha reconstruída por Neemias; referido a Judá, é a fronteira definida diante dos povos vizinhos.

granjeou-nos o favor dos reis da Pérsia, deu-nos alento para erguer o templo de nosso Deus e restaurar suas ruínas, e nos deu um abrigo em Judá e Jerusalém.

¹⁰E agora, Deus nosso, o que podemos dizer depois de tudo isso? ¹¹Abandonamos os preceitos que nos deste por meio de teus servos, os profetas, dizendo: "A terra que possuireis é uma terra manchada pela imundície dos povos pagãos, pelas abominações com que a encheram de um extremo a outro, por suas impurezas. ¹²Por conseguinte, não entregueis vossas filhas a seus filhos nem caseis vossos filhos com suas filhas; nunca pretendais sua aliança nem seu favor. Assim vos tornareis fortes, comereis os frutos da terra e a legareis a vossos filhos para sempre".

¹³Depois de tudo o que nos aconteceu por nossas más ações e nossa grave culpa – embora tu, Deus nosso, tenhas reduzido o peso de nossos delitos e nos deixaste sair com vida –, ¹⁴voltaremos a violar teus preceitos, tornando-nos parentes desses povos abomináveis? Não te irritarias até acabar conosco, sem deixar um resto com vida?

¹⁵Senhor Deus de Israel, este resto que hoje continua com vida demonstra que tu és justo. Nós nos apresentamos a ti como réus, pois depois do que aconteceu não podemos confrontar-nos contigo.

10 ¹Enquanto Esdras, chorando e prostrado diante do templo de Deus, orava e fazia essa confissão, uma grande multidão de israelitas – homens, mulheres e crianças – reuniu-se junto a ele chorando sem parar.

²Então Sequenias, filho de Jaiel, descendente de Elam, tomou a palavra e disse a Esdras:

– Fomos infiéis a nosso Deus ao casar com mulheres estrangeiras dos povos pagãos. Mas ainda há esperança para Israel. ³Nós nos comprometeremos com nosso Deus a despedir todas as mulheres estrangeiras e as crianças que tivemos com elas, segundo decidas tu e os que respeitam os preceitos de nosso Deus. Cumpra-se a Lei. ⁴Levanta-te, pois esse assunto é de tua competência, e nós te apoiaremos. Age com energia.

⁵Esdras se pôs em pé e fez os príncipes dos sacerdotes, os levitas e todo Israel jurar que agiriam dessa forma. Eles juraram. ⁶Então Esdras saiu do templo e foi ao aposento de Joanã, filho de Eliasib, onde passou a noite. Mas em sinal de luto não comeu nem bebeu, entristecido como estava pela infidelidade dos desterrados.

⁷Avisaram por Judá e Jerusalém que todos os desterrados se reunissem em Jerusalém. ⁸Quem não fosse no prazo de

---

9,11-12 As frases provêm mais propriamente da Lei. Entre os profetas, o sacerdote Ezequiel tem expressões semelhantes (22,10; 36,17). A promessa final não é uma consequência óbvia da pureza racial, mas prêmio ou bênção divina pela observância da Lei. Uma Lei de caráter cultual que proíbe o contato com objetos e pessoas contaminadas: o povo "consagrado" não pode juntar-se com povos contaminados, sob pena de contaminação e execração.

9,13-14 Aceitando o último castigo como correção salutar e reconhecendo que foi inferior à culpa, Esdras pronuncia o propósito de emenda em forma de interrogação retórica. Is 40,2 indica que o castigo foi maior que o merecido; por outro lado, Sl 103,10 diz que "não nos trata como nossos pecados merecem". O ter deixado um resto é o limite posto sempre ao castigo merecido.

9,15 Nas relações com seu povo, Deus cumpriu a palavra, e por isso é justo, inocente, tem razão; a vida desse resto comprova que ele cumpriu a palavra. Mas Israel não cumpriu a palavra, a promessa de vassalagem e obediência; por isso é réu, culpado, incapaz de subsistir no pleito com Deus. Só pode apelar para a misericórdia.

10,1 A posição de joelhos expressa essa incapacidade de "estar de pé diante ou na frente de Deus". O "templo" significa aqui o edifício, o grupo se reúne no átrio espaçoso.

10,2 Não sabemos se essa intervenção foi combinada de antemão; ao menos era pretendida. Em contextos sapienciais, a expressão "mulher estrangeira", especialmente sem o substantivo, chega a significar "a prostituta" (Pr 5,15-20); não é o caso do presente contexto.

10,3 Sequenias propõe uma solução radical, uma espécie de excomunhão geral. O propósito será ratificado num compromisso formal com Deus, de modo que tenha validade religiosa definitiva. Sequenias crê que a "esperança para Israel" reside nisto, no triunfo dos "observantes da Lei".

10,4 "Competência": como sacerdote perito da Lei, ou pela autoridade recebida do imperador? A primeira competência seria antes teórica, a segunda é que interessa no momento.

10,6 "Não comeu nem bebeu": expressão baseada em Ex 34,28 (Moisés no monte).

10,7-8 A comunidade do povo escolhido continua se chamando "os desterrados", ainda que a maioria tenha nascido em Judá; como se o desterro fosse a chave da continuidade (cf. Jr 24). A interdição sagrada entra na legislação de Lv 27,28 quanto à apropriação pelo Senhor.

três dias estabelecido pelas autoridades e pelos senadores teria os bens oferecidos como anátema ao Senhor e seria expulso da comunidade dos desterrados. ⁹No terceiro dia estavam em Jerusalém todos os judeus e benjaminitas. Era o dia vinte de dezembro. Todo o povo se encontrava na esplanada do templo, tremendo por causa do problema e da chuva intensa. ¹⁰O sacerdote Esdras se pôs de pé e lhes disse:

– Pecastes ao casar com mulheres estrangeiras, agravando a culpa de Israel. ¹¹Agora, confessai-o ao Senhor Deus de vossos pais, cumpri sua vontade e separai-vos dos povos pagãos e das mulheres estrangeiras.

¹²Toda a comunidade respondeu em alta voz:

– Faremos o que nos dizes. ¹³Mas somos muitos, e em época de chuvas não há quem resista ao mau tempo. O problema não se resolve num dia nem em dois, porque somos muitos que cometemos esse pecado. ¹⁴Seria melhor que nossos chefes representassem toda a comunidade. Os cidadãos que casaram com uma estrangeira se apresentarão quando forem chamados, junto com os conselheiros e juízes de cada povoado, até que apartemos a cólera de Deus que provocamos com tal conduta.

¹⁵Só se opuseram Jônatas, filho de Asael, e Jaasias, filho de Tícua, apoiados por Mosolam e pelo levita Sebetai.

¹⁶Os desterrados assim fizeram. O sacerdote Esdras escolheu alguns chefes de família, segundo suas linhagens, designando-os nominalmente. No dia primeiro de dezembro sentaram-se para examinar o assunto ¹⁷e no dia primeiro de março terminaram todos os processos dos homens que haviam casado com estrangeiras.

¹⁸Sacerdotes casados com estrangeiras: Maasias, Eliezer, Jarib e Godolias, descendentes de Josué, filho de Josedec, e de seus irmãos; ¹⁹comprometeram-se a deixar suas mulheres e a oferecer um carneiro por sua culpa. ²⁰Hanani e Zabadias, descendentes de Emer. ²¹Maasias, Elias, Semeías, Jaiel e Ozias, descendentes de Harim. ²²Elioenai, Maasias, Ismael, Natanael, Jozabad e Elasa, descendentes de Fasur.

²³Levitas: Jozabad, Semei, Celaías, também chamado Calita, Petaías, Judá e Eliezer.

²⁴Cantores: Eliasib.

Porteiros: Selum, Telém e Uri.

²⁵Leigos: Remeías, Jezias, Melquias, Miamin, Eleazar, Melquias e Banaías, descendentes de Faros. ²⁶Matanias, Zacarias, Jaiel, Abdi, Jerimot e Elias, descendentes de Elam. ²⁷Elioenai, Eliasib, Matanias, Jerimot, Zabad e Aziza, descendentes de Zetua. ²⁸Joanã, Hananias, Zabai e Atlai, descendentes de Bebai. ²⁹Mosolam, Meluc, Adaías, Jasub, Saal e Jerimot, descendentes de Beguai. ³⁰Ednas, Calal, Banaías, Maasias, Matanias, Beseleel, Benui e Manassés, descendentes de Faat-Moab. ³¹Eliezer, Jesias, Melquias, Semeías,

---

10,10 Vemos como a comunidade de desterrados se identifica com Israel.

10,11 Esdras queria agir imediatamente, contando com o entusiasmo inicial. Ainda que no v. 5 diga que exigiu juramento de todo Israel, o contexto o restringe aos presentes. Só depois do anúncio é que se reuniram todos os representantes e interessados.

10,12b-14 A proposta leva em conta os trâmites legais de cada caso, investigação e resolução, com todas as consequências para o novo estado civil dos interessados.

10,15 Não é claro se a oposição se refere a toda a reforma ou à proposta sobre o modo paulatino de realizá-la.

10,16-17 Esdras nomeia uma comissão de leigos e trabalha com eles durante três meses. Nesse período tratam 113 casos positivos, um pouco mais de dois casos por dia. Podemos calcular que havia casos duvidosos que não entraram na lista final. Um casamento implicava problemas econômicos com a família que tinha entregue a mulher e com possíveis compradores. Não se tratava só de rescindir ou declarar nulo um contrato, mas também de buscar nova disposição. Compreende-se que Esdras precisasse de poderes do imperador para tal confronto com as populações locais.

10,18-43 Comparando a lista com a dos repatriados (cap. 2), observamos que quase todos os casos correspondem a descendentes de famílias da primeira caravana; os quatro grupos sacerdotais não são claros, bem como nove (ou dez) dos vinte e cinco grupos leigos. O segundo Bani citado (v. 34) poderia ser erro em lugar de Beguai (2,14). Ficam fora da lista os doados, os repatriados conhecidos pela localidade de procedência e não pelo sobrenome, os não deportados. Se os últimos não pertenciam à nova comunidade, segundo o conceito de Esdras, os segundos não podiam ser excluídos. A lista poderia sugerir que Esdras limitou sua reforma a sacerdotes, levitas e patrícios, como núcleo responsável e exemplar da comunidade judaica. Mesmo assim, perguntamos: Não podiam aquelas mulheres ter-se convertido de coração ao judaísmo? Onde fosse esse o caso, a medida do letrado seria mais racial que religiosa.

Simeão, ³²Benjamim, Meluc e Semerias, descendentes de Harim. ³³Matanai, Matatias, Zabad, Elifalet, Jermai, Manassés e Semei, descendentes de Hasum. ³⁴Descendentes de Bani: Maadai, Amran, Joel, ³⁵Banaías, Badaías, Quelias, ³⁶Vanias, Meremot, Eliasib, ³⁷Matanias, Matanai, Jasi, Bani, ³⁸Benui, Semei, ³⁹Selemias, Natã e Adaías, ⁴⁰Macnadbai, Sisai e Sarai, ⁴¹Azareel, Selemias, Semerias, ⁴²Selum, Amarias e José; ⁴³Jeiel, Matatias, Zabad, Zabina, Jedu, Joel, Banaías, descendentes de Nebo.

⁴⁴Todos esses haviam casado com estrangeiras e despediram suas mulheres e filhos.

10,44 A segunda metade do versículo é conjetural. Com a despedida de mulheres e filhos, termina (pela interpretação adotada) a história de Esdras e da comunidade, até que um historiador volte a tomar a pena para nos contar os fatos de meados do século II a.C. Mais de duzentos e cinquenta anos de silêncio. Esdras desaparece de cena, deixando aos seus um ideal de segregação para manter a identidade nacional e a pureza religiosa. Seu legado é a interpretação rigorosa da Lei; seu exemplo podia ser invocado pelos grupos menos tolerantes. Gostaríamos de saber quais eram as abominações de outros povos a que se refere na sua reforma: supomos que em primeiro lugar a idolatria, depois alguns costumes sexuais; também a não observância de alguns tabus alimentares?

Esdras também legou seu nome à lenda, embora Jesus Ben Sirac, "o Eclesiástico", não recolha o próprio nome no seu poema em louvor dos homens ilustres de Israel.

NEEMIAS

1 [1]Autobiografia de Neemias, filho de Hacalias:

No mês de dezembro do vigésimo ano, eu me encontrava na cidadela de Susa [2]quando chegou meu irmão Hanani com alguns homens de Judá. Perguntei-lhes sobre os judeus que se haviam livrado do desterro e sobre Jerusalém. [3]Responderam-me:

– Os que se livraram do desterro estão na província passando grandes privações e humilhações. A muralha de Jerusalém está em ruínas e suas portas consumidas pelo fogo.

[4]Ao ouvir essas notícias chorei e fiz luto durante uns dias, jejuando e orando ao Deus do céu [5]com estas palavras:

– Senhor, Deus do céu, Deus grande e terrível, fiel à aliança e misericordioso com os que te amam e guardam teus preceitos: [6]tem os olhos abertos e os ouvidos atentos à oração de teu servo, a oração que dia e noite te dirijo por teus servos, os israelitas, confessando os pecados que nós, israelitas, cometemos contra ti, tanto eu como a casa de meu pai. [7]Nós nos comportamos muito mal contigo, não observando os preceitos, estatutos e decretos que ordenaste a teu servo Moisés. [8]Mas lembra-te do que disseste a teu servo Moisés: "Se fordes infiéis, eu vos dispersarei entre os povos; [9]mas se voltardes a mim e puserdes em prática meus preceitos, ainda que vossos desterrados se encontrem nos confins do mundo, irei lá para reuni-los e os levarei ao lugar que escolhi para morada de meu nome". [10]São teus servos e teu povo, que resgataste com teu grande poder e mão forte. [11]Senhor, conserva teus ouvidos atentos

---

1 O elogio de Neemias escrito pelo Eclesiástico (49,13) se resume na sua tarefa de reconstrução da muralha. Os seis primeiros capítulos de suas memórias, mais 12,27-43, são dedicados ao tema, e a posteridade julgou essas páginas dignas de eterna memória. O AT, como outros documentos antigos, distingue as cidades abertas das amuralhadas (Lv 25,29-31), também para efeitos econômicos. Lemos como as cidades amuralhadas dos cananeus impressionaram os exploradores israelitas (Nm 13,28), e entre todas tornou-se famosa a muralha de Jericó (Js 6). Jerusalém assegurou a independência do encrave jebuseu até que Davi a conquistou (2Sm 5) e a transformou em capital do seu reino. Uma das tarefas do sucessor foi ampliar e reforçar sua muralha (1Rs 3,1; 9,15). Joás de Israel desmantelou boa parte dela (2Rs 14,13), os babilônios acabaram com ela (2Rs 25,10). Não era preciso arrasá-la totalmente; para inutilizá-la bastava abrir amplas brechas, derrubar os torreões e baluartes, rebaixar-lhe a altura; os lanços e ruínas restantes, mais que defender a cidade, davam testemunho da sua vulnerabilidade.

As Lamentações choraram também a muralha destruída (Lm 2,8); um acréscimo de salmo (51,20) reza pela reconstrução; o profeta do desterro a promete (Is 49,16), Ezequiel ou seus discípulos quase a descrevem (Ez 48,30.35). Quando os desterrados voltaram, todos os esforços se concentraram no templo. Tanto que Zacarias considera desnecessária a muralha da cidade: "Eu a rodearei como muralha de fogo" (Zc 2,9a). A cidade continuou sem muralha por outros setenta anos, protegida civilmente pelas autoridades persas. Não sabemos se foram os acontecimentos do império ou a ideia de um homem que fez a situação mudar. Por que Neemias seleciona da mensagem de seus concidadãos o detalhe da muralha? Artaxerxes herdou um império debilitado pelas lutas com os gregos; depois, teve de lutar contra Inaro, o egípcio rebelde, e em seguida contra o sátrapa persa Megabizo. Não sabemos se esses acontecimentos acarretaram desgraças particulares aos judeus da Judeia. No ano 448, Artaxerxes consegue derrotar Megabizo e assina a paz com os gregos; apenas três anos mais tarde começa a história de Neemias.

1,1-2 Susa era já a capital ordinária do império (Dn 1,10). Perguntar pelos concidadãos e pela cidade reflete o que a comunidade de Judá e sua capital significavam para os judeus dispersos, sem falar dos laços familiares.

1,3 As "humilhações" devem ser interpretadas como vexações por parte de povos vizinhos: ver, por exemplo, Sl 89,52. Jerusalém e a sua província ainda carecem da dignidade merecida e prometida em Is 51,7 e 54,4; continua na situação descrita em Lm 3,30. É como se todas as desgraças se concentrassem na situação da muralha; o autor assim o vê.

1,4 A reação de Neemias é bastante mosaica: como Moisés, abandona a corte para visitar seus irmãos, se interessa e solidariza com eles, intercede por eles junto a Deus. Sua espiritualidade e o estilo da sua oração parecem inspirados nos textos tradicionais (ver, entre outros, Nm 11,2; Dt 9,20.26).

1,5-11 A oração é uma confissão genérica de pecados com pedido de perdão (Esd 9; Ne 9). "Fiel à aliança": 1Rs 8,23 = 2Cr 6,14 (oração de Salomão), segundo Dt 7,9. "Os que te amam...": Ex 20,6; Dt 5,10.

1,6 "Tem os olhos...": 1Rs 8,29.52 = 2Cr 6,20.40. O tema da solidariedade, também histórica, no pecado é comum nessas confissões.

1,7 "Comportamo-nos mal" é expressão própria do autor.

1,8-9 Ver Lv 26,39-45; Dt 30,14; Mq 4,6; Sf 3,19.

1,10 Ver Dt 9,26; 21,8; 1Cr 17,21.

1,11 "Comover": 1Rs 8,50; 2Cr 30,9. Vimos como a prece de Neemias lembra sobretudo a súplica de Salomão na inauguração do templo.

à oração de teu servo e à oração de teus servos que estão desejosos de respeitar-te. Faze com que teu servo acerte e consiga comover esse homem.

Eu era copeiro do rei.

2 A viagem – ¹Era o mês de março do vigésimo ano do rei Artaxerxes. Sendo encarregado do vinho, eu tomei a taça e a servi. Em presença dele, eu não devia estar de rosto triste. ²O rei me perguntou:

– O que tens para estares de rosto triste? Não estás doente, mas triste.

Levei um susto, ³mas respondi ao rei:

– Viva sua majestade eternamente. Como não deveria ficar triste quando a cidade onde se encontram enterrados meus pais está em ruínas e suas portas consumidas pelo fogo?

⁴O rei me disse:

– O que pretendes?

Invoquei o Deus do céu ⁵e respondi:

– Se sua majestade achar bom, e se está satisfeito com teu servo, deixa-me ir a Judá para reconstruir a cidade onde estão enterrados meus pais.

⁶O rei e a rainha, que estava sentada a seu lado, me perguntaram:

– Quanto tempo durará a tua viagem e quando voltarás?

Pareceu bem ao rei a data que lhe indiquei, e me deixou partir.

⁷Mas acrescentei:

– Se sua majestade achar bom, que me deem cartas para os governadores da Transeufratênia, a fim de que me facilitem a viagem até Judá. ⁸E uma carta dirigida a Asaf, superintendente dos bosques reais, para que me forneçam tábuas para as portas (da fortaleza do templo), para o muro da cidade e para a casa em que me instalarei.

Graças a Deus, o rei me concedeu tudo. ⁹Forneceu-me também uma escolta de oficiais e cavaleiros, e quando me apresentei aos governadores da Transeufratênia, entreguei-lhes as cartas do rei.

¹⁰Quando o horonita Sanabalat e o funcionário amonita Tobias ficaram sabendo da notícia, aborreceu-lhes muito que alguém viesse para se preocupar com o bem-estar dos israelitas.

¹¹Cheguei a Jerusalém e aí descansei três dias. ¹²Depois me levantei de noite com alguns poucos homens, sem dizer a ninguém o que meu Deus me havia inspirado fazer em Jerusalém. Levava somente a cavalgadura que eu montava. ¹³Saí de noite pela Porta do Vale, dirigindo-me à Fonte do Dragão e à Porta do Lixo; comprovei que as muralhas de Jerusalém estavam

---

O copeiro do rei tinha um cargo de confiança: provava todas as suas bebidas e servia à mesa. Recorde-se a história de José (Gn 40). Neemias é um dos muitos judeus que chegam a ocupar cargos importantes e de confiança em cortes estrangeiras; a eles aludem as narrações de Tobias, Ester e Daniel.

2,1-3 O medo de Neemias se explica por seu cargo em geral e pelo caráter de Artaxerxes em particular. Um cargo de confiança dependia do favor pessoal do monarca: o favorito podia de um momento a outro cair em desgraça e até perder a vida (como na história de José). Os historiadores antigos pintam Artaxerxes como rei imprevisível e volúvel. Neemias se apresentava ao banquete violando uma regra do protocolo real. Recorde-se que Daniel e seus companheiros deviam ter bom aspecto para apresentar-se ao serviço do rei (Dn 1,10).

A cena supõe relações bastante familiares do súdito com o soberano. A primeira frase do rei poderia ser interpretada como demonstração de interesse ou como reprovação. Pelo tom, Neemias deve ter percebido a reprovação, que provocou o susto. Na sua resposta não menciona a muralha: por cautela? Também se omite o nome da cidade, substituído por uma relação afetiva.

2,7 A carta devia ser algo mais que um simples salvo-conduto; mas não contém nomeação alguma (virá mais tarde).

2,8 Não se trata de madeira de lei, geralmente importada do Líbano. Os parênteses parecem acréscimo, pois o que interessava eram os portões da cidade. Aqui Neemias menciona a muralha.

2,10 Com grande desprezo, Neemias introduz estes dois personagens importantes. Um era o governador da Samaria, Sanabalat (= Sinubalit), a quem designa por sua procedência insignificante: Bet-Horon na Palestina ou Horonaim em Moab; o outro pertencia a uma família rica e influente, muito bem relacionada e que manteve seu prestígio durante séculos; o autor o chama "escravo amonita". Fala o copeiro real ou o governador de Judá?

2,13 Lm 2,8.

2,11-15 Ele quis comprovar, numa inspeção pessoal e detalhada (podemos imaginar uma noite medianamente iluminada), aquilo que tinha visto sumariamente à luz do dia. Queria ver o montante dos destroços, sua extensão e gravidade, ter uma ideia sobre a possibilidade de restaurar o que sobrou. Recordaria o autor, na sua visita de inspeção, o Salmo 48,13? A impressão que tem não é pessimista: resta todo o traçado, lanços em pé, ao menos até certa altura, a reconstrução é possível. "Em ruínas": literalmente "com brechas". É o termo preferido por Neemias, o escolhido para a visita de inspeção.

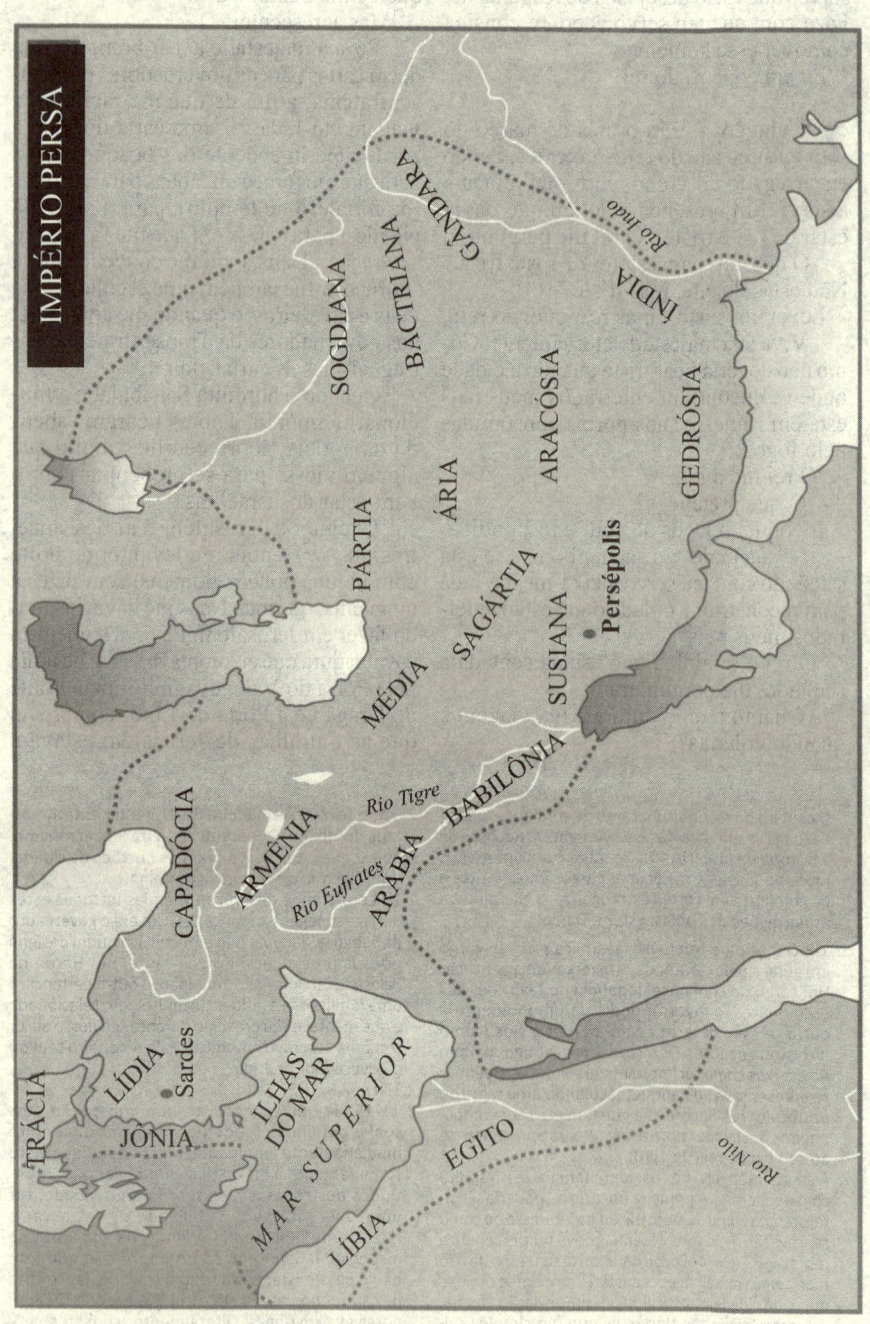

em ruínas e as portas consumidas pelo fogo. ¹⁴Continuei pela Porta da Fonte e pela piscina real. ¹⁵Como aí não havia lugar para a cavalgadura, subi pela torrente, ainda de noite, e continuei inspecionando a muralha. Voltei a entrar pela Porta do Vale e regressei para casa. ¹⁶As autoridades não souberam aonde eu tinha ido nem o que pensava fazer. Até então eu não havia dito nada aos judeus, nem aos sacerdotes, nem aos notáveis, nem às autoridades, nem aos outros encarregados da obra. ¹⁷Então lhes disse:

– Estais vendo a situação em que nos encontramos: Jerusalém está em ruínas e suas portas incendiadas. Vamos reconstruir a muralha de Jerusalém, e nossa vergonha acabará.

¹⁸Contei-lhes como o Senhor me havia favorecido e o que o rei me havia dito. Eles disseram:

– Vamos ao trabalho.

E puseram mãos à obra com todo o entusiasmo.

¹⁹Quando o horonita Sanabalat, o servo amonita Tobias e o árabe Gosem ficaram sabendo, começaram a caçoar de nós e a desprezar-nos, comentando:

– O que estais fazendo? Revoltar-vos contra o rei?

²⁰Eu lhes repliquei:

– O Deus do céu fará com que tenhamos êxito. Nós, seus servos, continuaremos construindo. E vós não tereis terrenos, nem direitos, nem um nome em Jerusalém.

3 Reconstrução da muralha

¹O sumo sacerdote Eliasib e os sacerdotes seus parentes puseram mãos à obra e reconstruíram a Porta das Ovelhas; consagraram-na e fixaram suas folhas; continuaram até a Torre dos Cem e até a torre

---

2,16 Emprega o silêncio para melhorar sua posição. Até o momento, as autoridades não sentiam a necessidade de reconstruir a muralha ou consideravam o empreendimento impraticável. Neemias podia apresentar-se para um diálogo com eles com mais ânimo e mais bem informado. Ao que parece, ainda não tinha cargo oficial e tinha de jogar outras cartadas; em todo caso, interessava-lhe a convicção e o entusiasmo, mais do que uma submissão passiva. "Os encarregados" pode ser prolepse: os que tinham de realizar a obra.

2,17 Era necessária uma palavra vinda de fora para que os habitantes, já acostumados, tomassem consciência da situação. Para eles, Jerusalém era habitável, a muralha não era necessária (Zacarias o dissera), e as relações com outros povos não eram demasiado tensas (veremos que os chefes estavam bem aparentados com estrangeiros influentes). Coube a Neemias traçar o diagnóstico: ele vinha da grande capital persa e talvez tivesse visitado a magnífica Persépolis de Dario e Xerxes, trazendo na mente as visões idealizadas de Salmos e de Is 54,11-12.

2,18 A dupla referência tenta infundir ânimo; Neemias se apresenta pessoalmente respaldado pelo imperador e com cartas de recomendação; implicitamente a alusão podia conter uma ameaça aos que se opusessem à vontade real. Lemos primeiro um resumo dos fatos, antes da narração detalhada. Is 54,11s.

2,19 São as zombarias de quem canta vitória ou conta com ela: Sl 59,9; 80,7; Pr 1,26. Além disso, a acusação é gravíssima: no tempo de Artaxerxes haviam acontecido muitas rebeliões, e a de Megabizo era bem recente. A frase também podia ser dita com ironia: iam rebelar-se esses quatro gatos?

2,20 A exclusão é radical: nem fixação numa parcela de terra, nem direitos civis na comunidade judaica, nada que recorde o seu nome na cidade santa. São estrangeiros excluídos dos privilégios judaicos, são inimigos que não poderão incorporar-se. Aquilo que Is 56,5 promete aos eunucos não é para eles. A muralha, construída com o apoio de Deus, será o sinal da exclusão.

3 Até o v. 32 o autor nos oferece uma lista de nomes e seções de trabalho; pode ser um documento de arquivo ou umas anotações para a organização. A tarefa é repartida em 42 lotes. Entre os colaboradores encontramos nomes de famílias conhecidas, alguns são alistados segundo sua procedência; há sacerdotes, chefes de famílias, chefes locais ou prefeitos e artesãos. Como os empregados e escravos trabalham com seus senhores, podemos dizer que a colaboração mobilizava todas as classes de pessoas. Só se registra a oposição de alguns habitantes de Técua.

Ao distribuir os lotes, leva-se em conta o lugar onde mora cada um, especialmente dos que moram junto à muralha. Os lanços de muralha são delimitados pelas onze portas, algumas torres e outros detalhes importantes. Quando um grupo se encarrega de quinhentos metros (v. 13), é porque nesse segmento não há muito para ser feito. Particular atenção merecem as portas, pois se trata de portas fortificadas.

Em conjunto, a reconstrução é uma obra de colaboração entusiasta. Deve-se comparar com o sistema de trabalho forçado implantado por Salomão, que levou à rebelião e ao cisma. Se Salomão agiu como déspota, Neemias se apresenta como animador. Vindo de fora, pode estar fora e acima de rivalidades locais e até pode explorá-las fomentando o espírito de competição.

3,1 Neemias era leigo. Com a sua autoridade consegue também que o sumo sacerdote trabalhe na muralha e que, consagrando uma porta, dê caráter sagrado ao empreendimento. Trata-se, ao que parece, da Porta Probática, próxima do recinto do templo. A Porta de Hananeel é mencionada no oráculo de restauração de Jr 31,38.

de Hananeel. ²Junto deles os homens de Jericó trabalharam na reconstrução, e junto a estes, Zacur, filho de Imri. ³A Porta dos Peixes foi reconstruída pelos filhos de Asená; fizeram as vigas, fixaram suas folhas, trancas e ferrolhos. ⁴Ao lado deles, restaurou Meremot, filho de Urias, filho de Acus; junto a este, Mosolam, filho de Baraquias, filho de Mesezebel; junto a este, Sadoc, filho de Baana; ⁵junto deste fizeram a restauração os de Técua, embora seus nobres se recusassem submeter-se a seus senhores. ⁶A porta do bairro novo foi restaurada por Joiada, filho de Fasea, e Mosolam, filho de Besodias; fizeram as vigas e fixaram suas folhas, trancas e ferrolhos. ⁷Junto deles fizeram a restauração Meltias de Gabaon e Jadon de Meronot, com os homens de Gabaon e de Atalaia, à custa do governador da Transeufratênia. ⁸Junto dele fez a restauração o ourives Oziel, filho de Haraías, e junto deste o perfumista Ananias; reconstruíram Jerusalém até o muro largo. ⁹Junto deles fizeram a restauração Rafaías, filho de Hur, chefe de meio distrito de Jerusalém. ¹⁰Ao seu lado o fez Jedaías, filho de Haromaf, diante de sua casa. Junto a este fez a restauração Hatus, filho de Hasebonias.

¹¹A parte seguinte, até a Torre dos Fornos, foi restaurada por Melquias, filho de Herem e Hasub, filho de Faat-Moab. ¹²Junto destes trabalhou Selum, filho de Aloés, chefe de meio distrito de Jerusalém, com suas filhas.

¹³A Porta do Vale foi restaurada por Hanun e os habitantes de Zanoe; eles a reconstruíram, fixaram suas portas, trancas e ferrolhos, e fizeram quinhentos metros de muralha, até a Porta do Lixo.

¹⁴A Porta do Lixo foi restaurada por Melquias, filho de Recab, chefe do distrito de Bet-Acarem; ela reconstruiu e fixou suas folhas, trancas e ferrolhos.

¹⁵A Porta da Fonte foi restaurada por Selum, filho de Col-Hoza, chefe do distrito de Masfa*; ele a reconstruiu, a cobriu e fixou suas folhas, trancas e ferrolhos; também construiu a muralha da piscina de Selah, junto ao jardim real, até a escadaria que desce da Cidade de Davi.

¹⁶Em seguida, Neemias, filho de Azboc, chefe de meio distrito de Betsur, restaurou até as tumbas de Davi, a piscina artificial e a Casa dos Heróis. ¹⁷Em seguida trabalharam os levitas: Reum, filho de Bani; junto dele, Hasabias, chefe de meio distrito de Ceila, seu distrito. ¹⁸Em seguida trabalharam na reparação seus parentes: Benui, filho de Henadad, chefe de meio distrito de Ceila. ¹⁹Junto dele, Azer, filho de Jesua, chefe de Masfa, restaurou o setor a partir da subida do arsenal do Ângulo. ²⁰Baruc, filho de Zabai, restaurou o setor que vai do Ângulo até a porta da casa do sumo sacerdote Eliasib. ²¹Meremot, filho de Urias, filho de Acos, restaurou da porta da casa de Eliasib até o final dela. ²²Depois fizeram a restauração os sacerdotes que habitavam no vale do Jordão. ²³Benjamim e Hasub restauraram a parte diante de sua casa; depois deles, Azarias, filho de Maasias, de Ananias, restaurou a parte ao lado de sua casa. ²⁴Benui, filho de Henadad, reparou o setor da casa de Azarias até o Ângulo e a Esquina. ²⁵Falel, filho de Ozi, restaurou a partir do Ângulo e a torre saliente do palácio real, a de cima, que dá para o pátio do cárcere. Depois Fadaías, filho de Faros, reparou ²⁶até diante da Porta da Água, ao leste da torre saliente. (Os doados viviam no Ofel.)

²⁷Em seguida trabalharam os de Técua, da torre grande saliente até a muralha do Ofel. ²⁸A partir da Porta dos Cavalos fizeram restauração os sacerdotes, cada qual diante de sua casa. ²⁹Em seguida, Sadoc, filho de Hemer, reparou a parte diante de

---

3,12 Parece indicar que às suas ordens trabalham vizinhos deste setor e de suas vilas anexas.
3,13 Esta região ficava numa parte abrupta e de difícil acesso; por isso, a muralha exigia menor consistência, ou a anterior tinha sofrido menores danos.
3,14 É provavelmente a Porta dos Cacos, de que fala Jr 19.
3,15 Da Fonte do Explorador, famosa pelo episódio da sucessão de Davi, contado em 1Rs 1. O tanque Selah está no lugar que costumamos chamar Siloé, onde desemboca o túnel de Ezequias. * = Atalaia.
3,16 Refere-se aos heróis de Davi: 2Sm 23; talvez fosse um velho quartel.
3,24 Provavelmente o ângulo que Jr 31,38 menciona.
3,26 A Porta da Água: provavelmente dava para a fonte de Gion, 2Sm 23.
3,28 A Porta dos Cavalos é bem conhecida pela história de Atalia (2Rs 11). Também é mencionada em Jr 31,40.

sua casa, e depois dele o fez Semaías, filho de Sequenias, guardador da Porta do Oriente. ³⁰Hananias, filho de Selemias, e Hanun, sexto filho de Selef, restauraram o setor seguinte. Mosolam, filho de Baraquias, restaurou diante de sua casa. ³¹Em seguida, o ourives Melquias restaurou até a casa dos doados e dos comerciantes, diante da Porta da Inspeção, e até o aposento superior da esquina. ³²A parte entre o aposento superior da esquina e a Porta das Ovelhas foi restaurada pelos ourives e comerciantes.

³³Quando Sanabalat soube que estávamos reconstruindo a muralha, ficou indignado e, enfurecido, começou a caçoar dos judeus, ³⁴dizendo à gente dele e à guarnição samaritana:

– Que estão fazendo esses judeus desgraçados? Não há ninguém que o impeça? Vão oferecer sacrifícios? Creem que vão terminar num dia e ressuscitar algumas pedras calcinadas de montões de escombros?

³⁵O amonita Tobias, que se encontrava ao seu lado, disse:

– Deixa que construam. Se uma raposa subir aí, abrirá brecha em sua muralha de pedra.

³⁶Escuta, Deus nosso, como caçoam de nós. Faze que seus insultos recaiam sobre eles e que sejam como despojos no desterro, para que caçoem deles. ³⁷Não encubras seus delitos, não apagues de tua vista seus pecados, pois ofenderam os construtores.

³⁸Continuamos erguendo a muralha, que ficou restaurada até meia altura. O povo trabalhava com gosto.

4 ¹Quando Sanabalat, Tobias, os árabes, os amonitas e os azotitas souberam que a restauração da muralha de Jerusalém ia adiante – pois começavam

---

3,33 A seguir, o autor narra as dificuldades que tornaram dramática a construção. As dificuldades internas vão se alternando com as externas; são sobrepujadas pela tenacidade do chefe e, no fim, pela muralha concluída. Os motivos de Sanabalat e seus amigos parecem ser a inveja, talvez também o medo. Até então, a província da Samaria tinha dominado na região; agora, os adventícios judeus iam-se tornando fortes. Vimos que, logo ao chegar os primeiros repatriados, houve uma tentativa samaritana de imiscuir-se no trabalho da reconstrução para partilhar as vantagens disso. Em Esd 4 fala-se de uma intervenção de Reum contra os judeus a respeito da muralha; dá a impressão de que tal incidente foi anterior ao esforço de Neemias.

Da descrição presente e de outras notícias (13,28; 13,7-9) deduzimos que Sanabalat e Tobias se moviam livremente entre Judá e Jerusalém, tinham parentes e partidários entre os judeus, consideravam-se com direito a certos privilégios; mas não pensavam em recorrer à autoridade imperial, talvez porque conheciam a ascendência de Neemias. O autor reparte as hostilidades em três blocos, provavelmente esquematizando uma ação prolongada, sistemática e diferenciada nos métodos. Direta e indiretamente sabiam fazer-se ouvir pela população mobilizada por Neemias, semeavam a vergonha, o desânimo e o medo.

3,34-35 A primeira arma é a zombaria, respaldada por uma guarnição samaritana que escuta seu chefe, embora sem chegar à ação.

Lendo com atenção, parece-nos encontrar alusões e equívocos malignos, como era costume no gênero das zombarias. A mais importante é a oposição criada pelo primeiro e último membros, que ressaltam e se ligam por sua oposição. Desgraçados = murchos, estéreis, se diz de muralhas (Lm 2,8) e portas (Jr 14,2), e também de uma mulher estéril (1Sm 2,5) ou esgotada (Jr 15,9). Resulta o sentido cômico: "Os estéreis vão dar vida a pedras calcinadas". Acontece que os escombros são, em hebraico, 'apar, do qual Deus formou o homem e lhe deu vida; ridícula tentativa: querer tirar do pó umas pedras para lhes dar vida. A expressão "ressuscitar pedras" não tem antecedentes na literatura bíblica. Além disso, "deixar" pode soar ambíguo: permitir ou abandonar; ao passo que "construir" (bnh), apenas suprimindo ou descuidando a duplicação de um ele, significa consumir-se (blh). Não menos ambíguo é o "sacrificar" que constitui o membro central: sacrifício humano de fundação? sacrifício litúrgico de dedicação? A palavra significa também matança. Creio que seria demais escutar nas entrelinhas outra sugestão, sarcástica, que os judeus iam divinizar a muralha e oferecer-lhe sacrifícios.

O comentário de Tobias é mais direto. As raposas eram o proverbial animal insignificante. Veja-se uma associação semelhante, em outro sentido, em Ez 13,4-5; mais próximo, o texto de Lm 5,18.

3,36-37 A oração de Neemias, no tom e nas frases, inspira-se nos Salmos (p. ex., Sl 109), Jeremias (Jr 11,20; 15,15; 18,19-23), Lamentações (Lm 1,22; 3,64-66).

3,38 A melhor resposta às zombarias é a atividade incessante e os resultados evidentes. A última frase poderia ser entendida em sentido progressivo: ganharam mais ânimo de trabalhar. "Até meia altura" parece melhor tradução que "a metade da muralha": corresponde melhor ao verbo hebraico atar, juntar, e ao desenrolar dos acontecimentos.

4,1 O segundo ataque consiste numa série de intimidações, já que as zombarias não surtiram efeito: as brechas estavam sendo fechadas e a muralha era quase um anel contínuo. Pode ser que o adiantamento desigual dos lotes recomendasse a transferência de operários de um setor para outro.

a fechar as brechas – ficaram muito irritados. ²Confabularam entre si para lutar contra Jerusalém e semear nela a confusão. ³Confiando em nosso Deus, postamos uma guarda dia e noite para vigiá-los.

⁴Enquanto isso, os judeus diziam: "Os carregadores se esgotam e os escombros são muitos; sozinhos não podemos construir a muralha". ⁵Nossos inimigos comentavam: "Que não saibam nem vejam nada até que tenhamos penetrado no meio deles e os matemos; assim deteremos as obras".

⁶Nessa situação, os judeus que viviam entre eles, vindo de diversos lugares, nos repetiam constantemente que iriam nos atacar. ⁷Então, por trás da muralha e entre os matagais, em trincheiras postei pessoas divididas por famílias e armadas com suas espadas, lanças e arcos. ⁸Depois de uma inspeção, eu disse aos notáveis, às autoridades e ao resto do povo:

– Não tenhais medo deles. Lembrai-vos do Senhor, grande e terrível, e lutai por vossos irmãos, filhos, filhas, mulheres e casas.

⁹Quando nossos inimigos viram que estávamos informados, Deus desbaratou seus planos e pudemos voltar à muralha, cada qual para sua tarefa. ¹⁰Contudo, desde aquele dia a metade de meus homens trabalhava enquanto a outra metade estava armada de lanças, escudos, arcos e couraças. As autoridades se preocupavam com todos os judeus. ¹¹Os que construíam a muralha e os carregadores estavam armados; com uma mão trabalhavam e com a outra empunhavam a arma. ¹²Todos os pedreiros levavam a espada cingida na cintura enquanto trabalhavam. Um trombeteiro ia ao meu lado, ¹³pois eu havia dito aos notáveis, às autoridades e ao resto do povo: "O trabalho é tão grande e tão extenso que devemos espalhar-nos ao longo da muralha, longe uns dos outros. ¹⁴Quando ouvirdes a trombeta, onde quer que estejais, vinde reunir-vos conosco. Nosso Deus combaterá por nós". ¹⁵E assim continuamos, uns trabalhando e outros empunhando as lanças, do despontar da aurora até o surgir das estrelas. ¹⁶Nessa ocasião eu disse também ao povo:

– Todos pernoitarão em Jerusalém com seus servos. De noite montaremos guarda e de dia trabalharemos.

¹⁷Eu, meus irmãos, meus servos e os homens de minha escolha dormíamos vestidos e com as armas ao alcance da mão.

5 Problemas sociais (Jr 34) – ¹O povo simples, sobretudo as mulheres,

---

4,2-3 O verbo hebraico "confabular" é o mesmo que o da reparação da muralha: uma espécie de corrente de aliados contra o cinturão de pedra. A tática é semear a confusão.

4,4 Sobrevém o cansaço. A população teve de abandonar todas as suas ocupações, é submetida a rigorosa disciplina, começa a sentir-se ameaçada. Além do mais, restaurar a parte alta da muralha é mais difícil: as pedras espalhadas no local talvez estejam acabando, e será preciso buscá-las longe; depois, é preciso levantá-las a uma altura maior. A queixa soa como um refrão de ritmo rigoroso e rico em aliterações. É um eco perigoso diante da zombaria dos inimigos.

4,5 Neemias fala do projeto inimigo como se o soubesse por seu serviço de espionagem; só assim se compreende o começo da frase: "Que não saibam nem vejam nada". Tratar-se-ia de insinuar-se na cidade e atacar de surpresa. Não sabemos se Neemias interpretou de modo alarmista os projetos inimigos, pois para intimidar basta "afligir e não dar".

4,6 Se se tratava apenas de intimidar, as informações dos judeus faziam o jogo do inimigo. Neemias não o interpreta assim, mas por tais informações julga grave a situação.

4,7 Não cabia ao chefe fornecer as armas, mas cada família tinha de providenciar as suas.

4,8 A breve admoestação recolhe temas tradicionais. O título divino: Dt 7,21; 10,17; Sl 99,3.

4,9 Tudo é obra de Deus. Ver Is 8,10; Esd 4,5.

4,10 Trata-se da escolha pessoal de Neemias.

4,11 A frase fez sucesso, mais por sua concisão expressiva que por seu realismo. O autor descreve prazeroso a situação, como crescendo diante das ameaças. E já que empregou todos os meios possíveis, põe sua inteira confiança em Deus.

5 Talvez as coisas aqui narradas não tenham acontecido exatamente nos dois meses em que se reconstruía a muralha, mas é significativo que sejam contadas aqui. É improvável que a situação se cristalizasse em tão breve tempo; quando muito, as condições do trabalho podem ter agravado o problema. Se foi assim, indicaria que alguns judeus mais abastados aproveitaram o momento para oprimir seus concidadãos.

Tratando-se, porém, de fatos que duravam já certo tempo, é significativo que sejam contados aqui, como uma das dificuldades internas para a reconstrução da muralha. Com efeito, um profeta pós-exílico proclamou em nome de Deus a necessidade de justiça social (Is 58,6.7.12). Pouco adiantaria levantar um muro em torno de Jerusalém para protegê-la dos inimigos, se dentro dela dominassem a exploração e a injustiça social. Também Jeremias, num momento crítico da história de Judá, tinha proclamado uma alforria de escravos

começaram a protestar energicamente contra seus irmãos judeus. ²Uns diziam: "Temos muitos filhos e filhas; que nos deem trigo para comer e continuar vivos". ³Outros diziam: "Passamos tanta fome que temos de hipotecar nossos campos, vinhedos e casas para conseguir trigo". ⁴E outros ainda: "Tivemos de pedir dinheiro emprestado para pagar o imposto real. ⁵Somos iguais aos nossos irmãos, nossos filhos são como os deles; no entanto, devemos entregar nossos filhos e filhas como escravos; algumas delas inclusive foram desonradas, sem que possamos fazer nada, porque nossos campos e vinhas estão em mãos alheias".

⁶Quando fiquei sabendo de suas reclamações e do que acontecia, fiquei indignado ⁷e, sem poder conter-me, enfrentei os nobres e as autoridades. Disse-lhes:

– Vós vos comportais como usurários com vossos irmãos.

Convoquei contra eles uma assembleia geral ⁸e lhes disse:

– Nós, na medida de nossas possibilidades, resgatamos nossos irmãos judeus vendidos aos pagãos. E vós vendeis vossos irmãos para que nós os resgatemos.

Eles emudeceram e não encontraram resposta.

⁹Continuei:

– Não está certo o que fazeis. Somente respeitando o nosso Deus evitareis o desprezo de nossos inimigos, os pagãos. ¹⁰Também eu, meus irmãos e meus servos lhes emprestamos dinheiro e trigo. Esqueçamos essa dívida. ¹¹Devolvei-lhes hoje mesmo seus campos, vinhas, olivais e casas, e perdoai-lhes o dinheiro, o trigo, o vinho e o azeite que lhes emprestastes.

¹²Eles responderam:

– Devolveremos sem exigir nada. Faremos o que estás dizendo.

¹³Então me despojei do manto, dizendo:

---

como condição para obter a proteção divina (Jr 34,8-22). Neemias tinha antecedentes ilustres; a reconstrução comum da muralha não podia converter-se em reconciliação superficial que afastasse dos problemas sociais internos.

Neemias tinha também a legislação de Israel sobre a justiça social entre os membros da comunidade. Basta citar Lv 24,39-43 sobre a escravidão, e Dt 15,1-11 sobre pobreza e empréstimos. Segundo a tradição do Deuteronômio, Neemias insiste que se trata de "irmãos"; por eles saiu da corte, como outrora Moisés, e agora se encontra profundamente divididos (Ex 2,11-14); ainda bem que os culpados não rejeitam sua autoridade, mas escutam suas admoestações.

5,1 O capítulo começa com o clássico grito dos oprimidos: Ex 3,7.9; 22,22; Is 5,7; Pr 21,13. É um recurso legal dirigido aos homens ou a Deus, prevenindo contra a vingança por conta própria.

5,2 É como o clamor da população do Egito ao vizir José. Alguns corrigem uma letra e leem: "Temos de penhorar nossos filhos e filhas".

5,3 Os antigos profetas tinham denunciado o acúmulo de capital e a criação de latifúndios por causa dessas hipotecas forçadas dos pobres; consideravam-no verdadeira expropriação forçada. Assim crescia o proletariado em Israel. Gn 47,13-14.

5,5 Trata-se de uma proclamação de "igualdade e fraternidade" em termos que procedem do Deuteronômio e com uma referência a Is 58,7, ou coincidência:
– Is: não te feches à tua própria carne.
– Ne: nossa carne é como a de nossos irmãos.
O verbo "entregar" é usado por Jeremias no contexto da alforria de escravos (Jr 34,11); o mesmo verbo na voz passiva, em sentido de ser violada, é lido em Est 7,8. Mudando uma letra, alguns leem a última palavra "nas mãos dos nobres".

5,6 Neemias "escuta a reclamação", na qualidade de administrador da justiça; a ira indica a decisão de agir e a linha de conduta.

5,7 Não é profeta nem legislador, não fala como Jeremias ou Moisés, ameaçando ou mandando. A primeira frase é como uma denúncia privada, que justifica a convocação de uma assembleia popular.

5,8 Ver Lv 25,35-43.47-55. Neemias agiu como uma espécie de "redentor" em favor dos judeus escravizados, com os meios legais da época. Ao invés, os nobres eram praticamente agentes de mercadores estrangeiros, traficando com a liberdade de seus concidadãos; é evidente que tal conduta contradiz o esforço de erguer uma muralha defensiva.

5,9-11 Neemias propõe uma espécie de "jubileu" ou remissão de dívidas dos necessitados; nisso consistirá o "respeitar nosso Deus". "Quem explora o necessitado ofende seu Criador" (Pr 14,31) e "quem fecha os ouvidos ao clamor do necessitado não será ouvido quando gritar" (Pr 21,13). Também Jeremias opunha o afã de construir à defesa do necessitado, pois dela depende "o conhecer o Senhor" (Jr 22,16).

5,12 O juramento é prestado na presença dos sacerdotes: por ele a decisão pública fica consagrada. É o mesmo que vimos em Esd 10,5.

5,13 O gesto recorda o do profeta Aías de Silo (1Rs 11,29s). Equivale a uma maldição, que Deus mesmo se encarregará de executar; por isso, todo o povo responde "amém", como em Dt 27,12-26. Por causa do resultado favorável da assembleia, parece que no final da cerimônia se canta um hino. "O povo", que no princípio designava a "gente simples", no final designa toda a comunidade.

O problema apresentado ao profeta Ageu era outro: o povo tinha casas, ao passo que o templo estava em ruínas. Zacarias reprovava algumas injustiças sociais (Zc 7,9-10), apelando para a fraternidade.

— Assim despoje Deus de sua casa e de seus bens quem não cumprir sua palavra, e que fique despojado e sem nada.

Toda a assembleia respondeu:

— Amém.

E louvou o Senhor. O povo cumpriu o que prometera.

¹⁴Diga-se de passagem, desde o dia em que me nomearam governador de Judá, cargo que ocupei durante doze anos, desde o vigésimo até o trigésimo segundo ano do rei Artaxerxes, nem eu nem meus irmãos comemos à custa do cargo. ¹⁵Os governadores anteriores oneravam o povo, cada dia exigindo dele quatrocentos gramas de prata para o pão e o vinho, e também seus servos oprimiam o povo. Mas eu não agi assim por respeito ao Senhor. ¹⁶Além disso, trabalhei pessoalmente na muralha, embora eu não fosse dono de terras, e todos os meus servos passavam o dia na obra. ¹⁷À minha mesa sentavam-se cento e cinquenta nobres e conselheiros, sem contar os que vinham dos países vizinhos. ¹⁸Todo dia preparava-se um touro, seis ovelhas escolhidas e aves; a cada dez dias encomendava-se vinho de todo tipo em abundância. E apesar disso nunca reclamei a manutenção de governador, porque o povo já estava muito onerado.

¹⁹Deus meu, para meu bem, lembra-te de tudo o que fiz por este povo.

6 Intrigas dos inimigos

– ¹Quando Sanabalat, Tobias, o árabe Gosem e o resto de nossos inimigos souberam que eu havia reconstruído a muralha sem deixar nenhuma brecha – embora ainda não tivesse posto as folhas das portas –, ²Sanabalat e Gosem mandaram dizer-me:

— Vem conversar conosco numa das aldeias no vale de Ono.

Vinham com más intenções, ³e lhes respondi com uns mensageiros:

— Tenho muitíssimo trabalho e não posso descer. Não vou deixar a obra parada para ir até vós.

⁴Quatro vezes me mandaram dizer a mesma coisa, e lhes respondi da mesma forma. ⁵Na quinta vez, Sanabalat enviou seu servo com uma carta aberta, ⁶que dizia: "Ouve-se comentar entre o povo, e assim afirma Gosem, que tu e os judeus pensais em vos rebelar, e que por isso construíste a muralha. Segundo esses rumores, tu serias o rei, ⁷e nomeaste profetas para que em Jerusalém te proclamem rei de Judá. Esses rumores vão chegar aos ouvidos do imperador. Vem, e decidiremos juntos o que convém fazer".

⁸Eu lhe respondi:

— Esses boatos de que falas carecem de fundamento; são pura invenção tua.

⁹Queriam intimidar-nos, pensando que abandonaríamos a obra, deixando-a pela

---

5,14-18 O autor aproveita a ocasião para justificar sua gestão administrativa diante da posteridade. Podemos recordar o estatuto do rei que Samuel anuncia (1Sm 8,11-18); sem chegar a tanto, era justo que vivesse do povo quem servia ao povo. Neemias renuncia a seus direitos e dá do que possui. A implicação é que os súditos teriam de pagar duplo imposto: para o imperador (5,4) e para o governador local. Ou seja, o governador e os seus não recebiam soldo diretamente da corte, mas cobravam dos súditos os tributos correspondentes. Neemias não pretende acusar os governadores de abusos, embora lance uma acusação contra os burocratas. Perguntamos de onde Neemias tirava tanto dinheiro para resgatar escravos e sustentar os empregados. Deve ter vindo muito rico da corte imperial para viver doze anos de tal maneira.
O quadro que traça de si é apologético e traz à memória a descrição do Salmo 112. As linhas da confissão de Neemias são como "erguer a fronte com dignidade". O mesmo salmo diz: "Sente-se seguro, sem temor, e verá derrotados seus inimigos", que é o dado complementar da sua carreira.

5,19 A invocação vai ser repetida nas memórias (13,14.31). Se o salmista pede a Deus que o rei "leve em conta todas as tuas ofertas" (Sl 20,4), Neemias apela para suas próprias obras de misericórdia.

6 Tendo falhado zombarias e intimidações, os inimigos lançam seu ataque contra o cabeça. O presente capítulo esquematiza os fatos em várias intimações orais, uma acusação escrita e a tentativa de desacreditá-lo; acrescenta-se uma nota de conjunto sobre Tobias. Como Sanabalat não pode assinar um mandato de comparecimento, sugere uma reunião em nível de governadores, visto que Neemias é governador como ele. Neemias não quer reconhecer-lhe autoridade nos assuntos de Judá, e não concorda em deliberar; pode decidir sem contar com o chefe samaritano.

6,6-7 Embora redigida em forma de boatos, a carta contém gravíssima acusação, sobre a qual se divisa a sombra do rebelde Megabizo. Neemias teve de ser valente para resistir a semelhante maldade, ou estava certo do favor do imperador. 2Sm 15-16.

6,8 A resposta de Neemias é sincera. Em nenhuma parte se insinua ou se supõe que fosse de estirpe davídica, e vimos o cuidado com que o notam no caso de um desconhecido como Hatus, filho de Sequenias (Esd 8,3). Por outro lado, Neemias pertencia àqueles que tinham aceitado a ordem política como

metade. Ao contrário, recuperei novo ânimo. ¹⁰Nessa ocasião fui à casa de Semaías, filho de Delaías, filho de Metabeel, que se achava impedido, e ele me disse:

– Vamos entrar no templo, dentro da nave, e fechar a porta. Porque virão para te matar; pensam em te matar esta noite.

¹¹Eu lhe respondi:

– Um homem como eu não foge nem se esconde no templo para salvar a vida. Não vou.

¹²Percebi que não era Deus quem o enviava; ele me fez essa "profecia" subornado por Tobias e Sanabalat, ¹³para que eu ficasse com medo e agisse dessa forma, cometendo um pecado que pensavam aproveitar para me denegrir e me difamar.

¹⁴Deus meu, lembra-te do que fizeram Tobias e Sanabalat; e também da profetisa Noadias e dos outros profetas que tentaram amedrontar-me.

¹⁵No dia vinte e cinco de setembro, cinquenta e dois dias após o início, a muralha foi terminada. ¹⁶Quando nossos inimigos ficaram sabendo e todas as nações ao nosso redor viram isso, ficaram admirados e reconheceram que o autor dessa obra era o nosso Deus.

¹⁷Nesses dias era intensa a correspondência epistolar entre os notáveis de Judá e Tobias, ¹⁸já que muitos judeus eram seus aliados por ele ser genro de Sequenias, filho de Area, e porque seu filho Joanã estava casado com a filha de Mosolam, filho de Baraquias. ¹⁹Contavam-me maravilhas dele, e contavam para ele as coisas que eu fazia. Tobias continuou enviando cartas para intimidar-me.

7 ¹Quando terminou a reconstrução da muralha e eu coloquei as portas, foram nomeados os porteiros, cantores e levitas.

---

compatível com a condição histórica do povo e com a esperança de um futuro "Germe" messiânico, profetizado por Zacarias (Zc 3,9; 6,12-14).

6,10-14 Entra em cena novo grupo, de cuja existência não suspeitávamos: profetas de ofício, não exatamente no estilo de Ageu e Zacarias. Parecem, antes, consultores especializados para resolver problemas com luz superior, como a profetisa Hulda nos tempos de Josias (2Rs 22) ou como o sacerdote esperado em Esd 2,63.

O que Semaías diz é verossímil. Basta recordar a sorte do governador Godolias (Jr 40,13-41,3). A diferença é que Godolias não creu que havia perigo, ao passo que Neemias estava alerta e dispunha de uma escolta pessoal. Outra coisa é o conselho que o profeta dá, e no qual não se parece com os profetas clássicos. Estes, ou denunciavam um pecado para mover à conversão, ou anunciavam a desgraça inevitável, ou exortavam à esperança com a frase "não temais". Pelo contrário, aqueles profetas se convertem em agentes do medo, o que trai suas intenções. Ageu exortava: "Coragem, Zorobabel; coragem, Josué; coragem, povo todo!". Ver também Zc 4,6-10. Neemias é o sucessor de Zorobabel e o grande animador das obras; por isso, não pode permitir a si mesmo sinais de covardia, sob pena de perder a credibilidade e contagiar os judeus. Pode-se recordar também o Salmo 11, entre a fuga e a confiança.

6,10 Não é claro em que consiste esse "impedimento"; alguns o atribuem a um êxtase profético, outros simplesmente a um "confinamento". O profeta dava consultas em sua casa, como Aías cego (1Rs 14) ou Eliseu (2Rs 5). A proposta conta com o direito de asilo ao templo, oferecido aos homens perseguidos sem defesa humana.

6,11 Sl 11.

6,12 Como os profetas denunciados por Miqueias: Mq 3,5, ou como as profetisas de Ez 13,17ss.

6,13 "Pecado" ou "erro". Desconfiar de Deus é pecado, esconder-se é erro político. Ambas as coisas, uma mancha irreparável na integridade e credibilidade do chefe. Pois "difamar" é justamente o ultraje dos pagãos que Neemias queria eliminar: 1,3; 2,17; 5,9.

6,15-16 Terminadas as obras, a muralha é como uma teofania que inspira admiração e intimida os pagãos. O verbo *yr'* foi palavra-chave da seção: a estratégia do inimigo foi amedrontar (6,9.13.14.19), quando o "temor = respeito" do Senhor é o único que conta (5,9); agora a admiração intimida inimigos e estrangeiros (alguns manuscritos leem "temeram" em vez de "viram").

Realmente não foi uma tarefa simples terminar as obras em menos de dois meses, em meio à oposição externa e com dificuldades internas. A obra era como um milagre de Deus, que tinha infundido tal confiança e tenacidade nos seus.

6, 17-19 Como um *post scriptum*. Na tarefa da muralha revelou-se o perigo dos casamentos com estrangeiros e rivais. Os casamentos criavam uma rede de parentescos e compromissos, violando a lealdade ao próprio povo.

7 Terminada a construção da muralha, esperaríamos uma festa de dedicação; mas temos de ler uma série de episódios antes de encontrar tal festa no cap. 12. O motivo é uma técnica de composição já conhecida entre os escritores hebreus. A composição obedece à seguinte ordem:

Construção da muralha (3-6) e nomeações (7,1-3); repovoamento de Jerusalém (7,4-72); festas litúrgicas (8-10); repovoamento de Jerusalém (11,1-12,26); dedicação da muralha (12,27-43) e nomeações (12,44-47). É o conhecido esquema ABCBA, graças ao qual todo o trabalho de Neemias fica como que encerrado no quadro da reconstrução da muralha.

7,1 O governador civil se encarrega das portas da cidade; parece que a palavra "porteiros" atraiu "cantores

²Pus à frente de Jerusalém meu irmão Hanani, chefe da fortaleza, que era homem honrado e temia a Deus como poucos. ³E eu lhes disse:

— As portas de Jerusalém não serão abertas antes que o sol comece a esquentar, e deverão ser fechadas e trancadas antes que o sol se ponha. Sejam formados corpos de guarda com os habitantes de Jerusalém; alguns vigiarão nos postos e outros diante de sua casa.

Repovoamento de Jerusalém (I) (Esd 2)

⁴A cidade era espaçosa e grande, mas os habitantes escassos e construíam casas para si. ⁵Então meu Deus me inspirou reunir os notáveis, as autoridades e o povo para fazer o registro. Encontrei o registro dos primeiros que haviam voltado, em que estava escrito: ⁶"Habitantes da província que voltaram do desterro, para onde Nabucodonosor, rei da Babilônia, os levou cativos, e voltaram a Jerusalém e a Judá, cada qual para seu povoado: ⁷Vieram com Zorobabel, Josué, Neemias, Azarias, Raamias, Naamani, Mardoqueu, Belsã, Mesfarat, Beguai, Naum e Baana".

Lista dos leigos:

⁸Dois mil, cento e setenta e dois descendentes de Faros.

⁹Trezentos e setenta e dois descendentes de Safatias.

¹⁰Seiscentos e cinquenta e dois descendentes de Area.

¹¹Dois mil, oitocentos e dezoito descendentes de Faat-Moab, descendentes de Josué e de Joab.

¹²Mil, duzentos e cinquenta e quatro descendentes de Elam.

¹³Oitocentos e quarenta e cinco descendentes de Zetua.

¹⁴Setecentos e sessenta descendentes de Zacai.

¹⁵Seiscentos e quarenta e oito descendentes de Benui.

¹⁶Seiscentos e vinte e oito descendentes de Bebai.

¹⁷Dois mil, trezentos e vinte e dois descendentes de Azgad.

¹⁸Seiscentos e sessenta e sete descendentes de Adonicam.

¹⁹Dois mil e sessenta e sete descendentes de Beguai.

²⁰Seiscentos e cinquenta e cinco descendentes de Adin.

²¹Noventa e oito descendentes de Ater, de Ezequias.

²²Trezentos e vinte e oito descendentes de Hasum.

²³Trezentos e vinte e quatro descendentes de Besai.

²⁴Cento e doze descendentes de Haref.

²⁵Noventa e cinco oriundos de Gabaon.

²⁶Cento e oitenta e oito oriundos de Belém e de Netofa.

²⁷Cento e vinte e oito de Anatot.

²⁸Quarenta e dois de Bet-Azmot.

²⁹Setecentos e quarenta e três de Cariat--Iarim*, Cafira* e Beerot*.

³⁰Seiscentos e vinte e um de Ramá e Gaba*.

³¹Cento e vinte e dois de Macmas.

³²Cento e vinte e três de Betel e Hai.

---

e levitas", que se encontram juntos no templo e não prestam serviço na muralha.

7,2 Talvez no texto tenha havido erro por ditografia quanto ao primeiro nome e, portanto, se trate de única nomeação: o chefe da fortaleza ou cidadela é também prefeito da cidade.

7,3 A segunda determinação temporal é muito duvidosa no texto hebraico. Asseguradas as portas, Jerusalém se transforma em cidade fechada, na qual se controlam entradas e saídas (Js 6,1; Jericó). "Diante de sua casa": provavelmente se refere aos que moram junto à muralha e devem encarregar-se do lanço adjacente; o resto da muralha é repartido entre os demais.

7,4 O *repovoamento*. Rodeada de sua muralha ameada, notam-se os vazios internos da cidade, por falta de casas e moradores. Não é a cidade "bem traçada" ou "bem compacta" cantada pelo salmista (Sl 122,3). Pois bem, o Segundo Isaías tinha prometido à capital numerosos habitantes: Is 49,19-20; e ainda falava de um transbordamento expansivo: Is 54,2-3. Por seu turno, Ezequiel tinha anunciado: "as cidades serão repovoadas e as ruínas reconstruídas" (Ez 36,10.33). Uma cidade despovoada é como que amaldiçoada, e dela se apoderam sinistros animais selvagens (Is 34). Assim, pois, nova tarefa cabe a Neemias. Parece que a capital não atraía: somente pela insegurança? Talvez também porque não oferecia boas condições econômicas, a não ser para os empregados do templo; e até boa parte deles morava em suas propriedades ou povoados vizinhos. Além do templo, Jerusalém não abrigava uma administração central complexa e tampouco contava com comércio florescente (embora alguns grupos estivessem representados). Essas suposições podem explicar por que o povo preferia morar no campo.

7,5 O registro lembrado é o mesmo de Esd 2, com ligeiras variantes. Para Neemias tinha quase um século.

7,29 * = Vila Soutos; Leoa; Poços.

7,30 * = Elevado.

³³Cinquenta e dois descendentes de Nebo.

³⁴Mil, duzentos e cinquenta e quatro descendentes do outro Elam.

³⁵Trezentos e vinte de Harim.

³⁶Trezentos e quarenta e cinco de Jericó.

³⁷Setecentos e vinte e um de Lod, Hadid e Ono.

³⁸Três mil, novecentos e trinta de Senaá.

³⁹Sacerdotes:

Novecentos e setenta e três descendentes de Jedaías, da família de Josué.

⁴⁰Mil e cinquenta e dois descendentes de Emer.

⁴¹Mil, duzentos e quarenta e sete descendentes de Fasur.

⁴²Mil e dezessete descendentes de Harim.

⁴³Levitas:

Setenta e quatro descendentes de Josué e de Cadmiel, da família de Odovias.

⁴⁴Cantores:

Cento e quarenta e oito descendentes de Asaf.

⁴⁵Porteiros:

Cento e trinta e oito descendentes de Selum, Ater, Telmon, Acub, Hatita e Sobai.

⁴⁶Doados:

Descendentes de Siaá, Hasufa, Tabaot, ⁴⁷Ceros, Sai, Fadon, ⁴⁸Lebana, Hagaba, Selmai, ⁴⁹Hanã, Gidel, Gaar, ⁵⁰Raaías, Rasin, Necoda, ⁵¹Gazam, Oza, Fasea, ⁵²Besai, meunitas, nefusitas, ⁵³Bacbuc, Hacufa, Harur, ⁵⁴Baslut, Meida, Harsa, ⁵⁵Bercos, Sísara, Tema, ⁵⁶Nasias e Hatifa.

⁵⁷Servos de Salomão:

Descendentes de Sotai, Soferet, Feruda, ⁵⁸Jaala, Darcon, Gidel, ⁵⁹Safatias, Hatil, o sebaíta Foqueret e Amon.

⁶⁰Total de doados e servos de Salomão: trezentos e noventa e dois.

⁶¹Lista dos que subiram de Tel-Mela, Tel Harsa, Querub, Adon e Emer, mas não puderam provar sua ascendência ou sua origem israelita: ⁶²seiscentos e quarenta e dois descendentes de Dalaías, Tobias e Necoda. ⁶³E dos sacerdotes, os descendentes de Hobias, Acos e Berzelai, que havia casado com uma filha do galaadita Berzelai e tomou seu nome. ⁶⁴Procuraram seu registro genealógico, mas não o encontraram e foram excluídos do sacerdócio; ⁶⁵o governador os proibiu de comer os alimentos sagrados até que aparecesse um sacerdote experiente em consultar as sortes.

⁶⁶Ao todo, a comunidade contava com quarenta e duas mil, trezentas e sessenta pessoas, ⁶⁷sem contar os escravos e escravas, que eram sete mil, trezentos e trinta e sete. Tinha duzentos e quarenta e cinco cantores e cantoras, ⁶⁸setecentos e trinta e seis cavalos e duzentos e quarenta e cinco jumentos, quatrocentos e trinta e cinco camelos e seis mil, setecentos e vinte asnos.

⁶⁹Alguns chefes de família fizeram doações para a obra. O governador entregou ao tesouro mil daricos de ouro, cinquenta aspersórios e quinhentas e trinta túnicas sacerdotais. ⁷⁰Os chefes de família ofereceram para o culto vinte mil daricos de ouro e duas mil e duzentas minas de prata. ⁷¹O resto do povo, vinte mil daricos de ouro, duas mil minas de prata e sessenta e sete túnicas sacerdotais.

⁷²Os sacerdotes, os levitas, os porteiros, os cantores, parte do povo, os doados e todo Israel se estabeleceram em seus povoados. Ao chegar o mês de outubro se encontravam neles instalados.

8 Leitura da Lei – ¹Então todo o povo se reuniu como um só homem na praça

---

7,69-71 A soma das doações é diferente.

7,72 Esta é a mudança mais importante, pois em Esd 2,70 se falava de um repovoamento de Jerusalém, dado que falta na versão de Neemias. Poderia ser omissão intencional. Cronologicamente, aqui deveria vir o cap. 11 e parte do 12.

Seguindo a reconstrução hipotética, depois desses fatos e passados vários anos, Neemias volta à corte de Susa (13,6), para retornar pouco depois e começar sua atividade com Esdras. Nesse espaço se poderia colocar a atividade profética de Malaquias, centrada em muitos abusos que a próxima atividade de Neemias atacará.

8-10 Segue-se uma série de cerimônias e festas litúrgicas que se celebram logo que terminam o verão e os trabalhos do campo: leitura pública da Lei, festa das Cabanas, liturgia penitencial, aliança com Deus. Ao longo das três primeiras se lê o livro da Lei, e a aliança final culmina com a celebração.

O calendário oficial presente no Levítico não esclarece a relação das diversas cerimônias aqui descritas: indica a festa no primeiro dia do sétimo mês (meados de setembro); no dia dez põe a festa da Expiação; do dia quinze ao vinte e um, a semana das Cabanas (Lv 23; Nm 29); conforme Dt 31,9-13, a leitura da Lei será repetida a cada sete anos na festa das Cabanas.

8,1 Dá a impressão de que a cerimônia é celebrada por iniciativa popular e em lugar profano, ao passo que as cerimônias litúrgicas são convocadas pelos sacerdotes. Atua Esdras, não o sumo sacerdote Elia-

que se abre diante da Porta da Água, e pediu ao letrado Esdras que trouxesse o livro da Lei de Moisés, que Deus havia dado a Israel. ²O sacerdote Esdras trouxe o livro da Lei diante da assembleia, composta de homens, mulheres e todos os que tinham uso da razão. Era meados de setembro. ³Na praça da Porta da Água, do amanhecer até o meio-dia, leu o livro aos homens, às mulheres e aos que tinham uso da razão. Todo o povo seguia com atenção a leitura da Lei.

⁴O letrado Esdras estava de pé no púlpito de madeira que havia feito para essa ocasião. À sua direita se encontravam Matatias, Sema, Anias, Urias, Helcias e Maasias; à sua esquerda, Fadaías, Misael, Melquias, Hasum, Hasbadana, Zacarias e Mosolam. ⁵Esdras abriu o livro à vista de todo o povo – pois se encontrava num lugar elevado –, e quando o abriu, todo o povo se pôs de pé. ⁶Esdras bendisse o Senhor, Deus grande, e todo o povo, levantando as mãos, respondeu: "Amém, amém". Depois, com o rosto por terra, se inclinaram e adoraram o Senhor.

⁷Os levitas Josué, Bani, Serebias, Jamin, Acub, Sabatai, Hodias, Maasias, Celita, Azarias, Jozabad, Hanã e Falaías explicaram a Lei para o povo, que se mantinha em seu lugar. ⁸Liam o livro da Lei de Deus, traduzindo e explicando para que se entendesse a leitura. ⁹O governador Neemias, o sacerdote e letrado Esdras e os levitas que instruíam o povo, vendo que o povo chorava ao escutar a leitura da Lei, disseram-lhe:

– Hoje é um dia consagrado ao Senhor vosso Deus. Não fiqueis tristes nem choreis.

¹⁰Depois acrescentou:

– Ide para casa, fazei uma refeição abundante, bebei vinhos generosos e enviai porções aos que não têm nada, porque hoje é dia consagrado ao nosso Deus. Não jejueis, pois apraz ao Senhor que estejais fortes.

¹¹Os levitas acalmavam o povo, dizendo:

– Silêncio, pois é um dia santo; não fiqueis tristes.

¹²O povo foi embora, comeu, bebeu, enviou porções e organizou uma grande festa, porque havia compreendido o que lhe haviam explicado.

A festa das Cabanas (Lv 23,33-43; Dt 16,13-15) – ¹³No dia seguinte, os chefes de família de todo o povo, os sacerdotes e os levitas se reuniram com o letrado Esdras para estudar o livro da Lei. ¹⁴Encontraram escrito na Lei que o Senhor havia mandado por meio de Moisés: "Os israelitas habitarão em cabanas durante a festa do mês de outubro".

¹⁵Então anunciaram em todos os seus povoados e em Jerusalém:

– Ide ao monte e trazei ramos de oliveira, pinheiro, mirto, palmeira e de outras árvores frondosas para construir as cabanas, como está ordenado.

¹⁶O povo foi, trouxe ramos e fizeram cabanas; uns no terraço, outros em seus

---

sib ou Joiada: talvez porque este não era partidário ou entusiasta da reforma. Junto a Esdras encontraremos Neemias, em bom acordo do poder civil com um representante do religioso, em sucessão aproximada de Zorobabel e Josué (sucessor de Davi e sumo sacerdote). Alguns pensam que a presença de Neemias no v. 9 se deve a um acréscimo de glosador. O livro lido podia ser o Deuteronômio de Josias, talvez ampliado (2Rs 22), ou um Pentateuco relativamente completo, ou seja, narração, Lei e parênese, que oferecia leitura para vários dias.

8,2 Dt 31,12 menciona "homens, mulheres, crianças e migrantes". Um acréscimo do cap. 13 inclui também as crianças antes do uso da razão.

8,3 Dt 31,9-13.

8,4 Com Esdras, aparecem quatorze pessoas na tribuna.

8,5 O rito indica que se vai escutar a leitura como Lei ou instrução do Senhor.

8,8 É duvidoso e discutido o sentido da palavra hebraica *mprsh*. Se lhe damos o sentido de "traduzir", indicaria que o povo já não entendia o hebraico e precisava de uma tradução aramaica. Se traduzimos "por partes", indicaria que do púlpito Esdras lia uma seção ou perícope, e os levitas a repetiam em grupos a seu alcance, e a comentavam.

8,9 O choro do povo podia ser devido às ameaças e repreensões que escutavam (como em Jz 2,4). Era um gesto de pesar antecipado, reservado para a liturgia penitencial.

8,10 A última frase poderia ser traduzida: "a alegria (= a festa) do Senhor será vossa força". A alegria deve ser partilhada entre todos, como ensina Dt 26,11 e 16,11.

8,13-14 O fato é narrado como se a festa tivesse caído em desuso e a leitura atenta da Lei tivesse impulsionado a restaurá-la. A legislação de Dt 16,15 não fala de morar em cabanas ou choças; é coisa que Lv 23,39-43 acrescenta às disposições genéricas de Lv 23,33-36, depois dos versículos conclusivos 37-38. Pode ser que a festa fosse celebrada, mas não com o rito de morar ao ar livre durante uma semana. (Tampouco em Esd 3,4-5 se fala do rito.)

pátios, nos pátios do templo, na praça da Porta da Água e na praça da Porta de Efraim. [17]Toda a assembleia que tinha voltado do desterro fez cabanas, habitaram nelas – coisa que os israelitas não faziam desde os tempos de Josué, filho de Nun –, e houve uma grande festa. [18]Todos os dias, do primeiro ao último, Esdras leu o livro da Lei de Deus. A festa durou sete dias, e no oitavo houve uma assembleia solene, conforme está ordenado.

9 Cerimônia de expiação (Lv 16)

[1]No vigésimo quarto dia desse mesmo mês, os israelitas se reuniram para jejuar, cobertos de pano de saco e pó. [2]A raça de Israel separou-se de todos os estrangeiros, e de pé confessaram seus pecados e as culpas de seus pais. [3]Permaneceram em seus lugares uma quarta parte do dia, enquanto era lido o livro da Lei do Senhor seu Deus, e outra quarta parte a passaram, confessando e prestando homenagem ao Senhor seu Deus.

[4]Josué, Benui, Cadmiel, Sebanias, Buni, Serebias, Bani e Canani subiram à tribuna dos levitas e invocaram em alta voz o Senhor seu Deus. [5]E os levitas Josué, Cadmiel, Bani, Hasabneias, Serebias, Hodias, Sebanias e Fetaías disseram:

– Levantai-vos, bendizei o Senhor vosso Deus, desde sempre e para sempre; bendizei o seu Nome glorioso, que supera toda bênção e louvor.

[6]E Esdras orou:

"Tu, Senhor, és o único Deus.
Tu fizeste os céus,
 o mais alto dos céus,
 e todos os seus exércitos;
a terra e todos os que a habitam,
os mares e tudo o que eles contêm.

8,17 A rigor, esses judeus não tinham voltado do desterro, mas nasceram na Judeia. Porém, como os israelitas antes do desterro eram "os saídos de Egito", assim os judeus agora são "os repatriados". O desterro marca novo começo de salvação, comemorado na festa da peregrinação. Isso apoia a menção de Josué aqui, embora em nenhum lugar se leia que Josué tivesse celebrado tal festa (celebra a Páscoa logo ao entrar na terra prometida, Js 5). Também pode ter sentido hiperbólico, no estilo de 2Cr 30,26 (desde o tempo de Salomão) e 35,18 (desde o tempo de Samuel).

9 A data não corresponde ao dia da expiação, celebrado no décimo dia do sétimo mês (meados de setembro ou começo de outubro). Mas os ritos penitenciais podiam bem ser parte da cerimônia – ainda que o Levítico se tenha fixado exclusivamente no rito sacrifical, mencionando o jejum. Se na cerimônia se pronunciava uma confissão de pecados, esta podia parecer-se com a que lemos aqui. Na forma presente, como vimos a propósito de Esd 9, parece criação pós-exílica. Os elementos da oração substancialmente são os mesmos, e a série histórica se alonga. O pecado é a má resposta a uma cadeia de benefícios. A confissão é a resposta à leitura do livro da Lei. Assim vemos que tal leitura pode assumir dois aspectos diferentes.

9,2 "Separou-se": é o mesmo verbo lido em Esd 6,21; 9,1; 10,11, que retornará em Ne 10,29; 13,3. Trata-se da segregação religiosa com todas as consequências que a interpretação dos responsáveis pode induzir.

9,3 A confissão é feita de pé, e no fim se faz a prostração de homenagem.

9,5 No Salmo 106, que é penitencial, também se lê um louvor no começo e uma bênção no fim.

9,6-37 A oração se inspira na história de Israel e concretamente em passagens de diversas tradições, até com citações verbais. Seria demorado percorrer detalhadamente todas as estrofes; será mais útil considerar como se constrói a súplica.

O tema da terra é central; aparece em três pontos e unifica dinamicamente as seções intermédias. Depois da criação, no começo da história, Deus promete a terra a Abraão. Num segundo momento, a terra deve ser entregue: para tal fato convergem a saída do Egito e a caminhada pelo deserto, e no fato se cumpre a promessa. O terceiro momento é o presente: os judeus moram na terra prometida e concedida, mas na qualidade de vassalos; se não falha a promessa, seu valor fica comprometido. Para cumprir sua promessa, Deus teve de superar obstáculos. Fora, os egípcios e cananeus; dentro, a resistência do povo; apesar da resistência do povo ao favor de Deus, este sempre cumpre sua promessa. No deserto e na terra, Deus envia a seu povo sua palavra na forma de Lei, "que dá vida a quem a cumpre", e na forma de profecia, que exorta à conversão. E apesar das duas palavras, o povo repete a rebeldia. Assim se opõem a fidelidade de Deus, apesar da resistência, e a rebeldia do povo, apesar dos favores. No pleito, Deus tem razão, é inocente; o povo não tem razão, é culpado. Só resta a humilde confissão. Mas Deus, além de ser fiel e justo, é clemente e compassivo. Graças a isso, tem piedade quando o povo sofre, embora merecendo; e está disposto a perdoar quando o povo se arrepende. Assim, o orante pode apresentar o próprio sofrimento apelando para a compaixão, e apresentar o próprio arrependimento apelando para a clemência.

A deslealdade do povo se opõe também a duas atitudes exemplares: a homenagem celeste dos astros, a lealdade de Abraão.

A construção por contrastes se expressa ou se articula várias vezes por palavras repetidas: dar, escutar, servir, pronomes correlativos.

9,6 A súplica de Esdras parece ter caráter conclusivo, resumindo tudo. A criação é vista em três planos verticais; os astros são as criaturas animadas do céu, os habitantes que servem a Deus; em outros termos: seus "exércitos".

A todos dás vida,
e os exércitos celestes
 te prestam homenagem.
⁷Tu, Senhor, és o Deus
 que escolheu Abrão,
o tirou de Ur dos caldeus
e lhe deu por nome Abraão.
⁸Viste que seu coração
 era fiel a ti,
e fizeste com ele uma aliança
para lhe dar a terra dos cananeus,
heteus, amorreus, ferezeus,
 jebuseus e gergeseus,
a ele e à sua descendência.
E cumpriste a palavra
 porque és leal.
⁹Viste depois a aflição
 de nossos pais no Egito,
escutaste seus clamores
 junto ao mar Vermelho.
¹⁰Realizaste sinais e prodígios
 contra o Faraó,
contra seus ministros
 e todo o povo do país
– pois sabias que eram altivos
 com eles –
e criaste para ti uma fama
 que perdura até hoje.
¹¹Dividiste diante deles o mar,
e cruzaram o mar a pé enxuto.
Atiraste ao abismo
 seus perseguidores,
como uma pedra
 em águas turbulentas.
¹²Com coluna de nuvem
 os guiaste de dia,
com coluna de fogo à noite,
para iluminar-lhes o caminho
 que deviam percorrer.
¹³Desceste ao monte Sinai,
 do céu falaste com eles.
Deste-lhes normas justas,
 leis válidas,
decretos e preceitos excelentes.
¹⁴Deste-lhes a conhecer
 teu santo sábado,
deste-lhes preceitos,
 decretos e leis
 por meio de teu servo Moisés.
¹⁵Enviaste-lhes pão do céu
 quando tinham fome,
fizeste brotar água da rocha
 quando tinham sede.
E lhes ordenaste
 tomar posse da terra
que, com a mão levantada,
 havias jurado dar a eles.
¹⁶Mas eles, nossos pais,
 se mostraram altivos;
tornando-se teimosos
 desobedeceram teus preceitos.
¹⁷Não quiseram ouvir
 nem recordar os prodígios
que fizeste em favor deles.
Teimosamente se empenharam
em voltar à escravidão do Egito.
Mas tu, Deus do perdão,
clemente e compassivo,
 paciente e misericordioso,
não os abandonaste,
¹⁸nem sequer quando fizeram
 um bezerro fundido
e proclamaram: 'Este é teu deus,
 que te tirou do Egito',
cometendo uma ofensa terrível.
¹⁹Mas tu, por tua grande compaixão,
 não os abandonaste no deserto.
Não se afastou deles
 a coluna de nuvem
que os guiava de dia pelo caminho,
nem a coluna de fogo
que de noite lhes iluminava
 o caminho que deviam percorrer.
²⁰Deste-lhes teu bom espírito
 para instruí-los,
não lhes tiraste

9,8 Abraão era fiel, confiava em Deus e era confiável; por isso pôde receber o pacto. Deus é justo cumprindo sua palavra, seus compromissos. O que se segue mostra como ele os cumpre, dando credibilidade à sua justiça ou honradez.
9,9 Ex 3.
9,10 Ex 6-11.
9,11 Ex 14-15.
9,12 Ex 16.
9,13 Ver Sl 19,8-10.
9,14 O sábado era o sinal da aliança sinaítica, como a circuncisão era o sinal da aliança com Abraão, e o arco-íris o era da aliança com Noé. O sábado ganha importância depois do desterro (ver, por exemplo, Is 56).
9,15 Ex 16.
9,16 "Altivos": repetem a mesma atitude repreensível dos egípcios (v. 16).
9,17 Nm 14.
9,18 Ex 32.
9,20 O "bom espírito" agia por meio de Moisés, como primeiro dos profetas (Is 63, 10-11).

da boca teu maná,
deste-lhes água
nos momentos de sede.
²¹Quarenta anos
os sustentaste no deserto,
e nada lhes faltou;
suas vestes não se gastaram
nem se incharam seus pés.
²²Entregaste-lhes
reinos e povos,
repartiste para cada um sua região.
Apoderaram-se do país de Seon,
rei de Hesebon,
da terra de Og, rei de Basã.
²³Multiplicaste seus filhos
como as estrelas do céu,
e os introduziste na terra
que havias prometido
como posse a seus pais.
²⁴Entraram os filhos
para ocupá-la,
e diante deles derrotaste
seus habitantes, os cananeus.
Tu os puseste em suas mãos,
assim como os reis
e os povos do país,
para que dispusessem deles
à vontade.
²⁵Conquistaram fortalezas
e uma terra fértil;
possuíram casas
transbordantes de riquezas,
poços escavados,
vinhas e olivais
e abundantes árvores frutíferas;
comeram até fartar-se
e engordaram
e desfrutaram
de teus dons generosos.
²⁶Mas, indóceis,
rebelaram-se contra ti,
deram as costas à tua Lei
e assassinaram teus profetas,
que os admoestavam
a voltar a ti,
pois cometeram gravíssimas ofensas.
²⁷Tu os entregaste
nas mãos de seus inimigos,
que os oprimiram.
Mas em sua angústia
clamaram a ti,
e do céu os escutaste;
e por tua grande compaixão
lhes enviaste salvadores
que os salvaram
de seus inimigos.
²⁸Mas ao sentir-se tranquilos
faziam de novo o que reprovas;
tu os abandonavas
em mãos de seus inimigos,
que os oprimiam;
clamavam de novo a ti,
e do céu os escutavas,
livrando-os muitas vezes
por tua grande compaixão.
²⁹Tu os admoestaste
para reconduzi-los à tua Lei,
mas eles, altivos,
não obedeceram a teus preceitos
e pecaram contra tuas normas,
que dão a vida
ao homem que as cumpre.
Voltaram as costas
com rebeldia;
teimosamente
não quiseram escutar.
³⁰Foste paciente com eles
durante muitos anos,
teu espírito os admoestou
por teus profetas,
mas não prestaram atenção,
e os entregaste
nas mãos de povos pagãos.
³¹Mas por tua grande compaixão
não os aniquilaste
nem abandonaste,
porque és um Deus
clemente e compassivo.
³²Agora, Deus nosso,
Deus grande, valente e terrível,

9,21 Dt 8.
9,22 Nm 21.
9,23 Js 3-4.
9,24 Js 6; 8; 10.
9,25 Dt 8.
9,26-28 O ciclo dos Juízes: repete-se a "ofensa" (v. 18) e o clamor (9).
9,27 Jz 3; 6.
9,29-31 A etapa dos reis. O desterro não é enunciado, o castigo soa o mesmo que o da etapa precedente (27). A rigor, as expressões poderiam ser usadas antes do desterro.
9,32 Os títulos divinos definem o senhor da história. Na enumeração, "os pais" parecem ser os chefes do clã. O "tempo dos assírios" inaugura a era das deportações em massa da população e a perda de independência política.

fiel à aliança e leal,
não desprezes as aflições
que sobrevieram
   aos nossos reis,
   aos nossos príncipes,
   sacerdotes e profetas,
   aos nossos pais
e a todo o teu povo
desde o tempo
   dos reis assírios até hoje.
³³És inocente
   em tudo o que nos aconteceu,
pois agiste com lealdade,
e nós somos culpados.
³⁴Certamente, nossos reis,
príncipes, sacerdotes e pais
não cumpriram a tua Lei
nem prestaram atenção
   aos preceitos e avisos
   com que os admoestavas.
³⁵Durante o reinado deles,
apesar dos grandes bens
   que lhes concedeste
   e da terra espaçosa e fértil
   que lhes entregaste,
não te serviram nem se converteram
de suas más ações.
³⁶Por isso estamos agora
   escravizados,
escravos na terra
   que deste aos nossos pais,
   para que comessem
   seus frutos excelentes.
³⁷E seus abundantes produtos
são para os reis,
aos quais nos submeteste
   por causa de nossos pecados,
e que exercem seu domínio
   a seu arbítrio
sobre nossas pessoas
   e rebanhos.
Somos uns desgraçados".

10 ¹Contudo, fazemos um pacto e o colocamos por escrito, selando-o nossas autoridades, nossos levitas e nossos sacerdotes.

²Assinaram: Neemias, filho de Hacalias, e Sedecias, ³Saraías, Azarias, Jeremias, ⁴Fasur, Amarias, Melquias, ⁵Hatus, Sebanias, Meluc, ⁶Harim, Meremot, Abdias, ⁷Daniel, Genton, Baruc, ⁸Mosolam, Abias, Miamin, ⁹Maazias, Belgai, Semeías. Todos eles sacerdotes.

¹⁰Levitas: Josué, filho de Azanias, Benui, descendente de Henadad, Cadmiel, ¹¹e seus irmãos; Sequenias, Odovias, Celita, Falaías, Hanã, ¹²Micas, Roob, Hasebias, ¹³Zacur, Serebias, Sebanias, ¹⁴Odias, Bani e Beninu.

¹⁵Autoridades: Faros, Faat-Moab, Elam, Zetu, Bani, ¹⁶Buni, Azgad, Bebai, ¹⁷Adonias, Beguai, Adin, ¹⁸Ater, Ezequias, Azur, ¹⁹Adias, Hasum, Besai, ²⁰Haref, Anatot, Nebai, ²¹Megfias, Mosolam, Hazir, ²²Mesezebel, Sadoc, Jedua, ²³Feltias, Hanã, Anaías, ²⁴Oseias, Hananias, Hasub, ²⁵Aloés, Falea, Sobec, ²⁶Reum, Hasabna, Maasias, ²⁷Aías, Hanã, Anã, ²⁸Meluc, Harim e Baana.

9,33 Este versículo resume a situação bilateral de Deus com o povo em chave penitencial: inocente/culpado.

9,34 Não se trata de descarregar a própria responsabilidade jogando a culpa de tudo nas autoridades, mas de uma confissão solidária, na qual todos são culpados. Os avisos correspondem à palavra profética, e assim temos pela quarta vez Lei e profetas.

9,35 O mesmo binômio toma agora a forma de servir cumprindo a Lei e converter-se seguindo a palavra profética; como o v. 29 o formula. A profecia está em função da esperança messiânica.

9,36-37 Estes versículos exprimem o reverso da situação de vassalagem. Embora aceita por muitos, a começar por Neemias, não é considerada ideal. É a situação do Egito ou a defendida por Jeremias com relação a Nabucodonosor (Jr 27,1-11); tem caráter provisório, e os judeus podem resignar-se a ela, mas não amá-la ou olhá-la com indiferença. Na última palavra soa a desgraça, o aperto, o perigo.

10,1 A abjuração costuma preceder a assinatura do pacto (Js 24); o seu equivalente, quando não existe a idolatria, é o arrependimento. O Cronista foi balizando seu relato com renovações da aliança: Asa retira os ídolos e faz a aliança que o povo jura (2Cr 15); Joiada elimina o governo estrangeiro de Atalia, coroa Joás, sucessor de Davi, e faz um pacto (2Cr 23); Ezequias purifica o templo para renovar a aliança (2Cr 29); Josias escuta o livro da Lei recém-encontrado, faz penitência, conclui uma aliança (2Cr 34). A aliança de Neemias é quase uma conclusão da obra na sua ordem atual.

10,2-3 O governador encabeça a lista dos que assinam. Azarias é provavelmente outra pronúncia de Esdras, pois seria muito estranho que o sacerdote reformador não estivesse entre os que assinam. Não consta o sumo sacerdote: certamente se absteve, porque tinha parentesco com estrangeiros e não partilhava a linha do governador (13,28).

10,24 Este Hananias poderia ser o prefeito nomeado por Neemias (7,2).

²⁹O resto do povo, os sacerdotes, os levitas, os porteiros, os cantores, os doados e todos os estrangeiros que se haviam convertido à Lei de Deus, suas mulheres, filhos, filhas e todos os que tinham uso da razão ³⁰uniram-se a seus irmãos, os notáveis, e juraram solenemente:

– proceder segundo a Lei de Deus dada por meio de Moisés, servo de Deus, e pôr em prática todos os preceitos, decretos e ordens do Senhor;

– ³¹não dar nossas filhas a estrangeiros e não casar nossos filhos com estrangeiras;

– ³²não comprar no sábado ou dia de festa as mercadorias, especialmente o trigo, que os estrangeiros trazem e vendem no dia de sábado;

– a cada sete anos renunciar à colheita e a qualquer tipo de dívidas.

³³Além disso nos comprometemos:

– a entregar a cada ano um terço de siclo para o culto do templo de nosso Deus; ³⁴para os pães apresentados e para a oferta diária; para o holocausto diário, o dos sábados, começo do mês, solenidades, consagrações e sacrifícios expiatórios por Israel, e para a fábrica do templo ³⁵(quanto à oferta da lenha que deve arder no altar do Senhor nosso Deus, como manda a Lei, sacerdotes, levitas e povo tiraram sortes para trazê-la a cada ano ao templo por famílias e em determinadas épocas);

– ³⁶a trazer para o templo a cada ano as primícias de nossos campos, as primícias de todas as árvores frutíferas ³⁷e os primogênitos de nossos filhos e rebanhos, conforme está escrito na Lei;

– a entregar aos sacerdotes que oficiam no templo os primogênitos de nossos rebanhos graúdo e miúdo.

³⁸Para os sacerdotes levaremos aos armazéns do templo o melhor de nossa farinha, de nossas ofertas, de todo tipo de frutos, do vinho e do azeite, e daremos aos levitas o dízimo de nossos campos (isto é, aos levitas que recebem o dízimo em todos os povoados em que trabalhamos). ³⁹Um sacerdote aaronita acompanhará os levitas quando estes receberem o dízimo, e os levitas entregarão a décima parte do mesmo dízimo ao templo de nosso Deus, depositando-o nos armazéns do tesouro. ⁴⁰Porque os israelitas e os levitas levam aos armazéns as ofertas de trigo, vinho e azeite; aí estão os utensílios do santuário e vivem os sacerdotes que estão de serviço, os porteiros e os cantores. Numa palavra: não descuidaremos do templo de nosso Deus.

11 Repovoamento de Jerusalém (II)

¹As autoridades fixaram sua

10,29 "Os estrangeiros convertidos...": também se pode interpretar "os que se tinham separado dos povos estrangeiros...", segundo Esd 10,11. Então se trataria de judeus residentes entre estrangeiros e contaminados com seus costumes, judeus que romperam com essa vida e adotaram exclusivamente a Lei judaica. Talvez a fronteira entre as duas categorias não fosse muito definida.

10,30-32 A aliança contém uma primeira condição genérica, como lei fundamental, que engloba todos os preceitos – na tradição do Dt era a entrega exclusiva ao Senhor. A formulação presente inclui obviamente esse primeiro mandamento do decálogo, sem dar-lhe o relevo original.

Depois se especificam algumas leis que no momento presente exigem atenção particular. São: a Lei da segregação em assuntos matrimoniais (como o vimos em Esd 9, com a mesma interpretação estreita); a Lei do sábado como sinal de aliança; a Lei do jubileu ou perdão periódico de dívidas, visando à justiça social. São leis "sagradas" com conteúdo "civil".

10,31 Dt 7,1-4.

10,32 Ex 20,8-11; Dt 15.

10,33-40 Com outra terminologia e outro estilo, acrescentam-se preceitos cultuais, resumidos em tributos "para o culto e o clero": primícias, dízimos e outras ofertas. Estão na linha de Lv 27,30-33; Nm 18; Ex 44,30.

10,33 O tributo do templo continuou em vigor enquanto durou o templo, e foi cobrado em toda a diáspora judaica, quando as autoridades locais o permitiam. Conforme Esd 6,8, o imperador Dario provia aos gastos do culto.

10,35 Em nenhuma parte do AT encontramos uma Lei sobre o tributo da lenha. Sobre "lenhadores e carregadores de água", temos as notícias de Js 9 (os gabaonitas) e 2Cr 2,9 (migrantes em território israelita); mas parece tratar-se de outra função.

10,36-37 Esta Lei é tradicional: Ex 13; Nm 3,12-13.40-51; 8,17; 18,15-19.

10,38 "O melhor" ou as primícias.

11,1–12,26 O texto continua o tema do repovoamento de Jerusalém e daí salta para registros familiares complementares.

Para a *cronologia* podemos seguir a lista de sumos sacerdotes de 12,10-11:

– Josué: Sumo sacerdote da repatriação e do tempo de Ageu: Ciro, Cambises, Dario I.
– Joaquim: Anos de silêncio sob Dario I e Xerxes.
– Eliasib: Reconstrução da muralha: Artaxerxes I.
– Joiada: Reformas de Neemias e Esdras: Artaxerxes I.
– Joanã: Citado em papiros de Elefantina: Dario II.

residência em Jerusalém, e o resto do povo foi sorteado para que um de cada dez habitasse em Jerusalém, a cidade santa, e nove em seus povoados. ²O povo cobriu de bênçãos todos os que se ofereceram voluntariamente para morar em Jerusalém.

³Lista dos chefes da província que fixaram sua residência em Jerusalém e nos povoados de Judá. Cada qual residiu em sua propriedade, em seu povoado, leigos, sacerdotes, levitas, doados e servos de Salomão. ⁴Em Jerusalém residiam judaítas e benjaminitas.

Judaítas: Ataías, filho de Ozias, filho de Zacarias, filho de Amarias, filho de Safatias, filho de Malaleel, descendente de Farés; ⁵Maasias, filho de Baruc, filho de Col-Hoza, filho de Hazias, filho de Adaías, filho de Joiarib, filho de Zacarias, filho de Seloni. ⁶Total de descendentes de Farés que habitavam em Jerusalém: quatrocentos e sessenta e oito homens de recursos.

⁷Benjaminitas: Salu, filho de Mosolam, filho de Joed, filho de Fadaías, filho de Calaías, filho de Maasias, filho de Eteel, filho de Isaías, ⁸e seus parentes, novecentos e vinte e oito homens de recursos. ⁹Joel, filho de Zecri, estava à frente deles, e Judá, filho de Asana, era o vice-prefeito da cidade.

¹⁰Sacerdotes: Jedaías, Joiarib, Jaquin; ¹¹Saraías, filho de Helcias, filho de Mosolam, filho de Sadoc, filho de Maraiot, filho de Aquitob, comissário do templo, ¹²e seus oitocentos e vinte e dois parentes, que trabalhavam no templo; Adaías, filho de Jeroam, filho de Felelias, filho de Amsi, filho de Zacarias, filho de Fasur, filho de Melquias, ¹³e seus duzentos e quarenta e dois parentes, chefes de família; Amasai, filho de Azareel, filho de Aazi, filho de Mosolamot, filho de Emer, ¹⁴e seus cento e vinte e oito parentes, homens de armas. Seu superintendente era Zabdiel, filho de Agadol.

¹⁵Levitas: Semeías, filho de Asub, filho de Ezricam, filho de Hasabias, filho de Buni; ¹⁶Sabatai e Jozabad, chefes levitas à frente do serviço externo do templo; ¹⁷Matanias, filho de Micas, filho de Zabdi, filho de Asaf, que dirigia o canto e entoava a ação de graças; Becbecias, o segundo de seus irmãos; Abdias, filho de Samua, filho de Galal, filho de Iditun. ¹⁸Total de levitas residentes na cidade santa: duzentos e oitenta e quatro.

¹⁹Porteiros: Acub, Telmon e seus irmãos, que montavam guarda nas portas: cento e setenta e dois.

²⁰O resto de Israel, dos sacerdotes e dos levitas se estabeleceu nos povoados de Judá, cada qual em sua propriedade. ²¹Os doados habitavam no Ofel; Sia e Gasfa estavam à frente dos doados. ²²O encarregado dos levitas de Jerusalém era Ozi, filho de Bani, filho de Hasabias, filho de Matanias, filho de Micas: era um dos descendentes de Asaf, encarregados do canto no serviço do templo. ²³Uma ordem real e um regulamento fixavam a atuação dos cantores a cada dia. ²⁴Fetaías, filho de Mesezebel, descendente de Zara, filho de

---

– Jedua: Dario II.
Em correspondência cronológica, estaria a sucessão de Zorobabel de 1Cr 3, com a condição de se reorganizar alguns nomes, para ficar com seis ou sete em linha de descendência. Depois, temos listas de judeus e benjaminitas com seis e oito membros na série; de sacerdotes e levitas com oito, seis, sete ou cinco gerações. Não sabemos se todos remontam ao repatriamento ou se alguns retrocedem até o desterro.
Quanto aos *grupos*: as autoridades residem na capital. Dos grupos judeus, benjaminitas e sacerdotais se diz que eram "homens de recursos": pode indicar os recursos materiais e também a obrigação de participar por conta própria numa eventual guerra, levando suas armas. Isso pode explicar a dupla denominação civil e militar. A não ser que a diferença seja intencional. Esses três grupos perfazem um total de 2588 responsáveis (mais as respectivas famílias). O pessoal do templo perfaz o total de 1648 funcionários, com enorme predomínio dos sacerdotes: 1192.

Jerusalém tem uma imagem clerical. Naturalmente temos de acrescentar os que não são mencionados por não terem sobrenome ilustre: os artesãos, os comerciantes e um proletariado misto.
Estas listas, colocadas no final da obra, parecem corresponder às do começo de Crônicas, formando inclusão. Dar-nos-iam como limite de composição o reinado de Dario II (423-404); o que passa daí pode ser acréscimo posterior.

11,1 A sorte designa um décimo, quase como tributo ou dízimo de todos os judeus para a capital, a "cidade santa" (Is 48,2; 52,1).

11,2 Os voluntários podem ser os mesmos designados por sorte, enquanto aceitam de boa vontade, sem resistir, ou então outros que se somam aos designados. A bênção dos outros consistiria em presentes ou ajudas para a transferência.

11,23 Consta-nos pelos papiros de Elefantina que o rei podia descer a detalhes desse tipo, o que na prática era ratificar a disposição local.

Judá, estava a serviço do rei para todos os assuntos do povo.

²⁵Nas aldeias e campos também habitavam judeus: em Cidade Arbe e seu município, em Dibon e seu município, em Cabseel e seu município, ²⁶em Jesua, em Molada, em Bet-Falet, ²⁷em Haser-Sual, em Bersabeia e seu município, ²⁸em Siceleg, em Mecona e seu município, ²⁹em En-Remon, Saraá, Jarmut, ³⁰Zanoe, Odolam e seu município, em Laquis e sua região, em Azeca e seu município. Estabeleceram-se de Bersabeia até o vale de Enom.

³¹Os benjaminitas habitavam em Gaba, Macmas, Aía, Betel e seu município, ³²Anatot, Nob, Ananias, ³³Hasor, Ramá, Getaim, ³⁴Hadid, Seboim, Nebalat, ³⁵Lod e Ono, e no vale dos Ferreiros. ³⁶Grupos de levitas residiam em Judá e Benjamim.

12

¹Lista dos sacerdotes e levitas que subiram com Zorobabel, filho de Salatiel, e com Josué: Saraías, Jeremias, Esdras, ²Amarias, Meluc, Hatus, ³Sequenias, Reum, Meremot, ⁴Ado, Genton, Abias, ⁵Miamin, Madias, Belga, ⁶Semeías, Joiarib, Jedaías, ⁷Salu, Amoc, Helcias, Jedaías. Eram os chefes dos sacerdotes e de seus parentes nos tempos de Josué.

⁸Levitas: Josué, Benui, Cadmiel, Serebias, Judá, Matanias — encarregado com seus irmãos dos hinos de ação de graças —, ⁹seus irmãos Becbecias e Ani os ajudavam no ministério. ¹⁰Josué gerou Joaquim; Joaquim gerou Eliasib; Eliasib gerou Joiada; ¹¹Joiada gerou Joanã; e Joanã gerou Jedua.

¹²Sacerdotes chefes de família nos tempos de Joaquim: da família de Saraías, Maraías; de Jeremias, Ananias; ¹³de Esdras, Mosolam; de Amarias, Joanã; ¹⁴de Meluc, Jônatas; de Sebanias, José; ¹⁵de Harim, Ednas; de Maraiot, Helci; ¹⁶de Ado, Zacarias; de Genton, Mosolam; ¹⁷de Abias, Zecri; de Miniamin...; de Moadias, Felti; ¹⁸de Belga, Samua; de Semeías, Jônatas; ¹⁹de Joiarib, Matanai; de Jedaías, Ozi; ²⁰de Selai, Celai; de Amoc, Héber; ²¹de Helcias, Hasabias; de Zedaías, Natanael.

²²Os chefes de família dos sacerdotes que viveram nos tempos de Eliasib, Joiada, Joanã e Jedua estão registrados no livro das Crônicas até o reinado do persa Dario.

²³Levitas: Os chefes de família estão registrados no livro das Crônicas até o tempo de Joanã, neto de Eliasib. ²⁴Os chefes dos levitas eram: Hasabias, Serebias, Josué, Benui, Cadmiel; a suas ordens estavam seus irmãos, que formavam turnos por grupos no louvor e na ação de graças, segundo dispôs Davi, homem de Deus. ²⁵Matanias, Becbecias, Abdias, Mosolam, Telmon e Acub eram porteiros; montavam a guarda nos armazéns das portas. ²⁶Todos eles viveram nos tempos de Joaquim, filho de Josué, filho de Josedec, e nos tempos do governador Neemias e do sacerdote e letrado Esdras.

Inauguração da muralha – ²⁷Ao inaugurar a muralha de Jerusalém, procuraram os levitas em todos os lugares para trazê-los a Jerusalém a fim de celebrar a inauguração com uma festa e com ações de graças, ao som de címbalos, harpas e cítaras. ²⁸Reuniram-se os cantores do vale do Jordão, da região de Jerusalém, das aldeias de Netofa,

---

11,25-36 O número total de 33 aldeias ou municípios indica uma população pouco densa. Talvez outros municípios continuem a ser ocupados por estrangeiros.

12,1-26 Continuam as listas. Trata-se de sacerdotes e levitas que pertencem ao período pós-exílico e estão agrupados desigualmente em três etapas: a do repatriamento, a intermédia de Joaquim e a de Esdras e Neemias. O que se segue deve ser completado com dados de 1Cr 9. Talvez 24-26a informe sobre os levitas no tempo de Joaquim, como paralelo da lista de sacerdotes em 12-21; assim temos a mesma disposição dos repatriados.
Então a última frase é conclusão de tudo o que precede, onde também existem dados explícitos do tempo de Neemias. A ordem aparece invertida: Esdras e Neemias, cap. 11; Zorobabel e Josué, 12,1-9; Joaquim (e Ananias?), 12,12-21.24-25.

12,27-42 A inauguração da muralha é uma cerimônia que pode deleitar o Cronista. Uma representação de autoridades, sacerdotes e levitas sobe ao remate da muralha num ponto a oeste da cidade. Daí se movimentam processionalmente, um grupo para o sul e outro para o norte, dobram os dois para o oriente e tornam a girar, para encontrar-se num ponto a leste, de onde descem para entrar no templo. O resto do povo acompanharia a procissão pela parte inferior da muralha ou esperaria na entrada do templo. Para a cerimônia ao ar livre foram convidados todos os cantores e músicos, não só os de turno. Cantar-se-iam salmos, no estilo do Sl 48: "Dai voltas em Sião, contai seus torreões...", e no Sl 125: "O Senhor rodeia seu povo agora e para sempre", ou no Sl 147: "Reforçou as trancas de tuas portas e abençoou teus filhos".

²⁹de Bet-Guilgal e dos campos de Gaba e Azmot (pois os cantores tinham construído para si aldeias nas vizinhanças de Jerusalém). ³⁰Os sacerdotes e os levitas se purificaram e depois purificaram o povo, as portas e a muralha.

³¹Mandei as autoridades de Judá subir à muralha e organizei dois grandes coros. Um ia pela direita, em cima da muralha, até a Porta do Lixo. ³²Fechavam a marcha Oseias, a metade das autoridades de Judá, ³³Azarias, Esdras, Mosolam, ³⁴Judá, Benjamim, Semeías, Jeremias; ³⁵sacerdotes com trombetas, Zacarias, filho de Jônatas, filho de Semeías, filho de Matanias, filho de Miqueias, filho de Zacur, filho de Asaf, ³⁶e seus irmãos, Semeías, Azareel, Malalai, Galalai, Maai, Natanael, Judá e Hanani, com os instrumentos de Davi, homem de Deus. O letrado Esdras ia à frente deles.

³⁷Passaram pela Porta da Fonte e, seguindo em linha reta, subiram a escadaria da Cidade de Davi e desceram pela encosta da muralha, junto ao palácio de Davi, até a Porta da Água, ao oriente. ³⁸ᵃO segundo coro, no qual ia eu com a metade das autoridades ⁴¹e os sacerdotes Eliaquim, Maasias, Miniamin, Micas, Elioenai, Zacarias e Hananias, com trombetas*, ⁴²ᵃe Maasias, Semeías, Eleazar, Ozi, Joanã, Melquias, Elam e Ezer, ³⁸ᵇdirigiu-se para a esquerda, por cima da muralha, ao longo da Torre dos Fornos até o muro largo, ³⁹e continuou pela Porta de Efraim, a Porta Antiga, a Porta dos Peixes, a Torre de Hananeel, a Torre dos Cem e a Porta dos Rebanhos, até deter-se na Porta da Prisão. ⁴⁰Os dois coros tomaram lugar no templo de Deus; ⁴²ᵇos cantores cantavam dirigidos por Jezraías.

⁴³Nesse dia ofereceram sacrifícios solenes e houve festa, porque o Senhor os inundou de alegria; também as mulheres e as crianças participaram da festa. A algazarra de Jerusalém ouvia-se ao longe.

⁴⁴Nessa ocasião, foram nomeados os intendentes dos armazéns destinados a provisões, ofertas, primícias e dízimos, onde se guardavam, por campos e povoados, as porções que a lei prescreve para os sacerdotes e os levitas. Porque os judeus estavam contentes com os sacerdotes e levitas em função, ⁴⁵que se ocupavam do culto de seu Deus e do rito da purificação, conforme haviam ordenado Davi e seu filho Salomão, e também dos cantores e porteiros. ⁴⁶(Já desde outrora, nos tempos de Davi e Asaf, havia chefes de cantores e cânticos de louvor e de ação de graças a Deus.) ⁴⁷E nos tempos de Zorobabel e de Neemias todos os israelitas providenciavam diariamente às necessidades dos cantores e porteiros, e faziam ofertas sagradas aos levitas, assim como estes aos descendentes de Aarão.

13 Diversas reformas –
¹Nessa ocasião, lendo ao povo o livro de Moisés, encontramos escrito: "Os amonitas e moabitas nunca poderão pertencer à comunidade de Deus, ²porque não socorreram os israelitas com pão e água, 'mas contratou Balaão para que os amaldiçoasse' (embora nosso Deus tenha mudado a maldição em bênção)". ³Quando escutaram esta cláusula, afastaram de Israel a massa de estrangeiros.

⁴Antes disso, o sacerdote Eliasib, encarregado das dependências do templo e parente de Tobias, ⁵pôs à disposição deste uma sala

---

12,30 A muralha limita um espaço não contaminado, toda a cidade é santa; por isso é purificada como as pessoas. Nm 30.

12,41 Os vv. 38b-42 não seguem a ordem correlativa.

12,43 Termina a descrição em tom maior de alegria, repetindo cinco vezes a raiz "alegrar-se". Aqui o livro podia terminar.

12,44-47 A amarra temporal é fraca. Ficaria melhor depois do cap. 10, após enumerar os tributos devidos ao pessoal do templo.

13 Este capítulo, à maneira de apêndice, apresenta algumas reformas de Neemias. Vemos que coincidem com os compromissos do pacto; por isso, teriam lugar por ocasião da cerimônia, como parte da penitência ou como consequência do pacto assinado, ou seja, como preparação ou como execução do prometido.

13,1-3 O primeiro é um ato de segregação. A Lei em questão é lida em Dt 23 numa seção sobre pureza: pureza de sangue e no acampamento; exclui moabitas e amonitas até "na décima geração". O termo empregado, "massa", "turba", é aplicado em Ex 12,38 aos estrangeiros que acompanharam os israelitas na saída do Egito; Jeremias e Ezequiel o usam em oráculos contra as nações pagãs (Jr 25,20-24; 50,37; Ez 30,5). Eliminada a turba estrangeira, Israel fica puro.

13,4-9 Tobias era um amonita rico, parente da nobreza judaica, provavelmente o personagem que encontramos ao longo do livro, ou um da sua família. Se o átrio do templo era só para os israelitas, as dependências eram só para o pessoal sacerdotal. Pode ser que Tobias se tivesse instalado dentro do

espaçosa, onde antes costumavam guardar as ofertas, o incenso, os utensílios, o dízimo do trigo, do vinho e do azeite devido aos levitas, cantores e porteiros, e a contribuição para os sacerdotes. ⁶Nesse momento eu não me encontrava em Jerusalém, pois no trigésimo segundo ano de Artaxerxes, rei da Babilônia, fui ver sua majestade; depois de certo tempo, com a permissão do rei, ⁷voltei a Jerusalém e soube da maldade que Eliasib havia cometido, pondo à disposição de Tobias uma sala nos átrios do templo. ⁸Fiquei muito indignado e mandei tirar da sala todas as coisas de Tobias, ⁹ordenei que a purificassem e voltei a guardar aí os utensílios do templo, as ofertas e o incenso.

¹⁰Soube também que os levitas não haviam recebido suas porções e que por isso os levitas e os cantores encarregados do culto haviam partido para seus campos. ¹¹Repreendi os notáveis, e lhes disse:

– Por que o templo de Deus está abandonado?

Mandei reunir os levitas, e eles voltaram a ocupar seus postos. ¹²Todos os judeus trouxeram aos armazéns o dízimo do trigo, do vinho e do azeite. ¹³Pus à frente dos armazéns o sacerdote Selemias, o sacerdote Sadoc e o levita Fadaías, ajudados por Hanã, filho de Zacur, filho de Matanias, que tinham fama de honrados; foram encarregados de distribuir as porções a seus irmãos.

¹⁴Leva-me isso em conta, meu Deus, e não esqueças minha piedade em favor do templo e de seu culto.

¹⁵Nessa ocasião vi também que alguns judeus pisavam o lagar em dia de sábado, outros faziam feixes e os carregavam em mulos; e até em dia de sábado introduziam em Jerusalém vinho, uvas, figos e todo tipo de cargas. Admoestei-os por venderem sua mercadoria nesse dia. ¹⁶Também os tírios residentes em Jerusalém traziam peixe e todo tipo de mercadorias, e os vendiam em dia de sábado aos judeus em Jerusalém.

¹⁷Enfrentei os nobres de Judá, dizendo-lhes:

– Agis mal, profanando o dia de sábado. ¹⁸É o mesmo que fizeram nossos pais, e vede o castigo que nosso Deus mandou a nós e a esta cidade. Profanando o sábado, aumentais sua cólera contra Israel.

¹⁹Mandei que as portas de Jerusalém fossem fechadas ao cair da tarde antes do dia de sábado, com ordem de não abri-las até ter passado o sábado. E pus nas portas alguns de meus servos para que nenhuma carga entrasse no dia de sábado. ²⁰Mas alguns comerciantes e diversos mercadores pernoitaram fora de Jerusalém uma ou duas vezes. ²¹Eu os adverti:

– Por que dormis diante da muralha? Se voltardes a fazê-lo, mandarei castigar-vos.

Daí por diante não apareceram mais no dia de sábado.

²²Ordenei aos levitas que se purificassem e ajudassem os guardas das portas a santificar o dia de sábado.

Leva-me também isso em conta, meu Deus, e perdoa-me por tua grande misericórdia.

²³Nessa ocasião encontrei também alguns judeus que haviam casado com mulheres azotitas, amonitas e moabitas. ²⁴A metade de seus filhos falavam a língua

---

templo para despachar aí seus negócios, entende-se, pagando algo a Eliasib.

13,10-13 Repetidas vezes vimos que os levitas encontravam dificuldades para sustentar-se na cidade e que o número de levitas repatriados era proporcionalmente bastante baixo. Também se deduz que os sacerdotes não eram generosos com os levitas, que também economicamente havia um alto e um baixo clero, transgredindo a justiça. As novas nomeações de Neemias significavam a demissão dos precedentes, que não mereciam a fama de honrados.

13,15-22 O sábado. As infrações se referem à colheita e à vindima, quando as tarefas do campo eram urgentes; e parece impor-se uma interpretação benigna da Lei. Em segundo lugar, referem-se ao comércio em Jerusalém, para o qual parece que aproveitavam o dia em que a população estava mais disponível. Para fortalecer sua interpretação estrita, Neemias apresenta o desterro como castigo pela profanação do sábado. E não bastando as razões, toma medidas de polícia para suprimir o abuso. Ver Is 58,13-14.

13,23-28 Casamentos mistos. Também aqui o governador dispõe de um "argumento da Escritura". A diferença é que no caso de Salomão se tratava de idolatria, e no caso presente de não falar a língua pátria. As mulheres de Azoto eram de ascendência filisteia, caso a população não se tivesse misturado totalmente. Neemias se contenta em admoestar gravemente, mas não procede à anulação dos casamentos já contraídos (como se lê em Esd 9 e 10). O delito era mais grave quando se tratava de sacerdotes e levitas, consagrados especialmente ao culto.

Terminam as *memórias* de Neemias, invocando pela quinta vez a *lembrança* benévola do Senhor, segundo o espírito e a letra de tantos salmos (Sl 25,7; 106,4; 115,12).

de Azoto ou outras línguas estrangeiras, mas não sabiam falar hebraico. ²⁵Eu os enfrentei e os amaldiçoei, bati em alguns, arranquei-lhes os cabelos e lhes ordenei, em nome de Deus: "Não casareis vossas filhas com os filhos deles nem tomareis suas filhas para vossos filhos ou para vós". ²⁶Esse foi precisamente o pecado de Salomão, rei de Israel. Não havia outro rei como ele em toda a terra, e seu Deus o amava tanto que o fez rei de todo Israel. Mas as mulheres estrangeiras o fizeram pecar também. ²⁷Que não voltemos a saber que cometeis a infâmia de ofender nosso Deus, casando com estrangeiras.

²⁸Um filho do sumo sacerdote, Joiada, filho de Eliasib, era genro do horonita Sanabalat. Afastei-o de minha presença. ²⁹Leva-lhes em conta, meu Deus, as profanações que cometeram contra o sacerdócio e contra o pacto dos sacerdotes e levitas.

³⁰Assim, pois, purifiquei-os de todo contato com estrangeiros e restabeleci os sacerdotes e levitas em seus respectivos cargos. ³¹Também me ocupei da oferta de lenha nos tempos marcados, assim como das primícias.

Lembra-te de mim, meu Deus, para o meu bem.

TOBIAS

INTRODUÇÃO

O livro de Tobias foi louvado por exegetas de outros tempos. Algumas de suas frases têm sido citadas com frequência. Alcançou êxito notável na interpretação pictórica e como livro de leitura devota de famílias cristãs. Custou a afirmar-se como livro canônico, sendo novamente recusado pelos reformadores. Lutero apontava o valor literário do livro, negando-lhe a inspiração. Não poucos leitores modernos que aceitam a inspiração do livro discutem seu valor literário.

A narrativa

O enredo é conhecido. Um pai cego envia seu filho único a cobrar um depósito de dinheiro. Uma filha única perdeu sucessivamente sete maridos por culpa de um demônio. O anjo Rafael se faz companheiro de viagem do jovem, o faz casar com a jovem, cobra o dinheiro e o instrui para que cure a cegueira do pai. Relativamente original no campo da ficção fantástica.

a) Como obra de folclore. Citam-se como paralelos: a história do "morto agradecido", que recebe sepultura e retorna para pagar seu benfeitor e também "o amante maléfico". O livro de Tobias não é redutível a um protótipo, mas contém e explora muitos temas do folclore.

A jovem sequestrada por um monstro ou tirano é libertada e casa com o salvador: Perseu e Andrômeda. A maga vencida e rendida: Angélica e Medoro, Turandot. O jovem inexperiente que deve realizar um empreendimento difícil e perigoso antes de receber o prêmio, que pode ser a mão de uma princesa. O tesouro escondido em país remoto, que deve ser resgatado mediante perigosas aventuras. O ser maligno que, uma vez dominado, fornece remédios prodigiosos. Deuses ou gênios benéficos que aparecem camuflados em figura humana, para pôr à prova, premiar ou castigar os mortais: Filêmon e Báucis, personagens das Mil e uma Noites.

O livro de Tobias não coincide com as "fábulas milésias", de tema amoroso em chave cômica, nem com o romance helenístico do séc. II d.C.

b) O livro de Tobias é um relato francamente didático. Contém conselhos morais, orações breves, esperanças históricas, motivações religiosas. A preocupação de ensinar e edificar prejudica o relato. Há muitas páginas do AT que ensinam contando com discrição. Embora o relato seja fantástico, o autor o situa na Assíria, entre os israelitas desterrados, por volta do século VIII/VII a.C.

c) Os temas narrativos do AT são abundantes. De relatos patriarcais, pelo contexto familiar: anjos que visitam Abraão e Jacó, viagem em busca de Rebeca, o pai cego, a viagem de Jacó e seu casamento e retorno. Do êxodo: a viagem, a guia do anjo, a luta com o monstro aquático.

Há também influências sapienciais: Jó paciente, sua mulher, conselhos morais. No final do livro aparecem influências da profecia escatológica. É normal que um autor tardio, alimentado de leituras bíblicas, se deixe levar por influências e reminiscências. Com tão variados ingredientes compõe uma obra original.

d) Avaliação. A novidade consiste no enredo de certa complexidade e no fator fantástico. Há dois trios familiares com filho e filha únicos e alguns paralelismos: primeiramente, os filhos; mas também os dois pais passando por coveiros, um trágico e o outro humorístico. Duplo fio condutor, de dinheiro e esposa.

Méritos. O principal é a montagem paralela, quase de cinema. Primeiro entre Tobit

e Sara: situação, emoções, oração, movimentos (cap. 3). Depois na volta, quando o narrador vai alternando o ponto da ação, estreitando o ritmo até o abraço (caps. 10-11). O anjo desconhecido dá origem a situações e frases de ironia dramática. Cenas domésticas bem descritas com brevidade. A cena originalíssima, de humor macabro, a noite de núpcias (cap. 8).

Defeitos. Exceto algumas incoerências que podiam ter sido evitadas, há muitas coisas que desagradam. O anjo açambarca a ação, tirando de Tobias a iniciativa e personalidade. Mais grave é que, no seu afã didático, vai explicando de antemão os fatos, matando o interesse ao nascer. Há situações dramáticas que o narrador não soube explorar. Como narrativa, não pode ser comparada ao relato de José e seus irmãos, nem ao livro de Judite.

Valores simbólicos. O filho cura o pai devolvendo-lhe a luz, que é a vida. Como continuidade da família, encarna a continuidade da tribo, da nação. O anjo restabelece, em função do povo, a bênção genesíaca e patriarcal da fecundidade. Sara é como matriarca ameaçada e libertada, a mulher predestinada que espera o marido. O desterro e a diáspora nada poderão contra os vínculos de lealdade a Deus, à sua lei, aos compatriotas. Nos confins da esperança emerge Jerusalém.

Personagens

a) Tobit é o ideal do pai de família israelita no desterro ou na diáspora. Fiel em "ter presente" o Senhor, embora faltem o templo e o culto; solidário com seus compatriotas, especialmente na esmola. É uma peça que une o passado na pátria, o presente no desterro, o futuro próximo da descendência, o futuro remoto entrevisto. É o homem honrado e provado: nos bens materiais, que lhe são confiscados; na vida familiar, pela atitude da esposa; na integridade física, pela cegueira. Tem de transmitir uma herança material: dinheiro e não terras, porque os desterrados não as possuem. Mais ainda, uma herança espiritual de religiosidade e observância da lei. Considera igualmente importantes enterrar um morto e lavar as mãos antes da refeição. Valoriza muito a esmola e não menos as riquezas que ela produz como prêmio. O casamento é antes de tudo observância de uma lei entendida com todo o rigor. Tobit pronuncia um testamento sapiencial e outro profético.

b) Tobias é personagem sem personalidade. Parece posto para executar ordens paternas ou instruções do companheiro de viagem. Outras vezes, sua função é fazer perguntas de iniciante para que o seu companheiro possa aplicar seus ensinamentos. Tudo lhe é dado pronto, não tem de superar obstáculos. Seu namoro de ouvido não convence. E quase nos irrita que, sem ter lutado, chegue ao cume da felicidade herdando pais e sogros.

c) Rafael monopoliza o relato para dirigir a ação e para dar explicações ao leitor. Tem antecedentes bíblicos. Patriarcais: no ciclo de Abraão (Gn 16,7; 18-19; 21,17; 22,11.15); especialmente relevante é Gn 24, com a viagem, a guia do anjo, a busca da esposa distante e o nome do criado, Eliezer, ao qual corresponde chamativamente Azarias. No ciclo de Jacó (28,12; 31,11; 32,2; 48,16). Antecedentes no Êxodo (3,2; 14,19; 23,20; 32,34; 33,2); Josué (Js 5,12). Os salmos transferem a função dos anjos à piedade individual ou de grupo (Sl 34,8; 35,5-6; 91,11).

Seu nome é Rafael, que significa Deus cura (3,17). O narrador atribui poderes divinos ao anjo (Dt 32,39; Is 19,22; Os 6,1). Sua função no relato é avassaladora. Sendo tão experiente, tudo explica de antemão, menos sua verdadeira identidade. É guia de viagem, casamenteiro, médico e farmacêutico, chefe de liturgia e até mestre de teologia sobre os anjos. Com relação ao "anjo do Senhor" das grandes tradições, representa uma "domesticação" ou redução ao horizonte doméstico de uma família. Na frente dele, o poderoso e temível Asmodeu se torna um pobre diabo. Desejaríamos um anjo mais ambíguo na presença, mais discreto nas palavras.

d) Ana, Sara e Ragüel, cada um têm alguma intervenção acertada, algum traço psicológico convincente. Ana discutindo com o marido, Sara em seu desespero, Ragüel em seus medos e cautelas.

e) Asmodeu. Se as matriarcas Sara, Rebeca e Raquel sofrem de esterilidade, Sara

está à mercê de um demônio. De onde procede essa visão fantástica? Tropeçamos num emaranhado de fios bíblicos e extrabíblicos.

No AT encontramos os shedim de origem babilônica (Dt 32,17; Sl 106,37), os se'irim ou sátiros (Lv 17,7; Is 13,21; 34,14), e animais demoníacos ou demonizados, como siyyim, 'iyyim e o feminino lilit. Outros são doenças ou epidemias concebidas como seres malignos: qétev, réshef, déber (Sl 91,6). Os poderes cósmicos personificados formam outro grupo: Rahab, Tannin, Mot, Yam. Também se menciona o "espírito maligno" que assaltava periodicamente Saul (1Sm 16,14.23). O AT tende a limitar e mesmo minimizar esses poderes. Portanto, quando o autor deste livro concede a Asmodeu um papel tão importante, está cedendo a novos gostos literários ou quer instruir seus leitores.

Temos de pensar em outras influências. O nome Asmodeu é candidato a duas explicações. Uma semítica: formação artificial da raiz shmd = destruir, aniquilar. Teria parentesco com o "aniquilador" (Ex 12,13), com funções mais modestas. Explicação persa: Asmodeu é uma adaptação de Aeshma Deva, um dos sete espíritos malignos. É possível e até provável que o autor tenha jogado com a assonância: a forma tem ressonâncias hebraicas e persas.

O texto não diz que o demônio está apaixonado por Sara e que mata por ciúme; diz, sim, que está frustrando sua vida familiar e sua desejada maternidade.

Época e autor

O autor escreve numa época de diáspora aceita; Jerusalém conserva sua função central orientadora. O fato atual é a vida dos judeus em países pagãos. As relações são alternadas, segundo o arbítrio de governantes e responsáveis. Não há polêmica contra a cultura pagã. No campo econômico, o dinheiro pode substituir a posse de terras. No social, pode haver judeus bem instalados como banqueiros ou conselheiros reais. A idolatria deixou de ser perigo. É possível dar culto a Deus sem templo nem sacrifícios. Ajuda-se ao próximo com esmolas, mais que com dízimos rituais. A família é um dos valores máximos, e por meio dela se estreitam os laços de clã e tribo.

O livro parece escrito em plena era helenística, talvez em pleno século III a.C. Parece anterior à perseguição de Antíoco IV e à rebelião dos Macabeus. Os gostos literários mudaram, provavelmente em contato com a literatura helenística.

Como era de esperar, não conhecemos o nome do autor. O interesse do livro pela tribo de Neftali e pelo território da Assíria e da Média pode alimentar especulações, mas não traz indícios acerca do autor.

Língua e texto

Tem toda a aparência de tradução de um original semítico, provavelmente hebraico. A dicção é pouco feliz; dá a impressão de que não é só culpa do tradutor. O original estaria escrito no hebraico acadêmico da época.

O texto grego chegou a nós em duas versões divergentes: o manuscrito sinaítico (S) e os manuscritos Alexandrino e Vaticano (A e B). A segunda versão, a mais usada pelos Padres gregos, é geralmente mais breve, com saltos de sentido e economia de dados úteis ou felizes. Creio que tal versão resume sacrificando, embora não o possa demonstrar. Segui como texto-base a versão S. Em duas ocasiões (caps. 4 e 13) são tão divergentes, que preferi oferecer e comentar ambas as versões. Por ora o problema do texto continua sem solução.

TOBIAS 1

1 Vida e milagres de um deportado –

¹História de Tobit, filho de Tobiel, de Ananiel, de Aduel, de Gabael, da família de Asiel, da tribo de Neftali, ²deportado de Tisbé – ao sul de Cades de Neftali, na alta Galileia, acima de Hasor, atrás da rota ocidental, ao norte de Sefat – durante o reinado de Salmanasar, rei da Assíria.

³Eu, Tobit, procedi em toda a minha vida com sinceridade e honradez, e dei muitas esmolas a meus parentes e compatriotas deportados comigo para Nínive, na Assíria.

⁴Ainda jovem, quando estava em Israel, minha pátria, toda a tribo de nosso pai Neftali separou-se da dinastia de Davi e de Jerusalém, a cidade escolhida entre todas as tribos de Israel como lugar de seus sacrifícios, na qual havia sido edificado e consagrado perpetuamente o templo, morada de Deus.

⁵Todos os meus parentes, e a tribo de nosso pai Neftali, ofereciam sacrifícios ao bezerro que Jeroboão, rei de Israel, havia posto em Dã, na região montanhosa da Galileia; ⁶no entanto, eu era muitas vezes o único que ia às festas de Jerusalém, conforme o ordena a Israel uma lei perpétua. Eu corria a Jerusalém com as primícias dos frutos e dos animais, com os dízimos do rebanho e a primeira lã das ovelhas, ⁷e o entregava aos sacerdotes, filhos de Aarão, para o culto; o dízimo do trigo e do vinho, do azeite, das romãs, das figueiras e outras árvores frutíferas eu o dava aos levitas que oficiavam em Jerusalém. O segundo dízimo eu o trocava em dinheiro, juntando-o por seis anos, e quando ia cada ano a Jerusalém eu o gastava aí. ⁸O terceiro dízimo eu o dava a cada três anos aos órfãos e viúvas e aos prosélitos agregados a Israel. Nós o comíamos segundo o que está prescrito na Lei de Moisés a respeito dos dízimos, e conforme as recomendações de Débora, mãe de meu avô Ananiel (porque meu pai morreu, deixando-me órfão).

⁹Quando adulto, casei com uma mulher de minha parentela chamada Ana; tive dela um filho e lhe dei o nome de Tobias.

¹⁰Quando me deportaram para a Assíria como cativo, vim para Nínive. Todos os meus parentes e compatriotas comiam alimentos dos pagãos, ¹¹mas eu evitei fazê-lo. ¹²E como eu tinha Deus muito presente, ¹³o Altíssimo fez que eu ganhasse o favor de

---

1,1 O título é literalmente "Livro dos atos de Tobit", decalque do hebraico *séfer dibrê* N. Na genealogia há vários nomes teofóricos com -*el*, o do filho com -*Yah*. Repete-se o componente *tob* = bom, que aparece em outros contextos: Tabeel (Is 7,6), uma família influente de Tobíadas no tempo de Neemias (Ne 2,10.19; 13,4.7-8 etc.), outros em Babilônia e no tempo dos Macabeus (2Mc 3,11).
Neftali era uma tribo menor do território do Norte. Nela sobressai Tobit com função neopatriarcal.

1,2 A ação acontece depois da queda de Samaria (721) e da deportação forçada de israelitas (2Rs 15,29ss; 17); menciona também a queda de Jerusalém (cap. 13). No tempo dos Selêucidas, Assíria era o nome camuflado que os judeus davam à Síria.

1,3 Começa na primeira pessoa, à maneira de autobiografia, que chega só até 3,6, ao entrar em cena Sara. O gênero tem antecedentes nas memórias de Neemias. Não sabemos a razão da mudança brusca. Na primeira pessoa, Tobit começa com uma confissão pública de suas virtudes. Soa-nos como a do fariseu que dava graças a Deus, porque era muito bom e "não como os demais" (Lc 18,9-14).
Abrangendo a vida na pátria e no desterro, sua confissão permite uma comparação útil. Na pátria, a peregrinação ao santuário central; no desterro, os alimentos puros. Na pátria, os dízimos legais; no desterro, a esmola.

1,4-5 "Separou-se": alude ao cisma (1Rs 12). O pecado de Jeroboão atravessa de modo obsessivo toda a história do reino do Norte e é declarado causa principal de sua destruição. O texto AB fala maliciosamente de "uma bezerra dedicada a Baal". "Todos os meus parentes": à luz de 5,14, expressão exagerada ou simplificada.

1,6-7 Segundo o calendário de Dt 16 e segundo a legislação de Dt 12; 14,22-29; 26, 12-13.

1,8 Os "prosélitos" são acréscimo à legislação tradicional; podem ocupar o lugar dos *gerim* ou migrantes admitidos em território israelita. O proselitismo, como fenômeno amplo, é posterior; um primeiro sinal poderia encontrar-se em Is 56,3.

1,9 "De minha parentela", segundo Nm 36,6-7. A endogamia dentro da tribo e clã é um dos temas condutores do livro. O fato de Tobias ser filho único dará intensidade a essa preocupação, aproximando-o do modelo de Isaac como sucessor legítimo.

1,10-11 O tema dos alimentos (Lv 11; Dt 14) ocupa um plano primordial em Dn 1, com efeitos dietéticos maravilhosos. Judite o explora para despistar Holofernes. É motivo dos martírios de 2Mc 6-7.

1,12 "Tinha Deus muito presente", apesar da ausência do desterro, sem templo nem culto. "Com toda a alma" (Dt 6,4): exclui toda divisão interna, toda fissura de sincretismo. É paradoxal que, por sua fidelidade exclusiva ao Senhor, Tobit alcance o favor de quem adora o deus Assur; coisas de Deus (cf. Pr 21,1).

1,13 A série dos monarcas assírios é a seguinte: Teglat-Falasar III sucede em 727 seu filho Salmanasar; sucede a este em 721 o usurpador Sargon II. Depois Senaquerib, 705-681, e depois Asaradon, 681-669. Sargon rematou a conquista de Samaria.

Salmanasar, e cheguei a ser seu provedor. ¹⁴Até sua morte, eu costumava ir à Média, e aí fazia as compras na casa de Gabael, filho de Gabri, em Rages, na Média, e aí deixei em depósito uns sacos com quatrocentos e quarenta quilos de prata.

¹⁵Quando morreu Salmanasar, seu filho Senaquerib reinou em seu lugar. As rotas da Média foram fechadas e eu não pude mais voltar lá.

¹⁶No tempo de Salmanasar dei muitas esmolas a meus compatriotas: ¹⁷dei meu pão ao faminto e minha roupa ao nu, e se via algum israelita morto e atirado atrás da muralha de Nínive, eu o enterrava. ¹⁸Dessa forma eu enterrei aqueles que Senaquerib matou ao voltar fugindo da Judeia; o Rei do céu o castigou por suas blasfêmias, e ele, despeitado, matou muitos israelitas; eu recolhi os cadáveres e os enterrei às escondidas; Senaquerib mandou buscá--los, mas não apareceram. ¹⁹Um ninivita foi denunciar-me ao rei, dizendo-lhe que era eu quem os havia enterrado. Eu me escondi, e quando me certifiquei de que o rei o sabia e que me procuravam para matar-me, fugi cheio de medo. ²⁰Então me confiscaram todos os bens; levaram tudo para o tesouro real e me deixaram apenas minha mulher Ana e meu filho Tobias.

²¹Não haviam passado quarenta dias quando os dois filhos de Senaquerib o assassinaram; fugiram para os montes de Ararat, e seu filho Asaradon reinou em seu lugar. Asaradon pôs Aicar, filho de meu irmão Anael, à frente do erário, com autoridade sobre toda a administração.

²²Aicar intercedeu por mim e pude voltar a Nínive. Durante o reinado de Senaquerib da Assíria, Aicar tinha sido copeiro-mor, chanceler, tesoureiro e contador, e Asaradon o recolocou em seus cargos. Aicar era de minha parentela, meu sobrinho.

2 A desgraça de Tobit

¹Durante o reinado de Asaradon voltei para casa; devolveram-me minha mulher Ana e meu filho Tobias. Em nossa festa de Pentecostes (a festa das Semanas) me prepararam um bom almoço. ²Quando me pus à mesa, cheia de pratos variados, disse a meu filho Tobias:

1,14 Aparece Gabael, do mesmo clã de Tobit. Rages distava uns mil km ao leste de Nínive, em território que os medos dominarão. Considera-se o dinheiro não cunhado, segundo o peso. Quatrocentos e quarenta quilos de prata é uma quantidade respeitável. O jovem Tobias não irá resgatar um terreno alienado, mas cobrar um dinheiro depositado.

1,15 A intranquilidade das fronteiras corresponde a fatos históricos. Povos limítrofes, submetidos ou vassalos, aproveitavam qualquer ocasião para hostilizar o império. Os medos formarão mais tarde parte da coalizão que acabou com o império assírio, no final do século VII.

1,17 Ver Jó 31,17-20; Is 58,7. Deixar sem sepultura era grave afronta (p. ex. Is 14,19-20; Jr 22,18-19). Sepultar um morto era obra de misericórdia (p. ex. 2Sm 21,10-14; 1Rs 13, 28-30).

1,18 A história é lida em Is 37,36-37. As blasfêmias são seus discursos arrogantes: Is 10,8-11 e 36,18-20.23.

1,19 Com mudanças importantes, recorda a primeira atuação de Moisés: um homem assassinado, sepultado, a denúncia e a fuga.

1,21a De fato, a morte aconteceu dois decênios mais tarde.

1,21b-22 Sem introdução e sem justificação, entra em cena um personagem ilustre e desnecessário. Reaparecerá, não menos artificialmente, no final do livro. Aicar entra como hóspede de honra imprevisto, a quem se dá lugar a qualquer custo. A história de Aicar teve grande aceitação na antiguidade, como o provam traduções em várias línguas e influências em outros textos. Aparece já entre os escritos de Elefantina (século V).

A semelhança com o livro de Tobias é por demais genérica: caráter sapiencial instrutivo, série de conselhos, ficção didática, episódios de corte, relato na primeira pessoa. As diferenças são enormes. No conjunto, o relato de Aicar parece-me literariamente superior.

2 Sobre Tobit se abatem as desgraças em três ondas sucessivas: a festa perturbada, a perda da visão, a perda da paz familiar. A primeira provoca os comentários zombeteiros dos vizinhos, a segunda excita a compaixão dos parentes, a terceira faz irromper as censuras da mulher. O primeiro comentário poderia debilitar a fé de Tobit se a Escritura recordada não fortificasse sua convicção. O terceiro, que aborda o problema da retribuição, põe a fé de Tobit à dura prova. Da profundeza de sua dor brotará a súplica do cap. 3. O relato avança com fluidez, velocidade e eficácia. Neste capítulo, com a oração de 3,1-6 convergem duas influências claras: a de Jó, honrado e inocente, sobre quem se abatem desgraças, e as confissões pós-exílicas, que na boca de um inocente adquirem novo sentido. Com isso se aclara a função do capítulo precedente. Tinha de ficar claro que Tobit é inocente, que sofre sem culpa, que é provado por Deus e supera a prova. O princípio da retribuição não atua mesmo nem mecanicamente. A Vulgata amplia a comparação com Jó.

2,1 A festa das Semanas era celebrada com peregrinação a Jerusalém. Alguns pensam que nela se renovasse a aliança. No desterro deve-se prescindir de muitos ritos: a refeição festiva parece ser o principal, talvez acompanhada de leituras e preces bíblicas.

2,2 Tobit exige que o convidado seja "pobre e fiel ao Senhor": ato de caridade que nos parece bastante

— Filho, vai ver se encontras algum pobre de nossos compatriotas deportados em Nínive, alguém que se lembre de Deus com toda a alma, e traze-o para que coma conosco. Eu te espero, filho, até que voltes.

³Tobias foi buscar algum israelita pobre, e quando voltou, me disse:

— Pai.

Respondi:

— O que há, filho?

Ele retomou:

— Pai, foi assassinado um israelita. Eles o estrangularam há pouco, e o deixaram atirado lá na praça.

⁴Levantei-me imediatamente, deixei a comida sem tê-la provado, recolhi o cadáver na praça e o coloquei num quarto para enterrá-lo quando caísse o sol. ⁵Quando voltei, lavei-me e comi entristecido, ⁶recordando a frase do profeta Amós contra Betel:

"Vossas festas se transformarão
em luto,
e vossos cânticos
em lamentações".

⁷E chorei. Quando o sol se pôs, fui abrir uma cova e o enterrei.

⁸Os vizinhos riam de mim:

— Ele já não tem medo! Andaram procurando por ele para o matar por esse motivo, e então fugiu; mas agora está aí, enterrando mortos.

⁹Nessa noite, depois do banho, fui ao pátio e me deitei junto ao muro, com o rosto descoberto porque fazia calor; ¹⁰eu não sabia que no muro, acima de mim, havia um ninho de pardais; seu excremento quente caiu nos meus olhos, produzindo manchas brancas. Fui aos médicos para que me curassem; porém, quanto mais unguentos me davam, mais eu perdia a visão, até ficar completamente cego. Estive cego por quatro anos. Todos os meus parentes ficaram com pena de minha desgraça, e Aicar cuidou de mim por dois anos, até partir para Elimaida.

¹¹Nessa situação, minha mulher Ana se pôs a trabalhar para ganhar dinheiro. ¹²Os clientes lhe davam o pagamento quando ela lhes levava o trabalho terminado; no dia sete de março, ao acabar uma peça e mandá-la para os clientes, estes lhe deram o pagamento integral e lhe presentearam um cabrito para que o trouxesse para casa. ¹³Quando chegou, o cabrito começou a berrar. Eu chamei minha mulher e lhe disse:

— De onde vem esse cabrito? Não será roubado? Devolva-o ao dono, pois não podemos comer nada roubado.

¹⁴Ana me respondeu:

— Deram-me como gorjeta, além do pagamento.

Mas eu não acreditava nela e, envergonhado com sua ação, insisti para que o devolvesse ao dono. Então ela me replicou:

---

seletivo. Talvez pensasse que só um israelita observante, também dos preceitos de pureza legal, podia participar de um banquete com caráter religioso. Ver a legislação de Dt 16,9-12 e 26,11. Com o convidado se abre o círculo familiar e se experimenta a solidariedade do povo desterrado.

2,3 Os verbos na voz passiva sugerem o anonimato e impunidade do assassinato.

2,5 O contato com um cadáver contaminava (Nm 19,14-16). Notícia importante para o narrador.

2,6 Com uma citação da Escritura, interpreta um fato presente como cumprimento de uma profecia: a ameaça de Am 8,10 contra o culto cismático de Betel, extensivo também à Dã, o santuário gêmeo. O assassinato de um desterrado, se não é castigo pessoal, é consequência do pecado coletivo, e nesse espírito deve ser aceito. A Tobit, embora inocente, cabe chorar. Citar a Escritura é procedimento frequente em 1Mc e tem um antecedente em Jr 26,18.

2,9 Dado que o banquete era celebrado de tarde e se prolongava, as desgraças se sucedem em breve espaço. O banho é ritual, para eliminar a contaminação com o cadáver. O texto de AB exclui o banho.

2,10 Segundo o relato tradicional, Aicar perseguido teve de ocultar-se (é possível que Elimaida seja leitura errônea de um hebraico "ocultar-se"). Como em 1Mc 6,1, Elimaida é a região montanhosa de Elam. O relato nada perde suprimindo a notícia de Aicar, pois é lógico que a mulher cuide de Tobit.

2,11 Fiar e tecer eram trabalhos femininos, úteis e produtivos (segundo Pr 31,19.22.24). Mas viver à custa da mulher é humilhante (segundo a regra de Eclo 25,22).

2,12 A versão S dá a data com o nome macedônio do mês de março; cai umas semanas antes da Páscoa. É possível que o presente tenha sido escolhido pensando na festa próxima, de acordo com a legislação (Ex 12,5).

2,13 A reação de Tobit é a de um homem desconfiado, e sua insistência é irritante. Ainda que a cegueira o desculpe, não é exemplar a honradez própria que pensa mal dos outros. Sobre objetos ou animais roubados legisla Ex 21,37-22,12.

2,14 A reação de Ana é explicável e justificada. Por outro lado, o contra-ataque *ad hominem*, desafiando o princípio da retribuição, a coloca ao lado da mulher de Jó (Jó 2,9). A última frase grega é duvidosa.

– Onde estão tuas esmolas? Onde estão tuas obras de caridade? Estás vendo o que te acontece!

3 ¹Profundamente aflito, solucei, pus-me a chorar e comecei a rezar entre soluços:
²"Senhor, tu és justo;
   todas as tuas obras são justas;
   tu ages com misericórdia e lealdade,
   tu és o juiz do mundo.
³Tu, Senhor, lembra-te de mim
   e olha para mim.
   Não me castigues por meus pecados,
   meus erros
   e os de meus pais,
   cometidos em tua presença,
⁴desobedecendo a teus mandatos.
Tu nos entregaste ao saque,
   ao desterro e à morte,
   tornaste-nos refrão,
   comentário e zombaria
   de todas as nações
   onde nos dispersaste.
⁵Sim, todas as tuas sentenças
   são justas
   quando me tratas assim
   por meus pecados,
   porque não cumprimos
      teus mandatos
      nem agimos lealmente
      em tua presença.
⁶Faze agora de mim o que quiseres.
Manda que me tirem a vida,
e desaparecerei
   da face da terra
   e em terra me transformarei.
Porque é melhor morrer
   do que viver
   depois de ouvir ultrajes
   que não mereço
e ver-me invadido pela tristeza.
Manda, Senhor,
   que eu me livre desta prova;
deixa-me partir
   para a morada eterna
   e não afastes de mim teu rosto,
   Senhor.
Porque é melhor morrer
   do que viver
   passando esta prova
   e escutando tais ultrajes".

A desgraça de Sara – ⁷Nesse mesmo dia, Sara, a filha de Ragüel, de Ecbátana da Média, também teve de suportar os insultos de uma criada de seu pai; ⁸porque Sara havia casado sete vezes, mas o maldito demônio Asmodeu foi matando todos os maridos quando iam unir-se com ela, segundo o costume. A criada lhe disse:

– És tu que matas teus maridos. Já te casaram com sete e não levas o sobrenome de um sequer. ⁹Queres castigar-nos porque eles morreram? Vai com eles! E jamais vejamos um filho ou filha tua!

3,1-6 Pelo conjunto e por vários detalhes, esta oração se enquadra no contexto genérico das orações penitenciais pós-exílicas. Parece anômalo que Tobit pronuncie uma confissão penitencial depois de ter enumerado suas virtudes. E não basta para justificá-lo o exemplo de Esdras e Neemias, porque estes falam em nome da comunidade, ao passo que Tobit fala em nome próprio.
A explicação provável é que Tobit se solidariza com os seus, aceita a situação global como conseqüência de culpas coletivas. Daí a mistura de singular e plural no texto. A mistura é observada já no Sl 106,4-6; Esd 9,6 e Dn 9,4-5.
Agora vejamos a diferença. A oração penitencial costuma incluir os seguintes elementos: a) confessa que Deus é inocente em suas relações com o povo; b) confessa o pecado; c) aceita a desgraça como castigo merecido; d) pede perdão e libertação da desgraça. Tobit respeita o esquema e muda a última peça: a libertação que pede é a morte. Assim expressa sua situação desesperadora: como Moisés (Nm 11,15), Elias (1Rs 19,4), Jonas (Jn 4,3.8).
3,2 Sl 7,10.12; 11,7; 119,137. "Juiz do mundo" (Gn 18,25; Sl 9,5; 94,2).
3,3 "Lembra-te" (Sl 25,6-7; 106,4).
3,4 "Zombaria" (Sl 44,14-15; Jr 24,9; 29,18; 42,18; Ez 22,4).
3,5 "Justo" (Dn 3,27-29; 9,7.14; Br 1,15-18; 2,6.10).
3,6 "Tirar o alento": Sl 104,29. "Morada eterna": a morada dos mortos, Sl 49,15.20; Ecl 12,5; a Nova Vulgata muda em parte o sentido, talvez sob influência de Sb 3,3. "É melhor morrer": Jó 7,15; Eclo 30,17. Aqui termina o relato na primeira pessoa.
3,7 Começa a montagem paralela, contribuição interessante desta narrativa, aplicada com menos precisão em 10,1. Supõe um narrador onisciente que abrange dois pontos distantes na terra e outro no céu. Gigantesco triângulo com valor teológico: a base na terra, a ponta no céu. Não simples sincronismo, mas paralelismo dos dois personagens. Desgraça, desespero e súplica põem lado a lado Tobit e Sara. Esd 6,2; Jt 1,1-4 e autores profanos antigos se referem a Ecbátana.
3,9 O insulto da criada é gravíssimo, seria dizer-lhe que está enfeitiçada ou endemoninhada. Ver Is 4,1 para o sobrenome. Ao insulto acrescenta uma maldição terrível: que morra sem filhos (cf. Gn 30,1-2; 1Sm 1,7-8). A situação de Sara é mais grave que a de Tobit.

¹⁰Então Sara, profundamente aflita, se pôs a chorar e subiu ao andar superior com a intenção de se enforcar. Mas pensou outra vez, e disse a si mesma:

– Vão jogar isso na cara de meu pai! Dirão a ele que a única filha que tinha, tão querida, se enforcou porque se sentia infeliz. E mandarei ao túmulo meu velho pai por puro sofrimento. Será melhor não me enforcar, mas pedir ao Senhor a morte, e assim já não terei de ouvir mais insultos. ¹¹Estendeu as mãos para a janela e rezou:

"Bendito és,
Deus misericordioso.
Bendito seja teu nome
pelos séculos.
Que te bendigam
todas as tuas obras
pelos séculos.
¹²A ti levanto agora
meu rosto e meus olhos.
¹³Manda que eu desapareça
da terra
para não ouvir mais insultos.
¹⁴Tu sabes, Senhor,
que eu me conservo limpa
de todo pecado com homem,
¹⁵conservo limpo meu nome
e o de meu pai,
no desterro.
Sou filha única; meu pai não tem
outro filho que possa herdar dele,
nem parente próximo,
ou da família,
com quem possa casar-me.
Já perdi sete,
para que viver mais?
Se não queres matar-me, Senhor,
escuta como me insultam".

¹⁶No mesmo momento, o Deus da glória escutou a oração dos dois, ¹⁷e enviou Rafael para curar Tobit, limpando-lhe a vista, para que pudesse ver a luz de Deus, e Sara, a filha de Ragüel, dando-a como esposa a Tobias, filho de Tobit, e livrando-a do maldito demônio Asmodeu (pois Tobias tinha mais direito de casar com ela do que todos os pretendentes). No mesmo momento, Tobit passava do pátio para a casa e Sara de Ragüel descia do andar superior.

4 **Tobit e seu filho Tobias** – ¹Nesse dia Tobit se lembrou do dinheiro que havia depositado em casa de Gabael, em Rages, na Média, ²e pensou consigo: "Pedi a morte. Por que não chamo meu filho Tobias e o informo sobre esse dinheiro, antes de morrer?" ³Então chamou seu filho Tobias, e, quando ele se apresentou, lhe disse:

3,10 A versão grega registra acertadamente a diferença de reação entre o homem maduro e a moça jovem, entre o esposo e pai cego e a menina sadia afogada numa solidão hostil e sem saída. O suicídio é excepcional no AT (Aquitofel, 2Sm 17,23).

3,11-15 A súplica de Sara compõe um díptico com a de Tobit: louva a Deus, protesta inocência, pede a morte ou o auxílio. O tema do "nome" atravessa a súplica: de Deus (11), do pai e seu (15) ameaçados de infâmia e extinção.

3,11 "Para a janela": talvez olhando em direção a Jerusalém (cf. Dn 6,11). Em Jerusalém se erguem as mãos "para o santuário" (Sl 134,2).

3,14-15 "Pecado com homem" pode ser fornicação ou adultério; AB dizem "pecado". Ver a reflexão de Eclo 42,10-11, que não conta com demônios dispostos a enredar a situação familiar. "Parente próximo": não se harmoniza com outros dados (3,17; 7,11); a não ser que o narrador queira apresentá-la como ignorando o fato.

3,16 No céu convergem e se juntam duas súplicas que pareciam paralelas. A altura minimiza e anula as distâncias humanas.

3,17 Este versículo é como um resumo do que vai acontecer, convertendo o anterior em prólogo ou apresentação. Fala-se do final feliz, suscitando a curiosidade do como. Mencionam-se cinco personagens em divisão assimétrica ou em relações cruzadas:

Tobit e Sara, Sara e Tobias, Rafael e Asmodeu. Acima de todos, Deus movendo os fios.
"Tinha mais direito de casar", literalmente: "de herdá-la" ou recebê-la em herança. Por desígnio de Deus, Tobias está orientado para Sara; pela boca do narrador, o leitor o sabe. Mas Tobit não sabe, orientando seu filho para o dinheiro. Da sua ignorância brota a ironia dramática.

4,1-2 Realmente, é estranho que nem Ana nem Tobit se tenham preocupado em buscar esposa para seu único filho e que o pai se preocupe com o dinheiro deixado em depósito. Compare-se com a preocupação de Abraão por Isaac (Gn 24).

4,3a Este versículo continua logicamente o anterior e se liga com o v. 20. No meio, o autor inseriu uma série de conselhos testamentais. Com isso se sobrepõem no relato este testamento e o de 14,2-10.
Os conselhos são justificados pela intenção didática sapiencial. Pode ter havido um núcleo original que foi crescendo em sucessivas edições, também com repetições. Como as duas versões gregas diferem tanto, oferecemos a tradução de ambas. O gênero testamento tem antecedentes no AT: Jacó e Moisés (Gn 49 e Dt 33), Josué e Davi (Js 33 e 1Rs 2,1-9). Mais tarde tornou-se popular. Um exemplo famoso é o *Testamento dos Doze Patriarcas*, que também aparece na história de Aicar.

Conselhos de Tobit a seu filho

(Texto S) – Faze-me um enterro digno. Honra tua mãe, e não a abandones enquanto viver. Procura agradá-la e não a desgostes em nada. ⁴Lembra-te, filho, dos numerosos perigos que passou por ti quando te levava no seio. E quando morrer, enterra-a junto a mim na mesma sepultura. ⁵Filho, lembra-te do Senhor toda a tua vida. Não consintas no pecado, nem violes seus mandamentos. ⁶Faze obras de caridade toda a tua vida, e não sigas o caminho da injustiça. ⁷Pois aos que agem bem tudo lhes vai bem em seus negócios, e o Senhor concede sua benevolência aos que agem retamente. ⁸Dá esmola proporcionalmente ao que tiveres; se tiveres pouco, não temas dar esmola conforme esse pouco. ⁹Assim entesouras muitos bens para quando te vires em apuros, ¹⁰porque a esmola livra da morte e não deixa cair nas trevas. ¹¹Quem dá esmola apresenta ao Altíssimo uma boa oferta.

¹²Filho, guarda-te da fornicação. Para casar, procura primeiro uma mulher da família; não te cases com uma que não seja de nossa tribo, pois somos filhos de profetas. Recorda, filho, que já outrora nossos antepassados Noé, Abraão, Isaac e Jacó tomaram esposas entre seus parentes, e 'receberam a bênção dos filhos', e sua descendência herdará a terra. ¹³Bem, filho, ama teus parentes e não te consideres superior aos filhos e filhas de teu povo, desdenhando tomar esposa entre eles, porque a perdição e a intranquilidade estão na soberba, e a preguiça leva à indigência e à miséria, porque a preguiça é mãe da fome.

¹⁴Não retenhas nem sequer por uma noite a diária de teu operário. Dá-la

(Texto AB) – ³Enterra-me. Não te descuides de tua mãe. Respeita-a durante toda a vida, procura agradá-la e não lhe dês desgostos. ⁴Lembra-te dos numerosos perigos que passou quando te levava no seio. ⁵Filho, lembra-te do Senhor toda a vida. Não consintas no pecado, nem violes seus mandamentos. Faze obras de caridade toda a tua vida e não sigas o caminho da injustiça. ⁶Se procederes sinceramente, teus assuntos irão bem.

⁷De teus bens dá esmola a toda pessoa honrada e não sejas mesquinho em tuas esmolas. Se vês um pobre, não voltes o rosto, e Deus não afastará seu rosto de ti.

⁸Dá esmolas proporcionalmente ao que tiveres; se tens pouco, não repares em dar esmola desse pouco. ⁹Dessa forma entesouras muitos bens para o tempo da necessidade. ¹⁰Pois a esmola livra da morte e não deixa cair nas trevas. ¹¹Os que dão esmola apresentam ao Altíssimo uma boa oferta.

¹²Filho, guarda-te, da fornicação. Para casar, procura primeiro uma mulher de tua família. Não cases com uma que não seja de nossa tribo, pois somos filhos de profetas. Recorda, filho, que já outrora nossos antepassados Noé, Abraão, Isaac e Jacó tomaram esposas entre seus parentes, e receberam a bênção dos filhos, e sua descendência herdará a terra.

¹³Bem, filho, ama teus parentes e não te consideres superior aos filhos e filhas de teu povo, desdenhando tomar esposa entre eles; porque a soberba traz perdição e intranquilidade. A preguiça leva à indigência e à miséria, porque a preguiça é mãe da fome.

¹⁴Não retenhas nem por uma noite a diária de teu operário. Dá-la imediatamente, pois, se servires a Deus, ele te recompensará. Tem cuidado, filho, em tudo o que

---

4,3b Sobre a importância do enterro, ver Gn 22; 25,9; 35,29; 50,1-14 etc. Sobre o amor filial, Eclo 3,1-16.
4,4 São famosos os conselhos do egípcio Ani (ANET 420).
4,5 Ver Pr 3,6 em versão sapiencial, Dt 27,10 em versão de aliança.
Comentário à versão de AB 7-19. Estes conselhos são de estilo e conteúdo sapiencial. Se alguns são lidos também na legislação, quase todos se encontram em diversas coleções de Provérbios. Também a motivação é sapiencial, que não apela para a santidade nem para a aliança. É impossível definir o número exato ou a chave de composição. Uma série se presta a toda espécie de acréscimos e manipulações.
4,7 Esmola seletiva, para não apoiar os malfeitores (cf. Eclo 12,2.3.7; 14,3-16).

4,8-10 Como em textos posteriores, o significado de *çedaqá* se restringe a "esmola" (Pr 10,2 e 11,4; cf. também Pr 3,27-28 e Eclo 29,10-12).
4,11 Comparar com Eclo 35,2 em outro contexto teológico.
4,12 O começo é simplesmente ético; depois salta do ético para o étnico, recomendando a endogamia; apela para tradições patriarcais (Gn 24 e 28,1-4). Chamar de "profetas" os patriarcas ou o conjunto dos antepassados tem leve apoio em Sl 105, 15.
4,13 Soberba e preguiça são temas frequentes: p. ex. Pr 8,13; 16,18; 29,23; Eclo 10,7. Preguiça: Pr 19,24; 26,15-16.
4,14 Ver Lv 19,13 e Dt 24,14-15.

imediatamente, pois, se servires a Deus, serás recompensado. Tem cuidado, filho, em tudo o que fazes, e comporta-te sempre com educação.

¹⁵Não faças a outro o que não agrada a ti. Não bebas até embriagar-te, para que a embriaguez não te acompanhe no caminho.

¹⁶Dá teu pão ao faminto e tua roupa ao nu. Dá em esmola tudo o que te sobrar, e não sejas mesquinho. ¹⁷Oferece teu pão sobre o túmulo dos justos, e não o dês aos pecadores.

¹⁸Pede conselho ao sensato e não desprezes um conselho útil.

¹⁹A quem quiser, ele o humilha até ao Abismo.

Bem, filho, recorda essas instruções, para que nunca se apaguem da memória.

²⁰E agora te comunico que na casa de Gabael, filho de Gabri, em Rages, na Média, deixei em depósito trezentos quilos de prata. ²¹Não te preocupes se ficamos pobres; se temeres a Deus, fugires de todo pecado e fizeres o que agrada ao Senhor teu Deus, terás muitas riquezas".

fazes e comporta-te sempre com educação.
¹⁵Não faças a outro o que não agrada a ti. Não bebas até embriagar-te, para que a embriaguez não te acompanhe no caminho.

¹⁶Dá teu pão ao faminto e tua roupa ao nu. Dá em esmola tudo o que te sobrar, e não sejas mesquinho em tuas esmolas.

¹⁷Oferece teu pão sobre o túmulo dos justos e não o dês aos pecadores.

¹⁸Pede conselho ao sensato e não desprezes um conselho útil.

¹⁹Bendize a Deus em toda ocasião e pede-lhe que aplaine teus caminhos e endireite tuas sendas e projetos. Porque nem todas as nações acertam em seus projetos. É o Senhor quem dá os bens a quem quiser e humilha a quem quiser.

Bem, filho, recorda essas normas, para que não se apaguem da memória.

²⁰Também quero dizer-te, meu filho, que deixei em depósito com Gabael, filho de Gabri, em Rages, na Média, dez talentos de prata. ²¹Não te preocupes, filho, se ficamos pobres. Tens uma grande riqueza se temes a Deus, se evitas toda espécie de pecado e se fazes o que agrada ao Senhor teu Deus."

5 O guia desconhecido – ¹Tobias respondeu a seu pai Tobit:

– ²Pai, farei o que me disseste. Mas como poderei recuperar esse dinheiro de Gabael, se nem ele nem eu nos conhecemos? Que senha posso dar-lhe para que me reconheça, acredite em mim e me dê o dinheiro? Além disso, não conheço o caminho da Média.

³Tobit lhe disse:

– Gabael me deu um recibo, e eu lhe dei o meu; assinamos nós dois o contrato, depois o dividi pela metade e tomamos uma parte cada um, de modo que uma ficou junto com o dinheiro. Faz vinte anos que deixei em depósito esse dinheiro! Bem, filho, procura um homem de confiança que possa acompanhar-te, e o pagaremos por toda a duração da viagem. Vai recuperar esse dinheiro.

⁴Tobias saiu para procurar um guia experiente que o acompanhasse até a Média. Quando saiu encontrou-se com o anjo Rafael, parado; mas não sabia que era um anjo de Deus. ⁵Perguntou-lhe:

4,15 Em versão positiva: Mt 7,12 e Lc 6,31. Sobre a embriaguez: Pr 23,29-35 e Eclo 31,25-31.

4,17 "Oferece": em grego "derrama", como se fosse uma libação sobre o túmulo. A prática não é judaica e até se opõe à lei (Dt 26,14; cf. Eclo 30,18). Para salvar a frase, alguns tomam *taphos* como metonímia de funeral (cf. Jr 16,7).

4,18 Sobre conselheiros: Eclo 37,7-15.

4,19 "Nem todas as nações": surge o espírito nacionalista. Tradicionalmente a sabedoria era internacional, recebida do Egito, imitada de Edom etc. O livro dos Provérbios incorpora instruções estrangeiras. Mais tarde os mestres de Israel identificaram a sabedoria com a lei, p. ex. Br 3,22-23.

Olhando agora o conjunto da série, observamos que alguns conselhos se encaixam no curso do relato: a possível morte próxima, o matrimônio dentro do clã, a esmola. Outros conselhos são genéricos e intercambiáveis.

4,20-21 Depois da interrupção ou inserção, o ancião volta a seu tema: o depósito de dinheiro. A pobreza mencionada será real até que, pelo esforço do filho, se recupere o dinheiro. Tobit dá ao assunto um tom providencialista: a riqueza como prêmio da virtude. Pr 15, 16; 16,8; 19,1; 29,6 manifestam menos apreço.

5,1-2 Tobias sairá em busca do dinheiro, como Saul em busca das jumentas extraviadas (1Sm 9). A versão de AB é mais concisa.

5,3 O texto grego é um tanto obscuro (cf. Jr 32). O texto do contrato era rasgado em duas partes, que deviam coincidir e recompor-se à maneira de contra-senha e comprovação.

5,4 Compare-se com Jz 13,16 e Gn 28,16.

5,5 Compare-se com Js 5,13-14.

— De onde és, bom homem?
Ele respondeu:
— Sou um israelita, teu compatriota, e vim aqui à procura de trabalho.
Tobias lhe perguntou:
— Sabes por onde se vai à Média?
⁶Rafael lhe disse:
— Sim. Estive lá muitas vezes e conheço muito bem todos os caminhos. Fui à Média com frequência, parando na casa de Gabael, o nosso compatriota que vive em Rages, na Média. Rages fica a dois dias inteiros de viagem de Ecbátana, porque se encontra na montanha.
⁷Então Tobias lhe disse:
— Espera-me aqui, bom homem, enquanto vou dizê-lo a meu pai. Porque preciso que me acompanhes; eu te pagarei.
⁸O outro respondeu:
— Está bem, espero aqui, mas não demores.
⁹Tobias foi informar seu pai Tobit:
— Olha, encontrei um israelita, compatriota nosso.
Tobit lhe disse:
— Chama-o, para que eu fique sabendo de que família e de que tribo é, e para ver se é de confiança para te acompanhar, filho.
Tobias saiu para chamá-lo:
— Bom homem, meu pai está te chamando.
¹⁰Quando entrou, Tobit se adiantou para saudá-lo. O anjo lhe respondeu:
— Que tenhas saúde!
Mas Tobit comentou:
— Que saúde posso ter? Sou um cego que não vê a luz do dia. Vivo na escuridão, como os mortos, que já não veem a luz. Estou morto em vida: ouço a voz das pessoas, mas não as vejo.
O anjo lhe disse:

— Ânimo, Deus te curará logo; ânimo.
Então Tobit lhe perguntou:
— Meu filho Tobias quer ir à Média. Poderias acompanhá-lo como guia? Eu te pagarei, amigo.
Ele respondeu:
— Sim. Conheço todos os caminhos. Fui à Média muitas vezes, atravessei suas planícies e suas montanhas; conheço todos os caminhos.
¹¹Tobit lhe perguntou:
— Amigo, de que família e de que tribo és? Dize-me.
¹²Rafael respondeu:
— Por que queres saber sobre minha tribo?
Tobias disse:
— Amigo, quero saber exatamente o teu nome e sobrenome.
¹³Rafael respondeu:
— Sou Azarias, filho do ilustre Ananias, teu compatriota.
¹⁴Então Tobit lhe disse:
— Sejas bem-vindo, amigo! Não te aborreças se eu quis saber exatamente de que família és. Acontece que és nosso parente, e de família muito boa. Eu conheço Ananias e Natã, os dois filhos do ilustre Semeías. Iam comigo adorar a Deus em Jerusalém, e não se desviaram por mau caminho. Os teus são boa gente. Bem-vindo, homem; és de boa estirpe.
¹⁵E acrescentou:
— Eu te darei como pagamento uma dracma por dia e, como a meu filho, a manutenção; ¹⁶e acrescentarei alguma coisa ao pagamento.
Rafael respondeu:
— Eu o acompanharei. Não tenhas medo: sãos partiremos e sãos voltaremos; o caminho é seguro.

5,6 A distância de dois dias não corresponde a nossos conhecimentos geográficos; talvez o original fosse mais exato.

5,7-8 "Espera-me aqui...": quase literalmente em Jz 6,18 e 13,15.

5,9 É um momento de ironia dramática: Tobit averiguando se o anjo é pessoa de confiança.

5,10 Tobit se encontra na situação do ancião Isaac. Cegueira, trevas e morte se sobrepõem, como no Sl 88; ver também Sl 49,20. Nascer era vir à luz, viver era ver a luz de Deus. Por isso a cegueira é como uma morte em vida, sem esperança de ressurreição. "Deus te curará": paronomásia com o nome de Rafael. É outro momento de ironia dramática, pois o anjo veio para isso.

5,11-12 Perguntas e respostas recordam outros casos: Gn 32,28-30; Jacó e o anjo; Jz 13,17-18, Manué e o anjo.

5,12 Azarias significa "Auxílio do Senhor"; Ananias, "Misericórdia do Senhor". Neste ponto alguns comentaristas antigos se punham a discutir se o anjo tinha mentido ou não.

5,14 O anjo incitava o jovem Tobias, deixando cair no descuido o nome de Gabael. Ele nutre o ancião Tobit com as lembranças de um Deus fiel e de israelitas fiéis ao culto em Jerusalém. Do "mau caminho" no sentido moral se passa ao "bom caminho" no sentido físico. "De boa estirpe": novo momento de ironia dramática.

5,15 A dracma era moeda cunhada.

¹⁷Tobit lhe disse:
— Amigo, Deus te pague.
Depois chamou Tobias e lhe disse:
— Filho, prepara a viagem e vai com teu parente. Que o Deus do céu vos proteja por lá e vos traga de novo sãos e salvos. Que seu anjo vos acompanhe com sua proteção, filho.
Tobias beijou seu pai e sua mãe e saiu para a viagem, enquanto Tobit lhe dizia:
— Boa viagem!
¹⁸Mas a mãe se pôs a chorar e disse a Tobit:
— Por que mandaste meu filho? Ele era nosso apoio e o tínhamos sempre perto! ¹⁹O dinheiro não passa de dinheiro, é lixo em comparação com nosso filho. ²⁰Bastava-nos viver com o que Deus nos dava!
²¹Tobit lhe disse:
— Não te atormentes. Nosso filho partiu são e salvo, são e salvo voltará. Tu o verás com teus olhos no dia em que voltar são e salvo. Não te atormentes, nem te inquietes por eles, mulher, ²²pois um anjo bom o acompanhará, lhe dará uma viagem feliz e o trará são e salvo.
²³E ela parou de chorar.

6

A viagem — ¹Quando o jovem e o anjo partiram, o cão foi com eles. Caminharam até o anoitecer e acamparam junto ao rio Tigre. ²O jovem desceu ao rio para lavar os pés, e um peixe enorme saltou do rio, tentando arrancar-lhe um pé. ³Tobias deu um grito, e o anjo lhe disse:
— Agarra-o, não o soltes!
⁴Tobias segurou o peixe e o arrastou para a terra. Então o anjo lhe disse:
— Abre-o, tira-lhe o fel, o coração e o fígado, e guarda-os, porque servem como remédios; joga fora os intestinos.
⁵O jovem abriu o peixe e recolheu o fel, o coração e o fígado; depois assou um pedaço do peixe, o comeu e salgou o resto.
⁶Seguiram seu caminho juntos até chegar à Média.
⁷Então Tobias perguntou ao anjo:
— Amigo Azarias, que remédios se tiram do coração, do fígado e do fel do peixe?
⁸O anjo respondeu:
— Se um homem ou uma mulher forem atacados por um demônio ou um espírito mau, queimam-se aí diante o coração e o fígado do peixe, e já não acontecem mais os ataques. ⁹E se alguém tem manchas brancas nos olhos, unge-se com o fel; depois sopra-se, e ele fica curado.
¹⁰Haviam entrado já na Média, e estavam perto de Ecbátana, ¹¹quando Rafael disse ao jovem:

5,17 "Sãos e salvos": joga de novo com a etimologia de Rafael. O caminho: como nos textos citados de Ex e segundo Sl 91,11-12. Por esse trabalho, Rafael partilha com Cristóvão o patrocínio de viajantes e caminheiros. "Que seu anjo vos acompanhe": é o máximo da ironia dramática.

5,18-20 Ainda bem que a mãe acrescenta um pouco de dramaticidade a um enredo excessivamente fácil e feliz. Ana volta ao seu papel de antagonista doméstica: opõe-se à necessária iniciação do filho; recusando o risco, não o deixa amadurecer.

5,21 Tobit ganhou confiança com a intervenção do anjo. A sua cegueira soa em surdina quando diz à mulher: "tu o verás com teus olhos".

6 A viagem. a) Na intenção de Tobit, para cobrar o dinheiro. A quantidade justifica a longa viagem, e o risco é afastado pelo guia de confiança. b) Em termos de folclore, é uma viagem de iniciação: superando obstáculos se tornará adulto. Pena que o anjo vá lhe aplainando os obstáculos. c) Na perspectiva do Êxodo, o "peixe grande" no rio Tigre parece uma redução do mar Vermelho visto como monstro marinho (cf. Sl 74,13). O narrador não soube explorar o tema. d) No processo narrativo há uma correspondência ou proporção: peixe/Tobias = demônio/Sara. A primeira vitória proporciona coragem e meios para superar a segunda.

O anjo se pôs a serviço de Tobit para ultrapassar os planos deste. Ana dizia: vale mais o filho que o dinheiro; Rafael retruca: vale mais Sara que o dinheiro (cf. Pr 18,22; Eclo 26,3: 36,29).

6,1 O cão não figura na versão de AB. Retornará em 11,4.

6,2 Segundo AB, o peixe tentou devorar o jovem. Muito poucos foram os antigos comentaristas que viram nesse peixe uma figura de Cristo.

6,8-9 A explicação erudita de Rafael olha mais para a frente, para um dado ainda não presente na consciência de Tobias, e para trás, para o que conhece bastante bem. Parece usar como equivalentes "demônio" e "espírito mau" (cf. LXX: Dt 32,17; Sl 91,6; 96,5; 106,37; Is 13,21; 34,14 e 1Sm 16,14.23).

6,11-19 Sara. O anjo guardava essa carta quando fazia o contrato com Tobit e durante a viagem com Tobias. Agora a joga sem deixar tempo para preparativos, reflexões ou arrependimentos.

Aqui o relato muda de direção. Superando a equivalência dinheiro/terra, impõe-se outra clássica, terra/mulher. A terra de Canaã, habitada por demônios ou ídolos (Dt 32,17; Sl 106,37), terra que vomita ou devora seus habitantes (Lv 18,25; Nm 13,32), está destinada desde outrora a Israel; quando se cumprir o prazo (Gn 15,16), será purificada e entregue aos israelitas, que a possuirão com toda a fecundidade

– Amigo Tobias.
Ele respondeu:
– O quê?
Rafael disse:
– Hoje vamos pernoitar em casa de Ragüel. Ele é teu parente, e tem uma filha chamada Sara. ¹²É filha única. Tu és o parente com mais direito de casar com ela e herdar os bens do pai dela. A jovem é séria, decidida e muito bela, e seu pai é de boa posição.
¹³Depois continuou:
– Tu tens direito de casar com ela. Escuta, amigo. Nesta mesma noite falarei ao pai a respeito da jovem, para que a reserve para ti como prometida. E quando voltarmos de Rages faremos o casamento. Estou certo de que Ragüel não vai pôr obstáculos nem vai dá-la em casamento a outro. Ele se exporia à pena de morte, segundo a Lei de Moisés, sabendo como sabe que sua filha pertence a ti mais do que a qualquer outro. Portanto, amigo, escuta. Nesta mesma noite vamos tratar sobre a jovem e faremos o pedido de sua mão. Depois, quando voltarmos de Rages, nós a acolhemos e a levamos conosco para tua casa.
¹⁴Tobias lhe disse:
– Amigo Azarias, ouvi dizer que ela já casou sete vezes, e todos os maridos morreram no quarto na noite de núpcias quando se aproximavam dela. Ouvi dizer que um demônio os matava, ¹⁵e como o demônio não faz mal a ela, mas mata quem quer se aproximar dela, eu, como sou filho único, tenho medo de morrer e de mandar meus pais para a sepultura com o desgosto que lhes iria causar. E eles não têm outro filho que possa enterrá-los.
¹⁶O anjo lhe perguntou:
– E não te lembras das recomendações que teu pai te fez para que casasses com uma jovem da família? Olha, escuta, amigo, não te preocupes com esse demônio; casa com ela; sei que nesta mesma noite eles a darão a ti como esposa. ¹⁷E quando fores entrar no quarto, pega um pouco do fígado e do coração do peixe e joga-os no braseiro do incenso. Ao espalhar-se o cheiro, ¹⁸quando o demônio o respirar, fugirá e não voltará a aparecer perto dela. Quando fores unir-te com ela, antes levantai-vos os dois e orai pedindo ao Senhor do céu que vos conceda sua misericórdia e que vos proteja. Não temas, pois ela está destinada a ti desde a eternidade; tu a salvarás, ela irá contigo, e penso que te dará filhos muito queridos. Não te preocupes.
¹⁹Quando Tobias ouviu o que Rafael lhe ia dizendo, e soube que Sara era sua parente, da família de seu pai, ficou cheio de carinho e se apaixonou por ela.

7 Casamento de Sara

– ¹Ao chegar a Ecbátana, Tobias lhe disse:
– Amigo Azarias, leva-me direto à casa de nosso parente Ragüel.
O anjo o levou à casa de Ragüel. Encontraram-no sentado à porta do pátio; adiantaram-se para saudá-lo, e ele respondeu:

---

e riquezas. De modo semelhante, Tobias se dirige a Sara. E o anjo é o casamenteiro, espécie de ninfagogo do noivo (em vez de sê-lo da noiva). O anjo doura a pílula para o jovem: embora o importante seja cumprir um mandamento de Moisés, a moça é bonita e rica. O jovem, que de repente mostra estar informado sobre sua prima, imagina que cumprir essa lei seja ato arriscado e heroico. Tobias não é um herói. Só quando Rafael lhe soluciona com toda a simplicidade o atroz problema é que Tobias sente de súbito estar apaixonado por sua parenta, só de ouvir dizer.

6,12 "Herdar": segundo a lei (Nm 36,9-10).

6,13 Em parte alguma do AT se diz que o marido tinha de ser o mais próximo dentro de uma série (só em caso de levirato), e jamais se menciona a pena de morte para os transgressores. Nem mesmo Esdras, com seu zelo reformador, chegou a tanto: o delito era casar com não-israelitas, e a pena era a exclusão da comunidade. Por implicação, Ragüel não fica prejudicado com essa explicação do anjo.

6,14-15 Tobias objeta e abre mão, alegando deveres de piedade familiar (3,8.10).

6,15 Gn 37,35.

6,16-17 Como Tobias apelasse para o possível desgosto dos pais, Rafael apela para o mandamento paterno (4,12 de AB). Mas argumenta como se não houvesse no clã outras moças pra casar.

6,18 A ideia de uma esposa "destinada" para alguém é lida em Gn 24,14; "destinada desde a eternidade" é novidade do presente texto. Como se um destino eterno gravitasse de repente sobre a consciência de Tobias, desbancando o pensamento da lei e afastando temores. Ele será o salvador dela ao conduzi-la ao seu destino.

6,19 A passagem do medo mortal para o entusiasmo do amor se dá no espaço de três versículos.

7,1 Da paixão à consumação do matrimônio não passarão vinte e quatro horas. Esta é a primeira vez que o jovem dá ordens a seu empregado e guia, como que estimulado pelo amor repentino que sente.

— Muito prazer, amigos; sede bem-vindos.

Depois os fez entrar em casa ²e disse a sua mulher Edna:

— Como este jovem se parece com meu parente Tobit!

³Edna lhes perguntou:

— De onde sois, amigos?

Eles responderam:

— Somos da tribo de Neftali, deportados em Nínive.

⁴Ela prosseguiu:

— Conheceis nosso parente Tobit?

Eles responderam:

— Sim.

— Como está?

⁵Disseram-lhe:

— Vive, e está bem.

E Tobias disse:

— Ele é meu pai.

⁶Então Ragüel deu um pulo, o beijou, chorando, ⁷e lhe disse:

— Bendito sejas, filho! Tens um pai excelente. Que desgraça ter ficado cego um homem tão honrado e que dava tantas esmolas!

E, abraçado ao pescoço de seu parente Tobias, continuou chorando.

A esposa Edna e sua filha Sara choravam também. ⁸Ragüel os acolheu cordialmente e mandou matar um carneiro.

⁹Quando se lavaram e se banharam, puseram-se à mesa. Tobias disse a Rafael:

— Amigo Azarias, dize a Ragüel que me dê minha parente Sara.

¹⁰Ragüel ouviu e disse ao jovem:

— Come, bebe e desfruta à vontade esta noite. Porque, amigo, só tu tens direito de casar com minha filha Sara, e eu não posso dá-la a outro, porque tu és o parente mais próximo. Contudo, filho, vou te falar com toda a franqueza. ¹¹Eu já a dei em matrimônio a sete de minha família, e todos morreram na noite em que iam aproximar-se dela. Mas agora, filho, come e bebe, pois o Senhor cuidará de vós.

¹²Tobias replicou:

— Não comerei nem beberei enquanto não deixares decidido este meu assunto.

Ragüel lhe disse:

— Eu o farei. Vou dá-la a ti como prescreve a Lei de Moisés. Deus mesmo manda que eu a entregue a ti, e eu a confio a ti. A partir de hoje, e para sempre, sois marido e mulher. Ela é tua de hoje para sempre. O Senhor do céu vos ajude nesta noite, filho, e vos dê sua graça e sua paz!

¹³Chamou sua filha Sara. Quando se apresentou, Ragüel tomou-lhe a mão e a entregou a Tobias, com estas palavras:

— Recebe-a conforme o direito e o que foi prescrito na Lei de Moisés, que manda que eu a dê a ti como esposa. Recebe-a e leva-a feliz para a casa de teu pai. Que o Deus do céu vos dê paz e bem-estar.

¹⁴Depois chamou a mãe, mandou trazer papel e escreveu a ata do matrimônio: "Ele a entregava como esposa conforme o que foi prescrito na Lei de Moisés". Em seguida começaram a cear.

¹⁵Ragüel chamou sua mulher Edna e disse:

— Mulher, prepara o outro quarto e leva Sara para lá.

¹⁶Edna foi arrumar o quarto conforme lhe ordenara seu marido. Levou para lá sua filha e chorou por ela. Depois, enxugando as lágrimas, lhe disse:

— ¹⁷Ânimo, filha. O Deus do céu mude tua tristeza em alegria. Ânimo, filha.

E saiu.

7,2-7 O narrador acentua o tom familiar, consciente da importância que as relações de família adquirem no desterro.

7,9 Lavar-se antes das refeições é observância legal. À mesa se sentam os três homens; a mulher serve, a moça espera.

7,11-12a Terceira versão sobre o assunto do demônio: o narrador (3,17), Tobias por ouvir dizer (6,14-15). Ragüel fala do mal sem mencionar o demônio. Sua informação não surte efeito porque o narrador a desativou de antemão. Contudo, é estranho que Tobias não diga ter o remédio no bolso.

7,12b-14 A cerimônia de casamento é muito simplificada. O pai atua como juiz de paz e também dá a bênção. O documento escrito substitui a presença das testemunhas.

"Marido e mulher": o grego diz "irmão e irmã", segundo o hebraico, por seu uso atestado em Pr 7,4 e Ct. A versão de AB abrevia a cena.

Se Ragüel teme seriamente pela vida do sobrinho, a cerimônia tem uma ironia trágica e macabra. Com efeito, o que significa "de hoje, e para sempre... leva-a feliz para a casa de teu pai"? Não se diria que está nomeando um novo candidato para uma morte provável e iminente. Nem o fato de cumprir a lei de Moisés nem a vontade de Deus bastam para tranquilizá-lo.

7, 16-17 A mãe entra em cena: está preparando um quarto nupcial ou uma câmara mortuária? São bem pouco algumas lágrimas e uma jaculatória.

8 ¹Ao terminar a ceia, decidiram ir dormir, e acompanharam o jovem até o quarto. ²Tobias lembrou-se dos conselhos de Rafael; tirou do alforje o fígado e o coração do peixe e os atirou no braseiro do incenso. ³O cheiro do peixe conteve o demônio, que fugiu até os confins do Egito. Rafael o perseguiu imediatamente e o prendeu aí, amarrando-lhe os pés e as mãos.

⁴Quando Ragüel e Edna saíram, fecharam a porta do quarto. Tobias se levantou da cama e disse a Sara:

– Mulher, levanta-te, vamos rezar pedindo a nosso Senhor que tenha misericórdia de nós e nos proteja.

⁵Levantou-se, e começaram a rezar, pedindo a Deus que os protegesse. Rezou assim:
"Bendito és,
 Deus de nossos pais,
 e bendito seja teu nome
 pelos séculos dos séculos.
 Que te bendigam o céu
 e todas as tuas criaturas
 pelos séculos.
⁶Tu criaste Adão,
 e como ajuda e apoio
 criaste sua mulher, Eva:
 dos dois nasceu
 a raça humana.
Tu disseste: 'Não é bom
 que o homem esteja sozinho;
 vou fazer-lhe alguém como ele
 que o ajude'.
⁷Se eu caso
 com esta minha prima,
 não busco satisfazer minha paixão,
 mas procedo lealmente.
Digna-te ter piedade dela
 e de mim,
 e faze-nos chegar juntos
 à velhice".
⁸Os dois disseram:
– Amém, amém.
⁹E dormiram aquela noite.

Ragüel levantou-se, chamou os criados e foram cavar um buraco; ¹⁰pois pensou:

---

8 Asmodeu. Que relação particular tem esse demônio com a esfera sexual? Em Babilônia, assim como há divindades propícias a essas relações, não faltam gênios malignos que perturbam o coito, o prazer do homem, o parto da mulher. Os mais conhecidos são Lilu e Lilitu. Asmodeu seria um herdeiro tardio de crenças semelhantes. A não ser que seja fruto de uma demonização de divindades sexuais propícias. A atuação do demônio no relato é gratuita e não explicada. Atua como espírito de morte para os homens, de infecundidade para a mulher. Sexo, vida e morte vão juntos.
Cabe uma leitura crítica. O mundo da sexualidade tem seus demônios, que pretendem semear a morte na esfera da vida. Poderes indomáveis, ante os quais o homem sucumbe, vítima de terrores obscuros e ancestrais. "Não tenhais medo deles, não tenteis torná-los propícios a vós", parece insinuar o texto; são uns pobres demônios, que não resistem a um remédio, nem podem medir forças com um anjo. Não serão demônios que o homem inventa? Ligado ao instinto da vida, o instinto de morte não aclarado; repressões, tabus persistentes. Ao exorcizar o demônio Asmodeu com fumaça, o relato exorciza o leitor de seus demônios. Também podemos pensar em contágios que o homem antigo não sabe explicar, e os personifica (Sl 91). O AT não demoniza o sexo; os casos de esterilidade ou morte (Gn 38) são atribuídos a Deus.
A versão de AB fala de um demônio amante e ciumento. A ideia influiu em especulações medievais sobre íncubos e súcubos, sobre comércio sexual de bruxas com demônios. Da teoria se tiraram trágicas consequências. Não teria sido melhor exorcizar tais ideias com os traços cômicos deste livro?
8,1 A entrada de Tobias, acompanhado de seus sogros, no quarto fatídico, onde o espera a esposa fascinante e aterradora, pode ter sido um momento dramático. Não o é para o jovem, armado de seu remédio; nem para o leitor, previamente informado por Rafael; pode ter sido para os pais, mas o narrador não explora isso.
8,2 Ao contrário, tudo se resolve num instante. O defumador exorciza Asmodeu. Quase como um inseticida, pensa o leitor moderno brincando e entreolhando a caçoada do autor. Alguns teólogos medievais debateram o efeito de um remédio material sobre um espírito imaterial.
8,3 O choque do demônio com o anjo pode ter sido outro momento dramático (cf. Ap 12,7ss). Com música Davi expulsava de Saul o "espírito mau" (1Sm 16,23); o Sl 91 opõe a proteção de anjos a epidemias personificadas. Os confins do Egito são a maior distância de Ecbátana que se possa imaginar; região desértica, apta para morada de demônios (Is 13,21; Mt 12,41). A frase de Sl 35,6 é aplicada a Rafael e Asmodeu.
8,5b-7 A oração imita frases do saltério. O título "Deus de nossos pais" encaixa bem no contexto, e mostra um horizonte patriarcal. Deus é Senhor do universo e eterno. Cada casamento repete o mistério do primeiro casal, criado para mútua ajuda e fecundidade. A resposta aos tabus não é a licenciosidade sexual, mas o caminhar na linha do desígnio divino. Também aqui se enredaram os teólogos medievais discutindo os fins do matrimônio. O grego opõe *porneia* e *alétheia*.
8,9 Contradiz a teoria das três noites.
8,10-21 Chegamos à cena mais original do livro, algo único no AT. É uma sequência de humor macabro que Hitchcock não desprezaria. É macabro pelo tema: morte e sepultura. Um tema que já apareceu repetidas vezes. Enterrar os mortos, especialmente os pais, é dever (4,3); enterrar um compatriota as-

— Não aconteça que tenha morrido, e depois riam e zombem de nós. ¹¹Quando terminaram o buraco, Ragüel foi para casa, chamou sua mulher ¹²e lhe disse:

— Manda uma criada entrar para ver se está vivo; porque, se estiver morto, nós o enterraremos, e assim ninguém ficará sabendo.

¹³Acenderam a lâmpada, abriram a porta e mandaram a criada entrar. Ela entrou e encontrou os dois juntos, profundamente adormecidos, ¹⁴e saiu, dizendo:

— Está vivo. Não aconteceu nada.

¹⁵Então Ragüel louvou o Deus do céu:
"Bendito és, Deus,
  digno de todo louvor puro.
  Sejas bendito para sempre.
¹⁶Bendito és pela alegria
  que me deste;
  não aconteceu o que eu temia,
  mas nos trataste
  segundo a tua grande misericórdia.
¹⁷Bendito és
  porque te compadeceste
  de dois filhos únicos.
  Sê misericordioso com eles,
  Senhor, e protege-os;
  faze que vivam até o fim
  desfrutando
  de tua misericórdia."

¹⁸Depois Ragüel mandou seus criados fechar o buraco antes do amanhecer, ¹⁹e mandou sua mulher fazer grande fornada de pão. Foi ao rebanho, trouxe dois bois e quatro carneiros, mandou aprontá-los e começaram os preparativos. ²⁰Depois chamou Tobias e disse:

— Não te movas daqui por catorze dias. Ficarás aqui comendo e bebendo em minha casa e fazendo feliz minha filha, que sofreu bastante. ²¹Depois levarás metade de meus bens, e voltarás feliz à casa de teu pai. A outra metade será vossa quando eu e minha mulher morrermos. Ânimo, filho, eu sou teu pai e Edna tua mãe; somos teus e de tua mulher, de agora para sempre. Ânimo, filho.

9 ¹Então Tobias chamou Rafael e lhe disse:

— ²Amigo Azarias, vai a Rages com quatro criados e dois camelos. ³Dirige-te à casa de Gabael, dá-lhe o recibo, carrega o dinheiro e traze Gabael para o casamento. ⁴Já sabes que meu pai estará contando os dias, e basta que me atrase um dia para lhe dar um desgosto. ⁵Também viste que não posso violar o juramento de Ragüel.

Rafael partiu para Rages na Média com os quatro criados e os dois camelos, e se hospedaram na casa de Gabael. Rafael lhe

---

sassinado pode ser heroico (2,4-8). Caberá a Tobias enterrar seus pais ou ser enterrado por seu recém-estreado sogro? O humor se traduz também numa ironia dramática, que o narrador coloca e conduz até o desfecho. O pressuposto da ironia dramática é que algum personagem ignore aquilo que outros conhecem, com o autor e o leitor. Rafael, Sara e Tobias sabem, Ragüel e Edna ignoram. Uma projeção em imagens tornaria a cena mais ridícula. A construção em montagem envolvente assegura a simultaneidade de ações que não se tocam, produzindo uma incongruência divertida. Esquematicamente:

8,9a Tobias se deita
8,9b-11 Ragüel cava a sepultura
8,12-13a a criada entra no quarto
8,13b encontra-os dormindo
8,14 a criada sai para informar
8,18 Ragüel fecha a sepultura
8,20 Tobias é acordado e se levanta.

Os contrastes são brutais, mas cômicos: cama e sepultura, sono feliz e morte próxima, os criados cavando e a criada bisbilhotando, sono tranquilo do esposo e vigília atormentada dos sogros. Tudo isso amparado pela obscuridade noturna.

8,10 Tem medo que riam de quem está agindo de modo ridículo.
8,12 "Ninguém fique sabendo"; nem mesmo o guia e os pais dele?
8,15 "Louvor puro": o adjetivo se aplica a uma oferta (Ml 1,11) para definir um requisito de pureza cultual. Dito de uma palavra, poderia sugerir uma atitude interior (cf. Pr 22,11).
8,16 "O que eu temia": ao contrário de Jó 3,25. "Misericórdia": Sl 51,3; 69,14.17; 105,45.
8,19 O banquete em estilo patriarcal (Gn 18,7-8).
8,20 Ver Jz 19. Para compensar: Gn 24,67; Sl 90,15.
8,21 Tobias começa a fazer parte da nova família, e desse modo pode herdar toda a fortuna.

9 A partir do casamento, o relato avança em movimento anticlimático. O presente capítulo enche neutralmente o tempo dos festejos nupciais. O assunto do dinheiro passou a segundo plano.
Foi apenas a solução de um assunto familiar, de dois filhos únicos? Está em jogo a continuidade de uma tribo em Israel? (Ver a preocupação expressa em Jz 21,3.7). As referências patriarcais (4,12 AB), as alusões, a menção repetida da tribo parecem indicar que a preocupação do autor era mais ampla. Numa família exemplar estava em jogo o destino de

entregou o recibo e lhe falou de Tobias, filho de Tobit, que se havia casado e o convidava ao casamento. Gabael contou imediatamente os sacos selados e os carregaram.

⁶De madrugada partiram juntos para ir ao casamento. Ao chegar à casa de Ragüel, encontraram Tobias sentado à mesa. Ele se levantou e saudou Gabael, que o abençoou entre lágrimas:

– Que bom filho de um pai excelente, honrado e caridoso! O Senhor te abençoe com bênçãos do céu, e também tua mulher e teus sogros. Bendito seja Deus, porque estou vendo o retrato vivo de meu primo Tobit.

10 A volta para casa

 – ¹Enquanto isso, Tobit ia contando, um por um, os dias da viagem de Tobias, a ida e a volta. Mas passou o tempo sem que seu filho voltasse, ²e pensou: "Teve ali algum contratempo! Talvez Gabael tenha morrido e não haja ninguém para lhe dar o dinheiro". ³E começou a preocupar-se.

⁴Sua mulher Ana dizia:

– Meu filho morreu. Meu filho não vive mais.

E começou a chorar e a lamentar-se por ele:

– ⁵Ai de mim, filho! Eu te deixei partir, e tu eras a luz de meus olhos!

⁶Tobit a repreendia:

– Fica quieta, mulher, não te preocupes. Ele está são e salvo. Certamente teve lá muito que fazer. Seu companheiro é de confiança, é um dos nossos. Não te aflijas por ele, mulher; em breve chegará.

⁷Ela, porém, replicou:

– Fica quieto, deixa-me, não tentes enganar-me. Meu filho morreu.

E todos os dias ia observar a estrada por onde seu filho havia partido, porque não acreditava em ninguém. E quando o sol se punha, ela entrava em casa, lamentando-se, e passava a noite chorando, sem poder dormir.

Quando passaram os catorze dias de festa que Ragüel tinha jurado fazer para sua filha por causa do casamento, Tobias foi dizer-lhe:

– Deixa-me partir, porque estou certo de que meu pai e minha mãe pensam que não voltarão a ver-me. Peço-te, pai, que me deixes partir para minha casa. Já te disse em que situação os deixei.

⁸Ragüel respondeu:

– Fica, filho, fica comigo. Eu mandarei um mensageiro a teu pai Tobit com notícias tuas.

⁹Mas Tobias continuou:

– Não, não. Por favor, deixa-me voltar para minha casa.

¹⁰Então Ragüel entregou a Tobias sua mulher Sara e a metade de seus bens, criados e criadas, vacas e ovelhas, burros e camelos, roupa, dinheiro e utensílios. ¹¹Despediu-os sãos e salvos, dizendo a Tobias:

– Felicidades, filho. Boa viagem! O Senhor do céu guie a ti e tua mulher Sara. Que eu possa ver vossos filhos antes de morrer.

¹²Depois disse a sua filha Sara:

– Vai para a casa de teu sogro. Doravante eles são teus pais, como nós, que te demos

---

uma tribo. Por isso Tobias era "salvador" (6,18) e os dois jovens recebem a bênção da fecundidade. Tobit tem de transmitir ao filho uma herança econômica e uma espiritual, que é a fidelidade ao Senhor e a observância da lei, condição e garantia para a sobrevivência da tribo. Homens como Tobit, famílias como a de Tobias e Sara salvarão a integridade do povo na diáspora.

9,6 Pode-se comparar com a bênção de Isaac a Jacó (Gn 27).

10 Aumentam os paralelos com as narrativas patriarcais, em particular com o retorno de Jacó a Canaã: despedida do sogro, viagem com a mulher e as posses, encontro com anjos. O destino de uma família de desterrados corresponde ao destino histórico de Jacó, pai de tribos, e o anjo é seu servidor doméstico. Mas falta a dramaticidade, compensada com despedidas efusivas e regadas com lágrimas. Retorna a técnica da montagem paralela, mas sem dupla oração. O jovem, já iniciado, toma a iniciativa.

10,1-7 A espera na casa dos pais se salva pelo contraste entre ambos e pela incoerência acertada das reações. Tobit, interiormente preocupado, tenta tranquilizar-se tranquilizando a esposa. Ela, depois de afirmar que o filho morreu, continua saindo para esperá-lo. Não chegam a partilhar a dor comum e a comum esperança. Há um momento estremecido, quando a mulher, na presença do marido cego, chama o filho de "luz dos meus olhos".

10,8 "Um mensageiro": em grego *ángelos*, de duplo sentido, na presença de Rafael. Há coisas que um mensageiro não pode fazer: a melhor notícia para os pais é o filho em pessoa.

10,11 O espaço concedido às despedidas é desproporcional. O ensinamento edificante suplanta a narração interessante.

10,12 O v. 14c vai depois do v. 12.

a vida. ¹⁴ᵉOxalá possas honrá-los enquanto viverem! Vai em paz, filha. Que eu tenha boas notícias de ti enquanto eu viver.

Abraçou-os e deixou-os partir.

¹³Edna se despediu de Tobias:

— Filho e parente querido, que o Senhor te leve para casa. Oxalá antes de morrer eu possa ver vossos filhos. Diante de Deus eu te confio minha filha Sara. Jamais a desgostes. Vai em paz, filho. Doravante eu sou tua mãe e Sara tua irmã. Oxalá vivêssemos todos juntos a vida inteira!

Ela os beijou e despediu sãos e salvos.

¹⁴Assim partiu Tobias da casa de Ragüel, são e salvo, alegre e louvando o Senhor do céu e da terra, rei do universo, pelo bom êxito da viagem.

11 Cura de Tobit

¹⁻²Quando estavam perto de Caserin, diante de Nínive, Rafael disse:

— Tu sabes em que situação ficou teu pai. ³Vamos adiantar-nos à tua mulher e preparar a casa, enquanto ela vem chegando com os outros.

⁴Caminharam os dois juntos, e Rafael lhe disse:

— Toma contigo o fel.

(O cão foi atrás deles.)

⁵Ana estava sentada, observando o caminho por onde devia chegar seu filho. ⁶Teve o pressentimento de que estava chegando, e disse ao pai:

— Olha, teu filho está chegando com seu companheiro.

⁷Rafael disse a Tobias antes de chegar à casa:

— Estou certo de que teu pai recuperará a visão. ⁸Unta-lhe os olhos com o fel do peixe; o remédio fará que as manchas brancas dos olhos se contraiam e se desprendam. Teu pai recuperará a visão e verá a luz.

⁹Ana foi correndo atirar-se ao pescoço de seu filho, dizendo-lhe:

— Estou te revendo, filho. Já posso morrer.

E se pôs a chorar.

¹⁰Tobit se levantou e, tropeçando, saiu pela porta do pátio. Tobias foi até ele ¹¹com o fel do peixe na mão; soprou-lhe nos olhos e, tomando-o pela mão, lhe disse:

— Ânimo, pai.

Pôs o remédio, aplicou-o, ¹²e depois com as duas mãos tirou-lhe uma espécie de pele dos cantos dos olhos. ¹³Tobit lançou-se ao seu pescoço ¹⁴chorando, enquanto dizia:

— Agora te vejo, filho, luz de meus olhos.

Depois acrescentou:

"Bendito seja Deus,
bendito seja seu grande nome,
benditos todos os seus anjos
para sempre.

---

11 No momento dos encontros, o narrador responsável estreita o ritmo da montagem, passando de um ponto a outro à medida que os personagens se aproximam. Esquematizando, ficaria assim:

11,1-4 Rafael e Tobias
11,5-6 Ana e Tobit
11,7-8 Rafael e Tobias
11,9 Ana e Tobias
11,10 Tobit
11,11-14 Tobias e Tobit. Pausa.
11,15 Tobias entra na casa
11,16 Tobit sai
11,17 Tobit e Sara
11,18-19 Festa coral.

As mudanças de duplas dão um pouco de variedade. A cura da cegueira deveria ser o segundo momento culminante. Rafael encarrega o jovem da execução.

11,4 O reaparecimento do cão nos remete mentalmente ao momento da partida (6,1). Não faltaram comentaristas que viram no cão uma imagem do pregador do evangelho, portador da boa notícia. Particularmente, tendo em conta a versão da Vulgata que retarda esse detalhe e se compraz em descrevê-lo. A Nova Vulgata omite esses detalhes.

11,8 "Verá a luz" faz eco a 3,17.

11,12 O paralelismo dos remédios convida à reflexão. Dois remédios tirados do mesmo peixe afugentam um demônio maligno e o véu da cegueira. O demônio atenta contra a vida, a cegueira é como morte em vida (5,10). O homem não deve sucumbir a seus demônios nem às próprias fraquezas, visto que há remédios para se livrar de ambos. Nem magia nem milagre. A única coisa extraordinária é o saber sobre-humano que o anjo comunica aos fiéis de Deus. Ben Sirac sai em defesa dos médicos (Eclo 38,1-8). O anjo se escondeu para revelar os remédios, depois exigiu a colaboração do homem. Tobias aprendeu isso na viagem. O dinheiro depositado durante vinte anos serviu para pôr em marcha os descobrimentos. O dinheiro não passa de dinheiro, o filho vale mais (5,19). Mas o filho valerá mais quando aprender e souber fazer algo mais do que estar consolado.

11,13 "Luz de meus olhos": a expressão (10,5) soa agora em tom triunfal.

11,14 Tradicionalmente os anjos são convidados a bendizer a Deus (Sl 103,20; 148, 2). Bendizer os anjos é uma anomalia ou uma singularidade do narrador. Tobit bendiz os anjos, sem saber ainda quem é Rafael. "Nos proteja" ou "esteja sobre nós" (cf. Nm 6,27).

Que seu nome glorioso
nos proteja,
¹⁵porque se antes me castigou
agora vejo meu filho Tobias".

Tobias entrou em casa contente e bendizendo a Deus em alta voz. Depois contou a seu pai o bom êxito da viagem: trazia o dinheiro e havia casado com Sara, a filha de Ragüel:

— Ela está perto, às portas de Nínive.

¹⁶Tobit saiu ao encontro de sua nora nas portas de Nínive. Ia contente e bendizendo a Deus, e os ninivitas, ao vê-lo caminhar com passo firme e sem nenhum guia, se surpreendiam. ¹⁷Tobit lhes confessava abertamente que Deus tivera misericórdia e lhe devolvera a visão. Quando chegou perto de Sara, mulher de seu filho Tobias, abençoou-a com estas palavras:

— Bem-vinda, filha! Bendito seja teu Deus, que te trouxe aqui. Abençoado seja teu pai, abençoado meu filho Tobias e abençoada tu, filha. Bem-vinda a esta tua casa! Que tenhas alegria e bem-estar. Entra, filha.

¹⁸Todos os judeus de Nínive celebraram nesse dia uma grande festa, ¹⁹e Aicar e Nadab, sobrinhos de Tobit, foram à casa de Tobit dar-lhe os parabéns.

12

Rafael – ¹Quando acabaram os festejos do casamento, Tobit chamou Tobias e lhe recordou:

— Filho, já é tempo de pagares teu companheiro. Dá-lhe também uma boa gorjeta.

²Tobias respondeu:

— Pai, quanto devo dar-lhe? Não sairei perdendo nem se lhe der a metade dos bens que eu trouxe comigo. ³Ele me guiou sem que nada de ruim me acontecesse, curou minha mulher, trouxe o dinheiro comigo e te curou. Quanto devo dar-lhe?

⁴Tobit disse:

— Filho, ele bem que merece a metade de tudo o que trouxe.

⁵Então Tobias o chamou e lhe disse:

— Como pagamento, toma a metade de tudo o que trouxeste, e vai em paz.

⁶Então Rafael chamou os dois à parte e lhes disse:

— Bendizei a Deus e proclamai diante de todos os viventes os benefícios que vos fez, para que todos cantem hinos em sua honra. Manifestai a todos as obras do Senhor, conforme ele merece, e não sejais negligentes em dar-lhe graças. ⁷Se o segredo do rei deve ser guardado, as obras de Deus devem ser publicadas e proclamadas como merecem. Praticai o bem e nenhuma desgraça vos atingirá. ⁸É melhor a oração sincera e a esmola generosa do que a riqueza adquirida injustamente. É melhor dar esmolas do que entesourar dinheiro. ⁹A esmola livra da morte e expia o pecado. Os que dão esmolas se saciarão de vida. ¹⁰Os pecadores e os malfeitores são inimigos de si mesmos. ¹¹Eu vos descobrirei toda a verdade, sem nada vos ocultar. Já vos disse que, se o segredo do rei deve ser guardado, as obras de Deus devem ser publicadas como merecem. ¹²Pois bem, quando Sara

---

11,19 A presença de Aicar e Nadab é artificial e fica à margem do relato.

12,6-22 Reconhecimento do anjo. É recurso de textos literários, nos quais os deuses se dão a conhecer depois de terem posto à prova os mortais (recorde-se Jz 13). Costuma ser um momento impressionante, de alívio e decisão. Não acontece aqui, porque tudo ficou explicado de antemão.
Dá a impressão de que o texto é estratificado com acréscimos ou ampliações de dois tipos. O autor ou alguém depois aproveitou o momento para instruir. O relato conciso poderia evoluir assim:
12,6a Convite a bendizer e dar graças a Deus;
12,15 Rafael se identifica como anjo;
12,16 os homens se assustam ante a presença sobre-humana;
12,17 o anjo os tranquiliza
12,20 e desaparece.
12,22 As pessoas louvam a Deus.
Faça-se a leitura seguida e se obterá uma exposição linear sem tropeços.

Nesse fio narrativo foram inseridas duas peças: uma ética, de conselhos, outra teológica, de explicação sobre os anjos. A primeira é definida pelos versículos 7a e 11a. A segunda situa-se antes e depois da identificação, 12-14 e 19-20.
Os conselhos se concentram na esmola. São a sanção angélica dos conselhos paternos. O estilo é sapiencial. O anjo é membro da corte celeste, disposto a cumprir as ordens de Deus. É mediador que apresenta a Deus as orações e boas obras dos homens.

12,6 A divulgação agradecida é tema tradicional dos salmos, p. ex. 18,50; 22,23; 66,16; 73,28; 145,4.7.

12,7 Compare-se com Pr 25,1-2.

12,8 Cf. Pr 10,2; Eclo 29,8-13; 40,17.

12,12 Na grande oração de Salomão ao inaugurar o templo (1Rs 8) se diz que o Senhor escuta diretamente as súplicas dos fiéis; os salmos pensam e falam do mesmo modo. Um mediador que apresente a Deus as orações poderia remontar vagamente à visão de Jacó (Gn 28).

e tu estáveis rezando, eu apresentava ao Senhor da glória o memorial de tua oração. Da mesma forma quando enterravas os mortos. ¹³E quando te levantaste da mesa sem duvidar, e deixaste a refeição para ir enterrar aquele morto, Deus me enviou para provar-te; ¹⁴mas enviou-me de novo para curar a ti e a tua nora Sara. ¹⁵Eu sou Rafael, um dos sete anjos que estão a serviço de Deus e têm acesso junto ao Senhor da glória.

¹⁶Os dois homens se assustaram e, temerosos, caíram com o rosto por terra.

¹⁷Rafael lhes disse:

– Não temais. Paz! Bendizei sempre a Deus. ¹⁸Minha presença entre vós não foi devida a mim, mas à vontade de Deus. Bendizei-o sempre e cantai-lhe hinos. ¹⁹Embora me vísseis comer, eu não comia; era pura aparência. ²⁰Assim, pois, bendizei o Senhor na terra, dai graças a Deus. Agora eu subo para aquele que me enviou. Quanto a vós, escrevei tudo o que vos aconteceu.

O anjo desapareceu. ²¹Quando se puseram de pé, não o viram mais. ²²Então bendisseram e cantaram a Deus, dando-lhe graças por todas as maravilhas que fez, porque lhes havia aparecido um anjo de Deus.

Cântico de Tobit

13 *(Texto S)* – ¹Tobit disse:

²Bendito seja Deus, que vive
eternamente, e seu reinado.
Ele açoita e se compadece:
Faz afundar no Abismo,
até o fundo da terra,
e levanta da grande Destruição.
Ninguém escapa de sua mão.
³Confessai-vos a ele, israelitas,

13 *(Texto AB)* – ¹Tobit escreveu a oração de júbilo e disse:

(1) ²Bendito seja Deus, que vive
eternamente, e seu reinado.
Ele açoita e se compadece,
afunda no Abismo e levanta.

(5) Ninguém escapa de sua mão.
³Confessai-vos a ele, israelitas,

12,13 Mais ainda se pode dizer das boas obras. Mesmo contando com a inspeção angélica de Gn 18-19.

12,15 O céu é como a corte de um soberano com seus cortesãos. Destaca-se um conselho de sete ministros que têm acesso ao soberano e estão à sua disposição para tarefas especiais. Outrora esses ministros eram *benê 'elim* ou *benê 'elohim* (Sl 29; 82). Mais tarde tomam formas diversas: 1Rs 22,19; Jó 1,6; 2,1; 4,18; 15,15; Zc 3,1-3.

12,16 Como em Jz 13,20-23.

12,19 Em Gn 18 os três visitantes celestes aceitam sem cerimônia o banquete que Abraão lhes oferece. Em Jz 6,20-21 a refeição preparada por Gedeão é consumida pelo fogo celeste. Em Jz 13,16 o anjo recusa provar comida. Qual versão se deve preferir? O relato supõe que Rafael participou de vários banquetes: como se deve entendê-lo? O autor ou um discípulo escrupuloso esclarece a questão: aparentava comer.

12,20 Bom recurso do autor, para dar crédito à sua obra, é dizer que a escreveu por ordem de um anjo.

13 Várias vezes Rafael convidou a bendizer ao Senhor por seus benefícios. Este capítulo é a resposta de Tobit ao convite do anjo. Essa é sua função no relato. Ao mesmo tempo serve para fazer reflexões teológicas num livro didático. Como nos conselhos do cap. 4, também aqui as versões diferem tanto, que é melhor apresentá-las separadamente, sem combiná-las num terceiro texto. Este capítulo apresenta problemas particulares.

a) As duas versões apresentam divergências notáveis, não redutíveis a um texto único. O tradutor não soube interpretar aspectos verbais do hebraico.

b) A oração de Tobit, na versão S, é composta de uma prece penitencial, no estilo das pós-exílicas (Esd 9; Ne 9; Dn 3 e 9; Br 1,15-3,8), e de um hino escatológico a Jerusalém, no estilo de Is 54 e 60. Jerusalém é, na versão AB, o lugar em que se pronuncia a prece penitencial (cf. Br 1).

c) As duas partes encaixam com dificuldade no relato. Se Tobit ia em peregrinação a Jerusalém (1,7), podemos imaginar que participasse da festa da Expiação (Lv 16); a confissão de pecados valeria em nome dos desterrados da sua tribo. A reconstrução esplêndida de Jerusalém ultrapassa o relato. Uma vez que ela entra e é aceita no texto, os personagens crescem em volume e transcendência.

13,1 A introdução de S é concisa; a nota de AB *cum iubilo* é desconcertante; *agallíasis* costuma traduzir no saltério a raiz hebraica *rnn*.

13,2-7 Na versão S, a oração penitencial inclui: louvor (como Sl 106,1-2), o princípio do castigo e do perdão, convite à conversão interior e à confissão oral. As repetições dão à peça a forma de rondó: louvor – castigo e perdão – confissão – louvor – castigo e perdão – conversão – louvor.

13,2-10 A oração penitencial na versão AB. Os componentes são os mesmos, mas a confissão se articula em sujeitos e lugares: eu – vós – o povo no desterro – em Jerusalém. O esquema é mais complexo.

13,2 É o princípio do perdão, porque Deus controla desgraça e favor, morte e vida. Deus usa a desgraça como castigo visando à misericórdia (cf. 1Sm 2,6; Sb 16, 13-14).

13,3 O verbo grego corresponde provavelmente a um hebraico *hodu* ou *hitwaddu*. Confessando a própria

diante dos pagãos,
  pois ele nos dispersou entre eles.
⁴Aí ele vos mostrou sua grandeza.
  Exaltai-o diante de todo vivente,
  porque ele é nosso Senhor,
  ele é nosso Deus,
  ele é nosso Pai, ele é Deus
  eternamente.
⁵Ele vos açoitará por vossos delitos,
  de todos se compadecerá,
entre todos os pagãos
  por onde nos dispersou.
⁶Se vos converterdes a ele
  de todo o coração
e com toda a alma,
  sendo sinceros para com ele,
então ele voltará para vós
  e não tornará a ocultar-vos seu rosto.
⁷Agora, vede como vos tratou
  e confessai-vos a ele de boca cheia.
Bendizei o Senhor da justiça
  e exaltai o Rei dos séculos.

⁸Eu lhe dou graças
  em meu país de desterro,
  anuncio sua grandeza e seu poder
  a um povo pecador.
Convertei-vos, pecadores,
  agi retamente em sua presença!
  Talvez queira acolher-vos
  e terá compaixão de vós.
⁹Exaltarei o meu Deus, o rei do céu,
  e me alegrarei com sua grandeza.
¹⁰Que todos o louvem
  e lhe deem graças em Jerusalém.
Jerusalém, cidade santa, ele te

diante dos pagãos,
  pois ele nos dispersou entre eles.
⁴Mostrai aí sua grandeza,
  exaltai-o diante de todo vivente.
  Porque ele é nosso Senhor e Deus,
  nosso Pai eternamente.

⁵Ele nos açoitará por nossos delitos,
  de novo se compadecerá,
e nos reunirá entre os pagãos
  por onde nos dispersou.
⁶Se vos converterdes a ele
  de todo o coração
 e com toda a alma,
  sendo sinceros para com ele,
então ele se voltará a
  vós e não vos ocultará seu rosto.
⁷Olhai como vos tratará,
  e confessai-vos a ele de boca cheia.
Bendizei o Senhor da justiça;
  eu me confesso a ele:
  e exaltai o Rei dos séculos.
⁸Eu em meu desterro
  mostro seu poder e grandeza
  a um povo pecador:

Convertei-vos, pecadores,
  agi retamente em sua presença.
  Talvez vos queira bem
  e vos trate com compaixão.
⁹Exaltarei o Senhor, minha alma ao
  Rei do céu,
  e celebrarei sua grandeza.
¹⁰Digam todos, confessando-se a ele
  em Jerusalém:
Jerusalém, cidade santa!

---

culpa, o povo justifica o castigo de Deus. O Senhor demonstrou seu poder dispersando, e sua santidade castigando. Ez 36,16-23 explica isso: o que à primeira vista parece impotência do Deus de Israel, num segundo momento aparece como revelação de sua santidade exigente.

13,4 O desterro se torna também ocasião para manifestar o nome do Senhor a um povo pagão. Tentado a fechar-se e a tomar seu Deus como monopólio ou privilégio, Israel é forçado a sair e realizar seu destino de mediador religioso.
"Nosso Pai" é título que lemos em Is 63,16; 64,7; cf. Ex 4,22-23. Conforme Sl 103,13, a paternidade implica compreensão e compaixão.

13,5 Suspeita-se de um original "vos açoitou", aludindo ao desterro. Este, aceito como castigo, leva à conversão, e assim se torna um mal que vem para o bem. "Reunir os dispersos": Jr 23,3; Ez 36,24.

13,6 Ver Jr 24,7 "de todo o coração" e 15,19 "se te converteres, ele se converterá".

13,7 "O Senhor da justiça" é atribuído à parte inocente no pleito, conforme Sl 51,6 e as orações penitenciais.

13,8 Começa a seção própria de AB. Tobit confessa primeiro em nome próprio; depois convida "um povo pecador", ou seja, seus compatriotas desterrados (caps. 1-2). Não creio que se refira aos ninivitas, segundo a versão de Jonas.

13,10 Também os que ficaram em Jerusalém ou voltaram para a cidade santa (Is 48,2; 52,1; Ne 11,1.28) têm de confessar seus pecados (Br 1,3-4). Jerusalém foi destruída cento e trinta e cinco anos depois da deportação das tribos do Norte.
"Pelas ações de teus filhos": considera a cidade inocente, culpados apenas os filhos? (como Br 4,12). Em todos os antecedentes, Jerusalém aparece como culpada (Is 51,13.17; 54,8; Lm 1-2).

castigou pelas obras de teus filhos,
mas voltará a ter piedade
do povo justo.
¹¹Será reconstruída com alegria
tua tenda,

¹²alegrando em ti todos os desterrados,
amando em ti todos os infelizes
por todas as gerações
dos séculos.
Uma luz resplandecente brilhará
até os confins do orbe.
¹³Virão a ti de longe muitos povos
habitantes dos confins do orbe,
por teu nome santo,
trazendo nas mãos dons
ao Rei do céu.
Gerações sem fim
cantarão aclamações em teu recinto,
e o nome da escolhida durará
por gerações seculares.
¹⁴Malditos os que te falarem
com dureza,
malditos os que te arruinarem,
os que derrubarem teus muros,
destruírem tuas torres
e incendiarem tuas casas.
Benditos para sempre
os que te respeitam.
¹⁵Sairás então com júbilo
ao encontro dos filhos dos justos,
porque todos se reunirão para
bendizer o Senhor do mundo.
Felizes os que te amam,
felizes os que se alegrarem com tua paz.
¹⁶Felizes os que se afligirem
por teus castigos,
porque se alegrarão contigo
e verão toda a tua alegria perpétua.

Ele te açoitará pelas ações de teus filhos,
e de novo se compadecerá
dos filhos dos justos.
¹¹Confessa-te bem ao Senhor,
louva o Rei dos séculos,
para que em ti seja reconstruída
com alegria sua tenda,
¹²alegrando em ti
todos os desterrados,
amando em ti todos os infelizes
por todas as gerações
dos séculos.

¹³Virão a ti de longe muitos povos
pelo nome do Senhor teu Deus,
trazendo nas mãos dons,
dons ao Rei do céu.

Gerações sem fim te cantarão
aclamações.

¹⁴Malditos os que te odeiam.

Benditos para sempre os
que te amam.
¹⁵Alegra-te com júbilo
pelos filhos dos justos,
porque se reunirão para bendizer
o Senhor dos justos.
Felizes os que te amam,
eles se alegrarão com tua paz.
¹⁶Felizes os que se afligiram
por teus castigos
porque se alegrarão contigo
ao ver tua glória

13,11-18 O texto de S é mais amplo nesta seção. O tema central é a reconstrução de Jerusalém com seu templo. Será centro universal e perpétuo. No espaço: acorrerão a ela judeus e pagãos (cf. Is 2,2-5). No tempo: será perpétua, os descendentes a verão. Pronunciam-se bênçãos, maldições e bem-aventuranças, e soam coros de louvor. O material é distribuído irregularmente. O texto se inspira em Is 51-66 e é paralelo da terceira seção de Baruc.

13,11-12 "Tenda" é designação venerável do templo, e também da cidade (Is 33,20; 54,2; Jr 10,20). Para o tema da alegria, ver Is 65,18; 66,14; Sf 3,14. "Luz resplandecente": variante de Is 60,5-7.

13,13 "O nome da escolhida" ou "o nome A Escolhida": cf. Is 52,4.12; 1,26. "Durará": cf. "com lealdade eterna te amo", Is 54,8.

13,14 "Malditos", em linha com tantos oráculos contra povos pagãos: Is 54,15-17; Mq 7,10; Zc 14,12; Lm 4,21-22; Br 4,31.

13,15 A imagem da matrona "saindo ao encontro" dos repatriados é original. Em textos semelhantes ela espera, observa, entrevê: Is 60,4.9; Br 4,36-37.

13,16 Partilhar a alegria, como Is 66,10.

13,16c-18 Após nova introdução, passa a descrever a reconstrução, enumerando sete componentes. Ver Sl 51,20-21; Is 49,17; 61,4; os materiais preciosos: Is 54,11-12.

Bendize, minha alma,
   ao Senhor magnífico,
¹⁷porque Jerusalém será reconstruída
e sua casa na cidade
   por todos os séculos.
Serei feliz se o resto de minha
   descendência
chegar a ver tua glória
e a confessar o Rei do céu.
As portas de Jerusalém
   serão construídas
com safiras e esmeraldas,
e com pedras preciosas
   suas muralhas.
As torres de Jerusalém serão
   construídas com ouro
e seus baluartes com ouro puro,
as praças de Jerusalém
   serão pavimentadas
com azeviche e pedra de Sufir.
¹⁸As portas de Jerusalém
   entoarão cantos de júbilo
e todas as suas casas dirão: Aleluia!
Bendito seja o Deus de Israel.
Os abençoados bendirão
   o santo nome
para todo o sempre.

e desfrutarão perpetuamente.
Bendize, minha alma,
   ao Deus magnífico,
¹⁷porque Jerusalém será reconstruída

(60)

com safiras e esmeraldas
e com pedras preciosas
   tuas muralhas,
(65) as torres e baluartes
com ouro puro.
As praças de Jerusalém serão
   pavimentadas
com berilo e azeviche
e pedra de Sufir.
(70) ¹⁸Todas as suas ruas dirão: Aleluia!
E louvarão, dizendo:
Bendito seja Deus que exaltou
   todos os séculos.

14 ¹(Fim da ação de graças de Tobit). Tobit descansou em paz aos cento e doze anos, e recebeu honrosa sepultura em Nínive. ²Aos sessenta e dois anos ficou cego, e depois de recuperar a visão viveu prosperamente e dando esmolas, bendizendo a Deus e proclamando sua grandeza.

³Próximo à morte, chamou seu filho Tobias e lhe fez estas recomendações:
— Filho, leva teus filhos correndo ⁴à Média. Porque eu confio no oráculo divino que o profeta Naum pronunciou contra Nínive; tudo isso se cumprirá e acontecerá à Assíria e a Nínive. Tudo o que os profetas

---

13,17 "Minha descendência": Sl 102,19. 29.
13,18 No final se juntam a cidade material e seus habitantes (cf. Is 52,9).
14 O capítulo final começa com a morte de Tobit e retrocede. Alguém, o autor ou um sucessor, não conseguia desprender-se do personagem e concedeu-lhe outro capítulo narrativamente inútil. Tobit toma a palavra para um segundo testamento de bons conselhos. Mais importante: Antes de morrer, Tobit recebe o dom da profecia, como Moisés. O passado do autor se apresenta como futuro do personagem (como em Dn): a história se transforma em profecia.
14,1-2 Oito anos menos que Moisés (Dt 34,7). A diáspora é aceita, a sepultura em terra estrangeira não é considerada desgraça; compare-se com Jr 22,12. Síntese de vida exemplar: a Deus o louvor, ao próximo a esmola (cf. Jó 1,1.8; 2,3).
14,4-7 Os dados em esquema:
a) Profecia sobre Assíria e Nínive, sobre Assíria e Babilônia.
b) Profecia sobre Samaria e Jerusalém; dispersão do povo.
c) Retorno, reconstrução da cidade e do templo.
d) Conversão de pagãos e retorno da diáspora.
e) Julgamento definitivo de bons e maus.
Da história passada salta-se à escatologia anunciada ou esperada. As letras a) e b) marcam duas linhas paralelas. É curiosa a preponderância concedida à Média, que não corresponde à realidade histórica. Também é estranha a ausência dos persas, artífices do retorno. A profecia não chega até Alexandre e seus sucessores (mas "Assíria" pode representar em código a Síria dos Selêucidas).
Com a reconstrução do templo, termina uma grande etapa histórica. A etapa escatológica é, por necessidade, mais genérica. Caberá a Deus, num julgamento, estabelecer a separação definitiva.
14,4 A versão AB cita Jonas, em vez de Naum; mas retém só uma frase, "será arrasada". O cumprimento das profecias é tema frequente do Segundo Isaías (p. ex. 40,8; 41, 4.22-27; 44,7 etc.).

de Israel enviados por Deus disseram se cumprirá, sem que falhe uma profecia; tudo acontecerá em seu tempo, e na Média se estará mais seguro do que na Assíria ou na Babilônia. Sei e estou convencido disso: tudo o que Deus disse acontecerá e se cumprirá sem que falhe um oráculo. E nossos irmãos que vivem na terra de Israel serão dispersos e deportados daquela terra boa, e todo Israel ficará deserto; Samaria e Jerusalém ficarão desertas, e o templo será pasto do fogo e ficará algum tempo em estado lamentável. [5]Mas Deus novamente terá piedade deles, e os devolverá à terra de Israel. Reconstruirão o templo, não como a primeira vez, até que chegue o tempo prefixado. Depois voltarão do desterro, reconstruirão Jerusalém esplendidamente e reconstruirão o templo, conforme anunciaram os profetas de Israel. [6]E todas as nações da terra se converterão e temerão a Deus sinceramente; jogarão fora os ídolos que os enganaram com mentiras, [7]e bendirão o Deus dos séculos, como é justo.

Todos os israelitas que se salvarem naqueles dias, lembrando-se sinceramente de Deus, se reunirão e irão a Jerusalém, receberão a terra de Abraão e a habitarão para sempre com segurança. Os que amam sinceramente o Senhor se alegrarão, mas os pecadores e injustos serão apagados da terra.

[8]E agora, filhos, eu vos recomendo que sirvais sinceramente o Senhor e façais o que lhe agrada. [9]Obrigai vossos filhos a praticar a esmola e as obras de caridade; que se lembrem do Senhor e bendigam sinceramente seu nome em todo momento com todas as suas forças. Tu, filho, sai de Nínive, não fiques aqui. [10]No dia em que enterrares tua mãe comigo, nesse mesmo dia não durmas neste território. Porque vejo nele muita injustiça, muito engano, e que não se arrependem. Tu vês, filho, o que Nadab fez a Aicar, que o havia criado: fechou-o vivo num sepulcro! Mas Deus o cobriu de desprezo diante de sua própria vítima, e Aicar saiu para a luz, ao passo que Nadab partiu para a treva eterna por ter tentado matar Aicar. Por suas esmolas Aicar livrou-se da rede mortal que Nadab lhe havia estendido, e Nadab caiu na rede mortal e pereceu. [11]Portanto, filhos, vede quais são os frutos da esmola e quais os da injustiça que mata. Mas já me vai faltando o alento".

Estenderam-no na cama e ele morreu. [12]Quando sua mãe morreu, Tobias a enterrou junto a seu pai. Depois partiu para a Média com sua mulher, e se estabeleceram em Ecbátana, com seu sogro Ragüel.

[13]Tobias assistiu seus sogros em sua velhice, sepultou-os em Ecbátana, na Média, e assim herdou os bens de Ragüel e os de seu pai Tobit.

[14]Morreu muito estimado, com a idade de cento e dezessete anos. [15]Antes de morrer, foi testemunha da queda de Nínive, e viu seus habitantes desterrados na deportação que fez Ciáxares, rei da Média. Louvou o Senhor pelo castigo dos ninivitas e assírios. Antes de morrer, pôde alegrar-se pela desgraça de Nínive, e louvou o Senhor pelos séculos dos séculos.

14,5 As duas versões falam de uma reconstrução do templo: uma modesta, outra definitiva, segundo as profecias (cf. Ag 2,1-9). Se não acréscimos, essas linhas poderiam referir-se à reconstrução de Simão (Eclo 50,1-4) ou de Judas Macabeu (1Mc 4,36-50).
14,6 Uma coisa é render vassalagem e enviar dons também a um Deus estrangeiro, outra coisa é a conversão total da idolatria ao Deus verdadeiro. AB usa *Kyrion* (= *Yhwh*), S usa *Theon*. A destruição dos ídolos (Is 2,20) mostra que se trata de conversão sincera ao monoteísmo. Para uma comparação, pode-se ver textos proféticos: Is 2,1-5; Sf 3,9; Zc 14,16; comparados com Is 19,21-25; 56,6-8; 66,18-19.
14,7 Segundo retorno da diáspora: Is 27,12-13; 66,20; Zc 8,8. Julgamento de separação: Is 65,8-16; 66,6.15. "Serão apagados": cf. Sl 104,35.
14,8-9 Nos conselhos se acrescenta a instituição e transmissão hereditária; algo semelhante à missão de Abraão (Gn 18,19). No texto, a injustiça é o oposto da esmola. A evolução semântica facilita a oposição, já que *çedaqá* (= justiça) chega a significar *eleemosyne* (= esmola). Quem é generoso nas esmolas, tem justiça em abundância; o injusto não faz esmola, quando muito restitui.
14,10 "Não se arrependem": contra Jonas. Só que Nínive pode representar outras capitais. Último recurso artificial à história de Aicar.
14,11 Morte patriarcal (Gn 49,33).
14,12 Cumprindo a recomendação de 4,4.
14,15 Essa alegria final pelo castigo do inimigo tem antecedentes: Sl 59,11-12; 137,8; 149,9 etc. Em tal castigo se cumpre a profecia de Deus e se cumpre a sua justa sentença.

JUDITE

INTRODUÇÃO

Os judeus diante do helenismo

A penetração e difusão do helenismo no Oriente causa ao povo de Israel uma de suas maiores crises históricas.

Israel sempre teve de se confrontar com culturas estrangeiras, sem perder sua identidade ou quase criando-a por contraste. Descuidando as influências egípcias, a cultura cananeia – religião, direito, literatura – acolhe os israelitas com sua superioridade pacificamente ameaçadora. Essa cultura cananeia recolheu uma cultura semítica comum dando-lhe uma expressão particular. Israel sabe apresentar-se ao desafio e triunfar, apesar de numerosas baixas espirituais entre o povo.

Acolhe o direito e o insere num contexto superior de aliança com o Senhor; acolhe mitos e desarma sua arquitetura narrativa, transforma a visão mítica em história e poesia; assume a lírica religiosa e a transforma em salmos javistas. Para não falar da apropriação pacífica da cultura urbana e agrícola.

Também o impacto babilônico sobre os desterrados foi intenso e perigoso, e soube ganhar, reter e assimilar muitos deles. Tampouco se pode menosprezar a influência persa.

Contudo, o helenismo representa algo novo, sobretudo como irradiação, cultura atraente e fascinante. O poderio militar não é tão importante; a rigor poderia ser considerado um progresso em relação às técnicas militares assírias, com menos crueldade. Se as armas de Alexandre venceram facilmente, a cultura helênica convence. Será uma ameaça para Israel, para esse povo estranho que vive separado dos demais? Poderá Israel assimilar a cultura grega do helenismo como um dia assimilou a cultura cananeia? A longo prazo foi bem-sucedido, como o prova brilhantemente Fílon de Alexandria.

A curto prazo temos de distinguir duas épocas no desafio do helenismo. Na primeira etapa, alguns espíritos originais sabem voltar o olhar inquisidor e crítico contra suas próprias tradições e doutrinas. Conforme alguns investigadores, a essa época poderiam pertencer o livro de Jonas – grande sátira contra o nacionalismo fechado –, o Eclesiastes – reflexão melancólica e dramática sobre o sentido da vida – e outras obras não canônicas conservadas parcialmente em escritos posteriores.

A possível assimilação pacífica é violentamente cortada pela conjunção de duas forças: os excessos de círculos progressistas, e o excesso intolerante de um tirano estrangeiro. Ambas as forças provocam a reação, colocando Israel em situação de ser ou não ser. No meio da rebelião armada, morre a possibilidade de uma convivência pacífica e criativa.

As coisas aconteceram assim: Com a morte de Alexandre, o seu império colossal e recente se desmembra. Em pouco tempo se consolida uma nova divisão de Oriente e Ocidente, mais ou menos assim: Selêucidas (Síria) e Ptolomeus (Egito). A costumeira ambição, mudando de nome e de personagens, converte a Palestina em ponte ensanguentada e território cobiçado; e, como é normal, a pressão externa cria internamente dois partidos, um favorável aos Ptolomeus e outro aos Selêucidas. O maior grau de exploração do senhor de plantão modifica a popularidade e a lealdade; por um tempo, aquele que será o próximo tirano se apresenta como libertador.

Antíoco III (selêucida) foi derrotado por Ptolomeu IV Filopátor em 217 a.C.,

em Ráfia; o Ptolomeu sucessor não soube manter a supremacia. Seu general Escopas, depois de uma vitória durante o inverno de 201-200, sucumbe ante Antíoco III no mesmo ano 200. Nos anos seguintes, o Selêucida explora sua vitória, procurando ganhar o favor das populações libertadas (ou submetidas); concedeu aos judeus, por decreto real, apoio para a reconstrução do templo e da cidade, libertação de prisioneiros e isenção de tributos durante três anos.

A situação favorável durou pouco. Ao morrer Antíoco III em 187, sucedeu-lhe seu filho Seleuco IV Filopátor, assassinado em 175, e seu irmão ocupou o trono com o nome de Antíoco IV Epífanes. Este foi o grande inimigo do povo judeu, e é dele que falam os livros dos Macabeus e a ele parece referir-se o livro de Judite.

O livro de Judite

Nessas circunstâncias, o nosso autor compõe uma história que sirva para animar a resistência e a rebelião. Será uma história conhecida e nova, uma história ideal e realizável; parecerá coisa velha, mas terá uma chave de leitura para o momento atual.

O autor empregará a concentração de dados exatos para mascarar a referência aos fatos atuais. Os leitores entenderão facilmente esse artifício malicioso, que soa já no nome da protagonista. Mas a camuflagem do autor foi tão eficaz, que muitos séculos mais tarde alguns tomariam o relato como história verdadeira ou acusariam o autor de ignorância histórica.

A finalidade do livro pode ser formulada de dois modos complementares:

a) O autor queria dirigir um discurso a seus irmãos e compatriotas, exortando a resistir, rezar e confiar em Deus, recordando o passado; este discurso se apoia habilmente numa narração interessante e fácil de recordar. Os narradores do relato se convertem em pregadores, quase presidindo um ato litúrgico; as súplicas do livro podiam facilmente ser rezadas.

b) O autor compõe uma narrativa exemplar, com força de persuasão. Segundo a tradição bíblica, torna explícita essa interpelação em discursos e preces.

Mas o livro ultrapassa a situação imediata e se oferece para novas leituras em chave semelhante.

O antigo e o novo

a) O enredo, reduzido a esqueleto, é de pura ascendência bíblica: Israel se encontra em situação de apuro e desespero, e Deus o livra com frágeis meios humanos. Esse esquema é um dos mais frequentes na prosa narrativa de Israel (e é comum a muitas culturas).

É relativamente nova a concepção de que o povo não tenha pecado e que a desgraça não seja castigo de uma rebelião. Isso corresponde ao tema do Sl 44,18.

É próprio do talento do narrador retardar e acrescentar o lado crítico da situação, traçando um contraste com o resto das nações, explorando talvez sugestões como o ataque de Senaquerib a Jerusalém.

b) É tradicional o tema da mulher que seduz e vence o inimigo: na dupla versão de Jael-Sísara e Dalila-Sansão. E pode-se pensar na variante de 2Sm 20, a mulher sagaz que salva os habitantes, atirando a cabeça do rebelde ao sitiante. Trata-se de coincidências parciais: a atuação de uma mulher, a cidade assediada, a cabeça cortada.

A figura de Judite assume traços proféticos: quando denuncia a falta de confiança dos chefes e quando se apresenta a Holofernes como confidente de Deus. O primeiro elemento tem função narrativa e serve para interpelar os leitores; pode ter um remoto antecedente na figura de Débora censurando Barac. O segundo elemento é parte da ironia da passagem e parece contribuição do autor.

c) A figura do estrangeiro que canta o louvor de Israel tem alguns antecedentes nas pessoas de Raab (Js 2) e Balaão (Nm 22-24). O autor introduz aqui um amonita, e sabe explorar a figura.

d) Outros temas tradicionais: Os criados descobrindo o assassinato (Eglon, Sísara); as danças e o cântico de vitória (Míriam, Débora); a soberba do estrangeiro agressor (Senaquerib); o castigo noturno do inimigo e a libertação pela manhã (noite dos primogênitos, mar

Vermelho); o protagonista que conta a libertação (Moisés).

Naturalmente, esses temas não são exclusivos da Bíblia. Mas é lógico pensar que o autor se tenha inspirado nas próprias tradições. Na trama do livro, os temas se estruturam com suficiente originalidade.

Ao enredo e aos temas deve-se acrescentar a abundante fraseologia tradicional; isso prova que o original foi escrito em hebraico. Além disso, faz o leitor hebreu mergulhar numa linguagem narrativa tradicional bastante concentrada. A linguagem de Josué, Juízes, Samuel e Reis ressoa nessas páginas, e um ouvido habituado a reconhece sem esforço (também através da tradução grega).

Essa tradicionalidade tem função decisiva no relato. O autor quer animar seus concidadãos trazendo-lhes à memória as lembranças nacionais, transformadas numa narrativa original. O passado ainda é presente e pode voltar a repetir-se, adotando até formas novas. O procedimento estilístico corresponde ao sentido da obra.

Tema e desenvolvimento

O autor narra com amplidão. Aquilo que seus velhos mestres concentravam numa ou duas páginas, aqui ocupa dezesseis capítulos. Amplidão nem difusa nem pesada, porque o desenvolvimento é bastante acertado.

Não é simplesmente um perigo, mas um perigo crescente que se avizinha. Não é simples resistência, mas uma ilha de resistência num mar de rendições. A resistência aguenta até prestes a quebrar, ainda que seja uma única cidade, uma só mulher. Isso estreita os termos narrativos, fazendo ao mesmo tempo culminar a figura da heroína. A sustentação, intensificada desde a saída de Judite até sua volta, é um exemplo clássico no gênero (comparar com os poucos versículos de Aod e Eglon, Jz 3).

O movimento se detém em breves pausas narrativas, várias vezes com participação de grupos: a primeira vitória é festejada com um banquete (cap. 1); preparativos da campanha (cap. 3); penitência em Jerusalém (cap. 4); ceia e oração (cap. 6); o assédio (7,19); oração de Judite (cap. 9); os três dias no acampamento (cap. 12); a espera pelo amanhecer (14,8).

A criação de cenas sugestivas é acerto pessoal do narrador: por exemplo, a agitação no acampamento à chegada de Judite, a admiração dos anciãos, a história contada à luz da fogueira.

O tempo narrativo é bastante dilatado, maestoso. O crescimento de intensidade não produz aceleração. Por isso destaca o momento culminante da morte de Holofernes, quando o autor retorna à clássica velocidade do livro dos Juízes. Aquilo que neste era precisão rápida num contexto de brevidade constante, no livro de Judite é precisão rápida num contexto dilatado. O efeito é maior.

O autor se prende à ordem cronológica, num processo linear. São exceções a apresentação de Judite e a síntese histórica de Aquior. Duas mudanças pouco significativas.

Aspectos do estilo

Embora trabalhemos com uma tradução grega do original hebraico, algumas constantes de estilo são claras, como o gosto pela enumeração e pela expressão enfática.

A enumeração tem diversas funções: expressar a riqueza, as vitórias, a extensão, a universalidade. Os preparativos de Judite detêm e sublinham sua atração. Outras enumerações alongam a debandada e a perseguição, realçando a abundância dos despojos.

A linguagem enfática fica muito bem na boca de Nabucodonosor e de Holofernes; até pode ter uma ponta de ironia. É curioso que o narrador se contagie com essa ênfase, contando com o mesmo estilo a execução das ordens.

São dignos de nota os discursos em paralelismos sinônimos, como para a recitação dramática, individual e coral.

Em geral, o livro sofre dessa ênfase retórica (sem chegar aos extremos dos livros dos Macabeus): fórmulas quaternárias (no estilo do Segundo Isaías), insistência, repetições, expressões "tão... que", "também...".

Personagens

Os que se destacam da massa anônima são figuras típicas e funcionais, sem psicologia individual. É normal na narrativa hebraica subordinar os personagens ao tema; embora os detalhes psicológicos sejam abundantes, faltam as personalidades construídas.

Pode-se notar no grupo inimigo o servilismo em diversos níveis, contrastando com a liberdade de espírito de uma mulher israelita. De resto, as figuras são rígidas e as reações psicológicas excessivamente elementares. Dada a extensão do livro, as figuras de Judite e de Holofernes puderam ficar mais delineadas. O autor emprega de preferência a insistência no mesmo dado, explorando-o como leitmotiv.

A falta de personalidade dos personagens se deve em parte ao papel típico que devem representar. Judite é "a Judia", encarnação do povo como noiva (pela beleza) e como mãe, segundo a tradição profética. Encarna a piedade, a fidelidade ao Senhor e a confiança em seu Deus, a coragem com a sabedoria. É uma figura ideal que poderá inspirar qualquer filho de Israel.

E é significativo que o autor a apresente como viúva e sem filhos. Como viúva pode representar o sofrimento do povo, aparentemente abandonado por seu Senhor (Is 49 e 54); pode concentrar toda a sua fidelidade no único Senhor do povo. De fato, naquele momento, o povo não cometia adultério com deuses estranhos. Não tendo filhos em sentido real, pode assumir a maternidade de todo o povo e transformar-se em "benfeitora de Israel" (15,10).

Judite aconselha como Débora, fere como Jael, canta como Míriam.

Nabucodonosor fica distante na narrativa. Ocupa a cena num capítulo e meio, depois se torna um ser remoto, respeitado a distância. Na ação é mais importante Holofernes, o general inimigo, e gostará de ouvir isso da boca de Judite. Ele é também tipo do poderio militar seguro de si mesmo, da concupiscência sexual, da força que cega.

Os chefes da cidade representam o partido covarde, disposto a render-se ao estrangeiro, embora capaz de reconhecer as ações de Deus. Aquior representa o estrangeiro que reconhece sinceramente e chega a converter-se.

Na trama da obra e no momento histórico, os personagens eram mais símbolos que pessoas reais, e como tais passaram ao acervo literário do Ocidente.

Texto

Muitas vezes, através da tradução grega desajeitada e literal, é fácil ler o texto do original hebraico, com suficiente segurança para melhorar tal tradução.

_# 1 Planos de Nabucodonosor – ¹Era o décimo segundo ano do reinado de Nabucodonosor, rei da Assíria, na capital Nínive. Por essa ocasião, Arfaxad era rei dos medos em Ecbátana; ²ele a rodeou com muralhas feitas com pedras lavradas de um metro e meio de largura por três de comprimento; as muralhas tinham de altura trinta e cinco metros e de largura vinte e cinco; ⁴as portas tinham de altura trinta e cinco metros e de largura vinte, para que pudessem desfilar as forças do seu exército e sua infantaria fazer evoluções;* ³sobre as portas ergueu umas torres de cinquenta metros de altura por trinta de largura nos fundamentos.

⁵Nessa ocasião, o rei Nabucodonosor lutou contra o rei Arfaxad na grande planície, isto é, a planície que há no confim de Ragau.

⁶Uniram-se a ele todos os da montanha, os habitantes das ribeiras do Eufrates, do Tigre e do Hidaspes, e da planície de Arioc, o rei de Elimaida. Assim, muitas nações se aliaram para combater contra os filhos de Queleud.

⁷Nabucodonosor, rei da Assíria, enviou embaixadores à Pérsia e às nações do ocidente, Cilícia, Damasco, Líbano e Antilíbano; aos habitantes do litoral ⁸e aos povoados do Carmelo, Galaad, a alta Galileia e a grande planície do Esdrelon; ⁹aos de Samaria e seus municípios; aos da Cisjordânia até Jerusalém, Batana, Quelus, Cades, o rio do Egito, Tafnes, Ramsés e todo o Gessen, ¹⁰até mais além de Tânis e Mênfis, e a todos os egípcios, até a fronteira da Etiópia.

¹¹O mundo inteiro desprezou a embaixada de Nabucodonosor, rei da Assíria, e não se aliaram com ele; não tinham medo dele, porque o consideravam isolado. Por isso despediram seus embaixadores com as mãos vazias e humilhados.

¹²Nabucodonosor se encolerizou contra todas essas regiões e jurou, por seu trono e por seu Império, vingar-se de todo o território da Cilícia, Damasco e Síria, e passar à espada todos os moabitas, amonitas, judeus e todo o Egito, até a fronteira dos dois mares.

¹³No décimo sétimo ano, lutou contra o rei Arfaxad, e o venceu no combate, esmagando todo o seu exército, sua cavalaria e seus carros. ¹⁴Apoderou-se de suas cidades, chegou a Ecbátana, tomou suas torres e saqueou suas ruas, transformando sua formosura em vergonha.

¹⁵Capturou Arfaxad nos montes de Ragau, o crivou de flechadas e assim acabou com ele para sempre. ¹⁶Depois voltou com toda a sua gente, uma imensa multidão de soldados. E aí ficaram folgando e se banqueteando, ele com seu exército, durante cento e vinte dias.

2 Ordens de Nabucodonosor – ¹No décimo oitavo ano, no vigésimo segundo

---

1,1 Desde o primeiro versículo, o autor está pedindo a seus leitores que não tomem a narrativa como história objetiva. Os dois nomes reais estão historicamente desconjuntados, mostrando que representam uma ficção.

Nabucodonosor não reinou em Nínive como rei da Assíria, mas em Babilônia, como rei do império babilônico, de 605 a 562 a.C. Nínive, capital do império assírio, caiu em 612, e Harã, último reduto do império, caiu em 610.

Arfaxad é, segundo Gn 10,22.24, descendente de Sem e, segundo a tradição, foi o antecessor dos caldeus (*kasdim*), aos quais pertenceu Nabucodonosor. Ecbátana foi a capital da Média, estabelecida como capital e fortificada por Deioces; o império dos medos se rendeu ao povo de Ciro em 553.

Por conseguinte, o começo do livro nos poupa de uma vez todo trabalho de identificação histórica e nos orienta para uma leitura de ficção significativa. O autor quer começar com um confronto de gigantes, aos quais chama Nabucodonosor da Assíria em Nínive e Arfaxad da Média em Ecbátana. Esse confronto gigantesco arrastará todos os reinos do Ocidente atrás do babilônio e, por contraste, dará a Betúlia da Judeia, que carece de rei humano, a dimensão de um reino e cidade minúsculos.

1,2-4 As dimensões das muralhas são exageradas para dar a dimensão da vitória que encerra o capítulo.

1,4 O v. 4 vem antes do 3.

1,6 Ou "para combater com os filhos de Queleud", isto é, incorporados a suas fileiras.

1,7-10 A descrição segue uma ordem razoável de norte a sul, com uma ponta oriental na Pérsia e outra ocidental no Egito: trata-se de uma colisão mundial no horizonte geográfico da época.

1,14 "Transformar a formosura em vergonha" é uma expressão importante no livro. As cidades, especialmente as capitais, são como donzelas (*bat*) pela beleza; conquistá-las é de certa forma violentá-las, desonrá-las. Ilustram isso alguns versículos das Lamentações (1,6.8.17; 2,15). No livro aparecerá outra mulher bonita, que o inimigo tentará inutilmente possuir e desonrar (13,16): "Minha honra está sem mancha".

2,1 A data coincide com o ano 588/587, isto é, quando Nabucodonosor decide castigar a rebelião de

dia do primeiro mês, no palácio de Nabucodonosor, rei da Assíria, deliberou-se sobre a vingança contra toda a terra, conforme o rei havia dito. ²O rei convocou todos os seus ministros e grandes do reino, expôs a eles seu plano secreto e decretou a destruição daqueles territórios. ³Foi aprovada a destruição de todos os que não haviam dado atenção à embaixada de Nabucodonosor. ⁴E quando acabou o conselho, Nabucodonosor, rei da Assíria, chamou Holofernes, generalíssimo de seu exército, segundo no reino, e lhe ordenou:

– ⁵Assim diz o Imperador, dono de toda a terra: Quando saíres de minha presença, toma contigo homens de valor comprovado, até cento e vinte mil de infantaria e um forte contingente de cavalaria, doze mil cavaleiros, ⁶e ataca o ocidente inteiro, porque não deram atenção à minha embaixada. ⁷Intima-os a pôr à minha disposição a terra e a água, porque vou sair irritado contra eles para cobrir o solo com os pés de meus soldados; eu os entregarei à pilhagem; ⁸seus feridos encherão as baixadas, torrentes e rios transbordarão de cadáveres, ⁹levarei seus cativos até os confins do mundo. ¹⁰Vai na frente para conquistar seus territórios para mim. Caso se entreguem a ti, reserva-os a mim para o castigo. ¹¹Não tenhas consideração para com os rebeldes; entrega-os à matança e ao saqueio em toda a terra que conquistares. ¹²Por minha vida e meu Império! Eu o disse e o cumprirei. ¹³Não violes uma só das ordens de teu senhor. Executa-as exatamente conforme eu te ordenei. Cumpre-as sem demora!

O general Holofernes – ¹⁴Holofernes saiu da presença de seu senhor, convocou todos os chefes, generais e oficiais do exército assírio e, assim como havia mandado seu senhor, ¹⁵selecionou para a guerra um contingente de cento e vinte mil homens e doze mil arqueiros a cavalo, ¹⁶e organizou-os para a campanha. ¹⁷Requisitou número enorme de camelos, asnos e mulas para a bagagem, e inumeráveis ovelhas, bois e cabras para o abastecimento, ¹⁸provisões abundantes para cada soldado e grande quantidade de ouro e prata do palácio real.

¹⁹Quando empreendeu a marcha com todo o seu exército, precedendo o rei Nabucodonosor, cobriu todo o ocidente com seus carros, cavaleiros e tropas escolhidas. ²⁰Ia com eles uma turba variada, uma multidão inumerável como gafanhotos, como a areia da terra.

²¹Saíram de Nínive. Em três dias de marcha avançaram para a planície de Bectilet, e daí foram acampar perto dos montes, no norte da alta Cilícia. ²²Depois, com todo seu exército – infantaria, cavalaria e carros –, partiu para a região montanhosa. ²³Devastou Fut e Lídia, saqueou os rassitas

---

Sedecias, enviando seu general Nabuzardã para sitiar Jerusalém. A fórmula original da deliberação é muito solene e recorda fórmulas proféticas.

2,2 Com toda probabilidade, o original hebraico continha a fórmula de 1Sm 20,7 (Saul contra Davi) e 25,17 (Davi contra Nabal).

2,3 O conselho não faz mais que aprovar o decreto do monarca absoluto; oposta será a atitude quase profética de Judite em relação a seus chefes.

2,4 Holofernes (melhor, Horofernes) é nome de cunho medo ou persa (como Tisafernes, Intafernes, Farnaces etc.); com ele se vai enriquecendo a síntese de inimigos de Israel: Assíria, Babilônia (Nabucodonosor), Pérsia (Holofernes). O autor vai construindo uma aliança diacrônica que se concentra num ponto móvel da história de Israel.

2,5 O primeiro título é lido na boca de Senaquerib: "Assim diz o Imperador" (2Rs 18,19), ao passo que o "dono de toda a terra" é título divino (Ex 9,29). Cento e vinte mil de infantaria é o número que dá 1Mc 15,13.

2,7 Segundo Heródoto, Plutarco e Políbio, entregar terra e água é fórmula persa. "Cobrir toda a terra" é dito das rãs e dos gafanhotos em Ex 8,6 e 10,15.

2,8 A fraseologia é reminiscência de Ez 35,8 contra Seir = Edom.

2,10 "O dia do castigo": literalmente na versão grega de 2Rs 19,3, na boca de Ezequias, referindo-se ao cerco de Senaquerib. É inevitável a lembrança de Sf 1,15.

2,11 "Não ter consideração" é expressão típica de Ezequiel 5,11; 7,4.9; 8,18; 9,5.10 (menos frequente em outros profetas). O importante dessas frases é que em Ezequiel o sujeito é Deus, em Judite é o imperador babilônio.

2,12 Também a fórmula de dizer e fazer soa na boca de Deus em Is 14,24; 46,11; 48,15.

2,15 Ou mobilizou, alistou.

2,20 As comparações são tópicas: Jz 6,5; 7,12; Jr 46,23; Na 3,15; Js 11,4; Jz 7,12; 1Sm 13,5; Hab 1,9. "Turba variada": compare-se com Ex 12,38; Jr 50,37; Ez 30,5.

2,21-27 O itinerário da campanha é imprevisível, fato não muito estranho neste livro. Por outro lado, é bem descrita a diferença entre os países com cidades fortificadas (Mesopotâmia) e as regiões agrícolas e pastoris. O autor busca um efeito de acumulação rápida, por meio da enumeração sustentada: em meio capítulo, o exército apossou-se de imensos territórios, exceto o litoral mediterrâneo.

e ismaelitas junto ao deserto, ao sul de Queleon; ²⁴depois, costeando o Eufrates, atravessou a Mesopotâmia e destruiu todas as praças-fortes que dominavam a torrente Abrona até chegar ao mar. ²⁵Apoderou-se do território da Cilícia, derrotando todos os que lhe ofereceram resistência, e chegou à fronteira sul de Jafé, diante da Arábia; ²⁶cercou todos os madianitas, incendiou seus acampamentos e saqueou seus rebanhos; ²⁷desceu depois à planície de Damasco durante a ceifa do trigo; queimou as plantações, aniquilou ovelhas e vacas, saqueou as cidades, assolou as planícies e passou à espada todos os jovens. ²⁸Um medo terrível se abateu sobre os habitantes do litoral, os de Sidônia e Tiro, os de Aco e Jâmnia.

3 ¹Os de Azoto e Ascalon, aterrorizados, enviaram uma embaixada com esta proposta de paz:
— ²Aqui nos tens, servos do imperador Nabucodonosor, prostrados diante de ti. Faze de nós o que bem te parecer. ³Tens à tua disposição nossas granjas e todo o nosso território, os campos de trigo, as ovelhas e vacas, todos os estábulos de nossas aldeias; dispõe deles como te agrade. ⁴Nossas cidades e seus habitantes são teus escravos; avança até elas como bem te parecer.
⁵Os embaixadores se apresentaram a Holofernes e lhe transmitiram a mensagem. ⁶Então Holofernes desceu com seu exército para o litoral; deixou guarnições nas praças-fortes e levou consigo gente escolhida para serviços auxiliares. ⁷Por toda a região o receberam com coroas, danças e pandeiros. ⁸Mas ele destruiu seus santuários, cortou as árvores sagradas e dedicou-se a exterminar todos os deuses do país, para que todas as nações adorassem apenas Nabucodonosor, e todas as tribos o invocassem como deus, cada uma em sua língua.

⁹Quando chegou à vista de Esdrelon, perto de Dotain, que está diante da serra de Judá, ¹⁰acampou entre Geba e Citópolis, e aí permaneceu um mês, reunindo provisões para o exército.

4 Resistência israelita – ¹Quando os israelitas da Judeia ficaram sabendo do que Holofernes, generalíssimo de Nabucodonosor, rei da Assíria, havia feito àquelas nações, saqueando seus templos e entregando-os à pilhagem, ²ficaram aterrorizados, temendo por Jerusalém e pelo templo de seu Deus, ³pois acabavam de voltar

---

2,28 No texto original, talvez todas as cidades do litoral, de Tiro a Ascalon, tenham enviado a embaixada; o texto grego separa as duas últimas cidades e acrescenta depois de Tiro "Sur" (que é uma confusão de leitura). "Um medo terrível abateu-se": expressão clássica, atribuindo a causa a Deus, em Ex 15,16. Ressoa na boca de Raab, Js 2,9.

3,1-4 Tríplice forma de submissão, começando com a apresentação (no original hebraico provavelmente *hinnê*) e concluindo com a entrega total à vontade do soberano. É um ato incondicional de vassalagem. A descrição indica uma cultura agrícola e pastoril, sem cidades fortificadas; não se mencionam portos, que podemos supor incluídos nas cidades. Recordem-se as ordens de Jeremias aos embaixadores, ao rei e ao povo, acerca de Nabucodonosor (Jr 27,6). A diferença é que o imperador deste relato o considera direito próprio, não concessão divina.

3,8 Essa política de submissão religiosa pode ter um antecedente parcial nos discursos de Senaquerib, Is 10 e 36,18. Só que aí o imperador não se arroga dignidade divina nem exige adoração. Tampouco Nabucodonosor exigiu coisa semelhante. Por detrás do personagem desse relato estamos vendo Antíoco IV Epífanes, segundo Dn 11,36; ver 2Mc 9,8.
Na economia do livro, esse dado tem função particular: a campanha agressiva do inimigo não vai apenas contra as observâncias externas, visa também destruir a religião pátria. Portanto, a licença que Judite receberá para continuar com suas práticas religiosas é simplesmente concessão temporária, até que seja incorporada ao palácio do imperador vitorioso. A avaliação é extrema: a vida e a existência são compradas pelo preço do vassalagem e da renúncia à própria religião.

4 O autor nos apresenta um Israel unificado, governado pelo sumo sacerdote com seu Senado; não há rei, o templo está de pé e foi de novo consagrado após uma profanação. Tudo isso nos leva à época de Antíoco IV e Nicanor. Ver 1Mc 4,36-61 e 2Mc 10,1-8. A reação dos israelitas é "fé em Deus e pé na tábua". Ver em contraste a crítica de Isaías no tempo de Senaquerib (Is 22). Até o narrador concede mais espaço aos atos cultuais de expiação e de súplica. Aqui podia ter introduzido um salmo, mas contenta-se em resumir em estilo indireto algumas de suas cláusulas.

4,2 No desterro o povo aprendeu finalmente que o templo não era invulnerável, que não podia ser uma cobertura de seus crimes (cf. Jr 7,8-11); as promessas ao templo, ressoadas em vários salmos (Sl 46; 48), já se interpretam sob condições.

4,3 "Há pouco": segundo Ez 38,8, "ao terminar os anos, invadirás uma nação resgatada da espada, reunida de muitos países nos montes de Israel". "Consagrado" (cf. 1Mc 4,36-61).

do desterro e há pouco tempo o povo se havia reagrupado na Judeia, e já haviam consagrado os utensílios, o altar e o edifício do templo, que haviam sido profanados.

⁴Anunciaram por todo o território da Samaria: Cona, Bet-Horon, Belmain, Jericó, Coba, Aisora e o vale de Salém. ⁵Ocuparam os cumes dos montes mais altos, fortificaram as aldeias dessa serra e fizeram reserva de provisões em vista da guerra, pois há pouco haviam terminado a colheita.

⁶Joaquim, que era então o sumo sacerdote em Jerusalém, escreveu aos habitantes de Betúlia e Betomestaim, que estão diante de Esdrelon, diante da planície próxima a Dotain, ⁷mandando-os ocupar as passagens estreitas da serra; por aí passava o caminho para a Judeia e era fácil cortar a passagem dos invasores, porque o desfiladeiro era tão estreito que só se podia passar de dois em dois. ⁸Os israelitas obedeceram ao sumo sacerdote Joaquim e ao Senado do povo, que tinha suas sessões em Jerusalém.

⁹Todos os israelitas gritaram fervorosamente a Deus, humilhando-se diante dele. ¹⁰Eles e suas mulheres, filhos e rebanhos, os forasteiros, servos e diaristas, se vestiram com pano de saco. ¹¹E os que viviam em Jerusalém, inclusive mulheres e crianças, se prostraram diante do templo com a cabeça coberta de cinza, estendendo o pano de saco diante do Senhor. ¹²Cobriram o altar com um pano de saco e gritaram juntos, fervorosamente, ao Deus de Israel, pedindo-lhe que não entregasse seus filhos à pilhagem, nem suas mulheres ao cativeiro, nem à destruição as cidades que haviam herdado, nem o templo à profanação e às humilhantes zombarias dos gentios.

¹³O Senhor acolheu o seu clamor e olhou para a sua tribulação. Em toda a Judeia o povo jejuou muitos dias seguidos, e também em Jerusalém, diante do templo do Senhor todo-poderoso. ¹⁴O sumo sacerdote Joaquim, todos os sacerdotes e ministros a serviço do Senhor ofereciam o holocausto diário, as ofertas e dons voluntários do povo, cingidos com pano de saco ¹⁵e com cinza em seus turbantes, e com todas as forças gritavam ao Senhor para que protegesse a casa de Israel.

5 Informação de Aquior – ¹Contaram

a Holofernes, generalíssimo do exército assírio, que os israelitas estavam se preparando para a guerra: haviam fechado as passagens estreitas da serra, tinham fortificado os cumes dos montes mais altos e enchido as planícies de obstáculos.

²Holofernes ficou muito irritado e convocou todos os chefes moabitas, os generais amonitas e todos os governadores do litoral, ³e assim lhes falou:

– Cananeus, dizei-me que gente é essa da serra, que cidades têm, com quais forças contam e em que baseiam seu poder e sua força, qual rei os governa e comanda seu exército ⁴e por que, ao contrário do que fizeram todos os povos do ocidente, não se dignaram vir ao meu encontro.

⁵Aquior, chefe de todos os amonitas, lhe respondeu:

4,6 O autor toma o nome do sacerdote da tradição escrita (Ne 12,10.26). Pela primeira vez na narração soa o nome de Betúlia (*Baitylua*, em grego): impossível identificar essa cidade misteriosa e decisiva. O nome situa-se entre Betel (= Casa de Deus) e *betulá* (= donzela), título atribuído a Jerusalém em Lm 1,15 e 2,13. Mas o relato a distingue expressamente da capital.

4,7 O "desfiladeiro" nos recorda a passagem junto a Meguido, embora Is 10,29 fale de outro desfiladeiro. Não importa muito, porque a geografia do relato é fictícia.

4,8 Isso significa que não há rei e que o governo é sacerdotal.

4,9 "Humilhando-se": como Acab, 1Rs 21,29, e Josias, 2Rs 22,19.

4,10-12 O modelo mais próximo se encontra em Jl 1,13-14; 2,15-17. Também os rebanhos participam da penitência: Jl 1,18; Jn 3,7.

5 O discurso de Aquior detém bruscamente a narração. Holofernes descobre repentinamente a diferença desse povo único em sua resistência; a contragosto tem de perguntar admirado (o narrador assim o quer). Da boca de um estrangeiro receberá uma lição de história sagrada: o estatuto único desse povo escolhido.

5,3-4 A série de perguntas supõe uma ignorância pouco verossímil num general experiente em campanhas e vitórias; o narrador quer pôr na boca do inimigo um reconhecimento penitente de Israel. Pode ser que as perguntas sejam inspiradas em Nm 13,18-20, onde encaixam perfeitamente.

5,5a O nome *Aquior* (= meu irmão é luz) não se encontra em livros precedentes. Por isso alguns, supondo uma confusão das letras r e d (parecidíssimas na escrita quadrada), conjeturaram um nome original, *Ahiud* (= meu irmão judeu), que lemos em Nm 34,27. De nacionalidade é amonita, povo inimigo de Israel e

— Escuta, alteza, o que diz o teu servo. Eu te direi a verdade sobre esse povo que vive na serra, aí perto. Teu servo não mentirá. ⁶Essa gente descende dos caldeus. ⁷No princípio estiveram na Mesopotâmia, porque não quiseram seguir os deuses de seus antepassados que residiam na Caldeia. ⁸Abandonaram a religião de seus pais e adoraram o Deus do céu, que eles reconhecem como Deus; mas os caldeus os expulsaram da presença de seus deuses, e tiveram de fugir para a Mesopotâmia. Aí residiram muito tempo; ⁹mas seu Deus lhes ordenou que saíssem daí e partissem para o país de Canaã, onde se estabeleceram, e se enriqueceram com ouro, prata e muitíssimos rebanhos. ¹⁰Depois desceram ao Egito por causa de uma fome que se abateu sobre o país de Canaã, e aí ficaram enquanto encontraram alimento. Aí cresceram muito, até se tornar um povo inumerável. ¹¹Mas o rei do Egito tornou-se hostil contra eles e os explorou no trabalho de fabricar tijolos, humilhando-os e escravizando-os. ¹²Eles gritaram a seu Deus, o qual castigou todo o país do Egito com pragas incuráveis; assim, os egípcios os expulsaram de sua presença. ¹³Deus secou diante deles o mar Vermelho ¹⁴e os conduziu pelo caminho do Sinai e de Cades Barne. Expulsaram todos os moradores da estepe, ¹⁵assentaram-se no país amorreu e exterminaram pela força todos os de Hesebon. Depois atravessaram o Jordão e tomaram posse de toda a serra, ¹⁶após expulsar os cananeus, ferezeus, jebuseus, os de Siquém e todos os gergeseus, e residiram aí muito tempo. ¹⁷Enquanto não pecaram contra seu Deus, prosperaram, porque estava com eles um Deus que odeia a injustiça. ¹⁸Mas quando se afastaram do caminho que lhes havia mostrado, foram derrotados com muitas guerras e deportados a um país estrangeiro; o templo de seu Deus foi arrasado, e suas cidades foram conquistadas pelo inimigo. ¹⁹Mas agora se converteram a seu Deus; voltaram da dispersão, ocuparam Jerusalém, onde está seu templo, e repovoaram a serra, que havia ficado deserta. ²⁰Portanto, alteza, se essa gente se desviou, pecando contra seu Deus, comprovemos essa queda e subamos para lutar contra eles. ²¹Mas, se não pecaram, deixa-os, para que não aconteça que seu Deus e Senhor os proteja e fiquemos mal diante de todo o mundo.

²²Quando Aquior terminou, levantaram-se protestos de todos os que estavam em pé ao redor da tenda. Os oficiais de Holofernes, todos os do litoral e os moabitas queriam despedaçá-lo:

— ²³Não temos medo dos israelitas! São um povo sem exército nem força para aguentar um combate duro. ²⁴Por isso vamos lá! Eles serão um petisco para teu exército, general Holofernes.

---

excluído da comunidade sagrada (Dt 23,4). Aparece como chefe militar de todas as tropas amonitas incorporadas ao exército de Holofernes; portanto, possui autoridade particular.

5,5b-21 O discurso de Aquior é emoldurado por uma introdução e uma exortação. O corpo contém uma rápida recordação histórica, na qual se destaca a visão teológica da história: salvação incondicional de Deus na primeira parte, até a instalação na terra prometida; retribuição a partir desse momento. Literalmente só responde à primeira pergunta de Holofernes; implicitamente responde às outras, concentrando todas as cidades em Jerusalém e todo o poderio do povo na fidelidade a seu Senhor.

Chama a atenção no discurso a ausência de nomes próprios: em vez de mencionar os patriarcas, apresenta, desde o princípio, o povo como protagonista; nada se diz de Davi e sua dinastia. Assim a geografia, a terra prometida e o povo escolhido adquirem mais peso. As expulsões chegam a criar um ritmo histórico; a princípio os caldeus os expulsam, depois os egípcios; eles expulsam os cananeus e são deportados.

A articulação de 17-19 é fidelidade, pecado, conversão, com seus correspondentes de proteção divina e castigo. É muito importante o fato de que tudo tenha culminado na conversão: o autor pronuncia um julgamento otimista sobre a sua época.

5,5b Na introdução promete dizer a verdade (como fará Judite mais tarde). Seu discurso será a profissão de fé histórica de um prosélito.

5,7-8 É uma versão original das origens, que coloca a conversão ainda em território de Babilônia (caldeu) e que considera a Mesopotâmia como etapa intermédia. Ver as versões de Gn 12,4 e Js 24,2. Aquior dá ao Senhor um título universal, Deus do céu; ver Jn 2,9.

5,9 Conforme Gn 13,2-6. Num versículo resume a etapa patriarcal.

5,13 *Yhwh* entra no conflito.

5,17 "Odeia a injustiça": pode-se ver Gn 18,25; Is 61,8; Sl 5,6.

5,20-21 A exortação não corresponde a nenhuma das perguntas do general, é uma recomendação militar não pedida e nada específica: inclui uma negação da divindade de Nabucodonosor e de sua supremacia militar.

Esse final tem algo de proselitismo, embora se apresente com simples conclusão teológica.

6 Condenação e libertação de Aquior

¹Quando se acalmou o alvoroço dos que rodeavam o conselho, Holofernes, generalíssimo do exército assírio, disse a Aquior na presença de toda a tropa estrangeira e de todos os moabitas:

– ²Quem és tu, Aquior, e os mercenários de Efraim, para profetizares assim, dizendo que não lutemos contra os israelitas porque seu Deus os protegerá? Quem é deus além de Nabucodonosor? Ele vai enviar seu poder e os exterminará da face da terra, sem que o Deus deles possa livrá-los. ³Nós, seus servos, os esmagaremos como um só homem. Não poderão resistir à força de nossa cavalaria. ⁴Nós os varreremos. Seus montes se embriagarão com seu sangue, suas planícies transbordarão de cadáveres. Não poderão resistir com pé firme diante de nós, mas perecerão totalmente, diz o rei Nabucodonosor, dono de toda a terra. Porque falou, e não pronuncia palavras vazias. ⁵Quanto a ti, Aquior, mercenário amonita, que disseste essas frases num momento de insensatez, não voltarás a ver-me até que eu castigue essa gente que fugiu do Egito. ⁶Então, quando eu voltar, a espada de meus soldados e a lança de meus oficiais atravessarão tuas costas e cairás entre seus feridos. ⁷Meus escravos vão te levar à montanha e te deixarão em alguma cidade dos desfiladeiros; ⁸não perecerás até que sejas exterminado com eles. ⁹E se por dentro confias que não nos apoderaremos deles, não fiques cabisbaixo. Eu disse: nenhuma palavra ficará sem se cumprir.

¹⁰Depois ordenou aos servos que estavam na tenda que pegassem Aquior e o levassem a Betúlia para entregá-lo aos israelitas. ¹¹Os servos o prenderam e o levaram para a planície, fora do acampamento. Depois, distanciando-se em direção à serra, chegaram às fontes que estão ao pé de Betúlia. ¹²Ao vê-los, os habitantes da cidade empunharam as armas e saíram de Betúlia, que está no cume do monte. ¹³Os homens de Holofernes, visto que os fundeiros lhes impediam a subida lançando pedras sobre eles, desceram pelo sopé do monte, amarraram Aquior e o deixaram estendido ao pé do monte. Depois voltaram para se apresentar a seu chefe.

¹⁴Os israelitas desceram da cidade, aproximaram-se de Aquior, o desamarraram, o levaram a Betúlia e o apresentaram aos chefes da cidade, ¹⁵que eram, nessa ocasião, Ozias, filho de Micas, da tribo de Simeão; Cabris, filho de Gotoniel; e Carmis, filho de Melquiel. ¹⁶Convocaram todos os anciãos da cidade, e também os jovens e as mulheres foram correndo à assembleia. Puseram Aquior no meio do povo, e Ozias lhe perguntou o que havia acontecido. ¹⁷Aquior respondeu, contando-lhes o que

---

6,2 "Profetizares" com sua maneira de interpretar os fatos e dar normas concretas de conduta. Na boca de Holofernes pode soar como zombaria.
"Quem é deus": o general atribui ao imperador o que é propriedade do Senhor, segundo fórmulas variadas e equivalentes: Is 42,8 "não cedo a ninguém minha glória"; 43,10-11; 44,6 "além de mim não há deus"; 45,6 "Eu sou o Senhor e não há outro"; 45,14.18.22; 46,9. Babilônia personificada se considera única entre os impérios: "Eu e ninguém mais" (Is 47,8.10), mas não se arroga natureza divina. Se em Dn 3 a estátua é imagem do imperador, então Nabucodonosor exige adoração como deus: uma frase sua é como a de Holofernes: "qual Deus vos livrará de minhas mãos?" (Dn 3,15). Também em Dn 6,8 se manda que "ninguém faça oração a outro deus a não ser a ti". Ver também os textos já citados de Senaquerib em Is 10 e 36.
"Mercenários": alguns pensam que o hebraico original tivesse "bêbados" ou fizesse um trocadilho pela semelhança fonética.
6,3 "Como um só homem": ver Nm 14,15; Jz 6,16.
6,4 "Varreremos": o grego diz abrasaremos; provável confusão da raiz *b'r*. Comparar o que se segue com Is 34,7, descrição escatológica.

6,5 A única coisa que Holofernes aproveita do discurso de Aquior é a referência ao Egito. No tempo de Antíoco IV, o Egito era o reino dos Ptolomeus, rivais intermitentes dos Selêucidas.
6,9 Holofernes dá às suas palavras o mesmo peso que atribui às do seu rei. A sentença é uma zombaria cruel: quem se identificou com a fé de Israel partilhe também sua sorte final.
6,10-13 Ironicamente, os assírios estão conduzindo o amonita para a salvação. Assim Aquior se transforma em símbolo de tantos prosélitos, atraídos por um lado pela moral superior de Israel, e por outro repelidos pela cruel ambição dos poderosos. Essa expulsão forçada de Aquior faz eco às sucessivas expulsões do povo pra fora dos grandes centros culturais, Caldeia e Egito, tal como o próprio Aquior recordou.
6,12 O texto grego é um tanto duvidoso: por um lado parece indicar que Betúlia está em cima de um monte, como Samaria, Jerusalém e outras; por outro, parece indicar que os soldados saem da cidade e sobem ao alto do monte. Parece tratar-se de duplicação.
6,13 Aquior atado é como um presente zombeteiro e depreciativo dos sitiantes: pode ser um espião e é um chefe militar. Não importa; a garantia da vitória é absoluta, e ao adversário é concedida a primeira rodada.

haviam falado no conselho de Holofernes, o que ele disse diante dos chefes assírios, e também as bravatas que Holofernes havia falado contra Israel.

¹⁸Todo o povo se prostrou em adoração a Deus, gritando:

– ¹⁹Senhor, Deus do céu, olha do alto a soberba deles e tem piedade da humilhação de nosso povo. Olha hoje com benevolência para teus consagrados.

²⁰Depois animaram Aquior e o parabenizaram efusivamente. ²¹E, ao terminar a assembleia, Ozias o levou para sua casa e ofereceu um banquete para os anciãos. Toda essa noite ficaram implorando o auxílio do Deus de Israel.

7 **A cidade sitiada** – ¹No dia seguinte, Holofernes ordenou a seu exército e às tropas aliadas que levantassem acampamento e avançassem para Betúlia, ocupassem as passagens estreitas da serra e atacassem os israelitas. ²Nesse mesmo dia todos os soldados empreenderam o avanço. O exército contava com cento e setenta mil soldados de infantaria e doze mil cavaleiros, além da bagagem e da enorme multidão que ia a pé, misturada com eles. ³Formaram em ordem de batalha no vale próximo a Betúlia, junto à fonte, e se estenderam ao largo na direção de Dotain até Belbain, e em extensão desde Betúlia até Quiamon, diante do Esdrelon.

⁴Quando os israelitas viram aquela multidão, comentaram aterrorizados:

– Eles vão varrer a face da terra; nem os montes mais altos, nem as colinas, nem os precipícios aguentarão tanto peso.

⁵Cada qual empunhou suas armas, acenderam fogueiras nas torres e ficaram em guarda a noite inteira.

⁶No segundo dia, Holofernes expôs toda a cavalaria diante dos israelitas de Betúlia, explorou as subidas para a cidade, ⁷inspecionou as fontes e as ocupou, deixando aí destacamentos militares. Depois regressou aos seus.

⁸Os comandos moabitas, os oficiais de Esaú e os chefes do litoral foram dizer-lhe:

– ⁹Se vossa alteza nos escutar, o exército não sofrerá uma só ferida. ¹⁰Esses israelitas não confiam em suas armas, mas

---

6,19 Na breve oração se atualiza o grande princípio da teologia e da piedade israelitas: "O Senhor é sublime e dá atenção ao humilde, mas trata o soberbo a distância" (Sl 138,6). É a chave de toda a narração, a qual por sua vez é código de toda uma história.

6,21 O banquete indica que o jejum terminou. Aquior é recebido cordialmente, sem suspeitas, mas não recebe o comando militar.

7 *Betúlia*: A cidade, fugazmente mencionada numa lista do cap. 4 e presente no cap. 6, assume finalmente sua importância decisiva. No relato, Betúlia não é Jerusalém, quase se opõe polemicamente a ela. É uma cidade geograficamente desconhecida, não identificável, narrativamente protagonista, porque nela será decidida a sorte de todo Israel. Seu nome, embora soe parecido com Betel (= Casa de Deus), foneticamente não é reconhecível. É como se as grandes promessas feitas a Jerusalém se tivessem transferido a uma cidade secundária. E contra essa cidade se derrama um exército colossal, desconhecido na antiguidade, recolhido de todas as nações. Quase um assalto apocalíptico contra uma cidade pendurada numa colina (ver o exército de Gog em Ez 38).

A *fonte*: O abastecimento de água é fator vital nas antigas cidades de montanha amuralhadas – recordem-se dos poços e túneis de Hasor, Meguido, Jerusalém. Esse dado físico desempenha papel importante na presente narrativa.

A fonte pode ter ressonância simbólica aos ouvidos de um israelita: recordem-se sobretudo Is 8,6 e Jr 2,13: a fonte sempre a jorrar é para Israel o próprio Senhor, todo o resto são cisternas que se esgotam. A estas o poder inimigo pode alcançar, mas não ao Senhor. O autor não refreia essas possíveis ressonâncias, mas tampouco as explora. Por outro lado, o motim do povo morto de sede traz necessariamente à memória o motim do deserto.

Esquema narrativo: Como tantas outras vezes, encontramos aqui a fórmula ternária. Primeiro dia e primeira noite: avanço do exército inimigo, medo dos israelitas e defesa noturna (vv. 1-5); segundo dia: cerco, ocupação da fonte, desânimo dos israelitas e súplica ao Senhor (6-19); trinta e quatro dias: cerco imóvel e motim do povo (20-29). Desfecho: Deus recebe um prazo (30-32).

7,1 Continua o avanço militar, detido pelo episódio de Aquior.

7,2 Aos cento e vinte mil começou se somaram as tropas auxiliares dos países submetidos.

7,4 A expressão parece tomada de Nm 22,4.

7,7 Aqui se fala de fontes no plural, contra os versículos 3 e 12, que falam de uma só. O versículo antecipa, à maneira de título, o que se segue.

7,8 Povos vizinhos e inimigos tradicionais de Israel. Ver Ab; Sl 137 e outros textos semelhantes.

7,10 "A altura dos montes": os ministros do rei da Síria lhe dizem, referindo-se aos israelitas: "O Deus deles é um deus de montanha, por isso nos venceram. Se lutarmos contra eles na planície, os venceremos" (1Rs 20,23). O Salmo 121 começa: "Levanto os olhos para os montes: de onde me virá o auxílio? O auxílio me vem do Senhor" (vv. 1-2a); e Sl 125,2: "As montanhas rodeiam Jerusalém, o Senhor rodeia o seu povo".

na altura dos montes onde vivem, porque os topos desses montes não são fáceis de escalar. ¹¹Pois bem, alteza, não os combatas, e não sofrerás nenhuma baixa. ¹²Fica no acampamento, reserva teus soldados e permite-nos ocupar a fonte que brota ao pé do monte, ¹³porque daí os habitantes de Betúlia tiram água. Assim, quando a sede acabar com eles, entregarão a cidade. Nós subiremos com nossos soldados ao cume dos montes próximos e acamparemos aí, para impedir que alguém saia da cidade. ¹⁴Eles se consumirão de fome, com suas mulheres e crianças. Antes que a espada os toque, cairão estendidos nas ruas da cidade, ¹⁵e assim lhes pagarás sua rebelião, quando não quiseram sair ao teu encontro pacificamente.

¹⁶A proposta agradou a Holofernes e a seus ajudantes. Ordenou que esse plano fosse executado, ¹⁷e os amonitas empreenderam a marcha com cinco mil assírios; acamparam no vale e ocuparam os mananciais e as fontes dos israelitas.

¹⁸Os edomitas e os amonitas subiram à serra, acamparam diante de Dotain e mandaram destacamentos para o sul e o leste, diante de Egrebel, próximo de Cuch, sobre a torrente Mocmur. O grosso do exército assírio acampou na planície, cobrindo todo o solo. Suas tendas e bagagens formavam um acampamento de enorme extensão, porque eram multidão imensa.

¹⁹Ao se verem cercados pelo inimigo, sem possibilidade de escapar, os israelitas desanimaram e gritaram ao Senhor seu Deus.

²⁰O exército assírio – infantaria, cavalaria e carros – manteve o cerco durante trinta e quatro dias. Os habitantes de Betúlia gastaram a água das vasilhas; ²¹as cisternas secaram, e já não podiam beber água um dia sequer até saciar-se, porque estava racionada. ²²As crianças estavam macilentas, as mulheres e os jovens desfaleciam de sede e caíam completamente exaustos pelas ruas e junto às portas da cidade.

²³Até que um dia todos, jovens, mulheres e crianças se amotinaram contra Ozias e os chefes da cidade, gritando contra os senadores:

– ²⁴Deus seja nosso juiz, pois nos causastes um prejuízo grave porque não quisestes negociar a paz com os assírios. ²⁵Agora já não há quem nos ajude. Deus nos vendeu aos assírios para cairmos diante deles, morrendo atrozmente de sede. ²⁶Chamai-os e entregai a cidade inteira à pilhagem de todo o exército de Holofernes. ²⁷É melhor que nos saqueiem: seremos seus escravos, mas salvaremos a vida, e não veremos com nossos olhos nossas crianças morrer, nem nossas mulheres e nossos filhos expirar. ²⁸Se não fizerdes isso hoje mesmo, invocaremos como testemunhas contra vós o céu e a terra e nosso Deus, Senhor de nossos pais, que nos castiga conforme merecem os nossos pecados e os de nossos pais.

²⁹Então se levantou da assembleia um lamento unânime, e gritaram ao Senhor em alta voz.

³⁰Ozias lhes disse:

– Tende confiança, irmãos. Vamos resistir mais cinco dias, e nesse prazo o Senhor

---

7,14 A fome não encaixa bem no contexto; pode estar inspirada em diversas frases das Lamentações: 2,12.19-20; 4,9-10.

7,15 Reminiscências da lei da guerra, segundo Dt 20,12-13.

7,21-22 São expressões como as de Lm 2,11.21. Mas a série pode ter também valor simbólico, como em Jr 2,13, e pode trazer a lembrança do deserto, p. ex. Ex 17,1-7.

7,23 É como um dos motins do povo contra Moisés no deserto, p. ex. Ex 14,11-12; 16,1-2; 17,1-2; Nm 14,1-4.10; 16,1-3; 20,3-5; 21,5.

7,24 "Nosso juiz": Gn 16,5; 31,53; Ex 5,21; 1Sm 24,13.16; Ez 34,17. É apelação em última instância ao tribunal de Deus.
"Deus nos vendeu": como Jz 2,14; 3,8; 4,2; 10,7; 1Sm 12,9; Sl 44,13: "Vendes o teu povo por uma miséria, não ganhas muito na venda".

7,27 "Melhor escravos que mortos" é o raciocínio dos israelitas ante os obstáculos da libertação. Ex 14,12. O que era inadmissível no momento do êxodo se faz necessário no tempo de Jeremias, quando Deus impõe a rendição como castigo: Jr 27,12: "Entregai o pescoço ao jugo do rei da Babilônia... e vivereis". Os habitantes de Betúlia pensam assim: Deus nos castiga por nossos pecados; aceitemos a escravidão como castigo e salvaremos a vida. Judite deverá contestar esse raciocínio em 8,18.

7,28 A frase final do versículo é muito duvidosa. Por conjetura lemos uma condicional no princípio e na segunda pessoa. Mais literalmente seria: "Conjuramos... para que (Deus) não faça tal coisa nesse dia".

7,30 Ozias fala com reminiscências dos salmos 37,28; 94,14: "Pois o Senhor não rejeita seu povo nem abandona sua herança". Também é tradicional a expressão "até o fim", "para sempre": Is 57,16; Sl

nosso Deus se compadecerá de nós. Porque não irá abandonar-nos até o fim. ³¹Se passados os cinco dias não tivermos recebido ajuda, farei o que dissestes.

³²Acabada a reunião, cada qual foi para o seu lugar: os homens subiram às muralhas e torres da cidade, e mandaram para casa as mulheres e crianças. Na cidade se espalhava o desânimo.

8 A mulher valente

¹Então ficou sabendo disso Judite, filha de Merari, filho de Ox, de José, de Oziel, de Elquias, de Ananias, de Gedeão, de Rafaim, de Aquitob, de Elias, de Helcias, de Eliab, de Natanael, de Salamiel, de Surisadai, de Simeão, de Israel.

²Seu marido Manassés, de sua tribo e parentela, havia falecido durante a colheita da cevada: ³teve uma insolação quando cuidava dos que enfeixavam no campo; caiu de cama e morreu em Betúlia, sua cidade; foi enterrado na sepultura familiar, em seu campo, entre Dotain e Balamon.

⁴Judite era viúva há três anos e quatro meses. Vivia em casa, ⁵num quarto que havia preparado para si no terraço; cingia pano de saco e vestia luto. ⁶Desde que enviuvou jejuava diariamente, exceto nos sábados e em suas vésperas, no primeiro e no último dia do mês e nas festas de preceito em Israel. ⁷Era muito bela e atraente. Seu marido Manassés lhe havia deixado ouro e prata, servos e servas, rebanhos e terras, e ela vivia disso. ⁸Era muito religiosa, e ninguém podia fazer-lhe a mínima reprovação.

⁹Quando ficou sabendo que o povo, desalentado pela falta de água, havia protestado contra o governador, e que Ozias lhes havia jurado entregar a cidade aos assírios depois de cinco dias, ¹⁰Judite mandou sua governanta chamar Cabris e Carmis, conselheiros da cidade, ¹¹e quando se apresentaram, disse-lhes:

— Escutai-me, chefes dos habitantes de Betúlia. Foi um erro isso que dissestes hoje ao povo, obrigando-os diante de Deus, com juramento, a entregar a cidade ao inimigo, se o Senhor não vos mandar ajuda dentro desse prazo. ¹²Vejamos: quem sois vós para hoje tentar Deus e vos pôr publicamente

---

9,19; 74, 19; 77,9; Lm 5,20. Pena que Ozias tire dessas lembranças a decisão de dar um prazo a Deus.

8 Por fim, transcorrida quase a metade do livro, aparece a protagonista. O autor quis esperar até o último momento: quando o povo desespera, quando "já não há quem os ajude", quando Deus mesmo tem um prazo. A apresentação é solene, digna da expectativa, mas ao mesmo tempo retardando o movimento. É a segunda vez que o narrador se detém para contar fatos precedentes (numa narrativa tão linear).

8,1 A genealogia sobe dezessete degraus até o patriarca Jacó (ou Israel); é da tribo de Simeão.

8,3 Essa morte recorda a história de 2Rs 4,18-20.

8,4-8 O autor nos oferece um ideal de vida ascética particular: por um lado, afastamento e jejuns; por outro, riquezas bem administradas; era muito religiosa, mas não tivera filhos (o princípio da retribuição já não funciona). Os jejuns não chegavam a afetar sua beleza. Implicitamente se diz que valeria a pena casar com ela e que se mantinha fiel à lembrança do marido falecido.

A beleza será fator decisivo de sua atuação; o prestígio da sua vida lhe permitirá enfrentar os chefes.

8,9-11 Judite não se apresenta aos chefes, mas os convoca à sua casa; como fez Débora com Barac (Jz 4). Nem aí abandona sua clausura, e assim o que fará em breve terá mais relevo.

8,12-27 Atenção ao discurso de Judite, porque por ele o autor está pregando a seus contemporâneos; e está denunciando o partido político da submissão a Antíoco. É um discurso de tom profético, de estilo um tanto dilatado. Está inserido no contraste fundamental que dá sentido a todo o livro: o homem não deve tentar ou pôr Deus à prova; Deus põe à prova o homem. O primeiro é um pecado, o segundo é uma honra.

O primeiro pecado é analisado em suas agravantes: a ignorância do homem, que tenta medir a Deus com suas medidas temporais, diante do poder de Deus, superior aos prazos humanos.

A análise das consequências da rendição ocupa bastante espaço: para o templo e para o povo, para si mesmos, que se tornarão responsáveis por tudo, sendo castigados pelos homens e por Deus. Essa tremenda responsabilidade é motivo para resistir com coragem. Um dia a responsabilidade por toda a nação pode recair sobre um grupo pequeno e pouco significativo.

Finalmente, estar submetidos a provas por Deus lhes confere uma dignidade semelhante à dos patriarcas. Não é castigo por um pecado; com tranquila consciência e coração agradecido podem enfrentar os sofrimentos da hora.

Há outro ponto interessante no discurso: embora Judite já tenha concebido seu plano libertador, não começa expondo-o; primeiro tem de converter os chefes para que o plano tenha resultado, para que renasça a esperança, e a libertação seja recebida como se deve. Embora ela vá assumir pessoalmente a responsabilidade, precisa de homens solidários nessa atitude de responsabilidade. De algum modo terão de colaborar, confiando e outorgando uma licença estranha.

8,12 Ver Sl 78, especialmente vv. 18ss. 41ss.56.

acima dele? ¹³Pusestes à prova o Senhor todo-poderoso, vós, que nunca entendereis nada! ¹⁴Se sois incapazes de sondar a profundidade do coração humano e de rastrear seus pensamentos, como ireis perscrutar Deus, criador de tudo, conhecer sua mente, entender seu pensamento? Não, irmãos, não irriteis o Senhor nosso Deus. ¹⁵Porque, ainda que não pense socorrer-nos nestes cinco dias, ele tem poder para nos proteger no dia que quiser, assim como para nos aniquilar diante do inimigo. ¹⁶Não exijais garantias dos planos do Senhor nosso Deus, pois ninguém intimida Deus como a um homem, nem se regateia com ele como com um ser humano. ¹⁷Portanto, enquanto aguardamos sua salvação, imploremos sua ajuda, e se lhe parecer bem, escutará nossas vozes. ¹⁸Pois, em nosso tempo, e hoje mesmo, não tem havido tribo alguma, nem família, povo ou cidade que tenha adorado deuses feitos por mãos humanas, como acontecia outrora, ¹⁹e foi por isso que nossos antepassados foram entregues à espada e ao saqueio, e caíram miseravelmente diante de nossos inimigos. ²⁰Nós, ao contrário, não reconhecemos outro Deus fora dele. Por isso, esperamos que ele não nos despreze nem deixe de atender nossa raça. ²¹Porque, se nós cairmos, cairá toda a Judeia, nosso templo será saqueado e pagaremos essa profanação com nosso sangue; ²²nas nações onde estivermos como escravos, seremos responsáveis pela morte de nossos compatriotas, pela deportação do povo do país e pela desolação de nossa herança. E seremos a caçoada e a zombaria daqueles que nos comprarem, ²³porque nossa escravidão não acabará bem, mas o Senhor nosso Deus aproveitará dela para nos desonrar. ²⁴Assim, pois, irmãos, demos exemplo a nossos compatriotas; pois sua vida depende de nós, e em nós se baseia a segurança do santuário, do templo e do altar. ²⁵Demos graças ao Senhor nosso Deus por tudo isso, pois ele nos põe à prova como a nossos antepassados. ²⁶Recordai o que fez com Abraão, como provou Isaac e o que aconteceu a Jacó na Mesopotâmia da Síria quando guardava os rebanhos de Labão, seu tio materno. ²⁷Deus não nos trata como a eles, que os purificou com o fogo para aquilatar sua lealdade; não nos castiga; é que o Senhor açoita seus fiéis como advertência.

²⁸Então Ozias lhe disse:

— Tudo o que disseste é muito sensato, e ninguém discordará de ti, ²⁹porque não é de hoje que descobrimos tua prudência; desde pequena todos conhecem tua inteligência e teu bom coração. ³⁰Mas é que o povo morria de sede e nos forçaram a fazer o que dissemos, comprometendo-nos com um juramento irrevogável. ³¹Tu, que és mulher piedosa, reza por nós, para que o Senhor mande a chuva, encha nossas cisternas e não pereçamos.

³²Judite lhes disse:

— Escutai-me. Vou fazer uma coisa que será comentada de geração em geração

---

8,14 "Perscrutar Deus": Pr 25,3: "A altura do céu, a profundidade da terra e o coração dos reis são insondáveis"; Sl 139,17; Is 40,13; Sb 9,16: "Apenas adivinhamos o terrestre, e com trabalho encontramos o que está à mão: pois quem rastreará as coisas do céu?"

8,15 Como diz o Sl 75,3: "Quando eu escolher a ocasião, julgarei retamente".

8,16 Sb 6,7a: "O Dono de todos não se intimida, a grandeza não o assusta".

8,18 Judite rebate o argumento com que os habitantes querem justificar a rendição: aceitar o castigo de suas culpas. Não existe tal culpa; a desgraça e a ameaça atual não são castigo, mas prova. Ver a motivação de Sl 44,18.

8,20 Refere-se ao primeiro mandamento, fundamento de todos.

8,23 Segundo Lv 26,39-45, haverá espaço para uma reconciliação final. Dt 28 porém termina com o desastre final. Judite afirma que a escravidão proposta não seria solução, porque não é desígnio de Deus; seria, pelo contrário, culpa definitiva.

8,25-26 Ver Gn 22; 26; 29.

8,27 Ver Sl 26,2; 139,23; 66,10; Is 48,10.

8,28-31 As palavras pronunciadas por Ozias são irônicas ou são sinceras? No primeiro caso diriam: "Já sabemos que és muito decidida e muito boa; mas não entendes a situação presente, e, embora rezes, não é tempo de chuvas". No segundo caso, Ozias chega a reconhecer em Judite um poder semelhante ao de Elias para atrair a chuva. Em todo caso, Ozias se desculpa e persiste na decisão irrevogável.

8,30 Ozias pensa que o juramento é irrevogável, embora Judite o tenha mostrado injustificado. Algo semelhante acontece em outros casos: Josué não pode voltar atrás de um juramento pronunciado sem consultar o Senhor, Js 9,19-20; Jefté cumpre seu juramento desatinado e sacrifica a filha única, Jz 11,45; Saul exige contas pelo não cumprimento de um juramento imprudente, 1Sm 14.

entre o povo de nossa raça. ³³Esta noite colocai-vos junto às portas. Eu sairei com minha governanta, e no prazo marcado para entregar a cidade ao inimigo o Senhor socorrerá Israel por meio de mim. ³⁴Mas não tenteis averiguar o que vou fazer, porque não o direi até que eu o cumpra.

³⁵Ozias e os chefes lhe disseram:

– Vai em paz. Deus te guie para que possas vingar-te de nosso inimigo.

³⁶Depois saíram do quarto e cada um foi para seu lugar.

9 Oração de Judite

— ¹Era o momento em que no templo de Jerusalém acabavam de oferecer o incenso vespertino. Judite jogou cinza na cabeça e, prostrada por terra, tirou o pano de saco que levava na cintura e gritou ao Senhor com todas as suas forças:

²"Senhor Deus de meu pai Simeão,
a quem puseste uma espada na mão
para vingar-se dos estrangeiros
que estupraram vergonhosamente
uma donzela,
desnudando-a para violentá-la,
e profanaram seu seio desonrando-a.
Embora tivesses dito:
Não façais isso,
eles o fizeram.
³Por isso, entregaste seus chefes
à matança,
e seu leito, desonrado por seu engano,
com engano ficou ensanguentado:
feriste escravos com amos,
e os amos em seus tronos,
⁴entregaste suas mulheres à pilhagem,
suas filhas ao cativeiro;
seus despojos foram presa
de teus filhos queridos,
que, incendiados por teu zelo,
e horrorizados pela mancha causada
a seu sangue,
te haviam pedido auxílio.
Deus, Deus meu, escuta esta viúva!
⁵Tu fizeste aquilo,
e o que aconteceu antes e depois.
Tu projetas o presente e o futuro,
o que tu desejas acontece;
⁶teus projetos se apresentam e dizem:
'Aqui estamos'.
Pois todos os teus caminhos
estão preparados,
e teus desígnios são previstos
de antemão.
⁷Aí estão os assírios:
no apogeu de sua força,
orgulhosos de seus cavalos e cavaleiros,
gabando-se com o vigor
de sua infantaria.
seguros de seus escudos, lanças,
arcos e fundas;
e não sabem que tu és o Senhor
que põe fim à guerra!

8,33 Judite aceita o prazo, respeitando o juramento. Seu silêncio perante os chefes é também diante do leitor, para avivar o interesse pelo desfecho.

9 Depois do discurso quase profético, Judite pronuncia uma prece pessoal. É uma súplica inspirada nas motivações de diversos salmos, imitando originalmente. É escrita em versos livres, de tom poético e muito retórico, com muitos paralelismos, do binário normal ao quíntuplo; há antíteses muito elaboradas; alternam-se muito bem o genérico sobre Deus com o concreto da situação presente.

9,1 Provável referência ao Sl 141,2. Ver também 2Rs 3,20. Tira o pano de saco: 2Rs 6,30.

9,2-4 O título genérico "Deus de nossos pais" se concretiza no nome de Simeão, antecessor de Judite. Refere-se ao capítulo 34 do Gênesis, que narra o estupro de Dina pelo siquemita Hamor, e a vingança com um estratagema de Levi e Simeão.

Em paralelo com Dina pode estar a viúva Judite, que tentarão violar; também a cidade personificada e toda a casa de Israel; ao estratagema da circuncisão corresponderá o engano da sedução. Essas correspondências apoiam a longa introdução. A linguagem quer expressar a indignação, sentida de modo especial por uma mulher.

9,2 "Não façais isso". Em Gn 34,7 lemos: "coisa que não se faz", dito pelo narrador, comentando os sentimentos dos irmãos. O preceito divino mais próximo é a lei de Dt 22,23, referente a uma jovem já casada.

9,3 Aplica-se assim a lei do talião.

9,4 "Horrorizados". No relato de Gênesis (34,31), Simeão e Levi respondem indignados a Jacó: "Por que trataram nossa irmã como prostituta?"

9,5-6 No estilo do Segundo Isaías: p. ex. 44,7; 45,21; 46,10; 48,3.6. Deus é o verdadeiro protagonista da história, executada por seres humanos; assim acontecerá com Judite.

9,7-11 Toda a motivação se articula na antítese clássica: o arrogante/o humilde; diante disso Deus toma partido. A arrogância se desdobra em confiar no próprio poder e em atrever-se contra o templo do Senhor. Nessa contraposição pode ressoar uma série de antecedentes bíblicos.

9,7 Ver, entre outros, Sl 76; 147,10-11. Sobre a última frase, Sl 46,10. Também há uma semelhança com o Egito.

⁸Teu nome é 'o Senhor'!
Quebra a força deles com teu poder,
esmaga seu domínio com tua cólera.
Porque decidiram profanar teu templo,
manchar a tenda onde reside
teu nome glorioso,
pôr abaixo com ferro as saliências
de teu altar.
⁹Olha sua soberba, descarrega tua ira
sobre suas cabeças,
ajuda esta viúva a realizar a façanha
que planejou.
¹⁰Por minha língua sedutora,
fere escravos com amos,
o senhor com o servo;
quebra sua arrogância pelas mãos
de uma mulher.
¹¹Teu poder não está no número,
nem teu império nos guerreiros;
és Deus dos humildes,
socorro dos pequenos,
protetor dos fracos,
defensor dos desanimados,
salvador dos desesperados.
¹²Sim, sim, Deus de meu pai,
Deus da herança de Israel,
dono do céu e da terra,
criador das águas,
rei de toda a criação,
escuta minha súplica
¹³e concede-me falar sedutoramente,
para ferir mortalmente
os que planejaram
uma vingança cruel contra teus fiéis,
tua santa morada, o monte Sião,
e a casa que pertence aos teus filhos.
¹⁴Faze que todo o teu povo
e todas as tribos
vejam e conheçam que tu és
o único Deus,
Deus de toda força e de todo poder,
e que não há ninguém,
que proteja a raça israelita além de ti".

10 Judite diante de Holofernes –

¹Quando terminou de suplicar ao Deus de Israel e acabou suas orações, Judite ²se pôs de pé, chamou a governanta e desceu à casa, na qual passava os sábados e dias de festa; ³despojou-se do pano de saco, tirou a veste de luto, banhou-se, ungiu-se com um perfume forte, penteou-se, pôs um diadema e vestiu a roupa de festa que punha enquanto vivia seu marido Manassés; ⁴calçou as sandálias, pôs os colares, os braceletes, os anéis, os brincos e todas as suas joias. Ficou belíssima, capaz de seduzir os homens que a vissem. ⁵Depois

---

9,8 Ver Sl 79 e 83. Nas saliências do altar, colocadas no ângulo dos quatro cantos, se concentra a sacralidade. As saliências são ungidas com o sangue da vítima, Ex 29,12; quem busca asilo no templo se agarra às saliências, 1Rs 1,50; arrancadas essas saliências ou "chifres", o altar fica execrado, Am 3,14.

9,10 "De uma mulher": é a expressão de Jz 4,9, referida a Jael, que matará Sísara, o general inimigo.

9,11 Série de títulos lidos com variantes nos salmos. Sl 9,10: "refúgio do oprimido"; 10,14: "socorro do órfão"; 35,10: "defensor do fraco"; 68,6: "pai dos órfãos, defensor das viúvas"; 146,7-9.

9,12-13 Como recapitulação, tornando o projeto mais explícito. Títulos cósmicos completam os títulos históricos dos vv. 5-6.

9,12 "Meu pai": pode ser Simeão, pai da tribo, ou Jacó, pai do povo. Título típico de relatos patriarcais: Gn 31,5.42; 32,10. Divide a criação em três regiões: céu, terra e água, embora nas águas possa estar evocada a potência hostil, como dirá em 16,15.

9,13 "Teus filhos", como diz Ex 4,20; Dt 32,5.19; também Is 63,16.

9,14 O reconhecimento é conclusão comum das ações de Deus. Judite o condiciona ao povo escolhido.

10 Deste capítulo até o fim do 14, o autor utiliza todo o seu talento narrativo, continuador de uma gloriosa tradição. A cena, vista de perto, é dividida numa série de ações precisas (10,1-4; 13,6-10: formam uma espécie de inclusão paralela). A descrição indireta da pessoa pelo efeito que produz (Judite) e a descrição direta e rápida (Holofernes). A ligação hábil das cenas (10,1-12: de técnica que se diria cinematográfica: "plano-contraplano"). O espalhar dados miúdos que serviram para o desenrolar posterior da ação (o alforje, a oração). A ironia sutil, cruel e maliciosa, montada em diversos planos: no que diz Judite sobre Holofernes, no que este e seus soldados dizem sobre a ação, o que o autor faz escutar aludindo a partidos políticos. Convém ler e reler estas páginas, antes de tudo como peça clássica da arte narrativa de Israel, prestando atenção cada vez em algum aspecto saliente, desfrutando da ação e do diálogo, antes de entrar em reflexões teológicas.

10,1-4 Outra vez a norma "fé em Deus e pé na tábua". A transfiguração de Judite acontece em nove ações miúdas. Neste momento deve-se recordar as frases do Segundo Isaías a Jerusalém, mãe e personificação do povo: "Desperta... veste-te com tua força, Sião; veste o traje de gala... sacode o pó, põe-te de pé..." (Is 52,1-2). O luto de Judite chorava a opressão de todo o povo; agora, sua gala antecipa a salvação. Uma tonalidade maior, exultante, abre a seção central do livro, depois do tom sombrio e desesperado, depois da grande prece. A beleza de Judite é quase um oráculo de salvação em ação.

10,5 A governanta será uma figura silenciosa: testemunha, defesa e colaboração. Forma o par feminino diante do general e seu eunuco.

entregou à sua governanta um odre de vinho e uma vasilha de azeite; encheu os alforjes com biscoitos, um pão de frutas secas e pães puros; empacotou as provisões e as entregou à serva.

⁶Quando saíam para a porta de Betúlia, encontraram aí Ozias de pé, e os conselheiros da cidade Cabris e Carmis. ⁷Ao vê-la com aquele semblante transformado e com outras vestes, ficaram pasmos com tanta beleza, e lhe disseram:

– ⁸O Deus de nossos pais te favoreça e te permita realizar teus planos para a glória dos israelitas e a exaltação de Jerusalém!

⁹Ela adorou a Deus e lhes disse:

– Ordenai que me abram as portas da cidade para que que eu vá cumprir vossos desejos.

Eles ordenaram aos soldados que lhe abrissem, conforme pedia.

¹⁰Assim fizeram. Judite saiu com sua criada. Os homens da cidade a seguiram com o olhar enquanto descia o monte, até que cruzou o vale e desapareceu.

¹¹Quando caminhavam direto pelo vale, saíram-lhes ao encontro as sentinelas dos assírios, ¹²que as detiveram e perguntaram a Judite:

– De que nação és, de onde vens e para onde vais?

Judite respondeu:

– Sou hebreia, e fujo de minha gente, porque lhes falta pouco para cair em vossas mãos. ¹³Queria apresentar-me a Holofernes, vosso generalíssimo, para lhe dar informações autênticas; eu lhe mostrarei o caminho por onde pode passar e conquistar toda a serra, sem que caia um só de seus homens.

¹⁴Enquanto a escutavam, admiravam aquele rosto, que lhes parecia um prodígio de beleza, e lhe disseram:

– ¹⁵Salvaste a vida apressando-te a descer para te apresentares a nosso chefe. Vai agora à sua tenda; alguns dos nossos te escoltarão até lá. ¹⁶E quando estiveres diante dele, não tenhas medo; dize-lhe o que nos disseste, e ele te tratará bem.

¹⁷Escolheram cem homens, que escoltaram Judite e sua governanta até a tenda de Holofernes.

¹⁸Ao correr pelas tendas a notícia de sua chegada, armou-se um alvoroço por todo o acampamento. E como Judite estivesse fora da tenda de Holofernes enquanto a anunciavam, os soldados a rodearam, ¹⁹admirando sua formosura e, por ela, os israelitas. Comentavam:

– Não podemos menosprezar uma nação que tem mulheres tão belas. Não se deve poupar deles um homem sequer; os que restassem seriam capazes de enganar todo o mundo.

²⁰Os guarda-costas de Holofernes e os oficiais saíram e introduziram Judite na tenda.

10,7 Volta a soar o *leitmotiv* da beleza, desta vez refletida no estupor de outros personagens judeus. E é outra antecipação de festa e salvação: "glória, exaltação".

10,8-9 Finalmente dialogam: "Teus planos" – "vossos desejos".

10,10-11 De novo o leitor deve seguir Judite pelos olhares dos personagens. Simultaneamente o versículo une (com a técnica que chamei de cinematográfica): ela se afasta até desaparecer (vista das muralhas), os assírios saem ao seu encontro (vista do acampamento).

10,12-13 Começa o jogo irônico: ao povo falta pouco, cinco dias exatamente, para se entregar. Judite foge: para livrar-se da rendição? Então, por que se entrega de antemão? Foge para invalidar esse prazo fatal ao qual se ligaram.

Judite se oferece como espiã: suas informações poderão ser verdadeiras, mas deverão ser interpretadas corretamente; o caminho pode ter sentido próprio ou metafórico; quanto a ocupar toda a serra, agora só lhe resta Betúlia. Chegará lá antes que caia um só de seus soldados?

10,14 Pela terceira vez, o *leitmotiv* da beleza, desta vez refletida na admiração das sentinelas. Essa beleza começa a tomar um brilho ofuscante e fatal. Absorvidos no olhar, não sabem discernir as declarações de uma prisioneira.

10,15-16 As palavras dos guardas são sinceras, mas através delas o narrador pisca ironicamente. Judite salvou a vida arriscando-a totalmente; como um general "trata bem" uma mulher jovem e formosa?

10,17 Escoltada por cem soldados: É medida de segurança ou homenagem à beleza?

10,18 Pela quarta vez, soa o *leitmotiv* da beleza: desta vez quase provoca um tumulto. Essa beleza começa a perturbar a ordem militar, a ser perturbadora. Esses soldados já têm mais de um mês de inatividade e vários de campanhas.

10,19 Na boca dos soldados o autor põe uma homenagem à "judia", personificação do povo. A conclusão supõe que mulheres tão bonitas infundem em seus maridos uma astúcia invencível.

10,20-22 O encontro se atrasa um momento. Enquanto espera Judite, o autor nos faz entrar no espaço interno da tenda para mostrar-nos Holofernes. Assim torna possível outra homenagem: o general sai pessoalmente para recebê-la; mais que prisioneira, Judite chega como convidada de honra.

²¹Holofernes estava repousando em seu leito, sob um dossel de púrpura e ouro, recamado com esmeraldas e pedras preciosas. ²²Quando lhe disseram que Judite estava aí, saiu para a antecâmara, precedido de carregadores de lâmpadas de prata. ²³Quando Judite ficou na frente de Holofernes e seus oficiais, todos ficaram pasmos diante daquele rosto tão formoso. Ela se prostrou diante dele, com o rosto por terra, mas os escravos a levantaram.

11 Informação de Judite

¹Holofernes lhe disse:

– Coragem, mulher, não temas; eu nunca prejudiquei ninguém que quisesse servir a Nabucodonosor, rei do mundo inteiro. ²Inclusive se tua gente da serra não me houvesse desprezado, eu não brandiria minha lança contra eles. Mas eles provocaram isso. ³Bem, dize-me por que fugiste e estás passando para nós. Vindo aqui, salvaste a vida. Coragem, não correrás perigo nem esta noite nem depois. ⁴Ninguém te tratará mal. Nós nos comportaremos bem contigo, como com os servos de meu senhor, o rei Nabucodonosor.

⁵Então Judite lhe disse:

– Permite-me falar-te, e acolhe as palavras de tua escrava. Não mentirei esta noite ao meu senhor. ⁶Se escutares as palavras de tua escrava, Deus levará a bom termo tua campanha, e não falharás em teus planos. ⁷Pois, pela vida de Nabucodonosor, rei do mundo inteiro, que te enviou para pôr todos em ordem, e por seu Império! Graças a ti, não só os homens o servirão, mas por teu poder até as feras, os rebanhos e as aves do céu viverão à disposição de Nabucodonosor e de sua casa. ⁸Porque ouvimos falar de tua sabedoria e astúcia, e todo o mundo comenta que és o melhor em todo o Império, o conselheiro mais hábil e o estrategista mais admirado. ⁹E agora, nós ficamos sabendo do discurso que Aquior pronunciou em teu conselho, porque os habitantes de Betúlia

---

10,23 Pela quinta vez, o *leitmotiv* da beleza, que agora atinge o grau mais alto. E precisamente nesse momento, o belíssimo rosto se abate e se oculta contra o solo.

11 Neste diálogo culmina a ironia do narrador. Holofernes é um general vaidoso e arrogante, confiante em seu poder, êxitos e riqueza. Crê que pode ter tudo, a cidade rebelde e a jovem formosa. Judite é para ele um primor de sensualidade e vaidade; mais uma vitória em sua carreira. Começa o discurso em tom protetor (v. 1) e o terminará com frases magnânimas (v. 23).
Judite cultivará esses dois aliados. Vaidade e sensualidade são, dentro de Holofernes, como uma quinta coluna que se subleva ao aparecer Judite, ao apelo da sua voz. Saberá vencê-la o general tantas vezes vitorioso? Judite entrou no acampamento inimigo, na tenda do general, em clima pacífico, mas sua presença e palavras estão provocando uma revolta. O inimigo estava dentro.
Por isso suas palavras, intencionalmente ambíguas, estão à mercê da interpretação: a sensualidade e a vaidade serão interpretadas diretamente, sem suspeitas. Porque suspeitar delas seria reconhecer a própria vaidade e refrear o próprio desejo sexual. Assim caminha a ironia narrativa entre Judite e Holofernes. A ela se acrescenta outra entre o autor e seus antigos leitores, aquela que aponta para o partido colaboracionista.

11,1-4 Começa a batalha verbal em que Holofernes quer conquistar Judite, e Judite a Holofernes. As palavras de Holofernes são para maior glória de Nabucodonosor e com ar agradável de proteção. São expressões que têm algo de oráculo de salvação: "não temas... salvaste a vida... ninguém te tratará mal" (as sentinelas já tinham dito a segunda).

Holofernes, como lugar-tenente de Nabucodonosor, tem poder de vida e morte, e o usa com justiça e benevolência; o critério é a submissão ou a rebeldia do servo para com o imperador. Judite já está relacionada como serva do "rei do mundo inteiro". Servir-lhe é salvar-se (o que diziam a seu modo os habitantes de Betúlia). O general chama o imperador de "meu senhor".

11,5-8 A resposta de Judite é para maior glória de Holofernes; Judite estabelece com o general a mesma relação que este estabelecia com o imperador: É "meu senhor", ela é a escrava.
Se Nabucodonosor vier a ter um poder cósmico (como Sl 8 e Dn 2,38; 4,17-19), ele o deverá aos bons serviços de Holofernes. A figura de Nabucodonosor com sua auréola fica distante; o que se vê de perto, a fama que se propaga, é de Holofernes. Sem seu general, o que seria do imperador?
"As feras". Ver Dn 2,38; Jr 27,6 e Sl 8,7-9.
O reconhecimento do poder e sabedoria de Holofernes é um desafio camuflado e um primeiro ataque velado: que esse poder a vença, que essa sabedoria a descubra. Se não, Judite vencerá esse poder mostrando que é fraco, descobrirá a insensatez dessa sabedoria.
Também é irônico jurar pela vida de Nabucodonosor, chamá-lo rei do mundo inteiro, enquanto lhe é negada vassalagem, ou definir a atividade de Holofernes como "pôr tudo em ordem".

11,9-10 Recordar o discurso de Aquior e avaliá-lo é entrar em terreno muito perigoso; mas é magistral o modo de dobrá-lo ao próprio objetivo. Holofernes reagiria com um gesto de estranheza e susto, o que permite a Judite tomar um tom protetor intensamente cômico: Holofernes tinha tentado animá-la, quando é ela que deve animar o general.

lhe perdoaram a vida e ele contou-lhes tudo o que disse aqui. ¹⁰Alteza, não desprezes sua opinião mas a tenhas presente, porque é exata: nossa raça não sofrerá dano nem as armas poderão submetê-los, se não pecarem contra seu Deus. ¹¹Mas agora, que meu senhor não se sinta rejeitado e fracassado; a morte se abate sobre eles: são réus de um pecado com o qual irritam seu Deus quando o cometem. ¹²Visto que começaram a faltar-lhes os víveres e a esgotar a água, concordaram em lançar-se sobre seus rebanhos, decidiram consumir tudo o que o Senhor em suas leis lhes proibiu comer, ¹³e resolveram acabar com as primícias do trigo e os dízimos do vinho e do azeite, porção sagrada dos sacerdotes que oficiam diante de nosso Deus em Jerusalém e que nenhum leigo pode nem tocar. ¹⁴E dado que os habitantes de Jerusalém já o estão fazendo, mandaram para lá uma comissão para conseguir do Senado a mesma licença; ¹⁵e o que vai acontecer é que eles a usarão, quando lhes chegar a licença, e nesse mesmo dia cairão em teu poder para que os destruas. ¹⁶Por isso, quando fiquei sabendo, escapei. Deus me envia para fazer contigo uma façanha que assombrará todos os que ouvirem falar dela. ¹⁷Eu sou uma mulher piedosa; dia e noite presto culto ao Deus do céu. Agora, senhor, gostaria de ficar convosco; sairei todas as noites até o precipício, para pedir a Deus que me avise quando cometerem esse pecado. ¹⁸E então virei avisar-te; sairás com todo o teu exército e nenhum deles te oporá resistência. ¹⁹Eu te guiarei através da Judeia, até chegar diante de Jerusalém, e porei teu trono no meio da cidade. Tu os conduzirás como ovelhas sem pastor, e um cão sequer rosnará contra ti. Prevejo tudo isso; foi-me anunciado e fui enviada para comunicá-lo a ti.

²⁰As palavras de Judite agradaram a Holofernes, e seus oficiais, admirados com a prudência de Judite, comentaram:

– ²¹Em toda a terra, de um extremo a outro, não há mulher tão bela e que fale tão bem.

²²E Holofernes lhe disse:

– Deus fez bem enviando-te na frente dos teus para nos dar o poder e para destruir os que desprezaram meu senhor. ²³És tão bela quanto eloquente. Se fizeres o que disseste, teu Deus será o meu Deus, viverás no palácio do rei Nabucodonosor e serás célebre em todo o mundo.

11,11-15 Judite entra num exame de observâncias legais sobre o sagrado e o profano em Israel. Crê realmente no que diz? Não, pois sabe que o pecado atual é tentar Deus. Mas olhando para Holofernes, suas palavras confundirão as ideias do militar não inexperiente em cultos estrangeiros; assim Judite terá uma superioridade indiscutível, poderá oferecer-se como conselheira imprescindível de Holofernes. A vitória está ao alcance e sem esforço, e Judite possui a chave.

O autor fala a seus contemporâneos com as palavras de Judite, e parece criticar um partido com poder em Jerusalém, disposto a renunciar às observâncias tradicionais ou dispensá-las; os que agem assim já estão se rendendo, "não oporão resistência ao inimigo". Ou o autor está criticando o partido da observância, mostrando que suas razões são boas para o inimigo?

Por outra série de dados do livro deduzimos que o autor aprecia grandemente essas observâncias e faz de sua heroína um modelo de cumprimento. E isso suscita outras perguntas: Era necessário conservar essas observâncias com risco da própria vida? (Recorde-se o caso de 1Mc 2,29-41.) Não é cruel o deus que exige isso? Essas observâncias serão essenciais para manter o verdadeiro culto? Então, não será grande libertação soltar a pessoa da submissão a tais observâncias?

11,16 Fala sério: sente-se enviada de Deus, como os grandes libertadores de outrora: Aod, Débora, Barac e Gedeão. Em vez de provocar suspeitas, a sentença velada porque genérica suscita curiosidade e desejo.

11,17-18 Como explicação do que precede, apresenta-se como confidente de Deus, capaz de um saber sobre-humano. Acrescenta uma auréola sobrenatural à sua beleza. Holofernes, que destruiu todos os deuses da região, parece disposto a respeitar esse Deus que lhe dará a vitória por meio de uma profetisa tão bonita. Na fidelidade a seu Deus, Judite está resistindo ao culto a Nabucodonosor.

11,19 O trono em Jerusalém e o ofício de pastor são dois atributos tipicamente davídicos. Judite, como o profeta Eliseu, pode nomear reis. A grande façanha que assombrará a todos! Mas será ela quem o fará, não brotará do poder supremo de Nabucodonosor; e não será para o imperador, mas para o general. A imagem do cão vem de Ex 11,7. As palavras finais são a assinatura de uma profetisa.

11,20-21 Mulher bonita e ao mesmo tempo sensata, é o cúmulo da sorte para Ben Sirac, Eclo 26,13-15; 36,27-28. O *leitmotiv* da beleza é enriquecido por mais um dado, e os antigos leitores do livro pensavam que a sabedoria dos judeus era superior à dos gentios.

11,22-23 As promessas de Holofernes são desmedidas: Fala de conversão ou sincretismo? Pensa que Judite será uma das esposas de Nabucodonosor, ou a reserva para si? A ironia está em que Holofernes pensa que ele fará Judite famosa em todo mundo: e assim será.

12 ¹Depois ordenou que a levassem aonde tinha sua vasilha de prata, e mandou que lhe servissem de sua própria comida e de seu próprio vinho. ²Mas Judite disse:

— Não os provarei, para não cair em pecado. Eu trouxe minhas provisões.

³Holofernes lhe perguntou:

— E se acabar o que tens, onde encontraremos comida igual? Entre nós não há ninguém de tua raça.

⁴Judite lhe respondeu:

— Por tua vida, alteza! Não acabarei o que trouxe antes que o Senhor tenha realizado seu plano por meio de mim.

⁵Os oficiais de Holofernes a levaram à sua tenda. Judite dormiu até meia-noite, levantou-se antes do amanhecer ⁶e mandou este recado a Holofernes:

— Senhor, ordena que me permitam sair para rezar.

⁷Holofernes ordenou aos guardas que a deixassem sair.

Assim Judite passou três dias no acampamento. ⁸Depois de se lavar, suplicava ao Senhor, Deus de Israel, que dirigisse o plano dela para a exaltação de seu povo. ⁹Depois, purificada, voltava para sua tenda e aí permanecia até que, pelo entardecer, lhe levassem a comida.

A noite decisiva — ¹⁰No quarto dia, Holofernes ofereceu um banquete exclusivamente para seu pessoal de serviço, sem convidar nenhum oficial, ¹¹e disse ao eunuco Bagoas, que era seu mordomo:

— Vai ver se convences essa hebreia que tens sob teus cuidados para que venha comer e beber conosco. ¹²Porque seria uma vergonha não aproveitar a ocasião de me deitar com essa mulher. Se eu não a conquistar, rirá de mim.

¹³Bagoas saiu da presença de Holofernes, entrou onde Judite estava e lhe disse:

— Não tenha medo essa bonita jovem de se apresentar a meu senhor como hóspede de honra, para beber e se alegrar conosco, passando o dia como uma mulher assíria das que vivem no palácio de Nabucodonosor.

¹⁴Judite respondeu:

— Quem sou eu para contradizer meu senhor? Farei imediatamente o que lhe agradar; será para mim uma lembrança feliz até o dia de minha morte.

¹⁵Levantou-se para se arrumar. Vestiu-se e pôs todas as suas joias femininas. Sua donzela entrou na frente e lhe estendeu no chão, diante de Holofernes, as peles de lã que Bagoas lhe havia dado para que se recostasse aí diariamente enquanto comia.

¹⁶Judite entrou e sentou-se. Ao vê-la, Holofernes perturbou-se, e a paixão o agitou com um desejo violento de se unir a ela (desde a primeira vez que a viu esperava a ocasião de seduzi-la). ¹⁷E lhe disse:

— Vamos, bebe; alegra-te conosco.

¹⁸Judite respondeu:

---

12 A narrativa é articulada por três frases de ironia funesta: vv. 4.14.18. As últimas palavras de Judite ao inimigo; depois virá o silêncio da ação com oração mental.

12,1-4 A primeira joga com o tema da refeição. A transição é muito hábil: num gesto de vaidade generosa, Holofernes intenta obsequiar e deslumbrar Judite. Ela recusa. Pelo que se diz no v. 16, poderíamos interpretar esse convite como primeira tentativa do general para seduzir a formosa jovem: entende-se logo, começa a comerem juntos. Então a recusa de Judite é muito hábil, porque se refugia em motivos religiosos, como se não entendesse a insinuação; e fala de um pecado que diz respeito às iguarias. Holofernes percebe que se precipitou, mas espera que a fruta amadureça em breve: Judite terá de aceitar o estrangeiro. Assim Judite chega a seu anúncio, que para Holofernes significa a conquista da cidade. Se é assim, Holofernes tem de apressar-se em conquistar antes a jovem.

12,2 Sobre os tabus alimentares, além da legislação presente em Lv 11 e Dt 14, pode-se ver Os 9,3 e Ez 4,13.

12,3 O autor descreve-os talvez com orgulho: ninguém de Israel faz parte do heterogêneo exército inimigo.

12,6 Agora Holofernes tem de fazer concessões à jovem; além disso, nessa oração chegará a notícia celeste anunciada em 11,17-18.

12,7 Jr 27,6; Dn 2,38.

12,8 Supõe-se que vai a uma fonte. Lavar-se antes da oração é gesto ritual. Como já ouvimos a prece inteira no cap. 9, não é preciso repetir. A repetição monótona de uma distribuição sem interesse serve para exasperar Holofernes e para aguçar a tensão do leitor, que sente aproximar-se o quinto dia, o prazo da rendição.

12,10-18 Efetivamente, Holofernes não aguenta mais e ataca, servindo-se primeiro de seu eunuco Bagoas, ao que parece experiente em tais artes. E encontra uma Judite maravilhosamente condescendente. Bagoas é um nome bem conhecido de origem persa; estaria a cargo do harém de campanha.

12,13 Para Bagoas, a sorte das mulheres que vivem no harém do imperador é invejável.

– Claro que beberei, senhor. Hoje é o maior dia de toda a minha vida.

¹⁹E comeu e bebeu diante de Holofernes, tomando do que sua donzela lhe havia preparado.

²⁰Holofernes, entusiasmado com ela, bebeu muitíssimo vinho, como nunca bebera em toda a sua vida.

13 ¹Quando ficou tarde, o pessoal de serviço retirou-se logo. Bagoas fechou a tenda por fora, depois de fazer sair os serventes. Todos foram deitar-se, prostrados pelo muito que haviam bebido.

²Na tenda permaneceram apenas Judite e Holofernes, caído no leito, completamente embriagado.

³Judite havia ordenado à sua serva que ficasse do lado de fora do quarto e a esperasse na saída como nos outros dias. Havia dito que sairia para fazer oração, e falara disso com Bagoas.

⁴Quando todos saíram, sem que ninguém, do menor ao maior, ficasse no quarto, Judite, de pé junto ao leito de Holofernes, orou interiormente:

"Senhor, Deus todo-poderoso,
olha agora com benevolência
    o que vou fazer
    para a exaltação de Jerusalém.
⁵Chegou o momento
    de ajudar tua herança
    e de cumprir meu plano,
        ferindo o inimigo
        que se levantou
        contra nós".

⁶Avançou até a coluna do leito, que ficava junto à cabeça de Holofernes, desembainhou o alfanje ⁷e, aproximando-se do leito, agarrou a cabeleira de Holofernes e orou:

– Dá-me força agora, Senhor, Deus de Israel!

⁸Golpeou-o duas vezes no pescoço com todas as forças, e lhe cortou a cabeça.

⁹Depois, fazendo rolar o corpo de Holofernes, o tirou do leito e arrancou o dossel das colunas. Pouco depois saiu, entregou a sua governanta a cabeça de Holofernes, ¹⁰e a serva a colocou no alforje de alimentos. Depois, saíram as duas juntas para orar, como costumavam. Atravessaram o acampamento, rodearam o precipício, subiram a ladeira de Betúlia e chegaram às portas da cidade.

A cidade vitoriosa – ¹¹Judite gritou de longe para as sentinelas:

"Abri, abri a porta!
Deus, o nosso Deus,
    está conosco,
demonstrando ainda sua força
    em Israel
e seu poder contra o inimigo.
Acaba de acontecer hoje!"

¹²Quando os habitantes da cidade a ouviram, desceram imediatamente para a porta e convocaram os conselheiros. ¹³Todos foram correndo, do menor ao maior. Parecia-lhes incrível que Judite estivesse chegando. Abriram a porta e a receberam;

12,19 Judite oferece sua presença e companhia, não é pouco para o general que a olha; come e bebe vinho, mas do seu, e o fato de que bebe vinho basta a Holofernes. Judite, sem perder o próprio controle, incita a beber.

13,1-10 Ao chegar o momento culminante, o autor volta à técnica de dividir a ação em breves ações precisas, dando impressão de rapidez.
Primeiro desocupa o cenário: com insistência faz que se retirem os criados em geral, e a governanta e Bagoas em particular; no começo e no final insiste em que ficaram a sós. Na solidão predomina o silêncio: a oração, ordinariamente feita em voz alta, é agora pronunciada por dentro (ver 1Sm 1,13). A breve oração e a brevíssima jaculatória mal detêm a ação, sublinhando religiosamente a grandeza do momento. E de novo a ação se move velozmente. Os leitores judeus recordam a façanha de Jael e também a de Davi com a cabeça de Golias.

13,11-20 A vitória não está completa e já começa a celebração. O relato emprega formas litúrgicas e o canto predomina sobre a simples ação. Judite chega à muralha e chama todos à porta como num ato de culto. Sl 118, 19: "Abri-me as portas do triunfo e entrarei para dar graças ao Senhor"; 124,7; Is 26,2. Em vez de comunicar simplesmente o acontecido, Judite o incorpora a um breve hino de louvor, com seu convite clássico: "Louvai". Aí mesmo introduz uma expressão "nesta mesma noite", que é o clássico *ballâyla hazzé* de Ex 12,12, típico da celebração da Páscoa. Acrescenta um juramento de inocência. O povo responde à notícia com um ato de adoração a Deus, e o prefeito da cidade pronuncia uma bênção sobre Judite. Três frases sintetizam a lembrança do fato, e as três põem Deus como sujeito.

13,11 Deus está conosco: é em hebraico *'immanu 'el*, o nome da vitória contra Senaquerib: Is 7,14; 8,8. "Hoje": talvez corresponda a um hebraico *hayyom hazzé*, que expressa a permanência ou atualidade de um acontecimento.

13,12 Cabe aos anciãos ou conselheiros autorizar que se abra o portão da cidade, 10,9.

depois fizeram uma grande fogueira para poderem ver, e se amontoaram em torno delas.

¹⁴Judite lhes disse gritando:
"Louvai a Deus, louvai-o!
Louvai a Deus,
que não retirou
   sua misericórdia
da casa de Israel;
que por minha mão
   matou o inimigo
nesta mesma noite".

¹⁵E tirando a cabeça guardada no alforje, mostrou-a, e disse:

– Esta é a cabeça de Holofernes, generalíssimo do exército assírio. Este é o dossel sob o qual dormia em sua embriaguez. O Senhor o feriu pela mão de uma mulher! ¹⁶Viva o Senhor, que me protegeu em meu caminho; eu vos juro que meu rosto seduziu Holofernes para sua ruína, mas não me fez pecar. Minha honra está sem mancha.

¹⁷Todos ficaram assombrados e, prostrando-se em adoração a Deus, disseram a uma só voz:

– Bendito és, Deus nosso, que aniquilaste hoje os inimigos de teu povo.

¹⁸E Ozias disse a Judite:
"O Altíssimo te abençoe, filha,
   mais que a todas as mulheres
      da terra.
Bendito seja o Senhor,
   criador do céu e da terra,
   que dirigiu teu golpe
contra a cabeça do general inimigo.

¹⁹Os que recordarem
   essa façanha de Deus
jamais perderão a confiança
que tu inspiras.
²⁰O Senhor te engrandeça sempre
e te dê prosperidade,
porque não duvidaste
em expor a tua vida
diante da humilhação
de nossa raça,
mas vingaste
nossa ruína,
procedendo com retidão
na presença de nosso Deus".

Todos aclamaram:
– Assim seja, assim seja!

14 A manhã triunfal

¹Então Judite lhes falou:

– Escutai, irmãos. Pegai esta cabeça e pendurai-a nas ameias da muralha. ²E quando começar a clarear e sair o sol sobre a terra, cada qual empunhará suas armas e todos os soldados sairão da cidade. Colocai à frente um chefe, como se fôsseis descer à planície contra as sentinelas assírias, mas não desçais. ³Eles pegarão as armas e irão ao acampamento para acordar os generais do exército assírio: todos irão correndo à tenda de Holofernes, e não o encontrarão. Então ficarão tomados de pânico e fugirão diante de vós. ⁴Vós, e todos os que vivem no território israelita, os perseguireis para derrotá-los na retirada. ⁵Mas antes, chamai-me o amonita

---

13,14 "Retirar a misericórdia": ver Sl 66,20; 89,34.
13,17 Esse assombro é numinoso ante a inesperada ação de Deus. Ver Ex 19,16; 1Sm 14,15; 1Rs 9,8; Sl 64,10. "Todo o mundo se atemoriza, proclama a intervenção de Deus e medita sua ação".
13,18 A primeira frase é como a bênção de Melquisedec, Gn 14,19-20; a segunda, como o louvor a Jael, Jz 5,24: "Bendita entre as mulheres, Jael... bendita entre as que habitam em tendas". Na tradição cristã, essas palavras de Ozias foram aplicadas a Maria, unindo "a cabeça do inimigo" com a cabeça da serpente de Gn 3,15.
14,1-4 Terminada essa espécie de vigília noturna, Judite se transforma em estrategista e começa a dar ordens que porão em marcha a ação e que antecipam os próximos acontecimentos.
14,1 Era talvez costume bélico pendurar num lugar visível a cabeça do inimigo vencido. No caso de Saul, trata-se do cadáver decapitado, 1Sm 31,10. O autor parece inspirar-se de perto no episódio de Nicanor (Holofernes = Nicanor), de quem temos notícia por 2Mc 15, como mostram algumas frases: "ordenou que cortassem a cabeça... e o braço até o ombro e os levassem a Jerusalém..." (v. 30), "mostrou-lhes a cabeça do infame Nicanor..." (v. 32), "pendurou na acrópole a cabeça e o braço de Nicanor, como prova visível e manifesta para todos da ajuda do Senhor" (v. 35). Além disso, a palavra *ro'sh* (= cabeça) se presta a um jogo de palavras, já que chefe ou general é dito com a mesma palavra (compare-se com o nosso *capit*-ão).
14,3 É tradicional que a morte do general provoque o desconcerto e a derrota do inimigo: p. ex. Jz 3,28-29; 2Sm 18,17; 1Rs 22,36: "Cada um para seu povoado! Cada um para sua terra! O rei morreu!"
14,4 Também é tradicional a perseguição para explorar a vitória: p. ex. Jz 20,45; 1Sm 17,52.
14,5-10 Até o amanhecer restam algumas horas, que o autor preenche com o novo episódio de Aquior. Rapidamente passa pelas etapas condutoras: o terror numinoso ao ver nas mãos de Judite a cabeça de Holofernes; a escuta atenta dos acontecimentos, como

Aquior, para que veja e reconheça aquele que caçoara dos israelitas e o mandou a nós para que o matássemos.

⁶Foram à casa de Ozias buscar Aquior. Quando chegou e viu a cabeça de Holofernes na mão de um homem da assembleia, desmaiou e caiu de bruços. ⁷Quando o levantaram, lançou-se aos pés de Judite e, prostrado diante dela, disse:

– Em todas as tendas de Judá te bendirão, e todos os povos que ouvirem tua fama tremerão. ⁸Agora, conta-me o que fizeste nesses dias.

No meio do povo, Judite contou o que havia feito, do dia em que partiu até aquele momento. ⁹Quando terminou, todos deram vivas, enchendo a cidade com gritos de júbilo.

¹⁰Aquior, vendo tudo o que o Deus de Israel havia feito, creu plenamente nele, circuncidou-se e foi admitido definitivamente na casa de Israel.

¹¹Quando o dia despontou, penduraram na muralha a cabeça de Holofernes. Os homens empunharam as armas e saíram em esquadrões até as entradas da cidade. ¹²Por sua vez, os assírios, ao vê-los, notificaram seus chefes, e estes os generais, comandantes e todos os oficiais. ¹³Quando chegaram à tenda de Holofernes, disseram ao mordomo:

– Acorda o nosso chefe, pois esses escravos se atreveram a descer para nos atacar; querem que os derrotemos por completo.

¹⁴Bagoas entrou e bateu na cortina da tenda, supondo que Holofernes dormisse com Judite.

¹⁵Como ninguém respondesse, afastou as cortinas, entrou no quarto e o encontrou morto, estendido à entrada; tinham-lhe arrancado a cabeça.

¹⁶Bagoas deu um grito e, rasgando as vestes, se pôs a chorar, soluçando e gemendo. ¹⁷Depois, foi à tenda onde Judite se alojava e, não a encontrando, precipitou-se para a tropa, gritando:

– ¹⁸Os escravos nos traíram! Uma única mulher hebreia desonrou a casa do rei Nabucodonosor. Aí está Holofernes, estendido no chão e decapitado!

¹⁹Ao ouvi-lo, os oficiais assírios rasgaram seus mantos, completamente perturbados. Seus gritos e alaridos ressoaram por todo o acampamento.

15 ¹Os soldados que estavam nas tendas, ao ouvirem, ficaram espantados diante do que acontecera. ²Foram tomados de pânico e, sem esperar um ao outro, fugiram todos pelos caminhos da planície e da serra, numa debandada geral.

³Também os que estavam acampados na serra, ao redor de Betúlia, puseram-se em fuga. Então todos os soldados israelitas se lançaram sobre eles. ⁴Ozias enviou mensageiros a Betomestaim, Bebai, Cobe, Cola e a todo o território de Israel, para comunicar o ocorrido e pedir que se lançassem todos contra o inimigo e o derrotassem.

⁵Os israelitas, ao saber disso, caíram todos sobre os assírios, massacrando-os até Cobe. Os de Jerusalém e todos os da serra vieram em sua ajuda, pois tinham sido informados do ocorrido no acampamento inimigo. Além disso, os de Galaad e da Galileia os atacaram pelos flancos, causando-lhes grandes perdas, até além de Damasco e sua região. ⁶Os que ficaram

---

façanha do Senhor; o reconhecimento e a conversão. O antecedente óbvio é Raab de Jericó; mas a figura de Aquior quer representar os gentios que, ao ver como o Senhor salva seu povo, se sentem atraídos e se convertem. Para eles já não valem as restrições de Dt 23,4-5, mas a mensagem alegre de Is 56 e textos semelhantes. Então também o nome Aquior se torna significativo: "Meu irmão (Israel) é luz" (ver Is 49,6: "Eu te faço luz das nações").

14,11-15 O narrador retarda habilmente a descoberta do cadáver, subindo pelos graus militares e detendo o leitor na tenda de Holofernes. A descoberta é mais detalhada que a de Eglon (Jz 3,25) e de Sísara (Jz 4,22). Além disso, o narrador se introduz oportunamente na mente de Bagoas: "supondo que..."

14,16-19 À descoberta do cadáver segue-se uma espécie de ritual fúnebre, que se vai dilatando, e contrasta fortemente com a vigília festiva de Betúlia. Choram a morte do general e a desonra da casa real.

15,1-7 Sem valor narrativo especial, são-nos contadas as consequências tradicionais: pânico, desconcerto, debandada, perseguição, saque. Para nosso gosto, o relato já terminou; o que se acrescenta subtrai força ao desfecho. A tradição narrativa do AT era forte e os leitores queriam desfrutar de uma vitória, que consideravam sua, prolongando-a em cenas felizes. A perseguição se move num cenário geográfico fantástico, como o resto do livro. Os antigos leitores podiam recordar a perseguição de Abraão (Gn 14) e outras do tempo dos reis.

em Betúlia lançaram-se sobre o acampamento assírio e o devastaram, conseguindo imensos despojos. ⁷Ao voltar da matança, os israelitas se apoderaram do que restava; até o povo das aldeias e dos lugarejos da serra e da planície levou muitos despojos; e assim houve enormes despojos.

Ação de graças – ⁸O sumo sacerdote Joaquim e o Senado israelita de Jerusalém foram contemplar os prodígios de Deus em favor de Israel e ver e saudar Judite. ⁹Quando chegaram à sua casa, todos juntos a felicitaram:

"Tu és a glória de Jerusalém,
 tu és a honra de Israel,
 tu és o orgulho
 de nossa raça.
¹⁰Com tua mão o fizeste,
 benfeitora de Israel,
 e Deus agradou-se disso.
O Deus onipotente
 te abençoe para todo o sempre".
E todos aclamaram:

– Assim seja!
¹¹O saqueio do acampamento durou trinta dias. Deram a Judite a tenda de Holofernes com todos os seus utensílios de prata, os divãs, as vasilhas e o mobiliário. Judite o recolheu e o carregou em sua mula; depois engatou os carros e foi amontoando tudo.

¹²Todas as israelitas correram para vê-la e dar-lhe os parabéns. Algumas organizaram uma dança em sua honra. ¹³Judite pegou ramos e os repartiu com suas companheiras, que junto com ela se coroaram com folhas de oliveira. Judite, na frente de todo o povo, dirigia a dança das mulheres. Depois vinham todos os israelitas, armados, levando coroas e cantando hinos.

¹⁴No meio de todos os israelitas, Judite entoou este cântico de ação de graças, e todo o povo acompanhou em coro:

16 Hino de Judite (Ex 15; Jz 5)
¹"Cantai a meu Deus

15,7 O saque ao inimigo tem um tom exultante (como diz Is 9,2) e pode facilmente remontar ao saque aos egípcios. E será um tema que passará às visões escatológicas.

15,8-10 É curioso que as autoridades da capital se transladem primeiro a Betúlia para felicitar a heroína nacional, e só depois marchem todos em romaria a Jerusalém. Não havendo rei, o sumo sacerdote era a máxima autoridade religiosa e política de Israel. Suas palavras são como um decreto de honras nacionais, a concessão de um título que consagra a memória. Acima dessas honras nacionais, que mostram a aprovação e admiração do povo, está o referendo de Deus, que "se agradou"; o representante oficial do Senhor o declara solenemente (segundo a construção de Ecl 9,7). O Deus que se compraz em Israel, em seu povo (Sl 44,3; 149,4), em seus fiéis (147,11), na montanha escolhida e na terra (Sl 68,16; 85,1) e sobretudo em Jerusalém (Is 62,4), se compraz no que fez essa outra representante do povo escolhido (a não ser que se leia *autois* como referência no plural a Israel, coisa menos provável).

15,9 "Glória de Jerusalém": semelhante título é inesperado e por isso mais significativo. O normal seria declará-la "glória de Betúlia", mas a capital a adota e faz sua, inscreve-a entre suas glórias.

15,12 A dança é parte tradicional das celebrações. É famosa a de Míriam em Ex 15,20; a dança da filha de Jefté é trágica (Jz 11,34); festiva, a das moças de Silo (Jz 21,21); com danças festeja-se a vitória de Davi (1Sm 18,6), fato recordado em 1Sm 29,5; o Salmo 87 fala de uma dança litúrgica.

15,13 Os jovens dançam armados, como lemos no Sl 149,6; talvez Ez 21,14-22.

15,14 O hino triunfal, coroando a narração dos fatos, imita os dois casos mais notáveis: o cântico de Míriam pela passagem do mar Vermelho (e entrada na terra), e o chamado cântico de Débora (Ex 15 e Jz 5). Excetuada a situação, o cântico de Judite imita expressamente esses dois cânticos, incluindo versículos ou reminiscências de vários salmos (especialmente Sl 33). Assim, a "profetisa" e estrategista termina em poetisa, representando também nisso o povo de Israel.

16,1-17 O cântico de Judite, em expressividade poética, não alcança seus dois modelos, mas na construção não me parece inferior.
A dupla introdução, marcada pela repetição de "meu Deus, Senhor", nos orienta a uma leitura em díptico. Nas introduções se acumulam os títulos do Senhor; nos dois quadros notamos, à primeira vista, um tema histórico e um tema cósmico. Os títulos generalizam fatos concretos, únicos; o quadro histórico recolhe o fato imediato, a narração do livro; o quadro cósmico passa do fato único da criação para fatos repetidos do domínio divino.
Entre os dois quadros, não há só uma coerência paralela, mas uma relação dinâmica (como nas duas partes do salmo 136, criação-história); do fato individual, o poeta remonta a uma visão mais ampla, a da criação inteira, testemunho do poder inconfundível de Deus. Mas, como a história era drama com antagonismos, assim o poeta contempla na criação uma rebelião que Deus domina em ação de poder e benevolência. Dessa rebelião cósmica o autor desce de novo a rebeliões históricas, que já não são o fato individual da narração, mas a constante histórica que conduz a uma conclusão escatológica. Reduzida a esquema, a estrutura dinâmica do poema

com pandeiros;
celebrai o Senhor
com címbalos;
com um cântico novo
invocai e exaltai o seu nome.
²O Senhor é um Deus
que põe fim à guerra;
de seu acampamento
no meio do povo
livrou-me das mãos
de meus perseguidores.
³Das montanhas do norte
chegou Assur
com as miríades de seu exército.
Sua multidão
obstruiu as torrentes,
sua cavalaria cobriu os vales.
⁴Ameaçou incendiar
meu território,
matar à espada
meus jovens,
esmagar meus pequeninos,
entregar minhas crianças à pilhagem
e minhas donzelas
para serem raptadas.

⁵O Senhor onipotente
os frustrou
pela mão de uma mulher!
⁶Não caiu o herói deles
diante de soldados,
nem o feriram filhos de titãs,
nem gigantes corpulentos
o venceram,
mas Judite, filha de Merari,
o paralisou com a beleza
de seu rosto:
⁷tirou sua veste de luto
para levantar
os afligidos de Israel,
ungiu o rosto
com perfumes,
⁸prendeu seu cabelo
com um diadema
e se vestiu de linho
para seduzi-lo.
⁹Sua sandália cativou seus olhos,
sua formosura
escravizou sua alma,
o alfanje cortou-lhe o pescoço.
¹⁰Os persas se assustaram

é esta: A. Introdução – Quadro histórico (1-2.3-12). B. Introdução (13) – Quadro histórico (14-15) – Desfecho escatológico (17).
A guerra é um julgamento de Deus para instaurar a paz, e aponta para um julgamento definitivo que trará paz definitiva (vv. 2a.15c.17).
O salmo pronuncia sete vezes o nome do Senhor: nas duas introduções (1.2.13) e nas duas conclusões (12.17), na articulação central do primeiro quadro (5) e no fim do segundo (16).
16,1-2 *Introdução.* O primeiro versículo é todo um decalque de salmos. O segundo introduz um título importante, que recolhe o ensinamento de Sl 46,10 e a esperança de Is 2,4: não o fim do inimigo, mas o fim da guerra. Para o tema do acampamento, ver Sl 34,8: é lembrança das jornadas do deserto, transfiguradas no fim de Êxodo e começo de Números.
16,3-12 *Quadro histórico.* É mais amplo; é construído com fortes contrastes bem elaborados. Primeiro se opõem Assur e Judite, depois os aliados de Assur e o povo de Judite. Ao passar ao segundo contraste, mudam-se as relações.
16,3-9 Esta seção é o melhor do poema. Sua força reside no poderoso contraste: Assur é um nome que significa uma multidão guerreira, Judite é uma mulher; Assur aparece em seu avanço repentino e irrefreável, dirigindo seu exército e dirigido por seus planos destruidores, agressão pura. Judite é exaltada com negações de sabor mítico ou legendário, e responde aos planos com ações.
Mas entre os dois entra como cunha a figura transcendente do Senhor, do qual Judite é como o braço alongado. Assur (cinco versículos) se estilhaça contra o Senhor (um versículo).
Ao avanço rápido de Assur corresponde o movimento meticuloso de Judite; aos planos grandiosos do militar correspondem ações muito simples e femininas. Força contra beleza, beleza que supera até o mais forte da legenda ou do mito.
E o trio final é excelente: primeiro pelo salto inesperado dos sujeitos "sua sandália... sua formosura... o alfanje", de uma rapidez maravilhosa; depois, pela ambiguidade irônica dos dois verbos "cativou"... escravizou", que pertencem à linguagem militar e à amorosa por metáfora ("batalhas de amor").
16,3 O inimigo chega do norte, segundo a tradição de Jeremias (Jr 1,14). As miríades: Sl 3,7; a multidão: Is 37,25.
16,4 É a visão de Eliseu na presença de Hazael de Damasco (2Rs 8,12).
16,5 Sl 33,10 e Jz 4,9 (por Jael).
16,6 Titãs e gigantes, em termos gregos, podem ser alusão aos legendários habitantes da Palestina, os *refaim* e *nefilim* de Dt 1,28; 2,11; 3,11.
16,7-8 A finalidade última de Judite é "levantar" seu povo prostrado; sua finalidade próxima é seduzir o general. Sobre as intenções da protagonista, o autor não sente os escrúpulos de alguns comentaristas. Veste, perfumes e joias realçam sua beleza e atração. Ver 10,3 e Rt 3,3 ou as medidas urgentes de Jezabel em 2Rs 9,30.
16,9 Ct 7,2: "Teus pés formosos nas sandálias"; Ct 4,9: "Tu me deixaste apaixonado... com um só de teus olhares, com uma volta de teu colar".
16,10-12 Como na narração, a morte do general se alonga e se dilata na derrota total. Os medos, conforme o capítulo 1, são inimigos vencidos de Assur. Eles não puderam resistir ao general, ao passo que

com sua audácia,
os medos se assombraram
com sua ousadia.
¹¹Então meus humildes
lançaram seu grito,
e os atemorizaram;
meus fracos gritaram,
e os aterrorizaram;
levantaram a voz,
e eles recuaram.
¹²Filhos de escravas
os atravessaram,
e os feriram
como filhos de prófugos;
pereceram no combate
de meu Senhor.
¹³Cantarei ao meu Deus
um cântico novo:
Senhor, tu és grande
e glorioso,
admirável em tua força,
invencível.
¹⁴Que toda a criação te sirva,
porque o mandaste e ela existiu,
enviaste teu alento
e a construíste;
nada pode resistir à tua voz.
¹⁵As ondas sacudirão
os alicerces dos montes,
os penhascos em tua presença
se derreterão como cera,
mas tu serás propício
aos teus fiéis.
¹⁶Pois pouco valem os sacrifícios
de odor agradável,
e nada a gordura
dos holocaustos,
mas quem teme o Senhor
será sempre grande.
¹⁷Ai dos povos
que atacam minha raça!
O Senhor onipotente
se vingará deles
no dia da sentença;
porá fogo e vermes em sua carne
e chorarão de dor
eternamente".
¹⁸Ao chegar a Jerusalém adoraram a Deus, e quando todos terminaram de se purificar, ofereceram holocaustos, sacrifícios voluntários e ofertas votivas.

Conclusão – ¹⁹Judite consagrou ao Senhor todos os utensílios da tenda de Holofernes, presente do povo, e o dossel que ela havia tirado da tenda. ²⁰Durante três meses todo o povo esteve em festa diante do templo de Jerusalém, e Judite ficou com eles. ²¹Depois desse tempo, cada um voltou para sua herança. Judite voltou a Betúlia e continuou administrando sua casa. Ficou muito célebre em seu tempo por todo o país. ²²Teve muitos pretendentes, mas não voltou a casar desde que seu marido Manassés morreu e foi reunir-se com os seus. ²³A fama de Judite crescia cada vez mais. Viveu na casa de seu marido até a idade de cento e cinco anos.

---

uma mulher o degolou: começa a ser famosa em todo o mundo (ver 11,23). Os persas não figuravam na narração.
A antítese forte-fraco se projeta como padrão a esses versículos; a referência ao Senhor recolhe a ressonância do v. 5. A ação dos fracos começa com uma tríplice série de gritos que põem em fuga; o resto, é só rematar a vitória.
16,10 Ex 15 faz referência ao terror dos povos.
16,13 A segunda introdução é reminiscência de Ex 15,11.
16,14 A evocação cósmica depende de Sl 33,6-9. O salmo fala dos planos de Deus, que se cumprem fazendo fracassar os planos do poder humano.
16,15 A rebelião cósmica recolhe imagens de Sl 46,4; 91,4-5 e Mq 1,4. Da resistência passa-se facilmente à teofania.
16,16 Este versículo (cuja ausência não notaríamos se faltasse no original) parece definir o sentido de "teus fiéis"; não são definidos pelo ritualismo, pela mera oferta de sacrifícios, mas pela atitude interior da pessoa. Doutrina perfeitamente tradicional nos

salmos, profetas e sapienciais. "Grande" é adjetivo de Deus no v. 13, e seu fiel o recebe de Deus.
16,17 O julgamento escatológico é inspirado por Is 66,24 na forma, com muitos antecedentes quanto ao tema.
16,18-25 O que segue serve para complementar o final feliz e para agradar aos leitores que ainda perguntam por Judite. Os elementos recordam figuras de patriarcas e de juízes. Sua idade é de quinze anos a menos que Moisés, e cinco de Josué. A paz depois da sua libertação é mais longa que a dos juízes (Jz 5,31; 8,28). A partilha dos bens e a alforria da governanta são dados novos. Os festejos de três meses superam em duração a outros da história de Israel, e pertencem à ficção do livro.
Quanto à fama de Judite, ela perdura até nossos dias. Talvez menos que em outros tempos, quando a tomavam por figura histórica, quando excitava os desejos de imitação. Como figura literária, Judite conserva hoje um bom lugar, e o autor escreve uma espécie de assinatura codificada nessa nota sobre a fama da sua criatura poética.

Deu liberdade a sua governanta. Morreu em Betúlia, e foi enterrada na sepultura de seu marido Manassés, ²⁴e os israelitas fizeram luto por sete dias. Antes de morrer, Judite repartiu seus bens entre os parentes de seu marido Manassés e entre seus próprios parentes.

²⁵Em seu tempo e depois, durante muitos anos, ninguém voltou a perturbar os israelitas.

ESTER

INTRODUÇÃO

Ambiente

Três livros narrativos tardios correspondem à diáspora judaica e estão situados em coordenadas fictícias. Tobias entre os deportados israelitas na Assíria, sob Salmanasar e Senaquerib; Daniel entre os deportados judeus em Babilônia, sob Nabucodonosor e Baltasar; Ester na diáspora judaica da Pérsia, sob Xerxes (ao contrário, a ação de Judite se desenrola na Judeia).

Os três livros juntos, mais outras informações, nos dão uma ideia genérica da vida dos judeus na diáspora. Oferecem-nos alguns traços comuns e outros específicos. O problema central é a identidade de um povo disperso e sua relação com a cultura circundante. A diáspora é um fato admitido, com o qual se convive tranquilamente. Não se sente o afã de voltar à pátria e quase não se sente falta do templo e do seu culto. No final de Tobias, Jerusalém aparece como num sonho glorioso e testamental.

Os judeus convivem pacificamente com os pagãos até o irromper de uma perseguição. Personagens judeus chegam a ocupar postos importantes na corte: Tobit, de passagem, como provedor de Salmanasar; Daniel por seu saber sobre-humano; no presente livro, Mardoqueu e Ester, a ponto de o judeu revelar uma conspiração contra o imperador. O livro de Tobias centraliza num casamento o problema da continuidade de uma tribo, sobre um fundo de matanças e pobreza, causadas pelo imperador assírio. Daniel se salva várias vezes do perigo de morte e recebe honras na corte. No livro de Ester, a perseguição, movida por um favorito plenipotenciário, tenta aniquilar todo o povo judeu do império. No final, sem intervenção de anjos (Rafael) nem de conhecimentos arcanos (Daniel), o povo é salvo.

Não menos grave que a perseguição declarada é o perigo de diluir-se como minoria na imensidão heterogênea do império. Apesar da dispersão, os judeus conservam unidade e identidade graças à sua legislação, seus livros e sua memória histórica. A religião pagã não parece perigosa por sua atração; quando tenta impor-se à força (Antíoco IV em código), os judeus resistem vitoriosamente e se mantêm fiéis a seu Deus.

Em conjunto não parecem ser uma minoria pobre e marginalizada, e sim uma minoria diferente (3,8). Em caso algum se mostram rebeldes ao poder constituído, só reagem se são agredidos.

O colorido persa é certeiro em alguns detalhes, como as sortes com seu nome persa Purim, chamar de rainha a consorte, a complexa organização do império (obra de Dario I), e alguns nomes. São dados que o autor pôde conhecer pessoalmente ou de segunda mão.

O livro

a) A libertação prodigiosa do povo num perigo grave é tema muito bíblico e bastante genérico. Encontramos algum parentesco com o relato bíblico do Êxodo: o povo vive em terra estrangeira, sob um imperador não benévolo (Assuero-Faraó), um israelita atua como mediador da salvação (Mardoqueu-Moisés), personagem influente na corte que se solidariza com seus "irmãos" (Ester-Moisés). A exaltação do humilhado recorda a história de José. Ester é uma antítese de Jezabel: estrangeira, consorte real, com ascendente... para o bem.

b) *Composição*. Com o quadrilátero de personagens principais, mais os grupos

corais de fundo, o autor arma suas estruturas narrativas. A principal pode ser esquematizada assim:

```
         Amã                    Mardoqueu
Assuero ──── Ester/Assuero ────
         Mardoqueu              Amã
         Judeus                 seguidores
```

Tal esquema nos mostra a posição de Assuero e a intervenção decisiva de Ester, que inverte a situação; Amã arrasta na queda seus seguidores; Mardoqueu salva os judeus.

No primeiro ato, Assuero ocupa o centro, e se opera a mudança de consortes reais sobre um fundo: no alto conselheiros da corte, e embaixo as concubinas aspirantes. No segundo ato, Mardoqueu presta ao rei um serviço notável, insuficiente para sua exaltação ou promoção; será necessária a intervenção de Ester. A estrutura mais completa e interessante é constituída pelo duelo de Mardoqueu com Amã: o narrador acentua os contrastes e a situação, para conseguir a inversão total de sortes.

c) Personagens. Se o relato é movido por quatro personagens, os grupos estão presentes com intensidade variável: os eunucos, os conselheiros, as concubinas, o povo judeu, os seguidores de Amã. Com eles o autor obtém interessantes efeitos de profundidade: os sete conselheiros ficam anulados pelo preferido Amã, as concubinas dão relevo à rainha Ester; os governadores de província dão perspectiva universal desde o começo; o povo judeu é a aposta do jogo.

Os personagens, como acontece em relatos da época, se acham de tal forma subordinados à ação, que não têm liberdade para assumir personalidade própria. São figuras típicas, simplificadas, sem relevo: o mau, o bom, a bela. O mau, ambicioso e estúpido; o bom, sagaz; a bela, influente. Contudo, apresentam detalhes dignos de menção.

O nome de Assuero corresponde ao de Xerxes I (486-465), mas o personagem narrativo não corresponde à pessoa histórica de Xerxes I que conhecemos por fontes extrabíblicas. Sua responsabilidade consiste em ceder. Não é um fraco e indeciso, tratado com vigor dramático (como Sedecias no livro de Jeremias); é uma figura apagada, funcional, necessária para o desenvolvimento de uma trama que outros conduzem.

A personalidade mais forte é Mardoqueu. Põe em marcha a ação e a vai encaminhando com instruções exatas. Sabe esperar e agir, sabe avaliar a gravidade da situação e reagir sem perder tempo; manda com firmeza, desafia, arrisca-se, denuncia publicamente. É como a consciência dos judeus, o melhor do seu povo. Com razão fala-se do "dia de Mardoqueu" (2Mc 15,36).

A seu lado, Ester aparece como jovem submissa e discreta, que alcança grandeza num momento de valentia. Amã é descrito mais como vaidoso vingativo do que como ambicioso. Contudo, Ester representa, na literatura bíblica, um novo triunfo feminino, depois de Rebeca, Tamar, Jael, Rute, Abigail, Judite. Sobre um fundo de maridos assustados ante a possível rebelião das mulheres (cap. 1), assistimos ao triunfo libertador da beleza e da valentia de uma mulher (quanto a isso, companheira de Judite).

Caráter e sentido

a) Caráter sapiencial. No desenrolar de um esquema de história da salvação, elementos sapienciais abrem caminho. Tal é a discrição com que Deus atua (como na história de José). Se a libertação do povo em perigo é padrão histórico, a humilhação do malvado e a exaltação do inocente são doutrina comum dos Provérbios.

O relato ensina em forma de grande parábola. O israelita aprenderá o espírito de confiança, a solidariedade, a ação cautelosa. O estrangeiro pode aprender que os judeus, como empregados, são mais confiáveis que os próprios, porque têm uma lei que lhes inculca a justiça e a lealdade. Os judeus devem aprender a colaborar com os estranhos, sem abandonar seus princípios. Os pagãos devem aprender a respeitar esse estilo de vida diferente dos judeus, pois lhes será favorável; mas aprendam também a lição na figura de

Amã, porque há alguém mais poderoso, que defende o povo judeu. Os judeus da diáspora reforçarão sua consciência de identidade e seu sentido de unidade. E os pagãos poderão sentir-se atraídos por esse povo estranho.

Ester não é um romance de tese, é um relato didático; seus ensinamentos são oferecidos sabiamente distribuídos no relato.

b) *Caráter religioso*. Na superfície, o relato hebraico original é notadamente neutro, leigo. Deus não intervém nem com milagres nem de outra maneira clara. Mas não é preciso mencionar Deus para descobrir, na trama e no inesperado do desfecho, o tradicional protagonista de tais eventos: o Deus de Israel.

A vitória dos judeus é um grande julgamento em que os perversos recebem o que merecem: aplica-se uma espécie de lei do talião, "caem na cova que cavaram". O desfecho é, portanto, um julgamento histórico, e não se requer muita penetração para que um israelita saiba que o autor de tal sentença é o Deus de Israel. O povo é simples executor.

Para o tradutor grego não lhe bastava um Deus de bastidores, por isso o chamou à cena repetidas vezes.

c) *O problema ético*. À alegria razoável pela libertação se une na história a complacência no sofrimento do inimigo, o sabor de uma vingança cruel.

A queda de Amã não é simples: "por um momento causam horror", Sl 73, mas é descrita com ferocidade: o passeio pela praça, a denúncia no banquete, a forca, a execução dos dez filhos. Os judeus se vingam dos seguidores de Amã por todo o vasto império, contam as vítimas, alongam o prazo da matança, põem o máximo empenho em recordar a data.

Não basta responder que se executa a justiça vindicativa, que se aplica a lei do talião. Tampouco basta colocar o relato na esteira de salmos como o 58; 94; 109; 137. Então, tomemos esses salmos como estímulo para reflexão. Leiamos o livro de Ester sobre o fundo de acontecimentos recentes, que talvez tenhamos vivido: o plano calculado e executado de aniquilar um povo, matanças coletivas, banhos de sangue, opressão sistemática, repressão brutal, tortura... Demos um nome literário aos criadores, executores e colaboradores desses crimes de lesa-humanidade, que os chamemos Amã e seguidores. Leiamos assim a parábola de Ester: Não teria sido melhor que esses personagens fatídicos, criminosos de alto porte, tivessem desaparecido antes de executar ou consumar seus planos? E se Amã ainda vive e age, não é de desejar sua ruína? "A cada manhã farei calar os perversos do país, para excluir da Cidade de Deus todos os malfeitores" (Sl 101,9).

Alguns acrescentam outra resposta:

d) *Sentido escatológico*. Mais que parábola histórica, dizem, o relato é uma parábola escatológica. Refere-se ao julgamento definitivo para a instauração do reinado do Senhor na era nova. No julgamento definitivo, todos os perversos têm de desaparecer, ao passo que os judeus representam a comunidade dos salvos.

Não faltam traços escatológicos, muito mais abundantes nos acréscimos gregos. Por outro lado, falta o triunfo do Senhor, a reunião dos dispersos, o reinado universal a partir de Jerusalém.

e) *Etiologia festiva*. Um dos objetivos do relato, se não o mais importante, é dar razão de uma festa popular chamada Purim = Sortes. O autor (ou autores) o explicam pontualmente no final do relato.

O duplo texto

O original que lemos hoje é escrito em hebraico. Alguns colocam sua composição na primeira época da influência helenista, durante o século III a.C. Outros preferem a época de Antíoco IV, quando surge o período da resistência ativa ao imperador (ver 1Mc). O livro oferece indícios para as duas datas.

O livro foi lido em regiões e épocas mais tranquilas para os judeus. Um autor então o traduziu para o grego e introduziu, além de retoques menores, vários textos, compostos originalmente em grego e distribuídos ao longo do relato. São os acréscimos, que os católicos consideram canônicos (deuterocanônicos) e os protestantes consideram "apócrifos".

O tradutor grego, com vários recursos, quer tornar explícita a ação de Deus: o

sonho que, com sua explicação, serve de moldura à obra, preces no momento mais grave do perigo, explicações; compõe por sua conta os editos de Amã e de Assuero; amplia uma cena dramática. E transfere os acontecimentos para o tempo de Artaxerxes (465-424, se se trata do I).

Algumas edições oferecem toda a tradução do texto hebraico, acrescentando em apêndice as adições do grego. Outras edições oferecem duas traduções completas, do hebraico e do grego. Nós, como muitos outros, iremos inserindo os acréscimos gregos ao longo do relato, e os imprimimos em itálico para facilitar ao leitor.

Ester não é mencionada pelo Eclesiástico, mas o livro foi comentado na tradição judaica e cristã.

11

²No segundo ano do reinado do imperador Artaxerxes, no dia primeiro de abril, teve um sonho Mardoqueu, de Jair, de Semei, de Cis, benjaminita, ³um judeu que vivia na cidade de Susa, funcionário da corte, ⁴um dos deportados que Nabucodonosor, rei da Babilônia, tinha levado cativos de Jerusalém com Jeconias, rei de Judá.

⁵Sonhou o seguinte: uma confusão de gritos, trovões, um terremoto, tumulto na terra. ⁶Depois apareceram dois grandes dragões preparados para o combate; lançaram um rugido ⁷e, ao ouvi-lo, todas as nações se armaram para atacar a raça dos justos.

⁸O dia ficou escuro e sombrio. Dia de tribulação e angústia, calamidades e tumultos! ⁹Toda a raça dos justos se assustou, temendo a ruína, e se dispuseram a morrer; mas gritaram ao Senhor, ¹⁰e em resposta ao seu clamor, um rio enorme e caudaloso surgiu como de uma pequena fonte; ¹¹apareceu uma luz e saiu o sol; os oprimidos se fortaleceram e devoraram os grandes.

¹²Quando Mardoqueu acordou, aquele sonho havia ficado profundamente gravado; nele tinha visto os planos de Deus, e nele ficou concentrado até a noite, tentando decifrá-lo.

1

Assuero e Vasti – ¹Aconteceu no tempo do rei Assuero, cujo Império abarcava cento e vinte e sete províncias, da Índia até a Etiópia.

11,2-12 Começamos a leitura do livro pela primeira peça da moldura que o autor grego sobrepôs ao relato hebraico original.

Ao inventar e introduzir esse prólogo, o autor grego muda profundamente o tom do livro; mais o tom que a substância e a forma narrativa; acrescenta-lhe uma cor apocalíptica.

No aspecto narrativo: o prólogo antecipa o nome de Mardoqueu, que no original entra em cena só no cap. 2. Além disso, dá-nos o esquema da trama, segundo modelos tradicionais da história de Israel: surge um grave perigo para o povo, o povo se dirige a Deus, Deus o livra dando-lhe a vitória. O esquema, aliás, é tão genérico que não tira o interesse ao possível desenrolar do enredo; somente tranquiliza o leitor acerca do desfecho.

A redução a sonho é muito artificial e pouco feliz: sobrepõem-se imagens e dados heterogêneos que confundem e tiram vigor. Por um lado há uma teofania, uns dragões e um rio caudaloso; por outro, uma escuridão seguida de luz. As nações se movem contra o povo dos justos: dado demasiadamente abstrato para fazer parte da visão.

Não vale defender tal sonho apelando para seu caráter; estamos acostumados a ler sonhos bem coerentes em outras passagens bíblicas, concretamente no apocalipse de Daniel. Na realidade, acontece que o autor, carente de autêntica fantasia, construiu um sonho intelectual, com dados de teofanias tradicionais e seguindo a moda de usar animais em chave alegórica (cf. Dn 7). Este sonho não é uma boa alegoria.

Contudo, pode produzir algum efeito: os fatos são previstos por Deus, que os comunica a Mardoqueu como a um profeta ou vidente. Os fatos são teofânicos, o inimigo encarna o poder hostil ao povo. O fato individual do relato adquire certa categoria genérica, e poderá ser lido em novas situações críticas.

Apesar do tempo de reflexão concedido a Mardoqueu, a passagem do sonho à narração é violenta. O leitor, sem querer, pensa que Assuero é um dos dragões.

11,2 Como o relato original começava no terceiro ano, o sonho é datado com um ano de antecipação. Note-se nessas novelas tardias o afã de identificar a tribo do protagonista: Tobit de Neftali, Judite de Simeão, um benjaminita (como Saul) vencerá um descendente de Agag.

11,3 O judeu funcionário numa corte estrangeira é *topos* frequente na literatura hebraica da época, baseado em fatos antigos (p. ex. Neemias na corte da Pérsia; na corte de Senaquerib encontra-se um Tobias escrivão, segundo documentos cuneiformes).

11,4 Refere-se à primeira deportação em 597. Como a dinastia persa de Ciro ocupa o trono de Babilônia no ano 539 e o primeiro Assuero ou Xerxes começa a reinar em 486, o narrador introduz uma coordenada de ficção.

11,6 O dragão pode ser de ascendência mítica e se apresenta no Antigo Testamento sob diferentes formas: o monarca assírio em Is 14,29, o monstro marinho que é o mar Vermelho (Segundo Isaías e salmos), a serpente do paraíso, o Egito como crocodilo em Ez 32; perdura em Ap 12; 13,2; 16,13; 20,2. Será correta essa primeira impressão? O epílogo o dirá.

11,7 A raça dos justos é obviamente o povo judeu.

11,8 Imitação de Sofonias.

11,10 Ver Is 48,18; Sl 46,5.

11,12 A solução será dada no final do livro, à luz dos fatos (não por antecipação, como no livro de Daniel).

1,1-2,20 Esta é a primeira parte ou seção do livro, que poderíamos intitular "Troca de rainhas". É construída com sábias correspondências, e convém lê-la dando atenção e relações e contrastes.

Primeiro uma festa, que vai crescendo até o momento culminante, a apresentação da rainha; aí se precipita a sorte adversa da rainha. Segundo, é uma ascensão gradual até a exaltação da nova rainha.

Na primeira metade, há um desfile simétrico de personagens: Assuero – sete eunucos – Vasti – sete conselheiros – Assuero. Na segunda metade o movimento é diferente: da massa de jovens destaca-se uma; Mardoqueu e Ester – Egeu e Ester – Assuero e Ester.

Uma queda condiciona e prepara uma exaltação. No final do capítulo 1, Vasti encerra seu papel no drama.

²⁻³No terceiro ano de seu reinado, o rei, que morava na acrópole de Susa, ofereceu um banquete a todos os generais e oficiais do exército persa e medo, à nobreza do palácio e aos governadores das províncias, ⁴para ostentar durante muitos dias, cento e oitenta dias, as riquezas e o esplendor de seu reino, seu extraordinário fausto e sua grandeza.

⁵Passados esses dias, o rei ofereceu um banquete de sete dias a toda a população da acrópole de Susa, do menor ao maior, na esplanada dos jardins do palácio. ⁶Havia toldos de linho branco e púrpura violeta que pendiam de colunas de mármore branco, presos a anéis de prata sobre o pavimento de mosaico, feito de malaquita, mármore branco e nácar. ⁷Havia taças de ouro para a bebida, todas diferentes, e vinho abundante, oferecido pelo rei com esplendor régio. ⁸A norma para beber era que ninguém obrigasse ninguém; o rei havia ordenado a todos os serventes do palácio que respeitassem os desejos de cada um.

⁹De sua parte, a rainha Vasti ofereceu um banquete às mulheres do palácio real de Assuero.

¹⁰No sétimo dia, quando o rei estava alegre por causa do vinho, ordenou a Maumã, Bazata, Harbona, Abgata, Bagata, Zetar e Carcas, os sete eunucos que serviam pessoalmente o rei Assuero, ¹¹que lhe trouxessem a rainha Vasti com sua coroa real, para que os generais e o povo admirassem sua beleza, porque era muito formosa. ¹²Mas quando os eunucos lhe transmitiram a ordem do rei, a rainha Vasti não quis ir. O rei teve um acesso de ira e enfureceu-se; ¹³depois consultou os letrados – porque para os assuntos do rei eram consultados os peritos em direito –; ¹⁴mandou que se apresentassem Carsena, Setar, Admata, Társis, Mares, Marsana, Mamucã, os sete grandes do reino da Pérsia e da Média, que faziam parte do conselho real e ocupavam os primeiros postos no reino, e lhes perguntou:

– ¹⁵Que sanção se deve impor à rainha Vasti por não ter obedecido à ordem do rei Assuero, transmitida pelos eunucos?

¹⁶Diante do rei e dos grandes do reino, Mamucã respondeu:

– A rainha Vasti não só faltou com o rei, mas com todos os governadores e todos os súditos que o rei Assuero possui nas províncias. ¹⁷Porque quando as mulheres souberem o que a rainha fez, desprezarão seus maridos. Dirão: "O rei Assuero mandou que a rainha Vasti se apresentasse, e ela não foi". ¹⁸Hoje mesmo as mulheres dos príncipes da Pérsia e da Média que ouvirem o que a rainha fez, como falarão a seus maridos! Acabarão desprezando-os

---

As descrições correspondem bastante bem ao que sabemos dos persas por fontes próprias ou por informações dos gregos (Heródoto, Xenofonte). Isso não significa que o autor conhecesse seu ambiente de primeira mão, pois pode ter lido livros sobre os persas.

1,1 Este dado, historicamente correto, tem função precisa no relato: mostrar o poder do imperador e sublinhar sua universalidade. Da Índia até a Etiópia é praticamente todo o mundo. Em tal caso, Israel não é uma nação independente, mas um povo ou uma raça; mais tarde veremos que sua situação é de diáspora.

1,2-4 Primeiro banquete do livro, que afinal vai ser tríplice. O banquete será um dos *leitmotiv* do livro. Durante os banquetes vão decidir-se os destinos mais importantes do livro, os banquetes celebrarão eventos prósperos ou fatais; e o livro todo convidará à celebração profana de um banquete judaico em memória da libertação. Na seção que comentamos há banquete no começo e no fim.

1,6 O autor descreve olhando de cima para baixo e detendo-se no colorido. Não é possível identificar exatamente os materiais citados. O grego amplia a enumeração.

1,7-8 Conforme fontes antigas, às vezes se impunham regras no beber.

1,9 Segundo costume oriental, no banquete havia separação de sexos.

1,10 Começa propriamente a ação, depois de ter descrito com sabor a magnificência. A apresentação da rainha não figura como ato oficial, mas como a última ostentação, como vaidade ou capricho de um rei bêbado. O envio dos sete eunucos como escolta indica deferência e solenidade. O grego muda os nomes.

1,12 O autor não motiva a recusa de Vasti, a sublinha com o recurso da brevidade. Dado o lugar da mulher, embora fosse rainha, na sociedade da época essa negação é como uma rebelião em palácio, com testemunhas.

1,13 Os conselheiros são ao mesmo tempo peritos em direito e na interpretação do futuro com técnicas diversas; ver Is 47,13. O narrador hebreu não pode conceder-lhes muita autoridade; no seu relato faz deles instrumentos involuntários da exaltação de Ester.

1,16-18 O conselheiro traslada habilmente a questão pessoal para o campo político: a rebelião no palácio representará uma rebelião geral no reino, um primeiro passo na emancipação da mulher, o que deve ser refreado sem demora.

e brigando. [19]Se parecer bem ao rei, publique um decreto real, que será incluído na legislação da Pérsia e da Média com caráter irrevogável, proibindo que Vasti se apresente ao rei Assuero e concedendo o título de rainha a outra melhor do que ela. [20]Quando por todo o imenso Império do rei ouvirem o decreto real, todas as mulheres honrarão seus maridos, nobres ou plebeus.

[21]O rei e os príncipes aprovaram a proposta. O rei fez o que Mamucã havia sugerido; [22]mandou cartas a todas as províncias do Império, a cada uma em sua escritura e a cada povo em sua língua, ordenando que fosse o marido quem mandasse em casa.

2 Ester é eleita rainha

[1]Depois disso, quando passou a cólera, o rei se lembrou de Vasti, do que ela havia feito e do que ele decretara com esse motivo. [2]Então os cortesãos lhe disseram:

— Busquem para o rei jovens solteiras e belas. [3]O rei pode nomear comissários em todas as províncias do Império para que reúnam todas as jovens no harém da acrópole de Susa, sob o comando de Egeu, eunuco real, guardião das mulheres; que lhes dê cremes de beleza, [4]e a jovem que mais agradar ao rei substituirá a rainha Vasti.

O rei gostou da proposta, e assim se fez.

[5]Na acrópole de Susa vivia um judeu chamado Mardoqueu, filho de Jair, de Semei, de Cis, benjaminita, [6]que havia sido deportado de Jerusalém com Jeconias, rei de Judá, entre os cativos que Nabucodonosor, rei da Babilônia, tinha levado. [7]Mardoqueu havia criado Hadassa, isto é, Ester, sua prima, órfã de pai e mãe. A jovem era muito bela e atraente, e quando seus pais morreram, Mardoqueu a adotou como filha.

[8]Quando foi promulgado o decreto real, levaram muitas jovens à acrópole de Susa, sob as ordens de Egeu, e levaram também Ester ao palácio, com recomendações a Egeu, guardião das mulheres.

[9]Egeu gostou da jovem e, porque se agradou dela, deu-lhe imediatamente os cremes de beleza e os alimentos, e lhe destinou sete escravas, escolhidas do palácio real; depois a transferiu, com suas escravas, a um apartamento melhor dentro do harém.

[10]Ester não disse de que raça nem de qual família era, porque Mardoqueu a proibira disso.

[11]Mardoqueu passeava diariamente diante do átrio do harém para inteirar-se de como ia Ester e de como a tratavam.

[12]Cada jovem se preparava durante doze meses, segundo o regulamento das mulheres – é quanto durava o tratamento de beleza: seis meses à base de azeite de mirra e seis meses com diversos bálsamos e outros cremes femininos – [13]depois, quando chegava seu turno de apresentar-se diante do rei Assuero, davam-lhe tudo o que queria levar consigo do harém para o palácio real. [14]Entrava de tarde, e pela manhã voltava para um segundo harém, sob as ordens de Sasagaz, eunuco real,

---

1,19-20 O castigo é como uma aplicação da lei do talião: quem não quis vir convidada, não possa vir mais. Na boca do conselheiro, "outra melhor do que ela" quer dizer uma que seja mais obediente, mais submissa. Frase quase irônica se considerarmos o papel da nova rainha na história.

1,21-22 O decreto que depõe a rainha tem alcance político e doméstico geral, como triunfo de todos os maridos do reino. "Mulher que respeita o marido é considerada como sensata" (Eclo 26,26a).

2,1-4 Supõe-se que entre todas as mulheres do harém não houvesse nenhuma capaz de suceder a Vasti como rainha; por isso, é preciso recrutar outras mais jovens. Essa multidão de moças escolhidas em todo o reino servirá na narração para realçar a beleza de Ester. Como quem diz, um concurso de beleza na corte imperial. O relato avançará por alternância, da multidão a Ester, por três vezes. Sua ascensão será rápida, ritmada em três conquistas fulminantes: Egeu (v. 9), todos (v. 15), o rei (v. 17).

2,5-6 O nome é de origem babilônica e contém o nome do deus Marduk.

2,7 O primeiro nome significa provavelmente murta; o segundo é o nome da deusa Ishtar. Assim, os dois protagonistas têm nomes muito pouco judeus (o contrário de Judite e Tobias). (O grego diz: com intenção de tomá-la por esposa).

2,8 O autor supõe que nem Mardoqueu nem Ester podiam opor-se ao decreto real. Quanto ao resto, em questões de observâncias, o autor parece ser bastante liberal. A luta do povo será pela existência, não por observâncias (o grego corrigirá a visão). Ester aceitará comida da mesa real (como o rei Joaquim em Babilônia, 2Rs 25,29).

2,10 Esse silêncio é fator essencial de toda a narração, embora não seja muito verossímil. Além disso, destaca-se a docilidade de Ester a seu primo, em contraste com a desobediência de Vasti ao rei.

2,11 Mardoqueu não abandona sua função de pai adotivo; sua relação pessoal com Ester será a chave

guardião das concubinas; e não voltava a apresentar-se ao rei, a não ser que o rei a desejasse e a chamasse expressamente.

¹⁵Quanto a Ester, filha de Abiail, tio de Mardoqueu, seu pai adotivo, quando chegou sua vez de apresentar-se ao rei, contentou-se com o que lhe deu Egeu, eunuco real, guardião das mulheres. Ester encantava todos os que a viam. ¹⁶No sétimo ano do reinado de Assuero, no mês de janeiro, ou seja, Tebet, levaram Ester ao palácio real, ao rei Assuero, ¹⁷e o rei a preferiu às outras mulheres, tanto que a coroou, nomeando-a rainha em lugar de Vasti.

¹⁸Depois, em honra de Ester, ofereceu um grande banquete a todos os seus generais e oficiais, ordenou um dia de descanso e distribuiu presentes com esplendor régio.

¹⁹Quando Ester passou para o segundo harém, como as outras jovens, ²⁰não disse de que raça nem de qual família era, conforme lhe havia ordenado Mardoqueu, a quem obedecia como quando vivia com ele. Mardoqueu lhe havia ordenado que temesse a Deus e cumprisse seus mandamentos, como quando vivia com ele. E Ester não mudou de conduta.

²¹Por essa ocasião, Mardoqueu era funcionário da corte. Bagatã e Tares, dois eunucos reais do corpo de sentinelas, estavam descontentes e planejavam um atentado contra o rei Assuero. ²²O plano chegou aos ouvidos de Mardoqueu; ele o contou à rainha Ester, e Ester falou ao rei por ordem de Mardoqueu. ²³Feita uma investigação, descobriu-se a conspiração. Os dois eunucos foram enforcados, e o relato foi registrado por escrito nos anais do reino, na presença do rei.

12 *¹Mardoqueu vivia na corte com Gabaza e Zarra, os dois eunucos reais sentinelas, ²e ouvindo suas conversas soube de seus planos, até averiguar que preparavam um atentado contra o rei Artaxerxes. Mardoqueu informou o rei sobre todas essas coisas. ³O rei interrogou os dois eunucos; eles confessaram e foram executados. ⁴Então o rei mandou escrever esse fato nos anais, e Mardoqueu, por sua conta, escreveu um relato do favorito disso. ⁵O rei deu a Mardoqueu um cargo na corte e o recompensou com presentes. ⁶Mas Amã, de Amadates, de Agag, pessoa com muito*

---

do que segue. Sua função na corte lhe permite seguir de perto a vida de sua protegida.

2,15-16 Ester destaca-se claramente da multidão de moças selecionadas em todo o império: entra com nome, sobrenome e estado civil; apresenta-se com sua própria beleza, com os adornos sugeridos por Egeu, sem exibições pessoais; registra-se a data de sua chamada. Tudo acontece rapidamente, numa conquista envolvente.

2,17 Este versículo é o centro de gravidade dos dois capítulos: para ele tudo se movia. O leitor israelita, conhecedor das próprias tradições, descobre sem dificuldade a ação discretíssima do Senhor, que tudo predispôs. Ester saiu-se melhor que todas as suas companheiras e melhor que a rainha precedente: grande vitória judaica no império e na corte estrangeira. Vitória leal, segundo as regras do jogo definidas pela legislação.

2,18 Inútil repetir a descrição do banquete, que o leitor pode suprir com o que conhece do primeiro capítulo. É duvidoso se aqui se trata de dia de repouso festivo ou de perdão temporário de impostos, ou talvez de anistia. A população vai festejar a alegria do rei e o triunfo de uma judia (pensa o autor).

2,19-20 Pela segunda vez, e fechando essa seção, fala-se do silêncio de Ester e da intervenção de Mardoqueu. O pai adotivo a segue como sombra protetora, como guia incansável. Através de sua filha adotiva, Mardoqueu entrou no harém do palácio, na câmara do rei; Mardoqueu nunca havia entrado tanto, e Ester continua ligada a seu povo, a seu Deus.

2,21 Começa a segunda parte ou segundo ato, que cortaremos no final do capítulo 3. Seguindo a sugestão do autor grego, nós o intitularíamos "Os dois dragões", Mardoqueu e Amã. Veremos aparecer em cena um novo personagem, nem sequer mencionado até agora; acontecerá uma luta desigual, que acabará com a vitória fácil do favorito real Amã.

O movimento deste ato é, portanto, inverso do precedente, que apresentava a ascensão segura de Ester. Em Ester o povo judeu triunfava; em Mardoqueu, por enquanto, é vencido.

2,21-23 O primeiro episódio prepara sobretudo o momento decisivo da ação. Colocado aqui, prepara também por contraste a ascensão injustificada de Amã, pois se diria que o posto de favorito cabe a Mardoqueu.

A função de sentinela era um alto cargo; provavelmente Mardoqueu pertencia ao mesmo corpo. A primeira intervenção de Mardoqueu através de Ester é para salvar a vida do rei. (O leitor judeu pensa: a presença dos judeus na corte estrangeira é muito vantajosa; sabem ser mais fiéis que os outros.)

Os dados correspondem bem ao que podia acontecer numa corte antiga. A notícia dos anais tem importante função narrativa.

2,21 O grego diz: descontentes com a ascensão de Mardoqueu.

12,1-6 O autor grego inventa outra versão do fato, com perigo para o bom curso da narração. Deixa-se levar por suas ideias, sem respeitar suficientemente o relato existente. Introduz Artaxerxes no lugar de

prestígio diante do rei, andava buscando um modo de prejudicar Mardoqueu e seu povo por causa da questão dos dois eunucos do rei.

3 Amã e Mardoqueu

¹Algum tempo depois, o rei Assuero enalteceu Amã, filho de Amadates, de Agag. Destinou-lhe um trono mais alto que o de seus colegas ministros. ²Todos os funcionários do palácio, segundo ordem do rei, prestavam homenagem a Amã dobrando o joelho, porém Mardoqueu não lhe prestava homenagem dobrando o joelho.

³Os funcionários do palácio lhe perguntaram:

– Por que desobedeces à ordem do rei?

⁴E como lhe dissessem isso dia após dia, sem que ele fizesse caso, o denunciaram a Amã, para ver se as desculpas de Mardoqueu valiam alguma coisa, pois lhes havia dito que era judeu.

⁵Amã comprovou que Mardoqueu não lhe prestava homenagem dobrando o joelho, e ficou encolerizado. ⁶Mas não se contentou em pôr as mãos apenas em Mardoqueu; como lhe tivessem dito a que raça pertencia, pensou em aniquilar com ele todos os judeus do Império de Assuero.

⁷No décimo segundo ano do reinado de Assuero, no primeiro mês, ou seja, no mês de abril, fez-se diante de Amã o sorteio, chamado "pur", por dias e por meses. A sorte caiu no décimo segundo mês, ou seja, no mês de março.

⁸Amã disse ao rei Assuero:

– Há uma raça isolada, espalhada entre todas as raças das províncias de teu Império. Têm leis diferentes dos outros e não cumprem os decretos reais. Não convém que o rei os tolere. ⁹Se parecer bem a vossa majestade, decrete seu extermínio, e eu entregarei à administração trezentas toneladas de prata para o tesouro real.

Assuero (= Xerxes); fala de uma recompensa que contradiz 6,3. Mistura Amã na conspiração, fazendo disso o começo da tensão e inimizade. Ou seja, falseia e antecipa dados inutilmente.

Dizendo que Mardoqueu escrevia suas memórias, parece insinuar que o livro remonta a um escrito original do protagonista (um pouco como as memórias de Neemias).

3,1 No fim de dois capítulos, ricos em acontecimentos, entra em cena um dos personagens principais. Dos dados narrativos do livro se deduz que era nobre e funcionário do palácio.

O nome do personagem poderia ser persa, sua filiação é duvidosa; poderia ser deformação de um nome persa desconhecido e pode ter referência bíblica. No livro de Samuel (1Sm 15,8-33) aparece um rei amalecita capturado pelas tropas, perdoado por Saul, executado por Samuel; seu nome é Agag. Fazendo desse nome próprio uma especificação étnica, "agaguita" equivaleria a "amalecita". O fato de Mardoqueu ser benjaminita, como Saul, favorece essa hipótese. Outra vez Amalec e Israel em confronto (cf. Dt 25,19).

Para ouvidos hebreus, o som pode trazer também à memória a figura fantástica de Gog (Ez 38-39), e o nome Amã soa parecido a *hamon* (exército, horda, no mesmo texto de Ezequiel). Ou seja, Amã agaguita soa quase como horda de Gog, síntese escatológica de hostilidades contra Israel (os ouvidos hebreus estavam muito acostumados a esses trocadilhos e não perguntavam muito pela intenção consciente do autor).

3,2 Como Ester entre as demais jovens, a conduta de Mardoqueu se destaca entre todos os cortesãos. Pode-se interpretar e julgar o gesto de vários modos. Como a antiga hostilidade de um judeu com um amalecita; e seria uma resistência não racionalizada; como expressão do orgulho de raça: "um judeu não se inclina ante um funcionário real"; como expressão de independência e dignidade.

A primeira interpretação se baseia na leitura etimológica do nome e torna explicável a atitude de Mardoqueu. A segunda interpretação a condena como orgulho. A terceira vê nele um modelo: há alguém que no meio de tanto servilismo sabe manter-se, e por isso torna-se reprovação dos demais. O texto grego se sentirá obrigado a desculpar o gesto de Mardoqueu perante Deus, por motivos religiosos.

3,4 O fato de Amã não haver notado por si mesmo parece indicar que Mardoqueu não o fazia ostensivamente, que se perdia entre os outros. No momento em que se descobre sua resistência, pode converter-se em outra rebelião no palácio: se o judeu não se submete, por que os outros devem fazê-lo? Se não se submete por ser judeu, os outros judeus agirão da mesma forma.

3,6 Isso não justifica o desígnio sinistro. É que Amã é desmedido: por uma descortesia, um *pogrom*; por um homem, um povo. O argumento de que num *só* se revelou a perversão perigosa de todos, não é válido, não justifica o crime.

3,7 Entre a decisão e a ação, o narrador insere uma nota que considera importante, referente a uma sorte e a uma data. Com exceção do sentido genérico da festa de *Purim* (ver a Introdução), a notícia apresenta-se aqui particularmente sinistra. O homem que, sem escrúpulos morais, decidiu um genocídio por vingança pessoal, mostra-se muito escrupuloso em averiguar os dias favoráveis para sua ação (o grego o diz explicitamente). No mês de Nisã cai a Páscoa judaica, memória da libertação do Egito.

3,8-9 O favorito tem de buscar diante do rei uma justificação de sua conduta. O bem da nação o pede (como no caso de Vasti). Sua descrição de Israel se inspira num oráculo de Balaão (Nm 23,9).

¹⁰O rei tirou o anel do selo e o entregou a Amã, filho de Amadates, de Agag, inimigo dos judeus, ¹¹dizendo-lhe:

– Faze com eles o que quiseres, e fica com o dinheiro.

¹²Os notários do reino foram convocados para o décimo terceiro dia do primeiro mês. E, conforme ordenou Amã, redigiram um documento destinado aos sátrapas reais, aos governadores de cada uma das províncias e aos chefes de cada povo, a cada província em sua escritura e a cada povo em sua língua. Estava escrito em nome do rei Assuero e selado com o selo real.

¹³Os mensageiros levaram a todas as províncias do Império cartas ordenando exterminar, matar e aniquilar todos os judeus, crianças e velhos, bebês e mulheres, e saquear seus bens no mesmo dia: no dia treze de março, ou seja, no mês de Adar.

13 ¹*Cópia da carta:*
"O imperador Artaxerxes aos governadores das cento e vinte e sete províncias, da Índia até a Etiópia, e aos chefes de distrito sob suas ordens:

²*Chefe de muitas nações e senhor de toda a terra, procuro não me ensoberbecer com a arrogância que o poder dá, mas governar sempre equitativa e benevolemente, para que meus súditos desfrutem sempre de uma vida sem sobressaltos. Oferecendo assim uma política humana, e desejando liberdade dentro de nossas fronteiras, procuro restabelecer a paz tão desejada por todos.*

³*Ao consultar meus conselheiros como se poderia conseguir isso, Amã, que se distingue por sua prudência, homem de uma dedicação sem igual, de uma fidelidade inquebrantável e comprovada e*

O imperialismo tem de unificar e uniformizar, não pode permitir diferenças, tem de ser intolerante. Como Mardoqueu é diferente dos demais cortesãos, assim todo o povo judeu o é diante dos demais povos dentro do Império, e isso é inaceitável. Os direitos de Israel como povo definem-se como concessão tolerante do rei, e podem ser revogados por razões de Estado. A promessa de dinheiro torna a proposta mais sórdida. O autor fez uma declaração muito importante pela boca do seu personagem; é uma análise da razão de Estado semelhante à que se encontra um tanto dispersa no começo do livro do Êxodo. Reflete a situação no tempo dos Selêucidas, com antecedentes no edito de Ciro (Esd 1,2-4); poderá refletir a situação sob o domínio romano.

3,10-11 A facilidade com que Amã consegue seu pedido é irritante. Desta vez o rei não consulta seu conselho real, mas abdica de sua responsabilidade entregando seu selo. Que voto de confiança para o crime! A entrega do anel parece imitação de Gn 41,42. O rei não pergunta sequer o nome desse povo, chama-o simplesmente "eles". A concisão do rei contrasta com a amplitude relativa de Amã: em duas palavras Assuero dispõe de dez mil talentos roubados; em poucas palavras, da vida de um povo inocente.

3,12 Segundo o cálculo do autor, trata-se da véspera da Páscoa.

3,13 O estilo junta a precisão legal com a ênfase retórica.

13,1-7 O autor grego compôs um texto do referido decreto. Com ele quis analisar e denunciar os motivos dessa razão de Estado que conduz ao genocídio. Desse modo escreveu um documento de atualidade perene.

O Faraó fundava na razão de Estado sua política opressora contra os hebreus: razão econômica, pois forneciam mão de obra baratíssima; razão militar, para que não se juntassem a possíveis invasores; razão política, para que a minoria não crescesse e se tornasse ameaçadora.

O monarca persa vai contrastando sua própria política, modelo em todas as ordens, com a conduta do povo judeu, reprovável em tudo. Esse acúmulo de adjetivos, de louvor próprio e desprezo alheio, com os grandes louvores do primeiro ministro, são um retrato sarcástico da dupla inversão de planos.
a) A descrição do próprio governo é um quadro do governo ideal (não totalmente segundo o ideal israelita – Sl 72 –, mas de modo genérico, sapiencial).
a') Ao contrário, o povo judeu é paradigma de maldade. O contraste de conjunto se especifica em antíteses particulares, como equidade-crime, segurança-ameaça, paz-hostilidade, ordem-desobediência, liberdade-impedimento...
Tudo são coisas genéricas: as virtudes do governo não se comprovam com fatos concretos, as gravíssimas acusações não se substanciam em crimes comprovados. Na própria exposição se vê a falsidade.
b) Acrescente-se o contexto narrativo, segundo o qual tudo decorre de uma vingança mesquinha e calculada de Amã, outrora comprometido com os conspiradores (segundo o autor grego), que toma a iniciativa da hostilidade. Assim acontece que, não havendo os judeus cometido crime algum, todos os elogios próprios do preferido soam como zombaria desapiedada: liberdade que persegue um povo indefeso, paz que desencadeia uma matança feroz, liberdade que não tolera leis diferentes, retidão que condena sem escutar nem indagar, benevolência que não perdoa mulheres e crianças...
c) O estilo oficial e solene da carta sublinha o tom sarcástico (a tradução tenta reproduzir esse tom). Nas mãos do autor grego, o decreto ultrapassa a moldura narrativa e se converte em denúncia indignada e sarcástica de muitas situações semelhantes, como aquelas que os judeus sofreram sob os diádocos e epígonos, das que sofrerão sob os romanos.
A carta fica aí, gravada nas páginas do livro, como documento profético para muitas épocas futuras, incluída a nossa.

cujas prerrogativas seguem as do rei, ⁴nos informou de que entre todos os povos da terra há um povo hostil, com regime jurídico oposto ao de todas as nações, que despreza continuamente as ordens reais, até o ponto de atrapalhar nossa política irrepreensível e reta.

⁵Assim, pois, considerando que este povo singular, inimigo de todos e completamente diferente por sua legislação, hostil a nossos interesses, comete os piores crimes, até o ponto de ameaçar a estabilidade de nosso reinado.

⁶Ordenamos que no décimo quarto dia do mês de março, o mês de Adar, do presente ano, todos os que vos forem indicados na carta de Amã, nosso chefe de governo, que é como nosso segundo pai, sejam exterminados pela raiz, com suas mulheres e crianças, pela espada de seus inimigos, sem compaixão nem consideração alguma, ⁷para que, lançados violentamente no sepulcro num só dia esses inimigos de ontem e de hoje, nossa política caminhe no futuro com segurança e ordem perpétuas".

3 ¹⁴O texto da carta, com poder real para todas e cada uma das províncias, se tornaria público a fim de que todos estivessem preparados para aquele dia.

¹⁵Obedecendo ao rei, os mensageiros partiram velozes. O decreto foi promulgado na acrópole de Susa e, enquanto o rei e Amã banqueteavam-se, Susa inteira ficou consternada.

4 **Ester evita o perigo** – ¹Quando Mardoqueu soube do que acontecia, rasgou as vestes, vestiu-se com pano de saco, cobriu-se de cinza, e saiu pela cidade lançando gritos de dor:

– Desaparece um povo inocente!

²E chegou até a porta do palácio real, que não podia ser transposta, vestindo-se com pano de saco.

³De província em província, conforme era publicado o decreto real, havia entre os judeus grande sofrimento, jejum, pranto e luto; muitos se deitaram sobre pano de saco e cinzas.

⁴As escravas e os eunucos de Ester foram contar a ela, e a rainha ficou consternada; mandou roupas a Mardoqueu para que se vestisse e tirasse o pano de saco; Mardoqueu, porém, não a aceitou. ⁵Então Ester chamou Atac, um dos eunucos reais a serviço da rainha, e o mandou ir a Mardoqueu para se informar do que acontecia e por que fazia aquilo. ⁶Atac foi falar com Mardoqueu, que estava na praça, diante da porta do palácio. ⁷Mardoqueu lhe comunicou o que havia acontecido: contou-lhe em detalhes sobre o dinheiro que Amã havia prometido depositar no tesouro real em troca do extermínio dos judeus; ⁸e lhe deu uma cópia do decreto que fora promulgado em Susa ordenando o extermínio dos judeus, para que o mostrasse a Ester e a pusesse a par, a fim de que mandasse a rainha apresentar-se ao rei, intercedendo em favor dos seus.

3,14 O prazo de onze meses não permitirá aos judeus fugir, já que o Império é universal; permitirá identificá-los, descobri-los, preparar cuidadosamente a execução; tornará mais cruel a espera dos condenados à morte.

3,15 É o terceiro banquete do livro, celebrando a vitória de Amã. E com esse banquete termina o segundo ato.

4 Podemos considerar como ato terceiro e final do dramático desfecho que se vai realizando a partir deste capítulo até o fim do capítulo 8. Por razões de extensão, poderíamos cortar no fim do capítulo 5. É a parte substancial do livro, onde o autor dará a medida do seu talento.

4,1 Da consternação geral destaca-se uma figura patética. De novo a passagem da massa anônima ao indivíduo protagonista. A seguir, seu gesto se estenderá a todo o seu povo.

O gesto de Mardoqueu é, antes de tudo, o começo de um grande rito de luto, como o solista que convida e arrasta o coro. Além disso, pelo lugar é uma denúncia e um desafio. Proclamando sua dor, talvez aspire a despertar a consciência de um povo indiferente; aproximando-se do palácio real, desafia a ira dos poderosos. Consciência de seu próprio povo, quisera ser consciência de outros.

Aqui o autor grego escreve seu melhor verso, perpetuamente moderno.

4,4-16 Desenvolve-se à distância um curioso diálogo entre Mardoqueu e Ester, pois Mardoqueu não se contenta com lamentar-se, mas começa a agir para afastar o perigo.

Ester primeiramente fica a par do luto de Mardoqueu, sem conhecer a causa; depois, conhece a causa lendo o decreto; em seguida, recebe ordens taxativas. As relações urgentes entre Mardoqueu e a rainha aumentam o perigo, mas não há outra saída.

4,4 Ester envia roupa para que Mardoqueu possa trocar, entrar no palácio e dar explicações.

15 ¹*Mandou que lhe dissesse:* ²*"Lembra-te de quando eras pequena e eu te dava de comer. O vice-rei Amã pediu nossa morte.* ³*Invoca o Senhor, fala ao rei em nosso favor, livra-nos da morte".*

4 ⁹⁻¹⁰Atac transmitiu a Ester a resposta de Mardoqueu, e Ester lhe deu este recado para Mardoqueu:

– ¹¹Os funcionários reais e o povo das províncias do Império sabem que, por decreto real, qualquer homem ou mulher que se apresentar ao rei no pátio interno sem ter sido chamado, é réu de morte; a não ser que o rei, estendendo seu cetro de ouro, lhe poupe a vida. Pois bem, faz um mês que o rei não me chama.

¹²Quando Mardoqueu recebeu a resposta de Ester, ¹³mandou que lhe respondessem:

– Não creias que por estar no palácio serás a única que ficará viva entre todos os judeus. ¹⁴Pelo contrário, se te negas a falar agora, a libertação e ajuda virão aos judeus de outro lugar, mas tu e tua família perecereis. Talvez tenhas subido ao trono por esse motivo.

¹⁵Então Ester enviou esta resposta a Mardoqueu:

– ¹⁶Vai reunir todos os judeus que vivem em Susa; jejuai por mim. Não comais nem bebais durante três dias e três noites. Eu e minhas escravas faremos o mesmo, e ao terminar eu me apresentarei diante do rei, ainda que contra sua ordem. Se tiver de morrer, morrerei.

¹⁷Mardoqueu foi executar as instruções de Ester.

13 ⁸*E orou assim, recordando todas as façanhas do Senhor:*

– ⁹*Senhor, Senhor, rei e dono de tudo, porque tudo está sob teu poder, e não há quem se oponha à tua vontade de salvar Israel.* ¹⁰*Tu criaste o céu e a terra e todas as maravilhas que há debaixo do céu, e tu és Senhor de tudo;* ¹¹*nem há, Senhor, quem possa se opor a ti.* ¹²*Tu sabes tudo. Se eu me nego a prostrar-me diante desse*

15,2-3 Aqui o grego acrescenta um detalhe afetuoso a uma razão pessoal. O hebraico não se deixa emocionar e se mantém no plano das razões nacionais.

4,11-14 A situação se agrava, e isso serve para a tensão narrativa; mas serve sobretudo para identificar Ester com seu povo no perigo. Seria muito cômodo ajudar de uma posição segura, sem riscos. Segundo a tradição bíblica (os irmãos de José, Moisés, Davi, o servo do Senhor), libertar é ato de solidariedade, realizado por dentro, partilhando a dor e o perigo dos demais israelitas. E é isso o que Mardoqueu afirma com veemência e dureza. Sem esses versículos faltaria muito, algo essencial, à dimensão humana do livro; e é justo que seja dito no diálogo dos dois personagens centrais. Mardoqueu não nega o perigo indicado por Ester nem o suaviza, estende-o à outra alternativa: se Ester se descompromete, cairá vítima da ameaça comum, sua condição de rainha não cancelará sua condição de judia. Mais ainda, se Ester se distancia do seu povo em perigo, ficará distante e fora na libertação; porque a libertação virá – Mardoqueu o sabe pela sua fé no Senhor –, e o ser humano é apenas instrumento. Escolha em Israel não é para o privilégio, mas para o serviço; se Ester foi escolhida, o foi precisamente para esse momento decisivo. É pouco ser rainha do Império persa, é muito ser libertadora do povo de Deus.

Como Assuero rejeitou Vasti desobediente e escolheu "uma melhor do que ela", assim Deus rejeitará Ester e escolherá alguém melhor do que ela, caso não obedeça.

Mardoqueu é a consciência lúcida do seu povo, e seu instrumento é a palavra.

4,15-16 Não é que Ester se negasse ou resistisse, simplesmente informava sobre a situação. O autor precisava de uma Ester plenamente consciente e responsável. Ao pronunciar a última frase, ela assume seu verdadeiro papel.

O jejum tem obviamente caráter religioso – o autor evita no seu livro explicitar o aspecto religioso –, e o autor grego aproveita o momento para inserir duas orações que acompanhem e expressem o sentido do jejum.

13,8-14,19 As duas orações possuem vários elementos básicos em comum: atribuem-se a Deus o poder e a sabedoria, no sentido de conhecimento do coração humano; em nome do povo se confessa, de modo genérico, o pecado e pede-se perdão; numa "confissão negativa" se proclama a própria inocência no caso específico (sem negar a participação genérica no pecado do povo); na motivação da súplica se destaca o tema do louvor a Deus, como definição do povo judeu.

A oração de Ester apresenta uma forma rítmica mais regular, e passa facilmente do singular ao plural, como se estivesse mais inserida no meio de todo o povo, ao passo que representa Mardoqueu quase liturgicamente.

13,8 Sl 77,12; 105,5; 119,52; recordar as façanhas na oração equivale a enumerá-las e meditá-las; o autor resume a série na fórmula genérica do versículo seguinte.

13,9 A salvação é o tema predominante: nela se manifesta realmente o poder invencível do Senhor, como a história o demonstra.

13,10-11 Do poder histórico sobe ao poder cósmico, segundo um esquema conhecido.

13,12-14 O autor sente-se obrigado a desculpar o gesto de Mardoqueu, como se a inclinação diante de Amã

soberbo Amã, tu sabes bem, Senhor, que não o faço por arrogância, orgulho ou vaidade; ¹³para salvar Israel, de boa vontade eu lhe beijaria a planta dos pés. ¹⁴Se me neguei a fazê-lo, é porque para mim Deus está acima de qualquer homem. Eu não me prostro diante de ninguém, a não ser diante de ti, Senhor meu; não o faço por orgulho. ¹⁵Pois bem, Senhor, Deus rei, Deus de Abraão, perdoa o teu povo; porque tramam nossa morte, desejaram aniquilar tua antiga herança. ¹⁶Não desprezes a porção que resgataste do país do Egito para ti; ¹⁷escuta minha súplica, tem piedade de tua herança, transforma nosso luto em festa, para que vivamos celebrando teu nome, Senhor. Não faças emudecer a boca dos que te louvam.

¹⁸Diante da morte iminente, todos os israelitas gritavam a Deus com todas as suas forças.

14 ¹A rainha Ester, temendo o perigo iminente, acorreu ao Senhor. ²Despojou-se de suas roupas luxuosas e se vestiu de luto; em vez de perfumes refinados, cobriu a cabeça de cinza e lixo, e se desfigurou completamente, cobrindo com os cabelos revoltos o corpo que antes tinha prazer de adornar. ³Depois rezou assim ao Senhor, Deus de Israel:

"Senhor meu, único rei nosso.
Protege-me, pois estou só
e não tenho outro defensor
fora de ti,
⁴pois eu mesma
me expus ao perigo.

⁵Desde minha infância ouvi,
no seio de minha família,
como tu, Senhor, escolheste
Israel entre as nações,
nossos pais
entre todos os seus antepassados,
para serem tua herança perpétua,
e cumpriste para com eles
o que havias prometido.
⁶Nós pecamos
contra ti,
prestando culto a outros deuses;
⁷por isso nos entregaste
a nossos inimigos.
Tu és justo, Senhor!
⁸E não lhes basta
nosso amargo cativeiro,
mas se comprometeram
com seus ídolos,
⁹jurando invalidar a aliança
saída de teus lábios,
fazendo desaparecer
tua herança
e emudecer
os que te louvam,
extinguindo teu altar
e a glória de teu templo,
¹⁰e abrindo os lábios
dos gentios
para que deem glória a seus ídolos
e venerem eternamente
um rei de carne.
¹¹Não entregues, Senhor,
teu cetro
aos que não são nada.
Que não zombem
de nossa queda.

---

significasse adoração a uma criatura. Não era assim no quadro da narração original, mas contém algo de verdade duradoura. O homem não deve submeter-se a outro homem, porque sua dignidade consiste em submeter-se só a Deus, fonte de liberdade. Só enquanto o outro homem o ajuda a descobrir a vontade concreta de Deus é que se aceita a submissão e mesmo a humilhação. Assim é Mardoqueu, tipo e modelo de todo Israel.

13,15 1Rs 8,30.34.36.39.50 (oração de Salomão na inauguração do templo); Am 7,2. E para a segunda parte, Sl 83,4-5.
13,16 Ex 15,13; Sl 74,2; 77,16; 106,10; 107,2.
13,17 Sl 30,12; 90,14-15; segundo a etimologia de Gn 49,8, *judeu* significa *aquele que louva*; por isso, os judeus são o povo que louva o Senhor.
13,18 É como uma resposta coral, sublinhando a imitação litúrgica do salmo.

14,1-3 Ver Is 3,24; 32,9-12.
14,3-4 A oração começa em tom mais pessoal, com o tremor diante do próprio perigo.
14,5-12 O esquema é tradicional: benefícios de Deus – pecado confessado do povo – castigo – pedido com motivação. Pela confissão do pecado, com a fórmula "és justo", assemelha-se a liturgias penitenciais do tipo Esd 9; Ne 9; Dn 9; Br 1-3.
Na situação atual, Israel diante de seus inimigos, acontece realmente uma luta entre os ídolos e o Senhor. O empreendimento é consagrado com um juramento feito aos ídolos, e a vitória redundará em louvor a eles.
O culto a um homem (de que não se fala no original hebraico) está na linha dos livros de Judite e Daniel.
14,11 Os ídolos é que não são nada, e seus devotos que se tornam como eles, Sl 115,4-8; Is 41,24.29; 44,7a. Trata-se da zombaria do triunfo, conforme Sl 25,2.

Volta contra eles seus planos,
 que sirva de lição
 quem começou a atacar-nos.
¹²Atende, Senhor,
 mostra-te a nós
 na tribulação,
 e dá-me força, Senhor,
 rei dos deuses
 e senhor de poderosos.
¹³Põe em minha boca
 um discurso adequado
 quando tiver de falar
 ao leão;
 faze que mude
 e deteste
 o nosso inimigo,
 para que pereça
 com todos os seus cúmplices.
¹⁴Quanto a nós,
 livra-nos com tua mão,
 e a mim, que não tenho
 outro auxílio
 além de ti,
 protege-me tu,
 Senhor, que sabes tudo,
¹⁵e sabes que odeio
 a glória dos ímpios,
 que me horroriza
 o leito dos incircuncisos
 e de qualquer estrangeiro.
¹⁶Tu conheces meu perigo.
 Detesto este emblema
 de grandeza
que levo em minha fronte
 quando apareço em público.
 Eu o detesto
 como um farrapo imundo,
 e privadamente não o uso.
¹⁷Tua serva não comeu
 à mesa de Amã,
 nem apreciou
 o banquete do rei,
 nem bebeu vinho de libações.
¹⁸Desde o dia de minha exaltação
 até hoje,
 tua serva só se deleitou
 em ti, Senhor, Deus de Abraão.
¹⁹Ó Deus
 poderoso sobre todos!
 Escuta o clamor
 dos desesperados,
 livra-nos das mãos
 dos malfeitores,
 e tira de mim o medo".

5 Ester e Assuero

¹No terceiro dia, Ester pôs suas vestes de rainha e chegou até o pátio interno do palácio, diante do salão do trono. O rei estava sentado em seu trono real, no salão, diante da entrada. ²Quando viu a rainha Ester, de pé no pátio, olhou-a com prazer, estendeu para ela o cetro de ouro que tinha na mão, e Ester se aproximou para tocar a extremidade do cetro.

14,13 O leão é o rei poderoso e possivelmente hostil (Sl 7,3).

14,15-17 Esses protestos de Ester soam falsos no contexto narrativo e fazem ressaltar a liberdade de espírito do autor original. A passagem do original hebraico ao grego documenta o estreitamento espiritual que uma parte do povo sofreu por efeito das circunstâncias.

14,19 Em compensação, o último versículo da súplica soa com sinceridade comovedora.

5 O movimento narrativo vai ser marcado por três encontros de Ester com Assuero, sublinhados pela tríplice oferta do rei: "Pede o que quiseres". O primeiro encontro culmina em 5,3 e é preparado pelo laborioso diálogo do capítulo precedente; o segundo é brevíssimo, um banquete com Amã; o terceiro é amplo e é habilmente adiado pelos acontecimentos de uma noite e uma manhã, é outro banquete com Amã e nele chega o desfecho. Com essa técnica, a narração se torna rica e bem-composta.

5,1-5 (+ cap. 15,4-19) Do primeiro encontro temos a versão hebraica original e uma versão ampliada do autor grego.

Hebraico. A versão original começa com certa ênfase, indicando a data; o encontro realiza-se rapidamente em três movimentos e o pedido. A brevidade parece subtrair a dramaticidade explícita; isso porque a dramaticidade reside na preparação imediata; não esqueçamos que no original hebraico 5,1 liga-se com 4,16: "Se tiver de morrer, morrerei"; ao fim de três dias, Ester caminha para a morte provável. O olhar prazeroso de Assuero acontece após um mês de afastamento; e isso também é dramático, pois o autor sugere o repentino reavivar-se do amor na presença da amada.

Grego. O texto grego distraiu-nos com duas longas súplicas; para compensar a distância e a tensão perdida, compraz-se em explorar quase romanticamente a situação, com acompanhamento de langores e desmaios.

A ação é articulada com mais detalhe e com fortes contrastes dos aspectos e dos sentimentos. Muda com acerto o ponto de vista. Introduz explicitamente Deus. O leitor justifica facilmente o primeiro desmaio de Ester; está pondo em jogo a vida à custa do humor real; ao ver o rei irado, considera-se perdida. Quando

15 ⁴*No terceiro dia, ao terminar a oração, Ester tirou a roupa de suplicante e vestiu-se com todo o luxo.* ⁵*Ficou esplendorosa. Depois, invocando o Deus e salvador que vela sobre todos, caminhou com duas donzelas,* ⁶*apoiando-se suavemente em uma delas, com delicada elegância,* ⁷*enquanto a outra a acompanhava levando a cauda do vestido.* ⁸*Ester ia ruborizada, radiante de formosura, com o rosto alegre, como uma apaixonada, mas com o coração angustiado.*

⁹*Atravessou todas as portas, até ficar de pé diante do rei. Estava sentado em seu trono real, revestido de todos os seus ornamentos majestosos, de ouro e pedras preciosas. O rei parecia terrível.* ¹⁰*Levantou a cabeça ruborizada de glória e, no auge de sua cólera, lançou um olhar. A rainha empalideceu e se apoiou no ombro da donzela, desmaiando.* ¹¹*Então Deus moveu o rei e o inclinou à mansidão; inquietou-se, pulou de seu trono e tomou Ester nos braços, animando-a com palavras tranquilizadoras, enquanto ela voltava a si:*

– ¹²*O que está acontecendo, Ester? Sou teu esposo.* ¹³*Coragem, não morrerás. Nossa ordem é apenas para nossos súditos.* ¹⁴*Aproxima-te.*

¹⁵*Pôs seu cetro de ouro sobre o pescoço de Ester e a acariciou, dizendo-lhe:*

– *Fala-me.*

¹⁶*Ester lhe disse:*

– *Eu te vi, senhor, como um anjo de Deus, e me atemorizei diante de tanto esplendor.* ¹⁷*Porque és admirável, senhor, e teu rosto fascina.*

¹⁸*Enquanto falava, desmaiou.* ¹⁹*O rei ficou perturbado, e todos os cortesãos tentavam reanimá-la.*

5 ³O rei lhe perguntou:

– O que está acontecendo contigo, rainha Ester? Pede-me, e eu te darei até a metade do meu reino.

⁴Ester disse:

– Se agradar ao rei, venha hoje com Amã ao banquete que preparei em sua honra.

⁵O rei disse:

– Avisai imediatamente Amã, para que se faça o que Ester deseja.

O rei e Amã foram ao banquete preparado por Ester.

⁶E em meio aos brindes, o rei disse a Ester:

– Pede-me o que quiseres e eu te darei. Ainda que me peças a metade do meu reino, tu a terás.

⁷Ester respondeu:

– ⁸Meu pedido, meu desejo, é este: se o rei quiser fazer-me um favor, se quiser aceitar o meu pedido e cumprir o meu desejo, venha com Amã ao banquete que vou lhe preparar amanhã, e então lhe responderei.

⁹Nesse dia Amã saiu alegre e de bom humor; mas quando viu que Mardoqueu, na porta do palácio real, não se levantava nem se afastava, encolerizou-se contra Mardoqueu, ¹⁰mas dominou-se. Ao chegar a casa, chamou seus amigos e sua mulher Zares; ¹¹falou-lhes do esplendor de suas riquezas, de seus numerosos filhos e de como o rei o havia engrandecido, fazendo-o ascender sobre seus funcionários e ministros. ¹²E acrescentou:

– Além disso, a rainha Ester não convidou ninguém, além do rei e de mim, para esse banquete que ofereceu. E com o rei estou convidado também para amanhã. ¹³Mas tudo isso não me satisfaz, enquanto

---

Ester dá uma explicação puramente numinosa (vv. 16-17), sem aludir à ira e ao perigo que correu, o leitor sente que a resposta é calculada.

O amoroso interesse humano de Assuero pela esposa enriquece a figura original.

15,4 Jt 10,1-4.

15,10 "A ira do rei é arauto de morte, o homem sensato consegue aplacá-la" (Pr 16, 14); "filho meu, teme o Senhor e o rei; não provoques nenhum dos dois, porque de repente surge o castigo deles, e quem lhes conhece o furor?" (Pr 24,21-22).

15,11 "O coração do rei é um canal de água nas mãos de Deus: ele o dirige para onde quer" (Pr 21,1).

15,16 2Sm 14,17.20.

5,4-5 Começa a soar invertido o tema do capítulo 1: Vasti, convidada pelo rei, não comparece; Assuero, convidado pela rainha, comparece; e fora do banquete: Vasti, chamada, não se apresenta; Ester, não chamada, se apresenta.

5,6-8 A brevidade da cena é intencional para semear enredo, plantar dados importantes e dar espaço. São significativas a nova presença solicitada de Amã, as palavras "meu pedido, meu desejo".

Assim o narrador concede para si um dia no qual vão acontecer muitas coisas: o anoitecer para seguir as reações de Amã, a noite para seguir os pensamentos do rei, a manhã para unir Amã com Mardoqueu.

5,9-14 O gesto de Mardoqueu assume caráter marcado de desafio pessoal, pois conhece o causador

continuar vendo o judeu Mardoqueu sentado à porta do palácio.

¹⁴Sua mulher Zares e seus amigos lhe disseram:

– Seja preparada uma forca de vinte e cinco metros. Pela manhã pedirás ao rei que nela enforquem Mardoqueu, e depois irás contente ao banquete.

Amã gostou da proposta e mandou preparar a forca.

6

¹Nessa noite, o rei não conseguia dormir. Então mandou trazer o livro dos anais ou crônicas. E o leram para ele. ²Aí se contava como Mardoqueu havia descoberto Bagatã e Tares, os dois eunucos reais sentinelas, que procuraram atentar contra o rei Assuero. ³O rei perguntou:

– Que prêmio ou recompensa foram dados a Mardoqueu por isso?

Os cortesãos que assistiam ao rei responderam:

– Não lhe foi dado nada.

⁴Então o rei perguntou:

– Quem está no pátio?

Nesse momento Amã chegava ao pátio externo do palácio para pedir ao rei que enforcassem Mardoqueu na forca que lhe havia preparado.

⁵Os cortesãos responderam:

– No pátio está Amã.

O rei disse:

– Que entre!

⁶Quando Amã entrou, o rei lhe perguntou:

– O que se pode fazer em favor de alguém que o rei deseja honrar?

Amã pensou interiormente: "E a quem o rei vai querer honrar senão a mim?" ⁷Portanto, respondeu:

– Para essa pessoa a quem o rei quer honrar, ⁸tragam as vestes régias que o rei costuma usar, o cavalo que o rei costuma cavalgar e uma coroa real. ⁹A roupa e o cavalo serão entregues a um dignitário real que pertença à nobreza, para que com essa roupa vista o homem a quem o rei quer honrar e o leve a passear a cavalo pela praça da cidade, anunciando diante dele: "Este é o tratamento que se dá a quem o rei quer honrar!"

¹⁰Então o rei disse a Amã:

– Depressa, pega a roupa e o cavalo de que falaste e faze isso com Mardoqueu, o judeu funcionário da corte. Não omitas um só detalhe do que falaste.

---

da situação. Antes, chorava por toda a cidade até a porta do palácio, e era um desafio; agora, sem palavras enfrenta o inimigo.

Amã sente a ofensa com a mesma intensidade pessoal, uma ofensa que lhe amarga as outras alegrias. Porque denuncia uma impotência, põe um limite a seu poder; há alguém que não se dobra, embora ameaçado de morte. Por isso, não basta ao preferido que Mardoqueu morra na matança geral; tem de separá-lo, ser seu carrasco, exibi-lo perante a população. O prazer da vingança coroará seus êxitos. Mardoqueu será as primícias saborosas.

Amã, desmedido! "Não te glories do amanhã, não sabes o que o dia vai gerar" (Pr 27,1).

5,14 Narrativamente, o destino fatal se precipita; resta só uma noite, que não é tempo para agir.

6,1 Precisamente a noite vai produzir o giro da roda da fortuna. Uma versão antiga diz maliciosamente que a leitura dos anais era para conseguir conciliar o sono. Os anais são como uma *memória civil*, que conserva e permite atualizar os fatos; podem ser memória que interpela. Através deles, não em sonho nem em visão, Mardoqueu aparece ao rei na noite sem sono. De novo por meio da palavra; sem ele o saber, sem agir.

Começa a girar no relato uma *constelação de ignorâncias* dos personagens, com o conhecimento do leitor. Assuero ignora que Ester é judia, que Amã odeia Mardoqueu, que este é judeu, que ele deve a vida a Mardoqueu. Narrativamente, essa ignorância possibilita e valoriza o tema; politicamente não deixa bem o rei, que ignora os assuntos seus, do reino, da rainha; há intenção satírica? (O rei se lembra das concubinas que o agradam). Amã ignora que Ester é judia, que Mardoqueu salvou a vida do rei.

Dessas ignorâncias decorrerá, no presente capítulo, que Amã não será vítima do rei, mas de sua própria vaidade; e, por ela, do Senhor. "Do vingativo se vingará o Senhor" (Eclo 28,1a).

O capítulo contém dois apartes interrompendo o diálogo: um para assinalar a chegada do preferido, outro para escutar seus pensamentos; os dois servem à intenção irônica do narrador, que também desfruta, humilhando o personagem.

6,4 O versículo mostra a pressa de Amã de consumar a vingança, e ao mesmo tempo faz convergir os pensamentos do rei e do preferido numa pessoa, partindo de posições opostas e sem que o saibam.

6,6-9 A espera é divertida. Uma expressão-chave é repetida seis vezes: "a quem o rei quer honrar". É uma expressão indeterminada, que admite por sujeito qualquer um, e daí brota o equívoco. O rei pensa mentalmente em Mardoqueu, Amã pensa mentalmente em si mesmo, e com íntimo deleite repete quatro vezes a expressão. Na descrição está vendo a si mesmo, não pode haver outro.

A cerimônia honorífica parece inspirada em Gn 41,42-43 (honras a José como vice-rei).

¹¹Amã pegou a roupa e o cavalo, vestiu Mardoqueu e o levou a passear a cavalo pela praça da cidade, anunciando diante dele:

— Este é o tratamento que se dá a quem o rei quer honrar!

¹²Depois, enquanto Mardoqueu voltava para seu posto no palácio, Amã corria para sua casa, triste e cobrindo a cara. ¹³Contou a sua mulher Zares e a todos os seus amigos o que havia acontecido. Zares e seus sábios lhe disseram:

— Se Mardoqueu, diante de quem começaste a cair, é de raça judaica, não poderás com ele; cairás diante dele até o fundo. Não poderás defender-te dele, porque o Deus vivo está com ele.

¹⁴Estavam ainda falando com ele, quando chegaram os eunucos reais para levá-lo imediatamente ao banquete preparado por Ester.

7 Derrota de Amã — ¹O rei e Amã foram ao banquete com a rainha Ester. ²Nesse segundo dia o rei tornou a perguntar a Ester em meio aos brindes:

— Rainha Ester, pede-me o que quiseres e eu te darei. Ainda que me peças a metade de meu reino, tu a terás.

³A rainha Ester respondeu:

— Majestade, se quiseres fazer-me um favor, se te agradar, concede-me a vida — é o meu pedido — e a vida de meu povo — é o meu desejo. ⁴Porque meu povo e eu fomos vendidos para o extermínio, a matança e a destruição. Se nos tivessem vendido para ser escravos ou escravas, eu me teria calado, já que essa desgraça não acarretaria prejuízo para o rei.

⁵O rei perguntou:

— Quem é? Onde está quem procura fazer isso?

⁶Ester respondeu:

— O adversário e inimigo é esse malvado Amã!

Amã ficou aterrorizado diante do rei e da rainha.

⁷E o rei, num acesso de ira, levantou-se do banquete e saiu para o jardim do palácio, enquanto Amã ficou para pedir por

---

6,11 Um a cavalo e outro a pé já é uma decisiva mudança de altura (cf. Eclo 10,7); mas ainda nenhum dos dois chega ao extremo. Também podemos por contraste recordar Mardoqueu chorando pelas ruas e praças da cidade, 4,1-2. A situação começou a mudar para todos, Mardoqueu é as primícias.

6,12 Mardoqueu, moderado, volta a seu lugar. Grande honra e pouco resultado: nem riquezas nem cargos. Do rei recebeu uma honra passageira; com relação a Amã, livrou-se da forca.
O gesto de Amã expressa a derrota: 2Sm 15,30; Jr 14,3.

6,13 Parece tratar-se de conselheiros peritos em avaliar uma situação e defini-la "sapiencialmente". O julgamento se refere em concreto a "um judeu", como enunciado de uma experiência reconhecida. O grego acrescenta a razão religiosa.

6,14 A escolha de eunucos é gesto honorífico, que no contexto adquire uma inquietadora ambiguidade. A recente humilhação vai tirar o gosto do banquete? Ou a honra singular o compensará? Escoltado para o rei, detido para Ester.

7 Chegamos ao desfecho, que o narrador sabe retardar sem esforço. Confronto de Amã com Ester na presença do rei, de modo que Amã não fale nem possa falar. Perdeu a iniciativa e a autoridade, embora ainda conserve o selo do rei.
Volta o jogo das ignorâncias habilmente exploradas. Assuero ignora o sentido e o alcance da manobra de Amã; ignorância culpável, ao abdicar sua responsabilidade, permitindo um decreto que condena a rainha por sua raça; até celebrou o decreto com um banquete. "O governante que dá atenção a enganos terá criminosos como ministros" (Pr 29,12). Ester ignora a recente humilhação de Amã diante de Mardoqueu, ou essa ignorância a deixa na consciência do risco. Amã ignora que Ester é judia; a ignorância é desculpável, mas o criminoso, ao condenar em bloco e sem distinção, arca com todas as consequências: entre os condenados pode haver até uma rainha. Praticamente, in causa, atentou contra a rainha, como os eunucos quiseram atentar contra o rei. Ele atentou contra o trono, "porque seu trono se afirma com a justiça" (Pr 16,12b).
No meio da ignorância, Ester se mostra lúcida: sabe, acusa e condena.

7,1-2 Segundo banquete e terceira oferta do rei. A tríplice oferta articula o relato e garante sua validade.

7,3-4 Ester repete enfaticamente as palavras do primeiro banquete: "meu pedido, meu desejo". Para Assuero, a resposta de Ester é inesperada, surpreendente e obscura. Porque Ester, propositadamente, cala o nome do réu, obrigando a perguntar. O paralelismo e a rima sublinham a vinculação de dois valores agora inseparáveis para Ester: sua vida, seu povo. Na avaliação do rei, vale mais a vida da rainha, e Ester, taticamente, a antepõe; para a rainha, que arriscou a vida por seu povo, este vale mais. A solidariedade se expressa modelando a frase.
"Vendidos", segundo fórmula comum (Jz 2,14; 3,8; 4,2; 10,7), aludindo talvez à proposta de Amã, 3,13. Ester insinua que o decreto redunda em grave prejuízo do rei.

7,5-6 Diante de Mardoqueu e do seu povo, Ester se salvou; diante do rei, não fraquejou: "Manancial turvo, fonte corrompida, é o honrado que fraqueja diante do perverso" (Pr 25,26).

7,7 "A ira do rei é arauto de morte" (Pr 16,14a). A breve cena atrasa a sentença real e permite, com o silêncio do réu, nova comprovação de seu crime.

sua vida à rainha Ester, pois compreendeu que o rei já havia decidido a ruína dele.

⁸Quando o rei voltou do jardim do palácio e entrou na sala do banquete, Amã estava inclinado sobre o divã onde Ester se recostava, e o rei exclamou:

– E se atreve a violentar a rainha diante de mim, em meu palácio?

Logo que disse isso, cobriram o rosto de Amã, ⁹e Harbona, um dos eunucos do serviço pessoal do rei, sugeriu:

– Precisamente na casa de Amã instalaram uma forca de vinte e cinco metros de altura; Amã preparou-a para Mardoqueu, que salvou o rei fazendo a denúncia.

O rei ordenou:

– Enforquem-no aí!

¹⁰Enforcaram Amã na forca que havia levantado para Mardoqueu, e a cólera do rei se acalmou.

8 Triunfo dos judeus —

¹Nesse dia, o rei Assuero entregou à rainha Ester a casa de Amã, o inimigo dos judeus; e Mardoqueu foi apresentado ao rei, que já sabia por meio de Ester sobre o parentesco que tinha com a rainha. ²O rei tirou o anel que havia recuperado de Amã e o entregou a Mardoqueu. Ester confiou a Mardoqueu a administração da casa de Amã.

³Ester voltou a falar com o rei. Caiu a seus pés, chorando e suplicando-lhe que anulasse os planos perversos que Amã havia tramado contra os judeus.

⁴Quando o rei estendeu para Ester o cetro de ouro, ela se levantou e ficou de pé diante do rei. ⁵Depois disse:

– Se agradar ao rei e quiser fazer-me um favor, se minha proposta lhe parecer boa e se estiver contente comigo, anule por escrito a carta de Amã, filho de Amadates, de Agag, que havia mandado exterminar os judeus nas províncias do Império. ⁶Porque, como poderei ver a desgraça que se abate sobre meu povo, como poderei ver a destruição de minha família?

⁷O rei Assuero disse então à rainha Ester e ao judeu Mardoqueu:

– Vistes que dei a Ester a casa de Amã e o enforcaram por atentar contra os judeus. ⁸Quanto a vós, escrevei em nome do rei o que vos parecer sobre os judeus e selai-o com o selo real, pois os documentos escritos em nome do rei e selados com seu selo são irrevogáveis.

7,8 Amã continua descendo: humilhado agora ante uma judia, pedindo a própria vida como esmola. Mas, descontrolado, se excede no pedido insistente, viola as regras do protocolo, e o rei, irado, interpreta sem matizes o gesto. A denúncia de Harbona é outro agravante no histórico do réu.

7,10 "O honrado se livra do perigo, o perverso ocupa seu lugar" (Pr 11,8); "A honradez dos retos os salva, os traidores ficam presos em sua cobiça" (Pr 11,6); "Quando os perversos mandam, os crimes aumentam, mas os honrados olharão como aqueles caem" (Pr 29,16). "Se acalmou", como em 2,1.

8 O que segue está implícito na queda de Amã, mas o leitor judeu queria ler explicitamente a exaltação de Mardoqueu e do povo. Narrativamente, este capítulo é anticlimático e serve para completar. O narrador já não se esmera como fez até aqui, quero dizer, continuando uma narração interessante; esmera-se, isto sim, em apurar as correspondências da exaltação com a humilhação, do triunfo com o perigo.

O gosto por deter-se e recrear-se no feliz desfecho bastava para manter o interesse dos leitores; o autor é generoso em servir-lhes tão saboroso prato. O leitor atual o aprecia menos. (É como filmar em câmara lenta a festa e o banquete num filme de final feliz; há pessoas para quem isso é o melhor do filme.)

Um ponto, talvez, precisava ficar resolvido. O decreto contra os judeus tinha força de lei e era irrevogável (1,19; 8,8). O leitor, a essas alturas, dá por descontado que Ester e Mardoqueu salvam seu povo; mas como conseguirão invalidar um decreto irrevogável?

8,1-2 A coroa confisca as posses daquele que atentou contra a rainha. São as posses de que Amã se gloriava. Mardoqueu ocupa totalmente o lugar de Amã: na corte como primeiro ministro, na casa como administrador. Como Ester sucedeu a Vasti, assim "um melhor" sucede ao perverso, e é esperança de justiça: "separa o perverso do rei, e seu trono se firmará na justiça" (Pr 25,5).

E não repete Assuero sua leviandade ao entregar o anel? Agora sabe que Mardoqueu salvou a vida do rei e da rainha.

8,3-6 Retornam temas dos capítulos 5-7: novo encontro e novo pedido. O encontro já não é dramático, o pedido estava contido em 7,3-4. A introdução é mais insistente, juntando razões pessoais às razões objetivas.

Amã, morto, ainda ameaça os judeus em virtude de uma lei que sobrevive a ele. O decreto assinado em nome do rei e selado com o selo real é como um trejeito macabro do sentenciado, vingança depois de morrer.

8,7-8 O rei afirma que as leis persas são irrevogáveis: Também a lei pela qual foi condenado Amã, "por atentar contra os judeus"? E se esta é revogável, por que não a nova escrita por Mardoqueu?

É que a lei, uma vez emanada, está acima do rei, como garantia nacional contra o arbítrio? Se uma lei não pode ser revogada e só pode ser contrastada com outra contrária, não caímos no legalismo?

⁹Então, no vigésimo terceiro dia do mês de junho, ou seja, Sivã, foram convocados os notários do reino, e tal como ordenou Mardoqueu, redigiu-se um documento destinado aos judeus, sátrapas, governadores e chefes das províncias – cento e vinte e sete províncias, da Índia até a Etiópia –, a cada província em sua escritura e a cada povo em sua língua; aos judeus, em seu alfabeto e sua língua.

¹⁰Redigiram um documento em nome do rei Assuero, o selaram com seu selo e enviaram as cartas por mensageiros montados em cavalos velocíssimos, puros-sangues das cavalariças reais.

¹¹Em tal documento o rei concedia aos judeus de todas e de cada uma das cidades o direito de reunir-se e defender-se, de exterminar, matar e aniquilar todas as pessoas armadas de qualquer raça ou província que os atacassem, também suas mulheres e crianças, além do direito de saquear seus bens em todas as províncias do rei Assuero, ¹²no mesmo dia, o décimo terceiro do mês de março, ou seja, Adar.

16 *Cópia da carta:*
¹ *"O imperador Artaxerxes aos governadores das cento e vinte e sete províncias, da Índia até a Etiópia, e a todos os que são leais a nós, saúde!*

² *Considerando que muitos, quanto mais benefícios e mais honra recebem de seus benfeitores mais se ensoberbecem,* ³ *e não só procuram maltratar nossos súditos, pelo contrário, não podendo dominar sua própria arrogância, conspiram contra seus próprios benfeitores, apagam do coração humano o sentimento de gratidão e,* ⁴ *mais ainda, ensoberbecidos com os aplausos dos malvados, pensam escapar à justiça do Deus que sempre vê tudo e odeia os maus.*

⁵ *Considerando que com frequência muitos constituídos em autoridade, influenciados pelos que acreditavam amigos, aos quais confiaram o andamento de seus assuntos, foram vistos envolvidos em desgraças irreparáveis e convertidos em cúmplices do assassínio de inocentes, porque a maldade dos amigos,* ⁶ *à base de sofismas enganosos, prevaleceu sobre a íntegra nobreza de sentimentos dos governantes.* ⁷ *Basta olhar, não para as anedotas que nos contam da antiguidade, mas diante de nossos próprios olhos: quantas maldades foram cometidas por essa*

Teremos uma garantia, só se a justiça estiver acima de reis e leis. Por isso Pr, repetidas vezes, afirma que o trono se consolida na justiça (Pr 16,12; 25,5; 20,28).

O autor parece ter presente o problema, a realidade de leis desumanas, pelas quais se sacrificam tantas vidas. Em nome da lei, os judeus tiveram de sofrer na diáspora, sem outra lei escrita que os defendesse. Se um judeu chegasse a mandar, faria o possível para abolir ou contrastar semelhantes leis injustas.

8,9-12 O decreto de Mardoqueu parece adotar a segunda solução: se há uma lei que autoriza atacar e matar, haverá outra lei que autorize os judeus a defender-se. Dessa maneira se obtém: primeiro, que a defesa não seja um ato ilegal de terrorismo, mas uma defesa legal; segundo, que o inimigo fique claramente em posição de agressor, sabendo as consequências. Quem não atacar, nada sofrerá; quem atacar, terá pela frente um povo decidido a vender cara a vida.

É que as leis de nada valeriam sem os homens que as executam. Amã continua vivo nos seus seguidores, os do seu partido, dispersos pelo Império. Têm vários meses para abandoná-lo; se ao expirar o prazo designado pela sorte persistirem em executar o legado de seu chefe, o farão conscientes, sem atenuantes.

8,9 Neste decreto aparecem os judeus como destinatários, como povo diferente mas oficialmente reconhecido, com sua língua e escritura, como os outros.

8,10 A determinação dos cavalos é um tanto duvidosa, mas está clara a intenção narrativa. O dado corresponde aos usos.

8,11 Os três verbos "exterminar", "matar", "aniquilar" são os mesmos do decreto de Amã (3,13).

8,12 No dia designado pela sorte, as sortes mudarão; os judeus não devem antecipar-se.

16,1-24 O autor grego aproveita o momento para compor outro decreto semelhante, no estilo do primeiro, de dupla extensão, imitando a linguagem das chancelarias. A introdução difere ligeiramente no final com respeito ao primeiro decreto. Não fala de sátrapas e chefes. É uma linguagem exclusivamente grega, com palavras compostas, abundância de adjetivos, construção sintática complexa, antíteses enfáticas. O rei, com a consciência pouco tranquila, tem de escusar-se do primeiro decreto. Ele o faz, primeiro remontando a princípios gerais, vulgares em si, formulados com altissonante solenidade (um rei num decreto não pode pronunciar um bom refrão ou provérbio). Depois descarrega toda a culpa no primeiro ministro, sem poupar adjetivos. Em contraste, um magnífico louvor ao povo judeu. E em conclusão uma série de disposições.

Não sabemos se o autor grego ironiza na primeira parte, ou se realmente quer desculpar o rei Artaxerxes, como se tivesse sido vítima inocente de um engano.

16,4 Sl 11,4-5; 73,11; 94,7.

peste de governantes indignos! ⁸Por isso, procuraremos que no futuro todos tenham garantidas a tranquilidade e a paz no reino, ⁹efetuando as mudanças convenientes e julgando sempre com benevolência e equidade os assuntos que se nos apresentem.

¹⁰Constatando que Amã, de Amadates, macedônio – tinha de ser estrangeiro, não de nosso sangue e nossa fidalguia –, recebido por nós como amigo, ¹¹experimentou o tratamento humano que damos a todos os povos, até o ponto de ter sido proclamado 'nosso pai' e reverenciado por todos como vice-rei; ¹²mas não sabendo manter-se em seu cargo, planejou arrebatar-nos o poder e a vida, pois, à base de espertos enganos ¹³pediu-nos a morte de Mardoqueu, nosso salvador e contínuo benfeitor, e a de Ester, nossa irrepreensível companheira no trono, junto com toda a sua raça ¹⁴(com essas medidas pensava deixar-nos isolados e passar o poder das mãos dos persas às dos macedônios).

¹⁵Resultando que não comprovamos que os judeus, condenados ao extermínio por esse criminoso, sejam malfeitores; ao contrário, regem-se por leis justíssimas ¹⁶e são filhos do Altíssimo, do grande Deus vivo, que para nosso bem e o de nossos antecessores conserva o Império com uma ordem excelente.

¹⁷Ordenamos que não deveis obedecer à carta enviada por Amã, filho de Amadates, ¹⁸porque seu autor foi enforcado às portas de Susa, com todos os de sua casa (o Senhor dominador de tudo deu-lhe imediatamente a pena que merecia).

¹⁹E que deveis expor ao público cópias desta carta e permitir aos judeus que sigam livremente suas leis. ²⁰Além disso, ajudai-os a defender-se de quantos os ataquem, nesse mesmo décimo terceiro dia do mês de março, mês de Adar. ²¹Porque o Deus dominador, universal, transformou em dia de alegria esse dia trágico para o povo escolhido.

²²Portanto, vós, judeus, celebrai com toda a solenidade esse dia marcado entre vossas festas solenes, ²³para que agora e no futuro seja uma lembrança de salvação para vós e para os persas de boa vontade, e uma lembrança de destruição para vossos inimigos.

²⁴Toda cidade ou região em geral que não agir conforme a presente ordem será devastada sem piedade a ferro e fogo. Nenhum homem porá o pé nela, e até as feras e as aves a detestarão".

8 ¹³O texto do documento, com força de lei em todas e cada uma das províncias, se tornaria público para que os judeus estivessem preparados para vingar-se de seus inimigos em tal dia.

¹⁴Apressadamente, obedecendo à ordem do rei, os mensageiros, montados em

---

16,8-15 A aparição de Mardoqueu contrasta com a sua figura em traje de luto (4,1-2) e torna estável a honra efêmera de 6,11.

16,8-9 Repete várias palavras do primeiro decreto: "tranquilidade", "paz", "equidade". Desta vez sem complacência, como programa para o futuro.

16,10-14 Fazendo de Amã um macedônio, traslada os eventos para a época anterior a Alexandre, o que exige que esse Artaxerxes seja o terceiro (359-335); mas não parece que o autor grego queira conservar a verossimilhança cronológica de sua ficção. O resultado da mudança é introduzir na história um ambiente de tensão internacional, no que não pensava o autor judeu. Em esquema judicial se mencionam os benefícios recebidos, como agravante, e se denuncia o tríplice crime: contra o rei, contra o povo, contra a rainha.

16,15-16 O rei reconhece o Deus dos judeus como Deus universal de todos os reinos. O título "filhos do Altíssimo" é novo, pelo que sabemos. Sobre a proteção divina concedida ao reino persa, ver Esd 1,2; 6,10.

16,16-17 "O Senhor guarda a vida de seus leais, livra-os das mãos dos perversos. Amanhece a luz para o honrado e a alegria para os retos de coração" (Sl 97,10-11). "Quando o Senhor mudar a sorte de seu povo, Jacó se alegrará, Israel fará festa" (Sl 14,7). A conversão dos gentios se deve ao terror numinoso ante a libertação, sentida como ação do Senhor. "Todo o mundo se atemoriza; publicam a ação de Deus e meditam em sua intervenção. O honrado festeja o Senhor, nele se refugia, e os corações sinceros se gloriam" (Sl 64,10-11).

Com esses acordes festivos, quiséramos fechar o livro e não ler mais; sobretudo quando sabemos o que vem, porque o lemos em outra ocasião. Mas não somos nós os donos do livro para pôr a nosso gosto a palavra "fim".

Seja-nos permitido ao menos chamá-lo "Apêndice". Umas páginas sobre a execução da vingança e sobre a celebração da festa das sortes.

16,18 "O Senhor dá a cada obra seu destino, também ao perverso: o dia fatal" (Pr 16,4); "Um Justo observa a casa do perverso: precipita o perverso na ruína" (Pr 21,12).

16,22-23 É curioso que apareça o monarca persa como fundador da festa judaica. O texto hebraico dá outra versão.

cavalos velocíssimos, puros-sangues, das cavalariças reais, partiram rápidos. O decreto foi promulgado na acrópole de Susa.

¹⁵Mardoqueu saiu da presença do rei com vestes régias de cor violeta e branca, uma grande coroa de ouro e um manto de linho de cor púrpura. Na cidade de Susa ressoavam gritos de alegria.

¹⁶Para os judeus foi um dia luminoso e alegre, gozoso e triunfal. ¹⁷Em cada província e cidade aonde chegava o decreto do rei, os judeus se enchiam de imensa alegria e celebravam banquetes e festas. E muitos gentios se converteram, assustados com os judeus.

9 ¹No décimo terceiro dia do mês de março, ou seja, Adar, quando devia ser executado o decreto do rei, no dia em que os inimigos dos judeus esperavam apoderar-se deles, as sortes mudaram, e foram os judeus que se apoderaram de seus inimigos. ²Os judeus se concentraram em suas cidades, em todas as províncias do rei Assuero, para atacar os que haviam tentado destruí-los. Ninguém lhes opôs resistência, porque a população foi tomada de pânico diante dos judeus. ³Os chefes das províncias, os sátrapas, governadores e funcionários reais apoiaram os judeus com medo de Mardoqueu, ⁴porque Mardoqueu tinha um alto cargo no palácio e sua fama se estendia por todas as províncias: Mardoqueu ia aumentando seu poder.

⁵Os judeus passaram à espada seus inimigos, matando-os e exterminando-os; fizeram deles o que quiseram. ⁶Na acrópole de Susa exterminaram quinhentos homens, ⁷e também Farsandata, Delfon, Esfata, ⁸Forata, Adalia, Aridata, ⁹Fermesta, Arisai, Aridai e Jezata, ¹⁰os dez filhos de Amã, de Amadates, inimigo dos judeus. Mas não se entregaram à pilhagem.

¹¹Quando nesse mesmo dia comunicaram ao rei o número das vítimas na acrópole de Susa, ¹²ele disse à rainha Ester:

9,1-16 Trata-se de atacar (v. 2) ou defender-se (v. 16)? Trata-se simplesmente de submeter ao poder (v. 1) ou de matar e exterminar? (vv. 5.12.15.
A chave de leitura unitária é a guerra santa do povo contra os inimigos, segundo as velhas tradições de Deuteronômio, Josué e Juízes, e com alguma influência de textos escatológicos.
À constelação dessa guerra pertencem ou podem pertencer vários dados da perícope: o inimigo se encontra em atitude agressiva, armado e preparado: "tinham tentado destruir-nos". O verbo usado para "concentrar-se" refere-se ordinariamente à assembleia cultual, também em contexto de guerra (Jz 20,1; Js 22,12). Em Ez 38,7-13 se diz do exército de Gog. O pânico, que se supõe infundido pelo Senhor ao inimigo (Ex 15,16; Sl 105,38; Dt 2,25; 11,25), também frequente com outro substantivo. O não poder resistir aos israelitas (normalmente com outro verbo: Dt 7,24; 11,25; Js 1,5). Eliminar o inimigo, fazendo cessar as hostilidades, é o final da guerra (Dt 12,10; 25,19; Js 1,13.15; 22,4; 2Sm 7,1.11); com frequência se fala dos inimigos em torno; Jz emprega outro verbo que denota esse descanso. O pendurar publicamente os cadáveres dos chefes pode recordar a derrota dos aliados em Js 10,25-26 (onde se anuncia que o mesmo acontecerá a outros inimigos). Da fama que infunde temor falam Ex 15 e Js 2,11; 5,1. Os números das baixas inimigas, sem insistir ou então esquecendo as próprias, podem completar a vitória.
O não recolher despojos é um dado ambíguo. Normalmente, os israelitas recolhem despojos, dos quais dedicam uma parte seleta ao Senhor, seja exterminando, seja consagrando. O que significa aqui: "não se entregaram à pilhagem" (vv. 10.15 e 16)? Poderia significar que renunciam ao despojo em honra do Senhor; mas, em tal caso os despojos ficam em mãos inimigas. O autor considera o dado importante e fora do comum; ao menos quer dizer que os israelitas se contentam com a vida e a liberdade, não pretendem enriquecer-se à custa dos demais.
Não é comum o verbo apoderar-se ou dominar; poderia ser variante moderna de outros preferidos pelo livro dos Juízes.
É frequente a guerra santa ter caráter literário de julgamento de Deus, e a mudança das sortes é a aplicação de uma espécie de lei do talião: "Cativarão seus cativadores" (Is 14,2); "os que te saqueiam serão saqueados, os que te despojam serão despojados" (Jr 30,16b); "quando acabares de devastar te devastarão, quando terminares de saquear te saquearão" (Is 33,1b). Esse é "o feitiço contra o feiticeiro"; entende-se, por obra do Senhor.
Na transformação escatológica, a guerra santa costuma ter alcance universal; por exemplo, Gog e seus aliados em Ez 38-39. Neste capítulo o Império persa, com suas cento e vinte e sete províncias, oferece o contexto universal.
E a prorrogação pedida por Ester? Poderíamos recordar a prorrogação que Josué pede para continuar perseguindo e matando inimigos (Js 10,12-14). Porém a explicação é mais simples: o autor tem de explicar por que uma festa é celebrada em dias diferentes; é o que chamam de explicação etiológica.
9,1 Registra-se a data com grande solenidade.
9,5 São dois verbos lidos nos dois decretos.
9,6 Ver Sl 109,13. Com os filhos se extingue o sobrenome.
9,12 Pedido e desejo são palavras de Ester (5,8; 7,3), mas o rei não oferece a metade do reino.

— Só na acrópole de Susa os judeus exterminaram quinhentos homens e os dez filhos de Amã. O que terão feito nas outras províncias do Império? Pede o que quiseres, e eu te darei; se desejares algo mais, assim será feito.

[13]Ester respondeu:

— Se agradar ao rei, que os judeus de Susa possam prorrogar até amanhã o cumprimento do decreto. E que enforquem os dez filhos de Amã.

[14]O rei ordenou que assim fosse feito: prorrogou-se o decreto em Susa e enforcaram os dez filhos de Amã. [15]Assim, os judeus de Susa se concentraram também no décimo quarto dia do mês de Adar. Mataram mais trezentos homens, mas não se entregaram à pilhagem.

[16]Os outros judeus nas províncias do Império se concentraram para defender-se, eliminando seus inimigos; mataram setenta e cinco mil adversários, mas não se entregaram à pilhagem.

Festa de "purim" — [17]Isso aconteceu no décimo terceiro dia do mês de Adar, e no décimo quarto descansaram, declarando-o dia festivo. [18]Por sua vez, os judeus de Susa se reuniram nos dias treze e catorze; no dia quinze descansaram, declarando-o dia festivo. [19]Por isso, os judeus do campo, os que vivem nas aldeias, celebram como grande dia festivo o décimo quarto dia do mês de Adar, e trocam presentes.

[20]Mardoqueu pôs tudo isso por escrito e enviou cartas a todos os judeus de todas as províncias do rei Assuero, próximos e distantes, [21]ordenando-lhes celebrar anualmente os dias catorze e quinze do mês de Adar, [22]por serem os dias nos quais os judeus ficaram livres de seus inimigos e o mês em que, para eles, a tristeza e o luto foram transformados em alegria e festa; que os declarassem dias festivos, trocassem presentes e dessem também aos pobres.

[23]Os judeus, que já haviam começado a fazê-lo, aceitaram o que Mardoqueu lhes escreveu. [24]Pois Amã, filho de Amadates, de Agag, o inimigo dos judeus, havia feito o sorteio, chamado "pur", a fim de eliminá-los e destruí-los; [25]mas quando Ester se apresentou ao rei, este escreveu um documento voltando contra Amã o plano perverso que havia tramado contra os judeus, e o penduraram na forca, a ele e a seus filhos. [26]Por isso, esses dias se chamam "purim", da palavra "pur".

Conforme o texto daquela carta, o que haviam presenciado ou as notícias que lhes haviam chegado, [27]os judeus ratificaram e se comprometeram de forma irrevogável, eles, seus descendentes e os prosélitos, a celebrar anualmente esses dois dias, segundo aquele documento e naquelas datas. [28]Esses dias, lembrados e celebrados de geração em geração, em cada família e cidade, esses dias de "purim" não desaparecerão dentre os judeus, nem sua lembrança perecerá entre seus descendentes.

[29]A rainha Ester, filha de Abiail, e o judeu Mardoqueu escreveram exigindo o cumprimento da segunda carta sobre os dias de "purim", [30]e enviaram cartas a todos os judeus das cento e vinte e sete

---

9,17-32 Conforme Ex 12-14, depois da morte dos primogênitos, na noite que marca a libertação dos judeus, institui-se uma festa comemorativa. Elementos constitutivos são a data, um resumo catequético sobre o fato, uma série de prescrições. É a festa da Páscoa. De modo semelhante, a libertação dos judeus no Império persa dá origem a uma festa; e nestes versículos temos dupla notícia sobre sua instituição: uma carta de Mardoqueu e outra de Ester.
A data inclui dois dias. Conforme a notícia dos vv. 17-19, os dias são diferentes para a capital e as províncias. Para fazer que esta notícia concorde com o que diz o v. 21, teríamos de interpretar os dias em sentido distributivo: os de perto, dia quinze; os de longe, dia catorze.
9,22 Jr 31,13; Sl 30,12. Nada se diz de cerimônias religiosas; enviam-se presentes ou porções de comida, como em Ne 8,10.

9,26 A palavra *pur* significa sorte, conforme 3,7. Na prática de Amã, parece uma festa de começo do ano, na qual se consultam as sortes do ano que começa. Na celebração judaica, a festa passa para o fim do ano, como lembrança de uma grande libertação. Não temos notícias certas sobre a origem da palavra nem sobre a origem da festa.
9,27-28 Ainda em nossos dias os judeus celebram a festa de *Purim*, recitando sinagogalmente o livro de Ester, com um banquete e presentes, e às vezes com outras cerimônias festivas. O livro quer fazer a festa remontar à experiência de testemunhas oculares ou contemporâneas dos fatos.
9,29-31 A nova disposição aparece assinada pelos dois. Pode ser que o nome de Mardoqueu seja aqui um acréscimo. A cláusula sobre o jejum que deve preceder o dia festivo pretende trazer à memória o perigo e a angústia dos protagonistas.

províncias do Império de Assuero, ³¹saudando-os sinceramente e ratificando a celebração desses dias de "purim", conforme lhes haviam ordenado o judeu Mardoqueu e a rainha Ester, e conforme eles próprios e seus descendentes se haviam comprometido, com algumas cláusulas sobre jejuns e lamentações.

³²Dessa forma, o decreto de Ester fixou as normas para celebrar os dias de "purim", e ficou registrado por escrito.

10 ¹O rei Assuero impôs tributos pessoais aos habitantes do continente e das ilhas. ²Para suas vitórias militares e a narração detalhada da dignidade à qual o rei elevou Mardoqueu, vejam-se os anais do reino da Média e da Pérsia: ³"O judeu Mardoqueu era o vice-rei de Assuero, o primeiro entre os judeus, amado por seus muitos compatriotas, ⁴solícito pelo bem de sua raça, promotor da paz para os seus".

⁵*Mardoqueu comentou:*

Isso vem de Deus. Pois recordo o sonho que tive a esse respeito, e nenhum detalhe faltou: ⁶*a pequena fonte que se transformou em rio, a luz, o sol, a água abundante. Ester é o rio: o rei a tomou como esposa e a tornou rainha.* ⁷*Amã e eu somos os dois dragões.* ⁸*As nações são as que se aliaram para apagar o nome judeu.* ⁹*Nossa nação, os que gritavam a Deus e se salvaram, é Israel. O Senhor salvou seu povo, o Senhor nos tirou de todos esses males. Deus realizou sinais e prodígios portentosos, como não fez entre os gentios.* ¹⁰*Por isso, marcou dois destinos: um para o povo de Deus e outro para os gentios.* ¹¹*Ambos se cumpriram na hora, no momento e no dia determinado na presença de Deus e diante de todas as nações.* ¹²*Deus se lembrou de seu povo e fez justiça à sua herança.* ¹³*Portanto, o povo do Senhor celebrará sempre esses dias do mês de Adar, nos dias catorze e quinze, com festa religiosa, com uma assembleia litúrgica e festejos.*

11 ¹No quarto ano do reinado de Ptolomeu e Cleópatra, Dositeu, que dizia ser sacerdote e levita, e seu filho Ptolomeu, trouxeram a presente carta dos "purim". Disseram que era autêntica, traduzida por Lisímaco, filho de Ptolomeu, da comunidade de Jerusalém.

10,1-2 Segundo um costume hebraico, o texto volta ao começo, enunciando brevemente algumas atividades de Assuero. Com isso o relato fica bem definido dentro do seu reinado. A segunda expressão é típica do livro dos Reis, com uma novidade de contexto, a referência aos anais, que desempenharam papel tão importante na história (6,1-2). Dir-se-ia que com esta notícia final se abre um círculo concêntrico mais amplo: agora outro rei, persa ou não, poderá ler essas memórias e escutá-las como interpelação em sua conduta. Reis não judeus poderão aprender que alguém cuida do povo judeu, que os judeus são leais colaboradores e podem salvar, se forem respeitados. Podem aprender a desconfiar de ministros intrigantes e soberbos. Embora não celebrem pessoalmente a festa *Purim*, têm algo que ler para suas vigílias; Mardoqueu e Amã podem estar vivos e perto.

10,3 O relato hebraico termina com esta espécie de lápide em honra de Mardoqueu. Dir-se-ia uma lápide dedicada por seus compatriotas. O nome Mardoqueu (ou Mordecay) é hoje frequente entre os judeus.

10,4-13 Com esses versículos, o autor grego completa sua moldura literária do livro. Embora não tenha falhado um detalhe do sonho, ele não explica todos. A fraseologia é inspirada na linguagem bíblica. Insiste-se na oposição entre povo de Deus e gentios.
10,8 Sl 83,5.
10,9 Dt 4,34; 7,19; 26,8; Sl 136,11-12.
10,12 Sl 98,3.
10,13 Lv 25,5.

11,1 Deve referir-se a Ptolomeu XIV (51-47 a.C.), cuja irmã Cleópatra foi co-regente. Isso vale para um texto da versão grega e nada diz sobre a época do original hebraico.

PRIMEIRO LIVRO DOS MACABEUS

INTRODUÇÃO

Quando Alexandre morreu, o seu recém-submetido império se converte em cenário das lutas dos Diádocos. Em menos de vinte anos, realiza-se uma divisão estável em três regiões: os Lágidas no Egito, os Selêucidas na Síria, o reino macedônio. A Palestina, como parte da Celessíria, volta a ser terreno disputado pelos senhores do Egito e da Síria. Durante todo o século III os Ptolomeus dominaram benevolamente, seguindo uma política de tolerância religiosa e exploração econômica. Em 199, Antíoco III da Síria conquistou o domínio da Palestina e concedeu aos judeus em torno de Jerusalém autonomia para seguirem sua religião e suas leis, com obrigação de pagar tributos e dar soldados ao rei.

No primeiro século do helenismo, os judeus, mais ou menos como outros povos, estiveram submetidos à sua influência e foi-se realizando certa simbiose espiritual e cultural, sem sacrifício da religião, leis e tradições paternas. No século seguinte, as atitudes diferentes diante do helenismo se consolidam em dois partidos opostos: o progressista, que quer conciliar a fidelidade às próprias tradições com uma decidida abertura à nova cultura internacional, e o partido conservador, fechado e exclusivista. Em grande parte, as lutas narradas neste livro são lutas judaicas internas ou provocadas pela rivalidade de ambos os partidos.

Antíoco IV torna impossível a coexistência ao decretar medidas repressivas. (Aqui começa o livro.) Os judeus reagiram primeiro com a resistência passiva até o martírio; depois abandonaram as cidades num ato de resistência ainda passiva; finalmente, irrompeu a revolta a mão armada. Primeiro em guerrilhas, depois com organização mais ampla, lutaram com sorte alternada de 165 até 134. Até que os judeus obtiveram a independência sob o reinado do asmoneu João Hircano.

Nos tempos desse rei e com o otimismo da vitória se escreveu o primeiro livro dos Macabeus, para exaltar a memória dos combatentes que tinham conseguido a independência, e para justificar a monarquia reinante.

Justificação, porque João Hircano era ao mesmo tempo sumo sacerdote e rei, coisa inaudita e contra a tradição. Se a descendência levítica podia justificar o cargo sacerdotal, excluía o ofício real, que competia à dinastia davídica da tribo de Judá.

Usando situações paralelas e uma linguagem rica em alusões, o autor mostra que o iniciador da revolta é o novo Finéias (Nm 25), merecedor da função sacerdotal; seus filhos são os novos "Juízes", suscitados e apoiados por Deus para salvar seu povo; a dinastia asmoneia é a correspondência atual da davídica.

Mais ainda, mostra o novo reino como cumprimento parcial de muitas profecias escatológicas ou messiânicas. Os sinais na nova era de graça são a libertação do jugo estrangeiro, a volta de judeus dispersos, a grande tribulação superada e a honra nacional reconquistada.

Ao que parece, o autor não viveu para contemplar o fracasso de tantos esforços e esperanças, ou seja, a traição dos novos monarcas contra os princípios religiosos e políticos que haviam animado os heróis da resistência. Foram outros que juraram ódio à dinastia asmoneia, e com sua influência conseguiram excluir dos livros sagrados uma obra que exaltava as glórias de tal família.

Acima do resultado excessivamente humano, o livro veio a ser o canto heroico de um pequeno povo, empenhado em lutar

por sua identidade e independência nacional: com o heroísmo de seus mártires, a audácia de seus guerrilheiros, a prudência política de seus chefes. A identidade nacional nesse momento era definida pelas "leis paternas", especialmente as mais distintivas, perante os usos gregos. Pelo povo, assim definido, lutaram e morreram até a vitória.

O livro é, portanto, um texto de batalhas, com muito pouco culto e devoção pessoal. Deus apoia os combatentes de modo providencial, às vezes inesperado, mas sem os milagres do segundo livro dos Macabeus e sem realizar ele sozinho a tarefa, como nas Crônicas. O autor é muito exíguo em referências religiosas explícitas, mas o tecido de alusões tornam a obra transparente para quem está familiarizado com os escritos bíblicos precedentes. A obra é claramente parcial contra os Selêucidas em geral e contra o partido judeu pró-helenista.

O autor teve acesso a documentos de arquivo para suas datas e talvez para algumas cartas. Se não participou pessoalmente da luta, dir-se-ia que entrevistou alguns participantes. A obra tem grande valor histórico, não anulado pela postura manifesta do autor.

A construção do livro é cronológica e simples: 1-2: Começa a perseguição e a revolta de Matatias; 3,1-9,22: Judas Macabeu; 9,23-12,52: Jônatas; 12,53-16,22: Simão.

O estilo narrativo tem bastante vivacidade quando se concentra em cenas ou no registro de alguns detalhes. Em geral, tende à ênfase retórica: termos universais para dar impressão de totalidade, frequentes superlativos, adjetivos de valor ou desprezo, enumerações, antíteses em série. Introduz discursos, lamentações, elogios. Tende a provocar a emoção patética.

O livro é lido na tradução grega de um original hebraico perdido.

CRONOLOGIA DE "MACABEUS"

Era Selêucida	Cristã		Citação bíblica
137	175	Antíoco Epífanes sobe ao trono	1Mc 1,10
143	169	Vencedor no Egito, invade Jerusalém	1Mc 1,20
145	167	Profanação do altar	1Mc 1,54
146	166	Morte de Matatias; sucede-lhe Judas	1Mc 2,70
147	165	Incursão de Antíoco na Mesopotâmia	1Mc 3,37
148	164	O altar é novamente consagrado	1Mc 4,52
149	163	Morte de Antíoco	1Mc 6,16
150	162	Judas assedia a acrópole de Jerusalém	1Mc 6,20
151	161	Demétrio selêucida sobe ao trono	1Mc 7,1
152	160	Báquides e Alcimo contra Judas: este morre	1Mc 9,3
153	159	Morte de Alcimo	1Mc 9,54
160	152	Alexandre Epífanes, rei em Ptolemaida	1Mc 10,1
160	152	Jônatas, sumo sacerdote	1Mc 10,21
162	150	Casamento de Alexandre e Cleópatra, filha de Ptolomeu VI	1Mc 10,57
165	147	Demétrio chega de Creta	1Mc 10,67
167	145	Demétrio sobe ao trono	1Mc 11,19
170	142	Israel sacode o jugo. Reina Simão	1Mc 13,41
172	140	Demétrio presioneiro de Arsaces	1Mc 14,1
172	140	Inscrição em honra de Simão	1Mc 14,27
174	138	Antíoco cerca Trifão em Dor	1Mc 15,10
177	134	Morre Simão. Sucede-lhe João	1Mc 16,14
169	143	Carta dirigida aos judeus do Egito	2Mc 1,7

Era Selêucida	Cristã		Citação bíblica
188	124	Carta enviada aos judeus do Egito	2Mc 1,10
149	163	Cartas	2Mc 11,21
149	163	Cartas	2Mc 11,33
149	163	Cartas	2Mc 11,38
149	163	Antíoco Eupátor avança sobre Judá	2Mc 13,1
151	161	Alcimo visita Demétrio	2Mc 14,4

SINCRONISMO

165 a.C.	Batalha de Emaús	1Mc 4,1-27/2Mc 8,8-29.34-36
164 a.C.	Primeira campanha de Lísias	1Mc 4,28-35/2Mc 11,1-21.27; 12,1
164 a.C.	Morte de Antíoco	1Mc 6,1-16/2Mc 9,1-29
164 a.C.	Entronização de Antíoco V	1Mc 6,17/2Mc 10,10-11
164 a.C.	Dedicação do templo	1Mc 4,36-61/2Mc 10,1-8
163 a.C.	Batalhas com os vizinhos	1Mc 5,68/2Mc 10,14-38; 12

1 **Introdução histórica** – ¹O macedônio Alexandre, filho de Filipe, que ocupava o trono da Grécia, saiu da Macedônia, derrotou e abateu Dario, rei da Pérsia e da Média, ²empreendeu numerosos combates, ocupou fortalezas, assassinou reis, ³chegou até os confins do mundo, saqueou inumeráveis nações. Quando a terra ficou em paz sob seu comando, ele se exaltou e se encheu de orgulho, ⁴reuniu um exército poderosíssimo e dominou países, povos e soberanos, que tiveram de pagar-lhe tributo. ⁵Mas depois caiu de cama, e quando viu próxima a morte, ⁶chamou os generais mais ilustres, educados com ele desde jovens, e repartiu entre eles o reino antes de morrer. ⁷Aos doze anos de reinado, Alexandre morreu, ⁸e seus generais assumiram o governo, cada qual em seu território; ⁹ao morrer Alexandre, todos cingiram a coroa real, e depois os filhos deles durante muitos anos, multiplicando as desgraças no mundo.

Perseguição de Antíoco Epífanes (2Mc 4,7-17) – ¹⁰Deles brotou um rebento perverso: Antíoco Epífanes, filho do rei

---

1,1-9 A verdadeira história do livro começa com Antíoco IV Epífanes. O autor traça um rápido quadro histórico dos antecedentes. Trata-se de um contexto de história universal no qual se situa a história de Israel. A antiga concepção mudou: nos livros de Esdras e Neemias, Israel ainda é central, não se descreve a história dos impérios, embora se comece a aceitar sua datação: "no ano X de Dario..."; antes se dizia "no ano X do rei Josafá de Judá..."
Quando lemos este livro depois de Esdras, o vazio de séculos nos surpreende. De Esdras até Alexandre passa mais de um século sem notícias sobre Israel (exceto alusões em livros de ficção, como Daniel e Ester); de Alexandre a Antíoco IV decorrem mais de cento e cinquenta anos. Durante esse tempo a historiografia hebraica guardou silêncio, até ser despertada pela rebelião vitoriosa dos Macabeus. A apresentação é escrita em estilo mais retórico que cronístico, ou seja, não oferece uma série de dados concretos, lugares e datas, batalhas e reinos, mas acumula uma série de frases gramaticalmente muito breves, muito amplas de conteúdo. Sem nomes próprios desfilam batalhas, fortalezas, povos, reis, os confins do orbe; cada conjunto aparece e desaparece em três ou quatro palavras, conjurando o avanço fulminante, os êxitos irresistíveis de Alexandre.
Seguindo o esquema tradicional, triunfos-soberba--queda, o autor fala seguidamente da soberba de Alexandre, pecado tradicional dos grandes imperadores: ver Is 14 (o rei de Babilônia), Ez 28 (Tiro), 31 (o Faraó). Assim Alexandre se embriaga nos cumes da soberba humana, segundo a tradição profética. E também conforme essa tradição (recorde-se Is 2,11-17), à soberba sucede a queda. Dessa vez não se trata da queda gloriosa em campanha, como "heróis tombados outrora" (Ez 32,26), nem de morte violenta (como em Ez 28,9); trata-se de uma doença e da iminência da morte prematura, que demonstram o castigo. "Hoje rei, amanhã cadáver", lemos em Eclo 10,10. Os dados históricos da morte prematura e do desmembramento do império são organizados para efeito retórico.
Também a história dos Diádocos e seus sucessores, Lágidas e Selêucidas, é resumida sob o denominador comum simplificado: o crescimento da maldade. Julgamento sumário, pessimista e partidário. Ao autor não interessa avaliar a contribuição histórica e cultural do helenismo, não tem uma palavra de louvor para a benevolência de muitos reis do Egito ou para a tolerância de alguns reis da Síria. O que vai acontecer brota num cerco de maldade.
1,1 O grego começa traduzindo literalmente o hebraico *wyhy*, fórmula narrativa de continuidade, que pode começar alguns livros (Js, Jz), situando-os numa ampla série narrativa. Assim o nosso livro fica ligado à historiografia tradicional, como novo anel da corrente.
Trata-se de Dario III. Dn 8 oferece uma versão fictícia dessa colisão de impérios. Segundo uma tradição profética (Is 66,19; Ez 27,13; Zc 9,13), a Grécia aqui aludida pode incluir também parte da Ásia Menor.
1,2 Os combates incluem Grânico, Issus, Arbela; os reis poderiam ser sátrapas ou vassalos do imperador, as fortalezas são as cidades amuralhadas e fortificadas.
1,3 Os confins do mundo podem referir-se à campanha junto ao rio Indo. "A terra ficou em paz" é fórmula repetida no livro dos Juízes. Nosso autor a usa várias vezes: 7,50; 9,57; 11,38.52; 14,4.
1,6 Compare-se com Dn 11,3-4.
1,8 Dn 11,3s.
1,10-15 A datação oficial selêucida dominará o livro até 13,42, "o primeiro ano de Simão". Simultaneamente surgem os dois causadores do mal: no trono, o novo rei; entre os judeus, o grupo apóstata. Segundo o autor, dos últimos é que tomam a iniciativa do mal; Antíoco os acompanhará e ultrapassará.
Antíoco IV, que levará como título oficial Epífanes, ou seja, "Deus Manifesto", recebe um apelido difamador: "rebento perverso". Talvez reforce malignamente o título messiânico de Jr 23,5; 33,15 "germe legítimo". Ver Is 14,29 sobre a sucessão na maldade. Mas é de se notar que o novo rei não imita o pai e sim os antepassados; renasce nele uma maldade ancestral. O surgimento dos israelitas apóstatas, criminosos ou infames, é modelado em Dt 13,14, que legisla sobre o caso de israelitas que incitam à idolatria; doravante serão chamados "os pecadores".
Historicamente sabemos que se tratava do partido progressista aberto à cultura helenista; a abertura a culturas estrangeiras é tradicional e aceitável, e na situação presente levará à traição. Desde o princípio o autor assume o ponto de vista do partido intransigente, e descreve o partido contrário com julgamento negativo e categórico, sem meias palavras nem atenuações.
Duas palavras-chaves do parágrafo são "aliança" e "costumes". Em vez de serem fiéis à aliança exclusiva com o Senhor, buscam os pactos com potências

Antíoco. Havia estado em Roma como refém, e subiu ao trono no ano cento e trinta e sete da era selêucida.

¹¹Por essa ocasião houve alguns israelitas apóstatas que convenceram muitos:
– Vamos fazer um pacto com as nações vizinhas, pois desde que nos isolamos nos aconteceram muitas desgraças!

¹²A proposta agradou, ¹³e alguns do povo se decidiram a ir ao rei. O rei os autorizou a adotar os costumes pagãos, ¹⁴e então, acomodando-se aos usos pagãos, construíram um ginásio em Jerusalém, ¹⁵dissimularam a circuncisão, apostataram da aliança santa, tornaram-se parentes dos pagãos e se venderam para fazer o mal.

¹⁶Quando já se sentiu seguro no trono, Antíoco se propôs a reinar também sobre o Egito, e ser assim rei de dois reinos. ¹⁷Invadiu o Egito com forte exército, com carros, elefantes, cavalos e uma grande frota. ¹⁸Atacou Ptolomeu, rei do Egito. Ptolomeu retrocedeu e fugiu, sofrendo muitas baixas. ¹⁹Então Antíoco ocupou as praças-fortes do Egito e saqueou o país.

²⁰Quando voltava da conquista do Egito, no ano cento e quarenta e três, subiu com forte exército contra Israel e Jerusalém. ²¹Entrou com arrogância no santuário, roubou o altar de ouro, o candelabro e todos os seus acessórios, ²²a mesa dos pães apresentados, as taças para a libação, as travessas, os incensórios de ouro, a cortina e as coroas; arrancou toda a decoração de ouro da fachada do templo; ²³tomou também a prata e o ouro, o vasilhame de valor e os tesouros escondidos que encontrou, ²⁴e levou tudo para a sua terra, depois de derramar muito sangue e de proferir fanfarronadas incríveis.

²⁵Um lamento por Israel
ouviu-se em todo o país,
²⁶gemeram os príncipes
e os anciãos,
desfaleceram donzelas
e rapazes,

---

estrangeiras; ver Is 29-30, o que é violar as normas de Dt 7 e outras passagens. Entra em jogo uma interpretação rígida, pois os hebreus adotaram muitos usos cananeus e não desprezaram alianças com outras nações; mais adiante veremos os Macabeus fazendo pactos com Roma e Esparta. Talvez se deva sublinhar a expressão "povos vizinhos".
Antíoco começa com uma etapa de concessão. Assim continua o ideal helenístico de difundir a cultura grega. Essa cultura tinha muito para oferecer em artes, ciência e política aos povos da Ásia; por outro lado, costumava respeitar as religiões locais. Por ora não se trata de abolir o decreto de tolerância de Antíoco III, pois se fala de uma licença do rei.
A atitude separatista dos judeus lhes tinha acarretado primeiramente desprezo, depois rancor, ódio e calúnias. Muitos deles não queriam ser diferentes. Disso não se segue uma apostasia religiosa, mas uma interpretação flexível da Lei. Poderíamos falar de uma secularização da vida civil. É diferente a reação de Jr 44,16-19, onde está em jogo o culto à deusa Astarte.
1,14-15 Ver a descrição de 2Mc 4,10-15. O ginásio chegava a constituir um centro de vida urbana: era um evento esportivo e cultural. Treinando nus na palestra, os jovens sentiam vergonha da circuncisão, que parecia uma estranha mutilação. Dissimulando-a com uma operação cirúrgica, rompiam com o sinal patriarcal da aliança e com a santa aliança (Gn 17,9-14). "Tornar-se parente" é talvez a expressão empregada para designar a prostituição sagrada de Baal Fegor (Sl 106,28). Vender-se é renunciar à liberdade e tornar-se escravo.
Historicamente, pelas circunstâncias, as concessões iniciais do grupo progressista levaram a graves conseqüências, e o autor projeta os resultados finais nas intenções iniciais.

1,16-28 A situação começa a piorar para os judeus no fim da primeira campanha no Egito. Aproveitando-se da menoridade do seu sobrinho Ptolomeu VI Filométor, e reagindo contra as reclamações territoriais de seus tutores, Antíoco tentou controlar a política interna do reino rival. Embora o autor descreva a expedição como uma grande vitória, utilizando as expressões tradicionais, dá a entender que o Selêucida não pôde realizar seus planos de se fazer coroar como monarca único da nação rival. A tentativa significava refazer em boa parte a unidade imperial de Alexandre.
O saque do templo ainda não é a profanação formal; ver 2Mc 3. Saquear templos era uma atividade muito rentável na antiguidade, mas provocava as iras dos respectivos sacerdotes e devotos (2Mc 1,13-16). Antíoco precisava de dinheiro para pagar suas tropas e pagar seus pesados tributos a Roma. Jerusalém seria o último templo saqueado na expedição.
O autor explora os recursos de sua pena modelando esse saque à imitação do grande saque de Nabucodonosor: o inimigo fica desmascarado e o partido colaboracionista desacreditado. Abraça a série em inclusão a palavra repetida "com arrogância" (que tem parentesco sonoro com Epífanes: *hyperephania*); ver o uso da palavra em Sl 74,3.23 (sobre o assalto ao templo) e em 2Mc 9,7.8.11 (morte de Antíoco).
A matança aludida pode ter sido uma represália contra membros do partido de Jerusalém pró-Egito.
1,21 Sl 74,23.
1,25-28 A breve lamentação é imitação convencional de peças semelhantes, sobretudo das Lamentações. Tremendo pela ressonância dos lamentos, a terra participa do luto.
1,25 Jl 2,16.

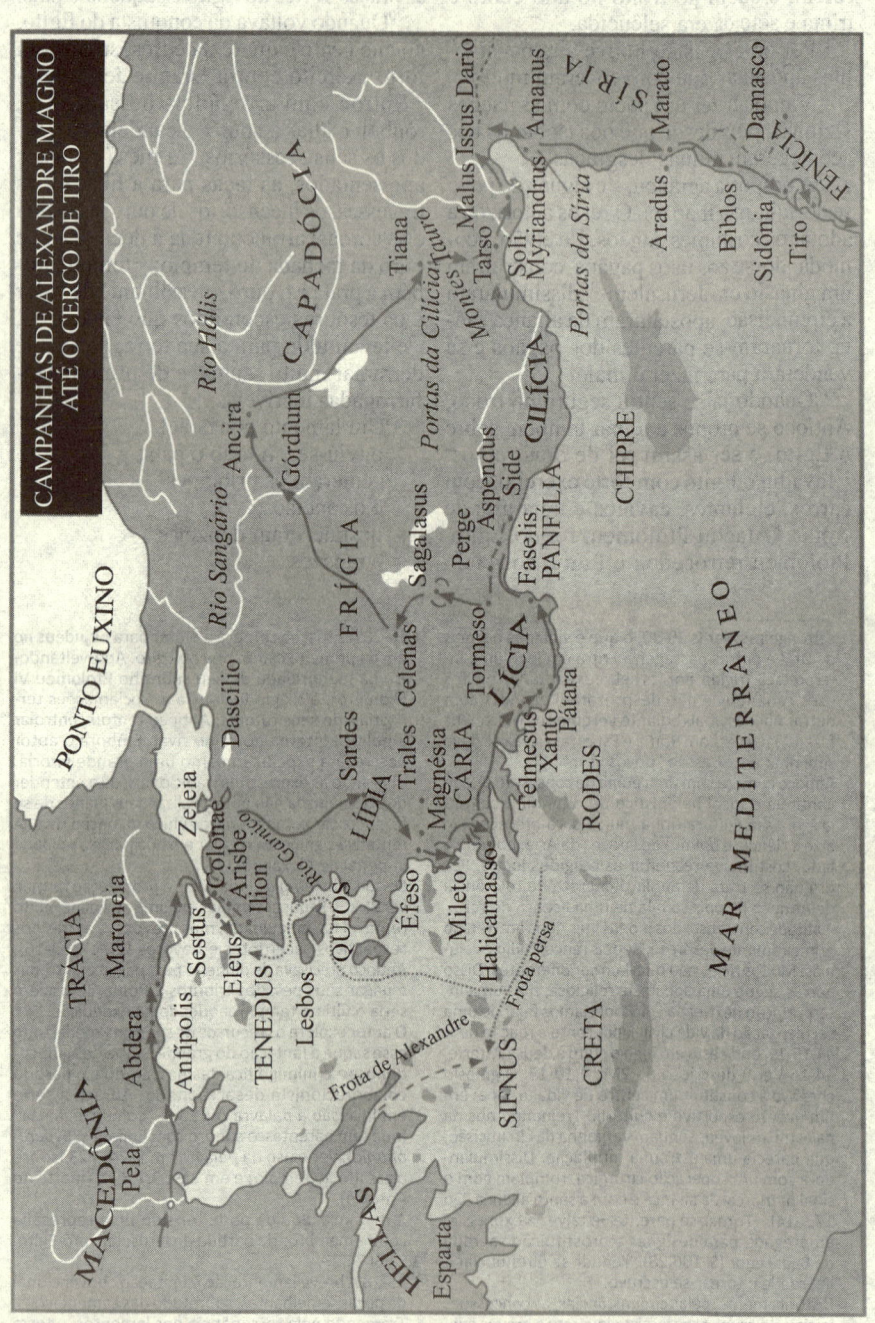

desfigurou-se a formosura
  das mulheres.
²⁷O esposo entoou
  uma elegia,
  a esposa se entristeceu
  em seu quarto.
²⁸A terra tremeu
  por seus habitantes,
  e toda a casa de Jacó
  se cobriu de vergonha.

²⁹Dois anos depois, o rei enviou um oficial do fisco às cidades de Judá; apresentou-se em Jerusalém com forte exército, ³⁰e falou em tom de paz, perfidamente. O povo confiou nele, e então caiu de improviso sobre a cidade, infligindo-lhe duro castigo: matou muitos israelitas, ³¹saqueou a cidade, derrubou suas casas e toda a muralha. ³²Levaram cativas as mulheres e as crianças, e se apoderaram do gado. ³³Depois transformou a Cidade de Davi em acrópole, rodeando-a com fortes torres e uma muralha alta e maciça. ³⁴Instalaram aí gentios perversos, judeus renegados que aí se aquartelaram, ³⁵armazenaram armas e víveres, e guardaram aí os despojos que haviam reunido em Jerusalém. ³⁶Dessa forma se converteram em grande perigo, uma armadilha contra o templo, uma contínua ameaça para Israel.
³⁷Derramaram sangue inocente
  em torno do santuário,
  profanando-o.
³⁸Os habitantes de Jerusalém
  fugiram por sua causa,
  Jerusalém se transformou
  em morada de estrangeiros,
  casa estranha para os seus;
  seus filhos a abandonaram.
³⁹Seu santuário
  ficou como um deserto,
  suas festas
  se transformaram em luto,
  os sábados em opróbrio,
  sua honra em humilhação.
⁴⁰Sua desonra igualou sua fama,
  sua exaltação
  se transformou em luto.

⁴¹O rei decretou a unidade nacional para todos os súditos de seu Império, ⁴²obrigando cada um a abandonar sua legislação particular. Todas as nações acataram a ordem do rei, ⁴³e até muitos israelitas adotaram a religião oficial: ofereceram sacrifícios aos ídolos e profanaram o sábado. ⁴⁴O rei enviou mensageiros a Jerusalém e

---

1,29-40 O segundo ataque acontece contra a cidade e é consequência da retirada humilhante do Egito. Com efeito, quando Antíoco penetrava vencedor por terra e mar até o coração do Egito, o legado romano Pompílio Lenas intimou-lhe a retirada num ultimato humilhante. Antíoco teve de submeter-se ao poderio romano e voltou indignado.
É possível que, ao saber da notícia, o grupo anti-seleucida da Judeia fizesse manifestações de independência ou rebelião. Nunca faltaram em Jerusalém cidadãos que se aproveitavam das mudanças da política internacional. Isso explicaria a repressão violenta do general de Antíoco.
Não contente em castigar a cidade, instalou no melhor local de Jerusalém uma cidade grega a rigor, dotada de direitos de "cidade grega" (*pólis*), protegida por forte guarnição, povoada de colonos gregos (ou sírios) e de judeus colaboracionistas. Compreende-se que essa cidadela se convertesse em atração e ameaça. Será o pesadelo dos rebeldes que por fim a conquistaram.
1,29 Conforme 2Mc 5,24-26, este oficial era Apolônio, chefe das tropas mísias.
1,37-39 A breve lamentação está cheia de reminiscências bíblicas: Sl 79,3; 106,38; Jr 7,6; 22,3 (sangue inocente); Lm 5,2 etc.
1,41-50 O terceiro ataque vai contra todo o povo e suas instituições. O edito de tolerância de Antíoco (ano 200) foi revogado. Um novo edito pretende destruir pela força a identidade religiosa e cultural dos judeus, para fundi-los na grande unidade grega. Chegados a este ponto, o colaboracionismo se transforma em apostasia formal, em perda da identidade. E o autor, que pertence ao partido contrário, quase se alegra em ter razão: pediram licença e agora recebem uma proibição, buscavam acomodar-se com bons modos e agora têm de submeter-se a contragosto.
Com visão histórica, o autor dá início à sua narração com este decreto, quando o inimigo retira a máscara. Mas a repressão provoca a rebelião. Com boas maneiras, muitos judeus posteriores da diáspora se helenizaram sem perder sua identidade religiosa; a intolerância de Antíoco foi um catalizador da identidade nacional.
1,42 Todos cedem diante da força, menos um reduto de resistência: como no livro de Judite, como em Dn 3.
1,43 A idolatria formalmente provoca a desistência em terreno religioso. Se houve judeus formalmente apóstatas, sobretudo na diáspora do Império, seria exagerado dizer que todos os colaboracionistas foram idólatras. O autor tem interesse em ligar estreitamente "religião oficial" e "legislação estrangeira", porque a legislação judaica é religiosa, vem de Deus.
1,44-50 Ver 2Mc 6. O presente livro dá menos importância aos tabus alimentares, englobados provavelmente nas "impurezas e abominações". Os templos e capelas repetem de algum modo os velhos cultos proibidos aos israelitas (por exemplo, Os 8,14). So-

às cidades de Judá, com ordens escritas: tinham de adotar a legislação estrangeira, ⁴⁵proibia-se oferecer no santuário holocaustos, sacrifícios e libações, guardar os sábados e as festas; ⁴⁶mandava-se contaminar o santuário e os fiéis, ⁴⁷construindo altares, templos e capelas idolátricas, sacrificando porcos e animais imundos; ⁴⁸tinham de deixar incircuncisos os meninos e profanar a si mesmos com todo tipo de impurezas e abominações, ⁴⁹de modo que esquecessem a Lei e mudassem todos os costumes. ⁵⁰Quem não cumprisse a ordem do rei incorreria em pena de morte.

⁵¹O rei escreveu a todos os seus súditos nesses termos. Nomeou inspetores para toda a nação e ordenou que em todas as cidades de Judá, uma depois da outra, fossem oferecidos sacrifícios. ⁵²Muitos dentre o povo aderiram a eles, todos traidores da Lei, e cometeram tais violências no país, ⁵³que os israelitas tiveram de esconder-se em qualquer refúgio disponível.

⁵⁴No dia quinze de dezembro do ano cento e quarenta e cinco, (o rei) mandou pôr sobre o altar uma ara sacrílega, e foram pondo aras por todas as povoações judaicas dos arredores; ⁵⁵queimavam incenso diante das portas das casas e nas praças; ⁵⁶rasgavam e atiravam no fogo os livros da Lei que encontrassem; ⁵⁷executavam, segundo o decreto real, aquele em cuja casa encontrassem um livro da aliança e aquele que vivesse de acordo com a Lei. ⁵⁸Como tinham o poder, todos os meses faziam o mesmo aos israelitas que se encontravam nas cidades. ⁵⁹No dia vinte e cinco de cada mês, sacrificavam sobre a ara pagã em cima do altar dos holocaustos. ⁶⁰Matavam as mães que circuncidavam seus filhos, conforme ordenava o decreto, ⁶¹com as crianças seguradas no colo; e matavam também seus familiares e os que tinham circuncidado os meninos.

⁶²Mas houve muitos israelitas que resistiram, fazendo o firme propósito de não comer alimentos impuros; ⁶³preferiram a morte antes que se contaminar com esses alimentos e profanar a aliança santa. E morreram.

⁶⁴Uma cólera terrível abateu-se sobre Israel.

2 Rebelião de Matatias –

¹Nesse tempo surgiu Matatias, filho de João, filho de Simeão, sacerdote da família de Joiarib;

---

brepõem-se a legislação do Deuteronômio e a do Levítico; todos os dados específicos são de ordem cultual; até o sábado tinha adquirido forte tonalidade cultual. Não se mencionam leis simplesmente civis.

1,54 O ápice simbólico acontece com a profanação do altar. Um ídolo, ou antes uma ara nova, não consagrada, tornaram o altar execrável. O templo recebeu dedicação nova a Zeus Olímpico, Senhor do céu. O segundo título era aceitável para os judeus; o primeiro era uma tentativa de identificar o Deus hebreu (de nome arcano) com o deus grego mencionado sem rodeios. Se para os pagãos a operação era razoável, para os judeus tornava-se intolerável, equivalia a manipular o nome sacrossanto. Os israelitas não tinham visto inconveniente em atribuir a Yhwh os títulos de divindades cananeias, Shadday, Elion, El; passado certo tempo, evitaram sistematicamente o título de Baal; mas nunca tocaram o nome sacrossanto revelado a Moisés. A mudança do nome pessoal e intransferível não era questão secundária: no templo de Jerusalém residia, por eleição divina, "o nome do Senhor". A data foi escolhida por ser aniversário do rei.

1,55-63 Com a exposição do decreto e da execução pode-se compor uma lista de valores essenciais: sábado e circuncisão (sinais da aliança com Abraão e com Moisés), o livro da aliança, a Lei, o altar e os sacrifícios, os alimentos. O livro da aliança seria um fragmento do Êxodo ou do Deuteronômio; talvez o decálogo com introdução e comentário (ver Sl 50,16).

1,62-63 Pode-se ler o martírio de Eleazar em 2Mc 6. Com certeza os gregos consideravam especialmente ridículos os tabus alimentares dos judeus.

1,64 O conjunto da perseguição é uma etapa da ira divina, como no esquema de Jz 2,11-20 (também em 2Mc). Mas por quais pecados sobrevém a ira divina? O autor pensa talvez no abandono de muitos israelitas, anterior ao decreto de perseguição. A frase é um pilar da estrutura geral do livro.

2 A primeira resistência é a fuga ao campo aberto e às montanhas, para não colaborar (1,38.53), já expressa nos salmos 11 e 55. A segunda é a resistência passiva dos mártires, aos quais pertencem os que morrem no sábado e os que 2Mc 6-7 comemora. A terceira é a rebelião armada, que começa em forma de guerrilhas e chega a ser um exército guerreiro. Entramos de cheio na terceira etapa.
A faísca saltará num contexto cultual e numa família sacerdotal. Para o que vai acontecer mais tarde, é fundamental que os chefes da revolta sejam sacerdotes. Tal atitude remonta genericamente aos levitas de Ex 32, no episódio do bezerro de ouro e concretamente na história de Fineias, mencionado e explorado pelo narrador.

2,1 A família aaronita de Joiarib, ou Yehoyarib, ocupa o primeiro turno em 1Cr 24,7. Não pertence à linha de sumos sacerdotes. Modin fica a noroeste da capital, perto de Emaús, Gazer e outros lugares importantes do relato.

embora oriundo de Jerusalém, havia-se estabelecido em Modin. ²Tinha cinco filhos: João, apelidado o Feliz; ³Simão, apelidado o Fanático; ⁴Judas, apelidado Macabeu; ⁵Lázaro, apelidado Auarã; e Jônatas, apelidado Afus.

⁶Matatias, ao ver os sacrilégios que eram cometidos em Judá e Jerusalém, ⁷exclamou:

— Ai de mim! Por que nasci para ver a ruína de meu povo e da cidade santa? Para ficar aí sentado quando a cidade passava para o inimigo, e o santuário para mãos estranhas! ⁸Seu templo é como um homem desonrado; ⁹seus ornatos valiosos foram levados como despojos; seus pequeninos, assassinados nas praças; seus jovens, mortos pela espada inimiga.

¹⁰Qual nação
não ocupou seus palácios,
não se apropriou
de seus despojos?
¹¹Arrebataram-lhe
sua formosura;
era livre, e agora é escrava.
¹²Aí está: nosso santuário,
nossa formosura
e nosso orgulho,
tudo está desolado,
os gentios
o profanaram.
¹³Para que continuar vivendo?

¹⁴Matatias e seus filhos rasgaram as vestes, vestiram-se com pano de saco e fizeram grande luto.

¹⁵Os funcionários reais encarregados de fazer apostatar à força chegaram a Modin, para que o povo oferecesse sacrifícios, ¹⁶e muitos israelitas acorreram a eles. Matatias se reuniu com seus filhos, ¹⁷e os funcionários do rei lhe disseram:

— És uma personagem ilustre, um homem importante neste povoado, e estás respaldado por teus filhos e parentes. ¹⁸Aproxima-te por primeiro, faze o que manda o rei, como o fizeram todas as nações, os próprios judeus e os que ficaram em Jerusalém. Tu e teus filhos recebereis o título de grandes do reino, e vos premiarão com ouro, prata e muitos presentes.

2,6-14 A primeira reação do chefe tem certo sabor teatral, ou seja, o autor faz seu personagem falar como se interpretasse uma peça de teatro, não como quem recolhe um dado histórico. Sua dor é expressa numa lamentação bem-composta, conforme as regras do gênero e cheia de imitações litúrgicas; também os ritos de luto do grupo têm sabor litúrgico.
O autor quer dar um caráter cultual ao começo da rebelião e ligá-la a situações semelhantes da história pátria. Se em Jerusalém não se pode celebrar uma liturgia de luto, uma família sacerdotal suprirá em sua aldeia. O pai e os cinco filhos representam provisoriamente o povo fiel.
A coisa podia parar por aí, num desabafo do sofrimento, sem passar à ação. No presente caso, o luto cria ou consolida uma atitude espiritual que bem cedo se traduzirá em ações. Nisso se distingue das Lamentações, que são desabafos inertes.
Se a rebelião não vai ser uma "guerra santa" conforme as formalidades antigas, seguirá ao menos seu exemplo, se inspirará na sua memória. Não será como as de Crônicas ou 2Mc.
2,7-8 O começo é como Jr 15,10; Jó 3,12; Lm 5,20. A imagem da cidade como uma mulher é tradicional nos profetas; não assim o comparar o templo com um homem; em Ez 24 a morte da esposa prefigura a profanação do santuário.
2,9 Ver Lm 2,11; Is 13,15-18.
2,10 Em vez de "palácios", outros traduzem "seus direitos reais", ou seja, sua autonomia, antecipando o versículo seguinte.
2,11 Leia-se a explanação de Is 47 contra a capital de Babilônia.
2,12 Ez 24,21.
2,13 Como expressão de supremo desalento, ver 1Rs 19,4 (Elias); Jn 4,8. No contexto presente se reduz a um desabafo que não impediria a ação, mas fará aparecer a ação como brotando de uma situação desesperada.
2,15-27 A cena é dramática e é contada com força expressiva. Para a concepção do autor, esta cena é capital, porque justifica a futura ascensão de seus heróis. Não basta que sejam protagonistas militares para ascender ao cargo supremo religioso e civil, deve haver uma justificação mais profunda.
Em primeiro lugar, está a descendência sacerdotal, que dá direitos muito limitados.
Em segundo lugar, esta família é capaz de representar o povo em suas atitudes e decisões mais graves. Sua decisão não é puramente pessoal, mas vai arrastar muitos. Os inimigos lhes reconhecem o prestígio e a capacidade de guiar outros, eles honrarão essa capacidade. É como se Deus lhes falasse pela boca do inimigo.
Em terceiro lugar, está o antecedente de Fineias, bem conhecido por Nm 25. Era filho de Eleazar, filho de Aarão. O paralelismo é bem marcado e não é mostrado como simples ilustração. Matatias, como Fineias, conta com a garantia de Deus, embora nenhum oráculo profético tenha sido pronunciado. Também fica muito claro o motivo da resistência: é estritamente religioso. Os funcionários são encarregados "de fazer apostatar". Matatias nega obediência ao rei no que tange à religião e à Lei. Não restam ambiguidades culturais ou políticas.
2,18 O título de grandes do reino costumava incluir a corte e diversas funções administrativas. É um prêmio para Matatias e ao mesmo tempo valiosa aliança para o rei.

ⁱ⁹Matatias, porém, respondeu em voz alta:

— Ainda que todos os súditos nos domínios do rei obedeçam, apostatando da religião de seus pais, e embora prefiram cumprir suas ordens, ²⁰eu, meus filhos e meus parentes viveremos segundo a aliança de nossos pais. ²¹Deus nos livre de abandonar a Lei e nossos costumes! ²²Não obedeceremos às ordens do rei, desviando-nos de nossa religião para a direita ou para a esquerda.

²³Mal acabara de falar, adiantou-se um judeu, à vista de todos, disposto a sacrificar sobre a ara de Modin, conforme o rei ordenava.

²⁴Ao vê-lo, Matatias se indignou, tremeu de cólera e num ímpeto de ira santa correu para degolar aquele homem sobre a ara. ²⁵Aí mesmo matou também o funcionário real, que obrigava a sacrificar, e derrubou a ara. ²⁶Cheio de zelo pela Lei, fez o mesmo que fizera Fineias com Zambri, filho de Salu. ²⁷Depois começou a gritar em alta voz pela cidade:

— Siga-me quem sentir zelo pela Lei e quiser manter a aliança!

²⁸Depois fugiu para a montanha com seus filhos, deixando no povoado tudo o que possuía.

²⁹Nessa ocasião muitos desceram ao deserto para instalar-se aí, porque desejavam viver segundo o direito e a justiça, ³⁰com seus filhos, mulheres e rebanhos. É que as desgraças haviam chegado ao cúmulo.

³¹Chegou aos funcionários reais e à guarnição de Jerusalém, da Cidade de Davi, a notícia de que alguns indivíduos, que haviam desobedecido o mandato do rei, desceram aos esconderijos do deserto. ³²Muitos soldados correram em sua perseguição. Alcançaram-nos, tomaram posições diante deles e os atacaram em dia de sábado. ³³E os ameaçaram:

— É um ultimato! Se sairdes e obedecerdes ao rei, nós vos deixaremos vivos.

³⁴Mas eles responderam:

— Não sairemos nem obedeceremos ao rei, profanando o sábado.

2,19-20 Nas respostas do sacerdote ressoa a decisão de Josué ao renovar a aliança em Siquém (Js 24,15): "Ainda que todos não, eu e minha casa...". Religião e aliança estão em rigoroso paralelismo de equivalência.

2,21-22 Ver a atitude de Daniel e seus amigos, especialmente em Dn 3,17-18.

2,24-27 A palavra-chave da cena é "zelo", ou seja, o amor exclusivo e apaixonado. O Senhor é um Deus zeloso/ciumento (Ex 20,5; 34,14; Dt 5,9; 6,15) por seu lugar único e também por seu povo (Dt 32,19). Seus fiéis participarão desse zelo pela causa de Deus, por sua Lei e sua aliança. Além de Fineias (Nm 25,6-15) poderíamos recordar o profeta Elias (1Rs 19,10.14). Esse zelo é como a senha e o grito de guerra da rebelião armada. Mais tarde surgiu dele um grupo político violento, os Zelotes ou Fanáticos, ativos sob a dominação romana, opostos ao colaboracionismo dos saduceus e à resistência passiva dos fariseus.

2,26 Nm 25.

2,28-41 Aquilo que havia mencionado em 1,38.53 se realiza aqui em maior escala. Numa região como a Judeia, as guarnições greco-sírias podiam controlar as regiões urbanas, não os desfiladeiros e abrigos da serra; várias vezes Davi tinha enganado as tropas de Saul morando nas montanhas. Ora, se grupos pequenos, ágeis e decididos, podem subsistir nos montes, uma comunidade regularmente estabelecida leva aí uma vida precária e logo atrai a atenção e o ataque das forças inimigas. É o que acontece no primeiro episódio.
Este coloca um fundamental caso de consciência. Se o sábado é um dos valores fundamentais que querem defender, deixar-se-ão matar para não violar o sábado, ou lutarão violando o sábado para defendê-lo? As duas respostas são experimentadas e prevalece a segunda. Isso prova que defendem não a materialidade do sábado, mas o direito de poder observá-lo, a liberdade religiosa. A solução de Matatias e sua família é sensata: relativiza o valor de uma Lei sacrossanta perante os direitos da vida; não defendiam um relativismo semelhante os do partido colaboracionista? Nem os Macabeus foram consequentes, nem seus sucessores aprenderam a lição. Assim, um dia será promulgado o princípio "o sábado foi feito para o homem, não o homem para o sábado" e "o que entra pela boca não contamina o homem" (Mc 2,27 e Mt 15,11); "o homem é senhor do sábado" (Mt 12,8; Mc 2,28; Lc 6,5).

2,29 "Segundo o direito e a justiça": buscando uma vida justa pela observância dos preceitos da Lei (na linha de Dt 6,25). A expressão abre a coleção profética que costumamos chamar Terceiro Isaías, Is 56,1; é o programa de Ez 18. Aqui o deserto se opõe radicalmente à *pólis* grega e ao ideal de vida civil dos gregos. A passagem pelo deserto é tradicional no itinerário de salvação dos israelitas: saída do Egito, volta da Babilônia, Elias, até a comunidade cenobítica de Qumrã.

2,31 Aqui vemos a guarnição da cidadela (Acra) com funções de vigilância e repressão. É possível que alguns judeus renegados fizessem parte dela: isso explicaria melhor a malícia do ataque no sábado.

2,34 O simples sair das tendas é proibido em Ex 16,29, em circunstâncias particulares; entende-se sair para recolher maná. O decálogo fala de trabalhar.

³⁵Os soldados os atacaram sem demora, ³⁶e eles não replicaram, nem lhes atiraram uma pedra sequer, nem se entrincheiraram nos esconderijos, ³⁷mas disseram:

— Morramos todos com a consciência limpa! O céu e a terra são testemunhas de que nos matais contra todo direito.

³⁸Assim mesmo os atacaram de sábado. E morreram todos, com suas mulheres, filhos e rebanhos. Havia umas mil pessoas. ³⁹Quando ficaram sabendo, Matatias e seus filhos fizeram grande luto por eles, ⁴⁰e comentavam:

— Se todos nós fizermos como nossos irmãos, não lutando contra os pagãos pela vida e por nossa Lei, em breve eles vão nos eliminar do país.

⁴¹Nesse mesmo dia se reuniram e tomaram a seguinte decisão: "Responderemos lutando a quem nos atacar no sábado; assim não pereceremos todos, como nossos irmãos nos esconderijos".

⁴²Então uniu-se a eles o grupo dos Leais, israelitas aguerridos, todos os voluntários da Lei; ⁴³aderiram a eles também como reforços todos os que escapavam de qualquer desgraça. ⁴⁴Organizaram um exército e descarregaram sua ira contra os pecadores e sua cólera contra os apóstatas. Os que se livraram foram refugiar-se entre os pagãos.

⁴⁵Matatias e seus partidários organizaram uma incursão, derrubando as aras, ⁴⁶circuncidando à força os meninos não circuncidados que encontravam em território israelita ⁴⁷e perseguindo os insolentes. A campanha teve êxito, ⁴⁸de modo que resgataram a Lei das mãos dos pagãos e de seus reis, e não deixaram que o perverso triunfasse.

⁴⁹Quando chegou a hora de morrer, Matatias disse a seus filhos:

— Hoje triunfam a insolência e o descaramento; são tempos de subversão e de ira. ⁵⁰Meus filhos, sede zelosos da Lei e dai a vida pela aliança de nossos pais. ⁵¹Recordai as façanhas que nossos pais realizaram em seu tempo, e conseguireis glória sem par e fama perpétua. ⁵²Abraão demonstrou sua

---

2,37 Céu e terra são as duas testemunhas de Deus, são o universo ante o qual se desenvolvem as ações humanas. Com essa invocação apelaram ao julgamento.

2,40 Deve-se lutar pela Lei e pela vida, não só pela Lei; é inútil a Lei, se os que a cumprem não vivem. A solução se aplica aos casos de defesa, não à iniciativa do ataque; disso se aproveitaram os inimigos, por exemplo, Pompeu.

2,42-43 Ao grupo inicial dos "zelosos" (2,27) se agrega um segundo grupo: os Leais, *hassidim* ou assideus. O termo pode ser tomado dos salmos (Sl 30,5; 31,24; 50,5; 52,11; 79,2; 85,9 etc.); Sl 50,5 relaciona o título com a aliança. Esse parece ser o sentido do título honorífico; consideram-se e proclamam-se os Leais à aliança do Senhor. Se não tomaram a iniciativa da revolta, juntaram-se a ela bem cedo. O terceiro grupo, não definido, é formado pelos que nada têm a perder. Assim, o exército se forma um pouco como as tropas de Davi (1Sm 22,2). "Voluntários" evoca o cântico de Débora (Jz 5,2): os voluntários da Lei se convertem em voluntários militares.

2,44-48 Mais que a descrição rigorosa de uma campanha de purificação, por seus paralelismos balanceados e por suas afirmações gerais o fragmento parece uma antecipação do hino do cap. 3. É um elogio de Matatias antes de sua morte.
"Pecadores" e "apóstatas" são os judeus, "os insolentes" são os sírios (1,21.24). "À força": podemos imaginar a resistência do povo, temeroso do castigo do rei. Essa gente simples, que não circuncidou seus filhos por temor, representa a grande maioria do povo que pode simpatizar com os vitoriosos, não com os violentos.

2,44 Como acontece em semelhantes ocasiões, o primeiro alvo das suas iras são concidadãos colaboracionistas ou fracos ante o rei da Síria. Isso aguçou a divisão dos próprios judeus em dois bandos; a diferença inicial de opiniões tornou-se oposição de bandeiras. Para o autor, o partido rival é o inimigo interno, não menos perigoso que o externo.

2,49-68 Temos aqui o gênero do "testamento" ou últimas palavras do herói, que alcançará grande popularidade na época helenística e que pode invocar os antecedentes ilustres de Moisés, Josué, Samuel e Davi. O testamento compreende conselhos e nomeações. A primeira série de conselhos assume a forma de uma lista de homens ilustres; seu modelo é a última parte do Eclesiástico, escrito vários decênios antes de 1Mc.
Cada membro da série inclui um nome, um mérito, um prêmio. O mérito sublinha algo exemplar no momento em que é pronunciado.
Entre os nomes é compreensível a presença do primeiro e quarto patriarcas; Finéias representa o ramo de Aarão, ao qual pertence a família (é curiosa a ausência de Moisés, implícito na menção da Lei); Josué e Caleb representam a conquista da terra, agora ameaçada; Davi é a dinastia que deve retornar, ao passo que Elias é a profecia e a fidelidade ao Senhor; os outros são heróis recentes do livro de Daniel, lido no tempo em que o autor escrevia. Os méritos são praticamente reduzidos à fé, confiança e fidelidade, e ao zelo que as anima. Matatias lega um programa de libertação pelas armas; realizando-se esta, selecionará os membros autênticos do povo, os cumpridores da Lei.

2,49 Ver a expressão em Gn 47,29 (Jacó) e 1Rs 2,1 (Davi). A segunda parte parece imitar Is 37,2.

2,51 Compare-se com Eclo 44,1-2. Ver para o que segue: Gn 22 e 39; Nm 25; 14; 2Sm 7; 1Rs 18; 2Rs 1; Dn 3.

fidelidade na prova, e isso foi registrado em seu crédito. ⁵³José, no meio do perigo, cumpriu o mandamento e chegou a ser senhor do Egito. ⁵⁴Fineias, nosso pai, por seu grande zelo, recebeu a promessa de um sacerdócio eterno. ⁵⁵Josué chegou a ser juiz de Israel por ter cumprido a Lei. ⁵⁶Caleb, por seu testemunho diante da assembleia, recebeu uma terra em herança. ⁵⁷Davi, por sua misericórdia, obteve o trono de uma monarquia perpétua. ⁵⁸Elias foi arrebatado ao céu por seu grande zelo pela Lei. ⁵⁹Ananias, Azarias e Misael, por sua fé, salvaram-se da fogueira. ⁶⁰Daniel, por sua inocência, salvou-se da goela dos leões.

⁶¹E assim, repassando as gerações, compreendereis que não desfalecem os que esperam em Deus. ⁶²Não temais as palavras de um pecador, pois seu fausto acabará em esterco e vermes: ⁶³hoje exaltado, e amanhã desaparecerá; voltando ao pó, seus planos fracassarão.

⁶⁴Meus filhos, sede valentes em defender a Lei, pois ela será vossa glória. ⁶⁵Vede, sei que vosso irmão Simeão é prudente; obedecei-lhe sempre, pois ele será vosso pai. ⁶⁶E Judas Macabeu, aguerrido desde jovem, será vosso chefe e dirigirá a guerra contra o estrangeiro. ⁶⁷Ganhai para vós todos os que guardam a Lei e ⁶⁸vingai vosso povo; pagai aos pagãos o que merecem e cumpri cuidadosamente os preceitos da Lei.

⁶⁹E depois de abençoá-los foi reunir-se com seus antepassados. ⁷⁰Morreu no ano cento e quarenta e seis. Enterraram-no em Modin, na sepultura familiar, e todo Israel lhe fez solenes funerais.

3 Atividade de Judas na Judeia (2Mc 8,1-7) – ¹Sucedeu-lhe seu filho Judas, apelidado Macabeu. ²Todos os seus irmãos e todos os partidários de seu pai o apoiavam; cheios de entusiasmo, continuavam lutando por Israel.

³Judas dilatou a fama
de seu povo;
vestiu a couraça
como um gigante,
cingiu suas armas
e empreendeu combates
protegendo seus acampamentos
com a espada.
⁴Foi um leão em suas façanhas,
um filhote de leão
que ruge pela presa;
⁵rastreou e perseguiu
os apóstatas,
queimou
os agitadores do povo.
⁶Por medo de Judas
os apóstatas se acovardaram,
os malfeitores ficaram
consternados;
por sua mão
triunfou a libertação.
⁷Fez sofrer muitos reis,
alegrou Jacó
com suas façanhas,
sua lembrança
será sempre abençoada.

2,57 O grego *éleos* corresponde ao hebraico *hésed*, ou seja, a lealdade. Davi pode ser um modelo de "assideu": Sl 86,2; 4,4.

2,62-63 Ver Eclo 10,9-11 e Sl 146,4.

2,65-66 Nas nomeações distingue dois cargos, pai e chefe. O primeiro parece indicar a função sacerdotal e administrativa (ver Jz 17; Is 9,5), o segundo é militar.

2,70 Para os funerais, o autor emprega o nome nobre e tradicional: "Todo Israel". É claro que não assistiram os colaboracionistas nem os indecisos, sendo Matatias um personagem tão significativo. A frase poderia ser mudada para se extrair dela seu sentido profundo: os que lhe celebraram os funerais era a totalidade de Israel.

3,3-9 O breve elogio em verso de Judas Macabeu se apresenta como síntese e chave de suas façanhas. O autor o canta combatendo numa dupla frente: os reis e poderes inimigos, os colaboracionistas judeus. A segunda frente não lhe parece menos grave que a primeira. Somente os plenamente fiéis fazem parte desse povo, os outros não pertencem e devem ser excluídos. Compete a Judas executar essa sentença divina, e "é uma honra executar a sentença prescrita" (Sl 149). O povo disperso tem de ser reunido como com um rebanho, conforme as expressões de Jeremias e Ezequiel. O povo escravo tem de ser libertado, como no tempo dos Juízes; o povo de Deus tem de recuperar e dilatar sua fama. Para tanto é preciso extirpar os inimigos desse ideal. Chama-os apóstatas, malfeitores, agitadores, ímpios. Eles atraíram a cólera divina sobre toda a comunidade, e sua eliminação afastará essa cólera. Por isso, a purificação interna não é menos importante que a libertação. Com seu elogio, o autor quer perpetuar o renome de Judas em Israel ou Jacó. O autor não previu o futuro próximo.

3,4 A imagem do leão coloca Judas no nível de Saul e Jônatas (2Sm 1,23) e do patriarca Judá (Gn 49,9; Dt 33,22).

3,5-6 Ver 5,5.44.

3,7 Antíoco Epífanes, Antíoco Eupátor e Demétrio I.

⁸Percorreu as cidades de Judá
exterminando nelas
os ímpios;
afastou de Israel
a cólera divina.
⁹Sua fama encheu a terra,
porque reuniu um povo
que perecia.

¹⁰Apolônio reuniu um exército estrangeiro e um grande contingente de Samaria para lutar contra Israel.

¹¹Quando Judas ficou sabendo, saiu para enfrentá-lo, o derrotou e o matou. Os pagãos tiveram muitas baixas, e os sobreviventes fugiram. ¹²Ao recolher os despojos, Judas ficou com a espada de Apolônio, e sempre a usou na guerra.

¹³Quando Seron, general chefe do exército assírio, soube que Judas havia reunido em torno de si um partido numeroso de homens recrutados em idade militar, ¹⁴pensou:

– Vou ganhar fama e renome no Império lutando contra Judas e os seus, esses que desprezam as ordens do rei.

¹⁵Juntou-se a ele forte exército de gente ímpia, que subiu com ele para ajudá-lo a vingar-se dos israelitas. ¹⁶Quando chegava perto da encosta de Bet-Horon, Judas saiu-lhe ao encontro com um punhado de homens; ¹⁷mas, ao verem o exército que vinha de frente, disseram a Judas:

– Como vamos lutar contra essa multidão bem armada, sendo nós tão poucos? E além disso estamos esgotados, porque não comemos nada hoje.

¹⁸Judas respondeu:

– Não é difícil alguns poucos envolverem muitos, pois a Deus custa a mesma coisa salvar com muitos ou com poucos; ¹⁹a vitória não depende do número de soldados, pois a força vem do céu. ²⁰Eles vêm atacar-nos cheios de insolência e impiedade, para aniquilar-nos e saquear a nós, nossas mulheres e nossos filhos, ²¹ao passo que nós lutamos por nossa vida e nossa religião. ²²O Senhor os esmagará diante de nós. Não os temais.

²³Apenas terminou de falar, lançou-se contra eles de repente. ²⁴Derrotaram Seron e seu exército, perseguiram-no pela encosta de Bet-Horon até a planície. Seron teve umas oitocentas baixas, e os restantes fugiram para o território filisteu.

²⁵Judas e seus irmãos começaram a ser temidos, e uma onda de pânico caiu sobre as nações vizinhas. ²⁶Sua fama chegou aos ouvidos do rei, pois todos comentavam as batalhas de Judas.

Batalha de Emaús – ²⁷Quando o rei Antíoco ficou sabendo, encolerizou-se e ordenou concentrar todas as forças de seu Império, um exército poderosíssimo. ²⁸Abriu o tesouro e distribuiu às tropas o soldo de um ano, ordenando-lhes estar preparados para qualquer eventualidade. ²⁹Mas quando viu que as arcas se

---

3,8 A cólera mencionada em 1,64.

3,10 As três primeiras batalhas são cuidadosamente escalonadas: na primeira, luta um general sírio, com tropas sírias e samaritanas (os samaritanos eram meio parentes e inimigos tradicionais dos judeus); na segunda, ao exército inimigo se somam apóstatas judeus, às ordens de um general; na terceira se juntam três generais e um exército imenso. A vitória é de grande importância estratégica, a ponto de permitir a purificação do templo. A ela se segue a morte de Antíoco, que fecha um ciclo.
Nas duas primeiras batalhas, seguindo os modelos tradicionais, o autor não descreve o curso dos acontecimentos; em compensação, a exortação da segunda deixa claro o sentido dessa guerra, que renova alguns elementos tradicionais da guerra santa e batalhas do velho Israel.

3,10-12 É como um primeiro ensaio. Embora a batalha ocupe um esquadrão de guerrilhas contra um pequeno exército, o autor põe em relevo o aspecto de luta singular, de Judas contra o general inimigo; algo que traga à memória, até no detalhe da espada, o combate de Davi com Golias.

Apolônio é talvez o funcionário de 1,29 (cf. 2Mc 5,24). Provavelmente era governador da região de Samaria com jurisdição sobre a Judeia.

3,13-26 Entre os combatentes, à parte a óbvia oposição dos chefes, o autor sublinha a oposição dos bandos judeus: com Judas está uma "congregação de fiéis" (*ekklesia piston*), com Seron vai um "exército de ímpios" (*parembolê asebon*). O título de Seron é o que Sísara levava outrora: era o chefe militar da região.

3,18 A frase recorda as palavras de Jônatas, filho de Saul, numa de suas expedições contra os filisteus (1Sm 14,6).

3,27-28 O narrador une habilmente os acontecimentos, encadeando-os com cálculo: a fama chega ao rei, o que o irrita e prepara um exército imenso, por isso fica sem dinheiro, para obter dinheiro vai ao oriente. Com outras palavras: o pequeno Macabeu está a ponto de arruinar militar e economicamente o imperador.

3,29-31 As campanhas militares, também na antiguidade, eram um sério problema econômico: era preciso pagar o soldo aos soldados mercenários para mantê-los contentes e submissos; como mercená-

esvaziavam e que os tributos da região diminuíam pelas discórdias e pela miséria que havia desencadeado no país com a supressão das leis antigas, ³⁰teve medo de que, como lhe havia acontecido mais de uma vez, não fosse suficiente para os gastos e presentes que costumava fazer, superando os reis anteriores. ³¹Vendo-se muito apurado, projetou marchar para a Pérsia, a fim de recolher os tributos daquelas províncias e reunir uma grande soma de dinheiro. ³²Deixou Lísias, membro distinto da família real, à frente do governo, desde o Eufrates até os confins do Egito, ³³e o incumbiu também da tutela de seu filho Antíoco, até sua volta. ³⁴Deixou-lhe a metade das tropas e dos elefantes, e lhe comunicou todas as suas decisões, em particular as referentes aos habitantes de Judá e de Jerusalém: ³⁵que enviasse contra eles um exército para esmagar e aniquilar o exército de Israel e os que restavam em Jerusalém; que apagasse o nome deles desse lugar ³⁶e estabelecesse estrangeiros por todo o território.

³⁷De sua parte, o rei partiu de Antioquia, capital de seu Império, no ano cento e quarenta e sete, levando a outra metade das tropas. Depois de passar o Eufrates, foi percorrendo as províncias do norte. ³⁸Lísias escolheu Ptolomeu de Dorímenes, Nicanor e Górgias, homens poderosos e grandes do reino, ³⁹e enviou com eles quarenta mil soldados de infantaria e sete mil cavaleiros, para invadir e devastar Judá, conforme a ordem do rei. ⁴⁰Partiram com todo o seu exército e foram acampar junto de Emaús, na planície.

⁴¹Quando os traficantes dessa região ouviram a notícia, foram ao acampamento com muitíssima prata, ouro e com correntes, para comprar os israelitas como escravos. Ao exército se juntaram tropas sírias e filisteias.

⁴²Judas e seus irmãos viram que a situação se agravava – os exércitos acampavam em seu território, e conheciam a ordem do rei que ordenava destruir e exterminar o povo –, ⁴³e comentaram:

– Restauremos a ruína de nosso povo! Lutemos por nosso povo e pelo templo!

---

rios, não professavam lealdade nacional e facilmente faltavam ao juramento de lealdade pessoal a seu chefe. Os despojos das vitórias compensavam as tropas, as derrotas eram desmoralizadoras. Os reis se enriqueciam e se arruinavam nas guerras (a Lei do extermínio em Israel excluía o motor da ganância). Uma expedição ao oriente não obedecia apenas a motivos financeiros. Os partos estavam sempre buscando ocasião para estender seu poder e minar o dos ocidentais. Antíoco decide consolidar o Império em seus dois extremos vulneráveis: na região norte da Pérsia e na fronteira do Egito rival. A tarefa mais delicada, que exige sua presença, está no Oriente; Lísias, seu lugar-tenente, se ocupará da fronteira sul. É lógico que em tempos críticos, de rebeliões e lutas civis, os impostos não sejam pagos regularmente. A questão dos impostos era uma das que tornavam a dominação estrangeira mais odiosa.

3,32-36 Embora a Judeia fosse pequena e Judas não fosse mais que um guerrilheiro, sua posição e causa redobraram sua importância: como no século precedente, a qualquer momento os judeus podiam passar de novo para os Lágidas do Egito; ao menos podiam hostilizar o flanco de um exército em campanha rumo ao Egito. Por outro lado, os de Judas lutavam pela vida, não por dinheiro. Por essas e outras razões, o monarca entendeu que era melhor estrangular o movimento judeu antes que se tornasse muito forte. Os sírios planejaram a nova campanha como uma batalha decisiva de êxito seguro.

3,32-33 Do Eufrates ao Egito representa a parte ocidental do Império, onde os judeus ocupavam uma posição estratégica. O filho de um rei, além disso herdeiro, era sempre um ser em perigo: um inimigo podia sequestrá-lo como refém, um rival podia entronizá-lo para impor seu poder. O príncipe Antíoco era ainda um menino.

3,35 As ordens são radicais: trata-se de aniquilar o que resta da nação judaica. Foi o que fez o imperador assírio com o reino do Norte, cuja capital era Samaria. Era tática comum dos conquistadores, pois os colonos eram os melhores agentes da anexação; os militares aposentados se tornavam excelentes colonos.

Um grupo reduzido de colonos e militares já residia na cidadela de Jerusalém; os demais que ficavam na cidade eram judeus que não podiam unir-se aos rebeldes nem queriam submeter-se aos colaboracionistas. Tampouco para estes restava uma solução neutra.

3,36 2Rs 17.

3,38 2Mc 8,8-23.

3,40 Emaús fica na região das colinas, entre a serra de Judá e a planície marítima. O lugar sugere que a penetração foi feita a partir do litoral, como os filisteus em outros tempos, através de vales perpendiculares ao mar. Era terreno misto, com regiões bastante planas e com irregularidades que favoreciam às manobras de guerrilhas conhecedoras do terreno.

3,41 Voluntários se uniram ao exército regular de mercenários para funções subordinadas, atraídos pelo engodo de ganho fácil e próximo.

3,43 Restaurar ruínas, como Is 58,12; Am 9,11.

⁴⁴A assembleia se reuniu a fim de preparar-se para a guerra e rezar, pedindo misericórdia e compaixão.

⁴⁵Jerusalém estava despovoada
como um deserto,
nenhum de seus filhos
entrava ou saía.
O santuário, pisoteado;
estrangeiros na acrópole,
covil de pagãos.
Jacó havia perdido a alegria,
não tocavam a cítara
e a flauta.

⁴⁶Reuniram-se e foram a Masfa, diante de Jerusalém, porque aí havia outrora um templo israelita. ⁴⁷Nesse dia jejuaram, vestiram-se com pano de saco, jogaram cinza na cabeça e rasgaram as vestes. ⁴⁸Desenrolaram o volume da Lei, para consultá-lo, assim como os pagãos consultavam seus ídolos. ⁴⁹Levaram os ornamentos sacerdotais, as primícias e os dízimos; fizeram ir os nazireus que haviam terminado de cumprir seu voto, ⁵⁰e gritaram ao céu:

— O que podemos fazer com estes e aonde podemos levá-los, ⁵¹se o teu templo está pisoteado e teus sacerdotes tristes e humilhados? ⁵²Vês que os pagãos se reuniram para nos exterminar. Conheces seus planos contra nós. ⁵³Como poderemos resistir a eles se não nos auxilias?

⁵⁴Tocaram as cornetas e levantaram grande clamor.

⁵⁵Depois Judas nomeou chefes militares: comandantes, capitães e suboficiais. ⁵⁶Disse aos que estavam edificando uma casa, aos que iam casar-se, aos que acabavam de plantar uma vinha e aos medrosos que voltassem para suas casas, segundo ordena a Lei.

⁵⁷O exército se pôs em marcha, e acamparam ao sul de Emaús. ⁵⁸Judas ordenou:

— Preparai-vos! Sede valentes, estai prontos de madrugada, para combater esses pagãos que se reuniram contra nós para nos exterminar e destruir nosso templo. ⁵⁹É melhor morrer na batalha do que ver as desgraças de nossa nação e do templo. ⁶⁰Mas faça-se a vontade de Deus.

4 ¹Górgias empreendeu a marcha de noite, com cinco mil homens de infantaria e mil cavaleiros escolhidos, ²com intenção de cair sobre o acampamento judaico e esmagá-los de improviso. Gente da acrópole de Jerusalém lhe serviam de guias.

³Mas Judas ficou sabendo, e também se pôs em marcha com seus guerreiros, para

---

3,44-53 A cerimônia litúrgica emprega ritos e súplicas tradicionais. Começa com um fragmento de lamentação, semelhante em Lm 5; Is 24,7-12. Segue-se uma cerimônia penitencial no lugar tradicional da guerra civil (Jz 19-20). Aí consultam a Lei escrita, já que não há um profeta para pronunciar o oráculo; trata-se talvez da lei da guerra (Dt 20). Os nazireus estavam desde outrora ligados ao serviço militar, suas funções são legisladas em Nm 6; também os ritos que deviam praticar no templo ao terminar seu voto, coisa que nesse momento lhes era impossível.

3,52 Ver Sl 83.
3,54 É o toque estabelecido em Nm 10,9.
3,55 Sobre os comandos militares, ver Nm 32,48.
3,56 Trata-se da lei de Dt 20.
3,60 O final da exortação recolhe o modelo de Joab (2Sm 10,12). Não significa fatalismo, mas confiança: dispostos a morrer, redobram a valentia; a causa pela qual lutam dá sentido a sua vida e pode dá-lo à sua morte.

4,1-35 Batalha de Emaús. Embora o autor exagere nos números, a estratégia é perfeitamente inteligível. A desproporção de forças é fenômeno típico quando as guerrilhas hostilizam um exército com rápidos golpes de mão. Judas situou-se na parte interior, perto das montanhas; daí, por meio de sentinelas bem colocadas, pode observar os movimentos do inimigo. Quando fica sabendo que um destacamento partiu à sua procura, parte com toda rapidez, faz uma marcha noturna por caminhos pouco conhecidos e aparece de repente na frente do inimigo. Assim o destacamento de Górgias é enganado e o acampamento de Nicanor é surpreendido.
Quando Górgias volta com os seus, perdeu tempo precioso e muitas energias na busca inútil pelos montes; do alto divisam o incêndio do próprio acampamento, sinal de derrota (Js 7), e se acovardam. O autor narra com rigor, dando a Deus o que é dele nas exortações, e aos homens o deles na batalha. Isso é muito diferente das batalhas milagrosas que o Cronista fabrica, sem intervenção humana (imitadas por 2Mc); tampouco é o esperar paciente junto ao mar Vermelho, conforme Ex 14. Também o pânico, outrora "sagrado", é um fato humano nesse tipo de batalhas e nesses exércitos heterogêneos de mercenários. A perseguição ao inimigo em debandada limita-se a explorar a surpresa, a mantê-lo afastado e disperso, a ganhar tempo para saquear o acampamento: armas e provisões. Os judeus não se aventuram no litoral filisteu, que é vantajoso para os sírios. A derrota não destruiu o exército inimigo, mas deu a Judas uma vantagem considerável. A partir de Emaús, a rebelião tomou realmente consistência.
Pode comparar-se esta versão com a de 2Mc 8,23-29.
4,2 Gente da acrópole: judeus apóstatas ou colaboracionistas, conhecedores do seu território.

esmagar o exército real que permanecia em Emaús, ⁴enquanto alguns batalhões estavam longe do acampamento.

⁵Quando Górgias chegou de noite ao acampamento judaico, não encontrou ninguém. Pôs-se a buscá-los pela serra, pensando que fugissem dele. ⁶Ao amanhecer, Judas apareceu na planície com três mil homens, embora sem escudos ou espadas como havia desejado. ⁷Quando viram o acampamento pagão fortificado, bem defendido, rodeado pela cavalaria, com tropas aguerridas, ⁸Judas estimulou seus homens:

– Não temais seu número nem vos assusteis diante de seu ímpeto. ⁹Recordai como se salvaram nossos antepassados no mar Vermelho, quando o Faraó os perseguia com um exército. ¹⁰Gritemos ao céu para que nos favoreça, lembrando-se da aliança com nossos pais, para que esmague hoje esse exército diante de nós. ¹¹Assim, todas as nações reconhecerão que há alguém que resgata e salva Israel.

¹²Quando os estrangeiros levantaram a vista e os viram vir de frente, ¹³saíram do acampamento para a batalha. Os homens de Judas tocaram para o ataque ¹⁴e a batalha começou. Os pagãos foram derrotados e fugiram para a planície; ¹⁵mas todos os que ficaram para trás caíram mortos à espada; os homens de Judas os foram perseguindo até Gazer e as planícies da Idumeia, Azoto e Jâmnia; causaram-lhes umas três mil baixas.

¹⁶Quando Judas e seu exército deixaram de persegui-los, ¹⁷Judas advertiu a tropa:

– Não tenhais avidez pelos despojos, porque nos resta outra batalha: Górgias e seu exército estão no monte, aí perto. ¹⁸Agora enfrentai o inimigo e lutai; depois podereis colher os despojos tranquilamente.

¹⁹Ainda estava falando quando surgiu no monte um esquadrão; ²⁰mas ao ver que os seus haviam fugido e que o acampamento estava queimando, como o provava a fumaça que se via, ²¹ficaram completamente desmoralizados, e quando viram o exército de Judas na planície, disposto para o combate, ²²fugiram todos para o território filisteu.

²³Então Judas voltou para saquear o acampamento: colheram muito ouro, prata, roupa de púrpura vermelha e violeta e muitas riquezas. ²⁴E regressaram cantando louvores a Deus,

"porque é bom,
porque é eterna
sua misericórdia".

²⁵Israel conseguiu nesse dia uma grande vitória.

²⁶Os estrangeiros que escaparam com vida foram comunicar a Lísias o que havia acontecido. ²⁷Lísias, ao ouvi-lo, ficou transtornado de pesar, porque não havia acontecido com Israel o que ele queria, nem o plano havia saído conforme o rei ordenara. ²⁸Por isso, no ano seguinte recrutou sessenta mil soldados a pé e cinco mil cavaleiros para lutar contra os judeus. ²⁹Chegaram à Idumeia e acamparam em Betsur. Judas saiu para enfrentá-los com dez mil homens ³⁰e, ao ver aquele exército tão poderoso, rezou:

– Bendito és, Salvador de Israel, que quebraste o ímpeto daquele gigante por meio de teu servo Davi e entregaste o

---

4,6 É como se o autor achasse muitos os três mil (Gedeão teve de ficar com trezentos, Jz 7) e quisesse rebaixar sua capacidade militar com a notícia sobre a falta de armas: estão como os israelitas no tempo dos Juízes e de Samuel (Jz 3,31; 1Sm 13,19-22). Assim se cumprirá melhor o que diz Zc 9,13-15 sobre a batalha contra os gregos.

4,8-10 A breve exortação é composta em estilo muito rítmico. O final recolhe a teologia clássica de Ezequiel e sua escola (por exemplo 38,16.23; 39,7.23.28, da perícope de Gog e Magog).

4,11 Ez 39,7.23.28.

4,15 Os fugitivos se refugiam na planície marítima, de norte a sul; Gazer fica a uns oito quilômetros de Emaús.

4,26-28 A batalha do ano seguinte reforçou a vantagem adquirida, de modo que pode ser lida como prefácio à purificação do templo. A proporção numérica muda, embora se mantenha a vantagem do inimigo. A superioridade dos sírios conserva seu sentido teológico.

Historicamente, podemos pensar que, após a vitória de Emaús, o número dos voluntários de Judas cresceu notavelmente; a isso se somaria a melhoria do armamento. Da parte síria, Lísias em pessoa dirige as operações, pois a derrota precedente estava comprometendo seu posto no Império.

4,26 2Mc 11,1-2.

4,30-33 A oração de Judas começa com bênção e termina com hinos: não podia expressar melhor a sua confiança na vitória; ver Sl 20, oração antes da batalha.

4,30 1Sm 14.

acampamento filisteu em poder de Jônatas, filho de Saul, e de seu escudeiro. ³¹Entrega, pois, esse exército em poder de teu povo Israel. Que sua infantaria e sua cavalaria sejam sua vergonha. ³²Põe-lhes medo, faze que se derreta seu poderio e cambaleiem com a derrota. ³³Derruba-os com a espada de teus amigos. Que te cantem com hinos todos os que conhecem teu Nome.

³⁴Enfrentaram-se, e o exército de Lísias perdeu uns cinco mil homens na batalha.

³⁵Quando Lísias viu a derrocada de suas linhas de combate e a coragem dos homens de Judas, dispostos a viver ou morrer nobremente, partiu para Antioquia a fim de recrutar mais mercenários, com intenção de voltar a Judá.

Purificação do templo (2Mc 10,1-8) – ³⁶Judas e seus irmãos propuseram:

– Agora que derrotamos o inimigo, subamos para purificar e consagrar o templo.

³⁷Toda a tropa se reuniu, e subiram ao monte Sião. ³⁸Viram o santuário desolado, o altar profanado, as portas incendiadas, o mato crescendo nos átrios como matagais numa ladeira e as dependências do templo destruídas. ³⁹Rasgaram as vestes e fizeram grande luto, jogando cinza na cabeça ⁴⁰e prostrando-se com o rosto por terra. Ao toque de corneta gritaram ao céu. ⁴¹Judas ordenou a seus homens que ficassem atacando os que estavam na acrópole, até que terminassem de purificar o templo. ⁴²Escolheu sacerdotes sem defeito corporal, observantes da Lei, ⁴³que purificaram o templo e jogaram num lugar imundo as pedras que o contaminavam.

⁴⁴Depois deliberaram o que fazer com o altar dos holocaustos profanado, ⁴⁵e tiveram uma boa ideia: destruí-lo; dessa forma não lhes serviria de opróbrio pelo fato de os gentios o terem profanado. Então o destruíram, ⁴⁶e colocaram as pedras no monte do templo, num lugar escolhido, até que viesse um profeta e resolvesse o caso. ⁴⁷Depois tomaram pedras não talhadas, como manda a Lei, e ergueram um altar novo, igual ao anterior.

⁴⁸Restauraram o templo e consagraram o interior do edifício e os átrios. ⁴⁹Renovaram todos os utensílios sagrados e colocaram no templo o candelabro, o altar do incenso e a mesa. ⁵⁰Queimaram incenso sobre o altar e acenderam as lâmpadas do candelabro, para que alumiassem o templo.

4,31 Sl 20.
4,36-59 Para Judas e para o autor, a restauração do templo e do culto é o grande acontecimento da luta vitoriosa: é emblema e penhor da total libertação. A profanação tinha sido a grande afronta ao povo, o abater-se da cólera divina; a restauração remove essa afronta. Em Js 5,9 lemos que, pela circuncisão na terra prometida, termina a afronta do Egito; acaba a escravidão em terra alheia, começa a liberdade em terra própria. Aqui encontramos o templo em vez da circuncisão: se a luta é pela liberdade religiosa, o exercício público do culto é sua expressão central. O novo Estado judeu será um Estado em torno de um templo (tema que 2Mc desenvolve). E como a luta é pela Lei, todas as cerimônias se desenrolam com estrita legalidade.
Historicamente essa restauração renova a consagração de Salomão (1Rs 8; 2Cr 5-7), a purificação de Ezequias (2Cr 29), a restauração de Esdras e Neemias (Esd 5-6). Mas o autor sabe colocar o fato num processo histórico de cunho militar: a surpresa e a decisão rápida ficam para o campo de batalha; o culto exige planejamento e sossego.
Completados três anos exatos da profanação do templo, Judas consegue celebrar a festa da nova dedicação e a introduz no calendário judaico: em hebraico se chama Hanucá, em grego Encênia. Embora este livro não tenha sido aceito no cânon judaico, a festa continua até nossos dias e é celebrada em dezembro; para os judeus é algo como o nosso Natal.

Ver as cartas com que começa 2Mc.
4,36 Purificar e consagrar são dois tempos ligados. O templo estava profanado pelas imagens idolátricas; o altar, pela ara e pelos sacrifícios pagãos; por isso era necessária a purificação antes da nova consagração. 1Mc 1,8; 2Cr 29.
4,38 Parece com o que a maldição de Mq 3,12 descreve. Por santuário se entende o edifício reservado a sacerdotes e levitas; por altar, o dos holocaustos; por portas, os diversos acessos simples ou monumentais de recinto a recinto; por átrios, os pátios abertos.
4,40-41 A proximidade da cidadela, com sua guarnição armada e vigilante, tornava necessárias as medidas de proteção, já que a atividade desenvolvida no templo equivalia a uma rebelião e um desafio ao rei. É como o trabalho de Neemias e sua gente reconstruindo a muralha de Jerusalém (Ne 4).
4,42 Conforme a legislação de Lv 22.
4,44-46 O caso de consciência se coloca porque essas pedras tinham sido consagradas e serviram durante séculos para o sacrifício diário; depois tinham sido profanadas e tinham servido para sacrificar porcos a Zeus. O que prevalece: a consagração secular ou a profanação de três anos? Só um profeta pode resolver o caso, por isso as pedras não vão parar no vale da Geena, como as de outros altares recém-levantados para cultos idolátricos.
4,46 1Mc 14,41.
4,47 Segundo a legislação de Ex 20,25 e Dt 27,6.

⁵¹Quando puseram pães sobre a mesa e correram a cortina, todo o trabalho ficou terminado.

⁵²No ano cento e quarenta e oito, no dia vinte e cinco do nono mês (dezembro), ⁵³madrugaram para oferecer um sacrifício, segundo a Lei, no novo altar dos holocaustos recém-construído. ⁵⁴Voltaram a consagrá-lo no aniversário do dia em que os pagãos o haviam profanado, cantando hinos e tocando cítaras, alaúdes e címbalos. ⁵⁵Todo o povo se prostrou por terra, adorando e louvando a Deus, que lhes havia dado êxito.

⁵⁶Durante oito dias celebraram a consagração, oferecendo com júbilo holocaustos e sacrifícios de comunhão e de louvor. ⁵⁷Decoraram a fachada do templo com coroas de ouro e escudos. Consagraram também o portal e as dependências, pondo-lhes portas. ⁵⁸O povo todo celebrou uma grande festa, que cancelou a afronta dos pagãos.

⁵⁹Judas, com seus irmãos e toda a assembleia de Israel, determinou que se comemorasse anualmente a nova consagração do altar, com festejos solenes, durante oito dias, a partir de vinte e cinco de dezembro.

⁶⁰Nessa ocasião construíram em torno do monte Sião muralhas altas, com torreões, para impedir que os pagãos chegassem e as destruíssem como haviam feito outrora. ⁶¹Judas instalou aí uma guarnição para defender o monte. Também fortificou Betsur, para que o povo estivesse defendido pelo lado da Idumeia.

5 Façanhas de Judas fora da Judeia
(2Mc 10,15-23) – ¹Quando as nações vizinhas souberam que os judeus haviam reconstruído o altar e restaurado o santuário como estava antes, irritaram-se muitíssimo, ²decidiram destruir os descendentes de Jacó que viviam entre eles, e começaram a matar e eliminar pessoas do povo.

4,52-54 Três anos exatos marcam o tempo da cólera. Ver 2Sm 24,13 sobre os castigos apresentados a Davi para escolher. Em contraste, a falsa profecia de Hananias: "Antes de dois anos" (Jr 28,3). 2Mc 10,3 reduz o tempo para dois anos para adiantar a morte de Antíoco; Dn 7,25 e 9,27 falam de três anos e meio.

4,60-61 Isto equivale a uma tomada de posição militar. Diante da cidadela de pagãos e apóstatas ergue-se agora a colina fortificada de Sião. Proteção para o futuro, afirmação de poder e quase desafio no presente. Poderão coexistir as duas em Jerusalém? Num certo sentido já não é o templo que protege, mas é ele que precisa de proteção; isso é afastar-se da teologia de alguns salmos (por exemplo, Sl 46; 48; 76). Contudo, o afã de proteger o templo traz como consequência o robustecimento militar dentro da cidade santa.

5 No esquema tradicional de Israel existem dois tipos de inimigo: o grande Império agressor, Egito, Assíria, Babilônia, e os médios ou pequenos reinos vizinhos, Edom, Moab, Amon etc. Esse esquema caracteriza a primeira parte deste livro: o grande inimigo é a Síria, ou seja, o reino selêucida, em torno do qual se movem os reinos vizinhos vassalos (o esquema se repete na ficção do livro de Judite).

Nesses reinos menores habitavam populações judias, medianamente misturadas com as populações locais, conscientes de pertencer ao povo judeu. É de supor que, enquanto vigorava o edito de tolerância de Antíoco III, esses grupos cultivassem seus costumes religiosos, e os judeus podiam ir em peregrinação ao templo de Jerusalém. Quando Judas começa a ser temido e respeitado, desperta neles nova consciência de família, provocando o receio dos povos entre os quais moram. Esses povos podiam temer as represálias da corte síria e também o crescente poderio dos judeus. Fato é que as vitórias macabaicas desencadeiam uma série de perseguições locais, por um lado ameaçando a estabilidade do já conquistado, e por outro provocando novas intervenções parciais do Macabeu. Nasce assim uma frente múltipla e pulverizada, que é ao mesmo tempo um peso para um exército reduzido e uma possibilidade estratégica. Porque, espaçando os ataques locais e movendo-se com rapidez, Judas pode ir consolidando e dilatando seu poderio.

É isso que o autor nos oferece neste capítulo. É uma composição temática, mais que cronológica.

Conforme Dt 20, a lei da guerra distingue entre cidades próximas e distantes: às primeiras se aplica a lei do extermínio total; às outras, em caso de resistência, a lei do extermínio dos homens. Judas trata as cidades conquistadas como pertencentes à segunda categoria: extermina os homens que resistiram ao ataque de libertação e são responsáveis por tratamento injusto contra a população judia. Se as rápidas vitórias exaltam a valentia e o talento militar de Judas, a represália cruel semeia o terror, contrapondo-se ao temor que o monarca sírio infunde. Em outros termos: se Antíoco é duro e Judas fosse brando, a balança do terror se inclinaria a favor do selêucida, em prejuízo do judeu. Isso sem falar no caráter justiceiro das operações.

O autor quer deixar bem claro esse caráter justiceiro, assemelhando alguns desses povos ao Faraó, que se negava a soltar os escravos hebreus.

5,1-2 O pecado dessas populações é um ódio religioso ao templo e ao povo judeu. O autor esquematiza, sem dúvida. No que diz de verdadeiro, pode referir-se a guarnições a serviço dos Selêucidas e também a colaboracionistas disseminados por tais países; o fenômeno judaico da adaptação cultural e também religiosa não era exclusivo de Jerusalém.

5,2 2Sm 8.

³Então Judas atacou os descendentes de Esaú na Iduméia, em Acrabatena, porque estavam assediando Israel. Infligiu-lhes uma grande derrota, submeteu-os e saqueou. ⁴Depois se lembrou da maldade dos beanitas, uma armadilha perigosa para o povo, com suas emboscadas nos caminhos, ⁵e os cercou em suas torres; tomou posições, consagrou-os ao extermínio e queimou suas torres com todos os que estavam dentro. ⁶Depois marchou contra os amonitas, e enfrentou um exército considerável e bem armado, sob as ordens de Timóteo. ⁷Travou contra eles muitos combates; destroçou-os e esmagou, ⁸apoderou-se de todo o município de Jazer e depois voltou a Judá.

Dupla frente — ⁹Os povos de Galaad se aliaram contra os israelitas que viviam em seu território, com intenção de exterminá-los. Os israelitas fugiram para a praça-forte de Datema, ¹⁰e enviaram a Judas e seus irmãos esta mensagem: "Os povos vizinhos se aliaram contra nós para nos exterminar, ¹¹e estão preparando-se para vir apoderar-se da praça-forte em que nos refugiamos. Timóteo é seu general. ¹²Vem livrar-nos de suas mãos, porque muitos dos nossos já caíram, ¹³e todos os nossos irmãos que viviam no país de Tob morreram; suas mulheres, filhos e bens foram levados para o desterro; morreram aí umas mil pessoas".

¹⁴Estavam lendo a carta quando outros mensageiros, com a roupa rasgada, chegaram da Galileia com esta notícia: ¹⁵"De Ptolemaida, Tiro e Sidônia, e toda a Galileia dos gentios, aliaram-se contra nós para nos aniquilar".

¹⁶Logo que Judas e a tropa ouviram, convocaram uma assembleia extraordinária para deliberar o que podiam fazer pelos irmãos em situação de aperto, hostilizados pelo inimigo. ¹⁷Judas disse a seu irmão Simão:

— Escolhe alguns homens e vai livrar teus irmãos da Galileia. Eu e meu irmão Jônatas iremos ao país de Galaad.

¹⁸Deixou com o resto das forças, para a defesa de Judá, José, de Zacarias, e Azarias, oficial do exército, ¹⁹dando-lhes estas instruções:

— Tomai o comando destas tropas, mas não traveis combate com os pagãos enquanto não voltarmos.

²⁰A Simão foram designados três mil homens para ir à Galileia, e a Judas, oito mil para a expedição contra Galaad.

²¹Simão partiu para a Galileia e travou muitos combates com os pagãos, os derrotou ²²e os perseguiu até as portas de Ptolemaida. Os pagãos tiveram umas três mil baixas, e Simão recolheu os despojos. ²³Depois juntou os judeus que estavam na Galileia e Arbates, com suas mulheres, filhos e bens, e os levou para Judá, com grande regozijo.

²⁴De sua parte, Judas Macabeu e seu irmão Jônatas atravessaram o Jordão e caminharam três dias pelo deserto.

5,3 Os idumeus se encontram na região sudoeste do mar Morto. Velhos rivais dos judeus durante a monarquia; segundo a tradição, a rivalidade remonta a seu antecessor Esaú, irmão de Jacó (ver como exemplo típico a profecia de Abdias).

5,4-5 É duvidosa a identificação desses beanitas, assaltantes de caravanas nas rotas próximas ao mar Morto.

5,6-8 Este Timóteo seria o governador militar da região. Sobre a campanha que se segue pode-se ver outra versão em 2Mc 12. O território ocupado na região dos amonitas constituía uma boa cabeça de ponte ao leste do Jordão. Consolidada, pôde voltar a Judá para reorganizar suas forças e examinar a sempre difícil situação.

5,9-23 O autor sublinha a simultaneidade dos fatos. Embora seja recurso narrativo para dramatizar a situação, explica bem a posição ainda precária dos Macabeus. Judas se vê forçado a duas expedições separadas pelo Jordão e urgentes, já que está em jogo a sobrevivência de seus concidadãos. Por ora, a região menos ameaçada é a Judeia: ele a confia a comandos subordinados, com ordens taxativas de se defender sem atacar. Confia a seu irmão a expedição menos difícil, na Galileia. Parece que essa expedição limitou-se a umas escaramuças ou golpes bem administrados, culminando na repatriação jubilosa dos judeus. Judas se encarrega pessoalmente da expedição mais delicada; a sua dificuldade provém da situação afastada, na Transjordânia do norte, da dispersão em várias cidades, da melhor organização do inimigo. Isso dá ocasião de intervir aos outros irmãos Macabeus, Jônatas e Simão, seus futuros sucessores.

5,24-54 A expedição na Transjordânia é contada com mais detalhes. Em conjunto trata-se da antiga região de Basã, o reino de Og, de triste memória. Ao irromper a perseguição, os judeus se agruparam e refugiaram em fortalezas. Algumas cidades antigas estavam inteiramente fortificadas, outras não; em ambos os casos, podia haver uma cidadela ou fortaleza como último reduto de resistência. Pode ser

⁲⁵Encontraram os nabateus, que os receberam pacificamente, e lhes contaram o que havia acontecido a seus irmãos israelitas em Galaad: ²⁶muitos trancaram-se em Bosora, em Bosor, Alimas, Casfo, Maced e Carnain, todas praças-fortes e importantes. ²⁷Outros se haviam reunido nas outras cidades de Galaad, e o inimigo havia decidido atacar essas praças-fortes no dia seguinte, ocupá-las e exterminar todos num só dia.

²⁸Judas e seu exército mudaram de rota imediatamente para o deserto de Bosora. Judas tomou a cidade, passou ao fio da espada todos os homens, saqueou a cidade e a incendiou.

²⁹De noite partiu daí, e caminharam até a praça-forte. ³⁰Ao sair o sol, divisaram um exército inumerável colocando escadas e máquinas de guerra para apoderar-se da praça-forte; estavam fazendo o assalto. ³¹Quando Judas viu que o ataque havia começado e que da cidade subia ao céu o fragor do alarido de guerra e o som das cornetas, ³²ordenou a seus soldados:

– Lutai hoje por vossos irmãos!

³³Avançaram em três colunas por trás do inimigo; tocaram as cornetas e oraram gritando.

³⁴Quando se deram conta de que era o Macabeu, os soldados de Timóteo fugiram. Judas lhes infligiu uma grande derrota: provocou-lhes nesse dia umas oito mil baixas. ³⁵Depois dirigiu-se para Alimas, tomou-a de assalto, matou todos os homens, a saqueou e a incendiou. ³⁶Partiu daí e conquistou Casfo, Maced, Bosor, com as outras cidades de Galaad.

³⁷Depois desses acontecimentos, Timóteo reuniu outro exército e acampou diante de Rafon, do outro lado da torrente. ³⁸Judas enviou gente para reconhecer o acampamento, e o informaram:

– Todas as nações vizinhas se uniram; é um exército numerosíssimo; ³⁹têm mercenários árabes como auxiliares, e estão acampados do outro lado da torrente, preparados para vir atacar-te.

⁴⁰Judas saiu-lhes ao encontro e, enquanto ele e seu exército se aproximavam da torrente, Timóteo disse a seus oficiais:

– Se ele atravessar primeiro contra nós, não poderemos resistir; seguramente nos vencerá. ⁴¹Porém, se não se atrever, e acampar do outro lado do rio, passaremos nós contra ele, e o venceremos.

⁴²Quando Judas se aproximou da torrente, pôs em formação junto à margem, os oficiais recrutados e lhes ordenou:

– Não deixeis ninguém acampar. Que avancem todos.

⁴³A seguir, ele, em primeiro lugar, atravessou o rio em direção do inimigo. Toda a tropa o seguiu. Derrotaram os pagãos, que jogaram fora suas armas e fugiram até o santuário de Carnain. ⁴⁴Os judeus se apoderaram da cidade e incendiaram o santuário com todos os que estavam dentro. Destruída Carnain, ninguém mais pôde resistir a Judas.

⁴⁵Judas reuniu todos os israelitas que havia em Galaad, pequenos e grandes, com

---

que alguma das fortalezas citadas estivesse temporariamente abandonada; tal parece ser o caso de Alimas, sitiada em regra pelos inimigos. Nas demais cidades os judeus se fariam fortes num bairro ou até na fortaleza; recordem-se, por exemplo, Tebes junto a Siquém (Jz 9,50) e Rabá Amon (2Sm 12,28). Isso explicaria porque num caso Judas ataca os sitiantes e em outros ataca a própria cidade.

O autor cita sete nomes, dando especial relevo ao segundo e ao último, deixando o primeiro como treinamento ou sondagem de forças.

5,25-27 Os nabateus eram então caravaneiros, profissão comercial muito rentável, ainda que exposta a assaltos de saqueadores. Mais tarde chegaram a criar um reino próspero e dilatado. Também eram bons informantes.

5,29-34 Depois de longa marcha noturna por terreno relativamente plano (50 km, se as identificações propostas são exatas), têm de atacar sem descanso, porque o inimigo já está disposto ao assalto. A brevíssima exortação parece sublinhar a urgência: não podem pensar em si mesmos quando seus irmãos enfrentam o perigo extremo. A marcha, o ataque matutino e a libertação recordam a primeira campanha de Saul, também na Transjordânia, para socorrer os habitantes de Jabes, ameaçados pelos amonitas.

5,37-44 A última fortaleza acrescenta o obstáculo de um rio que pode ser atravessado. O curso de água favorece Timóteo, que não precisa atacar por enquanto. Toma a água como sinal militar e como prova para os judeus. E a sorte ajuda os audazes. Como em outras ocasiões históricas, o cruzar a torrente representa a ousadia que decide a vitória. Recorde-se também o sinal proposto por Jônatas a seu escudeiro em 2Sm 14. Essa prova de coragem de um exército já aureolado com a fama de valente desmoraliza os de Timóteo.

5,45 Assim começa a marcha da grande repatriação. Judas cumprirá as repetidas profecias que predizem a reunião dos judeus em Jerusalém (por exemplo, Is 60; 27,12-13; Sf 3, 20). A volta tem algo de novo êxodo, no estilo do de Babilônia, cantado pelo Segundo Isaías.

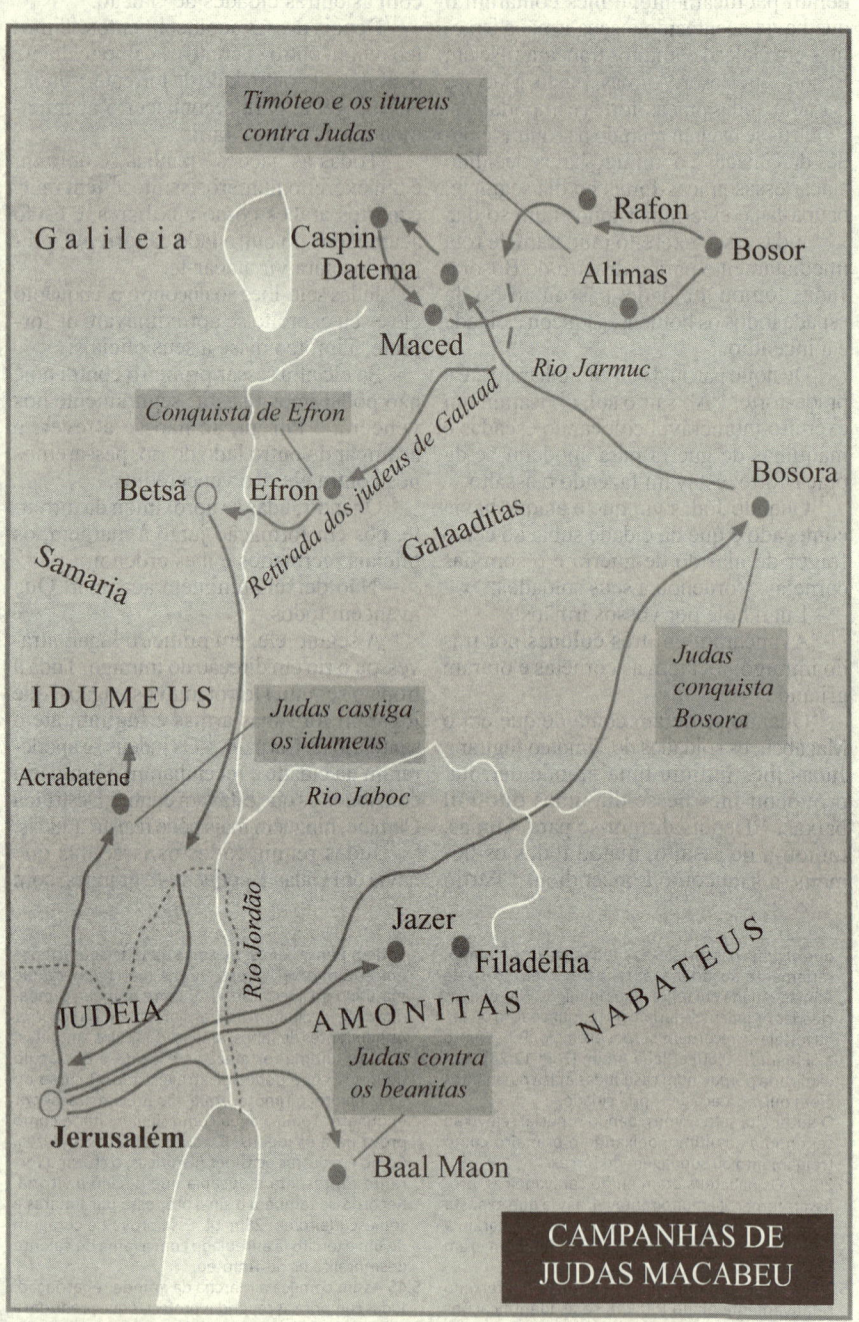

suas esposas, filhos e bens – uma imensa multidão –, para levá-los a Judá. ⁴⁶Chegaram a Efron, uma cidade importante, bem fortificada, situada no caminho (era impossível deixá-la à direita ou esquerda, era preciso atravessá-la). ⁴⁷Mas os habitantes da cidade a fecharam e obstruíram as portas com pedras. ⁴⁸Judas lhes enviou esta embaixada em tom amistoso:

– Deixai-nos atravessar vosso território a caminho de nossa terra; ninguém vos prejudicará. Só queremos passar.

Eles porém se negaram a abrir.

⁴⁹Então Judas ordenou anunciar pelo acampamento que todos ficassem em formação de combate, no lugar em que estivessem. ⁵⁰Os guerreiros ficaram em formação. Assaltou a cidade, todo aquele dia e toda a noite, e a cidade se rendeu. ⁵¹Judas passou ao fio da espada todos os homens, arrasou a cidade depois de saqueá-la e atravessou-a, passando por cima dos cadáveres. ⁵²Depois cruzaram o Jordão até a grande planície, diante de Betsã. ⁵³Judas ia reunindo os retardatários e animando o povo durante toda a marcha, até que chegaram a Judá. ⁵⁴Subiram ao monte Sião, no meio de grande alegria, e ofereceram holocaustos por ter regressado sãos e salvos, sem nenhuma baixa.

⁵⁵Enquanto Judas e Jônatas estavam em Galaad, e seu irmão Simão na Galileia, diante de Ptolemaida, ⁵⁶José, de Zacarias, e Azarias, oficiais do exército, ficaram sabendo das façanhas militares que haviam realizado, ⁵⁷e disseram:

– Vamos também nós ficar famosos. Vamos lutar contra as nações vizinhas!

⁵⁸Deram ordens a suas tropas e marcharam contra Jâmnia. ⁵⁹Mas Górgias e seus homens saíram da cidade para combatê-los, e José e Azarias fugiram. ⁶⁰Górgias os perseguiu até as fronteiras de Judá. Nesse dia caíram uns dois mil soldados israelitas, ⁶¹o exército sofreu uma grande derrota por não ter obedecido a Judas e seus irmãos, esperando realizar uma grande façanha; ⁶²não eram da raça dos homens destinados a salvar Israel.

⁶³O corajoso Judas e seus irmãos se tornaram muito célebres em todo Israel e por todos os países em que se ouvia falar deles. ⁶⁴O povo se apinhava em torno deles, aclamando-os.

⁶⁵Judas e seus irmãos saíram para lutar contra os descendentes de Esaú, no sul. Conquistou o município de Hebron, derrubou suas praças-fortes e incendiou os torreões da muralha. ⁶⁶Depois empreendeu a marcha ao país filisteu e atravessou Marisa. ⁶⁷Nesse dia caíram no combate alguns sacerdotes que saíram para lutar imprudentemente, querendo realizar uma façanha.

⁶⁸Depois Judas se dirigiu para Azoto, em terra filisteia; derrubou seus altares, queimou as imagens de seus deuses, saqueou as cidades e voltou para Judá.

6 Morte de Antíoco (2Mc 9) – ¹O rei Antíoco percorria as províncias do norte, quando ficou sabendo que na Pérsia havia

---

5,46-48 O último obstáculo é como o de Edom e Moab, quando os israelitas se aproximam da terra prometida (Nm 21). Trata-se de uma população civil, por isso Judas pede passagem pacífica. A negação justifica a cruel represália.

5,51 Dt 20.

5,53 Sf 3,20; Ex 36,34; Is 35,10.

5,54 O fim da marcha tem algo de procissão sagrada: os dispersos voltam à capital e ao templo. O templo purificado e consagrado cumpriu outra vez sua missão centrípeta de atrair os dispersos. Judas cumpriu a missão de "reunir em diversos lugares" de Ez 36,34; 37,21; 39,27-28. Poder-se-ia citar Is 35,10: "Voltarão a Sião com cânticos; à frente, alegria perpétua".

5,57-62 Jâmnia é uma cidade bem defendida, próxima ao litoral; fica em campo militar dos sírios, não é uma "nação vizinha" a mais. Era temeridade atacá-la com tropas reduzidas e era desobediência às ordens do Macabeu. Essa elementar falta de sentido estratégico é interpretada pelo autor em termos solenes,

não isentos talvez de tom polêmico: há uma família de enviados por Deus, são todos os Macabeus; fora deles ninguém pode arrogar-se tal missão. Os Macabeus-Asmoneus entram na galeria dos grandes libertadores; concretamente, na galeria dos juízes carismáticos suscitados por Deus para salvar Israel.

5,65-68 Duas campanhas, no sul e sudoeste, completam a série de vitórias sobre povos vizinhos. Hebron guardava a lembrança de Abraão e da coroação de Davi. Azoto era a velha cidade do deus Dagon, derrubado pela arca da aliança (1Sm 5): mencionando altares e ídolos, o autor nos convida à recordação. Cumpre-se o anunciado em Is 11,14.

6,1-17 A morte do perseguidor se prestava a uma patética lamentação, no estilo de Is 14 ou Ez 32; o autor de 2Mc a explorou ao máximo. O nosso narrador se contenta com breve discurso, um pouco teatral, do rei moribundo. Sua confissão não significa verdadeira conversão, é somente o reconhecimento trágico do fracasso causado por sua culpa. E a culpabilidade

uma cidade chamada Elimaida, famosa por sua riqueza em prata e ouro, ²com um templo cheio de tesouros: escudos dourados, armaduras e armas deixadas aí por Alexandre, filho de Filipe, rei da Macedônia, que havia sido o primeiro rei da Grécia. ³Antíoco foi lá e tentou apoderar-se da cidade e saqueá-la; mas não conseguiu, porque os habitantes da cidade, percebendo o que ele pretendia, ⁴saíram para atacá-lo. Antíoco teve de fugir, e empreendeu pesaroso a viagem de volta para Babilônia.

⁵Então chegou à Pérsia um mensageiro com a notícia de que a expedição militar contra Judá havia fracassado. ⁶Lísias, que tinha ido como chefe de um exército poderoso, havia fugido diante do inimigo; os judeus, sentindo-se fortes com as armas e apetrechos, e os enormes despojos dos acampamentos saqueados, ⁷haviam derrubado a ara sacrílega construída sobre o altar de Jerusalém, tinham levantado em torno do santuário uma muralha alta como a de antes, e também em Betsur, cidade que pertencia ao rei.

⁸Ao ouvir essa notícia, o rei se assustou e se impressionou, de tal forma que caiu de cama com grande depressão, porque as coisas não haviam saído como queria. ⁹Aí passou muitos dias, cada vez mais deprimido. Pensou que ia morrer, ¹⁰chamou todos os seus grandes e lhes disse:

– O sono fugiu de meus olhos. Sinto-me abatido pelo sofrimento ¹¹e penso: "A que tribulação cheguei, e em que imenso vagalhão estou metido, eu, feliz e querido quando era poderoso!" ¹²Mas agora me vem à memória o mal que fiz em Jerusalém, roubando os utensílios de prata e ouro que havia aí e enviando gente para exterminar sem motivo os habitantes de Judá. ¹³Reconheço que por isso me sobrevieram essas desgraças. Como vedes, morro de tristeza em terra estrangeira.

¹⁴Chamou Filipe, um grande do reino, e o pôs à frente de todo o Império. ¹⁵Deu-lhe sua coroa, seu manto real e o anel, encarregando-o da educação de seu filho Antíoco e de prepará-lo para reinar. ¹⁶O rei Antíoco morreu aí no ano cento e quarenta e nove. ¹⁷Quando ficou sabendo da morte do rei, Lísias proclamou como rei seu filho Antíoco, criado por ele desde pequeno, e deu-lhe o sobrenome de Eupátor.

Antíoco Eupátor. Paz – ¹⁸Enquanto isso, os habitantes da acrópole confinavam os israelitas em torno do templo, prejudicando-os

---

reconhecida duplica a dor do fracasso, segundo a doutrina tradicional (por exemplo, Sl 70). Narrativamente aconteceram duas situações semelhantes, duas tentativas de saquear templos. A segunda fracassou, a primeira teve êxito. O rei reconhece que a primeira foi a causa de suas desgraças. É a perspectiva do autor; pois os saques de templos eram coisa ordinária. É historicamente certo que a agressão contra o templo judeu desencadeou a resistência e a rebelião, com os sucessivos reveses para a monarquia selêucida. O autor quer que vejamos nesse desenvolvimento histórico a direção e o castigo de Deus. Porque os destinos dos reis são decididos na sua relação com o povo escolhido. Antíoco não enfrentou pessoalmente Judas e os seus, enfrentou Deus, e Deus castiga sua arrogância.

6,1 O começo liga-se diretamente a 3,37, que fala da partida do rei para o Oriente. Elimaida era propriamente uma região, o antigo Elam.

6,2 A notícia sugere que Alexandre tinha respeitado o templo e o tinha enriquecido com seus ex-votos. Mas notemos que se trata de informações comunicadas ao rei, nas quais havia lugar para a lenda.

6,3 2Mc explora o tema do saque de templos no prólogo (cap. 1) e no corpo (cap. 3). A concentração de tesouros nos templos é fenômeno constante da religião. Na resistência da população se juntavam os motivos religiosos e os políticos; e Antíoco não quis arriscar-se num assalto a uma cidade.

6,7 Naturalmente o adjetivo "sacrílega" da ara é linguagem do autor, não de quem informa ao Antíoco.

6,8 A restauração do templo e a construção da muralha simbolizam o fracasso da política de unificação cultural: Antíoco avalia da mesma forma que o narrador. Os dois verbos atribuídos ao rei recordam a fórmula do Sl 48,6: "Apenas o viram, ficaram aterrados e fugiram apavorados".

6,10 Sobre a insônia, veja a expressão de Dn 2,1; com outra fórmula, Sl 76.

6,13 Morrer em terra estrangeira é desgraça redobrada (ver, por exemplo, Am 7,17).

6,14-17 Como o herdeiro era ainda menino – nove anos, segundo outras fontes – a função de preceptor equivalia ao comando supremo. O rei destitui Lísias, culpado imediato das derrotas na Palestina, e nomeia um preceptor de sua confiança. Mas Lísias adiantou-se e ficou com o comando efetivo (2Mc 9,29 diz que Filipe retirou-se espontaneamente). Isso foi semente de discórdias, que acabarão favorecendo os judeus.

6,18-22 A acrópole continuava sendo o pesadelo de Judas em Jerusalém. Confiante em suas vitórias, no apoio de um setor amplo e talvez na menoridade do rei, ele decidiu atacar. Mas excedeu-se nos cálculos. Lísias tinha sofrido duas derrotas e queria a desforra; embora o narrador apresente como protagonista o rei (de dez anos), não é infundado pensar que Lísias decidisse e mandasse.

continuamente e favorecendo os pagãos. ¹⁹Judas se propôs acabar com eles, e reuniu todo o exército para assediá-los. ²⁰Todos se concentraram e começaram o assédio no ano cento e cinquenta, com catapultas e máquinas de assalto. ²¹Alguns sitiados romperam o cerco; juntaram-se a eles alguns israelitas apóstatas ²²e foram dizer ao rei:

— Quando pensas fazer justiça e vingar nossos irmãos? ²³Nós nos submetemos a teu pai voluntariamente, procedemos segundo suas instruções e obedecemos às suas ordens ao pé da letra. ²⁴O resultado é que nossos compatriotas cercaram a acrópole e nos tratam como estranhos. Ainda mais, mataram os nossos que caíram em suas mãos, saquearam nossos campos, ²⁵e não só estendem a mão contra nós, mas também contra todo o vosso território. ²⁶Aí estão, acampados agora contra a acrópole de Jerusalém, pretendendo conquistá-la; fortificaram o santuário e Betsur, ²⁷e se não lhes tomas a dianteira logo, irão crescendo e não poderás detê-los.

²⁸O rei se encolerizou ao ouvir isso. Convocou todos os grandes do reino, chefes de infantaria e de cavalaria. ²⁹E como se apresentassem também mercenários do estrangeiro e de ultramar, ³⁰seu exército contava com cem mil soldados a pé, vinte mil cavaleiros e trinta e dois elefantes treinados para a luta. ³¹Atravessando a Idumeia, assediaram Betsur. A luta prolongou-se por muitos dias; prepararam máquinas de assalto, mas os sitiados fizeram uma incursão e as incendiaram, lutando valentemente.

³²Então Judas levantou o cerco da acrópole e acampou junto a Bet*-Zacarias, diante do acampamento do rei. ³³De madrugada, o rei fez seu exército avançar apressadamente pelo caminho de Bet-Zacarias. As tropas se dispuseram a entrar em ação, e soou o sinal de ataque. ³⁴Deram aos elefantes vinho de uva e de amora, para excitá-los à luta. ³⁵Repartiram-nos entre os esquadrões, colocando junto de cada elefante mil homens com cota de malha e capacete de bronze, mais quinhentos cavaleiros escolhidos; ³⁶onde havia um elefante, aí estavam eles; aonde ia, iam eles, sem separar-se dele. ³⁷Cada elefante carregava, presa com arreios, uma torre de madeira bem protegida. Em cada torre iam o guia indiano e quatro guerreiros, que disparavam daí. ³⁸O resto da cavalaria, protegido pelas tropas a pé, ia nas duas alas do exército, para fustigar o inimigo.

³⁹Quando o sol refulgiu sobre os escudos de ouro e bronze, seu reflexo nos montes os fez reverberar como tochas. ⁴⁰Parte do exército real estava em formação nos cumes dos montes, outra parte na ladeira. Iam avançando seguros e em perfeita ordem. ⁴¹Estremecia ouvir o fragor dessa multidão em marcha e o entrechocar das armas. Realmente era um exército imenso e poderoso.

⁴²Judas e suas tropas avançaram, e no choque o exército real teve seiscentas

---

A ação de Judas tinha sido uma provocação, pois tinha agredido uma *pólis* com privilégios reais.

6,22-27 Este discurso dos delegados revela muito bem a divisão dos judeus. O que dizem corresponde aos fatos; mas escutamos a zombaria irônica do autor quando os faz dizer: "nós nos submetemos a teu pai".

6,28-31 A campanha é bem planejada: rodeando provavelmente pela costa, penetram no território submetido de Idumeia e atacam a praça-forte da fronteira sul. É possível que pelo caminho idumeus ansiosos de revide se juntassem a eles. Aquele ano era sabático, ou seja, não semearam no outono e tinham de alimentar-se das provisões do ano precedente (Lv 25). Tratava-se de um barbeito ritual, no qual se repetia o esquema semanal do sábado em escala de anos. A situação tem clara analogia com o ataque no sábado (2,32); são uma desculpa pelas derrotas que o autor, mais que insinuar, confessa.

6,32 Casa Zacarias fica ao norte de Betsur, a sudoeste de Jerusalém, o que representa uma penetração do inimigo em território judeu. Levantar o cerco da acrópole é já importante fracasso judeu. * = Casa.

6,33-54 O que se segue também são derrotas. Judas aceitou a batalha, foi vencido e teve de retirar-se de Jerusalém; nada valeu a façanha individual de um judeu, morrendo debaixo do elefante, como outro Sansão. Até no fim a salvação é limitada, pois o rei mandou derrubar a muralha.

O autor se entusiasma na descrição da batalha, não sabemos se utilizando fontes sírias. Sua visão do exército inimigo, do número, organização, do resplendor das armas ladeira abaixo, revelam um espectador entusiasta, muito de um inimigo apaixonado. Se fosse para exaltar a vitória própria... Não podemos pensar que com isso quisesse justificar a derrota, pois, de acordo com seus princípios teológicos, o número dos inimigos não conta diante da proteção de Deus. Em resumo, o autor deixou-se levar pelo gosto de contar, e compôs uma boa página narrativa.

baixas. ⁴³Eleazar, chamado o Abaron, viu um elefante equipado com insígnias reais que sobressaía entre os demais elefantes; crendo que o rei estivesse aí, ⁴⁴entregou sua vida para salvar seu povo e assim ganhar fama imortal: ⁴⁵correu ousadamente para o elefante, matando à direita e à esquerda pelo meio do esquadrão, que ia se abrindo de ambos os lados, ⁴⁶entrou por baixo do elefante e cravou-lhe a espada; o elefante caiu sobre ele, e aí morreu.

⁴⁷Quando os judeus viram a força impetuosa do exército real, retrocederam. ⁴⁸Os do exército real subiram contra eles para Jerusalém; o rei acampou com intenção de invadir Judá e o monte Sião, ⁴⁹fez um tratado de paz com os habitantes de Betsur, que saíram da cidade (não tinham mais provisões para resistir ao assédio, porque era ano sabático no país). ⁵⁰O rei ocupou Betsur e aí deixou uma guarnição para sua defesa. ⁵¹Imediatamente cercou o templo durante muitos dias; instalou bestas e máquinas de assalto, lança-chamas, catapultas, escorpiões para arremesso de flechas e fundas. ⁵²Os judeus fizeram também máquinas defensivas, e a luta prolongou-se por muitos dias. ⁵³Mas quando terminaram os víveres nos armazéns, porque era o sétimo ano, e os que do estrangeiro se haviam refugiado fugindo para Judá tinham consumido as últimas provisões, ⁵⁴poucos ficaram no templo; a fome apertava, e se dispersaram cada qual para seu lado.

⁵⁵Lísias soube que Filipe, a quem o rei Antíoco ainda vivo havia confiado a educação de seu filho Antíoco como sucessor, ⁵⁶tinha voltado da Pérsia e da Média com as tropas da expedição real e pretendia assumir o poder. ⁵⁷Rapidamente decidiu partir, e disse ao rei, aos generais e às tropas:

— Cada dia somos menos, temos poucas provisões e o lugar que atacamos está fortificado; os assuntos do reino são urgentes. ⁵⁸Façamos as pazes com essa gente, assinemos um tratado com eles e com toda sua nação, ⁵⁹permitindo-lhes viver segundo sua legislação, como faziam antes. Pois, enfurecidos por termos abolido sua legislação, eles nos fizeram tudo isso.

⁶⁰O rei e os chefes aprovaram a proposta; ofereceram a paz aos judeus, e estes a aceitaram. ⁶¹O rei e os chefes confirmaram o pacto com juramento, e assim os judeus saíram da fortaleza. ⁶²Mas, quando o rei chegou ao monte Sião e viu aquelas fortificações, quebrou o juramento e mandou derrubar toda a muralha. ⁶³Depois, apressadamente, empreendeu o regresso a Antioquia, encontrando-a em poder de Filipe. O rei o atacou e arrebatou a cidade pela força.

6,43 Morto o rei, a batalha estava praticamente decidida: recorde-se a ordem do rei assírio em 1Rs 22,31 e a morte de Holofernes no livro de Judite.
6,46 Jz 16,29s.
6,49 Com a penetração síria, a fortaleza fronteiriça de Betsur foi cortada, sem possibilidade de resistir. A queda de Betsur torna mais dramática a situação de Jerusalém; o autor utiliza habilmente o dado. Não cairá Jerusalém do mesmo modo? Com efeito, a fome se fará sentir mais gravemente na capital. Toda essa situação de cerco e fome, de uma praça-forte distante da capital, serviu como material narrativo para o livro de Judite.
6,51 Os lança-chamas (*pyroboloi*) eram máquinas para lançar projéteis em chamas ou incandescentes.
6,55-56 A libertação chega no último momento, como a Davi cercado por Saul (1Sm 23,27). As brigas pelo poder começam a favorecer os judeus e continuarão a favorecê-los até sua independência.
6,57-59 O breve discurso de Lísias não dá a verdadeira razão da retirada; apenas a insinua aludindo aos "assuntos do reino", que eram realmente seus interesses no reino. Ao mesmo tempo parece sugerir que os judeus faziam saídas ou contra-ataques mortíferos ou repeliam os ataques causando baixas; também a época do ano pode ter influído. A solução que Lísias propõe não é vergonhosa para os sírios, pois significa voltar simplesmente à tolerância de Antíoco III, funestamente interrompida por Antíoco IV.
Com este discurso o narrador mata dois coelhos: com verossimilhança narrativa mostra os argumentos de Lísias diante do rei; com preocupação teológica reafirma o motivo da rebelião.
6,60-63 Oficialmente o rei menino devia dar a sua aprovação. É evidente que não compreendeu o significado dessa medida: ele, que leva um título em honra de seu pai (Eupátor), desfaz de vez uma peça central da política paterna. Também se atribui ao rei a ordem de derrubar a muralha. O autor supõe que essa muralha entrava numa das cláusulas do tratado; pelo contrário, dá a entender que o rei ficou surpreso. Para conciliar ambos os dados, diríamos que o rei e os conselheiros acharam a muralha mais forte do que imaginavam. Mas também é muito possível que o autor queira infamá-los com a acusação de maldade.
O reinado de Antíoco Eupátor termina com um balanço equilibrado no campo militar e com um progresso substancial no campo político-religioso. A acrópole subsiste no coração de Jerusalém e a independência não está ao alcance.

7 Demétrio I (2Mc 14,1-10)

¹No ano cento e cinquenta e um, Demétrio de Seleuco partiu de Roma, desembarcou com poucos homens numa cidade do litoral e aí começou seu reinado. ²Quando ia entrar no palácio real de seus antepassados, as tropas prenderam Antíoco e Lísias para levá-los a Demétrio. ³Disseram isso a Demétrio, e ele respondeu:

— Nem ver a cara deles!

⁴Então os soldados os mataram, e Demétrio subiu ao trono imperial. ⁵Todos os israelitas apóstatas e ímpios se apresentaram a ele, guiados por Alcimo, que aspirava o cargo de sumo sacerdote, ⁶e acusaram o povo diante do rei:

— Judas e seus irmãos exterminaram todos os teus partidários e nos expulsaram de nosso país. ⁷Envia alguém de tua confiança para inspecionar os estragos que Judas causou a nós e à tua província, e para castigar a eles e a todos os que os apoiam.

⁸O rei escolheu Báquides, grande do reino, governador da região de Além-do-Rio, homem influente e de sua confiança. ⁹Enviou-o com o ímpio Alcimo, confirmado no cargo de sumo sacerdote, com ordem de castigar os israelitas. ¹⁰Partiram. Entraram em Judá com exército numeroso e mandaram uma embaixada a Judas e a seus irmãos, com ofertas falsas de paz. ¹¹Mas quando os judeus os viram com exército numeroso, não fizeram caso da embaixada; ¹²apesar disso, uma comissão de letrados reuniu-se com Alcimo e Báquides para encontrar uma solução justa; ¹³os primeiros

---

7 Este capítulo nos abre uma janela para a complexa situação que se segue à morte de Antíoco Epífanes e à paz de Lísias. A perseguição religiosa fica formalmente abolida, sem que a autonomia política seja um fato. Judas Macabeu conseguiu a liberdade religiosa; doravante não poderá invocar o motivo religioso para justificar sua rebeldia. Aos olhos do rei e de muitos israelitas, sua rebelião era política, de partido; lutava por uma interpretação rígida e intransigente das leis pátrias.

Para entender um pouco a situação, temos de levar em conta os personagens e partidos que intervêm no drama.

a) Na Síria aparece Demétrio contra Antíoco e Lísias. Antíoco III tinha sido pai de Seleuco e Antíoco: sucedeu-lhe o primogênito, que reinou como Seleuco IV, e a este sucedeu seu irmão Antíoco Epífanes. O filho de Seleuco chamava-se Demétrio, herdeiro legítimo, mas impedido como refém em Roma; por isso, ocupou o trono seu primo Antíoco V, o filho de Epífanes. Em Antioquia havia um forte partido legitimista, que considerava Demétrio legítimo herdeiro e estava descontente com Lísias e seu protegido. Para mudar a situação, faltavam duas coisas: declarar a fraqueza interna de Lísias e seu rei e burlar a vigilância romana (tarefa de Demétrio).

A primeira aconteceu logo, e a paz com o Macabeu pode ter sido interpretada como sintoma de fraqueza; a segunda aconteceu com a morte de Otávio, provavelmente com o apoio de Tibério Graco e a cumplicidade espontânea ou comprada de alguns sírios e romanos.

Demétrio conseguiu fugir e embarcar numa nau fenícia rumo à costa da Síria, desembarcando em Trípoli, a quase 300 quilômetros de Antioquia. Aí conseguiu afirmar-se e cingiu a coroa como sucessor legítimo do rei da Síria. Quando seus partidários da capital souberam desse primeiro êxito, precipitaram os acontecimentos, destronando o rei menino e seu tutor. Em lugar de Lísias é nomeado Báquides, um fiel partidário. Temos, pois, em Antioquia, ao cabo de dois anos, um novo rei, que recebe o poder dos Selêucidas, sem a intolerância cruel e inexorável de Epífanes.

b) Em Jerusalém se reaviva a luta entre o partido pró-helenista, favorável à abertura cultural, e o partido dos intransigentes, liderado por Judas. O Macabeu tinha do seu lado os Leais, muitos sacerdotes e parte do povo. Enquanto em Jerusalém se celebrava o culto legítimo, os soldados de Judas acompanhavam tudo a uma razoável distância da capital.

Não sabemos quando Menelau, o sumo sacerdote intruso, foi substituído por certo Joaquim ou Alcimo (nome helenizado), que de coração ou por oportunismo militava no partido colaboracionista. Ou seja, as hostilidades são antes de tudo entre dois partidos judaicos, ambos arvorando a bandeira do bem do povo. O autor nos dá a versão do partido macabeu, com suficientes dados para destrinchar o emaranhado; outras fontes antigas completam o quadro. A perseguição tinha dado razão aos pró-helenistas?

7,1 Ano 151.

7,3 A resposta de Demétrio é ambígua: dá a entender seus desejos, não dá ordens. Seria perigoso criar inimizade com os romanos, que apoiavam Antíoco, e também seria perigoso deixar o rival com vida. Recorde-se a carta de Jeú aos notáveis de Jezrael (2Rs 10).

7,5-6 A expressão é muito calculada: "Os apóstatas e ímpios... acusaram o povo"; como quem diz, os apóstatas não pertencem ao povo. Mas, com razão estes chamam a Judeia de "nosso país"; vê-se que o desterro forçado ou voluntário era uma das táticas do partido dos Macabeus.

7,8 Entende-se do Eufrates à fronteira do Egito, ou seja, a parte ocidental do Império, que estivera sob a autoridade de Lísias (3,32).

7,9 O adjetivo "ímpio" é avaliação do autor; vê-se que os sacerdotes de Jerusalém não faziam um juízo tão desfavorável. Tudo se apresenta como negociações pacíficas; e não se deve esquecer que continuava em vigor a paz assinada por Lísias e Antíoco V.
Tomando "os israelitas" em sentido universal, a frase é tendenciosa. Se se refere a alguns israelitas, é verdadeira.

a pedir a paz por parte dos israelitas eram os leais, ¹⁴porque diziam:

– Aquele que veio com o exército é um sacerdote da estirpe de Aarão; ele não vai nos trair.

¹⁵Báquides falou com eles em tom pacífico e lhes jurou:

– Não vos maltrataremos, nem a vós nem a vossos amigos.

¹⁶Deram-lhe crédito. Então ele prendeu sessenta e os matou num só dia, segundo este texto da Escritura:

¹⁷"Lançaram
  ao redor de Jerusalém
  os cadáveres
  e derramaram o sangue
  de teus fiéis,
  e ninguém os enterra".

¹⁸O povo ficou presa do pânico diante dos invasores. Comentava-se:

– Eles não têm sinceridade nem honradez; faltaram à sua palavra e a seu juramento.

¹⁹Depois Báquides partiu de Jerusalém para acampar em Bet-Zet. Mandou prender muitos dos seus, desertores, e alguns do povo. Ele os assassinou e jogou na cisterna grande. ²⁰Deixou a província nas mãos de Alcimo, com um destacamento para apoiá-lo, e voltou para onde estava o rei. ²¹Alcimo teve de lutar para defender seu cargo de sumo sacerdote; ²²uniram-se a ele todos os agitadores do povo e se apossaram de Judá, fazendo enorme estrago em Israel.

²³Quando Judas viu que Alcimo e sua gente faziam mais dano aos israelitas que os pagãos, ²⁴saiu por todo o território de Judá para castigar os desertores e impedi-los de fazer incursões pela região. ²⁵E quando Alcimo viu que Judas e os seus se refaziam, compreendeu que não poderia resistir a eles, e voltou para junto do rei, com gravíssimas acusações.

Derrota de Nicanor (2Mc 14,12-36) – ²⁶Então o rei enviou Nicanor, um de seus mais famosos generais, inimigo mortal dos israelitas, com o encargo de exterminar o povo. ²⁷Nicanor chegou a Jerusalém com grande exército, e enviou a Judas e seus irmãos esta mensagem, com palavras falsas de amizade:

7,14 Nm 18,1-7.
7,16-18 Não há dúvida de que Báquides cometeu um erro, e que teria conseguido muito mais pelo caminho da convicção. Faltando à palavra dada e executando um grupo significativo de patriotas dos Leais, o governador desencantou muitos do povo e justificou a reação de Judas. É possível que os chefes do movimento pró-helenista reclamassem essa vingança concreta de seus rivais, como indica o v. 7. A divisão dos judeus era difícil de sanar.
7,17 Sl 79,2-3.
7,19 É ambíguo o sentido de "desertores": pode significar membros do partido de Judas, que o abandonaram a fim de passar para o lado sírio; Báquides não lhes perdoa, por esse gesto, as culpas cometidas. Poderia significar desertores do seu próprio exército. Se "povo" designa os judeus, a primeira interpretação é mais provável; "povo" poderia designar também civis em oposição a militares. À luz de todo o contexto, parece que o autor continua descrevendo as represálias contra os do partido de Judas.
7,20-25 Alcimo fica como sumo sacerdote, governador da província e chefe de um destacamento militar. E explode a guerra civil entre os judeus. É como se Báquides recomendasse a um judeu cuidar dos assuntos dos judeus, enquanto a situação não ameaçasse a segurança do Império. Sobre a situação e os acontecimentos, pode-se ler 2Mc 14.
Alcimo confiava na sua autoridade e no apoio de muitos para restabelecer a paz num clima de simpatia pelos gregos; seu partido tinha triunfado, graças ao apoio real, e desejava manter uma situação muito semelhante à dos tempos de Antioco III. Os do partido de Judas, aspirando talvez à independência nacional, não aceitaram a derrota e se voltaram outra vez contra seus concidadãos; fizeram-no com mais experiência e coragem e provavelmente com métodos mais contundentes. Quando Alcimo viu que não conseguia controlar os do partido oposto, recorreu de novo à proteção do rei.
Legalmente Judas era um rebelde contra as autoridades estabelecidas. Conseguido o triunfo final dos Macabeus, o autor distribui adjetivos e predicados do seu ponto de vista. Suspeitava Alcimo que Judas ambicionasse o cargo de sumo sacerdote, apoiado na sua linhagem e no seu prestígio popular? (É o que iria acontecer mais tarde com seu irmão Simão.) Recorrendo de novo ao rei, Alcimo comprometia sua figura religiosa e política diante de muitos judeus.
7,22 Jz 9,4.
7,26-50 Assim chega a segunda etapa: já não é Báquides, mas um general experimentado e inimigo dos judeus patriotas (que o autor denomina "o povo"). O destino de Nicanor é resumido em três brevíssimos atos: primeiro, uma tentativa fracassada de traição (apenas descrita pelo autor); segundo, o insulto público aos sacerdotes do templo; terceiro, a batalha em campo aberto, encerrada com a morte do general e a debandada do exército. Ver 2Mc 14-15.
7,26-32 A tentativa de traição pode ter-se prolongado durante as negociações. Nicanor não vinha com intenções de aniquilar; queria desarticular o grupo dos rebeldes, e para isso bastava-lhe capturar e eliminar o chefe. Quando Judas se deu conta de

⁻ ²⁸Não façamos guerra. Sairei com alguns homens para uma entrevista amistosa convosco.

²⁹Chegou aonde estava Judas, e saudaram-se amigavelmente, mas os inimigos estavam preparados para sequestrar Judas. ³⁰Judas descobriu que a visita de Nicanor era uma armadilha, e ficou com tanto medo dele que não quis tornar a vê-lo. ³¹Então Nicanor se deu conta de que seu plano havia sido descoberto, e saiu para lutar contra Judas, junto a Cafarsalama. ³²Nicanor teve umas quinhentas baixas, e os restantes fugiram para a Cidade de Davi.

³³Depois desses acontecimentos, Nicanor subiu ao monte Sião. Alguns sacerdotes e anciãos do povo saíram do templo para saudá-lo amistosamente e mostrar-lhe o holocausto que era oferecido pelo rei. ³⁴Mas ele zombou deles, caçoou, cuspiu neles, proferindo insolências, ³⁵e jurou encolerizado:

— Se não me entregais agora mesmo Judas e seu exército, quando eu voltar vitorioso incendiarei este templo.

E saiu enfurecido.

³⁶Os sacerdotes entraram e, de pé diante do altar e do santuário, disseram entre lágrimas:

— ³⁷Tu escolheste este templo dedicado a teu Nome para que servisse de casa de oração e súplica para teu povo. ³⁸Castiga esse homem e seu exército. Caia ao fio da espada! Recorda suas blasfêmias, não dês repouso a eles.

³⁹Nicanor saiu de Jerusalém e acampou em Bet-Horon; aí juntou-se a ele um exército sírio. ⁴⁰Judas acampou em Adasa com três mil homens e rezou assim:

— ⁴¹Quando os embaixadores do rei blasfemaram, teu anjo saiu e matou cento e oitenta e cinco mil. ⁴²Esmaga hoje igualmente esse exército diante de nossos olhos, para que todos saibam que ele blasfemou contra teu templo. Julga-o conforme sua maldade merece!

⁴³Os exércitos entraram em combate no dia treze de março. O exército de Nicanor foi derrotado; ele próprio caiu em primeiro lugar na batalha, ⁴⁴e seus soldados, ao ver que Nicanor havia caído, jogaram as armas e fugiram. ⁴⁵Os judeus os perseguiram um dia de marcha, de Adasa até Gazara, fazendo soar atrás deles as trombetas de alarme. ⁴⁶De todas as aldeias judaicas ao redor saiu gente para barrar os fugitivos, que se voltavam uns contra os outros; todos caíram à espada, não escapando um sequer. ⁴⁷Depois pegaram o saque e os despojos. Cortaram a cabeça e a mão direita de Nicanor, que ele havia estendido insolentemente, e as levaram para pendurá-las diante de Jerusalém. ⁴⁸O povo alegrou-se muitíssimo, e festejou esse dia como dia de grande júbilo. ⁴⁹Decidiram celebrar anualmente essa data, treze de março.

⁵⁰Judas teve paz por algum tempo.

8 Judas faz pacto com Roma — ¹Judas tinha ouvido falar que os romanos eram

---

tais intenções, rompeu radicalmente as negociações e conseguiu vencer o inimigo numa escaramuça preliminar, destinada a capturá-lo ou matá-lo no campo de batalha. A Cidade de Davi é o nome antigo e venerável da cidadela grega.

7,33-36 Nicanor se dirigiu à sua residência lógica, a cidadela de Jerusalém, e daí fez uma visita ao vizinho templo. Como reinavam oficialmente a paz e a tolerância religiosa, os sacerdotes o receberam amistosamente, convencidos ou conquistados para a nova situação, ou temerosos de provocar sem necessidade o chefe estrangeiro; entre os sacerdotes não aparece Alcimo, que se achava provavelmente em Antioquia. Com incrível falta de tato, Nicanor feriu os sacerdotes na honra e zelo religioso deles; sua ameaça contra o templo deve ter irritado também a população. Seu objetivo era, com ameaças, eliminar nos sacerdotes todo propósito ou tendência de convivência com o Macabeu. Recorde-se o episódio dos sacerdotes de Nob (1Sm 21-22).

7,37-38 A breve oração é densa por sua alusão à oração de Salomão (1Rs 8) e pela linguagem inspirada nos salmos.

7,43-50 Nicanor, confiante em sua superioridade bélica ou ansioso por liquidar logo esse foco rebelde, morreu na batalha e o seu exército se dispersou. O autor conta esse resultado com a terminologia do livro dos Juízes, como se encerrasse um ciclo libertador. Na realidade, a paz não durou tanto, e Judas se aproxima da morte; isso prova também a intenção esquemática do autor.

7,46 Jz 7,24s.

7,47 1Sm 31,9,s.

7,50 Jz 3,30.

8 Tendo aberto uma etapa de paz, o autor aproveita para introduzir uns pactos para maior glória do Macabeu. Entram em cena os romanos: a entrada é alegre e esperançosa, como num casamento juvenil por amor; a longo prazo se revelará fatal, como um casamento por interesse e sem amor. O ódio que os

muito poderosos, benévolos para com seus aliados e faziam pacto de amizade com todos os que acorressem a eles. ²Contaram-lhe suas façanhas militares nas Gálias, como as tinham conquistado, submetendo-as ao tributo; ³e tudo o que haviam feito em terras da Espanha para apoderar-se das minas de prata e de ouro que existem por lá, ⁴como haviam sabido manter seu domínio em todo o país com paciência e prudência, embora o lugar ficasse muito distante deles. Eles tinham derrotado os reis que os haviam atacado desde os confins da terra, esmagando-os definitivamente; os restantes lhes pagavam tributo anual. ⁵Haviam derrotado e submetido Filipe e Perseu, rei da Macedônia, e também os que se haviam rebelado; ⁶derrotaram também Antíoco o Grande, rei da Ásia, que saiu para atacá-los com cento e vinte elefantes, cavalaria, carros e muitíssima infantaria: ⁷prenderam-no vivo, e ele e seus sucessores no trono ficaram obrigados a pagar pesado tributo, a entregar reféns e ceder a Índia, Média e Lídia, ⁸as melhores províncias do rei; quando os romanos as receberam, deram-nas ao rei Eumenes. ⁹Também os gregos projetaram uma campanha para aniquilar os romanos, ¹⁰mas, quando estes souberam do projeto, mandaram contra eles um só general: entraram em combate, fizeram muitas baixas entre os gregos, levaram cativas mulheres e crianças, saquearam o país e o submeteram, derrubaram as praças-fortes e os reduziram à escravidão perpétua. ¹¹Aniquilaram e escravizaram os demais reinos, as ilhas, todos os que lhes opuseram resistência; mantinham-se porém, fiéis a seus amigos e aos que se punham sob sua proteção. ¹²Dominaram reis vizinhos e distantes. Todos os que ouviam falar deles os temiam. ¹³Aqueles a quem querem ajudar em suas pretensões ao trono, chegam a ser reis, e destituem os que eles desejam trocar. Estão no ápice do poder. ¹⁴Apesar disso, nenhum deles cingiu a coroa nem se vestiu de púrpura para aumentar sua autoridade. ¹⁵Formaram um Senado, e diariamente trezentos e vinte senadores deliberam, buscando sempre o bem público. ¹⁶A cada ano confiam o poder e o governo do país a um só homem; todos lhe obedecem, sem inveja nem rivalidades.

---

romanos suscitarão mais tarde será um dos fatores que pesarão para excluir este livro do cânon judaico. O poderio militar romano era indiscutível; era-o também sua lealdade? Um examinador cauteloso teria duvidado; alguém que precisa de ajuda ou quer justificar um pacto prescinde dos dados negativos. O elogio dos romanos, sem dúvida, é apresentado como informação que Judas recebe; a imagem foi-se formando com dados acumulados. Mas o autor nada faz para sublinhar o caráter de mera informação e faz muito para mostrar que o aceita com entusiasmo. Traça um elogio prematuro, sem reservas nem matizes.

A julgar pela quantidade de dados e pelo acúmulo de verbos, as vitórias militares dos romanos são o que mais impressiona Judas.

Ao utilizar a forma sintática "apesar de tudo", poderíamos pensar que a moderação política em meio ao poderio fosse o mais impressionante nos romanos: estavam "no auge do poder" sem se exaltar na soberba.

Pela situação concreta, o que pesa mais na balança é a lealdade com os aliados (vv. 1.11). Embora essa lealdade não fosse perpétua, bastava para as necessidades do momento. E sobretudo para ter o gosto de opô-la à maldade grega.

Judas escolhia entre a submissão total (18) e um protetorado (11). Por causa das vitórias militares, também os sírios mereciam admiração; e, segundo o partido pró-helenista, a submissão pacífica não perturbava a liberdade religiosa. Mas o autor escreve como partidário dos Macabeus.

O tratado é definido como sendo "de amizade e mútua defesa". Em forma e conteúdo parece com outros assinados por Roma com príncipes locais: as tábuas de bronze, a cláusula de não ajudar o inimigo dos romanos, a promessa um pouco vaga de ajuda militar, a cláusula sobre futuros acréscimos ou supressões.

Com este pacto Judas entra na complicada rede das alianças romanas, pois se compromete também a ajudar os "aliados do Império". Se o pacto começou a ser negociado depois da vitória sobre Nicanor, significa que Judas se considerava verdadeiro chefe e representante dos judeus, não reconhecendo a autoridade civil de Alcimo e seu partido. O pacto é feito "com o povo judeu".

8,2 Propriamente a Gália Cisalpina (200-189).

8,5 Filipe V, em Cinocéfalo (197), e Perseu, em Pidna (168).

8,6 Antíoco III, em Magnésia (189).

8,7-8 Não é certo que o capturaram vivo, mas o resto sim. Entre os reféns estava o filho, Antíoco Epífanes. Índia e Média pertencem ao exagero legendário. O rei citado é Eumenes II de Pérgamo, aliado fiel de Roma.

8,9-10 A submissão total e definitiva da Grécia aconteceu em 146, em consequência da rebelião da liga áquea. O autor adianta acontecimentos para enriquecer seu elogio a Roma.

8,14 1Mc 14,43-49.

8,16 A rigor, o governo era confiado a dois cônsules. "Sem inveja nem rivalidades" alude malignamente aos Selêucidas.

¹⁷Judas escolheu Eupolemo, filho de João, de Acos, e Jasão, filho de Eleazar, e os enviou a Roma para assinar um tratado de amizade e mútua defesa, ¹⁸com a intenção de sacudir o jugo grego, pois viam que o Império grego estava escravizando Israel.

¹⁹Partiram para Roma, uma viagem longuíssima. E, ao entrar no Senado, falaram assim:

— ²⁰Judas Macabeu, seus irmãos e o povo judeu nos enviaram aqui para fazer convosco um tratado de paz e mútua defesa, de modo que sejamos contados entre vossos aliados e amigos.

²¹Os senadores aprovaram o pedido.

²²Cópia do documento que escreveram em tabuinhas de bronze, e mandaram a Jerusalém para que ficasse aí como documento fidedigno do pacto de paz e mútua defesa:

²³"Desfrutem de bem-estar perpétuo romanos e judeus em terra e mar! Longe deles a espada inimiga!

²⁴Mas, se estourar a guerra contra Roma ou um de seus aliados no Império, ²⁵o povo judeu lutará a seu lado com toda a alma, conforme o exijam as circunstâncias; ²⁶não darão nem fornecerão alimentos, armas, dinheiro, navios aos inimigos. É decreto de Roma. Cumprirão estas cláusulas sem nenhuma compensação.

²⁷Da mesma forma, se estourar uma guerra contra o povo judeu, os romanos lutarão a seu lado decididamente, conforme o exigirem as circunstâncias, ²⁸e não darão alimentos, armas, dinheiro ou navios aos inimigos. É decreto de Roma. Observarão estas cláusulas lealmente".

²⁹Nestes termos ficava estipulado o pacto dos romanos com o povo judeu.

³⁰"E se mais adiante alguma das partes quiser acrescentar ou rescindir algo, será feito de comum acordo, e o acrescentado ou rescindido terá força de lei.

³¹Quanto aos danos que o rei Demétrio lhes causou, já lhe escrevemos nos seguintes termos: 'Por que oprimes tiranicamente os judeus, nossos amigos e aliados? ³²Se voltarem a apresentar queixa de ti, defenderemos seus direitos, atacando-te por terra e por mar' ".

9 Morte de Judas

¹Mas Demétrio, quando ouviu que Nicanor e seu exército haviam caído no combate, tornou a enviar

---

8,17-19 A viagem deve ter sido perigosa, pois os legados tinham de evitar a vigilância síria. É provável que uma parte se fizesse por mar.

8,20 "Judas e seus irmãos" são como a identidade do Senado em oposição ao povo: *senatus populusque romanus*.

8,31-32 A frase é redigida em puro estilo hebraico; pode ser um resumo livre do autor. Demétrio tinha passado muitos anos em Roma, como refém, e devia compreender o peso da ameaça. No próximo capítulo (supondo a ordem cronológica), não parece que o levasse muito a sério. Com certeza, Demétrio contava com senadores romanos que apoiavam sua causa, ou pensava que nesse momento os romanos não queriam um confronto total.

9 O capítulo se liga diretamente ao 7, saltando o pacto com Roma. A derrota de Nicanor e a afronta a ele feita provocam a terceira expedição contra os judeus rebeldes, expedição que termina com a morte de Judas e o enfraquecimento da sua causa.

9,1-22 O autor quer rodear essa morte com todas as honras e as necessárias desculpas. Há enorme desproporção numérica, mas não maior que em ocasiões precedentes, quando o Senhor deu a vitória aos fracos. Luta com coragem até o fim, infligindo fortes baixas ao inimigo. A admoestação final é um grito de coragem desesperada, que arrasta os seus. Em boa lógica militar, seus soldados tinham razão: era preciso retirar-se sem perdas, refazer-se e esperar a ocasião oportuna. Não seria a primeira vez que Judas recusaria a batalha aberta; ou o chefe se embriagou de vitórias?

Essa lógica militar falhava nesse momento: por quê? Dois dados parecem explicá-lo: a deserção de muitos e o desânimo consequente do chefe. A deserção pôde ter-se precipitado à vista do numeroso inimigo; mas provavelmente já fermentava entre muitos a raiz do novo regime de tolerância religiosa: por que lutavam e expunham a vida? Não tinham conseguido já seu objetivo? Não oferecia Alcimo uma alternativa preferível? Uma vez admitida, a dúvida permanece dentro, em incubação silenciosa. Judas não consegue dissipar essas dúvidas, já não convence como antes. O próprio chefe sente desânimo ante as deserções, e isso o faz duvidar de si mesmo: Está certo de poder levar adiante a causa? Poderá continuar convencendo os seus até chegar à vitória? Se se arrisca agora, pode ter sorte mais uma vez. Se morrer, legará à causa uma memória, um exemplo, uma inspiração. Um mártir pela causa pode ser o grande modo de convencer nesses momentos.

Assim o autor o viu (com análise superficial). A batalha, vista com olhos inimigos, consiste em retirar-se taticamente para um lado, à custa de algumas baixas, atrair o adversário para longe do seu acampamento, envolvendo-o com a cavalaria pelo outro lado. Uma armadilha em que um capitão experiente não deveria cair. Vista pelo narrador, parece uma vitória espetacular sobre uma ala do exército (a ala que se retira), oitocentos contra dez mil, seguida de uma luta encarniçada contra a outra ala, até a derrota.

Báquides e Alcimo ao território de Judá com a ala direita do exército. ²Empreenderam a marcha pelo caminho de Guilgal, tomaram de assalto Masalot de Arbelas e assassinaram muita gente. ³No primeiro mês do ano cento e cinquenta e dois, acamparam diante de Jerusalém, ⁴mas logo partiram daí, a caminho de Bereia, com vinte mil soldados de infantaria e dois mil cavaleiros.

⁵Judas acampava em Elasa com três mil soldados, ⁶e ao ver a enorme multidão de inimigos ficaram aterrorizados; muitos desertaram do acampamento, e só ficaram oitocentos. ⁷Judas viu que seu exército se desfazia justamente quando a batalha era iminente, e se desencorajou, porque já não era possível reuni-los. ⁸Embora desanimado, disse aos que restavam:

– Vamos contra o inimigo! Talvez possamos enfrentá-los.

⁹Os seus procuravam convencê-lo:

– É completamente impossível. Mas, se salvarmos agora a vida, voltaremos com os nossos, e então lhes daremos combate. Agora somos poucos.

¹⁰Judas retomou:

– Nada de fugir diante do inimigo! Se houver chegado a nossa hora, morramos valentemente por nossos compatriotas, sem deixar uma mancha em nossa fama.

¹¹O exército inimigo saiu do acampamento e tomou posição na frente deles, com a cavalaria dividida em dois corpos, e os fundeiros e arqueiros diante do exército, os mais aguerridos na primeira fila. Báquides ia na ala direita. ¹²A falange avançou por ambos os lados, a toque de corneta. Os homens de Judas também tocaram as cornetas, ¹³e o solo estremeceu com o fragor dos exércitos. O combate começou ao amanhecer e durou até a tarde. ¹⁴Judas viu que Báquides e a força de seu exército estavam à direita; os mais corajosos juntaram-se a ele, ¹⁵destroçaram a ala direita e a perseguiram até os montes de Azoto. ¹⁶Mas quando os da ala esquerda viram que a ala direita estava destroçada, voltaram-se em perseguição de Judas e de seus companheiros. ¹⁷O combate recrudesceu, e houve muitas baixas de ambos os lados. ¹⁸Judas caiu também, e os outros fugiram.

¹⁹Jônatas e Simão recolheram o cadáver de seu irmão Judas e o enterraram na sepultura familiar, em Modin. ²⁰Choraram-no, e todo Israel fez solenes funerais, entoando muitos dias esta elegia:

²¹"Como caiu o valente,
 salvador de Israel!"

²²Não escrevemos outros dados da história de Judas, suas façanhas militares e seus títulos de glória, porque foram muitíssimos.

Jônatas e Báquides – ²³Depois que Judas morreu, por todo o território israelita apareceram de novo os apóstatas e reapareceram todos os malfeitores. ²⁴O país passou para

---

9,2 Talvez se deva ler Galileia. Aí, perto do lago de Genesaré, havia grupos de rebeldes refugiados numa região de cavernas escalonadas nas rochas. Demétrio começa liquidando esses focos de resistência dispersos.

9,4 Bereia fica a 16 quilômetros ao norte de Jerusalém.

9,7 Ele "se desencorajou": é a fórmula de Sl 34,18, onde se afirma que Deus está perto (também Is 57,15).

9,10 O motivo da fama é invocado também em 2,51; 3,3.

9,12-13 O autor confere solenidade clássica a essa batalha, com grande comoção da terra, para glorificar o caído (ver, em contexto de teofania, Mq 1,4; Na 1,5; Hab 3,6).

9,18 A concisão é aqui o recurso estilístico do autor.

9,19-21 Não se diz como os irmãos conseguiram o cadáver: por concessão de Báquides? O general sírio pode ter considerado liquidado o assunto e evitou enfurecer-se contra os poucos rebeldes restantes. O autor nos teria contado, se eles tivessem resgatado o cadáver num ato de valentia temerária (como os habitantes de Jabes com o cadáver de Saul, 1Sm 31,11-13). Outra vez, como na morte de Matatias

(2,70), é "todo Israel" que chora Judas (os do partido pró-helenista não pertencem a Israel). O dístico ou estribilho se inspira na lamentação de Davi por Saul e Jônatas (2Sm 1,19.27); o título de "salvador" corresponde a vários Juízes.

9,22 Judas é o grande herói da resistência. Seu nome é emblema do povo judeu, e suas façanhas, o verdadeiro alicerce da independência. Sua morte reavivou o espírito de luta, graças ao qual realizou-se o novo reino judeu.

9,23-73 No espaço de 51 versículos o autor condensa um processo importante: a primeira parte do novo ciclo. O começo e o fim são muito claros, e bastante confuso o caminho intermédio. Começo e fim modelam-se segundo o esquema clássico do livro dos Juízes: o esquema começa num momento de depressão nacional e termina num tempo de paz e prosperidade. No princípio predomina a derrota militar, a fome, o triunfo dos pró-helenistas; no fim consolidou-se um chefe, vencedor dos apóstatas. O esquema se modifica em outros pontos: não se fala de pecado, embora a apostasia e o poder de Alcimo possam ser ao mesmo tempo pecado e castigo; o chefe surge por nomeação popular, não por irrupção

o lado deles, pois nessa ocasião houve uma fome terrível. ²⁵Báquides escolheu alguns ímpios e os pôs à frente do governo da região. ²⁶Davam batidas, seguindo o rastro dos partidários de Judas, e os levavam a Báquides, que os castigava e zombava deles.

²⁷Israel caiu numa tribulação tão grande como não houvera desde que cessaram os profetas.

²⁸Todos os partidários de Judas se reuniram e disseram a Jônatas:

— ²⁹Desde que teu irmão Judas morreu, não há um homem valente como ele que conduza a luta contra o inimigo, esse Báquides e os que odeiam nosso povo. ³⁰Por isso, hoje te escolhemos para que o substituas como chefe e líder para dirigir nossa guerra.

³¹Nesse mesmo instante Jônatas assumiu o comando, sucedendo a seu irmão Judas. ³²Báquides ficou sabendo e queria matá-lo; ³³mas quando Jônatas, seu irmão Simão e todos os seus companheiros souberam, fugiram para o deserto de Técua e acamparam junto à cisterna de Asfar.

³⁴Báquides ficou sabendo disso num sábado, e foi pessoalmente com todo o seu exército para a outra margem do Jordão.

³⁵Jônatas enviou seu irmão na frente da comitiva, para pedir a seus amigos nabateus que cuidassem de toda a bagagem, que era muita. ³⁶Mas os filhos de Iambri, de Madaba, saíram e capturaram João com tudo o que levava, e partiram, levando tudo.

³⁷Mais tarde comunicaram a Jônatas e seu irmão Simão:

— Os filhos de Iambri celebram um casamento de arromba; a noiva, filha de um dos ricos de Canaã, é levada de Madaba num grande cortejo.

³⁸Recordando o assassínio de seu irmão João, subiram para esconder-se ao abrigo da montanha. ³⁹Levantaram a vista e viram o noivo, no meio de uma grande algazarra e uma caravana de presentes; ele avançava para o cortejo da noiva com seus amigos e parentes, ao som da música, dos tamborins e outros instrumentos. ⁴⁰Os homens de Jônatas saíram da emboscada e se lançaram contra eles para matá-los. Feriram muitos,

---

carismática do espírito. Mais ainda, entram em cena motivos familiares apoiando a sucessão, coisa que o modelo dos Juízes evita cuidadosamente. Assim se sintetizam o esquema teológico e a realidade histórica.

No meio não são apresentados alguns episódios que não justificam nem explicam a mudança de situação. O episódio dos nabateus é bem contado, mas se reduz a uma vingança brutal sem consequências. A escaramuça junto ao Jordão termina com a fuga dos Leais. A morte de Alcimo, embora por julgamento de Deus, encerra uma etapa de fortificações e demolições. O episódio de Bet-Basi desemboca inesperadamente numa mudança psicológica de Báquides.

9,23-27 A pintura é simplificada e exagerada em função da composição. Na realidade, o partido pró-helenista tinha continuado sua atividade, possuía a acrópole, contava com o sumo sacerdote, com boa parte do povo, com desertores de Judas. Pode-se admitir que a morte do chefe fortalecesse a política de submissão pacífica, boas relações culturais e liberdade religiosa. Só que as represálias internas do partido pró-helenista reavivaram o ideal de independência total nos que continuavam fiéis à memória de Judas.

O autor não fala de execuções, mas de humilhações públicas (ver, por exemplo, Jz 16, 25.27, Sansão escarnecido), como se a tática fosse desacreditar os partidários da rebelião, demonstrando talvez sua fraqueza e o absurdo de suas pretensões. A afronta é um dos temas tradicionais da perseguição (2Mc 7).

9,23 Neste versículo ressoa Sl 92,8, salmo de esperança e ação de graças.

9,25 "Ímpios": do partido pró-helenista.

9,28-33 O momento é parecido com o começo da revolta. Um chefe formaliza a rebelião, seu sobrenome proclama a continuidade. A nomeação é uma provocação do poder imperial e do governo legítimo imposto pelos gregos. Outra vez Báquides tem de agir militarmente, pois não basta o método precedente de represálias. E o menor dos irmãos, com seus soldados, famílias e posses, retira-se para o deserto, para uma região própria para se esconder e para a fuga rápida, perto do mar Morto e do Jordão, em torno de uma cisterna que assegura a água, o bem mais difícil. A situação, comparada com as campanhas vitoriosas de Judas a oeste e a leste do Jordão, representa grave retrocesso da causa e ao mesmo tempo tenacidade heroica dos continuadores.

9,30 Como Jefté, Jz 11,6-8.

9,34-42 A equipagem dos fugitivos era pesada e perigosa, especialmente se incluísse famílias e rebanhos. Em vez de renunciar a essas posses, Jônatas decide enviá-los à Transjordânia, deixando-as sob os cuidados dos nabateus. Por ocasião da campanha de Judas na Transjordânia (5,25), esses beduínos o tinham informado, pois nada ganhavam com o domínio selêucida; podiam considerar-se amigos. Um grupo deles, o clã de Iambri, agiu com maldade, obtendo presa fácil e indefesa.

A vingança visava sobretudo à morte de João, um dos irmãos, e talvez de outras pessoas inocentes. O modo brutal de realizá-la, matando inocentes, parece indicar a fraqueza do grupo de Jônatas e também a dificuldade de encontrar um alvo compacto naqueles caravaneiros. Não sabemos se tal ação contribuiu para a fama de Jônatas.

e os sobreviventes escaparam para o monte. Tiraram-lhes todos os despojos, ⁴¹e o casamento transformou-se em luto, e o canto dos músicos em elegia. ⁴²Assim vingaram a morte de seu irmão. Depois voltaram para a margem pantanosa do Jordão.

⁴³Quando Báquides soube disso, foi de sábado até as margens do Jordão com grande exército. ⁴⁴Jônatas disse aos seus:

– De pé! Lutemos pela vida, pois hoje não é como antes. ⁴⁵Vede, estamos entre duas frentes, e aos lados temos o Jordão com a margem pantanosa e seu mato; não há para onde bater em retirada. ⁴⁶Portanto, gritai ao céu para que nos salve de nossos inimigos.

⁴⁷Travou-se o combate. Jônatas estendeu o braço para ferir Báquides, mas este esquivou-se, desviando-se para trás. ⁴⁸Jônatas e os seus se lançaram ao rio e o atravessaram a nado até a outra margem; o inimigo não passou o Jordão em sua perseguição. ⁴⁹Báquides teve nesse dia umas mil baixas.

⁵⁰Depois voltou para Jerusalém e edificou fortalezas em Judá, as praças-fortes de Jericó, Emaús, Bet-Horon e Betel, Tamnata, Faraton e Tefon, com muralhas altas, portas e ferrolhos. ⁵¹Em todas elas instalou guarnições para hostilizar Israel.

⁵²Fortificou também a cidade de Betsur, Gazer e a acrópole, e nelas deixou tropas e depósitos de víveres. ⁵³Tomou como reféns os filhos das autoridades da região e os encarcerou na acrópole de Jerusalém.

⁵⁴No ano cento e cinquenta e três, no segundo mês, Alcimo ordenou derrubar o muro do átrio interno do templo, destruindo a obra dos profetas*. Começou a derrubada, ⁵⁵mas justamente então Alcimo sofreu uma doença que deteve seus planos; a paralisia fechou-lhe a boca, de forma que não podia falar nem fazer testamento. ⁵⁶E assim morreu, entre dores enormes.

⁵⁷Quando Báquides viu que Alcimo tinha morrido, voltou para onde estava o rei. Judá ficou em paz durante dois anos.

9,41 O dístico parece imitação de Am 8,10.
9,43-49 Jônatas se encontrava ainda a leste do Jordão e refugiou-se em mata fechada, junto à margem pantanosa da corrente. A água e a mata eram esconderijo e defesa; mas se tornaram grave ameaça quando o inimigo os surpreendeu aí. Isso supõe um bom serviço de espionagem e a rapidez de ação por parte do general. Colhidos na armadilha, só uma manobra rápida e audaz podia salvá-los: Jônatas em pessoa lançou-se inesperadamente contra o chefe inimigo, que teve de ceder um pouco, e os judeus aproveitaram o momento para ganhar a nado a outra margem. Assim o narrador nos apresenta os fatos, mostrando-nos a presença de espírito e a coragem do novo chefe. Mas para uma escaramuça que é propriamente uma fuga, mil baixas inimigas vêm a ser suspeitas: interveio realmente o chefe supremo na operação? No caso semelhante de Davi, Saul em pessoa dirigia a perseguição; mas eram outros tempos e outras dimensões.

Certo é que nessas alturas o recurso de atacar no sábado já não funcionava.

9,50-56 Báquides empregou nova tática: em vez de perseguir os guerrilheiros em seu ambiente, fechou-lhes todo acesso à região urbana, fortificando e guarnecendo uma série de lugares estratégicos, entre eles a acrópole de Jerusalém. Boa parte da população aprovava tais medidas.

Emaús, Bet-Horon, Betel e Jericó formavam ao norte um semicírculo (da esquerda para a direita); no caminho sul-norte para Samaria se escalonavam Tamnata, Tefon e Faraton; Betsur protegia a fronteira sul, com os idumeus, ao passo que Gazer controlava a Sefelá, que confinava com o litoral. Isso era antecipar-se aos rebeldes, no caso de eles prosperarem. Os reféns serviam para dissuadir os governantes judeus de qualquer manobra política.

Simultaneamente, o sumo sacerdote fazia obras de reforma no templo: mandou derrubar o muro interno que separava o átrio externo, acessível aos pagãos, do átrio interno, reservado aos judeus. Não sabemos as razões de Alcimo: talvez para criar um grande espaço livre e unificado, talvez para atrair pagãos simpatizantes. Sabemos, sim, a interpretação do autor: era desfazer a obra de Ageu e Zacarias e atentar contra a missão profética de desfazer o muro em torno do povo (Ez 13,5); era uma profanação em contraste com a purificação realizada por Judas. Por essa ação sacrílega, Deus o castiga com paralisia progressiva até a morte (recorde-se a concepção do Cronista, por exemplo, em 2Cr 26).

9,54 * = Ageu e Zacarias.
9,57 O laconismo da informação nos deixa na ignorância: por que Báquides voltou para Antioquia? Exigiam-no assuntos da coroa ou do Império? Estava cansado das rivalidades internas dos judeus? É curioso que ao partir não nomeasse um sumo sacerdote simpático aos gregos; ao invés, deixava atrás de si uma cadeia de praças-fortes. E é ainda mais estranho que sua ausência inaugurasse uma etapa de paz. Podemos conjeturar que o partido pró-helenista, embora tivesse perdido seu chefe, não se sentisse gravemente ameaçado, e que, por sua parte, Jônatas considerasse mais prudente esperar e ganhar tempo. É interessante essa etapa em que os dois rivais se observam, sem que ninguém tome a iniciativa, pensando ambos que o tempo trabalha a seu favor. Jônatas retirou-se talvez para Modin, sua pátria; "confiante", mas com um serviço eficaz de espionagem; indubitavelmente contava com simpatizantes espalhados pelo país.

⁵⁸Todos os apóstatas deliberaram:
— Aí tendes Jônatas e os seus, tranquilos e confiantes. Pois bem, traremos Báquides para que se apodere de todos eles numa noite.
⁵⁹Foram vê-lo e conversaram com ele.
⁶⁰Báquides se pôs em marcha com grande exército. Enviou instruções secretas a todos os seus aliados de Judá para que prendessem Jônatas e seus companheiros; mas não conseguiram, porque seu plano foi descoberto. ⁶¹Jônatas e os seus prenderam uns cinquenta homens da região, dos principais conspiradores, e os mataram. ⁶²Jônatas e Simão se retiraram com sua gente a Bet-Basi do Deserto, reconstruíram o que estava em ruínas e a fortificaram. ⁶³Quando Báquides ficou sabendo, reuniu todas as suas tropas e avisou os habitantes de Judá; ⁶⁴chegou a Bet-Basi, a cercou e atacou durante muitos dias, montando máquinas de assédio.
⁶⁵Jônatas deixou seu irmão Simão na cidade, saiu para o campo e se pôs em marcha com alguns. ⁶⁶Derrotou Odomer e seus parentes, bem como os filhos de Fasiron em seu acampamento. Depois começaram a dar golpes, avançando por entre o exército. ⁶⁷Então Simão e os seus fizeram uma saída e incendiaram as máquinas de assédio. ⁶⁸Lutaram contra Báquides e o derrotaram; ficou profundamente humilhado, porque seu plano e sua campanha haviam sido inúteis. ⁶⁹Então se encolerizou contra os apóstatas que lhe haviam aconselhado a expedição, matou muitos e decidiu voltar para sua terra.
⁷⁰Quando Jônatas soube, enviou-lhe embaixadores para tratar com ele a paz e a devolução dos prisioneiros. ⁷¹Báquides os recebeu, acedeu ao pedido deles e jurou a Jônatas não mais causar-lhe dano por toda a sua vida. ⁷²Devolveu-lhe os prisioneiros que havia feito em Judá, e regressou para sua terra, sem voltar a fazer incursões em território judaico.
⁷³A espada descansou em Israel. Jônatas viveu em Macmas; começou a governar o povo, e fez os ímpios desaparecer do território israelita.

9,58 O autor torna os do partido rival, "todos os apóstatas", culpados pelo primeiro movimento hostil. Outra vez Báquides, talvez não com muita vontade, teve de intervir. Convenceram-no descrevendo-lhe a tarefa como fácil e segura, tiraram-no da corte, colocando-o outra vez no meio das rivalidades judaicas. E a primeira coisa que lhe servem é um fracasso!

9,61 O assassinato de cinquenta "conspiradores" era uma provocação como a que Matatias realizou um dia, quando fez explodir a revolta. Era o início das hostilidades, e Báquides achou-se mais envolvido no assunto, sem poder esquivá-lo. 1Mc 2,24.

9,62 O novo refúgio de Jônatas indica mudança de tática. O deserto, apto para os movimentos rápidos, para evitar a perseguição, e para os grupos pequenos. Agora constroem para si uma fortaleza em ruínas abandonadas. A localidade se encontra a meio caminho entre Belém e o mar Morto, estrategicamente encarapitada, abastecida de água de cisternas. Daí podiam fazer incursões perigosas e podiam recolher-se sem se expor cruzando o Jordão. Aí era preciso buscar os rebeldes para eliminá-los.

9,63 "Os habitantes de Judá" são seus aliados do partido pró-helenista, os que o haviam chamado para uma questãozinha fácil. É possível que voltaram a pintar-lhe como muito simples a tarefa de conquistar a fortaleza improvisada de Bet-Basi. Báquides adentrou por um terreno acidentado, pouco favorável a um exército regular; ao chegar, viu que a fortaleza exigia um cerco em regra.

9,65-68 Jônatas fez uma saída escapando ao cerco, atacou uns beduínos que podiam auxiliar ou abastecer os comandados de Báquides e lançou-se pela retaguarda contra os sitiadores. Apanhado entre duas frentes, o exército de Báquides foi derrotado.

9,69 Aqui acontece a inesperada mudança de partido: o general vencido descarrega seu mau humor contra os conselheiros que o tinham levado ao fracasso; chamado a tratar com judeus, era-lhe mais fácil tratar com Jônatas. E este aproveitou o momento psicológico para negociar habilmente. O autor nos deu neste desfecho um processo psicológico: humilhação pela derrota, irritação contra os conselheiros, vingança contra eles, intervenção conciliatória de Jônatas, assinatura de um acordo de não-agressão.

9,73 No fim o autor finge uma era de paz sob o governo de Jônatas. Mas Jônatas tinha assinado simplesmente um pacto de não-agressão, tinha prometido ficar quieto. Além disso, reside em Macmas, lugar próximo a Betel, com lembranças do começo da monarquia; se é ele que governa, por que não reside em Jerusalém? Também é duvidoso que, começando a eliminar ou desterrar rivais, cumprisse a promessa e assegurasse sua lenta ascensão. O autor recorre aqui a fórmulas do esquema, e a eliminação dos "ímpios" é como a antiga excomunhão ou proscrição dos malvados. Jônatas deu em sua carreira mostras de habilidade diplomática: podemos imaginar os cinco anos de paz como uma espera paciente, conquistando adeptos e simpatizantes, até que a política externa lhe preparasse o momento oportuno. Sendo de linhagem sacerdotal, deve ter aproveitado também a falta de um sumo sacerdote.

10

Jônatas e Alexandre Balas — ¹No ano cento e sessenta, Alexandre de Antíoco, apelidado Epífanes, fez-se ao mar, tomou posse de Ptolemaida, foi acolhido e começou a reinar aí.

²Quando o rei Demétrio soube, reuniu um grande exército e saiu para enfrentá-lo. ³Demétrio enviou a Jônatas uma carta em termos pacíficos, elogiando-o, ⁴pois pensou:

— Vou adiantar-me em fazer as pazes com essa gente, antes que ele a faça com Alexandre contra mim, ⁵lembrando todo o mal que fiz a ele, a seus irmãos e à sua raça.

⁶Deu-lhe autorização para recrutar tropas, fabricar armas e ser seu aliado, e mandou devolver-lhe os reféns da acrópole.

⁷Jônatas foi a Jerusalém e leu a carta a todo o povo e aos que ocupavam a acrópole. ⁸Todos se aterrorizaram ao ouvir que o rei o autorizava a recrutar um exército. ⁹Os que ocupavam a acrópole devolveram os reféns a Jônatas, e ele os entregou a seus pais. ¹⁰Jônatas se instalou em Jerusalém, e começou a reconstruir e restaurar a cidade. ¹¹Ordenou aos pedreiros que reconstruíssem a muralha e rodeassem o monte Sião com uma fortificação de pedras quadradas. Assim fizeram.

¹²Os estrangeiros que viviam nas praças-fortes construídas por Báquides fugiram, ¹³todos abandonaram seus postos e voltaram para sua terra. ¹⁴Somente em Betsur ficaram alguns apóstatas que haviam abandonado a Lei e os mandamentos. Betsur lhes oferecia asilo.

¹⁵O rei Alexandre soube das promessas de Demétrio a Jônatas; contaram-lhe as façanhas militares levadas a cabo por ele e por seus irmãos e as fadigas que haviam suportado, ¹⁶e comentou:

— Encontraremos um homem como esse? Vamos fazer dele um amigo e aliado nosso!

---

10 Enquanto isso, o rei Demétrio tinha conseguido suscitar a antipatia dos reis de Pérgamo e da Capadócia, a rivalidade sempre latente do rei do Egito, a reprovação dos senhores de Roma, nunca favoráveis a ele. Nesse tempo apareceu o misterioso Alexandre Balas, com nome ilustre, que se fazia passar por filho de Antíoco Epífanes e herdeiro legítimo do trono selêucida. Ou esse homem era um impostor genial, ou alguns méritos devia ter para ganhar encargos do rei de Pérgamo, apoio naval de Ptolomeu VI Filométor e reconhecimento dos romanos. Conforme as fontes antigas, era natural de Esmirna, chamava-se Balas, parecia-se extraordinariamente com Antíoco Eupátor e se fazia passar por filho de Antíoco Epífanes. Átalo II de Pérgamo o chamou à sua corte, pôs-lhe o diadema e deu-lhe o nome de Alexandre, reconhecendo-o como herdeiro legítimo do trono selêucida. Guiado por Heráclides, ministro da justiça de Epífanes, expulso por Demétrio, dirigiu-se a Roma e aí conseguiu o reconhecimento do Senado romano. O rei do Egito e Ariarates V da Capadócia também o apoiaram. Tratava-se praticamente de uma coalizão real contra Demétrio, e Balas foi o instrumento dócil. As fontes antigas não explicam como ele subiu os primeiros degraus da sua impostura.
Os judeus de Jônatas escolheram o partido do vencedor, esquecendo a lembrança do grande perseguidor. Os judeus de Jônatas não eram fator decisivo, mas pesavam na contenda: sua situação estratégica e suas virtudes militares faziam deles valiosos aliados. Assim descobrem satisfeitos que dois rivais os cortejam argumentando com promessas. As ofertas de Alexandre não eram melhores que as de Demétrio, mas o primeiro podia cumprir algo, o segundo não. Demétrio era um homem liquidado e Jônatas soube avaliá-lo. Sem mais preocupações apostou suas fichas em Alexandre Balas.
O nosso autor condensa em poucos versículos (2.48-50) uma guerra de dois anos, e encerra entre eles as negociações diplomáticas.
10,1 Ano 152. Ptolemaida, diante de Haifa, ficava mais perto do Egito que de Antioquia e a razoável distância de Chipre. Pelo norte as forças de Pérgamo e da Capadócia faziam pressão sobre Antioquia.
10,6-14 Demétrio começou fazendo concessões importantes, que se resumem no comando militar. Doravante, Jônatas não seria chefe de bandos rebeldes, mas general de exército legítimo. Isso no momento bastou para Jônatas: não era homem que comprometesse temerariamente o obtido, e também sabia esperar. Aproveitando o jogo dos acontecimentos, tinha obtido mais do que em seus ensaios de batalhas.
10,6 Na realidade, os reféns pertenciam ao partido rival. O gesto nobre de Jônatas (v. 9) lhe atrairia simpatizantes.
10,11 A muralha construída por Judas e mandada demolir por Antíoco Eupátor (6,62).
10,12 Isto significa que Jônatas, sem esforço algum, ficou com uma excelente cadeia de praças militares. Ironicamente, todos os esforços de Demétrio (9,50) haviam sido trabalhar para Jônatas, que podia tornar-se forte na fronteira da Samaria (Faraton).
10,15-21 A carta de Alexandre não parece oferecer muitas coisas, mas contém um dos mais inestimável, o sumo sacerdócio. Sendo de linhagem sacerdotal, ainda que não da linha de Sadoc, Jônatas pensou que podia aspirar ao cargo e ser aceito pelo povo; esse era um presente extraordinário. Com tal cargo podia robustecer a linha do seu partido, conferir-lhe a última garantia de legitimidade, influir nos indecisos, desacreditar os adversários. Tudo sob a condição de aceitar a nomeação religiosa de um rei pagão: não era isso uma contradição? Não era seguir os passos

¹⁷Depois escreveu uma carta e a mandou. Dizia assim:

¹⁸"O rei Alexandre saúda seu irmão Jônatas. ¹⁹Ouvimos dizer que és poderoso e digno de nossa amizade. ²⁰Pois bem, nós te nomeamos hoje sumo sacerdote de tua nação e te damos o título de grande do reino, para que apóies nossa causa e sejas sempre amigo nosso".

E lhe enviou um manto de púrpura e uma coroa de ouro.

²¹Jônatas vestiu os ornamentos sagrados no sétimo mês do ano cento e sessenta, na festa das Cabanas; recrutou tropas e armazenou muitas armas.

Jônatas e Demétrio — ²²Demétrio soube e comentou entristecido:

— ²³O que fizemos para que Alexandre se tenha adiantado a nós e tenha ganhado a amizade e o apoio judaico? ²⁴Vou escrever-lhes eu também, para ver se os convenço, oferecendo-lhes altos postos e presentes, para que lutem ao meu lado.

²⁵E lhes escreveu o seguinte:

"O rei Demétrio saúda a nação judaica. ²⁶Recebemos com alegria a notícia de que guardastes os pactos feitos conosco e perseverastes em nossa amizade sem passar para o inimigo. ²⁷Pois bem, continuai sendo leais a nós e vos recompensaremos os favores que nos fazeis. ²⁸Nós vos deixaremos isentos de muitos impostos e vos daremos presentes.

²⁹Por ora vos libero e dispenso todos os judeus dos impostos e da contribuição sobre o sal e as coroas.

³⁰Renuncio, a partir de hoje para sempre, à terça parte das colheitas e à metade dos frutos que me corresponde receber de Judá e de seus três distritos anexos de Samaria e Galileia. ³¹Jerusalém com seu território, seus dízimos e direitos, será sagrada e isenta de impostos.

³²Renuncio também às minhas atribuições sobre a acrópole de Jerusalém e permito ao sumo sacerdote instalar aí uma guarnição de homens a seu gosto.

³³Concedo liberdade, gratuitamente, a todo judeu que tenha sido deportado de

---

de Alcimo, com menos direitos de linhagem? Nem Jônatas nem o autor deste livro sentiram escrúpulos: a escolha era privilégio de Deus, o homem era seu executor, os fatos provavam a escolha divina, como provaram a reprovação de Alcimo. Alexandre soube calibrar seu obséquio. Lendo o v. 21 junto ao v. 6 e a 9,73, temos a imagem completa: Jônatas governador, general e sumo sacerdote.

A popular festa das Cabanas serviu de marco para celebrar o acontecimento. Depois de Jasão, Menelau, Alcimo e uma longa vacância, os judeus voltam a ter um sumo sacerdote, indubitavelmente digno de Onias.

10,22-24 O contraste é sublinhado pelo autor.

10,25-45 O rei não se dirige a Jônatas, mas a toda a nação judaica, que inclui os dois partidos e os neutros. As palavras assim se tornam ambíguas: o partido pró-helenista tinha sido sempre leal, nos últimos anos Jônatas se tinha comportado discretamente, a sua recente deslealdade é diplomaticamente dissimulada.

As promessas econômicas eram de suma importância. O mal-estar pelas cobranças dos reis provocava muitas vezes motins, rebeliões ou mudança de adesões políticas de um soberano a outro. A lista de "isenções" ilustra o peso dos tributos que o rei considerava direito seu. O tema dos impostos era um bom argumento para atrair gente do povo para a causa da independência.

A transferência da acrópole para os judeus e para o sumo sacerdote, sem mencionar nome, era concessão importantíssima. Dependia muito de quem fosse o sumo sacerdote; tecnicamente Demétrio não podia reconhecer a nomeação feita por Alexandre Balas.

A capital obtinha o título de "sagrada", o que equivalia a uma franquia geral. O templo adquiria direito de asilo diante do próprio rei.

Três distritos da Samaria passavam para a jurisdição do sumo sacerdote. A concessão de Ptolemaida, enquanto Alexandre estava instalado nela como rei, pode ter provocado risos compassivos e semeado suspeitas sobre o resto da carta.

O recrutamento de soldados judeus, embora apresentado como concessão honorífica, era na realidade uma vantagem para o rei ameaçado, além de subtrair ao governador judeu um importante contingente de tropas. Não se precisa onde estariam aquartelados.

As doações e privilégios concedidos ao templo eram coisa normal, já que se tratava de culto reconhecido. Da concessão se deduz que o rei tinha descuidado o venerável costume.

Em resumo, uma carta ingênua e ambígua, desmedida nas promessas e escassa de garantias. Se reproduz ou reflete o original, não é estranho que Jônatas desconfie dela.

10,29 Refere-se às salinas ou a uma contribuição pessoal. As coroas eram oficialmente presentes voluntários em ocasiões festivas da corte; na prática, constituíam um imposto obrigatório dissimulado.

10,33 Considerando a extensão do Império e da diáspora judaica com todos os intermediários burocráticos e os interesses de particulares, a concessão era claramente teórica. Quase o mesmo vale para a concessão seguinte.

Judá para qualquer parte de meu Império. Todos ficarão livres de impostos, também os dos rebanhos.

³⁴As festas, sábados, lua nova e as festas de preceito, mais os três dias anteriores e posteriores a cada festa, todos esses dias serão dias de isenção e remissão para todos os judeus que houver em meu Império, ³⁵e ninguém terá direito de perseguir nem de molestar nenhum deles por nenhum motivo.

³⁶Serão recrutados para o exército real até trinta mil judeus; receberão a porção normal das tropas reais; ³⁷serão instalados nas praças-fortes mais importantes e serão colocados em postos administrativos de confiança. Seus chefes e oficiais serão judeus, e poderão seguir sua legislação, conforme o rei ordenou para Judá.

³⁸Os três distritos de Samaria anexados a Judá ficarão unidos a ele, e serão considerados dependentes da mesma autoridade, não estando submetidos a não ser à jurisdição do sumo sacerdote.

³⁹Faço doação de Ptolemaida e suas adjacências ao templo de Jerusalém, para pagar os gastos do templo, ⁴⁰e além disso destino quinze mil siclos de prata anuais, provenientes do orçamento do rei, nas localidades que vos parecer conveniente. ⁴¹E a quantidade que os funcionários não pagaram, como se fazia no princípio, a partir de agora a entregarão para as obras do templo. ⁴²Além disso, os cinco mil siclos de prata que eram retirados das entradas anuais do templo ficam livres de impostos, por tratar-se de entradas dos sacerdotes oficiantes. ⁴³Todo devedor do rei em questões de impostos ou por qualquer outro motivo, que se refugiar no templo de Jerusalém ou em seu recinto, fica perdoado com todas as posses que tiver em meu Império. ⁴⁴Os gastos de reconstrução e restauração das obras do templo correrão por conta do rei.

⁴⁵Os gastos de reconstrução e fortificações da muralha ao redor de Jerusalém correrão por conta do rei, assim como a reconstrução de muralhas em Judá".

⁴⁶Quando Jônatas e o povo ouviram tudo isso, não lhe deram crédito nem o admitiram, lembrando-se dos graves danos causados a Israel por Demétrio e por sua dura opressão. ⁴⁷Inclinaram-se a favor de Alexandre, porque lhes havia dirigido melhores propostas de paz, e eles queriam ser sempre seus aliados.

⁴⁸O rei Alexandre reuniu grande exército e formou suas tropas diante de Demétrio. ⁴⁹Os dois reis travaram combate. O exército de Demétrio fugiu. Alexandre os perseguiu e se impôs a eles. ⁵⁰E embora tenha lutado ferozmente até o pôr do sol, nesse dia Demétrio caiu.

Alexandre, Ptolomeu e Jônatas — ⁵¹Alexandre enviou então embaixadores ao rei Ptolomeu do Egito, com esta mensagem:

— ⁵²Voltei ao meu reino, ocupei o trono de meus pais, conquistei o poder, derrotei Demétrio e sou dono do país; ⁵³travei combate com ele, o derrotamos junto com seu exército e ocupei seu trono; ⁵⁴façamos, pois, um tratado de amizade: dá-me tua filha como esposa, eu serei teu genro, e darei a ela e a ti presentes dignos de ti.

⁵⁵O rei Ptolomeu respondeu:

— Feliz o dia em que voltaste à tua pátria e ocupaste o trono real! ⁵⁶Farei o que

---

10,37 Era frequente encontrar judeus na administração pública de reinos estrangeiros (Neemias, Tobias, Mardoqueu).

10,46-47 Parece tratar-se de uma assembleia popular que o autor não descreve. É de supor que Jônatas analisou a carta para persuadir o povo. Em que sentido as propostas de Alexandre eram melhores? Não no conteúdo, mas na força das palavras. E na concessão do sumo sacerdócio.

10,48-50 Trata-se da batalha final contra as tropas confederadas. Com a morte de Demétrio interrompe-se temporariamente a linha selêucida.

10,51-66 O casamento real interessa ao autor porque é a ocasião de um grande triunfo do seu herói: recebido honorificamente por dois reis, o lágida e o selêucida, elevado à primeira categoria de dignitário do Império, publicamente vencedor das intrigas invejosas de seus rivais judeus. Para que esse triunfo valha a pena, os favorecedores têm de ficar em bom lugar. Para isso, o autor passa por alto todos os dados que poderiam comprometer o quadro.

Ptolomeu VI Filométor tinha protegido judeus perseguidos e refugiados; tinha apoiado as pretensões do impostor Balas, para desforrar-se de Demétrio, que tinha tentado arrebatar-lhe Chipre.

Com essa política podia ganhar alguma influência na Síria; na última metade do século, o Egito aos poucos se empalidecera junto aos monarcas sírios. O casamento real foi, como tantas vezes, uma operação política. Para isso serviam as princesas reais. Entregava sua filha a um impostor, a um usurpador..., a um rei, talvez com a esperança de alguma

pedes, mas vem entrevistar-te comigo em Ptolemaida; eu serei teu sogro, como dizes.

⁵⁷Ptolomeu saiu do Egito com sua filha Cleópatra, e chegou a Ptolemaida no ano cento e sessenta e dois. ⁵⁸O rei Alexandre saiu ao seu encontro. Ptolomeu lhe deu sua filha Cleópatra como esposa, e celebraram o casamento em Ptolemaida, em estilo régio, com grande esplendor.

⁵⁹O rei Alexandre escreveu a Jônatas para que fosse vê-lo. ⁶⁰Jônatas foi a Ptolemaida com grande cortejo, para entrevistar-se com os dois reis; ofereceu a eles e a seus grandes ouro e muitos presentes, e ganhou a simpatia deles.

⁶¹Então a peste de Israel tramou contra ele, uns apóstatas dispostos a acusá-lo diante do rei, mas o rei não os atendeu; ⁶²ordenou que tirassem de Jônatas a roupa e o vestissem de púrpura. Assim fizeram. ⁶³O rei o fez sentar a seu lado e disse a seus nobres:

– Saí com ele pela cidade e anunciai que ninguém o acuse de nada nem o aborreça por nada.

⁶⁴Quando viram as honras que lhe tributavam, à medida que se publicava o anúncio, e ao vê-lo revestido de púrpura, os acusadores fugiram.

⁶⁵O rei o honrou, elevando-o ao posto superior dos grandes do reino, e o nomeou general e governador. ⁶⁶Jônatas regressou a Jerusalém em paz e contente.

Atividade de Jônatas no tempo de Demétrio II – ⁶⁷No ano cento e sessenta e cinco, Demétrio, filho de Demétrio, chegou de Creta à sua pátria. ⁶⁸O rei Alexandre se desgostou muito quando ficou sabendo, e voltou para Antioquia.

⁶⁹Demétrio confiou o comando a Apolônio, governador da Celessíria, que reuniu grande exército e acampou diante de Jâmnia. E mandou esta mensagem ao sumo sacerdote Jônatas:

– ⁷⁰Tu és o único que se rebelou contra nós e me tornaste ridículo. Por que te gabas desafiando na montanha? ⁷¹Se confias em teu exército, desce aqui, à planície, para que nos vejamos pessoalmente, pois está comigo o exército das cidades. ⁷²Pergunta, fica sabendo quem sou eu e quem são nossos aliados, e te dirão que não sois capazes de resistir-nos de pés firmes, visto que já teus pais fugiram duas vezes em seu próprio país. ⁷³Agora não poderás resistir à cavalaria nem a exército tão poderoso, nesta planície, onde não há pedras nem seixos, nem lugar para onde escapar.

---

ascendência sobre o novo genro. O lugar em que se celebrou o casamento podia simbolizar a amizade com o Egito: chamava-se Ptolemaida, onde Alexandre tinha começado a reinar.

10,65 Agora o grande amigo dos gregos é o filho do rebelde Matatias, o irmão do líder derrotado. É governador com poderes subordinados e é sacerdote pela graça do imperador. Sua posição será tão diferente da de Alcimo? Não iria o movimento passando da intransigência para as concessões? Jônatas sabia esperar.

10,67-68 Antes que Demétrio morresse, quando compreendeu que a situação era muito perigosa, enviou dois filhos seus a Creta, para pô-los a salvo do usurpador. Aí podiam esperar, a vitória de seu pai, ou o momento de reivindicá-lo. Em três anos, Alexandre se tinha desacreditado sistematicamente, com suas orgias e crueldades; o filho mais velho de Demétrio calculou que havia chegado o momento de restabelecer a linha selêucida no trono de Antioquia. Contava com os leais a seu pai e com o descontentamento de uma população disposta a ver uma melhora na mudança. Parece que não calculou exatamente todos os fatores e teve de lutar dois anos contra seu rival.

Os outros fatores eram: por um lado, Alexandre, residente em Ptolemaida e representado por dois governadores em Antioquia; tinha como aliado Jônatas, governador vassalo, que comandava um exército bem disciplinado e devia muitíssimo a Alexandre; tinha por protetor Ptolomeu, desejoso de aumentar sua influência na Síria. Demétrio tinha de lutar contra todos, antes de sentar-se no trono.

10,69 A primeira campanha começou pelo litoral, na Parália. Não sabemos como Apolônio chegou até aí. Esse Apolônio tinha sido um dos homens de confiança de Demétrio I; parece que o acompanhou em sua fuga de Roma. Demétrio desembarcou na Cilícia, ao norte de Antioquia; então Alexandre correu à capital, deixando talvez desguarnecida a costa. Podemos imaginar que o general escolheu esse campo de operações porque a região costeira era a ponte normal entre o Egito e Antioquia, além de suas vantagens marítimas.

Havia outra via de comunicação, que atravessava Bersabeia, Judeia e Galileia; era controlada por Jônatas.

10,70-73 O discurso que o autor põe na boca de Apolônio parece mais um desafio de rivais do que uma proposta militar razoável. A lógica é que Jônatas não renuncie à sua vantagem estratégica, que espere o inimigo na montanha e nas praças-fortes. O autor dramatiza a situação, dedicando de passagem um tributo honorífico a seu herói: "O único que se rebelou".

⁷⁴Quando Jônatas ouviu a mensagem de Apolônio, escolheu todo alterado dez mil homens e saiu de Jerusalém; seu irmão Simão juntou-se a ele com reforços. ⁷⁵Acampou diante de Jope; como houvesse aí uma guarnição de Apolônio, os habitantes da cidade lhe fecharam as portas. Jônatas procedeu ao assalto. ⁷⁶Os habitantes da cidade, atemorizados, o deixaram entrar, e Jônatas se apoderou de Jope.

⁷⁷Quando Apolônio soube, pôs três mil cavaleiros e muita infantaria em formação de batalha e marchou para Azoto como se estivesse de passagem; mas, ao mesmo tempo, contando com sua numerosa cavalaria, avançou pela planície.

⁷⁸Jônatas os perseguiu por trás, até Azoto, e os dois exércitos travaram combate. ⁷⁹Apolônio havia deixado às suas costas mil cavaleiros escondidos, ⁸⁰mas Jônatas sabia que tinha às suas costas uma emboscada. E embora o inimigo tenha rodeado seu exército disparando flechas contra a tropa da manhã até a tarde, ⁸¹a tropa aguentou bem, seguindo as ordens de Jônatas, ao passo que os cavalos do inimigo se cansaram. ⁸²Quando a cavalaria já estava fatigada, Simão fez avançar suas tropas e travou combate contra a falange e a destroçou; eles fugiram; ⁸³a cavalaria dispersou-se pela planície; fugiram até Azoto, e se abrigaram em Bet-Dagon, templo pagão. ⁸⁴Jônatas incendiou Azoto e as cidades da região; levou seus despojos e incendiou o santuário de Dagon com todos os que se haviam refugiado aí. ⁸⁵Somando os caídos à espada e os queimados, as baixas foram umas oito mil.

⁸⁶Jônatas partiu daí e acampou diante de Ascalon. Os habitantes da cidade saíram para recebê-lo com grandes festejos. ⁸⁷Depois voltou a Jerusalém com os seus, carregados de despojos.

⁸⁸Quando o rei Alexandre soube de tudo, concedeu novas honras a Jônatas: ⁸⁹enviou-lhe uma fivela de ouro, como é costume presentear os familiares dos reis, e deu-lhe Acaron e seu território como propriedade.

11 Ptolomeu VI em Antioquia – ¹O rei do Egito reuniu um exército

---

10,74-76 Jônatas já não era o chefe de guerrilhas que atuavam em campo aberto, mas o general de um exército regular, que conserva, isto sim, a audácia e a rapidez de ação dos tempos difíceis. E decidiu atacar: talvez porque considerava o perigo de um exército inimigo no litoral ou para antecipar-se. Era a velha história e geografia das guerras contra os filisteus. Jônatas desceu ao litoral mais ao norte dos acampamentos de Apolônio. Sua primeira intenção era enfrentar um porto importante: se o conquistasse, cortaria o caminho para o norte. A população de Jope era controlada por uma guarnição de Apolônio, suficiente talvez para uma defesa ordinária ou para aguentar um cerco até receber reforços, mas sem efetivos e sem moral para resistir a um assalto completo. Foi uma vitória fácil e valiosa para Jônatas.

10,77-85 Apolônio adotou uma tática conhecida: atrair o inimigo fingindo uma retirada, deixar uma parte do exército em emboscada lateral e comprimi-lo entre dois corpos no momento oportuno.

Mas também Jônatas contava com tropas auxiliares, enviadas por seu irmão Simão, e contava com bons informantes que o avisaram da emboscada. Sua tática foi aguentar e cansar a cavalaria durante a jornada; afinal, sobreveio Simão e vibrou o golpe decisivo na infantaria.

Era uma vitória em terreno inimigo, na planície marítima: Jônatas soube explorá-la e controlar num só golpe a faixa costeira, de Jope até Ascalon.

10,84 É notável a persistência de um templo em honra de Dagon, desde o tempo dos filisteus (1Sm 5).

10,88-89 É lógico que Alexandre tenha ficado satisfeito com a intervenção de seu vassalo e aliado. Ao entregar-lhe como posse a cidade de Acaron, uma das cidades da pentápole filisteia, estendia o domínio da Judeia em direção ao mar.

11 Derrotado o exército de Apolônio e relegado Demétrio à margem, o autor vê o campo ocupado por três peças que começam a mover-se; é como se um jogador invisível as movesse para seus fins superiores. Em teoria, são três aliados em boas relações: Ptolomeu, sogro e protetor de Alexandre; Alexandre, soberano e protetor de Jônatas, e Jônatas, aliado e defensor de Alexandre, simpatizante de Ptolomeu. Os três se movem observando-se mutuamente.

Ptolomeu empreende solícito uma viagem familiar, uma visita à filha e ao genro: na sua intenção é uma viagem de ocupação, quase de conquista. Por meio da filha julga possuir Alexandre; por meio deste quer dominar a Síria. O sonho dos Lágidas, outrora realidade, o velho sonho dos Faraós parece que vai cumprir-se outra vez.

Jônatas acompanha solícito o monarca egípcio e vai observando pelo caminho como as guarnições egípcias estão aquarteladas; e se detém depois de Trípoli, sem ultrapassar as vizinhanças de Antioquia. Volta à sua capital e espera prudentemente: sabe que os de Azoto o acusaram e que Ptolomeu dissimulou. Parece ter compreendido as intenções do egípcio e não quer dar ocasião ou pretexto para represálias.

Alexandre, segundo outras fontes, tinha tentado matar Ptolomeu por meio de um sicário chamado Amônio. A notícia encaixaria muito bem no caráter de Balas e numa política de deslealdades: receber o sogro com todas as honras; fazê-lo eliminar em

numeroso como a areia da praia, e tentou apoderar-se astutamente do Império de Alexandre, para anexá-lo ao seu próprio Império. ²Marchou até a Síria com palavras de paz, e o povo das cidades lhe abria as portas e saía para recebê-lo, pois o rei Alexandre havia dado ordem de acolhê-lo, visto que se tratava de seu sogro. ³Mas, à medida que entrava nas cidades, Ptolomeu ia deixando em todas uma guarnição militar.

⁴Quando chegaram perto de Azoto, mostraram-lhe o santuário incendiado de Dagon, Azoto e seus arredores em ruínas, os cadáveres espalhados e os corpos calcinados na guerra com Jônatas (pois os haviam amontoado ao longo do caminho). ⁵Contaram-lhe o que Jônatas havia feito, para que o rei o reprovasse; mas o rei se calou.

⁶Jônatas saiu para recebê-lo em Jope, com pompas. Saudaram-se e pernoitaram aí. ⁷Depois Jônatas acompanhou o rei até o rio Elêutero e voltou a Jerusalém. ⁸Mas o rei Ptolomeu se apoderou das cidades do litoral até Selêucia do Mar, tramando planos sinistros contra Alexandre, ⁹e enviou ao rei Demétrio alguns embaixadores com esta mensagem: "Vamos fazer um pacto; eu te darei minha filha, a mulher de Alexandre, e reinarás no Império de teu pai. ¹⁰Estou arrependido de ter-lhe dado minha filha, pois tentou matar-me".

¹¹(Caluniou-o porque cobiçava seu Império.)

¹²Tirou-lhe sua filha e a deu a Demétrio. Dessa forma rompeu com Alexandre, e sua inimizade se tornou pública.

¹³Ptolomeu entrou em Antioquia e cingiu a coroa da Ásia; assim, cingiu sua fronte com duas coroas, do Egito e da Ásia.

¹⁴O rei Alexandre estava na Cilícia por esse tempo, porque os habitantes daquelas províncias se haviam revoltado. ¹⁵Mas, ao saber do acontecido, marchou contra Ptolomeu para atacá-lo. Ptolomeu saiu para enfrentá-lo com exército poderoso, e o fez fugir. ¹⁶Alexandre fugiu para a Arábia em busca de proteção, enquanto o rei Ptolomeu saía vencedor.

¹⁷O árabe Zabdiel decapitou Alexandre e enviou a cabeça a Ptolomeu. ¹⁸O rei Ptolomeu morreu dois dias depois, e os habitantes das praças-fortes assassinaram as guarnições egípcias aí instaladas.

Demétrio II e Jônatas – ¹⁹Demétrio subiu ao trono no ano cento e sessenta e sete.

Ptolemaida; como genro, buscar o comando do Egito. O autor nada diz em descrédito de um homem que tinha concedido o sumo sacerdócio a Jônatas, jogando a culpa do conflito em Ptolomeu.
Na mudança de política, a filha de Ptolomeu voltou a ser a bola da vez e o sinal público de ruptura. Demétrio II ficou sendo o novo protegido: tinha mais direitos para cingir a coroa, mas a recebia do favor e proteção de Ptolomeu. Ou seja, Demétrio, como rei da Síria, ficava submetido ao lágida; como rei da parte oriental, era soberano.

11,1 Comparação clássica de exércitos: Jz 7,12; 1Sm 13,5; 2Sm.
11,2 Os habitantes da região, nunca estáveis em suas simpatias, tinham melhor lembrança do domínio lágida, que nesse momento lhes oferecia mais garantias de estabilidade.
11,3 As guarnições deviam manter a população submissa, controlar o caminho do mar, impedir qualquer penetração pelo mar.
11,5 Dado que Jônatas tinha lutado contra Apolônio, general de Demétrio II, em teoria esses cadáveres pertenciam ao inimigo. Daqui se deduz a tática cruel e violenta do judeu, que fez cidades e populações do litoral pagar sua posição e um possível apoio forçado ao invasor. Se Ptolomeu se encarregava da região, tinha sob controle o guerreiro vizinho da serra da Judeia.
11,8 Selêucia do Mar era um porto de grande importância estratégica: encontrava-se na foz do Orontes, diante de Chipre e do litoral da Cilícia. Subindo o rio, chegava-se logo à capital, Antioquia.
11,9-10 Com todo o litoral bem controlado às suas costas, fechando Balas pelo mar, enquanto Demétrio ameaçava pelo norte, Ptolomeu julgou chegado o momento. Podemos supor que sua filha tivesse descido de Antioquia para receber o pai. Ptolomeu já tinha tirado bastante partido do usurpador Balas e podia abandoná-lo; o novo protegido não poderia facilmente desbancar seu protetor. O autor vê no fato "planos sinistros" e calúnias.
11,13 É o que Antíoco Epífanes tinha tentado e não pôde realizar, devido à oposição romana: 1,16. Segundo outros historiadores, houve um motim na capital e Alexandre Balas teve de fugir.
11,14 A rebelião na Cilícia era atiçada ou favorecida pela presença de Demétrio nessa região.
11,15-18 A batalha foi travada junto a um rio na planície de Antioquia: Alexandre, derrotado, teve de fugir; Ptolomeu foi ferido mortalmente. No espaço de quatro dias morriam os dois rivais, deixando o terreno livre para o selêucida. Ptolomeu VII Evergetes sucedeu a Ptolomeu VI Filomêtor. Arábia significa aqui um dos pequenos reinos ou principados árabes espalhados pela região, que desfrutavam de limitada e benévola autonomia e tinham de fazer amizade com os soberanos ou mantê-los contentes.
11,19 Ano 145. As coisas voltavam a seus lugares para vantagem do monarca selêucida. Também de Jônatas?

²⁰Nessa ocasião Jônatas reuniu os habitantes de Judá para atacar a acrópole de Jerusalém e nela instalou muitas máquinas de guerra.

²¹Alguns maus patriotas, apóstatas, foram dizer ao rei que Jônatas tinha cercado a acrópole. ²²O rei ficou furioso ao ouvir isso, e empreendeu imediatamente a marcha para Ptolemaida; escreveu a Jônatas que não continuasse o assédio e fosse o quanto antes entrevistar-se com ele em Ptolemaida.

²³Quando Jônatas ficou sabendo, ordenou continuar o assédio; escolheu senadores de Israel e sacerdotes, e lançou-se ao perigo. ²⁴Com prata e ouro, roupas e muitos outros presentes, foi apresentar-se ao rei em Ptolemaida, e o encontrou favorável. ²⁵Alguns compatriotas apóstatas o acusavam, ²⁶mas o rei o tratou como seus predecessores, honrando-o diante de todos os seus amigos; ²⁷confirmou-lhe o posto de sumo sacerdote e as demais funções que tinha antes, e o pôs na categoria superior dos grandes do reino. ²⁸Jônatas pediu ao rei que isentasse de impostos Judá e os três distritos da Samaria, e lhe prometeu uns nove mil quilos de prata. ²⁹O rei o aprovou, e sobre esse ponto lhe escreveu a seguinte carta:

³⁰"O rei Demétrio saúda seu irmão Jônatas e o povo judeu. ³¹Nós vos enviamos, a título de informação, cópia da carta que escrevemos sobre vós ao nosso parente Lástenes: ³²'O rei Demétrio saúda seu parente Lástenes. ³³Por seus bons sentimentos para conosco, decidimos favorecer nossos amigos judeus, que respeitam nossos direitos. ³⁴Nós lhes confirmamos os limites territoriais de Judá e os três distritos da Samaria – Aferema, Lida e Ramataim – que foram acrescentados a Judá, com todos os seus anexos, em benefício dos sacerdotes de Jerusalém, como compensação pelos impostos que pagavam anualmente ao rei pelos produtos agrícolas e pela fruta. ³⁵Quanto às outras entradas nossas a que temos direito, os dízimos e os tributos das salinas e as coroas, nós os cedemos desde este momento. ³⁶É uma decisão irrevogável, que entra em vigor a partir de hoje. ³⁷Providenciai fazer uma cópia, que entregareis a Jônatas e a exporeis no monte santo, num lugar visível'".

³⁸Quando o rei Demétrio viu que o país ficava tranquilo sob seu comando, tendo

---

11,20 A data é vagamente indicada. É razoável supor que Jônatas decidisse atacar a acrópole durante o reinado de Alexandre; talvez quando deixou de acompanhar Ptolomeu. Os preparativos levariam algum tempo, e a notícia de que Demétrio II era o novo rei da Síria pode ter chegado durante o cerco. Os do partido pró-helenista, como outras vezes e segundo os convênios, denunciaram o fato ao novo rei e este exigiu contas de Jônatas.
Na entrevista, o judeu conseguiu um triunfo diplomático que o autor não sublinha suficientemente, como se lhe interessassem mais os triunfos militares. Demétrio tinha motivos para desconfiar de Jônatas, até para castigá-lo: tinha sido desleal a seu pai seguindo o partido do usurpador Alexandre, tinha cortejado Ptolomeu e agora se dispunha a cortar o cordão umbilical que unia Jerusalém a Antioquia. Jônatas teve de falar com muita habilidade para convencer Demétrio de que lhe convinha viver em boas relações com os judeus de seu partido. Reforçou suas razões com a promessa de dinheiro à vista, necessidade permanente do rei para suas campanhas militares e para sua administração civil. Ver a concessão de 10,32.

11,21 Os do partido pró-helenista tinham ótimas razões para desacreditar o rival e estavam certos de desforrar-se. A notícia demonstra que continuava a divisão interna dos judeus e que os monarcas sírios não a eliminaram pela raiz.

11,27 Outra vez Jônatas aceita que o cargo de sumo sacerdote seja confirmado pelo rei pagão.

11,30 Demétrio I se tinha dirigido só ao "povo judeu" (10,25).

11,31 Lástenes tinha mandado os mercenários cretenses quando Demétrio II voltou de Creta para a Cilícia (10,67).

11,33-35 O teor da carta e o que se segue mostram que Jônatas reconhecia a soberania de Demétrio, renunciava a conquistar a acrópole, limitava a sua expansão territorial ao norte (Samaria), sem penetrar no litoral. Indicam também um desejo de colaboração e não de rebeldia. Nesse momento, salvar o obtido era mais valioso que arriscar-se.

11,37 Promulgada a carta no coração de Jerusalém, a vontade do rei manteve a distância os pró-helenistas; mas estes saberiam ler e interpretar os silêncios (se não são coisa do autor do livro). Triunfava o *status quo*: Jônatas tinha de renunciar a uma política totalitária, os rivais continuavam instalados na capital. A hostilidade entre os dois partidos continuava, sensível a qualquer mudança de partido.

11,38 Mudança que não se faz esperar e nasce da habilidade dos monarcas Selêucidas para semear o descontentamento entre seus súditos e fazê-los esquecer o descontentamento suscitado pelo monarca anterior. As ambições dos cortesãos causavam ou fomentavam situações semelhantes. Dois cortesãos se opunham então: Lástenes, que

sido eliminada toda resistência, licenciou todas as suas tropas, cada um para sua casa, exceto os mercenários estrangeiros que havia recrutado em ultramar. Dessa forma ganhou a antipatia dos soldados mobilizados no tempo de seus antepassados. ³⁹Então Trifão, antigo partidário de Alexandre, ao ver que todos os soldados protestavam contra Demétrio, apresentou-se a Imalcuê, o árabe preceptor de Antíoco, filho de Alexandre, ⁴⁰e exigiu que lhe entregasse o menino, para entronizá-lo como sucessor de seu pai. Contou-lhe o que Demétrio havia feito e como era impopular entre seus soldados. Trifão ficou aí muitos dias.

⁴¹Jônatas mandou pedir ao rei Demétrio que retirasse os ocupantes da acrópole de Jerusalém e as guarnições das praças-fortes, que punham continuamente Israel em xeque. ⁴²Demétrio lhe remeteu esta resposta: "Por ti e por teu povo não só farei isso, mas também vos cumularei de honras, a ti e a teu povo, logo que tenha ocasião. ⁴³Agora, faze-me o favor de me enviar gente que lute em meu favor, porque todos os meus soldados desertaram". ⁴⁴Jônatas lhe enviou a Antioquia três mil homens valentes. Quando se apresentaram ao rei, ele se alegrou com sua chegada.

⁴⁵A população, umas cento e vinte mil pessoas, organizou uma manifestação no centro da cidade com a intenção de assassinar o rei. ⁴⁶O rei se refugiou no palácio; os moradores ocuparam as saídas da cidade e começaram o assalto. ⁴⁷Então o rei chamou os judeus em sua ajuda; imediatamente se reuniram todos em torno dele; depois se espalharam pela cidade, e nesse dia mataram uns cem mil, ⁴⁸e incendiaram a cidade, depois de recolher muitos despojos. Assim salvaram o rei.

⁴⁹Quando os moradores viram que os judeus se haviam apoderado da cidade, acovardaram-se e clamaram ao rei, suplicando-lhe:

– ⁵⁰Façamos as pazes para que os judeus deixem de nos atacar a nós e à cidade.

⁵¹Depuseram as armas e fizeram as pazes. Os judeus subiram no conceito do rei e de todos os súditos de seu Império; depois regressaram a Jerusalém com muitos despojos.

⁵²O rei Demétrio ocupou seu trono real, e o país ficou em paz sob seu comando. ⁵³Mas não cumpriu nenhuma promessa; distanciou-se de Jônatas e, em vez de pagá-lo pelos bons serviços, causou-lhe muitos sofrimentos.

---

gozava da confiança de Demétrio, e certo Trifão, que tinha servido a Alexandre Balas e aguardava a ocasião para voltar ao poder. Esta se apresentou com o licenciamento de tropas continentais. Licenciar tropas nesse tempo significava deixar uma multidão heterogênea sem ocupação e sem salário, sem esperança de despojos ou de uma aposentadoria como colono. No presente caso havia um agravante: enquanto eram licenciadas, as tropas "paternas" (veteranos recrutados nas províncias da Ásia), os mercenários importados de ilhas e do litoral conservavam seu posto. Não é difícil ver a mão de Lástenes por trás dessas medidas: com elas conseguia um controle militar não dividido e tinha menos gente a quem distribuir dinheiro.

Vencidos os inimigos externos, com um decreto Demétrio cria um poderoso inimigo interno.

11,39-40 Era preciso dar a esse inimigo um chefe legítimo. Trifão escolheu o filho de Alexandre Balas, um menino de cinco ou seis anos, a quem poderia controlar facilmente. Como se isso não bastasse, à sedição dos soldados iria somar-se o motim da população na capital.

11,41-48 Ao observar os começos da sedição e o enfraquecimento do poder real, Jônatas aproveitou o momento para pedir ao rei que retirasse as tropas da acrópole e das praças-fortes, provavelmente as de 9,50-52. O pedido significa que os poderes de Jônatas continuavam limitados e controlados. O rei pôs como condição que fosse ajudá-lo contra os revoltosos; Jônatas não tinha dispensado suas tropas nem as tinha deixado inativas. O bandoleiro uns anos atrás acossado pelos montes se transforma em salvador do rei selêucida.

O autor aproveita esse momento de glória para mostrar compaixão pelas vítimas do empreendimento. Embora os números sejam exagerados para glória do seu herói, a luta dentro da cidade deve ter sido feroz: incêndio de casas, matança indiscriminada de cidadãos, pânico dos restantes, saque da capital. Os de Jônatas, soltos na capital do Império: a ironia do destino se tornou cruel. "Assim salvaram o rei": à custa de seus súditos e de parte da sua capital. Deviam tanto a Demétrio, ou esperavam tanto dele? Tinham dado a todos, rei e cidadãos, uma demonstração de poder.

11,51 O autor considera isso como um ganhar "glória" e "fama"; significa que se faziam temer e respeitar.

11,52-53 O rei contenta-se em deixar-lhes o produto do saque como recompensa militar. Não retira as tropas sírias da acrópole de Jerusalém, nem parece ratificar a isenção de alguns impostos. Para Jônatas, o gesto é como latente ruptura de relações, que se tornará pública na primeira ocasião.

Intrigas de Trifão — ⁵⁴Depois desses acontecimentos, Trifão voltou com Antíoco, um rapaz ainda muito jovem, que subiu ao trono e cingiu a coroa. ⁵⁵Uniram-se a ele todos os soldados que Demétrio havia licenciado com maus modos; atacaram Demétrio, e ele, derrotado, teve de fugir. ⁵⁶Trifão apoderou-se de Antioquia utilizando os elefantes.

⁵⁷O jovem Antíoco escreveu a Jônatas: "Eu te confirmo no cargo de sumo sacerdote, te ponho à frente dos quatro distritos e te confirmo grande do reino". ⁵⁸E lhe enviou uma baixela de ouro com todo o serviço completo, autorizando-o a beber em taças de ouro, a vestir púrpura e usar fivela de ouro. ⁵⁹Nomeou seu irmão Simão governador militar na região que compreende desde a Escada de Tiro até a fronteira do Egito.

⁶⁰Jônatas partiu para percorrer a região e as cidades do outro lado do rio Eufrates. Todo o exército juntou-se a ele como aliado. Ao chegar a Ascalon, os habitantes da cidade o receberam com todas as honras. ⁶¹Daí partiu para Gaza, mas os habitantes de Gaza lhe fecharam as portas; então a cercou, saqueou os arredores e os incendiou. ⁶²Os habitantes de Gaza pediram a paz a Jônatas; ele a concedeu, mas manteve como reféns os filhos das autoridades e os enviou a Jerusalém. Depois prosseguiu sua viagem através do país, até Damasco.

⁶³Quando soube que os oficiais de Demétrio se encontravam em Cedes, na Galileia, com grande exército, com o plano de atrapalhar seu projeto, ⁶⁴saiu para enfrentá-los, deixando na região seu irmão Simão. ⁶⁵Simão cercou Betsur, atacou-a durante muitos dias, apertando o assédio. ⁶⁶Os habitantes da cidade lhe pediram a paz, e ele a concedeu; porém mandou evacuar a cidade, ocupou-a e pôs nela uma guarnição.

⁶⁷Jônatas e seu exército acamparam junto ao lago de Genesaré; de madrugada foram para a planície de Asor ⁶⁸e se encontraram com o exército de estrangeiros que avançava contra eles pela planície e lhes havia posto emboscadas nos montes; eles iam de frente. ⁶⁹Quando apareceram os emboscados e se travou o combate, ⁷⁰todos os de Jônatas fugiram; não ficou nenhum, exceto Matatias, de Absalão, e Judas, de Calfi, oficiais do exército.

⁷¹Jônatas rasgou as vestes, jogou terra na cabeça e orou. ⁷²Depois voltou à luta contra o inimigo e os pôs em fuga. ⁷³Ao ver isso, os que haviam partido se incorporaram de novo a ele, perseguiram juntos o inimigo até seu acampamento de Cedes e aí acamparam. ⁷⁴Os estrangeiros tiveram nesse dia umas três mil baixas. Depois Jônatas voltou a Jerusalém.

12 Embaixada a Roma
— ¹Vendo que o momento era favorável, Jônatas

11,54-56 Parece repetir-se a história de Lísias com Antíoco Eupátor; o Império Selêucida está em decadência. Outra vez a nação se encontra dividida, porque os dois filhos repetem a luta dos pais: Demétrio I contra Alexandre Balas, Demétrio II contra Antíoco, filho de Balas.

11,57-62 Por seu turno, Jônatas, do seu lugar em Jerusalém, é quase um árbitro dos destinos do reino. Trifão avalia o peso militar dos judeus e faz que o rei menino outorgue honras e aumente o poder do vassalo judeu. Simão é nomeado governador militar do litoral desde a Fenícia até o Egito; assim se adianta no cenário o próximo sucessor de Jônatas. Este, a julgar por sua expedição, recebe algum encargo a oeste do Eufrates. São expedições que servem para submeter as populações ao novo rei, coisa que umas vão fazendo de boa vontade e outras à força.

11,63-64 Demétrio tinha conseguido fugir com suas tropas mercenárias escolhidas, provavelmente com Lástenes e seus cipriotas. Vendo o peso que Jônatas tinha na balança do poder, decidiu desbaratá-lo quando voltava de Damasco e se dispunha a atravessar a Galileia.

11,67-73 Nesse momento, pouco antes de desaparecer o segundo irmão e de Simão lhe suceder, o autor lhe dedica uma batalha hiperbólica e fantástica: ele sozinho, com dois oficiais e a ajuda do céu, põe em fuga um exército de milhares e devolve coragem a seus próprios desertores; sozinho e rodeado de inimigos, tem tempo para um rito de oração e penitência. Uma espécie de Josué em Gabaon, sem tempestade e aguaceiro. Sua oração não é menos eficaz, porque é o sumo sacerdote que intercede sustentando a sorte do povo todo.
Só lhe falta um triunfo diplomático para passar à história como digno sucessor de Judas: é o tema do próximo capítulo.

12,1-23 A julgar pelo que vimos lendo, o pacto com os romanos (cap. 8) não se tinha traduzido em atos, ou o autor se esqueceu de mostrá-los. O poder remoto dos romanos e suas promessas condicionadas não tinham dispensado os judeus de lutar. Ao que parece, algumas mudanças da situação se deverão à vigilância e à intervenção do poder romano. Não consta nestas páginas ou em outras fontes.

escolheu alguns homens para enviá-los a Roma a fim de confirmar e renovar o pacto de amizade com os romanos. ²Enviou mensagens no mesmo sentido a Esparta e outros países.

³Os embaixadores partiram para Roma e, quando entraram no Senado, disseram:
— O sumo sacerdote Jônatas e o povo judeu nos enviaram para renovar vosso antigo pacto de amizade e de mútua defesa com eles.

⁴Os romanos lhes deram um salvo-conduto com o qual pudessem chegar a Judá sãos e salvos.

⁵Cópia da carta de Jônatas aos espartanos:

⁶"O sumo sacerdote Jônatas, os senadores do povo, os sacerdotes e toda a nação judaica saúdam seus irmãos de Esparta.

⁷Outrora vosso rei Ario enviou ao sumo sacerdote Onias uma carta reconhecendo nosso parentesco, como consta na cópia anexa. ⁸Onias recebeu vosso mensageiro com todas as honras e recebeu a carta que falava de mútua defesa e amizade. ⁹E ainda que com o estímulo dos livros santos não necessitemos de tais alianças, ¹⁰nos aventuramos a vos enviar uma embaixada para renovar convosco nossa aliança fraterna, a fim de não nos olhar como estranhos, pois já se passou muito tempo desde que nos enviastes aquela mensagem.

¹¹Quanto ao que toca a nós, por ocasião das festas e em outros dias destinados, não vos esquecemos em nossos sacrifícios e orações, pois é justo e devido lembrar-se dos irmãos.

¹²Congratulamo-nos com vossa fama.

¹³Nós nos vimos cercados de muitas tribulações e muitas guerras; ¹⁴os reis vizinhos nos atacaram, mas não quisemos incomodar-vos nem aos outros aliados e amigos nossos por causa dessas guerras, ¹⁵pois graças à ajuda protetora do céu, nos livramos dos inimigos, que foram derrotados.

¹⁶Assim, pois, escolhemos Numênio, de Antíoco, e Antípatro, de Jasão, e os enviamos a Roma para renovar o antigo pacto de amizade e mútua defesa. ¹⁷Nós lhes ordenamos apresentar-se também a vós,

---

Contudo, uma aliança pouco comprometida com os distantes romanos podia sempre ser uma defesa diante dos vizinhos sírios. Especialmente numa época turbulenta de lutas dinásticas e mudanças frequentes de monarcas. Como se trata de simples renovação do tratado, o autor não fornece o texto nem o resumo. Concede mais importância à aliança com os espartanos. Povo de tradição militar, mais que cultural, velho inimigo dos atenienses, Jônatas parecia olhá-los como contrapeso ao expansionismo grego dos Selêucidas.

12,3 O início indica que agora o sumo sacerdote é a suprema autoridade do povo judeu.

12,6-18 Mais que um documento diplomático, esta carta parece assumir uma profissão de fé no Senhor e uma proclamação dos próprios méritos. Ambas as coisas podem ser postas na conta do autor, desejoso de matizar e definir o sentido da aliança. Os remetentes representam um governo sagrado, com um sumo sacerdote à frente e um Senado de representantes. Ninguém leva o título de rei.

Essas alianças eram frequentemente de "amizade e mútua defesa". Os judeus sublinham a primeira e minimizam a segunda, como se dissessem: "Não é que nos faça falta, bastamo-nos a nós mesmos, com a ajuda de Deus...". Por outro lado, a amizade e a fraternidade são reafirmadas sem reservas, apelando até para a ficção de um parentesco ancestral. A promessa que fazia de Abraão o pai de povos e reis podia justificar a inserção dos jafetitas no tronco semítico.

12,7 Refere-se provavelmente a Ario I (309-265) e a Onias I (323-300), na época dos Diádocos ou dos primeiros reis Selêucidas e Lágidas.

12,9 Os livros santos substituíram os profetas. Com sua Lei e exemplos históricos, constituem um estímulo suficiente e eficaz para a continuidade do povo. Mais que em alianças externas, o povo encontra sua identidade e coesão num princípio interno, expresso nessas Escrituras. Pelas leis desse livro lutaram até à morte e obtiveram triunfos; com as histórias desse livro mantiveram um entusiasmo incrível; com os exemplos desse livro aprenderam a orar e confiar. A frase soa como eco triunfal oposto à perseguição de Antíoco Epífanes, iniciador de uma campanha para destruir todas as cópias desses livros sagrados (1,56-57). Assim a presente frase vem a ser uma chave de leitura deste livro.

Contudo, a identidade substancial e os livros que a garantem não impedem as relações amistosas e fraternas com outros países. Mas os helenófilos sacrificavam parte desses livros para aliar-se com a nova cultura grega.

Se modificou o teor da carta, faltando às regras da diplomacia, o autor expressou algo certo: para Jônatas e os seus, a fidelidade a Deus e à sua palavra contava mais do que as relações com outros povos.

12,11 Na terminologia do Deuteronômio, "irmãos" são todos os israelitas. Em tempos de encolhimento interno, essa dilatação do termo é importante. Não podemos desprezar o dado apelando para as convenções diplomáticas, já que o autor não se mostra propenso a respeitá-las.

12,13-15 O parágrafo resume em chave teológica as campanhas dos irmãos até este momento: são guerras defensivas.

12,16 O pacto com Roma não fala de fraternidade: as relações com Esparta e com Roma são diferentes (também o poderio de ambas é diferente).

saudar-vos e entregar-vos esta nossa carta sobre a renovação de nossa fraternidade. ¹⁸Fazei o favor de responder a esta carta".

¹⁹Cópia da carta enviada a Onias:
²⁰"Ario, rei de Esparta, saúda o sumo sacerdote Onias.
²¹Num documento relativo a espartanos e judeus, descobriu-se que são parentes, da estirpe de Abraão. ²²Agora que o sabemos, nós vos pedimos por favor que nos escrevais com notícias vossas. ²³De nossa parte, nós vos dizemos: vosso gado e vossos bens são nossos, e os nossos são vossos. Portanto, ordenamos que o comuniquem a vós nesses termos".

²⁴Jônatas soube que os oficiais de Demétrio tinham voltado com um exército maior que antes para atacá-lo. ²⁵Saiu de Jerusalém para enfrentá-los na região de Emat, sem deixar que pusessem o pé em seu território. ²⁶Enviou espiões ao acampamento inimigo, e ao voltar lhe comunicaram que se preparavam para cair de noite sobre os judeus.

²⁷Quando o sol se pôs, Jônatas ordenou aos seus que ficassem de vigia e com as armas na mão durante toda a noite, preparados para o combate, e destacou sentinelas avançadas ao redor do acampamento.

²⁸Quando os inimigos souberam que Jônatas e os seus estavam dispostos ao combate, se acovardaram, cheios de medo; acenderam fogueiras no acampamento [e se retiraram]. ²⁹Jônatas e os seus, vendo o resplendor das fogueiras, não souberam sobre o acontecido até o amanhecer. ³⁰Então Jônatas os perseguiu, mas não pôde alcançá-los, porque já haviam atravessado o rio Elêutero. ³¹Depois voltou-se contra os árabes chamados zabadeus; derrotou-os e saqueou. ³²Empreendeu a marcha para Damasco e atravessou toda a região.

³³Enquanto isso, Simão havia saído e chegado até Ascalon e as praças-fortes próximas; desviou-se depois para Jope e a conquistou. ³⁴(Ele soubera que queriam entregar a praça-forte aos de Demétrio.) Deixou aí uma guarnição de defesa.

³⁵Tendo regressado, Jônatas convocou os senadores do povo e com eles decidiu construir praças-fortes em Judá, ³⁶dar mais altura às muralhas de Jerusalém, construir uma grande barreira de separação entre a acrópole e a cidade para isolar a acrópole, e seus ocupantes não pudessem comprar ou vender.

³⁷Reuniram-se para reconstruir a cidade, pois estava caída uma parte da muralha oriental, sobre a torrente que dá para o nascente. Jônatas restaurou a muralha de Cafenata. ³⁸Simão, por seu lado, reconstruiu Adida na Sefelá, fortificou-a e lhe pôs portas e ferrolhos.

Sequestro de Jônatas – ³⁹Trifão ambicionara ocupar o trono da Ásia, cingir a

---

12,23 A expressão bucólica é uma versão pacífica como a resposta de Josafá a Ocozias em termos militares (1Rs 22,4).

12,24-38 A narração se liga com o final do cap. 11, passando por cima da inserção sobre a atividade diplomática.
Uma das fórmulas tradicionais assinala, como fronteiras da terra prometida, "desde a Entrada de Emat até a Torrente do Egito", e as versões do domínio davídico falam de domínios "até o Grande Rio" (= Eufrates). É o que encontramos nesta perícope: Jônatas se situa em Emat, como fronteira de "seu território"; Simão torna efetivo o controle do litoral. Mais ainda: Jônatas pode entrar na Fenícia pelo oeste e chegar até Damasco pelo leste: não como em território próprio, mas como em domínio. E a capital dessa enorme extensão volta a ser Jerusalém, onde os chefes podem executar obras de defesa, como outrora os reis.
Há uma diferença capital: todo esse poder é recebido, delegado. Jônatas é vassalo, ou melhor, governador de um rei estrangeiro; reconhece-o e aceita-o. E a acrópole de Jerusalém continua sendo símbolo da soberania estranha: precisamente, a antiga "Cidade de Davi". Para tornar a situação mais ambígua, reconhecem como seu soberano o filho de um usurpador e combatem o rei legítimo, cuja vida acabam de salvar (11,48). Nesse quadro ambíguo, não se deve esquecer a presença de outro partido judeu, que quer viver em paz com os gregos e ter um sumo sacerdote legítimo.

12,31-32 Os zabadeus eram beduínos ou seminômades que moravam numa região a sudoeste de Damasco. Jônatas realiza em Damasco uma viagem de inspeção.

12,36 Depois de repetidas tentativas para conquistar e desocupar a acrópole grega, decidem aplicar o bloqueio comercial; é um método mais eficaz e menos comprometedor do que uma ação sangrenta.

12,39-48 O autor parece dizer-nos que Jônatas pôde ser vencido por traição, não em combate aberto; se Trifão quer tomar o Império, primeiro deve desfazer-se de Jônatas; se Trifão se aproxima dos domínios da Judeia com seus generais, Jônatas pode ir a seu encontro com um exército maior. Só com presentes e promessas Trifão pôde atrair Jônatas, que se mantinha leal ao filho de Alexandre Balas. Não fazia muito tempo que os judeus tinham salvado Demétrio II num motim popular; o mesmo poderiam fazer agora com Antíoco VI.

coroa e eliminar o rei Antíoco. ⁴⁰Mas, temendo que Jônatas não iria deixá-lo, ou que talvez o atacasse, andava procurando a maneira de prendê-lo e desfazer-se dele; então marchou até Betsã.

⁴¹Jônatas saiu para enfrentá-lo com quarenta mil soldados escolhidos, e chegou a Betsã. ⁴²Ao ver que Jônatas tinha vindo com esse exército, Trifão teve medo de pôr as mãos nele; ⁴³ao contrário, recebeu-o com todas as honras, o recomendou a todos os seus generais, deu-lhe presentes e ordenou a seus generais e soldados que lhe obedecessem como a ele mesmo. ⁴⁴E disse a Jônatas:

— Para que cansaste toda essa gente, quando não há guerra entre nós? ⁴⁵Dispensa-os, fica com uma pequena escolta e vem comigo a Ptolemaida; eu a entregarei a ti com as outras praças-fortes, o resto do exército e todos os funcionários; depois empreenderei o regresso; vim para isso.

⁴⁶Jônatas acreditou nele e fez o que lhe disse: dispensou os soldados, que foram para Judá; ⁴⁷ficou com uns três mil homens: deixou dois mil na Galileia, e outros mil o acompanharam. ⁴⁸E, quando entrou em Ptolemaida, os habitantes da cidade fecharam as portas, o prenderam e passaram ao fio da espada todos os que haviam entrado com ele.

⁴⁹Trifão enviou tropas de infantaria e cavalaria à Galileia e à grande planície de Esdrelon para eliminar todos os homens de Jônatas. ⁵⁰Mas estes, que já sabiam que Jônatas havia caído preso e fora morto com os de sua escolta, se animaram mutuamente e avançaram em esquadrão fechado, dispostos à luta. ⁵¹Seus perseguidores os viram dispostos a arriscar a vida, e voltaram atrás. ⁵²Dessa forma os homens de Jônatas puderam chegar sãos e salvos a Judá. Choraram Jônatas e os de sua escolta, muito alarmados. Todo Israel fez grande luto.

⁵³Todos os países vizinhos procuraram então exterminá-los, pois diziam:

— Não têm chefe nem defensor. Vamos atacá-los e apagar sua lembrança do meio dos homens!

13 **Simão assume o comando** – ¹Quando Simão soube que Trifão havia reunido grande exército para devastar Judá ²e viu o povo aterrorizado, subiu a Jerusalém, reuniu o povo ³e o exortou:

— Vós sabeis o que eu, meus irmãos e minha família fizemos pela Lei e pelo templo, as guerras e as dificuldades que passamos.

12,45 Ptolemaida ocupava excelente posição estratégica marítima, no oeste da grande planície de Esdrelon, ou seja, à altura da Galileia. Por certo tempo foi rival de Antioquia. Além disso lhe ofereciam o comando sobre uma parte importante do exército imperial; por isso Jônatas deixou-se fascinar. Provavelmente, quando fez a oferta, Trifão contava com a lealdade da guarnição de Ptolemaida e tinha deixado instruções precisas. Assim Jônatas foi conduzido amavelmente à armadilha (recorde-se o episódio de Davi em Ceila, 1Sm 23). Davi tinha consultado o oráculo, Jônatas podia ao menos escutar os sábios: Eclo 6,7; 7,25; 19,4.

12,52-53 A captura e a provável morte do chefe indicam o fim de um ciclo de libertação e o começo de outro ciclo de opressão (como em Juízes). O autor aplica de novo o esquema da hostilidade universal (Sl 83) antes de começar o terceiro ciclo, sob o signo de Simão. Ver: 3,20.35.52.58; 5,10; 6,12; 7,26.

13,1-9 Com a provável morte de Jônatas, Simão é o candidato óbvio para continuar a luta; e é escolhido por aclamação popular. Olhando em torno, contempla um Império Selêucida dividido e decadente, muito diferente do reino que Antíoco Epífanes governou. Há dois monarcas: um menino na capital e um fugitivo com o seu exército próprio; e há um intrigante ambicioso que pretende eliminar a dinastia. Em qual dos três Simão pode apoiar-se? Por simpatia, no filho de Alexandre Balas; por prudência política, na divisão dos pretendentes.

Em Judá encontra uma mudança espetacular desde a morte de Matatias: os revoltosos têm poder religioso, político e militar; o partido ganhou crédito e se consolidou. Continuam tendo uma causa pela qual lutar? Não lhes faltam inimigos fora do território, mas já não existe a perseguição contra a Lei ou o templo. Não obstante, Simão invoca os mesmos ideais de antes: "Pela Lei, pelo templo, pelo povo"; além disso, invoca um terrível perigo externo para mobilizar os ânimos. Por quê? Vê-se que a divisão interna dos dois partidos judeus ainda continuava viva. Os helenófilos ainda contavam com adeptos e simpatizantes, para não falar dos que tinham perdas familiares a vingar. Eles tinham um programa de pacificação e muitas reprovações a dirigir ao último dos irmãos; com o desaparecimento de Jônatas, o cargo de sumo sacerdote ainda podia voltar ao seu partido.

Na perspectiva do autor, "Israel, o povo" significa o partido independentista.

13,3-4 Simão participou ativamente em múltiplas ocasiões, treinando-se e ganhando crédito. É o último irmão vivo: Lázaro (Eleazar) morreu esmagado por um elefante (6,43); Judas, no campo de batalha (9,18); João, por traição (9,36.42); Jônatas é dado por morto. Ele pretende uma herança perigosa.

⁴Por isso, todos os meus irmãos morreram por Israel. Fiquei sozinho. ⁵Mas longe de mim poupar minha vida em momentos de perigo, pois não valho mais que meus irmãos. ⁶Ao contrário, vingarei meu povo, o templo, vossas mulheres e vossos filhos, uma vez que todas as nações, por ódio, se uniram para nos aniquilar.

⁷Ao ouvi-lo falar assim, todos se reanimaram, ⁸e lhe responderam com uma aclamação:

— Tu és nosso chefe depois de Judas e de teu irmão Jônatas! ⁹Dirige nossa guerra, e faremos o que nos mandares.

¹⁰Simão reuniu todos os guerreiros e se apressou a terminar a muralha de Jerusalém, fortificando-a toda ao redor. ¹¹Enviou Jônatas, de Absalão, a Jope, com grande tropa. Jônatas expulsou os que nela se encontravam e aí se estabeleceu.

¹²Trifão saiu de Ptolemaida com grande exército para ir a Judá; levava consigo Jônatas, como prisioneiro. ¹³Simão acampou em Adida, diante da planície.

¹⁴Quando Trifão soube que Simão substituía seu irmão Jônatas e que estava a ponto de atacá-lo, enviou-lhe esta mensagem:

— ¹⁵Mantemos cativo teu irmão Jônatas, por causa do dinheiro que deve ao fisco pelos cargos que tinha. ¹⁶Se mandares três mil quilos de prata e dois de seus filhos como reféns, para que não se rebele quando ficar livre, nós o soltaremos.

¹⁷Simão compreendeu que lhe falavam de má fé, mas enviou o dinheiro e os rapazes, para não suscitar maior hostilidade entre o povo, que comentaria:

— ¹⁸Jônatas morreu porque Simão não enviou a Trifão o dinheiro nem os rapazes!

¹⁹Então enviou os rapazes e três mil quilos de prata. Mas Trifão, faltando com a palavra, não soltou Jônatas.

²⁰Trifão marchou depois para invadir e saquear o país; rodeou pelo caminho de Adora. Simão e seu exército o seguiam em todos os lugares. ²¹Os que ocupavam a acrópole enviavam mensagens a Trifão, apressando-o para que cortasse pelo deserto e lhes enviasse víveres. ²²Trifão preparou toda a sua cavalaria para ir lá, mas nessa noite caía uma nevasca tão forte que não pôde ir, por causa da neve. Então empreendeu a marcha até Galaad. ²³Ao chegar perto de Bascama, matou Jônatas, e aí o enterraram. ²⁴Depois voltou à sua terra.

²⁵Simão mandou recolher os restos mortais de seu irmão Jônatas, e o enterrou em Modin, seu povoado natal. ²⁶Todo Israel lhe fez solenes funerais e o choraram durante muitos dias.

²⁷Sobre a sepultura de seu pai e irmãos, Simão levantou um monumento de pedra polida de ambos os lados, bem visível. ²⁸Erigiu sete pirâmides, umas diante das outras, em honra de seu pai, sua mãe e seus quatro irmãos. ²⁹Rodeou-as artisticamente com grandes colunas; sobre as colunas colocou armaduras completas para lembrança perpétua, e junto às armaduras, navios esculpidos, para que os navegantes as vissem. ³⁰Assim era o monumento que construiu em Modin e que ainda se conserva.

Atividade político-militar de Simão – ³¹De sua parte, Trifão conspirou contra o jovem rei Antíoco e o matou. ³²Suplantou-o no trono, cingiu a coroa da Ásia e desferiu um duro golpe no país.

13,20-24 Na tentativa de atacar os judeus para estabelecer contato com a acrópole e afirmar seu domínio em Jerusalém, Trifão se vê obrigado a rodear quase completamente o território de Judá. Da planície marítima começa sua tentativa de penetração para o leste, mas tropeça na resistência de Simão; vai descendo para o sul, com igual resultado. Então penetra na Iduméia, região não controlada por Simão – Adora fica ao sul de Betsur –, daí segue para o leste subindo pelo caminho próximo ao mar Morto; desta vez o aliado celeste de Simão é a neve (como em outros tempos o aguaceiro, Js 10; Jz 5). Então passa o Jordão e sobe pelo leste até o lago de Genesaré. Uma enorme volta para ver-se ludibriado pelo inimigo e pelos elementos. No ângulo noroeste do lago, executa sua vingança matando o prisioneiro, e daí se dirige para Antioquia.

13,25-30 É um monumento funerário e um troféu militar, comemorando as vitórias em terra e sobre espaços marítimos. Seria um lugar de visita no começo da monarquia asmonéia, quando o autor compunha seu livro. O modelo artístico não parece inspirar-se em formas hebraicas, mas gregas da época.

13,31-34 O assassinato do menino Antíoco livra Simão do juramento de lealdade; o assassino Trifão deu-lhe motivos suficientes de passar para Demétrio. Retorna a situação precedente, mas agora Simão está muito fortalecido. Podemos supor que a embaixada não só pedia favores, mas podia oferecer vantagens importantes sem rebaixar-se. Demétrio ainda não era muito forte para impor condições; além disso, não lhe haviam os judeus salvado a vida anos antes?

⁳³Simão construiu as praças-fortes de Judá, rodeou-as de torres elevadas e altas muralhas, com portas e ferrolhos, e as deixou bem abastecidas. ³⁴Escolheu alguns homens para enviá-los ao rei Demétrio e pedir-lhe que perdoasse os impostos do país, porque todas as intervenções de Trifão haviam sido um verdadeiro saqueio. ³⁵O rei Demétrio respondeu ao seu pedido com a seguinte carta:

³⁶"O rei Demétrio saúda o sumo sacerdote Simão, aliado de reis, os senadores e o povo judeu.

³⁷Recebemos a coroa de ouro e o ramo de palma que enviastes, e estamos dispostos a assinar convosco uma paz duradoura e a escrever aos funcionários para que vos isentem de impostos.

³⁸Continua em vigor tudo o que decretamos em vosso favor. As praças-fortes que construístes ficam em vosso poder.

³⁹Da mesma forma, concedemos anistia pelos erros e transgressões cometidas até o presente. Nós vos perdoamos a coroa que deveis. E se em Jerusalém deveis alguma contribuição, ela não será exigida de vós.

⁴⁰Se alguns de vós estiverem dispostos a alistar-se em nossa escolta, podereis fazê-lo. Haja paz entre nós!"

⁴¹Israel sacudiu de si o jugo estrangeiro no ano cento e setenta, ⁴²e começaram a datar assim os documentos e contratos: "Ano primeiro de Simão o Grande, sumo sacerdote, general e chefe dos judeus".

⁴³Por essa ocasião, Simão acampou diante de Gazara e a cercou com seu exército; armou uma torre de assalto, apoiou-a contra a cidade, abriu uma brecha num torreão e o ocupou. ⁴⁴Quando os que iam na torre móvel irromperam na cidade, armou-se enorme agitação na população. ⁴⁵Os habitantes da cidade subiram à muralha com suas mulheres e filhos e, rasgando as vestes, com grandes gritos pediram a paz a Simão:

– ⁴⁶Não nos trates como merece a nossa maldade, mas conforme a tua misericórdia!

⁴⁷Simão concordou e suspendeu o ataque. Mas expulsou-os da cidade, purificou as casas nas quais havia ídolos, e então entrou na cidade entre cantos de louvor e ação de graças. ⁴⁸Jogou fora da cidade tudo o que a profanava e nela instalou gente observante da Lei. Fortificou Gazara e aí construiu uma casa para si.

⁴⁹Os ocupantes da acrópole de Jerusalém, como não podiam sair da província nem entrar para comprar e vender, passavam uma fome espantosa, e muitos deles morriam de inanição. ⁵⁰Clamaram a Simão, pedindo-lhe a paz. Ele concordou. Expulsou-os daí e purificou a acrópole das profanações.

⁵¹No vigésimo terceiro dia do segundo mês do ano cento e setenta e um, os judeus entraram na acrópole, entre aclamações, com ramos de palmeira, cítaras, címbalos e harpas, com hinos e canções, porque o maior inimigo de Israel havia sido derrotado. ⁵²Simão declarou festa anual esse dia. Depois fortificou o monte do templo, do lado da acrópole, e habitou aí com os

---

13,36 É dado certo que Simão ocupa o cargo de sumo sacerdote; a aclamação popular não chegava a tanto; teve de mediar uma nomeação oficial. Como sumo sacerdote, ostenta a representação suprema do povo, não tem o título de rei. Pode-se comparar esta carta com as ofertas fantásticas de Demétrio I (cap. 10). Concedendo a anistia, Demétrio realiza um ato de generosidade e ao mesmo tempo afirma seu poder soberano.

13,41-42 Este é um grande momento para o autor, o começo prático da independência nacional. Depois de vinte e cinco anos de lutas e negociações, a linha de Matatias tinha sido mais estável que a dos monarcas selêucidas. Na realidade, Simão continuava sendo vassalo do rei sírio: dele recebeu a anistia e a dispensa ou isenção de tributos, a ele devia fidelidade.

13,42 Ano 142.

13,43-48 Na ordem militar, o Império nunca havia renunciado a duas fortalezas estratégicas em território judeu: uma era Gazara, cidade próxima da costa que controlava o acesso de Jope a Jerusalém; e outra era a acrópole de Jerusalém, cidade grega encravada na capital. Em ambas havia guarnição estrangeira e judeus do partido colaboracionista. Enquanto Simão não vencer o partido rival, sua tarefa estará inacabada. A conquista das duas cidades será uma autêntica purificação: expulsão dos estrangeiros e excomunhão ou proscrição dos apóstatas.

13,46 É quase como estribilho de salmo ou de liturgia penitencial (Ne 9; Dn 9).

13,48 Sl 101,8.

13,49-50 A conquista da acrópole, situada na "Cidade de Davi", é quase como a primeira conquista de Jerusalém. Os seus moradores eram "o maior inimigo de Israel", o último vestígio da perseguição de Antíoco. Da purificação do templo à purificação da acrópole transcorre uma fase gloriosa da história pátria: ambos os fatos serão celebrados anualmente.

seus. ⁵³E quando viu que seu filho João já era um homem, o nomeou general-chefe do exército, com residência em Gazara.

14 Glória de Simão –

¹No ano cento e setenta e dois, o rei Demétrio concentrou suas tropas e marchou até a Média em busca de auxílio para a guerra contra Trifão.

²Mas, quando Arsaces, rei da Pérsia e da Média, soube que Demétrio havia entrado em seu território, enviou um de seus generais com ordem de prendê-lo vivo. ³O general foi, derrotou o exército de Demétrio, o prendeu e levou a Arsaces, que o colocou no cárcere.

⁴Enquanto Simão viveu,
Judá esteve em paz.
Simão buscou o bem-estar
de seu povo,
que aprovou sempre
o seu governo
e sua magnificência.
⁵Acrescentou a seus títulos de glória
a conquista de Jope
como porto,
e assim abriu um caminho
para o tráfico marítimo.
⁶Estendeu as fronteiras
de sua pátria,
apossou-se do país;
⁷repatriou numerosos cativos
apoderou-se de Gazara,
de Betsur e da acrópole;
dela removeu as profanações,
não houve quem lhe resistisse.
⁸O povo cultivava em paz
seus campos,
a terra dava suas colheitas
e as árvores da planície
seus frutos.
⁹Os anciãos
sentavam-se nas praças,
falando todos de venturas,
e os recrutas vestiram
gloriosos uniformes militares.
¹⁰Abasteceu de víveres
as cidades,
equipou-as
com meios de defesa,
seu renome chegou
aos confins do orbe.
¹¹Fez obra de paz no país,
e Israel se encheu
de imensa alegria.

13,53 Demétrio e Trifão ficavam longe, ocupados com a guerra civil, incapazes de intervir em Judá. E Simão, nomeando general seu filho João, introduz o princípio da sucessão; esse filho chegará a rei.

14 A estas alturas do livro, quando o terceiro Macabeu consolida as vitórias e possui a dupla dignidade sacerdotal e político-militar, o autor se detém para compor um elogio do personagem, coroado pelos reconhecimentos do seu próprio povo (14,27-49), de Esparta (14,20-23) e de Roma (15,16-21).

14,4-15 O elogio, redigido em versos bastante prosaicos, convoca um universo glorioso com o procedimento de acumular alusões. As bênçãos do Levítico e do Deuteronômio (promessas da aliança com o povo), as glórias da dinastia exemplarmente realizadas por Davi e Salomão, as esperanças proféticas inclusive de cunho escatológico, acorrem ao chamado do autor e se congregam para proclamar que foi restaurado o velho reino, o vivido em parte, o prometido, o sonhado e esperado. O povo, ao qual se somam os cativos repatriados, está outra vez em sua terra de amplas fronteiras, bem defendidas, onde desfruta de paz e prosperidade; os inimigos externos foram vencidos, os internos foram excluídos. No meio se destaca a cidade santa, purificada, com o templo. O que falta? Quando faltar o último dos irmãos, continuará a nova dinastia, porque João já foi designado.

Compare-se este hino com a lamentação de 2,7-13 para apreciar o caminho percorrido. Nem de repente nem por puro dom do Senhor, mas por lento esforço de uns irmãos, protegidos do Senhor, chega o novo reino davídico. Seu perfil se compõe de traços realistas, sóbrios (nada de transformações milagrosas), o conjunto dá uma imagem levemente idealizada.

14,4a Em paz, como nos bons tempos dos juízes (Jz 5,31; 8,28), ou na época de Salomão (1Rs 5,4) e do rei ideal (Sl 72,7).

14,4b O bem-estar: o contrário do ímpio sacerdote Alcimo (7,15); poderia ser um eco da exigência de Am 5,14.

A magnificência: como outrora a de Salomão. O autor lhe dá um sentido positivo, sem ressalvas, apesar da experiência salomônica.

14,5 A abertura ao tráfico marítimo do Mediterrâneo faz eco à que Salomão realizou com a ajuda de Hiram (1Rs 10; 9,27-28).

14,6 A expansão territorial é, antes, um empreendimento davídico, e é profetizada em textos como Is 54,1-3 e Is 26,15.

14,7a A repatriação dos cativos é uma das promessas proféticas fundamentais: Segundo Isaías; Jr 31,12; Ez 39,28; Is 27,13. O autor aproveitou diversas ocasiões para mencionar o retorno: 5,23ss; 9,70-72; 10,33.

14,7b Ez 11,18 o anuncia, e é indicado em Is 30,22 e Zc 14,20.

14,8 Bênção de Lv 26,34, promessa de Zc 8,12.

14,9 Anunciado em Zc 8,4-6.

14,10 É uma das atividades salomônicas (cf. 10,26); realizada por Simão, conforme 13,33.

14,11 Como na coroação de Salomão, 1Rs 1,40.

¹²Cada qual pôde habitar
sob sua parreira e sua figueira,
sem que ninguém o inquietasse.
¹³Acabou com os inimigos
no país,
em seu tempo os reis
acabavam derrotados.
¹⁴Protegeu o povo humilde;
levou em conta a Lei,
exterminou apóstatas
e perversos.
¹⁵Deu esplendor ao templo
e aumentou
os utensílios sagrados.

¹⁶Em Roma e Esparta sentiram profundamente a morte de Jônatas quando souberam da notícia; ¹⁷mas, ao saber que seu irmão Simão lhe havia sucedido como sumo sacerdote e que mantinha o controle do país e de suas cidades, ¹⁸escreveram-lhe em tabuinhas de bronze para renovar com ele o tratado de amizade e mútua defesa pactuado com seus irmãos Judas e Jônatas; ¹⁹esse documento foi lido em Jerusalém diante da assembleia.

²⁰Cópia da carta que os espartanos enviaram:

"O governo e a cidade de Esparta saúdam seus irmãos, o sumo sacerdote Simão, os senadores, os sacerdotes e todo o povo judeu.

²¹Os embaixadores que nos enviastes nos informaram sobre vosso esplendor e vossa glória. Alegramo-nos com sua vinda, ²²e seus discursos constam nas atas oficiais nestes termos: 'Numênio, de Antíoco, e Antípatro, de Jasão, embaixadores dos judeus, vieram aqui para renovar seu pacto de amizade. ²³O povo decretou recebê-los com todas as honras e depositar uma cópia de seus discursos nos documentos oficiais, para que sirva de lembrança à nação espartana. Fez-se uma cópia de tudo isso para o sumo sacerdote Simão' ".

²⁴Mais tarde Simão enviou Numênio a Roma, com um grande escudo de ouro, de seiscentos quilos, para ratificar o pacto de mútua defesa com os romanos.

²⁵Quando essas notícias correram entre o povo, a gente comentou:

— ²⁶De que forma poderemos pagar Simão e seus filhos? Porque ele, seus irmãos e sua família lutaram com constância para repelir os inimigos de Israel, e lhe asseguraram a liberdade.

Gravaram uma inscrição em bronze e a fixaram numas colunas no monte Sião.

²⁷Cópia da inscrição:

14,12 Sobretudo Mq 4,4; também 1Rs 5,5.
14,13 Pelo que segue nos próximos capítulos, vê-se que se trata de uma hipérbole; é o tema de salmos como Sl 45,6; 72,9; 18, 38-43.
14,14 Proteger os desvalidos é função específica do rei: Sl 72; Is 11,4; isso exige enfrentar os perversos e, se preciso, eliminá-los: Sl 101,8. O autor coloca entre os perversos os "apóstatas" do partido colaboracionista. O respeito à Lei se contrapõe aos apóstatas "sem Lei": Lei é singular coletivo, que engloba toda a tradição. Pelo povo e pelas leis se sublevaram os Macabeus.
14,15 Também o último dado atualiza a figura de Salomão e de seus dignos sucessores.
14,16-24 Renovação dos pactos. Já Salomão tinha assinado tratados com reis estrangeiros; os profetas, especialmente Isaías, desaconselham tais pactos. Aqui se recolhem as notícias do cap. 8, para mostrar a continuidade de Judas a Simão. Essas alianças fraternas não comprometem a fidelidade ao Senhor da aliança; servem mais à honra do Macabeu do que para ajuda concreta e eficaz.
O autor escreve com certo exagero provinciano de cronista local. Citando os textos, presta pouco serviço. Essas frases genéricas dos espartanos não dizem nada nem comprometem; reduzem-se a constatar o recebimento da mensagem e a registrá-la oficialmente. É como se essa reticência respondesse à ressalva de 12,9-15, assinada por Jônatas: "não precisamos de alianças".

Há outra coisa nessas alianças: a Judeia figura como nação soberana no cenário internacional. Simão não pede licença para enviar embaixadores e ratificar alianças. O reconhecimento disso, por parte de Esparta e Roma, já é um triunfo digno de menção. Mais ainda: segundo o v. 18, romanos e espartanos tomam a iniciativa de escrever. A notícia não é inverossímil, pois um apoio na Palestina era sem dúvida vantajoso para esses povos.
14,18 1Mc 8; 12.
14,19 Assembleia do povo, não só o Senado. É a prática das grandes ocasiões, mas sem caráter sagrado.
14,24 A notícia continua em 15,15.
14,25 Jz 9,16s.
14,26 As palavras postas na boca do povo sublinham o caráter familiar da tarefa libertadora e, ao incluir os filhos de Simão, sugerem o princípio dinástico: chega-se à terceira geração, consolidando o gesto inicial de Matatias. Ressoa por contraste a queixa do filho de Gedeão: Jz 9,16-17.
14,27-49 O documento resume os méritos de Simão, enumera suas atribuições, tem de reconhecer alguma dependência do imperador Selêucida e procura apresentar a licença ou ratificação de Demétrio, de modo mais favorável a Simão e aos judeus.
14,27 Ano 140. A datação paralela é já um ato de afirmação de independência e expressa a consciência de que começou nova época. É duvidoso o sentido do termo grego *asaramel*, transcrição de um hebraico

"No dia dezoito de setembro do ano cento e setenta e dois – que corresponde ao terceiro ano de Simão, sumo sacerdote –, durante a tribulação do povo de Deus, ²⁸numa assembleia solene de sacerdotes e povo, autoridades e senadores do país, foi-nos notificado o seguinte: ²⁹Quando no país havia frequentes combates, o sacerdote Simão, filho de Matatias, descendente de Joarib, e seus irmãos se expuseram ao perigo e resistiram aos inimigos de sua pátria para salvar incólumes seu templo e sua Lei, e assim deram grande glória a sua nação, tornando-a gloriosa. ³⁰Jônatas, depois de unificar sua pátria e servir de sumo sacerdote, foi reunir-se com os seus. ³¹Seus inimigos quiseram pôr o pé no país e atacar o templo, ³²mas então surgiu Simão, para lutar por seu povo; gastou grande parte de sua fortuna para equipar e pagar os guerreiros de sua pátria. ³³Fortificou as cidades de Judá e Betsur, nos limites da Judeia, antigo quartel inimigo, e deixou aí uma guarnição judaica. ³⁴Fortificou Jope, no litoral, e Gazara, na fronteira do território de Azoto, antigo reduto inimigo, e estabeleceu aí colônias judaicas, proporcionando-lhes todo o necessário para seu bom funcionamento. ³⁵Vendo a fidelidade de Simão e seu interesse por engrandecer sua pátria, o povo o nomeou seu chefe e sumo sacerdote, como recompensa pelos serviços prestados, por sua honradez e lealdade para com a pátria, procurando por todos os meios enaltecer seu povo. ³⁶Em seu tempo pôde-se levar a bom termo a expulsão dos pagãos da região ocupada, e os de Jerusalém, a cidade de Davi, que tinham edificado uma acrópole de onde saíam para profanar os arredores do templo, profanando gravemente sua pureza. ³⁷Simão instalou judeus na acrópole, fortificou-a para a segurança do país e da cidade, e elevou as muralhas de Jerusalém. ³⁸Por isso o rei Demétrio o confirmou no cargo de sumo sacerdote, ³⁹tornou-o grande do reino e o cumulou de honras, ⁴⁰pois soube que os romanos chamavam os judeus de amigos, aliados e irmãos, e haviam recebido com todas as honras os embaixadores de Simão, ⁴¹e os judeus e os sacerdotes haviam decidido que Simão fosse seu chefe e sumo sacerdote vitalício, até que surgisse um profeta fidedigno, ⁴²e que fosse seu general, que cuidasse do templo, da supervisão das obras, do governo do país, do armamento, das praças-fortes; ⁴³todos deviam obedecer-lhe. Os documentos oficiais seriam escritos todos em seu nome, e ele se vestiria de púrpura e ouro. ⁴⁴É proibido a todo o povo e aos sacerdotes desobedecer um só desses pontos, contradizer as ordens que der, convocar em todo o território uma reunião sem sua autorização, vestir púrpura ou levar uma fivela de ouro. ⁴⁵Todo aquele que contradisser essas prescrições ou desobedecer um só desses pontos será réu de culpa". ⁴⁶Todos aprovaram que se concedesse a Simão autoridade para agir conforme tais normas. ⁴⁷Simão aceitou com prazer agir como sumo sacerdote, ser general e chefe dos judeus e dos sacerdotes e presidir a todos. ⁴⁸Decretaram gravar este documento em tabuinhas de bronze e colocá-las no recinto do templo, num lugar visível, ⁴⁹depositando no tesouro cópias à disposição de Simão e seus filhos.

---

que poderia significar "na tribulação"/"no átrio"/"na reunião do povo de Deus". O primeiro sentido englobaria a história recente até a libertação, o segundo designaria uma parte do templo, e o terceiro seria uma duplicação.
14,29 Ver 11,23.42. Povo, templo e Lei são a síntese dos valores pelos quais lutaram.
14,32 Da luta de voluntários passou-se ao exército regular, à custa da coroa, como nos tempos da antiga monarquia.
14,33 Betsur 4,61; 6,50; 9,52; 11,66.
14,35 Sobre essas virtudes, ver Sl 112; predicadas de Deus em Sl 111.
14,36 Sl 44,3; Lv 20,23.
14,37 Versão secular do que canta o Sl 48.
14,41 Com relação a 13,42, a ordem dos cargos está invertida, à frente vem o cargo civil. Os judeus decretam que seja vitalício e (talvez) hereditário. Mas a tradição lhes recorda que o monarca dos judeus é vassalo do Senhor, a quem compete escolher, confirmar e rejeitar. De fato, a dinastia dos Macabeus não é de estirpe davídica: os sinais de seus esforços e vitórias convergem em mostrá-lo como eleito, mas compete ao Senhor ratificar a decisão humana. Por isso o autor faz essa ressalva, pondo a decisão última na boca de um profeta que comunique a decisão divina. É o profeta prometido em Dt 18,15-22, que há muito tempo não surge entre os judeus. Ver 4,46 e 9,27.
14,44 Proíbem as reuniões não autorizadas, para evitar conspirações: ver Sl 63,2 e 2Rs 15,15.

15 Antíoco e Simão

– ¹Antíoco, filho do rei Demétrio, mandou uma carta de ultramar a Simão, sumo sacerdote e chefe dos judeus, e a toda a nação, ²redigida nos seguintes termos:

"O rei Antíoco saúda Simão, sumo sacerdote e chefe do Estado, e o povo judeu.

³Considerando que alguns canalhas se apoderaram do reino de meus pais, querendo eu fazer valer meus direitos ao trono para restaurar o Império, e tendo recrutado numerosas tropas e equipado barcos de guerra ⁴com intenção de desembarcar no país para vingar-me de seus devastadores, que assolaram muitas cidades de meu reino, ⁵te confirmo todas as isenções de impostos concedidas pelos reis meus predecessores e quaisquer outras isenções que te concederam. ⁶Eu te permito cunhar moeda própria, de circulação legal, em teu país. ⁷Jerusalém e o templo serão cidade franca. Podes reter todo o armamento que armazenaste, assim como as praças-fortes que edificaste e tens em teu poder. ⁸Todas as tuas dívidas, presentes e futuras, a serem pagas ao tesouro real, ficam perdoadas de agora para sempre. ⁹E quando tivermos restabelecido nosso reino, cumularemos de honras a ti, tua nação e o santuário, de modo que vossa fama será conhecida de todo o mundo".

¹⁰No ano cento e setenta e quatro, Antíoco partiu para o país de seus pais. Toda a tropa passou para ele, de modo que ficaram poucos com Trifão.

¹¹Antíoco o perseguiu, e Trifão se refugiou em Dora do Mar, ¹²dando-se perfeita conta de sua situação desesperada quando seus soldados o abandonaram.

¹³Antíoco acampou diante de Dora com cento e vinte mil guerreiros a pé e oito mil cavaleiros. ¹⁴Cercaram a cidade. Os barcos se aproximaram pelo mar, de modo que Antíoco bloqueou a cidade por mar e terra, sem deixar ninguém entrar ou sair. Enquanto isso, ¹⁵Numênio e sua comitiva chegaram de Roma com uma carta para os reis dos diversos países, na qual se dizia:

¹⁶"Lúcio, cônsul de Roma, saúda o rei Ptolomeu.

¹⁷Enviados pelo sumo sacerdote Simão e pelo povo judeu, apresentaram-se a nós os embaixadores judeus, nossos amigos e aliados, ¹⁸trazendo-nos um escudo de ouro de seiscentos quilos.

¹⁹Temos, pois, prazer em escrever aos reis dos diversos países para que não tentem causar-lhes dano nem atacá-los, a suas cidades e seu país, nem se aliarem com seus inimigos.

²⁰Decidimos aceitar esse escudo.

²¹Se tendes como refugiados em vosso país alguns judeus traidores, entregai-os ao sumo sacerdote Simão, para que os castigue conforme sua Lei".

²²Escreveu uma carta igual ao rei Demétrio, a Átalo, a Ariarates e a Arsaces, ²³e

---

15,1-9 Com esta carta, Antíoco afirma a sua soberania sobre Simão, fazendo uma série de prerrogativas depender de sua graça e favor. Por seu lado, dada a inflação de promessas e a agitada situação política, não se compromete muito; seu decreto não é irrevogável. A concessão de cunhar moeda é a novidade mais importante, pois sanciona uma notável independência econômica.
Do ponto de vista do autor, a carta honra Simão e seu povo: o rei tem de reconhecer à sua maneira os poderes dos judeus, tem de mendigar a ajuda deles ou ao menos assegurar sua neutralidade; e seja qual for a causa do progresso da independência, bastará não deixar que retirem o já concedido.
Trata-se de Antíoco VII Sidetes, filho de Demétrio I, irmão de Demétrio II. Enquanto este está retido em cativeiro, Antíoco lhe rouba a mulher, Cleópatra Teia.

15,5 Ver 10,28 e 13,37.

15,10 Antíoco tem de refazer o itinerário do pai: 10,67. Trifão perde seus mercenários como os ganhou; a lealdade sín ímpera entre eles: 11,55.

15,15-24 A carta dos romanos interrompe a narração do cerco de Trifão. Por um lado, esse respaldo dos romanos contrasta com as lutas em que os Selêucidas se envolvem; por outro, com sua proximidade, a fidelidade de tais aliados condena a deslealdade de Antíoco. As cláusulas são substanciosas: sem intervir diretamente, com o peso de seu poderio, os romanos levantam um cerco protetor em torno dos judeus; e, com o direito de reclamar a extradição, Simão pode prevenir ataques do partido inimigo exilado. Por isso se diz "para que os castigue conforme a sua Lei": os apóstatas são os infiéis a essa Lei. Simão adquire poder sobre eles até fora da sua jurisdição estrita; não sabemos se tais poderes foram de fato exercidos.
A lista de reis e reinos faz pensar numa diáspora notável. Se foram os embaixadores que obtiveram dos romanos a concessão e a lista dos destinatários, o fato indicaria a preocupação de Simão em destruir o partido colaboracionista: a Acra é o o coração, o Mediterrâneo oriental é a periferia como ameaça potencial (ver 2Mc 7,10).

15,22 Demétrio representa o reino Selêucida; Átalo é rei de Pérgamo; Ariarates, da Capadócia; Arsaces, do reino Parto.

15,23 Cidades da Ásia Menor, do Peloponeso, das ilhas. * = Arados.

a todos os países: Sampsames, Esparta, Delos, Mindos, Siciônia, Cária, Samos, Panfília, Lícia, Halicarnasso, Rodes, Faséis, Cós, Side, Arvad*, Gortina, Cnido, Chipre e Cirene.

²⁴Enviaram uma cópia ao sumo sacerdote Simão.

²⁵Enquanto isso, o rei Antíoco atacava de novo Dora, lançando incessantemente contra ela seus batalhões e levantando máquinas de guerra. Tinha cercado Trifão, sem deixá-lo sair nem entrar.

²⁶Simão enviou-lhe dois mil soldados para lutar como aliados, e além disso prata, ouro e material suficiente. ²⁷Mas Antíoco não só não quis recebê-los, mas revogou as concessões feitas a Simão, rompendo com ele. ²⁸Enviou-lhe um de seus amigos, Atenóbio, como interlocutor, com esta mensagem:

"Tendes em vosso poder Jope, Gazara e a acrópole de Jerusalém, cidades de meu Império. ²⁹Assolastes seus territórios, causastes graves danos ao país e vos apoderastes de muitas povoações de meu Império. ³⁰Portanto, entregai-me as cidades que ocupastes e os tributos das povoações que submetestes fora dos limites de Judá. ³¹Ou então, dai-me em troca nove mil quilos de prata e outros tantos como indenização por danos e prejuízos e pelos impostos das cidades. Caso contrário, eu me apresentarei aí para atacar-te".

³²Atenóbio, amigo do rei, chegou a Jerusalém e ficou assombrado diante do esplendor de Simão, seus móveis repletos de baixelas de ouro e prata, e todo o esplendor que o rodeava. Entregou a Simão a mensagem do rei, ³³e Simão respondeu:

– Não ocupamos terra estrangeira nem nos apoderamos de bens alheios, mas da herança de nossos antepassados, que injustamente esteve por algum tempo em poder inimigo. ³⁴Aproveitando a ocasião, recuperamos a herança de nossos antepassados. ³⁵Quanto a Jope e Gazara, que reclamas, eram uma fonte de mal-estar para nosso povo e nosso país. Nós te daremos por elas três mil quilos (de prata).

³⁶Atenóbio não respondeu. Enfurecido, voltou para onde o rei estava e lhe transmitiu a resposta; falou-lhe do esplendor de Simão e de tudo o que havia visto. O rei ficou enfurecido.

³⁷Por sua parte, Trifão pôde fugir por mar a Ortosia.

³⁸O rei nomeou Cendebeu chefe supremo do litoral, confiando-lhe soldados de infantaria e cavalaria. ³⁹Mandou-o acampar diante de Judá, reconstruir Quedron, reforçar suas portas e hostilizar o povo, enquanto o rei perseguia Trifão.

⁴⁰Cendebeu se apresentou em Jâmnia e começou a provocar o povo, a invadir Judá, a fazer pressões e a matar gente. ⁴¹Reconstruiu Quedron e instalou aí cavaleiros e infantaria, para que fizessem incursões e marchas pelas rotas de Judá, conforme o rei havia ordenado.

15,25-28 A que se deve a mudança de Antíoco? Parece sentir-se já vencedor de Trifão e certo de reivindicar seus direitos. Em tal momento não quer aceitar favores que o vinculem a Simão. Se num momento afirmava sua soberania outorgando favores e concessões, revogando-as agora, reforça seu domínio. Não só isso, mas passa ao ataque.

15,28-31 Antíoco não quer presentes, reclama direitos. Pretende desfazer de uma vez a expansão judaica e tornar a implantar a *pólis* grega em Jerusalém, apoiada na acrópole.

15,32 Antíoco se excedeu não compreendendo a posição real de Simão. É o que o embaixador descobre. Em outros tempos podia-se tratar assim a um Macabeu, agora começou nova época.

15,33-35 Se o selêucida invoca direitos de herança, remontando implicitamente a Antíoco Epífanes, Simão pode remontar a muitos séculos: seu reino se liga ao davídico. Contudo, para não exacerbar a tensão, e levando em conta que Jope foi território filisteu, concorda numa compensação pecuniária; de certa maneira já a tinha oferecido, ao enviar-lhe tropas auxiliares equipadas e pagas, e a economia do reino judeu pode permitir-se esse gesto razoável.

15,38-41 Os protagonistas retiram-se para segundo plano e entram em cena dois personagens: um general selêucida e o filho do Macabeu. O primeiro desaparecerá sem deixar rasto, o segundo garantirá a continuidade. Para João, filho do Macabeu, será a primeira prova militar.

A menção de Modin (16,5) nos transfere ao começo da revolta. As condições da guerra mudaram. Agora o Selêucida se contenta com incursões de represália, ao passo que o Macabeu pode obrigá-lo a um confronto direto. Pela primeira vez o exército judeu pode contar com soldados a cavalo.

16

Primeiro êxito de João — ¹João subiu de Gazara e comunicou a seu pai Simão o que Cendebeu fazia. ²Simão chamou Judas e João, seus dois filhos mais velhos, e lhes disse:

— Meus irmãos e eu, com toda a minha família, combatemos os inimigos de Israel, desde jovens até hoje, e muitas vezes conseguimos libertar Israel com nosso esforço. ³Eu já sou velho, mas vós estais em boa idade, graças a Deus. Substituí a mim e a meu irmão. Saí para lutar por nossa pátria. Que a ajuda do céu vos acompanhe.

⁴Selecionou vinte mil guerreiros e cavaleiros do país, e marcharam contra Cendebeu. Pernoitaram em Modin, ⁵e de madrugada caminharam para a planície; encontraram-se com um exército numeroso, de infantaria e cavalaria, separado deles por um rio.

⁶João e suas tropas puseram-se em formação diante deles; ao ver que a tropa não se atrevia a passar o rio, João atravessou-o por primeiro. Vendo-o, seus soldados atravessaram atrás dele. ⁷Depois dividiu a tropa, colocando no centro os cavaleiros, porque a cavalaria inimiga era muito numerosa. ⁸Tocaram as cornetas, e Cendebeu e seu exército foram derrotados: caíram muitos feridos, e os restantes fugiram para a praça-forte. ⁹Então foi ferido Judas, o irmão de João. João os perseguiu até chegar a Quedron, reconstruída por Cendebeu. ¹⁰Fugiram para as torres da campina de Azoto. João incendiou a cidade, causando duas mil baixas ao inimigo. Depois voltou para Judá.

Morte de Simão — ¹¹Ptolomeu de Abubo tinha sido nomeado governador da planície de Jericó. Tinha muita prata e ouro, ¹²por ser genro do sumo sacerdote, ¹³mas, cheio de soberba, quis apoderar-se do país, e conspirou para eliminar Simão e seus filhos. ¹⁴Simão estava inspecionando as povoações do país, ocupado com seus problemas administrativos. Desceu a Jericó com seus filhos Matatias e Judas, no ano cento e setenta e sete, no mês de janeiro, ou seja, Sabat. ¹⁵O filho de Abubo os recebeu perfidamente no fortim chamado Doc, construído por ele; ofereceu-lhes um banquete e emboscou aí alguns homens. ¹⁶Quando Simão e seus filhos estavam bêbados, Ptolomeu apareceu com sua gente e, empunhando armas, precipitaram-se sobre Simão na sala do banquete, e o mataram com seus dois filhos e alguns de seu séquito.

¹⁷Foi uma grande perfídia devolver mal por bem!

¹⁸Ptolomeu registrou por escrito o acontecido e enviou o relatório ao rei, pedindo-lhe tropas de socorro e o comando sobre a província e as povoações. ¹⁹Enviou a Gazara outros emissários para eliminar João; enviou cartas aos oficiais para que se entrevistassem com ele, para dar-lhe prata, ouro e presentes. ²⁰Mandou outro grupo a Jerusalém para apoderar-se da cidade e do monte do templo. ²¹Mas houve um que correu a Gazara e avisou João que seu pai e irmãos estavam mortos e que Ptolomeu havia mandado gente para matá-lo também. ²²João ficou consternado com a notícia. Depois prendeu os que vinham assassiná-lo e os executou, sabendo que chegavam para matá-lo.

16,2-3 Parece-nos escutar ecos do testamento de Matatias (2,64ss). Isso significa que passamos para a terceira geração. A linguagem é cheia de ressonâncias do livro (por exemplo, 2,60.66; 3,2; 9,30; 13,3; 14,26.36). Eles foram instrumentos das vitórias precedentes e o mesmo acontecerá doravante.

16,4 Simão ainda se encarrega do recrutamento; João cuida da expedição.

16,6 A passagem de um rio ou torrente, como em outras ocasiões históricas, tem caráter simbólico. João se adianta ousadamente; seu exemplo arrasta os soldados: é chefe autêntico. Impõe-se à memória do leitor israelita a lembrança de Josué que, como herdeiro de Moisés, deve cruzar o rio para combater, embora a tarefa concreta seja bem diferente. Até parece que um toque de trombeta baste para arrasar a resistência inimiga (v. 8).

16,10 João volta como pacificador, deixando segura a fronteira ocidental. O autor se contenta aqui com a simples notícia, deixando de lado descrições de festejos e celebrações. Basta-lhe ter credenciado militarmente o sucessor.

16,11-17 Resta a fronteira oriental. Esse Ptolomeu, genro de Simão, é talvez um idumeu aparentado com o Macabeu por razões políticas. Por parentesco e por ofício pôde convidar Simão sem levantar suspeitas. Assim por traição morre o herói de muitas batalhas, como morreu Amon (2Sm 13) ou como o rei Elá de Israel (1Rs 16).

16,16 2Sm 13,28.

16,17 Cf. Sl 35,12; 109,5; Pr 17,13.

²³Para outros dados sobre João e as façanhas militares que realizou, as muralhas que construiu e seus empreendimentos, ²⁴vejam-se os anais de seu pontificado, a partir da data de sua consagração como sumo sacerdote, sucessor de seu pai.

16,23-24 O final do livro é muito significativo. O autor emprega a fórmula clássica dos livros dos Reis: com isso, sem passar a narrar o reinado de João Hircano, coloca-o em linha direta com os reis de Judá. A velha monarquia recomeçou e continua, tal é a última palavra do autor.
Se soubéssemos exatamente quando redigiu a última página, poderíamos penetrar melhor em suas intenções. Porque já durante o reinado de João Hircano (134-104) a classe governante começa a helenizar-se, os mercenários estrangeiros fazem parte do exército, os "fiéis" ou Leais desenganados passam para a oposição, os métodos de governo seculares e cruéis penetram na dinastia macabeia, e começam a incubar-se as rivalidades e ódios que explodirão na geração seguinte. Conseguido o poder, os poderosos traem os ideais da revolta: da luta pelo povo passam ao domínio sobre o povo.
Os asmoneus chegaram a ser tão odiados, que os livros dos Macabeus não foram reconhecidos no cânon hebraico. Não sabemos quanto o nosso autor chegou a conhecer dessa decadência. Escreveu quando João se refez dos reveses sofridos da parte de Antíoco VII? Quis defender o soberano contra as críticas que já começavam na oposição? Quis, no meio da dissolução, salvar a memória de uma etapa gloriosa e exemplar? O texto não o diz; mas o leitor moderno, ao fechar o livro, não pode ignorar o que aconteceu quando o poder envenenou os heróis.
16,24 Anos 134-104.

SEGUNDO LIVRO DOS MACABEUS

INTRODUÇÃO

Se levarmos a sério o que o autor diz no prólogo, a sua tarefa não foi fácil, o seu trabalho foi intenso. E se crermos no que o epílogo sugere, o autor ficou satisfeito com seu trabalho e espera que agrade aos leitores.

Damos fé às suas palavras, quanto à primeira parte. O autor tinha de resumir as cinco partes da história de Jasão de Cirene. Resumir é questão de escolha, e ao escolher, o mais difícil é deixar de fora. Mas também era difícil com o material pinçado construir uma obra rigorosa.

Esse objetivo o autor alcançou. A obra se desdobra em dois dípticos: o tempo da cólera e o tempo da misericórdia. Tudo era belo e pacífico sob Onias; por causa do pecado de alguns judeus, o Senhor se encoleriza e castiga seu povo; sucedem-se as desgraças, culminando na morte dos mártires Eleazar e dos sete irmãos com sua mãe. Esse momento é como uma expiação: o Senhor passa da cólera à misericórdia, e os acontecimentos se voltam a favor dos judeus. Não faltam os ataques de fora e as intrigas internas, mas tudo se resolve fácil e triunfalmente. Também poderíamos apontar a favor do autor o seu esforço de concentração, mediante o qual consegue criar narrativamente um reino de Deus na terra, visível e invencível.

Conseguiu o livro agradar-nos como agradou talvez aos contemporâneos? Creio que não se pode dar uma resposta genérica: há quem leia este livro com prazer, até com mais gosto que o primeiro, ao passo que outros acham difícil de aceitá-lo.

A favor do livro estão alguns ensinamentos importantes: a fé na ressurreição, justificada pelo poder criativo de Deus; a valentia exemplar dos mártires, sem distinção de idade; o templo como tesouro de esmolas para os pobres; a proteção divina como resposta à oração confiante; o triunfo do bem sobre o poder tirânico e sua violência. São valores doutrinais que facilmente extraímos do livro e ficam impressos favoravelmente na memória.

Sublinham essa impressão favorável as qualidades literárias de dramaticidade e concentração em cenas interessantes ou emocionantes. Lendo o livro, poderíamos pensar num auto sacramental barroco com bastante ação e aparato cênico. Uma coisa assim seria o nosso livro em chave narrativa. Os personagens são antes tipos (como as qualidades personificadas no auto sacramental): suprem com traços típicos aquilo que lhes falta de perfil individual; por isso, é preciso exagerar sua apresentação – roupa, semblante, gesto, fala –, para que se distingam e para que se ressalte a ideia que encarnam. Na cena entram alguns personagens sobre-humanos, como manifestação e presença da divindade; eles precisam de sinais emblemáticos e não precisam de nome; são funções cênicas, não cópias de uma realidade, nem muito menos enunciados dogmáticos. O tempo se concentra legitimamente nos momentos dramáticos, dos quais tira-se partido sem pudores; o público deve ficar preso na intensidade da paixão ou da sua expressão. Nos discursos, os personagens ensinam ou comovem o público: a retórica se introduz na dramática (costume que durará na tradição posterior); também os diálogos são compostos diante do público, por exemplo, a mãe dos Macabeus e seus filhos diante do tirano. O gesto faz parte da representação: deve ser muito marcado e até exagerado para diferenciar o seu sentido; por exemplo, o suicídio de Razias em 14,37-46. Também adquirem valor cênico as intervenções corais da multidão anônima, criando um clima e induzindo o contágio do público.

Comparando o livro a um auto sacramental, falei de um recurso de leitura, não de uma destinação original à representação cênica. O livro é uma narração bastante teatral, não é uma peça de teatro. Em muitas passagens, as cenas dramáticas dão lugar a trechos puramente narrativos.

Em todo caso, esse ensaio de leitura corresponde a algo que é constitutivo da obra. Não estamos diante de uma história em sentido clássico, mas ante a transformação de dados reais numa espécie de parábola ou símbolo desenvolvido. A construção poderia ser resumida assim: um reino de Deus na terra, do qual faz parte um povo de escolhidos, e os demais ficam fora. Os de dentro estão ligados a seu Deus, que é o seu verdadeiro rei: se o ofendem, são corrigidos; se lhe são fiéis, participam dos bens desta vida e de uma vida depois da morte. Há uma comunidade entre os cidadãos vivos e mortos: alguns defuntos vivem no além e intercedem pelos que vivem aqui; alguns morrem por culpas que os vivos podem expiar com orações e sacrifícios. Os de fora, simplesmente não entram na representação, ou são figurantes que contemplam, ou são executores providenciais de uma correção, ou são agressores que sofrem castigo exemplar.

Tudo o que foi dito manifesta que há no livro aspectos que facilmente desagradam a um leitor moderno e que contrariam os valores ou até pesam mais que eles na apreciação de tal leitor. Entre eles podemos apontar: a) O recurso às aparições (tomadas de Jasão) cria a impressão de um *deus ex machina* para os momentos de crise; as mesmas aparições são de uma magnificência infantil. b) A tendência a esquematizar e exagerar é como um expressionismo exacerbado: o autor toma um traço e o dilata quase até a caricatura; seus personagens não são caracteres, e sim máscaras deformadas. c) A mesma tendência se pode reduzir o estilo inflado, que busca a palavra inusitada, o circunlóquio complexo, a insistência comprazida. d) O patetismo teatral: os personagens querem fazer mais impressão que a justificada pelos fatos, chegando a produzir a impressão contrária, falsa e teatral, ou quase ridícula. e) O prazer de contar e multiplicar as baixas inimigas.

Para desculpar tais impressões, alguns apelam para a história literária: o livro é produto da sua época, modelo do segundo tipo de asianismo (do inflado e retorcido). A resposta não basta: ter valor de documento não é ter valor literário. Além disso, a época não justifica o valor de seus livros, mas os livros recomendam ou condenam uma época literária. Se o típico dessa época são produções semelhantes, a época não é um momento estelar da literatura. A obra poderá ser objeto de estudo, não de deleite.

Se o leitor conseguir combinar a leitura interessada com a reserva crítica, poderá tirar deste livro seu fruto máximo.

Na sua forma atual, é precedido de duas cartas de recomendação aos judeus do Egito: a primeira convida a celebrar a festa das Cabanas, a segunda recomenda a nova festa da dedicação do templo (Hanucá). Ambas as cartas são acréscimo posterior; a primeira é do ano 143 antes de Cristo, durante o reinado de João Hircano.

O prólogo e o epílogo são do autor, e neles sentimos a falta de data ou algum dado equivalente. A narração abrange até o ano 160, o que pode sugerir que Jasão de Cirene escreveu antes do reino asmoneu. O compilador trabalhou pouco depois, ou não tentou pôr a história em dia.

1

Carta aos judeus do Egito – ¹"Os irmãos judeus de Jerusalém e de Judá saúdam os irmãos judeus do Egito: paz e prosperidade!

²Deus vos favoreça e se lembre da promessa que fez a seus fiéis servos Abraão, Isaac e Jacó! ³Ele dê a todos vós o desejo de adorá-lo e de fazer sua vontade com coração generoso e de boa vontade! ⁴Ele abra vosso coração à sua Lei e seus preceitos, e vos conceda a paz! ⁵Ele escute vossas orações, se reconcilie convosco e não vos abandone na desgraça!

⁶Agora mesmo estamos aqui rezando por vós.

⁷No ano cento e sessenta e nove, durante o reinado de Demétrio, nós judeus vos escrevemos: 'No meio da grave tribulação que nos sobreveio nesses anos, desde que Jasão e seu partido traíram a terra santa e o reino, ⁸quando incendiaram as portas do templo e derramaram sangue inocente, oramos ao Senhor e ele nos ouviu; oferecemos um sacrifício e flor de farinha, acendemos as lâmpadas e apresentamos os pães'.

⁹Agora, portanto, celebrai a festa das Cabanas do mês de dezembro. ¹⁰Ano cento e oitenta e oito.

Os habitantes de Jerusalém, de Judá, o Senado e Judas saúdam Aristóbulo, preceptor do rei Ptolomeu, membro da família dos sacerdotes ungidos, e os judeus do Egito, desejando-lhes que se encontrem bem.

¹¹Salvos por Deus de graves perigos, lhe damos muitas graças por ser nosso defensor contra o rei, ¹²pois ele expulsou os que se haviam levantado com armas contra a Cidade Santa. ¹³Com efeito, quando o

---

1,1-9 Lemos uma carta dentro da outra carta, abrangendo um tempo de dezenove anos. Os remetentes são os habitantes do capital e da província, Jerusalém e Judá, fórmula bem conhecida depois da destruição de Samaria. Destinatários são judeus da diáspora, ou "irmãos" segundo a expressão consagrada pelo Deuteronômio.
Os que escrevem chamam seu território de "terra santa", termo que alude à escolha e à presença do Senhor no templo; é expressão que perdura até hoje. No seu território existe um "reino", como nos tempos da monarquia davídica; o primeiro livro aplica o termo ao reino selêucida. Nessa denominação, a carta concorda com a concepção do livro.
Os termos "saúdam" (*chairein*) e "paz" são a síntese da saudação grega e da hebraica, união que passará às cartas do NT.
Os da Palestina e do Egito pertencem todos ao povo da aliança, são descendentes dos patriarcas, estão unidos na adoração de um Deus, no cumprimento de uma Lei, na celebração de festas, e a oração de uns pelos outros os une.

1,2-5 A súplica se compõe de oito pedidos. A lembrança da aliança patriarcal foi um dos motivos do êxodo, e ressoa oportunamente no contexto egípcio: ver especialmente Ex 6,5 e também 3,6.15; 4,5. Dois pedidos se referem à resposta fiel do povo às exigências da aliança: adorar a Deus equivale ao primeiro preceito, o cumprimento abrange o resto dos mandamentos. Como a promessa profética de Jeremias e Ezequiel anunciava um "coração novo", "uma lei escrita no coração" (Jr 31,33; Ez 36,26), os suplicantes pedem que Deus transforme os homens por dentro.

1,7-10a Referem-se à perseguição de Antíoco, na qual se renovaram as desgraças contadas no Sl 74,7 e 79,3. Só que desta vez aconteceram com a colaboração de judeus apóstatas (ver o cap. 4).
Não sabemos por que essa mudança de datas: a citada festa é celebrada em setembro, não em dezembro (Caslev); o que se espera é a festa da Dedicação do templo, celebrada em dezembro.

1,10b-2,18 Segunda carta. Dir-se-ia que é escrita por um erudito a outro, comunicando-lhe com prazer uma série de relatos encontrados investigando numa biblioteca.
Não conhecemos o nome de quem escreve, porque se esconde atrás da pirâmide de remetentes, povo-Senado-chefe. Mas podemos, sim, identificar o destinatário, Aristóbulo, um judeu que gozava de grande prestígio entre os judeus da diáspora, que dissertou sobre o Pentateuco, recomendando a mercadoria judaica aos pagãos, e que dedicou uma obra ao rei egípcio Ptolomeu Filométor (181-145). Conforme a carta, esse Aristóbulo pertencia a uma família de sumos sacerdotes, o que explica sua erudição.
Os diversos relatos da carta são aparentados pelo tema do templo, do altar e do fogo sagrado. O motivo da carta, recomendar que celebrem uma festa, pode explicar a temática cultual, mas não justifica o afã de recolher episódios curiosos.

1,11-17 O primeiro episódio é uma curiosa versão da morte de Antíoco, que não coincide com as versões oferecidas no primeiro e segundo livros dos Macabeus. Como se trata do perseguidor dos judeus, esse Antíoco tem de ser Epífanes. Pode-se pensar que o seu desastroso fim tenha dado origem a diversas lendas; e é possível que se aplicassem a ele relatos de outras mortes vergonhosas.

1,13-14 Nessa época os templos eram grandes depósitos de tesouros, devidos a doações sucessivas e talvez à administração conservadora dos sacerdotes. Por isso, saquear templos era atividade muito lucrativa. O recurso empregado por Antíoco teve ar pacífico, respeitoso e válido para legitimar a apropriação. Naturalmente, isso afastava a irrupção militar e uma escolta muito armada, e facilitava assim o estratagema dos sacerdotes. A deusa em questão parece ser a antiga Inana babilônica, transformada em Ishtar e confundida com outras divindades, como Ísis e Ártemis.

generalíssimo marchou para a Pérsia rodeado de um exército que parecia invencível, foram cortados em pedaços no templo de Naneia, graças a uma estratagema de que se valeram os sacerdotes da deusa.

¹⁴Antíoco se apresentou aí em companhia de seus conselheiros, com o pretexto de casar-se com a deusa, para receber como dote suas imensas riquezas. ¹⁵Quando os sacerdotes do Templo de Naneia as expuseram, ele entrou com alguns no recinto do santuário; e quando Antíoco entrou, fecharam o templo, ¹⁶abriram a porta secreta do forro e crivaram de pedradas o generalíssimo. Depois os esquartejaram, os decapitaram e jogaram as cabeças para os que haviam ficado fora.

¹⁷Bendito seja sempre nosso Deus, pois entregou os ímpios!

¹⁸Como vamos celebrar a purificação do templo no dia vinte e cinco de dezembro, pareceu-nos conveniente comunicar-vos isso, para que também vós celebreis a festa das Cabanas e do fogo que apareceu quando Neemias ofereceu sacrifícios, aquele que construiu o templo e o altar; ¹⁹pois quando nossos antepassados foram deportados para a Pérsia, os piedosos sacerdotes da época tiraram o fogo do altar e o ocultaram clandestinamente numa cavidade semelhante a um poço seco; esconderam-no tão bem que ninguém soube o lugar.

²⁰Passados muitos anos, quando Deus quis, Neemias, enviado pelo rei da Pérsia, mandou que os descendentes dos sacerdotes procurassem o fogo que havia sido escondido. ²¹E, segundo nos contam, não encontraram fogo, mas um líquido espesso. Neemias ordenou-lhes que o tirassem e levassem; quando as vítimas já estavam sobre o altar, Neemias mandou os sacerdotes aspergir com aquele líquido a lenha e o que havia em cima. ²²Assim fizeram. Passou algum tempo, e o sol, antes nublado, brilhou, uma grande fogueira acendeu-se e todos ficaram admirados. ²³Enquanto o sacrifício se consumia, todos os sacerdotes e todos os presentes oravam; Jônatas entoava, e os demais, inclusive Neemias, respondiam. ²⁴Este era

---

1,16 A morte tem esse tom espetacular, algo teatral, que tanto agrada também ao autor do livro, embora o dado das cabeças arremessadas tenha algum parentesco com a história de Seba (2Sm 20).

1,17 Ímpios pelo atentado contra o templo de Jerusalém; talvez, para o autor, também pelo atentado contra o templo pagão. O termo "saqueador de templos" (*hierosylos*) tem seu sentido enfraquecido em textos posteriores (Rm 2,22; At 19,37).

1,18-36 O segundo episódio tem para nós inevitável ressonância acidental, pois se trata de um achado casual de petróleo. Na antiguidade persa, esses incêndios não eram desconhecidos; ao que parece, eram espontâneos, provocados em jazidas de petróleo natural, suscitando a admiração numinosa e a veneração dos habitantes. Pode ser que o nosso episódio seja adaptação de uma destas narrações. O interesse aqui é centrado no altar dos sacrifícios. O fogo tem certo caráter celeste; a nafta é o elo que estabelece a continuidade entre o primeiro templo e o segundo. Vem espontânea à memória a lembrança de Elias sobre o monte Carmelo (1Rs 18); o autor da carta não o cita, mas o faz remontar ao sacrifício inaugural de Salomão.

Assim Neemias, contra os dados históricos, fica sendo o novo Salomão: governador (de dinastia davídica, segundo outras tradições) e reconstrutor do templo. Segundo os textos bíblicos (Zc 4; Ag 1,12-2,5; Esd e Ne), o templo foi reconstruído pelo governador Zorobabel e pelo sumo sacerdote Josué, ao passo que Neemias reconstruiu as muralhas. No livro escrito por Ben Sirac (Eclesiástico) por volta de 180 a. C., definem-se com exatidão as funções dos três personagens (Eclo 49,11-13). O autor da carta, ou do escrito citado na carta, prescinde da tradição oficial, talvez para concentrar numa pessoa só toda a tarefa da restauração, como se verá no fim da carta, em 2,13-15.

1,19 Transportar fogo sagrado era costume bem estabelecido na antiguidade (recorde-se nossa versão moderna nos Jogos Olímpicos). Mas esconder o fogo pensando que vai durar, é crença estranha; se apenas se tratasse de carvões tomados do altar, a coisa seria plausível. Mas o autor quer que demos atenção ao fogo. (Bem diferente é a visão do fogo sagrado em Ez 10,2, destinado a incendiar a cidade prevaricadora.)

1,22 A ação do sol sobre o líquido sublinha o caráter celeste e milagroso do fato; no relato sobre Elias, o fogo celeste era um raio, e o milagre era a água ardente (1Rs 18). O sacrifício adquire assim um caráter inaugural e numinoso: o Senhor o aceita.

1,24-29 A oração se compõe de dezesseis invocações e oito pedidos. Proclama atributos cósmicos, históricos e salvíficos. O Deus que Israel invoca é o Deus único e universal. Os pedidos querem que se renove a ação salvadora do Senhor, há pouco proclamada, de modo que a existência do povo escolhido continue. O ideal de uma reunião de todos os israelitas na pátria comum é típico das escatologias. Podia ser conservado nas orações, mas não parece que na época os dispersos o adotassem, bem instalados em diversas regiões, como estavam no Egito os destinatários da carta.

É fácil escutar na oração reminiscências de salmos e de profetas.

1,24 "Criador": a ideia é frequente, o título é lido em Eclo 24,8 (poema da Sabedoria).

o texto da oração: 'Senhor, Senhor Deus, criador de tudo, terrível e forte, justo e compassivo, único rei e benfeitor, ²⁵único protetor, único justo, todo-poderoso e eterno, que salvas Israel de todo o mal, que escolheste e consagraste nossos pais, ²⁶recebe este sacrifício por todo o teu povo Israel. Guarda tua porção e santifica-a. ²⁷Congrega os nossos dispersos, dá liberdade aos que vivem como escravos entre os pagãos, olha para os desprezados e abominados, para que os pagãos reconheçam que tu és nosso Deus; ²⁸castiga os tiranos que se ensoberbecem insolentes; ²⁹planta o teu povo em teu lugar santo, como disse Moisés'.

³⁰Os sacerdotes, por sua parte, cantavam os hinos. ³¹E quando as vítimas se consumiram, Neemias mandou derramar sobre umas pedras grandes o líquido que havia sobrado. ³²Fizeram isso, e acendeu-se uma chama, que porém se consumiu enquanto brilhou a luz refulgente do altar.

³³Quando se tornou público o acontecido, e quando contaram ao rei da Pérsia que, no lugar onde os sacerdotes deportados haviam escondido o fogo, apareceu um líquido com o qual os acompanhantes de Neemias purificaram as vítimas do sacrifício, ³⁴o rei, depois de comprovar o feito, mandou pôr uma cerca e declarar recinto sagrado esse lugar.

³⁵Quando o rei lhes fazia esse favor, havia um intercâmbio de presentes entre o rei e seus favorecidos*.

³⁶Os acompanhantes de Neemias chamaram aquele líquido de neftar, que significa purificação, mas comumente é chamado de nafta.

2 ¹Nos documentos se lê que o profeta Jeremias mandou os deportados recolher fogo, como já foi dito, ²e que o profeta, ao lhes entregar a Lei, lhes recomendou que não esquecessem os preceitos do Senhor nem se extraviassem ao ver estátuas de ouro e prata revestidas de adornos. ³E com outros conselhos semelhantes exortava-os a não afastar a Lei de seu coração.

⁴Nesse escrito se dizia que o profeta, avisado por um oráculo, mandou que levassem com ele a tenda e a arca, quando partiu para o monte sobre o qual Moisés havia contemplado a herança de Deus. ⁵Ao chegar no alto, Jeremias encontrou uma espécie de caverna; colocou aí a tenda, a arca e o altar do incenso, e fechou a entrada. ⁶Alguns de seus acompanhantes foram depois para marcar o caminho, mas não puderam encontrá-lo. ⁷Quando Jeremias o soube, repreendeu-os: 'Esse lugar ficará desconhecido, até que Deus se torne propício e reúna a comunidade do povo; ⁸então o Senhor mostrará de novo

---

"Terrível": Sl 47,2; 66,5; 87,7; tema do Sl 76, explícito nos vv. 7.11.12.
"Forte" e "justo": Sl 7,11; "justo": Sl 11,8; 129,4.
"Justo e compassivo": Sl 116,5; nos salmos régios 47; 48; 95; 98.
"Benfeitor": Sl 25,8; 34,8; 52,9; 69,16; 86,15.
1,25 "Todo-poderoso": o grego *pantokrátor* traduz o *Shadday* de Jó e o título de *Çebaot* nos profetas (Am, Mq, Na, Hab, Sf, Ag, Zc, Ml e Jr).
"Eterno": o adjetivo em Is 26,4; 40,28.
Que consagra (ou santifica): típico de Levítico e Ezequiel: Lv 21,8.15.23; 22,9.16. 32; Ez 20,12; 37,28.
1,32 O detalhe indica a posição exclusiva do altar.
1,33-35 O fogo milagroso era uma hierofania ou manifestação da divindade; em termos persas, tratar-se-ia do deus da luz e do fogo. A manifestação do Deus consagra o lugar, e o rei se encarrega de preservar o recinto sagrado. O lugar atraía devotos e peregrinos e se tornava fonte de lucro para o rei e os guardiães.
1,35 * Ou: "o rei se beneficiava e favorecia seus protegidos".
1,36 A interpretação de *neftar* não é científica; o termo persa tornou-se popular e é o que perdurou.

2,1-8 O episódio sobre Jeremias é ligado pelo tema do fogo e serve para introduzir outros objetos sagrados. Na literatura apócrifa tardia se dá atenção aos objetos sagrados, escondidos até que venha Elias ou o Messias. Nessas tradições, a veneração se funde com uma concepção bastante material desses objetos de culto. E o texto citado na carta parece pertencer a essas especulações ou fantasias tardias. Em contraste, é preciso ler os oráculos autênticos dos profetas. Jeremias anuncia a destruição do templo (cap. 7) e declara caduca a arca (3,16); Ezequiel contempla o incêndio da cidade com fogo do templo (cap. 10).
2,2 Contra os ídolos há um escrito divulgado com o título fictício de Carta de Jeremias, que é uma sátira cômica e impiedosa. Com certeza, não foi o único escrito do gênero; também é possível que o autor da presente carta tenha conhecido tal escrito.
2,4 Sobre a tenda, a arca e o altar, ver os capítulos descritivos (Ex 26; 30; 36; 37). A altura referida é o monte Nebo, no outro lado do Jordão; a lenda diz que aí perto está o desconhecido sepulcro de Moisés: Dt 34.
2,8 A nuvem é sinal da presença do Senhor, da sua glória; esta pode mostrar-se também luminosamente. Ver Ex 40,34; 1Rs 8,10; Ez 43,1-5.

esses objetos, e serão vistas a glória do Senhor e a nuvem que aparecia no tempo de Moisés, e também quando Salomão pediu que o lugar santo ficasse consagrado solenemente'.

⁹Também se contava como Salomão, com sua sabedoria, ofereceu o sacrifício da dedicação e inauguração do templo, ¹⁰e, assim como Moisés suplicou ao Senhor e desceu fogo do céu e consumiu o sacrifício, também Salomão suplicou e desceu fogo e devorou os holocaustos. ¹¹(Moisés disse: 'A vítima oferecida pelo pecado foi devorada porque não foi comida'.) ¹²Salomão celebrou os oito dias seguindo um cerimonial parecido.

¹³Também se conta isso nas atas e nas memórias de Neemias, e que para organizar uma biblioteca reuniu os anais dos reis, os escritos dos Profetas e de Davi, e as cartas reais sobre doações. ¹⁴De forma parecida Judas reuniu todos os livros dispersos por causa da guerra que sofremos, e agora os temos à mão. ¹⁵Se necessitais deles, enviai-nos alguém para que os leve.

¹⁶Estando, pois, perto da festa da Purificação, nós vos escrevemos para que vos digneis celebrar esses dias.

¹⁷E o Deus que salvou todo o seu povo e devolveu a todos a herança, o reino, o sacerdócio e a santificação, ¹⁸conforme havia prometido pela Lei, confiamos que se compadeça logo de nós e nos reúna de todas as regiões da terra no lugar santo, já que nos livrou de grandes males e purificou o lugar santo". *

Prólogo – ²³ᵃJasão de Cirene deixou escrita em cinco livros ¹⁹a história de Judas Macabeu e seus irmãos, a purificação do grande templo e a dedicação do altar, ²⁰as guerras contra Antíoco Epífanes e seu filho Eupátor, ²¹as aparições celestiais em favor dos bravos combatentes pelo judaísmo, que, embora poucos, chegaram a saquear todo o país e perseguir os exércitos bárbaros, ²²recuperaram o templo famoso em todo o mundo, libertaram a cidade, restabeleceram as leis que estavam a ponto de ser abolidas. (Graças a isso, o Senhor foi compassivo e benévolo com eles.)

²³ᵇNós tentaremos resumir num só volume. ²⁴Vendo a multiplicidade de números, e como incomoda a abundância de matéria para os que querem entrar nas narrações históricas, ²⁵procuramos oferecer entretenimento para os que se contentam com uma simples leitura, facilitar aos estudiosos o trabalho de guardar na memória dados e ser úteis aos leitores em geral.

²⁶Para nós, que empreendemos a dura tarefa de fazer este resumo, não foi trabalho

---

2,9-12 Sobre o tema há duas referências explícitas: Lv 9,24 fala do fogo que devora "o holocausto e a gordura", e Lv 10,16-20 expõe o caso da vítima queimada e não comida; 2Cr 7,1 menciona o fogo no sacrifício de Salomão. O cerimonial de Salomão imita o esquema festivo da festa das Cabanas, conforme Lv 23,33-39.

2,13-15 De Salomão retornamos a Neemias, em vínculo significativo. E no trabalho de compilação literária, Judas Macabeu se coloca como sucessor de Neemias. As categorias literárias não são as tradicionais (Lei-profetas-escritos); as atas poderiam incluir também Josué e Juízes, ou seja, todo o corpo dos "profetas anteriores"; Davi representa os Salmos; as doações, talvez dos monarcas persas, são um documento profano de valor jurídico.
A tradição comum considera Esdras compilador literário decisivo.

2,17-18 O final da carta pensa numa restauração inspirada na salvação inicial do êxodo, atualizada na situação presente. A Lei aludida é sobretudo Ex 19,6 (aliança) e Dt 30,1-5 (promessa de retorno). O retorno é visto como confluência para o templo. Os episódios recolhidos pela carta foram subordinados à purificação desse lugar pelo fogo. Isso explica a seleção de varões ilustres, peculiar da carta. * Os vv. 19 a 24 não seguem a ordem correlativa.

2,19-32 O autor começa com um prólogo elaborado, no estilo da época, com os artifícios próprios do gênero: a antítese entre o gosto do leitor e o trabalho do autor, a anonímia, metáforas e comparações, frases rítmicas e um pouco de teoria. O melhor do prólogo é a frase final, se não chegasse tão tarde.
Jasão de Cirene escreveu sua obra em grego. Pelo que diz seu compilador, parece que se ocupou dos três irmãos, sem continuar com o sucessor, João Hircano; mas os nomes dos dois reis nos levam só até o ano 162.

2,21 As aparições celestes eram recurso comum em livros de edificação. Pela posição do substantivo, essas "epifanias" se opõem ao título usurpado por Antíoco Epífanes.
Os gregos dividiam o mundo em gregos e bárbaros, aludindo primeiro à língua estranha, depois aos usos e costumes, em tom depreciativo; os judeus o dividiam em judeus e *goyyim* (nações, pagãos), não ignorando o dado da língua estranha; para indicar a barbárie em sentido ético, empregavam outros termos (como *zarim*). O autor do prólogo realiza uma audaz adaptação: bárbaros são os gregos, opostos ao judaísmo, visto como síntese de valores.

fácil, mas de suores e vigílias, ²⁷como não é fácil o trabalho de quem organiza um banquete, pois deve satisfazer o gosto dos outros. Para merecermos também nós a gratidão de muitos, suportaremos com gosto essa fadiga, ²⁸e deixando ao historiador avaliar cada detalhe, nós nos esforçaremos para seguir as normas de um resumo; ²⁹pois acontece conosco, creio, o mesmo que ao arquiteto de um edifício novo: deve projetar o conjunto da obra, ao passo que o decorador e o pintor só têm de fazer o necessário para a ornamentação.

³⁰Ao historiador principal cabe entrar a fundo nos acontecimentos, deter-se neles, estudar criticamente todos os seus pormenores; ³¹ao contrário, ao que faz uma adaptação é permitida uma exposição concisa, renunciando a fazer obra exaustiva.

³²Supondo isso, começemos já a narração, pondo ponto final neste prólogo. Pois seria simplório alongar o prólogo e abreviar a história.

3 História de Heliodoro –

¹Quando na Cidade Santa se vivia com toda a paz e se observavam as leis com a maior perfeição, graças à piedade do sumo sacerdote Onias e ao seu rigor contra o mal, ²os próprios reis honravam o lugar santo e engrandeciam o templo com presentes magníficos; ³até o próprio Seleuco, rei da Ásia, pagava de suas entradas pessoais todos os gastos necessários para os sacrifícios litúrgicos.

⁴Mas um tal Simão, do clã de Belga*, nomeado administrador do templo, brigou com o sumo sacerdote a respeito da administração do mercado geral. ⁵E não podendo impor-se a Onias, foi a Apolônio de Tarso, que por essa ocasião era governador da Celessíria e da Fenícia, ⁶e lhe contou que o tesouro de Jerusalém estava repleto de riquezas indescritíveis, tantas que era incontável a quantidade de ofertas, e desproporcionada para o orçamento dos sacrifícios; e que era possível fazê-las passar para as mãos do rei.

⁷Numa audiência com o rei, Apolônio o informou das riquezas que lhe haviam denunciado. Então o rei escolheu Heliodoro, chefe do governo, e o enviou com ordens de requisitar tais riquezas.

⁸Heliodoro se pôs imediatamente a caminho, com o pretexto de percorrer as cidades da Celessíria e da Fenícia, mas, na realidade, para executar o plano do rei. ⁹Quando chegou a Jerusalém, o sumo sacerdote da cidade o recebeu amistosamente. Expôs a denúncia que havia chegado a ele, explicou o motivo da sua viagem e perguntava se realmente tudo isso era verdade.

2,27 Sobre os banquetes: Eclo 32. Podemos recordar que Platão coloca a retórica junto da culinária e da cosmética.

2,29 Jasão é arquiteto, o autor é pintor e decorador que se esforçará em pintar quadros dramáticos.

3 Se compararmos este começo com o do primeiro livro dos Macabeus, notamos a diferença de técnica. Naquele se começa com rápida síntese histórica, para introduzir a situação presente; neste se traça um grande quadro, à maneira de abertura significativa.
O começo (vv. 1-3) é de grande importância na arquitetura do livro, porque define o tempo da graça. O resto serve para colocar, num caso exemplar, os fatores da história. Perto se encontram o chefe grego e o sumo sacerdote judeu; acima deles agem o imperador Seleuco (não mencionado pelo nome) e o Deus dos judeus. Entre ambos se move o traidor individual, que ainda não é um partido. Em torno do sumo sacerdote se vê todo o povo, numa presença coral, que demonstra tratar-se de causa popular, não de um jogo de autoridades.
A narração se desenvolve linearmente, com uma colocação, um encontro verbal, a grande confrontação, o desfecho e suas consequências. O estilo não é de tradição hebraica: não há diálogos, as palavras são referidas na terceira pessoa e no estilo indireto. O quadro central busca o efeito (tem sido tema de pintores em busca do espetacular), mais que a precisão e a rapidez do detalhe: movem-se massas sem precisão, insiste-se no efeito que produzem nos atores do drama (para produzir efeito no leitor) e comenta-se a mudança de situação com antíteses retóricas. É uma cena teatral e gesticuladora.

3,1-3 Estamos num tempo de graça, garantida pelo mediador Onias, chefe religioso e civil do povo. É notável a acumulação de valores na breve notícia: piedade, cumprimento das leis, paz na Cidade Santa, fama e reconhecimento do templo.
O monarca grego é Seleuco IV Filopátor, filho de Antíoco III. O autor não menciona de vassalagem dos judeus em relação ao Selêucida.

3,4 Simão era de família sacerdotal: Ne 12,5. * "De Belga" ou "da tribo de Benjamim".

3,7 Por informações de outros historiadores, sabemos que mais tarde Heliodoro traiu o rei Seleuco e mandou assassiná-lo.

3,9 Alguns manuscritos leem: o sumo sacerdote e os habitantes.

¹⁰O sumo sacerdote lhe fez ver que as quantidades depositadas – contra a informação falsa do ímpio Simão – eram destinadas às viúvas e aos órfãos, ¹¹mais uma soma que era de Hircano de Tobias, homem de muito boa posição; ao todo havia uns doze mil quilos de prata e seis mil de ouro, ¹²e de nenhuma maneira se podia fazer uma injustiça contra os que haviam confiado no lugar santo, na sagrada inviolabilidade do templo venerado em todo o orbe.

¹³Mas Heliodoro, por causa das ordens do rei, insistiu que tudo tinha de ser confiscado para o tesouro real. ¹⁴Fixou uma data e queria entrar para inventariar tudo. Na cidade havia uma ansiedade enorme; ¹⁵os sacerdotes, revestidos com os ornamentos sacerdotais, prostrados diante do altar, invocavam o céu, legislador sobre as quantidades em depósito, para que guardasse intactos aqueles bens para os depositários. ¹⁶Partia a alma ver o aspecto do sumo sacerdote: a palidez de seu rosto revelava sua angústia interior; ¹⁷estava invadido por um medo e um tremor corporal que revelava, para aqueles que o olhavam, o sofrimento que carregava no coração.

¹⁸Além disso, grupos de gente saíam correndo das casas para fazer rogações públicas diante do ultraje que o lugar santo iria sofrer. ¹⁹As mulheres, cingidas de pano de saco sob os seios, enchiam as ruas. E as donzelas, normalmente reclusas em suas casas, umas corriam para as portas, outras para as muralhas, outras apareciam nas janelas; ²⁰e todas rezavam levantando as mãos para o céu.

²¹Dava pena aquela multidão alvoroçada e prostrada, e a expectativa ansiosa do sumo sacerdote, cheio de angústia; ²²pois, enquanto eles suplicavam ao Senhor todo-poderoso que as pessoas às quais haviam confiado seu dinheiro o guardassem intacto, ²³Heliodoro tentava executar o que fora decretado.

²⁴Já estava junto ao tesouro com sua escolta, quando imediatamente o Soberano dos espíritos e de todo o poder se manifestou tão grandiosamente que todos os que se atreveram a entrar ficaram sem forças nem coragem, atônitos diante da força de Deus. ²⁵Pois apareceu-lhes um cavalo montado por um cavaleiro terrível, ricamente arreado com esplêndida gualdrapa; numa arrancada impetuosa, atacou

---

3,10-12 Onias apela para a função não cultual do templo, para sua função caritativa. Seguindo a tradição de Dt 14,25-29, no templo se recolhiam e conservavam esmolas e dízimos destinados a socorrer os necessitados, "viúvas e órfãos" em expressão consagrada. O caso de Hircano é parecido em parte: pertencia à ilustre e rica família dos Tobíadas, que tinham grandes posses na Transjordânia e eram parentes de sumos sacerdotes; Hircano guardava parte do seu dinheiro nas arcas do templo para mantê-lo a salvo da rapacidade de seus parentes. O templo de Jerusalém tinha reconhecido o direito de inviolabilidade econômica.
Assim Onias retorce a acusação de Simão, que interpreta as riquezas puramente em termos de culto "para os sacrifícios". E o autor, com essa explicação da boca de Onias, prepara o leitor para que se indigne com a hediondez do que vai acontecer neste capítulo e no seguinte.

3,13-23 O autor descreve a unanimidade no luto: sob o governo de Onias, os sacerdotes e o povo se comprimem em torno do seu templo (não será assim no próximo episódio, quando faltar Onias). Unânimes no medo e na oração, sem recorrer à violência (coisa que muda no próximo capítulo). Os paramentos servem para solenizar o luto, para demonstrar o caráter sagrado do tesouro: é exibição de um obstáculo pacífico, apelo ao respeito ante o sagrado, comum a qualquer povo, ainda que o objeto mude.

O gesto ritual de luto das mulheres é o habitual; é anormal, porém, essa saída das moças para juntar-se ao coro de lamentações.
Limitando-se rigorosamente à súplica, sem passar à ação, todo o povo está comprometendo o Senhor: está criado o duelo entre Heliodoro e o Deus dos judeus (como outrora o Faraó teve de medir forças com o mesmo Deus dos israelitas).

3,24-26 De fato, o Senhor aceita o desafio e envia seus mensageiros na primeira teofania do livro.
Para um leitor moderno, essas teofanias parecem ingênuas. Quando o livro foi escrito, tais aparições celestes pertenciam à convenção narrativa de um gênero literário. Parece que os leitores as aceitavam com agrado, e o autor não pode esconder o gosto com que as escreve.
Esses seres sobre-humanos, angélicos, sem nome, são epifania do Deus poderoso. Têm antecedentes nas atuações e aparições do "anjo do Senhor" (por exemplo, Js 5; Jz 6; 2Sm 24; 2Rs 19,35 etc.). Em nosso livro incluem uma referência polêmica ao título do imperador, Antíoco Epífanes: não é ele a presença de Deus, como seu apelido pretende.
A figura desses seres anônimos conjuga beleza e força, esplendor e poder: são reflexo ou irradiação de Deus, sua epifania. São os soldados do Senhor dos Exércitos, recrutados para a guerra santa do povo, na tradição mais pura de Crônicas para o presente capítulo; ou seja, sem ação por parte dos homens. E são manifestação política para um povo contra um

Heliodoro com as patas dianteiras; o cavaleiro parecia revestido de uma armadura de ouro. ²⁶E lhe apareceram também outros dois jovens, extraordinariamente vigorosos e de resplandecente formosura, vestidos com roupas magníficas; puseram-se um de cada lado e o açoitavam sem parar, descarregando-lhe uma chuva de golpes.

²⁷Então, de repente, ele caiu no chão, envolto em densa escuridão, e tiveram de recolhê-lo e acomodá-lo numa maca. ²⁸Assim, reconhecendo abertamente a soberania de Deus, carregavam aquele que há pouco havia chegado ao dito tesouro com grande acompanhamento e numerosa escolta, incapaz agora de sustentar-se. ²⁹Enquanto ele, pela força de Deus, jazia mudo e privado de toda esperança de salvação, ³⁰os judeus louvavam o Senhor que havia glorificado seu lugar santo; e o templo, pouco antes cheio de medo e perturbação, transbordava de alegria e júbilo por causa da aparição do Senhor onipotente.

³¹Alguns dos acompanhantes de Heliodoro pediam urgentemente a Onias que invocasse o Altíssimo para que concedesse a vida a quem realmente estava nos estertores. ³²O sumo sacerdote, supondo que o rei pudesse suspeitar que os judeus tivessem preparado um atentado contra Heliodoro, ofereceu um sacrifício pela cura daquele homem. ³³E enquanto o sumo sacerdote fazia a expiação, apareceram a Heliodoro os mesmos jovens, revestidos com as mesmas roupas, e de pé lhe disseram:

– Tu deves ser grato ao sumo sacerdote Onias, pois por meio dele o Senhor te concede a vida. ³⁴E tu, castigado pelo céu, anuncia a todos o grande poder de Deus.

Tendo dito isso, desapareceram.

³⁵Heliodoro, após oferecer um sacrifício ao Senhor e fazer grandes promessas a quem lhe havia conservado a vida, despediu-se de Onias e voltou com seu exército ao rei, ³⁶dando diante de todos testemunho dos milagres do Deus supremo, que ele vira com seus próprios olhos. ³⁷E quando o rei lhe perguntou quem seria o mais indicado para enviar novamente a Jerusalém, Heliodoro disse:

– ³⁸Se tens algum inimigo, ou um conspirador contra o Estado, envia-o para lá, e o devolverão a ti moído de golpes, se é que se salvará, porque verdadeiramente uma força divina rodeia aquele lugar. ³⁹Pois aquele que habita no céu é o guardião e protetor daquele lugar, e ele castiga com a morte os que vão lá provocar dano.

⁴⁰Assim acabou o episódio de Heliodoro e da conservação do tesouro.

4 Perseguição de Antíoco Epífanes

(1Mc 1,10-64) – ¹Simão, que mencionamos antes, aquele que traindo a pátria denunciou os tesouros, caluniava Onias,

---

agressor; não são para benefício individual nem para consumo devocional. Pela epifania, o inimigo terá de reconhecer, o amigo poderá louvar o Senhor; e isso é boa tradição bíblica.

É de notar que Deus é o sujeito do verbo, manifesta-se, tem um título que recorda o de Nm 11,22; 27,16. O estilo se faz sonoro, as frases se dilatam, dividem-se em peças rítmicas, o vestuário é decorativo. É uma nobilíssima surra. A cena é intensamente teatral, de auto sacramental barroco.

3,27-30 O autor, inflamado, prorrompe numa reflexão retórica de antíteses sustentadas. Aquilo que nos profetas era lirismo apaixonado, aqui se transforma em declamação enfática.

3,31-33 Intercessão e expiação são duas funções do sumo sacerdote, geralmente em favor do povo. Moisés intercede repetidas vezes em favor do Faraó (Ex 8-9). O sumo sacerdote oferece um sacrifício de expiação pelo pecado; Heliodoro, um sacrifício de ação de graças ao Deus que o castigou e curou; não significa que aceite a fé no Senhor, mas que reconhece o Deus local, conhecido com o título hebraico de Altíssimo.

3,37-39 O episódio termina felizmente com um traço irônico: o cortesão confessa o poder do deus estrangeiro, sem ofender seu rei e senhor.

3,40 O episódio, que começou com o tesouro do templo, conclui-se com uma proclamação ante o trono do Império. São ainda bons tempos para os judeus.

4 Neste capítulo, com a morte de Onias, começa o triunfo do mal, que reinará durante a próxima etapa. Com dados históricos, o autor compõe um quadro teológico.

Para entender as intrigas históricas, pode ajudar esta leitura esquemática:
a) Judeus: Onias e seu irmão Jasão, o bom e o mau. Simão, seu irmão Menelau e seu irmão Lisímaco.
b) Gregos: o rei Antíoco e seu vice-rei Andrônico. Apolônio de Menesteu, governador de Celessíria. Sóstrato, prefeito da acrópole, e Crates, seu substituto. Entram na inveja e a cobiça na família do sumo sacerdote e nas famílias sacerdotais; por elas entra a morte, a traição, a apostasia em Israel; a má semente de Simão (cap. 3) germina e se converte em partido no meio dos judeus.

como se tivesse sido ele quem maltratou Heliodoro e causou os males. ²Atrevia-se a chamar de inimigo público o benfeitor da cidade, o protetor de seus compatriotas e fervoroso cumpridor das leis.

³A inimizade chegou a tal ponto, que um dos agentes de Simão chegou a cometer assassínios. ⁴Então Onias, considerando perigosa essa tensão e que Apolônio, filho de Menesteu, governador da Celessíria e da Fenícia, atiçava a maldade de Simão, ⁵acorreu ao rei não como acusador de seus concidadãos, mas buscando o bem comum e privado, ⁶pois via que, se o rei não interviesse imediatamente, não seria possível ter paz no Estado e Simão não se conteria em sua loucura.

⁷Quando Seleuco morreu, Antíoco, apelidado Epífanes, ocupou o trono. Jasão, o irmão de Onias, conseguiu o sumo sacerdócio por suborno, ⁸prometendo ao rei numa audiência uns dez mil quilos de prata à vista, e mais dois mil de outras rendas. ⁹E além disso, comprometia-se a incluir na conta outros quatro mil, caso lhe fosse concedida autorização para instalar um ginásio e um centro juvenil e para registrar os habitantes de Jerusalém como cidadãos antioquenos.

¹⁰Quando obteve o consentimento do rei e se apoderou do comando, Jasão a seguir fez que seus compatriotas adotassem o estilo de vida grego, ¹¹suprimiu os privilégios reais concedidos benevolamente aos judeus, graças a João, pai de Eupólemo – aquele que negociou o pacto de amizade e mútua defesa com os romanos –, aboliu as leis da constituição e procurava introduzir práticas contra a Lei. ¹²Deu-se ao capricho de construir um ginásio sob a própria acrópole, obrigando os jovens das melhores famílias a sair em público uniformizados.

Historicamente trata-se do partido pró-helenista, colaboracionista em grau diverso; o autor o coloca globalmente entre os maus. São eles que incitam os gregos ou sírios.

Nota-se o progresso do mal. Várias vezes funciona a vingança histórica da lei do talião: Jasão suplanta e é suplantado; Andrônico assassina e é executado; Lisímaco rouba do tesouro e morre junto ao tesouro. Mas em outros setores o mal triunfa: Onias morre assassinado, três senadores judeus são executados, Menelau se livra, Antíoco passa à injustiça.

O templo com seus tesouros polariza a luta. Na realidade, os termos da contenda são judaísmo e helenismo, vistos em chave teológica sem matizes. E há uma distinção significativa: enquanto a alta classe sacerdotal se corrompe, o povo se subleva contra o ladrão sacrílego.

Com adjetivos oportunos ou importunos, o autor vai classificando e julgando seus personagens. Na grande tradição narrativa hebraica, o narrador se retira e deixa que seus personagens se manifestem; o autor deste livro não quer conter-se, não conhece a arte de deixar que os próprios personagens se condenem ou credenciem. É outra técnica, para nós menos convincente.

4,1-2 Os dois inimigos frente a frente: não em sua dimensão pessoal, mas como representantes da nação. O delito contra o tesouro é delito de lesa-pátria; Onias é o protetor da cidade e da nação. As leis divinas são a constituição da teocracia, definem o "judaísmo". Por essas virtudes, Onias morrerá mártir.

4,3-6 Onias se reconhece súdito do Império e quer solucionar pacificamente os conflitos. Basta-lhe que deixem os judeus viver segundo as leis paternas, não aspira à independência política. Por essas razões parece que tem boas relações com Seleuco. O narrador não nos diz o resultado da gestão.

O governador Apolônio apoiaria o partido pró-helenista; mas o nosso autor ainda não reconhece a sua existência e fala só de Simão. O termo grego "concidadãos" (= *polítai*) substitui o tradicional "irmãos" ou "próximos".

A última frase dá a entender que o sumo sacerdote não tem poder repressivo para restabelecer a ordem e a paz. É a política que Jeremias pregou: a paz pela submissão.

4,7 A notícia é excessivamente esquemática. Seleuco morreu vítima da conspiração tramada por Heliodoro, e sucedeu-lhe um fervoroso propagador dos ideais e costumes helênicos.

"Por suborno": com sua raiz o verbo grego insinua a ideia de bastardia. Pode ser criação do autor, que se serve dele para exercer seu costume de qualificar enquanto narra. Se Jasão é legítimo por nascimento, pois é de família de sumos sacerdotes, ocupa o cargo como bastardo. Para o autor, não há outro sumo sacerdote senão Onias.

4,9 O que indigna o autor é a aceitação de alguns costumes típicos gregos, que em si não tocam a confissão religiosa. Trata-se do esporte cultivado por grupos de jovens, em "irmandades"; ao esporte podia juntar-se alguma formação cultural. Para o autor, essas práticas não são simplesmente um passo significativo ou perigoso; vão diretamente contra as leis pátrias.

A última frase é ambígua: em sentido geral significaria, para todos os habitantes de Jerusalém, o direito de se considerar cidadãos de uma *pólis* grega sob o patrocínio de Antíoco; em sentido restrito significaria o projeto de organizar um grupo seleto de cidadãos distinguidos pelo apelativo de "os antioquenos".

4,10-12 A helenização começa pela classe alta, sacerdotal e leiga. O rei Antíoco III, depois de derrotar o general egípcio no ano 200, tinha concedido autonomia religiosa aos judeus, de modo que suas leis eram a constituição do Estado judaico, sob a

¹³O helenismo chegava a tanto, e a moda estrangeira estava tão em voga, pela enorme sem-vergonhice do ímpio e pseudopontífice Jasão, ¹⁴que os sacerdotes já não tinham interesse pelo culto litúrgico diante do altar, mas, desprezando o templo e despreocupando-se com os sacrifícios, corriam para participar dos jogos da palestra, contrários à Lei, enquanto se convocava o campeonato do disco; ¹⁵sem fazer nenhum caso dos valores tradicionais, pelo contrário, tinham as glórias gregas em sumo apreço.

¹⁶Mas exatamente isso os levou a uma situação difícil: aqueles mesmos, cujos costumes imitavam, querendo igualá-los em tudo, tornaram-se seus inimigos e carrascos. ¹⁷Porque não é pouca coisa violar as leis divinas, como se verá claramente no que vem a seguir.

¹⁸Quando se celebravam em Tiro os campeonatos quadrienais na presença do rei, ¹⁹o contaminado Jasão enviou alguns legados antioquenos como representantes de Jerusalém, com trezentas dracmas de prata para o sacrifício a Hércules. Mas os mesmos que as levaram acharam melhor não empregá-las no sacrifício, coisa inconveniente, mas deixá-las para outros gastos; ²⁰e assim aquele dinheiro destinado ao sacrifício de Hércules por vontade do doador, por desejo dos portadores foi parar na construção de trirremes.

²¹Quando Apolônio de Menesteu foi enviado ao Egito para assistir à entronização do rei Filométor, Antíoco soube que este não apoiava sua política, e começou a adotar medidas de segurança; por isso, visitou Jope e seguiu para Jerusalém. ²²Jasão e os habitantes o receberam com apoteose; entrou sob o resplendor de tochas e entre aclamações, e depois foi acampar na Fenícia com seu exército.

Jasão e Menelau — ²³Após três anos, Jasão enviou Menelau, o irmão de Simão acima mencionado, para levar o dinheiro ao rei e concluir as negociações sobre assuntos urgentes. ²⁴Ele, bem recomendado diante do rei, e prestando-lhe homenagens com ar de grande personagem, conseguiu o sumo sacerdócio, oferecendo uns nove mil quilos de prata mais que Jasão, ²⁵e voltou com a nomeação real, sem outros méritos para o sumo sacerdócio a não ser o furor de um tirano cruel e a ira raivosa de um animal

---

proteção do imperador. Para Jasão, o verdadeiro privilégio consistia em incorporar-se à cultura grega, ao helenismo. O autor se expressa em termos genéricos, não enumera as prescrições da Lei abolidas ou desprezadas, e parece não admitir distinções. Sobre Eupólemo, ver 1Mc 8,17ss.

4,13-15 De repente, por obra de Jasão, surgiu em Jerusalém um partido helenista: evidente simplificação dos fatos. Num instante chegamos a "um extremo" de helenização, como se entre dois atos de um drama se supusesse transcorrido um longo período de tempo.
A liturgia com seus sacrifícios encarna o ideal judaico, o esporte com suas competições encarna o ideal grego. Apresentam-se como alternativa, pela Lei ou contra a Lei.

4,16-17 Anuncia-se a lei do talião, executada por um processo dialético da história, em realidade como vingança própria das leis divinas. Este é o aspecto fundamental: são leis paternas, constitucionais; são divinas, ao passo que o helenismo é invenção humana.

4,18-20 A maldade de Jasão chega ao cúmulo com essa oferta para um sacrifício em honra de uma divindade pagã: um sacerdote fica "contaminado". O Hércules mencionado poderia ser o deus de Tiro helenizado; se é assim, repete-se a história de Jezabel.
A conduta dos legados, contra as ordens de seu superior, mostra que a helenização não atingia a fé no Deus de Israel.

4,21-22 É o ano 172. Antíoco corresponde enviando à cerimônia um embaixador, que aproveitaria a ocasião para sondar os sentimentos do novo rei. A rivalidade entre Selêucidas e Ptolomeus não podia morrer. Ao avaliar a hostilidade de Filométor, Antíoco toma duas medidas de prudência: assegurar o seu poderio naval no porto de Jope, que podia ser base para um ataque e objeto de um assalto, e também assegurar a lealdade dos judeus e de Jerusalém, onde não costumava faltar um partido pró-Egito.
O autor não explica o sentido da grande recepção. Parece que o apresenta como uma profanação, pois já sabe tudo o que Antíoco fará. Mas no momento da narração, e segundo a história, Antíoco ainda não se mostrou hostil aos judeus. A deferência do povo podia misturar reconhecimento pelos favores de Seleuco e precaução para garantir a benevolência. Quando o autor menciona "a cidade", não parece distinguir entre nobres helenizados e povo fiel.

4,23-26 Uma vez que se tornou venal o sumo sacerdócio, começou um processo fatal. Menelau é pior que Jasão, chegará ao assassinato. É isso que os novos qualificativos pretendem, e devem ser comparados com os de Jasão em 4,13.
Para o autor, a nomeação é inválida; a única função válida de Menelau foi executar a sentença contra Jasão; repete-se o verbo usado em 4,7, com ressonâncias de bastardia.

selvagem. ²⁶E Jasão, que havia suplantado seu próprio irmão, suplantado por sua vez por outro, teve de fugir para o território amonita.

²⁷Por sua vez, Menelau tinha o poder nas mãos, porém não fazia nada para pagar a quantidade prometida ao rei. ²⁸Sóstrato, prefeito da acrópole, a reclamava, porque era encarregado de cobrar os impostos. Por esse motivo, o rei chamou os dois. ²⁹Menelau deixou como substituto, em seu cargo de sumo sacerdote, seu irmão Lisímaco, e Sóstrato deixou Crates, chefe dos cipriotas.

³⁰Entretanto, ocorreu a revolta de Tarso e de Malos, porque as haviam entregue como doação para Antioquide, concubina do rei. ³¹Dessa forma, o rei partiu a toda a pressa para restabelecer a ordem, deixando como regente Andrônico, um dos dignitários da corte.

³²Pensando aproveitar uma boa oportunidade, Menelau roubou alguns objetos de ouro do templo, os presenteou a Andrônico e vendeu outros em Tiro e nas cidades vizinhas. ³³Quando Onias o averiguou com toda a certeza, refugiou-se num lugar sagrado, junto a Dafne, perto de Antioquia, e o reprovava. ³⁴O resultado foi que Menelau, tomando à parte Andrônico, exigia que matasse Onias. Andrônico foi aonde estava Onias; em base a enganos, e dando-lhe a mão direita em juramento, embora Onias não a estendesse, o convenceu a sair de seu lugar sagrado, e imediatamente o matou, sem respeitar o direito.

³⁵Por essa razão, não só os judeus, mas também muitos de outras nações, estavam alarmados e indignados por esse assassínio iníquo. ³⁶Quando o rei voltou da Cilícia, apresentaram-se a ele os judeus da capital e os gregos que, como eles, reprovavam a violência, para falar-lhe do assassínio injustificado de Onias.

³⁷Antíoco, profundamente entristecido e movido de compaixão, chorou, recordando a prudência e a conduta irrepreensível do defunto. ³⁸E encolerizando-se, imediatamente despojou Andrônico de sua púrpura e rasgou-lhe as vestes; depois fez que o conduzissem por toda a cidade, e no mesmo lugar onde havia tratado Onias impiamente, aí eliminou o homicida. Assim o Senhor lhe deu o castigo que merecia.

³⁹Como Lisímaco havia cometido em Jerusalém muitos roubos sacrílegos com o conhecimento de Menelau, ao espalhar-se

---

4,28-29 Agora sabemos que em Jerusalém reside um prefeito grego no comando de uma guarnição de mercenários. Sem dúvida, isso acontecia já nos tempos de Onias.

4,32-34 Tínhamos perdido a trajetória de Onias. Podemos suspeitar que tinha fugido, refugiando-se em Antioquia, talvez em meio à colônia judaica. Quando Antíoco se afasta, vendo que Menelau se entende com o regente, Onias se refugia num lugar sagrado para os gregos, o templo venerado em uma localidade próxima da capital. Daí começa uma campanha de denúncias contra Menelau, atingindo indiretamente o regente. É um duelo a distância entre o sumo sacerdote legítimo e o usurpador: Onias continua defendendo os direitos do templo de Jerusalém. Os sacerdotes de Apolo e Diana em Dafne podiam entender o motivo, e também muitos judeus da colônia antioquena o apoiariam.

Por seu lado, Menelau pensa que as denúncias não são apenas um incômodo presente, mas também uma ameaça ao seu cargo. Ao voltar, Antíoco poderia mudar totalmente a situação. Por isso procura aproveitar o tempo da regência e apressar o desfecho.

Onias chega ao martírio por uma série de traições: seu irmão Jasão, o sacerdote Menelau e o regente grego. A sua causa foi a do templo, como encarnação dos valores judaicos. Com a sua morte, o posto de sumo sacerdote fica vacante: o autor não reconhece os usurpadores nem fornece o nome de algum sucessor legítimo.

4,35-36 Andrônico feriu os sentimentos religiosos de judeus e gregos, porque o direito de asilo é sagrado para todos, e o templo de Dafne é caro aos antioquenos.

4,37-38 O autor olha os acontecimentos com sua própria perspectiva. Lendo outros historiadores, podemos completar o quadro: Antíoco se havia servido de Andrônico para assassinar um filho de Seleuco, livrando-se de um possível rival. Andrônico sabia demais e se tornava perigoso, além de ter demonstrado sua deslealdade. O rei aproveitou a ocasião para desfazer-se de seu cúmplice e substituto. O castigo é executado com grande aparato, na presença do povo. O nosso autor ergue o olhar e descobre que, na realidade, a sentença de Deus é executada por meio de Antíoco.

4,39-42 Morto o denunciador Onias, os dois irmãos, Menelau e Lisímaco, se creem impunes e aceleram o saque dos objetos sagrados. A notícia se difunde e o povo se amotina. Ainda há em Jerusalém homens simples, fiéis ao templo e aos valores judaicos. Trata-se de uma explosão popular, com armas de ocasião; a cinza serve para cegar os soldados. Lisímaco organiza a repressão, armando uma força respeitável (não é preciso apurar as cifras): não sabemos se se trata de mercenários estrangeiros cedidos pelo prefeito da acrópole ou de partidários de Menelau e do helenismo.

a notícia, e quando já haviam desaparecido muitos objetos de ouro, a multidão se amotinou contra Lisímaco. ⁴⁰Como as turbas se revoltassem, cheias de ira, Lisímaco armou uns três mil homens e empreendeu uma repressão violenta, dirigida por um tal Aurano, homem avançado em idade e mais ainda em loucura.

⁴¹Diante do ataque de Lisímaco, alguns com pedras, outros com estacas e alguns pegando aos punhados a cinza espalhada, caíram em bando contra os homens de Lisímaco. ⁴²Com isso feriram muitos, mataram alguns, fizeram todos os outros fugir, e mataram o sacrílego junto ao tesouro.

⁴³Menelau foi processado por esse incidente, ⁴⁴e quando o rei chegou a Tiro, os três homens emissários do Senado fizeram um relatório diante do rei. ⁴⁵Vendo-se já perdido, Menelau prometeu boa soma a Ptolomeu, filho de Dorimeno, para que convencesse o rei; e efetivamente ⁴⁶Ptolomeu levou o rei a um pórtico, como para tomar um pouco de ar, e o fez mudar de opinião; ⁴⁷absolveu o culpado de todas as acusações, e condenou à morte alguns infelizes, que até diante de um tribunal bárbaro teriam sido absolvidos como inocentes. ⁴⁸Os que haviam falado em defesa da cidade, do povo e dos utensílios sagrados, sofreram sem motivo essa injusta punição. ⁴⁹Por isso, alguns de Tiro, para manifestar sua repulsa por aquele crime, pagaram o funeral. ⁵⁰Porém, graças à avareza dos poderosos, Menelau se manteve no comando, progredindo em maldade, convertendo-se no maior adversário de seus concidadãos.

5 Conquista de Jerusalém e profanação do templo

– ¹Por essa ocasião, Antíoco preparava sua segunda expedição ao Egito.

²Aconteceu que por cerca de quarenta dias apareceram por toda a cidade cavaleiros galopando pelo ar, com vestes de ouro, ³e esquadrões de tropas armadas com as espadas desembainhadas, unidades de cavalaria em formação, escaramuças e ataques de ambas as partes, escudos que se agitavam, multidão de lanças, disparos de flechas, fulgor de armaduras de ouro e couraças de todo tipo. ⁴E por isso todos pediam que essa aparição fosse de bom augúrio.

⁵Correu o falso rumor de que Antíoco havia morrido. E Jasão, com pelo menos mil homens, lançou um ataque de surpresa contra a cidade. Rechaçados os que estavam na muralha, e finalmente já tomada a cidade, Menelau se refugiou na acrópole. ⁶Jasão começou a assassinar sem piedade seus próprios concidadãos, sem compreender que uma vitória sobre seus irmãos era a maior derrota; pensava apenas que triunfava sobre inimigos, não sobre compatriotas. ⁷Mas não obteve o comando, e por

---

É a última vitória antes que retorne o tempo da graça; uma vitória popular que não chega a resolver nem melhorar a situação.

4,43-48 Celebra-se um julgamento ante a instância suprema. Quando a injustiça chega ao último escalão, a maldade reina no país. Menelau usa o dinheiro para convencer o governador e exibe talvez sua adesão ao helenismo para mover o imperador. Os três senadores representam o povo, não são da classe sacerdotal; são novos mártires da causa judaica.

4,49-50 O sentido de justiça desses pagãos contrasta com a iniquidade do traidor Menelau. Mas chegou sua hora, o poder da maldade.

5,1 Não é fácil interpretar este dado histórico ou harmonizá-lo com outros testemunhos. Ver 1Mc 1,18ss, e também o quadro cronológico.

5,2-4 Já conhecemos a função literária dessas aparições. Neste capítulo, com a ameaça próxima do Epífanes, a epifania se torna funesta. O autor começa deixando-a na sua ambiguidade, para os personagens da história e para o leitor. Bem cedo se verá que essas preces não serão ouvidas. Estamos em tempo de ira. Se o autor se inspira em Naum, não soube imitá-lo.

5,5 Antíoco apoiava Menelau, ao passo que Jasão se considerava sucessor legítimo de seu irmão assassinado. Para o autor se trata de um duelo de bandidos, um eliminando o outro. O trágico desse julgamento de Deus é que arrasta consigo o povo; já não acontece como com Andrônico e Lisímaco, estamos em tempo de ira.

5,6 Ambos os usurpadores pertencem à tendência colaboracionista. Por isso, a notícia da matança é ambígua. A quem mata? Pessoas do partido de Menelau, ou gente alheia a essas rivalidades pessoais? O comentário do autor dá a entender que se trata de vítimas inocentes, e transcende o fato numa sentença importante de filosofia da história. Ver a propósito Jz 19-20: uma vitória lamentada. Aplicará o mesmo princípio a Judas Macabeu? Em todo caso, a sentença se depreende do seu contexto e julga o livro e os fatos posteriores.

5,7-10 Bom exemplo do estilo do autor: em vez de resenhar e descrever com exatidão os fatos, escolhe alguns deles e os transforma numa declamação retórica, onde o que conta é a série de particípios, as antíteses com paronomásias, a imagem final de um resto de naufrágio arrojado na praia.

fim, envergonhado por sua traição, partiu novamente fugitivo para o território amonita. [8]Seu malvado procedimento teve este desfecho: preso por Aretas, rei dos árabes, fugindo de cidade em cidade, perseguido por todos, detestado como apóstata das leis, odiado como carrasco da pátria e dos cidadãos, foi enxotado para o Egito; [9]e aquele que havia desterrado muitos, pereceu em terra estrangeira, depois de navegar rumo a Esparta, esperando obter proteção pelos laços de família. [10]Ninguém chorou aquele que deixou tantos sem enterro; nem teve funerais nem lugar na sepultura familiar.

[11]Quando a notícia do fato chegou aos ouvidos do rei, este pensou que Judá tentava revoltar-se. Por isso, feito uma fera, do Egito empreendeu viagem e pelas armas tomou a cidade. [12]Ordenou aos soldados degolar sem piedade os que encontrassem e matar os que se refugiassem nas casas. [13]Foi um assassínio em massa de jovens e velhos, um extermínio de rapazes, mulheres e crianças, uma matança de donzelas e de criancinhas. [14]Nesses dias pereceram oitenta mil: quarenta mil assassinados e outros tantos vendidos como escravos. [15]E, não satisfeito com isso, atreveu-se a entrar no templo mais santo de toda a terra, guiado por Menelau, feito um traidor das leis e da pátria. [16]E tomou os utensílios sagrados com suas mãos sacrílegas, e arrebatou com suas mãos profanas as ofertas depositadas por outros reis para engrandecimento, glória e honra do lugar santo.

[17]Antíoco se ensoberbeceu no íntimo, sem dar-se conta de que o Senhor estava irado por pouco tempo por causa dos pecados dos habitantes da cidade, e sua indiferença pelo lugar santo era causada por isso; [18]pois, se não estivessem eles então envolvidos em muitos pecados, Antíoco teria sido castigado logo ao chegar, e teria sido obrigado a desistir de seu atrevimento, como Heliodoro, o enviado pelo rei Seleuco para inventariar o tesouro. [19]Mas o Senhor não escolheu o povo para o lugar santo, e sim o lugar santo para o povo, [20]e por isso o mesmo lugar santo que partilhou as desgraças do povo, depois participou de sua sorte; e aquele que esteve abandonado enquanto durou a ira do Todo-poderoso, foi reconstruído com todo o esplendor na reconciliação do Senhor supremo.

[21]Dessa forma, Antíoco levou consigo uns cinquenta mil quilos (de prata) do templo, e partiu urgentemente para Antioquia, crendo em sua insolência e arrogância que podia tornar navegável a terra e transitável o mar. [22]Deixou alguns prefeitos que maltrataram nossa raça: em Jerusalém deixou Filipe, frígio de nascença e de caráter mais selvagem do que aquele que lhe deu o cargo; [23]em Garizim, Andrônico e, para

---

5,11-14 Para um protetor de Menelau, o ataque de Jasão e dos seus equivalia a uma rebelião. Segundo outras fontes, Antíoco quis submeter o partido pró-Egito. As vítimas se desdobram em sete grupos e somam uma cifra fantástica: os números não incomodam o autor; ele quer tornar Antíoco odioso.

5,15-16 Aqui temos reunidos os três valores máximos dos judeus: templo, leis, pátria. Aquele que se diz sumo sacerdote é cúmplice da maior profanação. Ressoa a lembrança de Nabucodonosor (2Rs 25,13-17) e de Baltazar (Dn 5).

5,17-18 O triunfo de Antíoco não é um escândalo histórico, pois é abrangido pelo plano de Deus. Em tempo de graça, um assalto ao templo fracassa; em tempo de ira, triunfa: Heliodoro e Antíoco.

O esquema do instrumento de castigo que se ensoberbece provém sobretudo de Is 10, criando uma tradição: Senaquerib, Nabucodonosor, Antíoco. Os pecados do povo são parte do esquema; não são mencionados, nem os vimos surgir e crescer. Poderia tratar-se da helenização, segundo 4,16.

5,19 Outra sentença lapidar que sobressai no texto e se faz autônoma para impor seu sentido: encontrará correspondência em Mc 2,27, a propósito do sábado. O templo é um meio, um instrumento para a religiosidade do povo; não é um refúgio material, um talismã que funcione mecanicamente. Santificado por Deus com a sua presença, deve servir para santificar o povo; é condicionado à resposta do povo. Por isso, o templo segue a sorte do povo. É a doutrina já proclamada por Jr 7 e Ez 1-10.

A rigor, tal sentença relativiza radicalmente o templo e igualmente outras instituições não mais santas que o templo. Não era tão fácil tirar as consequências do princípio.

5,20 Aqui temos uma chave narrativa que é também chave de leitura: os fatos são dispostos segundo essa perspectiva, e o leitor é convidado a colocar-se no ponto exato para avaliá-la. A reconciliação se consumará com os martírios.

5,21 A insolência, *hyperephania*, poderia ser uma zombaria do título Epífanes.

5,22-23 Jerusalém e o monte Garizim, na Samaria, são os dois lugares mais venerados da Palestina, e recebem prefeitos estrangeiros. Menelau continua reconhecido como sumo sacerdote com funções administrativas. A hostilidade de Menelau não é contra os judeus do partido ou da tendência colaboracionista; mas, para o autor, eles não são autênticos cidadãos.

arrematar, Menelau, o pior de todos em oprimir seus concidadãos, cheio de ódio profundo contra os cidadãos judeus.

²⁴Antíoco enviou Apolônio, chefe dos mercenários da Mísia, com um exército de vinte e dois mil homens e a ordem de assassinar todos os adultos e vender as mulheres e as crianças. ²⁵Quando chegou a Jerusalém, com ares de homem pacífico, conteve-se até o dia santo do sábado e, aproveitando o descanso dos judeus, mandou suas tropas desfilar; ²⁶e matou à espada todos os que saíam para ver o espetáculo; depois, percorrendo a cidade com seus soldados, matou muita gente.

²⁷Enquanto isso, Judas Macabeu retirou-se para o deserto com nove homens. Vivendo com seus companheiros pelos montes, como os animais selvagens, aí continuavam, alimentando-se de ervas para não se contaminar.

6 **Leis persecutórias** (1Mc 1,45-50) – ¹Pouco tempo depois, o rei enviou um senador ateniense para que obrigasse os judeus a abandonar os costumes tradicionais e a não se governar pela Lei de Deus; ²tinha ordem de profanar o templo de Jerusalém e dedicá-lo a Júpiter Olímpico e dedicar o de Garizim a Júpiter Hospitaleiro, seguindo a prática dos habitantes do lugar.

³O avanço do mal tornava-se incômodo e insuportável até para a população; ⁴pois o templo estava repleto de libertinagem e das bacanais dos pagãos, que se divertiam alegremente com prostitutas e se deitavam com mulheres nos recintos sagrados, e além disso introduziam objetos proibidos. ⁵O altar transbordava de vítimas abomináveis, proibidas pela Lei. ⁶Não se podia celebrar o sábado, nem guardar as festas tradicionais, nem alguém confessar claramente que era judeu. ⁷Para seu pesar, viam-se forçados ao banquete sacrifical de cada mês na data do aniversário do rei; e quando chegava a festa de Baco, os obrigavam a fazer uma procissão em sua honra, coroados de hera. ⁸Por proposta de Ptolomeu*, decretou-se para as cidades gregas vizinhas que agissem do mesmo modo contra os judeus, obrigando-os ao banquete sacrifical, ⁹e matando os que não quisessem aceitar os costumes gregos. Entrevia-se a chegada da desgraça.

¹⁰Duas mulheres foram denunciadas por ter circuncidado seus filhos. Com os filhos pendurados nos peitos as fizeram andar publicamente pela cidade, e depois as precipitaram muralha abaixo. ¹¹Outros, que se tinham reunido nas cavernas próximas para celebrar o Sábado às escondidas, foram denunciados a Filipe, e queimados em massa por não quererem defender-se por motivos religiosos, por respeito a esse dia santíssimo.

¹²Recomendo a todos aqueles em cujas mãos chegar este livro, que não se deixem desconcertar por esses acontecimentos;

5,24-26 Ver 1Mc 1,30 e 2,32.
5,27 Como em 3,4 a figura de Simão era semente narrativa, assim, com maior importância, o autor deixa cair a primeira menção de Judas Macabeu. Trata-se da etapa inicial, não violenta; as necessidades dessa vida são apresentadas pelo autor como profissão de fidelidade à Lei. Também isso antecipa acontecimentos: os martírios por questões alimentares.

6 Compare-se com 1Mc 1,43-64.
6,1 Com intenção programática, o autor vincula os costumes tradicionais à Lei de Deus. Uma postura crítica vinha a ser inaceitável para ele; era precisamente o que defendiam os pró-helenistas, colaboracionistas ou defensores da abertura.
6,2 Já que o Deus dos hebreus se apresentava sem nome, a operação de Antíoco tentava identificar esse deus anônimo com o deus supremo dos gregos, Zeus (Júpiter) Olímpico. Em termos de religiões comparadas, é o que tinham feito os hebreus, quando estabeleciam Yhwh, atribuindo-lhe títulos e prerrogativas de deuses cananeus. Mas, este é um ponto de vista superficial: o Deus verdadeiro nunca aceitou entrar, nem como membro distinguido, num panteão polimorfo. Julgando retamente, a introdução do deus pagão é grave profanação.
"Hospitaleiro" é o título da divindade que protege os direitos de hospitalidade: sanciona-os tornando-os sagrados.
6,3-7 Não sabemos quantos dados correspondem à realidade e quantos foram introduzidos pelo autor para tornar o quadro mais vivo e repugnante. O autor não fala de prostituição sagrada; trata-se de libertinagem e de acesso dos pagãos. O primeiro capítulo de profanações nos recorda as origens (1Sm 2,22).
6,7 No antigo Israel não faltavam festas de vindima (por exemplo, Jz 9,27ss; cf. Is 16,9; 24,7-9); também existia a festa religiosa das Cabanas, que caía na época da vindima, mas o seu sentido era totalmente diferente de uma festa de Baco.
6,8 * Ou: "dos habitantes de Ptolomaida".
6,11 Ver 1Mc 2,29-38.
6,12-17 Desta vez, em lugar de uma frase sentenciosa, o autor nos oferece uma reflexão. O princípio

pensem que esses castigos não pretendiam exterminar nossa raça, mas corrigi-la; ¹³com efeito, é sinal de grande bondade não deixar muito tempo aos ímpios, mas dar-lhes imediatamente o castigo; ¹⁴pois o Senhor soberano não decidiu tratar-nos como aos outros povos, que para castigá-los espera pacientemente que cheguem ao cúmulo de seus pecados; ¹⁵não nos condena quando já chegamos ao limite de nossos pecados. ¹⁶Por isso, nunca retira de nós sua misericórdia, e embora corrija seu povo com desgraças, não o abandona. ¹⁷Fique isso como advertência. Depois dessa pequena digressão, voltemos à nossa história.

Martírio de Eleazar – ¹⁸À força, para que comesse carne de porco, abriam a boca de Eleazar, um dos principais letrados, homem de idade avançada e semblante muito digno. ¹⁹Mas ele, preferindo morte honrosa a uma vida de infâmia, cuspiu na carne e avançou voluntariamente para o suplício, ²⁰como devem fazer os que são constantes em rejeitar alimentos proibidos, mesmo a preço da vida.

²¹Os que presidiam aquele sacrifício ilegal, velhos amigos de Eleazar, o levaram à parte e lhe propuseram que fizesse trazer carne permitida, preparada por ele mesmo, e que a comesse fingindo que comia a carne do sacrifício ordenado pelo rei, ²²para que assim se livrasse da morte e, dada sua antiga amizade, o tratassem com consideração. ²³Mas ele, adotando uma atitude cortês, digna de seus anos, de sua nobre ancianidade, de suas cãs honradas e ilustres, de sua conduta impecável desde criança e, sobretudo, digna da Lei santa dada por Deus, respondeu sem demora:

– Enviai-me ao sepulcro! ²⁴Esse fingimento não condiz com minha idade. Muitos jovens vão crer que Eleazar, aos noventa anos, apostatou, ²⁵e se minto por um pouco de vida que me resta, vão se extraviar com meu mau exemplo. Isso seria manchar e infamar minha velhice. ²⁶E mesmo que agora eu me livrasse do castigo dos homens, não escaparia da mão do Onipotente, nem vivo nem morto. ²⁷Se morro agora como um valente, eu me mostrarei digno de meus anos ²⁸e deixarei aos jovens um nobre exemplo, para que aprendam a suportar voluntariamente uma nobre morte por amor à nossa Lei santa e venerável.

Dito isso, dirigiu-se logo para o suplício.

²⁹Os que o levavam, pouco antes deferentes com ele, se endureceram, considerando insensatas as palavras que acabava de pronunciar.

³⁰E, estando já a ponto de morrer à força de golpes, disse entre suspiros:

– Bem sabe o Senhor, aquele que possui a santa sabedoria, que, podendo livrar-me da morte, aguento em meu corpo as dores

---

teológico já tinha sido enunciado em Gn 15,16 e receberá versão ampla em Sb 12. O princípio vale para explicar a sorte oposta dos judeus fiéis e de Antíoco: é chave narrativa.

O valor salutar do castigo, a função da correção, têm tantos antecedentes, que só se podem citar algumas passagens: Jr 10,24; 30,11; 31,18; 46,28.

6,18-31 A série de martírios começa com a figura de um ancião venerável. Por sua idade e com sua conduta representa uma tradição, à qual se dedicou como estudioso, "letrado". É a velha geração ainda presente e ativa em tempos de crise (recorde-se o esquema de velhos e jovens no momento do cisma, 1Rs 12). Alguns judeus que "presidem ao sacrifício" desempenham o papel de colaboracionistas. Ou seja, membros do partido colaboracionista disposto a rever costumes dos idosos para receber novos modos de vida. Eles respeitam o ancião; mas, sob o pretexto de livrá-lo da morte, neste momento tentam explorá-lo em favor da própria política.

O tema é em si trivial; um tabu alimentar (Lv 11,7; Dt 14,8) ligado a sacrifícios idolátricos (Is 65,4; 66,3). Só que nesse ponto concreto está em jogo toda a fidelidade à Lei: "sacrifício ilegal", a "Lei santa", "nossa Lei santa e venerável" (vv. 21.23.28). Os personagens de 1Mc 2,32-41, depois de trágica experiência, decidem lutar no sábado (violar materialmente a Lei do sábado), para salvaguardar a vida segundo as leis (também a do sábado). O doutor Eleazar não se acha em circunstâncias de fazer casuística.

A narração é intensamente retórica. O autor, um pouco menos que o personagem, toma a palavra para admoestar. É a voz de um letrado e de um escritor. As antíteses extremas expressam a situação extrema; as razões explícitas e elaboradas formulam o exemplar da conduta.

6,30 É como uma apelação ao Supremo Juiz, um protesto de inocência e de lealdade a Deus. Já não é a Lei, mas a relação pessoal, expressa com o termo genérico *fobos*: pela proximidade do castigo, mencionado no v. 26, o sentido de "temor" poderia dominar; segundo a tradição bíblica, o termo pode designar globalmente a atitude de respeito e reverência. Refere-se à sabedoria "santa", divina, que conhece as ações e as atitudes internas do homem.

cruéis da flagelação, e as sofro com gosto em minha alma por respeito a ele.

³¹Assim terminou sua vida, deixando não só aos jovens, mas a toda a nação, um exemplo memorável de heroísmo e de virtude.

7 Os sete irmãos e sua mãe – ¹Prenderam sete irmãos com sua mãe. O rei os fez açoitar com chicotes e nervos para forçá-los a comer carne de porco, proibida pela Lei. ²Um deles falou em nome dos demais:

– Que pretendes arrancar de nós? Estamos dispostos a morrer, antes que transgredir a Lei de nossos pais.

³Fora de si, o rei ordenou pôr no fogo assadeiras e caldeirões. ⁴Puseram-nas ao fogo imediatamente, e o rei ordenou que cortassem a língua do que havia falado em nome de todos, que lhe arrancassem o couro cabeludo e lhe amputassem as extremidades à vista dos outros irmãos e de sua mãe.

⁵Quando o rapaz já estava totalmente inutilizado, o rei mandou aplicar-lhe fogo e assá-lo. Ainda respirava. Enquanto se espalhava ao redor o cheiro da assadeira, os outros com a mãe se animavam entre si para morrer nobremente:

– ⁶O Senhor Deus nos contempla, e de verdade se compadece de nós, conforme declarou Moisés no cântico de denúncia contra Israel: "Ele se compadecerá de seus servos".

⁷Morto assim o primeiro, levaram o segundo ao suplício; arrancaram-lhe os cabelos com a pele, e lhe perguntavam se pensava comer, antes que o atormentassem membro por membro. ⁸Ele respondeu na língua materna:

– Não comerei!

Por isso, também ele sofreu por sua vez o martírio como o primeiro. ⁹E, estando para morrer, disse:

– Tu, perverso, nos arrancas a vida presente. Mas quando tivermos morrido por sua Lei, o rei do universo nos ressuscitará para uma vida eterna.

¹⁰Depois se divertiam com o terceiro. Convidado a estender a língua, o fez logo, e estendeu as mãos com grande coragem. ¹¹E falou dignamente:

– De Deus as recebi, e por suas leis as desprezo. Espero recuperá-las do mesmo Deus.

¹²O rei e sua corte se assombraram da coragem com que o jovem desprezava os tormentos. ¹³Quando morreu este, torturaram

---

7 Depois do ancião vêm outras duas gerações: uma mãe com seus filhos, até o menor; depois do letrado, personagem oficial, uma mulher anônima representando a mãe.

O martírio de uma mãe com seus sete filhos é tema dramático para um autor como o nosso e capaz de comover os leitores. Além disso, é uma figura significativa para ouvintes judeus. Porque a mãe do povo é Sião, segundo a tradição profética (ver, entre outros, Is 49; 54; 60; 62); Sião é a mãe de sete filhos em Jr 15,9. O anonimato reforça essa função simbólica.

O autor se alarga pouco na ação: uns traços para ambientar a cena e para descrever a crueldade do tirano (4Mc se deleitará na descrição das torturas). Os discursos dominam a cena: é curioso que os antagonistas não falam em estilo direto, as suas palavras se incorporam à narração em estilo indireto, se abreviam ou se resumem. Os sete irmãos e a mãe falam, ou melhor, declamam suas alocuções, em estilo direto. O drama entra assim nos cânones retóricos.

Tema comum dos discursos é morrer pela Lei, com a esperança da ressurreição. Para cada um deles, o sofrimento e a morte levam à ressurreição; para todo o povo, esses sentimentos marcam o cume e o fim da cólera. Como haverá um tempo de misericórdia em que voltarão à vida (vv. 23.29), assim chega um momento histórico em que Deus se compadece (v. 6) e se torna propício (v. 37).

Na unidade familiar se reflete a unidade do povo fiel. Como cada um "recuperará" seus membros amputados (v. 11), a mãe "recuperará" seus filhos (v. 29). Esses personagens foram exemplares para os cristãos por causa da coragem e valentia no martírio; foi-lhes prestado culto, seu túmulo foi visitado (em diversos lugares), foram-lhes dedicados louvores. A retórica de seus desafios e ameaças ao tirano, junto com a profissão de fidelidade, inspiraram muitas narrações de martírios.

7,6 O texto citado é Dt 32,36, onde lemos que Deus terá compaixão; a ele aludem Sl 90,13; 134,14. A citação explícita do cântico de Moisés (Dt 32,6) lhe dá valor profético: nos acontecimentos atuais está acontecendo a passagem do castigo à compaixão. Isso é dito no começo e desenvolvido até o fim do capítulo. "Seus servos" são, em aplicação estreita, os sete irmãos com a mãe; no horizonte original, que aqui está presente, é todo o povo judeu. Se o primeiro fala em nome de todos, todos falam em nome da nação.

Note-se que o mesmo verbo, em outra conjugação, significa consolar, tanto em hebraico como em grego; o consolo é tema central da profecia do Segundo Isaías.

7,11 Três tempos muito marcados: o dom inicial, o sacrifício atual e a recompensa próxima.

de modo semelhante o quarto. ¹⁴E quando estava para morrer, disse:

– Vale a pena morrer nas mãos dos homens, quando se espera que o próprio Deus nos ressuscitará. Tu, porém, não ressuscitarás para a vida.

¹⁵Depois pegaram o quinto, e o atormentavam. ¹⁶Mas ele, olhando o rei, lhe disse:

– Ainda que sejas um simples mortal, fazes o que queres porque tens poder sobre os homens. Mas não acredites que Deus tenha abandonado nossa nação. ¹⁷Espera um pouco, e logo verás como seu grande poder tortura a ti e a tua descendência.

¹⁸Depois deste levaram o sexto e, quando ia morrer, ele disse:

– Não te enganes nesciamente. Nós sofremos isso porque pecamos contra nosso Deus; por isso ocorreram essas coisas estranhas. ¹⁹Não penses que irás ficar impune, tu que te atreveste a lutar contra Deus.

²⁰Mas ninguém foi mais admirável e digno de recordação do que a mãe. Vendo morrer seus sete filhos no espaço de um dia, suportou tudo com integridade, esperando no Senhor. ²¹Com nobre atitude, unindo com caráter viril a ternura feminina, foi animando cada um, e dizia-lhes em sua língua:

– ²²Eu não sei como aparecestes em meu seio; eu não vos dei o alento nem a vida, nem ordenei os elementos de vosso organismo. ²³Foi o criador do universo, aquele que modela a raça humana e determina a origem de tudo. Ele, com sua misericórdia, vos devolverá o alento e a vida, se agora vos sacrificais por sua Lei.

²⁴Antíoco creu que a mulher o desprezava, e suspeitou que o estava insultando.

Restava ainda o mais novo, e o rei procurava convencê-lo, não só com palavras, mas jurava-lhe que se renegasse suas tradições o tornaria rico e feliz, o teria como amigo e lhe daria algum cargo. ²⁵Mas como o rapaz não lhe dava a menor atenção, o rei chamou a mãe e lhe rogava que aconselhasse o rapaz para o próprio bem. ²⁶Tanto insistiu, que a mãe concordou em convencer o filho; ²⁷inclinou-se para ele e, rindo-se do cruel tirano, falou assim em seu idioma:

– Meu filho, tem piedade de mim, que te carreguei nove meses no seio, te amamentei e criei por três anos e te alimentei até que te tornaste jovem. ²⁸Meu filho, eu te suplico, olha o céu e a terra, presta atenção a tudo o que eles contêm e verás que Deus criou tudo do nada, e a mesma origem tem o homem. ²⁹Não temas esse carrasco, não desmereças teus irmãos e aceita a morte. Assim, pela misericórdia de Deus, eu te recuperarei junto com eles.

³⁰Estava ainda falando, quando o rapaz disse:

7,14 Começa o ataque verbal ao tirano numa frase ambígua: insinua que ressuscitará, mas não para a vida? Tal é a doutrina de Dn 12,2, que opõe dois tipos de ressurreição; por sua vez, o jovem opõe ressuscitar a não ressuscitar para a vida.

7,16 "Deus não abandonou": tema importante na mensagem profética; concretamente, nos textos referidos de Isaías e outros próximos: Is 41,17; 49,14 (queixa de Sião, a mãe); 54,6-7; 60,15 (mudança de situação de Sião); 62,4. É também tema de muitos salmos.

7,18-19 O tema, não o vocabulário, recorda outra vez o cântico de Moisés, Dt 32,27-29: a má interpretação do adversário, que crê triunfar com as próprias forças. O jovem argumenta *a fortiori*: é mais grave lutar contra Deus do que pecar. De passagem, confessa vicariamente os pecados do povo e interpreta a perseguição como castigo.

7,20-21 Texto clássico é o Salmo 39, conhecido por qualquer judeu piedoso. O novo aqui é a esperança na ressurreição. Com efeito, aquele que pode dar a vida pode devolvê-la. O poder criador é base da esperança, porém ainda mais da "misericórdia" de Deus, que atuará plenamente no futuro definitivo: é o *éleos* grego, que traduz o *hésed* hebraico.

7,25 Este "para o próprio bem" pode ter uma ressonância irônica: o rei julga oferecer a salvação, a mãe pensa em outra salvação.

7,27-29 É um momento culminante, cuidadosamente trabalhado. O paradoxo dessa salvação é marcado pela repetição da raiz de *éleos* = misericórdia ou piedade. O filho, aceitando a morte, terá piedade da mãe – argumento estranho – e é o martírio que conduzirá à misericórdia de Deus, que o ressuscitará. Pela apostasia, o menino se tornaria "amigo" do rei, e a mãe o perderia; pela fidelidade extrema, a mãe o "recuperará", a fraternidade estará consumada. Ouve-se facilmente a exortação do autor à grande família dos judeus: é a matrona quem a pronuncia. Ainda que todo Israel, até o último, morresse pela Lei, podia-se esperar a reconstituição escatológica. A capital em imagem de matrona (Is 49,21) perguntava ao ver seus filhos voltar: "Quem gerou estes para mim? Eu, sem filhos e estéril, quem os criou? Tinham-me deixado sozinha; de onde estes vêm?"; a mãe anônima deste capítulo dá uma resposta profunda à esta pergunta.

7,30 A interpretação do momento salvífico é central, como veremos. Neste versículo se recoloca a questão: o decreto real contra os decretos da Lei de Moisés (a carne de porco é só uma especificação).

– O que esperais? Não me submeto ao decreto real. Eu obedeço aos decretos da Lei dada a nossos antepassados por meio de Moisés. ³¹Mas tu, que tramaste todo tipo de crimes contra os hebreus, não escaparás das mãos de Deus. ³²Pois nós sofremos por nossos pecados. ³³E se o Deus vivo se irritou um momento para nos corrigir e educar, voltará a reconciliar-se com seus servos. ³⁴Mas tu, ímpio, o homem mais criminoso de todos, não te ensoberbeças nesciamente com vãs esperanças, enquanto levantas a mão contra os servos de Deus; ³⁵com efeito, ainda não escapaste da sentença de Deus, o vigilante todo-poderoso. ³⁶Meus irmãos, depois de suportar agora uma dor passageira, já participam da promessa divina de uma vida eterna; tu, porém, por sentença de Deus, pagarás a pena que tua soberba merece. ³⁷Eu, assim como meus irmãos, entrego meu corpo e minha vida pelas leis de meus pais, suplicando a Deus que se torne logo propício à minha raça, que tu tenhas de confessá-lo, entre tormentos e açoites, como único Deus, ³⁸e que a ira do Todo-poderoso, que se abateu justamente sobre todo o meu povo, se detenha em mim e em meus irmãos.

³⁹O rei, exasperado e não aguentando esse sarcasmo, tratou a este com crueldade ainda mais feroz do que aos outros, ⁴⁰e esse rapaz morreu sem mancha, com total confiança no Senhor.

⁴¹A mãe morreu em último lugar, depois de seus filhos.

⁴²Baste o que contei a propósito dos banquetes sacrificais e a incrível crueldade do rei.

8 Primeira atividade de Judas (1Mc 3) – ¹Enquanto isso, Judas Macabeu e seus companheiros, entrando às escondidas nas aldeias, convocavam seus parentes e reuniam os que haviam permanecido fiéis ao judaísmo. Assim, juntaram uns seis mil. ²Suplicavam ao Senhor que olhasse o povo pisoteado por todos e se compadecesse do santuário profanado por homens

---

7,32 O "nós" é coletivo, abrangendo o povo. Os irmãos são inocentes até o extremo ("sem mancha", v. 40); mas se encontram numa situação social de pecado e sofrem as consequências solidariamente. Aquilo que em conjunto é castigo, para eles é prova. Por seu sofrimento inocente, podem excitar a "compaixão" de Deus e "deter sua ira".

7,33 Porque se trata de castigo salutar, para a conversão e o perdão. A cólera momentânea é explicada em Is 54,7-8.

7,34 As vãs esperanças do rei se opõem às esperanças fundadas da mãe (v. 20) e do terceiro filho (v.14).

7,35 O título é lido também em 3,39.

7,36 A frase é importante, o texto é duvidoso. Se lemos *pepókasi*, uma tradução literal seria: "em virtude da aliança de Deus, bebem já da vida eterna"; a vida eterna, em imagem de uma fonte sempre a jorrar água que vivifica; interpretação escatológica de Ez 47. O verbo no perfeito indicaria que essa vida já começou. Se lemos *peptókasi*, dever-se-ia traduzir com certo esforço: "caíram sob a promessa (= receberam como sorte) de uma vida perene". A pena a que alude o versículo será a morte prematura e atroz que o cap. 9 descreve, não uma pena após a morte.

7,37 No sofrimento solidário, intercede com confiança. O adjetivo de "compadecer-se" é *híleos*, o mesmo de Is 54,10.

7,38 Esta intercessão é quase um ato sacerdotal, muito semelhante à intervenção de Aarão em Nm 17,11-15; uma ação que a versão grega chama *exilásai*, e que tem como resultado "deter a matança" (ver o comentário a tal passagem em Sb 18,2-22).

7,40 Ao morrer o mais novo, reina a "total confiança" no Senhor; abre-se a nova época.

8 Compare-se este capítulo com os primeiros de 1Mc para avaliar a técnica e a preocupação do nosso autor. Aí se vê surgir a resistência, a rebelião de Matatias, se vê crescer Judas Macabeu; é uma exposição histórica estilizada. Aqui Judas surge de improviso, e num momento chega ao apogeu: tudo se reduz a uma batalha contra Nicanor e outras lutas com Timóteo e Báquides. Até a batalha não tem quase nada de acontecimento militar, exceto a divisão em quatro corpos e as baixas inimigas; o verdadeiro esquema da batalha é: oração inicial – exortação religiosa – ação de graças. É quase o esquema de 2Cr 20, a vitória de Josafá sobre Edom. A chave é dada pelo versículo 5: "a ira do Senhor se transformou em misericórdia". Visão teológica em puro esquematismo.

O adversário não só é derrotado, mas sai ludibriado no assunto dos escravos: o autor comenta com gosto retórico a mudança de sorte. O castigo da Lei do talião também se aplica a outros (v. 33).

8,1 Nem em 5,27 nem aqui se apresentam os antecedentes familiares e biográficos de Judas: o autor os dá por conhecidos ou os cala de propósito. Judas surge como "juiz salvador", mas sem a vocação de um Gedeão ou Sansão. Macabeu é apelido ou título, não nome familiar. Não se menciona sua estirpe sacerdotal, e a assistência de Deus na batalha será sua credencial.

Judaísmo é palavra técnica, que já lemos em 2,21. O "convocar" no princípio do capítulo talvez faça eco à compaixão e exortação do capítulo precedente (*parakaleo-proskaleo*). A ressonância continua na súplica seguinte (*epikaleo*).

8,2-4 Seis argumentos para mover Deus. Note-se a ordem: povo, templo, cidade. Deus é tradicionalmente

ímpios; ³que tivesse piedade da cidade destroçada, a ponto de ser arrasada por completo; que escutasse o clamor do sangue que clamava ao céu; ⁴que recordasse o injusto extermínio de crianças inocentes e as blasfêmias pronunciadas contra seu Nome, e que mostrasse seu rigor contra o mal.

⁵Transformando sua gente em grupo organizado, o Macabeu se tornou invencível diante dos inimigos, porque a ira do Senhor se transformou em misericórdia. ⁶Chegava inesperadamente a cidades e aldeias e as incendiava, tomava posições estratégicas e punha em fuga numerosos inimigos, ⁷aproveitando sobretudo para essas operações a cumplicidade da noite. A fama de sua valentia se estendia por toda parte.

⁸Filipe, ao ver que aquele homem progredia pouco a pouco e que conseguia êxitos cada vez mais frequentes, escreveu a Ptolomeu, governador da Celessíria e da Fenícia, para que defendesse os interesses reais. ⁹Ptolomeu escolheu imediatamente Nicanor, de Pátroclo, da categoria superior entre os Grandes do Reino, e o enviou à frente de uma multidão diversificada, vinte mil pelo menos, para exterminar toda a raça judaica, e juntou a ele Górgias, um general com muita experiência militar.

¹⁰Com a venda de escravos judeus, Nicanor contava completar os sessenta mil quilos (de prata) do tributo que o rei devia aos romanos. ¹¹Enviou em seguida mensageiros às cidades do litoral, convidando-as ao mercado de escravos judeus, prometendo entregar noventa escravos por trinta quilos (de prata), sem suspeitar do castigo do Todo-poderoso que lhe sobreviria.

¹²Quando a notícia da expedição de Nicanor chegou a Judas, este informou sua gente da proximidade do inimigo. ¹³Os covardes e os que não esperavam a vingança de Deus fugiam para refugiar-se em outros lugares; ¹⁴os demais, porém, vendiam tudo o que lhes restava, rogando ao mesmo tempo ao Senhor que livrasse aqueles que o ímpio Nicanor havia vendido já antes da batalha, ¹⁵e se não por eles, ao menos pelas promessas feitas a seus pais e por invocar sobre eles seu Nome augusto e magnífico.

¹⁶O Macabeu reuniu seus seguidores em número de seis mil e os exortava a não se assustar diante do inimigo, nem temer a imensa turba de gentios que os atacava injustamente. Ao contrário, que lutassem com valentia, ¹⁷tendo diante dos olhos a insolência criminosa daqueles contra o lugar santo, as injúrias e zombarias contra a cidade e, além disso, a supressão das antigas instituições. ¹⁸Disse:

– Eles confiam em suas armas e em sua audácia, mas nós confiamos no Deus Todo-poderoso, que pode desfazer com um gesto nossos atacantes e o mundo inteiro.

¹⁹Enumerou-lhes as intervenções de Deus em favor de seus antepassados, aquela do tempo de Senaquerib, quando pereceram cento e oitenta e cinco mil, ²⁰e a batalha contra os gálatas na Babilônia,

---

o "vingador do sangue": aqui entram os mártires mencionados e todos os mortos na perseguição injusta. De modo especial, inocentes são as crianças, porque não pecaram (*anamartéton*).

8,5 Segundo 1Mc 3,8, Judas "afastou de Israel a cólera"; aqui, porém, pela morte dos mártires, já se realizou a passagem para a misericórdia.

8,6-7 Supõe-se que são cidades e aldeias inimigas, ou de judeus que apostataram. Conforme 1Mc 2,46 e 3,8, Judas purificava as cidades extirpando os apóstatas e circuncidando os meninos. Aqui, no entanto, encontramos uma espécie de consagração ao extermínio pelo fogo.

8,9 A tarefa é decisiva: trata-se não só de reprimir um grupo de rebeldes, mas de "exterminar a totalidade". O autor praticamente exclui os apóstatas dessa totalidade, como se já não fossem da raça judaica.

8,11 O título "Todo-poderoso" se concentra sobretudo nesta seção: 6,26; 7,35.38; 8,11.18.24. O preço oferecido é irrisório, segundo os usos da época: o autor mostra o desprezo que Nicanor sente pelos judeus e prepara o desfecho de zombaria. Leia-se como fundo Sl 44,13: "Vendes o teu povo por uma miséria, não ganhas muito na venda".

8,13 "Os covardes": ver 1Mc 3,56 e as disposições legais de Dt 20,5-8. A conjunção "e" poderia ser explicativa: os covardes por falta de confiança no Deus justiceiro.

8,14 Equivale a vender todas as posses para salvar a liberdade ou para vender caro a vida.

8,16 1Mc 4,6 dá a cifra de três mil.

8,17 Inverte-se a ordem dos termos. As instituições são a *politeia*, termo favorito do autor, com o qual liga a Lei à cidade e aos cidadãos.

8,18 Sl 20.

8,19-20 Se a primeira é um fato clássico na tradição, da segunda não há notícias na Bíblia. Os gálatas da Ásia Menor eram proverbiais por sua coragem; macedônios designa aqui tropas sírias.

quando chegaram ao combate oito mil ao todo, mais quatro mil macedônios, e, apesar de os macedônios se verem desbaratados, os oito mil aniquilaram cento e vinte mil, graças à ajuda do céu, e conseguiram muitos despojos.

²¹Encorajados com essas palavras, ficaram dispostos a morrer pela pátria e pelas leis. Então Judas dividiu o exército em quatro corpos; ²²pôs à frente de cada um seus irmãos Simão, José e Jônatas, dando a cada um o comando de mil e quinhentos homens. ²³Além disso, ordenou a Eleazar que lesse o livro sagrado. E depois de lhes dar como senha "Deus ajuda!", ele próprio se pôs à frente do primeiro corpo, e atacou Nicanor.

²⁴E, com o Todo-poderoso como aliado, mataram mais de nove mil inimigos; deixaram feridos e em mau estado a maioria dos soldados de Nicanor, obrigando todos à fuga. ²⁵Recolheram o dinheiro dos que tinham ido com a intenção de comprá-los. E depois de persegui-los bastante tempo, voltaram, impedidos pela hora adiantada, ²⁶pois era véspera de sábado, e por isso não puderam persegui-los mais longe. ²⁷Recolheram as armas deles, despojaram os cadáveres inimigos e celebraram o sábado, louvando e agradecendo solenemente ao Senhor por tê-los conservado até esse dia, marcado por Deus como início da misericórdia.

²⁸Depois do sábado, deram parte dos despojos aos danificados, às viúvas e aos órfãos; repartiram o resto entre si e com seus filhos. ²⁹Depois de fazer a partilha, fizeram rogações públicas, pedindo ao Senhor misericordioso que completasse sua reconciliação com seus servos.

³⁰Lutaram também contra os homens de Timóteo e Báquides, e mataram mais de vinte mil deles; apoderaram-se de muitas praças-fortes de montanha e distribuíram muitos despojos em partes iguais entre si e com os danificados, os órfãos e as viúvas, além dos anciãos. ³¹Recolheram as armas dos inimigos e as armazenaram cuidadosamente em lugares estratégicos. Levaram o resto dos despojos para Jerusalém. ³²Mataram o comandante das tropas de Timóteo, um dos homens mais ímpios, que havia feito muito mal aos judeus. ³³Nas festas da vitória na capital, queimaram vivos os que haviam incendiado as portas santas, e também Calístenes, que se havia refugiado num esconderijo, e que recebeu assim a paga que sua impiedade merecia.

³⁴O bandido Nicanor, que havia levado mil comerciantes para a venda de judeus escravos, humilhado, ³⁵graças a Deus, pelos que ele considerava os últimos, despojado de suas roupas suntuosas, como um escravo fugitivo, solitário, atravessou o país e chegou a Antioquia, muito bem-sucedido em comparação com seu exército derrotado. ³⁶E aquele que esperava pagar aos romanos um tributo com a venda de escravos de Jerusalém proclamava que os judeus tinham um defensor e que eram invulneráveis por seguir as leis que este lhes havia imposto.

8,21 A "pátria" é outra palavra cara ao autor.
8,22 É excepcional neste livro mencionar os irmãos. O autor quer concentrar, e de fato só menciona o ataque de Judas.
8,23 Assim a batalha tem caráter litúrgico. Poderia tratar-se da exortação de Dt 20,3-4, que faz parte da Lei sobre a guerra, ou também de outros textos militares, como a oração antes da batalha, Sl 20. O grito de guerra é explicação do nome Eleazar.
8,25-27 Estes guerreiros respeitam o sábado, não como os de 1Mc 2,41. Assim, a véspera do sábado se torna o começo da misericórdia, e o sábado serve para a ação de graças, celebrada no próprio campo de batalha, antes ainda de voltar a Jerusalém.
8,28 Os pobres devem participar dos despojos da guerra, como da colheita (ver o paralelismo de Is 9,2), porque a vitória é um acontecimento nacional; a legislação antiga não fala disso: 1Sm 30,25.

8,29 Reunindo num versículo a reconciliação de 7,33 e a misericórdia de 7,23.29, a vitória fica bem inserida na narração e o pedido se abre para o futuro.
A continuação natural está no v. 34; 30-33 parecem uma inserção.
8,30-33 Trata-se de acontecimentos posteriores, como mostra o primeiro livro dos Macabeus. Timóteo é o inimigo em 1Mc 5; Báquides é general sob Demétrio e se opõe a Jônatas (1Mc 9,23-72). Além disso, a atividade em Jerusalém parece pressupor a purificação do templo, narrada em 10,1-8. O v. 33 é duvidoso: talvez todos os culpados se tivessem refugiado num esconderijo, incendiado pelos vencedores (como em Jz 9).
8,34-36 O recurso retórico dos contrastes é o mesmo que no episódio de Heliodoro (2,27ss); é também a confissão forçada do inimigo. Nicanor fica reservado para outro acontecimento capital.

9 Morte de Antíoco Epífanes (1Mc 6,1-16)

— ¹Por essa ocasião, Antíoco teve de se retirar em desordem do território persa, ²porque, ao chegar à capital Persépolis, começou a saquear o templo e a ocupar a cidade; com isso a multidão recorreu às armas, e Antíoco, derrotado e posto em fuga pelos habitantes, teve de empreender o regresso vergonhosamente.

³Quando estava perto de Ecbátana, chegou-lhe a notícia do acontecido a Nicanor e aos homens de Timóteo, ⁴e fora de si pela ira, pensava cobrar dos judeus a injúria dos que o haviam posto em fuga. Por isso, ordenou ao cocheiro avançar sem parar até o final da viagem. Mas viajava com ele a sentença do céu! Porque disse gabando-se:

— Quando chegar lá, transformarei Jerusalém num cemitério de judeus.

⁵Mas o Senhor, que vê tudo, o Deus de Israel, o castigou com uma doença invisível e incurável; pois, apenas havia pronunciado essa frase, sobreveio-lhe uma incessante dor de barriga, com pontadas agudíssimas ⁶(coisa perfeitamente justa, já que ele havia atormentado as entranhas de outros com inúmeros tormentos refinados). ⁷Mas ainda assim não desistiu de sua soberba. Antes, transbordando arrogância, respirando contra os judeus o fogo de sua cólera, mandou acelerar a marcha. Mas caiu do carro quando corria a toda velocidade e, com a violência da queda, todos os membros de seu corpo se deslocaram.

⁸Aquele que pouco antes, em sua ambição sobre-humana, pensava poder dar ordens às ondas do mar; que imaginava poder pesar na balança os cumes dos montes, estava estendido por terra, e tinha de ser levado numa liteira, mostrando a todos a força manifesta de Deus, ⁹até o ponto de o corpo daquele ímpio ferver de vermes, e em vida a carne se desprender em meio a terríveis dores; em todo o acampamento não se aguentava o cheiro de sua podridão. ¹⁰Por causa de seu cheiro insuportável, ninguém podia transportar aquele que pouco antes parecia capaz de tocar as estrelas.

¹¹Então, prostrado pela doença, começou a ceder em sua arrogância. Ao aumentar as dores a cada momento, chegou a

---

A referência às "leis impostas" termina recapitulando a série de referências: 6,23.28; 7,2.9.11.23.30.

9 A morte do perseguidor é prato cheio para um narrador retórico. Da morte de Antíoco temos uma versão sucinta em 1Mc 6,1-16: morre na cama, na Pérsia; outra versão mais novelesca o mata apedrejado no templo de Naneia (2Mc 1,13-16). A presente versão sobressai pela realização e pelo lugar que ocupa no livro.

Do cap. 5 ao 9 se estende um ciclo: profanação do templo, martírios, derrota dos generais, morte do rei. Ganham particular relevo as correspondências entre os sofrimentos corajosos dos mártires e as dores atrozes de um rei nojento. Mais importante é a gradação: enfrentaram-se os dois generais, Nicanor contra Judas, este com Deus por aliado; agora o rei enfrenta o próprio Deus, em combate singular. Já o disse um dos mártires, 7,19: "Tu te atreveste a lutar contra Deus". Foi uma luta o ataque ao templo e ao povo de Deus, e agora a luta toma a forma de soberba desmedida: a máxima exaltação será seguida da desastrosa queda, e o reconhecimento será tardio. A cena acontece entre Persépolis e Ecbátana. A primeira tinha sido destruída por Alexandre, a segunda não ficava no caminho. O autor joga com o prestígio de alguns nomes.

No plano narrativo é um acerto indubitável, quase cinematográfico, essa carreira velocíssima, que provoca a queda fatal. Está felizmente graduada em dois tempos, com um terceiro tempo contrastado no leito; também em três tempos se sucedem a ira, a soberba que não cede e o ceder na soberba. Mas o autor não fica satisfeito em narrar, tem de declamar suas reflexões retóricas forçando os contrastes. Na tradição posterior, a morte do perseguidor chegou a ser um gênero literário próprio.

9,1-2 Começa sem preparativos, no momento da retirada. Segundo outros testemunhos, trata-se de Elimaida. Não é a divindade correspondente que se vinga do saque do templo, mas a população da cidade; não assim no caso de Jerusalém.

9,3-4 Conforme 1Mc, as notícias falam da restauração de Jerusalém, que este livro coloca no capítulo seguinte. O Deus do céu não restringe sua jurisdição a um território.

9,5 A doença é invisível porque é interna; atesta que Deus vê tudo e alcança qualquer parte.

9,7 Ver 5,21, nota.

9,8 São atributos divinos: dar ordens às ondas do mar, Is 51,15; Sl 65,8; 89,10; pesar as montanhas, Is 40,12. É a exaltação descrita liricamente em Is 14 e Ez 28; no caso de Antíoco, baseou-se nas vitórias precedentes e na paciência de Deus, segundo o explicado em 5,12-14.

"Mostrando": em grego *phanerán*, da mesma raiz que Epífanes. O monarca, que no seu título oficial se apresenta como "epifania" da divindade, o será no seu último abatimento, provando com sua derrota o poder do adversário.

9,9 Como "todos os membros" do v. 7 recordava as torturas em cada membro dos mártires, assim esse mau cheiro pode recordar o cheiro de queimado de 7,5.

9,10 Ver Is 14,13.

reconhecer o castigo divino, [12]e, não podendo suportar o próprio cheiro, disse:

– É justo que um mortal se submeta a Deus e não queira medir-se com ele.

[13]Mas aquele criminoso rezava a um soberano que já não se compadecia dele. [14]Dizia que declararia livre a Cidade Santa, para a qual antes caminhava a toda a pressa para arrasá-la e convertê-la em cemitério; [15]que daria, como aos atenienses, os mesmos direitos a todos os judeus, dos quais havia decretado que nem sepultura mereciam, mas que os atirassem com seus filhos como comida às feras e aves; [16]que adornaria com ex-votos o templo santo que antes despojou; que daria de presente muito mais objetos sagrados; que pagaria os gastos dos sacrifícios com seus próprios ganhos, [17]e que ainda se tornaria judeu e percorreria todos os lugares habitados, anunciando o poder de Deus.

[18]Como as dores não cessassem de nenhuma forma, pois o justo julgamento de Deus havia caído sobre ele, sem esperança de cura, escreveu aos judeus, em forma de súplica, a carta que copiamos a seguir:

[19]"O rei e general Antíoco envia muitas saudações aos nobres cidadãos judeus, desejando-lhes bem-estar e prosperidade.

[20]Espero que graças ao céu vos encontreis bem, vós e vossos filhos, e que vossos assuntos caminhem segundo vossos desejos.

[21]Guardo uma lembrança muito afetuosa de vosso respeito e benevolência. Ao voltar da Pérsia, contraí uma doença muito grave, e pareceu-me necessário prover à segurança pública. [22]Não é que eu desespere de minha situação – ao contrário, espero sair da doença –; [23]mas penso que também meu pai, sempre que organizava uma expedição militar ao norte, nomeava um sucessor, [24]para que, se acontecesse algum imprevisto ou chegassem más notícias, os súditos das províncias não ficassem intranquilos, sabendo a quem o governo tinha sido confiado. [25]Além disso, sei bem que os soberanos vizinhos, nas fronteiras de nosso Império, estão espreitando a ocasião, à espera de um acontecimento; por isso, nomeei rei meu filho Antíoco, ao qual muitas vezes recomendei e confiei a maioria de vós, enquanto eu percorria as províncias do norte. A ele escrevi a carta que segue abaixo.

[26]Assim, pois, exorto-vos e rogo que, recordando meus benefícios públicos e privados, mantenhais todos para com meu filho a lealdade que me professais. [27]Pois tenho certeza de que ele saberá acomodar-se a vós, seguindo meu programa político moderada e humanamente".

[28]E assim, aquele assassino e blasfemo, entre dores terríveis, perdeu a vida nos montes, em terra estranha, com um final desastroso, conforme havia tratado a outros. [29]Filipe, seu amigo íntimo, transladou seus restos; mas, não confiando no filho de Antíoco, foi ao Egito, junto a Ptolomeu Filométor.

10 Purificação do templo (1Mc 4,36-61) –
[1]O Macabeu e sua gente, guiados pelo Senhor, reconquistaram o templo

---

9,12 Em oposição a 7,16-17, na boca do quinto mártir.

9,13-17 O autor transforma a série de promessas, talvez mentais, numa cadeia de contrastes. Trata-se de um programa que deveria ser seguido: tal é a tarefa de um rei estrangeiro em relação ao templo, à cidade e ao povo. O programa, recitado agora, se converte em acusação. Quanto à última promessa, o autor parece citá-lo como fruto de uma mente que delira. Anunciar o poder de Deus é o que já fizeram Heliodoro e Nicanor (3,34 e 8,36).

9,18 Esta carta é o ápice. Pode muito bem ser invenção do autor. Colocada neste lugar, soa como testamento do monarca mendigando o apoio dos judeus para seu filho e sucessor. Reflete ao mesmo tempo a abjeção do rei e sua desfaçatez, que nas palavras finais beira ao cinismo. O efeito retórico é claro; por isso, o autor imediatamente chama o rei de "assassino e blasfemo" (v. 28). Fato é que o efeito retórico se desprende sem comentários, ao passo que outras vezes o autor faz o comentário interrompendo a narração. Fora do presente contexto, a carta teria um sentido muito diferente.

O momento da sucessão era muito delicado por causa das perpétuas rivalidades de pessoas e partidos. A continuação lógica se encontra em 10,9.

10,1-8 O lugar natural desta seção é após 8,29, ou seja, depois da vitória decisiva sobre Nicanor e preparando a morte de Antíoco. Agora separa violentamente 10,9-18 de 9,29.

A purificação do templo é amplamente narrada em 1Mc 4,36-59 como acontecimento transcendental. Também o autor da primeira carta a considera um fato capital: 2Mc 1,19.22. Nosso autor, porém, parece não lhe conceder tanta importância. Em 5,19 enunciou a tese: "O Senhor não escolheu o povo para o lugar santo, e sim o lugar santo para o povo".

e a cidade, ²demoliram os altares levantados pelos estrangeiros na praça pública e seus templos.

³Depois de purificar o templo, levantaram outro altar, e com fogo tirado da pedra ofereceram sacrifícios depois de uma interrupção de dois anos, queimaram incenso, acenderam as lâmpadas e apresentaram os pães.

⁴Depois de fazer isso, prostraram-se por terra e suplicaram ao Senhor para não voltarem a cair em tais desastres; mas, se alguma vez pecassem, que ele os castigasse com moderação, sem entregá-los a estrangeiros blasfemos.

⁵A purificação do templo caiu no mesmo dia em que os estrangeiros o haviam profanado: o dia vinte e cinco do mesmo mês, ou seja, dezembro. ⁶Celebraram com alegria oito dias de festa, como a das Cabanas, recordando que pouco antes, no tempo dessa festa, andavam pelos montes e cavernas, vivendo como animais selvagens. ⁷Por isso, levando tirsos, ramos verdes e palmas, entoavam hinos àquele que havia levado a bom termo a purificação de seu lugar santo, ⁸e decidiram, mediante decreto público votado na assembleia e obrigatório para todo o povo judeu, celebrar todos os anos esses dias de festa.

Façanhas de Judas (1Mc 5,1-8) – ⁹Assim acabou Antíoco, apelidado Epífanes. ¹⁰Agora vamos tratar de Antíoco Eupátor, filho daquele ímpio, dando um resumo dos estragos causados pelas guerras.

¹¹Quando Eupátor subiu ao trono, nomeou chefe de Governo um tal Lísias, governador supremo da Celessíria e da Fenícia; ¹²pois Ptolomeu, chamado Macron, que se distinguiu em tratar com justiça os judeus, para reparar a injustiça que haviam cometido com eles, procurava governá-los pacificamente, ¹³e, por esse motivo, os Grandes do Reino o acusaram diante de Eupátor, e como a cada momento era chamado de traidor por ter abandonado Chipre, que Filométor lhe havia confiado, e por ter passado para o partido de Antíoco Epífanes, vendo que não havia exercido seu cargo com honra, suicidou-se, envenenando-se.

¹⁴De sua parte, Górgias, nomeado governador da região, mantinha tropas mercenárias, e a cada momento hostilizava os judeus. ¹⁵Ao mesmo tempo, também os

---

10,2 Era costume pagão erguer altares na praça pública.
10,3 Profanado segundo 6,5. O fogo assim obtido não é profano: ver Lv 10.
10,4 Ver 5,17ss e a escolha de Davi em 2Sm 24,14. "Com moderação": parece alusão resumida ao Sl 103.
10,6-7 A festa das Cabanas queria ser uma dramatização litúrgica do tempo do deserto, transformando em alegria a lembrança dos sofrimentos. Aqui, porém, essa festa se opõe à vida errante de antes, durante a perseguição. O tempo do ano, dezembro, não recomendava dias ao relento.
10,8 Sobre esta festa, ver a segunda carta da introdução, capítulos 1-2.
10,9-38 A nova época, começada e ilustrada no cap. 8, se desenrola com bastante monotonia nos capítulos que se seguem. Com efeito, os judeus são agora invencíveis e irresistíveis, e os ataques ou a resistência inimiga só servem para demonstrar esse fato ou princípio. Os melhores generais são derrotados, ou morrem, ou fogem, ou pedem a paz. O próprio rei tem de pedir a paz. Exércitos enormes servem para aumentar o número dos caídos. As muralhas cedem, as praças-fortes se rendem. E, acima de tudo, Judas causa muitas baixas ao inimigo: somando as que o autor enumera, sobem a quase duzentas e quarenta mil; a essas se acrescentam as não contadas ou as incontáveis. Por seu turno, da parte judaica não ouvimos que haja baixas: duas vezes uns traidores são executados, e uma vez uns soldados morrem por levar amuletos consigo.
O esquema das batalhas não varia muito. Pode-se distinguir o ataque a um general ou a uma praça-forte; às vezes a praça-forte é a segunda etapa de uma batalha. Costuma começar um ataque, os judeus oram e se lançam ao ataque, às vezes sobrevém uma aparição celeste, vitória com o número de baixas, ação de graças. Uma variante interessante é o final com assinatura de tratado.
Na série é difícil perceber um movimento geográfico coerente. A lista de inimigos é a seguinte: idumeus, Timóteo com Gazara, Lísias, Jope e Jâmnia, árabes, Caspin, Querac, Timóteo com Carnion, Efron, Górgias, Antíoco e Nicanor. O autor não perde ocasião de exercitar sua perícia estilística de cunho retórico.
10,11 Lísias tem o comando supremo; na Cisjordânia governa Górgias; na Transjordânia, Timóteo. Os idumeus parecem possuir certa autonomia.
10,12-13 Sobre este Ptolomeu, ver 4,45 e 6,8. Tinha estado a serviço do rei do Egito e passou para o rei da Síria. Ao morrer, Antíoco Epífanes já não se sente seguro de seu filho e sucessor.
10,14 Estes fugitivos de Jerusalém devem ser membros importantes do partido colaboracionista, não tolerados sob o poder de Judas. O autor não quer entrar em detalhes sobre essa divisão interna, mas dá a entender que não entram na designação genérica de "os judeus".

idumeus, apoderando-se de praças-fortes estratégicas, perturbavam os judeus, e procuravam atiçar a guerra acolhendo os fugitivos de Jerusalém. [16]Os homens do Macabeu, depois de fazer preces públicas para pedir a Deus que fosse seu aliado, atacaram as praças-fortes dos idumeus: [17]assaltaram-nas impetuosamente, as conquistaram, rechaçaram os que lutavam nas muralhas, passaram à espada os que caíram em suas mãos e eliminaram pelo menos vinte mil.

[18]Pelo menos nove mil fugitivos se refugiaram em duas torres muito bem defendidas, providos de todo o necessário para suportar um assédio. [19]O Macabeu deixou Simão e José, e também Zaqueu, com bastante tropa para manter o cerco, e marchou para os lugares de maior urgência. [20]Mas os homens de Simão, famintos de dinheiro, se deixaram subornar por alguns dos refugiados nas torres, e por sete mil dracmas os deixaram escapar. [21]Quando informaram o Macabeu do acontecido, reuniu os oficiais do exército e os acusou de ter vendido seus irmãos por dinheiro, deixando livres seus adversários. [22]Mandou executar os traidores e conquistou em seguida as duas torres. [23]Essa operação militar, dirigida pessoalmente por ele, foi um êxito: nas duas praças matou mais de vinte mil.

[24]Mas Timóteo, antes derrotado pelos judeus, recrutou muitíssimas tropas estrangeiras, juntou muitos cavalos da Ásia e apresentou-se para conquistar Judá pela força das armas. [25]Quando se aproximava, os homens do Macabeu, jogando terra na cabeça e cingindo pano de saco na cintura, com súplicas a Deus pediam, [26]prostrados ao pé do altar, que lhes fosse favorável, que fosse inimigo de seus inimigos e adversário de seus adversários, conforme diz expressamente a Lei. [27]Ao terminar a oração, empunharam as armas e avançaram bastante fora da cidade; quando chegavam perto dos inimigos se detiveram.

[28]Ao raiar a aurora travou-se o combate. Uns levavam como garantia de triunfo e de vitória, além de sua coragem, o recurso ao Senhor; os outros tinham apenas seu próprio arrojo como chefe nas batalhas. [29]No combate mais duro, os inimigos viram no céu cinco homens resplandecentes montando cavalos com freios de ouro que se puseram na vanguarda dos judeus; [30]colocaram no meio o Macabeu e o cobriram com suas próprias armas, para guardá-lo incólume, enquanto disparavam flechas e raios contra os inimigos; estes, desconcertados e ofuscados, se desorganizaram, cheios de pânico. [31]Caíram vinte mil e quinhentos homens e seiscentos cavaleiros. [32]O próprio Timóteo teve de fugir para a praça-forte chamada Gazara, muito bem fortificada, cujo chefe era Quéreas. [33]Mas os homens do Macabeu assediaram a fortaleza durante quatro dias, cheios de entusiasmo. [34]Os que estavam dentro, confiando que a praça fosse inacessível, blasfemaram sem conta, proferindo palavras abomináveis.

[35]Ao amanhecer do quinto dia, vinte jovens do exército do Macabeu, enfurecidos por aquelas blasfêmias, assaltaram corajosamente o muro, e com furor selvagem matavam todo aquele que lhes caísse nas mãos. [36]Os demais escalaram por outro lado e, surpreendendo os sitiados, incendiaram os torreões, acenderam fogueiras e queimaram vivos os blasfemos. Enquanto isso, outros quebraram as portas, e assim introduziram o resto da tropa e conquistaram a praça. [37]Degolaram Timóteo, que

---

10,16 Deus como aliado: ver 8,24.
10,19 Conhecemos Simão e José por 8,22. O desaforo acontece na ausência de Judas. Castigados os traidores, as duas fortalezas caem logo em seguida.
10,24 A rigor, Timóteo governa a Transjordânia. Mas o autor finge uma Judeia autônoma, teocrática, assaltada por um inimigo externo. Talvez por essa razão, antecipa uns vinte anos e atribui a Judas a conquista de Gazara, realizada por Simão em 142 a.C. Ver 8,30.32.
10,26 O texto citado é lido em Ex 23,22 no epílogo do Código da Aliança. No mesmo contexto Deus promete enviar "um anjo"; daí pode ter surgido a teofania a serviço de Judas. Mais adiante, 23,23, promete desalojar seis povos habitantes de Canaã; em nosso texto deve-se notar que o exército inimigo se compõe de "muitíssimas tropas estrangeiras" (v. 24).
10,29 Ver 3,25; 5,3. Lançar raios é uma ação teofânica (Sl 18,14-15); o Macabeu é uma espécie de Davi na batalha do povo. O desconcerto e pânico do inimigo são comuns na guerra santa. O autor usa uma terminologia intencional, que consagra a autoridade do Macabeu, sem chegar a chamá-lo "ungido".
10,33-34 Também a resistência numa praça-forte e as blasfêmias e insultos recordam o episódio davídico da fortaleza jebuseia conquistada (2Sm 5).

estava escondido numa cisterna; também seu irmão Quéreas e Apolófanes.

³⁸Depois dessa façanha, bendiziam o Senhor com hinos de louvor, pois havia feito a Israel um benefício tão grande, concedendo-lhes essa vitória.

11 Expedição de Lísias (1Mc 4,26-35) –

¹Bem pouco tempo depois, Lísias, tutor e parente do rei e chefe de Governo, muito desgostoso pelo acontecido, ²reuniu uns oitenta mil homens e toda a cavalaria e avançou contra os judeus, com o projeto de estabelecer colonos gregos em Jerusalém, ³submeter o templo a pagamento de impostos, como os outros santuários dos pagãos, e pôr à venda todos os anos o sumo sacerdócio. ⁴Ensoberbecido pelas miríades de soldados, pelos milhares de cavaleiros e pelos oitenta elefantes, não lhe ocorria por nada pensar no poder de Deus.

⁵Quando entrou em Judá, aproximou-se de Betsur, que é uma praça-forte distante de Jerusalém umas cinco léguas, e atacou-a.

⁶Quando os homens do Macabeu receberam a notícia de que Lísias estava assediando as praças-fortes, soluçando e chorando suplicavam ao Senhor, junto com o povo, para que enviasse um anjo bom para salvar Israel. ⁷O Macabeu em pessoa empunhou as armas em primeiro lugar, e exortou os demais, exigindo que socorressem seus irmãos, expondo-se com ele ao perigo. Cheios de ardor, eles se puseram em marcha ⁸e aí, perto ainda de Jerusalém, apareceu-lhes, na frente do exército, um cavaleiro com vestes brancas, brandindo armas de ouro.

⁹Todos juntos louvaram o Deus misericordioso, e ficaram revigorados, dispostos a derrubar não só os homens, mas também as feras mais ferozes e até muralhas de ferro. ¹⁰Avançavam ordenadamente, tendo um aliado celestial, porque o Senhor se havia compadecido deles. ¹¹Lançaram-se contra o inimigo como leões, e deixaram estendidos por terra onze mil de infantaria e mil e seiscentos cavaleiros, e obrigaram os demais a fugir, ¹²mas a maioria se salvou com feridas e desarmados; o próprio Lísias salvou-se, fugindo vergonhosamente.

¹³Como não era idiota, refletiu sobre a derrota que havia sofrido e, pensando

---

11 A batalha com Lísias é mais importante porque Lísias ocupa um escalão mais alto que Timóteo. Os resultados da campanha sobem até o rei e provocam também a intervenção romana. O desenrolar da batalha segue o esquema conhecido, com teofania, mas sem cidade de refúgio. Compare-se com a versão de 1Mc 4,26-35.

11,3-4 As intenções atribuídas a Lísias equivalem neste livro a uma volta à situação precedente. Pois o autor concebe uma nação independente, uma Jerusalém autônoma como capital e um templo funcionando normalmente. Nunca esclarece a situação das autoridades: parece considerar Judas como chefe civil e militar e supor um sumo sacerdote com grande autoridade. No fundo poderia influir a concepção dos dois poderes, de Zacarias; na superfície, a situação não é clara. Em todo caso, considera-se o templo fonte de excelentes entradas (como nos dias de Heliodoro, felizmente superados, cap. 3). Pôr à venda anualmente o sumo sacerdócio é ao mesmo tempo um negócio econômico, um modo de fomentar os partidos e de controlar a região. É curioso que em batalhas e orações não aparecem sacerdotes; a não ser que fosse sacerdote o leitor bíblico Eleazar (8,23).

11,5 O texto está bastante corrompido. Essa Betsur (Casa da Rocha, 1Mc 4,29) parece estar situada ao sul de Jerusalém, no caminho de Hebron. Lísias parece penetrar por território judaico como em seu tempo o fez Senaquerib; e também ele tropeçará com um anjo protetor dos judeus.

11,6 O anjo do Senhor prometido em Ex 23,22 e mencionado em Sl 34,8; 35,6.7.

11,9-10 O título divino de 9 e o verbo de 10 nos recordam que estamos no tempo da misericórdia divina.

11,11 A comparação tem antecedentes bíblicos (2Sm 1,23), mas a forma adverbial é de ascendência homérica.

11,13-38 O resultado da batalha é uma atividade diplomática convergente. Não se apresenta o curso das negociações, mas se supõem idas e vindas, conversações e embaixadas, que formaram a trama. Se o Menelau citado é o mesmo que o sumo sacerdote do cap. 4, mudou radicalmente. Talvez o seja historicamente, mas não assim ao longo do livro. Em 4,50 o autor o deixou "progredindo em maldade", o chama "o maior adversário de seus concidadãos"; aqui, porém, Menelau aparece como intercessor e mediador.

O conteúdo se concentra num ponto: seguir sua legislação e usar seu templo. É o Estado centrado no templo e regido pela Lei de Moisés. É desandar totalmente o caminho de Antíoco IV e voltar à tolerância de seu predecessor. A carta fala como se todos os judeus fossem de um partido: assim é na perspectiva do narrador. Da liberdade religiosa se passará para a tranquilidade (fim do regime de temor) e a dedicação às tarefas comuns (fim da resistência passiva e das hostilidades). As cartas são redigidas em estilo sóbrio, que lima as arestas.

que os hebreus eram invencíveis porque o Deus poderoso lutava com eles como aliado, [14]enviou-lhes uma embaixada para propor-lhes um acerto em termos justos, e prometendo convencer o rei da necessidade de aliar-se com os judeus.

[15]O Macabeu, pensando no bem comum, concordou com tudo o que Lísias lhe propunha. E o rei concedeu tudo o que o Macabeu pediu por escrito a Lísias em favor dos judeus. [16]A carta de Lísias aos judeus estava concebida nos seguintes termos:

"Lísias saúda o povo judeu.

[17]João e Absalão, vossos embaixadores, me entregaram o documento assinado e me pediram para ratificar seu conteúdo. [18]Tudo o que havia para comunicar ao rei, eu já o expus, e concedi tudo o que estava em minhas atribuições.

[19]Assim, pois, se perseverais nessa boa disposição para com o governo, procurarei trabalhar em vosso favor no futuro.

[20]Ordenei aos vossos embaixadores e aos meus que tratem convosco as questões de detalhes.

[21]Saudações. Ano cento e quarenta e oito, dia vinte e quatro de Júpiter Coríntio".

[22]A carta do rei dizia assim:

"O rei Antíoco saúda seu irmão Lísias. [23]Depois que meu pai foi para o céu*, querendo que os súditos de nosso Império possam dedicar-se sem temor a seus assuntos; [24]como soubemos que os judeus não gostam de adotar costumes gregos conforme era o desejo de meu pai, mas preferem seu próprio estilo de vida e pedem que lhes seja permitido seguir sua legislação; [25]desejando que tal povo viva sem temor, decidimos restituir-lhes o templo e que vivam conforme os costumes de seus antepassados.

[26]Assim, pois, tenhas a bondade de enviar embaixadores a eles e fazer com eles as pazes, para que, conhecendo nossos desejos, vivam contentes e possam cuidar prazerosamente de seus assuntos".

[27]A carta do rei para o povo era esta:

"O rei Antíoco saúda o Senado e o povo judeu.

[28]Alegramo-nos que estejais bem. Também nós estamos bem.

[29]Menelau nos expôs que quereis voltar a vossos lares; [30]portanto, nós garantimos a imunidade aos que voltarem para casa até o dia trinta de abril.

[31]Os judeus poderão usar seus alimentos e suas leis como antes, e nenhum deles será perturbado em absoluto por infrações cometidas por ignorância. [32]Eu vos envio também Menelau para que o confirme.

[33]Saudações. Ano cento e quarenta e oito, dia quinze de abril".

[34]Também os romanos lhes enviaram uma carta, que dizia assim:

"Quinto Mêmio e Tito Mânio, legados de Roma, saúdam o povo judeu.

[35]Estamos de acordo com o que Lísias, parente do rei, vos concedeu; [36]e, quanto aos pontos que ele decidiu apresentar ao rei, estudai-os bem, e depois enviai-nos imediatamente alguém para que negociemos em vosso proveito, já que vamos a Antioquia. [37]Por isso, enviai-nos logo alguns para que conheçamos vossas propostas.

[38]Saudações. Ano cento e quarenta e oito, dia quinze de abril".

Ainda que os judeus sejam meros destinatários, na realidade são os vencedores. E Judas figura como a autoridade que conduz e conclui as negociações.

11,14 As condições razoáveis ou justas que Lísias propõe anulam, naturalmente, todos os seus planos precedentes sobre o templo e o sumo sacerdote. Não se diz nada de outros privilégios e isenções de impostos.

11,19 As boas disposições incluem reconhecer o poder sírio e depor as armas.

11,23 * Literalmente: "foi reunir-se com os deuses".

11,25 "Que vivam": trata-se da vida civil (*politêuesthai*), organizada e governada pela Lei revelada.

11,29-32 A volta aos lares pode referir-se em primeiro lugar aos que tinham fugido para os montes durante a perseguição; em segundo lugar, poderia incluir os exilados por suas tendências helenizantes. Na perspectiva do livro, o segundo caso exigiria uma conversão radical.

As ignorâncias podem ser entendidas do ponto de vista do rei (como em 1Mc 13,39); tratar-se-ia de infrações legais puramente materiais. Do ponto de vista judaico, essas ignorâncias são faltas materiais contra os preceitos da Lei, que exigem expiação quando o autor percebe (Lv 4: Nm 15); teria muita aplicação nos tabus alimentares. Assim o texto da carta poderia ser lido como pacificação dos partidos judaicos, concedida a vitória ao dos "Leais". Provavelmente o autor do livro não partilha essa possível leitura.

12 Novas façanhas de Judas

¹Quando terminaram as negociações, Lísias voltou para onde o rei estava, e os judeus voltaram para seus trabalhos no campo. ²Entre os governadores locais, Timóteo, Apolônio de Geneu, assim como Jerônimo e Demofonte e, além deles, Nicanor, chefe dos cipriotas, não os deixavam tranquilos nem viver em paz.

³Além disso, os habitantes de Jope cometeram o crime horrendo que vou contar: sem aparentar a menor intenção hostil, convidaram os judeus que viviam na cidade a subir, com suas mulheres e crianças, para os navios que eles mesmos haviam equipado. ⁴Como se tratava de um decreto público da cidade, e os judeus desejavam viver em paz, e sem nutrir nenhuma suspeita, aceitaram o convite; mas quando estavam em alto-mar, os fizeram ir a pique; eram pelo menos duzentos.

⁵Quando Judas recebeu a notícia dessa crueldade contra seus compatriotas, deu ordens a seus homens ⁶e, invocando a Deus, justo juiz, marchou contra os assassinos de seus irmãos, incendiou de noite o porto, queimou os navios e passou a fio de espada os que se haviam refugiado aí.

⁷Como a cidade estava fechada, ele se retirou, mas com intenção de voltar para acabar com Jope. ⁸Ao receber a notícia de que os habitantes de Jâmnia tentavam fazer o mesmo com os judeus que viviam aí, ⁹atacou-os de noite e incendiou-lhes o porto com todos os navios, de forma que o clarão do incêndio foi visto até em Jerusalém, a quarenta e cinco quilômetros.

¹⁰Ele se havia distanciado daí uns dois quilômetros num ataque contra Timóteo, quando caíram sobre ele pelo menos cinco mil árabes com quinhentos cavaleiros. ¹¹Travou-se violento combate e, com a ajuda de Deus, os homens de Judas venceram. Derrotados, os nômades lhe pediam a paz, prometendo entregar-lhe o rebanho e ser-lhe úteis no futuro. ¹²Judas pensou que realmente podiam ser-lhe úteis de muitas maneiras, e concordou em fazer as pazes com eles; depois do acordo de paz, retiraram-se para suas tendas.

¹³Atacou também uma cidade chamada Caspin, defendida com aterros e amuralhada, na qual vivia gente de todas as raças. ¹⁴Os que estavam dentro, confiando em suas muralhas inexpugnáveis e nos depósitos de víveres, mostraram-se insolentes contra os homens de Judas, insultando-os,

---

12 Dir-se-ia que a história terminou depois do pacto de tolerância religiosa. No entanto, o livro continua. Para isso tem de recomeçar no nível inferior de governadores locais, para chegar ao rei no cap. 13. Geograficamente se nota uma expansão, pois Judas sai do território de Judá. Primeiramente numa expedição de represália contra dois povoados da costa mediterrânea; depois numa campanha pela Transjordânia, no encalço de Timóteo, general inimigo; por fim na região sul. São dados episódicos não bem motivados: se a expedição contra Jope e Jâmnia tem por objetivo vingar e defender os judeus aí residentes, as da Transjordânia e Idumeia parecem ser causadas pela hostilidade dos dois generais.

Em 1Mc 5 também se trata de defender povoados judeus fora do território judaico. Além disso, depois de conquistas, batalhas e matanças, não se notam resultados políticos estáveis. A única coisa que se confirma é que Judas é invencível. E como o autor não dispõe de grandes recursos narrativos, a série fica monótona, episódica, só animada por algum particular anedótico ou por algum ensinamento teológico. Ver 1Mc 5.

12,1-2 Assinada em nível do rei e do primeiro ministro, a paz é perturbada pelos governadores locais, que desfrutavam de suficiente autonomia; sabemos por 1Mc que o rei era um menino. Os judeus voltam às suas tarefas pacíficas, como previa o decreto real (11,23.26). As tarefas agrícolas se opõem paradigmaticamente à vida militar.
São os outros que começam a perturbar essa paz. Assim o autor o dá a entender ao introduzir a nova série.

12,3-4 Parece que se trata de festejos a que os judeus residentes na localidade são oficialmente convidados "por decreto". Os judeus eram minoria pacífica; se seguiam seus costumes tradicionais, com certeza não participavam dos festejos cívicos, sobretudo se tinham caráter religioso. Isso explicaria o caráter oficial e novo do convite.

12,7-9 O porto ficava fora da cidade fortificada. Jâmnia fica a alguns quilômetros ao sul de Jope: o autor é conciso ao dar a distância de Jerusalém e pródigo ao indicar as dimensões do incêndio.

12,10 É normal que a incursão árabe acontecesse na Transjordânia, ou seja, quando o Macabeu marchou à procura de Timóteo, para obrigá-lo a uma batalha aberta. Os árabes controlavam as rotas de caravanas, e puderam ter-se sentido ameaçados pela incursão de Judas. Compreende-se que, ao entender as intenções deste e instruídos pela derrota, preferissem um tratado de paz. Com sua amizade tinham algo importante para oferecer ao chefe judeu.

12,13 A cidade está situada nas alturas de Golã, ao leste do lago de Genesaré. No assalto a essa cidade, o Macabeu enfrenta uma pluralidade de nações, como quando enfrenta exércitos de mercenários.

e até blasfemando e proferindo palavras abomináveis. ¹⁵Os homens de Judas invocaram o supremo Soberano do universo, que nos tempos de Josué fizera cair Jericó sem aríetes nem máquinas bélicas. Depois assaltaram ferozmente a muralha. ¹⁶E quando conquistaram a cidade por vontade de Deus, fizeram uma matança indescritível, a tal ponto que o lago vizinho, de uns quatrocentos metros de largura, parecia cheio do sangue que corria para ele.

¹⁷Afastaram-se daí uns cento e quarenta quilômetros e chegaram a Cáraca, onde habitam os judeus tubianos; ¹⁸mas não encontraram Timóteo nessa região, porque, ao não conseguir nada na ocasião, havia partido daí, deixando em seu lugar uma guarnição, por certo muito forte. ¹⁹Dositeu e Sosípatro, oficiais do exército do Macabeu, foram lá e aniquilaram a guarnição que Timóteo havia deixado na praça-forte, mais de dez mil homens.

²⁰De sua parte, o Macabeu distribuiu suas tropas em vários corpos; nomeou chefes aqueles dois, e se lançou contra Timóteo, que tinha um exército de cento e vinte mil de infantaria e dois mil e quinhentos cavaleiros.

²¹Quando Timóteo recebeu a notícia da chegada de Judas, enviou as mulheres, as crianças e o resto da bagagem ao lugar chamado Cárnion, inexpugnável e inacessível por causa da estreiteza das passagens em toda essa região.

²²Quando apareceu o primeiro destacamento de Judas, o terror se apoderou dos inimigos, o pânico diante da manifestação do Onividente; e empreenderam a fuga, lançando-se cada um por seu lado, ferindo-se uns aos outros muitas vezes, atravessando-se com suas espadas. ²³Judas os perseguiu impetuosamente; trespassou esses criminosos e aniquilou uns trinta mil homens. ²⁴O próprio Timóteo, que foi cair entre as tropas de Dositeu e Sosípatro, pedia-lhes com muita diplomacia que o deixassem vivo, porque tinham em seu poder os pais de muitos e os irmãos de outros, e poderia acontecer que fossem eliminados. ²⁵Conseguiu convencê-los com muitos argumentos, com a promessa de devolvê-los ilesos, e o deixaram em liberdade com o objetivo de salvar os próprios irmãos.

²⁶Judas marchou depois contra Cárnion e o santuário de Atargateion, e matou vinte e cinco mil homens. ²⁷Depois de derrotá-los e aniquilá-los, marchou contra Efron, uma cidade fortificada onde residia Lísias e imensa multidão. Jovens robustos, alinhados diante da muralha, a defendiam valorosamente, e dentro estavam bem abastecidos de projéteis e máquinas bélicas. ²⁸Depois de invocar o Soberano, que com seu poder esmaga as forças do inimigo, conquistaram a cidade e mataram uns vinte e cinco mil dos que estavam dentro.

²⁹Partindo daí, lançaram-se contra Citópolis, distante mais de cem quilômetros de Jerusalém; ³⁰mas como os judeus daí garantiram que os habitantes de Citópolis os tratavam com respeito e que os haviam acolhido humanitariamente nos momentos de desgraça, ³¹Judas e os seus lhes agradeceram e os exortaram a continuar sendo no futuro benévolos com os de sua raça. Estando já próxima a festa das Semanas, chegaram a Jerusalém, ³²e, depois da festa de Pentecostes, lançaram-se contra Górgias, governador da Idumeia. ³³Górgias saiu com três mil homens de infantaria e quatrocentos cavaleiros; ³⁴travou-se o combate e os judeus tiveram algumas baixas. ³⁵Um tal Dositeu, cavaleiro muito valente dos de Bacenor, segurava Górgias pelo manto e o arrastava com força, querendo caçar vivo esse maldito; mas um dos cavaleiros trácios lançou-se contra Dositeu, cortou-lhe o braço, e assim Górgias pôde fugir para Marisa.

12,17 A região dos tubianos fica ao leste, no caminho de Bosora, na região do Haurã. A distância que o autor dá parece medida a partir do Jordão, muito mais ao sul.

12,21 Cárnion fica ao leste de Caspin. Possuía um santuário famoso de Astarte e, ao que parece, outro de Atargate. É provável que possuísse direito de asilo.

12,22 O autor liga a aparição do destacamento (*epiphanêises*) à de Deus (*epiphaneias*). Pânico, fuga desordenada e ferir-se uns aos outros são tópicos da guerra santa.

12,27 Efron se encontra ao sul, a pouca distância do Jordão.

12,29 Citópolis é a antiga Betsã, perto do Jordão, porta de acesso ao vale de Jezrael.

³⁶De outro lado, os que estavam com Esdrias* sentiam-se esgotados porque estavam combatendo fazia muito tempo. Judas invocou o Senhor para que se mostrasse aliado e dirigisse a batalha. ³⁷Em língua materna lançou o grito de guerra e, entoando hinos, lançou-se de surpresa contra os homens de Górgias e os pôs em fuga.

³⁸Judas reuniu o exército e marchou para a cidade de Odolam e, como chegasse o sétimo dia, purificaram-se segundo o rito costumeiro, e aí mesmo celebraram o sábado. ³⁹No dia seguinte, porque era urgente, os homens de Judas foram recolher os cadáveres dos caídos, para sepultá-los com seus parentes nas sepulturas familiares. ⁴⁰E, sob a túnica de cada morto, encontraram amuletos dos ídolos de Jâmnia, que a Lei proíbe para os judeus. Todos viram claramente que essa era a razão de sua morte. ⁴¹Dessa forma, todos louvavam as obras do Senhor, justo juiz, que descobre o que está escondido, ⁴²e fizeram súplicas para pedir que o pecado cometido ficasse completamente cancelado.

De sua parte, o nobre Judas exortou a tropa a se conservar sem pecado, depois de ver com seus próprios olhos as consequências do pecado dos caídos. ⁴³Depois recolheu duas mil dracmas de prata numa coleta e as enviou a Jerusalém para que oferecessem um sacrifício de expiação. Agiu com grande retidão e nobreza, pensando na ressurreição. ⁴⁴Se não houvesse esperado a ressurreição dos caídos, teria sido inútil e ridículo rezar pelos mortos. ⁴⁵Mas, considerando que aos que morreram piedosamente estava reservado um magnífico prêmio, a ideia é piedosa e santa. Por isso, fez uma expiação pelos caídos, para que fossem libertos do pecado.

13

Paz com Antíoco – ¹No ano cento e quarenta e nove, chegou aos homens de Judas a notícia de que Antíoco Eupátor avançava sobre Judá com muitas tropas

---

12,36 * Esdrias é talvez o mesmo Eleazar de 8,23.
12,38 Odolam é a região onde se escondeu Davi, ao sudoeste de Jerusalém.
12,39 Sepultados nos sepulcros de família, se reúnem com seus pais, segundo a velha tradição. Não podem ir para a vala comum nem ficar como pasto de feras e aves de rapina. São os únicos judeus caídos que o autor menciona.
12,40-45 Através de um texto de história complicada, é possível distinguir duas etapas de significação: a de Jasão e a do autor.
Segundo Jasão, que seguiria a doutrina tradicional, os caídos morreram por seu pecado; a morte foi castigo e expiação do pecado. E revela o justo julgamento de Deus: ver Is 22,14 "expiareis esse pecado só com a morte". Com isso seu destino terminou, e podem servir de exemplo aos demais soldados. O general lhes faz um sermão sobre o tema. O pecado entrava na categoria genérica de idolatria e era contra Dt 7,25.
O pecado dos caídos podia continuar trazendo consequências graves para o resto do exército; assim aconteceu no caso de Acã (Js 7); as consequências de um delito podem continuar no tempo por gerações, porque o pecado não é totalmente expiado (1Sm 3,14: "seu pecado jamais será expiado, nem com sacrifícios nem com ofertas"). Ou seja, se a parte pessoal ficou expiada com a morte, a parte coletiva ainda ameaça; por isso é preciso orar e oferecer um sacrifício de expiação, segundo as normas de Lv 4-5.
A oração pode ser feita no próprio campo de batalha, e o sacrifício é oferecido no templo.
A essa interpretação tradicional se sobrepõe o comentário do autor do livro, em polêmica com outras escolas doutrinais. O autor está convencido da ressurreição dos judeus fiéis para a vida: os mártires já a alcançaram, também Jeremias e talvez Onias (15,12-16). Os caídos na batalha "morreram piedosamente", pois se trata da causa nobre que é a Lei, ainda que manchados por um pecado. Pelo primeiro motivo, estão destinados a uma recompensa magnífica, a ressurreição para a vida; pelo segundo, a vida fica impedida. Como não podem expiar a culpa restante, seus irmãos vivos têm de fazê-lo. Afirma-se assim uma comunidade de vivos e mortos na teocracia e um valor de sacrifícios e orações pelos mortos.
No tempo posterior, os fariseus aceitarão a doutrina da ressurreição, não porém os saduceus. A frase, pendente no texto grego, "inútil e ridículo rezar pelos mortos", poderia ser citação da doutrina de uma escola. Esta página tem sido uma das mais citadas e comentadas deste livro.

13 O assalto, derrota e paz de Antíoco V é um ápice. Não da arte narrativa do autor, mas da importância para a tese teológica. Trata-se do próprio rei, com exército imenso, decidido a superar em crueldade seu pai Epífanes. Como outro Senaquerib, pretende invadir Judá e conquistar sua capital. Outra agravante do empreendimento é que representa a ruptura dos pactos (cap. 11).
Narrativamente, o capítulo repete os esquemas conhecidos. Dois pontos podem ser ressaltados: a desproporção entre as orações longas e as ações fulminantes, e o artifício estilístico de acumular verbos próximos para concentrar muita ação em pouco espaço, a fim de sublinhar a eficácia da proteção divina.
Corresponde ao ano 163 a.C.; 1Mc 6,20 põe a data um ano depois, no verão de 162.

e que ia com ele ²Lísias, seu preceptor e chefe de Governo. Tinham um exército de cento e dez mil gregos de infantaria, cinco mil e trezentos cavaleiros, vinte e dois elefantes e trezentos carros armados de foices.

³Menelau se juntou a eles e animava Antíoco com muita dissimulação, não para salvar a pátria, mas com intenção de conservar seu cargo. ⁴Mas o Rei dos reis excitou a cólera de Antíoco contra aquele malvado, e como Lísias provou que aquele era o causador de todos os males, Antíoco ordenou que o levassem a Bereia e o executassem aí, segundo o costume do lugar: ⁵existe aí uma torre de vinte e cinco metros, cheia de cinza, provida de uma máquina giratória inclinada para a cinza por todos os lados; ⁶era aí onde todos empurravam o responsável de um roubo sacrílego, ou o autor de outros delitos, para que morresse. ⁷Com tal morte acabou Menelau, esse prevaricador, que nem sequer teve sepultura. ⁸Com toda a justiça: visto que tinha cometido muitos pecados contra o altar, cujo fogo e cinza eram puros, na cinza recebeu a morte.

⁹Mas o rei avançava com planos ferozes, para que os judeus passassem coisas piores do que no tempo de seu pai.

¹⁰Quando recebeu essa notícia, Judas exortou o povo a pedir ao Senhor, dia e noite, que também nesta ocasião, como em outras vezes, socorresse os que iriam ficar privados da Lei, da pátria e do templo santo; ¹¹não permitisse que os gentios blasfemos submetessem o povo, que mal começava a respirar.

¹²Depois que todos fizeram isso, suplicando ao Senhor misericordioso com prantos, jejuns e prostrações por três dias seguidos, Judas os exortou e lhes ordenou concentrar-se. ¹³Reuniu-se em particular com os senadores e decidiu sair para resolver o assunto com a ajuda de Deus, antes que o exército do rei entrasse em Judá e se apoderasse da capital. ¹⁴Confiando o resultado ao criador do universo, exortou os seus, animando-os a lutar valorosamente até a morte pelas leis, o templo, a cidade, a pátria e as instituições. E marchou para acampar nos arredores de Modin.

¹⁵Depois de dar-lhes a senha "Vitória de Deus!", lançou, com alguns jovens dos mais valentes, um ataque noturno contra a tenda real: matou uns dois mil homens no acampamento inimigo, e traspassaram o principal dos elefantes com aquele que ia na torre. ¹⁶Finalmente encheram o acampamento de espanto e confusão, e partiram

---

13,2 Números um tanto diferentes em 1Mc 6,30.
13,3 O episódio de Menelau parece não se enquadrar bem neste lugar, especialmente por causa do verbo grego *parekálei*, que significa animar, incitar, requerer etc. Se animava o rei no empreendimento, não se vê por que cai na desgraça e por que Lísias o acusa como causador de todos os males. Se animava o rei, é evidente que não buscava a salvação da pátria judaica.
Talvez o autor queira sugerir que Menelau propunha a Antíoco esta solução: confiar a ele, Menelau, o governo de Judá; com isso acabariam as tentativas de autonomia do Macabeu e seus desafios militares. Mas Lísias retorce essas tentativas, acusando-o de ter causado todos esses males, talvez aludindo à sua função mediadora (11,32).
O autor não considera Menelau sumo sacerdote legítimo: vive no estrangeiro a serviço do estrangeiro. Quando morre, não há necessidade de substituí-lo. Perece com a execução de um "saqueador de templos", com uma pena do talião que comprova a justiça de Deus.
13,9 Com um toque de vingança judaica, o autor parece aplicar ao rei um adjetivo tipicamente grego: *bebarbaromenos*, "feito um bárbaro".
13,10-11 Segundo Judas, nesta batalha arrisca-se tudo, pois nesses três valores, lei – pátria e templo – condensa-se tudo o que dá sentido à sua vida. Daí se segue que, conforme o autor, já sob Judas os judeus têm uma pátria, e que o fato de serem vassalos do Selêucida não se opõe a isso.
13,12 O título "misericordioso" recorda de novo que estamos no tempo da graça (Menelau, um dos principais causadores da ira, já foi eliminado). Os três dias pareceriam dar tempo ao inimigo para prosseguir seu avanço; isso não tem importância para o autor, que quer conceder um tempo ritual a seus heróis.
13,13 A geografia é simplificada: aqui se supõe que o rei ainda não penetrou em território judaico; de Jerusalém, Judas marcha para o noroeste, perto do litoral, onde talvez acampe a os males. Depois o rei marcha até o sul do território, onde se encontra Betsur. As demais praças-fortes não são especificadas.
13,14 As instituições são, na realidade, as leis judaicas; com o nome grego *politeia*, a cidade é mencionada como centro e concretização da pátria. Modin foi o lugar onde estourou a rebelião, conforme 1Mc 2; o autor de nosso livro não a mencionou; talvez é desse o contrário, Perecendo desconhecida.
13,15-17 O exército de cento e quinze mil homens é liquidado numa expedição noturna de um grupo seleto, porque intervêm a confusão e o pânico da guerra santa. É como a vitória de Gedeão, mas com

vitoriosos. ¹⁷Quando amanhecia, tudo já estava feito, graças à proteção que o Senhor lhes concedia.

¹⁸Quando o rei experimentou a audácia dos judeus, tentou apoderar-se das praças, valendo-se de estratagemas. ¹⁹Aproximou-se de Betsur, praça judaica fortificada; fizeram-no fugir; ele atacou, e o venceram.

²⁰Judas enviou o necessário aos sitiados. ²¹Mas Rôdoco, do exército judaico, passou informação secreta aos inimigos; descobriram-no, prenderam-no e o executaram.

²²O rei voltou a negociar com os que estavam em Betsur: ofereceu-lhes a paz, aceitou a deles e se retirou; atacou os homens de Judas e saiu derrotado. ²³Recebeu a notícia de que Filipe, que havia ficado à frente do Governo, se havia revoltado em Antioquia. Consternado, falou com os judeus, submeteu-se com juramento a todas as condições razoáveis, fez as pazes e ofereceu um sacrifício, honrou o templo e se comportou bem em relação ao lugar santo. ²⁴Recebeu o Macabeu e deixou Hegemônida como governador de Ptolemaida até Gerara.

²⁵Depois partiu para Ptolemaida. Os habitantes de Ptolemaida levaram a mal os pactos, pois estavam muito indignados, e queriam anular o que fora estipulado. ²⁶Mas Lísias subiu à tribuna, fez uma defesa o melhor que pôde, os convenceu e acalmou, deixou-os em disposição de ânimo favorável e partiu para Antioquia.

Assim terminou a expedição e a retirada do rei.

14

Expedição de Nicanor (1Mc 7) – ¹Três anos depois, chegou aos homens de Judas a notícia de que Demétrio Selêucida havia desembarcado no porto de Trípoli com uma frota e grande exército, ²havia matado Antíoco e seu preceptor Lísias, e se havia apoderado do país.

---

significativas baixas inimigas. Pela manhã tudo se acaba, como em outras noites célebres da história, especialmente a de Senaquerib. A manhã é tempo de graça. Cumpre-se o anunciado por Is 17,14.
Não houve baixas judaicas, nem sequer ao matar o elefante; compare-se com 1Mc 6,43.

13,19 Aqui começa o refinamento estilístico dos verbos, unidos e rimados para o contraste. Literalmente: "Aproximava-se, era repelido, atacava, era derrotado". Em quatro palavras sintetiza-se uma ação bastante diferente segundo a versão de 1Mc 6,49.

13,21 Continua o procedimento estilístico, com três verbos seguidos para despachar Rôdoco; a sua traição torna-se assim um episódio sem consequências. A partir da audaz expedição noturna, tudo se precipita, sem que transcorra tempo sensível. É como se tudo acontecesse na mesma parte da manhã.

13,23 A notícia sobre Filipe não enquadra bem no dito em 9,29: Filipe era o testamenteiro de Antíoco Epífanes e rival de Lísias. Sua atitude submissa e benévola contrasta fortemente com os "planos ferozes" com que veio.

13,24 Ptolemaida se encontra no litoral, um pouco ao norte de Haifa; o outro extremo parece ser a fronteira do Egito. Trata-se da região costeira chamada em grego *Parália*.

14-15 Com o episódio de Nicanor, o autor recupera o gosto de narrar com viveza e dramaticidade. Quer concluir seu livro com uma narração que faça eco à de Heliodoro, marcando na semelhança a diferença: o desfecho de Heliodoro dá lugar à desgraça; o de Nicanor confirma a estabilidade final e feliz.
No espaço de dois capítulos encontramos a intriga, a rivalidade, a mudança de ânimo e de situação, encontros e emboscadas, a cena teatral e gesticuladora; o diálogo de frases lapidares contrapostas; a teofania de cavalos áureos é substituída por um sonho agradável e inspirador.
A narração se concentra em poucos personagens, através dos quais acontece a colisão gigantesca de dois reinos.
Os personagens são dois pagãos, Antíoco e Nicanor, e dois judeus, Alcimo e Judas. Pode-se acrescentar o personagem Razias. Suas relações se entrecruzam, pois Alcimo trai os seus, ao passo que por um momento Nicanor se torna leal a Judas (não traidor de Antíoco). Este cruzamento de lealdades confere interesse à trama.
Os dois reinos que se chocam são o império humano dos gregos e o reino de Deus na terra, a teocracia judaica. O reino pagão tem um rei, um general; é perverso, desleal com os homens, soberbo diante de Deus. É agressor do povo e do templo, e em sua soberba agressão provoca a resposta do céu. Esse reino humano pode seduzir algum judeu, que se converte em apóstata e deixa de pertencer à teocracia.
O reino judeu é formado pelos leais ao povo e à Lei; é unido na oração com seus mortos, que intercedem pelos vivos e os animam. Cerram fileiras em torno do templo e do chefe. Mas seu verdadeiro senhor é Deus, que reina no meio deles, os protege e derrota o inimigo. Os acontecimentos transcendem sua aparência histórica.
O inimigo morre e entrega seus membros aos pássaros, à advertência pública; o judeu morre e entrega seus membros a Deus para recuperá-los na nova vida.
Compare-se esta narração com a correspondente de 1Mc 7, para avaliar as mudanças intencionais de nosso autor.

14,1 Mudança de dinastia na Síria. Judas Macabeu continua em seu posto.

³Um tal Alcimo, que anteriormente havia sido sumo sacerdote e que durante a separação se havia contaminado voluntariamente, pensando que já não tinha outra saída, nem poderia subir ao altar sagrado, ⁴foi entrevistar-se com o rei Demétrio no ano cento e cinquenta e um, levando uma coroa de ouro e uma palma, além dos costumeiros ramos do templo. Nesse dia não pediu nada; ⁵mas, aproveitando uma boa oportunidade para sua insensatez, quando Demétrio o chamou ao Conselho e lhe perguntou em que disposição de ânimo e em que plano estavam os judeus, ele respondeu:

— ⁶Os judeus chamados Leais, chefiados por Judas Macabeu, incentivam a guerra e promovem rebeliões, e assim não permitem que o Império desfrute de estabilidade. ⁷Por causa disso, vendo-me despojado de minha dignidade hereditária – quero dizer, do sumo sacerdócio –, apresento-me aqui e agora, ⁸interessado sinceramente em primeiro lugar pelos direitos do rei e, em segundo lugar, olhando para o bem de meus concidadãos; pois, pela falta de bom senso dos que antes mencionei, todo o nosso povo está sofrendo muitíssimo. ⁹Tu, rei, informa-te de tudo isso em detalhes, e segundo tua bondade compreensiva para com todos vela sobre o país e sobre nossa raça, cercada por todos os lados; ¹⁰porque, enquanto Judas viver, será impossível que o Estado desfrute de paz.

¹¹Depois de falar assim, os outros Grandes do Reino, hostis a Judas em tudo, começaram logo a incitar Demétrio. ¹²Imediatamente escolheu Nicanor, chefe da seção de elefantes, o nomeou governador de Judá ¹³e o enviou com ordens de aniquilar Judas, dispersar seus partidários e impor Alcimo como sumo sacerdote do augusto templo.

¹⁴De sua parte, os pagãos de Judá que haviam escapado de Judas aderiram em massa a Nicanor, crendo que os infortúnios e desgraças dos judeus seriam sua prosperidade.

¹⁵Quando os judeus souberam da expedição de Nicanor e da agressão dos pagãos, jogando terra na cabeça, rezavam a quem havia constituído seu povo para sempre, e sempre ajudava manifestamente sua porção.

¹⁶A uma ordem do chefe, saíram logo daí e se embateram com eles perto da aldeia

---

14,3 Em 1Mc Alcimo aparece como sumo sacerdote reconhecido pelos judeus. Aqui aparece voluntariamente contaminado, e por isso incapaz de funções sagradas. É fácil compreender que é representante do partido colaboracionista, e por isso denuncia Judas como chefe de um partido, os Leais (assideus ou *hassidim*). Nosso autor não reconhece a existência dos dois partidos, e por isso não menciona os seguidores de Alcimo, como o faz 1Mc.

14,4 Os presentes que dá ao rei vêm do tesouro do templo, o que prova que tinha acesso ao lugar sagrado e podia dispor de seus bens. Esses ramos "costumeiros" eram um tipo de tributo; nosso autor não pode reconhecer que o templo fosse tributário.

14,5 Era insensatez exercer o sumo sacerdócio depois de se ter contaminado. Também o discurso que vai pronunciar perante o rei é insensatez.

14,6 O nome é histórico. Os *hassidim* deram a si mesmos esse nome provavelmente como profissão de lealdade à aliança. Somaram-se à rebelião dos Macabeus e chegaram a dominar. Parece que os essênios e os fariseus logo se desmembraram do movimento.

14,8 O raciocínio – insensato para o autor – representa bastante bem a atitude do partido colaboracionista: seu desejo de paz com o soberano, seu afã pelo bem do povo judeu, tal como eles o entendem, seu julgamento sobre os rebeldes como gente sem cabeça.

14,9 Praticamente apela ao rei como ao salvador dos judeus assediados. O título acrescentado ao nome do rei era Soter.

14,10 As últimas palavras sublinham a alternativa não de partidos, mas de pessoas.

14,11 Supõe-se que na corte real não há nenhum partidário de Judas. É como uma conjuração unânime contra o Macabeu, exaltando ao mesmo tempo sua figura e importância.

14,13 "Partidários": na mente do autor, essa palavra é aqui tomada em sentido militar; isso repercute também no adjetivo "augusto". Para o inimigo, "os partidários" são realmente um partido limitado.

14,14 Também o termo "pagãos" corresponde à visão do autor. Refere-se a colonos estrangeiros estabelecidos na Judeia (nunca menciona a cidadela dotada de guarnição estrangeira). Os pagãos não convertidos não têm lugar na teocracia, por isso fugiram quando Judas assumiu o poder. Entre esses pagãos podiam estar os povos vizinhos, ansiosos por expansão, à custa da Judeia como em outros tempos.

14,15 Na oração se expressa muito bem o caráter definitivo da escolha do povo e o caráter evidente (*met'epiphaneias*) da intervenção divina ao longo da história. É certo que o mesmo acontecerá no perigo presente. Neste resumo há ecos de salmos, por exemplo, 68,10; 94,14.

14,16 Se este Dessau grego corresponde ao hebraico Adassá, o encontro ocorreu a uns oito quilômetros ao norte de Jerusalém. Essa penetração pode explicar o improviso desconcerto de Simão.

de Dessau. ¹⁷Simão, irmão de Judas, havia travado combate com Nicanor, mas pela chegada repentina do inimigo sofreu um revés momentâneo; ¹⁸apesar disso, Nicanor não se atrevia a resolver a batalha com derramamento de sangue, porque estava ciente da valentia das tropas de Judas e de sua coragem na luta pela pátria. ¹⁹Por isso, enviou Posidônio, Teódoto e Matatias para negociar a paz.

²⁰Depois de uma longa negociação das condições, o chefe as comunicou à tropa, e todos ficaram de acordo com o tratado de paz. ²¹Fixaram uma data para um encontro reservado dos chefes, num lugar determinado. De ambos os lados, adiantou-se um veículo; colocaram assentos.

²²Judas havia postado gente armada em lugares estratégicos, disposta a intervir, se os inimigos fizessem de repente um atentado. O encontro transcorreu normalmente.

²³Nicanor se deteve em Jerusalém, e comportou-se corretamente, e até dispensou as tropas que em massa haviam se agregado a ele. ²⁴Ele tinha Judas continuamente a seu lado, e sentia sincero afeto por ele. ²⁵Aconselhou-o a casar-se e a formar uma família. Judas casou, viveu feliz, como um cidadão comum.

²⁶Vendo a amizade que tinham, Alcimo foi a Demétrio com uma cópia do pacto que haviam assinado, e lhe disse que Nicanor tinha ideias contrárias à política do Governo, pois havia nomeado como seu sucessor Judas, o conspirador contra o Império.

²⁷O rei, enfurecido e irritado com as acusações daquele canalha consumado, escreveu a Nicanor, dizendo-lhe que estava desgostoso quanto ao pacto e ordenando-lhe que prendesse o Macabeu e o enviasse rapidamente a Antioquia.

²⁸Quando recebeu essa carta, Nicanor ficou abatido, com grande desgosto por ter de anular o pacto sem que aquele homem tivesse cometido qualquer injustiça. ²⁹Mas, como não se podia contradizer o rei, aguardava a ocasião de cumprir a ordem mediante um estratagema.

³⁰De seu lado, o Macabeu observou que Nicanor o tratava com certa frieza e que as relações normais se haviam tornado difíceis. Pensando que essa frieza não pressagiasse nada de bom, reuniu muitos dos seus e ocultamente escapou de Nicanor.

³¹Nicanor viu que aquele homem o havia suplantado habilmente na manobra; apresentou-se no augusto e santo templo enquanto os sacerdotes ofereciam os sacrifícios rituais, e ordenou-lhes que entregassem aquele homem. ³²Eles disseram e juraram que não sabiam onde poderia estar quem ele procurava. ³³Então ele estendeu a mão direita para o santuário e jurou assim:

— Se não me entregais Judas preso, arrasarei este santuário de Deus, derrubarei o

---

14,17 Mas os reveses judaicos são agora passageiros, não têm consequências, e Judas nunca os sofre. Basta-lhe sua fama para impor-se ao inimigo.

14,21-24 A paz é solenemente assinada, seguindo-se a amizade dos dois chefes.

14,25 Este versículo soa como final feliz de uma história, na qual Judas foi o protagonista. Abandona a vida militar e começa a vida de família, misturado aos demais. Notem-se os três verbos finais como síntese.

Mas Judas não é o verdadeiro protagonista: está a serviço da teocracia e ainda lhe resta travar uma batalha. Por isso a história recomeça com renovado interesse narrativo. Porque Alcimo continua fiel a seu papel de traidor e Nicanor continua pertencendo ao povo agressor, está a serviço do inimigo, não obstante seus bons sentimentos.

14,26 "Sucessor": se é tomado em sentido técnico, equivale ao título de candidato, ao título de grande do reino, com um posto preciso no escalão. Isso seria conferir a Judas um lugar entre os funcionários imperiais. Em sentido ordinário, pode significar sucessor como governador do território.

Alcimo apresenta Judas não só como rebelde, mas como capaz de atrair à sua rebeldia os generais mais insignes do Império. Um indivíduo extremamente perigoso.

14,27 A ordem do rei enfrenta Nicanor com uma alternativa inevitável: romper com o novo amigo e selar a ruptura entregando-o, ou incorrer nas iras do rei, perdendo o cargo e a vida. Judas prisioneiro será o preço da reconciliação.

14,28-29 O pagão, por um momento atraído pela nobreza de Judas, não pode resistir às ordens do seu soberano terrestre, ainda que essas ordens sejam manifestamente injustas. É parte do jogo dos impérios pagãos, que não possuem a Lei do Senhor.

14,31 Aqui começa o despeito de Nicanor, de onde passará à cólera, às ameaças. Buscando Judas, tem de confrontar-se com o templo; sua deslealdade se converte em sacrilégio. O Deus desse templo é intimado.

14,33 "Magnífico" é em grego *epíphanes*, o título de Antíoco IV. Sobre o culto a Baco, ver 6,7; a ressonância é significativa, os tempos mudaram, não porém os pagãos.

altar e levantarei aqui um templo magnífico em honra de Baco.

³⁴Dizendo isso, retirou-se. E os sacerdotes elevaram as mãos para o céu, invocando assim aquele que sempre havia lutado por nosso povo:

– ³⁵Tu, Senhor, não necessitas nada no mundo; quiseste que estivesse entre nós o templo em que resides. ³⁶Pois bem, Senhor santíssimo, guarda eternamente sem mancha esta casa recém-purificada.

³⁷Denunciaram a Nicanor um tal Razias, do Senado de Jerusalém, um homem que amava seus concidadãos, muito estimado, e a quem chamavam, por sua bondade, "pai dos judeus". ³⁸No princípio da separação, havia sido acusado de praticar o judaísmo, e se havia entregue ao judaísmo de alma e corpo, sem reservas.

³⁹Nicanor queria mostrar sua malevolência em relação aos judeus, e enviou mais de quinhentos soldados para prendê-lo, ⁴⁰pensando que com isso infligia duro golpe aos judeus.

⁴¹Quando os soldados estavam a ponto de se apoderar da torre e queriam forçar a porta do átrio, foi-lhes ordenado atear fogo e incendiar as portas. Então Razias, encurralado, atirou-se sobre a própria espada, ⁴²preferindo morrer nobremente a cair sob as garras daqueles criminosos e ter de sofrer ultrajes indignos de sua nobreza. ⁴³Mas, na precipitação da luta não acertou o golpe, e as tropas já entravam pelas portas adentro. Então correu valentemente para a muralha e se atirou para baixo sobre os soldados, como um herói. ⁴⁴Os soldados retrocederam imediatamente, deixando um espaço livre, e ele aí caiu, no meio do espaço vazio. ⁴⁵Ainda respirava. Levantou-se indignado; derramando sangue aos jorros, ferido gravemente, correu por entre as tropas, encarrapitou-se sobre um rochedo, ⁴⁶e já completamente exangue arrancou os intestinos, agarrou-os com as duas mãos e os atirou às tropas; suplicou ao Dono da vida e do espírito que os devolvesse de novo, e assim morreu.

15

¹Quando recebeu a notícia de que as tropas de Judas andavam pela Samaria, Nicanor decidiu atacá-las sem se expor, em dia de descanso. ²Os judeus que o seguiam obrigados disseram-lhe:

– Não os aniquiles dessa forma tão cruel e bárbara. Honra esse dia, honrado e santificado por aquele que tudo vê.

³Mas o bandido perguntou se havia no céu um soberano que tivesse mandado celebrar o dia de sábado. ⁴Eles lhe responderam:

14,35 Ver a oração de Salomão (1Rs 9,3).
14,36 Como fundo dessa súplica resumida pode-se ler o Salmo 74.
14,37 Neste momento do desafio em torno do templo, o autor interrompe a narração para incluir um episódio que considera impressionante.
14,37-46 Razias é a figura oposta a Alcimo: não se helenizou, foi fiel ao "judaísmo", correndo perigo de vida. Ele representa a honra do povo; além de ser senador, é um pai da pátria; um golpe à sua pessoa é golpe vibrado contra o povo judeu. Razias é nestes momentos como um novo mártir por mão própria: morre professando a fé na imortalidade; com a morte ganha o prêmio para si e a proteção para seus concidadãos, e deixa um exemplo de fidelidade até a morte. Razias podia ser invocado como patrono dos futuros zelotes, partidários da luta armada, dispostos a morrer antes que render-se.
O autor o apresenta como modelo: na teocracia pode-se morrer com honra e recuperar vida melhor. Não é claro se neste caso o autor coloca para si a hipótese extrema ou faz uma afirmação confiante. A hipótese extrema soaria: ainda que todo o povo judeu tivesse de morrer como Razias, para não entregar sua honra, Deus lhe devolveria a vida. Visão escatológica. A afirmação confiante soaria: nunca faltarão ao povo judeu representantes dispostos a morrer para salvar a honra e a vida dos outros. Na dinâmica narrativa, enquadra-se melhor a segunda interpretação.
14,41 O cenário não é claro. Talvez se trate de uma parte mais alta da casa, onde o homem perseguido se refugia. As chamas servem para fechar-lhe toda saída, não para queimá-lo: os soldados querem apanhá-lo vivo.
14,42-43 O autor vai comentando com advérbios: nobremente, valentemente, como um herói. Toda a cena se torna mais teatral que dramática. Nela culmina o estilo do autor.
15 Entretanto, Judas com suas tropas se afastou de Jerusalém e passou para a Samaria, território fora do seu domínio. Isso permite a Nicanor, e ao autor, chegar à solução pelas armas, que pouco antes havia evitado. A mudança fica sublinhada. Será a batalha final; como se disséssemos uma batalha escatológica.
15,2-5 A coisa começa com novo desafio: o primeiro se referia ao templo, este ao sábado. Duas instituições fundamentais e síntese da perseguição de Antíoco IV.

— O Senhor vivo, o soberano do céu, é quem mandou celebrar o sétimo dia.

⁵Ele replicou:

— Pois eu sou soberano da terra, e ordeno empunhar as armas e servir os interesses do rei.

Apesar disso, não conseguiu realizar seu cruel desígnio.

⁶Enquanto Nicanor, erguendo o pescoço com toda a arrogância, se propunha levantar um troféu à sua vitória sobre as tropas de Judas, ⁷o Macabeu não perdia a confiança, esperando firmemente receber ajuda da parte do Senhor, ⁸e animava os seus a não temerem o ataque dos pagãos, mas a recordarem as ajudas recebidas do céu anteriormente e a esperar a vitória que o Todo-poderoso lhes iria conceder. ⁹Exortou-os com textos da Lei e dos Profetas e, lembrando-lhes os combates que haviam sustentado, tornou-os mais ardorosos. ¹⁰E, ao mesmo tempo que os enchia de entusiasmo, deu-lhes instruções, mostrando-lhes a maldade dos pagãos, que violavam os juramentos.

¹¹Dessa forma alegrou a todos, armando cada um, não tanto com a segurança que dão os escudos e as lanças, mas com o ânimo que dão as palavras de alento, e com um sonho fidedigno, uma espécie de visão que lhes contou. ¹²No sonho viu o seguinte: Onias, o antigo sumo sacerdote, um homem honesto e bom, de aspecto venerável, de caráter suave, digno em seu falar, exercitado desde criança na prática da virtude, estendia as mãos e rezava por toda a comunidade judaica. ¹³Depois, em igual atitude, apareceu a Judas um personagem extraordinário por sua ancianidade e dignidade, envolto num halo de majestade maravilhosa. ¹⁴Onias tomou a palavra para dizer:

— Este é Jeremias, o profeta de Deus, que ama seus irmãos e intercede continuamente pelo povo e pela Cidade Santa.

¹⁵Então Jeremias estendeu a mão direita e entregou a Judas uma espada de ouro, enquanto dizia:

— ¹⁶Toma a santa espada, dom de Deus, com a qual destruirás os inimigos.

Judeus fiéis e forçados sob o comando inimigo, parece não concordar com a tese do autor, que tampouco quer confessar a existência de judeus colaboracionistas voluntários no exército de Nicanor. O diálogo serve para professar a santidade do sábado como instituição divina, que também os pagãos devem respeitar. Em duas frases ressoantes, também serve para enfrentar o soberano do céu e da terra. Assim o desafio e os termos do combate ficam claramente colocados.

Sobre os que morreram respeitando o sábado, ver 6,11.

15,6-8 O começo sublinha a oposição entre Nicanor "com toda a arrogância", e Judas "com toda a esperança", ou seja, a confiança humana nas próprias forças e a confiança no auxílio de Deus. Tema de venerável tradição na Escritura. Depois da breve aparição de Nicanor, o autor se delonga nos preparativos da batalha: exortação, visão, oração. É uma síntese final que pode acompanhar o leitor quando terminar o livro; é o seu programa teológico em ação.

15,9 A Lei e os Profetas equivalem à Escritura. A exortação militar é uma espécie de homilia.

15,10 Os pagãos ficam englobados num julgamento sumário. É inútil pactuar com eles. É diferente do parecer de 1Mc, que dedica amplo espaço às alianças com Roma e Esparta.

15,11 Nesses tempos, o sonho era uma comunicação suspeita (ver Eclo 34). Por isso o narrador acrescenta que o sonho era fidedigno, como os dos patriarcas. O sonho toma aqui o lugar da teofania; por isso a diferença é significativa: não são seres celestes que combatem, mas membros da comunidade que intercedem. Sua aparência mostra que vivem glorificados, mas continuam unidos aos vivos nas crises destes.

15,12 Onias é o sumo sacerdote assassinado no começo da perseguição (4,33). O elogio é uma espécie de canonização do personagem; suas virtudes são de caráter cívico. É clara a oposição a Menelau e Alcimo.

15,13-16 Mais curiosa é a aparição de Jeremias. Com efeito, ele foi o grande profeta da catástrofe, aquele que pregou incansavelmente a rendição, o "desmoralizador" que morreu fracassado no Egito. Esse personagem aparece aqui recomendando a resistência e anunciando o triunfo: Há intenção polêmica na seleção da figura? Apelavam os colaboracionistas para os oráculos de Jeremias? Jeremias, que manda submeter-se a Nabucodonosor em nome de Deus, que apoia o prefeito Godolias, nomeado pelos caldeus, agora entrega uma espada e a chama "dom de Deus". Se o sonho não é polêmico, ao menos é paradoxal.

Mais ainda: Jeremias é proibido de interceder em vida (Jr 7,16; 11,14; 14,11), embora o rei Sedecias tenha pedido, 37,3. Depois de morto, intercede pelo povo que viu partir para o exílio e pela cidade que viu em chamas.

O dom da espada é como uma investidura ou consagração militar, como a consagração profética de Jeremias ou Ezequiel, conjugando rito e palavra. A fórmula "toma" (*accipe*) é comum na liturgia latina de ordenações e consagrações de pessoas.

¹⁷Exortados por essas magníficas palavras de Judas, capazes de levar ao heroísmo e de infundir aos jovens o vigor de homens maduros, decidiram não esperar, mas tomar a ofensiva com valentia e decidir o assunto bravamente, todos unidos, já que a cidade, a religião e o templo corriam perigo. ¹⁸A preocupação por suas mulheres e crianças, além de seus irmãos e parentes, não lhes importava muito; temiam sobretudo pelo templo consagrado.

¹⁹Não era menor a angústia dos que ficaram na cidade, preocupados pelo combate que iria desencadear-se em campo aberto. ²⁰Enquanto todos aguardavam o resultado iminente, os inimigos já estavam se concentrando: o exército se formava para a batalha, os elefantes estavam colocados em pontos estratégicos e a cavalaria se situava nos flancos.

²¹Vendo a formação dessa massa, a variedade de armamento e a ferocidade dos elefantes, o Macabeu levantou as mãos ao céu, invocando o Senhor que faz prodígios, sabendo que ele dá a vitória a quem merece, não pelas armas, mas pelo meio que quiser. ²²Sua invocação a Deus foi a seguinte:

– Senhor, no tempo de Ezequias, rei de Judá, enviaste teu anjo, e ele exterminou cento e oitenta e cinco mil do acampamento de Senaquerib. ²³Senhor dos céus, envia-nos agora um anjo que nos preceda, semeando terrível pânico. ²⁴Que a grandeza de teu braço quebre os que chegaram blasfemando contra teu povo santo.

Assim terminou.

²⁵Enquanto os de Nicanor avançavam ao toque de cornetas e cantos de guerra, ²⁶os homens de Judas travaram combate com o inimigo entre invocações e preces; ²⁷e lutando com as mãos, mas orando a Deus com o coração, estenderam por terra pelo menos trinta e cinco mil. E transbordaram de alegria pela intervenção manifesta de Deus.

²⁸Terminada a luta, quando voltavam cheios de alegria, descobriram Nicanor morto com a sua armadura. ²⁹Em meio à gritaria e ao alvoroço, louvavam o Senhor na língua materna. ³⁰E aquele que, em todos os sentidos, no corpo e na alma, estava sempre lutando no primeiro lugar por seus concidadãos, aquele que nunca havia perdido o afeto de sua juventude para com seus compatriotas, ordenou que cortassem a cabeça de Nicanor e o braço até o ombro e os levassem a Jerusalém.

³¹Ao chegar aí, convocou seus compatriotas e os sacerdotes; e, de pé diante do altar, mandou buscar os que estavam na acrópole: ³²mostrou-lhes a cabeça do infame Nicanor e a mão que aquele blasfemo havia estendido contra a santa morada do Todo-poderoso, cheio de arrogância; ³³depois cortou a língua do ímpio Nicanor e mandou que a jogassem aos pássaros em pedaços, e que pendurassem diante do santuário o pagamento que sua loucura merecia.

³⁴Todos levantaram os olhos ao céu, louvando o Senhor glorioso:

– Bendito sejas tu, que guardaste sem mancha teu lugar santo!

³⁵Judas pendurou na acrópole a cabeça e o braço de Nicanor, como prova visível

---

15,17-19 Os versículos querem apresentar a dimensão coral do povo como no cap. 3: no momento do perigo, todos estão unidos. O autor alonga retoricamente, comprazendo-se nos contrastes de emoções.

15,27 E depois de tantos preparativos, ao chegar o momento culminante, o narrador escamoteia a batalha. Mais que batalha, foi uma pura vitória, manifestação clara de Deus (*epiphaneia*).

15,28-33 A sorte de Nicanor, sua cabeça cortada, exibida e pendurada na muralha, puderam inspirar o autor do livro de Judite (Judite em lugar de Judas). A cena, que para nós tem sabor de vingança, na visão do autor é resultado da lei de talião: trata-se da cabeça que se erguia arrogante (15,6), a língua que desafiava blasfemando (14,33), a mão que se ergueu para jurar. O cumprimento dessa justiça "vindicativa" é teofânico para os judeus: manifesta-se o Deus justiceiro (Sl 94) e os seus se enchem de alegria (Sl 58).

O narrador sublinha fortemente que o executor da justiça é o protagonista da luta, o amigo de seus concidadãos. À luz de 2Rs 6,22 (Eliseu e o rei), podemos comentar: ainda que Judas não tenha matado pessoalmente Nicanor, como protagonista da luta tem direito de cortar-lhe a cabeça; recorde-se que foi Davi e não Saul quem cortou a cabeça de Golias morto.

15,31-34 Para o autor, a acrópole não parece ser o pesadelo que foi realmente para os Macabeus, refletido no primeiro livro; nosso autor introduz seus ocupantes como um grupo particular de cidadãos; unir-se-ão a "todos" no comum louvor ao Senhor, que leva o título de "glorioso" ou "manifesto" (*epíphanes*).

15,35 A cabeça e o braço pendurados, como "prova visível" (*phaneron sémeion*), se opõem ao troféu que Nicanor tinha prometido erigir (15,6).

e manifesta a todos da ajuda do Senhor; ³⁶e todos, de comum acordo, decretaram não deixar que passasse despercebido esse dia, mas que se fizesse festa no dia treze do décimo segundo mês – em aramaico, Adar –, na véspera do dia de Mardoqueu.

Epílogo – ³⁷Assim terminou a história de Nicanor. Como desde esse tempo a cidade ficou em poder dos hebreus, eu também porei aqui o ponto final em nossa história.

³⁸Se consegui deixá-la bem escrita e construída, isso é o que eu queria. Se saiu vulgar e medíocre, fiz o melhor que podia.

³⁹É desagradável beber somente vinho ou somente água; porém, o vinho misturado com a água é agradável, é um prazer para o gosto. Pois o mesmo acontece numa obra literária, em que o estilo variado é um prazer para o ouvido do leitor.

E com isso termino.

15,36 Sobre o dia de Mardoqueu, ver o final do livro de Ester.
15,37 Artificialmente o autor considera que com este episódio o domínio judaico na cidade está consumado e consolidado. Historicamente, isso aconteceu no ano 161.
15,38-39 O autor acrescenta um epílogo, satisfeito com seu trabalho e resultado. Sobretudo se sente satisfeito com a arte da composição: com a sua mistura equilibrada de cenas terríveis e agradáveis, de cenas vivas e resumos gerais, de estilo dilatado e conciso. Não fala aqui do valor de ensinamento e edificação, mas de valores retóricos de forma.
Não podemos negar que esta composição agradou aos leitores da época. Mais tarde alguns buscaram neste livro inspiração militar; outros o leram como documento excepcional do estilo "asiânico", sem pretender que tal estilo seja valioso.
Nós, sobrepondo-nos com esforço ao estilo e a muitas ideias do livro, o respeitamos e acolhemos como testemunho de fé e esperança em momentos críticos da história de um povo.

SAPIENCIAIS

INTRODUÇÃO

Este corpo se compõe de cinco livros: Jó, Provérbios, Eclesiastes (Coélet), Eclesiástico (Ben Sirac), Sabedoria (para Salmos e Cântico dos Cânticos, ver a respectiva introdução). Como corpo distingue-se claramente dos demais: dos textos narrativos, dos textos legais (embora às vezes coincida com seus conteúdos), dos textos proféticos (embora os imite em ocasiões raras) e dos salmos. Por outro lado, formas e atitudes sapienciais penetram nos demais corpos: ocasionalmente nos profetas, mais frequentemente nos salmos. O corpo sapiencial tem indubitável parentesco com nossos ditados populares, aforismos cultos, textos didáticos.

A tarefa sapiencial. Não é em primeira instância a indagação e o ensinamento intelectual. Nem fornecer prontuários de conduta ética. Nem inserção da vida humana na ordem cósmica. Defino isso como "oferta de sensatez": oferta, não imposição, sensatez como guia do homem racional.

A sensatez é uma atividade artesã. Atribuída ao Deus criador, oferecida ao homem para que seja o artesão de sua existência. Para que aprenda o sentido da vida e dê sentido à sua vida. Sendo jovem inexperiente, necessita para isso do apoio da experiência alheia, plural e partilhada, que se cristaliza em ditados, máximas, aforismos. Alguns, próprios de escolas de mestres; outros, entregues à livre circulação no povo. Desaparecem as fronteiras e as épocas.

Deus é a fonte do conhecimento e da razão. É também o limite do conhecimento humano. Guia e sanciona, convida ao respeito e à confiança.

Há um momento em que a sabedoria entra em crise interna. Coélet pergunta pelos valores autênticos; Jó, pelo sentido do sofrimento inocente. Em tempos tardios, a sensatez começa a fundir-se com a lei, hokmá com torá. E acontece em forma crescente a personificação da sensatez, como criatura poética; leituras posteriores a identificarão com a pessoa do Filho de Deus.

No NT. A pregação de Jesus utiliza com predileção formas sapienciais, aforismos e parábolas. Paulo chama Jesus Cristo de *"Sabedoria de Deus".*

JÓ

INTRODUÇÃO

O livro de Jó é um drama com muito pouca ação e muita paixão. É a paixão que um autor genial, anticonformista, infundiu em seu protagonista. Inconformado com a doutrina tradicional da retribuição, opôs a um princípio um fato, a uma ideia um homem. Já o Salmo 73 havia oposto os fatos da experiência à teoria da retribuição, e tinha encontrado a resposta ao entrar "no mistério de Deus".

O nosso autor radicaliza o caso: faz sofrer seu protagonista inocente, para que seu grito brote "da profundeza". A paixão ou sofrimento de Jó acende a paixão da sua busca e da sua linguagem; diante dela vão-se abatendo as ondas concêntricas dos três amigos, que repetem com variações e sem cansar-se a doutrina tradicional da retribuição.

A ação é muito simples: entre um prólogo duplo e um epílogo duplo – no céu e na terra – desenvolvem-se quatro turnos de diálogo. Por três vezes fala Jó e cada um dos amigos responde; na quarta vez, Jó dialoga a sós com Deus. Nos diálogos com os amigos, mais que um debate intelectual, produz-se uma tensão de planos ou direções: os amigos defendem a justiça de Deus como juiz imparcial que premia os bons e castiga os maus; a Jó essa justiça de Deus não interessa, pois sua experiência própria a desmente, e apela para um julgamento ou pleito com o próprio Deus, no qual aparecerá a justiça do homem; para chegar a esse pleito e provar sua inocência diante de Deus, Jó arrisca a própria vida. Deus, como instância suprema, decide a disputa entre Jó e seus amigos; como parte interpelada, responde e pergunta a Jó para encaminhá-lo para o mistério de Deus.

Através dos diálogos, do homem bom convencional, que dá graças a Deus porque tudo vai bem para ele, surge um homem profundo, capaz de assumir e representar a humanidade sofredora que busca audazmente a Deus. De um Deus conhecido e enclausurado, surge um Deus imprevisível, difícil e misterioso. No espaço de um só livro, cresceu o nosso conhecimento de Deus, do homem e de suas relações. Porque Jó, como Jacó na sua visão noturna, lutou com Deus; porque o autor empenhou seu gênio literário e religioso para sacudir velhos esquemas, explorando em profundidade.

O livro de Jó é um livro singularmente moderno, provocador, não apto para conformistas. É difícil lê-lo sem sentir-se interpelado, e é difícil compreendê-lo se não se toma partido.

O autor é um gênio anônimo, que viveu provavelmente depois do desterro, que se alimentou na reza dos Salmos e conheceu a obra de Jeremias, Ezequiel e os Salmos.

Moldura narrativa

O grande diálogo, que constitui o corpo do livro, é colocado em moldura narrativa (1-2 e 42,7-17). A função desses textos é naturalmente emoldurar o diálogo, estabelecê-lo como ato central não conclusivo, ancorá-lo na vida de uns personagens. A função genérica de emoldurar é diferenciada no prólogo e no epílogo.

O prólogo nos apresenta os personagens e a situação; nesse sentido poderia ser um prólogo simples e convencional. Não o é, e bem cedo se manifesta o gênio do autor. O prólogo se desenvolve em dois planos, o celeste e o terrestre, com certo paralelismo não rigoroso: no céu Deus dialoga com um opositor chamado Satã, na terra há breve diálogo de Jó com sua mulher, que se torna opositora; depois, ao chegar os três amigos, ocorre um formidável silêncio;

seguirá o corpo, no qual os amigos aos poucos se tornarão opositores. Entre esses dois planos, não circula um mútuo conhecimento, pois, se o céu vê e move a história, a terra não sabe dessa ação, e sua ignorância é parte essencial do jogo, do drama.

O autor domina os dois planos e desde o princípio os mostra ao leitor, para que se coloque na perspectiva correta, como espectador com dupla visão. O leitor não é o único espectador, mas partilha a tarefa com os personagens celestes: Jó no meio de dois olhares de espectadores na expectativa. Do seu lugar, o leitor contempla Jó e seus amigos, atores sem sabê-lo de uma sagrada representação; mais além contempla outros atores que também olham e esperam o desenrolar do drama. O leitor não deve esquecer essa dupla presença, ainda que às vezes a paixão avassaladora do diálogo a apague.

Também se realiza a perspectiva oposta: do céu Deus olha para Jó, como personagem de um drama que há de viver; e através de Jó, Deus – em sua palavra inspirada – olha para o leitor que reage e julga e entra no drama sem perceber. A sacra representação de Jó é muito poderosa para admitir leitores indiferentes: quem não entrar na ação com suas respostas internas, quem não tomar partido apaixonado, não compreenderá o drama que por sua culpa fica incompleto; mas, se entra e toma partido, se encontrará sob o olhar de Deus, submetido à prova pela representação do drama eterno e universal do homem Jó.

1

Prólogo na terra (1Rs 22) – ¹Havia no país de Hus certo homem chamado Jó: era justo e honrado, religioso e apartado do mal. ²Tinha sete filhos e três filhas. ³Tinha sete mil ovelhas, três mil camelos, quinhentas juntas de bois, quinhentas jumentas e numerosos servos. Era o mais rico entre os homens do Oriente.

⁴Seus filhos costumavam celebrar banquetes, um dia em casa de cada um, e convidavam suas três irmãs para comer com eles. ⁵Ao terminar esses dias de festa, Jó os fazia vir para purificá-los: madrugava e oferecia um holocausto para cada um, caso tivessem pecado amaldiçoando a Deus em seu íntimo. Jó costumava fazer isso a cada vez.

Prólogo no céu (1Rs 22) – ⁶Certo dia os anjos foram e se apresentaram ao Senhor;

1,1-5 Essa seção se abre apresentando o protagonista Jó, e se encerra apresentando seus amigos interlocutores.
Embora não saibamos com certeza onde se encontra Hus, sabemos que não é território israelita. Ou seja, o autor escolheu um estrangeiro como herói da sua história ou drama. Por quê?
Para respeitar a tradição ou a lenda – comentam alguns. Ezequiel 14 menciona Noé, Danel e Jó como protótipos de santidade. Conhecemos Danel pela literatura cananeia. Talvez a lenda contasse a vida paciente e heroica de um Jó de tempos patriarcais, antes que Israel existisse. O autor teria tomado a figura para protagonista de sua obra, respeitando o perfil ou vários elementos da tradição.
Temos de continuar perguntando: E por que escolheu precisamente essa figura? Dois livros sapienciais, o Eclesiastes e a Sabedoria, fingem ser obra do rei Salomão, famoso por sua sabedoria que ultrapassava a dos sábios do Oriente (1Rs 3 e 10); de modo semelhante, o autor deste livro podia escolher como protagonista um israelita e não o faz. Há nisso uma intenção polêmica? O autor, que vai enfrentar violentamente convicções arraigadas em seu povo, sai desse círculo para combatê-lo: fora de Israel, Deus se revelou de tal modo que corrigirá e completará a revelação dos israelitas. Ou então, sem intenção polêmica, o autor quis simplesmente dar um caráter universal à sua figura e obra: a experiência de Jó não é especificamente israelita, mas humana, universal; a sabedoria debatida e desenvolvida na obra não é patrimônio exclusivo de um povo, mas riqueza de importação livre. Note-se que o livro dos Provérbios abre espaço para duas breves coleções de autores estrangeiros, Agur e Lemuel de *Massa* (caps. 30 e 31); na primeira descobrimos certo parentesco com algumas passagens de Jó.
Se Hus se encontra em território de Edom, o que é o mais provável, temos um idumeu, descendente de Esaú (Gn 36,11) e inimigo de Israel-Jacó (ver p. ex. Abdias) dando lições a Israel.
O nome Jó, em hebraico *'yyob*, encontra-se com variantes fora de Israel. Se o sentido original é "Onde meu pai", para ouvidos israelitas soa um pouco a inimigo (*'oyeb*). Mas nome e pátria importam pouco na história, ao lado do perfil religioso, ético e social do personagem.
1,1-3 Duas duplas descrevem o personagem sublinhando a totalidade, mais que os aspectos diferenciados. Os quatro adjetivos são como as quatro dimensões da perfeição humana, sem referência explícita à aliança. Se nos parece que o autor é facilmente generoso com seu protagonista, veremos que no prólogo celeste Deus pronuncia duas vezes o mesmo veredicto. Seus membros retornarão como *leitmotiv* no decurso do diálogo. Ver também Sl 25,21; 37,37; Pr 3,7; 16,6. Homens do Oriente é uma designação bastante genérica, ver Jz 6,3.33; 7,12; 8,10; Is 11,14 etc.
1,5 O próprio Jó oferece sacrifícios, sem o ministério de sacerdotes. Supõe que a embriaguez e a festa tenham sido ocasião de blasfêmia. Ainda que o tenham feito sem plena consciência, ficaram profanados e, ao sabê-lo, devem expiar. Jó é como a consciência de seus filhos. A reparação cultual quer prevenir consequências fatais para a família, pois amaldiçoar a Deus acarreta maldição ao homem. Sobre essa purificação (*qdsh*), ver Ex 19,10.14.
1,6-12 Deus tem sua assembleia celeste, de deuses inferiores ou anjos, 37,7; Sl 29,1; 82,1; 89,7, com os quais faz reuniões periódicas, talvez para decidir a sorte dos mortais. Entre esses cortesãos, mensageiros ou ministros, há um que representa uma espécie de oposição, que gosta de criticar e ainda procura que os fatos justifiquem sua crítica; como um policial, dá voltas inspecionando, para poder informar sobre os desmandos cometidos lá embaixo na terra. Este personagem é "o Satã" (com artigo); dá voltas (verbo *shut*) e se opõe (substantivo *satan*). Essas ideias, ampliadas nas religiões do antigo Oriente, foram parcialmente recolhidas na Escritura, e o autor as incorpora livre e audaciosamente à sua ficção narrativa. Pode ter encontrado inspiração próxima no episódio do profeta Miqueias bem-Jemla (1Rs 22); isso não diminui a genialidade desse começo. Não confundamos o Satã desta narração com nossa imagem ou concepção do demônio, do anjo caído que odeia a Deus e suas obras. Ainda que alguns pontos de contato nos levem à confusão, devemos defender-nos para contemplar rigorosamente a função do personagem. Até agora Deus está satisfeito com seu servo Jó, e não acontece nada; é preciso um opositor que ponha em movimento a ação, criticando, incitando. O Satã não é uma afirmação teológica, mas um personagem funcional no relato. E se continuarmos perguntando a que corresponde na realidade, o autor do livro não nos responde, abandona-nos a nossas suposições.
Nossas suposições não passam de perguntas dirigidas ao livro ou a nós mesmos. É o Satã uma espécie de desdobramento de Deus, que desenvolve em termos de dialética seu ato de dirigir o homem? Ou é antes o Satã um princípio humano oposto a Deus? Não podemos responder a essas perguntas nem confirmar essas suposições. Talvez a ambiguidade inexplicada do Satã seja parte integrante da obra,

entre eles chegou também Satã. ⁷O Senhor lhe perguntou:
– De onde vens?
Ele respondeu:
– De dar voltas pela terra.
⁸O Senhor lhe disse:
– Reparaste no meu servo Jó? Na terra não há outro como ele: é homem justo e honrado, religioso e apartado do mal.
⁹Satã lhe respondeu:
– E tu crês que sua religião é desinteressada? ¹⁰Se tu mesmo o cercaste e protegeste, bem como o seu lar e tudo o que é seu! Abençoaste seus trabalhos, e seus rebanhos se alargam pelo país. ¹¹Mas toca-o, danifica suas posses, e aposto que te amaldiçoará de frente.
¹²O Senhor lhe disse:
– Faz o que quiseres com suas coisas, mas não toques nele.
E Satã foi embora.

As provas de Jó — ¹³Certo dia, quando seus filhos e filhas comiam e bebiam em casa do irmão mais velho, ¹⁴chegou um mensageiro à casa de Jó e lhe disse:
– Os bois estavam arando e as jumentas pastando ao seu lado, ¹⁵quando caíram sobre eles alguns sabeus, apunhalaram os servos e levaram o gado. Só eu pude escapar para contar.
¹⁶Não tinha acabado de falar, quando chegou outro e disse:
– Caiu um raio do céu e queimou e consumiu tuas ovelhas e pastores. Só eu pude escapar para contar.
¹⁷Não tinha acabado de falar, quando chegou outro e disse:
– Um bando de caldeus, dividido em três grupos, lançou-se sobre os camelos e os levou, apunhalando os servos. Só eu pude escapar para contar.
¹⁸Não tinha acabado de falar, quando chegou outro e disse:
– Teus filhos e tuas filhas estavam comendo e bebendo na casa do irmão mais velho, ¹⁹quando um furacão cruzou o deserto e investiu pelos quatro cantos da casa, que desmoronou e os matou. Só eu pude escapar para contar.
²⁰Então Jó se levantou, rasgou o manto, rapou a cabeça, lançou-se por terra ²¹e disse:
– Nu saí do ventre de minha mãe e nu voltarei a ele. O Senhor o deu, o Senhor o tirou: bendito seja o nome do Senhor!
²²Apesar de tudo, Jó não pecou nem acusou a Deus de desatino.

---

fonte de sugestão e ao mesmo tempo confissão implícita de que uma doutrina teórica não pode com a realidade viva do homem diante de Deus e de si mesmo.

1,7 Sobre essa atividade, recorde-se o texto de 1Pd 5,8 e também dos vigilantes celestes de Dn 4,13.17.23; em Pr 24,34, um dos dois verbos hebraicos é aplicado à pobreza que ronda e se lança sobre o vadio, como para prendê-lo.

1,9-10 A intervenção crítica de Satã fará emergir a dimensão que falta. A descrição de um homem bom, rico e feliz é ingênua e irreal demais; uma religiosidade que produz semelhantes criaturas é suspeita. Pela prova, a vida humana é drama, e o drama é o ser autêntico do homem no tempo. Até agora tudo é bom, de uma bondade falsa que não é bondade; até agora a religião é um diálogo monótono de um homem que bendiz ao Deus que o abençoou; ver Dt 2,7; 14,29; 15,10; 16,15.

1,11-12 Venha a tentação e se verá. E o Senhor aceita. Notemos a diferença: Satã introduz a tentação desconfiando do homem, certo da sua deslealdade, festejando de antemão a queda (escutamos seu riso zombeteiro reprimido). Deus permite a tentação como prova para o homem, confiando nele, esperando preocupado o desfecho. Satã tenta a Deus no homem, sua melhor criatura, no homem melhor e mais feliz; Deus tenta o homem deixando-o na liberdade: prova de amor. Assim se coloca a grande aposta entre Satã e Deus, entre o divino e o antidivino: é o homem vítima inocente e ignorante de tal aposta, dom que Deus arrisca num jogo perigoso? Não, porque a aposta do homem é sua liberdade. O Deus desse prólogo é mais maleável que o Deus com o qual Jó terá de lutar às escuras.

As provas de Jó. Na primeira série são contadas de modo muito estilizado. São quatro desgraças, número clássico da totalidade dos desastres, p. ex. Ez 14; a repetição de fórmulas cria um ritmo regular, irresistível. A queda livre de Jó corresponde com humildade e aceitação às desgraças que caíram sobre ele.

1,16 A fórmula original "fogo de Deus" indica o caráter numinoso ou teofânico do raio; ver p. ex. a história de Elias em 2Rs 1,12; de modo paralelo, o trovão é a "voz de Deus", p. ex. Sl 29.

1,19 Também o furacão do deserto pode ter caráter numinoso, como em Jr 18,17, sobretudo se investe simultaneamente pelos quatro lados.

1,21 O ventre materno e o ventre da terra estão em claro paralelismo, conforme crenças comuns, que encontram eco em Sl 139,13 e em Is 26,19; ver também Gn 3,19; Ecl 5,14; 12,7; Eclo 40,1. Sobre a pobreza total da morte, Sl 49,18. O tema da aposta era que Jó amaldiçoaria o Senhor: suas palavras concluem com uma bênção formal, em fórmula litúrgica. Deus ganha a aposta.

2 ¹Certo dia os anjos foram e se apresentaram ao Senhor; entre eles chegou também Satã. ²O Senhor lhe perguntou:
– De onde vens?
Ele respondeu:
– De dar voltas pela terra.
³O Senhor lhe disse:
– Reparaste no meu servo Jó? Na terra não há outro como ele: é homem justo e honrado, religioso e apartado do mal, e tu me incitaste contra ele, para que o aniquilasse sem motivo; mas ainda persiste em sua honradez.
⁴Satã respondeu:
– Alguém dá uma pele por outra pele; pela vida, tudo o que tem. ⁵Põe-lhe a mão em cima, fere-o na carne e nos ossos, e aposto que te amaldiçoará de frente.
⁶O Senhor lhe disse:
– Faz o que quiseres com ele, mas respeita-lhe a vida.
⁷E Satã foi embora. E feriu Jó com chagas malignas, da planta do pé até o alto da cabeça. ⁸Jó pegou um caco de telha para raspar-se com ele, sentado no meio da cinza. ⁹Sua mulher lhe disse:
– Ainda persistes em tua honradez? Amaldiçoa Deus e morre.
¹⁰Respondeu-lhe:
– Falas como insensata. Se aceitamos de Deus os bens, não vamos aceitar os males?
Apesar de tudo, Jó não pecou com os lábios.

Os amigos de Jó – ¹¹Três amigos seus – Elifaz de Temã, Baldad de Suás e Sofar de Naamat –, ao saber da desgraça que havia sofrido, saíram de seu lugar e se reuniram para ir compartilhar seu sofrimento e consolá-lo. ¹²Quando o viram a distância, não o reconheciam, e começaram a chorar; rasgaram o manto, lançaram pó sobre a cabeça, em direção do céu, ¹³e ficaram com ele, sentados no chão, sete dias e sete noites, sem dizer-lhe uma palavra, vendo o seu sofrimento atroz.

3 ¹Então Jó abriu a boca e amaldiçoou seu dia, ²dizendo:
³Morra o dia em que nasci,
a noite em que se disse:
"Conceberam um homem"!

---

2 O segundo ato no céu começa exatamente igual ao primeiro. A duplicação ou desdobramento é recurso narrativo conhecido, frequente na história de José. Sublinha um ritmo narrativo e destaca os elementos novos.

2,3 Deus afligiu seu servo "sem motivo". Ou seja, em termos de prêmio e castigo, não havia motivo; em termos de finalidade, para pôr à prova, havia motivo, sim. Em tal caso, exclui-se a intenção final que animava Satã: aniquilar. Deus impõe sua medida à prova. E agora Jó tem nova dimensão de virtude, "persiste".

2,4 Expressão proverbial. O homem se despoja não só quando morre, mas está disposto ao despojamento total, contanto que não morra. A objeção do Satã implica que Jó bendisse a Deus para salvar a vida, por egoísmo; a prova tem de continuar. (No cap. 13, Jó está disposto a arriscar a vida pela verdade da sua inocência.)

2,7-8 Jó tem de afastar-se das casas para não contagiar os outros.

2,9 A mulher fala como cúmplice inconsciente do Satã. Implicitamente defende uma religião interesseira e condicionada ao comportamento de Deus: o homem deve bendizer o Deus benéfico e amaldiçoar o Deus maléfico; assim estarão em paz. Já que deve morrer, que desfrute o último consolo da vingança impotente: amaldiçoar o carrasco. A mulher está tentando o marido, pondo-se da parte dele contra Deus; no fundo, é amor para o marido e rebeldia diante de um Deus cruel.

2,10 Na realidade, suas palavras são ignorância, julgamento superficial, falta de penetração. A sabedoria diz que, na história, bens e males vêm de Deus; ver Is 45,7. Como se distribuem e por que acontecem, ainda não está claro e terá que discuti-lo.
Termina o segundo ato com outra vitória de Deus. Satã se retira da aposta. Deus se esconde entre bastidores, a mulher de Jó desaparece. Fica só Jó, preparado para a grande disputa.
Os amigos de Jó são talvez três xeques da região de Edom. Elifaz, Temã e Suás são nomes encontrados nas genealogias de Gn 36,11 e 25,2, o que pode servir para sublinhar o ambiente patriarcal da cena. Temã está situada na região de Edom, e seus habitantes têm fama de sabedoria, Jr 49,7; Br 3,22. A primeira intenção dos amigos não é discutir, mas consolar Jó; será preciso algo que provoque e alimente a discussão. Esse movimento, do consolo à discussão, e da discussão à condenação, será a única ação do corpo do livro. Por ora, três amigos compassivos parecem contrapor-se a um Deus impiedoso, como se fosse preciso ser homem para sofrer com o homem. Essa sensação, que nos desassossega, amadurecerá e tornará mais sugestiva a representação: quem realmente está ao lado de Jó?

2,12-13 Depois dos dois dias de calamidades acumuladas, esses sete dias com suas noites vazias são parte da ação. O consolo é impossível, a contemplação emudece, até que da profundidade desse silêncio brote o grito alucinante de Jó.

PRIMEIRO ATO

3,1-2 Jó rompe o silêncio, e sua voz soa como um grito da profundeza, como nos salmos 22 e 130. A aposta

⁴Que esse dia se torne trevas,
  que do alto Deus não se ocupe dele,
  que sobre ele não brilhe a luz,
⁵que o reclamem as trevas e as sombras,
  que a névoa pouse sobre ele,
  que um eclipse o aterrorize;
⁶que se apodere dessa noite a escuridão,
  que não seja somado aos dias do ano,
  que não entre na conta dos meses,
⁷que essa noite fique estéril
  e fechada aos gritos de júbilo,
⁸que a amaldiçoem os que amaldiçoam o dia,
  os entendidos em incitar Leviatã;
⁹que sejam veladas as estrelas de sua aurora,
  que espere a luz e não chegue,
  que não veja o piscar da aurora;
¹⁰porque não me fechou as portas do ventre
  e não escondeu à minha vista tanta miséria.
¹¹Por que ao sair do ventre não morri
  ou não pereci ao sair das entranhas?
¹²Por que um colo me acolheu
  e peitos me deram de mamar?
¹³Agora repousaria tranquilo
  e dormiria em paz,
¹⁴como os reis e conselheiros da terra
  que reconstroem cidades arruinadas;
¹⁵ou como os nobres que possuíram ouro
  e encheram de prata seus palácios.
¹⁶Agora eu seria um aborto enterrado,
  uma criatura que não chegou a ver a luz.
¹⁷Aí acaba o tumulto dos perversos,

de Satã era que Jó amaldiçoaria Deus na cara; em vez disso, Jó amaldiçoa o dia em que nasceu, ou seja, sua existência inteira desde sua raiz temporal, concepção e nascimento (3-10). Depois (11-19) Jó se queixa com a pergunta clássica "por quê?": é uma fórmula que pode significar protesto, rebelião, como em Ex 17,3; Nm 11,4; 14,3; também pode significar súplica dolorida e confiante, como em muitíssimos salmos. Na terceira parte, repetindo a queixa, Jó se dirige a Deus e olha para si.

3,3-10 O tema e várias expressões podem estar inspirados em Jr 20,14-18. Dia e noite, pulso normal da vida humana, se resumem e se concentram num dia e numa noite; o ritmo conhecido e desejado de luz e escuridão fica absorvido numa total, violenta e contínua treva. (O contrário em Is 60,19-20 e Zc 14,7). É simbolicamente a treva da não-existência, vista nostalgicamente a partir de uma existência nas trevas.

3,4 Cada manhã é como uma nova criação da luz.

3,5 Reclamar: é o verbo *ga'al*, que significa o resgate de algo a que se tem direito ou obrigação de resgatar, geralmente por lei de parentesco.
O eclipse, como escuridão fora de hora e inexplicável, perturba a ordem e o ritmo da criação.

3,7 A noite familiar e silenciosa pode conhecer o júbilo dos esposos recém-casados; é misteriosamente fecunda, como terra ou seio materno ocultos.

3,8 Leviatã é um monstro mitológico que se opõe à ordem do cosmo e que o Deus ordenador há de vencer. Jó pretende que Leviatã devore o dia.

3,9 Vênus e Mercúrio.

3,10 O delito desse dia e dessa noite, motivo justo da maldição, é que não foram guardiães fiéis, não fechando a porta da existência ao infeliz Jó.

3,11-19 Na outra extremidade da vida está a morte. Já que é impossível abolir o nascimento e desfazer até o começo do tempo, ao menos pode-se invocar e desejar a outra extremidade: chegar à não-existência pela saída da morte. De novo a morte é vista com nostalgia, a partir da dor; e a nostalgia transforma em valores positivos o que é simples negação: não se distinguem, não trabalham, não sofrem, não há perversos. Seria melhor ler o versículo 16 depois do 12.

3,11 Jó 10,19.

3,13 Ecl 6,5.

3,14 "Cidades arruinadas", conservando o original hebraico. Com leve correção temos "mausoléus".

3,17-19 Prisioneiros de guerra condenados a trabalhos forçados. Por contraste, a vida se apresenta como escravidão, prisão, trabalho forçado. Pequenos e grandes em sentido social.

aí repousam os que estão esgotados,
¹⁸com eles descansam os prisioneiros
sem ouvir a voz do capataz;
¹⁹confundem-se pequenos e grandes
e o escravo se emancipa de seu amo.
²⁰Por que deu à luz um desgraçado
e vida a quem a transcorre na amargura,
²¹a quem anseia a morte que não chega
e escava buscando-a, mais que um tesouro,
²²a quem se alegraria diante do túmulo
e exultaria ao receber sepultura,
²³ao homem que não encontra caminho,
porque Deus lhe fechou a saída?
²⁴Por alimento tenho meus soluços
e meus gemidos transbordam como água.
²⁵O que eu mais temia me sucede,
o que mais me aterrava me acontece:
²⁶vivo sem paz, sem calma, sem descanso,
em puro sobressalto.

4

¹Respondeu Elifaz de Temã:
²Se alguém tivesse de falar-te,
não sei se o aguentarias,
mas pode alguém frear as palavras?
³Tu que a tantos instruías
e fortalecias os braços inertes,
⁴que com tuas palavras erguias quem tropeçava
e sustentavas os joelhos que se dobravam,
⁵hoje que toca a ti não aguentas?
Hoje te perturbas, quando tudo cai sobre ti?

3,20-26 Os dois extremos da vida, os dois acessos ao não-ser, estão nas mãos de Deus, e Deus é responsável por eles. Quando Jó amaldiçoava, tinha presente o nascimento; quando Deus se apresenta à sua consciência, Jó se queixa sem compreender: por que Deus nos confia a vida sem antes contar conosco?, por que dá vida a quem deseja a morte?, a vida é um bem, ou bem é o que alguém deseja? Das breves frases de resignação, pronunciadas nos capítulos 1 e 2 até aqui, a consciência de Jó avançou em profundidade, e foi a dor quem intensificou a consciência.

3,21 O reino da morte está escondido debaixo da terra: cava-se a sepultura como se cava buscando um tesouro.

4,1-14 Na primeira rodada, os amigos se dirigem a Jó em tom pessoal, sem descuidar os argumentos reais; ainda o exortam, em vez de repreendê-lo; se refutam suas palavras, não lhe lançam acusações formais. Jó insiste em sua queixa, repreende seus amigos, vai crescendo em seu desejo de entabular um pleito diretamente com Deus.

4,1 No seu primeiro discurso, provocado por Jó em seu grito de dor, Elifaz busca palavras de consolo e exortação. Primeiro apela para o passado de Jó: a coerência consigo mesmo, com suas palavras, será um forte motivo para a paciência; desaconselha-o recorrer a um terceiro, prevenindo-o contra a insensatez; convida-o a confiar em Deus, protetor dos desvalidos; finalmente o convida a aceitar a correção, prometendo-lhe bênçãos. O tom é positivo, afetuoso; e se Elifaz alude a certa culpabilidade de Jó, ela se enraíza simplesmente na comum condição humana. As fontes do saber alegadas são três: primeiro uma visão noturna, que recorda sobretudo as visões proféticas e constitui como que um argumento de autoridade; mas, o que a visão lhe comunica não parece tão extraordinário ou insondável. Depois apela para a sua experiência, "vi", que é tipicamente sapiencial (p. ex. Sl 37); mas o seu caso individual não é muito convincente, e de resto, mais que comunicar sua experiência pessoal, parece citar de cor e sem crítica os ensinamentos tradicionais. Finalmente termina apelando para seu estudo e reflexão, o que também é pessoal.

4,2 À maneira de exórdio. É comum nos discursos desse diálogo que o interlocutor justifique sua intervenção, com modéstia, ou *ad hominem*, ou atacando. Elifaz começa conciliador, partilhando a situação de seu amigo, ainda que não totalmente.

4,3-4 O homem capaz de ajudar os outros a partir de seu bem-estar, incapaz de ajudar a si mesmo na desgraça; é o argumento *"médico, cura-te a ti mesmo"*.

4,5 Soa pela primeira vez a contradição entre teoria e existência. Desta vez é Elifaz quem a pronuncia, sem perceber que Jó poderia retorcer o argumento: "se tu

⁶Não era a religião tua confiança,
  e uma vida honrada tua esperança?
⁷Lembras algum inocente que tenha perecido?
  Quando se viu um justo exterminado?
⁸Só os que aram maldade
  e semeiam miséria, eu vi colhê-las.
⁹Deus sopra e perecem,
  seu alento enfurecido os consome.
¹⁰Ainda que ruja o leão e a leoa lhe faça coro,
  e arranquem os dentes dos filhotes,
¹¹morre o leão sem a presa
  e as crias da leoa se dispersam.
¹²Ouvi uma palavra furtiva,
  apenas percebi seu murmúrio:
¹³numa visão de pesadelo,
  quando a sonolência cai sobre os homens,
¹⁴apoderou-se de mim um terror,
  um tremor que me estremeceu todos os ossos.
¹⁵Um vento roçou-me o rosto,
  o pelo de meu corpo se arrepiou.
¹⁶Estava de pé – não conhecia seu aspecto –;
  só uma figura diante de meus olhos,
  um silêncio; depois ouvi uma voz:
¹⁷"Pode o homem ter razão contra Deus?
  Ou um mortal ser puro diante do seu Criador?
¹⁸Se não confia em seus criados
  e mesmo em seus anjos descobre faltas,
¹⁹como estarão limpos diante do seu Criador
  os que habitam em casas de argila
  alicerçadas no barro?
²⁰Entre a aurora e o ocaso desmoronam,
  sem que se perceba perecem para sempre.
²¹Arrancam-lhes as cordas da tenda
  e morrem sem ter aprendido".

---

estivesses no meu lugar...". É a pretensa experiência dos sábios, que consiste em observar sem participar. Elifaz aproxima-se com a compaixão sem chegar a entrar de cheio, fala de fora e a certa distância, talvez como Jó antes da desgraça. Na boca de Elifaz o versículo tem tom irônico, na estrutura do livro é um versículo-chave.

4,6 Na doutrina da retribuição, a capacidade humana funda a confiança e a esperança; é confiança nos próprios méritos; e Deus, se for justo, deve retribuir; do contrário, Deus não é justo e fica devendo ao homem, que poderá reclamar legalmente. A partir desse ponto, Elifaz vai provar que Deus de fato retribui ao justo, que sempre haverá no homem faltas que justifiquem o castigo, que esse castigo bem-aceito atrairá nova retribuição.

4,7 Sl 37,25; Eclo 2,10. Essas palavras oferecem minguado consolo, pois Jó tem desejado exatamente perecer, não ter existido, deixar de ser.

4,8 Apela para a experiência, e cita de memória ditos proverbiais: Os 8,7; 10,12-13; Pr 22,8; Eclo 7,3.

4,9 Continua a imagem vegetal: Is 40,7; Os 13,15.

4,10-11 Ver Sl 7,3; 17,2; 22,14; 35,16-17; 58,7 e 1Pd 5,8.

4,12-13 Eliú apelará para uma experiência semelhante, 33,15-16. Não está claro se é num sonho ou no tempo em que outros dormem.

4,14-15 Reação do homem diante do numinoso, como em Is 21,3; Dn 10,8. O vento suave e misterioso é presença do sobre-humano, de Deus ou de um mensageiro seu; recorde-se a visão de Elias em 1Rs 19,12.

4,17-18 É essa mensagem tão nova ou tão secreta? Jó a repetirá em 9,2, Elifaz em 15,14-16, Baldad em 25,4-6. Perante a perfeição total de Deus, o homem e o anjo são imperfeitos e condicionados. O Criador nunca poderá encontrar a criatura plena e íntegra (apesar do que foi dito em 2,3). Isso à margem e antes da culpabilidade formal, pois trata-se de pureza ontológica. Por isso, confrontado com Deus, o homem nunca terá razão: ver sobretudo Jr 12,1. O autor não está pensando num pecado original ou atual, mas encontra na própria condição humana a raiz da caducidade e da morte.

4,19 Ver Gn 2,7; Pr 10,25; Jó 10,9; 22,16; 33,6; Eclo 17,31; 33,10 (predominam os textos sapienciais); no NT, 2Cor 5,1 e 2Pd 1,13.

4,20-21 Sl 90,5; Is 38,12.

5 ¹Grita, para ver se alguém te responde;
a que anjo recorrerás?
²Porque o despeito mata o insensato
e a paixão causa a morte do imprudente.
³Eu vi um insensato lançar raízes
e num momento secou-se sua pastagem;
⁴seus filhos, sem poder salvar-se,
atropelados sem defesa diante dos juízes,
⁵suas colheitas o faminto devorou,
suas posses o famélico arrebatou,
e o sedento sorveu seus bens.
⁶A miséria não nasce do barro,
a fadiga não germina da terra:
⁷é o homem quem nasce para a fadiga,
como as chispas para levantar vôo.
⁸Eu em teu lugar eu recorreria a Deus
para pôr minha causa em suas mãos.
⁹Ele faz prodígios incompreensíveis,
maravilhas sem conta:
¹⁰dá chuva à terra,
rega os campos,
¹¹levanta os humildes,
dá refúgio seguro aos abatidos,
¹²malogra os planos do astuto
para que fracassem suas manobras,
¹³enreda o arteiro em suas malhas
e faz abortar as intrigas do esperto;
¹⁴assim, em pleno dia, vão dar nas trevas,
em plena luz vão às apalpadelas como de noite.
¹⁵Assim Deus salva o pobre
da língua afiada, da mão violenta;
¹⁶dá esperança ao desvalido
e a maldade fecha a boca.
¹⁷Feliz o homem a quem Deus corrige:
não rejeites a correção do Todo-poderoso,
¹⁸porque ele fere e venda a ferida,
golpeia e cura com sua mão;

---

5 Continua o discurso de Elifaz, falando da retribuição aos maus, da imagem do homem, da ação de Deus, da retribuição aos bons. A argumentação poderia ser esquematizada assim: deve-se aceitar com resignação a natureza humana em seus limites; se o homem não a aceita, acrescenta um pecado e provoca um castigo; primeiramente salutar, mas depois definitivo; se o primeiro fracassa; se o homem o aceita, alcança o prêmio.

5,1 O sentido é provavelmente judicial, continuando o tema "ser justo diante de Deus"; o anjo pode ser um advogado ou árbitro, como se verá nos capítulos seguintes. Elifaz desaconselha Jó de apelar para um julgamento de Deus, pois de antemão tem a causa perdida e ninguém sairá em sua defesa. Seria insensatez.

5,3-5 O versículo 5b é duvidoso; alguns leem "a seca arrebatou suas posses".

5,6-7 O sentido do segundo versículo não é claro, já que *réshef* pode ser o deus da peste (Dt 32,24; Hab 3,5), ou então designa poeticamente o raio, a labareda, Sl 78,48; Ct 8,6.

5,8 É melhor pôr-se nas mãos de Deus: em vez de disputar com Deus, recomendar-se a ele. Com esse versículo Elifaz introduz um breve hino ao Deus que abençoa e protege. É como um pequeno salmo cheio de reminiscências.

5,16 Diante da esperança baseada na própria capacidade (4,6), está a esperança baseada em Deus que protege o pobre.

5,17 A última seção começa em forma de bem-aventurança, que é parente da bênção e equivale ao nosso "felicidades". O tema da educação pela prova e do castigo salutar é bem conhecido na pedagogia humana e divina: ver p. ex. Pr 3,11; Sl 94,12.

5,18 O título do Deus que cura é muito oportuno na situação de Jó.

¹⁹de seis perigos te salva
e no sétimo não sofrerás nenhum mal;
²⁰em tempo de fome te livrará da morte,
e da espada na batalha;
²¹ele te esconderá do açoite da língua,
e quando chegar o desastre, não temerás;
²²de demônios e carestias rirás,
não temerás as feras,
²³farás pacto com os espíritos do campo
e terás paz com as feras,
²⁴desfrutarás a paz de tua tenda
e ao percorrer teus apriscos nada faltará;
²⁵verás uma descendência numerosa
e teus rebentos como erva do campo;
²⁶descerás ao túmulo sem achaques,
como um feixe na estação.
²⁷Tudo isso indagamos e é certo:
escuta-o e aplica-o.

6

¹Jó respondeu:
²Se fosse possível pesar minha aflição
e juntar na balança minhas desgraças,
³seriam mais pesadas que a areia;
por isso minhas palavras desvariam.
⁴Levo cravadas as flechas do Todo-poderoso
e sinto como absorvo o veneno delas;
os terrores de Deus
se organizaram contra mim.
⁵Zurra o asno selvagem diante da erva?
Muge o boi diante da forragem?
⁶Vai alguém comer sem sal o que não tem sabor
ou encontrar gosto no suco da malva?
⁷O que me dava asco
é agora meu alimento repugnante.
⁸Oxalá se cumpra o que peço
e Deus me conceda o que espero:

5,19-22 A forma numérica escalonada é comum, e não se deve tomar matematicamente.

5,23 Os espíritos do campo, espécie de sátiros, seres maléficos que vagam em campo aberto, aparecem em Lv 17,7 e até o Evangelho os utiliza numa comparação, Mt 12,43-45. Sobre a paz com as feras, ver Is 11,6; Os 2,20.

5,25 Bênção clássica, p. ex. Is 48,19.

6-7 Primeiro discurso de Jó. O discurso de Elifaz soou bastante razoável, o leitor pôde resumir e apreciar o valor da argumentação; também soam suas palavras corteses e bem-intencionadas. Para Jó não é assim: as promessas de felicidade chegam tarde, as veladas ameaças não assustam, porque a angústia atual é muito mais terrível. Por isso, diante do discurso razoável de Elifaz, Jó vai praticar e defender uma lógica do absurdo, porque sua dor não é razoável nem lógica. Não teme contradizer-se: que Deus deixe de pressionar; que Deus pressione o pouco que lhe resta de vida para apressar sua morte. A lógica é: que cesse a dor, seja como for.

Jó se queixa de si mesmo, dos amigos e de Deus. De si mesmo, porque já não resiste e desvaria; dos amigos, que o traem e abandonam, ou tentam surpreendê-lo nas palavras para um fácil triunfo dialético; de Deus, que o feriu, não o livrou e se ira cruelmente. Jó apela a um julgamento justo e leal: com os amigos, para que lhe reconheçam a inocência; com Deus, para a mesma coisa ou para que lhe perdoe, ou para que o deixe. No cap. 6 fala aos amigos, no 7 a Deus.
Se o discurso de Elifaz era razoável, o de Jó é convincente, como expressão de um "espírito angustiado".

6,4 É estranho e ilógico que essa dor venha de Deus, mesmo que Jó ignore a causa (porque não assistiu ao prólogo no céu). A figura de Deus como arqueiro é frequente: Dt 32,23; Hab 3,9; Sl 38,2; 64,7.

6,5-8 Esse tipo de perguntas em série é de origem sapiencial, embora se encontre em profetas, como Am 3; também é sapiencial o ensinamento dos animais.

6,8-10 A força dessa imprecação reside no uso audaz dos termos consolo e esperança, retorcendo-lhes

⁹que Deus se digne triturar-me
e cortar de um só golpe minha trama.
¹⁰Seria um consolo para mim:
mesmo torturado sem piedade, pularia de prazer,
por não ter renegado
as palavras do Santo.
¹¹Que forças me restam para resistir?
Que destino espero por ter paciência?
¹²É minha força a força das rochas,
ou minha carne é de bronze?
¹³Eu já não encontro apoio em mim
e a sorte me abandona.
¹⁴Para o doente é a lealdade dos amigos,
ainda que esqueça o temor do Todo-poderoso;
¹⁵mas meus irmãos me traem
como uma torrente,
como um leito quando cessa o caudal:
¹⁶descem turvos pelo degelo,
no qual se esconde a neve;
¹⁷mas com o primeiro calor secam
e no calorão desaparecem de seu leito;
¹⁸mudam as sendas de seu curso,
entram no deserto e desaparecem.
¹⁹As caravanas de Temá o procuram
e as caravanas de Sabá contam com ele;
²⁰mas fica frustrada sua esperança,
e ao chegar se veem decepcionados.
²¹Assim vós vos tornastes nada,
vedes algo terrível e sentis medo.
²²Acaso vos pedi que deis por mim
algum suborno de vosso bolso,
²³que me livreis de meu adversário
e me resgateis de um poder tirânico?
²⁴Instruí-me, e guardarei silêncio,
fazei-me ver em que me equivoquei.

---

o sentido. Recorde-se que os amigos tinham vindo para o consolar e que Elifaz mencionou duas vezes a esperança. O pedido, a esperança, o consolo de Jó é morrer; como o que pediam Elias e Jonas, 1Rs 19,4; Jn 4,3. O pedido frequente dos salmos toca seu extremo oposto. A tradução de 10c é duvidosa.

6,14 A lealdade humana deve ser tolerante, não deve abandonar o homem, ainda que este abandone a Deus; Jó pede aos amigos a suprema compreensão da desgraça alheia: os amigos não sabem dá-la, porque não passaram pela dor. Cristo deve sofrer para entender o sofrimento humano e desculpar os homens.

6,15-20 A imagem da torrente que seca de repente está em Jr 2 e 15. A tradução do v. 16 é muito duvidosa.

6,21 A figura de Jó tornou-se contagiosa e numinosa.

6,22-23 Passa para a terminologia jurídica. Num suposto processo, os amigos deveriam livrar o amigo saindo em sua defesa ou pagando seu resgate. Jó não pede essa libertação ilegal e vergonhosa, mas o reconhecimento de sua inocência, algo que custa menos dinheiro e mais honradez e coragem. Mal se percebe a alusão a Deus como poder tirânico.

6,24-30 A terminologia avança da simples discussão ou debate para o verdadeiro pleito. Instruir quem errou pode ser função oficial, como a dos sacerdotes no templo; mas num processo alguém pode também dizer "se faltei em minhas palavras, dize-me em quê"; provar uma tese e demonstrar a falsidade do adversário também pertence aos dois mundos, do debate e do processo. Com o juramento de dizer a verdade, a coisa fica clara: passa-se expressamente ao tema da justiça e injustiça. Isto é, Jó começa a considerar o diálogo com os amigos como um pleito em que se debate a própria inocência dele. Já não lhe importa o consolo que os amigos não sabem dar. Já não está em jogo a sua vida ou bem-estar, só está em jogo sua inocência, e lutará para prová-la, mesmo que perca seus amigos.

Nova aposta na terra, com plena consciência do perigo: dessa vez Jó aposta a si mesmo. Também isso é sede de justiça.

²⁵Quão persuasivas são as razões verdadeiras!
 Porém, o que provam vossas provas?
²⁶Pretendeis refutar minhas palavras,
 quando é vento o que diz um desesperado?
²⁷Seríeis capazes de rifar um órfão
 e combinar o preço de um amigo.
²⁸Agora, olhai-me atentamente:
 juro não mentir em vosso rosto.
²⁹Prossigamos, por favor, mas sem maldade;
 prossigamos, pois está em jogo minha inocência.
³⁰Há maldade em meus lábios?
 Minha boca não pondera as palavras?

7

¹O homem está na terra
 cumprindo um serviço,
 seus dias são os de um diarista:
²como o escravo, suspira pela sombra,
 como o diarista, aguarda o salário.
³Minha herança são meses estéreis,
 em sorte me tocam noites de fadiga.
⁴Ao deitar penso: Quando me levantarei?
 Torna-se longa a noite
 e me farto de girar-me até a aurora;
⁵cubro-me de vermes e torrões,
 minha pele se rompe e supura.
⁶Meus dias correm mais que a lançadeira
 e se consomem sem esperança.
⁷Recorda que minha vida é um sopro
 e que meus olhos não mais verão a felicidade.
⁸Não me verás, olho de quem vê,
 quando me olhares tu, já não estarei.
⁹Como a nuvem passa e se desfaz,
 quem desce ao túmulo já não sobe;
¹⁰não retorna à sua casa,
 e sua morada não volta a contemplá-lo.

6,25-26 A teoria é lógica e coerente, mas o que prova diante do fato? Lógica envolvente, só atenta às palavras; lógica fácil, pela posição desvantajosa do contrário. Porém, quanto mais autênticas são as palavras incoerentes e ilógicas do desesperado!

6,27 A lógica impiedosa os levaria a rifar um indefeso e a vender um amigo. Também eles fazem de Jó uma aposta, para com ele provar a validez da própria doutrina. Grande vitória dialética!

6,30 Apesar de tudo, Jó conserva lucidez para controlar o sentido e valor de suas próprias razões. Jó quer confundir a sabedoria dos sábios com a força da sua dor, mesmo que depois não consiga dar resposta positiva ao enigma dessa dor. Ao radicalizar a situação e não chegando a uma resposta satisfatória, o autor torna o problema mais agudo e mais necessária a resposta. Ao mesmo tempo, acusa a nós leitores, que talvez pensemos em resolver os grandes problemas da existência humana com respostas razoáveis e teorias coerentes. Além dos amigos, o drama de Jó se dirige aos espectadores.

7,1-6 Esses versículos soam como intervalo reflexivo, antes de se dirigir explicitamente a Deus; se diminuem a força do diálogo, revelam a intensidade da dor. O argumento é *a fortiori*: a sorte do homem é triste, muito mais triste a de Jó; partilha os males, não partilha os bens. Compare-se com o cap. 14.

7,3-4 Jó nem sequer tem esse pequeno consolo. A dor cansa mais que o trabalho, e não produz, não dá descanso na noite e não tem o incentivo do pagamento. A quem pode alguém alugar sua dor? A tradução de 4b é duvidosa.

7,5 A descrição é própria do túmulo: 17,14; 21,26; a enfermidade de Jó é uma presença antecipada da morte, só que prolongada e consciente.

7,6 Não porque o tempo passe depressa para ele, mas porque deve morrer prematuramente. A imagem do tear está também em Is 38,12.

7,7-11 A brevidade da vida é o ponto de apoio, de onde se dirige a Deus. Os versículos insistem no tema do ver: Jó não verá ou experimentará a felicidade, a casa não verá seu dono, Deus não verá vivo seu servo;

¹¹Por isso não frearei minha língua,
    falará meu espírito angustiado,
    minha alma se queixará entristecida.
¹²Sou o Oceano ou o Dragão
    para que me ponhas um freio?
¹³Quando penso que o leito me aliviará
    e a cama partilhará meus queixumes,
¹⁴então me espantas com sonhos
    e me aterrorizas com pesadelos.
¹⁵Preferiria morrer asfixiado
    e a morte a estes membros que odeio.
¹⁶Não hei de viver para sempre:
    deixa-me, pois meus dias são um sopro.
¹⁷O que é o homem para que lhe dês importância,
    para que te ocupes dele,
¹⁸para que passes em revista pela manhã
    e o examines a cada momento?
¹⁹Até quando não afastarás de mim a vista
    e não me deixarás sequer tragar saliva?
²⁰Se pequei, o que te fiz?
    Sentinela do homem,
    por que me tomaste como alvo
    e me transformei em peso para mim?
²¹Por que não perdoas meu delito
    e não afastas minha culpa,
    se logo me deitarei no pó;
    madrugarás por mim, e já não existirei?

8 ¹Baldad de Suás falou por sua vez e disse:
²Até quando falarás dessa maneira
    e serão tuas palavras um furacão?
³Pode Deus torcer o direito
    ou o Todo-poderoso torcer a justiça?

---

ao examinar a terra e o país, Deus não encontra Jó, porque já se foi.

7,11 Esta vida é breve e má, mas é a única; isso justifica Jó em sua decisão de falar a Deus, no conteúdo e no tom do seu discurso.

7,12 Alusão aos monstros mitológicos que se rebelam contra Deus antes ou depois da criação. Ver o paralelismo de Sl 65,8 e também Sl 46; 77,17; 93,3; 104,6; 114,3; 124,4.

7,13-14 Ver 4,12ss e 33,15ss; Eclo 40,6.

7,17-20 Cita o Salmo 8 retorcendo-lhe o sentido: Deus se ocupa do homem para o mal do homem. Este sente-se envolvido por Deus, oprimido por ele. Dele vêm as flechas que envenenam e os sonhos que espantam, sua presença é vigilância, seu olhar é fixação obsessiva, seu afastamento é a distância certa para acertar a pontaria. As imagens são de assédio ou de caça. Deus se enfurece ou se diverte.

7,17 Sl 8,5; 144,3.

7,20-21 Concessão retórica, não formal, do pecado: nesse momento Jó parece disposto a confessar-se culpado, contanto que Deus o deixe; mais tarde arriscará tudo, contanto que se reconheça sua inocência. A frase final soa com terrível ambiguidade.

desesperada diante da morte sem saída, esperançosa ante a morte como libertação. O paralelo mais interessante desse discurso é o Salmo 88. Ao terminar seu primeiro discurso, Jó entrou de cheio na questão e se colocou como encruzilhada diante dos amigos e diante de Deus.

8 Primeiro discurso de Baldad. Apela simplesmente para a tradição e tece um discurso em estilo sapiencial. A tradição nos ensina um princípio certo, a justiça de Deus, que consiste na retribuição proporcional a maus e bons. O discurso avança em passos duplos paralelos, imitando com sua regularidade a ordem simples da retribuição. Os filhos maus (4), tu bom (5-7), com duas condicionais; os maus (11-19), os bons (20-22); as duas introduções marcam a regularidade: *ad hominem* (2-3), apelando para a tradição (8-10). Diríamos que Baldad fala ao vento, sem perceber o que Jó sofre e diz; contudo, é de se notar esta leve diferença: enquanto a sorte dos perversos é descrita na terceira pessoa, a sorte dos bons é enunciada na segunda pessoa, como oferta pessoal a Jó.

8,2 Vento pela falta de conteúdo, impetuoso pela paixão; o próprio Jó o reconheceu em 6,26.

8,3 Ver o que dizem Jó em 27,2 e Eliú em 34,12.

⁴Se teus filhos pecaram contra ele,
 já os entregou em poder de seus delitos.
⁵Mas se tu madrugares para buscar a Deus
 e suplicares ao Todo-poderoso,
⁶se te conservares puro e reto,
 ele velará por ti e restaurará
 tua legítima morada;
⁷teu passado será uma pequenez
 comparado com teu magnífico futuro.
⁸Pergunta às gerações passadas,
 presta atenção ao que descobriram teus pais;
⁹nós somos de ontem, não sabemos nada;
 nossos dias são uma sombra sobre o solo.
¹⁰Mas eles te instruirão,
 e te falarão com palavras saídas do coração.
¹¹Brota o papiro fora do pântano,
 cresce o junco sem água?
¹²Ainda verde, sem que o arranquem,
 seca antes que outras ervas.
¹³Tal é o destino de quem esquece a Deus,
 nisso acaba a esperança do ímpio.
¹⁴Sua confiança é frágil,
 sua segurança, uma teia de aranha;
¹⁵se alguém se apoia nela, não o retém;
 se a ela se agarra, não o sustenta.
¹⁶Cheio de seiva, ao sol,
 lança rebentos por seu jardim,
¹⁷enreda as raízes entre pedras
 e ao muro de pedras se agarra.
¹⁸Mas se o eliminam de seu lugar,
 ele o renega: "Nunca te vi".
¹⁹Assim acaba sua alegre carreira,
 e outra planta brota da terra.
²⁰Deus não rejeita o homem justo
 nem dá a mão aos perversos:
²¹pode ainda encher tua boca de risos
 e teus lábios de gritos de júbilo;
²²teus inimigos se cobrirão de vergonha
 e a tenda do perverso desaparecerá.

8,4 Baldad conhece o prólogo. Da desgraça dos filhos deduz sua culpa.

8,5-7 A oração está nos limites da retribuição, é uma religiosidade interesseira.

8,9-10 Ver Dt 32,7. O princípio da tradição é fundamental no mundo sapiencial. Além disso, a referência de 9b faz pensar numa extraordinária longevidade dos antepassados.

8,10 Do coração ou da memória, no sentido de sinceridade ou de lembrança. Isso se opõe ao vento de umas palavras que brotam da paixão do momento.

8,14 Ver Is 59,5s.

8,16 Outros entendem "antes que saia o sol".

8,17 Duvidosa a tradução de pedras e muro; alguns pensam em fonte, conforme Js 15,19.

8,20 Justo é um dos termos do prólogo. Diríamos que Baldad está negando os fatos evidentes, e assim o entenderá Jó; mas o leitor, que vê a cena inteira, sabe que é certo, que Deus não rejeitou o justo; evidentemente, não para dar razão a Baldad. A ironia do autor brinca com os personagens.

8,21 Ver Sl 126,2.

8,22 Sl 35,26; 109,29; 132,18. Arremata-se o discurso e Baldad pode calar-se satisfeito. Inocentemente Baldad está colaborando com Satã, pois quer pôr Jó no caminho da religiosidade interesseira. O autor que busca o paralelo e o leitor que o contempla fazem sinais por cima dos personagens: resultará que a venerável doutrina tradicional sobre a justiça de Deus está mais perto do Satã que do verdadeiro Deus. O autor aposta em seu protagonista contra ela e contra Satã.

9 ¹Jó respondeu:
²Sei muito bem que é assim:
 o homem não se justifica diante de Deus.
³Embora pretenda pleitear com ele,
 de mil razões não lhe responderá uma.
⁴Sábio na mente, rico na força,
 quem lhe resiste e fica ileso?
⁵Ele desloca as montanhas de improviso
 e as derruba com sua cólera;
⁶estremece a terra em seus alicerces
 e suas colunas tremem;
⁷ordena ao sol não brilhar
 e guarda lacradas as estrelas;
⁸ele sozinho estende o céu
 e caminha sobre o dorso do mar;
⁹criou a Ursa e o Órion,
 as Plêiades e as Câmaras do Sul;
¹⁰faz prodígios incompreensíveis,
 maravilhas sem conta.
¹¹Se cruza junto a mim, não o vejo,
 passa roçando-me e não o sinto.
¹²Se agarra uma presa, quem a tirará?
 Quem poderá dizer-lhe: "O que fazes?"

9-10 Segundo discurso de Jó. Depois das razões insípidas de Baldad, espécie de parêntese irrelevante, Jó avança outro bom trecho em seu caminho audaz, olhando para si. Inútil deter-se em refutar Baldad: pode conceder tranquila e ironicamente o que ele falou e até mais, e pode competir com os amigos em cantar a grandeza de Deus. Qual a conclusão? Exatamente o contrário, a crueldade de Deus. Baldad proclamou a justiça de Deus concebida em termos de juiz que retribui a bons e maus; Jó o nega redondamente: quando envia suas calamidades, Deus não distingue entre inocentes e pecadores e, se distingue, é para favorecer os perversos. Mas não é essa a justiça que preocupa Jó, a do juiz imparcial. Cada vez mais se apodera do protagonista a ideia de um confronto com Deus, em que Deus seja intimado a comparecer e tenha de discutir e responder a Jó, tendo finalmente de reconhecer a inocência de Jó. O resto, comparado a essa vitória judicial, não importará, nem sequer a própria vida. Ao mesmo tempo que a ideia o penetra, Jó reconhece o despropósito do projeto: estaria Deus disposto a comparecer, a responder, a deixar-se vencer com os argumentos de Jó? Pela força, Deus o supera; argumentando, Deus o enreda; diante da justiça, Deus é soberano; uma tentativa de purificar-se seria vã. Contudo, a ideia do confronto persiste, e Jó sonha com o impossível: processar Deus diante de um tribunal superior. É absurdo, e no entanto mentalmente Jó compõe e pronuncia o discurso fingido que faria contra Deus (cap. 10): é uma acusação implacável, baseada sobretudo na conduta de Deus com a própria obra; acusação de maus-tratos e denúncia de perversas intenções secretas. Na dinâmica da obra, o leitor deve ter sempre ante os olhos Deus que olha e escuta sem que Jó o veja. Finalmente, Jó dá razão a Satã?, amaldiçoa Deus nesse discurso? No plano de Satã não, porque este apostava que a religiosidade de Jó era interesseira, e aqui a relação de Jó com Deus é mais desinteressada que nunca, até o desprezo da própria vida. Tampouco suas palavras são uma blasfêmia despeitada; antes, expressam uma terrível sede de justiça, referida em última instância a Deus. Sim, as palavras de Jó não são um bendito resignado e simples, como no prólogo. Por baixo do desespero alenta a esperança; apesar de tudo, é em Deus que ele busca sua justiça.

9,2-4 Jó dá razão a Elifaz, repetindo suas palavras (4,17). Em seguida, transpõe a questão a outro plano, que o preocupa, o plano de Deus. Deus sempre tem razão: inútil discutir, argumentar, enfrentá-lo. Mais grave, é uma razão que muitas vezes não entendemos. Contudo, o homem, como Jacó em Gn 32, não recua em sua luta com Deus, embora saia sempre mancando.

9,5-10 Breve hino no estilo dos salmos. É o Deus terrível das teofanias cósmicas, que transtorna suas próprias criaturas: a firmeza das montanhas, o ritmo regular dos astros.

9,5-7 Terremoto e trevas se juntam com frequência na teofania: Hab 3; Sl 18; Is 13,10-13; 24; Jl 2,10; 3,15-16; Jó 14,18; 18,4 e cap. 26.

9,8 Ver Is 44,24; 51,13; Jr 10,12; 51,15; Zc 12,1.

9,9 Ver 38,31; Am 5,8. Talvez se trate das câmaras do vento sul, conforme 37,9 e Sl 78,26.

9,10 Termina a sua primeira parte citando outro versículo de Elifaz, 5,9.

9,11 Do cósmico passamos para o humano, da grandeza para a sutileza. Estranha proximidade de Deus, palpável e imperceptível, próximo e invisível. Pode-se recordar 1Rs 19. Sobre o v. 12b pode-se ver 2Sm 16,10 e Ecl 8,4.

9,12-13 Essas imagens completam a visão cósmica com um aspecto desconcertante, ou talvez a canalizem

¹³Deus não cede em sua cólera,
 debaixo dele se curvam as legiões do Caos.
¹⁴Quanto menos poderei eu replicar-lhe
 ou escolher argumentos contra ele!
¹⁵Mesmo que eu tivesse razão, não teria resposta,
 deveria suplicar a meu adversário;
¹⁶mesmo que o intimasse para que me respondesse,
 não creio que me daria atenção;
¹⁷ele me envolveria com a tempestade
 e me feriria mil vezes sem motivo;
¹⁸não me deixaria sequer respirar,
 me saciaria de amargura.
¹⁹Se de força e poderio se trata, aí estão;
 mas se é de direito que se trata,
 quem me intima?
²⁰Ainda que eu tivesse razão me condenaria,
 mesmo que fosse inocente,
 me declararia perverso.
²¹Sou inocente; não me importa a vida,
 desprezo a existência;
²²mas dá na mesma – eu vos juro –:
 Deus acaba com inocentes e culpados.
²³Se uma calamidade semeia morte repentina,
 ele caçoa da desgraça do inocente;
²⁴deixa a terra em poder dos perversos
 e tapa os olhos de seus governantes:
 quem o faz, senão ele?
²⁵Meus dias correm mais que um mensageiro
 e fogem sem provar a felicidade;
²⁶deslizam como barcas de papiro,
 como águia que se atira sobre a presa.
²⁷E se a mim eu digo: "Esquecerei minha aflição,
 farei rosto alegre",
²⁸temo todo tipo de desgraças,
 sabendo que ele não me absolverá.
²⁹E se sou culpado,
 para que cansar-me em vão?

---

para essa aplicação irracional. Deus irado, vitorioso, prepotente. Como se Deus caçoasse da pobre teodiceia humana, e o homem tivesse de recorrer a imagens inumanas.

9,15-19 Ao deparar com essa irracionalidade opressora, Jó se refugia numa série de frases irreais, como possibilidades que a fantasia vai oferecendo e que a lucidez do sofrimento vai descartando.

9,17 Jr 23,19; 30,23; Am 1,14.

9,18 Lm 3,15.

9,19-20 O vocabulário é forense. Jó aplica a si o adjetivo que no prólogo o autor e o próprio Deus lhe concederam: justo (*tam*). É terrível Jó pensando que, para sair justificado, Deus tenha de ser condenado; Jó não sabe conciliar a justiça de Deus com a própria, na situação em que se encontra. Acontece o mesmo com Deus?, ele precisa condenar Jó para justificar-se? Deus não retirou seu veredicto por causa de algo que Jó tenha feito; pelo que está dizendo, ainda não sabemos. Cf. Jó 40,7-14.

9,21-24 O agir de Deus é deixar que ajam as catástrofes cegas e os homens perversos; as catástrofes naturais não distinguem entre culpados e inocentes; os perversos distinguem, mas contra o inocente.

9,24 O Salmo 37 ensina o contrário.

9,26 Ver Dt 28,49; Jr 4,13; Hab 1,8.

9,27-28 O homem faz um primeiro esforço de inteireza e de autodomínio; mas o terror de saber-se injustamente condenado o vence.

9,29-31 Faz um segundo esforço: confessar uma culpa e lavar-se dela. Tudo inútil diante do tirano que já pronunciou a sentença, e manchará sua vítima para que não se livre da sentença. A pobre vítima, revolta na lama de calúnias, acusações e violências, chega a sentir nojo de si mesma.

³⁰Ainda que me esfregasse com sabão
 e lavasse as mãos com soda,
³¹me afundarias no barro,
 e minhas vestes me dariam nojo.
³²Deus não é um homem como eu, para eu lhe dizer:
 "Vamos comparecer em julgamento".
³³Não há um árbitro entre nós
 que possa pôr a mão sobre ambos
³⁴e afastar de mim sua vara,
 para que não me enlouqueça com seu terror.
³⁵Assim falaria sem medo;
 do contrário, não sou dono de mim mesmo.

10

¹Estou enjoado da vida:
 vou entregar-me às queixas,
 desafogando a amargura de minha alma.
²Pedirei a Deus: "Não me condenes,
 faze-me saber o que tens contra mim".
³Gostas de oprimir-me
 e desprezar a obra de tuas mãos,
 enquanto alumias
 os desígnios do perverso?
⁴Tens olhos de carne
 ou vês como os homens veem?
⁵São teus dias como os de um mortal
 e teus anos como os de um homem,
⁶para que indagues minha culpa
 e examines meu pecado,
⁷embora saibas que não sou culpado
 e que ninguém me livrará de tuas mãos?
⁸Tuas mãos me formaram, elas modelaram
 todo o meu contorno, e agora me aniquilas?
⁹Recorda que de barro me fizeste,
 e vais me devolver ao pó?
¹⁰Não me verteste como leite?
 Não me coalhaste como queijo?
¹¹Não me forraste de carne e pele?
 Não me teceste de ossos e tendões?
¹²Não me concedeste vida e favor,
 e tua providência não guardou meu espírito?

9,32-33 Última possibilidade, também irreal. Porque Deus está em nível diferente do homem, e não há um terceiro fora ou acima dele. Ele pode convocar o homem para o julgamento (Jr 2), mas não vice-versa. Árbitro como em Is 2,4; Gn 31,37.

9,34 Mas Deus parece abusar de sua superioridade, instaurando um regime de terror que impede a comunicação. Seu cetro de poder se transforma em vara de intimidação.

9,35 Jó fará o último esforço, já que colocou em jogo a vida e prefere a morte; falando, é a suprema vitória sobre o medo. Já que Deus não o escuta, que o escutem os amigos e os leitores; homens como ele. Medo/temor refere-se aqui a Deus; portanto, Jó, que afirmou sua justiça (a do prólogo), renega seu temor de Deus, entendido como medo de falar.

10,2 O discurso começa com terminologia rigorosamente forense, e passa em seguida a um interrogatório de acusação.

10,3 Criando o homem, Deus compromete-se com ele; ver Sl 138,8.

10,4-6 À primeira pergunta respondem Os 11,9 e Is 55,9. O tema do homem à imagem de Deus é retorcido e entra em discussão: compare-se o v. 5 com o Salmo 90 e o v. 6 com o Salmo 139. Para compreender o vigor da denúncia, é preciso ler isso sobre o pano de fundo do Segundo Isaías.

10,8 Ver Sl 119,73; Ecl 11,5.

10,9 Gn 2-3; Is 45,9; Jr 18,5-12; Sl 90,2.

10,10-11 Sb 7,2; Ez 37 (a ressurreição); 2Mc 7,22-23.

¹³No entanto, algo contigo guardavas;
   agora sei que pensavas isto:
¹⁴se eu pecasse, tu o guardarias
   e não me deixarias impune;
¹⁵se eu fosse culpado, ai de mim!
   Se fosse inocente, não levantaria a cabeça,
   me saciaria de afrontas
   e me fartaria de misérias;
¹⁶se eu a levantasse,
   como leão me caçarias,
   repetindo tuas proezas contra mim,
¹⁷renovando teus ataques contra mim,
   redobrando tua cólera contra mim,
   tuas tropas descansadas sobre mim.
¹⁸Então, por que me tiraste do ventre?
   Eu poderia ter morrido
   sem que olho algum me visse,
¹⁹e ser como se não houvesse existido,
   conduzido do ventre para o sepulcro.
²⁰Quão poucos são os meus dias!
   Que Deus termine e se afaste de mim,
   e terei um instante de alegria,
²¹antes de partir, sem retorno,
   para o país de trevas e sombras,
²²para a terra escura e opaca,
   de confusão e negrume,
   onde a própria claridade é sombra.

11

¹Sofar de Naamat falou por sua vez e disse:
²Vai ficar sem resposta tal palavrório?
   Vai ter razão o charlatão?

10,13-17 Jó voltou ao tempo misterioso da concepção e gestação, antes do nascimento, e aí encontrou Deus solícito e atarefado; tal solicitude condena sua conduta presente. Dá outro passo audaz, retrocede ao tempo anterior, quando o homem é projeto na mente de Deus, tempo do qual Deus fala a Jeremias (Jr 1,5). E aí encontra Deus como alguém que está prevendo uma série de casos e decidindo de antemão sua conduta em cada um deles. É a paixão de Jó, que se projeta audaciosamente para Deus por um raciocínio simples: eu sou obra de Deus, Deus planeja suas obras antecipadamente, o que me acontece corresponde ao plano de Deus, um plano hostil. Em outros termos, Deus deixa o homem livre para decidir sobre a própria conduta; mas, seja qual for a decisão do homem, Deus o envolve e o aniquila.

10,14 Como em Jó 7,18-20.

10,16-17 Concentração de imagens de feras, de julgamento, de guerra; frequentes nos salmos quando, pedindo auxílio a Deus, o orante descreve seus inimigos. Para Jó, o verdadeiro inimigo do homem é Deus, por isso sua oração se transforma em ato de acusação. Ver p. ex. Sl 17,10-12; 22,13-22; 27,6 (levantar a cabeça); 12 (testemunhas falsas); 35,1-3 (Deus guerreiro); 11 (testemunhas). Leões: Sl 57,5; 140.

10,18-19 Caps. 3; 6,8-9; 7,15-16. Ver também Ab 16 e Eclo 44,9.

10,20 Ver sobretudo Salmo 39.

10,21-22 A morte como reino das trevas: Sl 88; Sb 17.

11 Primeiro discurso de Sofar. Ele conhece muito bem a doutrina da retribuição e a repete como aluno aplicado; assim pensa demonstrar a justiça de Deus. A novidade do seu discurso é a insistência no tema da sabedoria: a sabedoria transcendente de Deus, seus segredos, seu conhecimento dos homens; em contraste, a ignorância do homem, que não compreende a Deus nem conhece a si mesmo. Essa distância intransponível explica por um lado a presunção de Jó: é um doido; por outro lado, invalida a possibilidade de processar Deus, com a qual Jó sonhava. Se Deus não responde a Jó, não é porque lhe falte resposta, mas porque lhe sobra. O que Jó deve fazer é converter-se a Deus.

O tom de Sofar é mais pessoal. Alguns pensam que entre os vv. 10 e 11 iriam muito bem 27,13-23, como explanação do destino dos perversos.

11,2-3 Ainda que expressões semelhantes pertençam ao gênero, de fato as intervenções de Jó são mais longas e difusas, e as sentenças irreais com o discurso imaginário podem soar como palavrório.

³Tua loquacidade fará calar os outros?
Caçoarás sem que ninguém te confunda?
⁴Disseste: "Minha doutrina é limpa,
sou puro diante de teus olhos".
⁵Mas que Deus te fale
e abra os lábios para te responder:
⁶ele te mostrará segredos de sabedoria,
sutilezas acertadas, e saberás
que te perdoa até parte de tua culpa.
⁷Pretendes sondar Deus
ou abranger a perfeição do Todo-poderoso?
⁸É mais alta que o céu: o que vais fazer tu?
É mais funda que o abismo: o que sabes tu?
⁹É mais longa que a terra
e mais larga que o mar.
¹⁰Se ele se apresenta, prende e intima a julgamento,
quem o pode impedir?
¹¹Ele conhece os homens falsos;
se vê a maldade, não vai prestar atenção?
¹²Mas o mentecapto cobrará sentido
quando o asno selvagem nascer burrico.
¹³Se teu coração está firme,
estende as mãos para ele;
¹⁴se há maldade em tua mão, afasta-a,
e não more em tua tenda a injustiça.
¹⁵Então poderás alçar a fronte sem mancha,
acossado, não sentirás medo,
¹⁶esquecerás tuas desgraças
ou as recordarás como águas passadas;
¹⁷tua vida ressurgirá como um meio-dia,
tuas trevas serão uma aurora;
¹⁸terás tranquilidade na esperança,
escavarás e te deitarás tranquilo,
¹⁹repousarás sem que ninguém te espante,
e muitos buscarão teu favor.
²⁰Mas os olhos dos perversos ficam cegos,
não encontram escapatória,
sua esperança é um sopro.

11,4 Toma a síntese das palavras de Jó, ou seja, a pretensão de enfrentar Deus para provar sua inocência, a pretensão de ser puro na conduta e de ter razão nas palavras.

11,5-6 Que se cumpra o pedido de Jó: Deus não apelará para a força nem abusará de seu poder, mas com sua sabedoria superior deixará Jó convicto, mostrando-lhe segredos que Jó não suspeita, até sobre o próprio Jó. Ver Salmo 73. O v. 6b é muito duvidoso. O fato de Deus perdoar parte da culpa não contradiz ou limita a doutrina da retribuição? Por que Deus perdoa parte e não tudo? É justa essa medida? Talvez Sofar esteja pensando no castigo salutar e na correção, que são castigo e perdão parciais.

11,7-9 A imensidão de Deus é exaltada com referência às quatro dimensões cósmicas: alto, profundo, largo e longo. Mas não é também o homem um mistério supracósmico?

11,10-11 Acusação implícita de Jó. É Deus quem intima o homem, e não o contrário, como pretendia Jó.

11,12 A forma proverbial é disparada contra Jó, incapaz de aprender ou de domesticar-se: Sl 32,9; 73,22; Pr 30,2.

11,15 Responde a 10,16 e a 9,35. A enumeração que se segue soa como oráculo de salvação, com múltiplas reminiscências.

11,16 Entre outras passagens: Is 8,7-8; 43,2; Sl 42,8; 69,2; 124,4.

11,17 Is 58,8; Sl 112,4. É o contrário do que dizia Jó em 10,21-22.

11,18 Apela para a esperança, tema de 4,6 (Elifaz); 8,13 (Baldad); 14,7 (Jó). A esperança é uma força; mas em que se apoia? Numa doutrina, numa teoria? Ou, antes, na palavra de Deus? Sofar é incapaz de oferecer essa promessa de Deus, ainda que suas palavras imitem o estilo do oráculo. A paz do sono se opõe a 7,13-14 e não convence Jó.

12 ¹Respondeu Jó:
²Que gente importante sois,
  convosco morrerá a sabedoria!
³Mas também eu tenho inteligência
  e não sou menos do que vós:
  quem não sabe tudo isso?
⁴Sou a caçoada de meu vizinho:
  "aquele que chama a Deus e lhe responde",
  caçoa: "o justo, o honrado...".
⁵Satisfeito me julga um facho desprezível,
  ou bom para ser pisado por qualquer um.
⁶Enquanto isso,
  há paz nas tendas dos assaltantes,
  e vivem tranquilos os que desafiam a Deus,
  os que têm Deus no punho.
⁷Pergunta aos animais e te instruirão,
  às aves do céu e te informarão,
⁸aos répteis do solo e te darão lições,
  os peixes do mar o contarão a ti:
⁹com tantos mestres, quem não sabe
  que a mão do Senhor fez tudo?
¹⁰Em sua mão está a respiração dos viventes
  e o alento da carne de cada um.
¹¹Não distingue o ouvido as palavras
  e não saboreia o paladar os alimentos?

SEGUNDO ATO

12-14 Terceiro discurso de Jó. De novo Jó, quase omitindo o discurso de Sofar, liga-se com seus próprios pensamentos. A ideia do confronto com Deus se impõe com maior força, converte-se em decisão. Primeiro se dirige a seus amigos, numa espécie de debate sapiencial; também ele sabe louvar a Deus, até melhor que eles – mas seu louvor tem um tom sinistro, canta ao Deus destruidor. Os amigos quereriam intervir no confronto com Deus como defensores de Deus, coisa que nem Jó nem Deus mesmo permitiriam. Quando muito, assistam como testemunhas mudas e escutem em silêncio a defesa que Jó pronuncia. Ele decide correr o último risco e enfrentar Deus; só lhe pede jogo limpo, que não recorra à violência, ao terror, que aceite as regras do processo perguntando e respondendo. Jó inicia sua defesa que é acusação e interrogatório, pede a Deus que justifique sua conduta. Vale a pena o homem processar ou interpelar a Deus: ele é grande, poderoso e responsável por muita coisa; mas vale a pena Deus processar o homem? A respeito do que pode o pobre mortal responder? Quem é desmedido: o homem interrogando Deus, ou Deus acossando o homem? Quem é o homem para disputar com Deus?, pensam os amigos; quem é o homem, para que Deus dispute com ele?, retruca Jó. E enfrentando assim a Deus, descobre mais uma vez com imensa tristeza os limites da existência humana, sua corrupção, sua imundície, sua brevidade. Não só em escala divina, também em escala cósmica e vegetal, o homem sai diminuído. Oh! se Jó pudesse obter um tempo de esconderimento enquanto Deus passa! Oh! se Jó pudesse transferir para Deus sua própria saudade! Mas a vida e a morte do homem são inexoráveis, mais que as leis dos elementos. Numa religião de pura retribuição, o homem que recebe bens bendiz a Deus por eles. E alguém tira a conclusão: se recebe males, amaldiçoa Deus por eles. Os amigos introduzem a terceira solução: se o homem recebe males, confessará seu pecado e pedirá clemência, e isso salva a doutrina da retribuição. Ao encerrar-se a primeira rodada de discussão, Jó desarmou as três frentes. Não amaldiçoou, como apostava Satã; ao contrário, pronunciou hinos reconhecendo o saber e o poder de Deus, embora duvidando da sua justiça. Tampouco bendisse simplesmente, mas pergunta, interroga, desafia Deus em seu afã por entendê-lo. Também não pediu perdão e clemência, mas pediu audiência e justiça. A aposta ficou superada, a prova passou a um nível profundo de grande complexidade, a discussão desfez colocações e esquemas tradicionais.

12,2 Jó responde com ironia, zombando desses sábios que reivindicam o monopólio vitalício da sabedoria.

12,4-6 O sentido desses versículos é muito obscuro. A tradução que o texto oferece se opõe à doutrina da retribuição. A última sentença poderia ser entendida como "sua mão é seu Deus", na linha de Gn 31,29 ou de Hab 1,11.

12,7-13 O começo tem uma pitada de ironia: não só os homens, também os animais podem ensinar o que os amigos dizem. Em quatro grupos, repartidos em estratos, o autor sintetiza a universalidade dos animais docentes.

12,10 Ver Nm 16,22; 27,16.

12,11-13 O paladar é metáfora de discernimento: ver 34,3, Eliú. Dos animais subimos à comum experiência humana, ao saber dos anciãos, ao saber de Deus.

¹²Não está nos anciãos a sabedoria
e a prudência nos velhos?
¹³Pois ele possui sabedoria e poder,
a perspicácia e a prudência são suas.
¹⁴O que ele destrói ninguém levanta;
se ele aprisiona, não há escapatória;
¹⁵se retém a chuva, vem a seca;
se a solta, a terra se inunda.
¹⁶Ele possui força e eficácia,
são dele o enganado e o enganador,
¹⁷conduz nus os conselheiros
e faz os governantes enlouquecer,
¹⁸despoja os reis de suas insígnias
e ata-lhes uma soga à cintura,
¹⁹conduz nus os sacerdotes
e transtorna os nobres,
²⁰tira a palavra aos confidentes
e priva de sensatez os anciãos,
²¹lança desprezo sobre os senhores
e afrouxa o cinturão dos robustos;
²²revela o mais fundo da treva
e traz para a luz as sombras,
²³levanta povos e os arruína,
dilata nações e as translada,
²⁴tira a capacidade dos chefes
e os extravia por uma imensidão
sem caminhos;
²⁵vão às apalpadelas em tenebrosa escuridão,
e os faz cambalear como bêbados.

13 ¹Tudo isso meus olhos viram,
e meus ouvidos ouviram, e compreendo:
²O que vós sabeis eu também sei,
e não sou menos do que vós.
³Mas eu quero dirigir-me ao Todo-poderoso,
desejo discutir com Deus,
⁴ao passo que vós caiais com mentiras
e sois uns médicos charlatães.

12,14-25 Aquele que é senhor da vida (v. 10) é senhor das sortes humanas e agente da história em eventos típicos. Esse hino contém reminiscências acumuladas do Salmo 107,23-30.40 e de Is 44,24-28; outros dados são originais. A soberania de Deus se mostra em abraçar situações correlativas, o enganado e o enganador; em conduzir por situações opostas: levanta e arruína; em despojar, desapossar, humilhar sábios, poderosos e chefes. O canto ao poder prescinde da justiça.
12,14 Ver Is 49,24.
12,15 As duas alternativas são funestas, falta a bênção intermédia da chuva.
12,17-19 Como no desfile triunfal de um soberano que conduz cativos e humilhados seus inimigos derrotados.

12,22 Esse versículo se desprende do contexto. Alguns autores preferem considerá-lo glosa.
12,24-25 Sobrepõem-se o sentido próprio, extravio no deserto, e o metafórico; as imagens de escuridão e embriaguez são comuns, p. ex. Sl 82,5; Is 59,9; 19,14; 28,7.
13,1-3 O problema não é estar informado, saber coisas de Deus, falar de Deus com outras pessoas. O importante é poder dialogar e atrever-se a discutir com Deus. No capítulo, o verbo "discutir" é repetido com sentido forense.
13,4-6 Comparada com a realidade de uma experiência profunda, a teologia tradicional se revela falsa e mortal, uma espécie de "não chove, nem molha". O silêncio é melhor que essa teo-logia (= falar de Deus). Jó tampouco se cala, mas fala em outro nível, e Deus, no fim, julgará as duas teologias.

⁵Oxalá vos calásseis totalmente,
  isso sim seria saber!
⁶Por favor, escutai minha defesa,
  prestai atenção às razões de meus lábios;
⁷ou pretendeis defender a Deus
  com mentiras e injustiças?
⁸Quereis ser parciais a favor dele
  ou tornar-vos advogados de Deus?
⁹Que tal se ele vos sondasse?
  Tentaríeis enganá-lo como a um homem?
¹⁰Se falsamente sois parciais,
  ele vos deixará convictos e confessos.
¹¹Não vos atemoriza sua majestade,
  não vos esmaga seu terror?
¹²Vossos avisos são provérbios poeirentos,
  e vossas réplicas são argila.
¹³Guardai silêncio, pois vou falar eu:
  venha o que vier,
¹⁴arriscarei tudo,
  apostarei a vida,
¹⁵e ainda que ele tente matar-me, eu o aguardarei,
  para defender-me em sua presença;
¹⁶isso já seria minha salvação,
  pois o ímpio não comparece diante dele.
¹⁷Escutai atentamente minhas palavras,
  dai ouvidos ao meu discurso:
¹⁸prepararei minha defesa
  e sei que sou inocente.
¹⁹Alguém quer contender comigo?
  Pois calar agora seria morrer.
²⁰Assegura-me, Deus, estas duas coisas
  e não me esconderei de tua presença:

13,7-8 Jó denuncia essa teodiceia humana que pretende justificar a Deus. Deus precisa que o homem o justifique, ou basta-lhe o reconhecimento? É procedimento legítimo ser parcial a favor de Deus contra o homem? Se é para ser parcial, o homem deveria ter compreensão do outro homem. Quão injusta uma teodiceia fundada na condenação do homem! Como é vão defender com mentiras e justificar com injustiças! Não é como invocar o nome de Deus em vão? Sobre as expressões: 32,21; 42,8-9; Dt 10,17; Jz 6,31 (advogados de Baal).
13,9 Se de repente Deus abandona seu papel na terceira pessoa e começa a intervir, então sem análise nem discussão sonda e penetra, descobre e revela o raciocínio humano. Deus não quer mentiras, nem a seu favor: o homem não enganaria a Deus, enganaria a si mesmo.
13,10 Talvez a parcialidade do homem por Deus seja interesseira, para receber algo: o suborno é recebido às escondidas. Em tal caso, a ideia ou doutrina da retribuição vicia totalmente a teodiceia e a teologia: os privilegiados pela fortuna defendem Deus, não o homem; defendem-no porque receberam dele, para continuar recebendo, em atitude de subornados. Ao passo que o deserdado enfrenta Deus de modo limpo, a sós. Mentirosos no bem-estar e sinceros na desgraça. No fim, Deus, que escuta entre os bastidores, responderá.

13,11 Entretanto, é preciso sentir a impressionante realidade de Deus, que supera todos os cálculos mesquinhos e os sofismas engenhosos.
13,13-16 Em seu discurso Jó vai apostar tudo, diante de Deus, porque chega o momento em que falar vale mais que a vida, e, falando, o homem se salva. Essa fala é o supremo perigo, porque é falar a Deus: se o conteúdo não é acertado, o ato de coragem o é. Ninguém, nem mesmo Deus, pode tachar de interesseiro o discurso de Jó; isso por si é uma garantia. Ser admitido à presença de Deus, ainda que simplesmente para defender-se, já é salvação. Contanto que a apresentação e o discurso sejam apaixonados, de modo desesperado, pondo em jogo a vida. E cale e escute quem não tem senão pias considerações.
13,15 Alguns comparam este versículo com Sl 73,25-26.
13,17-19 A última frase é duvidosa; alguns traduzem: "eu me calaria e morreria".
13,18 A primeira frase como em 23,4; 32,14; 33,5; 37,19 (três vezes nos discursos de Eliú). A segunda contradiz o dito em 9,16.33. Por isso representa novo passo na atitude de Jó.
13,20-21 Jó põe como condição que o processo seja limpo, sem apelar para a violência nem para o

²¹que manterás longe de mim tua mão
  e não me espantarás com teu terror;
²²depois, acusa-me e eu te responderei,
  ou falarei eu e tu me replicarás.
²³Quantos são meus pecados e minhas culpas?
  Demonstra-me meus delitos e pecados.
²⁴Por que ocultas teu rosto
  e me tratas como teu inimigo?
²⁵Por que assustas uma folha que voa
  e persegues a palha seca?
²⁶Apontas contra mim rebeldias,
  me atribuis as culpas de minha juventude
²⁷e metes meus pés em cepos,
  vigias todos os meus passos
  e examinas minhas pegadas.
²⁸Desgasta-se como um odre,
  como veste roída pela traça,

14 ¹o homem nascido de mulher,
  curto de dias, farto de inquietudes;
²como flor se abre e murcha,
  foge como a sombra sem parar.
³E numa pessoa assim cravas os olhos
  e me levas a julgamento contigo?
⁴Quem tirará pureza do impuro?
  Ninguém!
⁵Se seus dias estão definidos
  e sabes o número de seus meses,
  se lhe puseste um limite intransponível,
⁶afasta dele tua vista e deixa-o
  até que complete, como diarista,
  sua jornada.
⁷Uma árvore tem esperança:

---

terrorismo, como já havia pedido em 9,34. Não pode falar e defender-se sob o peso de golpes e ameaças; mas não está falando sob a carga dos golpes? Não são exatamente esses golpes que mobilizaram seus recursos?

13,22 A ordem do processo importa menos que o fato de falar. Deus responderá em 38,3.

13,23-27 As acusações são apresentadas com brevidade e veemência. Se Deus acusa, que prove suas acusações, pois parece comprazer-se em pedir contas de nossos pecados, vigia atentamente, vai arquivando nossos delitos, não perdoa nem concede a atenuante da juventude ou a passagem do tempo.

13,24 Outra vez Jó usa a linguagem dos salmos retorcendo seu sentido, fazendo de Deus o inimigo típico: ver Sl 27,9; 30,8; 44,25; 88,15; 104,29.

13,27 O texto é um tanto duvidoso. Assim termina o discurso de Jó: de acusado passou a acusador. Se Deus fez o homem racional, que lhe dê uma resposta razoável; se lhe infundiu o sentido da justiça, que não ultraje esse sentido. E que guarde as proporções.

13,28 Ver Is 50,9; 51,6.8; Sl 39,12; 102,27. Acumulação trágica: beleza efêmera, sombra fugitiva, princípio inato de corrupção, desgaste implacável. Acorde que marca a tonalidade de todo o capítulo.

14,1 Da acusação apaixonada, Jó passa a um tom meditativo, de seu problema pessoal a uma reflexão geral sobre a vida humana; sente-se solidário com todos na dor, um homem que é qualquer homem.

14,2 Como flor: 37,2; Sl 90,6; 103,15; Is 40,6; Tg 1,10. Como sombra: 8,9; Sl 144,4; Ecl 6,12.

14,3 Há pouco Jó queria levar Deus ao tribunal, agora recusa ser levado a julgamento por Deus. É o medo da última responsabilidade: ter de responder a Deus. Ver Jr 32,19; Ecl 11,9; 12,14.

14,4 A terminologia é cultual, ver Lv 12. Como poderia Jó, em estado de impureza, apresentar-se para responder perante Deus? O estado de impureza para Jó não é algo acidental e transitório, é a verdadeira natureza do homem, que nenhum sacerdote pode eliminar. Cf. Jó 15,14; 25,4.

14,6 O homem desejaria desfrutar dia a dia esse prazo breve, compensando a fadiga de ser homem com o pequeno pagamento de alegrias cotidianas.

14,7-19 Volta à imagem vegetal: a árvore recebe sua vitalidade da terra, mas o homem, uma vez

mesmo que a cortem, volta a brotar
e não deixa de lançar rebentos;
⁸ainda que envelheçam suas raízes na terra
e o toco esteja amortecido entre torrões,
⁹ao cheiro da água reverdece
e produz folhagem como planta jovem.
¹⁰Mas o homem morre e fica inerte,
para onde vai o homem quando expira?
¹¹Falta a água dos lagos,
os rios secam e ficam áridos:
¹²assim o homem se deita e não se levanta;
passará o céu e ele não despertará
nem se espreguiçará de seu sono.
¹³Oxalá me guardasses no Abismo,
escondido enquanto passa tua cólera,
e fixasses um prazo para te lembrares de mim!
¹⁴ᵇCada dia do meu serviço eu esperaria
que chegasse minha troca;*
¹⁵com saudade da obra de tuas mãos
tu me chamarias e eu responderia;
¹⁶então contarias meus passos,
não vigiarias meu pecado,
¹⁷lacrarias num saco meus delitos
e branquearias minhas culpas.
¹⁸Uma montanha se inclina e desmorona,
uma rocha se move de seu lugar,
¹⁹a água desgasta as pedras,
a enxurrada arrasta as terras,
e tu destróis a esperança do homem.
¹⁴ᵃMorto o homem, poderá reviver?
²⁰Tu o esmagas para sempre e ele se vai,
transtornas seu rosto e o expulsas.
²¹Seus filhos se enriquecem sem que ele saiba
e se arruínam sem que ele o perceba.
²²Sente apenas o tormento de sua carne,
sente apenas o sofrimento de sua alma.

---

enterrado, se desfaz na terra. Tendo mais liberdade, tem menos vida.
14,11-12 A morte é definitiva como os elementos cósmicos, lagos, rios, céu. As comparações são violentas por serem usadas ao contrário: a água corrente, imagem da vida, torna-se paralela da morte; o céu, paradigma de longevidade, torna-se medida da morte. Só a morte do homem dura, só ela é contemporânea do cosmo. Ver Is 19,5; 34,4; Jr 51, 39.57; Sl 72,5.7.17 (o contrário); 89,9.37 (a dinastia de Davi). Compare-se a última frase com Is 26,14.19.
14,13-17 É comum a comparação da morte com o sono; o que Jó pensa agora é estranho e desatinado. Não é rara a ideia de refugiar-se até que passe a cólera de Deus; inusitado é situar essa etapa no Abismo ou reino da morte. Primeiro, e considerá-la como tempo intermédio; segundo, como tempo controlado por Deus, no qual Deus não leva em conta as culpas. Ou seja, a morte como tempo de graça e de perdão. Que sonho absurdo e maravilhoso!
Deus põe um limite à morte (acaba de dizer o contrário); Deus sente saudade da sua criatura, ainda "obra de suas mãos"; volta a chamá-la à vida e ela responde; Deus perdoa tudo e começa nova etapa. É o sonho do desejo, a ânsia desesperada de viver. Esse absurdo irá converter-se em esperança, esse sonho em realidade? Haverá uma vitória sobre a morte? * V. 14a depois de 19.
14,16 Ver 7,12.19. Do sonho volta à realidade. A certeza da morte desgasta e corrói a última esperança do homem, embora mais estável que uma montanha, mais dura que a rocha, mais firme que a terra. Por isso, passado o breve sonho, de Jó brota o grito do desespero humano, como em Is 26,14.
14,21 Ver 21,29; Ecl 9,5.
14,22 Segue a consciência, a sensação? Parece projeção de uma situação terrena: o estado da morte visto na imagem de uma dor total, envolvente e penetrante, presença terrível que gera solidão, como no fim do Salmo 88.

15

¹Elifaz de Temã falou por sua vez e disse:
²Responde um sábio com doutrina falsa
   ou se incha com o vento do oriente,
³arguindo com razões inconsistentes
   ou com palavras sem sentido?
⁴Tu destróis ainda o temor de Deus
   e eliminas a oração;
⁵tuas culpas inspiram tuas palavras
   e adotas a linguagem da astúcia.
⁶Tua boca te condena, não eu;
   teus lábios testemunham contra ti.
⁷Foste o primeiro homem a nascer?
   Foste gerado antes que as colinas?
⁸Assististe ao conselho de Deus?
   Te apropriaste da sabedoria?
⁹O que sabes que nós não saibamos?
   O que entendes que não entendamos?
¹⁰Entre nós há cãs veneráveis,
   alguém mais ancião que teu pai.
¹¹Os consolos de Deus te parecem pouco
   e a palavra suave que te dirige?
¹²Como te arrebata a paixão
   e te saltam os olhos!
¹³Voltas contra Deus teu furor,
   soltando protestos pela boca.
¹⁴Como pode o homem ser puro
   ou inocente o nascido de mulher?
¹⁵Nem mesmo seus anjos ele considera fiéis,
   nem o céu é puro a seus olhos;

15-20 A situação entre os amigos e Jó se torna tensa: as introduções são agressivas, a reprovação substitui a exortação, recorre-se a acusações diretas. Os amigos recitam três variações sobre a sorte do perverso, numa espécie de torneio literário. Não sabemos se o autor os deixa repetir-se com intenção irônica, para que se veja que os seus argumentos se esgotaram, para demonstrar que a doutrina tradicional só pode oferecer um pouco de virtuosismo literário. Jó insiste na queixa ou lamentação de sua própria sorte, e a partir daí seu desejo obsessivo de um julgamento abre caminho. Em dois momentos o horizonte sombrio se ilumina com dois relâmpagos de esperança, 16,18-21 e 19,23-27. Em sua queixa, acusa o Deus hostil e cruel, e apela para um defensor e um vingador.

15 Segundo discurso de Elifaz. É notável. O mau começo de sua segunda intervenção se explica pela amplidão do exórdio e pelo contraste com o tom afetuoso e conciliador do primeiro discurso. Mais de metade do espaço é ocupado por um ataque pessoal ao amigo. Sem discutir em particular as razões de Jó, as rejeita globalmente como inconsistentes, apaixonadas, irreverentes. À impureza radical de ser homem, Jó acrescentou o pecado de suas palavras. Chegados a esse ponto, é inútil exortar Jó com promessas; só resta intimidá-lo com ameaças, pondo-lhe ante os olhos o destino do perverso.

15,2-13 As palavras de Jó: a) são palavras vazias, infladas pela paixão, não provam nada; b) ofendem a Deus, porque desacreditam a oração e o temor de Deus; c) provam o pecado de Jó, porque são expressão desse e constituem novo pecado. Jó não pode apelar para uma sabedoria superior: a) não tem o saber do primeiro homem; b) não é ancião como seu interlocutor, portador de antiga tradição; c) não tem o monopólio da sabedoria, comunicada por Deus.

15,2-3 Polemiza contra 12,3 e 13,2.

15,4 Retorce o dito por Jó em 13,7-8.

15,5-6 A astúcia pode ser uma virtude sapiencial, Pr 1,4, e também pode ser deformação da sabedoria, Gn 3,1, que Deus sabe retorcer, Sl 18,26. Tal astúcia não serve a Jó, pois sua boca o trai.

15,7 O primeiro homem, a primeira criatura possuem as primícias da sabedoria (ou são a própria sabedoria): ver Ez 28,11-19; Eclo 49,16; sobre a sabedoria primogênita, Pr 8; Eclo 1,4; 24.

15,8 Como os anjos, 1,6; 2,1; ou os profetas, 1Rs 22; Am 3,7; em linha mais polêmica, Is 40,13-14.

15,9 Retorcendo 13,2.

15,10 A sabedoria dos anciãos é proverbial, p. ex. Eclo 6,18.32-36; embora o contrário também seja possível, Eclo 3,13.

15,11 Os amigos tinham vindo para consolar Jó, 2,11.12-13.

15,12-13 Para Elifaz, a exigência de julgamento é rebelião contra Deus.

15,14-16 Repete o que tinha dito solenemente em 4,17-21 e o que Jó reconheceu em 9,2-3, e voltará a soar em 25,4. Ver também Sl 51,6; 73,13; Pr 20,9.

¹⁶quanto menos o homem,
  detestável e corrompido,
  que bebe iniquidade como água!
¹⁷Escuta-me, pois vou falar-te,
  vou contar-te o que vi,
¹⁸o que os sábios proclamaram sem ocultar,
  recebido de seus antepassados
— ¹⁹somente a eles deram o país,
  e nenhum estrangeiro transitou entre eles.
²⁰O perverso passa a vida em tormentos,
  são poucos
  para o tirano os anos armazenados;
²¹escuta ruídos que o espantam,
  quando está mais tranquilo,
  os bandidos o assaltam;
²²não espera voltar das trevas,
  porque está reservado para a espada;
²³o atiram como pasto aos abutres,
  sabe que sua desgraça é iminente;
  o dia tenebroso ²⁴o aterroriza,
  a angústia e a inquietude o torturam,
  como um rei disposto ao ataque.
²⁵Porque estendeu a mão contra Deus
  e desafiou o Todo-poderoso,
²⁶investindo de cabeça contra ele
  atrás do escudo maciço e lavrado;
²⁷porque ia engordando as bochechas
  e criando carnes nos lombos,
²⁸habitará cidades abandonadas,
  casas inabitáveis que ameaçam ruir.
²⁹Já não será rico nem sua fortuna durará,
  nem descerão ao sepulcro suas posses,
  nem escapará das sombras;
³⁰o mormaço queimará seus renovos
  e o vento arrebatará suas flores.
³¹Que não se engane confiando no vazio,
  pois com vazio lhe pagarão;
³²antes da estação murchará
  e não tornarão a verdejar seus ramos;
³³será cepa que danifica suas uvas,
  oliveira que sacode suas flores.
³⁴O bando dos ímpios é estéril,
  o fogo devorará as tendas dos venais.
³⁵"Concebe miséria e dá à luz desgraça,
  gesta no ventre a decepção".

15,17-18 Baldad já estabeleceu o princípio da tradição, 8,8-10, que vale também para a história sagrada do povo: Ex 13,8; Dt 4,9; 6,7.20; 11,19; Js 4,6; Sl 78,5.
15,19 Supõe-se que uma população pura conserva pura a tradição. Por outra parte, sabemos que as tradições dos sábios são internacionais.
15,20-25 Sem muita ordem fala do castigo do perverso (20-24), da culpa (25-27), e outra vez do castigo (27-35). O delito é rebelião contra Deus, o castigo tem um dia, mas sua ameaça é constantemente sentida.
15,21 Ver Sb 17,3-21 e 18,19.
15,22 Ver a reflexão de Jó em 10,21-22.
15,25-27 Alguns pontos do texto são duvidosos. A obesidade é apresentada, não como sinal de fraqueza, Jz 3,19-22, mas de força.
15,28 Ver Is 13,20ss; 34,10ss; Jr 9,1.
15,29 Ver Sl 49,7.
15,31 Aplica ao perverso a lei do talião.
15,33 Ver Dt 28,40 na série de maldições.
15,34 Soa como reminiscência de Nm 16, em que se descreve o castigo dos rebeldes Coré, Datã e Abiram.
15,35 Expressão proverbial, como Sl 7,15.

16 ¹Jó respondeu:
²Já ouvi mil discursos semelhantes,
sois todos consoladores importunos.
³Não há limite para os discursos vazios?
O que te leva a responder?
⁴Eu falaria como vós,
se vos encontrásseis em meu lugar?
Repetiria palavras contra vós
balançando contra vós a cabeça?
⁵Com minha boca vos confortaria?
Ou a compaixão frearia meus lábios?
⁶Mas, mesmo que eu fale, minha dor não cessa;
embora eu cale, não se afasta de mim,
⁷e no fim ela me esgotou.
E tu reduzes ao silêncio meu testemunho
e me acossas;
⁸meu mal se levanta como testemunho contra mim
e me acusa na cara.
⁹O furor de Deus me ataca e me dilacera,
range os dentes contra mim
e crava em mim seus olhos hostis.
¹⁰Abrem contra mim a boca,
me esbofeteiam vergonhosamente,
todos em massa contra mim.
¹¹Deus me entrega aos perversos,
me atira em mãos criminosas.

16-17 Quarto discurso de Jó. No novo discurso de Jó predominam o tom e os temas da lamentação, imitando o estilo de alguns salmos e do livro das Lamentações. Mas muda o sentido, voltando a lamentação contra Deus. O tema do julgamento reaparece com novos matizes provocados pelo contexto. Embora o pranto e a paixão agitem o discurso, é possível descobrir uma linha coerente de desenvolvimento. Sua queixa é dirigida contra um processo falso, repassando suas etapas: a prisão pela força, o interrogatório, as falsas testemunhas, a sentença capital, a execução (7-17). Deus é o autor mediato ou imediato de tudo. Durante a execução, o réu eleva um grito pedindo vingança à terra e ao céu (18-21). O grito se alonga num salmo de súplica (bastante duvidoso 17,1-9). Depois o réu se rende à morte, rende sua esperança; a única coisa que restará dele é seu grito estremecedor, que enche o universo, terra e céu.

Na estrutura total do livro, parece-nos encontrar um personagem que só aparece por alusões. Lemos no prólogo que o inimigo Satã comparece ao conselho de Deus entre os outros anjos; nada se dizia da atividade desses conselheiros. Agora Jó menciona, apela para um mediador celeste, para uma testemunha e defensor diante Deus e contra Deus. Se Satã tomou uma atitude contrária a Deus e a Jó, um dos anjos desempenhará uma função favorável; como Satã era um adjetivo substantivado de função, também o mediador pode sê-lo. As palavras de Jó ultrapassam plenamente as razões de seus amigos. Eles não sabem apelar senão a uma doutrina tradicional e rotineira, ao passo que Jó apela para a terra e o céu. Eles vivem de teorias piedosas, à margem do julgamento da existência.

16,4-5 Os amigos não penetram na situação de Jó, não sabem pôr-se no lugar dele, porque lhes interessa mais uma doutrina que um homem, 6,14. Através do protagonista, o autor insinua que somente Jó, de dentro da dor, pode clamar ou ao menos confortar os que sofrem.

16,6-11 Em alguns salmos, o homem caluniado, injustamente acusado, apela para o julgamento de Deus no templo e descreve a atitude de seus inimigos no processo injusto. Aqui tudo se refere a Deus, como indica a repetição de seu nome em inclusão (7 e 11). Jó havia pedido um julgamento: eles o concedem ironicamente. Um piquete o detém e o conduz ao tribunal; testemunhas contrárias e falsas levantam-se contra ele; já durante o processo recorrem à violência e ao insulto; finalmente, Deus juiz o entrega às mãos dos acusadores, dando a sentença contra o réu. É exatamente o contrário de um julgamento justo, de uma libertação no tribunal do templo.

Paralelos das expressões usadas: testemunhas Dt 19,15-16; Sl 15,11; ranger de dentes Sl 35,16; 37,12; 112,10; abrir a boca Sl 22,14; Lm 2,16; 3,46. E vejam-se em geral os salmos 17; 26; 35; 59; 69; 109.

¹²Eu vivia tranquilo quando me triturou,
  me agarrou pela nuca e me despedaçou,
  fez de mim seu alvo;
¹³cercando-me com seus flecheiros,
  atravessou meus rins sem piedade
  e derramou por terra meu fel;
¹⁴abriu-me a carne brecha a brecha
  e me assaltou como um guerreiro.
¹⁵Costurei um pano de saco sobre a pele
  e mergulhei minha honra no pó.
¹⁶Tenho a face avermelhada de chorar
  e a sombra pesa sobre minhas pálpebras;
¹⁷embora em minhas mãos não haja violência
  e seja sincera minha oração.
¹⁸Terra, não cubras meu sangue!
  Não se detenha meu pedido de justiça!
¹⁹E agora, se está no céu minha testemunha
  e na altura meu defensor
  – ²⁰enquanto meus amigos caçoam de mim
  e devo chorar a Deus –,
²¹que julgue entre um homem e Deus,
  entre um homem e seu amigo;
²²porque passarão anos contados
  e empreenderei a viagem sem retorno.

17

¹Minha mente se turva, meus dias se apagam,
  o sepulcro me espera:

16,12-17 Nesses versículos, Jó se faz espectador e cronista de sua própria execução: como animal acossado por Deus, alvo inocente (de um esporte ou de uma fúria?); como animal daninho que se devesse extirpar da terra. O homem, fera máxima da criação! Vê sua doença incurável, assiste com plena consciência sua execução lenta, impotente para anulá-la. Entrega à terra sua fecundidade viril, de seus próprios olhos vai brotando a sombra definitiva. A última coisa que vê é sua própria inocência, e não satisfaz sua sede de justiça. É o momento do grito supremo.

16,12-14 O equivalente à execução da sentença é visto em imagens de caça graúda e de assalto a uma cidade, também na linha de alguns salmos. O alvo, 1Sm 20,20; os arqueiros, Jr 50,29; Sl 11,2; o atravessar, Sl 141,7; derramar as entranhas, Lm 2,11; brecha, 2Sm 5,20; Sl 80,13; a cerca da vinha, Sl 89,41.

16,15-17 Ritos de luto. O condenado à morte faz luto por si mesmo. O homem se prostra com o rosto em terra, vencido; em vez de "honra", os comentaristas costumam traduzir *chifre*, na imagem do touro ou búfalo, conforme Sl 75,3; 89,18.25; 92,11; 112,9. Sobre o pranto Lm 1,20; 2,11. Condenado à morte, protesta pela última vez sua inocência: ver Is 53,9; 1Cr 12,17.

16,18-21 Num julgamento são necessárias duas testemunhas, e as duas testemunhas clássicas de Deus são o céu e a terra: Sl 50; Is 1; Jr 2,12. A seu modo íntima essas duas testemunhas.

16,18 O sangue derramado "clama ao céu", pedindo vingança. Jó invoca a terra para que ela clame contra Deus, assassino do homem inocente; mas a quem gritará a terra, se Deus é o culpado? Cada homem morto é uma denúncia ao céu; pois ainda que não seja inocente, seu delito merece pena de morte? Não é esta uma sentença cruel, inumana, que deve ser abolida? A humanidade grita na voz moribunda de Jó. Não basta: quando o homem plenamente inocente morrer, seu sangue clamará ao céu (Hb 12,24), e o Pai o ressuscitará, vencendo a morte. O cristão não suprime nem enfraquece o grito de Jó: dá-lhe uma resposta.

16,19-21 No céu, um mediador enigmático responde à voz do sangue derramado na terra (o autor não detalha sua figura): conhece a dor do homem e sua inocência. Já que Deus é parte no processo, tem de haver um terceiro que julgue entre Deus e o homem. Pensamos que Jó não sabe o que diz, mas alguém defenderá o homem, declarando que não sabe o que faz.

17,1-9 Este fragmento é muito difícil de entender. Tentaremos abrir o caminho da compreensão, comparando-o com alguns salmos. Em alguns salmos de súplica: a) o salmista expõe sua situação trágica diante do inimigo; b) pede a Deus que intervenha, livrando-o; c) sente-se seguro do auxílio de Deus; d) em sua libertação vê um consolo e uma garantia para os justos. Em nosso fragmento encontramos elementos semelhantes. (O versículo 5 continua irredutível.) A explicação proposta é hipotética: se a aceitamos, a ordem lógica aconselharia ler 6-7 depois de 1-2. Ainda que a aceitemos, não se explica a queda repentina de tensão que introduz o salmo depois do formidável grito de antes.

17,1 Ver Sl 143,7; 146,4.

²só caçoadas me acompanham
    e estou farto de provocações.
³Designa-me um fiador diante de ti mesmo;
    se não, quem será meu fiador?
⁴Tu fechaste a mente deles ao raciocínio
    e não poderão prevalecer.
⁵("Se alguém denuncia o próximo para despojá-lo,
    os olhos de seus filhos serão consumidos".)
⁶Ele me tornou objeto de zombaria da gente,
    como a quem cospem no rosto;
⁷meus olhos se consomem irritados
    e meus membros são todos como sombra.
⁸Os justos se assombram ao vê-lo
    e o inocente se indigna contra o perverso;
⁹mas o justo se afirma em seu caminho
    e as mãos puras adquirem fortaleza.
¹⁰Vinde todos, voltai:
    pois não encontrarei entre vós um sábio.
¹¹Passam meus dias, fracassam meus planos,
    e os afãs de meu coração:
¹²que a noite se transforme em dia,
    em luz próxima a treva presente.
¹³Nada espero! O Abismo em minha casa,
    faço minha cama nas trevas,
¹⁴chamo a podridão de mãe,
    e aos vermes de pai e irmãos.
¹⁵Onde ficou minha esperança?
    Minha esperança, quem a viu?
¹⁶Descerá às portas do Abismo
    quando afundarmos juntos na terra.

18

¹Baldad de Suás falou por sua vez e disse:
²Até quando andareis à caça de palavras?
    Refleti e depois falaremos.

17,3 A fiança é uma prática sobretudo comercial: Gn 38,17; Ex 22,26; Dt 24,6-17; tem seus perigos Pr 6,1; 11,15; 17,18; 22,26; Eclo 29,14-20. Jó a transpõe para a sua causa criminal. Como numa espécie de desdobramento em profundidade: sob o Deus que dá a morte está o Deus que salva o homem. Ou como salto no conhecimento de Deus penetrando seu mistério: a partir da experiência cruel, da esperança obscura. A alternativa do prólogo, amaldiçoar e bendizer, não funciona a estas alturas.

17,4 Sl 13,3-5; 30,2; 38,19; 41,11.

17,6 Sl 44,14s.

17,8 Sl 37,1; Jr 19,8.

17,10 Como em 6,29 e 21,34; contra 15, 9-10.

17,11-16 Entregue à morte. A tradução do v. 12 é duvidosa.

17,13-14 A morte e o sepulcro são agora o acolhedor (lar e leito) e o familiar (pai, mãe e irmãos). Jó se vê já morto e sepultado, familiarizando-se com o mais terrível e repugnante.

17,15-16 Se lermos a sentença como afirmativa, a última esperança é sepultada com o homem e com ele termina. (Pensando em Cristo: com ele foi sepultada a esperança da humanidade, e com ele ressuscitou. A esperança atravessou o reino da morte.)

18 Segundo discurso de Baldad. Na introdução ataca Jó diretamente; no corpo do breve discurso coloca à frente dele, como ameaça, o quadro do perverso. O quadro avança com ordem exemplar, refletindo a clareza e segurança da sua doutrina: a luz da tenda (5-6), seus passos se enredam em laços (7-11), doença (12-13), morte (14); *post mortem*: tenda e árvore, memória, filhos (15-19); comentário do público (20-21). O estilo é vigoroso, apesar das sinonímias; a tonalidade sombria dá coerência ao conjunto. Naturalmente, ao lado do grito de Jó, o quadro descrito por Baldad é decorativo.

³Por que nos considerais uns animais
    e nos tendes como idiotas?
⁴Tu que te despedaças com tua cólera,
    irá a terra despovoar-se por tua causa
    ou a rocha mudar de lugar?
⁵A luz do perverso se apaga
    e não brilha a chama de sua lareira,
⁶a luz de sua tenda se obscurece
    e sua lâmpada se apaga,
⁷seus passos vigorosos se encurtam
    e seus próprios planos o derrubam;
⁸seus pés o levam à rede
    e caminha entre malhas,
⁹um laço o prende pelos calcanhares
    e o túmulo se fecha sobre ele.
¹⁰Há laços escondidos no solo
    e armadilhas em sua senda.
¹¹Rodeiam-no terrores que o espantam,
    acossam-no a cada passo;
¹²seu vigor fica extenuado
    e a desgraça se apega às suas costas,
¹³a enfermidade se sacia em sua pele,
    devora seus membros
    a primogênita da morte.
¹⁴Arrancam-no da paz de sua tenda
    para conduzi-lo ao Rei dos terrores;
¹⁵o fogo se assenta em sua tenda
    e espalham enxofre em seu redil;
¹⁶por baixo suas raízes secam,
    por cima sua ramagem murcha.
¹⁷Sua lembrança se acaba no país
    e seu nome é esquecido na redondeza;
¹⁸expulso da luz para as trevas,
    desterrado do mundo,
¹⁹sem prole nem descendência entre seu povo,
    sem um sobrevivente em seu território.
²⁰Os do poente se espantam de seu destino
    e os do nascente se horrorizam.
²¹Tal é a morada do perverso,
    o lugar de quem não reconhece a Deus!

18,3 Jó se move com outra lógica, rompendo convenções; ver Sl 73,22 e recorde-se o dito por Sofar em 11,12.

18,4 Alude a 14,18. Mudar a ordem da retribuição é mudar a ordem do mundo. Com sua paixão Jó poderá destruir-se; nada poderá contra as forças cósmicas.

18,6 Tema sapiencial: Pr 13,9 (em antítese com o justo); 24,20.

18,8-10 Sl 9,16; 31,5; 35,7; 57,7; 91,3; 124,7; 140,4.

18,11 Ver 24,17; 27,20; 30,15; Is 17,14; 24, 17; Ez 26,21; 27,36; 28,19. Podem ser terrores personificados, como espíritos malignos.

18,12-13 A doença personificada, como presença antecipada da morte, Sl 91,5; Hab 3,5.

18,14 A morte personificada como deus, ver Sl 49,15.

18,15 Morto o perverso, o castigo atinge sua família e posses, como em Nm 16. Fogo e enxofre indicam castigo definitivo: Gn 19; Is 30,33; Ez 38,22; Sl 11,6.

18,16 A árvore como símbolo da existência: Am 2,9; Is 37,31; Eclo 10,16; 23,25; 40,15.

18,17 Ver 9,7; Sl 109,13; Sl 36,12.

18,19 Gn 21,23; Is 14,22.

18,20 Sl 64,10.

18,21 O paradoxo desse discurso é que em boa parte parece estar descrevendo a sorte de Jó, do justo, de qualquer homem. Fracasso, doença, terror, morte, esquecimento são patrimônio de todos os mortais. O quadro traçado por Baldad é fácil e não prova nada.

19 ¹Jó respondeu:
²Até quando continuareis me afligindo
  e me esmagando com palavras?
³Já me fizestes corar dez vezes
  e sem remédio me ultrajastes.
⁴Se de fato cometi um erro,
  com esse erro fico eu.
⁵Quereis cantar vitória
  lançando-me em rosto minha afronta?
⁶Pois sabei que é Deus quem me transtornou,
  envolvendo-me em suas redes.
⁷Grito "Violência!", e ninguém me responde;
  peço socorro e não me defendem.
⁸Ele me fechou o caminho e não tenho saída,
  encheu de trevas minha senda,
⁹despojou-me de minha honra
  e me tirou a coroa da cabeça;
¹⁰demoliu meus muros e tenho de partir,
  desenraizou minha esperança como a uma árvore.
¹¹Ardendo em ira contra mim,
  ele me considera seu inimigo.
¹²Chegam em massa seus esquadrões,
  calcam caminhos de acesso
  e acampam cercando minha tenda.
¹³Meus irmãos se afastam de mim,
  meus parentes me tratam como um estranho,
¹⁴vizinhos e conhecidos me abandonam
  e os hóspedes de minha casa me esquecem;
¹⁵minhas escravas me têm como estranho,
  sou para elas um desconhecido;
¹⁶chamo meu escravo e não me responde
  e tenho até de suplicar-lhe.
¹⁷Meu hálito repugna à minha mulher
  e meu fedor a meus próprios filhos,

---

19 Quinto discurso de Jó. Talvez seja este capítulo o mais conhecido do livro, por causa dos versículos 23-27, que provocaram tantas discussões. Jó continua o curso de seus pensamentos na dupla linha de lamentação e de julgamento. Dedica aos amigos uma dura introdução e talvez uma conclusão ameaçadora. A lamentação sobre sua própria sorte recolhe algumas alusões de Baldad, inspira-se em Salmos e Lamentações, insistindo no abandono familiar. De repente o pensamento do julgamento interrompe seu discurso, diante dele aparece de novo o árbitro de 9,33, o mediador de 16,19, que desta vez é um vingador de seu sangue, aquele que responde ao grito da terra. O grito de Jó soa agora como grito de triunfo estranho, e não desemboca no ato de entregar-se à morte sem esperança, como no cap. 16.
19,1-6 Ele já tem o suficiente com suas penas e erros e com a hostilidade de Deus, para que ainda por cima os amigos o oprimam com palavras. Deus não feriu Jó para provar a doutrina dos amigos (Jonas queria que Deus destruísse Nínive para com isso comprovar a palavra profética).
19,3 Dez é um número redondo, como em Nm 14,22. O rubor é a derrota reconhecida, no julgamento ou na discussão.
19,7-20 Nessa lamentação são muitas as reminiscências e paralelos com salmos e com Lamentações, lamentação à queda de Jerusalém. Por isso soam temas de realeza (a coroa), de assédio e assalto, e também temas familiares, inclusive contra a história do prólogo. O conjunto se torna um tanto convencional, pouco ligado à realidade de Jó.
19,7 É o grito oficial, que obriga a intervir, com consequências perante a lei, Dt 22,24; Jr 20,8; Hab 1,2. Quem não acode em defesa da vítima é responsável, neste caso, Deus. Compare-se p. ex. com Sl 22,3; Lm 3,8.
19,8 Caminho e trevas: Lm 2,1; 3,2.9; Os 2,8.
19,9 Lm 3,14; 5,16.
19,10 Lm 2,2.17; Sl 52,7.
19,11 Lm 2,3.5.
19,12 Lm 1,15; 2,22; 3,5; Sl 56,2-3; 59,5.
19,13-16 Sl 27,10 (pai e mãe); 31,12 (vizinhos e conhecidos); 38,12 (amigos, companheiros e parentes); 69,9 (irmãos); 88,9.19 (conhecidos, amigos e companheiros). A presença dos filhos é convenção do gênero poético.

¹⁸até as criancinhas me desprezam,
 e me insultam apenas me levanto;
¹⁹meus íntimos me detestam,
 os mais amigos se voltam contra mim.
²⁰Meus ossos se grudam à pele,
 escapei com a pele de meus dentes.
²¹Piedade, piedade de mim, amigos meus,
 pois a mão de Deus me feriu!
²²Por que me perseguis como Deus
 e não vos fartais de escarnecer-me?
²³Oxalá se escrevessem minhas palavras,
 oxalá se gravassem em cobre,
²⁴com cinzel de ferro e com chumbo
 se escrevessem para sempre na rocha!
²⁵"Eu sei que está vivo meu Vingador
 e que no fim se levantará sobre o pó:
²⁶depois de me arrancarem a pele,
 já sem carne verei Deus;
²⁷eu mesmo o verei, não como estranho,
 meus próprios olhos o verão".
 O coração se desfaz no meu peito!

19,19 Lm 1,2; Sl 25,14; 41,10; 55,13-15; 64,3; Jr 6,11.
19,20 Lm 4,8. Parece ser expressão proverbial, como o nosso "salvar a pele".
19,23-24 As palavras são de uma solenidade extraordinária, um chamado à posteridade (ver Sl 102,19). Pensa numa grande inscrição lapidar, com chumbo incrustado na rocha. O autor sente a importância do que seu protagonista vai dizer e o sublinha. É importante, porque expressa a última apelação ou convicção de Jó; mas deve ser tomado no contexto total. Em certo sentido, esse desejo de perpetuidade se estende às outras palavras de Jó, especialmente às que expressam sua sede e esperança de justiça. Não podemos negar que o livro de Jó dura mais que uma inscrição na rocha, que a consciência do autor não se enganava ao calcular a importância do seu livro.
19,25-27 Mas é terrível observar que exatamente essas palavras do livro sejam para nós tão obscuras. O texto hebraico está mal conservado, talvez por manipulação intencional; os tradutores antigos ensaiaram leituras diferentes do texto, como profissão de fé na ressurreição (Jerônimo) ou negando tal interpretação (Crisóstomo), e os comentaristas modernos, em vez de entrar em acordo, tendem a multiplicar ou diferenciar as explicações. Trata-se claramente da justificação que, apesar de tudo, Jó espera: espera ou deseja uma justificação antes de morrer ou depois da morte? No segundo caso, terá consciência dela estando morto, ou ressuscitará para recebê-la? No último caso, pensa numa ressurreição pessoal ou na ressurreição universal de que falam Dn e Sb? O livro não pensa na ressurreição, a exclui: 3,11-22; 7,9-10; 10,18-22; 16,22; 17,1.13-16; 21,23-26. Por outro lado, em sua sede de justiça, Jó expressa às vezes uma esperança paradoxal, até nos momentos em que se entrega à morte, sobretudo no cap. 16, que se liga com o presente. Por isso prefiro, como um pouco mais provável, a interpretação que nossa tradução reflete: ao morrer, Jó invoca a terra para que não cubra seu sangue, para que clame pedindo vingança, 16,8; agora grita que o vingador de seu sangue vive, por isso espera que, já morto, conhecerá sua própria justificação lá do reino da morte, e, justificado, poderá ver a Deus. A vida já não lhe importa, contanto que lhe façam justiça; já aceitou a morte, pensando que lhe farão vingança; a justiça deverá prevalecer, e ele, ainda que morto, terá a satisfação de sabê-lo.
No outro extremo está a interpretação, também provável, que coloca a reivindicação de Jó nesta vida, numa teofania imediatamente antes da morte. Em tal caso, "sem pele e sem carne" é expressão hiperbólica que descreve o estado físico de Jó antes de morrer. Em qualquer caso, a doutrina da ressurreição não existe no texto original nem corresponde ao sentido do livro; é fruto de uma leitura posterior, iluminada pelo progresso da revelação neste ponto.
19,25a O vingador é uma instituição jurídica antiga. Um membro da família, do clã, da tribo, por graus, está obrigado a vingar seu próximo. Em caso de assassinato, matando o culpado, Dt 19,6-12 (a legislação antiga não admite compensação). O ato e a obrigação de vingar baseiam-se em laços de solidariedade. Deus assume essa função com relação a Israel (ver sobretudo o Segundo Isaías). Nosso texto se refere ao vingador de sangue, e o ato de vingança deve consistir em provar a inocência da vítima. O latim traduziu o original *go'el* por *redemptor* (= resgatador), e do latim passou às nossas línguas. Os cristãos aplicaram o título a Cristo e deram assim uma leitura cristã ao texto.
19,25b O levantar-se pode ser gesto forense ou então o ato de intervir. O pó pode significar a sepultura, a humilhação, e poderia aludir sutilmente à condição humana.
19,26-27 Normalmente o homem não pode ver Deus porque morreria, p. ex. Ex 33,20; na situação em que Jó imagina estar, não existe tal perigo; naturalmente é algo paradoxal, e Jó reforça seu paradoxo.
19,27c Com forte expressão de desejo encerra em inclusão a perícope. A tradução é duvidosa. As palavras de

²⁸E se dizeis: "Como vamos persegui-lo?"
— E assim se encontra em mim
a raiz do problema —,
²⁹temei a espada, pois a espada castiga delitos,
e sabereis que há um julgamento.

20

¹Sofar de Naamat falou por sua vez e disse:
²Minha agitação me impele a responder,
pois me sinto inquieto.
³Escutei uma repreensão humilhante,
e um sopro de minha inteligência
me faz responder.
⁴Não sabes que é assim desde sempre,
desde que puseram o homem na terra,
⁵que o júbilo dos perversos é efêmero
e a alegria do ímpio dura um instante?
⁶Embora sua ambição suba até o céu
e toque com a cabeça nas nuvens,
⁷perecerá para sempre, como esterco,
e os que o viam perguntam: "Onde está?"
⁸Voa como um sonho, e não o encontram,
dissipa-se como visão noturna.
⁹os olhos que o viam não o tornam a ver,
seu lugar já não o contempla.
¹⁰Seus filhos mendigam como pobres,
pois ele teve de devolver sua fortuna.
¹¹Seus membros ainda cheios de juventude
se deitam com ele no pó.
¹²Se a maldade lhe tinha sabor doce
e a escondia debaixo da língua
¹³cuidadosamente, sem soltá-la,
retendo-a contra o paladar,
¹⁴esse manjar em suas entranhas se transforma
em veneno de víbora.

Jó sobrevivem a ele e o vingam; mas isso não basta. As palavras de Jó ultrapassam a ele e ao autor, têm significado excessivo para sua realidade. Tem de vir uma realidade "final" que encha a capacidade de sentido dessas palavras. Esse é o fundamento de sua leitura cristã.

19,28-29 O texto é muito duvidoso. Na tradução que propomos como conjetura relativamente aceitável, Jó se volta contra seus amigos: não enfrentando Deus, jogam toda a culpa em Jó; mas serão castigados no julgamento. Não faltam autores que consideram esses versículos fora de lugar.

20 Segundo discurso de Sofar. Pronuncia a terceira variação sobre o tema do castigo dos perversos: sua ambição, sua alegria, sua fortuna, sua saúde são bens efêmeros; seus pecados de injustiça voltam-se contra eles. Os homens se vingam do perverso, o céu e a terra o acusam, e Deus descarrega nele a sua ira. Seu castigo é uma verdadeira teofania, na qual se revela a justiça de Deus. Assim Deus fica vingado, sobretudo das palavras de Jó. Algo mais? Por implicação, Jó pertence à categoria dos perversos, seu sofrimento é castigo, nele se está revelando a justiça de Deus. Para Sofar, o sofrimento de seu amigo é teofania de ira: se Jó não cometeu exatamente os pecados que cita, terá cometido outros semelhantes.

O autor mostra sua maestria literária ao nos oferecer novos aspectos e alguma imagem original num tema que parecia ter-se esgotado.

20,4-5 Supõe Sofar que no princípio já havia bons e maus?, ou sua expressão é simplesmente hiperbólica? Seu argumento de experiência pretende ser irrefutável, mas acontece que o efêmero do prazer é condição humana, não sorte do perverso. Compare-se a expressão com Dt 4,32.

20,6 Possível alusão aos mitos refletidos em Is 14 e Ez 18.

20,8 O tema da vida como sonho: Is 29,7; Sl 73,20.

20,9 Jó 7,10; 8,18; Sl 37,10.36.

20,12-14 Desenvolvimento original da imagem de Pr 9,17; 20,17.

¹⁵Devorou riquezas e as vomitará,
  porque Deus as tira de seu ventre;
¹⁶chupará veneno de víboras
  e a língua da áspide o matará.
¹⁷Não exultará vendo ribeiros de azeite,
  torrentes de leite e mel;
¹⁸devolve o fruto de suas fadigas sem usá-lo
  e não desfruta o que ganhou comerciando:
¹⁹porque explorou e desamparou os pobres
  e se apropriou de casas que não havia construído;
²⁰porque não soube acalmar sua cobiça,
  não salvará nada de seus tesouros;
²¹ninguém escapava de sua voracidade,
  por isso não durará seu bem-estar.
²²Da opulência cairá na penúria,
  as mãos dos desgraçados
  se lançarão sobre ele.
²³Para que lhe encha o ventre,
  Deus lhe enviará o incêndio de sua ira,
  como chuva que lhe penetra as carnes.
²⁴Se escapar da arma de ferro,
  a flecha de bronze o atravessará,
²⁵o cabo lhe sai pelas costas
  e brilha a ponta saindo pelo fígado;
  o pavor se abate sobre ele,
²⁶reservam-lhe trevas totais,
  um fogo não atiçado por homem o devora,
  sacia-se com os restos de sua tenda.
²⁷O céu revela sua culpa,
  a terra se subleva contra ele.
²⁸Uma enxurrada arrasta sua casa;
  os caudais do dia da ira.
²⁹Tal sorte Deus reserva ao perverso,
  Deus lhe destina essa herança.

20,15-16 Ver Pr 23,8 e Jr 51,44.
20,17-21 Pecado denunciado pelos profetas. Ver sobretudo Mq 2,1-2; 3,1-3; 6,10-12; também Am 3,9-10; 5,10-11; Is 5,8. Também a literatura proverbial se ocupa disso: Pr 14,31; 22,16; 28,3; 30,14.
20,23 A primeira sentença é talvez glosa, não consta na tradução grega. Começa a tempestade teofânica: ver p. ex. Sl 11,6.
20,24-25 Ver 2Sm 2,23; Na 3,3; Hab 3,11.
20,26 Trata-se do raio ou de outro fogo maravilhoso, como em Nm 20,16. A teofania pode ser a chegada de Deus para julgar, como em Sl 50,3.
20,27 Céu e terra como testemunhas da justiça de Deus: como no citado salmo e também Is 1,2; Dt 32,1.
20,28 A inundação é outro dos castigos executados pelos elementos: ver p. ex. a imagem de Is 8,7-8.
20,29 O epifonema de Sofar soa como o comentário dos espectadores chamados a presenciar a teofania. Significa reconhecer a justiça de Deus, como em Sl 58,12.

TERCEIRO ATO

Já familiarizados com o movimento do diálogo e com as ideias ou atitudes dos interlocutores, esperamos que a terceira rodada repita o esquema. No começo tudo parece ir bem: Jó – Elifaz, Jó – Baldad. Mas o texto hebraico nos desconcerta: falta a intervenção de Sofar, e Jó faz afirmações que destoam em sua boca. O que aconteceu com a terceira rodada do diálogo? a) Alguns recorrem à hipótese de um editor que modificou o texto. Mas não é razoável supor que um editor deteriorasse o que estava bem composto. b) Outros o atribuem à transmissão: ao copiar o texto, alterou-se a ordem de alguns fragmentos, mudaram-se os papéis, perderam-se algumas indicações da pessoa que fala. Ao comentarista compete restabelecer a ordem e atribuição de cada parte. c) Outros supõem que a causa foi o autor. Escreveu anotações e trechos parciais e não teve tempo de completar o trabalho.

21 ¹Jó respondeu:
²Ouvi atentamente minhas palavras,
  seja este o consolo que me dais.
³Tende paciência enquanto falo,
  e quando terminar, poderás caçoar.
⁴Me queixo eu de algum homem
  ou perco a paciência sem motivo?
⁵Atendei-me, pois de puro assombro
  levareis a mão à boca.
⁶Quando o recordo, me horrorizo
  e o pavor me atenaza as carnes.
⁷Por que os perversos continuam vivos,
  e ao envelhecer se tornam mais ricos?
⁸Sua prole está segura em sua companhia
  e veem crescer seus rebentos;
⁹seus lares, em paz e sem temor,
  a vara de Deus não açoita;
¹⁰seu touro cobre sem falhar,
  a vaca dá cria sem abortar.

Seguindo algumas pistas, proponho a seguinte reconstrução como hipótese plausível:
Jó 21   Elifaz 22
Jó 23 + 24,1-17.25   Baldad 25 + 26,5-14
Jó 26,1-4 + 27,1-7   Sofar 24,18-24 + 27,8-23

Durante a segunda rodada, os três discursos dos amigos descreveram o castigo do ímpio ou do perverso como argumento decisivo da justiça de Deus e da culpa de Jó. Depois que ele ergueu o grito ao céu e convocou a terra, pode ocupar-se do argumento repetido pelos amigos. E vai refutá-lo descrevendo exatamente o contrário: a prosperidade, felicidade, vida feliz e morte do perverso. Eles apelavam para a experiência; ele também. Eles apelavam para a tradição de seus compatriotas; ele apela para os que viajaram e viram. Ao fazer isso, Jó ultrapassa sua própria situação e considera a condição humana em geral. Ele não é um caso de um princípio geral, porque tal princípio geral não existe; o mais comum é exatamente o contrário. E se existe algo de universal é que a morte iguala todos os homens. Ao dirigir-se a seus amigos, o tom de Jó é intensamente pessoal, com uma dose de ironia amarga; na primeira parte, 8-13, a descrição idílica recitada em tom sereno é uma ironia que arrepia.

21,1-3 Os amigos não souberam realmente escutar Jó, nem o quiseram: se escutaram, foi para apanhá-lo nas palavras, para refutar suas razões; mais que escutar, isso é zombar da pessoa e da sua dor. Escutem uma vez, e verão se podem zombar. Sua primeira intenção era consolar, e para tanto ofereceram a doutrina da retribuição como consolo decisivo: grande consolo para o homem que se retorce na tortura, ouvindo dizer que a merece! Melhor consolo será que se calem e escutem: poder desabafar diante de outrem, protestar a própria inocência, queixar-se da injustiça sofrida, embora não remedeie a dor, será um consolo autêntico.

A introdução tem uma dimensão especial dirigida ao público: escutam Jó os que escutam ou leem o drama? zombam dele? Além de seus amigos, sentados com ele no palco, Jó se dirige ao público presente e futuro, a nós. E o que acontece com o outro personagem, ator entre os bastidores, visto lá do alto pela plateia? Deus escuta Jó?, zomba dele?, consola-o?

21,4 Ver 6,3.26; 16,4.6. Para Jó é razoável queixar-se de Deus, justamente porque crê nele e confiou nele. Talvez se queixe de Deus porque tem dele uma ideia muito alta; em tal caso, queixa-se de Deus ou de sua própria ideia de Deus? Jó enuncia um novo princípio de razão suficiente: a angústia humana.

21,5-6 Os amigos enunciaram uma doutrina, num tom bastante objetivo, considerando-a consoladora. Contra ela Jó enuncia fatos, profundamente perturbado. Na doutrina tradicional da teofania, Deus intervém castigando o poderoso injusto, e o povo se assombra ao reconhecer a justiça de Deus que se revela. Jó não se impressiona com isso: verdadeiramente surpreendente é o silêncio de Deus, sua inatividade, a sorte do perverso. Sobre as expressões, ver Mq 7,16; Is 21, 3-4.

21,7 Esse é o verdadeiro enigma: Jr 12,1; Sl 73,12. Enfrentá-lo como enigma é por si um ato de humildade, confissão implícita.

21,8-13 Isso é o que horroriza Jó: uma cena agradável, com toques idílicos, uma vida feliz coroada por morte serena. Esse idílio está rodeado de um abismo, a perversidade de seu protagonista. Não há tragédia maior que esse idílio. Jó confessando seu terror – e o autor através dele – nos dá a verdadeira perspectiva de suas palavras. Diante delas, quão inofensiva a declamação dos amigos para amedrontar!

Outro contraste de fundo é a situação de Jó: perdidos os filhos, a casa, os rebanhos, a saúde, e condenado à morte atroz.

21,8 Refutando o que disse Baldad em 18,19 ou retorcendo o que disse Elifaz em 5,25.

21,9 Refutando Elifaz (15,34), Baldad (18,15) e Sofar (20,28).

21,10 Dt 28,4.

¹¹Deixam correr suas crianças como cabritos,
   deixam saltar seus pequenos;
¹²cantam ao som de cítaras e pandeiros
   e se regozijam ouvindo a flauta.
¹³Assim consomem sua vida docemente
   e descem serenamente ao sepulcro.
¹⁴Eles diziam a Deus: "Afasta-te de nós,
   pois não nos interessam teus caminhos.
¹⁵Quem é o Todo-poderoso
   para que o sirvamos?
   O que ganhamos rezando a ele?"
– ¹⁶Mas não têm a felicidade em suas mãos.
   O plano dos perversos fica longe de Deus!
¹⁷Quantas vezes se apaga a lâmpada do perverso
   ou se abate sobre eles a desgraça
   ou a ira de Deus lhes distribui sofrimentos,
¹⁸e são como palha que o vento leva,
   como cisco que o turbilhão arrasta?
– ¹⁹Mas Deus guarda o castigo para seus filhos.
   – Que o cobre dele e que o sinta!
²⁰Que veja com seus olhos a desgraça
   e beba a cólera do Todo-poderoso!
²¹Pois, o que lhe importa sua casa
   uma vez morto
   e acabada a conta de seus meses?
– ²²Pode-se dar lições a Deus?
   – Deus governa só no céu.
²³Alguém chega à morte sem um achaque,
   inteiramente tranquilo e em paz,
²⁴seu sexo cheio de vigor
   e cheia de seiva a medula de seus ossos;
²⁵e outro morre cheio de amargura,
   sem nunca ter comido bem;
²⁶e os dois se deitam juntos no pó,
   cobertos de vermes.
²⁷Eu conheço bem os vossos pensamentos
   e vossos planos violentos contra mim.

21,14 Deus tem de se afastar porque atrapalha: Is 30,11. O justo reza: "Senhor, ensina-me os teus caminhos", Sl 25,4.
21,15 O perverso concebe a religião em termos utilitaristas, para proveito próprio, exatamente como supunha Satã (1,9). Uma religião expressa em termos utilitaristas pode conduzir a uma piedade prolixa com despreocupação religiosa.
21,16 Este versículo é muito duvidoso, e muitos comentaristas pensam que está mal-conservado ou fora de lugar. Proponho a seguinte hipótese de leitura: 16a objetam os amigos, 16b Jó responde insistindo.
21,17-21 Nova série dialética contra a teoria da retribuição. O tom se anima. Pode ser que a doutrina tradicional responda a vários fatos, que se possa ilustrar com histórias significativas; mas se podemos aduzir outra série de fatos e histórias contrárias, a doutrina carece de valor. E se queremos salvar a segunda série de fatos, que não encaixa em nossa teoria, recorrendo ao castigo da segunda geração, invalidamos a teoria que exige o castigo individual do culpado.
21,17 Refuta Baldad, 18,5-6.
21,18 Imagem tópica, p. ex. Sl 1,4; 35,5; Is 17,13.
21,19 O castigo em filhos e netos, Ex 34,7; Dt 5,9; proibido na legislação humana, Dt 24,16; corrigido na ação de Deus, Jr 31,29; Ez 18.
21,20 A imagem da taça: Is 51,17; Jr 25,15; Sl 75,9.
21,22 Também esse versículo desconcerta aqui. De novo proponho: objeção dos amigos em 22a e resposta de Jó em 22b, sugerindo "só no céu".
21,23-26 A morte iguala ricos e pobres, felizes e infelizes. Terrível é que a morte não faça discriminações éticas. Ou seja, apelar para o além não resolve o problema. Isso é justiça? Ver Ecl 2,14-16; 3,19-30.
21,27-33 Completa como um díptico a descrição agradável de antes. Jó coloca a cena num país remoto,

²⁸Sei que dizeis:
"Onde está a casa do poderoso,
onde a morada dos perversos?"
²⁹Por que não o perguntais
aos que viajaram,
e não credes em suas histórias maravilhosas:
³⁰que na catástrofe o perverso se salva
e que o dia trágico o encontra ausente?
³¹que ninguém lhe lança no rosto sua conduta
nem lhe paga o que merece?
³²que o conduzem ao sepulcro
e se monta guarda junto ao mausoléu
³³e lhe são doces os torrões do vale?
Depois dele, todo mundo parte,
e antes dele, incontáveis.
³⁴E quereis consolar-me com coisas vãs?
Vossas respostas são puro engano.

22

¹Elifaz de Temã falou por sua vez e disse:
²Pode um homem ser útil a Deus?
Pode um sábio ser-lhe útil?
³O que ganha o Todo-poderoso por seres justo?
ou o que ganha se tua conduta é honrada?
⁴Acaso te reprova por seres religioso
ou te leva a julgamento por isso?
⁵Não é antes por tua imensa maldade
e por tuas inumeráveis culpas?

---

para introduzir o testemunho dos que sabem porque viajaram. Parece pensar num príncipe ou num poderoso, adulado em vida, celebrado na morte.

21,28 Resposta a 8,15; 15,34; 18,15.21.

21,30 Contra Elifaz, 15,22-24, Baldad, 18,14-15, e Sofar, 20,11.22.25.

21,32-33 Funerais solenes e um sepulcro ilustre são a última felicidade do homem, e é reservada ao perverso poderoso.

22 Terceiro discurso de Elifaz. No pleito clássico (em hebraico *rib*), como conhecemos por Is 1,10-20 ou Sl 50, encontramos os seguintes elementos: uma introdução na qual Deus se dirige ao rival, depois rejeita a compensação do culto e denuncia as culpas, uma exortação, uma peroração com promessas e ameaças conforme se converta ou não. Muitos desses elementos se encontram também em outros gêneros literários. O autor, talvez sem pensar expressamente, reúne no discurso de Elifaz os mesmos elementos em explanação e disposição livre. Na introdução (2-5) afirma que Deus não recebe nada do homem (Sl 50,12-13) e afirma sua justiça (Sl 5,6); descreve o pecado de Jó e suas consequências (6-11); pronuncia uma exortação argumentando contra Jó (tema parecido a Sl 50,21) e propondo-lhe a correção do perverso (12-20); finalmente convida-o à conversão com promessas de felicidade (21-30).

Jó pretendia enfrentar Deus, para provar inocência. Em certo sentido, Elifaz aceita o desafio e pleiteia com Jó. Desta vez sem os modos suaves do começo, mas denunciando-o abertamente. Contudo, busca o bem do seu amigo na confissão e no arrependimento. Nem tudo acabou, ainda há esperança para Jó: Deus que o castigou com justiça, com misericórdia o perdoará. É a última chance oferecida.

O discurso de Elifaz transforma a teoria em exortação pessoal e intensa. O tom sincero compensa a pouca originalidade de suas ideias e linguagem. São as últimas palavras de Elifaz no diálogo. Na perspectiva do prólogo, suas palavras vão além de Satã, já que este reconhecia a honradez de Jó até o momento da segunda prova, ao passo que Elifaz nega tal honradez – contradizendo o parecer de Deus e do narrador; mas também sua atitude é diferente, pois enquanto Satã apostava e jogava, Elifaz acusa para conseguir a conversão e o bem do amigo.

22,2-5 Soam os temas do prólogo: a conduta honrada, o temor de Deus, a ideia da utilidade, transformada. Deus não se deixa subornar, pois nada recebe do homem: nem de sua justiça, nem de sua sabedoria, nem de seu sentido religioso. O homem não é só criatura manchada, mas também servo inútil. Em contraponto se insinua que todo o proveito é do homem. O homem é interesseiro, e Deus desinteressado: quer isto dizer que Deus não se interessa pelo homem?

22,5 Esse versículo marca o avanço de Elifaz: no cap. 4, a condição humana universal era o motivo do sofrimento; no cap. 15 se referia em geral aos pecadores; aqui menciona pessoalmente Jó.

⁶Exigias sem razão penhores de teu irmão,
  arrancavas a veste do nu,
⁷não davas água ao sedento
  e negavas o pão ao faminto.
⁸Como homem poderoso, dono do país,
  privilegiado habitante dele,
⁹despedias as viúvas com as mãos vazias,
  reduzias a pó os braços dos órfãos.
¹⁰Por isso te cercam laços,
  te espantam terrores repentinos
¹¹ou trevas que não te deixam ver
  e te submergem águas transbordantes.
¹²Deus é o cume do céu,
  e olha como estão altas as estrelas!
¹³Tu dizes: "O que sabe Deus?
  Pode distinguir através das nuvens?
¹⁴As nuvens o encobrem e não o deixam ver
  e ele passeia pela órbita do céu".
¹⁵Queres tu seguir a velha rota
  que mortais perversos pisaram,
¹⁶arrastados prematuramente
  quando seu alicerce se fundia feito um rio?
¹⁷Diziam a Deus: "Afasta-te de nós;
  o que pode fazer-nos o Todo-poderoso?"
¹⁸Ele lhes havia enchido a casa de bens,
  e os perversos planejavam sem contar com ele.
¹⁹Ao ver isso, os justos se alegravam,
  os inocentes caçoavam deles:
²⁰"Acabaram-se suas posses,
  o fogo devorou sua opulência!"
²¹Reconcilia-te e tem paz com ele
  e receberás bens;
²²aceita a instrução de sua boca
  e guarda suas palavras em teu coração.
²³Se te voltares ao Todo-poderoso, te restabelecerá.
  Afasta de tua tenda a injustiça,

22,6-11 Construção clássica: denúncia da culpa, sentença do castigo. O novo é que a sentença está se cumprindo e dela Elifaz deduz a culpa: embora a forma seja tradicional, seu julgamento é *a priori*, por dedução. Na sua mente, a doutrina da retribuição continua imutável. As culpas atribuídas são típicas da pregação profética e da legislação, a saber:
22,6 Dt 24,6-12; Am 2,8; Ex 22,25-26.
22,8 Is 5,8; Mq 2,1.
22,9 Ex 22,21; Dt 24,17; Is 1,17.
22,10-11 *Acumulação simbólica de calamidades*: ver 18,8-10; 19,6-15.22.
22,12-20 Os elementos dessa seção correspondem aos conhecidos de uma teofania de julgamento: denúncia do pecado, ameaça, intervenção de Deus, impressão no povo. Só que a ordem está em parte mudada: castigo (15-16), rebelião (17), benefícios de Deus (18). Elifaz se associa ao comentário dos justos.

22,13 O clássico pensamento do perverso: Sl 10,11; 73,11; 94,7; Eclo 18.
22,14 A nuvem pode indicar a presença de Deus; nos lábios do perverso assume a função oposta.
22,17-18 Eco de 21,14-16, com vários elementos copiados literalmente.
22,18 Sl 52,8; 58,11; 64; 69,33; 107,42.
22,21-30 Na exortação final repete a doutrina da retribuição. Com a reconciliação viriam todos os bens, com a conversão a restauração, com a renúncia se ganhará a amizade e seu aproveitamento, da amizade brotarão o diálogo da súplica, a concessão, o agradecimento e o êxito.
22,21-23 Não basta a oração, como em 5,8; 8,5 e 11,13; é necessária a conversão.
22,22 Elifaz apelava para uma visão (cap. 4); aqui se refere à *torá*, lei ou instrução de Deus.

²⁴lança ao pó o teu ouro
 e teu metal de Ofir aos cascalhos da torrente,
²⁵e o Todo-poderoso será teu ouro
 e tua prata aos montes;
²⁶ele será tua delícia
 e levantarás para ele teu rosto;
²⁷quando suplicares, ele te escutará,
 e tu cumprirás os teus votos;
²⁸o que decidires se fará,
 e a luz brilhará em teus caminhos.
²⁹Porque ele humilha os arrogantes
 e salva os que se humilham.
³⁰Ele livrará o inocente
 e tu te livrarás pela pureza de tuas mãos.

23

¹Jó respondeu:
²Hoje também eu me queixo amargamente,
 porque sua mão agrava meus gemidos.
³Oxalá soubesse como encontrá-lo,
 como chegar ao seu tribunal!
⁴Apresentaria diante dele minha causa
 com a boca cheia de argumentos.
⁵Saberia com que palavras me replica
 e compreenderia o que me diz.
⁶Pleitearia ele comigo
 ostentando força?
 Não; teria antes de escutar-me.
⁷Então eu discutiria lealmente com ele
 e ganharia definitivamente minha causa.
⁸Mas eu me dirijo ao nascente, e ele aí não está;
 ao poente, e não o encontro;

22,26 Is 37,4; 58,14.
22,27 Sl 22,26; 50,14; 61,9.
22,29 Expressão tradicional: Sl 18,28; 31,24.
22,30 O sentido é muito duvidoso. Prefiro seguir as versões antigas.

23+24,1-17.25 Sétimo discurso de Jó. No discurso precedente, Jó foi acusado formalmente, a justiça de Deus foi proclamada de novo e o ameaçaram com julgamento condenatório. Esses pontos provocam a rebelião interna e verbal de Jó contra as palavras de Elifaz e contra o Deus que elas definem. O quase obsessivo tema do pleito com Deus ressurge violentamente e vai se retirando pouco a pouco.
Avanço: Jó não se contenta com o intermediário ao qual aludia em 16,19 e 19,25, mas deseja o encontro pessoal com seu adversário, Deus. Nele provará sua inocência e ganhará a causa. Recuo a): É inútil, Deus não se encontra e ele não comparece. Ao menos, já que tudo vê e tudo sabe, que declare a inocência de Jó. Recuo b): É inútil, já deu sua sentença e não há quem a mude nem quem a impeça, porque é mais forte que todos. Recuo c): É melhor deixar de existir. Com grande rigor e concentração, o discurso traça um gigantesco arco, descobrindo à sua passagem um horizonte cósmico, subindo ao ápice de seus desejos e caindo no abismo da frustração. Dada a densidade do material, os paralelismos regulares e os grupos quaternários não são pura ampliação, mas marcam o rigor inexorável do movimento.

23,2 Como se o terceiro ato ocupasse um novo dia (conforme o texto hebraico). A atitude de Jó é de queixa triste, coisa normal nos Salmos e Lamentações, mas também de rebelião interna pelo fato de viver a gravidade do sofrimento, sem compreender sua razão. Ver Sl 32,4.
23,3 Deus tem um tribunal de apelação no templo: onde apelar contra Deus? Ver 13,3.
23,4-7 Jó não busca uma amizade doce, mas uma discussão clara e leal. Não tenta uma composição ou acordo, mas estabelecer seu pleno direito. Paradoxalmente, não quer o Deus misericordioso, mas o justo.
23,4-5 Ver 9,14-17; 13,6.18. Deus, o incompreensível e indiscutível. Por que indiscutível? Esta é a revelação que urge agora.
23,6-7 Uma vez estabelecido o pleito, Deus não pode recorrer à força. Jó se referiu várias vezes à violência de Deus: 7,14.20; 9,17-19 (paralelo importante); 13,20-21.
23,8-9 Rodando os quatro horizontes, o homem não encontra a Deus no cosmo. Porque, se não

⁹ao norte, onde age, e não o descubro;
　　ele se oculta no sul, e não o vejo.
¹⁰Mas, já que ele conhece minha conduta,
　　que me examine, e sairei como o ouro.
¹¹Meus pés pisavam suas pegadas,
　　seguia seu caminho sem me desviar;
¹²não me apartei de seus mandamentos
　　e guardei no peito suas palavras.
¹³Mas ele não muda: quem poderá dissuadi-lo?
　　Ele quer uma coisa e a realiza.
¹⁴Ele executará minha sentença
　　e outras muitas que tem cogitadas.
¹⁵Por isso estou cheio de terror diante dele,
　　sinto medo dele só ao pensar,
¹⁶porque Deus me intimidou,
　　o Todo-poderoso me aterrorizou.
¹⁷Oxalá eu desaparecesse nas trevas
　　e a escuridão escondesse meu rosto!*

24 ¹Por que o Todo-poderoso não marca prazos
　　para que seus amigos possam presenciar
　　suas intervenções?
²Os perversos deslocam os limites,
　　roubam rebanhos e os apascentam;
³levam o asno do órfão
　　e tomam como penhor o boi da viúva,
⁴afastam do caminho os pobres,
　　e os miseráveis têm de esconder-se.

---

responde ao homem angustiado, é vã presença de Deus no mundo. Um homem, centrando os quatro pontos cardeais e descentrado na própria existência, buscando a Deus encontra sua solidão. (O contrário do Salmo 139, onde toda fuga desemboca em Deus.)

23,10-12 A sós com sua consciência, que o compreende e absolve, apela ainda para o Deus onisciente e remoto. O quarteto de sua conduta reta e ordenada opõe-se ao quarteto do horizonte vazio: pegadas, caminho, mandamentos, e palavras tinham sido a presença envolvente de Deus na sua vida. Aonde esse caminho conduziu?

23,10 Ver Sl 17,3; 66,10; Is 48,10; Pr 17,3.
23,11 Sl 17,5; 44,19; 73,2.
23,12 Ver sobretudo o Salmo 119.
23,13-14 Deus deu a sentença contra o homem, sentença de morte, do sofrimento. Sentença inapelável, que pode ser adiada, mas não anulada. Em vez de "ele não muda", com ligeira alteração do texto alguns leem "ele escolhe". Ver Is 14,26-27; 45,23; 55, 10-11.
23,15-16 Essa sentença de morte inapelável desconcerta o homem. Vê a existência ameaçada por Deus, e estremece. O Deus ausente do cosmo (vv. 8-9) está presente nesse terror, causando-o e sustentando-o.
23,17 Mistério tremendo. Tão tremendo, que a consciência dele é mais terrível que seu próprio conteúdo. Melhor deixar de existir, para deixar de senti-lo. * Os vv. 18-24 vão depois de 27,7.

24,1-17.25 Depois de um capítulo denso e patético, vem este capítulo descritivo: será preciso lê-los unidos? Recorro ao paralelismo dos caps. 13-14: depois de uma tentativa frustrada de pleitear com Deus (13), Jó se concentra numa contemplação pessimista da vida humana (14). De modo semelhante, depois da tentativa de pleito com Deus (23), Jó se concentra numa visão pessimista da sociedade humana (24). O conteúdo desses versículos é um tríptico pessimista sobre a vida de opressores e oprimidos neste mundo. Tal como está atualmente o texto, as cenas se sucedem numa montagem de contrastes violentos, destacando a injustiça dos opressores e a desgraça dos oprimidos. No meio, Deus numa frase negativa: "não escuta". Mas o texto é difícil e parece estar mal-conservado, por isso alguns comentaristas mudam a posição de alguns versículos e corrigem outros, obtendo uma exposição menos brusca.
24,1 Na história, Deus tem dias em que julga, restabelecendo a justiça e o direito. Quando são adiados, o homem se impacienta; quisera assistir a eles para deliciar-se com a vitória da justiça; quisera que fossem periódicos, com prazo fixo, anunciados. Essa visão serenaria os amigos de Deus. Ver Is 18,4-5 e Sl 75,3.
24,2-3 Grave pecado num contexto de propriedade rural: Dt 19,14; 27,17; Pr 22,18; 23,10. Órfão e viúva representam as classes fracas, indefesas: Ex 22,21-23; Dt 24,17; 27,19; Is 1,17.23.
24,4 Is 10,2; Am 2,7.

⁵Como onagros do deserto saem para sua tarefa,
   madrugam para encontrar presa,
   o deserto oferece alimento para suas crias;
⁶colhem em campo alheio
   e rebuscam na vinha do rico;
⁷passam a noite nus,
   sem roupa para cobrir-se do frio,
⁸o aguaceiro dos montes os penetra
   e, por falta de refúgio, se apegam às rochas.
⁹Os perversos arrancam do peito o órfão
   e tomam como penhor a criança do pobre.
¹⁰Andam nus por falta de roupa;
   carregam feixes e passam fome;
¹¹espremem azeite no moinho,
   pisam no lagar e passam sede.
¹²Na cidade gemem os moribundos
   e pedem socorro os feridos,
   e Deus não se importa com sua súplica.
¹³Outros são rebeldes à luz,
   não conhecem os caminhos dele
   nem se acostumam com suas sendas:
¹⁴o assassino se levanta de madrugada
   para matar o pobre e o indigente;
   de noite ronda o ladrão;
¹⁶ᵃàs escuras penetra nas casas;
¹⁵o adúltero espreita o crepúsculo,
   pensando: "Ninguém me verá",
   e cobre o rosto.
¹⁶ᵇDurante o dia se escondem,
   não querem nada com a luz;
¹⁷a manhã é escura para eles,
   acostumados aos medos das trevas.*
²⁵Se não é assim, que alguém me desminta
   e reduza a nada minhas palavras.

25

¹Baldad de Suás falou por sua vez e disse:
²Deus tem um poder que intimida
   e impõe paz em sua altura;

24,5-8 Como uma espécie de desterro da vida urbana: recorde-se a figura de Ismael "como um asno selvagem", Gn 16,12, e a de Esaú, Gn 27,39-40.

24,5 Ver 30,3 e a descrição do asno selvagem em 39,5-8.

24,6 Sobre o rebusco, ver Lv 10,10; Dt 24,21 e o livro de Rute. A correção de perverso em rico (invertendo duas letras) parece-me preferível.

24,7 A roupa tomada do pobre como penhor deve ser devolvida à noite: Ex 22,25.

24,12 A anarquia na cidade, o crime impune, como em Sl 11 e 55.

24,13-17 As trevas encobridoras dos delitos contra três mandamentos: homicídio, adultério, roubo. Esses homens confiam sua impunidade às trevas, e não é preciso repetir que Deus se descompromete, como se não visse. Pode-se comparar com Sl 139,11-12; Eclo 24.

24,16 É o ritmo contrário do que observa o honesto trabalhador, segundo Sl 104,23. * Depois de 17, leio como conclusão o v. 25.

25,1-6 + 26,5-14 Terceiro discurso de Baldad. Unindo as duas peças e marcando um corte depois de 26,6, temos duas estrofes de sete versículos.

Responde Baldad a Jó na primeira parte? Penso que sim. Alegando inocência, Jó perdeu de novo um julgamento com Deus. Baldad retoma o princípio exposto e reafirmado por Elifaz (4,17; 15,14-16) e aceito por Jó (9,2; 14,4). Em vez de "anjos", "criados", "céus", apresenta os exércitos estelares comandados pelo sol e pela lua. Responde Baldad a Jó na segunda parte? Penso que sim. Jó descreveu a injustiça da sociedade humana e afirmou que Deus se descompromete; Baldad afirma o governo universal de Deus. Do ético salta ao cósmico, conforme

³suas tropas são inumeráveis;
  sobre quem não se levanta sua luz?
⁴Pode o homem ter razão diante de Deus?
  Pode ser puro o nascido de mulher?
⁵Se nem sequer a lua é brilhante,
  nem a seus olhos são puras as estrelas,
⁶quanto menos o homem, essa larva,
  o ser humano, esse verme!

26

⁵Os mortos estremecem
  debaixo do mar e de seus habitantes*;
⁶o Abismo está nu a seus olhos,
  e sem véus o reino da Morte.
⁷Ele estendeu o céu sobre o vazio
  e pendurou a terra sobre o nada,
⁸embolsa a água nas nuvens
  e a nuvem densa não cai com o peso;
⁹escurece o rosto da lua cheia,
  estendendo sobre ela sua nuvem;
¹⁰traçou um círculo sobre a superfície do mar
  na fronteira da luz e das trevas.
¹¹As colunas do céu tremem,
  assustadas quando ele brame;
¹²com seu poder acalmou o Mar
  com sua destreza esmagou o Caos;
¹³ao seu sopro o céu resplandece,
  e sua mão transpassou a Serpente fugidia.
¹⁴E isso não é mais que a orla de suas obras,
  ouvimos apenas um murmúrio dele;
  o trovão de suas proezas, quem o compreenderá?

correlação conhecida e aceita pelos hebreus. Além disso, Jó dizia: "Sua majestade não vos intimida?" É o que Baldad faz aqui.

Inutilmente Jó buscava Deus no universo; Baldad convoca em sua palavra a presença cósmica do Criador. Jó se rebelava, Baldad lhe recorda a rebelião e a derrota dos monstros mitológicos.

Agora podemos apreciar a beleza do hino que Baldad pronuncia. Começa no céu, referindo-se aos astros; desce à terra para descobrir, por contraste, a realidade impura e mesquinha do homem; desce ao reino dos mortos, transparente ao olhar de Deus. Numa nova viagem da fantasia nos dá uma visão realista do Criador, 7-10, e outra visão mitológica, 11-13. Os temas predominantes são a luz, a água, a rebeldia dominada. A luz total, criada por Deus, e a luz limitada da lua e estrelas. O tema da água, explícito ou aludido, predomina na segunda parte, misturado ao tema da rebeldia. Na concepção mítica, o monstro hostil a Deus, que resiste à ordem do cosmo, é um monstro marinho, o Oceano ou uma corrente, como serpente gigantesca; por isso a água pode tomar um aspecto agressivo e rebelde. A água cobre o Abismo infernal, mas Deus o atravessa com o olhar; a água tende a derramar-se, mas Deus a recolhe em nuvens; faz pressão para sair, mas as nuvens não se arrebentam; cobre a face da lua, porque Deus o permite; não tem forma nem consistência, mas Deus lhe traça um limite ao redor; se ela se agita, Deus a faz aquietar-se; se ela se rebela, Deus a submete. O hino encerra esse ponto da discussão e anuncia a teofania.

25,2-3 Começa a versão celeste de poder e calma, com a polaridade do temor e da paz. No céu um imenso exército avança, em movimento controlado e regular, como o exército de Is 40,26 e Eclo 43,10; e Deus é o Senhor desses exércitos. A luz pode denotar a primeira criatura, e também pode denotar o sol, de acordo com Eclo 43,2-4. No segundo caso se trataria do capitão do exército.

26,5 Os mortos ou as sombras, como em Is 14,9; 26,14; Sl 88,11; Pr 2,18; 9,18; 21,16. A segunda frase poderia referir-se às águas do inferno, 2Sm 22,5; Jn 2. * Os vv. 1-4 vão depois do v. 14.

26,6 Pr 15,11; Sl 139,8; Am 9,2.

26,7 A fórmula "estendeu o céu" é comum, nova é a visão do espaço como vazio e nada, um conceito cosmológico difícil; também é nova a visão da terra suspensa.

26,8 Ver Pr 30,4.

26,10 Pr 8,27 também no contexto da criação, e Eclo 24,5.

26,12-13 Alguns pensam que a serpente mitológica obscureceu o céu e Deus a expulsou com seu vento, ou recordam as trevas sobre a face da terra e o vento sobre o oceano da criação.

26,14 Compare-se com Eclo 42,17 no hino à criação, e com a grande experiência de Elias no Horeb, 1Rs 19,11-13.

26

¹Jó respondeu:
²Como ajudaste o fraco
 e socorreste o braço sem força!
³Como aconselhaste o ignorante,
 ensinando-o com tanta habilidade!
⁴A quem dirigiste tuas palavras?
 Que espírito fala por ti?

27

¹[Jó continuou entoando seus versos e disse:]
²Por Deus que me nega meu direito,
 pelo Todo-poderoso
 que me enche de amargura,
³enquanto eu tiver respiração
 e o alento de Deus nas narinas,
⁴meus lábios não dirão falsidades
 nem minha língua pronunciará mentiras!
⁵Longe de mim dar-vos razão!
 Até o último respiro
 manterei minha honradez,
⁶me agarrarei à minha inocência sem ceder:
 a consciência não me reprova
 nenhum de meus dias.
⁷Que meu inimigo saia culpado,
 e injusto meu rival.
 [Sofar falou por sua vez e disse:]

26,1-4 + 27,1-7 Oitavo discurso de Jó. O discurso na reconstrução provável é muito breve: três versículos de introdução e seis de exposição. Porque bastam talvez poucas palavras para reafirmar o que veio dizendo desde o princípio; porque não vale a pena talvez entrar em discussão com seus interlocutores, ou porque deixa para o final essa refutação secundária. Outra razão possível é que o discurso não se conservou inteiro. A brevidade é compensada pela intensidade da ironia quase sarcástica do começo e pela solenidade paradoxal do juramento.

26,2-3 A introdução está em linha com outras semelhantes: 8,2 Baldad; 11,2 Sofar; 12,2 Jó; 15,2 Elifaz; 18,2 Baldad. Fraco pelo sofrimento e ignorante pela perturbação, Jó podia esperar dos amigos uma instrução válida, um consolo que o reanimasse.

26,4 Realmente dá a impressão de que os amigos estiveram falando a outra pessoa, talvez ao auditório que pensa como eles e se alegra ao ouvi-los; como se Jó não estivesse em cena. Várias vezes os amigos se apresentaram como legados de Deus: 4,12; 15,11; 22,22. É Deus ou Satã que os inspira? Ou inspiram-se numa incorrigível doutrina tradicional?

27,2-7 Jó dá à sua confissão a gravidade suprema do juramento. Satã quis extrair-lhe a confirmação prática de que servia a Deus por interesse. Os amigos quiseram extrair-lhe a confissão de sua própria culpa. Uma confissão extraída em meio à tortura, com assalto alternado de promessas e ameaças. Se Jó assina sua confissão, Deus lhe perdoará, o restabelecerá, e tudo acabará bem; se recusar a confissão, um fim terrível o espera. Para forçar essa confissão, cantaram hinos a Deus, exaltaram sua justiça, repetiram incansáveis a velha doutrina da retribuição; foram amáveis e duros, aguentaram as palavras escandalosas de Jó. Tudo para arrancar dele uma confissão. Quando Jó a tiver confirmado, uma doutrina teológica terá triunfado e, com ela, seus representantes, Jó será restabelecido e novamente admitido no ilustre grupo dos sábios. Uma coisa terá saído derrotada em tal confissão: a verdade, a sinceridade. Jó não aceita isso. Fica Deus justificado com nossa insinceridade? É justo o Deus que exige uma confissão falsa? Como se a justiça e a verdade entrassem em conflito. Paradoxalmente Jó pronuncia seu juramento pelo Deus injusto "que me nega meu direito", apoiando suas palavras no Deus verdadeiro, que obscuramente ilumina sua consciência. Essa será a força e sabedoria de Jó, sua entrega à verdade e sinceridade, diante dos homens e diante de Deus.

27,2 Sobre as expressões, ver Dt 24,17; 27,19 e Jó 3,20; 7,11; 10,1.

27,3 O alento de Deus é a vida humana, recebida de Deus segundo Gn 2,7; 6,3.5s.

27,5-6 A honradez de Jó foi proclamada antes da prova; sua mulher zombava porque ele persistia em sua honradez, 2,9. Jó persiste nela justamente não a negando, porque negar sua honradez seria falta de honradez. Contra o que dizem seus amigos, suas palavras são coerentes com sua conduta anterior, e confessar-se culpado seria desmentir o que Deus disse no prólogo, seria dar razão aos amigos e, neles, a Satã.

27,7 Não só isso, mas passa ao contra-ataque. Quem é seu rival? Os amigos, Satã, Deus mesmo? Neste julgamento alguém tem de ser condenado para que o outro seja absolvido: ver o esquema e a fórmula em Sl 51,6 e em Jr 12,1. Deus responderá a isso em 40,8.

24 ¹⁸Desliza ligeiro sobre a água,
são amaldiçoadas suas propriedades no país
e não toma o caminho de sua vinha.
¹⁹Como o calor e a seca
roubam a água às neves,
assim o Abismo ao pecador;
²⁰o seio materno o esquece,
os vermes o saboreiam,
sua memória se acaba
e se corta como árvore a injustiça.
²¹Porque maltratava a estéril sem filhos
e não socorria a viúva.
²²Mesmo que o poderoso prolongue seu vigor
e se mantenha em pé,
não pode garantir vida para si mesmo.
²³Deus o deixava tranquilo e seguro,
mas seus olhos observavam seus caminhos.
²⁴Exaltado por breve tempo, deixa de existir;
foram abatidos e murcharam como plantas,
e os cortaram como espigas.

27 ⁸Que esperança resta ao ímpio
quando lhe cortam a trama,
quando Deus lhe arranca a vida?
⁹Ouvirá Deus suas reclamações
quando a angústia o surpreender?
¹⁰Era o Todo-poderoso sua delícia?
Invocava a Deus em toda ocasião?
¹¹Eu vos explicarei o poder de Deus,
não vos ocultarei
o que dispõe o Todo-poderoso;
¹²se todos vós observastes,
por que repetis coisas vãs?
¹³Esta é a sorte que Deus reserva ao perverso,
a herança que os tiranos recebem
do Todo-poderoso:
¹⁴se tem muitos filhos, serão para a espada;
seus descendentes não se saciarão de pão;
¹⁵a peste enterrará os sobreviventes
e suas viúvas não o chorarão;

24,18-24 + 27,8-23 Terceiro discurso de Sofar. Por um lado, faltava nesta rodada o discurso conclusivo de Sofar; por outro, em discursos de Jó encontrávamos ideias que contradiziam seu modo de pensar e falar, e que correspondiam ao pensamento dos amigos. Juntando uma falta com uma sobra, proponho esta reconstrução: O discurso torna-se longo, o tema é mais que sabido. O tema está esgotado, os amigos cansados, o auditório aborrecido.

24,18 O versículo é extremamente duvidoso. Tal como o lemos, o deslizar-se indica o efêmero da existência, e a vinha representa sua riqueza familiar (como no caso de Nabot, 1Rs 21).

24,19-20 O versículo é claro. O Abismo ou túmulo vai tirando a vitalidade do homem; o reino da morte é como a aridez total. O seio materno e os vermes da terra representam os dois extremos da existência humana.

24,23 A paciência vigilante de Deus explica o êxito e bem-estar do perverso; mas é coisa passageira. Na reconstrução hipotética que propomos, deve-se continuar lendo 27,8-23.

27,8 Cortar a trama da vida: Is 38,12.

27,10 A fórmula em 22,26, prometida por Elifaz caso Jó se converta.

27,12 Esse versículo parece pronunciado por Jó; poderia fazer companhia, como conclusão, a 24,25.

27,13 A frase, ligeiramente modificada, tem valor conclusivo em 18,21 e 20,19.

27,14-15 Três desgraças se sucedem para dizimar e destruir a família: a espada, a fome, a peste. Cf.

¹⁶se amontoa prata como terra
e empilha vestes como barro,
¹⁷o inocente as vestirá
e o justo herdará sua prata;
¹⁸a casa que construir será como de traça,
como cabana de guarda;
¹⁹se ele se deita rico, é pela última vez,
ao abrir os olhos não lhe resta nada.
²⁰De dia o assaltam os terrores,
de noite o furacão o arrebata,
²¹o vento do oriente o carrega,
em turbilhão o arranca de seu lugar;
²²o empurra sem piedade,
e ele tenta fugir por todos os lados.
²³Aplaudem-no com palmas e assobios
quando parte de seu lugar.

Jr 14,12; 15,2; Ez 5,12; 6,12; 14,12. A última frase como em Sl 78, 64.
27,16 A expressão se encontra em Zc 9,3.
27,17 Pr 13,22.
27,18 Is 1,8.
27,20 15,21; 18,11.14; 20,25.
27,21 O vento do oriente: Is 27,8; Ez 27,26; Sl 48,8.
27,22-23 Penso que o vento do oriente continua como sujeito, pois o texto hebraico não menciona Deus. O sujeito do v. 23 são os que assistem ao julgamento de Deus.

INTERLÚDIO

Terminou a terceira rodada ou o terceiro ato. O autor decide que a discussão com os amigos terminou. De repente o leitor ou o ouvinte escuta um hino à sabedoria inacessível. O que significa esse poema nesse lugar?
Antes de tudo, perguntamos pelo autor desse poema. Foi o autor do livro que o compôs? um autor mais antigo? um autor posterior? Pelo estilo não é inferior ao que temos lido nem ao que virá, e não oferece outros elementos para decidir a questão. Depois perguntamos se o poema pertence à obra. Esta pergunta é mais interessante porque é critério de leitura. Para entender o poema, devemos tirá-lo daqui e lê-lo à parte como obra autônoma? Ou devemos lê-lo onde está, como parte integrante da obra? Está no seu devido lugar ou deve ser transposto e lido como conclusão do discurso de Deus? Quem pronuncia o discurso? Incorporado à obra, que função desempenha e por relação guarda com outras partes? É como um intermédio lírico depois dos três atos de diálogo, como pausa que distancia e faz o leitor repousar. Em termos dramáticos, um solista ou um coro o recitaria.
O poema reduz ao silêncio os amigos que se creem sábios e possuidores da solução do problema. De fato, já não voltam a falar. Com relação a Jó, o poema canta a busca frustrada do homem e o testemunho da terra e do Abismo.
A sabedoria apareceu várias vezes no diálogo: na boca dos amigos, 8,8-10; 11,2; 15,2-8; na boca de Jó, 12,2; 13,5; 26,3. Era a sabedoria tradicional, transmitida e adquirida, que reflete sobre a vida humana, ao passo que o poema canta uma sabedoria inacessível, de tipo cósmico. Mas, devem-se notar duas coisas. Primeira, quando Deus intervier, apelará para sua sabedoria cósmica; por isso o cap. 28 prepara o auditório para a intervenção de Deus no drama. Segunda, na literatura israelita, a sabedoria cósmica e a sabedoria sobre a vida humana não se opõem; basta ler Pr 8 para convencer-se disso. O homem participa da sabedoria, mas ela o transcende, e ele não pode apoderar-se dela. O poema reflete essa tensão ao descrever-nos o *homo faber*, que na tradição bíblica não se distingue do *homo sapiens* (sabedoria é antes de tudo saber fazer).
O versículo final parece sair do ritmo, chama a Deus *adonay* (título tardio), representa uma doutrina tradicional, parece contradizer o poema, que declara a sabedoria inacessível. Conservar ou descartar esse versículo afeta notavelmente o sentido: o comentarista pode optar por uma das duas soluções ou oferecer as duas leituras como alternativas possíveis. O poema tem estrutura simples e dinâmica, que o estribilho ajuda a perceber. A primeira estrofe (1-12) nos descreve o *homo faber* no auge da sua audácia exploradora e da sua habilidade técnica, no trabalho das minas. Além disso, as minas representam a busca e a descoberta do oculto, misterioso, precioso; superando as aves de rapina e os animais ferozes, longe de cidades e caminhos. O estribilho (12) introduz por contraste a sabedoria, que o homem não encontra. Então o homem — segunda estrofe (13-22) — tenta outro caminho: comprá-la; por ela oferece todas as preciosidades que extraiu e acumulou com sua técnica: ouro, prata e pedras preciosas. Mas a sabedoria não tem preço, não se compra: e de novo soa o estribilho (20), ao que responde o reino da morte, como antes respondia o oceano. A terceira estrofe (23-27) responde ao estribilho: Deus a conhece, a possui e a domina, como criador do cosmo. Aqui o poema pode terminar, e a conclusão é que o homem se inclina vencido perante Deus. Também podemos ler o poema incluindo o versículo final (acrescentado ou não). Em tal caso encontramos a mesma doutrina de Eclo 1 e, menos explícita, de Pr 8. O que o *homo faber* e o *homo oeconomicus* não podem alcançar, o *homo religiosus* alcança: respeitando a Deus e fazendo o bem, o homem alcança sua realidade de *homo sapiens*.

28 ¹A prata tem suas minas,
  o ouro um lugar para refiná-lo,
²o ferro é extraído da terra,
  ao fundir-se a pedra, sai o bronze.
³O homem põe fronteira às trevas,
  explora os últimos recantos,
  as grutas mais escuras;
⁴um povo estrangeiro perfura galerias,
  esquecidos dos pés, oscilam
  suspensos longe dos homens.
⁵A terra que dá pão
  é transtornada pelo fogo subterrâneo:
⁶suas pedras são jazidas de safiras,
  seus torrões têm pepitas de ouro.
⁷O abutre não conhece sua senda,
  o olho do falcão não a divisa,
⁸não a pisam as feras arrogantes
  nem os leões a calcam.
⁹O homem lança mão da pederneira,
  desarraiga as montanhas pela raiz;
¹⁰na rocha fende galerias,
  o olhar atento para o que é precioso;
¹¹explora as nascentes dos rios
  e traz à luz o oculto.
¹²Mas a sabedoria, de onde é tirada?
  Onde está a jazida da prudência?
¹³O homem não sabe seu preço,
  não se encontra na terra dos vivos.
¹⁴Diz o Oceano: "Não está em mim".
  Responde o mar: "Não está comigo".
¹⁵Não se dá em troca de ouro puro
  nem se pesa prata como preço por ela;
¹⁶não se iguala ao ouro de Ofir,
  a ônix preciosos ou safiras,
¹⁷não se paga com ouro nem com vidro,
  não se troca por vasos de ouro fino,
¹⁸não contam o cristal nem os corais,
  e adquiri-la custa mais que as pérolas;
¹⁹não a iguala o topázio da Núbia,
  nem se compara com o ouro mais puro.
²⁰De onde vem a sabedoria,
  onde está a jazida da prudência?

28,1-2 Prata e ouro são os metais do *homo oeconomicus*, ao passo que ferro e bronze são os do *homo faber*. É estranho que provenham da terra, como o homem. Ver Ml 3,3; Sl 12,7 e Dt 8,9.

28,5 É curioso esse contraste de dois planos: por cima a terra de pão, pacífica e fecunda; por baixo a terra agitada. E o mesmo homem, senhor da superfície e violador da profundeza. Na sua aventura, o homem está descobrindo já uma sabedoria enigmática que vê e não pode explicar.

28,11 O versículo exprime a alegria da descoberta ou revelação, prêmio para o esforço do homem. É agudo o contraste com o estribilho.

28,13-14 Respondem negativamente à pergunta do estribilho: nem a terra dos vivos, que é superfície terrestre, nem o oceano primordial, subterrâneo, sobre o qual emerge a terra firme.

28,15-18 Ver Pr 3,13-15, que a supõe acessível ao homem, e 8,10-11 em que a mesma sabedoria se oferece e se anuncia, e também 8,19.21 em que ela mesma traz e entrega ouro e riquezas. Em Pr 8 o ponto de partida é o oposto: a sabedoria toma a iniciativa de buscar o homem, e por isso o homem pode encontrá-la. Ver a atividade correlativa do homem e da sabedoria até o encontro em Eclo 14,20-15,6.

²¹Oculta-se aos olhos dos animais
e se esconde das aves do céu.
²²Morte e Abismo confessam:
"Conhecemos sua fama de ouvir".
²³Só Deus sabe seu caminho,
só ele conhece sua jazida,
²⁴pois ele contempla os limites do orbe
e vê tudo o que há sob o céu.
²⁵Quando assinalou seu peso ao vento
e definiu a medida das águas,
²⁶quando impôs sua lei à chuva
e sua rota ao relâmpago e ao trovão,
²⁷então a observou e a calculou,
a perscrutou e firmou.
²⁸E disse ao homem:
"Respeitar o Senhor é sabedoria,
afastar-se do mal é prudência".

29

¹Jó continuou entoando seus versos e disse:
²Quem me dera voltar aos velhos dias
quando Deus velava sobre mim,

28,21-22 Com o Abismo – ver Pr 15,11; 27,20 – completam-se os planos subcelestes do poema. A impossibilidade é total, preparando o salto à transcendência divina, que tudo abraça.
28,23-27 Deus domina a sabedoria com seu olhar universal e com sua ação criadora e ordenadora.
28,24 Sl 65,6.
28,25 Is 40,12.
28,28 Pr 1,7; 3,7; 9,10; Ecl 12,13; Eclo 1,14.20; Sl 111,10.

QUARTO ATO

29-31 + 38-41 Jó e Deus. Depois do intermédio lírico, a cena está preparada para o último ato. Os amigos – em termos dramáticos – se retiram a uma penumbra lateral, a uma presença quase inadvertida. Jó enche a cena, convocando num amplo monólogo suas lembranças e penas (29-31). De novo se dirige ao Deus escondido, num esforço final. De repente (38,1) Deus irrompe numa teofania e começa a discutir com Jó. Este apenas responde, confessa sua derrota; mas conseguiu fazer Deus falar, e este é seu triunfo. Assim era o quarto ato no drama original, e assim se pode ler ainda, ligando os três capítulos de Jó (29-31) com os quatro de Deus (38-41). A ordem original está gravemente perturbada, porque um leitor posterior quis intervir na disputa e, improvisamente, entrou no palco para pronunciar uma série de capítulos (32-37). É conveniente, ao menos uma vez, ler o ato final na sua forma primitiva, para receber todo seu impacto.

29-31 Último discurso de Jó. Na estrutura geral da obra, esses capítulos têm dupla referência. Olhando para trás, ligam-se com a grande lamentação inicial (cap. 3). Olhando para a frente, o discurso é o último desafio ao qual Deus deve responder.
Jó ficou praticamente sozinho em cena, os discursos dos amigos fluíram à margem de sua experiência problemática. A sós, deixa brotar e expressar-se a lembrança de sua vida feliz, antes da grande prova.

Assim, liga-se com o prólogo e o supera cronologicamente (*flashback*); brotam reminiscências do recente diálogo com seus amigos, retorna a consciência aguda do seu sofrimento. Mas brota sobretudo sua ânsia radical, que continua enchendo sua solidão, a ânsia de encontrar-se com Deus para acusá-lo e pedir-lhe contas. A ausência e o silêncio de Deus se adensam na cena, mais que o silêncio de sete dias dos amigos (2,13). O público sabe que Deus está presente, escondido e observando, mas Jó não. E, no entanto, fala como se o visse, porque não pode aceitar essa ausência e silêncio. Segundo o parecer do seu desejo e da sua fantasia, volta a desafiar seu rival, acusa-o, jura a própria inocência. O que Jó não sabe é que sua fantasia e desejo estão muito mais perto da realidade que sua dor incansável: adivinharam confusamente a presença de Deus e até pressentiram sua resposta. Jó não pode saber isso, porque sua ignorância é parte da prova, e esta deve chegar ao limite: a rigor, não são as posses o que importa – como bem comentou Satã –, nem sequer a própria pele do corpo – aonde chegou o golpe de Satã –, Deus pode ferir mais por dentro: no centro da existência abissalmente ansiosa por Deus. O discurso de Jó se articula em três partes: saudade, lamentação, juramento.

29 Jó: poema da saudade. Os dados biográficos do prólogo se enriquecem aqui e assumem coloração lírica particular. Naturalmente se trata de uma biografia bastante convencional, de tipo simplificado e idealizado. Informa-nos sobre os valores da existência segundo a avaliação do autor sapiencial.
Primeiro, é a união e amizade com Deus, dentro da vida familiar. Segundo, é o prestígio e autoridade na vida pública. Terceiro, é a fama de homem benéfico e generoso. A inserção dos versículos 21-25 depois de 10 suporia ligeira mudança, melhoraria muitíssimo o movimento do discurso e é admitida por quase todos os comentaristas.
29,2 Ver Nm 6,24; Sl 16,1; 91,11 e 121,7-8.

³quando sua lâmpada brilhava sobre minha cabeça
e à sua luz eu cruzava as trevas!
⁴Aqueles dias de meu outono,
quando Deus era um íntimo em minha tenda,
⁵o Todo-poderoso estava comigo
e meus filhos me rodeavam!
⁶Lavava meus pés em leite,
a rocha se derretia em rios de azeite.
⁷Quando saía à porta da cidade
e tomava assento na praça,
⁸os jovens ao ver-me se escondiam,
os anciãos se levantavam
e ficavam em pé,
⁹os chefes se abstinham de falar
tapando a boca com a mão;
¹⁰ficavam sem voz os notáveis
e sua língua se grudava ao paladar.
¹¹Ouvido que me ouvia me felicitava,
olho que me via me aprovava.
¹²Eu livrava o pobre que pedia socorro
e o órfão indefeso,
¹³recebia a bênção do andarilho
e alegrava o coração da viúva;
¹⁴de justiça me vestia e revestia,
o direito era meu manto e meu turbante.
¹⁵Eu era olhos para o cego,
era pés para o coxo,
¹⁶eu era o pai dos pobres
e examinava a causa do desconhecido.
¹⁷Quebrava as mandíbulas do iníquo
para lhe arrancar dos dentes a presa.
¹⁸E pensava: "Morrerei dentro de meu ninho,
com dias incontáveis como a areia".
¹⁹Minhas raízes alcançavam a água
e o orvalho pousava em minha ramagem;
²⁰meu prestígio se renovava comigo
e meu arco se reforçava em minha mão.

29,3 Sl 18,29; 36,10; 97,11; Is 50,10; Mq 7,8.
29,5 Sobre a companhia de Deus, ver Gn 28,20; 31,5; Sl 23,4; 46,6. Da proteção divina vem a bênção da família: ver cap. 1; 8,4; Sl 128,3.
29,6 Segunda bênção, a prosperidade; contra Sofar, 20,17.
29,7 Como lugar da vida pública civil: Pr 22,22; 24,7; 31,23; Sl 127,5.
29,8-10 Anciãos, chefes e notáveis são conselheiros com direito a falar. Ver Is 52,15. Inclui a deliberação e o julgamento.
29,11 O testemunho de desconhecidos se opõe ao testemunho negativo dos amigos. Jó não faz aqui profissão de justiça e misericórdia, mas expressa a alegria pela fama que decorre dessas virtudes.
29,12-17 A descrição tem paralelos na literatura sapiencial: Pr 14,21; 19,17; 22,9; 29,14; 31,5.8; Sl 112,4.5.9.

29,12 Sobretudo contra Elifaz, 22,6-9. Ver Sl 72,12 (descrição do rei ideal).
29,14 Is 49,17; 61,10.
29,15 Aquilo que Jó recebia de Deus – luz e caminho – ele o oferece aos necessitados.
29,16 Como manda Ex 22,21. Pai dos pobres é título de Deus em Sl 68,6.
29,17 Imagem comum nos salmos: 3,8; 58,7; 124,6-7.
29,18 O "ninho" é o lar, Pr 27,8, onde morrerá serenamente. Em vez de "areia", comentaristas antigos leram uma alusão à lenda da ave fênix, como símbolo da ressurreição. Referência anacrônica e discordante no livro.
29,19 Baldad usou a imagem em sentidos opostos: 8,16; 18,16. Ver também Sl 1,3; Jr 17,8; Ez 31,7.
29,20 O arco como símbolo de poder, Gn 49,24.

²¹Ouviam-me com expectativa,
  atentos em silêncio ao meu conselho;
²²depois de falar eu, não acrescentavam nada,
  minhas palavras gotejavam sobre eles,
²³que as esperavam como chuva temporã,
  e as bebiam como chuva tardia;
²⁴ao ver-me sorrir, apenas o criam,
  e não perdiam um brilho de meu rosto.
²⁵Escolhia seu caminho, me sentava à cabeça,
  instalado como um rei no meio de sua escolta.
  Eu os guiava e se deixavam conduzir.

30

¹Agora, em troca, zombam de mim
  rapazes mais jovens que eu,
  a cujos pais eu teria recusado
  deixar os cães de meu rebanho;
²cujos braços não me haveriam servido,
  sem forças como estavam.
³Andavam mirrados de fome e necessidade,
  roendo a estepe,
  de noite no ermo desolado,
⁴arrancando malvas pelos matagais,
  alimentando-se de raízes de retama;
⁵expulsos dos povoados,
  aos gritos, como ladrões,
⁶habitando em barrancos escarpados,
  em covas e cavernas,
⁷uivando entre os matagais,
  acocorados sob as urtigas.
⁸Chusma vil, prole sem nome,
  expulsa do país sob açoites!
⁹Agora, em troca, me fazem versos,
  sou o tema de suas piadas,

29,21-23 São expressões aplicadas a Deus: Sl 37,7; Lm 3,26. Também a imagem da chuva é aplicada à palavra de Deus: Dt 32,2; Pr 16,15; Os 6,3 e sobretudo Is 55,10-11.
29,24 Pr 16,15. "Não perdiam...": tradução conjectural.
29,25 Também a Deus se aplica o ensinar o caminho: Sl 25,12; 119,30; 139,24.
30 Jó: lamentação por si mesmo. Do passado passamos ao presente, sem abandonar totalmente as lembranças. A primeira desgraça é a humilhação e zombaria, que se opõe ao prestígio de antes; a segunda é a hostilidade de uns e o abandono de outros; a terceira é o sofrimento corporal e a angústia interior.
No capítulo anterior Deus era o centro e a fonte da felicidade; agora, porém, é a causa da infelicidade. Sua aparição é muito diferente, pois o texto hebraico não menciona Deus. Sua figura emerge primeiro como uma terceira pessoa, sujeito anônimo do que Jó sente; depois, como uma segunda pessoa a quem Jó interpela. Porque Deus não é a causa soberana a quem se respeita, mas o responsável e, portanto, o culpado por essa situação. Os temas literários da dor, zombaria e hostilidade são comuns nos salmos de súplica ou lamentação; a novidade é que agora Deus é o protagonista dessa hostilidade. A súplica a Deus se transforma em queixa contra Deus. Para ver se, à força de acusações, obriga Deus a responder.
30,1 Compare-se com 29,8.15. Os cães eram desprezíveis, e cão podia ser insulto: Ex 22,31; 1Rs 14,11; 21,19; Jr 15,3; Sl 68,23; Pr 26,11.
30,3-8 O extremo da humilhação é sofrer as zombarias das pessoas mais indignas. Jó descreve aqui, de modo genérico, malfeitores que vagueiam à margem da cultura, gente indesejável expulsa do convívio social. Se Jó foi expulso da comunidade pelo perigo de contágio (cf. Lv 13,46), é mais fácil imaginar que se veja exposto à zombaria dos vagabundos. Essa descrição tem pontos de contato com a de 24,5-8, e alguns comentaristas preferem considerá-la como adição estranha ao texto.
30,6 Ver Is 2,10.19.21.
30,7 Literalmente "zurrando", como asnos selvagens.
30,9 Sl 69,13; Lm 3,14.

¹⁰me aborrecem, se distanciam de mim
 e ainda se atrevem a cuspir-me no rosto.
¹¹Deus soltou minha corda e me humilhou,
 e eles se desenfreiam contra mim.
¹²À minha direita se levanta gente canalha
 que calca caminhos para meu extermínio;
¹³desfazem minha senda,
 trabalham para minha ruína,
 e ninguém os detém;
¹⁴irrompem por uma larga brecha
 em avalancha, como tormenta.
¹⁵Voltam-se contra mim os terrores,
 dissipa-se como o ar minha dignidade,
 e passa como nuvem minha ventura.
¹⁶Agora quero desafogar-me:
 apoderam-se de mim dias de aflição,
¹⁷a noite me perfura até os ossos,
 pois não dormem as chagas que me roem.
¹⁸Ele me agarra com violência pela roupa
 e me segura pela gola da túnica,
¹⁹me atira na lama
 e me confundo com o barro e a cinza.
²⁰Peço-te auxílio, e não me dás atenção;
 insisto, e me cravas o olhar.
²¹Tu te tornaste o meu carrasco,
 e me atacas com teu braço musculoso.
²²Tu me levantas no ar, me balanças
 e me sacodes no furacão.
²³Já sei que me devolves à morte,
 ponto de encontro para todos os viventes.
²⁴Não levanta alguém a mão ao afundar-se,
 ou não grita "socorro!" no desastre?
²⁵Não chorei com o oprimido,
 não tive compaixão do pobre?
²⁶Esperei felicidade e me veio desgraça;
 esperei luz, e me veio escuridão.

30,10 Ver 19,13-19.
30,11 "Minha corda": do arco (29,20) ou da tenda. O sujeito é duvidoso.
30,12-14 Note-se a semelhança com o discurso de Jó 19,8.12, onde o sujeito era Deus.
30,15 Ver 19,9.
30,16 Ver Sl 42,5.
30,17 Dia e noite ativos, sucedendo-se na tortura. Sobretudo se sente a noite, que não só envolve, mas penetra; como o exército de animais roedores que ela oculta. A sensação da dor cresce na escuridão e no silêncio. Assim a noite ganha o valor simbólico da morte que se apoderou de um corpo e não o soltará.
30,18-19 Como se houvesse começado a execução do réu: a roupa expressa sua dignidade pessoal, e é empregada para dominar o réu; lama, barro e cinza recordam ao homem sua origem, são sinal de luto e penitência e também símbolo da morte.
30,18 O versículo é muito duvidoso. Outra possível tradução: "rodeia-me como o colarinho da minha túnica".

30,20 Começa a interpelação na segunda pessoa, como de uma vítima que suplicasse ao carrasco. O carrasco não faz caso: 19,7; Sl 22,2-3.
30,21 Ver 19,11; 16,19; 13,24; também Is 63,10.
30,22 Estranha elevação do homem, para expô-lo à violência do furacão. Furacões da existência, mas sobretudo o terrível furacão de Deus (teofania), que sacode o homem exaltado. Ser homem será isto: estar exposto à veemência de Deus? Ver Sl 102,11.
30,23 Deus devolve à terra o que é dela, o homem ao pó, Gn 3,19; Sl 9,18 (os perversos); 90,3 (filhos de Adão); Ecl 12,5.7. Mas a vida pertence à morte? Melhor dizendo, Deus retira seu alento: Sl 104,29.
30,24 O texto hebraico dificilmente faz sentido. Ofereço uma tradução conjectural, inspirada em Sl 69,3.15. De acordo com ela assistimos ao desfecho: mão que se agita entre as ondas, grito de socorro sem resposta. São estas as últimas palavras de Jó? O homem, um náufrago tragado pelo oceano da não-existência.
30,25 Este versículo faria mais sentido junto a 31,29-30.

²⁷As entranhas me fervem e não se calam,
  dias de aflição vêm ao meu encontro.
²⁸Caminho sombrio, longe do sol,
  e na assembleia me levanto para pedir auxílio;
²⁹tornei-me irmão dos chacais
  e companheiro dos avestruzes.
³⁰Minha pele escurece e cai,
  meus ossos queimam de febre.
³¹Minha cítara está de luto
  e minha flauta acompanha o pranto.

31

¹Fiz um pacto com meus olhos
  de não olhar para uma donzela.
²Que sorte me reserva Deus lá do céu,
  que herança o Todo-poderoso lá do alto?
³Não reserva a desgraça para o criminoso
  e o fracasso para os malfeitores?
⁴Não vê meus caminhos,
  não me conta os passos?
⁵Caminhei com a falsidade,
  correram meus pés atrás da mentira?
⁶Que Deus me pese na balança não viciada,
  e comprovará minha honradez.
⁷Se afastei meus passos do caminho,
  seguindo os caprichos dos olhos,
  ou alguma coisa se apegou em minhas mãos,
⁸que outro coma o que eu semear
  e arranquem meus rebentos!
⁹Se me deixei seduzir por uma mulher
  e espiei à porta do vizinho,

30,27-30 Compare-se com Sl 38 e com as Lamentações.
30,27 Lm 1,20; 2,11. Acossado por dentro e por fora: seu interior não é refúgio, nem o futuro próximo é libertação.
30,28 Sl 42,10; 43,2. Compare-se a segunda parte com 29,9s.
30,29 Ou seja, companheiro de animais selvagens, habitantes das ruínas e do despovoado: Is 13,21-22; 34,13-15; Mq 1,8.
30,30 Ver 7,5; 18,13; Sl 102,4; Lm 4,8.
31 Jó: juramento de inocência. Estamos em pleno contexto judicial. Jó, depois de acusar seu adversário, afirma inocência com juramento. O juramento negativo tem uma forma básica que poderíamos imitar em português: "Deus me castigue se fiz tal coisa!" Ou seja, uma condicional que transforma a negação, e uma imprecação a Deus justiceiro. Costuma-se especificar o pecado e o castigo. Uma variante da forma fundamental suprime a imprecação explícita, e a forma fica assim no hebraico: "Se eu fiz tal coisa", que devemos traduzir por: "Juro que não..." – O nome de Deus geralmente não soa explícito.
O capítulo se compõe basicamente de uma série de juramentos específicos. A série não parece completa nem ordenada. Quase todos os delitos constam na legislação israelita. Além desse material básico, o capítulo contém uma introdução (2-6), uma peroração (35-37), um aparte (23) e duas considerações de ordem legal, que muitos consideram glosas (11 e 28). Para entender a introdução e o aparte, temos de conhecer a força do juramento. Deus garante os juramentos que se fazem em seu nome. Jurar é invocar o nome do Senhor sobre a verdade, a realidade de um fato; portanto, jurar pelo Senhor com verdade é um ato de culto, o nome invocado no juramento define sua religião ou confissão; mas jurar por algo falso é querer consolidar com o nome de Deus o que não tem consistência; é pecado gravíssimo contra o terceiro mandamento, Ex 20; Dt 5. O juramento inspira terror sagrado, e com sua substância religiosa regula a vida civil. Jó comparece como acusado que apela ao tribunal do templo; ver p. ex. Salmo 7. O paradoxo é que Jó apela para Deus contra seu adversário, que é Deus. Entra, aceitando suas convenções, no gênero literário que faz sua situação pessoal explodir. * Vários versículos deste capítulo sofrem variação em sua ordem correlativa.
31,1 Como senhor de seus sentidos. O versículo parece fora de lugar, deveria ser lido depois de 10 ou 12.
31,2-4 Ver Jó 14,16; Sl 33,13-15; 119,168; 139,1-4; Eclo 17,15.
31,6 Note-se a imagem da balança da justiça e veja-se Dn 5,27.
31,7 Nm 15,39; Dt 13,18; Pr 4,25-27 e Jó em 23,11.
31,8 Ver 5,5; 27,17; Lv 26,16; Mq 6,15; Is 65,22.
31,9 Ver 24,15; a legislação em Ex 20,17; uma descrição em Pr 7,6-27; Eclo 23,18-27.

¹⁰que minha mulher moa para um estranho,
e outros se deitem com ela!
¹¹(Isso é uma infâmia,
um delito que compete aos juízes;
¹²fogo que devora até o fundo
e arranca minhas colheitas pela raiz.)
¹³Se neguei ao escravo ou à escrava seu direito,
quando pleiteavam comigo,
¹⁴o que farei quando Deus se levantar,
o que responderei quando me interrogar?
¹⁵Quem me fez no ventre,
não o fez a ele?
Não nos formou um só no seio?
¹⁸Desde minha infância me criou como pai
e desde o seio materno me guiou.
¹⁶Se neguei ao pobre o que desejava
ou deixei consumir-se em pranto a viúva,
¹⁷se eu sozinho comi o pão,
sem reparti-lo com o órfão,
¹⁹se vi o andarilho sem roupa
e o pobre sem nada para cobrir-se,
²⁰e não me agradeceram suas carnes,
quentes com a lã de minhas ovelhas;
²¹se levantei a mão contra o inocente
quando eu contava com o apoio do tribunal,
²²que minha omoplata se desprenda do ombro
e meu braço se desconjunte!
²³Porque o terror de Deus me espantaria
e sua sublimidade me aniquilaria.
³⁸Se minha terra gritou contra mim,
ou seus sulcos choraram juntos,
³⁹se comi sua colheita sem pagá-la,
asfixiando os braçais,
⁴⁰que minha terra dê espinhos em vez de trigo;
em vez de cevada, urtigas!
²⁴Eu juro:
Não pus no ouro minha confiança
nem chamei o metal precioso minha segurança;
²⁵não me comprazia com minhas grandes riquezas,
com a fortuna acumulada por minhas mãos.
²⁶Olhando o sol resplandecente
ou a lua caminhar com esplendor,
²⁷não me deixei seduzir secretamente,
nem lhes enviei um beijo com a mão.

31,11-12 Parece glosa. Ver a legislação em Lv 20,10 e Dt 22,22. Sobre o castigo pelo fogo, ver Dt 32,22; Pr 6,27-29; Eclo 9,8.

31,13 Ex 21,2-11; Lv 25,39-55; Dt 15,12-23.

31,14 Em gesto judicial: Sl 71,10; Is 31,2. Aqui a forma do juramento muda, usando a interrogação.

31,15 A motivação está em Pr 22,2; ver também Pr 17,5 e Ml 2,10.

31,16-17 Refutando a acusação de Elifaz em 22,7-9. Outros paralelos: Is 58,7; Pr 22,9; Tb 4. Em nossa terminologia, passamos das obras de justiça às de misericórdia: dar de comer a quem tem fome, vestir os nus, dar pousada aos peregrinos; para o autor, entram na mesma categoria de obrigações.

31,19 Is 58,7.

31,24-25 Sl 49,13-14; Pr 11,28.

31,26-27 Dt 4,19; Jr 8,2; Ez 8,16.

²⁸(Também isso é delito
que compete aos juízes,
pois haveria negado o Deus do céu.)
²⁹Não me alegrei na desgraça de meu inimigo,
nem seu mal foi meu alvoroço,
³⁰nem deixei que minha boca pecasse,
desejando-lhe a morte.
³¹Juro! Quando os homens de meu acampamento disseram:
"Oxalá nos deixem saciar de sua carne",
³²o forasteiro não teve de dormir na rua,
porque eu abri minhas portas ao caminhante.
³³Não ocultei meu delito como Adão
nem escondi no peito minha culpa.
³⁴Por temor à gritaria da gente,
por medo do desprezo de meu clã,
não fiquei fechado e em silêncio.
³⁵Oxalá haja quem me escute!
Aqui está minha assinatura!
Que o Todo-poderoso responda,
que meu rival escreva seu libelo:
³⁶eu o levaria no ombro
ou o cingiria como um diadema;
³⁷eu lhe prestaria contas de meus passos
e iria até ele como um príncipe.
⁴⁰ᶜFim dos discursos de Jó.

32 ¹Os três homens não responderam mais nada a Jó, convencidos de que ele se considerava inocente. ²Mas Eliú, filho de Baraquel, do clã de Ram, natural de Buz, indignou-se contra Jó, porque pretendia justificar-se diante de Deus. ³Também se indignou contra os três companheiros, porque, não encontrando resposta, tinham deixado Deus como culpado. ⁴Eliú havia esperado enquanto eles falavam com Jó, porque eram mais velhos que ele; ⁵mas, vendo que nenhum dos três respondia, Eliú se indignou.

⁶E Eliú, filho de Baraquel, natural de Buz, interveio, dizendo:

31,28 Talvez glosa. O Deus do céu cria os astros como senhores do dia e da noite, puras criaturas e não deuses.

31,29-30 Com alguns limites, a legislação condena o espírito vingativo: Ex 23,4-5; Lv 19,18; mais frequente na literatura proverbial: Pr 20,22; 24,17-19; 25,21-22; doutrina levada à perfeição no NT, p. ex. Mt 5, 43-48.

31,31-32 O texto é difícil, embora seja bastante claro que se trata de delitos contra a hospitalidade. O autor parece pensar nos delitos sexuais narrados em Gn 19 (Sodoma) e em Jz 18. Tal como está no texto, Jó se opõe às proposições de sua gente contra o estrangeiro.

31,33-34 A confissão do próprio delito dá glória a Deus, Js 7,19, e esclarece uma situação na comunidade. Em vez de Adão, outros leem "terra", pois a terra absorve o sangue e encobre assim o homicídio.

31,35-37 A peroração é um desafio em que ressoam os gritos repetidos de 13,22-23; 19,23-24 e 23,2-4. Aqui temos a confissão de Jó com sua própria assinatura; agora é a vez do opositor; como se diz, "quem cala consente", Is 41,26-29 (os ídolos); se falar ou apresentar um documento escrito, terá de declarar suas razões, e Jó o refutará, deixando-o convicto. Em ambos os casos, silêncio ou palavra, Jó ganhará o pleito contra Deus; por isso conclui com esse gesto e aceno principesco: ao ombro, bem visível, o instrumento de sua absolvição, com passo firme rumo ao supremo encontro. O texto hebraico é um tanto duvidoso, e por isso as versões divergem.

31,38-39 Parece tratar-se da exploração de pequenos proprietários, ou então, de não pagar os trabalhadores (como leem outros). Em qualquer caso, a terra pede vingança contra o explorador.

31,40 Ver Gn 3,17-18; 4,12.

Continua, depois de uma pausa repentina, a resposta de Deus (capítulos 38-41).

DISCURSOS DE ELIÚ

32-37 Os discursos de Eliú. No livro de Jó acontece agora algo inesperado: um novo prólogo em prosa narrativa introduz novo personagem, que sobe ao palco e se põe a falar. O autor não o havia apresentado na introdução, quando nos falou dos três amigos, nem voltará a falar dele no epílogo; portanto, é uma aparição à margem da moldura narrativa. Eliú não

— Eu sou jovem e vós sois anciãos,
por isso, intimidado, não me atrevia
a expor-vos meu saber.
⁷Eu dizia a mim mesmo: "Que falem os anos,
e a idade madura ensine sabedoria".
⁸Mas é um espírito no homem,
o alento do Todo-poderoso,
quem dá inteligência.

intervém realmente no diálogo, fala sozinho e ninguém lhe responde; não segue as regras do jogo, tão bem indicadas nas duas primeiras rodadas: ou seja, sua intervenção fica fora da estrutura do diálogo. Além disso, Eliú interrompe o grande confronto final, o desafio de Jó e a resposta de Deus, sem responder realmente a Jó e antecipando-se a Deus; também perturba a estrutura da composição.
O conteúdo dos seus discursos traz alguns elementos, desenvolve outros. Mas isso não compensa a extensão: seus discursos seguidos ocupam mais que os seis discursos dos três amigos nas duas primeiras rodadas. Efeito do seu estilo difuso, retórico, insistente. Embora tenha muitos acertos de expressão, seu estilo é inferior ao anterior; nota-se a diferença sobretudo quando pretende imitar. É bom ler uma vez o livro, saltando esses seis capítulos; depois, podem-se ler esses discursos, que naturalmente pressupõem o livro. Eliú é um inesperado, um intruso.
O que aconteceu? Na ordem de composição podemos reconstruir assim o processo: Jó é um livro anticonformista e provocador. Foi recebido nos círculos sapienciais, mas alguns membros ou grupos do círculo sapiencial se sentem insatisfeitos, até ofendidos. A essas alturas não se pode suprimir o livro; um acréscimo substancial o tornará menos ofensivo e mais aceitável. Um leitor posterior, provocado e até mesmo irritado pela leitura, vai notando, reflete, prepara a refutação; talvez nesse trabalho represente um grupo ou escola, utilizando argumentos de seus companheiros. Com esses materiais compõe uma refutação: dos amigos, que não souberam responder, e de Jó, que ofendeu a Deus e escandalizou o próprio leitor; tampouco as razões de Deus o convenceram; e como não pode refutá-lo, procura iluminar de antemão suas palavras. O trabalho não faz parte do diálogo, mas tem uma referência dialética a ele, sublinhada pela citação de afirmações de Jó.
O procedimento literário desse autor é simples e interessante: de leitor se transforma em ator por decisão própria. A isso se deve o esforço por justificar sua entrada na obra, com uma longa introdução, e seu afã por identificar-se com nome, sobrenome e nacionalidade.
Dito isso tudo, não muito favorável ao autor ou a seu personagem, temos de acrescentar que esses seis capítulos pertencem à literatura canônica, a tradição os considera palavra inspirada. Por isso temos de lê-los e comentá-los; obteremos fruto e interesse, se conservarmos a consciência da sua origem e função: os discursos de Eliú são a primeira reação escrita ao livro provocador de Jó, o primeiro comentário numa série indefinida. Uma reação que prova o poder de interpelação do livro, um comentário que chega a ser parte da obra. Afinal de contas, o autor original escreveu seu livro para o público, para sacudi-lo e fazê-lo pensar: não se queixe só porque um leitor judeu aceitou o desafio e quer que conste no livro. A intervenção se compõe de uma introdução em prosa, um amplo exórdio e quatro discursos delimitados pela fórmula "Eliú continuou dizendo", ou pela pessoa a quem são dirigidos, Jó e os amigos. Essa divisão é bastante artificial e não representa o processo do pensamento ou da argumentação. Outro critério de divisão seriam as citações de palavras de Jó introduzindo cada nova refutação; mas, para estabelecer as linhas de composição, tampouco esse critério satisfaz.

32,1 O autor crê que Jó convenceu seus interlocutores; em nome do grupo dos sábios, antes de apelar a Deus, ele quer dar uma resposta. Pensa que, em nível humano de sabedoria, o problema de Jó tem solução.
32,2 A identificação pode ser real ou simples ficção literária. Os nomes são de feitio israelita: numa genealogia de Abraão, Gn 22,20-24, lemos os nomes de dois filhos de Nacor, irmão de Abraão: Hus e Buz; Hus é o país de Jó, Buz o de Eliú; conforme Jr 25,23, Buz é uma das tribos do deserto arábico. Eliú entendeu perfeitamente a substância do que Jó pretende: sair justificado num pleito com Deus, 13,13-19; 16,21; Eliú (= Ele é meu Deus) quer ser advogado de Deus, como os amigos, segundo Jó 13,8.
32,3 Completa a ideia: ao se fazerem advogados, encarregados da causa de Deus, e não respondendo a Jó, fazem com que Deus perca o pleito. Ou seja, Eliú considera o pleito realizado, mas não o dá por concluído, por isso se põe a falar antes que o próprio Deus fale; implicitamente parece dizer que as razões de Deus não são convincentes.
32,4 Com esta frase, o autor justifica a entrada tardia de seu personagem.
32,6-7 Numa época em que a longevidade é um fato extraordinário e a cultura um fato empírico, a idade é uma vantagem indiscutível. O ancião experimentou mais, acumulou mais saber, liga-se com a tradição antiga. Por sua coexistência com três gerações, é a autêntica ponte da tradição.
O argumento de Eliú acrescenta outro aspecto implícito: o livro de Jó já tem o prestígio dos anos, é obra tradicional, ao passo que o seu pensamento (e de seu grupo) é novidade.
32,8-9 Diante do princípio da idade, introduz um princípio revolucionário: a sabedoria como dom carismático "espírito... alento do Todo-poderoso", não pura aquisição "anos", "velhice". Mas a ideia não é tão radicalmente nova: Is 11,2; também Ex 35,31.35. Contudo, a antítese de Eliú é importante: Deus não se submete a monopólios.

⁹Não é a autoridade quem dá sabedoria,
  nem por ser ancião é que alguém sabe julgar;
¹⁰por isso vos peço que me escuteis:
  eu também exporei o que sei.
¹¹Eu esperei enquanto faláveis,
  prestei atenção a vossos argumentos
  enquanto buscáveis o que dizer;
¹²por mais que tenha escutado com atenção,
  nenhum de vós refutou a Jó
  nem respondeu a seus argumentos.
¹³E não digais: "Encontramos um saber
  que só Deus e não um homem pode refutar".
¹⁴Jó não se enfrentou comigo
  nem eu lhe responderei
  com vossos argumentos.
¹⁵Eles, desconcertados, já não respondem,
  as palavras os desamparam.
¹⁶Devo aguardar porque eles não falam,
  porque estão aí sem responder?
¹⁷Quero tomar parte na discussão,
  eu também exporei o que sei,
¹⁸porque me sinto inflado de palavras
  e seu ímpeto me oprime as entranhas;
¹⁹minhas entranhas estão como odres novos
  que o vinho encerrado arrebenta.
²⁰Falarei e me desafogarei,
  abrirei os lábios para responder.
²¹Não tomarei partido de ninguém,
  a ninguém adularei,
²²pois não sei adular
  e porque meu Criador me eliminaria.

33

¹Escuta minhas palavras, Jó;
  dá ouvidos ao meu discurso:
²olha que já abro a boca
  e minha língua forma palavras com o paladar;

32,11-12 Aqui Eliú se trai como espectador ou leitor: naturalmente, leitor inteligente e crítico que não aceita sem mais o que se diz; também paciente e atento, com sincera vontade de escutar.

32,13-14 Reflete a opinião da época? Era Jó um expoente de sabedoria humana para os leitores comuns e para os círculos sapienciais? O livro estava tornando-se intocável? Talvez nessas palavras o autor esteja pensando na oposição de tais círculos. Em certo sentido, cada leitor se converte em novo interlocutor de Jó.

32,15-17 Eliú transforma sua experiência de leitor habituado na ficção de personagem dentro do drama. Este é o valor da ficção: representar a multidão do público que irresistivelmente se tornou parte da representação.

32,18-19 A imagem produz um jogo de palavras: vento é a matéria das palavras, vento é também "espírito". Como Jeremias a respeito da profecia (Jr 20,9), Eliú sente um impulso interno incontido, sente-se inspirado.

32,20-22 Sua intervenção se define como "resposta". – Mas, se ninguém lhe perguntou... – Jó pergunta a todos. Promete imparcialidade, embora já tenha sentenciado a favor de Jó contra os amigos. A referência a Deus soa como reminiscência de juramento, ainda que a forma seja diferente. Deus mesmo, com seu título de criador, vai garantir o novo capítulo do julgamento que Eliú abre.

33 Depois do amplo exórdio que Eliú empregou para entrar no livro, agora se dirige pessoalmente a Jó. O capítulo segue uma ordem simples: convite a escutar (1-3), convite a discutir (4-7), primeira citação (8-11), resposta (12), segunda citação (13), resposta (14-28), conclusão (29-30). Os vv. 31-33 podem ser lidos como nova introdução a outra parte do discurso.

33,1-3 O começo reflete a prolixidade de Eliú, além do paralelismo normal. Compare-se com as expressões de 6,25; 11,5; 27,4.

³falo de coração sincero,
   meus lábios expressam um saber purificado.
⁴O sopro de Deus me fez,
   o alento do Todo-poderoso me deu vida.
⁵Responde-me, se podes;
   prepara-te, põe-te diante de mim.
⁶Eu sou obra de Deus assim como tu,
   também eu fui modelado de argila.
⁷Não te transtornarei de terror
   nem me irritarei contigo.
⁸Tu já o disseste em minha presença
   e eu te escutei:
⁹"Eu sou puro, não tenho delito,
   sou inocente, não tenho culpa;
¹⁰mas ele acha pretextos contra mim,
   e me considera seu inimigo,
¹¹coloca meus pés no cepo
   e vigia todos os meus passos".
¹²Nisso não tens razão – eu te contesto –,
   porque Deus é maior que o homem.
¹³Como te atreves a acusá-lo
   de não prestar contas de nenhum de seus atos?
¹⁴Deus sabe falar de um modo ou de outro,
   e não prestamos atenção:
¹⁵em sonhos ou visões noturnas,
   quando a sonolência cai sobre o homem
   que está dormindo em sua cama,
¹⁶então lhe abre o ouvido
   e o aterroriza com seus avisos,
¹⁷para afastá-lo de suas más ações
   e protegê-lo da soberba,
¹⁸para impedi-lo de cair na cova
   e cruzar a fronteira da Morte.
¹⁹Outras vezes o corrige no leito de dor,
   com a agonia incessante de seus membros,

33,4-7 Eliú entra na discussão sem vantagem, pondo-se no nível puramente humano com Jó. Sua condição humana, barro e espírito, serão o terreno comum. Basta esse nível de humanidade comum? Jó desceu a um nível muito mais profundo, de dor e angústia, de desconcerto e dilaceramento interior: Eliú desce a esse nível, primeiro para entender Jó, depois para dialogar com ele? Esta era a verdadeira falha dos amigos, e não sua incapacidade de encontrar argumentos.
33,4 Ver Gn 2,7; Sl 104,29-30.
33,5 Em sentido forense: 13,18; 23,4. As partes do pleito estão em pé.
33,7 Sobre os terrores de Deus, ver 9,34; 13,21.
33,8-11 Eliú cita reunidas algumas frases de Jó: 9,21; 10,7; 16,17; 23,10-11; e todo o juramento de inocência do capítulo 31. O protesto de inocência e a acusação contra Deus são correlativos: Eliú tem razão.
33,12 A resposta à primeira citação é brevíssima, parece-nos insuficiente e não avança. Também Jó reconheceu essa grandeza de Deus, e dela tirou outras consequências: Jó reconhece que Deus é grande, mas é justo? E se o é, por que não dá as razões? Isso introduz o segundo desenvolvimento sobre o silêncio de Deus.
33,13 Jó se queixou do silêncio de Deus em 9,16; 19,7; 30,20. Eliú responde a esta objeção com certa amplidão, mostrando como Deus responde por meio dos sonhos e da doença, para avisar, para corrigir e finalmente para salvar o homem. Tudo desemboca num salmo de ação de graças e de arrependimento: Deus salvou o homem da doença e da atitude pecadora.
33,15 Elifaz havia apelado a um sonho, 4,12-15. Ver Gn 20,3; 31,24; 41,1; Nm 12,6.
33,16 Paradoxalmente o sonho abre o ouvido a outras vozes.
33,18 Segundo as antigas crenças, a fronteira é o canal do reino dos mortos.
33,19 Elifaz falou da doença em 5,17. Jó falou dela repetidas vezes, já que é sua situação. Eliú interpreta essa doença como castigo salutar, como correção.

²⁰até que deteste com toda a alma a comida,
e sua garganta o alimento favorito;
²¹consome-lhe a carne até que desapareça,
e os ossos, que não se viam,
ficam descobertos;
²²sua alma se aproxima da cova
e sua vida dos exterminadores.
²³Mas se encontra um anjo favorável,
um entre mil como intercessor,
²⁴que tenha compaixão dele e diga:
"livra-o de descer à cova,
pois encontrei resgate para ele",
²⁵então sua carne transbordará juventude
e voltará aos dias de sua mocidade.
²⁶Suplicará a Deus, que o atenderá,
ele lhe mostrará seu rosto com júbilo,
restituirá sua salvação ao homem,
²³ᶜmostrando ao mortal sua retidão.
²⁷Este cantará diante dos homens e dirá:
"Eu pequei e torci o direito,
mas Deus não me deu o que mereço;
²⁸livrou-me de cair na cova
e minha vida se inunda de luz".
²⁹Essas coisas Deus as faz
duas ou três vezes ao homem,
³⁰para tirá-lo vivo da cova,
para iluminá-lo com a luz da vida.
³¹Dá-me atenção, Jó, escuta-me;
guarda silêncio, pois vou falar.
³²Se tens algo a responder, dize-o;
fala, que estou disposto a dar-te razão;
³³se não a tens, escuta-me,
cala, e te ensinarei sabedoria.

33,22 Os exterminadores estão sob o controle de Deus, um deles pode ser o Satã do prólogo. Recorde-se o exterminador da noite dos primogênitos, Ex 12,13.23, o do recenseamento de Davi, 2Sm 24,15-17, o de Senaquerib às portas de Jerusalém, 2Rs 19,35; também Sl 78,50 e 91,5-6.

33,23 Diante dos anjos da morte se colocam os anjos intercessores, "os mil". Elifaz referiu-se a eles, 5,1, e Jó, repetidas vezes, 9,33; 16,19-21; 19,25-27. A piedosa novela de Tobias introduz como personagem um desses anjos da saúde, cujo nome é Rafael ("Deus cura").

33,24 O resgate é imagem tomada da prática comercial e jurídica: Ex 21,30; Nm 18,16. Conforme Sl 49,8-9, o homem não pode oferecer resgate por sua vida.

33,25 Ver Is 49,7-9 e 58,8. Recorde-se o episódio de Naamã, 2Rs 5 e o rejuvenescer "como uma águia" de Sl 103,5.

33,26-28 O desfecho se inspira nos salmos de ação de graças. Ver p. ex. Sl 30 e 41, pela cura de uma doença grave.

33,26 Ver o rosto é sinal de amizade: Sl 11,7; 24,6; 27,8.

33,27 Sl 22,32; 27,6; 35,18. Quando o homem reconhece seu pecado, cumpre-se o plano de Deus no aviso e na doença, vv. 18-19.

33,29-30 A conclusão é o valor salvífico do sofrimento. Completa a simples doutrina da retribuição, ao introduzir uma dialética de vários tempos: em vez de pecado – castigo, temos pecado – doença – arrependimento – cura – ação de graças.

33,31-33 Alguns propõem ler esses três versículos como introdução ao cap. 35, que não a tem; desse modo se restabelece uma estrutura comum nos quatro discursos. Eliú continua mantendo a ficção, embora saiba que Jó não vai responder-lhe, porque o autor desses capítulos não usa o método do diálogo. O procedimento é um tanto incorreto, já que o convida a falar, decidido a não lhe conceder a palavra.

33,32 Dar razão é a mesma coisa que declarar inocente. Eliú se refere ao primeiro, não ao segundo. Para Jó, ter razão era ser reconhecido inocente por Deus.

34

¹Eliú continuou dizendo:
²Sábios, escutai minhas palavras,
  doutos, dai-me ouvidos,
³pois assim como o ouvido distingue as palavras
  e o paladar aprecia os sabores,
⁴também nós escolheremos o justo
  e distinguiremos o que é bom.
⁵Jó afirmou: "Embora eu seja inocente,
  Deus me nega o direito;
⁶com o direito de meu lado, passo por mentiroso;
  a flechada me inflama,
  embora não tenha pecado".
⁷Quem há como Jó,
  que solta sarcasmos como quem bebe água,
⁸junta-se com malfeitores
  e anda na companhia de perversos?
⁹Afirma: "De nada serve ao homem
  desfrutar do favor de Deus".
¹⁰Escutai-me, homens sensatos:
  Longe de Deus a iniquidade,
  longe do Todo-poderoso a injustiça!
¹¹Deus paga ao homem suas obras,
  lhe retribui segundo sua conduta;
¹²claro que Deus não age mal,
  o Todo-poderoso não torce o direito.
¹³Quem lhe recomendou a terra,
  quem lhe confiou o universo?

---

34 Este capítulo tem uma estrutura semelhante: convite a escutar (2-4), citação de Jó (5-6), resposta *ad hominem* (7-9), resposta com argumentos (10-33), pronunciamento de sentença pública contra Jó (34-37).
Eliú põe-se a defender a justiça de Deus com estas razões: tem o poder supremo, é imparcial, está perfeitamente informado, não precisa de processos públicos com datas determinadas, não aceita normas humanas. Com isso Eliú muda profundamente o estado da questão. Jó fala da justiça num pleito bilateral, ao passo que Eliú pensa na justiça de um juiz imparcial. (É preciso confessar que uma infinidade de comentaristas seguiu o exemplo de Eliú, entendendo a justiça de Deus puramente como justiça de um juiz imparcial.) A ideia de que Deus entra em pleito com os homens – na modalidade antiga do *rib* – tem raízes no AT, p. ex. Sl 50; Is 1,10-20; Jr 2-4: nesses pleitos Deus é parte ofendida pelo povo da aliança. A audácia de Jó consiste no fato de ele tomar a iniciativa, como parte ofendida por Deus. Outro antecedente bíblico é a queixa do povo nos salmos, quando a ocasião é um sofrimento que o povo considera injustificado: Ver p. ex. Sl 44.

34,1 Aqui Eliú engancha seu discurso, buscando uma justificação de Deus objetiva e pessoal, não interpessoal, em virtude de umas normas, não em virtude de um compromisso com o homem.

34,2-4 Na ficção de um Eliú ator, os sábios são os três amigos; na sua realidade de leitor, são todos os do grupo, divididos em seu julgamento do livro de Jó. Eliú apela não para um gosto estético, mas ético; qualidade inata ou adquirida que lhes permite apreciar e julgar com acerto. Recorde-se a ligação de sabor com saber em Gn 3 e em Is 7,14-17. Ver também Jó 12,11.

34,5-6 Sobretudo 27,2.

34,7-8 O argumento *ad hominem* tende a ser agressivo. Eliú aplica a Jó frases como as de 11,11; 22,15; 31,5; Sl 1,1.

34,9 Refere-se ao dito por Jó em 9,22; 10,3; 21,7; compare-se com Ml 3,13-14. No capítulo seguinte responderá a essa acusação.

34,10 Ver 8,3. Ressoa o que Abraão dizia ao Senhor para que perdoasse Sodoma, Gn 18,25.

34,11-12 Esta é a tese de Eliú, rigorosamente uma tese de retribuição. Não é falsa nem completa, sobretudo não corresponde à situação. O princípio está em 4,8; Sl 62,13; Pr 24,12; Eclo 16,14; Rm 2,6; Gl 2,7-10.

34,13-17 Eliú parece provar a justiça apelando ao poder: Deus tem poder original, não delegado; portanto, é justo. A injustiça começa onde o poder não é total, por afã de mais poder, por concessões ou por medos. Ao invés, a plenitude do poder coincide com a plenitude da justiça: cf. Sb 12,15s. Deus é a última apelação; portanto, tem de ser justo. No que tem de válido, o argumento é contribuição original ao livro. Mas é convincente para Jó? A identificação poder-justiça é justamente o que Jó nega, como indicam as citações seguintes.

34,13 Ver 9,12 e o cap. 24. Consequência: Deus é responsável de tudo.

¹⁴Se decidisse por sua conta
   retirar-lhe o espírito e o alento,
¹⁵expirariam todos os viventes
   e o homem tornaria ao pó.
¹⁶Se és inteligente, escuta-me,
   dá ouvidos a minhas palavras:
¹⁷Poderá alguém que odeia o direito julgar?
   Tu te atreves a condenar ao mais justo,
¹⁸ao que declara criminoso um rei
   e perversos os nobres?
¹⁹Deus não é parcial a favor do príncipe
   nem favorece o rico contra o pobre,
   pois todos são obras de suas mãos.
²⁰De repente morrem, à meia-noite,
   os nobres se agitam e passam,
   o poderoso é derrubado
   sem mão de homens.
²¹Porque os olhos de Deus
   olham as sendas do homem
   e vigiam todos os seus passos;
²²não há trevas nem sombras
   onde possam esconder-se os malfeitores.
²³E não cabe ao homem marcar um prazo
   para comparecer em julgamento com Deus.
²⁴Tritura os poderosos sem ter de indagar,
   e em seu lugar nomeia outros;
²⁵como conhece suas ações,
   os transtorna de noite e ficam desfeitos;
²⁶ele os açoita como criminosos
   na praça pública,
²⁷porque se afastaram dele
   e não seguiram seus caminhos,
²⁸fazendo que chegasse a Deus
   o clamor dos pobres
   e que ouvisse o clamor dos aflitos.
²⁹Se está quieto, quem poderá condená-lo?
   Se esconde seu rosto, quem poderá vê-lo?
   Ele vela sobre povos e homens,
³⁰para que o ímpio não reine
   nem haja quem engane o povo.

34,14-15 Gn 2,7; 3,19; Is 42,5; Sl 104,19; Ecl 12,7.
34,19 O Deus imparcial: Dt 10,18; Pr 22,2; Sb 6,7; Eclo 35,12-15. Em que sentido Deus fez ricos e pobres? Pr 22,2; Sb 6,7. Eliú insinua que Jó pertence aos ricos e por isso pretende privilégios e parcialidade da parte de Deus. O prólogo já desmentiu esse julgamento, que se aproxima do julgamento de Satã.
34,20 O texto hebraico é difícil. Em nossa leitura, aqui começa a execução da sentença contra esses poderosos que abusaram do poder delegado, que separaram o poder da justiça. "Sem mão": Ver fórmula semelhante em Lm 4,6.
34,21-22 Jó 24,23; 31,4. Tema frequente no AT: p. ex. Sl 139,11-12; 94,8-11; Eclo 24.

34,23 Jó havia pedido: o julgamento em 9,32; 14,13; o prazo em 24,1. Deus tem seus prazos e seus dias, que para o homem são sempre iminentes.
34,24 Porque Deus conhece tudo imediatamente; mas veja-se Gn 18,21 (o pecado de Sodoma).
34,27 Ver 24,13.
34,28 É doutrina comum que Deus escuta as reclamações dos oprimidos e lhes faz justiça, e que a justiça dele consiste principalmente nisso. Ex 3,7; Eclo 35.
34,29 A inatividade de Deus é a espera para que a história amadureça, Is 18,4-6. Sobre o Deus escondido: 13,24; 23,9; Sl 10,1; 44,25; 88,15; 104,29; Is 8,17; 45,15.
34,29c-30 O texto hebraico é duvidoso.

³¹Diz a Deus: "Eu me enganei,
 não pecarei;
³²o que eu não vejo, ensina-me tu,
 e se cometi delito, não voltarei a fazê-lo".
³³Deve ele retribuir ao teu capricho?
 Visto que fazes e desfazes, e não eu,
 o que sabes dize-o;
³⁴e os homens sensatos que me escutam
 e os sábios confessarão:
³⁵"Jó fala sem saber,
 suas palavras não têm sentido.
³⁶Que o torturem até o fim
 por suas respostas, dignas de um perverso;
³⁷porque ao pecado acrescenta a rebelião,
 diante de nós caçoa
 e não cessa de falar contra Deus".

35

¹Eliú prosseguiu:
²Parece-te razoável o que dizes:
 "Tenho razão contra Deus"?
³Acrescentas: "De que me adiantou,
 o que ganhei, não pecando?"
⁴Vou responder-te
 e a teus amigos também.
⁵Olha atentamente o céu,
 observa as nuvens tão altas.

34,31-32 O texto desses versículos é muito duvidoso. Na nossa interpretação, Eliú recomenda a Jó a penitência, como em 33,27. Na confissão introduz outro elemento válido: a ignorância reconhecida. Em si é um dado útil; inútil para refutar Jó.

34,32 Ver 6,23; 10,2; 13,23.

34,33 O homem quer ditar para Deus normas de justiça e julga Deus segundo a própria ideia sobre justiça. Jó criticou o governo de Deus: 9,24; 10,3; 12,6; 21,6-33; 27,1-17. Por outro lado, de sua gestão pessoal como chefe traçou um quadro irretocável: 29,12-17. Eliú responde com uma zombaria e um desafio.

34,34 Pateticamente Eliú se dirige a todos os presentes, para que ratifiquem a sentença que ele pronuncia. Qualquer leitor sensato se sentirá comprometido pelo gesto de Eliú. Nesse sentido seu gesto prolonga algo que desponta no drama original.

34,36 Como num interrogatório impiedoso, até que confesse. É justamente o que aconteceu. Também Eliú se junta aos sábios, pedindo que se torture ao homem para que triunfe a doutrina.

34,37 Com essas palavras em forma de sentença judicial, aqui poderia terminar o discurso de Eliú. Mas restam-lhe ainda outros argumentos.

35 É preciso recordar que alguns leem 33,31-33 como introdução a este capítulo, obtendo assim a estrutura: convite a escutar (33,31), convite a discutir (33,32-33), citação de Jó (35,2-4), refutação (35,5-8). Também 35,9-13 pode ser lido como continuação do tema.

O raciocínio de Eliú leva implícito um teorema: do não pecar, nada se tira perante Deus, porque o pecado não lhe causa dano e o agir bem não lhe traz vantagem. Ao invés, maldade e justiça afetam o próximo. Então, por que Deus não sanciona o mal feito ao próximo? Porque uns não suplicam nem apelam para Deus, outros não suplicam com a sinceridade exigida. Em outros termos, Eliú continua com sua imagem de um juiz justo e imparcial: um juiz absolve e condena, não porque o réu o ofendeu ou porque uma parte lhe fez favores; isso seria vingança ou suborno. O juiz não é parte, e esta é a garantia da sua justiça. O que faz é restabelecer o direito violado, resolver a causa das duas partes. Também Deus: não castiga para se vingar de uma ofensa, nem premia para agradecer um favor; como juiz imparcial, resolve os litígios que perturbam a paz dos homens. Objeção: muitas vezes não intervém. Resposta: porque não apelam ao seu tribunal. Objeção: mesmo que apelem, ele não intervém. Resposta: porque apresentam uma causa falsa. Onde fica Jó nesse esquema? No lugar de quem cumpre uma sentença por ter lesado o direito do próximo, ou seja, onde Elifaz o tinha colocado no cap. 22.

35,4 Os amigos do livro e os que entre os leitores simpatizam com Jó.

35,5 Ver 9,8-11 (Jó), 11,7-9 (Sofar), 22,12 (Elifaz). A distância de nuvens e o céu revelam a transcendência de Deus, que as ações humanas não alcançam.

⁶Se pecas, que mal fazes a Deus?
  Se acumulas os delitos, que dano lhe causas?
⁷Se és justo, o que dás a ele,
  ou ele o que recebe de tua mão?
⁸Tua maldade afeta um homem,
  e tua justiça, um ser humano como tu.
⁹Sob o peso da opressão reclamam
  e pedem socorro contra os poderosos.
¹⁰Mas não dizem: "Onde está nosso Criador,
  que restaura as forças durante a noite,
¹¹que nos instrui pelos animais da terra
  e nos ensina pelas aves do céu?"
¹²Então, pela arrogância
  dos perversos clamam,
  mas ele não responde.
¹³Porque Deus não escuta a falsidade,
  o Todo-poderoso não lhe dá atenção.
¹⁴Muito menos quando dizes que não o vês,
  que a causa está diante dele e continuas esperando.
¹⁵Agora, como sua cólera não castiga,
  nem olha atentamente os delitos,
¹⁶Jó abre a boca e solta vento,
  multiplicando palavras sem sentido.

36

¹Eliú continuou falando:
²Espera um pouco e te ensinarei,
  pois ainda resta algo para dizer
  em defesa de Deus.
³Irei longe buscar meu saber
  para dar razão a meu Criador;
⁴certo, meus argumentos não são falsos,
  fala contigo um sábio consumado.

35,6-7 Ver 7,20; 22,2-4; Sl 50,9.

35,8 Ver Pr 9,12. Os termos usados para maldade e justiça são os que se usam na linguagem forense para inocência e culpabilidade. Por isso o texto tem ou implica um segundo sentido: a inocência ou culpabilidade legal de Jó se referem a outro homem, funcionam só em nível humano, é inútil que empregue tais categorias para pleitear contra Deus.

35,9 A partir desse versículo, o texto hebraico se torna extremamente difícil, mais pela sintaxe que pelas palavras. Tomamos os versículos 9-10 como antítese: "reclamam... mas não dizem..." Assim supõem a objeção de Jó e a resposta de Eliú.

35,10 A noite é tempo vazio, não de graça, símbolo da morte; não obstante, precisamente nesse tempo Deus nos renova as forças (recorde-se Sl 127,2). Igualmente, Deus pode renovar as forças de quem sofre na escuridão da angústia; ou enquanto Deus parece escondido nas trevas.

35,11 Ver 12,7; Pr 6,6; 26,2.11; 30,24-31.

35,12 Parece aludir ao discurso de Jó sobre opressores e oprimidos, 24,12.

35,13 Como resposta de Eliú, não muito lógica.

35,14 Eliú continua citando Jó: 13,24; 23,8-9; 30,20.

35,15 Ou seja, o silêncio e inatividade de Deus são um escândalo para Jó, que não sabe esperar.

36,1-21 A introdução desse capítulo anuncia que algo novo "resta por dizer". Isso vale para o hino que começa no v. 22 e continua no cap. seguinte. Os versículos 5-21 voltam a expor a doutrina do castigo salutar e a transformam numa exortação – coisa que os amigos já fizeram, talvez com menos precisão. Eliú leva em conta não só a ação divina, mas também a reação humana, numa alternativa de tipo casuístico: "se dão atenção... se não escutam..." Ou seja, o castigo salutar exige uma aceitação livre do homem, que deve reconhecê-lo como tal e converter-se. É a velha ideia da dor reveladora do pecado.
O fragmento não cita palavras de Jó; é de supô-las do contexto anterior.

36,3 Pode referir-se de longe a uma doutrina exótica ou antiga.

36,4 Julga-se na posse da solução definitiva, que pode encerrar o caso Jó; mas o drama de Jó é grande demais para ficar resolvido e encerrado pelas palavras de um Eliú ou de muitos semelhantes.

⁵Olha, Deus é poderoso
 e não despreza o coração sincero,
⁶não deixa com vida o perverso,
 faz justiça ao pobre,
⁷não afasta seus olhos do justo,
 senta-o em tronos reais
 e o exalta para sempre.
⁸E quando os ata com cadeias
 ou submete com cordas de aflição,
⁹é para denunciar-lhes suas ações
 e os pecados de sua soberba;
¹⁰abre-lhes os ouvidos para que aprendam
 e os exorta a converter-se da maldade.
¹¹Se obedecem submetendo-se,
 acabarão seus dias na prosperidade
 e seus anos no bem-estar.
¹²Se não obedecem, passarão a fronteira da Morte,
 expirarão sem perceber.
¹³Pois quando os prende, os perversos,
 em vez de pedir auxílio, acumulam rancor;
¹⁴perdem a vida em plena juventude,
 e morrem na idade dos rapazes.
¹⁵Com a aflição ele salva o afligido,
 abrindo-lhe o ouvido com o sofrimento.
¹⁶Também a ti ele impele a sair
 das garras da angústia
 para um lugar espaçoso e aberto,
 para servir-te substanciosa mesa;
¹⁷mas não defendas a causa do perverso,
 mantém minha causa;
¹⁸não te deixes seduzir pela abundância,
 nem torcer por um rico suborno.
¹⁹Acaso no perigo valerão diante dele
 tuas riquezas e todas as tuas posses?
²⁰De noite não estejas desejando
 expulsar a gente de seu lugar;
²¹não te voltes para a maldade,
 pois por ela te provaram com a aflição.

36,5 Duvidosa a segunda parte: ver Sl 51,19.
36,6 Responde a 21,7; ver Sl 37,35-36; 73,18-20.
36,7 Elifaz em 5,11; Sl 113,7-8; e o Magnificat, Lc 1,52.
36,8 Os versículos anteriores apresentam o princípio geral; o que se segue explica os casos que parecem violar tal princípio. É o segundo princípio do castigo salutar, já apontado por Elifaz, 5,17. Primeiro fala do sofrimento como castigo.
36,11-12 A dupla fórmula "se... se não..." encontra-se também na pregação da aliança e da lei – bênçãos e maldições – e na pregação profética, p. ex. Is 1,19-20.
36,13 É o processo da teimosia, o endurecer do coração; ver como exemplo a história de Moisés diante do Faraó.
36,14 A lei proíbe a prostituição sagrada de mulheres e de homens, Dt 23,17, e os livros narrativos se referem a esse abuso e respectivo remédio, 1Rs 14,24; 15,12; 22,46; 2Rs 23,7. Eliú (não sabemos por que) supõe que esses jovens "hieródulos" morriam prematuramente.
36,16-20 Esses versículos são um enigma ainda não explicado. As diversas conjecturas se baseiam em ligeiras mudanças no texto, em mudar os sujeitos que falam. Parece que se trata de uma exortação à justiça com o próximo, especialmente com o indefeso; como se Jó não tivesse pronunciado seu juramento de inocência.
36,16 Ver Sl 4,2; 23,5; 35,9.
36,17 "Minha causa": porque a causa dos indefesos é causa de Deus. Era a atividade de Jó: 29,12.14.16.
36,19 Ver Sl 49,8-10.
36,20 A noite como tempo dos malfeitores: 24,13-17.
36,21 Termina a série de proibições ou recomendações num estilo que recorda sobretudo o Deuteronômio. Pausa maior.

²²Olha, Deus é sublime em poder,
   que mestre se pode comparar a ele?
²³Quem lhe indica o caminho,
   quem pode acusá-lo de injustiça?
²⁴Lembra-te de celebrar suas obras
   que os homens cantaram;
²⁵todos as contemplam,
   os humanos as olham de longe.
²⁶Olha, Deus é sublime, não o entendemos
   e não podemos contar seus anos.
²⁷Vai apartando gotas de água
   e as filtra de sua fonte como chuva;
²⁸as nuvens as destilam
   e caem em chuviscos sobre o solo.
³¹Com elas alimenta os povos,
   dando-lhes comida abundante.
²⁹Quem calcula a extensão das nuvens
   ou a altura de seu pavilhão?
³⁰Em torno de si estende a luz,
   e assenta seu trono nas raízes do mar.
³²Esconde o raio em suas palmas
   e o lança certeiro para seu alvo.
³³O Altíssimo faz ouvir seu trovão
   e sua ira provoca a tempestade.

36,22-37,24 A última seção de Eliú é um hino à grandeza de Deus aplicado às reclamações de Jó. Escutavam-se fragmentos hínicos nos discursos dos amigos (caps. 5 e 11), e nos de Jó (caps. 9 e 12); sobressaía o de Baldad (caps. 25-26). Tampouco nesse aspecto Eliú é totalmente original, e fica muito abaixo de Baldad em inspiração poética. Pelas reflexões e perguntas finais, esse discurso antecipa os de Deus. Mas a perspectiva e a função poética são diferentes, e Eliú não pode soltar seu papel usurpado de ator. O tema do hino é a ação admirável de Deus nos meteoros, especialmente na tempestade teofânica. O tema é tradicional. No seu discurso, Eliú utiliza os elementos cósmicos como argumento para provar o poder, a sabedoria e a justiça de Deus. O domínio sobre as forças da natureza revela o poder de Deus, a ordem e a alternância das estações revelam sua sabedoria, o uso que Deus faz ao favorecer ou castigar revela sua justiça. Tudo isso de maneira particular, revelando ao mesmo tempo a distância inatingível, a sabedoria insondável, a justiça indiscutível de Deus. É uma revelação com algo de enigma, supera o que revela, ensina impondo respeito.
O hino traz como exórdio uma interpelação a Jó; na última seção (14-24) a descrição se funde na interpelação. O estilo é prolixo, como se com repetições quisesse compensar a falta de expressões vigorosas. Embora seja verdade que nossa impressão é influenciada pelas dificuldades insuperáveis de muitos versículos.

36,22-25 Esses versículos são programáticos. Com outra terminologia, reúnem quatro atributos de Deus: poderoso, sábio, justo, transcendente; entre eles sobressai a justiça.

36,22 O título de mestre é aplicado a Deus em Is 30,20.

36,23 Ver sobretudo Is 40,13-14. Acusação de injustiça: 9,12; 21,31.

36,24-25 Em vez de acusar ou criticar, Jó deve unir-se ao coro dos fiéis que louvam ao Senhor. As obras são visíveis, mas distantes, revelam ao mesmo tempo a presença e a transcendência. O homem deve tomar diante delas uma atitude contemplativa que se transforma finalmente em canto: ver p. ex. Eclo 39,14-15.35. A chuva pode ser benéfica (31); a tempestade, punitiva (33); as nuvens, flagelo ou favor (37,13); o trovão infunde temor reverencial (37,1).

36,24 Eclo 17,8-10.

36,26 A idade de Deus é seu transcender o tempo, como em Is 43,10; Sl 102,25-28; também implica a sabedoria plena.

36,27.28.31 O modo diferente de chover, gotejando ou torrencial, é um primeiro enigma que manifesta uma inteligência superior e um controle absoluto.

36,29-30 Imagina um soberano: seu pavilhão ou tenda, gigantesca, feita de nuvens (cf. Sl 18,12); envolve-se em luz como num manto real, assenta seu trono (a terra?) sobre o mar subterrâneo: compare-se com Sl 104, 2.3.5.

36,31 A chuva como bênção é outro enigma, pois ela produz alimento abundante para povos inteiros.

36,32-33 Através de um texto duvidoso imaginamos o soberano em ação: ardendo no zelo de sua ira, lança o bramido do trovão e dispara contra o alvo o raio que empunha na mão: compare-se com Sl 18,14-16.

37

¹Ao ver isso, meu coração treme
   e salta do lugar.
²Atenção, ouvi o trovão de sua voz
   e o retumbar que sai de sua boca;
³solta sob o céu seu raio
   que alcança até o extremo do orbe;
⁴atrás dele ruge sua voz, troveja com voz majestosa
   e nada os detém
   tão logo se escuta sua voz.
⁵Deus troveja com voz maravilhosa
   e realiza proezas que não compreendemos.
⁶Ordena à neve: "Cai ao solo",
   e ao aguaceiro: "Apressa-te".
⁷Encerra todo homem,
   para que o mortal
   reconheça que é obra sua.
⁸As feras se metem em seus covis
   e ficam em seus abrigos.
⁹Das câmaras do sul vem a tempestade,
   dos ventos do norte a geada;
¹⁰ao sopro de Deus se forma o gelo
   e se congela a superfície da água.
¹¹Ele enche de umidade os nimbos
   e dispersa as nuvens de tempestade,
¹²que giram e se revolvem, guiadas por ele,
   para cumprir todas as suas ordens
   sobre a superfície do orbe;
¹³e faz que acertem, como açoite
   – se não obedecem – ou como favor.
¹⁴Escuta isso, Jó,
   para e presta atenção às maravilhas de Deus:
¹⁵Sabes como Deus dirige as nuvens
   e faz fulgurar sua nuvem de relâmpagos?
¹⁶Sabes como ele equilibra as nuvens,
   maravilhas de consumada sabedoria?
¹⁷Tu, que te abrasas em tua roupa
   quando a terra adormece sob o vento sul,
¹⁸podes estender como ele o firmamento,
   duro como espelho de metal fundido?

37,1 Terror numinoso provocado pela teofania: ver p. ex. 1Sm 7,10.
37,2 O trovão como voz de Deus: Sl 29.
37,5 Eco de Elifaz, 5,9 e de Jó, 9,10.
37,6 Compare-se com Sl 147,16 e com a descrição de Eclo 43,17-18.
37,7-8 O primeiro versículo é duvidoso. Pelo paralelismo com o seguinte sobre os animais, parece tratar da inatividade forçada do homem durante as tempestades invernais. É um tempo em que Deus age sozinho, e o homem não pode atribuir nada a si. A ação de Deus pode ser benéfica ou destrutiva.
37,9 Ver Sl 135,7; Eclo 43,14.
37,10 Ver Sl 147,17; Eclo 43,20.

37,11 Versículo duvidoso.
37,12-13 Conclui o tema resumindo a função dos meteoros a serviço da justiça divina. Compare-se com Eclo 39,16.21.28.30.
37,15 O estilo de perguntas é comum no gênero sapiencial e também no desafio, forense ou não; exemplo típico, Is 40,12-27; também Pr 30,4. Os enigmas deixam o adversário sem resposta, ou lhe dão a vitória: lembrar Sansão (Jz 14,14.18) e Salomão (1Rs 10,3).
37,16 A maravilha é que, estando as nuvens carregadas de água pesada, se elevam e voam no alto.
37,17-18 O começo é duvidoso. O frio tranca homens e animais em casa, e o calor enerva e paralisa o homem.

¹⁹Ensina-nos o que devemos dizer-lhe,
  porque às escuras não podemos argumentar.
²⁰Deve-se adverti-lo de que quero falar?
  Se alguém disser algo, deve-se informá-lo?
²¹Agora não se vê a luz
  obscurecida entre nuvens;
  mas um vento passará limpando-as.
²²Do norte vêm resplendores de ouro,
  Deus se rodeia de majestade terrível;
²³não podemos alcançar o Todo-poderoso:
  sublime em poder, rico em justiça,
  não viola o direito.
²⁴Por isso o temem todos os homens
  e ele não teme os sábios.

38 ¹Então o Senhor respondeu a Jó na tempestade:

37,19-20 Convite irônico a preparar a discussão com Deus. Ao pronunciar essa frase, Eliú já sabe o que vem: Jó não terá o que responder a Deus. Assim esses versículos se referem aos preparativos de Jó, ao passo que os seguintes anunciam a chegada de Deus na teofania. Com eles cria uma ponte artificial para se retirar da cena sem esperar a resposta de Jó, e para unir seu discurso com o que se segue. O versículo 20 é ininteligível: talvez aluda ao criado que anuncia a entrada de um visitante ou se refira à intervenção de um dos presentes.

37,21-22 A teofania é como o brilho do sol depois da tempestade, quando o vento limpou o céu de nuvens. Do norte longínquo, do monte Safã, morada dos deuses, chega um resplendor dourado que é a majestade de Deus (compare-se com Ez 1). Em outros textos Deus vem do Sinai ou do Sul: Sl 68,8-9.35-36; Hab 3,3. Nesse sentido, a descrição da tempestade e do inverno era hino e ensinamento humano; a teofania de Deus vai tomar a forma do triunfo da luz sobre o nublado; recordem-se as variações da teofania em 1Rs 19.

37,23-24 À maneira de epifonema, unindo em inclusão com 36,22-23. Repete os atributos que comentava em sua argumentação: poder, sabedoria, justiça; tudo isso transcendendo o alcance humano. Eliú se despede com alusão aos sábios (cf. Is 29,14).

CONTINUA O QUARTO ATO.
DEUS FALA

38-41 (Ligando ao cap. 31, saltamos a interrupção de Eliú.) "Aqui está minha assinatura. Que o Todo-poderoso responda!" (31, 35). Depois dessas palavras de Jó, Deus tem de falar. Cenicamente cabem duas soluções: uma pausa longa, adensando o silêncio de expectativa, ou então uma rapidíssima resposta, de surpresa. A menção da tempestade pode favorecer a primeira solução.
Deus tem de falar para resolver, numa instância superior, o pleito dos quatro amigos, pois o pleito tinha Deus como tema. Depois de três rodadas com nove discursos, ninguém resolveu a questão nem convenceu o opositor. Deus tem de falar, porque Jó o desafiou a um duelo verbal. A essas alturas a neutralidade de Deus é impossível: se absolutamente não intervém, a doutrina dos amigos fica desacreditada, porque se pode acusar Deus impunemente; e Jó é vencedor, porque deixou Deus sem palavras. Deus tem de intervir, a dinâmica do poema o exige; todos, atores e público, o esperam. Como deve intervir? Nesse momento, a diferente expectativa dos personagens cria uma tensão duplicada.
Na expectativa dos amigos, a intervenção de Deus deve ser um raio que fulmine Jó e lhe imponha silêncio como castigo final. A lógica da argumentação e as repetidas afirmações sobre a morte dos perversos o exigem; efetivamente, a tempestade é o final de Jó – pensam os amigos entre compassivos e satisfeitos –, o trovão, voz de Deus sem palavras, será a resposta que acompanha a execução, como surdo rufar de tambores.
Jó espera um encontro dramático – a tempestade é bom acompanhante –, um diálogo em que ambos possam apresentar suas razões com igualdade de direitos, e uma sentença que será a culpabilidade de Deus e a inocência de Jó. A isso tendem seus discursos, sobretudo a partir de sua primeira resposta a Baldad, cap. 9. Na dor Jó cresceu, sua fraqueza é sua força, e não teme enfrentar a tempestade.
O público e o leitor, o que esperam? Uma resposta intelectual ao problema? Um ato de compreensão e umas palavras compassivas? Entre Jó e os amigos, o leitor terá tomado partido por Jó, como pede o drama; entre Jó e Deus, o leitor talvez se tenha posto do lado de Jó, quem sabe com ressalvas. Certa tensão e ambiguidade devem caracterizar a expectativa do público (sobre ela voltaremos mais tarde, terminados os discursos de Deus, para não romper a tensão antes do tempo).
Pois bem, escuta-se a resposta de Deus, coisa que todos esperávamos; seu conteúdo e tom frustram a expectativa de cada um. Uma resposta imprevisível é o último acerto do autor.
O conteúdo do discurso é formado por uma série de descrições sapienciais do cosmo e do mundo animal: terra, mar, aurora, meteoros, constelações, íbis, galo, leoa, camurça, asno selvagem, búfalo, avestruz, cavalo, falcão, para terminar com um hipopótamo e

²Quem é esse que obscurece meus desígnios
  com palavras sem sentido?
³Se és homem, cinge os rins:
  vou interrogar-te, e tu responderás.
⁴Onde estavas quando alicercei a terra?
  Dize-o, se é que sabes tanto.
⁵Quem marcou suas dimensões? – se o sabes –,
  ou quem lhe aplicou a fita de medir?
⁶Onde se encaixa sua base
  ou quem assentou sua pedra angular
⁷entre a aclamação unânime
  dos astros da manhã
  e o aplauso de todos os anjos?
⁸Quem fechou o mar com uma porta
  quando saía impetuoso do seio materno,
⁹quando lhe pus nuvens como vestes
  e névoa como cueiros,
¹⁰quando lhe impus um limite
  com portas e ferrolhos

um crocodilo mitológicos. O inanimado, os animais; e onde está o homem? Uma breve referência (40,11-13) não basta. O homem é Jó, viajante na mão de Deus por um imenso reino de maravilhas. A palavra de Deus o converte em aventureiro por seu próprio reino, o mundo, e descobridor de seus próprios domínios, que são os animais submetidos a seu senhorio. Com espanto e surpresa vai descobrindo sua própria ignorância, seu poder limitado. Que tragédia ser homem e ter de sofrer! Que maravilha ser homem e poder descobrir!

A forma do discurso é uma espécie de interrogatório, em séries rápidas de perguntas ou em perguntas que abrangem amplas descrições. O interrogatório coloca Jó entre o gênero sapiencial e o gênero forense: certa ambiguidade desejada. Se Jó é ignorante, não tem direito de reclamar; mas tampouco pode ofender, sua ignorância é desculpa ou atenuante. Se é ignorante, não pode ganhar o pleito; mas tampouco o perde. Ele pode ganhar Deus, que vale mais, e ganhar a si mesmo para Deus. Sua confissão será vitória de Deus sem ser derrota de Jó.

O estilo desses discursos é o melhor no gênero descritivo da antiguidade. Os seres cósmicos aparecem personificados, com dimensões sobre-humanas, cheios de dinamismo; transpostos a imagens humanas e mesmo domésticas, as criaturas cósmicas dilatam e quebram a imagem. Os animais desfilam ostentando uma qualidade característica, representando como bons atores uma cena, a sua, bem conhecida e ensaiada. Animais em liberdade, em seu ambiente (não presos num zoológico). Não se deve esquecer que a presença de Jó e a palavra de Deus são o fator principal que anima essa visão.

A construção desses capítulos é simples: breve introdução (38,1-3), primeiro interrogatório e descrição (38,4-41; 39; 40,1-5), primeiro diálogo e confissão de Jó; nova introdução (40,6-8), segundo interrogatório e descrição (40,9-41,26), segundo diálogo e confissão de Jó (42,1-6), conclusão de Deus (42,7-8).

38,1 A aparição numa teofania é um modo solene. O tema, sobretudo em forma de tempestade, é comum em salmos e profetas: p. ex. Sl 18,8-14; 50,3, pleito com o povo; 76; 77,17-21; 83,16; 97,2-5. A teofania presente é ordenada ao discurso. A resposta de Deus foi uma obsessão ao longo da discussão: finalmente Deus "responde".

38,2 A primeira pergunta do interrogatório resume a situação e começa a colocar os personagens em seu lugar. A culpa de Jó é de ignorância atrevida: julga sem compreender e condena sem alcançar o desígnio total; denigre o difícil e declara arbitrário o que ele não consegue refletir; não reconhece a última dimensão impenetrável. Sobre o desígnio de Deus, ver p. ex. Is 11,2; 14,26-27; 28,29.

38,3 Deus aceita o desafio (13,22) e toma a palavra. Será como um corpo-a-corpo; Deus já está realizando dois pedidos de Jó: o encontro e o diálogo. Seu responder será em grande parte perguntar.

38,4-7 A terra, em termos arquitetônicos. É a manhã em que se coloca a primeira pedra, com toda a solenidade, ante um público do mundo divino e celeste, entre aclamações. Em seguida, começam as obras. Leia-se a descrição da festa litúrgica ao se colocar a primeira pedra do templo reedificado, Esd 3,10-11. A terra ocupa lugar central na atenção do momento.

38,4 Ver Sl 24,2; 89,12; 102,26; 104,5.8.

38,5 Ez 40,3 e Zc 1,16: do templo e da cidade; Is 40,12; Pr 30,4; Sl 82,5: do cosmo.

38,6 Do templo ou da cidade: Is 28,16; Sl 118,22; do universo: Jó 9,6.

38,7 Os astros são criaturas celestes a serviço de Deus.

38,8-11 O oceano, visto tantas vezes como formidável dragão mitológico, é visto aqui como recém-nascido indefeso. Cena doméstica em dimensões sobre-humanas.

38,8 Is 57,20; Sl 93,3s.

38,10 A mesma palavra significa limite e lei: passar dos limites é transgressão.

¹¹e lhe disse: "Até aqui chegarás e não passarás;
aqui cessará a arrogância de tuas ondas"?
¹²Deste em tua vida ordens para o amanhecer
ou marcaste para a aurora o seu lugar,
¹³para que agarre a terra pelas bordas
e dela sacuda os perversos,
¹⁴para que lhe dê forma como o lacre à argila
e a tinja como a roupa,
¹⁵para que sua luz seja negada aos perversos
e o braço rebelde seja quebrado?
¹⁶Entraste pelas fontes do mar
ou passeaste pela profundidade do oceano?
¹⁷Mostraram-te as portas da Morte
ou viste os portais das Sombras?
¹⁸Examinaste a extensão da terra?
Conta-me, se sabes tudo isso.
¹⁹Por onde se vai à casa da luz
e onde vivem as trevas?
²⁰Poderias conduzi-las a seu país
ou ensinar-lhes o caminho de casa?
²¹Saberás, pois já havias nascido então
e tens tantíssimos anos.
²²Entraste nos depósitos da neve,
observaste os celeiros do granizo,
²³que reservo para a hora do perigo,
para o dia da guerra e do combate?
²⁴Por onde se reparte o mormaço
e se difunde sobre a terra o vento oriental?
²⁵Quem abriu um canal para o aguaceiro
e uma rota para o relâmpago e o trovão,
²⁶para que chova nas terras despovoadas,
na estepe onde o homem não habita,
²⁷para que se sacie o deserto desolado
e brote erva no paramo?
²⁸Tem pai a chuva?
Quem gera as gotas do orvalho?
²⁹De que seio nascem os gelos?
Quem dá à luz a geada do céu

38,11 Ver Sl 104,9; Pr 8,29; Jr 5,22, o paradoxo da areia que freia o mar.
38,12-15 A aurora é recriadora do mundo: como um pastor que sacode seu manto para limpá-lo, como um artesão que grava formas na argila, como um tingidor que colore os tecidos.
38,12 Sl 101,8; 104,22.
38,13-15 Recordem-se os habitantes das trevas descritos por Jó, 24,13-17; a luz universal e generosa da aurora não é a deles. Corre um paralelismo entre o oceano descontrolado, as trevas noturnas, os perversos.
38,16-18 Como uma viagem cósmica sobre a qual alguém informa ao voltar; é a mesma imagem que Eclo 24 aplica à sabedoria.
38,16 Trata-se do oceano subterrâneo: Gn 7,11; 49,25; Dt 33,13. Debaixo dele se encontra o mundo dos mortos, 26,5.

38,19-20 Continua a imagem da viagem cósmica. Luz e trevas são como dois personagens que se retiram alternadamente à sua morada, da mesma forma que homens e animais em Sl 104,20-23.
38,21 A sabedoria é proporcional à idade, só a sabedoria primordial abraça todo o saber do cosmo: Pr 8; Eclo 1; 24. Ver também 15,7.
38,22-23 Ex 9,18; Js 10,11; Is 28,17; 30,30; Ez 13,13; 38,22; Sl 78,47; 105,32; 147,16; Eclo 39,29.
38,24 O caráter maléfico do mormaço é atestado em Ex 10,13; Ez 19,12; Os 13,15. Seu itinerário é estranho.
38,25 A abundância de água trará resultados benéficos.
38,26-27 Esbanja chuva onde não se espera nem faz falta. O desígnio divino é mais amplo que os empreendimentos humanos.
38,28-29 Pai e mãe da chuva e do orvalho são imagens de ascendência mitológica.

³⁰para que a água se cubra com uma laje,
    aprisionando a superfície do lago?
³¹Podes atar os laços das Plêiades
    ou desatar as amarras do Órion?
³²Podes fazer sair as constelações em sua hora
    ou guiar a Ursa com seus filhos?
³³Conheces as leis do céu
    ou determinas suas funções sobre a terra?
³⁴Podes levantar a voz até as nuvens
    para que te cubra o chuvisco?
³⁵Envias os raios, e eles vêm
    e te dizem: "Aqui estamos"?
³⁶Quem deu sabedoria ao íbis
    e perspicácia ao galo?
³⁷Quem conta sabiamente as nuvens
    e entorna os cântaros do céu,
³⁸quando o pó se funde na massa
    e os torrões se amalgamam?
³⁹Caças tu a presa para a leoa
    ou sacias a fome de seus filhotes
⁴⁰quando se encolhem no abrigo
    ou se agacham à espreita no mato?
⁴¹Quem abastece o corvo de sustento
    quando chilreiam seus filhotes a Deus
    e vagam enlouquecidos pela fome?

39

¹Sabes quando parem as camurças
    ou assististe ao parto das cervas?

38,31-32 Atar e desatar é poder pleno. A maravilha das constelações, movendo-se em idêntica figura, como uma junta ou parelha de animais.

38,33 Parece aludir à influência das constelações sobre a terra, segundo as concepções astrológicas da época.

38,34 Alude talvez a Josué: Js 10,11-14.

38,36 No lugar em que estão parece considerar o íbis e o galo, profetas do tempo atmosférico. Outros preferem ler esse versículo depois de 38.

Antes de passar à série zoológica, abro espaço para um problema grave: acusa-se a esses capítulos de responder a problemas morais com dados físicos. Cosmo e animais não pertencem ao mundo ético. Para responder, vou repassar a lógica das razões de Jó. Ele sofre sabendo-se inocente, donde se segue que Deus o trata injustamente. E não é uma exceção, já que Deus, ou não distingue entre bons e maus, ou se descompromete com o mundo, de modo que aí impera a injustiça. Em tal caso, seria melhor que o mundo voltasse ao caos (cap. 3). Para Jó, sofrimento imerecido, desordem ética do mundo e forças do caos estão unidos. Deus aceita em parte a colocação de Jó e afirma que tem um plano ou desígnio (38,2); a existência do mal e da injustiça faz parte desse plano (40,11-12); ele controla e domina constantemente as forças do mal e do caos. Deus faz isso argumentando *ad hominem* contra Jó e provando, por analogia ou por símbolos, seu domínio perfeito. Entre os símbolos sobressaem luz e trevas, chuva e aridez, os animais fantásticos. O personagem Jó é sensível à linguagem simbólica. A seguir, o desfile de animais.

38,37-38 Contar é ato de posse. Aponta os efeitos de uma chuva rápida e abundante: a poeira, antes solta e voadora, se comprime em massa compacta.

38,39-39,30 Contam-se dez animais, moradores do deserto ou de regiões desabitadas, ou dedicados à guerra (o cavalo). Deus não os destrói; antes, cuida deles e os alimenta, mas os mantém nos limites.

38,39-40 O leão ocupa o primeiro lugar: Pr 30,30; pode ser imagem de ferocidade e violência. Deus não o elimina.

38,41 Sobre o corvo: Is 34,11; Pr 30,17.

39 Continua a série de animais em liberdade, não domesticados. Quase todos apresentam um aspecto positivo e outro negativo: as camurças conhecem o tempo e sabem dar à luz, mas não sabem reter as crias; o asno selvagem vive livre, mas busca o sustento com trabalho; o búfalo (bisão) é robusto, mas não serve para as tarefas do campo; o avestruz é veloz, mas não sabe cuidar de seus ovos; o cavalo é ágil, mas busca o perigo; a ave de rapina tem vôo alto e vista perspicaz, mas se alimenta de sangue e carniça. Em conjunto compõem um quadro de qualidades e costumes variados, que revelam uma sabedoria rica e ao mesmo tempo estranha. É um mundo que o homem não submeteu, não domesticou; o máximo que pode é conhecê-lo. Todos, exceto o avestruz, receberam de Deus sabedoria. Ver Eclo 1,9.

39,1-4 A camurça (corça) é imagem de graça e beleza, como o indicam Pr 5,19 e as referências do Cântico dos Cânticos.

²Contas os meses de sua gravidez
ou conheces o momento do parto?
³Elas se encurvam, forçam as crias a sair,
lançam fora os filhos;
⁴as crias crescem e se tornam fortes,
saem a campo aberto e não voltam.
⁵Quem dá ao asno selvagem sua liberdade,
e solta as amarras do onagro?
⁶Eu lhe dei o deserto como casa,
e como moradia a planície salgada;
⁷e ele ri da agitação da cidade
e não escuta as vozes do tropeiro;
⁸explora os montes em busca de pasto,
rastreando qualquer recanto verde.
⁹Está o bisão disposto a servir-te
e a passar a noite em teu estábulo?
¹⁰Podes atá-lo nos sulcos férteis
para que are as terras atrás de ti?
¹¹Embora seja robusto, podes confiar nele
e descarregar sobre ele tuas tarefas?
¹²Crês que voltará
para reunir o grão em tua eira?
¹³O avestruz esvoaça orgulhosamente,
são suas plumas
como a plumagem da cegonha;
¹⁴quando abandona no solo os ovos
e os choca na areia,
¹⁵sem pensar que um pé possa quebrá-los
e uma fera pisoteá-los,
¹⁶é cruel com suas crias, como se não fossem suas;
não se importa que sua fadiga fracasse;
¹⁷porque Deus lhe negou sabedoria
e não lhe concedeu inteligência.
¹⁸Mas quando se ergue batendo os flancos,
ri-se dos cavalos e cavaleiros.
¹⁹Dás ao cavalo seu brio,
vestes seu pescoço de crinas?
²⁰Tu o fazes saltar como gafanhoto,
com bufar terrível e majestoso?
²¹Pateando no vale e, gozoso de sua força,
sai ao encontro das armas;
²²ri-se do medo, não se assusta,
não se volta diante da espada,
²³contra ele ressoa a aljava,
fulguram lança e dardo;
²⁴com ímpeto e estrondo devora a distância,
e não para quando soa o clarim;

39,2 Jr 14,5.
39,5-8 Emblema do destino de Ismael, Gn 16,12. É como um escravo emancipado que caminha para desfrutar da liberdade com seus riscos.
39,9 Sua força e agressividade são proverbiais: Nm 23,22; 24,8; Sl 22,22; 92, 11.
39,13-18 Não é certa a identificação com o avestruz, que choca com grande diligência. Pode tratar-se de uma ave que desconhecemos ou de uma lenda. No AT o avestruz aparece com outro nome: Is 13,21; 34,13; Lm 4,3.
39,19-25 Uma das descrições mais famosas da Bíblia. Sua técnica é animada pela admiração entusiasta.

²⁵ao toque do clarim responde com um relincho,
  cheira de longe a batalha,
  os gritos de comando e os alaridos.
²⁶Ensinas o falcão a voar,
  a estender suas asas para o sul?
²⁷Mandas tu a águia elevar-se
  e o abutre pôr seu ninho na altura?
²⁸Numa rocha vive e se refugia,
  um penhasco é seu torreão,
²⁹de onde espreita sua presa
  e seus olhos a observam de longe;
³⁰suas crias sorvem o sangue;
  onde há carniça, aí ela está.

40 ¹O Senhor continuou falando a Jó:
²Quer o censor discutir com o Todo-poderoso?
  Que responda aquele que critica Deus.

³Jó respondeu ao Senhor:
⁴Sinto-me pequeno, o que replicarei?
  Taparei a boca com a mão.
⁵Falei uma vez e não insistirei;
  duas vezes e não acrescentarei nada.

⁶O Senhor replicou a Jó na tempestade:
⁷Se és homem, cinge os rins,
  vou interrogar-te, e tu responderás:
⁸Te atreves a violar meu direito
  ou a condenar-me para ser absolvido?
⁹Se tens um braço como o de Deus
  e tua voz troveja como a sua,
¹⁰veste-te de glória e majestade,
  cobre-te de fausto e esplendor,
¹¹derrama a enxurrada de tua cólera
  e abate o soberbo com um olhar,

39,27-30 Rapace e necrófago: Pr 30,17; 2Sm 21,10. Termina a série com uma visão de mortos e sangue.

40,1-14 Os versículos 1-5 olham para trás, tirando consequências; 7-14 olham para a frente, a outra rodada; a resposta de Jó (3-5) serve de dobradiça. Assim funciona a dialética do processo: Deus interroga Jó; este reconhece e propõe retirar-se da discussão; Deus não lhe permite, antes, insiste.

40,1-5 Jó pedia um pleito com Deus, e conseguiu: os termos "censor" e "crítico" têm conotação forense: fiscal, parte, acusador. Jó tinha pedido a Deus uma resposta, agora Deus retorce a posição e pede uma resposta de Jó: entra nas regras do pleito, o acusador se expõe; que a crítica seja responsável. Jó pedia uma sentença, que ainda não chega. Jó se sente em sobressalto (13,11), consciente de que Deus está acima de toda crítica, e decide não insistir, contente com a meia vitória ganha: fazer que Deus fale. A essas alturas, Deus não aceita a retirada; resta-lhe algo importante a dizer.

40,7-14 No pleito contraditório ou querela bilateral um tem de ser condenado para que o outro seja absolvido: ver Sl 51,6. Jó se sabe inocente: logo, Deus é culpado (v. 8). Deus não impugna a primeira parte, a honradez de Jó, porém rejeita uma colocação que condiciona e vicia o problema.

Acrescentamos um fator que complica o esquema: a presença de um terceiro, de um perverso que aflige injustamente o inocente (Jr 15,15). O que deve fazer o soberano justo? Acabar com os perversos o quanto antes? É o que ironicamente Deus oferece a Jó: que tome as rédeas do mundo, apareça numa teofania e aniquile os perversos. Aquele que criticou a desordem do mundo (21,30), que o conserte. Deus não suprimiu os animais nocivos, Beemot e Leviatã, nem Satã; controla-os. Jó pretende fazê-lo? Sairia ganhando?

Projetemos o drama para a plateia. Há quem condena o homem, para justificar Deus; outros condenam Deus a não existir, para justificar o homem. É preciso superar a colocação num plano superior.

40,9-11 Expressões de teofania correntes em profetas e salmos.

¹²humilha com um olhar o soberbo,
    e esmaga os perversos;
¹³enterra-os juntos no pó,
    venda seus rostos no túmulo.
¹⁴Então eu também pronunciarei teu louvor:
    "Tua direita te deu a vitória".
¹⁵Olha o hipopótamo,
    que eu criei como a ti;
    come erva como as vacas.
¹⁶Olha a força de suas ancas,
    a potência de seu ventre musculoso
¹⁷quando ergue sua cauda como um cedro,
    trançando os tendões das coxas.
¹⁸Seus ossos são tubos de bronze,
    sua ossatura, barras de ferro.
¹⁹É a obra-prima de Deus,
    só seu Criador pode aproximar dele a espada.
²⁰Os montes lhe trazem tributo,
    os animais selvagens brincam junto a ele;
²¹ele se deita debaixo dos lótus,
    e se esconde entre os juncos do pântano;
²²cobrem-no os lótus com sua sombra,
    envolvem-no os salgueiros da torrente.
²³Embora o rio desça bravo, não se assusta,
    está tranquilo, ainda que o Jordão
    espume contra seu focinho.
²⁴Quem o agarrará pelos olhos
    ou lhe atravessará o nariz com um forcado?
²⁵Podes pescar com anzol o crocodilo
    ou domar sua língua com uma corda?
²⁶Podes passar-lhe um junco pelas narinas
    ou perfurar-lhe a mandíbula com um gancho?

40,14 É citação do Salmo 98,2, hino ao Senhor Rei do universo, que "regerá o orbe com justiça". Deus mesmo inverte os papéis e pronuncia em honra de Jó o hino que corresponde a Deus: uma citação de Sl 98,1. A ironia chega ao limite.

40,15-41,26 Hipopótamo e crocodilo. Dois animais ocupam a segunda parte do discurso, em hebraico Beemot e Leviatã. Beemot (plural ou forma feminina do Norte) é em geral aplicado ao gado e a outros animais domesticados, ao passo que Leviatã costuma ser um dos monstros marinhos que resistem a Deus ordenador. Tentaram-se várias identificações desses dois monstros; a identificação com o hipopótamo e o crocodilo é hoje a mais corrente, um hipopótamo descrito hiperbolicamente e um crocodilo com traços fantásticos. Os dois se carregam de valor simbólico: representam poderes sobre-humanos, hostis ao homem e à ordem do cosmo. Em chave psicológica, podem representar terrores ancestrais do homem diante de poderes incompreensíveis e incontroláveis. O duplo valor, real e simbólico, deve funcionar na apresentação dessas duas criaturas poéticas.

40,15 É criatura como o homem, por isso está no seu nível, sublinhando a distância absoluta de Deus. Comer erva pode ser depreciativo, como em Sl 106,20; também pode indicar o paradoxo de sua força extraordinária. Conforme Gn 1,30, a erva é o alimento original de todos os viventes; por outro lado, em Gn 9,1-5 já existem animais ferozes que matam e devoram carne; o homem dominará a todos eles.

40,16-17 Os comentaristas medievais sublinham a potência sexual do animal.

40,19 "Obra-prima" é a expressão de Pr 8,22, mas a designação é totalmente diferente.

40,20-22 Imagem de um soberano em sua corte, recebendo tributos, entretido por seus súditos, comodamente estendido à sombra.

40,23 Também ele tem de enfrentar um ser violento, a correnteza avassaladora de um rio caudaloso. E sai vitorioso.

40,24 Duvidosa a primeira metade; outros traduzem: "Quem poderá capturá-lo com o olhar?"; ou "pelos olhos", isto é, cegando-o.

40,25-26 Leviatã parece um monstro pacífico em Sl 104,26; é evidente sua raça mitológica na escatologia, Is 27,1, em Sl 74,14 e também em Jó 3,8; Ez 29 o usa como emblema do império egípcio. Aqui é um crocodilo com atributos sobre-humanos. O versículo abre uma série de sete perguntas desafiantes.

²⁷Viria a ti com muitas súplicas
  ou te falaria com elogios?
²⁸Fará um contrato contigo
  para que o tomes como escravo perpétuo?
²⁹Brincarás com ele como se fosse um pássaro,
  ou o atarás como a um pardal?
³⁰Traficarão com ele os pescadores
  ou o dividirão entre os comerciantes?
³¹Poderás crivar-lhe o couro com dardos
  ou a cabeça com arpões?
³²Põe-lhe a mão em cima:
  tu te lembrarás da batalha e não o repetirás.

41

⁴Não deixarei de descrever seus membros
  nem sua força incomparável.
⁵Quem lhe abriu o revestimento
  e penetrou por sua dupla couraça?
⁶Quem abriu as duas portas de suas fauces
  rodeadas de dentes espantosos?
⁷Seu dorso são fileiras de escudos
  fechados sem fenda com um lacre,
⁸tão unidos uns com os outros,
  que o ar não passa entre eles;
⁹soldado cada qual com o vizinho
  travam-se e não se podem separar.
¹⁰Seu espirro lança faíscas
  seus olhos pestanejam como a aurora;
¹¹de suas fauces saem tochas
  e escapam chispas de fogo;
¹²de suas narinas sai fumaça
  como de caldeira atiçada e fervente;
¹³seu hálito acende carvões
  e de suas fauces saltam chamas.
¹⁴Em seu pescoço se assenta a força,
  diante dele dança o terror.
¹⁵Suas carnes são compactas,
  forjadas sobre ele e imóveis;
¹⁶seu coração é duro como rocha,
  duro como pedra de moinho.
¹⁷Quando se ergue, tremem os heróis,
  e se rendem consternados.
¹⁸A espada que o atinge não resiste,
  nem a lança, nem o dardo, nem o arpão,

Diversos modos de dominá-lo e tirar proveito dele: no esporte, no trabalho, no jogo, no comércio. Alguns detalhes descritivos coincidem com representações da arte egípcia.

40,28 Contrato de súdito e vassalo; como escravo: Dt 15,17.

41,4 Exórdio retórico da descrição que se segue. Os vv. 1-3 no final do capítulo.

41,6 Como um portão de fortaleza protegido por uma guarda eriçada de armas.

41,10-13 Exaltam a natureza "de fogo" do animal, misturando traços reais e fantásticos. Deve-se contar com a natureza "fogosa" da ira: Pr 16,27; Eclo 28,10s. É como os dragões dos contos, que vomitam chamas.

41,16 O coração de pedra indica a intrepidez. Is 19,1.

41,17 Versículo duvidoso. O texto hebraico lê 'elim = deuses, o que pode ser outra alusão mitológica: os deuses tremem perante o monstro, e Marduc o derrota.

41,18-21 Uma série de oito armas para lutar de perto e de longe.

¹⁹pois o ferro para ele é palha
e o bronze é madeira carcomida;
²⁰as flechas não o afugentam,
palha se tornam as pedras da funda;
²¹para ele a maça é penugem,
ri-se do sibilo do dardo.
²²Sua barriga de cacos pontudos
rastreia o lodo como um trilho;
²³faz ferver o fundo como uma caldeira
e a água fumegar como um piveteiro;
²⁴atrás deixa uma esteira brilhante,
a água como barba encanecida.
²⁵Na terra ninguém se iguala
a ele, que foi criado intrépido.
²⁶Enfrenta tudo o que é elevado
e é rei de todas as feras.
¹Pois bem, sua esperança fica frustrada.
Também Deus ao vê-lo ficará abismado?
²Não será cruel quando o provocar.
Quem resistirá diante de mim?
³Quem me enfrentará e sairá ileso?
Tudo o que há sob o céu é meu.

41,22-24 O animal é anfíbio, dominador de terra e água.

41,25-26 Rei dos animais, não do homem. Deus o tolera e controla. O homem, se não pode dominá-lo, pode exercitar-se com sua "hostilidade", como em Gn 3,15; Jz 2,3.22.

41,1-3 Lemos isso como resposta antitética: o que o homem não consegue, Deus sim. "Quem resistirá diante de mim/dele?" A pergunta se refere a Deus: Jr 49,19; Sl 76,8; Jó 9,4; Na 1,6; Ml 3,2. "Tudo é meu": soa como resposta final; agora é a vez de Jó. Fim da resposta de Deus. Antes que Jó responda, o leitor deve refletir: como se encontra neste momento? Satisfeito, desconcertado, decepcionado? Depois da crescente tensão dramática dos diálogos, os discursos de Deus estão à altura? Ou o autor desfaleceu ao chegar ao fim? Soube responder à expectativa que ele próprio criou?

Se o leitor, colocado do lado de Deus, esperava que este fechasse a boca de Jó, ficou satisfeito. Se estivesse do lado de Jó, esperava a solução do encontro com a condenação de um ou com a absolvição dos dois. Vamos pensar várias soluções hipotéticas.

a) Solução intelectual do problema. Deus não responde a Jó, nem o autor responde ao leitor. A Jó não basta uma resposta intelectual. Além disso, não esqueçamos que Deus é um personagem do autor, e o autor não possuía a solução puramente intelectual do problema; honestamente não podia dá-la, nem tentou fazê-lo.

b) Deus compreende a situação e o ponto de vista de Jó. Deus foi compreensivo? De certa forma sim, não o aniquilando e estabelecendo diálogo. O fato de interpelá-lo com perguntas e a ironia podem ser vistos como mostras da compreensão divina. Não falou um Deus cruel.

c) Um discurso de compaixão e consolo, confortando Jó em sua dor. Ou seja, aquilo que os amigos deveriam ter feito. Seria isso sincero? Depois de ter permitido a Satã, não soariam como hipocrisia algumas palavras de consolo? Uma solução emotiva não satisfaria a Jó e não seria coerente com o drama. O autor fez muito bem não permitindo a Deus sentimentos fáceis.

d) Então tinha de respeitar o homem Jó, fazer que progredisse na consciência de si mesmo, sair ao encontro da sua valentia e com ela conduzi-lo à decisão viril: Quer ocupar o lugar de Deus? Então, que se encarregue do mundo, governe a história e estabeleça o reino da justiça; aspirando ao posto de Deus, condena a si mesmo. Então aceite seu lugar de homem? Que o aceite com todas as suas consequências, sobretudo diante de Deus: este será o ato mais corajoso de Jó.

Na verdade, Jó cresceu desmesuradamente na dor; precisava disso para superar sua vida feliz e satisfeita. É verdade, mas por quê? Por que o homem precisa de sofrer para amadurecer? Quem fez o homem dessa forma? Transcendemos o problema de Jó e vemos que não se pode dar a ele uma resposta puramente verbal; será preciso um fato. Não reclama o livro de Jó a resposta viva em Cristo?

Segunda resposta de Jó: 42,1-6. Acrescento a indicação de citação, que falta no original. A segunda confissão avança notavelmente mais que a primeira: e enuncia explicitamente o poder e a sabedoria de Deus, a própria ignorância, retrata suas palavras. A fórmula de reconhecimento é frequente nos salmos, como resposta ao oráculo em ato de confiança, como louvor, como consequência da intervenção de Deus efetuada ou prometida; ver Sl 20,7; 41,12; 56,10; 119,75; 135,5; 140,13.

42 ¹Jó respondeu ao Senhor:
— ²Reconheço que podes tudo
  e nenhum plano para ti é irrealizável.
³[Tu disseste:] "Quem é esse
  que empana meus desígnios
  com palavras sem sentido?"
— É certo, sem entender falei
  de maravilhas que superam minha compreensão.
⁴[Tu disseste:] "Escuta-me, pois vou falar,
  vou interrogar-te e tu responderás".
⁵— Eu te conhecia só de ouvir,
  agora meus olhos te viram;
⁶por isso me retrato e me arrependo,
  lançando pó e cinza sobre mim.

⁷Quando o Senhor terminou de dizer a Jó tudo isso, dirigiu-se a Elifaz de Temã:
— Estou irritado contra ti e teus dois companheiros porque não falastes retamente de mim, como o fez meu servo Jó. ⁸Portanto, tomai sete bezerros e sete carneiros, dirigi-vos a meu servo Jó, oferecei-os em holocausto, e meu servo Jó intercederá por vós. Eu darei atenção a Jó, e não vos tratarei como vossa temeridade merece, por não terdes falado retamente de mim, como fez meu servo Jó.

42,3 Acusação própria, não de culpas puníveis, mas de ignorância e presunção nas palavras. Ver Sl 139,6 e Pr 30,2-3.

42,5 Algo semelhante à mudança do Salmo 73: Jó se encontrou com Deus, e essa profunda experiência religiosa supera toda a tradição teológica das escolas, os discursos dos sábios; mais ainda, supera uma ideia limitada a respeito de Deus, ideia que distinguia seu saber de sua justiça. Deus era um tema de discussão na boca dos amigos; Deus é agora alguém que Jó encontrou. Chegou a esse ponto pelo caminho da palavra tenaz. Deus não fechou a boca de Jó quando terminou sua maldição inicial. Deus não quer colaboradores mudos; faziam-lhe falta as palavras de Jó. Porque faziam falta para nós: somos um povo crítico, também de Deus, e Jó é nosso porta-voz. Por isso não podia calar. Mais além da nossa crítica, do Deus que nossa crítica imagina, soa a voz de Deus cada vez mais verdadeira. Jó não podia calar-se. Para a oposição ouvir/ver, 1Rs 10,6s. Ver Deus corresponde à esperança de 19,25-27.

42,6 Aquilo que em 2,8 era humilhação do homem, aqui é humildade da penitência.

EPÍLOGO

42,7-17 O epílogo consta de duas partes: na primeira (7-9) Deus encerra a disputa entre os amigos e Jó; na segunda (10-17) narra-se sucintamente a restauração de Jó.

42,7-9 Ficam pendentes os amigos e quem tomou partido a favor ou contra Jó. Deus decide a disputa com autoridade, e sua sentença em resumo é esta: Vós errastes, meu servo Jó tinha razão.
Alguns comentaristas perguntam: Isso não contradiz o precedente discurso de Deus? E recorrem a vários expedientes para salvar a contradição: limitar o alcance da sentença à confissão final, ou referi-la às confissões de 1,21 e 2,10. O autor os desmente: Não. O veredicto de Deus abraça todo o processo de Jó, trabalhoso, apaixonado, sincero e humilde no final. E isso é um grande aviso para os leitores. Assim Deus quer ser tratado pelo homem que sofre: honradamente, numa busca cansativa, com coragem para não se entregar, até o encontro que é dom de Deus. Isso é falar como autêntico servo; e o resto, as piedosas banalidades, o sistema ferreamente construído e as supostas verdades sem caridade o ofendem e irritam. Jó ora em nosso nome e nos ensina a orar.

42,7-8 Quando o homem peca, o processo normal é o seguinte: ira de Deus, ameaça ou castigo, arrependimento e penitência do povo, perdão e reconciliação. Ver p. ex. Jz 2,11-20. No esquema podem introduzir-se modificações, p. ex. a expiação ritual pelo pecado e a intercessão de um mediador. Nesses versículos o autor segue uma ordem livre: numa sentença Deus anuncia sua ira (ameaça) por causa das palavras dos amigos (pecado), mas lhes dá a possibilidade de um sacrifício e uma intercessão, para evitar o castigo. Assim, com grande concentração, o narrador resolve a disputa entre Jó e os amigos, com a sentença inapelável de Deus. A sentença é escrita em prosa rítmica, com repetições à maneira de estribilho.

42,8 O sacrifício como em 1,5. O número de vítimas supera as prescrições legais, Lv 5. A intercessão segue o modelo de Abraão, Gn 18, e Moisés, Ex 32; Ezequiel cita Noé, Danel e Jó como modelos de intercessão. Assim, mudaram-se os papéis: os que acusavam Jó de pecado e de falar mal são agora os culpados e devem pedir sua intercessão. Por sua parte, Jó tem de perdoar de coração e interceder pelos que o fizeram sofrer. Eles o exortavam a suplicar a Deus por si, 5,8; 8,5; 11,13; 22,27; agora deve pedir por eles. "Vossa temeridade", com leve correção.
Epílogo II. Em substância, a questão terminou: Jó com Deus, e basta. Narrativamente é preciso amarrar as pontas do prólogo e pensar na desgraça de Jó. O v. 10 enuncia brevemente a restauração de Jó, e podia

⁹Elifaz de Temã, Baldad de Suás e Sofar de Naamat foram e fizeram o que o Senhor ordenava, e o Senhor deu atenção a Jó.

¹⁰Quando Jó intercedeu por seus companheiros, o Senhor mudou-lhe a sorte e lhe duplicou todas as posses. ¹¹Foram visitá-lo seus irmãos e irmãs e os antigos conhecidos, comeram com ele em sua casa, deram-lhe pêsames e o consolaram da desgraça que o Senhor lhe havia enviado; cada um o presenteou com uma soma de dinheiro e um anel de ouro.

¹²Depois, o Senhor abençoou Jó, mais ainda que no princípio; suas posses foram catorze mil ovelhas, seis mil camelos, mil juntas de bois e mil jumentas. ¹³Teve sete filhos e três filhas: ¹⁴a primeira se chamava Paloma, a segunda Cássia e a terceira Azeviche. ¹⁵Não havia em todo o país mulheres mais belas que as filhas de Jó. Seu pai lhes repartiu heranças como a seus irmãos.

¹⁶Depois, Jó viveu cento e quarenta anos e conheceu seus filhos, netos e bisnetos.

¹⁷E Jó morreu ancião e coroado de anos.

---

ser o final. O epílogo continua com alguns detalhes pitorescos, até a morte do protagonista.

Pode-se ler esse final em dois planos: No plano narrativo para o povo, que exige um final feliz e festeja o triunfo do protagonista. Num plano mais profundo "que esse desejo do povo faz aflorar", o plano da esperança, de desejar e crer que o bem pode mais que o mal, que o sofrimento não é o destino final do homem, que o amor de Deus benfazejo é a realidade definitiva. A expressão dessa profunda esperança, em forma de final de conto, adquire profundidade simbólica. Assim nós temos de ler.

42,11 A presença dos familiares para dar-lhe pêsames e consolá-lo destoa um pouco aqui; devemos tomá-la como ação dupla: compaixão pelo passado, parabéns pelo presente, em forma de homenagem significativa.

42,12 Ver 8,7, onde Baldad promete algo semelhante.

42,15 Recebem herança, contra o costume de Nm 27,1-11; 36; Dt 21,15-17.

42,16-17 A história se encerra com a tonalidade patriarcal das narrações do Gênesis: ver Gn 5; 50,23; Gn 25,8 morte de Abraão; 35,29 morte de Isaac.

SALMOS

INTRODUÇÃO

O saltério se apresenta como uma coleção de cento e cinquenta salmos. Mas o número não é exato. Há salmos que formam unidade, mas estão divididos em dois, como 9-10 e 42-43; outros estão repetidos, como 14 e 53, 70 e a segunda parte do 40. No salmo 9-10 a numeração grega se separa da hebraica e continua com um número a menos até coincidir de novo no 147. Sigo a numeração hebraica.

A grande coleção se divide em cinco coleções desiguais, como uma espécie de pentateuco da oração: 1-41; 42-72; 73-89; 90-106; 107-150. Essa divisão não tem valor especial, mas cada salmo que encerra cada coleção tem um colofão acrescentado.

Os hebreus deram à inteira coleção o título de tehillim *(louvores)*, privilegiando o hino ou o louvor, embora as súplicas sejam mais numerosas. Globalmente foram atribuídos a Davi, mesmo contra títulos particulares. Por causa dos salmos, a tradição cristã grega confere a Davi o título "o Profeta".

Na Bíblia hebraica, quase todos os salmos trazem um título que indica o autor, a circunstância e uma instrução musical. São obra de eruditos, que tentaram muitas vezes situar historicamente o salmo correspondente. Não pertencem ao salmo original, e por isso não os considero. Outras tradições oferecem títulos diferentes.

Hoje é corrente a classificação dos salmos por gêneros literários. O gênero é definido pelo tema, desenvolvimento, recursos formais e pela situação em que nasce ou para a qual é composto. Nem todos os comentaristas coincidem na lista completa de gêneros e muito menos na classificação de cada salmo. Nessa tarefa é preciso evitar o rigor e o reducionismo. Os poetas não faziam voto de rigor, e mais importante que o gênero é o indivíduo. Proponho a seguinte lista de gêneros com exemplos.

1. Hino: 65; 148. São suas especificações:
   a) canto de entronização ou realeza de Yhwh: 93-99
   b) canto de/para Sião: 48; 122
2. Ação de graças: 18; 116
3. Súplica nacional ou comunitária: 74; 79
4. Súplica individual
   a) de perseguido: 22; 35
   b) de doente: 6; 38
   c) de inocente falsamente acusado: 17; 26
5. Canto de confiança: 4; 23
6. Por ou para o rei: 45; 72
7. Liturgia: 118
8. Penitenciais: 50-51; 130
9. Sapienciais
   a) históricos: 78; 105
   b) meditações: 49; 73

Algumas observações: *O hino e a ação de graças facilmente se confundem e se entremeiam. Os cantos de Sião se agrupam pelo tema genérico, divergem no desenvolvimento; um grupo especial é formado pelos cantos de peregrinação. A súplica individual pode ser ampliada ou acolhida pela comunidade. A confiança é parte da súplica, nem sempre se desliga do todo. Os salmos reais coincidem no tema genérico, nada mais; varia muito seu tema específico: casamento, batalha, governo. As liturgias incluem no texto indicações para a cerimônia. Nos penitenciais podemos distinguir a acusação, a confissão, o pedido de perdão. Raras vezes a situação desses salmos é histórica, geralmente é típica. Pode ser real ou de imitação literária, ou seja, o salmo é estilizado à maneira de notas.*

Muito importante é o estudo da linguagem *dos salmos*. Foi dito, com razão, que o saltério é uma síntese de todo o AT. Daí a necessidade de ler os paralelos no seu contexto próximo e na sua relação com o salmo. Depois, deve-se subir a um ponto a partir do qual abranger a validade geral e mesmo universal de seus abundantes símbolos. Por outro lado, o indivíduo *deve ser compreendido em sua estrutura superficial ou profunda; daí a importância de estudar a composição e suas relações internas.*

O texto *hebraico dos salmos com frequência é deficiente ou duvidoso. O intérprete tem de recorrer a hipóteses ou conjeturas; ou apresenta alternativas prováveis.*

Um fator comum é mais importante que o diferencial: os salmos são oração, *foram compostos para ser rezados: por quem? Com um termo técnico o chamamos prosopologia e apropriação.*

O primeiro consiste em definir quem pronuncia o salmo na intenção original. Mais ainda, dentro de alguns salmos falam diversos personagens, e é preciso identificar suas vozes, p. ex. Sl 2; 27; 55. Passa o tempo, e outros pronunciam o salmo em circunstâncias novas, com outro horizonte mental. E assim acontece a transformação profunda, sem mudar o texto, quando Jesus os pronuncia, quando os entrega à sua Igreja. Os antigos distinguiam: Jesus Cristo pode pronunciar um salmo como Deus, como homem singular, como cabeça da Igreja. Na Igreja podem-se distinguir a comunidade e o indivíduo, a terrestre e a celeste. Isso significa uma mudança de horizonte que afeta profundamente o sentido.

Para rezar sinceramente, é preciso apropriar-se *do salmo. Ou seja, de seus sentimentos e de sua expressão. Às vezes sentimentos alheios, por compaixão, por experiência vicária: por ex. Sl 88, o salmo de um moribundo. A expressão é inteiramente linguagem concreta, rica, simbólica. Às vezes o salmo dá expressão a sentimentos já existentes; outras vezes a recitação nos comunica os sentimentos adequados, despertando-os.*

1

(Jr 17,5-8; Pr 4,10-19)

¹Feliz o homem que não caminha
    aconselhado por perversos
e no caminho de pecadores não se detém
e na sessão dos cínicos não assenta;
²mas sua tarefa é a lei do Senhor
e medita dia e noite sua lei.
³Será como árvore plantada junto aos canais,
que dá fruto em sua estação,
    e sua folhagem não murcha.
Tudo quanto faz prospera.
⁴Não é assim com os perversos:
serão como palha que o vento arrebata.
⁵Por isso, os perversos no julgamento
    não ficarão de pé,
    nem os pecadores na assembleia dos justos.
⁶Porque o Senhor se ocupa
    do caminho dos justos,
mas o caminho dos perversos se extravia.

2

(Sl 110; Hb 1,2.5)

¹Por que se amotinam as nações
    e os povos meditam um fracasso,
²levantam-se os reis do mundo
    e os príncipes conspiram juntos
    contra o Senhor e contra seu Ungido?

---

1 É como um pórtico colocado quando se completam as coleções de salmos. Começa com a primeira letra do alfabeto hebraico e acolhe o orante, anunciando uma "bem-aventurança" oferecida a quem se afasta do mal e dos maus, e... "pratica o bem"; o autor contrapõe outra atividade: por meio da "meditação" assimilar a *torá*, ou lei, ou vontade divina feita palavra e já codificada. O autor tardio salta do mundo sapiencial para a Lei. Esta é como torrente de águas perenes, comunicada pela meditação, que confere ao homem uma vitalidade vegetal que não murcha (Sl 92,13s) e êxito em seus empreendimentos. Ao contrário, os males são secura, esterilidade, presa do vento. A escolha e conduta livre e responsável do homem revelará seu valor no desfecho definitivo, num julgamento escatológico. Notem-se duas assimetrias: perverso/meditador, o Senhor se ocupa/o caminho se extravia. Paralelos em Js 1,8; Sl 37,31; 40; Jr 17,5-8.

1,1 No saltério há vinte e seis bem-aventuranças ou felicitações, oito em Provérbios. Indica um processo em três tempos: caminhar, deter-se, sentar-se. Os "cínicos" zombam dos bons e de seus valores: Pr 3,34; 21,24; 24,9.

1,2 Sobre a meditação no saltério: 35,28; 37,30; 49,4; 63,7; 71,24; ela ultrapassa a simples recitação.

1,4 A comparação da palha é tópica: p. ex. Is 17,13; 29,5; 41,15s; Jó 21,18.

1,5 Ver o comparecer de Sb 4,20-5,1.
Para a transposição cristã, deve-se partir da declaração de Jesus: "Eu sou o caminho" (Jo 14,6). À meditação da lei sucede a dos mistérios da sua vida.

2 O patrão institucional. Um rei soberano de reis vassalos escolhe alguém e o coloca como representante seu acima dos demais. Comparar no AT com a história de José, Gn 41, as mudanças de 2Rs 23,31 e 24,17, e a nomeação de Jr 27,6-11. Rebelar-se contra o vice-rei é rebelar-se contra o soberano, que reage: ver p. ex. a defesa da dinastia davídica em Is 7,6 e 14,24-27. A instituição política projeta-se com alcance teológico.

A composição é particularmente complexa, pelas vozes que se escutam, mas é habilmente coerente. Um personagem da corte começa *ex abrupto*. Em suas palavras nos faz escutar o grito da rebelião: "sacudamos seu jugo!" o soberano reage, primeiro com o riso de quem conhece o fracasso, depois com ira, corroborando sua escolha e nomeação. Toma a palavra o rei humano, lendo o protocolo da nomeação, que equivale a uma adoção como filho, e a uma entrega do poder. Volta a falar o personagem, lançando um ultimátum aos rebeldes.

O salmo apela para o princípio formal de autoridade, respaldado por medidas repressivas, sem mencionar o conteúdo de justiça e bom governo. Por isso, esse primeiro salmo da primeira coleção deve ser comparado com o último da segunda coleção (72), que exalta as virtudes do rei ideal. Ver 2Sm 7,12-14; Sl 89,27s.

2,1 Adianta o resultado contrário ao pretendido: um fracasso.

2,2 Ungido é título corrente do rei; só Dn 9,25 o aplica expressamente ao Messias.

³"Rompamos suas cordas,
   sacudamos seu jugo!"

⁴Sentado no céu sorri,
   o Senhor caçoa deles.
⁵Depois lhes fala com ira,
   e com sua cólera os espanta:
⁶"Eu mesmo ungi o meu rei
   em Sião, meu monte santo".

— ⁷Vou recitar o decreto do Senhor:
   Ele me disse: "Tu és meu filho,
   eu hoje te gerei".
⁸Pede-me, e te darei as nações como herança,
   os confins do mundo como propriedade.
⁹Tu os triturarás com cetro de ferro,
   e os despedaçarás como vasilhas de barro.
¹⁰Agora, reis, sede sensatos;
   corrigi-vos, vós que regeis o mundo:
¹¹servi ao Senhor com temor,
¹²tremendo rendei-lhe homenagem,
   para que não percais o caminho,
   se chegar a inflamar-se a sua ira.
   Felizes aqueles que nele se refugiam.

3

²Senhor, quantos são meus adversários,
   quantos se levantam contra mim,
³quantos dizem de mim:
   para ele não há salvação em Deus.

⁴Mas tu, Senhor, és meu escudo ao redor*,
   minha glória, tu me fazes levantar a cabeça.
⁵Se grito invocando o Senhor,
   do seu monte santo ele me escuta.
⁶Deito-me e adormeço,
   desperto, porque o Senhor me sustenta.
⁷Não temerei o exército inumerável
   que me cercou.

2,3 A imagem do "jugo" vem dos jugos de madeira, apoiados sobre os ombros, para levar cargas equilibradas. Sobre a rebeldia: Jr 2,20; 5,5; 30,8; Na 1,13.
2,4 O riso de Deus (Sl 37,13; 59,9); transcende a ironia da história.
2,6 Com ênfase a primeira pessoa.
2,8 O soberano oferece o cumprimento do pedido do novo rei: 1Rs 3,1-15; Sl 21,5; Is 7,11.
2,9 Alternativa: "os apascentarás", cf. Mq 5,1-5.
2,12a Texto duvidoso e discutido. Segundo uma correção aceita, "beijai-lhe os pés", em gesto de homenagem. Submeter-se é sensatez.
2,12b Provavelmente acrescentado para formar inclusão com Sl 1,1.
Transposição cristã. Toda a tradição leu esse salmo como messiânico. Citam-no At 4,25s; 13,33; Hb 2,7; 5,5; Ap 12,5; 19,15; ver também 1Cor 15,24-28.
3 Súplica com expressão de confiança baseada em experiências passadas. Com o triângulo clássico do gênero: o orante, os inimigos, o Senhor, ligados em várias relações.
A imagem é bélica. O orante indefeso se vê assediado por uma multidão que acampa ao seu redor e se levanta para o assalto. Mas entre ambos se interpõe outro cerco mais próximo e não menos fechado: o Senhor como escudo. Por isso o ciclo da vida continua seu ritmo fundamental: deita-se, dorme, acorda. O sono não é símbolo de morte, mas expressão de calma. De manhã o Senhor se levanta, e a batalha se converte imaginativamente num combate singular, à força de socos. O sentido fica claro tomando 8a como texto da oração mencionada em 5a.
3,2 Insiste na multidão: "quantos", que desafiam o Deus do orante.
3,4 A cabeça alta pode ser gesto de vitória. * Ou: "me escudas ao redor".
3,6 Ver Sl 4,9; Lv 26,6; Jó 3,13; Pr 3,24.

⁸Levanta-te, Senhor! Salva-me, Deus meu!
   Tu esbofeteaste meus inimigos,
   rompeste os dentes dos perversos.

⁹Tua, Senhor, é a salvação,
   para teu povo a tua bênção.

4 ²Quando te chamo, responde-me,
      Deus, meu defensor;
   tu que no aperto me deste folga,
      tem piedade de mim, ouve a minha oração.

³Senhores, até quando será ultrajada minha honra,
   amareis a falsidade e buscareis a mentira?
⁴Sabei: o Senhor favoreceu um seu fiel,
   o Senhor me ouve quando o chamo.
⁵Tremei e deixai de pecar,
   refleti no leito e guardai silêncio;
⁶oferecei sacrifícios legítimos
   e confiai no Senhor.

⁷Muitos dizem: Quem nos fará provar a felicidade,
   se a luz de teu rosto, Senhor,
   se afastou de nós?
⁸No coração me infundiste mais alegria
   do que quando transbordam seu trigo e seu vinho.
⁹Em paz me deito e logo adormeço,
   porque só tu, Senhor, me fazes viver tranquilo.

5 ²Escuta minhas palavras, Senhor,
      ouve meu sussurro,

3,9 Responde confiante ao desafio do inimigo. Na transposição cristã, dormir e acordar são vistos como símbolo de morte e ressurreição. Sobre o auxílio de Deus há uma alusão em Mt 27,43.

4 Nesse salmo predomina o tema da confiança, marcada pela repetição em hebraico nos vv. 6 e 9. O salmo se distingue por sua tensão dramática, embora um só personagem fale.
O orante se encontra como que entre duas frentes de batalha e daí se dirige a Deus: suplica-lhe na segunda pessoa, recorda seus benefícios, fala dele a outros. Interpela os inimigos com retórica apaixonada, acumulando perguntas e imperativos. Cita uma síntese das palavras dos amigos e lhes oferece seu testemunho exemplar. No começo e no fim há dois símbolos poderosos: o primeiro expresso, o último latente. Estreiteza e larguras são experiências primordiais do homem no espaço; são empregadas como símbolo de experiências espirituais. O sono pode simbolizar o descanso sereno, até o descanso definitivo.
4,2 Começa em tom de súplica, que a seguir passa à confiança.
4,3 Dirige-se a nobres ou gente influente, que gastam tempo desprestigiando o orante. Atreve-se a interpelá-los.
4,4-6 Em sete imperativos traça as etapas de uma conversão – não pede castigo –: primeiro, "reconhecer" que o Senhor está do lado do orante e sentir um "temor" salutar, que os faz "cessar" no pecado; depois, "interiorizá-lo" no "silêncio" da noite; pela manhã oferecer um "sacrifício ritual" por seu pecado; o desfecho feliz é "confiar" no Senhor.

4,7 Seus amigos têm razão ao dizerem que, sem a "luz" benévola do Senhor, não há felicidade verdadeira; não têm razão ao se considerarem abandonados.

4,8 Mais que um sermão, oferece-lhes um testemunho: é a alegria, não justificada por bens externos, cf. Is 9,2, até vencendo a tribulação.

4,9 O orante não precisa refletir na cama: confiante no Senhor, nada perturba o seu sono imediato.
Transposição cristã. Ef 4,26 cita livremente o v. 5. 2Cor 1,3-5; 7,4; 1Ts 1,6 dão testemunho da alegria na tribulação. Para o símbolo do espaço, pode-se ver At 17,28; Ef 3,18

5 Um inocente, injustamente acusado ou perseguido, apela para o tribunal de Deus no templo (8a), expõe sua causa (4a), aguarda a sentença (4b) e o castigo dos inimigos (10-11). O salmo pode ter sido usado em casos concretos de apelação; também pode ser uma composição poética livremente modelada segundo a imagem judicial sacra. Na apropriação atual, desprende-se do contexto forense real, tanto assim que pode recitá-lo um inocente injustamente condenado por um tribunal humano.
Personagens. O Senhor figura como juiz imparcial, não neutro. O orante lhe reconhece a "justiça"

³dá atenção a meus gritos por socorro,
  Deus meu e meu Rei!
A ti suplico, Senhor:
  ⁴pela manhã ouve a minha voz;
pela manhã te exponho a minha causa
  e fico esperando...

⁵Pois tu não és um Deus que queira o mal,
  nem o perverso é teu hóspede,
⁶nem se manterão os arrogantes diante de ti*.
Detestas os malfeitores,
⁷destróis os mentirosos;
sanguinários e enganadores*,
  o Senhor os detesta.

⁸Eu, ao contrário, por tua grande bondade,
  posso entrar em tua casa
e prostrar-me para teu santuário
  com reverência.
⁹Guia-me por tua justiça, Senhor,
  em resposta a meus difamadores;
aplana diante de mim o teu caminho.
¹⁰Pois em sua boca não há sinceridade,
  sua mente é uma cova,
sua garganta é uma sepultura aberta,
  e elogiam com a língua.
¹¹Condena-os, ó Deus! Que seus planos fracassem:
por seus muitos crimes, expulsa-os,
  pois se rebelam contra ti.

¹²Alegrem-se os que em ti se abrigam
  com júbilo perpétuo,
que se regozijem contigo
  os que amam o teu nome.
¹³Pois tu, Senhor, abençoas o inocente,
tu o cobres e o rodeias
  com o escudo de tua bondade.

---

e oposição aos perversos, quase com acento hínico (5-7): não ama, não hospeda, não recebe, detesta, abomina, destrói. A justiça (9) de Deus é temperada pela "bondade" (8.13). Os inimigos são descritos por acumulação e repetição; não é certo que se trate de juízes corruptos. O orante não se apresenta com clareza: não apresenta méritos próprios, não descreve penalidades, não protesta inocência, confia na bondade do Senhor. E olha para o futuro: põe-se nas mãos de Deus para ser julgado e invoca o auxílio de Deus para ser guiado (9). Entra confiante, prostra-se reverente, sairá dócil e seguro.

5,3 O título de rei inclui a função de juiz supremo.
5,4 O período da manhã é o tempo clássico para administrar justiça ou pronunciar sentença: 2Sm 15; Jr 21,12.
5,5-7 O Deus supremo é inconciliável e irreconciliável com a injustiça e com os injustos enquanto tais.
5,6 * Ou: "na tua presença".
5,7 * Ou: "traidores".
5,8 A bondade é uma das características clássicas do Senhor: Ex 34,6; Sl 86,5.15; 103,8. O orante responde com "reverência", que é profundo sentido religioso. O tribunal se encontra no templo, casa ou palácio da divindade.
5,9 Depois da sentença judicial, o juiz continua ocupando-se do seu cliente, que se deixa guiar: Sl 27,11.
5,10 Descreve a boca caluniadora como poço ou antro escorregadio; a menção da "sepultura" evoca o perigo mortal.
5,11 Não pede apenas o fracasso das pessoas, mas de seus planos, que consistiam sobretudo na condenação do inocente. A "expulsão" pode significar o desterro: Jr 8,3; 16,15.
5,12 A sentença, que implica a absolvição do inocente, tem ressonância social, como vitória dos fiéis do Senhor: Pr 11,10; Sl 40,17.
Transposição cristã. Paulo combina Sl 5,10 com outros textos para descrever a depravação universal. A figura de Deus juiz, a quem Jesus inocente se entrega, está em 1Pd 2,23.

6

²Senhor, não me repreendas com ira,
  não me castigues com cólera.
³Piedade de mim, Senhor, pois desfaleço,
  cura, Senhor, meus ossos deslocados.
⁴Respiro descompassadamente;
  e tu, Senhor, até quando?

⁵Volta-te, Senhor, põe minha vida a salvo;
  salva-me, por tua misericórdia.
⁶Pois no reino da morte ninguém te invoca;
  quem te dá graças no Abismo?

⁷Estou esgotado de tanto gemer,
  a noite toda inundo meu leito,
  dissolve-se em minhas lágrimas a cama*,
⁸meus olhos se consomem irritados,
  envelhecem por tantas contradições.

⁹Afastai-vos de mim, malfeitores,
  pois o Senhor escutou o meu pranto,
¹⁰o Senhor escutou minha súplica,
  o Senhor acolheu meu pedido.
¹¹Fiquem derrotados,
  desconcertados os meus inimigos,
  retirem-se derrotados depressa.

7

²Senhor, Deus meu, em ti me abrigo:
  salva-me de meus perseguidores e livra-me,

---

6 Súplica de alguém vítima de doença grave. Na experiência do orante entram: a doença com seus sofrimentos, a angústia interior e o temor da morte, a consciência de uma hostilidade perversa e a consciência do pecado; correspondem ao ser corpóreo, à consciência interior e à condição social do homem. As relações entre esses fatores iluminam o sentido. Os inimigos podem ser rivais que se aproveitam da doença; ou: o paciente se torna mais sensível a uma hostilidade precedente e conhecida. Dor e doença são antecipações da morte, instaladas no corpo e na consciência. A morte se anuncia na consciência, toma posse dela: na presença invencível da doença, no cerco triunfante dos rivais. A respiração é vida que se consome, as lágrimas desafogam e consomem os olhos.
A doença também é sentida como efeito do pecado: neste caso, como castigo imposto por Deus, salutar convite à conversão. Só Deus, que impôs o castigo, pode dar o remédio: cura para a doença (3), graça para a culpa (10), derrota dos inimigos (11).
6,2 O binômio repreender e castigar vem do meio sapiencial; propõe o fator áspero e doloroso da educação, que o discípulo não deve recusar: Pr 3,11; 5,12; 10,17; 15,5 etc.; também Jr 10,24.
6,3-4 A piedade se opõe à ira. Os ossos fornecem a consistência, a respiração regula o ritmo da vida. A demora de Deus pode tornar mortal a doença.
6,5 Volta ou conversão de Deus: de ira em piedade, de correção e castigo em libertação e salvação.
6,6 Tema clássico: Is 38,18; Sl 30,10; 88,11s; 115,17.
6,7 Descrição hiperbólica do pranto, cf. Is 38,2s. * Ou: "em lágrimas minha cama".
6,8 Sobre o pranto: Sl 31,10; Lm 2,5.
6,9 Surpreende essa repentina interpelação a personagens presentes e não mencionados antes. Pode ser convenção do gênero.
6,11 Também dor, angústia e morte poderiam ser contadas entre os inimigos.
Transposição cristã. Pode ser que Mt 7,23 e Lc 13,27 aludam ao v. 9. Hb 5,7 menciona os gemidos e lágrimas de Jesus Cristo.
7 Súplica de um inocente injustamente acusado que apela para o tribunal de Deus no templo. O salmo foi destinado ao uso formal em processos de apelação, ou é uma composição literária estilizada segundo o padrão de um processo judicial. O acusado acorre ao templo (2), protesta inocência (9), jura por ela (4-6), acusa seus acusadores (2-3.7.15-17). O juiz supremo (9) investiga (10), levanta-se para pronunciar a sentença (7) de absolvição (8) e condenação (12) de cada uma das partes. A sentença é executada (13s). O orante proclama sua justiça ou inocência e a justiça do juiz, o Senhor. Dois dados são próprios do salmo. Ao réu é concedida a possibilidade de se converter antes da execução da sentença (13); e se faz uma descrição psicológica do perverso em imagem de geração (15).
7,2-3 O perigo é grave, está em jogo a vida, e só o Senhor pode livrá-lo. A imagem do leão revela o que se esconde de bestial e feroz no homem, aflorando em sua conduta.

³para que não me apanhem como um leão,
  e me dilacerem sem remédio.

⁴Senhor, Deus meu, se cometi isso,
  se há crimes em minhas mãos,
⁵se prejudiquei meu amigo
  ou despojei quem me ataca sem motivo,
⁶que o inimigo me persiga e me alcance,
  me pisoteie vivo por terra,
  esmagando meu ventre contra o pó.

⁷Levanta-te, Senhor, indignado,
  ergue-te contra a fúria de meus adversários,
  reage em meu favor
  no julgamento que convocaste.
⁸Que uma assembleia de nações te rodeie,
  preside-a do alto:
– ⁹o Senhor é juiz dos povos.
  Julga-me, Senhor, segundo a minha justiça,
  segundo a minha honradez, em meu favor.

¹⁰Cesse a maldade dos culpados,
  e apoia o inocente,
  tu que sondas coração e entranhas,
  Deus justo.
¹¹Meu escudo está em um Deus
  que salva os homens retos.
¹²Deus é um juiz justo,
  Deus sentencia* a cada dia.
¹³Se não se convertem, afiará a espada,
  esticará o arco e apontará;
¹⁴prepara suas armas mortíferas,
  maneja suas flechas incendiárias.

¹⁵Vede: concebeu um crime,
  está grávido de maldade e dá à luz uma fraude.
¹⁶Cavou e aprofundou um buraco
  e caiu na cova que fez;

7,4-6 É normal a forma condicional do juramento: ver a ampliação de Jó 31. Sobre o juramento nos julgamentos: Ex 22,6-8; 1Rs 8,31s.
7,4 Parece aludir a uma acusação concreta, se não for expressão formal. Nas mãos se mostra o *corpus delicti*: cf. 1Sm 25,12.
7,5a Alternativa: "se me vinguei de quem me fez mal".
7,5b "Sem motivo" poderia ir com "despojei". Ver Jó 31,29s.
7,6 É uma sequência imaginativa: o perseguidor vai ao encalço do perseguido ainda vivo; pisoteia-o, coloca-o com o ventre no chão e põe-lhe o pé em cima. Terra e pó podem aludir por conotação ao reino da morte.
7,7 Cabe ao juiz: levanta-se, coloca-se em lugar elevado, dispõe-se a conduzir o processo. Sua indignação é contra a injustiça, sem prejulgar quem é inocente. Variante: "ergue-te com fúria".
7,8 O caso particular se abre à visão transcendente do juiz universal; o orante se imagina diante de semelhante assembleia. Ver Gn 18,25; Sb 12,13.
7,9b Ver o desenvolvimento de Sl 26,1-3 e comparar com Sl 35,24.
7,10a Cessa por intervenção do juiz, e o inocente consegue a estabilidade.
7,10b Cabe ao juiz averiguar: Dt 19,18. Deus vê além dos fatos porque penetra as consciências: Pr 15,11; 17,3; 21,2. "Entranhas": literalmente "rins", sede das paixões.
7,11 Do caso pessoal sobe ao princípio geral.
7,12-14 Parece afirmar dois contrários: a pontualidade de "a cada dia", e o tempo para a conversão. A execução salta para a imagem bélica, e antes se pronuncia um ultimátum: cf. Dt 20,10-13; 32,41s.
7,12 * Ou: "condena".
7,15 A análise psicológica é contribuição original, que se pode comparar com Jó 15,35; Is 33,11; Tg 1,15.
7,16 Imagem de caça graúda: buracos cobertos e covas camufladas, onde a fera cai sem poder sair: Sl 57,7; Pr 26,27.

¹⁷recaia sobre ele a sua maldade,
   caia-lhe na cabeça sua crueldade.

¹⁸Eu confessarei a justiça do Senhor,
   tocando em honra do Senhor Altíssimo.

8 (Eclo 17,4; Hb 2,5-8)

²Senhor, nosso dono, quão ilustre é teu nome
   em toda a terra!
   Quero servir tua majestade celeste
³com a boca de criancinhas e bebês.
   Firmaste um baluarte diante de teus adversários
   para reprimir o inimigo vingativo.

⁴Quando contemplo teu céu, obra de teus dedos,
   a lua e as estrelas que dispuseste,
⁵o que é o homem para que dele te lembres,
   o filho de Adão para que dele te ocupes?

⁶Tu o fizeste pouco menos do que um deus,
   de glória e de honra o coroaste,
⁷deste-lhe o domínio sobre as obras de tuas mãos;
   sob seus pés tudo submeteste:
⁸ovelhas e touros ao mesmo tempo*,
   também os animais selvagens,
⁹aves do ar, peixes do mar
   que traçam sendas pelos mares.

¹⁰Senhor, nosso dono, quão ilustre é teu nome
   em toda a terra!

7,17 A cabeça como sede da responsabilidade: cf. Jz 9,53.57.
Transposição cristã. Partimos de 1Pd 2,23; em 5,8 compara o diabo com um leão. Mt 25,32 apresenta o juiz universal escatológico.

8 Hino a Deus pela criação e pelo homem. *Composição.* Um versículo repetido produz uma inclusão maior (2.10); mas a frase ressoa carregada do mesmo sentido do que precede.
Triplo *ma* (em hebraico): nos extremos de admiração, é no centro uma pergunta misturada de espanto. Pergunta central, chave do sentido próprio do salmo. "O que é o homem?" É essa grande pergunta que se ergue sobre o horizonte plano da terra, essa curva que se volta sobre si perguntando. O homem é o ser que se conhece e não se conhece. É a pergunta, e aquele que pergunta. O orante representa toda a humanidade. Mas a pergunta foi provocada por uma contemplação transcendente e religiosa da criação. O homem é um ser terrestre, um senhor vassalo, capaz de contemplar uma obra de Deus e de dominar outras.
Personagens. Yhwh é o protagonista de quase todas as ações. *Elohim* são divindades ou seres celestes submetidos ao Deus supremo: cf. Sl 86,8; 89,7; 136,2. O homem: qualquer homem, na sua condição presente, sem limitação. Está mais perto das divindades que dos animais; é definido por subtração: "pouco menos". Curiosamente, a rebeldes contrapõe uma criança, como exemplo de humanidade. Alguns identificam os rebeldes com seres mitológicos, alegando ao Sl 74,14; 89,11.

8,2 Combina um título restrito, "nosso dono", com horizonte ilimitado: "toda a terra".
8,2b O texto consonantal é muito duvidoso e deu origem a interpretações diversas dos verbos dar, repetir, cantar etc.
8,3 Se a atitude infantil, não pueril, é de descobrimento alegre e afirmativo, sua boca é inadequada para exprimi-lo: ver Sb 10,21. Seria preciso um adulto criança ou uma criança adulta. O "baluarte" poderia ser o firmamento inacessível e impenetrável.
8,4 "Obra dos dedos" é fórmula inusitada, que parece sublinhar a modelação minuciosa. Refere-se ao céu de noite: comparar com a visão de dia do Sl 19.
8,5 Começa a série de seis verbos, cujo sujeito é Deus e cujo complemento é o homem. Os dois primeiros afirmam a relação pessoal, maravilhosa.
8,6-7 Os quatro verbos são como um cerimonial de investidura: atribuem-lhe um posto ou status, coroação, comando, um estrado sob os pés. Ver Sb 9,2 e comparar com o "comando" dos luzeiros em Gn 1,16.
8,8-9 Os animais se dividem em domésticos e selvagens e por regiões. É curiosa a atenção dada aos peixes: ver Sl 104,25; Eclo 43,25.
8,8 * Ou: "sem exceção".
Transposição cristã. Mt 21,16 cita o v. 3 justificando o júbilo infantil. Hb 2,5-8 aplica o salmo a Jesus Cristo, o único no qual se cumpre plenamente. Só que consegue a coroa através do sofrimento, de modo não previsto pelo salmo. Em 1Cor 15,25-27, Paulo aplica o v. 7 a Cristo glorificado.

9

A ²Eu te dou graças, Senhor, de todo o coração,
  contando todas as tuas maravilhas;
³quero festejar-te e celebrar-te,
  tocando em tua honra, ó Altíssimo.

B ⁴Porque meus inimigos retrocederam,
  tropeçaram e pereceram em tua presença.
⁵Pronunciaste sentença em meu favor,
  sentado no tribunal, justo juiz.

G ⁶Repreendeste os pagãos,
  destruíste o perverso,
  apagando seu nome para sempre.
⁸O Senhor reina eternamente,
  dispõe o tribunal para julgar.

H ⁷Eles pereceram, acabou-se a sua lembrança;
  reduziste suas cidades a ruínas perpétuas.
⁹Ele julga o orbe com justiça
  e rege as nações com retidão.

W ¹⁰O Senhor seja fortaleza do oprimido,
  fortaleza em momentos de perigo;
¹¹e em ti confiem os que reconhecem o teu nome,
  porque não abandonas os que te buscam, Senhor.

Z ¹²Tocai para o Senhor que reina em Sião,
  narrai suas façanhas aos povos,

9-10 Há razões fortes para considerar esse texto como um só salmo: o artifício alfabético, repetições verbais, a tradição grega. As razões contra são fracas. Nenhum outro salmo apresenta um texto hebraico tão deteriorado como este. É preciso reconstruir a ordem em vários versículos, apoiados na ordem alfabética e nos elementos seguros. Aqui não levo em conta a discussão.
Sentido. O artifício alfabético – cada versículo hebraico ímpar começa com uma letra do alfabeto – não se presta a uma composição harmoniosa e lógica. A isso se acrescenta o caráter dessa obra tardia. O desenvolvimento é forçado, avança penosamente de versículo em versículo, reiterando; é realizado em grande parte com imitações e reminiscências, sem acertos originais, com pobreza imaginativa.
Na primeira parte predomina o louvor, na segunda a súplica. Tentando buscar um tema central, podemos propor um padrão judicial, cujas peças aparecem dispersas. Adianto aqui uma ordem lógica, segundo os atores do triângulo: duas partes e o juiz.
Deus é rei e juiz, ou juiz porque rei (10,16); reina em Sião, capital do seu reino (9,12); senta-se no seu trono, que é também judicial (9,5.8.12); é juiz justo (9,5), universal (9,9), administra a justiça (9,17), julga os pagãos (9,20) e os inocentes (10,18). Está informado (9,14; 10,14), escuta e presta atenção (10,17), não se descompromete (10,11) nem se esquece (9,13; 10,11s). Está sentado (9,5.8) e se levanta (9,20; 10,12). A sentença é diversa: "quebrar o braço" (10,15), morrer sem descendência masculina (10,15), desterro (10, 16), pena de morte (9,16.18). Os culpados são mencionados, qualificados, descritos (10,3-11): sua cobiça (10,3), insolência (10,4), pensamentos contra Deus (10,4.6.11); olhos que espreitam (10,8), boca que engana (10,7); podem ser pagãos ou nações (9,6.9).
Os inocentes têm várias denominações: pobre (9,19), órfão (10,14.18), triturados (9,10; 10,18), marginalizados (9,14.19; 10,2.9.12.17); são vítimas (10,8). Menciona-se também a condição humana universal (9,20s; 10,18). A vitória judicial desemboca numa celebração festiva do Senhor (9,2.3. 12.15).
Descreve um julgamento escatológico ou histórico? As razões a favor de um ou de outro se equilibram. Escatológico: o julgamento é universal, definitivo, dá lugar à instauração do reinado perpétuo de *Yhwh*. Histórico: as descrições concretas, o tom da súplica, o perigo frequente.

9,2-3 Introdução convencional de hino em tom jubiloso.

9,4-5 Inverte a ordem cronológica para remontar do fato à causa: derrota – julgamento – juiz. Estabelece-se o tema forense condutor.

9,6.8 Inverto a ordem para respeitar o recurso alfabético. Chega-se à sentença, que opõe a extinção dos perversos ao reino perpétuo do Senhor.

9,7.9 Inversão correspondente da precedente. O campo se torna internacional, como se se tratasse de um conflito de pagãos contra o povo escolhido.

9,10 O fracasso e condenação dos perversos está em função da libertação do inocente.

9,11 Sintetiza a relação dos inocentes com o Senhor: reconhecem, buscam; ou veneram, confiam.

9,12 Sião é a capital do reino, de onde se difunde a fama do Senhor.

¹³pois ele, que vinga o sangue, se lembra deles,
não esquece a queixa dos desgraçados.

H ¹⁴Piedade, Senhor! Olha minha desgraça,
tu que levantas do portal da Morte,
¹⁵para que eu possa contar tuas proezas
e celebrar tua vitória nas portas de Sião.

T ¹⁶Os pagãos afundaram
na fossa que fizeram,
seu pé ficou preso na rede que esconderam.
¹⁷Apareceu o Senhor para fazer justiça,
e o perverso se enredou em sua própria ação.

Y ¹⁸Que os perversos caminhem para o Abismo,
os pagãos que esquecem a Deus.
²⁰Levanta-te, Senhor, não se orgulhe o homem,
sejam julgados os pagãos em tua presença;

K ¹⁹pois ele não se esquece para sempre do pobre,
cuja esperança nunca se frustrará.
²¹Infunde-lhes, Senhor, o teu terror,
e os pagãos aprendam
que não são mais do que homens.

10 (9)

L ¹Por que, Senhor, ficas distante
e te escondes nos momentos de perigo?
²A soberba do perverso
se inflama contra o infeliz:
que se enredem nas intrigas que tramaram!

M ³Por que o perverso se gloria de sua ambição
e o cobiçoso se felicita com arrogância?

N ⁴O perverso despreza o Senhor:
Não há Deus que me peça contas!
⁵Suas maquinações...
retorcem sempre o seu caminho.

9,13 "Vingar" ou pedir contas: Gn 9,5; Ez 3,18.20.
9,14 As consoantes permitem ler imperativo de súplica, ou perfeito de proclamação. Mantenho a vocalização de imperativos. Interpreto o "portal da Morte" como o acesso ou entrada no reino dela (não o poder como em Mt 16,18), à luz de Is 38,10; Jó 38,17; cf. Sl 30,2. O perigo foi extremo, mortal. Só Deus pôde afastá-lo.
9,15 Àquele portal se contrapõem as portas de Sião, acesso à vida. Onde se pronuncia a sentença se canta o louvor.
9,16-17 Em imagem convencional de caça, enuncia o castigo imanente dos perversos: sua maldade se volta contra eles. Ver p. ex. Pr 26,27; Sl 35,7s; 57,7.
9,18-21 Inverto a ordem dos versículos para restabelecer a periodicidade alfabética, ainda que o sentido não o exija.
9,18 Pelo "Abismo", opõe-se ao v. 14; pelo "esquecer", opõe-se ao buscar do v. 11: Sl 50,22; Jó 8,13.
9,20 Erguendo-se, em gesto judicial, anula o poderio do homem: Is 2,9-19.

9,19 Embora tarde, não é para sempre. Em última instância, o infeliz não fracassa.
9,21 Expressão única: o terror divino devolve aos homens a consciência da sua condição. A frase pede uma pausa maior.

10,1 Aos imperativos da súplica segue a pergunta retórica pedindo a ação.
10,2-3b A descrição do perverso começa pela soberba: Is 16; Jr 48; Eclo 10,16-18; daí brota a fúria contra o indefeso. Antecipa-se a letra M, truncada; suspeito que se perdeu um versículo.
10,3c-5a Tenho de manipular o texto para tirar os versículos paralelos da letra N. Sobre a ambição: Eclo 5,2; sobre a cobiça: Jr 22,17; Eclo 11,30; sobre a altivez: Pr 16,18. Tomo os verbos louvar e felicitar como reflexivos: cf. Sl 49,19; 52,3.
10,5b-6 Com leve mudança reconstruo o texto da letra S, iluminado por Jó 27,2; 34,5. Despreza Deus, insulta o próximo, confia em si.

S Afastou de sua consciência os teus julgamentos
  e desafia todos os seus rivais.
⁶Ele pensa: Jamais vacilarei,
  caminharei sem contratempos.

P ⁷Sua boca está cheia de enganos e fraudes,
  sua língua esconde maldade e opressão;
⁸no curral põe-se de emboscada
  para matar às escondidas o inocente;
seus olhos espiam o infeliz,
⁹espreita em seu esconderijo como leão em seu abrigo,
  espreita o infeliz para sequestrá-lo,
  sequestra o infeliz, arrastando-o em sua rede.

S ¹⁰O inocente se encurva triturado
  e cai pela violência dos perversos.
¹¹E pensa: Deus se esqueceu,
  cobre o rosto e já não vê.

Q ¹²Levanta-te, Senhor, estende a mão,
  não te esqueças dos infelizes.
¹³Por que o perverso desprezaria Deus,
  pensando que não lhe pedirá contas?

R ¹⁴Mas tu vês os sofrimentos e desgraças,
  e os olhas para retribuir:
  tu te encarregas da maldade,
  tu és o socorro do órfão.

S ¹⁵Quebra o braço do perverso.
  Se buscares o perverso, já não o encontras.
¹⁶O Senhor reina eternamente,
  e os pagãos partiram de seu país.

T ¹⁷Tu escutaste, Senhor,
  os desejos dos humildes,
  e os animaste, dando-lhes ouvido,
¹⁸para fazer justiça ao órfão e ao oprimido.
  Que não volte a semear o seu terror
  o homem feito de terra!

10,7 O efeito é de acumulação. A boca é muito importante nas relações sociais.
10,8-9 Insiste no verbo espreitar. Sua língua é mentirosa, sua ação é solapada: esconde-se, vigia, aguarda seu momento. É a atitude da fera à espreita de uma presa, Lm 3,10; Jó 38,40; ou do caçador emboscado com sua "rede". "Inocente" encaixa no contexto forense; "infeliz" é tradução puramente conjetural.
10,9 "Sequestrar" é o verbo de Jz 21,21.
10,10 Acrescento a palavra "justo"/"inocente" para recuperar a letra S. Dele se predicam os verbos seguintes. "Perversos" é tradução conjetural, pedida pelo sentido.
10,11 Os que "se esquecem" de Deus (9,18) afirmam que "Deus se esquece" (10,11), contra 9,13 e 10,12. "Cobrir o rosto" para não ver: Sl 13,2; 27,9; 30,8 etc.
10,12-13 O orante se põe a rebater as pretensões do perverso. Deus vê, não esquece, exige contas.
10,14 Versículo muito duvidoso. "Retribuir": alternativa "gravar na mão" os sofrimentos do pobre; "tomar na mão" o perverso para castigá-lo. "Maldade": conjetural, conforme 8; e "te encarregas" para castigar; alternativa: "o pobre se abandona em ti".
10,15 "Quebrar o braço": Sl 37,17; Ez 30,21.24.
10,16 De novo pede um contexto internacional. O Senhor estabelece ou restabelece seu reinado na capital e expulsa do seu território os pagãos.
10,17 "Animaste": ver Sl 57,8; 78,37; 112,7.
10,18 Suprimindo a cláusula "que não volte", fica um paralelismo simples, de ritmo regular, com sujeito único, Deus: "para fazer justiça"/"para semear terror". Prefiro manter o texto, com alargamento rítmico conclusivo. Ver a raiz em "aterrorizar" de Ez 32,23.25.26.30; Is 14,16; no substantivo "tirano" de Sl 37,35; 54,5; 86,14.
Transposição cristã. Rm 3,14 cita 10,7 descreven-

11 (10)

¹No Senhor eu me abrigo. Por que me aconselhais
   a escapar para o monte como um pássaro?
²Pois os perversos já esticam o arco
   e ajustam a flecha na corda,
   para disparar na sombra
   contra os homens retos.
³Quando os alicerces se abalam,
   o que poderá fazer o justo?
– ⁴O Senhor está em seu templo santo,
   o Senhor tem no céu o seu trono:
   seus olhos estão observando,
   suas pupilas examinam os homens.
⁵O Senhor examina honrados e perversos,
   ele odeia quem ama a violência.

⁶Fará chover brasas e enxofre sobre os perversos,
   um vento de furacão será a sua porção.
⁷Porque o Senhor é justo e ama a justiça;
   os retos verão o seu rosto.

12 (11)

²Salva-nos, Senhor, pois se acaba a lealdade,
   desaparece a sinceridade entre os homens!
³Não fazem mais que mentir uns aos outros,
   falam com lábios aduladores e duplicidade de coração.

---

do o pecador; 1Pd 5,8 aplica ao diabo a conhecida imagem do leão; At 17,31 menciona o julgamento definitivo e universal. Postos na boca de Cristo, uns versículos do salmo se referem ao julgamento do Pai que anula e inverte a condenação dada pelos poderes humanos; outros versículos soam como canto de ressurreição; outros como anúncio do seu reino universal.

11 Um inocente perseguido acorre ao templo invocando o direito de asilo. Os encarregados lhe dizem que, nas circunstâncias presentes de anarquia ou terrorismo, o templo não oferece asilo seguro. Ele responde com uma profissão de confiança no julgamento do Senhor.
Deus age como juiz: seu tribunal é forense e está no céu, porque é tribunal supremo, sem direito de apelação. Ao juiz se dá relevo especial com a indagação (4-5) e a execução de uma sentença com suas armas de fogo que destroem sem apelação. O juiz odeia o violento, definindo com seu ódio e amor os valores autênticos. Sua imparcialidade não é neutralidade. O inocente, "o que poderá fazer?" – Professar sua fé: ainda que tremam os alicerces, Deus "está"; ainda que espreitem o inocente na escuridão, Deus olha; ainda que os perversos ataquem impunes, do alto lhes "choverá" o castigo. E no final o inocente poderá "ver o rosto" de Deus: da fé à visão, antecipada na esperança.
O templo é asilo. O direito de asilo é uma instituição jurídica que utiliza edifícios ou cidades salvaguardadas: Pela construção material? Pela instância jurídica? Pela pessoa do soberano? O pessoal do templo pensa no primeiro e desconfia; o orante no último: pela presença do Senhor no templo, imagem e cópia do santuário celeste. O monte é refúgio que o orante descarta.

11,1 A ave confia, tanto em suas asas quanto na configuração da montanha: ver a fuga mental de Sl 55,7-9 e recordem-se as andanças de Davi fugitivo e perseguido.
11,2 Ver Sl 37,14; 64,5.
11,3 Em sentido próprio, são os alicerces do templo; em sentido figurado, as leis e instituições. A imagem é polivalente: derrubam-se os alicerces da ordem social, da ordem cósmica, Sl 82,5, mas o trono celeste não vacila.
11,4 Antes de mencionar sua atividade, afirma o puro fato da presença, "está": Is 18,4; 66,1; Hab 2,20; os olhos: Jr 32,19.
11,6 Entrevê-se ao fundo o castigo exemplar de Sodoma e Gomorra: Gn 19,24; Is 34, 9s; Ez 38,22. É castigo definitivo. Ver Pr 6, 16-19.
11,7 Que alcance tem "ver o rosto de Deus"? É preciso colocar a frase na linha de Jacó (Gn 32,30), Moisés (Ex 33,18-21) e do final do Sl 17. Também se pode seguir a linha de Jó 9,11; 23,9; 19,27 e 41,5.
Transposição cristã. O salmo pode referir-se ao julgamento de Jesus Cristo no final dos tempos: At 10,42; retoma a imagem da taça/porção: Ap 15,7; 16,1. Para alguns casos, o evangelho recomenda a fuga: Mt 10,23. "Ver a Deus" entra no horizonte da visão beatífica.

12 Súplica marcada pelo imperativo inicial e pela motivação. O salmo se encerra na inclusão de "homens", *benê 'adam*, que estabelece um contexto universal, de humanidade comum, que não cessa de ser atual. O desenvolvimento se encadeia com termos do campo da linguagem: lábios (3.4.5), falar (3ab.4), língua (4.5), adular (3.4), dizer e palavras (5.6.7a). Isso mostra o tema concentrado no salmo.
Os perversos usam a palavra para enganar, lisonjear com má intenção, ostentar, como instrumento

⁴Corte o Senhor os lábios aduladores
   e a língua arrogante dos que dizem:
⁵A língua é a nossa força,
   nossos lábios nos defendem,
   quem será o nosso dono?
⁶O Senhor responde: Pela opressão sobre o humilde,
   pelo lamento do pobre, agora me levanto
   e ponho a salvo sua testemunha.

⁷As palavras do Senhor são palavras limpas,
   como prata purificada no crisol,
   acrisolada sete vezes.

⁸Tu nos guardarás, Senhor,
   tu nos livrarás sempre dessa gente,
⁹desses perversos que vadiam
   como vermes ao redor dos homens.

13 (12)

²Até quando, Senhor?
   Tu te esqueces para sempre?
   Até quando me escondes o teu rosto?
³Até quando deverei ficar cismando,
   com o coração aflito o dia todo?
   Até quando vai prevalecer o meu inimigo?

⁴Atende, responde-me, Senhor Deus meu,
   dá luz aos meus olhos,
   para que não durmam o sono da morte.

---

de poder invencível. Escutamos o desafio que lançam seguros de si: "quem será o nosso dono?" (5) Imediatamente soa a resposta de Deus, disposto a intervir, não tanto para reprimir a blasfêmia, mas para defender o pobre oprimido (6). E a assembleia reconhece o valor absoluto da palavra de Deus (7).

12,2 Refere-se à lealdade nas relações humanas, na vida social; sem ela, leis ou tribunais não valem. A hipérbole expressa um sentimento fortíssimo de desamparo. O tema é frequente: Pr 20,6; Jr 7,2; 9,3s; Mq 7,2.

12,3 Também é frequente o tema da lisonja interesseira: Pr 26,23.28; 29,3.

12,4 "Cortar os lábios" é metáfora vigorosa e oportuna, é reduzir ao silêncio: cf. Sl 101,8.

12,5 Citam-se suas palavras: são pura ostentação, ou expressam a consciência do poder adquirido com a palavra? Não precisam recorrer à violência física. A frase tem alcance social. Também político? – Cf. Jr 9,2. Tem alcance religioso? – O "dono" pode ser Deus: cf. Eclo 5,3.

12,6a Levanta-se para intervir: Is 33,10; Sl 76,10; 102,4.

12,6b Hoje se impõe a tradução "testemunha". Há momentos em que é perigoso declarar a verdade a favor do acusado inocente: cf. Am 5,7.10.

12,7 A imagem metalúrgica é corrente; ver especialmente Sl 18,31; 119,140; Pr 30,3. A promessa de Deus se acrisola no cumprimento.

12,8 "Dessa gente" ou desse bando; o tipo ou grupo descrito.

12,9b O texto é duvidoso. Alternativas: "erguem-se os mais vis", "desprezas", "répteis". Os que se faziam de donos, agora são vermes, diante da ação de Deus.

Transposição cristã. Começo por uma transposição sapiencial à cultura moderna, com seus abusos variados da palavra, esta como instrumento de poder. Passo à palavra profética, acrisolada em si, não pela crítica humana. Passo a Cristo palavra: depurada como enviado do Pai, acrisolado no sacrifício pelos homens. De Cristo à Igreja, administradora responsável de tal palavra.

13 Súplica com sentimento de urgência, expressa na repetição "até quando?" É a consciência da morte (4) que imprime à vida humana o sentimento de pressa: Deus tem tempo porque é eterno, o homem não o tem porque é mortal. Os tempos de Deus e do homem não coincidem. O homem pode encomendar a solução à história que continua e sobrevive a ele; mas, se a morte é o último sono, de que vale? O orante não se abre a uma reflexão comunitária. Paralelo da morte é o "fracasso", perda da provisória consciência que é viver. No além da sua morte soará o grito de vitória de seus inimigos, o que o orante escuta mentalmente. Pode o homem orando apressar os tempos de Deus? (cf. Eclo 36,10). Descobrindo seu rosto, Deus "dá luz aos olhos", e a luz é vida. No final se impõe a esperança na salvação por obra de Deus.

13,2 A pergunta é frequente em contextos diversos, também quando pronunciada por Deus: Ex 16,28; Nm 14,11; Hab 1,2. Na sua impaciência, o orante tem a impressão de que é definitivo: cf. Sl 77,8s; Lm 5,20.

13,3 "Cismando": durante a inatividade de Deus, o homem passa o tempo fazendo e desfazendo planos.

13,4 O sono eterno, definitivo: Jr 51,39; a luz da sobrevivência: Esd 9,8.

⁵Que meu inimigo não diga: "Eu o venci",
nem se alegre meu adversário com meu fracasso.

⁶Pois eu confio em tua lealdade,
meu coração exulta com tua salvação;
cantarei ao Senhor
pelo bem que me fez.

14 (13)

¹ªO néscio pensa: Deus não existe.
²O Senhor assoma no céu
sobre os filhos de Adão,
para ver se há alguém sensato
que busque a Deus.
¹ᵇCorrompem-se, cometendo abominações,
não há quem pratique o bem.
³Todos se extraviam igualmente obstinados,
não há um que aja bem, nem sequer um só.

– ⁴Contudo, será que não vão aprender os malfeitores
que devoram o meu povo como quem come pão,
e não invocam o Senhor?
⁵Pois terão de tremer,
porque Deus está com os justos;
⁶o desígnio do desvalido os confunde,
porque o Senhor é o refúgio dele.

13,5 "Eu o venci" é grito de vitória: ver Jr 1,13; 15,20; 20,7.9s.

13,6 No breve salmo se consuma o processo libertador: da aflição extrema à confiança, desta à alegria, e desta ao canto.
Transposição cristã. Ef 5,14 retoma a equação simbólica sono = morte e apresenta o Messias como fonte de luz. A iluminação de Cristo está em Lc 1,79; Jo 1,9; Ef 1,18. Pela ressurreição de Jesus Cristo, a morte deixa de ser o sono sem despertar.

14 Esse salmo tem um delineamento sapiencial em sua dimensão religiosa e em suas consequências éticas. Contrapõe dois tipos humanos: o néscio e o sensato. Responsáveis por atitudes e condutas, geram os dois eixos que regem o salmo.
O néscio nega a existência de Deus, não só sua atividade; o sensato busca Deus. Da insensatez teológica brotam a perversão e a exploração contra o próximo indefeso; da sensatez teológica brotam o bem agir e o refugiar-se em Deus. Os atores agem e os destinos se jogam no tabuleiro da simples e inteira humanidade: *benê 'adam*. O Senhor observa do alto, avalia, intervém. O desfecho é terror e fracasso em oposição a proteção e assistência.
O último versículo pertence ao texto original, ou é acréscimo exílico? Inclino-me para o segundo. A expressão "mudar a sorte" pertence a contextos de restauração, quase todos exílicos ou pós-exílicos; ver em particular Os 6,11; Jr 30,3; 33,7; Ez 39,25; Jl 4,1. Conforme essa hipótese, os vv. 1-6 são aplicados em segunda instância aos babilônios "devoradores" do povo desterrado. Mas a primeira hipótese também tem argumentos a seu favor.

O Sl 53 nos dá outra versão menos bem conservada desse texto.

14,1-3 Em razão do sentido, mudo o lugar de 1b. O texto oferece dois pontos de vista contrastantes: o parecer de um homem "néscio" e o julgamento de Deus.

14,1a O enunciado é conciso e radical: não há, não existe. Comparar com outros que negam sua atividade: Sl 10,4.13; 94,7; Jó 22,14; 35,15. Pr 1,7 afirma programaticamente que "respeitar o Senhor é o princípio do saber".

14,2 "Assoma" como de um balcão celeste. Sua inspeção é semelhante à de Gn 11 e 18; ver também Sl 33,13s.

14,1b-3 O balanço é geral e pessimista; é hiperbólico? É preciso descontar os oprimidos de 4-6. Comparar com a busca de Jr 5,1 e a exceção de Gn 6.

14,4 Também "aprender", "compreender" pode ser categoria sapiencial. É duvidosa a combinação dos quatro sintagmas: malfeitores, devoradores de meu povo, comem pão, não invocam *Yhwh*. Alternativa: tomam seu alimento sem dar graças ao Senhor: conforme Dt 8,11; Is 62,8. Em minha explicação: "devorar" é metáfora conhecida: Sl 35,25; Jr 35,34; "comer pão" é comparativo, como quem cumpre um ato biológico cotidiano, ignorando a ética; invocar *Yhwh* é próprio do povo escolhido, conforme Jr 10,25.

14,6 Também "desígnio" é categoria sapiencial. "Os confunde": com leve correção para simplificar o sentido; graças ao auxílio imponente de Deus, o desígnio dos fracos devorados chega a confundir e derrotar os poderosos opressores. Outras leituras: "tentais frustrar o plano do...", "o plano contra o infeliz".

⁷Oxalá venha de Sião a salvação de Israel!
Quando o Senhor mudar a sorte de seu povo,
Jacó se alegrará, Israel fará festa.

15 (14)

(Sl 24; Is 33,14-16)

¹Senhor, quem pode hospedar-se em tua tenda?
Quem habitará em teu monte santo?
— ²Quem é de conduta irrepreensível
e pratica a justiça;
³ quem diz a verdade sinceramente
e não calunia com a língua;
quem não faz mal ao próximo
e não difama seu vizinho;
⁴quem despreza a quem Deus reprova
e honra os fiéis do Senhor;
quem não se retrata daquilo que jurou,
mesmo com dano próprio;
⁵quem não empresta dinheiro com usura
e não aceita suborno contra o inocente.

Quem age assim, nunca falhará.

14,7 Hipótese a: pertence ao salmo original. O "povo", purificado no desterro, projeta sua situação em escala universal, de modo que os antagonistas se convertem em tipos humanos, sob o olhar de Deus que dirige a história. Hipótese b: já o texto de 1-6 contém uma tensão entre o universal, "homens", e o particular, "meu povo", entre Yhwh e 'elohim. O desterro oferece ocasião para meditar de novo o texto: os opressores são agora os babilônios, que "não invocam Yhwh"; os oprimidos são o povo exilado, que espera voltar à pátria.
Transposição cristã. Em Rm 3,10-13 citam-se vv. 2-3. Em Jesus Cristo, fraco e inocente, decidem-se as condutas dos homens. Ele nos ensina a sabedoria de buscar Deus. Surge hoje o problema de uns babilônios (típicos), devotos devoradores, diante de ateus ou agnósticos honrados e até benfeitores.

15 Costuma-se considerar esse salmo como uma liturgia de entrada no templo. Um grupo de fiéis acorre ao recinto do templo; à porta, são recebidos por um levita perito na lei; a comitiva, pela boca de seu chefe, faz a pergunta ritual: Quem pode...?, e o encarregado responde com uma lista ética. Mas note-se que não se fala de entrar, mas de "hospedar-se": cf. Jr 35,2; Ez 42; além disso, a lista ética é pouco diferenciada. Juntam esse salmo ao 24 e a Is 33,14-16.
Cabe também considerar o salmo como reflexão pessoal estilizada em forma de pergunta e resposta. Hospedar-se pode significar a união com Deus.
A composição chama a atenção para a resposta final "não falhará", que não parece responder à pergunta inicial. Para coordená-las, é preciso imaginar o templo como lugar de segurança; ou a consistência espiritual como equivalente de morar no templo.

Em todo caso, as exigências éticas, os deveres com o próximo, são condições da prática religiosa: comparar com Jr 7,1-15.

15,1 "Hospedar-se": como Abraão na terra de Canaã e os hebreus no Egito; na terra, Lv 25,23; mas ver Sl 5,5 e 65,5. "Habitar" indica morada estável e corresponde de preferência aos sacerdotes; mas ver Sl 65,5. A pergunta supõe que quem oferece hospedagem põe condições. Pressupõe também que o Senhor habita no templo como dono: Is 8,18; Jl 4,17.21; Sl 74,2.

15,2-5 Apresenta onze condições; se juntarmos duas, temos um decálogo. A primeira é genérica como Sl 84,12; Pr 28,18. Também a segunda, já que "justiça" abraça quase todas as relações humanas. A terceira fala de uma sinceridade "mental", contrastada com a calúnia oral da quarta. A quinta, não fazer mal ao próximo, é genérica.

15,4 Tomo a sétima e a oitava como antítese de complementares. Interpreto a sétima à luz de Sl 139,21s: o homem respeita e adota a avaliação de Deus. Alternativa: "quem se tem por desprezível", como atitude humilde. A nona corresponde a normas legais sobre juramentos: ver Lv 5,4; 27,10.33.

15,5 A décima corresponde a normas éticas, Pr 28,8, e a leis promulgadas: Ex 22,24; Lv 25,37; Dt 23,20s. Outro tanto a décima primeira: Pr 17,23; Ex 23,8; Dt 16,19; Is 5,23 etc.
Não vacilar, ser inamovível: pode referir-se à posição e ao posto. A posição vertical indica a vida; a queda é a morte: cf. Ez 37. O lugar pode ser do pessoal no templo, do israelita na terra.
Transposição cristã. A chave consiste em ler monte Sião como símbolo da nova cidade, a Igreja terrestre e celeste.

16 (15)

¹Guarda-me, ó Deus, pois em ti me refugio!
²Eu declaro ao Senhor:
  Tu és o meu dono,
    nenhum bem eu tenho fora de ti.
³Aos consagrados da terra:
  são meus príncipes, todo o meu afã é por eles.

⁴Multiplicam seus sofrimentos
  os que correm atrás de deuses estranhos.
Não derramarei suas libações de sangue,
  meus lábios não invocarão seus nomes.

⁵O Senhor é a porção do meu lote e da minha taça;
  tu controlas a minha sorte:
⁶coube-me uma parcela agradável,
  minha herança é esplêndida.

⁷Bendigo o Senhor que me aconselha,
  e até de noite minhas entranhas me instruem.
⁸Ponho sempre o Senhor diante de mim,
  com ele à minha direita não vacilarei.

---

16 Os vv. 2-4a apresentam dificuldades textuais graves, que devem ser resolvidas com uma proposta unitária e coerente em si e com o contexto. Eu segui os indícios claros de paralelismo para chegar à minha interpretação: uma profissão dirigida a Yhwh e aos *qedoshim* da terra. Estes, se são ídolos, são rejeitados, antecipando 4b; se são "consagrados", podem ser a classe sacerdotal. Eu o tomo no segundo sentido, leio *'adiray* – sem mudar o texto consonântico –, mudo *bl* em *kl* – quase iguais – e finalmente obtenho dupla profissão de lealdade: a Yhwh como único bem, a seus "consagrados" como meus príncipes. A lealdade exclusiva a Yhwh corrobora-se com a rejeição de qualquer crença ou prática idolátrica (4b). Imagino a profissão de um sacerdote no dia da sua consagração. (Logicamente há muitas outras propostas de interpretação.)
Predomina no salmo a expressão de confiança profunda. Contém alguns elementos sapienciais e coincidências interessantes com Gn 3. A ideologia da partilha da terra, excluídos os levitas, é explícita no v. 5 e explica outros detalhes.
O mais significativo é a intensidade pessoal do salmo, que deve ser meditado como expressão de uma experiência profunda e íntima.
O aspecto sapiencial está personalizado: Deus mesmo é o mestre que "aconselha" sem mediadores; ele mesmo realiza a partilha e é a porção; protege imediatamente o "fiel", sem que o templo medeie como asilo. Há abundância de dados corpóreos, do orante e de Deus; não menos de afetos expressos direta ou indiretamente. O salmista diz a Deus sua experiência, o que sente com ele e junto a ele. O texto chega a outros como estímulo e expressão de experiências semelhantes.

16,1 O começo é uma variante de começo convencional. Dirige-se ao Deus supremo, *'el*, como "guardião": cf. Sl 121.

16,2 É excepcional o feminino "bem" (hebraico) aplicado ao Senhor; pode estar induzido pelo tema da terra: cf. Sl 65,12; 68,11. Outros leem esta pergunta retórica: "minha felicidade não está em ti?"

16,3 a) Lendo "divindades terrestres", falsos deuses com seus príncipes, como p. ex. o Baal fenício e Jezabel, 1Rs 17-18: não quero nada com eles, não me agradam. b) Lendo "consagrados": reconheço-os como meus príncipes, me agradam e me dedicarei a eles.

16,4a Corrijo um texto mutilado ou deteriorado, à luz de expressões de Dt e Jr, para uma leitura conjetural que faça jogo com o versículo seguinte; ver também Is 42,8; 48,11.

16,4b "Libações de sangue": não sabemos se aqui se refere a sangue de vítimas sacrificadas, a incisões rituais ou a outra prática: cf. Is 57,6. "Invocar": ver Ex 23,13; Os 2,19; Zc 13,2.

16,5 Na partilha da terra os levitas não recebem porção, pois devem viver do templo: Nm 18,20s; Dt 10,9; 18,1.
Esse versículo pesa muito na reconstrução do começo.

16,6 "Coube-me": a fórmula "caíram as cordas" está em Js 17,5 e Mq 2,5. Os adjetivos expressam a alegria de quem recebeu algo magnífico num sorteio.

16,7 O Senhor é meu conselheiro pessoal. A seu conselho reage a intimidade mais profunda, "os rins" como sede de paixões, como região semiconsciente que o Senhor sonda e ilumina. É fórmula excepcional.

16,8 Também excepcional pelo verbo tão escolhido e por ser sujeito o orante: a presença de Deus se faz constante na consciência. Ver em contraste Ez 14,3. "Vacilar": no posto sacerdotal, ou na posição vital.

⁹Por isso meu coração se alegra,
    sinto uma alegria íntima,
    até minha carne habita segura;
¹⁰pois não entregarás minha vida ao Abismo,
    nem deixarás o teu fiel ver a cova;
¹¹tu me ensinarás um caminho de vida,
    me encherás de gozo em tua presença,
    de delícias perpétuas à tua direita.

17 (16)

(Sl 7; 9-10)

¹Escuta, Senhor, a minha causa,
    atende ao meu clamor,
dá ouvidos à minha súplica,
    pois em meus lábios não há engano.
²Emane de ti a sentença,
    vejam teus olhos a retidão.

³Ainda que sondes o meu coração
    e o inspeciones de noite
e o proves a fogo,
    não encontrarás malícia.
Minha boca não faltou
    ⁴em assuntos humanos;
com a instrução de teus lábios,
    eu fiquei vigilante.
Mesmo em caminhos abruptos,

16,9 *kabod* pode substituir um pronome enfático de primeira pessoa. Suspeita-se que o original dizia *kabed* = fígado, ou seja, alegria visceral. Também é expressão única "minha carne habita", penso que induzida pelo tema da partilha da terra. Pelo que segue: minha carne, tão fraca e caduca, se estabelece com segurança.

16,10 Sendo Deus "meu dono", a ele pertenço, não ao pó, e nada poderá arrebatar-me, nem o poder supremo da morte. A experiência da intimidade com Deus faz vislumbrar a imortalidade, como no Sl 73 e talvez em Sl 49,16.

16,11 Ainda que bem estabelecido, encontra-se a caminho: viver é progredir para um termo positivo: alegria, saciedade, delícias sem fim. Moisés pediu ao Senhor que lhe mostrasse o caminho, e o Senhor consentiu (Ex 33,13); pediu para ver sua glória, e o Senhor lhe mostrou sua bondade, não seu rosto (Ex 33,18-20). O orante do salmo começa com a "bondade"; no final, Deus lhe mostra o caminho e mostra seu rosto. Além disso, nada resta.

Transposição cristã. At 2,24 e 13,34 aplicam o salmo a Cristo ressuscitado. Pronunciado por Cristo, com variedade de aplicações, pode ser pronunciado pelo cristão com a segura esperança da ressurreição.

17 Súplica de um inocente perseguido ou injustamente acusado, que apela ao tribunal de Deus. Afirma sua inocência e acusa os inimigos, pede ao juiz que examine a causa, pronuncie sentença e a execute. Durante a noite, até a hora da sentença, desfruta do asilo do templo; pela manhã será admitido à presença de Deus. O padrão judicial explica coerentemente muitos dados; contudo, alguns propõem uma leitura em chave militar: o chefe, acossado e ameaçado, pede auxílio ao Senhor.

O salmo tem muitos contatos verbais com o precedente, que ajudam a observar as diferenças: o existencial/o ético, *Yhwh* porção/porção material, vida plena final/esta vida, termo da escolha e vida íntima/consequência de uma reivindicação. O desenvolvimento procede em três pedidos com ligações mútuas: 1-5.6-12.13-15. O orante é protagonista: recorre ao Senhor com imperativos, descreve o inimigo, no final reaparece com um "eu" triunfal.

17,1 "Não há engano": apesar de defensor e testemunha de si, merece fé.

17,2 O juiz deve corresponder com olhar de "retidão". Para a "sentença", ver Os 5,1; Hab 1,4.7; Is 42,1.3.

17,3 Deus se aproxima da intimidade do homem no silêncio da noite, porque o homem se abre ou porque Deus o abre: cf. Sl 4,5; 16,7.

17,3b-5 Cabe outra distribuição das sentenças com a consequente mudança de sentido: fazendo complemento "as palavras" ou "as sendas tirânicas". Em conjunto, menciona lábios e passos, linguagem e conduta.

17,4 "Em assuntos humanos": expressão única que refere a língua às relações humanas. "Fiquei vigilante": outros consideram o verbo transitivo. "Abruptos": outros interpretam como "sendas de bandoleiros/salteadores".

⁵minhas pisadas são firmes;
em teus sulcos
não vacilam meus passos.

⁶Eu te chamo porque me respondes,
inclina teu ouvido e escuta minha palavra.
⁷Faze prodígios de lealdade,
tu que salvas dos agressores
aqueles que se refugiam à tua direita.
⁸Guarda-me como a menina dos olhos,
à sombra de tuas asas esconde-me
⁹dos perversos que me assaltam,
do inimigo mortal que me encurrala.

¹⁰Fecharam suas entranhas,
sua boca fala com soberba,
¹¹seus passos estão me cercando,
fixam os olhos para derrubar-me;
¹²como um leão ávido de presa,
como filhote agachado em seu esconderijo.
¹³Levanta-te, Senhor, enfrenta-o,
curva-o, e com tua espada
tira-me vivo das mãos do perverso.
¹⁴Mata-os, Senhor, mata-os com tua mão:
não partilhem a sorte dos vivos.

Sacia o ventre de teus protegidos,
seus filhos se saciem
e tenham o que deixar a seus pequenos.
¹⁵E eu, por minha inocência, verei o teu rosto,
ao despertar me saciarei com teu semblante.

17,5 Interpreto seguindo o critério do paralelismo.
17,6 É clássica a correlação "chamar"/ "responder".
17,7 "Agressores": a forma hebraica é única, formada pela raiz *qwm* = levantar-se; contra Deus ou contra a autoridade humana? De preferência o segundo, porque Deus é invocado como instância superior.
17,8 "Como a menina dos olhos" se lê aqui, em Dt 32,10 e Eclo 17,22. Do judicial salta para o pessoal. Para o israelita, o olho é o órgão da visão, sede da avaliação, e ver a luz é símbolo de viver. "À sombra das asas" é corrente: Sl 36,8; 57,2; 63,8 etc.
17,9 Sente-se cercado, encurralado: muitos contra um; e passa a descrevê-los horrorizado.
17,10-11 Quatro traços sensíveis: as carnes pesadas, a boca arrogante, os passos medidos, os olhos fixos; ver Sl 73,7; 119,70.
17,12 Comparação tópica: a multidão se reduz a um, ou escolhe seu chefe e declara sua ferocidade bestial. Ameaça aberta ou velada.
17,13 Se continuamos no plano imaginativo do leão, o Senhor se ergue, enfrenta-o, dobra-o e arranca-lhe das fauces a presa viva: ver a descrição de Davi em 1Sm 17,34s. Só que no final o leão recobra sua figura humana.
17,14a Texto e sentido muito discutidos. a) Conservando os substantivos do texto hebraico massorético, diz que são mortais, que seu horizonte é o espaço desta vida e seus bens são limitados. b) Corrigindo os substantivos em verbos: Deus os condena à morte e os executa, com a espada ou com a mão, como se faria com uma fera perigosa.
17,14b Também admite várias interpretações. a) Continua o horizonte terreno dos perversos: com suas "reservas". Embora não o mereçam, Deus os alimenta, a eles e a seus filhos e pequeninos. b) Muda de direção. Executados os agressores, Deus se ocupa de "seus protegidos", da sua família e descendentes; "enche", Sl 127,5; "sacia", Sl 81,17.
17,15 Quanto a ele, tem outra "saciedade", que é "contemplar o semblante" de Deus, num estranho banquete matutino. Uma experiência espiritual inefável recorre a símbolos de relações humanas. *Transposição cristã*. Os comentaristas antigos dizem: voz de Jesus Cristo na paixão, da Igreja na perseguição. E aplicam o versículo final à ressurreição.

18 (2Sm 22; Sl 144)

²Eu te amo, Senhor, minha fortaleza!
³Senhor, meu rochedo, minha fortaleza, meu libertador!
Deus meu, rocha minha em que me refugio!
Minha força salvadora, meu baluarte famoso!
⁴Invoco ao Senhor e fico livre do inimigo.

⁵Cercavam-me laços de Morte,
    torrentes destruidoras me aterravam,
⁶envolviam-me laços do Abismo,
    assaltavam-me redes de morte.
⁷No perigo eu invocava o Senhor,
    pedindo socorro a meu Deus;
do seu templo escutou meu clamor,
    meu grito de socorro
    chegou à sua presença, a seus ouvidos.

⁸Tremeu e estremeceu a terra,
    os alicerces dos montes vacilaram,
    estremecidos por sua cólera.

---

18 O título "texto do Cântico" (no feminino) parece que procura relacioná-lo com Moisés e a epopeia do êxodo. Seja quem for o autor, o eu do poema é Davi, e o salmo é um hino com ação de graças e uma reflexão. *Composição*. Basicamente o poema se compõe de uma moldura (introdução e conclusão), e um corpo, dividido em dois quadros unidos por uma peça reflexiva: 2-4.5-20.21-25.26-32.33-46.47-49.50-51, com versículos antecipados ou retardados. Os dois quadros do díptico descrevem ou contam a libertação dos perigos. O primeiro é uma grandiosa transposição imaginativa, com traços de simbolismo mítico, num jogo de epifania e teofania. Os inimigos históricos são epifania das forças da Morte, a tempestade é epifania de Deus. O segundo quadro é menos linear. Estiliza uma narração em situações típicas ou momentos representativos: perseguições, batalhas, vitórias, até o protagonista se estabelecer como rei do seu povo e soberano de reinos estrangeiros. A peça central é reflexiva: da experiência pessoal, o orante remonta a constantes da ação e conduta divinas.
Estilo. O poeta ama a ampliação, fornecida pelo paralelismo. Multiplica as repetições, próximas ou a distância. É imaginativo no primeiro quadro. A linguagem é agradável e seleta. A entoação é lírica heroica. Outra versão do salmo, com algumas variantes, está em 2Sm 22.
18,2-4 Formam a introdução. 2-3 e a primeira palavra de 4 contêm uma tríplice invocação, "Senhor", "Senhor", "Deus meu", e oito títulos que pertencem ao campo bélico. Segue-se no v. 4 uma síntese programática.
18,2 O verbo inicial *rhm* é muito interessante por ser incomum. Exprime um amor "visceral", um afeto "entranhado". Como se fosse um substrato vital de onde brotam outras atitudes. Uma emoção intensa que busca expressão e desafogo num fluxo torrencial.
18,5-6 Perseguição de um inimigo impiedoso. Da expressão corrente "perseguem-me mortalmente", o poeta passa a imaginar a personificação de Morte e Abismo. Suas armas são "laços" ou cordas para prender e reter, armadilhas com que apanhar, "torrentes destruidoras" com que envolver. Não há escapatória porque o poder do inimigo é irresistível e porque o cerco está fechado.
18,7 A única saída é para cima; para se comunicar serve o grito. De cima Deus pode tirar o homem encurralado.
18,8-20 *Libertação*. Em 8-16 descreve a tempestade teofânica, em 17-20 o ato da libertação. A tempestade é transformada poeticamente, fazendo do Senhor o protagonista. O poeta seleciona dados, mais de movimento e luz que de som; descreve com traços rápidos. Fascina-o a conexão de água e fogo, o jogo de escuridão e esplendor mutuamente intensificados.
A ação. Mal escutou o Senhor a voz do orante (7), este sente um abalo da terra (8) que contagia os montes (cf. Sl 65,7). Aparece no alto (9) um rosto ou figura humana impressionante, aterradora: lança fogo pela boca, sai-lhe fumaça do nariz, atira brasas acesas. A figura vista entre o fogo e a fumaça desce alguns degraus, "inclinando os céus" (10), até alcançar uma esfera próxima da terra. Apoia-se sobre uma nuvem como num trono. Ao chegar a essa região, inicia-se um galope (11), cavaleiro numa nuvem ou cavalgando no vento. Seu galope é um vôo. A visão se turva e se obscurece (12): a água transparente torna-se opaca e as nuvens acusam a presença escondendo a figura. Sobre o fundo sombrio se sucedem os três atos: relâmpago, aguaceiro (13), trovão ou voz de Deus (14). A visão se transforma em cena bélica (15): o protagonista, como num ataque aéreo, lança do céu as flechas de seus raios, que infundem pânico e aniquilam o inimigo. Termina com uma visão do cenário (16a.17b). Do seu observatório, o orante contempla vales e torrentes vazios, e até os alicerces que sustentam o orbe ficam despidos ao olhar. Segue-se uma pausa.
18,8 Ver Jr 5,22; Jó 34,20; Sl 46,4; 77,17-19.

⁹De seu nariz se erguia uma fumaceira,
　　de sua boca um fogo voraz
　　que lançava brasas acesas.
¹⁰Inclinou os céus e desceu,
　　com nuvens espessas sob os pés;
¹¹voava cavalgando um querubim,
　　planando sobre as asas do vento;
¹²escondeu-se na escuridão,
　　como um toldo o rodeavam
　　escuro aguaceiro e nuvens espessas.
¹³Ao fulgor de sua presença, as nuvens
　　se desfizeram em granizo e raios;
¹⁴enquanto o Senhor trovejava no céu,
　　o Altíssimo lançava sua voz.

¹⁵Disparando flechas os dispersava,
　　enlouquecidos por relâmpagos contínuos.
¹⁶Apareceu o leito do mar
　　e se descobriram os fundamentos do orbe,
　diante do teu bramido, Senhor,
　　diante do sopro furioso do teu nariz.

¹⁷Do alto estendeu a mão e me agarrou
　　e me tirou das águas caudalosas;
¹⁸livrou-me de inimigos poderosos,
　　de adversários mais fortes do que eu.
¹⁹Assaltavam-me no dia funesto,
　　mas o Senhor foi meu apoio.
²⁰Tirou-me para um lugar espaçoso,
　　livrou-me porque me amava.

²¹O Senhor me pagou a minha retidão,
　　retribuiu a pureza de minhas mãos,
²²porque segui os caminhos do Senhor
　　e não reneguei o meu Deus;

18,9 Ver Is 30,27; Ez 1,13.
18,10 A nuvem espessa: ver Dt 4,11; 1Rs 8,12.
18,12 Escondido: Sl 81,8.
18,13 "Fulgor": ver Ez 1,28; 10,4; Hab 3,11.
18,14 O trovão: ver 1Sm 7,10; Is 29,6; Sl 29; 77,19.
18,15 Os raios: ver Zc 9,14; Jó 38,35. O pânico: Ex 14,24; Js 10,10.
18,16 Ao ficarem vazios os leitos de águas fertilizantes (Jl 1,20), só resta lugar para a torrente de águas devastadoras.
18,17-20 A libertação é descrita ainda em imagem, num processo mais lógico: estendeu a mão, agarrou-me, tirou-me da água, deu-me apoio, levou-me a um lugar espaçoso. O processo lógico: livrou-me de um inimigo – mais poderoso – que me atacava – num momento fatal – salvou-me – porque me amava. A exposição é mais reflexiva e o vigor imaginativo se aplaca.
18,17 As "águas caudalosas" são os inimigos ou a inundação enviada pelo Senhor? No segundo caso emerge a polaridade: a tempestade é destruidora e libertadora, e o "amado" de Deus (20) escapa; como em Jr 30,7; 51,45. O verbo "tirar" é aplicado a Moisés em Ex 2,10.
18,19 "No dia funesto": como no cântico de Moisés, Dt 32,35.
18,20 O "lugar espaçoso" contrapõe-se à estreiteza do cerco: Sl 4,2; 31,8s. O "amor" de Deus é a causa e a explicação de sua portentosa intervenção: cf. Is 62,4; Sl 22,9.
18,21-29.31 Divido essa seção central em três segmentos: 21-25.26-28.29 + 31-32.
18,21-25 Depois da ideia nobre do amor de Deus, esses versículos insistem na "retribuição", numa lista de virtudes que Deus teve de pagar ou premiar. A solução está no esquema subjacente de aliança entre soberano e vassalo. O Davi do salmo viveu a vassalagem sob Saul e nela experimentou a deslealdade do seu senhor (1Sm 24,12). Viveu a vassalagem sob o Senhor, que foi lealdade plena. Esses versículos são como que a profissão de lealdade de um vassalo que desfrutou do tratamento correspondente do seu senhor. Os méritos registrados são bastante genéricos.

²³porque tive presentes os seus mandatos
   e não afastei de mim os seus preceitos;
²⁴fui íntegro com ele,
   guardando-me de toda culpa.
²⁵O Senhor retribuiu minha retidão,
   a pureza de minhas mãos diante de seus olhos.
²⁶Com o leal tu és leal,
   com o íntegro tu és íntegro,
²⁷com o sincero tu és sincero,
   com o astuto tu és sagaz.
²⁸Tu salvas o povo aflito
   e humilhas os olhos soberbos.
²⁹Tu, Senhor, acendes minha lâmpada,
   Deus meu, tu iluminas minhas trevas.

³⁰Por ti eu corro ao combate,
   por meu Deus assalto a muralha.
³¹Deus, cujo caminho é perfeito,
   a palavra do Senhor é purificada,
   é escudo para os que nele se refugiam.
³²Pois, quem é Deus fora do Senhor?
   Quem é rocha além do nosso Deus?

³³O Deus que me cinge de força
   e torna íntegros os meus caminhos;
³⁴torna meus pés como de cerva
   e me assenta em minhas alturas,
³⁵adestra minhas mãos para a guerra
   e meus braços para esticar a balestra.
³⁶Tu me emprestaste o teu escudo salvador,
   tua direita me sustentou,
   multiplicaste os teus cuidados comigo.

18,26-28 O orante eleva sua experiência pessoal a princípio de conduta do Senhor, em quatro frases ritmadas, lapidares, usando formas verbais incomuns. Deus paga ao homem na mesma moeda; quem deseja tratar com ele, sabe a que apegar-se. Não é essa uma espiritualidade de observâncias, tentativa de vincular Deus aos méritos de nossa conduta? – Em parte sim. Mas deve-se prestar atenção a detalhes que relativizam o princípio: são os "caminhos" do Senhor, marcados por ele. Se 24 diz "fui íntegro", 33 diz "torna íntegros"; e o v. 28 traz outro critério: a desgraça perante a soberba. O recurso estilístico de repetir o verbo, para expressar que Deus paga na mesma moeda, está em 1Sm 15,23; Lv 26,23; Pr 3,34.
18,28 Comparar com Pr 29,23, que não recorre a Deus.
18,29 A "lâmpada" é o dom da existência, que se transmite perpetuando a dinastia: 2Sm 21,17; 1Rs 11,36; 15,4; 2Rs 8,19; Sl 132,17. As trevas são símbolo do não-ser, da contingência do ser criado.
18,31-32 A descrição imaginativa da libertação e da meditação reflexiva sobre seu sentido desembocam e repousam numa solene confissão com doxologia. Três títulos: caminhos, palavra, promessa. E professa a unicidade do seu Deus: 2Sm 7,22; Sl 86,8.
18,30 + 33-46 Segundo quadro: pode ser dividido em dois quadros, delimitados pela repetição "me cingiste de força" em 33 e 40; sem ser fórmula técnica, parece indicar a investidura militar: cf. 1Sm 17,38s. Os dados se referem a funções ou qualidades bélicas. Muito importante é a mobilidade, que inclui agilidade e segurança. Segundo quadro: treinamento e habilidade no manejo das armas. Terceiro: eficácia em aproveitar a vitória. O desenvolvimento avança em duas fases. Antecipa-se a conquista de uma cidade (3): a praça-forte dos jebuseus? Primeira fase (2Sm 5,6-9): investidura (33-34), instrução e aprendizagem (35-36), perseguição do inimigo até submetê-lo (37-39). Segunda fase: investidura (40a); derrota do inimigo (40b-41), que suplica em vão (42), o rei os tritura (43). No final, o rei supera as disputas internas e mantém submisso um círculo de vassalos (44-46).
Ao contrário do primeiro quadro, o inimigo não se mostra aguerrido nem toma a iniciativa. A assimetria diz que os dois quadros são complementares.
18,30 "Combate": retenho o texto hebraico, que menciona bandos militares: cf. 1Sm 30,8-25; 2Sm 3,22; 1Rs 11,24. Outros corrigem e leem "muro".
18,34 "Torna": com um verbo raro; comparar com Hab 3,19 = me iguala, me adapta.
As "alturas" são montes e penhascos pelos quais se deve mover com rapidez e segurança.
18,35 "Balestra" ou arco de bronze: Jó 20,24.
18,36 "Teus cuidados": o Senhor se ocupa e se preocupa com seu ungido. Explorando a raiz *'nw*, alguns

³⁷Alargaste o caminho para meus passos
e meus tornozelos não fraquejaram.
³⁸Eu perseguia o inimigo até alcançá-lo,
e não voltava antes de acabar com ele;
³⁹eu os esmaguei, e não puderam refazer-se,
caíram sob meus pés.

⁴⁰Cingiste-me de força para a guerra,
curvaste os que me resistiam;
⁴¹puseste em fuga meus inimigos,
eu reduzi ao silêncio meus adversários.
⁴²Pediam socorro, ninguém os salvava;
gritavam ao Senhor, e não lhes respondia.
⁴³Eu os reduzi a pó que o vento arrebata
e os pisei como barro da rua.

⁴⁴Livraste-me das contendas de meu povo
e me fizeste cabeça de nações;
um povo estranho foi meu vassalo,
⁴⁵por minha fama se submetiam a mim.
Os estrangeiros me adulavam,
⁴⁶os estrangeiros desfaleciam,
saíam tremendo de seus baluartes.

⁴⁷Viva o Senhor, bendita seja a minha Rocha!
Seja exaltado o meu Deus e Salvador!
⁴⁸O Deus que me deu a desforra
e me submeteu os povos,
⁴⁹que me livrou do inimigo,
me levantou sobre os que resistiam
e me livrou do homem violento.
⁵⁰Por isso te darei graças diante das nações
e tocarei, Senhor, em tua honra:
⁵¹Tu deste grande vitória a teu rei,
foste leal com teu Ungido,
com Davi e sua descendência para sempre.

---

chegam a deduzir a "humildade" ou condescendência de Deus.

18,37 Literalmente, "alargaste meus passos por baixo"; talvez passos largos/longos e seguros; o contrário em Pr 4,12; Jó 18,7.

18,38 Poderia ser reminiscência de Ex 15,9, ou simples coincidência; mais próximo é 1Sm 30,8.

18,39 "Esmagar" em contexto bélico: Nm 24,8-17; Dt 32,39; Sl 110,5s.

18,40 "Resistiam" ou se sublevavam.

18,41 "Reduzir ao silêncio": Sl 54,7; 69,5; 73,27 etc.

18,42 Essa súplica não ouvida é exatamente o contrário da súplica ouvida do primeiro quadro (3.4.7). "Ao Senhor": ponto de vista do orante; o normal seria que os inimigos invocassem seu deus; a não ser que se trate de inimigos internos.

18,43 Expressão enérgica, com um verbo raro: Ex 30,36; Jó 14,19. O poeta fala da dispersão da poeira e do barro pisoteado: Mq 7,10; Zc 9,3.

18,44 "Meu povo": o trono e a dinastia estão ameaçados por disputas internas, guerra civil, rebeliões, usurpações. "Cabeça": soberano de reinos tributários. "Estranho" ou estrangeiro: Is 55,5.

18,45 "Adulavam": ou lisonjeavam servilmente, por interesse: Sl 66,3; 81,16; Dt 33,29.

18,46 "Desfaleciam": ou se debilitavam.

18,47-51 Os versículos conclusivos apresentam alguns dados claros com um desenvolvimento premente. O v. 47 é uma doxologia que poderia ser final, se não fosse tão breve. Comparada com o v. 32, pode ser o fecho do segundo quadro. À maneira de recapitulação, esses vv. repetem palavras dispersas pelo salmo.

18,47 "Viva": não juramento, mas aclamação; comparar com 2Sm 16,16; 1Rs 1,25.

18,48 "Povos": pelo contexto, melhor que "exércitos"; comparar com Sl 45,6.

18,49 "Homem violento": no horizonte de Davi, pode ser Saul; também poderia ser tomado como coletivo.

18,50 É normal reunir um público para a ação de graças; aqui o orante deseja um auditório internacional. Comparar com Sl 96, 3.10; Is 55,3.

18,51 O nome de Davi soa no final, como assinatura indireta. O final tem notáveis contatos com Is 55,3,

19 (18)

²Os céus proclamam a glória de Deus,
　　o firmamento apregoa a atividade de suas mãos.
³Um dia passa a mensagem a outro dia,
　　uma noite a transmite a outra noite.
⁴Sem falar, sem pronunciar,
　　sem que se ouça a sua voz,
⁵o seu discurso atinge toda a terra,
　　a sua linguagem chega aos confins do mundo.

Ali plantou uma tenda para o sol:
⁶Ele, como um esposo, sai de seu quarto,
　　contente como um herói, para percorrer seu caminho.
⁷Surge numa extremidade do céu,
　　e sua órbita chega ao outro extremo.
　　Nada se esconde de seu calor.

⁸A lei do Senhor é perfeita:
　　devolve a respiração;
　o preceito do Senhor é confiável:
　　instrui o ignorante;

---

final do Segundo Isaías. Ambos dependem da promessa dinástica, 2Sm 7.
Transposição cristã. Pela presença "poética" de Davi, o salmo tem sido lido em chave messiânica e posto na boca de Jesus Cristo. Sua luta e sua vitória são de uma ordem nova.

19 Alguns negam a unidade do salmo por causa da mudança de tema, de estilo, de nome divino. Outros o dividem em duas etapas de composição. As razões pesam pouco e a divisão empobrece o sentido. O gênero hínico admite e unifica materiais diversos, p. ex. Sl 136 ou 147. Defendendo a unidade, eu o explicarei em quatro seções.
Leitura unitária. O céu revela ao homem a ordem e o louvor: a ordem como fato ontológico; o louvor como interpretação de linguagem. A criação interpela o homem, convidando-o ao louvor e à obediência. O homem poderia abrir-se à linguagem da criação e elevar a voz admite e integridade ao homem. Mas falha, e então Deus transforma sua vontade em palavra para ordenar ao homem. Vista assim, a lei é razoável e desejável, valiosa e saborosa; o homem se sente atraído por ela e canta seu louvor. Mas torna a falhar, e sua falha é mais grave. Pois a lei manda sem dar forças, divide o homem, revela-lhe sua impotência. O homem descobre sua limitação radical e um poder que o domina. Sentindo dolorosamente sua incapacidade, o homem se volta para Deus pedindo auxílio; e assim a lei, mediatamente, encaminha o homem para sua libertação. Só Deus pode devolver inocência e integridade ao homem. Então o homem pode entoar o louvor, dando linguagem formal ao discurso inarticulado dos céus, e esperando que Deus o aceite.
19,2-5a *Primeira seção*. *Ex abrupto* o poeta introduz seus colossais personagens, ocupados em falar. Céus e firmamento representam espaços personificados. A terra é o lugar em que o público escuta. Dias e noites são tempos personificados, divididos em duas filas, sem se tocar: dia e noite não se falam.

Como falam esses personagens? Acumulam-se termos do campo semântico da linguagem. É uma linguagem própria: não tem palavras ou lexemas, *dbrym*; não tem sentenças ou sintagmas, *'mr*, nem sequer tem fonemas, *qwl*. No entanto, propaga-se a todas as partes e é inteligível: linguagem universal anterior e superior à confusão de Babel. Seu tema é a glória (cf. Is 6,3) e a ação ou atividade.
19,5b-7 *Segunda seção*. De novo, de surpresa, entra em cena outro magnífico protagonista. Em hebraico, "sol" costuma ser feminino. O poeta o contempla aqui em figura masculina, soldado ou paladino veloz e gigantesco. Domina todo o espaço do dia. Tem traços domésticos projetados em escala cósmica. Possui uma tenda e nela um quarto nupcial, onde passa sua noite de amor. Levanta-se com frescor de manhã e sai de casa para fazer o longuíssimo percurso diário que lhe determinaram. Pelo caminho vai distribuindo um calor que penetra em todas as partes. As qualidades clássicas do guerreiro são agilidade e força (2Sm 2,23). Embora não fale, com sua ação repete ou traduz a mensagem universal do céu e do firmamento.
19,8-11 *Terceira seção*. Sem transição nem introdução, entra um tema novo. Entra a lei abrindo caminho a seis sentenças de uma regularidade exasperante, como que materializando em linguagem a ordem que procura estabelecer. Só seis: falta uma para a perfeição.

Os predicados são em grande parte corpóreos: respiração, coração, olhos; é límpida e pura, é estável e oferece apoio. É razoável, não teme dar razões, e assim educa o inexperiente sem deixá-lo em sua ignorância. É lúcida, não exige obediência cega, mas ilumina os olhos. Dá alegria interna, não é carga insuportável.
O último versículo propõe duas comparações: ouro, símbolo e medida de valor; mel, o manjar mais saboroso (Pr 16,24). O autor pensa no conteúdo, mais que na formalidade da lei.

⁹os mandatos do Senhor são retos:
  alegram o coração;
a norma do Senhor é límpida:
  dá luz aos olhos;
¹⁰o respeito ao Senhor é puro:
  dura para sempre;
os mandamentos do Senhor são genuínos:
  justos todos sem exceção;
¹¹são mais valiosos do que o ouro,
  do que o metal mais fino;
são mais doces do que o mel
  que um favo destila.

¹²Também o teu servo se ilumina com eles,
  e guardá-los traz grande recompensa.
¹³As inadvertências, quem as percebe?
  Absolve-me de culpas ocultas;
¹⁴da arrogância preserva o teu servo,
  para que não me domine.
Então serei íntegro
  e inocente de grave pecado.

¹⁵Que te agradem as palavras de minha boca,
  aceita minha meditação,
  Senhor, Rocha minha, Redentor meu!

20 (19)

²O Senhor te responda no dia do assédio,
  e te torne inacessível
  o nome do Deus de Jacó.

19,12-15a *Quarta seção.* Com uma partícula concessiva, introduz um paradoxo inesperado: a lei é perfeita, eu não; ilumina, mas muitas coisas minhas são ocultas; eu a saboreio e não consigo cumpri-la. Três coisas humilham ou ameaçam o orante.
Inadvertências. Faltando o pleno conhecimento, falta o pleno consentimento, o reato formal. A lei desenvolve uma série de normas de transcendência para afinar a consciência, para alertar a advertência: Lv 4-5; Nm 15.
Faltas ocultas. Podemos ampliar: más inclinações, tendências, motivos reprimidos, atitudes; aquilo que o homem se empenha mais em não ver: Sl 90,8.
Arrogância. É o mais grave: o delito praticado ciente e conscientemente: Nm 15,30; Dt 17,12. É ação pessoal e é potência que procura submeter o homem: cf. Gn 4,7. Mas o "servo" de Deus não deve ser escravo do pecado. Sentindo-se impotente, o homem apela para a graça de Deus. Implora a absolvição para ser "inocente"; com a ajuda de Deus, será "íntegro" ou perfeito.
19,13 Lv 5,17s; Nm 15,30.
19,15 Já absolvido e com a integridade recuperada, o orante pode pronunciar sua prece, unindo-se ao hino da criação e respondendo à atração da lei. Sua oração porá de acordo boca e mente e será aceita por Deus: cf. Ex 28,38; Lv 1,3.
Conclui com dois títulos: uma metáfora da natureza, outra da legislação.
Transposição cristã. Rm 10,18 aplica o v. 4 à pregação do evangelho. O cristão contempla a criação restaurada em Cristo. Os antigos exploraram o simbolismo do sol como esposo: sua saída do quarto nupcial de Maria no nascimento, sua trajetória "do Pai até o Pai"; seu calor é o Espírito. A reflexão sobre lei e graça antecipa o ensinamento de Paulo.

20 Oração pelo rei antes de uma batalha. Um grupo, que pode ser o povo ou o exército, entoa uma série de pedidos em favor do rei. Uma voz singular anuncia que os pedidos se cumprirão. De novo o grupo toma a palavra para confirmar sua confiança no Senhor. Concluem com um pedido. Uma inclusão maior encerra o salmo na "resposta de *Yhwh*" (2.10). Uma inclusão menor marca a primeira parte com o "nome de Deus" (2.6). Outra, marca a segunda parte com a "vitória do Ungido"/"do rei" (7.10). No meio (6b), algo que parece ser um oráculo pronunciado por um sacerdote ou profeta. Esse salmo tem notáveis relações verbais com o 18.
O tema bélico explícito define o significado de alguns vocábulos polissêmicos, como "inacessível" (uma cidadela), "reforços", "planos" ou estratégia (cf. Pr 20,18), "vitória", "força"; "ofertas" e "sacrifícios" podem pertencer ao ritual bélico. Embora a súplica seja pelo rei, o protagonista é o Senhor; os homens invocam, aclamam, erguem estandartes, mantêm-se de pé. Uma ideia central, a guerra de *Yhwh*, configura o salmo. A rigor, lutar "em nome de Deus" não é o mesmo que fazê-lo com a proteção de Deus. O primeiro significa que Deus está em causa: sua honra, seus

³Do santuário ele te envie reforços,
e de Sião te apóie.
⁴Leve em conta todas as tuas ofertas
e declare gordo o teu sacrifício.
⁵Ele te conceda o que desejas
e cumpra todos os teus planos.
⁶E nós celebraremos a tua vitória,
ergueremos estandartes
em nome do nosso Deus.

– O Senhor cumprirá todos os teus pedidos.

– ⁷Agora sei que o Senhor
dá a vitória ao seu Ungido
e lhe responde do seu santo céu
com a força de sua direita vitoriosa.

⁸Uns confiam em carros,
outros na cavalaria;
nós invocamos o Senhor nosso Deus;
⁹eles se encurvaram e caíram;
nós nos mantemos de pé.

¹⁰Senhor, dá a vitória ao rei!
Responde-nos quando te invocamos.

21 (20)

²Senhor, o rei festeja tua força,
como celebra tua vitória.
³Tu lhe concedeste o que desejava,
não lhe negaste o que seus lábios pediam.
⁴Tu te adiantaste para abençoá-lo com bens,
puseste-lhe na cabeça uma coroa de ouro.
⁵Ele pediu vida e tu a concedeste,
anos que se prolongam sem fim.

---

interesses, sua ordem. O segundo é mais modesto: são empreendimentos nacionais em que o monarca e o exército contam com "seu Deus". Comparar com o grito de guerra de Jz 7,18.20, "O Senhor e Gedeão!", e a exortação de 2Cr 32.

20,2 "Assédio" pode sugerir uma guerra defensiva; mas o termo pode significar perigo em geral. "Inacessível": comparar com Pr 18,10. "O Deus de Jacó": a menção do patriarca pode sugerir que a batalha implica todas as tribos; isso induziria uma referência ideal a Davi, rei de todo Israel: 2Sm 5,1-5.

20,3 Supõe já construído o templo. Em Sião se ergue o santuário nacional: cf. Sl 125,1.

20,5 "O que desejas": literalmente "segundo o teu coração", forma rara que recorda "o coração" de Deus em relação ao rei: 1Sm 13,14; 2Sm 7,21.

20,6b É privilégio do rei fazer pedidos: ver o comentário a Sl 2,8.

20,7 "Sei": eu o reconheço, como resposta ao oráculo divino. O que Deus promete é um fato. É "a direita" de Deus: Ex 15,6; Sl 98,2.

20,8 "Carros" e "cavalaria": ver a norma de Dt 17,16; referências proféticas: Is 31,1; Mq 5,9; Zc 10,5.

20,10 O imperativo hebraico é empregado como grito de socorro: 2Sm 14,4; 2Rs 6,26; Sl 108,7.

Transposição cristã. Ao mudar de chave, a batalha, os sacrifícios, o desígnio, o auxílio e a vitória adquirem novo significado; enriquece-se a invocação, e o sinal do estandarte é outro.

21 Ação de graças, entoada pela comunidade pela vitória do rei, ou do Senhor a favor do rei. Forma díptico com o anterior: como pedido confiante e ação de graças pela concessão, antes da batalha e depois da vitória. Uma série de ligações verbais marca a correlação. O segundo amplia a visão do inimigo derrotado e posto em fuga.

Uma inclusão maior emoldura o poema, articulado em duas partes de seis versículos, com um versículo central de ligação (8). Nos extremos se menciona a celebração, no centro se exalta a "confiança" do rei na "lealdade" do seu Soberano.

21,2-7 Primeira parte. O rei assiste silencioso e a comunidade se encarrega de expressar seus sentimentos de gratidão. O Senhor lhe concedeu bênçãos, longevidade, coroa, glória, honra e alegria. Dons centrados na batalha, que não correspondem aos pedidos do Sl 20, mas que abrangem todo o reinado.

21,3 Sobre desejos cumpridos: Pr 11,13; 13,12.

21,4 Pode-se pensar em bênçãos dinásticas, paralelas às patriarcais e de aliança, conforme 2Sm 7,29.

21,5 O pedido não corresponde ao de Salomão em 1Rs 3,5. Longevidade equivale a longo reinado: Sl 72,5.

⁶Grande é seu prestígio por tua vitória:
  tu lhe conferiste honra e majestade.
⁷Tu lhe outorgaste bênçãos incessantes,
  e o enches de alegria em tua presença.

⁸Porque o rei confia no Senhor,
  pela lealdade do Soberano não fracassará.

⁹Tua esquerda alcance teus inimigos,
  tua direita atinja teus adversários.
¹⁰Coloca-os num como forno aceso,
  quando surgir teu rosto, Senhor.
  (Sua cólera os devora, o fogo os consome.)
¹¹Destrói seu fruto na terra,
  sua semente na humanidade.
¹²Ainda que descarreguem maldades contra ti
  e tramem intrigas, nada conseguirão;
¹³pois tu os porás em fuga,
  apontando o arco contra eles.

¹⁴Levanta-te, Senhor, com tua força:
  ao som de instrumentos cantaremos teu poder.

22 (21)

(Is 53)

²Deus meu, Deus meu!
  Por que me abandonaste?
  Fica longe de ti o meu clamor,
  o rugido de minhas palavras.

21,8 "Soberano", ou Altíssimo, título do Deus supremo.
21,9-14 Discute-se quem é o "tu" dessa seção: continua sendo o Senhor, ou agora é o rei? a) O rei: a ruína ou desgraça (12) encaixa melhor com um homem; o v. 10b muda para a terceira pessoa, referindo-se a Deus. b) O Senhor: o movimento do salmo o pede, pois fala primeiro de teus benefícios, depois de tuas ações bélicas; "forno" e "rosto" que destrói pertencem normalmente a Deus; o v. 11 pede Deus como sujeito. Prefiro a segunda hipótese.
21,9 Imagem de dois braços gigantescos de Deus que alcançam todos os inimigos.
21,10 O fogo é elemento de teofania: Is 31,9; Ml 3,19. O "rosto" enfrenta para aniquilar: Lv 20,6; Sl 34,17. O último versículo parece glosa acrescentada para explicar o "forno".
21,11 Metáfora de descendência. Acabar com ela é castigo por delitos passados e prevenção de agressões futuras, Is 14,21.
21,12 A agressão contra Deus pode ser atribuída a nações pagãs: p. ex. Is 10,11.
21,13 Se tomamos como inversão estilística dos tempos, poderíamos traduzir "diante deles".
21,14 O versículo final resume os dois temas: invocação final e participação coral na festa.
Transposição cristã. Ao aplicar esse salmo a Jesus Cristo, as palavras coroa, vida, glória e alegria adquirem novo significado. Para a coroa, ver Hb 2,9; para a vida, Jo 5,26; para a glória, Jo 13,31; para a alegria, Jo 15,11.

22 É uma súplica individual com seus dois componentes maiores: pedido de auxílio na tribulação e promessa de pública ação de graças pela esperada libertação. A súplica se apoia em diversas motivações: a situação trágica do orante, o que o Senhor é e foi para ele e para outros.
Dentro do gênero, o poema se destaca por dois aspectos individuais: a urgência extrema e a intensidade da expressão, mistura de realismo e fantasia. Não confessa pecados próprios, nem invoca o castigo para os inimigos. A futura ação de graças tem uma extensão inusitada, abraça todo o cosmo e o futuro. Mais do que qualquer outro texto, esse salmo influiu nos relatos evangélicos da paixão.
Composição. Duas partes: súplica (2-22), ação de graças (23-32). A primeira parte é balizada pela repetição de "longe" (2.12.20). A segunda parte avança em três ondas: os fiéis (23-27), os povos (28-29), os mortos e descendentes (30-32). A primeira parte emprega linguagem imaginativa: perto e longe, líquido e árido, feras. Proximidade do assédio, da perseguição, e distância estranha de Deus; no seu estado físico, o sólido se derrete (15), o úmido seca (16); a imagem das feras emerge à superfície e denota a feroz bestialidade que se esconde em muitos homens.
22,2 O título duplicado e a interrogação estabelecem o tom urgente da súplica. Não é protesto, mas pedido confiante, necessidade de explicar a incompreensível atitude de "seu Deus". "Rugido": pela sonoridade, pela força elementar com que brotam.

³Deus meu, eu te chamo de dia e não respondes,
de noite, e não me dou trégua;
⁴embora tu habites no santuário,
louvor de Israel.

⁵Em ti confiavam nossos pais,
confiavam e os punhas a salvo;
⁶a ti gritavam e ficavam livres,
em ti confiavam e não os decepcionavas.

⁷Mas eu sou um verme, não um homem:
afrontado pela gente,
desprezado pelo povo;
⁸ao ver-me caçoam de mim,
fazem caretas, meneiam a cabeça:
⁹"Recorreu ao Senhor, que o ponha a salvo,
que o livre, se é que o ama".

¹⁰Foste tu quem me tirou do ventre,
tu me tinhas confiado
aos peitos de minha mãe;
¹¹desde o seio me lançaram a ti,
desde o ventre materno tu és o meu Deus.

¹²Não fiques longe,
pois o perigo está perto
e ninguém me socorre.
¹³Um tropel de bezerros me encurrala,
cercam-me touros de Basã;
¹⁴abrem contra mim a goela:
um leão me esquarteja e ruge.

¹⁵Eu me derramo como água,
meus ossos se desconjuntam;
meu coração, como cera,
se derrete em minhas entranhas;
¹⁶minha garganta está seca como telha,
a língua grudada ao paladar.
Tu me esmagas contra o pó da morte.

22,3 Nega a sequência normal de chamar-responder. A noite não traz descanso nem interrompe seus gritos: 1Rs 8,59; Jr 8,23.

22,4 É enfático o pronome pessoal aqui e em 7.10.20. "Habites": ou "te sentas no trono": 1Sm 4,4; 2Sm 6,2; 2Rs 19,15.

22,5-6 É enfática a tríplice repetição de "confiança", quase equivalente de fé: cf. Eclo 2,10. Tema frequente: Sl 25,3.30; 31,2.18 etc.

22,7 "Verme": não pela condição humana (Jó 25,6) ou pela conjuntura política (Is 41, 14), mas por sua situação social. "Desprezado": como o servo de Is 49,7; 52,14; 53,3. Resolve-se no v. 25.

22,9 Essas palavras são zombaria do homem e desafio de Deus. Na boca dos adversários, o poeta converte a pretensa sátira em elogio involuntário. Sb 2,12-18 desenvolve o tema.

22,10-11 Retorna ao momento crítico do nascimento. Deus agia quase como uma parteira: tira com força a criatura, coloca-a quietinha a mamar no peito materno, infunde-lhe aí tranquilidade, retoma-a como entregue a ele. Que tensão tremenda entre o abandono atual e a pertença a Deus desde o nascimento.

22,12 Concentra-se a oposição entre perto e longe, entre os inimigos e Deus.

22,13-19 Coloca-se em primeiro plano a transformação imaginativa, com traços que deixam emergir a aparência real. A visão intensamente subjetiva transforma os homens em feras, o corpo em materiais estranhos.

22,13 "Touros": comparar com a visão satírica de Is 34,7; Ez 39,18.

22,14 O "leão" no singular, como figura emblemática.

22,15 "Como água": conforme 2Sm 1,14, é a condição humana. "Meus ossos": sente-se desarticulado, sem estrutura consistente. "Como cera": também em 68,4.

22,16 Lm 4,4.

22,16b Alguns corrigem o verbo para a terceira pessoa, como ação de um inimigo que deseja matá-lo. Prefiro

¹⁷Mastins me encurralam,
  cerca-me um bando de malfeitores.
Perfuram-me as mãos e os pés,
  ¹⁸e posso contar os meus ossos.
Eles me olham triunfantes:
  ¹⁹repartem entre si minhas vestes,
  e sorteiam minha túnica.

²⁰Mas tu, Senhor, não fiques longe;
  força minha, apressa-te a socorrer-me;
²¹livra minha vida da espada,
  a única, da garra do mastim;
²²salva-me da goela do leão,
  dos chifres de búfalos a este infeliz.

²³Contarei tua fama a meus irmãos,
  em plena assembleia te louvarei:
²⁴"Fiéis do Senhor, louvai-o,
  linhagem de Jacó, glorificai-o,
  reverenciai-o, linhagem de Israel,
²⁵porque não desprezou nem lhe repugnou
  a desgraça de um infeliz,
  não lhe escondeu o rosto;
  quando pediu auxílio, ele o escutou".

²⁶Tu inspiras meu louvor na grande assembleia:
  cumprirei meus votos diante de seus fiéis.
²⁷Os desvalidos comerão até saciar-se,
  e os que buscam o Senhor o louvarão:
  não percais nunca o ânimo!
²⁸Recordarão isso e se voltarão para o Senhor
  todos os confins da terra,

---

manter a leitura massorética, com toda a violência da surpresa. Abandonado por Deus, cercado por fora e por dentro, o orante, num lampejo mental, parece descobrir Deus entre seus inimigos, cúmplice e executor, agora perto, imediato. Essa proximidade final de Deus, mortífera e incompreensível, é a tragédia abissal do orante. Deus abrange toda a sua existência: arrancou-o do seio materno, deposita-o na cova.

22,17 "Perfuram": o hebraico diz "como um leão". Diversas correções e explicações foram propostas: atar para que não possa lutar nem fugir; perfurar, atravessar, à luz do relato evangélico. A imaginação pode salvar como metáfora o significado normal "cavar": os cães a dentadas abrem brechas em antebraços e panturrilhas.

22,19 Tomam posse até da roupa do condenado. Mantos e vestes podiam fazer parte dos despojos de guerra: Jz 5,30; Js 7,21; 2Rs 7,15.

22,21-22 Conclui esta primeira parte com uma conjunção de garras, goelas e chifres que só o Senhor poderá destruir. O homem tem só uma vida (cf. Sl 35,17): a do orante é "infeliz".

22,22 2Tm 4,17.

22,23-32 Na segunda parte, notamos primeiro abundantes repetições verbais que se entrelaçam irregularmente formando um tecido unitário. Em base a critérios formais (o tríplice "porque"/"pois", em 25.29.32), teríamos de dividir assim: eu e a assembleia, fiéis do Senhor, estirpe de Israel (23-25); eu e a assembleia, os humildes que o veneram e as nações do mundo (26-29); eu, os que morrem, minha descendência, os sucessores (30-32). Tendo como base os participantes, deveríamos cortar depois de 27: ou seja, eu – Israel – todo o mundo, eu – os que foram – os que serão. Temos um movimento de expansão contraposto ao cerco da primeira parte.

22,23 "Irmãos" são os membros do povo; designação corrente em Dt.

22,25 "Não desprezou" corresponde ao v. 5. "Repugnância", "asco", é termo forte: aplica-se aos tabus em Lv, aos ídolos em Dt 7,26. A desgraça pode repugnar aos homens, não a Deus.

22,27 Outros infelizes são convidados a participar como comensais no sacrifício de ação de graças. O último versículo muda violentamente de pessoa, como se o orante se dirigisse aos convidados. Alguns leram aqui um sufixo de terceira pessoa.

22,28 "Recordar" e "voltar" se referem normalmente aos israelitas, não aos pagãos. Portanto, o significado aqui será ter presente e dirigir-se a, com mudança de religião ou reconhecendo Yhwh como Deus e rendendo-lhe homenagem.

e se prostrarão em sua presença
as famílias dos povos;
²⁹porque o Senhor é Rei,
ele governa os povos.

³⁰Diante dele se prostrarão as cinzas da tumba,
em sua presença se curvarão
os que descem ao pó.
Minha vida, porém, será conservada.
³¹Minha descendência o servirá
e contará quem ele é;
³²anunciará sua justiça à geração vindoura,
ao povo que há de nascer, pois ele a realizou.

23 (Ez 34; Jo 10)
(22)
¹O Senhor é meu pastor, nada me falta.
²Em verdes prados me faz repousar,
para fontes tranquilas me conduz

22,29 Reinado universal, como em textos proféticos: Jr 10,7; Ab 21; Zc 14,9.

22,30 "Cinzas": apóio a tradução no paralelismo e em Jr 31,40. "Descer ao pó" é variação do comum descer à cova. Designa os mortos, não os mortais. A homenagem dos mortos a Deus é concepção desusada: ver p. ex. Sl 30,10; 89,11-13. O texto da frase final é muito duvidoso: corrijo com versões antigas. Alternativas: "que não pode conservar a vida", "sua alma viverá para ele".

22,31 Continuam as dificuldades textuais. O sentido de minha versão é que uma descendência garantida é parte da vida do orante; seus descendentes continuarão sendo fiéis servidores do Senhor e transmitirão a tradição paterna. A família é o primeiro círculo concêntrico.

22,32 Mais ampla será a geração vindoura, a próxima, as seguintes. A "justiça" engloba toda a atividade do Soberano, não só a judicial. A frase final é concisa (cf. Sl 37,5). Com um simples verbo se cancela toda a distância e inatividade da primeira parte do salmo. Deus não abandona nem fica longe.

Transposição cristã. Os primitivos relatos da paixão de Jesus utilizaram o mais importante salmo de um inocente perseguido e libertado, para descrever detalhes precisos. O salmo é favorito da liturgia da paixão. Mas é preciso levar em conta algumas mudanças: o orante do salmo não morre, Cristo morre, sua libertação vai além da morte. A libertação do salmo age só ao ser contada; a de Cristo é eficaz em si, e por isso deve ser anunciada. O cristão se incorpora ao sofrimento de Cristo; a paixão da vítima inocente denuncia a injustiça humana.

23 Esse salmo é um dos favoritos do saltério, pela tradição de Davi pastor e pela culminação na imagem do Bom Pastor. Também por sua simplicidade e riqueza: em duas imagens ou cenas de conjunto, comprime um número inesperado de símbolos elementares. As imagens são duas: o pastor em 1-4, o anfitrião em 5-6. O versículo central, 4b, une-se ao que precede pela imagem, ao que segue pela surgimento da segunda pessoa.

A imagem do pastor é desenvolvida com realismo e concretude, por meio de traços breves que evocam a cena. Deixemo-nos conduzir pela imaginação, sem espiritualizar: a relva verde com uma fonte, para deitar-se, repousar e recuperar forças; as trilhas do caminho, o vale ao anoitecer, o cajado que bate no chão rítmica e sonoramente. A imagem une dois planos de significado num ângulo comum; dele, numa visão de conjunto, se veem as duas vertentes. O que se diz das ovelhas vale para o homem; o aspecto pessoal avança para o primeiro plano: "tu vais comigo". A imagem libera vários símbolos, arquetípicos ou culturais. A imagem do pastoreio se inscreve nas relações do homem com os animais dominados e domésticos. O verde aplaca os olhos, revela a terra materna e acolhedora. A água mata a sede e suscita energia vital. O caminhar é experiência radical. A escuridão evoca medos infantis e temores não esclarecidos; nela se sente com mais força a presença amiga. A potência simbólica desses traços não se esgota na primeira leitura.

A imagem do hóspede. Na cultura nômade, a hospitalidade é fundamental. Podemos imaginar um fugitivo do seu clã que pede asilo. O xeque o acolhe na sua tenda, oferece-lhe proteção, comida e bebida, unguentos aromáticos. Ao observar a cena, os inimigos perseguidores se detêm na porta ou cortina: o xeque o protege. Quando termina, o xeque lhe oferece uma escolta que o acompanhe pelo caminho até a casa, que é a casa do Senhor. Essa parte acrescenta os símbolos de comer e beber.

As tradições do êxodo nos dão uma chave para compreender a unidade das duas imagens: o Senhor guia seu povo como rebanho, pelo deserto, proporcionando-lhe água, comida e repouso. Quando chegam à terra prometida, o Senhor no seu território os recebe como anfitrião: Ex 15,13; Sl 68,11; 77,21. Duas vezes o poeta interrompe o descanso com o caminho, não o contrário. Toda a vida a caminho ou a morada final no templo? O poema termina com uma tensão não resolvida, como se numa e noutra vez voltasse a começar.

23,1 A imagem de Deus pastor é frequente: Sl 78,52; 80,2; Is 40,10s; Jr 23,4.

³e restaura minhas forças;
guia-me por sendas oportunas,
como seu nome o pede.
⁴Ainda que eu caminhe por vales escuros,
nada temo: tu vais comigo;
tua vara e teu cajado me sossegam.

⁵Pões diante de mim uma mesa,
diante de meus inimigos.
Com perfume me unges a cabeça,
minha taça transborda.
⁶Tua bondade e lealdade me escoltam
todos os dias de minha vida;
e habitarei na casa do Senhor
por dias sem fim.

24 (23)
(Sl 15; Is 33,14-16)

¹Do Senhor é a terra e tudo o que nela existe,
o mundo com seus habitantes,
²pois ele fundou-a sobre os mares,
firmou-a sobre as correntes.
— ³Quem pode subir ao monte do Senhor?
Quem poderá estar no recinto sagrado?
— ⁴Quem tem mãos inocentes e coração puro,
que não recorre aos ídolos
nem jura em falso.
⁵Esse receberá do Senhor a bênção
e a justiça de Deus seu Salvador.
— ⁶Este é o grupo que o busca;
que vem visitar-te, Deus de Jacó.

23,3 O hebraico *shem* pode significar nome, título, fama. Aqui encaixa melhor o segundo.
23,4 "Sossegam": o verbo é frequente no Segundo Isaías: 40,1; 49,13; 51,3.12.19; 52,9.
23,5 O uso de perfumes nos banquetes é abundantemente atestado.
23,6 "Bondade e lealdade" personificadas como escolta.
Transposição cristã. Jo 10,1-18 apresenta Jesus como o bom ou autêntico pastor (Ez 34). A primeira carta de Pedro sintetiza na imagem cristológica com eclesiologia: 2,25; 5,2-4. A partir desses dados se pode conduzir uma reflexão sobre símbolos do salmo e sacramentos.

24 Costuma-se considerar esse salmo como liturgia de entrada no templo, e companheiro do 15. Reconstrói-se ou conjetura-se uma ação litúrgica na qual se encaixam os dados do salmo: introdução hínica, duplo diálogo, apresentação do grupo, entrada do Senhor. O ato litúrgico é imaginado à luz de textos narrativos: 2Sm 6,13-15; Ex 40,21.34; 43,4. Os autores divergem ao lhe atribuir a ocasião litúrgica: na fundação ou comemoração da transladação da arca (2Sm 6); canto de vitória; festa da renovação da aliança; festa da entronização de *Yhwh*. Ou seja, o salmo se presta a várias leituras e usos.
A composição é muito regular e convida a observar correspondências e distinções. De um cenário universal (1-2) salta-se à concentração extrema no templo: cf. 1Rs 8,27. Correspondem-se: terra/habitantes = templo/visitantes. Um grupo de fiéis (3-6) e o Senhor glorioso (7-10) chegam ao templo, ao que parece juntos. Para os fiéis a pergunta, para *Yhwh* os imperativos; os fiéis com condições, *Yhwh* sem condições; identificados os fiéis em sua busca diligente, *Yhwh* em seu nome e título.
24,1-2 Toma a imagem de fundadores e construtores de cidades (Gn 4,17; Js 6,26; 1Rs 16,34), e a atribui a Deus, fundador da terra: Sl 78,69; 89,12; 102,26; Jó 38,4-7. Os homens se apoiam sobre rocha ou terreno firme; Deus alicerça a terra sobre o movediço e instável oceano. Por baixo dos continentes fluem correntes que afloram nos mananciais.
24,2 Jó 38,4-7.
24,3 Frequente no Deuteronômio, o "recinto" ou lugar santo supõe escolha prévia e consagração.
24,4-6 Unem qualidades éticas com a busca de Deus, sem definir exatamente a relação.
24,4 Mãos e coração é merisma que inclui todo tipo de ações, pensamentos e desejos. Seguem-se dois preceitos do decálogo. "Recorrer": a expressão hebraica parece significar uma forte tendência para algo: cf. Dt 24,15; Pr 19,18.
24,5-6 Embora mencione o patriarca Jacó, creio que se refere às bênçãos condicionadas pela aliança. A "justiça" é a que consiste na observância, conforme Dt 6,25.

⁷Portões, erguei os frontões!
  Que se ergam as antigas comportas,
  pois vai entrar o Rei da Glória.
– ⁸Quem é esse Rei da Glória?
– O Senhor, herói valoroso,
  o Senhor, herói da guerra.
– ⁹Portões, erguei os frontões!
  Erguei as antigas comportas,
  pois vai entrar o Rei da Glória.
– ¹⁰Quem é o Rei da Glória?
– O Senhor dos exércitos,
  ele é o Rei da Glória.

25 (24)

¹A ti, Senhor meu Deus, levanto minha alma:
²em ti confio, que eu não fique frustrado,
  não triunfem sobre mim meus inimigos.
³Os que esperam em ti não ficam decepcionados;
  ficam frustrados os desleais sem razão.

⁴Indica-me, Senhor, teus caminhos,
  ensina-me tuas sendas;
⁵encaminha-me com tua fidelidade, ensina-me,
  pois tu és o meu Deus salvador.
⁵ᵇEm ti espero o dia todo
  ⁷ᵇpor tua bondade, Senhor.
⁶Lembra-te, Senhor, que tua compaixão
  e tua lealdade são eternas;
⁷de meus pecados juvenis, de minhas culpas
  não te lembres; segundo tua lealdade,
  lembra-te de mim.

24,7-9 Não se trata de uma procissão formal; realmente todos vêm buscando Deus no templo. O segundo diálogo adota um tom ritual e solene. Emprega em chave dramática a imagem de umas portas personificadas, que devem cumprir uma ordem. O Senhor aparece como rei vitorioso na guerra.

24,7 2Sm 6,13-15; Ez 43,4s.

Transposição cristã. 1Cor 10,26 cita o primeiro versículo do salmo para justificar a liberdade cristã. A tradição antiga e a liturgia aplicam o salmo à ascensão de Jesus Cristo; alguns autores compõem com a fantasia uma cena celeste, com diálogo de anjos. O cortejo se identifica com a comunidade cristã.

25 Esse salmo pertence ao grupo dos acrósticos que desfiam suas peças pelas 22 letras do alfabeto hebraico. São tardios e correspondem à criação de situações acadêmicas e à utilização na piedade pessoal. Como se um mestre quisesse ensinar seus alunos a rezar; cf. Eclo 39,14; 43,30. O salmo é convencional em quase todas as suas peças: ensina-nos como reza um israelita que não percebe nada de novo. Embora o artifício alfabético não favoreça a composição unitária, podem-se rastrear no texto alguns temas dominantes. a) O sapiencial: caminho (4ab.5.8.9ab.12) e o ensinamento (4ab.5.8.9.12.14). O mestre humano se retira e deixa o lugar para o Senhor. b) A aliança com seus componentes (9.10.14); a lealdade da parte de Deus (6.7.10), o respeito, a reverência e a esperança da parte do homem (2.3.5.12.14.21). c) No v. 14b se cruzam ambas: Deus ensina o homem por meio das cláusulas da aliança. d) Como complemento, o pecado (7ab.8.11.18) e o perdão (7.11.18).

25,1 "Levanto minha alma": em sentido corporal, a expressão hebraica é erguer o pescoço para se dirigir a alguém que está acima. Espiritualiza-se, e significa tomar a vida consciente e íntima, elevando-a para Deus. Três palavras começam por *alef*.

25,2 A confiança impede o fracasso: Is 42,17; Jó 6,20. Duas palavras começam por *beth* e outras quatro por *alef*.

25,3 "Desleais" à aliança; "sem razão" para romperem seus compromissos. Isso leva ao fracasso da existência.

25,4 Deus traça o caminho de antemão, como num mapa; por isso se chamam "teus caminhos".

25,5 A guia de Deus não é ato de poder, mas gesto de favor e ato de salvação.

25,5b.7b Com uma simples transposição, completo o versículo da letra *waw*.

25,6 Na visão de Moisés (Ex 33,19 + 34,6) acumulam-se: bondade, compaixão, piedade, misericórdia e fidelidade. O autor pode tê-los tomado de fórmulas litúrgicas para espalhá-los pelo salmo.

25,7 Sob o espaço imenso e "eterno" da bondade compassiva de Deus, transcorre o breve espaço da vida humana e o segmento da juventude, com suas paixões e quedas. "Não se lembrar" pode ter valor judicial, é sinônimo de perdão: Jr 31,34.

⁸Bom e reto é o Senhor; por isso
  indica aos pecadores o caminho;
⁹encaminha os humildes com o mandato,
  ensina seu caminho aos humildes.
¹⁰As sendas do Senhor são lealdade e fidelidade
  para os que observam a aliança e seus preceitos.
¹¹Por teu nome, Senhor, perdoa
  meu delito, por maior que seja.

¹²Quem é esse que respeita o Senhor?
  Ele lhe indicará o caminho a escolher:
¹³a felicidade será sua morada,
  e sua descendência possuirá um terreno.
¹⁴O Senhor é íntimo de seus fiéis,
  e com sua aliança os instrui.

¹⁵Meus olhos estão fixos no Senhor,
  pois ele tirará meus pés da rede.
¹⁶Volta-te para mim e tem piedade,
  pois estou sozinho e aflito;
¹⁷alarga meu coração apertado
  e tira-me de minhas aflições.
¹⁸Atende minha aflição e minha fadiga
  e perdoa todos os meus pecados;
¹⁹olha quantos são os meus inimigos
  que me odeiam com ódio violento.
²⁰Guarda minha vida e livra-me;
  que eu não fique defraudado
  por ter-me abrigado em ti.
²¹Retidão e honradez me guardarão,
  pois eu espero em ti.

²²Ó Deus, redime Israel
  de todos os seus perigos.

25,8 Bondade e retidão se temperam mutuamente. Por elas Deus está disposto a guiar também os pecadores, justamente os pecadores.

25,9 "Humildes": é por certo tempo conceito sociológico, são os marginalizados; depois se torna conceito teológico e chega a identificar-se com os judeus oprimidos e fiéis.

25,10 A aliança é compromisso mútuo: cf. Ex 20,6; Dt 26,17-19.

25,11 Se peca, o homem não pode alegar méritos nem apelar para a aliança violada. O único argumento válido é Deus mesmo, seu nome, sua fama. O perdão é ato gratuito que honra o nome de Deus.

25,12 "Escolher": entendo que o sujeito é o homem, conforme Dt 30,19; Sl 119,30; o verbo entra na terminologia da aliança.

25,13 Depois do caminho, vem a posse da terra, como de um terreno para a família: cf. Sl 37; pode-se definir tal situação como "felicidade".

25,14 Deus confidente e íntimo; relação que não se concilia com o temor, e sim com o respeito: Jó 29,4; Pr 3,32.

25,15 O olhar fixo equivale a um pedido mudo e eficaz.

25,16 A esse olhar fixo responde o rosto "voltado" de Deus.

25,17 O mesmo jogo de aperto e largueza de 4,2.

25,18 Mudo o verbo hebraico por um sinônimo comum, para restabelecer o versículo do *kof*: comparar com Sl 9,4; 10,14; 31,8; Lm 1,19.

25,19 A expressão "ódio violento" é única em hebraico.

25,20 Retoma o tema de 2 com a variante "abrigar-se".

25,21 "Retidão e honradez" personificadas: provavelmente qualidades de Deus, como pode indicar o contexto.

25,22 Um acréscimo com o verbo *pdh*, como no final do Sl 34. Poderia servir como antífona para a recitação alternada.

Transposição cristã. Um salmo tão convencional não se presta a uma transposição global. Pode-se ler em Rm 5,5 como citação ou ressonância do v. 3. Os temas de ensinamento, caminho e aliança entram facilmente na nova linha espiritual.

26 (25)

¹Julga-me, Senhor, já que procedo honradamente,
  confiado no Senhor eu não fraquejo.
²Perscruta-me, Senhor, põe-me à prova,
  examina minhas entranhas e meu coração;
³porque tenho diante dos olhos tua lealdade
  e procedo segundo tua fidelidade.

⁴Não me sento com gente falsa,
  não vou com os clandestinos;
⁵detesto o bando de malfeitores,
  com os perversos não me sento.

⁶Lavo-me, purificando as mãos,
  e dou voltas em torno do teu altar,
⁷fazendo ouvir minha ação de graças
  e contando as tuas maravilhas.
⁸Senhor, eu amo a casa em que moras,
  o lugar em que reside tua Glória.
⁹Não me tires a alma com os pecadores
  nem minha vida com os sanguinários;
¹⁰pois em sua esquerda levam infâmias
  e enchem sua direita de subornos.
¹¹Eu, porém, procedo honradamente:
  salva-me, tem piedade de mim!
¹²Meu pé se mantém no caminho reto,
  na assembleia bendirei o Senhor.

---

26 O salmo encaixa bastante bem num julgamento de apelação, seja real e objetivo, seja expressão estilizada de uma experiência espiritual. A primeira palavra é "julga-me". O orante comparece diante do juiz e protesta inocência (1.3.11.12). Sua conduta inclui atos externos, observáveis, e uma região interna, "entranhas e coração", clara para Deus (2). O orante comparece diante de um grupo anônimo, do qual se afasta na conduta (4-5; cf. Sl 1,1; Sb 2) e pede para não ser confundido na sentença (9). Mas não apresenta um caso concreto, e sim afirmações de conjunto e genéricas. Lido como imitação literária, seu sentido pode resumir-se assim: A consciência não me acusa de delitos graves; por isso, submeto-me ao julgamento de Deus; comparar com Pr 16,2; 21,2. Mas o orante não alega só inocência: confia no Senhor (1b), conta com sua lealdade e fidelidade (3), pede compaixão e libertação (11b); comparar com a confissão de Paulo em 1Cor 4,3s. Além disso, refere-se a delitos graves (9), não a toda espécie de faltas.

Os versículos 6-8 introduzem o tema do culto, mas não esclarecem sua relação com a ética. São parte dela? ou a pressupõem? ou a confirmam? Ao menos são complementares, como mostram as oposições: "detesto os malfeitores"/"amo a casa em que moras", "com os perversos não me sento"/"dou voltas em torno do teu altar".

26,1 O imperativo também se encontra em Sl 7,9; 35,24; 43,1. Pode-se discutir a relação dos três verbos. Proponho: se sou honrado, se não fraquejo, é porque confio no Senhor.

26,2 "Pôr à prova" é colocar o homem numa situação na qual, ao decidir, se realiza e se manifesta: Dt 8,2.

26,3 "Lealdade" e "fidelidade": não apela à justiça (Sl 35,14) nem menciona a lei.

26,4-5 Não são quatro grupos diferenciados, mas um com várias características. "Clandestinos": com respeito aos homens (Sl 11,2); não está claro se também se refere a Deus: cf. Is 29,15.

26,6-8 A vida cultual se articula em três componentes: os ritos de lavagem e procissão, o louvor e relato, o amor à morada. O lavar-se ritualmente pode significar a pureza existente ou a purificação: Dt 21,1-9; Is 1,15.

"Em torno": não se indica se é caminhada processional ou dança: cf. Sl 118,27. A morada é "amada" em atenção a quem nela habita.

26,9 Distinção e separação de inocentes e culpados: como em Gn 18,24; Nm 16,26.

26,10 Levam nas mãos a prova do delito. Suborno: Ex 23,8; Dt 10,17; Is 1,23 etc.

26,11-12 Em paralelismo: os primeiros hemistíquios são sinonímicos, os segundos são correlativos.

Transposição cristã. Sobre o testemunho da consciência, pode-se ler 2Cor 1,12; Hb 13,18 e o citado 1Cor 4,4. Purificação e consciência vão unidas em 1Pd 3,21s com referência ao batismo.

27 (26)

¹O Senhor é minha luz e minha salvação:
 a quem temerei?
O Senhor é o baluarte de minha vida:
 de quem terei medo?
²Quando os malfeitores me atacam
 para tragar-me vivo,
 eles, inimigos e adversários,
 é que tropeçam e caem.
³Se um exército acampa contra mim,
 meu coração não teme;
se entram em batalha contra mim,
 ainda assim confio.
⁴Uma coisa peço ao Senhor,
 é o que procuro:
habitar na casa do Senhor
 todos os dias de minha vida,
contemplando a beleza do Senhor,
 observando o seu templo.
⁵Ele me ocultará em sua cabana
 na hora do perigo;
ele me esconderá no escondido de sua tenda,
 e me levantará sobre a rocha.
⁶Então levantarei a cabeça
 sobre o inimigo que me cerca.
Em sua tenda oferecerei sacrifícios
 entre aclamações,
 cantando e tocando para o Senhor.

⁷Escuta, Senhor, minha voz que te chama,
 tem piedade de mim, responde-me:

---

27 Salmo de confiança muito belo e especial. Na primeira parte (1-6), confiança apesar de dificuldades e perigos: ainda que um acampamento o cerque e um exército o assalte, ainda que seus pais o abandonem, ainda que o acusem testemunhas falsas, ele continua confiando. Três situações: bélica, familiar, social. Do salmo poderíamos extrair um vocabulário: confiança (3), levantar a cabeça (6), confiar (13), esperar (14), não temer nem tremer (1), ser valente e corajoso (14). A isso se poderiam acrescentar os títulos do Senhor e suas ações.
Mas acontece o paradoxo: depois de tanta ostentação de coragem, pronuncia uma súplica preocupante, premente, com mudança de estilo. Não nos estranharia uma súplica urgente (7-13) seguida de uma profissão de confiança (1-6). Observo o corte de 6 e 7. A promessa de ação de graças de 6b soa como final de salmo: 30; 52; 54; 59 etc. O imperativo de 7a parece começo de salmo: 17; 27; 61; 64; 102 etc. Contudo, creio que se deva tomar o salmo como unidade e descobrir o denominador comum, o medo, grande inimigo interior.
O medo se aninha num subterrâneo do espírito e aflora à consciência, e não é possível reprimi-lo totalmente. Essas perguntas desafiadoras do começo a rigor são estímulo interno camuflado. A convicção mental e teórica de que o Senhor é segurança se debate com o sentimento irremediável do medo. Daí o desenrolar desconcertante do salmo.

27,1-6 A primeira parte é dominada pela imagem bélica, que contagia outros detalhes; o templo, sem deixar de ser "cabana" e "tenda", é rocha defensora. Acontece dupla elevação: o templo, refúgio bélico provisório, eleva-se a morada permanente; de edifício onde habitar, a lugar onde estar com Deus. Assediado, o orante se esconde. Nesse recinto, passa da "observação" sensível à "contemplação" espiritual. Aí supera os medos que afligem e se entrega ao canto alegre. Sua fuga foi uma corrida para dentro e para cima (5).

27,1 Os três títulos de Deus são um programa. Luz, Sl 36,10; salvação Sl 18,3.47; baluarte, Sl 31,3.5. Sobre o temor: Jr 1,17; Is 51,12.

27,2 "Tragar-me vivo": literalmente "comer a carne", Is 9,19; 49,26.

27,4b Coincide com o final do Sl 23. Habitar por toda a vida no templo é privilégio de sacerdotes e levitas.

27,4c O templo material pode ser observado (Sl 48,13-15); a beleza do Senhor é contemplada numa experiência espiritual.

27,6b É duvidoso o significado da expressão incomum: sacrifícios que consistam em aclamar festivamente o Senhor, ou sacrifícios acompanhados de aclamações.

27,7-12 A súplica é composta de dez pedidos: cinco positivos e cinco negativos equivalentes. Muito importante é o diálogo em 7-8, que exige explicação especial.

⁸"Buscai meu rosto".
Meu coração te diz:
– Eu busco teu rosto, Senhor:
⁹não me ocultes teu rosto.
Não afastes com ira o teu servo,
pois tu és o meu auxílio;
não me rejeites, não me abandones,
Deus de minha salvação.

¹⁰Ainda que meu pai e minha mãe me abandonem,
o Senhor me acolherá.
¹¹Indica-me, Senhor, o teu caminho,
guia-me por uma senda plana,
pois estão me espiando;
¹²não me entregues à sanha de meus rivais.
Levantam-se contra mim falsas testemunhas,
acusadores violentos.
¹³Eu, porém, espero gozar
da felicidade do Senhor no país da vida.

– ¹⁴Espera no Senhor, sê valente.
Coragem! Espera no Senhor.

28 (27)

¹A ti, Senhor, eu invoco.
Rocha minha, não te faças de surdo;
se te calas, serei como tantos
que descem à cova.
²Escuta a voz de minha súplica
quando te peço auxílio,
quando estendo as mãos
para teu sagrado templo.

³Não me arrebates com os perversos

27,7-8 O texto é difícil, e os autores mudam a vocalização ou a ordem. Com efeito, só o Senhor pode dizer "buscai meu rosto": cf. Os 5,15; 2Cor 7,14. Eu transfiro e tomo essa frase como texto de "responde-me"; e coordeno dois verbos de dizer: "responde-me"/"meu coração te diz". O orante quer escutar o convite que Deus normalmente dirige à comunidade; ao ouvi-lo, replica que já o está cumprindo, que o cumpra também o Senhor.

27,9 A "ira" corresponde ao pecado e anula a confiança. Contudo, o salmista não confessa pecados nem pede perdão; somente deixa passar pela mente e sair pelos lábios, para afastar essa terrível possibilidade da ira.

27,10 Sobre crianças rejeitadas, Ez 16. O orante não registra um fato, mas aponta uma hipótese extrema, quase inimaginável, que uns pais abandonem seu filho. Ao empregar como termo de comparação um sentimento humano radical, o autor atrai Deus a tal esfera simbólica: completar com Is 49,15 e Sl 103,13s.

27,12a Entregar ao adversário poderia ser a concretização de apartar com ira, como mostra o Deuteronomista no livro dos Juízes.

27,12b Do perigo bélico passa a perigos judiciais.

27,13 "Eu, porém": fórmula hebraica muito duvidosa. Alguns a tomam como juramento. Deve-se colocar o segundo hemistíquio em paralelo com 4c: em vez de beleza, bondade; em vez de templo, terra dos vivos.

27,14 Quem pronuncia as frases? – Um sacerdote, um profeta cultual ou uma voz interior. Sendo texto de repertório, a atribuição fica aberta.

Transposição cristã. O tema da confiança em Deus adquire urgência e validade renovadas pela revelação da paternidade de Deus e pela vitória de Cristo. Ver Jo 14,1s; 16,3; Lc 11,13; 1Cor 1,3-5.

28 É uma súplica com suas motivações: o perigo extremo do orante (1), a agressão do inimigo (3-5); inclui antecipada ação de graças (6-7) que responde ao pedido (2a e 6b). O final é um apêndice: pedido pelo rei e pelo povo. Embora os motivos sejam convencionais, o modo de tratá-los tem detalhes originais.

28,1 Em Is 42,14 os dois verbos se referem ao desterro. Separados, são frequentes e costumam significar uma atitude temporária de Deus. A segunda parte aponta para o mistério da conservação: sem a intervenção de Deus o homem fenece; é claro que o autor enfoca um perigo grave.

28,2 O *debir* é a capela ou recinto último do templo, no qual o sumo sacerdote entra uma vez ao ano. A fórmula é original e enfática.

28,3-5 Exceto alguns dados, as ações dos perversos são genéricas. A pena invocada pode ser simples retribuição, sem evocar a lei do talião.

nem com os malfeitores:
saúdam o próximo com a paz,
e com malícia no coração.
⁴Dá-lhes o que merecem suas obras
e a maldade de seus atos;
dá-lhes o que merecem suas ações,
devolve-lhes o que merecem.
⁵Visto que não entendem a obra de Deus,
a ação de suas mãos,
ele os derrubará e não os reconstruirá.

⁶Bendito seja o Senhor
que escutou a voz de minha súplica!
⁷O Senhor é minha força e meu escudo:
nele confia o meu coração.
Ele me socorreu, e meu coração exulta,
e lhe canta agradecido.
⁸O Senhor é minha força,
e baluarte salvador de seu Ungido.
⁹Salva o teu povo, abençoa tua herança,
apascenta-os e conduze-os para sempre.

29 (28)

¹Filhos de Deus, aclamai o Senhor,
aclamai a glória e o poder do Senhor,
²aclamai a glória do nome do Senhor,
prostrai-vos diante do Senhor no átrio sagrado.

³A voz do Senhor sobre as águas,
o Deus da glória trovejou,
o Senhor sobre as águas torrenciais.

28,3 Um bom comentário sobre a falsidade está em Pr 26,24-26.
28,4 Sobre a retribuição: Is 59,16; Sl 94,2; Pr 12,14 etc.
28,5 Os perversos exercem sua atividade prescindindo de Deus: mentalmente eles reduzem o Senhor ao silêncio ou à inatividade.
28,7 Os títulos militares são aqui convencionais.
28,8 A recordação final do Ungido (rei) é semelhante à do Sl 61.
28,9 Os títulos tradicionais se acumulam: povo, herança, rebanho (implícito).
Transposição cristã. O grito de Cristo na cruz, "por que me abandonaste?", parece ressoar dentro do silêncio de Deus, pelo qual Cristo inocente se assemelha aos pecadores que descem à cova. Mas o coração de Cristo confia no Pai, e este salva seu Ungido e, por ele, seu povo.

29 Hino ao Senhor cósmico da tempestade. Uns seres divinos são convidados a reconhecer a supremacia de *Yhwh.* No final, o Deus cósmico se identifica com o de "seu povo", Israel. São indubitáveis as influências cananeias e ao mesmo tempo o perfil javista original. Alguém o interpretou como um canto de vitória, companheiro de Ex 15, Jz 5 e Hab 3. Outro o relaciona com Gn 6-9 por causa do "dilúvio" do v. 10.
Experiência da divindade. Mais importante que a dependência cananeia é a expressão de uma experiência humana elementar. Diante da revelação de algo que fascina e intimida, o homem se sente surpreso; descobre no fenômeno natural, a tempestade, algo que transcende e ultrapassa, que ameaça destruí-lo e promete libertá-lo. Esse tipo de experiência pode muito bem coexistir com uma mentalidade técnica em outros campos.
Análise formal. A primeira e última estrofes (1-2.10-11) formam um conjunto em que se repete, quatro vezes em cada uma, o nome de *Yhwh,* em posição destacada (que a tradução reproduz). Aquilo que em 1b o Senhor recebe como ato de reconhecimento, em 11a ele o dá em participação a seu povo. O corpo do poema repete dez vezes o nome de *Yhwh,* e sete vezes, com intervalos regulares, "a voz", que é o trovão. Uma tempestade poderosamente estilizada, manifestação da "glória" do Senhor no clamor e nos efeitos sobre a natureza: montes, bosques, estepe. O poeta emprega o recurso da repetição com expansão. A qualidade sonora é muito importante no texto original.
29,1-2 Toda a corte celeste, no templo do céu, ou com vestes litúrgicas, renderá homenagem a *Yhwh.*
29,3-9 Começa a tempestade no oceano, que pode ser o Mediterrâneo (cf. 1Rs 18,44s) ou o mundo aquático celeste (Gn 1,6s). Passa ao Líbano, desce ao Sarion, chega a uma estepe não identificável, penetra nos bosques. O poeta abrange tudo com o olhar. A quantidade de espaço e a variedade de

⁴A voz do Senhor é potente,
 a voz do Senhor é magnífica;
⁵a voz do Senhor corta os cedros,
 o Senhor corta os cedros do Líbano;
⁶faz o Líbano pular como bezerro,
 o Sarion como cria de búfalo.
⁷A voz do Senhor extrai chamas de fogo.
⁸A voz do Senhor sacode a estepe,
 o Senhor sacode a estepe de Cades;
⁹A voz do Senhor retorce os carvalhos,
 abre clareiras nas selvas.
 Em seu templo um grito unânime: Glória!

¹⁰O Senhor senta sobre o dilúvio,
 o Senhor está sentado como rei eterno.
¹¹O Senhor dá força a seu povo,
 o Senhor abençoa seu povo com a paz.

30 (29)

²Eu te exaltarei, Senhor, porque me livraste,
 e não deste a vitória a meus inimigos.
³Senhor Deus meu, eu te pedi auxílio
 e me curaste.
⁴Senhor, levantaste do Abismo a minha vida,
 fizeste-me reviver quando eu descia para a cova.

---

cenas conferem velocidade ao poema. As ligações acontecem com um relevo de trovões que vencem as distâncias com o fragor. O trovão é sentido como som corpóreo e ativo: despedaça, retorce, sacode. Os traços de movimento superam os visuais.

29,3 Ver Sl 18,14; Jó 37,4s.
29,4 Ver Sl 68,34.
29,6 Ver Sl 114,3.6. A dimensão cósmica das montanhas é domesticada pela comparação.
29,8 "Sacode": faz estremecer, com agitação física e expressão de terror: Jr 51,29; Hab 3,10.
29,9 Corrijo o texto hebraico, para ficar no reino vegetal. O original diz "faz as corças parir", fazendo-as abortar de terror. O templo pode ser o terrestre, onde se reúne o povo, ou o celeste, onde os seres divinos rendem homenagem. Um grito uníssono responde à "voz" sétupla do Senhor.
29,10-11 Depois da tempestade sobrevém a paz. No tremendo, amplo e contagioso abalo da natureza, o Senhor está tranquilamente sentado, por cima das águas. O Senhor tem um povo a quem dá poder e abençoa com a paz.
Transposição cristã. Mt 8,23-27 nos mostra Jesus senhor da tempestade. Mt 27,45s.50s descreve a morte de Jesus como teofania: trevas, tremor de terra, uma grande voz. Uma reminiscência dos sete trovões está em Ap 10,2s. Autores antigos aplicam o salmo à vinda do Espírito Santo e o esmiúçam engenhosamente.

30 Ação de graças de um doente grave que sarou da enfermidade mortal. O caso de Ezequias (Is 38) pode servir de ilustração: é lógico que tenha pontos de contato com o salmo. A ordem cronológica dos fatos é: doença – súplica – cura – ação de graças. O orante progride atrasando cada vez seu começo: primeiro cura, segundo súplica e cura, terceiro doença, súplica e libertação; no segundo e terceiro completa com ação de graças. Com isso vemos que 10-11 é o texto da súplica anunciada. A alteração da ordem normal vem da comoção lírica.
O mais curioso do salmo e que constitui sua substância são as polaridades acumuladas: vida/abismo; vida/cova; cólera/favor; instante/vida; entardecer/amanhecer; desatar/cingir; pranto/júbilo; não vacilar/desconcerto; favor/ocultar o rosto; luto/dança; pano de saco/festa; cantar/calar. A polaridade vida-morte é o binômio gerador dos demais. Aquele que reza tocou conscientemente a fronteira da vida e da morte; de volta dessa fronteira tremenda, com o tremor da ameaça última, deixa brotar o poema. As polaridades são organizadas em dois eixos semânticos: subida/descida e silêncio/canto. A morte é queda que derruba a verticalidade do homem, descida à cova, ao Abismo (*she'ol*). Quando os coveiros estão descendo o cadáver com cordas, o Senhor lá do alto dá um puxão e tira vivo o cadáver! O silêncio é carência de canto litúrgico. Os mortos ficam sem voz própria ou coral, Deus fica sem seu louvor: Is 38,18s; Sl 88,11-13; Ecl0 17,27s.
30,2 O verbo significa tirar de, puxar. O inimigo triunfante poderia ser a Morte personificada, como em Jr 9,20; Sl 49,15; Jó 28,22.
30,3 Deus cura: é uma de suas funções: Sl 6,3; 41,5; 103,3; 107,20 etc.
30,4 "Descer à cova" é expressão descritiva corrente: Sl 28,1; 88,5; 143,7.

⁵Tocai para o Senhor, fiéis seus,
   dai graças ao seu nome santo:
⁶Sua cólera dura um instante,
   o seu favor toda a vida;
   ao entardecer se hospeda o pranto,
   ao amanhecer o júbilo.

⁷Eu pensava muito seguro:
   "Jamais vacilarei".
⁸Senhor, com teu favor me estabeleceste
   sobre montanhas firmes;
   esconderte o teu rosto,
   e fiquei desconcertado.

⁹A ti, Senhor, eu chamei;
   a meu dono eu supliquei:
¹⁰O que ganhas com minha morte,
   com minha descida para a cova?
   Vai o pó dar-te graças,
   ou vai proclamar tua lealdade?
¹¹Escuta, Senhor, tem piedade,
   Senhor, socorre-me.

¹²Mudaste meu luto em dança,
   desataste-me o pano de saco
   e me cingiste de festa.
¹³Assim minha alma te canta sem calar-me,
   Senhor meu Deus, eu sempre te darei graças.

31 (30)

²Em ti me abrigo, Senhor:
   jamais fique eu decepcionado;
   por tua justiça põe-me a salvo.

30,6 Alternativa: "sua cólera inspira ansiedade, seu favor dá vida". Comparar com Is 54,7.

30,8 Leio o primeiro hemistíquio à luz de Sl 18,34, "e me assenta em minhas alturas", que o suposto Davi pronuncia. A ação foi de Deus. O orante pecou por presunção, Deus lhe retira seu favor e o faz experimentar seu abandono.

30,10 Ganho para Deus? Se o diz como homem, ganha Deus algo com a morte de qualquer homem? Se o diz como pecador, será ganho restabelecer a justiça fazendo morrer um ser humano? Se o diz como arrependido, sua vida recuperada poderá estar a serviço de Deus.

30,12 Do luto ritual passa à dança festiva: Ex 15,20; Jz 11,34; 21,21.

30,13 "Sempre": o que significa essa frase no horizonte mental do autor? Ele o disse no v. 7 e foi presunção. Dessa vez a morte não soltou a gargalhada do triunfo, mas no final cantará vitória (Sl 49,9). Se dessa vez não aconteceu, logo o orante descerá à cova e já não louvará seu Deus. Para ele, "sempre" significa enquanto viver: Ex 21,6; Lv 25,46.
Transposição cristã. No horizonte cristão, a última frase obtém sua plenitude de sentido. Primeiro em Cristo (Jo 17), depois nos cristãos. Paulo chama a morte "o último inimigo" (1Cor 15,26) e anuncia sua derrota final (1Cor 15,56).

31 A primeira impressão desse longo salmo é um tanto confusa. Como se o orante tivesse querido colocar tudo na sua oração: o quanto sofre e espera, o quanto sabe e experimenta do Senhor, a atividade dos inimigos; fala de fatos individuais em termos bastante convencionais e remonta a considerações genéricas, quase como máximas; recorda e promete; dirige-se ao Senhor e fala dele, cita a si mesmo e interpela um grupo, talvez de colegas.
Uma segunda leitura esclarece a impressão. O contexto é a sociedade em que vive, e o contexto tem muito de judicial. Apela para a justiça (2) diante de dois grupos ou partes hostis, inocentes e culpadas, que exigem uma sentença de condenação e absolvição (18). O contexto judicial atrai imagens de caça ou militares e outros elementos por associação. Talvez o poeta imagine Davi: perseguido, refugiado, desanimado, longe da presença do Senhor, pensando numa rocha, numa fortaleza, numa cidade amuralhada, num templo no meio dela.
Nessas circunstâncias, a confiança do orante é paradoxal: apoia-se na própria experiência pessoal precedente e no que sabe do Senhor por ouvir dizer; os verbos no passado o mostram. Mas não falta a lembrança de uma crise pessoal de fé (23). O orante volta às máximas generalizando sua experiência ou fazendo-se eco de uma tradição.

³Dá-me ouvidos, vem depressa libertar-me,
   sê minha rocha de refúgio, minha fortaleza salvadora;
⁴pois meu rochedo e fortaleza és tu:
   por teu nome dirige-me e guia-me;
⁵tira-me da rede que me esconderam,
   pois tu és o meu amparo.

⁶Em tua mão eu confiava minha vida:
   e me livraste, Senhor, Deus fiel.
⁷Odeias os que veneram ídolos vazios;
   eu, porém, confio no Senhor.
⁸Festejarei, celebrarei tua lealdade,
   pois olhaste a minha aflição,
velaste por minha vida em perigo.
⁹Não me entregaste ao poder do inimigo,
   colocaste meus pés em terreno espaçoso.

¹⁰Piedade, Senhor, pois estou em aperto:
   consomem-se de sofrimento meus olhos,
minha garganta e meu ventre;
¹¹minha vida se desgasta na aflição,
   meus anos se vão entre gemidos,
por minha culpa decai meu vigor
   e se consomem meus ossos.
¹²Sou a caçoada de todos os meus rivais,
   meus vizinhos me fazem gestos,
sou o espanto de meus conhecidos:
   eles me veem pela rua e fogem de mim.

31,2a Fica estabelecido o tom da súplica. "Eu me abrigo": em vez de um espaço protegido militarmente ou pela lei de asilo, há uma pessoa como garantia suprema; uma pessoa sentida como espaço acolhedor e protetor. "Decepcionado": é o fracasso de um cálculo ou esperança. "Jamais": ou nunca, seria uma vida fracassada ou a morte. A "justiça", sobretudo judicial.

31,2b-5 Condensa-se a súplica em sete imperativos de libertação e quatro substantivos que compõem um espaço metafórico militar ou de caça. O orante se vê como animal indefeso, acossado por caçadores que procuram matá-lo; salta para um penhasco, busca um rochedo, cai na rede; alguém o tira e conduz a lugar seguro (ver v. 9). Cabe também a imagem militar, recordando a aventura de Davi que foge pelas montanhas: 1Sm 22,4s; 24,23. A passagem de uma imagem a outra é fluida, as imagens perdem exatidão. "Por teu nome": pode ser também título ou fama: o orante não alega méritos próprios, mas perigos, e menciona a fama ou prestígio de Deus.

31,6-9 Os verbos do orante. O hifil de *pqd* é confiar um depósito a um guardião (Lv 5,21.23). Implica que o guardião é fiel (6b) e que as pessoas confiam nele (7b). O orante não deposita uma propriedade preciosa, mas o "alento", vida ou espírito (cf. Nm 27,16). Em forte contraste estão (literalmente) "os que guardam sopros vãos" (Jn 2,9). Com os verbos do Senhor podemos compor uma sequência: livrou – olhou – ocupou-se – não entregou – estabeleceu. Verbos ricos de paralelos. P. ex. "olhar para a aflição": Ex 3,7; 4,31; Dt 26,7; "entregar ao poder": 1Sm 23,11; "estabelecer", com ressonância de nomear: Sl 18,34; 30,8. O "espaço" se opõe à estreiteza (de 8b e 10a). Dt 32,21 chama os ídolos de "sopros", e esse recurso é corrente em Jr.

31,7 "Odeias": leio na segunda pessoa, como pede o sentido e recomendam versões antigas.

31,8 A celebração muito depressa se antecipa no salmo; prepara uma pausa.

31,10-14 Recomeça a súplica, especificando suas desgraças em duas frentes: doença e abandono, hostilidade do inimigo. Combinação frequente em súplicas de doentes: Sl 6.

31,10-11 Três versos hebraicos dedicados a doenças físicas. O autor quis enumerar sete unidades sem cair no convencional. Leia-se a série atendendo ao lugar central: olhos, garganta, ventre, vida, anos, vigor, ossos. Vida abrange a totalidade, anos revela a temporalidade percebida. Os quatro verbos são escolhidos e expressivos: a vida é um "gastar-se" e "consumir-se". Também interessam as causas das doenças físicas: são o sofrimento e a angústia, como causas internas, espirituais. Mantendo o texto hebraico de 11, uma causa é "minha culpa", tema corrente nesses salmos. Embora o orante seja inocente em relação aos inimigos, se reconhece culpado diante de Deus, a cuja bondade pode apelar.

31,12-14 Cinco frases dedicadas às relações com outros. É um círculo de vizinhos, conhecidos ou familiares, de gente. Cita insultos, comentários, murmurações, desvio, abandono, esquecimento,

¹³Esqueceram-me como um morto,
   tornei-me um caco inútil.
¹⁴Ouço muitos caçoarem de mim:
   "ave de mau agouro",
   enquanto conspiram contra mim
   e tramam tirar-me a vida.

¹⁵Mas eu confio em ti, Senhor;
   eu digo: Tu és o meu Deus.
¹⁶Em tua mão estão minhas sortes:
   livra-me dos inimigos que me perseguem.
¹⁷Mostra a teu servo o teu rosto radiante,
   salva-me por tua lealdade.
¹⁸Senhor, que eu não fracasse por haver-te invocado;
   fracassem os perversos
   e desçam mudos ao Abismo;
¹⁹fiquem mudos os lábios mentirosos
   que proferem insolências contra o justo
   com soberba e desprezo.

²⁰Que bondade imensa
   reservas a teus fiéis,
   e a concedes, à vista de todos,
   aos que em ti se abrigam.
²¹No teu esconderijo pessoal os escondes
   das conjuras humanas,
   tu em tua tenda os ocultas
   de línguas briguentas.
²²Bendito seja o Senhor que fez por mim
   prodígios de lealdade na praça-forte;
²³e eu que dizia levianamente:
   "Tu me expulsaste de tua presença".

---

hostilidade. O orante é objeto de caçoada, terror, esquecimento, agressão. A série não é coerente nem lógica. Se o atacam, não o esqueceram; se armam uma conspiração, não o consideram um "caco inútil". O texto pode ser ouvido como desabafo exagerado de sentimentos acumulados e de situações imaginárias. Ou colocamos esse texto na conta do autor, que descreve com observações certeiras.

31,12 A "caçoada" ou injúria é termo frequente em Jr. "Espanto", porque o doente é considerado atingido e ferido por Deus, e sua maldição é capaz de contagiar: Jó 19; Is 53,3.

31,14 O dito está em Jr 6,25; 20,3.4.10; literalmente "terror ao redor".

31,15-19 A súplica se bifurca no v. 18. Depois da enumeração de desgraças, segue-se logicamente o pedido de auxílio. E como as desgraças foram em parte infligidas por outros, pede proteção para si e castigo para os inimigos. 15a é eco de 7b; 16a de 6a. O título "meu Deus" mostra que confiança e fé são equivalentes.

31,16 "Sortes". A temporalidade, que vai se gastando medida em anos (11), agora é medida em horas ou instantes. A vida toda, diminuída e mutante, em sua mudança e continuidade é mantida por Deus.

31,17 "Iluminar o rosto" é mostrá-lo benévolo, como o sol num dia sereno. A expressão é própria da bênção (Nm 6,25) e da súplica: Sl 67,2; 80,4.8.20. Se antes (2) invocava a justiça, agora invoca a "lealdade" ou misericórdia, sua correlativa.

31,18 "Mudos": o Abismo é o reino do silêncio.

31,20-21 Em quatro frases, o orante retorna a uma reflexão geral em tom de admiração. Predomina o tema do guardar, esconder, ocultar, com o correspondente refugiar-se e o substantivo tenda ou cabana, dados que apontam para o templo. São personalizados: é o asilo "do teu rosto". A "bondade imensa": em termos pessoais, evoca a revelação de Ex 33,19; em termos objetivos, são os bens do templo: Sl 65,5. A bondade de Deus se limita a alguns beneficiários, pois é claro que alguém se refugia quando perseguido e ameaçado por outros: conjuras e brigas.

31,22-23 Para o orante, a "bondade" do Senhor se concretizou numa libertação passada, quando ainda não tinha aprendido a confiar plenamente em seu Deus, quando buscava vencer a distância com gritos de socorro (cf. Sl 22,2). Tal é a força da lembrança, salto para trás em relação ao tempo do salmo. Alternativa segundo versões antigas: "distinguiu um fiel para si". A "praça-forte" é a cidade do templo.

Mas tu escutaste minha súplica
quando te pedi auxílio.
²⁴Amai o Senhor, seus fiéis,
pois o Senhor guarda os fiéis,
mas paga com juros
quem age com soberba.
²⁵Sede valentes e animados,
vós que esperais no Senhor!

32 (31)

¹Feliz de quem está absolvido de sua culpa,
e cujo pecado foi enterrado!
²Feliz o homem a quem o Senhor
não aponta o delito
e cuja consciência não fica turvada!

³Meus ossos se consumiam quando eu me calava,
quando rugia sem parar;
⁴porque dia e noite a tua mão
pesava sobre mim;
minha seiva secava
num mormaço de verão.
⁵Eu te declarei o meu pecado,
não te encobri o meu delito;

31,24 Da ação de graças passa à exortação, apoiando o convite num enunciado genérico sobre a atividade retribuidora de Deus. O salmo conclui com o amor e a esperança. "Amai o Senhor": esta forma só se encontra aqui; em formas semelhantes, Sl 18,2; 116,1 e o clássico Dt 6,5. "Valentes e animados" é hendíadis conhecida, geralmente referida a um empreendimento: Dt 31,7.23; Js 1,6. 7.9.18. A esperança é dinâmica: influi na vontade e na ação.
Transposição cristã. O salmo tornou-se famoso porque Lucas põe o v. 6 na boca de Cristo agonizante (23,46) e depois na boca de Estêvão mártir (At 7,59). Deus recebe em depósito uma vida que não se perderá. Na mesma linha se pode ler o v. 16, e daí se estende a leitura cristológica e eclesiológica; mas corrigindo o v. 18, pois nem Jesus nem Estêvão pedem a morte de seus inimigos.

32 O segundo salmo penitencial é muito original e extremamente difícil. Original, porque é oração penitencial retrospectiva: é pronunciada quando terminou o processo ou a parte mais importante. O orante reflete sobre sua experiência pessoal (3-5.7-8) e a generaliza para comunicá-la (1-2.6.9-10). Mais em detalhe e antecipando o comentário, a ordem cronológica seria: sofrimento percebido como castigo (4), reação sem resultado: silêncio ou rugido (4), confissão (5a), perdão (5b), admoestação de Deus para o futuro (8-9), generalização (1-2), reflexão e convite à assembleia (10-11).
Isso é apenas aproximação, porque os vv. 6-9 apresentam dificuldades árduas. Alguns tentam consertar o problema com emendas parciais; eu recorro a uma solução global. Antes de tudo, quem pronuncia os vv. 8-9? a) O orante quer oferecer sua experiência a pecadores teimosos, um tanto animalescos, "como jumentos"; assina seu convite com a reflexão geral do v. 10. b) Com o perdão, não acabou tudo.

O Senhor acrescenta uma breve instrução sobre o caminho sensato. O perdoado não deve adotar atitudes teimosas, de animal que só obedece com o castigo. O orante responde à instrução divina com a afirmação do v. 10 e o convite festivo do v. 11. Prefiro a segunda explicação.
Levando isso em conta, respeitando o jogo de pronomes e buscando o paralelismo habitual nessa poesia, faço ligeira transposição de peças. Daqui se segue que minha tradução e explicação são hipotéticas e que outros autores com igual direito propõem outras soluções. O poema é pitoresco nas imagens e agitado no desenvolvimento, sem violar uma lógica interna. Entre os personagens do salmo estão os retos e "honrados", que participarão da festa. Há em 6a um "todo fiel" que fica flutuando, entre perversos e honrados, com sua atitude suplicante: tem necessidade de penitência, embora seja "fiel"? Pertence o orante a tal grupo?

32,1-2 O Salmo 1 exaltava a felicidade de não pecar; este, a de sentir-se perdoado. Para os seres humanos, mesmo os "fiéis", talvez conte mais o segundo. O pecado leva três nomes correntes: também o perdão tem três verbos. É comum *nasá'*; cobrir se encontra também em Sl 85,3; Ne 3,37 (nos dizemos "pôr uma pedra em cima de..."); não levar em conta pertence à linguagem comercial. Não se deve suprimir a última frase: *ruh* é a consciência, *remiya* é o engano alheio e próprio.

32,3-4 Sentiu como peso opressor, como mormaço que lhe seca a seiva vital, sua dor: sente-se árido e deprimido. Mas sente isso como sintoma e é capaz de descobrir o agente externo, "a mão de Deus". Acontece uma primeira reação: silêncio concentrado, guardando tudo; e grito desarticulado, rugido quase animal. Mas o silêncio não acalma nem o rugido desafoga.

32,5 Em três breves frases se comprime o tempo de confissão e perdão. Repetem-se os três termos do

propus confessar
    meus delitos ao Senhor;
e tu perdoaste
    minha culpa e meu pecado.
⁶Por isso, que todo fiel te suplique, [...]
    e a enchente de águas torrenciais
    não o alcançará.
⁷Tu és meu refúgio, tu me livras do perigo,
    e me rodeias quando grito: Socorro.
– ⁸Eu te instruirei, te mostrarei
    o caminho que deves seguir,
eu te aconselharei, fixarei em ti meus olhos:
(⁶·⁹) quando chegar a tribulação
    ela não se aproximará de ti.
⁹Não sejais como cavalos ou jumentos,
    irracionais,
cujo vigor se deve domar
    com freio e cabresto. [...]
¹⁰O perverso sofre muitas penas,
    mas a lealdade rodeia
    quem confia no Senhor.
¹¹Festejai o Senhor, honrados; alegrai-vos,
    aclamai-o, homens sinceros.

33 (32)

¹Louvai, justos, o Senhor,
    pois o louvor é coisa de homens retos.
²Dai graças ao Senhor com a cítara,
    tocai para ele a harpa de dez cordas.

---

pecado de 1-2, o primeiro verbo de perdoar; e se repete "cobrir", com novo significado ao mudar de sujeito. O homem des-cobre seu pecado confessando-o: Deus o cobre perdoando-o.

32,6 As explicações começam a divergir: "na hora de achar (a Deus), certo, a inundação...", "na hora/quando o alcançar a tribulação". Minha solução se apoia na dupla redundância em 6 e 9, no princípio do paralelismo mesmo a distância, nos pronomes pessoais. A inundação ou enchente, real ou metafórica, é conhecida: Is 28,2.15.17s; Ez 13,11.13; Sl 69,3.16.

32,7 Também é duvidoso o "grito: Socorro!" Alternativa: "clamor de libertação".

32,8 Suponho que o Senhor é quem fala, e tomo as duas últimas palavras hebraicas como oração nominal: "sobre ti meus olhos". As peças de 6 e 9 combinadas e colocadas aqui fazem eco a 6b, que o diz na terceira pessoa.

32,9 Os animais representam a postura irracional. Ser racional é ser razoável, é deixar que o Senhor guie com conselhos, não com a vara: cf. Pr 26,3.

32,10 O perverso é também o irracional, que sofre desgraças e não entende o sentido delas.
Transposição cristã. Paulo cita os primeiros versículos em Rm 4,7-8 como exemplo de salvação gratuita de Deus; e como o salmo fala de "homem", o princípio vale para qualquer um. Sobre a confissão, comparar com 1Jo 1,8.

33 Hino de numeração alfabética, ou seja, consta de 22 versículos. Destaca-se a amplidão da moldura, que ocupa três versículos no começo e três no final. Louva a Deus como criador da natureza e regente da história: na natureza, destaca céu, água e terra; entre os seres humanos, destaca as nações pagãs e o povo escolhido. Colocando Deus no centro e imaginando círculos concêntricos – povo, nações, natureza – podemos examinar relações de semelhança e oposição. As nações se parecem com o céu ordenado ou com o mar agitado? Contrapõem-se ao povo escolhido? Este se parece com a natureza dócil? O salmo implica luta e vitória, mas a dramaticidade não comove o poema, marcado pela vitória serena e soberana.
O poema é grandioso porque abrange grandes unidades, totalidades, multidões. Não se destaca por imagens originais nem por traços descritivos.

33,1-3 e 20-22 Formam a moldura. De algum modo, o começo olha para o passado a fim de cantá-lo, o final fica na expectativa do futuro. Os convidados são no começo os homens retos e honrados, não toda a comunidade. No final, entra a primeira pessoa do plural, como que respondendo ao convite inicial, ou como que impressionados pelo conteúdo do hino. O "canto novo" pode sugerir a ocasião nova, o tema ou a melodia; a fórmula se torna convencional: Sl 40,4; 96,1; 144,9; 149,1.

³Cantai-lhe um cântico novo,
   acompanhai as aclamações com refrãos.

⁴Pois a palavra do Senhor é reta,
   e toda a sua atividade está acreditada.
⁵Ele ama a justiça e o direito,
   e sua misericórdia enche a terra.

⁶Pela palavra do Senhor se fez o céu,
   seus exércitos pelo sopro de sua boca.
⁷Ele encerra num odre as águas marinhas
   e coloca os oceanos em depósitos.

⁸Tema o Senhor a terra inteira,
   tremam diante dele os habitantes do mundo.
⁹Porque ele disse, e existiu,
   ele mandou, e surgiu.

¹⁰O Senhor anula o projeto das nações
   e frustra os planos dos povos;
¹¹mas o projeto do Senhor se cumpre sempre,
   seus planos de geração em geração.
¹²Feliz a nação cujo Deus é o Senhor,
   o povo que ele escolheu como sua herança.

¹³O Senhor contempla do céu,
   olhando todos os homens.
¹⁴Do seu trono observa
   todos os habitantes da terra:
¹⁵ele, que modelou cada coração
   e conhece todas as suas ações.

33,3 Sl 149,1.

33,4-19 O corpo do salmo desenvolve a motivação, sem ordem rigorosa, sem confusão. Basta observar os personagens.

33,4-5 Em pouco espaço, quer dizer muito do Senhor, estilizando em três aspectos: "palavra", "atividade", "amor". No princípio, insiste na "justiça". Por quê? O salmo vai apresentar um Deus que parece discriminar povos, parece escolher arbitrariamente, parece comprazer-se no fracasso humano. Embora o salmo não se ocupe de teodiceia, quer assentar como programa a justiça de seu Deus em palavras, obras e sentimentos. Para que não seja impiedosa nem inexorável, a justiça é acompanhada da misericórdia; retorna nos vv. 18 e 22.

33,4 Sl 11,7.

33,6-9 O Criador. Acaba de louvar a palavra e atividade de Deus; agora diz que ele fala pela palavra, que ressoa e age na primeira e última fronteiras do ser e do não-ser. A concisão do v. 9 é seu acerto. O poeta põe lado a lado palavra e alento ou sopro. A equação se apoia numa observação óbvia: as palavras são emissão modulada de alento. Acrescenta-se o valor simbólico potencial: com o ar que respiramos, feito palavra, nosso espírito se comunica. E também o espírito de Deus.

33,6 Exércitos do céu são os astros, ordenados e obedientes.

33,7 No oceano agitam-se ondas e correntes. Para que não se revoltem, o Senhor as fecha num gigantesco odre, aglutinando-as num dique.

33,8 Habitantes são os homens, e talvez outros viventes: cf. Sl 24,1; 98,7.

33,10-11 Das palavras e obras, sobe ao plano ou projeto; da ordem cósmica, desce ao plano humano da história. A antítese tem um exemplo concreto nos vv. 16-17. O homem projeta em Deus seu próprio modo de projetar: Is 55,8s; Pr 19,21. A ação criadora era instantânea: "ele disse, e existiu" (9); o plano humano abrange as "gerações" humanas.
Deus, que ensina o homem a planejar razoavelmente (Pr 20,18), se compraz em fazê-lo fracassar? Para mostrar sua superioridade? (Cf. o desenvolvimento irônico de Jó 12,14-25.) O v. 5 já deu a resposta: "ama a justiça".

33,12 A escolha é única, exclusiva, iniciativa de Deus sem menção de méritos. Também essa decisão é justa: cf. Dt 33,29.

33,13-15 Prolonga duas linhas precedentes, juntando-as: a linha da "justiça" se completa com o conhecimento adequado do juiz; a linha dos projetos humanos se prolonga na penetração até o "coração", onde se forjam os planos antes da execução. Deus pode frustrar um projeto na fonte. Abrange todos os homens sem distinção.

33,15 Do conhecimento político ou judicial, destaca-se o conhecimento que o artesão tem de sua obra e materiais. "Modela": Sl 74,14; 94,9; 104,26. A intimidade que pensa e decide é uma tarefa artesanal de Deus. Modelou "cada um", também nas diferenças.

¹⁶Um rei não vence por seu grande exército,
um soldado não escapa por sua muita força;
¹⁷enganosa é a cavalaria para a vitória,
ele não se salva por seu grande exército.

¹⁸Vê: o olho do Senhor sobre seus fiéis,
que esperam em sua misericórdia,
¹⁹para livrar sua vida da morte
e mantê-los em tempo de fome.

²⁰Nós aguardamos o Senhor,
pois é nosso auxílio e escudo;
²¹nosso coração o festeja,
e em seu santo nome confiamos.
²²Que tua misericórdia nos acompanhe,
Senhor, assim como esperamos de ti.

34 (33)

²Bendigo o Senhor em todo momento,
seu louvor está sempre em minha boca.
³Eu me glorio do Senhor:
que os humildes escutem e se alegrem.
⁴Engrandecei comigo o Senhor,
exaltemos juntos o seu nome.

⁵Consultei o Senhor e ele me respondeu,
livrando-me de todas as minhas ansiedades.
⁶Contemplai-o e ficareis radiantes,
vosso rosto não se envergonhará.

33,16-17 Entre os exemplos concretos de planos, escolhe os militares, a estratégia. Refere-se ao poder militar agressor, ou simplesmente ao poder militar? Os dois estão no AT. O primeiro traz lembranças tristes: Is 10,13; Hab 1,11. O segundo é mais radical: Pr 21,31, e não exclui o povo escolhido. Embora, olhando-os vv. 12 e 18s, o primeiro pareça predominar.

33,18-19 O destino do povo escolhido é um sistema de contrastes. À derrota militar não se opõe a vitória militar de Israel, mas sim a intervenção do Senhor. Ao olhar universal perscrutador se opõe o olhar protetor. Tudo é dominado pela "misericórdia", que alcança o limite último da vida e da morte.

33,19 Também o rei de Israel pode fracassar em seus planos, se eles não respeitam o desígnio do Senhor. Em tempo de guerra e em tempo de fome, o importante é "confiar" no Senhor, cujo "desígnio" é "conservar a vida": Gn 50,20. Por isso, no fim do salmo se impõem a "esperança" e a "confiança" na "misericórdia" do Senhor.

Transposição cristã. Podemos deter-nos na cena do Getsêmani, na oração de Jesus para aceitar o desígnio do Pai e na tentativa armada de um discípulo contra o plano de Deus. No prólogo de João (1,3) cita-se ou se alude aos vv. 6 e 9 do salmo.

34 Pertence ao gênero hino, contagiado de elementos sapienciais. É um salmo alfabético em que falta o *waw*, compensando-o com um acréscimo de gorjeta no final. É pronunciado por um orante: na primeira pessoa recordando, na segunda interpelando, na terceira anunciando e generalizando. O autor avança penosamente, letra por letra, com poucos momentos originais ou notáveis. O nome de *Yhwh* é pronunciado 16 (ou 17) vezes: se não consegue unificar os materiais, unifica por convergência os olhares. Sem muito esforço pode-se encontrar um princípio unificador do salmo no nome de Moisés de Ex e Dt: consulta e oráculo, contemplação e ficar radiante, instrução sobre o bem e o mal, vida longa, acampamento e anjo do Senhor.

34,2 "Em todo momento": várias vezes o orante insiste na totalidade: 5.7.18.20.21.

34,3 O homem não deve gloriar-se de méritos próprios; seu orgulho é o Senhor seu Deus: Jr 9,22s. Isso é outra forma de louvor. Se os marginalizados podem alegrar-se com a experiência do orante, é porque ele não é alheio à categoria.

34,4 "Engrandecer" é reconhecer a grandeza, como enaltecer é reconhecer a sublimidade. Duas dimensões humanas ou cósmicas projetadas em Deus.

34,5 Consulta do homem e oráculo de resposta são prática religiosa comum: ver p. ex. o caso de Raquel em Gn 25. A serena resposta divina tranquiliza.

34,6 Esse é o versículo mais importante do salmo. Leio imperativo com versões antigas. "Radiante", como Is 60,5; "envergonhar-se" ou ficar sombrio, como Is 24,23; Jr 15,9 ou Mq 3,7. Com vocabulário diferente, creio que o convite aponta para três momentos da vida de Moisés: a vocação (Ex 3,6), os encontros pessoais com o Senhor (Ex 33,8 e 34,29-33), quando voltava radiante. O privilégio de Moisés é hoje oferecido a qualquer um: quem "contemplar"

⁷Este pobre clamou e o Senhor o escutou,
  e o salvou de todos os seus perigos.
⁸O anjo do Senhor acampa
  ao redor de seus fiéis, protegendo-os.
⁹Provai e apreciai o quanto é bom o Senhor:
  feliz o homem que nele se abriga.
¹⁰Respeitai o Senhor, consagrados seus,
  pois nada falta àqueles que o respeitam.
¹¹Os ricos empobrecem e passam fome,
  os que buscam o Senhor não carecem de bens.

¹²Aproximai-vos, filhos, escutai-me:
  eu vos ensinarei a respeitar o Senhor.
¹³Existe alguém que ame a vida,
  e deseje anos desfrutando bens?
 – ¹⁴Guarda tua língua do mal,
  e teus lábios da falsidade;
¹⁵aparta-te do mal, age bem,
  busca a paz, persegue-a.

¹⁶O Senhor dirige os olhos para os justos,
  os ouvidos aos seus clamores.
¹⁷O Senhor enfrenta os que agem mal,
  para extirpar da terra a memória deles.
¹⁸Se gritam, o Senhor escuta
  e os livra de todos os perigos.
¹⁹O Senhor está perto dos atribulados
  e salva os abatidos.
²⁰Por muitos males que sofra o justo,
  de todos o Senhor o livra;

Deus, no templo ou na oração, sairá "radiante", não estará "sombrio" pelo fracasso. Poderíamos tomar esse versículo como lema da oração contemplativa.

34,7 Simples sequência personalizada: clamar – escutar – salvar.

34,8 "Acampar protegendo" pode pertencer à linguagem militar. Implica que o "anjo do Senhor", como capitão, dispõe de um esquadrão que rodeia. Ressoam relatos de Ex e Nm.

34,9-11 Penso encontrar certa coerência temática nesses três versículos: "provar" e "passar fome", "carestia" e "bens". Proponho uma hipótese de leitura: mesmo quando "ricos e poderosos" (corrigido) "passarem fome", os "fiéis consagrados" ao Senhor "não carecerão de nada"; mais ainda, participando do banquete sagrado, "provarão a bondade do Senhor". Os versículos invertem a ordem cronológica, e cabe uma leitura mais genérica.

34,9 É um caso de "aplicação de sentidos". Os sentidos corporais são tomados como símbolo de experiência espiritual. Seleciona-se o imediatismo não discursivo e a duração pausada. Uma tradução corpórea seria: "saboreai o saboroso que é o Senhor". O símbolo passa para a linguagem espiritual.

34,10 "Respeito": ou reverência, sentido religioso. "Consagrados": comparar com Ex 18,6.

34,11 Ver o cântico de Ana, 1Sm 2,5.

34,12-15 Formam outra unidade definida por seu sabor sapiencial. O orante faz o papel de mestre: convoca os discípulos com o título tradicional de "filhos", convida-os a escutar e os ensina. Seu ensinamento é uma religiosidade de forte conteúdo ético genérico: o bem e o mal. Comparar com o ensinamento de Moisés, vinculado à lei: Dt 31,12s. 19.22; 30,15.

34,12 O "respeito ao Senhor" chega a ser fundamental no programa sapiencial: Pr 1,7; Eclo 1,14.

34,13 Também esse modo de perguntar é sapiencial, destinado a suscitar a atenção: Sl 25,12; Eclo 12,13; 13,2. O bem primário é a vida: Dt 30,15.19s.

34,14 Guardar a língua é tema frequente em textos sapienciais e fora deles: Eclo 5; 19; 20; 23; 27.

34,15 Fórmulas frequentes: Sl 37,27; Pr 3,7; 13,19; 16,17; Jó 1,1. A "paz" é aqui categoria ética: paz social. Não brota por si, é preciso buscá-la e procurá-la com afinco.

34,16-17 Formam uma antítese marcada: honrados/perversos, olhos e ouvidos/rosto. "Enfrentar": ou encarar, à luz de Lv 17,10; Jr 44,11.21. A "memória" ou o sobrenome: comparar com Sl 109,15.

34,18 Subentende-se que o sujeito são os *çaddiqim*, sem que seja necessário explicitá-lo. O grito poderia ser uma reclamação judicial.

34,19 A sequência hebraica "atribulados-abatidos" nos leva forçosamente ao Sl 51,19; ou seja, o autor salta do sapiencial ao penitencial. Afastado pelo pecado, o homem pode aproximar-se pela penitência.

34,20.22 Leio a primeira cláusula com valor concessivo, ilustrado por Pr 24,16. As inúmeras desgraças do

²¹ele cuida de todos os seus ossos,
e nenhum se quebrará.
²²A maldade mata o perverso;
os que odeiam o justo o pagarão.

²³O Senhor resgata a vida de seus servos:
não serão castigados os que nele se abrigam.

35 (34)

¹Pleiteia, Senhor, com os que me pleiteiam,
combate os que me combatem;
²empunha o escudo e a adarga,
levanta-te para me auxiliar;
³Desencapa a lança e faze o bloqueio
contra os que me perseguem;
dize-me: Eu sou tua vitória!

inocente parecem contradizer o princípio da retribuição; mas concordam com uma longa história de libertação. Ressalta assim a antítese com o v. 22 pela repetição de "honrado" + "perverso" + "desgraça" e a oposição radical "liberta"/"mata". Uma consequência dessa leitura combinada é que o inocente é vítima do "ódio" (22b) e que esse ódio é "crime".

34,21 Parece escutar-se a lei do cordeiro pascal conforme Ex 12,46; cf. Is 38,13 e Lm 3,4. Contudo, é arriscado tirar mais consequências da coincidência, ou seja, que o inocente é sagrado e tem de ficar intato.

34,23 "Não serão castigados": ou não incorrerão em crime, conforme 2Cr 19,10. "Resgata a vida": ver Sl 49,8s.16.

Transposição cristã. A primeira carta de Pedro cita duas passagens do salmo: provar o Senhor, vinculado ao batismo (2,2-3), e o bloco sapiencial em 3,10-12 exortando à concórdia. Hb 6,4 retoma o símbolo do gosto espiritual. E o tema do ficar radiante domina o comentário de 2Cor 3,7-18.

35 Esse longo salmo, um tanto repetitivo, pertence ao gênero súplica de um inocente perseguido. Os temas do gênero estão perfeitamente definidos: súplica motivada pela situação do orante perseguido sem razão, pela atividade ameaçadora dos perseguidores, pela confiança na justiça e bondade do Senhor, pela promessa de ação de graças. O autor soube compor uma peça vigorosa, paradoxalmente densa; convence pela intensidade. Verbos de ação acumulados, imperativos urgentes, contrastes fortes; a descrição da atividade do inimigo é circunstanciada. Os sentimentos brotam pelos sentidos: olhos, boca, dentes, língua, peito.

Três imagens se sucedem ou se sobrepõem no salmo: caça, guerra, julgamento. Convidam-nos a relativizá-las como descrição realista, mas também a considerá-las separadamente.

A *caça* ao homem. Um pobre homem é acossado e perseguido como fera perigosa – pensam os perseguidores –, como animal indefeso e inofensivo – pensa o perseguido. É uma batida a rigor, com espião, perseguição, encurralamento e alegria pela presa obtida. Poderíamos ilustrar com a figura de Davi perseguido pelos montes: 1Sm 26,20. Os antigos consideravam a caça graúda um treinamento para a guerra, atividade própria de reis e príncipes. O caráter não-realista da imagem é claro.

Guerra. O salmo nos mostra em seguida uma cena militar: o paladino pega as armas, sai ao encontro do inimigo, o põe em fuga, solta o grito de vitória. A guerra é a vida ou a morte, não é esporte divertido. Poderíamos ilustrar com a rebelião, batalha e derrota de Absalão: 2Sm 18. A linguagem militar penetra facilmente em outros campos: uma rivalidade encarniçada, ou uma hostilidade agressiva na vida civil, pode no poema transformar-se em guerra ou batalha.

Julgamento. A primeira palavra do salmo é judicial, mencionam-se "testemunhas" (11), no final o juiz age (23-24). Em sentido realista se referiria a um julgamento de apelação (cf. 1Sm 24.13; 26,23). Mas um processo judicial também pode ser imagem válida de súplica numa perseguição grave. Na mentalidade bélica, a guerra pode ter valor de julgamento. Em conclusão, penso que as três imagens são transformação poética de situações e experiências da vida civil.

O desenvolvimento do salmo é de onda tríplice, componentes comuns e mudança de ordem; cada onda termina em louvor. Pode-se esquematizar assim: Tu: interpelação; eles: fracasso – delito – fracasso; eu: louvor (1-10). Eles: delito; eu: benefícios; eles: delito; tu: ação; eu: louvor (11-18). Eles: delito; tu: ação; eles: delito, fracasso; eu: louvor (19-28). Destaca-se o bloco central pelo contraste de duas condutas.

35,1-10 O movimento desses versículos é assim: Auxilia-me, Senhor – e que meus inimigos fracassem – porque me perseguem sem razão – que eles fracassem – e eu te louvarei.

35,1-3 O começo é agitado e apressado, com sete imperativos em dezenove palavras. Apesar da primeira frase, a imagem é bélica. O Senhor é paladino único. Empunha o escudo menor e se protege com a curva do maior; sua arma é a lança. "Faze o bloqueio": discute-se o valor dessa palavra hebraica; me deixo inspirar pela fórmula militar espanhola. A frase final personaliza a vitória; o orante quer escutá-la dos lábios do Senhor: será convincente. Comparar com salmos 20-21.

⁴Sofram derrota vergonhosa
   os que me perseguem para me matar,
   retrocedam com ignomínia
   os que tramam minha desgraça;
⁵sejam palha diante do vento,
   e o anjo do Senhor os derrote;
⁶seja escuro e escorregadio o caminho deles,
   quando o anjo do Senhor os perseguir.
⁷Porque sem motivo me escondiam redes
   e me cavavam valas mortais.
⁸O desastre imprevisto os surpreenda,
   os enrede a rede que esconderam
   e caiam na vala que cavaram.

⁹E eu festejarei o Senhor
   e celebrarei sua vitória.
¹⁰Todos os meus ossos proclamarão:
   Senhor, quem é como tu
   que defendes o fraco contra o poderoso,
   o fraco e pobre contra o explorador?

¹¹Compareciam testemunhas violentas,
   e me interrogavam de coisas que eu nem sabia,
¹²pagavam-me mal por bem,
   deixando-me desamparado.

¹³Eu, porém, quando estavam doentes,
   me vestia de pano de saco,
   me afligia com jejuns,
   e minha súplica era aprovada.
¹⁴Como por um amigo ou irmão,
   eu andava de luto,
   cabisbaixo e sombrio
      como por uma mãe.

35,4-6 Em consequência da intervenção divina, os que perseguiam agora "retrocedem": 2Sm 2,22; Is 42,17; Jr 46,5. Os sinônimos hebraicos de "derrota", "vergonha", "ignomínia" propõem a vertente subjetiva do fato. O "anjo do Senhor" é manifestação divina, que pode encarregar-se de tarefas bélicas: Nm 22; 2Rs 19,35; Sl 34,8. "Palha ao vento" é comparação tópica: Sl 1,4; Is 17,13.

35,7 Recorre a uma imagem de caça: cava-se uma vala camuflada com ramagem, esconde-se uma rede por onde a fera costuma passar. "Sem motivo", porque não é fera perigosa, mas pobre inofensivo.

35,8 Invoca como punição a lei do talião.

35,9 O louvor ganha o caráter de celebração. Yhwh e "sua vitória" ocupam posições paralelas, correspondendo ao v. 3.

35,10 Encontra dentro de si o coro de acompanhamento. A estrutura sólida de seu corpo recupera o dom da palavra: comparar com Sl 51,10. "Quem é como tu?" vem de ou coincide com Ex 15,11; cf. 1Rs 8,23; Jr 10,6. "Explorar" ou despojar o pobre é paradoxal: o que se rouba de quem não tem? Denuncia a crueldade dos que abusam dos fracos. E a súplica poderia terminar aqui.

35,11-18 Mas resta muito a dizer. Acontece que o orante, longe de ser uma fera perigosa, é um ser benéfico e até mesmo sentimental. O texto hebraico está malconservado.

35,11 A ação inimiga se concretiza em formas judiciais: são gente que pratica a injustiça abusando da legalidade. Personagens frequentes em Pr e Sl; ver a história de Nabot em 1Rs 21. "Interrogatório" ou reclamação.

35,12 A ingratidão é uma agravante. Embora a lei não a persiga, vários textos a denunciam: Gn 44,4; 1Sm 25,21; Jr 18,20.

35,13-14 Outrora, numa doença grave, esse pobre homem intercedia por seus atuais perseguidores, acompanhando sua prece com mortificações penitenciais. E não como rito externo, mas participando com entranhada compaixão. "Era aprovada". A expressão hebraica é duvidosa: inspiro-me em Sl 79,12; Is 65,6; Jr 32,16. Alternativa: "minha súplica voltava sem ser ouvida".

¹⁵Mas quando tropecei, eles se alegraram,
se juntaram, se juntaram contra mim.
De surpresa me golpeavam,
e me dilaceravam sem parar.
¹⁶Cruelmente caçoavam de mim,
rangendo os dentes.

¹⁷Meu Senhor, quando vais olhar?
Recobra minha única vida
dos leões que rugem,
¹⁸e te darei graças na grande assembleia,
diante de um povo numeroso te louvarei.

¹⁹Que não cantem vitória
meus inimigos traidores;
à minha custa não façam piscadelas
os que me odeiam sem razão;
²⁰pois não vivem em paz
nem mesmo com a gente pacífica,
tramam enganos.
²¹Riem de mim a gargalhadas:
Ah! ah! nós o estamos vendo.

²²Tu o viste, Senhor, não te cales;
dono meu, não fiques longe.
²³Desperta, levanta-te, Deus meu;
Senhor meu, defende minha causa.
²⁴Julga-me segundo a tua justiça,
Senhor Deus meu.

²⁵Não cantem vitória, não pensem:
Que bom!, era o que queríamos;
Não digam: Nós o devoramos!

²⁶Sofram derrota vergonhosa
os que se alegram com minha desgraça;

35,15-16 O poeta aguça os contrastes: doença/tropeço, mortificação/alegria maligna, compaixão/zombaria. O sentido do conjunto é claro, mas penosamente abrimos passagem pelos detalhes do texto. "Ranger os dentes" é geralmente expressão de zombaria: Sl 37,12; Jó 16,9.

35,17-18 Um pedido urgente e a promessa de ação de graças ocupam a cadência da segunda onda. Em vez de *Yhwh*, emprega aqui o título "meu Senhor". A ele compete salvar uma vida que é única: cf. a de Isaac em Gn 22,2.12 e a da filha de Jefté em Jz 11,34. "Rugem": supõe uma leve correção do texto hebraico, de acordo com o paralelo. O louvor avança em fórmulas convencionais.

35,19-28 A terceira parte insiste corajosamente na denúncia do crime e no castigo invocado. A principal novidade é o desenvolvimento judicial. O movimento caminha assim: que não triunfem – pois são culpados – julga-me tu – que não triunfem – mas que fracassem. No meio se ergue o Senhor como juiz, invocado repetidamente.

35,19 "Piscar o olho" como expressão de zombaria: Pr 6,13.

35,20-21 A descrição é estilizada em duas atitudes que sobressaem: um regime de discórdias e enganos, uma zombaria sarcástica do vencido. Na sociedade há cidadãos pacíficos; os perversos são encrenqueiros por natureza ou opção: cf. Sl 120,7. Há cidadãos simples e confiantes: contra eles emprega-se o engano e a fraude. Não conhecem a piedade: merecerão piedade ou compaixão? Justifica-se o desabafo apaixonado que se segue.

35,22-24a "Nós o estamos vendo", diziam eles; "tu o viste", replica o orante. Eles se julgavam espectadores seguros e triunfantes; do alto alguém os olhava. Um juiz que não pode omitir-se. A terminologia judicial passa a primeiro plano, e alguns comentaristas o tomam literalmente. "Desperta": como Sl 44,24 e 59,6. "Levanta-te": Sl 44,24; 59,5.

35,24b-26 Segue-se o último lance. Os pedidos negativos revelam o projeto do inimigo: era final, ia contra a "vida única". Por isso, não há saída para o dilema: ou a destruição do inocente, ou o fracasso dos culpados. A oração propõe um caso concreto.

fiquem cobertos de vergonha e opróbrio
os que se gabam contra mim.
²⁷Aclamem festivos os que apoiam meus direitos,
os que querem a paz de teu servo
digam sempre: Grandeza ao Senhor!
²⁸E minha língua meditará tua justiça
e teu louvor o dia todo.

36
(35)

²Oráculo do Pecado ao perverso
dentro de seu coração.
– Não tem medo de Deus
nem mesmo em sua presença.
³Ele se ilude de que sua culpa
não será descoberta nem detestada.
⁴As palavras de sua boca são maldade e traição,
recusa ser sensato e agir bem.
⁵Deitado planeja o crime,
obstina-se no mau caminho,
não rejeita a maldade.

⁶Senhor, tua lealdade chega ao céu,
tua fidelidade até as nuvens;

35,27 O orante não está totalmente desamparado. Há cidadãos que desejam "sua paz e segurança", o reconhecem como "servo" do Senhor, celebrarão sua libertação. O grito que pronunciam exalta a vitória do Senhor.

35,28 O orante conclui num solo recolhido. *Transposição cristã.* João põe na boca de Jesus o final do v. 19. Mas Jesus não pede ao Pai que envie "doze legiões de anjos" (Mt 26,53), não empunha a lança; antes, manda Pedro embainhar a espada (Mt 26,52); pede perdão para os perseguidores (Lc 23,34). Mas Jesus quis que o desígnio de seus inimigos não tivesse a última palavra; não quis que o ódio triunfasse. Sem pagar mal por mal, fez triunfar o amor sobre o ódio. Entregou sua "vida única" e mortal, recebendo uma imortal (1Pd 3,18). Venceu: é a "vitória" dos que creem nele (1Pd 3,19: 1Jo 5,4).

36 É um salmo desconcertante: como classificá-lo? Se é súplica, o pedido chega demasiado tarde (v. 11). Se é hino, o perverso ocupa um lugar importante demais. É proporcional contrapor a conduta do Senhor à do perverso? Versículos estupendos são seguidos por um desfecho convencional. Há também algumas dificuldades textuais.
As divisões temáticas ficam bem definidas: visão do perverso (2-5), visão de Deus (6-10), súplica confiante (11-13). Buscamos na leitura a dinâmica do poema: a) partindo da súplica: só o Senhor poderá salvar o orante das tramas do perverso; b) partindo da meditação: uma visão trágica é superada por uma visão gloriosa, e o orante tira as consequências.

36,2-5 Em cinco frases nos dá uma visão do perverso típico: um tanto convencional em 4-5, excepcional no começo, e também difícil.

36,2 O texto hebraico diz: "no meu coração". Alguns comentaristas supõem que o poeta reflete internamente e comunica. As versões antigas leem "no seu coração", e eu as sigo (em hebraico a diferença gráfica é mínima).
"Oráculo de Pecado" é o começo; como que imitando um oráculo divino ou um humano: Balaão (Nm 24,3), Davi (2Sm 23,1), um homem (30,1). Suplantando a todos, entra Pecado ou Delito personificado. Pecado é uma fera à espreita em Gn 4,7; é uma serpente que pronuncia um anti-oráculo em Gn 3. Delito se dirige ao perverso, porque o perverso o escuta "como um oráculo". O perverso abriu a mente ao intruso, e o poeta penetra em seus pensamentos.
Não é citado o texto do oráculo, senão implicitamente. Para o perverso, Deus é uma ameaça potencial, que pode anular ou castigar seus projetos. Apoiado pelo oráculo de Delito, o perverso consegue afastar da sua própria vista e consciência tal medo, para assim agir tranquilamente. Vencer o medo de Deus parece um ato de coragem, mas é ato temerário e "insensato".

36,3 O sentido é muito duvidoso.

36,4-5 Entramos em terreno conhecido, do qual se destaca o binômio "ser sensato" e "agir bem". Como em muitos provérbios, o sapiencial e o ético caminham juntos. De noite "planeja o crime" (Mq 2,1), de dia persiste no mau caminho da execução.

36,6-10 Sem transição, apresenta-se a visão de Deus. Se alguns dados são conhecidos, a meditação sobre Deus é extraordinária.

36,6-8a As qualidades de Deus – lealdade, fidelidade e justiça – são exaltadas por suas dimensões cósmicas. O poeta projeta a dimensões espaciais, que funcionam como símbolos, a grandeza percebida e não abraçada do espiritual: ver Sl 103,11s; Ef 3,18.

⁷tua justiça é como as altas cordilheiras,
   teus julgamentos são um oceano imenso.
Tu socorres homens e animais,
   ⁸como é inestimável a tua lealdade, ó Deus!

Os humanos se abrigam
   à sombra de tuas asas,
⁹e se nutrem da gordura de tua casa,
   tu lhes dás de beber da torrente de tuas delícias;
¹⁰porque em ti está a fonte viva
   e à tua luz vemos a luz.

¹¹Prolonga tua lealdade com os que te reconhecem
   e tua justiça com os homens sinceros.
¹²Não me pisoteie o pé do soberbo,
   não me desterre a mão do perverso.
¹³Sim, os malfeitores fracassaram:
   derrubados, não podem levantar-se.

37 (36)

¹Não te exasperes por causa dos perversos,
   não invejes os iníquos,
²pois secarão depressa como erva
   e murcharão como verde relva.

36,7a "Altas": tomando 'el como superlativo. Alternativa: "montanhas de Deus/divinas". O "oceano imenso": ver Sl 78,15; Am 7,6.

36,7b As qualidades de Deus se exercitam numa ação salvadora em favor das criaturas vivas, como se o Criador com elas cumprisse deveres de justiça. Uma vez que deu vida, é fiel a suas exigências: cf. Sb 11,24s. É frequente o binômio "homens e animais" ou rebanho: Gn 6,7; Lv 27,28; Ez 14,14 etc.

36,8 A exclamação pode encerrar o que precede ou introduzir o que se segue. A "lealdade" de Deus serve de ligação.

36,8b-10 Da ampla visão cósmica, o orante retorna a suas experiências no templo, transcendendo os dados sensíveis num magnífico crescendo: o recinto é a "sombra de tuas asas"; o banquete cultual é a "gordura de tua casa"; a taça é uma torrente; o vinho é delícia; e tudo é "teu". No templo entram só "os filhos de Adão" (humanos). A "sombra de tuas asas" pode ter caráter doméstico, acolhedor.

36,9 "Delícias": a palavra hebraica traz à memória o Éden ou paraíso, o parque irrigado por um manancial que se abre em quatro braços. No templo se recupera de algum modo o paraíso perdido; comparar com Ez 47 e Jl 4,18. A frase é de feliz concisão: "torrente de tuas delícias": sugere o rio que vivifica as plantas do parque delicioso. O manancial da torrente se encontra em Deus.

36,10 Deus é também fonte de luz que ilumina todo homem; ver a luz equivale a viver. A expressão hebraica é mais sugestiva que lógica: como se uma luz superior e total iluminasse os olhos para fazê-los capazes de ver a luz de Deus. Cada um participa de uma vida = luz que o transcende.

Quem pronuncia o último verbo na primeira pessoa do plural? Contextualmente seriam "os humanos"; culturalmente seriam os israelitas que têm acesso ao templo. O salmo fica aberto e disponível. Um grupo de fiéis, através de sua experiência comunitária, fala em nome da humanidade; todos os seres humanos, sem limites espaciais, podem viver o que eles vivem no templo.

36,11-13 Quase como apêndice, acrescentam-se três versículos de súplica. O imperativo marca a mudança de direção. "Prolongar a lealdade": ver o magnífico anúncio de Jr 31,3.

36,12 A primeira pessoa do singular, mais que restringir, personaliza a grande experiência. A ameaça é desterro e opressão.

36,13 De repente salta para verbos no pretérito. A mente do orante salta para o futuro e contempla como passada a certeza da derrota do perseguidor. Sl 73,17-19 o explica.

Transposição cristã. Paulo cita parte do v. 2 em Rm 3,18, no quadro do pecado universal. Os símbolos da segunda parte permanecem ou renascem no NT. Mt 23,37 menciona as asas protetoras. No evangelho de João: a água da samaritana (Jo 4), do Espírito (7,37-39), da entrega final (19,34); também a luz: 1,4; 8,12; 9,5; 12,36. Água e luz alcançam sua plenitude em Ap 22,1-3.

37 Pelo tema, tom e estilo, é um salmo sapiencial. Pelo desenvolvimento é alfabético, com dois versículos hebraicos por letra (salvo o duvidoso *h* que tem três). Alternam enunciados e conselhos, apela-se para a experiência. A oposição dominante é honrado/perverso ou justo/injusto; mas isso não basta para definir simplesmente o salmo em termos de retribuição.

Embora o artifício alfabético não se preste à composição coerente, podemos descobrir nesse longo salmo uma estrutura básica de força e interesse singulares. O primeiro indício no-lo dá a quíntupla repetição do sintagma "possuir terra" (9.11.22.29.34) e outras tantas o seu oposto "ser excluído" (9.22.28b.34.38). O sintagma positivo aparece em várias metamor-

³Confia no Senhor e faze o bem,
  habita uma terra e cultiva a fidelidade;
⁴seja o Senhor a tua delícia,
  e ele te dará o que o teu coração pede.

⁵Recomenda teu caminho ao Senhor,
  confia nele, e ele agirá:
⁶fará sair a tua justiça como a aurora,
  teu direito como o meio-dia.

⁷Descansa no Senhor e nele espera;
  não te exasperes por causa de quem triunfa
  empregando a intriga.
⁸Segura a ira, reprime o furor,
  não te exasperes a ponto de agir mal;
⁹pois os perversos serão excluídos,
  mas os que esperam no Senhor
  possuirão uma terra.

---

foses sinonímicas, como "habitar numa terra"/"-sempre" (3.27.29), "sua herança durará" (18), "se saciarão", "mendigando" (19.25) e outras. Também o sintagma negativo adota suas transformações, até radicais, como "secar" (2), "perecerão", "murcharão" (20), "não está" (10.36), "serão aniquilados" (38) e outros. Tudo isso equivale a dois eixos paralelos contrapostos, com o contraste culminante "serão abençoados"/"serão amaldiçoados" (cf. v. 22).
Reunindo os sujeitos de tais frases, podemos compor o perfil de ambos os grupos, sendo mais rico e diferenciado o dos honrados: marginalizados, justos ou inocentes, esperam no Senhor.
Pela pista do quíntuplo sintagma chegamos a um tema teológico capital: a posse e partilha da terra prometida e entregue a todas as famílias israelitas. O livro de Josué, embora tardio, atesta retrospectivamente a importância do ideal de uma posse partilhada, equitativa, estável. O ideal não se cumpriu. Existem alguns excluídos da participação, não por culpa própria, mas por terem sido injustamente desapropriados. E aqui se insere a ação dos perversos, cujo delito não vai imediatamente contra Deus, mas contra o próximo: através do próximo, são "inimigos do Senhor" (20). O texto é generoso em descrever ou mencionar as tramoias dos perversos. O salmo enfrenta um problema social que é também religioso. O autor simplifica o problema e sua solução.
O que deve fazer e sentir o honrado inocente diante de semelhante hostilidade agressiva que se assanha contra os mais fracos? – Evitar toda violência de sentimento e ação (1.7.8), não pagar mal com mal, não seguir os métodos dos perversos, manter-se na boa conduta (3.27), até generosamente (21.26), confiar no Senhor (3.5.7). Então o salmo prega a resignação como atitude e a paralisia como conduta? Não exatamente: o desvalido deve desejar, pedir e esperar sair da sua situação, recuperar seu direito. O salmo é oração, não programa. O Senhor não se omite, não fica inativo (5.18.23.39).
Por tal intervenção, os despossuídos poderão à sua maneira refazer o processo fundacional da libertação. Sair ou ser libertados (6.40); percorrer o caminho do Senhor (15.17. 23.31). Entrar ou subir para possuir uma terra (34). Assim ficará restabelecido o desígnio do Senhor. À maneira de ilustração, leia-se a história contada em 2Rs 8,1-6.
Parece que o tema "possuir uma terra" sugeriu diversas imagens vegetais, como "secar" (2.19), "murchar" (2.20), "semente" (descendência/estirpe: 25.28), "como cedro" (35). Outras imagens são de natureza bélica: espada e arco (14), quebrar os braços (17), espiar (32), fortaleza (39).

37,1-8 Nesses primeiros versículos predominam os imperativos, e não retornam até a letra s. O começo adquire um tom de urgência.

37,1-2 Reconhecemos o começo sapiencial comparando-o com vários provérbios: 3,31; 23,17; 14,19. A motivação apela para a comum condição humana: Sl 90,5s; Is 40,7s. O "depressa" parece ser enfático.

37,3-4 Dois imperativos enunciam a relação com Deus. "Confiança" é genérico; por seu turno, "delícia" expressa uma experiência íntima: Jó 22,26; Is 58,14. Deus responde à confiança atendendo ao pedido. Embora ainda não possuam um terreno, devem "habitar", permanecer, não exilar-se, como os de Jr 39,10; seu "cultivo" será por ora a fidelidade ao Senhor.

37,5-6 "Recomenda": faz algo girar para que passe a outro. "Teu caminho": a conduta ética e a prática que pensa seguir. "Agirá": forma intransitiva de particular eficácia aqui. "Teu direito" negado e pisado, ele o tirará, pontual como o sol e crescente até o zênite: cf. Os 6,5, de modo que todos o reconheçam: cf. Is 58,10.

37,7 Dado que esse versículo coxeia metricamente, alguns propõem transferir para aqui a segunda parte do v. 14. "Descansa": como Sl 62,2.6 ou Lm 3,28. Os perversos "triunfam" empregando como procedimento a "intriga". Êxito que prescinde da ética ou porque prescinde dela: cf. Sl 73.

37,8 É lógico que semelhante êxito provoque indignação mais forte nas vítimas. O mestre não a condena simplesmente; mas previne contra uma cólera que transfira essas vítimas para o bando dos perversos; com isso elas perderiam o direito ao auxílio do Senhor.

37,9 Estamos no eixo do salmo: antítese perfeita. E o sintagma será citado como terceira bem-aventurança em Mt 5,5; o sujeito é definido por uma atitude religiosa, não simplesmente ética.

¹⁰Aguarda um momento: já não haverá perverso;
  olha o seu lugar, já não está.
¹¹Mas os marginalizados possuirão uma terra
  e desfrutarão de grande prosperidade.

¹²O perverso faz intrigas contra o honrado
  e range os dentes contra ele;
¹³mas o Senhor se ri dele,
  porque vê que a hora dele está chegando.

¹⁴Os perversos desembainham a espada
  e ajustam o arco
  (para abater pobres e humildes,
  para assassinar os homens retos):
¹⁵sua própria espada lhes atravessará o coração,
  seus arcos se quebrarão.

¹⁶Mais vale a escassez de um honrado
  do que a opulência de muitos perversos;
¹⁷pois os braços dos perversos serão quebrados,
  enquanto que o Senhor sustenta os honrados.

¹⁸O Senhor se ocupa dos dias dos bons:
  sua herança durará para sempre.
¹⁹Não murcharão na estação má,
  em plena carestia se saciarão.

²⁰Mas os perversos perecerão,
  os inimigos do Senhor
  murcharão como o verde de um prado*,
  em fumaça se dissiparão.

²¹O perverso pede emprestado e não devolve,
  o honrado se compadece e reparte.

37,10-11 Ampliam a antítese precedente. O perverso tinha um posto na sociedade, na assembleia: "já não está". Estávamos acostumados a encontrá-lo; de repente comprovamos que "não está", não existe: Is 41,12; Jó 24,24. Aos marginalizados não se prometem riquezas, mas "paz e prosperidade" em seu terreno familiar.

37,12-13 Ação dos perversos e reação de Deus. São perversos em referência ao honrado. Não vão por dois caminhos paralelos ao encontro da retribuição final; vão pelo mesmo caminho e nele se relacionam. "O Senhor se ri": nós falamos de ironia da história. Conforme o orante, o Senhor é a instância transcendente, distante, capaz de abranger um processo até seu desfecho: Sl 2,4. "Hora dele" de prestar contas, final de uma etapa ou da vida: 1Sm 26,10.

37,14-15 Eliminando ou transferindo a segunda peça, o versículo fica perfeito: ação dos perversos e suas consequências, numa espécie de lei do talião. Não se menciona a intervenção divina; o castigo é imanente. A imagem indica que, perseguindo seus planos, estão dispostos a qualquer violência. O tema da agressão que se volta contra o agressor é corrente no AT: em forma de refrão, Pr 26,27; em forma narrativa, Amã e Mardoqueu no livro de Ester.

37,16-17 Na forma, é um provérbio típico de avaliação: comparar com Pr 15,16; 16,8; Tb 12,8. Como indicam os paralelos, "escassez" não significa miséria nem indigência (25). "Sustenta" é tema comum: Sl 3,6; 51,14; 54,6 etc.

37,18-20 Nova antítese com imagem vegetal: "não murchar"/"murchar". Os "dias" marcam o decurso variável da existência: mesmo possuindo uma "herança", podem enfrentar uma "carestia".

37,20 "Verde": corrigindo o texto hebraico, conforme Is 15,6; 37,27. Outra correção lê "fogo de forno", harmonizado com a "fumaça": Sl 68,3; 102,4. * Ou: "como o melhor de um carneiro".

37,21 Esse versículo deve ser emparelhado com o v. 26 pelos particípios. Cabem duas interpretações. a) Com valor modal: o perverso vê-se obrigado a pedir emprestado e não tem com que devolver; o honrado é generoso e tem com que emprestar: comparar com Dt 15,6.10; 28,12.44s. b) Como particípios sapienciais que caracterizam tipos: o perverso (por costume) pede emprestado e (depois) não devolve; é uma forma injusta de enriquecer; o honrado, compassivo, empresta (do que tem): ver Dt 15,1-11; Sl 112,5; Eclo 29,1-13 à maneira de comentário.

²²Aqueles que o Senhor abençoa possuirão uma terra,
os que ele amaldiçoa serão excluídos.
²³O Senhor assegura os passos do homem
e se ocupa de seus caminhos.
²⁴Ainda que tropece, não cairá,
porque o Senhor o segura pela mão.

²⁵Fui jovem, já sou velho:
nunca vi um justo abandonado
nem sua descendência mendigando o pão.
²⁶Todo dia ele se compadece e empresta:
sua semente será bendita.

²⁷Afasta-te do mal e faze o bem,
e sempre terás uma casa.
²⁸Porque o Senhor ama o direito
e não abandona seus devotos.

Os criminosos são aniquilados,
a estirpe dos perversos se extinguirá.
²⁹*Os honrados possuirão uma terra*
e habitarão sempre nela.

³⁰A boca do honrado medita a sensatez,
sua língua pronuncia o direito,
³¹leva no coração a lei de seu Deus:
seus passos não vacilarão.

³²O perverso espia o honrado,
tentando matá-lo:
³³o Senhor não o entrega em suas mãos,
não permite que o condenem num julgamento.

³⁴Espera no Senhor, segue seu caminho;
ele te levantará para possuíres uma terra
e verás a expulsão dos perversos.

37,22 Estamos no centro do salmo e no eixo de seu tema. As grandes explanações de bênçãos e maldições de Lv 26 e Dt 27-28 ressoam aqui, concentradas e definidas pela generosidade ou rapacidade dos homens.

37,23-24 Convém tomar aqui "caminhos" em sentido amplo: conduta moral e religiosa, empreendimentos e tarefas, coisas da vida. O "homem" pode descaminhar-se, tropeçar e cair; o honrado conta com o apoio de Deus. Comparar com Pr 20,24.

37,25 É sapiencial apelar para uma longa experiência: ver Jó 32,7 e as reflexões do Eclesiastes. Contudo, a experiência de quem fala é muito limitada: ou seu otimismo é hiperbólico, ou tomamos o particípio como "abandono" definitivo. Não vale neste contexto apelar para um suposto "abandono espiritual".

37,26 "Semente" é bivalente: a que se semeia no campo e a descendência.

37,27-28a Voltam os imperativos com um programa tão inclusivo quanto genérico: evitar e fazer; ver Sl 34,15. O "direito" nas relações sociais.

37,28b-29 O texto hebraico começa com "sempre são custodiados" unido ao sujeito precedente, os "devotos" ou leais. A versão grega restabelece o perfeito alfabetismo, que se justifica facilmente e melhora o sentido. Na escritura quadrada hebraica, é mínima a diferença entre guardar e aniquilar. O resultado é de novo a antítese central: o fracasso dos perversos se prolonga em sua descendência.

37,30-31 Podem-se ler como lema do salmo: um homem honrado *çaddiq* medita a sensatez *hokmá*, sua língua expõe o direito *mishpat*, no coração carrega a instrução *torá* de seu Deus. Sua atividade é sapiencial; seu tema, ético, é animado de espírito religioso. Sobre a lei no coração, ver Is 51,7; Jr 31,33.

37,32-33 Os perversos procuram eliminar o honrado com a aparência legal de um processo, como em Is 53; 1Rs 21. No seu tribunal supremo, Deus não condena o inocente. Mas é verdade que não o deixa perecer?

37,34 É curioso o verbo "levantar" no sintagma. Não sei se substitui um dos verbos de libertação, "fazer subir", ou se dá a entender o sentido de exaltação do humilhado. Este assistirá ao castigo de seus opressores e desfrutará ao ver que lhe fazem justiça.

³⁵Vi um perverso que se gabava,
   prosperava como cedro frondoso;
³⁶voltei a passar, e já não estava,
   procurei-o, e não se encontrava.

³⁷Observa o íntegro, vê o reto:
   o homem pacífico tem um futuro;
³⁸mas os ímpios serão aniquilados em massa,
   o futuro dos perversos ficará truncado.

³⁹Do Senhor vem a salvação dos honrados,
   ele é sua fortaleza durante o perigo;
⁴⁰o Senhor os auxilia e os livra,
   livra-os dos perversos e os salva,
   porque nele se abrigam.

38 (37)

²Senhor, não me repreendas com ira,
   não me corrijas com cólera.
³Pois tuas flechas se cravaram em mim
   e tua mão pesa sobre mim.
⁴Não há parte ilesa em minha carne,
   por causa do teu furor;
não me resta um osso sadio,
   por causa do meu pecado.
⁵Pois minhas culpas ultrapassam minha cabeça,
   são um peso superior a minhas forças.

37,35-36 Outro argumento de experiência. O texto hebraico é estranho; literalmente soa assim: "vi um perverso tirano que se desnudava como nativo viçoso". As versões antigas ajudam a restituir um texto que faça sentido.
A imagem vegetal é aplicada ao honrado em Sl 92,13s.

37,37-38 Último contraste de honrados e perversos, desta vez projetado no futuro. Talvez esse olhar para o futuro corrija a esperança imediata dos vv. 2 e 10. Sobre o tema, ver Pr 23,18; 24,14.20.

37,39-40 Os dois versículos da última letra são dedicados à "salvação" e deixam bem claro que os honrados são vítimas dos perversos. Notem-se as repetições verbais.
Transposição cristã. O salmo penetra no NT pela citação do v. 11a no manifesto de Mt 5,5. Essa citação convida-nos a buscar outras correspondências nas bem-aventuranças: pobres e afligidos no v. 14; a justiça atravessa todo o salmo; a misericórdia em 21 e 26; a busca da paz em 37; sofrer pela justiça está implícito nos conselhos iniciais e atravessa o salmo.

38 Pertence ao gênero de súplica na doença; mais concretamente, é a oração de um doente arrependido. As fases do processo se sucedem assim: doença sofrida – sentida como castigo divino – efeitos sociais em amigos e inimigos – confissão do pecado – pedido de auxílio. É comum descrever a doença por meio de sensações e sentimentos. Compõe-se de traços plásticos num vocabulário escolhido, mas que não chegam a compor um quadro exato, diagnosticável. Ao que parece, o autor acumula para criar uma figura extrema e exemplar.

Efeitos sociais da doença são o afastamento dos amigos e o abuso, sobretudo verbal, de inimigos ou rivais. O israelita não vive sua doença grave numa solidão distante ou fechada em si, mas com um sentimento agudo de como é tratado e maltratado. Onde espera compaixão e solicitude, encontra afastamento e temor; onde poderia esperar piedade, encontra o prazer na desgraça alheia, a dele. E o doente se fecha num mutismo, não sabemos se digno, resignado ou tático, e se volta inteiramente ao Senhor. Em Israel, é normal descobrir o pecado na doença. Esse salmo o diz com brevidade e acerto: reconhecimento, dor, confissão; dá por descontado o perdão e não menciona a correção. O pecado não rompeu a relação pessoal com Deus, e o castigo foi salutar. Não pede a cura, mas a engloba numa "salvação" genérica. A linguagem do salmo influiu no livro de Jó.

38,2 Começa como o Salmo 6: súplica de um doente. Não recusa a correção, mas quer evitar a condenação.

38,3 A primeira imagem é de caça ou guerra. Sente-se como se o tivessem crivado de flechas, só que o flecheiro é Deus: Jó 6,4; 34,6; Lm 3,12. A segunda imagem sugere uma sensação global e de proximidade: mais pressão que golpe violento. Poderíamos traduzir por "descarga".

38,4 O paralelismo é muito elaborado. "Carne e ossos" abrangem a totalidade. As causas são correlativas: "teu furor"/"meu pecado".

38,5 "Ultrapassam": como se tivessem sido acumuladas, amontoadas. A estatura física não basta para medir o mal espiritual. O "peso" é imagem clássica da responsabilidade. O homem é autor de um mal que agora o supera, oprime e esmaga. Como Caim: Gn 4,14; Sl 65,4.

⁶Minhas chagas inflamadas supuram,
   por causa de minha insensatez.
⁷Ando todo encurvado e encolhido,
   eu caminho sombrio todo o dia.
⁸Porque tenho as costas ardendo:
   não há parte ilesa em minha carne.
⁹Estou todo esgotado e desfeito,
   meu coração ruge, bramindo.
¹⁰Senhor meu, em tua presença estão minhas ansiedades,
   meus gemidos não se ocultam de ti.
¹¹Meu coração se agita, faltam-me as forças,
   e me falta até a luz dos olhos.
¹²Meus amigos e companheiros
   se detêm diante de minha doença;
   meus próximos se mantêm a distância.
¹³Estendem-me laços os que atentam contra minha vida,
   os que buscam minha desgraça me difamam,
   todos os dias cochicham calúnias.
¹⁴Mas eu me faço de surdo e não ouço,
   me faço de mudo e não abro a boca,
¹⁵sou como alguém que não ouve
   e não tem o que replicar.
¹⁶Em ti, Senhor, eu espero,
   e tu me escutarás, Senhor Deus meu.
¹⁷Temia que se alegrassem com minha queda,
   que cantassem vitória quando eu tropeçasse.
¹⁸Pois estou a ponto de escorregar
   e tenho sempre presente meu sofrimento.
¹⁹Confesso a minha culpa
   e me dói o meu pecado.

38,6 O pecado, além disso ou por isso, é insensatez. O homem racional torna-se néscio. É acrescentada como terceira motivação às duas do v. 4. Menciona as "chagas" (Is 1,6) como castigo; Pr 20,30 com função terapêutica.

38,7 Postura física: por fraqueza ou pelo peso do pecado. "Sombrio": gesto expressivo; o contrário de um rosto luminoso e radiante.

38,8 "Ardendo": em hebraico, na voz passiva costuma significar tostado, assado. No sentido presente, é fórmula única.

38,9 É como uma sensação geral de cenestesia: desfalecido e triturado. Os outros verbos costumam referir-se ao leão, como se as poucas forças se concentrassem num rugido de dor, gritado no coração.

38,10 Até agora foi tudo desabafo; mas deu-se na presença de um Deus disposto a interessar-se por um pobre doente.

38,11 Último versículo descritivo, posto após a invocação ao Senhor.
Sente o pulsar agitado do coração. Os olhos "se anuviam" pelo pranto ou pela febre: Jó 16,7; 17,7; Sl 69,4.

38,12 Começa o bloco dedicado aos efeitos sociais da doença e a consequente reação do paciente. A doença, tão dolorosa quanto chamativa, é teofania de um Deus irado que descarrega sua cólera sobre o homem. Isso produz espanto: ninguém desejaria contagiar-se ou tornar-se cúmplice do homem: ver Jó 2,11-13; 19,13-19.

38,13 "Laços" é imagem convencional. Os rivais se aproveitam do estado dele para difundir calúnias, para difamá-lo na sociedade; a doença parece comprovar essas insinuações, e as pessoas são propensas a aceitá-las.

38,14-15 O doente sente-se impotente para refutar rumores e calúnias; ou pensa que não conseguirá convencer com argumentos. Comparar o silêncio do Servo (Is 53,7) com a enxurrada verbal de Jó.

38,16 Abandonado pelos homens, o orante põe sua esperança no Senhor. Seu silêncio indefeso é argumento que moverá seu Deus.

38,17-18a No momento, as consequências sociais parecem preocupá-lo mais que o desejo de curar-se. O "tropeço" pode ser grave ou definitivo, mortal: Sl 66,9; 94,17s; 121,3.7.

38,18b-19 Adoto essa divisão para sublinhar o paralelismo de "sofrimento" e "pecado". O pecado causa um sofrimento que se soma à dor física; confessando-o, conseguirá livrar-se de ambos.

²⁰Meus inimigos mortais são poderosos,
    são muitos os que me detestam sem motivo.
²¹Os que me pagam males por bens
    me atacam quando procuro o bem.

²²Não me abandones, Senhor,
    Deus meu, não fiques a distância;
²³apressa-te em me socorrer,
    Senhor meu, minha salvação.

39 (38)

²Eu disse: Vigiarei meu proceder
    para não falhar com a língua;
porei uma mordaça em minha boca,
    enquanto o perverso estiver na minha frente.
³Guardei silêncio resignado,
    e me contive inutilmente.
Mas minha ferida piorou,
    ⁴o coração me ardia por dentro;
ao pensar isso, me requeimava,
    até que soltei a língua.

⁵Indica-me, Senhor, o meu fim
    e qual é a medida de meus anos,
    para eu compreender o quanto sou caduco.
⁶Tu me concedeste alguns palmos de vida,
    meus dias são como nada diante de ti:
    O homem não dura mais que um sopro,

38,20 Cabem duas explicações: a) inimigos "da vida", mortais; b) inimigos "vivos", com vitalidade diante do doente que se sente às portas da morte.
38,21 "Mal por bem" é tema frequente: Sl 35,12; Pr 17,13; Jr 18,20. Segue-se que o pecado do orante não foi de injustiça.
38,22-23 Súplica final. A saúde é parte da "salvação". "A distância": ver Sl 22,2.12.20. "Apressa-te": Sl 40,14; 70,2.6.
Transposição cristã. Aplicando o salmo a Jesus Cristo, os comentaristas ressaltaram alguns aspectos: o silêncio do inocente acusado, o afastamento dos seus, a hostilidade dos rivais, a confiança no Pai.

39 Não compensa classificar esse salmo como prece penitencial; quando muito, serve para destacar sua individualidade. Do texto podemos extrair e recompor um processo: dor – sentida como golpe ou castigo – provocada pelo delito que provoca a súplica de perdão e cura. Nisso se parece com outros. Mas o salmo sai do esquema e nos detém com sua intensidade, com sua clareza enigmática. Grande parte do salmo é ocupada por um monólogo de reflexão indecisa, de introspecção geradora de tensões. Da introspecção passa sem esforço a uma visão universal de comum humanidade, visão que não resolve as tensões. Por isso, o salmo adota um tom trágico, que não desemboca em esperança luminosa, mas em resignação minimalista.
O salmo repete duas vezes o aforismo "todo homem é um sopro". Para um ouvido judeu, acostumado às paronomásias, a frase soa também como "todo Adão é Abel". Ainda que não morra jovem nem pelas mãos de um fratricida, seu destino é o de Abel. Para um ser dotado de consciência, a morte é uma violência. O Salmo 90 diz que contar os anos é fonte de bom senso ou sensatez; no Sl 39, contar os anos, mesmo instruído por Deus, é privilégio funesto do homem. O tema da vida como sopro ressoa em outros textos: Sl 62,10; 144,4; Jó 7,16. Só que Abel era inocente, ao passo que o orante aqui se confessa pecador. A consciência do pecado destruidor se soma à tragédia da sua condição caduca.
39,2-4 Monólogo interior. O eu do poema se distancia de si para observar a si mesmo; analisa sintomas e processos interiores, também sua atividade de "meditar" e sua inatividade controlada. Seu dilema é falar ou não falar. Se fala, é bem possível que erre (Eclo 19,16), especialmente na presença de um perverso mal-intencionado (Pr 6,2): é melhor não falar. Mas ao se calar sente um fogo interior (Jr 20,9) e fala por necessidade: comparar com Eclo 22,27.
39,3 "Inutilmente": outros traduzem "em atenção ao bom", cf. Pr 12,2; 13,22.
39,5-7 O tema é unitário, ou seja, a caducidade pessoal no horizonte da condição humana universal. Da constatação à certeza.
39,5 É preciso uma revelação para conhecê-lo? Cabem duas respostas. a) O homem o sabe e o esquece, não tira as consequências; b) sabe-o, mas quer saber quanto lhe resta de vida. Comparar com os salmos 90 e 102.
39,6a É quase um salto metafísico: da caducidade da vida à contingência do existir: Eclo 41,10s o ilumina.

⁷o homem vagueia como um fantasma;
por um sopro se afadiga,
entesoura sem saber para quem.

⁸Então, Senhor, o que aguardo?
Minha esperança está em ti.
⁹Livra-me de todas as minhas iniquidades,
não me tornes a caçoada do néscio.
¹⁰Emudeço, não abro a boca,
pois és tu quem o fez.
¹¹Afasta de mim o teu golpe,
eu me consumo por causa do ímpeto de tua mão.
¹²Castigando a culpa educas o homem,
e róis como traça seus tesouros.

O homem não é mais que um sopro.

¹³Escuta minha súplica, Senhor,
atende ao meu grito,
não sejas surdo a minhas lágrimas.
Pois eu sou teu hóspede,
forasteiro como todos os meus pais.
¹⁴Não me olhes; dá-me fôlego
antes que eu caminhe para não ser.

40 (Sl 70)
(39)

²Eu esperava com ansiedade o Senhor:
inclinou-se para mim e escutou meu grito.

39,6b-7a Em perfeito paralelismo. "Como um fantasma": a expressão hebraica é a mesma de Gn 1,26s "à imagem (de Deus)". O autor a retorce; não mais imagem de Deus, mas imagem da realidade de uma existência fantasmagórica.

39,7b A ampliação se fixa no rumor agitado e desatinado da humanidade.

39,8-12 Nova seção, introduzida como consequência e desenvolvida em alternância de reflexão (8.10.12) e pedido (9.11).
Falar a Deus ou calar-se? De novo o dilema: "não posso queixar-me do homem, porque Deus o fez; não posso queixar-me de Deus, porque pequei". Mas o pecado explica a dor como castigo, não a condição mortal. Perdoado o pecado, o homem continua sendo mortal. Então, a causa de tão triste condição se encontra em Deus? O orante universaliza sua experiência.

39,8 Triunfa plenamente a esperança? O que se segue o desmentirá: no contexto, sua esperança não é limitada por vir de Deus, mas limitada por residir no homem. Observemos seus três pedidos negativos: "livra-me de" (9), "afasta de mim" (11), "não me olhes" (14). Assim alcançarei em paz meu destino: "não ser".

39,9 "Livrar" é aqui perdoar. O "néscio" é um homem que se fecha à compaixão e com a zombaria agrava a dor do próximo.

39,11 "Teu golpe" é interpretação teológica da doença.

39,12 A ação de Deus se mostra aqui enigmática e perturbadora. Primeiro, porque o autor é Deus, numa ação desintegradora oposta à ação criadora ou plasmadora. Segundo, pela comparação animal, que sugere a lenta, eficaz e irresponsável ação de consumir: ver Os 5,2; Jó 13,28. Terceiro, pelo objeto: aquilo que o homem deseja ou aquilo que faz o homem desejável, no qual a fome impiedosa de Deus parece saciar-se: comparar com Jó 10,8s.

39,13 Pelo menos escute Deus o grito e se deixe abrandar pelas lágrimas: Is 38,3.5. Ainda que o orante seja só hóspede de Deus em sua terra, como os antepassados que já entraram pela porta da morte, a lei de Israel reconhece direitos ao hóspede e peregrino. Com todo esse aparato de gritos enuncia o pedido final: será grande?

39,14 É mínimo. É negativo. Deixa de olhar para mim. Como se o olhar e a atenção de Deus fossem a causa última de seus males. O sintagma "olhar"/"não olhar" está no relato de Caim: Abel encontrou a morte por causa da "atenção" preferencial de Deus. Comparar com Jó 7,6-21 e 14,1-6.

Transposição cristã. A esperança cristã na ressurreição muda o horizonte do salmo. Mas devemos respeitar a sinceridade do orante, se queremos apropriar-nos de sua espiritualidade. Num segundo momento, contemplemos como o Filho de Deus entrou em nossa mortal e trágica condição humana: foi um Abel fracassado (Hb 12,24). Não abria a boca (Mc 14,61). Mas não vai para o "não ser"; ao contrário, vai para o Pai (Jo 14,28). Também nós iremos quando terminar nossa etapa de "hóspedes e forasteiros" (Hb 11,13; 1Pd 2,11).

40 Esse salmo é famoso pelos versículos 7-11, citados e comentados na carta aos Hebreus. Esses versículos estão encaixados entre duas peças difíceis de associar: ação de graças e súplica (nessa ordem); se fosse a ordem inversa...

³Levantou-me da cova fatal,
  do brejo lodoso.
Firmou meus pés sobre um rochedo
  e assegurou meus passos.
⁴Pôs-me na boca um cântico novo
  de louvor ao nosso Deus.
Muitos ao vê-lo ficaram surpreendidos
  e confiaram no Senhor.
⁵Feliz o homem que pôs
  sua confiança no Senhor,
e não recorre a idolatrias
  que extraviam com enganos.
⁶Quantas maravilhas fizeste,
  Senhor Deus meu,
quantos planos em nosso favor!
  És incomparável.
Tento dizê-las e contá-las,
  mas superam toda descrição.
⁷Não queres sacrifícios e ofertas;
  cavaste-me ouvidos;
não pedes holocaustos nem vítimas expiatórias.

A primeira parte (2-4 ou 2-6) é bastante tradicional no esquema e original na redação. Os vv. 5-6 poderiam ser o texto do canto. A terceira parte (12-18) é bastante convencional, exceto na ordem, e tem correspondências com a primeira parte. Como se coordenam? a) Se se trata da mesma libertação, a ordem tradicional está invertida. b) Se se trata de dois casos, a libertação passada e experimentada (2-6) anima a súplica na nova tribulação. Isso não é raro no saltério.
A segunda parte se encontra entre as duas. Liga-se com a primeira num processo lógico: tuas proezas me ultrapassam – quero contá-las e não consigo – tampouco posso contentar-me com sacrifícios – porque tu me dás outra tarefa. A segunda parte se liga com a terceira por cinco repetições, três delas substanciais: eu canto tua fidelidade e lealdade (11b)/que tua fidelidade e lealdade me guardem (12b); eu amo tua vontade (9a)/digna-te livrar-me (14a); eu não fecho os lábios (10b)/tu não feches tuas entranhas (12a).
Na segunda parte duas questões nos interessam. Primeira, a oposição entre sacrifícios ou culto e outras atividades. Tema corrente, também no saltério (Sl 50-51), que aqui aparece marcado pela oposição: "tu não queres sacrifícios"/"eu quero cumprir tua vontade". Não enuncia um princípio geral, mas uma missão pessoal. Qual é essa missão?
É a segunda questão. a) Há quem identifique "vontade" divina com a *torá*, e esta com todo o corpo da lei da aliança. Seria um ideal de observância: ver Sl 1,2; 37,31; 78,1.5 etc. Essa explicação não satisfaz, porque *torá* é muitas vezes uma instrução particular; porque o orante fala de uma cláusula pessoal; porque o conjunto da lei inclui culto e sacrifícios, aqui relegados. b) A vontade específica de Deus: o conteúdo da instrução será "evangelizar", proclamar as virtudes e ações do Senhor. Aí sim, não proclamará uma peça aprendida de cor, mas que assimilou "nas entranhas". Será "um canto novo" de algo vivido. Essa hipótese explica a concentração do salmo em termos de falar e as coincidências com Jr.
Pois bem, a nova tarefa pode ser arriscada e dolorosa. Por isso suplica. A tarefa do Deus conhecido e reconhecido será livrá-lo de novo. Assim, todos os que amam a "salvação" cantarão o louvor.

40,2-4 O começo é uma sequência em quatro cenas rápidas. Um homem se debate no lodo de um brejo, que ameaça tragá-lo aproveitando seus esforços; grita. Alguém o tira e coloca seus pés em rocha firme. Sentindo a solidez sob os pés, irrompe a cantar de alegria e agradecimento. Um grupo que assistia exprime sua confiança no libertador.

40,2 A forma enfática traduz a expectativa, quase a impaciência do aguardar.

40,3 A linguagem nos traz a figura de Jeremias na cisterna barrenta: Jr 38,6.13.

40,4 "Pôr na boca" é fórmula de alcance profético: Dt 18,18; Jr 1,9; 5,14.

40,5 Da experiência concreta, passa a uma reflexão geral em forma de bem-aventurança. "Idolatrias": outros interpretam como homens arrogantes. Prefiro a antítese vigorosa, recordando Hab 2,18.

40,6ab Esse versículo serve de ligação: prolonga o tema da confiança, passa da terceira à segunda pessoa, prepara o tema seguinte.
Realiza as proezas em favor de um povo, não pelo gosto de exibir o próprio poder. É "incomparável": ver Is 40,18; 44,7; Sl 89,7.

40,6c Começa o tema central, da expressão verbal, no seguinte processo: precária tentativa de contar – texto escrito – texto interiorizado – proclamação pública. O fracasso é uma etapa constituinte.

40,7-9 É importante apreciar paralelismos e correlações. Em esquema: sacrifícios/holocaustos, ouvidos/escrito, venho/quero. O primeiro é um merisma que

⁸Então eu digo: "Aqui estou".
No texto do rolo está escrito de mim
⁹que hei de cumprir tua vontade:
e eu o quero, Deus meu,
levo tua instrução nas entranhas.

¹⁰Proclamei o direito
a uma assembleia numerosa.
Não fechei os lábios:
Senhor, tu o sabes.
¹¹Não escondi no peito a tua justiça,
anunciei tua verdade e tua salvação.
Não neguei tua lealdade e fidelidade
diante da numerosa assembleia.

¹²Tu, Senhor, não me feches tuas entranhas,
que tua lealdade e fidelidade me guardem sempre,
¹³pois me cercam desgraças sem conta,
minhas culpas me atingem
e não posso ver;
são mais que os cabelos da cabeça
e me falta ânimo.

¹⁴Digna-te livrar-me, Senhor,
apressa-te, Senhor, em socorrer-me.
¹⁵Sofram derrota vergonhosa
os que me perseguem mortalmente,
recuem confundidos
os que desejam minha desgraça.
¹⁶Fiquem mudos de vergonha
os que caçoam: Ah! Ah!
¹⁷Que te festejem e celebrem
os que te procuram;
os que desejam tua salvação digam sempre:
Grande é o Senhor!

---

abrange o culto. O segundo sugere um encargo oral e um escrito. O terceiro é correlativo do anterior e se articula em duas peças complementares: o ato de apresentar-se e a disponibilidade para executá-lo.

40,7 Os sacrifícios são relativizados (Eclo 34,18-35,26). "Cavar os ouvidos" é metáfora única. A imagem parece basear-se na cavidade corporal que o ouvido abre para o interior do homem: comparar com Is 50,4s.

40,8a A resposta é o ato de apresentar-se ou comparecer: comparar com Is 6,8; 50,5.

40,8b-9 No contexto, o que mais interessa é assimilar a missão, implicando o tema. O que estava num "escrito" passa a estar "nas entranhas"; o texto da proclamação é amorosamente assimilado. Comparar com Ez 3,3.

40,10-11 A proclamação é enunciada em quatro verbos e seis substantivos. A insistência em formas negativas e o apelo ao testemunho de Deus fazem suspeitar algum risco na missão, como se algo grave induzisse ao silêncio. Na vida civil, o verbo positivo "anunciar" significa proclamar uma boa notícia. É típico do profeta do desterro, que também enfrentava resistência e hostilidade: Is 40,9; 41,27; 52,7; e 60,6; 61,1; Sl 96,2. O "direito" aparece também em Is 41,2-10; 42,6.21; 45,19; 51,1.5.7. Os outros substantivos, com o possessivo "teu", pertencem a uma tradição ampla, também presente no saltério. Agora imaginemos que a pregação começou, provocando resistência, oposição e perseguição; o orante invoca o auxílio de quem lhe confiou a tarefa. É o que se segue em 12-18.

40,12-13 Primeiro pedido, com motivação. Não esperávamos uma confissão de delitos: o orante não se apresenta como vítima inocente. A expressão é hiperbólica.

40,14-18 Com ligeiras variantes, esse texto figura independente como Salmo 70. Cabem três explicações: a) A forma autônoma, Sl 70, é original; b) o lugar original é o Sl 40, de onde se deslocou como súplica breve; c) é peça de repertório disponível para usos diversos. O texto bíblico atual nos convida a lê-lo como parte integrante do salmo.

40,14-15 Formam o segundo pedido, conforme módulos convencionais.

40,16-17 As reações são elaboradas num jogo de oposições que podemos esquematizar assim: os que buscam minha vida/os que te buscam; os que querem minha desgraça/os que querem minha salvação; os que dizem Ah! Ah!/os que dizem: Grande é o Senhor! O drama se resolve num ato teologal.

¹⁸Eu sou um pobre infeliz,
  mas o Senhor cuida de mim.
Tu és meu auxílio e meu salvador,
  Deus meu, não tardes!

41 (40)

²Feliz aquele que cuida do desvalido:
  no dia aziago o Senhor o porá a salvo.
³O Senhor o guardará e conservará vivo,
  e será feliz na terra,
  não o entregará à sanha de seus inimigos.
⁴O Senhor o sustentará no leito de dor,
  afofará a cama na sua doença.
⁵Eu disse: Senhor, tem piedade,
  cura minha vida, pois pequei contra ti.
⁶Meus inimigos dizem maldades de mim:
  "Quando morrerá e acabará seu sobrenome?"
⁷Aquele que entra para me visitar
  diz mentiras, recolhe a maldade,
  sai à rua e comenta.
⁸Meus adversários se reúnem para murmurar de mim,
  fazem cálculos sinistros:

40,18 No último versículo, o orante retorna com um enfático "eu". Fecha-se o quadrilátero: tu – os perversos – teus fiéis – eu.

Transposição cristã. A carta aos Hebreus retoma e comenta a parte central do salmo, segundo a versão grega dos LXX. Em vez de "me cavaste ouvidos", diz "preparaste-me um corpo"; traduz "rolo" por "título". Desse modo, o autor opõe a auto-entrega do Messias e os sacrifícios antigos. Vem daí o uso dos antigos de pôr todo o salmo na boca de Cristo e depois na boca da Igreja.

41 O último salmo da primeira coleção começa com uma bem-aventurança, que é projeção de uma experiência pessoal no plano da categoria. O caso particular se generaliza e o gênero acolhe o caso. É exemplo típico de súplica de um doente. O próprio desse caso é que o doente é um homem bondoso que costumava ocupar-se dos pobres; por causa disso, espera que agora Deus se ocupe dele. O corpo da súplica (5-14) está contido na inclusão da primeira pessoa. Doença e hostilidade. É curioso que no saltério o doente grave não provoque sentimentos de compaixão. Os rivais do orante parecem estar esperando a ocasião para agir, e no contexto até os amigos fraquejam. É convenção do gênero, ou está condicionado por crenças e costumes da época? A medicina da época não dispunha de meios. Curavam-se mais facilmente as feridas do que as doenças. O Levítico diagnostica, não trata a doença. O doente pode ser um peso para a família, uma ameaça de contágio. O doente foi "tocado" por Deus ou castigado por causa de uma culpa. Pois bem, quando o rival ou inimigo cai doente, as rivalidades e inimizades (latentes ou evidentes) na sua sociedade parecem excitar-se: está acontecendo o que desejavam e esperavam; Deus se encarrega dele, sem que eles sujem as mãos. Faz-se uma visita de cortesia fingindo, mas os comentários na rua são outros. Se o paciente não os escuta, os imagina. E não pode defender-se: ele também se sente tocado por Deus. Como se isso não bastasse, até os amigos se acovardam, deixam-se levar por comentários malignos. Em tal situação de desolada solidão, ao doente não resta mais que dirigir-se a Deus, recordando-lhe as próprias obras de beneficência. Sadio e restabelecido, poderá dar o merecido aos rivais, que não conseguiram cantar vitória.

41,2 O dia "aziago" ou mau é especificado em 6a e 8b. Deus se encarrega de pagar um favor que o carente não pode pagar.

41,4 Dado que o termo hebraico pode significar leito ou maca e também o fato de guardar o leito, a frase também significa "virar" a maca, pois já não faz falta, ou mudar a posição do doente.

41,5 A doença fica teologicamente explicada ou justificada, e a cura é ato de piedade divina.

41,6-10 Dimensão social da doença. Se o pecado a explica ou justifica, não justifica a conduta de rivais e amigos. Pode-se humildemente suplicar a um Deus irado, mas não a um inimigo impiedoso. Resta descobrir e denunciar a atitude injusta desse inimigo para convencer Deus a intervir. O poeta introduz um pequeno quadro de costumes.

41,6 "Acabar o sobrenome" é morrer sem descendência.

41,7 O texto é duvidoso, de três hemistíquios: procuro salvá-lo, conservando o paralelismo e o contexto.

41,8 O primeiro verbo deriva do substantivo *lhsh* que significa feitiçaria, conjuro. No conteúdo, palavras de efeito mágico e funesto contra alguém; na forma, sussurro ou cochicho de fórmulas que mal se ouvem e ininteligíveis. Alguns comentaristas tomam o conteúdo literalmente e supõem um grupo de adversários, que recorrem a artes mágicas para causar a doença ou para agravá-la ou para impedir a cura. Ver Dt 18,10-12. Outros comentaristas tomam a forma do verbo: o tom, o sigilo.

⁹"Contraiu uma doença sem cura;
   aquele que deitou não se levantará".
¹⁰Até meu amigo, de quem eu me fiava
   e partilhava meu pão,
   sobressai em me trair.

¹¹Tu, Senhor, tem piedade e põe-me de pé,
   para que eu lhes dê o que merecem.
¹²Nisto conheço que me amas:
   se meu inimigo não cantar vitória.
¹³Tu conservaste minha integridade,
   e me estabelecerás em tua presença para sempre.

* * *

¹⁴Bendito seja o Senhor Deus de Israel,
   desde sempre e para sempre.
   Amém, amém.

42-43
(41-42)

²Como a cerva anseia por correntes de água,
   assim minha alma anseia por ti, ó Deus.
³Minha alma tem sede de Deus,
   do Deus vivo:

41,9 "Contraiu": literalmente, infundiu-se nele. Na teoria do encantamento, o conjuro penetrou e, dentro, desenvolverá sua eficácia.
41,10 "Partilhava meu pão": como protegido a quem sustento, ou como convidado à minha mesa: é um comensal de confiança.
41,11 "Tu" enfático: tu, porém. Convoca Deus contra a coalizão de rivais e amigos. E distribui as tarefas: tu põe-me de pé; eu me encarrego de dar o que eles merecem.
41,12 O amor de Deus se manifestará na saúde do orante e nas suas relações sociais; não pode ficar em pura relação espiritual, à margem da complexa situação do homem. A experiência profunda e certa se realiza no corporal e social.
41,13 Versículo final em que o orante e seu Deus estão a sós. Tomo "integridade" em sentido físico, como Jó 21,23.
41,14 Versículo acrescentado para encerrar a primeira coleção de salmos.
Transposição cristã. Jo 13,18 põe na boca de Jesus parte do v. 10. E os antigos o estendem a todo o salmo: pobre e desvalido na sua encarnação (2Cor 8,9); carrega nossos pecados; o último inimigo não o vence (1Cor 15,25).
42-43 Trata-se de um poema único, como o declaram o estribilho e outras repetições. É uma das súplicas mais belas do saltério.
Estrutura imaginativa. Exceto a personificação de "luz e verdade" (43,3) como mensageiros e escolta, duas imagens dominam o poema: água como vida na primeira estrofe, água como morte na segunda.
a) A primeira imagem, em forma de comparação, abre *ex abrupto* o poema. Alguns comentaristas imaginam uma gênese realista: o autor se encontra desterrado na região montanhosa ao sul do Hermon; ante seus olhos cruza uma cerva em desesperada busca de água; na busca ansiosa do animal, o poeta projeta seu estado de ânimo, sua ansiosa busca de Deus. A hipótese pode conter valor didático. O importante é sentir a força da imagem: ânsia animal e vital por Deus. Água que é vida na paisagem árida. A busca de Deus tem as cores do básico instinto de conservação.
b) Segunda imagem. Em termos realistas, o poeta se encontra (em termos poéticos finge encontrar-se) sozinho numa paisagem montanhosa, à escuta. De repente o domina o fragor alternado de cascatas (talvez a visão delas); debaixo delas, dominado, contempla a si mesmo. A paisagem é símbolo do estado de ânimo. No original hebraico, a sonoridade do v. 8 é extraordinária. É frequente no AT a relação entre as vagas envolventes e o reino da morte, mas nem por isso sua realização neste poema perde força. Alguns comentaristas pensam que o orante sofre de doença grave (11), sente a morte próxima, descreve-a com a imagem de correntezas envolventes; ver 2Sm 22,5; Jn 2,4; Sl 88,8.
As duas imagens pertencem ao contexto da água, com valor simbólico: Deus como água. Deus, que era a vida do orante, tornou-se sua morte: uma força elementar, oceânica e irresistível.
Estrutura dialógica: ausência e presença. O diálogo consigo mesmo se repete na posição privilegiada do estribilho. O fato psicológico é no salmo expressão do drama interior, resposta à polaridade de Deus experimentada pelo orante. A divisão interna é desdobramento e tensão dilacerante. No nível da consciência, predominam a saudade e o desânimo; no nível mais profundo, emergem e vão crescendo a confiança e a esperança. Deus faz sentir dolorosamente sua ausência, e essa ausência sentida é uma forma de presença. A ausência não sentida não dói, a ausência sentida ocupa a consciência, enche-a de ânsia e dor. A presença nominal de Deus (22 vezes) é invasora.
Estrutura dinâmica: drama em três atos. Não creio que o estribilho faça o poema rodar sem avançar, voltando ao ponto de partida. Há indícios claros de

Quando entrarei para ver
o rosto de Deus?
⁴Lágrimas são meu pão noite e dia,
enquanto *me repetem o dia todo:
Onde está o teu Deus?*
⁵Recordando-o eu me desafogo comigo:
como eu passava até ao recinto
e avançava até a casa de Deus,
entre gritos de júbilo e ação de graças,
no barulho festivo.

⁶*Por que te curvas, minha alma,
por que estás gemendo?
Espera em Deus, pois ainda lhe darás graças:
"Salvação de meu rosto, Deus meu".*

⁷Quando minha alma se curva,
então me recordo de ti,
desde a região do Jordão e do Hermon
e até o monte Menor.
⁸Um abismo grita a outro abismo
com voz de cascatas:
tuas vagas e tuas ondas
me envolveram.

⁹De dia o Senhor enviará sua lealdade,
de noite estarei com seu canto:
súplica ao Deus de minha vida.
¹⁰Direi a Deus: Meu rochedo!
Por que me esqueces?
*Por que vou andando sombrio,
açoitado pelo inimigo?*
¹¹Do esmagamento de meus ossos
meus adversários caçoam;
*o dia todo me repetem:
Onde está o teu Deus?*

avanço. A primeira e a terceira estrofes se referem ao culto: a primeira o recorda nostalgicamente, como passado impossível de recuperar; a terceira o espera como futuro certo e próximo. A segunda estrofe, embora dominada pelo presente, está indecisa entre ambas.
O que causou a mudança emocional? Não um oráculo profético ou litúrgico, mas uma voz interior, na qual Deus se fazia sentir. A "luz e a verdade" já estavam agindo. Embora a luz estivesse ofuscada e a verdade velada, algo iluminava o orante, revolvendo-o por dentro. O diálogo interior o vai conduzindo para a esperança.

42,3 "Alma": *nefesh* é a garganta como órgão que experimenta a sede e como sede da respiração/vida; é também símbolo do espírito.

42,4 "Onde está o teu Deus?" Embora a frase pudesse ser pergunta curiosa de politeístas em país estrangeiro, o orante a escuta como zombaria ou desafio, como abrir a ferida da ausência.

42,5 Desabafa para dentro: a solidão ilumina a interioridade. Recorda o aspecto sonoro e festivo do culto.

42,6 Em sentido físico, seria a garganta que se encurva violentamente e emite gemidos inarticulados. No teor simbólico do salmo, é tentativa de descrever o dobrar-se sobre si, para dentro. Na segunda parte aponta a esperança. Poderíamos esquematizar assim: "espera" que um dia poderás "dar-lhe graças" por haver-te "salvo".

42,7 A geografia, supondo que fosse realista, não se deixa identificar. Muitos pensam nas fontes do Jordão, nos contrafortes do Antilíbano.

42,8 O termo *tehom* (abismo) não tem necessariamente significado mítico; em Dt 8,7 está unido a mananciais.

42,9 "Seu canto": dedicado a ele por mim e meu companheiro noturno.

42,10 O título "meu rochedo" encaixa bem na paisagem do salmo, embora seja tópico: Sl 18,3; 31,4; 71,3.

42,11 O "esmagamento dos ossos" é expressão hiperbólica do tormento interior.

¹²*Por que te curvas, minha alma,*
por que estás gemendo?
Espera em Deus, pois ainda lhe darás graças:
"Salvação de meu rosto, Deus meu".

43

¹Faze-me justiça, Deus, defende minha causa
  contra uma gente desleal,
do homem traidor e criminoso
  põe-me a salvo.
²*Pois tu és meu Deus e meu protetor:*
  por que me rejeitas?
Por que vou andando sombrio,
  açoitado pelo inimigo?
³Envia tua luz e tua verdade:
  que elas me guiem
e me conduzam até o teu monte santo,
  até a tua morada,
⁴e eu me aproximarei do altar de Deus,
  ao Deus de meu prazer e alegria.
Eu te darei graças ao som da cítara,
  Deus, Deus meu.

⁵*Por que te curvas, minha alma,*
  por que estás gemendo?
Espera em Deus, pois ainda lhe darás graças:
  "Salvação de meu rosto, Deus meu".

44 (43)

(Sl 74; 79)

²Ó Deus, com nossos ouvidos escutamos,
  nossos pais nos contaram:
a obra que fizeste em seus dias,

43,1 A linguagem é judicial e o pedido soa como apelação ao tribunal supremo de Deus: ver Sl 7,9; 26,1; 35,24. Os que o tomam em sentido próprio definem por ele o gênero do salmo.
43,2 O verbo "rejeitar" se aplica geralmente ao desterro ou a uma calamidade nacional: Sl 44,10.24; 60,3.12; Lm 2,7; 3,17.31.
43,3 Duas personificações conduzirão o desterrado ao monte, ao templo, ao altar.
43,4 Predomina a alegria festiva, como em 5c. A repetição do nome de Deus ultrapassa o versículo: a ausência se transforma em presença.
Transposição cristã. Para o cristão, a presença de Deus está em Jesus Cristo, templo verdadeiro e definitivo. Contudo, não pode dizer que Deus esteja sempre à sua disposição. Há na vida cristã tempos de ausência sentida, de noite escura e ocultação. E nesta vida a presença nunca será total; teremos de contar com a polaridade de ausência e presença. Isso ensinam os mestres espirituais e os místicos.

44 Súplica comunitária numa desgraça nacional. A situação, histórica ou típica, é uma grave derrota militar com suas consequências. Refere-se à conquista de Samaria pelos assírios, ou à de Judá pelos babilônios? Esse salmo, ao contrário do 74, não alude à cidade nem ao templo. Os traços descritivos são genéricos. Se o salmo foi composto numa situação histórica concreta, o poema se afasta dela e fica disponível para situações semelhantes. A disposição dos materiais é linear, em extensão descendente. Dez versículos recordam benefícios passados, oito descrevem a trágica situação atual, seis formam o protesto de inocência, quatro pronunciam a súplica.
O réu inocente. Em súplicas individuais ou coletivas, é normal confessar o pecado que justifica o castigo, e pedir perdão. Nesse salmo a comunidade se proclama inocente em relação aos compromissos da aliança: reconhece Yhwh como "meu Deus" (5, corrigido), não recorre a "deuses estrangeiros" (21), não desvirtua "tua aliança" (18). O soberano estava ligado ao vassalo pelo compromisso de "lealdade" (27) e o cumpriu na ocupação da terra; agora parece ter-se omitido. O povo vive na memória e da memória (2.18a.21); o Senhor parece "esquecer-se" (25) ou "estar dormindo" (24).
O soberano da história. Numa concepção politeísta, o problema teria outra saída: a desgraça de Israel era obra de uma divindade estrangeira mais poderosa. Isso é impossível para a fé javista. A comunidade nega enfaticamente o papel de protagonista a tal divindade (4.7s) para afirmar Yhwh (3-5.7s): comparar com Is 45,7; Dt 32,36-39. Portanto, se o inimigo é mero executor da desgraça, se o povo não deu motivo para tal castigo, a responsabilidade é toda de Deus.

³outrora: Tu, tua mão.
Despojaste nações e os plantaste,
    trituraste nações e os fizeste prosperar.
⁴Pois não se apoderaram da terra por sua espada,
    seu braço não lhes deu a vitória;
mas tua direita e teu braço
    e a luz de teu rosto, porque os amavas.

⁵Tu és o meu Rei e o meu Deus,
    que destinas as vitórias a Jacó!
⁶Com teu auxílio agredimos o inimigo,
    em teu nome pisoteamos o agressor.
⁷Pois não confio em meu arco,
    minha espada não me dá a vitória.
⁸Tu nos dás a vitória sobre o inimigo
    e derrotas nossos adversários.
⁹Nossa glória é Deus em todo tempo,
    sempre damos graças ao teu nome.

¹⁰Mas agora nos rejeitas, nos envergonhas
    e não sais com nossas tropas.
¹¹Tu nos fazes retroceder diante do inimigo,
    e nosso adversário nos saqueia.
¹²Tu nos entregas como ovelhas para o consumo
    e nos dispersas entre os pagãos.
¹³Vendes o teu povo por uma miséria,
    não ganhas muito na venda.

A presença e ação de Deus, proclamadas em meio à tragédia, mostram uma espiritualidade robusta e inamovível. Talvez por isso não seja necessária a ação de graças prometida ou antecipada.

44,2-9 Formam o primeiro bloco, limitado pela inclusão de "Deus". Cinco versículos voltam ao passado remoto, na terceira pessoa, outros cinco mencionam experiências próximas, na primeira pessoa.

44,2 Alude ao princípio da tradição, exemplarmente proposto pelo Sl 78. Paradoxalmente, a memória vai-se voltar contra Deus.

44,3 Se entendemos o último verbo hebraico como "fazer sair", "despedir", ficaria no fim o primeiro ato da libertação. Se lhe damos valor vegetal (Is 16,8; Ct 4,13), prolonga a imagem do "plantar": a evolução do Salmo 80.

44,4a A negação é dialética, subordina-se à afirmação seguinte. Nem tampouco no campo da confiança o Senhor admite rivais. Mas leia-se esse versículo no contexto das batalhas de Josué.

44,4b A força dessa frase reside no contraste e na assimetria rítmica provocados pela última cláusula "os amavas". A "luz de teu rosto" poderia ser entendida como resplendor que destrói o inimigo (Gn 19,11; 2Rs 6,18); mas normalmente significa atitude benévola (Sl 89,16; Jó 29,24).

44,5 Na primeira pessoa do singular, como que pronunciado pelo presidente litúrgico. Podemos escutá-lo como ato formal de vassalagem: o salmo não tem lugar para reis, chefes ou pastores humanos. "Destinas": sua soberania é também militar.

44,6 Na primeira pessoa do plural, com as metáforas bélicas de atacar (1Rs 22,11; Dt 33,17; Sl 75) e pisotear (Sl 60,14; Is 14,24; 63,6).

44,7-8 No saltério, como exceção de 72, 4.13, a salvação ou vitória sempre é atribuída a Deus.

44,9 O homem não deve gloriar-se do próprio êxito; deve gloriar-se sempre e só de Deus: ver Jr 9,22s.

44,10-17 Os oito versículos do segundo bloco afirmam categoricamente: também nossas derrotas são ação de Deus. Do contrário, seriam mérito do inimigo, que ficaria isento do princípio teológico de não se gloriar e negaria a soberania de *Yhwh*: como Senaquerib em Is 10,11-13. Deus detesta a arrogância dos inimigos tanto quanto a de seu povo: Dt 32,27s. Essa segunda seção não é menos confissão que a primeira, só que mudando os papéis: agora a vitória é dos outros e a derrota é nossa. Mas o sujeito é o mesmo, o Senhor.

44,10 "Não sais com nossas tropas": como Sl 60,12; são os "esquadrões" do Senhor conforme Ex 7,4; 12,17.41. Poderia aludir ao velho costume de levar em campanha como paládio a arca da aliança: 1Sm 4,6-9.

44,11 Duas etapas da guerra: retirada ou fuga e saque legítimo: 1Sm 23,1; Jo 10,13.

44,12 Outra etapa da derrota: matança e deportação. "Consumo" pode significar a exploração, como em Dt 7,16; Nm 13,32, ou também a matança (23). "Dispersar" ou aventar é fragmentar em comunidades pequenas e dispersas.

44,13 Imagem comercial: Deus é o boiadeiro ou comerciante que pôs à venda seu gado e fixou preço baixo: não foi bom negócio.

¹⁴Fizeste-nos a zombaria de nossos vizinhos,
   irrisão e caçoada dos que nos rodeiam.
¹⁵Fizeste-nos o refrão dos pagãos,
   as nações nos fazem caretas.
¹⁶Tenho sempre minha desonra diante de mim,
   a vergonha me cobre o rosto,
¹⁷ao ouvir insultos e injúrias,
   ao ver o inimigo agressivo.

¹⁸Tudo isso nos acontece sem te havermos esquecido,
   sem termos renegado a tua aliança.
¹⁹Nosso coração não voltou atrás,
   nossos passos não se desviaram de tua senda.
²⁰Mas tu nos trituraste no abrigo do Dragão,
   tu nos cobriste de trevas.
²¹Se tivéssemos esquecido
   o nome de nosso Deus
   e estendido as mãos a um deus estrangeiro,
²²não o teria Deus averiguado,
   ele que penetra os segredos do coração?
²³Por tua causa nos matam a cada momento,
   tratam-nos como ovelhas de corte.

²⁴Desperta, Senhor! Por que dormes?
   Acorda, não nos rejeites mais!
²⁵Por que escondes teu rosto
   e esqueces nossa desgraça e opressão?
²⁶Nosso alento se afunda no pó
   e o ventre gruda no solo.
²⁷Levanta-te para nos socorrer,
   redime-nos por tua lealdade!

45 (44)

²Brota-me do coração um belo tema,
   dedico meu poema a um rei,
   minha língua é ágil pluma de escriba.

44,14-17 Última consequência da derrota militar é a derrota moral, bem ampliada com sinônimos. É o descrédito, desprestígio, o converter-se em zombaria, burla e caçoada de todos.

44,18-23 Terceiro bloco, com uma cunha (20). É confissão negativa. Não esquecer a outra parte e não pactuar com estranhos corresponde ao primeiro mandamento; não invalidar a aliança inclui todas as suas cláusulas; "coração" e "passos" sintetizam atitudes e conduta. O povo submete confiantemente o veredito da própria consciência ao veredito de Deus, que tudo conhece. Sofremos "por tua causa", não por culpa nossa.

44,18 "Renegar": seria felonia ou rebelião do vassalo. Comparar com Sl 89,39s.

44,20 Versículo duvidoso. Os verbos significam triturar e cobrir. O lugar: o texto hebraico fala de "chacais", ou seja, lugar desolado, conforme Is 34,13; 35,7; Jr 9,10; 49,33; 51,37. Com a mudança de uma letra, alguns manuscritos antigos dizem Dragão, o monstro que representa as forças do caos, conforme Is 27,1; 51,9; Sl 74,13; Jr 51,34. Isso nos dá uma leitura transcendente: o lugar do Dragão e as trevas são o reino da Morte.

44,21 Equivale a apostasia e idolatria formal, com suas duas vertentes.

Transposição cristã. Paulo cita o v. 23 em Rm 8,36, e em 37 ecoa o v. 4b. Talvez aludam a ele 1Cor 15,31 e 2Cor 4,11. Autores antigos recordam a "salvação" enviada (5) em Jesus Cristo, e recordam seu despertar em Mt 8,25. Aplicado à Igreja, o salmo expressa suas perseguições e martírios.

45 Canto dedicado a um rei no dia de seu casamento. É excepcional o papel consciente do poeta emoldurando seu poema (2 e 18). Um ambiente festivo e régio envolve a cena: salões luxuosos, música, vestidos suntuosos, princesas, magnatas... Tem leve semelhança com Ct 3,6-11, e nada com o resto de Ct. *Personagens.* O rei é apresentado com seus dotes naturais de beleza e eloquência, seu amor à justiça que justificou sua escolha. Três objetos emblemáticos representam o reinado: a espada = guerra; o cetro = governo; o trono = dinastia. A noiva é uma princesa real, da qual o rei está apaixonado. Há uma terceira personagem, que está de pé junto ao monarca: não é a noiva, que ainda não chegou; não é a rainha esposa, que não existe em Israel.

³És o mais belo dos homens,
    em teus lábios se difunde a graça,
    porque Deus te abençoa para sempre.

⁴Cinge no teu flanco a espada, valente,
    é teu ornamento e teu orgulho;
⁵cavalga vitorioso pela verdade e pela justiça;
    tua direita te ensine a realizar proezas.
⁶Tuas flechas são agudas, os exércitos se rendem a ti,
    os inimigos do rei se acovardam.

⁷Teu trono, como o de um Deus,
    permanece para sempre;
    cetro de retidão é teu cetro real.
⁸Amas a justiça e odeias a iniquidade:
    por isso, entre todos os teus companheiros,
Deus, o teu Deus, te ungiu
    com perfume de festa.

⁹Tuas vestes têm perfume
    de mirra, aloé e acácia,
e nas salas de marfim
    as harpas te festejam.

Pela instituição da poligamia, a mãe do reinante ou do herdeiro designado leva o título de rainha ou "senhora". A esse respeito, comparar 1Rs 1,16.28 com 2,19, e considerar os seguintes textos: 2Rs 10,13; 24,12.25; 9,22; e todos aqueles em que é citado o nome da mãe de cada rei. (Ne 2,6 introduz um costume persa.)

Assim, o salmo avança sem tropeços. Um rei garboso e eloquente, vitorioso nas batalhas e governante justo, vai casar. Tem várias pretendentes de sangue real, e ele se apaixona por uma só. As demais se retiram, e a princesa escolhida é conduzida ao rei que, junto à mãe dele, a espera; entretanto, um séquito é introduzido no palácio. O poeta promete ao rei filhos, que receberão cargos públicos (e um, supõe-se, será o sucessor).

O corpo do salmo se divide por temas em duas seções. A primeira (3-8) é um elogio do rei por suas qualidades e funções. A segunda (9-16) descreve a festa de casamento e conclui (17) fazendo votos pelo rei.

45,2 O poeta faz uma confissão literária desusada no AT e por isso mais interessante. A criação literária acontece em três tempos: conceber – pronunciar – escrever. No meio está a "obra", na qual se cristaliza a "palavra". A gênese mental põe o poeta em transe, é como uma "ebulição". Em contraste, a declamação ou dicção flui sem travas, como quando um escrivão de ofício escreve o ditado, sem parar para pensar. A análise do poema, de sua composição calculada, de seus refinamentos sonoros, mostra a elaboração trabalhosa e feliz, mais que a genial facilidade.

45,3 De Saul estimava-se a corpulência (1Sm 10,23), de Davi a beleza (1Sm 16,12; 17,42) e de Salomão a prudência (1Rs 3). A "bênção" de Deus pode referir-se aos dotes naturais precedentes e pode abranger toda a atividade do rei. É "permanente", não se retrata nem se retira.

45,4-6 A atividade militar ocupa espaço desproporcional. É bastante movimentada na disposição dos componentes, em parte tradicionais.

45,5 Leio *'nwh* como partícula causal "por", "em favor de". Outros o leem como substantivo, o abstrato pelo concreto, "em favor dos oprimidos"; outros leem a virtude da "humildade" atribuída ao rei.

A "direita ensina" o rei; é função de Deus em Sl 18,35.

45,6 "Se acovardam": literalmente "caem de coração". Outros unem o verbo com as flechas que "atravessam o coração". Pelo contexto bélico traduzo "exércitos", mas também cabe traduzir "povos".

45,7 "Como o de um Deus": duplicando uma consoante *kof*. A perpetuidade do trono é prometida no grande oráculo dinástico: 2Sm 7,13; e repete-se em 1Rs 9,5. Se lermos no vocativo, dá ao rei o título de Deus. Lendo como adjetivo, temos "trono divino", concedido ou garantido por Deus. A "vara reta" é ao mesmo tempo o "cetro justo".

45,8 Entre todos os pretendentes legítimos, só um sucede ao rei e senta no trono. É consagrado com a unção, para a qual se emprega um unguento precioso, festivo. O rei é "o Ungido".

45,9-16 A festa tem mais movimento. Só que o poeta não dá orientações de cenas, deixando-as à imaginação do leitor. Penso distinguir três cenas. Na primeira vemos o rei, assistido pela rainha-mãe, ambos ricamente vestidos; soa música no salão da corte; acorrem princesas pretendentes. Na segunda, alguém (um funcionário real) pede o consentimento à princesa escolhida (cf. 1Sm 25,40s). Na terceira, a noiva e seu séquito são conduzidas para o salão interior.

45,9 Os vestidos eram conservados num baú com ervas ou preparados aromáticos. Os salões estavam talvez recobertos de marfim: 1Rs 10,18; 22,39; Am 3,15.

¹⁰Filhas de reis vêm ao teu encontro,
de pé à tua direita está a rainha
ornada com ouro de Ofir.

— ¹¹Escuta, filha, vê, dá ouvidos:
esquece teu povo e a casa paterna,
¹²o rei está apaixonado por tua beleza;
presta-lhe homenagem, pois ele é teu senhor.
¹³A cidade de Tiro virá com presentes,
os magnatas buscarão o teu favor.

¹⁴Com todas as honras a princesa entra,
vestida de tecido de ouro e brocados.
¹⁵Conduzem-na até o rei.
Um séquito de virgens a segue:
¹⁶conduzem-na com alegria e algazarra,
vão entrando no palácio real.

— ¹⁷Em lugar de teus pais, terás filhos,
e os nomearás príncipes por todo o país.
¹⁸Quero tornar memorável o teu nome
de geração em geração;
assim os povos te darão graças
pelos séculos dos séculos.

46 (45)

²Deus é para nós refúgio e fortaleza,
auxílio nos assédios, sempre disponível.
³Por isso não temos, ainda que a terra trema
e os montes vacilem no alto-mar.

45,10 "Ao teu encontro", corrigindo o texto. Outras leituras: preciosas, com joias, em teus muros, sob o teu teto. A "rainha"-mãe, conforme explicado.

45,11 Invertem-se os papéis de Gn 2,24, onde se diz que o homem abandona seus pais. Aqui cabe a ela.

45,12 Numa época em que, dentro da poligamia, muitos casamentos reais eram atos de política internacional, é notável ouvir que o rei está apaixonado. Também a noiva tem de reconhecer o rei como senhor e render-lhe homenagem.

45,13 Tiro era o grande empório comercial do Mediterrâneo. Os "magnatas" são provavelmente conterrâneos que desejam beneficiar-se da influência que a esposa do rei desfruta.

45,14 Como um colunista social que descreve o traje da noiva.

45,15-16 O séquito de moças não é conduzido diretamente ao rei, mas ao "palácio real". São damas que servirão à nova esposa? São jovens destinadas ao harém real? O poeta surpreende sua alegria.

45,17 "Em lugar de" significa também sucedendo a. O poeta pensa na cadeia da sucessão real: o rei presente é o elo entre antecessores e sucessores.

45,18 Os filhos e o nome são a perpetuidade do israelita (Eclo 40,19), e esses são os augúrios do poeta. Ele quer ser notário do fato com sua voz poética. A bênção de Deus era perpétua (3), perpétuo é o trono dinástico (7), perpétuo será o nome. Só que o poema não pronuncia o nome do rei!

Transposição cristã. Hb 1,8s cita os vv. 7-8. Toda a tradição leu esse salmo como messiânico; em sentido literal também; a liturgia o escolhe para as festas do Senhor e de Maria. Meditado em chave cristã, adquire valor cristológico, Jesus Cristo rei, e eclesiológico, a Igreja esposa.

46 Oração comunitária de confiança, fundada na presença de Deus na cidade santa e no templo. A situação superada no poema é um assalto à cidade, frustrado por intervenção divina. O poema é formalmente articulado por um estribilho em três estrofes ou quadros. (O copista se esqueceu de copiá-lo depois do v. 4.) O estribilho é síntese conclusiva ou tema gerador do poema. E o primeiro versículo concorda com o estribilho.

O Senhor do cosmo, do mundo sideral, é o Deus nosso, de Jacó. O Deus que domina os astros é "para nós" uma fortaleza; ou seja, construção defensiva diante de ataques ou assaltos. Elevado e inacessível ao ataque inimigo, está "perfeitamente acessível" a nós. O templo é o centro do salmo, mas não deve ofuscar o caráter pessoal: a fortaleza é o próprio Deus. *Imagens.* Podemos apreciar a função da "água" construindo um modelo genético. A cidade se assenta numa colina, em cujo meio sobressai o templo. Exércitos inimigos, rugindo e se agitando como maré ameaçadora, a cercam e atacam; como o tumulto do oceano caótico e primordial, contra a ordem da terra e das montanhas. A cidade se sente segura com sua água agradável e vital. Is 8,6s pode ilustrar isso. O poeta inverte a presumida ordem genérica para nos servir primeiro a visão cósmica, imprimindo

⁴Suas águas podem ferver e rugir,
   sacudindo com suas ondas os montes.

(O Senhor dos exércitos está conosco,
   nossa fortaleza é o Deus de Jacó.)

⁵Um rio com seus canais alegra
   a cidade de Deus,
   santuário da morada do Altíssimo.
⁶Com Deus em seu meio, não vacila,
   ao despontar a aurora, Deus lhe dá auxílio.
⁷Povos estrondam, reis se agitam;
   ele lança seu trovão, e a terra estremece.

⁸O Senhor dos exércitos está conosco,
   nossa fortaleza é o Deus de Jacó.

⁹Vinde ver as obras do Senhor,
   os espantos que provoca na terra:
¹⁰Põe fim às guerras
   até os confins do mundo:
quebra os arcos, despedaça as lanças,
   e põe fogo nos carros.
¹¹Rendei-vos e reconhecei que eu sou Deus,
   excelso sobre os povos, excelso sobre a terra.

¹²O Senhor dos exércitos está conosco,
   nosso auxílio é o Deus de Jacó.

47 (46)

²Povos todos, batei palmas,
   aclamai a Deus com gritos de júbilo,
³porque o Senhor é altíssimo e terrível,
   imperador de toda a terra.

profundidade e transcendência no acontecimento histórico. Liga história e criação, coloca Jerusalém no centro do universo; sobre ela, o Senhor dos astros no céu e de um povo na terra.

46,2-4 Firmemente fundada por Deus sobre as águas (Sl 24,2; 136,6), a terra "treme": contagia-se com a mobilidade e agitação oceânicas. Os montes, aprumados para sempre (Sl 65,7), tremem e são engolidos pelo oceano. Os efeitos sonoros predominam sobre os visuais. Como num dilúvio de baixo (Gn 7,11), parece que vamos voltar ao caos primordial: resta uma arca de salvação? A cidade não teme, porque dispõe de um refúgio não fabricado por homens: Deus em pessoa.

46,5-8 Há uma cidade "divina" (Sl 87,3; Is 60,14) na qual a água desempenha a função benéfica oposta, com um rio ou corrente que se divide em canais (cf. Sl 137,2). Água agradável e fecundante, não alcançada pela agitação agressiva do oceano; água una e plural que alegra a cidade, fazendo-a festejar. Comparar com Is 33,17-24.

46,6-7 Um assédio impiedoso se aproxima da cidade: isso é dito com a linguagem da agressão cósmica. Em sua defesa sai seu Herói: "Ao despontar a aurora" acontecem o assalto e a derrota (Js 8,10; Jz 20,19; Is 17,14 etc.). Um trovão teofânico (Jr 25,30; Jl 2,11), voz de Deus, sacode a terra e destrói o inimigo.

46,7 Pode-se traduzir "reis" ou reinos, monarquias.

46,9-11 A terceira estrofe inscreve seu material entre duas duplas de imperativos: vinde e vede (vinde ver), dirigido aos habitantes da cidade; "rendei-vos e reconhecei", dirigido aos agressores. O Senhor se reserva toda a atividade, a comunidade é convidada a "ver": como em Ex 14,13s.31. E Deus não se contenta em derrotar o inimigo, porque quer acabar também com a guerra e sua parafernália. Comparar com Is 2,1-4.

46,11 Reconhecimento conseguido com o fracasso da ação bélica; não é alegre e espontâneo.

Transposição cristã. Em chave cristológica, os autores antigos pensam na exaltação de Jesus Cristo ressuscitado e na torrente de água que brota dele. Em chave eclesiológica, o atribuem à Igreja terrestre, que tem presente o Senhor, e à celeste, de acordo com Ap 22.

47 A comunidade festeja *Yhwh* como rei nacional e universal. "Ex-alt-ação" vem de "alto" e se apoia no valor simbólico que para o homem, animal vertical, o alto tem em relação ao baixo. O rei sobe e senta no trono, súditos e vassalos o aclamam com acompanhamento de música. Esse rei não é estrangeiro: é nada menos que Deus, e seu nome é *Yhwh*. Podem ilustrar o salmo os relatos de 1Rs 1; 2Rs 11; 2Sm 6.

⁴Ele nos submete povos,
  nos subjuga nações.
⁵Escolhe nossa herança para nós,
  o orgulho de Jacó, seu amado.
⁶Deus subiu entre aclamações,
  o Senhor ao toque de trombeta.

⁷Tocai para Deus, tocai,
  tocai para o nosso rei, tocai,
⁸porque Deus é rei de toda a terra:
  tocai com maestria.
⁹Deus reina sobre as nações,
  Deus senta em seu trono santo.

¹⁰Príncipes pagãos se reúnem
  com o povo do Deus de Abraão,
porque de Deus são os escudos da terra,
  e ele é sublime.

48 (Sl 46)
(47)

²Grande é o Senhor e muito digno de louvor
  na cidade do nosso Deus.
³Seu monte santo, colina formosa,
  alegria de toda a terra.

Trata-se de um simples texto poético ou é o texto de uma cerimônia litúrgica? No segundo caso, teremos de imaginar a presença de Yhwh na arca. Um mensageiro convida a assembleia, que responde com aplausos e aclamações, enquanto soa a trombeta. A procissão sobe pela colina de Sião, penetra no recinto do templo, e a arca é conduzida a seu lugar, a capela. A pergunta é se a cerimônia foi um fato único, fundacional, ou se era repetida periodicamente. Seja ou não real a reconstrução imaginativa, o salmo proclama a realeza de Yhwh e seu reino universal. Dar o título de rei ao Deus nacional poderia ser importação cultural; a relação de aliança podia favorecê-lo: ver 1Sm 8,7s. Sobre o universalismo, o salmo oferece vários dados: o domínio universal cabe a Yhwh (3.8s); escolhe um povo ao qual submete outras nações (4); príncipes estrangeiros se agregam ou se incorporam ao povo escolhido (com seus povos?). A composição é de dupla onda, com paralelismos marcados: 2 = 7, 3 = 8, 6 = 9b e fi- nal de 10; assim se destaca a assimetria de 4-5 e 10a.

47,2 Num convite clássico, todos os povos figuram como destinatários. Se devessem aclamar apenas 'elohim = Deus, não seria estranho; mas o versículo imediato individualiza. O convite soa como hipérbole, talvez como utopia.

47,3 Nome e títulos. Chama-se Yhwh, é o "Altíssimo": cf. Gn 14,18-22, e 21 vezes no saltério. É "terrível", impressionante, temível por seu poder, respeitável por sua majestade. É "imperador" universal: para o título humano, Is 36,4.13.

47,4-6 Segue-se uma motivação nacional, nacionalista, que pode ser lida como estilização da história. Com efeito, povos submetidos = vitória sobre reis cananeus com expulsão ou submissão; entrega de uma herança = território entregue ao povo; entronização de Yhwh = instalação da arca em Jerusalém.

Com deslocamento de sentido se cantaria a volta do desterro. Mas essa motivação nacional pode convencer outros povos?

47,4 "Subjugar" (lit.: "sob os pés"), humilha-se o pescoço do vencido: Js 10,24; Is 51,23; Br 4,25.

47,5 A sintaxe é ambígua. Interpreto: a herança escolhida e entregue é orgulho nosso, de Jacó, o patriarca amado ou predileto.

47,6 O verbo está no perfeito; é um dos verbos clássicos da saída do Egito para Canaã. Parece paradoxal que o Deus "Altíssimo" suba.

47,9 O trono está no céu (Sl 93,2; 103,19; Is 66,1), em Jerusalém ou Sião (Jr 17,12), no templo (Is 6,1; Ez 43,7).

47,10a Aceito a leitura emendada 'im 'am (haplografia). Chama-os de "príncipes", talvez para não chamá-los de reis (cf. Sl 83,12). "Deus de Abraão" abrange um horizonte universal, conforme Gn 17,5s.

47,10b Os "escudos" podem ser emblema de poder: 1Rs 10,17; 14,26s.

Transposição cristã. O tema da realeza de Deus Pai e de Jesus Cristo atravessa o NT e culmina no Apocalipse. O tema da ascensão, sem perder seu caráter de símbolo, adquire um realismo novo aplicado a Cristo. É o grande princípio narrativo unificador de Lc 9,51 em diante. Também ecoa em Ef 4,9s; Fl 2,5-11. A liturgia canta esse salmo na festa da Ascensão.

48 O salmo se situa entre o hino e a ação de graças a Deus por ter livrado a cidade de um ataque inimigo. Como ilustração, pode-se escolher o cerco frustrado de Senaquerib, conforme Is 37. O começo tem várias relações verbais com o final do precedente. O salmo inteiro está cheio de ligações temáticas e verbais com o 46; poderiam ser lidos juntos. Se tomamos o v. 9 como centro, de cada lado se colocam duas estrofes de quatro versos.

O monte Sião, vértice do céu,
   capital do Imperador.
⁴Deus entre seus palácios
   sobressai como fortaleza.

⁵Vede, os reis se aliaram,
   marcharam juntos;
⁶apenas o viram, ficaram aterrados
   e fugiram apavorados.
⁷Ali se apossou deles um tremor,
   espasmos como de parturiente:
⁸como vento de verão que faz naufragar
   navios de Társis.

⁹O que ouvimos também vimos
   na cidade do Senhor dos exércitos,
   na cidade de nosso Deus,
   que o Senhor firmou para sempre.

¹⁰Meditamos, ó Deus, em tua lealdade
   no meio do teu templo:
¹¹Como teu renome, Deus, teu louvor
   chega aos confins do mundo.
   Tua direita está cheia de justiça:
¹²o monte Sião o festeja,
   os povoados de Judá se alegram
   com tuas sentenças.

¹³Dai voltas em torno de Sião,
   contai seus torreões,

O poema é dominado pela presença correlativa da cidade e de Deus. Acumula as referências espaciais e repete o nome de Deus. Se com sua presença Deus engrandece a cidade, esta e seus arredores não diminuem seu Deus? O salmo tem de romper limites e abrir espaços de transcendência.
Nele convivem três mundos: beleza, poder militar, justiça. A beleza pode infundir terror (6s) – como diz Ct 6,4s comparando a amada com uma cidade –; a justiça é fonte de alegria (11s).
Num ponto da terra se vislumbra a altura sublime do monte da divindade; num ponto da história se adivinha uma perpetuidade sem limites.

48,2-4 A primeira estrofe desfia uma série de galanteios nominais; porém, mais que o lugar, interessa o inquilino. "Monte santo" equivale a consagrado à divindade. "Belo" é adjetivo de localidades em Israel, como Tersa, Jafa ou Naim, e em em nosso contexto, como Belo Horizonte, Belo Jardim, Belo Campo etc. "Alegria de toda a terra": Lm 2,15; inveja de outras montanhas: Sl 68,17. "Vértice do céu" equivale à montanha mítica dos deuses, monte Cásio, Olimpo etc.: cf. Is 14,15.
48,4 Surpreende a personalização: Deus "sobressai como fortaleza" ou cidadela. Ele, com sua presença, é a última defesa da cidade.
48,5-8 A segunda estrofe explica o anterior com um caso.
48,5-6 Aos substantivos acumulados seguem-se os verbos acumulados. Aliança, marcha, chegada e fuga se sucedem com rapidez e sem pausa. O tema da aliança de inimigos se faz tópico, penetra na escatologia e na ficção: Ez 38-39; Zc 14,2s; Jt.
48,7-8 A imagem do naufrágio surpreende: porque o assalto era terrestre e porque Israel não era povo marinheiro. O vento de verão, nascido no deserto e atirado sobre o mar, adquire prestígio de teofania, como vento que Deus desencadeia. O naufrágio representa metaforicamente o inútil poderio dos exércitos. Na lista de Is 2,12-17, navios de grande porte figuram como representantes do orgulho humano. E Tiro aparece em figura de navio em Ez 27.
48,9 Versículo central. Aquilo que conhecíamos por tradição, agora o conhecemos por experiência, como testemunhas; um dia terão de transmiti-lo aos sucessores. "Firmou": Is 62,7, pois também fundou-a: Hab 2,12; Sl 87,5.
48,10-12 O tema gira em direção inesperada, ainda que lógica. Para os que só viam, a cidade era manifestação da beleza e poder militar. Os que além disso meditam, descobrem outras virtudes divinas: lealdade e justiça. Não há beleza, se a injustiça a contamina; o poder militar se justifica pela justa causa (Sl 45,5).
48,11b-12 "Justiça" e "sentenças" (justas), em posição quiástica, abrangem todo um sistema de governo e são fonte de alegria.
48,13-15 Nova mudança na quarta estrofe. Os que falavam na primeira pessoa se dirigem a um grupo

¹⁴olhai os seus baluartes,
  observai seus palácios,
para que possais contar à próxima geração:
  ¹⁵Este é Deus!
nosso Deus eterno,
  nosso guia perpétuo.

49 (48)

²Ouvi isto, povos todos,
  escutai-o, habitantes do mundo;
³tanto plebeus como nobres,
  juntos ricos e pobres:
⁴Minha boca falará sabiamente
  e minha reflexão será sensata;
⁵darei ouvidos ao provérbio,
  ao som da cítara proporei meu enigma.
⁶Por que hei de temer os dias maus,
  quando criminosos me cercam para me derrubar,
⁷confiantes em suas riquezas
  e gabando-se de suas imensas fortunas,
⁸se nenhum pode livrar-se
  nem pagar a Deus seu resgate?

---

não definido. Os complementos dos imperativos produzem certa tensão: examinai a cidade para falar... de Deus. Com quem diz: "estudai arquitetura para explicar teologia".
O final nos surpreende com um salto a outra esfera imaginativa: ele é "nosso guia perpétuo"; algo semelhante no final do Sl 23.
Transposição cristã. A chave é a equação Sião = Igreja. O tema da beleza ecoa em Ef 5,27; o da vitória contra os agressores, em Mt 16,18. O Apocalipse retoma temas do salmo em sua apresentação da Igreja: a cidade, 3,12; 21,2; os agressores, 17,1; 18,20; 19,11; mas não há templo, 21,22. Os antigos interpretam: ouvir as profecias – ver o cumprimento.

49 Salmo sapiencial sobre a condição mortal do homem. Um mestre convoca como destinatários todos os "habitantes do orbe". Pretensão fantástica e ingênua? Pelo contrário, convicção de que seu ensinamento transcende as fronteiras. De onde tira um ensinamento tão importante e universal? Não apela para uma revelação (como Elifaz em Jó 4), mas para uma "reflexão" pessoal (4). Dirige-se em particular aos ricos, para lhes recordar que a riqueza não é um seguro de vida; mas também se dirige aos "mestres", aplicando-lhes a mesma lição. Diante da morte, as diferenças são abolidas e as ilusões anuladas. *Gêneros literários e imagens.* Convém tratar juntos esses dois componentes. O autor se dispõe a propor um "provérbio" ou comparação (*mashal*) e um "enigma" (*hidá*). A comparação fica clara pela repetição da raiz "parecer" ou assemelhar-se, em 13 e 21, estribilho com variação. Onde se encontra o enigma? – Creio que devemos buscá-lo na imagem do "resgate" com sua consequência, e a passagem do plural ao singular da primeira e segunda pessoa. Em esquema e literalmente:

49,8 não resgatar – resgatará ninguém não
        dará seu preço a Deus
49,9 é muito caro o resgate da sua vida

49,16 quanto a mim, Deus resgatará minha vida,
         me arrancará da mão do xeol
49,6   por que devo temer...
49,7   multidão de riquezas
49,17 não temas...
         se alguém se enriquece e aumenta o fausto

O enigma está numa convicção pessoal: aquilo que nenhum homem pode, Deus o dará gratuitamente a mim. Ele quer comunicar essa convicção a alguém, seja quem for. Que todos pereçam como animais, é comparação universal; que um indivíduo supere esse destino, é um enigma. E o enigma se tinge de testemunho.
Depois de ampla introdução (2-5), o corpo é dividido pelo estribilho em duas partes semelhantes, mas não repetitivas.
49,3 Os grupos dividem-se em classes sociais. Esquece depois o pobre? – Talvez esteja interpelado no tu (17).
49,4-5 Depois do trio: boca – coração (reflexão) – ouvido, surpreende a menção da cítara, que provavelmente se deve tomar literalmente. "Dar ouvidos" seria prestar atenção ao que vai expor. "Abrir (propor) o enigma" não significa resolvê-lo, mas apresentá-lo.
49,6-12 A primeira seção divide a reflexão entre os ricos satisfeitos e perversos e os mestres: onde falha a correspondência, insinua-se algo notável. Os mestres vão acompanhados dos néscios, igualados na morte; os ricos não vão acompanhados dos pobres. Os mestres não são apresentados como satisfeitos e agressivos.
49,6 A camuflada agressividade dos poderosos seguros de si provoca esse começo sobre o medo: comparar com Is 51,12.
49,7 A base de sua confiança define a conduta e o destino de um homem: Jr 17,5-7; Sl 52,9; 62,11; Pr 11,28.
49,8 Em Israel há uma legislação sobre o resgate com dinheiro ou com permuta: Ex 13,13.15-16, de primogênitos e de homens; Nm 18,15, de homens e

⁹É tão caro o preço da vida,
 que nunca lhes bastará
¹⁰para viverem perpetuamente
 sem terem de ver a cova.

¹¹Vê, os doutores morrem,
 assim como perecem ignorantes e néscios,
 e deixam suas riquezas a estranhos.
¹²O sepulcro é sua morada perpétua,
 sua casa por gerações,
 embora tenham dado seu nome a países.

¹³O homem na opulência não permanece:
 é como os animais que emudecem.

¹⁴Este é o caminho dos confiados,
 o destino dos homens satisfeitos:
¹⁵como ovelhas, são destinados ao Abismo,
 a Morte os apascenta
 e descem diretos à tumba.
 Sua figura se desvanece,
 e o Abismo é sua mansão.
¹⁶Mas Deus resgata minha vida,
 ele me arranca das garras do Abismo.

¹⁷Não temas se alguém se enriquece
 e aumenta o fausto de sua casa,
¹⁸pois ao morrer não levará nada,
 seu fausto não descerá com ele.
¹⁹Ainda que em vida se felicitasse:
 — "Pensam que tudo vai bem para ti" —

animais impuros; Ex 21,30, de um réu de morte; comparar com Pr 13,8 sobre ricos e pobres.
49,9a A vida humana vale mais que todas as riquezas: cf. Mt 16,26 par.
49,9b-10 Não é questão de comprar mais uns anos de vida, mas de garantir a imortalidade, sonho irreprimível da humanidade.
49,11 Com seu destino, mais que com seus ensinamentos, os mestres são uma lição para os ricos. O argumento pode parecer *a fortiori*, se supomos que um saber vale mais que as riquezas, e não conduz à injustiça. O Eclesiastes aperfeiçoará a doutrina: 2,15; 9,2.
49,12 "Sepulcro": corrigindo por metátese o texto. É frequente a preocupação pela casa: Pr 12,7; 14,11; 24,27; 27,8. Pois bem, todas as moradas do homem são provisórias, a única durável é o sepulcro: Jó 17,13; 30,23. Considero concessiva esta frase hebraica: "embora...". O sujeito: pelo contexto imediato seriam os mestres; pelo conteúdo, de preferência os ricos; ou todos sem distinção. Os territórios prolongarão seu nome, mas não garantem sua presença e moradia.
49,13 O estribilho engloba todo "homem". "Permanece" ou se hospeda: mantenho o texto hebraico sem harmonizá-lo com o v. 21; assim soa como conclusão do que precede. "Emudecem" definitivamente ao morrer.
49,14 O texto hebraico é duvidoso. Literalmente seria: "os que têm confiança... os que com a boca se comprazem..." Alternativa: "dos néscios... dos que aprovam seus ditos..."
49,15 Também é duvidoso o texto hebraico desse versículo importante. Mantenho o texto consonantal, exceto a metátese de *bqr* em *qbr*.
Entre as versões antigas da terceira frase seleciono esta: "e os retos os submeterão de manhã". "Sua figura" ou modelação: como o perfil de uma imagem que se desgasta na intempérie ou com a fricção. Através de detalhes duvidosos entrevemos uma imagem sugestiva: o rebanho humano que a Morte pastoreia e conduz a profundidades abissais; a morada senhoril povoada de figuras que se desvanecem.
49,16 Acontece a reviravolta. *Xeol* (Abismo) é um soberano que retém todo homem em seu poder, de fato ou de antemão; é possível arrancar-lhe a presa? (Cf. 1Sm 17,35; Is 49,24). Vai soltá-la em troca de um resgate abundante? Sem luta, sem pagar resgate, soberanamente, Deus "arranca" sua presa da Morte e "resgata minha vida". As expressões semelhantes do saltério não estão colocadas num contexto radical como o presente: 16,10; 30,4; 86,13; 89,49.
49,17 "Não temas": com essa frase o mestre pode dirigir-se a qualquer ouvinte.
49,18 Ver Ecl 5,14.
49,19 Leio o primeiro hemistíquio com valor reflexivo e o segundo como citação textual. O versículo exprime a satisfação vaidosa do rico e a lisonja invejosa dos demais.

²⁰ele irá reunir-se com seus antepassados,
que jamais veem a luz.

²¹O homem na opulência não compreende:
é como os animais que emudecem.

50-51
(49-50)

(Ez 36,25-28)

¹O Deus dos deuses, o Senhor fala:
convoca a terra do Oriente ao Ocidente.
²De Sião, modelo de beleza,
Deus resplandece;
³nosso Deus vem e não se calará.
Um fogo voraz o precede,
uma tempestade violenta o rodeia.
⁴Do alto convoca céu e terra
para o pleito com seu povo:
⁵"Reuni junto a mim meus vassalos
que selaram minha aliança com um sacrifício".
⁶O céu proclame sua inocência:
Deus em pessoa vem ao julgamento.

49,20 Eufemismo corrente de morrer. O *xeol* é o lugar das trevas: Jó 10,21s.

49,21 A mudança de verbo no estribilho é sutil. Quem não entende é um inconsciente. Para ele, o enigma continua fechado na comparação.
Transposição cristã. Partindo do tema do resgate, lemos juntos Mt 16,26s e 20,28; 1Cor 1,30. Entre muitos textos sobre a esperança de ressurreição, Rm 8,11.21.23. Porque o primeiro libertado do poder da morte é Jesus Cristo: At 2,27. A imagem de Morte como pastora conduz por contraste ao "pastor que dá a vida pelas ovelhas", Jo 10,11 no contexto.

50-51 Tomamos esses dois salmos como dois atos de uma liturgia penitencial. Não quero dizer que tenham sido compostos dessa maneira; o mínimo que posso afirmar é que agora estão juntos e unificados. Comprovam isso 23 palavras (ou lexemas) comuns, e alguns sinônimos. Quem os juntou quis acumular as ligações. Muitas se explicam pela unidade do tema, o que não acontece com a densidade. A principal discrepância é a passagem do plural ao singular.
Uma liturgia penitencial se destina à reconciliação numa ação quase sacramental: ou seja, ao representar realiza o que representa. Não é simples pantomima ou representação teatral. Ora, o mistério do homem, ou comunidade a quem Deus reconcilia consigo, é representado na forma de um processo judicial ou jurídico. Podemos chamá-lo julgamento contraditório ou pleito.
O modelo jurídico. Há duas partes ligadas por algum compromisso. Uma parte o violou. Então a outra parte, inocente, convoca a culpada a comparecer, apresenta-se, pleiteia com ela apresentando argumentos e provas, até que a parte culpada reconhece sua culpa e pede perdão ou acerto. A parte inocente pode apresentar-se num lugar público acompanhada de suas testemunhas notariais. No final, sem faltar à justiça, poderia exigir ressarcimento pleno, como pode perdoar sem exigir nada. O processo se desenrola entre duas partes; não há um juiz acima delas para indagar e sentenciar. Um juiz não pode com justiça absolver o culpado convicto, mas a parte ofendida pode. E o que procura é restabelecer as boas relações de modo responsável, através do reconhecimento e da correção do ofensor. Para ilustrá-lo, leiam-se 1Sm 24; 26 (Davi e Saul); 1Sm 12: *Yhwh* e o povo com Samuel como mediador. Em nosso caso, as duas partes são a comunidade de Israel e o Senhor; este não comparece como juiz, mas como parte ofendida. As duas partes estão ligadas pelo compromisso sagrado da aliança. Céu e terra são testemunhas notariais.
Atos do processo. A rigor são três: acusação, reconhecimento e pedido de perdão, concessão de perdão. Esse é o esquema que vem ao caso, prescindindo de variantes registradas no AT. O salmo 50 é a acusação ou pleito, o 51 é a confissão e súplica de perdão. O terceiro ato deve ser procurado em outra parte.
Composição. Uma introdução anuncia a chegada do Senhor em majestade (1-3.6b). Convocam-se as testemunhas (4.6a) e a outra partes (5). Segue-se o discurso de Deus, que consta de introdução (7), corpo em duas partes (8-13.14-21) e conclusão (22-24). O salmo tem muitas alusões à aliança do Sinai: Ex 19-20; 24.

50,1 Nome e título: ver Js 22,22. "A terra" inteira como público universal de um pleito particular.

50,2 "Modelo de beleza" pelo templo que a preside: Lm 2,15; Ez 24,21; cf. Ex 24,10.

50,3 "Não se calará" (vv. 7.21). Parece aludir ao episódio do Sinai, quando o povo pedia a Moisés que Deus não falasse: Ex 20, 19.22.

50,4 "Céu e terra": como em Dt 4,26; 32,1; Is 1,2. "Pleito": o contexto especifica o significado do genérico *din*.

50,5 "Vassalos" ligados por dever de lealdade em virtude do pacto: comparar com Dt 7,12; 1Rs 8,23. Pelo rito, o pacto é sacrossanto.

50,6 "Inocência" pronunciada de antemão, como em 1Sm 12; ou então, sua justiça e legitimidade no processo que começa.

⁷Escuta, povo meu, pois vou falar,
Israel, dou testemunho contra ti;
eu sou Deus, o teu Deus.
⁸Não te reprovo por teus sacrifícios,
pois diariamente tenho presentes teus holocaustos.
⁹Não tomarei para mim um bezerro de tua casa
nem bodes de teus rebanhos,
¹⁰pois são meus todos os animais selvagens,
feras aos milhares em minhas montanhas;
¹¹conheço todas as aves do céu,
tenho à mão os animais do campo.
¹²Se tivesse fome, eu não te diria,
pois é meu o orbe com tudo o que ele contém.
¹³Comerei eu carne de touros,
beberei sangue de bodes?
¹⁴Sacrifica a Deus tua confissão;
depois cumpre teus votos ao Altíssimo;
¹⁵invoca-me no perigo, e eu te livrarei,
e tu me darás glória.

¹⁶Deus diz ao pecador:
Por que recitas meus preceitos
e tens na boca minha aliança,
¹⁷tu que detestas a correção
e rejeitas meus mandatos?
¹⁸Quando vês um ladrão, corres com ele,
és do partido dos adúlteros,
¹⁹soltas a boca para o mal,
tua língua trama enganos,
²⁰tu sentas para murmurar de teu irmão,
difamas o filho de tua mãe.

50,7 A introdução apresenta a relação mútua da aliança com a fórmula clássica: povo meu/teu Deus. "Testemunho": são as provas do processo.

50,8-21 É essencial compreender a relação entre as duas partes do discurso. O Senhor não condena uns sacrifícios em comparação a outros, nem o culto ritualista em comparação com o autêntico, nem os sacrifícios em comparação com o culto espiritual. O que realmente se opõe é um culto sem justiça a um culto com justiça. O povo cumpre fielmente todos os deveres cultuais; nesse terreno não merece censura. Mas vive na injustiça, a qual vicia o culto. O salmo pertence a abundante tradição: Is 1,10-20; 58; Jr 7,1-15; Am 5,18-26; Mq 6,6-9; Pr 21,2; Eclo 34, 18-35,21. O salmo indica algo que o Eclesiástico explicita: quem, permanecendo na injustiça, oferece sacrifícios de expiação, tenta uma compensação inaceitável, um suborno da justiça.

50,8-15 A primeira parte se caracteriza pela argumentação progressiva e pelo tom apaixonado.

50,8 "Diariamente": conforme fórmula cultual de Ex 28-29; Lv 24; Nm 28-29.

50,9 O homem oferece animais domésticos, regulados pela legislação.

50,10-11 O quarteto representa totalidade: o selvagem (selva), o montês (monte), o agreste (agro), as aves.

50,12-13 O autor dos acréscimos gregos a Daniel se divertirá à custa dessas divindades famintas e vorazes que os homens devem alimentar: Dn 14,1-22.

50,14a Frase-chave. O termo *todá* pode significar ação de graças (de *hwdh*) ou confissão do pecado (de *htwdh*). O contexto decide, e o contexto presente é unívoco. Tem o mesmo significado em Js 7,19; Esd 10,11 (ver o contexto). O verbo "sacrifica" substitui o normal "dá", como que dizendo: já que o homem se empenha, que sacrifique... sua confissão.

50,14b-15 Depois poderá cumprir um voto pendente e retomar o ritmo de súplica – libertação – louvor.

50,16-21 O povo pecador, além de ser pontual no culto, recita de cor os mandamentos da aliança, o decálogo; não para tê-los presentes, mas para lançá-los para trás (Eclo 21,15). Deus, porém, não se cala e os põe na frente do povo (cf. Sl 90,8).

50,16 Esse "pecador" ou injusto é o mesmo personagem de antes, o irrepreensível no culto.

50,17 Desprezar a correção verbal ou física é firmar-se no delito, agravando-o com a teimosia: Pr 15,12; Eclo 32,18.

50,18-20 A recordação de pecados é concreta e seletiva; provavelmente admitia mudanças circunstanciais. Os delitos são tomados imediata ou mediatamente do decálogo: adultério, roubo, falso testemunho. Considera a vida familiar, a propriedade dividida, o poder corrosivo da língua em negócios e na convivência social: Eclo 28,17s.

²¹Fazes isso, e devo calar-me?
Julgas que sou como tu?
Eu te acusarei e na tua cara o jogarei.

²²Atenção, vós que esqueceis a Deus,
para que não vos dilacere sem remédio.
²³Quem me oferece como sacrifício a confissão,
me glorifica;
²⁴a quem corrige sua conduta, eu farei desfrutar
a salvação de Deus.

51

³Misericórdia, ó Deus, por tua bondade,
por tua imensa compaixão apaga minha culpa,
⁴lava inteiramente meu delito
e limpa meu pecado.
⁵Pois eu reconheço a minha culpa
e tenho sempre presente o meu pecado.
⁶Somente contra ti eu pequei,
cometi a maldade que reprovas.
Que teus argumentos te façam justiça
e saias inocente no julgamento.

50,21 Ocupa o lugar das provas materiais, com uma clássica fórmula jurídica que Deus invoca porque conhece tudo. Contrasta com o compromisso de Ex 19,8; 24,3.7. "Como tu": legitimamente, o homem concebe Deus à sua própria imagem, porque o homem é imagem de Deus; necessariamente, porque só pode conceber de modo humano; viciosamente quando diminui ou deforma Deus. Fabrica-se mentalmente um Deus complacente, cúmplice.

50,22-23 A exortação oferece duas saídas ao pleito penitencial. A primeira, o que Deus quer, é o arrependimento, conversão e correção. A outra é a rejeição e o endurecimento culpados: comparar com Is 1,19s. Deus oferece ao homem a reconciliação; se o homem a rejeita, pode perder a ocasião e provocar a catástrofe irremediável.

50,22 Os que se esquecem de Deus são os que oferecem diariamente sacrifícios, os que recitam de cor o decálogo. O deus que fabricaram para si não é o verdadeiro. O homem será a "presa" que Deus não solta: comparado com os vv. 10-11, soa com ironia.

50,23-24 A resposta positiva está no singular, como responsabilidade pessoal. Dois particípios (hebraicos) a definem: "sacrifica a confissão" e "dispõe o caminho" ou conduta. O primeiro recolhe a conclusão da primeira parte (14), o segundo completa o arrependimento com a correção.
Em troca disso, Deus lhe promete fazê-lo desfrutar da "salvação divina". Últimas palavras de um salmo áspero e libertador. Agora toca ao homem falar.

51 Por razões formais e de conteúdo, penso que os vv. 20-21 são acréscimo posterior, exílico. De certo modo contradizem a questão dos dois salmos, introduzem o tema inesperado de Sião e Jerusalém; por seu lado, os vv. 18-19 empregam o procedimento da recapitulação verbal, típico de finais.
O salmo, 3-19, fica dividido em duas partes com um corte abrupto entre 11 e 12. A primeira parte está encaixada numa inclusão tríplice, chamativa; repete seis vezes a raiz de "pecado" e outros seis termos sinônimos. A sétima é reservada para ligar com a segunda parte. O v. 10 antecipa um tema da segunda parte.

51,3-11 No reino do pecado. Doze vezes em nove versículos é uma presença envolvente, "tenho sempre presente". Três binômios se destacam: o que Deus possui, bondade e compaixão; o que pede ao homem, sinceridade e sensatez; o que o homem pede, júbilo e alegria.
A presença de pecados, culpas e delitos na consciência revela algo mais profundo, a condição pecadora do homem. Nós empregaríamos dois símbolos espaciais: no fundo, na raiz, na base. Os hebreus preferem o símbolo temporal: de nascença, na concepção: ver Is 48,8; Os 12,4; Sl 58,4.
O pecado também aparece em duas imagens: como mancha e como dívida; e, sem imagem, como responsabilidade. Por isso, o perdão é lavar uma mancha, cancelar uma dívida.

51,3 Apelando para a piedade e compaixão da outra parte, implicitamente se reconhece culpada.

51,6a "Contra ti somente". Se o salmo é estilizado como pronunciado por Davi, parece esquecer Urias. Lido depois do 50, parece esquecer o próximo. No entanto, a frase faz sentido em contexto de aliança: uma parte é ofensora em relação à outra. Ver, para Davi, 2Sm 12,9.

51,6b No esquema de um julgamento bilateral, o versículo é claro: o orante aprova a validade do discurso de Deus. Parafraseio: com teu discurso provas tua inocência, do processo sais inocente. Se se tratasse de Deus sair justificado diante de todo julgamento humano, a condenação de um culpado surtiria o mesmo efeito.

⁷Olha, eu nasci culpado,
   minha mãe me concebeu pecador.
⁸Tu queres sinceridade interior
   e no íntimo me inculcas sensatez.
⁹Limpa-me do pecado com hissopo,
   lava-me até eu ficar mais branco do que a neve.
¹⁰Anuncia-me júbilo e alegria,
   e rejubilem os ossos triturados.
¹¹Cobre o rosto diante do meu pecado
   e apaga toda a minha culpa.
¹²Cria em mim, Deus, um coração puro,
   renova-me por dentro com espírito firme;
¹³não me expulses longe do teu rosto,
   nem me tires teu santo espírito;
¹⁴devolve-me a alegria da salvação,
   sustenta-me com espírito generoso.
¹⁵Ensinarei teus caminhos aos perversos,
   e os pecadores voltarão a ti.

¹⁶Do homicídio livra-me, ó Deus,
   Deus e Salvador meu,
   e minha língua aclamará tua justiça.
¹⁷Senhor meu, abre-me os lábios,
   e minha boca proclamará o teu louvor.
¹⁸Um sacrifício não te satisfaz;
   se te ofereço um holocausto, não o aceitas.
¹⁹Para Deus, sacrifício é um espírito contrito,
   um coração contrito e triturado
   tu não o desprezas, Deus.

²⁰Digna-te favorecer Sião
   e reconstrói a muralha de Jerusalém;

51,7 "Concebeu": na fisiologia da época: deu-me seu calor.

51,8 Deus mesmo trabalha na intimidade do homem para que adquira e assimile a sensatez. Parte importante dela é descobrir e reconhecer os pecados e a condição pecadora.

51,9 Comparar com Is 1,18.

51,10 Antecipa a segunda parte. Quando Deus pronunciar a sentença de perdão, o penitente escutará uma notícia alegre, e até o fundo dos ossos sentirá o júbilo: ver Is 66,14.

51,12-19 A segunda parte começa com um corte extremamente radical. Para passar do pecado à graça, é preciso haver nova criação, coisa que compete a Deus.

51,12-14 O verbo criar soa com força no começo de três frases que chamarei epiclese, porque são uma tríplice invocação do espírito. Como na criação: "o espírito de Deus" pairava sobre o oceano (Gn 1,2).

51,12 O primeiro é um espírito disposto: adjetivo aparentemente contrário ao vento, cuja essência é mover-se. Em termos psicológicos e espirituais, é um ânimo pronto, decidido (cf. Mt 26,41).

51,13 O segundo é um espírito santo; o pedido é que Deus "não tire" o que tinha dado. Lido em chave davídica, seria o espírito de profecia, conforme 2Sm 23,2. Lido em chave comunitária, é retirar a condição de povo santo e consagrado: Ex 19,6; Is 62,12; anular a escolha, rejeitar, como mostra o paralelo de 2Rs 13,23.

51,14 O terceiro é um espírito "principesco", que denota a iniciativa espontânea, a generosidade e nobreza de ânimo. Não uma lei de fora, mas um dinamismo interno.

51,15 Já transformado, o orante poderá empenhar-se como pregador de conversão. Os caminhos do Senhor são a linha de conduta que ele traça; o caminho por onde poderão voltar e que deverão seguir.

51,16a "Sangue" (*damim*) significa em sentido próprio o homicídio; em sentido amplo, qualquer violência. Em chave davídica, o assassinato de Urias.

51,18 O verbo aceitar pode ter valor técnico na linguagem cultual: é a aceitação de Deus que torna válido o sacrifício.

51,19 "Contrito", "triturado": retenha-se a imagem hebraica, plástica e vigorosa; nós dizemos "estou arrasado". Com a tradução grega e depois a latina, a imagem perdeu sua materialidade e se converteu no conceito de contrição, com sua atribuição secundária.

51,20-21 Pelo fim do desterro ou pouco depois da volta, alguém acrescentou esses versículos, atuali-

²¹então aceitarás sacrifícios legítimos,
    ofertas e holocaustos,
  então sobre o teu altar
    se imolarão bezerros.

52 (51)

³Por que te glorias da maldade, valente,
    e ultrajas a Deus o dia todo?
⁴Tramas crimes,
    tua língua é navalha afiada,
    autora de fraudes.
⁵Preferes o mal ao bem,
    a mentira à honradez.
⁶Amas as palavras corrosivas,
    língua mentirosa.
⁷Pois Deus te destruirá para sempre,
    ele te retirará, te arrastará da tenda,
    arrancará tuas raízes do solo vital.
⁸Os honrados verão e se assustarão,
    e rirão dele:

---

zando o salmo. O desterro foi o tempo de triturar o coração com a penitência, de amadurecer na sensatez e de empreender o caminho de volta. O Senhor perdoa e reconcilia (Is 40,2). Nas novas condições, os sacrifícios recuperarão seu valor.

Depois dos dois atos da cerimônia, sentimos a falta da palavra de Deus concedendo o perdão. Encontramo-la, transformada em anúncio profético, em Ez 36,22-28, como demonstram os termos básicos repetidos. *Transposição cristã*. O salmo 51 é o *Miserere*, príncipe dos salmos penitenciais. É pena que se tenha desligado do 50 e que não se tenha valorizado bastante a epiclese ou invocação do Espírito. Podemos partir de 2Cor 5,17-21 sobre o "ministério de reconciliação". A isso acrescentamos algumas observações.

Na liturgia penitencial, destinada ao perdão e à reconciliação, Deus não condena como juiz, mas pleiteia como parte. A relação mútua se funda na aliança, cuja carta é o Evangelho. O Evangelho possui força de interpelação, de recriminação e pleito; mas também oferece perdão e força para a correção. A palavra de Deus, em diálogo, se sobrepõe a um exame de consciência objetivo e neutro. A reconciliação tem algo de nova criação, e o Espírito é infundido como dinamismo de vida nova. Coloca-se a relação entre culto e justiça.

52 A uma leitura externa o salmo oferece este perfil: O orante interpela um personagem anônimo em tom profético: denuncia a culpa (3-6), impõe a pena (7); o castigo provocará a reação das pessoas honradas (8-9) e do orante (10); acrescenta-se uma jaculatória final (11). Mas, se imaginássemos o orante meditando, surpreenderíamos em seu interior um movimento dramático de personagens e contrastes. Evoca a imagem típica de um perverso deixando que tome corpo, reage emotivamente diante dela, evoca um grupo de assistentes que comentam e retrai-se ao seu interior. No final dirige-se expressamente a Deus. Saltos temporais acompanham o movimento dramático: do presente ao futuro (2-6.7), futuro pretérito (8-9), outra vez presente e futuro (10.11). O perverso é personagem típico, apresentado com traços concretos: suas preferências, sua confiança, seus valores, seus meios, sua conduta, seu destino. Suas palavras, mentira e fraude, nascem de uma consciência perversa, são pensadas e calculadas (4), brotam de uma opção ética fundamental (5); têm uma agravante, pois o perverso "se gloria" da sua maldade (3). Falta à primeira vista a dimensão religiosa. É fornecida pelo comentário das pessoas honradas, centrado no tema da "confiança" (9). O perverso prescinde de Deus para dedicar-se à maldade; prescindir de Deus é salvo-conduto para o "crime". Ou então, com a maldade triunfou na vida, enriqueceu-se, e agora pode prescindir de Deus. O honrado coincide com o orante, sua força é a confiança em Deus.

A retribuição é proposta em dois contrastes imaginativos: morada e árvore (7). À "tenda" do perverso se opõe a "casa" de Deus; à planta extirpada, a "oliveira" viçosa.

52,3 Texto duvidoso. a) A tradução proposta toma a palavra *hésed* na acepção rara de ultraje. b) "Te glorias" de tua maldade e da misericórdia de Deus que a tolera; conforme Eclo 5,4-6. c) Vocalizando *hasid*, te glorias contra o piedoso. "Valente" pode ter significado genérico ou militar; no segundo caso, assume o tom de ironia.

52,4 "Navalha afiada": instrumento de barbeiro (Nm 8,7; Is 7,20; Ez 5,1) ou escriba (Jr 36,23). O instrumento doméstico é usado como arma cortante; assim a língua, doméstica e social, usada para dilacerar.

52,7 As imagens ganham vigor pelos verbos usados. O homem vive na sua tenda (cf. Is 38,12) seguro e satisfeito; de repente o levam para fora, arrastando-o violentamente à intempérie. Enraíza-se em terra fértil, apoiado em suas raízes terrenas; arrancam-no pela raiz.

52,8 Do susto inicial ante o imprevisto, passam à risada satisfeita.

⁹"Vede o valente que não apoiou
    em Deus sua fortaleza,
confiou em suas imensas riquezas,
    e se fez forte no crime".

¹⁰Mas eu, como verde oliveira
    na casa de Deus,
confiei na lealdade de Deus
    para todo o sempre.
¹¹Eu te darei graças sempre,
    porque agiste;
espero em teu nome, pois é bom,
    diante de teus fiéis.

53 (52)

¹ᵃO néscio pensa: Deus não existe.
²O Senhor surge no céu
    sobre os filhos de Adão,
para ver se há alguém sensato
    que busque a Deus.
¹ᵇCorrompem-se, cometendo abominações,
    não há quem aja bem.
³Todos se extraviam igualmente obstinados,
    não há um que aja bem, nem sequer um só.

– ⁴Mas os malfeitores não aprenderão,
    eles que devoram meu povo como quem come pão,
    e não invocam o Senhor?
⁵Pois terão de tremer,
    porque Deus está com os justos;
⁶o desígnio do desvalido os confunde,
    porque o Senhor é o refúgio dele.

⁷Oxalá venha de Sião a salvação de Israel!
    Quando o Senhor mudar a sorte de seu povo,
    Jacó se alegrará, Israel fará festa.

54 (53)

³Ó Deus, por tua honra salva-me,
    com tua autoridade julga-me.
⁴Ó Deus, escuta minha súplica,
    atende as minhas palavras.

52,10 "Como oliveira": árvore característica do país e termo de comparação: Jr 11,16; Os 14,7; Jó 15,33. Não é dado empírico o fato de se encontrar no templo: comparar com Sl 92,14.
Transposição cristã. Encontramos uma imagem vegetal semelhante em Mt 15,13; e a imagem da oliveira desenvolvida em Rm 11,17-24.

53 É variante, aparentemente menos bem conservada, do salmo 14. Mudanças importantes estão no v. 6. À primeira frase acrescenta "não havia temor"; talvez nota de um copista. O segundo hemistíquio soa assim: "Deus dispersou os ossos de quem te assedia; derrotaste-o porque Deus o rejeitou". É mais agressivo, mais bélico que o 14, e também duvidoso.

54 É uma súplica bastante convencional, com as motivações do gênero: o perigo próprio, a perseguição inimiga, a bondade de Deus. A súplica é judicial: pede para ser julgado, denuncia a culpa do inimigo, invoca a sanção e sua execução. O orante não pede vingança, mas justiça. O castigo tem algo de pena do talião: o dano que tentavam fazer se volta contra eles. A modesta qualidade poética não impede a sinceridade do sentimento.

54,3 "Tua honra" ou teu nome, tua fama, teu prestígio.

⁵Porque alguns estranhos se levantam contra mim,
perseguem-me mortalmente,
sem levar Deus em conta.
⁶Mas Deus é meu auxílio,
o Senhor sustenta minha vida.

⁷Que sua maldade se volte contra meus adversários,
aniquila-os por tua fidelidade.
⁸Eu te oferecerei um sacrifício voluntário,
dando-te graças, Senhor, porque és bom,
⁹quando me tiveres livrado de todo perigo
e eu tiver visto a derrota de meus inimigos.

55 (54)

²Escuta, ó Deus, minha oração,
não te feches à minha súplica,
³dá-me atenção e responde-me.

Eu me agito em minha ansiedade,
⁴a voz do inimigo me perturba,
a pressão do perverso.

Descarregam sobre mim calamidades
e com fúria me atacam.
⁵Meu coração se retorce por dentro,
pavores mortais desmoronam sobre mim;
⁶temor e terror me invadem,
e o espanto me cobre.

54,5 Em contexto internacional seriam "estrangeiros tirânicos", e o julgamento de Deus seria sua derrota militar. Em contexto nacional seriam "estranhos", que não agem como próximos. "Sem levar Deus em conta": mostra a vinculação entre violência contra o próximo e falta de sentido religioso.

54,6 "Mas Deus": aí está Deus; em forte contraste com a negação precedente.

54,7 É um tema frequente: Ab 15; Pr 26,27.

54,8 "Voluntário": não prescrito pela lei nem exigido por um voto.

54,9 A derrota do perseguidor é o elemento correlativo da libertação do inocente, que já ocorreu ou é dada como garantida.

Transposição cristã. Põe o salmo na boca de Cristo, com as oportunas correções.

55 Depois de um salmo convencional vem esse, vigoroso, de poderosa individualidade. O processo da súplica não é linear, mas é convincente. O orante começa olhando para seu interior, quando vozes externas o interrompem; retorna a seu interior, presa de pavor mortal (2-6). Busca uma escapatória mental, como fuga aérea (7-10a). De volta, contempla a trágica situação da cidade (10b-12), e depois se detém na figura de um velho amigo que agora o trai (13-15). Tudo isso o leva a prorromper num violento pedido contra eles (16); sente-se ouvido e em paz, após a derrota dos inimigos (17-20a); contudo, olha de novo os traidores (20b-22). De repente, ouve-se uma terceira voz convidando à confiança (23), à qual o orante responde com um olhar para o destino dos perversos e uma concisa profissão de confiança. O movimento tem algo de vaivém, de entrar e sair, de recolher-se e aparecer, de expansão e concentração.

O mais interessante do poema é a transformação lírica dos materiais internos e externos. O poeta deixa o sentimento se inflamar, mas conserva a distância para converter sua experiência em palavra poética. O ponto de partida é uma situação social e política que o impele a refugiar-se em seu interior; mas acontece que à perturbação exterior corresponde a turbação interior. Refugia-se dentro de si para sentir e observar-se sentindo, quando irrompem gritos e tem de abrir os olhos para olhar. Comunica-nos o sonho da sua fantasia, que transfigura o deserto inabitável em morada propícia, porque a cidade já não é acolhedora. A fuga para fora é na realidade fuga para dentro na fantasia. A situação social não é descrita objetivamente, mas transformada num pulular de personificações. As imagens brotam sem esforço aparente, breves ou amplas: pomba, tempestade, manteiga e azeite. O estilo é elíptico e difícil, e o texto parece não estar bem conservado.

55,2-3a O começo define o gênero: "súplica", pedido de graça. "Não te feches" é fórmula expressiva.

55,3b-4 O enfoque é o eu observado: seja explorando a causa da sua perturbação, seja sentindo-se alvo do ataque. "Pressão": significado duvidoso: o verbo significa provavelmente gritar, ranger, ou apertar, esmagar. "Descarregam": forma rara; removem como um bloco ou um objeto volumoso.

55,5-6 O orante pede primeiro um desdobramento, fundindo sentimento com sensação; observa sem poder controlar. Depois os sentimentos se erguem como avalanche que "desmorona", o "invade", "cobrindo-o".

⁷Eu penso: Quem me dera ter asas de pomba
   para voar e pousar!
⁸Então eu fugiria muito longe,
   me hospedaria no deserto;
⁹depressa me poria a salvo
   da tempestade e do furacão.
¹⁰Confunde, Senhor,
   divide suas línguas!

Pois vejo na cidade Violência e Discórdia:
   ¹¹dia e noite fazem a ronda das muralhas,
em seu recinto Crime e Injustiça,
   ¹²em seu interior Desgraças;
não se afastam de suas ruas
   Crueldade e Engano.

¹³Se o inimigo me injuriasse,
   eu aguentaria;
se meu adversário se levantasse contra mim,
   eu me esconderia dele;
¹⁴mas és tu, meu companheiro,
   meu amigo e confidente,
¹⁵a quem doce intimidade me unia;
   por entre o bulício passeávamos
      na casa de Deus.
¹⁶Que a Morte os surpreenda,
   desçam vivos ao Abismo,
   pois maldades habitam entre eles!

¹⁷Eu invoco a Deus, e o Senhor me salva.
¹⁸Pela tarde, pela manhã, ao meio-dia,
   eu me encolho e gemo
      para que escute minha voz:

55,7-8 O medo incita à fuga ou paralisa. Aqui assistimos a uma síntese peculiar de paralisia física e fuga imaginária. O medo desta vez mobiliza a imaginação. Fechado numa cidade presidiada, a única escapatória é pelo ar. O vôo da fantasia é coerente: a pomba voa, busca morada, revoa afastando-se, pousa: ver Sl 11,1. Tensão de cidade e deserto, acolhida e desolação, cujos valores se invertem.

55,9-10a O hebraico vocaliza como imperativos, com recordação da confusão de Babel. Se vocalizamos como substantivos, o resultado é: "depressa me poria a salvo da tempestade, do furacão que devora, Senhor, da torrente de suas línguas". Na esfera do ar, a pomba sente-se perseguida pelo furacão que tudo traga no seu turbilhão; e quando vai pousar, vê-se ameaçada por uma enchente.

55,10b-12 Com o poeta vamos observar a cidade anônima. Se supomos que é Jerusalém, agrava-se a oposição da discórdia na Cidade da Paz. O recurso poético consiste em personificar sete calamidades e espalhá-las pela cidade como uma força hostil de ocupação. Nas "muralhas", sinal de proteção social, "fazem a ronda", garantia de segurança, dia e noite, Violência e Discórdia. Pelo "interior" circulam, ou se apossaram dele Crime, Injustiça e Desgraças; de "ruas e praças" não se afastam Crueldade e Engano.

55,13-15 Nesse campo ameaçador, é particularmente dolorosa a traição do amigo íntimo. O sentimento é reforçado por contrastes e por interpelar inesperadamente o traidor na segunda pessoa: "mas és tu". A traição do amigo saqueia nossa intimidade, fere o mais valioso, o amor. "Companheiro": em hebraico "taxado como eu", da mesma classe que eu. O recinto sagrado, com seu pacífico bulício humano, intensifica o contraste com a cidade entregue à violência a ao crime.

55,16 Todo isso, acumulado, provoca uma erupção violenta, uma maldição contra os causadores. A execução é confiada a dois poderes aliados ou equivalentes: Morte e Abismo. A Morte vai-se lançar sobre eles furtivamente, com um estratagema que engana; as potências infernais quebram a casca para arrebatar uma presa viva. Justifica-se, porque eles são morada permanente da maldade.

55,17-19 O orante tematiza sua atividade suplicante. A divisão ternária do tempo é original.

¹⁹"Livra-me da agressão com a paz,
  pois são muitos contra mim".
²⁰Deus me ouça, e os humilhe
  aquele que reina desde sempre;
pois não querem emendar-se,
  nem respeitam a Deus.
²¹Levantam a mão contra seu aliado,
  violando os pactos.
²²Sua boca é mais lisa que manteiga,
  e no entanto buscam briga;
suas palavras mais suaves que azeite,
  e no entanto são punhais.

— ²³Entrega a Deus os teus afãs,
  pois ele te sustentará;
  nunca permitirá que o justo caia.

— ²⁴Tu, ó Deus, os farás descer
  na cova profunda.
Sanguinários e traidores não viverão
  nem a metade de seus anos.
Mas eu confio em ti.

56 (55)

²Piedade, ó Deus, pois um homem
  está ávido de mim;
sem trégua me ataca e persegue;
³meus inimigos estão ávidos, sem trégua,
  são muitos, e de cima me atacam.

⁴Enquanto temo, eu confio em ti:

55,19 Versículo de sentido ambíguo. "Com a paz": como advérbio que qualifica a ação de Deus, ou como experiência do orante. Em ambos os casos, introduz um contraste intenso.

55,20-22 A intervenção de Deus permite ao poeta uma nova descrição dos inimigos: são teimosos, incapazes de "correção". Deus "reina", está entronizado; "desde sempre", porque seu reinado não é dinastia de reis que se sucedem, nem é usurpação de uma divindade contra outra, porque transcende as eras. Duas comparações completam a figura dos perversos: boca untada e palavras brandas e escorregadias complementam a violência precedente, e não são menos violentas em sua suavidade.

55,23 De repente se escuta uma voz que interrompe o discurso. Voz litúrgica, de um funcionário do templo pronunciando um oráculo. Ou voz interna, de Deus, que se faz escutar sem barreiras.

55,24 O orante responde ao convite recapitulando. "Os farás descer" corresponde ao v. 16; "cova profunda" ao Abismo; "a metade dos seus anos" a "vivos"; "sanguinários e traidores" resume traços; "eu confio" é eco de 17-19. A última sentença triunfa por sua brevidade categórica encerrando um salmo agitado. *Transposição cristã*. Pronunciado por Cristo na paixão, do salmo emergem algumas correspondências: a aliança de poderes na cidade (At 4,27); a traição de Judas (Mt 26,23; Jo 13,26s), a angústia em Getsêmani (Mc 14,33; Jo 13,21). Nos passos do Mestre, o cristão perseguido pronuncia o salmo.

56 Salmo de confiança durante o perigo, com súplica ampliada. Da súplica tomamos o triângulo clássico: a agressão do inimigo (2s.6s), os meus sofrimentos (2.6s.9), a decisão de Deus (8-10). A confiança é expressa no estribilho (5.10s), assimetricamente colocado e articulado em três elementos: louvo sua palavra, confio em Deus, não temo o homem. Estribilho: o temor. O cósmico não é o mais terrível, mas a crueldade e violência humanas. A natureza fere, mas não se assanha, não descarrega seus golpes de ódio. O inocente, ou é vencido pela violência ou é ganho pelo ódio. O orante busca uma terceira via: recorrer a Deus. A pergunta deixa escutar um temor camuflado, exprime a tensão entre temor diante do homem e confiança em Deus. O orante não é o temerário inconsciente de Pr 14,16; teme e se sobrepõe ao temor, como sugere o v. 4. Estribilho: a palavra. Poderia ser uma promessa genérica ou pessoal. Também poderia ser a frequente fórmula oracular "não temas", à qual o orante responde afirmativamente: "não temo". E, ao sentir em si o efeito da palavra divina, prorrompe em "louvor".

56,2 "Ávido": o verbo hebraico significa aspirar com força o ar como expressão de um desejo ansioso. "Homem": o salmo emprega três designações; traduzo *basar* por "mortal".

56,3 "De cima": tomo a palavra como advérbio; de posições vantajosas, de poder ou de força.

56,4 Tal como está o texto hebraico, interpretado como temporal subordinada, a afirmação é paradoxal: no meio de meus temores confio em ti.

⁵*Por Deus louvo sua promessa,*
em Deus confio e não temo.
O que poderia fazer-me um mortal?

⁶Sem trégua desfiguram minhas palavras,
    seus planos contra mim são malignos.
⁷Eles se agacham, se escondem,
    rastreiam minhas pegadas,
    estão me aguardando.
⁸Reserva-os para o desastre, ó Deus,
    derruba com ira os povos.
⁹Tu tens registradas as minhas andanças,
    minhas lágrimas estão guardadas em teu odre.
¹⁰Meus inimigos hão de retroceder
    quando eu te invocar.

Sei que Deus está do meu lado.
¹¹*Por Deus louvo a promessa,*
pelo Senhor louvo a promessa,
¹²*em Deus confio e não temo:*
O que poderá fazer-me um homem?

¹³Meus são os votos que te fiz,
    eu os cumprirei com ação de graças:
¹⁴"Livraste da morte a minha vida,
    e do empurrão, os meus pés,
para que eu caminhe na presença de Deus
    à luz da vida".

57 (56)

²Piedade, ó Deus, piedade,
    pois eu me abrigo em ti;
à sombra de tuas asas me abrigo,
    até que passe a calamidade.

56,5 "Mortal": o termo hebraico denota com frequência a fraqueza humana: Is 31,3; Jr 17,5; Sl 78,31.
56,6 Respeito a vocalização hebraica e interpreto o verbo no sentido de dar forma (cf. Jó 10,8), deformar. Outros traduzem: com palavras me afligem.
56,7 Insiste na espreita, na ocultação; a parte mais calada e não menos perigosa da "guerra"; a parte que mais medo pode infundir, porque não se mostra.
56,8 Mantendo o texto hebraico, surge um paradoxo: "coloca-os a salvo... para o desastre".
56,9 Esse é o melhor versículo do salmo. Conduzem as andanças do homem a alguma parte? Pois Deus vai registrá-las num livro seu, convertendo-as em trajetória vital com sentido. Para que servem as lágrimas? Desabafo da alma, solidariedade do corpo com o sofrimento do espírito. Deus vai recolhê-las e armazená-las como algo valioso, que torna seu.
56,10 "Sei": com sentido forte, com algo de profissão. Outros traduzem: "sei que tu és meu Deus".
56,13 À maneira de epílogo, a ação de graças prometida com voto. A construção é estranha literalmente: "a mim (obrigação), Deus, teus votos".
56,14 Texto da ação de graças. A libertação chegou à última fronteira, da vida e da morte. O homem continua "caminhando" nesta terra, mas aberto à transcendência, "na presença de Deus", iluminado pela luz da vida. Essa é a experiência do orante: andanças e lágrimas, luz e companhia de Deus.
Transposição cristã. O tema da perseguição, camuflada e aberta, facilita uma leitura na boca de Cristo e da Igreja. O estribilho pode conduzir ao grito alegre de Rm 8,31. A "palavra" que conforta e louvamos, pode ser a Palavra de Deus, feita homem, carne fraca. Suas andanças e lágrimas não se perderam: Hb 5,7.

57 Súplica no perigo com promessa de ação de graças. A segunda parte (8-12) é também primeira parte do Salmo 108 (2-6). Várias razões mostram que é preferível a versão do Salmo 57. Divide-se em duas partes e tem um estribilho. Mas na primeira vez o estribilho parece deslocado. Pela forma, divide o poema aproximadamente em duas metades. Pelo conteúdo, deveria ir depois do v. 7.
A segunda parte com o estribilho é a mais original do salmo: expressa a expectativa do Senhor como luz solar matutina. O amanhecer é o tempo do favor divino, como ensinam a história e a oração: Ex 14,24; 2Rs 19,35; Is 17,14; Sl 46,6; 90,14 etc. O amanhecer é tempo de favor porque é o advento da luz, sua vitória sobre as trevas; a luz é vida: Jó 33,28-30; Is 9,1. Deus mesmo é luz ou irradia sua luz: Sl 4,3; 27,1; 36,10; 43,3. Mais ainda, pode ser representado como luz solar, como sol que amanhece: Sl 84,12; Is 60,1-3;

³Invoco o Deus Altíssimo,
   o Deus que me completa seus favores.
⁴Que envie do céu para me salvar,
   frustrando a avidez de meus contrários;
 que Deus envie sua lealdade e fidelidade.

⁵E eu tenho de me deitar entre leões
   que abrasam seres humanos;
 seus dentes são lanças e flechas,
   sua língua uma espada afiada.

⁶Ergue-te sobre o céu, ó Deus,
   e tua glória encha a terra!

⁷Estenderam uma rede aos meus passos,
   dobram-me o pescoço;
 cavaram diante de mim uma cova,
   e nela caíram.
⁸Meu coração está firme, ó Deus,
   meu coração está firme:
 cantarei e tocarei.
⁹Desperta, honra minha!
   Despertai, cítara e harpa!
   Despertarei a aurora.
¹⁰Eu te darei graças diante dos povos, Senhor,
   tocarei para ti diante das nações:
¹¹por tua lealdade, que chega até o céu,
   por tua fidelidade, que alcança as nuvens.

¹²Ergue-te sobre o céu, ó Deus,
   e tua glória encha a terra!

62,1s. O estribilho poderia ser assim interpretado: "Eleva-te, ó Sol, sobre o céu, e tua luz encha a terra". Daí se segue a expectativa.
Agora podemos traçar um esquema dinâmico, subjacente no poema e seguido sem excessivo rigor. Um homem perseguido se "refugia" no templo. É de tarde ou de noite. Deitado, sente-se cercado de inimigos. Invoca a Deus para que aja, despachando seus dois agentes, "lealdade e fidelidade"; por causa deles sente a segurança da vitória próxima. Não lhe basta, quer experimentar a libertação, a presença do Senhor que chegará pela manhã. Por isso, impaciente, se dispõe a apressar com sua música a aurora, a saída do sol, que triunfará com sua luz universal.

57,2 Refugia-se no asilo do templo: Sl 17,8; 36,8.
57,3 "Completa": não deixa as coisas pela metade: Sl 138,8.
57,4 "Frustrando": corrigindo uma consoante do hebraico; literalmente seria "injúria". "Avidez": ver a nota a 56,2s.
57,5 "Abrasam": mantendo o texto hebraico; temos a imagem conhecida do leão, transformada com traços fantásticos: cf. Jó 41,11. "Me deitar": a) tranquilo, apesar do perigo; b) atemorizado ou com pesadelo, pelo perigo extremo.
57,7 A força da invocação do estribilho começa a agir, e as tramas se voltam contra seus autores. Imagem de caça graúda: Sl 7,16; 35,7s; Eclo 27,26.
57,8-12 É construído como hino minúsculo: preparativos (8s), exortativos (10), motivação (11), invocação final (12). Seu objeto é a hendíadis clássica, fidelidade e lealdade, já mencionada no v. 4.
57,8-9 Personifica os instrumentos musicais como membros de um coro, e a aurora, para que antecipe seu comparecimento matutino.
57,9 "Honra minha": referido ao orante, como substituto do pronome eu (Gn 49,6; Sl 7,6); ou referido ao Senhor, que é "minha glória" (Sl 3,4).
57,11 Pode-se ler seguindo a imagem: depois da aurora, raios solares fazem subir a luz até as nuvens, antes que apareça o sol. Nessa leitura, lealdade e fidelidade são irradiação de Deus, são raios solares enviados antes da sua manifestação plena e gloriosa.
57,12 Para o caráter luminoso de *kabod*: Ex 16,10; Is 60,1; Ez 1,28 etc.

Transposição cristã. O cântico de Zacarias anuncia a salvação como sol que nasce: Lc 1,78. No ato de deitar-se e levantar-se os antigos leem um símbolo da morte e da ressurreição do Messias. Alguns hinos litúrgicos matutinos exploram a simbologia do amanhecer.

58 (57)

²É verdade, poderosos,
que dais sentenças justas
e julgais retamente os homens?
³Não! pois cometeis conscientemente
crimes na terra
e vossas mãos sopesam violências.

⁴Os perversos se extraviam desde o seio materno,
pervertem-se desde que nascem
os que dizem falsidades.
⁵Eles têm veneno como veneno de serpente,
de víbora surda que fecha o ouvido,
⁶para não ouvir a voz do encantador,
experiente em encantamentos.

⁷Ó Deus, quebra-lhes os dentes na boca,
quebra, Senhor, as presas dos leões.
⁸Que se derretam como água que escorre,
que murchem como erva pisoteada;
⁹sejam como lesma que se desfaz ao andar,
como aborto que não chega a ver o sol.
¹⁰Que a tempestade os arrebate desprevenidos
como mato, como feras, como incêndio.

¹¹E se alegre o honrado vendo a vingança,
lave seus pés no sangue dos perversos;

---

58 Salmo muito difícil no texto e desconcertante por sua espiritualidade. Para nos orientar, distingamos três casos: a) um inocente sofre grave injustiça, apela para Deus para que lhe faça justiça, não se vinga com as próprias mãos (Sl 140); b) o próximo sofre injustiça: eu fico indignado e peço a Deus que faça justiça, castigando os culpados; c) há uma situação geral de injustiça; alguém grita denunciando e invocando a justiça de Deus; se é profeta, pronuncia também a condenação. O Salmo 58 sintetiza elementos da denúncia profética e da súplica.

A evolução é linear e clara: interpelação e denúncia na segunda pessoa (2s), caracterização dos perversos (4-6), pedido de castigo ou imprecação (7-10), consequência, reconhecimento (11-12). O salmo tem muitos contatos com a última parte do cântico de Moisés, Dt 32,32-43.

O perverso típico. É um *poderoso* injusto que abusa do poder (Sl 94,20; Mq 2,1; Sb 2,11) e trabalha em *grupo* com outros semelhantes (Pr 1,14; Is 1,21-26). Estão *dedicados* ao mal por dentro e por fora (3): a mente planeja, as mãos avaliam e ponderam; sua maldade é congênita, como que *de nascença*, como uma segunda natureza (cf. comentário a Sl 51; Is 48,8). São *teimosos*: não aceitam razões nem súplicas (5-6); reprimem a compaixão (cf. Am 1,11). Têm *veneno de serpente*. A imagem é grave. Serpente é a sedução (Gn 3), serpente é o pecado (Eclo 21,2), são os perversos (Is 59,4) e os impérios agressores (Is 14,29); a serpente tem ressonâncias mitológicas, com nomes variados, e é figura escatológica (Is 27,1). Em resumo, o orante vê neles uma *epifania do mal*. O salmo não se entretém com um assunto privado, com uma injustiça individual; encara-nos com uma grandeza tenebrosa e terrível.

O orante reage com horror e espanto, com revolta interna e súplica apaixonada. Contra a serpente pronuncia conjuros ou exorcismos, brutais ou pitorescos (atenção aos problemas textuais). Que o veneno se torne água inofensiva "que escorre"; que a víbora verde e rastejante se torne erva pisoteada; que a serpente terrível se torne lesma "que se dilui". Que uma tempestade arrebate os restos, incendiando o matagal. Na indignação diante da injustiça, a paixão e a sede pela justiça se revelam uma justiça que transcende o indivíduo, porque é revelação do Justo. Diante da epifania do mal, a teofania. Se a justiça atrai como ideal que anima à luta, é porque é real; e é real porque há alguém plenamente justo: ler Eclo 4,28. O orante não se vingou, não recorreu à violência; mas, quando Deus faz justiça, o reconhece, se alegra e celebra. "Há um Deus que faz justiça na terra": aqui, agora. Resumindo: os "Carneiros" são desmascarados como "Serpentes" e neutralizados como "Lesmas"; e o "homem" autêntico se afirma, defendido por Deus.

58,2 "Poderosos": lendo "Carneiros", título honorífico (Ex 15,11).
58,3 "Sopesam": outros traduzem "fazem pesar".
58,4 Simples "mentira" ou fraude em atos públicos.
58,8 Crescem os problemas textuais, que exigem correções acertadas e conjeturas coerentes.
58,9 "Como aborto". Não seria melhor para eles e para outros? Seria melhor não ter nascido.
58,10 Ante um versículo de texto impossível, só cabe respeitar o mais possível o texto e conjeturar à luz de possíveis paralelos.
58,11 "Lavar os pés no sangue" parece pertencer à linguagem imaginativa (Sl 68,24). Ou atribui poder mágico ao sangue derramado da serpente?

¹²e os homens comentem: O honrado tem um fruto,
porque há um Deus que faz justiça na terra.

59 (58)

²Livra-me de meus inimigos, Deus meu,
  salva-me de meus agressores,
³livra-me dos malfeitores,
  salva-me dos sanguinários;
⁴pois olha que homens cruéis
  me espreitam emboscados.
Sem que eu tenha pecado ou faltado, Senhor,
  ⁵sem culpa minha, correm e tomam posição.

Desperta, vem ao meu encontro, olha,
  ⁶tu, Senhor Deus dos Exércitos,
  Deus de Israel!
Levanta-te e castiga os pagãos,
  Não tenhas piedade dos traidores iníquos.
⁷Voltam ao entardecer, latindo como cães,
  vagueiam pela cidade.
⁸Vê, sua boca baba
  e em seus lábios há punhais:
  "Quem nos ouve?"

⁹Tu, Senhor, tu ris deles,
  caçoas dos pagãos.

Transposição cristã. Esse salmo coloca de modo agudo o problema do sentido cristão, ou anticristão, de alguns salmos. Antes de tudo, o tipo humano descrito é atual? Reina ainda a injustiça? Perante situações semelhantes, qual é a atitude cristã? Omitir-se com hinos harmoniosos, ou sentir a indignação e expressá-la na súplica? Pode um cristão pedir a Deus que faça justiça, mesmo à custa dos criminosos? Pode pedir o fracasso de um plano exterminador? Mas não deve confundir oração com ação. E, sobretudo, tem de reconhecer-se implicado na situação de injustiça. Dos evangelhos, ler Mt 3,1-5; do Apocalipse 18,20; 19,1s.

59 O peculiar dessa súplica são os dois estribilhos divididos irregularmente (7.10.15. 18). O desenvolvimento não é linear, obriga a saltos líricos, que podem servir de chave de interpretação. Neles podemos isolar três componentes: a imagem dos cães, a cidade com sua fortaleza, o entardecer.

Os *cães* ainda não eram considerados animais domésticos. São cães selvagens, famintos. Sua boca "baba", nela aparecem dentes que no crepúsculo reluzem como "punhais", seu uivo é ameaçador (8). Não comeram durante o dia, e ao entardecer vão em "busca de comida" (15). Entram na cidade antes que as portas se fechem, e não é fácil expulsá-los. Esses cães são homens ávidos e impiedosos (3.4.13). A imagem, justaposta à realidade, atrai elementos descritivos dos perversos, numa série mais cumulativa do que diferenciada.

Na *cidade* se distinguem as ruas, espaço da vida urbana normal, e um espaço fortificado, que é a fortaleza ou cidadela. Quando a insegurança se apodera das ruas, os cidadãos se refugiam na fortaleza(4s). A cidade rege um código espacial: cidade, fortaleza, asilo, confins do orbe.

O *entardecer* é a hora de recolher-se, em casa ou em refúgio seguro; é a hora dos cães. O orante pede a Deus que "se adiante, acorde e se levante" (11.5s) contra os agressores. Ao amanhecer, o orante "os verá" (5) derrotados e no período da manhã cantará para seu Deus (17). O entardecer suscita um código temporal: tarde, manhã, velar, acordar.

Se o orante sente sua fraqueza diante dos cães ferozes, Deus "ri" destes (9) porque prevê seu fracasso certo. Depois passa à ira (14). Todos reconhecerão a soberania local e universal do Senhor (14).

59,2 Os "agressores" são gente que "se levanta". "Salva-me" é literalmente eleva-me, exalta-me, torna-me inacessível; a mesma raiz de "fortaleza".

59,3 "Sanguinários": sugere um perigo mortal.

59,4a Sua tática é a ocultação, como em Sl 11,2.

59,4b-5a "Sem culpa": protesto de inocência, como em salmos judiciais. A ação se torna aberta, em termos militares.

59,5b-6 Em paralelismo, dois títulos complementares: "Senhor dos Exércitos" (siderais, no céu) e "Deus de Israel" (povo escolhido, na terra).
Estranha a referência aos (povos) "pagãos", porque o ambiente é urbano; não diria o original "soberbos", "arrogantes"? (correção bem conhecida).

59,7 "Voltam": parece implicar que tinham sido expulsos, ou que o entardecer é a hora em que costumam voltar.

59,8 Surpreende aqui a pergunta: "Quem nos ouve?" Seria um desafio a Deus, como em Sl 64,6; 94,7.

59,9 "Ris": como resposta ao desafio; Sl 2,4; 37,13.

¹⁰Força minha, por ti estou velando,
   pois minha fortaleza é Deus,
¹¹meu Deus leal.
   Que Deus se adiante e me faça ver
   a derrota de meus inimigos.
¹²Não os mates,
   para que meu povo não se esqueça;
   faze-os vagar, com teu exército derruba-os:
   o Senhor é meu escudo.
¹³O pecado de sua boca
   são as palavras que pronunciam:
   fiquem presos em sua insolência,
   pelas mentiras e maldições que proferem.
¹⁴Acaba com eles com ira,
   acaba com eles, que deixem de existir;
   e saberão que Deus governa em Jacó
   e até as extremidades do mundo.

¹⁵Voltam ao entardecer, latindo como cães,
   vagueiam pela cidade,
¹⁶vagabundos, buscando comida,
   e até que não se fartam, andam grunhindo.

¹⁷Mas eu cantarei tua força,
   aclamarei pela manhã tua lealdade,
   porque foste minha fortaleza
   e um refúgio no perigo.
¹⁸*Força minha, tocarei para ti,*
   pois Deus é minha fortaleza,
   meu Deus leal.

60 (59)

³Ó Deus, tu nos rejeitaste
   e quebraste nossas fileiras,
   estavas irado. Restaura-nos!

59,10 "Força": ou, com valor concreto, fortaleza, baluarte. "Estou velando": outras vezes é o Senhor quem vela pelo homem. Sl 121; 146,9 etc.; mas os israelitas tinham vigílias noturnas organizadas no templo: Ex 12,42; Sl 63,7.

59,11 "Se adiante": com valor temporal: Sl 88,14; 119,147s.

59,12 O pedido parece estranho, especialmente se o comparamos com o do v. 14. Mas se esclarece com outros textos nos quais Deus dá um prazo antes de castigar: Sl 56,8; Jz 2,22s; Caim (Gn 4). Porque "esquecer" é perigo grave para Israel: Dt 8,1-19; Sl 78 etc.

59,13 Diríamos que seu delito mais grave é o abuso da palavra: brota daí a imagem dos cães de dentes letais? Suas palavras se voltam contra eles.

59,14 "E saberão": quem é o sujeito, se deixaram de existir? Talvez pense num reconhecimento final e sem esperança, no momento de ser destruídos; comparar com Ez 25,7; 28,23; 1Mc 6,2-13. Pode-se também tomar o verbo como impessoal. Um só Deus "governa em Jacó" e em todo o mundo. Os assuntos locais entram numa perspectiva universal. Talvez essa frase explique a presença de "pagãos" no v. 6.

59,17 Acabaram-se os grunhidos e uivos, é hora do canto.

59,18 Mudando uma letra, em vez de "velar" (10) diz "tocar".

Transposição cristã. Os Padres põem o salmo na boca de Cristo em sua paixão. Pode declarar sua plena inocência (1Pd 2,22); "sanguinários" são os que pedem que "seu sangue caia sobre nós". Ele pede ao Pai "que não os mate"; tomam o v. 14 como profecia, não imprecação.

60 Súplica com oráculo de resposta e ato de confiança, sem ação de graças. Discute-se a unidade, porque os versículos 8-14 são repetidos como segunda parte do Salmo 108. Mas esse testemunho vale pouco, porque é um salmo artificialmente composto, como vimos comentando o Salmo 57. É discutível a situação pressuposta ou refletida no salmo: terremoto ou guerra. a) Terremoto: como indicam os termos "brechas" (Is 30,13; Am 4,3), "tremor" (1Rs 19,11; Am 1,1s), "desmoronar" (Is 24,19; 54,10), vertigem. Não se explicam os estandartes e os arcos. b) Invasão militar: os termos "brechas" (2Sm 5,20; Ez 13,5), "tremor" (1Sm 14,15), "fratura" ou derrota (Jr 14,17; Lm 2,11).

⁴Fizeste tremer e rachaste o país,
  restaura suas brechas, pois desmorona!
⁵Fizeste o teu povo sofrer um desastre,
  dando-nos de beber um vinho de vertigem;
⁶içaste uma bandeira para teus fiéis,
  para que escapassem diante dos arcos.
⁷Para que se livrem teus prediletos,
  que tua direita os salve.
Responde-nos!
⁸Deus falou em seu santuário:
Triunfante repartirei Siquém,
  parcelarei o vale de Sucot.
⁹Para mim Galaad, para mim Manassés.
Efraim é capacete de minha cabeça,
  Judá meu cetro de comando.
¹⁰Moab uma bacia para eu me lavar,
  sobre Edom lanço minha sandália.
Filisteia, grita contra mim!

¹¹Se alguém me levasse à cidade fortificada,
  se alguém me conduzisse a Edom!
¹²Mas tu, ó Deus, acaso nos rejeitaste,
  e já não sais com nossas tropas?
¹³Envia teu auxílio contra o inimigo,
  pois a vitória humana é vã.

Estandarte e arco são óbvios. O oráculo corresponde perfeitamente à súplica. c) Mediação poética: em vez de descrever com realismo, o poeta transforma imaginativamente a situação. A guerra deixa o país assolado, como se tivesse sofrido um terremoto. O terremoto arrasa num instante, como se tivesse passado um exército invasor: cf. Jr 51,29; Jl 2,1-11. Prefiro a explicação bélica.

60,3-7 A queixa ocupa amplo espaço e apoia a súplica. É uma queixa respeitosa, confiante, fruto de uma espiritualidade madura. O causador das desgraças é Deus. O orante não reconhece uma culpa: pronuncia uma acusação? Antes, reconhece que Deus controla e dirige os acontecimentos: ver Dt 32,27.39; Is 19,22; Os 6,1.

60,3 "Rejeitaste": com sentido militar em Sl 44,10.24.

60,4 O tremor de terra é com frequência teofânico: Sl 18,8; 68,9; 77,19 etc.

60,5 "Vinho de vertigem", que perturba ou enlouquece, agita ou tortura, de castigo e até de execução capital: Is 51,17.22; Jr 25,15-29.

60,6 Versículo problemático. A bandeira pode ser fator positivo, de guia ou agrupamento (Is 11,12; Jr 4,6), ou negativo (Is 5,26; Jr 4,21). O verbo *htnwss* deriva de *nes*, significa bandeira içada, hasteada: a favor ou contra? Se procede de *nus* = fugir, com valor positivo, significa refugiar-se; com valor negativo, pôr-se em fuga. É possível que o poeta tenha desejado uma ambiguidade expressiva.

60,7 "Prediletos": o título é um argumento enfático: Dt 33,12; Jr 11,15.

60,8-10 O oráculo é introduzido explicitamente. Se tomamos *qodesh* como abstrato, seria "por sua santidade". Incluindo todo o v. 10, temos nove nomes, seis israelitas e três estrangeiros; aproximadamente os domínios de Davi, conforme 2Sm 8.

Fala um soberano vitorioso que ocupou territórios por herança ou por direito de conquista. Uns, escolhidos, ele parcela e reparte; outros, reserva para si como bens da coroa; Efraim será o elmo que protege a cabeça, Judá será o cetro, instrumento de governo (Dt 49,10; Nm 21,18). O arrogante Moab servirá para as abluções. Lançar a sandália seria gesto de posse, pois nos consta o uso do calçado em transações comerciais (Dt 25,9s; Rt 4,7s); também poderia ser um objeto onde o rei deixa o calçado, para orar descalço (Ex 3,5; Js 5,15).

E a Filisteia? O que faz esse imperativo? Interpreto-o como convite irônico e desafiador: vamos, lança o grito de guerra, enfrenta-me; cf. Is 8,9s. Outros o harmonizam com o Sl 108, na primeira pessoa: "canto vitória"; alguns tradutores antigos interpretaram "aliou-se contra mim".

60,11-13 O orante toma de novo a palavra. A articulação dos três versículos é duvidosa. a) Pergunta solícita (11), pergunta retórica (com relativo assindético) (12), pedido (13). b) Expressão de um desejo entre potencial e irreal "quem me conduzirá..." ou repreensão a Deus por sua rejeição, pedido. Na segunda explicação, o sentido avança assim: escutando o oráculo, o orante reage com certo ceticismo ou insatisfação, "quem me dera"; seu desejo é irrealizável enquanto Deus prolongar a rejeição; contudo, não se entrega; ao contrário, reclama esperando o auxílio de Deus.

60,13 Ver Pr 21,31.

¹⁴Com Deus faremos proezas,
    ele pisoteará nossos inimigos.

61 (60)

²Escuta meu clamor, ó Deus,
    atende minha súplica:
³Dos confins da terra te invoco
    de coração abatido.

Leva-me a uma rocha inacessível,
    ⁴porque foste meu refúgio,
    torre forte diante do inimigo.

⁵Quero hospedar-me sempre em tua tenda,
    refugiado ao amparo de tuas asas,
⁶pois tu, ó Deus, escutaste meus votos,
    deste-me a herança dos fiéis a teu nome.

⁷Acrescenta dias aos dias do rei,
    e seus anos sejam de gerações;
⁸reine sempre na presença de Deus,
    lealdade e fidelidade lhe façam guarda.

⁹E eu tocarei sempre em tua honra,
    cumprindo meus votos dia a dia.

62 (61)

²Só em Deus está o descanso, minha alma,
    dele vem a minha salvação.
³Só ele é minha rocha, minha salvação,
    minha fortaleza: não vacilarei.

60,14 "Pisotear", como gesto de vitória: Is 63,6; Sl 44,6. *Transposição cristã*. Pode-se ler em chave eclesiológica. A Igreja perseguida sente-se derrotada e pede auxílio a seu Senhor, que responde afirmando a própria vitória e domínio. Confortada com tais palavras, a Igreja pode enfrentar novos empreendimentos. Os comentaristas antigos se detiveram no estandarte: o sinal da cruz.

61 Há nesta súplica alguns dados claros. Antes de tudo, os genéricos: o vocabulário, a aflição pessoal (3), a ação do inimigo (4), o poder de Deus (4), a confiança apoiada em experiências precedentes (4.6), a promessa de ação de graças (9). Também são claros outros dados individuais: os votos que se cumprirão (9); a oposição espacial entre "os confins da terra" e o "bastião" ou "baluarte" de Deus (3.4), e a "herança" recebida; a oposição temporal, dos "anos do rei" e o "dia-a-dia" do orante. Também é clara a passagem da primeira pessoa (2-6) para a terceira (7-8) e a volta para a primeira (9).
Difícil é identificar as localidades e os que falam. As hipóteses se multiplicam. Esses "confins da terra" seriam um desterro ou um campo de batalha longínquo. Fala um rei na primeira pessoa e depois na terceira pessoa. Pela boca de um mestre de coro, o povo fala no desterro. Fala um sacerdote exilado rezando por si e pelo rei. Na falta de dados para a identificação, o melhor será deixar o salmo aberto e disponível. Pode ser que o autor o concebesse assim. O salmo coincide em vários pontos com o 27.
61,3 A rocha pode aludir à praça-forte dos jebuseus.

61,4 Comparar com o tema e linguagem de Pr 18,10.
61,5 Comparar com 15,1; aqui sem condições.
61,6 "Herança" pertence ao vocabulário básico da posse da terra.
61,7 O pedido de longa vida para o rei é convencional: Sl 21,5; 72,5; 1Rs 1,31.
61,8 Como enunciado em Pr 20,28.
61,9 Tem algo de recapitulação temática.
Transposição cristã. Aplicam a Jesus Cristo a vida perpétua na presença do Pai e o reino, de acordo com a leitura messiânica de Dn 7,13s. Sobre o hospedar-se, ver 2Cor 5,6; Ef 2,19; Hb 11,13.

62 É uma profissão de confiança só em Deus, ampliada com uma reflexão sobre seus motivos e um convite a outros. Parece-se com o Salmo 4, do qual difere pelo repertório imaginativo. À primeira vista tem um desenvolvimento agitado, pelas mudanças repentinas de pessoa, enunciando, interpelando, expressando. Numa segunda leitura se aprecia a coerência poética. De um diálogo interior parte uma interpelação a um grupo anônimo, justificada por uma reflexão; repete-se o processo, mas a interpelação se dirige a outro grupo oposto, ao qual ele pertence; no final, o Deus referido na terceira pessoa invade como um tu a consciência do orante, que passa de sua experiência e reflexão humana a uma mensagem profética.
O poema, exposto numa série de imagens, tem um tema metafísico: a contingência do homem, do seu ser e agir, e seu ponto de apoio essencial. Cume rochoso, fortaleza e refúgio, muro e parede,

⁴Até quando arremetereis todos juntos
    contra um homem, para derrubá-lo
como parede que cede
    ou muro prestes a ruir?
⁵Só pensam em derrubar-me de minha altura,
    agrada-lhes a mentira:
com a boca bendizem,
    por dentro amaldiçoam.

⁶Só em Deus descansa, minha alma,
    dele vem a minha esperança.
⁷Só ele é minha rocha, minha salvação,
    minha fortaleza: não vacilarei.
⁸Em Deus está minha salvação e minha glória;
    minha rocha firme, meu refúgio está em Deus.

⁹Vós, confiai sempre nele,
    desafogai-vos com ele,
    pois ele é nosso refúgio.
¹⁰Apenas um sopro são os plebeus,
    mentira são os nobres:
todos juntos na balança subiriam
    mais leves que um sopro.

¹¹Não confieis na opressão,
    não vos iludais com o roubo;
e se vossa fortuna prospera,
    não lhe deis o coração.
¹²Uma coisa disse Deus,
    duas coisas escutei:
O poder é de Deus,
    ¹³tua, Senhor, é a lealdade;
tu pagarás a cada um
    segundo suas obras.

---

balança e sopro. O poeta, embora conheça outras mentiras que abalam a ordem social (5), descobre no homem, sem distinção de classes sociais, uma "mentira" radical (10): parece ser, e não tem consistência. O homem (cf. Sl 39), a humanidade inteira é "um sopro". Teme desaparecer e procura âncora e pontos de apoio.

Constrói estruturas: "alturas" de dignidade ou poder, muros que acolhem e protegem. Apoia-se na "opressão", fazendo dos demais uma plataforma em que se afirmar; apoia-se no "roubo", nos despojos, sobretudo do fraco. Apoia-se na riqueza, que vai crescendo justa ou injustamente. A última palavra do salmo é "suas obras": quer dizer que o ponto de apoio são as obras? que o homem, embora não seja, se faz, eticamente é ele o construtor de seu destino? – Cabe a Deus assinalar o peso de cada um, retribuir-lhe o peso de suas ações.

62,2 Seis versículos começam com um *'ak* enfático, que traduzo por "só".

62,4 Os verbos são seletos. Pode-se imaginar em contexto urbano ou bélico: uma cidade elevada cujas muralhas sofrem as investidas dos aríetes. É uma operação de conjunto.

62,5 "Minha altura", com leve correção do hebraico. É a altura da fortaleza ou da posição social ou política que ocupa. Com a mentira abalam o próprio prestígio: Sl 55,22; Pr 26,23-26.

62,9 A passagem à exortação transforma o singular "meu refúgio" em plural, "nosso refúgio". "Desafogar" é literalmente "derramar o coração", como um recipiente cheio de sentimentos.

62,10 A comparação de balança e sopro é mais plástica e hiperbólica que no Salmo 39, mas não é pessimista: comparar com Is 40,15-17. É possível que se repetisse o estribilho depois desse versículo.

62,11 "Iludir-se" é verbo composto de *hébel* = sopro: o homem, vazio por natureza, com o roubo se envaidece e desvanece. "Prospera": não condena aqui a riqueza honesta, mas o basear nela a própria confiança: Pr 11,28.

62,12-13 Com o artifício numérico, dá a entender que agora não fala por ouvir dizer; porém, o conteúdo não parece exigir uma revelação formal.

Transposição cristã. O tema das riquezas ressoa no sermão da montanha, Mt 6, também em 1Tm 6,17 e Tg 4,13s; 5,1-6. É frequente o tema da retribuição: Mt 16,27; Rm 2,6; Ap 2,23.

63 (62)

²Ó Deus, tu és meu Deus, por ti madrugo:
   minha garganta tem sede de ti,
   minha carne desfalece por ti,
numa terra seca, sem água.
³Assim te contemplei no santuário,
   vendo tua força e tua glória.
⁴Pois tua lealdade vale mais que a vida,
   meus lábios te elogiarão;
⁵assim te bendirei enquanto viver,
   levantando as mãos em teu nome.
⁶Como de gordura e de manteiga
   se saciará minha garganta,
e com lábios jubilosos
   minha boca te louvará.
⁷Se no leito me lembro de ti,
   velando medito em ti:
⁸pois foste meu auxílio
   e exulto à sombra de tuas asas.
⁹Meu alento se apega a ti
   e tua direita me sustenta.
¹⁰Os que buscam minha perdição
   entrarão no profundo da terra,
¹¹serão entregues à espada
   e jogados como pasto às raposas.
¹²Mas o rei celebrará a Deus,
   os que juram por ele se gloriarão,
   quando taparem a boca dos mentirosos.

63 Oração de confiança que faz companhia aos salmos 4, 16 e 62. O final (10-12) coloca a oração numa situação de perigo. Mas o lugar é o templo, onde o orante vive a intimidade com Deus.
Não convém chamar "espiritual" essa intimidade, pela densidade corpórea da prece; uma corporeidade que é ao mesmo tempo real e simbólica. Madrugar, ter sede e desfalecer, saciar-se, estar à sombra de, estar no leito, contemplar, falar com a boca, erguer as mãos, apegar-se a alguém, sentir o contato de uma mão. Ver, saborear, tocar, aclamar: é interessante a ausência de escutar.
Os sentidos funcionam em sentido próprio, mas transcendendo simbolicamente o puramente sensível. Os olhos veem o templo, e nele contemplam a glória de Deus; a garganta tem sede... de Deus; a carne desfalece... por Deus; toca a mão direita... de Deus; liga-se após ele em proximidade imediata. Toda a pessoa está comprometida na experiência espiritual. Podemos falar de um precursor da "aplicação de sentidos".
O poema se desenvolve em três tempos: manhã, dia e noite. Bem de manhã acorda num lugar solitário, com a garganta seca, com sede de Deus. O dia é tempo de contemplação e de banquete. De noite, na cama, afloram as lembranças: de ti, de Deus. Os três últimos versículos são apêndice prescindível ou são chave de compreensão? No segundo caso, teríamos de pensar no rei perseguido e em perigo, que fala na primeira pessoa e na terceira; ou então

num sacerdote ou pessoa particular, ameaçada de morte. Ambos buscam asilo no templo e aí lhes é comunicada a intimidade de Deus.
63,2 Sl 119,148; Is 26,9; Sl 143,6. A palavra *nefesh* é bivalente. Contraposta a "carne", designa a consciência; unida a sede, indica a garganta. "Numa terra seca": alguns manuscritos leram "como".
63,3 Sobre a contemplação da glória: Ex 24,11; 33,18.
63,4 A amizade de Deus vale mais que a vida humana, dá sentido à vida.
63,6 A "gordura" pode referir-se ao banquete sacrifical: ver Sl 36,9; Is 55,2; Jr 31,14.
63,8 A "sombra das tuas asas" equivale ao refúgio, ao asilo: cf. Sl 17,8; 36,8; 57,2 etc.
63,9 Literalmente: "apega-se atrás", talvez junção de duas fórmulas que estão em Dt 13,5.
63,10 "O profundo da terra" costuma designar a região dos mortos.
63,11 A "espada" como instrumento de execução capital. Sendo as raposas animais desprezíveis e ávidos, servir-lhes de alimento é suprema ignomínia.
63,12 "Jurar por" equivale a uma confissão de fé numa divindade.
Transposição cristã. A corporeidade de experiência e de linguagem do salmo adquire novo realismo quando o Filho de Deus se faz homem. Sua "direita" sustenta Pedro, seu alento alcança João na ceia; come e bebe com seus discípulos (At 10,41); teve sede na Samaria (Jo 4) e na cruz (Jo 19,28). Nele glorificados, podemos contemplar a glória de Deus.

64 (63)

²Escuta, Deus, minha voz que se queixa,
 protege minha vida do terrível inimigo;
³esconde-me da conjuração dos perversos,
 do tumulto dos malfeitores,
⁴que afiam a língua como punhal
 e ajustam as flechas, palavras que ferem,
⁵para disparar às escondidas contra o inocente:
 de surpresa lhe disparam, sem temor.
⁶Asseguram o delito, propõem esconder armadilhas,
 e dizem: Quem o verá?
⁷Tramam crimes, ocultam a trama tramada;
 sua mente recôndita se corrompe por dentro.

⁸E Deus dispara contra eles uma flecha,
 e já estão logo feridos.
⁹Sua língua os fez tropeçar.
 Os que assistem sacodem a cabeça
¹⁰e todo o mundo se atemoriza;
 publicam a ação de Deus
 e meditam em sua intervenção.
¹¹O honrado festeja o Senhor,
 nele se refugia,
 e os corações sinceros se gloriam.

65 (64)

²Ó Deus, tu mereces um hino em Sião
 e a ti se cumprem os votos,
³porque escutas as súplicas.
 A ti recorre todo mortal

---

64 É uma súplica com todos os elementos típicos do gênero: o triângulo eu – inimigos – Deus; a confiança implícita e a prometida ação de graças. O processo de perigo e libertação é estilizado em imagem de batalha: um ataque bem preparado e um contra-ataque fulminante, ante um público surpreso.
A tática do ataque é ocultação e agressão: o contra-ataque acontece no mesmo terreno e com as mesmas armas. Uma série de correspondências verbais o manifestam. É fácil anotar o vocabulário da ocultação e da agressão.

64,2 "Queixa" ou sussurro, contrário do clamor; o oculto diante do evidente. "Terrível" porque infunde terror: o orante confessa o medo.

64,3 A "conjuração" é oculta, preparando o "tumulto"; diversa é a ocultação medrosa e confiante do orante.

64,4 Suas armas: suas palavras são "punhal e flechas": calúnia, difamação... Sl 57,5; 140,4; Jr 9,7.

64,5 A repetição do verbo é propositai. Colocados em esconderijos estratégicos, podem agir sem risco nem medo, como em Sl 11,2.

64,6 Saltando-se a lógica da ocultação, o poeta assiste ao projeto inimigo. A última pergunta alcança Deus: Sl 94,7; Jó 24,15; Eclo 23,18.

64,7 O primeiro hemistíquio triplica um termo, que significa literalmente registrar, rebuscar (Pr 2,4). No segundo hemistíquio, duplicando um *beth*, leio o verbo corromper-se. O texto diz: "o interior do homem, o coração é recôndito" (cf. Jr 17,12).

64,8 A forma hebraica é muito eficaz. De repente, Deus já está disparando uma flecha e acertando.

64,9 Corrijo um texto difícil de acordo com outros semelhantes.

64,10 Quem assiste ao espetáculo, quase desfrutando dele, fica tomado de temor reverencial e o expressa sacudindo a cabeça (9). Daí se passa à meditação e à proclamação sobre o sentido e o protagonista dos acontecimentos.

64,11 O desfecho é individual e coral. Os festejos não são para o honrado, mas para Deus.
Transposição cristã. Os antigos põem o salmo na boca de Cristo durante a paixão; nesse caso, a intervenção de Deus muda de sinal.

65 Esse salmo pertence ao gênero hino, destacando-se por sua forte personalidade. Guiado pelo tríplice começo com *'elohim* e pelo tema, divido o poema em três seções: atração de Sião (2-5), Senhor do cosmo e da história (6-9), Deus é o lavrador (10-14). O estilo vai-se adaptando ao tema, pela maestria do autor. Ou seja, Sião é o centro de culto ao qual convergem homens de muitas partes e por diversos motivos. Em Sião contemplam e cantam a soberania universal de seu Deus. Depois o horizonte se concentra na terra, na qual Deus desempenha o papel de um solícito pai de família.
Entre as seções há várias relações, entre as quais podemos destacar: o "poder" do pecado que oprime e o "poder" de Deus criador (4.7); o "próximo" e o "distante" (5.6); entre a segunda e a terceira seção, "terra" cósmica e "terra" de cultivo, mar e ribeiro, montes cósmicos e colinas férteis, fragor do oceano e canto da vegetação. Entre a primeira e a terceira,

⁴por causa de suas culpas:
nossos delitos nos esmagam,
tu os perdoas.
⁵Feliz aquele que escolhes e aproximas,
para que viva em teus átrios.
Que nos saciemos dos bens de tua casa,
dos dons sagrados de teu templo.

⁶Com portentos de justiça nos respondes,
Deus Salvador nosso.
Tu, esperança dos confins da terra
e do oceano remoto.
⁷Tu, que firmas os montes com tua força,
cingido de poder.
⁸Tu, que reprimes o estrondo do mar,
o estrondo das ondas
e o tumulto dos povos.
⁹Os habitantes do extremo do orbe
se intimidam diante de teus sinais,
e as portas da aurora e do ocaso
tu as enches de júbilo.

¹⁰Tu cuidas da terra, a regas
e a enriqueces sem medida.
O ribeiro de Deus é cheio d'água.
Preparas seus trigais.
¹¹Assim a preparas: regas os sulcos,
igualas os torrões,
teu chuvisco os deixa esponjosos;
abençoas seus brotos.

os "bens" do templo e os da colheita, com a qual o templo é abastecido.

65,2-5 O templo atrai como lugar privilegiado de louvor, e também como lugar de cumprir os votos, porque Deus escuta e concede. Mais estranha é a terceira peça, porque o pecado, que separa (Is 59,2), atua como agente de acesso ao templo. É preciso sentir seu peso insuportável e ir descarregá-lo diante do Deus de perdão. Há um grupo privilegiado e representativo que Deus "aproxima": em sua aproximação máxima, como hóspedes e comensais de Deus, encabeçam uma aproximação de raio mais amplo.

65,2 É bela, mas pouco bíblica, a leitura que alguns propõem: "para ti silêncio é louvor".

65,3 "Todo mortal": todo homem, qualquer classe de homens, conotando sua fraqueza.

65,6-9 Chegados ao centro elevado, estendemos o olhar em torno e abraçamos imensos horizontes. O poeta não alinha natureza e história em sucessão obediente, no entanto as mistura conscientemente, fundindo na contemplação dois mundos que um mesmo Deus controla.

65,6 Deus escuta as reclamações de um povo escravo e oprimido e lhe responde com "portentos" que fazem resplandecer a "justiça". Todos os oprimidos podem contar com esse Deus libertador.

65,7 Como um pedreiro se cinge para o trabalho, toma nas mãos tijolos e os vai colocando, assim Deus, gigantesco construtor do orbe, ajusta o cinto de sua potência, toma nas mãos montanhas inteiras e as coloca aprumadas e resistentes em seus lugares.

65,8 O oceano concentra as forças inquietas e rebeldes à soberania de Deus: no cósmico, o oceano com suas ondas; no histórico, impérios com seus exércitos. Deus mantém todos sob controle.

65,9 Temor e júbilo são os dois polos da experiência do divino. As "portas da aurora e do ocaso", audaciosamente personificadas, são exemplos e testemunhas do júbilo.

65,10-14 Mudança repentina de cena, de tema e de procedimentos estilísticos. Em vez de visões gigantescas, que num versículo abrangiam imensidades, o poeta aproxima o olhar para surpreender o detalhe, para esmiuçar um processo em suas ações. O Deus que coloca a prumo as montanhas, se abaixa para aplanar torrões; aquele que reprime oceanos, se dispõe a regar e amolecer um terreno.

As ações de Deus formam um paradigma de sete verbos finitos mais dois infinitivos com função adverbial. A isso respondem, com sete verbos, cinco regiões da terra. "As colinas se enfeitam de alegria", que é o verde de vinhedos e pomares; os prados se revestem de rebanhos, que ilustram, sem escrever, o verde da erva; os vales se cobrem com um manto de colheitas. Coroando o ano, todos entoam um canto de júbilo, vestidos de festa, com seus trajes coloridos.

65,10 O "ribeiro de Deus" é a chuva, que conduz a água a cada ponto do terreno.

¹²Coroas o ano com teus bens,
 e tuas trilhas destilam abundância;
¹³destilam os pastos do deserto
 e as colinas se enfeitam de alegria;
¹⁴os prados se cobrem de rebanhos
 e os vales se vestem de colheitas
 que aclamam e cantam.

66 (65)

¹Aclamai a Deus, mundo inteiro,
 ²tocai em honra de seu nome,
 dai-lhe glória com o louvor.
³Dizei a Deus: Que formidável é tua ação!
 Por teu imenso poder, os inimigos te adulam.
⁴Que o mundo todo te renda homenagem,
 tocando para ti, tocando em tua honra.

⁵Vinde ver as proezas de Deus,
 suas façanhas formidáveis em favor dos homens.
⁶Transformou o mar em terra firme:
 a pé cruzaram a correnteza
 – e aí mesmo o festejamos.
⁷Com sua autoridade ele governa para sempre:
 seus olhos vigiam as nações,
 para que os rebeldes não se revoltem.
⁸Bendizei, povos, o nosso Deus,
 fazei ressoar o seu louvor.
⁹Ele dá vida ao nosso alento
 e não deixou que nosso pé tropeçasse.

65,12 "Coroar" é completar com êxito uma etapa, uma tarefa.

65,13 O "deserto" não apto para o trigo, mas bom para pastagens.

65,14 As ovelhas "vestem" os prados, antes de vestir os homens.
Transposição cristã. Leiamos o salmo sobre o fundo de nossa liturgia eucarística. Uma parte penitencial, com perdão dos pecados; louvor cósmico e histórico concentrado no prefácio; preces dos fiéis que Deus escuta. Pão de trigais e vinho de vinhedos. A liturgia coroa o ciclo semanal e antecipa o banquete celeste.

66 Compõe-se de duas peças pertencentes a dois gêneros aparentados. Os vv. 1-12 são um hino entoado por uma comunidade na primeira pessoa do plural. Os vv. 13-20 são uma ação de graças por uma súplica ouvida, pronunciada por um indivíduo. Cada peça contém os elementos típicos do seu gênero. O ponto de partida é o comunitário ou o individual? Será melhor responder que isso se presta a duas leituras:
a) Uma celebração comunitária em segunda instância dá espaço para confissões individuais.
b) Um assunto individual, levado ao templo, é acolhido por uma comunidade que alarga o horizonte. Nas duas leituras, a relação vivida e sentida entre pessoa e comunidade é decisiva.

66,1-12 A disposição tem duas ondas: convite (1-4) e relato (5-7), convite (8) e relato (9-12).

66,1-4 O liturgo parece exceder-se ao convidar o "mundo inteiro", especialmente considerando que fala depois de "inimigos" e mais adiante de "rebeldes" que se sublevam, e estão implícitos nos "homens" do v. 12. Também eles são convidados ao "louvor", à "homenagem" festiva? O "mundo" poderia equivaler a "no mundo todo".

66,3 "Formidável", ou seja, impressionante, surpreendente, que infunde temor reverencial: Sl 76. "Te adulam": diante do teu imenso poder, não têm outra saída senão submeter-se com vontade fingida: Sl 18,45.

66,5-12 O relato (exceto 8) se desenvolve em várias fases. A primeira é genérica e ampla de extensão (5), a segunda é a passagem do mar Vermelho (6), a terceira é estável, duradoura e ampla de extensão (7), a quarta se restringe a um grupo e é genérica na formulação (9). A última muda: fala de grave tribulação do povo e se dirige a Deus na segunda pessoa (10-12).

66,5 O objeto são "os homens", ou "seres humanos" sem especificar. É admirável que Deus lhes dedique sua atividade.

66,6 Fato concreto, clássico (Ex 14): onde se cruza a fronteira da liberdade, onde o poder cósmico se põe a serviço da salvação histórica. "Aí mesmo o festejamos": com o cântico de Míriam, Ex 15.

66,7 Sua soberania é perpétua e universal. Vigia para manter a ordem.

66,9 "Alento": pode ser entendido à luz de Gn 2,7. Pelo paralelismo, penso que o "tropeço" alude à morte.

¹⁰Ó Deus, puseste-nos à prova,
  tu nos refinaste como se refina a prata.
¹¹Tu nos colocaste numa prisão,
  puseste uma carga em nossas costas,
¹²fizeste de nosso pescoço uma cavalgadura de homens.
Passamos por fogo e água,
  e nos retiraste para a abundância.

¹³Entrarei em tua casa com holocaustos,
  para cumprir meus votos
¹⁴que meus lábios pronunciaram
  e minha boca no perigo prometeu.
¹⁵Eu te oferecerei holocaustos cevados;
  queimando carneiros,
  prepararei vacas e cabras.

¹⁶Vinde escutar, fiéis de Deus,
  eu vos contarei o que ele fez por mim:
¹⁷Invoquei-o com a boca,
  com a língua o enalteci.
¹⁸Se eu tivesse tido olhares perversos,
  o Senhor não me teria escutado.
¹⁹Mas Deus me escutou,
  atendeu à voz de minha súplica.
²⁰Bendito seja Deus, que não afastou minha súplica,
  nem sua misericórdia de mim.

67 (66)

(Nm 6,22-27)

²Deus tenha piedade e nos abençoe,
  mostre para nós seu rosto radiante,
³para que a terra conheça os teus caminhos,
  e todas as nações a tua salvação.

66,10-12 Falam de uma tribulação já superada. Embora os indícios sejam leves, pode-se pensar no desterro e na repatriação.

66,10 A imagem metalúrgica é frequente: Is 48,10; Jr 6,29; Sl 12,7 etc.

66,11 A palavra hebraica significa "fortaleza": pode servir de refúgio ou de prisão. Talvez se refira ao cativeiro em Babilônia. A "carga" representa os trabalhos forçados.

66,12 Os vencidos têm de transportar os vencedores montados sobre o pescoço: trabalho duro e humilhante. Embora possa ser um detalhe realista, penso que ultrapassa o puramente descritivo, para representar toda uma situação: a cabeça curvada, o pescoço dobrado, o peso do tirano apegado ao corpo, homens transformados em bestas de carga. "Abundância", o texto hebraico diz transbordamento (cf. Sl 23,5); algumas versões antigas leram "respiro", alívio (cf. Ex 8,11; Lm 3,56). Combinando 10 com 12, temos o binômio: "puseste-nos", "nos tiraste".

66,13-20 A segunda parte do salmo é articulada numa ampla introdução (13-15), num relato genérico (16-19) e numa conclusão (20). Destacam-se a introspeção e o protesto de inocência na forma de algo previsível.

66,17 O segundo hemistíquio é duvidoso; sigo versões antigas e o paralelismo.

66,18 "Olhares", lit.: "coração que olha", é a intenção.

66,20 A fórmula é original pela contiguidade de "minha súplica" e "sua misericórdia".

Transposição cristã. Nesse salmo se conjugam uma tribulação e consequente libertação, o senhorio universal e perpétuo, o convite a todo o mundo. Com esses elementos, os Santos Padres podem propor uma leitura cristológica do salmo. Em chave eclesiológica, a prova que refina é antes de tudo a paixão dos mártires.

67 Bênção na forma imprecatória. É como um comentário ou variação ampliada da bênção canônica de Nm 6,24-26. O que lá era pronunciado pelos sacerdotes aaronitas, aqui se democratiza num plural coletivo "nós". O que lá era estritamente israelita, aqui se universaliza. É legítimo suspeitar que um copista tenha omitido o estribilho no final da terceira estrofe.

67,2 Tudo parte da "piedade" de Deus: atitude e ato gratuito que o homem deve invocar. A humanidade começa com uma bênção: Gn 1,28. Um "rosto" benévolo irradia luz: Pr 16,15; Ecl 8,1.

67,3 Os "caminhos" são o modo de agir.

⁴*Que os povos te deem graças, ó Deus,*
   que todos os povos te deem graças!
⁵Que as nações o celebrem jubilosas,
   pois reges o mundo com justiça,
   reges os povos com retidão,
   e governas as nações da terra.
⁶*Que os povos te deem graças, ó Deus,*
   que todos os povos te deem graças!
⁷A terra deu a sua colheita:
   Deus, o nosso Deus, nos abençoa.
⁸Deus nos abençoa: que o respeitem
   todos os confins do mundo.

68 (67)
(Jz 5; Hab 3)

²Deus se levanta, seus inimigos se dispersam,
   seus rivais fogem.
³Como se dissipa a fumaça, se dissipam;
   como a cera derrete diante do fogo,
   perecem os perversos diante de Deus.
⁴Os honrados se alegram, exultam diante de Deus,
   festejam-no com alegria.
– ⁵Cantai a Deus, tocai em sua honra,
   aplanai um caminho a quem cavalga na estepe;
   em nome do Senhor, regozijai-vos diante dele.
⁶Pai dos órfãos, protetor das viúvas,
   é Deus em sua santa morada.

67,4 Estribilho de estilo de hino.
67,5 O governo de Deus é justo, como cantam os salmos 96 e 98.
67,7 A bênção equivale à chuva que fertiliza a terra. Embora diga "nosso Deus", não pronuncia o nome de *Yhwh*.
Transposição cristã. Tratando-se de bênção, é obrigatório citar o começo da carta aos Efésios.

68 É um canto de vitória semelhante ao de Moisés ou Míriam (Ex 15), de Débora (Jz 5) e de Hab 3. Tem em comum com Jz 5 alguns versículos e a citação de algumas tribos. Com Ex 15 partilha o tema de povos inimigos, com seus títulos emblemáticos, a instalação do povo em sua herança e a intervenção das mulheres na celebração. Com Hab tem em comum, em linguagem muito diferente, a teofania, a derrota e dispersão do inimigo. O salmo mostra indícios de celebração litúrgica, original ou imitada. De qual vitória se trata? Creio que o poeta celebra um processo amplo, unificado e concentrado no poema. A leitura em chave de êxodo explica unitariamente muitos elementos do salmo. A presença do Senhor no Sinai, a partida e a marcha pelo deserto, a rebelião de alguns israelitas e a resistência de outros reinos, a instalação do povo numa terra fértil. Aqui começa o específico. Enquanto a epopeia do êxodo termina com a ocupação e partilha da terra, o salmo se estende até a instalação do Senhor no templo. É a concepção do Cronista.
O ponto de partida do salmo coincide com Nm 10,35, uma ordem repetida no começo de cada etapa; isso nos permite conjeturar no salmo a presença da arca. Há outra série de coincidências entre o salmo e Nm.
Numa primeira leitura, o poema desconcerta; alguém o definiu como uma lista heterogênea de títulos. A análise descobre dois eixos semânticos que amarram a composição: a caminhada e a habitação. Por outro lado, a batalha não é descrita, mas insinuada em suas consequências e na ação dos meteoros. O estilo é em parte alusivo, em parte enumerativo, com repetições enfáticas; o vocabulário é sofisticado e seleto. O texto hebraico nos coloca diante de numerosas e graves dificuldades.

68,2-7 A primeira seção antecipa temas e apresenta personagens. Deus "se levanta": de onde? – O contexto e a alusão a Nm 10 nos dizem: de um alojamento provisório. Há perversos "inimigos" que fogem derrotados; há "rebeldes" que "param" e não avançam; há "honrados" que parecem identificar-se com as classes sociais marginalizadas: viúvas, órfãos, solitários, cativos. Por ora os grupos não se identificam com povos determinados.
68,2 O "levantar-se" pode ser genérico, judicial (Is 33,10; Sl 82,2) ou bélico (Is 14,22; Sl 35,2).
68,3 O fogo é elemento da divindade (Is 33,14; Sl 50,2); dele brotam as imagens de cera (Sl 22,15; 97,5) e fumaça (Sl 37,20; 102,4).
68,5 "Aplanai", porque no deserto não há caminhos feitos: Is 57,14; 62,10. "Cavalga" ou avança de carruagem: comparar com Sl 104,3. Pronuncia-se pela primeira vez o nome de Deus na forma apocopada *Yh*.

⁷Deus dá um lar aos solitários,
   tira da prisão os cativos;
   só os rebeldes ficam no deserto.
⁸Ó Deus, quando saías à frente de teu povo,
   quando avançavas pela terra seca,
⁹a terra tremeu, o céu destilou,
   diante do Deus do Sinai,
   diante de Deus, o Deus de Israel.
¹⁰Derramaste uma chuva generosa, Deus,
   tu aliviaste tua herança extenuada.
¹¹Teu rebanho nela habitou,
   nela que, bondosamente, Deus,
   tinhas preparado para o infeliz.
¹²Meu Senhor dá a ordem de guerra,
   e uma multidão anuncia a notícia:
¹³"Reis e exércitos vão fugindo, vão fugindo".
   Campo e casa são repartidos como despojos,
¹⁴e ficais deitados nos apriscos?;
   asas de pomba recobertas de prata
   com as plumas com brilho de ouro.
¹⁵Quando o Onipotente desbaratava reis,
   nevava em Har-Salmon.

¹⁶Montanha divina é a montanha de Basã,
   montanha escarpada é a montanha de Basã.

68,7 "Solitários": a palavra no singular designa o único: Gn 22; Jz 11,34; Zc 12,10. É estranho encontrá-la no plural: quer sugerir que todos são filhos únicos? "Prisão": palavra de significado discutido. "Rebeldes" ou insubordinados: Sl 78,8. São israelitas que param no terreno inabitável, como explica Nm 14.

68,8-15 A segunda seção é articulada em dois momentos ligados por várias correspondências: os momentos (8 e 15), os meteoros (9s e 15), a habitação (10s e 13s). O primeiro tempo parece conduzir-nos ao descanso final na "herança"; o segundo é batalha estilizada. Em chave de êxodo, a batalha é anterior ao assentamento na terra. O poeta tem direito de inverter a ordem cronológica. Mas, se consideramos cronológica a ordem do texto, a batalha do poema seria uma abstração exemplar de batalhas posteriores, uma e todas.

68,8 A grande "saída" de Deus, antecipando a do povo, está em Ex 11,4.

68,9-10 Menciona duas chuvas. A primeira, mansa, acompanhada de um terremoto: no deserto, céu e terra testemunham a teofania do Senhor que vai. A segunda, generosa, rega a terra fértil, a herança prevista para o povo; "derramaste" sublinha a ação divina. O título "do Sinai" ou sinaítico é comum ao salmo e a Jz 5,5.

68,11 O "infeliz" é o grupo mencionado nos vv. 6s.

68,12-15 A única coisa certa desses versículos é sua ambiguidade alusiva. Com os dados claros, ensaio uma explicação coerente e parafrástica. O Senhor, general do exército, dá a ordem de guerra, que anuncia a derrota do inimigo; um "esquadrão numeroso" de mensageiros ou "mensageiras" a difunde: o texto é a derrota dos aliados com seus exércitos. À derrota segue-se o saque, que inclui primeiro terrenos nos quais viver e trabalhar, depois uma série de objetos preciosos, por seu material ou seu significado, talvez insígnias militares. Seria insensatez não ir ao saque. Durante a fuga do inimigo cai uma nevasca. Naturalmente, cabem outras explicações.

68,12 "Uma multidão anuncia", lit. "mensageiras". O termo hebraico pode ser feminino de ofício (Is 40,9; 52,7); formam um corpo numeroso e especializado.

68,13 Segundo o costume antigo, fugindo ao rei, foge o exército: 1Rs 22; Jt 14. "Campo e casa": os vencedores obtêm imóveis como colonos, conforme o costume antigo.

68,14a Alguns pensam que é glosa tirada de Jz 5,16. Na minha interpretação, seriam grupos que não foram à batalha, ou grupos de intendência: cf. Nm 31,25-31; 1Sm 30, 21-25.

68,14b Entre as diversas interpretações, prefiro a que o refere a estandartes militares: apoderar-se deles significa vitória e domínio; se além disso os estandartes reproduzem imagens de divindades, seu saque é caçoada sarcástica.

68,15 Talvez o poeta pense que a nevasca fosse teofânica. Sobre seu valor estratégico: Jó 38,22s; 1Mc 13,22. Pode-se observar a nota de cor: neve sobre o monte Sombrio (= Har-Salmon).

68,16-22 Chegamos à seção central, marcada pela convergência de dados formais e significativos: subir, instalar-se, cortejo, inimigos, rebeldes. Se Deus preparou uma herança para seu povo, é porque quer habitar no meio deles. A viagem do povo rumo ao descanso é a viagem de Deus. Começa uma era perpétua (17) que avança dia a dia (20).

¹⁷Por que invejais, montanhas escarpadas,
   o monte que Deus escolheu para nele habitar?
   O Senhor nele habitará para sempre.
¹⁸Os carros de Deus são milhares e milhares,
   milhares os arqueiros.
   O Senhor marcha do Sinai ao santuário.
¹⁹Subiste ao cume levando cativos,
   recebeste homens como tributo,
   inclusive rebeldes;
   e te instalaste, Senhor Deus.

²⁰Bendito seja o Senhor a cada dia:
   Deus se encarrega de nossa salvação.
²¹Deus é para nós o Deus Salvador,
   ao meu Senhor cabe livrar da morte.
²²Deus esmaga a cabeça do inimigo,
   o couro cabeludo de quem incorre em culpa.
²³Diz o Senhor: Eu os trarei de Basã,
   eu os trarei do fundo do mar,
²⁴para que banhes os pés no sangue,
   e as línguas dos cães
   se saciem no inimigo.

²⁵Aparece teu cortejo, Deus,
   o cortejo de meu Deus e meu Rei rumo ao santuário.
²⁶Na frente marcham os cantores,
   atrás os tocadores,
   entre jovens tocando pandeiros.
²⁷Bendizei a Deus na assembleia,
   ao Senhor na assembleia de Israel.
²⁸Aí os vai guiando Benjamim, o mais novo,
   os príncipes de Judá em tropel,
   os príncipes de Zabulon,
   os príncipes de Neftali.

68,16-17 Vendo que Yhwh escolheu um monte em Canaã, as altíssimas montanhas de Basã morrem de inveja, pois esperavam ou contavam com essa honra. O poeta as critica. A escolha do Senhor é soberana e definitiva.

68,18 O cortejo faz eco ao v. 5: "arqueiros", palavra muito discutida. O último versículo (levemente corrigido) resume toda a viagem que Nm 33 amplia em cerca de quarenta etapas.

68,19 De repente, dirige-se a Deus na segunda pessoa. "Subir" substitui com frequência o "sair" do êxodo, aqui condicionado pelo "cume" terrestre e celeste. Os prisioneiros marcham como despojos no desfile triunfal: cf. Nm 21,29; 31,36; Jz 5,12.

68,20 O louvor cotidiano indica que o culto começou seu ritmo.

68,21-22 Deus de atos salvadores, que controla a saída por onde se escapa da morte; não é um deus infernal que a controla. Há um inimigo que incorre em rebeldia: é executado ou triturado na batalha. Uma cabeça cabeluda, que exibe talvez a cabeleira como sinal de força e coragem: Jz 5,2; Dt 32,42.

68,23-24 São dois versículos difíceis de encaixar: pela fórmula ("diz") parecem começo, pelo tema bélico parecem continuação. Como "trazer" não tem complemento explícito, propõem-se duas interpretações: a) o inimigo, ao lugar da execução: cf. Am 9,2s; b) o povo desterrado e disperso, eu o farei voltar à pátria. "Cães" não domesticados tiram proveito da matança: 2Rs 9,10.36.

68,25-28 A vitória é celebrada com um desfile ou procissão. A forma adverbial bqdsh pode ser pontuada como direção ou modalidade. A descrição é estilizada. A tribo de Benjamim, o irmão menor, abre o desfile; segue-se a tribo de Davi, e acrescentam-se duas tribos do Norte. É possível que a lista completa incluísse as doze tribos, ou então que quatro represente a totalidade.

68,26 Para a participação feminina nos festejos, ver: Ex 15; 1Sm 18,7; 21,12.

68,28 "Guiando": o verbo empregado pode significar domínio; faria pensar no rei Saul, da tribo de Benjamim.

²⁹Manda, Deus, segundo tua autoridade,
   confirma, Deus, o que fizeste por nós
³⁰em teu templo de Jerusalém.
   Reis trarão tributo a ti.
³¹Reprime a Fera dos Caniços,
   a tropa dos Touros,
   os Novilhos dos povos:
      que se prostrem diante de ti com lingotes de prata.
   Desbarata os povos belicosos.
³²Cheguem os magnatas do Egito,
   Núbia estenda as mãos a Deus.

³³Reinos do mundo, cantai a Deus,
   tocai para nosso Senhor,
³⁴que cavalga pelos céus
   dos céus antiquíssimos;
   que faz trovejar sua voz potente.
      ³⁵Reconhecei o poder de Deus.
sobre Israel sua majestade,
   sobre as nuvens sua autoridade.
³⁶Formidável é Deus em seu santuário.
   O Deus de Israel
   dá força e poder a seu povo.
   Bendito seja Deus!

69 (Sl 109)

²Salva-me, Deus,
   pois a água me chega ao pescoço!
³Eu me afundo num lodo profundo
   e não posso firmar o pé;

68,29-36 A procissão se conclui com a homenagem do povo e a vassalagem de poderes estrangeiros. Divide-se em dois blocos com mudança de pessoa.

68,29-32 Na tradução optei por imperativos e jussivos; outros leem perfeitos e futuros (pode-se fazer o teste). A homenagem dos povos não implica necessariamente a conversão: Sl 102,16. Os rebeldes, derrotados, terão de submeter-se: Zc 14,16s.

68,29 Imperativo com valor intransitivo, como no Sl 33,9; 148,5.

68,30 "Tributo": ver Is 18,7; Sl 76,12.

68,31 "Reprime... desbarata": literalmente, "dá um bufido, dispersa"; podem-se entender unidos. A "Fera dos Caniços" é o Egito; "Touros" e "Novilhos" são títulos honoríficos de chefes (cf. Ex 15,15). Outros leem: "que se prostrem (idolatricamente) ante lingotes de prata".

68,32 "Magnatas" são os "gordos". "Estender as mãos" suplicando.

68,33-36 O convite final combina o particular com o universal: Israel com reinos do mundo, o santuário com os céus, o poder do povo concedido pelo poder de Deus. Na seção predomina a palavra "força" (e sinônimos).

68,33 A homenagem deve ser festiva e alegre. No Sl 29 são divindades que reconhecem Yhwh.

68,34 No texto hebraico "céus de céus", imaginando talvez esferas sobrepostas. "Antiquíssimos" como criação primordial.

68,35 Controla as nuvens e lhes dá ordens: Sl 78,23; Jó 38,37.

68,36 Comparar com o final do Sl 29.

Transposição cristã. Dado o caráter heroico do poema, sua amplitude e sua ligação com fatos fundamentais da história de Israel, compreendem-se o êxito e a riqueza da sua leitura cristológica. O v. 18 é citado em Ef 4,8; daí os Santos Padres passam a uma translação sistemática dos símbolos. Preparar o caminho e missão de João; resgatar os cativos e descida aos infernos; ressurreição e ascensão na subida ao cume, ao santuário celeste; os anunciadores e pregadores do evangelho; a tribo de Benjamim e Paulo. Embora algumas interpretações estejam baseadas em traduções errôneas, e algumas correspondências sejam mais engenhosas que acertadas, o conjunto mostra a riqueza de símbolos do salmo, ao menos potenciais, e a raiz simbólica de muitos temas do NT.

69 Observa todas as regras da súplica individual. O autor o define como *tflh*, implora com os imperativos clássicos; oferece como motivações a infelicidade pessoal, a bondade de Deus, a crueldade do inimigo e o escândalo dos bons; promete o louvor pessoal e alheio e expressa sua confiança no futuro. É fácil recordar no salmo a figura de Jeremias pela coincidência de situações, por parentesco de estilo e linguagem. Mas os dois versículos finais e algumas semelhanças com Lm 3 nos fazem pensar num des-

entrei em águas profundas
e a corrente me arrasta.
⁴Estou cansado de gritar,
tenho a garganta rouca,
meus olhos se turvam
de tanto aguardar por Deus.
⁵São mais que os cabelos da cabeça
os que me odeiam sem motivo,
são mais fortes que meus ossos
meus mentirosos inimigos.
O que não roubei,
deveria eu devolver?

⁶Deus meu, tu conheces minha ignorância,
minhas culpas não se ocultam a ti.
⁷Não fiquem frustrados por minha causa
os que esperam em ti, Senhor dos exércitos;
não se envergonhem por minha causa
os que te buscam, Deus de Israel.
⁸Pois por ti aguentei injúrias,
a vergonha cobriu o meu rosto.
⁹Sou um estranho para meus irmãos,
um estrangeiro para os filhos de minha mãe,
¹⁰porque o zelo por teu templo me devora,
e as afrontas com que te afrontam caem sobre mim.

---

terrado em Babilônia. Tanto Jeremias como o desterrado são recursos de leitura; o salmo ultrapassa as situações pessoais. Sobressai pelo sentimento lírico, pelo acerto descritivo, pela transformação imaginativa.

O eu do poema sente intensamente e consegue comunicá-lo eficazmente: cansa-se de aguardar, indigna-se, toma Deus por testemunha; o zelo o devora, seu coração se parte, prorrompe num ataque, pede compaixão como esmola, sente o afastamento dos seus, o escândalo dos bons, sente-se apertado, dolorido, ultrajado...

O sentimento não estorva a descrição: a garganta "lhe queima", um número é "como os cabelos da cabeça", e nos mostra os beberrões fazendo versos satíricos; pede olhos turvos e ombros vacilantes; vê o animal do sacrifício com chifres que apontam e com o casco fendido. O poema tem uma vertente realista.

Usa a água para uma espécie de macrometáfora: "as águas entram... eu entro nas águas". O homem fora do seu hábitat, que é a terra firme, sente-se num ambiente hostil que o agarra e devora. É excelente a descrição do v. 16. No final, na hora do louvor, convoca o mar, já submetido, e as criaturas que têm a água como hábitat (35).

A composição do salmo não é clara. Prestando atenção aos pronomes, invocações e outros fatores subordinados, divido o texto assim: 2-5.6-13/14-19.20-22/23-29/30-25/36-37. É um modo um tanto artificial de ajudar na leitura.

69,2-5 Depois do grito inicial e clássico, o orante aparece preso entre duas linhas de ataque, equivalentes a uma: a água, imagem dos inimigos. Deve-se imaginar a cena, ajudados talvez em parte por Jr 38,6. Alguns termos do v. 3 se aplicam aos egípcios no mar Vermelho. Alguns traduzem a "corrente" por redemoinho.

69,4 "Cansado": como Baruc em Jr 45,3. Os "olhos turvos" mostram que o "aguardar" tem algo de visual.

69,5a A multidão dos inimigos é tópica no gênero. A comparação recorda Sl 40,13. "Que meus ossos": corrigindo levemente o texto (haplografia).

69,5b É um pormenor concreto, que pode ser proverbial e recorda Jr 15,20 e também Sl 35,11. Se o tomamos em sentido próprio, significa que os inimigos, com artifícios, forçam o inocente a pagar dívidas não contraídas: ver Lv 5,23.

69,6 Diante da "falsidade" do inimigo, o orante invoca Deus como testemunha de sua consciência... confessando sua culpa. Ou seja: do que me acusam sou inocente, pois minhas culpas verdadeiras Deus as conhece. Jeremias toma Deus por testemunha de sua inocência: Jr 15,15; 17,16.

69,7 A sorte do orante vai repercutir na comunidade dos fiéis. O abandono do orante não será um fato isolado, mas provocará uma onda de desilusão e escândalo.

69,8 Tudo quanto sofre é por causa de Deus; portanto, Deus está comprometido e não pode omitir-se: Jr 15,15.

69,9 Uma consequência é o afastamento dos parentes, tema que ressoa com intensidade pessoal em Jr 12,6 e Jó 19,13-15.

69,10 Encontramos poucos casos de zelo do homem pela causa de Deus: Fineias (Nm 25, 11.13); Jeú (2Rs 10,16). Pelo templo, é caso único e dá margem a diversas conjeturas: o orante é um sacerdote, um exilado ou alguém que, regressando do desterro, trabalha na reconstrução do templo; cf. Jr 7.

¹¹Quando me aflijo com jejuns,
  caçoam de mim;
¹²quando me visto com pano de saco,
  riem de mim;
¹³sentados à porta cochicham,
  enquanto bebem vinho fazem piadas de mim.

¹⁴Mas eu, minha súplica vai a ti,
  Senhor, no momento propício.
Por tua grande lealdade responde-me, Deus,
  com tua fidelidade salvadora.
¹⁵Arranca-me do lodo, que eu não afunde,
  livra-me dos que me detestam
  e das águas sem fundo.
¹⁶A corrente não me arraste,
  não me trague o redemoinho,
  o buraco não se feche sobre mim.
¹⁷Responde-me, Senhor, com tua insigne lealdade,
  por tua grande compaixão volta-te para mim;
¹⁸não escondas o rosto ao teu servo,
  pois estou em perigo: responde-me logo.
¹⁹Aproxima-te de mim, resgata-me,
  livra-me de meus inimigos.
²⁰Tu conheces a afronta contra mim,
  minha vergonha e desonra,
  à tua vista estão os que me perseguem.
²¹A afronta me destroça o coração
  e desfaleço.
  Espero compaixão, e nada,
  consoladores, mas não os encontro.
²²Puseram-me veneno na comida
  e em minha sede me deram vinagre.

²³Que sua mesa se torne uma armadilha,
  e seus banquetes um laço.

69,11-13 Desenvolvem por descrição o versículo precedente. O amor ao templo o leva a práticas de luto pela casa de Deus: destruída? Recorde-se que Ezequiel fala do templo quase em termos conjugais (Ez 24). Fazer luto pelo templo é considerado ridículo por outras pessoas; zombam pública e ostensivamente, inventando e cantando versos satíricos; como os que faziam para Ezequiel (Ez 13). Is 28 refere-se aos beberrões zombeteiros que remedam deformando suas palavras. Não creio que "sentados à porta" designe aqui magistrados.

69,14-22 Formam o bloco dominado pelo pedido, com temas e linguagem mais convencionais, exceto alguns detalhes.

69,14 Serve de ligação e de contraste, pelo pronome enfático. O primeiro hemistíquio é notável pelo estilo nominal sem verbos, como um grito semi-articulado. Uma tradução literal soaria assim: "Mas eu, minha súplica a ti, Senhor, ocasião favorável". No segundo hemistíquio, a última combinação é original.

69,15 Retorna a imagem da água, com uma linguagem que recorda Jr 38,6s.9-11.13.

69,16 É um magistral trio descritivo. O primeiro membro repete 3b, no segundo sobressai o verbo "tragar" e o terceiro consuma o fato. Uma vez que o redemoinho abriu suas fauces para tragar o náufrago, fecha-as sem piedade sobre a presa. Comparar com Lm 3,53-55.

69,18 Ver Sl 102,3; 143,7.

69,19 "Resgata-me": verbo frequente no Segundo Isaías.

69,20 Soa como resumo dos vv. 10-13.

69,21 Em Jr 23,9 lemos "meu coração se parte". O mesmo verbo do salmo, para "consolar", é usado em Jr 15,5; 16,5 e Jó 2,11.

69,22 Se não é hipérbole, trata-se de tentativa de envenenar. Jeremias fala de água envenenada em 8,14; 9,14; 23,15; Lm 3,5.19 menciona o veneno.

69,23-29 A maldição contra o inimigo é violenta: comparar com Jr 18,21s. A encenação é judicial. A vítima inocente não faz vingança pelas próprias mãos, mas apela ao juiz competente. A alegação contém a acusação ou denúncia do delito (22.27), invoca a justiça vindicativa (23s.26), a ira equivale a sentença

²⁴Que seus olhos se apaguem e não vejam,
faze que suas costas fraquejem.
²⁵Descarrega sobre eles o teu furor,
o incêndio de tua ira os alcance.
²⁶Que suas terras se tornem um deserto,
e ninguém habite suas tendas.
²⁷Porque perseguem aquele que tu feriste
e contam as chagas daquele que laceraste.
²⁸Atribui-lhes delito por delito,
que não gozem de teu indulto.
²⁹Sejam apagados do registro dos vivos,
não sejam inscritos com os honrados.

³⁰Mas a mim, pobre e ferido,
tua salvação, Deus, me levantará.
³¹Louvarei o nome de Deus com cantos;
com ação de graças te engrandecerei:
³²isso agradará a Deus mais que um touro,
que um bezerro com chifres e casco fendido.
³³Olhai-o, humildes, e alegrai-vos;
vós que buscais a Deus, recuperai o ânimo.
³⁴Pois o Senhor escuta os pobres
e não despreza seus cativos.
³⁵Louvem-no o céu e a terra,
os mares e tudo o que neles se move.

³⁶Pois Deus salvará Sião
e reconstruirá os povoados de Judá:
eles aí habitarão e possuirão,
³⁷a estirpe de seus servos a receberá em herança,
os que amam seu nome nela viverão.

de condenação (25), adianta-se para pedir que não seja concedido indulto (28b), pede a execução (29).

69,23 Para entender a imagem, deve-se recordar que a "mesa" era um couro curtido ou pano grosso estendido no chão, ao redor do qual os comensais sentam ou se recostam. De repente a toalha cede, porque esconde uma armadilha que apanha o confiante comensal pela mão ou pelo pé.

69,26 "Terras": o vocábulo escolhido é raro no AT: Gn 25,16; Nm 31,10; Ez 25,4; 1Cr 6,39. Ficar sem habitantes equivale à extinção da família, ao esvaziamento do lar: Jr 2,15; 9,10 etc.

69,27 O delito concreto é enfurecer-se contra o caído. Se a culpa de um homem justifica o castigo de Deus, não justifica a perseguição vinda do próximo, pois seria intrometer-se na jurisdição divina.

69,27 O hebraico diz "contam": Deus o feriu e eles prazerosos contam as feridas. Com leve correção, outros leem: "acrescentam" feridas às de Deus.

69,28 "Atribuir": em vez do verbo *natan*, aqui usado, Jr 25,12; 36,31 emprega *paqad*. O segundo hemistíquio é literalmente "que não entrem em tua justiça": ou seja, no direito que a parte inocente ou a autoridade suprema tem de perdoar um delito, eliminando a culpabilidade. Como se "incorre" num crime, assim se "incorre" no indulto.

69,29 Sobre esse "registro", Ex 32,32s; Is 4,3; Dn 12,1.

69,30 Muda a direção com um enfático "mas a mim", e se introduz a ação de graças ou louvor futuro. "Levantar" em lugar alto, seguro e defendido.

69,32 O casco fendido é marca de validade (cf. Lv 11), os chifres que apontam são atributo de força. É convicção do Cronista o maior apreço do canto em relação ao sacrifício.

69,33-34 Afasta o perigo enunciado em 6s. Deus não despreza o afligido, o pobre e o prisioneiro.

69,35 Somam-se o louvor cósmico do céu e da terra, as duas metades do universo criado. O poeta acrescenta o mar, com o olhar atraído pelo prodigioso pulular de vida que descobre ou adivinha; como no final do Salmo 8.

69,36-37 Podem ser tomados como acréscimo, apêndice ou conclusão. Se pertencem ao salmo, nos levam à situação do desterro. Se são acréscimo, coincidem com o final do Salmo 51. Em qualquer caso, pelas relações temáticas, esses versículos acrescentados estão habilmente integrados no poema.

Transposição cristã. Comecemos pelas citações. O v. 5 em Jo 15,25; 10a em Jo 2,17; 10b em Rm 15,3; 13 por alusão em Mt 27,27-30; 22 nova alusão em Mt 27,34; Mc 15,23; 23-24 em Rm 11,9; 26 em At 1,20; 29 o registro dos vivos em Fl 4,3; Ap 3,5; 13,8. Com esses dados, os Santos Padres podem aplicar o salmo à paixão de Cristo.

70 (69)

(Sl 40,14-18)

²Ó Deus, vem livrar-me!
  Apressa-te, Senhor, em socorrer-me!

³Sofram derrota vergonhosa
  os que me perseguem mortalmente,
retrocedam confundidos
  os que desejam minha desgraça.
⁴Retirem-se derrotados
  os que caçoam: Ah! ah!
⁵Que te festejem e celebrem
  os que te buscam;
os que amam tua salvação digam sempre:
  Deus é grande!

⁶Eu sou um pobre infeliz!
  Deus, apressa-te em favor de mim!
Tu és meu auxílio e meu salvador;
  Senhor, não demores!

71 (70)

(Sl 90)

¹Em ti, Senhor, eu me refugio:
  que eu não fracasse para sempre.
²Por tua justiça livra-me e põe-me a salvo,
  dá-me ouvidos e salva-me.
³Sê minha rocha hospitaleira, sempre acessível,
  pois mandaste salvar-me.
Tu és meu rochedo e minha fortaleza.

---

70 Nós o lemos como parte final do Salmo 40. O salmo é como o desenvolvimento do grito germinal "socorro", "depressa": pela repetição da pressa (6), pelo uso de sinônimos de socorrer (5b.6b); o socorro implica um perigo (3). Conta-se com a resposta de Deus, que será devidamente celebrada (5).

Transposição cristã. Os Santos Padres põem esse salmo na boca de Cristo, orando pela humanidade. As zombarias: Mt 27,42s; o "retroceder" no horto (Jo 18,6); confessa-se pobre porque, "sendo rico, por vós se torna pobre" (2Cor 8,9). O Pai se apressa em livrá-lo na ressurreição.

71 É um salmo de súplica com muito de hino de louvor. Acontece que, em vez de concentrar louvor e ação de graças no final, os distribui ao longo do texto. Tomando como referência o louvor, é possível dividir o salmo em quatro seções. Pedido (1-4), motivação (5-7), louvor (8); pedido (9), motivação (10s); pedido (12-13), louvor (14-16); narração, pedido e promessa de louvor (17-19); narração (20a), profissão de esperança (20b-21), promessa de louvor (22-24). A composição não é rigorosa.

Situação. Específico desse salmo é ser pronunciado por um ancião: alguns versículos o dizem expressamente, outros pelo contexto. Esse ancião recorda agradecido a própria vida, transborda de esperança e sente que lhe resta uma tarefa. Remonta ao nascimento, que não é território da memória; recorda a adolescência ou juventude. De maneira global, recorda suas tribulações e perigos; e nos dá uma referência tão fugaz quanto densa: "me instruíste". Repassar a vida como aprendiz da escola de Deus é grande confissão. Para esse ancião, a esperança não é simples recordação da juventude, mas experiência atual. Mais ainda, teve daí em diante uma tarefa. Sendo portador vivo de uma tradição religiosa, tem de transmiti-la à nova geração dos netos (cf. Pr 17,6). Esse ancião não cultiva uma saudade melancólica e paralisante.

O começo do salmo tem sete sentenças coincidentes com o começo do Salmo 31. Mas esse não fala de doença, nem de solidão; os perigos são uma lembrança. Contudo, fala, sim, de hostilidade. Pelas fórmulas empregadas, parece que não é queixa convencional.

71,1-8 O orante acumula títulos de Deus, tradicionais ou modificados: rocha acessível, penhasco e fortaleza; e o trio refúgio, esperança e confiança. Começa a oração copiando ou evocando; sua espiritualidade se formou nos salmos.

71,1 Sua vida até agora não foi fracasso; mas, se os inimigos o privam da etapa e da tarefa pendentes, uma parte da sua vida terá fracassado.

71,2 Com quatro imperativos apela para a justiça de Deus, como vítima inocente diante do juiz ou do governante.

71,3 "Rocha hospitaleira" é paradoxal; supõe a mudança de uma consoante em relação a 31,3. Mas, contando com Is 33,16, não tento harmonizá-los.

⁴Deus meu, livra-me da mão perversa,
   do punho criminoso e violento;
⁵porque tu, meu Senhor, foste minha esperança
   e minha confiança, desde a minha juventude.
⁶Logo ao nascer eu me apoiava em ti,
   tu me tiraste do ventre materno.
   Para ti meu louvor continua.
⁷Muitos me olhavam como um prodígio,
   porque tu és meu forte refúgio.
⁸Minha boca está cheia de teu louvor
   e de teu elogio o dia todo.

⁹Não me rejeites agora na velhice,
   quando me faltam as forças, não me abandones,
¹⁰pois meus inimigos falam de mim,
   os que espreitam minha vida se reúnem,
¹¹dizendo: Deus o abandonou:
   persegui-o, agarrai-o, pois ninguém o defende.
¹²Ó Deus, não fiques longe,
   Deus meu, apressa-te em socorrer-me.
¹³Que fracassem e se acabem
   os que atentam contra minha vida;
   fiquem cobertos de opróbrio e vergonha
   os que procuram a minha desgraça.

¹⁴Eu, porém, aguardo continuamente,
   redobrando teus louvores.
¹⁵Minha boca explicará tua justiça
   e tua salvação o dia todo.
   Embora não seja hábil em contar,
¹⁶entrarei com a força do Senhor
   para anunciar a tua justiça, só tua.

¹⁷Tu me ensinaste, Deus, desde a juventude
   e até hoje relato as tuas maravilhas.

71,5 O primeiro salto é para a juventude. Uso frequente: 1Rs 18,12; Jr 3,24s; Ez 4,14 etc. Pode ser o tempo em que alguém se torna independente, escolhe a profissão, se casa.

71,6 Da juventude passa ao nascimento. Agora lhe consta que Deus está aí, quase como parteira: Ex 22,10s. É duvidoso o significado da palavra que traduzo por "tiraste".

71,7 "Prodígio" ou sinal; encontra-se em contextos proféticos, como Is 8,18; 20,3; Ez 24,20.27. A vida do ancião, sem ser profeta, é um símbolo.

71,9-16 A segunda parte cede espaço limitado aos inimigos: sua atividade (10s) e seu castigo (13). O resto é pedido (9.12) e louvor (14-16).

71,9 Não lhe falte na velhice, quando é mais necessário, o que teve na infância. Deus não o abandone na situação atual aceita.

71,10 "Espreitam minha vida": tomo-o como uso anômalo da expressão.

71,11 Querem aproveitar-se, não tanto da sua fraqueza, quanto do suposto abandono de Deus.

71,12 Supondo que seja posterior, traz reminiscências de Sl 22,12.20; 35,22; 38,22;

71,13 "Se acabem", conforme o texto hebraico. Outros preferem corrigi-lo segundo a fórmula normal "fiquem confundidos": Sl 35,4.

71,14 É um aguardar sem pausa, um estar pendente; mas sereno, pelo louvor que o acompanha.

71,15b-16 Cabem duas interpretações, que afetam o termo *sprwt* e o vínculo sintático. a) Na linha de número, parafraseio: "passarei o dia contando, porque para mim não tem conta. Entrarei...": comparar com Sl 139,17s; Eclo 43,28.30. b) Na linha de instrução, seja conhecimento de livros escritos, seja habilidade na arte de contar (Eclo 38,24; 44,4); unido ao que se segue como concessiva. Parafraseio: "embora eu não entenda de letras/não sou perito em narrar, com a fortaleza do Senhor entrarei...". Na segunda interpretação, o orante confessa não pertencer ao grupo dos doutos; mas se atreve, "fortalecido" por Deus: cf. Mq 3,8.

71,17-19 O ancião debilitado se detém na "força" de seu Deus; força inteiramente destinada à justiça, uma justiça que supera toda dimensão humana. "Quem é como tu?": Ex 15,11; Sl 35,10; 89,79.

¹⁸Agora, na velhice e nos cabelos brancos,
  não me abandones, ó Deus,
  até que eu anuncie teu braço e tua força
    à geração vindoura,
¹⁹e a tua justiça, Deus, que é sublime,
  e as façanhas que realizaste:
  ó Deus, quem é como tu?

²⁰Fizeste-me passar perigos
    numerosos e graves.
  De novo me farás reviver.
  Das profundezas da terra,
    de novo me levantarás;
²¹farás crescer minha dignidade
    e voltarás a consolar-me.
²²E eu te darei graças com a harpa,
    Deus meu, por tua fidelidade;
  tocarei a cítara em tua honra,
    Santo de Israel.
²³Meus lábios te aclamarão
    e meu alento, que redimiste.
²⁴E minha boca o dia todo
    meditará tua justiça,
  porque fracassaram envergonhados
    os que procuravam a minha desgraça.

72 (71)

(2Sm 23,1-7)

¹Ó Deus, confia teu julgamento ao rei,
  tua justiça a um filho de rei.

71,20-21 Brevemente repassa as desgraças passadas e a libertação pendente e esperada. Deus é o sujeito único dos oito verbos (vários auxiliares). Um se refere ao passado, quando as tribulações eram parte da instrução divina. Sete visam ao futuro próximo. Os conteúdos são três bens: vida, dignidade e consolo. "Profundezas da terra" é expressão única: creio que no salmo refere-se ao reino da morte: ver Sl 30,2.

71,22-24 O orante responderá com um louvor generoso e entusiasta. O procedimento do paralelismo obriga a certas convenções e cria uma ilusão de pluralidade simultânea.

Transposição cristã. Alguns Santos Padres põem o salmo na boca de Cristo, tomando velhice por fraqueza. Retêm referências ao nascimento, à instrução celeste, às tribulações, à ressurreição.

72 Pelo conteúdo é um salmo real, que faz companhia ao 2, 45 e 110. Pela forma é uma espécie de ladainha de invocações ou enunciados. Podemos supor que a situação é uma festa real: o dia da entronização enquadraria muito bem. O salmo pode ter sido recitado por um solista ou por uma assembleia. Pode ilustrá-lo a escolha de Saul, conforme 1Sm 10,25-27. É difícil definir se se fazem votos pelo rei e seu bom governo, ou se é anunciada uma era de justiça e prosperidade. O hebraico distingue poucas vezes entre volitivo e enunciativo. No salmo: a gramática impõe ler como volitivos "tenha piedade", "viva", "esteja" (13.15a.16b.17a), e recomenda tomar outros como volitivos, p. ex. "rezem" (15); o estilo, em virtude do paralelismo, o recomenda para outros, p. ex. "se agitem" (16); finalmente, o tema favorece o valor volitivo de outros, como "dure" (5, corrigido). Em outros casos, a forma *yiqtol* parece corresponder ao futuro. As traduções modernas mostram variedade ou indecisão.

Diante da dificuldade, apresento várias hipóteses de leitura. a) Um imperativo inicial dirigido a Deus, "confia", torna o salmo uma súplica e transforma o resto em consequência. Ou seja: confia ao rei tua própria justiça, e ele governará retamente. Os versículos 15-17 dificilmente se encaixam. b) Uma série de volitivos; exceto o v. 12, que é motivação ou explicação subordinada. c) Desfia lisonjeiramente uma ladainha de coisas boas que começam com o novo reinado. Os versículos finais mudam de chave. Inclino-me ao sentido volitivo como sentido original, sabendo que o desejo ultrapassa a realidade e até mesmo a esperança razoável, que o desejo alimenta a esperança e até renasce depois da desilusão.

Mais importante que tudo isso, e bem claro no texto, é o ideal de bom governo que aqui se expressa. O bom governo se baseia na administração da justiça (1). A justiça visa especialmente aos pobres e desvalidos (4.12). Tem inimigos internos que é necessário reprimir (12.14). Do bom governo se seguem paz e prosperidade (7). Cito só um livro bíblico: Pr 8,15s; 16,12; 20,26.28; 25,5; 29,14. A prosperidade é aqui de

²Governe teu povo com justiça,
   e teus afligidos com retidão.
³Montes e colinas tragam ao povo
   paz por meio da justiça.
⁴Que ele defenda a gente oprimida,
   salve as famílias pobres
   e esmague o opressor.

⁵Que dure em companhia do sol,
   diante da lua, de era em era.
⁶Desça como chuva sobre a erva,
   como chuvisco que empapa a terra.
⁷Em seus dias floresça o honrado,
   e haja prosperidade até que falte a lua.

⁸Que domine de mar a mar,
   do Grande Rio aos confins da terra.
⁹Em sua presença se curvem os beduínos,
   e seus inimigos mordam o pó.

¹⁰Que os reis de Társis e as ilhas
   lhe paguem tributo;
¹¹os reis de Sabá e da Arábia
   lhe ofereçam seus dons;
todos os reis se prostrem diante dele
   e todos os povos o sirvam.

¹²Porque ele livra o pobre que pede auxílio,
   o oprimido que não tem protetor.
¹³Que tenha piedade do pobre e desvalido,
   e salve a vida dos pobres.

---

cunho agrícola, não comercial (16); tem expansão internacional (10s.15a). Acolhe um horizonte cósmico.

72,1-3 A primeira seção apresenta os personagens: Deus, o rei e um cenário de montanhas. Deus é a primeira palavra do poema. Possui uma justiça sua, que exerce no governo do mundo e que delega para que o seu povo conviva na justiça: cf. 2Cr 19,6. O rei é "filho de rei", ou seja, de estirpe real, davídica, não usurpador; está em função de "teu povo", que é de Deus e não seu, e é hoje um povo "aflígido": por abusos de governantes anteriores? "Montes e colinas" podem representar a paisagem, a configuração de Judá: Ex 15,17; 1Rs 20,23; Is 14,25 etc.

72,4 O julgamento/governo será "salvação" para um proletariado de pobres; mas exige enfrentar o opressor.

72,5 Medir a duração de seu governo com o sol e a lua, é hipérbole tolerável? O Sl 89,37s o diz da dinastia. Também estranha a expressão "em frente de"/"diante da lua". Uma conjetura: que dure seguindo o ritmo do sol e da lua, "senhores" do dia e da noite; mas isso poderia ser dito de qualquer coisa.

72,6 A chuva alivia e fertiliza: comparar com Pr 16,15; 19,12; e as últimas palavras de Davi em 2Sm 23,4.

72,7 A terra responde à chuva germinando e florescendo; mas aqui, o que floresce é um "honrado"; a não ser que leiamos "justiça", em bom paralelismo com "prosperidade".

72,8 Fronteiras de um soberano que impõe sua autoridade sobre reinos vassalos. "De mar a mar" em sentido realista seria do mar Morto ao Mediterrâneo; em sentido cosmológico, as fronteiras do grande oceano que rodeia os continentes. "Grande Rio" costuma designar o Eufrates: Zc 9,10.

72,9 Começa pelos povos hostis. "Beduínos" é tradução conjetural de um termo enigmático. "Morder o pó" é gesto de submissão desprezível: Is 49,23; Mq 7,17.

72,10 É a vez dos vassalos obedientes, que cumprem seu dever trazendo tributo. Dois países são marítimos, dois são continentais. "Ilhas" ou penínsulas, litoral.

72,11 Literalmente significa um domínio universal, do universo então conhecido: mera hipérbole cortesã?

72,12 É introduzido como motivação: a submissão, ou quanto precede, é consequência ou se justifica "porque" esse rei "livra o pobre que pede auxílio"; não por seu poder militar ou econômico.

72,13-14 A repetição de "vida" em ambos os versículos (em hebraico) nos diz que é questão de vida ou morte. O rei não está disposto a sacrificar os súditos mais humildes, pois aprecia sumamente o "sangue" = "vida". "Resgatar" vidas pode ser fazer justiça condenando à morte o homicida. Creio mais provável que "resgatar" se refira aqui ao perigo grave, não ao homicídio consumado.

¹⁴Que os resgate da crueldade e da violência
e tenha seu sangue em grande apreço.

¹⁵Que viva! Que lhe deem ouro de Sabá,
rezem por ele continuamente
e o bendigam o dia todo.
¹⁶Sejam abundantes as messes do campo
e se agitem no alto dos montes.
Seu fruto esteja viçoso como o do Líbano
e os feixes como erva do campo.
¹⁷Que seu nome seja eterno,
brote seu nome diante do sol.
Que todos os povos o felicitem
e o invoquem como bênção.

* * *

¹⁸Bendito seja o Senhor Deus de Israel,
o único que faz maravilhas!
¹⁹Bendito para sempre seu nome glorioso,
e que sua glória encha a terra!
Amém, amém!

²⁰(Terminam as súplicas de Davi, filho de Jessé.)

73
(72)

¹Como Deus é bom para o honrado,
Deus para os limpos de coração!
²Mas eu, por pouco meus pés tropeçam,
quase resvalaram minhas pisadas,

72,15 Começa com o grito clássico: Viva! 1Sm 10,24; 2Sm 16,16; 1Rs 1,25.31.34-39. O verbo "dar" é lido na voz passiva ou como impessoal. "Bendizer" é desejar-lhe bênçãos de Deus.

72,16 O pedido de prosperidade agrícola, se o texto não está deteriorado, é paradoxal: trigo nas alturas, terremoto de espigas, fruto que floresce, ou feixes, aliança da floresta do Líbano com a erva dos prados...

72,17 Terceiro pedido. O nome se perpetua na memória e na descendência. Esse nome receberá a felicitação dos pósteros e se usará como modelo e penhor de bênção, como o de Abraão: Gn 12,3; 18,18; 22,18. Um rei com algo de patriarca.

Transposição cristã. A tradição rabínica aplicou esse salmo ao Messias; os cristãos o identificam com Jesus de Nazaré. Uma vez feita a transposição global, podemos descobrir ressonâncias particulares no NT. Reino eterno: Lc 1,33; universal: Mt 2,2; Ap 15,4; reino de justiça e paz: Mt 5,6.9; Rm 14,17; 1Cor 1,30; Ef 2,14; Tg 3,18; vitória sobre o opressor: Lc 11,21s; Ap 17,15; a favor dos pobres: Mt 5,2; Lc 4,18; 7,22; resgatar ou vingar: Tt 2,14; Mt 20,28; Ap 6,10. Que viva: Ap 1,18; Rm 6,9; reconhecimento universal do nome: Fl 2,10; Ap 14,6. A lista poderia facilmente ampliar-se.

73 É difícil classificar esse salmo, e pouco importa. Vou tomá-lo como meditação sapiencial. A questão debatida, a retribuição de bons e maus, é de tipo sapiencial, e tem contatos com páginas de Jó e Eclesiastes. Sapiencial é o vocabulário condutor e também o procedimento da etopeia (descrição de tipos).

Mas não é um debate intelectual. O problema é intensamente personalizado. Mais que tema de reflexão, é experiência dolorosa, perigosa e estimulante. Seis vezes soa a palavra *leb* = mente, em sugestivas combinações. O orante expressa a interioridade em termos corporais, englobando olhares e ações, paixões e fantasias, sentindo a radical unidade do homem. A etopeia entra no poema vista pelo orante. Como peça de introspecção, o salmo é superlativo: o "azedar-se", as "pontadas" internas, a auto-acusação matutina, os condicionais potenciais ou irreais em que aflora o diálogo interior. O orante toma a si mesmo como objeto de observação e busca, criando uma linguagem para expressar a misteriosa intimidade.

Mas a resposta ao problema não é sapiencial. A reflexão fracassa, e era necessário o fracasso para que o orante se abrisse a uma visão nova, não conquistada, mas concedida. Quando o homem se declara vencido, Deus lhe abre os olhos... ou as portas. Deus se comunica ao orante; ele não se comunica no mesmo grau ao leitor, mas o convida a repetir a experiência.

Uns termos do salmo, conjugados, colocam outra questão: "sempre", "glória", "final", "arrebatar" projetam a solução para outra vida feliz? Entendo que o orante vive ainda no horizonte intramundano do AT; mas, pela intensidade da sua experiência espiritual, abre nele uma brecha. Leituras sucessivas irão descobrindo e tornando convicção aquilo que o orante vislumbra.

³porque eu invejava os perversos
   vendo prosperar os ímpios.

⁴Para eles não há dissabores,
   seu ventre está sadio e roliço;
⁵não passam as fadigas humanas
   nem sofrem como os demais.
⁶Por isso, seu colar é o orgulho
   e vestem traje de violência.
⁷Seus olhos surgem entre as carnes
   e lhes passam fantasias pela mente.
⁸Insultam e falam com malícia
   e do alto ameaçam com a opressão.
⁹Sua boca se atreve contra o céu
   e sua língua passeia pela terra.
¹⁰Por isso, seus sequazes os seguem
   e deles bebem copiosamente.
¹¹Eles dizem: Irá Deus saber disso,
   o Altíssimo irá perceber?

¹²Assim são os perversos,
   e, sempre seguros, acumulam riquezas.

¹³Então, para que purifico minha consciência
   e lavo minhas mãos como inocente?
¹⁴Para que suporto eu o dia todo
   e me corrijo a cada manhã?

É possível esquematizar a composição, contanto que se saltem, ou se sublinhem, irregularidades significativas. A partícula *'ak* e o pronome enfático *eu* são indícios úteis. Assim, pois, proponho: vida feliz dos maus, dominam "eles" (2-12); vida infeliz do orante, domina o eu (13-16); destino infeliz dos maus, domina Deus (17-22); destino feliz do orante, união de Deus com o eu (23-26); conclusão (27-29).

73,1 Com a maioria, aceito a leve correção gráfica que restabelece o paralelismo. "Israel" seria uma leitura posterior, nacionalista. É um aforismo tradicional, pronunciado em tom ponderativo, tomado como tema de meditação. Prontamente irá surgir a objeção.

73,2-12 Porque sua experiência pessoal diz o contrário e o faz vacilar. Será uma tentação que se deve rejeitar para reafirmar o aforismo inicial? O orante faz o contrário: mobiliza a fantasia para que esta projete em sua mente imagens de maus felizes. A imaginação se compraz em contemplar cenas que contradizem a doutrina recebida (cf. Jó 21).
A descrição escolhe detalhes significativos: visuais, como o corpo (ou ventre) roliço, os olhos apenas aparecendo num fundo gordo, o pescoço do qual pende a soberba. Escuta suas palavras lançadas da arrogância desdenhosamente. Retrata-os no meio do universo, aplicando ao céu sua boca blasfema e varrendo a terra com a língua. Penetra no seu interior, por onde passam fantasias, e nega um Deus que retribua. Formam uma classe privilegiada acima da sorte comum dos mortais, e arrastam uma multidão de admiradores e seguidores encantados. A descrição é magistral e está inteiramente a serviço da oração como peça dialética.

73,3 Recorde-se o conselho de Pr 24,1.
73,5 Pela escritura do hebraico, os antigos leram aqui uma referência à morte.
73,6 Uma qualidade abstrata é apresentada como peça de vestuário: cf. Is 11,5.
73,7 Mantenho a leitura hebraica, que diz "olhos"; gordura e mesmo obesidade como sinal de bem-estar: Jó 15,27; Dt 32,15; Jr 46,21. Os antigos leram "crimes".
73,8 "Do alto" pela posição social.
73,9 Constituem-se em centro do universo, ao menos com a língua (cf. Sl 12).
73,10 O texto desse versículo é muito difícil. Os antigos leram uma referência ao "povo", que "retorna" do desterro e alcança "longa vida". Não faz sentido no contexto. Interpreto "seu povo", sua gente, os seus; beber ou sorver, como metáfora que expressa a avidez com que os escutam.
73,11 Tema frequente: Is 29,15; Ez 8,12; Eclo 23,18 etc.
73,12 Balanço da descrição. As riquezas podiam ser consideradas como bênção celeste.
73,13-17 O pior de tudo é o seguinte: enquanto os maus passam bem, o bom sofre (14), examina-se criticamente (12.14), lava mãos e coração (13). Quase dá um passo em falso, que consistiria em passar para o outro bando, traindo o próprio grupo. O que o sustenta na tentação é a lealdade ao seu grupo, através do qual Deus se aproxima dele como Pai comum (15). Pela primeira vez no salmo se dirige a Deus na segunda pessoa.
73,13 Purificação interior e exterior: Is 1,16; Pr 20,9.
73,14 O período da manhã é o tempo preferencial do julgamento.

¹⁵Se eu dissesse: vou falar como eles,
   estaria renegando a estirpe de teus filhos.

¹⁶Meditava eu para entendê-lo,
   mas parecia-me muito difícil,
¹⁷até que entrei no mistério de Deus
   e compreendi o destino deles.

¹⁸É verdade: tu os pões no resvaladouro,
   e os precipitas na ruína;
¹⁹num momento causam horror
   e acabam consumidos de espantos:
²⁰como um sonho ao despertar, Senhor,
   como imagens
   que são desprezadas ao levantar.

²¹Quando meu coração se azedava
   e os rins me espicaçavam,
²²eu era um néscio e ignorante,
   era um animal diante de ti.

²³Mas eu sempre estarei contigo:
   pegas minha mão direita,
²⁴e me guias segundo teus planos,
   e me levas a um destino glorioso.
²⁵A quem tenho eu no céu?
   Contigo, o que me importa a terra?
²⁶Ainda que minha carne e minha mente se consumam,
   Deus é a rocha de minha mente, minha porção perpétua.

²⁷Sim, os que se afastam de ti se perdem,
   destróis os que te são infiéis.

73,15 Surge o monólogo interior em forma potencial.
73,16-17 Versículos capitais para compreender, para chegar ao processo da oração. A tentação continua de pé ameaçando, e ele continua dando voltas ao redor do problema, sem resultado. O "mistério" ou os santuários, referidos ao recôndito: comparar com Sb 2,22. Do lugar de Deus se abre para ele uma perspectiva para o futuro. Da altura e espaço se comprime, o tempo se encolhe. Depois, compara a visão de um horizonte distante com reflexões ao rés do chão.
73,18-19 Todo o longo itinerário dos maus é escorregar, precipitar-se, acabar; com seu acompanhamento de "horror" e "espantos".
73,20 A vida é um sonho; a vida dos maus, esclarece o orante.
73,21-22 Encontrada a solução da primeira parte do problema, o orante reflete retrospectivamente sobre sua reflexão. Na nova luz, o que significa a fadiga precedente? Ele o diz com duas imagens eficazes, do gosto e do tato. A reflexão humana, comparada com a contemplação iluminada por Deus, é como o animal comparado ao homem (Pr 30,2). Como se a revelação conferisse ao homem uma nova racionalidade.
73,23-26 Quarta parte. No processo ou no momento da contemplação, o orante descobriu algo mais importante que a resposta a um problema. Importa pouco que o outro nos tenha ensinado, o importante é sentir-se perto do Outro.

73,23-24 A proximidade se desdobra em três ações. "Pegas": é raro com Deus por sujeito (Sl 77,5; Jó 16,12). "E me guias": é frequente no saltério (23,3; 31,4; 61,3 etc.). "E me levas" (arrebatas): é o verbo de Henoc, Elias e de Sl 49,16. Os três formam uma espécie de êxodo libertador terminado em Deus.
73,25 Versículo culminante no saltério e no AT, que deve ir com Gn 32 e 1Rs 19. Todos os bens que viu os maus desfrutando e que chegou a invejar, perdem seu valor comparados com o possuir Deus. A terra é o dom fundamental na teologia da libertação: agora a terra não importa. O encontro pessoal ultrapassa e anula todo o resto.
73,26 Como Deus se ofereceu em sua pura pessoa, abolindo o resto, assim o orante penetra no íntimo do seu ser pessoal, também abolindo carne e mente. A carne orgulhosa dos maus tinha seus bens, sua mente estava povoada de fantasias; resta algo mais íntimo que carne e mente, capaz de possuir Deus. A "porção" ou lote era a participação da família na partilha da terra. "Perpétua": que alcance tem o adjetivo? O orante transcendeu e agora está centrado em Deus, transcende céu e terra, e é Deus quem define a dimensão como "perpétua".
73,27-28 Formam um balanço final mais sossegado: 27 responde a 18-20, 28 responde a 24-26: a sorte dos maus e sua experiência pessoal.

²⁸Para mim, a felicidade é estar junto de Deus,
fazer do Senhor o meu refúgio
e narrar todas as tuas ações.

74 (73)

(Sl 76; Lm 2; Eclo 36,1-22)

¹Por que nos abandonaste, ó Deus,
e arde tua cólera contra as ovelhas de teu rebanho?
²Lembra-te da comunidade que fundaste outrora,
que resgataste como tribo de tua propriedade,
do monte Sião onde habitavas.
³Dirige teus passos a estas ruínas perpétuas,
a todos os destroços do inimigo no santuário.

⁴Os agressores rugiam no meio da tua assembleia,
plantaram como insígnia seus estandartes.
⁵Como quem abre caminho a machadadas
bosque acima,
⁶arrancaram todos os relevos
e os trituraram com martelos e maças;
⁷puseram fogo em teu santuário,
profanaram por terra a morada de teu nome.
⁸Propunham: Queimai toda a sua linhagem,
todas as assembleias de Deus no país!

Transposição cristã. Em Fl 3,7-9 Paulo nos oferece uma pista. A esperança segura da ressurreição abre ao cristão um novo horizonte; ora, nem por isso deve omitir-se os problemas que a vida nos apresenta; antes, deve levá-los à oração com coragem e sinceridade.

74 É uma súplica coletiva num desastre nacional. Faz companhia ao 46 e ao 79. O 46 protesta inocência, este 74 não menciona tal pecado, o 79 confessa o pecado. O desastre descrito se concentra na destruição do templo: tem de ser a do ano 587/586. Tem muitos contatos com Lamentações; uma leitura completa de tal texto é a melhor introdução para compreender esse salmo. Com vigor descreve a violência destruidora do inimigo e apela para a honra de Deus ultrajado e para suas proezas precedentes. A composição avança por blocos desiguais mente definidos. É fácil seguir o movimento do salmo. Começa apaixonadamente, interpelando Deus, como se explodisse uma impaciência reprimida (1-3). Segue-se a descrição do furor inimigo (4-9). Depois de novas perguntas urgentes (10-11), vem um breve hino heroico, marcado pelas anáforas (12-17). Finalmente, a comunidade interpela a Deus com sete imperativos (18-23). O estilo é vigoroso: pede uma declamação vibrante.

Mais importante é o sistema de relações: ira de Deus – fúria do inimigo – agitação do caos. A cortina se abre diante da ira de Deus: aquele que sem ira estabeleceu a ordem cósmica, agora com ira, e não por impotência, atiça ou tolera a catástrofe dos seus. O exército invasor se contagia de reflexos míticos: é como novo Dragão ou Leviatã às soltas, é mar que inunda a terra firme, noite que escurece o dia.

Correlativamente, à destruição do templo se insere num gigantesco contexto cósmico; a destruição do templo é como renegar a ordem primordial.

74,1-2 Estabelecem a tonalidade da peça. A pergunta é mista de estupor e repreensão. Estupor pela nova imagem do Senhor, que não concorda com a antiga. Repreensão, porque não é justo desfazer o feito, rejeitar o escolhido, repudiar o resgatado, consagrar uma morada e deixar profaná-la.

74,1 O incêndio da "cólera arde": Is 65,5.

74,2 "Fundar" ou adquirir: Ex 15,16; Dt 32,6.

74,3-9 O Senhor, como um soberano distraído ou esquecido, é convidado a inspecionar pessoalmente o templo em ruínas; não são recentes, aí estão faz tempo, e o dono nem percebe. O orante se oferece como guia e, com as ruínas à vista, conta ou descreve a Deus o que aconteceu. O guia se atreve até a ler os pensamentos dos devastadores.

74,4 Em plena cerimônia litúrgica ressoa o "rugido" do inimigo, como de uma fera que aterroriza os presentes. Plantam seus "estandartes" como sinais de vitória.

74,5-6 O texto é muito difícil. É a cena de uma soldadesca ébria de vingança e destruição. Eu a imagino assim: abrem caminho a machadadas no magnífico templo, como se fosse na rocha ou na brenha. Outros imaginam um escoramento artificioso e decorativo, contra o qual se enfurecem.

74,7 Tudo acaba em incêndio. O edifício sagrado fica profanado. Como pano de fundo, recordem-se os trabalhos de construção do templo, 1Rs 7; ver também Lm 3,11; Is 64,10.

74,8 O inimigo não se sacia: é preciso aniquilar o povo e todos os lugares de culto.

⁹Já não vemos nossos sinais,
não temos um profeta,
nem nos resta quem saiba até quando.
¹⁰Até quando, ó Deus, o inimigo afrontará,
e sem cessar o adversário desprezará teu nome?
¹¹Por que retiras tua mão esquerda
e tens a direita escondida no peito?

¹²Sim ó Deus, és meu rei desde a origem
e ganhaste vitórias no meio da terra.
¹³Com tua força agitaste o Mar,
quebraste a cabeça de dragões nas águas.
¹⁴Tu esmagaste as cabeças de Leviatã,
e as jogaste como pasto a manadas de sátiros.
¹⁵Tu abriste fontes e torrentes,
tu secaste rios inesgotáveis.
¹⁶Teu é o dia, tua é a noite,
tu colocaste a lua e o sol.
¹⁷Tu traçaste os limites do orbe,
tu formaste o verão e o inverno.

¹⁸Recorda, Senhor, que o inimigo te ultraja
e um povo insensato despreza teu nome.
¹⁹Não entregues ao abutre a vida de tua rola,
não esqueças para sempre a vida de teus pobres.
²⁰Olha para a aliança: os esconderijos do país
estão cheios de redutos de violência.
²¹Que o oprimido não saia frustrado,
que pobres e aflitos possam louvar teu nome.

74,9 Terminada a descrição, o guia faz um balanço da situação atual. O povo está desorientado porque faltam todos os pontos de referência (cf. 1Sm 28,6). Não explica o que realmente não compreendem: o significado do ocorrido ou a duração prevista da situação atual; ou então, está durando tanto que se perguntam a si mesmos se a rejeição será definitiva: Lm 5,22; Sl 79,9. "Não temos um profeta": harmonize-se a frase com a atividade de Jeremias em Judá e de Ezequiel em Babilônia.

74,10-11 O assunto passa da comunidade diretamente a Deus. Agora é assunto pessoal de Deus e cabe a ele defender-se: como ilustração, leia-se Jz 6; apresentam o mesmo argumento Sl 79,12; 89,52. "No peito", ou seja, na dobra do manto que serve de bolso.

74,12-17 À maneira de contraste, evoca com linguagem mítica a ação criadora de Deus. Alguns dados estão repletos de ressonâncias históricas. Depois de colossais batalhas (13-15), Deus estabelece a ordem cósmica (16-17). Por cima de tudo, antes que tudo, Deus é "rei desde a origem". Sete vezes repete o pronome *tu*.

74,12 "Meu rei": o título é ambíguo. Pelo contexto se deve pensar que já era rei antes de ser "meu rei"; cabe mudar as funções sintáticas ou acrescentar no princípio um tu. "A terra" é ambivalente: pelo contexto é a terra cósmica, embora sem excluir a terra morada do homem.

74,13-14 "Agitaste", ou "aquietaste": significado duvidoso; comparar com Jó 26,12; Ag 2,6. "Cabeças": se os dragões são muitos, o Leviatã é único e tem muitas cabeças. Para cúmulo de ignomínia, suas cabeças servem de pasto para outras feras: Ez 32,4. "Manadas de sátiros": tradução puramente conjetural.

74,15 Fontes e torrentes brotam do oceano subterrâneo de água doce sobre o qual se assenta a terra firme. Abri-lo pode ser ação criadora. Os rios perenes, ancestrais, se opõem às torrentes ocasionais. Aqui se inserem as lembranças do êxodo: Ex 17,1-7; Sl 107, 33.35.

74,16-17 Ver a restauração depois do dilúvio, Gn 8,22. Suspeita o autor que a destruição do templo é como novo dilúvio limitado no espaço? "Limites do orbe" podem ser os que confinam com o grande oceano exterior, ou os limites designados para cada povo, conforme Dt 32,8.

74,18-23 Convém notar a repetição funcional de "nome" em 7b.10.18b e 21b. Ao inimigo turbulento e néscio (18) se contrapõe o aflito (21), "tua rola" (19): de que parte Deus deve ficar? Como juiz, tem de levantar-se (22) e defender sua causa (22), que é a honra do seu nome (18) e a vida dos seus (19).

74,18 Sobre o povo "insensato", ver Sl 14 e Dt 32,27-29.

74,19 "Rola": expressão carinhosa, semelhante a "pomba" no Cântico dos Cânticos.

74,20 A "aliança" continua em vigor; o texto não pereceu no incêndio do templo. O segundo hemistíquio é duvidoso; procuro manter o texto hebraico.

²²Levanta-te, Deus, defende tua causa!
 Recorda os contínuos ultrajes do insensato,
²³não esqueças as vozes dos agressores,
 o tumulto crescente dos rebeldes contra ti.

75 (74)

²Nós te damos graças, ó Deus, nós te damos graças,
 invocando teu nome, narrando tuas maravilhas.

– ³"Quando eu escolher a ocasião,
 julgarei retamente.
⁴Ainda que a terra trema com seus habitantes,
 eu firmei suas colunas.
⁵Digo aos que se gabam: Não vos gabeis;
 aos perversos: Não levanteis os chifres.
⁶Não levanteis os chifres contra a Altura,
 não digais insolências contra a Rocha".

– ⁷Não é o Oriente nem o Ocidente,
 não é o Deserto nem a Montanha;
⁸Deus é quem governa:
 a um humilha, a outro exalta.
⁹O Senhor tem uma taça na mão,
 um copo cheio de vinho drogado:
 ele faz todos os perversos da terra
 bebê-lo até as escórias.

¹⁰Eu sempre proclamarei a grandeza dele
 e tocarei para o Deus de Jacó.

74,22 Geralmente se submete ao juiz uma causa alheia: Sl 35,1; 43,1; 119,154. Aqui se trata da própria causa.
74,23 O salmo termina com o estrondo crescente e hostil, um fragor que parece cobrir as vozes suplicantes e que Deus não pode deixar de ouvir.
Transposição cristã. A chave de transposição consiste em tomar o templo como símbolo da Igreja, perseguida ao longo dos séculos. Através dela se persegue a causa do Senhor glorificado. Às vezes o povo cristão não percebe os sinais da presença de Deus, não ouve a voz unívoca de um profeta credenciado. A resposta permanente é o templo do corpo, morto e ressuscitado.

75 Hino a Deus como juiz dos destinos humanos. Encaixa-se muito bem como resposta ao anterior: pediam que julgasse, agora julga; perguntavam até quando, responde: quando escolher a ocasião; havia batalha cósmica, aqui só estabilidade; repetia-se o tu, repete-se o eu. A composição desconcerta à primeira vista pela mudança de pessoa no versículo final. Creio que se salva facilmente, imaginando uma execução a várias vozes. Introdução pronunciada no plural pela assembleia (2), fala Deus (3-6), a assembleia o comenta (7-9), nova introdução pronunciada por um liturgo no singular (10), Deus fala e conclui (11). Três imagens regem o poema: julgamento, taça e chifre. O julgamento é explícito; na condenação está implícito o delito de rebelião; no final é anunciada a execução. A taça é parte do julgamento: não letal, mas de vertigem e perturbação antes da execução: Jr 25,15-29; Ez 23,31-34. Para apreciar a imagem do "chifre", fazemos primeiro uma visita a uma tourada, quando o touro sai do touril para a arena, e outra visita a uma pastagem de touros de competição. Depois faremos um retorno no tempo para lembrar o que o touro e os chifres significavam nas culturas da Mesopotâmia e de Canaã.
O touro pode ser título ou representação da divindade, título de chefes. Está presente no AT: Gn 49,6; Ex 15,15; Dt 33,17; 1Rs 22,11; Is 34,7; Zc 2,4; no saltério: 18,3; 89,18; 92,11; 112,9; 132,17; 148,14; assim passa à apocalíptica, Dn e Ap. É próprio do salmo centrar-se na imagem, que evoca força brava e fecundidade.

75,3 Deus é senhor do tempo e tem direito de fixar prazos e momentos: ver Is 5,18; Ez 12,21-28. Seu julgamento é reto, como convém ao juiz supremo: Sb 12,15-16.
75,4 Há profunda harmonia entre a estabilidade cósmica e o reino da justiça entre os homens: Sl 11,3; 82,5.
75,5-6 Tem valor de repreensão e aviso. Muge o touro erguendo os chifres: mugido são as palavras arrogantes; a Altura é o céu, é Deus.
75,7 São os quatro pontos cardeais, a totalidade universal. O tom é categórico.
75,8 "Humilha" e "exalta" conforme a justiça. Com mais detalhe o dizem 1Sm 2,1-10 e Eclo 10,14-17.
75,9 "Todos os perversos": a cena, como Jr 25,15-29, imagina um julgamento universal ou escatológico: Jl 4,9-17. Pode ser recurso poético para unificar julgamentos históricos, um em cada dia do Senhor.
75,10 "Deus de Jacó" é título que engloba todas as tribos. "A grandeza": com leve correção.

– ¹¹"Arrancarei os chifres dos perversos,
e se levantarão os chifres do honrado".

76 (75)

(Sl 46; 48)

²Deus se manifesta em Judá,
sua fama é grande em Israel,
³seu albergue está em Jerusalém,
sua morada em Sião.

⁴Aí quebrou as centelhas do arco,
escudo e espada e guerra.
– ⁵Tu és deslumbrante, magnífico,
com montões de despojos!
⁶Os valentes são capturados,
dormem seu sono,
os guerreiros não encontram as mãos.
⁷Com um bramido, Deus de Jacó,
imobilizaste carros e cavalos.

⁸Tu és terrível! Quem resiste a ti
diante do ímpeto de tua ira?
⁹Do céu proclamas a sentença:
a terra se assusta e se acalma,
¹⁰quando Deus se põe de pé para julgar,
para salvar os oprimidos do mundo.

75,11 Voz de Deus que anuncia a execução em suas duas vertentes correlativas.
Transposição cristã. A chave está na representação de Deus e de Jesus Cristo como juiz. Deus: Hb 12,23; Rm 3,6; 1Pd 1,17; Ap 6,10. Jesus Cristo: At 10,42; 17,31; Rm 2,16. O salmo pode ser meditado no tempo da Igreja e na consumação final.

76 Não tem estribilho, mas uma série de predicados, semelhantes pelo som e estrategicamente colocados, que articulam o conjunto do poema: manifestado (2), deslumbrante, magnífico (5), temível (8), terrível (12), temível (13). Pelo significado se agrupam num campo que exalta a impressionante e surpreendente manifestação numinosa do Senhor.
Composição. Com base no movimento, podemos dividi-lo assim: revelação vitoriosa (2-4), aclamação (5); derrota dos agressores (6-7), aclamação (8); cena de julgamento (9-13a), aclamação (13b). Com base nos símbolos, dividimos: o rei no seu reino (2-3), vitória militar (4-8), julgamento e consequências.
Símbolo bélico. Atribui-se ao Senhor um verbo, "quebrou" (4), e um substantivo com valor verbal "bramido"/"bufido" (7), que poderia ser o trovão. Em compensação, acumula os complementos. O que o inimigo opõe? Nada; verbos negados ou negativos: dormem seu sono, seus braços não respondem, ficam imóveis, não resistem. O vencedor se destaca magnífico entre as armas inutilizadas e os guerreiros imobilizados.
Símbolo judicial. É enunciado em dois versículos (9-10) e polariza a leitura de outros elementos. O juiz julga entre duas partes: faz justiça ao inocente e castiga o culpado. Como se relacionam batalha e julgamento? Cabem duas respostas. a) Terminada a batalha com a vitória, o vencedor julga o pleito das partes. b) A ação militar é a execução da sentença judicial. Em outra perspectiva pode-se dizer que a vitória militar foi um julgamento histórico de Deus. No duvidoso v. 11 leio a dupla ação judicial, que condena os culpados, "cólera humana", e salva os inocentes "sobreviventes da cólera".

76,2-3 Começa com quádrupla denominação local. Se é depois da queda de Samaria, Judá se apropria do nome histórico de Israel; se ainda subsistem os dois reinos, afirma-se a centralidade de Jerusalém. Centro de manifestação para os seus e os estrangeiros: os "reis do mundo" o temem, os "vizinhos" lhe trazem tributo. É raro chamar o templo de "cabana", "albergue".

76,4 Após a localização precedente, o "aí" ressoa com ênfase: como se a derrota tivesse acontecido exatamente na capital (cf. Is 14, 25; Ez 38-39). Os complementos são resumo: o escudo como arma defensiva, as flechas como arma ofensiva de longe, de perto a espada: comparar com Sl 46,9s.

76,5 O particípio é um dado visual: boa ilustração em 2Rs 6,18s; ver também Ex 14,24; Hab 3,3. "Montão" deriva de "monte", como na forma hebraica.

76,6 Não parece referir-se ao sono da morte, pois os caídos não são despojos de guerra. A não ser que imaginemos dois grupos, de cativos e de caídos.

76,7 O "bramido" é expressão pitoresca da recriminação eficaz de Deus: Sl 18,16; 80,17; 104,7.

76,8 Ver a oração de Josafá antes da batalha, conforme 2Cr 20,6.

76,9 Pelo sentido se deverá imaginar a reação da terra em duas etapas: assusta-se (com a batalha) e se acalma (com a vitória): Js 11,23; 14,15; Is 14,7.

76,10 Levantar-se é gesto judicial: Sl 7,7; 74,22; 82,8. A finalidade do julgamento é "salvar os oprimidos": ver Sl 12,6.

¹¹A cólera humana os tritura,
tu rodeias os sobreviventes da cólera.

¹²Fazei votos ao Senhor vosso Deus e cumpri-os,
que seus vizinhos tragam tributo ao Terrível.

¹³Ele deixa os príncipes sem alento,
e é Temível para os reis do mundo.

77 (76)

²Minha voz para Deus, gritando,
minha voz para Deus, para que me escute.
³Em minha angústia te busco, Dono meu,
de noite se move minha mão sem descanso,
a respiração recusa acalmar-se.
⁴Lembrando-me de Deus, eu gemo,
meditando, sinto-me desfalecer.
⁵Manténs vigilantes meus olhos,
a agitação não me deixa falar.
⁶Calculo os dias de outrora,
recordo os anos remotos.

76,11 O hebraico diz: "a cólera humana te louvará"; ou seja, os agressores acabarão louvando-te a contragosto. Vocalizando o verbo de outro modo, obtenho o verbo "triturar" e leio "cólera" como complemento, abstrato por concreto. O segundo hemistíquio pode ser entendido assim: "o que resta de cóleras te cingirá"; ou seja, os restantes agressores comparecerão em torno de ti. Sem mudar o texto, podem-se atribuir as funções conforme a minha tradução; sh'ryt é designação corrente do povo escolhido que sobrevive.

76,12 Sujeito do primeiro hemistíquio são os salvos, aos quais diz "vosso Deus". Sujeito do segundo hemistíquio são povos vizinhos submetidos a vassalagem.

76,13 "Deixar sem alento" pode ser entendido em sentido extremo, execução capital; em sentido limitado, os deixa inutilizados de puro medo.

Transposição cristã. Sião é tomada como símbolo da Igreja, idealmente identificada com os oprimidos do mundo, atacada e sobrevivente da cólera desencadeada contra ela. O Apocalipse desenvolve a imagem bélica.

77 Oferece-nos duas partes tão perfeitamente definidas quanto difíceis de juntar. A primeira (2-11) é uma súplica de singular intensidade, e acaba quase em desespero; a segunda (12-21) é um hino ou visão triunfal, do qual não se tiram consequências. Têm algo em comum as duas partes? – Sim, a memória (4.7.10.12). Só que o comum sublinha sua maior diferença. Na primeira, é uma memória nostálgica, que agrava a tragédia presente; na segunda, a memória, em virtude da palavra poética, apresenta e atualiza um fato histórico fundacional.

A repentina mudança de atitude e tonalidade pode desconcertar; tanto que não faltou quem propusesse dividi-lo em dois salmos autônomos. Mas resulta que a tensão é fator constitutivo do sentido e, portanto, chave de explicação. A situação é uma grave desgraça nacional, pela qual se assemelha aos salmos 74 e 102 e também a Lm. A segunda parte tem pontos de contato com Ex 15 e mais ainda com Is 63,7-14 (leia-se). Vamos imaginar, sem pretensões de historicidade, a situação do desterro babilônico: um poeta partilha com os seus a desgraça, medita nela, até que um dia, numa iluminação repentina, o êxodo passado o transfigura, e começa a contemplar um êxodo novo. Poderia concentrar sua experiência no Salmo 77; preferiu desenvolvê-la em Is 40-55. Por meio da imaginação apelei para um "como se".

O salmo nos ensina que há dois modos de recordar, até mesmo opostos. Um é nostálgico, aumenta por contraste o sofrimento presente, deixa um balanço desolador (11), deixa o orante perturbado e desfalecido. O segundo é jubiloso: começa como tarefa e se converte em contemplação fascinante. É importante notar que do fracasso do primeiro brota inesperado o segundo. Como se entre 11 e 12 uma voz oracular anunciasse que ainda é possível outro êxodo. O salmo nos mostra também a força da palavra poética: para expressar com vigor a vida interior, para dar relevo e evidência àquilo que significa e evoca.

77,2-11 Primeira parte. A súplica se concentra na desgraça presente, a motivação se dá em forma de pergunta e se concentra na coerência histórica do Senhor com sua obra. Falta a expressão de confiança e, em consequência, a promessa de ação de graças. Depois de uma entrada enfática (2) vem um grupo descritivo (3-7), seguem-se três perguntas com repetição da interrogação (8-10), conclui com um balanço personalizado (11). Predomina a primeira pessoa em verbos e possessivos.

77,2 A ênfase provém da posição de "voz" repetida. Por ora um "grito", cujo correlativo é "escutar".

77,3 "Buscar" ou consultar. "Move-se": o verbo sugere a fluidez de um líquido; não é postura de oração. "Respiração": o contexto pede o sentido corpóreo que, para um hebreu, é sede da vida.

77,4 Após o "grito" e o "gemido", a meditação introduz algum elemento verbal. "Desfalece" meu alento ou meu "ânimo"; eu o sinto e observo.

77,5 No texto hebraico Deus irrompe, na segunda pessoa, agindo. O orante o diz com algo de repreensão amistosa: eu te recordo e tu me desvelas, com os "olhos vigilantes". Depois exprime em palavras sua incapacidade de falar.

77,6 A atividade mental se faz mais reflexiva: volta-se a um passado remoto como termo de comparação.

⁷De noite repito minha canção,
   medito nela por dentro, meu espírito indaga:
⁸Será que o Senhor nos rejeita para sempre
   e não voltará a favorecer-nos?
⁹Esgotou-se a sua misericórdia,
   terminou para sempre sua promessa?
¹⁰Esqueceu-se Deus de sua bondade
   ou a cólera lhe fecha as entranhas?
¹¹E digo a mim mesmo: Pobre de mim!
   A direita do Altíssimo mudou.
¹²Recordo as proezas do Senhor;
   sim, recordo teus antigos portentos,
¹³medito em todas as tuas obras,
   considero tuas façanhas.

¹⁴Deus meu, teu caminho é santo.
   Qual Deus é grande como o nosso Deus?
¹⁵Tu és o Deus que realiza maravilhas,
   e mostraste aos povos teu poder.
¹⁶Com teu braço resgataste teu povo,
   os filhos de Jacó e de José.

¹⁷O mar te viu, ó Deus,
   o mar te viu e tremeu,
   as ondas estremeceram.
¹⁸As nuvens descarregavam sua água,
   as nuvens espessas retumbavam,
   tuas flechas ziguezagueavam.
¹⁹O estrondo do teu trovão rondava,
   os relâmpagos iluminavam o orbe,
   a terra tremia e estremecia.
²⁰Teu caminho pelo mar,
   um vau pelas águas caudalosas,
   e não ficava rastro de tuas pegadas,

Não é lembrança pessoal, como em Sl 71, mas histórica, como em Sl 22.

77,7 Pelo termo usado, é uma canção com acompanhamento. Podemos imaginar uma cantoria noturna, cuja letra incita à "indagação"; e assim prorrompe na série apaixonada de perguntas.

77,8-10 O enigma ou desconcerto do presente brota da escolha, não da aliança; "rejeitar" é o antônimo de escolher (em Sl e Lm).
Os três versículos reúnem uma constelação que descreve tradicionalmente o Senhor: favor, misericórdia, compaixão, entranhas. Isso explica a gravidade do problema: Deus está negando a si mesmo, ou então mudou totalmente. A situação presente não tem outra explicação: cf. Dt 28,63. "Promessa" ou oráculo. O Deus "entranhável" "fecha-se" num mutismo "irado".

77,11 Tomo o primeiro verbo como exclamação: cf. Is 24,15. A "direita" de Deus é protagonista em textos aparentados: Sl 44,4; 89,14; 118,15.

77,12-13 A segunda parte é introduzida com um quarteto ao gosto, não exclusivo, do Segundo Isaías. Como se continuassem "lembrança e meditação".

77,14-21 Têm doze pontos de contato com Ex 15: alguns pelo tema comum; pode ser por causa de uma fonte comum. Ex 15 estiliza a passagem como uma batalha do Senhor contra os egípcios; Sl 77 a estiliza como teofania de tempestade. Lá os inimigos "se retorcem", aqui o mar; amansado, o rebanho passa pacificamente, como em Is 63 ou em Sb 19,7s.

77,14 O "caminho" de Deus é seu modo de agir; agora consiste em "abrir caminho".

77,16 "Resgatar" é verbo favorito do Segundo Isaías; "com teu braço", sem ter de pagar: Is 52,3. A menção de José é anômala: talvez aluda à adoção de Efraim e Manassés, conforme Gn 48,5.

77,17-20 Em quatro versículos o poeta consegue condensar uma descrição intensa, combinando traços visuais, sonoros e de movimento. Alarga o ritmo, personifica mar e terra. Sentimo-nos envoltos no elemento aquático: mar, ondas, correntes, nuvens. "Flechas" são raios e relâmpagos.

77,20 A frase final é magnífica. Nenhum outro poeta bíblico falou das pegadas de Deus.

²¹enquanto guiavas teu povo como um rebanho
pela mão de Moisés e de Aarão.

78 (77)

¹Escuta, povo meu, minha instrução,
dai ouvidos às palavras de minha boca,
²pois vou abrir a boca com uma parábola,
farei brotar enigmas do passado.

77,21 Ele se serve de mediação humana. Também na desgraça do orante, Deus abre caminho, sem que se vejam suas pegadas.

Transposição cristã. A tradução da Vulgata de Ex 12,11.27 e o uso litúrgico consequente contemplaram nossa páscoa como "a Passagem do Senhor". É preciso abrir-se com a contemplação até sentir "a força da sua ressurreição" (Fl 3,10). Também o cristão tem de meditar sobre "as pegadas" do Senhor: Jesus as deixou enquanto "entrava e saía entre nós" (At 1,21); Deus as deixa na história e no presente?

78 *Gênero e situação*. É uma meditação histórica, parente dos salmos 105 e 106; pelo começo podemos inscrevê-lo numa atividade sapiencial, como o 49, com quem partilha os termos "parábola" e "enigma" (cf. Eclo 39,2s). Como termina com a escolha de Davi (dinastia) e Sião (templo), vem a ideia de situá-lo nessa época. Prefiro crer que o salmo seja uma definição polêmica a favor do reino do Sul e sua capital, diante da rejeição do reino do Norte (9.67): o final do salmo parece dizer-nos que com Davi começa nova época. O salmo se enquadraria muito bem depois da queda de Samaria e de seu reino.

Composição. A meditação pode degenerar em divagação. O autor tem de selecionar e organizar seus materiais. Selecionar é também excluir, e às vezes o que falta é significativo. Não se menciona o Sinai, com a aliança e o bezerro de ouro; tampouco a rebelião de Nm 13-14. Os materiais são organizados em blocos, cada qual articulado numa antítese de povo e Deus, com uma reflexão central. Introdução: memória e tradição (1-7). Eles esqueceram (8-11), ele: maravilhas do êxodo (12-16); eles tentaram (17-20), ele: cólera (21-31). Intervalo (32-39); eles esqueceram (40-43), ele: maravilhas no Egito (44-55); eles tentaram (56-58), ele: cólera e escolha (59-67.68-72). As ações de Deus se dividem de modo complementar nas séries simétricas. O esquema mostra as relações, não reproduz o dinamismo.

Tempo e espaço. A memória armazena e recorda; gera tradição. Próprio do salmo é a reversão do tempo: na terra – no deserto – no Egito. Além disso, usa uma espécie de preterição: acusa de esquecimento para trazer à memória, "não se lembraram de NNN". O final instaura a memória válida do começo. Delimita três espaços: terra – deserto – Egito – terra, e desemboca num ponto central: Sião contraposta a Silo (60). O v. 61 menciona um "desterro": creio que se refere a uma deportação de israelitas executada pelos assírios.

Memória e compreensão. Pode-se denominar o salmo memorial para esquecidos. Diz-se dos homens (7.11.35.39.42) e de Deus (39). Mas não basta a memória psicológica. Os personagens do v. 20 se apoiam na memória recente para desafiar Deus. O autor exige uma lembrança que penetra no sentido e tira as consequências para a conduta.

Distingamos dois planos de compreensão: a atribuída ou negada aos personagens do poema e aquela que o autor obtém e formula. O verbo "conhecer" e vários complementos, como "maravilhas" (4.11.12.32), sinais e prodígios (43), superam o conhecimento empírico. O poeta introduz sua compreensão recobrindo e ao mesmo tempo iluminando a incompreensão de seus personagens.

Pecado. Diríamos que o salmo narra mais os pecados do povo que as proezas de Deus. Além de ações específicas, nos oferece um bom repertório de termos: rebelião (8.17. 40.56), não observar nem seguir (10), pecar (17.32), não confiar, desconfiar (8.22.32.37), tentar, pôr à prova (18.41.56), seduzir e enganar (36), trair (57), irritar (40), exacerbar (41), exasperar e enciumar (58), falar contra (19). O pecado dominante é não confiar em Deus depois de tudo o que experimentaram. Ou seja, a relação pessoal com Deus é mais importante que a observância de normas e preceitos. O salmo exorta o escolhido Davi a confiar em Deus. Seleção e disposição não são tudo. O decisivo é o *ponto de vista* do autor. Orientam-nos seus dois títulos: *enigma* e *parábola* (cf. Sl 49).

Enigma ou "enigmas"; nós diríamos paradoxos. Depois de tantos prodígios, não é paradoxal a desconfiança? E depois de tantos benefícios, não é paradoxal a rebelião? Não é inexplicável que, ao terminar o longo caminho rumo a uma pátria, se instaure a idolatria? O esquecimento não vale como resposta, porque esse é o paradoxo maior. No deserto, onde a vida depende de Deus, o desafiam; na terra, onde a subsistência está assegurada, provocam seu ciúme: não é enigmático esse povo?

Pois Deus não é menos. Reage com cólera e concede o pedido; assiste à rebelião e continua ocupando-se deles e guiando-os; vê sua idolatria na terra e inaugura nova época. O enigma conjugado das relações desse Deus com seu povo é resolvido em três versículos centrais do poema: 38-39; ver Sl 103,14. A caducidade do homem conjugada com a misericórdia de Deus explica essa história: não como um teorema, mas como constante paradoxo.

Parábola. Ao longo do salmo, explícita ou implícita, se desenvolve a imagem do rebanho e do pastor, sobretudo no aspecto de guiar. No final, o guia não abandona seu rebanho, mas, como "povo" seu e "herança" sua, o confia a outro pastor. Resta outra provável parábola. Nos versículos 60-64 fala-se da destruição do santuário de Silo, com a consequente derrota e matança. Restringe-se aos fatos narrados em 1Sm 4-5? Prefiro crer que é uma parábola da queda do reino do Norte, no ano 722. Nesse momento a salvação se concentrou em Judá com sua dinastia e o templo.

78,1-2 Também são termos sapienciais a "instrução" (Pr 3,1; 4,2; 7,2) e "palavras de minha boca" (Pr 4,5; 5,7; 7,24; 8,8). O público é restrito, não como no Sl 49.

³Aquilo que ouvimos e aprendemos
   e nossos pais nos contaram,
⁴não o encobriremos a seus filhos,
   nós o contaremos à geração seguinte:
as glórias do Senhor e seu poder
   e as maravilhas que realizou.
⁵Pois ele fez uma aliança com Jacó
   e deu uma instrução a Israel;
ele ordenou a nossos pais
   que o fizessem saber a seus filhos,
⁶de modo que o conhecesse
   a geração seguinte,
os filhos que haviam de nascer;
   que eles aparecessem
   e o contassem a seus filhos,
⁷para que pusessem em Deus sua esperança,
   não se esquecessem das façanhas de Deus
   e cumprissem seus mandamentos.
⁸Para que não imitassem seus antepassados,
   geração rebelde e contumaz,
geração de coração inconstante,
   cujo espírito não confiava em Deus.

⁹Os arqueiros da tribo de Efraim
   deram as costas na batalha.
¹⁰Não guardaram a aliança de Deus
   e recusaram seguir suas instruções,
¹¹deixando no esquecimento suas ações,
   as maravilhas que lhes havia mostrado.

¹²À vista de seus pais fez portentos,
   em território egípcio, na campina de Soã.
¹³Fendeu o mar para lhes abrir passagem,
   segurando as águas como um dique.
¹⁴De dia os guiava com a nuvem,
   de noite com o resplendor do fogo.
¹⁵Fendeu a rocha no deserto
   e deu-lhes a beber torrentes de água.
¹⁶Tirou arroios do rochedo
   e fez a água descer como rios.

¹⁷Mas eles voltaram a pecar contra ele,
   rebelando-se no deserto contra o Altíssimo.

78,3-8 Estão sob o signo da tradição, concentrada exemplarmente em quatro gerações: nossos pais, nós, nossos filhos, seus sucessores. Várias repetições sublinham a continuidade. O conteúdo da tradição são glórias, maravilhas e proezas de Deus. A finalidade é gerar "confiança" em Deus e observância de seus "mandamentos". Várias repetições sublinham a continuidade.

78,9-11 É frequente designar as tribos do Norte com o nome de Efraim. Esses versículos se ligam à introdução por várias repetições verbais; por isso, Efraim entra em cena como representante da atitude condenada antes: são eles por antonomásia a geração esquecida que não guarda a lei nem a aliança. "Arco, dar as costas e não guardar" ressoarão mais tarde (56s).

78,13-16 Encontramo-nos no começo da história no Egito. As pragas estão condensadas num substantivo coletivo. A seguir, passam o mar Vermelho e entram no deserto. Predomina o elemento água: mar, água, torrentes, arroios, água. O mar Vermelho se ergue num dique, a rocha se abre em manancial. O Senhor domina os elementos e os maneja com generosidade (Sb 19,18-22). Nuvem e fogo servem de mediadores para guiar continuamente seu povo, dia e noite.

78,17-20 Sem respeitar a ordem de Ex e Nm, a passagem da bebida à comida se realiza num ato de

¹⁸Tentaram a Deus no coração,
   pedindo uma comida para seu apetite.
¹⁹Falaram contra Deus, dizendo:
   Poderá Deus pôr a mesa no deserto?
²⁰É verdade, golpeou a rocha,
   brotou água e transbordou em torrentes;
poderá também dar-nos pão
   e abastecer de carne o seu povo?
²¹O Senhor ouviu e se indignou,
   um incêndio ardeu contra Jacó,
   sua cólera fervia contra Israel,
²²porque não confiavam em Deus
   nem confiavam em seu auxílio.
²³Deu ordem às nuvens no alto
   e abriu as comportas do céu;
²⁴fez chover maná para eles comerem
   e lhes serviu um trigo celeste.
²⁵O homem comeu um pão de heróis,
   mandou-lhes provisões com fartura.
²⁶Transportou pelo céu o vento leste
   e com sua força guiou o vento sul.
²⁷Fez que chovesse para eles carne como pó,
   e aves como areia da praia.
²⁸Ele os fez cair no meio do acampamento,
   ao redor de suas moradas.
²⁹Comeram até fartar-se,
   e lhes saciou sua avidez.
³⁰Com a avidez apenas saciada,
   com a comida ainda na boca,
³¹a ira de Deus ferveu contra eles:
   matou os mais robustos
   e curvou a flor de Israel.

³²Contudo, voltaram a pecar
   e não confiaram em seus milagres.
³³Consumiu seus dias num sopro,
   seus anos num momento.

---

rebelião e desafio. Está em jogo o alcance do poder de Deus. "Pôr a mesa" é frase escolhida que está em Sl 23,5; Pr 9,2; Is 21,5; 65,11. "Pão" e "carne" numa relação de paralelismo, diferente de Nm 11, mais próxima do cardápio de Elias: 1Rs 17,7.

78,21-31 Esse episódio deve ser lido emoldurado numa inclusão de cólera divina. É a resposta ao desafio: – Com isso não podes. – Vais ver se não posso, e verás as consequências. O domínio de Deus se exerce no reino dos meteoros; o céu, as nuvens e os ventos. Normalmente, Deus envia do céu a chuva, que fertiliza a terra, que produz alimento para o homem (Dt 11,11s; Sl 65,10; 85,13; Is 55,10). Agora salta as etapas e faz chover diretamente a comida pronta. Os ventos, servidores de Deus (Sl 104,4), como o temido vento leste, fazem-se portadores de carne saborosa e abundante. O "pó" do v. 27 faz pensar no terrível simum, desta vez benéfico. Contudo, no pecado a penitência: a avidez converte o benefício em malefício. Os mais "robustos" ou gordos; a "flor" são os moços.

78,32-39 Nesse intervalo reflexivo se enuncia o grande paradoxo: o contraste da conduta humana e da divina. No homem, o povo escolhido e educado, a desconfiança (32) e a deslealdade (37); em Deus, a compaixão e a compreensão. O homem volúvel (37) e caduco: "sopro", "carne", "alento fugaz" (33.39); Deus, Rocha firme que perdoa e resgata (35.38). A seção é organizada numa série de repetições que marcam a persistência ou o contraste. Repete-se e nega-se o verbo "confiar" (32.37); o pecado cometido e perdoado (32.38); a "volta" é a conversão efêmera do povo e o cessar da cólera de Deus (34.38); a "lembrança" inconsistente do povo e a ativa de Deus (35.39). O intervalo estende também tentáculos de ligação verbal ou temática com o resto do poema.

³⁴Quando os matava, eles o buscavam
e madrugavam para se voltarem a Deus;
³⁵lembravam-se de que Deus era sua Rocha,
o Deus Altíssimo, seu Redentor.
³⁶Adulavam-no com a boca
e lhe mentiam com a língua;
³⁷seu coração não era constante com ele
nem eram fiéis à sua aliança.

³⁸Ele, porém, era compassivo:
perdoava a culpa e não os destruía;
muitas vezes reprimiu a cólera
e não excitava todo o seu furor,
³⁹recordando que eram de carne,
um alento fugaz que não volta.

⁴⁰Como se rebelaram no deserto,
desgostando a Deus na estepe!
⁴¹Voltavam a tentar a Deus,
irritando o Santo de Israel,
⁴²sem lembrar-se daquela mão
que um dia os livrou da opressão,
⁴³quando fez sinais no Egito
e portentos na campina de Soã.
⁴⁴Transformou em sangue seus canais
e seus arroios, para que não bebessem;
⁴⁵mandou-lhes moscas para que os picassem
e rãs para que os destruíssem;
⁴⁶entregou às larvas sua colheita,
e a gafanhotos o fruto de suas fadigas;
⁴⁷matou com granizo seus vinhedos
e com aguaceiro suas amoreiras;
⁴⁸entregou seu gado à chuva de pedras,
e aos raios seus rebanhos;

78,34 A pressa em madrugar não é bem-intencionada: ver Os 5,15-6,6.
78,35 São os dois títulos que encerram o Salmo 19. Com expressões enérgicas denuncia a tentativa humana de enganar Deus.
78,38 "Compassivo" é título clássico do Senhor: Dt 4,31; Is 49,10. Para "perdoar" usa o verbo cultual *kipper*. "Todo o seu furor": comparar com Ez, que apresenta Deus esgotando seu furor: Ez 7,8; 20,8.21.
78,39 Para essa definição do homem, ver Ecl 3,19-21; Gn 6,3.
78,40-42 De novo nos encontramos no deserto. Esses versículos sobre o pecado de esquecimento servem para introduzir uma lembrança do que eles esqueceram: o bloco das pragas.
78,43-55 A evocação das pragas não se prende à lista oficial do Êxodo: talvez porque tenha na frente outra tradição. O mais notável é a omissão das trevas (a praga preferida de Sb). O autor se deixa levar pela lei do paralelismo, agrupando ou desdobrando, dando mais importância ao vaivém rítmico do que a uma lista tradicional: moscas e rãs, larvas e gafanhotos, granizo e aguaceiro, granizo e centelhas (ou peste e epidemia); no começo sangue, e no fim matança dos primogênitos. Ao todo, sete. Efeitos de um grande cortejo de quatro paixões divinas personificadas como "mensageiros fatais" ou executores sinistros: Ira, Cólera, Furor, Indignação.
A sequência se parte em dois momentos. Primeiro, o atraso da morte dos primogênitos, que chega depois de uma recapitulação no v. 50. Segundo, o caminho do deserto, que em 52 se antecipa à passagem do mar Vermelho (53).
Quanta cólera divina contra seu povo (21.31), depois contra os egípcios (49-50). Por que não a reprime contra eles? Não são também os egípcios um alento fugaz na carne? O autor pensa que o castigo é justo e é condição para libertar da opressão as vítimas inocentes.
78,44 Ex 7,14-24. O sinistro é que tanto a água como o sangue são princípios portadores de vida.
78,45 Ex 7,25-8,15. Animais aparentemente inofensivos e desprezíveis executam uma incontida invasão em massa.
78,46 Ex 10,1-20; Jl 1.
78,47 Muito importante na versão de Ex 9,13-35.
78,48 Por metátese, muitos corrigem em peste a segunda menção de granizo, e, por paralelismo, complementam com epidemias ou febres, conforme Dt 32,24; Hab 3,5.

⁴⁹lançou contra eles sua ira ardente,
    sua cólera, seu furor, sua indignação:
⁵⁰enviando sinistros mensageiros,
    deu livre curso à sua ira;
não salvou da morte sua vida,
    e entregou suas vidas à peste.
⁵¹Feriu os primogênitos no Egito,
    as primícias da virilidade
    nas tendas de Cam.

⁵²Tirou seu povo como um rebanho,
    guiou-os como ovelhas pelo deserto;
⁵³e os conduziu seguros, sem alarmes,
    enquanto o mar cobria seus inimigos.
⁵⁴Ele os fez entrar pela santa fronteira,
    ao monte que sua direita adquirira*.
⁵⁵Tirou-lhes da frente os povos,
    destinou-lhes por sorte sua herança,
    instalou em suas tendas as tribos de Israel.

⁵⁶Mas eles tentaram o Deus Altíssimo,
    se rebelaram e não guardaram seus preceitos;
⁵⁷desertaram, traíram-no como seus pais,
    falharam como um arco enganoso:
⁵⁸irritavam-no com seus lugares altos,
    com seus ídolos provocavam-lhe ciúmes.

⁵⁹Deus ouviu e se indignou,
    e rejeitou gravemente Israel.
⁶⁰Arrancou a morada de Silo,
    a tenda que havia instalado entre os homens.
⁶¹Abandonou seus valentes ao cativeiro,
    seu orgulho à mão inimiga;
⁶²entregou seu povo à espada,
    indignado com sua herança.

78,49 Um destacamento, em lugar do exterminador de Ex 12,13.23.

78,51 "Primícias da virilidade", como em Gn 49,3; Dt 21,17; Sl 105,36. É típico desse salmo e de Sl 105,23.27; 106,22 designar o Egito com o nome de Cam.

78,52 No saltério é frequente designar o povo como rebanho do Senhor; nesse salmo a metáfora tem função especial.

78,53 "Cobria", como em Ex 15,5.10.

78,54 "Santa" por ser propriedade do Senhor. "Monte" abrange todo o país de Canaã, lugar oposto à terra baixa do Egito: Ex 15,17. * Ou: "fundara".

78,55 A libertação se conclui com o assentamento do povo em Canaã. O povo já não é um Jacó indiferenciado, mas "as tribos de Israel", que doravante vão partilhar a responsabilidade.

78,56-58 O novo pecado, na terra, é a idolatria nos lugares altos em forma de culto a Baal e Astarte. Faz-nos pensar na reforma de Josias: 2Rs 23. O Deus ciumento não pode tolerar deuses rivais: Dt 32,16.21. O "arco", usado em sentido próprio no v. 9, reaparece aqui como imagem. É instrumento pessoal de caça ou guerra. O povo é "arco" do Senhor: Zc 9,13. Deve manter-se esticado, não afrouxar nem voltar atrás (2Sm 1,22). E não deve ser falso (Os 7,16): em vez de apontar para seu Deus ou para onde seu Deus quer, apontam para os ídolos.

78,59-64 O quadro, apesar de seus detalhes tão humanos, é genérico. Qualquer assédio e derrota podia terminar em matança e deportação, e a cidade podia ser incendiada (Js 8,18-29; Jz 20,36-44). O autor parece evocar uma catástrofe de grande envergadura: por sua sacralidade, Silo, o primitivo santuário do Norte, pode servir de referência simbólica. Não dando nome ao inimigo, qualquer um pode ocupar o lugar: inclino-me à invasão assíria de 722.

78,59 "Rejeitou": 2Rs 17,20 usa-o para a destruição de Samaria; mas é verbo genérico.

78,60 "Arrancar": Jeremias o usa com frequência; também 2Rs 14,15, anunciando a queda do reino do Norte.

78,61 O exército é força e orgulho do soberano.

⁶³Os jovens foram devorados pelo fogo,
para as donzelas não havia galanteios;
⁶⁴seus sacerdotes caíam pela espada
e as viúvas não os choravam.

⁶⁵O Senhor despertou como de um sono,
como soldado aturdido pelo vinho,
⁶⁶feriu o inimigo pelas costas,
infligindo-lhe uma derrota definitiva.
⁶⁷Rejeitou a tenda de José
e não escolheu a tribo de Efraim;
⁶⁸escolheu a tribo de Judá
e o monte Sião, seu preferido.
⁶⁹Construiu seu santuário como o céu,
como a terra que alicerçou para sempre.
⁷⁰Escolheu Davi, seu servo,
tirando-o dos apriscos do rebanho;
⁷¹do ir atrás das ovelhas o levou
a pastorear Jacó, seu povo,
Israel, sua herança.
⁷²Ele os pastoreava de coração íntegro
e os guiava com mão experiente.

79 (78)

(Sl 44; 74; 102)

¹Ó Deus, os pagãos invadiram tua herança,
profanaram teu santo templo,
reduziram Jerusalém a ruínas.

78,63 O "fogo" é aqui metafórico. "Galanteios": as versões grega e latina confundiram o verbo e traduziram "lamentar", "fazer luto".

78,65-66 O salto é repentino e inesperado. O ocorrido não foi a rigor ação de Deus, mas sua inatividade. Como se estivesse dormindo ou ébrio, deixou fazer, e o inimigo se aproveitou. Até que ponto? O poeta põe um limite, e não se acanha de usar uma metáfora audaz para descrever a reação do Senhor. Na hipótese antes proposta, se referiria à derrota de Senaquerib. Liquidado o reino do Norte, o imperador se prepara para liquidar o reino do Sul (Is 10,11). Deus se levanta de repente e põe em fuga os sitiantes: Is 37,36s.

78,67-72 Nos últimos versículos desemboca o processo histórico, não como consequência do agir humano, mas pelo sistema de rejeição e escolha de Deus com relação às tribos. José e Efraim designam o reino do Norte; Benjamim poderia acompanhar Judá em paralelo. É claro que o autor quis concentrar-se em Judá. Aí a rejeição para: não se estende a um monte rival de Sião (cf. Sl 68,17) – poderia ser Silo –, nem a um chefe rival de Davi. Escolhe Sião como lugar do santuário e sede da sua presença; escolhe Davi como chefe de uma dinastia. "Preferido": ver Sl 87,3.

78,69 O santuário terá estabilidade cósmica: alicerçado como a terra, elevado como as alturas.

78,70 1Sm 16; 2Sm 7; Sl 89.

78,71 Reaparecem em paralelismo Jacó e Israel, que agora concentram a continuidade e podem prolongar o nome tradicional.

78,72 O pastor dá novo alcance a seu ofício por duas razões: porque agora o rebanho é um povo, e pastorear é governar; e porque agora é delegado do supremo pastor, que é o Senhor. Mas Davi, além de ser uma pessoa, é uma dinastia: seu nome e sua figura podem funcionar como "parábola", figura do futuro pastor. *Transposição cristã*. A chave está na visão de Jesus como novo Davi e novo pastor. O versículo 2 é citado por Mt 13,35 para justificar o uso que Jesus faz de parábolas. Alguns Santos Padres aplicam o despertar de Deus à ressurreição de Jesus Cristo.

79 Súplica numa calamidade nacional, com os elementos clássicos que descrevem a desgraça, confessam a culpa, denunciam a maldade do inimigo, pedindo seu castigo, apelam para o nome e honra do Senhor e prometem a ação de graças. Forma grupo homogêneo com os salmos 44, 74 e 102, dos quais se distingue pela confissão explícita do pecado. A calamidade é a catástrofe do ano 587/586, incluindo profanação do templo, destruição da capital, matança e deportação em massa. São traços que lemos nas Lamentações. A comunidade orante se identifica como "teus servos", "teus leais", "teu rebanho", e se apresenta como vítima. O inimigo, Babilônia e aliados, é englobado no genérico "povos" ou "pagãos" e no específico "vizinhos". As perguntas retóricas dos vv. 5 e 10 ajudam a dividir o salmo em três partes, pouco definidas pelo tema. As lamentações de 1Mc 1,37-40; 2,10-13 se inspiram nesse salmo; os vv 2-3 são parcialmente citados em 1Mc 7,17.

O salmo nos propõe dois problemas específicos: a discriminação e a vingança de Lamec. A comunidade

²Atiraram os cadáveres de teus servos
  como pasto às aves do céu,
  a carne dos teus leais às feras da terra.
³Derramaram seu sangue como água
  ao redor de Jerusalém,
  e ninguém o enterrava.
⁴Tornamo-nos a gozação de nossos vizinhos,
  burla e caçoada dos que nos rodeiam.

⁵Irado até quando, Senhor?
  Sempre ardendo como fogo teus ciúmes?
⁶Derrama teu furor sobre os pagãos
  que não te reconhecem,
  sobre os reinos que não invocam teu nome.
⁷Porque devoraram Jacó,
  assolaram sua moradia.
⁸Não nos culpes pelos delitos dos antepassados.
  Que tua compaixão se apresse a alcançar-nos,
  pois estamos esgotados.
⁹Socorre-nos, Deus Salvador nosso,
  pela honra de teu nome.
Livra-nos e expia nossos pecados,
  por atenção a teu nome.

¹⁰Por que diriam os pagãos:
  Onde está o Deus deles?
Que diante de nós se mostre aos pagãos
  a vingança do sangue
  de teus servos derramado.

---

reconhece o próprio pecado e dos antepassados (8s); pede piedade e perdão para si. Denuncia os delitos do inimigo, para o qual pede castigo (6.10). Não só o castigo proporcional, mas o sétuplo (12).

a) Ao primeiro o texto responde que os judeus não são réus de delitos tão atrozes e, além disso, já pagaram por eles. Mais que discriminação, é um argumento *a fortiori*: se a nós, teus servos, castigaste tão gravemente, quanto mais caberá aos inimigos nossos e teus. Ver o raciocínio de Jr 25,29; Mq 7,8-20; Lm 4,21s. Mais ainda, o estrangeiro executor do castigo se excedeu.

b) A pena do talião é legal e tradicional. No salmo é expressa pelas correspondências: "derramaram seu sangue" (3.10)/"vingança do sangue... derramado" (3.10), "tornamo-nos a gozação"/"paga-lhes a afronta" (4.12). A proporção supera a vingança de Lamec. É que o inimigo não só ultrajou os judeus, mas ultrajou o próprio Deus; isso invalida a proporção. Em Israel a blasfêmia tem pena de morte: Lv 24,10-16; conforme Lv 26,21.28, por não se arrepender, o castigo se multiplica por sete. De resto, a expressão tem algo de hipérbole: Pr 6,31.

79,1 A invocação inicial situa a descrição e todo o salmo. "Herança" do Senhor é o território (Ex 15,17) e a capital (Sl 47,3). Invadi-la vai contra um preceito (Lm 1,10). "Profanar o santuário" é crime denunciado na lei e nos profetas: Lv 15,31; Nm 19,13; Jr 7,30.

79,2 Tema literário tópico: 1Sm 17,46; 2Sm 21,10; 2Rs 9,35-37.

79,3 "Derramar sangue" é fórmula técnica de homicídio. O sangue deve ser enterrado ou coberto para que não clame ao céu: Gn 4,10; Jó 16,18.

79,5-9 Esses sete versos, com sua distribuição proporcional, nos fazem sentir o problema da discriminação. A comunidade se sente sob a ira de Deus prolongada; e não pede que cesse a ira, mas que mude de destinatário.

79,6-7 Os pagãos são definidos por não reconhecer o Senhor nem invocar seu nome, de onde se segue o imperialismo devorador: cf. Sl 14. Leia-se a resposta do Faraó em Ex 5,2. A "moradia" é o território ou a capital: Ex 15,13; Is 33,20; Jr 25,30 etc.

79,8-9 Confessando-se culpados, apelam para a compaixão de Deus e para a honra do seu nome. Os pecados dos antepassados se acumularam sob os pecados recentes (Is 65, 7), "nossos": Deus esqueça os antigos e "expie" os recentes. Esses três versos são uma confissão penitencial resumida: pode-se ver ampliada em Esd 9; Ne 9-10; Dn 3 e 9; Br 1,15-3,8.

79,8 "Não nos culpes" ou não nos recordes, com valor judicial: Is 43,25; Jr 31,34.

79,9 Sobre "expiar", além dos textos litúrgicos de Lv e Nm, podem-se consultar Is 6,7; 22,14; 27,9.

79,10a A terceira seção se abre com uma pergunta retórica. O prestígio de Deus dos judeus é desacreditado pelos comentários malignos dos estrangeiros que, ao ver a impotência da divindade de Jerusalém, fazem a clássica pergunta sarcástica: "onde está o teu Deus?": Jl 2,17; Mq 7,10; Sl 42,4.11; 115,2.

¹¹Chegue à tua presença o lamento do cativo.
Com teu braço poderoso
salva os condenados à morte.
¹²Paga a nossos vizinhos sete vezes
a afronta com que te afrontaram, Senhor.
¹³E nós, povo teu, ovelhas de teu rebanho,
te daremos graças para sempre,
narraremos tuas glórias
de geração em geração.

80 (79)

(Sl 23; Is 5,1-7)

²Pastor de Israel, escuta,
tu que guias José como um rebanho;
resplandece em teu trono de querubins
³diante de Efraim, Benjamim e Manassés.
Desperta tua coragem e vem salvar-nos.

79,10b A "vingança do sangue" é ato legítimo de justiça vindicativa, tanto assim que existe a função do vingador do sangue: Nm 35,9-34.

79,11 Os cativos se consideram "condenados à morte" (1Sm 20,31; 26,16), ou formalmente ou pelo tratamento que recebem. A não ser que se refira a um grupo entre os cativos.

79,12 Os "vizinhos" são reinos limítrofes que se aproveitaram da derrota e da humilhação dos judaítas, como os edomitas de Ab 11-14; Sl 137; Lm 4,21.

79,13 O título "ovelhas de teu rebanho" está em dois textos clássicos de pastores: Jr 23,1 e Ez 34,31.
Transposição cristã. O Apocalipse recolhe dois temas do salmo: os cadáveres insepultos e a vingança dos assassinados: Ap 11,7; 6,9. Pensa num juízo final ou definitivo, com oposições nítidas, sem meios-termos. A Igreja perseguida recita o salmo confessando seus pecados e pedindo a justiça necessária para libertar as vítimas inocentes.

80 Súplica com dois componentes do gênero e alguns específicos. Genéricos: descrição da desgraça presente em contraste com a felicidade passada, ação do inimigo; pedido de auxílio para a comunidade, de castigo para o inimigo, promessa. Específicos: o estribilho, o desenvolvimento alegórico, pedido pelo chefe, e a promessa de fidelidade (não de ação de graças).
A situação é um desastre militar. Qual? Títulos emblemáticos e imagens impedem uma identificação convincente. Trabalhamos por indícios. a) Saul em guerra com os filisteus: não se mencionam Judá e Sião, a arca é "trono de querubins" (1Sm 4,4). Saul era benjaminita + *ben yemini* (1Sm 9,1) = "da direita" (18). Contra isso há as fronteiras (11-12), que correspondem ao grande reino de Davi (2Sm 8,3); só que o reino unificado sob Davi e Salomão não sofreu invasões nem saques.
b) O reino do Sul: "cerca" se diz metaforicamente de uma muralha, concretamente de Jerusalém (Sl 89,41); o verbo *shub* (= restaurar) é típico da volta do desterro. Assim sendo, para a invasão de 587 a descrição fica inadequada. Seria preciso atribuir à invasão de Senaquerib no tempo de Ezequias.

c) De Saul saltamos para as incursões assírias no reino do Norte e à invasão final de 722. Nessa ocasião é composto em Judá o Salmo 78, sobre a rejeição de José e Efraim. Os do Norte replicam que Efraim, Benjamim e Manassés continuam sendo tribos escolhidas, ainda que se encontre agora em Judá o "homem de tua direita... vigoroso".
d) Uma variante: quando está em curso a política de atração de Josias, um judeu compõe esse salmo rezando pela salvação e incorporação das tribos setentrionais, aplicando ao rei davídico títulos do reino do Norte.
Como se vê, os indícios são duvidosos. É certo que entre esse salmo e o 78 há contatos sugestivos: excitou a ira (78,18), excite agora sua coragem (80,3); no deserto deu de comer e beber a eles (78,25), a nós lágrimas (6, cf. Sl 42,4; 102,10); Davi apascentou com habilidade (78,71s), agora se apascentam feras (14); Efraim voltou atrás (78,57), agora promete não se voltar (19).
Duas *imagens* que não casam: pastor e vinha. Pastor é o título da invocação, que depois não é desenvolvida. A imagem da vinha é conhecida: Is 5,1-7; 27,2-5; Jr 12,10. Para seguir o desenvolvimento do salmo, deve-se imaginar uma parreira. Bem apoiada, pode estender-se largamente e oferecer sombra com seus sarmentos. A fantasia do poeta se encarrega de atribuir-lhe dimensões gigantescas: mais alta que cedros e montanhas, abrangendo países de mar a rio. A alegoria, desenvolvida membro a membro, não sabe evitar incoerências: javalis e feras mordem uma parreira mais alta que cedros. Numa paisagem dominada pela parreira prodigiosa, contemplamos o "rosto iluminado" como a luz vivificante do sol.
O poema é balizado por um estribilho repetido a intervalos irregulares. A imagem do rosto luminoso e radiante está presente na fórmula litúrgica de bênção (Nm 6,25; Sl 67,2) e nas súplicas (Sl 31,17; 44,4; 89,16). Aqui o tema penetra na invocação "resplandece".
80,2-3 O trio de tribos é um dado fixo em Nm 2 e 26. José e Benjamim são os dois filhos de Raquel. Efraim e Manassés são os dois filhos de José, adotados por Jacó como filhos (Gn 48).

⁴Ó Deus, restaura-nos,
ilumina teu rosto, e nos salvaremos!

⁵Senhor Deus dos exércitos,
até quando te envolverás em fumaça,
enquanto teu povo te suplica?
⁶Deste-lhes lágrimas para comer,
lágrimas para beber aos tragos.
⁷Entregaste-nos para as disputas
de nossos vizinhos,
e nossos inimigos caçoam de nós.

⁸Ó Deus dos exércitos, restaura-nos,
ilumina teu rosto, e nos salvaremos!

⁹Tiraste do Egito uma videira,
expulsaste povos e a plantaste.
¹⁰Preparaste-lhe o terreno, lançou raízes
e encheu o país.
¹¹Sua sombra cobria montanhas;
seus ramos, cedros altíssimos.
¹²Estendeu os sarmentos até o mar
e seus brotos até o Rio Grande.

¹³Por que abriste uma brecha em sua cerca
para que os passantes a vindimem,
¹⁴os javalis a pisoteiem,
e seja pasto de feras?

¹⁵Deus dos exércitos, volta-te,
olha do céu. Atenção,
vem inspecionar tua vinha,
¹⁶a cepa que tua direita plantou
(o galho que tornaste vigoroso).
¹⁷Cortaram-na e puseram-lhe fogo:
por teu bramido vão perecer.
¹⁸Que tua mão proteja o homem de tua direita,
o homem que tornaste vigoroso.
¹⁹Não nos afastaremos de ti;
dá-nos vida, e invocaremos teu nome.

²⁰Senhor Deus dos exércitos, restaura-nos,
ilumina teu rosto, e nos salvaremos!

80,4 "Restaura-nos": o verbo no hifil pode significar também "faz-nos voltar" (do desterro?), "converte-nos".
80,5 Penso que essa "fumaça" não é sinal de cólera (Sl 74,1), mas elemento que vela a presença de Deus: Is 6,4. Parafraseando: ilumina teu rosto, não te envolvas em fumaça.
80,9 "Tiraste" é raro no hifil: Ex 15,22. "Expulsar" é frequente em contextos de ocupação da terra: Ex 23,28-31; Js 24,12 etc.
80,11-12 A parreira que faz sombra nos cedros equivale ao triunfo do humilde sobre o altaneiro: Is 2,13.
80,13 "Abrir brecha" ou derrubar a cerca: Is 5,5.
80,14 "Feras": aqui e também em Sl 50,11.
80,15-16 Variação e ampliação do estribilho. A visita de inspeção como em Sl 74,3. A frase de 16b é muito incerta; provavelmente acréscimo tomado de 18b.
80,17b Aqui começa o pedido, primeiramente contra o inimigo destruidor.
80,18 Pedido pelo chefe, a quem não dá o título de rei nem outro título costumeiro. É um "ser humano", colocado à direita de Deus – como "seu braço direito" –, a quem Deus "fortalece" para um empreendimento. *Transposição cristã*. O tema do rosto luminoso: Jesus é a manifestação do Pai (Jo 14,9), "reflexo da sua glória" (Hb 1,3), "no rosto de Cristo brilha a glória de Deus" (cf. 2Cor 4,6). O ser humano, "homem de tua direita... que tornaste vigoroso": é muito antiga a leitura messiânica desse versículo, e pode apoiar-se em Is 41,10 e Sl 89,22. Daí se passa à leitura eclesiológica: a Igreja reza o salmo em tempo de perseguição.

81 (80)

(Dt 29-31; Sl 50)

²Aclamai a Deus, nossa força,
 aplaudi o Deus de Jacó.
³Tocai instrumentos, tocai pandeiros,
 cítaras temperadas com harpas.
⁴Tocai a trombeta pela lua nova,
 pela lua nova que é nossa festa.
⁵Porque é uma lei de Israel,
 um preceito do Deus de Jacó,
⁶uma aliança assinada com José
 quando saía do Egito.

– ⁶ᶜOuço uma língua desconhecida:
¹¹ᶜalarga a boca, para que eu a encha.

⁷Retira a carga de seus ombros,
 suas mãos se desprenderam* do cesto.
⁸Na aflição clamaste e te livrei,
 oculto entre trovões, te respondi;
 eu te pus à prova em Meriba*.

---

81 É um salmo estranho. Depois de oitenta salmos, uma novidade. As peças são conhecidas e, no entanto, o conjunto soa como "língua desconhecida" (6c). Celebra-se uma grande festa jubilosa (4), cujo motivo imediato é "uma lei" (5); ou seja, uma festa de preceito. Isso nos dá um contexto litúrgico. De que festa se trata? O calendário oficial (Dt 16) menciona três festas maiores: páscoa, semanas, cabanas; a última, no sétimo mês, é precedida do ano novo e da expiação: "lua nova e lua cheia" (Lv 23; Nm 29). Pela referência à lei do Sinai (6) e pela proclamação do primeiro mandamento (9-11), a festa das semanas obtém certa preferência.

Apenas começa a cerimônia, um solista extemporâneo toma a palavra e por ele fala o Senhor, interpelando na segunda pessoa. Parece-nos escutar a pregação homilética do Deuteronômio, com a proclamação do primeiro mandamento. Na terceira pessoa, a homilia se converte em denúncia de um delito e de um castigo (no lugar da maldição). Seguem-se bênçãos formuladas no condicional irreal potencial. Isso se parece um pouco com Sl 95, também com Ex 20,2-6 e com a aliança em Moab, Dt 29-31.

Quem é o personagem anônimo que irrompe com seu anúncio? Alguns propuseram um profeta cultual, ou seja, um profissional do oráculo na liturgia do templo. Mas esse não falaria de "uma língua desconhecida"; comparar com Samuel em 1Sm 3,7. Segundo outra hipótese, é um membro da assembleia, subitamente inspirado (cf. 1Cor 11,4; 14,2s). O "profeta" interrompe a cerimônia festiva para impor uma mensagem dramática. O que diz não é radicalmente novo, nova é a autoridade com que fala.

Por meio do oráculo inesperado, a comunidade é violentamente transportada de uma celebração alegre e convencional a um chamado exigente sobre sua relação com o Deus da aliança. O salmo termina no mesmo tom dramático; só que é um drama aberto à esperança, porque Deus continua fiel às suas promessas, ainda que condicionadas. Pois bem, quando o salmo entra no repertório e é repetido, deixa a linguagem de ser desconhecida? A interpelação de Deus sobre o ponto fundamental deve conservar sempre um componente de surpresa, ainda que nos fale o texto do salmo, e não o personagem inspirado.

Composição. Os vv. 2-6ab formam a introdução. A mensagem "escutada" (6) se articula em lembrança histórica (7s) e três etapas balizadas pela repetição do verbo "escutar" (9.12.14), que introduz uma intimação do primeiro mandamento, ou seja, a denúncia da desobediência e a oferta de conversão. O homem reza quando faz Deus ouvir sua voz, e não menos quando escuta a voz de Deus.

81,2-4 Jacó-Israel representa toda a comunidade ideal. O título divino "nossa força" está em Sl 28,7; 59,18.

81,6 O texto hebraico diz: "quando saí contra"/"para o Egito". Se o sujeito é o povo, será preciso corrigir para "do Egito", conforme Ex 20,2; se o sujeito é o Senhor, recorda a "saída" do Senhor em Ex 11,4. Pelo sentido, é preferível a primeira solução, a "assinatura da aliança".

81,6c+11c Trago para esse lugar o membro pendente do v. 11, por motivo do tema, reforçado pelo ritmo. Outros preferem transferi-lo ao v. 17 ou deixá-lo no seu lugar. A mensagem é misteriosa: comparar com Nm 24,3s; Is 22,14; Jó 4,12-16. A boca se encherá de palavras de Deus, conforme 2Sm 23,3; Is 51,6; Jr 1,10; Ez 3,2s.

81,7 "Carga" e "ombro" sintetizam toda a opressão, bem conhecidas dos ouvintes: Ex 1,11; 2,11; 5,4s; 6,6s. * Ou: "abandonaram".

81,8 É original a expressão "oculto entre trovões", numa ocultação trovejante. Parece referir-se ao Sinai (Ex 20), quando Deus escondeu sua palavra ao povo e a revelou a Moisés. O trovão escondia sua voz articulada. Toda a tradição diz que em Meriba foi o povo que tentou a Deus: o salmo inverte os papéis. * = Fonte da Prova.

⁹Escuta, povo meu, pois te admoesto;
   Israel, oxalá me escutes:
¹⁰Não terás um deus estranho
   nem adorarás um deus estrangeiro.
¹¹Eu sou o Senhor teu Deus
   que te retirei do Egito.

¹²Mas meu povo não fez caso de mim,
   Israel não me obedeceu.
¹³Entreguei-os a seu coração obstinado
   para que seguissem seus caprichos.

¹⁴Oxalá meu povo me escutasse
   e Israel caminhasse por meus caminhos!
¹⁵Eu humilharia seus inimigos
   e voltaria minha mão contra seus adversários.
¹⁶Os que detestam o Senhor te adulariam,
   e sua sorte ficaria marcada.
¹⁷Eu te alimentaria com flor de farinha,
   e te saciaria de mel silvestre.

82 (81)

¹Deus se levanta na assembleia divina,
   rodeado de deuses ele julga:
²Até quando dareis sentenças injustas,
   colocando-vos do lado do culpado?

81,9 O imperativo "escuta" se repete em Dt com valor estrutural: 4,1; 6,4; 9,1; 27,9. O primeiro hemistíquio se encontra numa liturgia penitencial, Sl 50,7.
81,10 Ex 20,3-5.
81,11-12 A fórmula "Eu sou Yhwh teu Deus" se acha somente aqui e nos dois decálogos: Ex 20 e Dt 5.
81,13 "Obstinado": o substantivo é especialidade de Jr. Abandonar o rebelde a seu capricho e obstinação é o mais grave castigo imaginável.
81,14-17 Como paralelo desses versículos finais, leia-se Is 48,17-19.
81,15 "Humilhar", dobrar: Dt 9,3; Jz 4,23; Ne 9,24.
81,16 "Adular" como expressão de servilismo, como em Sl 18,45; 66,3. O segundo hemistíquio é literalmente "sua hora (final) (seria) definitiva".
81,17 Comparar com os sete produtos de Dt 32,13s. *Transposição cristã*. Também a Igreja sofre a tentação de enquadrar grandes mensagens em cerimônias litúrgicas, neutralizando sua força. A mensagem nova e desconhecida de Jesus (Jo 3,11s) deve conservar sempre sua novidade e estranheza. A propósito do v. 13, vários Santos Padres citam Rm 1,24.26.28.

82 Em vez de enquadrar o salmo, coisa impossível, vou observar os personagens e seus papéis dentro do texto, sem por ora identificá-los. Um soberano ('*el*) convoca seus ministros ('*elohim*) para julgar-lhes a gestão subordinada. Levanta-se e os interpela com uma pergunta retórica que equivale a uma acusação: medeia um delito de corrupção e perversão inveterada da justiça. Do protocolo dos juízes – governantes – cita uns imperativos que definem suas funções; em outros termos, a função que lhe confiava a carta de nomeação. Não as cumpriram, e a consequência é que os fundamentos da ordem social e até da ordem cósmica cambaleiam. A injustiça estabelecida gera escuridão, e esta, manipulada, fomenta a injustiça. O soberano pronuncia a sentença: não vale apelar para a condição, os títulos ou os méritos. Por terem pervertido a justiça, incorreram em pena de morte, e a sentença será executada sem consideração. Ouvida a sentença, o povo que assiste invoca a Deus para que se encarregue de governar o mundo com justiça. Para a composição orgânica completa não encontro paralelos no AT, para suas partes sim. Encontro em 1Sm 22 um exemplo interessante de julgamento. Sobre as obrigações de juízes e governantes: Lv 19,15; Dt 1,16s; 16,19. Para a sentença de morte, conforme sua fórmula, Gn 3,3s; Nm 16,29; Is 22,14. *Composição*. A cena judicial é o primeiro princípio de composição. Ela justifica e explica a mobilidade das intervenções, com vários sujeitos, na primeira, segunda ou terceira pessoas. Num plano se contrapõem: Deus – deuses – Altíssimo e homens – príncipes: um grupo dos primeiros é rebaixado à categoria dos segundos, com suas consequências: da imortalidade à morte. Em outro plano, a oposição clássica perverso/honrado é substituída por perverso = culpado/ desvalido – órfão – humilde – necessitado – pobre. Identificação dos *'elohim*. a) Como divindades. O autor fala do panteão celeste: o Deus supremo, *'el*, impera sobre uma corte de divindades subordinadas. Ao se identificar Yhwh com *'el*, as outras divindades são destronadas e eliminadas. Ver Sl 29,1; 95,3; 96,4s; 97,7.9; Ex 15,11; Jó 1,6 etc. Para a cena da corte celeste, comparar 1Sm 22,6 com 1Rs 22,19. Numerosos textos extrabíblicos provam que compete a alguns deuses administrar a justiça entre os seres humanos.
b) Como juízes. O desterro significou uma revolução religiosa consolidada: a passagem do henoteísmo,

³Defendei o desvalido e o órfão,
  fazei justiça ao humilde e ao necessitado,
⁴salvai o oprimido e o pobre,
  livrando-os do poder dos perversos.
⁵Não sabem, não entendem,
  caminham às escuras,
  e tremem os alicerces do orbe.

⁶Eu declaro: Embora sejais deuses
  e todos filhos do Altíssimo,
⁷morrereis como qualquer homem,
  caireis como qualquer príncipe.

⁸Levanta-te, Deus,
  e julga a terra,
  porque tu és o dono de todos os povos!

83 (82)

(Ez 28; Zc 14,1-3)

²Deus, não fiques calado,
  não fiques em silêncio e imóvel, ó Deus!
³Olha: teus inimigos se agitam,
  e os que te odeiam levantam a cabeça.

---

muitos deuses para os pagãos e um só para os judeus (Mq 4,5), ao monoteísmo, um deus único. Então o salmo mudou de identificação: foi aplicado aos juízes "pela graça de Deus": ver 2Cr 19,5s; Sb 6,1-11 e a citação polêmica de Jesus em Jo 10,34-36. O salmo se torna acusação profética contra governantes injustos, judeus ou estrangeiros. Os governantes injustos não têm impunidade sagrada. A condição mortal devolve ao homem sua verdadeira dimensão: cf. Ez 28,9.

82,1 O primeiro *elohim* é Deus; a "assembleia divina" é a corte de *'el*; o segundo é plural, como indica a preposição.

82,2 Ver Lv 19,15.35.

82,5 Os verbos "saber", "entender" podem ter significado ou conotação judicial: Jó 11,11; Sl 139,2. "Escuridão" como metáfora de desordem social: Is 59,9.

82,8 Todo o mundo é "herança" do Senhor.

Transposição cristã. Em nossa cultura, os deuses falsos e injustos estão secularizados: falsos valores são personificados e exigem absoluta submissão. Entre os que creem, podem existir os ídolos mentais: nossas ideias ou imagens de Deus que confundimos com o Deus verdadeiro. Leia-se a esse propósito o final da primeira carta de João, 5,20s.

83 O texto é explícito: o salmo é uma súplica diante de gravíssima ameaça bélica. Uma aliança de nações avança contra o povo escolhido, disposta a aniquilá-lo e apagar sua memória. Quanto à situação histórica, poucos salmos oferecem tantos dados para a identificação: dez nomes de povos ou nações, lembranças do tempo dos Juízes. Os silêncios também falam: não se menciona Judá nem Jerusalém (ou Sião) nem o templo, nem Babilônia, nem o Egito. Na antiguidade as alianças militares não eram desconhecidas; mas muitas vezes o que agia era um exército de mercenários de diversos países, que guerreiam por profissão ou por dever de vassalagem ou por esperança de despojos. Um exército internacional tem algo de aliança militar. Mas a série dos nomes se volta contra a identificação histórica. São dez, em caprichosa ordem geográfica. Nos livros proféticos encontramos séries de oráculos contra nações pagãs. Sendo secundárias às coleções, os agrupamentos são cronologicamente irreais. Baste citar Is 13-23; Jr 25; 46-52; Ez 25-32; Am 1-2; Sf 2. Poderíamos acrescentar a lista das conquistas de Davi, 2Sm 8. O Salmo 83 se parece, em tamanho reduzido, com as coleções proféticas. Inclino-me a considerá-lo uma composição artificial, utilizável em qualquer conjuntura bélica, e que mais tarde foi lido com projeção escatológica; como a aliança fantástica de Ez 38 ou a de Jt.

Composição. Depois da invocação (2), um *ki* (porque/pois) introduz a aliança e seus projetos destruidores (3-5); outro *ki* introduz a lista de aliados (6-9). Segue-se a imprecação, que avança em três ondas: recorda vitórias do passado (10-13), pede uma teofania destruidora (14-16), invoca a derrota do inimigo e seu reconhecimento forçado do Senhor (17-19). Em esquema: 2.3-9.10-18.19. Sobre o esquema se destacam algumas correspondências interessantes. Deus age sozinho diante da coalizão gigantesca; o povo invoca e assiste. O drama se desenvolve em dois quadros: no princípio, agitação turbulenta e planejamento concorde; no final, desconcerto e derrota. Dois nomes ocupam dois polos: o de Israel, que deve ser cancelado, e o de *Yhwh*, que será reconhecido.

83,2 Silêncio e inatividade de Deus: Sl 28,1; 35,22; 39,13; 109,1. O orante sente como inatividade de Deus aquilo que, visto por Deus, é calma serena (cf. Is 18,4).

83,3 Começa a série de possessivos "teu": os inimigos do povo são inimigos do Senhor. A "agitação" tem algo de marítimo: cf. Is 17,12-14. "Levantar a cabeça" num gesto de superioridade.

⁴Tramam planos contra teu povo
   e conspiram contra teus protegidos.
⁵Dizem: Vamos aniquilá-los como nação,
   que o nome de Israel nunca mais se pronuncie.
⁶Estão de acordo na conspiração,
   fazem pacto contra ti:
⁷beduínos, idumeus, ismaelitas,
   moabitas e agarenos,
⁸Biblos, Amon e Amalec,
   filisteus e habitantes de Tiro;
⁹também a Assíria se aliou a eles,
   emprestaram reforços aos filhos de Ló.

¹⁰Trata-os como Madiã, como Sísara,
   como Jabin na torrente Quison:
¹¹foram aniquilados em Endor*,
   e serviram de esterco para o campo.
¹²Trata seus príncipes como Oreb e Zeb*,
   seus capitães como Zebá e Sálmana,
¹³que declaravam: Conquistemos
   as várzeas de Deus.

¹⁴Deus meu, torna-os lanugem,
   palha diante do vendaval.
¹⁵Como fogo que queima no mato,
   como chamas que incendeiam os montes,
¹⁶persegue-os assim com tua tempestade,
   derrota-os com teu furacão.
¹⁷Cobre-lhes o rosto de vergonha
   para que te busquem por teu nome, Senhor.
¹⁸Desconcertados e confundidos para sempre,
   sejam derrotados.
¹⁹E reconheçam que teu nome é Senhor,
   só tu és Soberano de toda a terra.

83,4 "Tramam" com astúcia. "Protegidos" ou guardados como num refúgio: Sl 27,5; 31,5.21.

83,5 Diante dos dez nomes mencionados, o de Israel deve ser apagado da memória: Ex 17,14; Dt 9,14.

83,6 Eles se põem de acordo no ódio partilhado.

83,9 "Assíria" é a potência internacional. "Filhos de Ló": menção depreciativa de amonitas e moabitas: Gn 19,30-38.

83,10 "Madiã" é o inimigo no tempo de Gedeão. Sua figura é emblemática: Is 9,3. A lembrança de Sísara e do Quison está viva em Jz 4-5.

83,11 "De esterco" ou adubo: 2Rs 9,37; Jr 8,12; 9,21 etc. Último destino ignominioso para um guerreiro. * = Fonte de Dor.

83,12 Quatro chefes madianitas mencionados no ciclo de Gedeão: Jz 7,25; 8,5-21. * = Corvo e Lobo.

83,13 "Várzeas de Deus": de sua propriedade, sagradas. Outros o tomam como superlativo: fertilíssimas.

83,14 A imprecação e o esconjuro eram considerados como armas eficazes contra um inimigo mais poderoso: Nm 22,5. O povo invoca uma teofania que aplique a lei do talião contra os agressores. As comparações são correntes: Is 17,13; 40,24.

83,15-16 A comparação descreve em forma concentrada a propagação de um incêndio na mata dos montes; assim deve agir a tempestade de Deus, perseguindo e destruindo como incêndio.

83,17-18 Em cinco termos sintetiza a vertente objetiva da derrota e a subjetiva da vergonha e confusão. "Buscar o nome" é expressão estranha. Talvez a devamos ler à luz de Sl 18,42: no desconcerto da derrota, chegam a implorar ao inimigo vencedor.

83,19 Soberania de *Yhwh* sobre todo o mundo. "Reconhecer" é fórmula favorita de Ezequiel: pode ser voluntário e alegre ou forçado e doloroso; ver Sb 12,17. *Transposição cristã*. Apoiado nos antecedentes de Ez 38-39 e Zc 14, o Apocalipse trata o tema em chave escatológica: Ap 16,14; 10,13. É, em visão sintética, a história da Igreja perseguida e atacada por nações hostis, por regimes anticristãos, invadida por sistemas contrários. A Igreja pode pedir o fracasso de regimes e sistemas criminosos; mas, em favor das pessoas pede que "reconheçam" a Deus.

84 (83)

(Sl 122)

²Que delícia é tua morada,
  Senhor dos exércitos!
³Meu alento se consome, suspirando
  pelos átrios do Senhor;
meu coração e minha carne exultam
  pelo Deus vivo.
⁴Até o pássaro encontrou uma casa,
  a andorinha um ninho
  onde colocar seus filhotes:
teus altares, Senhor dos exércitos,
  Rei meu e Deus meu.
⁵Felizes os que habitam em tua casa,
  sempre te louvando.
⁶Feliz é quem tira forças de ti
  quando projeta sua peregrinação.
⁷Atravessando o vale da Amoreira
  o transformam em manancial,
  e a chuva o cobre de reservatórios.
⁸Caminham de baluarte em baluarte,
  e o Deus dos deuses lhes aparece em Sião.

---

84 Quanto à forma, esse salmo é um mostruário: hino (2.12), três bem-aventuranças (5.6.13), traços de uma liturgia de entrada (12), provérbio do tipo "é melhor" (11), súplica, pelo termo (9) e pelos imperativos (9-10). Quanto ao conteúdo, o salmo exalta Sião num canto de peregrinação, como o 122. Mas não basta catalogar, para não acontecer que nos escape a intensidade lírica do poema: a exclamação inicial, expressão do sentimento (3), projeção sentimental (4), títulos personalizados de Deus (4), escolha alegre (11).
A que festa se refere? Pelo indício das chuvas de outono (7), alguns pensam que é a festa das Cabanas. Mas pode muito bem tratar-se de peregrinação individual, por devoção, como indica o predomínio do singular. Ou então, digamos que é texto de repertório disponível para qualquer peregrinação, à qual infunde a alegria interior da relação com Deus.
A *peregrinação*. O poema se situa num tempo psicológico que pode abranger vários tempos, fundindo-os numa simultaneidade lírica. A ânsia na distância e a visão do pássaro na presença, habitantes e peregrinos em paralelismo rigoroso; "um dia" pode ser experiência atual, antecipação ou lembrança. Vou distinguir para clarear. a) A peregrinação física se concentra nos vv. 7-8 e se articula em três tempos; os traços não são descrições realistas da paisagem, mas projeção de uma paisagem interior. b) A peregrinação espiritual é a substância do poema. Antes de começar a marcha física, o orante já está a caminho, o desejo de chegar e a alegria da certeza e da proximidade já lhe enchem a mente. As ânsias (3) são a impaciência de quem empreende viagem para encontrar uma pessoa querida; aqui é Deus. O encontro será breve, mas intenso. c) A peregrinação ética é exposta no fim. A viagem física não se detém no puro ritualismo nem na doce experiência íntima, mas compromete a conduta posterior do peregrino.
Composição. A repetição "Senhor dos exércitos" delimita a primeira seção (2-4) e a terceira (9-13); entre ambas se encaixam as bem-aventuranças paralelas, de extensão desigual (5.6-8).

84,2 O predicado "delícia" em hebraico é intenso por sua ascendência: Is 5,1; Jr 11,15; Dt 33,12; Sl 60,7; 127,5. Leia-se o que Ez 24,16.21 diz do templo. Quase poderíamos dizer que o orante está apaixonado pelo templo.

84,3 A ânsia é total: alento ou espírito, coração ou mente, carne ou corpo.

84,4 A imagem da ave soa quase como projeção sentimental. O poeta se detém extasiado no duplo sentido de casa: a ave fez uma casa para seus filhotes na casa de Deus: hóspede acolhido pela hospitalidade ampla de Deus. Oxalá assim acontecesse comigo!

84,5-6 O orante equipara os "moradores" aos "peregrinos". Sl 65,5 parece preferir os que habitam; ver também Sl 91,1. O salmo dedica mais espaço ao peregrino.

84,6-8 Com probabilidade média, podemos distinguir uma decisão prévia e três etapas de peregrinação. Conforme o texto hebraico, o orante está pensando ou planejando "caminhos": Jr 31,21. a) Primeira etapa: creio que o autor explora o duplo sentido de várias palavras: "vale de *Baká*" = "vale da Amoreira" = "vale do Pranto"; "transformam" = "bebem"; "chuva de outono" = "mestre"; "veste-o de reservatórios" = "cobre-o de bênçãos". b) Segunda etapa: em sentido próprio, "baluartes" ou praças-fortes que marcam o itinerário; ou a renovação das forças (cf. Is 40,31); ou as fortificações da capital (Sl 48,4). c) Terceira parte: a presença de Deus no templo: comparar com Is 35,2; 40,4; Jr 31,3; Sl 63,3.

⁹Senhor Deus dos exércitos,
　　escuta minha súplica;
　　atende-me, Deus de Jacó.
¹⁰Olha, Deus, o nosso Escudo,
　　olha o rosto de teu Ungido.
¹¹Pois vale mais um dia em teus átrios
　　do que mil em minha morada;
　pisar o umbral da casa de Deus
　　do que morar na tenda do perverso.

¹²Porque o Senhor é sol e escudo,
　　Deus concede favor e glória;
　o Senhor não nega seus bens
　　aos de conduta íntegra.
¹³Senhor dos exércitos, feliz
　　o homem que confia em ti!

85 (84)

²Senhor, foste bom com tua terra,
　　mudaste a sorte de Jacó;
³perdoaste a culpa de teu povo,
　　cobriste todos os seus pecados.
⁴Reprimiste a tua cólera,
　　refreaste a tua ira acesa.
⁵Restaura-nos, Deus, Salvador nosso,
　　acalma teu rancor contra nós.
⁶Estarás indignado conosco para sempre,
　　ou prolongarás tua ira de geração em geração?

84,9-10 Oração pelo Ungido ou alegando o Ungido, ou seja, o rei. "Escudo": no vocativo, é título divino (Sl 33,20; 59,12). No acusativo, título do rei, paralelo de Ungido.

84,11 "Um"/"mil" é convencional para encarecer com ênfase: Dt 32,20; Js 23,10; Is 30,17. "Morada": corrigindo o texto. "Pisar o umbral": parece designar uma atividade modesta, de porteiro.

84,12 "Sol" como título divino é caso único; em outros textos recebe atributos solares: Dt 33,2; Is 60; 62; Sl 57.

84,13 Recapitulação: nome e título divinos, bem-aventurança, confiança.

Transposição cristã. Em chave cristológica: Jesus é mais que o templo (Mt 12,6), é manifestação de Deus (Jo 14,9), é morada nossa (Jo 15,4). Jesus glorificado: Jo 2,19-21. Em chave eclesiológica: A Igreja presente é templo de Deus (Ef 2,21s). A Igreja celeste (Hb 13,14; 2Cor 5,1).

85 *Gênero e situação.* Compõe-se de três peças bem definidas: uma ação de graças, sem introdução, com inclusão menor (2-4); uma súplica, sem introdução, com inclusão menor (5-8); um oráculo de salvação, com introdução (9.10-14). Como se ajuntam as peças? A terceira e a segunda, facilmente, como súplica e oráculo de resposta. Mas a primeira... Se eles confessam que os restaurou (2), como podem pedir "restaura-nos"? (5). Deve tratar-se de restauração passada que apoia a confiança da súplica presente. Podemos imaginar a situação do retorno do desterro. Depois das magníficas promessas do Segundo Isaías e da volta à pátria ("mudaste a sorte"), enfrentam pobreza e dificuldades de toda ordem. Foi tudo em vão; vai triunfar a desilusão? O povo suplica e Deus responde com um oráculo de esperança.

Composição. Além da divisão tripartida, o verbo *shub* = voltar, mudar, converter-se, restaurar, percorre o salmo como *leitmotiv*: Deus como sujeito em 2.4.5.7, o povo em 9. Se no primeiro êxodo os verbos predominantes eram "sair", "caminhar", "entrar", no segundo êxodo o verbo-chave é "voltar", "converter-se"; a expressão "mudar a sorte" é tipicamente exílica.

Personificação. É o procedimento mais notável do poema, concentrado numa sugestiva cena final: comparar com as personificações sinistras do Salmo 55. Temos de imaginar uma cena unificada: damas e cavalheiros (femininos e masculinos) sob a abóbada do céu. Salvação se aproxima, Glória se senta, outras se encontram, se beijam e se abraçam, uma brota de baixo, outra surge de cima, alguém abre o desfile.

85,2 Começa de repente, com um ato de benevolência divina: negando a negativa de tantos profetas, como Jr 14,10.12; Os 8,13; Am 5,22; Mq 6,7. "Mudar a sorte": sete vezes em Jr 30-33; Ez 39,25; Sl 53,7 etc.

85,3-4 A mudança implica remover as causas profundas do desastre: essa engrenagem exigida de pecado humano e cólera divina. Deus toma a iniciativa e age em quatro verbos decisivos. O homem diz a Deus o que Deus sabe melhor: não informa, mas confessa.

85,6 A pergunta retórica exprime impaciência, pois é impossível que tal atitude de Deus seja definitiva: comparar com 74,1; 77,8-10; 79,5. A situação atual parece uma volta ao desastre, à ira de Deus.

⁷Não vais devolver-nos a vida,
  para que teu povo te festeje?
⁸Demonstra-nos, Senhor, a tua lealdade
  e dá-nos a tua salvação.

⁹Vou escutar o que Deus diz:
  o Senhor propõe* a paz
a seu povo, a seus leais,
  aos que recuperam a esperança.
¹⁰Sua Salvação já se aproxima de seus fiéis,
  para que a Glória habite em nossa terra.
¹¹Lealdade e Fidelidade se encontram,
  Justiça e Paz se beijam;
¹²Fidelidade brota da terra,
  Justiça aparece no céu.
¹³Pois o Senhor dará a prosperidade,
  e nossa terra dará sua colheita.
¹⁴Justiça caminhará diante dele
  encaminhando os passos.

86 (85)

¹Dá ouvidos, Senhor, responde-me,
  pois sou um pobre desamparado.
²Guarda minha vida, pois sou fiel a ti,
  salva o teu servo que em ti confia.
³Tu és meu Deus, tem piedade, Dono meu,
  pois estou o dia todo a te chamar.

85,7 A nova pergunta retórica enuncia a "conversão" de Deus, que nos fará "reviver": Sl 71,20; 80,19; 138,7. A vida recuperada desemboca numa celebração do Senhor, pois só os vivos o louvam.

85,8 No contexto implícito de aliança, invocam a "lealdade" da outra parte, de Deus.

85,9 Alguém na assembleia escuta e comunica o oráculo de resposta (Sl 81,6c); só que Deus não toma a palavra na primeira pessoa. Por isso, os vv. 10-14 poderiam ser comentário litúrgico. É uma mensagem "de paz": Deus os reconciliou. Dirige-se a um povo que com sua "lealdade" responde à lealdade divina e com sua "esperança" responde às promessas. "Recuperam" ou se convertem à esperança. * Ou: "anuncia".

85,10-14 É uma cena da transfiguração poética. Céu e terra definem o horizonte; apenas os personagens se movem; Justiça aparece três vezes. Comparar essa cena com a de Is 32,16s. São qualidades divinas ou virtudes humanas? Divina é Glória, e Salvação é ação sua; possui exemplarmente as outras e as comunica ao homem para seu pleno bem-estar.

85,10 "Se aproxima": ver Is 56,1. A Glória volta a morar no templo: deve-se entender sobre o pano de fundo de Ez 10 e 43.

85,11 Pela lei do paralelismo, os dois verbos se predicam de todos os sujeitos.

85,12 Indica a dimensão vertical e cósmica da cena. "Brotar" é imagem de ascendência ilustre: ler Is 45,8; 61,11, uma colheita de virtudes humanas.

85,13 A prosperidade abrange também o campo material: Sl 72,16. Deus, o doador, dá prosperidade (lit.: "o bem"), que no caso presente é a chuva; ver Is 55,10.

85,14 Aí a cena poderia terminar, quando sobrevém algo inesperado: o Senhor se põe a caminho; à frente, abrindo-lhe caminho, avança Justiça. O final é surpreendente: o Senhor, cuja Glória reside no templo, continua caminhando pela história. Outros corrigem, e no segundo hemistíquio leem paz e retidão.
Transposição cristã. Não encontro no NT uma cena tão sugestiva, mas dispersas, encontro todas as qualidades mencionadas. Ver, entre muitos outros, Rm 14,17; Hb 5,9; Lc 2,30. Alguns Santos Padres aplicam o v. 13 ao nascimento do Messias.

86 Exemplo típico de súplica individual. O autor, poeta de pouca inspiração, tomou o molde genérico e o encheu de citações, imitações e reminiscências de outras súplicas. A motivação é, como de costume, tríplice: tribulação do orante, perseguição do inimigo, bondade de Deus. Não falta a expressão de confiança nem a promessa de ação de graças. As repetições não são sinal de composição, mas simples reiteração. A única coisa que chama a atenção é a motivação com *ki* (porque/pois), repetida nove vezes; nela se mostra a correlação "porque tu"/"porque eu". São muitos os nomes divinos: sete vezes 'adonay (= Dono meu), quatro vezes Yhwh e três "nome"; quatro vezes "Deus, meu Deus" e uma vez Deus (supremo).

86,1 Uma consonância une em hebraico "responde-me, eu e infeliz".

86,2 Apresenta-se como "servo fiel" e "confiante": ver Sl 123.

86,3 "Tem piedade": Sl 51,3; 56,2; 57,2.

⁴Alegra o sentir de teu servo,
  pois meu sentir se eleva a ti.
⁵Porque tu, Dono meu, és bom e perdoas,
  és misericordioso com os que te invocam.

⁶Escuta minha súplica, Senhor,
  dá atenção ao meu pedido por tua graça,
⁷no perigo eu te chamo,
  porque me respondes.
⁸Não há como tu entre os deuses, Dono meu,
  nem existem obras como as tuas.
⁹Todos os povos que fizeste
  virão prostrar-se em tua presença
  e honrarão teu nome, Dono meu.
¹⁰Porque és grande e autor de maravilhas,
  só tu és Deus.

¹¹Ensina-me, Senhor, o teu caminho,
  para que eu o siga com fidelidade;
unifica meu coração
  no respeito ao teu nome.
¹²Eu te darei graças de todo o coração,
  Deus meu, Dono meu;
honrarei sempre teu nome,
¹³por tua célebre misericórdia comigo,
  porque livraste minha vida do Abismo profundo.

¹⁴Ó Deus, gente soberba se levanta contra mim,
  um bando violento atenta contra minha vida,
  sem contar contigo.

¹⁵Mas tu, Dono meu,
  Deus compassivo e piedoso,
  paciente, misericordioso e fiel,
¹⁶olha para mim e tem piedade,
  dá forças a teu servo,
  salva o filho de tua escrava.
¹⁷Dá-me um sinal propício:
  que o vejam meus adversários e fiquem confusos,
  porque tu, Senhor, me auxilias e consolas.

86,4 "Alegra": Sl 92,5; Is 56,7. O "sentir" ou o ânimo.
86,5 "Perdoas": em hebraico é adjetivo, "perdoador". Caso único, apesar de o verbo ser frequente.
86,6 "Pedido de graça": esse plural feminino é exclusivo do salmo, geralmente usado no plural masculino.
86,8-10 Entre a numerosa população de divindades de todos os povos, Yhwh é incomparável, como cantam Ex 15,11; Sl 40,6; 71,19; 89,7. É pouco falar por comparação, pois Yhwh é o único Deus, como sublinha o v. 10: cf. Is 37,16.20; Ne 9,6; Sl 136,4. Entre os dois enunciados (8a.10b), avança o cortejo dos povos que vão render homenagem. Nesses três versículos, o orante passa da sua tribulação presente a uma visão gloriosa e universal, antecipando um futuro em que Yhwh será reconhecido por todos os povos, porque todos são obra dele.
86,11 "Com fidelidade" tua, ou seja, a ti; outros interpretam a fidelidade de Deus como caminho. "Unifica": respeito o texto hebraico e leio nele uma alusão ao primeiro mandamento; comparar com a expressão "coração duplo" em Sl 12,3 e 1Cr 12,34. Uma correção leva a isto: "que se alegre o meu coração".
86,12 "De todo o coração", como manda Dt 6,5.
86,13 "Livraste... do Abismo": com variações está em Sl 30,4; 49,16; 89,49; Os 13,14.
86,14 A última frase é variação de Sl 54,4; ver também Sl 36,2.
86,15 Citação litúrgica, cujo texto fundamental se escuta, na boca de Deus, em Ex 34,6; com variações em Jl 2,13; Jn 4,2; Sl 103,8; 111,4; 112,4; 145,8; Ne 9,17.31. São atributos de Yhwh, o Deus único.
86,16 "Filho da tua escrava", portanto, escravo de nascença: Sl 116,16.
86,17 Um sinal favorável ou presságio bom; será mau para o inimigo. Termina o salmo em tonalidade de consolo.

87 (86)

¹Ele firmou-a num monte santo.
²O Senhor prefere as portas de Sião
  a todas as moradas de Jacó.
³Que glorioso anúncio para ti,
  Cidade de Deus!
⁴Contarei o Egito e a Babilônia
  entre os que me reconhecem;
filisteus, tírios e núbios
  aí nasceram.
⁵De Sião se dirá: um por um
  aí nasceram.
Fundou-a o Altíssimo em pessoa.
⁶O Senhor escreverá no registro dos povos:
  Este nasceu aí.
⁷E cantarão enquanto dançam:
  "Todas as minhas fontes estão em ti".

88 (87)

²Senhor Deus meu, de dia te peço auxílio,
  de noite grito em tua presença.
³Chegue a ti minha súplica,
  inclina o ouvido ao meu clamor.

Transposição cristã. A seção 8-13 convoca um sentido de unidade e totalidade. Há um Deus único e universal: todos os povos devem reconhecê-lo. Como centro de atração, Deus é capaz de unificar todos em seu nome. Também pode unificar o indivíduo, que vive internamente dividido por tantos centros de atração. Tarefa de Jesus Cristo, que atrai a todos (Jo 12,32), e do Espírito, que unifica e simplifica (1Cor 12,4).

87 Catalogamos esse salmo entre os cantos de Sião, que é uma categoria temática, não formal. Junto a seus companheiros, Sl 46, 48, 84, 122, acentua sua diversidade. Devem-se buscar semelhantes fora do saltério: Is 2,2-5; 66,18.21; Zc 14; e sobretudo, a estupenda predição de Is 19,23-25.

Sistema simbólico. a) A fundação (1) pode ser empreendimento de reis ou conquistadores: 1Rs 16,34; Eclo 40,19. Embora Jerusalém tivesse sido uma cidade jebuseia conquistada por Davi, a versão teológica afirma que o Senhor fundou-a: Is 14,32; 45,11. b) Cidade-mãe? Não é raro apresentar Jerusalém como esposa do Senhor e mãe do povo. Os indícios aqui são leves: o verbo "amar" (2; cf. Jr 31,3); "nascer", "ser gerado" (4-5) se diz "aí", "nela", não precisamente por ela; um manancial (7) pode ser símbolo sexual (Pr 5,16; Ct 4,12.15), mas aqui pode aludir ao manancial do templo (Jl 4,18; Ez 47). c) Cidadania é o símbolo explícito e dominante. Um escrivão registra nomes para um recenseamento. Trata-se de cidadania com plenos direitos, não de mera residência. Transferida a Jerusalém, a promessa patriarcal que Abraão recebeu torna-se matriarcal.

87,1 O salmo começa *ex abrupto*, com nenhum outro. O sufixo masculino corresponde ao fundador. Tanto fundação como alicerces indicam o fundamental e fundacional, a origem que define a condição.

87,2 "Prefere" pode ter como complemento o que precede e o que segue, as "portas", centro de vida urbana: cf. Jr 17,19-27.

87,3 Qual é a maior glória para Jerusalém: ser capital de um reino e encarnação de um povo, ou ser mãe de nações numerosas? O Senhor fundou-a para um privilégio exclusivo ou para um destino universal?

87,4-5 "Contarei": o Senhor se refere a uma chamada nominal. Dois inimigos tradicionais e emblemáticos encabeçam a lista. Seguem-se a guerreira Filisteia, a luxuosa Tiro e a aventureira Núbia; cada nome suscita uma onda de lembranças negativas. Em virtude dessa convocação, "nasceram aí", como cidadãos com plenos direitos. Comparar com Is 14,1; 56,3.6; Zc 2,15.

87,6 É o registro oficial: Is 4,3; Ez 13,9.

87,7 As "fontes" funcionam como símbolo. Celebra-se uma festa popular para glória do novo destino de Jerusalém.

Transposição cristã. Em sentido próprio, é já uma audaciosa profecia, cujo cumprimento é a Igreja universal: Ef 2,12s.19. Todo batizado nasceu nela, é cidadão com plenos direitos.

88 *Gênero e situação.* Por declaração expressa, pelo começo convencional e pelo desenvolvimento, o catalogamos como súplica individual, embora lhe faltem vários elementos do gênero. Não confessa pecados, o que significa que a tragédia é imotivada e inexplicável. Não há descrição de inimigos nem de sua ação hostil: será que a hostilidade se concentra em Deus?, ou no último inimigo, a morte? (1Cor 15,26). Não expõe o conteúdo concreto do pedido: subentende-se. Não promete dar graças: não se faz ação de graças no lugar aonde o orante vai (Is 38,19). A morte não é castigo, mas condição, e se mostra despida de razões. O orante reza *in articulo mortis*, na conjuntura da morte. Mas sua oração não é grito angustiado, nem sequer a jaculatória urgente do agonizante; é um poema bem composto, que se deve comparar com Sl 39; Is 38; Jó 10.

Símbolos da morte. O hebreu não conhece vida depois da morte, mas não sabe conceber a não-existên-

⁴Pois meu ânimo está cheio de males
e minha vida está à beira do Abismo.
⁵Já me contam com os que descem à cova,
sou como um homem inválido;
⁶confinado entre mortos, como as vítimas
que jazem no sepulcro;
já não guardas memória deles,
porque foram arrancados de tua mão.

⁷Tu me colocaste no fundo da cova,
em trevas abismais.
⁸Tua cólera se apoia sobre mim,
arremessas contra mim tuas vagas.
⁹Afastaste de mim meus conhecidos,
tornaste-me repugnante para eles.
Trancado, já não posso sair,
¹⁰e meus olhos se nublam de pesar.
Eu te chamo, Senhor, o dia todo,
estendendo as mãos para ti.
¹¹Farás maravilhas pelos mortos?
As sombras se levantarão para te dar graças?
¹²No sepulcro se anunciará tua lealdade,
ou tua fidelidade no reino da morte?
¹³Tuas maravilhas são conhecidas na treva,
ou tua justiça no país do esquecimento?

---

cia. No momento em que afirma algo do morto, está dando a ele uma existência desconhecida. Alguns predicados são negativos: não louva, não vê a luz; outros são positivos, imaginativos. Aproveitando tradições e materiais da cultura circundante, descarta algumas e seleciona um repertório de imagens, sem integrá-las numa visão orgânica. O presente salmo oferece uma concentração.
a) O reino da morte ou dos mortos como espaço. Brota da prática de enterrar, pôr debaixo da terra, ou se confirma com essa prática. Os mortos "descem à cova" ou poço, descem às regiões inferiores da terra, jazem no sepulcro, habitam no Xeol ou Abbadon (Pr 15,11; Jó 28,22). b) A morte é uma potência em ação: incêndio que consome, onda que envolve e traga. c) É qualidade ou estado: mundo de trevas, negação da luz, prisão sem saída, "terra de esquecimento", onde os mortos esquecem e são esquecidos. d) Os mortos jazem, não se levantam, não percebem, não louvam.
Todo esse vazio se instala poderosamente na consciência do homem e se transforma em "horrores e espantos" que "saciam o ânimo" de sofrimentos.
A morte e Deus. Por um lado, a morte é alheia a Deus; por outro, ele provoca a morte como destino do homem. Não há uma divindade rival, Mot ou Nergal ou Nereshkigal, eventualmente mais poderosa do que Deus. Portanto, Deus é o causador misterioso. O salmista o diz na segunda pessoa ou com substantivos e possessivos: "não te lembras, colocas, afastas, colocas, rejeitas, escondes, afastas; tua cólera, tuas ondas, teu terror, teu incêndio, teus espantos"; mas são negados sua misericórdia, sua fidelidade, sua justiça, seus prodígios. Esse Deus sem rivais e sem piedade é mais compreensível e aceitável?

88,2-3 O hebraico segue uma ordem refinada: "Senhor, Deus de minha salvação, de dia clamo, de noite em tua presença". Apesar do que sofre, o moribundo continua orando, e orando morrerá.
88,4 "Cheio de males": balanço de uma vida ou impressão final. "Vida e Abismo" (Xeol): contiguidade de vida e morte, clara à consciência.
88,5 "Os que descem à cova": ver Ez 31,14.16; 32. "Homem" ou varão (forte) inválido: salientando contrários.
88,6 "Confinado": imaginemos um hospital de campanha, entre feridos desenganados. Outros traduzem "emancipado" (cf. Jó 3,19), que é outro paradoxo: finalmente livre... com os mortos. "Vítimas": caídos em batalha, executados ou assassinados. Deus não se lembra deles: em contraste com Sl 8; comparar com Jó 14,13-15.
88,7 Começa a série na segunda pessoa, com uma acumulação de termos de lugar.
88,8 Quando Deus é sujeito de "apoiar", o verbo tem valor positivo. O orante retorce a expressão: é tua cólera que se apoia ou pesa.
88,9 Tornando-o repugnante, Deus é causador também do abandono e da solidão: Jó 19,21.
88,11-13 Tema clássico (Sl 30,10; Is 38,18s; Eclo 17,27s) exposto aqui com especial vigor. Revelar é manifestar a alguém: os mortos não são alguém a quem Deus possa revelar suas qualidades. Os *refa'im* são as sombras, manes ou almas das crenças populares. "Anunciar" ou contar: verbo frequente no saltério. "A treva": leia-se o desenvolvimento em Jó 10. "País do esquecimento": expressão única; comparar com Sl 31,13; Ecl 9,5.

¹⁴Eu a ti, Senhor, te peço auxílio:
de manhã irá a teu encontro minha súplica.
¹⁵Por que, Senhor, rejeitas meu alento
e me escondes teu rosto?
¹⁶Sou infeliz e doentio desde criança.
Teu terror e teu delírio me esmagam,
¹⁷sobre mim passou o teu incêndio,
teus espantos me consumiram,
¹⁸e me envolvem como água o dia todo,
cercam-me todos juntos.
¹⁹Afastaste de mim amigos e companheiros,
e minha companhia são as trevas.

89 (88)

(Sl 44; 74; 2Sm 7)

²Cantarei eternamente a lealdade do Senhor,
anunciarei de geração em geração tua fidelidade.

88,14 O amanhecer é o tempo clássico de ser escutado e de receber favores divinos. O orante ainda subsiste no ritmo de dia e noite (2), mas tem pressa, porque o tempo se acaba.

88,15 Mas, em vez de favor, recebe rejeição e, ao amanhecer, vê o rosto de Deus coberto; em contraste, Sl 17,15.

88,16a "Doentio": o verbo é duvidoso; poderia denotar simplesmente a condição mortal consciente.

88,16b É o momento mais trágico, quando Deus se torna aterrador, porque entrega o homem à morte: comparar com Gn 15,12; Ex 15,16; Sl 55,5; Jó 9,34; 13,21. O terror da morte é sagrado. A consciência de morrer é mais trágica que a morte.

88,17-18 Fogo e água aliados contra o moribundo. O incêndio atravessa, as águas envolvem; o moribundo é centro dessa devastação impiedosa e cósmica.

88,19 Abandonado de todos porque Deus os afasta. Assim termina o salmo: a primeira coisa que Deus criou foi a luz, a última que o homem encontra são as trevas.

Transposição cristã. Os comentaristas antigos põem esse salmo na boca de Jesus no Getsêmani e na cruz. A certeza da ressurreição não lhe poupou a amargura do cálice que o Pai lhe estendia: Mc 14,33; Lc 22,44. Morrendo ele, toda a terra ficou em trevas. É bom deixar que o salmo desenvolva todo o seu pateticismo sem paliativos e nos ajude a contemplar a trágica grandeza da morte de Jesus. Só assim a ressurreição mostrará toda a sua força. Agora, "faz prodígios" pelos mortos.

89 *Gêneros.* O começo "cantarei" o define como hino, e no v. 6 os céus se juntam ao louvor. Do v. 20 ao 38 amplia-se um oráculo, devidamente introduzido como um tema do hino. No v. 39, com um simples "mas tu", muda o tom e começa uma súplica que continua até o fim. O gênero de súplica é inconfundível pela descrição da desgraça, menção do inimigo, perguntas e imperativos dirigidos a Deus. Como se ajuntam as duas peças?

Não são duas peças autônomas justapostas. As relações temáticas e verbais entre ambas as partes são muito fortes. Está uma peça em função da outra? As respostas divergem. a) Partindo do hino: existia um hino completo por causa da escolha da dinastia davídica, concebida num contexto cósmico. Um acontecimento trágico questionou o valor do hino, e alguém decidiu atualizá-lo acrescentando-lhe uma súplica. Não é a maneira normal de proceder. b) Partindo da súplica: Num momento trágico para o rei e a dinastia, alguém compõe uma súplica na qual recorda o passado como contraste e motivação. Inclino-me à segunda explicação, que inclui uma situação típica. *Hino paradoxal à lealdade de Deus.* Contudo, experimentemos levar a sério o começo do salmo, como declaração de propósito. No meio da tribulação, apesar da tribulação, "cantarei eternamente a lealdade do Senhor". Quando os fatos parecem desmentir essa lealdade, eu a confirmo e canto. E continuarei cantando-a sempre, aconteça o que acontecer. Porque a lealdade divina não se apoia em nossa performance, mas no compromisso com que Deus se comprometeu.

Composição. Podemos examinar as palavras-chaves em seu eixo semântico. São as raízes hsd e 'mn; paralelas nos vv. 2a.3a.15b. 25a.29a.34a.50a; só a segunda em 6b.9b.38b. Ou seja, sete vezes uma, dez a outra. Ao mundo dessa lealdade pertencem a aliança (4.29. 35.40), seu conteúdo, o trono dinástico (5.15. 30.37.45), o vassalo beneficiário (4.29. 35.40) que é Davi (4.21.36.50); também a estabilidade (3.5.22.28) e a perpetuidade (2.3.5. 29.37.38). No polo oposto do eixo se encontram enganar e mentir (23.36), profanar (32. 40), mudar e rejeitar (35.39), não seguir nem guardar (31.32), em vão (48).

Disposição. Introdução programática (2-5): o orante fala (2s) e cita Deus (4s); primeira parte: hino (6-38): seção cósmica (6-19), com ação de Deus (10-15) e resposta do povo (16-19); ação histórica (20-38), com instituição (20-30) e condições (47-52). Segunda parte: súplica (39-52): ações recentes (39-46), perguntas e pedidos (47-52).

Relações entre as partes. A relação entre hino e súplica é óbvia: em ambas predomina a ação do Senhor. Mais importante e menos visível é o paralelismo entre o senhorio celeste do Senhor e o domínio terrestre do monarca. a) Na altura celeste reside uma corte formada por Céus e Santos. Não detêm o poder supremo, mas reconhecem a superioridade incomparável do Soberano (7). Yhwh obteve o título

³Eu afirmo: Tua lealdade é construída nos céus,
   neles está firme tua fidelidade:
– ⁴Selei uma aliança com meu escolhido,
   jurando a meu servo Davi:
⁵"Fundarei para ti uma linhagem perpétua
   e te construirei um trono para todas as épocas".

⁶Proclamem os céus tua maravilha, Senhor,
   tua fidelidade na assembleia dos Santos.
⁷Pois, quem sobre as nuvens se compara ao Senhor
   ou se assemelha ao Senhor entre os seres divinos?
⁸Deus é temido no Conselho dos Santos,
   é grande e terrível para toda a sua corte.
⁹Senhor Deus dos exércitos, quem é como tu?
   Teu poder e fidelidade, Senhor, te fazem corte.

¹⁰Tu dominas a soberba do mar
   e amansas a inflação de suas ondas.
¹¹Tu transpassaste e destroçaste Raab,
   com braço potente dispersaste o inimigo.
¹²Teus são os céus, tua é a terra;
   o orbe e o que contém tu o firmaste.
¹³Tu criaste o Norte e o Sul,
   o Tabor e o Hermon aclamam teu nome.

---

derrotando as forças oceânicas do caos, por isso o universo lhe pertence, e ele senta-se no trono real (15). b) Na terra, Deus "escolhe" um entre o povo, levanta-o sobre os demais (20s), faz com que vença seus inimigos (23s), o faz superior a outros reis (28), senta-o num trono que dura (30.37). Assim se realiza na terra, por doação e em imagem, a fidelidade "construída" no céu.

Paralelos. Fora da Bíblia, é importante a exaltação de Marduc sobre outros deuses, conforme o Enuma Elish. Dentro do AT, é fundamental a promessa dinástica de 2Sm 7: as dependências ou coincidências são abundantes; ler com particular atenção 7,5.7-9.11-16.26-27.

O tema da *construção*. Duas vezes no princípio lemos o verbo "construir" (3.5) com complemento "lealdade" e "trono"; e ao longo do salmo, cinco vezes o quase sinônimo "estabelecer" (3.5.15.22.38). Por que diz que a "lealdade é construída nos céus"? Antes de tudo, o verbo hebraico tem uma gama maior de significados: fabricar, elaborar, modelar (cf. Gn 2,22). O orante quer cantar a fidelidade e a lealdade de Deus para sempre: a garantia é que tal virtude foi "fabricada" no céu e, como virtude celeste, poderá transferir-se para a terra e agir nela. Além disso, no citado poema Enuma Elish, cada vitória ou ação criadora desemboca na construção de um templo. Finalmente, o eixo da promessa dinástica em 2Sm 7 é "construir": Davi quer construir para Deus uma casa-templo, e Deus pensa em lhe construir uma casa-dinastia.

89,2-3 O orante apresenta seu programa: um canto para a posteridade, perduravel como o tema que trata e como sua garantia celeste.

89,4-5 Sem introdução ressoam palavras de Deus. Toma a iniciativa, escolhe Davi como vassalo, dá-lhe com juramento (2Sm 3,9; Sl 110,4: 132,11) uma aliança, para ele e seus sucessores no trono.

89,6-9 O primeiro versículo e o último são ditos pelo orante na segunda pessoa; os outros dois, englobados, são talvez pronunciados na terceira pessoa pelos seres celestes, que têm vários nomes ou títulos, e formam a corte, o Conselho (Jr 23,18.22; Jó 15,8). Como um soberano "rodeado" de seus ministros.

89,6 Refere-se à corte celeste: os "céus" personificados (cf. Sl 19,2; Sl 50,6; Is 1,2). Os "Santos": Jó 5,1; 15,15; Zc 14,5.

89,7 "Nuvens": tomando o singular hebraico como coletivo; seria o reino dos meteoros controlados por divindades. Os verbos de comparação unem-se em Is 40,18.

89,8 Também os que têm acesso e estão perto e "o rodeiam", temem ante sua "grandeza": Sl 76; Is 2,9-19.

89,9 Corrijo para ler o substantivo "poder". Com "fidelidade" forma talvez uma escolta.

89,10-15 Proclamação da soberania cósmica de *Yhwh*. Luta primordial e vitória sobre as forças do caos, fundação do orbe (sobre as águas); define limites e alturas. Ao terminar, senta-se sobre um trono, que vai montado sobre duas figuras personificadas (como os animais fantásticos de tronos orientais); ao passo que outras duas personificações fazem a guarda ou abrem caminho. Imagine-se a cena imperial.

89,10-11 O monstro primordial se chama Yam (Mar) e Raab (Agitação); um esquadrão de inimigos o acompanha. *Yhwh* exerce grande atividade: domina, amansa, tritura, atravessa, dispersa. Pode-se comparar com a batalha de Marduc e Tiamat em Enuma Elish, onde também se mencionam norte, sul e montanhas anônimas; ver também Sl 74,12-17.

89,13 Escolhe duas montanhas importantes, embora não da Judeia: cf. Jr 46,18; Sl 133,3.

¹⁴Tu tens braço valoroso;
    forte é tua esquerda, sublime tua direita.
¹⁵Justiça e Direito sustentam teu trono,
    Lealdade e Fidelidade se apresentam diante de ti.
¹⁶Feliz o povo que sabe aclamar-te;
    caminhará, Senhor, à luz de teu rosto.
¹⁷Teu nome é sua alegria constante,
    tua justiça é seu orgulho.
¹⁸Tu és sua honra e sua força;
    com teu favor nosso chifre se levanta.
¹⁹Porque do Senhor é nosso Escudo,
    do Santo de Israel nosso rei.
²⁰Um dia falaste em visão,
    declarando a teus leais:
"Cingi um valente com diadema,
    exaltei um soldado da tropa".
²¹Encontrei em Davi um servo
    e o ungi com óleo sagrado.
²²Minha mão estará firme com ele
    e meu braço o tornará fortificado.
²³O inimigo não o enganará
    nem os criminosos o humilharão.
²⁴Diante dele esmagarei seus adversários
    e ferirei os que o odeiam.
²⁵Minha fidelidade e lealdade o acompanharão,
    em meu nome seu chifre se levantará.
²⁶Estenderei sua esquerda até o Mar
    e sua direita até os Rios.
²⁷Ele me invocará: "Tu és meu pai,
    meu Deus, minha Rocha de salvação".

89,14 Braço e mãos: ver Ex 15,6.16.
89,15 O trono real se apoia num estrado ou base, que é a justiça: ver Pr 16,12; 20,28; 25,5; 29,14.
89,16-19 O soberano dos deuses e senhor do cosmo tem na terra um povo que o reconhece e encontra nele seu guia, sua alegria, seu orgulho, sua força. Começa na terceira pessoa e passa, sem violação lógica, à primeira ("nosso").
89,16 "Aclamar": a palavra hebraica denota aqui um grito de triunfo. O rosto benévolo de Deus ilumina como um sol pelo caminho da vida e da conduta.
89,18 "Levantar o chifre" como sinal de poderio: Sl 75,1; 1Sm 2,10.
89,19 Duas interpretações da partícula *l*-: a) "quanto a Yhwh, ele é..."; b) "a Yhwh pertence...". No primeiro caso, Yhwh é nosso rei e escudo; no segundo, nosso rei é nosso escudo, é propriedade e vassalo de Yhwh. Prefiro a segunda leitura, que toma o versículo como transição.
89,20-30 O orante introduz (20) amplo oráculo pronunciado por Yhwh na primeira pessoa. Toda a ação é do Senhor; ao rei humano compete invocar. Algumas ações pertencem à escolha; outras à investidura, como diadema, unção, trono; outras à autoridade política e militar do monarca. Tem contatos com Sl 2; 110 e a segunda parte de 18.

89,20a Tanto 2Sm 7,17 como a variante de 1Cr 17,15 falam de uma visão comunicada a Davi. "Leais": vários manuscritos leem no singular "Leal": Natã ou Davi?
89,20b O primeiro complemento é de interpretação duvidosa. a) Como "auxílio", referido à luta de Davi com Golias. b) Como "moço", referido à preferência de Davi sobre Saul. c) Corrigido em "diadema".
89,21 Da unção sagrada segue-se o título de Ungido.
89,22 "Fortificado": com frequência usado para chefes: Is 41,10; Sl 80,18.
89,23 "Enganar": verbo hebraico pouco usado: tem o matiz de provocar falsas ilusões, iludir com promessas falsas: Gn 3,13; Jr 29,8.
89,24 "Esmagar" geralmente se refere a objetos materiais: Dt 9,21; Is 30,14; Jl 4,10.
89,25 Deus lhe oferece sua própria escolta. O singular "chifre" corresponde ao plural do v. 18.
89,26 Limites do domínio de um soberano sobre reinos vassalos: 1Rs 5,1; Zc 9,10; Mq 7,11.
89,27-28 Como título supremo, o rei de Israel é chamado filho de Deus e pode invocar pessoalmente o Senhor como Pai: Sl 2,7; 2Sm 7,14. Esse salmo acrescenta um matiz: "primogênito". O que o povo hebreu é entre outros povos (Ex 4,23), seu rei o é entre os reis. Não por precedência cronológica, mas por escolha e nomeação divinas.

²⁸E eu o nomearei meu primogênito,
excelso entre os reis da terra.
²⁹Vou manter lealdade eterna para com ele,
e minha aliança com ele será estável.
³⁰Eu lhe darei uma linhagem perpétua
e um trono duradouro como o céu.

³¹"Se seus filhos abandonarem minha lei
e não seguirem meus mandamentos,
³²se profanarem meus preceitos
e não guardarem meus mandatos,
³³castigarei com vara seus delitos
e com açoites suas culpas;
³⁴mas não lhes retirarei minha lealdade
nem desmentirei minha fidelidade;
³⁵não profanarei minha aliança
nem mudarei minhas promessas.
³⁶Uma vez jurei por minha santidade
não faltar à minha palavra com Davi.
³⁷Sua linhagem será perpétua
e seu trono como o sol em minha presença;
³⁸como a lua que permanece para sempre:
testemunha fidedigna nas nuvens".

³⁹Mas tu, encolerizado com teu Ungido,
o rejeitaste e desprezaste;
⁴⁰rompeste a aliança com teu servo
e profanaste no chão seu diadema.

89,29-30 A lealdade do Senhor ultrapassa a vida de Davi e de cada monarca, assegurando descendência e trono. A afirmação vai além de mera continuidade e estabelece uma medida cósmica para a fidelidade do Senhor e a duração do trono: ver Sl 45,7; Is 55,3.

89,31-38 Continua o oráculo divino, acrescentando uma condição muito elaborada, cujo precedente está em 2Sm 7. Com afã de precisão jurídica, estabelece cláusulas penais e limites da pena. Pode-se olhar de dois modos: a fidelidade radical à aliança não exclui penas limitadas; ou então: os castigos não anulam nem desmentem o compromisso radical. De passagem, o autor acrescenta uma página de teodiceia, justificando o castigo divino e ao mesmo tempo convida à esperança.

89,31-32 O delito se articula em quatro expressões, nas quais o "profanar" é original. A aliança a que se refere é a do Sinai com o povo, que também obriga o rei (Dt 17,18s); escuta-se a linguagem do Deuteronomista.

89,33 A "vara" permite um castigo calibrado e numerado, não aniquila como o fogo e a espada: cf. Ex 21,20.

89,34-35 Outro quarteto de sinônimos reafirma enfaticamente a lealdade do Senhor. As formulações são originais por causa dos verbos usados.

89,36 O Senhor interpôs um juramento pelo que há de mais sagrado, a sua própria santidade.

89,37-38 De quem se diz: "testemunha fidedigna nas nuvens"? Há três candidatos à função: a descendência, o trono, a lua. a) A descendência ou continuidade dinástica seria testemunho vivo de que o Senhor cumpre seus compromissos; mas está na terra. b) O trono é emblema do reinado e tem uma aura celeste, como imagem do trono celeste (15; Sl 45,7); seria como o arco-íris nas nuvens, sinal de um pacto perpétuo (Gn 9,16). c) A lua seria um sinal paradoxal e apto, pois permanece no seu mudar (cf. Eclo 43,8); é sinal celeste, e em Babilônia pode ser oracular.

89,39-46 Aqui surge um sobressalto, e a ação se precipita. Como se o Senhor tivesse pressa em destruir o construído, em arrancar o plantado (Jr 45,4), como se sentisse prazer nisso (Dt 28, 63). O texto está deliberadamente desenvolvido como reverso do bloco precedente. Diante da "escolha", a "recusa"; diante da "benevolência", a "cólera"; a aliança "violada", o diadema "profanado"; diante da "honra", o "ultraje"; aquele que "exaltou" um soldado, "exalta" o inimigo; ao "prazer" do povo se opõe a "alegria" do inimigo; o trono "pelo chão", o senhor de reis vestido de "ignomínia". Toda a cena se concentra em Deus como agente, e no ungido como paciente. O povo fica de fora.

89,39 Teoricamente, é o vassalo quem provoca a cólera do rei. Não confessando aqui culpa alguma, a cólera parece imotivada (e alguns comentaristas atribuem isso a Josias).

89,40 "Rompeste": o verbo hebraico é exclusivo do salmo e de Lm 2,7.

⁴¹Abriste brechas em suas cercas
  e arruinaste suas fortalezas.
⁴²Qualquer passante a saqueia,
  e é afronta de seus vizinhos.
⁴³Levantaste a direita de seus inimigos,
  e encheste de alegria seus adversários.
⁴⁴Dobraste a folha de sua espada
  e não o sustentaste na batalha.
⁴⁵Escondeste seu resplendor
  e derrubaste seu trono por terra.
⁴⁶Encurtaste os dias de sua juventude
  e o vestiste de ignomínia.
⁴⁷Até quando, Senhor, te manténs escondido,
  e arde como fogo a tua cólera?
⁴⁸Recorda o quanto dura minha vida:
  criaste em vão os humanos?
⁴⁹Qual o homem que viverá sem ver a morte?
  Quem livrará sua vida das garras do Abismo?
⁵⁰Onde está, Dono meu, tua antiga lealdade,
  aquilo que tua fidelidade jurou a Davi?
⁵¹Olha, Dono meu, a afronta de teus servos,
  o que tenho de aguentar de todos os povos:
  como afrontam as pegadas de teu Ungido,
⁵²como afrontam, Senhor, teus inimigos.

* * *

⁵³Bendito seja o Senhor para sempre! Amém, amém.

90 (89)

¹Senhor, tu foste nosso refúgio
  de geração em geração.
²Antes que nascessem as montanhas
  ou fosse gerado o orbe da terra,
  desde sempre e para sempre tu és Deus.

89,41 "Cercas" são as muralhas: Sl 80; Is 5. Esses detalhes encaixam melhor na destruição de Jerusalém.
89,43 Significa a exaltação do poder militar e a alegria pela vitória.
89,44 Chama metaforicamente o fio da espada de "pederneira"; cf. 2Sm 1,22; "sustentar" na batalha: Sl 20-21.
89,45 Cabem duas explicações. a) Mantendo o significado mais frequente, de "pureza", antônimo cultual de "contaminação"; a máxima contaminação é a do cadáver. b) Da pureza se passa ao brilho; aludiria ao halo que envolve o rei e o faz temível ao inimigo.
89,46 Pode significar que "o fizeste prematuramente ancião", ou que "o truncaste em plena juventude". Josias morre ao 49 anos, Jeconias é deposto e desterrado aos 21. "Vestiste de ignomínia": despojado das vestes reais e vestido como prisioneiro: Jó 12,17-21.
89,47-52 Terminada a alegação de desgraças, todas causadas pelo Senhor, vem a alegação de argumentos para que o homem mude de conduta o quanto antes. São quatro argumentos.
89,47 Primeiro: a situação está se prolongando demais: Sl 13; Lm 5,20. "Arde de ira": Sl 79,5; Lm 2,3.
89,48-49 O segundo argumento é inesperado: a caducidade humana (cf. Sl 39 e Ecl).Talvez prolongue o v.

46. Em todo caso, o rei é mortal, e não é justo fazer que sua vida malogre; também nós somos mortais (Sl 49), e por isso estamos impacientes.
89,50 O terceiro é o mais forte. Deus está faltando à sua "lealdade" e ao "juramento". É o tema do começo.
89,51-52 A insolência do inimigo e a humilhação do Ungido. A expressão "afrontar as pegadas" é original. Como se uma multidão se juntasse atrás do rei e lhe lançasse insultos: cf. 2Sm 16,5-13.
89,53 Um versículo acrescentado encerra a terceira coleção de salmos.
Transposição cristã. Já durante a antiga economia, esse salmo foi lido em chave messiânica, e assim os cristãos o leram. Parte do v. 21 é citada em At 13,22; 28b é citado em Ap 1,5. Mais importantes são as relações temáticas: o título de Messias, a unção, a relação Filho/Pai, o título de primogênito (Rm 8,29; Cl 1,15.18; Ap 1,5; Hb 1,6). Para meditar o tema da fidelidade, temos Rm 1,5.8; 2Tm 2,11-13.
90 *Gênero.* O mais aproximado que se pode dizer desse salmo é que é uma meditação; ou a versão poética duma meditação, conduzida com sabor sapiencial. Fala dos homens em geral, não de Israel; fala da condição humana em imagens; remonta ao Gênesis,

³Tu devolves o homem ao pó, dizendo:
  Voltai, filhos de Adão!
⁴Para ti, mil anos são um ontem que passou,
  uma vigília noturna.
⁵Tu os arrastas; são um sono ao amanhecer;
  renovam-se como a erva;
⁶pela manhã se renova e floresce,
  pela tarde seca e a ceifam.

⁷Como tua cólera nos consumiu
  e tua indignação nos transtornou!
⁸Puseste nossas culpas diante de ti,
  nossos segredos à luz do teu olhar,
⁹e todos os nossos dias passaram sob tua cólera,
  consumimos nossos anos como um murmúrio.
¹⁰Ainda que vivamos setenta anos,
  e os mais robustos até oitenta,
  seu afã é fadiga inútil,
    pois passam depressa, e nós voamos.

---

antes de qualquer escolha. A inserção no saltério nos faz identificar o "nós" com a comunidade judaica; no entanto, o texto é facilmente disponível para qualquer outra comunidade.

Em termos gerais, o *tema* dessa meditação é o tempo. Basta considerar o campo semântico: dias (4.9.12.14.15) e anos (4.9.10.15); formas binárias: geração após geração (1), desde sempre e para sempre (2), manhã, tarde e noite (4-6); os advérbios antes, até quando, depressa; os verbos de passagem ou decadência: passar, ir-se, voar, murchar, voltar ao pó; os números como medidas do tempo. Por cima de tal concentração se eleva bem definido o verbo de estabilidade (17). O campo do tempo governa com rigor o poema: em ordem ascendente, a duração de uma planta, a vida humana, a história humana, o tempo cósmico, a perpetuidade divina. O tema do tempo é meditado com enfoque particular: teológico ou antropológico? Pergunto pelo ponto de partida, que podemos definir de duas maneiras. a) Teológico: partindo de Deus, da vertigem de meditar em sua eternidade, o orante volta o olhar para si e descobre espantado a própria caducidade. b) Antropológico: partindo do homem. O homem medita em sua caducidade; para superar ou aliviar a tristeza ou angústia, transfere a meditação para a presença de Deus. O resultado é o contrário: em vez de aliviá-lo, a duração imensa de Deus o torna pequeno e o aflige. Resta a saída de um pedido.

Caducidade e pecado. A caducidade humana é natureza ou castigo? O pecado é causa da morte ou só agravante? Uma pena de morte (3; Gn 2,17) só pode ser ameaçada e infligida a um ser mortal. Aquilo que é condição se toma como castigo: antecipa-se violentamente a morte. Mas uma catástrofe natural para alguns será castigo, para muitos é desgraça. Entendo que o salmo considera a mortalidade como destino natural do homem. O orante não pede perdão de seus pecados, mas sensatez para aceitar o próprio destino.

Composição. Divido-o em três partes: reflexão, Deus e o homem (1-6);, ira e pecado, com inclusão (7-11); súplica (12-17). Há uma repetição significativa. Deus intima o homem: Voltai! O homem clama a Deus: Volta! (3.13).

Pelo tema, o salmo é parente de 39 e 49; tem muitas coincidências com Dt 32-33, algumas em forma exclusiva. Pode-se suspeitar que o autor se inspirou no Pentateuco, Gn e Dt.

90,1 "Refúgio" ou morada: imagem espacial; no fluxo das gerações, algo estável as contém e facilita. "Nosso" é dito do grupo humano que se realiza na sucessão e continuidade: Ecl 1,4.

90,2 Num salto para trás, a vista depara com as montanhas que já estavam aí antes do homem. É território dele e dura mais que ele. Pelos verbos escolhidos, a criação da terra é como um parto.

90,3 A história do Gênesis é evocada num versículo. Aquele que modelou o homem, dando-lhe consistência, tornou-o vulnerável; aquele que integrou suas partes o deixa desintegrar-se: Jó 10,9.

90,4 As medidas humanas do tempo não servem, de nenhum modo, para medir a Deus (2Pd 3,8). Tal imensidade reforça a melancolia do orante.

90,5 O texto é um tanto duvidoso. "Arrastas": o verbo hebraico sugere uma chuva torrencial.

90,6-11 Seção definida pela inclusão com "ira". A primeira parte via o tempo humano à luz da duração divina; esta segunda parte o vê à luz da cólera divina. Da melancolia passamos ao sentimento trágico, quando duas realidades estreitamente ligadas, pecado e cólera, se erguem na consciência do homem.

90,6 Quatro verbos no versículo, excelente por sua concentração; quanta atividade para passar mais depressa!

90,7 Uma força externa nos consome e desconcerta. Quem a provoca?

90,8 Deus nos faz ver o que nós escondemos. Teu rosto ilumina o escondido, e tenho de confessar que tua cólera é justificada.

90,9 "Um murmúrio" um rumor quase inaudível para quem o pronuncia, e retornam a imobilidade e o silêncio.

90,10 Tentamos contar os anos de pessoas não fracassadas e robustas, e deparamos com um limite. Pesemos sua substância, e obteremos um afã inútil: Jó 5,6s.

¹¹Quem compreende a veemência de tua ira?
  Quem avalia o ímpeto de tua cólera?

¹²Ensina-nos a bem contar os nossos dias
  para adquirirmos coração sensato.
¹³Volta-te, Senhor! Até quando?
  Tem compaixão de teus servos.
¹⁴Sacia-nos de tua misericórdia pela manhã,
  e todos os nossos dias serão alegria e júbilo.
¹⁵Dá-nos alegria pelos dias em que nos afligiste,
  pelos anos em que sofremos desgraças.
¹⁶Tua ação se manifeste a teus servos
  e tua glória a seus filhos.
¹⁷Venha a nós a bondade do Senhor
    nosso Deus:
    consolida a obra de nossas mãos.
  A obra de nossas mãos, consolida-a!

91 (90)

¹Tu, que habitas ao abrigo do Altíssimo
  e te hospedas à sombra do Onipotente,
²dize ao Senhor: "Refúgio meu, fortaleza minha,
  Deus meu, eu confio em ti".

90,11 A duração de Deus nos surpreende, mas nos acolhe; a ira nos oprime com seu peso incompreensível.

90,12-17 Tocado o ponto mais baixo, o orante busca subir à tona rezando a Deus. E o faz em três momentos interligados. O primeiro, aceitação resignada, sem ilusões: é sensatez. O segundo são alguns bens que compensam as desgraças. O terceiro é a fecundidade da ação.

90,12 À medida que passam os anos, o homem, instruído por Deus, amadurece na sensatez.

90,13 A verdadeira mudança vai acontecer por ação divina, que o homem só pode suplicar.

90,14-15 O pedido é modesto: equilibrar na balança da vida sofrimentos e alegrias. Mas Deus pode iluminar um amanhecer realmente novo, pode desequilibrar a balança.

90,16-17 Num modelo doméstico, os servos pedem ao patrão que comece agindo e que dê eficácia à tarefa confiada; algo semelhante num modelo político. Daí se sobe à visão teológica: o homem será o que tiver feito, ele e Deus nele.

90,17 Is 26,12.

Transposição cristã. Em Jesus Cristo acontece a "volta" de Deus, da ira para a misericórdia: Ef 2,4-7. As obras do cristão, vitalizadas pela força da ressurreição (Fl 3,10), ganham consistência e fecundidade (Fl 2,13), e no fim o acompanharão (Ap 14,13).

91 *Gênero*. Pelo tema, é um ato de confiança. Pelo desenvolvimento, tem caráter litúrgico: ou é uma liturgia, que incorpora no texto sinais da cerimônia, ou é um texto pronunciado num ato litúrgico. Para entendê-lo, é bom prestar atenção nos personagens que agem e nos outros a quem eles se referem. Atendo-nos ao texto hebraico, por pronomes e sufixos, distinguimos três atores: um liturgo ou instrutor (Lit), o orante (Or) e Deus (D). Se geralmente o orante é protagonista da oração, aqui lhe roubam o papel para fortificá-lo na confiança. A cerimônia acontece assim: Lit convida o Or (1) e este pronuncia seu ato de confiança programático (2); o Lit fala de D ao Or: ele te protegerá (3-4), e lhe fala de personagens perigosos (5-8); o Or repete sua confissão (9a); o Lit fala ao Or de seres hostis e seres protetores (9b-13); D fala (ao Lit?) do Or, prometendo ajuda. A forma do oráculo divino é incomum, pois não se dirige ao orante na segunda pessoa. A pessoa referida no v. 1 e a que pronuncia 9a são discutíveis.

Outros personagens. O quarteto sinistro (5-6) pertence a um mundo que o israelita não compreende nem controla. Embora a "flecha" seja arma empírica, conhecida, ela voa sem saber de onde nem para onde, como um disparo ao acaso (cf. 1Rs 22,34); "terror" como objeto e causa que atua de noite; "peste" se aproveita da escuridão para seus movimentos; "epidemia" faz estragos em plena luz do dia. É provável nesse quarteto a influência de crenças mesopotâmicas em feitiços e fantasmas. A diferença é que o israelita, mesmo crendo em espíritos malignos e influências arcanas, não recorre a esconjuros mágicos nem a outras divindades. Outro quarteto hostil se apresenta no v. 13: dois tipos de leões, símbolo de força animal mortífera, a víbora fatal e o fantástico Dragão. Este pode ser a versão imaginativa do caos primordial, sempre ameaçador. Junto a eles, perdem importância o caçador (3), os perversos (8), desgraça e praga (10) talvez personificadas.

Diante de todos eles e contra todos, o Senhor envia seus "anjos": têm forma humana (sem asas) e força superior. A proteção divina se articula em dois tempos: refúgio e caminho. O mundo dos espíritos tenta insinuar-se no refúgio, as feras espreitam pelo caminho. No refúgio, Deus está presente; para o caminho, envia seus encarregados.

91,1-2 A sintaxe hebraica é estranha. Uma alternativa ao vocativo é ler o particípio como figura típica:

³Pois ele te livrará da rede* do caçador,
 da peste fatal;
⁴ele te cobrirá com suas plumas,
 e te refugiarás sob suas asas:
 seu braço é escudo e armadura.
⁵Não temerás o terror noturno,
 nem a flecha que voa de dia,
⁶nem a peste que desliza nas trevas,
 nem a epidemia que faz estragos ao meio-dia.
⁷Ao teu lado cairão mil,
 e dez mil à tua direita,
 e a ti não alcançarão
⁷ᶜ(porque seu braço é escudo e armadura).
⁸Basta olhar com teus olhos,
 verás a paga dos perversos.
⁹Porque fizeste do Senhor teu refúgio,
 tomaste o Altíssimo por morada.
¹⁰A desgraça não se aproximará de ti
 nem a praga chegará à tua tenda;
¹¹porque ele deu ordem aos seus anjos
 para que te guardem em teus caminhos.
¹²Eles te levarão em suas palmas
 para que teu pé não tropece na pedra.
¹³Caminharás sobre leões e víboras,
 pisotearás leõezinhos e dragões.
¹⁴Porque me ama, eu o salvarei,
 eu o porei no alto, porque conhece meu nome.
¹⁵Quando me chamar eu lhe responderei,
 estarei com ele no perigo,
 o defenderei e o honrarei.

"Quem habita". Quatro nomes divinos se apertam em dois versículos: Altíssimo (Gn 14; no saltério 21 vezes), Onipotente, tradução costumeira (favorito de Jó), Yhwh (9a), meu Deus, que coloca Yhwh na categoria dos deuses pessoais. O quarteto do Único contrasta com os quartetos hostis que vão aparecer.

91,3 "Peste fatal": para não antecipar a peste do v. 6, se propõe vocalizar "palavra", "assunto"; poderia ser malefício ou difamação: cf. Pr 17,4; Sl 38,13. * Ou: "armadilha".

91,5 "Não temerás" é, na boca do liturgo, o convite clássico do oráculo de salvação. O "terror" ou espanto noturno: ver Ct 3,8 e o grande desenvolvimento de Sb 17,4.14s.

91,6 A peste aterroriza por sua potência contagiosa. É uma das pragas frequentes em Jr e Ez. "Epidemia" é palavra rara no AT: Is 28,2 a associa à tempestade; Os 13,14 a associa ao Xeol; Dt 32,23-25.

91,7ab+4c Imagem militar em termos hiperbólicos. Quem é o sujeito que cai? a) Os dardos que deixam incólume o orante porque Deus o "escuda"; b) Companheiros que caem na batalha. Leio aqui o hemistíquio pendente de 4c, que menciona o pequeno escudo, e o "escudo" alto e curvo, que cobre o corpo, sustentado por um escudeiro. Mudo a vocalização para ler "braço", como forma original, espiritualizada posteriormente em "fidelidade".

91,8 "A paga dos perversos" que caem no perigo geral, porque não são protegidos por Deus.

91,9a O hebraico, com o pronome enfático, não deixa dúvidas: "Tu, Senhor..." Portanto, é o orante que o pronuncia: comparar com Sl 61,4; 71,7; 142,6. Mudando o sufixo "teu refúgio", é o liturgo quem continua falando.

91,9b "Morada" é o que diz o hebraico: o templo fica ultrapassado e já não é ele a morada, mas o Altíssimo em pessoa.

91,10 A "tenda" é correlativa da "morada"; figura em expressões de tipo proverbial: Pr 14,11; em contraste, Jó 18,6.14s.

91,11 "Anjos": no singular, Ex 23,20; 32,34; 33,2; Sl 34,8.

91,12 Ou, como se costuma dizer: "levar na palma da mão".

91,13 Também no Enuma Elish encontramos a presença de animais semelhantes, reais e fantásticos.

91,14-16 O oráculo mostra as relações mútuas de Deus com o orante. Para Deus sete verbos, para o homem três. No centro da série e sem verbo, a fórmula concisa "Eu com ele". O homem: "quer" com amor afetuoso; "conhece" e reconhece o nome, e com ele o invoca. Deus com ações específicas: "honrar", caso raro é que Deus honre ao homem (1Sm 2,30; Is 60,13); "fazer desfrutar". A última palavra do salmo é "minha salvação".

Transposição cristã. O tentador cita 11-12 para apoiar sua proposta: Mt 4,5s; Lc 4,9-11; o demoníaco se faz insinuante, se despoja do aterrorizador. Pedro escolhe uma das máscaras e a identifica: 1Pd 5,8-10.

¹⁶Vou saciá-lo de longos dias
e o farei desfrutar de minha salvação.

92 (91)

²É bom dar graças ao Senhor
e tocar em tua honra, Altíssimo,
³proclamar de manhã tua lealdade
e tua fidelidade à noite.
⁴Com harpas de dez cordas e alaúdes,
sobre arpejos de cítaras,
⁵porque tuas ações, Senhor, são minha alegria,
e meu júbilo as obras de tuas mãos.
⁶Como são magníficas as tuas obras, Senhor,
quão profundos os teus desígnios!
⁷O ignorante não os entende,
o néscio não os compreende.
⁸Ainda que os perversos cresçam como erva
e os malfeitores floresçam,
⁹serão destruídos para sempre.
Tu, ao contrário, Senhor,
és excelso sempre.
¹⁰Certo, Senhor, teus inimigos,
certo, teus inimigos perecerão,
os malfeitores se dispersarão.

¹¹Meu chifre se ergue como o de um búfalo,
estou amassado com azeite fresco.
¹²Meus olhos verão a derrota de meu rival.
Quando os perversos se levantarem contra mim,
meus ouvidos escutarão:

92 O tom jubiloso, o acompanhamento instrumental e a motivação nos dizem que é um hino, com dois aspectos que lhe conferem um perfil individual. Primeiro, tem por temas o louvor e o canto. Segundo, o veio sapiencial, explícito no v. 7, presente no tema da retribuição de bons e maus e no uso de "honrado" como categoria. Em chave sapiencial explicarei os versículos finais. O sapiencial não sabe prescindir da intenção didática: o orante tem um pé na canção e outro no ensinamento. O salmo faz companhia ao 37 e 73.

Num salmo que se propõe cantar as "obras do Senhor", de repente irrompe o tema da retribuição: como e por quê? Podemos imaginar duas explicações. a) O mestre se põe a cantar com todo o entusiasmo as obras do Senhor; de repente lhe ocorre a objeção, a prosperidade dos perversos. O problema é "profundo", mas tem fácil solução: é questão de inteligência. Basta considerar o desfecho previsto por Deus. b) O autor, por si ou por outros, foi confrontado com o problema da retribuição. Toma-o como ponto de partida para uma reflexão que combina lírica e didática, dando uma resposta superficial.

Composição. Entre os vv. 3 e 16 há uma inclusão verbal e temática que é a proclamação dos atributos do Senhor: um exercício "bom" para o "honrado em sua velhice" se ocupar. A imagem vegetal de "erva" e árvores (8.13-15) é de tipo sapiencial (Jó 8,11s; Jr 17,6-8; Pr 11,28 etc.). O poeta lhe acrescenta um toque pessoal, introduzindo a palmeira e transferindo imaginativamente as árvores ao templo.

92,2 Sonoridade e ritmo são muito cuidados no hebraico. Não sabemos como era a música.

92,3 "Lealdade" e "fidelidade" são binômio conhecido. Aqui se destinarão ao tratamento dos honrados. Ao expressá-lo, o canto torna consciente a experiência humana.

92,5-6 Das "ações" divinas, o homem sobe à meditação dos "desígnios", que são "profundos" e exigem atenção e penetração: cf. Pr 20,5.

92,7 Não é estranho que o "néscio" não os compreenda: ver Dt 32,27-29; Mq 4,12.

92,8-10 Isso é o que o néscio não compreende, ao passo que o orante o pode explicar e cantar. O enigma é o crescimento e florescimento dos perversos; seu destino trágico é o desígnio de Deus revelado em ação. A disposição formal é refinada: entre três e outros três hemistíquios para o destino dos perversos, ergue-se no hemistíquio central Yhwh "sempre excelso". Como "erva": ver Sl 37,2; Is 40,5-8; sua destruição é "definitiva".

92,11-12 O orante pertence ao grupo oposto aos perversos. Junto ao vigor do chifre que se ergue (Sl 75), sente a flexibilidade dos músculos "amassados com azeite fresco", não rançoso ("massagem" vem da mesma raiz de "amassar"); é transposição de uma prática litúrgica corrente.

¹³O honrado florescerá como palmeira,
 se elevará como cedro do Líbano;
¹⁴plantado na casa do Senhor,
 florescerá nos átrios de nosso Deus.
¹⁵Na velhice continuará dando fruto,
 e estará viçoso e frondoso,
¹⁶proclamando que o Senhor é reto:
 "Rocha minha, na qual não há maldade".

93 (92)

¹O Senhor reina, vestido de majestade,
 o Senhor, vestido e cingido de poder.
 Assim está firme o orbe e não vacila.
²Teu trono está firme desde sempre,
 tu és eterno.

³Levantam os rios, Senhor,
 levantam os rios sua voz,
 levantam os rios seu fragor.
⁴Mais que a voz de águas caudalosas,
 mais potente que os vagalhões do mar,
 mais potente na altura é o Senhor.

⁵Teus mandatos são eficazes;
 à tua casa corresponde a santidade,
 Senhor, por dias sem fim.

94 (93)

¹Deus justiceiro, Senhor,
 Deus justiceiro, resplandece.
²Levanta-te, Juiz da terra,
 paga o merecido aos soberbos.

92,13-16 Interpreto-o como o texto de quem "escuta". Não um oráculo divino, como em 81,9; 85,9, mas uma instrução sapiencial, pronunciada pelo mestre cantor. A instrução generaliza a experiência pronunciada em 11-12. Na "casa do Senhor", imaginam alguns um manancial milagroso (Ez 47; Jl 4,18). "Florescerá" é a mesma palavra do v. 8. "Viçoso e frondoso": pode-se ver Pr 11,25; 13,4; 28,25; Sl 37,35.

92,16 É o texto da proclamação na primeira pessoa. O paralelo negativo de "retidão" ("não há") mostra o tom apologético da reflexão: ninguém pode acusar Deus de crime: cf. Sb 12,12.
Transposição cristã. Apliquemos o tema ao destino de Jesus Cristo. Humanamente, sua morte é escândalo e loucura (1Cor 1,23). Na realidade, corresponde a um desígnio profundo de Deus, que o Espírito revela e faz compreender (1Cor 2,11). O cristão está plantado na Igreja, que é casa de Deus; nela crescerá vigoroso e viçoso até ser transplantado à casa definitiva do Pai, "conforme o projeto de Deus" (Ef 1,11).

93 É um hino ao Senhor Rei pela sua vitória sobre as forças do caos e pela fundação do orbe. Pela colocação e desenvolvimento, diríamos um texto polêmico diante da mitologia babilônica; em concreto, a vitória de Ea sobre Apsu, e de Marduc sobre Tiamat, com a qual Marduc é proclamado rei. A divindade determina os destinos e pronuncia decretos irrevogáveis. O salmo estiliza a batalha primordial em forma quase hierática: *Yhwh* está acima, inacessível ao tumulto. O tema é cosmológico, não histórico. Recordação mítica de um acontecimento meta-histórico? Repetição litúrgica cíclica? Anúncio de vitória escatológica? Sirvam como alternativas de leitura. A isso acrescentamos que a batalha cósmica pode funcionar como símbolo de batalhas históricas (cf. Sl 65,8).

93,1 Propõe o tema da realeza: comparar com Is 24,23; 52,7; Sl 47,9. *Yhwh* é rei, tem uma "casa" ou palácio, senta-se num "trono" estável, "veste" o manto real, "cinge-se" com a faixa do poder, pronuncia "decretos" imutáveis. O "orbe" está assentado sobre o oceano subterrâneo de água doce (Apsu).

93,2 O "trono" é celeste: Is 6,1; 66,1. "Eterno" designa um tempo indefinido.

93,3 "Os rios": na mitologia ugarítica, "Rio" é paralelo de Mar, divindade oceânica. Dessas potências só se escuta o ruído.

93,4 "Potente": título divino que une majestade e poder: Sl 8,1; 76,5.

93,5 Pelo contexto, creio que se refere aos decretos cósmicos, como em outros textos: Gn 1; Sl 148,6; Jó 28,26; Jr 5,22; 31,35s.
Transposição cristã. O evangelho apresenta narrativamente a vitória de Jesus sobre as águas: Mt 8,24-27par.; alusões escatológicas estão em Lc 21,25 e Ap 12,15; 17,15. A violência se desencadeia contra Jesus até a aparente vitória na sua morte; ao vencê-la com a ressurreição, inaugura-se o seu reinado.

94 *Gênero*. Pela pessoa a quem se dirige e por sua função, pertence à categoria de salmos do Senhor

³Até quando os perversos, Senhor,
 até quando os perversos triunfarão?
⁴Discursam proferindo insolência,
 todos os malfeitores se gabam;
⁵trituram o teu povo, Senhor,
 e oprimem a tua herança,
⁶assassinam viúvas e migrantes,
 degolam órfãos;
⁷e comentam: O Senhor não vê,
 o Deus de Jacó não fica sabendo.

⁸Ficai sabendo, os mais insensatos,
 néscios, quando ireis entender?
⁹Aquele que plantou o ouvido não ouvirá?
 Aquele que formou o olho não verá?
¹⁰Aquele que educa os povos não castigará?
 Aquele que instrui o homem não saberá?
¹¹O Senhor sabe que os planos humanos
 são vaidade.

¹²Feliz o homem a quem tu educas,
 Senhor, a quem tu ensinas tua lei,

Rei, embora não empregue o título. Pelos elementos tradicionais, é uma súplica. Em base ao específico, é uma reclamação judicial diante do soberano: com apelação à jurisdição e justiça do juiz, acusação dos culpados, demanda da pena merecida. Sabe-se muito bem que cabe ao rei administrar a justiça; basta citar Jr 21,11s; 22,3.15s; Sl 45 e 72. Os acusados são, conforme os vv. 20s, juízes iníquos que condenam à morte o inocente.
Componente essencial da justiça é a "justiça vindicativa" (justiceiro, v. 1). Se o juiz responsável deixa impunes os criminosos, torna-se cúmplice deles e condena à desgraça vítimas inocentes. Quando não havia instâncias superiores, a "vingança" podia ser competência do ofendido ou da família. Quando a vida civil está organizada, a justiça vindicativa é competência da magistratura; em última instância, do rei, de Deus: Dt 32,25.43; Sl 18,48.
O resplendor tem valor teofânico genérico: Dt 33,2; Hab 3,3s; Sl 80,2; e específico: Sl 50,2. Creio que no caso presente influi a concepção oriental que atribui ao Deus *Shamash* (= Sol) a administração da justiça (cf. Ml 3,20). Se a comparação é pertinente, o resplendor do salmo não é só manifestação divina, mas a descoberta e revelação dos delitos ocultos. Muito significativo é o que diz Eclo 23,19.
O caráter sapiencial invade o poema e se manifesta em muitas expressões: entender, insensatos, néscios, instruir, repreender, desígnios, educar, ensinar; a oposição genérica de bons e maus, a bem-aventurança genérica. O fato não é estranho, pois parece que os empregados públicos recebiam instrução sapiencial.
Composição. Embora o padrão subjacente unifique o salmo, o desenvolvimento é um tanto irregular, com saltos, mudanças de pessoa e de linguagem. Para facilitar a compreensão, divido-o em três partes: o orante se dirige a Deus e descreve os culpados (1-7); interpela os perversos e conforta os honrados (8-11.12-15); experiência pessoal e justiça do supremo tribunal (16-19.20-21); conclusão (22-23).

94,1 *Yhwh* é identificado com o deus supremo *'el*. Muitos textos mencionam sua função justiceira: 1Sm 24,13; 2Rs 9,7; Is 47,3; 59,17; leia-se o começo de Naum.
94,2 "Juiz da terra" é o título dado em Gn 18,25. "Levantar-se" é gesto judicial: Is 33,1. "Pagar o merecido": com a mesma fórmula em Jl 4,4; Sl 28,4; Pr 12,14.
94,3 "Até quando": leia-se o Salmo 13.
94,4 "Discursam": o verbo hebraico sugere o brotar ou borbulhar de um manancial, com espontaneidade e abundância: Pr 15,2. 28. Gabam-se do êxito de seus empreendimentos.
94,5 Os possessivos da segunda pessoa comprometem o Senhor numa causa sua.
94,6 Três categorias clássicas de marginalizados ou desvalidos da sociedade: p. ex. Sl 68,6.
94,7 Concede a palavra aos perversos para apresentarem seu falso ponto de vista. Chamam *Yh* "Deus de Jacó": se são estrangeiros, negam-lhe sua informação e competência no assunto; se são israelitas, distanciam-se do Deus nacional evitando chamá-lo "nosso Deus".
94,8 Com uma repetição engenhosa, o orante muda o destinatário: "não fica sabendo"/"ficai sabendo", "até quando triunfarão"/"quando ireis entender". O qualificativo "néscios" desqualifica todo o seu raciocínio.
94,9-10 A argumentação é empírica, em termos antropomórficos: cf. Pr 20,12 (tem sua versão metafísica: a causalidade). "Reprimir", como ensina abundantemente Pr, é parte integrante da educação. Passando do Deus justiceiro ao educador (Dt 8,5), dá ao discurso uma guinada salutar. Se seus ouvintes querem compreender e aceitam a correção, não incorrerão num julgamento sem apelação.
94,11 De novo o artifício da ligação. Os "planos" humanos autônomos ou contrários aos de Deus: Sl 33,10s.
94,12 A bem-aventurança passa do simplesmente sapiencial (Pr 6,20; 7,2; 13,14) e universal à instrução pela "lei", que implica revelação.

¹³dando-lhe descanso após os anos duros,
   enquanto cavam uma cova para o perverso.
¹⁴Pois o Senhor não rejeita seu povo
   nem abandona sua herança.
¹⁵O inocente recuperará seu direito,
   e há um futuro para os retos de coração.
¹⁶Quem se põe a meu favor
   diante dos perversos?
   Quem se põe a meu lado
   diante dos malfeitores?
¹⁷Se o Senhor não me tivesse auxiliado,
   minha vida já estaria habitando no silêncio.
¹⁸Quando parece que meu pé tropeça,
   tua lealdade, Senhor, me sustenta;
¹⁹e ainda que se multipliquem
   minhas preocupações,
   teus consolos alegram meu ânimo.

²⁰Poderá aliar-se contigo um tribunal iníquo,
   que decreta injustiças invocando a lei?
²¹Ainda que atentem contra a vida do justo
   e condenem à morte o inocente,
²²o Senhor será minha fortaleza,
   o meu Deus será minha Rocha de refúgio.
²³Ele lhes pagará por sua iniquidade,
   ele os destruirá por suas maldades,
   o Senhor nosso Deus os destruirá.

95 (94)
(Hb 3,7-4,10)

¹Vinde, exultemos no Senhor,
   aclamemos a Rocha que nos salva;
²entremos em sua presença com ação de graças,
   aclamando-o ao som de instrumentos.

94,13 Explica a demora do julgamento divino: o tempo prepara o descanso ao honrado e se encarrega de abrir a cova para o perverso.
94,14 Eco do v. 5.
94,15 Texto difícil. a) Contando com personificações se reconstrói imaginativamente uma cena: Direito, seguido de todos os retos, vai em busca de Justiça, desterrada ou sequestrada, para fazê-la retornar. b) Corrigindo a vocalização: seu direito retorna ao honrado.
94,16 Sozinho diante de muitos perante o tribunal, o inocente busca apoio. Saltando uma etapa, os versículos seguintes respondem às perguntas.
94,17-18 Remontam a um tempo anterior à pergunta; ou então, em virtude da certeza que a esperança dá, antecipam mentalmente um fato futuro. O "Silêncio" é em hebraico *Duma*: cf. Is 21,11; Sl 115,17; seria hóspede de Silêncio, sem poder gritar a Deus nem fazer discursos aos néscios.
94,19 Da tragédia evitada e recordada com arrepio, salta a uma lembrança íntima e prazerosa: o "consolo" divino que o deleita com ternura e anula suas "preocupações".
94,20 Duas fórmulas intensas e felizes são notáveis. "Tribunal iníquo"/"criminoso", oposto ao "Deus justiceiro". E sua tarefa: elaboram (artesanalmente) desgraças (indevidas) sobre a lei (usando, manipulando): ver Is 10,10; Jr 8,8.
94,21 "Atentem": com leve correção; o hebraico diz "se associam".
94,22-23 Por cima do julgamento humano iníquo se levanta o julgamento justo de Deus, que tem a última palavra.
Transposição cristã. Opondo a ciência humana ao saber de Deus, Paulo cita a versão grega do v. 11. Para o v. 19 encontramos um bom comentário em 2Cor 1,3-6; 7,6s.

95 Característica desse salmo, como do 81, é a montagem de duas peças à primeira vista heterogêneas. Começa com uma procissão festiva em que se canta um hino. De repente, ergue-se a voz de Deus com admoestação grave e ameaça condicionada. Deus, o desmancha-prazeres do festejo que lhe dedicam. Pode contrastar com 132,7 (mas é semelhante no v. 2), em que o Senhor responde, aceitando a homenagem. O salmo é coerente na série de salmos de realeza: vitória e reinado do Senhor (93), atividade judicial (94), homenagem e imposição de autoridade (95).

³Porque o Senhor é o Deus Máximo,
 rei supremo de todos os deuses.
⁴Em suas mãos as profundezas da terra,
 são seus os cumes dos montes.
⁵Seu é o mar porque ele o fez,
 e a terra firme que suas mãos modelaram.

⁶Entrai: curvados rendamos homenagem,
 bendizendo o Senhor, Criador nosso.
⁷Pois ele é o nosso Deus e nós o seu povo,
 o rebanho de seu aprisco.

Oxalá lhe deis atenção hoje!
⁸"Não endureçais o coração como em Meriba,
 como no dia da prova no deserto:
⁹quando vossos pais me puseram à prova
 e me tentaram, embora tivessem visto minha ação.
¹⁰Quarenta anos me desgostou aquela geração,
 e eu disse: São um povo de coração extraviado
 que não reconhece meu caminho.
¹¹Por isso, eu juro indignado
 que não entrarão em meu descanso".

96 (95) (Sl 98; Is 44-45)

¹Cantai ao Senhor um cântico novo,
 cantai ao Senhor, terra inteira;
²cantai ao Senhor, bendizei seu nome,
 anunciai dia após dia sua vitória.

Palavras-chaves do salmo são repouso e entrada. a) "Repouso" do povo: Nm 10,33; Dt 12,9; 1Rs 8,56; Is 32,18; correlativamente de Deus, 1Cr 28,2; Sl 132,8.14; Is 66,1. O repouso do Senhor garante e modela o do povo. b) "Entrar" é peça-chave da libertação: é a conclusão, após a saída do Egito e a caminhada pelo deserto. Dt 26,1-10 explora o termo. O salmo o explora de maneira dramática: "Vinde, adiantemo-nos, entrai..." – "Não entrarão!"
Se o salmo é pós-exílico, como parece, por que não explora a experiência recente do desterro? Porque quer voltar às origens, ao tempo do deserto como situação exemplar. A dupla Massa-Meriba nos remete ao episódio da água que brota da rocha: Ex 17,7. Por outro lado, o juramento divino pertence ao episódio dos exploradores (Nm 13-14), no qual o povo é castigado a continuar no deserto sem entrar na terra.
95,1-2 Primeiro convite. A procissão se põe em marcha entre gritos, aclamações e música.
95,3 Creio que se refere polemicamente a divindades estrangeiras, sem discutir sua entidade, sem a postura radical de Is 40-55. No panteão babilônico se distinguem deuses maiores e menores.
95,4-5 Soberania sem esforço, criação sem luta. Em quatro hemistíquios nos oferece uma visão panorâmica: profundezas e cumes, mar e terra firme. No panteão da Mesopotâmia, os deuses repartem as regiões de influência; em Israel, *Yhwh* concentra todo o poder.
95,6-7a Segundo convite. Entrada e homenagem ao "Fazedor" do povo: Is 27,7; 44,2; 51,13 etc.), e pastor do "rebanho": Sl 74,1; 79,13; 100,3.
95,7b Uma voz convida a escutar "hoje" uma mensagem atualizada.
95,8-9 Pela etimologia, Meriba soa como Fonte da Acareação; Massa, submeter à prova; comparar com Dt 33,8.
95,11 Em particular, Nm 14,28-30.
Transposição cristã. O comentário de Hb 3,7-4,11, aplicado à situação cristã, nos dá essa transposição já pronta.

96 *Gênero.* Hino à realeza do Senhor. Na série 93-99 ocupa o quarto lugar, como hino triunfal. O poeta canta o reinado sereno e universal, para o qual apaga os momentos dramáticos de luta ou justiça vindicativa; embora os deixe entreouvir, na "vitória", a "firmeza do orbe", o "não vacilar". A universalidade se manifesta repetindo sete vezes "tudo/todos". O salmo retoma sugestões de outros e é parente próximo da mentalidade do Segundo Isaías.
Atividade cultual. O "cântico novo" se encontra em Is 42,10 e Sl 33,3. "Proclamar" uma boa notícia (2) é típico do Segundo Isaías: 40,9; 41,27; 52,7 e ressoa em Sl 40,10. O louvor de todos os povos é indicado em Sl 67; 86,9 e no estilo 102; ver também Is 56,7 e 1Rs 8,41-43. O louvor da criação é explícito em Is 42,10; 44,23; 49,13; 55,12. Só os deuses pagãos não são convidados a louvar, porque são simples ídolos inertes: Is 2,8.18.20; 31,7; Ez 30,13.
Composição. O hino avança em três ondas: convite em seis imperativos (1-3), motivação, títulos e atributos (4-6); convite em oito imperativos, com o título de rei (7-10); convite em cinco jussivos

³Contai aos povos sua glória,
  suas maravilhas a todas as nações.
⁴Porque é grande* o Senhor
  e muito digno de louvor;
  mais temível que todos os deuses.
⁵Pois os deuses dos pagãos são aparência,
  ao passo que o Senhor fez os céus.
⁶Honra e Majestade estão em sua presença,
  Força e Beleza em seu santuário.
⁷Tributai ao Senhor, famílias dos povos,
  tributai ao Senhor glória e poder.
⁸Tributai ao Senhor a glória de seu nome,
  entrai em seus átrios trazendo-lhe ofertas.
⁹Prostrai-vos diante do Senhor no átrio sagrado,
  treme em sua presença a terra inteira.
¹⁰Dizei aos pagãos: O Senhor é rei:
  ele firmou o orbe, e não vacilará;
  ele governa os povos com retidão.

¹¹Alegrem-se os céus, exulte a terra,
  retumbe o mar e tudo o que ele contém;
¹²exulte a campina e tudo o que nela existe,
  aclamem as árvores silvestres
¹³diante do Senhor que está chegando,
  está chegando para governar a terra;
  governará o mundo com justiça
  e os povos com fidelidade.

97 (96)

¹O Senhor reina, a terra exulta,
  alegram-se as ilhas inumeráveis.
²Nuvens e trevas o rodeiam,
  Justiça e Direito sustentam seu trono.

(11-12); motivação: reinado universal (13). Parece desproporcionado tanto convite para tão breves motivações. Mas, se as tomamos unidas, dão-nos visão excelente. O Senhor é Rei, vem tomar posse do reino e exercer seu reinado sobre todo o mundo, de sorte que a criação inteira se encherá de alegria.

96,1 Teoricamente, o canto é novo na primeira vez que é cantado, não quando é repetido. É novo um canto feito de retalhos usados? Creio que o autor se move com o espírito de novidade que anima o profeta do desterro.

96,4 Que infunde temor ou reverência: Sl 76. * Ou: "muito famoso".

96,6 Pelo contexto entendemos que se refere ao santuário celeste, o céu que ele fez.

96,7-9 O autor toma os dois primeiros versículos do Sl 29, substituindo as "divindades" por "famílias dos povos". Acrescenta o tema do tributo e vassalagem e amplia o horizonte a toda terra.

96,10 A segunda frase é tomada do Sl 93,1, a terceira falta no paralelo de 1Cr 16,31; alguns suprimem ambas, para que o clamor fique conciso.

96,11 Conforme o contexto, o bramido do mar é festivo: é sua voz.

96,12 É o versículo mais original, síntese do campestre (Dt 32,13) e do silvestre.

96,13 Governar inclui julgar. O homem pode confiar no governo de Deus. (Comentarei esses versículos no Sl 98.)

Transposição cristã. Podemos seguir duas pistas: o advento e o reinado. Deixando a primeira para o Sl 98, escolho a segunda. O Apocalipse canta o reinado do Pai e de seu Messias: 11,15.17; 12,10-12; 19,6; ver também 1Cor 15,25; Cl 1,13.

97 *Gênero.* Hino à realeza do Senhor. Pertence à série 93-99. Descreve um julgamento de idólatras e perversos a favor dos honrados, semelhante ao Sl 94 e também diferente dele; aqui o julgamento é uma festa. A teofania é parte do aparato judicial. Partindo de dados empíricos, o poeta evoca uma visão espetacular. O juiz senta num "trono", sede do tribunal, apoiado sobre um estrado de virtudes: "Justiça e Direito". Um séquito acompanha, abrindo caminho e afugentando toda oposição: Fogo. As polaridades acrescentam força à cena: envolto em "trevas", "ilumina" com relâmpagos; a terra "exulta" e "estremece". Pode-se comparar com outras teofanias de julgamento: Sl 50,1-3; Mq 1,3-7.

Réus e inocentes. Antes de tudo os "idólatras", servidores de estátuas. Instruído talvez por Is 40-55, especialmente 44,12-20, não os chama deuses estrangeiros. "Deuses" e "divindades": se 9b é am-

³Fogo avança diante dele,
  incendiando seus inimigos ao redor.
⁴Seus relâmpagos iluminam o orbe;
  ao vê-lo, a terra estremece.
⁵Os montes derretem como cera diante do Senhor,
  diante do Dono de toda a terra.
⁶Os céus proclamam sua justiça,
  e todos os povos contemplam sua glória.
⁷Envergonham-se os que adoram estátuas
  e os que põem seu orgulho nos ídolos.
  Diante dele se prostram os deuses.
⁸Sião o ouve e faz festa,
  as povoações de Judá se regozijam
    por tuas sentenças, Senhor,
⁹porque tu, Senhor, és
  Altíssimo sobre toda a terra,
  elevado sobre todos os deuses.

¹⁰O Senhor ama quem detesta o mal,
  guarda a vida de seus leais,
  livra-os da mão dos perversos.
¹¹Amanhece a luz para o honrado
  e a alegria para os retos de coração.
¹²Festejai o Senhor, ó justos,
  dai graças a seu santo nome.

98 (97)

(Sl 96; Is 40-55)

¹Cantai ao Senhor um cântico novo,
  porque fez maravilhas;
  sua destra lhe deu a vitória,
  seu santo braço.

---

bíguo, 7b parece reconhecer-lhes uma entidade subordinada, como uma corte celeste que rende homenagem ao Soberano. Os "perversos" do v. 10 são correlativos do "honrado" do v. 11 e têm caráter genérico; no julgamento, são os culpados diante do inocente. Os honrados ou inocentes são seus "leais" ou vassalos: ameaçados de morte pelos perversos e protegidos por Deus.
Alguns pensam que é uma queda descer do grandioso quadro precedente para a esfera ética pessoal; e declaram os versículos finais um acréscimo. Pode-se inverter o raciocínio: o autor quis dar transcendência inusitada aos deveres éticos, como diz brevemente Sl 7,8.

Composição. Pode-se assinalar a inclusão de 1 e 12 em tonalidade de alegria, presente também no v. 8. O desenvolvimento joga com contrastes; glória do Senhor, confusão dos idólatras, alegria de Sião. Observa-se um estreitamento: a terra – Sião – o justo.

97,1 "Ilhas" ou litoral: o mundo ocidental mediterrâneo; tema favorito do Segundo Isaías: 41,1.5; 42,4.10.12; 49,1; 51,5.
97,2 As "trevas" podem ser parte do aparato teofânico: Dt 4,11; Jl 2,2; Sf 1,15. O Senhor se mostra... encoberto. Para o estrado ou embasamento do trono: Pr 16,12; 20,28; 25,5.

97,3 O "fogo" é elemento da divindade que a torna inacessível e devoradora de tudo quanto se opõe a ela: Is 29,6; 30,27; Dn 7,10.
97,4 Ver Sl 18; 77,19.
97,5 "Como cera": Sl 68,3; Mq 1,4; talvez imagine os rios de lava de um vulcão.
97,6 Os céus servem de testemunhas notariais: Sl 50,6. A "glória" da teofania: comparar com Is 35,2; 40,5.
97,7 O fracasso e insensatez dos idólatras vai-se convertendo em tema convencional: Is 42,17; 44,20; Jr 2,28.
97,8 Citação quase literal de Sl 48,12, dedicado ao Grande Rei e centrado em Sião.
97,9 Sl 47,3.
97,10 O texto hebraico, com outra vocalização, diz: vós que amais *Yhwh*, odiai o mal. Em qualquer caso, Deus é declarado inconciliável com o mal: Sl 11,6.
97,11 "Amanhece", corrigindo uma consoante, como Sl 112,4.

Transposição cristã. Hb 1,6, conforme a versão grega, aplica o v. 7 a Cristo. Mt 25,31-46 dramatiza o juízo final. Lc 21,28 dá a entender que será um momento de glória para os escolhidos.

98 *Gênero*. Hino à realeza do Senhor, gêmeo do Sl 96 e membro da série homogênea 93-99. As relações, às vezes a identidade, com o Segundo Isaías

²O Senhor dá a conhecer sua vitória,
  revela sua justiça à vista dos povos.
³Lembrou-se de sua lealdade e fidelidade
  para com a Casa de Israel.
Os confins da terra contemplaram
  a vitória do nosso Deus.

⁴Aclamai o Senhor, terra inteira,
  gritai, aclamai, tocai:
⁵tocai a cítara para o Senhor,
  a cítara ao som de instrumentos.
⁶Com clarins e ao som de trombetas,
  aclamai diante do Senhor e Rei.

⁷Retumbe o mar e tudo o que ele contém,
  o orbe e todos os que nele habitam;
⁸batam palmas os rios,
  aclamem juntas as montanhas
⁹diante do Senhor, que está chegando
  para governar a terra.
Governará o orbe com justiça
  e os povos com retidão.

99 (98)

(Is 6,3)

¹O Senhor reina, tremam as nações;
  entronizado sobre querubins, vacile a terra.

---

são claras, especialmente Is 52,7-10; 42,10-12; do mesmo autor conhecemos o interesse pela novidade dos acontecimentos e do anúncio. O verbo "gritai" (*pçh*, 4) só aparece aqui e em Is 40-55.
Na perspectiva histórica proposta, interpreto assim o salmo: O Senhor Deus de Israel, que parecia vencido pelos deuses de Babilônia, conseguiu a clara "vitória" no âmbito internacional (2). Agora, com seus resgatados, volta (9a) à sua capital e a seu palácio, como rei triunfante, para tomar posse do seu legítimo reino universal (9b). Israel é o primeiro beneficiário, os povos contemplam, a natureza se associa à festa.
Composição. Com base no esquema típico de imperativo e motivação, o salmo avança em duas ondas desiguais: convite (1a), motivação (1b-3); convite à orquestra (4-6), convite à natureza (7-8), motivação (9). A assimetria é evidente, provocada pela ampliação instrumental e o apelo à criação. Reduzido a esquema, o tema soa assim: obtida a vitória, o rei vem para instaurar um governo de justiça. Pode-se comparar com as situações de Saul (1Sm 8,20; 10,24) e Davi (1Sm 5,2).

98,1 Ap 5,9; 14,3.
98,1-3 Notamos uma "vitória" no singular e "maravilhas" no plural. A explicação está na "lembrança" do Senhor, pois foi coerente com seu modo de agir, manteve sua "lealdade". A ação foi em favor de Israel e é "justa"; a manifestação é universal: Israel é palco da atuação de Deus.
98,4-6 O salmista reconhece na música instrumental e vocal um ato superior de louvor. A vocal exalta a palavra, intensifica a expressão; a instrumental tempera e harmoniza os sons naturais.

98,7-8 Também os ruídos da natureza podem ser incorporados à música: ver Is 44,23; 49,13; 55,12.
98,9 "Está chegando": verbo pouco frequente atribuído a Deus em sentido positivo; Is 40,5.10 é particularmente próximo. O verbo tem em primeiro lugar significado espacial; em hebraico adquire também um sentido temporal: o por-vir, o tempo vin-douro, o ano que vem. Esse significado acrescentado abre o salmo para uma projeção escatológica.
Transposição cristã. O tema do "vir" realiza-se no "advento", no Messias "que deve vir"; duplo advento, histórico e escatológico; ambos celebrados em nosso advento litúrgico. O segundo tema é o reinado, dominante no NT: universal e justo. Ap 5,9s refere-se ao "cântico novo".

99 *Gênero.* É o último da série de salmos da realeza do Senhor, mas único na série 93-99 e em todo o saltério. O tema da realeza unifica a composição imaginativa. Grande Rei, soberano dos povos, impressionante por sua majestade; num trono sustentado por querubins e num estrado no monte Sião. Em sua corte, três homens privilegiados (não há divindades); é legislador que estabelece o regime da justiça, é executivo que administra a justiça; exige o cumprimento de seus decretos, castiga e pode indultar. Os povos lhe rendem homenagem, seus ministros despacham com ele. É provável que o autor se tenha inspirado na vocação de Isaías (Is 6), ou que ambos dependam de uma fonte comum: sublinho o "triságio".
O *estribilho* proclama a santidade de Deus: título divino no livro de Isaías, tema central de Ezequiel e da tradição sacerdotal. Santidade e grandeza (3), como em Ez 38,23; santidade terrível (3), como no Sl 111,9;

²O Senhor é grande em Sião,
 elevado sobre todos os povos.
³Confessem seu nome grande e terrível:
 Ele é Santo.
⁴O poder real ama a justiça,
 tu estabeleceste a retidão;
 tu administras justiça e direito,
 para Jacó.
⁵Exaltai o Senhor nosso Deus,
 prostrai-vos diante do estrado de seus pés:
 Ele é Santo.
⁶Moisés e Aarão entre seus sacerdotes,
 Samuel entre os que invocam seu nome:
 invocavam o Senhor, e ele respondia.
⁷Deus lhes falava da coluna de nuvens;
 cumpriam suas ordens e a lei que lhes deu.
⁸Senhor Deus nosso, tu respondias a eles.
 Tu eras para eles um Deus de perdão,
 embora vingador de suas maldades.
⁹Exaltai o Senhor nosso Deus,
 prostrai-vos para seu monte santo:
 Santo é o Senhor nosso Deus.

100 (99)

¹Aclamai ao Senhor, terra inteira,
²servi ao Senhor com alegria,
 entrai em sua presença aclamando.
³Sabei que o Senhor é Deus,
 ele nos fez e somos seus,
 seu povo e ovelhas do seu aprisco.

---

santidade na administração da justiça (4), como em Is 5,16; santidade que perdoa, como em Os 11,9; e castiga, como em Lv 10,2. A santidade de Deus não se deixa domesticar nem manipular e se manifesta em polaridades; quanto mais se aproxima, mais se faz sentir.

99,1 O esquema formal é AB/ab. A manifestação é sugerida pela reação dos que assistem. O cenário é universal.

99,2 Capital do reino e residência do Soberano: Sl 48,3. "Povos" apaga todo vestígio de divindades: comparar com 9,9.

99,3 Sujeito são os povos acima mencionados; a não ser que o verbo tenha sentido impessoal. Sobre o nome santo: Ez 36,22; 39,25.

99,4 O começo é duvidoso. Alternativa: "Rei poderoso que ama...". Tomo o substantivo hebraico como substituto da pessoa, como nós usamos majestade, autoridade etc. A ele são atribuídas três coisas. A primeira é uma atitude, "ama", como Sl 45,8; a segunda é instaurar um regime de retidão, como Sl 45,7; a terceira é a tarefa do governo justo, como Sl 72,2. A comunidade chama-se Jacó: ver Sl 59,14; Is 29,23; 41,21.

99,5 "Estrado" pode ser o templo (Sl 132,7; 1Cr 28,2), o monte santo (Lm 2,1), a terra (Is 66,1).

99,6 O trio é incomum e estranho. Podemos considerar Moisés como mediador da lei, Aarão como representante do sacerdócio, Samuel como profeta. O autor os reúne no "sacerdócio". Penso que com isso quer sublinhar sua santidade ou consagração,

inscrevendo-os na categoria que, nessa época, é sua representante. O Deus santo é acessível ao "chamado" e à invocação.

99,7 A resposta de Deus é oracular e misteriosa (cf. Ex 24,15-18). Seu conteúdo são as cláusulas da aliança, que toda a comunidade deve observar.

99,8 Castigar e perdoar é atividade própria do Deus da aliança: Ex 34,7; Dt 5,9s; Jr 32,18.

99,9 "Nosso Deus" é título de aliança; "monte santo" sintetiza a escolha de Jerusalém, lugar do templo. Aí se concentra e se intensifica a manifestação da sua santidade.

Transposição cristã. O tema da santidade atravessa todo o NT. Começamos pelo Pai-nosso. Depois aplicamos o triságio à Trindade. Ao Pai (Jo 17,11; Ap 15,3s; 16,5); ao Filho (Lc 1,35; Jo 6,69); ao Espírito Santo, protagonista de At. Em consequência, toda a comunidade cristã deve ser santa e consagrada: Jo 17,19; 1Pd 1,15s.

100 Hino com convite ampliado e motivação simplificada. O convite é articulado em sete imperativos, dos quais o central dá conteúdo concreto ao louvor. O último versículo é o texto da bênção. Num horizonte universal da "terra inteira" se coloca a escolha de um rebanho. O contexto é cultual, como uma procissão de "entrada": "portas", "átrios", "presença".

100,2 "Servi" pode ter sentido genérico de venerar, ou restrito de prestar culto.

100,3 "Sabei" é imperativo raro: tem o peso de reconhecer. O complemento "nos" se restringe ao povo.

⁴Entrai por suas portas com ação de graças,
   em seus átrios com hinos,
   dai-lhe graças, bendizei seu nome:
⁵"O Senhor é bom, sua misericórdia é eterna,
   sua fidelidade de geração em geração".

101 (100) (Sl 72; 2Sm 23,1-7)

¹Vou cantar a bondade e a justiça:
   é para ti a minha música, Senhor.
²Vou explicar o caminho perfeito:
   Quando virás a mim?
Quero proceder com reta consciência
   dentro de minha casa.

³Não dedicarei minha atenção a assuntos indignos;
detesto as ações criminosas,
   e não se apegarão em mim.
⁴Longe de mim uma consciência retorcida,
   não quero acordo com a maldade.
⁵Eu farei calar aquele que em segredo
   difama seu próximo.

"Ele nos fez" fisicamente, pela bênção patriarcal da fecundidade (Gn 12,2); politicamente, fazendo de uma massa de escravos uma nação livre; religiosamente, pela aliança.

100,5 "Bondade", "fidelidade" e "lealdade" fazem parte da proclamação litúrgica, desde Ex 34,6 em diante. *Transposição cristã.* "Ele nos fez" pode ser ampliado para que abrace todos os homens (At 17,26); pode-se restringir à Igreja como rebanho do bom pastor (Jo 10,12-16).

101 *Gênero e situação.* Começa como hino ou canto com acompanhamento em honra do Senhor. De repente o orante começa a elencar seus propósitos de bom governo. Faz sentido na boca de um rei ou governante no início de mandato. Alguns o qualificaram de "espelho de príncipes"; outros, de discurso da coroa, até de juramento da constituição teocrática por parte do rei; e citam Dt 17,18s. É curioso que uma declaração de bons propósitos seja chamada de canto em honra do Senhor. Mas o paradoxo é parte do sentido: se outros cantam a liberdade ou a alegria, o autor canta a justiça com a misericórdia. Também causa estranheza a pergunta do v. 2, "quando virás a mim?" Como se Deus, em resposta aos bons propósitos, tivesse de comparecer a um encontro com o governante. Creio que o salmo é estilizado como sendo pronunciado por Davi antes de trasladar a arca para sua casa (2Sm 6,9.12). O salmo vem depois da série 93-99: tem relação com ela? O Sl 98 anuncia a "vinda" do Senhor, e o 99 propõe a dimensão ética da justiça divina. Aqui o Senhor vem exercer seu justo governo por meio de um governante "segundo seu coração".

Composição. Depois da introdução (1-2a) segue-se o elenco, que não se presta a refinamentos. Basta notar a alternância de positivo e negativo, especificação de fazer o bem/afastar-se do mal.

Justiça e misericórdia. A justiça atinge súditos e colaboradores. Em vez de se deter nas vítimas (como no Sl 72), ele se detém em "perversos" e "malfeitores": é preciso enfrentá-los para proteger os oprimidos. O orante dedica muita atenção aos colaboradores. Em Israel, a escolha de colaboradores era decisiva pelo fato de a monarquia ser absolutista, embora submetida à lei do Senhor e à palavra profética. Parece óbvio, mas é interessante que o salmo lhe dê um respaldo litúrgico e teológico. Leiam-se como ilustração: Pr 20,26; 25,5; 29,2; Eclo 10,1s; e a síntese perfeita de Is 32,1. A justiça será temperada pela misericórdia. São qualidades de Deus ou do homem? O começo hínico nos faz pensar que são de Deus, o resto do salmo nos garante que são do homem. Digamos que a conduta do rei é imitação e mediação da ação divina. Em que relação se encontram ambas? São complementares: justiça sem piedade pode ser impiedosa, desumana. Os gregos acrescentavam à *dikaiosyne* a *epieikeia*, os romanos a *aequitas* à *justitia*. Um caso clássico de tensão está em 2Sm 14; Sb 12,18s propõe a doutrina.

101,1 O binômio está na versão grega de Pr 20,28. Se o orante é o suposto Davi, o canto alude à sua atividade musical: 1Sm 16,14-23; 1Cr 15-16; 25.

101,2 "Explicar" é um verbo sapiencial. O "caminho" é o modo de agir de Deus: na boca de Davi, Sl 18,31.33. Invertem-se os papéis: em vez de o homem ir à casa de Deus, Deus vai à casa do homem. "Com reta consciência" se diz do rei de Gerara (Gn 20,5) e de Davi (1Rs 9,4; Sl 78,72). "Dentro de minha casa": a casa/dinastia ocupa lugar central na teologia da monarquia; no salmo, é central o eixo espacial. É como uma limpeza geral, começando pelo palácio e continuando pela capital do reino. O suposto Davi empreende uma purificação ética do governo, preparando a vinda do Senhor.

101,3 "Indignos": o adjetivo hebraico denota delitos graves. "Detesto": Pr 16,12. "Não se apegarão em mim": Jó 31,7 no juramento de inocência.

101,4 "Retorcida", tortuosa: Pr 11,20; 17,20.

101,5 "Difama" é verbo raro; só se encontra aqui e em Pr 30,10. "Soberba", "ambição", "cobiça" são a raiz do mau governo: ver Pr 21,4.

Olhos altivos, mentes ambiciosas,
   não os suportarei...
⁶Ponho os olhos em* pessoas de confiança
   para que habitem comigo.
Aquele que segue um caminho perfeito
   estará a meu serviço.
⁷Não habitará dentro de minha casa
   quem cometer fraudes.
⁸Aquele que diz mentiras
   não durará em minha presença.
⁹A cada manhã farei calar
   os perversos do país,
para excluir da Cidade de Deus
   todos os malfeitores.

102 (101)

(Sl 33; 74; 79)

²Senhor, escuta minha súplica,
   chegue a ti o meu grito de socorro.
³Não me escondas o rosto
   em meu aperto.
Dá-me ouvidos quando te chamo,
   responde-me depressa.
⁴Pois meus dias desaparecem como fumaça
   e meus ossos queimam como brasas.

101,6 Parte positiva na escolha de colaboradores: comparar com Eclo 37,7-15 para a esfera privada. "De confiança": como Moisés (Nm 12,7), Samuel (1Sm 3,20), testemunhas (Is 8,2), um porta-voz (Pr 25,13). * = Ou: "escolho".

101,9 O período da manhã é hora de pronunciar sentença: Jr 21,12; 2Sm 15,2. O rei sonha com a cidade ideal na qual não haja perversos, pois é a cidade do Senhor.

Transposição cristã. Por sua visão lúcida e sua concentração ética, o salmo conserva validade. É aplicável também ao governo da Igreja? É de perguntar se a ambição e a cobiça foram erradicadas, se não há mais a tentação de recorrer ao engano e à difamação. Se quem exerce o poder na Igreja muitas vezes preside o culto, recorde-se que o exame de consciência e o propósito articulado de bom governo também são música para o Senhor.

102 *Gênero e situação.* Súplica pela capital em ruínas, durante o desterro ou imediatamente depois. Contém alguns temas do gênero, omite e muda outros. Não se mencionam os inimigos da nação, falta a promessa de ação de graças, a esperança ou confiança estão implícitas. A desgraça da cidade se funde com a situação pessoal do orante e provoca uma meditação sobre a eternidade de Deus. O gênero fornece um molde para ser quebrado.

A dualidade orante/cidade e a dimensão temporal são constitutivas do poema. Eu ou Sião: qual o ponto de partida da súplica? Cabem duas respostas: a) a desgraça pessoal o torna sensível à desgraça nacional; b) a desgraça nacional intensifica o sofrimento pessoal; c) ou então, decisiva é a tensão entre os dois sentimentos.

O salmo começa como súplica individual (2-3) e continua com a recordação de seus sofrimentos (4-12), como no Sl 77; mas o orante transcende sua experiência pessoal em duas dimensões: comunitária, porque é membro do povo e sente como própria a dor da capital (15); temporal, porque sua vida curta (4.12.24s) é um segmento na série de gerações (29) que continuam, e ele quer deixar uma herança escrita (19) para os pósteros. Ambas as dimensões são acolhidas na universalidade e perduração de Deus, que abrange outras nações (16.23), que ultrapassa as gerações (25).

Aponto dados para o estudo dos dois *eixos semânticos*, o tempo e a sociedade. a) A dimensão inferior do tempo é a vida humana do orante, que ameaça fracassar: cf. Is 38,10-12. De modo paralelo, a cidade parece fracassada: ver o "ressuscitar", "vivificar" de Ne 3,34. Confronta sua breve vida com a duração de Deus, que supera a vida de um indivíduo, das gerações e a duração do cosmo (26s). b) Na primeira parte do salmo, o orante está sozinho (8), fechado em sua dor (5s). Rompe o cerco e se torna consciente da dor da cidade amada (14s); todo um povo partilha essa dor (15); outros povos celebrarão a restauração (16.23). Os dois eixos se cruzam nos versículos 17-19. *Desenvolvimento.* Nem o gênero nem os dois eixos produzem um desenvolvimento simples: o lirismo impera sobre a arquitetura. Chama a atenção a abundância de comparações (4-12 e 27).

102,2-3 A introdução é bem convencional, com uma nota de urgência (eixo temporal): comparar com 69,17s e 143,7.

102,4 "Meus dias": anuncia-se o tema do tempo. Vemos a fumaça, adivinhamos o fogo (cf. Ez 24,10).

⁵Meu coração ferido murcha como erva,
  pois me esqueço de comer meu pão.
⁶Ao som de minhas queixas,
  a pele se pega em meus ossos.
⁷Estou como coruja no deserto,
  estou qual mocho entre ruínas.
⁸Estou sem dormir* e me sinto
  como pássaro solitário no telhado.

⁹O dia todo meus inimigos me afrontam,
  furiosos contra mim me amaldiçoam.
¹⁰Em vez de pão, eu como cinza,
  misturo minha bebida com meu pranto,
¹¹por tua cólera e tua indignação,
  porque me ergueste no ar e me atiraste.
¹²Meus dias são como sombra que se alonga,
  e eu vou secando como erva.

¹³Porém tu, Senhor, reinas para sempre,
  teu nome passa de uma geração a outra.
¹⁴Tu te levantarás e te compadecerás de Sião,
  pois é hora de piedade, chegou o prazo.
¹⁵Teus servos amam suas pedras,
  dói-lhes até seu pó.
¹⁶Os pagãos respeitarão, Senhor, o teu nome,
  e todos os reis do mundo, a tua glória.

¹⁷Quando o Senhor reconstruir Sião
  e aparecer em sua glória,

Como se cada dia fosse um pouco de combustível para alimentar o horrível fogo interior: ver Sl 37,20; 69,4.

102,5 O coração pode sintetizar aqui toda a interioridade, que vai secando por falta de alimento; como a erva: Sl 90,5s.

102,6 "Ao som": é estranha a relação do som com o estar extenuado: comparar com Jó 33,20s. Alguns comentaristas acrescentam um verbo antes.

102,7-9 Solidão e hostilidade verbal parecem excluir-se; não é caso único no gênero "súplica de doente", p. ex. Sl 31.

102,7 São animais impuros, tomados talvez de listas legais: Lv 11,17s; Dt 14,16s; ver a descrição de Is 13,20-22; 34,13-15. O deserto pode sugerir o desterro, as ruínas preparam a visão da cidade reduzida a escombros.

102,8 Is 34,14s. * Ou: "gemendo".

102,9 "Furiosos" ou dementes, ou que me declaram demente. As maldições poderiam ser esconjuros ou feitiçarias, tão comuns num tipo de preces mesopotâmicas.

102,10 "Cinza" e "pranto" pertencem ao ritual de luto por morte ou desgraça. Nos funerais costumava-se oferecer um banquete com comida e bebida de consolo (Jr 16,7): no luto do orante não há mais que os meros sinais do luto.

102,11 Em seu sofrimento extremo, em sua vida fracassada, o orante reconhece a cólera de Deus. Deus se encoleriza porque leva o homem a sério. O mesmo encontramos em Lm e no Sl 90,7.11. O segundo hemistíquio é tremendo: será imagem de uma vida fracassada, do destino dos judeus desterrados, da humanidade mortal?

102,12-13 Tomo juntos os dois versículos para sublinhar o contraste: "e eu"/"porém tu", "dias"/"-gerações". A imagem da "sombra" é frequente: Sl 109,23; 144,4; Jó 8,9; Ecl 6,12; Sb 2,5. Da "erva": Is 37,27. "Reinas sempre". Com fórmula muito semelhante, Lm 5,19 vê na perduração do Senhor uma esperança para Sião. O "nome" acompanha as gerações porque assim ele mesmo o manifestou: Ex 3,15.

102,14-16 A súplica muda de enfoque e olha a cidade com afeto intenso. Apela para "compaixão" e "piedade", qualidades tradicionais do Senhor: Ex 34,6; Jn 4,2; Sl 86,15 etc. Comenta o amor terno e compassivo do povo pela capital: comparar com Ez 24,21. Dos inimigos prediz um genérico "respeitar", "venerar". Lendo toda a terceira lamentação, pode-se apreciar a relação entre dor pessoal e sofrimento pela cidade, com outras coincidências temáticas; concretamente os vv. 4.8.22.43.50.61.

102,14 A impaciência humana enfrenta a tranquila duração de Deus, recordando-lhe seus prazos: Hab 2,3.

102,15 O orante e seus companheiros tentam contagiar Deus de compaixão; ou estariam eles, sem saber, contagiando-se de compaixão divina?

102,16 Ainda não se trata de conversão formal, mas de reconhecimento do Deus estrangeiro: ver Is 59,19.

102,17-23 Pela ambiguidade da partícula *ki* e pela indecisão dos tempos verbais, é muito difícil encontrar

¹⁸e se voltar para as súplicas dos indefesos
e não desprezar sua súplica,
¹⁹fique isso escrito para a geração futura,
e o povo recriado louvará o Senhor:
²⁰pois o Senhor apareceu
em seu excelso santuário,
do céu contemplou a terra,
²¹para escutar os lamentos dos cativos
e livrar os condenados à morte.
²²Assim se anunciará em Sião a fama do Senhor
e seu louvor em Jerusalém,

²³quando se reunirem unânimes os povos
e os reinos para servir* ao Senhor.

²⁴Ele esgotou minhas forças pelo caminho
e encurtou meus dias.
²⁵Eu disse: Deus meu,
não me arrebates na metade de meus dias,
teus anos se medem por gerações.
²⁶No princípio firmaste a terra,
o céu é obra de tuas mãos:
²⁷eles perecerão, tu permaneces,
eles se gastarão como roupa,
serão como veste que se muda.
²⁸Tu, porém, és aquele
cujos anos não se acabam.
²⁹Os filhos de teus servos e a descendência destes
habitarão estavelmente em tua presença.

103
(102)

(Eclo 18,8-14)

¹Bendize, minha alma, ao Senhor,
e todo o meu interior
bendiga seu santo nome.

---

a correta divisão sintática desses versículos. Uma percepção clara abre passagem através de nossa perplexidade: Sião será reconstruída, o fato deve ser registrado por escrito, redundando num culto universal do Senhor.

102,17 A reconstrução é tema central em Ez 36,33-36; Is 54,11s; Am 9,11; Sl 51,20.

102,19 "Escrever" denota uma lúcida e firme consciência histórica sobre o destino do povo: Is 30,8; Jr 30,2; Jó 19,24.

102,20 "Aparece": vigilante em Sl 14,2, benévolo em Dt 26,15.

102,21 Não basta reconstruir a cidade, se faltam homens para repovoá-la: Is 49,22. Os "condenados à morte" estão presos numa masmorra esperando a execução: cf. Ez 37,11s.

102,23 O culto é mais que o reconhecimento genérico (16): talvez se inspire em Is 2,2-5; Sf 3,9s. O salmo poderia terminar com essa visão gloriosa, sobreposta a um panorama de ruínas. Mas, depois de uma pausa, a visão se desfaz, e o orante se retira ao seu interior. * Ou: "prestar culto".

102,24-25 Pelo caminho da vida, esgotado e desfalecido, incapaz de alcançar o fim normal.

102,26 Passa à duração cósmica para ultrapassá-la: Is 48,12s; Jó 38,4.21.

102,27 Pensa que, consumidos céus e terra, Deus criará outros novos para repor? Is 66,22 é quase uma resposta.

102,28 Soa como eco da auto-apresentação de Deus: *'attá hu'/'ani hu'*: tu és/eu sou, Is 41,4; 43,10; 48,12.

102,29 Termina com uma confissão de esperança, não na imortalidade pessoal, mas na do povo.
Transposição cristã. Hb 1,10-12 cita os versículos 26-28 para exaltar a dignidade do Filho de Deus. Também podemos ensaiar a leitura eclesiológica: o salmo nos ensina a inscrever nossos sofrimentos pessoais num contexto amplo. Crendo na ressurreição, esperamos que nossos corpos serão reconstruídos.

103 *Gênero*. É uma ação de graças muito próxima do hino. O verbo *brk*, quando responde a um benefício recebido, significa agradecer. O salmo o repete duas vezes no começo e três no fim. São convidados: primeiro o eu, num desdobramento conhecido, como mobilização total da pessoa; no fim, criaturas celestes, "anjos" e "exércitos" (siderais) e todas as obras criadas. Motivação: primeiro seis particípios, que indicam ações ou atividades divinas (3-6); seguem-se

²Bendize, minha alma, ao Senhor,
   e não esqueças seus benefícios.

³Ele perdoa todas as tuas culpas,
   cura todas as tuas doenças.
⁴Ele resgata tua vida da cova
   e te coroa com sua bondade e compaixão.
⁵Ele te sacia de bens na adolescência,
   e tua juventude se renova como a de uma águia.
⁶O Senhor faz justiça
   e defende os oprimidos.

⁷Ensinou seus caminhos a Moisés
   e suas façanhas aos israelitas.
⁸"O Senhor é compassivo e clemente,
   paciente e misericordioso".
⁹Não está pleiteando sempre,
   nem guarda rancor perpétuo.
¹⁰Não nos trata como nossos pecados merecem,
   nem nos paga segundo nossas culpas.
¹¹Pois, como o céu se eleva sobre a terra,
   sua misericórdia supera seus fiéis.

outros recursos, como a quádrupla negação (9-10), a tríplice comparação (11-14), a antítese (15-17). O tema central é a misericórdia, com referência a Moisés e à aliança (7-8.17-18).

Misericórdia, com quem? O salmo começa com um assunto pessoal. No v. 10 passa ao plural: "nós" (o povo da aliança); mas no v. 14 passa à criação do homem. Dá-se um processo duplo, de alargamento e de estreitamento. Do pessoal ao povo, à humanidade. Do presente à história, à eternidade de Deus. Em sentido oposto: uma misericórdia fundada na condição humana se concentra num povo, condicionada pela observância dos mandamentos.

Situação ou ponto de partida. Três alternativas. a) Podemos imaginar que o orante foi "curado" (3), salvo da morte (4); inundado de grata alegria, vai-se abrindo a um horizonte amplo. b) Os desterrados "oprimidos" (6) obtiveram a liberdade e voltaram à pátria: nesse fato se manifestou de novo o que a tradição contava de Moisés e da aliança; um dos repatriados introduz sua experiência pessoal (1-2). c) Um judeu devoto medita no título divino "compassivo e clemente" (8) e o projeta na sua experiência pessoal, na vida do povo e nos homens em geral. As três hipóteses iluminam a estrutura mental do salmo. A tradição de Moisés: comparar 17-18 com Ex 20,6; o v. 8 com Ex 34,6. As *comparações*. A da erva é corrente, p. ex. Sl 102,5.12; Is 40,7s. A da águia: Is 40,31. As comparações cósmicas são de altura e distância: a altura máxima, que é o céu: Sl 36,6; 57,11; a distância máxima, que são os extremos do orbe habitado. Faltando a essas impressionantes comparações a emoção humana, o autor recorre ao símbolo da paternidade divina, bem conhecido na tradição bíblica: Ex 4,23; Dt 8,5; Is 1,2; Os 11,8s; Jr 31,20. O pai perdoa porque conhece e compreende.

103,2 "Benefícios": raro uso de "retribuição" benéfica, partilhado só por 2Cr 32,25 e por dois provérbios impessoais.

103,3-6 Os seis particípios enumeram vários aspectos. Podemos agrupar três: perdoa o pecado, causa e cura a doença; como consequência salva da morte, que é castigo ou destino. Os outros três introduzem o trio "compaixão", "misericórdia", "bondade" e a dupla "justiça" e "direito" em favor dos "oprimidos".

103,3 O "perdoador": o verbo hebraico é raro no saltério: 25,11, o adjetivo em 86,5, o substantivo em 130,4. Médico: Ex 15,26 e outros.

103,4 "Resgatador", título e ação frequentes em Is 40-55: significa recuperar a propriedade ou a liberdade: resgate extremo do poder da Morte. "Coroar": pode significar cingir uma coroa ou turbante e também rodear protegendo. Aqui se encaixa melhor o segundo significado.

103,5 "Saciar": pode incluir bens materiais e espirituais. "Como uma águia": superada uma doença mortal, o homem se sente rejuvenescido.

103,6 Serve de dobradiça. Olhando para trás, generaliza a experiência pessoal; olhando adiante, sugere a primeira etapa de Moisés, a "opressão" no Egito; em Babilônia, conforme Jr 50,33.

103,7 Pela lei do paralelismo, os dois predicados valem para os dois sujeitos: ver Ex 19,3.8. Em Ex 34,6 se apresenta a fórmula como autoproclamação do Senhor. Outros textos litúrgicos oferecem a fórmula com variações: Jl 2,13; Jn 4,2; Sl 86,15; 145,8; Ne 9,17.

103,9-10 Começa o comentário com quatro orações negativas, que não negam os verbos, mas os advérbios. Acusa e pleiteia, mas não perpetuamente; paga e castiga, mas não como merecemos. À queixa de Lm 5,20 e à pergunta de Sl 77,8 responde: "não para sempre"; corrige o duplo castigo de Is 40,1: "não como merecemos". A medida do castigo não é o delito, porque a justiça é temperada e superada pela misericórdia.

103,11-13 As três comparações já comentadas.

¹²Como o oriente está longe do ocaso,
assim ele afasta de nós nossos delitos.
¹³Como um pai se enternece por seus filhos,
assim o Senhor se enternece por seus fiéis.
¹⁴Pois ele conhece nossa condição
e se lembra de que somos barro.

¹⁵O homem dura como a erva,
floresce como flor campestre:
¹⁶roça-lhe um vento, e já não existe,
seu lugar não volta a vê-la.
¹⁷Mas a misericórdia do Senhor com seus fiéis
dura desde sempre para sempre;
sua justiça passa de filhos a netos,
¹⁸para os que guardam a aliança
e recitam e cumprem seus mandatos.
¹⁹O Senhor firmou no céu o seu trono,
seu reinado governa o universo.

²⁰Bendizei ao Senhor, anjos seus,
poderosos executores de suas ordens,
prontos para cumprir sua palavra.
²¹Bendizei ao Senhor, exércitos seus,
servidores que cumpris sua vontade.
²²Bendizei ao Senhor, todas as suas obras,
em todo lugar de seu império.
Bendize, minha alma, ao Senhor.

104 (103)

(Eclo 43)

¹Bendize, minha alma, ao Senhor:
Senhor Deus meu, tu és imenso.
Tu te revestes de beleza e majestade,

103,14 Termos de olaria. Ninguém mais que o oleiro conhece o material empregado e o modelo impresso (Gn 6,5). Nossa fragilidade de cerâmica é nossa maior vantagem, porque nosso oleiro é nosso pai. Ler o desenvolvimento paralelo de Eclo 18,8-14.

103,15-16 O homem de barro tem vida vegetal, de humilde erva e de beleza efêmera e indefesa. Tem um lugar no solo, no mundo; quando parte, não volta, e o lugar costumeiro o espera em vão.

103,17-18 A "misericórdia" parece limitar-se à comunidade dos fiéis, deslocando-se para a lealdade devida à "aliança"; a "justiça" exige observância. Então, é misericórdia condicionada? Cabe outra explicação: uma vez perdoados, se corrijam e cumpram os mandamentos; o contrário seria presunção: Eclo 5,4-6. Misericórdia e perdão, não licença para o delito.

103,19 Este versículo nos apanha de surpresa. Nós o justificamos supondo que o Senhor, depois da vitória da misericórdia, se assenta para receber a homenagem da sua corte e da criação.

103,20-21 Podemos apreciar a equivalência ou vinculação de "anjos" e "astros", comparando textos de Jó. Tratam do mesmo tema, mudam contudo, sujeitos: 4,18; 15,15; 25,3.5; 38,7. Os seres celestes estão a serviço imediato do Senhor para lhe cumprir as ordens.

103,22 Todas as suas "obras" ou criaturas: o Salmo 148 as elencará.
Transposição cristã. Esse salmo antecipa a revelação que Jesus faz da paternidade de Deus, tema central do evangelho de João. Se precisamos escolher, recordemos o Pai-nosso, a oração na cruz (Lc 23,34), a parábola do filho pródigo, a revelação de Mt 11,25-27; Lc 10,21s.

104 *Gênero.* Hino ao Senhor pela criação, não da criação, pois as criaturas não são convidadas a louvar; elas provocam o louvor do homem ao Criador: ver Sb 13,5; Rm 1,20.
O homem na criação. a) O *homo faber.* A originalidade do salmo consiste em englobar o homem harmoniosamente dentro da natureza. Ocupa não mais que os versículos 14s e 23. Os animais têm rios para beber (11) e pedem a Deus comida (21). O homem "sai para suas faínas... até o entardecer", respeitando o ritmo do tempo, para conseguir pão, vinho e azeite. Não os encontra prontos, tem de introduzir o próprio trabalho artístico. O artificial é o natural do homem. Seu trabalho é sereno e produtivo: não é o Adão de Gn 3. Em consequência, também o *homo faber* revela Deus.
b) O *homem navegante.* É curioso o interesse do poeta pelo elemento água (3.6.7.9. 10-11.13). Há

²a luz te envolve como manto.
   Estendes os céus como tenda,
³teus altos salões construídos sobre as águas.
   As nuvens te servem de carro
   e passeias nas asas do vento.
⁴Os ventos te servem de mensageiros,
   e o fogo chamejante, de ministro.

⁵Assentaste a terra sobre seu alicerce
   e nunca mais vacilará.
⁶Cobriste-a com a veste do oceano,
   e as águas assaltaram as montanhas.
⁷Mas ao teu bramido fugiram,
   ao fragor de teu trovão se precipitaram,
⁸enquanto subiam os montes e desciam os vales,
   ao lugar a cada um destinado.
⁹Traçaste uma fronteira intransponível,
   para que não voltem a cobrir a terra.
¹⁰Dos mananciais retiras torrentes
   que fluem entre os montes;

---

outras águas que não são o oceano hostil, mas um mar tranquilo e cortês. Esse mar oferece as costas aos navios que o homem constrói. E o homem deixa seu hábitat, arrisca e domina o elemento estranho: o mar onde não se semeia nem se constrói.

c) O *homem contemplativo*. Fora do poema, há um homem que senta para olhar como os outros se preocupam, trabalham e descansam. Contemplar é mais que observar, é penetrar através de superfícies translúcidas. Contemplando, equilibra o afã fabril. O poeta é contemplativo ativo, artístico: sua tarefa é transformar em palavra poética sua experiência contemplativa para torná-la comunicável, participada. Seu produto, o poema, alimenta o espírito, não menos que pão e vinho alimentam o corpo; além disso, o poema não se consome, permanece: ler Ecl 42,25; 43,31; 39,14.

Deus e o poeta. O Criador de Gn 1 é soberano que dá ordens, é artesão que faz e contempla sua obra, e esta lhe agrada. A obra bela e bem-feita é o pagamento do artesão. Pois bem, o poeta espera que também sua obra poética, que é sua oferta, agrade a Deus (33s); assim poderá participar da alegria de Deus (34).

Composição, ou melhor, desenvolvimento. Depois do brevíssimo convite, canta a Deus no céu (1-9); seguem-se nove versículos dedicados à terra, alternando o mundo selvagem (10-12) com o domesticado (13-15) e outra vez o selvagem (16-18); descreve depois o ritmo de dia e noite com suas correspondentes atividades (19-23); termina com uma exclamação que poderia ser o fim do poema, em inclusão (24). Nesse ponto, é como se o poeta tivesse esquecido algo ou não quisesse terminá-lo. Começa com uma visão marinha (25-26); o "eles" do v. 27 são as "criaturas" do v. 24, ao passo que 27-28 se ligam com o v. 21; 29-30 contemplam o ritmo misterioso da vida e da morte; o v. 31 poderia ser a conclusão, ampliada no v. 32; 33-34 são a dedicatória. E antes de voltar ao convite, ecoa uma imprecação inesperada (35).

104,1b-9 O Deus criador de Gn está fora da sua criação; o desse salmo está presente nela como soberano. Apresenta-se com vestes régias e construiu para si um palácio nas alturas. Quando sai para percorrer seus domínios, tem uma carruagem de nuvens ou de cavalgaduras aladas de ventos. Envia seus servidores com mensagens e tarefas. Alicerça solidamente a terra. E se uma de suas criaturas, lá embaixo, se rebela ou tenta assaltar a outra (o oceano contra a terra), a reprime com um sopro, impõe sua ordem distribuindo regiões e traçando fronteiras. Não há outros deuses em sua corte; não há batalha dramática.

104,1b-2a Como em Gn 1, a primeira criatura mencionada é a luz; mas como é diferente a função! Aqui é um manto que revela a majestade.

104,2b-3a Corresponde à segunda criatura de Gn 2. Mas, em vez de "firmamento" ou abóbada, aparece um pavilhão com salões superiores, por cima das águas celestes.

104,3b-4 Série de meteoros: nuvens e ventos pacíficos (Is 19,1; Sl 18,11). Ventos móveis e velozes servem de mensageiros (Sl 148,8; Eclo 39,28); o fogo são os raios e relâmpagos.

104,5-6 O terceiro dia de Gn 1 é para separar do mar a terra firme. Aqui também. O formidável *tehom* fica reduzido a veste: a terra se veste de oceano. Alguns interpretam 6b: "as águas estavam sobre as montanhas"; mas não é esse o significado normal do verbo e, além disso, a reprovação que se segue pressupõe uma conduta repreensível. Mas não excluo uma alusão ao dilúvio (9).

104,7 Achamos pitoresco o "bramido" divino, mas é expressão corrente: ler uma excelente ilustração em Is 17,12s.

104,8 Tomo-o como descrição poética do que nós chamamos movimentos geológicos: comparar com Sl 65,7. Outros pensam que o sujeito são as águas que sobem e descem.

104,9 Os hebreus eram fascinados pela misteriosa, branda e segura fronteira entre terra e mar, e os poetas expressaram espanto de formas diversas; um bom exemplo é Jó 38,10s.

104,10-12 No AT, esses três versículos são o que há de mais próximo a uma tentativa de paisagem literária,

¹¹nelas bebem os animais selvagens,
    o asno selvagem mata sua sede.
¹²Junto a elas habitam as aves do céu.
    Das ramagens enviam sua canção.
¹³Dos teus salões regas as montanhas,
    e a terra se sacia de tua ação fecunda.
¹⁴Fazes brotar erva para o gado
    e forragem para as tarefas do homem:
    para que tire pão dos campos
¹⁵e vinho que lhe alegra o ânimo,
    e azeite que dá brilho a seu rosto,
    e alimento que o fortalece.
¹⁶Enchem-se de seiva
    as árvores do Senhor,
    os cedros do Líbano que ele plantou.
¹⁷Aí se aninham os pássaros,
    em seu cimo a cegonha faz a casa.
¹⁸As altas montanhas são para as cabras,
    e os rochedos são refúgios de texugos.
¹⁹Fizeste a lua com suas fases
    e o sol que conhece seu ocaso.
²⁰Trazes trevas e se faz noite,
    e rondam as feras da selva.
²¹Os leõezinhos rugem por sua presa,
    reclamando de Deus seu sustento.
²²Quando brilha o sol, se recolhem,
    para deitar-se em seus abrigos.
²³O homem sai para suas fainas,
    para seu trabalho até o entardecer.
²⁴Como são numerosas tuas obras, Senhor,
    e todas fizeste com maestria:
    a terra está cheia de tuas criaturas!
²⁵Aí está o mar: largo e dilatado,
    nele se movem sem número
    animais pequenos e grandes;

em pinceladas sem desenvolver. A paisagem é animada e regida pela água: o poeta a vê brotar em mananciais, fluir entre montanhas, atrair animais sedentos, regar árvores onde se aninham e cantam pássaros.

104,13-15 Quatro versos se ocupam da terra fértil por si ou cultivada. A ação de Deus sustenta e ativa a ação de suas criaturas. Segundo Gn 1, no terceiro dia Deus criou plantas com semente e árvores frutíferas. A atividade do lavrador se insere nesse contexto.

104,14-15 "Tarefas": se tomamos o substantivo hebraico como abstrato por concreto, significa os animais que trabalham: ver Pr 14,4. Escolhe três produtos básicos, que não faltam nas listas de produtos essenciais: Eclo 38,26.

104,16-18 Voltamos à região silvestre e montanhosa, às gigantescas árvores que o homem não plantou nem cultivou: também delas o Senhor se ocupa. O Líbano com seus cedros representa uma região não habitável, dificilmente acessível e cobiçada desde a antiguidade; mas não despovoada de aves e animais selvagens.

104,19-20 Numa divisão tripartida de céu, terra e mar, este seria o lugar oportuno para o terceiro. O poeta prefere passar a outra categoria, ligada à criação do quarto dia: o sol e a lua, que marcam o ritmo do dia e da noite e o ciclo de meses e estações.

104,20-21 A criação de animais em Gn 1 está dividida entre o quinto e o sexto dia. O salmo os reparte em regiões: celestes, aquáticos, terrestres. O rugido do leão é interpretado pacificamente, como pedido dirigido ao Criador. Deus "traz as trevas": controla-as, já não são caóticas.

104,22 Os animais têm seus lugares determinados (17s), e as feras têm seus tempos definidos, que são diferentes para os seres humanos.

104,23 Retoma as últimas palavras do v. 14. O trabalho humano, do lavrador, é diurno: cf. Sl 127,2; para trabalhos noturnos, ver Eclo 38,27.

104,24 As "obras" incluem toda variedade de atividade divina. "Maestria" é o saber fazer, a sabedoria do artista. "A terra está cheia": Is 45,18. O salmo não fala do deserto desabitado.

104,25-26 O poeta retém três aspectos do mar: primeiro, a imensidão (Is 11,9; Eclo 43,24); segundo, os animais inumeráveis: Gn 1 fala de "pulular"/"-

²⁶as naves o sulcam, e o Leviatã
   que fizeste para com ele brincar.

²⁷Todos eles aguardam
   que lhes dês sustento a seu tempo;
²⁸tu lhes dás e eles o agarram,
   abres a mão e eles se saciam de bens.
²⁹Escondes o rosto, e eles se apavoram,
   retiras deles o alento, e perecem
   e voltam ao pó.
³⁰Envias teu alento e os recrias,
   e renovas a face da terra.

³¹Glória ao Senhor para sempre,
   e exulte o Senhor com suas obras!
³²Quando olha a terra, ela treme,
   toca os montes, e eles fumegam.
³³Cantarei ao Senhor enquanto eu viver,
   tocarei para meu Deus enquanto eu existir.
³⁴Que meu poema lhe seja agradável,
   e eu me alegrarei com o Senhor.

³⁵Que se acabem os pecadores na terra,
   que os perversos não existam mais.
   Bendize, minha alma, ao Senhor. Aleluia.

105
(104)

¹Dai graças ao Senhor, invocai seu nome,
   informai suas façanhas aos povos.
²Cantai-lhe ao som de instrumentos,
   comentai todas as suas maravilhas.

---

ferver"; terceiro, a navegação. O último modo de olhar o mar é mais fenício do que egípcio, e muito pouco hebraico.
O quarto dado nos chega como gratificação sugestiva. Se lemos "para que brinque nele (no mar)", Leviatã seria um golfinho brincalhão. Se lemos "para (Deus) jogar com ele", temos um Deus desportista, que joga com uma de suas aterradoras criaturas: ler Jó 40,29.

104,27-28 Todos os animais dependem diretamente de Deus para o sustento cotidiano. O poeta não considera os ferozes animais predadores.

104,29-30 O poeta está contemplando a maravilhosa e misteriosa sucessão das espécies sob o controle divino. Conforme Gn 1, Deus criou "segundo as espécies", não todos os seres individualmente. Uns morrem, outros da espécie nascem, e assim o ciclo da vida continua. Deus controla o "alento" de vida (Jó 12,10): se o retira, os seres vivos expiram (Jó 34,14s); se o comunica a outros, "são criados". É alento de Deus e deles (Jó 27,3).

104,31 Soa como nova conclusão: glória reconhecida e tributada ao Senhor.

104,32 Descreve a reação do mundo inanimado diante da teofania: tremor de terra, fumegar dos vulcões. Por que esse versículo aqui? Talvez para não esquecer o aspecto "tremendo" da majestade divina. Um respeito reverencial deve acompanhar a contemplação extasiada.

104,33-34 *Dedicatória.* O poeta, contente com sua obra, espera que o Senhor a aceite com prazer. Essa será sua maior alegria: a aceitação divina, mais que o acerto poético.

104,35 Versículo inesperado. Algo perturba a harmonia e beleza da criação: os pecadores, os perversos. Se fosse possível des-terrá-los desta terra maravilhosa... *Transposição cristã.* Podemos ler ou cantar o salmo à luz de Jesus Cristo glorificado. Como mestres tomaremos os místicos (São João da Cruz).

105 *Gênero.* Pela forma e conteúdo, situa-se na região pouco definida entre hino e ação de graças. É meditação histórica, com muito de profissão de fé e uma pitada de parênese. Pode ser agrupado aos salmos 78, 106 e 136. Após o Sl 104 e apesar da enorme distância poética, pode completar um díptico de natureza e história, como nos capítulos finais do Eclesiástico. Narra uma etapa decisiva na história do povo. Deus é o *protagonista* dessa história estilizada. A partir do v. 11, quase todos os verbos têm Deus como sujeito: dá ordens que se cumprem (31.34), envia um personagem (17), pode ferir ou golpear diretamente (33. 36); até penetra na vontade do homem para com ela dirigir os acontecimentos (25). A ação humana é mínima ou limitada. Esse modo de contar tira a dramaticidade da história. É porque não pretende narrar, mas louvar a Deus.

Aliança ou promessa. A história aqui contada ou cantada é regida pela unidade de projeto e realiza-

³Gloriai-vos de seu nome santo,
 alegrem-se os que buscam o Senhor.
⁴Recorrei ao Senhor e ao seu poder,
 buscai sempre a sua presença.
⁵Recordai as maravilhas que fez,
 seus prodígios e as sentenças de sua boca.
⁶Estirpe de Abraão, seu servo,
 filhos de Jacó, seu escolhido!
⁷O Senhor é nosso Deus,
 ele governa toda a terra.
⁸Sempre se lembra de sua aliança,
 da palavra dada, por mil gerações;
⁹da aliança selada com Abraão
 e do juramento feito a Isaac,
¹⁰confirmado como lei para Jacó,
 como aliança eterna para Israel.

¹¹Eu te darei o país cananeu
 como porção de tua herança.

¹²Quando eram uns poucos mortais,
 contados e migrantes no país,
¹³quando vagavam de povo em povo,
 de um reino a outra nação,
¹⁴a ninguém permitiu oprimi-los,
 e por eles castigou reis:
¹⁵"Não toqueis meus ungidos,
 não maltrateis meus profetas".
¹⁶Chamou a fome sobre aquele país,
 cortando o sustento de pão;

ção. No começo e no fim, o poeta diz que Deus "se lembra: da aliança"/"da promessa" (8.42). Qual das duas predomina: a aliança sinaítica, condicionada, ou a promessa patriarcal, incondicional? Embora chame de "aliança" o que aconteceu com Abraão e empregue o verbo deuteronômico, na substância é promessa estendida aos sucessores. Embora fale muito de Moisés, não o recorda como mediador da aliança sinaítica, mas como cumpridor da promessa feita a Abraão. O juramento é "darei" (11) e o cumprimento é "deu" (44). O versículo final, onde tudo parece desembocar, soa com objeção: "para que guardem e cumpram". Não há contradição: até a entrada dos israelitas em Canaã impera a promessa; a partir daí, cabe ao povo responder cumprindo a lei. O cumprimento é consequência, não condição.

Composição e estilo. O convite é amplo. Podemos escutar como inclusão 8 com 42, e 11 com 44. No v. 12 a ação se move. A cronologia está invertida: tanto o narrador como o protagonista controlam de antemão os acontecimentos. Antecipar um acontecimento em previsão de outro posterior, é como antecipar uma promessa em previsão de seu cumprimento. Desapareceu toda linguagem mitológica ou imaginativa: a história desfila com traços empíricos da tradição. Predomina um paralelismo sinonímico bastante acadêmico. Embora em verso, o estilo é prosaico.

105,1-7 Longo convite marcando um tempo andante. Embora o tema seja nacional, quer um auditório internacional (1), já que "nosso Deus" é universal (7).
105,5 As "sentenças" são tanto judiciais como legais, são atos de governo.
105,6 O paralelismo, por ora, deixa lugar a dois patriarcas: Is 41,8.
105,8-11 Apresentação da história sucessiva. Apresenta-se o trio oficial dos patriarcas, citado nos relatos da vocação de Moisés (Ex 3,6; 6,2), da intercessão (Ex 32,13); ver também Lv 26,42; Jr 33,26. Elabora um tecido pouco diferenciado de verbos, "mandar", "estipular", "confirmar", e complementos, "aliança", "palavra", "juramento", "decreto": tudo isso de duração perpétua. O conteúdo é conciso: "eu te darei".
105,12-15 Andanças patriarcais. De todos os episódios oferecidos pela tradição, escolhe três em que a matriarca esteve ameaçada (Gn 12,10-20; 20,1-18; 26,1-11): isso acentua o tema da "estirpe" legítima. Os títulos "ungidos", "profetas", são incomuns. Ungidos como reis, como sacerdotes? Profeta pela intercessão (Gn 20,7).
105,16-22 José desempenha o papel principal na história. Sem ser o quarto patriarca, tem papel preponderante entre os irmãos (cf. 1Cr 5,1s). O mais-que-perfeito (17) indica a previsão do projeto divino. Sua atividade de governo tem caráter sapiencial (22).

¹⁷na frente havia enviado seu homem,
José, vendido como escravo.
¹⁸Prenderam seus pés com grilhões,
puseram seu pescoço na argola;
¹⁹até que se cumpriu sua predição.
²⁰O rei mandou libertá-lo,
o soberano lhe abriu a prisão.
²¹Nomeou-o administrador de sua casa
e senhor de todas as suas posses,
²²para que a seu gosto instruísse os nobres
e ensinasse os conselheiros.

²³Então Israel entrou no Egito,
Jacó migrou ao país de Cam.
²⁴Deus tornou seu povo muito fecundo
e mais poderoso que seus inimigos.
²⁵Mudou-lhes o coração
para que odiassem seu povo
e usassem de astúcia com seus servos.

²⁶Enviou Moisés, seu servo,
e Aarão, seu escolhido,
²⁷que executaram sinais contra eles
e prodígios contra o país de Cam.
²⁸Enviou a escuridão e escureceu,
mas eles resistiram a suas palavras.
²⁹Converteu suas águas em sangue
e matou seus peixes.
³⁰Pululavam rãs pelo país,
até nos aposentos reais.
³¹Ordenou que viessem insetos
e mosquitos por todo o território.
³²Em lugar de chuva deu-lhes granizo
e raios por todo o território.
³³Danificou figueiras e vinhas
e cortou as árvores do país.
³⁴Ordenou que viessem gafanhotos,
saltadores inumeráveis,
³⁵que roíam a erva da terra
e devoravam os frutos de seus campos.
³⁶Feriu os primogênitos do país:
primícias de sua virilidade.

³⁷Tirou-os carregados de ouro e de prata,
e entre suas tribos ninguém tropeçava.

105,24 Num versículo resume séculos: em território estrangeiro amadurece a promessa de descendência.

105,25 Ex 1,8 atribui a mudança de atitude dos egípcios à mudança de dinastia.

105,26-27 Moisés e Aarão serão protagonistas do próximo episódio: as pragas. O autor lhes confere os mesmos títulos dos patriarcas (6). Sua tarefa será taumatúrgica.

105,28-36 Seleciona sete pragas e coloca nos extremos as trevas e a matança de primogênitos.

105,29 Os peixes eram alimento básico dos egípcios.

105,30 Uma correção engenhosa lê: "coaxavam nos aposentos reais".

105,32 A tempestade é fenômeno inusitado no Egito.

105,36 "Primícias de sua virilidade": Gn 49,3; Dt 21,17; Sl 78,51.

105,37-38 Assim culmina a saída, sem a magnífica passagem do mar Vermelho.

³⁸Os egípcios se alegravam com sua partida,
  porque o terror os surpreendeu.
³⁹Estendeu uma nuvem para que os cobrisse
  e um fogo para que os iluminasse de noite.
⁴⁰Pediram, e enviou codornizes
  e os saciou com pão celeste.
⁴¹Fendeu o rochedo e brotou água,
  que correu como rio pelo deserto.
⁴²Porque se lembrava da palavra sagrada
  que havia dado a seu servo Abraão.
⁴³Tirou o seu povo com alegria,
  seus escolhidos entre aclamações.
⁴⁴Deu-lhes as terras dos pagãos,
  e possuíram os trabalhos das nações.
⁴⁵Para que assim guardem seus decretos
  e observem sua lei. Aleluia.

106 (105)

¹Aleluia.
  Dai graças ao Senhor porque é bom,
  porque é eterna sua misericórdia.
²Quem poderá contar as proezas do Senhor
  ou fazer seu elogio completo?

105,39-41 A etapa do deserto se concentra na guia, na comida e na bebida. Desaparecem fadigas, perigos e motins. Não se registra uma parada no Sinai. Não se lembra da cólica causada pelas codornizes.

105,42 Até a palavra "aliança" se retira e cede todo o espaço à promessa patriarcal.

105,43-44 Dois versículos resumem a epopeia: saída alegre e triunfal, entrada na terra para dela tomar posse.

105,45 Assim começa a tarefa na terra: cumprir a lei do Senhor. Tudo aconteceu sem tropeço, e é fácil entoar o aleluia. Mas, cuidado: depois vem o salmo dos sete pecados capitais.

Transposição cristã. O tema da promessa, contraposta à lei, é fundamental na teologia de Paulo. Para começar, leiam-se Gl 3,16-18. 26-29; Rm 4,16. A Igreja deve incorporar ao seu louvor, como parte da sua história, a história de Israel. Depois, pode acrescentar outras meditações de sua história.

106 *Gênero.* Não nos deixemos enganar pela introdução (1-5). O corpo do salmo é uma confissão coletiva de pecados históricos. Pelo que tem de reflexão histórica, esse salmo acompanha o 78, o 105, o 136; concretamente, forma com o 105 um díptico, como frente e verso. Como confissão de pecados, assemelha-se a um gênero que cristaliza e se consolida durante o desterro e depois. Seus principais representantes são: Esd 9,6-15; Ne 9; Dn 3,24-45 (LXX); Dn 9; Br 1,15-3,8. Neles a comunidade parte da sua relação bilateral de aliança com o Senhor: ele cumpriu seus compromissos, o povo faltou. O desterro e outros castigos são justificados pela teimosia do povo pecador. Os benefícios recordados e o perdão repetido, além de justificar a conduta do Senhor, acrescentam uma agravante à conduta do povo. Ao mesmo tempo, o perdão repetido permite esperar novo ato de clemência.

Ao confessar expressa-se um sentimento de solidariedade: do povo com os chefes, dos presentes com os antepassados. Os versículos finais nos dizem que o povo ou parte dele se encontra desterrado ou disperso.

Composição. O corpo do salmo confessa sete pecados (6-33) mais um (34-46). Não digo oito, porque o último difere em caráter. Os sete pecados pertencem à época do êxodo. Não se submetem a um padrão único: às vezes Deus não perdoa; quando perdoa, o motivo pode variar: pela honra de seu nome, por intercessão de Moisés, pela expiação de Fineias. Fica salva a soberania de Deus; o perdão não é mecânico: convida à esperança, refreando a presunção. Embora o autor pareça conhecer a versão do Pentateuco, não segue a ordem tradicional: coloca no centro o episódio do bezerro de ouro. O oitavo pecado segue primeiro um movimento concatenado, até o v. 42; depois, a linha se quebra em favor de um desenvolvimento por contrastes. O estilo mantém um equilíbrio entre exigências narrativas e opção pelo paralelismo sinonímico.

106,1-5 A introdução compõe-se de três peças heterogêneas: um ato de louvor, uma bem-aventurança e um pedido pessoal. Que relação têm essas peças entre si? Como afetam o corpo do salmo?

Unindo esse salmo ao precedente, obtemos a primeira resposta. O louvor (1-2) faz eco ao hino que acaba de ser recitado; a bem-aventurança comenta e generaliza o último versículo do Sl 105; o pedido se agarra à "alegria" de 105,43. Também podemos ler a introdução em função do corpo.

106,1-2 Louvor e confissão mostram uma relação dialética: apesar dos benefícios de Deus, o povo insiste em pecar; apesar do pecado repetido, Deus protege seu povo. A liturgia penitencial de Ne 9 começa com um ato de louvor, como Dn 3,26.

³Felizes os que respeitam o direito
   e praticam a justiça em qualquer ocasião.
⁴Lembra-te de mim, Senhor, por amor a teu povo,
   ocupa-te de mim com a tua salvação,
⁵para que eu desfrute a felicidade de teus escolhidos
   e partilhe a alegria de teu povo
   e me glorie com tua herança.

⁶Pecamos com nossos pais,
   cometemos maldades e iniquidades.
⁷Nossos pais no Egito
   não compreenderam tuas maravilhas;
não se lembraram de tua célebre lealdade,
   rebelaram-se contra o Altíssimo
   junto ao mar Vermelho.
⁸Mas ele os salvou pela honra de seu nome,
   para manifestar seu poder.
⁹Repreendeu o mar Vermelho, e ele secou;
   conduziu-os entre as ondas como pelo deserto.
¹⁰Salvou-os da mão do adversário,
   resgatou-os da mão do inimigo.
¹¹As águas cobriram os agressores,
   nem um só ficou vivo.
¹²Então creram em suas palavras
   e cantaram seu louvor.

¹³Logo se esqueceram de suas obras
   e não contaram com seu desígnio.
¹⁴Seu apetite era insaciável no deserto
   e tentaram a Deus na estepe.
¹⁵Concedeu-lhes o que pediam,
   mas enviou-lhes uma cólica por sua gula.

¹⁶No acampamento inveiaram Moisés
   e Aarão, consagrado ao Senhor.
¹⁷A terra se abriu e engoliu Datã
   e se fechou sobre Abiram e seus sequazes.
¹⁸Um incêndio queimou seu bando,
   uma chama consumiu os culpados.

106,3 A bem-aventurança é para quem respeita a justiça e o direito. A palavra hebraica poderia aludir globalmente às cláusulas da aliança (Ex 15,25; Js 24,25). O versículo ilumina por contraste o não cumprimento.

106,4-5 Alegando os privilégios da comunidade, uma pessoa pede para desfrutar deles. Como relação de indivíduo com a comunidade, os versículos são notáveis. Como introdução, devem ser unidos à súplica comunitária do v. 47 para obter inclusão.

106,6 É um bom começo da confissão. Comparar com Dn 9,5; Br 1,17. Pela menção dos antepassados, expressam sua solidariedade histórica e reconhecem sua condição pecadora ancestral: Esd 9,7; Ne 9,2; Dn 9,16; Br 1,19.

106,7-11 Primeiro pecado: na passagem do mar Vermelho (Ex 14). Não compreenderam porque não estavam dispostos; a compreensão é condicionada pela atitude ética e religiosa. Por isso, o não entender é às vezes considerado como culpa: Sl 14,2; 94,8; Dt 32,29; outro tanto é o esquecimento: Sl 78. O perdão é gratuito, pura iniciativa de Deus: por sua honra. Doutrina frequente em Ezequiel, p. ex. 20,9.14.22.44; 36,21s.

106,13-15 Segundo pecado: avidez (Nm 11). No pecado, a penitência. Concedendo o que ansiosamente pediam, o Senhor os satisfez e castigou.

106,16-18 Terceiro pecado: rebelião de Datã e Abiram (Nm 16). O salmista elimina da cena a rebelião sacerdotal de Coré, mas retém o duplo castigo, embora seja incoerente. O tema sacerdotal ressoa na menção de Aarão. O castigo é circunscrito.

¹⁹Em Horeb fabricaram um bezerro
e adoraram um ídolo de fundição.
²⁰Trocaram sua glória pela imagem
de um touro que come capim.
²¹Esqueceram-se de Deus, seu salvador,
que havia feito prodígios no Egito,
²²maravilhas no país de Cam,
portentos junto ao mar Vermelho.
²³Falava já de aniquilá-los;
porém Moisés, seu escolhido,
colocou-se na brecha diante dele
para afastar do extermínio a sua cólera.
²⁴Desprezaram uma terra invejável,
desconfiando de sua palavra,
²⁵e murmuravam nas tendas,
desobedecendo ao Senhor.
²⁶Levantando a mão, lhes jurou
que os faria cair no deserto,
²⁷dispersaria entre os pagãos sua estirpe
e os espalharia por várias regiões.
²⁸Fizeram parelha com Baal de Fegor
e comeram sacrifícios de mortos.
²⁹Provocaram-no com suas ações,
e uma praga surgiu no meio deles.
³⁰Mas Fineias se levantou para fazer justiça,
e a praga cessou.
³¹E isso foi considerado em seu favor,
por gerações sem fim.

³²Irritaram-no junto a Meriba,
e por sua causa sobreveio o mal a Moisés:
³³haviam-lhe amargado o ânimo
e seus lábios enlouqueceram.
³⁴Não exterminaram os povos
que o Senhor lhes havia ordenado;

106,19-21 Quarto pecado: o bezerro de ouro (Ex 32). O salmista o atribui ao esquecimento: no relato de Ex não há tal esquecimento, e sim menção explícita (Ex 32,4). Muda, também, o sentido do pecado. Conforme Ex, era representar *Yhwh* em imagem; conforme o salmo, foi substituir a Glória sem imagem pela imagem de um "herbívoro" (depreciativo). A intercessão de Moisés (Ex 32,11-14) é chamada de "pôr-se na brecha". O delito abriu uma brecha no acampamento, na muralha espiritual do povo; por ela vai introduzir-se a ira aniquiladora do Senhor. Moisés se posta e fecha a passagem à cólera: ver Ez 13,5.
106,24-27 Quinto pecado: recusam entrar na terra prometida (Nm 13-14). O salmista interpreta isso como desconfiança e desobediência, e não menciona a exceção de Josué e Caleb. "Invejável": resume todo o relato positivo dos exploradores. O v. 26 resume o juramento de Deus; mas a ampliação do v. 27 não consta em Nm 14 nem em Dt 9. É um trabalho de atualização. O autor conhece os fatos do desterro e da dispersão, e os projeta ao tempo fundacional do povo. Não quer dizer que a rebelião de Nm 13-14 tenha sido a causa do desterro, mas que nos dois fatos agia o mesmo espírito de rebeldia.
106,28-31 Sexto pecado: prostituição em Baal Fegor (Nm 25). O episódio está bem resumido, até copiando alguma frase expressiva. Ao sacerdócio apenas se faz alusão. A reação violenta de Fineias, em vez de "expiar", se chama "arbitrar", "sentenciar". Os "sacrifícios de mortos" são talvez os de Nm 25,2, oferecidos a divindades falsas, "mortas". "Ser considerado em seu favor" é a fórmula de Gn 15,6.
106,32-33 Sétimo pecado: ao fato se referem três textos narrativos: Ex 17,1-7; Nm 20,1-13; Dt 9,7s; vários salmos aludem a ele: 81,8; 95,8s; 99,8. Apesar de tal abundância, o acontecimento permaneceu na penumbra, especialmente no que se refere à conduta de Moisés; o autor pensa num pecado de palavra não especificado.
106,34-41 Primeira parte do oitavo pecado: Sl 105 deixava os israelitas com a tarefa de cumprir a lei ao chegar à terra prometida. O Sl 106 os toma nesse momento e descobre aí a origem da tragédia histórica. O encadeamento é parte do sentido; por isso

⁳⁵tornaram-se parentes dos pagãos
e imitaram seus costumes;
³⁶adoraram seus ídolos
e caíram em seus laços;
³⁷imolaram a demônios
seus filhos e filhas;
³⁸derramaram sangue inocente
e profanaram a terra, ensanguentando-a.
³⁹Contaminaram-se com suas obras
e se prostituíram com suas ações.
⁴⁰A ira do Senhor ardeu contra eles
e detestou sua herança.
⁴¹Entregou-os em mãos de pagãos,
e seus adversários os submeteram;
⁴²seus inimigos os tiranizavam
e os curvaram sob seu poder.
⁴³Quantas vezes os livrou!
Mas eles, teimosos em sua atitude,
pereciam por suas culpas.
⁴⁴Mas ele viu sua angústia
ao escutar seus clamores;
⁴⁵recordando sua aliança com eles,
se compadeceu por sua célebre bondade.
⁴⁶Fez que se movessem de compaixão
aqueles que os haviam deportado.
⁴⁷Salva-nos, Senhor Deus nosso,
reúne-nos do meio dos pagãos,
e daremos graças a teu nome santo
e louvar-te será nossa glória.

* * *

⁴⁸Bendito seja o Senhor Deus de Israel
desde sempre e para sempre.
(Todo o povo responde:) Amém. Aleluia.

o apresento em esquema. Entram na terra e não eliminam seus habitantes; antes, se unem com eles em relações matrimoniais; com isso imitam seus costumes e praticam a idolatria, que inclui entre suas práticas abomináveis os sacrifícios humanos; estes profanam a terra santa, razão pela qual o Senhor os castiga, submetendo-os aos pagãos.

106,34 A legislação varia: Ex 23,32s; 34, 15; Nm 35,52. O salmista segue o rigorismo retrospectivo de Dt 7,2; 20,16s.

106,35 "Tornaram-se parentes": o verbo só reaparece na reforma rigorosa contra os matrimônios mistos: Esd 9,2; Ne 13,3.

106,37 "Demônios": na Mesopotâmia o termo designava os guardiães fantásticos dos templos, estátuas que intimidavam. O AT usa o termo como designação grotesca de divindades estrangeiras. Muitos textos do AT falam contra os sacrifícios humanos: Lv 20,2; Dt 12,31; Jr 7,30-32; Ez 16,20s etc.

106,38 Em hebraico o versículo está inflado por uma glosa inconfundível, que identifica o "assassinato" com os sacrifícios humanos.

106,39 Funciona como resumo.

106,40 A ênfase recai sobre o complemento com seu possessivo.

106,41-42 Esquema aplicado pelo Deuteronomista para balizar o livro e episódios de Juízes.

106,43-46 Começando por "quantas vezes", dá a entender que resume um processo repetido, de modo que o advérbio modal abrange até o fim do v. 46: O Senhor os livra – eles se rebelam – castigados perecem – no aperto suplicam – o Senhor os escuta – recorda-se da aliança – compadece-se – move os inimigos à compaixão. Assim muitas vezes.

106,45 O pecado não chega a invalidar a aliança. "Por sua grande bondade" ou por sua firme lealdade (à aliança): cf. Is 55,3.

106,46 A mesma ideia está no fim do capítulo de maldições, em Lv 26,44s.

106,47 Supõe a situação do desterro ou da diáspora. O verbo "reunir" é corrente em Is 40-66, Jr e Ez.

106,48 Versículo acrescentado para encerrar a quarta coleção de salmos.

Transposição cristã. O salmo ensina a solidarizar-nos no pecado com a comunidade e com os antepassados. O salmo é parte da nossa história. A redenção de Cristo não deu um corte que interrompa essa humilde solidariedade. Também nos ensina a praticá-la dentro da história da Igreja.

# SALMOS 107(106)

107 (106)

¹Dai graças ao Senhor porque é bom,
 porque é eterna sua misericórdia.
²Digam-no os resgatados pelo Senhor,
 os que ele resgatou do poder inimigo;
³os que reuniu em várias regiões:
 oriente e poente, norte e sul.

⁴Vagavam por um deserto solitário,
 não encontravam o caminho do povoado,
⁵passavam fome e sede,
 e seu alento desfalecia.
⁶Mas gritaram ao Senhor em sua angústia,
 e os livrou da tribulação.
⁷Guiou-os por um caminho plano
 para que encontrassem um povoado.
⁸Deem graças ao Senhor por sua misericórdia,
 pelas maravilhas que faz pelos homens.
⁹Acalmou as gargantas sedentas
 e encheu de bens os famintos.

¹⁰Jaziam na escuridão e nas trevas,
 cativos de ferros e desgraças,
¹¹porque se rebelaram contra a ordem de Deus,
 desprezando o plano do Altíssimo.

---

107 *Gênero e composição*. Grande cântico de ação de graças, com amplo apêndice. Começo pela parte bem construída, vv. 4-32. São quatro episódios típicos, balizados em seu processo por dois estribilhos. Embora a extensão varie, o esquema é rigoroso: tribulação – súplica – libertação – ação de graças; o segundo estribilho ocupa cada vez o penúltimo versículo. Com breve introdução e uma conclusão ficaria perfeito, quadrado.

O harmonioso quadrilátero confina no alto com breve convite, que manifesta uma situação: "resgatados" (do desterro) e "reunidos" (da diáspora). Limita por baixo com uma reflexão de estilo diferente e sem estribilhos: 33-41. Embora seja louvor ao Senhor, tema e estilo divergem notavelmente. De um artista que planeja com tanta harmonia, não se espera que estrague sua obra com um anexo insignificante. Deverá ser estudado pelo que vale em si.

Estilo. Vou deter-me no quadrilátero central: é clara a vontade construtiva, temperada com alguma liberdade lírica. Se corrigimos a primeira palavra do v. 4, os quatro episódios começam em forma nominal, com particípio ou substantivo. É como tomar personagens de vários acontecimentos, fixá-los numa designação e pô-los diante do leitor. Imaginemos uma sala com quatro quadros dependurados, cada qual com seu título: "Perdidos no deserto", "Prisioneiros às escuras", "Doentes", "Navegantes": ver o quarteto de Pr 30,11-14.

Na execução dos quadros, o autor cede ao gosto descritivo, executado com traços seletos e breves. Além dos personagens, interessa-lhe o palco. Usa o paralelismo com mais finura: como caminho formal para conteúdos correlativos, complementares.

107,1 Fórmulas litúrgicas: começo de Sl 106, 107, 118, 136; estribilho do 136.

107,2-3 "Resgatar" é termo favorito do Segundo Isaías (Is 43,1; 44,22s; particípio, 51,10). Os quatro pontos cardeais apontam para uma diáspora dilatada, embora pudessem ser hipérbole, conforme Is 43,5s. Colocado aqui, o quarteto concorda com o quadrilátero do poema.

107,4-9 Primeiro quadro. Por seu caráter típico, pode referir-se a caravanas profissionais, habituais, ou a outras excepcionais. Também guias profissionais podem extraviar-se (Jó 6,18-20). "Povoado" vem sem artigo: não é um definido, fim da viagem, mas um povoado que remedeie a situação. "Fome e sede" indicam que as provisões se acabaram: ler a patética história de Agar em Gn 21,9-18. O caminho perigoso pelo deserto, além de seu sentido empírico, suscita muitas lembranças: dos patriarcas, do êxodo, do retorno. Contando com isso e com o valor metafórico de "extravio", "encaminhar", o quadro se abre à leitura simbólica.

107,6 Primeiro estribilho. Para o binômio, ver Jr 19,9; Sf 1,15; Sl 119,143. Grito e libertação estão aliterados e colocados nos extremos do versículo.

107,8 Segundo estribilho. O nome de Deus é *Yhwh*; a libertação se estende a todos os "homens" sem limitação.

107,10-16 Segundo quadro: prisioneiros. À descrição genérica se sobrepõem traços que podem soar como alusões históricas, especialmente de Babilônia.

107,10-11 Com economia, sintetiza masmorras escuras, calabouços lúgubres, ferro de grades e cepos, portas e ferrolhos (Is 45,2). Na linguagem bíblica, é original essa soma de elementos heterogêneos, "ferros e desgraças". A prisão é merecida pelo delito de rebelião contra o Soberano. Nos cárceres de Babilônia viveram e morreram muitos deportados (cf. 2Rs 25,27). Muitos sentiam o simples desterro como prisão.

¹²Enfraqueceu-lhes o ânimo com trabalhos,
  sucumbiam e ninguém os socorria.
¹³Mas gritaram ao Senhor em sua angústia,
  e os livrou da tribulação.
¹⁴Tirou-os da escuridão e das trevas,
  e arrebentou suas correias.
¹⁵Deem graças ao Senhor por sua misericórdia,
  pelas maravilhas que faz pelos homens.
¹⁶Quebrou as portas de bronze
  e arrancou os ferrolhos de ferro.

¹⁷Andavam pasmados por suas maldades,
  por suas culpas tinham de jejuar*:
¹⁸repugnava-lhes qualquer alimento
  e já tocavam as portas da morte.
¹⁹Mas gritaram ao Senhor em sua angústia,
  e os livrou da tribulação.
²⁰Enviou sua palavra para curá-los,
  para salvá-los da extinção.
²¹Deem graças ao Senhor por sua misericórdia,
  pelas maravilhas que faz em favor dos homens.
²²Ofereçam-lhe sacrifícios de ação de graças
  e narrem suas ações, aclamando-as.

²³Entraram em navios pelo mar,
  comerciando pela extensão do oceano.
²⁴Contemplavam as obras de Deus,
  suas maravilhas em alto-mar.
²⁵Mandou levantar-se um vento tempestuoso
  que inchava as ondas.
²⁶Subiam aos céus, desciam ao abismo,
  o estômago revirado pelo enjôo.
²⁷Rodavam e cambaleavam como bêbados,
  e de nada lhes valia sua perícia.
²⁸Mas gritaram ao Senhor em sua angústia,
  e os livrou da tribulação.
²⁹Transformou a tempestade em suave brisa,
  e as ondas emudeceram.

107,14 As "correias" fazem pensar no jugo da escravidão e de trabalhos forçados: Jr 2,20; 5,5; Na 1,13.

107,17-22 Terceiro quadro: doentes. É o menos definido na descrição, o mais articulado nas etapas. O esquema coincide substancialmente com os outros quadros e não menos com o esquema de uma súplica de doente: pecado – doença grave – súplica – cura por uma palavra – ação de graças com sacrifícios – relato da graça alcançada: comparar com Sl 32 e 38.

107,17 Creio que o substantivo inicial é parte da doença causada pelo pecado. Não está claro se é concebida como doença física ou como perturbação mental. Talvez os hebreus não tenham feito uma distinção muito nítida. * Ou: "mortificar-se".

107,18 Sintoma grave que conduz à inanição. É interessante o paralelo de Jó 33,19-28.

107,20 A "palavra" pode ser uma ordem divina eficaz; ou o anúncio da cura certa; ou a intervenção de um profeta, como Is 38.

107,22 "Sacrifícios": talvez os prescritos em Lv 7,12-15; 22,29.

107,23-32 Quarto quadro: navegantes. Dado que os israelitas não eram povo marinheiro, alguns suspeitam uma origem fenícia do fragmento. As referências do AT são escassas: a aventura de Jonas; 1Rs 9,27; 10,22; Eclo 43,24. É indubitável que o autor conhecia por experiência ou de ouvido os perigos da navegação. O poeta pensa no comércio marítimo (Sb 14,2s), representado exemplarmente pelos fenícios: Is 23; Ez 27; Sb 14,2s.

107,24-25 No mar os antigos esperavam contemplar coisas extraordinárias: Sl 104, 25s; Eclo 43,25. Até aqui a navegação é profícua e interessante; quando de repente Deus, que controla os ventos (Sl 104,4), com uma ordem envia a tempestade que encrespa as ondas.

107,26 Descrição do enjôo, sentido sobretudo na garganta.

107,29-30 O cessar da borrasca, uma sensação de silêncio, é também ação de Deus, que como timoneiro guia o navio ao porto.

³⁰Alegraram-se com essa bonança,
  e os conduziu ao porto desejado.
³¹Deem graças ao Senhor por sua misericórdia,
  pelas maravilhas que faz em favor dos homens.
³²Aclamem-no na assembleia do povo,
  louvem-no no conselho dos anciãos.

³³Transforma os rios em deserto,
  e os mananciais em terra seca;
³⁴terra fértil em salinas,
  por causa da maldade de seus habitantes.
³⁵Transforma o deserto em reservatórios
  e o agreste em mananciais.
³⁶Assenta aí os famintos,
  e fundam um povoado.
³⁷Semeiam campos, plantam vinhas,
  que dão frutos na colheita.
³⁸Ele os abençoa e se multiplicam,
  e seu gado não diminui.
³⁹Se eles minguam abatidos pelo peso
  de infortúnios e sofrimentos,
⁴⁰aquele que lança desprezo sobre nobres
  e os desencaminha
  por uma imensidão sem caminhos,
⁴¹levanta os pobres da miséria
  e multiplica suas famílias como rebanhos.

⁴²Os retos veem isso e se alegram
  e tapam a boca da maldade.
⁴³Guarde o inteligente esses fatos
  e medite na misericórdia do Senhor.

107,32 Distingue e une povo e autoridades (não menciona o rei). A menção do "senado" é única no saltério.

107,33-41 Como reflexão à parte, é um texto interessante. Em chave histórica, seu tema central é a passagem do povo à vida sedentária: isso implica a expulsão dos habitantes anteriores (40) e a transformação dos elementos naturais. Em chave de princípios teológicos, o autor sobe a um plano superior: a soberania de Deus sobre a natureza e sobre os destinos humanos. A natureza diferencia deserto e terra fértil: Deus inverte os papéis. Os seres vivos se multiplicam e minguam: Deus controla ambos os movimentos e os faz alternar-se. A sociedade diferencia nobres e plebeus: Deus muda as sortes. A visão teológica é poética e não cingida de simples dados empíricos. Seu recurso principal, logicamente, é o contraste.

107,33-35 O poder de Deus sobre os elementos é tema cantado em Is 35 (talvez do Segundo Isaías) e exposto em grande estilo no fim de Sb; indiretamente mostra também a solicitude de Deus para preparar um terreno para os seus: Sl 68,10s.

107,36 Conforme Dt 16,10s, os israelitas encontram tudo feito em Canaã; o salmo fala de "fundar". Não são incompatíveis.

107,37-38 Ritmo real de uma população agrária.

107,39 O sujeito de "minguar" é duvidoso. Se são os israelitas, o autor se refere aos vaivéns da história depois do assentamento. O contraste é de tempos ou etapas. Se o sujeito são os "nobres", falta uma indicação gramatical ou é preciso pôr esse versículo depois do 40. O contraste seria de povos. Prefiro a primeira solução.

107,40-41 Apresenta um contraste social: nobres e pobres. No interior de Israel? Entre povos diversos? Com alcance geral? É tema do canto de Ana (1Sm 2) e do Magnificat.

107,42 Última oposição, de tipo ético com suas conseqüências: comparar com Sl 63,12.

107,43 O colofão abrangia o bloco acrescentado; agora abrange todo o salmo. Não basta narrar, é preciso meditar. Tudo é "misericórdia do Senhor".

Transposição cristã. Deve-se partir do valor genérico e simbólico dos episódios selecionados. Depois se podem buscar episódios correspondentes nos relatos evangélicos. Fome no deserto e alimento: Mc 6,30-46 par. Endemoninhado em sepulcros com grilhões e correntes: Mc 5,1-20. Doentes curados: Mc 6,53-56; 7,24-37 par. Tempestade acalmada: Mc 4,35-41.

108 (107)

(Sl 57,8-12; 60,7-14)

²Deus meu, sinto-me animado;
vou cantar e tocar para ti, glória minha:
³despertai, cítara e harpa,
despertarei a aurora;
⁴eu te darei graças diante dos povos, Senhor,
tocarei para ti diante das nações:
⁵por tua lealdade, que chega até o céu,
por tua fidelidade, que alcança as nuvens.
⁶Eleva-te sobre o céu, e tua glória encha a terra:
⁷para que se salvem teus prediletos,
responde-nos com tua mão salvadora.
⁸Deus falou em seu santuário:
"Triunfante repartirei Siquém,
parcelarei o vale de Sucot,
⁹meu é Galaad, meu é Manassés,
Efraim é capacete de minha cabeça,
¹⁰Judá é meu cetro,
Moab uma bacia para lavar-me,
sobre Edom lanço minha sandália,
sobre a Filisteia canto vitória".
¹¹Mas, quem me guiará até a praça-forte,
quem me conduzirá a Edom
¹²se tu, ó Deus, nos rejeitaste
e já não sais com nossas tropas?
¹³Ajuda-nos contra o inimigo,
pois a ajuda do homem é inútil.
¹⁴Com Deus faremos proezas,
ele pisoteará nossos inimigos.

109 (108)

¹Deus de meu louvor, não te faças de surdo,
pois uma boca perversa e traiçoeira
²se abre contra mim,
discute comigo uma língua mentirosa.

---

108 Com retoques ligeiros e acidentais, esse salmo é uma combinação de 57,8-12 e 60,7-14, ou seja, as duas partes finais. Ao suprimir as colocações originais, as duas peças conservadas reforçam sua tonalidade positiva e esperançosa. Suponhamos como situação os judeus sob o domínio persa, organizados como província do império. A comunidade eleva uma súplica "com o coração animado", invoca a luz de um novo dia "iluminado pela glória do Senhor". Como resposta divina se recita um velho oráculo, no qual Deus afirma sua soberania sobre Israel e sobre os reinos vizinhos. "Edom" pode designar em código o poder opressor. Termina com uma súplica confiante. Essa explicação não passa de hipótese. O salmo nos ensina também como elaborar novas composições com peças preexistentes. Mostra-nos como os textos se desprendem do seu lugar de origem para serem atualizados. O processo de atualização pode continuar no NT.

109 É um dos salmos mais difíceis do saltério, por causa da violência dos sentimentos expressos e da linguagem usada. É clara a ambientação judicial, é duvidosa a divisão dos papéis.

À *ambientação judicial* pertencem: o verbo "julgar" (7.31); o termo *satan* para designar o rival que acusa no tribunal (4.6.20.29; cf. Jó 1-2; Zc 3,2); "estar à direita" (6) como postura judicial, o "culpado", "sair condenado" (7), a "confusão" da derrota (29). Comparado com outros textos judiciais, p. ex. o Sl 17, faltam: o título de juiz, a indagação da culpa, o pôr-se de pé, a menção de delitos particulares. A descrição da desgraça (22-25) é mais apropriada à súplica.

Divisão de papéis. Não há dúvida que o orante pronuncia 1-5 e 21-31. O problema está na série de imprecações de 6-20. Propõem-se três soluções, todas apoiadas em argumentos de peso. a) Os vv. 6-20 são citação textual do que disse o acusador ou denunciante (*satan*). São o texto ao qual se refere o orante: "língua mentirosa" e "discursos de ódio" (2-3), "que eles amaldiçoem" (28). "Assim" (20) resume o anterior, e 21 é novo começo. b) O salmo retoma e cita dois discursos, das duas partes, diante do juiz. Primeiro falam os acusadores, numa série densa de imprecações (6-15). Depois de um corte sintático, o acusado responde, retorcendo o pedido

³Com discursos de ódio me cercam,
e me combatem sem motivo.
⁴Em troca de meu amor me denunciam
enquanto eu rezava.
⁵Devolvem-me mal por bem,
ódio por amor.
⁶Dizem: "Nomeia contra ele um perverso,
um acusador que se ponha à sua direita.
⁷Saia condenado do julgamento,
que suas súplicas fracassem.
⁸Seus dias sejam poucos,
e outro ocupe seu emprego.
⁹Seus filhos fiquem órfãos
e sua mulher fique viúva.
¹⁰Seus filhos mendiguem, andarilhos
expulsos de suas ruínas.
¹¹Um usurário se apodere de seus bens,
e estranhos arrebatem seus suores.
¹²Ninguém lhe mostre clemência
nem se compadeça de seus órfãos.
¹³Sua posteridade seja exterminada,
e numa geração se apague seu nome.
¹⁴O Senhor se lembre das culpas de seus pais
e não apague os pecados de sua mãe.
¹⁵O Senhor os tenha sempre presentes
e extirpe da terra sua memória".

dos adversários e invocando a lei do talião (17-20).
c) O orante pronuncia a série inteira de imprecações (6-20), seguindo módulos rituais conhecidos e amplamente usados na Mesopotâmia, adaptando-os com maldições da aliança, segundo Dt 28. Podem ser citados numerosos textos comuns em Babilônia, que mostram curiosas e significativas semelhanças com o salmo, embora com mentalidade politeísta. Inclino-me à segunda hipótese, consciente das dificuldades que afetam as três.
Composição. Dentro de um quadro tradicional, o corpo se articula em quatro blocos. Invocação (1); propõe-se a causa (2-5); imprecações dos acusadores (6-15); réplica do acusado (16-20); súplica tradicional (21-29); conclusão com recapitulação (30-31).
109,1-3 O salmo começa com grande silêncio no meio de uma conflagração de vozes: o orante invoca e louva, os rivais atacam com suas calúnias: pode Deus omitir-se? Ver Is 42,14; Hab 1,13; Sl 22,3; 35,32; 39,13; 83,2. Descreve os discursos do inimigo em imagem militar: assédio e assalto. Batalha verbal cujas armas são a mentira e a calúnia. Batalha mortal.
109,3 1Sm 25,21; Pr 17,13.
109,4 Ele não deu motivo para semelhantes ataques; ao contrário, sua conduta foi ditada pelo amor: ler 1Sm 24,18; 25,21; Jr 18,20; Pr 17,13. Os inimigos pagam amor com hostilidade (Sl 35,12; 38,21), o orante responderá devolvendo mal por mal.
É muito duvidosa a interpretação de *tefillá*: súplica pelos rivais (como Jr 15,11); súplica por si (como em 21-26); da raiz "arbitrar" (Ex 21,22; Dt 32,31; Jó 31,11.28), grito de apelação.

109,5 Serve de resumo e, segundo a hipótese escolhida, para introduzir o discurso "maligno e odioso" dos acusadores.
109,6-15 Conto vinte pedidos: como uma lapidação verbal da vítima. A imprecação tem parentesco com as maldições de Dt 27-28: dirigem-se a Deus, vão em série, invocam males como castigo, são consideradas eficazes. Mas têm de ser justificadas: comparar Jz 9,57 com Pr 26,2; Deus pode neutralizá-las: Dt 23,6.
109,6-7 A primeira é estranha: pedir a Deus que nomeie um fiscal perverso, de modo que o inocente seja condenado. É pedir a cumplicidade de Deus. Essas palavras se explicam como "expressões de ódio" dos adversários, mais do que como pedido devoto do orante.
109,8 Pode ser por execução capital como desfecho do processo (cf. 1Rs 21), por doença ou acidente que malogram a bênção da longevidade. A perda do posto ou cargo: Is 22,19-21.
109,9 A família fica pobre e desamparada pela morte ou desgraça do marido e pai: ver Jr 18,21; Lm 5,3.
109,10-12 Sobre as posses, num bloco coerente. Legal ou ilegalmente, gente estranha, não da família, se apodera de seus bens (corrigido o verbo hebraico); os órfãos ficam reduzidos à mendicância (cf. Sl 37,25); pedem, e ninguém sente compaixão por eles. A crueldade está crescendo.
109,13 Segue-se a descendência na geração dos filhos: ver 1Sm 2,31-36; Pr 10,7.
109,14 Os herdeiros pagam as consequências: comparar com Sl 79,8 e com o desenvolvimento de Ez 18.
109,15 Extirpada a descendência, fica também abolida a lembrança, geralmente ligada aos filhos e ao so-

— ¹⁶"Visto que não se lembrou
de agir com clemência,
perseguiu o pobre infeliz
e o atribulado, para matá-lo;
¹⁷visto que amou a maldição, recaia sobre ele;
não quis a bênção, fique longe dele!
¹⁸Que vista a maldição como um traje
e lhe empape como água as entranhas,
como azeite os tutanos;
¹⁹seja uma veste que o cubra,
um cinturão que o cinja sempre".
²⁰Assim pague o Senhor os que me acusam,
os que dizem males de mim.
²¹Tu, porém, Senhor, Dono meu,
trata-me como pede teu nome,
livra-me por tua bondade benfeitora,
²²pois sou um pobre infeliz,
levo dentro o coração transpassado.
²³Vou passando como sombra que se alonga,
sacodem-me como ao gafanhoto.
²⁴Meus joelhos se dobram de tanto jejuar,
estou magro e sem carnes.
²⁵Sou a caçoada deles,
ao ver-me sacodem a cabeça.
²⁶Socorre-me, Senhor, Deus meu,
salva-me por tua misericórdia.
²⁷Reconheçam que tua mão anda por aqui,
que tu, Senhor, o fizeste.
²⁸Que eles amaldiçoem, tu me abençoarás;
que meus rivais fracassem
enquanto teu servo se alegra.
²⁹Vistam-se de infâmia os que me acusam,
e a confusão os envolva como um manto.

³⁰Minha boca renderá muitas graças ao Senhor,
eu o louvarei em meio à multidão,
³¹porque ele se pôs à direita do pobre
para dos juízes lhe salvar a vida.

---

brenome: Jó 18,17s; Dt 32,26. E com isso chegam ao fim (na minha hipótese): todas foram imprecações não justificadas com o elenco dos delitos.

109,16 Esse versículo começa no estilo típico de motivação de sentença: "já que fizeste XX, te acontecerá/que te aconteça ZZ". O juiz fala no futuro, a vítima pede no jussivo. A acusação é um balanço do discurso anterior: "amou a maldição".

109,17 Pede simplesmente que se aplique a lei do talião, prevista na legislação. Não se toma a vingança, pede justiça.

109,18-19 Amplia o anterior: a maldição deve voltar-se contra ele com força envolvente e penetrante. Ler a lei do Deuteronômio contra testemunhas falsas, Dt 19,16-19.

109,20 Considero esse versículo a conclusão do discurso do orante: "seja esta a paga da parte de Deus" – a quem compete aplicar a lei que eu invoquei –, para os que "falam contra mim" – pronunciando as imprecações acima citadas.

109,21-28 Uma acentuada adversativa indica o começo de nova seção. Agora o orante se dirige a Deus na segunda pessoa, pronunciando uma súplica de cunho tradicional, com o triângulo conhecido, marcado por pronomes: tu (21.27.28), eu (22.25), eles (28).

109,21 Primeira motivação: Deus mesmo, por seu nome (ou fama) e sua bondade.

109,22-24 Segunda motivação. A situação do orante em três imagens. O poeta vê a sombra estendida no chão alongar-se ao pôr do sol. É um inseto nocivo que a gente sacode. Por um jejum, forçado ou voluntário, está magro, emagrecido, sem carnes, des-carnado.

109,28-31 Vão-se contrapondo as duas partes ou atores, como no desfecho de um julgamento: maldição e bênção, derrota e festa, confusão e ação de graças.

109,31 O versículo final recapitula: direita (6), pobre (22), salvar (26), juízes (7).

Transposição cristã. At 1,20 aplica o v. 8 a Judas como tipo dos perseguidores de Jesus. O salmo

110 (109)

(Sl 2; 45; 89)

¹Oráculo do Senhor ao meu senhor:
"Senta-te à minha direita,
até que faça de teus inimigos
escabelo de teus pés".

²De Sião o Senhor estenderá
o poder de teu cetro.
Submete na batalha teus inimigos.

³Teu exército é de voluntários
no dia da mobilização.
Uma sagrada majestade
levas desde o seio materno,
e da aurora, um orvalho de juventude.

⁴O Senhor o jurou
e não se arrepende:

---

pode cultivar o sentido de justiça, a indignação ante a injustiça, à vista das vítimas inocentes.

110 *Gênero e situação.* Eis um salmo tão citado no NT e utilizado na liturgia, quanto árduo de explicar no seu sentido original. Como salmo real, faz companhia a 2,20-21, 45, 72 e 132. Reúne duas atribuições do rei: administrar a justiça (Sl 45 e 72) e lutar na guerra (Sl 2 e 20-21). Alguns supõem que era pronunciado na cerimônia de entronização, celebrada no templo ou no palácio. Temos notícias de oráculos para o rei ou sobre o rei (1Rs 3; Is 7; 9; 11; Jr 21-22), mas não da cerimônia litúrgica. O salmo acrescenta um dado que complica a explicação, em vez de esclarecer: o sacerdócio.

Rei e sacerdote. Governo e guerra se encaixam naturalmente na profissão do rei; como entra o sacerdócio? Três explicações foram propostas: o rei é também sacerdote, o sacerdote governa em lugar do rei, são duas figuras coexistentes.

a) O rei é também sacerdote. Assim era Melquisedec (Gn 14): ao conquistar Jerusalém, o rei de Israel recebe como herança as duas dignidades. Davi oferecia sacrifícios: 2Sm 6; 24,25; também seus filhos, 2Sm 8,18; Salomão acrescentou a bênção, 1Rs 8. 2Sm 8,5-15 informa sobre as conquistas de Davi e seu domínio sobre reis vassalos.

b) Sob o domínio persa, quando os judeus não tinham rei, o sumo sacerdote era a autoridade suprema para os assuntos internos. Não parece ter sido época de guerra, embora subsistissem sonhos de independência sob um novo Davi: Am 9,11s. Antes da perseguição de Antíoco Epífanes (175-163), o salmo tentaria legitimar a autoridade do sumo sacerdote. Talvez, segundo alguns, o Simão de Eclo 50; mas o salmo é muito amplo para ele. Terminada felizmente a rebelião dos Macabeus, outro Simão concentrou poderes de comandante supremo, sumo sacerdote e governador com poderes absolutos: 1Mc 14,5-13. Mas o estilo hebraico parece não corresponder a tal época.

c) Os dois poderes: estão atestados em 2Cr 26,16.18 e por Zc. O salmo tem duas introduções: para um oráculo e para um juramento. O sacerdote, dirigindo-se ao rei, pronunciaria o oráculo; o rei, dirigindo-se ao sacerdote, pronunciaria o juramento; suponhamos Davi e Sadoc. Solução mais engenhosa que sólida. Podem-se acrescentar outras duas hipóteses. d) O salmo seria peça de repertório; em tal caso, não explica o solene título sacerdotal. e) O salmo seria messiânico em sua origem, com a visão de um Messias que concentrava os dois títulos. Às dificuldades expressas se acrescenta a de um texto muito duvidoso e debatido.

Composição. Introdução e oráculo pronunciado por Yhwh (1), comentário de um liturgo sobre o poder militar e político (2-3); nova introdução e juramento de *Yhwh* na primeira pessoa (4); comentário do liturgo sobre o poder militar. A promessa de sacerdócio fica no centro, sem comentário. Ambos os comentários se dirigem na segunda pessoa ao personagem real. Sobressaem algumas correspondências: "sentado no trono" e "no caminho"; "de Sião" e "a ampla terra", o rei à direita e o Senhor à direita.

110,1 A "direita" é o lugar de honra: ver Sl 80,18. Às vezes, o "escabelo" onde o rei apoiava os pés trazia pintadas ou em relevo figuras de estrangeiros submetidos: comparar com Js 10,24; 1Rs 5,17.

110,2 No Sl 45,6 o cetro é reto, aqui é "poderoso". Sião é a capital do reino ou do pequeno império.

110,3 Esse verbo enigmático tem suscitado interpretações variadas e divergentes. Reduzo-as a dois grupos: militar e de entronização. a) *'am* = exército, *nedabot* = voluntários (Jz 5,2.9), *yom hel* = dia de (mobilizar) a tropa, *hadar qodesh* = majestade sagrada; como penhor de consagração e dom de valentia militar, o rei recebe a bênção celeste na forma de orvalho matutino, "auroral" (Ecl 11,12), como frescor de "adolescência". b) *'mk ndbwt* = tua família (é) de nobres; *ywm hllk* (corrigido) = quando nasceste; *hdr* (corrigido) *qdsh* = átrio sagrado; *yldtyk* = te gerei; *mshr* = antes da aurora. A primeira explicação tem caráter militar, a segunda evoca algo transcendente e misterioso. Dou a versão da Vulgata, que depende da grega (LXX): "Tecum principium in die virtutis tuae, in splendoribus sanctorum; ex utero ante luciferum genui te".

110,4 "Não se arrepende": ou seja, irrevogável. O episódio de Gn 14 é enigmático em sua intenção, embora claro no relato.

"Tu és sacerdote eterno
 segundo o rito de Melquisedec".
⁵O Senhor à tua direita, no dia de sua ira,
 esmagará reis;
⁶julgará os pagãos,
 amontoará cadáveres,
 esmagará crânios
 sobre a amplitude da terra.

⁷No caminho beberá da torrente,
 e assim levantará a cabeça.

111 (110)

¹Aleluia. Dou graças ao Senhor de todo o coração
 no conselho dos retos e na assembleia.
²Grandes são as obras do Senhor,
 dignas de estudo para os que as amam.
³Sua ação é magnífica e esplêndida,
 sua justiça se afirma sempre.
⁴Faz recordar suas maravilhas:
 o Senhor é piedoso e clemente.
⁵Dá o alimento a seus fiéis,
 lembrando-se sempre de sua aliança.
⁶Mostrou a seu povo a eficácia do seu agir,
 dando-lhe a herança dos pagãos.
⁷Suas obras são verdade e justiça,
 seus preceitos todos merecem confiança,
⁸são válidos para sempre,
 vão cumprir-se fiel e retamente.

110,5-6 Considero mais provável que o sujeito seja o rei, apoiado pelo Senhor. "Julgar" os povos pode ser a função da batalha (Sl 76) ou de domínio depois da vitória. A visão violenta e agradável da guerra pode ser ilustrada com textos bíblicos e extrabíblicos: Sl 18,38-43; 21,9-11; Hab 3,12-14; Is 63,1-6.

110,7 A referência do texto é duvidosa: trata-se de um rito?, é uma torrente real? Em visão realista parafraseio: o soldado em campanha está sedento e desfalecido; depara com uma torrente, bebe e ergue a cabeça fortalecido; ou derrota o inimigo e ergue a cabeça como vencedor.
Transposição cristã. É curioso que um salmo tão militarista seja um dos preferidos do NT. Foi necessária uma dupla operação: selecionar uns versículos, segundo a versão grega, e mudar a identificação dos inimigos. V. 1: Mt 22,41-46 par.; Mt 26,64; Mc 16,19; At 2,34s; 1Cor 15,25s; Ef 1,20; 1Pd 3,22. V. 4: comentário em Hb 5,6.10; 6,20; 7.

111-112 Apresentam-se como irmãos gêmeos e pedem um primeiro olhar de conjunto. Pelo artifício do acróstico alfabético assemelham-se a 9-10, 34, 37, 119 e 145. A aplicação do alfabeto aos hemistíquios é própria. É um artifício que visa à totalidade e à ordem, ajudando a memória e podendo demonstrar certa habilidade. Muitas palavras e alguns inícios de versículos se repetem em ambos; uma linha do primeiro se repete duas vezes no segundo. O primeiro se encontra entre hino e ação de graças; o segundo canta a bem-aventurança do honrado diante do perverso. Muitas coisas que o primeiro atribui a Deus, o segundo as atribui ao homem: generosidade, estabilidade, retidão, perpetuidade, dom.

111 *Composição*. Há certo princípio de unidade: a insistência em "fazer", "ações", "obras", com vaga referência à aliança (5b. 9b): "maravilhas" de libertação, "piedoso e clemente", alimento (no deserto), terra entregue, mandamentos, "nome" respeitável e "povo seu". Também insiste na perpetuidade (3b): de fatos na memória e de instituições (5b.8a.9b.10a). O estilo é sobretudo nominal.

111,1a "De todo o coração": Dt 6,5. Ponto de partida do salmo: a série de aforismos quer ser expressão cordial.

111,1b "Conselho": ver Ez 13,9.

111,2 "Estudo": tomo o verbo hebraico na sua acepção tardia.

111,3b "Justiça": em sentido amplo. Comparar com a fórmula lapidar de Sb 1,15.

111,4a "Faz/estabelece lembrança" é expressão única no AT.

111,4b Texto clássico em Ex 34,6.

111,5a "Alimento": eu o refiro ao deserto. Só Pr 31,15 partilha o substantivo hebraico com esse significado.

111,5b A "lembrança" de Deus sugere sua coerência e lealdade ao compromisso.

111,6a "Eficácia": p. ex. Ex 9,16.

111,7a Dupla inusitada: o que ele faz corresponde à verdade e ao direito.

111,8a Não são abolidos nem se prescrevem.

111,8b Não os torcendo nem falsificando: cf. Jr 8,8.

⁹Enviou a redenção a seu povo,
  ratificou para sempre a aliança,
  seu nome é sagrado e temível.
¹⁰Primícias de sensatez é respeitar o Senhor,
  têm bom juízo os que o realizam.
  O elogio do Senhor dura para sempre.

112 (111)

¹Aleluia. Feliz aquele que respeita o Senhor
  e é entusiasta por seus mandamentos.
²Sua linhagem será poderosa na terra,
  a descendência dos retos será abençoada.
³Em sua casa haverá riquezas e abundância,
  sua justiça se afirma sempre.
⁴Nas trevas amanhece para os retos
  o Piedoso, Clemente e Justo.
⁵Feliz o homem que se compadece e empresta,
  e com retidão administra seus assuntos:
⁶porque jamais vacilará,
  e a lembrança do honrado será perpétua.
⁷Não temerá as más notícias;
  confiante no Senhor, sente-se firme.
⁸Seu ânimo está firme, sem temer,
  até ver derrotados seus inimigos.
⁹Dá esmola aos pobres,
  sua justiça se afirma sempre,
  levantará o chifre com honra*.
¹⁰O perverso ao vê-lo se irritará,
  rangerá os dentes até se consumir.
  A ambição do perverso fracassará.

111,9a Em contexto pós-exílico, pode aludir à repatriação.

111,9c Nome revelado para a invocação e protegido de abusos. A simples menção deve infundir temor reverencial.

111,10a Aforismo clássico do corpo sapiencial: Pr 1,7; 9,10; 15,33; Jó 28,28; Ecl 1,14.

111,10b Também "bom juízo" é sapiencial: Pr 3,4; 13,15; 1Sm 25,3.

111,10c O louvor do Senhor não cessará jamais: cf. Sl 84,5.

Transposição cristã. Lucas cita dois versículos no Benedictus e no Magnificat: 1,49.68. O cristão pensa na nova e eterna aliança.

112 O esquema normal da bem-aventurança é: "feliz o que C – porque será/terá X", ou seja, conduta e consequências: ver Jó 5,17s; Pr 8,34; Sl 41,2. O mesmo esquema rege a mal-aventurança final. Predomina a ideia da compaixão e generosidade: poderíamos sintetizar assim: "feliz aquele que é compassivo, porque Deus é compassivo". Os bens que promete são seletivos.

112,1a Retoma em parte 111,10a, como programa de vida.

112,1b Em paralelo rigoroso, o cumprimento dos mandamentos: ver Eclo 2,9.15.

112,2 "Poderosa": à luz de Gn 27,29; Jr 9,2. A "descendência" como grupo definido: círculo, corporação.

112,3a Pr 3,16; 8,18.21; 22,4 atribuem esses bens à Sensatez.

112,3b Penso que "justiça" pertence à conduta. Se a tomamos em sentido restrito tardio, significa "esmola": Eclo 3,14.30; 29,12. Em sentido lato, diz que a honradez é um valor permanente: cf. Sb 1,15.

112,4a "Amanhece" uma libertadora manhã. Em Is 58,10, tema e palavras são pronunciados em favor do homem generoso.

112,4b Quem é o sujeito? Penso que é Deus: conforme a pregação litúrgica tradicional, Sl 111,4b; "justo" é também frequente predicado de Deus. Essa é a luz que amanhece.

112,5a O homem aprende da compaixão divina a compadecer-se e emprestar, mesmo a fundo perdido: Dt 15,1-11; Pr 11,24.

112,5b "Assuntos": outros traduzem "mantém sua palavra".

112,6 "Não vacilará" é corrente no saltério; também Pr 10,30; 12,3. A "lembrança": Pr 10,7.

112,7a Ver Jr 51,46.

112,7b-8b Ampliam o tema da segurança, baseada na confiança no Senhor.

112,9a Ver Pr 11,24.

112,9c Ver Sl 75 com comentário. * Ou: "a fronte com dignidade".

112,10 O perverso não pode suportar o triunfo do honrado. O grande fracasso daquele consiste no não cumprimento do que deseja: cf. Pr 13,12.

113 (112)

(1Sm 2; Lc 1,46-53)

¹Aleluia. Louvai, servos do Senhor,
 louvai o nome do Senhor.
²Bendito seja o nome do Senhor
 agora e para sempre.
³Da saída do sol até o ocaso,
 louvado seja o nome do Senhor.
⁴O Senhor se eleva sobre todos os povos,
 sua glória está acima dos céus.
⁵Quem é como o Senhor, Deus nosso,
 que se eleva em seu trono
⁶e abaixa o olhar no céu e na terra?

⁷Levanta do pó o desvalido,
 ergue do lixo o pobre,
⁸para sentá-lo com os nobres,
 com os nobres de seu povo.
⁹E senta à frente da casa
 a estéril, mãe feliz de filhos.
 Aleluia.

114 (113)

¹Quando Israel saiu do Egito,
 e Jacó de um povo balbuciante,
²Judá foi seu santuário,
 Israel foi seu domínio.

Transposição cristã. Em seu bilhete para promover a coleta em favor dos cristãos necessitados de Jerusalém, Paulo cita os vv. 9ab: ler 2Cor 9,6-10. Para a imitação de Deus, Mt 5,48.

113 *Gênero*. Hino ao nome de Yhwh e a um aspecto da sua ação entre os homens. A situação é genérica. *O nome*. No princípio, Deus impõe nomes seres; depois, passa essa tarefa a Adão (Gn 1-2). Quem impõe nome próprio a Deus? – Somente Deus. Pode recusá-lo (Gn 32,30; Jz 13,6.17s), pode concedê-lo (Ex 3 e 34). Comunicando seu nome pessoal, Deus se arrisca: ele o dá para o uso e o expõe ao abuso. Com um mandamento o protege do abuso. O homem o invoca, respeita, louva, até o ama (Is 56,5); impõe a seus filhos nomes compostos de *-yahu, Yeho-*. O nome Yhwh é único: Zc 14,9.
A ação. A ação do Senhor mudando as sortes é parente do canto de Ana (1Sm 2) e do Magníficat (Lc 1); difere porque fala só de exaltação, não de humilhação. O paradoxo é que o Senhor elevado se abaixa para elevar o homem.
Composição. Podemos dividi-lo em três estrofes de três versos: louvor ao nome (1-3), Senhor no céu (4-6), sua ação na terra (7-9). O termo "nome" é pronunciado três vezes; Yhwh/Yh oito/sete vezes (retendo o Aleluia final ou passando-o ao salmo seguinte, como nos LXX). Leiam-se como quiasmos os vv. 2-3 e 5-6, conforme o esquema A BB A.
113,1 O nome Yhwh é uma de suas mediações. Pronunciado, endereça o louvor.
113,2 O salmo é um elo numa corrente perpétua.
113,3 Segue o movimento do sol, que abrange toda a terra (Sl 19).
113,4 "Todos os povos" como 99,2; não divindades como 97,9. Comparar a "glória" celeste com a de Is 6.

113,5-6 Atenção à leitura quiástica. Um bom comentário em Is 57,15; para o olhar, Is 63,15 combinado com 66,2.
113,7-8 Pobres e indigentes vivem da caridade pública, sem voz nem voto nos assuntos públicos. O Senhor os levanta para que participem do senado ou conselho.
113,9 "Senta": dá-lhe um lugar de autoridade nos assuntos domésticos. Iluminado por Is 49,20s e 54,1-3, o salmo pode ser lido com perspectiva nacional. *Transposição cristã*. O movimento de descer para elevar culmina no mistério da encarnação. Ler o hino de Fl 2,6-11. Por mediação de Is 54 e sua citação em Gl 4,27, passamos a uma leitura eclesiológica do fim.

114 *Gênero*. Hino a Deus pela libertação do Egito, mas sem respeitar o molde do gênero.
O Deus transformador. A saída do Egito é o momento fundacional de Israel e artigo fundamental da sua fé. A libertação se articula em dois momentos decisivos: a saída e a entrada. Contam-na com acentos épicos textos narrativos, especialmente Ex; o salmista transforma épica em lírica, abrangendo e concentrando. O que mais o impressiona é o dinamismo dos acontecimentos. Não se entretém com as pragas, começa de repente na saída; não segue os meandros do povo pelo deserto, passa logo à entrada. Ao sair, o povo se transforma e contagia seres da natureza. O poeta os interroga e descobre que uma potência misteriosa desencadeou o colossal dinamismo: o Deus transformador (cf. Sb 19,18-22).
114,1 O poema começa sem introdução, com subordinadas. A "língua estranha" é maldição, porque impede a comunicação: Is 28,11; 33,19.
114,2 O Senhor se esconde em dois possessivos. Judá e Israel são as duas partes do povo já existentes, para o poeta, desde a saída, unidade indivisível. Os

³O mar, ao vê-los, fugiu
   e o Jordão voltou atrás.
⁴Os montes saltaram como carneiros,
   as colinas como cordeiros.
– ⁵Que tens, mar, para fugires,
   e tu, Jordão, para voltares atrás?
⁶E vós, montes, que saltais como carneiros,
   colinas, que pulais como cordeiros?
⁷Na presença de seu Dono a terra estremece,
   na presença do Deus de Jacó,
⁸que transforma a rocha em lagos,
   e a pedra dura em mananciais.

115
(114)

(Sl 135; Is 46,1-2)

¹Não a nós, Senhor, não a nós!
   Honra teu nome,
   por tua lealdade e tua fidelidade.
²Por que haveriam de dizer os pagãos:
   Onde está o Deus deles?
– ³Nosso Deus está nos céus
   e fez tudo o que quis.

---

dois predicados se aplicam aos dois sujeitos. No deserto, uma tenda móvel fazia as vezes de santuário. No salmo, o santuário móvel é a comunidade. Eles transportam a presença grandiosa do Senhor: a natureza o sente e reage.

114,3 Não há Faraó nem exército: o inimigo é o mar hostil que foge, sem ressonâncias mitológicas. O Jordão, que não é agressivo, mas defensivo, dá meia-volta e flui leito acima.

114,4 A notícia de Ex 19,18 se transforma poeticamente. O desmesurado torna-se doméstico, entre festivo e assustado.

114,5-6 Os movimentos incomuns provocam o espanto calculado do poeta, que se expressa nas perguntas.

114,7 O poeta mesmo responde e explica: rios e montanhas estremeceram ao sentir a presença próxima do seu patrão, o Deus de Jacó.

114,8 Rocha e pedra dura, o mais seco e árido, se transformam em fonte de vida, para beber e para cultivar. O fim é começo.

Transposição cristã. Aplicamos o salmo à nova páscoa, ou nova libertação. Com a sequência de Pentecostes invocamos o Espírito Santo como grande transformador do espírito humano.

115 *Gênero e situação.* É um hino especial. No louvor se expressa a fé. Do louvor se passa suavemente à ação de graças, a fé desliza suavemente para a confiança, e esta solicita a bênção divina. Essa variedade de elementos induz a considerar o salmo como texto de uma ação litúrgica que unifica contextualmente seus elementos. Não podemos detalhar mais.

Uma série de indícios convergentes mostra que a situação é o desterro. O autor toma como ponto de partida o primeiro mandamento completado com o segundo; acrescenta a lembrança do Deus criador, conforme Gn 1.

Primeiro mandamento e idolatria. Em Babilônia, os judeus não têm templo nem santuários locais. Não possuem imagens do seu Deus, pois estão proibidas. Em contraste, o panteão babilônico é bem abastecido, as divindades contam com santuários locais, e suas estátuas são veneradas com solenidade. Os babilônios, misturando curiosidade e zombaria, perguntam aos judeus onde está o seu deus. A aparente ausência serve aos judeus de trampolim para subir ao mais alto e daí lançar sua resposta *ad hominem*: nosso Deus está no céu e fez o céu e a terra; vossos deuses estão na terra, e os homens é que os fizeram. O nosso tem querer e poder, os vossos são inertes. A polêmica é popular e superficial, esgota-se na zombaria. As implicações são mais ricas. Primeira, a necessidade ou costume humano de perceber para reconhecer a presença: quase uma estrutura sacramental. Segunda, a tendência do *homo faber* a fabricar imagens, também de deuses.

O Deus criador. Nesse ponto não polemiza com as concepções pagãs, mas toma seus dados do Gênesis: criação do céu e da terra, com o verbo "fazer" (15); bênção da fecundidade (12.14), domínio da terra (16).

Composição e estilo. Depois de breve introdução (1), desenrola-se a polêmica contra os ídolos (2-8); segue-se a tríplice profissão de confiança (9-11) e o correspondente bênção divina (12-14), ampliada com a lembrança da criação (15-16); conclui com o silêncio dos mortos e a bênção dos vivos (17-18). O estilo se distingue pelas repetições em série: surtem mais efeito quando recitadas em coro.

115,1 "Honra" ou "dá glória". Nem outros deuses (Sl 29,1), nem famílias de povos (Sl 96,7), nem o presidente com sua assembleia, mas o próprio Deus glorifica a si mesmo, mostrando suas qualidades em ação. Comparar com Is 42,8; 48,11.

115,2 A mesma pergunta, de estrangeiros ou inimigos, em Sl 42,4.11; 79,10.

115,3 A fórmula exprime o poder insuperável ou supremo: 1Rs 9,1; Is 46,10.

⁴Seus ídolos são prata e ouro,
obra de mãos humanas:
⁵têm boca e não falam,
têm olhos e não veem,
⁶têm ouvidos e não ouvem,
têm nariz e não cheiram,
⁷têm mãos e não tocam,
têm pés e não andam,
sua garganta não tem voz.
⁸Sejam como eles quem os fabrica
e todos os que neles confiam.

⁹Israel, confia no Senhor:
ele é seu auxílio e escudo.
¹⁰Casa de Aarão, confia no Senhor:
ele é seu auxílio e escudo.
¹¹Fiéis do Senhor, confiai no Senhor:
ele é seu auxílio e escudo.

¹²O Senhor se lembra e nos abençoa:
Abençoe a Casa de Israel,
abençoe a Casa de Aarão,
¹³abençoe os fiéis do Senhor,
pequenos e grandes.
¹⁴Que o Senhor vos multiplique,
a vós e a vossos filhos.
¹⁵Benditos sejais do Senhor,
que fez o céu e a terra.
¹⁶O céu pertence ao Senhor,
a terra ele a deu aos homens.
¹⁷Os mortos já não louvam o Senhor,
nem os que descem ao silêncio.
¹⁸Mas nós bendiremos ao Senhor,
agora e para sempre. Aleluia.

115,4 "Ídolos": Is 46,1; 48,5 escolhe o mesmo termo; dos mesmos materiais nobres: Os 4,17; 8,4.

115,5-7 É claro que o autor buscou o número sete. Falta o paladar e com ele o comer, tema do episódio grotesco de Dn 14,1-22. O último complementa o primeiro: lábios e garganta. Ver Jr 10,5; Is 46,1.7.

115,8 Deus faz o homem à sua imagem – o artífice faz uma estátua à sua imagem –, o artista se torna semelhante à sua imagem. Jr 2,5 o diz com o termo "vaidade". Ver o desenvolvimento de Sb 15.

115,9-11 Dos três grupos interpelados, o primeiro é o antigo e novo nome da comunidade histórica; o segundo engloba os sacerdotes como supostos descendentes de Aarão; o terceiro é designação corrente da comunidade. "Confiar" exprime uma relação radical, quase equivalente a fé; entra em concorrência com outras confianças em valores humanos.

115,12-13 Ao tríplice ato de confiança responde a tríplice bênção de Deus, em forma de súplica. "Pequenos e grandes": serve para completar um paralelismo. Mas pode recordar-nos relatos patriarcais, em que só o mais velho (= grande) recebe a bênção (Gn 27); ou o menor leva a bênção preferencial (Gn 48). O salmo não faz distinção.

115,14 Fecundidade, efeito da bênção divina: Dt 1,11; cf. 1Cr 21,3.

115,15 Bênção eficaz daquele que com sua palavra fez o universo.

115,16 O Senhor se reserva o céu como morada e não o partilha com outras divindades. O salmo abrange toda a terra e toda a humanidade.

115,17 O que atrai a lembrança dos mortos aqui? Talvez a conjuntura histórica, a matança na destruição de Jerusalém: cf. Br 2,18. Ou então, porque a região subterrânea completa a articulação de céu e terra: ver Sl 88.

115,18 "Nós" designa a comunidade presente e inclui os descendentes. Se louvamos, estamos vivos; se estamos vivos, estamos para louvar.

Transposição cristã. A idolatria tem hoje outras formas: ídolos seculares, ídolos mentais (ver o comentário de Sl 82). Também a Igreja recebe agora a terra como tarefa partilhada com os homens. De acordo com Ef 1, o Pai nos cumula com toda sorte de bênçãos.

116
(115)
(Sl 30)

¹Eu amo! Porque o Senhor escuta
   minha voz suplicante,
²porque inclina o ouvido para mim
   quando o chamo.

³Redes mortais me envolviam,
   os laços do Abismo me alcançavam;
   caí na tristeza e na angústia.
⁴Invoquei o nome do Senhor:
   Por favor, Senhor, salva a minha vida!
⁵O Senhor é clemente e justo,
   nosso Deus é compassivo.
⁶O Senhor guarda os incautos:
   estando eu sem forças, ele me salvou.

⁷Alma minha, recobra a calma,
   pois o Senhor foi bom contigo!
⁸Arrancou minha vida da morte,
   meus olhos das lágrimas,
   meus pés de um empurrão.
⁹Caminharei na presença do Senhor
   no país da vida.

¹⁰Eu acreditava quando dizia:
   como sou infeliz!
¹¹Eu pensava em meu apuro:
   os humanos são enganadores.

---

116 *Gênero e situação.* É um canto de ação de graças. Como pede o gênero, o orante recorda as desgraças das quais o Senhor o livrou: como nelas pediu auxílio e foi atendido, recorda sua confiança passada e exprime seu agradecimento presente. A ação de graças é acompanhada de um rito litúrgico, cumprindo o voto que fez no perigo.

O texto menciona quatro desgraças: perigo de morte, aflição interior, situação social de abandono, escravidão. Três são facilmente redutíveis a uma doença mortal (3.8.9.15); nesse caso, a escravidão seria metáfora. Assim entendido, faz companhia ao Sl 30, com várias coincidências verbais. Cabe também entendê-lo como salmo de repertório, que reúne sofrimentos típicos.

O *sentimento*. O mais notável do salmo é a intensidade e mobilidade do sentimento. O orante se volta sobre si mesmo para observar e descrever seus sentimentos, desdobra-se internamente para um diálogo mental consigo mesmo. Recorda o que dizia ou pensava, a situação afetiva de onde o sentimento brotava. Pergunta a si mesmo antes de propor. Não é fácil encontrar outro salmo que tenha semelhante mobilidade de formas sintáticas.

Amor e fé. Os vv. 1e 10 começam assim: "amo" e "acreditava". O primeiro coloca o salmo inteiro na esfera do amor a Deus, um amor agradecido e humilde. O segundo exprime uma confiança que é fé no Senhor. Mas o orante não confessa pecados que teriam provocado a doença, nem sentiu a cólera de Deus.

Composição. A mobilidade indicada não favorece uma composição clara. Algumas repetições balizam o curso do poema: os dois verbos citados (1.10), quatro vezes "invocar" (2.4.13.17), o estribilho.

116,1 O começo com um verbo em forma absoluta é único; alguns o corrigem adiantando *Yhwh* como complemento. Soa como resposta ao mandamento de Dt 6,5; 11,1. O verbo "amar" não é raro no saltério; Sl 18 começa com um sinônimo.

116,3 A primeira frase vem do Sl 18,5. Conforme Gn 42,38 e 44,31, a "dor" pode levar à "sepultura".

116,4 O pedido é pessoal, encarecido: Gn 50,17; Ex 32,31; Is 38,3; Jn 1,14; 4,2.

116,5 Citação livre de uma fórmula litúrgica que se apoia em Ex 34,6.

116,6 Os "incautos" são típicos de Provérbios (14,15; 1,4; 8,5): são inexperientes, vítimas fáceis de astutos, mas capazes de aprender.

116,7-9 Como consequência imediata da libertação concedida, esperávamos a expressão de agradecimento. Em vez disso, o orante olha para dentro de si e dirige a si mesmo a palavra. O desdobramento psicológico mostra que não é doutrina aprendida, mas experiência pessoal.

116,7 "Recobrar a calma": literalmente "voltar ao repouso", cf. Is 28,12.

116,8 O tríptico cinzelado corresponde formalmente ao tríptico trágico do v. 3. O "empurrão" é metáfora: busca a queda mortal.

116,9 "Caminhar na presença": ou proceder de acordo. O "país da vida" é esta terra superior, à luz do sol: Sl 56,12.

116,10-11 Retorna à situação passada de aflição e desconcerto. Um desses momentos em que o ho-

¹²Como pagarei ao Senhor
por todo o bem que me fez?
¹³*Erguerei a taça da salvação,*
invocando o nome do Senhor;
¹⁴*e cumprirei meus votos ao Senhor*
na presença de todo o povo.

¹⁵O Senhor faz pagar caro
pela morte de seus leais.
¹⁶Por favor, Senhor, pois sou teu servo,
servo teu, filho de tua escrava!
Rompeste meus grilhões!
¹⁷*Eu te oferecerei um sacrifício*
de ação de graças,
invocando o nome do Senhor,
¹⁸*e cumprirei meus votos ao Senhor*
na presença de todo o povo,
¹⁹nos átrios da casa do Senhor,
no meio de ti, Jerusalém. Aleluia.

117 (116)

(Rm 15,11)

¹Louvai ao Senhor, todas as nações,
aclamai-o, todos os povos,
²porque a lealdade do Senhor
pode mais que nós,
e a fidelidade do Senhor é perpétua.

118 (117)

¹Dai graças ao Senhor, porque é bom,
porque é eterna sua misericórdia.
²Diga a casa de Israel:
é eterna sua misericórdia.

---

mem age "precipitadamente", sem serenidade nem lucidez (48,6). Naquele momento o orante descobriu ou comprovou que o homem não merece confiança, não oferece garantia, por isso confiou em Deus: Is 2,22; Jr 17,5; Sl 60,13. Não se trata de falsidade congênita, mas de invalidade ontológica.

116,12 A única "restituição" acessível ao homem é o reconhecimento. Quando o orante faz a pergunta a si mesmo, já está expressando gratidão, desejo de reciprocidade e impossibilidade de satisfazer tal situação.

116,13-14 Expressará gratidão num rito público. Não é claro se é taça de libação, vinho derramado em honra da divindade (Ex 29,40s; Lv 23,18.37), ou se é taça de comunhão que vai passando entre os comensais de um banquete sacrifical (talvez Am 2,8; Is 62,9). Sobre o voto, ver Sl 66,13s.

116,15 Nós dizemos "vendeu caro a vida". O orante pensa em Deus como dono e taxador. A taxa de Deus é muito alta, se se trata de seus leais. Ver a legislação: Ex 21,29s; também Sl 30,10.

116,16 Desenvolve em chave jurídica a imagem de "servo" do Senhor; quem nasce de uma escrava é escravo de nascença (Ex 21,4). A alforria é usada como imagem da libertação.

116,17-18 Repete o estribilho, mudando cálice por sacrifício de ação de graças.

116,19 Chama a atenção o orante se dirigindo a Jerusalém na segunda pessoa, como a uma pessoa querida. O detalhe abre o salmo a uma leitura comunitária: o orante representa o povo exilado e repatriado.
Transposição cristã. Rm 3,4 cita 11b deslocando levemente o sentido. 2Cor 4,13 cita 10a adaptando o sentido. Sobre o preço da vida, Rm 8,20. Sobre a taça, 1Cor 10,16.

117 O salmo mais breve do saltério. Um hino completo. Alguns perguntaram se era uma antífona aplicável a outros salmos, ou o esquema para um desenvolvimento livre. Um dado é curioso: a motivação é nacional, "nós"; o convite é universal. É legítimo e convincente o convite?
Paulo o cita em Rm 15,11 para sublinhar o alcance universal da mensagem evangélica.

118 *Gênero*. Pode ser classificado como liturgia de ação de graças. É característico do salmo os elementos da execução litúrgica entrarem e se alojarem no texto (2.3.27). A liturgia estrutura o texto com suas repetições, sua alternância de solo e coro, suas mudanças de pessoa. O salmo é um texto que pede para ser executado em movimento. Isolando os versículos pronunciados pelo orante, obtemos um texto clássico de ação de graças: 5-7.10-14.17-19.21.28. A assembleia faz coro ao relato.

³Diga a casa de Aarão:
   é eterna sua misericórdia.
⁴Digam os fiéis do Senhor:
   é eterna sua misericórdia.

⁵No assédio clamei ao Senhor:
   o Senhor me respondeu dando-me espaço.
⁶O Senhor está do meu lado: não temo
   o que um homem possa me fazer.
⁷O Senhor está do meu lado e me auxilia:
   eu verei a derrota de meus inimigos...
⁸É melhor refugiar-se no Senhor
   do que confiar no homem;
⁹é melhor refugiar-se no Senhor
   do que confiar nos nobres.

¹⁰Todos os povos me cercavam:
   no nome do Senhor me desfiz deles.
¹¹Cercavam-me e me encurralavam:
   no nome do Senhor me desfiz deles.
¹²Cercavam-me como abelhas,
apagaram-se como fogo de sarças:
   no nome do Senhor me desfiz deles.

A situação do salmo é típica. O perigo é descrito em imagens que generalizam; os inimigos podem ser internos ou externos. Não tiveram êxito os esforços para identificar uma conjuntura histórica, ou de assinalar uma festa do calendário como situação do salmo.

O *personagem* que fala dentro do poema é um indivíduo especial, reconhecido pela comunidade, que com a ajuda de Deus superou um perigo grave e vai ao templo para dar graças publicamente. Em torno se agrupam outros personagens. É impossível identificar o personagem. Se o salmo é pós-exílico, o singular poderia representar o povo repatriado. Em qualquer caso, o salmo se destaca do contexto original e se oferece como texto disponível.

A *cerimônia*. O salmo nos dá alguns dados insuficientes. A imaginação do leitor completa a cena, combinando os dados do texto (como fazemos com outros textos). O resultado deve ser plausível, e a atividade ser respeitosa e sem pretensões exageradas. Imaginemos, pois, os coros ou grupos bem divididos, o personagem que caminha pelo meio, para, fala em voz alta, outros lhe fazem coro, chegam vozes de fora; o personagem para diante de uma grande porta onde acontece breve diálogo; filas processionais com ramos verdes, alternando o canto de um estribilho...

Composição e estilo. Dois fatores determinam a composição: a cerimônia litúrgica e o relato com ação de graças do personagem. Ambos se entrelaçam. É clara a grande inclusão por repetição de um estribilho (1.29). Dado que o estribilho é repetido em 2.3.4, questionamos se não se repetia mais vezes durante a cerimônia, à maneira de antífona. No v. 5 começa o relato, interrompido por intervenções corais. Em esquema:

Primeira fase: recorda a súplica e a resposta, e expressa sua confiança: 5-7.
Responde (um coro?) com duplo enunciado de tipo proverbial: 8s.
Segunda fase: detalha o ataque e a libertação: 10-14.
Respondem vozes exaltando o Senhor: 15s.
Terceira fase: interpreta a tribulação como castigo: 17s.
Cerimônia diante da porta: pede entrada, que é concedida, dá graças; cede a palavra: 19-21.
Reflexão sobre o que aconteceu como desígnio de Deus: 22-24.
Nova cerimônia: súplica e bênção: 25-27a.
Procissão conclusiva com alternância de vozes: 27b-29.

O estilo se distingue pelas repetições e pelo uso moderado de imagens.

118,1-4 O estribilho é fórmula litúrgica de uso múltiplo: Jr 33,11; 1Cr 16; 2Cr 5,13; 7,3; Esd 3,11 e várias vezes no saltério.

118,5 Encontramos a mesma oposição de estreiteza e largueza de Sl 4,2; 25,17.

118,6 Em oráculos de salvação, o Senhor costuma inculcar: "não temas"; o orante antecipa sua resposta: 3,7; 23,4; 46,3. É enfática a oposição "o Senhor"/"um homem".

118,7 Aqui "o Senhor"/"eu" estão em correlação.

118,8-9 Talvez pronunciado pelo coro. Para o paralelismo de "homens" e "nobres", ver Sl 82,7.

118,10 "Todos os povos" ou toda espécie de gente. O significado do verbo '*mylm* é discutido, porque a raiz significa circuncidar. Alguns o tomam em sentido próprio, alegando a façanha de Davi (1Sm 18,21-27). Prefiro tomá-lo em sentido metafórico, correlativo de "cercar", "rodear"; ou seja, desprendi-me deles, os sacudi de mim.

118,12 As duas imagens são heterogêneas e eficazes: um enxame que voa em torno e não se afasta; um crepitar efêmero de sarças ardendo.

¹³Empurravam aos trancos para derrubar-me:
    mas o Senhor foi meu auxílio.
¹⁴O Senhor é minha força e meu brio:
    ele foi o meu salvador.

¹⁵Escutai gritos de vitória
    nas tendas dos vencedores:
    "A direita do Senhor faz proezas,
¹⁶a direita do Senhor é sublime,
    a direita do Senhor faz proezas".

— ¹⁷Não morrerei, viverei
    para contar as façanhas do Senhor.
¹⁸O Senhor me castigou e castigou,
    mas não me entregou à morte.
¹⁹Abri-me as portas do triunfo
    e entrarei para dar graças ao Senhor!

— ²⁰Esta é a porta do Senhor:
    os vencedores entrarão por ela.

— ²¹Eu te dou graças porque me respondeste
    e foste minha salvação.

— ²²A pedra que os arquitetos desprezaram
    é agora a pedra angular.
²³É o Senhor quem fez isso,
    e nos parece um milagre.
²⁴Este é o dia em que o Senhor agiu:
    vamos festejá-lo e celebrá-lo!
²⁵Salva-nos, por favor, Senhor,
    por favor, dá-nos êxito, Senhor!

— ²⁶Bendito em nome do Senhor
    aquele que vem!
    Nós vos abençoamos desde a casa do Senhor.

118,13 O verbo significa dar um empurrão para que uma parede caia, para que um homem perca o equilíbrio, a posição, o lugar, a postura. Pode ser mortal.

118,15 "Tendas": alguns imaginam as ramadas montadas para a festa das Cabanas; outros, um acampamento militar. Mas "tendas" pode designar as moradas dos judeus, aludindo ao deserto ou às andanças patriarcais. A impressão é que as vozes chegam de fora. "Vencedores": em contexto militar; sem especificar, "justos", "honrados". Creio que o versículo prepara o diálogo diante da porta.

118,15b-16 O texto do canto é uma elaboração de Ex 15,2.

118,17-18 Em certo sentido, esse é o ponto culminante do relato, porque leva a libertação ao limite da vida e da morte, porque interpreta o perigo grave como "educação" dirigida por Deus (Dt 8,5; Jr 30,11). O processo inteiro era controlado por Deus, e o homem, que reviveu, pode "narrar as façanhas do Senhor": Sl 71,20.

118,19-20 Chega o momento de passar a outro local, ao âmbito da ação de graças formal, e a passagem é simbolizada atravessando uma porta ritual: Porta da Inocência ou da Vitória. O rito se parece com as liturgias de entrada: Sl 15 e 24; Is 33,14-16; Is 26,2s o imita.

118,21 "Respondeste": com outra vocalização, "afligiste"; de modo que a ação de graças sintetize os dois tempos do processo: como Is 12,1.

118,22-23 Reflexão coral em imagem arquitetônica. Arquitetos ou mestres de obras avaliam a qualidade de cada pedra. Rejeitam uma que não lhes parece de boa qualidade, ou que está mal talhada ou não encaixa no lugar. Mais tarde, Deus revela o valor ímpar dessa pedra, que será usada como ângulo de união de duas paredes do edifício ou como arremate do templo: ver 1Rs 6,7; Zc 4,7.

118,22 Lc 20,17 par.; 1Pd 2,4.7; At 4,11.

118,24 "Agiu": tomando o verbo em sentido absoluto. É um dos dias históricos em que o Senhor agiu de modo particular; outro modo de dizer "dia do Senhor", com sentido favorável. A comunidade festeja o Senhor, não o dia.

118,25 O pedido conserva ainda o valor de imperativo enfático (2Sm 14,4; 2Rs 6,26). Mais tarde se converte em simples aclamação, apocopada em Hosana.

118,26-27a Cuidado com a distribuição sintática correta da frase: "em nome do Senhor" vai com a invocação "bendito", não com o "vir": Nm 6,23-27. "Ilumina" também vem de Nm 6. A bênção é pessoal e depois comunitária.

118,26 Mt 21,9 par.

²⁷O Senhor é Deus, ele nos ilumina.
– Ordenai uma procissão com ramos
até os ângulos do altar.
– ²⁸Tu és meu Deus, eu te dou graças,
Deus meu, eu te exalto.
– ²⁹Dai graças ao Senhor porque é bom,
porque é eterna sua misericórdia.

119 (118)

¹Felizes os de conduta irrepreensível,
que seguem a vontade do Senhor.
²Felizes os que guardam seus preceitos
e o procuram de todo o coração.

118,27b "Ordenai": o verbo usado significa ligar, prender. Outros traduzem: "uni com cordas os peregrinos".
118,28-29 Durante a procissão alternam-se solo e coro. *Transposição cristã.* É o salmo pascal por excelência. Assim o ensina a tradição a partir do NT. A imagem da pedra rejeitada, angular, é retomada por Mt 21,42; Mc 12,10s; Lc 20,17; At 4,11; 1Pd 2,6s. A aclamação hosana: Mt 21,9; Mc 11,9s; Lc 19,38; Jo 12,13.
O salmo nos ajuda a meditar as principais etapas da morte e ressurreição de Jesus Cristo.

119 *Salmo alfabético.* O salmo mais breve do saltério e o mais longo estão separados pela parede do 118: dois versículos contra 176. Qual deles abrange mais: aquele que se dirige a todas as nações e canta uma fidelidade eterna, ou aquele que repete 176 vezes sua devoção à lei? O autor dos Sl 111 e 112 demonstrou sua habilidade comprimindo o alfabeto em onze versículos. A vitória da brevidade. O autor do 119 quer demonstrar sua habilidade dedicando a cada letra do alfabeto oito versículos seguidos. A vitória da extensão.
O resultado literário tem algo de série e, para encher suas porções, o autor está disposto a colocar qualquer coisa que se relacione com seu tema: a lei. Começa com bem-aventurança, tem reflexão com pedido, exorta, propõe um programa, louva e dá graças. Inútil buscar nesse produto um gênero rigoroso e coerente, pois aqui o alfabeto é que manda.
Para cumprir sua incumbência, toma oito sinônimos de lei e alguns de reserva. Os oito sinônimos não são diferenciados, são intercambiáveis. A função mnemônica do procedimento é duvidosa, dada a extensão. A habilidade artística demonstrada é bem modesta. Muitas vezes tem de recorrer a soluções pobres, repetindo a mesma palavra ou raiz. Talvez exista, embora na penumbra, certa fascinação pela palavra escrita: com apenas 22 letras, com economia de sons ou timbres "temperados", pode-se comunicar tudo ou quase. É possível que o autor ou autores se tenham deleitado sentindo a maravilha do seu jogo linguístico. Sem dúvida, a operação tem bastante de jogo.
Devoção à lei. Para compreender tal atitude, convém considerar alguns fatores. Em primeiro lugar, a palavra hebraica *torá* abrange mais que nossa palavra "lei". Pela etimologia, a palavra sugere o apontar, disparar, acertar. É orientação, diretriz, instrução, norma; também lei em sentido estrito. Remontando ao autor ou "legislador", a lei é vontade de Deus articulada em palavra para ordenar o homem e a sociedade. Desse salmo podem derivar duas correntes espirituais: uma equivocada, que absolutiza a lei, submetendo a ela até o próprio Deus, fazendo de sua observância o ideal humano; outra acertada, que busca realizar concretamente a vontade de Deus, formulada ou por formular e aplicar. Pensemos que os sentimentos do autor em relação à lei são os de Jr 31, 33 e Sl 40,9.
Relação do orante com Deus. Num salmo tão longo, não há diálogo: Deus não toma a palavra. É um personagem nos lábios do orante, na segunda ou terceira pessoa. A relação tem algo de mútuo condicionamento, de acordo com o seguinte esquema: a) a conduta do homem é ou será consequência de uma ação divina (p. ex. 18.27.33.77.102); b) a conduta de Deus é consequência da conduta humana (p. ex. 31.121.159). O orante não se cansa de confessar honradez, de alegar méritos, ao passo que com o dedo aponta a conduta de outros, os perversos. O salmo serve para tudo. Sem outra ordem além do alfabeto e numa enxurrada de frases breves, o orante vai descarregando no salmo parte da sua vida espiritual, misturada com muitos motivos tradicionais ou convencionais.
Apropriação. Talvez não seja difícil pela extensão e monotonia. Proponho alguns recursos. a) Compassar a reza com a respiração (conforme um dos métodos inacianos): assim o ritmo biológico de nossa respiração e o espiritual de nossa oração se compassam. b) Dividir o salmo em estrofes distribuídas em vários dias e ocasiões. c) Fórmula contemplativa: enquanto os lábios vão pronunciando as palavras, a mente se concentra numa visão unitária e simples; o afeto se prolonga, a vontade se consolida. d) Retirar do salmo frases breves, a modo de jaculatórias, em tradução rigorosa ou adaptada ao contexto cristão. Não comentarei cada versículo, mas aspectos seletos de cada estrofe.
119,1-8 A primeira estrofe é programática. Abre o salmo com uma bem-aventurança (Sl 1; 32) e o coloca todo na esfera da verdadeira felicidade; a consequência chega no v. 6: "não fracassar" equivale a ter êxito. Dirige-se a Deus na segunda pessoa (4) e deseja "procurá-lo" (2), afirmando desde o começo a relação pessoal com Deus. É Deus quem "mandou" a lei; o homem a cumpre "de coração", para percorrer o "caminho" da vida.

³Que não cometem iniquidade
e seguem seus caminhos.
⁴Tu ordenaste que teus decretos
sejam observados com exatidão.
⁵Oxalá meus caminhos estejam firmes
para eu cumprir tuas ordens.
⁶Então não ficarei frustrado
ao considerar teus mandatos.
⁷Eu te darei graças de coração sincero,
quando aprender teus justos mandamentos.
⁸Hei de guardar tuas normas:
não me abandones completamente.

⁹Como limpará um jovem sua senda?
– Observando tua ordem.
¹⁰Eu te procuro de todo o coração:
não me desvies de teus mandatos.
¹¹Guardo no coração tua promessa
para não pecar contra ti.
¹²Tu és bendito, Senhor!
Ensina-me tuas normas.
¹³Meus lábios recitarão
tudo o que manda tua boca.
¹⁴No caminho de teus preceitos desfruto
mais do que com qualquer fortuna.
¹⁵Vou meditar teus decretos
e fixar-me em tuas sendas.
¹⁶Tuas ordens são minha delícia:
não me esqueço de tua palavra.

¹⁷Cuida de teu servo e viverei
para cumprir tua palavra.
¹⁸Abre meus olhos e contemplarei
as maravilhas de tua lei.
¹⁹Sou peregrino na terra:
não me ocultes teus mandatos.
²⁰Meu alento se consome desejando
continuamente teus mandamentos.
²¹Repreendeste os arrogantes:
malditos os que se desviam de teus mandatos!
²²Retira de mim afronta e desprezo,
pois eu guardo teus preceitos.
²³Embora uns nobres sentem para me criticar,
teu servo medita tuas ordens.
²⁴Também teus preceitos são minha delícia,
são meus conselheiros.

119,9-16 Juntando os vv. 10.11.13.14, obtemos a série "coração", "lábios", "caminho" (= conduta), como a nossa série de pensamento, palavra e obra. Os versículos 14 e 16 expressam a alegria: o orante não sente a lei como trava ou peso.

119,17-24 Diminuem os enunciados, e a súplica se avoluma. O orante é "servo": súdito de um senhor, vassalo de um soberano. Surge um grupo hostil, que perturba a calma monótona: são "arrogantes", "nobres" ou autoridades, que "murmuram" contra o orante, cobrindo-o de "ultrajes" e desprezos. A expressão corrente "não me ocultes teu rosto" converte-se em "não me ocultes teus mandatos". No fim os "decretos" se personalizam para agir como conselheiros: caráter não coercitivo da lei.

²⁵Meu alento está pegado ao pó:
dá-me vida por tua palavra.
²⁶Eu te contei minhas andanças e me respondeste:
ensina-me teus estatutos.
²⁷Instrui-me na direção de teus decretos,
e meditarei tuas maravilhas.
²⁸Meu alento desfalece de sofrimento:
conforta-me com tua palavra.
²⁹Afasta de mim o caminho falso
e dá-me a graça de tua vontade.
³⁰Escolhi o caminho seguro,
desejando teus mandamentos.
³¹Eu me apego a teus preceitos, Senhor:
não me decepciones.
³²Pelo caminho de teus mandatos correrei,
quando me alargares o coração.

³³Ensina-me, Senhor, o caminho de teus estatutos,
e o seguirei pontualmente.
³⁴Ensina-me a cumprir tua vontade
e a observá-la de todo o coração.
³⁵Encaminha-me pela senda de teus mandatos,
porque a amo.
³⁶Inclina meu coração a teus preceitos,
e não ao lucro.
³⁷Afasta meus olhos de olhares vazios,
em teu caminho dá-me vida.
³⁸Cumpre para com teu servo a promessa
que fizeste a teus fiéis.
³⁹Afasta de mim a afronta que temo;
teus mandamentos são bons.
⁴⁰Olha como anseio pelos teus decretos;
com tua justiça dá-me vida.

⁴¹E que tua misericórdia chegue a mim, Senhor,
e tua salvação, segundo tua promessa,
⁴²e a quem me ultraja poderei responder
que eu confio em tua palavra.
⁴³Não afastes de minha boca a palavra autêntica;
pois espero em teus mandamentos.
⁴⁴Quero cumprir continuamente tua vontade,
para sempre.

119,25-32 "Pegado ao pó" é estar nas últimas (Sl 44,26); o Senhor o fará "reviver". Dt costuma dizer "pegado"/"aderido a Deus"; aqui se adere aos preceitos. Contar a Deus nossas andanças ou "caminhos" é uma bela forma de oração: Deus tem paciência para escutar. "Conforta-me": outra função atrativa da lei.
119,33-40 Ao chegar à letra *h*, o autor recorre a formas verbais em hifil, factitivas. Assim, acontece que não é o homem que compreende, mas Deus que lhe faz compreender. O substantivo *torá* (que traduzimos por lei) se transforma em "instrui-me"; o caminhar em "encaminha-me"; o "inclinar-se" em "inclinar"; o "afastar-se" em "afastar". O homem suplica, Deus age. Sobressai talvez o "inclinar o coração", invertendo as más inclinações do homem.
119,41-48 Nessa estrofe, é o orante que age e propõe. Juntando 45 com 32, obtemos o programa da "largueza": correndo pelo caminho, o coração se alarga; consultando os decretos, o caminho se alarga. Acesso e coragem para interpelar os reis costumavam ser prerrogativa dos profetas; o especialista da lei reclama para si tal privilégio.

⁴⁵E seguirei um caminho largo,
porque procuro teus decretos.
⁴⁶E falarei de teus preceitos diante de reis
sem sentir vergonha.
⁴⁷E serão minha delícia teus mandatos
que amo tanto.
⁴⁸E levantarei as mãos para ti
e meditarei tuas normas.

⁴⁹Recorda a palavra que deste ao teu servo,
da que fizeste minha esperança.
⁵⁰Este é meu consolo na aflição:
tua promessa me dá vida.
⁵¹Alguns insolentes me insultam gravemente:
eu não me afasto de tua vontade.
⁵²Recordando teus antigos mandamentos,
Senhor, fiquei consolado.
⁵³Domina-me a indignação ante os perversos
que abandonam tua lei.
⁵⁴Tuas normas eram minha música
em casa estrangeira.
⁵⁵De noite pronuncio teu nome, Senhor,
e em vigília, tua vontade.
⁵⁶Esta foi minha tarefa:
observei teus decretos.

⁵⁷Minha porção é o Senhor. Resolvi
observar tuas ordens.
⁵⁸Eu te aplaco de todo o coração;
tem piedade de mim segundo tua promessa.
⁵⁹Calculei meu caminho
para voltar meus passos a teus preceitos.
⁶⁰Apressei-me, não me atrasei
para observar teus mandatos.
⁶¹Os laços dos perversos me envolviam,
não esqueci tua lei.
⁶²À meia-noite me levanto para te dar graças
por teus justos mandamentos.
⁶³Junto-me a todos os teus fiéis
que guardam teus decretos.
⁶⁴De tua bondade, Senhor, a terra está cheia:
ensina-me tuas normas.

119,49-56 Recordar é atividade essencial da piedade israelita: faz o passado tornar-se atual e contemporâneo. Recorda-se uma pessoa "pronunciando seu nome" (55). Também o Senhor deve recordar (49) ou ter presente. As "normas" recitadas de boa vontade soam como "música": recorde-se o Salmo 101; e é música que se pode executar no desterro (cf. Sl 137). Também aqui surgem "insolentes" e "perversos". "Velando medito em ti", dizia o Sl 63,7; aqui medita na lei (Sl 1).

119,57-64 A "porção" corresponde à partilha da terra, da qual os levitas não recebem parte, porque o Senhor é sua parcela: Nm 18,20; Dt 10,9; o orante fala como levita: Sl 16,5. "Aplacar" é, literalmente, acariciar o rosto: é ato ritual ou de intercessão e tem por objeto alguma culpa cometida. "Voltar" parece sugerir um desvio prévio. A frase do v. 62 foi tomada literalmente para inspirar ou justificar a prática litúrgica ou ascética de interromper o sono para louvar a Deus. O começo do v. 64 é citação do Sl 33,5.

⁶⁵Trataste bem o teu servo,
   Senhor, segundo a tua palavra.
⁶⁶Ensina-me a discernir e entender,
   porque confio em teus mandatos.
⁶⁷Antes da correção eu não o percebia,
   mas agora cumpro tua instrução.
⁶⁸Bom és tu e fazes o bem:
   ensina-me tuas normas.
⁶⁹Alguns insolentes me lançam calúnias,
   eu guardo de todo o coração teus decretos.
⁷⁰O coração deles é espesso como gordura;
   eu me alegro em tua vontade.
⁷¹ O castigo me fez bem:
   assim aprendi tuas ordens.
⁷²Para mim, é melhor a lei de tua boca
   do que mil moedas de ouro e prata.

⁷³Tuas mãos me fizeram e me firmaram:
   instrui-me, para que eu aprenda teus mandatos.
⁷⁴Teus fiéis verão com alegria
   que esperei em tua palavra.
⁷⁵Reconheço, Senhor,
   que teus mandamentos são justos,
   que me afligiste com razão.
⁷⁶Tua misericórdia seja meu consolo,
   como prometeste a teu servo.
⁷⁷Que tua compaixão me alcance, e viverei,
   porque tua lei é minha delícia.
⁷⁸Que fracassem os insolentes
   quando me desprestigiam com mentiras;
   eu meditarei teus decretos.
⁷⁹Voltem a mim teus fiéis
   que dão atenção a teus preceitos.
⁸⁰Que meu coração se aperfeiçoe com tuas normas,
   e assim não fracassarei.

⁸¹Meu alento se consome por tua salvação:
   espero em tua palavra.
⁸²Meus olhos se consomem por tua promessa:
   Quando me consolarás?

119,65-72 Com quatro menções de "bom", pode compor um tratado de bens. Deus é bom e benéfico, boa é a instrução de Deus e também a aflição pela qual aprendo. O "gosto" é metáfora de discrição ou discernimento: Is 7,15s; Sl 34,9. O pecado por "inadvertência" (Sl 19,12s) se cura com um castigo leve. Em 69-70 lemos duas das poucas imagens do salmo, dedicadas a inimigos perversos. O último versículo adota a forma clássica de refrão "é melhor": comparar com Pr 3,15; 8,10.19.
119,73-80 Contrapõem-se uns "fiéis", que reverenciam o Senhor, e uns insolentes, que caluniam o orante; os insolentes fracassarão, este não. Detém-se em aspectos complementares de Deus: o primeiro é a criação ou "produção" do homem (Jó 10,8); depois, Deus é mestre que ensina; deve mostrar sua "misericórdia" e "compaixão".
119,81-88 A presença e ação dos inimigos se avoluma nessa estrofe: perseguem, põem armadilhas e quase conseguem seu objetivo. Esse tema desloca a estrofe para a súplica. A letra k introduz a ideia de totalidade e acabamento. O "odre defumado", enegrecido e enrugado prepara a pergunta: "quantos anos...?" (Sl 39,5). A idade se alia ao inimigo, explica o "consumir-se" do alento e dos olhos.

⁸³Quando estava como odre defumado,
   eu não esquecia tuas normas.
⁸⁴Quantos anos restam a teu servo?
   quando me farás justiça contra meus perseguidores?
⁸⁵Cavam covas para mim uns insolentes
   que não se ajustam à tua lei.
⁸⁶Todos os teus mandatos são legítimos;
   sem razão me perseguem: socorre-me.
⁸⁷Quase acabaram comigo no túmulo,
   mas eu não abandonei teus decretos.
⁸⁸Segundo tua misericórdia dá-me vida,
   e guardarei a instrução de tua boca.

⁸⁹Tua palavra, Senhor, no céu
   está firme para sempre.
⁹⁰De geração em geração tua fidelidade;
   firmaste a terra, e ela permanece.
⁹¹Por tua disposição tudo permanece até hoje;
   o universo está a teu serviço.
⁹²Se tua vontade não fosse minha delícia,
   eu haveria perecido em minha aflição.
⁹³Jamais esquecerei teus decretos,
   pois com eles me deste vida.
⁹⁴Sou teu, salva-me,
   pois eu consulto teus decretos.
⁹⁵Os perversos me espreitavam para me perder,
   e eu meditava teus preceitos.
⁹⁶Vi o limite de todo o acabado;
   teu mandato se dilata sem fim.

⁹⁷Como amo tua vontade!
   Eu medito nela o dia todo.
⁹⁸Teus mandatos me tornam mais hábil
   que meus inimigos;
   sempre vão comigo.
⁹⁹Sou mais sábio que todos os meus mestres,
   porque medito em teus preceitos.
¹⁰⁰Sou mais sagaz que os anciãos,
   porque observo teus decretos.
¹⁰¹Impeço meus pés de todo mau caminho,
   para observar tua palavra.
¹⁰²Não me afasto de teus mandamentos,
   porque tu me instruíste.
¹⁰³Como é doce ao paladar a tua promessa!
   Mais que mel na boca.

119,89-96 O tema da perpetuidade atrai temas cósmicos da criação: duração celeste, estabilidade da terra. Em contraste, entra a condição caduca do homem: perece pelo sofrimento e pela perseguição do inimigo. Precisa que Deus o salve, lhe dê a vida, e a mantenha. A "palavra" de Deus aparece "plantada" no céu, donde adquire sua firmeza e segurança (cf. Sl 89,3). Como em português, a palavra hebraica "acabado" contém uma sugestiva ambiguidade. É o levado a cabo, perfeito, e é o que termina, se acaba. Perfil e forma são perfeição de dentro, limite de fora. Só o mandamento de Deus se dilata imensamente.
119,97-104 O orante se sente satisfeito e se compara com outros: "inimigos", "mestres" e "anciãos". A arte está em combinar meditação com observância para adquirir um saber teórico e prático. Pode-se entreouvir uma polêmica entre lei e sabedoria, rebaixando a segunda em favor da primeira. "Amar" a lei; Dt 6,5 inculca amar o Senhor. A comparação com o mel parece inspirada em Sl 19,11.

¹⁰⁴Reflito sobre teus decretos,
por isso detesto toda senda falsa.

¹⁰⁵Tua palavra é lâmpada para meus passos,
luz em meu caminho.

¹⁰⁶Jurei e o cumprirei:
observar teus justos mandamentos.

¹⁰⁷Sinto-me gravemente afligido:
dá-me vida, Senhor, por tua palavra.

¹⁰⁸Aceita, Senhor, minha oferta generosa
e ensina-me teus mandamentos.

¹⁰⁹Continuamente arrisco a vida,
mas não esqueço tua vontade.

¹¹⁰Os perversos me põem ciladas:
eu não me desvio de teus decretos.

¹¹¹Teus preceitos são minha herança perpétua,
são a alegria de meu coração.

¹¹²Inclinei meu coração a cumprir tuas normas
sempre e plenamente.

¹¹³Detesto os que se desgalharam,
e amo tua vontade.

¹¹⁴Tu és meu refúgio e meu escudo:
espero em tua palavra.

¹¹⁵Afastai-vos de mim, perversos,
e guardarei os mandatos de meu Deus.

¹¹⁶Sustenta-me com tua promessa e viverei;
não deixes frustrar-se minha esperança.

¹¹⁷Dá-me apoio e estarei a salvo,
e me fixarei continuamente em tuas normas.

¹¹⁸Os que se desviam de tuas normas tu taxas
como mentira e engano.

¹¹⁹Consideras os perversos como escória,
por isso amo teus preceitos.

¹²⁰Meus cabelos se arrepiam com teu terror,
e teus mandamentos me assustam.

¹²¹Pratico a justiça e o direito:
não me entregues a meus opressores.

¹²²Sê fiador de teu servo,
para que os insolentes não me oprimam.

119,105-112 "O conselho é lâmpada", diz Pr 6,23; o salmo contrasta a espiritualidade legal com a sapiencial. Oferta ou voto "generoso" é algo acima do requerido, ou seja, que ultrapassa a lei. Unido ao "aceitar" de Deus, pertence à linguagem cultual. "Arrisco a vida" é literalmente "minha alma em minha palma". O risco concorda com a "grave aflição" e as "ciladas" do inimigo; a decisão generosa acarreta um risco, do qual se livra graças à lei. "Herança": algo que se recebe, se possui, se lega.

119,113-120 Os "desgalhados" parecem ser apóstatas; ou tribos íntegras separadas do tronco? Em hebraico, tribo se diz "rama"/"ramo". Opondo "amor" a "ódio", opõe esses "desgalhados" à "lei". Deus mesmo "sustenta" a vida: é sua ação conservar a existência de cada ser. "Taxar" é atividade comercial: Deus faz a avaliação de tais homens e descobre suas tramas falsas como "escórias". "Arrepiar os cabelos" (cf. Jó 4,15) ou horripilar-se não parece concordar com declarações precedentes de alegria e deleite; juntando ambos se expressa a polaridade da vida espiritual.

119,121-128 "Ser fiador" pertence à linguagem comercial. Gente sem escrúpulos tenta aproveitar-se do orante, que necessita de alguém para seu fiador. Se o homem deve ser cauto em dar fiança (Pr 6,1-5), Deus pode fazê-lo sem risco. Os "olhos se consomem" observando, vigiando. O patrão deve dar instruções ao "servo". "Senda enganosa": cf. Pr 16,25.

¹²³Meus olhos se consomem por tua salvação,
  por tua promessa de justiça.
¹²⁴Trata o teu servo com misericórdia
  e ensina-me tuas normas.
¹²⁵Sou teu servo, ensina-me,
  e compreenderei teus preceitos.
¹²⁶É hora de agir, Senhor:
  violaram tua lei.
¹²⁷Por isso amo teus mandatos
  mais que o ouro mais puro.
¹²⁸Por isso, sigo retamente tuas normas
  e detesto toda senda enganosa.

¹²⁹Admiráveis são teus preceitos:
  por isso minha alma os observa.
¹³⁰A explicação de tua palavra ilumina,
  instrui os inexperientes.
¹³¹Abro bem a boca para respirar,
  com ansiedade por teus mandatos.
¹³²Volta-te para mim com piedade,
  como fazes com quem ama teu nome.
¹³³Firma meus passos com tua promessa,
  não me entregues ao poder de maldade alguma.
¹³⁴Livra-me da opressão humana,
  e guardarei teus decretos.
¹³⁵Mostra a teu servo teu rosto radiante,
  ensina-me tuas normas.
¹³⁶Arroios descem de meus olhos
  pelos que não guardam tua lei.

¹³⁷Tu és justo, Senhor,
  reto é o teu mandamento.
¹³⁸Prescreveste preceitos justos,
  sumamente estáveis.
¹³⁹Eu me consumo de zelo,
  porque meus inimigos esquecem tuas palavras.
¹⁴⁰Tua promessa é acrisolada
  e teu servo a ama.
¹⁴¹Sou pequeno e desprezado,
  mas não esqueço teus decretos.
¹⁴²Tua justiça é justa para sempre,
  tua vontade é autêntica.
¹⁴³Angústia e aperto me assaltam;
  teus mandatos são minha delícia.
¹⁴⁴Teus preceitos são justos para sempre;
  instrui-me e viverei.

¹⁴⁵Clamo de todo coração, responde-me, Senhor,
  e guardarei tuas normas.

119,129-136 "Admiráveis" ou maravilhosos, ultrapassam a compreensão do homem, mas pode pô-los em prática. A lei ilumina (Sl 19,9.12) e também Deus quando mostra "seu rosto radiante". Não chora seus pecados, mas os alheios: é um pranto penitencial vicário? chora por zelo pela lei, de compaixão pelos infelizes? Os preceitos são como ar que se "aspira" ansiosamente.

119,137-144 A letra ç impõe o tema da justiça: o Senhor é justo, e também o mandamento, a justiça, os decretos. A palavra purificada, acrisolada, recorda o Sl 12, que comenta o tema. "Pequeno" pode ter sentido social, ou é metáfora da pequenez humana perante Deus.

119,145-152 A letra q provoca o "chamar" e a voz, e dá à estrofe caráter de súplica; na sua esfera entra

¹⁴⁶Eu te chamo, salva-me,
   e observarei teus preceitos.
¹⁴⁷Eu me adianto à aurora e peço auxílio,
   aguardando tuas palavras.
¹⁴⁸Meus olhos se adiantam às vigílias,
   meditando tua promessa.
¹⁴⁹Escuta minha voz por tua misericórdia,
   dá-me vida, Senhor, como é tua norma.
¹⁵⁰Aproximam-se os que perseguem infâmias
   e se distanciam de tua lei.
¹⁵¹Tu estás próximo, Senhor,
   e todos os teus mandatos são autênticos.
¹⁵²Há tempo compreendi que estabeleceste
   teus preceitos para sempre.

¹⁵³Olha minha aflição e livra-me,
   pois não esqueço tua vontade.
¹⁵⁴Defende minha causa e resgata-me,
   tua promessa me dá vida.
¹⁵⁵A salvação está longe dos perversos,
   pois não consultam tuas normas.
¹⁵⁶Grande é tua compaixão, Senhor,
   dá-me vida segundo tua norma.
¹⁵⁷Muitos são os inimigos que me perseguem,
   eu não me afasto de teus preceitos.
¹⁵⁸Vendo os renegados eu sentia nojo,
   porque não observam tuas instruções.
¹⁵⁹Olha como amo teus decretos;
   Senhor, por tua misericórdia dá-me vida.
¹⁶⁰O compêndio de tua palavra é a verdade,
   teu justo mandamento é eterno.

¹⁶¹Alguns príncipes me perseguem sem motivo,
   meu coração treme por tuas palavras.
¹⁶²Eu me alegro com tua promessa,
   como quem encontra ricos despojos.
¹⁶³Detesto e odeio a mentira,
   amo tua vontade.
¹⁶⁴Sete vezes por dia te louvo
   por teus justos mandamentos.
¹⁶⁵Muita paz têm os que amam tua lei,
   nada os faz tropeçar.
¹⁶⁶Aguardo tua salvação, Senhor,
   e cumpro teus mandatos.
¹⁶⁷Minha alma guarda teus preceitos,
   ela os ama intensamente.

---

o verbo "adiantar-se". É importante a antítese "perto"/"longe" (cf. Sl 22). Os perversos estão "perto" do perseguido, "longe" da lei; mas também Deus está perto.
119,153-160 O que Deus deve ver é a aflição do orante, mas também seu amor à lei: necessidade e mérito. O que o orante vê é a deslealdade dos que não observam a lei. A "defesa da causa" é inspirada em Sl 35,1; 43,1. A "salvação está longe": o contrário em Is 56,1. Re-capit-ulação é en-cabeça-mento ou título que define o tema, ou colofão que o resume, ou princípio do qual tudo flui. Refere-se à "palavra" de Deus.
119,161-168 A declaração do v. 164, tomada ao pé da letra, inspirou práticas de oração: sete vezes ao dia, sobrepondo ao ritmo biológico um ritmo espiritual e devocional. Diante da palavra de Deus, o orante sente temor e alegria, numa estranha polaridade. O "amor" é a fonte da observância. Uma "paz" sem "tropeços" é o prêmio de tal amor.

¹⁶⁸Guardo teus preceitos e decretos,
tens presentes todos os meus caminhos.

¹⁶⁹Chegue meu clamor à tua presença, Senhor,
instrui-me com tua palavra.

¹⁷⁰Chegue minha súplica à tua presença:
livra-me segundo tua promessa.

¹⁷¹De meus lábios brota o louvor,
porque me ensinaste tuas normas.

¹⁷²Minha língua entoa tua promessa,
porque todos os teus mandatos são legítimos.

¹⁷³Que tua mão me auxilie,
pois escolho teus decretos.

¹⁷⁴Anseio por tua salvação, Senhor;
tua vontade é minha delícia.

¹⁷⁵Viva minha alma para louvar-te;
teu mandamento me auxiliará.

¹⁷⁶Eu me extraviei como ovelha desgarrada:
busca o teu servo, que não esquece teus mandatos.

120 (119)

¹Ao Senhor em meu aperto
clamei e ele me respondeu.
²Senhor, salva minha vida dos lábios mentirosos,
da língua mentirosa.

119,169-176 A última estrofe tem algo, mas não muito, de recapitulação: clamor, súplica e louvor. Pede a Deus: ensinamento, libertação, salvação, auxílio, vida; tudo isso vinculado à observância da lei. O último versículo é inesperado. Traz o já tratado tema do caminho, e evoca a conhecida imagem pastoril. Ora, depois de tantas propostas de observância, amor, zelo e cumprimento, como é que se sente "ovelha desgarrada" que o Senhor deve "buscar" e encaminhar? Com um ato de súplica humilde, o orante conclui seu longo salmo e, ao prosseguir no seu caminho, a lembrança o acompanha: "não esqueço teus mandatos".
Conclusão. Ao terminar trabalhosamente os 176 versículos do salmo, alguém poderia pensar que leu uma síntese de teologia bíblica. Nada disso. Seria enorme a lista de coisas importantes que não tiveram lugar no salmo, e não por falta de espaço. Recordemos algumas.
O título de Deus "santo", relativamente frequente no saltério; o templo ou santuário com os sacrifícios e o culto. Deus não aparece como rei, e não há rei humano. Não se pronunciam o verbo criar nem seu equivalente modelar (só fazer). A história inteira desapareceu: nem sequer a saída do Egito merece menção. Um verbo tão frequente como sair/tirar não é pronunciado. A lei de Israel estava firmemente ancorada na aliança e ligada aos relatos do Sinai: o autor não se lembra deles. Nada se ouve do cuidado devido a pobres e fracos.
São temas tão correntes, tão queridos e tratados, que sua ausência do salmo soa como exclusão intencional do autor. Eliminou quase tudo, para ficar a sós com sua amada lei.
Transposição cristã. No NT, muitos títulos, símbolos ou privilégios, que o judaísmo atribui à *torá*, são atribuídos a Jesus Cristo: luz, água da rocha, caminho etc. Portanto, onde lemos lei ou mandamento, podemos pensar em Jesus como Messias. Como os relatos do Pentateuco são também *torá*, assim o é a vida de Cristo, e muito mais. A leitura fica facilitada usando a chave do "caminho". Jesus se apropria dele como norma de conduta e via de acesso ao Pai, e acrescenta verdade e vida, também presentes no salmo. Com sua conduta e ensinamento, nos ensina "o caminho autêntico da vida".

SALMOS GRADUAIS

120-134 A tradição hebraica, grega e latina transmitiram esses quinze salmos como um bloco especial, com o título de "salmos graduais", de degraus ou subida. Os especialistas quiseram deduzir o significado da etimologia e propuseram várias explicações. Uma estrutura interna ao poema, conforme o esquema ab-bc-cd..., o que não vale para todos. Uma disposição temática dos quinze em ordem ascendente ou progressiva: explicação forçada. Um dado externo ao salmo, histórico ou litúrgico: ou a "subida" do desterro, ou a subida da peregrinação, ou a subida pelos degraus da escadaria do templo. A subida mais razoável me parece a de salmos de peregrinação: centrados em Jerusalém, explicamos os elementos heterogêneos; o contexto festivo acolhe facilmente sentimentos vários.
Estilo. Antes de tudo a brevidade – exceto o 132 –, que condiciona poeticamente o tema e seu desenvolvimento. São peças de tempo moderado, que parecem girar lentamente diante de nossa vista, apresentando-nos facetas semelhantes e complementares. Não pretendem inculcar uma ideia, mas penetrar suavemente e apagar-se dentro, deixando ressoar sugestões. Diante de obras de composição tão simples, o comentarista se sente tentado a dizer

³O que vai te dar, o que vai te acrescentar,
  língua mentirosa?
– ⁴Flechas de arqueiro afiadas
  junto com brasas de giesta.

⁵Ai de mim, desterrado em Mosoc,
  habitando nas tendas de Cedar!
⁶Há muito tempo estou vivendo
  com gente que odeia a paz.
⁷Eu sou pela paz, e se falo,
  eles estão pela guerra.

121 (120)

¹Levanto os olhos para os montes:
  de onde me virá o auxílio?
²O auxílio me vem do Senhor,
  que fez o céu e a terra.
³Não deixará que teu pé tropece,
  o teu guardião não dorme.
⁴Não dorme nem cochila
  o guardião de Israel.
⁵O Senhor é teu guardião, o Senhor é tua sombra,
  está à tua direita.

---

o que leu nas entrelinhas, a completar o que vinha depois do ponto final. E naturalmente, o que vinha eram linhas divergentes, segundo os comentaristas. *Transposição cristã*. Pode-se aplicar uma leitura "anagógica" (= ascendente). Cantos do peregrino rumo à pátria celeste; cantos do homem espiritual em direção aos cimos da contemplação.

120 *Gênero e situação*. É uma súplica, na qual reconhecemos os componentes básicos: aflição, inimigos, confiança no Senhor. O texto declara que o orante reside em terra estrangeira, exposto à hostilidade dos habitantes. Não podemos deduzir se o desterro é real ou imagem poética de uma situação. A princípio a perseguição é verbal, no fim acontece a alternativa, sem meio termo de guerra ou paz.
Mosoc e Cedar. Mosoc figura como povo de mercadores em Ez 27,13; em fontes assírias aparece como povo guerreiro e submetido. Cedar era um povo de beduínos, comerciantes de gado miúdo; Is 21,17 destaca "os arqueiros de Cedar"; mais tarde Cedar chega a equivaler a árabes. Da etimologia, "disparar ou estirar e escuro sombrio", não podemos deduzir nada. Em sentido literal, são povos geograficamente distantes. Talvez sejam nomes emblemáticos: o orante representa a comunidade judaica, habitando entre povos hostis, caluniada e denegrida, desejosa de paz e vítima de agressão.
120,1-2 Muitos textos do AT falam do poder destrutivo da língua, p. ex. Sl 12; 64,4s; Eclo 28,17s em seu contexto.
120,3 "Dar", "acrescentar", é fórmula clássica de juramento imprecatório. Perguntando e interpelando, o orante pede um castigo exemplar.
120,4 A resposta é engenhosa: dar "flechas", acrescentar "brasas". Outros pensam em flechas afiadas com brasas. As palavras podem ser flechas e fogo: Sl 64,5; Pr 16,27.
120,7 O versículo é redigido com sintaxe áspera. Reduz à pura essência duas atitudes radicais: pela paz ou pela guerra. Quem vencerá? Quem tiver Deus do seu lado.
Transposição cristã. Salientamos o tema da paz, começando pela sétima bem-aventurança: Mt 5,9. Recomendam a paz, dentro e fora, Rm 12,18; 1Cor 7,15; 2Cor 13,11; Hb 12,14.

121 *Gênero*. Salmo de confiança, expressão ou exortação. A situação é genérica: um homem necessitado busca ajuda e a encontra em Deus. O começo e a forma na segunda pessoa sugerem uma execução litúrgica, ou refletem um diálogo interior.
Tema: Deus guardião. Seis vezes se repete a raiz "guardar" e uma vez se diz "sombra", título divino de nobre ascendência. A vigilância é descrita em quatro orações. É exercida especialmente de noite: Is 21,11; Ct 3,3; 1Sm 26,15s. Sobre o dormir ou despertar de Deus, ver Sl 78,65; Is 51,9-52,6.
Estilo. O mais notável são as polaridades, essência do poema, que representam a oscilação da existência humana (cf. Ecl 3,1-8). Sol e lua podem ser benéficos e nocivos (2Rs 4,19; Jt 8,2s); dia e noite, pulsar do tempo desde a criação (Gn 1); entradas e saídas, ou toda a atividade humana (Dt 28,6); agora e sempre, porque a proteção deve ser sentida no presente e estar assegurada para o futuro. O ser de Deus transcende e abrange alternâncias e extremos.
121,1-2 Os olhos se levantam, talvez à cidade e suas muralhas, para a defesa natural das montanhas vizinhas. Podemos subir os montes com os pés ou com o olhar, mas a ascensão há de se dirigir para Deus.
121,3 O pé do peregrino caminhando às escuras e do peregrino pela escuridão da vida. "Não dorme": Is 56,10; Na 3,18.
121,5 A direita é geograficamente o sul, onde o sol fere com mais força.

⁶De dia o sol não te ferirá
    nem a lua de noite.
⁷O Senhor te guarda de todo mal,
    ele guarda tua vida.
⁸O Senhor guarda tuas entradas e saídas
    agora e para sempre.

122 (Sl 84)

¹Que alegria quando me disseram:
    "Vamos à casa do Senhor".
²Já nossos pés estão pisando
    teus umbrais, Jerusalém.
³Jerusalém, construída como cidade
    bem unida e compacta,
⁴para onde sobem as tribos,
    as tribos do Senhor,
    segundo o costume de Israel,
    para dar graças ao nome do Senhor.
⁵Aí reside o tribunal de justiça,
    o tribunal do palácio de Davi.

⁶Saudai Jerusalém com a paz:
    Vivam tranquilos teus amigos.
⁷Haja paz em tuas muralhas,
    tranquilidade em teus palácios.
⁸Por meus irmãos e companheiros,
    peço a paz para ti.
⁹Pela casa do Senhor nosso Deus,
    eu te desejo todo bem.

121,7 "Todo mal": também da morte, como antônimo da "vida".
121,8 O poema vai-se bifurcando e, ao terminar, se prolonga numa perspectiva indefinida: Até onde chega este "sempre"?
Transposição cristã. A proteção de Deus: Jo 17,11; 2Ts 3,2s; 1Pd 1,4. A vida de Jesus se resume em seu "entrar e sair": At 1,21-22.

122 *Gênero e situação*. Canto a Jerusalém, extraído por etimologia popular do material sonoro do nome. Inclui um elogio à cidade e um pedido por ela. Forma grupo com 46, 48 e 87. Alguns peregrinos chegam à cidade, meta de sua viagem física e espiritual.
A *paronomásia* é um recurso de estilo que retira significados do som dos nomes próprios; recurso apreciado e praticado por autores bíblicos, poetas e prosadores. O poeta toma o primeiro componente com o valor de "cidade": *yeru – 'iru*. É a Cidade por excelência: cf. Ez 7,23; Sl 87,3. A segunda parte toma o valor óbvio de paz: *shalem – shalom*. Outro recurso de estilo, que forma inclusão maior e menor, é a repetição: três vezes Jerusalém, casa, paz, *Yhwh + Yh*.
122,1-2 Concentra os dois momentos extremos da romaria: o anúncio da partida e da chegada, saltando-se a viagem com sua fadiga: cf. Sl 84.
122,3-5 Predicados da cidade. Seu traçado, com casas unidas formando ruas; o templo onde se unem as tribos para louvar o Senhor: cf. Sl 65,2; a administração central da justiça num tribunal supremo. A imagem supõe uma nação unificada, com um centro religioso e político; reflete uma realidade, uma lembrança, uma aspiração? Depende muito da datação do salmo.
122,6 A insistência em "paz" e afins, o predomínio de formas volitivas soam como uma mobilização geral para a paz. O peregrino pede que se cumpra o destino inscrito no nome da cidade: *nomen omen*. "Amigos": não os amantes de Os 2, mas os amadores de Is 66,10.
122,7 Muralhas e palácios são outro aspecto notável dessa cidade: Sl 48,14; Lm 2,7s.
122,8-9 A repetição "por" nos dois versículos une o vínculo humano da irmandade e o religioso da presença do Senhor no meio deles.
122,9 Ez 24,21.
Transposição cristã. Creio que sobre o pano de fundo desse canto de peregrinação devamos ler as palavras de Jesus ao avistar a cidade: Lc 18,41-44. A Igreja celestial retoma o destino de Jerusalém, de acordo com Ap: tronos 20,4.11-15; beleza 21,11-21; doze (portas) 21,12-14; ausência de templo 21,22s.

123 (122)

¹Levanto os olhos a ti,
  que habitas no céu.
²Como os olhos dos escravos
  pendentes da mão de seu amo,
como os olhos da escrava
  pendentes da mão de sua ama,
assim nossos olhos diante do Senhor nosso Deus,
  até que tenha piedade de nós.
³Piedade, Senhor, tem piedade,
  pois estamos fartos de desprezos,
⁴e nos sentimos fartos
  do sarcasmo dos satisfeitos,
  do desprezo dos orgulhosos.

124 (123)

¹Se o Senhor não estivesse do nosso lado,
  – Israel que o diga –
²se o Senhor não estivesse do nosso lado,
  quando alguns homens nos assaltavam,
³nos teriam tragado vivos,
  ardendo de cólera contra nós;
⁴as águas nos teriam afogado,
  e a torrente chegaria ao nosso pescoço,
⁵chegaria ao nosso pescoço a água espumante.

---

123 *Gênero e situação*. É uma súplica que reduziu o triângulo clássico ao essencial. A motivação combina a condição de Deus como patrão e a situação do orante, ou seja, a humilhação constante dos submetidos. Situação repetível e repetida, genérica. Alguns quiseram atribuir-lhe uma situação histórica: os desterrados em Babilônia, os judeus no tempo de Neemias: 2,19; 3,33.

Desprezo e piedade. Tais são as duas atitudes opostas e correlativas; nelas está a riqueza humana e teológica do salmo. Ao homem "satisfeito" de si não basta ser alto, quer ser "superior"; e da sua altura "despreza" os outros: leiam-se Pr 11,12; 14,21; 17,5; Eclo 11,4; 41,22. A humilhação, sobretudo se repetida ou sistemática, pode doer mais que uma ferida. Pode degradar o homem, que, não podendo aguentar mais, levanta os olhos para Deus. De um salto transcende as minúsculas diferenças em que os homens se comprazem, e chega ao trono que devolve aos mortais sua autêntica dimensão.

123,1 O gesto dos olhos é símbolo de uma misteriosa ascensão espiritual, como o céu é símbolo da transcendência divina.

123,2 Os olhos agora se fixam: o poeta para, prolonga a expectativa, adia o desfecho. O gesto da mão não ameaça, dá ordens talvez, certamente favores.

123,2c-3a Um título clássico de Deus é "o Piedoso".

123,3b-4 Os "satisfeitos" e "orgulhosos" são um tipo humano: ler Eclo 4,1-3 e 13,3 em seu contexto de ricos e pobres.

Transposição cristã. Podemos recordar a satisfação do fariseu desprezando o publicano, que não se atreve a levantar os olhos: Lc 18,9-14. Se esperamos tudo de Deus como graça e piedade, nos levantaremos acima do desprezo dos satisfeitos, e não nos sentiremos satisfeitos do que é graça e não mérito.

124 *Gênero e composição*. O v. 6 nos diz que o salmo é uma ação de graças pela libertação de um perigo extremo. É difícil definir o perigo concreto ou a época de composição. É provável que seja pós-exílico. A composição se destaca pelo desenvolvimento, ao longo de cinco versículos, de uma oração condicional com apódose, de sonoridade muito elaborada. O condicional irreal é mais expressivo que a constatação: pode ser devido a distância intelectual motivadora ou a emoção intensa que começa a expressar-se logo que passa o perigo.

A forma sintática não é frequente: Jz 14,18; Is 1,9; Sl 94,17.

Imagens. Primeiro água e fogo. Se na realidade os dois elementos se excluem, no plano simbólico se acoplam e se fundem: Is 43,2; Eclo 51,3-5. "Tragar vivos" se diz do *xeol* ou *hades*: Nm 16,30-33, texto que acrescenta o castigo do fogo. Acrescentam-se duas imagens opostas e correlativas: a fera que dilacera com os dentes e o caçador que apanha na armadilha. Se em termos descritivos o poema carece de exatidão, em termos expressivos a acumulação de imagens é válida.

O âmbito psicológico é o espaço onde se revela a ação de Deus. No limite vivido de nosso ser, que é a contingência, surge o ser total e absoluto que nos sustenta.

124,1-2 Começa de repente, de modo que o convite atrasado interrompe. Ocupam os lugares extremos *Yhwh*, Israel e "homens".

124,5 Para a imagem, ler Is 8,8 em seu contexto.

⁶Bendito o Senhor, pois não nos entregou
   como presa a seus dentes:
⁷Salvamos a vida como um pássaro
   da armadilha do caçador:
a armadilha se quebrou
   e nós escapamos.
⁸Nosso auxílio é o nome do Senhor
   que fez o céu e a terra.

125 (124)

¹Os que confiam no Senhor
   são como o monte Sião:
   não vacila, está firme para sempre.
²As montanhas rodeiam Jerusalém,
   o Senhor rodeia o seu povo.
³Não descansará o cetro perverso
   na porção dos honrados,
para que os honrados
   não estendam mãos ao crime.
⁴Senhor, trata bem os bons,
   os retos de coração.
⁵O Senhor conduza com os malfeitores
   os que seguem sendas tortuosas.
Paz para Israel!

126 (125)

¹Quando o Senhor mudou a sorte de Sião,
   parecíamos sonhar;
²nossa boca se enchia de risos,
   de júbilo a língua.
Até os pagãos comentavam:

124,6 A imagem está em Jó 29,17.
124,7 Imagem de sapienciais: Pr 6,5; 7,23.
124,8 Quase repetição de Sl 121,2; fixou-se como fórmula litúrgica.
Transposição cristã. Sobre o perigo de fogo e água, ver Mt 17,15. Agostinho põe o salmo na boca de cristãos glorificados, especialmente de mártires.

125 *Gênero e situação.* A primeira parte do salmo é um ato de confiança, a segunda é uma súplica. Mentalmente se pode começar por qualquer das duas. A situação é bastante genérica, mas alguns indícios favorecem uma situação histórica. Alguns propuseram o tempo da dominação persa, para a qual o salmo soa demasiado otimista. Outros propõem a época selêucida, depois do edito de tolerância de Antíoco III (200 a.C.). Inclino-me à situação macabaica, mas não dos combatentes. O orante pensa em grupos opostos dentro da comunidade judaica: sente dor pelos irmãos apóstatas, preocupação pelos que poderiam imitá-los. Invoca o Senhor para que conforte a uns e castigue os que se extraviam. No meio das dificuldades, exorta a confiar em Deus e invoca a paz externa e interna.
Composição e imagens. Os paradigmas de bons e maus nos revelam o seguinte: de um lado, três designações genéricas: "honrados", "bons", "retos"; e três específicas: "Israel", "seu povo", "os que confiam"; o último restringe o primeiro. No outro lado, o paradigma se bifurca: os "perversos" e "malfeitores", e uns honrados que "estendem as mãos ao crime" e "seguem caminhos tortuosos". Imaginemos no centro o templo, morada do Senhor; em torno dele a cidade; em torno desta a muralha natural de montanhas; mais além o Senhor cingindo tudo. O Senhor concentra tudo, abrange tudo. O monte é modelo de estabilidade. O cetro, mais que imagem, é símbolo de poder e autoridade. A herança é o terreno atribuído a cada família; aqui creio que designa o território judaico, herança do povo.
125,2 Zc 2,9.
125,3 "Cetro perverso" é ambíguo, e pode significar tribo perversa.
125,4 "Bem aos bons" sugere a retribuição. "Retos" em hebraico tem som semelhante ao nome da cidade.
125,5 "Tortuosas": palavra rara, que só se encontra aqui e em Jz 5,6.
Transposição cristã. Baseia-se nos conhecidos valores simbólicos: Jerusalém = a Igreja terrestre e celeste; o monte de Jesus Cristo, presença de Deus na história. O cetro ou poder dos perversos se torna tentação para os cristãos; mas na Jerusalém celeste triunfará a paz.

126 *Gênero e situação.* Ação de graças por uma restauração, e pedido para que esta se complete. A maioria dos textos, com a fórmula "mudar a sorte", se refere à volta do desterro de Babilônia: Dt 30,3; oito vezes no bloco Jr 29,14-33,26. Parece bastante provável que o salmo expresse a alegria pela volta do desterro na primeira repatriação, ou no tempo de Neemias.

"O Senhor foi grande com eles".
— ³O Senhor foi grande conosco,
  e celebramos festa.

⁴Muda, Senhor, a nossa sorte,
  como as torrentes do Negueb.
⁵Os que semeiam com lágrimas
  colhem com júbilo.
⁶Indo, ia chorando,
  levando a sacola de semente;
voltando, volta cantando,
  trazendo seus feixes.

127 (126)

¹Se o Senhor não constrói a casa,
  em vão se cansam os pedreiros;
  se o Senhor não guarda a cidade,
  em vão vigiam as sentinelas.
²Em vão vos levantais cedo
  e atrasais o descanso,
  vós que comeis um pão de fadigas;
  ele o dá a seus amigos enquanto dormem!
³A herança que o Senhor dá são os filhos,
  o salário é o fruto do ventre.
⁴São flechas na mão de um guerreiro
  os filhos da juventude.
⁵Feliz o homem que enche
  com elas a aljava!
Se pleitear com seu rival na praça,
  não será derrotado.

A alegria e o sonho. Tão grande é a alegria, que lhes parece um sonho. É pessimismo? Na vida, felicidade é sonho. É cautela? Por segurança, não se entregar à alegria. Realistas ou sonhadores? O salmo confessa nas entrelinhas que os sonhadores tinham razão: como o Segundo Isaías, como os que preparam as grandes mudanças da sorte.
Duas imagens. a) Uma chuva torrencial pode encher os leitos de torrentes e fertilizar algumas regiões dos desertos (Jó 38,25-27). De igual modo se encherão os leitos de Judá com as torrentes de novos repatriados. b) Havia anos em que os lavradores tinham de tirar o pão da própria boca para reservar semente. Semear, além da fadiga do trabalho, era passar fome; mas não era estéril. Assim, a marcha ao desterro, vista do retorno, não aparece estéril: foi semeadura custosa para uma colheita prazerosa. A palavra hebraica significa semente vegetal e estirpe humana: Is 65,9; Jr 31,27; Os 2,25.
126,1-2a Forma dupla com o 124 como faceta complementar.
126,2b Os pagãos tinham sido testemunhas da ação do Senhor a favor do seu povo: Sl 98,2; Is 52,1.
126,5 Pode-se comparar com Is 9,2; Sl 4,8.
126,6 Ler Br 5,5-6.9.
Transposição cristã. A ressurreição de Cristo é a inaudita mudança de sorte; tanto que os apóstolos, ao serem testemunhas dela, não conseguiam crer (Lc 24,36-43). Seu corpo morto foi a semente fecunda (Jo 12,24). Semeadura e colheita em Jo 4,36-38.

127 *Gênero e composição.* É uma oração de confiança expressa em termos negativos e positivos. A confiança em Deus é outra versão da fé e é irmã da esperança. O orante a expressa por oposição hiperbólica: comparar com Pr 10,22; 19,21. Uma primeira parte (1-2), com formas condicionais e repetindo "em vão", trata o tema urbano e agrário. Uma segunda parte, enunciativa (3-5), trata do tema familiar. À construção da cidade responde a da família; à defesa da cidade responde a defesa dos direitos na praça (= tribunal). No meio se situa o dom de Deus durante o sono do homem: dom agrário e familiar.
Cidade & família. A cidade se compõe de casas e é defendida por muralhas com um corpo de sentinelas. Muitas questões administrativas são resolvidas no grande "portão" de entrada. Também é casa a família, construída de filhos (Rt 4,11). Deus é o construtor: Jr 31,3; Ez 36,36; Sl 69,36; 102,17. Deus é a sentinela: Sl 121. Deus dá os filhos: Gn 17,16; 30,2. Deus dá o pão: Rt 1,6; Sl 136,25; 146,7.
127,1 Alguns o atribuem aos trabalhos de reconstrução no tempo de Neemias: Ne 4,11s.
127,2 "Levantar cedo e atrasar o descanso": comparar com o ritmo de Sl 104,22s e com os artesãos de Eclo 38,26-30. O "pão de fadigas" aponta para Gn 3,17. Enquanto o homem dorme, Deus vigia e age, dando também a fecundidade aos campos e ao homem.
127,4 Comparação da flecha: Is 49,2.
127,5 Parece referir-se a pleitos ou querelas resolvidas em lugar público.

128 (127)

¹Feliz quem teme o Senhor
 e segue seus caminhos!
²Comerás da fadiga de tuas mãos,
 serás feliz, e tudo te irá bem.
³Tua mulher como parreira frondosa
 na intimidade de tua casa,
teus filhos como rebentos de oliveira
 ao redor de tua mesa.
⁴Essa é a bênção do homem
 que respeita o Senhor.
⁵O Senhor te abençoe desde Sião.
 E desfrutarás a prosperidade de Jerusalém,
 todos os dias de tua vida.
⁶Verás os filhos de teus filhos.
 Paz para Israel!

129 (128)

¹Quanta guerra me fizeram desde minha juventude,
 – Israel que o diga –
²quanta guerra me fizeram desde minha juventude,
 mas nunca puderam comigo.
³Os lavradores aravam minhas costas,
 prolongando seus sulcos.
⁴O Senhor, que é justo, rompeu
 as rédeas dos perversos.
⁵Retrocedam derrotados
 os que odeiam Sião.
⁶Sejam como erva do terraço,
 que seca antes de a ceifarem;

Transposição cristã. No NT, a instrução sobre a confiança em Deus adquire um tom íntimo e cordial, porque reconhece Deus como Pai. Ler Mt 6,25-32.

128 *Gênero e colocação.* Bem-aventurança que canta a felicidade da vida familiar no contexto de Jerusalém e Israel. O paradigma da felicidade é expresso com o duplo "feliz" (1.2), o duplo "bendizer" (4.5), o duplo "bem" (2.5b) e o final "paz". Por sua colocação, completa e corrige o precedente: menciona a esposa e exalta o valor do trabalho humano; não será "em vão" se levar a bênção de Deus. A vida familiar é reduzida ao elementar: é monógama e tem muitos filhos. O pai está voltado ao trabalho, a mãe à casa; a mesa simboliza e realiza a unidade familiar.
As duas *imagens* são vegetais, parreira e oliveira; sugerem viço, fecundidade e crescimento. Parreira ou videira é imagem tradicional: p. ex. Is 5,1-7; Ez 19,10s. Num segundo momento, tanto a videira como a oliveira podem simbolizar Israel: Jr 11,16. Através de tal simbolismo, passamos ao fim do salmo: Jerusalém é a mãe, Israel são os filhos.
128,1 Temer o Senhor e seguir os caminhos que ele nos traça são correlativos.
128,2 Trabalhar produzindo e desfrutar do produzido é bênção: Is 65,21-23; Am 9,14.
128,6 Conhecer os netos é sinal de longevidade: Pr 17,6; Jó 42,16.
Transposição cristã. A chave se encontra no simbolismo matrimonial de Cristo e da Igreja, conforme Ef 5. Também é aplicável ao sacramento do matrimônio, que renova a bênção genesíaca.

Em chave escatológica: o cristão desfrutará do fruto de sua fadiga: Rm 8,18; Ap 14,13.

129 *Gênero e colocação.* Ação de graças com súplica. O orante olha para o passado e dá graças pelas vezes que o Senhor o livrou. Olha para os causadores do mal e pede a Deus que lhe faça justiça. Pela hostilidade recordada, é parecido com Sl 120; com menos dramaticidade, é gêmeo do Sl 124.
Imagens. O autor utiliza de modo original duas imagens agrárias: arar e ceifar. A primeira é de interpretação duvidosa: as costas do orante são o campo "arado" a chicotadas; o orante é o boi ou a novilha que deve puxar o arado. a) Os opressores "alongam" cruelmente esses "sulcos" na carne, até que um dia o Senhor lhes corte as rédeas com que aram. A explicação de cortar as rédeas é estranha e improvável. b) Arar representa o trabalho lucrativo dos opressores, que o "prolongam" por cobiça, para dele tirar mais proveito. Em vez de atrelar animais, obrigam os cativos a puxar o arado. As rédeas simbolizam a escravidão: Deus as cortará: ver Is 5,18; Jz 14,18; 39,10-12. A segunda imagem é clara: os culpados são condenados a um crescimento fracassado, a uma aridez sem fruto.
129,1 Desde a juventude da nação: Jr 2,2.
129,2 "Nunca puderam comigo": vale para o caso de Senaquerib, não para o de Nabucodonosor; a não ser que pense na continuidade do povo, apesar do desterro.
129,4 O cativeiro ou seu prolongamento era injusto.
129,5 Ver Sl 40,15; 70,3; Is 42,17.
129,6 "Erva do terraço" é hiperbólico em relação à comparação comum "como erva"; comparar com Is 37,27.

⁷que não enche a mão do ceifeiro
   nem a braçada de quem a enfeixa,
⁸nem lhe dizem os que passam:
   Que o Senhor vos abençoe!
Nós vos abençoamos invocando o Senhor.

130 (129)

¹Do profundo eu grito a ti, Senhor;
   Dono meu, escuta minha voz.
²Estejam teus ouvidos atentos
   ao meu pedido de graça.
³Se levas em conta, Senhor, os delitos,
   Dono meu, quem resistirá?
⁴Mas o perdão é coisa tua,
   e assim te fazes respeitar.
⁵Aguardo o Senhor, minha alma o aguarda,
   esperando sua palavra;
⁶minha alma aguarda meu Dono,
   mais que a sentinela pela aurora.

⁷Israel espera no Senhor,
   como a sentinela pela aurora,
pois a misericórdia é coisa do Senhor,
   e ele é generoso redimindo.
⁸Ele redimirá Israel
   de todos os seus delitos.

131 (130)

¹Senhor, meu coração não é ambicioso,
   nem meus olhos são altaneiros;
não corro atrás de grandezas
   nem de maravilhas que me superam.

129,8 Bênção de vegetais: Gn 27,27; Dt 28,4; Is 65,8. *Transposição cristã*. A chave é a equivalência simbólica de Sião com a Igreja, perseguida e salva desde seus começos. Os que agora vivem se consolam com os exemplos antigos e esperam.

130 *Gênero e estilo*. Pedido de perdão pessoal, que se abre à esperança coletiva. É um dos sete salmos penitenciais: 6, 12, 38, 51, 102, 130, 143. Não concretiza nem o pecado nem o castigo. O recurso típico do salmo é o encadeamento: repetem-se palavras ou frases à maneira de ecos, de ressonâncias. Pode-se ensaiar uma execução dialogada.
A espera e o perdão são *temas* correlativos. Primeiro, é Deus quem vigia, atento a qualquer infração: ler Jó 7,19s; 13,27. O homem, ao contrário, vigia e aguarda a chegada de um Deus libertador, como se espera a aurora, hora de troca da guarda, tempo clássico de graça. O perdão supõe o pecado no homem; aqui são "os delitos" e a "profundeza", que para os hebreus era realidade negativa. Supõe em Deus atitude e atos: misericórdia, perdão, redenção; como algo próprio dele, que cabe a ele.

130,1 O profundo é o incompreensível, impenetrável e inescrutável. Para o orante, uma situação trágica ou sua consciência de pecado; ou sua condição humana? O contrário dos montes de Sl 121 e 125. Da profundeza, só a voz pode elevar-se e, por condescendência divina, alcançar Deus.

130,2 O pedido se encontra em textos tardios: 2Cr 6,40; 7,15.

130,3 "Quem resistirá?" é pergunta retórica, de resposta negativa. É provável que o orante generalize dentro do seu contexto nacional; mas a frase pode ampliar seu raio até abranger todo homem: cf. Jó 14,4. O pecado corrói a consistência humana.

130,4 É exclusiva competência tua. Só o soberano ou a parte inocente pode concedê-lo. Porque o homem pecador depende totalmente de Deus para o perdão (Sl 65,4), deve "respeitar" Deus com humilde "reverência".

130,5 Como se reserva o direito, se reserva o tempo, e ao homem cabe esperar, aguardar.

130,7 "Misericórdia" faz eco ao "perdão" do v. 4. "Redenção": em sentido estrito, equivale a resgate; em sentido amplo, a libertação.

130,8 É o único caso em que a "redenção" tem por objeto os "delitos".
Transposição cristã. Um bom comentário pode ser lido em Rm 7. Hb 4,16 convida a aproximar-nos do "tribunal da graça". Os antigos contemplavam na manhã a ressurreição de Cristo.

131 *Gênero e situação*. Oração de confiança individual que se abre à comunidade. Um dos mais breves e íntimos do saltério. A intimidade aboliu circunstâncias externas, fixou um momento perdurável. O orante se abre: olha para dentro e comunica ao

²Juro que domino
  e aquieto meu desejo.
Como criança nos braços de sua mãe,
  como criança eu sustento o meu desejo.
³Espere Israel no Senhor,
  agora e para sempre!

132 (131)

(2Sm 6)

¹Senhor, leva em conta Davi,
  todos seus afãs.
²Como ele jurou ao Senhor
  e fez voto ao Paladino de Jacó:
³"Não entrarei na tenda de minha casa,
  nem subirei ao leito de meu descanso,
⁴não concederei sono a meus olhos
  nem repouso a minhas pálpebras,
⁵até que encontre um lugar para o Senhor,
  uma habitação para o Paladino de Jacó".

⁶Ouvimos que estava em Éfrata
  e a encontramos em Campos do Bosque.

Senhor o que descobre. Olhou-se com tal lucidez e honestidade, que se atreve a jurar perante Deus. A comparação do menino e da mãe (ou pai) se estabelece entre o desejo (ou aspirações) e o eu maduro. É comparação psicológica, não teológica. O desejo pode ser como criança necessitada, imprevisível, fraca e exigente, inquieta e sem arbítrio. Cabe à mãe acolhê-lo com domínio brando, com decisão carinhosa. Cabe ao homem dominar e serenar o seu desejo, com juízo e compreensão. Num segundo momento se pode trasladar a comparação para a relação do ser humano com Deus.

131,1 Como comentário podem-se ler textos sapienciais: Pr 16,18s; 30,13; Eclo 10,6-18; dos profetas Is 2,9-19. "Me superam": Jó 42,3.
131,2 Mt 18,1-5 par.
131,3 Ao aplicar o ensinamento a Israel, a experiência individual se faz comunitária e propõe questões graves. A humildade é virtude do indivíduo e não da comunidade? O orgulho nacional é compatível com a confiança em Deus?
Transposição cristã. Um texto clássico sobre o tornar-se criança está em Mt 18,3-5 par. A humildade, condição para receber a revelação: Lc 10,21s. Deve-se repetir a pergunta final, dirigida à Igreja.

132 *Gênero e situação.* É uma liturgia, o que significa que elementos da cerimônia penetraram no texto, de modo que o texto é estilizado como uma celebração. Daí não se segue que se tenha usado realmente como texto de uma cerimônia, e muito menos que essa cerimônia seja do tempo de Davi e Salomão. Isso pertence à projeção ideal para o passado fundacional.
A mentalidade e alguns indícios de linguagem nos aproximam do Cronista; inclino-me a situá-lo no tempo de Esdras e Neemias. O Cronista centraliza a identidade e subsistência do povo no culto, no templo e no sacerdócio. A libertação não termina enquanto o Senhor não se instalar no templo e não alcançar seu "descanso" (8; 1Cr 22,9; 28,2); o segundo texto acrescenta "estrado de seus pés" (7). 2Cr 6,41s cita versículos do salmo pondo-os, por sua conta, na boca de Salomão. Narrando a trasladação da arca por Davi, por própria conta acrescenta Campos do Bosque (6; 1Cr 13,5). Em conclusão, penso que o Salmo 132 foi composto nos círculos que inspiraram a obra do Cronista.
Composição. É definida por repetições, correspondências e mudanças de pessoa que fala. A primeira parte é enquadrada por pedidos em favor de Davi (1.10); contém o juramento de Davi (2-5) e a trasladação da arca: o povo (6-7), o Senhor (8), sacerdotes e leais (9). A segunda parte começa com introdução e juramento: para a dinastia (11-12), para o templo (13-14); termina com bênçãos e promessas para pobres (15), sacerdotes e leais (16), e para o monarca (17-18). As correspondências são claras.
O código espacial domina o salmo: os topônimos, Éfrata, Campos do Bosque, Sião, palácio e templo, descanso, morada, lugar, estrado, trono. O paralelismo sinonímico é regular. As imagens chifre e lâmpada são convencionais.

132,1 "Leva em conta": ver a construção nas memórias de Ne 5,19; 14,22. "Afãs" ou aflições, humilhações: 2Sm 7,10.
132,2 "Paladino" é título aureolado na tradição: Gn 49,24; Is 1,24; 49,26; 60,16. "Juramento" e "voto" são contribuições do autor.
132,3 "Tenda de minha casa" é expressão incomum, como que assemelhando o palácio à tenda em que residiu o Senhor.
132,5 Chamá-lo de "lugar" corresponde a 2Sm 6,17; 1Cr 21,22.25; 2Cr 3,1; 7,12, menções próprias do Cronista. O mesmo acontece com "morada".
132,6 Éfrata é identificada com Belém ou sua região. O Cronista o introduz também como nome próprio: 1Cr 2,19; 4,4.

⁷Entremos em sua morada,
   prostremo-nos diante do estrado de seus pés.
⁸Levanta-te, Senhor, vem a teu descanso,
   vem com a arca de teu poder!
⁹Que teus sacerdotes se vistam de gala
   e teus leais exultem de alegria.
¹⁰Em atenção a teu servo Davi,
   não negues audiência ao teu Ungido.

¹¹O Senhor jurou a Davi
   uma promessa que não retratará:
"Um fruto de tuas entranhas
   colocarei em teu trono.
¹²Se teus filhos guardarem minha aliança
   e os mandatos que lhes ensino,
também seus filhos, para sempre,
   sentarão em teu trono".

¹³O Senhor escolheu Sião,
   e a quer como sua residência:
¹⁴"Este é meu descanso para sempre,
   aqui habitarei, porque a desejo.
¹⁵Abençoarei suas provisões
   e saciarei seus pobres de pão.
¹⁶Vestirei seus sacerdotes de gala,
   e seus leais aclamarão de alegria.
¹⁷Farei brotar um chifre para Davi,
   preparo uma lâmpada para meu Ungido.
¹⁸Vestirei de ignomínia seus inimigos;
   sobre ele florescerá seu diadema".

133 (132)

¹Vede como é bom e agradável
   os irmãos conviverem unidos.
²Como unguento precioso na cabeça,
   que vai descendo até a barba,
a barba de Aarão, e que vai descendo
   até a franja de sua veste.

132,7 Os possessivos se referem ao Senhor. A arca é só "estrado"; a expressão se encontra literalmente em Sl 99,5. A cerimônia supõe que a comunidade se dirige ao lugar da arca, chega, se prostra e pronuncia a oração que se segue.

132,8 A comunidade não traslada a arca; pede que o Senhor se levante e se traslade com sua arca. O versículo atualiza a tradição de Nm 10,35; ver 1Cr 28,2. "Arca de teu poder" alude à função da arca como segurança militar; a expressão se acha só aqui e em 2Cr 6,41.

132,10 O versículo distingue entre Davi e "teu Ungido": em atenção ao primeiro, não rejeites o segundo.

132,11a O versículo é enfático. No tempo do Cronista, é magnífica profissão de fé e esperança.

132,11b-12. O primeiro no singular, sem condições. O segundo no plural e condicionado: Sl 89,29-38.

132,13 Escolha de Sião: Sl 68,17; 87,2.

132,15 As provisões serão tão abundantes, que também os pobres se saciarão.

132,16 Deve-se unir esse versículo ao precedente. Todos, encabeçados pelos sacerdotes, poderão celebrar a festa.

132,17-18 Os verbos "brotar", "florescer" vêm do mundo vegetal. Tanto o chifre como a lâmpada parecem designar o sucessor.
Transposição cristã. É um dos clássicos salmos messiânicos: incorpora-se à série de 2, 45, 72, 110. O NT o cita em At 2,30 e 7,45-47. O cristão como morada do Pai e do Filho: Jo 14,23. Os Santos Padres atribuíram o v. 8 à ressurreição e ascensão de Jesus Cristo.

133 Soa como bem-aventurança. Propõe o fato valioso, ilustra-o com duas comparações, fundamenta-o com um argumento teológico. "Irmãos" podem ser muitos, desde Caim e Abel até Absalão e Amnon; podem ser os dois reinos divididos, ou samaritanos e judeus no tempo de Neemias. O salmo vale para todos os casos. Contudo, a análise ganha distinguindo o plano familiar do nacional.

³Como orvalho do Hermon, que vai descendo
    sobre o monte Sião.
Porque aí o Senhor manda a bênção:
    vida para sempre.

134 (133)

¹E agora, bendizei ao Senhor,
    servos todos do Senhor,
vós que passais a noite
    na casa do Senhor.
²Levantai as mãos para o santuário
    e bendizei ao Senhor.
– ³O Senhor te abençoe de Sião,
    ele que fez o céu e a terra.

135 (134)

(Sl 115)

¹Aleluia!
    Louvai o nome do Senhor,
    louvai-o, servos do Senhor,
²que estais na casa do Senhor,
    nos átrios da casa de nosso Deus.
³Louvai o Senhor, pois o Senhor é bom,
    tocai em sua honra, porque é amável.

⁴Pois o Senhor escolheu Jacó,
    Israel como sua propriedade.

Duas imagens tentam descrever ou sugerir um sentimento que não tem perfil nem contorno precisos. É algo envolvente e penetrante, como uma atmosfera. a) O aroma é assim: quando o respiramos profundamente, ele nos envolve e penetra. b) O frescor do orvalho é assim: a umidade está no ar e nos penetra pelos poros. Assim é a irmandade de uma grande família. Agora, da família deve-se passar à comunidade nacional. a) O aroma é do azeite aromático com o qual ungem o sumo sacerdote (Ex 30,22-33). b) O orvalho é o abundantíssimo da montanha, que hoje desce sobre a esplanada do templo.

133,1 Começa com uma exclamação de sabor sapiencial: Pr 15,23b; Eclo 24,25s.

133,2 As repetições criam um ritmo em contraponto com o ritmo regular; insinuam um movimento lento. Sob a franja ou decote pendia o peitoral com as doze pedras alinhadas que representavam as tribos.

133,3b Explica as imagens. No templo, o Senhor envia sua bênção à comunidade de irmãos unidos, bênção que é vida, vida que perdura.

Transposição cristã. Irmãos é o título com que Paulo caracteriza os cristãos; por isso condena as discórdias: 1Cor 1,11; 6,5s. O simbolismo do aroma continua no NT: Jo 12; 2Cor 2,14s.

134 Foi feito de noite. Enquanto a população se recolhe em casa e dorme, no templo se sucedem os turnos de guarda. Um turno passa a ordem ao seguinte: o gesto orante das mãos e a ação de graças. É a resposta do povo a Deus. Só que o Senhor tem a última palavra. Ele também "abençoa"; só que o seu "dizer" é a palavra daquele que dizendo fez o céu e a terra.

134,1 Sl 16,7; 26,12.

Transposição cristã. Leiamos a primeira página da carta aos Efésios (Ef 1,3-14).

135 *Gênero e situação.* Começa como hino e conclui em ação de graças. O v. 5 começa com um verbo de profissão de fé, que colore o que se segue, também a polêmica com os ídolos. O salmo está cheio de citações literais ou ligeiramente adaptadas; outras vezes propõe sínteses de tradições teológicas e literárias, que parecem já canônicas. Menciona a cidade santa e o templo já reconstruído. Não há rei; sacerdotes e levitas desempenham o papel principal. O mais provável é que o salmo tenha sido composto depois do desterro.

Composição. Se excluirmos a polêmica contra os ídolos e simplificarmos dados, poderemos obter um esquema concêntrico do tipo ABCDE EDCBA. Nos extremos, Aleluia (1.21), convite (1-3.19-21); povo: escolhido e defendido (4.14); Yhwh: grandeza e renome (5.13); Yhwh: ação cósmica e domínio universal, ação histórica e dom da terra (6-7.8-12). A polêmica, embora desequilibre a simetria (15-18), não é alheia ao tema central. O autor se deixa levar pelo pêndulo do paralelismo, com poucas exceções.

135,1-5 Insiste em mencionar Deus: Yhwh 5x, Yh 2x, nome 2x, nosso Deus/deuses, nosso Soberano (Deus) 1x. Começa como convite, mas no v. 3 introduz uma motivação genérica.

135,1 Como 113,1, em ordem inversa, e como 134,1, com outro verbo. Os servos que estão no templo são os ministros, sacerdotes e levitas do fim.

135,3 A dupla "bom" e "amável" está em 133,1.

135,4 Jacó e Israel formam o nome ideal da comunidade judaica. O termo "propriedade" aponta para a aliança: Ex 19,5; Dt 7,6; Ml 3,17 etc.

⁵Eu sei que o Senhor é grande,
  nosso Deus é mais que todos os deuses.

⁶Tudo o que quer, o Senhor
  faz no céu e na terra,
  nos mares e nas correntes.
⁷Faz subir as nuvens do horizonte,
  com relâmpagos desata a chuva,
  solta os ventos de seus silos.

⁸Feriu os primogênitos do Egito,
  homens e animais.
⁹Enviou sinais e prodígios
  no meio de ti, Egito,
  contra o Faraó e seus ministros.
¹⁰Feriu povos numerosos
  e matou reis poderosos:
¹¹Seon, rei amorreu,
  Og, rei de Basã,
  e todos os reis de Canaã.
¹²E entregou sua terra em herança,
  em herança a Israel, seu povo.

¹³Senhor, teu renome é eterno,
  geração após geração há de te chamar Senhor.
¹⁴O Senhor faz justiça a seu povo
  e se compadece de seus servos.

¹⁵Os ídolos dos pagãos são prata e ouro,
  obra de mãos humanas:
¹⁶têm boca e não falam,
  têm olhos e não veem,
¹⁷têm ouvidos e não ouvem,
  têm nariz e não respiram.
¹⁸Sejam como eles quem os faz,
  todos os que neles confiam.
¹⁹Casa de Israel, bendize o Senhor;
  casa de Aarão, bendize o Senhor;
²⁰casa de Levi, bendize o Senhor;
  fiéis do Senhor, bendizei o Senhor.

135,5 Jetro pronuncia essa fórmula quase literalmente: Ex 18,11. Os "deuses" que outros povos veneram. Não creio que seja aqui a corte celeste.
135,6 Como 115,3b, com uma mudança significativa, para expressar a soberania em toda a criação. A divisão é, a rigor, tripartida.
135,7 Senhor dos meteoros, nuvens e ventos. Coincide quase literalmente com Jr 10,13.
135,8-12 A história da libertação é estilizada em três etapas, ou melhor, em duas mais uma: "feriu... feriu... entregou". O acento recai sobre a resistência inimiga e a vitória do Senhor. Lembrança oportuna em tempos de opressão ou perseguição. Falta a passagem do mar Vermelho e as figuras de Moisés e Josué.

135,9 É estranho interromper a lembrança para criticar o antigo império opressor. Será preciso ler isso em código? Alguns o consideram acréscimo.
135,13 Imitação de Sl 102,13, sem mencionar o reinado de Yhwh. "Há de te chamar", de acordo com Ex 3,15.
135,14 Citação de Dt 32,36. Se os judeus estavam familiarizados com o cântico de Moisés, como pede Dt 32,21, a citação traria à memória seu contexto próximo.
135,15-18 Versão reduzida de Sl 115,4-8, com quatro órgãos corporais em vez de sete.
135,19-20 Saltando-se a confiança, muda o texto de Sl 115,9-13. Divide o pessoal do culto em aaronitas e levitas.

²¹Bendito o Senhor desde Sião,
que habita em Jerusalém! Aleluia.

136 (135)

¹Dai graças ao Senhor porque é bom,
porque é eterna sua misericórdia.
²Dai graças ao Deus dos deuses,
porque é eterna sua misericórdia.
³Dai graças ao Senhor dos senhores,
porque é eterna sua misericórdia.

⁴Ao único que faz grandes maravilhas,
porque é eterna sua misericórdia.
⁵Ao que fez o céu com mestria,
porque é eterna sua misericórdia.
⁶Ao que forjou a terra sobre as águas,
porque é eterna sua misericórdia.
⁷Ao que fez os grandes luminares,
porque é eterna sua misericórdia.
⁸O sol, governador do dia,
porque é eterna sua misericórdia.
⁹A lua (e estrelas), governadora da noite,
porque é eterna sua misericórdia.

¹⁰Ao que feriu os primogênitos egípcios,
porque é eterna sua misericórdia.
¹¹E tirou Israel do meio deles,
porque é eterna sua misericórdia.

135,21 Duas explicações: "de Sião" onde reside, ou de onde se ergue a bênção da comunidade.
Transposição cristã. Para uma leitura cristológica, uniremos o começo de Jo com o fim de Mt, ambos versando sobre o poder de Jesus Cristo, Palavra de Deus. Para a leitura eclesiológica, uniremos Jo 1,14 "acampou entre nós", com Mt 28,20 "eu estarei convosco".

136 *Gênero.* Hino desenvolvido em forma de ladainha. Permite-nos supor a composição ou a execução litânica de outros salmos. O estribilho é fórmula litúrgica que ressoa em outros contextos: Jr 33,11; Esd 3,11; 2Cr 5,13; 7,3. A partícula *ki* (= porque) do estribilho coloca uma questão de sentido: depende cada vez do versículo precedente, ou toda a série depende do imperativo inicial? Entendo que predomina o segundo, sem anular o primeiro. O hino se tinge de ação de graças: louvor agradecido.
Unidade e composição. A resposta litânica confere unidade à série. A série, além disso, é organizada em grupos temáticos pelos particípios. O particípio converte quase em título uma ação: o tempo fica congelado numa espécie de gesto linguístico. São nove distribuídos em três grupos: um quarteto cósmico (4-9), um quarteto histórico (10-22), um solo cotidiano (25).
a) Série cósmica. O espaço fica dividido em três regiões: céu, terra e água. O tempo se mede pela alternância de dia e noite. Gn 1 aplica ao firmamento a raiz "forjar", consolidar"; o salmo a aplica à terra, placa forjada sobre as águas movediças. Prefere o verbo "fazer" à palavra que dá ordens.

b) Série histórica. A libertação é articulada em quatro fases. A saída é distribuída entre Egito (10-12) e mar Vermelho (13-15); a longa viagem pelo deserto se encolhe num só versículo (16); a derrota de reis hostis e a entrega da terra ocupam seis versículos (17-19.20-22). No começo o chama Israel, no meio "seu povo", no fim "seu servo", talvez pensando na aliança.
c) A terceira série não concorda formalmente com as precedentes, o tema é diferente. Dois versículos reúnem vários fatos históricos numa categoria comum (23-24); outro v. sai da história para pisar o terreno do cotidiano universal. Suspeita-se que esses três versículos sejam acréscimo.

136,1-3 No convite menciona uma só vez *Yhwh* e lhe atribui os títulos máximos de Deus supremo e Senhor universal. Não esclarece o que entende com o plural "deuses".

136,2 Dt 10,17.

136,4 "Maravilhas": ações que superam o poder e a inteligência do homem, sem defini-las como "milagres" em sentido técnico. Somente ele é capaz de fazê-las: Is 2,11.17; 44,24; Sl 83,19.

136,5 "Mestria" ou destreza é o significado específico de *tebuná*: comparar com Ex 31,3; 1Rs 7,14; Jr 10,12.

136,6 As águas do oceano subterrâneo de água doce, que aflora nos mananciais.

136,7-9 A presença das estrelas é aqui suspeita; pode ser influência de Jr 31,35.

136,10 A última praga sintetiza as outras ou faz todas culminarem.

¹²Com mão forte, com braço estendido,
   porque é eterna sua misericórdia.
¹³Ao que esquartejou o mar Vermelho,
   porque é eterna sua misericórdia.
¹⁴E fez Israel passar pelo meio dele,
   porque é eterna sua misericórdia.
¹⁵E lançou o Faraó com seu exército (no mar),
   porque é eterna sua misericórdia.
¹⁶Ao que conduziu seu povo pelo deserto,
   porque é eterna sua misericórdia.
¹⁷Ao que feriu reis poderosos,
   porque é eterna sua misericórdia.
¹⁸E matou reis famosos,
   porque é eterna sua misericórdia.
¹⁹Seon, rei amorreu,
   porque é eterna sua misericórdia.
²⁰E Og, rei de Basã,
   porque é eterna sua misericórdia.
²¹E entregou sua terra em herança,
   porque é eterna sua misericórdia.
²²Em herança a Israel seu servo,
   porque é eterna sua misericórdia.
²³Ele que em nossa humilhação
   se lembrou de nós,
   porque é eterna sua misericórdia.
²⁴E nos livrou de nossos opressores,
   porque é eterna sua misericórdia.
²⁵Ele dá alimento a todo vivente,
   porque é eterna sua misericórdia.
²⁶Dai graças ao Deus do céu,
   porque é eterna sua misericórdia.

137 (136)

¹Junto aos canais de Babilônia
nos sentamos e choramos
com saudades de Sião.

136,13-15 O mar Vermelho é visto como monstro "esquartejado": o mesmo verbo de Gn 15,17. Sl 74,13 e 78,13 o afirmam com outros verbos.

136,17-20 Parece-nos desproporcionado o espaço atribuído a esses grandes e poderosos reis que fechavam a passagem à chegada. Talvez o autor os tome como exemplo numa situação política de hostilidade estrangeira.

136,21-22 "Sua terra" deve ser de preferência o território de Canaã, como em Sl 135,11.

136,23-24 Refere-se talvez às situações repetidas no livro dos Juízes.

136,25 Tomando *léhem* com o significado amplo de alimento, pode incluir homens e animais. Com significado estrito, dá origem a uma distinção: a "nós" (22) deu uma terra em herança; a todos os homens dá o pão de cada dia. Deus é o "doador", e suas vitórias se encaminham para o dom que mantém a vida, porque a "carne" necessita do "pão" para subsistir. Exegese do *estribilho*, princípio formal de unificação.

Uma qualidade saliente de Deus motiva suas diversas ações e se revela nelas. Essa qualidade é *hésed* = misericórdia, lealdade, benevolência... É categoria sobretudo histórica: a visão histórica unifica o salmo. Cada ação e cada obra revelam a misericórdia de Deus, como qualidade presente no fato e que ao mesmo tempo o transcende. Todos os fatos revelam a mesma e única misericórdia, pela qual o homem reconhece e louva a Deus. Todos os fatos têm um sentido unitário último, que é a bondade de Deus com os homens. Como é "eterna", não se esgota em nenhum, nem na série; a ladainha fica aberta para a continuação da história.

Transposição cristã. Por prolongação: acrescentando nosso quarteto, advento – vida – morte – ressurreição. Por apropriação: sentindo que, desde a criação, tudo é história nossa, tudo revela a misericórdia de Deus.

137 Eis aqui uma lamentação ou elegia, a única do saltério. Há uma voz que introduz o poema a certa distância. Distância temporal, usando perfeitos;

²Nos salgueiros de seu recinto
pendurávamos nossas cítaras.
³Aí os que nos deportaram
nos convidavam a cantar,
nossos opressores a diverti-los:
"Cantai-nos um cântico de Sião".
⁴Como cantar um canto do Senhor
em terra estrangeira?

⁵Se eu me esquecer de ti, Jerusalém,
que minha direita fique esquecida,
⁶que minha língua se pegue ao paladar
se não te recordar,
se não exaltar Jerusalém
como ápice de minha alegria.
⁷Pede contas aos edomitas, Senhor,
do dia de Jerusalém,
quando diziam: Desnudai-a,
desnudai-a até os alicerces!

⁸Capital de Babilônia, destruidora!
Feliz quem puder pagar-te
o mal que nos fizeste!
⁹Feliz quem agarrar e esmagar
teus filhos contra o rochedo!

---

distância espacial, dizendo "aí". A voz introduz dois grupos que revelam um diálogo. Não é impossível que o autor tenha estabelecido uma segunda distância, e que tenha composto seu poema depois do desterro, já repatriado. Mas o salmo é mais bem entendido se o supomos composto em Babilônia, para uso dos desterrados.

Vamos dividir os desterrados em três grupos: os assimilados a Babilônia; os desesperados ou resignados inertes que pensam que tudo terminou; os fiéis ao passado político e religioso que cultivam a esperança. Quando Ciro promulgou seu decreto, os últimos voltaram à pátria. Entendo o salmo como o canto da resistência espiritual dos desterrados: protegeu-os da assimilação, confortou-os na esperança. Acima de tudo, Jerusalém! Não é um programa de ação, mas lírica em que se desafogam sentimentos. A *composição* não é arquitetônica, mas lírica. O poema avança em breves cenas concatenadas. Dois versículos descrevem uma cena e estabelecem uma tonalidade de sofrimento e saudade (1-2). Entram uns babilônios e pedem aos desterrados que cantem (3); em vez de atender, pronunciam um juramento imprecatório de fidelidade a Jerusalém (4-6) e uma imprecação contra os edomitas pela sua participação na tragédia (7); cumpridos esses ritos, os desterrados atendem ao pedido dos "cativadores": com dedicatória a Babilônia, lhe cantam uma bem-aventurança sarcástica (8-9). Conforme a minha explicação, o fim não é uma oração dirigida a Deus, mas uma resposta "merecida" ao pedido zombeteiro e humilhante do v. 3. Esse poema sobressai pela concentração, a intensidade da paixão sem sentimentalismo, o processo rápido e coerente dos afetos, o cenário que abrange e o refinamento sonoro.

137,1-2 Deve-se imaginar um cenário agradável: cf. Sl 46,20s; a lembrança: cf. Is 43,18s; o choro: cf. Lm 1,2.16.

137,3-4 Com mistura de curiosidade pelo exótico com a zombaria dos vencidos, pedem-lhes que substituam o choro por "alegria". Mas os cantos de Sião são cantos em honra de *Yhwh*; Babilônia continua sendo terra estrangeira.

137,5-6 Paralisados e mudos, como Ezequiel: Ez 3,25s. O esquecimento pode ser fonte de apostasia; nenhuma alegria supera a da cidade amada: cf. Ez 24,25.

137,7 Sobre a intervenção dos edomitas, ler Ab 11-14. "Desnudai-a" como a uma matrona (Is 3,17; 47,3; Ez 23,29; Lm 1,8), "até os alicerces" como a uma cidade.

137,8-9 "Destruidora": creio que o original lhe dava o título de "devastadora"; quando chegou a vez dela (Is 33,1), mudaram as vogais, e no texto atual ficou "devastada". Bem-aventurança retorcida: a felicidade não é para ela, mas para quem puder vingar-se dela. Embora seja explosão verbal, não ação nem projeto, expressa uma paixão violenta: 2Rs 8,12; Is 13,16; Na 3,10 mencionam a ação.

Transposição cristã. É possível cristianizar esse salmo? Sim, tomando Babilônia da maneira como faz o Apocalipse e uma longa tradição. Já não é uma nação e um império, mas sinal da cidade oposta à Cidade de Deus; e não coincide com um território geográfico, mas coexiste com todas as sociedades e está dentro de cada ser humano.

138 (137)

¹Eu te dou graças de todo o coração;
 diante dos deuses tocarei para ti.
²Eu me prostrarei para teu santuário,
 dando graças ao teu nome,
por tua lealdade e tua fidelidade;
 porque exaltaste tua promessa até o céu.
³Quando te chamei, tu me respondeste,
 removeste o vigor de meu alento.

⁴Senhor, os reis do mundo te deem graças,
 quando escutarem teus discursos.
⁵Cantem os caminhos do Senhor:
 como é grande a glória do Senhor!
⁶O Senhor é sublime e dá atenção ao humilde,
 mas trata o soberbo a distância.

⁷Quando caminho entre perigos, tu me dás vida.
 Contra a fúria do inimigo estendes a esquerda,
 e tua direita me salva.
⁸O Senhor me completará seus favores.
 Tua lealdade, Senhor, é eterna,
 não abandones a obra de tuas mãos.

139 (138)

¹Senhor, tu me sondas e me conheces.
²Tu me conheces quando me sento
 ou me levanto,
 de longe percebes meus pensamentos.

---

138 Gênero e situação. Ação de graças que conclui com ato de confiança e pedido. Consiste em grande parte num florilégio de reminiscências e expressões convencionais; mas o fim é magnífico. Sendo bastante genéricos os dados, é fácil encaixá-los na situação da volta do desterro; encaixam-se também em outras circunstâncias parecidas. No salmo alternam-se o pessoal e o coletivo, o tu e o ele referentes ao Senhor.

138,1 "De todo o coração": a frase convencional soa sincera numa situação de libertação recente. "Diante dos deuses": não a corte celeste, mas os deuses estrangeiros, talvez os de Babilônia; ver Ex 20,3 com outra formulação.

138,2 A primeira frase vem do Sl 5,8. O "templo" é centro de orientação e define a posição do orante: 1Rs 8,31.33.38.44.48. A última frase é duvidosa: corrijo, com outros, "nome" em "céu".

138,3 Mantendo o texto hebraico, Deus incita o homem internamente e lhe dá força: comparar com Esd 1,5.

138,4 O orante supõe que os oráculos do Senhor são ouvidos no mundo inteiro.

138,5 A ação é correlativa da palavra, e nela se manifesta a glória do Senhor.

138,6 É o ensinamento de Is 57,15; Sl 113,5s, e é princípio fundamental da atuação divina.
A expressão é paradoxal: o Excelso está mais perto do baixo que do alto.

138,8 Esse é o melhor versículo do salmo e uma das mais belas jaculatórias do saltério. O primeiro verbo hebraico significa "completar", levar a termo, e seu sinônimo é "não abandonar", não deixar inacabado. Entre os dois sinônimos, sustentando-os, se posiciona a "misericórdia eterna" do Senhor. Se é eterna, não pode falhar, fará sua tarefa até o fim. O já feito é garantia do que falta.

Transposição cristã. O último versículo tem nobre aplicação à vida cristã, na tensão entre a salvação concedida e a salvação por alcançar. De modo bem semelhante ressoa Fl 1,6.

139 Gênero e situação. Lendo o salmo, ressoa como reflexão sapiencial sobre a presença e o conhecimento de Deus. Ao chegar ao v. 19, e até o fim, depara com um mundo de perversos, do qual o orante se distancia apaixonadamente. O que fazer com a última parte? Alguns a separam logo como salmo autônomo; outros a consideram acréscimo secundário, que traz consequências para a meditação. Uma solução oposta consiste em tomar o fim como centro de gravidade ou como ponto de partida do salmo. Essa solução respeita o texto e a tradição, e apresenta paralelos: um homem acusado falsamente, talvez de idolatria, apela para o tribunal de Deus, que o conhece inteiramente (cf. Sl 17). Quem apela invoca duas virtudes do juiz: seu conhecimento da causa e sua imparcialidade para dar sentença. Próprio do salmo é o desenvolvimento desproporcional da seção dedicada ao conhecimento de Deus. A situação se torna pretexto para meditação. Pode-se comparar com Jó 5,8s; 17,15.19.23; 26,6.10.14.17.22-23.
A situação pode ser real ou fictícia. Pode-se supor uma prece estilizada em forma de apelação. Essa

³Discernes meu caminho e meu descanso,
  todas as minhas sendas te são familiares.
⁴A palavra nem chegou à boca,
  e já, Senhor, a conheces toda.
⁵Tu me abraças por trás e pela frente,
  apoias tua mão sobre mim.
⁶Tanto saber me ultrapassa,
  é sublime, e eu não o abranjo.

⁷Para onde me afastarei de teu alento?
  Para onde fugirei de tua presença?
⁸Se escalo o céu, aí tu estás;
  se me deito no abismo, aí estás.
⁹Se eu me transladar até a orla da aurora
  ou me instalar nos confins do mar,
¹⁰aí tua esquerda se apoia em mim
  e tua direita me agarra.
¹¹Se eu disser: que a treva me sorva,
  e a luz se faça noite ao meu redor,
¹²nem mesmo a escuridão é escura para ti,
  e a noite é clara como o dia:
  treva ou luz são a mesma coisa.

¹³Tu criaste meus rins,
  tu me teceste no seio materno.

---

suposição explica melhor a liberdade do desenvolvimento. Uma vez que o orante dá livre curso à meditação, sente-se avassalado pela grandeza do seu juiz, e aceita sugestões do mundo sapiencial, sem desprezar oportunas sugestões proféticas.
Composição e estilo. Uma inclusão com três palavras define a unidade do poema. Invertendo os versículos 13 e 14, a primeira parte avança em três ondas: presença e conhecimento de Deus (1-5), seu saber me ultrapassa (6); inútil fugir ou esconder-se de Deus (7-12), suas obras são prodigiosas (14); desde a concepção me conheces (13-16), seus desígnios me superam (17-18).
O estilo se caracteriza pela abundância de merismas e expressões polares, ou seja, de totalidades articuladas por um par de membros ou representadas por seus dois extremos. Outro aspecto é a concretização imaginativa, que impede ao salmo cair numa reflexão intelectual. A imagem solar, proposta por alguns, não concorda com dados importantes do salmo. É notável a variedade expressiva de formas sintáticas. O texto hebraico apresenta sérias dificuldades.

139,1 "Sondas": ver Jr 17,10; Sl 44,22; Jó 28,27.
139,2 Comparem-se as polaridades com as de Dt 6,7; Is 37,28s.
139,4 Podemos sugerir Eclo 43,18-20 como comentário ou eco tardio.
139,5 "Abraças" denota a proximidade imediata. "Tua mão sobre mim" dá a sensação de proximidade protetora e dominadora: cf. Ez 1,3; 3,15; comparar com a experiência de Moisés, Ex 33,22s.
139,6 Sobre o incompreensível de Deus, ver Pr 30,3s; Eclo 24,28.
139,7-12 São polaridades da segunda seção: céu/abismo, aurora/poente, escuridão/luz, noite/dia. Deus é imaginado num lugar central, definido por seu "alento" e seu "rosto", enquanto suas duas mãos abraçam simultaneamente os dois extremos do horizonte.
139,7 O "alento" é imaginado em sua emissão vital, não como o de Gn 1: cf. Sl 63,9. O "rosto"/"presença" sugere a manifestação imediata, a presença próxima: cf. Sl 51,12. "Fuga" como a de Jonas.
139,8 Céu e abismo são dois lugares extremos, nos quais se acha a pura presença invariável de Deus: Am 9,2s. Imagina o *xeol* como imenso dormitório onde o homem estende seu leito: Jó 17,13; 21,26. A presença do Senhor no *xeol* contradiz as crenças da Mesopotâmia e algumas concepções bíblicas que declaram *Yhwh* estranho ao mundo dos mortos: ver Eclo 16,18s.
139,9 "Orla": a palavra hebraica significa asas, orla de um manto, franjas de um vestido; a orla é mais apta para imaginar a aurora. O "mar", entende-se o Mediterrâneo.
139,11-12 "Sorva": tomando *shup* como variante de *sha'ap*. Descreve a sensação de ver-se absorvido pela escuridão que avança, envolto na escuridão que supera a luz: ver Eclo 23,18s; Jó 31,21. O olhar de Deus transcende a separação humana e cósmica de luz e trevas.
139,14ab (Adianto a explicação desse difícil versículo). A interpretação varia, segundo se leia primeira pessoa (texto massorético) ou segunda, conforme se reduza ao verbo *plh* ou a *pl*. Alternativas: de modo portentoso fui diferenciado; com teus portentos te distinguiste; sou/és prodigioso. Faz sentido como conclusão da segunda seção.
139,13.14c.15.16 Ordeno os versículos guiando-me pelo paralelismo. Distingo duas unidades: o organismo e o destino. Do organismo menciona rins, alento e ossos; o destino é o curso dos dias, conhecido ou fixado desde o começo.
139,13 "Rins": sede de paixões, com frequência unidos ao coração.

¹⁴Eu te dou graças
porque te distinguiste com portentos,
e tuas obras são maravilhosas.
Conheces perfeitamente meu alento,
¹⁵minha ossatura não te é oculta.
Quando eu ia me compondo no oculto,
entretecido no profundo da terra,
¹⁶teus olhos viam meu embrião.
Em teu livro se escreviam
e se definiam todos os meus dias,
antes de chegar o primeiro.
¹⁷Como são admiráveis, Deus, teus pensamentos,
como são densos seus capítulos!
¹⁸Eu os numero: são mais que grãos de areia;
eu os esmiúço: ainda me restas tu.

¹⁹Se matasses, ó Deus, o perverso!
Que se afastem de mim os sanguinários
²⁰que falam de ti intrigando,
e por ti juram falsamente.
²¹Odeio, Senhor, os que te odeiam,
os que se rebelam contra ti me repugnam.
²²Eu os odeio com ódio implacável,
eu os tenho como inimigos.
²³Sonda-me, ó Deus, e conhece meu coração,
põe-me à prova para conhecer meus sentimentos:
²⁴vê se minha conduta é ofensiva,
e guia-me pelo caminho eterno.

140 (139)

²Livra-me, Senhor, do perverso,
guarda-me do homem violento,
³que planejam maldades em seu coração
e todo o dia provocam discórdias.

139,14c Forma bom paralelismo com a primeira frase de 15: "alento"/"ossatura", "conheces perfeitamente"/"não te é oculta".

139,15 "No profundo da terra"; supõe a equação seio materno = mãe terra: comparar com Jó 1,21; Eclo 40,1.

139,16 É muito discutido o significado da palavra que traduzi por "embrião", seguindo uma tradição autorizada. Da difícil frase final, "e não um neles", tiro sentido contando com uma cópula implícita.

139,17-18 Terceira exclamação de espanto e assombro. Das ações e do conhecimento, o orante passa aos pensamentos e à pessoa. Avalia o valor, número e eficácia dos pensamentos. Divide-os em capítulos, e resultam maciços; conta-os um a um, e são mais que grãos de areia; esmiúça-os – lendo *qss* –, e se encontra com o próprio Deus. Literalmente, "e ainda eu contigo". Ler Eclo 18,4-7; 43,27 como comentário ou ressonância.
Aqui o salmo poderia terminar. Para explicar a continuação, recorremos a Jó 11,7-15: texto que passa da grandeza e conhecimento de Deus à sua função de juiz dos perversos e do honrado que se afasta da maldade.

139,19 Dei a '*m* valor optativo; os que o tomam por condicional traduzem: "Se vais matar os perversos, que se apartem de mim os sanguinários": comparar com Sl 26,2.4.5.9.

139,20 Há quem leia "se rebelam com malícia". "Por ti": corrigindo a palavra final, que não faz sentido em hebraico.

139,21-22 Equivale a juramento de inocência: os inimigos do Senhor são meus inimigos; amar os inimigos de Deus e pactuar com os malfeitores seria cumplicidade: ver a colocação pessoal de Sl 1.

139,23 Repetindo verbos, retorna ao começo, desta vez em forma de pedido; submetendo-se à investigação do juiz que tudo conhece.

139,24 "Ofensiva": não penso que se refira aos ídolos. O "caminho eterno" pode ser o bom caminho tradicional, conforme Jr 6,16; 18,15; ou então o caminho duradouro, que não perece, como o de Sl 1,6.
Transposição cristã. Sobre o Deus incompreensível: Rm 11,33; 1Cor 2,10. Pela encarnação e redenção, o mistério de Deus se torna mais claro e profundo. A liturgia aplicou à morte e ressurreição de Cristo a polaridade sentar-se/levantar-se.

140 *Gênero*. É uma súplica que se ajusta às regras do gênero: súplica motivada, ato de confiança, promessa de ação de graças. A motivação se concentra

⁴Afiam a língua como serpentes,
  com veneno de víboras atrás dos lábios.
⁵Defende-me, Senhor, da mão perversa,
  guarda-me dos homens violentos
  que planejam desbaratar meus passos;
⁶soberbos que me escondem armadilhas,
  criminosos que me estendem redes,
  pelo trilho* me põem laços.

⁷Digo ao Senhor: Tu és meu Deus;
  escuta, Senhor, meus gritos de socorro.
⁸Senhor, Dono meu,
  que cobres minha cabeça quando me armo.

⁹Senhor, não satisfaças os desejos do perverso,
  não dês êxito a seus projetos.
¹⁰Não ergam a cabeça os que me cercam,
  cubra-os a perfídia de seus lábios.
¹¹Chovam sobre eles brasas acesas,
  caiam em covas e não possam levantar-se.
¹²O linguarudo não se afirme na terra,
  a desgraça acosse e cace o violento.
¹³Eu sei que o Senhor defende o oprimido
  e faz justiça ao pobre.
¹⁴Os honrados darão graças a teu nome.
  Os retos habitarão em tua presença.

141 (140)

¹Senhor, estou te chamando, vem depressa,
  escuta minha voz quando te chamo.
²Aqui está minha súplica,
  como incenso em tua presença;
minhas mãos levantadas,
  como oferta da tarde.

---

na hostilidade do inimigo. Pode-se estudar como exemplo de imitação. A essas alturas do saltério, os materiais podem ser chamados de convencionais. *Composição*. Uma primeira divisão nos dá quatro partes bem equilibradas: pedidos motivados (2-6), ato de confiança (7-8), pedidos motivados (9-12), confiança e promessa (13-14). A primeira seção avança em duas ondas paralelas: livra-me, guarda-me do violento que tem: quatro predicados (2-4); defende-me, guarda-me do violento que tem outros: quatro predicados (5-6). Os atos de confiança começam por "eu digo", "eu sei" (7.13).

140,2 "Livra-me", "guarda-me" são frequentes no saltério onde Deus é sujeito.
140,3 "Planejam maldades": como em Sl 35,4; 41,8. "Discórdias": ver Pr 15,18; 28,25; 29,2.
140,4 "Afiar a língua" pode vir de Sl 64,4; o veneno, de Sl 58,5.
140,6 Caça, armadilha e rede são imagens frequentes no saltério. *Ou: "caminho".
140,7-8 Equivale a uma profissão de fé e ato de confiança. Invoca *Yhwh*, repetido três vezes como "meu Deus": Sl 16,2; 31,15; 63,2.
140,9-10 Começa uma série de oito pedidos contra os inimigos. No fim suponho o verbo no hifil, dependente de negativa e unido ao v. 10. "Perfídia": o substantivo significa fadiga, mal-estar e sua causa.
140,11 "Chovam": acrescentando uma consoante ao verbo hebraico, temos a conhecida expressão de um castigo celeste: Gn 19,24; Ez 38,22.
140,12 O "linguarudo": ver Eclo 28,17s.
140,13 O orante generaliza e se coloca no grupo dos aflitos.
140,14 Termina com o louvor coral diante do Senhor: a oração termina "em tua presença". *Transposição cristã*. O salmo é lido em chave eclesiológica, como oração da Igreja perseguida e protegida. O versículo final pode ser aplicado à glorificação definitiva.

141 *Gênero e situação*. Súplica. Estão claros: o pedido para ser escutado, o recurso confiante a Deus, o pedido de castigo para o inimigo. A situação do texto hebraico é quase desesperadora; mas oferece alguns indícios que permitem conjeturar uma situação particular. Em pleno clima de hostilidades, são alguns vestígios de boas relações: banquete apetitoso, perfume, palavras amáveis e intercessões. Imagino assim a situação: alguns malfeitores começaram uma manobra de cooptação do honrado, para atraí-lo a seus planos; ver o caso do jovem

³Coloca, Senhor, um guarda em minha boca,
  uma sentinela à porta de meus lábios.
⁴Não inclines meu coração a nenhum mau assunto,
  a cometer crimes perversos
  com homens malfeitores.
  Não serei comensal em seus banquetes.
⁵Que o justo me golpeie e o leal me reprove,
  o unguento do ímpio não perfume minha cabeça;
  minha súplica persiste em suas desgraças.
⁶Seus chefes foram precipitados de um rochedo,
  embora ouvissem minhas palavras amáveis.
⁷Como alguém que lavra e fende a terra,
  seus ossos se espalharam à boca do Abismo.

⁸Sim, Senhor, a ti se voltam meus olhos,
  em ti me abrigo, não desnudes meu pescoço.
⁹Guarda-me do laço que me estenderam,
  da armadilha dos malfeitores.
¹⁰Caiam os perversos em suas próprias redes,
  enquanto eu consigo passar.

142 (141)

²Em alta voz eu grito ao Senhor,
  em alta voz pedindo graça ao Senhor.
³Derramo em sua presença meus afãs,
  exponho minha angústia em sua presença,

---

em Pr 1,8-18. Convidam-no a banquetes e festas, e ele responde amavelmente. São os laços em que o honrado poderia cair. Ao perceber o perigo, pede urgentemente ao Senhor que lhe guarde os lábios e o coração: comparar com o pedido de Eclo 22,27-23,2; distancia-se formalmente dos perversos e invoca para eles o castigo. De acordo com essa hipótese ou conjetura, tentarei explicar outros versículos rebeldes. Antecipo um ajuste conjetural de 4d-7, guiado pelo paralelismo:

4d *Não serei comensal em seus banquetes*
5b *o unguento do ímpio não perfume minha cabeça*
5a *Que o justo me golpeie e o leal me reprove*
7a *como alguém que lavra e fende a terra*
5c *Ainda rezava eu em suas desgraças*
6b *embora ouvissem minhas palavras amáveis*
6a *quando seus chefes foram precipitados de um rochedo*
7b *e seus ossos espalhados à beira do Abismo*.

Todo esse trabalho é uma tentativa, e o resultado, uma conjetura. Mais detalhes no comentário versículo por versículo.

141,1-2 É próprio desse salmo apresentar a prece como equivalente de cerimônias cultuais: cf. Is 56,7. 2Rs 16,15; Esd 9,5; Dn 9,21 mencionam a "oferta da tarde".
141,3 O hebreu imaginava, de modo bastante material, que as palavras saíam da boca e viajavam pelo ar. Ver Mq 7,5; Eclo 28,25.
141,4 Da boca, que é a porta de saída, passa ao coração, que é a origem. Deus controla os corações: Sl 119,16; Pr 21,1.
141,5 "Golpeie": ver Pr 20,30. Tomando "leal" como advérbio, temos "que me corrija com piedade": cf. Sl 6,2; 38,2. "Desgraças": o hebraico significa também maldades.

141,6a Unido a 7b, compõe um quadro terrível: uma rocha escarpada, cortada a prumo sobre um precipício; visto de cima, é como a boca do *xeol*. Da rocha são precipitados, caem seus corpos, se destroçam, ficam sem sepultura, membros e ossos espalhados na beira do *xeol*: ver a tentativa de precipitar Jesus, Lc 4,29, a imagem de Ab 3s e a queda de Sl 73,18.
141,6b "Palavras amáveis" num banquete: Pr 23,8.
141,7a Varia o sentido conforme se leiam particípios (texto massorético) ou substantivos. Para a imagem do "lavrador que fende", ver a evolução de *b'r*, de "cavar" a "inculcar", Dt 1,5.
141,8 Significa oferecer o pescoço à execução capital ou ao perigo mortal: Is 53,12.
141,10 Usa o verbo "passar" como termo de libertação. *Transposição cristã*. Sobre a guarda da língua, é obrigatório citar Tg 1,19; 3,1-12. No episódio da sinagoga de Nazaré, Lc usa o verbo "passar" (Lc 4,30). A páscoa será o "passar" ao Pai: Jo 13,1.

142 *Gênero e situação*. Súplica composta de coisas ouvidas e rezadas, só que ditas com grande intensidade. Não pede o castigo dos inimigos. O ato de confiança ocupa lugar especial. Alguns, tomando à letra o v. 8, indicam como situação um homem na prisão; mas o v. 4 diz "no caminho por onde avanço". *Composição*. O "grito" repetido divide o salmo em duas partes desiguais. Na primeira, depois de quatro verbos de súplica com invocação de *Yhwh* (2-3), seguem-se quatro versículos de motivação; na segunda, após dois verbos de súplica com invocação de *Yhwh* (6), seguem-se quatro versos de pedido e promessa. O código espacial domina o salmo. O orante caminha pela vida, quando encontra o "caminho" cortado por "uma armadilha", e não pode avançar; tampouco voltar atrás, porque "o perseguem"; indica

⁴enquanto meu alento desfalece.
   Mas tu conheces meus caminhos,
   e que no caminho por onde avanço
   me esconderam uma armadilha.
⁵Olha à direita, e verás
   que ninguém me reconhece.
  Não tenho para onde fugir,
   ninguém se preocupa comigo.

⁶A ti eu grito, Senhor, a ti eu digo:
   Tu és meu refúgio,
   minha porção na terra dos vivos.
⁷Atende aos meus clamores,
   pois estou esgotado;
   livra-me de meus perseguidores,
   pois são mais fortes que eu.
⁸Tira minha vida do cárcere,
   para que eu dê graças a teu nome.
  Os honrados me rodearão,
   quando me concederes teu favor.

143 (142)

¹Senhor, escuta minha oração,
   por tua fidelidade atende minha súplica,
   por tua justiça responde-me.
²Não entres em pleito com teu servo,
   pois nenhum ser vivo se justifica diante de ti.
³Pois o inimigo me persegue mortalmente,
   já tritura minha vida contra o solo,
   nas trevas me confina
   como os mortos de outrora.

a "direita" e não há auxílio nem "escapatória"; está cercado, preso como num "cárcere". A única saída é para cima, onde alcança o "grito". Descobre em Deus um espaço reservado onde "refugiar-se", uma "parte" onde habitar. No fim, entrará numa "roda" de honrados para dar graças ao Senhor.

142,2 Ver Sl 3,5; 30,9; Dt 3,23 na boca de Moisés.

142,3 "Derramar o afã": o verbo é corrente, o complemento é novo. "Na presença de Deus": quase como libação.

142,4 "Conheces": também "te ocupas", como em Sl 1,6.

142,5 "Reconhece" para interessar-se: Rt 2,10.19.

142,6 "Porção" na divisão da terra; agora é a terra onde vivem os homens, Ecl 9,9.

142,8 "Cárcere": da mesma raiz, o verbo tem significado mais amplo: encerrados, Ex 14,3; confinada, Nm 12,14. "Rodearão": na assembleia litúrgica.

Transposição cristã. O salmo se adapta facilmente a diversas situações da vida cristã, com seus termos abertos "angústia", "caminho", "armadilha", "cárcere", "parte". Numa leitura anagógica, esta vida é como prisão e o céu é o país da vida. Mas cárcere da alma não é o corpo, e sim a corrupção.

143 *Gênero e situação.* Encaixa perfeitamente na categoria de súplica, com todos os seus elementos temáticos e formais. Pode-se descobrir o específico através dos dois pedidos negativos de 2a e 7b.

Soberano e vassalo: define a relação do orante com o Senhor. Entre ambos reina uma relação de "lealdade" (8a.12a); Deus cumpriu seus compromissos com toda a "justiça" (1b.11b); poderia "pleitear" (2a) com o vassalo, acusá-lo e até condená-lo, "ocultando-lhe seu rosto" ou retirando-lhe seu favor. O vassalo não pode alegar "justiça" (2b). Os inimigos são, sem pretendê-lo, executores de um castigo. Mas acontece que não é este o momento de debater pleitos pessoais (Jz 10, 13-15): o vassalo se encontra em grave perigo, e no momento o soberano deve defendê-lo. O perigo é extremo (3.7); as contas se ajustarão mais tarde. Implora ser "guiado" por Deus (8.10) no futuro.

Composição. O procedimento clássico da inclusão é manejado com certa amplitude e se reforça com elementos de recapitulação. Atendo-nos às normas do gênero, o salmo se move em duas ondas de pedido, marcadas pelo "responde-me" repetido (1.7) e pelo movimento paralelo de pedidos positivos e negativos (1-2 e 7ab).

143,1 A palavra "súplica", em contexto penitencial, significa pedir perdão: Jr 3,21; Zc 12,10; Dn 9; 2Cr 6,21. A "justiça" pode ser a da parte inocente no possível pleito a dois.

143,2 Doutrina fundamental no livro de Jó: 4,17-19; 9,2; 15,14-16; 25,4-6; 32,2.

143,3 Símbolos da morte: o homem, violentamente triturado, volta ao pó; as trevas: Sl 88; Jó 10. "Os mortos de outrora": a frase está em Lm 3,6; para a ideia, comparar com Eclo 41,4.

⁴Meu alento desfalece,
  está rígido dentro de mim meu coração.
⁵Recordo os tempos antigos,
  medito em todas as tuas ações,
  considero a obra de tuas mãos.
⁶Estendo para ti as mãos,
  e a garganta como terra seca.

⁷Responde-me logo, Senhor,
  pois me falta o alento.
Não me escondas o rosto,
  pois ficarei como os que descem à cova.
⁸Pela manhã dá-me notícia de tua lealdade,
  pois em ti confio.
Indica-me o caminho que devo seguir,
  pois acorro a ti.
⁹Livra-me de meus inimigos, Senhor,
  pois me abrigo em ti.
¹⁰Ensina-me a cumprir tua vontade,
  pois tu és meu Deus.
  Teu alento benéfico me guie por terra plana.
¹¹Por teu nome, Senhor, conserva-me vivo,
  por tua justiça tira-me da agressão;
¹²por tua lealdade
  destrói meus inimigos,
  aniquila meus agressores,
  pois eu sou teu servo.

144 (143)

(Sl 18)

¹Bendito seja o Senhor, minha Rocha,
  que adestra minhas mãos para o combate,
  meus dedos para a batalha.

143,4 Depois dos símbolos recorre à observação física, de respiração e pulso.
143,5 O passado feliz recordado, por um lado entristece o presente (Sl 77), por outro reanima a esperança (Eclo 2,6.10).
143,6 As mãos em gesto de prece: Is 1,15; Jó 11,13; Esd 9,5. A "garganta seca": Sl 42,3; 63,2.
143,7 Se Deus tem tempo, o orante não tem, e quer apressar os prazos de Deus. O Sl 104,29 junta "esconder o rosto" com "retirar o alento". A última frase vem de Sl 28,1.
143,8 "Manhã" é o tempo da graça. No movimento do salmo, essa manhã dissipará as trevas e mostrará a luz do rosto de Deus. Uma vez salvo, o orante necessita de instruções precisas para tomar o "caminho" justo.
143,10 O Senhor guia como mestre, enviando seu alento ou espírito, que é bom ou benéfico.
143,11-12 Aqui a justiça se refere à situação do orante mortalmente perseguido sem motivo. É vindicativa e libertadora para o "servo" ou vassalo. Juntando 10 com 12, resulta: "tu és meu Deus"/"eu sou teu servo". *Transposição cristã*. Na boca de Cristo: ele é o servo de Deus, que cumpre perfeitamente sua vontade. Mortalmente perseguido, não pôde ser reduzido ao pó da corrupção nem confinado nas trevas definitivas. Na boca do cristão: pede a Deus que não entre em julgamento com ele. Pela justiça de Deus, e não pela nossa, é que fomos salvos.

144 *Gênero e situação*. É difícil atribuir-lhe um gênero. Contém duas peças indubitáveis de súplica (5-8.12-14). É introduzida por uma profissão de lealdade e confiança (1-2), inclui a promessa de louvor (9); interrompe-se com reflexões que generalizam (3-4.10). Termina com uma bem-aventurança (15). O salmo resiste à catalogação, e no entanto possui uma coerência convincente.
Começo pela segunda parte: um pedido de bens materiais, rematado por uma bem-aventurança. A primeira parte tem certo ar bélico nos títulos divinos (1-2) e nas situações aludidas (5-8.11), e muito pouco de "cântico novo". É composta de citações literais ou adaptadas. Contudo, também tem sua coerência. Esta provém da referência davídica.
A qual Davi se refere? Não é o Davi histórico, num exercício de nostalgia; poderia ser um Davi típico, nome de rei ou de chefe. Não se pode excluir o Davi messiânico, num exercício de esperança. Dele falam Am 9,11; Mq 5,1; Ez 37,23s; Zc 12,8. A fonte principal e clara é o Salmo 18, citado nos versículos 1.2.5a.6.7.10. Além disso, em escala muito reduzida, repete

²Meu aliado, minha fortaleza,
　　meu baluarte onde me ponho a salvo,
　　meu escudo e meu refúgio,
　　que me submete o meu povo.

³Senhor, o que é o homem
　　para que lhe dês atenção,
　　o ser humano
　　para que o leves em conta?
⁴O homem é semelhante a um sopro,
　　seus dias, qual sombra que passa.

⁵Senhor, inclina teus céus e desce;
　　toca as montanhas e fumegarão.
⁶Lança o raio e dispersa-os,
　　dispara tuas flechas e derrota-os.
⁷Estende do alto a mão,
　　defende-me, livra-me
　　das águas caudalosas,
　　da mão de estrangeiros,
⁸cuja boca diz falsidades
　　e cuja mão jura falso.

⁹Ó Deus, eu te cantarei um canto novo,
　　tocando a harpa de dez cordas.
¹⁰Tu dás a vitória aos reis,
　　tu protegeste teu servo Davi.
¹¹Defende-me da espada cruel,
　　livra-me da mão de estrangeiros,
　　cuja boca diz falsidades
　　e cuja mão jura falso.

¹²Sejam nossos filhos uma plantação,
　　crescidos desde a adolescência;
　　nossas filhas sejam colunas talhadas,
　　estrutura de um templo.
¹³Estejam nossos silos repletos
　　de frutos de toda espécie;

---

a composição em díptico do Sl 18: nos versículos 5-7 e 10b-11; também o imita no intervalo reflexivo. Todavia, não se deve harmonizar esse salmo com o 18 nem com 2Sm 22. Na exegese indicarei outras citações.

144,1-2 Nesses versículos os recursos de defesa se unem aos de ataque. O v. 1 combina 18,3 com 18,35. "Meu povo", no singular: cf. 2Sm 22,44.

144,3 Citação do Sl 8,5, posta na boca do suposto Davi, aplicando a si o que vale para qualquer ser humano.

144,4 Combina Sl 39,6 com Jó 14,2, que também tem valor universal. No salmo se misturam espanto e motivação: embora eu seja um sopro, porque eu sou um sopro...

144,5-6 Usa uma parte de Sl 104,32. Os pronomes "os" não têm antecedente? Salmo 18 o fornece mentalmente.

144,7 Citação do Sl 18,17, onde encaixa perfeitamente. Os "estrangeiros" de 18,45 lhe servem para introduzir um estribilho.

144,8 A direita falsa pode ser a mão erguida para jurar (Sl 62,8) ou a mão que se aperta num contrato (Pr 6,1; 17,18). Mais provável o primeiro.

144,9 Citação de Sl 33,3.

144,10 Toma 18,51 e o transforma em princípio geral; ver também os salmos reais 20,10 e 21,2.

144,12-15 Depois da guerra e da vitória, a prosperidade na paz. Em seis versos, o poeta concentra o substancial de uma sociedade simples: a sucessão dentro da família, rebanhos, colheitas, paz e segurança na cidade. Não menciona valores éticos, mas não esquece a joia da fé religiosa. A originalidade do minúsculo quadro pode ser apreciada comparando-o com as bênçãos clássicas: Lv 26, 4.6.9.10; Dt 28,3.4.5.8.

144,12 A menção das filhas não é frequente: ver o fim de Jó (42,13). As duas comparações são tomadas do agrícola e do urbano.

144,13 Aos frutos do campo soma-se a riqueza pecuária, que diríamos patriarcal.

nossos rebanhos aos milhares
se multipliquem nos campos;
¹⁴nossos bois venham carregados.
Não haja brechas nem aberturas,
não haja alarme em nossas praças.
¹⁵Feliz o povo que tem tudo isso,
feliz o povo cujo Deus é o Senhor!

145 (144)

¹Eu te exaltarei, Deus meu, meu Rei,
bendirei teu nome para sempre.
²Todos os dias te bendirei,
louvarei teu nome para sempre.
³Grande é o Senhor, muito digno de louvor,
sua grandeza é insondável.
⁴Uma geração expõe tuas obras a outra
e lhe conta tuas façanhas.
⁵Louvam eles tua glória e majestade,
e eu medito em tuas maravilhas.
⁶Exaltam eles tuas proezas terríveis,
e eu enumero tuas grandezas.
⁷Difundem a memória de tua imensa bondade
e aclamam tua vitória.

⁸O Senhor é clemente e compassivo,
paciente e misericordioso.
⁹O Senhor é bom para com todos,
ele se compadece de todas as suas criaturas.
¹⁰Que todas as tuas criaturas, te louvem, Senhor,
e teus leais te bendigam;
¹¹proclamem a glória de teu reinado,
e narrem tuas façanhas,

144,14 "Carregados" de colheitas. A paz é enunciada em termos negativos, modestos.
144,15 O povo continua sendo o povo da aliança que reconhece *Yhwh* como seu Deus.
Transposição cristã. Por referir-se a Davi, os antigos leram o salmo em chave cristológica. O Messias davídico é também o "homem" de quem Deus Pai se ocupa.
145 *Gênero*. Último salmo alfabético do saltério. Hino composto com habilidade mais que inspiração. No texto hebraico falta a letra *n*, suprida, conforme versões antigas, por imitação do v. 17. Se o gênero hino impõe seu padrão, o recurso alfabético exige algumas liberdades. Num salmo composto em sua maior parte de materiais conhecidos, destacam-se alguns recursos: a alternância de "eles" e "eu" (4-6), o bloco central sobre o reinado divino (11-13), os particípios da última seção (14ab. 15b.16ab.20a). A repetição e a ênfase são os principais recursos do autor, aos quais se acrescenta a cuidadosa elaboração sonora.
É interessante o elenco dos convidados a louvar: eu, as gerações, seus leais, seus fiéis, seus amigos, todo vivente. O objeto do louvor a Deus forma um conjunto rico, tradicional, mas não basta para compor um sistema teológico.

145,1 "Exaltar" significa reconhecer o que é, não significa dar o que falta; baseia-se no simbolismo espacial da altura: cf. Sl 113. O título "meu Rei" pode polarizar grande parte do salmo.
145,2 "Sempre": no horizonte mundano do autor: cf. Sl 30,13.
145,3 Primeiro hemistíquio: Sl 48,2; 96,4, ambos relacionados com a realeza divina. Segundo hemistíquio: Is 40,28; Jó 5,9; 9,10. O que se segue será um esforço para louvar o imenso e exaltar o insondável.
145,4 O princípio da tradição, conforme Sl 78. As "façanhas" = atos de poder são atribuídos a reis em 1Rs 15,23; 16,5.27; 22,46 etc.
145,5 Embora as "maravilhas" excedam a compreensão do homem, podem ser meditadas.
145,6 "Terríveis": ver Sl 76.
145,8 Com leve variante, repete a fórmula litúrgica tradicional, cujo lugar clássico é Ex 34,6.
145,9 Tudo quanto Deus criou é objeto da sua bondade e digno da sua compaixão ou carinho: ler Sb 11,24.
145,10 O louvor de todas as criaturas é o tema do Salmo 148. Delas se destaca o grupo dos "leais" ou vassalos.
145,11-13 Os versículos centrais retomam o título inicial "meu Rei", e insistem nele. O salmo não pensa num rei terreno nem num território nacional com

¹²explicando tuas façanhas aos homens,
  a glória e majestade de teu reinado.
¹³Teu reinado é um reinado eterno;
  teu governo, de geração em geração.
¹⁴O Senhor sustenta os que vão cair
  e endireita os que já se curvam.
¹⁵Os olhos de todos estão te aguardando:
  tu lhes dás o alimento a seu tempo;
¹⁶abres as mãos e sacias
  de favores todo vivente.
¹⁷O Senhor é justo em todos os seus caminhos,
  é leal com todas as suas criaturas.
¹⁸O Senhor está perto dos que o invocam,
  dos que o invocam sinceramente.
¹⁹Cumpre os desejos de seus fiéis,
  escuta seus gritos e os salva.
²⁰O Senhor guarda todos os seus amigos
  e destrói todos os perversos.
²¹Pronuncie minha boca o louvor do Senhor,
  todo vivente bendiga
  seu santo nome para sempre.

146 (145)

¹Aleluia! Louva, minha alma, ao Senhor.
²Louvarei o Senhor enquanto eu viver,
  tocarei para meu Deus enquanto eu existir.
³Não confieis nos nobres,
  num homem que não pode salvar-se;

---

sua capital: aceita a situação anterior e posterior à monarquia. Em compensação, coloca-se num reino mais glorioso: divino, universal e perpétuo.

Aqui falta o versículo da letra *n*. As versões antigas supõem um texto semelhante ao v. 17: "O Senhor é de confiança em todas as suas palavras, é leal em todas as suas ações".

145,14 Começam os particípios, que fixam uma ação ou série, transformando-as em atributo, quase em título. Sobre o pano de fundo do Salmo 72, leiamos essa série como atividade própria do rei. Os complementos rimados representam todo o fraco que precisa do apoio de alguém. Podemos estendê-lo até a contingência das criaturas.

145,15 Inspirado em Sl 104,27; o particípio como no fim do Salmo 136.

145,16 "Favores", se se refere a Deus; desejo ou gosto, se se refere aos viventes.

145,17 O âmbito jurídico pertence também à realeza. Como soberano, é leal com suas criaturas, porque, ao fazê-las, se compromete com elas.

145,18 Sobre o Deus distante e próximo, ver Sl 22,2-12; Is 55,6. Invocado, se faz próximo; para a invocação revelou seu nome.

145,19 Inverte os papéis normais: Deus cumpre os desejos do homem; comparar com Sl 40,9; 143,10.

145,20 É o único versículo que menciona a ação repressiva do soberano, tema explícito em Sl 11,1-10; Sl 72; 101.

145,21 Sobre o título "santo", pode-se ver o Sl 99. *Transposição cristã*. Posto na boca de Cristo e da Igreja, enriquece o sentido dos predicados que o Filho tributa ao Pai e que a Igreja dedica a seu rei, Jesus Cristo.

146 *Gênero*. Enuncia o "louvor" próprio do hino (1-2), convida por contraste à confiança (3-4), pronuncia uma bem-aventurança. Creio que o ponto de apoio é o segundo: podeis confiar no Senhor, porque ele tem recursos para tudo, e tê-lo como protetor será vossa felicidade. O desenvolvimento dá mais espaço a elementos do hino. Começa na primeira pessoa e passa depois a exortar na segunda pessoa; destinatários são a comunidade e Sião, capital do rei. *Composição*. Os predicados "meu Deus" – "reina" (2.10) formam significativa inclusão teológica. Por ser Criador (6), meu Deus é rei perpétuo, e não há outro senhor (3). 3-4 e 5-6a formam clara oposição entre Deus e o homem: não confieis no homem, porque é caduco/seja vosso auxílio *Yhwh*, porque é criador. Do último membro dependem os predicados que dão ao resto o estilo de hino (6b-9); são atividades que se podem atribuir ao rei, também a ação repressiva (9b). Esse salmo tem muitos contatos com o precedente.

146,1-2 "Enquanto viver" muda e explica a expressão "sempre" de outros salmos.

146,2 Sl 118,9.

146,3-4 "Nobres" e "homens" estão aliterados em hebraico. Mais importante é a paronomásia de "homem" a "sua terra"/pó (*homo ab humo*). Sl 82,7 equipara príncipes com homens. A recomendação e o motivo estão em Is 2,22; cf. Ecl 3,21.

⁴sai seu alento e ele volta ao pó,
    nesse dia perecem seus planos.
⁵Feliz aquele que o Deus de Jacó auxilia,
    sua esperança é o Senhor seu Deus,
⁶que fez o céu e a terra,
    o mar e tudo o há neles;
    que mantém sua fidelidade perpetuamente,
⁷faz justiça aos oprimidos;
    dá pão aos famintos.
    O Senhor liberta os cativos.
⁸O Senhor dá visão aos cegos,
    o Senhor endireita os que se curvam,
    o Senhor ama os honrados,
⁹o Senhor guarda os migrantes;
    sustenta o órfão e a viúva,
    e transtorna o caminho dos perversos.

¹⁰O Senhor reina eternamente;
    o teu Deus, Sião, de geração em geração.
    Aleluia.

147 (146-147)

¹Louvai o Senhor, pois é bom tocar para ele,
    nosso Deus merece um louvor harmonioso.
²O Senhor reconstrói Jerusalém
    e reúne os deportados de Israel.
³Ele cura os corações contritos,
    e venda suas chagas.

146,5 A menção seletiva de Jacó traz a lembrança das doze tribos: embora falte um rei humano, a memória do patriarca continua aglutinando.

146,6a Divisão tripartida do universo. Seres celestes são os astros.

146,6b-7a "Fidelidade" e "justiça" podem definir o governo do Senhor; ver Jr 50,33; Sl 103,6.

146,7b A preocupação com os cativos parece afirmar-se com o desterro: Is 49,9; 61,1. Do sentido próprio passa-se facilmente ao significado de outros cativeiros, físicos ou espirituais.

146,8a Também a cegueira admite significados metafóricos: Is 42,7.16-19; 43,8.

146,8b-9 Nos extremos coloca "honrados"/"perversos" ou inocentes e culpados. Devem-se tomar como correlativos. No meio, como caso particular, as três categorias tradicionais de "migrantes", "órfãos" e "viúvas".

146,9 Ex 22,21s.

146,10 Sião é a capital de Deus Rei: Mq 4,7. *Transposição cristã*. Para o tema da realeza de Deus e de seu Messias, citamos Ap 11,15. Jesus liberta a mulher encurvada (Lc 13,16), abre os olhos dos cegos (Mt 9, 30; 11,5), alimenta os famintos (Mt 14,13-21).

147 *Gênero e situação*. Está a meio caminho entre a ação de graças e o hino, com predomínio do primeiro. A situação é um tempo depois da repatriação (2). Os versículos 2-3 parecem resposta a Sl 51,20, que é acréscimo exílico ao *Miserere*; a dupla desse salmo, "arquiteto" e "médico", responde a Sl 51,19-20. A lembrança do culto astral de Babilônia (Is 47,13) pode explicar o v. 4. A cidade está amuralhada, como no tempo de Neemias: Ne 12,27-47.

Também as ausências nos podem orientar. Não há rei nem sacerdotes, mas simples cidadãos. Menciona Sião, mas não menciona templo nem sacrifícios. Se são mencionados outros povos, é para excluí-los dos privilégios de Israel. A visão é fechada: a cidade está trancada com "ferrolhos", os habitantes estão "dentro dela". A "lei" é monopólio que não se partilha nem se difunde: comparar com Is 2,2-5.

Composição. Com base nos imperativos hínicos, dividimos o salmo em três seções desiguais: 1-6.7-11.12-20. O mais interessante do salmo são os saltos de uma esfera a outra. De Jerusalém às estrelas, dos humildes às nuvens; surgem, para ser varridos, infantaria e cavalaria; outro salto aos meteoros invernais e sua resolução, para acabar na lei do Senhor. As peças da alternância podem ser tomadas em sentido realista e em seus valores simbólicos. O Senhor abrange todas as esferas da criação e da vida, embora no centro coloque seu povo e sua cidade. O salmo tem notáveis contatos com Jr 33: cura, reconstrução, repovoamento, paz, ação de graças, estrelas, leis celestes.

147,1 Outros tomam "bom" como predicado de *Yhwh*. Sobre o valor da música: Sl 81,3; 135,3.

147,2 Reconstrução da cidade e repovoamento são tarefas correlativas, complementares.

147,3 Médico é título clássico do Senhor. O texto pode inspirar-se em Is 61,1: o complemento confere alcance simbólico ao título.

⁴Conta o número das estrelas,
  impõe a cada uma o seu nome.
⁵Nosso Dono é grande e poderoso,
  sua destreza não tem medida.
⁶O Senhor sustenta os humildes,
  e humilha os perversos até o pó.
⁷Entoai a ação de graças ao Senhor,
  tocai a cítara para nosso Deus,
⁸que cobre o céu de nuvens,
  prepara a chuva para a terra
  e faz brotar erva nos montes;
⁹dá seu alimento ao rebanho
  e às crias de corvo que grasnam.
¹⁰Não aprecia o brio dos cavalos
  nem considera a agilidade do homem.
¹¹O Senhor estima seus fiéis
  que esperam em sua lealdade.

¹²Glorifica, Jerusalém, o Senhor,
  louva teu Deus, Sião,
¹³pois reforçou os ferrolhos de tuas portas
  e abençoa teus filhos dentro de ti;
¹⁴estabeleceu a paz em tuas fronteiras
  e te sacia com flor de farinha,
¹⁵envia sua mensagem à terra,
  e sua palavra corre velozmente;
¹⁶envia a neve como lã
  e espalha a geada como cinza;
¹⁷atira o gelo como migalhas:
  Quem pode resistir ao seu frio?
¹⁸Envia uma ordem, e a neve se derrete,
  sopra seu alento e fluem as águas.

¹⁹Anuncia sua mensagem a Jacó,
  seus decretos e mandatos a Israel.
²⁰Com nenhuma nação agiu assim,
  nem lhes deu a conhecer seus mandatos. Aleluia!

147,4 As estrelas são exemplo proverbial de algo inumerável: Gn 15,5; 22,17; 26,4; Dt 10,22; Deus conhece não só o número, mas o nome de cada uma: Is 40,26.

147,6 Com valor correlativo: os humildes são vítimas dos perversos.

147,8-9 Alimentar o gado supõe uma cadeia biológica que deve funcionar com precisão em todas as suas fases. O céu sem nuvens cobre-se delas, que enviam a chuva, que fertiliza a terra, que faz brotar capim, que alimenta o gado. Para o homem, com sua colaboração inteligente, "flor de farinha" (14).

147,10 Sintetiza o poder militar: coragem do cavalo: Jó 39,19-25; agilidade da infantaria: Am 2,15.

147,11 Diante deles, o sentido religioso, sintetizado em reverência e esperança.

147,13 Supõe a ameaça exterior: Ne 3. Abençoa: com a fecundidade.

147,14 Paronomásia com o nome da capital: Sl 122.

147,15-18 Chega o inverno. Nas mãos de Deus, os meteoros hostis se tornam domésticos: lã branca e protetora, cinza, resto de um fogo da lareira, migalhas, restos de pão. Mais importante é o domínio de Deus que, a seu tempo, com um sopro, sacode o sono invernal: comparar com Eclo 43,17-22. Do mesmo modo controla os invernos da história.

147,16 Jó 37,6.

147,18 Alguns corrigem e leem: "as águas se detêm".

147,19 O trio "mensagem", "decretos" e "mandatos" remete ao Dt e implicitamente à aliança.

147,20 A lei é privilégio de Israel: Dt 4,8; Br 4,1-4. *Transposição cristã*. É tradicional que Jerusalém representa a Igreja terrestre e a celeste: daí a leitura do salmo em duas chaves complementares. A palavra que vem à terra e corre veloz é o Filho de Deus na encarnação; como palavra se prolonga na pregação do evangelho.

148 (Dn 3,52-90)

¹Aleluia! Louvai o Senhor no céu,
   louvai o Senhor no alto;
²louvai-o, todos os seus anjos,
   louvai-o, todos os seus exércitos;
³louvai-o, sol e lua,
   louvai-o, estrelas luzentes;
⁴louvai-o, espaços celestes
   e águas que pendem dos céus!
⁵Louvem o nome do Senhor,
   pois ele mandou e foram criados;
⁶deu-lhes consistência perpétua
   e uma lei que não passará.

⁷Louvai o Senhor na terra,
   cetáceos de todos os oceanos.
⁸Raios, granizo, neve e neblina,
   vento de furacão que cumpre suas ordens;
⁹montes e todas as colinas;
   árvores frutíferas e cedros;
¹⁰feras e animais domésticos,
   répteis e aves que voam;
¹¹reis e povos do orbe,
   príncipes e chefes do mundo,
¹²jovens com as donzelas,
   velhos junto com as crianças:
¹³louvem o nome do Senhor,
   o único nome sublime;
   sua majestade sobre o céu e a terra.

---

148 *Gênero e composição.* É um hino especial, feito quase inteiramente de convites. Se o 136 multiplica e articula os motivos da aliança, este multiplica os convidados a louvar. Como outros hinos, articula-se em duas estrofes de esquema semelhante: louvai NNN..., louvem o nome, porque ABC (1-6.7-14a). Considero o versículo final (14) colofão ou título. As duas estrofes trazem um "de" que aponta o cenário; entre ambos "céu e terra" compõem o universo criado. Em cada cenário se congregam em coro seus habitantes, o diretor do coro os abrange a todos. Os do céu estão numa espécie de escadaria, os da terra num plano horizontal. Para o céu dirige sete imperativos; para a terra, só um. Por simetria e pelo número, considero os "oceanos" como lugar dos cetáceos. Assim temos na primeira estrofe um setenário; na segunda, uma série alfabética, de 22. Os motivos do louvor são distribuídos em 5-6 e 13-14 e podem ser tomados como complementares: criação pela palavra, nome e majestade, exaltação do seu povo.

Linguagem e louvor. Como louvarão a Deus as criaturas sem vida ou sem inteligência? – Por meio do ser humano que as interpreta como criaturas de Deus e lhes dá linguagem. Uma linguagem que as nomeia, e assim toma posse delas. Uma linguagem que as ordena e organiza como assistentes de uma celebração litúrgica. Uma linguagem que interpela com seus imperativos e lhes dá presença mental. Uma linguagem pela qual o ser humano reconduz as criaturas ao Criador.

148,1 O céu é o lugar de Deus: Sl 115,16; Is 33,5. Não pensa no templo.
148,2 "Exércitos" celestes são os astros: Is 45,12.
148,3 Embora real, é inusitado o adjetivo "luzentes": ver Is 13,10.
148,4 "Espaços celestes" ou céus dos céus, céus altíssimos. As águas superiores que estão, conforme Gn 1, acima do firmamento não mencionado aqui.
148,5b Tomado de Sl 33,9.
148,6 Ou "estabeleceu-os para sempre"; comparar com o novo céu de Is 65,17; 66,22 e com o que afirma Sl 102,27.
148,7 "Cetáceos" pacíficos, como em Gn 1,21.
148,8 O "vento de furacão" não perde o freio, mas cumpre ordens: ver Eclo 39,28.
148,9 Conforme Sl 104,16, Deus mesmo plantou os cedros. Comparar com a atitude oposta de Is 2,13s.
148,10 "Répteis", em sentido amplo, abrange tudo o que se arrasta.
148,11 Todas as autoridades, em diversos graus e funções, e com elas seus povos todos sem distinção.
148,12 Tampouco no louvor há distinção de sexo ou idade; comparar com Jl 3,1s.
148,13 O nome e a honra do Senhor estão sobre toda a criação. O nome é único (Zc 14,9), e ele não o partilha com outros deuses. A unicidade é correlativa da universalidade.

¹⁴Ele aumenta o vigor do seu povo.
Hino de todos os seus fiéis,
de Israel, seu povo íntimo. Aleluia!

149

¹Aleluia! Cantai ao Senhor um cântico novo,
ressoe seu louvor
na assembleia dos leais;
²Israel festeje seu Criador,
os Filhos de Sião o seu Rei.
³Louvai seu nome com danças,
tocando para ele pandeiros e cítaras,
⁴pois o Senhor ama seu povo
e coroa com sua vitória os oprimidos.

⁵Que os leais celebrem sua glória
e cantem jubilosos em seus leitos:
⁶nas gargantas aclamações a Deus,
nas mãos espadas de dois fios,
⁷para vingar-se dos povos
e executar o castigo dos pagãos,
⁸submetendo reis com argolas
e nobres com grilhões de ferro.
⁹Executar a sentença prescrita
é uma honra para todos os seus leais. Aleluia!

150

¹Aleluia! Louvai o Senhor em seu templo,
louvai-o em seu forte* firmamento.
²Louvai-o por suas proezas,
louvai-o como pede* sua grandeza.

148,14 "Aumenta o vigor": literalmente, levanta o chifre; ver Sl 75.
Transposição cristã. O nome ou título Senhor foi dado a Jesus Cristo morto e ressuscitado, como canta Fl 2,9-11. Pode-se tomar o salmo como canto de páscoa pela transfiguração da criação.

149 *Gênero e situação.* Hino: fiel às regras na primeira estrofe, um tanto livre na segunda. Depois de todos os hinos que encontramos no saltério, esse tem perfil próprio, inconfundível. "Cântico novo" é fórmula conhecida, que aqui se torna convincente. A originalidade provém da situação: razões fortes nos convencem que é o tempo das lutas macabaicas. Vou concentrá-lo no tema dos "Leais".
Os *Leais.* Ocupam lugar importante: no princípio do salmo, no fim, ao começar a segunda estrofe; caso único. São uma "assembleia": conhecemos assembleias da comunidade, de Santos celestes (Sl 89,6), de Sombras no *xeol* (Pr 21,16); dos leais só aparece aqui e em 1Mc 2,42. São "seu povo": título que os do partido macabeu reivindicam.
São devotos e guerreiros: uma espécie de ordem militar antes do tempo. Devotos: exercem sua devoção de modo barulhento e expressivo. Reconhecem *Yhwh* como seu Criador e rei: não aceitam reis estrangeiros nem contam com um rei davídico. Guerreiros: opõem armas a armas, violência justa a violência injusta: muito longe de Is 30,5. Tão justa é sua ação militar, que nela executam a "sentença prescrita" por Deus, e se alegram ao executá-la.

149,2 "Criador" ou fazedor da nação. "Filhos de Sião": tem um só antecedente, Jl 2,23. Creio que aqui denota os que amam a causa da cidade: cf. Is 66,8.10.
149,3 "Danças": alguns imaginam uma dança sagrada de espadas (Ez 21,14-22), uma encenação, cujo texto, o salmo, vai explicando a ação. Uns fazem o papel de inimigos vencidos, outros fingem a execução; concluem cantando a vitória.
149,4 Esses "oprimidos" talvez venham de Sf 2,3.
149,5 "Celebrem sua glória": semelhante a Is 13,3. Creio que é enfático (até no leito), inspirado em Dt 6,7.
149,6 Recorda Ne 4,11. O fervor religioso da luta é expresso nas exortações dos Macabeus: 1Mc 1,18s; 4,9-13; 9,44-47.
149,7 A ação denomina-se "vingança" ou justiça vindicativa: ver 1Mc 7,36.38.40s.
149,8 Algemar "reis" e "nobres" parece-me transformação poética de dados históricos; contudo, vejam-se 1Mc 3,3.7; 14,13s, que falam de reis. Sobre a prisão antes da execução podem-se recordar Js 10,15-27 e o texto escatológico de Is 24,22.
149,9 A execução do culpado pode ser competência honorífica, como mostra Jz 8,20s.
Transposição cristã. Lendo o aviso de Jesus a Pedro, Mt 26,52-54, vemos que as batalhas do salmo devem ser transpostas a outra ordem, p. ex. como o propõe Ef 6,12.
150 O saltério termina com um hino para a orquestra inteira. O templo celeste é paralelo do "firmamento".

³Louvai-o tocando a trombeta,
  louvai-o com harpas e cítaras.
⁴Louvai-o com tambores e danças,
  louvai-o com cordas e flautas.
⁵Louvai-o com címbalos sonoros,
  louvai-o com címbalos vibrantes.
⁶Todo ser que respira louve o Senhor. Aleluia!

Diríamos que o orante pensa nos anjos, como Sl 148,2; no fim, todos os seres vivos da terra louvam. A palavra cede o lugar à música instrumental: corda, sopro e percussão. Implicitamente, o salmo aprova o artifício humano que tempera e harmoniza os sons do universo. Por isso, é estranha a oposição dos Santos Padres à música instrumental. O crente pode confiar aos instrumentos a expressão de seus sentimentos religiosos, poupando palavras ou compensando misteriosamente sua pobreza ou limitação. Uma gigantesca e gloriosa tradição de música religiosa está ligada ao último salmo do saltério. Como a música instrumental estiliza sons, assim a dança estiliza movimentos humanos, os ordena em ritmos, os combina em figuras. E tudo é oferecido à divindade como espetáculo em sua honra.

150,1 * Ou: "sólido".
150,2 * Ou: "por sua imensa".

PROVÉRBIOS

INTRODUÇÃO

Provérbios é o livro mais típico do corpo sapiencial. É uma coleção de coleções, cujo número varia conforme tratemos os apêndices de 30-31. Ao longo do comentário, vou me deter no início de cada coleção.

Forma

Sob o nome genérico de mashal se abrigam vários tipos e subtipos. Temos os de simples constatação, com "há, não há, homem"; ou com sujeito qualificado e predicado. Tipos de avaliação: positiva, "feliz"; negativa, "abominação"; e os comparativos "é melhor".

Em base às formas verbais, o tipo de infinitivo é raro, o de particípio é frequente, escassos são o de imperativo e o de pergunta retórica. Os de comparação (precedente, seguinte, duplicada) são em conjunto os melhores. Os de antítese: de extremos opostos e de membros próximos para diferenciá-los. As formas compostas buscam, às vezes forçam, a sinonímia ou a antonímia. A vinheta em dois tempos. A etopeia. O provérbio numérico. A instrução.

O livro tem três eixos principais, cada um com dois polos opostos: sensato/néscio no plano sapiencial, honrado/perverso no plano ético, bem-sucedido/fracassado. Suas peças se entrecruzam e se sobrepõem. Na base do triângulo está presente Deus, inculcando a religiosidade.

É impossível datar os provérbios, por causa do seu caráter anônimo e de unidades minúsculas. O fato de Salomão ter dado impulso à produção de provérbios pode ser realidade ou pura lenda. A notícia sobre o trabalho dos funcionários de Ezequias é plausível. Os apêndices se desprendem, e a primeira coleção do livro parece a última no tempo.

1

¹Provérbios de Salomão,
  filho de Davi, rei de Israel,
²para adquirir sensatez e educação,
  para entender máximas inteligentes,
³para obter uma educação acertada:
  justiça, direito e retidão,
⁴para ensinar sagacidade ao incauto,
  saber e reflexão ao jovem
– ⁵o sensato o escuta e aumenta o saber,
  o inteligente adquire destreza –
⁶para entender provérbios e refrães,
  máximas e enigmas.
⁷Respeitar o Senhor é o princípio do saber;
  os néscios desprezam a sensatez
  e a educação.

Exórdio

⁸Filho meu, escuta os avisos de teu pai,
  não rejeites as instruções de tua mãe,
⁹pois serão formoso diadema em tua cabeça
  e colar em tua garganta.
¹⁰Filho meu, se os perversos tentarem enganar-te,
  não cedas.
¹¹Se te disserem: "Vem conosco
  para pôr insídias mortais
  e espreitar o inocente, sem motivo;
¹²nós o tragaremos vivo, como o abismo;
  inteirinho, como os que descem à cova;
¹³obteremos magníficas riquezas
  e encheremos nossa casa de despojos.

1-9 *Primeira coleção.* Caracteriza-se pelas instruções de certa amplitude e pelos discursos da Sensatez personificada. Cronologicamente é considerada a última.

1,1-7 Depois do título e do autor, essa introdução ao livro reúne, entrelaçados, funções do livro, gêneros literários e qualidades ou valores sapienciais. As funções se exprimem pela preposição "para", cinco vezes, sendo uma repetida. Nas qualidades, o autor busca mais a acumulação do que a diferenciação. Os objetivos de estabelecer uma terminologia diferenciada não passam de especulação etimológica ou projeção de costumes nossos; o livro se encarrega de fazer fracassar tais objetivos; o termo mais genérico é *hokmá*, que traduzo de preferência por "sensatez". Há um trio ético. Os gêneros literários também não se acham bem diferenciados. Apenas se distinguem "máximas inteligentes" e "máximas de doutos". *Mashal* é o termo mais genérico, que abrange tudo; refrães e enigmas são específicos.

1,2 Não se trata de estudo teórico, mas de educação e formação. Sendo as máximas concisas, às vezes elípticas, se requer o esforço e o hábito de compreensão.

1,3 Ou então: para saber como acertar na vida.

1,4 Essas duas qualidades são ambíguas: cauteloso ou astuto, ponderação ou intriga. Aqui têm valor positivo.

1,5 Também o homem experiente tirará proveito dessas máximas, pois ele também é convidado a dar sua contribuição. Ver Eclo 21,15; 39,2s. "Destreza" é no sentido original a arte de pilotar o barco. Tg 3,4 retoma a imagem; da instrução de Amenemopê: "Não pilotes com a língua; se a língua é o remo, o Senhor do universo é o piloto".

1,7 O prólogo do livro termina com o grande princípio que rege toda a sabedoria e a razão humana em seu espaço religioso. O "respeito a Deus" realiza a transcendência do homem. A religiosidade é o princípio e o principal, en-cabeça-mento e re-capit--ulação, cifra e síntese.

1,8-19 Aqui começa a série de instruções típicas da primeira coleção, depois de uma introdução de dois versículos, iniciados pela expressão "filho meu". A primeira estrofe contém o convite sedutor dos perversos; a segunda propõe motivações.

1,8-9 Os pais se dirigem ao filho, oferecendo-lhe uma instrução familiar para quando se tornar independente na vida. É uma instrução ética, não de escola nem explicitamente religiosa. Tampouco apelam expressamente ao mandamento do decálogo. São eles que evocam a ação dos perversos.

1,11-14 Esse discurso tem estranhas ressonâncias temáticas e verbais com textos de conquista: eliminação, despojos e riquezas, lançar a sorte e repartir a propriedade. Só que o sentido se inverte, porque

¹⁴Partilha tua sorte conosco,
 teremos uma bolsa comum".
¹⁵Filho meu, não os acompanhes em seu caminho;
 retira os passos de sua senda,
¹⁶porque seus pés correm para a maldade
 e se apressam em derramar sangue.
¹⁷Pois, "em vão se estende uma rede
 à vista de seres que voam".
¹⁸Suas insídias serão mortais para eles,
 espreitam contra si mesmos.
¹⁹Tal é a sorte da cobiça desmedida,
 que tira a vida de seu próprio dono.

Anúncio da Sensatez

²⁰A Sensatez anuncia pelas ruas,
 nas praças levanta a voz;
²¹grita no mais ruidoso da cidade,
 e nas praças públicas anuncia:
²²"Até quando, inexperientes,
 amareis a inexperiência,
 e vós, insolentes,
 vos empenhareis na insolência,
 e vós, néscios, odiareis o saber?
²³Voltai-vos para escutar minha repreensão,
 e eu abrirei o vosso coração,
 comunicando-vos minhas palavras.
²⁴Eu vos chamei, e recusastes;
 estendi a mão, e não fizestes caso;
²⁵rejeitastes meus conselhos,
 não aceitastes minha proibição;

---

está ausente toda consideração ética. O v. 12 chega ao extremo com a referência ao abismo ou à cova, o reino da morte: Nm 16,31-33; Hab 2,5. A cobiça e a injustiça tornam o homem "infernal", porque atentam contra a vida do inocente.

1,16 Ver Is 59,7 no seu contexto.

1,17 Parece citar um refrão, cujo sentido exato desconhecemos: embora os perversos estendam redes ao inocente (Sl 9,16; 10,9; 25,15 etc.), este, instruído por seus pais, as descobre, livra-se delas e escapa voando.

1,18-19 Conforme doutrina tradicional, o plano perverso se volta contra seu autor, numa espécie de lei do talião.

1,20-33 Já não falam os pais, mas a Sabedoria ou Sensatez personificada. Pronuncia um discurso retórico, como mostram vários recursos formais: interrogação retórica, imperativos, argumentação encadeada, ampliação por sintagmas paralelos não progressivos, introdução intensa e conclusão invocando princípios. Embora o discurso seja sapiencial, soa como pregação profética. Na linha de Jeremias, fala de conversão em oposição à rebeldia; estender a mão, Is 65,2; também eu, Is 66,4; "angústia e aflição", Is 30,6; as formas de admoestação e ameaça, o estilo de sentença judicial, a conclusão com dupla alternativa, Is

1,20 A Sensatez prega em público como medianeira de Deus, com autoridade divina.
Introdução e conclusão convidam, no presente e para o futuro, a uma volta possível e necessária. O corpo do discurso fala do passado e já pronuncia a sentença. Para harmonizar esses dados, podemos pensar que 23-31 contenham o discurso que possivelmente a Sensatez pronunciará, caso agora os ouvintes não deem atenção. A resposta atual justifica o discurso.

1,20 Sensatez é figura feminina que saiu às ruas para repetir seu anúncio; ver a mulher "perspicaz" de 2Sm 20.

1,21 Os lugares mais ruidosos são os mais concorridos; ela impõe sua voz acima do barulho. Esse anúncio contrasta com a instrução doméstica ou escolar: é ensinamento popular.

1,22 Três tipos no público. Os "inexperientes" ainda podem decidir-se a aprender. Os néscios se fecham ao saber. O insolente ou cínico despreza zombeteiramente o sermão. São atitudes voluntárias e culpáveis, que a anunciadora tenta corrigir.

1,23 Voltar-se é movimento de conversão. Paralelo de "repreensão" e "palavra"; é abrir o coração, literalmente "proferir o alento", Jó 7,11; 20,3.

1,24-25 Quádruplo chamado e quádrupla negação: Is 65,2.12; 66,4; Jr 7,13.

²⁶pois eu rirei de vossa desgraça,
  caçoarei quando o terror vos alcançar.
²⁷Quando o terror vos alcançar como tempestade,
  quando a desgraça vos chegar como furacão,
  quando a angústia e a aflição vos alcançarem;
²⁸então eles chamarão, e não os escutarei;
  eles me buscarão, e não me encontrarão.
²⁹Porque detestaram o saber
  e não escolheram o respeito do Senhor;
³⁰não aceitaram meus conselhos,
  desprezaram minhas repreensões;
³¹comerão o fruto de sua conduta,
  e se saciarão de seus planos.
³²A rebeldia mata os ingênuos,
  a despreocupação acaba com os imprudentes;
³³mas quem me obedece viverá tranquilo,
  seguro, e sem temer mal nenhum".

Discurso do mestre

2 ¹Filho meu, se aceitas minhas palavras
  e conservas meus mandatos,
²dando ouvidos à sensatez
  e prestando atenção à prudência;
³se invocas a inteligência
  e chamas a prudência;
⁴se a procuras como ao dinheiro
  e a buscas como a um tesouro,
⁵então compreenderás o respeito do Senhor
  e alcançarás o conhecimento de Deus.
⁶Porque é o Senhor quem dá a sensatez,
  de sua boca procedem saber e inteligência.

1,26-27 Parecem ligeiramente sobrecarregados. A Sensatez não executa o castigo, mas deixa chegar as consequências de uma conduta e as aprova com um sorriso. Parece cruel, e é mesmo, porque passou o tempo da compaixão. A imagem alerta para a urgência decisiva das opções humanas. Além disso, avisa de antemão.
1,27 Jr 30,23s.
1,28 É a pena do talião.
1,29-30 Novo quarteto, variação de 24s. Entre ambos se agrupa uma série de sinônimos ou complementos. É importante o paralelismo de "saber" e "respeito ao Senhor".
1,31 Corresponde a 26a. A conduta produz seus frutos quase de modo vegetal. A árvore é a própria pessoa, e cada qual come do que cultiva: 6,19; 12,14; 13,2; Is 3,10.
1,32-33 A conclusão opõe obediência e rebeldia; com menos rigor, opõe segurança autêntica e falsa paz da má consciência (ignorância culpada).
2 O capítulo segundo é fenomenal construção sintática, realizada com o uso de partículas e repetições como fios condutores. Uma fantástica e rigorosa amarração tenta unir os mais importantes materiais do universo sapiencial.
a) O estritamente sapiencial: sensatez, prudência, inteligência, acerto, sagacidade, saber, conhecer; b) o ético: retidão, reto, bom, íntegro, direito, justiça, caminho, senda, caminhar, entrar; mau, perverso, trevas, torcido, extraviado, malvado, traidor, estranha, desconhecida; c) o religioso: respeito ao Senhor, conhecimento de Deus, leal, aliança divina; d) o existencial (êxito/fracasso): entesourar, custodiar, guardar, escudo, livrar, habitar, ficar; à morte, às sombras, não volta, não vivem, ser expulso, ser arrancado. O capítulo tem muito de recapitulação. Falam três pessoas ou grupos: o pai ou mestre, o perverso, a prostituta. Seus discursos se opõem, mas o discurso do mestre engloba o resto, cita, controla e neutraliza os ensinamentos contrários. Vou tratar esta unidade, dividindo-a em seis capítulos de 4 + 4 + 3, 4 + 4 + 3 versos.
2,1-4 A primeira estrofe é composta de prótases condicionais ("se"). O pai (ou mestre) fala e manda com autoridade. O discípulo deve dar sua colaboração. Primeiro escutando docilmente, depois chamando, e finalmente buscando. A ordem das condicionais não é cronológica; apresentam aspectos diversos ou complementares.
2,5-8 A segunda estrofe contém uma apódose ("então") com sua motivação. Introduz o tema religioso. Sensatez e prudência não são resultado automático do esforço humano, mas dom de Deus: Sb 8,21. Temos quase dois polos de religiosidade: respeito

⁷Ele entesoura acerto para os homens retos,
  é escudo para quem tem conduta irrepreensível,
⁸guarda o caminho do dever
  e custodia a senda de seus fiéis.
⁹Então compreenderás a justiça e o direito,
  a retidão e toda conduta boa,
¹⁰porque entrará em tua mente a sensatez
  e sentirás gosto no saber,
¹¹a sagacidade te guardará,
  a prudência te protegerá
¹²para livrar-te do mau caminho,
  do homem que fala perversamente,
¹³dos que abandonam a trilha reta
  para seguir caminhos tenebrosos,
¹⁴dos que exultam fazendo o mal
  e se alegram com a perversão,
¹⁵seguem trilhas tortuosas
  e sendas extraviadas;
¹⁶para livrar-te da prostituta,
  da meretriz que adula com palavras,
¹⁷abandonou o companheiro de sua juventude,
  e esqueceu a aliança de seu Deus;
¹⁸sua casa se inclina para a morte,
  suas sendas para o país das sombras;
¹⁹os que por aí entram não retornam,
  não alcançam as sendas da vida.
²⁰Para que sigas o bom caminho
  e te mantenhas em sendas honradas,
²¹porque os retos habitarão na terra
  e os íntegros permanecerão nela;
²²ao passo que os perversos
  serão expulsos da terra
  e os pérfidos serão arrancados dela.

3 ¹Filho meu, não esqueças minha instrução,
  conserva em tua memória meus preceitos,

---

numinoso numa extremidade, conhecimento e trato na outra. Essa relação polar do homem com Deus é a suprema sabedoria. "Fiéis" ou leais.

2,9-11 A terceira estrofe acrescenta uma segunda apódose de elementos éticos e sapienciais. A sensatez toma a iniciativa, como que respondendo ao chamado e busca dos versículos 3s. Depois que a sensatez entrou em sua nova morada, dois personagens de sua escolta montam guarda no lado de fora.

2,12-15 A quarta estrofe introduz uma frase final ou consecutiva do que antecedeu em sua capacidade libertadora. Vão juntos o mau caminho e o homem que o segue, que "perturba" ou "perverte" a norma reta. Por isso segue um caminho tenebroso: busca a escuridão encobridora (Is 29,15; Jó 24,15; 38, 13.15) e cai nas trevas fatais. Sentem a maligna alegria de agir mal, como se fazer o mal causasse prazer. Grau altíssimo de maldade e teimosia.

2,16-19 Na quinta estrofe surge pela primeira vez a prostituta, que reaparecerá nesta primeira coleção. Seus métodos são descritos: maldade e consequências fatais. Talvez o matrimônio fosse considerado como aliança sancionada por Deus. A mulher má é duplamente infiel: ao primeiro marido e a Deus. A presença da "casa" entre imagens de caminho se explica pela atividade do personagem. As sendas da vida são as percorridas pelos viventes e que lhes garantem vida autêntica. A exposição alcança aqui sua máxima gravidade: é questão de vida ou morte.

2,20-22 A vida é longo caminho e a conduta é o modo de percorrê-lo. A alternativa de 21s é a proposta pelo Salmo 37. O provérbio transporta para o sentido da terra como morada dos vivos aquilo que no salmo se refere à terra prometida, de acordo com as tradições de conquista e ocupação. Ser arrancado dela equivale a morrer. Comparar com Dt 11,8.16s.23.

3 Quanto à forma, divide-se em quatro peças: 1-12.13-20.21-26.27-35. Quanto ao conteúdo, bens da sensatez, as duas peças centrais vão juntas, e aos lados se expõem deveres para com Deus e para com os homens.

²porque te darão muitos dias,
   anos de vida e prosperidade;
³que bondade e lealdade não te abandonem,
   pendura-as no pescoço,
   escreve-as na tabuinha do coração:
⁴alcançarás favor e aceitação
   de Deus e dos homens.
⁵Confia de todo o coração no Senhor
   e não te fies de tua própria inteligência;
⁶em todos os teus caminhos o tenhas presente,
   e ele aplainará tuas sendas.
⁷Não te consideres sábio,
   respeita o Senhor e evita o mal;
⁸teu umbigo terá saúde
   e teus ossos, irrigação.
⁹Honra o Senhor com tuas riquezas,
   com as primícias de todas as tuas colheitas,
¹⁰e teus celeiros se encherão de trigo,
   teus lagares transbordarão de vinho.
¹¹Não rejeites, filho meu, o castigo do Senhor,
   não te aborreças com sua repreensão,
¹²porque o Senhor repreende a quem ele ama,
   como um pai ao filho querido.

Sabedoria e prudência

¹³Feliz o homem que alcança sensatez,
   o homem que adquire inteligência:
¹⁴é mercadoria melhor que a prata,
   produz mais rendas que o ouro,

3,1-2 Pela recomendação da instrução e preceitos (*torá* e *mizwot*) e pela promessa de longevidade, esses versículos se assemelham ao Deuteronômio. Mas "instrução" e "preceitos" também pertencem ao mundo sapiencial. Varia o grau de autoridade de quem os propõe: aqui não é Moisés quem fala, e sim um mestre que, no momento, inculca a recordação antes do cumprimento. A "prosperidade" é também paz.

3,3-4 O binômio "bondade e lealdade" pode definir Deus (Ex 34,6s) e deve definir o homem. Aparece também em 14,22; 16,6; 20,28. Aqui poderia ter Deus e os homens como objeto, segundo a motivação. São penduradas ao pescoço como ornamento ou para recordar. A "tabuinha" do coração se opõe às tábuas de pedra (Jr 31,33). À dupla virtude corresponde duplo prêmio.

3,5-6 Doutrina capital, também nos profetas. O homem busca para sua existência um ponto de apoio fora de si ou em si (Sl 62). O peso ou gravidade do homem busca seu centro de gravidade para centrar-se. É uma atitude fundamental. Nem outros homens nem a própria pessoa podem oferecer esse centro único, base última da existência. Apoiar a existência em algo que não é Deus, sejam riquezas ou saber, é como uma idolatria. Ver Jr 9,22 e 17,5.7. Ver no livro 11,28; 14,16; 16,20; 28,25s.

3,7-8 "Respeitar o Senhor e evitar o mal" pode definir toda uma conduta: 16,6; Jó 1,1.8; 2,3; 28,28. Embora algumas versões antigas tenham traduzido "carne", o hebraico diz "umbigo". Centro e dominador do ventre, sinal de vida independente do recém-nascido. A saúde do umbigo é tomada como sinal e garantia da saúde do corpo. Os ossos são a estrutura íntima: Sl 34,21; Jó 21,24; Is 66,14.

3,9-10 O homem separa uma parte de suas riquezas e, no culto, a oferece a Deus, doador de tudo; separa as primícias de qualquer tipo de frutos, produto da terra e dom de Deus. O prêmio está na mesma linha e encerra o ciclo ordenado. Prêmio mais externo que o dos dísticos precedentes, como o culto é mais externo que o respeito ou a confiança. Ver Dt 26,15; Eclo 35,7-10.

3,11-12 Deus tratará o discípulo como um pai trata seu filho. Na educação se revela uma espécie de paternidade divina: Dt 8,5. Na correção e no castigo se manifesta o amor exigente, paterno e intolerante com a culpa, mas compassivo com o filho: Jó 5,17s; Hb 12,5s.

3,13-26 Podemos tomá-los como uma unidade ou duas. Muda a pessoa: até o v. 20, na terceira pessoa; o que se segue, na segunda pessoa; a uma ampla bem-aventurança segue-se uma exortação. Mas pronunciar uma bem-aventurança é maneira de exortar. Em 19-20 conclui com uma referência cósmica, e em 26 promete a proteção ao homem individual. Os bens prometidos em ambas as partes se repetem ou se complementam.

¹⁵é mais valiosa que os corais,
 joia nenhuma se lhe compara;
¹⁶na direita traz longos anos,
 na esquerda honra e riqueza;
¹⁷seus caminhos são agradáveis
 e suas sendas são tranquilas,
¹⁸é árvore de vida para os que colhem dela,
 são felizes os que a retêm.
¹⁹O Senhor alicerçou a terra com destreza
 e estabeleceu o céu com perícia;
²⁰com seu saber as fontes se abrem
 e as nuvens destilam orvalho.
²¹Filho meu, não as percas de vista,
 conserva o tino e a reflexão:
²²serão vida para tua garganta
 e enfeite para teu pescoço;
²³seguirás tranquilo teu caminho
 sem que teus pés tropecem,
²⁴tu deitarás sem alarmes,
 deitarás e teu sono será doce,
²⁵não te assustará o terror imprevisto
 nem a desgraça que cai sobre o perverso.
²⁶Pois o Senhor se porá a teu lado
 e guardará teu pé da armadilha.

Deveres com o próximo

²⁷Não negues um favor a quem necessita,
 se está em teu poder fazê-lo.

3,13-20 A bem-aventurança se transforma facilmente em elogio da sabedoria: feliz o homem que a possui (13 e 18). Deus mesmo a usou na criação (19-20). Desenvolve dois tópicos do gênero elogio: supera em valor bens materiais desejáveis, quatro ao todo; obtém toda espécie de bens, sete ao todo.

3,13 A fórmula de bem-aventurança está em 8,32.34; 14,21; 16,20; 20,7; 28,14; 29,18. O gênero propõe valores, não exigências, apela à bondade e atração, não à autoridade.

3,14-15 Ver a ampla explanação de Jó 28,15-19.

3,16 A longevidade era valor muito estimado por razões culturais e teológicas.

3,17-18 Os caminhos que ela traça, a conduta que ela guia. O discípulo avançará por uma senda agradável até chegar à árvore da vida, que lhe dará espontaneamente seus frutos vivificantes. Um paraíso que terra prometida: comparar com Gn 3,24.

3,19-20 Como criador e artesão, seus dotes são perícia, destreza e habilidade. Céu e terra compõem o universo. As nuvens fornecem a fecundidade e adquirem aqui valor simbólico. "Se abrem as fontes": ver Gn 7,11.

3,21-26 Depois de um conselho expresso em forma negativa, vêm quatro versículos de promessas e outro que mostra o Senhor como garantia. Ou seja, o mestre propõe um valor sapiencial, recorda suas felizes consequências e conclui subindo à esfera religiosa: por meio de duas virtudes que os mestres ensinam, o Senhor protegerá a vida do discípulo.

3,22 "Enfeite": alguns, guiados por 17,8, pensam num talismã.

3,23 O caminho da vida é ao mesmo tempo ético e existencial: o êxito é consequência. Ver Sl 91,12.

3,24 Caminhar e deitar-se formam expressão polar, como em Dt 6,7. O "terror" (25) pode ser aquele que a escuridão provoca no homem em vigília (Ct 3,8; Sl 91,5) ou os pesadelos que perturbam o sono tranquilo, como em Eclo 40,6.

3,25 Reforça a promessa de segurança. Na forma de mandamento, oferece uma certeza. Pode vir a desgraça, mas está destinada aos perversos, como diz Sl 91,7.

3,26 No v. 21, deve-se aguardar e não afastar-se; no fim, o Senhor guarda e está próximo. A ação do discípulo e a de Deus se correspondem: ver Sl 121,3. Em última instância, o que o pai ou mestre pretende é pôr o discípulo sob a imediata proteção do Senhor.

3,27-35 Quanto à forma, são uma série de proibições sem introdução; não são enunciados, mas ordens formais com motivação. Embora a forma seja negativa, o conteúdo é positivo. Creio que a introdução se encontre nos vv. 1-2. Quanto ao conteúdo, "bondade e lealdade" predominam no v. 3 e aqui. Após as seis proibições de 27-31, vem ampla motivação (32-35) de cunho teológico.

3,27 Segundo o exemplo de Deus (Sl 84,12), "poder fazê-lo" é razão suficiente e exigência para fazer o bem; o contrário aparece em Mq 2,1. Eclo 4,1-6 é quase um comentário.

²⁸Se tens, não diga ao próximo:
"Vai e volta, amanhã eu te darei".
²⁹Não trames danos contra teu próximo,
enquanto vive confiando em ti.
³⁰Não desmandes com ninguém sem motivo,
quando ele não te causou prejuízo.
³¹Não invejes o violento
nem escolhas nenhum de seus caminhos.
³²Porque o Senhor detesta o perverso,
mas confia nos homens retos;
³³o Senhor amaldiçoa a casa do perverso
e abençoa a morada do honrado;
³⁴ele zomba dos zombadores,
mas concede seu favor aos humildes;
³⁵concede honra aos sensatos
e reserva vergonha para os néscios.

A tradição

4 ¹Escutai, filhos, a correção paterna;
atendei, para aprender prudência;
²eu vos ensino uma boa doutrina,
não abandoneis minhas instruções.
³Eu também fui filho de meu pai,
terno e preferido de minha mãe.
⁴Ele me instruía assim:
"Conserva minhas palavras na memória,
guarda meus preceitos e viverás;
⁵adquire sensatez, adquire inteligência,
não a esqueças, não te afastes de meus conselhos;

3,28 A propósito da urgência, ver o preceito de Ex 22,25. Nós dizemos: "É melhor um 'toma' que dois 'te darei' "; "Tarde dar e negar andam juntos".
3,29 O pecado assume forma agressiva e premeditada, com a agravante da convivência pacífica e confiante do próximo.
3,30 Este livro demonstra antipatia radical contra as demandas, embora justificadas: 5,8; 17,14; 20,5; 24,29. Se alguém foi lesado em seus direitos, a demanda não seria injusta. O provérbio não a recomenda nem exclui, pois se concentra no injustificado.
3,31 Ver 23,17 e 24,1 e especialmente Sl 37,1 em seu contexto. Os perversos são invejados, não por sua maldade, mas por seu êxito na vida (Sl 73,3). Daí se segue a adoção de seus métodos, mesmo que seja para lutar contra eles. Isso seria cair em armadilha mais grave do que ser vítima deles. Na série, a figura do "violento" poderia ser climática, ou então síntese e caracterização dos casos precedentes.
3,32-34 Para motivar remonta à aprovação divina, dividida em três duplas antitéticas: desviado/reto, perverso/honrado (ou culpado/honrado), insolente/humilde. Trata-se de um justo oprimido pelo injusto; é uma vítima inocente que, apesar de sofrer, se mantém honrada.
3,33 Maldição e bênção atuam como forças autônomas: Zc 5,4; ver Sl 37,22.
3,34 Citado por Tg 4,6 e 1Pd 5,5. A forma condicional indica o caráter correlativo dos membros: se ele zomba dos zombadores, é para favorecer a outros. As condutas eram correlativas: os oprimidos o são por culpa dos opressores. Ver Is 29,19-21; Sl 2,4; 37,13; 59,9; Sb 5,4.
3,35 À maneira de colofão, retorna o tema sapiencial, tema da seção central do capítulo.
4,1-9 A perícope, insistente em sua brevidade, introduz o princípio da tradição na escola sapiencial. Sobre a tradição, ver Jó 8,8s e Sl 78,3-6. O saber se transmite de pais para filhos, de mestres para discípulos. A sabedoria é um rio que vai crescendo alimentado por muitos afluentes. Mais que discurso, parece uma introdução com um clímax no v. 7. No desenvolvimento se alternam exortações com motivações de modo irregular. Nota-se certo afã em variar a designação dos discursos.
4,1 *Musar*, em sentido estrito, é correção, castigo; em sentido amplo, inclui todo o processo da educação, começando pela familiar.
4,2 *Torá* tem aqui, como em outros casos, o sentido de instrução concreta.
4,3 Não é tautologia nem enunciado trivial, mas apelo à experiência humana comum. O menino terno ainda é inexperiente, porém maleável.
4,4 Como o Dt, inculca duas coisas: recordar e praticar. Acrescenta a primeira motivação, a mais importante: a vida.
4,5 A metáfora é comercial: 16,16; 23,23; outros dizem que não se compra: Jó 28. Alguns pensam que co-

⁶não a abandones, e ela te guardará;
    ama-a, e te protegerá.
⁷O princípio da sensatez é:
    Adquire sensatez,
    com todos os teus haveres adquire prudência;
⁸estima-a, e te fará nobre;
    abraça-a, e te fará rico;
⁹porá em tua cabeça um diadema formoso,
    e te cingirá com uma coroa resplendente".

Os dois caminhos

¹⁰Escuta, filho meu, recebe minhas palavras,
    e se alongarão os anos de tua vida:
¹¹Eu te instruo sobre o caminho da sensatez,
    e te encaminho pela senda reta.
¹²Ao caminhar teus passos não vacilarão,
    ao correr não tropeçarás.
¹³Apega-te à correção, não a soltes;
    conserva-a, porque é a tua vida.
¹⁴Não entres pela trilha dos perversos,
    não pises o caminho dos maus;
¹⁵evita-o, não o atravesses;
    afasta-te dele e segue.
¹⁶Não dormem se não cometem crimes,
    perdem o sono se não destroem alguém,
¹⁷comem a maldade como pão
    e bebem violências como vinho.
¹⁸A senda dos honrados
    brilha como a aurora,
    vai clareando até pleno dia;

---

meça aqui a imagem conjugal, já que também pela esposa é preciso oferecer um dote: Gn 34,12; Os 3,2.

4,6 Tomo o verbo "amar" no sentido específico, que continua na perícope e se desenvolve em capítulos próximos e no Eclesiástico.

4,7 Prefiro não mudar o texto diante dessa estranha recomendação. "Adquire sensatez" é como um imperativo categórico, princípio fecundo e interminável. O primeiro ato sensato do homem é adquirir sensatez. Em dois sentidos: a) da capacidade vai-se passando ao ato; b) sempre é preciso continuar adquirindo: Eclo 24,21. Os gregos o chamam *philo-sophia*, amor que é desejo contínuo.

4,8 A imagem conjugal retorna com o verbo "abraçar": Ct 2,6; 8,3. "Estima-a" é tradução hipotética de um verbo misterioso. Tento salvar o paralelismo e apresentar as ações de ambos como correlativas.

4,9 Não é certo que se trate de ritos nupciais, apesar de Is 62,10 e Ct 3,11; pode tratar-se de atributos genéricos de honra ou adornos festivos, como em Eclo 32,2.

4,10-19 Essa perícope é dedicada ao tema clássico dos dois caminhos. A antítese rege o desenvolvimento alternado. O sapiencial e o ético se entrecruzam, como em tantas ocasiões. Entre os dois grupos de perversos e honrados, acontece a conhecida correlação de violência exercida e sofrida.

4,10 Gerando, o pai dá início a uma vida; educando, a prolonga.

4,11 A palavra hebraica *yshr* significa reto e plano, bem traçado ou bem pavimentado: símbolo de retidão moral e êxito existencial.

4,12 Note-se a alternativa de caminhar e correr: comparar com 19,2.

4,13 Podemos imaginar a correção como a margem negativa do caminho ou como a instância que permite voltar a ele. Numa passagem difícil, a pessoa se agarra em algo seguro.

4,14 Ver o começo do Sl 1.

4,15 O original joga com dois significados do verbo '*abar*: "passar por" ou "atravessar", e "passar" ou "seguir". Poderíamos imitar o jogo: evita-o, não o percorras; afasta-te, passa adiante. Há encruzilhadas na vida em que os dois caminhos se encontram e se cruzam.

4,16-17 Os perversos estão vigorosamente descritos em suas necessidades elementares: comer, beber, dormir, Como se a maldade fosse para eles algo biológico e instintivo, a primeira necessidade da vida. Não dormem, se durante o dia não acrescentaram algum crime à sua lista.

4,18-19 Os dois versículos conclusivos colocam a imagem de luz e trevas sobre a imagem do caminho. A luz é símbolo de vida. Como o caminhar é movimento progressivo, assim o bom caminho é luz que alvorece e cresce até o meio-dia. Comentaristas antigos leram o v. 18 em chave escatológica. O inteiro caminho

¹⁹o caminho dos perversos é tenebroso,
não sabem onde irão tropeçar.

O bom caminho

²⁰Filho meu, atende às minhas palavras,
dá ouvidos aos meus conselhos:
²¹que não se afastem de teus olhos,
guarda-os dentro do coração;
²²pois são vida
para aquele que os encontra,
são saúde para sua carne.
²³Acima de tudo, guarda teu coração,
porque dele brota a vida.
²⁴Afasta de ti a língua enganosa
e fica longe dos lábios falsos;
²⁵que teus olhos olhem de frente
e tuas pupilas se dirijam para diante.
²⁶Aplaina a senda de teus pés,
que todos os teus caminhos sejam seguros,
²⁷não te desvies à direita ou à esquerda,
afasta teus passos do mal.

5 ¹Filho meu, presta atenção à minha experiência,
dá ouvidos à minha inteligência:
²assim conservarás a cautela
e teus lábios guardarão o saber.

A prostituta

³Os lábios da prostituta destilam mel
e seu paladar é mais suave que o azeite;
⁴mas no final é mais amarga que o absinto
e mais cortante que punhal de dois gumes;

---

do perverso é só trevas, e o escorregão é a queda definitiva: Jr 23,12; Is 59,9; Sb 5,6.
4,20-27 Característica desta peça é o afã de abranger toda a pessoa do discípulo em sua corporeidade: ouvido, olho, coração, carne, boca e lábios, olhos e pupilas, pés, direita e esquerda.
Vejamos suas funções: é óbvia a função de escutar, olhar, falar, caminhar. Os olhos dirigem: como quem propõe um fim e o persegue, avança para um ponto já possuído com o olhar. E como os olhos são sede da avaliação, a reta direção é resultado da correta avaliação dos valores.
Mais importante e decisivo é o "coração", porque dele brota a conduta moral, decisiva para a vida. A instrução terá validade e eficácia somente quando assimilada e personalizada.
4,22 Comparar com 3,8.
4,23 "Brota": não creio que o diga em sentido fisiológico, mas por sua função de escolher e decidir em campo ético.
4,26 "Aplainar", como em Is 26,7; 40,12.
4,27 Ver Is 30,21.
Os Setenta e a Vulgata acrescentam um versículo que não concorda com o anterior: "*O Senhor se ocupa dos caminhos da direita, os da esquerda se extraviam*".
5 Este capítulo é como uma especificação dos dois caminhos na esfera sexual. Quanto ao tema, é ampliação de 2,16-19. No desenvolvimento observamos: a) a articulação antitética, em disposição ABA, a prostituta – a esposa – a prostituta; a expressão é corpórea na primeira parte e imaginativa na segunda; a oposição de próprio e alheio na terceira. A importância do tema reside primeiro em seu sentido próprio, depois em seu potencial simbólico. Em seu sentido próprio, pelo perigo que a prostituta representa para jovens e adultos, com suas consequências físicas, morais, econômicas e religiosas. O potencial simbólico consiste simplesmente em apontar para a Sabedoria personificada.
5,1-2 Prefiro não corrigir o segundo versículo e tomar os lábios como alusão à prática de recitar: Dt 31,22; Sl 50,16.
5,3 Refere-se diretamente às palavras, como mostram 2,16; 8,8; Sl 55,22. Mas escuta-se também o sentido erótico, conforme Ct 2,3; 5,16; 7,10.
5,4 O paladar pode representar a capacidade de discernir e avaliar. O punhal afiado sugere uma execução capital.

⁵seus pés descem para a Morte
 e seus passos se dirigem ao Abismo;
⁶não segue o caminho da vida,
 suas sendas se extraviam
 sem que ela perceba.
⁷Portanto, filhos, escutai-me,
 e não vos afasteis de meus conselhos:
⁸afasta dela teu caminho
 e não te aproximes da porta de sua casa,
⁹não dês a estranhos tua honra
 nem teus anos a um implacável;
¹⁰estrangeiros não se fartem de teu vigor
 e de tuas fadigas em casa de um desconhecido.
¹¹Gemerás quando chegar o teu desfecho
 e se consumir a carne do corpo.
¹²Então dirás: "Por que detestei a correção,
 e meu coração desprezou a reprimenda?
¹³Por que não dei atenção a meus mestres
 nem escutei meus educadores?
¹⁴Por pouco não chego ao cúmulo da desgraça,
 no meio da assembleia reunida".

Alegria do matrimônio

¹⁵Bebe água de tua cisterna,
 bebe abundantemente de teu poço.
¹⁶Não derrames pela rua teu manancial,
 nem teus ribeiros pelas praças;
¹⁷sejam só para ti,
 sem partilhá-los com estranhos.
¹⁸Seja bendita a tua fonte,
 exulta com a esposa de tua juventude:

5,5 Recorde-se o relato de Sansão e Dalila, lenda de paixão e morte. A prostituta é aliada e enviada da Morte, encarregada de conduzir ao abismo aqueles que captura.

5,6 Seu extravio inconsciente e constitutivo é a antítese do caminho sensato, bem traçado e conhecido.

5,7-10 Pelos plurais, diríamos que o autor pensa numa organização estrangeira que explora a prostituição para explorar os clientes. Mas com esses dados não podemos reconstruir o quadro social da prática. Os singulares caracterizam: ela sedutora fatal, ele estrangeiro inexorável. Repartem-se pela metade os papéis: ela põe o óleo do afago e o mel do prazer; ele põe o cálculo impiedoso. O cliente é simples vítima, que irá perdendo sua dignidade, vigor e bens. O castigo tem algo da lei do talião: o jovem gozou do prazer alheio, estrangeiros desfrutarão do seu suor. E devorando os anos, a idade, os pés da prostituta conduzem à morte.

5,11-14 O mestre, com seus anos e experiência, pode antecipar a reflexão hipotética e futura do libertino degenerado e fracassado. Aponta-se um processo: primeiro, "corpo e carne" (*carne* pode significar em hebraico o membro viril, Lv 16,4); segundo, a alienação dos mestres; terceiro, a condenação da assembleia. Notamos uma técnica sapiencial que consiste na evocação poética de um fato, um desfecho, com força de admoestação. É forçoso recordar a primeira parte da parábola do filho pródigo (Lc 15,11ss); para a assembleia, Eclo 23,24.

5,15-19 Ao chegar a essa estrofe, o autor cede ao lirismo: sua linguagem se torna figurada, imaginativa, e a adorna com discretos efeitos sonoros. Três versículos são marcados por imagens de água, um evoca imagens de animais. Jardim ou horto fechado: a água não deve perder-se pelas ruas. Nomes de animais figuram como nomes de mulher: Raquel, Jael, Débora. O dom mútuo e exclusivo, a fidelidade inquebrantável selam o prazer e a fecundidade do amor: Ct 2,16; 6,3.9. A maneira de falar supõe um ideal monogâmico: uma só e para sempre; todos os termos estão no singular, a dispersão acontece fora.

5,16 Para que faça sentido, é preciso acrescentar ao texto hebraico uma negação ou lê-lo como pergunta retórica.

5,18 Fecundidade: Gn 1,29; 24,60; Dt 28,4; Lc 1,42. Exultação: Is 62,5; Ct 3,11.

¹⁹cerva querida, gazela formosa,
   que suas carícias sempre te embriaguem,
   e constantemente te arrebate seu amor.
²⁰Por que, filho meu,
   deveria a prostituta te arrebatar,
   ou deverias abraçar o seio da estranha?
²¹Pois os caminhos humanos
   são evidentes para Deus:
   ele examina todas as sendas deles.
²²O perverso, suas próprias culpas o enredam,
   e fica preso nas redes de seu pecado;
²³morre por falta de correção,
   por sua enorme insensatez se extravia.

Fiança

6 ¹Filho meu, se foste fiador de teu vizinho,
   dando a mão a um estrangeiro,
²se te envolveste com tuas palavras
   ou ficaste preso pela boca,
³faze o seguinte, filho meu, para te livrares,
   pois te tornaste responsável por teu vizinho,
   caíste em poder de teu vizinho:
   vai, insiste, acossa teu vizinho,
⁴não concedas sono a teus olhos
   nem repouso a tuas pupilas;
⁵livra-te como gazela do caçador
   ou como pássaro da armadilha.

Preguiça

⁶Olha a formiga, preguiçoso,
   observa seu agir e aprende;

5,19 "Arrebate": significa o enlevo, a fascinação do amor; Is 28,7 o diz do vinho.

5,20-23 A repetição do verbo "arrebatar" sublinha a antítese entre o arrebatamento do amor casto e o da prostituta. No final da instrução, o mestre apela para a sentença, combinando dois aspectos que alguns quiseram considerar incompatíveis: a sentença transcendente de Deus e a imanente à conduta humana. Aqui se reconciliam em dois tempos. Deus examina e observa, como diz Eclo 23,19-21, depois dá livre curso ao processo imanente do castigo.

5,22 O libertino é como fera acossada, seus pecados são batedores e caçadores, e as redes lhe impedem a fuga. Ele próprio se meteu nas redes mortais e não tem o consolo de ser vítima inocente.

6 Seguem-se nesse capítulo quatro instruções breves e autônomas que interrompem o discurso unitário sobre a sexualidade. Sem os vv. 1-19, passaríamos da prostituta à adúltera.

6,1-5 O tema da fiança preocupa várias vezes o mestre: 11,15; 17,18; 20,16; 22,26; 27,13. Contudo, não conseguimos reconstruir com clareza seu mecanismo. Desconhecemos a legislação ou o direito consuetudinário sobre a matéria. Para nos orientar propomos um esquema. A fiança inclui três pessoas: credor, devedor, fiador. O rito inclui um aperto de mãos: 11,15; 17,18; 22,26; e uma palavra, juramento ou promessa. É lógico que o devedor seja conhecido do fiador; mas alguns textos dão a entender que o devedor é desconhecido. Em tal caso, deve-se supor que o fiador o faça por afã de ganância: antecipa o pagamento para cobrá-lo com juros. Um texto tardio pode ilustrar alguns aspectos da operação: Eclo 29,14-19; Jó 17,2 oferece uma versão do tema original e audaz.

Com certa margem de incerteza explicamos esse texto. O devedor é o vizinho, o estrangeiro é o credor, o jovem discípulo é o possível fiador, desaconselhado pelo autor. Por amizade ou por desejo de lucro, aperta a mão do estrangeiro, a favor do seu vizinho, e acrescenta uma palavra de compromisso. Nesse momento se torna responsável ante o estrangeiro e está nas mãos do vizinho, pois deste depende que tudo se ajuste bem e em tempo. É preciso ter garantias o quanto antes, importunando o vizinho para que pague sua dívida, deixando assim livre quem se tornou seu fiador. Pois o estrangeiro vai à caça de vítimas comerciais imprudentes. Entre uma amizade e uma cobiça, ou entre duas cobiças, o inexperiente e imprudente passarinho caiu no alçapão.

6,6-11 Visto que Deus distribuiu sabedoria entre todos os viventes (Eclo 1,10), os animais podem ocupar

⁷embora não tenha chefe,
   nem capataz, nem governante,
⁸acumula grão no verão
   e reúne provisões durante a colheita.
⁹Até quando dormirás, folgazão?
   Quando sacudirás o sono?
¹⁰Um pouco dormes, um pouco dás cabeçadas,
   um pouco cruzas os braços e descansas,
¹¹e te chega a pobreza do vagabundo
   e a indigência do mendigo.

O perverso

¹²Um homem depravado, um indivíduo perverso,
   caminha torcendo a boca,
¹³piscando um olho, meneando os pés,
   e faz sinal com o dedo;
¹⁴por dentro com desatinos, planejando maldades
   e sempre semeando discórdias.
¹⁵Mas lhe chegará de repente a perdição,
   se quebrará de improviso e sem remédio.

Sete coisas

¹⁶Seis coisas o Senhor detesta
   e uma sétima aborrece de coração:
¹⁷olhos altivos, língua enganadora,
   mãos que derramam sangue inocente,
¹⁸coração que maquina planos perversos,
   pés que correm para a maldade,
¹⁹testemunha falsa que diz mentiras
   e aquele que semeia discórdias entre irmãos.
²⁰Guarda, filho meu, os conselhos de teu pai
   e não rejeites a instrução de tua mãe,

---

uma cátedra sapiencial: Jó 12,7-9. O autor retém como ensinamento a diligência e a pontualidade: sem submeter-se a chefes, a formiga sabe trabalhar socialmente, no momento oportuno. Em contraste, destaca-se a inatividade do preguiçoso, que ocupa o tempo em descansar, dormir e não fazer nada. E acontece uma mudança: à inatividade sucede uma atividade paralela. Algo que se move para chegar a um encontro, com segurança e sem pressa: pobreza e indigência. Assim, o preguiçoso acaba preso entre o ensinamento prudente do animal e a vingança segura da indigência. E o mestre sorri ao dar a lição.

6,12-15 O típico homem perverso é descrito por uma série de gestos incomuns em nossa cultura. A convenção social converte alguns movimentos particulares em gestos significativos, Eclo 27,22. Os gestos combinados revelam uma interioridade maligna. O mestre parece precaver o discípulo. O castigo chega repentino e irremediável, como vaso que se quebra sem conserto possível (Is 30,14).

6,16-19 Pelo artifício numérico (n + 1), esses versículos se unem a outros do capítulo 30 e de Eclo 25-26. Pelo elenco de membros corporais, é quase uma variação do quarteto precedente. O setenário avança com rapidez e concisão, mas não parece climático.

6,17 "Olhos altivos": Sl 18,28; Eclo 23,4; como comentário, Sl 131. "Língua enganadora": 12,19; 21,6; 26,28; Sl 109,2. "Derramar sangue inocente": frequente na legislação e na pregação profética.

6,18 Em quarto lugar, no centro, encontra-se o coração maquinando e planejando.

6,19 Em hebraico, dois sinônimos de "testemunha": 14,5.25; 19,5.9. "Semeia discórdias": 16,28. "Irmãos" em sentido familiar e nacional.

6,20-35 Embora a instrução flua sem rigor, pode ser articulada numa estrofe introdutória de quatro versos e outras duas de seis. Numa, predomina a imagem cósmica do fogo; na outra, a jurídica do ladrão. Assim, o mestre combina dois argumentos convincentes: a força elementar e destrutiva do fogo da paixão e as graves consequências jurídicas. Se as últimas são as mais fáceis de formular, ante o poder elementar só cabe perguntar apaixonadamente. A consequência é não "desejar", nem "entrar" nem "tocar". Como dizem os adágios: "Quem ama a casada, leva vida emprestada"; "Com mulher que tem dono, nem por sonho".

6,20-23 A introdução é solene pela extensão, pela presença de pai e mãe (modelo matrimonial) e pelas ressonâncias de Dt 6,4-9. Por essa razão e pelo uso do verbo "cobiçar", essa perícope pode ser lida

²¹leva-os sempre atados ao coração
e pendura-os no pescoço;
²²quando caminhares, eles te guiarão;
quando descansares, eles te guardarão;
quando despertares, falarão contigo.
²³Porque o conselho é lâmpada
e a instrução é luz,
e é caminho de vida
a repreensão que corrige.
²⁴Eles te guardarão da mulher má,
da língua aduladora da prostituta.
²⁵Teu coração não cobice sua beleza,
nem te deixes prender por seus olhares.
²⁶Se a prostituta busca uma fogaça de pão,
a casada vai à caça de uma vida preciosa.
²⁷Poderá alguém levar fogo no seio,
sem que sua roupa se queime?
²⁸Poderá alguém caminhar sobre brasas
sem queimar os pés?
²⁹Assim acontece
a quem se une à mulher do próximo:
ninguém que a tocar ficará impune.
³⁰Não se difama o ladrão quando rouba
para encher o estômago
quando passa fome?
³¹Se o surpreendem, lhe cobrarão o sétuplo,
terá de dar toda a sua fortuna.
³²Pois o adúltero é homem sem juízo,
o violador arruína a si mesmo:
³³receberá golpes e insultos,
e sua infâmia não se apagará.
³⁴Porque os ciúmes enfurecem o marido,
e não perdoará no dia da vingança,
³⁵não aceitará nenhuma compensação,
nem a quererá ainda que aumentes a oferta.

como comentário de um preceito do decálogo. Para a imagem da luz: Sl 19,9; 119,105.

6,24-29 A presença do fogo tem suporte sonoro pela semelhança de *'ish 'éshet 'esh* = homem, mulher, fogo. O fogo na polaridade de seus valores: força que transforma e unifica, força destruidora e inexorável. Em 5,15-19, o bom amor se achava submergido em várias aparições do elemento água; o mau amor é aqui fogo que abrasa e consome. Ct 8,6s confronta ambos os poderes, concedendo a vitória ao fogo.

6,24 O texto hebraico de "mulher má" é incorreto. Com leve mudança vocálica, temos "mulher do próximo", como no decálogo de 5,21.

6,25 "Olhares": conforme Ct 4,9.

6,26 O texto parece sobrecarregado. Trata-se do preço. A "fogaça" seria o limite inferior – Judá pagou um cabrito, Gn 38. A adúltera fixa um preço muito alto: uma vida, pela pena de morte.

6,27 Eclo 23,17.

6,29 "Se une": em hebraico "entrar em". A expressão carrega em duplo sentido outros dados: seio, pés, fogo.

6,30-35 A imagem do ladrão é de ordem jurídica e legal, tem apoios na legislação do roubo e do adultério. O decálogo o proíbe: Ex 20,15; Lv 19,11. Regulam os casos: Ex 21,16. 37; 22,1-12. A comparação do ladrão é conduzida de tal sorte que às vezes os dois campos se diferenciam, às vezes se fundem. A fome do ladrão é imagem da fome sexual do adúltero. Sendo jurídica, nessa imagem o fator econômico do ressarcimento tem muita importância. O ladrão não paga com a vida. O marido ofendido não aceita um acordo econômico, e o adúltero paga com a infâmia e a morte.

6,30 Se tem sorte, como passa fome? Sobrepõe-se o sentido simbólico.

6,31 Conforme a legislação, o necessitado devia pedir, não roubar.

6,32 "Sem julgamento" é categoria sapiencial; "arruína a si mesmo" é categoria existencial.

6,34 A vingança pode ser judicial: amparando-se na lei, o marido ofendido pode levar o adúltero ao tribunal.

6,35 Como se a legislação admitisse a fórmula de acordo em casos de adultério. Ou se pensa num marido condescendente, disposto a fechar um olho

A sedução

7 ¹Filho meu, conserva minhas palavras
e guarda meus preceitos,
²conserva meus preceitos e viverás,
minha instrução como a menina dos olhos;
³ata-os aos dedos,
escreve-os na tabuinha do coração.
⁴Dize à Sensatez: "És minha irmã",
e chama a prudência de parente,
⁵para que te guarde da prostituta,
da meretriz de palavra sedutora:
⁶"Estava eu à janela de minha casa,
olhando pelas frestas,
⁷quando vi entre os inexperientes
e distingui entre os jovens
um rapaz sem juízo,
⁸passando pela rua, junto à sua esquina,
e dirigindo-se à casa dela;
⁹era a hora do crepúsculo,
era noite plena e escura.
¹⁰Uma mulher lhe sai ao encontro,
vestida como prostituta,
matreira, envolta num véu,
¹¹esperta e insolente,
seus pés não sabem ficar em casa:
¹²agora na rua, depois na praça,
espreitando em todas as esquinas.

---

mediante pagamento. Os ciúmes são mais fortes que a cobiça. O ofensor oferece, propõe, mas em vão. A lei segue seu curso.

7 Depois da prostituta, da esposa legítima e da adúltera, vem a bem traçada figura da sedutora. Alguém propôs uma identificação específica desta mulher. Seria uma estrangeira e casada, que fez a Astarte um voto de prostituição sagrada, para um caso e não num templo. Os indícios seriam: o voto, os sacrifícios de comunhão com banquete, o ciclo lunar. Além disso, tal figura prestigiosa seria no livro a contrapartida à dama Sensatez. A tese é sugestiva, mas impossível de provar.

A descrição da personagem avança entre dois quartetos que funcionam como moldura. Tirando um versículo de ligação, restam dezoito versos, quatro dos quais introduzem um narrador: o autor não se contenta em expor uma doutrina, falando por ouvir dizer, mas conta o que viu, dando às suas palavras o peso do testemunho. O papel do narrador é fictício e pouco verossímil, pois da sua janela não poderia ver todas as evoluções da personagem, e menos ainda se é noite escura. A ficção não tira a veracidade do quadro. Não devemos defender a sinceridade da sedutora, já que tenta seduzir com adulações.

A "casa" atravessa a peça, quase como *leitmotiv*: a minha como ponto de observação, e a dela (do marido). Em correlação com esses dois pontos fixos, as vielas, praças e esquinas da cidade. O mestre sabe que a casa dela não é termo nem repouso, mas novo caminho para o abismo.

7,1-2 Entre dados conhecidos, destaca-se a comparação, literalmente "como o homenzinho de teus olhos", que não é frequente nem trivial: Dt 32,10; Sl 17,8.

7,3 Reminiscência de Dt 6,8s e Jr 31,33. Segurança da escritura e interioridade da memória, para guardar palavras do mestre.

7,4 Como se os pais dessem ao filho conselhos matrimoniais. Escolheram para ele uma esposa, a Sensatez; o filho tem de aceitá-la e apaixonar-se por ela. "Minha irmã" é título da amada em Ct 4,9s.12; 5,1s; 8,8.

7,5 Versículo de transição com as designações correntes da prostituta.

7,6-9 O sujeito desses versículos é sem dúvida o mestre: curioso e dedicado à sua tarefa de observar criticamente a comédia humana.

7,7 Parece que observava um grupo de mocinhos ou jovenzinhos que passeavam ociosamente na penumbra. Um protagonista anônimo, "sem julgamento", destaca-se entre os imprudentes.

7,8 É muito difícil conciliar esses dados. Seria preciso corrigir o texto ou imaginar dois tempos separados. Além disso, se uns passeiam e outros observam, a escuridão não é total.

7,10 "Matreira" nos afagos, não na ostentação. Corrijo o texto de acordo com o exemplo de Gn 38,14.

7,11 É típico o tédio da própria casa; o contrário da mulher dona de casa de 31,10-31. Comparar com as andanças dela em Ct 1,7; 2,2s; 6,6s.

7,12 A espreita é a única parada que se permite, e ela a revela em seu caráter de caçadora de vítimas propícias.

¹³Ela o agarra e beija,
 e descarada lhe diz:
¹⁴'Preparei um banquete sacrifical
 porque hoje cumpri meus votos;
¹⁵por isso saí ao teu encontro
 ansiosa por ver-te, e te encontrei.
¹⁶Cobri a cama com colchas,
 estendi lençóis do Egito,
¹⁷perfumei o quarto
 com mirra, aloé e cinamomo.
¹⁸Vem, vamos embriagar-nos de carícias,
 saciar-nos de amores;
¹⁹porque meu marido não está em casa,
 empreendeu uma longa viagem,
²⁰levou a bolsa de dinheiro
 e até a lua cheia não voltará'.
²¹Com tantos discursos o seduz,
 o atrai com lábios lisonjeiros,
²²e o infeliz vai atrás dela
 como boi levado ao matadouro,
 como cervo que se enreda no laço,
²³até que uma flecha lhe atinge o flanco,
 como pássaro que voa à armadilha
 sem saber que perderá a vida".
²⁴E agora, filhos meus, escutai-me,
 prestai atenção a meus conselhos,
²⁵não se extravie atrás dela teu coração,
 não te percas em suas sendas,
²⁶porque ela assassinou muitos,
 suas vítimas são inumeráveis,
²⁷sua casa é um caminho para o abismo,
 uma descida para a morada da morte.

7,13 O encontro se realiza sem preâmbulos, porque ela toma a iniciativa. O beijo não pedido é como a introdução do discurso, uma convincente captação de benevolência.

7,14-15 Atenção: o narrador não garante a veracidade do que ela diz. Nos "sacrifícios de comunhão", uma parte da carne da vítima é comida pelos ofertantes, como comensais do deus a quem se ofertou: ver a norma de Lv 7,16s. Ela ofereceu tal sacrifício como cumprimento de uma promessa: tem de comer a carne no mesmo dia, e procura alguém que a ajude. Seria uma pena ter de jogar fora a carne.
Fala como se já se conhecessem, como se tivesse procurado uma pessoa determinada. Remeda palavras e gestos de Ct 3,4.

7,16-17 Quarto e cama são claramente conjugais. O linho do Egito era muito apreciado. Quer suscitar a sensação de luxo, refinamento e prazer, também com os aromas: Ct 4,14; Sl 45,9.

7,18 Em contraste com 5,19: o bom e o mau amor.

7,19-20 Essa referência transfere o ato de prostituição ao terreno do adultério. Pelo que ela diz, dá a impressão que é um casal de estrangeiros e que ele é comerciante. Não se fala de preço.

7,22-23 O hebraico diz "de repente", "prontamente". Com leve correção temos: "e o infeliz". O terceiro hemistíquio exige uma correção coerente, respeitando todas as consoantes menos uma. Assim temos o pobre jovem comparado a um animal doméstico, mansamente conduzido ao matadouro, e a dois animais de caça, contra os quais se usam armadilhas e flechas. O traço irônico de um jovem convidado a comer da vítima, porém transformado em vítima, não diminui a gravidade, talvez a aumente.
O mestre contempla consequências muito graves, às quais se chega por um costume que empobrece, por perda rápida do dinheiro e pela fúria de um marido vingativo.

7,24-27 Contrariamente à busca da instrução dos mestres, o poder da sedução extravia, perturba a mente e a razão. Embora não se chegue à morte física, consuma-se a destruição do homem, da sua condição e dignidade. Ela é mulher fatal. Se o bom amor é fonte de vida, o mau amor é agente de morte. Para o mestre, o assunto contém suma gravidade. A prostituta descrita é quase sua primeira e grande rival. Cultivar desordenadamente a sexualidade opõe-se ao cultivo da Sensatez.

Anúncio da Sensatez

8 ¹A Sensatez anuncia,
a Prudência levanta a voz,
²em postos elevados junto ao caminho,
plantada no meio das sendas,
³junto às portas, à boca da cidade,
nos acessos aos portais grita:
⁴Cavalheiros, eu vos anuncio,
e dirijo a voz aos plebeus;
⁵incautos, aprendei sagacidade;
néscios, aprendei a ter juízo.
⁶Escutai, pois falo sem rodeios,
abro os lábios com sinceridade;
⁷meu paladar repassa a verdade
e meus lábios detestam o mal;
⁸todas as minhas palavras são justas,
nenhuma é desatinada ou tortuosa;
⁹são claras para aquele que entende
e retas para aquele que compreende.
¹⁰Recebei minha correção e não prata,
um saber mais precioso que o ouro;
¹¹porque a sensatez vale mais que os corais
e nenhuma joia se lhe pode comparar.

Hino à Sensatez

¹²Eu, a Sensatez, sou vizinha da Sagacidade
e possuo o parentesco da Reflexão.

---

8 Tem alguns sinais de composição unitária. Depois de ampla introdução (1-11), a Sensatez anuncia o que é e o que pode oferecer na ordem humana (12-21), suas prerrogativas cósmicas (22-31), e conclui com a exortação. Entre as partes extremas, há correspondências verbais e conteúdo complementar: o começo apela ao valor da oferta; o final antecipa as consequências. O corpo central se desdobra em amplo díptico.
O capítulo se relaciona também com o anterior, com a Sensatez como figura antitética da sedutora. Uma "espreita" nas esquinas, a outra se posta na rua; uma busca em segredo, a outra anuncia em público; uma emprega palavras lisonjeiras e enganosas, a outra fala diretamente e sem rodeios; uma oferece prazeres proibidos, a outra brinda êxito e prosperidade; uma conduz para a morte, a outra para a vida.

8,1-11 Uma inclusão define a perícope. Três versos introduzem o personagem, segue-se seu discurso feito de exortação e motivação. Seu discurso repete várias palavras de Sl 19,8-11: a *hokmá* ocupa o lugar da *torá*.
Depois de vários discursos do mestre, fala a Sensatez personificada; comparem-se 8,1-3 com 1,20s. Seu lugar de ensino não é o templo nem o palácio nem a escola, mas a praça e os lugares mais frequentados da cidade. Quase como vendedor ambulante (cf. Is 55,1-2), ela se dirige ao povo em geral, sem distinção de classes, com preferência por jovens inexperientes.

8,1 "Prudência" é outro nome do mesmo personagem. Seu discurso é um pregão em voz alta.

8,2-3 Quatro lugares sintetizam a topografia da cidade e mobilizam o anunciador ambulante.

8,4 Tomo a dupla como expressão polar que designa a totalidade dos cidadãos responsáveis; ver Sl 49,3; 62,10.

8,5 Duas categorias de pessoas que têm necessidade e são capazes de aprender. Não são os néscios confirmados em sua ignorância, nem os inexperientes fechados à experiência. A distribuição dos dons parece calculada: sagacidade a uns, julgamento a outros.

8,6 Interpreto a palavra hebraica como "de frente", "sem rodeios", "sem fingimento", conforme o v. 9. Outros traduzem "o elevado", "o principesco".

8,7-8 Qualidades éticas dispostas em quiasmo. Equivalem a verdade sem engano, honradez sem maldade. "Detestar" (= ter nojo) e "paladar" sugerem o campo do gosto físico como metáfora da avaliação moral. Paladar com língua pertence ao campo da linguagem, primário no contexto.

8,8 Sl 37,30.

8,9 O homem que entende acha o discurso justo e acertado. É preciso sintonizar para ressoar; ver Os 14,10.

8,10-11 Comparações para avaliar o valor da sensatez são tópicas do gênero e alcançam desenvolvimento exemplar em Jó 28. No último verso, Sensatez oferece sensatez. Ela se oferece a si mesma? Como esposa incomparável? Os indícios são fracos.

8,12-21 Dois quintetos marcados pelos primeiros versículos (12.17), que começam por "eu" e terminam por "encontrar". A Sensatez oferece bens de prosperidade, riquezas e honras, e bens de um governo

¹³(Odiar o mal é respeitar o Senhor.)
   Orgulho e soberba,
   mau caminho e boca falsa,
   eu detesto.
¹⁴São meus o conselho e o acerto,
   são minhas a prudência e a coragem.
¹⁵Por mim reinam os reis
   e os príncipes dão decretos justos,
¹⁶por mim governam os governantes
   e os nobres dão sentenças justas.
¹⁷Eu amo os que me amam,
   os que madrugam por mim me encontram.
¹⁸Eu trago riqueza e glória,
   fortuna sólida e justiça;
¹⁹meu fruto é melhor que o ouro puro,
   minha renda vale mais que a prata.
²⁰Caminho pela via da justiça
   e sigo as sendas do direito,
²¹para dar riquezas a meus amigos
   e encher seus tesouros.
²²O Senhor me criou como primeira de suas tarefas,
   antes de suas obras;

---

eficiente e justo. Ambas as coisas e sua união são tradicionais no mundo sapiencial.

8,12 A interpretação do segundo hemistíquio é duvidosa. O paralelismo pede algo como parentesco ou trato. Ou se dá a *da'at* o significado de trato, ou se corrige em *moda'at* (= familiar, parente).

8,13 O primeiro hemistíquio é glosa, o resto não se deve suprimir. Porque o quinteto o pede, porque completa a polaridade de atração e repulsão, e porque na tradição sapiencial a soberba é grande inimiga da sensatez.

8,14 O quarteto tem surpreendente semelhança com Is 11,2, com "acerto" em lugar de sensatez (é óbvio). Pode tratar-se de listas comuns nas quais vários autores se inspiram livremente. Isaías coloca o quarteto na esfera carismática. No segundo hemistíquio, é razoável corrigir *'ani* por *li*.

8,15-16 Um novo quarteto abrange todas as categorias de chefes responsáveis na vida política como administradores da justiça. Isso recomenda corrigir o último hemistíquio de acordo com a versão grega.

8,16 Is 11,2.5.

8,17 O segundo quinteto começa e termina com uma referência a "meus amigos"/"amantes": em sentido genérico de amizade ou específico de amor? Quando o AT introduz uma mulher como complemento do verbo amar, temos sempre sentido amoroso (com exceção de Is 66,10). Depois dos capítulos precedentes sobre o bom amor, o sentido específico parece impor-se. Pode confirmá-lo a tradição posterior de Eclo 14 e 51. Diante do mau amor se oferece o bom amor da esposa da juventude e da Senhora Sensatez. Ver também 4,6.8 e 29,3.

8,18 Parece incoerente a "justiça" completando o quarteto. Cabem duas soluções: a) justiça qualifica a fortuna "bem adquirida"; b) a incoerência é buscada por seu valor expressivo, como surpresa no final.

8,19 A Sensatez se apresenta como bem produtivo.

8,20-21 Reforça o tema da justiça projetado ao curso da vida e conduta humanas. O discurso foi prometedor, mas genérico, sem analisar situações, fins e meios. Pode suscitar o amor, não iluminar a inteligência.

8,22-31 O que se segue é totalmente diferente, supõe outra visão no autor, outros interesses no público. Uma coisa é recomendar a Sabedoria pelas vantagens que concede na vida política e civil, discurso nobre ao rés do chão, outra é subir à esfera celeste e às origens. Pertencem as duas mentalidades e os dois textos a épocas diferentes? Houve um momento histórico em que os dois argumentos para recomendar o cultivo da Sensatez eram simultaneamente aceitáveis.

A Sabedoria desses versículos não é Deus nem alguma divindade. É uma criatura, mas não uma entre tantas, embora seja a primeira. Procede de Deus e precede o mundo; posterior a Deus e anterior ao universo; inferior a Deus e superior ao mundo. É uma pessoa existente, uma personificação poética, um projeto numa mente, uma qualidade de um artesão? O poeta a apresenta como personagem que nasce, aprende, age, brinca. Personagem poética dotada de consistência autônoma dentro do poema. Não se conclui que o poeta se refira a um ser pessoal existente fora do poema.

Alguém a imaginou como ideia exemplar ou arquétipo na mente que projeta; outros se detêm antes na "destreza" da execução artística.

8,22 Três interpretações do verbo hebraico *qnh*: a) adquirir, 4,5.7; 16,16; 17,16: dito de Deus não faz sentido; b) criar: Gn 14,19.22; talvez Eclo 1,9; encaixa perfeitamente no contexto; c) procriar: Dt 32,6; cf. Sl 139,13 e Sl 90,2; o contexto e os vv. 24.25 favorecem essa interpretação.

²³desde outrora, desde sempre fui formada,
  desde o princípio,
  antes da origem da terra;
²⁴não havia oceanos quando fui gerada,
  não havia mananciais nem fontes;
²⁵ainda não estavam implantados os montes,
  antes das montanhas fui gerada;
²⁶ele não havia feito a terra e os campos
  nem os primeiros torrões do orbe.
²⁷Quando colocava os céus, aí estava eu;
  quando traçava a abóbada
  sobre a face do oceano,
²⁸quando prendia as nuvens no alto
  e reprimia as fontes abismais
²⁹(quando impunha ao mar seu limite,
  e as águas não ultrapassam seu mandato);
  quando assentava os alicerces da terra,
³⁰eu estava junto dele, como artesão,
  eu estava desfrutando cada dia,
  brincando todo o tempo em sua presença,
³¹brincando com o orbe de sua terra,
  desfrutando com os homens.
³²Portanto, filhos, escutai-me:
  felizes os que seguem meus caminhos.
³³Escutai minha correção e sereis sensatos,
  [não a rejeiteis]
³⁴feliz o homem que me escuta,
  vigiando a cada dia em meu portal,
  guardando os batentes de minha porta.

8,23 Com o corte de versículos proposto, obtemos um quarteto temporal de anterioridade. Menciona a terra antes do oceano, ao contrário de Gn 1; não menciona o céu, reservado para a segunda estrofe.

8,24 Parece designar o oceano subterrâneo de água doce, cujas águas afloram em mananciais e fontes: Dt 33,13; Ez 31,4. A correção do hebraico é recomendada para obter "mananciais".

8,25 Os montes "submergem" parcialmente no oceano profundo para assentá-los; assim submersos, emergem e estão firmes.

8,26 A palavra hebraica significa "o de fora": em relação às casas, a rua; em relação à cidade, os campos. Alguns corrigem e leem erva.

8,27 A palavra hebraica significa "círculo" ou "esfera". No olhar horizontal, o horizonte redondo que delimita a terra. Em três dimensões, o firmamento como abóbada que se apoia e delimita o horizonte total: comparar com Jó 22,14; 26,10; Is 40,22.

8,28 As nuvens, pesadas pela carga de água, se mantêm no alto porque aí Deus as mantém: é um fato paradoxal como o assentamento dos continentes sobre águas móveis. Às águas celestes correspondem as subterrâneas: Dt 11,11.

8,29ab É versículo suspeito. Fala do mar enquanto diferente dos continentes, o mar delimitado por litoral e praias, o mar forçado a obedecer à ordem de Deus. O terceiro hemistíquio retoma os conhecidos "alicerces da terra": Is 24,18; Mq 6,2; Sl 18,16; 82,5.

8,30a O vocábulo admite dois significados. a) Menino criado por ama de leite, como traduz o grego, ou pupilo educado por um tutor. Harmoniza-se com a série "geradora" do contexto. b) Artesão, ourives, arquiteto, testemunhado em Jr 52,15 e na variante de Ct 7,2. Isso promove *hokmá* a uma função demiúrgica (Sb 7,21) subordinada, expressa por "aprendiz".

8,30bc Entre os dois verbos paralelos, sugere-se o caráter lúdico da cena e da atividade artesã e artística. Diante do trabalho com o suor da fronte, desenvolve-se uma atividade que é antes brincadeira e desfrute, cujos produtos levam a marca da liberdade criativa e resplandecem de beleza. "Cada dia": alguns escutam uma alusão aos dias da criação; é possível.

8,31 A partícula *be-* pode significar o objeto ou o lugar. Alternativas: a) a Sabedoria maneja a terra como um joguete, brinca com ela; b) terminada a tarefa, a Sabedoria faz da terra seu campo de jogo, e faz dos homens seus companheiros de jogo. Aí conclui seu itinerário e começa sua nova atividade.

8,32-36 O que se segue entra como consequência. Utiliza temas convencionais, convite, bem-aventurança, com um detalhe novo. Quem tem caminhos tem também uma casa; por isso, é preciso segui-la e esperá-la na porta, Eclo 14,21s. Não basta escutar o anúncio.

³⁵Pois quem me alcança, alcança vida
    e desfruta o favor do Senhor.
³⁶Quem me perde, arruína a si mesmo;
    os que me odeiam amam a morte.

Banquete da Sensatez

9 ¹A Sensatez edificou sua casa,
    lavrou sete colunas,
²matou as reses, misturou o vinho
    e pôs a mesa,
³enviou suas criadas para anunciar
    nos pontos que dominam a cidade:
⁴"Quem for inexperiente venha aqui;
    quero falar a quem carece de juízo:
⁵Vinde comer meus manjares
    e beber o vinho que misturei;
⁶deixai a inexperiência e vivereis,
    segui diretos o caminho da prudência".

Destinatários

⁷Quem corrige o cínico atrai insultos;
    quem repreende o perverso, desprezos;
⁸não repreendas o cínico, pois te detestará;
    repreende o sensato, e te amará;
⁹instrui o douto, e será mais douto;
    ensina o honrado, e ele aprenderá.

8,35-36 Como em outras conclusões, o capítulo desemboca no dilema essencial, morte ou vida: Dt 30,15. Não vida simplesmente, mas em boas relações com o Senhor. "Amam a morte" é expressão enérgica e única: comparar com Sb 1,16.

9 Se abstraímos a cunha dos versículos 7-12, o capítulo está construído como perfeito dístico de duas personificações com contraposições marcadas. A Sensatez é diligente e ativa. A Insensatez está sentada sem se ocupar de nada. A Sensatez toma a iniciativa para convidar, envia seus criados. A Insensatez espera que os transeuntes passem para abordá-los. Uma oferece carne e vinho, um banquete; a outra, pão e água, fórmula proverbial. Uma é explícita e pública; a outra, camuflada e escondida. A Sensatez conduz à vida, a Insensatez à morte.
Por efeito do contexto precedente, a Insensatez ocupa o lugar que a prostituta deixou. Enquanto a Sensatez se mantém igual ao longo de vários capítulos – comparem-se 1,20-22; 8,1-5; 9,3s –, a Insensatez assume traços da prostituta. Comparem-se 5,8 com 9,14; 7,11 com 9,13; 5,6 com 9, 13 e leiam-se em sequência 2,18; 5,5; 7, 27; 9,18. O pão clandestino e a água furtiva adquirem conotações sexuais, sobretudo comparadas com as imagens de água em 5,15-19. Por outro lado, é hipótese pouco fundada que Insensatez se apresente como Ishtar, a deusa do amor, num contexto cultual.
Resumindo: diante da voz sonora e atrativa da Senhora Sensatez, a "mulher alheia" (ou prostituta), como rival temível e desprezível, ensaia sua voz insinuante e aduladora. No fim, ela se retira e cede o lugar à sua parente, aliada ou sósia Ignorância, que se revela e pronuncia um anúncio público, convidando à sedução amorosa.

9,1 Alguns viram no número sete uma referência à arquitetura do livro. A operação exige correções e, além disso, o número sete é comum demais na literatura hebraica.

9,2 Se os capítulos 1-9 são o último acréscimo ao livro, a mesa farta seriam as outras coleções, oferecidas em banquete.

9,3 Pr 1,20; 8,1s.

9,4 Dirige-se pessoalmente, no singular.

9,6 A partir de sua casa, orienta pelo caminho da vida. Com o banquete começa o itinerário.

9,7-12 Os opostos são aqui o sensato e o cínico, o honrado e o perverso. Creio que se sobrepõem as figuras sapienciais e as éticas. Não há sensatez autêntica sem moralidade; não há cinismo livre de culpa. No meio se ergue a esfera religiosa, base da Sensatez. Se o inexperiente dá esperanças de corrigir-se, o cínico arrogante, que despreza sarcasticamente tudo, não tem remédio. Ver Eclo 21,12-15. Por sua parte, o sensato pode progredir indefinidamente, e por isso vale a pena corrigi-lo e instruí-lo. Não seria sensato quem se considerasse perfeito.

9,7 Começa dirigindo-se ao mestre ou instrutor, especialmente na função mais exigente e delicada de corrigir e repreender.

9,9 O paralelismo não é pura repetição. Se o começo é respeitar o Senhor (v. 10), a substância é conhecer o Santo. Sentido religioso e vida espiritual são o eixo de toda a instrução sapiencial.

¹⁰O começo da Sensatez
é respeitar o Senhor,
e conhecer o Santo é inteligência.
¹¹"Por mim prolongarás teus dias,
e te serão acrescentados anos de vida;
¹²se tu és sensato, o és para teu proveito;
se és cínico, só tu o pagarás".

Banquete da Loucura

¹³Dona Loucura é impetuosa,
a ingênua de nada entende,
¹⁴está sentada à porta de sua casa,
num assento que domina a cidade,
¹⁵para gritar aos passantes,
aos que vão diretos pelo caminho:
¹⁶"Quem for inexperiente venha aqui;
quero falar a quem carece de juízo:
¹⁷A água roubada é mais doce,
o pão às escondidas é mais saboroso".
¹⁸E não sabem que em sua casa estão os defuntos,
e seus convidados no fundo do Abismo.

Provérbios de Salomão

10 ¹Filho sensato, alegria de seu pai;
filho néscio, aflição de sua mãe.
²Tesouros mal ganhos não aproveitam,
mas a justiça livra da morte.
³O Senhor não deixa faminto o honrado,
mas rejeita a ambição do perverso.
⁴Mão preguiçosa empobrece,
braço diligente enriquece.

9,11 Se a Sensatez dá sentido à vida, a prolonga: 10,27; 14,27; 19,23.

9,13 Em vez de "ingênua", outros interpretam e traduzem "lasciva", "dissoluta".

9,14 Dispor de um assento costuma ser sinal de autoridade. Podemos imaginar um ponto elevado na cidade, nele uma casa, à porta um assento, nele Dona Loucura.

9,16 É irônico escutar a Insensatez oferecendo ensinamentos aos inexperientes. Imitação ridícula do convite da Sensatez.

9,17 Parece refrão autônomo. Sua aplicação se estende a muitos campos. Sobre o caráter clandestino, ver Eclo 23,18.

9,18 Sujeito de "saber" é o moço que cede à tentação. Como Circe que transforma seus hóspedes em animais, assim Dona Insensatez transforma seus clientes em defuntos, "espectros". Não é a relação misteriosa do amor com a morte, mas a morte como desfecho do mau amor. A casa edificada no alto está de fato nas profundezas abissais da morte. Esse parentesco da Insensatez com a Morte é sombrio e terrível. Sobre ele se encerra a primeira coleção do livro.

10,1-22,16 *Segunda coleção*. Atribuída no texto a Salomão. É uma antologia de provérbios breves, reunidos sem critério coerente; alguns são repetidos, com variantes; outros se condensam em pequenos grupos temáticos. Há outros criativos e acertados, mas em boa parte parecem convencionais e monótonos.

10,1 A família é o primeiro espaço vivo da educação. Aqui o mestre assume o papel metafórico de pai. Pela lei do paralelismo, os dois predicados se aplicam aos dois sujeitos. Ver Eclo 16,1 e o nosso: "Filho bom é remédio na aflição".

10,2 A palavra hebraica "justiça" admite duas interpretações: a) significado genérico de inocência, honradez; o honrado não será condenado à morte; b) significado específico de "esmola", atestado pela evolução semântica: Eclo 3,20; 29,12; Dn 4,24; recomendado pela antítese. É possível que o autor abranja os dois significados ou que o significado inicial evolua em leituras sucessivas.

10,3 Começa com o tema da fome material (cf. em contexto social Sl 37,19.25) e passa a qualquer desejo humano, cobiça ou ambição. A antítese honrado/perverso é básica nessa coleção.

10,4-5 Unidos pelo tema. A expressão hebraica é paradoxal, literalmente: "pobreza fabrica a mão preguiçosa". O segundo hemistíquio o ilustra com um caso particular, tirado da agricultura: além do zelo, requer-se oportunidade, ceifa ou colheita.

⁵Quem armazena no outono é prudente,
   quem dorme na colheita se envergonha.
⁶Desce a bênção sobre a cabeça do honrado,
   a boca perversa encobre violência.
⁷Bendita a memória do honrado,
   o nome do perverso apodrece.
⁸O homem sensato aceita ordens,
   lábios néscios se arruínam.
⁹Quem age sinceramente caminha seguro;
   o tortuoso acaba descoberto.
¹⁰Quem fecha os olhos causa pesares,
   quem repreende abertamente traz remédio.
¹¹A boca do justo é manancial de vida,
   a boca do perverso encobre violência.
¹²O ódio provoca rixas,
   o amor dissimula as ofensas.
¹³Nos lábios do prudente se encontra sensatez,
   e uma vara nas costas do néscio.
¹⁴O douto entesoura saber,
   a boca do néscio é ruína iminente.
¹⁵A fortuna do rico é seu baluarte,
   a miséria é o terror do pobre.
¹⁶O salário do honrado é a vida,
   o ganho do perverso é o fracasso.
¹⁷Quem aceita a correção
   anda por caminho de vida,
   quem rejeita a repreensão se extravia.
¹⁸Lábios enganadores encobrem ódio,
   quem difunde calúnias é um insensato.

10,6 A bênção agradecida de outros (cf. Jó 29,13; 31,20) ou do Senhor. Sobre a cabeça como sede de responsabilidade pessoal: ver o rito de Gn 48,13-17. O segundo hemistíquio não encaixa no primeiro: não bastam as antíteses "boca", "perversa", "violência".

10,7 Depois de morrer, o seu nome perdura e é bendito: Eclo 41,1-13. "Apodrece", no campo vegetal e orgânico, como os ossos.

10,8 O provérbio está comprimido e é completado por correlações e antíteses: o néscio de lábios protesta, não aceita ordens e se arruína; o sensato prospera.

10,9 "Sinceramente": tomando a palavra hebraica em sentido específico. Temos assim um leve paradoxo: o sincero, que parece expor-se com sua abertura, vai seguro; o que se esconde em rodeios e subterfúgios será reconhecido e desmascarado.

10,10 Fechar os olhos é aqui omitir-se, fazer vista grossa. Convivência permissiva que, para evitar desgostos, acarreta males graves. Quem repreende sem meias palavras, embora cause dor, provoca correção. Ver 9,7; 24,25; 25,12; 28,23.

10,11 Poço que jorra, de água não parada, ou fonte viva. É corrente a conexão entre água e vida. A "violência", por antítese, pode chegar ao extremo. Ver 13,14.

10,12 Continua o tema da fala, predominante nesse capítulo e frequente nessa coleção. "Dissimula": como em Sl 32,1. Cita-o neste sentido 1Pd 4,8, e Paulo diz que o amor desculpa sempre (cf. 1Cor 13,7). Uma leitura desviada interpretou: "a caridade (amor) cobre (perdoa) os pecados (próprios)."

10,13 Com o verbo "encontra-se" para os dois hemistíquios, temos um sentido irônico comprimido: à simetria formal se sobrepõe a assimetria do conteúdo. "O açoite torna diligente o ignorante".

10,14 Os dois hemistíquios não casam bem. O "saber" aparece aqui como valor que se acumula.

10,15 É uma constatação pessimista que deve ser corrigida com 18,10s. "Terror" ou seu correlativo "desgraça". Entre nós: "Para o rico quando quer, para o pobre quando puder"; "Quem tem capa escapa".

10,16 Começa uma série de forte conteúdo ético, com poucos êxitos de expressão. Opõem-se honrado e perverso, ou então outros tipos específicos. Em algum caso, o sapiencial e o ético se cruzam: 18.19.21. Os dois hemistíquios do v. 16 são rigorosamente paralelos; isso sublinha o paradoxo do segundo: o ganho é fracasso. Comparar com a antítese calculada de Rm 6,23.

10,17 Embora sem êxito especial e sobre tema batido, o provérbio é programático, pois a correção é elemento integrante da educação sapiencial.

10,18 Duas atividades opostas da língua, ambas nocivas: encobrir e difundir. Encobre com adulações e dissimulações.

¹⁹No muito tagarelar não faltará pecado,
  quem morde os lábios é discreto.
²⁰Prata de lei, a boca do honrado;
  mente perversa não vale nada.
²¹Lábios honrados apascentam a muitos,
  os néscios morrem por falta de juízo.
²²Faz prosperar a bênção divina,
  e nada lhe acrescenta nossa fadiga.
²³O néscio se diverte fazendo armadilhas,
  o homem prudente, com a sabedoria.
²⁴Ao perverso lhe acontece o que teme,
  ao honrado se lhe dá o que deseja.
²⁵Passa o furacão, desaparece o perverso;
  mas o honrado está alicerçado para sempre.
²⁶Vinagre nos dentes, fumaça nos olhos:
  isso é o preguiçoso para quem lhe dá um encargo.
²⁷Respeitar o Senhor prolonga a vida,
  os anos dos perversos se encurtam.
²⁸A esperança dos honrados é risonha,
  a ilusão dos perversos fracassa.
²⁹O caminho do Senhor
  é refúgio para o homem íntegro
  e é terror para os malfeitores.
³⁰O honrado jamais vacilará,
  o perverso não habitará na terra.
³¹Da boca honrada brota sensatez,
  a língua traiçoeira será cortada.
³²Lábios honrados conhecem afabilidade;
  a boca do perverso, enganos.

10,19 Para o primeiro hemistíquio, ver Eclo 20,8 em seu contexto. Em leitura correlativa, o discreto ofendido pelo charlatão se controla e não responde do mesmo jeito.

10,20 Os dois predicados valem para boca e mente. O grego leu "prata acrisolada".

10,21 Note-se a oposição "honrados"/"néscios". O honrado é pastor e mestre, seu ensinamento atinge muitos. O néscio se fecha em sua caducidade.

10,22 Apresenta o grave tema da relação entre atividade divina e trabalho humano. Resolve-o de forma enfática e hiperbólica. Pode-se comparar com Sl 127,2 e completar com Sl 90,17. O trabalho humano só é fecundo pela bênção divina. "Não por muito madrugar amanhece mais cedo" e "Quem cedo madruga, Deus ajuda".

10,23 "Fazendo armadilhas": alguns o interpretam em sentido forte: "cometendo crimes" (cf. Jz 20,6; Ez 22,9); toma-o por brincadeira. Ao passo que o prudente se deleita com a sensatez, conforme Eclo 6,20.28.

10,24 Enunciado simples, simplista, da retribuição; com "se lhe dá" como passivo teológico. O enunciado dará o que pensar ao autor do Sl 73 e protestos a Jó 3,25.

10,25 O furacão é tradicionalmente teofânico, manifestação de Deus. Ver o desenvolvimento no fim do sermão da montanha, Mt 7,25-27.

10,26 Nos provérbios contra os preguiçosos costumamos encontrar coisas criativas. É um tema querido dos sapienciais. Esse provérbio ficaria bem na série do capítulo 26. Aqui se descreve o preguiçoso "prestando seus serviços".

10,27 "Respeitar" (ou reverenciar) define a religiosidade, a atitude do homem diante de Deus. Para muitos sapienciais é a base, a síntese e a coroa da sabedoria. Para a antropologia hebraica, a longevidade é uma das bênçãos fundamentais.

10,28 O que se espera está garantido, por isso a esperança é vital e ativa. Mas a esperança do perverso é antes ilusão sem fundamento, que acaba no fracasso.

10,29 Duplo sentido: a) o caminho, o modo de agir de Deus protege o bom e aterroriza o malfeitor; ver Sl 64,10s; b) o caminho que Deus traça para o homem é refúgio acessível para o bom, terror para o malfeitor.

10,30 Habitar na terra pode ser residir na terra prometida (Sl 37,3); pode ampliar-se para "morar na terra dos vivos".

10,31 "Será cortada": a imagem sugere o castigo do talião (cf. Sl 12,4). Nosso dito é conciso: "Para más línguas, tesoura".

10,32 Pode-se entender que concedem o favor ou que o ganham. Mais provável o primeiro, pelo paralelismo.

11

¹O Senhor detesta as balanças falsas
   e gosta dos pesos exatos.
²Onde entra a insolência, entra a injúria;
   mas a sensatez acompanha os humildes.
³A honradez guia os bons,
   a falsidade destrói os traidores.
⁴A fortuna não aproveita no dia da ira,
   mas a justiça livra da morte.
⁵A honradez do íntegro aplaina seu caminho,
   o perverso cairá por sua perversão.
⁶A honradez dos retos os salva,
   os traidores ficam presos em sua cobiça.
⁷Quando morre o homem (perverso),
   perece sua esperança,
   perece a ilusão das riquezas.
⁸O honrado se livra do perigo,
   o perverso ocupa seu lugar.
⁹O ímpio arruína o próximo com a boca,
   os honrados se livram porque o sabem.
¹⁰A cidade festeja o êxito dos honrados,
   e canta de júbilo quando fracassam os perversos.
¹¹Com a bênção dos retos a cidade prospera,
   a boca dos perversos a destrói.
¹²Quem despreza o próximo não tem juízo,
   o homem prudente se cala.
¹³Quem anda tagarelando divulga segredos,
   o homem confiável guarda o assunto.
¹⁴Por falta de governo um povo se arruína,
   e se salva à força de deliberação.
¹⁵Quem se torna fiador de um estranho se prejudica,
   quem odeia os compromissos está tranquilo.

11,1 Caso particular de justiça no campo das relações comerciais. O Deus autor dos seres e de suas leis, da pedra e seu peso, não tolera a manipulação contra a justiça. Ver 16,11; 20,10.23; Lv 19,35; Dt 25,13-15.

11,2 O primeiro hemistíquio basta a si mesmo como provérbio acabado que surpreende a entrada de dois personagens, sequência e consequência. O segundo acrescenta uma antítese valiosa, que declara insensata a insolência.

11,3 A antítese poderia ser sinceridade/perfídia.

11,4 Ver 10,2. O dia da ira (Sf 1,15) é o dia de prestar contas perante o tribunal, expostos à condenação à morte. Justiça ou esmola, Eclo 3,14.

11,5 "Aplaina": tornando fácil, dando êxito, cf. Is 40,4. O segundo hemistíquio é um enunciado geral: Ez 18,20; 33,12.19.

11,6 "Cobiça": ou maquinações, armadilhas. "Quem tudo quer, tudo perde"; "Cobiça desordenada traz perda dobrada".

11,7 O adjetivo "perverso" é muito provavelmente acréscimo que limita o enunciado geral: pode-se ver Jó 14,19 e Sl 49. O segundo hemistíquio especifica a ilusão com a palavra polissêmica "riqueza", "vigor" (Jó 18, 27; 20,10).

11,8 Em leitura correlativa, é o perverso quem pôs em perigo o honrado; e as sortes mudam, como em Sl 7,16 e 57,7.

11,9 O "saber" genérico, como qualidade sapiencial, ou o "sabê-lo" = conhecer as más intenções do perverso. Cf. Jr 11, 18s.

11,10 A cidade representa o âmbito político. Soa um grito de alívio quando cessa o poder ou governo maléfico. Ver 28,12. 28.

11,11 A bênção que os justos pronunciam ou a que Deus concede em atenção a eles: Sl 122,8s. A boca dos perversos trama intrigas e destrói a convivência: Jr 9,2; Sl 12,5.

11,12 Trata-se do desprezo apressado, pelas primeiras impressões (Eclo 11,1-4), ou formulado e difundido. Ver 14,21 e Sl 123,4. Nós dizemos: "Elogio em boca de insensato é ofensa". O prudente se reserva o julgamento, reflete. "Na boca do discreto, o público é secreto".

11,13 Refere-se ao mascate ou vendedor ambulante, amigo de intrigas e mexericos. A palavra passa a significar mexeriqueiro, intrigante. Ver Lv 19,16; Ez 22,9.

11,14 A palavra hebraica significava timão. Num regime autocrático, os conselheiros são uma reserva de prudência para bem governar. "Onde não há governo, é sempre inverno".

11,15 Ver o comentário a 6,1-5.

¹⁶A mulher formosa se faz respeitar,
a que odeia a retidão sentará no pelourinho.
A fortuna do preguiçoso é escassa,
os violentos conservam sua riqueza.
¹⁷O homem bondoso faz bem a si mesmo,
o impiedoso destroça sua própria carne.
¹⁸O perverso obtém ganhos enganosos,
o que semeia justiça tem paga segura.
¹⁹Quem mede o que é justo viverá;
quem persegue a maldade morrerá.
²⁰O Senhor detesta a mente tortuosa
e lhe agrada a conduta sincera.
²¹Cedo ou tarde o perverso paga por ela,
a linhagem dos honrados está a salvo.
²²Anel de ouro em focinho de porco:
é a mulher formosa sem bom senso.
²³O desejo dos honrados tem êxito,
as ilusões dos perversos passam.
²⁴Há quem presenteia e aumenta seus bens,
quem retém o que deve e empobrece.
²⁵O ânimo generoso prospera,
o que rega também será regado.
²⁶O povo amaldiçoa quem acumula trigo,
cobre de bênçãos a quem o vende.
²⁷Quem madruga para o bem obterá favor,
quem o procura, o mal lhe irá ao encontro.
²⁸Quem confia em suas riquezas murcha,
os honrados brotarão como folhagem.
²⁹Quem arruína sua casa herdará vento,
o néscio será escravo do sensato.
³⁰Fruto da honradez é uma árvore de vida,
o sensato conquista as pessoas.

11,16 Corrigido e completado com a versão grega. O segundo hemistíquio imprime caráter ético ao primeiro. Viria outro provérbio: "Os preguiçosos carecem de fortuna, os diligentes conservam a riqueza".

11,17 Em hebraico, os dois hemistíquios dividem a pessoa em alento e carne, sem intenção distributiva. O importante é que bondade e crueldade recaem sobre a mesma pessoa. Ver Is 58,7s e os nossos: "A quem faz o bem, outro bem lhe nasce"; "Se fores bom, para ti o proveito; se fores mau, para ti o dano".

11,18 A antítese situa-se no campo comercial, metáfora de uma justiça retributiva. Também são comerciais os adjetivos "enganosos"/"segura". Em vez de "justiça", poderia ser "esmola".

11,19 Com leve correção do texto hebraico. A consequência é extrema: justiça e injustiça acarretam vida ou morte. Ver Sb 1,15s.

11,20 Mente e conduta abrangem a interioridade e a execução. O discurso se eleva à aprovação divina de detestação e agrado.

11,21 O hebraico emprega um modismo, literalmente "mão por mão", que com autores antigos interpretamos em sentido temporal. Outros o interpretam em sentido de hostilidade, cumplicidade ou inatividade.

11,22 O anel no nariz era ornamento feminino, Gn 24,27. O porco era nojento para os hebreus. "Formosura sem talento, galhardia de jumento".

11,23 Comparar com 10,3.

11,24 A forma é de constatação, sem generalizar. É o paradoxo da generosidade. Ver Dt 15,1-11 e Sl 112,9.

11,25 "Prospera": literalmente "engorda". Com leve correção do texto na imagem agrícola. "Tem teu dinheiro preparado, e por todos serás estimado".

11,26 Em tempo de necessidade, evidentemente. Ver o exemplo de José: Gn 41,56; 47,23.

11,27 Madrugar significa zelo, solicitude. No segundo hemistíquio, "mal" funciona com duplo sentido: mal moral e mal físico.

11,28 Creio que os dois hemistíquios se movem no campo vegetal (confusão fonética). Ver Sl 37,20 e 1Tm 6,17. O tema é frequente no AT.

11,29 O primeiro hemistíquio basta a si mesmo. Ao destruir o esteio da morada, fica exposto ao mau tempo, sua única posse será o vento. Mas, "casa" é também a economia e a família. O segundo hemistíquio induz o aspecto sapiencial.

11,30 Árvore de vida é árvore que alimenta e tem propriedades medicinais. O segundo hemistíquio é muito duvidoso: ou se muda "sensato" por "violento"

³¹Se o honrado recebe paga na terra,
quanto mais o perverso e o pecador!

12

¹Quem ama a correção ama o saber;
quem detesta a repreensão se embrutece.
²O bom obtém o favor do Senhor,
o intrigante, ele o condena.
³Não estará firme o homem sobre a perversão,
a raiz do honrado não se desenraíza.
⁴Mulher laboriosa é coroa do marido,
a de má fama é cárie nos ossos.
⁵Os planos dos honrados são retos,
as táticas dos perversos são traidoras.
⁶As palavras do perverso são insídias mortais,
(mas) a boca dos honrados os salva.
⁷Os perversos desmoronam e desaparecem,
mas a casa dos honrados subsiste.
⁸Segundo sua prudência alguém será louvado,
o coração perverso será insultado.
⁹É melhor ser modesto e ter um criado
do que imaginar-se rico e não ter pão.
¹⁰O honrado atende ao sustento do gado,
o perverso tem entranhas cruéis.
¹¹Quem cultiva seu campo se saciará de pão,
quem anda à caça de quimeras não tem juízo.
¹²A cobiça é rede de perversos,
a raiz dos honrados prospera.
¹³Na falsidade de seus lábios se enreda o perverso,
o honrado se livrará do perigo.
¹⁴Do que alguém fala, disso se saciará;
do que alguém faz, disso lhe pagarão.
¹⁵O néscio está contente com seu proceder,
o sensato escuta o conselho.

(com a versão grega), ou se inverte o sentido normal de "tirar vidas".

11,31 Nessa antítese, a doutrina da retribuição nesta vida fica bem formulada. Não é tão clara a graduação. Talvez porque, para salvar as vítimas, é preciso castigar quem as aflige.

12,1 A correção é parte integrante da educação; por isso, o tema é frequente em textos sapienciais. "Quem não ouve conselho não chega a velho". No primeiro hemistíquio podem-se mudar as funções de sujeito e predicado dos particípios hebraicos.

12,2 "Bom", ou bondoso, benfeitor. Deus aceita e premia os benefícios feitos ao próximo. "Intrigante", conforme 24,8; Sl 37,7.

12,3 A existência humana precisa de base sólida, que não pode ser a injustiça. O honrado é homem de solidez, de raízes; a honradez o sustenta em ambos os sentidos. Ef 3,17 recomenda enraizar na caridade.

12,4 "Coroa" pode significar honra e dignidade, conforme 17,6. Coroa em contexto nupcial: Ct 3,11; Is 62,3. A mulher é também "carne da carne" do marido.

12,5 Enfoca a interioridade do homem como ponto de partida das ações.

12,6 Em leitura correlativa: com suas palavras, o honrado salva-se das insídias mortais do perverso. Pode ser lido em contexto forense.

12,7 A casa é o edifício, o lar, a família; pode abranger o desmoronamento. Ver Mt 7,24-27.

12,8 Atribui valor de julgamento ao louvor e ao vitupério alheios. Penetra até a mente ou coração.

12,9 É de posição modesta: pode alimentar a família e ter um criado. Eclo 10,27.

12,10 O gado doméstico que ajuda nas tarefas do campo ou serve de alimento. A honradez, apesar de interesseira, estende seus cuidados aos animais: cf. 2Sm 12,23; Sl 36,8. Igualmente as entranhas cruéis.

12,11 Parece defender a agricultura diante das outras atividades inseguras, sem especificá-las. Ver 28,19.

12,12 A interpretação é duvidosa: rede em que se enredam os maus ou rede que apanha males. Também no fim: lançam raízes, ou a raiz produz.

12,13 Imagem de caça. Admite a leitura correlativa de ambos os membros: o "perigo" é a "falsidade".

12,14 A doutrina da retribuição distribuída em palavras e ações, boca e mãos.

12,15 O néscio se constitui juiz último de seu proceder, e está satisfeito. O sensato cultiva uma margem de dúvida e correção.

¹⁶O néscio mostra logo sua raiva,
  o sagaz dissimula o insulto.
¹⁷A testemunha veraz declara com justiça,
  a testemunha falsa com mentiras.
¹⁸O charlatão dá estocadas,
  a língua sensata cura.
¹⁹Lábio sincero dura longo tempo,
  apenas um instante a língua enganadora.
²⁰Astuta é a mente que maquina o mal,
  quem aconselha a paz vive contente.
²¹Ao honrado nada de mau acontece,
  os perversos andam cheios de desgraças.
²²O Senhor detesta o lábio enganador,
  o homem sincero obtém seu favor.
²³O homem sagaz encobre seu saber,
  a mente insensata grita sua insensatez.
²⁴Mão diligente mandará,
  mão negligente servirá.
²⁵A angústia do coração deprime,
  uma boa palavra reanima.
²⁶O honrado é melhor que seu próximo,
  o caminho dos perversos os extravia.
²⁷O preguiçoso não ganha seu sustento,
  o diligente se enche de riquezas.
²⁸A senda da justiça é vida,
  o caminho da impiedade leva à morte.

13

¹Filho sensato aceita a correção paterna,
  o insolente não escuta a repreensão.
²Do que alguém fala, comerá (bens);
  os traidores são famintos de violência.

12,16 Pode ser o insulto do néscio. "A injúria, é melhor esquecê-la que vingá-la".

12,17 Leio dois sinônimos normais de testemunha (cf. Sl 12,5). Tema importante na legislação, aqui apresentado como simples constatação óbvia, como que dando a entender que nem toda testemunha é confiável.

12,18 É frequente mencionar o poder destruidor da palavra e comparar a língua a diversas armas. Esse charlatão parece mais imprudente que mal-intencionado.

12,19 "Dura": impõe-se com autoridade. O mentiroso é logo desacreditado. "A mentira tem pernas curtas".

12,20 As oposições surpreendem: tramar por dentro/aconselhar, mente astuta/alegria interior. Outros pensam na alegria alheia.

12,21 Enunciado bastante simplista sobre retribuição. Convencional pelo tema e pela elaboração.

12,22 Os provérbios anteriores sobre o uso da palavra culminam nessa sentença divina.

12,23 É um ato de prudência ou sagacidade: saber algo que o outro não sabe é uma vantagem. Calar é também ato de modéstia. Não se trata de guardar o saber para si sem partilhá-lo: ver Eclo 37,22 e Mt 10,27.

12,24 Ao cair na pobreza, para sobreviver o preguiçoso tem de se oferecer como escravo. Recusava trabalhar por bons modos, e o fará à força. Admite a leitura correlativa: o diligente, patrão do preguiçoso.

12,25 Provérbio psicológico, testemunho da unidade do homem. "Deprime" é em hebraico "encolhe", "encurva" a partir de dentro, como sintoma. De fora, a palavra atinge a interioridade e a transforma.

12,26 A primeira parte é muito duvidosa. Alternativas: o honrado se afasta do mal; ou: o honrado explora seus pastos.

12,27 Se mantemos o verbo único, faz bom sentido: "a preguiça não tosta"/"assa a caça". Seria uma variante pitoresca. A alternativa exige uma correção.

12,28 Conclui uma série, voltando-se ao definitivo. Corrigindo uma palavra, o segundo hemistíquio é antitético. Do contrário, seria sinonímico: segui-la não torna réu de morte.

13,1 Por falta de verbo, a primeira parte é duvidosa; supõe-se que "escutar"/"aceitar" valha para ambas as partes, "Paterna" refere-se à educação doméstica, familiar, mas pode representar o mestre. Há uma graduação de correção para repreensão.

13,2 O tema é a retribuição em termos de fruto. O paradoxo consiste em que a boca come o fruto que ela produz. "O mal que nasce de tua boca cai em teu colo".

³Quem guarda sua boca, custodia sua vida;
   quem solta os lábios, caminha para a ruína.
⁴O preguiçoso deseja muito e não alcança nada,
   o diligente sacia seu apetite.
⁵O honrado detesta a mentira,
   o perverso se torna odioso e se difama.
⁶A honradez guarda o homem íntegro,
   a maldade transtorna o pecador.
⁷Há quem se crê rico e não tem nada,
   quem passa por pobre e tem uma fortuna.
⁸O rico paga resgate por sua vida,
   ao pobre não lhe importam as ameaças.
⁹A luz dos honrados é alegre,
   a lâmpada dos perversos se apaga.
¹⁰Com sua insolência o idiota provoca discórdias,
   a sensatez acompanha os que se deixam aconselhar.
¹¹Fortuna feita do nada encolhe,
   quem reúne, pouco a pouco enriquece.
¹²Esperança que tarda aflige o coração,
   desejo que se cumpre é árvore de vida.
¹³Quem despreza a ordem acaba hipotecado,
   quem respeita o mandato fica sem dívidas.
¹⁴Fonte de vida é o conselho sábio
   que afasta dos laços da morte.
¹⁵O sentido comum ganha o favor,
   o caminho dos pérfidos vai à ruína.
¹⁶O sagaz age com prudência,
   o néscio propala sua insensatez.
¹⁷Mensageiro perverso precipita na desgraça,
   enviado fiel a remedeia.
¹⁸Miséria e opróbrio para quem rejeita a correção,
   quem cumpre os avisos receberá honra.

13,3 Não só é preciso vigiar o que entra pela boca, mas principalmente o que sai, Mt 15,11. Ver Eclo 22,27; Sl 39,2-3. Sobre a transcendência da língua, Tg 3,1-12.
13,4 Consome-se de desejos ineficazes, não faz mais que desejar. "Sacia seu apetite" ou "engorda seu estômago". "Traças ganham fogaças".
13,5 A segunda parte pode ser lida em sentido intransitivo ou transitivo. Tornar-se odioso ou repugnante: Gn 34,30; Ex 5,21.
13,6 Mais um na série de retribuição, com as qualidades personificadas.
13,7 Ver a variante de 12,9. "De fazenda um dobrão, e mil de presunção". Pode-se ampliar para outras pretensões, como em Ap 3,17; Lc 18,10s.
13,8 Em alguns casos, a legislação admite o resgate da vida com dinheiro, Ex 21,30; em outros o exclui, Nm 35,31. Em sentido amplo, o Sl 40 também o exclui. "Quem nada tem, a ninguém teme"; "Homem pobre, o ladrão não visita".
13,9 A luz é símbolo de vida (ver Ecl 11,7) para quem a vê, para quem a difunde.
13,10 Mudando a vogal da primeira palavra, conforme 2Sm 6,20. Antítese da arrogância é aceitar conselhos ou refletir.
13,11 Não é preciso corrigir o texto. Refere-se a uma riqueza sem base sólida, especulativa. O contrário: reunindo gradualmente, cada aquisição se apoia nas precedentes.
13,12 A primeira metade pode soar como objeção à precedente, ao "pouco a pouco". Não importa a demora: quando se cumprir, será uma árvore carregada de fruto que dá vida. Ver 13,19.
13,13 Interpreto-o na esfera econômica. O verbo "respeitar" e o substantivo "mandato" nos fazem supor a sentença divina.
13,14 Este provérbio coloca o ensinamento sapiencial na esfera decisiva da vida e da morte; é o que faz Dt com a lei. Fonte de vida é o manancial vivificante. Laços ou armadilhas são as armas camufladas da morte.
13,15 A última palavra é duvidosa. Interpreto-a em sentido de estabilidade, sem qualquer qualificação. A versão grega leu (ou escutou) outras consoantes e traduziu "desgraça".
13,16 O néscio "ostenta" sua ignorância em demonstração mercantil. Assim Dona Loucura anuncia sua mercadoria, 9,13-18.
13,17 "Precipita": com leve correção vocálica. Mensageiro e recadeiro, intermediário frequente e indispensável naquela cultura. Daí sua responsabilidade.
13,18 "Rejeita": o verbo hebraico sugere "passar dos limites", mas transitivo. O mesmo verbo significa honra e riqueza.

¹⁹Desejo cumprido é doce à garganta,
  o néscio tem nojo de afastar-se do mal.
²⁰Trata com os doutos e te tornarás douto,
  quem se junta com ignorantes se perde.
²¹A desgraça persegue o pecador,
  a paz e o bem perseguem os honrados.
²²A herança do bom fica em sua família,
  a fortuna do pecador é reservada ao honrado.
²³O sulco dos nobres dá excelente sustento,
  mas se pode perder por falta de justiça.
²⁴Quem poupa a vara odeia seu filho,
  quem o ama o corrige cedo.
²⁵O honrado come e se farta,
  o ventre do perverso passa necessidade.

14

¹A sensatez da mulher edifica sua casa,
  a insensatez a destrói com as próprias mãos.
²Quem age retamente respeita Deus,
  quem perverte a própria conduta o despreza.
³Da boca do néscio brota a soberba,
  os lábios do sensato o guardam.
⁴Onde não há bois o estábulo está vazio,
  a força do touro traz excelente colheita.
⁵Uma testemunha fiel não mente,
  uma testemunha falsa respira mentiras.
⁶O cínico busca sensatez e não a encontra,
  o saber é fácil para o inteligente.
⁷Deixa a companhia do néscio,
  pois em seus lábios não descobriste saber.
⁸Discernir o caminho é perícia do sagaz,
  o engano é loucura dos néscios.

13,19 Ver 13,12. A segunda parte revela um aspecto ético da ignorância.
13,20 Ver Eclo 6,34-36; 8,8s; 9,14; 13,1. "Dize-me com quem andas e eu te direi quem és".
13,21 Nova variante da retribuição, com personificações. Ver Rm 2,7-10.
13,22 Deixa seus bens aos netos, sem passar para os filhos; ver o contrário em Sl 49,11. Para a segunda parte, Jó 27,17. Duplica o sentido, se entendemos "bom" em sentido de "generoso".
13,23 O hebraico fala de chefes ou nobres. Mudando uma vogal, melhora o sentido: é melhor contentar-se com pouco aproveitando-o bem, do que ser desmedido.
13,24 O castigo físico como peça da educação. "Cedo": enquanto é maleável. Ver 19,18; 23,13s; 29,16 e a explanação de Eclo 30,1-13.
13,25 Variante sobre a retribuição, no campo do alimento: Sl 37,25.
14,1 A casa é toda a economia doméstica, entregue à mulher: 31,10-31. "A boa mulher enche a casa vazia". A segunda parte é paradoxal; na expressão "com suas mãos" nos diz que a insensatez é fator dinâmico e demolidor.
14,2 É duvidosa a atribuição de funções de sujeito e predicado: faça-se a prova trocando-as. O resultado é a equivalência ou mútua implicação do fator ético e do religioso. Note-se a antítese "respeitar"/"desprezar".
14,3 Cabem duas leituras: a) em simples paralelismo: na boca do néscio brota uma soberba vital e crescente, o sensato se controla e se guarda; b) correlativa: o sensato não responde à provocação do néscio.
14,4 Uma palavra é ambígua, significa limpo e grão. Parece resposta a uma polêmica: Quem é mais importante, o lavrador ou quem lida com animais domésticos? Ver Sl 104,14s; 144,13s e o dito: "Onde faltam bois, faltam bens".
14,5 "Respira": saem dele sem perceber. Tomando-o como verbo; mas a palavra hebraica significa também testemunha, que daria aqui um sentido tautológico.
14,6 Para adquirir sensatez não basta querer; requer-se atitude humilde (11,2). O cínico zomba de modo depreciativo de tudo e de todos. Ver Eclo 15,8.
14,7 A segunda parte pode ser tomada como negação de fato, que apela para a experiência feita; ou como pergunta retórica, apelando para a capacidade de discernimento. "Néscio é quem com néscios anda".
14,8 Outros invertem as funções de sujeito e predicado no segundo hemistíquio. Creio que se refere ao engano próprio, que não lhe permite discernir.

⁹Os néscios caçoam da culpa,
 o favor se encontra entre os retos.
¹⁰O coração conhece sua própria amargura
 e o estranho não se mistura à sua alegria.
¹¹A casa do perverso se arruína,
 a tenda do honrado prospera.
¹²Há um caminho que alguém julga reto,
 e vai dar na morte.
¹³Também entre risos chora o coração,
 e a alegria acaba em aflição.
¹⁴O insensato se saciará de sua conduta,
 e de suas obras o homem bom.
¹⁵O ingênuo crê em tudo,
 o sagaz presta atenção em seus próprios passos.
¹⁶O sensato é cauteloso e se afasta do mal,
 o néscio lança-se confiante.
¹⁷O de gênio vivo faz loucuras,
 o reflexivo sabe aguentar.
¹⁸O ingênuo se enfeita com insensatez,
 o sagaz se coroa de saber.
¹⁹Os maus se dobrarão diante dos bons,
 e os perversos, à porta do honrado.
²⁰O pobre é odioso até para seu companheiro,
 o rico tem muitos amigos.
²¹Quem despreza seu próximo peca;
 feliz é quem se compadece dos pobres.
²²Não se extravia o artífice do mal?
 Ao artífice do bem, piedade e lealdade.
²³Toda fadiga traz seu ganho,
 mas o tagarelar traz indigência.

14,9 Prefiro ler "néscios" (não "culpa") como sujeito. O "favor" é o de Deus. O provérbio combina as dimensões sapiencial, ética e religiosa.
14,10 Provérbio psicológico que fala da radical solidão do homem em sua intimidade; nela não penetraremos porque tampouco poderá comunicar-se totalmente. Confrontar com Eclo 7,34 e Rm 12,15. "Cada qual sente suas dores e pouco as alheias".
14,11 Casa e tenda funcionam como simples sinônimos de morada. Outra variante de retribuição imanente.
14,12 O hebraico joga com a oposição diante (a pessoa crê) e detrás (seu termo). Se assim o crê, é porque lhe agrada ou porque olha perto demais e não consegue vislumbrar o desfecho. Ver Sl 73,17-19.
14,13 Provérbio psicológico que fala da radical tristeza da vida humana. Não é pessimista, mas realista, porque observa em cada humano um fundo de insatisfação. "O dia do prazer é véspera do pesar". Ver ao invés Mt 5,4 e Jo 16,22.
14,14 "Insensato" é em hebraico o "desviado mental", que se extravia por dentro, na raiz da conduta. "Faze o mal, e espera outro igual".
14,15 "Ingênuo" ou imprudente. Nosso dito o traduz em termos de idade: "Nos poucos anos enganos, nos muitos anos desenganos".
14,16 Semelhante ao anterior. Alternativas: homem precavido evita o mal físico; homem que respeita (a Deus) evita o mal ético. "Lança-se" ou se excede. Com uma troca, outros leem "se intromete".
14,17 Em leitura correlativa: ao enfrentar o colérico, o homem ponderado sabe aguentar e evita grandes males. Isso supõe corrigir o verbo final e dar valor positivo ao cálculo interior. A alternativa nos dá um paralelismo em parte sinonímico com a oposição do "gênio vivo" e o "cálculo".
14,18 Faz companhia ao versículo 15. É irônico chamar a ignorância de ornato, em paralelismo com a coroa: ver Eclo 6,29-31.
14,19 Como ilustração, pode-se recordar a história de Amã e Mardoqueu.
14,20 É pessimista: a pobreza não garante a solidariedade. Ver Eclo 13,21-23. "Não há amigo nem irmão, se não há dinheiro na mão"; "Quem pobreza tem, dos parentes é desdém; e o rico, por ser rico, de todos é parente".
14,21 O verbo é ambíguo: peca ou fracassa. Pela antítese, prefiro o primeiro significado. Ver 14,31 e 17,5.
14,22 Essa forma de pergunta retórica não é frequente. É original a expressão "artífice do bem/do mal". Piedade e lealdade é o famoso binômio atribuído normalmente a Deus e às vezes ao homem.
14,23 Dois termos de economia, como superávit e déficit. Refere-se ao cansaço do trabalho, Sl 127,2, diante da ociosidade do jogar conversa fora.

²⁴Coroa dos sensatos é sua riqueza,
  colar do insensato é a insensatez.
²⁵A testemunha veraz salva vidas,
  o impostor respira mentiras.
²⁶Respeitar o Senhor é firme confiança
  que servirá de refúgio aos filhos.
²⁷Respeitar o Senhor é manancial de vida
  que afasta dos laços da morte.
²⁸Povo numeroso é honra do rei,
  a falta de gente é ruína do príncipe.
²⁹O homem paciente é rico de prudência,
  o impulsivo exalta seu desatino.
³⁰Coração sossegado é vida do corpo,
  a inveja é cárie dos ossos.
³¹Quem explora o necessitado ofende seu Criador,
  quem se compadece do pobre presta honra a ele.
³²O perverso tropeça em sua própria perversão,
  o honrado se refugia em sua própria integridade.
³³Em coração prudente habita a sensatez,
  mesmo no meio de néscios ele se dá a conhecer.
³⁴A justiça faz prosperar uma nação,
  o pecado é infâmia dos povos.
³⁵O rei favorece o ministro hábil,
  descarrega sua ira sobre o indigno.

15

¹Resposta branda aplaca a ira,
  palavra que fere atiça a cólera.
²Língua sensata destila experiência,
  a boca do néscio faz jorrar insensatez.
³Em todo lugar os olhos de Deus
  estão vigiando maus e bons.

14,24 A riqueza não é ponto de apoio, pode ser coroa que premia. Para que a segunda parte não seja tautológica, é preciso corrigir a primeira "insensatez" em "colar". Prolongamento do v. 18.

14,25 Outra vez a ambiguidade de uma palavra hebraica que pode ser verbo e significar "respira", ou substantivo e significar "testemunha". A segunda metade não é o que esperamos como antítese. Teria de ser algo grave, como no caso de Nabot, 1Rs 21.

14,26 É a atitude radical do homem perante o Criador, a religiosidade como base da existência. Vale para os filhos: pela lealdade do Senhor, Ex 20,6; Dt 5,9, e porque os pais transmitem aos filhos tal religiosidade como herança protetora.

14,27 O provérbio é como o de 13,4 com mudança de sujeito, passando da esfera sapiencial à religiosa.

14,28 Recorde-se a intervenção de Joab por ocasião do recenseamento de Davi, 2Sm 24,3. O rei está em função do povo, o povo é a honra do rei.

14,29 Coloca a paciência na esfera sapiencial, como estes: "A paciência é boa ciência"; "Não há melhor ciência que paciência e penitência". Ver Pr 16,32; 19,11.

14,30 Provérbio psicológico que afirma a unidade do homem. A inveja consome por dentro, desagrega a sólida estrutura do corpo. Ver Eclo 30,22.24.

14,31 Ver 17,5 para o primeiro hemistíquio e 19,17 para o segundo. "Criador" do homem, não do pobre como tal.

14,32 As versões antigas dizem integridade, o texto hebraico diz morte. Talvez o primeiro seja original e o segundo uma correção, quando surge a fé em outra vida: Sb 3,1-9.

14,33 A sensatez reside na mente, no interior. Daí se manifesta, irradia e se dá a reconhecer, também aos néscios.

14,34 Completa o que disse o v. 28: não basta o número, é preciso a justiça.
"Infâmia" supõe um raro uso da palavra hebraica; "empobrece" se prende à versão grega.

14,35 Pode ser um conselho que o rei deve dar ao futuro ministro. Ver 16,13; 22,21; Sl 101,6-8.

15 Nesse capítulo podemos observar as coordenadas sensato/néscio, honrado/perverso, e a religiosidade. Aparecem os temas da interioridade, da fala e da conduta.

15,1 Redobra a força em leitura correlativa: resposta branda à palavra ferina. Ver 25,15. De Shem Tov: "*Abranda a palavra / boa a dura coisa, / e a vontade agra / faz doce e saborosa*".

15,2 "Destila": com leve correção fonética; o texto hebraico diz "melhora". Cf. 7a e 14b.

15,3 Provérbio teológico. O sábio transcende seu horizonte e descobre a Deus como suprema ratificação da conduta humana. Ver Sl 11; Zc 4,10; Eclo 16,17-23; 23,19.

⁴Língua suave é árvore de vida,
  língua perversa fere no vivo.
⁵O néscio desdenha a correção paterna,
  quem cumpre os avisos se torna sagaz.
⁶Na casa do honrado existe abundância,
  a renda do perverso se dissipa.
⁷Os lábios do sensato espalham saber,
  a mente do néscio é insensata.
⁸O Senhor detesta o sacrifício do perverso,
  a oração dos retos alcança o favor dele.
⁹O Senhor detesta a conduta do perverso
  e ama a quem busca a justiça.
¹⁰Quem deixa a senda será corrigido;
  quem odeia a repreensão morrerá.
¹¹Inferno e Abismo são evidentes a Deus,
  quanto mais o coração humano!
¹²O insolente não quer que o repreendam,
  e não se junta aos sensatos.
¹³Coração contente alegra o rosto,
  coração abatido desanima.
¹⁴O homem inteligente procura saber,
  a boca do néscio se nutre de insensatez.
¹⁵Para o infeliz todos os dias são maus,
  coração contente faz festa perpétua.
¹⁶É melhor o pouco com temor de Deus
  do que grandes tesouros com sobressalto.
¹⁷Mais vale porção de verdura com amor
  que boi cevado com rancor.
¹⁸O homem colérico atiça a discórdia,
  o homem paciente acalma a rixa.
¹⁹O caminho do preguiçoso é cercado de espinhos,
  a senda dos retos é plana.

15,4 A língua pode curar e vivificar, não esgota seus frutos. Também pode "quebrar o ânimo". "Mais fere palavra má que espada afiada".
15,5 Ver 12,1 e 13,1; na primeira coleção, 1,7.30.
15,6 Distingue entre depósito repleto e renda que vai entrando periodicamente. As duas podem ser aplicadas a ambos no âmbito da economia doméstica.
15,7 O texto hebraico diz "espalham", e faz sentido; não é preciso emendá-lo. O predicado da segunda parte é ambíguo: não assim, ou não retidão, não é reta. A passagem de lábios a mente não parece ter intenção especial.
15,8 Não opõe sacrifícios e oração, mas culto com justiça ou com injustiça; ver 21,3.27. O tema é frequente nos profetas: Jr 7; Is 1,10-20; 58; Zc 7; também Sl 50 e Eclo 34-35.
15,9 Sentença divina sobre a conduta humana. Ver Sl 11,5.
15,10 A repreensão é correção severa, mas que pode livrar da morte. Ver a ameaça de Is 22,14 e as advertências vãs de Am 4,6-12.
15,11 Até o mundo subterrâneo dos mortos é transparente para Deus: Am 9,2s; Sl 139,8. A intimidade do homem não é tão profunda, embora se oculte dos outros com o silêncio ou a mentira, ou de si mesmo com a racionalização e outros artifícios.
15,12 Vai com os versículos 5 e 10. Ver Sl 1,1s.
15,13 Na primeira parte, fala-se da influência de dentro para fora. A segunda parte é duvidosa por causa do sentido de "espírito": pode ser a consciência ou a respiração. Em ambos, o ponto de partida é o coração (= mente).
15,14 Expressa o sentido dinâmico da sabedoria nunca satisfeita, ao passo que o néscio também progride, mas na ignorância.
15,15 Provérbio psicológico. O advérbio hebraico pode significar perpétuo ou diário. "Para cachorro magro, tudo se torna pulga".
15,16 Contrapõe o medo que perturba e confunde ao temor (= respeito) do Senhor que acalma.
15,17 De nossa cultura: "É melhor um passarinho na mão do que dois voando"; "Pouco e em paz muito me faz".
15,18 Ver 28,25 e 29,22. A leitura correlativa se oferece espontânea.
15,19 Por causa da preguiça, tudo lhe parece difícil; acha tudo difícil, porque o abandono faz crescer os obstáculos.

²⁰Filho sábio, alegria de seu pai;
 filho néscio, desonra de sua mãe.
²¹A insensatez diverte quem carece de juízo,
 o homem prudente caminha direito.
²²Fracassam os planos quando não se delibera,
 eles têm êxito à força de conselheiros.
²³Que alegria saber responder,
 que boa é a palavra oportuna!
²⁴O prudente sobe por um caminho de vida
 que o afasta da descida ao Abismo.
²⁵O Senhor arranca a casa do soberbo
 e planta os marcos da viúva.
²⁶O Senhor detesta os maus pensamentos
 e considera puras as palavras amáveis.
²⁷O cobiçoso arruína sua casa,
 quem odeia o suborno viverá.
²⁸A mente honrada medita a resposta,
 a boca do perverso faz jorrar maldades.
²⁹O Senhor está longe dos perversos
 e escuta a oração dos honrados.
³⁰Olhar sereno alegra o coração,
 boa notícia dá vigor aos ossos.
³¹Ouvido que escuta a repreensão saudável
 se hospedará no meio dos doutos.
³²Quem rejeita a correção odeia a si mesmo,
 quem escuta a repreensão adquire juízo.
³³Respeitar o Senhor é escola de sensatez,
 à frente da glória caminha a humildade.

16

¹O homem se prepara por dentro,
 o Senhor lhe põe a resposta nos lábios.

15,20 Ver 10,1 e 13,1. "Filho bom, abrigo na aflição".

15,21 As duas partes não encaixam bem, a não ser que oponhamos "festa" a "caminho".

15,22 Provérbio de alcance político: ver 11,14. "Quatro olhos veem melhor que dois".

15,23 Alegria de quem a dá e de quem a recebe. Mas não basta seu conteúdo, deve ser oportuna: ver 24,26 e 25,11.

15,24 O caminho da morte é descendente, porque desce para a cova, para o mundo dos mortos. Em oposição, o caminho da vida é ascendente: até onde? O autor não o sabe nem o diz. Ver Sl 16,11 e 73,24.

15,25 Os marcos são sinais sagrados, porque delimitam a propriedade da parte recebida por sorte no início; ver Dt 19,14; 27,17; Jó 24,2. Deus sai em socorro da viúva indefesa: Sl 68,6; 146,9.

15,26 "Maus pensamentos" são aqui planos contra o próximo. Compreende-se que as palavras amáveis são sinceras. O provérbio concentra muito material em pensamentos e palavras.

15,27 A cobiça é o afã de lucro que não recua diante da usurpação de bens alheios, buscando o lucro rápido apesar de sujo, não recusando o suborno. Ver Jr 22,13-19. "A avareza é saco sem fundo"; "Quem quer o que é dos outros, perde o que é seu".

15,28 Outro provérbio sobre a dimensão ética da fala. O v. 2 propõe um ensinamento semelhante na esfera sapiencial.

15,29 Usa o simbolismo espacial para sugerir a atitude de Deus diante das súplicas. Ver Sl 10,1 e 22,12.

15,30 Pelo paralelismo, penso que se refere ao olhar do próximo. Pela unidade do homem, as sensações de visão e audição afetam a interioridade. Recordemos que evangelho significa boa notícia.

15,31-33 Os três partilham o termo "correção", "repreensão", subindo do nível sapiencial à ratificação religiosa.

15,31 Chama-a "saudável" ou "de vida". Ver 19,20 e 2Cor 7,8s.

15,32 Ver 13,18. Poderíamos traduzir "despreza sua vida".

15,33 O respeito do Senhor – a religiosidade – é humildade transcendental. A criatura se reconhece como tal perante o Criador.

16 É notável nesse capítulo a presença do Senhor, várias vezes afirmando a soberania dele em contraste com o homem. Um bloco menor, unido ao precedente, é dedicado ao rei.

16,1 Convém ler com 15,28a. Não especifica o campo da resposta, mas poderia chegar ao caráter profético,

²Alguém pensa que toda a sua conduta seja limpa,
   mas é o Senhor quem pesa as consciências.
³Confia ao Senhor tuas tarefas,
   e te sairão bem teus planos.
⁴O Senhor dá a cada obra seu destino,
   também ao perverso: o dia fatal.
⁵O Senhor detesta o arrogante,
   cedo ou tarde não ficará impune.
⁶Bondade e lealdade reparam a culpa,
   o respeito do Senhor afasta do mal.
⁷Quando o Senhor aprova a conduta de um homem,
   ele o reconcilia com os inimigos.
⁸É melhor pouco com justiça
   do que muitos ganhos injustos.
⁹O homem planeja seu caminho,
   o Senhor lhe dirige os passos.
¹⁰Há um oráculo nos lábios do rei:
   sua boca não erra na sentença.
¹¹Os pratos da balança são do Senhor,
   todos os pesos são obra sua.
¹²O rei detesta o praticar o mal,
   porque seu trono se afirma com a justiça.
¹³O rei aprova lábios sinceros
   e ama quem fala retamente.
¹⁴A ira do rei é arauto de morte,
   o homem sensato consegue aplacá-la.
¹⁵O rosto sereno do rei traz vida,
   seu favor é nuvem que traz chuva.
¹⁶É melhor comprar sabedoria que ouro,
   é melhor comprar prudência que prata.

como no caso de Balaão: Nm 23,5.12.16. E mais além, ao testemunho evangélico: Mt 10,19; Lc 12,11; 21,14.

16,2 Poderíamos ler a primeira parte como concessiva. Opõe conduta a consciência. Ver 1Cor 4,4.

16,3 O imperativo, como em português, equivale ao condicional. A última "consistência" do projeto consiste em sua execução completa. Ver Sl 37,5.

16,4 Deus faz suas obras com sentido. No plano de Deus, cada uma tem uma função e destino particulares. Também o perverso?, pergunta alguém. Sim, seu destino final é o dia fatal. Ver Ex 9,16; Eclo 39,21; Rm 9,22.

16,5 A arrogância é tema importante na pregação profética. Ver o magnífico trecho de Is 2,6-22. "Jamais a soberba subiu ao céu".

16,6 "Bondade e lealdade" admite várias interpretações: de Deus para com o homem, para perdoar a culpa, Sl 51,3; Eclo 5,5s; do homem para com Deus, Os 6,4 (menos provável); do homem para com o homem, Mq 6,6-9. "Afastar-se do mal": físico ou ético (mais provável), conforme 13,19; 16,17.

16,7 Podemos ilustrar com exemplos dos patriarcas (Gn 26,27s; 33,10s; 39,21) ou do desterro (1Rs 8,50).

16,8 O lucro fica fora, a honradez sai de dentro. "Antes pouco e honrado, do que muito e roubado".

16,9 Repete "homem e mente" do v. 1, "caminho" do v. 2, "dispor" do v. 3. Equivale ao nosso: "O homem propõe e Deus dispõe". "Caminho" pode simbolizar qualquer atividade.

16,10 De fato, a sentença do rei é acatada como suprema, recebida como definitiva, sentida como oracular. Ver como ilustração Saul (1Sm 10,7), Salomão (1Rs 3,28), Davi (2Sm 14,17) e Josafá (2Cr 19,6). É uma figura ideal que enuncia a enorme responsabilidade do rei.

16,11 Ver 11,1. Deus quer garantir os instrumentos da justiça comutativa. Lei física para regular a lei humana.

16,12 Nem o poder nem o luxo. Ver para o primeiro hemistíquio, Sl 101; para o segundo, 25,5; Is 16,5.

16,13 Complementa o anterior, abrangendo também os conselheiros. Ver também o Sl 101.

16,14 A cólera é aqui a indignação de quem ama a justiça cheio de paixão (2Sm 12,6). Pode provocar uma sentença capital, como no caso de Amã (Est 7,8s). Como exemplo de êxito em acalmar a ira, recordemos Abigail diante de Davi (1Sm 25,24-31), ou a mulher de Técua (2Sm 14).

16,15 É o contrário da ira. A chuva é o grande dom celeste sobre o solo do reino, Dt 11,10s.

16,16 Tema favorito da literatura sapiencial. Provérbio de atualidade perene. Sensatez não se compra com ouro ou prata, Jó 28; ver Sb 7,9.

¹⁷Estrada plana é afastar-se do mal;
 quem vigia o próprio caminho guarda sua vida.
¹⁸À frente da ruína caminha a soberba,
 à frente da queda caminha a presunção.
¹⁹É melhor ser humilde com os pobres
 do que repartir despojos com os soberbos.
²⁰Tudo irá bem a quem mede as palavras,
 feliz aquele que confia no Senhor.
²¹O homem sensato tem fama de prudente,
 falar com doçura aumenta a persuasão.
²²Fonte de vida é a sensatez para quem a possui,
 a insensatez é castigo ao néscio.
²³Para mente sensata, boca discreta;
 seus lábios aumentam a persuasão.
²⁴Palavras amáveis são favo de mel,
 doçura na garganta, saúde dos ossos.
²⁵Há caminhos que parecem direitos
 e vão dar na morte.
²⁶A fome do operário trabalha por ele,
 porque sua boca o estimula.
²⁷Homem depravado cava valas fatais
 e leva nos lábios fogo abrasador.
²⁸Homem pervertido provoca rixas,
 o que anda com histórias afasta o amigo.
²⁹Homem violento seduz seu próximo
 e o guia por mau caminho.
³⁰Quem pisca um olho medita enganos,
 quem franze os lábios já fez o mal.
³¹Cabelos brancos são coroa nobre:
 encontram-se no caminho da justiça.
³²É melhor paciência do que valentia,
 e dominar-se é melhor do que conquistar uma cidade.

16,17 "Estrada plana" é aquela em que não se tropeça e na qual se caminha com segurança.
16,18 É uma nota plástica, como desfile de personagens. A sequência sugere consequência; completar com o antônimo de 15, 33.
16,19 Os contrários estão cruzados: pobres/soberbos, humilde/rico, sugerindo necessárias correspondências.
16,20 É duvidosa a atribuição das "palavras": a) de Deus: significa a obediência como paralelo da confiança; b) própria: o homem deve controlá-la e depois confiar em Deus. Leva no fim a fórmula de bem-aventurança.
16,21 Em vez de "doçura", alguns, com mínima correção, leem "freio". Não é preciso: ver Ecl 12,10.
16,22 "Fonte de vida" ou manancial. Na segunda parte, o predicado é duvidoso: castigo, correção ou escola. Se é castigo, a ignorância volta-se contra ele; se é correção, é um paradoxo irônico.
16,23 Continuando o precedente: assim, a fonte brota para fora e a água fecunda é partilhada.
16,24 O mel é termo de comparação. Doces e sadias para quem as escuta.
16,25 Repetição de 14,12.
16,26 A maldição do Gênesis, trabalhar para comer, transforma-se em bênção ao estimular a atividade humana. Nós dizemos: "Mais rápido que a fome"; e: "A fome aguça o engenho".
16,27-29 Trio anafórico que junta três categorias de homens perversos: o canalha, o mentiroso, o violento.
16,27 Para o primeiro hemistíquio, ver 26,27 e Sl 7,16. A segunda parte oferece uma imagem monstruosa, quase como a de Jó 41,11-13. Suas palavras queimam e incendeiam: ver Tg 3,6.
16,28 Sobre a murmuração, Eclo 5,14 e a explanação de 28,13-23. Na segunda parte, tomo o singular como individual; alguns o tomam como coletivo e leem um sinônimo do primeiro hemistíquio: dividem os amigos.
16,29 Trata-se da sedução da violência e para ela, conforme 1,10 e 3,31.
16,30 O provérbio quer ensinar a distinguir os homens mediante gestos próprios de sua cultura (que não são os nossos). Diz o ditado: "Desse mato não sai coelho".
16,31 Porque é a justiça que assegura a longevidade, e a velhice era respeitada, 20,29. "Para cãs honradas não há portas fechadas".
16,32 Os antigos incluíam a paciência no âmbito da fortaleza. Paciência é também atributo litúrgico do Senhor. Dominar-se é dominar a paixão. "Quem poderá com a violência? – A paciência".

³³As sortes se agitam no colo,
   mas a sentença vem do Senhor.

17

¹É melhor pedaço de pão seco com paz
   do que casa cheia de banquetes de discórdias.
²O servo hábil se imporá ao filho indigno
   e repartirá a herança com os irmãos.
³A prata no forno, o ouro no crisol,
   os corações é o Senhor quem os prova.
⁴O perverso dá atenção a lábios maldizentes,
   o enganador dá ouvidos a língua maligna.
⁵Quem caçoa do pobre ofende o Criador dele,
   quem se alegra com a desgraça não ficará impune.
⁶Os netos são a coroa dos anciãos,
   os pais são a honra dos filhos.
⁷Linguagem elevada não fica bem ao vilão,
   muito menos lábios enganadores ao nobre.
⁸O suborno parece pedra mágica para aquele que o dá:
   consegue tudo o que se propõe.
⁹Quem busca amizade dissimula a ofensa,
   quem a repete afasta o amigo.
¹⁰Ao prudente uma repreensão lhe aproveita
   mais que ao imprudente uma centena de golpes.
¹¹O revoltoso busca rixas:
   a ele imporão um magistrado inflexível.
¹²Que eu encontre uma ursa de quem roubaram as crias,
   e não um néscio dizendo tolices.
¹³Quem paga mal por bem,
   o mal não se afastará de sua casa.
¹⁴Abre a comporta quem começa a rixa:
   em vez de enredar-se, é melhor retirar-se.

16,33 Alude ao ordálio (ou sortes) praticado em Israel em diversas circunstâncias: Lv 16,8; Js 7,1; 1Sm 14. O homem provoca o azar, e Deus age acima do azar.

17,1 Variação de 15,16 e 16,8. A expressão "banquetes de discórdias" parece irônica, porque imita os "sacrifícios de comunhão".

17,2 Os personagens pertencem ao âmbito doméstico: filho, irmãos, servo. Para a oposição "hábil"/"indigno", ver 10,5 e 14, 35. O provérbio não pretende entrar em questões legais de heranças.

17,3 A comparação sugere dois atos: distinguir e purificar. Também no homem se misturam metal e escória: Deus avalia e acrisola: Jó 23,10; Zc 13,9; 1Pd 1,7.

17,4 O homem escuta o que deseja ouvir. O perverso está disposto a apostar na maledicência, que o adula e confirma em seu mau raciocínio. Se o perverso exerce um cargo público, as consequências serão terríveis. Confrontar com 16,13.

17,5 Ver 14,31, que fala de explorar o pobre. Seu Criador o fez homem, não pobre; é o explorador que o torna pobre. Ver Eclo 39,20; 11,4, e o dito: "Foi Deus quem fez o ouriço". Para a segunda parte: Ab 12s; Jó 31,29s.

17,6 Em sentido estrito, temos três gerações. Mas pode-se ampliar a antepassados e descendentes. Nos netos se cumprem duas bênçãos: longevidade e fecundidade (Sl 128,6).

17,7 A dupla nobre/vilão é rara. Ver um bom comentário em Is 32,5-8. Alguns corrigem "linguagem sincera".

17,8 Enuncia o fato sem avaliar seu sentido ético, condenado muitas vezes na legislação. "Poderoso cavaleiro é Senhor Dinheiro".

17,9 Como a terra "cobre" o sangue, o perdão "cobre" a ofensa. Desenterrá-la e lançá-la no rosto é destruir a amizade. Ver Eclo 19,13-17.

17,10 Tema frequente neste livro. Nosso ditado: "Mais aproveita ao sábio ser repreendido que ao louco ser ferido".

17,11 A tradução especifica os termos genéricos do original. Numa espécie de lei do talião, lhe dão o que procurava, "encontrou o pão para seus dentes".

17,12 Provérbio pitoresco: acontece que o néscio pode ser feroz e perigoso, como a ursa: Os 13,8. Com outra imagem: "Não há maior trabalho que ter um néscio nas costas".

17,13 Ver o exemplo de Saul e Davi (1Sm 24,18). É a queixa de Deus (p. ex. Is 5). Encontramos no livro a dialética de mal por mal (v. 11), mal por bem (v. 13) e bem por mal (2,21s). "Os que pagam o bem com o mal, sua paga esperarão".

17,14 A primeira parte basta a si mesma, com uma imagem eficaz: a água pode arrastar os rivais. O NT radicaliza o conselho: Mt 5,40. "Em contenda põe rédeas em ti".

¹⁵Quem absolve o culpado e quem condena o inocente,
a ambos o Senhor detesta.
¹⁶De que serve o dinheiro na mão do néscio
para comprar sensatez, se não tem bom senso?
¹⁷Em qualquer ocasião o amigo ama,
e o irmão nasceu para o perigo.
¹⁸Anda carente de juízo quem estreita a mão
para se tornar fiador de seu vizinho.
¹⁹Quem ama a rixa ama o delito,
quem alarga a porta busca a ruína.
²⁰Coração tortuoso não fará fortuna,
língua retorcida cairá na desgraça.
²¹Quem gera um tonto terá sofrimentos,
não terá alegria o pai de alguém ruim.
²²Coração alegre favorece a cura,
ânimo abatido seca os ossos.
²³O perverso aceita suborno às escondidas
para torcer o curso da justiça.
²⁴A sabedoria está diante do sensato,
mas o néscio olha para o infinito.
²⁵Um filho tonto é raiva para o pai
e amargura para a mãe.
²⁶Multar um inocente não é certo,
açoitar os nobres vai contra o direito.
²⁷O homem sensato economiza palavras,
o homem prudente não se acalora.
²⁸Néscio calado passa por sábio,
e por prudente quem fecha os lábios.

18 ¹O homem esquivo segue seus caprichos
e se enreda contra toda conveniência.

17,15 O tema figura na legislação e em outros textos: Ex 23,7; Dt 25,1; 1Rs 8,32; Is 5,23. Em contexto forense, os dois atos são correlativos.
Sobre este pano de fundo leia-se o paradoxo de Rm 4,5: "O juiz perverso condena a pomba e absolve o corvo".

17,16 Conforme 4,5.7, comprar sensatez é o mais importante, mas não se compra com dinheiro: Jó 28,13s. Aqui o problema está no recipiente, incapaz de acolher a mercadoria. Ver Eclo 21,14; 22,9s.

17,17 Duas interpretações: a) o irmão acode no momento do perigo, o amigo está sempre disponível; b) o amigo sempre mostra afeto, mas quando chega o perigo, deve-se recorrer ao irmão. "Irmão mais velho, pai mais novo".

17,18 Sobre a fiança, ver 6,1-5.

17,19 Dois afãs terríveis na vida social: o afã pela disputa e pela ostentação.

17,20 Sobre a retribuição imanente, ou seja, sobre as consequências da conduta. Abrange mente e lábios.

17,21 Ver 10,1; 13,1; 15,20. Ou seja, a fecundidade não é bênção automática: Eclo 16,1; 22,3.

17,22 Na linha de 15,13.15 e 18,14. Para os ossos, Ez 37 e Is 66,14. "Coração alegre sabe fazer fogo com a neve".

17,23 "Às escondidas" é em hebraico a dobra da túnica onde se guardam as coisas. O suborno é tema frequente na legislação.

17,24 Prefiro ver a Sensatez personificada, que se apresenta ao homem e é acolhida. Depois, o sujeito é o néscio, com o olhar perdido.

17,25 Variante do v. 21 e dos outros aí citados.

17,26 O provérbio é duvidoso, especialmente no final. Os elementos paralelos são: multa/açoites, inocente/nobres, certo/injusto. Pode ser: contra a justiça, apelando para a justiça; ou se corrige o texto.

17,27 "economiza palavras": elogio do autodomínio, ou então da concisão. O paralelismo favorece o primeiro; a prática sapiencial, o segundo: quem realmente entende não precisa de muitas palavras para se explicar.

17,28 Economiza extremo do silêncio. "O bobo, se calado, por sisudo é reputado"; "Muito sabe quem não sabe mas sabe se calar". Diz Shem Tov: "Com o falar dizemos / muito bem do calar / calando não podemos / dizer bem do falar".

18,1 Prefiro a leitura reflexiva, "esquivo" ao passivo "discriminado", "rejeitado". Alternativa do segundo hemistíquio: pleiteia com qualquer conveniência.

²O néscio não gosta da discrição,
mas de publicar o que pensa.
³Onde entra a maldade, entra o desprezo,
e com a ofensa vem a afronta.
⁴As palavras de um homem são águas profundas,
arroio que flui, manancial de sensatez.
⁵Não é justo favorecer o culpado,
negando o direito ao inocente.
⁶Os lábios do néscio se envolvem com demandas
e sua boca chama os golpes.
⁷A boca do néscio é sua ruína,
em seus próprios lábios ele se enreda.
⁸As palavras de quem murmura são guloseimas
que descem até o fundo do ventre.
⁹O homem indolente em seus assuntos
é irmão de quem destrói.
¹⁰Torreão fortificado é o nome do Senhor:
nele se abriga o honrado, e é inacessível.
¹¹A fortuna do rico é sua praça-forte,
ele a imagina como alta muralha.
¹²Antes da ruína o coração foi soberbo,
antes da glória foi humilde.
¹³Quem responde antes de escutar
sofrerá o rubor de sua insensatez.
¹⁴Bom ânimo sustenta na doença;
ânimo abatido, quem o levantará?
¹⁵Mente inteligente adquire saber,
ouvido sensato quer saber.
¹⁶Os presentes abrem passagem ao homem
e o apresentam diante dos grandes.
¹⁷O primeiro que se defende tem razão,
até que chegue o outro e o interrogue.
¹⁸A sorte põe fim às disputas
e decide entre os poderosos.

18,2 A disciplina sapiencial ergue uma barreira de controle entre mente e lábios. Ver 22,27.
18,3 Retribuição imanente, de consequências sociais. Comparar com a retribuição transcendente de Rm 2,18.
18,4 "Profundo" em hebraico costuma significar o arcano ou incompreensível; o segundo hemistíquio seria antitético. Alternativa: "profundo" com valor positivo, e três predicados; do manancial da sensatez brotam palavras que não se esgotam e continuam fluindo. Comparar com Eclo 24,30s.
18,5 Ver 17,23 com os outros aí citados; também Is 10,2.
18,6 "Demandas" ou simples rixas; esses golpes não são próprios do fórum.
18,7 Ver o v. 2.
18,8 No "ventre" se armazenam os conhecimentos, que "sobem" depois ao coração como memória consciente. Daí o perigo da murmuração. "Quem fala mal do ausente, dá gosto ao diabo e à gente".
18,9 Aqui se diz que a negligência não é neutra, mas fatal. "Atrás da má procura vem a má ventura".
18,10 O "nome" pela invocação: ver Sl 20,8 e Ex 3,15. Mas quem invoca deve ser honrado. Ver Mt 7,21 sobre a invocação inútil.
18,11 O acento cai sobre a imaginação: comparar com 10,15. O rico não precisa invocar o Senhor: ver Sl 52,9.
18,12 Combina 16,18a com 15,33b, redobrando seu valor pela antítese.
18,13 Tem valor geral e aplicação especial na escola sapiencial: o discípulo começará escutando, pouco a pouco aprenderá a dar respostas atinadas.
18,14 Espírito (ânimo) é o princípio dinâmico da pessoa. Se ele não sustenta, quem o sustentará? Comparar com o provérbio de Mc 9,50 sobre o sal.
18,15 É a busca sempre insatisfeita do saber; os gregos a chamavam *philo-sophia*.
18,16 Presentes em sentido genérico, sem excluir subornos. "Presentes quebram penhascos"; "Mãos generosas, mãos poderosas".
18,17 "Se defende": é o inocente ou quem se julga tal. Ser o primeiro não decide o pleito: *audiatur et altera pars* (seja ouvida também a outra parte).
18,18 Talvez o processo não tenha projetado luz suficiente para decidir a causa. Em tais casos, os israelitas podiam apelar para as sortes como a um julgamento de Deus: 16,33.

¹⁹Irmão ofendido é pior que praça-forte,
as querelas são ferrolhos de castelo.
²⁰Dos frutos do falar se sacia o ventre,
se sacia da colheita dos lábios.
²¹Morte e vida estão em poder da língua:
aquilo que escolher, isso comerá.
²²Quem encontra mulher encontra um bem,
alcança favor do Senhor.
²³O pobre fala suplicando,
o rico responde duramente.
²⁴Há companheiros que se maltratam,
e um amigo mais unido que um irmão.

19

¹É melhor pobre de conduta íntegra
do que enganador, pois este é néscio.
²Não vale fadiga sem reflexão:
quem apressa o passo tropeça.
³Quando a insensatez transtorna um homem,
seu coração se irrita contra o Senhor.
⁴A riqueza proporciona muitos amigos,
o pobre é abandonado por seus amigos.
⁵Testemunha falsa não ficará impune,
quem solta mentiras não escapará.
⁶Muitos adulam o homem generoso
e todos são amigos do dadivoso.
⁷O pobre é odioso até para seus irmãos;
quanto mais se afastarão dele os amigos.
⁸Quem adquire juízo ama a si mesmo,
quem conserva a prudência terá êxito.
⁹Testemunha falsa não ficará impune,
quem solta mentiras perecerá.
¹⁰Não é bom que o néscio viva com luxo,
muito menos que o servo mande nos príncipes.

18,19 Contudo, não basta uma sentença documentada. Judicialmente as coisas ficaram resolvidas, humanamente rompeu-se a fraternidade. É melhor abster-se de demandas entre irmãos. É um texto duvidoso.

18,20 O paradoxo é que o ventre se sacie com o que sai da boca: vale na esfera sapiencial e na ética.

18,21 Também com palavras o homem pode enfrentar a decisão suprema, vida ou morte. Comparar com Dt 30,15.

18,22 Parece um achado, mas é favor de Deus. Eclo 36,23-31 fala mais da escolha de uma mulher. Pode-se ilustrar com as histórias patriarcais e a de Tobias.

18,23 À pobreza se acrescenta a humilhação. Um bom comentário está em Eclo 13.

18,24 Pode-se ilustrar com a história de Davi e Jônatas. Ver Eclo 37,1-6 sobre a escolha de um amigo.

19,1 Se conservamos o texto hebraico, as oposições ficam estranhas: pobre/mentiroso, íntegro ou sincero/néscio. Para que façam sentido, transferimos ao contexto forense: o pobre não recorre a caminhos tortuosos; o outro sim, mas erra. Desse campo pode estender-se a outros campos da vida. Alguns o harmonizam com 28,6.

19,2 Pertence ao tipo, menos frequente, que apresenta a comparação em segundo lugar. Os nossos empregam outras imagens: "Apressado come cru"; "É melhor descosturar que rasgar".

19,3 "Transtorna" na esfera ética e existencial; como é louco, joga a culpa em Deus, o que é nova loucura e firmar-se na ignorância. Ver Eclo 15,11s.

19,4 Ver 14,20 e 18,16 e o nosso: "Quem tem dinheiro tem companheiro".

19,5 Em paralelismo dois sinônimos de "testemunha". Ver 14,5.25 e Dt 19,18; Sl 27,12.

19,6 Acompanha o v. 4. Aconselha a ser generoso e a não confiar.

19,7 É a antítese do anterior. "Quem não tem, não é tido"; "No homem sem tostão, mija nele até seu cão".

19,8 Provérbio programático recomendado pela oferta sapiencial. Ver 1,2; 2,2-4; 3,13; Eclo 14,20-15,10.

19,9 Variante do v. 5.

19,10 Primeiro hemistíquio: não o merece, não o sabe desfrutar. Segundo: como norma, com as exceções de 17,2; 30,22s e Ecl 10,7.

¹¹O homem atinado segura a ira
  e tem como honra ignorar uma ofensa.
¹²Rugido de leão é a cólera do rei,
  o seu favor, orvalho sobre erva.
¹³Filho néscio é desgraça do pai,
  mulher briguenta é goteira contínua.
¹⁴Casa e fortuna são herança dos pais,
  mulher habilidosa é dom do Senhor.
¹⁵A preguiça desmorona no sono,
  o preguiçoso passará fome.
¹⁶Quem guarda o preceito guarda sua vida,
  quem descuida sua conduta morrerá.
¹⁷Quem se compadece do pobre empresta ao Senhor,
  que lhe dará a recompensa.
¹⁸Corrige teu filho enquanto há esperança,
  mas não te arrebates até matá-lo.
¹⁹O enfurecido pagará uma multa,
  e se tentas contê-lo o tornas pior.
²⁰Escuta o conselho, aceita a correção,
  e chegarás a ser sensato.
²¹O homem medita muitos planos,
  mas o desígnio do Senhor se cumpre.
²²Desejo do homem é sua lealdade:
  é melhor pobre do que traidor.
²³Respeitar o Senhor é vida:
  dorme-se com satisfação e sem pesadelos.
²⁴O preguiçoso mete a mão no prato
  e não é capaz de levá-la à boca.
²⁵Golpeia o cínico, e o inexperiente se tornará cauteloso;
  repreende o prudente, e seu saber aumentará.

19,11 "Perdoar uma ofensa é próprio do homem bom e sábio"; "Conselho de sábios: perdoar injúrias e esquecer ofensas".

19,12 A cólera do rei não é vista como simples paixão, mas se realiza na ação. Como o rugido do leão, precursor do assalto. O orvalho suaviza e fecunda. Ver Est 14,13 e 15,10s.

19,13-27 Nessa série são muitos os provérbios de tema doméstico: mulher, pais e filhos, educação e correção.

19,13 Para o primeiro hemistíquio: 10,1; 17,25; para o segundo: 27,15 e Eclo 26,27. "Filho mau: melhor doente que são"; "Fumaça, goteira e mulher fofoqueira expulsam o homem de sua lareira".

19,14 Ver 18,22. "Casamento e mortalha no céu se talham".

19,15 Define um processo: da preguiça à sonolência, desta ao nada fazer, e daí à fome. "Quem se levanta tarde não ouve missa nem come carne".

19,16 Ver 13,13. No contexto israelita, é o "preceito" de Deus: questão de vida ou morte, como inculca o Dt.

19,17 Provérbio favorito dos Pais da Igreja. "Do homem que dá esmola Deus é despenseiro". Desenvolvimento interessante se encontra em Eclo 29,1-13.

19,18 Supõe que o filho não é irremediavelmente néscio. A correção inclui o castigo corporal. Ver Eclo 30,1-13 e: "Para filho querido, o melhor presente é o castigo"; "É de pequenino que se torce o pepino".

19,19 Duvidoso. Uma leve correção dá "colérico"; "multa" pode ser metáfora das consequências. O verbo seguinte com valor modal: "tentas". A "multa" é medicinal.

19,20 O imperativo é conselho e equivale a condicional. O tema é frequente no livro.

19,21 A oposição está entre o homem e Deus. Também poderia afetar os "muitos" e o simples. "O homem propõe e Deus dispõe"; também o pedido do Pai-nosso: "vontade" ou desígnio.

19,22 Muito duvidoso o primeiro hemistíquio. Em vez de "lealdade", pode-se aceitar o significado raro de "infâmia": a cobiça é infâmia do homem; e continua supondo que, por cobiça, a pessoa mente.

19,23 É tema frequente e fundamental dos sapienciais. Ver Sl 4,9; Eclo 34,14 e: "O melhor travesseiro é a consciência limpa".

19,24 Hipérbole feliz. Imagine-se uma panela ou travessa no centro da mesa, na qual cada um molha seu pão ou da qual tira sua porção. Chegar até a travessa já é um esforço sobre-humano que o preguiçoso mal consegue completar. "Preguiça, queres sopa? – Teria de abrir a boca".

19,25 Outros corrigem a si próprios. Ver 21,11. "Dos castigados nascem os avisados"; "Na chaga alheia terás bom remédio".

²⁶Quem maltrata o pai e expulsa a mãe
é filho indigno e infame.
²⁷Filho meu, deixa de aceitar a correção
e te perderás por falta de princípios.
²⁸A testemunha depravada caçoa do direito,
a boca do perverso engole o crime.
²⁹Para os cínicos há varas preparadas,
e açoites para as costas dos néscios.

20

¹O vinho é insolente, a bebida é ruidosa;
quem por ela perde o tino não se tornará sensato.
²Como rugido de leão, o terror do rei:
quem o irrita arrisca a vida.
³É uma honra viver sem demandas,
mas o néscio se enreda em disputas.
⁴O preguiçoso não ara no outono,
na colheita ele pede e não há nada.
⁵Água profunda é um plano na mente:
o homem hábil o saca com destreza.
⁶Muitos têm fama de bondosos;
um homem de confiança, quem o achará?
⁷Honrado é quem age sem mancha:
felizes os filhos que lhe sucederem.
⁸Um rei sentado no tribunal,
com seu olhar dissipa toda maldade.
⁹Quem poderá dizer: tenho a consciência pura,
purifiquei-me de pecados?
¹⁰Pesos desiguais, medidas desiguais:
as duas coisas o Senhor detesta.
¹¹Já com suas ações o jovem deixa ver
se sua conduta será pura e reta.
¹²Ouvido que escuta, olho que vê:
ambas as coisas foi o Senhor quem as fez.

19,26 Comparar com o preceito do decálogo: o provérbio só enuncia. Ver 10,5 e 13,5, e para o castigo, 30,17.
19,27 Variante do v. 16 e antítese do v. 20. O segundo hemistíquio é duvidoso.
19,28 O adjetivo "depravada", "perversa", está na história de Nabot: 1Rs 21,10. É paradoxo "engolir" o que se pronuncia.
19,29 As varas são instrumento para executar uma sentença. O provérbio equipara cínicos e néscios.
20,1 Por metonímia, aplica a causa os adjetivos do efeito. Ver a engenhosa denúncia de Is 28,7-13 e a irônica descrição de Pr 23,29-35. "Muito vinho pouco tino"; "Das uvas sai o vinho, e do vinho o desatino".
20,2 Esse rei é juiz supremo e monarca absoluto. A qualificação ética não é explícita. A história de Ester pode ilustrá-lo.
20,3 A honra não consiste em ganhar o maior número de batalhas legais, mas em abster-se delas. O homem sensato sabe que ganhar uma demanda é perturbar a boa vizinhança.
20,4 Ver 10,14; 19,24; 21,25.
20,5 "Profunda" equivale a escondida e inacessível. A imagem é de um poço do qual o homem hábil tira água. É um enunciado psicológico sugestivo. E é conselho duplo: a quem tem algo a ocultar, que não se deixe surpreender; a quem precisa averiguar, que proceda com tato e tino.
20,6 O primeiro hemistíquio é muito duvidoso, suscitando emendas e conjeturas. Pela harmonia com o segundo hemistíquio, prefiro "muitos têm fama...".
20,7 A honradez do pai repercute nos filhos: por exemplo, a educação, as amizades, Deus... (não especifica). Daí a responsabilidade de ambos.
20,8 O rei como juiz supremo; "dissipa" a palha da maldade. O olhar é gesto senhoril e eficaz. O provérbio é descrição que pode servir de admoestação.
20,9 O acento recai na condição pecadora do homem; pode significar também que só Deus pode purificar. Ver 1Rs 8,46; Jó 4,17; 15,14-16; Sl 19,12-13 e a doutrina de Paulo em Rm.
20,10 Ver 11,1 e 16,11; na legislação, Lv 19,36; 25,13-16. "Duas medidas tenho: com a grande compro, com a pequena vendo".
20,11 Corresponde ao programa educativo do livro. Não supõe determinismo nem fatalismo, mas aconselha a observar em tempo inclinações e tendências.
20,12 Funciona em três planos. Antropológico: Deus cria diferenciando e atribuindo funções (Eclo 17,6).

¹³Não te apegues ao sono, pois empobrecerás;
 abre os olhos e te saciarás de pão.
¹⁴"Mau, mau", diz aquele que compra;
 depois sai gabando-se da compra.
¹⁵Mais que o ouro, que tantos corais
 e joia valiosa, são os lábios prudentes.
¹⁶Tira-lhe a roupa e exige dele penhores,
 pois ficou fiador de um estranho desconhecido.
¹⁷Parece doce o pão subtraído,
 depois a boca se enche de cascalho.
¹⁸Prepara teus planos pedindo conselhos,
 e faze a guerra com tática.
¹⁹Quem anda com histórias revela segredos,
 não te associes ao de lábios fáceis.
²⁰Quem amaldiçoa seu pai e sua mãe,
 sua lâmpada se apagará em plena escuridão.
²¹Fortuna que começa rapidamente
 no final não prosperará.
²²Não digas: "ele vai me pagar";
 espera no Senhor, pois ele te defenderá.
²³O Senhor detesta pesos desiguais,
 não é justa a balança com fraude.
²⁴O Senhor dirige os passos do homem;
 como pode o homem discernir o próprio caminho?
²⁵É tentação fazer um voto sem mais nem menos,
 e depois de prometido refletir.
²⁶Rei prudente espalha os perversos
 e faz rodar sobre eles a roda.
²⁷O espírito humano é lâmpada do Senhor,
 que sonda o íntimo das entranhas.

Ético: pela responsabilidade de ambos os órgãos (Is 6,9s). Teológico: de acordo com Sl 94,9.

20,13 Refere-se, não ao sono reparador (Sl 127,2), mas à sonolência preguiçosa. Surpreende o momento do despertar como indicação da vigília. "Raposo deitado não apanha bocado".

20,14 Minúscula e deliciosa cena de costumes, numa feira ou mercado, centrada em dois momentos decisivos, como anedota em dois quadros. "Quem despreza, compra"; "O que pensas em comprar, não deves louvar".

20,15 Não alude à cor dos lábios nem se limita à mulher. É, antes, acumular joias: pode-se complementar com 25,12.

20,16 O imperativo equivale a permitir. Como se comentasse: ele o merece. Ver 6,1-5 e Eclo 29,14-20.

20,17 O "depois" revela as consequências, com uma imagem inesperada e eficaz. "Não há melhor bocado que o furtado".

20,18 Na paz deliberação, na guerra estratégia: duas situações comuns num aspecto. Pode-se recordar a deliberação contrastada de 2Sm 17.

20,19 A palavra anteriormente designava o caixeiro viajante, mais tarde, o mexeriqueiro, também o difamador: Lv 19,16; Jr 6,28; Ez 22,9.

20,20 "Amaldiçoa": o verbo hebraico inclui também negar o sustento, como contrário ao mandamento do decálogo. Para esse significado, ver Mc 7,10-13. Na legislação: Ex 21,19; Lv 20,9; também Eclo 3,16. "Lâmpada" é luz e vida.

20,21 Duas interpretações de "herança": a) sentido próprio: previne contra a entrega da herança antes do tempo (Eclo 33,20-24; Lc 15,12); b) sentido lato, fortuna; indica a pressa que não repara nos meios.

20,22 "Não digas" é um tipo especial de provérbio, como: "Não digas: dessa água não beberei". Contra a vingança ou fazer justiça com as próprias mãos: ver Lv 19,18; Eclo 28,1-7; Mt 5,39-48; Rm 12,19. "Vingança justa não existe".

20,23 Como o v. 10 e paralelos.

20,24 Em vez de contradizer o programa de educação sapiencial, o provérbio apela para sua base religiosa. O máximo da sensatez é deixar-se guiar por Deus.

20,25 Literalmente: "Dizer depressa: Consagrado". Ver a legislação de Lv 27,28 e o que inculca Ecl 5,1-6; também os juramentos de Saul (1Sm 14) ou de Herodes (Mt 14,1-12).

20,26 O primeiro hemistíquio como o v. 8. É duvidosa a função dessa "roda": teria de ser roda de castigo ou tortura.

20,27 Equivale a dar transcendência religiosa à consciência humana; pois "lâmpada" se diz do mandamento (6,23) e da palavra de Deus (Sl 119,105). Afirma também a penetração interior ou a capacidade de introspecção da consciência humana.

²⁸Misericórdia e lealdade guardam o rei,
a misericórdia assegura seu trono.
²⁹Orgulho do jovem é sua força,
honra do ancião são seus cabelos brancos.
³⁰Feridas e chagas purificam do mal;
golpes, o fundo do ventre.

21

¹O coração do rei é um canal de água nas mãos de Deus:
este o dirige para onde quer.
²O homem pensa que seu caminho seja sempre reto,
mas é Deus quem pesa os corações.
³Praticar o direito e a justiça,
isso Deus prefere aos sacrifícios.
⁴Olhos altivos, mente ambiciosa;
o pecado é o sulco dos perversos.
⁵Os planos do diligente trazem ganho,
os do precipitado trazem indigência.
⁶Acumular tesouros com boca falsa
é sopro que se esfuma, laços mortais.
⁷A violência dos perversos os espreita,
porque se negaram a respeitar o direito.
⁸O caminho do viciado ziguezagueia,
a conduta do honrado é reta.
⁹É melhor viver num canto de terraço
do que partilhar a casa com mulher briguenta.
¹⁰Fadiga do perverso é desejar o mal,
olha sem piedade para o próximo.
¹¹Quando o cínico paga, o inexperiente aprende;
mas o sensato aprende com a experiência.
¹²Um justo observa a casa do perverso:
ele precipita o perverso na ruína.

20,28 São as duas virtudes que imitam as de Deus, servem de mediadoras. Ver Sl 101,1. Pode-se complementar com Salmo 46 e 72.

20,29 "Ancião" é também o conselheiro ou senador; "jovem" é também quem vai à guerra. Cada idade tem sua função. "Para cãs honradas não há portas fechadas".

20,30 Parece medida terapêutica transposta para a esfera ética. Ampliando a metáfora, pode referir-se a golpes na vida que fazem aflorar o profundo.

21,1 Une uma visão ideal do rei e uma afirmação da soberania divina: p. ex. 1Sm 10,7. O canal de água é dócil e fecundo (16,15; 19,12), e assim é o rei: 32,2.

21,2 Comparar com a variante de 16,2. Como ilustração, pode-se ver a sequência 1Sm 13,13 com 15,20.23.

21,3 Concorda com 15,8 e com a pregação profética: Is 1,10-20 e paralelos; Eclo 34,18-35,10 o desenvolve.

21,4 É enigmática a conexão das duas partes. "Sulco" é metáfora de trabalho, ocupação. Podemos conjeturar o pecado de soberba e o pecado de ambição. Outros corrigem e leem "lâmpada", sem melhorar o sentido, Os 10,13.

21,5 Opõe diligência a precipitação. Em economia, não vale a proporção: a mais velocidade corresponde mais lucro. Eficácia e ética impõem seus limites. De Shem Tov: "Quem semeou alarme colheu arrependimento, quem agiu com sossego acabou com seu talento".

21,6 Contra a fraude nos negócios. No segundo hemistíquio, o hebraico diz "procuradores de morte"; com uma ligeira correção, a versão grega lê "laços mortais", como em 13,14 e 14,27. Em ambos os casos, as consequências são extremas. De Shem Tov: "Quem de maus rendimentos / quer suas sacolas cheias, de boa segurança / esvaziará suas veias".

21,7 O primeiro substantivo é ambíguo: pode ser a violência que exercem ou a calamidade que sofrem. Em ambos os casos se enuncia a retribuição imanente.

21,8 Constatação antitética. O primeiro verbo dá certo valor a um provérbio convencional.

21,9 Comparar com as variantes de 25,24; 27,15; mais forte a de Eclo 25,16.

21,10 O perverso orientou estavelmente sua tendência vital para o mal. Não tem lugar para a piedade com o necessitado.

21,11 Duas alternativas: a) com antítese, aprende o sensato, sem necessidade de correção; b) com sinonímia: aprende o inexperiente, com a correção e com o exemplo. Ver a série de 19,25.28.29; 20,1.

21,12 Esse "justo" pode ser um homem honrado que observa o fracasso do perverso; pode ser Deus, que observa e precipita. Ver Sl 73,18s.

¹³Quem fecha os ouvidos ao clamor do necessitado
   não será ouvido quando gritar.
¹⁴Um presente às escondidas aplaca a cólera;
   um dom sob a mão aplaca a ira áspera.
¹⁵Ao se fazer justiça, o honrado se alegra,
   o malfeitor treme.
¹⁶Quem se extravia do caminho da prudência
   descansará na assembleia das almas.
¹⁷Quem ama os festejos acabará mendigo,
   quem ama vinho e perfumes não chegará a ser rico.
¹⁸O perverso servirá de resgate pelo honrado;
   o traidor, pelo homem reto.
¹⁹É melhor habitar no deserto
   do que com mulher briguenta e de gênio ruim.
²⁰Na casa do sensato há um tesouro precioso,
   o insensato o consome.
²¹Quem busca justiça e misericórdia
   alcançará vida e glória.
²²O homem hábil escalará a praça-forte
   e derrubará a fortaleza segura.
²³Quem guarda a boca e a língua
   guarda-se de apertos.
²⁴Chama-se arrogante o insolente fanfarrão
   que age com paixão e insolência.
²⁵Os desejos matam o preguiçoso,
   porque suas mãos se negam a trabalhar.
²⁶Tudo é desejar e desejar,
   mas o honrado dá sem reservas.
²⁷Os sacrifícios do perverso são detestáveis,
   e muito mais se os oferece com cálculo.

21,13 Os verbos da segunda parte se referem a Deus: quando gritar a Deus, não será ouvido por Deus. É uma espécie de castigo do talião. Ver Dt 15,9; Tg 2,13; em forma positiva, Mt 6,15.

21,14 O provérbio soa primeiro no plano humano: a cólera de outro homem, como Jacó com Esaú (Gn 32,1-25; 33,8-11). Poderíamos elevar à esfera teológica: dons feitos em segredo ao necessitado aplacam a ira de Deus.

21,15 O sentido muda conforme tomemos "fazer justiça" como oração circunstancial ou como sujeito de duas orações contrapostas. Ambas fazem sentido. Comparar com Sl 64,10s.

21,16 No contexto, "descansar" tem sentido irônico, quase sarcástico, porque "as almas" são os mortos no Hades. Sl 1,6 o refere à ordem ética.

21,17 Contra o luxo: ver a descrição de Am 6,4-6 e a recomendação de Eclo 18,32s.

21,18 Invertendo ao contrário a nossa frase, "pagam pecadores por justos". O resgate é metafórico. Jó 21,30 contesta essa doutrina. Ver 11,8; sobre o resgate, Ex 13,11-14; 30,11-16.

21,19 Variante do v. 9, com mudança de lugar: "deserto". Opõe solidão à má companhia. "Antes só que mal acompanhado".

21,20 Supõe-se que o insensato é membro da família ou mora na casa. O tesouro é o que acumulou com sua destreza.

21,21 É um jogo de duplas. "Justiça e misericórdia" se complementam, como em Sl 33,5 (de Deus), e 101,1 (do governante). Glória qualifica a vida, Sl 73,24. Ver Rm 2,18.

21,22 É nossa oposição: "mais vale manha que força". Ver o caso de Ecl 9,13-18 em chave pessimista. Pode-se recordar a conquista da fortaleza dos jebuseus, 2Sm 5,8. O provérbio abrange em imagem outros casos.

21,23 Ver 13,3; 18,21; Eclo 19,6; 22,27. Guarda-se com o silêncio e com a fala ponderada. É uma disciplina à qual os sapienciais dedicam grande atenção.

21,24 Parece uma tentativa pouco feliz de definição. O sujeito é o insolente ou cínico, que zomba depreciando tudo. Suas qualidades: fervente = arrogante, fanfarrão ou presunçoso, age por paixão. Em vez de nome que define, poderíamos traduzir por "tem fama".

21,25 Seus desejos são veleidades; quereria em vez de querer; e assim, sem remédio se consome vítima do desejo inerte.

21,26 Opõem-se cobiça e generosidade, e esta faz parte da honradez. Recordemos o ditado: "É melhor dar que receber" (cf. At 20,35); e também: "De desejos nunca vi saco cheio"; "Homem desejoso, nunca ditoso".

21,27 Alternativas: a) "com cálculo", para obter o silêncio e a conivência de Deus; b) por um crime, para cobri-lo com ato cultual, sem arrepender-se nem corrigir-se: Is 1,10-20 e paralelos.

²⁸A testemunha falsa perecerá,
   aquela que escuta terá a última palavra.
²⁹O perverso se apresenta desafiando,
   o reto examina seu caminho.
³⁰Não existe habilidade, nem existe prudência
   nem existe conselho diante do Senhor.
³¹Prepara-se o cavalo para a batalha,
   a vitória quem a dá é o Senhor.

22

¹Melhor é boa fama que riquezas,
   mais vale simpatia que ouro e prata.
²O rico e o pobre se encontram:
   o Senhor fez os dois.
³O sagaz vê o perigo e se esconde,
   o incauto prossegue, e paga por isso.
⁴Nas pegadas da humildade e do respeito a Deus
   caminham riqueza, honra e vida.
⁵Há laços e armadilhas no caminho do perverso:
   quem guarda sua vida se afasta deles.
⁶Educa a criança segundo seu caminho:
   quando ela envelhecer não se afastará dele.
⁷O rico será senhor dos pobres,
   o devedor será escravo do credor.
⁸Quem semeia maldade colhe desgraça:
   a vara de sua arrogância se consumirá.
⁹O generoso será abençoado
   porque repartiu seu pão com o pobre.
¹⁰Expulsa o insolente, a contenda sumirá
   e cessarão brigas e insultos.

21,28 O primeiro hemistíquio pouco acrescenta aos já conhecidos: 12,17; 14,5; 19,5.9. 28. O segundo hemistíquio faz sentido por sua conta. É difícil combiná-los: talvez seja possível imaginando um processo judicial.

21,29 A primeira parte pode ser interpretada como gesto desafiador ou como direção firme: o perverso resiste e não cede. No segundo hemistíquio, o verbo hebraico é "dispõe", mas algumas versões antigas leram "examina".

21,30-31 O homem diante de Deus, como em mensagens proféticas: Is 29,14; Jr 9,22; também em Sl 20,8s e 33,16s.

22,1 Uma variação em Ecl 7,1; sublinha a duração da fama (cf. Eclo 41,10-13). "É melhor boa fama que dourada cama".

22,2 Ricos e pobres são um fato social; mais radical é que todos são criaturas do mesmo Deus. Eles se encontrarão de muitas maneiras, mas sempre iguais em dignidade. Ver Eclo 13,2-7.15.20. Admoestação para o rico, conforto para o pobre.

22,3 Esconder-se é prudência, não covardia; arriscar-se é temeridade responsável a ser paga. O provérbio quer educar o incauto. Ver Pr 14,16; 27,12.

22,4 Humildade e respeito a Deus são duas virtudes correlativas do homem. Seu prêmio é generoso; é paradoxal que a humildade acarrete honra. Ver Eclo 3,17-29. É ensinamento do NT: Mt 23,12; Fl 2,5-11.

22,5 "Laços" ou espinhos. Nota descritiva do caminho da vida.

22,6 Pelo verbo usado, a educação (= tirar de) é como uma iniciação (início), e deve-se fazer conforme um critério: seu caminho, seu estilo, o que lhe corresponde. "O que o berço dá, nem a campa tira"; "O que aprendem babas, não o esquecem barbas".

22,7 Se o primeiro hemistíquio registra um fato sem justificá-lo, o segundo reconhece uma lei e sugere uma admoestação. Ser pobre pode não depender da vontade, mas muitas vezes é possível evitar o endividamento. É um encontro do pobre com o rico: ver o v. 2.

22,8 O primeiro hemistíquio basta a si mesmo como enunciado de retribuição imanente. Ver uma variante melhor em Os 8,7 e Jó 4,8. E: "Quem semeia espinhos não ande descalço". O segundo hemistíquio não enriquece o provérbio. "Vara" pode ser sinal de autoridade ou, com leve correção, instrumento de castigo (divino).

22,9 Este outro encontro do rico com o pobre conta com a bênção (divina). Belo desenvolvimento em Is 58,10-12. Na linha de 21,10.13.26; Eclo 29,11. "Tem teu dinheiro preparado, e por todos serás estimado".

22,10 Outra dica para descrever o insolente de 21,24: provoca rixas. Inútil tentar reconciliar-se com ele; a única solução é que vá embora. Com ele partirá seu cortejo nocivo.

¹¹O rei ama um coração limpo
e aprecia um falar atraente.
¹²Os olhos do Senhor guardam o saber
e fazem fracassar as palavras do traidor.
¹³Lá fora há um leão!, diz o preguiçoso,
em plena rua ele vai me matar.
¹⁴Cova profunda é a boca da prostituta,
nela cairá o inimigo de Deus.
¹⁵A insensatez se apega ao coração da criança:
a vara da correção a afastará.
¹⁶Quem oprime o pobre se enriquece,
quem dá ao rico empobrece.
¹⁷Dá ouvidos e escuta,
presta atenção à minha experiência:
¹⁸elas te serão gratas se as guardas no ventre
e as tens todas à flor dos lábios;
¹⁹para que ponhas em Deus tua confiança,
também vou te instruir.
²⁰Escrevi para ti
trinta máximas de experiência,
²¹para ensinar-te a verdade
e trazeres um relato fiel
a quem te deu um encargo.
²²Não explores o pobre, porque é pobre:
não atropeles o infeliz no tribunal,
²³pois o Senhor defenderá a causa dele,
e despojará a vida dos que o despojam.
²⁴Não te associes ao colérico
nem andes com o irascível,
²⁵para que não te acostumes a seus caminhos
e faças para ti uma armadilha mortal.

22,11 Texto e funções duvidosas: com o rei como sujeito ou como membro do predicado. Em ambos os casos, um conselho para futuros funcionários.

22,12 O primeiro complemento é estranho. Poderíamos tomá-lo como abstrato por concreto, "o entendido"; ou como advérbio, "vigiam sabiamente". Ver Sl 11,4.

22,13 É inventar perigos para justificar a inatividade: bom exemplo de racionalização. O estilo é de vinheta irônica, deixando o personagem falar.

22,14 "Boca" que fala, beija e devora. Contém uma velada alusão sexual? Ver Eclo 26,12. A "cova" sugere a morte. O tema é frequente na primeira coleção.

22,15 Retorna um grande tema da coleção: a correção como parte da educação. O rapaz não é naturalmente bom nem sensato; algo em seu interior responde facilmente à insensatez. O otimismo corrige o pessimismo: néscio sim, mas corrigível.

22,16 A interpretação é muito duvidosa por causa da ambiguidade do texto. Talvez se deva ler como adversativa. O primeiro hemistíquio é óbvio, mas atenção a este "dar ao rico". Com que finalidade? Não o diz.

22,17-24,22 *Terceira coleção*. Atribuída no texto a doutores anônimos. Muda o estilo: em vez de dísticos, várias estrofes de quatro versículos; predomina a segunda pessoa; o conteúdo é heterogêneo. Muitos opinam que depende do Ensinamento de Amenemopê (primeira metade do primeiro milênio). Intitula-se Máximas de Doutores.

22,17-21 *Introdução*. Dois versículos pedem a plena colaboração do homem: ouvido para escutar, mente para compreender, ventre para conservar, lábios para pronunciar. O ensinamento tem finalidade religiosa. O número trinta parece tomado de Amenemopê; é difícil dividir o texto em trinta pedaços.

22,22-23 A primeira motivação é ambígua: não te aproveites da sua pobreza, ou respeita sua pobreza. Expõe a justiça forense e a reduz a sua causa suprema. Aplica a lei do talião. De Amenemopê: "Deus ama quem honra o pobre, mais do que aquele que venera o rico".

22,24-25 Contempla o perigo extremo de tais companhias: o colérico e o irascível facilmente recorrem à violência, que pode ser fatal. Alguém pode cair vítima dessa violência, ou imitá-la e tornar-se réu. De Amenemopê: "Veloz é a palavra de quem está irado, mais que vento sobre a água... é o barqueiro de palavras capciosas".

²⁶Não sejas fácil em dar a mão
empenhando-te em dívidas,
²⁷pois, se não tens o que devolver,
tirarão tua cama debaixo de ti.
²⁸Não removas os marcos antigos
que teus avós colocaram.
²⁹Viste um homem hábil em seu ofício?
Estará a serviço de reis,
não estará a serviço de gente obscura.

23

¹Sentado à mesa de um senhor,
olha bem aquele que tens à frente;
²põe uma faca na garganta,
se tens muita fome;
³não sejas ansioso de seus manjares,
pois são alimento enganador.
⁴Não te afanes por enriquecer-te,
deixa de pensar nisso;
⁵dá-lhe uma olhada, e já não está,
bateu asas como uma águia e voa pelo céu.
⁶Não te sentes para comer com o avarento,
nem anseies pelos alimentos deles;
⁷são um cabelo na garganta [amargura no paladar];
ele diz: Come e bebe! mas ele não te aprecia;
⁸terás de vomitar o bocado comido
e terás desperdiçado tuas palavras cortesas.
⁹Não fales a ouvidos insensatos,
porque desprezarão tuas sensatas razões.
¹⁰Não removas os marcos antigos
nem te metas na parcela do órfão,
¹¹porque o defensor dele é forte
e defenderá a causa dele contra ti.
¹²Aceita a correção,
dá ouvidos aos conselhos da experiência.

22,26-27 Dar a mão é selar um compromisso legal. Ver 6,1-5. A motivação é original.

22,28 Os marcos são antigos; em Israel supõe-se que sejam da partilha no tempo de Josué. Supõem a transmissão hereditária da propriedade.

22,29 O versículo parece mostrar a quem é dirigida a instrução: a jovens que se preparam para ser funcionários da corte. Diz Amenemopê: "O escriba hábil em seu ofício é digno de servir na corte".

23,1-3 Ser convidado por um superior é ocasião própicia e perigosa. O chefe favorece e observa, festeja e põe à prova. O convidado se expõe de modo ímpar, pois lhe oferecem manjares apetitosos com os quais não está acostumado. Eles enganam, pois, enquanto deleitam e saciam, revelam a educação ou sua falta.

23,4-5 O segundo hemistíquio do versículo 4 é duvidoso. Interpreto: para de te ocupar (com a riqueza). No v. 5, é a duvidosa tradução: "dá-lhe uma olhada". O resto é claro: as riquezas voam. A instrução de Amenemopê é mais rica e elaborada; cito versículos semelhantes: "Não te afanes por fazer-te rico, contenta-te com o que tens... Vês o lugar delas, que não estão... bateram asas de ganso e voaram pelo céu".

23,6-8 "Cabelo na garganta", que faz vomitar: expressão metafórica. Se o convidado é um sábio profissional, suas "palavras cortesas" podem ser alguma dissertação em honra de quem o convida, com as quais o anfitrião esperava tirar vantagem do banquete. As palavras não aproveitam ao anfitrião, nem a comida ao sábio.

23,9 Ver as descrições de Eclo 21,12-28; 22,9-15 e o agudo dístico de Pr 26,4s.

23,10-11 Continua e completa o dito em 22,28. O texto bíblico não sacraliza os marcos, mas declara que o próprio Senhor é sua garantia. A figura material do marco pode funcionar como imagem de outros direitos. De Amenemopê: "Agrada a Deus quem delimita os marcos dos campos".

23,12 O provérbio, sobre tema conhecido, serve para começar nova introdução, sem contatos com Amenemopê.

¹³Não poupes castigo à criança:
se a açoitares com a vara não morrerá;
¹⁴tu a açoitas com a vara
e livras sua vida do Abismo.
¹⁵Filho meu, se teu coração se torna sensato,
eu me alegrarei de coração,
¹⁶sentirei uma alegria íntima
quando teus lábios falarem com tino.
¹⁷Não sintas inveja dos pecadores,
mas sempre dos que respeitam a Deus;
¹⁸assim terás um futuro,
e tua esperança não fracassará.
¹⁹Escuta, filho meu, sê sensato,
encaminha bem tua mente:
²⁰não te associes aos beberrões
nem andes com os comilões,
²¹porque beberrões e comilões se arruinarão,
e o preguiçoso se vestirá com trapos.
²²Escuta o pai que te gerou,
não desprezes a velhice de tua mãe:
²³compra a verdade e não a vendas,
sensatez, educação e prudência;
²⁴o pai do honrado se encherá de prazer,
quem gera um filho sensato se alegrará,
²⁵teu pai ficará feliz contigo
e aquela que te deu à luz exultará.
²⁶Filho meu, escuta-me,
aceita de boa vontade meu caminho.
²⁷Cova profunda é a mulher má,
poço estreito é a prostituta;
²⁸põe-se de tocaia como um salteador
e provoca traições entre os homens.
²⁹Para quem os ais?
Para quem os gemidos?
Para quem as rixas?
Para quem os lamentos?
Para quem os golpes sem motivo?
Para quem os olhos turvos?

23,13-14 Começa com um conselho dedicado aos educadores. É a norma levada ao extremo perigo mortal: "a letra entra com sangue" ou "quem te ama te fará chorar". Ver a exposição que aparece em Eclo 30, 1-13.
23,15-16 O educador-pai lança mão de argumentos mais cordiais. 10,1 ressoa em tom intensamente pessoal. A sensatez será de lábios e mente.
23,17-18 O Salmo 73 descreve a sedução dos pecadores. O Salmo 37,1.37 retoma as duas partes desse provérbio.
23,19-21 Coincide parcialmente com uma a lei de Dt 21,18-21. Ver Eclo 18,30-33.
23,22-25 Há em Eclo 3,1-16 um bom comentário ao preceito do decálogo e a esse provérbio. Menciona-se a verdade-fidelidade, pouco frequente no livro. A motivação une os valores sapienciais e éticos.

23,26-28 O tema ocupa amplo espaço na primeira coleção do livro; ver também 22,14. A prostituta entra no tecido das relações sociais e familiares, provocando deslealdade e traições.
23,29-35 Essa peça descritiva é uma das melhores do livro. Começa pelo fim, perguntando pela causa de tantos gemidos, e a encontra no vinho. Descreve sensações de visão e tato; depois recorre às imagens: picada de cobra, enjôo de marinheiro. Aparece na fantasia do bêbado com o seu monólogo interior, ouvido e ampliado pelo autor. E torna a começar: para que tanta pergunta?
A peça tem tom irônico, compreensivo; não apela para consequências extremas. Comparar com Is 5,11.22, e com a brutal descrição de Is 28,7s.

³⁰Para quem se entretém com vinho
   e vai provando bebidas.
³¹Não olhes o vinho quando se avermelha
   e lança centelhas na taça;
³²ele desliza suavemente,
   e ao final morde como cobra
   e pica como víbora.
³³Teus olhos verão maravilhas,
   tua mente imaginará absurdos;
³⁴estarás como quem se deita em alto-mar
   ou jaz na ponta de um mastro.
³⁵"Bateram em mim, e não doeu;
   sacudiram-me, e eu nada senti;
   quando acordar, pedirei mais".

24

¹Não invejes os perversos
   nem desejes viver com eles,
²sua mente medita violências,
   seus lábios dizem maldades.
³Com a sensatez se constrói uma casa,
   com a prudência se consolida,
⁴com o saber se enchem seus quartos
   de bens, riquezas e comodidades.
⁵Mais vale manha que força,
   experiência mais que vigor.
⁶Com estratagemas se ganha a guerra,
   e a vitória à custa de planos.
⁷A sensatez é supérflua para o néscio:
   não abrirá a boca em público.
⁸Quem medita maldades
   será chamado de intrigante;
⁹quem trama loucuras fracassa;
   os homens detestam o insolente.
¹⁰Fraquejaste no perigo,
   faltou-te a coragem?
¹¹Liberta os condenados à morte,
   detém aquele que está para morrer.

24,1-2 Reitera a recomendação de 23,17; mas como motivação oferece dois traços descritivos. Amenemopê oferece uma descrição com comparações pitorescas do mundo animal.

24,3-4 Dado que o termo hebraico *hokmá* pode significar destreza, o provérbio se oferece a uma primeira leitura óbvia: a função do artesanato. Uma segunda leitura flutuante: a importância prévia e primária da sensatez. Amenemopê e Ani avaliam a importância de ter casa própria bem abastecida.

24,4 Eclo 1,17.

24,5-6 Também na guerra, como em outros campos, se impõe o valor da destreza. Ver 11,14 e 20,18.

24,7 Parece objeção ou ressalva ao anterior. A sensatez vale muito, obviamente; só que o néscio não a suporta. "Em público": (literalmente "à porta", lugar dos assuntos públicos). Em outra chave, Eclo 38,33; 39,4.

24,8-9 São dois versículos difíceis. *Zamam* significa calcular, tramar (o bem ou o mal); aqui está qualificado negativamente. Pensar, planejar podem ser caminho e sinal de sensatez; quando seu objetivo é perverso, pertencem ao reino do desatino, da loucura. Os homens lhe dão um nome vergonhoso e detestam sua atitude insolente. Temos aqui a insensatez com forte qualificação ética.

24,10-12 Tentamos uma leitura unificada pela situação. Há uns, inocentes, entregues e conduzidos para a morte (por causa de uma sentença capital?). Há um tu que de algum modo parece responsável e que ainda tem tempo para livrá-los (cf. Daniel e Susana). Mas fraquejou por medo (cf. Am 5,13). Parece desculpar-se alegando ignorância; mas sua desculpa não é aceita, antes, sua atitude é submetida ao saber do juiz supremo. Não vale omitir-se quando uma vida humana está em jogo.

¹²Ainda que digas que não o sabias,
   não o saberá quem pesa os corações?
   Não o saberá quem vigia tua vida
   e paga ao homem suas ações?
¹³Filho meu, come mel, que é bom;
   o favo é doce ao paladar:
¹⁴assim sejam o saber e a sensatez para tua alma;
   se os alcanças, terás um futuro, e tua esperança não fracassará.
¹⁵Não ponhas armadilhas na pastagem do honrado
   nem destruas seu curral,
¹⁶pois, embora caia sete vezes, o honrado se levantará,
   ao passo que os perversos afundarão na desgraça.
¹⁷Se teu inimigo cair, não te alegres;
   se tropeçar, não o celebres,
¹⁸não aconteça que o Senhor o veja,
   e irritado desvie dele sua ira.
¹⁹Não te exasperes por causa dos perversos,
   não invejes os que agem mal;
²⁰porque o perverso não tem futuro,
   a lâmpada dos perversos se apagará.
²¹Filho meu, teme o Senhor e o rei,
   não provoques nenhum dos dois,
²²porque de repente surge o castigo deles,
   e quem lhes conhece o furor?
²³Não é justo ser parcial ao julgar:
²⁴quem declara inocente o culpado,
   o povo o amaldiçoa e se irrita contra ele;
²⁵aqueles que os acusam são gratos,
   sobre eles desce uma bênção.
²⁶Beija nos lábios
   quem dá uma resposta oportuna.

24,13-14 Quem sente apetite ou tem gosto em saber, o encontrará saboroso. Se o mel satisfaz por um momento, a sensatez é aquisição permanente. Além disso, o mel ensina a discernir (Is 7,15), e assim acontece com a sensatez.

24,15-16 Começa com imagem pastoril. Em sentido primário, cair e se levantar referem-se aos vaivéns da vida, desgraças e êxitos, com final feliz. Depois, aplica-se o sentido à esfera religiosa: pecar e arrepender-se; e pode chegar aos extremos de morrer e reviver. O final do perverso é o fracasso, ao passo que o honrado se refaz. Ver Sl 34,20; Jó 5,19.

24,17-18 No AT encontramos textos em que se celebra o fracasso dos inimigos culpados: Ex 15; Jz 5; Sl 58,11. Mas há outros mais próximos ao espírito desse provérbio: Jz 20; 2Cr 28. No final, creio que soa implícito "para ti"; se não é assim, ao menos significa que Deus subtrai o motivo de teu prazer, e o castigado és tu.

24,19-20 É o tema de 23,17, retomado em Sl 37,1.38; seu final se encontra em Jó 18,5. O Salmo 73 ilustra esses sentimentos encontrados. O maior dano que os perversos podem fazer é contagiar de maldade o honrado. A solução é oferecida por uma perspectiva temporal: o desfecho.

24,21-22 O apelo ao castigo induz a traduzir "temer" em vez de respeitar. Supondo que os conselhos se dirijam a futuros funcionários: quem vai subir alto deve armar-se de respeito, cautela e temor saudável; não pode confiar demais. A instrução de Amenemopê e de Ani inculca a mesma coisa: "Não respondas a um superior irritado, deixa-o continuar. Se te fala com dureza, responde com doçura: é um remédio que o acalmará". O provérbio bíblico se refere ao Senhor enquanto instância suprema.

24,23-34 *Quarta coleção*. Breve coleção, como apêndice da anterior, sem dependência de textos egípcios conhecidos. Vai da terceira pessoa à segunda e à primeira.

24,23-25 O primeiro enunciado coincide com 28,21. O tema é conhecido com o gênero (18,5) e em textos de exortação legal (Dt 1,17; 16,19). Se estes apresentam uma motivação teológica e outra sapiencial, esse provérbio apela à sanção da sociedade. Os que colaboram para convencer o réu são estimados pela população, porque o sentido da justiça é um bem partilhado. Comparar com Am 5,10.

24,26 A resposta oportuna saída de certos lábios atinge o próximo como um ato de favor. Pode unir duas pessoas mais que o contato físico do beijo.

²⁷Dispõe teus assuntos na rua e prepara-os no campo,
    depois poderás construir casa.
²⁸Não testemunhes sem motivo contra teu próximo,
    não enganes com os lábios.
²⁹Não digas: Eu lhe farei o que me fez,
    ele há de me pagar.
³⁰Passei pelo campo de um preguiçoso,
    pela vinha de um homem sem juízo:
³¹era só espinhos crescendo, os cardos cobrindo sua extensão,
    a cerca de pedras estava caída;
³²vendo isso, refleti;
    olhando, tirei uma lição.
³³Um pouco dormes, um pouco descansas,
    um pouco cruzas os braços e descansas,
³⁴e te chega a pobreza do vagabundo,
    a indigência do mendigo.

25

¹*Outros provérbios do rei Salomão,*
recolhidos pelos escreventes de Ezequias, rei de Judá.

²É glória de Deus ocultar um assunto,
    é glória de reis averiguar um assunto.
³A altura do céu, a profundidade da terra
    e o coração dos reis são insondáveis.
⁴Separa a escória da prata,
    e o fundidor fará uma vasilha;
⁵separa do rei o perverso,
    e seu trono se firmará na justiça.
⁶Diante do rei não gloriar-se,
    nem colocar-se com os grandes;
⁷é melhor ouvir: "Sobe até aqui",
    do que ser humilhado diante de um nobre.

24,27 Cultivar o campo e construir casas sintetizam a cultura da época: cf. Jr 1,10. "Construir casa" significa aqui fundar família. Há um dito mais elaborado: "Antes de casar, tenhas casa para morar, terras para lavrar e vinhas para podar". Ou simplesmente: "Quem casa quer casa".

24,28 "Sem motivo": trata-se da testemunha. Significa que não se deve antecipar; se a expressão se refere ao réu, significa que não tem culpa, e o testemunho é falso: ver 6,19; 12,17; 14,5; 19,5.9.

24,29 Outro provérbio (20,22) aconselha a confiar o problema a Deus. Eclo 28,1-7 oferece um incisivo desenvolvimento, antecipando um pedido do Pai-nosso.

24,30-34 Esses versículos ilustram o método sapiencial de observar a vida ao redor: anotar detalhes significativos, refletir sobre a experiência, tirar conclusões, oferecê-las como ensinamento ou admoestação. A forma na primeira pessoa acrescenta certo tom de testemunho, como em Sl 37, 35s; os dois versículos finais, que coincidem com 6,10s, funcionam aqui como epifonema.

25-29 *Quinta coleção*. Provérbios atribuídos no texto a Salomão e recolhidos posteriormente. Pelo êxito da forma, agudeza e originalidade, são o melhor do livro, e não deveriam faltar numa seleção do livro.

25,2-10 Se imaginamos o julgamento perante o tribunal do rei, esses dez versos formam um bloco que os "escribas de Ezequias" dedicam ao rei.

25,2 A antítese é Deus/rei, ocultar/averiguar. Deus é "oculto", misterioso (Is 45,15), revela e se reserva (Dt 29,28). Até quando revela, envolve em mistério (Rm 11,33). O rei deve possuir um carisma (Is 11,3) para penetrar e julgar, como no julgamento de Salomão (1Rs 3,18).

25,3 Atribui dimensões cósmicas à mente do rei (cf. Is 11,2 e o caso da mulher de Técua, 2Sm 14).

25,4-5 A perspicácia do rei visa à justiça. Removendo a injustiça, o trono brilha e se consolida. Ver o programa de governo no testamento de Davi, 2Sm 23,2, no Salmo 101, em Pr 16,2 e 29,14. É o ensinamento de Sb.

25,6 O imperativo tem valor de conselho; sua motivação são as consequências humanas. Comparar com Lc 14,6-11 e com o desenvolvimento agudo de Eclo 13,8-13.

25,7-8 Sobre pleitos. Não basta ter visto para ter entendido, e ver não significa dominar o assunto. Sem reflexão paciente, num julgamento o homem precipitado se expõe à vergonha de ser desmentido; ver 18,17. A vergonha é a derrota forense: Is 45,16; Jr 3,3; 8,12; Esd 9,6.

⁸Mesmo sobre o que teus olhos viram
 não tenhas pressa em demandar,
pois, o que farás no final,
 quando teu próximo te deixar confuso?
⁹Ajusta a demanda com teu vizinho
 e não reveles segredos alheios,
¹⁰para que não te desacredite quem o ouve,
 e tua infâmia não tenha remédio.
¹¹Laranjas de ouro em desenhos de prata,
 as palavras pronunciadas a seu tempo.
¹²Brincos de ouro e joias de ouro fino,
 o experiente que admoesta um ouvido dócil.
¹³Frescor de neve em tempo de ceifa,
 o mensageiro fiel para quem o envia.
¹⁴Nuvens e ventos sem cair gota
 é quem alardeia presentes sem valor.
¹⁵Com paciência se convence um governante,
 a língua branda quebra os ossos.
¹⁶Se encontras mel, come o suficiente,
 não aconteça que te enjoes e o vomites;
¹⁷pisa com moderação o umbral de teu vizinho,
 para que não o fartes e ele te deteste.
¹⁸Maça, espada e flecha aguda,
 a testemunha falsa contra seu amigo.
¹⁹Dente furado e pé que escorrega
 é confiar no pérfido quando chega o perigo.
²⁰Vinagre na ferida, ir sem roupa no frio
 é cantar refrãos a coração atribulado.
²¹Se teu inimigo tem fome, dá-lhe de comer;
 se tem sede, dá-lhe de beber;

25,9-10 Sobre pleitos, que neste livro não têm boa fama: 3,8; 15,18; 17,14; 18,6; 20,3; 26,21; 30,33. O pleito pode revelar coisas que seria melhor guardar secretas. Ver os conselhos de Mt 5,25 e 18,15.

25,11-12 Dois provérbios sobre a palavra oportuna, com a correlação falar/escutar. As laranjas podem ser reais, numa fruteira de prata que lhes realça a cor, ou relevos artísticos criando um jogo de cores. Assim a expressão "de ouro" em seu momento "de prata". A segunda comparação continua no reino das joias. O ouvido escuta, a orelha ostenta o brinco. Mas em hebraico a mesma palavra significa orelha e ouvido, e soa aliterada com brinco. A "admoestação" do mestre é como joia aceita pelo ouvido dócil.

25,13-14 Passamos ao mundo dos meteoros. Talvez imagine um vento frio que desce da montanha nevada. Fala do mensageiro ou recadeiro: 13,17. Uma glosa hebraica acrescenta: "alivia seu patrão". Presentes sem valor podem ser promessas não cumpridas, como nuvem que passa sem soltar água, frustrando a esperança dos lavradores. Nosso refrão diz: "Presente de pessoa ruim, com seu dono se parece".

25,15 A forma é peculiar porque a comparação vem depois. É o paradoxo do macio que domina o duro. O nosso ditado esclarece: "Água mole em pedra dura tanto bate até que fura".

25,16-17 O êxito está no paralelo das duas sentenças recomendando moderação, como imagem e aplicação. Diminui tuas visitas, para que o vizinho as valorize e agradeça; não deprecies tuas visitas com a frequência, não abuses do vizinho. Permaneça mútua a doçura contida nos encontros. "À casa de teu irmão não irás a cada serão"; "À casa da tua tia, mas não todo dia".

25,18 O primeiro hemistíquio reúne um arsenal mortífero: contundente, cortante, penetrante. O segundo hemistíquio acrescenta uma explicação necessária. O decálogo se ocupa do falso testemunho: Ex 20,16; Dt 5,17 e vários textos do livro: 6,19; 12,17; 14,5; 19,5.9.28; 21,28; 24,28.

25,19 Precede uma comparação tomada de órgãos corporais, que acrescenta plasticidade e eficácia ao ensinamento. O gosto se converte em dor de surpresa; o apoio, em escorregão perigoso. Assim é a perfídia. Ver Eclo 6,11-13.

25,20 Alguns leem o primeiro sintagma como variante de 19b. É inegável a semelhança gráfica, que pode ser explicada como exercício engenhoso de um mestre (cf. Eclo 21,15). O bom fora de tempo é mau.

25,21-22 Texto citado por Paulo em Rm 12,20, muito discutido por causa da expressão hebraica "amontoar brasas sobre a cabeça". Seleciono duas explicações

²²assim o farás corar,
e o Senhor te recompensará.
²³Vento noroeste traz chuva,
língua dissimulada, semblantes irados.
²⁴É melhor viver num canto de terraço
do que em pousada com mulher briguenta.
²⁵Água fresca em garganta sedenta
é a boa notícia de terra distante.
²⁶Manancial turvo, fonte corrompida,
o honrado que fraqueja diante do perverso.
²⁷Comer muito mel não aproveita,
indagar coisas árduas é uma honra.
²⁸Cidade desmantelada e sem muralha,
o homem que não domina sua paixão.

26

¹Nem neve ao verão, nem chuva na colheita,
nem honra ao néscio calham bem.
²Pássaro que esvoaça, andorinha que voa,
a maldição injusta não vai a lugar nenhum.
³Para o cavalo o relho, para o asno o cabresto,
para as costas do néscio a vara.
⁴Não respondas ao néscio conforme seu desatino,
para que não te iguales a ele;
⁵responde ao néscio conforme seu desatino,
para que ele não se creia sagaz.
⁶Corta as próprias pernas e bebe vinagre
quem envia um recado por meio de um néscio.

---

mais frequentes: a) a cabeça como sede de responsabilidade (Jz 9,57; 1Rs 2,33); as brasas seriam o castigo divino, Sl 11,6; b) cabeça equivale a rosto, Ecl 2,14; Jr 8,23; brasas são o ardor da vergonha provocada pelo devolver bem por mal. Ver o caso de Davi e Saul em 1Sm 24,12-21 e a instrução de Amenemopê, IV,10: "Não armes um escândalo contra quem te ataca..." V,5s: "Enche-lhe o estômago com teu pão para que se sacie e chore". Essa tradução corresponde à segunda interpretação.

25,23 Como o vento noroeste ofusca a limpidez do céu, assim a difamação perturba a serenidade dos semblantes de qualquer cidadão: dos que escutam indignados, dos que escutam com prazer. Ver Eclo 28, 13-23.

25,24 Repetição de 21,9. O hebraico diz "casa comum"; invertendo as consoantes, outros leem "casa espaçosa", boa antítese de um canto qualquer. A mulher é em primeiro lugar a esposa, conforme Eclo 25,13-20; depois, qualquer outra mulher que partilha a morada.

25,25 Sobre o tema, embora sem imagem, ver 15,30. Não sabemos em que grau coloca a distância. O provérbio é genérico e se presta a múltiplas aplicações.

25,26 O justo que cede à sedução (Sl 73,2s) ou à intimidação (Jr 15 e 20) do perverso. O poder emprega meios para turvar o límpido e corromper o puro; por isso, a vocação do honrado exige inteireza e determinação.

25,27 Esse provérbio provocou a inteligência de muitos comentaristas, por causa da ambiguidade de *kabod* (no fim) e da ligação das duas partes. Em vez de "honra", cabe traduzir "árduo", "pesado".

25,28 Quando não controlada, a paixão não é força, mas fraqueza. Deixando-se levar por ela, a pessoa descobre seu ponto fraco, expõe um flanco desguarnecido ao inimigo ou rival. Ver 16,32; Eclo 6,2-4; 22,27; 23,6.

26,1 Começa uma série (1-12) dedicada quase por inteiro ao néscio. Na Palestina, tais fenômenos meteorológicos são impensáveis; assim a honra que um néscio merece: não está maduro para recebê-la. Ver 19,10.

26,2 Bênçãos e maldições são consideradas dotadas de poderes desejáveis ou temíveis, quase mágicos: cf. Balaão, Nm 22-24 e Zc 5,4. O provérbio quer exorcizar temores: Deus não empresta sua eficácia à maldição injustificada. Lendo "a ele" em vez de "não", alguns interpretam que se volta contra quem a pronuncia.

26,3 A vara poderia ser instrumento de educação; aqui se apresenta como a razão que o néscio compreende: "Com o castigo o néscio acaba concordando"; "A amendoeira e o vilão, o pau na mão". Ver 10,13; 19,29.

26,4-5 A forma é refinada: a semelhança dos primeiros hemistíquios sublinha a agudeza da antítese. Os dois conselhos são contrários e verdadeiros, justificam-se nas segundas partes, relativizam-se nas primeiras. O primeiro toma o ponto de vista do prudente, e o segundo, o do néscio. Assim é o sabor sapiencial.

26,6 Mudando a consoante final temos "bebe vinagre", coisa ingrata, 10,26; Sl 69,22. Conservando o texto consonantal, mudando as vogais e dando ao verbo o sentido de despojar-se (Jó 15,33), torna-se mais expressivo: "mostra as nádegas" = expõe-se à vergonha pública: cf. 2Sm 10,4s; Is 20,1-6.

⁷Ao coxo lhe pendem as pernas;
　　ao néscio, o provérbio na boca.
⁸Quer ajustar uma pedra na funda
　　quem concede honras a um néscio.
⁹Aguilhão que cai em mãos de um bêbado
　　é um provérbio na boca de um néscio.
¹⁰Flecheiro que atravessa qualquer um
　　é quem contrata um néscio e passantes.
¹¹Cão que volta ao seu vômito
　　é o néscio que insiste em suas tolices.
¹²Viste alguém que se julga sábio?
　　Mais se pode esperar de um néscio.
¹³Diz o preguiçoso: "Há um leão no caminho,
　　há uma fera na rua".
¹⁴A porta dá voltas no gonzo,
　　e o preguiçoso na cama.
¹⁵O preguiçoso põe a mão no prato
　　e se cansa ao levá-la à boca.
¹⁶O preguiçoso se crê mais sábio
　　do que sete que respondem com acerto.
¹⁷Agarra um cão pelas orelhas
　　quem se mete em briga alheia.
¹⁸O insensato dispara
　　dardos inflamados e flechas mortais;
¹⁹assim é quem engana seu amigo
　　e logo diz: "Foi de brincadeira".
²⁰Acaba-se a lenha, apaga-se o fogo;
　　sem maldizente, acaba-se a briga.
²¹Fole para as brasas e lenha para o fogo
　　é o briguento para atiçar a briga.

26,7 Descrição quase impressionista de um coxo. Também nós falamos de pés rítmicos, versos de pé quebrado. O néscio não sabe dar ritmo e sentido ao bom provérbio.

26,8 A funda não é instrumento para guardar pedras; a pedra se desgarra da funda e pode ser perigosa. Assim as honras concedidas ao néscio. Ver 26,1.

26,9 Traduzindo "cai", "vem a dar": não sabe manejá-lo e torna-o perigoso. Traduzindo "sobe", "penetra" (?): volta-se contra ele e o fere: "põe a carapuça".

26,10 O texto hebraico é muito duvidoso e deu origem a muitas interpretações e versões: "O pleiteante revolve tudo, contrata um néscio, contrata passantes". "Poderoso é o Criador de tudo: dá sustento a néscios e transgressores" (Kimchi). Parece insistir na periculosidade do néscio.

26,11 A comparação com o cão é degradante e o detalhe do vômito agrava a imagem. Cita-o 2Pd 2,22.

26,12 Considera-se perfeito, ignora sua ignorância, torna-se incapaz de aprender. Melhor é o ignorante que se confessa tal. Ver 29,20.

26,13-16 Segue-se um quarteto dedicado ao preguiçoso, que é um tipo de néscio e hóspede frequente deste livro. O disparate da suposição deixa no ridículo quem a profere. Pode-se aplicar a qualquer um que inventa dificuldades ou agiganta as existentes. Ver 22,13.

26,14 Um dos melhores provérbios do livro. Seria interessante transformá-lo numa montagem cinematográfica, alternando e compassando os dois movimentos giratórios, que não levam a lugar nenhum. Mover-se para não se mexer é o cúmulo da preguiça.

26,15 Anotação descritiva irônica: convida-nos a contemplar a cena. "Queres sopas? – Se me as sopras". Ver 19,24.

26,16 Aqui se juntam as duas séries, do néscio e do preguiçoso. Está tão satisfeito com seu mesquinho saber, como o outro de sua atividade nula. A preguiça mental lhe basta para convencer a si mesmo, já que não convence os outros.

26,17-28 Segue-se uma série na qual se entremeiam os temas murmuração e rixas, engano e fingimento. Explícita ou implícita, destaca-se a língua e sua antítese com o interior do homem.

26,17 Supõe-se um cão não domesticado. "Se mete": fazendo uma simples troca de consoantes e conforme 14,10; 20,19; 24,21.

26,18-19 Em vez de "insensato", poderíamos entender um palhaço que exibe sua habilidade com armas mortíferas; se causa a morte, não pode desculpar-se alegando que se tratava de um exercício de habilidade. Assim, tampouco vale a desculpa de brincadeiras que prejudicam gravemente o próximo.

26,20-21 Leio fole, mudando a ordem de duas consoantes. Nós costumamos dizer: "botar lenha na fogueira". Ver 15,18; 22,10; 29,22; Eclo 8,3; 28,10.

⁲²As palavras de quem murmura são guloseimas
  que descem até o fundo do ventre.
²³Verniz que recobre a louça
  são os lábios que adulam com má intenção.
²⁴Dissimula com os lábios quem odeia,
  enquanto por dentro medita enganos;
²⁵mesmo que suavize a voz, não acredites nele,
  pois leva dentro sete abominações;
²⁶mesmo que encubra o ódio com dissimulação,
  sua maldade será descoberta na assembleia.
²⁷Quem cava um buraco nele cairá,
  quem rola uma pedra, por cima lhe cairá.
²⁸Língua enganadora duplica os danos,
  boca que adula provoca a ruína.

27

¹Não te glories do amanhã,
  não sabes o que o dia vai gerar.
²Que te elogie o estranho, e não tua boca;
  o desconhecido, e não teus lábios.
³Peso de pedra, carga de areia:
  mais pesado o mau gênio do néscio.
⁴Cruel é a cólera, avassaladora a ira,
  mas quem resistirá aos ciúmes?
⁵É melhor repreensão aberta
  do que amizade encoberta.
⁶Leal é o golpe do amigo,
  enganador o beijo do inimigo.
⁷Estômago farto pisoteia o favo de mel,
  para estômago faminto o amargo é doce.

26,22 Na antropologia hebraica, o fundo do ventre é o lugar onde se depositam e se acumulam os conhecimentos, até que "subam ao coração" e se tornem conscientes e presentes. A murmuração pode ser agradável ao ouvido; mas fica escondida, disposta a agir de modo perverso. "A fofoqueira pare pela boca e emprenha pela orelha".

26,23 Mudando uma consoante para ler "adulam". "Boca de mel e mãos de fel"; "Véu de beata e unhas de gata".

26,24-26 Dissimulando, o ódio se crê mais eficaz. O provérbio convida a não confiar no inimigo. A assembleia parece ter função judicial.

26,27 Pode-se unir com o anterior: o traidor fica descoberto, e o plano que tramava volta-se contra ele. É tema frequente: Sl 7,16s; Ecl 10,8s; Eclo 27,26.

26,28 Corrigindo o texto hebraico. Com lisonjas maliciosas, faz mais dano do que se injuriasse abertamente: "Da água mansa me livre Deus, que da brava me livro eu"; "Palavras de adulador muitas são e sem valor".

27,1 O homem não controla o futuro, não pode contar com ele, nem cobrar-lhe uma previsão ou sentir-se seguro. Convida a não gloriar-se antes do tempo e a ocupar-se da tarefa cotidiana. Ver Eclo 11,18s; Lc 12,20; Tg 4,13. "Ninguém se gabe antes que acabe"; "Quem ri por último ri melhor".

27,2 O louvor deve vir de um estranho imparcial: nem servil para tributar louvores, nem mesquinho para regateá-los. Ver 2Cor 10,18, que remete o louvor ao Senhor, e 12,11, em que confessa a insensatez de ser obrigado a se louvar.

27,3 A forma é *a minore ad maius*, que Eclo 40,18-27 explora com virtuosismo. Quanto ao tema, ver Eclo 22,14s; Shem Tov parece retomá-lo: "E do rude a sanha / mais pesa na verdade / que areia, nem sanha..." (1330). Nós dizemos que uma pessoa é "pesada", mala sem alça.

27,4 Variante da forma *a minore ad maius*. Sobre o tema há muita literatura trágica e cômica. Ver 6,34s; Eclo 9,1s; 30,24; e a legislação de Nm 5,11.31.

27,5-6 Lv 19,17 aconselha a repreender para induzir à correção. Os versículos que comentamos apresentam duas coisas que se opõem à repreensão: a amizade escondida, que não se traduz em fatos e não se atreve a repreender; ama pouco, pois teme. A outra é o ódio disfarçado com lisonjas. Ver 28,23; Eclo 27,22-24. O beijo de Judas paira sobre esse provérbio. "Bem me querem minhas vizinhas, porque lhes digo mentiras; mal me querem minhas comadres, porque lhes digo verdades".

27,7 Conforme o objeto da fome e da saciedade, o ensinamento mudará; p. ex. em Eclo 24,21. Como se diz: "Para fome grande não existe pão duro"; "Para pão de quinze dias, fome de três semanas".

⁸Pássaro fugido do ninho
  é o andarilho longe de seu lar.
⁹Perfume e incenso alegram o coração,
  o conselho do amigo adoça o ânimo.
¹⁰Não abandones o amigo teu e de teu pai,
  e na desgraça não vás à casa de teu irmão.
  É melhor vizinho perto
  do que irmão longe.
¹¹Tem juízo, filho meu; dá-me essa alegria,
  e poderei responder a quem me ofende.
¹²O sagaz vê o perigo e se esconde,
  o incauto segue em frente e paga por isso.
¹³Toma a roupa de quem se tornou fiador de um desconhecido
  e ficou penhorado por um estranho.
¹⁴Quem saúda o vizinho de madrugada e em alta voz
  é como se o amaldiçoasse.
¹⁵Goteira contínua em dia de aguaceiro
  e mulher briguenta fazem parelha:
¹⁶quem a submete, submete o vento
  e recolhe azeite na direita.
¹⁷O ferro afia o ferro,
  o homem o perfil de seu próximo.
¹⁸Quem guarda uma figueira comerá figos,
  quem guarda seu patrão receberá honras.
¹⁹Como o rosto se reflete na água,
  assim o homem em sua consciência.
²⁰Inferno e Abismo são insaciáveis,
  insaciáveis são os olhos do homem.

27,8 O homem necessita de algum enraizamento: até uma ave tem seu ninho. O primeiro sentido visa à família. O sentido se amplia com valor psicológico, aplicado ao homem descentrado, ao aventureiro vítima de sua inquietação ou nostalgia. "Homem sem abrigo, pássaro sem ninho"; "Bem está cada pedra em seu buraco".

27,9 O texto do segundo hemistíquio é duvidoso. Alternativas: o amigo é mais doce que o conselho (próprio); é doce o amigo pelo conselho do seu ânimo. No Sl 133, o prazer do perfume é símbolo do amor fraterno.

27,10 Os dois primeiros hemistíquios parecem sobrecarregados. Um só é o amigo velho, de família, que possivelmente te viu nascer. Em contraste: "Infeliz de quem foi amigo do pai, e não o é do filho". O irmão tem talvez outros interesses ou mora longe. Poderíamos traduzir: "e não terás de recorrer à casa de teu irmão em caso de apuro". Dizemos: "É melhor o bom amigo que o parente vizinho". O Eclesiástico tem várias instruções sobre a amizade.

27,11 O filho sensato puxa ao pai. O mero fato de ter recebido boa educação redunda em crédito para o pai. Ver Sl 127,4s.

27,12 Como 22,3.

27,13 O tema da fiança preocupa o editor do livro. O ponto de vista é a precaução diante do perigo de ser fiador ou garante. Ver a explanação de 5,1-6 e 22,26s; Eclo 8,13. Não é tema da legislação.

27,14 Preciosa e irônica observação da vida civil, que vale para os dois personagens da cena. A um diz: "Não o faças", e ao outro: "Não confies".

27,15-16 O primeiro faz sentido completo. Dizemos: "Três coisas tiram o homem de sua casa: fumaça, goteira e mulher brava". O segundo amplia o tema com uma imagem; mas o verbo "chamar" não encaixa. Conjeturo uma confusão auditiva e leio "submeter". A mulher que gosta de discutir e brigar é escorregadia como óleo: muda o estado da questão, os termos do debate, confunde os argumentos, não dá razão. É goteira, vendaval, óleo.

27,17 O trato com os homens dá têmpera e guma, eficácia e penetração. Diálogo e debate aguçam a inteligência, trato e tensões afiam a eficácia. O homem não basta a si mesmo, o contraste define o perfil.

27,18 Os dois verbos hebraicos são sinônimos – guardar, custodiar, vigiar – e têm aqui valor positivo. Pode tratar-se do guardião da figueira e do guarda do patrão; e podem ser a mesma pessoa. Em vez de honras, pode-se traduzir riquezas. O provérbio não especifica.

27,19 Cabem duas explicações: a) o homem se reflete na sua consciência, nela se conhece; b) a mente humana se reflete em outro homem; o homem precisa do próximo para conhecer a si mesmo. A segunda explicação encaixa melhor no contexto do capítulo, que trata de relações com o próximo: "Não há melhor espelho que amigo velho".

27,20 O olho, sede da avaliação, representa aqui a cobiça, paixão humana tão insaciável como o reino da morte, sempre devorando mortais. A comparação pinta a figura da cobiça com tons sombrios e fatídicos. Ver Ecl 1,8; Pr 30,15s. De Shem Tov: "Não pode

²¹A prata no forno, o ouro no crisol,
   o homem na boca que o elogia.
²²Ainda que esmagues o néscio
   com a mão do pilão,
   não lhe tirarás sua insensatez.
²³Observa bem o aspecto de tuas ovelhas
   e presta atenção nos teus rebanhos:
²⁴porque a fortuna não dura sempre,
   nem a coroa de geração em geração.
²⁵Desponta a erva, aparece a grama,
   recolhe-se o pasto dos montes;
²⁶as ovelhas te dão roupa,
   os cabritos o preço de um campo,
²⁷as cabras o leite para alimentar a ti e tua família
   e para manter tuas criadas.

28

¹O perverso foge sem que o persigam,
   o honrado anda seguro como um leão.
²Pelos crimes de um país se multiplicam seus chefes;
   um homem prudente e experiente mantém a ordem.
³Pobre que explora os indigentes
   é chuva torrencial que não dá pão.
⁴Os que abandonam a lei elogiam o perverso,
   os que guardam a lei rompem com eles.
⁵Os perversos não entendem o direito,
   quem consulta o Senhor entende tudo.
⁶É melhor pobre que age com integridade
   do que rico pervertido de conduta dupla.
⁷Quem observa a lei é prudente,
   quem se junta com dissolutos envergonha seu pai.

---

o homem tomar pé na cobiça: / é mar profundo / sem praia nem porto".

27,21 Baseando-nos rigorosamente na forma hebraica, o sentido é que o louvor (alheio) fica comprovado pela pessoa (louvada). Cruzando as funções, temos o louvor (alheio) acrisolando o valor do homem. Como 27,2.

27,22 É uma visão pessimista. A insensatez se tornou consubstancial ao néscio e não se desgruda. A imagem nos transfere ao âmbito doméstico.

27,23-27 Encontrar essa descrição campestre na coleção de provérbios demonstra que é uma lição sapiencial e não apenas efusão bucólica. Como em Is 28,23-29, o sábio contempla uma ordem admirável e concatenada que, partindo das plantas, passa pelos animais e culmina no homem. Ordem que fornece uma riqueza modesta, segura em seu dinamismo e não na acumulação; além do mais, entrega o tesouro do seu ensinamento, exigindo um olhar contemplativo e não só a observação interesseira.

28 Esse capítulo é ocupado em grande parte por provérbios de tema ético, sem que faltem os de tema sapiencial. A confecção de paralelos é bastante artificial, os resultados são pouco convincentes. Na esfera ética, destaca-se o tema político.

28,1 Diz um refrão: "O medo segue quem mal vive". Não é mania de perseguição. O perverso foge impelido por seus medos, consciência de culpa o deixa sobressaltado. Suspeita um policial em cada estranho, uma indagação em qualquer olhar. Ao invés, o leão caminha confiante por seu território, e como ele o honrado. Confiante em sua honradez, ou em Deus que protege a honradez? Ver Lv 26,17.36; Jó 15,21.

28,2 Apurando a oposição de um e muitos, reconhecemos uma tese monárquica, como a propunha Abimelec em Jz 9,2, oposta à pluralidade simultânea ou sucessiva, ou às duas ao mesmo tempo.

28,3 Mudando "pobre" em "chefe" ou "perverso", anula-se o paradoxo significativo. Trata-se do pobre que adquiriu poder e o emprega para explorar e enriquecer-se. Podia ser chuva benéfica, ao compreender por experiência a pobreza; converte-se em aguaceiro que arrasta o húmus.

28,4 Lido em contexto político, o sentido se aclara e se enriquece. São perversos que sobem e se impõem; o louvor é aplauso e adulação. Formam-se dois bandos, cuja linha divisória é a lei.

28,5 O governante perverso não compreende porque não quer. "Tudo" fica inscrito no âmbito do direito e da justiça: ver Jr 22,13-17; 2Cr 19.

28,6 O hebraico diz "dois caminhos", e não é preciso corrigi-lo; pois dois é o número da discórdia, da duplicidade, da divisão interior. Eclo 2,12 o esclarece explicitamente.

28,7 Observar a lei é genérico; seu oposto, dissolutos, é específico. Filho e pai podem encontrar-se no

⁸Quem aumenta suas riquezas emprestando com usura
    acumula para quem se compadece dos pobres.
⁹Se alguém afasta da lei seus ouvidos,
    também sua oração será detestada.
¹⁰Quem extravia os retos para o mau caminho
    cairá em sua própria armadilha.
¹¹O rico se crê sábio,
    o pobre perspicaz o desmascara.
¹²Grande prestígio é o triunfo dos honrados;
    quando os perversos se impõem rastreia-se um homem.
¹³Quem oculta seus crimes não prosperará,
    quem os confessa e se emenda obtém compaixão.
¹⁴Feliz o homem que teme sempre,
    o contumaz cairá na desgraça.
¹⁵Leão que ruge e urso faminto
    é o governante perverso para os indigentes.
¹⁶Um príncipe imprudente oprime a muitos;
    quem odeia o lucro prolongará seus anos.
¹⁷O homem culpado de homicídio
    corre para a cova: ninguém o sustenta!
¹⁸O de conduta irrepreensível se salva,
    quem se retorce entre dois caminhos num deles cairá.
¹⁹Quem cultiva seu campo se saciará de pão,
    quem anda à caça de vazio se saciará de miséria.
²⁰Homem veraz, rico em bênçãos;
    quem tem pressa de se enriquecer não ficará impune.

âmbito familiar e no político, como o mostram os exemplos de Salomão e seu filho Roboão, Josias e seu filho Joaquim.

28,8 É o necessitado quem deve recorrer a empréstimos usurários. Contra a usura: Lv 25, 35-37. "Quem se compadece" é em primeiro lugar Deus (Ecl 2,26), mas pode ser também o homem: 14,31; 19,17; Sl 37,21.26; 112,5.

28,9 Quem não ouve, não será ouvido. Funciona dentro de uma montagem litúrgica que inclui leitura da lei e salmo de súplica; Jr 11,10s.

28,10 É alguém que tem poder ou ascendente: rei, governante (Is 3,12; 9,15), sacerdote, profeta (Jr 23,13.32; Mq 3,5). O hebraico acrescenta um hemistíquio suspeito, que na versão grega é a metade de outro provérbio.

28,11 A riqueza leva à vaidade e ao orgulho; mas o rico fica desmascarado, não só por Deus, mas também por um observador perspicaz. Ver a aguda explanação de Eclo 13, 21-23.

28,12 Aclara-se o sentido com o v. 28. Quando os perversos conquistam o poder, um cidadão honrado tem de esconder-se, e é procurado pela polícia. O verbo está em Sf 1,12 e Ab 6. Recorde-se o caso de Davi escondido e procurado (1Sm 19ss), do profeta Urias fugitivo e sequestrado (Jr 26,21ss). Outra explicação menos provável: procura-se um homem, porque já não restam homens de verdade.

28,13 No plano humano: o criminoso leva um estigma, tem de viver fingindo; a confissão humilde, ao invés, pode provocar compaixão e alcançar perdão. Muito mais no plano teológico: Sl 39,3a; 32,1.5. Recorde-se o exemplo de Davi tratando de ocultar seu delito e depois confessando-o.

28,14 Um temor ou cautela que se opõe ao coração endurecido, à teimosia. O temor de si é componente da condição humana e pode conduzir à confiança em Deus. Em vez de "contumaz", outros leem "duro", "temerário".

28,15 O rugido do leão é anúncio da sua crueldade, o urso é voraz. Ambos farão parte do bestiário de Dn 7. Ver Mq 3,1-4; Sf 3,3.

28,16 O texto do primeiro hemistíquio é muito duvidoso por falta de verbo explícito. Lendo um sujeito qualificado e um predicado composto, com cópula implícita, temos: "Um príncipe carente de luzes (é) rico de opressões"; para a construção, ver Jó 14,1.

28,17 Oprimido pelo peso da culpa, ele próprio vai ao encontro de seu destino, como se tivesse um compromisso inevitável com sua execução. Não é preciso vingar-se, basta deixar o curso da justiça sem interferir nela.

28,18 Como no v. 6, conservo o dual "dois caminhos". "Num": ou de uma vez, de repente. Alguns corrigem e leem "cova".

28,19 Variação de 12,11. Parece expressar a preferência pela agricultura em relação a atividades "vazias" e improdutivas. Não diz quais. Se unimos com o que se segue, são as atividades que buscam lucros precipitados e perigosos.

28,20 Em sua tarefa, o homem veraz e honesto recebe bênçãos de Deus. Outra interpretação: pode-se confiar no homem generoso. Quem anseia por ganhar, recorre a fraudes e incorre em crime.

²¹Não é justo ser parcial:
  por um pedaço de pão o homem comete um crime.
²²O avarento se apressa para se enriquecer
  e não sabe que lhe chegará a miséria.
²³Quem repreende outro será mais estimado
  que o de língua aduladora.
²⁴Quem rouba seus pais e diz: "Não pequei",
  faz companhia ao devastador.
²⁵O cobiçoso atiça as brigas,
  quem confia no Senhor prosperará.
²⁶Quem confia em si mesmo é um néscio,
  quem age com sensatez está a salvo.
²⁷Quem dá ao pobre não passará necessidade,
  quem se descompromete terá muitas maldições.
²⁸Quando os perversos se impõem, todos se escondem;
  quando desaparecem, os justos prosperam.

29

¹O homem que resiste às repreensões
  fracassará de improviso e sem remédio.
²Quando os honrados governam, o povo se alegra,
  quando os perversos mandam, o povo se queixa.
³Quem ama a prudência alegra seu pai,
  quem se junta com prostitutas dissipa sua fortuna.
⁴Um rei justo torna o país estável,
  quem o carrega de impostos o arruína.
⁵O homem que adula seu companheiro
  estende uma rede aos passos dele.
⁶O crime do perverso é um laço;
  o honrado canta de alegria.

28,21 Contra a parcialidade venal: Lv 19,15; Dt 1,17. Se tomamos "um pedaço de pão" literalmente, indica até onde o venal se rebaixa. Pode-se tomar como predicado depreciativo do suborno, comparado com o valor da justiça.

28,22 Continua a série econômica. O avarento ou tacanho se afana por enriquecer-se ou pela riqueza acumulada; e não conta com os vaivéns da fortuna. Vive em falsa segurança.

28,23 Sobre os aduladores e lisonjeadores: 26,28; em contexto profético, Is 30,10.

28,24 O quinto (ou quarto) mandamento inclui num verbo a honra e sustentação dos pais. Não sustentá-los é despojá-los, é pecado: Mc 7,9-13. O "devastador" é o gastador em tropas de choque ou o exterminador: Ex 12,12; Jr 22,7; Ez 9,6.

28,25-26 A confiança em Deus é o eixo dessa dupla. O cobiçoso confia nas riquezas e em sua capacidade para adquiri-las. É néscio e cria conflitos. Quem confia no Senhor é sensato e prospera.

28,27 Esse homem é a antítese do avarento e cobiçoso: 11,24; 19,17; 22,9. "Dar esmola nunca esvazia a bolsa".
O personagem antitético atrai sobre si as maldições dos pobres, e Deus as confirma: ver Eclo 4,4s em seu contexto.

28,28 Variação do v. 12. Os governantes influem na moralidade pública; sua queda é uma bênção: ver Is 1,21-26.

29 Identificamos neste capítulo vários provérbios referentes à política ou redutíveis a ela, e um grupo de provérbios domésticos. Nota-se o mesmo artifício do capítulo precedente na composição de paralelismos.

29,1 O tema apareceu várias vezes, porque pertence à substância da disciplina sapiencial. O teimoso se fecha em si mesmo e se entrega fatalmente a seu destino.

29,2 Une-se a 28,12.28 e se prolonga no v. 16. O governo está em função do povo, especialmente dos necessitados, como inculca o Salmo 73.

29,3 Pelo paralelismo, o amor à prudência tem caráter conjugal: Eclo 14,20-15,10; 51,13-19; Sb 8. O descontrole sexual é incompatível com o cultivo da sensatez. Lc 15,13.30 ilustra as consequências.

29,4 Em vez de "impostos", alguns traduzem dons, ou seja, suborno. A história de Roboão pode servir de exemplo; ver o direito do rei em 1Sm 8; o Deuteronômio (17,16-18) inculca moderação nos gastos reais. O provérbio pode ser aplicado a monarcas estrangeiros.

29,5 É correlativo do v. 1. A adulação lisonjeia e enreda o homem. Nem com boa intenção deve ser feita, pois atrapalha mais que ajuda. "Adular com a boca e ferir com a cauda"; "Cão que muito lambe tira sangue".

29,6 Respeitando o texto massorético, admite várias interpretações: a) o perverso cai no laço que arma, o honrado festeja; b) o perverso arma um laço ao inocente, este se livra e comemora; c) o perverso

⁷O justo atende à causa do desvalido,
o perverso não compreende nada.
⁸Os provocadores agitam a cidade,
os sensatos acalmam os ânimos.
⁹Quando o douto demanda com o néscio,
treme e ri e não descansa.
¹⁰Os sanguinários odeiam o homem de bem,
os perversos o perseguem mortalmente.
¹¹O néscio desafoga toda a sua paixão,
o prudente acaba por aplacá-lo.
¹²O governante que dá atenção a enganos
terá criminosos como ministros.
¹³O pobre e o usurário se encontram:
o Senhor dá luz aos olhos de ambos.
¹⁴Quando um rei julga lealmente os desvalidos,
seu trono está firme para sempre.
¹⁵Varas e repreensões dão sabedoria,
jovem mimado envergonha sua mãe.
¹⁶Quando os perversos mandam, os crimes aumentam,
mas os honrados olharão como aqueles caem.
¹⁷Corrige teu filho, e ele te dará descanso
e manjares para teu apetite.
¹⁸Onde não há profeta, o povo se extravia;
feliz aquele que observa a lei.
¹⁹Só com palavras o servo não se corrige,
ainda que entenda não responde.
²⁰Observaste um homem atropelado no falar?
Pois bem, de um néscio se pode esperar mais.
²¹Quem mima o escravo quando é jovem,
no fim o lamentará.

---

põe uma armadilha, o honrado escapa; o perverso cai nela, o honrado festeja.

29,7 Causa em sentido judicial. Desvalidos são os que, tendo direito, não podem fazê-lo valer; precisam de um advogado contra os opressores.

29,8 Os provocadores são os cínicos insolentes, que agitam a cidade ou, como fogo, a incendeiam. Pode-se recordar Abimelec e Gaal em Jz 9.

29,9 Em sua aparente simplicidade, ao atribuir um sujeito à segunda parte presta-se a várias interpretações: a) o prudente, quando disputa ou pleiteia com o néscio, sente raiva, riso e não aproveita nada; b) o néscio passa da cólera à zombaria e não sabe comportar-se com serenidade; c) o público que assiste fica na expectativa e se diverte.

29,10 Corrijo "retos" em "perversos", para que tenha sentido aceitável: comparar com Sb 2,12-20.

29,11 Tomo os membros como correlativos.

29,12 Porque os difamadores e fraudulentos irão desbancando os honestos para ocupar os lugares deles. No reino da mentira, não há coordenados para orientar. Muito oportuno Eclo 10,2; ver Sl 101, o espelho de príncipes.

29,13 Muito parecido com 22,2. O usurário é o explorador profissional dos necessitados. Ambos se encontram em ação recíproca: pedindo, pressionando. Mas, enquanto homens, Deus dá aos dois a luz da vida e se ocupa deles; comparar com Mt 5, 45; 14,14. Liga-se com os vv. 2 e 7. Coincide com a visão do rei ideal, Sl 73. Ver 16,22; 25,5.

29,15 Tem numerosos paralelos. Pode-se ilustrar com a história de Eli e seus filhos (1Sm 2-3). Do âmbito doméstico podem passar ao dinástico.

29,16 Aumentam os crimes dos chefes, de seus ministros e da população. Ler a descrição de Ez 22.

29,17 É complemento do v. 15. O filho bem-educado não só sustenta seus pais, como também lhes proporciona alimento saboroso. Serve de imagem para todo tipo de satisfações.

29,18 Tomo o hebraico "visão" em seu sentido clássico de profecia (cf. 2Sm 24, 11). É uma presença inesperada nestas páginas sapienciais. O verbo "se extravia" se encontra no episódio do bezerro de ouro, Ex 32,25.

29,19 Ver uma ampliação em Eclo 33,   25-30.

29,20 Como o vocábulo hebraico significa palavra e assunto, podemos entender o provérbio em referência ao homem que fala sem parar, mesmo fora de hora, ou que não planeja nem respeita as etapas de execução. "Falar sem pensar é atirar sem apontar".

29,21 Complemento do v. 19.

²²Homem colérico atiça as brigas,
  e o irascível, uma multidão de crimes.
²³A soberba de um homem o humilhará,
  o humilde conservará sua honra.
²⁴Quem é cúmplice do ladrão odeia a si mesmo:
  requerido sob pena, não o denuncia.
²⁵Quem teme os homens cairá no laço,
  quem confia no Senhor será inacessível.
²⁶Muitos buscam o favor de quem manda,
  mas a sentença vem de Deus.
²⁷O criminoso é detestado pelos justos,
  o homem reto é detestado pelo perverso.

30

¹*Máximas de Agur, filho de Jaces, o massaíta.*
  Oráculo do homem: Eu me fatiguei, ó Deus,
    eu me fatiguei e desisto;
²porque sou um bruto, menos que homem,
  e não tenho inteligência humana,
³não aprendi a ser sensato
  nem cheguei a compreender o Santo.
⁴Quem subiu ao céu e depois desceu?
  Quem recolheu o vento num punhado?
  Quem fechou o mar numa túnica?
  Quem fixou os confins do orbe?
  Qual é seu nome e seu sobrenome,
    se o sabes?
⁵Cada palavra de Deus é pura,
  ele é escudo para os que nele se refugiam.
⁶Não acrescentes nada a seus ditos,
  para que ele não te censure, e apareça tua fraude.
⁷Duas coisas te pedi,
  não as negues enquanto eu viver:

29,22 Comparar com 15,18 e 26,21.
29,23 Ver 11,2; 16,18; Eclo 10,6-18.
29,24 Deve ser entendido à luz de Lv 5,1. É lógico que o cúmplice não o denuncia, e com isso incorre em outro delito. "Ser cúmplice": 1,14; Is 1,23.
29,25-26 A confiança no Senhor protege contra a intimidação e a sedução, duas armas humanas: Jr 1,17; Mt 10,18. Estará no alto como cidade inexpugnável: 18,10s. A "sentença" favorável, que se espera de Deus e não do favor do juiz. Ou a sentença que decide o destino de cada um. Por mais que o homem saiba e faça, a sentença inapelável cabe a Deus.
29,27 Duas realidades inconciliáveis, sem matizes nem meio-termo: Sl 139,21s; 2Cor 6,14s.
30,1a Neste capítulo, com nove versículos do seguinte, temos uma novidade: autores estrangeiros e formas novas; desponta uma crítica da atividade sapiencial.
30,1-14.(15-33) *Sexta coleção*. Atribuída a um estrangeiro. É um bloco heterogêneo.
30,1b Esse enigmático verso provocou muitas hipóteses. Se tomamos as palavras como nomes próprios, diz "de/para Itiel e Ukal". Lendo palavras com significado: a) vocalizando *lu*: "oxalá esteja Deus comigo, e poderei"; b) lendo o verbo *la'a*: "cansei-me e o consegui"; c) uma variante lendo negação: "cansei-me e não o consegui", ou seja, "que fadiga inútil!" d) lendo o verbo *kalá*: "...e concluí".
30,2-3 Também esses versículos são discutidos, dependendo do valor que se dê à subordinada e a extensão que se atribua à negação. Resultado: a) "...embora eu seja... consegui..."; b) "...pois eu sou... não consegui..."; c) "... porque sou... mas consegui". Fiz a escolha apoiado em outros textos sapienciais afins.
30,4 Creio que o mestre fala lançando perguntas retóricas que recordam Is 40,12 e Br 3,29s. O nome do filho é o sobrenome: não existe entre os homens quem responda às perguntas, não se conhece seu nome.
30,5-6 A resposta a tais perguntas é a palavra de Deus, a revelação; essa palavra não tem escória (Sl 12,7; 18,31) nem diminui, e o homem não deve manipulá-la: Dt 4,2; 12,32.
30,7-9 Todos os pecados mencionados têm a ver com a palavra: falsidade e mentira, frases desafiadoras e arrogantes, tomar o nome do Senhor em vão. Riqueza e pobreza são entendidas primeiro em sentido próprio. Por uma lei do paralelismo, os dois perigos afetam os dois sujeitos: à riqueza seguem-se saciedade, satisfação, auto-suficiência, desprezo de

⁸afasta de mim falsidade e mentira;
não me dês riqueza nem pobreza,
concede-me minha porção de pão;
⁹não aconteça que me sacie, e saciado eu te renegue,
dizendo: Quem é o Senhor?
Não aconteça que, necessitado, eu roube
e abuse do nome do meu Deus.
¹⁰Não calunies o servo diante de seu patrão:
ele te amaldiçoará e serás castigado.
¹¹Gente que amaldiçoa seu pai
e não abençoa sua mãe,
¹²gente que se considera limpa
e não lava sua imundície,
¹³gente de olhos orgulhosos
e olhar altivo,
¹⁴gente com navalhas por dentes
e facas por mandíbulas,
para extirpar da terra os humildes
e do solo os pobres.
¹⁵A sanguessuga tem duas filhas:
"Dá-me" e "Dá-me".
Há três coisas insaciáveis
e uma quarta que não diz "basta":
¹⁶o Abismo, o ventre estéril,
a terra que não se farta de água,
o fogo que não diz "basta".
¹⁷Quem caçoa de seu pai
e recusa obediência a sua mãe,
que os corvos lhe arranquem os olhos
e os abutres os comam.
¹⁸Há três coisas que me ultrapassam
e uma quarta que não compreendo:
¹⁹o caminho da águia pelo céu,
o caminho da serpente na rocha,

Deus e abuso de seu nome; à pobreza seguem-se roubo, revolta contra Deus e amaldiçoar seu nome. Comparar com Fl 4,12 e 1Tm 6,8.

30,10 Pelo tema, é estranho nesse contexto. O servo está em posição de inferioridade perante o patrão e perante os tribunais; dificilmente pode defender-se e ser acreditado. Não lhe resta senão amaldiçoar ou invocar o castigo de Deus.

30,11-14 Nessa série tocamos a constatação pura, sem predicado nem verbo. O simples enunciado põe a descoberto, anuncia e denuncia. Alguns comentaristas se esforçam em ordená-lo com vocativos ou cópula.

30,11 O tema se encontra na legislação (Lv 20,9; Dt 27,16), nos profetas (Ez 22,7) e neste livro (20,20; 28,24).

30,12 Vale em sentido físico imediato, e mais em sentido ético: 20,9.

30,13 Ver 6,17 e Is 2,11 em seu contexto.

30,14 Emprega a palavra como arma mortífera, e suas vítimas são pobres indefesos; ver Sl 57,5; Jó 29,17.

30,15-33 *Sétima coleção*. Muitos a separam da precedente pelo estilo predominante.

30,15a Aqui começa uma série de provérbios numéricos. O primeiro é de excelente elaboração: conciso, descritivo, irônico. Em pouquíssimo espaço abrange imenso campo de aplicação, pois a sanguessuga funciona como emblema da cobiça.

30,16 Suspeito que esse quarteto esteja sobrecarregado de explicações desnecessárias. Faça-se o teste de ler apenas os quatro seres. O Abismo incansável traga os mortos (27,20), o ventre estéril é vida morta, a terra insaciável é estéril e árida, o fogo é mortífero. Os quatro, insaciáveis e destrutivos.

30,17 Pelo tema, vai com o v. 11, com terrível maldição. Comparar com Eclo 3,16 em seu contexto.

30,18-19 Joia poética sobre o amor conjugal, carregada de sugestões. Ela se oferece ao prazer poético mais que a uma análise conceitual. O óbvio se torna incompreensível. É o mistério da atração dos sexos, mais que os três paradoxos da natureza – vôo, deslizar e navegação – em seus respectivos ambientes. Mais que um estado, o amor é caminho sempre renovado.

o caminho do navio pelo mar,
   o caminho do homem para a mulher.
²⁰Assim age a adúltera:
   come, limpa a boca e diz:
   "Não fiz nada de mau".
²¹Por três coisas treme a terra,
   e a quarta ela não pode suportar:
²²servo que chega a ser rei,
   vilão farto de pão,
²³desprezada que encontra marido,
   serva que sucede a sua senhora.
²⁴Há quatro seres pequenos no mundo,
   mais sábios que os sábios:
²⁵as formigas, povo fraco
   que no verão recolhe alimento;
²⁶os texugos, povo sem força
   que faz abrigo nas rochas;
²⁷os gafanhotos, que não têm rei
   e avançam todos em formação;
²⁸as lagartixas, que se apanham com a mão
   e entram em palácios reais.
²⁹Há três seres de belo porte,
   e um quarto de andar elegante:
³⁰o leão, o mais valente dos animais,
   que não recua diante de ninguém;
³¹o apertado de lombos, o bode;
   o rei à frente de seu exército.
³²Se te orgulhaste, por irreflexão ou aposta,
   mão na boca:
³³espremes o leite e sai manteiga,
   apertas o nariz e sai sangue,
   apertas a ira e saem brigas.

30,20 A descrição da comida é de duplo sentido. Por um lado, indica o caráter não-transcendente, normal e conhecido: que mal há em comer? Por outro lado, aponta figuradamente para o ato sexual. Ver as imagens picantes de Eclo 26,12 descrevendo a mulher impudica.

30,21-23 Deve-se supor uma sociedade com bem pouca mobilidade, na qual as funções e o estado social marcam imutavelmente. Mudanças sociais repentinas são um verdadeiro terremoto, como diz Ecl 10,5-7. A *gebira* é a senhora e também a rainha-mãe: sugere que o filho de uma escrava concubina chegue a reinar? Não parece pensar nos casos de José, nobre por natureza, ou de Jeroboão, capataz de trabalhadores. O título de vilão coincide em hebraico com o nome de Nabal: 1Sm 25. O terceiro caso supõe uma solteira nada desejável ou uma casada repudiada.

30,24-28 Aqui os animais ensinam com aquilo que eruditamente chamamos instinto, e que para Eclo 1,10 era uma participação peculiar na sabedoria. Com sua habilidade, os quatro seres compensam o que lhes falta em tamanho e força. 6,8 falou das formigas; o texugo aparece em Sl 104,18; em chave militar, Jl 2,4-8 nos dá uma descrição do gafanhoto; a identificação do quarto é duvidosa, mas comumente admitida. Não é necessário retirar do texto o seu privilégio.

30,29-31 O quarteto é simples, mas contém dois dados duvidosos: a identificação do "apertado de lombos" e o vocábulo que traduzi conjeturalmente por "exército". O leão entre os animais e o rei entre os homens ocupam o primeiro e mais importante lugar. O belo porte exprime vigor e valentia.

30,32-33 Soberba ou orgulho podem provir da falta de prudência ou excesso de confiança. Nesse momento, o melhor é calar. O perigo de desabafar é grande, e as consequências, graves. A explanação contém dois jogos de palavras: *'af* é o nariz e *'affaym* é a cólera, cuja sede é o nariz; *hem'a* é manteiga, e o homófono *hema* é cólera. Da arrogância se passa à cólera, da cólera à rixa, a rixa acaba em sangue.

Oitava (ou *sétima*) *coleção*. Atribuída a outro autor estrangeiro: conselhos de uma mãe a seu filho rei.

31

¹Máximas de Lamuel, rei de Massa, que sua mãe lhe ensinou.
²O que é isso, filho meu?
O que é isso, filho de minhas entranhas?
O que é isso, filho de minhas promessas?
³Não gastes tua força com mulheres,
nem teu vigor com as que corrompem reis.
⁴Não é coisa de reis, Lamuel,
não é coisa de reis dar-se ao vinho
nem de governantes dar-se à bebida,
⁵porque bebem e esquecem a lei
e pervertem o direito dos infelizes.
⁶Dá bebida ao andarilho
e vinho ao aflito,
⁷para que beba e esqueça sua miséria
e não se lembre de seus sofrimentos.
⁸Abre tua boca a favor do mudo,
em defesa do desventurado;
⁹abre tua boca e dá sentença justa,
defendendo o pobre e o infeliz.
¹⁰Uma mulher diligente, quem a encontrará?
Vale muito mais que os corais.
¹¹Seu marido confia nela
e não precisa de despojos.
¹²Ela lhe traz ganhos e não perdas,
todos os dias de sua vida.

31,1-9 Ponhamos esse texto no contexto da poligamia real, e escutaremos melhor seu tom apaixonado. Uma das mulheres do rei, por certo tempo estéril ou esquecida, conseguiu à força de promessas dar à luz um filho. É fruto de suas entranhas, não adotado, dom de Deus que escutou as promessas. Agora o filho parece inclinado aos prazeres, que comprometem seu governo justo. O governo justo é a visão e o ideal que rege toda a perícope, de acordo com a visão do Sl 72. Governar é em grande parte julgar, e julgar é antes de tudo fazer valer os direitos dos desprotegidos. O primeiro perigo são as mulheres, o segundo é o vinho. Quem tem sofrimentos em lugar de responsabilidades, pode afogar no álcool as lembranças.

31,3 "Corrompem": literalmente apagam, cancelam. Pode-se recordar o caso de Salomão, 1Rs 11,1-8. Se em vez de "vigor" entendemos projetos e realização, então se refere ao rei que abandona os assuntos do reino às intrigas e chantagens de suas concubinas preferidas, até ele mesmo ficar anulado por elas.

31,4-5 Ver a descrição irônica de 23,29-35. Mas aqui, o que preocupa é o governo: a temperança em função da justiça; ver também Is 28,7s.

31,8 "Mudo" entendido principalmente em sentido metafórico: quem não tem voz na sociedade, na política, nos tribunais.

31,10-31 O livro termina com um canto à mulher ideal, do ponto de vista do homem. Por quê? Por não haver razão especial, ou pela experiência matrimonial do mestre. Prefiro pensar num mestre que instrui seus alunos. Terminada a formação, eles se preparam para constituir família, 24,27. Por isso, a última recomendação do livro trata do matrimônio. Ora, encontrar a mulher sonhada e certa, é coisa difícil. Para que os alunos conheçam o que devem desejar e procurar, o mestre traça um quadro ideal: figura idealizada, mas não utópica; desejo difícil, mas não inatingível. O curioso nessa descrição é a desvalorização da beleza e a ausência ou ocultação do amor. A esposa ideal será uma mulher que dirige a casa e os negócios com sensibilidade, competência e criatividade. O marido é obrigado a dar-lhe moradia, sustento e roupa, Ex 21,10; para compensar, bastará o marido dar-lhe prazeres e filhos? O critério econômico e comercial rege o poema. Fala de preço, lucro, de comprar e vender, de pagar, de fazer comércio e avaliar mercadorias, de procurar e importar, de produzir e consumir. Pouco poético para nosso gosto e para quem saboreou o Cântico dos Cânticos. O livro de Rute, com toda a sua preocupação legal, é mais emotivo, sem falar nas histórias patriarcais. Dessa mulher se mencionam as mãos, as palmas, o braço: sua atividade. Se senta, é para fiar, depois tece os fios e vende o tecido, e com o ganho compra alimentos e investe em terrenos. Deita tarde, levanta cedo, sempre atenta aos empregados.

Mas o que faz o marido? Cuida dos assuntos públicos como conselheiro. Quando volta para casa, não descansa com a mulher, como o Salomão de Sb 8,16. A falta de outras qualidades é mais significativa num prontuário completo, do *alef* ao *tau*. Podemos dar uma explicação contextual: o poema é o fim de um livro quarenta vezes mais amplo, no qual o tema da mulher aparece com diversos aspectos. Esses versículos devem ser lidos com outros dispersos, especialmente 5,15-19.

31,10 Autores antigos, em tradução mimética do latim, a denominaram "mulher forte", exaltando sua fortaleza ou inteireza. Ver 18,22; Eclo 7,23; 36,29.

31,11 Os "despojos" costumam ter caráter militar, fruto de saques.

31,12 Adquirir tal mulher foi bom investimento, e ela paga com bens materiais, não só com agradecimento sentimental.

¹³Aquire lã e linho,
   suas mãos trabalham hábeis.
¹⁴É como nave mercante,
   que importa o grão de longe.
¹⁵Ainda de noite se levanta
   para dar a seus criados o alimento
   e às criadas sua porção.
¹⁶Examina um terreno e o compra,
   com o fruto de suas mãos planta uma vinha.
¹⁷Cinge a cintura com firmeza
   e emprega a força de seus braços.
¹⁸Avalia o valor de suas mercadorias,
   e mesmo de noite sua lâmpada não se apaga.
¹⁹Estende a mão para o fuso
   e com a palma segura a roca.
²⁰Abre suas palmas ao necessitado
   e estende suas mãos ao pobre.
²¹Se neva, não teme pelos servos,
   porque todos os criados vestem trajes forrados.
²²Confecciona mantas para seu próprio uso,
   e se veste de linho e púrpura.
²³Na praça, seu marido é respeitado
   quando senta entre os conselheiros do povoado.
²⁴Tece lençóis e os vende,
   abastece de cinturões os comerciantes.
²⁵Veste-se de força e dignidade,
   sorri diante do dia de amanhã.
²⁶Abre a boca com sensatez,
   e sua língua ensina com bondade.
²⁷Vigia as andanças de seus criados,
   não come de graça o seu pão.
²⁸Seus filhos se levantam para felicitá-la,
   seu marido proclama seu louvor:
²⁹"Muitas mulheres reuniram riquezas,
   mas tu superas a todas".
³⁰Enganosa é a graça, passageira a formosura,
   a que respeita o Senhor merece louvor.
³¹Celebrai-a pelo êxito de seu trabalho,
que suas obras a louvem na praça.

31,13 Conforme Os 2,7.11, é o marido quem procura lã e linho.

31,14 Não faltando alimentos em casa, os importados seriam exóticos, saborosos. Mas se trata de comparação.

31,15 Um hemistíquio é suspeito.

31,16 Fala do "fruto de suas mãos", e não do fruto do ventre.

31,17 É o cinto do trabalho, "fraldas na cinta"; a elegância virá em outra ocasião.

31,18 O Salmo 127 tem outra visão do trabalhar fazendo serão.

31,19-20 O zelo da dona de casa faz beneficência. Ver Dt 15,11; Is 58,1-12.

31,23 Ver a explanação de Jó 29,7-21. Talvez o discípulo se prepare para desempenhar funções semelhantes.

31,25 A roupa cobre e enobrece. Quanto mais as qualidades que brotam de dentro e envolvem toda a pessoa!

31,26 Feliz combinação de sensatez e bondade. Os destinatários de sua instrução poderiam ser os filhos: 1,8; 6,20.

31,28 Terminou seu papel. Fecha-se a cortina, e ela sai para receber os aplausos.

31,29 A expressão é ambígua. "Reuniram riquezas": conforme Dt 8,17; Ez 28,4; Rt 4,11; "fazer proezas": conforme 1Sm 14, 48; Sl 60,14-30. O poeta toma a palavra. Não despreza a beleza, mas a desvaloriza numa comparação, para prevenir contra sua fascinação imediata. Como Eclo, que louva em 26,16-18 e previne em 25,21. O supremo valor da mulher ideal é a religiosidade.

Pode-se perguntar: essa figura personifica a Sensatez ou simboliza a matrona Jerusalém? Creio que isso é fruto de leituras posteriores.

ECLESIASTES

INTRODUÇÃO

A semente da crítica é semeada no momento em que experiência e reflexão se tornam fonte de conhecimento e ensinamento. Isso aconteceu em Israel sob a palavra dos profetas (Is 29,14; Jr 8,9), que era crítica a partir de fora. Mas ocorreu dentro, no seio dessa venerável tradição. Coélet e Jó são os dois expoentes máximos dessa crítica interna ao exercício da sabedoria, são dois momentos de um processo dialético.

Coélet formou-se numa escola e tradição sapienciais. Conhece os ensinamentos tradicionais. Cita provérbios antigos ou cria outros semelhantes, que lhe podem atribuir o título de mestre. Não foi por eles que conseguiu fama imortal, mas por seu inconformismo consequente e honrado. Paradoxalmente, Coélet, que nega a sobrevivência do homem, tem fama imortal.

Na mente atormentada do autor, a sabedoria entra em conflito consigo mesma. E isso de modo entranhável e apaixonado, se pudéssemos falar de paixão fria. Rebelde sem violência, contestador sem arrogância.

Coélet quer compreender o sentido da vida, dá voltas em torno dela – como o centro de 1,6 – e se choca sempre contra o muro da morte. Em alguns momentos lhe parece que a morte aniquila de antemão todos os valores da vida, e comenta com ironia amarga, desoladamente, "os vivos sabem... que deverão morrer, os mortos não sabem nada"; outras vezes, com mais lucidez, compreende que a morte simplesmente relativiza os valores da vida. É um limite intransponível, quando chega o momento, que está presente sempre na consciência.

Mas a morte exige e impõe o aproveitamento do tempo, não para realizar obras imortais (se elas sobreviverem ao autor, de nada lhe aproveitarão, pois está morto), mas para acertar com o ritmo pequeno da tarefa e o desfrute cotidianos.

Na vida humana, ele também contempla injustiças e opressões, que o levam às suas conclusões mais desoladoras. Viu o poder absoluto estabelecido "para o mal do homem", mas ele não torna absolutas as suas palavras.

Coélet observa a vida em volta, depois se levanta para refletir sobre ela e, depois, ergue-se para refletir sobre a própria reflexão. E em cada passo chega ao desengano. Escreve um livro brevíssimo, e não está seguro nem do valor de suas próprias palavras: "Quanto mais palavras, mais vaidade" (6,11). Há no AT autor menos dogmático do que esse enigmático Eclesiastes? Nele a sabedoria apeia, chega à beira do fracasso; assim encontra seu limite e se salva. E daí brota algo impressionante. Situado (provavelmente) entre os séculos IV e III a.C., um escritor cria um estilo novo, inconfundível e inesquecível.

Impossível averiguar como o autor compôs a sua obra. Tentando ilustrar seu aspecto, escolheríamos o modelo de um diário de reflexões. Essas breves páginas têm algo de lírico; um lirismo que se intensifica em alguns momentos. A prosa é muito rítmica, muitas vezes beirando o verso, até se tornar indistinguível com ele. Repetem-se, literalmente ou com variações, palavras, frases e expressões; retornam à maneira de leitmotiv. Brotam frases sentenciosas na semelhança e na oposição. Cita-se um provérbio e se comenta consentindo ou ironizando.

O livro tem influído direta ou indiretamente em toda uma literatura "de contemptu mundi" (sobre o desprezo do mundo).

1 ¹Discurso de Coélet, filho de Davi, rei de Jerusalém. ²Vaidade das vaidades – diz Coélet –; vaidade das vaidades, tudo é vaidade!

Nada de novo sob o sol – ³O que tira o homem de todas as fadigas que o afadigam sob o sol? ⁴Uma geração se vai, outra geração vem, ao passo que a terra sempre está quieta. ⁵Sai o sol, se põe o sol, ofegante para chegar a seu posto, e daí volta a sair. ⁶Caminha para o sul, gira para o norte, gira e gira e caminha o vento. ⁷Todos os rios caminham para o mar, e o mar não se enche; chegados ao lugar para onde caminham, daí voltam a caminhar. ⁸Todas as coisas cansam, e ninguém é capaz de explicá-las. Não se saciam os olhos de ver, nem se fartam os ouvidos de ouvir. ⁹O que aconteceu, isso acontecerá; o que sucedeu, isso sucederá: nada de novo sob o sol. ¹⁰Se de algo se diz: "Olha, isto é novo", já aconteceu em outros tempos, muito antes de nós. ¹¹Ninguém se lembra dos antigos, e o mesmo acontecerá com os que vierem: seus sucessores não se lembrarão deles.

Dupla experiência – ¹²Eu, Coélet, fui rei de Israel em Jerusalém. ¹³Dediquei-me a investigar e a explorar com método tudo o que se faz debaixo do céu. Deus deu aos homens uma triste tarefa para que se ata-

---

1,1 É costume bem conhecido no AT acrescentar títulos às obras, mas não costuma ser atividade própria do respectivo autor. Quem escreveu essa atribuição estava impressionado com a exposição na primeira pessoa que começa em 1,12. Tomando o filho de Davi como autor dessas reflexões, segue uma respeitável tradição israelita que vê o rei Salomão como modelo, patriarca e patrono da literatura sapiencial.

1,2 A frase, quase literalmente, está no fim do livro (12,8); portanto, serve de moldura à série inteira de reflexões ímpares. A fórmula entrou na nossa literatura e temos de respeitá-la: "vaidade das vaidades". O vocábulo *hébel* significa sopro, e, por translação, o que não tem substância, o vazio, oco, nada. A construção é uma espécie de superlativo – como "cântico dos cânticos" significa "o melhor cântico". Poderíamos traduzir sopro ligeiro, suspiro leve, ou então, vazio completo, total falta de sentido, nada de nada... O vocábulo Coélet funciona como nome e como função, sem ou com artigo: compare-se com Esd 2,55 (*soféret*) ou Is 40,9 (*mebasséret*). A tradução etimológica seria "assembleísta", e poderia designar aquele que dirige a palavra.

1,3 A pergunta é muito sapiencial. O "assembleísta", em nome de toda a assembleia humana, vai fazer um balanço da vida humana, gastos e ganhos em sua correlação. Mas parece que o v. 2 antecipou a resposta, provocando uma ressonância irônica ou convidando a não criar ilusões.

1,4-11 Antes de entrar no assunto, o autor (ou outra pessoa) nos faz ler esse breve poema, que estabelece a tonalidade do livro. É um olhar que abrange audaciosamente todo o horizonte ("debaixo do sol") e todas as gerações humanas para estabelecer o princípio da desilusão. Repetindo palavras e construções, reproduz estilisticamente a monotonia do que existe. Na primeira estrofe (4-7) desfila um quarteto: a terra imóvel, o sol ardente, o vento, os rios. É o mesmo sol cada manhã, o mesmo vento que gira, os mesmos rios que fluem e o mesmo mar que os recebe. Cada geração humana é a única coisa que não dura, embora a nova seja igual à anterior.
Na segunda estrofe está o homem com a sua história, que assim pode ser chamada: apesar de tanto suceder, é como se nada sucedesse. Em toda a peça não aparece Deus, nem como criador nem como diretor da história. O olhar do homem está encerrado "debaixo do sol". A montagem paralela de natureza e história serve aqui para naturalizar a história. No cosmo, os mesmos sujeitos desempenham o mesmo papel, na história humana novos sujeitos desempenham o mesmo papel.

1,5 Compare-se, por exemplo, com a visão triunfal e heroica do sol em Sl 19, ou então com a visão do Senhor que vem como sol que desponta e ilumina (Is 60 e 62; Sl 57) ou com a grande descrição de Eclo 43. Coélet contempla um sol cansado, forçado a repetir seu trabalho a cada dia.

1,6 Que prestígio o do vento no AT: Gn 1; Sl 104,30 etc. Coélet contempla um vento preso entre céu e terra.

1,7 Parece supor que, chegada ao oceano, a água dos rios desce para o oceano interior e o atravessa para voltar a sair nos mananciais.

1,8 Toda a tarefa do AT e a maestria de seus escritores é transformar fatos e experiências em palavra. Coélet tenta também, e desde o começo comenta seu próprio fracasso: compare-se com Dt 29,3.

1,9 A sentença é polêmica; compare-se com Is 43,18. Coélet nega toda novidade objetiva, cuja aparência ele explica pela falta de memória. Mas, estranhamente, parece saber e recordar todo o passado, pois afirma que tudo já aconteceu.

1,12 Aqui começa a ficção salomônica, que se estende até 2,26. Coélet retoma a sabedoria proverbial e o luxo exuberante da tradição e da lenda. São as duas primeiras experiências que Coélet quer realizar e comprovar. A sabedoria tem dupla função nessas linhas: é o instrumento da reflexão, a consciência lúcida e vigilante, a distância um pouco irônica da própria experiência; é também o conteúdo, o volume de saber acumulado por uma pessoa e comunicável a outros. Não esqueçamos ao longo do livro essa dupla dimensão, atividade e conteúdo.

1,13-18 Primeira experiência: a atividade humana e a própria sabedoria. O texto é marcado por uma série de verbos de observação, reflexão, compreensão: primeiro observa e reflete sobre as ações alheias, depois reflete sobre si mesmo e sobre a sua própria reflexão. O balanço é negativo em ambos os casos: Ecl 1,3.10; Eclo 40,1ss.

refem com ela. ¹⁴Examinei todas as ações que se fazem sob o sol: tudo é vaidade e caça de vento, ¹⁵torcedura impossível de endireitar, perda impossível de calcular. ¹⁶E pensei comigo mesmo: aqui estou eu, com tanta sabedoria acumulada, mais que meus predecessores em Jerusalém; minha mente alcançou sabedoria e muito saber. ¹⁷E, à força de trabalho, compreendi que a sabedoria e o saber são loucura e insensatez. Então compreendi que também isso é caça de vento, ¹⁸pois, em mais sabedoria mais pesar, e aumentando o saber aumenta o sofrer.

2 ¹Então eu disse a mim mesmo: vamos experimentar a alegria e desfrutar prazeres; e também resultou vaidade. ²Ao riso eu disse: "loucura"; e à alegria: "o que consegues?" ³Explorei atentamente, guiado por minha mente com destreza: tratei meu corpo com vinho, entreguei-me à frivolidade, para averiguar como poderá o homem sob o céu desfrutar os dias contados de sua vida.

⁴Fiz obras magníficas: construí palácios para mim, plantei vinhedos, ⁵fiz pomares e parques e plantei todo tipo de árvores frutíferas; ⁶fiz reservatórios para regar o solo fértil; ⁷adquiri escravos e escravas, tinha servos e possuía rebanhos de vacas e ovelhas, mais que meus predecessores em Jerusalém; ⁸acumulei também prata e ouro, as riquezas dos reinos e províncias; contratei cantores e cantoras, e tive um harém de concubinas para desfrutar como costumam os homens. ⁹Fui maior e mais magnífico do que todos os que me precederam em Jerusalém, enquanto a sabedoria me assistia. ¹⁰Tudo o que os olhos me pediam eu lhes concedia, nenhuma alegria recusei ao meu coração; sabia desfrutar de todas as minhas fadigas, e esta era a paga de todas as minhas fadigas.

Avaliação: nada se aproveita sob o sol – ¹¹Depois examinei todas as obras de minhas mãos e a fadiga que me custou realizá-las: tudo resultou vaidade e caça de vento, nada se aproveita sob o sol.

1,13-14 Enquanto está ocupado, o homem se distrai; quando percebe, sente-se como escravo que recebe de outro a tarefa, nota a aflição do esforço e, quando chega a perceber os resultados, descobre que o esforço não valia a pena.

1,15 Mas o fato não tem solução, o homem está torcido e não tem poder para se endireitar (ver 7,13). O homem é um fracasso, e nem sequer pode medir seu fracasso. Será solução sabê-lo? Ou é melhor a bendita ignorância?

1,16-18 Corresponde ao segundo passo da experiência: a reflexão de um sábio sobre o próprio saber. O sábio se refere ao saber sobre a vida humana: quanto mais sabemos dela, mais conscientes ficamos de sua futilidade, e a consciência do fracasso multiplica a dor. Por isso, é insensatez saber e trabalhar para saber. Melhor é a bendita ignorância.

1,18 O versículo tem algo de sentença conclusiva, de provérbio para ser aprendido de cor.

2,1-10 Corresponde à segunda experiência: os prazeres. A sabedoria conserva presença dupla. Para não destruir o que usufrui, o desfrute deve ser dirigido pela sabedoria prática; e como se trata de uma experiência, deve ser observada pela sabedoria teórica. A série de desfrutes é sugerida por uma corte oriental, em sua versão bíblica do primeiro livro dos Reis, completado com algum informe das Crônicas.

2,1-2 O balanço final se antecipa no começo, tirando toda ilusão.

2,3 Ver Sl 104,15. Conforme Coélet, o vinho é para o corpo, ao passo que o coração vigia: beber sem embriagar-se e sem perder o sentido. Desfrute moderado e distante. É claro que, com essa distância perscrutadora, a frivolidade já não é autêntica, e a alegria se vê reprimida.

2,4 Construir e plantar sintetizam a vida urbana e rural (por exemplo, Jr 1).

2,5 "Todo tipo": uma espécie de paraíso (Gn 1,11).

2,9 A sabedoria é semelhante a um ministro (Sb 8,34). Pela sétima vez nesta perícope se menciona a sabedoria.

2,10 A palavra "alegria" remete ao v. 1. Até agora o resultado foi bom, mas compensa o preço? Falta a avaliação, já antecipada no v. 1.

2,11-26 A avaliação é oferecida em grande escala. A experiência da sabedoria, do trabalho e de seu desfrute formam o objeto dessas reflexões. Na avaliação, entra sobretudo a prova da morte, que atrai os temas da sucessão e da memória.

Conforme a doutrina tradicional, recolhida por Eclo, o homem que morre se perpetua na memória e na descendência: Eclo 41,10-13; 39,9-11; 30,4-6. Segundo Coélet, a morte inutiliza tudo, ao impor um limite irremediável. A memória não é duradoura, a descendência não sabemos como será, e ainda que fosse boa, ela é que desfrutaria, não nós. Embora na vida haja valores e sem-valores, a morte nivela tudo e projeta esse nivelamento na consciência do homem vivo, adianta-se, relativiza. No final surge uma visão teológica que não chega a desfazer a frustração; incluído também esse saber teológico, o balanço é "vaidade".

2,11 É o momento de ponderar não só os empreendimentos realizados, mas também o esforço exigido. A atividade febril não deixava sentir o esforço (o verbo 'amal não figurava em 4-10), mas o cansaço final o revela. E obriga a um balanço negativo.

¹²ᵇO que fará o homem que sucederá ao rei? O que já haviam feito.

¹²ᵃ⁻¹³Pus-me a examinar a sabedoria, a loucura e a insensatez, e observei que a sabedoria é mais proveitosa que a insensatez, como a luz é mais proveitosa que as trevas. ¹⁴O sábio leva os olhos no rosto, o néscio caminha em trevas. Mas compreendi que uma sorte comum toca a todos, ¹⁵e eu disse a mim mesmo: a sorte do néscio será minha sorte; para que fui sábio?, o que ganhei? E pensei comigo mesmo: também isso é vaidade. ¹⁶Pois jamais alguém se lembrará do néscio nem tampouco do sábio, já que nos anos vindouros tudo estará esquecido. Ai! há de morrer tanto o sábio quanto o néscio!

¹⁷E assim detestei a vida, pois achei mau tudo o que se faz sob o sol; tudo é vaidade e caça de vento. ¹⁸E detestei o que fiz com tanta fadiga sob o sol, pois tenho de deixá-lo a um sucessor: ¹⁹quem sabe se será sábio ou néscio? Ele herdará o que me custou tanto esforço e habilidade sob o sol. Também isso é vaidade.

²⁰E acabei desenganado de todo o trabalho que me afadigou sob o sol. ²¹Há quem trabalha com sabedoria, ciência e acerto, e tem que deixar sua porção a alguém que não trabalhou. Também isso é vaidade e grave desgraça. ²²Então, o que aproveita o homem de todos os trabalhos e preocupações que o afadigam debaixo do sol? ²³De dia sua tarefa é sofrer e penar, de noite sua mente não descansa. Também isso é vaidade.

²⁴O único bem do homem é comer e beber e desfrutar do produto de seu trabalho, e mesmo isso eu vi que é dom de Deus. ²⁵Pois, quem come e desfruta sem a permissão dele? ²⁶Ao homem que lhe agrada ele dá sabedoria, ciência e alegria; ao pecador ele dá uma tarefa juntar e acumular, para o dar àquele que agrada a Deus. Também isso é vaidade e caça de vento.

3 Tempo e ocasião – ¹Tudo tem seu tempo e ocasião, todas as tarefas sob o sol:

2,12b Este versículo ainda não encontrou explicação satisfatória, embora o tema da sucessão esteja claro. Na ficção salomônica, o sucessor seria Roboão, o filho insensato que provoca a divisão do reino e começa a decadência. Roboão desfaz o que foi realizado e prova a futilidade do esforço.
2,12a O versículo pode ser interpretado de dois modos: como avaliação comparativa da sabedoria com a insensatez, de acordo com os versículos que se seguem; como veredicto sobre a sabedoria, "é insensatez", de acordo com a experiência de 1,17.
2,13-14 O autor começa aceitando, entre sabedoria e insensatez, a distinção proposta pela tradição dos sábios. E acrescenta que, confrontada com a morte, é uma distinção irrelevante.
2,15 Compare-se com Eclo 24,34 e 39,11.
2,16 O autor está se lembrando de Salomão. Ver Sl 49; Ez 28,7-10; Eclo 41,34.
2,17 Detestar a vida é algo excepcional no AT: pode-se recordar Moisés (Nm 11), Elias (1Rs 19), Jeremias (Jr 20), Jonas, Jó. Em todos esses casos se trata de situações trágicas, do cansaço da luta ou da dor, ao passo que Coélet está falando de um rei sábio e rico.
2,18 É uma reação extrema e compreensível, de despeito e inveja. Destrói antes de deixar que outros desfrutem. Ver Lc 12,20. Aqui o autor toca o fundo da amargura; no que se segue, luta para se refazer.
2,20 Precisando o desengano será o recurso para encontrar remédio ao irremediável. Quando o homem se desengana da ambição, aprende a desfrutar dos bens simples e sabe recebê-los das mãos de Deus.
2,21 Trabalhar e não desfrutar, trabalhar para outros, é uma das maldições clássicas da lei e dos profetas (por exemplo, Lv 26,16; Dt 28,30-33). E há homens – pensa Coélet – que se condenam a semelhante maldição.
2,22 Ecl 1,3.
2,23 Porque ocupados no esforço de acumular, não têm tempo para desfrutar. Ver 1,18; Eclo 40,5.
2,24 Não é o *carpe diem* do epicurista, a despreocupação forçada de quem deseja vingar-se com tal grito (Is 22,13). O que dá sentido à vida é a volta aos bens simples, ao ritmo equilibrado do trabalho e do desfrute (Lv 26,10; Dt 28,8.11; Is 62,8-9). Para alcançá-lo, é preciso vencer dupla ambição: a posse sem limites e a descoberta do último sentido de tudo.
2,25 "Desfruta": outros leem "bebe" ou "se abstém".
2,26 Quem supera as duas ambições ou se dececiona, pode agradar a Deus e receber a bênção da vida simples: sensatez e alegria, os dois bens da dupla experiência fracassada. Quem não domina a ambição, peca, ou seja, erra. E Deus o castiga deixando-o entregue a seu próprio erro, à maldição de acumular para quem saberá desfrutá-lo com sensatez. Assim o dispõe Deus e assim será preciso aceitá-lo. Todavia, mesmo isso não compensa, é vaidade. O autor não quer propor a sua conclusão como solução plena do problema, solução a ser buscada por outro caminho, talvez ponderando o tempo e o momento de cada coisa...
3,1-15 E assim vem a prova do tempo. Desaparece a ficção salomônica, e uma visão universal ocupa a cena. Não se apresenta na forma de experiência nem de tom pessoal (até o v. 10). Como se tivesse passado pelo palco um desfile mudo. Nisto se apoia a força dessa procissão implacável: quatorze duplas, cada par bem unido, a série é heterogênea. Há individuais e coletivas, de sentimento e de ação, o homem as realiza ou as sofre. Toda essa variedade tem algo em comum: o caráter polar, de extremos e oposições, seu desenrolar no tempo. Do nascimento à morte –

²tempo de nascer,
  tempo de morrer;
tempo de plantar,
  tempo de arrancar;
³tempo de matar,
  tempo de sanar;
tempo de derrubar,
  tempo de construir;
⁴tempo de chorar,
  tempo de rir;
tempo de fazer luto,
  tempo de bailar;
⁵tempo de atirar pedras,
  tempo de recolher pedras;
tempo de abraçar,
  tempo de separar-se;
⁶tempo de procurar,
  tempo de perder;
tempo de guardar,
  tempo de jogar fora;
⁷tempo de rasgar,
  tempo de costurar;
tempo de calar,
  tempo de falar;
⁸tempo de amar,
  tempo de odiar;
tempo de guerra,
  tempo de paz.

⁹O que aproveita o operário de suas fadigas? ¹⁰Observei todas as tarefas que Deus confiou aos homens para afligi-los: ¹¹tudo ele fez formoso em sua ocasião e deu o mundo ao homem para que pensasse; mas o homem não abrange as obras que Deus fez desde o princípio até o fim. ¹²E compreendi que o único bem do homem é alegrar-se e passar bem na vida. ¹³Mas que o homem coma e beba e desfrute do produto de seu trabalho, é dom de Deus. ¹⁴Compreendi que tudo o que Deus fez durará sempre: não se pode acrescentar nem tirar. Porque Deus exige que o respeitem. ¹⁵O que foi já havia sido, o que será já foi, pois Deus vai no encalço daquilo que foge.

Injustiça – ¹⁶Outra coisa observei sob o sol: na sede do direito, o delito; no tribunal

---

primeira dupla – o homem está colocado no tempo, que o recebe, o empurra, o envolve e o expulsa, para recomeçar com outra geração (conforme dizia 1,3).
3,2 São os limites da existência, dos quais o homem normalmente não pode dispor.
3,3 "Matar" ou deixar morrer. Pode referir-se à guerra e a sentenças de morte dentro da lei. Como o autor não especifica, é terrível pensar que os assassinatos têm seu tempo determinado.
3,5 O sentido da primeira dupla é duvidoso. Sabemos que os antigos usavam pedras para contar e para tirar sortes; em tempo de guerra podiam assolar um campo cobrindo-o de pedras (2Rs 3,19.25). A tradição rabínica pensa que se trata de relações sexuais.
3,7 Ver Eclo 20,6.
3,9-15 O autor se detém agora nos dois temas conhecidos, a ação e a reflexão. Diante do inevitável vaivém dos opostos, que atitude o homem pode tomar? Agir para dominar o curso dos acontecimentos, para alterá-lo? Ou tratar de abrangê-los e compreendê-los com o pensamento?
O primeiro é inútil, pois o homem não pode acrescentar, diminuir ou mudar o que Deus determinou. O segundo é fatal, pois o homem, impulsionado a superar os limites do seu próprio tempo, descobre que não pode abranger a totalidade do tempo, e assim se perde num afã ilimitado de conhecer e os limites do seu conhecimento.
Único remédio é abandonar a ambição de agir e conhecer, contentando-se com os bens da vida simples, concedidos por Deus, que domina essa seção com sua presença; e não se repete o veredicto de vaidade.
3,10 Ver Ecl 1,13 e 2,26.
3,11 Parece um comentário a Gn 1,31, com a especificação de Eclo 39,16.34. Deus deu às coisas seu momento, à mente humana o tempo sem limites; como o homem se aproxima do tempo sem poder dominá-lo, o pensamento o aflige e tortura. Outros traduzem "eternidade" ou "mundo".
3,12 Ver 2,24. Embora não se repitam todos os detalhes, é claro que o autor remete à conclusão precedente. Depois da dupla experiência (1,11-2,26) e do enunciado sobre tempo e momento, estamos no mesmo ponto programático.
3,14-15 "Tudo o que Deus fez": podem ser as obras da criação, céu e terra, sol e lua etc. É fácil compreender que tais criaturas durem sempre (ver, por exemplo, Sl 72). Mas o que dizer dos acontecimentos e dos seres humanos? A visão cíclica parece responder a essa objeção: como o sol, o vento e a água têm seus ciclos (1,3-6), assim os acontecimentos retornam perpetuamente. Isso parece difícil ao homem, mas Deus "vai no encalço daquilo que foge" para fazê-lo voltar (ver Eclo 5,3).
Coélet chega ao "respeito/temor de Deus" pelo desengano da limitação humana. Assim o autor repassou três "dons" de Deus: as "tarefas" para que se afadigue (1,13; 3,10), a duração indefinida para que pense (3,11), o desfrute simples da vida (3,13).
3,16-4,3 Observação e reflexão sobre a injustiça humana. A opressão vitoriosa e o oprimido indefeso são duas observações, "observei", o futuro julgamento de Deus é uma reflexão, "pensei". No texto atual, a visão da injustiça estabelecida dá ocasião a reflexões pessimistas sobre o valor da vida humana, em comparações cada vez mais desoladoras: o homem e o animal, o vivo e o morto e o que não existiu.
Os profetas erguiam o grito da denúncia contra a injustiça, os mestres sapienciais repetem conselhos e avisos, os salmistas suplicam e apelam a Deus para

da justiça, a iniquidade; ¹⁷e pensei: Deus julgará o justo e o perverso. Há uma hora para cada assunto, e um lugar para cada ação. ¹⁸A respeito dos homens, pensei assim: Deus os prova para que vejam que por si mesmos são animais; ¹⁹pois a sorte de homens e animais é uma só: morre um e morre o outro, todos têm o mesmo alento, e o homem não supera os animais. Todos são vaidade. ²⁰Todos caminham para o mesmo lugar, todos vêm do pó e todos voltam ao pó. ²¹Quem sabe se o alento do homem vai para cima e o alento do animal desce para a terra?

²²E assim observei que o único bem do homem é desfrutar do que faz: essa é a sua paga; pois ninguém o trará para desfrutar do que virá depois dele.

4 ¹Também observei todas as opressões que se cometem sob o sol: vi os oprimidos chorar sem que ninguém os consolasse, sem que ninguém os consolasse do poder dos opressores; ²e os mortos, aqueles que já morreram, chamei-os mais felizes que os vivos, aqueles que ainda vivem, ³e mais feliz que os dois, aquele que ainda não existiu, porque não viu as maldades que se cometem sob o sol.

Trabalho – ⁴Observei todo o esforço e o êxito dos empreendimentos: é pura rivalidade entre companheiros. Também isso é vaidade e caça de vento. ⁵É que "o néscio cruza os braços e vai-se consumindo". ⁶Sim; mas "é melhor um punhado com tranquilidade, do que dois com esforço".

⁷Descobri outra vaidade sob o sol: ⁸há quem vive só, sem companheiro, sem filhos nem irmãos; trabalha sem descanso e não está contente com suas riquezas: "Para quem trabalho eu, e me privo de satisfações?" Também isso é vaidade e dura tarefa.

---

que intervenha. Coélet sente-se incapaz de agir, e sente que a injustiça estabelecida corrói o sentido da vida. É uma tragédia não só sofrer a injustiça, pois a simples contemplação amargura a existência. Coélet é um pensador que se desespera ao aceitar o inevitável. E se a injustiça tem assegurada a vitória total e definitiva, Coélet realmente tem razão: a vida humana não tem sentido, o homem não supera os animais, é melhor não nascer.

3,16 Cada coisa tem seu tempo, e o homem não pode alterá-lo; cada coisa tem seu lugar, e o homem o transtorna. A suprema instituição da justiça se converte em sede e fonte da injustiça (Sl 94,20), e se chega a uma injustiça "estabelecida" (Is 5,7). Cf. Ecl 5,7.

3,17 Mas isso também cai sob a lei do tempo: para a injustiça chegará o momento de prestar contas diante do tribunal de Deus. Trata-se de julgamento histórico que restabeleça os valores? Ou de julgamento escatológico, como em Sb 5? O autor pensa simplesmente na doutrina tradicional (por exemplo, Sl 11; 58; 94) e não se dá por satisfeito.

3,18-21 Reflexão semelhante ao Sl 49; ver também Pr 30,2 e Sl 73,22.

3,18-19 A morte invencível parece ser a prova a que Deus submete o homem. Por seus recursos, o homem é um vivente a mais, um animal; compare-se com Sl 36,7; 136,25. Coélet radicaliza a visão: não nega que o homem supere o animal, a morte porém nivela tudo (como em 2,14-16). E pela morte comum, o balanço é comum: tudo é vaidade, tudo é fugaz e inconsistente (com a agravante da consciência no homem, 9,5).

3,20 Comenta livremente Gn 3; omite o tema do castigo, para se concentrar na condição humana comum. Pode-se estabelecer uma proporção: os rios e o mar realizam o ciclo da água, os viventes e a terra realizam o ciclo do pó. Ver também Sl 90,3 e Eclo 17,1.

3,21 Alguns objetam: o homem supera o animal, porque seu espírito é diferente e tem um fim diferente; o alento dos animais pode ser absorvido pela terra, o alento do homem sobe à esfera celeste. Não se trata de sobrevivência de almas nem muito menos de ressurreição, mas sim de destino diferente. Coélet duvida de semelhante teoria. Ver 12,7 e Eclo 40,11.

3,22 Se o destino do homem é a morte e depois dela não se desfruta de nada, o homem pode em vida receber uma paga limitada. Deve desfrutá-la antes que seja tarde demais. Trabalho e desfrute devem ser governados por um ritmo apropriado.

4,1 Mas justamente a exploração e a opressão se opõem a tal princípio. Pela exploração, quem não trabalha desfruta do esforço alheio, impõe trabalho e rouba desfrute. E como o oprimido é mais fraco, fica sem o pequeno consolo da vida simples; e Deus não lhe dá isso.

4,3 O verbo ver significa sofrer ou experimentar.

4,4-12 Duas reflexões sobre o valor do trabalho em relação a outros valores humanos. Para apoiar sua reflexão, em ambas o autor cita ou imita refrães tradicionais.

4,4-6 Na primeira se examina o valor do trabalho em relação ao companheirismo. O autor generaliza: o motor de tanto esforço são a inveja e a competição. Vendo que o colega trabalha e rende mais, a pessoa não sabe desfrutar tranquilamente do próprio trabalho. Assim inicia-se uma febre de competição que destrói o companheirismo. Inútil defender semelhante trabalho com o velho provérbio contra os vadios – não consomem o que produzem, mas se consomem –, pois outro provérbio o corrige.

4,7-12 O segundo caso é de um homem sem família e sem companheiro. Não tem de trabalhar para manter outros, nem tem de repartir o resultado com outro. Assim pode dedicar todo o esforço a si mesmo, pode acumular sem medida. Quando o indicado

⁹Melhor dois juntos que alguém sozinho: sua fadiga terá boa paga. ¹⁰Se um cai, seu companheiro o levanta. Pobre do sozinho se cair: não terá quem o levante. ¹¹Mais: se deitam juntos, se aquecem; alguém sozinho, como se aquecerá? ¹²Um sozinho será derrotado, dois juntos resistirão: a corda tripla não arrebenta facilmente.

Sabedoria – ¹³É melhor jovem pobre e hábil do que rei ancião e néscio, que não aceita advertências: tinha nascido pobre durante seu reinado, ¹⁴e saiu do cárcere para reinar. ¹⁵Observei todos os viventes que se moviam sob o sol: estavam do lado do filho que lhe sucedeu; ¹⁶e embora seu predecessor tivesse súditos inumeráveis, os sucessores não se alegram com seu rei. Também isso é vaidade e caça de vento.

Votos e promessas – ¹⁷Vigia teus passos quando vais à casa de Deus: "a obediência é mais aceitável que os sacrifícios" dos néscios, que agem mal sem perceber.

5 ¹Quando apresentares um assunto a Deus, que teus lábios não se precipitem, nem o pensamento te arraste. Deus está no céu e tu na terra: sejam contadas tuas palavras. ²Naquilo que sonhamos aparecem nossas preocupações; nas muitas palavras o néscio é escutado. ³Uma vez feita uma promessa a Deus, não tardes em cumpri-la; os néscios, não lhe agradam; cumpre tu o prometido. ⁴Melhor não fazer promessas que fazê-las e não cumpri-las. ⁵Não deixes que tua boca te faça réu de pecado, nem digas depois ao mensageiro que foi por inadvertência, pois Deus se irritará ao ouvir-te e fará fracassar teus empreendimentos. ⁶Muitas preocupações trazem pesadelos, muitas palavras trazem vaidades; quanto a ti, teme a Deus.

Autoridades – ⁷Se numa província vês o pobre oprimido, violados o direito e a justiça, não estranhes tal situação: cada autoridade tem uma superior, e uma suprema vigia sobre todas. ⁸Contudo, o país sai ganhando se o rei está a serviço do campo.

Riquezas – ⁹O cobiçoso não se farta de dinheiro e o avarento não o aproveita: tam-

---

seria reduzir o esforço à medida da necessidade. Mais grave: com esse trabalho solitário e egoísta, o homem se priva de outros bens que nascem da colaboração e do companheirismo. Três provérbios ou sentenças o confirmam: erguer o caído, esquentar o congelado, defender o desvalido.

4,13-16 A tradição diz que a sabedoria ajuda a vencer na vida, mesmo em casos extremos. E extremo é o caso que o texto propõe: um jovem plebeu preso e um rei insensatamente seguro em seu trono. Acontece uma mudança de sorte, em parte devida à habilidade do jovem, e a multidão segue seu partido. Até aqui o triunfo da sabedoria. Mas Coélet abrange mais no tempo e vê que os sucessores do novo rei se desviam. Quando muito, repetiu o processo do precedente. E o suposto triunfo da sabedoria é vaidade. O texto hebraico oferece uma série de dificuldades, em parte pelo uso ambíguo dos possessivos, em parte pelas alusões elípticas.

4,17-5,6 O autor se torna polêmico ao falar do culto. Não é fazendo muitas promessas ou votos a Deus que alguém vai mudar o curso dos acontecimentos; e fazendo muitas promessas, não poucas ficarão sem cumprimento; e deixando várias sem cumprir, a pessoa se carrega inutilmente de pecados. Ser religioso é respeitar Deus. Sobre os votos: Nm 30,3; Dt 23,22-24.

4,17 O princípio tradicional diz que a obediência vale mais que os sacrifícios (1Sm 15,22; Os 6,6). Coélet especifica ironicamente: "sacrifícios dos néscios"; ou seja, não ponderados, inoportunos; também os sacrifícios têm o seu tempo. Interpreto a última frase de acordo com 5,5b.

5,1 É preciso guardar as distâncias. O homem não pode constrangê-las com a força do falar (Sl 115,16). Também a terra está organizada por Deus e não está à mercê do homem, nem diretamente nem pelo caminho de muitas orações.

5,2 Texto duvidoso. Muitas preocupações trazem pesadelos, e assim o homem não descansa de noite (2,23); de modo semelhante, muitas palavras produzem uma voz, um timbre de "néscio ou insensato", com algo de pesadelo e falta de coerência. E a isso chamam rezar? Agrada isso a Deus? Responde o versículo seguinte.

5,3 Citação quase literal de Dt 23,22. Ver também Sl 66,13 e 76,12.

5,4 Ver Pr 20,25 e Mt 5,33.

5,5 O mensageiro é provavelmente o sacerdote (Ml 2,7-8). "Por inadvertência": segundo a legislação de Lv 4-5. As desculpas, em vez de resolver os assuntos, os pioram.

5,6 Texto difícil. Nossa tradução acrescenta uma palavra. Coélet parece sugerir que sua reflexão impiedosa fomenta mais o autêntico senso religioso que as orações multiplicadas de "néscios".

5,9-6,12 As riquezas e seu desfrute são o tema básico dessa reflexão. As riquezas são submetidas à prova do esforço exigido e do desfrute; depois, à prova da duração, da morte e da sucessão. Seu valor fica assim relativizado, ao passo que triunfa o princípio do desfrute moderado. Deus pode concedê-lo, e isso é decisivo.

bém isso é vaidade. ¹⁰Aumentam os bens e aumentam aqueles que os comem, e a única coisa que o dono ganha é ver isso com seus próprios olhos. ¹¹Doce é o sono do trabalhador, coma muito ou coma pouco; quem se farta de riquezas não consegue dormir. ¹²Há um mal doentio que observei sob o sol: riquezas guardadas que prejudicam o dono. ¹³Num mau negócio perde suas riquezas, e o filho que lhe nasceu fica com as mãos vazias. ¹⁴Como saiu do ventre de sua mãe, assim voltará: nu; e nada levará do trabalho de suas mãos. ¹⁵Também isso é um mal doentio: tem de ir como veio, e o que aproveitou de tanto trabalho? Vento. ¹⁶Toda a sua vida come no escuro, entre muitos desgostos, doenças e rancores.

¹⁷Esta é minha conclusão: o bom e o que vale é comer e desfrutar, em troca daquilo com que o homem se afadiga sob o sol, nos poucos anos que Deus lhe concede. Tal é seu pagamento.

¹⁸Se Deus concede a um homem bens e riquezas e a capacidade de comer delas, de receber sua porção e desfrutar de seus trabalhos, isso sim é dom de Deus. ¹⁹Não pensará muito nos anos de sua vida, se Deus lhe concede alegria interior.

6 ¹Vi sob o sol uma desgraça que pesa sobre os homens: ²Deus concedeu riquezas, bens e fortuna a um homem, sem que nada lhe falte de tudo o que pode desejar; mas Deus não lhe concede desfrutá-las, porque um estranho as desfruta. Isso é vaidade e sofrimento grave. ³Suponhamos que um homem tenha cem filhos e viva muitos anos: se não puder se saciar de seus bens, por mais numerosos que sejam seus dias, eu afirmo: um aborto é melhor, ⁴pois chega num sopro e parte às escuras, e a obscuridade encobre seu nome; ⁵não viu o sol, não ficou a par de nada, nem recebe sepultura, mas descansa melhor que o outro.

⁶E se não desfruta a vida, ainda que viva duas vezes mil anos, não vão todos para o mesmo lugar? ⁷Toda a fadiga do homem é para a boca, e o estômago não se enche.

5,9 O cobiçoso, como não se sacia, quer sempre mais e vicia o sentido e função da riqueza (ver 1,8). O avarento erra por sua vez, porque habitualmente nega o desfrute, destruindo assim o sentido da riqueza.

5,10 Suponhamos o caso do rico não avarento: tem de manter sua fama e posição, tem de convidar e oferecer. Imediatamente começa a atrair os parasitas, tanto mais quanto mais rico for (Pr 19,4.6). Não pode recusar-se completamente, sob pena de passar por avarento. E assim lhe resta o amargo consolo de ver outros consumindo o fruto do seu esforço, do qual ele não pode desfrutar.

5,11 Outro inconveniente: a preocupação de guardar o conseguido, as ameaças que as riquezas atraem.

5,12-13 Pode ser um avarento, e também alguém que guarda com muito cuidado o que possui. As riquezas por natureza não são duradouras, e por isso seu valor é relativo.

5,14-15 E se as riquezas não se acabam durante a vida do seu dono, acabarão na sua morte. Ver Gn 3,17-19 e Jó 1,21; Sl 49.

5,16 "Come no escuro": o contexto favorece o sentido metafórico. Comer inclui qualquer tipo de consumo, as trevas indicam a desgraça e a tristeza de consumir sem chegar a desfrutar.

5,17 Assim chegamos à conclusão conhecida: o importante é desfrutar da vida simples (2,24-26; 3,12-13.22). Até aqui o processo reflexivo foi bastante linear. Doravante vai girar em torno dessa conclusão.

5,18-19 Para tanto, sugere dois casos opostos pela intervenção de Deus. O primeiro caso comenta ou ilustra a conclusão sobre a vida simples. Dom de Deus não são as riquezas, mas o desfrute do próprio trabalho.

5,19 Versículo duvidoso. A alegria profunda e a satisfação intensa fazem que não pensemos na brevidade da vida, porque a alegria nos concentra no desfrute presente.

6,1-2 Se o homem não pode desfrutar de suas riquezas, não é bom tê-las, nem mesmo recebê-las de Deus. Como Deus não as concede? Com culpa ou sem culpa do homem: por doença, desgraça (5,13), ruína, morte, ou por causa do afã insaciável do próprio homem (2,26).

6,3 Passa a duas bênçãos clássicas desde o tempo patriarcal: vida longa e muitos filhos; exagera o caso com certo gosto amargo. Vida longa não satisfaz, porque será sempre limitada, e o limite relativiza o valor; o que conta é desfrutar dentro dos limites normais. Quanto aos filhos, o autor parece não reconhecer nem a satisfação paternal de ocupar-se deles, nem o desfrute de vê-los desfrutar. Transladado ao v. 5 a cláusula sobre a falta de sepultura.

6,4-5 A comparação com o aborto é também extrema e tem antecedentes em Jr 20 e Jó 3; 10. A vida breve do aborto é um mal puramente negativo: "não viu, não ficou a par...", ao passo que a vida vazia do outro é um mal positivo. O sopro (= vaidade, *hébel*) se irmana com a escuridão. O nome é a existência pessoal reconhecida na sociedade. "Chega", "parte" são os dois verbos das gerações sobre a terra impassível (1,4).

6,6 Ver Gn 25,8 e 35,29. Nenhum patriarca antediluviano chegou aos dois mil anos; a cifra é fantástica e serve para reforçar o suposto (ver Eclo 41,43).

6,7 Começa outro giro. A vida é tarefa, e a tarefa cotidiana tem como fim conservar a vida: não é um círculo vicioso? Cada dia vivemos trabalhando para

⁸Que vantagem tem o sábio sobre o néscio, ou aquele que sabe virar-se na vida em relação ao pobre? ⁹É melhor aquilo que os olhos veem do que os desejos peregrinos. Também isso é vaidade e caça de vento. ¹⁰O que aconteceu estava determinado, e sabe-se que o homem não pode enfrentar alguém mais forte. ¹¹Quanto mais palavras, mais vaidade: qual a vantagem para o homem? ¹²E quem diz ao homem o que vai acontecer depois sob o sol?

7

¹É melhor boa fama que bom perfume, e o dia da morte que do nascimento. ²É melhor visitar a casa em luto do que a casa em festa, porque naquilo todo homem vai acabar; e o vivo, que reflita. ³É melhor sofrer do que rir, pois dor por fora cura por dentro. ⁴O sábio pensa na casa em luto, o néscio pensa na casa em festa. ⁵É melhor escutar a repreensão de um sábio do que escutar o refrão de um néscio, ⁶porque o folguedo dos néscios é como o crepitar de sarças sob a panela. Isso é outra vaidade. ⁷As pressões perturbam o sábio, e o suborno lhe tira o juízo. ⁸É melhor o fim de um assunto que o começo, e é melhor paciência que arrogância. ⁹Não te deixes arrebatar pela cólera, porque a cólera se aloja no peito do néscio. ¹⁰Não perguntes: Por que os tempos passados eram melhores que os de agora? Isso um sábio não pergunta.

¹¹Boa é a sabedoria acompanhada de patrimônio, e melhor é ver a luz do sol. ¹²À sombra da sabedoria como à sombra do dinheiro; porém é mais vantagem a posse da sabedoria, porque dá vida a seu dono.

---

continuar vivendo: para quê? Usamos as forças em conservar as forças, sabendo que a fraqueza nos vencerá, que o estômago nunca se saciará definitivamente. Ver Pr 16,26.

6,8 A segunda parte do versículo é muito discutida. A tradução proposta supõe a proporção sábio/néscio = rico/pobre.

6,9 O ver inclui aqui o desfrute, como em 1,8, contra 5,10. Mas os olhos não se cansam de ver (1,8), e por isso excitam a viagem inesgotável e esgotadora dos desejos.

6,10 É a ideia já exposta: as sortes estão nas mãos de Deus, e diante dele o homem é impotente. Cabe outra interpretação baseada na fórmula hebraica "dar nome", "chamar", "nomear". Segundo essa interpretação, seria preciso traduzir: "O que existiu tem um nome e o conhecemos: é Adão, o qual não pode contender com alguém mais forte do que ele". Mas veja-se Gn 32,26-32.

6,11 Pode ser uma reflexão irônica sobre a própria reflexão: para que tanto discutir e falar? Não está o homem, com as suas palavras, multiplicando a vaidade que ele mesmo denuncia? Ecl 2,23; Pr 3,24.

6,12 Por ora o autor continua falando, mas já não afirma nada, contenta-se em lançar perguntas sem resposta. A imagem da sombra é conhecida: Sl 102,12; 109,23; Jó 8,9; 14,2; 17,7.

7 A primeira parte desse capítulo se distingue pela série de provérbios comentados do tipo "é melhor". A forma corresponde a uma avaliação comparativa que pode ser de extremos e graus. Predominam as polaridades, e entre elas o valor do sofrimento para a reflexão.

7,1 Começa com um marcado jogo de palavras que a nossa tradução imita de longe: "fama-perfume"; o contrário é a má fama, um "cheirar mal", segundo Ex 5,21.
O primeiro provérbio pode ser citação, o segundo é próprio de Coélet e recolhe o já indicado em 4,2. Relacionam-se os dois versículos? "É melhor a fama", que porém é decidida no final da existência (Eclo 11,27s). O bom nome não se ganha ao nascer, por herança, mas com a totalidade da vida.

7,2 O pensamento parece continuar. No banquete, o homem se perde como em prazer momentâneo, provisório; no luto, o homem enfrenta seu destino (Eclo 38,22). Ora, a consciência da morte dá profundidade e intensidade à vida.

7,3 Joga com a oposição exterior-interior. E afirma o valor salutar dos sofrimentos, que fazem refletir.

7,4 Trata-se de um pensar interesseiro, com desejo e gosto. Assim, o néscio engana a si mesmo, o sábio ganha em autenticidade.

7,5-6 O primeiro refrão é tradicional: Pr 13,1.18; 15,31-32; 17,10. O comentário do autor é excelente imagem sublinhada com engenhoso jogo sonoro.

7,7 Mas nem sequer essa repreensão salutar está garantida, porque também o sábio está exposto ao suborno e trai sua missão (como os profetas de Mq 3,5). O suborno não destrói a inteligência e o saber, mas sim o juízo. Diríamos que Coélet luta para não se subornar com a popularidade, a fim de se manter incomodamente inconformista.

7,8 Variante genérica do v. 1. Ver 1Rs 20,11. O original joga com o mesmo substantivo, "vento", "alento" (ruah), ao qual se aplicam duas dimensões: alento longo é paciência, alento alto é soberba.

7,9 Ver Pr 14,29; 15,18; 16,32.

7,10 Primeiro, o autor explicou que tudo retorna ou se repete; segundo, não se pode julgar a etapa presente enquanto não cumprir seu ciclo. De modo que esse julgamento do passado é néscio, e é perigoso porque afasta do presente, do seu desfrute. Deve completar-se com 12,1.

7,11-12 O texto é difícil: espécie de debate engenhoso, difícil devido à concisão. O esquema: boa é A, como o é B e melhor é C; boa é A, igualmente B, mas A contém C. A = sabedoria, B = dinheiro, C = vida (cf. Eclo 40,18-27). O v. 12 corresponde à sabedoria tradicional (Pr 16,16) mais que a outros ditos do autor (2,14-16).

¹³Observa a obra de Deus: quem poderá endireitar o que ele torceu? ¹⁴Em tempo de prosperidade desfruta, em tempo de adversidade reflete: Deus criou os dois contrários para que o homem não possa averiguar sua própria fortuna. ¹⁸O bom é agarrar um e não soltar o outro, pois quem teme a Deus, em tudo se sai bem.

Honradez e sabedoria – ¹⁵Em minha vida vi de tudo sem sentido: gente honrada que fracassa por sua honradez, gente perversa que prospera por sua perversão. ¹⁶Não exageres tua honradez, nem refines tua sabedoria: para que matar-se? ¹⁷Não exageres tua maldade, não sejas néscio: para que morrer malogrado? ¹⁹A sabedoria torna o sábio mais forte que dez chefes numa cidade. ²⁰Não há no mundo ninguém tão honrado que faça o bem sem nunca pecar. ²¹Não dês atenção a tudo o que se fala, nem escutes teu servo quando te amaldiçoa, ²²pois sabes muito bem que tu mesmo muitas vezes amaldiçoaste a outros. ²³Tudo isso examinei com método, pensando chegar a ser sábio, mas fiquei muito longe. ²⁴O que existe é remoto e muito obscuro: quem o averiguará?

A mulher – ²⁵Pus-me a indagar a fundo, buscando sabedoria e reta avaliação, procurando conhecer qual é a pior insensatez, a insensatez mais absurda; ²⁶e descobri que mais trágica que a morte é a mulher cujos* pensamentos são redes e laços, e cujos braços são cadeias. Quem agrada a Deus se livrará dela, e o pecador ficará dominado por ela. ²⁷Olha o que averiguei – diz Coélet

---

7,13 A expressão é audaz, pois se espera exatamente o contrário; ver 1,15; 7,29; Jó 8,3; 19,6; 34,12. Na visão de Coélet, torcida é a condição humana. Mais grave: é preciso aceitá-la como é, sem rebelar-se nem tentar mudá-la. Torcida é a correlação entre bondade e sorte, maldade e desgraça; o homem pode observar a correlação irregular, que é torcida, mas não pode predizer o resultado individual nem forçar uma correspondência direita. Torcido é o processo do tempo histórico; não é linear, reto e previsível, oscila da sorte à desgraça; mesmo reconhecendo a alternância básica, o homem não pode predizer o momento próximo, nem modificar o curso dos acontecimentos.

7,14 "Fortuna/desgraça" é uma polaridade fundamental (3,1-9). A assimetria dos verbos "desfrutar/ver, refletir" é a chave do sentido. A fortuna não oferece perspectiva, porque se esgota no desfrute; a desgraça permite observar os dois tempos de fortuna e de desgraça, e oferece perspectiva.

7,18 Transfiro aqui o v. 18, que assim ganha sentido: compare-se com Jó 2,10; Eclo 11,25. Agarrar e não soltar é expressão plástica, um tanto paradoxal, que inculca aceitação.
Outra teoria dos contrários em Eclo 33,14-15.

7,15-17.19-23 O binômio fortuna-desgraça é seguido agora por duplo binômio: honradez-maldade, sabedoria-insensatez. Em vários pontos se segue um padrão idêntico ou análogo, e num dos pontos falta a analogia. Podemos vê-lo num esquema:
honradez excessiva prejudica (16), é impossível (20)
sabedoria excessiva prejudica (16), é impossível (23)
maldade excessiva prejudica (17), a insensatez prejudica (17)
pelo contrário:
alguma maldade pode servir (15)
alguma sabedoria serve (19); finalmente:
a aceitação combinada é necessária e vantajosa (18),
é respeito de Deus.
A honradez excessiva é aquela que o homem quer estabelecer a qualquer custo, não aceitando o irremediável das quedas. Sabedoria excessiva é a pretensão de compreender e explicar tudo.

7,15 Outros traduzem: "em sua... apesar da sua...".

7,19 O que foi dito não nega o valor da sabedoria, e o presente refrão o diz expressamente; ver Pr 21,22; 24,5.
Os "dez chefes" formavam um conselho de governo em algumas cidades gregas e palestinas da época.

7,20 Ver Pr 20,9; 1Rs 8,46; Eclo 19,16.

7,21-22 Aplicam o princípio enunciado: no falar não podem faltar deslizes, injúrias. Cada um o sabe por si mesmo. Por isso, não se deve tomar demasiadamente a sério o que se diz. O autor tira importância até de suas próprias palavras, para evitar que alguém se ofenda; aceita essa condição "torcida" da linguagem humana, sem empenhar-se em endireitá-la.

7,23 A sabedoria como instrumento de indagação e como objeto que se pretende (1,13). Há uma sabedoria transcendente inatingível, Pr 30,3; Jó 28. Compare-se com a atitude otimista do suposto Salomão em Sb 7-8.

7,24 Pelo verbo "alcançar", "averiguar" (*yimça'ennu*), este versículo se liga a 14c. Seu alcance parece universal: até o que nos parece próximo e evidente encerra uma profundidade inatingível. Compare-se com Sb 9,16.

7,25 Começa um novo "giro" de reflexão, ponderando o esforço corajoso do autor. O texto é difícil e se poderia interpretar também assim: "até conhecer que a maldade é insensatez e a insensatez é loucura". É difícil determinar até onde se estende a nova seção.

7,26-29 A primeira série é dedicada à mulher, tema frequente na literatura sapiencial (Pr 5; 7; 31; Eclo 25-26 etc.).
O sentido da peça depende radicalmente de uma partícula relativa no v. 26. Se a tomamos como predicativa, inclui todas as mulheres e significa um veredicto terrivelmente pessimista; poderia tratar-se de uma dessas generalizações pronunciadas depois de amarga experiência: "todas são iguais" (cf. Eclo 25,13; 42,13s). Se a tomamos como determinação,

– quando me pus a averiguar passo a passo: estive buscando sem encontrar. ²⁸Se entre mil encontrei apenas um homem, entre todas as mulheres não encontrei uma sequer. ²⁹Olha a única coisa que averiguei: Deus fez o homem equilibrado, e ele arranjou para si preocupações sem conta.

8 Conselheiro real – ¹Quem é como o sábio? Quem sabe interpretar um assunto? A sabedoria serena o rosto do homem, mudando-lhe a dureza do semblante. ²Eu digo: cumpre o mandato do rei, pois juraste diante de Deus; ³não te perturbes diante dele, mas cede; não resistas à sua ameaça, porque pode cumpri-la. ⁴A palavra do rei é soberana; quem lhe pedirá contas do que faz? ⁵Quem cumpre seus mandatos não sofrerá nenhum mal. ⁶O sábio atina com o momento e o método, pois cada assunto tem seu momento e seu método. O homem está exposto a muitos males, ⁷porque não sabe o que vai acontecer, e ninguém lhe informa o que vai suceder.

⁸O homem não é dono de sua vida, nem pode encarcerar seu alento; não é dono do dia da morte, nem pode livrar-se da guerra. Nem a maldade livrará seu dono. ⁹Tudo isso notei, observando tudo o que acontece sob o sol, enquanto um homem domina outro para seu próprio mal.

Retribuição – ¹⁰Também observei isto: sepultam os perversos, os levam a lugar sagrado, e o povo caminha louvando-os pelo que fizeram na cidade. ¹¹E esta é outra vaidade: a sentença prescrita contra um crime não se executa logo; por isso, os homens se dedicam a agir mal, ¹²porque o pecador age cem vezes mal e têm paciência com ele. Já sei isto: "Tudo irá bem a quem teme a Deus, porque o teme"; ¹³e aquilo: "Nada irá bem ao perverso; quem não teme a Deus será como sombra, não terá vida longa". ¹⁴Mas na terra acontece outra vaidade: há honrados a quem toca a sorte dos perversos, enquanto que aos perversos cabe a sorte dos honrados. E

"a mulher que..." se refere a um tipo determinado, o mesmo que a tradição sapiencial condena. Em Ct 8,6 o amor é comparado com a morte em sentido positivo; a morte "amarga" (1Sm 15,32).
O bom e o pecador, como em 2,26. Poderíamos especificar: quem sabe desfrutar com moderação e quem se entrega sem freio. Isso indicaria na mulher um poder de sedução que o homem torna fatal. * Ou: a mulher, pois seus...

7,28 "Entre todas as mulheres": limitando o enunciado às que apresentam esses traços negativos. Sujeito do verbo buscar é *nafshi* = o apetite, não *libbi* = a mente; apurando o sentido, diríamos que um amigo, um homem completo, o encontra entre mil, uma esposa não a encontra (cf. Pr 31,10).

7,29 Lendo esse versículo no contexto precedente: no que se refere às relações do homem com a mulher, Deus fez o homem reto, mas o homem se torceu com os próprios cálculos e más ações.

8,1-9 Um sábio, conselheiro de um rei: ver Pr 16,14; 19,12; 20,2; 25,3. É um rei a quem se presta juramento de lealdade por Deus (2) e que tem poderes quase divinos, autoridade absoluta (cf. Jó 9,12). Ben Sirac considera privilégio do sábio ser conselheiro real (Eclo 39,4); Coélet duvida. O sábio aconselha, mas não decide nem executa. O poder do rei pode ser fatal (9). Resta ao sábio a capacidade de discernir o momento oportuno: quando intervier, quando ceder, quando obedecer. Só que ambos estão sujeitos ao limite inevitável, ao prazo imprevisível da morte e à ignorância do futuro.

8,1 Ver Eclo 13,25 e 19,29. O "rosto" próprio ou do rei.
8,2 Ver Sb 6,3.
8,3 A dificuldade do versículo consiste em cortar bem suas peças. Em qualquer alternativa de tradução se aconselha tato e respeito perante o rei: é difícil ser conselheiro de tais reis quando é preciso obedecer e calar-se para salvar a vida e o posto.

8,4 Sb 12,12.
8,5-6 Recolhe a doutrina de 3,1-8 aplicada à situação.
8,7 Ver 3,22.
8,8 Afirmação geral desenvolvida em quatro enunciados. Encarcerar o alento é conservá-lo, não deixá-lo sair, o que seria morrer, expirar.
8,9 No entanto, embora o homem não seja dono da própria vida, outro homem pode assenhorear-se dele. A última frase é de uma ambiguidade inquietante: "para seu mal", de quem? do dominador? do dominado? ou simplesmente do homem enquanto tal? Coélet parece indicar que o poder absoluto é uma desgraça para o homem.
8,10-14 Objeções contra a doutrina da retribuição tomadas da experiência: o princípio da retribuição não é universal e sofre muitas exceções (14); se apelamos para uma retribuição adiada, a demora convida à maldade (11).
8,10 Creio que "lugar sagrado" se refere ao cemitério (campo santo). Depois de ter oprimido os súditos, os poderosos morrem, e a eles se dedicam elogios fúnebres. Recorde-se Lc 22,25.
8,11 Não se trata de ato ocasional, mas de atitude, de entrega ao mal. O que implica que só o castigo refreia o homem.
8,12-13 Duas sentenças simétricas, correlativas tradicionais. Ver 7,15; Jr 15,15.
8,13 Is 3,10s.
8,14 Não se pode planejar a própria vida puramente em termos de retribuição. Coélet não convida ao mal, constata sua realidade. Ao mesmo tempo dissuade de uma ética calculista.

isso eu considero vaidade. ¹⁵Eu louvo a alegria, porque o único bem do homem é comer, beber e alegrar-se; isso lhe restará de seus trabalhos, durante os dias de sua vida que Deus lhe conceder viver sob o sol.

O destino humano – ¹⁶Dediquei-me a obter sabedoria, observando todas as tarefas que se realizam na terra: os olhos do homem não conhecem o sono nem de dia nem de noite. ¹⁷Depois observei todas as obras de Deus: o homem não pode averiguar o que se faz sob o sol. Por mais que o homem se afadigue buscando, não o verificará; e ainda que o sábio pretenda sabê-lo, não o averiguará.

9 ¹Refleti sobre tudo isso e cheguei a esta conclusão: embora os justos e os sábios com suas obras estejam nas mãos de Deus, o homem não sabe se Deus o ama ou odeia. ²Tudo o que o homem tem pela frente é vaidade, porque uma única sorte cabe a todos: inocente e culpado, puro e impuro, quem oferece sacrifícios e quem não os oferece, justo e pecador, quem jura e quem evita jurar. ³Isto é o mal de tudo o que acontece sob o sol: uma única sorte cabe a todos. O coração dos homens está cheio de maldade: enquanto vivem, pensam loucuras, e depois morrem!

⁴Quem é preferível? Para os vivos ainda há esperança, pois é melhor cão vivo que leão morto. ⁵Os vivos sabem... que deverão morrer; os mortos não sabem nada, não recebem um salário quando seu nome fica esquecido. ⁶Seus amores, ódios e paixões acabaram, e nunca mais eles tomarão parte no que se faz sob o sol. ⁷Vamos, come teu pão com alegria e bebe contente o teu vinho, porque Deus já aceitou tuas obras; ⁸usa sempre roupas brancas e não falte o perfume em tua cabeça; ⁹desfruta a vida com a mulher que amas, enquanto durar essa tua vida fugaz, todos esses anos fugazes que te concederam sob o sol; pois essa é tua sorte enquanto vives e te afadigas sob o sol. ¹⁰Tudo o que estiver a teu alcance faze-o com empenho, pois não se trabalha nem se planeja, não há conhecer nem saber no Abismo para onde te encaminhas.

¹¹Outra coisa observei sob o sol: a agilidade não depende do correr, nem a batalha da valentia, nem da habilidade de ter pão, nem a riqueza do ser sensato, nem do saber a estima, mas que sempre intervêm a ocasião e a sorte. ¹²O homem não adivinha seu momento: como peixes presos na rede, como pássaros pegos na armadilha, os homens se enredam quando um mau momento cai de repente sobre eles.

Vale mais manha que força – ¹³Outra coisa vi sob o sol, e foi uma grande lição para mim: havia uma cidade pequena, de

---

8,15 Recomenda, ao invés, o desfrute simples e proporcional ao próprio trabalho, e não a uma contabilidade de boas obras.

8,16-17 Ações do homem sobre a terra, ações de Deus debaixo do sol. Elas se distinguem ou se identificam? Se as distinguimos, temos os dois temas dominantes do livro: ação e contemplação. Por um lado, o homem ativo, que perde o sono por seus empreendimentos; por outro lado, o homem reflexivo, que deseja compreender o plano e a ação de Deus. Ambos fracassam, cada um a seu modo: o primeiro porque nega a si mesmo o desfrute e o descanso, o segundo porque não conseguirá seu objetivo.

9,1-3 Justos e sábios estão nas mãos de Deus; mas, de que serve sabê-lo? A frase é ambígua: pode ser positiva, "Deus protege", e negativa, "ninguém escapa de Deus". Além disso, parece que Deus se compraz em obscurecer o enigma, atribuindo a mesma sorte a todos os homens, sem distinção.

9,1 Alguns fazem o homem sujeito de amar e odiar.

9,2 Diante da morte, de nada serve jurar devotamente pelo Senhor e oferecer-lhe sacrifícios devidos ou voluntários, pois o homem não pode forçar a retribuição; pelo menos diante da morte fracassa (Sl 49,8-10).

9,3 Ver 1,17; 2,12; 8,11; Jr 17,9.

9,4-5 Há um refrão que exprime a vantagem dos vivos sobre os mortos (5a): sabem e esperam. Coélet o comenta ironicamente. Saber é de dois gumes: por um lado, antecipa a morte com sua certeza e tira o sentido da vida; por outro, ensina o homem a desfrutar essa vida limitada.

9,5 O versículo joga com a aliteração de salário e lembrança (skr e zkr): a lembrança é o pagamento depois da morte.

9,7 Os possessivos "teu pão", "teu vinho", o que tu ganhaste e também o que te cabe. De ambos os modos, um limite à ambição de adquirir e possuir. É duvidoso o sentido do verbo "aceitar". Aqui parece dizer que Deus aceita o trabalho do homem sensato e o remunera com o desfrute simples. Exclui-se o afã de continuar realizando empreendimentos ou de exigir de Deus maior retribuição (2,26).

9,8 O branco é cor festiva. Sb 2,6-7 parece aludir a esses conselhos.

9,9 Em outro contexto, Pr 5,18.

poucos habitantes; ¹⁴veio um rei poderoso e a cercou, montou contra ela fortes peças de assédio; ¹⁵havia na cidade um homem pobre, porém hábil, capaz de salvar a cidade com sua destreza, mas ninguém se lembrou desse pobre homem. ¹⁶E eu disse a mim mesmo: "vale mais manha que força", só que a manha do pobre é desprezada e ninguém dá atenção a seus conselhos. ¹⁷E isso porque se escutam melhor as palavras tranquilas de um sábio do que os gritos de um capitão de néscios. ¹⁸Manha vale mais que armas de guerra.

Provérbios diversos – ¹⁸ᵇUma só falha estraga muitos bens,

10 ¹uma mosca morta estraga um perfume, uma migalha de insensatez conta mais que muita sabedoria. ²A mente do sábio vai à sua direita, a mente do néscio vai à sua esquerda; ³quem não tem juízo segue o seu caminho chamando todos de néscios.

⁴Se quem manda se enfurece contra ti, não deixes teu lugar, pois a calma cura erros graves. ⁵Há um mal que vi sob o sol, um erro de que o soberano é responsável: ⁶o ignorante ocupa altos postos, ao passo que nobres e ricos sentam abaixo; ⁷vi escravos a cavalo, enquanto príncipes iam a pé como escravos.

⁸Quem cava uma cova, nela cairá; a quem abre buracos no muro, a cobra o morderá; ⁹quem remove pedras, com elas se machucará; quem corta lenha, com ela se ferirá.

¹⁰Se o ferro estiver cego e antes não for afiado, deve-se fazer muita força: melhor usar manha; ¹¹se a serpente não se deixa encantar e morde, de nada vale o encantador. ¹²O sábio ganha estima com suas palavras, o néscio se arruína pelo que fala: ¹³sua introdução é uma insensatez, sua conclusão um terrível absurdo. ¹⁴O néscio tagarela sem medida, mas o homem não sabe o que vai acontecer, pois, que o informa sobre o que vai suceder? ¹⁵A fadiga do néscio o deixa exausto, pois não encontra o caminho da cidade.

¹⁶Ai do país onde reina um jovem e seus príncipes madrugam para comer! ¹⁷Feliz o país em que reina um nobre e os príncipes comem quando é hora e não põem sua valentia no beber. ¹⁸A preguiça derruba o teto, e braços caídos derrubam a casa.

9,18b-10,1 Começa uma série de provérbios soltos, no estilo de algumas coleções do livro dos Provérbios, ou comentados, no estilo do Eclesiástico. Faltam os verbos de testemunho pessoal: "observei", "compreendi", "concluí" etc., exceto em 10,5.
Começa com um refrão comentado sobre a relação do bem e do mal. Não relação quantitativa, o mal como subtração (cf. 7,20), mas qualitativa: um pouco estraga muito, e isso tem aplicação em muitos valores humanos: a bondade em geral, a sabedoria em particular. O texto do último versículo é duvidoso.

10,2-3 Esquerda e direita têm aqui a avaliação comum a muitas culturas: "destro", "adestrar", "destreza", "sinistro"... O néscio não só vai pelo mau caminho, em má direção, mas também é incapaz de sabê-lo, chamando de néscios os que não vão com ele.
A última frase é ambígua em hebraico: alguns a aplicam ao sujeito e traduzem: "vai dizendo (mostrando) a todos que é néscio". É possível que o autor tenha buscado ironicamente a ambiguidade.
10,3 Pr 13,16.
10,4 Compare-se com 8,3 e Pr 16,14. Para a última frase, ver Pr 14,30 e 15,4.
10,5-7 Trata-se de uma situação que podemos chamar revolucionária e que o autor contempla com olhos de classe alta: a ignorante se opõem nobre e rico, o cavalo é para a nobreza. O autor não comenta nem observa as consequências, apenas indica com o dedo a situação equivocada e joga a culpa no soberano (ver Pr 30,21-23 e 19,10).
10,8-9 Se tomamos 8 em sentido ético, equivale a isto: "quem faz o mal, o mal recebe": Sl 7,16; 9,16; 57,7; Pr 26,27. Se o tomamos, como 9, em sentido físico, nos fala dos perigos inerentes ao trabalho dos artesãos: na destreza acontece a sorte: 9,11s.
10,11 Ver Eclo 12,13.
10,12 Contradiz a 9,11? Não totalmente. Aqui afirma que a sabedoria traz prestígio; lá afirmava que o efeito não é certo, porque podem intervir outros fatores. Além disso, aqui o provérbio funciona como membro de uma antítese. O original poderia ser lido como frase engenhosa: "os lábios do néscio o devoram", mas o verbo bl' estava lexicalizado. Ver Pr 14,3; 18,7.
10,14 O encaixe do versículo no contexto é duvidoso. O futuro traz o desfecho e dá perspectiva (7,8); como o homem não conhece o futuro, deve moderar-se no que diz; mas o néscio fala e fala, começa mal e acaba pior. Por implicação, o sábio é consciente da própria ignorância (8,7).
10,15 Parece expressão proverbial que concorda com o precedente: como não sabe o caminho, põe-se a andar sem rumo e sem destino, e só consegue fatigar-se. Caminha em vão, como falava em vão.
10,16-17 Ver Is 3,4 e 5,11. O final do v. 17 é duvidoso.
10,18 Se continua o precedente, denuncia a vadiagem dos chefes. Poderia ser um provérbio independente, no estilo de Pr 20,4; 21,25.

¹⁹Desfrutam celebrando banquetes, o vinho lhes alegra a vida e o dinheiro responde a tudo.

²⁰Não fales mal do rei nem por dentro, não fales mal do rico nem mesmo em teu quarto, porque um passarinho leva até eles a história e um ser alado lhes conta o que foi dito.

11 O risco –
¹Ainda que envies teu trigo pela superfície do mar, no fim do tempo o recuperarás; ²ainda que o dividas em sete ou em oito partes, não sabes as desgraças que podem acontecer na terra. ³Se as nuvens estão cheias, descarregam a chuva sobre o solo. Caia para o sul ou para o norte, a árvore fica onde caiu. ⁴De tanto olhar os ventos, não se semeia; de tanto olhar as nuvens, não se colhe. ⁵Se não entendes como um alento entra nos membros num seio grávido, tampouco entenderás as obras de Deus, que faz tudo. ⁶De manhã semeia tua semente e à tarde não cruzes os braços, pois não sabes qual das duas semeaduras vai prosperar ou se as duas terão igual êxito.

Juventude e velhice – ⁷Doce é a luz, e os olhos a desfrutam vendo o sol. ⁸Ainda que o homem viva muitos anos, desfrute-os todos, recordando que os anos obscuros serão muitos, e que tudo o que vem é vaidade. ⁹Desfruta enquanto és jovem e passa bem na juventude; deixa-te levar pelo coração e pelo que atrai os olhos; e saibas que Deus te levará a julgamento para prestares contas de tudo. ¹⁰Rejeita os sofrimentos do coração e afasta as dores do corpo: infância e juventude são passageiras.

12
¹Lembra-te do teu Criador durante a tua juventude, antes que cheguem os dias infelizes e chegues aos anos em que dirás: "Não tenho mais prazer". ²Antes que se obscureçam a luz do sol, a lua e as estrelas, e o tempo nublado venha depois da chuva. ³Nesse dia, tremerão os guardiães da casa

---

10,19 Como continuação do precedente, o provérbio denuncia os chefes que gastam o dinheiro em comilanças. Mudando uma vogal, a última frase pode ser lida como interrogativa: "responderá o dinheiro a tudo?"

10,20 Ver Sb 1,10. E se recorde o nosso "as paredes têm ouvidos". A imagem da ave pertence ao original hebraico.

11,1-6 Se Coélet aceita e aconselha algo, é usufruir do fruto do próprio trabalho. Logo, é preciso trabalhar para obter esse fruto. Pois bem, a correspondência entre trabalho e resultado não é mecânica, a proporção não é matemática, o êxito não é seguro. Então, não vale a pena trabalhar?
A insegurança é faca de dois gumes: um empreendimento arriscado – o comércio marítimo – tem êxito, um empreendimento normal se expõe a múltiplos riscos; as nuvens fazem a árvore crescer, o vento a derruba, nuvens e vento seguem suas leis, entre firmes e caprichosas. O marido não sabe exatamente quando a mulher vai conceber ou como a vida entra no feto: como vai saber o plano misterioso de Deus que dá e sustenta toda a vida? A conclusão de Coélet é positiva: deve-se trabalhar enfrentando o risco e com esperança.

11,1-2 Alguns autores interpretam esses dois versículos como recomendação para a gente ser caritativa.

11,3 Pela terminologia recorda 1,5-7. A árvore caída não se levanta para repetir seu ciclo (mas leia-se Jó 14).

11,5 Sobre o mistério da concepção e gestação, podem-se ler Sl 139; Jó 10; 2Mc 7,22.

11,7-8 Aproximando-se do final do seu livro, o autor adota um tom lírico, melancólico, como um adeus à vida. Apesar dos limites e do desengano, ama intensamente a vida, sente-a mais entranhadamente quando vê que ela acabará. É melhor o fim que o começo? (7,11). É ponto de vista melhor para apreciar e avaliar. Luz e sol são temas simbólicos. Que a lembrança da noite que se aproxima torne mais intenso o desfrute do que resta. A morte, a noite, se antecipa em vida, num crepúsculo que é vida misturada com morte: por isso é preciso desfrutar a juventude, que é o meio-dia, o sol no zênite, antes que seja tarde demais. O primeiro conselho não é muito convencional (ver Nm 15,39). O julgamento de Deus não significa castigo por ter desfrutado; ao contrário: quem não aproveitar o prazo prestará contas de sua negligência. O julgamento de Deus convida a desfrutar a juventude; cada coisa tem seu momento (3,1). A fugacidade da infância e da juventude é sua "vaidade".

12,1-8 Diante da valorização da velhice em Israel, Coélet a contempla com tristeza e melancolia. O sentido é claro no conjunto, duvidoso em vários detalhes. Depois de uma introdução explícita (1), vem uma série cósmica de meteoros (2) com valor simbólico; segue-se a visão de uma morada ou granja (3-4) com seus variados personagens; alusões obscuras entre duas franjas realistas (5), duas imagens domésticas preparam o enunciado final explícito (6-7), e encerra com um colofão (8).

12,1 É a única vez que o autor usa o termo Criador. Sua lembrança servirá para aceitar e aproveitar a sorte destinada e os tempos estabelecidos. Os tempos não são maus, é o ancião que não pode desfrutar deles.

12,2 A velhice, uma noite sem estrelas, um inverno sem sol.

12,3 No quadro doméstico, os guardiães podem ser os braços, e os robustos ou valentes podem ser as pernas ou ombros. É claro que os molares e dentes moem e que os olhos olham pelas janelas. É uma casa em que vai faltando vida.

e os robustos se encurvarão; as que moem serão poucas e pararão; as que olham pelas janelas se ofuscarão; ⁴as portas da rua se fecharão e o ruído do moinho se acabará; o canto dos pássaros se enfraquecerá; as canções irão se calando; ⁵as alturas darão medo e os terrores rondarão. Quando a amendoeira florescer e o gafanhoto se arrastar e a alcaparra não der gosto, porque o homem caminha para a morada eterna e o cortejo fúnebre percorre as ruas. ⁶Antes que se rompa o fio de prata, e se parta a taça de ouro, e se quebre o cântaro na fonte, e se rache a roldana do poço, ⁷e o pó volte à terra que ele era, e o espírito torne a Deus que o deu.

⁸Vaidade das vaidades – diz o Pregador –, tudo é vaidade.

Epílogo – ⁹O Pregador, além de ser um sábio, ensinou o que sabia ao povo. Estudou, inventou e formulou muitos provérbios; ¹⁰o Pregador procurou um estilo atraente e escreveu a verdade com acerto.

¹¹As sentenças dos sábios são como aguilhões ou como cravos bem cravados, dos quais pendem muitos objetos: são pronunciadas por um só pastor.

¹²Um último aviso, meu filho: nunca se acaba de escrever mais e mais livros, e o estudo excessivo desgasta o corpo.

¹³Em conclusão, e depois de ouvir tudo, teme a Deus e guarda seus mandamentos, porque isso é ser homem; ¹⁴pois Deus julgará todas as ações, também as ocultas, boas e más.

12,4 As portas são os ouvidos, ou são os lábios? (Cf. Eclo 22,27). A ação de moer é mastigar; ou se for para o moinho, cf. Jr 25,10.
12,5 Versículo duvidoso. A amendoeira florida parece referir-se aos cabelos brancos do ancião; o gafanhoto arrastando-se seria a agilidade juvenil perdida, ainda que muitos comentaristas pensem que se refira aos órgãos sexuais; a alcaparra excitava o apetite (de comer ou sexual?).
12,6 Fio e taça, cântaro e roldana são objetos domésticos que assumem valor simbólico. O cântaro que tira a água do poço da vida e a roldana que assegura o retorno da água do manancial, não são difíceis de entender. O fio, é de vestir ou de pendurar? A taça, é de beber ou de alumiar? Os gregos falavam do fio da vida que as deusas parcas fiam e cortam.
12,7 Isso não implica sobrevivência nem imortalidade da alma, é simplesmente a imagem de Sl 104,30. Ver 3,21 e Sl 90,3.
12,8 O colofão repete o começo (1,2), marcando todas as voltas da reflexão. Agora soa com mais força e convicção, quase como testamento do pensador.
12,9 No fim do livro, como na orelha ou na contracapa, um editor (aluno respeitoso) acrescentou essa nota biográfica. Não lhe interessa dizer quando seu mestre nasceu ou morreu nem onde viveu; interessa-lhe sua profissão, resenhando brevemente seus méritos. Compare-se com Eclo 37,22-23.
Depois descreve o gênero literário e o trabalho de composição. "Provérbio" é a designação mais genérica: talvez aluda a 1Rs 5,12 (Salomão). Os três verbos avaliam a composição literária laboriosa.
12,10 A tarefa artesanal busca duas coisas: ensinar e agradar. "*Omne tulit punctum qui miscuit utile dulci*" (Horácio). Existe algo de apologético nessa nota do editor? Embora inconformista, Coélet disse a verdade; se seu estilo agrada, não vale ficar nele.
12,11 "Aguilhões": o livro oferece uma verdade agradável na forma, porém agressiva na intenção. Assim são as sentenças dos sábios, que esporeiam e guiam o rebanho, cutucando. "Cravos": bem cravados na mente ou na memória, leves e firmes, mas que aguentam muita carga de sentido.
O "único pastor": ou é o autor – continuando a metáfora dos aguilhões e os arreios pendurados –, ou é Deus como fonte última da sabedoria.
12,12 Poderia ser lido como nova recomendação do editor do livro: diante dos muitos livros, é melhor ficar com um importante. Além disso, não se deve exagerar a sabedoria (7,16.23) nem o estudo; é preciso tirar resultado do trabalho e desfrutá-lo.
12,13 O editor abandona a apresentação e recomendação sobre o autor, para acrescentar algo por própria conta. Algo que não concorda facilmente com as ideias de Coélet, e que mais se parece com Ben Sirac. O "homem" se encontra entre duas sentenças sobre Deus: seus mandamentos na frente, seu julgamento atrás. É esse o lugar do homem, segundo o editor.
12,14 Sl 58,12; Rm 2,16.

CÂNTICO DOS CÂNTICOS

INTRODUÇÃO

Temas do Cântico dos Cânticos

a) Tema conjugal

Duas vezes São João diz na sua primeira carta: "Deus é amor" (4,8.16). Não se disse coisa mais alta de Deus. Nem do amor. Além disso, o amor ancora o homem em Deus: "Quem permanece no amor permanece em Deus e Deus nele" (4,16).

De que amor fala São João? Alguém responderá que se trata do amor puríssimo a Deus, e citará: Amemos a Deus, "porque ele nos amou primeiro" (4,19). Mas pode-se rebater com outra citação: "Se alguém diz que ama a Deus mas odeia o próprio irmão, mente" (4,20).

De que amor ao próximo se fala aqui? Alguém pensará que se trata de um amor espiritual ou espiritualizado, vitorioso sobre a atração e desejo corporal. E isso não é certo. Ou então, de um amor suprapessoal e generalizador, uma espécie de amor à humanidade, sem encontrar-se com pessoas concretas. E isso não é certo.

Pensemos no paradigma do amor, o amor de marido e mulher. Na misteriosa descoberta do outro, a quem dar-se sem perder-se, realizando a plenitude na união. O estranho sair de si, êxtase, para encontrar-se em outro. A força criadora, o poder fecundo, o momento eterno. A ânsia, o gozo e a vitória sobre o temor: "No amor não há lugar para o temor; ao contrário, o amor desaloja o temor" (1Jo 4,18a).

b) Tema pessoal

Plenitude da união pessoal que, partindo de dentro, de um centro, ilumina e transfigura o mundo, elevando-o à conjunção humana do amor: primavera, folhagem, flores e frutos, bosques e jardins, pássaros, vales e montanhas, astros e constelações. O amor os menciona, e mencionando os coloca concêntricos a si mesmo.

Disso nos fala este brevíssimo livro, coleção de canções para um casamento, diálogos de noivos recordando e esperando. Na semana que se segue ao casamento, os noivos são rei e rainha: se ele é Salomão, ela é Sulamita; se ele é "pastor de açucenas", ela é "princesa dos jardins". Cantos com dois protagonistas em pé de igualdade. Ele e ela, sem nome declarado, são todos os casais que repetem o milagre do amor.

O tema pessoal domina tudo: "leva-me contigo, amor de minha alma, vem a mim, meu amado é meu e eu sou dele". E que densidade de sufixos possessivos, da primeira e segunda pessoas. Todo o resto é cenário ou símbolo, comparsas, irradiação e presença. Até o corpo é presença pessoal.

A pessoa é a totalidade, e não um reduto espiritual, incorpóreo. O amor do Cântico dos Cânticos bíblico crê no corpo, contempla extasiado o corpo, do amado e da amada, o canta e o deseja. Contempla-o como símbolo e síntese de belezas naturais: montanhas, árvores, animais. A beleza total e multiforme da criação reside no corpo cantado: gazelas, gamos, cervos, pombas e corvos, cordeiros, uma égua; também romãs e açucenas, palmeiras e cedros, e um montão de trigo; as piscinas, o Carmelo e o Líbano. E também a beleza que o homem fabrica: joias e taças, colunas e torres. Quase nos atrevemos a parafrasear: ao verem a beleza do corpo, os amados descobrem que o mundo é muito bom, como num repouso genesíaco.

A contemplação é caminho e pausa da posse. O prazer do amor sintetiza os de-

leites, sobretudo aromas e sabores. Aromas de bosques e jardins, de videiras e figueiras em flor, ou elaborados de mirra e incenso: "Desperta, aquilão; aproxima-te, austro, areja meu jardim, que exale seus perfumes". E os sabores: de uvas, maçãs e tâmaras, de mel e leite, e sobretudo de vinho.

c) Transcendência do amor

No êxtase do amor, os amantes parecem ocupar e encher todo o livro, como protagonistas únicos, como único protagonista. É verdade que a canção evoca outras figuras: pastores e sentinelas, escolta, espectadores da dança. Mas chega o momento da solidão, de "expulsar as raposas", do aviso às moças; o momento do sono do amor "até que ele queira".

Poderíamos pensar que o amor se esgota em si mesmo, se justifica a si mesmo, nega o resto. Mas chega um relâmpago que evoca as duas escuridões, o Abismo e a Morte. E no relâmpago a grande revelação: "labareda divina".

O amor é grande, é invencível, porque é fogo que vem de Deus, e vem de Deus porque "Deus é amor". O Cântico dos Cânticos bíblico canta um amor intenso, único, exclusivo de um homem e uma mulher: "uma só é a minha pomba", "minha vinha é só para mim". Se esse amor, sem perder intensidade, pudesse abranger e abraçar todos os seres humanos, esse amor seria a mais alta "encarnação" do amor de Deus, de Deus amor. Assim o entende Paulo em Ef 5,32.

Quem se atreve a descrever a alegria do céu, a união plena e definitiva com Deus? E não seria tão difícil: o céu é amor; e por isso o amor é céu. "A alegria que encontra o marido com sua esposa, Deus a encontrará contigo" (Is 62,5b).

O amor deste livro ainda tem resquícios de temor e dor: raposas que estraçalham, surpresas noturnas, chamar em vão, buscar sem encontrar, a fascinação desarmada... Ainda não é perfeito. Mas precisamente em seu limite nos descobre um amor sem limite, sem sombra nem lembrança de temor, a plenitude de amar a Deus e amar tudo nele.

d) Estilo

O estilo do livro se adapta ao tema. É rico em imagens e comparações, e se compraz em expressões de duplo sentido, bem fáceis no tema erótico, cuida muito da sonoridade, pois as canções eram cantadas ou recitadas. A versão portuguesa tenta recriar uma sonoridade agradável, com os recursos de nossa língua. Quanto ao ritmo, escolhi o ritmo acentuado de nosso cancioneiro tradicional.

Diversas interpretações do livro

a) A teoria cultual pretendeu explicar o livro como o texto de uma liturgia em honra de Osíris, ou de Ishtar, ou de Adônis-Tamuz, ou de Baal e Astarte. Ao ser admitido na Bíblia, o texto teria sido secularizado. Essa teoria postula muitos pressupostos e não explica satisfatoriamente o texto.

b) A teoria dramática. Partindo de versos claramente pronunciados por personagens diferentes, busca no livro o desenvolvimento de um drama. Conforme uma versão, há dois personagens: o rei Salomão apaixonado por uma moça de aldeia. Em outra versão, há um triângulo: a moça está apaixonada por seu pastor e rejeita todas as propostas e ofertas do rei. Os comentaristas não conseguem identificar o desenvolvimento de um verdadeiro drama.

c) Cantos para a celebração de casamento. A teoria se baseia na semelhança de várias passagens do Cântico com práticas de aldeães sírios. As semelhanças são indubitáveis. Mas os costumes citados são modernos e há passagens do Cântico que não encaixam na suposta celebração.

d) Coleção de canções de amor. Apresenta-se em duas variantes. Os que pensam numa coleção sem nenhum princípio de ordem. Os que pensam que o colecionador quis impor certa unidade com várias técnicas: frases repetidas como leitmotiv, frases ou temas repetidos por ele ou por ela como num jogo de espelhos, um clímax no capítulo 8. Os autores não coincidem no modo de dividir ou agrupar os poemas.

Eu prefiro a última explicação.

Interpretação alegórica

a) Já entre os rabinos, o livro foi lido como alegoria do amor de Yhwh por Israel, segundo tradição profética. E dividiram seus poemas segundo as etapas da história de Israel.

b) Entre os cristãos, o ponto de partida foi Ef 5. O livro foi lido como alegoria do amor do Messias Jesus à Igreja. A partir da figura coletiva da Igreja, moveram-se em duas direções: o amor do Filho de Deus por uma natureza humana, e o amor do Messias por membros individuais da Igreja. Entre eles estão Maria, as mártires, as virgens (em sua consagração), a alma (em figura feminina) e místicos.

Creio que hoje se pode fazer a leitura alegórica, contanto que se apóie numa base firme de sentido literal.

Autor e data

Nada sabemos ao certo sobre o autor ou autores das canções ou sobre o autor da coleção. Sobre a atribuição a Salomão, direi algo ao comentar o primeiro versículo.

Os indícios para datar as canções ou a coleção final se opõem: Tersa foi capital antes de 876 a.C., a palavra persa pardes não pode ser anterior ao século sexto. Alguns autores descobrem diferenças de estilo e linguagem ao longo do texto. Também se baseiam nas diferentes localizações para postular origem diferente das canções.

Têm-se buscado e apresentado paralelos de povos antigos, especialmente o Egito. Não menos significativos podem ser os paralelos de nossas literaturas.

1

¹O melhor cântico de Salomão.

Beijos

²Que me beije com beijos de sua boca!
São melhores que o vinho teus amores,
³é melhor o odor de teus perfumes.
Teu nome é como um bálsamo fragrante,
e de ti se enamoram as donzelas.
⁴Ah, leva-me contigo, sim, correndo,
conduze-me à tua alcova, rei meu:
para celebrar contigo nossa festa
e louvar teus amores mais que o vinho!
Com razão se enamoram de ti!

Diálogo

ELA ⁵Tenho a tez morena, mas formosa,
jovens de Jerusalém,
como as tendas de Cedar,
os pavilhões de Salomão.
⁶Não repareis minha tez morena,
é que o sol me bronzeou:
aborrecidos comigo, meus irmãos de mãe
me puseram a guardar suas vinhas;
e minha vinha, a minha, eu não a soube guardar.
⁷Avisa-me, amor de minha alma,
onde pastoreias, onde recostas
teu rebanho na sesta,
para que eu não vá perdida
pelos rebanhos de teus companheiros.

ELE ⁸Se não o sabes,
tu, a mais bela das mulheres,
segue as pegadas das ovelhas,
e leva a pastar teus cabritos
nos apriscos dos pastores.

1,1 A designação cântico ou canção é genérica, como em português. Cântico dos Cânticos é tradução literal da forma hebraica de um superlativo relativo. Não passa de lenda que o seu autor seja Salomão e que o tenha composto para o seu casamento com uma princesa egípcia. Uma engenhosa e fantástica teoria diz que Salomão quando jovem compôs o Cântico, já maduro os Provérbios, e na velhice o Eclesiastes.
Nota ao começar o comentário: O texto hebraico contém muitas palavras e expressões duvidosas, enigmáticas. Os comentaristas têm de recorrer a conjecturas e geralmente não estão de acordo. O texto hebraico está escrito todo seguido: divisões e títulos são obra do comentarista e são por si um importante começo de comentário. Cada um oferece o seu, e não o pode impor.

1,2 O verbo hebraico inicial coincide aqui foneticamente com regar ou dar de beber. Bem cedo começam os jogos sonoros.

1,3-4 Começa a presença envolvente de aromas e sabores, do vinho. Joga com a assonância de nome/fama com óleo/perfume: *shem* e *shemen*, como Ecl 7,1. Corrigindo o hebraico de "louvar", temos "embriagar-nos"; mas a menção do amor soa bem na festa.

1,5-2,7 Uma série de unidades, que outros separam, parecem unidas pelo recurso do diálogo e pelo movimento final em direção ao abraço e repouso.

1,5 Cedar é uma tribo de beduínos; suas tendas são ásperas e de cor escura, ao passo que os pavilhões ou cortinados do palácio são elegantes.

1,6 As moças de Jerusalém avaliam a brancura como parte da beleza feminina. As tarefas do campo, sob o sol ardente, atentam contra esse ideal de beleza, que a protagonista não assimila. Os irmãos se sairão melhor no final, 8,8s. Começa o jogo metafórico que antigos poetas chamaram de vinha = menina.

1,7 Os companheiros podem ser um perigo, e ela só busca o seu pastor.

⁹Amada, tu és parecida com a égua
do carro do Faraó.
¹⁰Que belas tuas faces com os pendentes,
teu pescoço com os colares!
¹¹Nós te faremos pendentes de ouro,
incrustados de prata.

ELA ¹²Enquanto o rei estava em seu divã,
meu nardo difundia seu perfume.
¹³Meu amado é para mim
uma bolsa de mirra
que descansa em meus peitos;
¹⁴meu amado é para mim
como um ramo florido de cipreste
dos jardins de Engadi.

ELE ¹⁵Como és formosa, minha amada,
como és formosa!
Teus olhos são pombas.

ELA ¹⁶Como és formoso, meu amado,
que doçura e que feitiço!
¹⁷Nossa cama é de ramagens
e as vigas da casa são de cedro,
e o teto de ciprestes.

2 ¹Sou um narciso de Saron,
uma açucena dos vales.

ELE ²Açucena entre espinhos
é minha amada entre as jovens.

ELA ³Macieira entre as árvores silvestres,
é meu amado entre os jovens:
à sua sombra quisera sentar-me
e comer de seus frutos saborosos.
⁴Levou-me à sua adega,
e contra mim
desfralda sua bandeira de amor.
⁵Dai-me força com passas
e vigor com maçãs:
desfaleço de amor!
⁶Põe-me tua mão esquerda
sob a cabeça
e abraça-me com a direita.

ELE ⁷Jovens de Jerusalém,
pelas cervas e gazelas dos campos,

1,9 A égua, animal régio, belo de formas, 2Cr 1,16. Ver Ez 16,10-14.
1,14 Em vez de "cipreste", poderia ser alfena. Engadi é um oásis ao noroeste do mar Morto, proverbial por seu encanto. O nome significa em português Fonte do Cabrito.
1,15 "Pombas" ou "de pombas".
1,17 Esse versículo pode ser posto na boca dele. Descreve um refúgio retirado na floresta, ao ar livre e coberto por árvores frondosas.
2,1-7 O movimento contemplação – desejo – posse repete-se várias vezes no livro.
2,1 Os 14,5.
2,2-3 Pode-se entender como ponderação: a diferença entre a açucena e os espinhos, entre uma árvore frutífera e outras silvestres. A sombra fala de proteção, mas a amada não se conforma com ela.
2,4 "Adega" ou sala do banquete. A bandeira ou insígnia pode referir-se a ele ou ao salão. Prefiro o primeiro. Sutilmente sugere uma milícia, cujo estandarte é amor. Também é o sinal do palanquim, 3,9.
2,7 Creio que essa invocação é pronunciada por ele, como em 8,4, quase em inclusão maior. Em 3,5 é duvidoso quem a pronuncia, provavelmente ela.

eu vos esconjuro: não incomodeis,
não despertareis o amor,
até que ele o queira.

Primavera

ELA
⁸Ouvi, pois chega meu amado
saltando sobre os montes,
pulando pelas colinas!
⁹Meu amado é como um gamo,
meu amado é um filhote de cerva.
Vede: parou atrás da parede,
espreita pelas janelas,
olha pelas grades.

¹⁰Meu amado fala e me diz:

ELE
"Levanta-te, amada minha,
formosa minha, vem a mim!
¹¹Porque passou o inverno,
as chuvas pararam e se foram,
¹²brotam flores na várzea,
chega o tempo de podar,
o arrulho da pomba
está se ouvindo nos campos;
¹³despontam os frutos na figueira,
a vinha em flor difunde perfume.
Levanta-te, amada minha,
formosa minha, vem a mim!
¹⁴Pomba minha que aninhas
nos buracos do rochedo,
nas gretas do barranco,
deixa-me ver tua figura,
deixa-me escutar tua voz,
porque é muito doce tua voz
e tua figura é formosa".
¹⁵Agarrai-nos as raposas,
as raposas pequeninas,
que devastam nossas vinhas,
nossas vinhas floridas.

ELA
¹⁶Meu amado é meu e eu sou dele,
do pastor de açucenas!
¹⁷Enquanto sopra a brisa
e as sombras se alongam,

2,8-14 A primavera, quando a vida ao redor desperta, como tempo do amor. Agora ela se encontra em casa, e cabe a ele vir encontrá-la. Antes de entrar espia curioso, talvez receoso. E a convida para sair ao campo, que convida os amantes com cantos de aves e aromas de plantas. Mas ela é esquiva, como pomba-trocal; ou de propósito finge ser esquiva, para provocar, até que ele prorrompe em seu pedido de ouvi-la e vê-la. No começo, era ela quem clamava: ouvi, olhai.
2,13 Repetirá o convite em 4,8; ali distante.
2,15 A versão portuguesa imita rigorosamente o ritmo do original.

Uns pensam que essas raposas devastadoras são outros pretendentes importunos. Por sua pequenez desprezível e seus efeitos funestos, poderiam referir-se a rixas, tensões, mal-entendidos entre ambos. É preciso tomar providências o quanto antes, para que não danifiquem o fruto já próximo.
2,16 Síntese concisa e perfeita; repete-se em 6,3. Tomo a partícula *be-* como regência do verbo apascentar (cf. Gn 37,2; 1Sm 16,11): ela é o campo de açucenas, a nova tarefa do pastor.
2,17 Ainda é dia, e ele deve apressar-se. Será diferente durante a noite que sobrevém.

retorna, amado meu,
imita o filhote de gazela
  por montes e quebradas.

Noturno

3 ¹Em minha cama, pela noite,
buscava o amor de minha alma:
eu o busquei e não encontrei.
²Levantei-me e percorri a cidade
pelas ruas e pelas praças,
buscando o amor de minha alma;
eu o busquei e não encontrei.
³Encontraram-me os guardas
que rondam pela cidade:
– Vistes o amor de minha alma?
⁴Mas apenas passei por eles,
encontrei o amor de minha alma:
agarrei-o e já não vou soltá-lo,
até levá-lo à casa de minha mãe,
à alcova daquela que me levou
  em suas entranhas.
⁵Jovens de Jerusalém,
pelas cervas e gazelas dos campos,
eu vos esconjuro: não incomodeis,
não desperteis o amor
  até que ele o queira!

Dia de casamento

⁶O que é isso que sobe pelo deserto
como coluna de fumaça,
como nuvem de incenso e de mirra
e perfumes de mercadores?
⁷É a liteira de Salomão!
Sessenta soldados a escoltam,
os valentes de todo Israel,
⁸todos carregam a espada ao flanco,
veteranos de muitos combates,
todos carregam a espada ao flanco
temendo surpresas noturnas.

3,1-4 Parece ser um sonho em voz alta. A cena da busca e do encontro e a união no quarto da mãe seria o tema do sonho. Isso explicaria a incompreensível escapada noturna e o encontro nos becos escuros. Se a canção quer descrever uma cena real, consegue torná-la irreal com o cenário inverossímil e estreitando os tempos. Em ambos os casos, canta a ânsia do amor por causa da ausência do amado.

3,6-11 Canto de núpcias. Arautos ou cortesãos o pronunciam. A noiva é transportada num palanquim enviado pelo rei, seu proprietário. Vai escoltada por um grupo aguerrido e armado, porque a viagem é perigosa, especialmente de noite. Quando entra na cidade, a população, especialmente as moças curiosas, são convidadas a contemplar a comitiva: a noiva que chega, o rei coroado para a cerimônia. A mãe é a rainha-mãe. Pode ser comparado em vários detalhes com o casamento real do Salmo 45.

3,6 A poeira do caminho se transfigura em nuvem de incenso. A caravana anuncia algo misterioso.

3,7-9 Quando se aproxima, as sentinelas a identificam, e observam especialmente a escolta. O palanquim real transporta algo importante.

⁹O rei Salomão
    mandou construir um palanquim
  com madeiras do Líbano,
¹⁰com colunas de prata,
    com encosto de ouro,
  com assento de púrpura,
    forrado de marfim por dentro.
¹¹Jovens de Jerusalém, saí,
  jovens de Sião, contemplai
  o rei Salomão
  com a coroa que sua mãe lhe cingiu
  no dia de seu casamento,
    dia de festa do seu coração!

Jardim

1. Corpo cantado

Ele 4 ¹Como és formosa, minha amada,
        como és formosa!
    Teus olhos de pomba, por entre o véu;
      teu cabelo é um rebanho de cabras
        descendo pelas ladeiras de Galaad.
    ²São teus dentes um rebanho tosquiado,
        recém-saído do banho,
      cada ovelha com seus gêmeos,
        nenhuma delas sem cordeiros.
    ³Teus lábios são fita escarlate,
        e teu falar, melodioso;
      tuas faces, entre o véu,
        são duas metades de romã.
    ⁴Teu pescoço é a torre de Davi,
        construída com silhares,
      da qual pendem milhares de escudos,
      milhares de adargas de capitães.
    ⁵São teus peitos
        duas crias gêmeas de gazela,
      apascentando-se entre açucenas.

3,9-10 A descrição do palanquim retarda habilmente. Em hebraico, a última palavra da descrição é duvidosa. Alguns a corrigiram para ler "marfim", em harmonia com os detalhes precedentes. O hebraico diz claramente "amor": como se a palavra mágica estivesse escrita incrustada no interior da liteira.

3,11 A coroa como enfeite nupcial: Is 62,3. Os que dão à canção um valor histórico identificam os personagens como Betsabeia e Salomão. Formosa lenda.

4,1-5,1 Estou reunindo artificiosamente três canções como três tempos em movimento, com seu desfecho feliz no final.

4,1-7 É curioso: os gregos, que cultivaram até o refinamento o nu plástico da escultura, não o tornam tema de seus versos. Os hebreus, esquivos para a representação plástica e pouco amigos do nu, neste livro o cantam com palavras. E o repetem: aqui, em 5,10-16, na cena da dança, 7,1-7. É um corpo transformado pelas comparações realistas, fantásticas, heterogêneas.

4,1 A cabeleira não presa, mas longa e solta, levemente ondulada; como cabras de pelo preto descendo juntas.

4,2 Não muito felizmente nos descreve o alinhamento das duas fileiras de dentes, sem nenhum vazio que diminua a formosura simétrica. Ainda está no mundo pastoril.

4,3 Salta para o mundo vegetal, à cor luminosa da romã cortada em duas metades: assim as faces.

4,4 Mais audaz é o salto para a arquitetura bélica. "Silhares" ou marco, sinal; o significado é duvidoso. Os escudos são os múltiplos círculos metálicos que compõem o colar suntuoso.

4,5 A comparação animal, belos animais não domesticados, traz encanto e ternura. Dá vontade de acariciar esses animais assustadiços.

⁶Enquanto sopra a brisa
  e as sombras se alongam,
vou ao monte da mirra,
  irei pela colina do incenso.
⁷És toda formosa, amada minha,
  e não tens um só defeito!

2. Vem

⁸Vem do Líbano, noiva minha, vem;
desce do Líbano,
desce do cume do Amaná,
do cume do Senir e do Hermon,
  das grutas de leões,
  dos montes de panteras.
⁹Tu me deixaste apaixonado,
  irmã e noiva minha,
me deixaste apaixonado
  com um só de teus olhares,
com uma volta de teu colar.
¹⁰Que belos os teus amores,
  irmã e noiva minha;
teus amores são melhores que o vinho!
E teus aromas são melhores
  que os perfumes.
¹¹Um favo que destila são teus lábios,
e tens, noiva minha, mel e leite
  debaixo de tua língua;
e a fragrância de tuas vestes
  é fragrância do Líbano.

3. Jardim

¹²Tu és jardim fechado,
  irmã e noiva minha;
és jardim fechado, fonte lacrada.
¹³Teus brotos são jardins de romãs
com frutos deliciosos:
¹⁴nardo e zimbro e açafrão,
canela e cinamomo,
com árvores de incenso, mirra e aloé,
com os melhores bálsamos e aromas.

4,6 "Se alongam" ou se afastam. Depois da contemplação a posse, indicada ainda como propósito.

4,8-11 A recusa ou resistência dela se expressa numa imagem hiperbólica. Habita em montanhas elevadas, entre animais selvagens e ferozes. O namorado tem de atraí-la, declarando seu amor, solicitando o dela. Assim a atrai ao beijo apaixonado.

4,8 São as montanhas mais altas que um habitante da Palestina conhece. Talvez as conheça só por ouvir falar, e isso basta para a hipérbole.

4,9 Paixão à primeira vista, nosso cupido.

4,10 Como um eco do que ela dizia no começo do livro, 1,2-3.

4,11 Leite e mel: produtos legendários da terra prometida; o mais refinado e delicioso em sua combinação.

4,12-5,1 Estamos já no claustro encantado de um jardim e parque. No centro, um poço fluente que subterraneamente se liga às neves celestes do Líbano. Jardim fechado: que ninguém entre. Ele apenas, voando com o ar, entra e passa e repassa arrancando aromas e perfumes das plantas. Ela a fonte lacrada, esperando por ele como em Pr 5,15-19. Para oferecer-lhe seus frutos. E ele afirma a posse numa corrente de possessivos "meu", e de verbos "venho", "recolho", "como", "bebo".

4,13 A tradução é duvidosa.

¹⁵A fonte do jardim
é poço de água viva
que desce do Líbano.

ELA ¹⁶Desperta, aquilão; aproxima-te, austro;
areja meu jardim,
para exalar seus perfumes.
Entra, amor meu, em teu jardim
para comer seus frutos deliciosos.

ELE **5** ¹Venho logo ao meu jardim,
irmã e noiva minha,
para recolher meu bálsamo e minha mirra,
para comer meu mel e meu favo,
para beber meu leite e meu vinho.
Comei e bebei, companheiros,
embriagai-vos, amigos meus.

ASSIM É O MEU AMIGO

1. Noturno

ELA ²Eu estava dormindo,
meu coração vigiando,
quando ouço meu amado que me chama:
"Abre-me, amada minha,
pomba minha sem mancha,
pois tenho a cabeça orvalhada,
meus cabelos, do sereno da noite".
³Já tirei minha túnica,
e vou pô-la de novo?
Já lavei os pés,
e vou sujá-los outra vez?
⁴Meu amor põe a mão pela abertura:
estremeço ao senti-lo,
⁶ᵇminha alma, ouvindo-o, se esvai.
⁵Já me levantei para abrir ao meu amado;
minhas mãos gotejam perfume de mirra,
meus dedos são mirra que flui
pela maçaneta da fechadura.
⁶ᵃEu mesma abro ao meu amado;
abro, e meu amado já se foi.
Eu o busco, e não encontro;
chamo, e não responde.
⁷Encontraram-me os guardas
que rondam a cidade.

5,2-6,3 Considero esses versículos uma unidade bem construída, com sua sequência de cenas e diálogos. A divisão em três partes é para encaminhar a leitura. Tudo acontece como num sonho ou sono leve. A intensidade da descrição cria no leitor a ilusão de realidade. Acontece ou está sonhando? Ou é uma história codificada das relações amorosas? Desejo incontido, resistência galante, abandono dele, desespero dela, busca afanosa, exposta a perigos; e encontro feliz, a sós.

5,2 Porque teve de caminhar para encontrá-la na casa dela. Ap 3,20.

5,3 Será certo, mas soa como desculpas em tal momento, ou como demora para excitar mais o amado.

5,4 Ou: "retira a mão" da abertura, disposto a ir embora, decepcionado.

5,6b Transferindo para cá este hemistíquio, obtenho um paralelismo coerente. No seu lugar atual, outros traduzem: "a minha alma suspirava por suas palavras".

5,7 Uma mulher de noite, sozinha pelas ruas não iluminadas, é suspeita, ou é desejada. A ação dos guardas é ambígua. Ela agora não repara em nada, só quer encontrá-lo. Mas agora é em vão.

Bateram em mim e me feriram,
tiraram-me o manto
as sentinelas das muralhas.
⁸Jovens de Jerusalém, eu vos esconjuro:
se encontrardes meu amado
dizei-lhe... O que lhe direis?...
Que estou doente de amor.

ELA ⁹O que distingue teu amado dos outros,
tu, a mais bela?
O que distingue teu amado dos outros,
para nos esconjurares assim?

2. Assim é o meu amigo

ELA ¹⁰Meu amado é branco e rosado,
saliente entre dez mil.
¹¹Sua cabeça é de ouro, do mais puro;
seus cabelos são cachos de palmeira,
pretos como os corvos.
¹²Seus olhos, duas pombas à beira da água
que se banham em leite
e pousam na margem da lagoa.
¹³Suas faces, canteiros de bálsamo
que exalam aromas;
seus lábios são lírios com mirra que flui.
¹⁴Seus braços, torneados em ouro,
engastados com pedras de Társis;
seu corpo é lavrado em marfim,
todo incrustado de safiras;
¹⁵suas pernas, colunas de mármore
apoiadas em pedestais de ouro.
Elegante como o Líbano,
juvenil como um cedro;
¹⁶sua boca é muito doce,
ele todo, pura delícia.
Assim é meu amado, meu amigo,
jovens de Jerusalém.

3. Encontro

ELAS **6** ¹Aonde foi o teu amado,
– mais bela de todas as mulheres –
aonde foi o teu amado?
Queremos buscá-lo contigo.

5,8-9 Falhando os guardas, dirige-se às companheiras, que compreenderão a situação. Isso dá lugar ao diálogo. Para buscá-lo e identificá-lo, elas têm de conhecer-lhe a figura. Assim entra suavemente a descrição enamorada e apaixonada que a amada faz do amado.

5,10-16 A descrição do corpo é também transfiguração, e não apenas traços realistas. Ocupam esse espaço as comparações de ourivesaria e arquitetura, sem que faltem plantas e animais. No final, a lembrança do beijo, fazendo eco a 4,11.

5,10 Cor de boa saúde, de vigor; ver Lm 4,7. A combinação de branco e vermelho se converte em um *topos* na poesia clássica das línguas latinas.

5,11 Ouro pelo valor ou pelos reflexos da tez.

5,12 Os olhos chamam mais a atenção: seu frescor líquido e transparente, sua mobilidade e seu repouso.

5,14 Perfeição das formas, solidez com o ornato das veias; tudo excepcional.

6,1-3 Elas se oferecem para acompanhá-la na busca; mas ela descobriu onde ele se encontra. As imagens do jardim e do pastor se sobrepõem livremente. O

Ela
²Meu amado desceu ao seu jardim,
aos canteiros de bálsamo,
o pastor de jardins para cortar açucenas.
³Eu sou de meu amado e meu amado é meu,
o pastor de açucenas.

Com bandeiras desfraldadas

I

Ele
⁴És bela, amiga minha,
como Tersa,
igual a Jerusalém tua formosura;
terrível como esquadrão
com bandeiras desfraldadas.
⁵Afasta de mim teus olhos,
pois me perturbam!
Teus cabelos são um rebanho de cabras
que descem
pelas encostas de Galaad;
⁶e a fileira de teus dentes
como um rebanho tosquiado,
recém-saído do banho:
cada ovelha com gêmeos,
e nenhuma sem cordeiros.
⁷Tuas faces, por entre o véu,
duas metades de romã.
⁸Se as rainhas são sessenta,
oitenta as concubinas,
sem-número as donzelas,
⁹uma só é a minha pomba, sem defeito;
uma só, predileta de sua mãe.
Ao vê-la, as jovens a felicitam,
e as rainhas e concubinas a louvam.

Elas
¹⁰Quem é essa
que surge como a aurora,
formosa como a lua
e límpida como o sol,
terrível como esquadrão
com bandeiras desfraldadas?

---

poema termina com a profissão de entrega mútua e exclusiva, como em 2,16.

6,4-10 Esse é um poema transcendente, com um termo duvidoso repetido no início e no fim: *degalim*. Seu significado próprio é militar: bandeira ou estandarte que agrupa uma companhia ou esquadrão. Se estamos em terra, são as tropas ameaçadoras que defendem as duas capitais. Se estamos no céu, onde os astros são os exércitos de Deus, os esquadrões são as constelações. Em honra da amada, o poema abrange as duas capitais e o mundo celeste.
Assim, entra no livro o importante tema do terror que, com a fascinação, compõe os dois polos do amor. A amada é bela, todas o reconhecem; mas é terrível e perturba. O amante se refugia na beleza, brevemente, como reprimindo a perturbação. Mas o louvor final recolhe o tema do terror e o exalta em nível estelar.
O poema também opõe ao harém real o amor único e exclusivo. Um tema que retornará no fim, 8,11s.
6,4 Tersa foi capital do reino do Norte até meados do século IX. Significa "Agradável".
6,5-7 Repete um fragmento de 4,1-5.
6,8 Pode-se comparar com Sl 45,10.
6,9 O hebraico insiste por paralelismo: "que a deu à luz". Não significa, creio eu, que não teve outras filhas, mas que expressa enfaticamente a predileção.
6,10 Talvez a visão da mulher celeste de Ap 12,1 se tenha inspirado nesse versículo.

II

ELA ¹¹Desci ao jardim das nogueiras
para examinar os brotos do vale,
para ver se as videiras floresciam,
para ver se já se abriam
os botões das romãzeiras;
¹²e, sem sabê-lo,
me encontrei na carruagem
com meu príncipe.

EU TE DAREI O MEU AMOR

1. Dança

CORO **7** ¹Volta-te, volta-te, Sulamita;
volta-te, volta-te, para que te vejamos.
ELA O que olhais na Sulamita
quando dança entre dois coros?
CORO ²Teus pés formosos nas sandálias,
filha de príncipes;
essa curva de tuas cadeiras como joia,
trabalho de ourives;
³teu umbigo, uma taça redonda,
transbordando licor,
e teu ventre, montão de trigo,
rodeado de açucenas;
⁴teus peitos,
como crias gêmeas de gazela;
⁵ᵃteu pescoço é uma torre de marfim;
⁶ᵃtua cabeça se ergue
semelhante ao Carmelo;
⁵ᵇteus olhos, duas piscinas de Hesebon,
junto à Porta Maior;
é o perfil de teu nariz
como a saliência do Líbano,
que olha para Damasco;
⁶ᵇteus cabelos de púrpura,
com suas tranças, enlaçam um rei.
ELE ⁷Como estás formosa, que linda,
que delícia em teu amor!

2. Eu te darei o meu amor

⁸Teu talhe é de palmeira;
teus peitos, dois cachos.

6,11-12 Não sei com certeza se é ela ou ele que fala. Ninguém conseguiu averiguar quem é o misterioso Aminadab (outra tradução do v. 12b). Resta amplo espaço para conjeturas.

7,1-7 (ou 1-6) Formam-se duas filas compactas, "dois acampamentos", entre os quais ela se exibe num solo de dança. Um diálogo breve põe em marcha o movimento. E a contemplação, que começa pelos pés, vai subindo agradável até a cabeça. O começo é muito ritmado.

7,3 Deixando a comparação de ourivesaria, surpreende-nos a visão de um montão de trigo que recebe e fragmenta a luz em milhões de granulações, que a certa distância exibe uma curva doce e regular. Ornado por flores que rendem homenagem ao trigo: o silvestre homenageando o agrícola. Com a imagem, sugere um ventre que um dia será fecundo?

7,6b Os cabelos soltos evolucionam na dança. Ela se exibe diante de todos, mas dança para um: para o rei que fica presa nos cabelos dela.

7,7 Pode-se ler como resposta conclusiva dele, como começo de um comentário mais amplo, 7,7-10.

7,8-14 Breve diálogo. A beleza contemplada excita o desejo de posse, culminante no beijo. A imagem é de sabores, frutas e vinho. Ele faz eco ao desejo dela

⁹Eu pensei: subirei à palmeira
para recolher suas tâmaras;
teus peitos são para mim
como cachos de uvas;
teu hálito, como aroma de maçãs.
¹⁰Ai! tua boca é um vinho generoso
que flui acariciando
e me molha os lábios e os dentes!

ELA ¹¹Eu sou de meu amado
e ele me busca cheio de paixão.
¹²Amado meu, vem, vamos ao campo,
ao abrigo dos zimbros
passaremos a noite,
¹³madrugaremos para ver as vinhas,
para ver se as videiras já florescem,
se já se abrem as gemas
e se as romãzeiras dão flores,
e aí te darei meu amor...
¹⁴Perfumam as mandrágoras
e mil frutas saborosas há junto à porta,
frutas secas e frescas
que eu guardei para ti, meu amado.

3. Não despertais o amor

8 ¹Ah, se fosses meu irmão
e criado nos peitos de minha mãe!
Ao ver-te pela rua
eu te beijaria sem medo de caçoadas,
²e te levaria à casa de minha mãe,
à alcova em que me criou,
eu te daria a beber vinho perfumado,
licor de minhas romãzeiras.
³Põe tua mão esquerda sob minha cabeça
e me abraça com a direita.

ELE ⁴Jovens de Jerusalém, eu vos esconjuro:
não incomodeis,
não despertais o amor
até que ele o queira!

Sob a macieira

⁵Quem é essa que sobe do deserto,
apoiada em seu amado?

---

expresso em 2,3. Ela está disposta a entregar-se, e para isso convida o amado a sair para o campo, fazendo eco a ele, que em 2,10 a convidava a sair.

7,12 Outros traduzem "aldeias" onde eu traduzo "zimbros". Creio que os amantes buscam um lugar despovoado e frondoso, como em 1,15s. Lugar do encontro a sós.

7,14 Envoltos em perfume de mandrágoras, que se julgavam dotadas de poderes afrodisíacos.

8,1-4 Dois jovens se beijando em público era coisa malvista, e ela não aguenta de vontade de beijá-lo.

Por isso lhe brota essa fantasia: é seu irmão também materno, e não é escandaloso beijá-lo, e mesmo introduzi-lo na casa materna. Imagina com intensidade o que acontece lá dentro. Sente o abraço dele e escuta suas palavras, as mesmas de 2,7 e 3,5.

8,5 Texto difícil, talvez fragmentário. Não conseguimos unir as duas peças. O mais importante é a alusão à maternidade esperada, ao relevo das gerações na perpetuidade do amor. Ela é o fruto de um amor, do mistério que se consumou debaixo da macieira. O cenário vegetal, a florida presença da árvore, a lembrança de conceber e levar no seio, conferem

Sob a macieira te despertei,
aí onde tua mãe te deu à luz
com dores de parto.

Chama divina

⁶Grava-me como selo em teu braço,
como selo em teu coração,
pois o amor é forte como a morte,
a paixão é cruel como o abismo;
é centelha de fogo, labareda divina;
⁷as águas torrenciais
não poderão apagar o amor,
nem os rios afogá-lo.
Se alguém quisesse comprar o amor
com todas as riquezas de sua casa,
se tornaria desprezível.

Sou uma muralha

⁸Nossa irmã é tão pequenina
que ainda não lhe cresceram os seios.
O que faremos com nossa irmãzinha
quando vierem pedi-la?
⁹Se é uma muralha,
lhe poremos ameias de prata;
se é uma porta,
a protegeremos com pranchas de cedro.
¹⁰Sou uma muralha,
e meus peitos são os torreões;
mas eu serei mensageira de paz para ele.

A vinha de Salomão

¹¹Salomão tinha uma vinha
em Baal-Hamon;
ele a deu aos parceiros para guardar,
aos que lhe trazem de seus frutos,
cada um mil siclos de prata.
¹²Minha vinha é só para mim;
para ti, Salomão, os mil siclos,
e dá duzentos aos parceiros.

à árvore uma aura quase sacerdotal. A amada é testemunho presente de um amor passado, é elo de uma corrente que se prolongará.

8,6-7 Este é o cume do livro. Quando pela única vez se pronuncia o nome apocopado *Yah*, como adjetivo. Quando se evocam os poderes imbatíveis de Morte e seu reino, o Abismo. Quando os elementos fogo e água combatem, e o fogo vence. Um amor de tais dimensões não se vende nem se compra.
Pode-se pôr na boca de ambos (embora em hebraico o "teu" seja masculino), como dueto culminante. O selo pode ser imaginado como peça solta, no pulso ou no peito, ou como marca impressa no corpo.

8,8-10 No fim, falam os irmãos, que a trataram tão mal no começo (1,6). Embora pequena, já tem pretendentes, e alguns excessivamente empreendedores. Deve ser protegida como cidade amuralhada. Mas por que prata e cedro? Não é provocar mais o desejo? Coisas muito valiosas se escondem quando tais são as defesas. Ela tem a palavra, porque sabe defender-se com sua beleza. Resistirá a todos, mas entregará a ele a praça.

8,11-12 Retorna a imagem inicial da vinha, 1,6. O rei possuía um harém numeroso, 1Rs 11,3; Hamon pode significar multidão. Pode ceder algumas concubinas a seus ministros, a preço razoável: esse amor, sim, se compra. Para ele, vale mais o amor de uma só.

Senhora dos jardins

¹³Senhora dos jardins,
  meus companheiros te escutam;
  deixa-nos ouvir tua voz.
¹⁴Apressa-te, meu amor,
  como o gamo, o filhote de gazela,
  pelos montes de bálsamo.

8,13-14 Estranho final, se tomamos o verbo hebraico em seu significado normal de fugir. Pelo tema, faz eco ao poema Primavera, 2,14.17. A interpretação fica fácil, se supomos que o verbo significa aqui apressar-se. Traduzo o particípio por senhora ou princesa. Última visão do livro: um gamo fugindo pelos montes de bálsamo.

SABEDORIA

INTRODUÇÃO

Este é o último livro do AT e seu mais importante tratado de "teologia política". Se preferirmos, é um tratado sobre a justiça no governo, com argumentação teológica e orientação doutrinal. Nem manual prático nem tratado profano.

O tema da justiça no governo é de boa ascendência sapiencial: Pr 16,12. Não é uma fantasia absurda dirigir-se aos governantes, israelitas ou estrangeiros, que queiram ler: Est; Dn. Nosso autor o faz talvez de consciência mais lúcida e também com maior acerto. Não é estranho que sua obra tivesse mais leitores judeus que pagãos, mais súditos que governantes; os que governam são sempre minoria.

O discurso sobre a justiça, sobretudo quando crítico, muitas vezes é provocado pela prática da injustiça, especialmente da "injustiça estabelecida", de quem "decreta injustiças invocando a lei" (Sl 94,20). Além das perseguições bem conhecidas, por exemplo a de Ptolomeu II, é provável que os judeus da diáspora alexandrina tivessem de sofrer discriminações, opressão e vexames pelas mãos de governantes gregos ou romanos; também pode ser que alguns judeus renegados e influentes se tenham somado a esses opressores. O livro não especifica a raça dos destinatários, pois quer atravessar fronteiras (6,1). A denúncia profética se torna aqui crítica sapiencial.

Qualquer homem que tenha autoridade e governo tem como função exercer e garantir a justiça. Nenhum homem é soberano em sentido estrito, nem o próprio rei, pois todos recebem o poder do próprio Deus, a quem deverão prestar contas nesta vida ou na outra (6,1-11). Com esse julgamento, Deus quer fazer a justiça prevalecer no governo. A história, com seus repetidos julgamentos de salvação e condenação, prova que Deus exige contas; o julgamento histórico antecipa e comprova o julgamento escatológico.

E como cumprirá um governante sua missão de justiça? Responderá um Salomão fictício, que recebeu de Deus sabedoria para governar (1Rs 3). Deus, que dá ao governante a missão de garantir a justiça, lhe dará também a prudência para que cumpra sua missão. Mas o governante tem de amá-la, abrir-se a ela, pedi-la (caps. 7-9).

Pois bem, a sabedoria "política" é um aspecto de uma sabedoria inclusiva e transcendente, que abrange toda a atividade humana e até faz de sua justiça um momento intermédio para a elevação do homem ao reino e à imortalidade (5,15s).

O contrário da sabedoria é a idolatria. Com sua falsificação da divindade, gera todo tipo de injustiça, tranquiliza enganosamente o tirano ou lhe serve como instrumento de poder, degrada o homem. Idolatria é pensar mal a respeito de Deus e é incompatível com a sabedoria.

O autor realiza em seu tratado uma conjunção de culturas. Está embebido dos escritos do AT, que lê na tradução grega dos LXX; aquilo que assimilou tão bem lhe sai de muitas formas, controladas ou espontâneas. Como temas e motivos literários, como pauta camuflada, como alusão inteligente. Conhece também uma cultura filosófica grega, especialmente em sua corrente estoica; filosofia em estado de cultura pouco profunda. Isso lhe basta para casar concepções com audácia ou

engenho, com força sugestiva. O autor é mediador sereno. Justos e ímpios da primeira parte não têm nacionalidade, os personagens do cap. 10 perdem o nome, os israelitas da terceira e quinta parte são tipos da historia magistra.

O que acontece com o pensamento acontece também com o estilo. Os recursos hebraicos do paralelismo, da frase paratática, do comentário midráxico são evidentes. Não menos o são os recursos gregos: palavras compostas, rebuscadas, multiplicação de sinônimos, adjetivação refinada, aliterações, paronomásias, rimas, jogos de palavras. A simbiose de uma tradição hebraica com uma alexandrina gera uma obra original, às vezes sobrecarregada e reiterativa, artificiosa, com demonstrações de artesanato estilístico, rica em surpresas e agudezas de engenho.

O título tradicional do livro, Sabedoria de Salomão, é justificado e capcioso. Justificado, porque o livro pertence ao grupo ou corrente "sapiencial", amparado no patronato de Salomão. Entronca com os Provérbios, parece polemizar contra o Eclesiastes, tem coincidências notáveis com Ben Sirac (= Eclo) e algum contato com Jó. Dou alguma referência seleta:

Jó	Sb	Pr	Sb
9,12	12,12	1,7	3,11
19		1,21	8,3
9,25-26	5,9-11	3,12	11,10
29,9-10	8,12	8,11	7,9
21-23		23,18	2,16

Eclo	Sb	Ecl	Sb
6,27	8,21	9,5	2,4
23,25	4,3-5	8,8	2,1
16,3-4	4,1	6,12	2,5
41,8-10	3,12	9,1	7,16

A Sabedoria ocupa no livro posição altíssima (em continuidade com Pr 8 e Eclo 24). Alta, mas não exclusiva nem central. A partir do cap. 11 a Sabedoria desaparece, exceto algumas menções. Ao invés, a justiça atravessa o livro do começo ao fim: justiça, injustiça, justos e injustos, julgamento. Um título temático do livro seria: "Aos governantes: sobre a justiça".

Quanto a Salomão, aparece por ficção retórica nos caps. 7-9. Não há outra razão interna para pôr seu nome no título. O autor é anônimo. É muito provável que tenha vivido em Alexandria. A data de composição parece ser o tempo de Cristo ou algum decênio antes. Tem muitas coincidências com passagens do NT, sobretudo com Paulo e sua escola.

Julgamento definitivo

A justiça é imortal

1 ¹Amai a justiça, vós que governais a terra;
pensai corretamente do Senhor e buscai-o de coração inteiro.

Julgamento definitivo

1-5 O livro da Sabedoria se abre com uma frase temática no imperativo: destinatários do livro são os governantes, objeto é a justiça, atitude é o amor. 6,1-11 recolhe e amplia essa exortação; por isso, poderíamos delimitar a primeira parte do livro em 6,11. Mas essa seção se liga com a segunda parte, passando da justiça à sabedoria, e se pode ler como ligação com função de novo começo. Assim, consideramos os capítulos 1 a 5 como primeira parte do livro. É convicção unânime dos diversos corpos do AT que reis e governantes tenham por função principal o exercício da justiça: legislação, narração, profecia, salmos, sapienciais.

Aí Deus mesmo se apresenta como exemplo e garantia, às vezes recorrendo à retribuição; vários salmos definem o Senhor precisamente por seu amor à justiça, Sl 11,7; 33,5; 37,28; 99,4, e é normal que o oprimido apele ao tribunal supremo de Deus contra os opressores. No Sl 82 a queda e a morte dos falsos deuses são motivadas por sua injustiça. O autor liga o amor à justiça com a reta imagem que se tem de Deus e com sua inteira atitude religiosa.

Mas o homem, especialmente o governante e o poderoso, prefere a injustiça. Em algum caso, semelhante atitude nascerá de uma falsa ideia de Deus; em outros casos, a falsa ideia de Deus nascerá desse amor à injustiça. O autor vai atacar tais posições. Primeiro, dando uma ideia "correta" de Deus; segundo, desenvolvendo com amplidão diversos aspectos da retribuição. Faz isso trasladando-se ao horizonte de uma retribuição escatológica.

a) Pensar corretamente de Deus. Ao princípio de que Deus não vê, não percebe, não se ocupa, não age, o autor do livro contrapõe o princípio de um Deus que sabe, vigia, sentencia, premia e castiga (cap. 1).

b) Quanto à retribuição, a doutrina tradicional a situava nesta vida. A doutrina entrou em crise nos dois grandes livros inconformistas, Eclesiastes e Jó. Às objeções já conhecidas, os perversos deste livro acrescentam algo mais refinado: com seu poder, eles podem cortar violentamente a vida do justo, e de um só talho cortam a validade de dois prêmios: a vida longa e a proteção de Deus.

Se ficasse fechado no horizonte desta vida, o autor não poderia responder facilmente a razões tão decisivas. Mas ele o supera triunfalmente: há uma retribuição escatológica que restaura as dimensões e os valores do presente, ao menos com a compensação do futuro.

O autor desenvolve isso com agradável amplitude: o tema da vida e da morte, o sem-sentido de uma vida desenfreada e o sentido de uma morte violenta, o valor de uma esterilidade honrada e o fracasso de uma fecundidade perversa, o contrapeso escatológico de uma vida curta e fracassada e o desencanto trágico de uma vida intensa.

A primeira parte, embora representada pelos dois grupos contrários, é dominada pela ideia transcendente da Justiça. a) A justiça autêntica, de Deus e do justo e dos justos, que é luz do homem (5,6) e arma de Deus (5,18), à qual se opõe a falsa justiça dos perversos, que consiste em sua força e poder (2,11). Na sequela dessa justiça genérica se encontra o julgamento, com seus termos judiciais próprios ou metafóricos: diante do falso julgamento contra o justo, armado pelos ímpios, e através dele, Deus submete o justo à prova e faz com que seja triunfador.

Num plano paralelo se encontra a avaliação intelectual (que nós chamamos também de julgamento), concretamente o falso discurso e arrazoado dos perversos (1,3.5; 2,1. 21; 3,2.10).

b) E assim passamos à segunda magnitude transcendente dessa parte, que será a primeira na seção seguinte, a Sabedoria. Qual a relação entre as duas? Alguns textos dão a entender que a atitude de injustiça impede o homem de receber a sabedoria (sobretudo o cap. 1), enquanto outros textos dão a entender que a sabedoria é o caminho da justiça. Talvez devamos falar de uma relação dialética.

c) A terceira magnitude transcendente é a Vida, tema de todo o livro. O que está em jogo é a vida e a morte, discute-se o sentido da vida e da morte. A vida é criação de Deus, a morte vem através da injustiça. A justiça é imortal; no entanto, uma vez que entraram a injustiça e a morte, a vida toma a nova forma de vida futura, que implica a ressurreição. Justiça, Sabedoria e Vida são a constelação que Deus oferece, ao passo que injustiça, erro e morte são a porção dos perversos. Não é em vão que o autor lança mão de formas dramáticas e fala em tom patético.

1 Uma inclusão maior enquadra o capítulo: "amai a justiça... a justiça é imortal" (vv. 1.15). Outra inclusão (vv. 2 e 13-14) tem Deus como sujeito: é acessível, é autor da vida, não da morte. O desenvolvimento é admoestação, denúncia e ameaça, a última de cunho judicial.

O Senhor (vv. 1.7.9) é substituído por uma personificação que se distingue imperfeitamente dele. Essa personificação se chama *Sophia*, Sabedoria, e também Espírito do Senhor, santo, educador, amigo do homem. Um único termo poético abrange assim várias realidades: o Espírito mesmo de Deus, o espírito com força e coesão do universo, o espírito que penetra no homem para torná-lo sábio. São perceptíveis as reminiscências de Gn 1 e 2. Mas esse espírito, que ordena soberanamente o universo, encontra resistência no homem, a quem ele o ama; assim surgem o drama e a tragédia. Encontra incompatibilidades, escravidão, rebeldia, protestos. Excluindo de si o alento vital da sabedoria, o perverso abre passagem à morte, que é seu trágico destino.

1,1 É notável o verbo inicial "amai". Ver Sl 45,8, o rei; Is 61,8; repetem-no Sl 11,7; 33,5; 37,28. Dirige-se a quantos em todo o mundo têm a função de mandar.

²Os que não exigem provas o encontram,
e ele se revela aos que não desconfiam.
³Os raciocínios retorcidos afastam de Deus,
e seu poder, submetido à prova, põe em evidência os néscios.
⁴A Sabedoria não entra em alma maligna
nem habita em corpo devedor ao pecado.
⁵O espírito educador e santo foge do estratagema,
levanta acampamento diante dos raciocínios sem sentido,
e se rende diante do assalto da injustiça.
⁶A Sabedoria é um espírito amigo dos homens,
que não deixa impune o linguarudo;
Deus penetra em suas entranhas, vigia pontualmente seu coração
e escuta o que a língua dele diz.
⁷Porque o espírito do Senhor enche a terra,
e, como dá consistência ao universo, não ignora nenhum som.
⁸Por isso, quem fala impiamente não tem escapatória,
não poderá evitar a acusação da justiça.
⁹Serão indagados os planos do incrédulo,
o relatório de suas palavras chegará até o Senhor,
e seus delitos ficarão provados,
¹⁰porque um ouvido zeloso escuta tudo,
e não lhe passam inadvertidos cochichos nem protestos.
¹¹Guardai-vos, portanto, de protestos inúteis,
e abstende-vos da maledicência;
não há frase furtiva que caia no vazio;
a boca caluniadora mata.
¹²Não vos proporcioneis a morte com vossa vida extraviada,
nem acarreteis para vós a perdição com as obras de vossas mãos;
¹³Deus não fez a morte, nem exulta destruindo os viventes.

Poderia aludir também a um império universal, ou seja, Roma. "O Senhor" é a correspondência grega usual do nome hebraico *Yhwh* (Javé): quem escreve se confessa nesse nome israelita. "Pensar": Sl 94; Is 44,18. "Buscar o Senhor" é uma das maneiras de expressar adesão ou entrega dinâmica: Ex 33,7; Sl 27,4; 40,17; 70,5; 105,3; especialmente Is 55. Amor à justiça e busca de Deus são duas atitudes correlatas.

1,2 Exigir provas de Deus é tentá-lo: Sl 78; Is 5,19.

1,3 Explica o versículo precedente. O homem racionaliza sua atitude diante de Deus, deformando a figura de Deus para justificar a si mesmo. O pior é que essa racionalização tem aparência de arrazoado, parece razoável.

1,4 "Maligna" ou de más ações, enganadora; aplicada aos idólatras em 15,4. A divisão "corpo-alma" é de cunho grego, embora sem intenção doutrinal. O pecado se apresenta personificado na figura de um usurário que cobra do pecador com ágio, até torná-lo seu escravo; Jo 8,34 e Rm 7,14.

1,5 "Educador": Dt 8,5. O espírito de Deus se chama santo em Sl 51,13.

1,6 A fórmula *philanthropon* é tipicamente grega, e aparece de novo em 7,23 e 12,19. O esquema psicológico é hebraico.

1,7 A ideia tem ascendentes bíblicos: Jr 23,24; ver também Eclo 16,17-23. Por sua vez, a formulação é de sabor grego (Xenofonte, Fílon, também Cícero).

1,8 "Impiamente": o grego joga com a raiz "*dik*-just-", como se disséssemos "não ajustadamente, não como é justo". Depois continua o jogo, introduzindo dialeticamente a "justiça" (*dike*) judicial, vindicativa.

1,9 Desenvolve a imagem judicial: pesquisa, relatório, prova.

1,10 "Zeloso": da própria dignidade, Ex 20,5 e paralelos. Protestos e murmurações: Ex 16,7; Nm 14,2 etc.

1,11 O protesto referido à terra (Nm 13,32) desacreditava Deus. A calúnia não cai "no vazio", mas traz consequências fatais para outros e para o caluniador. "Mata": depois da indagação e do julgamento, executa-se a sentença.

1,12 Sentença do julgamento antecipado, que ocupa a primeira parte do livro. "Proporcionar a morte" é a loucura da autodestruição. O autor marca o contraste aproximando as palavras morte-vida. "Acarretar": Is 5,18.

1,13 O autor remonta à origem da morte, conceito de duas dimensões: a) a morte física, patrimônio de todo homem, 7,1 (cf. Gn 2-3; Ez 18,28-32; Rm 5,12-21); b) e a morte escatológica, definitiva, própria dos perversos neste livro. Compare-se com Is 45,7; Dt 32,39.

¹⁴Criou tudo para que subsistisse;
   as criaturas do mundo são saudáveis:
   não há nelas veneno de morte, nem o abismo impera na terra.
¹⁵Porque a justiça é imortal.
¹⁶Os ímpios a chamam com gritos e gestos,
   consomem-se por ela, crendo-a sua amiga;
   fazem pacto com ela, pois merecem ser do seu partido.

A norma do direito seja nossa força

2 ¹Disseram entre si, raciocinando equivocadamente:
   A vida é curta e triste, e irremediável a passagem final do homem;
   e não consta que alguém tenha regressado do abismo.
²Nascemos casualmente e logo passaremos como quem não existiu;
   nossa respiração é fumaça,
   e o pensamento, uma chispa do coração que bate;
³quando esta se apagar, o corpo se tornará cinza
   e o espírito se desvanecerá como ar tênue.
⁴Com o tempo, nosso nome cairá no esquecimento,
   e ninguém se lembrará de nossas obras;
   nossa vida passará como rastro de nuvem,
   e se dissipará como neblina
   acossada pelos raios do sol e abatida por seu calor.

1,14 Comentário livre a Gn 1: tudo é bom, impera a vida. Ver 2,22s.

1,15 O autor o rubrica com uma dessas frases que evitam a precisão para se carregar de sentido. Frase lapidar, triunfal, que com sua ressonância vai dominar todo o livro.

1,16 Amplia o v. 12 com uma descrição irônica. "Pacto": alude a Is 28,15. Os partidários da morte tornam-se mortais. O capítulo seguinte nos fará escutar essas vozes e planos que chamam a morte.

2 Entram em cena os ímpios ou perversos como grupo compacto e como personagem típico que representa muitos. A ideia de um julgamento organiza o capítulo conforme o esquema: a b c b a.
a) 1 e 21-22: o autor introduz e enquadra seus personagens com um julgamento de valor sobre suas palavras, e a esse valor quer atrair o leitor.
b) 3-11 e 17-20: os perversos proclamam sua filosofia de vida, segundo a qual pronunciem seu julgamento contra o justo, desafiando a Deus. Mas com suas próprias palavras – aguda ironia – estão se acusando.
c) 12-16: em seu discurso, os perversos descrevem o personagem "central", o justo; na boca deles, tal descrição é síntese das acusações, pois esse justo, com as próprias palavras e conduta, se opõe e denuncia a filosofia do prazer. Portanto, também o justo emite um julgamento e pronuncia uma condenação, injusta aos olhos dos ímpios, e por ela deve pagar. A ironia funciona em duplo nível. Os ímpios, denunciando a vida do justo, na realidade estão lhe tecendo o elogio e condenando-se. Quem condena virtudes, não fica já condenado? E assim, os ímpios se encontram entre o duplo cerco do autor e do justo, entre duas testemunhas de acusação.
A palavra chave justiça = direito soa no centro, num magnífico e terrível versículo (11a). O personagem típico pode representar: o povo de Israel entre os pagãos (cf. Is 26,2); os israelitas fiéis entre seus irmãos apóstatas (v. 12); qualquer justo que sofra perseguição pela justiça.
Nesse capítulo se escutam ressonâncias de poetas gregos.

2,1a "Raciocinando": 1,3.5. "Equivocadamente": embora consequentemente.

2,1b-20 Composição do discurso: brevidade da vida (1-5); primeira consequência, desfrutar! (6-9); segunda: oprimindo os fracos (10-11); atacando e eliminando o justo (12-20). Estilo: as orações descritivas em 1-5 são seguidas de uma série torrencial de verbos de ação na primeira pessoa; como se a pluralidade e intensidade de tanta ação pudesse compensar tanta brevidade. As imagens se adensam na primeira parte, os termos judiciais na segunda. No centro se instaura uma nova lei. Mas este discurso de tons vitoriosos não é um grito desesperado? Não é um uníssono estrondoso com que aturdir uma tristeza abismal? O autor escreveu aqui uma página perpetuamente moderna.

2,1b-5 A vida breve: Jó 14; "regressar": cf. Sl 49,8; Jó 10,21; e em contraste Sl 49,16; 73,23s. Nascimento e morte (2-3) são os dois limites do não-ser que delimitam e definem a vida. A doutrina do acaso tem sabor epicureu, mas também o Eclesiastes se expressa de modo semelhante (Ecl 1).

2,2-3 A imagem da fogueira é coerente: o corpo é combustível inerte, que vive quando nele se acende a chama da razão ou pensamento (*logos*), e a respiração é a fumaça desse incêndio. O fogo que dá vida mata, o homem é uma labareda e o combustível acaba em cinza. Compare-se com Ecl 3,19-21 e 12,7; Sl 104,29.

2,4 Conforme Ecl 1,11. Eclo defende o prolongamento no sobrenome e na lembrança: 30,4; 39,9. "Como nuvem": Os 13,3; Jó 7,9.

⁵Nossa vida é a passagem de uma sombra,
e irreversível nosso fim;
está aplicado o lacre, não há retorno.
⁶Vem, vamos desfrutar dos bens presentes,
gozar das coisas com ânsia juvenil;
⁷encher-nos do melhor vinho e de perfumes,
para que não nos escape a flor primaveril;
⁸cinjamos coroas de botões de rosas antes que feneçam,
⁹que não fique prado sem provar nossa orgia;
deixemos em todos os lugares lembranças de nossa alegria,
porque esta é a nossa sorte e nossa sina.
¹⁰Atropelemos o justo que é pobre,
não tenhamos piedade da viúva,
nem respeitemos as cãs veneráveis do ancião;
¹¹a norma do direito seja nossa força,
pois o fraco – é claro – não serve para nada.
¹²Fiquemos de tocaia contra o justo, pois nos é incômodo:
opõe-se a nossas ações,
lança-nos na cara as faltas contra a Lei,
repreende nossas faltas contra a educação que nos deram;
¹³declara que conhece a Deus e diz que ele é filho do Senhor;
¹⁴tornou-se acusador de nossas convicções,
só de vê-lo nos sentimos importunados;
¹⁵leva uma vida diferente dos demais e vai por um caminho à parte;
¹⁶ele nos considera malignos
e se afasta de nossas sendas como se contaminassem;
proclama feliz o destino do justo
e se gloria de ter Deus como pai.
¹⁷Vamos ver se é verdade o que diz,
comprovando como é sua morte;
¹⁸se esse justo é filho de Deus, este o auxiliará
e o arrancará das mãos de seus inimigos.
¹⁹Nós o submeteremos a tormentos impiedosos,
para apreciar sua paciência e comprovar sua têmpera;
²⁰nós o condenaremos a morte vergonhosa,
pois diz que há quem olha por ele.

2,5 "Como sombra": Sl 144,4; Jó 8,9; 14,12; Ecl 8,13. O lacre é aplicado para fechar: um sepulcro protegido (Mt 27,66), um documento registrado, qualquer objeto lacrado.

2,6 Conforme Ecl 2,24; 3,12; 9,7. Contra a iminência do fim, só a juventude sabe desfrutar plenamente. É o *carpe diem* dos poetas profanos.

2,7-9 Os versículos recordam a poesia "anacreôntica".

2,9 Recordação anônima, como que convidando outros anônimos desfrutadores.

2,10-11 O respeito e a proteção de viúvas, órfãos e do desvalido, em geral, é parte essencial da justiça pregada pelos profetas e que encabeçou este livro. O respeito ao ancião é ordenado em Lv 19,32. Ver Mq 2,1. É doutrina constante que Deus se põe do lado dos fracos.

2,12-16 A descrição se desenvolve em duas séries paralelas que desembocam na filiação-paternidade. No AT o povo inteiro ou o rei é "filho de Deus". A tradição cristã aplicou o texto a Jesus Cristo.

2,12 Essa lei se opõe à que eles promulgam no v. 11, e pode muito bem ser a lei mosaica; em tal caso, por paralelismo, a educação seria a recebida como filhos de Israel.

2,13 Conhecimento que pode incluir familiaridade e pode exigir o cumprimento dos mandamentos: Os 4,1. Embora *pais* traduza com frequência o equivalente hebraico de *servo*, o contexto pede que aqui se traduza por filho.

2,14 Entende-se "ver sua conduta", que é uma reprovação mais forte que as palavras.

2,16 "Proclama feliz": Is 3,10.

2,17-20 A morte será a prova definitiva, com aparências de processo. Nele, o justo provará se sua confiança é autêntica, se suas palavras são verdadeiras; nele, seu Deus é submetido à prova. Será "o momento da verdade". Os paralelos se agrupam: salmos, Is 53. Dn 3,16-18; e do NT: Mt 27,40.43; Jo 19,7.

²¹Assim pensam, e se enganam, porque a maldade deles os cega;
²²não conhecem os segredos de Deus,
 não esperam o prêmio da virtude,
 nem avaliam a recompensa de uma vida irrepreensível.
²³Deus criou o homem para a imortalidade
 e o fez imagem de seu próprio ser;
²⁴mas a morte entrou no mundo pela inveja do diabo,
 e os de seu partido passarão por ela.

Os justos estão em paz

3 ¹A vida dos justos está nas mãos de Deus,
 e o sofrimento não tocará neles.
²A gente insensata pensava que eles morriam,
 considerava seu trânsito como desgraça,
³e como destruição sua partida do meio de nós,
 mas eles estão em paz.
⁴A gente pensava que fossem castigados,
 mas eles esperavam a imortalidade por completo;
⁵sofreram pequenos castigos, receberão grandes favores,
 porque Deus os pôs à prova e os encontrou dignos de si;
⁶provou-os como ouro no crisol,
 recebeu-os como sacrifício de holocausto;
⁷na hora das contas resplandecerão
 como chispas que incendeiam o canavial;
⁸governarão nações, submeterão povos,
 e o Senhor reinará sobre eles eternamente.

2,21-22 Encerra-se a moldura, e ressoa 1,3.5. "Os segredos de Deus": o plano misterioso de Deus acerca do justo e do perverso, como em Sl 73,17.

2,23-24 Pelo tema, esses dois versículos se ligam diretamente com 1,13-14, "o partido da morte". "Para a imortalidade": como capacidade e destino, vinculado ao fato de ser imagem de Deus: Gn 1,26-27. O Deus da vida comunica vida e imortalidade a suas imagens. O autor chama de "diabo" a serpente do paraíso (Ap 12,9 e 20,2) ou a inveja homicida de Caim: ver Jo 8,44 e Rm 5,12; Hb 2,14. Por todo o contexto se vê que o autor pensa na morte definitiva, não na morte que dá passagem à vida, como é a do justo.

3-4 Vai-se desenvolvendo um trio de situações contrapostas: morte e vida (3,1-12), esterilidade e fecundidade (3,13-4,6), vida breve e longa (4,7-19).

3,1-12 Toma o justo onde o deixaram os perversos: condenado e morto. Fica algo dele? Na convicção dos perversos, o assunto terminou, provaram sua tese sobre a inutilidade da justiça. O autor abre novo ato com nova situação: a morte não é o último acontecimento na vida do justo, mas abre um enteato para a nova e definitiva situação.
O autor assegura a continuidade com uma série de repetições verbais (em grego) ou sinonímicas. Os perversos faziam uma prova com o justo (2,17.19); na realidade, era Deus que o submetia à prova (3,5.6); eles o submetiam a tormentos (2,19), mas o tormento não o tocou (3,1); a vida era uma chispa (2,2), a nova vida é um incêndio glorioso (3,7); os perversos atropelavam o desvalido (2,10), os justos submetem os povos (3,8); os perversos declaravam o fraco inútil (2,11), agora se vê que as obras deles são inúteis (3,11); o justo olhava o perverso como escória (2,16), agora o justo é ouro acrisolado (3,6); o justo estava nas mãos do perverso (2,18), agora está na mão de Deus (3,1). A "esperança" (4) faz compreender a verdade (9).

3,1 Recorde-se Sl 31,6.16.

3,2 É o julgamento errado de 1,3.5; 2,1.21. Chama a morte do justo de "trânsito", "partida" (Lc 9,31; 22,22): mais que eufemismos, são os nomes apropriados.

3,3 Não é só a paz negativa de acabar (Jó 3,13-19; Eclo 41,2), e sim a paz positiva e plena: vv. 8-9.

3,4 "Castigados", palavra frequente no livro, em contextos de retribuição. Uma esperança cheia (Hb 6,11) de "imortalidade": 1,15.

3,5 A desproporção, como em Rm 8,18. O verbo grego indica o sofrimento imposto pelo educador. "Dignos de Deus" é expressão audaz e magnífica: compare-se com Mt 10,37; 22,6; Lc 15,19. Poderia referir-se à imagem de Deus, que o justo soube conservar (2,23); compare-se com Lc 15,19.

3,6 "Como ouro": Eclo 2,5; Sl 66,10; Is 1,25; 48,10; Zc 13,9; 1Pd 1,7. "Como holocausto": indicando a totalidade da entrega e da aceitação e o caráter cultual dessa entrega, Sl 51,19; cf. Dn 3,39.

3,7 A imagem do esplendor é escatológica em Dn 12,3 (brilho de astros); Is 60 e 62 (de Jerusalém). Se o canavial alude a Ab 18 ou a Zc 12,6, então a segunda imagem fala do triunfo dos justos sobre os perversos.

3,8 Em textos escatológicos e apocalípticos hebraicos, é comum falar do triunfo final de Israel, constituído senhor de todos os povos, sob o reinado imediato

⁹Os que nele confiam compreenderão a verdade,
   os fiéis a seu amor continuarão a seu lado;
   porque ele ama seus devotos, se compadece deles,
   e olha por seus escolhidos.
¹⁰Os ímpios serão castigados por seus próprios raciocínios:
   desprezaram o justo e se afastaram do Senhor;
¹¹infeliz de quem despreza a sabedoria e a instrução:
   vazia é sua esperança, inúteis seus afãs e suas obras;
¹²néscias são suas mulheres, depravados seus filhos
   e maldita sua posteridade.

Feliz a estéril irrepreensível

¹³Feliz a estéril irrepreensível
   que desconhece a união pecaminosa:
   obterá seu fruto no dia das contas;
¹⁴e o eunuco que não cometeu delitos com as próprias mãos,
   nem teve maus desejos contra o Senhor:
   por sua fidelidade receberá favores extraordinários
   e uma porção cobiçável no templo do Senhor.
¹⁵Pois, quem se afana pelo bem alcança frutos esplêndidos;
   a sensatez é tronco inalterável.
¹⁶Os filhos dos adúlteros não chegarão à maturidade
   e a prole ilegítima desaparecerá.
¹⁷Se chegam a velhos, ninguém lhes faz caso,
   no fim terão uma velhice vergonhosa;
¹⁸se falecem antes, não terão esperança
   nem quem os tranquilize no dia da sentença;
¹⁹o final da gente perversa é cruel.

4 ¹É melhor ser virtuoso, embora sem filhos;
   a virtude se perpetua na lembrança:
   Deus e os homens a conhecem.

---

do Senhor seu Deus. Compare-se com 1Cor 6,2 (que dá por sabida a doutrina); Ap 20,4-6 (o reino dos mil anos com Cristo); Ap 2,26.

3,9 Formula com brevidade e densidade a relação mútua de amor.

3,10 "Seus raciocínios": 1,3.5; 2,1.21. Liga os dois pecados, contra o homem e contra Deus, como em 1,1. "Afastar-se do Senhor" se aplica, a rigor, a judeus apóstatas, mas não é certo que o autor pretenda semelhante rigor.

3,11 "Sabedoria" e "instrução" são termos comuns na literatura sapiencial (p. ex. Pr 1,1-7); aqui incluem o ético e o religioso.

3,12 Versículo de ligação, introduzindo a família e a descendência. É um julgamento simplificado e genérico: apresenta um grupo típico sem meios-termos nem exceções. "Maldita sua posteridade": Eclo 41,5-7. A maldição prepara a bênção seguinte.

3,13-4,6 A fecundidade (posteridade) é uma das bênçãos clássicas do AT: o mandamento genesíaco (Gn 1,28), as promessas patriarcais (p. ex. Gn 12; 15; 17; 28), a aliança (Dt 28,4); e passam a textos escatológicos (Is 66).
Ao entrar na doutrina da retribuição, a fecundidade coloca um grave problema que o autor se apressa em resolver com a perspectiva da outra vida. O conjunto padece de certo esquematismo. As imagens do mundo vegetal, mais ou menos conhecidas, predominam na seção.

3,13 Sem dúvida se refere à mulher casada, que era o normal; isso não impede que a exposição possa ampliar-se àquela que renuncia ao casamento. União pecaminosa é antes de tudo o adultério, e pode ser o incesto e até o casamento com estrangeiros (Esd 9-10; Ne 13; Tb 4).

3,14 Ver Is 56,3-5, com referência à legislação de Dt 23,2-9 e cumprimento em At 8,26-39. "Fidelidade", ou então por sua fé, por ter confiado nas promessas de Deus. "Porção": os sacerdotes tinham sua porção no serviço do templo, mas os eunucos eram excluídos de tal serviço. O templo do Senhor adquire aqui um sentido metafórico, que ultrapassa o texto de Is 56,5.

3,15 A imagem alude à imortalidade.

3,16-19 O tom soa mais como convenção retórica do que reflexão objetiva: não leva em conta uma possível conversão, como fazia Ezequiel 18. Ver Eclo 23,25. "Esperança": ver 5,14; Jó 17,15s. "O dia da sentença": Sb 4,20.

4,1 Is 56,5 prometia a imortalidade do nome, e isso é um valor acrescentado à companhia de Deus, pelo fato de ampliar a presença entre os homens.

²Presente, a imitam; ausente, a deploram;
na eternidade, cingida a coroa, desfila triunfante,
vitoriosa na prova de troféus bem limpos.
³A família inumerável dos ímpios não prosperará:
é rebento bastardo, não enraizará profundamente
nem terá base firme;
⁴ainda que por algum tempo seus ramos reverdeçam,
como está mal assentado, o vento o sacudirá
e os furacões o desenraizarão.
⁵Seus brotos tenros se quebrarão, seu fruto não prestará:
está verde para comer, não serve para nada;
⁶pois os filhos que nascem de sonhos ilegais
são testemunhas de acusação contra seus pais
na hora do interrogatório.

Amadureceu em poucos anos

⁷O justo, embora morra prematuramente, terá descanso;
⁸velhice venerável não são os muitos dias,
nem se mede pelo número de anos;
⁹cabelos brancos do homem são prudência,
e idade avançada, uma vida sem mancha.
¹⁰Agradou a Deus, e Deus o amou;
vivia entre pecadores, e Deus o levou;
¹¹e o arrebatou para que a malícia não lhe pervertesse a consciência,
para que a perfídia não seduzisse sua alma;
¹²a fascinação do vício obscurece a virtude,
a vertigem da paixão perverte a mente sem malícia.
¹³Amadureceu em poucos anos, cumpriu muito tempo;

4,2 Além disso, é uma lembrança benéfica e ativa que arrasta à imitação e se perpetua também por esse caminho. O autor faz brilhar sua habilidade retórica em honra do seu herói. A imagem desportiva é frequente nos escritores gregos e no NT.

4,3-5 Nova variação sobre o mesmo tema. A imagem da árvore está em Sl 35,35 e Jó 15,30-32 (por conta de Elifaz).

4,6 Ver Eclo 41,7. O trecho foi pouco convincente, sobretudo na parte negativa; o autor soube insinuar a fecundidade do bom exemplo, não a das boas obras.

4,7-19 A longevidade é outro tema da retribuição, bênção clássica da aliança: Dt 4,40; 5,16; 30,20, prometida em salmos: Sl 21,5; 23,6; 91,16, que passa a contextos escatológicos (Is 65,20). O problema é aqui a vida breve e fracassada do justo.
A técnica do contraste continua. Em esquema: em vida, o justo é prudente, o malvado é perverso; na morte, o justo sobressai, o perverso é derrubado; depois o justo descansa, o nome do perverso perece. Não deve passar inadvertido o sugestivo contraste desses versículos com o discurso do cap. 2. O problema é semelhante, mas com outro ângulo de visão: os perversos declaravam como lapso breve a duração de uma vida normal (2,1), aqui se propõe a hipótese de uma vida breve e fracassada. Como preencher de sentido essa brevidade? Aqueles o faziam enchendo-se de vinho e perfumes (2,7), impondo um espírito juvenil despreocupado (2,6); este preenche a vida com seu rápido amadurecimento, com sua sensatez e agradando a Deus. Assim a vida daqueles ficava vazia para o futuro (3,11), a deste é preciosa. Os perversos se queixavam de que o justo os acusava e condenava, e por isso o eliminaram (2,12.14); agora o justo, já morto, continua condenando seus juízes vivos.
Como em 3,2.4, também aqui há um coro de espectadores que olham sem compreender (vv. 14 e 17), porque não se elevam dos acontecimentos humanos aos planos de Deus. Esse Deus "rirá" dos perversos e acabará com eles em três ações violentas e rápidas. Foi um acerto do autor abreviar o desfecho dos perversos.

4,7 "Descanso": a forma grega faz eco a 3,3, "terá paz".

4,8-9 Compare-se com Eclo 25,4-6 e Jó 32,6-9. Opõe-se à "velhice vergonhosa" de 3,17. A tese do autor tem um germe revolucionário ao romper os laços tradicionais entre velhice e prudência, juventude e imprudência. Ver o papel de Daniel no relato de Susana, Dn 13,45-50.

4,10-11 Deus o ama como ele amou a Deus, 3,9. "Arrebatou": faz ressoar a lembrança de Henoc (Gn 5,24; Eclo 44,16; Hb 11,5), e sugere o sentido positivo da morte do justo; o autor continua evitando para o justo o verbo morrer. A tentação como engano e sedução em Gn 3,13; o engano pode nascer da própria pessoa, conforme Tg 1,26.

¹⁴como sua alma era agradável a Deus,
    apressou-se em sair da maldade;
    a gente o vê e não o compreende, não percebe isto
¹⁵(que ama seus escolhidos, se compadece deles
    e olha por seus devotos).
¹⁶O justo falecido condena os ímpios que ainda vivem,
    e uma juventude consumada velozmente,
    a velhice longa do perverso;
¹⁷a gente verá o fim do sábio
    e não compreenderá o que o Senhor queria dele,
    nem por que o pôs em segurança.
¹⁸Eles o olharão com desprezo, mas o Senhor rirá deles;
¹⁹e se converterão em cadáver sem honra,
    vergonha entre os mortos para sempre;
    pois os derrubará de ponta-cabeça, sem deixá-los falar,
    os sacudirá nos alicerces, e os arrasará até o fim;
    viverão na dor, e sua lembrança perecerá.

Julgamento: comparecimento

²⁰Comparecerão assustados quando a recontagem de seus pecados
    e seus delitos os acusarão na cara.

5 ¹Naquele dia o justo estará de pé sem temor
    diante dos que o afligiram, e que desprezaram seus trabalhos.

Julgamento: para nós o sol não saía

²Ao vê-lo, estremecerão de pavor,
    atônitos diante da salvação imprevista;
³dirão entre si, arrependidos, entre soluços de angústia:
⁴"Este é aquele de quem nós, insensatos,
    um dia ríamos com palavras injuriosas;
    sua vida nos parecia uma loucura, e sua morte uma desonra.

4,14 Nova descrição positiva da morte, na qual o jovem é sujeito; como alguém que tem pressa para sair de um lugar contaminado. "Não o compreende", 2,22; 3,2.4.

4,15 Duplicação de 3,9; falta em alguns manuscritos.

4,16 O verbo "condenar" é judicial e tem força particular, como sentença permanente. É o complemento da atração que exerce sobre os imitadores, 4,2.

4,17 Chama o justo fracassado de "sábio", "sensato".

4,18 O desprezo do cap. 2 e de 3,10. "Rirá": Sl 2,4; 37,13; 59,9.

4,19 O começo é tomado de Is 14,19 e inspirado em Ez 32,20-32: sua presença entre os mortos é sua desonra. Depois precipita as imagens: luta livre, construção, cidades. "Sua lembrança": cumpre-se o que diziam em 2,4.

4,20-5,23 Chegamos ao ato final dessa seção escatológica, que inclui elementos de julgamento e de guerra. Múltiplas tradições genéricas (de salmos, escatologias, experiências históricas), confluem nesta página, para criar um fragmento original e vigoroso. Tomando o esquema simplificado de um julgamento escatológico, podemos articular o fragmento assim: 4,20-5,1 as partes comparecem; 5,2-13 o processo abreviado: os réus confessam; 14-16ab o autor resume a sentença; 16c-23 batalha escatológica.

4,20-5,1 A hora de comparecer é marcada com o contraste pecadores-justo, medo-tranquilidade, um e multidão.
O justo mantém sua função típica; compare-se com Sl 1. Chama o julgamento como "recontagem"; corresponde a 3,7.13.18; 4,6.
Não se fala do lugar do julgamento, nem se menciona o juiz. A situação dos personagens é uma existência depois da morte ou exatamente no final da vida, dando passagem a uma nova situação; compare-se com Is 24,22; Dn 12,2.

5,2-3 Ainda fala o autor, testemunha da atitude externa e da reação interna de seus personagens. O pavor é numinoso, infundido por uma teofania de libertação: Sl 64; 70; 39,14-16 etc. "Estremecerão": o verbo hebraico correspondente se encontra em salmos de súplica contra o inimigo (Sl 6,11; 48,6; 87,18) e em contextos de teofania ou guerra santa (Ex 15,15; Is 13,8; Jr 51,32).
"Arrependidos": com pesar interno, mas sem conversão, que já é impossível.

5,4-13 Discurso dos ímpios. É notável que todo o processo se reduza a esse discurso, em que os ímpios confessam seu erro mais que sua culpa. O juiz não intervém com interrogatório, e mesmo sua presença deve ser suposta; o justo está mudo.

⁵Como agora é contado entre os filhos de Deus
 e partilha a herança com os santos?
⁶Sim, nós saímos do caminho da verdade,
 a luz da justiça não nos iluminava,
 para nós o sol não saía;
⁷enredamo-nos em matagais de maldade e perdição,
 percorremos desertos intransitáveis,
 sem reconhecer o caminho do Senhor.
⁸De que nos serviu nosso orgulho?
 O que ganhamos crendo-nos ricos?
⁹Tudo aquilo passou como sombra,
 como mensageiro veloz;
¹⁰como nave que sulca as águas onduladas,
 sem que fique nas ondas rastro de sua travessia
 nem esteira de sua quilha;
¹¹ou como pássaro que voa pelo ar sem deixar traço de sua passagem;
 com seu adejar açoita o ar leve, rasga-o com silvo agudo,
 abre caminho agitando as asas,
 e depois não deixa sinal de sua rota;
¹²ou como flecha disparada ao alvo:
 cicatriza num momento o ar fendido,
 e já não se sabe sua trajetória;
¹³assim nós: nascemos e nos eclipsamos,
 não deixamos nenhum sinal de virtude,
 e nos consumimos em nossa maldade".
¹⁴Sim, a esperança do ímpio é como palha que o vento arrebata;
 como geada miúda que o vendaval arrasta;
 dissipa-se como fumaça ao vento,
 passa como a lembrança do hóspede de uma noite.

Os justos vivem eternamente

¹⁵Os justos vivem eternamente,
 recebem de Deus sua recompensa, o Altíssimo cuida deles.
¹⁶Receberão a nobre coroa, o rico diadema das mãos do Senhor,
 que os cobrirá com sua direita,
 e os escudará com seu braço esquerdo.
 Vestirá a couraça da justiça
¹⁷Tomará a armadura de seu zelo
 e armará a criação para se vingar de seus inimigos;

Acusadores são uma presença e uma memória: a presença do mesmo justo, agora vitorioso, catalisa a memória dos velhos perseguidores. É lógico que na confissão deles ressoem palavras e temas do cap. 2, com mudança de perspectiva.
O procedimento do presente discurso recorda sobretudo Is 14, com inversão de papéis: os ímpios comentam a vitória do justo.

5,4 Sobre as caçoadas, ver Sl 31,12; 44,14-15; 69,12-13.
5,5 Recolhe 2,13.16. "Santos", como em Sl 34,10; em paralelismo com "filhos de Deus". "Partilhar a herança": expressão ou tema clássico: Gn 21,10; Jz 11,2.
5,6-7 O caminho da verdade é o caminho do Senhor, traçado pela vontade de Deus, por seus mandamentos, iluminado pela justiça como por um sol. Essa luz se ofereceu a todos, mas com sua maldade os ímpios se cegaram (2,21); por isso seguiram sendas contaminadas (2,16), enquanto o justo seguia um caminho à parte (2,15). O final dos dois caminhos juntou-se por um momento numa encruzilhada, para separar-se de novo definitivamente. "Matagais" e "desertos" em oposição às flores e pradarias de 2,8-9.
5,9-12 Quatorze versos, cinco comparações, para proclamar a brevidade da vida.
5,14 O autor comenta sentenciosamente, como se em nome do juiz pronunciasse a sentença das duas partes. Aos ímpios apresenta a razão, que é condená-los (a execução virá depois). Aos justos (agora no plural) promete a coroa real como recompensa. Retoma o julgamento expresso em 3,11. "Como palha": Sl 1,4.
5,17 O zelo de sua honra e do bem dos seus, conforme expressão corrente: p. ex. Is 9,6; 37,32; 42,13; 59,17.

¹⁸vestirá a couraça da justiça,
  porá como capacete um julgamento insubornável;
¹⁹empunhará como escudo sua santidade inexpugnável;
²⁰afiará a espada de sua ira implacável
  e o universo combaterá a seu lado contra os insensatos.
²¹Sairão certeiras rajadas de raios
  do arco bem tenso das nuvens e voarão até o alvo;
²²a catapulta de sua ira lançará espessa saraivada;
  as águas do mal se enfurecerão contra eles,
  os rios os afogarão sem piedade;
²³seu alento poderoso se levantará contra eles
  e como um furacão os peneirará;
  a iniquidade arrasará toda a terra
  e os crimes demolirão os tronos dos soberanos.

Introdução: do Senhor vem o poder para vós

6 ¹Escutai, reis, e entendei;
  aprendei, governantes do orbe até seus confins;
²prestai atenção, vós que dominais os povos
  e ostentais uma multidão de súditos;
³do Senhor vem o poder para vós, e do Altíssimo vem o comando:
  ele indagará vossas obras e explorará vossas intenções;
⁴sendo ministros de seu reino, não governastes retamente,
  nem guardastes a Lei, nem agistes segundo a vontade de Deus.

A criação se restringe nesse contexto ao mundo dos meteoros, sobretudo à tempestade, que inclui vento, fogo e água. A vingança é o exercício da justiça vindicativa num combate conforme numerosos textos; por exemplo, Is 34,8 (contexto escatológico); 59,17; 63,4; Jr 46,10; 50,15; 51,6; como título de Deus, aparece em Sl 94.
5,18-20 São três armas defensivas e uma ofensiva; mas não se deve alegorizar. A santidade de Deus se mostra como exigência ética: ver Sl 99. Os perversos são chamados aqui "os insensatos", de acordo com todo o trecho precedente e a própria confissão no v. 4.
5,18 Is 59,17.
5,21 Em Gn 9,13-16 Deus depunha seu arco militar (o arco-íris), demonstrando suas intenções pacíficas; no momento escatológico torna a empunhá-lo.
5,22 Como em Ex 14.
5,23 Ver Eclo 10,14-17. O discurso começado em 1,1, dirigido aí aos que governam, se encerra com a referência aos soberanos. A injustiça estabelecida, ou seja, exercida pelos que têm o poder, é força catastrófica de destruição.

A SABEDORIA

6-10 Os versículos 1-11 do cap. 6 constituem a ligação importante da primeira seção (caps. 1-5) com a segunda (6-9); formalmente realizam a transição da justiça para a sabedoria. Em relação à seção primeira, são como exortação parenética, apoiada no tema do julgamento escatológico amplamente desenvolvido. Em relação ao que se segue, é como uma das clássicas introduções ou exórdios (conhecidos na literatura profética e na sapiencial) pedindo atenção. O processo intelectual é o seguinte: convoca os destinatários ou apela a eles (1-2), ministros da justiça (3), que terão de prestar contas ao soberano justo (4-8); para que possam sair ilesos no julgamento futuro, o autor lhes oferece a sabedoria como solução (9-10). Os destinatários são os mesmos de 1,1, presentes em sete sinônimos. O quarto título é "ministros de seu reino" [de Deus]. Isso define radicalmente a autoridade política humana: num reino em que Deus é o único soberano de direito, os que mandam são na realidade ministros de Deus, com uma tarefa recebida e responsáveis perante ele. A ideia profunda e fecunda pode estar inspirada diretamente em 2Cr 19,6. A intenção é política.
Sua tarefa é o governo reto. O autor substitui o termo "justiça" por expressões para ele equivalentes: retidão, observância da lei, que é vontade de Deus e é sagrada. O ético e o religioso se fundem, o programa teocrático de Israel aparece através de termos também gregos. Particularmente grego é o adjetivo *hósios*, que designa o sancionado por lei divina. Sua responsabilidade se refere a Deus, que "indaga", julga imparcialmente e castiga sem parcialidade. No julgamento, é possível o perdão compassivo. Na oposição "humilde-forte", parece ressoar a oposição "justo-perverso" da primeira seção, mas sem chegar à total e insuperável identificação do poder com a perversidade.
A oferta é a sabedoria, como meio de chegar à justiça e salvar-se no julgamento. A sabedoria de que se fala aqui é muito mais que um saber teórico; o livro todo, começando pelo cap. 1, dá testemunho disso. E se pode citar a passagem clássica de Pr 8,15.
6,1 O convite a escutar: Is 1,10; Sl 2,10; Eclo 33,19.
6,2 Ver Pr 14,28.
6,4 Ver Dn 2,21.

⁵Repentino e estremecido virá contra vós,
    porque os elevados serão implacavelmente julgados.
⁶Os mais humildes serão compadecidos e perdoados,
    mas os fortes sofrerão forte pena;
⁷o Dono de todos não se intimida, a grandeza não o assusta:
    ele criou o pobre e o rico e se preocupa igualmente de todos,
⁸aos poderosos porém é reservado um controle rigoroso.
⁹Eu vos digo, soberanos,
    para ver se aprendeis a ser sábios e não pecar;
¹⁰os que observam sensatamente sua santa vontade
    serão declarados santos;
    os que a aprendem encontrarão quem os defenda.
¹¹Ansiai, pois, pelas minhas palavras;
    desejai-as, e recebereis instrução.

A Sabedoria conduz ao reino

¹²A sabedoria é radiante e não murcha,
    os que a amam a veem sem dificuldade,
    e os que a buscam a encontram;
¹³ela própria se dá a conhecer aos que a desejam.
¹⁴Quem madruga por ela não se cansa:
    e a encontra sentada junto à porta.
¹⁵Meditar nela é prudência consumada,
    quem vigia por ela logo se vê livre de preocupações;

6,7 Ver Eclo 35,15 e 18,13. "O rico e o pobre": Pr 22,2.
6,9 Ver Pr 16,10.
6,10 Dois casos possíveis no julgamento: quem cumpriu plenamente, quem necessita e obtém um defensor. Se o homem se educou na escola dessas sanções divinas, elas se converterão em advogado defensor no dia das contas.
6,11 Conclui em inclusão. Contando já com um público ávido, Salomão poderá pronunciar seu longo discurso.
6,12-9,18 Podemos definir essa seção como "Elogio da Sabedoria". O gênero encômio era popular na retórica antiga e tinha suas regras, que o autor segue com bastante liberdade. Louvam-se a origem, a natureza e as ações de um personagem, de uma virtude, de uma cidade. Empregam-se e esbanjam-se os efeitos retóricos, expressão convencional do entusiasmo. Os temas tratados não se organizam facilmente: o autor diz que quer explicar "a natureza e a origem" (6,22) da sabedoria, duas partes clássicas do encômio. Procurando diferenciar e seguindo uma ordem lógica, podemos propor a seguinte série:
a) Origem: *gênese*, procede de Deus, é de linhagem nobre (7,25-26).
b) Natureza e qualidades (7,22-24.27-30).
c) O que oferece, *genétis*: bens e saber (7,11-12; 8,5-8; 8,10-16).
d) Ação cósmica, *tekhnites* (7,17-21).
Ao valor se acrescenta o mérito de ser alcançável e acessível (6,12-20); o caminho é a súplica a Deus (7,7; 8,21; 9,1-18).
O conjunto desse material e dessas peças, que ameaçavam o leitor com sua repetição e monotonia, é organizado em dois planos que personalizam e animam o elogio.

Em primeiro lugar, tudo se apresenta como confissão autobiográfica de Salomão, o sábio que por experiência pode cantar esse louvor e pode explicar de modo convincente que a sabedoria é alcançável. Salomão reparte sua confissão em dois quadros, ambos de boa tradição bíblica. No primeiro, conta livremente o sonho de Gabaon (1Rs 3,4-15), completado com dados dos capítulos seguintes e enriquecido com elementos de ascendência grega. O segundo desenvolve a conhecida imagem da sabedoria como noiva e esposa.
Assim temos uma personalização e uma personificação: da sabedoria passamos ao sábio, que sabe o que é como (personalização); a sabedoria entra como personagem da história (personificação). Ambos os recursos são conhecidos sobretudo em Ben Sirac.
6,12-20 Esses versículos descrevem o encontro da Sabedoria com o homem, numa série de movimentos correlativos. Ela começa manifestando-se, "irradiando"; antecipa-se, busca, aborda, vai ao encontro; finalmente conduz ou eleva. Os movimentos do homem são em parte espirituais: amam, buscam, desejam, madrugam, vigiam. O arremate é uma espécie de sorites ou série concatenada com variações. Em vez da forma normal: AB - BC - CD - DE - EF - AF, o autor compõe: AB - B'C - CD - D'E - E'F - A'F'. Predica-se da sabedoria o que se dizia de Deus em 1,2. No que se segue, são frequentes as referências ou ressonâncias de Pr 8; Eclo 4; 6; 14.
6,13 Eclo 4,17 descreve outra etapa.
6,14 Ver Pr 8,17 e compare-se com Pr 8,34.
6,15 A prudência já é por si participação da sabedoria, embora não seja posse plena.

¹⁶ela própria vai de um lado a outro buscando os que a merecem;
  aborda-os benigna pelos caminhos
  e os precede em cada pensamento.
¹⁷Seu começo autêntico é um desejo de instrução;
¹⁸o afã pela instrução é amor;
  o amor é a observância de suas leis;
  a guarda das leis é garantia de incorruptibilidade;
¹⁹a incorruptibilidade aproxima de Deus;
²⁰portanto, o desejo da sabedoria conduz ao reino.
²¹Desse modo, se gostais dos tronos e dos cetros,
  soberanos das nações,
  respeitai a sabedoria e reinareis eternamente.
²²Eu vou explicar-vos o que é a sabedoria e qual é sua origem,
  sem vos ocultar nenhum segredo
  vou remontar ao começo da criação,
  dando-a a conhecer claramente, sem passar por alto a verdade.
²³Não farei o caminho com a podre inveja,
  que não comunga com a sabedoria.
²⁴Multidão de sábios salva o mundo
  e rei prudente dá bem-estar ao povo.
²⁵Portanto, deixai-vos instruir por meu discurso, e tirareis proveito.

Nenhum rei começou de outra maneira

7 ¹Também eu sou homem mortal, igual a todos,
  filho do primeiro homem modelado em argila,
  no ventre materno foi esculpida minha carne;

6,16 Ver Pr 8,1-3 e Eclo 15,2. A conduta e os pensamentos do homem são o lugar do encontro, pois quando o homem pensa e medita nela, já acontece um encontro, e a mesma coisa quando o homem caminha como exige a sabedoria.

6,17 Trata-se do começo de sua posse. A instrução (educação ou formação) pertence ao campo da sabedoria. Pr 1,7; Jr 31, 31-33.

6,18 O amor se realiza concretamente na obediência: Eclo 6,37 e Jo 14,15. Já no decálogo, do primeiro e fundamental mandamento do amor seguem-se os demais, Ex 20; Dt 5. A incorruptibilidade do homem corresponde ao incorruptível da sabedoria. É a doutrina de Dt 32,47, só que o horizonte aqui é de imortalidade na outra vida.

6,19 Porque a morte afasta de Deus, que não é Senhor de mortos mas de vivos; também porque o homem recebe a incorruptibilidade do fato de ser radicalmente imagem de Deus, Sb 2,23.

6,20 O verdadeiro reino mencionado em Sb 3,8.

6,21-25 Consequências parenética do que precede. Segundo os estoicos, o homem tem natureza de rei, e a realiza com a sabedoria; mas aqui o autor fala a reis que podem não ser sábios e que só por meio da sabedoria chegarão ao reino autêntico e perdurável.

6,22-23 O suposto Salomão se opõe às religiões mistéricas, só para iniciados, que fabricam segredos artificiais e em seu exclusivismo cedem à inveja. A sabedoria que Salomão apregoa é clara, pública e até andarilha (Pr 8-9). O sábio que guarda sabedoria para si está demonstrando que não é sábio e que sua mercadoria não é autêntica.
Especialmente misteriosa é a origem da sabedoria, pois transcende o tempo e a capacidade humana; mas são justamente os livros judaicos que permitem ao autor remontar ao princípio da criação, quando a Sabedoria atuava: Pr 8,22-29.

7,1-14 Retoma e amplia o sonho de Salomão (1Rs 3,4-15). Aí Salomão se dirige a um santuário, tem um sonho no qual pede sabedoria, o Senhor se compraz com o pedido, concede-lhe o que pediu (sabedoria) e o que não pediu (fama e riquezas).
O autor suprime aqui o sonho incubador, o caráter oracular e o aparato cultual de lugares e tempos privilegiados. Seguindo uma tradição sapiencial, apresenta a sabedoria como mediadora.
O personagem reflete sobre a própria origem. Costume tão grego quanto bíblico (Jr 1; Sl 139; Eclo 17). Ao remontar ao nascimento (nat-ivitas), o homem descobre sua natureza (nat-ura), que é simplesmente humana, comum a todos os homens.
Assim ultrapassa os limites de sua ficção literária (um rei fala aos reis), fazendo com que um homem fale a homens, como mediador da sabedoria. Se acumulou riquezas, repartiu sabedoria; também 1Rs 5,14 diz a mesma coisa.

7,1-6 O princípio da igualdade abre e fecha.

7,1 Remonta ao homem primordial que transmite a seus filhos sua natureza terrena. Nela está já enxertada a condição mortal.

²demorei dez meses para coalhar, massa de sangue,
de semente viril e do cúmplice prazer do sono.
³Ao nascer, também eu respirei o ar comum,
e, ao cair na terra que todos pisam,
estreei minha voz chorando, como todos;
⁴criaram-me com mimo, entre cueiros.
⁵Nenhum rei começou de outra maneira;
⁶idêntica é a entrada de todos na vida, e igual é a saída.
⁷Por isso supliquei e foi-me concedida a prudência,
invoquei e veio a mim o espírito de sabedoria.
⁸Eu a preferi a cetros e tronos,
e em sua comparação tive como nada a riqueza;
⁹não equipararei a ela a pedra mais preciosa,
pois a seu lado todo o ouro é um pouco de areia,
e, junto a ela, a prata vale como o barro;
¹⁰eu a amei mais que a saúde e a beleza,
e me propus tê-la como luz,
porque seu resplendor não tem ocaso.
¹¹Com ela me vieram todos os bens juntos,
em suas mãos havia riquezas incontáveis;
¹²desfrutei de todas, porque a sabedoria as traz,
embora eu não soubesse que as gerava todas.
¹³Aprendi sem malícia, reparto sem inveja,
e não guardo suas riquezas para mim;
¹⁴porque é um tesouro inesgotável para os homens:
os que a adquirem atraem a amizade de Deus,
porque o dom de seu ensinamento os recomenda.

A Sabedoria me ensinou

¹⁵Deus me conceda saber expressar-me
e pensar como compete a esse dom,
pois é ele o mentor da sabedoria
e quem marca o caminho aos sábios.

7,2 A "modelação" do primeiro homem se repete segundo as ideias poéticas em que pode ter influído algo da embriologia da época, e não menos da cultura popular: cf. Sl 139; Jó 10,8-11; 2Mc 7,27. Dez meses lunares se atribuíam à gravidez.

7,3 Ar e terra são dois dos quatro elementos, indicando que dois atos elementares dependem deles: respirar e ficar de pé.

7,6 Entrar e sair, que na literatura bíblica pode sintetizar toda a atividade do homem, delimita aqui sua existência; em hebraico, sair e entrar.

7,7 Eclo 51,22 coloca esse momento na juventude; Eclo 39,1-11 insiste na oração para se obter o dom da sabedoria. O binômio sabedoria-prudência é sinonímico (*hokmá-biná*), mas esse "espírito" rompe a forma comum; cf. Eclo 39,9; Is 11,2. A equação foi proposta desde o princípio do livro, 1,5-7. O verbo "vir" retoma a personificação de 6,16 e 1,4.

7,8-10 Com sua enumeração setenária, na qual as riquezas ocupam o maior espaço e a luz o lugar supremo, o autor se afasta da série de bens de 1Rs 3,4-15. O modo de comparar (*synkrisis*) para exaltar o valor, é lugar comum da literatura bíblica e grega: ver Pr 3,14-15; 8,11.19; 1Rs 10,27; Pr 4,22. O último membro muda de forma: não é algo mais que a luz; é a luz autêntica.

7,11-12 O que em 1Rs era dado por acréscimo, aqui é dado na mesma sabedoria, como cortejo e produto seu. O sábio descobre depois a fecundidade da sabedoria (como mãe, dizia Eclo 15,2): doce engano da dama, que se apaixonou só com a beleza dela, omitindo seu extraordinário dote. Assim, o sábio pode realmente desfrutar dos bens, porque não foi cobiçoso e interesseiro em buscá-los, porque não teme perdê-los, contando com aquela que os gera, porque ela o assiste e guia no desfrute.

7,13 Ver 6,23; Eclo 20,30; 24,32.

7,14 Eclo 24,29s compara a sabedoria com um oceano: sendo inesgotável, todos podem participar desse tesouro. À amizade se chega com recomendações, que são os dons da instrução, que é dom de Deus: fecha-se um círculo que eleva o homem ao mais alto.

7,15 Saber expressar-se é parte da sabedoria tradicional; assim o mostram textos como Ecl 12,9-10; Pr 26,7; 1Rs 5,12 e naturalmente toda a atividade literária sapiencial; é dom de Deus, mas diferente da palavra profética.

¹⁶Porque em suas mãos estamos nós e nossas palavras,
   e toda a prudência e o talento.
¹⁷Ele me concedeu um conhecimento infalível dos seres,
   para conhecer a trama do mundo
   e as propriedades dos elementos;
¹⁸o começo, o fim e o meio dos tempos,
   a sucessão dos solstícios e a mudança das estações;
¹⁹os ciclos anuais e a posição das estrelas;
²⁰a natureza dos animais e a fúria das feras,
   o poder dos espíritos e as reflexões dos homens,
   a variedade de plantas e as capacidades das raízes;
²¹sei tudo, oculto ou manifesto,
²²porque a sabedoria, artífice do cosmo, me ensinou.

Reflexo da luz eterna

Com efeito, é um espírito inteligente, santo, único, múltiplo, sutil,
   móvel, penetrante, imaculado,
   lúcido, invulnerável, bondoso, agudo,
²³incoercível, benéfico, amigo do homem,
   firme, seguro, sereno, todo-poderoso, todo-vigilante,
   que penetra todos os espíritos inteligentes, puros, sutilíssimos.

7,16 Ver 3,1; Pr 16,1.
7,17-21 O tema é tomado de 1Rs 5,13 e ampliado com dados da cultura grega. É tradicional a ideia de que Deus, ao criar, em seu trabalho artesão era assistido pela Sabedoria, algo assim como o mestre com o aprendiz; texto clássico, Pr 7,27-30; ver também Sl 136 e Eclo 1,9; 24.
Pois bem, se a Sabedoria interveio como "artífice" do mundo, ela pode explicar como está feito e revelar seus segredos. Como mestre, dividirá seu ensinamento numa série de disciplinas, tomadas do saber da época e repartidas pelo autor em sete grupos duplos: cosmologia, cronologia, astronomia, zoologia, botânica, antropologia (e outra que não se consegue classificar).
7,17 Desde Platão se considera o mundo como unidade composta dos quatro elementos e bem organizada; os elementos têm suas propriedades e atividades particulares, harmonizadas no conjunto.
7,18a O plural "tempos" parece indicar que o autor pensa mais em períodos do que na extensão contínua de um único tempo. Compare-se com Eclo 42,19.
7,18b-19 Não é fácil especificar o sentido desses membros; suspeito que o autor esteja traduzindo para a mentalidade grega algumas sugestões de Ben Sirac: Eclo 43, 6-10.
7,20 O homem se encontra no mundo dos espíritos, embora entre plantas benéficas (1,14) e animais perigosos (11,18); e do homem se especificam as reflexões, ideia dominante no livro, 1,3.5; 9,14; 11,15; 12,10 etc. Em geral, considera-se que o pensamento do homem é claro só para Deus: Pr 15,11; Jó 26,6; Eclo 42,18; o homem sábio pode participar desse conhecimento que a sabedoria concede: Pr 25,2; 20,5.
7,22-24 Nova demonstração estilística do autor. São 21 adjetivos (3x7) de formação tipicamente grega. É possível definir o sentido conceitual de cada adjetivo? O autor pretendia isso? A impressão é contrária. Parece que o autor se inspira em alguns campos simbólicos: luz, ar ou vento, virtudes humanas. Antecedentes no AT podem ser: a Glória de Deus e o Espírito de Deus. A glória é luz e resplendor que enche a terra, é móvel e protege o povo; o alento de Deus espreita, penetra, incita, ajuda o homem: ver v. 25; cap. 1; 9,11.
7,22 "Artífice", ver 8,6 aplicado a Deus e 14,2 ao artesão. A ideia é bíblica, a expressão tem boa linhagem grega. "Espírito inteligente": título que os estoicos dão a Deus. A tradição platônica distinguia uma alma inteligente de outra afetiva, com sede na cabeça e no peito. "Único e múltiplo" formam a clássica oposição da filosofia grega. Em sentido parecido ao presente, 1Cor 12,4.11. "Sutil" se diz de objetos materiais e também da mente. "Penetrante" se diz dos sentidos e da inteligência; também de cores em sentido de "claro", "evidente". "Imaculado": a palavra significa também "que não mancha"; o sentido autêntico é explicado no v. 25. "Lúcido" se diz de som, letras, sinais. "Invulnerável": também significa "inofensivo". "Agudo" se usa em sentido material de armas, ângulos; metaforicamente, dos sentidos; e pode-se dizer de um som "agudo".
7,23 "Firme" inclui a gama de constante, duradouro, certeiro, garantido etc.; recorde-se o "espírito firme" de Sl 51,12.
"Seguro" é quase sinônimo: incomovível, que não vacila, confiável. "Todo-poderoso, todo-vigilante": ver Eclo 42,20-21. "Que penetra...": ver 1,4; 7,7. "Espíritos" mencionados no v. 20b, não restritos ao homem. "Puro": equivale a imaterial. A sabedoria, que transcende o homem, penetra nele e o torna sábio, mas sem ficar trancada ou impedida.
É um conjunto de valores que ultrapassa tudo quanto foi sugerido em 7,9-15 e os catálogos de bênçãos materiais de textos antigos. Poderia apelar a muitos filósofos e a mentes seletas do tempo. Vindo do hebraico tão pobre em adjetivos, o autor se entrega com fruição à solicitação grega.

²⁴A sabedoria é mais móvel que qualquer movimento,
e, em virtude de sua pureza, atravessa e penetra tudo;
²⁵porque é eflúvio do poder divino,
emanação puríssima da glória do Onipotente;
por isso, nada imundo a ela se apega.
²⁶É reflexo da luz eterna,
espelho nítido da atividade de Deus e imagem de sua bondade.
²⁷Sendo uma só, tudo pode;
sem mudar em nada, renova o universo,
e, entrando nas almas boas de cada geração,
vai fazendo amigos de Deus e profetas;
²⁸pois Deus ama somente quem convive com a sabedoria.
²⁹É mais bela que o sol e que todas as constelações;
comparada à luz do dia, sai ganhando,
³⁰pois a este a noite substitui,
ao passo que o mal não vence a sabedoria.

8

¹Alcança com força de extremo a extremo
e governa o universo com acerto.

Eu a pretendi como esposa

²Eu a quis e a cortejei desde jovem,
e a pretendi como esposa, apaixonado por sua formosura.
³Sua união com Deus realça sua nobreza,
sendo ele dono de todos os que a amam;
⁴é confidente do saber divino e seleciona suas obras.

7,24-8,1 Esses versículos são em parte explicação de alguns atributos citados, em parte explicam a origem divina da sabedoria; ambos os elementos estão entretecidos, pois a origem divina explica e justifica as propriedades.

7,24 Comenta 22c: "móvel", "penetrante". "Pureza" também com o sentido de "imaterial". O âmbito é o universo inteiro.

7,25 Ver Eclo 24,3. Pela etimologia, "eflúvio" é, em grego, o alento da boca, no campo simbólico do ar. "Emanação", em português como em grego, nos leva ao campo simbólico da água: Deus, vertente secreta dessa água puríssima, genuína. "Nada imundo", comenta 22c, "imaculado": talvez aluda à oposição do puro e do impuro, clássica do culto.

7,26 Passamos ao campo simbólico da luz, na linha de Ex 24,17; Ez 1; Jó 36,22; Hab 3,4 etc. A montagem não favorece a exatidão de cada imagem, mas evoca uma visão sugestiva.

7,27ab Soa como comentário ao duplo atributo "único-múltiplo", em chave de atividade. A capacidade de renovar mudando é um dado fundamental no pensamento do livro, e alcançará sua formulação máxima no último capítulo. A frase é como uma combinação de duas sentenças bíblicas: Sl 102,28 e Sl 104,30; além disso, é possível escutar uma alusão ao "motor imóvel" de filósofos gregos.

7,27cd "Amigo de Deus": Abraão (Is 41,8). "Profetas" pode-se entender em sentido amplo (Sl 105,15).

7,28 Compare-se essa frase com 4,10 e 11,26. A convivência com a sabedoria é o tema dominante do capítulo seguinte.

7,29 É de notar a ausência da lua, aqui e em todo o livro; será por lhe faltar o esplendor solar e a harmonia das constelações? Ver Eclo 43,6-8.

7,30 A correlação é "luz-bondade", retomando o v. 26; isso mostra o valor simbólico da luz, que poderia remontar mediatamente a Platão. Pela perfeição de sua bondade, é incompatível com as almas injustas, 1,4-5.

8,1 Imagem complementar de 7,24. No plano simbólico não se excluem, mas criam polaridade. Ver 1,7.

8,2-21 Os sábios ensinam a arte de escolher uma boa mulher, e Pr 31 é o exemplo clássico; também Eclo 25-26. Uma boa mulher é Sabedoria: Eclo 14,20-15,6. Com essa dupla sugestão, o autor alonga o elogio da Sabedoria com novas séries. A noiva é bela, rica, nobre e inteligente, alegria na vida privada, êxito na vida pública. A paixão é bastante interesseira e muito intelectual. O jovem rei faz seus cálculos antes de escolher a esposa; mas não é ela que se torna rainha ao casar-se com o rei (Sl 45), é o rei que por ela se parece com Deus e se torna imortal (vv. 3.17). Ver também Eclo 51,13-22.

8,2 A esposa da juventude tem valor especial: Pr 5,18. "Formosura": é uma beleza espiritual, sem contornos, algo luminoso e leve. Mas não contradiz Sl 45,12.

8,3-4 Personificações para descrever e inculcar a origem divina da sabedoria. "União" e "amor": ver Pr 8,30, companhia e complacência. O v. 4 pode aludir à mesma passagem, sobre os planos e obras de Deus. A palavra *mystis* é muito grega: designa o iniciado nos mistérios; a ideia tem ascendência hebraica, pois Deus tem sua corte celeste: compare-se com Is 40,13-14.

⁵Se a riqueza é um bem apetecível na vida,
    quem é mais rico que a sabedoria, que tudo realiza?
⁶E se é a inteligência quem o realiza,
    quem mais do que ela é o artífice de tudo o que existe?
⁷Se alguém ama a retidão, as virtudes são fruto de seus afãs;
    é mestra de temperança e prudência, de justiça e fortaleza;
    para os homens, não existe na vida nada mais proveitoso do que isso.
⁸E se alguém ambiciona uma deliciosa experiência,
    ela conhece o passado e adivinha o futuro,
    conhece os ditos engenhosos e a solução dos enigmas,
    compreende de antemão os sinais e prodígios,
    e a conclusão de cada momento, de cada época.
⁹Por isso decidi unir nossas vidas,
    certo de que seria minha conselheira na felicidade,
    meu alívio no pesar e na tristeza.
¹⁰"Graças a ela a assembleia me elogiará,
    e, mesmo sendo jovem, os anciãos me honrarão;
¹¹nos processos brilhará minha agudeza,
    e serei a admiração dos monarcas;
¹²se eu me calar, estarão na expectativa;
    se tomar a palavra, prestarão atenção,
    e se me alongo falando, levarão a mão à boca.
¹³Graças a ela alcançarei a imortalidade
    e legarei à posteridade uma lembrança imperecível.
¹⁴Governarei povos, submeterei nações;
¹⁵soberanos temíveis se assustarão ao ouvir meu nome;
    com o povo me mostrarei bom, e valoroso na guerra.

8,5-8 Série de quatro condicionais expressando uma totalidade humana. Com tanta descrição, o autor não consegue evitar repetições; nem tenta fazê-lo.

8,5 Já exposto em 7,8; ver também Pr 8, 18-21.

8,6 O versículo é difícil. Dou a *phrónesis* o sentido de "prudência humana", e ao versículo um sentido comparativo, *a minore ad maius*; se a prudência é capaz de agir, quanto mais a sabedoria, artífice de tudo quanto existe!

8,7 A justiça entra no quarteto clássico dos filósofos gregos, como uma das quatro virtudes cardeais. Excetuando a temperança, as outras podem mostrar também antecedentes bíblicos (Pr 8,14-15).

8,8 "Experiência": que tem também algo de cultura e de saber. Poderíamos traduzir também: "Se alguém pretende ser perito em muitas coisas...". "Passado e futuro": um pouco como o Senhor, de acordo com o Segundo Isaías; só que o futuro aqui "se adivinha", se deduz. "Ditos e enigmas": atividade literária típica dos sábios, que desafiam o engenho, escondem e dão chaves, afastam e indicam pistas; ver Pr 1,6; Eclo 39,2-3; 1Rs 10.

Os "sinais e prodígios" se compreendem facilmente quando acontece o que anunciavam; difícil é compreendê-los antecipadamente. Quem sabe antecipar-se ao desfecho tem uma chave para compreender e agir. Estará o autor pensando nos "apocalipses", tão em moda nos últimos séculos antes de Cristo? Daniel era um sábio conselheiro que por dom divino conhecia o futuro e podia orientar o rei, prometendo ou ameaçando.

Esse versículo é uma das chaves do livro: o autor começou revelando o futuro de justos e injustos no julgamento último; dedicará vários capítulos a contar e interpretar o passado como série de julgamentos históricos entre justos e injustos; ele sabe que esses julgamentos são sinais do futuro, que ele compreende e quer fazer os responsáveis políticos compreender.

8,9-16 Os bens da vida privada formam inclusão, encerrando os dois setenários da vida pública: 9.10-12.13-15.16. Na vida privada predomina a imagem conjugal, descrita como monogamia.

8,9 "Felicidade": ver Eclo 5,1.8; 31,1-11. "Tristeza": ver Eclo 30,21-25.

8,10-12 Sobre o falar na vida pública. Em termos gregos, temos os gêneros judicial e deliberativo, "processos e assembleias". A arte de falar não era menos estimada pelos judeus, que a fazem derivar da sabedoria: Pr 22,20-21; Eclo 39,4; 20,27; 21,15; Jó 29,7-10.21-23. Sobre a fama de Salomão como juiz: 1Rs 3,28.

8,13 "Imortalidade": conforme o contexto do livro, 1,15; 4,2; 6,18-19. "Lembrança": ver Eclo 15,6; 24,33; 39,9.

8,15 A tradição atribui a Davi as vitórias militares, ao passo que Salomão figura como rei pacífico. Na ficção desse capítulo, Salomão faz cálculos para sua futura carreira, e é tarefa real dirigir o povo na guerra; ver 1Sm 8,20.

¹⁶Ao voltar para casa, descansarei a seu lado,
pois seu comportamento não desagrada,
sua intimidade não deprime, mas regozija e alegra."
¹⁷Isto é o que eu pensava e calculava dentro de mim:
a imortalidade consiste em aparentar-se com a sabedoria;
¹⁸sua amizade é nobre prazer;
riqueza inesgotável o trabalho de suas mãos;
seu contato assíduo é prudência; conversar com ela, celebridade;
então comecei a dar voltas, tratando de levá-la para minha casa.
¹⁹Eu era uma criança de bom temperamento, dotado de alma boa;
²⁰melhor dizendo, sendo bom, entrei num corpo sem tara.
²¹Ao perceber que só a ganharia
se Deus a desse a mim
– e já supunha ser bom entendimento
o saber a origem dessa dádiva –
dirigi-me ao Senhor e lhe supliquei, dizendo de todo o coração:

Envia-a do céu

9 ¹Deus de meus pais, Senhor de misericórdia,
que tudo criaste com tua palavra

8,16 Ver alguns refrães irônicos sobre a mulher que irrita o marido: Pr 19,13; 21,9.19; Eclo 26,27.

8,17-18 Na recapitulação, o autor se deixa levar por seu gosto pela variedade de sinônimos. Por um lado, aparentar (3a), amor (2), trato (16b), companhia (2.9), trabalho (7b); por outro lado, imortalidade (13), deleite (7,12), riqueza (5a), prudência (7c), celebridade (10.13). É como o balanço final.

8,19-21 Precisamente esse balanço maravilhoso poderia intimidar o jovem: como pretender dama tão elevada? Salomão, no momento de pedir a mão, responde expondo humildemente seus méritos simples. E aqui, inesperadamente, surge uma concepção antropológica de tradição grega, platônica: o homem se compõe de alma e corpo, o corpo pesa e puxa para baixo (9,15), tanto mais quanto mais manchado estiver de desejos terrestres; a alma preexiste e vai cumprindo um itinerário (metempsicose) de união com novos corpos, mais baixos ou mais elevados, segundo sua conduta no corpo precedente. Assim se pode realizar um processo ascendente até o último grau. O autor aceita esse esquema e coloca Salomão num estágio alto: uma alma já elevada na sua vida precedente merece unir-se a um corpo não contaminado, que não a manchará. Desse estágio poderá elevar-se até a imortalidade pelo amor da sabedoria, quando se desprender do último corpo do seu itinerário. O autor não o diz com clareza, e o seu modo de falar o pressupõe de algum modo. Até essa correção retórica "melhor dizendo" serve para sublinhar a nova concepção, sem antecedentes hebraicos. Não podemos decidir até que ponto o autor faz uma simples concessão a seus leitores gregos ou partilha sinceramente as ideias de Fílon.

9 Para compor essa oração, o autor toma como ponto de partida a súplica de Salomão, conforme 1Rs 3,4-15. Os elementos de base, motivo e pedido, passam ao pedido presente, desenvolvidos com grande liberdade criativa. A oração está em função da segunda parte do livro, e por isso da primeira também; é como uma conclusão, e ocupa lugar central em todo o livro. Como no cap. 6, o reino, a justiça e a sabedoria são os três pontos que constroem a armação: quem reina deve praticar a justiça, e para isso necessita da sabedoria.
a) O reino: Salomão é rei pela graça de Deus – não por sucessão automática – e é vassalo, espécie de vice-rei no reino de Deus (como se inculcava em 6,1-11).
b) A justiça se manifesta sobretudo no exercício de julgar (v. 12), e por isso deve conhecer o direito e a lei (v. 5), que se identificam com o mandamento (v. 9) e com a vontade de Deus (v. 13).
c) Sabedoria: equivale à palavra criadora (v. 1) e ao espírito santo (v. 17). É um ser divino, que conhece e age com Deus e que assiste e dirige o homem. Em inclusão aparece a sabedoria como criadora e salvadora do homem (vv. 2.18).
Como no capítulo 7, Salomão remonta à sua origem e à sua comum humanidade. Por seu pai é herdeiro do trono (v. 12); por sua mãe, é servo de Deus e homem como os demais. O resultado é como o do capítulo 7: o discurso dirigido aos reis vale para todos os mortais. O autor gosta de alargar a perspectiva humana, expondo com vigoroso contraste a grandeza e a miséria do homem.
a) Seu destino é dominar o universo – as criaturas de Deus – e exercer a justiça (vv. 2-3); b) mas o homem é incapaz de cumprir o próprio destino, porque o corpo limita sua capacidade de conhecer (vv. 13-16); c) só com a sabedoria poderá cumprir o próprio glorioso destino (vv. 6.17.18). Em paralelo: a) Salomão tem como destino governar o povo de Deus (v. 7) e construir na terra uma imagem da morada celeste (v. 8); b) é incapaz de fazê-lo, por sua limitação humana (v. 5); c) só com a guia e ajuda da sabedoria poderá cumprir esse destino.
O esqueleto lógico é rico em ensinamento teológico. Mas o autor quer escrever uma oração-modelo. Salomão não vai ensinar sabedoria como outros sábios, mas vai rezar para consegui-la; sua oração tem de ser exemplar.

²e formaste o homem sabiamente,
  para que dominasse todas as tuas criaturas,
³governasse o mundo com justiça e santidade
  e administrasse justiça retamente:
⁴dá-me a sabedoria entronizada junto a ti,
  não me negues um lugar entre os teus.
⁵Porque sou servo teu, filho de tua serva,
  homem fraco e efêmero, incapaz de entender o direito e a lei.
⁶Por mais perfeito que seja um homem,
  se lhe faltar tua sabedoria, não valerá nada.
⁷Tu me escolheste como rei de teu povo
  e governante de teus filhos e filhas,
⁸tu me encarregaste de construir um templo para ti em teu monte santo
  e um altar na cidade de tua morada,
  cópia do santuário que fundaste no princípio.
⁹Contigo está a sabedoria, que conhece tuas obras,
  a teu lado estava quando fizeste o mundo;
  ela sabe o que te agrada,
  o que corresponde a teus mandamentos.
¹⁰Envia-a do céu sagrado, manda-a do teu trono glorioso,
  para que esteja a meu lado e trabalhe comigo,
  ensinando-me o que te agrada.
¹¹Ela, que tudo sabe e compreende,
  me guiará prudentemente em meus empreendimentos,
  e me guardará com seu prestígio;
¹²assim, aceitarás minhas obras, julgarei o teu povo com justiça
  e serei digno do trono de meu pai.
¹³Pois qual é o homem que conhece o desígnio de Deus?
  Quem compreende o que Deus quer?
¹⁴Os pensamentos dos mortais são mesquinhos,
  e nossos raciocínios são falíveis;

9,1 O título divino é tipicamente israelita: por ele Salomão se liga aos patriarcas. "Com tua palavra": Gn 1; Sl 33; Eclo 42,15.

9,2 De acordo com Gn 1,26-28; 9,2-7; Sl 8; Eclo 17,2-4.

9,3 "Justiça e santidade": o binômio aparece em Lc 1,75; Ef 4,24; Tt 1,8. A santidade, como em 6,10, pode referir-se ao "sancionado" por Deus. A justiça, pelo que se segue, parece referir-se às relações humanas no domínio do mundo.

9,4 "Entronizada": ver 6,14. A palavra *páredron* é tipicamente grega e se refere a divindades ou virtudes divinizadas. Ben Sirac põe a sabedoria personificada na assembleia celeste (Eclo 24,2). A expressão grega *paidés* é ambígua: pode significar filhos (como em 2,13) ou servos; normalmente servo se diz *doulos*.

9,5 O filho da serva nasce servo, adquire a liberdade se é alforriado. A expressão humilde está em Sl 86,16; 116,16. "Fraco e efêmero": 7,1; 2,1. "Incapaz": compare-se com Pr 2,6.9.10.

9,6 "Perfeito": de qualidades puramente humanas.

9,7 "Escolheste": 2Sm 7,12-13. "Filhos e filhas": ver Is 1,2; 43,6.

9,8 A construção do templo é a grande tarefa de Salomão, conforme 1Rs 7-8 e 2Cr 3-5. Deus cria o céu como morada e aceita que o homem construa na terra uma cópia dessa morada. O homem recebe de Deus o modelo – segundo velha tradição religiosa – e o saber artesão para realizar a cópia: Ex 25,40. No contexto do livro: pensam mal de Deus os que fabricam ídolos (caps. 13-15), o homem só pode fabricar uma morada ao único Deus, se assistido por sua sabedoria.

9,9 "Conhece tuas obras": 8,4. "A teu lado estava...": ver Pr 8,27-30.

9,10 "Trabalhe": ver 8,7.18.

9,11 "Sabe": ver 8,8. Guiar e guardar serão verbos importantes na próxima seção histórica.

9,12 "Minhas obras": eco do v. 9, "tuas obras", sobretudo se aqui se refere ao templo, o que é provável comparando os três membros desse versículo com os três membros dos vv. 7 e 8.

9,13 Ver 6,4, também 4,17.

9,14-15 Por sua condição imaterial, a mente é capaz de pensar e compreender; mas ligada ao elemento material do corpo, encontra-se limitada, não necessariamente pervertida. A sabedoria é chamada a deter esse peso material, esse "lastro" da alma, levantando-a e mantendo-a em sua própria esfera. Essa doutrina sobre o corpo é grega, de tradição platônica, embora a imagem da tenda se encontre em Is 38,12 e algo análogo esteja em Jó 4,19. Em terminologia mais moderna, falaríamos de vida instintiva, de forças irracionais que turvam a mente, de impulsos obscuros do subconsciente não esclarecidos ou mal racionalizados etc.

¹⁵porque o corpo mortal é lastro da alma,
e a tenda terrestre oprime a mente pensativa.
¹⁶Apenas adivinhamos o terrestre,
e com trabalho encontramos o que está à mão:
pois quem rastreará as coisas do céu?
¹⁷Quem conhecerá teu desígnio, se tu não lhe dás a sabedoria,
enviando do céu teu santo espírito?
¹⁸Só assim foram retos os caminhos dos terrestres,
os homens aprenderam o que te agrada, e a sabedoria os salvou.

A Sabedoria salvou o justo

10 ¹Foi ela quem protegeu o pai do mundo em sua solidão,
o primeiro modelado por Deus;
²levantou-o de sua queda e lhe deu o poder de tudo dominar.
³Afastou-se dela o criminoso furioso,
e sua sanha fratricida lhe acarretou a ruína.
⁴Por sua culpa veio o dilúvio sobre a terra,
e outra vez a sabedoria a salvou,
pilotando o justo num pranchão de nada.
⁵Quando aconteceu a barafunda dos povos, concordes na maldade,
ela se fixou no justo e o preservou sem mancha diante de Deus,
mantendo-o inteiro sem abrandar-se diante de seu filho.

9,16 "Adivinhamos": 8,8. "O terrestre": o fato de a terra ser justamente o reino do homem (Sl 115,16). "Rastrear": ver Is 40,28; Sl 145,3.

9,17 Depois de seis menções da sabedoria, o "santo espírito" ocupa o sétimo lugar. Para a identificação, ver 1,5.7; 7,22. Podemos falar da sabedoria como carisma.

9,18 Cortando a consecução com um advérbio, o autor conclui com uma síntese de história, com a qual prepara o capítulo seguinte. O olhar ao passado se harmoniza também com o começo do capítulo, que é história real, e com o primeiro título divino, que evoca a história patriarcal. A oração de Salomão termina com uma nota convincente, pois fala de fatos repetidos e exemplares, nos quais a sabedoria triunfou sobre a fraqueza do homem.

10 Poderíamos dizer que com esse capítulo começa a terceira parte: a) porque a oração do cap. 9 é conclusiva; b) porque aqui começa a narração histórica, que se prolonga até o fim do livro. Também pode ligar-se à segunda parte do livro: a) porque nele domina como sujeito a sabedoria, nos seguintes o sujeito é Deus; b) a palavra *sophia* aparece três vezes em 1-5, vinte vezes em 6-9, quatro vezes nesse capítulo, duas vezes no resto do livro; c) esse capítulo é verdadeira história estilizada, de Adão a Moisés, os restantes desenvolvem a *synkrisis* (confrontação) do Êxodo.
É possível que o autor tenha querido dar a esse capítulo função de dobradiça: olhando para trás, completa o elogio da sabedoria com as ações (*praxeis*); olhando para a frente, é como um prelúdio do que se segue.
O capítulo é desenvolvido engenhosamente. Não sem razão fala o sábio Salomão, fazendo da história uma parábola e um enigma ao mesmo tempo. Se Ben Sirac louvava "os homens de bem" (Eclo 44,1), Salomão canta o louvor da sabedoria. Ben Sirac citava os nomes, até tirando partido deles; nosso autor evita qualquer nome. Com isso, a série tem algo de mistério para iniciados: quem conhece a história de Israel sabe de quem se trata; quem não a conhece, que pergunte. Além disso, sem nome, os personagens se convertem mais facilmente em tipos, de acordo com a oposição de justo e injusto, em julgamentos históricos.
Os personagens são sete, acompanhados de pessoas ou grupos de contraste: Adão, Noé com Caim; Abraão, Ló com os sodomitas; Jacó com Labão e Esaú; José com quem o deprecia; Moisés e o povo perante o Faraó e os egípcios. E a história termina em hino.

10,1 "O primeiro modelado" (7,1) de todos os homens: cf. Sl 139. A "solidão" parece colocá-lo antes da criação de Eva, ao passo que o pecado é posterior. Não menciona nem alude a um personagem, externo ao protagonista, serpente ou satã.

10,2 Pela ordem, é como se essa concessão seguisse a reconciliação, em desacordo com Gn 1-3. Veja-se a inversão de Eclo 17,1-3; para o tema do poder, Sl 8. Há outra alusão duvidosa: aqui é a Sabedoria que livra Adão da sua queda, em Gn o pecado veio de um afã de saber.

10,3 Trata-se de Caim, conforme Gn 4. "Fratricida" corresponde à insistência no tema da fraternidade conforme a narração do Gênesis.

10,4 É curiosa a união causal do dilúvio com Caim. Parece corresponder a uma interpretação tradicional e antiga, segundo a qual o pecado de Caim se transmitiu e cresceu entre seus sucessores, os cainitas; ver Gn 4,7-24. Compare-se com Gn 6,1-7. A salvação através da água é tema que parte do dilúvio e adquire enorme relevo na passagem do mar Vermelho; ver também 1Pd 3,20. Sobre a madeira, ver também 14,5-6; embora Gn 6 sublinhe a grandeza imponente da arca, esse tamanho era um nada comparado com a imensidão oceânica das águas.

10,5 Os homens que constroem a torre de Babel são opositores de Abraão: antes da discórdia das línguas,

⁶Quando houve a aniquilação dos ímpios, ela pôs a salvo o justo,
  fugitivo do fogo que choveu sobre a Pentápole;
⁷testemunho de sua maldade, o deserto ainda fumega,
  as árvores frutíferas de colheitas malogradas
  e a estátua de sal que se ergue, monumento à alma incrédula.
⁸Pois, deixando de lado a sabedoria,
  mutilaram-se ignorando o bem,
  e ainda legaram à história uma lembrança de sua insensatez,
  para que sua passagem má não ficasse oculta.
⁹A sabedoria tirou de apuros seus fiéis.
¹⁰O justo que escapava da ira de seu irmão
  conduziu-o por sendas planas,
  mostrou-lhe o Reino de Deus e lhe deu a conhecer os santos;
  deu êxito a suas tarefas e tornou fecundos seus trabalhos;
¹¹protegeu-o contra a cobiça dos exploradores e o enriqueceu;
¹²defendeu-o de seus inimigos e o pôs a salvo de armadilhas,
  deu-lhe a vitória na dura batalha,
  para que soubesse que a piedade é mais forte do que tudo.
¹³Não abandonou o justo vendido,
  mas o livrou de cair no pecado;
¹⁴desceu com ele ao calabouço e não o deixou na prisão,
  até entregar-lhe o cetro real e o poder sobre seus tiranos;
  demonstrou a falsidade de seus caluniadores
  e concedeu-lhe glória perene.
¹⁵O povo santo, a raça irrepreensível,
  ela o livrou da nação opressora;
¹⁶entrou na alma do servidor de Deus,
  que com seus prodígios e sinais enfrentou reis temíveis.
¹⁷Deu aos santos a recompensa de seus trabalhos,
  e os conduziu por um caminho maravilhoso;
  foi sombra para eles durante o dia
  e resplendor de astros durante a noite.
¹⁸Ela os fez atravessar o mar Vermelho
  e os guiou através de águas caudalosas;

houve uma concórdia na maldade (Gn 11). Sacrifício de Isaac: Gn 22; Eclo 44,20. A Sabedoria dá uma força maior que o amor paterno.
10,6-7 Ló, salvo do fogo da Pentápole: Gn 19. Não especifica o pecado dos habitantes. O fogo que desce do céu é o raio. Os efeitos permanentes do castigo continuam sendo testemunhas de acusação da culpa para todas as gerações sucessivas. A "estátua de sal" é a figura legendária da mulher de Ló petrificada.
10,8 Coloca o pecado no campo do saber: ignorância culpável do bem e abandono da Sabedoria salvadora; é a decisiva insensatez.
10,10-11 Jacó consegue livrar-se das intenções homicidas de Esaú (Gn 27,41-45); a sabedoria ocupa aqui o lugar de Rebeca. Justamente a ira do irmão faz de Jacó um grande peregrino. Seu ponto de partida e de chegada é Betel, onde tem a visão aqui resumida: o Reino de Deus é o mundo celeste, os santos são os anjos que descem e sobem pela escada ou rampa. As "tarefas" e "trabalhos" a serviço de Labão, o explorador: Gn 30,25-43.
10,12 "Inimigos": Labão e Esaú. A "batalha" se refere à luta com o anjo de Gn 32,26-33, na qual consegue uma vitória parcial. A sabedoria faz o homem compreender que com a piedade pode até enfrentar Deus.
10,13 José. O pecado como força ameaçadora, personificado na mulher de Putifar, Gn 39.
10,14 "Calabouço" e "prisão": sinônimos do cárcere egípcio. O "cetro real" levado como emblema pelo vice-rei José, Gn 41,37-44. "Glória perene", porque permanece na lembrança da posteridade.
10,15-16 Moisés e a libertação do Egito antecipam o grande julgamento que desenvolverão os capítulos seguintes. Do indivíduo passamos à comunidade. "Santo": conforme Ex 19,6. "Irrepreensível", simplificação exigida pelo papel que deve representar nesse capítulo e nos seguintes, papel do justo perseguido e libertado.
10,16 "Entrou": ver 1,4 e 7,27.
10,17 Enquanto os egípcios submetem os hebreus a trabalhos forçados, duros e sem paga, a Sabedoria os recompensa também por esses trabalhos (ver 2,22 e 5,15). A Sabedoria assume o aspecto de nuvem protetora durante o calor do dia e de luz estelar de noite: ver Ex 13,22 e neste livro 18,3 e 19,7.
10,18 Ex 14-15; Sb 19,7.

¹⁹submergiu seus inimigos,
e os tirou depois, boiando do profundo do abismo.
²⁰Por isso os justos despojaram os ímpios
e cantaram, Senhor, um hino a teu santo nome,
exaltando em coro o teu braço vitorioso;
²¹porque a sabedoria abriu a boca dos mudos
e soltou a língua das crianças.

JULGAMENTOS HISTÓRICOS

Julgamento da água

11 ¹Coroou de êxito suas obras por meio de um santo profeta.
²Atravessaram um deserto inabitado,
acamparam em terrenos intransitáveis;

10,19 Ou seja, tirou seus cadáveres: Ex 14,30.
10,20-21 A rigor, a espoliação tinha ocorrido antes, Ex 12,36. Tudo termina num hino a Deus, no qual também intervém a Sabedoria. Refere-se, em primeiro lugar, a Ex 15, mas com valor exemplar.

JULGAMENTOS HISTÓRICOS

Aa terceira parte do livro é formada pelos capítulos 11-12 e 16-19, interrompidos pela seção 13-15 sobre a idolatria (que trataremos à parte).
Trata-se de um comentário unificado de sete pragas que põem em confronto Israel com o Egito. Detendo-nos no castigo do Egito, obtemos a seguinte sequência: 1) a água mudada em sangue (Ex 7,14-24, primeira praga); 2) "vis animais" (talvez a segunda praga, as rãs de Ex 7,25; 8,11); 3) gafanhotos e moscas (talvez combinando oitava e quarta pragas, Ex 8,16-28; 10,12-20; 4) tempestade com raios e granizo (Ex 9,13-35, sétima praga); 5) trevas (Ex 10,21-29, nona praga); 6) morte dos primogênitos (Ex 11,4-8; 12,29-36, décima e última praga); 7) o mar Vermelho (Ex 14-15).
O material serve para um comentário bastante livre, em que o autor raciocina, amplia, sublinha com manifesta intenção didática. Raciocina buscando e propondo razões: por que, para que, com que instrumentos, com que resultados; amplia descrevendo e enumerando, explorando valores simbólicos, espalhando suas figuras retóricas; sublinha comparando e opondo, com certo patetismo retórico aprendido de autores gregos.
Sobretudo, o autor compõe um sistema de correspondências e oposições, cuja chave dupla se pode formular assim: no pecado a penitência, o castigo do perverso é prêmio ao inocente. Desenvolvida esquematicamente, essa chave nos dá o seguinte esqueleto intelectual: 1) os egípcios querem matar os hebreus na *água*, e sua *água* se transforma em sangue, ao passo que os hebreus bebem uma *água* milagrosa; 2) os egípcios prestam culto idolátrico a vis *animais*, e por vis *animais* são castigados, ao passo que os hebreus são alimentados com *animais* saborosos; 3) culto de animais: os hebreus mordidos por *serpentes* e curados à vista de uma *serpente* de bronze; 4) *fogo celeste* queima os *alimentos* dos egípcios, e um *alimento celeste* sacia os hebreus sem se consumir no *fogo*; 5) os egípcios retêm *cativos* os hebreus portadores da *luz*; as *trevas* retêm *cativos* os egípcios, e uma *luz* milagrosa guia os hebreus; 6) os egípcios tentam *matar* os *meninos* hebreus, os *primogênitos* egípcios *morrem*, os hebreus se livram da *matança*; 7) a *água* submerge os egípcios e dá passagem aos hebreus.
Nesse esquema literário, há um princípio unificador, que é o julgamento: um juiz sentencia e executa numa causa entre opressores e oprimidos, culpados e inocentes, aplicando um castigo que corresponde à culpa, espécie de talião. O julgamento convoca as duas partes interessadas, para que conheçam as duas vertentes da sentença. Tratando-se de julgamento divino, transcendente, uma palavra profética o proclama e explica.
Assim chegamos ao sentido dessa parte na dinâmica do livro. A primeira parte (caps. 1-5) exortava os poderosos a praticar a justiça, ameaçando com o julgamento escatológico que restabeleceria e revelaria os valores. Esse julgamento escatológico é antecipado e prefigurado nos julgamentos históricos da terceira parte: antecipação que é garantia e prova. Quem não crê num julgamento final, que medite nos julgamentos da história: eles o convencerão do julgamento final.
Nos julgamentos históricos se revela o modelo de justiça que se inculca aos juízes e governantes deste mundo: aprendam a julgar como faz o Senhor do céu; do contrário, aprenderão às próprias custas; e se ainda não querem aprender, compreenderão quando for tarde demais.
O julgamento histórico tem semelhanças com o escatológico e também uma diferença fundamental. Semelhanças: as duas partes, justos ou santos e injustos ou insensatos, compareçam juntas, de modo que podem escutar a sentença dupla, comparar os destinos opostos, reconhecer a justiça do juiz. A natureza fornece suas criaturas como instrumentos de execução: 5,17.20 e 16,17.
Uma coisa é diferente por definição: o julgamento escatológico do cap. 5 é definitivo, sem apelação nem tempo para conversão; os julgamentos históricos dão tempo para a conversão, a buscam, a provocam (12,2.8-10.20), misturam ira e indulgência, justiça e compaixão (11,23; 12,18). Essa distinção é lógica, e além disso necessária para que o livro tenha sentido: se o autor exorta os poderosos da terra que abusam do poder, é porque considera possível sua conversão. O julgamento escatológico é uma realidade distante que demonstra sua força no presente, levando à conversão e instaurando assim

³enfrentaram exércitos hostis e derrotaram os adversários.
⁴Tiveram sede e te invocaram:
 uma rocha áspera lhes deu água e uma pedra dura lhes curou a sede.
⁵Com aquilo mesmo que seus inimigos eram castigados,
 eles, no aperto, eram favorecidos.
⁶Em lugar da corrente perene
 de um rio turvo e sanguinolento
– ⁷castigo do decreto infanticida –
 lhes deste água abundante não esperada,
⁸para que aprendessem, pela sede passada,
 como havias castigado seus adversários.
⁹Com efeito, quando sofriam uma prova,
 embora fosse uma correção piedosa,
 compreendiam os tormentos dos ímpios,
 executados com cólera;
¹⁰porque provaste os teus como pai que repreende,
 mas àqueles, como rei inexorável, tu os examinaste e condenaste.
¹¹Ausentes e presentes eram consumidos de maneira igual;
¹²duplo pesar se apoderou deles, e gemiam, recordando o passado;
¹³com efeito, ao ouvir que seus próprios castigos
 redundavam em benefício dos outros, viam aí a mão do Senhor.
¹⁴Aquele que outrora tinham abandonado exposto
 e a seguir rejeitado com caçoada,
 no fim dos acontecimentos admiraram,
 ao sofrer uma sede diferente da dos justos.

Julgamento dos animais

¹⁵Sua mentalidade insensata e depravada
 os extraviou até o ponto de prestarem culto

---

um regime de justiça. Mas os julgamentos históricos podem desembocar em julgamento escatológico para os que não aceitam a intenção salvadora deles. Todo o discurso tem função didática, que o autor atribui também a Deus: 11,8.16; 12,19.22; 16,22.26.28. Como Israel representa o papel do inocente nos julgamentos históricos, o autor não se detém no comentar os pecados e castigos, bem documentados nas tradições do Êxodo.

11,1 Versículo de ligação: a Sabedoria ainda é o sujeito, mas logo se retira para dar passagem a Deus. Moisés é o máximo profeta modelo, conforme a tradição: Dt 18,15; ver Sb 7,27.
11,2-14 Julgamento da água. Ver Ex 17,1-7 e Nm 20,1-11; para o v. 3, Ex 17,8-16.
11,2 Começa pelo deserto e terminará com a passagem do mar Vermelho, invertendo a cronologia em função do tema. O tema é a água da primeira praga, que por contraste atrai acontecimentos posteriores. O deserto interessa como palco da sede e da água maravilhosa.
11,3 Além dos amalecitas, em sua formulação genérica pode incluir outros inimigos (p. ex. Nm 21; 31). Aqui parecem figurar como hostis habitantes do deserto.
11,4 Segundo a versão grega de Dt 8,15.
11,5 O verbo formula a chave de toda a terceira parte. Nos elementos da natureza há uma bivalência que permite a Deus usá-los para favorecer e castigar, ver Eclo 39,27.
11,6 "Perene": opõe o rio permanente à torrente temporária e ocasional. "Sanguinolento" evoca a ideia de crueldade, reforçada pelo "infanticida" do versículo seguinte.
11,7 Ex 1,15-18. Esse pecado retorna, por razões temáticas, em 18,5.
11,8 Essa função da sede não é tradicional. O v. 14 falará de sede diferente.
11,9-10 Desenvolvem e ampliam a ideia anterior. O procedimento retórico simplifica e assinala a oposição, sublinhando bem o ensinamento sem matizá-lo. As oposições podem servir para interpretar outros sofrimentos à primeira vista ambíguos: prova ou tormento, repreensão ou sentença, repreensão ou condenação, piedade ou cólera?
11,11 "Ausentes e presentes" é um merisma articulado por "todos" (ausente no texto). Naturalmente se refere aos egípcios, todos culpados e condenados.
11,12-13 Essa recordação do passado, vista à nova luz de sua condenação, é de grande importância. "Duplo pesar": do sofrimento próprio e do bem alheio, vistos em sua conexão, que faz sentir a intervenção do Senhor; ver 5,7 e 5,2; 8,15 ("o dedo de Deus").
11,14 Moisés resume e exemplifica vários traços genéricos presentes na primeira parte: as caçoadas (4,18; 5,4), o estupor (5,2) no desfecho (2,17; 4,17).
11,15 O tema dos animais tem função condutora: continua em 12,24, coroa a seção sobre a idolatria em 15,14-18, e penetra até 16,1.4.5-14. O tema serve ao autor também para uma série de reflexões de alcance geral e de grande importância teológica.

a répteis sem razão e vis animais,
e tu te vingaste enviando contra eles
uma infinidade de animais sem razão,
¹⁶para que aprendessem que o castigo está no pecado.
¹⁷Bem que podia tua mão onipotente,
que da matéria informe havia criado o mundo,
soltar contra eles ursos em manadas ou bravos leões,
¹⁸ou espécies novas de animais recém-criados, ferocíssimos,
que lançassem arfadas chamejantes
ou exalassem uma fumarada pestilenta,
ou cujos olhos lançassem chispas terríveis;
¹⁹o malefício deles podia tê-los aniquilado,
e só seu aspecto arrepiante, tê-los exterminado.
²⁰Sem nada disso podiam ter caído num sopro apenas,
perseguidos pela justiça, peneirados por teu sopro poderoso,
mas tinhas predisposto tudo com peso, número e medida.
²¹Exercer todo o teu poder está sempre ao teu alcance;
quem pode resistir à força de teu braço?
²²Porque o mundo inteiro é diante de ti
como grão de areia na balança,
como gota de orvalho matutino que cai sobre a terra.
²³Mas te compadeces de todos, porque tudo podes,
fechas os olhos aos pecados dos homens para que se arrependam.
²⁴Amas todos os seres, e não detestas nada do que fizeste;
se tivesses odiado alguma coisa, não a terias criado.
²⁵E como subsistiriam as coisas, se tu não o tivesses desejado?
Como conservariam sua existência, se tu não as tivesses chamado?
²⁶Mas perdoas a todos, porque são teus, Senhor, amigo da vida.

12

¹Todos levam teu sopro incorruptível.

Os cananeus: teodiceia

²Por isso corriges pouco a pouco os que caem,
e lhes recordas o pecado e os repreendes,
para que se convertam e creiam em ti, Senhor.

11,16 A correspondência de castigo e pecado é como lei do talião, muito frequente nos profetas.

11,17-19 Desenvolve o tema com uma série de gosto muito alexandrino, cheia de adjetivos difíceis e palavras rebuscadas. A "matéria informe" é expressão da filosofia grega desde Aristóteles; é possível que o autor substitua a fórmula hebraica "caos informe" de Gn 1,2 com essa expressão grega.
Conforme Jeremias e Ezequiel, as feras são um dos quatro executores da ira divina; também Eclo 39,30 as registra.

11,20 Trata-se do alento vingador e insuperável: ver 5,23 e o antecedente de Is 40,7; 41,16. A sabedoria impõe temperança na justiça vindicativa.

11,21 Sl 76,8; 129,3; Is 47,3; Na 1,6; Rm 9,19.

11,22 Is 40,15; Os 13,3.

11,23 Extraordinária afirmação: a onipotência como causa ou razão da compaixão. Um poderoso é injusto porque ambiciona mais poder, porque teme perdê-lo, por cobiça, por temor; é rigoroso porque não ama o acusado, porque teme que lhe escape, porque deve prestar contas, porque deve ater-se a prazos, e embora tenha boa vontade, talvez não acerte. Ao invés, Deus tem o poder supremo (vv. 17.23), não teme ninguém (12,11), não tem de prestar contas (12,12-13), ama os acusados (11,24), tem tempo (11,21; 12,18), sempre acerta (11,20). Quer a conversão e dá tempo para ela. Ver a profissão litúrgica: Sl 86,15; 103,8; Nm 14,18.

11,26 Ez 33,11.

11,24-12,1 O amor criador. A onipotência sozinha não explica adequadamente a criação, entra também a vontade livre de Deus (Sl 115,3). O autor fala desse amor inicial e prévio, razão última da existência dos seres (como o amar e desejar o filho, ainda não concebido, pode ser a razão do seu existir), a onipotência vem a ser o executor do desejo amoroso. São de Deus porque levam seu sopro. Ver 1,13-14 e 2,23-24. Gn 2,7; 6,3; Sl 104,29; Jó 34,14-15; Ecl 12,7.

12,2 O versículo funciona como ligação. O caso dos cananeus é como preocupante objeção ao amor e à justiça de Deus. Concede-se que os egípcios opressores

³Os antigos habitantes de tua terra santa,
⁴tu os detestaste por suas práticas detestáveis,
 ritos execráveis e atos de magia,
⁵cruéis sacrifícios de criaturas
 e banquetes canibalescos de vísceras e sangue humano;
 esses confrades iniciados,
⁶progenitores assassinos de vidas indefesas,
 tu decidiste eliminá-los por meio de nossos pais,
⁷para que tua terra predileta
 acolhesse a digna colônia dos filhos de Deus.
⁸Mas ainda a esses, como homens que eram,
 trataste com indulgência
 e lhes enviaste vespas, como precursoras de teu exército,
 para exterminá-los pouco a pouco.
⁹Bem que podias ter entregue os ímpios
 nas mãos dos justos, em batalha campal,
 ou tê-los aniquilado de uma vez
 por meio de feras terríveis, ou com uma palavra inexorável;
¹⁰mas, castigando-os pouco a pouco, lhes deste ocasião de arrepender-se,
 sabendo que eram de má cepa, de malícia congênita,
 e que sua maneira de ser nunca mudaria.
¹¹Eram raça maldita desde sua origem;
 se lhes perdoaste os delitos, não foi porque tivesses medo de alguém.
¹²De fato, quem pode dizer-te: "o que fizeste?"
 Quem protestará contra tua sentença?
 Quem te denunciará pelo extermínio
 das nações que criaste?
 Quem se apresentará a ti como vingador de delinquentes?
¹³Além disso, fora de ti não há outro deus que cuide de todos,
 diante do qual tenhas que justificar tua sentença;
¹⁴não há rei nem soberano que possa desafiar-te por tê-los castigado.

---

tenham sido castigados; mas que culpa tinham os cananeus para serem invadidos sem terem provocado?

12,3-22 Esses versículos colecionam grande número de palavras da raiz just- (dik-) e da raiz julg- (krin-). A esses devem-se acrescentar outros verbos do mesmo sentido.
Compare-se esse capítulo especialmente com 6,1-11. O discurso é paradoxal, pois o autor diz que Deus não precisa de justificação. Deus castiga porque o homem merece (vv. 4-6). Deus perdoa porque é dono de tudo (v. 16), porque compreende o homem (v. 8a), porque é livre e não vítima da paixão (v. 18), para ensinar o homem (vv. 19.22), para animá-lo e dar-lhe esperança (vv. 21.22).

12,3-7 A concepção de uma "terra santa" retoma concepções míticas acerca do recinto sagrado dos deuses. É santa, porque é propriedade de Deus: ele pode dá-la e tomá-la. Por ser santa ou sagrada, os delitos podem profaná-la ou execrá-la.

12,4-6 Ver Sl 106,34-39, dos hebreus imitando os cananeus. Os sacrifícios de crianças a ídolos são a máxima injustiça e profanação: 2Rs 16,3; Is 57,5; Ez 16,20-21; Jr 7,31. Contra a magia, Dt 18,9-13 (delito cananeu). Ver também Lv 20,1-7.
Só aqui se fala de banquetes canibalescos; a tradição bíblica nada diz deles. Também é acréscimo do autor atribuir aos antigos cananeus iniciações e mistérios. Observe-se o jogo retórico significativo de "pais", "filhos", "nossos pais", "filhos de Deus".

12,5 Dt 12,31; 2Rs 3,27.

12,8 O "exército" do Senhor são os hebreus: Ex 7,4; 12,51; Js 5,14.15. As "vespas" ou besouros são interpretação tradicional de uma palavra hebraica duvidosa (muitos hoje a traduzem por "pânico"). O autor utiliza a interpretação tradicional para completar seu tratado sobre os animais vingadores: ver Ex 23,28; Dt 7,20 e Js 24,12.

12,9 "Palavra inexorável": paralelo e equivalente do "sopro" de 11,20.

12,10-11 "De má cepa", segundo Gn 9,18-27. Em 3,12 se diz algo semelhante dos perversos em geral. A perversão se transmite socialmente, como força insuperável, de geração em geração. O julgamento inclui o grupo, não cada indivíduo.

12,12 Ver Is 45,9; Eclo 36,11. O argumento da terceira pergunta retórica (cf. Jr 18,6) deve ser entendido no contexto; do contrário, apresentaria um Deus arbitrário e cruel. Ver Jó 10,8.

12,14 O contrário dos reis e soberanos humanos, conforme 6,1-11.

¹⁵Tu és justo, governas o universo com justiça,
   e consideras incompatível com teu poder
   condenar quem não merece castigo.
¹⁶Porque tua força é o princípio da justiça,
   e o ser dono de todos te faz perdoar a todos.
¹⁷Diante de quem não crê na perfeição de teu poder,
   exerces tua força,
   e deixas convictos de seu atrevimento os que a reconhecem;
¹⁸mas tu, dono de tua força, julgas com moderação
   e nos governas com muita indulgência;
   ao teu alcance está fazer uso de teu poder quando queres.
¹⁹Agindo assim, ensinaste a teu povo
   que o homem justo deve ser humano,
   e infundiste em teus filhos a esperança,
   pois deixas arrepender-se os que pecam.
²⁰Pois se com tanto cuidado e indulgência
   castigaste, réus de morte, os inimigos de teus filhos,
   dando-lhes tempo e ocasião de arrepender-se de suas culpas,
²¹com quanto esmero não julgaste teus filhos,
   a cujos pais prometeste favores com juramentos e alianças?

Julgamento de caçoada

²²Tu nos ensinas, açoitando mil vezes nossos inimigos,
   para que na hora de julgar pensemos em tua benevolência,
   e quando nos tocar ser julgados esperemos misericórdia.
²³Os néscios que viveram uma vida depravada,
   tu os torturaste com suas próprias abominações;
²⁴extraviaram-se muito longe pelo caminho do erro,
   tendo como deuses os mais vis e repugnantes animais,
   deixando-se enganar como crianças sem entendimento;
²⁵por isso, como a crianças que não raciocinam,
   os submeteste a um julgamento de caçoada.
²⁶Os que não aprenderam com corretivos cômicos
   teriam de sofrer um julgamento digno de Deus.
²⁷Ao serem castigados por aqueles mesmos que eles tinham como deuses
   – e que os haviam feito sofrer e irritar-se –

12,15 Ver o diálogo de Abraão com Deus acerca de Sodoma (Gn 18).

12,16a Compare-se com 2,11. A frase é muito densa e admite várias leituras: princípio criador da ordem da justiça; princípio da instauração e execução de uma ordem histórica da justiça.

12,16b Ver 11,23. Perdoar não se opõe ao poder nem à justiça.

12,17 Compare-se com 5,17-20.

12,18 Deus é senhor de todos os poderes humanos, ele próprio domina seu poder. Ver Is 1,21.

12,19 Podemos falar de um ideal "humanista". Ver 1,6 e 7,23.20-21. Comentam o tema da esperança. Deus se compromete com um povo pela promessa com juramento.

12,22 "Tu nos instruis": compare-se com 3,5 e 11,9. "Benevolência": a sabedoria é "imagem de sua bondade", conforme 7,26. "Misericórdia": ver 3,9; 4,15; 6,6; 9,1; 11, 9; é uma constante em todas as seções do livro.

12,23-27 Volta ao tema dos egípcios e da zoolatria; o tema da infância que não raciocina é novo. Interessa muito a ligação da idolatria com a insensatez.
a) Os "néscios" de 23-24 coincidem com a figura dos ímpios de 5,4-6; ver também 1,3 e 3,2; b) as crianças são caracterizadas como néscios "que não raciocinam" (cf. em grego 1,3.5; 2,1.21; 3,10). A correspondência insensatez-perversidade-idolatria é chave para explicar os três capítulos que se seguem; os versículos presentes podem ser considerados como sua introdução ou como peça de ligação.
O verbo grego para "educar", "corrigir", tem a mesma raiz que "criança" (*paideuein, pais*). O "cúmulo da condenação", que em 5, 17-23 é teofania cósmica, em 18,14-16 é matança, em 19,4 é afogar-se no mar Vermelho.

12,23 Ver 5,4.

12,24 Ver 5,6.

12,25 Leia-se em contraste com 6,5.

12,27 No castigo reconhecerão Deus, mas sem verdadeira conversão.

abriram os olhos e reconheceram como Deus verdadeiro
aquele que antes não haviam querido conhecer;
por isso lhes sobreveio o cúmulo da condenação.

A IDOLATRIA
Fascinados pela formosura do universo

13 ¹Eram naturalmente vãos todos os homens que ignoravam Deus,
e foram incapazes de conhecer aquele que é,
a partir das coisas boas que estão à vista,
e olhando suas obras não reconheceram o artífice,
²mas tiveram como deuses o fogo, o vento, o ar leve,
as órbitas astrais, a água impetuosa,
os luzeiros celestes, regedores do mundo.
³Se, fascinados por sua formosura, os consideraram deuses,
saibam quanto seu Dono os supera,
pois o autor da beleza os criou;
⁴e se o poder e atividade dele os assombraram,
calculem quanto mais poderoso é quem os fez;

A IDOLATRIA

13-15 Podemos considerar esses capítulos como quarta parte do livro, interrompendo a terceira como cunha. Na arquitetura do livro, esses três capítulos têm um ensinamento muito importante e uma função peculiar. Para entendê-la, recordemos a grande oposição entre duas personificações, Sabedoria e Insensatez, de Pr 9. O autor dedicou uma seção inteira à Sabedoria (6-10); onde está a contrapartida? Leiamos o seguinte esquema:

Os poderosos
precisam da sabedoria
para praticar a justiça
porque prestarão contas.
Os homens
que praticam a idolatria
caem na injustiça e nos vícios
e prestarão contas.

O lugar da insensatez é ocupado pela idolatria. Idolatria e ídolos se intercambiam, como a sabedoria transcendente e a participada pelos homens se completavam.
a) A idolatria é uma insensatez. Nós o lemos expressamente em 12,23-25 e de novo em 15,5.14. Por contraste, a fabricação de ídolos deforma uma sabedoria divina ou humana aplicada às criaturas: 13,1-14,9. A veneração dos ídolos é descrita com ironia, fazendo compreender sua falta de sentido: 13,17-19; 14,1.15. Acrescentam-se os sinônimos ou parentes de insensatez, como ignorância, extravio.
b) A idolatria – noção errada de Deus – é fonte de injustiça e de outros vícios: 14,27; concorda com 1,1.
c) A análise da idolatria se realiza com uma série de correspondências com os capítulos sobre a sabedoria, embora numa ordem diversa, imposta pelo tema: Origem da (S)abedoria e da (I)dolatria (ídolos), 7,25-26 e 14,13-15.21.
Poder da S e impotência dos I, 7,23.27 e 13,17-19; 14,31; 15,15. Duração da S e dos I, 9,9 e 14,13. Contribuições da S, 6,24; 8,7; 7,8-12; 8,5-18, e da I, 14,22-31. A S se oferece, 6,12-16, o I se impõe, 14,16.20. A S enamora, 8,2; o I apaixona 15,5. Oração pela S, 7,7; 9; ao I, 13,17-19; 14,1. A S dá o verdadeiro conhecimento do mundo, 7,17-21. A I, conhecimento frustrado do mundo, 13,1-5. A S, princípio de não-corrupção, 6,19. A I, princípio de corrupção, 14,12.
d) Como a vida era central em 1-5, a morte é tema quase obsessivo nesses capítulos. O fabricante de ídolos é homem mortal que pretende fazer deuses (15,8-11.16-17). Mas os ídolos são criaturas mortas (13,10; 14,15; 15,5.17); sem vida (13,17; 14,29); sem alento (15,5). Se parecem ter certa existência, o fim deles chegará (14,14).
Três adjetivos articulam essa parte: "vãos" (13,1), "infelizes" (13,10), "os mais néscios" (15,14). O segundo se refere a ídolos de madeira, em casa (13,11-19) e no mar (14,1-8), e ídolos de barro (15,7-13). No meio, a origem, o pai ou o soberano (14,15s. 17-21), e as consequências (14,12-21.22-29).
São muitas as referências à filosofia grega difundida na época, e à tradição bíblica, até conseguir uma síntese sugestiva.

13,1-9 A primeira forma de extravio religioso é o culto de seres ou elementos da criação. O autor reconhece uma série de valores no processo: a contemplação da natureza, a estima e admiração; o erro é não ter transcendido refletindo sobre a realidade valiosa desses seres. Os seres se repartem nos três elementos: ar, água e fogo (falta a terra). As qualidades selecionadas são gregas: a beleza, a potência e o ato, a analogia. Esse fragmento costuma ser comparado com o discurso de Paulo no Areópago (At 17,22-31).
13,1 "Vãos": adjetivo de estirpe bíblica. Isaías o atribui aos fabricantes de ídolos (Is 44,9), Jeremias a ídolos e idólatras (Jr 2,5; 10,14-15). "Aquele que é": versão grega do nome divino *Yhwh*. "Artífice": a sabedoria em 7,21 e 8,6.
13,2 Se o versículo retoma ensinamentos estoicos, o "vento" poderia ser o "espírito" ou "alento" do cosmo, a "água" seria o oceano cósmico; os "luzeiros": Gn 1,16.
13,3 A atenção particular à beleza tem sabor sobretudo grego, misturado com reminiscências hebraicas.
13,4 Desde Aristóteles, era comum falar de poderes e atividade, potência e ato, com o binômio grego que o autor usa.

⁵pois, pela grandeza e beleza das criaturas,
    descobre-se por analogia aquele que lhes deu o ser.
⁶Contudo, a esses pouco se lhes pode lançar em rosto,
    pois talvez andem extraviados
    buscando a Deus e querendo encontrá-lo;
⁷com efeito, buscam suas obras, as exploram,
    e a aparência delas os subjuga, porque é belo o que veem.
⁸Mas nem sequer estes são perdoáveis,
⁹porque se conseguiram saber tanto
    a ponto de serem capazes de averiguar o princípio do cosmo,
    como não encontraram, com maior razão, o seu Dono?

Ídolos de madeira

¹⁰São uns infelizes, põem sua esperança em seres inertes,
    aqueles que chamaram deuses às obras de suas mãos humanas,
    ao ouro e à prata lavrados com arte e a figuras de animais,
    ou a uma pedra sem utilidade, obra de mão antiga.
¹¹Tomemos um carpinteiro: ele corta uma árvore de tamanho médio,
    a descasca com destreza e,
    aplicando-se ao seu ofício com habilidade,
    faz um objeto útil para os afazeres da vida;
¹²usa o resto do trabalho preparando a comida, e se sacia;
¹³o resto de tudo, que para nada serve,
    um pau retorcido e nodoso,
    o pega e corta em seus momentos de lazer,
    e se entretém dando-lhe habilmente forma,
    até tirar a imagem de um homem
¹⁴ou conseguir o que se parece com animal vil;
    a ele dá uma demão de mínio,
    pinta-lhe de vermelho todo o corpo e restaura todas as suas falhas;
¹⁵prepara-lhe um nicho digno
    e o coloca na parede, prendendo-o com uma braçadeira.
¹⁶Sabendo que não pode valer-se por si mesmo,
    toma precauções para que ele não caia:
    é uma imagem e necessita de ajuda.

13,5 O autor parece usar o termo "por analogia", sem o rigor que adquirirá mais tarde em escolas filosóficas. Poderíamos falar de uma proporção de correlações. É um processo racional de causalidade e eminência, sem especificar muito. Ver Rm 1,20.

13,6-7 A atitude do autor é compreensiva e indulgente na escala de deformações religiosas que vai apresentar; mas introduzirá uma distinção entre criaturas de Deus fascinantes e repulsivas, entre astros e bichos. O "buscar" dos hebreus é diferente: Is 55,6.

13,9 Ver 7,17. "Averiguar", segundo terminologia estoica, é conjeturar ou deduzir; o "princípio do cosmo" parece ser o princípio de coesão do universo divinizado. Grande proeza é remontar intelectualmente a esse princípio; por que não continuaram remontando?

13,10 Este versículo serve de introdução a toda a série e forma inclusão com os vv. 18-19. Chamar os ídolos de obra humana é polêmica tradicional no AT: Dt 4,28; Is 37,19; Os 14,4; Mq 5,13; Jr 1,16; Sl 115,4. Os materiais vão em ordem descendente: ouro, prata, pedra, madeira e barro. As pedras de que fala tinham provavelmente alguma figura, não eram simples estelas; a "mão antiga" seria anterior à história de Israel; em território egípcio, pensaríamos em colossos e estátuas colossais.

13,11-16 Nessa atividade humana, o autor reconhece um valor aparentado com a sabedoria, ou seja, o saber fazer, a destreza artesanal: cf. Ex 28,3; 31,3; 1Rs 7,14, também de Deus artesão (Sl 136,5) e da Sabedoria (7,21). Atividade que discerne (8,4) para tornar útil o instrumento e bela a imagem: acertada, porque é imagem; inútil porque é só imagem. O fragmento se inspira em Is 44,9-20, com alusões a Dt 4. O autor segue seus caminhos, imita com a palavra o trabalho paciente e minucioso do escultor: também a retórica é uma *téchne* para os gregos, e o bem falar uma *hokmá* para os hebreus.

13,15 Ver Is 40,20; 41,7; Jr 10,4.

13,16 Ver Dt 32,38.

¹⁷Depois reza a ele por seus bens, casamento e filhos,
sem se envergonhar de recorrer a um ser sem vida;
implora a saúde a um ser fraco,
¹⁸roga pela vida a um morto, solicita ajuda ao mais fraco,
e uma boa viagem a quem não pode servir-se nem de seus pés;
¹⁹para seus negócios e trabalhos e o êxito feliz de suas tarefas,
pede força a quem menos força tem nas mãos.

14

¹Outros, fazendo-se ao mar,
dispostos a atravessar as ondas encrespadas,
invocam um lenho mais frágil que a embarcação que os transporta.
²Esta foi projetada pelo afã de lucro e a perícia técnica armou-a;
³mas é tua providência quem a pilota, Pai,
que traçaste um caminho no mesmo mar
e uma senda segura entre as ondas,
⁴demonstrando que tu podes salvar de todo risco,
para que embarquem até os inexperientes.
⁵Não queres que se frustrem as obras de tua sabedoria;
por isso os homens confiam suas vidas a um madeiro insignificante,
e cruzando as vagas numa balsa, chegam sãos e salvos.
⁶Com efeito, quando pereceram os soberbos gigantes de outrora,
a esperança do mundo se refugiou numa balsa,
que, pilotada por tua mão,
transmitiu a semente da vida aos séculos.
⁷Bendito o lenho que é empregado retamente,
⁸mas o ídolo feito a mão, maldito seja ele e quem o fez;
este por tê-lo fabricado,
aquele porque, sendo corruptível, foi tido por Deus.
⁹Porque Deus detesta igualmente o ímpio e sua impiedade;
¹⁰também a obra será castigada com seu autor.
¹¹Também aos ídolos dos gentios se pedirá conta por isto:
porque, entre as criaturas de Deus, se tornaram abomináveis,

13,17-19 O "sábio" artesão perde agora toda a sua sensatez nessa série de seis contra-sensos. Sua oração insensata se opõe à sensata de Salomão no cap. 9. Ver Jr 2,27; Hab 2,19 e também Sl 135,15-18.

14,1-11 Reflexão apoiada sobre dois casos do AT: a passagem do mar Vermelho e a arca do dilúvio. É o papel de uma sabedoria ou técnica humana, que se aplica a construir a arca (v. 2); é uma sabedoria divina que permite à madeira flutuar sobre a água, dirige o piloto e, milagrosamente, sem madeira nem técnica, pode salvar através das águas. Diante dessa dupla sabedoria eficaz, a súplica ao ídolo é inútil e insensata: cf. Jn 1.

14,1 Ver Sl 107,23-32. "Lenho": como ídolo (v. 1), como navio (v. 5d), como criatura genérica (v. 7).

14,2 Ver Sl 107,27.

14,3 A providência, enquanto piloto do navio da vida ou da história, é imagem conhecida dos escritores gregos. O título de "Pai" está ligado à providência universal de Deus. Para um leitor grego, a alusão à passagem do mar Vermelho fica velada; para ouvidos judeus, é inevitável: ver Sl 106,7.9; 77,20; Is 43,16 e Sb 10,18; 19,7.

14,5 Pela última vez no livro se menciona a sabedoria. As criaturas mostram a sabedoria divina na sua funcionalidade e em seu serviço ao homem; Eclo 39,16-35. Essa sabedoria parece acolher também o espírito aventureiro do homem; em campo bíblico, Sl 104,25-26; Eclo 43,24; Ez 27; em campo grego, o ditado: "Navegar é preciso, viver não é preciso".

14,6 Sobre o dilúvio, ver também 10,4 e Eclo 44,17.

14,7 Esse versículo produziu uma série curiosa de interpretações. O grego *dikaiosyne* corresponde ao hebraico *çedaqá*, que na sua gama de significados inclui também o de salvação, vitória. Por essa correspondência, o versículo foi interpretado e até transformado em "bendito o lenho pelo qual vem a salvação", aplicado obviamente à cruz de Cristo. Todavia, o versículo tem estilo de máxima e forma antítese com o seguinte. Impiedade (v. 9) é aqui ter noção errada de Deus (1,1), rebaixando-o, e da madeira, exaltando-a. Não há neutralidade no uso das criaturas.

14,8-10 O corruptível, o morto, é incompatível com o Deus da vida. O autor não analisa a função da estátua como simples representação plástica ou como lugar de presença da divindade. Defronta-se com uma idolatria ingênua, popular, na tradição polêmica do AT.

14,11 Este versículo serve de ligação. Da causa aos efeitos, no âmbito humano. Vai desenvolvê-lo nos

tropeço para as almas dos homens
e armadilha para os pés dos néscios.

Origem da idolatria: a desgraça e o poder

¹²A infidelidade provém de projetar ídolos,
e sua invenção trouxe a corrupção da vida.
¹³Porque nem existiam desde o princípio
nem existirão jamais;
¹⁴com efeito, entraram no mundo pela vaidade dos homens,
e por isso têm marcado para si um fim repentino.
¹⁵Um pai, desconsolado por luto prematuro,
faz uma imagem do filho malogrado,
e aquele que antes era um homem morto,
ele agora venera como um deus,
e institui mistérios e iniciações para seus subordinados;
¹⁶depois, com o tempo esse ímpio costume se enraíza
e é observado como lei.
Também por decreto dos soberanos se cultuavam as estátuas;
¹⁷como os homens, vivendo longe, não podiam venerá-los em pessoa,
representaram a pessoa distante,
fazendo uma imagem visível do rei venerado,
para assim, mediante essa diligência,
adular como presente o ausente.
¹⁸A ambição do artista,
atraindo ainda os que não o conheciam, promoveu esse culto;
¹⁹com efeito, querendo talvez adular o potentado,
o favorecia, forçando habilmente o semelhante,
²⁰e a gente, atraída pelo encanto da obra,
julga agora digno de adoração
aquele a quem pouco antes venerava como homem.
²¹Esse fato se tornou uma armadilha para o mundo:
os homens, sob o jugo da desgraça e do poder,
impuseram o nome incomunicável à pedra e ao lenho.

---

versículos seguintes. Na criação de Deus, que é toda boa, penetrou um poder capaz de perverter o bom: Ex 23,33; Dt 7,16; Jz 2,3; Sl 106,36.

14,12-31 Exposição de origens e fins, causas e efeitos. É de importância capital para a teologia do autor. Encontramos reunidos, em seus opostos, os dois temas do livro: "Amai a justiça, pensai corretamente do Senhor". Como complemento, o tema do julgamento definitivo.

14,12 Em grego, *porneia* significa fornicação; corresponde ao hebraico *zanut*, que designa a infidelidade a Yhwh. Em sentido físico, *phthorá* significa corrupção, antítese de imortalidade (1,15; 2,23; 6,18s); em sentido moral, significa conduta perversa. Têm uma ambiguidade talvez desejada. Predomina o sentido escolhido na tradução. Apoiam-no a menção de "ídolos" e de "vida".

14,13-14 Só "Aquele que é" (13,1) pode garantir vida sem fim (2,23), e "Aquele que é" não tem começo nem fim (ver o Segundo Isaías). O homem poderia receber vida sem fim (5,15), mas, por inveja do diabo (2,24) e pela invenção da idolatria, introduz um princípio de corrupção. No Sl 82 os falsos deuses são condenados à morte por favorecerem a injustiça.

14,15-16 Primeiro exemplo ilustrativo. Não creio que o autor pense em Dioniso, filho de Zeus, venerado também na pessoa do soberano "epífanes", mas sim num homem qualquer, embora influente, num filho sem parentesco com a divindade. "Mistérios e iniciações" não são de ascendência bíblica.

14,17-20 No segundo caso, o decreto impõe a prática ímpia. O soberano abusa do poder, explorando a habilidade e ambição do artista, a inclinação artística e a ingenuidade da sua gente. É uma limitação, distância ou afastamento (como o malogro do filho), aquilo que fomenta a idolatria. O Deus que nem morre nem está ausente não precisa de estátuas, basta-lhe revelar seu nome.

14,21 Assim a idolatria fica ligada a uma dupla escravidão humana: ao poder arbitrário da morte e ao poder do tirano; mas o ídolo não pode livrar desses jugos; antes, o garante e impõe outros novos. O "nome incomunicável" é o do único Deus verdadeiro: Is 42,8; Zc 14,9.

Consequências da idolatria

²²Depois não lhes bastou errar sobre o conhecimento de Deus,
  mas, metidos na guerra cruel da ignorância,
  saúdam esses males com o nome de paz.
²³Com efeito, celebrando iniciações infanticidas,
  ou mistérios secretos, ou frenéticas orgias de estranho ritual,
²⁴já não conservam pura nem a vida nem o matrimônio,
  mas se espreitam mutuamente para se eliminarem uns aos outros,
  ou com seus adultérios causam sofrimento a si próprios.
²⁵Tudo é dominado por um caos de sangue e crime, roubo e fraude,
  corrupção, deslealdade, anarquia, perjúrio,
²⁶desconcerto dos bons, esquecimento da gratidão,
  impureza das almas, perversões sexuais,
  desordens matrimoniais, estupro e desenfreio.
²⁷Porque o culto aos inomináveis ídolos
  é princípio, causa e fim de todos os males;
²⁸com efeito, ou celebram festas frenéticas, ou profetizam enganos,
  ou vivem na injustiça, ou perjuram com facilidade;
²⁹como confiam em ídolos sem vida,
  não temem que o jurar falso lhes ocasione algum dano.
³⁰Será dupla a condenação que cairá sobre eles:
  por pensarem mal de Deus, pendentes dos ídolos,
  e por jurarem contra a verdade e a justiça, desprezando a santidade;
³¹porque não é o poder daqueles por quem se jura,
  é a justiça que se vinga dos pecadores,
  é ela que persegue sempre as transgressões dos injustos.

Conhecer-te é justiça perfeita

15 ¹Mas tu, Deus nosso, és bom e fiel,
  tens muita paciência e governas o universo com misericórdia.

14,22 Ver 1,1. O verbo "errar" com o substantivo "erro" atravessam todo o livro com unidade significativa: desconhecendo "o caminho do Senhor" (1,12; 2,21; 5,6-7); pela idolatria (11,15; 12,24; 13,6; 14,22); por não compreender os julgamentos de Deus (17,1). Os escritores gregos falam correntemente da guerra saudada como paz; veja-se a denúncia de Is 5,20.
14,23-26 Os catálogos de vícios são procedimento comum dos filósofos estoicos, e os escritores do NT os retomam. Do AT interessa sobretudo o decálogo e Os 4,1-2. Esse catálogo abrange 22 membros, número alfabético de totalidade, contraposto à lista das 21 qualidades da Sabedoria em 7,22-24. É notável a insistência em delitos sexuais.
14,23 O autor junta os antigos costumes fenícios e cananeus dos sacrifícios de crianças com as iniciações e orgias de sua época. Tais festas, segundo testemunho de escritores profanos, eram ocasião de assassinatos, vinganças e delitos sexuais.
14,24 Esses cultos, que pretendem sacralizar a vida e o sexo, a rigor os profanam e tornam execráveis.
14,27 "Inomináveis": Ex 23,13; Sl 16,4; Os 2,19.
14,28-31 Resume alguns vícios mais importantes, concentra-se no perjúrio e desemboca na injustiça. Na antiguidade, o juramento era instrumento para garantir a justiça nas relações sociais, pois Deus o garantia. O terceiro mandamento proíbe usar o nome de *Yhwh* para dar consistência ao que é falso. Um deus falso não poderá garantir uma verdade jurada em seu nome, nem poderá vingar uma falsidade amparada em sua invocação. Mas ambos, a injustiça e os ídolos que a apoiaram, caem sob a "justiça vindicativa".
14,30 O autor alitera maliciosamente "ídolos" e "em falso", "pensar" e "desprezar"; marca a oposição justo/injusto, que se prolonga no versículo seguinte: *dike-adikon*. A santidade é a sanção divina da justiça.
15,1 De repente, uma espécie de salmo interrompe a exposição. Quem o pronuncia? – Um coro do povo. Que função tem no livro? – O círculo de destinatários se amplia: não só reis, mas qualquer homem. Quem pode denunciar um costume universal de todos os povos conhecidos? – Israel, o povo excepcional. E com que autoridade e atitude o faz? – Com a autoridade da sua experiência, com a humildade de não tê-lo merecido nem antes nem depois. Diante da idolatria, que corrompe a justiça e a vida, está o conhecimento do verdadeiro Deus, que garante a justiça e a vida; é possível conhecer esse Deus, porque ele mesmo se dá a conhecer.
Salomão louvava a Sabedoria, Israel louva diretamente a Deus. A imortalidade vem pela Sabedoria, conforme 8,13.17, pelo reconhecimento de Deus

²Embora pequemos, somos teus, acatamos teu poder;
  mas não pecaremos, sabendo que te pertencemos.
³Conhecer-te é justiça perfeita,
  e acatar teu poder é a raiz da imortalidade.
⁴Não nos extraviaram as más ações inventadas pelos homens,
  nem o trabalho estéril dos pintores
  – figuras realizadas com manchas multicores –;
⁵sua contemplação apaixona os néscios,
  que se entusiasmam com a imagem sem alento de um ídolo morto.
⁶Estão enamorados do mal e são dignos de tais esperanças,
  tanto os autores como os entusiastas e os adoradores.

Ídolos de barro

⁷Um oleiro se agita amassando e amolecendo a argila;
  molda vasilhas para nosso uso,
  mas com a mesma argila modela igualmente
  vasilhas destinadas a fins nobres ou não nobres;
  o oleiro decide o destino de cada uma.
⁸Malogrando seu trabalho modela com a mesma argila um deus falso,
  o que pouco antes nasceu da terra,
  para voltar em breve para o lugar, de onde o tiraram,
  quando lhe reclamarem a vida emprestada.
⁹Não o preocupa a fato de ter de se esgotar
  e que sua vida seja efêmera;
  concorre com ourives e lavradores de prata,
  plagia os escultores em bronze e tem a vanglória de modelar réplicas.
¹⁰Sua mente é cinza; sua esperança, mais mesquinha que o barro,
  e sua vida vale menos que a argila;
¹¹pois não reconheceu quem o modelou,
  infundiu-lhe uma alma ativa e lhe soprou alento vital,
¹²mas considerou a vida como um jogo,
  a existência como uma feira de negócios;
  "deve-se tirar partido de tudo – dizia –, até do mal".

---

em 15,3. Interromper o discurso sapiencial com uma oração é costume bem estabelecido, p. ex. Eclo 36. A série de predicados se encontra com variantes em textos litúrgicos: p. ex. Ex 34,6. Ver Sb 9,3; 11,9.23; 12,15.22.

15,2 "Somos teus... te pertencemos" unido a "Deus nosso" (v. 1) fazem referência à escolha e à aliança. Israel tem longa tradição de confessar seus pecados: Jr 4; Esd 9; Ne 9; Dn 3 e 9.

15,3 Esse enunciado é quase uma síntese de todo o livro: ver 2,13; 12,16; 1,15.

15,4 "Más ações": ver 1,4. O versículo resume 13,10-14,21.

15,5 É conhecida a estima dos gregos pela escultura, frequentemente usada com função religiosa. O autor só repara aqui em sua função idolátrica e descarrega sua indignação concentrando adjetivos.

15,6 Essas falsas esperanças fazem eco às dos perversos: 3,11.18.

15,7-13 O último fabricante de ídolos. Também em ordem de valor, porque seu material, o barro, vale menos; porque o autor não lhe atribui habilidade, e sim trabalho; porque fabrica cópias, imitações de segunda mão; porque fomenta a idolatria com cinismo. O desenvolvimento teológico é montado sobre termos de olaria. Em esquema: a) Deus modela do barro uma figura humana na qual infunde alento de vida e atividade. b) O homem é barro e alento emprestado, breve; capaz de remontar a Deus pelo reconhecimento; fazendo com o barro objetos úteis, o submete, lhe dá sentido. c) O barro é a matéria do homem, ponto de partida e de retorno, é transformada a serviço do homem. d) Mas o homem se excede, pretendendo fazer deuses de barro, e cai; submetendo-se ao falso deus de barro, se rebaixa abaixo do barro.

15,7 Retoma três palavras de 13,11; recorda Jr 18. Pode ser irônico fazer do oleiro um juiz que decide assuntos gravíssimos.

15,8 Ver Gn 3,19. "Vida emprestada" é ideia conhecida dos filósofos gregos; ver também Sl 146,3s; Lc 12,20.

15,9 "Vida efêmera": ver 2,1.5; 5,9-12.

15,10 "Cinza": citação de Is 44,20 (LXX). "Esperança": ver 15,6 com seus paralelos.

15,11 Ver 7,1; 10,1 (referidos a Adão). "Não reconheceu": ver 13,1 e paralelos.

15,12 A vida como "jogo" e como "feira" é imagem dos filósofos e poetas gregos. Jogo pode significar também representação cênica. "Tirar partido": a mesma raiz de 13,19 e 14,2.

¹³Esse, mais que ninguém, sabe que peca:
 aquele que fabrica com terra frágeis vasilhas e estátuas.

Animais divinizados

¹⁴Todavia, os mais néscios, e mais infelizes que a alma de uma criança,
 são os inimigos que oprimiram o teu povo,
¹⁵pois tiveram como deuses todos os ídolos dos gentios,
 cujos olhos não lhes servem para ver, nem o nariz para respirar,
 nem as orelhas para ouvir, nem os dedos das mãos para tocar,
 e seus pés são incapazes de andar.
¹⁶Porque o homem os fez, um ser de alento emprestado os modelou,
 e nenhum homem pode modelar um deus à sua semelhança;
¹⁷sendo mortal, suas mãos pecadoras produzem um cadáver;
 vale mais ele que os objetos que adora,
 pois ele tem vida, os outros jamais.
¹⁸Também dão culto aos mais odiosos animais,
 que, comparados com os demais, são os mais brutos;
¹⁹não têm nenhuma beleza que os faça atraentes
 – coisa que acontece à vista de outros animais –,
 ao contrário, ficaram sem a aprovação de Deus e sem sua bênção.

JULGAMENTOS HISTÓRICOS
Codornizes

16 ¹Por isso receberam o castigo merecido,
 torturados por uma praga de animais semelhantes.

15,13 A palavra grega *demiourgon* (o que fabrica) unida a *hyle* (matéria) poderia ter intenção irônica, fazendo do oleiro uma espécie de demiurgo barato. "Com terra": a mesma palavra grega de 9,15.

15,14-19 Essa perícope é a terceira seção sobre a idolatria; é conclusão sobre a idolatria; é conclusão que, por temas e palavras, resume toda a seção; é ligação com o final do cap. 12, que tratava da zoolatria. Compõe-se de duas partes desiguais: nova reflexão sobre os ídolos (vv. 15-17) e zoolatria (vv. 18-19).

15,14 "Néscios": 12,24 (ligação); 14,11; 15,5 (terceira vez nesta parte); oitava e última vez no livro. "Criança": 12,24 (ligação); 10,21 (os pequeninos ilustrados pela sabedoria).
"Inimigos": 12,22 (ligação), designação frequente dos egípcios na seção 11-12 e 16-19; opõe-se a "teu povo", 12,19; designação comum de 9 em diante.

15,15 De novo a injustiça e a opressão, unidas à idolatria. "Ter como deuses": 12,24-27 (ligação); 13,2.3.10 (conclusão).
"Ídolos": última menção da palavra, exclusiva dessa parte (14,11.12.27.29.30).
A série é inspirada em Sl 115,5-7; 135,16-17; Dt 4,28; 5,23. No centro, os ouvidos que não podem escutar as orações. Por sua vez, o Senhor tem atividades equivalentes, das quais se utiliza o antropomorfismo para atribuir-lhe olhos, ouvidos, boca, mãos, dedos e pés.

15,16 "Fazer": no resto do livro, tem como sujeito Deus criador e salvador; na seção da idolatria, tem por sujeito o homem que faz ídolos: 13,15; 14,8.15.17. "Modelar": exclusivo dessa seção, incluindo dois compostos: 15,7 e 8.9.11. "Semelhança": 13,14; 14,19. Cedendo sua imagem, o homem não pode plasmar deuses. "Emprestado": 15,8.

15,17 "Mortal": 15,8-9 (conforme o sentido). "Cadáver": 13,10.18; 14,15; 15,5; é a última coisa que se diz dos ídolos: são cadáver para sempre. No livro, o adjetivo *nekrós* é aplicado ao perverso (4,19), aos egípcios (18,12.23; 19,3) e aos ídolos. "Os objetos que adora": 14,20; 15,6, raiz exclusiva da presente seção. "Jamais": compare-se com 5,15, "os justos vivem eternamente". "Vale mais": cf. 13,3-4.

15,18 O culto egípcio de animais vivos era bem conhecido e com frequência condenado na antiguidade greco-latina. "Brutos": faz eco aos sinônimos de 11,15-16; 12, 25 (ligação).

15,19 "Atraentes": 15,5-6 (as estátuas). "Beleza": 13,3.5.7 (as criaturas); 14,19 (a estátua); 8,2 (a Sabedoria). "À vista" (*ópsis*): 13,7 (criaturas); 14,17 (estátua). "Bênção": 14,7 (a madeira).
Conforme Gn 1,21ss, todos os animais recebem a bênção de Deus; segundo Gn 3,14, a serpente recebe maldição por ter enganado o homem. O uso idolátrico pode subtrair alguns animais à bênção divina; especialmente alguns animais "impuros", como os de Lv 11,41-45.

JULGAMENTOS HISTÓRICOS

16,1 A menção do "castigo" se liga com 12,27 e por contraste dá lugar à nova exposição: o "castigo" de 12,27 está na série de 11,5.8.16; 12,14.15, que se prolongará em 16,9; 18,11. "Animais": como em 11,15.

²Diante desse castigo, favoreceste o teu povo,
e, para satisfazer seu apetite,
lhes proporcionaste codornizes, manjar inusitado;
³assim, enquanto os outros, famintos,
perdiam o apetite natural,
com nojo dos bichos que lhes havias enviado,
estes, depois de passar um pouco de necessidade,
partilhavam um alimento inusitado.
⁴Pois era justo que aos opressores sobreviesse
uma necessidade sem saída,
e a estes se lhes mostrasse apenas
como eram torturados seus inimigos.

Julgamento das serpentes

⁵Pois quando lhes sobreveio a terrível fúria das feras
e pereciam mordidos por serpentes tortuosas,
tua ira não durou até o fim;
⁶para que aprendessem, foram assustados um pouco,
mas um emblema de saúde eles tinham
como memorial do mandato de tua lei;
⁷com efeito, quem se voltava para ele ficava curado,
não em virtude do que via, mas graças a ti, Salvador de todos.
⁸Assim convenceste nossos inimigos
de que és tu quem livra de todo mal;
⁹eles foram mortos por picadas de escorpiões e moscas,
sem que houvesse remédio para suas vidas,
porque tinham merecido esse castigo;
¹⁰a teus filhos, em troca, os dentes
de cobras venenosas não os venceram,
pois tua misericórdia acudiu para curá-los.
¹¹As ferroadas lhes recordavam teus oráculos
– e logo eram curados –
para que em profundo esquecimento não caíssem,
e sem experimentar tua ação benéfica não ficassem.

16,2-4 Ex 16,13; Nm 11,31-34; Sl 78,27; 105,40. Nessas tradições se conta também, e com bastante relevo, o pecado dos hebreus; o autor omite esse aspecto. Interessa-lhe marcar o contraste com repetições de palavras e outros recursos. São sujeitos: "teu povo"/"os opressores".

16,5-14 O episódio está em Nm 21,5-9. O autor reconhece aqui um pecado dos hebreus que provoca a "ira" de Deus e o castigo. Não considera os que morreram, mas os curados, porque lhe interessa o contraste: animais moderadamente nocivos ferem sem remédio os egípcios, ao passo que o animal mais temido, a serpente, nada pode contra os hebreus. É uma salvação completa, cura física e saúde espiritual: os hebreus têm de "voltar-se" ou converter-se, têm de vencer o esquecimento mortal mediante a lembrança salutar da lei. Castigo e cura chegam até o extremo da vida e da morte.

16,5 "Fúria": ver 7,20. "Tortuosas": alude provavelmente a Is 27,1, que fala da serpente escatológica vencida: o mesmo adjetivo é aplicado aos "raciocínios" em 1,3.

16,6-7 "Emblema": surge uma dificuldade. O autor sabe (2Rs 18,4) que a serpente de bronze atribuída a Moisés recebeu culto ilegítimo. Com isso se podia pensar que a imagem de bronze fosse um ídolo dotado de poderes curadores, e isso estaria em contradição com o exposto nos capítulos 13-15. Por isso, esclarece laboriosamente sua função: é um simples emblema de uma saúde que o próprio Deus concede e que inclui a emenda na observância a lei. A propósito, podemos recordar que a serpente era o animal emblemático de Esculápio, deus da saúde.

16,6 "Aprender": ver 11,10 e 12,2. "Assustar": compare--se com a perturbação definitiva e irremediável de 5,2.

16,8 Persuasão à força, que não produz conversão autêntica; como no caso do Faraó.

16,9 O Êxodo não fala de semelhantes picadas mortais.

16,10 "Teus filhos": como em 9,7; 12,19.21; 16,26; 18,4. A "misericórdia" opõe-se à "ira" do v. 5: cf. Sl 30.

16,11 O esquecimento culpado, raiz de muitos pecados em Israel: Sl 78. A um ouvido grego, o "esquecimento profundo", *lethen,* lhe sugeriria o Leteu, rio do inferno e do esquecimento total. Ex 19,7; Dt 9,10.

¹²Porque nem erva nem emplastro os curaram,
  mas tua palavra, Senhor, que tudo cura.
¹³Porque tu tens poder sobre a vida e a morte,
  levas às portas do inferno e fazes regressar;
¹⁴o homem, ao contrário, embora mate com sua maldade,
  não devolve o alento exalado, nem liberta a alma já prisioneira.

Julgamento do fogo e o alimento

¹⁵Impossível escapar de tua mão;
¹⁶os ímpios que não queriam conhecer-te
  tu os açoitaste com teu braço vigoroso:
  chuvas insólitas os perseguiam
  e granizo e tempestades implacáveis,
  e o fogo os devorou;
¹⁷e o mais surpreendente:
  na água, que tudo apaga, o fogo ardia ainda mais,
  pois o cosmo é paladino dos justos;
¹⁸às vezes a chama se amansava,
  para não queimar os animais enviados contra os ímpios,
  para que, vendo-os, compreendessem
  que o julgamento de Deus os perseguia;
¹⁹outras vezes, porém, ainda no meio da água,
  ardia com mais força que o fogo,
  para destruir a colheita de uma terra malvada.
²⁰Teu povo, pelo contrário,
  tu o alimentaste com pão de anjos,
  proporcionando-lhe gratuitamente, do céu,
  pão de mil sabores, ao gosto de todos;
²¹esse teu sustento demonstrava a teus filhos tua doçura,
  pois servia ao desejo de quem o tomava
  e se convertia no que cada qual queria.
²²Neve e gelo aguentavam o fogo sem derreter-se,
  para que se soubesse que o fogo
  – ardendo no meio do granizo
  e cintilando entre os aguaceiros –
  aniquilava os frutos dos inimigos;

16,12 Ver Sl 107,20.
16,13 Ver 2,1; Dt 32,39; 1Sm 2,6; Tb 13,2. Neste livro, semelhante poder abrange realmente a vida depois da morte.
16,14 Se a morte entrou no mundo por inveja do diabo (2,24), com sua maldade o homem se põe do lado do demônio, coroando a injustiça com o homicídio; em nome da religião (12,5-6; 14,23), por razão política (11,7; 18,5), por interesses pessoais (2,20).
16,15-29 O episódio se inspira nas narrações de Ex 16 e Nm 11, combinadas com a sétima praga de Ex 9; ou seja, fogo, água e alimento. Hebreus e egípcios estão opostos por meio de adjetivos e títulos.
No campo egípcio, o fogo vence a água, porque não se deixa apagar por ela, e consome os alimentos; no campo dos hebreus, a água vence o fogo, porque não se deixa derreter, e respeita o maná. O maná lhe serve para uma exposição fantástica. Daí remonta a uma reflexão genérica sobre a dupla função oposta das criaturas, regidas por seu Senhor.

16,15 Ver Tb 13,2; Sl 139,7.
16,16 Sobre essa negativa, Ex 5,2; segue o tema de 12,17; 14,22. A sétima praga foi uma tempestade teofânica (Ex 9,17-33), com granizo que destruiu colheitas.
16,17 Para não sair do Egito, o autor não lança mão da lembrança de Elias, conforme 1Rs 18. "O cosmo": 1,14; 5,17.20; 19,6.
16,19 A terra participa da maldade de seus habitantes, como em 12,3-7; Is 24,20.
16,20-23 Sobre o maná: Ex 16 e Nm 11. Quase todos os dados são tomados livremente desses dois capítulos.
16,20 "Pão de anjos": porque desce do céu, ver Sl 78,25. "Do céu": sem mediar a terra e a chuva, ver Sl 78,24; 105,40. A notícia dos mil sabores não concorda com Nm 11,8 e 21,5.
16,21 Ver Sl 34,9; 36,9; 1Pd 2,3. Temos aqui uma "personalização" da experiência; compare-se com Sl 19,11.
16,22 Conforme Ex 16,14, parecia com a geada (ou a neve compacta); Nm 11,7 o compara a uma resina translúcida, que os LXX traduzem "parecido com o gelo".

²³mas ele mesmo, em outra ocasião, se esqueceu de sua própria virtude,
  para que os justos se alimentassem.
²⁴Porque a criação, servindo a ti, seu criador,
  inflama-se para castigar os perversos
  e se abranda para beneficiar os que confiam em ti.
²⁵Por isso também, tomando todas as formas,
  estava então a serviço de tua generosidade, que dá alimento a todos,
  à vontade dos necessitados,
²⁶para que teus filhos queridos, Senhor, aprendessem
  que não é a variedade de frutos que alimenta o homem,
  mas a tua palavra é que mantém os que creem em ti.
²⁷Pois o que o fogo não devorou,
  se derreteu simplesmente aquecido por um fugaz raio de sol,
²⁸para se saber que é preciso
  madrugar mais que o sol para dar-te graças,
  e rezar ao clarear a aurora;
²⁹pois a esperança dos ingratos
  se derreterá como geada invernal
  e escorrerá como água sem proveito.

Julgamento das trevas

17 ¹Teus julgamentos são grandiosos e inexplicáveis,
  por isso as almas indóceis se extraviaram.
²Os perversos pensavam estar controlando a nação santa,
  enquanto jaziam prisioneiros das trevas,
  no calabouço de uma longa noite, reclusos sob seus tetos,
  prófugos da eterna providência.

16,24 Ver Eclo 39,26-30.
16,25 Ver Sl 136,25.
16,26 Variação sobre o famoso texto de Dt 8,3 (citado por Mt 4,4).
16,27 Ex 16,21.
16,28 Ver Sl 5,4; 57,9; 88,14.

17 + 18,1-4 Este é o capítulo de maior brilho do autor. Sobre a nona praga (trevas), o Êxodo lhe oferecia bem pouco (Ex 10,22-23). Essa concisão deixa mais espaço à fantasia criadora do autor, que neste capítulo exibe todos os recursos de seu estilo alexandrino.
Um vocabulário rico e escolhido, variedade de sinônimos para o medo, o cárcere, a escuridão. Sendo o hebraico língua tão pobre em adjetivos, o autor explora a velha tradição grega do epíteto, com indubitáveis acertos, e com a conversão de uma qualidade em substantivo (vv. 3.5.15.18); contrastes, o paradoxo de uma "aparição invisível".
Nesses exemplos e em outros se aprecia já o salto metafórico, a conjunção do físico com o espiritual, o ponto de vista psicológico (vv. 6.18.21). A análise de reações psicológicas ou sua descrição adquirem particular relevo, como se a escuridão o convidasse a penetrar no interior dos seus personagens.
O hipérbato serve ao autor para colocar cuidadosamente palavras importantes, para separar ou juntar palavras criando relevo (vv. 4c.18c). Acrescentem-se as onomatopeias, aliterações e outros efeitos sonoros, as repetições, as duplas simétricas ou quiásticas. Em resumo: esse capítulo poderia servir de texto para um estudo do estilo alexandrino.
Mas essa demonstração, que chega a cansar o leitor de hoje, não é formalismo. O autor pretende analisar e fazer compreender o sentido das trevas em diversos níveis significativos, até o simbolismo mais profundo. A noite é um cárcere que iguala redobrando a solidão (vv. 2.16-18); é fonte de medos e terrores (vv. 4.9.15); por esse medo, a noite se povoa de ruídos (vv. 4.9.18-19) e visões (vv. 4.6.15); a noite é a impunidade (v. 3), é um sono comum (v. 14), é símbolo da morte (vv. 14.21) que se antecipa no desamparo total e intolerável (v. 21).
Toda a exposição é de intensa dramaticidade. O drama da situação vivida com interioridade, com saltos ao passado que alumia o fracasso presente, em luta desigual com inimigos inventados, enviando ao inimigo reforços com que traem a si mesmos. E o drama terminará em tragédia: presos que sairão para a execução, com vida suficiente para saborear o tormento final.
É o único capítulo do livro em que não há o nome de Deus ou Senhor.

17,1 Os julgamentos históricos de Deus, já aludidos em 12,25.26; 16,18; ver também Is 26,9.
17,2 As trevas como cárcere: Is 42,7.

³Acreditavamm passar despercebidos,
>com seus pecados encobertos sob o espesso véu do esquecimento,
>mas estavam dispersos no cúmulo do atordoamento,
>sobressaltados por alucinações.
⁴Pois nem o lugar que os retinha os salvaguardava do medo;
>retumbavam ao seu redor ruídos aterradores
>e lhes apareciam tétricos fantasmas de lúgubres rostos.
⁵Não havia fogo bastante para iluminá-los,
>nem os luzeiros fulgurantes dos astros
>conseguiam iluminar aquela noite sinistra.
⁶Para eles brilhava somente uma massa de fogo
>que ardia por si só,
>e espantados por aquela aparição que não viam,
>a visão lhes parecia mais que macabra.
⁷Os truques da magia haviam fracassado
>e sua ostentação de prudência sofria vergonhosa ruína,
⁸pois os que se comprometiam
>a expulsar da alma doente terrores e sobressaltos,
>padeciam eles mesmos um pânico ridículo.
⁹Embora nada inquietante lhes metesse medo,
>amedrontados pela passagem de animais e pelo sibilo de répteis,
¹⁰sucumbiam tremendo, negando-se a olhar o ar inevitável.
¹¹Pois a maldade por si é covarde e condena a si mesma;
>apurada pela consciência, imagina sempre o pior,
¹²porque o medo não é outra coisa
>senão o desamparo dos auxílios da reflexão;
¹³quanto menos esperança tem alguém,
>mais grave se torna para ele a causa da tortura.
¹⁴Durante aquela noite deveras impotente,
>saída das profundezas do impotente abismo,
>enquanto dormiam o mesmo sono,
¹⁵ou os perseguiam monstruosos espectros,
>ou ao dar-se por vencidos ficavam paralisados,
>pois os invadiu repentino e inesperado medo.
¹⁶Assim, todo aquele que aí caía, quem quer que fosse,
>ficava encarcerado, recluso na masmorra sem barras;
¹⁷fosse lavrador ou pastor ou operário que trabalha solitário,
>sofria, surpreendido, a sina inevitável;
¹⁸porque a mesma cadeia de trevas amarrava a todos.
>>O silvar do vento,
>>o canto melodioso das aves na ramagem frondosa,
>>a cadência da água fluindo impetuosa,

17,3 Ver Eclo 16,17-23 e paralelos. O cárcere das trevas os reúne sem uni-los, sem que se ajudem mutuamente.

17,7 De acordo com Ex 7-8 (nas primeiras pragas) e 9,11 (sexta praga).

A sabedoria que consiste em artes mágicas é falsa, mal fundada, e é desmascarada com o fracasso.

17,9 Justamente os animais de 11,15.16.

17,11 Condenação que não produz conversão, lucidez que redobra a tortura.

17,12 A definição pode ser inspirada em modelos gregos. Reflexão sobre causas e soluções do mal.

17,14 Conforme 16,14. O homem lhe dá poder renunciando à sua própria razão e fechado na culpa. Um "sono" vigilante e inativo. Jr 51,39.57; Jó 3,13.

17,16 Ex 10,21-23.

17,17 "Solitário" ou "no descampado".

¹⁹o golpe seco das rochas ao precipitar-se,
a invisível corrida dos animais saltitantes,
o rugido das feras mais ferozes,
o eco retumbante nas cavernas dos montes
os arrochava de medo.
²⁰O mundo inteiro, iluminado por uma luz radiante,
se entregava sem travas a suas tarefas;
²¹somente sobre eles se estendia uma noite pesada,
imagem das trevas que iam recebê-los.
Para si mesmos, eram mais pesados que as trevas.

18

¹Teus santos, porém, tinham uma luz magnífica;
os outros, que ouviam suas vozes sem ver sua figura,
os felicitavam por não terem sofrido como eles;
²davam-lhes graças porque não se desforravam
dos maus tratos recebidos,
e lhes pediam por favor que partissem.
³Então lhes proporcionaste uma coluna de fogo
que os guiasse na viagem desconhecida,
e um sol inofensivo, para suas andanças gloriosas.
⁴Os outros mereciam ficar sem luz,
prisioneiros das trevas,
por terem mantido presos os teus filhos
que iam transmitir ao mundo a luz incorruptível de tua Lei.

Julgamento dos primogênitos

⁵Quando decidiram matar os filhos dos santos
– e somente um, exposto, se salvou –
como castigo lhes arrebataste seus filhos em massa,
e os eliminaste todos juntos nas águas formidáveis.
⁶Aquela noite foi de antemão anunciada a nossos pais
para que tivessem ânimo, ao conhecerem com plena certeza
a promessa na qual confiavam.
⁷Teu povo já esperava a salvação dos inocentes
e a perdição dos inimigos,
⁸pois com a mesma ação castigavas os adversários
e nos honravas chamando-nos a ti.

17,20 A luz universal demonstra o extraordinário das trevas castigadoras. Logo virá a luz milagrosa dos hebreus. Ex 10,21-23.

18,1 Único som agradável e tranquilizador, única voz humana entre os ruídos de animais e seres inanimados.

18,3 O "sol inofensivo" como compensação: compare-se com Sl 121,6 e recordem-se as histórias de insolações (2Rs 5,18 e Jt 8,3).

18,4 Como filhos de Deus, os hebreus têm uma missão no mundo a favor da justiça: irradiar a luz da lei de Deus (cf. 5,6; Is 2,2-5; Sl 19,9). Os antigos egípcios pecaram contra a luz e ficaram às escuras; os contemporâneos podem repetir o delito e o erro. Essa luz é "incorruptível", como a "justiça é imortal" (1,15).

18,5 Esse versículo é uma como introdução aos dois últimos confrontos. Ambos se referem à morte gradual dos egípcios. Primeiro os primogênitos numa noite, depois os exércitos nas águas. É pena de morte por crime de assassinato. O tema se desenvolve pelas seguintes oposições: noite de esperança/noite de matança, matança de hebreus limitada/morte total de egípcios. O tema dá lugar a explanações laterais que trazem algo novo aos confrontos precedentes: sobressaem o tema litúrgico (páscoa e expiação), a grande confissão dos egípcios, a metamorfose dos elementos, o pecado contra a hospitalidade. "Exposto": ver 11,14.

18,6 "Aquela noite" é fórmula consagrada na lembrança hebraica (hallayla hazzé). É noite definida pela liturgia com seu compromisso e pela ação da palavra vingadora. É noite que inaugura o futuro, que o antecipa no festejo e nos hinos.

18,7-8 É o passo ambivalente, castigo e proteção, já registrado em Ex 12,12-13.

⁹Os piedosos herdeiros das bênçãos
    ofereciam sacrifícios às escondidas
    e, de comum acordo, impunham esta lei sagrada a si próprios:
    todos os santos seriam solidários nos perigos e nos bens,
    e começaram a entoar os hinos tradicionais.
¹⁰Faziam eco os gritos discordantes dos inimigos,
    e repercutia o clamor queixoso do luto por seus filhos;
¹¹castigo idêntico sofriam o escravo e o patrão,
    e o mesmo padeciam o plebeu e o rei;
¹²todos sem distinção tinham mortos inumeráveis,
    vítimas da mesma morte;
    os vivos não eram suficientes para enterrá-los,
    porque num momento pereceu o melhor de sua raça.
¹³Embora a magia os tivesse feito desconfiar de tudo,
    quando houve o extermínio dos primogênitos
    confessaram que aquele povo era filho de Deus.
¹⁴Sereno silêncio envolvia tudo,
    e quando a noite chegou ao meio do seu percurso,
¹⁵tua palavra todo-poderosa se lançou, como guerreiro inexorável,
    desde o trono real dos céus ao país condenado;
¹⁶levava a espada afiada de tua ordem terminante;
    deteve-se e encheu tudo de morte;
    pisava a terra e tocava o céu.
¹⁷Então, de repente, terríveis pesadelos caíram sobre eles,
    temores imprevistos os assaltaram;
¹⁸tombados, meio mortos, cada um por seu lado,
    manifestavam a causa de sua morte;
¹⁹pois seus sonhos turbulentos os haviam prevenido,
    para não perecerem sem conhecer o motivo de sua desgraça.

Expiação

²⁰A prova da morte alcançou também os justos,
    e no deserto aconteceu uma grande matança,
    mas a ira não durou muito;
²¹porque um homem irrepreensível se lançou em sua defesa,
    manejando as armas de seu ministério:
    a oração e o incenso expiatório;

18,9 A homenagem a Deus e o vínculo com a comunidade vão unidos. "Solidários": a frase poderia ter valor de admoestação aos judeus infiéis do tempo do autor.

18,10 Ex 11,5s; 12,29s.

18,13 A magia é a força que se opõe à fé, que os faz incrédulos, que os sustenta de castigo em castigo até a catástrofe. Essa confissão é um ponto culminante dessa parte, que é simétrica à confissão de 5,5 onde reconhece que o justo/os hebreus são filhos de Deus. E é a última confissão antes de morrer na teimosia.

18,14-19 Personificação simbólica e reações psicológicas diante do misterioso.

18,14-16 Vejam-se as rápidas anotações de 11,20 e 12,9. Aqui a palavra assume uma figura impressionante, remotamente inspirada no Deus guerreiro de Hab 3, como tradução poética do "exterminador" de Ex 12,23 (cf. Ex 11,4-5). Também recorda a figura do anjo da peste, conforme 1Cr 21,6.

18,15 Em contraste com 9,4.10 e 7,23.

18,16 Compare-se com a espada de 5,18; Is 34,5-6.

18,17-19 Eco do capítulo das trevas. O réu deve conhecer a causa da sua sentença, e o sonho é um dos mensageiros divinos.

18,17 Ex 12,31-33.

18,20-25 O episódio está em Nm 17. É uma liturgia sem sacrifícios, o incenso vale como oferta, a oração de intercessão é a parte principal, os ornamentos sacerdotais simbolizam a mediação.

18,20 A morte é agora uma "prova": ver 2,17; 3,5. Limitada no tempo, como em 16,5. Também é castigo, como indica o v. 23.

18,21 "Irrepreensível" é o predicado de Moisés e do povo em 10,5.15. "Ministério", ver 10,9.16. Aarão pertence à série de hebreus ilustres enquanto representantes do sacerdócio.

enfrentou a cólera e pôs fim à catástrofe,
   demonstrando ser teu ministro;
²²venceu a indignação, não à força de músculos
   nem esgrimindo as armas; ele venceu o carrasco com a palavra,
   recordando-lhe os pactos e promessas feitos aos pais.
²³Quando já se empilhavam os cadáveres uns sobre os outros,
   plantou-se no meio e atalhou o golpe,
   cortando-lhe a passagem para os que ainda viviam.
²⁴Pois em sua veste talar estava o mundo inteiro,
   e os nomes ilustres dos patriarcas
   na quádrupla fileira de pedras talhadas,
   e tua majestade no diadema de sua cabeça.
²⁵Diante disso, o exterminador retrocedeu atemorizado;
   bastava uma única prova de tua ira.

Julgamento do mar Vermelho

19 ¹Contudo, uma ira sem piedade perseguiu os ímpios até o fim,
   porque Deus já sabia o que iam fazer:
²eles os deixariam partir e pressionariam para que se fossem,
   mas depois, mudando de parecer, os perseguiriam.
³Com efeito, antes de terminar os funerais,
   chorando junto aos túmulos dos mortos,
   tramaram outro plano insensato,
   e perseguiram como fugitivos
   os que haviam expulsado com súplicas.
⁴Até esse extremo seu merecido destino os arrastou
   e os fez esquecer-se do passado,
   para que rematassem com suas torturas o castigo pendente;
⁵e, enquanto teu povo realizava uma viagem surpreendente,
   eles encontraram morte insólita.
⁶Porque a criação inteira, cumprindo tuas ordens,
   mudou radicalmente de natureza
   para guardar intactos teus filhos.

18,22 "Recordando": é o argumento clássico nas intercessões de Moisés (Ex 32; Nm 14) e nas súplicas de Israel.

18,23 "Se empilhavam": em contraste com o v. 12, dos egípcios.

18,24 Símbolos de mediação entre Deus, Israel e o universo. Embaixo e ao redor, a figura do cosmo, trazido ao ato litúrgico em imagem (cf. Sl 148 e Dn 3). No peito, os nomes das doze tribos, em formação ante o Senhor; como vêm elas pessoalmente em peregrinação (Sl 122,4). Na cabeça, o nome do Senhor, o Santo a quem o lugar é consagrado. Ver Ex 28,17-21.36.

18,25 O versículo tem caráter conclusivo: com os hebreus, Deus não está perpetuamente irado. Ex 12,23; 1Cr 21,15s.

19,1-4 Breve análise da teimosia. Do ponto de vista humano, tem o caráter de um culposo esquecer o pecado anterior e o castigo consequente. Como esse castigo era menor que o merecido, faltando a conversão, algo fica pendente, e repetindo-se o processo, o réu precipita dialeticamente o castigo final. Do ponto de vista divino, pode-se falar de uma previsão do desfecho com seus passos: a ira de Deus é impiedosa porque o homem resiste à piedade.

19,5 "Surpreendente": como em 5,2. O "insólito" dessa morte é justamente significativo.

19,6-12 A metamorfose da criação domina esse capítulo e o final do livro. Por quê? Vimos como os julgamentos históricos eram antecipação e garantia do julgamento final exposto na primeira parte do livro. Mas nos capítulos 1-5 interessava sobretudo o julgamento de salvação do justo, muito mais que sua morte. Antecipa-se e garante-se também esse desfecho nos julgamentos históricos? Justifica-se o salto qualitativo a uma salvação escatológica? Esse capítulo dá a resposta, pois ilumina toda esta parte: ao longo das salvações históricas, o autor foi semeando uma série de afirmações ou alusões que ultrapassam o alcance restrito desta vida: o perdão do "Senhor amigo da vida" (11,23-26), "teu sopro incorruptível" (12,1); o perdão oferecido a todos (12,16.19), a vitória sobre as serpentes (16, 7.10), unida à vitória sobre o profundo esquecimento (16,11); o poder de Deus sobre vida e morte (16,13), a palavra de Deus que sustenta (16,26), o chamado

⁷Viu-se a nuvem dando sombra ao acampamento,
a terra firme emergindo onde antes havia água,
o mar Vermelho transformado em caminho praticável,
e as violentas ondas numa planície verdejante;
⁸por aí passaram, em formação compacta,
os que iam protegidos por tua mão,
presenciando prodígios assombrosos.
⁹Pulavam como potros e saltitavam como cordeiros,
louvando-te, Senhor, seu libertador.
¹⁰Ainda tinham na memória tudo o que acontecera no desterro:
como a terra produziu mosquitos, e não os animais;
como o rio vomitou quantidade de rãs,
em lugar de espécies aquáticas.
¹¹Mais tarde, viram também um novo modo de nascer os pássaros,
quando, aguçados pelo apetite, pediram manjares desejados;
¹²pois, para satisfazê-los, saíram codornizes do mar.

Escravizaram uns migrantes

¹³E aos pecadores sobrevieram os castigos,
não sem o prévio aviso de retumbantes trovões;
sofriam justamente por seus próprios delitos,
por terem odiado cruelmente os estrangeiros.
¹⁴Sim, houve quem negou hospitalidade a uns visitantes desconhecidos;
mas estes escravizaram uns imigrantes
que lhes faziam bons trabalhos.
¹⁵Mais ainda: que castigo não tocará àqueles
por terem recebido hostilmente os estrangeiros!
¹⁶Mas esses, depois de hospedá-los à sua chegada,
quando tinham já os mesmos direitos,
os maltrataram com trabalhos desumanos.

---

de Deus (18,8 comparado com 4,10); a eficácia da expiação litúrgica (18,21-25).

O último capítulo amplia seu horizonte numa leitura escatológica do êxodo, à imagem da primeira criação, com dados cosmológicos. Já o Segundo Isaías tinha insistido no caráter de criação que terá o segundo êxodo, e por isso o seu canto era potencialmente escatológico. Com efeito, se colocamos debaixo desse capítulo a pauta da criação conforme Gn 1 (com alguns paralelos dispersos), aparece a coerência e o sentido unitário desse final.

Antes de fazê-lo, uma pergunta: por que dados cosmológicos? O enunciado de 16,24 nos dá a chave: "A criação, servindo a ti, seu criador, inflama-se para castigar os perversos e se abranda para beneficiar os que confiam em ti". A primeira parte se cumpre no final do cap. 5, a segunda parte se cumpre no cap. 19. O homem, por sua condição terrena, está ligado às leis cósmicas (9,14-16), e só com a sabedoria consegue superá-las; mas a sabedoria criadora (caps. 7-8) pode modificar essas leis e assim levar o homem à imortalidade (6,19-20).

Apresento em esquema as correspondências de Gn e Sb:
1. Caos-trevas-alento de Deus (Gn 1,2)/a nuvem (Sb 19,7a).
2. Terra saindo da água (1,9-10)/mar Vermelho (19,7b).
3. Erva da terra (1,11)/"várzea verdejante" (19,7d).
4. Animais de céu, água e terra (1,20-25)/(19,10-12).
5. Luz e trevas (1,3-5.15-18)/cegueira (19,17, duvidoso).
 – Os elementos (tema grego): terra, água, fogo (19,19-21).
6. Alimento da terra (1,29)/alimento do céu (19,21c). O esquema nos faz ver a síntese do bíblico com o grego (que se encontra em todo o livro).

19,6 "Cumprindo tuas ordens": 16,24-25 e 5,17; o mesmo dos governantes (6,4). "Teus filhos": ver o comentário a 18,13 com as referências aos caps. 2 e 5.
19,7a Comparar com Eclo 24,3.
19,7d Novidade: a erva brota no lugar da água.
19,9 A comparação com os cavalos pode aludir ironicamente à cavalaria do Faraó afogada no mar.
19,10-11 "Produziu" é o verbo grego de Gn 1,20.24.
19,13 "Os castigos": ver 12,20 e 18,8. Entra novo tema, o pecado contra a hospitalidade. O delito conserva atualidade no tempo do autor. Porque os judeus da diáspora vivem em condição de minoria dentro de outras nações. O delito contra a hospitalidade tem um antecedente fatal em Sodoma e Gomorra, o castigo foi o fogo destruidor (Gn 19). Mas o autor seleciona o contraste luz/cegueira, de valor permanente. O homem assim cegado busca refúgio na mesquinhez da sua própria casa, cada um na sua, e não percebe a porta; porque fechou a própria porta ao estrangeiro ou tentou forçar a dele.

¹⁷E também os feriu a cegueira,
como aos que, à porta do justo,
envoltos numa densa escuridão,
tateavam a entrada de sua porta.

Metamorfose da criação

¹⁸Os elementos da natureza intercambiavam suas propriedades,
assim como as cordas mudam numa harpa
o caráter da música, continuando o mesmo tom,
como exatamente se pode deduzir à vista do que aconteceu;
¹⁹pois os seres terrestres se tornavam aquáticos,
e os que nadam, passeavam pela terra;
²⁰o fogo ganhava força na água,
e a água esquecia sua condição de extintor;
²¹as chamas, pelo contrário, não queimavam
as carnes dos frágeis animais que por aí perambulavam,
nem derretiam aquela espécie de manjar divino,
cristalino e solúvel.
²²Porque em tudo, Senhor, enalteceste e glorificaste o teu povo,
e nunca, em lugar nenhum, deixaste de olhar por ele e socorrê-lo.

19,18 Entramos em tradição grega: os elementos, o instrumento musical e sua correspondência (tradição pitagórica, presente em Platão e seguidores). Não é seguro que o autor empregue os termos com rigor técnico, como perito em música.
A música, por analogia, faz compreender um mistério da ação divina: como instrumentista e compositor, Deus sabe estabelecer leis e mudá-las sem destruir a harmonia. Em vez de música das esferas, harmonia do cosmo e harmonia da história com variações de um tema de salvação. Bem olhado, bem ouvido, o êxodo se converte num poema sinfônico que faz pressentir a nova criação, para a salvação definitiva.
19,19 Ex 8,2s; 14,16.22.
19,20 Sb 16,15-29.
19,21 O "manjar divino" é a "ambrosia", o alimento dos deuses na tradição grega. Para o autor é o maná. Em chave escatológica, manjar de vida imortal, que os progenitores no paraíso não obtiveram. É o último acorde do livro: podemos dizer que esse acorde dá a tônica ao livro?
19,22 A segunda pessoa converte o colofão em hino. Is 45,17.25; Mt 28,20.

ECLESIÁSTICO

INTRODUÇÃO

O prólogo do tradutor grego oferece informação sobre o autor e a obra. A "Sabedoria de Jesus Ben Sirac" foi um livro tão lido na Igreja antiga, que ganhou o título de Eclesiástico. Os judeus em geral e uma parte da antiga Igreja não consideravam canônico o livro, embora se lesse na Igreja. Por isso, o texto hebraico original desapareceu bem cedo, a tradução grega teve aceitação, e uma tradução latina livremente ampliada e adaptada passou à Vulgata.

Na Idade Média alguns autores judeus o citam, sobretudo o grande mestre Saadias, de Fayun no Egito. Parece que, no final do século VIII, um árabe encontrou uma cópia numa gruta perto de Jericó, e desse modo o texto chegou ao Egito. Uma seita judaica utilizou-o durante alguns séculos, mas no século XII outra seita conseguiu eliminá-lo. O livro desaparece numa "geniza" ou depósito do Cairo.

No fim do século XIX, uns investigadores ingleses recuperaram diversos manuscritos, que equivalem a dois terços da obra completa. Em 1931, 1958 e 1960 aparecem novos fragmentos breves. Em 1966, nas escavações de Massada, são encontradas várias páginas. Podemos esperar que se encontrem mais fragmentos.

Os achados e estudos recentes demonstram o valor superior do texto hebraico. Esta tradução é feita desse texto, tendo em conta variantes e a tradução grega; onde falta o texto hebraico, sigo o texto grego I ou breve. Sigo a numeração de tais textos, que com frequência salta números.

Texto hebraico existente hoje: 3,6-16,26; 18,32-19,2; 20,5-7.13; 25,7-8.13.17-24; 26,1-3.13-17; 30,11-38,27; 39,15-51,30. Em algumas traduções antigas e modernas, seis capítulos se encontram transpostos, segundo a seguinte correspondência: 31 = 34, 32 = 35, 33 = 36, 34 = 31, 35 = 32, 36 = 33.

Com Jesus Ben Sirac alcançamos um exercício profissional do saber, praticado numa escola. Segundo suas confissões, o autor dedicou-se ao estudo, ensino e exposição do que era tradicionalmente a sabedoria ou sensatez, prudência e experiência. Mantém como fontes do saber a experiência, a observação e a reflexão; ao mesmo tempo sublinha o valor da tradição (30,25; 36,16) e a necessidade da oração (39,5-8). No seu tempo, a sabedoria em boa parte consistia no estudo e comentário de textos bíblicos, narrativos e legais. Geralmente não cita explicitamente a passagem comentada, contenta-se com alusões; supõe talvez que seus discípulos a conheçam. No final do livro, oferece um brevíssimo resumo de história, na forma do *De Viris Illustribus*.

O princípio da sua doutrina consiste numa correlação: o máximo da sabedoria é o respeito ou reverência a Deus, o que se traduz no cumprimento da lei. Um, dois ou os três membros aparecem no livro como leitmotiv, encerrando instruções ou blocos maiores. Seguindo a tradição de Pr 1-9, apresenta várias vezes a Sabedoria personificada. Sua maneira frequente de raciocinar é a consideração do duplo aspecto: quase todos os problemas ou situações humanas apresentam dois aspectos, seus mais e seus menos. O autor o reconhece e o expõe, mantendo hábil equilíbrio. Não é um teólogo profundo ou elevado, é um pensador sensato.

Aceita recursos de estilo tradicional: provérbios numéricos, um poema alfabético, jogos de palavras, paronomásias, a pergunta didática, a objeção antecipada. Parecem contribuições suas: a divisão em estrofes, as séries de uns vinte membros homogêneos, p. ex. "há", "antes de", a divisão artificiosa com movimento de

pêndulo, os trios. O livro é uma coleção medianamente composta: retorna sobre o mesmo argumento, salta de tema. O que mais podemos identificar são alguns blocos de temas aparentados.

Prólogo do tradutor

Comentário ao prólogo do tradutor grego. A divisão em letras não é original, mas acrescento-a para facilitar as referências do comentário.

a) Reconhece a existência de uma Escritura canônica, dividida em Lei, Profetas, e os demais sem nome especial. Diante da famosa e influente sabedoria grega, Israel pode apresentar a sua, como já afirmava Dt 4,6-8.

b) "Os de fora" são os pagãos, entre os quais vivem comunidades judaicas que já não entendem o hebraico.

c) Embora bom conhecedor da Escritura, sua atividade é "sapiencial": ensinamento para a vida conforme a lei.

d) O avô tinha escrito numa língua hebraica mais acadêmica, segundo os módulos formais hebraicos. O neto traduz para o grego, língua culta de estrutura e estilo bem diferentes. Conta com o antecedente de outros livros bíblicos já traduzidos para o grego. Sua explicação parece ter um tom apologético diante dos clássicos da literatura grega: quer salvar o prestígio do avô e da literatura pátria.

e) O rei intitulado Benfeitor ou Euergetes é provavelmente Ptolomeu VII, que começou sua co-regência em 170 a.C. Por dedução, o trabalho do avô corresponde aos primeiros decênios do século II a.C.

Primeira parte
Sabedoria e temor de Deus
(Pr 8,22-31; Sb 7)

1 ¹Toda sabedoria vem do Senhor
e está com ele eternamente.
²A areia das praias, as gotas da chuva,
os dias dos séculos, quem os contará?
³A altura do céu, a largura da terra,
a fundura do abismo, quem as rastreará?
⁴Antes de tudo, foi criada a sabedoria,
a inteligência e a prudência, antes dos séculos.
⁶A raiz da sabedoria, a quem foi revelada?
A destreza de suas obras, quem a conheceu?
⁸Um só é sábio: sentado em seu trono
impõe respeito.
⁹O Senhor em pessoa a criou, a conheceu e a mediu,
e a derramou sobre todas as suas obras;
¹⁰repartiu-a entre os viventes, segundo sua generosidade;
ele a presenteou aos que o amam.
¹¹Respeitar o Senhor é glória e honra,
é alegria e coroa de júbilo;
¹²respeitar o Senhor alegra o coração,
traz felicidade, alegria e vida longa.
¹³Quem respeita o Senhor acabará bem,
no dia de sua morte o abençoarão.
¹⁴O princípio da sabedoria é respeitar o Senhor:
já no seio ela é criada com o fiel.

1,1-21 O livro começa com uma exposição programática, vinculando a sabedoria/sensatez com o respeito/reverência de Deus. Cita e comenta o princípio, também programático, de Pr 1-7. A sabedoria/destreza é qualidade divina, que Deus possui eternamente e que traduz em sua atividade cósmica criadora. É além disso uma criatura, que Deus distribui aos seres vivos; também aos animais, segundo tradição sapiencial. Deus concede sabedoria/sensatez aos homens, com a condição de que respeitem a Deus. Respeito/reverência de Deus é um conceito amplo, ao qual correspondem nosso "sentido religioso" ou "reverência" da criatura perante o Criador. Às vezes predomina o aspecto etimológico de temer (cf. *re-vereri*); às vezes o aspecto ético de "guardar os mandamentos"; quase sempre o aspecto genérico de "fidelidade".
A sabedoria não é dom estático, dado de uma vez para sempre em estado perfeito, mas é dinâmica, com algo de vida vegetal. Parte de uma base rumo a uma plenitude, de uma raiz a uma coroa. Embora o homem não a possa abranger, porque é anterior e superior a ele, pode trabalhar por ela e com ela, tendo sempre presente o respeito a Deus.
Paulo chama Cristo "sabedoria de Deus"; e Cl 2,3 afirma que nele se encerra "os tesouros da sabedoria".
1,1 Ver Pr 2,6; 8,21s; Sb 8,21. Comparar com Jo 1,1.18; Tg 3,17.
1,2-3 Exemplos de números indefinidos e dimensões ilimitadas: Sl 139,8s; Is 40,12s; Jó 28,24-27.

1,4 Há uma sabedoria criada, primogênita e primícias: ver Pr 8,22-30; para as qualidades semelhantes, ver Pr 1,1-6. Alguns manuscritos acrescentam um versículo: "A fonte da sabedoria é a palavra de Deus no céu, e seus canais são os mandamentos eternos".
1,8 Em sentido pleno, só Deus pode ser chamado de sábio, e por isso é assustador, temível: Sl 76. "Sentado em seu trono" como rei, a quem compete de modo especial a sabedoria: Pr 25,1s.
1,9-10 Responde às perguntas dos vv. 2-3. Parece estabelecer uma gradação. Todas as criaturas trazem impresso o selo da habilidade do Criador; todos os viventes participam ativamente de uma sabedoria; seus amigos (ou fiéis), a recebem como dom especial: cf. Ecl 2,26; Br 3,37.
1,11-13 Em três versículos temos uma síntese de bens ligados ao "respeito" do Senhor, que transforma toda a existência humana até o final. Então o bendizem, não antes: Eclo 11,28; então começam a bendizer sua memória: Pr 10,7; Ben Sirac não espera outra vida.
1,14-15 Eco de Pr 1,7. A sabedoria ultrapassa os limites da existência individual: antes de nascer, sem condições, o homem a recebe como dom germinal; ao morrer, deixa-a aos descendentes. O homem já nasce *homo sapiens*. Graças a ela, pode desenvolver-se, e o desenvolvimento é condicionado, sim, pelo sentido religioso. A sabedoria, além disso, está vinculada à tradição. "Perpétuo" ou primordial.

¹⁵Assenta seu alicerce perpétuo entre os homens
e se mantém com a descendência deles.
¹⁶A plenitude da sabedoria é respeitar o Senhor:
com seus frutos embriaga seus fiéis;
¹⁷enche de tesouros toda a sua casa
e as despensas com seus produtos.
¹⁸A coroa da sabedoria é respeitar o Senhor:
seus brotos são a paz e a saúde.
¹⁹Deus faz chover a inteligência e a prudência,
e exalta a glória dos que a possuem.
²⁰A raiz da sabedoria é respeitar o Senhor,
e seus ramos são uma vida longa.
²¹O respeito do Senhor rejeita os pecados
e afasta a cólera sem cessar.

Sabedoria e paciência

²²O injusto apaixonado não ficará impune,
porque o ímpeto da paixão o fará cair.
²³O homem paciente aguenta até o momento justo,
e ao final sua paga é a alegria;
²⁴até o momento justo oculta o que pensa:
a gente exalta sua prudência.
²⁵Tesouro de sabedoria são os provérbios atinados,
mas o pecador detesta a religião.
²⁶Se desejas a sabedoria, guarda os mandamentos,
e o Senhor a concederá a ti;
²⁷porque o respeito do Senhor é sabedoria e educação,
e se compraz na fidelidade e na humildade.

Sinceridade

²⁸Filho meu, não sejas falso no temor de Deus,
não te aproximes dele com duplicidade de coração;
²⁹não sejas hipócrita em teu trato com os homens,
vigia teus lábios;
³⁰não te ensoberbeças, porque cairás
e acarretarás vergonha a ti mesmo;
o Senhor descobrirá o que ocultas
e te humilhará no meio da assembleia;
porque te aproximaste do temor de Deus
enquanto teu coração estava cheio de falsidade.

1,16-17 Completa com bens materiais a série de 11-13; ver Pr 24,4; Sb 7,11.

1,18-20 Se a "coroa" designa a copa, a imagem toda é coerente: raiz, ramos, brotos, copa, e a chuva que a fertiliza toda.

1,21 Seu único obstáculo é o pecado, que provoca a cólera de Deus e frustra as bênçãos.

1,22-24 A paixão é um caso concreto de pecado; a impaciência impede a maturação. A paixão é uma força que sobrevém de repente e arrasta o homem à queda. A ela se opõem a paciência e a prudência. O resultado delas é a alegria e o reconhecimento social.

1,25-27 Volta ao tema de antes: aquisição ou cultivo da sensatez. Oferece três caminhos ou condições: os provérbios, que ilustram e orientam; os mandamentos, que devem ser cumpridos; e o respeito ao Senhor, que é todo um programa.

1,28-2,18 Na primeira instrução explicou de onde vem a sabedoria e como é obtida por meio do respeito a Deus. Na segunda instrução explica como se consegue e se desenvolve o respeito a Deus. Deve-se empreender a tarefa com sinceridade e humildade (28-30), ter paciência e constância (2,1-6) e confiar em Deus (2,7-14); conclusão enunciativa (2,15-18).

1,28-30 A tarefa do respeito a Deus exige atitude inicial. Em relação a Deus, o coração deve estar inteiro; o coração dividido (Sl 12,3; 1Cr 12,34) é manifesto

Paciência e confiança

2 ¹Filho meu, quando te aproximares para servir o Senhor,
prepara-te para a prova;
²mantém o coração firme, sê valente,
não te assustes quando te sobrevier uma desgraça;
³apega-te a ele, não o soltes,
e ao final serás enaltecido.
⁴Aceita tudo o que te sobrevier,
aguenta doença e pobreza,
⁵porque o ouro se acrisola no fogo,
e os eleitos, no forno da pobreza.
⁶Confia no Senhor, pois ele te ajudará;
espera nele, e te aplainará o caminho.
⁷Vós que respeitais o Senhor, esperai em sua misericórdia,
e não vos afasteis para não cair;
⁸vós que respeitais o Senhor, confiai nele,
pois não reterá vosso salário até amanhã;
⁹vós que respeitais o Senhor, esperai bens,
alegria perpétua e misericórdia.
¹⁰Repassai a história e vereis:
Quem confiou no Senhor e ficou frustrado?
Quem esperou nele e ficou abandonado?
Quem gritou a ele e não foi ouvido?
¹¹Porque o Senhor é clemente e misericordioso,
perdoa o pecado e salva do perigo.
¹²Ai do coração covarde, das mãos desfalecidas!
Ai do pecador que vai por dois caminhos!
¹³Ai do coração desfalecido que não confia,
porque não alcançará proteção!
¹⁴Ai de vós, que perdestes a paciência!
O que fareis quando o Senhor vier pedir contas?
¹⁵Os que respeitam o Senhor não desobedecem a suas palavras,
os que o amam seguem seus caminhos;

---

perante Deus. Em relação aos homens, precisa ser sincero, pois a hipocrisia acarreta a humilhação de ser descoberto. Em relação a si, deve ser humilde, pois a soberba acarreta ignomínia: Pr 11,2. Uma atitude inicial falsa viciará toda a tarefa: cf. Sb 1,1-4.

2,1-6 Deus é pedagogo exigente que ensina os seus na vida e para a vida, com experiências e provas: Tb 12,13; Dt 8,2. O discípulo deve ir com firme convicção pessoal e disposto à prova, que é necessária e sinal de que Deus o ama: Pr 3,12. Se a intimidade do homem "se apega" ou adere a Deus, estará firme (Sl 112,7) e corajoso (Sl 27,14). "Apegar-se" é palavra típica do Dt. "Se acrisola": Is 48,10; Jr 9,6; "Aplainar": Is 45,13; Pr 3,6.

2,5 Pr 3,12.

2,7-14 Em três estrofes, exorta com imperativos, apela ao testemunho da história e rubrica a lição com três ais.

2,7-9 Traduzo "vós que respeitais o Senhor" para unir com o cap. 1; vale também a forma comum dos salmos: "fiéis do Senhor". "Salário": ver Gn 15,1; Jr 31,16. "Até amanhã": como manda Lv 19,13. Os "bens" se concentram na "salvação" e na "alegria" que dela deriva. Alegria "perpétua" ou duradoura para toda a vida.

2,10-11 O judeu aprende das tradições históricas: medita nelas (Sl 78), apela a elas na súplica (Sl 44,2-9; 22,5s). Das manifestações históricas pode subir às qualidades de Deus (Ex 34,6s), unidas ao perdão em Sl 103,8-14.

2,12-14 Os ais são formas de raiz profética, são o contrário da bem-aventurança. "Coração" e "mãos" é também binômio usado pelos profetas: Is 13,7; 35,3s; Ez 21,12. "Ir por dois caminhos" descreve uma conduta incoerente, dividida entre o bem e o mal: cf. 1Rs 18,21. A confiança em Deus equivale à fé; desconfiar dele é negar-lhe poder ou vontade. O trio se encerra apelando para o julgamento definitivo de Deus.

2,15-17 Faz eco ao trio de 7-9. Considera equivalentes a reverência, o amor e a humildade perante o Senhor. Não opõe amor a temor. Sobre essa "humildade", ver Mq 6,8. As atitudes internas se traduzem em seguir o "caminho" indicado por Deus, ou seja, em cumprir seus "mandamentos": cf. Jo 14,15.21.23.

¹⁶os que respeitam o Senhor procuram agradar-lhe,
os que o amam cumprem a Lei;
¹⁷os que respeitam o Senhor dispõem o coração
e se humilham diante dele.
¹⁸Caiamos nas mãos de Deus e não nas mãos do homem,
pois, como é sua grandeza, assim é sua misericórdia.

Honrar pai e mãe
(Ex 20,15; Dt 5,16)

3 ¹Escutai, filhos meus, o vosso pai;
fazei-o, e vos salvareis.
²Pois o Senhor dá ao pai honra diante dos filhos
e afirma a autoridade da mãe sobre sua prole.
³Quem honra seu pai expia seus pecados,
quem respeita sua mãe acumula tesouros;
⁵quem honra seu pai se alegrará com seus filhos,
e quando rezar, será ouvido;
⁶quem honra seu pai terá vida longa,
quem dá descanso a sua mãe obedece ao Senhor;
⁷quem respeita o Senhor honra seus pais,
e serve a seus pais como a senhores.
⁸Filho meu, honra teu pai com palavra e ação,
e virá sobre ti todo tipo de bênçãos;
⁹a bênção do pai afirma as raízes,
a maldição da mãe arranca o plantado.
¹⁰Não busques honra na humilhação de teu pai,
porque dela não tirarás honra;
¹¹a honra de um homem é a honra de seu pai,
e a desonra da mãe é vergonha dos filhos.
¹²Filho meu, sê constante em honrar teu pai,
não o abandones enquanto viveres;

2,18 "Pôr-se nas mãos de Deus" é a entrega confiante, ainda que seja para a correção (2Sm 24,14) ou a prova (Dn 13,23). Com outros termos o dizem as belíssimas expressões de Sl 31,6.16; e em tom afirmativo Sb 3,1.

3,1-16 Depois da grande introdução, que define a atitude do discípulo em relação a Deus – tema relacionado com o primeiro mandamento –, o mestre passa a dissertar sobre o primeiro mandamento da "segunda tábua", ou seja, deveres para com os pais. Comenta-o com reflexões sapienciais e com exortações de inspiração deuteronômica. O tratado compreende introdução, três estrofes de quatro versículos e conclusão.

3,1-2 O mestre assume o papel de pai, tratando os alunos como filhos; prolonga assim a atividade dos pais que exerceram o papel de mestres: Pr 1,6; 2,1; 3,1; 4,1.10; 5,1; 10,1. A autoridade dos pais é instituição divina para a salvação.

3,3-7 Os quatro versículos repetem o termo "honrar". O termo hebraico abrange tanto o respeito à sua autoridade como o sustento em sua necessidade: ver Mt 15,4-6. A distinção "pai" e "mãe" tem função normal: todos os conselhos valem para ambos, pois a mãe está situada no mesmo nível. O último versículo, conforme costume do autor, vincula o preceito ao respeito devido a Deus. No v. 6 começa o texto hebraico conservado: cf. Ex 20,12.

3,8-11 Vale o que foi dito antes sobre a divisão formal de papéis. Insiste no verbo "honrar": primeiro em sentido amplo, que abrange palavras e obras; depois em sentido estrito, referido à honra. Dado o modo de proceder do autor, é possível e até provável que esteja pensando no episódio de Noé embriagado e seus filhos (Gn 9,20-29), pelo duplo tema da "humilhação" e da "bênção". O papel igualitário da mãe o desequilibra, também ela capaz de amaldiçoar e abençoar. Bênção e maldição dos pais tinham eficácia especial: Gn 27,27-29; 49,2-17.

3,12-15 Terceira estrofe. A conduta inculcada deve durar a vida toda, também quando o pai for ancião, e o filho maduro (Pr 23,22). Inclui como antes o aspecto genérico de ajuda, "não o abandones", e o de honra, "não o envergonhes" (Pr 30,17). Parece antecipar-se a uma objeção ou pergunta: o que fazer quando o pai se desonra com a senilidade? Dois versículos introduzem o tema da esmola: não feita ao pai, mas feita por ele. Quando o pai é ancião e incapaz de ajudar, a esmola que fez permanece como um capital de ajuda e proteção, mais ainda que os tesouros. "Pagar" e "pecados" fazem eco ao v. 3.

¹³ainda que ele caduque, tem misericórdia;
 não o envergonhes enquanto ele viver.
¹⁴A esmola do pai não será esquecida,
 será levada em conta para pagar teus pecados;
¹⁵no dia do perigo se lembrará de ti,
 e desfará teus pecados como o calor desfaz a geada.
¹⁶Quem despreza seu pai é um blasfemo,
 quem insulta sua mãe irrita seu Criador.

Humildade

¹⁷Filho meu, em teus assuntos age com humildade,
 e gostarão mais de ti do que do homem generoso.
¹⁸Faze-te pequeno nas grandezas humanas,
 e alcançarás a compaixão de Deus;
²⁰porque é grande a compaixão de Deus,
 ele revela seus segredos aos humildes.
²¹Não pretendas o que te ultrapassa
 nem investigues o que se esconde de ti;
²²atende ao que te recomendaram,
 pois não te importa o escondido;
²³não te preocupes pelo que te excede,
 ainda que te mostrem coisas que te ultrapassam;
²⁴são tão numerosas as opiniões dos homens,
 e suas loucas fantasias os extraviam!
²⁶O teimoso sairá prejudicado,
 quem ama o bem o conseguirá;
²⁷o teimoso acarreta desgraças para si mesmo,
 o covarde acrescenta pecado a pecado.
²⁵(Onde faltam os olhos, falta a luz;
 onde falta inteligência, não há sabedoria.)
²⁸Não corras para curar a ferida do cínico,
 pois não tem cura, é broto de má cepa.
²⁹O sábio aprecia as sentenças dos sábios,
 o ouvido atento à sabedoria se alegrará.

3,16 Conclusão em tom negativo, conforme procedimento do autor. Deus é fonte e garante da ordem familiar; por isso, violar o quarto mandamento é ofensa contra o Criador: Dt 27,16; Pr 30,11.17.

3,17-4,10 Depois de explicar os deveres para com os pais, passa às relações com os outros: a humildade (3,17-29) e a caridade (3,30-4,10). As duas virtudes humanas são também virtudes religiosas, realização do respeito devido a Deus, e estão balizadas pela maravilhosa aprovação divina.

3,17 Em 1,27 falava da humildade diante de Deus. Aqui, da humildade diante de outros homens. O versículo introduz o tema: a atitude humilde, que sabe manter-se à altura dos outros, é mais apreciável que o costume de dar presentes, se a este falta a franqueza. Um presente feito com soberba pode ferir: 18,15-18.

3,18-20 A primeira dupla se refere à aprovação divina: não simples bênçãos, mas a terna "compaixão" de Deus: "O Compassivo" é um dos títulos do Senhor (Sl 103,8): comparar com Pr 3,34. "Revela... aos humildes" é o ensinamento de Jesus em Mt 11,25.29 par.

3,21-24 Parece comentar o v. 20b: Deus se encarregará de revelar seus segredos; não pretenda o homem desvendá-los com o próprio esforço, tampouco com a ajuda de outros. O homem deve reconhecer e aceitar seus limites (Sl 131) e dedicar-se a suas tarefas. A desconfiança de Ben Sirac poderia referir-se a especulações cosmológicas ou teológicas.

3,26-27 À humildade e modéstia opõe-se também o coração duro ou "teimoso": na expressão está aparecendo a figura do Faraó (Ex 7-9). "Covarde": o significado é duvidoso; segundo Jó 15,20, "se atormenta"; seria preciso em hebraico um sinônimo ou correlativo de teimoso.

3,25 Falta nas versões grega e latina. Se o conservarmos e unirmos ao anterior, denunciaria a cegueira do teimoso.

3,28 O cínico é um tipo humano presente em Pr; muito significativo é 3,34; pouco esclarecedora é a definição de 21,24; também está em Sl 1,1. O cínico despreza e zomba de todos os valores e dos outros.

3,29 O sábio ou douto é a figura contraposta, que aprecia os colegas e deseja aprender.

Esmola
(Tb 4; 1Pd 4,8)

³⁰A água apaga o fogo ardente
   e a esmola expia o pecado.
³¹O benfeitor será recordado mais tarde,
   quando escorregar encontrará apoio.

(Eclo 6,18-37; 14,20-27; Pr 1,20-33; 8,1-11)

4 ¹Filho meu, não zombes da vida do aflito,
   não deprimas a quem sofre amargamente;
²não resmungues ao necessitado
   nem te feches ao ânimo abatido;
³não exasperes a quem se sente abatido
   nem aflijas o pobre que acorre a ti,
   nem negues esmola ao indigente;
⁴não rejeites a súplica do pobre,
⁵nem lhe dês ocasião de amaldiçoar-te:
⁶se na amargura de sua dor clamar contra ti,
   seu Criador escutará seu clamor.
⁷Torna-te simpático à assembleia,
   inclina a cabeça diante de quem manda;
⁸dá atenção ao pobre
   e responde à sua saudação com simplicidade;
⁹livra o oprimido do opressor
   e não te repugne fazer justiça.
¹⁰Sê pai para os órfãos e marido para as viúvas,
   e Deus te chamará filho, terá piedade e te livrará da cova.

Fala a Sabedoria

¹¹A Sabedoria instrui seus filhos,
   incentiva os que a compreendem.
¹²Os que a amam, amam a vida;
   os que a buscam, obtêm o favor do Senhor;
¹³os que a retêm conseguem glória do Senhor,
   acamparão com a bênção de Deus;

3,30-31 Tema novo sem introdução. Parecem transição. Sobre a esmola: Tb 4,16; 14,8; 2Cor 8-9.

4,1-6 A fórmula "filho meu" introduz nova seção. O sinal estilístico são os imperativos negativos. Não se trata apenas da necessidade, que uma esmola indiferente resolveria; mas o próprio da compaixão (o interessar-se, a amabilidade) é que confere valor autêntico à esmola: ver 18,15-18. A motivação apela para a aprovação de Deus, que responde às reclamações do pobre: é a doutrina de Ex 22,23s; Dt 24,14s, que ressoa em Tg 5,4; ver também Eclo 35,14-22.

4,3 Pr 18,23.

4,6 Ex 22,23-24; Dt 24,14-15.

4,7-10 Parece descrever um processo ou julgamento público, no qual o discípulo defende a causa do oprimido. Ao entrar, com seus gestos deve conquistar a simpatia da assembleia, saudar respeitosamente quem preside, saudar com familiaridade o defendido. A saudação exprime a participação humana. O defensor toma como própria a causa do oprimido, das classes desvalidas, órfãos e viúvas: Is 1,17.22; Jó 29,12s. A aprovação de Deus é maravilhosa: ele adota como filho (cf. o ápice em Mt 5,44s; Lc 6,35).

4,11-19 Depois de ter falado, o mestre cede a palavra à Sabedoria personificada, que pronuncia seu primeiro discurso; imita os caps. 3, 8 e 9 de Pr. Antecipa-se dupla introdução.

4,11 "Filhos" da Sabedoria são seus discípulos: cf. Mt 11,19. O ensinamento dela não é puramente teórico, mas incita e exorta.

4,12-14 Ainda fala o mestre (a versão grega o põe na boca da Sabedoria, na primeira pessoa). Os três versículos mostram os passos do aprendizado: o primeiro é o amor e interesse (Sb 7,10), segue-se a busca com êxito, depois vem a constância (Pr 3,18), e assim se chega ao serviço estável. Este tem algo de sacerdotal. Deus toma como feito a si o que se faz pela Sabedoria (Sb 7,28).

O último hemistíquio conforme o texto grego. O amor à Sabedoria soa muito parecido ao grego *philo-sophia*, mas o tradutor usa o verbo *agapao*.

¹⁴os que a servem, servem ao Santo;
Deus ama os que a amam.
¹⁵Quem me escuta julgará retamente,
quem me dá atenção habitará em meus átrios;
¹⁷oculta, caminharei com ele,
começarei provando-o com tentações;
quando seu coração se entregar a mim,
¹⁸voltarei a ele para guiá-lo e revelar-lhe meus segredos;
¹⁹mas se ele se desviar, eu o rejeitarei e o castigarei com o cárcere;
se ele se afastar de mim, eu o expulsarei
e o entregarei aos salteadores.

Timidez

²⁰Filho meu, aproveita a ocasião, mas guarda-te do mal,
não sejas vergonhoso em prejuízo próprio;
²¹há uma vergonha que acarreta culpa,
há uma vergonha que traz graça e honra.
²²Não tenhas consideração em prejuízo próprio,
nem duvides com perigo próprio;
²³não retenhas a palavra oportuna,
nem escondas tua sabedoria;
²⁴pois falando se mostra a sabedoria,
e na resposta da língua a inteligência.
²⁵Não contradigas a Deus, humilha-te diante de Deus;
²⁶não te envergonhes de confessar tua culpa,
não te oponhas à corrente.
²⁷Não te submetas a um néscio nem resistas aos que mandam.
Não te sentes com juiz iníquo,
pois terás de julgar segundo seu capricho.
²⁸Até a morte luta pela justiça,
e o Senhor combaterá a teu favor.

4,15 Aqui começa seu breve discurso, prometendo o resultado final. Se tomamos os dois hemistíquios como complementares, fala de julgar num tribunal sagrado. O v. 16 não existe no texto hebraico.

4,17-19 O breve discurso se desdobra numa parte positiva e noutra negativa. A primeira descreve o aprendizado como caminhada pelo deserto, tempo clássico das provas (Ex 16,4; 20,20; Dt 8,2) e da revelação divina. A Sabedoria parece desempenhar a função do "anjo do Senhor", mediador e guia: Ex 23,23; 32,34. A segunda parte retoma termos da pregação deuteronômica sobre a lei.

4,20 Aqui começa uma das séries típicas do autor. Formalmente consiste num elenco de preceitos negativos. O número básico da série é 20 ou 22, número alfabético. Algumas proibições são duplicadas no segundo hemistíquio, outras levam motivação, que pode se estender a vários versículos; outros acréscimos são condicionados pelo tema e parecem posteriores. A série tem certa unidade temática, à qual não se deve obediência. Esta chega até 6,4, e seu tema dominante poderia ser chamado de "timidez e presunção".

4,21 O termo "vergonha" tem vários significados: respeito humano, timidez ou covardia, medo da humilhação. Ben Sirac distingue nela duas faces opostas (41,14-42,8). É o princípio do "duplo aspecto", tão querido ao autor, que preside muitas explanações e manifesta a busca do equilíbrio. A forma "há" é também clássica dessa literatura, p. ex. 19,25-20,20.

4,22 Ver 20,22s.

4,23-24 A sabedoria quer servir a outros e ao seu dono: comparar com 37,19s.

4,25-26 "Opor-se" a Deus quando Deus mesmo acusa num pleito sagrado, como em Sl 50-51: em tal caso, não resta ao homem senão confessar o pecado (Pr 28,13). A "corrente" parece referir-se ao castigo imposto por Deus por causa do pecado. Confessar o pecado e aceitar o castigo são autêntica humildade, que se opõe a uma vergonha perniciosa.

4,27 Em função do contexto, deve-se entender como "submissão" ao néscio por timidez ou respeito humano; e como "resistir" à autoridade por presunção e arrogância. De modo semelhante, o juiz iníquo intimida o companheiro ou subordinado e o arrasta à injustiça.

4,28 A injustiça atrai o tema da justiça, que se insere bem no contexto: é preciso "lutar" sem timidez nem respeito humano. A frase é muito importante: deve unir-se a Sb 1,15 e à bem-aventurança para a "sede de justiça" (Mt 5,6); textos como Sl 58 e 94 podem ilustrá-lo. O hebraico acrescenta um versículo que se repete e se encaixa melhor em 5,14.

²⁹Não sejas arrogante de boca,
tímido e covarde nos fatos;
³⁰não sejas um leão para tua família,
medroso e tímido com os servos;
³¹não tenhas a mão aberta para receber
e fechada na hora de dar.

Presunção

5 ¹Não confies em tuas riquezas nem digas:
"Sou suficiente a mim mesmo";
não confies em tuas forças para seguir teus caprichos;
²não sigas teus caprichos e cobiças,
nem caminhes segundo tuas paixões.
³Não digas: "Quem poderá comigo?"
Porque o Senhor te exigirá contas;
⁴não digas: "Pequei, e nenhum mal me aconteceu",
porque ele é um Deus paciente.
⁵Não confies em seu perdão
para acrescentar culpas a culpas,
⁶pensando: sua compaixão é grande e perdoará minhas muitas culpas;
porque tem compaixão e cólera, e sua ira recai sobre os perversos.
⁷Não tardes em voltar a ele, nem adies de um dia para outro;
porque seu furor brota de repente,
e no dia da vingança perecerás.
⁸Não confies em riquezas injustas,
pois não te servirão no dia da ira.

Sobre o falar
(Eclo 19,4-17; 23,7-15; 27,8-15)

⁹Não aventes com qualquer vento
nem sigas em qualquer direção.
¹⁰Sê consequente em teu pensar
e coerente em tuas palavras;

4,29-30 Nova forma de covardia, do fanfarrão tímido; com uma ponta de ironia. Em vez de "leão", outros leem cão.

4,31 Belo refrão, dos que podemos chamar flutuantes; encontrou lugar aqui pela forma de proibição e talvez pelo provérbio que se segue, sobre a riqueza.

5,1-2 Primeira forma de presunção: confiança nas próprias riquezas, força e poder. Crescendo o poder, crescem cobiça e desejos. O poder se põe a serviço da paixão. O tema das riquezas é frequente na pregação na oração: p. ex. Jr 17; Sl 49 e 62. Pode-se ilustrar o tema da força com Is 10,13 e com Hab 1,11: "sua força é seu deus". Na pregação do Deuteronômio, a expressão "seguir" = "ir atrás de" tem Deus por complemento.

5,3 A presunção se atreve a desafiar a Deus: ver Sl 12,5.

5,4-6a Outra forma de presunção, mais refinada e perigosa, é fazer pouco caso da compaixão divina. O autor insiste nos termos culpa e compaixão, pecado e perdão. Quando o homem estabelece a sequência permanente pecado/perdão, para assegurar e confirmar a própria má conduta, está tomando um dado isolado da revelação de Deus, para fabricar com ele um deus falso: comparar com 16,11-13. A polaridade graça/ira é expressa em Ex 34,7, no conjunto de bênçãos e maldições da aliança (Dt 27-28), implícita em exortações penitenciais, como Is 1,20; Sl 50,22-24.

5,6b-7 Sua reação pessoal ao pecado é compaixão e é cólera. Se a compaixão parece prolongar-se em continuidade, a ira pode brotar de repente; justificada, mas imprevisível para o homem. Por isso, a reação do pecador à compaixão divina deve consistir em converter-se o quanto antes. Nessa volta, que Deus mesmo suscita com sua palavra, o pecador encontra o Deus compassivo. Ao contrário, a demora pode tocar o termo estabelecido, *dies iræ*, o dia da sentença e da condenação. Paulo retoma o ensinamento em Rm 2,4-7.

5,8 Esse provérbio tradicional serve de colofão: Pr 10,2; 11,4.

5,9 A série de proibições ou conselhos negativos continua com esse provérbio, que introduz a nova série sobre o falar e sobre a coerência que exige. Nós chamamos o inconstante de "cata-vento".

5,10-13 O falar, por sua multiplicidade de atos, exige uma coerência especial de vários elementos:

ⁱ¹sê rápido para escutar
   e lento para responder;
¹²se está em teu poder, responde ao próximo;
   do contrário mão na boca.
¹³O falar traz honra e traz desonra,
   a língua do homem é sua ruína.
¹⁴Não tenhas fama de dúplice, nem uses a língua para murmurar;
   a vergonha foi feita para o ladrão,
   e a afronta ao próximo para o dúplice.
¹⁵Não causes dano, nem pouco nem muito,
   não te transformes de amigo em inimigo.

6 ¹Pois ganharás má fama, vergonha e afronta,
   como homem perverso e dúplice.

A paixão

²Não caias vítima de tua paixão,
   pois excitará suas forças contra ti,
³comerá tuas folhas, arrancará teus frutos
   e te deixará como árvore seca;
⁴a paixão violenta destrói seu dono
   e o torna zombaria de seu inimigo.

Amigos
(Eclo 9,10; 12,8-18; 22,19-26; 37,1-6)

⁵Uma voz suave aumenta os amigos,
   e os lábios amáveis, as saudações.
⁶Sejam muitos os que te saúdam,
   mas confidente, um entre mil;
⁷se adquires um amigo, faze-o com tato,
   não confies logo nele;
⁸porque há amigos de um momento
   que não duram em tempo de perigo;
⁹há amigos que se tornam inimigos,
   e te ofendem descobrindo tuas brigas;
¹⁰há amigos que acompanham na mesa
   e não aparecem na hora da desgraça;

---

informação, que obtemos escutando; conhecimento do assunto antes de responder; acordo de pensamento e palavra, ou sinceridade. O autor volta ao tema em 19,4-17; 23,7-15; 27,8-15.
5,11 Tg 1,19 o retoma.
5,13 Princípio do duplo aspecto.
5,14 A vergonha do ladrão é sua infâmia pública ao ser detido, tendo de confessar a culpa: Jr 2,26. A vergonha do falso é ser descoberto.
5,15 Pelo contexto, deve-se entender o prejuízo com as palavras; mas o provérbio pode ser tirado do contexto com valor geral.
6,2-4 O autor não especifica nenhuma paixão, mas escreve com agudeza psicológica esse poder interno ao qual o homem se entrega livremente; a paixão se apodera das forças do homem e as dirige para sua ruína. A imagem sugere uma força que destrói o vigor vegetal do homem.
6,5-17 Pela forma, a instrução sobre os amigos se divide em quatro estrofes; pelo conteúdo: enunciado geral e exortação (5-7), o mau amigo (8-12), ligação (13), o bom amigo (14-17). Um refrão antigo resume o ensinamento: "Ao bom amigo, com teu pão e com teu vinho; ao mau, com teu cão e com teu pau".
6,5 Começa em estilo proverbial, apoiado na experiência. "Saudar" é em hebraico desejar paz ou prosperidade.
6,6 Comparar com "muitos amigos em geral, e um em especial".
6,8-10 O amigo inconstante ou interesseiro. Nós dizemos "amigo-da-onça". Leiam-se as queixas de Sl 41,10; 55,13-15, e Pr 19,4.7.

¹¹quando tudo te vai bem, estão contigo;
   quando te vai mal, fogem de ti;
¹²se a desgraça te atinge, te dão as costas
   e se escondem de tua vista.
¹³Afasta-te de teu inimigo
   e sê cauteloso com teu amigo.
¹⁴O amigo fiel é refúgio seguro;
   quem o encontra, encontra um tesouro;
¹⁵um amigo fiel não tem preço,
   nem é possível pagar seu valor;
¹⁶um amigo fiel é um talismã,
   quem respeita a Deus o consegue;
¹⁷seu camarada será como ele
   e suas ações como seu título.

A sabedoria
(Eclo 4,1-11; 14,20-27; Pr 1,20-33; 8,1-11)

¹⁸Filho meu, desde a juventude aceita a instrução,
   e até na velhice te encontrarás com sensatez.
¹⁹Aproxima-te dela como quem ara e ceifa,
   esperando abundante colheita;
   cultivando-a trabalharás um pouco,
   e amanhã comerás seus frutos.
²⁰Ao néscio ela parece árdua,
   e o insensato não pode com ela;
²¹ela o oprime como pedra pesada,
   e ele não tarda em sacudi-la.
²²Porque a instrução é como seu nome indica:
   não se manifesta a todos.
²³Escuta minha opinião, filho meu,
   e não rejeites meu conselho:
²⁴mete os pés em seus grilhões
   e oferece o pescoço a seu jugo;
²⁵ajeita o ombro para carregá-la,
   e não te irrites com suas rédeas;
²⁶com toda a alma recorre a ela,
   com todas as tuas forças segue seus caminhos;

6,13 Ver Jr 9,3.
6,14-17 A figura do amigo fiel aparece por contraste. É tesouro obtido pelos que respeitam o Senhor. Assim, a instrução particular se vincula com um tema geral do livro. Talvez o autor pense no exemplo clássico de Davi e Jônatas. O autor volta ao tema em 9,10; 22,19-26; 27,22-24; 37,1-6. Ver também Pr 17,17.
6,17 Ou seja, o amigo age como exige o título de amigo, não como o falso, que merece o título de "inimigo".
6,18-37 Novo discurso do mestre sobre sabedoria/sensatez, dedicado ao aprendizado. Supõe alunos jovens. O texto hebraico é corrigido segundo o grego, que cobre lacunas e salva dificuldades. Quanto à forma, os três começos "filho meu" dividem a instrução em três partes assimétricas: seis versos em duas estrofes de três (18-22), nove versos em três estrofes de três (23-31), seis versos em três estrofes de dois (32-37). A instrução não oculta as dificuldades da tarefa, mas lhe promete felizes resultados.

6,18-22 Uma estrofe sobre o aprendiz e outra sobre o néscio. O primeiro na imagem do lavrador; o segundo, de carregador. A primeira é óbvia para o israelita, a segunda pode recordar os fardos do Egito.
6,18 É normal em Pr e Jó atribuir aos anciãos sensatez e doutrina: Jó 12,20; 32,4; Ben Sirac corrige a opinião: se tiverem aprendido desde jovens.
6,20 Diz "néscio", não ignorante nem inexperiente. Insensatez e falta de juízo são atitudes de difícil remédio, porque encerram um mecanismo de rejeição.
6,22 Jogo de palavras, paronomásia, em hebraico: *musar/mustar* = instrução/escondido.
6,24-25 Combina a imagem de animais de carga com a de escravo. Na explanação se pode avistar ao fundo a figura de José, de escravo a vizir: cf. Sl 81,7; 105,18. O aluno deve aceitar voluntariamente essa espécie de escravidão, com trabalhos não forçados.
6,26-28 Muda a imagem, talvez uma cena de caçada: busca, rastreamento, perseguição, captura. Apresenta o aspecto dinâmico do caminho.

²⁷rastreia-a, busca por ela, e a alcançarás;
   quando a possuíres, não a soltes mais;
²⁸no fim alcançarás seu descanso,
   e ela se converterá em teu prazer;
²⁹seus grilhões se tornarão teu baluarte;
   suas rédeas, traje de festa;
³⁰seu jugo, joia de ouro;
   suas correias, cintos de púrpura;
³¹como traje de festa a levarás,
   tu a cingirás como coroa festiva.
³²Se quiseres, filho meu, chegarás a sábio;
   se te esforçares, chegarás a sagaz;
³³se gostares de escutar, aprenderás;
   se deres ouvidos, te instruirás.
³⁴Assiste à reunião dos anciãos,
   e se houver um sensato, apega-te a ele.
³⁵Procura escutar todo tipo de explicações,
   não te escape um provérbio sensato;
³⁶observa quem é inteligente, e madruga para visitá-lo,
   que teus pés desgastem seus umbrais.
³⁷Reflete sobre o respeito ao Altíssimo
   e medita sem cessar seus mandamentos:
   ele te dará a inteligência
   e segundo teus desejos te fará sábio.

Provérbios diversos: série negativa

7 ¹Não faças o mal, e o mal não te acontecerá;
   ²afasta-te da culpa, e ela se afastará de ti;
³não semeies nos sulcos da iniquidade,
   e não colherás o sétuplo.
⁴Não peças a Deus o poder, nem ao rei um posto de honra;
   ⁵não ostentes justiça diante de Deus, nem prudência diante do rei;
⁶não pretendas mandar, se te falta energia para reprimir a arrogância,
   pois te acovardarás diante do nobre,
   vendendo por suborno tua integridade.
⁷Não te mostres injusto diante da assembleia,
   nem caias na desgraça diante da população.

6,29-31 Ao chegar ao fim, os instrumentos do fadigoso trabalho se transformam em objetos de proteção e adorno: ver Pr 4,9.

6,32-33 O êxito está ao alcance do discípulo, se este realmente quer e se dedica à tarefa. O ensinamento costumava ser oral: o importante era escutar com atenção.

6,35 Como em Pr 1,1-6, faz referência aos gêneros literários; aqui apenas dois, e um novo, a "explicação" ou reflexão.

6,36 Ben Sirac faz propaganda do seu grupo, como em outras ocasiões: depois de recomendar a sensatez, recomenda aos mestres que a ensinem.

6,37 A exortação culmina e se encerra com o respeito devido a Deus e aqui traduzido em guardar os mandamentos.

7,1-3 Servem de introdução. Com fórmulas breves e felizes, mostra a dialética do mal, suas consequências imanentes, sem apelar para a aprovação divina. A imagem agrícola está em Os 10,12; Pr 22,8.

7,1 Começa ampla série de conselhos negativos que vai até quase o final do cap. 9; é interrompida por uma série de conselhos positivos (7,21-33). Não há relação temática da série, exceto em algumas unidades menores. Como de costume, alguns conselhos são ampliados com motivações ou esclarecimentos.

7,4-6 Sobre o poder. "Justiça" e "prudência" como méritos apresentados para obter os cargos: as duas qualidades são necessárias ao governante; recorde-se a figura de Salomão e o começo do Salmo 72, no qual a justiça é dom ou recomendação de Deus. A ação repressiva é parte integrante do bom governo, como mostram Is 11; Sl 101 e outros.

7,4 Pr 25,6-7.

7,7 Entende-se no governo; outra alternativa é esta: não provoques tua condenação por causa de algum delito. Unido ao anterior, "impune" é o contrário de "condenação"; ou seja, a assembleia não perdoa um delito, muito menos a repetição. Em outro caso, a impunidade se refere ao castigo divino.

⁸Não te comprometas repetindo um pecado,
  pois nem sequer de um só ficarás impune.
⁹Não digas: Deus olhará minhas numerosas ofertas,
  o Altíssimo receberá minhas súplicas.
¹⁰Não sejas impaciente em tua oração,
  e não economizes tuas esmolas;
¹¹não desprezes o homem atribulado:
  recorda que há quem levanta e derruba.
¹²Não trames violências contra teu irmão,
  tampouco contra teu amigo e companheiro;
¹³não te alegres em mentir,
  nada de bom podes esperar disso;
¹⁴não te metas na decisão dos ministros,
  nem repitas as palavras de tua oração.
¹⁵Não desprezes as tarefas de um serviço,
  pois o trabalho foi criado por Deus.
¹⁶Não te consideres mais que teus compatriotas;
  lembra-te de que a cólera não tarda;
¹⁷humilha mais e mais tua soberba,
  pois os vermes aguardam o homem.
Não insistas repetindo tua súplica,
  confia em Deus e aceita seu caminho.
¹⁸Não troques um amigo por dinheiro,
  nem teu irmão querido por ouro de Ofir.
¹⁹Não repudies uma mulher sensata,
  sua beleza vale mais que corais.
²⁰Não maltrates o servo cumpridor
  nem o operário que se dedica a seu ofício.
²¹Ama o servo hábil como a ti mesmo
  e não lhe negues a liberdade.

Série positiva

²²Se tens gado, cuida dele; se te é útil, conserva-o;
²³se tens filhos, educa-os; quando ainda são jovens,
  procura esposa para eles;
²⁴se tens filhas, vigia-lhes o corpo,
  e não sejas indulgente com elas;

7,9-11 Coloca-se a relação entre culto e justiça, bem conhecida na literatura profética: Is 1; 58; Jr 7 etc.; o autor lhe dedicará ampla explanação em 34,18-35,10. Esmolas e obras de misericórdia contra ofertas e súplicas. O terceiro versículo apresenta motivação clássica: Sl 75,8.
7,9 Eclo 34,18-35,10.
7,12-13 Violência e mentira vão com frequência juntas, como se percebe em vários salmos: testemunhas, 27,12; numa série, Sl 55,12; nem sempre é violência física.
7,14b Talvez o considere falta de confiança: ver Mt 6,7s; Tg 1,26.
7,15 Alude a Gn 3,23. O "serviço" pode ser do culto (Nm 8,25) ou militar (Is 40,2). Como serviço militar, poderia relacionar-se com o título *Yhwh çeba'ot*, ou seja, das milícias siderais. Israel é exército do Senhor: Ex 12,41.51. Aqui não os opõe ao estudo do mestre, como no cap. 39.

7,16-17a A soberba humana provoca a cólera divina; texto clássico, Is 2,9-20. Pensando no desfecho da morte, o homem não pode pôr-se acima dos outros. Os "vermes": Jó 17,14; 25,6.
7,17b Pronunciada a súplica, o homem deve esperar e aceitar a decisão do Senhor. Mas os profetas sabiam insistir: Jr 14,11-15,2.
7,18-21 Relações com o círculo doméstico: irmão, mulher, servo. Ben Sirac aprecia a beleza da mulher, especialmente se é sensata: 26,13-18; comparar com a avaliação de Pr 31,30. O último conselho sugere a superação do egoísmo mediante o amor: seria muito útil reter o servo hábil, porém a sua liberdade vale mais: ver a legislação em Ex 21,1-11; Lv 19,20; 25,39-46; Dt 15,12-18.
7,22-26 Começa a série positiva com quatro cláusulas condicionais referidas também ao círculo doméstico. O gado, por seu serviço ao homem: Pr 27,23s. Ben Sirac disserta sobre os filhos em 22,3-6 e 30,1-13;

²⁵casar uma filha é grande tarefa,
   mas entrega-a a homem prudente;
²⁶se tens mulher, não a aborreças,
   mas não confies em alguma de quem não gostas.
²⁷Honra teu pai de todo o coração
   e não esqueças as dores de tua mãe;
²⁸recorda que eles te geraram:
   o que lhes darás pelo que te deram?
²⁹Teme a Deus de todo o coração
   e venera seus sacerdotes;
³⁰ama teu Criador com todas as tuas forças
   e não abandones seus servidores;
³¹honra a Deus e respeita o sacerdote,
   e dá-lhe sua porção como foi ordenado:
grão escolhido, contribuição para o culto,
   sacrifícios rituais, ofertas consagradas.
³²Estende a mão também ao pai,
   para que a tua bênção seja completa;
³³sê generoso com todos os vivos
   e não negues tua piedade aos mortos;
³⁴não fujas dos que choram
   e faz luto com os que estão de luto;
³⁵não evites quem está doente,
   e ele gostará de ti.
³⁶Em todas as tuas ações pensa no fim,
   e nunca pecarás.

Série negativa: brigas e disputas

8 ¹Não pleiteies com um poderoso,
   não te aconteça acabar em suas mãos;
²não brigues com um homem rico:
   ele pesará teu preço, e estarás perdido

---

conforme Pr 5,15-19, a mulher da juventude é preferida. Sobre as filhas, em 26,10 e 42,9-12. Sobre a mulher, supõe a legislação de Dt 21,15, que aprova a poligamia. O ponto de vista é puramente masculino, pois os discípulos eram homens.

7,27-28 Faltam no texto hebraico. A motivação é simplesmente humana: gratidão pelo dom da vida.

7,29-35 Pela forma, a série positiva termina em 33a; em 33b retorna a série negativa. Pelo conteúdo, 29-31 e 32-35 representam as "duas tábuas": serviço a Deus em forma de culto e serviço ao próximo em forma de caridade.

7,29-31 Os sacerdotes, dedicados inteiramente ao culto, devem viver de sua função: Dt 12,19; sobre os dons legais, ver Nm 15, 20s. Em paralelo rigoroso se encontram respeitar e amar a Deus.

7,32-35 A caridade atrai a bênção completa do Senhor: Dt 14,28s. Estende-se a vivos e mortos, com os limites assinalados em 38,16-23. De Dt 26,14 deduzimos que ao morto eram oferecidas honras fúnebres, não dons. O luto era uma cerimônia solene: cf. Jr 16,5. Às vezes o doente era considerado ferido por Deus, e se temia que a cólera divina contagiasse. Nos salmos os doentes se queixam de abandono: 38,12; Jó 19,13-17.

7,36 Conclusão. O desfecho pode ser específico e próximo, o de cada obra ou empreendimento, e final ou definitivo. Pela inclusão formada com 7,1-3, esse versículo se refere ao desfecho de cada obra, aquilo que alguém semeia. Colocado no final, abre-se a um sentido mais amplo.

8 De 8,1 a 9,13 se adota o estilo de série negativa, com maior organização temática, sem que faltem comentários ou ampliações.

8,1-7 Sete avisos negativos com suas correspondentes motivações. É uma sucessão de categorias descendentes em força e poder: poderoso, rico, maldizente, néscio, pecador, ancião, moribundo. As motivações são variadas: temor, calma, auto-estima, fraqueza comum. A atitude do mestre diante dos homens é unitária e matizada: Ben Sirac pretende uma formação integrada.

8,1 Conselho pessimista: pode mais o poder que a justiça. O texto hebraico acrescenta uma variante. Ver Ecl 5,7.

8,2 Com efeito, o rico suborna a justiça e taxa inclusive os homens. 2b parece acréscimo atraído pelo tema do dinheiro.

(pois o ouro perturbou homens influentes
e a riqueza extraviou nobres).
³Não disputes com um maldizente,
pois é atirar lenha no fogo;
⁴não trates com o néscio,
para que os nobres não te desprezem.
⁵Não envergonhes quem se arrepende do pecado:
lembra-te que todos somos culpados;
⁶não zombes do ancião,
porque nós seremos velhos;
⁷não levantes suspeitas diante de um moribundo:
lembra-te que todos morreremos.

Docilidade

⁸Não rejeites os discursos dos sábios,
ocupa-te com seus enigmas;
porque deles aprenderás a instrução
para entrar a serviço dos príncipes;
⁹não desprezes as histórias dos anciãos
que eles escutaram de seus pais;
porque deles receberás prudência,
para saberes responder quando for necessário.

Trato com os homens

¹⁰Não acendas fogo nas brasas do perverso,
para que não te queimes com suas chamas;
¹¹não fujas da presença do cínico,
deixando-o fazer intrigas contra ti;
¹²não emprestes a alguém mais forte do que tu,
e se algo lhe emprestaste, considera-o perdido;
¹³não dês fiança acima do que podes,
e se deste, considera-te devedor;
¹⁴não pleiteies com um juiz,
porque sentenciará a favor dele mesmo.

8,3 "Maldizente" em sentido forte: incontido, violento no falar. Para a motivação, Pr 26,20s.

8,4 Ou porque sofre a influência do néscio, ou porque o simples trato com ele o torna desprezível. Outra tradução soa: "não aconteça que desprezes os nobres".

8,5-7 Formam um trio importante pela motivação, em que a razão teológica – o pecado – se insere numa visão sapiencial e humana: partilhar fraquezas tornará sensatos: ver Lv 19,32; Tb 4,16.

8,6 Eclo 41,4.

8,8-9 Depois do setenário, esses quatro versos ocupam uma posição central pelo tema, o trato com os mestres. São uma presença resumida de discursos prévios sobre a sabedoria. Além do mais, com 9,14-15 formam uma espécie de inclusão, indicando como o trato com os doutos abrange todo o comportamento humano. São construídos com harmonia simétrica. Fala-se de explicações, enigmas e relatos orais. O discípulo talvez se prepare a ocupar um lugar na administração pública ("entrar a serviço"). A tradição oral transmite um repertório de conhecimentos que servem para a ocasião oportuna. "Sábios" e "anciãos" podem designar as mesmas pessoas.

8,10-19 Duas séries de conselhos negativos com motivação simplesmente humana. O discípulo vai encontrar-se com diversos tipos de pessoas: como comportar-se com elas? Ou essas pessoas são perigosas, ou uma conduta imprudente pode torná-las perigosas. Os conselhos são cautelas: é preciso saber como reservar-se. São dez avisos em doze versos.

8,10 Ter cumplicidade com o perverso é brincar com o fogo: 21,9.

8,11 Cínico é quem despreza os valores e os outros. É preciso enfrentá-lo: Pr 15,12; 24,9.

8,12 Desenvolve o tema em 29,1-13; ver Sl 37,21; Pr 22,7.

8,13 Desenvolve o tema em 29,14-20; ver Pr 6,1-4; 11,15; 17,18.

¹⁵Não caminhes com o temerário, porque agravarás tuas desgraças;
ele vai direto ao que é seu, e tu pagarás pela sua loucura;
¹⁶com o furioso não sejas teimoso,
não cavalgues com ele pelo caminho;
porque não lhe importa derramar sangue,
e quando ninguém te puder auxiliar, ele te matará;
¹⁷não faças confidências com o ingênuo,
porque não sabe guardar teu segredo;
¹⁸diante do estrangeiro não faças o que é secreto,
porque não sabes o que pode acontecer;
¹⁹não abras teu coração com qualquer um,
e assim não espantarás tua felicidade.

Trato com as mulheres
(Eclo 25,13-26,18; Pr 7)

9 ¹Não sejas ciumento de tua própria mulher,
para que não aprenda a te maltratar;
²não tenhas ciúmes da mulher que amas,
e não te pisoteará;
³não te aproximes da mulher alheia, e não cairás em suas redes;
não sejas íntimo da prostituta, e ela não te caçará em seus laços;
⁴não trates com aquela que canta trovas,
e não te queimarás com sua boca;
⁵não olhes demais para uma donzela,
e não cairás na armadilha por sua causa.
⁶Não te envolvas com a prostituta,
e não lhe cederás tua fortuna:
⁷seus olhares te enlouquecerão,
e te arruinarás frequentando sua casa.
⁸Fecha teus olhos diante da mulher formosa
e não olhes a beleza que não é tua;
muitos se perderam por causa das mulheres,
e seu amor queima como fogo;
⁹não comas com mulher casada
nem te sentes com ela a beber,
porque te arrastará o coração,
e darás com tua vida na cova.

8,15 Tipo pouco frequente no AT; outras vezes designa o cruel ou impiedoso: 11,17; 12,10.

8,16 Há um ditado que diz: "Deixa no campo o poderoso e o teimoso".

8,17 Ingênuo ou incauto. Sobre guardar segredos, ver a explanação de 27,16-21.

8,18 "Estrangeiro" ou estranho.

8,19 "Coração" inclui aqui pensamentos e projetos, e não apenas sentimentos.

9,1-9 Doze versos são dedicados ao trato com as mulheres, sempre do ponto de vista do homem. As mulheres são típicas, e se acentuam seus traços perigosos para o jovem discípulo; os aspectos positivos serão tratados mais adiante (cap. 26).

9,1-2 Os ciúmes do homem são armas dadas à mulher; outros aspectos em Pr 6,34; 14,30.

9,3 Sobre a mulher alheia, ver Pr 6,30-35. Não apela ao mandamento: a motivação é sapiencial. Ora, o termo hebraico designa com frequência a estrangeira admitida em Israel e prostituta de profissão. Sobre a prostituta, é notável a descrição de Pr 7.

9,4 Pelo visto, o ofício de cantar trovas, trovador, era suspeito. Is 23,16 cita a trova que a prostituta canta.

9,5 A "donzela" podia estar já prometida; leia-se o juramento de Jó 31,1.

9,6-7 Descreve um grau superior, de paixão e entrega, com suas fatais consequências.

9,6 Eclo 19,2.

9,8-9 O adultério com mulher casada previa pena de morte para ambos os cúmplices; talvez por isso fale de perdição e de terminar na cova. Por outro lado, na série não apela a mandamentos nem a uma

Velho amigo

¹⁰Não desprezes o velho amigo, porque não conheces o novo;
amigo novo é vinho novo: deixa que envelheça, e o beberás.

Companhias

¹¹Não invejes o perverso,
porque não sabes quanto viverá;
¹²não te alegres com o insolente que triunfa,
pensa que ele não morrerá impune;
¹³afasta-te daquele que pode matar,
e a morte não te espantará;
se te aproximas, não o ofendas,
porque tirará tua vida;
olha que caminhas entre laços, que avanças por uma rede.
¹⁴Segundo tua capacidade, responde a teu próximo
e sê íntimo dos sábios;
¹⁵partilha teus pensamentos com o prudente
e teus segredos com os entendidos;
¹⁶gente honrada partilhe teu pão,
e seja teu orgulho o temor do Senhor.

Governantes

¹⁷O artesão controla com sua destreza,
o governante com sua eloquência controla seu povo;
¹⁸terror de sua cidade é o desbocado,
a língua insolente será detestada.

10 ¹Governante prudente educa seu povo,
uma boa administração é ordenada.
²A tal governante, tais ministros;
a tal prefeito, tais habitantes.
³Um rei dissoluto arruína a cidade,
a prudência dos chefes povoa a cidade.
⁴Nas mãos de Deus está o governo do mundo:
estabelece sobre ele o homem oportuno;
⁵nas mãos de Deus está a autoridade do homem:
ele confere sua majestade ao soberano.

---

legislação; portanto, a perdição poderia ser simples consequência imanente, como indica Pr 7,27; 9,18.

9,10 Em forma negativa, um precioso conselho, um refrão magistral sobre a amizade.

9,11-13 Quanto à forma, continua a série negativa com motivação. Quanto ao tema, são quase repetição de 8,15s. A retribuição é típico problema sapiencial: a solução aqui proposta é o tempo; comparar com Salmo 73.

9,11 Fórmula semelhante em Pr 3,31; 23,17; 24,1; Sl 37,1.

9,14-16 Encerram a grande série, retornando ao trato com os sábios e apelando para o respeito a Deus. Neste livro, os mestres ou sábios ocupam lugar mais importante que sacerdotes e profetas, embora submetidos aqueles ao sentido religioso do temor de Deus.

9,17-10,5 Sete versículos sobre o governo, que é também tema e tarefa sapiencial: ver Pr 8,15s. De fato, uma das funções das escolas sapienciais era preparar jovens para cargos administrativos. Os versículos vão subindo: artesão, orador, governante, rei, Deus.

9,17-18 Obras e palavras. Essa eloquência não é puramente formal, contudo tem exigências éticas, como mostra a oposição do versículo seguinte.

10,2 Esse versículo ocupa o lugar central e é um resumo lapidar. Ver Pr 14,28; 29,4.12, e o chamado "espelho dos príncipes", Sl 101.

10,3 "Dissoluto" é em hebraico uma palavra muito semelhante a "Faraó". População numerosa era então considerada uma bênção: cf. Is 49,19.

10,4-5 Dimensão teológica do governo, por sua origem. Pode aludir à escolha de Ciro, segundo Is 41,1-4; 45,1-8. O governante participa do poder e majestade de Deus: é sua honra e sua responsabilidade; ver Sb 6,1-11.

Soberba

⁶Não devolvas o mal ao próximo por ofensa nenhuma,
 não andes pelo caminho da soberba;
⁷a soberba é odiosa ao Senhor e aos homens,
 ela é para os dois delito de opressão;
⁸o império passa de nação a nação
 por causa da violência e da soberba.
⁹Por que se ensoberbece o pó e cinza,
 se ainda em vida suas entranhas apodrecem?
¹⁰Um leve mal-estar, e o médico perplexo:
 hoje rei, amanhã cadáver.
¹¹Morre o homem e herda vermes,
 lombrigas, larvas, insetos.
¹²A soberba começa por um homem rebelde,
 quando seu coração se afasta de seu Criador;
¹³pois o pecador é poço de insolência
 e fonte que mana planos perversos;
 por isso, Deus lhe envia terríveis pragas
 e o castiga até acabar com ele.
¹⁴Deus derrubou do trono os soberbos,
 e sobre ele fez sentar-se os oprimidos;
¹⁵o Senhor arrancou as raízes dos povos,
 e em seu lugar plantou os oprimidos;
¹⁶o Senhor apagou as pegadas dos povos
 e os destruiu até os alicerces;
¹⁷apagou-os do solo e os aniquilou,
 e acabou com seu nome na terra.
¹⁸Não é digna de nome a insolência,
 nem a crueldade do nascido de mulher.

Valor do homem

¹⁹Uma linhagem honrada? – A linhagem humana.
 Uma linhagem honrada? – Os que respeitam Deus.
 Uma linhagem nojenta? – A linhagem humana.
 Uma linhagem nojenta? – Os que violam a Lei.

10,6-18 Instrução sobre a soberba em suas diversas manifestações e exercícios. É justo tratar da soberba no contexto do poder e do governo, por ser onde mais facilmente ela se desenvolve. O homem que vai receber de Deus autoridade e majestade (10,5) deve meditar sobre o perigo, a falsidade e as conseqüências da soberba. Catorze versos em estrofes irregulares com um colofão.

10,6-8 Primeira estrofe: a soberba age na vingança, na opressão e na violência. Se o governante se encontra entre Deus e os homens, sua soberba atrairá sobre si o ódio de ambos: Pr 8,13; 16,18; 29,23. O último versículo é uma síntese de teologia da história. Olhando para Israel, o autor pode pensar em Saul e Davi, Roboão e Jeroboão. Com olhar mais amplo, pode pensar na história dos impérios entre os quais foi tecido o destino de Israel. Olhando para sua época, pensará em Lágidas e Selêucidas.

10,9-11 Segunda estrofe: recorda ao homem o que foi e o que será, com certo gosto macabro. Também o "rei": ver Is 14,11; 2Mc 9; Sb 7,1-6.

10,12-13 Terceira estrofe. Versículos difíceis no texto hebraico: remonta até o princípio em Adão? Pensa no Faraó sofrendo as pragas? Pode também ser enunciado genérico, aplicável a qualquer homem que não se reconhece como criatura.

10,14-17 Quarta estrofe. Chegados a esse ponto, Deus intervém, mudando o curso da história. Exemplo clássico, quando "arrancou" os cananeus para "plantar" seu povo: Sl 80,9s. O v. 16 não se encontra no texto hebraico.

10,18 Conclusão de tudo o que precedeu.

10,19 O tema da soberba se prolonga nesse capítulo e no seguinte com reflexões sobre o valor aparente e verdadeiro do homem. Abre-se com um enigma ou adivinhação. Honra e desonra são patrimônio da linhagem humana, distinta em dois grupos opostos: a diferença se baseia na oposição entre "respeitar Deus" e "violar a Lei". O paralelismo rigoroso mostra que para o autor "respeitar Deus" se traduz em "cumprir a Lei". Uma única linhagem humana decide a alternativa de honra e desonra no plano religioso:

²⁰Entre irmãos, o mais velho é mais honrado,
   Deus porém aprecia quem o respeita:
²²forasteiro ou estrangeiro, estranho ou pobre,
   sua honra é respeitar Deus.
²³Não se deve desprezar o pobre sensato,
   nem se deve honrar o homem violento;
²⁴príncipe, governante e juiz recebem honra,
   mas ninguém é maior de quem respeita Deus.
²⁵Escravo sensato será enaltecido,
   escravo hábil não terá de que se queixar.
²⁶Não te creias sábio ao realizar teus negócios,
   nem te glories em tempo de necessidade;
²⁷quem trabalha e vive com folga é melhor
   de quem se gaba e carece de pão.
²⁸Filho meu, conserva tua honra com modéstia,
   e te darão os bens que mereces;
²⁹quem absolverá aquele que se declara culpado?
   Quem respeitará aquele que se deprecia?
³⁰Há pobres respeitados por sua sensatez,
   há homens respeitados por suas riquezas.
   Respeitado por sua riqueza: como?
   Desprezado por sua pobreza: como?
³¹Quem é respeitado na pobreza, quanto mais na riqueza;
   quem é desprezado na riqueza, quanto mais na pobreza.

Aparências e julgamento de Deus

11 ¹Pobre sensato anda de cabeça erguida
   e sentará entre os nobres.
²Não louves um homem por sua beleza
   nem o desprezes por sua feiúra:
³a abelha é a menor entre os que voam,
   mas sua colheita é a mais seleta.

---

ponto de referência do homem é Deus, que com seu julgamento anula as aparências.

10,20-25 Os homens aceitam ou criam outras categorias para repartir ou reconhecer a honra: a idade ou os cargos, nacionalidade, pobreza, liberdade e escravidão. Respeitar Deus anula as categorias ou as supera decisivamente.

10,20 Legislação e costume dão preferência ao mais velho. Vários relatos do AT mostram que Deus inverte os termos por decisão não condicionada; por seu turno, o autor introduz aqui uma condição.

10,22 O quarteto é estranho porque falta uma oposição; o grego lê "rico". A legislação de Israel excluía o estrangeiro de muitos direitos; Is 56,1-8.

10,23 A antítese não funciona; além disso, entra outra categoria, que é a sensatez: leia-se Ecl 9,15s.

10,25 De novo a categoria sapiencial é que decide.

10,26-29 Por oposições bem equilibradas, inculca a iniciativa que o homem toma em relação à sua honra. Primeiro, contra a presunção, conforme Pr 12,9; depois, a defesa da própria honra.

10,26 Ver o conselho de Ecl 7,16.

10,28 Lendo sem artigo, "com modéstia" tempera o cuidado da honra.

10,29 Há um ditado que diz: "ruim seja quem ruim se considera".

10,30-31 Suspeita-se que esses versículos sejam acréscimo. Têm algo de enigma corajoso. O rico recebe honra por sua riqueza, o pobre por sua sensatez: das duas instâncias, qual vencerá? Sem dúvida a sensatez, que sobrevive às mudanças de fortuna e assim demonstra que é ela a suprema instância da honra.

11,1-13 Os dois versículos finais falam do pobre: primeiro atribui sua promoção à sua própria habilidade ou talento, ao passo que o último atribui essa promoção à ação soberana de Deus. "Sentar-se entre os nobres" é partilhar com eles as tarefas de governo (Sl 113,8).

11,1 Ecl 7,2.

11,2-3 Começa outra breve série negativa com motivações e ampliações. "Por sua beleza" pode recordar o julgamento de Samuel sobre os filhos de Jessé: 1Sm 16,7. A "abelha" comparada às aves: só ela produz mel.

⁴Não rias da capa desgastada
nem zombes de pesares cotidianos,
porque as obras do Senhor são admiráveis,
e as ações dele inexplicáveis para os homens.
⁵Muitos miseráveis sentaram em tronos,
e quem não imaginava cingiu diadema;
⁶muitos chefes foram abatidos,
e também nobres caíram em poder de outros.
⁷Não critiques antes de averiguar;
examina primeiro, e depois julgarás.
⁸Filho meu, não respondas antes de escutar
e não interrompas no meio do discurso;
⁹não te entretenhas em coisas sem importância
nem te metas em pleito de arrogantes.
¹⁰Filho meu, não multipliques tuas ocupações:
quem anseia enriquecer-se não ficará impune.
Filho meu, se não corres, não chegarás;
se não buscas, não encontrarás.
¹¹Há quem trabalha, sua e corre,
e apesar disso chega tarde;
¹²outro é pobre e andarilho, carece de tudo e está farto de miséria,
mas o Senhor o observa para o bem e o levanta do lixo,
¹³ele o faz levantar a cabeça,
e muitos se assombram ao vê-lo.
¹⁴Bem e mal, vida e morte,
pobreza e riqueza vêm do Senhor;
¹⁵sabedoria, prudência e sensatez procedem do Senhor,
castigo e caminho reto procedem do Senhor.
¹⁶A ignorância e a escuridão foram criadas para os criminosos,
e o mal acompanha os perversos;
¹⁷mas o dom do Senhor é para o justo,
e seu favor assegura o êxito.
¹⁸Um se faz rico à força de privações,
e lhe toca essa recompensa;
¹⁹quando diz: "Agora posso descansar,
agora comerei de minhas reservas",
não sabe quanto tempo passará até o deixar para outro e morrer.
²⁰Filho meu, cumpre teu dever, ocupa-te dele,
envelhece em tua tarefa;

11,4 "Pesares cotidianos" são os dias de pobreza. A intervenção divina introduz um fato imprevisível, que anula julgamentos e cálculos humanos.
11,5-6 O argumento, com sua forma típica "muitos", apela para a experiência histórica sem especificar; não é um caso, e sim uma constante.
11,5 Sl 113,7-8.
11,7 "Averiguar" pode ter sentido genérico ou judicial: Dt 13,14.
11,8 Ver Pr 18,13.
11,10 Ver Pr 28,20.
11,10b-11 O texto hebraico afirma a necessidade do esforço humano em seguida o corrige, apelando para a intervenção divina. O argumento é de experiência.
11,12-13 É o ensinamento de 1Sm 2,8; Sl 113,8.
11,14-17 Esse princípio geral explica aqui o que antecedeu: Deus pode exaltar o pobre porque é a origem e controla todos os acontecimentos. Como princípio geral, aqui ultrapassa seu valor. "Bem e mal, vida e morte" estão vinculados no relato de Gn 3 e na pregação de Dt 30,15.19. "Pobreza e riqueza": Pr 22,2. No plano sapiencial, só retoma os valores positivos, não lhes opondo tolice ou insensatez, como se não viessem de Deus. Em vez de "castigo", o termo pode significar "fracasso". No final se impõe o princípio da retribuição, para perversos e honrados. A escuridão pode unir seu significado à "ignorância"; em outras ocasiões, as trevas simbolizam a morte. Contrapõe-se um genérico "favor" divino que garante o "êxito".
11,18-19 Retoma o tema indicado da riqueza numa espécie de minúscula parábola: comparar com Lc 12,16-21; ver também Sl 39,7; 49,11.
11,20-22 Insiste em temas já propostos: a tarefa, o pobre enriquecido, o honrado e a luz que se opõe

²¹não admires os malfeitores,
  espera no Senhor e aguarda sua luz;
  porque o Senhor pode julgar oportuno
  enriquecer o pobre num instante.
²²A bênção do Senhor é a sorte do justo,
  e a seu tempo floresce sua esperança.
²³Não digas: Já resolvi meus assuntos;
  e agora, o que me resta?
²⁴Não digas: Já tenho bastante,
  que mal me pode acontecer?
²⁵Um dia feliz faz esquecer a desgraça,
  um dia infeliz faz esquecer a felicidade;
²⁶fácil é para Deus, na hora da morte,
  pagar ao homem sua conduta.
²⁷Um mau momento faz esquecer os prazeres;
  o fim do homem declara quem ele é.
²⁸Não declares ninguém feliz antes de te informares:
  seu fim mostrará se ele é feliz;
  não declares ninguém feliz antes que ele morra;
  no fim se conhece o homem.

Cautela com o desconhecido

²⁹Não introduzas qualquer um em tua casa:
  o vendedor ambulante conhece muitas manhas.
  (Como cesta cheia de pássaros,
  suas casas estão cheias de fraudes.)
³⁰Como pássaro fechado na cesta
  é o coração soberbo: espreita sua presa como lobo.
  (Quantos são os delitos do cobiçoso:
  como cão, ele devora uma casa.)
  O cobiçoso é violento:
  chega e pleiteia todos os bens.
  Como urso, o vendedor ambulante
  espreita a casa dos insolentes;
  como espião, ele busca um ponto desguarnecido.

às trevas. A manhã é tempo clássico da graça divina: Is 59,9; Jr 13,16.

11,23-27 Em sua tarefa, o homem não pode parar desiludido, pensando que nada conclui, que nada resta por fazer; nem deve parar sossegado, pensando que já está seguro. Porque a sorte muda com suas alternâncias, e então até a lembrança da sorte anterior fica esquecida. Durante a vida toda o homem está exposto às mudanças de sorte; por isso, a conclusão é que só no final ele descobre o sentido total da existência. A retribuição não é imediata: Deus pode esperar até o fim.

11,28 Comenta a frase final em duas variantes, sendo a segunda superior. Só a morte encerra o tecido da vida, quando o ser humano já não está exposto a mudanças. A morte pode ser serena em idade avançada, ou violenta antes da hora: leiam-se as queixas de Is 38,10-12; Sl 102,4.12.24. Diz um refrão: "*No fim louva a vida e de tarde louva o dia*".

11,29-34 Essa instrução pode ser subordinada à anterior, "trato com os homens". A forma é irregular, com alertas negativos, conselhos positivos e esclarecimentos. O texto hebraico está mal conservado: diversas variantes, algumas devidas a falsa leitura, penetraram no manuscrito. Não podendo decidir sobre elas com suficiente probabilidade, traduzo todo o texto e ponho entre parênteses os versículos mais duvidosos.

11,29 O vendedor ambulante ou mascate era uma instituição daquela cultura. Tinham má fama de enganadores, intrometidos e mexeriqueiros. Indo de casa em casa, bisbilhotavam e depois contavam o certo e o falso, a ponto de a raiz *rkl* (de onde vem "comerciante") ser empregada para denominar o caluniador ou mexeriqueiro: Lv 19,16; Ez 22,9; Pr 11,13; 20,19. A frase entre parênteses é citação de Jr 5,27, ao que parece atraída pelo versículo seguinte.

11,30a Trata-se de uma perdiz de chamariz, presa numa cesta com armadilha. Afirma que suas vendas são pretexto para operações fraudulentas.

11,30b Talvez seja acréscimo. "Cesta" e "cão" distinguem-se em hebraico pelas vogais. Não é claro se

³¹O murmurador converte em mal o bem,
   e conta falsidades de tuas riquezas.
³²Uma faísca acende muitos carvões,
   o perverso espreita para matar.
³³Guarda-te do mau, que gera males
   e te lançará uma infâmia perpétua;
   não te associes ao perverso, pois torcerá teu caminho
   e te afastará de teus parentes;
³⁴o vizinho desconhecido desviará tua conduta
   e te distanciará de teus familiares.

Cautela em favorecer

12 ¹Se fazes o bem, olha a quem,
   e poderás esperar algo de teus benefícios;
²faze o bem ao justo e obterás recompensa,
   se não dele, ao menos do Senhor.
³Nada se ganha ajudando o perverso,
   pois ele não agirá com retidão;
⁵duplo mal receberás em tempo de necessidade
   por todo o bem que lhe fizeste;
   não lhe dês armas, pois as voltará contra ti.
⁶Porque Deus detesta o injusto
   e se vinga dos perversos.
⁷Dá ao bom, recusa ao perverso,
   alivia o atribulado, não dês ao arrogante.

O inimigo
(Eclo 6,5-17; 27,22-24)

⁸Na prosperidade, ninguém conhece o amigo,
   na desgraça, o inimigo não se oculta;
⁹na prosperidade, até o inimigo se torna amigo;
   na desgraça, até o amigo se afasta.
¹⁰Nunca confies no inimigo,
   sua maldade é como bronze que se oxida;

---

o "cobiçoso" é o mesmo personagem; o contexto favorece tal interpretação.

11,30d Com intenção de roubar mais tarde. Mas não sabemos como encaixar "a casa dos insolentes".

11,31-34 O personagem é agora um perverso e um vizinho estrangeiro: o contexto os inclui entre os desconhecidos. Tendo em conta as mudanças da época, Ben Sirac pode ter querido precaver os judeus da Palestina para não confiarem em qualquer forasteiro, e os da diáspora para que vigiassem seu trato com estrangeiros. A religião e os costumes pátrios corriam perigo. A imagem da faísca e do fogo descreve o contágio fatal. Diz um refrão: *"No final do ano o servo tem as manhas do patrão"*.

11,31 Esse murmurador encaixa bem na figura do mascate descrito.

12,1-7 Traduzo do grego o primeiro versículo e obtenho um conselho pouco cristão; nosso refrão o resume muito bem: *"faze o bem sem olhar a quem"*. Ben Sirac está dando normas de prudência, ao passo que o evangelho dá conselhos de caridade. Favorecer o perverso é expor a si mesmo e a outros, até pode ser cumplicidade. Jesus recomenda não atirar as pérolas aos porcos: Mt 7,6; complementa-se com Mt 10,41. A explanação, ao gosto do autor, avança por oposições pouco matizadas. A motivação sobe da razão humana à aprovação divina, que equivale à seguinte argumentação: se Deus detesta e castiga o perverso, o homem não deve favorecê-lo.

12,3 Mt 7,6.

12,8-9 O enunciado do novo tema opõe, segundo costume sapiencial, amigo a inimigo, e indica um teste para reconhecê-los: prosperidade e desgraça; mas o tema central da perícope é o inimigo ou rival. Ben Sirac está instruindo jovens sem experiência na vida. Ver Pr 17,17; 26,24s. A instrução (8-18) conta com dois conselhos negativos e bastante descrição para motivá-los.

12,10-11 Supõe o inimigo já identificado. Embora finja mudar, sua malevolência é ferrugem que retorna e se apega. O espelho metálico deve ser polido com frequência para que se descubra a realidade; o rival, descoberto, perderá poder ofensivo.

¹¹mesmo que te dê atenção e se porte com modéstia,
tem cuidado e desconfia dele;
faze como quem limpa um espelho;
ele não poderá causar-te dano, e tu verás em que vai dar seu zelo.
¹²Não lhe dês um lugar ao teu lado,
porque te dará um empurrão e ocupará teu lugar;
não o faças sentar à tua direita,
porque procurará ocupar teu assento.
Então me darás razão,
gemendo ao compasso de meus gemidos.
¹³Quem se compadece do encantador mordido,
ou de quem se aproxima da fera carniceira?
¹⁴O mesmo acontece a quem se associa ao arrogante
e se mancha com seus delitos.
Enquanto anda contigo, não se revela a ti;
quando cais, não se agacha para livrar-te;
¹⁵enquanto estás de pé, não se manifesta;
quando tropeças, não se contém.
¹⁶O inimigo fala com lábios melosos,
e por dentro planeja traições sinistras;
o inimigo chora com os olhos,
mas, ao chegar sua ocasião, não se sacia de sangue;
¹⁷sucede uma desgraça para ti, e aí o encontras:
fingindo apoiar-te, ele te passa rasteira;
¹⁸depois sacode a cabeça, agita a mão,
e, falando entre dentes, muda de expressão.

Trato com o rico

13 ¹Quem toca no piche, na mão dele se gruda;
quem se associa ao cínico, seus costumes aprende.
²Podes erguer um peso superior a tuas forças
ou buscar a companhia do mais rico que tu?
Pode juntar-se o jarro com a panela?
Chocará nela e se quebrará.
³O rico ofende e ainda se orgulha,
o pobre é ofendido e ainda pede perdão.
⁴Se lhe fores útil, ele se servirá de ti;
se te descadeiras, ele te abandonará;
⁵se tiveres algo, ele te dirá boas palavras,
mas te explorará sem que lhe doa;

12,13-14a Espécie de inciso reflexivo, que coloca o rival mal-intencionado na esfera de animais venenosos e ferozes: Sl 58,6; Ecl 10,11.
12,14b-18 Breve descrição de um tipo (ou etopeia), que apresenta um exemplo para precaver o discípulo: pode-se comparar com Pr 6,12-15; 26,23-26.
13,1 O enunciado é tão geral, que pode introduzir qualquer instrução. Sobre o cínico: Pr 1,22; 3,34; 13,1; 14,6; 15,12; 24,9.
13,2-7 Não corresponde ao enunciado geral, pois os usos do rico não se apegam ao pobre. A descrição do rico é inteiramente negativa: atento a seus próprios interesses, ele se interessa pelo pobre somente quando e enquanto pode tirar proveito dele, e assim aumenta a distância. Há um provérbio que diz: *"Se a pedra bate no cântaro, pior para o cântaro; se o cântaro bate na pedra, pior para o cântaro"*; e outro mais simples: *"para o pobre, não é proveitoso estar na companhia do poderoso"*. Diríamos que os discípulos não pertenciam à classe dos ricos. Pobre não significa indigente, mas de classe modesta.
13,3 A distância se traduz em humilhação explícita: Pr 18,23; comparar com Salmo 123.
13,4 Como animal que se torna inválido para os trabalhos do campo.

⁶se necessita de ti, te adulará,
 e com sorrisos te infundirá confiança;
 ele te dirá amavelmente: Do que necessitas?,
 e com seus manjares te envergonhará;
⁷enquanto se aproveita de ti, te engana;
 na segunda e terceira vez te ameaçará;
 mais tarde, ao ver-te, ele te evitará
 e meneará a cabeça contra ti.

Trato com o nobre

⁸Guarda-te de ser presunçoso,
 não imites os que não têm juízo.
⁹Se estás perto de um nobre, mantém distância,
 e ele insistirá para que te aproximes;
¹⁰não te aproximes muito, para que ele não te afaste;
 não te afastes muito, não te tornes antipático;
¹¹não tomes liberdades com ele
 nem confies em seus numerosos raciocínios,
 pois com seus raciocínios te põe à prova,
 e sorrindo te examina.
¹²Cruelmente zombará de ti
 e não te poupará cadeias.
¹³Tem cuidado e põe-te em guarda
 e não caminhes com homens violentos.

Ricos e pobres

¹⁵Todo vivente ama os de sua espécie:
 também o homem ama quem se assemelha a ele;
¹⁷o lobo não se junta com o cordeiro
 nem o perverso com o justo (nem o rico com o necessitado).
¹⁸Podem relacionar-se a hiena e o cão?
 Podem relacionar-se o rico e o pobre?
¹⁹O asno selvagem é presa do leão,
 o pobre é pasto do rico.
²⁰O soberbo detesta o humilde,
 o rico detesta o indigente.

13,6 Até quando dá, faz sentir o rubor da necessidade ou da inferioridade: ver Pr 23,3.

13,7 A descrição sapiencial de Ben Sirac não é menos forte que uma denúncia profética: comparar com Mq 3,1-4; mas o autor não acrescenta a aprovação divina.

13,8-13 É como uma variante ou prolongamento do anterior: nobre, em vez de rico. O versículo introdutório (8), em virtude do contexto, centraliza a presunção de igualar-se ao nobre, e tacha semelhante presunção de falta de juízo. Não seria digna de um discípulo na escola sapiencial. Antes, pede-se dele uma bagagem de equilíbrio e cautela, bem ao gosto do autor. Nós dizemos "manter a distância". O desenvolvimento supõe que esse nobre ocupa um lugar no poder executivo e pode chegar a extremos violentos. O rei Assuero leva isso ao máximo (Est 4,11).

13,15-24 Continua o tema num plano mais geral. A comparação animal falha nesse ponto. O homem deveria aceitar sem distinção qualquer homem, e no entanto cria divisões, como se entre os que têm a mesma natureza houvesse mais de uma espécie: Pr 22,2. É a atitude do rico que crê pertencer a uma espécie superior. A comparação animal, comum a escritores sapienciais, com Ben Sirac adquire um tom de ironia cruel.

13,17-19 As duplas de animais recordam por contraste as de Is 11, reconciliadas na paz de um novo paraíso. Aqui as comparações pronunciam um juízo de valor, pois as duplas perverso/honrado e lobo/cordeiro correspondem a rico/pobre. Hostilidade provocada a partir de cima. Ben Sirac não deixa lugar para a neutralidade ou tolerância, mas patrocina o interesse e o amor.

13,19 Ver Is 3,14s; Am 2,6s.

²¹O rico tropeça, e seu vizinho o sustenta;
o pobre tropeça, e seu vizinho o empurra;
²²o rico fala, e muitos o aprovam,
e acham eloquente seu falar desleixado;
o pobre se equivoca, e lhe dizem: vá, vá;
fala com acerto, e não lhe fazem caso;
²³o rico fala, e o escutam em silêncio,
e põem nas nuvens o seu talento;
o pobre fala, e dizem: quem é?,
e se ele cai, o empurram mais ainda.
²⁴Boa é a riqueza adquirida sem culpa,
má é a pobreza causada pela arrogância.

A consciência

²⁵O coração humano faz mudar o semblante
para bem ou para mal:
²⁶rosto sereno é sinal de boa intenção,
falar por rodeios é sinal de ideia má.

14 ¹Feliz o homem a quem suas próprias palavras não afligem
e não tem de sofrer remorso;
²feliz o homem a quem a consciência não reprova,
e que não perdeu a esperança.

Mesquinho e generoso

³O homem mesquinho não merece riquezas,
o homem tacanho não merece o ouro;
⁴quem priva a si mesmo reúne para outros,
de seus bens desfrutará o estranho;
⁵quem é mesquinho consigo mesmo, com quem será generoso?,
não desfrutará de seus bens;
⁶o mesquinho consigo mesmo é o supremo mesquinho,
sua mesquinhez se volta contra ele.
⁷Se faz um favor é por descuido,
no final acusa sua própria mesquinhez.

13,21-23 A aguda descrição de tipos e costumes é também denúncia e condenação. Exemplo de ensinamento eficaz que se contenta em mostrar, em fazer ver; ver Pr 14,20.

13,24 Espécie de nota acrescentada para detalhar, se acaso o aluno generalizou demais suas conclusões.

13,25-14,2 Sem relação com os textos próximos, encontramos essa breve e substanciosa reflexão. Fundada na unidade da vida interior e sua expressão externa, Ben Sirac indica alguns sinais para descobrir o interior. Depois, em duas bem-aventuranças recorda-nos que a felicidade humana reside no interior: ver Pr 15,13. Encontramos em união estreita coração, rosto, boca e ânimo: nessa unidade há elementos que atuam como personagens diversos: é a virtude da consciência, que desdobra o homem sem romper sua unidade.

14,3-19 Instrução sobre as posses do homem. Previne primeiro contra a mesquinhez (3-10), exorta a desfrutar retamente das posses (11-16), motiva-o apelando para o limite da vida humana; motivação simplesmente humana. Fala de bens, não diretamente de riqueza, embora os dois temas tenham algum parentesco.

14,3-6 "Coração pequeno" e "olho mau" são literalmente expressões hebraicas para mesquinhez e avareza: coração ou mente, que rege os desejos; olho, como sede da faculdade que avalia. No livro de Jonas, Deus enfrenta a mesquinhez do seu profeta; na parábola dos operários (Mt 20,15), Jesus defende a generosidade de Deus contra a avareza e inveja humanas. Comparar com Ecl 5,12-15. Há um ditado que diz: "*A bolsa do miserável, vem o diabo e abre*".

14,7-10 O v. 10 falta no hebraico. O sujeito do v. 9 é duvidoso; literalmente o hebraico diz "o olho que tropeça"; penso que o autor procure variar as fórmulas. O v. 9a soa como variante do anterior. 9b também é duvidoso, embora pareça provável que o

⁸O mesquinho pensa que sua porção é pequena,
   tira a do próximo e põe a perder a própria.
⁹O mesquinho olha ansioso a comida
   e oferece mesa vazia.
   (O generoso oferece comida abundante,
   a fonte seca destila água sobre a mesa.)
¹¹Filho meu, se tens algo, serve-te disso
   (se tens algo, trata-te bem) e sê generoso com Deus.
¹²Recorda que no túmulo não desfrutarás
   e que a morte não tarda,
   mesmo que não te tenham dito a hora de morrer.
¹³Antes de morrer favorece teu amigo,
   dá-lhe do que tiveres à mão.
¹⁴Não te prives de um dia feliz
   e não deixes passar a porção desejável.
¹⁵Por que deixar tuas riquezas a um estranho
   e teus suores para que os repartam por sorte?
¹⁶Dá a teu irmão e trata-te bem,
   porque no Abismo ninguém vai buscar prazeres.
   (Tudo o que prometeste fazer, cumpre-o na presença de Deus.)
¹⁷Toda carne se consumirá como roupa,
   porque o decreto eterno é este: "Deves morrer".
¹⁸Como crescem as folhas numa árvore frondosa:
   murcha uma, brota a seguinte,
   assim são as gerações de carne e sangue:
   morre uma, nasce outra.
¹⁹Todos os seus trabalhos apodrecerão,
   o que suas mãos ganharam, com eles irá.

A Sabedoria
(Eclo 6,18-37; Pr 1,20-33)

²⁰Feliz o homem que pensa na Sabedoria
   e pretende a Prudência,

---

autor queira terminar com uma antítese; o segundo hemistíquio diz literalmente "do olho árido destila água sobre a mesa". É "olho árido" uma variante criativa de mesquinhez? Neste caso, o autor apura a criatividade: o olho árido, sem lágrimas, mesquinho, só oferece água na sua mesa, não comida. É uma explicação hipotética.

14,11-12 Ben Sirac não recomenda a boa vida, mas oferece remédio à mesquinhez; a um esbanjador daria outro conselho. O terceiro hemistíquio parece acréscimo.

14,13-16 Generosidade com o próximo e generosidade consigo mesmo vêm sempre unidas, demonstrando que o autor não aconselha o egoísmo, mas o uso moderado dos bens: para si (Ecl 2,24; 9,7), para Deus (Pr 3,9), para o próximo. A Vulgata acrescenta "ao pobre", remediando o descuido do autor. A motivação mostra o horizonte intramundano do autor: com a morte, acabou-se para o indivíduo o tempo de desfrutar; e se não tem filhos, seus bens se dispersarão. O verso entre parênteses parece glosa acrescentada: interrompe o sentido e pode ser inspirada em 18,22.

14,17-19 Enunciado o tema da morte, aproveita o momento para ampliá-lo com imagens clássicas: Sl 90; 102. A sucessão das gerações recorda o começo de Ecl. Quanto às obras, Ap 14,13 inverte radicalmente a perspectiva.

14,20-15,10 Retorna ao tema central da sabedoria/ sensatez. Os dezoito versículos se dividem assim: oito explicam os trabalhos do jovem para conquistá-la (20-27), o versículo central a vincula ao respeito/ reverência de Deus (15,1), cinco versículos cantam os benefícios que a sabedoria traz como resposta (15,2-6), outros quatro mencionam as pessoas excluídas de sua posse e o mestre que a possui e ensina (5,7-10).

14,20-27 Ben Sirac parece escrever um comentário--réplica ao poema final de Provérbios 31,10-31. Esse poema alfabético apresenta a dificuldade de encontrar a esposa ideal, uma mulher laboriosa, e depois descreve sua atividade na administração doméstica. Ben Sirac personifica a Sabedoria na figura dessa mulher ideal: o jovem a busca, a corteja, não se afasta dela. Se o autor fala a jovens,

²¹aquele que presta atenção a seus caminhos
 e presta atenção às suas sendas;
²²sai atrás dela para espiá-la
 e espreita junto a seu portal,
²³olha por suas janelas
 e escuta à sua porta,
²⁴acampa junto à sua casa
 e crava suas estacas junto à sua parede;
²⁵põe sua tenda junto a ela
 e se acomoda como bom vizinho,
²⁶faz ninho em sua ramagem
 e mora em meio à sua fronde,
²⁷à sua sombra se protege do mormaço
 e habita em sua morada.

15

¹Quem respeita o Senhor agirá assim,
 observando a Lei alcançará a Sabedoria.
²Ela lhe sairá como mãe ao seu encontro,
 e como a esposa da juventude o receberá;
³ela o alimentará com pão de sensatez
 e lhe dará de beber água de prudência;
⁴apoiado nela não vacilará,
 e confiado nela não fracassará;
⁵ela o exaltará sobre seus companheiros,
 para que abra a boca na assembleia;
⁶obterá prazer e alegria,
 e lhe dará um nome perdurável.
⁷Os homens falsos não a obtêm,
 nem os arrogantes a verão,
⁸fica longe dos cínicos,
 e os enganadores não se lembram dela;
⁹seu louvor desdiz na boca do perverso,
 porque a ele Deus não a concede;
¹⁰a boca do sensato pronuncia seu elogio,
 e aquele que a possui a ensina.

---

seu ensinamento é mais expressivo. Conforme essa explicação, seria preciso comparar esse fragmento com a confissão final do livro, 51,13-30. Também Sb 8 explora a imagem.

14,20 Clara referência ao Salmo 1, substituindo "lei" por "sabedoria": o mesmo começo de bem-aventurança e o mesmo verbo, pensar ou meditar.

14,21 Também a imagem do caminho pode vir desse salmo, mudando o negativo em positivo; mas os verbos e a imagem são tópicos.

14,22 O primeiro verbo é típico do saber de Deus (Jr 17,20; Sl 139; Jó 28,3.27), do rei (Pr 25,2), do mestre (Pr 28,11); também significa explorar, espiar (Jz 18,2; 2Sm 10,3). "Portal" ou "entradas", acessos.

14,23 Descobriu a casa, a tenda; a paixão desculpa a má educação, cf. 21,23s.

14,24-25 Imagem tomada da vida nômade. O cortejador abandona sua morada e se estabelece numa tenda, bastando-lhe estar perto da amada.

14,26-27 Mudança de imagem: árvore, ninho e sombra: ver Pr 27,8; Ct 2,3.

15,1 Com o respeito de Deus, traduzido na observância da Lei, garante-se a conquista da noiva Sabedoria. Ideia inicial e central do livro.

15,2-6 No segundo ato, a mulher é protagonista: já é uma mãe, esposa de juventude, e por isso especialmente amada: Pr 5,18; Is 54,6; Jr 2,2. Percebe-se ao fundo o retrato de Pr 31: ela cuida solícita do marido dentro de casa, proporcionando-lhe fama entre os nobres e para a posteridade.

15,3 Em Pr 9,5 oferece pão e vinho.

15,4 São expressões que costumam ser atribuídas a Deus.

15,7-9 Várias categorias ficam excluídas de tais privilégios; são incompatíveis com a sabedoria: ver Sb 1,4.6.

15,10 O colofão é como a assinatura do mestre, que retornará ao longo do livro.

Origem do pecado

¹¹Não digas: "Meu pecado vem de Deus",
   porque ele não faz o que odeia.
¹²Não digas: "Ele me extraviou",
   porque ele não necessita de homens iníquos;
¹³o Senhor detesta a perversidade e a blasfêmia,
   e aqueles que o respeitam não caem nelas.
¹⁴O Senhor criou o homem no princípio
   e o entregou em poder de seu arbítrio;
¹⁵se quiseres, guardarás seus mandatos,
   porque é prudência cumprir sua vontade;
¹⁶diante de ti estão postos fogo e água:
   estende a mão ao que quiseres;
¹⁷diante do homem estão morte e vida,
   e lhe darão o que ele escolher.
¹⁸É imensa a sabedoria do Senhor,
   é grande seu poder e tudo vê;
¹⁹os olhos de Deus veem as ações,
   ele conhece todas as obras do homem.
²⁰A ninguém mandou pecar,
   e não ensinou mentiras aos enganadores;
   não deixa impunes os mentirosos
   nem se compadece de quem pratica a fraude.

15,11 Depois de dedicar vários capítulos ao trato com os homens, em diversas categorias, o autor passa a tratar, com amplidão e variedade de aspectos, o tema das relações com Deus: pecado, castigo, perdão, e a figura de Deus criador no centro. O autor começa por um tema difícil, a origem do pecado: deve ser atribuído a Deus ou ao homem? Introduz a discussão, recolhendo ou simulando uma objeção ou pergunta do aluno: procedimento didático que dá vivacidade à exposição e permite centrar a questão no pecado pessoal. Daí sobe à origem universal. A resposta do mestre soa categórica e inapelável: ver Sl 11,5; Sb 11,24.

15,12 O aluno insiste: "extraviar" ou enganar, ele o atribui a Deus e não a um tentador. Pode pensar no coração endurecido do Faraó, no recenseamento de Davi (2Sm 24,1), na visão de Miqueias ben Jemla (1Rs 22,9ss). Deus tem à disposição os males físicos, não necessita de homens violentos ou iníquos. A resposta do mestre é mais sutil: o que Deus ganha enganando?

15,13 Continua em tom de teodiceia. A maldade é ação pecaminosa, a blasfêmia é palavra pecaminosa; as duas abrangem a totalidade. Delas, Deus livra os que o respeitam. Pode ser que o aluno pretenda antes desculpar-se que acusar Deus; em qualquer caso, seria um julgamento injusto, e o mestre o orienta com autoridade.

15,14 Começa a exposição positiva, voltando às origens, conforme prática hebraica e seguindo Gn 2-3. Pela liberdade, o homem chega ao autocontrole e se realiza, ficando senhor do seu destino.

15,15 Mas não é senhor absoluto. Ao poder interno do arbítrio se acrescentam a luz e a força da lei, vontade de Deus feita palavra para reger e ordenar o homem livre. Cumprir o mandamento depende do querer (Sl 40,9). Em vez de "prudência", outro manuscrito diz "fidelidade". O texto hebraico acrescenta uma glosa inspirada em Hab 2,4: "Se creres nele, também tu viverás".

15,16 A liberdade se exercita escolhendo. Fogo e água aqui são criaturas elementares, opostas em sua função, não em seu valor de bem e mal. Ambas são boas, e nelas o homem experimenta sua capacidade de escolher; ao mesmo tempo, as duas se excluem, e põem o homem na necessidade de escolher. Em toda a exposição o autor prescinde da árvore e da serpente.

15,17 A oposição radical vem da pregação da lei: Dt 30,15.19, onde se põem lado a lado bem e mal, maldição e bênção. O sujeito do verbo "lhe darão" é Deus, que aprova a escolha humana: é em substância o tema de Gn 2-3.

15,18-19 Como no paraíso, mas sem transposição narrativa, aparece Deus, que tudo vê e conhece, mesmo a intimidade do homem, donde brota a decisão. Aqui temos outra dimensão da "sabedoria divina", relacionada com a conduta ética do homem.

15,20 Conclui resumindo o tema da teodiceia e do castigo: a ordem de Deus não tem por objeto a maldade. Deus não manda o homem pecar; e se peca, não o deixa impune. "Mentirosos" deve ter, pelo contexto, um sentido especial: mentira radical do homem, que acusa Deus para desculpar-se, negando o próprio pecado. Grande mentira, que confirma o pecado cometido; como o de Caim em Gn 4. O hebraico acrescenta uma glosa impertinente, não retomada nas versões antigas: "Não se compadece do malfeitor nem daquele que revela segredos".

Deus castiga

16 ¹Não desejes filhos bonitos e sem proveito,
nem te alegres de filhos que sejam perversos;
²mesmo que prosperem, não te alegres com eles,
se não respeitam o Senhor;
³não esperes que vivam muito, nem confies em seu fim,
porque não terão boa descendência;
um cumpridor do dever vale mais que mil,
e é melhor morrer estéril que ter descendentes arrogantes.
⁴Um só e estéril, se respeitar o Senhor, povoa uma cidade;
uma turba de bandidos a deixa deserta.
⁵Meus olhos viram muitas coisas desse gênero,
e muitas mais meu ouvido escutou.
⁶Por causa dos perversos ateou-se o fogo,
e a cólera ardeu contra um bando de perversos;
⁷não perdoou os gigantes de outrora,
que em outro tempo se rebelaram com sua força;
⁸não perdoou os concidadãos de Ló,
que se perverteram por sua arrogância;
⁹não perdoou o povo condenado,
que foi despossuído por causa de seus crimes,
¹⁰nem aos seiscentos mil soldados
que foram aniquilados por sua arrogância.
¹¹E mesmo que não haja mais que um de dura cerviz,
se escapar impune, será por milagre.
Porque ele tem compaixão e cólera, absolve e perdoa,
mas descarrega sua ira sobre os perversos;
¹²tão grande como sua compaixão é seu castigo,
e julga cada um segundo suas obras.
¹³Não deixa o perverso escapar com sua presa
nem deixa os desejos do justo sem cumprimento.

16,1-16 Depois de explicar a origem do pecado como ação do homem na presença de Deus, o autor expõe os efeitos do pecado, desenvolvendo o já apontado tema do castigo. Refuta a falsa esperança posta nos filhos (1-5), ilustra seu ensinamento com exemplos do AT (6-11a) e termina com uma reflexão geral (11b-16).

16,1-5 O começo é inesperado. Com a vida longa, a fecundidade era uma das grandes bênçãos de Deus: o homem prolonga na terra a sua vida que depois se prolonga nos descendentes. Adão e Eva, expulsos do paraíso, conservaram a bênção da fecundidade como centelha divina: cf. Gn 4,1. O pecado pode malograr tal bênção: os filhos fracassam, afligindo e castigando o pai, ou ficam sem descendência, interrompendo a continuidade da família. A garantia da bênção divina é "respeitar o Senhor"; seu oposto é a "arrogância".

16,1 Pr 17,21.

16,3 O texto parece sobrecarregado com explicações. Sb 3,13-4,6 expõe a relação entre esterilidade e virtude, fecundidade e vício.

16,4 Creio que se refere a "bandidos" internos.

16,5 Apresenta-se como testemunha: aonde não chega a sua experiência, apela para a tradição. Com esse versículo, introduz a estrofe seguinte.

16,6 Pode referir-se ao motim do povo: Nm 11,1-3; ou ao motim de Coré, Datã e Abiram: Nm 16; Sl 106,16-18.

16,7 Os gigantes aniquilados no dilúvio: Gn 6,4; Br 3,26s.

16,8 O castigo exemplar da Pentápole: Gn 19; Ez 16,49.

16,9 Os cananeus habitantes da Palestina: Gn 15,16; Js 4-10.

16,10 A rebelião do povo: Nm 13-14.

16,11a "Dura cerviz" costuma-se dizer do povo: Ex 32,9; 33,3.5; 34,9; Dt 9,6.13.

16,11b-16 Desenvolve o tema da retribuição de bons e maus.

16,11b Fórmula lapidar, sobrecarregada por um hemistíquio inesperado. A compaixão e o perdão desequilibram a balança da justiça retributiva: comparar com Sl 103,10.

16,12 Conforme Ex 34,6-7 e paralelos, a compaixão é maior e mais duradoura, mas tem um tempo. Enquanto dura este, a correção é salutar e expressa compaixão; passado o tempo, o julgamento é definitivo e a correção é castigo.

16,13 A "presa" dá a entender que é pecado de injustiça: presa do perverso é o pobre inocente: Lv 19,13; Sl 37,12.32.

¹⁴Quem dá esmola terá recompensa,
 cada um receberá segundo suas obras.
¹⁵O Senhor endureceu o coração do Faraó
 – porque este não o quis reconhecer –
 para manifestar suas obras sob o céu.
¹⁶Todas as criaturas conhecem sua compaixão,
 sua luz e seu louvor são a porção dos homens.

Deus vê
(Eclo 23,18-20)

¹⁷Não digas: "Eu me esconderei de Deus,
 quem se lembrará de mim lá no alto?
 Entre tanta gente não me distinguirão;
 quem sou eu na amplidão do mundo?"
¹⁸Olha: os céus, o último céu,
 terra e oceano,
 quando ele desce, se põem de pé,
 tremem quando ele se apresenta;
¹⁹as raízes dos montes, os alicerces do orbe
 se põem a tremer quando Deus olha para eles.
²⁰"Não prestará atenção em mim,
 nem fará caso de minha conduta;
²¹se eu pecar, ninguém me verá;
 se mentir às escondidas, quem ficará sabendo?
²²Quem o informa de uma boa ação,
 que posso esperar por cumprir meu dever?"
²³Gente sem juízo pensa assim,
 o homem enganado raciocina desse modo.

Deus criador
(Gn 1; Eclo 43)

²⁴Escutai-me e aprendei sabedoria,
 prestai atenção a minhas palavras,

16,14 A "esmola" se opõe à injustiça: Sl 37,21; Is 58,8s.

16,15-16 Parece acréscimo posterior. Os versículos são longos demais, o Faraó está fora do seu lugar. No entanto, o último versículo oferece um final positivo acertado. Embora todas as criaturas recebam favores de Deus, só o homem pode reconhecer isso e louvar a bondade de Deus. A luz reservada aos homens é símbolo da plenitude de bens.

16,17 A fórmula inicial, introduzindo uma objeção, nos recorda que se liga com 15,11, sobre a origem do pecado. O pecado é responsabilidade do homem (15,11-20), e Deus o castiga (16,1-16). O homem objeta: "Deus não o vê" (contra 15,18s). A objeção é típica dos ímpios: Sl 64,7; 73,11; 94,7 etc. O último hemistíquio está sobrecarregado em hebraico.

16,18-19 Céu e terra se põem de pé como testemunhas notariais da teofania: Dt 32,1; Is 1,2; Sl 50,4. A eles Ben Sirac acrescenta o oceano (subterrâneo). Outro gesto é o tremor como reação à presença do soberano: Jl 2,10; Sl 77,19 etc.

16,20-21 Aplicado ao adultério: 23,18s.

16,22 A objeção se torna aguda quando passa ao terreno do agir bem, e é consequência lógica. Se Deus não dá atenção ao pecado, tampouco à virtude, e então ela não tem valor. É o problema do Salmo 73; cf. Jó 35,7.

16,23 A resposta final é como uma excomunhão sapiencial: comparar com Sb 2,1. 21.

16,24-18,14 Ampla exposição sobre a conduta de Deus com os homens. Continua organicamente a exposição precedente, deixando o lugar central à atividade criadora de Deus. Uma introdução formal confere solenidade ao tratado (16,24-25); começa pela criação do céu, da terra e do homem (16,26-17,14); depois, com ordem insegura, segue dupla pista: Deus vê e retribui maldade e honradez/Deus vê e perdoa fraqueza e pecado (17,15-23); daí a exortação a converter-se logo (17,24-29); termina com a compreensão e compaixão divinas (17,30-18,14).

16,24-25 A introdução coloca a reflexão teológica no terreno da sabedoria; os néscios e os insensatos ficaram excluídos. Se o autor vai lançar mão de dados bíblicos, o fará na qualidade de mestre: ver Sl 49,2-5. O terceiro hemistíquio (25a) soa literalmente: "farei brotar com ponderação meu alento"; como em outras ocasiões, o "alento"/"espírito" é paralelo e correlativo da palavra, p. ex. Sl 33,6.

²⁵vou expor meu pensamento com ponderação
e com modéstia minha doutrina.
²⁶Quando no princípio Deus criou suas obras
e as fez existir, designou-lhes suas funções;
²⁷determinou-lhes para sempre sua atividade
e seus domínios para todas as eras;
não desfalecem nem se cansam nem faltam à sua obrigação.
²⁸Nenhuma estorva sua companheira,
nunca desobedecem às ordens de Deus.
²⁹Depois o Senhor olhou para a terra
e a cumulou de seus bens;
³⁰cobriu sua face com toda espécie de viventes,
que a ela voltarão.

17

¹O Senhor formou da terra o homem
e o fez voltar de novo a ela;
²concedeu-lhe um prazo de dias contados
e lhe deu domínio sobre a terra;
³revestiu-o de um poder como o seu,
e o fez à sua própria imagem;
⁴impôs seu temor a todo vivente,
para que dominasse feras e aves.
⁶Formou-lhes boca, língua, olhos,
ouvidos, e mente para entender;
⁷cumulou-os de inteligência e sabedoria,
e lhes mostrou o bem e o mal;
⁸mostrou suas maravilhas a eles,
para que as levassem em conta,
¹⁰para que louvem o santo nome
e contem suas grandes façanhas.
¹¹Concedeu-lhes inteligência,
e em herança uma Lei que dá vida;

16,26-28 No v. 26 interrompe-se o texto hebraico até 30,11; do intermédio temos em hebraico versos soltos conservados numa antologia. Quatro versos sobre a criação dos astros, num contexto universal. A referência aos "domínios" parece aludir aos "domínios" de sol e lua, conforme Gn 1,16 (no texto grego). Conforme a concepção tradicional, as estrelas constituem o "exército celeste", que obedece exatamente ao Senhor dos Exércitos (Is 40,26), e combina admiravelmente multidão com ordem: comparar com Jl 2,7-8.

16,29-30 Em paralelismo, a população da terra em geral. Sua maravilha é ser habitável: Is 45,18 (os hebreus não creem que haja habitantes nos astros). A população da terra é sua plenitude, o que a enche: Is 34,1; Sl 24,1; 89,12. Mas tudo quanto vive sobre a terra retorna a ela ao morrer: cf. Sl 90,3. Vida e morte universais introduzem o tema seguinte.

17,1-14 Criação do homem, em três estrofes de quatro versos. A extensão dessa parte é significativa. Não recorre a imagens de ascendência mitológica, mas a tradições do povo.

17,1-4 Primeira estrofe. Inverte de propósito a ordem tradicional (Gn 1,27s): a condição mortal do homem – domínio sobre a terra – imagem Deus. Ou seja, não apresenta a condição mortal como consequência de um pecado, mas como própria de sua natureza "terrena". A ordem é ascendente: embora mortal, pode dominar e é imagem de Deus. Como Sl 8,7-9, insiste no domínio sobre outros viventes.

No final dessa estrofe, um leitor, ao que parece de formação estoica, acrescentou um verso (5) conservado por alguns manuscritos: "Recebeu o uso de cinco obras do Senhor (cinco sentidos), como sexto dom concedeu-lhes a inteligência e como sétimo a linguagem que interpreta as obras de Deus". É interessante escutar um autor antigo sobre a função "hermenêutica" da linguagem.

17,6-10 Segunda estrofe. O homem criado para conhecer e louvar a Deus. O autor não se limita à narração do Gênesis. Para o louvor são necessários olhos e ouvidos que percebem, mente que compreende, boca que proclama. Além disso, o homem é animal ético: mal e bem se propõem à liberdade, conforme 15,11-20; Dt 30,15.19. No v. 10 ressoa a tradição dos salmos.

17,11-14 Terceira estrofe. O autor projeta a experiência histórica na criação, conforme as tradições bíblicas; a situação de Adão é descrita como aliança

¹²fez aliança eterna com eles,
  ensinando-lhes seus mandamentos.
¹³os olhos deles viram a grandeza de sua glória
  e os ouvidos deles ouviram a majestade de sua voz.
¹⁴Ordenou-lhes abster-se de toda idolatria,
  e lhes deu preceitos sobre o próximo.

Deus retribui

¹⁵Seus caminhos estão sempre em sua presença,
  não se ocultam a seus olhos.
¹⁶(Seus caminhos se inclinam para o mal desde a infância,
  não são capazes de transformar
  em corações de carne os de pedra.)
  (Quando dividiu sobre a terra as nações)
¹⁷pôs um chefe sobre cada nação, mas Israel é a porção do Senhor.
¹⁸(Por ser seu primogênito o educa,
  e porque lhe deu a luz de seu amor não o abandona.)
¹⁹Todas as suas obras estão diante dele como o sol,
  os olhos dele observam sempre seus caminhos;
²⁰as injustiças deles não lhe são ocultas,
  todos os pecados deles estão à sua vista.
²¹(O Senhor, que é bom e conhece sua criatura,
  não os rejeita nem abandona, mas os perdoa.)
²²O Senhor guarda, como seu selo, a esmola do homem,
  e a caridade deste, como a menina dos olhos.
²³Depois se levantará para as retribuir,
  e fará recair sobre eles o que merecem.

Arrependimento

²⁴Ele deixa voltar os que se arrependem
  e reanima os que perdem a paciência.
²⁵Volta ao Senhor, abandona o pecado,
  suplica em sua presença e diminui tuas faltas;

---

com lei e mandamentos. Como no Sinai, a aliança primordial é promulgada com manifestação de glória/esplendor e de voz/trovão.

17,14 Parece sintetizar as "duas tábuas", se o grego *adikou* designa a idolatria.

17,15-23 O texto é desordenado. Uma pista reta fala de Deus que vê, castiga e premia (15.19.20.22.23); uma pista oblíqua, provável acréscimo que antecipa a seção de 18,8-14, fala do Deus que compreende e perdoa o homem por sua fraqueza (16.21) e Israel por causa da escolha (17-18).

17,15 Um bom comentário no Salmo 139.

17,16 O tema vem de Gn 6,5; 8,21. A mudança de coração, de Ez 11,29; 36,26.

17,17 Tema de Dt 32,8s, mas eliminando a alusão às divindades.

17,18 Reflexão teológica importante. A escolha de Deus é exigente (Am 3,2) e seu amor não pode ficar indiferente; a paternidade de Deus no AT, mais que na imagem da geração, funda-se na experiência da educação (Dt 8,5): não é um pai permissivo.

17,19 "Como o sol" ou como diante do sol, segundo a concepção antiga do sol clarividente e penetrante com sua luz; imagem da justiça vigilante.

17,21 Magnífico desenvolvimento no Salmo 103.

17,22 A retribuição inclui também o prêmio. O selo era incrustado no anel; era valioso por seu significado pessoal exclusivo, por seu poder de marcar e autorizar uma propriedade ou um decreto: Gn 38,18; 1Rs 21,8; Jr 22,24. Mais estimada e pessoal é "a menina dos olhos", Dt 32,10; Sl 17,8.

17,23 "Levantar-se" é gesto judicial para pronunciar sentença: Sl 74,22; 76,10; 82,8.

17,24-29 Para o homem, consequência de tudo o que foi dito sobre a conduta de Deus é converter-se antes que chegue a morte e seja tarde. O destino do homem – louvar a Deus (17,8-10) – se frustra no Xeol ou Abismo: Is 38,18s; Sl 30,10; 115,18 etc. O "arrependimento" (*metanoeo*) e a "conversão" ou volta (*apo/epi-strepho*) são bem distinguidos com palavras diversas. Quem se afastou deve voltar. Leia--se em Jr 2,1-4,4 um bom desenvolvimento do tema. Injustiça e idolatria representam as duas tábuas.

²⁶retorna ao Altíssimo, afasta-te da injustiça
   e detesta de coração a idolatria.
²⁷No Abismo, quem louva o Senhor
   como os vivos que lhe dão graças?
²⁸O morto, como se não existisse, deixa de louvá-lo,
   quem está vivo e sadio louva o Senhor.
²⁹Como é grande a misericórdia do Senhor
   e seu perdão para os que voltam a ele!

Deus compreende e perdoa

³⁰O homem não é como Deus,
   pois nenhum filho de Adão é imortal;
³¹o que há de mais brilhante que o sol?
      – pois também ele tem eclipses –
      (carne e sangue planejam o mal).
³²Deus passa em revista o exército celeste;
   quanto mais aos homens de pó e cinza.

18

¹Aquele que vive eternamente criou o universo:
²o Senhor é o único sem mancha, e não há outro fora dele.
³Dirige o universo com a palma da mão,
   e todos cumprem sua vontade;
   é rei universal e poderoso
   que separa o santo do profano.
⁴Ninguém é capaz de contar suas obras;
   quem rastreará suas grandezas?
⁵Quem poderá medir sua grandeza
   e quem contará seus favores?
⁶Não é possível aumentar nem diminuir,
   e suas maravilhas não podem ser rastreadas;
⁷quando o homem termina, está começando,
   e quando se detém, fica estupefacto.
⁸O que é o homem, para que serve,
   qual é sua bondade e sua maldade?
⁹Os dias do homem são contados,
   e é muito se chegar a cem anos;
¹⁰uma gota do mar, um grão de areia:
   é o que são mil anos, comparados com o dia eterno.

17,30-18,14 A compreensão e o perdão de Deus são o tema dessa instrução. Para desenvolvê-lo, contrapõe a pequenez e fraqueza humanas à grandeza divina, de modo que a segunda ocupe mais espaço e soe como hino.

17,30-31 Introduz a exposição apresentando os dois termos da comparação. Ser mortal distingue o homem radicalmente de Deus: Ez 28,9. Não é normal comparar o homem com o sol, o astro mais luminoso no céu, de acordo com os hebreus e a observação empírica. Só Deus não tem eclipses: cf. Tg 1,17.

17,32-18,3 Primeira estrofe. Deus é o Senhor dos Exércitos (Is 40,26), é criador, rei, sua vontade é lei (Is 48,14), e governador do universo criado (Is 44,24), é único (Is 44,6; 45,5.18.21; 46,9), eterno (Is 43,13); sua ação é sempre "justificada" (Is 45,24). "Dirige": o verbo hebraico é denominativo de "timão": sua "palma" lhe serve de timão cósmico. A ordem do mundo, dividido em dois campos, sagrado e profano, preocupa Ben Sirac; ele o considera instituição divina: ver 33,9 no seu contexto.

18,4-7 Segunda estrofe. Também é tema do Segundo Isaías, p. ex. Is 40,12; também Sl 139,17s; 145,3; 147,5; Rm 11,33-35. Note-se no quarteto o paralelismo de "grandezas" e "favores".

18,8-11 Terceira estrofe: ver 10,19-31. Ressalta a pequenez do homem para contrastar com a grandeza de Deus. Quanto à duração, é evidente: o Salmo 90 admite até oitenta anos; talvez o autor pense em exemplos patriarcais. É pequeno também em seus bens e males: o autor não diferencia entre males físicos e morais. "O dia eterno" é forma original: a totalidade unitária se contrapõe à multiplicidade passageira.

¹¹Por isso o Senhor tem paciência com eles,
   e sobre eles derrama sua compaixão.
¹²Pois sabe muito bem que estão inclinados para o mal,
   e seu perdão por isso é abundante.
¹³O homem se compadece de seu próximo;
   o Senhor, de todos os viventes;
   avisa e educa, ensina e guia como pastor a seu rebanho.
¹⁴Ele se compadece dos que recebem a correção
   e dos que se esforçam para cumprir seus mandamentos.

Dar com amor

¹⁵Filho meu, quando fazes um favor, não repreendas,
   nem ofendas com palavras quando dás esmola:
¹⁶o orvalho alivia o mormaço
   e a palavra vale mais que o dom;
¹⁷não vale a palavra mais que o dom
   quando procede de um homem caritativo?
¹⁸O néscio insulta sem caridade,
   um presente de má vontade faz chorar.

Prevenir

¹⁹Antes de falar, aprende,
   antes de cair doente, busca remédio;
²⁰antes de ser julgado, examina-te,
   e na hora das contas te perdoarão;
²¹antes de cair doente, humilha-te,
   e quando pecares, mostra arrependimento.
²²Nada te impeça de cumprir logo um voto,
   não esperes até a morte para cumpri-lo.
²³Antes de rezar, prepara-te,
   não imites os que tentam o Senhor.
²⁴Lembra o dia final da cólera, do momento da vingança,
   quando ele ocultará o rosto.
²⁵Quando estás farto, lembra-te da fome,
   e quando fores rico, da pobreza e indigência;
²⁶da noite à manhã muda a situação:
   diante do Senhor, tudo passa depressa.

18,12-14 Quarta estrofe. A fraqueza humana moral (Gn 8,21) aumenta o perdão divino (Sl 103,14; 145,9). O homem imita essa compaixão de modo limitado. A compaixão de Deus não é indiferença bonachona que deixa passar tudo; ele corrige e emenda aquele que perdoa. Por isso exige a resposta humana: aceitar a correção, esforçando-se por cumprir a lei.

18,15-18 Talvez esses versículos estejam aqui atraídos pela ideia da compaixão. A palavra vale mais que o dom, quando acompanha o dom, sendo por isso sincera. Não que a palavra substitua o dom (1Jo 3,18), mas exprime o interesse humano. A insensatez se opõe à caridade porque lhe falta compreensão e respeito.

18,19-28 Prevenir-se é antecipar-se aos acontecimentos, com ação ou mentalmente; e é uma forma de sabedoria.

18,19-23 Quatro provérbios começam com "antes de", e o do v. 22 equivale no sentido. Insiste na doença e na morte como julgamento e castigo de Deus.

18,19 "Aprende" ou informa-te. O seguinte é o que se chama de "medicina preventiva": ver 38,1-8.

18,20 É a hora da prestação final; mas pode incluir também outros momentos da vida. Exame de consciência visando ao arrependimento e à penitência.

18,21 É tradicional vincular a doença ao pecado, como castigo ou correção: Jó 33,19-22.

18,23 A oração sincera pede uma atitude conveniente: exigir, esperar indevidamente, pode ser tentar Deus, como os israelitas no deserto: Sl 95,9.

18,24-26 A desgraça futura e sobretudo a definitiva, que é a morte, se apresentam à memória do homem exercendo sua influência salutar: assim o homem não confiará em si, nem mesmo nas circunstâncias

²⁷Um homem sábio sempre está prevenido;
  quando o pecado tenta, ele se abstém de agir mal.
²⁸Um homem inteligente conhece a sabedoria
  e louva quem a alcança.
²⁹Os que sabem falar também se tornam sábios
  e pronunciam provérbios acertados.

Dominar-se

³⁰Filho meu, não sigas teus caprichos,
  refreia teus desejos;
³¹se cederes ao prazer de teus desejos,
  te tornarás a caçoada de teus inimigos.
³²Não tomes gosto pelo luxo,
  porque seus gastos te farão pobre.
³³Não sejas comilão e beberrão
  quando tens a bolsa vazia.

19 ¹Quem se entrega à bebida não se tornará rico;
  quem despreza o pequeno irá se arruinando.
²Vinho e mulheres extraviam homens inteligentes,
  quem anda com prostitutas se torna descarado;
³podridão e vermes se apoderarão dele,
  e seu descaramento será aniquilado.

Calar e falar

⁴Quem confia rapidamente não tem juízo;
  quem peca prejudica a si mesmo.
⁵Quem se alegra pensando mal, será condenado;
  quem resiste aos prazeres coroa sua vida.
⁶Quem domina a língua viverá sem brigas;
  quem detesta a murmuração sofrerá poucos males.
⁷Não repitas uma murmuração
  e não ficarás prejudicado;

---

favoráveis da vida, e resistirá à tentação. O julgamento de Deus, definitivo ou provisório, é sempre iminente.

18,27-28 Prevenir-se é prudência, e prudência é um ramo da sabedoria. O sujeito de "louvar" é talvez a Sabedoria personificada. O tema específico desembocou no tema geral da obra.

18,29 À primeira vista, esse versículo é uma emenda: Quem agora possui destreza no falar? Penso que o versículo cumpre função formal, a de formar inclusão com o v. 19.

18,30-19,3 Depois de prevenir-se, dominar-se: fazem boa dupla. Quanto à forma, são três avisos ou conselhos negativos com motivações. Pelo conteúdo, detém-se em luxo e banquetes, vinho e mulheres. Os versículos 32. 33.1.2 existem no hebraico.

18,30-31 Começa em termos genéricos e anuncia uma aprovação social. A motivação está também em 6,4 e em alguns salmos: 25,2; 35,19; 41,12.

18,32 "Te farão pobre" ou duplicarão tua pobreza.

18,33 Ver Pr 23,20s. Dando-lhe valor de futuro: "não ficará nada na bolsa".

19,1 "O pequeno", ou seja, os gastos miúdos de cada copo. Comparar com Pr 23,29-35.

19,2 Recordamos o refrão: "*mulher e vinho fazem perder o tino*".

19,3 O castigo é o desfecho mortal, conforme Pr 7,26s; 9,18.

19,4-17 A conversa é um campo em que é preciso autodomínio: falar e escutar, perguntar e responder. Catorze versículos em quatro estrofes e uma conclusão.

19,4-6 Primeira estrofe. Formada de seis particípios, três de má conduta, três de boa. Numa primeira leitura, esses versículos têm valor geral e servem de ligação, repetindo "pecado" e "prazeres" anteriores e introduzindo o tema da língua e da murmuração. Lido outra vez depois de toda a instrução, admite uma aplicação específica. "Não confiar" em "qualquer palavra" (15); o "pecado" é a maledicência, que se volta contra seu autor; o "prazer" maligno dos "pensamentos" é a reação às murmurações (cf. Pr 26,22).

19,7-9 Segunda estrofe. Há ocasiões em que é obrigação grave acusar o mal; nesse caso não se trata de maledicência.

⁸não o contes nem a amigo nem a inimigo,
e não o descubras, a não ser que incorras em pecado.
⁹Alguém te ouviu, guarda-se de ti,
e um dia te odiará.
¹⁰Ouviste algo? Morra dentro de ti;
aguenta, pois não arrebentarás.
¹¹Tal notícia põe o néscio em transe,
como a criança à parturiente;
¹²flecha cravada na coxa
é a notícia nas entranhas do néscio.
¹³Pergunta a teu amigo: talvez não o tenha feito,
e se fez algo, para que não o repita;
¹⁴pergunta ao próximo: talvez não o tenha dito,
e se o disse, para que não o repita;
¹⁵pergunta ao amigo: muitas vezes é calúnia;
não confies em qualquer palavra.
¹⁶Há quem tem um deslize sem querer;
quem não pecou com a língua?
¹⁷Pergunta ao próximo antes de repreendê-lo,
e deixa lugar à lei do Altíssimo.

Sabedoria e temor de Deus

²⁰Respeitar o Senhor é síntese da sabedoria,
cumprir sua Lei é toda a sabedoria.
²²Não é sabedoria ser experiente na maldade,
não é prudência a deliberação dos perversos.
²³Há uma astúcia que é detestável,
e há insensatos que carecem de sabedoria.
²⁴É melhor o pouco inteligente que respeita o Senhor
que o muito inteligente que viola a Lei.
²⁵Há uma astúcia exata e ao mesmo tempo injusta,
há quem é sagaz para aparentar retidão;

19,8 Há ocasiões em que é obrigação grave acusar o mal; então não é murmuração.

19,10-12 Terceira estrofe. A comparação é facilitada pela concepção hebraica, que considera as entranhas como depósito de informações (Pr 18,8). O autor tacha de insensatez a falta de reflexão.

19,13-15 Quarta estrofe. Maledicência e murmuração podem pôr em perigo a amizade, um bem muito apreciado pelo autor. Em vez de crer precipitadamente (4), o amigo deve fazer uma espécie de processo amistoso, dando ocasião ao amigo para explicar-se ou defender-se, ou convidando-o à correção.

19,16-17 A conclusão é ao mesmo tempo desculpa e admoestação. Apelando para a lei, assina a sua instrução: pode ser a lei de Lv 19,17s.

19,20-24 Abre-se nova série, bastante irregular, dominada quanto à forma pela expressão "há", e, quanto ao conteúdo, pelo problema das aparências. A irregularidade provém das numerosas e extensas ampliações. Em alguns casos pode ser devido à tradução grega. Faça-se o teste lendo seguidos: 23.25.26; 20,1.5.6.9-12.21-23. Podemos estender a instrução até a nova reflexão sobre o mestre, no final do cap. 20, formando inclusão com 19,20-21. As ampliações podem ser comentários acrescentados pelo próprio autor.

19,20 O começo não pode ser mais genérico, e é característica de Ben Sirac. A sabedoria ou sensatez é identificada ou vinculada ao respeito do Senhor, traduzido no cumprimento da lei: comparar com Dt 4,6.

19,22 Mas atenção, pois há uma sabedoria falsa, e é necessário um critério para distingui-la: ver Tg 3,13-17 sobre as duas sabedorias. A sensatez que os mestres sapienciais defendem é constitutivamente ética: a sabedoria humana, divorciada da honradez ética e religiosa, não é autêntica sabedoria.

19,23 "Astúcia" ou sagacidade pertence ao repertório da sabedoria (Pr 1,1-6) e pode ser de duplo gume (Pr 12,23). "Insensatos" deve ser erro de tradução, pois não faz sentido. Caberia um antitético "ingênuo", "incauto", ou seja, nem astuto nem ingênuo.

19,24 Frisa o paralelismo "respeito do Senhor/cumprimento da lei", desta vez desvinculados da inteligência humana.

19,25-28 Segunda estrofe. Gestos de homem devoto e pesaroso, numa sociedade que aprecia tais expressões de religiosidade. É provável que o hebraico do v. 27 começasse por "há".

²⁶há quem anda encurvado e aflito,
  enquanto por dentro está cheio de enganos:
²⁷ele se faz de cego, se faz de surdo,
  e quando não esperas te engana,
²⁸e se lhe falta força para prejudicar-te,
  quando encontrar uma ocasião te prejudicará.
²⁹O homem se conhece pelo aspecto,
  reconheces o sensato ao encontrá-lo;
³⁰a maneira de vestir, de rir, de caminhar
  manifestam o caráter de um homem.

20

¹Há repreensões inoportunas
  e há quem cala por prudência;
²é melhor repreender que irritar-se;
  ³quem confessa a culpa se livra da desgraça.
⁴Eunuco que suspira por deflorar uma donzela
  é quem faz justiça com a violência.
⁵Há quem cala e passa por sábio,
  há quem se torna antipático por ser tagarela;
⁶há quem cala porque não tem resposta
  e há quem cala porque espera seu momento;
⁷o sábio cala até o momento oportuno,
  o néscio não aguarda a oportunidade.
⁸Quem fala muito se torna odioso,
  quem se arroga autoridade é detestado.
⁹Há desgraças que acabam bem
  e há lucros que arruínam;
¹⁰há presentes que não servem pra nada
  e há presentes que valem o dobro;
¹¹há honras que trazem humilhações
  e há quem pela desgraça levantou a cabeça;
¹²há quem compra muito a pouco preço
  e depois o paga sete vezes mais.
¹³O sábio, com poucas palavras, se torna simpático,
  o néscio esbanja sua cortesia.
¹⁴O presente do néscio não te serve pra nada
  porque olha para ele com sete olhos;
¹⁵presenteia pouco, critica muito, abrindo a boca como leiloeiro;
  hoje empresta, amanhã reclama: que homem odioso!

19,29-30 Interrompem a série para introduzir uma correção. Não se deve confiar nas aparências, é verdade; mas é possível conhecer as pessoas por suas manifestações exteriores. O autor se deixa levar por seu método dos "dois aspectos"; talvez esteja distinguindo entre o fingimento forçado e a manifestação natural.

20,1-4 Terceira estrofe. Talvez esteja incompleta. No original, o segundo versículo seria "não há". Aqui trata mais de resultados que de aparências. Boas intenções e ações não ponderadas produzem resultados opostos aos estéreis, p. ex., repreender fora de hora, repreender o teimoso, impor justiça à força; recordamos Moisés matando o egípcio (Ex 2). A comparação está também em Eclo 30, 20: o violento é estéril para a justiça.

20,5-8 Quarta estrofe. Os versículos 5-7 existem no hebraico. O v. 7 poderia ter a forma "há". O grupo é temático: ver Pr 10,19; 15,23; 17,28; 25,11; Ecl 3,7. "Se arroga autoridade" com suas palavras, dando ordens ou corrigindo outros.

20,9-12 Quinta estrofe. Nos quatro versículos, sete provérbios com a forma original "há". O tema é homogêneo, de experiência universal. Nós dizemos: "*o barato sai caro*", "*quem te dá te compra*", "*caro comprasta o que ganhaste*".

20,13-15 Sexta estrofe. O v. 13 existe no hebraico; poderia ter a forma "há" nos dois hemistíquios. Cf. Pr 23,8. "Com sete olhos": parece expressão proverbial: custa-lhe desprender-se daquilo e o manifesta; em hebraico mesquinhez se diz "olho mau".

¹⁶Diz o néscio: "Não tenho amigos,
não há quem agradeça meus favores;
¹⁷os que comem meu pão são línguas más,
quantos e quantas vezes caçoam de mim!"
¹⁸É melhor escorregar no chão do que na língua;
a queda dos perversos se precipita.
¹⁹Homem antipático é como boato inoportuno
que não cai da boca dos néscios.
²⁰Provérbio dito por um néscio é rejeitado,
porque não sabe dizê-lo a tempo.
²¹Há quem por pobreza não pode pecar
e descansa sem remorsos.
²²Há quem destrói a si mesmo por timidez
e há quem se destrói por falsos respeitos.
²³Há quem promete a um amigo por timidez
e o converte em inimigo sem necessidade.

Mentira

²⁴A mentira é uma infâmia para o homem,
não cai da boca dos néscios;
²⁵é melhor o ladrão que o mentiroso:
os dois herdarão a perdição;
²⁶o mentiroso vive desonrado
e sua ofensa sempre o acompanha.

O sábio

²⁷Quem fala bem abre caminho para si,
o prudente agrada aos nobres;
²⁸quem cultiva a terra recolhe sua colheita,
quem agrada aos nobres encontra o perdão das culpas.
²⁹Presentes e favores cegam o sábio,
são mordaça que impede a repreensão.
³⁰Sabedoria escondida e tesouro oculto,
para que valem?
³¹Quem oculta sua insensatez é melhor
de quem oculta a própria sabedoria.

20,16-17 Ampliação sobre o néscio mesquinho. Em grego o v. 17 usa a terceira pessoa: "seu pão... dele". Talvez convenha manter a terceira pessoa só na frase final, como comentário semelhante ao de 15d.
20,18-20 Também esses versículos saem da série, como comentário sobre a fala (19,16) e sobre a linguagem do néscio: ver Pr 26,7-9. Estes "perversos", pelo contexto, seriam caluniadores ou maldizentes. O tino é virtude sapiencial, que o néscio não assimila, embora aprenda o provérbio de cor. Nosso provérbio diz: "*Elogio em boca de insensato é vitupério*".
20,19 Eclo 6,24.
20,21-23 Os três últimos da série "há". O tema foi tratado em 4,20-28. "O converte em inimigo" quando não pode cumprir a promessa.
20,24-26 Mudança de tema: compara dois preceitos do decálogo, não mentir e não roubar. Parece tratar-se de mentira que causa prejuízo. Diz o refrão: "*Quando o mentiroso diz a verdade, não lhe dão autoridade*"; "*Mentiroso conhecido, por ninguém é crido*".
20,27-31 Uma reflexão sobre o mestre e o homem sensato encerra a longa série, em particular sobre o uso da palavra. As alternativas são: repreender ou calar, manifestar ou reservar-se. Alguns conselhos são complementares. Não se deve discutir com um nobre (13,11); mas o douto eloquente será bem recebido; há presentes que não servem (20, 10), piores são os que subornam (Pr 17,8); é bom calar até o momento oportuno (20,6), mas sem ocultar para sempre o próprio saber; há quem cala e passa por sábio (20,5), como o néscio que oculta sua insensatez.
20,28 Ver Pr 12,11.
20,30-31 Reaparecem no texto hebraico de 41,14s.

Pecado: consequências e remédio

21 ¹Filho meu, pecaste? Não o repitas,
mas reza pelos pecados passados;
²foge do pecado como da cobra: se te aproximas, te morderá;
seus dentes são dentes de leão que destroçam vidas humanas.
³A injustiça é espada de dois gumes
e sua ferida é incurável;
⁴crueldade e arrogância destroem a riqueza,
a casa do soberbo ficará deserta.
⁵A súplica do pobre vai da boca aos ouvidos,
e Deus logo lhe faz justiça.
⁶Quem odeia a correção segue as pegadas do pecador,
quem teme o Senhor se arrepende de coração.
⁷O fanfarrão é conhecido de longe,
o sensato reconhece os próprios deslizes.
⁸Quem constrói sua casa com dinheiro alheio,
recolhe pedras para seu próprio mausoléu.
⁹Um bando de malfeitores é um fardo de estopa
que termina em chama de fogo.
¹⁰O caminho dos perversos está pavimentado,
mas desemboca no fundo do abismo.
¹¹Quem guarda a Lei domina seus pensamentos,
respeitar o Senhor é sabedoria consumada.

Néscio e sábio

¹²Quem não é habilidoso não aprende,
mas há uma habilidade que produz amargura;
¹³o saber do sábio é cheia que cresce,
seu conselho é fonte de vida;
¹⁴a mente do néscio é vasilha quebrada,
que não retém nenhum conhecimento.
¹⁵Quando o inteligente ouve uma palavra sábia,
ele a louva e acrescenta outra;
o imbecil a ouve, zomba e a joga para trás das costas.

21,1-11 O pecado não vem de Deus, mas do homem (15,11-20); só que o homem é fraco (18,12); o que fazer quando a gente peca? – Arrepender-se e corrigir-se. É o tema dessa instrução, que contrapõe o pecador arrependido e corrigido ao perverso teimoso.
21,1-3 Primeira estrofe. A serpente do paraíso fica reduzida a uma comparação: nos salmos, serpente que envenena e leão que dilacera são imagens do perverso agressor, p. ex. Sl 57,5; 58,5; 140,4. O pecado envenena o pecador e dilacera também o próximo. "De dois gumes", porque fere a vítima e o agressor.
21,3 Mt 26,52.
21,4-5 Uma forma de maldade é a do poderoso opressor e do pobre oprimido. A sentença é divina: Deus escuta o clamor do oprimido, conforme doutrina tradicional: Ex 3,9; 22,22s; o autor desenvolve isso em 35,1-10.
21,6-7 É a correção que conduz ao arrependimento e à emenda. Não se corrigir é persistir no pecado. Esse fanfarrão é, pelo contexto, quem se gloria da sua maldade e êxito: Sl 52,3.
21,8 Ver Jr 22,13-15; Hab 2,12.
21,9 Ver Is 1,31.
21,10 Ver Sl 73,18s.
21,11 Termina a instrução com a síntese que rege o livro (19,20): sabedoria – respeito de Deus – cumprimento da lei.
21,12-26 Consiste na contraposição paralela do sábio e do néscio, em estrofes irregulares. Não considera a sabedoria como qualidade acabada ou como repertório fechado de conhecimentos, mas como capacidade dinâmica de produzir, adquirir e reter. Depois os contrapõe na conduta social que chamamos boa ou má educação.
21,12 "Habilidade": a palavra grega costuma traduzir o hebraico sagacidade ou astúcia. Não explica por que a sagacidade é condição para o aprendizado; seria, antes, consequência. Talvez o pensamento seja este: sem a sagacidade a pessoa não terá completado sua formação. O segundo hemistíquio é claro: 19,25.
21,13-14 A água como elemento vital: ler Pr 16,22; 18,4.
21,15 "E a joga para trás das costas" para não tê-la presente: ver Sl 50,17. A versão latina entendeu como "aplica a si".

¹⁶A explicação do néscio é fardo na viagem,
  os lábios do prudente sabem agradar;
¹⁷a assembleia solicita o discurso do prudente
  e reflete sobre suas palavras.
¹⁸A sabedoria é prisão para o néscio,
  a prudência é cárcere para o insensato;
¹⁹a instrução é para o néscio como grilhões nos pés,
  como argola no braço direito;
²¹a instrução é para o inteligente joia de ouro,
  bracelete no braço direito.
²⁰o néscio ri sonoramente,
  o precavido apenas sorri;
²²o pé do néscio se precipita casa adentro,
  o homem de experiência se detém com respeito;
²³já na porta o néscio xereteia a casa,
  o bem-educado fica fora;
²⁴é falta de educação escutar atrás da porta,
  o sensato morreria de vergonha.
²⁵Os insolentes falam com insistência,
  o prudente pesa suas palavras na balança;
²⁶o néscio tem a mente nos lábios,
  o sábio tem os lábios na mente.
²⁷Quando o ímpio amaldiçoa Satanás,
  amaldiçoa a si mesmo,
²⁸quem murmura mancha a si mesmo,
  e o detestam na vizinhança.

22

¹O preguiçoso se parece com uma pedra suja:
  a gente assobia ao ver sua indignidade;
²o preguiçoso se parece com o esterco:
  quem o pega sacode a mão.

Educação dos filhos

³Que desgraça ser pai de um filho malcriado!
  E se é filha, a desgraça não é menor.
⁴Filha prudente enriquece o marido,
  filha difamada é desgraça para seus pais;
⁵a de maus costumes ultraja pai e marido,
  e é desprezada pelos dois.

21,16 Ver Pr 27,3; Ecl 10,12. Nós empregamos a metáfora "pesado", "incômodo".
21,17 Ver Jó 29,11.21-23; Sb 8,10-12.
21,19 Em 6,24-31, a oposição se divide em duas etapas do processo de aprendizagem.
21,21 Ver Pr 4,9.
21,20 Ver Ecl 7,3.6. É curiosa a pouca atenção que o AT dedica ao cômico; por outro lado, os escritores manejam habilmente a ironia.
21,25 Nós empregamos a metáfora lexicalizada "ponderação", "palavras de peso".
21,26 Essa aguda expressão contrapõe a falta de reflexão ao domínio dela.
21,27-28 Dois provérbios flutuantes, paralelos no esquema "recai sobre ele". O ímpio ou perverso não deve lançar a culpa em Satanás, como Eva no paraíso, porque ele é "Satã" para si mesmo, traz dentro de si a malícia do Satã: cf. Rm 7,14-23. Outros comentaristas, mudando o texto, o referem à maldição injusta que recai sobre quem a pronuncia.

22,1-2 O preguiçoso é hóspede frequente de Pr. Ben Sirac não lhe dedica muito espaço, só comparações mais cruéis e menos graciosas que as de Pr. Em outros tempos e regiões, uma pedra fazia as vezes de papel higiênico. Não falta em nossa língua o insulto "merda".
22,3-5 Pr 10,1; 17,21.25; 19,13 se ocupam do filho malcriado. O autor dedicará à filha um criativo comentário: Eclo 42,9-14. Um refrão afirma: "*A boa mulher enche uma casa vazia*".
Alguns manuscritos acrescentam um comentário: "Filhos criados com boa educação encobrem a origem humilde dos pais; filhos arrogantes e mal-educados desacreditam a nobreza da sua origem".
22,5 Eclo 42,9-14.

⁶História inoportuna é música no luto,
  mas correção e chicote sempre ensinam.

O néscio

⁹Ensinar um néscio é catar cacos,
  ou despertar alguém de um sono profundo;
¹⁰quem dá explicações a um néscio as dá a um sonolento,
  no final lhe pergunta: de que se trata?
¹¹Chora um morto porque lhe falta a luz,
  chora um néscio porque lhe falta o sentido;
  contudo, é melhor chorar pelo morto, pois descansa,
  mas a vida do néscio é pior que a morte;
¹²o luto por um morto dura sete dias;
  por um néscio ou ímpio, a vida toda.
¹³Não fales muito com o insensato nem andes com o ignorante,
  guarda-te dele, para que não tropeces
  ou te salpique quando se sacode;
  afasta-te dele e estarás tranquilo, e sua loucura não te irritará.
¹⁴O que é mais pesado que o chumbo? Como se chama?
  Néscio.
¹⁵Areia, sal, uma bola de ferro
  se suportam melhor que um insensato.

Ponderação

¹⁶Casa travada com vigas de madeira não se desfará no terremoto;
  decisão apoiada em conselho ponderado
  não temerá no perigo.
¹⁷Decisão assentada em reflexão prudente
  é como estuque em parede bem lisa;
¹⁸tapume exposto no alto não resistirá ao vento,
  decisão covarde de um plano insensato
  não resistirá a nenhuma ameaça.

Amizade
(Eclo 6,13-17; 37,1-6)

¹⁹Quem fere o olho arranca lágrimas,
  quem fere um coração revela seus sentimentos;
²⁰quem atira pedras aos pássaros os espanta,
  quem critica um amigo destrói a amizade.

22,6 Ver Pr 25,20; 29,15.
22,9-15 Depois de apresentar em planos opostos o néscio e o sensato, o autor dedica dez versos ao néscio, insensato e sem juízo. O tema se apoia numa tradição espalhada por Pr e se desenvolve em dez versos de duas, três e duas estrofes. A série é um mostruário de formas sapienciais: comparação, mandato, proibição motivada, enigma, "é melhor".
22,9-10 As vasilhas de louça quebrada eram irrecuperáveis: cf. Is 30,14; Pr 23,9.
22,9 Eclo 21,14.
22,11-12 Escuridão e morte são comparações extremas, como o são as da sabedoria com luz e vida.
22,13 Ver Pr 14,7; 26,4s.

22,14-15 Ver Pr 27,3.
22,16-18 Como variação de sábio/néscio, apresentam-se ponderação e imprudência em imagem de construção; ver outro uso da imagem em Ez 13,10-15 e em Mt 7,24-27. Não conhecemos a função do estuque em parede lisa. Nós falamos de uma decisão bem fundada, de um plano exposto a vaivéns.
22,19-26 Dez versos sobre o trato com o amigo, como perdê-lo e como ganhá-lo. Ver 6, 5-17; 37,1-6. Parece opor a discordância sincera com solução, à traição sem solução. Os insultos, porque humilham; a arrogância, porque cria distância (13,15-24); revelação de segredos, porque destrói a confiança (27,16-21). O ideal do autor é a reconciliação, não a ruptura.

²¹Embora tenhas empunhado a espada contra o amigo,
não percas a esperança, pois ainda há solução;
²²embora tenhas aberto a boca contra o amigo,
não temas, podes reconciliar-te;
no entanto, insultos, arrogância, revelar segredos
e golpes traiçoeiros afugentam o amigo.
²³Trata de ganhar a confiança do próximo enquanto é pobre,
e com ele desfrutarás de sua prosperidade;
faze-lhe companhia durante a tribulação,
e partilharás com ele a herança.
²⁴Antes de acender, o forno lança vapor e fumaça;
antes do sangue, houve insultos.
²⁵Não me envergonho de saudar um amigo,
nem me escondo de sua vista;
²⁶se algum mal me acontecer por sua culpa,
quem o ficar sabendo se guardará dele.

Oração pelo autodomínio

²⁷Oxalá pusessem uma sentinela em minha boca
e um ferrolho de prudência em meus lábios,
para eu não cair por sua causa, para que a língua não me perca!

23

¹ªSenhor, Pai e Dono de minha vida,
não me deixes cair por sua culpa.
²Oxalá pusessem um capataz sobre meus pensamentos
e um sábio instrutor em minha mente,
que não perdoasse meus erros nem dissimulasse meus pecados!
³Para que não aumentem minhas ignorâncias
nem se multipliquem meus pecados;
para que não caia diante de meus adversários,
nem o inimigo se alegre com minha ruína.
⁴ªSenhor, Pai e Deus de minha vida,
¹ᵇnão me entregues a seu capricho;
⁴ᵇnão permitas que meus olhos sejam soberbos,
⁵afasta de mim os maus desejos;
⁶gula e luxúria não se apoderem de mim,
não me entregues à paixão vergonhosa.

22,23 Parece conselho interesseiro; mas a gente não sabe com certeza se o pobre chegará a rico. Fala de consequência, não de finalidade. Na realidade, favorece o desinteresse. A "herança" deve ser entendida em sentido amplo: seus bens adquiridos.

22,25 Entende-se: quando caiu em pobreza ou em descrédito.

22,27-23,3 Essa oração parece eco ou complemento da instrução sobre o autodomínio de 18,30-19,3. Pelos temas que trata, pode-se considerar como introdução ao resto do capítulo; mas também faz sentido como conclusão do precedente, e tem entidade própria. São dez versos divididos em três estrofes de três, quatro e três versos.

22,27 Parece inspirado em Sl 141,3s; ver também Sl 39,2s e Pr 13,3. Os hebreus tinham uma concepção bastante material da linguagem: partindo do coração, as palavras saíam materialmente pela boca. Sobre o tema, pode-se escutar um último eco em Tg 3,1-12.

23,1a Os títulos divinos são inusitados, pois não é normal que alguém chame a Deus de pai; outro caso em 51,1.10. No começo e no fim, o verso se parece com a oração do Senhor: "Pai... não nos deixeis cair...".

23,2 Das palavras passa aos pensamentos. Assim como o mestre usa o castigo corporal para educar, seria necessária uma correção interior insubornável; o homem a sós se desculpa e se perdoa. As "ignorâncias" (3) podem abranger inadvertências e coisas ocultas: vsl Sl 19,13. Sobre as inadvertências, há uma legislação que favorece a tomada de consciência: Lv 4,2.22.27; 5,15.18; Nm 15,22-31.

23,3 A alegria triunfante do inimigo é comum nos salmos: p. ex. 13,5; 25,3.

23,4-6 Às palavras e aos pensamentos seguem-se desejos e ações. "Soberbos": ver Pr 6,16s.

Sobre o falar
(Eclo 5,9-6,1; 19,4-17; 27,8-15)

⁷Filhos, escutai minha instrução sobre o falar:
 quem a pratica não será pego em falta.
⁸O pecador se enreda em seus próprios lábios,
 o arrogante e injurioso tropeça com eles.
⁹Não te acostumes a pronunciar juramentos
 nem pronuncies levianamente o nome santo.
¹⁰Como o servo submetido a interrogatório
 não sairá sem hematomas,
assim quem jura continuamente pelo nome
 não ficará limpo de pecado.
¹¹Quem muito jura se enche de maldade,
 e o chicote não se afastará de sua casa;
se ele se equivocar, incorrerá em pecado,
 se não cumprir, pecará duplamente;
se jurar falso, não será absolvido,
 e sua casa estará cheia de calamidades.
¹²Há palavras que merecem a morte:
 que não existam na herança de Israel!
Os homens religiosos estão longe de tais coisas,
 e não se revolverão em pecados.
¹³Não acostumes tua boca a falar mal,
 porque será causa de pecado;
¹⁴lembra-te de teu pai e tua mãe
 quando te sentares entre os nobres:
não aconteça que te descuides em presença daqueles
 e manches tua educação;
desejarás não ter nascido
 e amaldiçoarás o dia em que viste a luz.
¹⁵Quem se acostuma a insultar,
 não aprenderá em toda a vida.

23,7-15 Nova instrução sobre o controle da língua, que se soma às outras: 5,9-6,1; 19,4-17; 27,8-15. Aqui considera especialmente abusos e maus hábitos adquiridos: embora suponha a legislação, apela só para a aprovação humana. Quinze versos distribuídos irregularmente.

23,7-8 Por imprudência própria ou por malícia alheia, alguém pode ser apanhado no que diz: Pr 6,2; cf. Jó 15,6.

23,8 Eclo 6,2.

23,9-11 Há ocasiões que exigem um juramento, invocando o nome da própria divindade. Os israelitas invocam o nome de *Yhwh*. O decálogo protege o "nome santo", proibindo sua invocação para certificar a falsidade (Ex 20,7). Ben Sirac diferencia o preceito: pela frequência, pela falsidade, pelo não cumprimento do prometido. Comparar com Lv 5,4-6. A comparação do servo não é clara.

23,12 Refere-se à blasfêmia, sem mencioná-la, condenada com pena de morte: Lv 24,16. O simples título do delito o denota; corresponde ao eufemismo que substitui "maldizer" por "bendizer" (Jó 1,5).

23,13-14 Falar mal, em sentido amplo: grosseria, indecência etc. Criado o hábito, é muito difícil controlar-se; o desbocado fica mal numa reunião importante, e faz pensar que seus pais não souberam educá-lo.

23,16-27 Desenvolve o último ponto da oração (23,6). Quatro versos sobre três pecados de luxúria (16-17), seis sobre o adúltero (18-21), seis sobre a adúltera (22-26), conclusão (27).

23,16-17 Provérbio numérico no estilo de Pr 30. Se o trio abrange até o v. 26, os três casos seriam: fornicador, adúltero, adúltera. É mais provável que o trio abranja só até o v. 17, e então os casos seriam: fornicação, incesto, adultério; não leva em conta a masturbação.

Paixão sexual

¹⁶Dois tipos de homem multiplicam pecados
 e um terceiro provoca a cólera de Deus:
¹⁷o sensual que arde como fogo,
 não se apagará até consumir-se;
 quem fornica com uma parente,
 não cessará até queimar-se;
 o luxurioso que acha saboroso qualquer pão,
 não parará até que o fogo o consuma.
¹⁸Quem é infiel ao leito matrimonial
 dizendo a si mesmo: "Quem me vê?
 A escuridão me rodeia, as paredes me encobrem,
 ninguém me vê. Por que temer?
 O Altíssimo não levará em conta meus pecados",
¹⁹esse teme somente o olhar dos homens
 e não sabe que os olhos do Altíssimo
 são mil vezes mais brilhantes que o sol,
 e contemplam todos os caminhos dos homens
 e penetram até o mais escondido.
²⁰Ele conhecia tudo antes de criá-lo,
 e a mesma coisa depois de tudo terminado.
²¹Pois, quando menos pensar, será preso
 e será castigado em praça pública.
²²Também a mulher que abandona o marido
 e lhe proporciona um herdeiro de um estranho:
²³Em primeiro lugar, desobedeceu à Lei do Altíssimo;
 em segundo lugar, ofendeu o próprio marido;
 em terceiro lugar, se prostituiu com adultério
 e lhe deu filhos de um estranho.
²⁴Haverá de comparecer diante da assembleia,
 e o castigo recairá sobre seus filhos;
²⁵seus filhos não criarão raízes
 e seus rebentos não darão fruto;
²⁶sua lembrança será amaldiçoada
 e sua infâmia não se apagará.
²⁷Os restantes reconhecerão
 que não há nada mais importante que temer o Senhor,
 nem mais doce que guardar seus mandamentos.

Em tal interpretação, o autor comenta amplamente o terceiro caso. A comparação com o fogo pode vir de Pr 6,27, se não era comum; fez sucesso na literatura posterior. Mas a novidade de Ben Sirac é que o fogo devora e consome: a paixão atiça sua aprovação. Sobre o incesto: Lv 18,6; 25,43.

23,18-21 A legislação matrimonial de Israel não era igualitária. A mulher casada cometia adultério com qualquer homem estranho; o marido cometia adultério só quando tinha relações com uma casada. A concepção de Ben Sirac é, no mínimo, ambígua. Dá quase a mesma extensão aos dois casos; e define o adultério do marido como "infidelidade a seu leito": comparar com a concepção de Pr 6,20-35.

23,18 A clássica pergunta de desafio, Sl 10,11; 94,7, tem uma sugestão especial em nosso caso, e é mais uma tranquilização que um desafio (Jó 24,15).
23,20 O olhar de Deus abrange e transcende a totalidade do tempo, antes e depois.
23,21 O castigo é a infâmia pública, menos grave que o previsto em Lv 20,10.
23,22-26 O tríplice aspecto do delito está bem escalonado: ofensa contra Deus (Ex 20,14), injustiça contra o marido, prostituição própria. Na assembleia os filhos são declarados ilegítimos. Dt 23,3.
23,27 O versículo final abrange todos os casos e conduz a instrução ao tema fundamental do livro: respeito a Deus e cumprimento da lei; não diz nada de sensatez e insensatez.

Segunda parte

Hino à Sabedoria
(Eclo 1; Pr 8,22-31; Sb 7,8)

24 ¹A Sabedoria louva a si mesma,
  gloria-se no meio de seu povo,
²abre a boca na assembleia do Altíssimo
  e se gloria diante de suas potestades:
³Eu saí da boca do Altíssimo
  e como névoa cobri a terra,
⁴habitei no céu,
  com meu trono sobre coluna de nuvens;
⁵somente eu rodeei o arco do céu
  e passeei pela fundura do abismo,
⁶regi as ondas do mar e os continentes
  e todos os povos e nações.
⁷Entre todos eles busquei onde descansar
  e uma herança em que habitar.
⁸Então o Criador do universo me ordenou,
  aquele que me criou estabeleceu minha residência:
  Reside em Jacó, seja Israel tua herança.
⁹Desde o princípio, antes dos séculos me criou,
  e jamais cessarei.
¹⁰Na santa morada, na presença dele ofereci culto,
  e em Sião me estabeleci;

---

24 Pela posição, encabeça a segunda parte do livro, como o cap. 1 encabeça a primeira e toda a coleção. Por seu conteúdo, é centro e cume do livro inteiro e peça essencial para uma teologia da sabedoria. Utilizando imagens e fórmulas do AT, o autor realiza uma grande síntese teológica, que prepara e oferece símbolos para uma cristologia. O autor tem presente a primeira coleção de Pr 1-9 e parece depender também de Jó.
Como no cap. 1, da sabedoria vem o sábio, e do sábio vem seu ensinamento: é o que justifica o poema como introdução ao que se segue, e permite ao autor mostrar-se no livro, falando de si na primeira pessoa.
Contamos 36 versos, que poderiam ser divididos em estrofes de seis versos; mas o conteúdo não coincide com essa divisão formal. A disposição é clara: origem da sabedoria e sua função cósmica (1-6), busca terrena até a escolha de um povo e uma cidade (7-11), descrição do seu crescimento e aroma com imagens vegetais (12-15), convite aos homens (16-22), o mestre falando da lei (23-29) e falando de si (30-34).

24,1-6 Sabedoria cósmica. Começa a falar na assembleia celeste, como que voltando de uma viagem e resumindo suas etapas. Menciona os homens só como habitantes do cosmos; não menciona animais nem astros. O cenário se divide verticalmente em céu e abismo, a terra se divide horizontalmente em mar e continentes.

24,1-2 O gênero auto-elogio é frequente no Segundo Isaías, onde Deus se acredita diante do seu povo e dos ídolos. "Seu povo" é a corte celeste, à qual pertence por sua origem divina e na qual ocupa lugar de destaque.

24,3 Variação sobre Gn 1: a palavra criadora se chama aqui, como outras vezes, "o que sai da boca". O espírito que põe em ordem, vento vislumbrado em Gn 1, é visto aqui como névoa que se difunde e enche tudo, talvez fecundando.

24,4 "Habitar" ou acampar (cf. Jo 1,14). No Êxodo, a "coluna de nuvens" é presença protetora da glória de Deus.

24,5-6 Sua visita é de inspeção e domínio: mais ou menos como o sol, que de dia percorre o traçado do céu (Sl 19,6s) e de noite atravessa o mundo subterrâneo. Em Gn 1 o homem recebe o domínio da terra e dos animais.

24,7-11 Sabedoria histórica. Deixando sua morada celeste, procura morada estável na terra. Repete a peregrinação de Abraão, do povo no deserto e da arca.

24,7 "Herança" significa a terra prometida ou porção dela; também o povo se chama "herança" de Deus. O "descanso" é atribuído ao povo (Dt 12,9) e a Deus (Sl 132, 8.14).

24,8 Como criador do universo, Deus pode escolher e destinar lugares (Ex 19, 5). Com base no procedimento literário, a sabedoria é descrita à imagem do povo; com base na concepção teológica, o povo age à imagem da sabedoria, pois ela é anterior.

24,9 Transcende os tempos. É a primeira criatura, como dizem Pr 8,22 e Eclo 1,4, e é a última. Ocupa um lugar abaixo de Deus (cf. Is 43,10) e abrange criação e história.

24,10 A escolha de Jerusalém é conclusão de uma etapa: para o povo unificado sob Davi, para a arca instalada no templo (Sl 132). Na terra entregue, na cidade escolhida, no templo, o povo oferece culto a seu Deus. A sabedoria assume aqui tal função litúrgica. É palavra que sai de Deus e volta para Deus.

¹¹na cidade escolhida me fez descansar,
em Jerusalém reside meu poder.
¹²Lancei raízes em meio a um povo glorioso,
na porção do Senhor, em sua herança.
¹³Cresci como cedro do Líbano
e como cipreste do monte Hermon,
¹⁴cresci como palmeira de Engadi e como roseiral de Jericó,
como oliveira cresci no campo e como plátano junto às águas.
¹⁵Perfumei como cinamomo e alfazema
e dei aroma como mirra excelente,
como incenso, âmbar e bálsamo,
como perfume de incenso no santuário.
¹⁶Como terebinto estendi meus ramos,
uma ramagem bela e frondosa;
¹⁷brotei como videira formosa:
minhas flores e meus frutos
são belos e abundantes.
¹⁹Vinde a mim, vós que me amais,
e saciai-vos de meus frutos;
²⁰recordar-me é mais doce que o mel,
possuir-me é melhor que os favos.
²¹Quem me come terá mais fome,
quem me bebe terá mais sede;
²²quem me escuta não fracassará,
quem me põe em prática não pecará.
²³Tudo isso é o livro da aliança do Altíssimo,
a Lei que Moisés nos deu
como herança para a comunidade de Jacó.
²⁵Transborda sabedoria como o Fison
e como o Tigre na primavera,

24,11 Jerusalém é também capital política do reino, onde o rei administra a justiça: Sl 122,5.

24,12-15 Acumula comparações de tipo vegetal, de árvores frondosas e plantas aromáticas. Palmeira e oliveira são frutíferas.

24,12 O descanso é novo começo de crescimento e expansão.

24,13-14 Seis espécies de árvores: a que tem mais prestígio encabeça a série (Is 14,8; 37,24). A pluralidade concentrada em três versos indica um parque ou paraíso: comparar com as sete espécies de Is 41,18s. Onde a sabedoria habita, surge um paraíso.

24,15 A tradução dos nomes não é certa, mas os aromas mencionados são empregados em perfumes e na unção: usam-se no culto e consagram os escolhidos.

24,16-22 Pela continuação de imagens vegetais, diríamos que continua a estrofe precedente. Há uma mudança: antes se falava de crescimento e perfume, agora de flores e frutos, preparando o convite aos homens.

24,16-17 O "terebinto" é árvore pouco frequente, às vezes com função sagrada (Jz 6,11). Por sua vez, a videira é imagem clássica do povo: Is 5,1-7; 27,2-5; Sl 80.

24,18-21 A sabedoria interpela seus ouvintes humanos, como em Pr 8 e 9. O paradoxo é que seus frutos saciam e dão fome. O crescimento vegetal é comunicado ao homem em forma de afã satisfeito e insaciável; é o extremo oposto ao cansaço de Coélet, embora a fórmula em parte se assemelhe: Ecl 1,8s.

24,20 "Recordação", nome ou sobrenome transmitido na descendência. Como um pai, o sábio transmite a sabedoria como nome, título e herança; mas ela o faz por si mesma. Assim se identifica com a tradição viva de Israel.

24,22 Os dois verbos, "escutar" e "pôr em prática", referem-se tradicionalmente à lei, com a qual o homem se livra do pecado e do consequente fracasso definitivo da própria vida.

24,23-29 Sabedoria = Lei. O mestre toma a palavra, como que revelando um enigma: *hokmá* = *torá* (cf. Dt 4,6). No tempo de Ben Sirac, a *torá* de Moisés era o Pentateuco enquanto norma superior de conduta. Lei de Moisés e herança estão unidas na introdução às bênçãos de Jacó: Gn 33,4.

24,23 Refere-se à aliança do Sinai, conforme a concepção do Deuteronômio.

24,25-27 O novo paraíso conta com os quatro canais de Gn 2,10-14. A eles se acrescentam os dois rios ligados à sorte histórica do povo, Nilo e Jordão. São rios perenes, não torrentes provisórias. Os seis garantem uma torrente de sabedoria, inteligência e prudência para as três estações, primavera, colheita e vindima.

²⁶vai cheia de inteligência como o Eufrates
e como o Jordão durante a colheita,
²⁷oferece ensinamento como o Nilo
e como o Geon durante a vindima.
²⁸O primeiro não acabará de compreendê-la
e o último não poderá rastreá-la,
²⁹pois seu pensamento é mais dilatado que o mar
e seu conselho mais que o oceano.
³⁰Eu saí como canal de um rio
e como ribeiro que rega um jardim;
³¹eu disse: Regarei meu horto e empaparei meus canteiros;
meu canal porém se tornou um rio e meu rio se tornou um lago.
³²Farei brilhar meu ensinamento como a aurora,
para que ilumine as distâncias;
³³derramarei doutrina como profecia
e a darei às gerações futuras.
³⁴Vede que não trabalhei só para mim,
mas para todos os que a buscam.

25

¹Há três coisas de que gosto,
que agradam a Deus e aos homens:
concórdia entre irmãos, afeto entre amigos,
mulher e marido que se dão bem.
²Três coisas minha alma detesta e sua conduta me é insuportável:
pobre soberbo, rico mesquinho e velho obsceno sem juízo.

Velhice

³Na juventude não fizeste reservas;
como queres encontrar na velhice?
⁴Como o juízo calha bem aos cabelos brancos,
e aos anciãos o saber aconselhar!
⁵Como a sabedoria calha bem aos anciãos,
o conselho ponderado a homens veneráveis!
⁶A experiência é coroa dos anciãos,
e seu orgulho é o temor do Senhor.

24,28-29 A torrente forma um oceano imenso. Se os rios simbolizam a atividade incessante, o oceano simboliza a planície em repouso. É a plenitude que supera e ultrapassa toda a série dos que a estudam, do primeiro ao último.

24,30-34 Da sabedoria vem o sábio. Conclui com a confissão em primeira pessoa, como no livro todo (51,13-30).

24,30-31 Comparado ao oceano, o mestre não é mais que um canal ou rego ligado à fonte e que transporta a água para o terreno limitado do jardim ou horto cultivado. Mas, aberto à plenitude, inunda, cresce e se converte em lago ou mar interior (Ez 47,1-9). Assim é a plenitude comunicativa da sabedoria: como as fontes do Jordão em relação a Genesaré ou o mar Morto. O homem é leito dominado por uma correnteza que o supera.

24,32-34 A consciência do autor sobre seu destino se ilumina, e a imagem muda. Sua atividade sapiencial é luz de aurora que começa, cresce e atinge o horizonte. Sua doutrina pode ser comparada à profecia, pois ilumina os homens e vem de Deus, embora indiretamente. No centro do livro, Ben Sirac pronuncia sua confissão de autor privilegiado. Sua atividade, mais que uma glória, foi serviço para os que buscam a sabedoria.

25 Esse capítulo nos oferece vários provérbios numéricos. À guisa de introdução, recordemos um refrão numérico: *"Três muitos destroem o homem: muito falar e pouco saber, muito gastar e pouco ter, muito presumir e pouco valer"*.

25,1 A concórdia fraterna era mais difícil no antigo regime familiar de Israel, no qual conviviam filhos de diversas mães e primos na terceira geração. É provável que o provérbio seja antigo, recolhido por Ben Sirac. Ver também Eclo 26,1-4 e o Sl 133.

25,2 Ver em Eclo 42,8 a caracterização do velho obsceno. Sobre o rico mesquinho, Eclo 13,1-13.

25,3-6 Com a expectativa bastante baixa de vida, quem chegasse à velhice acumulava experiência própria e de outros, conservava e transmitia tradição, aparecia como homem privilegiado; hoje o sentido desses provérbios muda um pouco. Mas o temor de Deus sempre supera toda experiência. Ver Pr 16,31; Ecl 6,31; 9,16.

25,4 Pr 16,31.

Dez bem-aventuranças

⁷Meu coração guarda nove bem-aventuranças
 e minha boca proclamará a décima:
Feliz quem se alegra com seus filhos,
 quem não tem de servir a um inferior;
⁸feliz o marido de mulher sensata,
 quem não tem de arar com boi e asno;
feliz o que vive para ver a derrota de seus rivais,
 e quem não escorrega com a língua;
⁹feliz quem encontra um amigo,
 e quem não fala a ouvidos surdos;
¹⁰quão grande é quem alcança sabedoria,
 mas ninguém é como aquele que respeita o Senhor;
¹¹o temor do Senhor supera tudo,
 quem o possui é incomparável.

A mulher malvada

¹³Nenhuma ferida como a do coração,
 nenhuma maldade como a da mulher,
¹⁴nenhuma briga como a das rivais,
 nenhuma vingança como a das competidoras;
¹⁵não há veneno como o da serpente
 nem há cólera como a da mulher;
¹⁶é melhor viver com um leão e um dragão
 do que viver com mulher briguenta.
¹⁷A mulher raivosa deforma seu aspecto
 e faz cara feia como ursa;
¹⁸quando seu marido senta com os companheiros,
 suspira sem poder se sustentar.
¹⁹Qualquer maldade é pequena junto à da mulher;
 que lhe toque em sorte um pecador;
²⁰ladeira arenosa para pés anciãos
 é a mulher charlatã para marido paciente.
²¹Não tropeces pela beleza de uma mulher
 nem te deixes caçar por suas riquezas:

25,7-11 A tradução grega deforma muito o original, do qual conservamos dois versos. O autor desenvolve o artifício numérico alternando formas positivas e negativas. Utiliza também correspondências temáticas: filhos-mulher, língua-ouvidos, rivais-amigo. Com esses indícios tentei uma reconstituição do original. Ver uma série parecida em 40,18-27. Notemos o enraizamento sapiencial das bem-aventuranças no sermão da montanha: comparadas com as de Ben Sirac, ressaltará o paradoxo cristão.

25,7 Ver Pr 30,22.
25,8a A lei proíbe uniões que misturam espécies: Dt 22,10. A frase também funciona em sentido figurado, imagem de um acordo ou compromisso infeliz.
25,8b Ver 14,1; 19,16.
25,9 Sobre a amizade, Eclo 6,5-17 e os paralelos indicados aí.
25,10-11 Talvez também aqui se deva ler "feliz", ou então "grande", se o consideramos como atributo superior. A série é ascendente, culminando no temor de Deus.

25,13-26,27 Amplo tratado sobre as mulheres, já anunciado nos vv. 1 e 8. O autor vai alternando as boas e as más, e conclui com uma exortação. O adjetivo "malvada" tem sentido genérico, não o nosso sentido restrito.

25,13-16 A forma é muito marcada. O original parece referir-se à situação de poligamia, na qual são frequentes as rivalidades e rixas que perturbam a paz familiar: ver Eclo 26,6 e 37,11. O último caso faz sentido também na monogamia: ver Pr 21,9.19; 25,24. A comparação com a serpente é superlativa, e também a comparação com leões e dragões: ver Sl 91,13; Is 30,6.
25,17 Segue-se a comparação na mesma linha; é clássica a ferocidade da ursa que teve as crias roubadas: 2Sm 17,9; Os 13,8; Pr 17,12.
25,18 O contrário de Pr 31,23.
25,19 Ou então, "que lhe toque a sorte do pecador".
25,21-22 Alguns leem "nem cobices". Parece tratar-se de herdeiras ou viúvas ricas que andam à procura de

²²é uma infâmia e uma vergonha
que a mulher sustente o marido.
²³Coração abatido, rosto sombrio,
sofrimento da alma é a mulher malvada;
braços fracos, joelhos vacilantes,
quando a mulher não faz feliz o marido.
²⁴Por uma mulher começou a culpa,
e por causa dela morremos todos.
²⁵Não abras as comportas para a água
nem dês confiança a mulher malvada;
²⁶e se não quiser submeter-se a ti,
corta-a de tua própria carne.

A boa mulher

26 ¹Feliz o marido de boa mulher:
os anos de sua vida se duplicarão.
²Boa dona de casa faz o marido engordar,
e o fará feliz por toda a vida.
³Mulher boa é bom partido
que recebe quem teme o Senhor:
⁴seja rico ou pobre, estará contente
e terá rosto alegre em todo tempo.

A mulher malvada

⁵Três coisas o meu coração teme
e uma quarta me assusta:
calúnia na cidade, motim popular,
acusação falsa, as três são piores que a morte.
⁶Mas mulher ciumenta é sofrimento e dor de coração.
(Língua mordaz é comum nas quatro.)
⁷Mulher malvada é canga que dá sacudidas,
quem a leva pega um escorpião.
⁸Mulher bêbada é exasperante,
e não pode ocultar sua infâmia.

---

marido. Recorde-se a viva descrição de Is 4,1, onde as mulheres se oferecem para prover ao sustento, contanto que tragam o sobrenome do marido.

25,23 A terminologia recorda salmos e profetas: aí são aplicadas a desgraças nacionais ou da vida pública, aqui se referem à situação doméstica. O marido é descrito como orante de um salmo de súplica.

25,24-26 A referência ao Gênesis é o ápice dessa série sombria. A mulher, que é "carne da sua carne", pode derrotar o marido; separar-se da mulher amada é cortar a própria carne; mais grave é ceder e submeter-se.

26,1-4 A visão negativa não é a última coisa: embora mais breve, essa estrofe quer contrastar com a anterior. O original adota uma posição enfática: "Boa mulher: feliz do seu marido!" Ver Pr 12,3; 18,22.

26,1 Duplicar os anos opõe-se de certo modo à estrofe precedente ter de morrer, e é uma das bênçãos fundamentais, muito frequente na pregação deuteronômica, p. ex. Dt 5,16.33; 6,2; 11,9; 22,7; 25,15.

26,2 O título encabeça o poema alfabético à dona de casa, Pr 31,10-31. A paz é outra bênção fundamental de Deus.

26,3 O caminho para conseguir tais bênçãos é temer o Senhor. Opõe-se a 25,19.

26,4 Em oposição a 25,23. Outro modo de dizer que vale mais do que a riqueza, Pr 31,10.

26,5-12 Nova série sobre a mulher malvada, introduzida por outro provérbio numérico. O texto não parece bem conservado. O sentido ascendente pede "sofrimento e dor de coração", como comentário aos três primeiros, deixando para o quarto este: "é pior que a morte". E o versículo final parece glosa de um comentarista que deseja explicar o enigma, justificando a reunião de dados à primeira vista heterogêneos; mas o enigma explicado perde a graça.

26,7 "Malvada", provavelmente em sentido específico, ou seja, "de mau caráter", "furiosa", como indicariam alguns textos de Provérbios.

26,8 É caso extraordinário no AT mencionar a embriaguez da mulher.

⁹Mulher sensual tem olhos altivos,
 e é conhecida pelas pálpebras.
¹⁰Vigia bem a moça sem pudor,
 para que não aproveite a ocasião de fornicar;
¹¹guarda-te dos olhos sem pudor,
 e não estranhes que te ofendam.
¹²Porque abre a boca como viajante sedento
 e bebe de qualquer fonte à mão;
 senta-se diante de qualquer estaca
 e abre a aljava a qualquer flecha.

A boa mulher

¹³Mulher formosa alegra o marido,
 mulher prudente o robustece;
¹⁴mulher discreta é dom do Senhor:
 um ânimo instruído não tem preço;
¹⁵mulher recatada duplica o próprio encanto:
 um ânimo dono de si não tem preço.
¹⁶O sol brilha no céu do Senhor,
 a mulher bela em seu lar bem-arrumado;
¹⁷lâmpada que brilha em candelabro sagrado
 é um rosto formoso sobre uma figura esbelta;
¹⁸colunas de ouro sobre bases de prata
 são pernas esbeltas sobre pés formosos.

Exortação

¹⁹Filho meu, conserva sadia a flor de tua juventude
 e não dês teu vigor a estrangeiras;
²⁰busca um terreno fértil em toda a planície
 e semeia tua semente, fiel à tua estirpe;
²¹assim durarão seus frutos
 e amadurecerão com a firmeza de tua estirpe.
²²Mulher que se vende vale um nada,
 a casada é torre de morte para os que a desfrutam;
²³mulher sem religião tocará como sorte ao iníquo,
 mulher religiosa a quem teme o Senhor;

26,9 Ver Pr 6,25.
26,10-12 As imagens querem caracterizar a mulher malvada com dureza e com referências de duplo sentido, mais ou menos como foi feito com o preguiçoso (22,1-2). O oposto é a descrição vivaz de Pr 7.
26,13-18 Nova alternância, para descrever a mulher boa e formosa. Ambas as qualidades aparecem reunidas no conjunto dos seis versos: primeiro em paralelismo, depois dando preferência a qualidades morais; finalmente, exaltando a beleza.
26,13-15 Três virtudes sapienciais: prudência, discrição, instrução. A beleza é mais valorizada aqui do que em Pr 31,30, sem alcançar o valor supremo.
26,16-18 A mulher formosa é comparada com o mais nobre e luminoso na natureza e no culto: na sua casa irradia luz e ordem, sua figura tem algo de sagrado, é uma fantasia de riqueza esplêndida. Para apreciar o valor desses três versos, recorde-se o que o autor sabe dizer do sol e do culto nos últimos capítulos do livro; também se pode recordar a beleza masculina do sol em Sl 19. Comparar o v. 18 com Sl 144, 12.
26,19-27 Dez versos de exortação que insistem nos mesmos temas e oposições; encontram-se em alguns manuscritos gregos.
26,19 "Filho meu" como começo da exortação: ver Pr 5 e 31. O título de "estrangeiras" quer prevenir contra os matrimônios "mistos". Ainda que sem tanto rigor, Ben Sirac parece aplicar a reforma liderada por Neemias à situação do seu tempo, Esd 9-10; Ne 10,25-30; 13,23-27.
26,20-21 A mulher na imagem da terra prometida: assim a antiga imagem mítica da fecundidade adquire caráter israelita.
26,22 Torre da morte, ou cárcere de condenados à morte, ver 2Mc 13,5.
26,23-26 Por oposições não muito felizes. É interessante o sentido religioso explícito e intenso: a descrição

²⁴mulher sem-vergonha se dedica à infâmia,
  jovem com pudor se contém até diante do marido;
²⁵mulher sem pudor é uma cachorra,
  mulher com pudor teme o Senhor;
²⁶mulher que respeita o marido é considerada como sensata;
  aquela que o despreza com arrogância,
  como sem religião é considerada.
²⁷Mulher barulhenta e charlatã
  é corneta que toca para o ataque.
Se o marido for do mesmo caráter,
  viverá sempre em pé de guerra.
²⁸Duas coisas me entristecem e uma terceira me dá raiva:
  rico caído na indigência, sensato caído no desprezo,
homem honrado convertido em pecador:
  o Senhor o entrega à espada.

Mercador

²⁹Dificilmente o mercador se livra de injustiça,
  o comerciante não ficará livre de pecado.

27 ¹Por afã de lucro muitos pecaram,
  quem pretende enriquecer-se fica cego;
²uma estaca se crava entre pedras ajustadas,
  entre comprador e vendedor fica preso o pecado.
³Se alguém não é firme e diligente em temer ao Senhor,
  muito depressa sua casa se arruinará.

Conhecer os homens

⁴Agita-se a peneira e fica o refugo,
  assim o desperdício do homem quando discute;
⁵o forno prova a vasilha do oleiro,
  o homem é provado em seu raciocínio,
⁶o cultivo de uma árvore se mostra no fruto,
  a mentalidade de um homem em suas palavras;
⁷não louves ninguém antes que raciocine,
  porque essa é a prova do homem.

---

sapiencial culmina em exortação religiosa. Duas vezes soa o tema do temor de Deus enunciado no v. 3.
26,26 Ef 5,22-24.
26,27 A imagem é irônica e expressiva. O verso seguinte não se entende: o tradutor grego provavelmente não entendeu o original. Suspeitamos que o original hebraico explorasse a imagem bélica: aquele a quem cabe semelhante mulher, passa a vida em lutas (ou algo assim pelo estilo).
26,28 Esse provérbio numérico fala de três categorias de homens decaídos ou degenerados: a ordem é ascendente e pretende valorizar riqueza, fama, honradez. O texto do segundo verso é duvidoso.
26,29-27,3 A visão negativa do mercador tem algo de tradicional. Os cananeus eram mercadores por excelência, e seu nome é sinônimo da função; sua duvidosa profissão se opunha ao honrado cultivo do campo. Tinham má fama sobretudo os mercadores ambulantes, pouco escrupulosos em seus tratos: ver Eclo 11,29-30.
27,4-7 O primeiro versículo é duvidoso; alguns conjeturam: "quando é posto à prova". Para conhecer o homem é preciso colocá-lo numa situação decisiva, na qual revele seu interior. Deus adota o método de provar o homem "para ver o que há no seu coração" (Dt 8,2). Raciocinar: expressão verbal de uma atividade mental que caracteriza o homem como "animal racional". Em sentido moral, Mt 7,16-20. Notemos as três provas sugeridas: prova da peneira, prova do fogo, prova do fruto; superadas as três provas, recebe louvor ou aprovação.
27,6 Mt 7,16-20.

Falar com propriedade
(Eclo 5,9-6,1; 19,4-17; 23,7-15)

⁸Se buscares a sinceridade, a alcançarás
e a vestirás como traje de festa.
⁹Cada pássaro aninha com os de sua espécie,
a verdade regressa a quem é verdadeiro;
¹⁰o leão espreita a presa
e o pecado espreita o malfeitor.
¹¹O homem religioso fala sempre sabiamente,
o néscio muda como a lua.
¹²Entre néscios mede teu tempo,
entre sábios detém-te;
¹³a conversa dos néscios causa indignação
e seu riso é desperdício pecaminoso;
¹⁴a conversa do maldizente horripila;
quando ele briga, devem-se tapar os ouvidos;
¹⁵briga de arrogantes é como derramar sangue,
é penoso escutar seus insultos.

Guardar segredos

¹⁶Quem revela segredos destrói a confiança
e não encontrará amigo íntimo;
¹⁷ama o teu amigo e sê-lhe fiel,
mas se revelas seu segredo, não vás à sua procura;
¹⁸como quem destrói seu inimigo,
assim destruíste a amizade de teu amigo;
¹⁹soltaste um pássaro da mão,
assim soltaste teu amigo e não o caçarás;
²⁰não o persigas, pois se afastou,
escapou como cerva da rede;
²¹pode-se vendar uma ferida, pode-se remediar um insulto;
quem revela um segredo já não tem esperança.

Falso amigo

²²Quem pisca o olho trama algo mau,
quem o vê se afasta dele;
²³em tua presença a boca dele é melosa, admira tuas palavras;
depois muda de linguagem e procura caçar-te em tuas palavras.
²⁴Muitas coisas detesto, mas nenhuma como a ele,
porque o próprio Senhor o detesta.

27,8-15 Comparar com 5,9-6,1; 19,4-17; 23,7-15.
27,8 Pelo contexto, o grego "justiça" parece ser tradução inexata de um original *'emet*, que traduzo por "sinceridade" em sentido amplo.
27,10 Seguindo o contexto, se trataria do malfeitor por sua fala falsa: ou seja, pecado contra o oitavo mandamento. Sobre a imagem, ver Eclo 21,2; Gn 4,7.
27,11 Algumas traduções antigas comparam o primeiro com o sol, o que corresponde melhor ao outro hemistíquio. Em qualquer caso se sublinha a constância e a coerência. Com esse verso reaparece a clássica oposição sábio-néscio.
27,12 Ver Eclo 9,14-15.
27,13 Ver Eclo 21,20.
27,16-21 A partilha de segredos é grande sinal de amizade: nisso realiza-se uma íntima e mútua entrega, e um fica à mercê do outro. Deus revela seus segredos aos profetas (Am 3,7), e Jesus a seus apóstolos (Jo 15,15). Suprema confiança que morre por causa da suprema traição: ver Eclo 22,16-18. Comparações de caça: o animal indefeso que, fugindo, se salva do homem.
27,21 Pr 20,19.
27,22-24 Ver Pr 6,13 e 10,10. A conclusão enuncia o caráter religioso de um pecado que Deus condena.

Quem faz, paga

²⁵Atira uma pedra para o alto e ela te cairá na cabeça;
um golpe traiçoeiro espalha feridas;
²⁶quem cava uma cova nela cairá,
quem arma uma rede nela ficará preso;
²⁷o mal se voltará contra quem o faz,
mesmo que não saiba de onde lhe vem.
²⁸Caçoadas e insultos tocarão ao insolente,
pois a vingança o espreita como um leão.
²⁹Os que se alegram com a queda dos bons
se consumirão de sofrimento antes de morrer.

Vingança
(Lv 19,17-18; Ex 23,4-5)

³⁰Furor e cólera são odiosos:
o pecador os possui.

28

¹Do vingativo se vingará o Senhor
e lhe pedirá severas contas de suas culpas.
²Perdoa a ofensa a teu próximo,
e te perdoarão os pecados quando pedires.
³Como pode um homem guardar rancor de outro
e pedir a saúde ao Senhor?
⁴Ele não tem compaixão de seu semelhante,
e pede perdão dos próprios pecados?
⁵Se ele, que é carne, conserva a ira,
quem lhe expiará os pecados?
⁶Pensa em teu fim e faze cessar tua mágoa;
na morte e corrupção, e guarda os mandamentos.
⁷Lembra-te dos mandamentos e não te zangues com teu próximo;
da aliança do Senhor, e perdoa o erro.

Brigas
(Pr 15,18; 17,19; 26,21; 29,22)

⁸Foge de brigas e diminuirás os pecados,
o irascível acende a briga;
⁹o pecador provoca os amigos
e semeia discórdia entre os que vivem na paz.

27,25 A velha imagem e a frase feita "recair sobre a cabeça" ressuscitam aqui numa imagem original. O golpe traiçoeiro fere também o traidor, por isso "reparte" feridas entre ambos.

27,26 Ver Pr 26,27; Sl 7,16; 9,15-16; 35,7-8; e o provérbio: "*O feitiço virou contra o feiticeiro*".

27,28 Ver v. 8 e os paralelos indicados.

27,29 O contraste está entre a alegria e o sofrimento, tema frequente nos salmos de súplica. O grego acrescenta um hemistíquio: "*ficarão apanhados na armadilha*".

27,30-28,7 O autor comenta o preceito de Lv 19,17-18, que é parte da aliança; ver também Ex 23,4-5. O ensinamento está também na literatura sapiencial, Pr 20,22; 25,21.

Podemos ler esses versos como comentário ao pedido: "*perdoai-nos as nossas ofensas, assim como nós perdoamos a quem nos têm ofendido*". Pode-se ver também 1Rs 12,9.

Os primeiros versos dão a motivação suprema: Deus se vinga do vingativo e perdoa quem perdoa; depois, a motivação desenvolve o aspecto humano da solidariedade; finalmente, o fim do homem e os mandamentos da aliança são o motivo.

28,7 Pr 20,22.

28,8-12 Ver Pr 15,18; 17,19; 26,21; 29,22. Predominam as imagens de fogo, até o criativo enigma conclusivo, que um glosador explicou acrescentando: "ambas as coisas saem da boca". O versículo 11 é bastante duvidoso: o tradutor parece não ter entendido o original.

¹⁰Quanto mais lenha, mais arde o fogo;
    quanto mais teimosia, mais arde a briga;
    quanto mais poder, maior é a cólera;
    quanto mais riqueza, mais cresce a ira.
¹¹Uma faísca provoca um incêndio,
    briga acalorada derrama sangue;
¹²se soprares a faísca, a atiçarás;
    se nela cuspires, a apagarás;
    as duas coisas saem de tua boca.

Calúnia
(Tg 5,1-12)

¹³Amaldiçoa o murmurador e o dúplice,
    pois destruiu muitas amizades;
¹⁴língua intrometida agitou muitos,
    e, fazendo-os fugir de povoado em povoado,
    destruiu praças-fortes e derrubou palácios de nobres;
¹⁵língua intrometida expulsou mulheres capazes,
    privando-as do fruto de suas fadigas;
¹⁶quem lhe dá atenção não terá paz
    nem poderá viver tranquilo;
¹⁷golpe de chicote deixa vergão,
    golpe de língua quebra os ossos;
¹⁸caíram muitos a fio de espada,
    mas não tantos como as vítimas da língua;
¹⁹feliz quem se protege dela e não é vítima de seu furor,
    quem não arrasta sua canga nem se enreda em suas cadeias;
²⁰pois sua canga é de ferro
    e suas cadeias de bronze;
²¹a morte que ela causa é terrível,
    a gente está melhor no Abismo.
²²Mas não poderá dominar os bons,
    que não se queimarão em seu fogo;
²³nele cairão os que abandonam o Senhor,
    ele os incendiará e não se apagará;
    atrás deles o soltarão como um leão,
    e os destroçará como uma pantera.

28,13-23 Outro pecado da língua que envenena a paz entre os homens. Catorze versos em duas estrofes: a primeira com a fórmula "amaldiçoa", a segunda com a fórmula "feliz".

28,13 "Amaldiçoa" é fórmula enérgica, se refere às maldições litúrgicas de Dt 28, pronunciadas pelo povo contra determinadas transgressões da lei. Cf. Pr 18,8; 26,22.

28,14 Recorde-se o poder dado a Jeremias com a palavra profética "para arrasar e arrancar", que o torna "praça-forte" (Jr 1,10.18). O poder é semelhante, o sinal é diferente.

28,15-16 Regime familiar: mulher e marido caem vítimas da calúnia camuflada.

28,17-18 É frequente comparar a língua a uma arma ofensiva: Jr 9,7; Sl 57,5; 64,4. O "rebento da raiz de Jessé" de Is 11 emprega essa arma para executar o ímpio, e em Hb 4,12 a palavra é espada que julga e executa. Note-se que em hebraico "fio de espada" se diz "boca de espada", o que dá um jogo de palavras com a palavra seguinte, "língua".

28,19 Em forma de bem-aventurança: as duas partes do versículo parecem distinguir entre caluniado e caluniador, ambos vítimas da calúnia.

28,21-23 As imagens exprimem o caráter escatológico ou definitivo desse pecado: abismo, fogo que não se apaga, feras que dilaceram.

Exortação

²⁴Rodeia tua propriedade com cerca de espinhos,
   guarda bem teu ouro e tua prata;
²⁵para as palavras faze para ti balança e pratos;
   para a boca, porta e ferrolho.
²⁶Cuidado, não escorregues com a língua,
   e não cairás diante dos que te espreitam.

Emprestar
(Dt 15,1-11)

29 ¹Quem empresta ao próximo faz obra de misericórdia,
   quem lhe dá uma mão guarda os mandamentos.
²Empresta ao teu próximo quando necessita,
   e paga logo ao próximo o que lhe deves;
³cumpre a palavra e sê-lhe fiel,
   e em todo momento obterás o que necessitas.
⁴Muitos tomaram um empréstimo como um achado
   e prejudicaram aquele que lhes emprestou:
⁵até consegui-lo beijam-lhe as mãos,
   diante das riquezas do próximo humilham a voz;
na hora de devolver, adiam
   e pedem uma prorrogação.
⁶Importunando recuperará apenas a metade,
   que considerará um achado;
em outro caso, ficará sem dinheiro
   e adquiriu um inimigo de graça,
que o pagará com maldições e insultos,
   com injúrias, em vez de honra.
⁷Muitos se retraem, não por maldade,
   mas temendo que os despojem sem motivo.
⁸Contudo, tem paciência com o pobre
   e não te atrases na esmola;
⁹por amor à Lei recebe o necessitado,
   e em sua indigência não o despeças sem nada;
¹⁰perde teu dinheiro pelo irmão e pelo próximo,
   e não deixes que se enferruje debaixo de uma pedra;

28,24-26 Três versículos assinam todo o ensinamento precedente sobre a língua: ver 22,27; Sl 141,3; 21,25; Pr 13,3; 21,23.

28,25 Sl 141,3; Pr 13,3.

29,1-13 Em dezesseis versos, Ben Sirac nos oferece um comentário ao preceito de Dt 15,7-8. Expõe a questão moral com a autoridade de um mestre que sabe reconhecer a razão contrária e vencê-la com razões superiores. Descreve com ironia e aconselha prometendo. Justifica a desconfiança de muitos, e por isso exorta à pontualidade em devolver: dois aspectos correlativos na prática social de emprestar.

29,1 Alude expressamente ao mandamento como tema de seu ensinamento. Ver também Sl 37,26; 112,5.

29,2 O primeiro verso enuncia os dois aspectos complementares da questão. Dt 15 só falava do primeiro aspecto.

29,3 A motivação da segunda parte é, por ora, interesseira.

29,4 O termo "muitos" introduz uma objeção do aluno ou do próprio professor. O texto do primeiro hemistíquio é duvidoso.

29,5-6 Em bom estilo sapiencial, descreve um tipo humano; a simples apresentação literária tem valor didático. Um ditado diz: *"Quem dinheiro quer cobrar, muitas voltas há de dar"*. Ver a implicação de Jr 15,10.

29,7 Em inclusão resume honestamente a dificuldade, mostrando compreensão.

29,8-9 Responde passando a uma instância superior, tal como o prevê a citada lei do Deuteronômio. A motivação é "por amor à Lei"; no NT, será por amor a Cristo presente nos seus irmãos. Ver a legislação: Ex 22, 25.27; Lv 25,35-38; Dt 23,19-20.

29,10-13 Na motivação, passa sem senti-lo do empréstimo à esmola: emprestar a fundo perdido é a aplicação mais rentável. Sobre a esmola, ver: Pr 10,2; 11,4; 28,27. Jesus dirá a palavra definitiva sobre o tema: Mt 19,21; Mc 10,21; Lc 18,22.

¹¹investe teu tesouro segundo o mandato do Altíssimo,
  e produzirá para ti mais que o ouro;
¹²guarda esmolas em tua despensa,
  e elas te livrarão de todo mal;
¹³mais que escudo resistente ou poderosa lança,
  elas lutarão a teu favor contra o inimigo.

Fiança
(Pr 6,1-5)

¹⁴O homem bom se faz fiador de seu próximo,
  quem não tem vergonha o abandona;
¹⁵não esqueças o favor de quem se fez teu fiador,
  pois ele se expôs por tua causa;
¹⁶quem dissipa os bens do fiador é um pecador,
  quem abandona seu salvador é um mal-agradecido.
¹⁷A fiança arruinou muitos ricos
  e como as ondas do mar, sacudiu-os;
¹⁸deixou sem casa homens endinheirados,
  que tiveram de migrar para terra estrangeira.
¹⁹O pecador que caiu em fiança por afã de lucro
  se enredará em pleitos.
²⁰Ajuda o teu próximo segundo tuas possibilidades,
  mas cuida para não te arruinares.

Em casa alheia
(Eclo 40,28-30)

²¹Para a vida são essenciais água, pão e casa,
  e roupa para cobrir a nudez.
²²É melhor vida pobre ao abrigo do próprio teto
  do que banquete em casa alheia;
²³contenta-te com o que tens, pouco ou muito,
  e não ouvirás as caçoadas da vizinhança.
²⁴É vida dura ir de casa em casa,
  onde és forasteiro não abrirás a boca;
²⁵receberás envergonhado hospedagem e bebida,
  e por cima terás de ouvir frases que ferem:
²⁶"Anda, forasteiro, prepara a mesa,
  me dá de comer o que tiveres".
²⁷"Vai embora, forasteiro, pois vem gente importante,
  meu irmão chega para se hospedar, e preciso da casa".

29,14-19 A doutrina sobre a fiança é aqui mais positiva que em 6,1ss ou 17,18ss, e mais que em Pr 6,1-5; talvez devido a uma mudança na estrutura econômica. Mas o aspecto negativo não desaparece completamente. Um refrão diz: *"Quem se faz fiador ou promete, em dívida se mete"*. Os vv. 2.14-15 expõem os dois aspectos da fiança, generosidade e agradecimento; os vv. 17-18 equivalem a uma dificuldade, como os vv. 4-7: por causa do injusto e ingrato, o povo não confia. O v. 19 acrescenta outro aspecto: "por afã de lucro"; sublinha como no princípio se tratava de caridade desinteressada.

29,20 Serve de colofão às duas seções precedentes, emprestar e ser fiador, em seus dois aspectos.
29,21-26 O tema se relaciona com o anterior. Comparar com 40,28-30, "viver de esmola".
29,21 Ver 39,26.
29,23 Sobre o contentar-se: Sl 131 (em sentido amplo); Mt 6,25; Lc 12,22; 1Tm 6,6-8.
29,24 Ver 36,31; Lc 10,7.
29,25-28 O texto é muito duvidoso. Trata-se de frases ferinas, talvez deste tipo: "deixa livre a mesa, deixa tua porção a outros". Temos de colocar esse texto no regime da hospitalidade oriental, aqui mal observada.

⁲⁸Duro é isto para o homem sensato:
 injúrias do caseiro, caçoadas de quem empresta.

Educação dos filhos
(Eclo 22,3-6)

30 ¹Quem ama o filho o açoita com frequência
 para poder alegrar-se mais tarde;
²quem castiga o filho tirará proveito dele,
 e estará orgulhoso dele diante dos conhecidos;
³quem instrui o filho dá inveja a seu inimigo,
 e estará satisfeito dele diante dos amigos.
⁴Falece o pai, e é como se não houvesse morrido,
 pois deixou alguém semelhante a si;
⁵enquanto vive, o vê e se alegra,
 quando está para morrer não se entristece;
⁶deixou quem o vingue de seus inimigos,
 quem agradeça aos amigos.
⁷Quem mima seu filho terá de vendar-lhe as feridas,
 a cada grito dele, suas entranhas se comoverão;
⁸cavalo não domado ficará xucro,
 filho mimado será teimoso;
⁹sê brando com teu filho, e te fará tremer;
 segue seus caprichos, e o sentirás;
¹⁰não rias de suas graças, e não chorarás com ele,
 no fim não sentirás irritação nos dentes.
¹¹Não lhe dês autoridade na juventude,
 não ignores suas loucuras;
¹²dobra-lhe a cerviz enquanto é jovem
 e bate-lhe nos lombos quando ainda é pequeno;
 não se torne teimoso e se rebele contra ti,
 e te acarrete desgostos da alma.
¹³Corrige teu filho, põe-lhe jugo pesado
 para que não levante a cabeça contra ti.

Saúde
(Eclo 37,27-31)

¹⁴É melhor pobre sadio e robusto
 do que rico cheio de achaques;
¹⁵prefiro a boa saúde ao ouro,
 e o bom ânimo aos corais;

30,1-13 Catorze versos em estrofes de três e quatro versos. Sobre o tema, 22,3-6; Pr 23.

30,1 Ver Pr 3,12; 23,13-14 e a citação de Ap 3,19. Deus assume o princípio sapiencial, apresentando-se como pai dos homens.

30,2 Ver Pr 29,17.

30,3 Recorde-se Sl 127,3-5.

30,4 Bênção genesíaca da fecundidade: o homem, imagem de Deus, gera um filho à sua própria imagem; ver Gn 5,3. O versículo tem mais força no limitado horizonte do autor, que não pensa na vida futura.

30,6 Ver os conselhos de Davi moribundo a seu filho Salomão, 2Rs 2,5-9.

30,9 O verbo grego é literalmente "ser ama de leite", e recorda Is 60,4.

30,10 Como quem come uma fruta verde e fica com os dentes irritados, assim é o pai que não faz seu filho amadurecer. O verbo hebraico "rir" significa também brincar, Pr 8,30-31; aqui é decisivo o contraste com chorar.

30,11-13 Continua fazendo a comparação com o cavalo ou a besta: Pr 29,17; Sl 32,9.

30,14-20 Oito versos em duas estrofes, sobre o valor da saúde: vale mais que as riquezas; sem ela, de nada adiantam as riquezas. Ver 37,27-31.

30,15 Poderíamos entender "bom ânimo" em sentido físico (alento sadio); a tradução escolhida busca a coerência com o v. 16. Em qualquer caso, a saúde é vista e descrita na unidade do homem, afetando corpo e ânimo, como bem-estar conscientemente desfrutado.

¹⁶não há riqueza como um corpo robusto,
  nem há bens como um coração contente.
¹⁷É melhor morrer do que viver sem proveito,
  e o descanso eterno é melhor que sofrimento crônico.
¹⁸Manjares oferecidos a uma boca fechada
  são oferenda apresentada a um ídolo;
¹⁹de que serve uma oferenda ao ídolo incapaz de comer e de cheirar?
  Assim é quem possui riquezas e não pode desfrutar de sua fortuna:
²⁰olha com os olhos e suspira
  como eunuco que abraça uma donzela.

Alegria

²¹Não te deixes vencer pela tristeza,
  nem abater por tua própria culpa:
²²alegria de coração é vida do homem,
  a alegria alonga seus anos;
²³consola-te, recupera o ânimo, afasta de ti o sofrimento,
  porque a tristeza matou muitos,
  e nada se ganha com o sofrimento.
²⁴Ciúmes e cólera encurtam os anos,
  as preocupações fazem envelhecer antes do tempo.
²⁵Coração alegre é grande banquete
  que traz proveito a quem o come.

Riqueza e honradez
(Eclo 13,15-24)

31 ¹As vigílias do rico acabam com sua saúde,
  a preocupação pelo sustento afasta o sono.
²A preocupação pelo sustento afugenta o sono,
  e o perturba mais que doença grave.
³O rico trabalha para ajuntar uma fortuna,
  e descansa acumulando luxos;
⁴o pobre trabalha, e lhe faltam as forças,
  e, se descansa, passa necessidade.

30,17 Recorde-se a situação do homem da época diante da doença e da dor. Comparar com Jó 3,13; 7,15; Jn 4,3; Tb 3,6-15. "Descanso eterno" não tinha no original o sentido que nós lhe damos, equivale a descanso definitivo.

30,18-20 As comparações usadas para descrever o rico doente são terríveis. A primeira é o túmulo: o doente está mais morto que vivo, já pertence ao reino da morte; a segunda é o ídolo, ver Sl 115,4-6: o doente é imagem de nulidade, semelhante à falsidade, já não é imagem viva de Deus; a terceira é cômica e grave, pois o eunuco não é membro pleno do povo escolhido (pela semelhança com 20,4, este verso aqui sofreu grave corrupção textual).

30,21-25 Seis versos acrescentados aos oito anteriores até formar um grupo de catorze. A alegria é uma espécie de saúde interior, e é ameaçada pela doença da tristeza; a alegria é um dos efeitos da saúde, v. 16.

30,21 O hebraico lê "por tua própria culpa", conforme Sl 31,11; outras versões antigas leem "por suas preocupações", que tem mais sentido.

30,22 O hebraico lê "o faz tolerante"; a tradução de outras versões corresponde melhor ao primeiro hemistíquio. Cf. Pr 27,22.

30,23 Ver 25,17; 38,18; Pr 12,25; 15,13; 17,22.

30,24-25 Ver Pr 14,30; 15,15.

31,1-11 Ver 13,15-24.

31,1-2 Talvez o segundo versículo seja variante do primeiro: a repetição sem avançar não é procedimento de Ben Sirac. Tal como está, a doença aparece paralela à preocupação.

31,3-4 Por oposição. O rico tem tempo e forças para dedicar-se ao supérfluo; torna-se cada vez mais rico e, mesmo descansando, enriquece; mas ver 11,18-19. O pobre, ao invés, mal consegue manter-se, e empobrece cada vez mais; ver Pr 16,26 e o velho refrão: "*Salário de operário entra pela porta e sai pela janela*".

⁵Quem cobiça o ouro não ficará impune,
  quem ama o dinheiro se extraviará por cauda dele.
⁶Muitos ficaram empenhados pelo ouro
  e se enredaram por corais
  – mas não os livraram da desgraça,
  nem os salvaram no dia da cólera.
⁷São uma armadilha para o néscio,
  e o inexperiente nela se enreda.
⁸Feliz o homem que se conserva íntegro
  e não se perverte com a riqueza.
⁹Quem é? Vamos felicitá-lo,
  porque fez algo admirável em meio a seu povo.
¹⁰Quem mereceu crédito na prova?
  Terá paz e terá honra.
 Quem, podendo desviar-se, não se desviou,
  podendo fazer o mal, não o fez?
¹¹Sua bondade está confirmada,
  e a assembleia pronunciará seu elogio.

Convidados
(Pr 23,1-8)

¹²Filho meu, convidado à mesa de um rico,
  não sejas comilão nem comentes: "Quanta coisa".
¹³Pensa que o olho invejoso é mau e que Deus o detesta;
  nada se criou de mais triste que o olho:
  por qualquer motivo, a ele cabe chorar.
¹⁴Trata o teu vizinho com delicadeza,
  pensando naquilo que te desagrada;
¹⁵onde ele olha não ponhas a mão,
  não tropeces com ele na mesma travessa.
¹⁶Serve-te do que te puserem na frente,
  não sejas comilão, e não ficarás mal;
  pensa que teu vizinho é como tu,
  e come o que te servirem.
¹⁷Termina por primeiro, como pede a educação,
  e não limpes a travessa, para que não te desprezem.

31,5-6 Ver Pr 28,20; 1Tm 6,9. Corais representam o que é precioso e delicado. O v. 6b parece glosa atraída pelo tema, ver Pr 10,2; 11,4.

31,8-11 Bem-aventurança comentada em estilo sapiencial de perguntas e respostas. As perguntas vão descrevendo o personagem e valorizando sua conduta. Pode-se comparar essa bem-aventurança com a primeira do sermão da montanha (Mt 5,3, recordando também 19,23-26). A riqueza é vista como exame ou prova, como também a pobreza em 2,5, tentação grave. A "bondade" do último versículo é a caridade ou beneficência: o rico soube usar da riqueza em benefício dos outros. Ver 5,1; Sl 61,11; 112; 1Tm 6,17.

31,12-33,13 Normas de educação e temperança nos banquetes. Recordemos que se dirigem a jovens de boa família, que ocuparão postos importantes. A primeira seção (12-22) considera sobretudo o comer; comparar com 13,8-13.

31,12-13 Primeiro conselho: não ser ansioso. O hebraico diz "olho mau" para significar a mesquinhez e também a cobiça ou ânsia: ver Pr 23,1-3.6-8. A motivação apresenta um texto muito duvidoso, com claras repetições: a tradução oferece uma seleção provável. O sentido é claro: enquanto cada membro sofre sua própria dor, ao olho cabe chorar por todos, em castigo de sua cobiça. 1Jo 2,16 fala ainda da "cobiça dos olhos" como um dos pecados máximos do "mundo".

31,14-16 Segundo conselho: atenção devida ao comensal vizinho, e para isso serve de norma o que a própria pessoa deseja ou evita: Mt 7,12; 22,40. Não se usavam pratos, mas travessa comum, e a boa educação pedia que cada qual se servisse do que ficava na sua frente. Talvez os últimos hemistíquios sejam variantes de 15a, 16a.

31,17-18 O alto número de convidados também não é desculpa para prescindir do vizinho.

¹⁸Se estás entre muitos convidados,
 não estendas a mão antes que o vizinho.
¹⁹Ao homem educado basta pouco,
 e ele na cama não se sufoca,
 ao passo que o néscio sofre dores,
 insônia, torturas, falta de ar, dor de estômago;
²⁰estômago que digeriu terá sono saudável,
 pela manhã levantará bem-disposto.
²¹Se o carregaste de comida,
 levanta-te, vomita e sentirás alívio.
²²Escuta, filho meu, não me humilhes, e no fim me darás razão:
 age em tudo com moderação, e não sofrerás desgraças.
²³Os lábios abençoam o hóspede generoso,
 e a fama de sua esplendidez é duradoura;
²⁴na praça murmura-se contra o hóspede mesquinho,
 e a fama de sua mesquinhez é duradoura.

Vinho
(Pr 23,29-35)

²⁵Não te faças de valentão com o vinho,
 pois a muitos o álcool derrubou.
²⁶O forno põe à prova a obra do ferreiro,
 o vinho prova os arrogantes quando brigam.
²⁷A quem o vinho dá vida?
 – A quem o bebe com moderação.
 Que vida é quando falta o vinho,
 que foi criado no princípio para alegrar?
²⁸Alegria, prazer e euforia é o vinho
 bebido a seu tempo e com juízo;
²⁹dor de cabeça, gagueira, vergonha
 é o vinho bebido com paixão e irritação.
³⁰Muita bebida enreda o néscio:
 ela o deixa sem forças e cheio de feridas.
³¹Enquanto se bebe vinho, não repreendas o vizinho,
 nem caçoes dele quando está alegre;
 não o envergonhes com tuas palavras
 nem o humilhes diante dos outros.

31,19-21 Terceiro conselho com motivação: de caráter perfeitamente humano e até fisiológico. O mestre quer que seu discípulo, ao menos na manhã seguinte, tenha a cabeça leve. A lista de doenças ou sintomas de indigestão parece um tanto sobrecarregada; se continha palavras raras, não é estranho que copistas tenham querido explicá-las: "dor de estômago" poderia ser explicação de "torturas", a não ser que o texto original falasse de pesadelos. Comparar com 37,29-31.

31,22 Soa como exortação conclusiva, de alcance geral: o mestre inculca seu ensinamento apelando para a futura experiência do aluno.

31,23-24 A antítese serve de transição entre a instrução sobre o comer e a instrução sobre o beber. A temperança deve ser virtude do convidado, não imposição de hóspede mesquinho: Ben Sirac pensa que seus alunos também deverão oferecer banquetes. Ver 14,3-10; Pr 22,9.

31,25-31 A breve instrução sobre o vinho é muito menos plástica que Pr 23,29-35.
Ben Sirac, segundo o costume, avança por oposições, cantando os louvores do vinho e precavendo contra seus perigos.

31,25 Ver Pr 20,1; 31,4-5.

31,27 A pergunta é recurso didático. Sobre a função do vinho, ver 40,20; Js 9,13; Sl 104, 15.

31,28 O vinho para afogar mágoas: Pr 31,6.

31,29 "Gagueira" ou "boca amarga": o texto é duvidoso.

31,31 A razão pode ser dupla: para não provocar rixas, e por compreensão com o próximo.

Banquetes

32 ¹Se cabe a ti presidir um banquete,
  não te gabes, sê como os demais;
²ocupa-te deles antes de sentar-te,
  olha o que necessitam, antes de ocupares teu lugar;
assim te alegrarás com os presentes
  e te darão a coroa da cortesia.
³Tu, ancião, fala quando for tua vez,
  mas refreia teu talento e não interrompas o canto;
⁴no momento de brindar não faças um discurso,
  e mesmo que não haja música, não exibas tua sabedoria.
⁵Joia de azeviche em colar de ouro
  é o canto no meio do banquete,
⁶selo de esmeralda engastado em ouro
  é a música entre as delícias do vinho.
⁷Tu, jovem, fala se for indispensável;
  e no máximo duas ou três vezes, se te pedirem;
⁸resume tuas palavras, dize muito em pouco espaço,
  sê como quem sabe e cala.
⁹Com os anciãos não discutas,
  com os que mandam não insistas.
¹⁰Antes do granizo fulgura o relâmpago;
  antes da modéstia, a simpatia.
¹¹Na hora de despedir-te não te entretenhas,
  saúda o hóspede e volta para casa;
¹²aí te poderás entreter,
  respeitando a Deus, e não com leviandade;
¹³dá graças por tudo a teu Criador,
  que te cumulou de bens.

Temor de Deus

¹⁴Quem consulta a Deus receberá seu ensinamento;
  quem madruga por ele obterá resposta.

32,1-13 Continuam as normas de boa educação nos banquetes, até o momento da despedida.

32,1-2 O banquete é considerado aqui como importante festa social. Os comensais se põem ao redor ou se reclinam, de acordo com a nova moda grega. A presidência não é só de honra, mas traz obrigações para que a festa proceda bem: no final o presidente bem-sucedido recebe os parabéns dos comensais.

32,3-6 O ancião desfruta de consideração especial nessa cultura. Embora Ben Sirac aprecie muito as sentenças dos sábios, num banquete considera a música mais oportuna. Trata-se aqui de música com acompanhamento: 40,20-21. É duvidosa a identificação das joias.

32,5 Eclo 40,20-21.

32,7-10 Por sua vez, o jovem tem de resistir e fazer-se de rogado. Sua sabedoria se mostrará ao saber calar ou falar brevemente, sua modéstia o tornará simpático. Ver Pr 17,27 e o ditado: "*Moço bem-criado, nem do seu fala nem perguntado cala*".

32,11-13 Esses versículos são bastante duvidosos. Depois de 11, o manuscrito hebraico diz: "Enquanto comes, não fales muito, mesmo que te ocorram muitas coisas"; isso porém está fora de lugar e parece obedecer a uma falsa leitura. Sem esse versículo, o tratado tem catorze versos em estrofes de três e quatro versos. Toda a exposição conclui com o tema religioso e o temor de Deus: Ben Sirac aceita os bens e alegrias terrenas, e por eles dá graças a Deus; ver 1Tm 4,3-4.

32,14-33,1 As quatro estrofes são dominadas pelo tema religioso, e o temor de Deus conclui a primeira e a quarta. O texto hebraico apresenta variantes, entre as quais escolhemos as mais prováveis.

32,14-16 A atitude religiosa é pessoal, dirige-se a Deus como pessoa. Uma de suas atividades é "buscar" ou "consultar" Deus. Em outros tempos, isso era feito no templo através de um sacerdote, e o Senhor respondia com um oráculo. Ver p. ex. Sl 9,11; 14,2; 22,27; 24,6; 34,5.11; 69,33; 105,4; 119,2.10. Conforme a velha tradição, o amanhecer é o momento da graça, por isso o homem deve madrugar para obtê-la, e o salmista até desperta a aurora com sua música: Sl 63,2; 57,9; 108,3; 119,147.

¹⁵Quem estuda a Lei chegará a dominá-la,
　　mas o hipócrita se enredará nela.
¹⁶Quem teme o Senhor aprenderá a julgar
　　e dará sinais no crepúsculo.
¹⁷O homem perverso rejeita a correção
　　e acomoda a Lei à própria conveniência;
¹⁸o homem prudente não esconde a sabedoria,
　　ao passo que o insolente não guarda a língua;
　o sábio não aceita suborno,
　　o arrogante não aceita o mandato.
¹⁹Não faças nada sem aconselhar-te,
　　e uma vez feito não te arrependerás.
²⁰Não sigas caminho perigoso
　　e não tropeces duas vezes na mesma pedra;
²¹não arrisques por caminho de salteadores
　　e guarda tuas costas.
²³Em todas as tuas obras cuida de ti mesmo:
　　²²quem assim age observa o mandato.
²⁴Quem guarda a Lei guarda a si mesmo,
　　quem confia no Senhor não fica decepcionado.

Provérbios diversos

33 ¹Quem teme o Senhor não sofrerá desgraças,
　　mas sairá salvo da prova.
²Quem odeia a Lei não chega a sábio,
　　será como barco sacudido pela tempestade:
³o homem prudente entende a palavra do Senhor,
　　e seu conselho é confiável como oráculo.
⁴Prepara teu assunto antes de realizá-lo,
　　e arruma a casa antes de habitar nela.
⁵Roda de carro é a mente do néscio,
　　e aro que gira, seus pensamentos.

32,15 Paralelo da busca ou consulta de Deus é a consulta ou estudo da Lei: tal atividade pode degenerar em casuística rabínica, contra a qual Jesus prega, e também pode ter o sinal pessoal de referência ao Senhor. O Salmo 119,2 diz: "Felizes os que guardam seus preceitos e o procuram de todo o coração"; Ben Sirac considera-se um desses estudiosos da Lei, e reconhece também a existência dos que a consultam com hipocrisia, para tirar partido dela, como indica a estrofe seguinte.
32,16 Paralelo da consulta à Lei, fonte e cume do anterior, é o temor do Senhor. Tal atitude confere ao homem sensibilidade para discernir ou julgar nas questões da vida. Aqui não se fala só de julgamento como processo, mas do reto sentido moral emanado do sentido religioso. Tais decisões, oferecidas a outros que consultam, são como sinais de um farol que dirigem o navio na escuridão. Iluminar e dirigir outros deve ser a tarefa do mestre que consulta a Deus e sua Lei.
32,17-18 A segunda estrofe contrapõe dois tipos humanos: o perverso (insolente ou arrogante) e o sábio. Naturalmente, o sábio é o mesmo da estrofe precedente; o perverso é o antagonista, que não aceita a Lei ou faz violência a ela, e não aceita a correção porque não quer mudar de conduta: Pr 12,1; 13,1; 15,5.32.

32,19-21 A terceira estrofe dá normas de prudência. O v. 19 se opõe ao 17. Caminho em sentido moral, conforme a exposição de Pr 1,8-19; 2,11-15.
32,23-33,1 A quarta estrofe volta atrás: começa pela conduta moral e retorna à atitude religiosa. Dois aspectos da mesma realidade. Note-se que "confiar no Senhor" é paralelo de "temer o Senhor", o que prova que o temor não é medo, e sim respeito: respeito e confiança constituem dois polos da autêntica atitude religiosa. Para quem teme o Senhor, o sofrimento adquire caráter de prova, como dizia o cap. 2.
33,2-5 Cinco provérbios mais ou menos ligados. O v. 2 se parece com 32,17, mas é original pela imagem; o v. 3 parece ressonância de 32,16.18; o v. 4 recorda 32,19, com dados mais concretos. Os dois últimos valem pelas imagens.
33,2 Ver Sl 107,23-27 e Jn.
33,3 No passado o Senhor respondia com o oráculo profético ou sacerdotal, chamado "palavra de Deus"; agora o sábio assimila essa "palavra de Deus", e assim pode oferecer seu conselho à maneira de oráculo. Pr 16,10.
33,5 Ver 21,26.

⁶Amigo antipático é como cavalo no cio,
que relincha sob qualquer cavaleiro.

Oposições

⁷Por que um dia é diferente de outro dia,
se todos repetem a luz do sol?
⁸A sabedoria de Deus os distinguiu,
e estabeleceu dias festivos entre eles;
⁹abençoou um deles e o santificou,
e fez numeráveis os demais.
¹⁰Todos os homens são peças de barro,
pois o homem foi criado de argila;
¹¹mas a sabedoria de Deus os distingue,
os fez habitar a terra e fez diferentes seus destinos.
¹²A uns abençoa e exalta, a uns consagra e aproxima de si;
a outros amaldiçoa, humilha e derruba de seus postos.
¹³Como está o barro na mão do oleiro,
que o maneja segundo sua própria vontade,
assim está o homem nas mãos de seu Criador,
que lhe confere um lugar em sua presença.
¹⁴Diante do mal está o bem, diante da vida a morte,
diante do honrado o perverso, diante da luz as trevas.
¹⁵Contempla as obras de Deus:
todas de duas em duas, uma corresponde à outra.

33,7-15 Em doze versos, Ben Sirac oferece um pequeno tratado teológico sobre a distinção dos seres. É peça capital do seu pensamento filosófico e teológico, inspirada na "divisão" (ou separação) realizada por Deus ao criar (Gn 1).

33,7 O mestre começa propondo o problema em forma de pergunta, ou então um aluno apresenta o enigma. O ponto de partida é a experiência cósmica e cultual, cuja razão se busca. Uma coisa óbvia e cotidiana se torna problema para a reflexão sapiencial; poderia ficar na análise filosófica, mas o "sábio" é teólogo.

33,8-9 A razão é simples: conforme o Gênesis, Deus criou o sol e lhe atribuiu, entre outras funções, a de "marcar as festas". Assim se explica o sol único e a variedade das festas como instituição divina. Aqui temos a distinção dos "tempos sagrados" separados do resto. Os outros dias são "numeráveis", porque não têm nome especial como o "sábado" (o português conta os dias da semana com números: "segunda-feira, terça-feira..."). Esse aspecto não supõe condenação ou desprezo, mas é base para a escolha. Ver Ex 20,8.11.

33,10-12 Dos dias passamos aos homens, e o problema se complica: também aqui o mestre parte do fato empírico, a grave diferença entre os homens. Todos têm uma origem comum, o barro: por que são diferentes? O estado do texto impede uma resposta categórica: Deus "os fez habitar a terra" é doutrina tradicional, aqui pouco necessária e que sobrecarrega o ritmo; a frase seguinte, em grego, tem Deus como sujeito: "fez diferentes seus destinos"; no hebraico falta a letra decisiva que nos diria se o sujeito é Deus ou os próprios homens. No primeiro caso, seria como o grego; no segundo caso, são os homens que "fizeram diferentes seus caminhos", conforme a doutrina tradicional, e conforme o ensinamento do autor no cap. 15.

33,12 Esse versículo parece confirmar a última explicação, pois repete uma doutrina bem conhecida dos salmos, a atitude diferenciada de Deus em relação a justos e perversos. Parece ressoar nesses versículos o tema da escolha de Israel e a rejeição dos pagãos, com clara referência sagrada: Israel é um povo consagrado, Ex 19,6; Dt 7,6; 14,2.21; 26,19; 28,9.Também entra aqui a "consagração sacerdotal", Ex 19,22; 28,41, que Ben Sirac tanto aprecia. E poderíamos apresentar outros casos históricos de escolha.

33,13 A resposta precedente deixou colocado o grande problema. O mestre confessou que Deus age de modo diferente com os homens, feitos do mesmo barro: isso é justo? A resposta retoma a já tradicional imagem do barro: 38,29-30; Jr 18; Is 45,9; Sb 15,7. Paulo retomará o problema e a comparação na carta aos Romanos, tratando do grande tema da escolha: Rm 9,19-24.

33,14-15 Do problema particular, Ben Sirac passa a uma visão universal, regida pela lei dos contrários. Lei que diferencia e ordena o universo, lei de harmonia e beleza. O sábio deve contemplar a harmonia dos contrários, como Deus contemplou todas as obras, comprovando que eram muito boas. Ver 11,14; 15,17; 37,18; 42,24. Ben Sirac se esforçou para resolver um problema ou compreender um enigma: voltando à sabedoria de Deus, serenou-se. Mas não podemos dizer que tenha dado uma resposta ao mistério, porque sem a glória de Cristo, que destina os homens à glorificação, o problema está colocado, mas não resolvido.

O autor

¹⁶Eu fiquei em vigília por último,
 como quem rebusca atrás dos vinhateiros;
¹⁷madruguei com a bênção do Senhor,
 e como colhedor enchi meu lagar.
¹⁸Vede: não trabalhei somente para mim,
 mas para todos os que buscam sabedoria.
¹⁹Escutai-me, chefes de um povo nobre;
 dai-me ouvidos, vós que governais a assembleia.

Testamentos

²⁰ᵃNem a filho nem a mulher, nem a amigo nem a vizinho
 dês poder sobre ti enquanto viveres;
²¹enquanto viveres e respirares,
 não te submetas a ninguém.
²⁰ᵇNão entregues a outro o que é teu,
 para que não tenhas de mudar e suplicar-lhe:
²²é melhor que teus filhos te supliquem
 do que estares à mercê deles.
²³Sê dono de todos os teus assuntos,
 e que não caia mancha em tua reputação.
²⁴Quando se cumprir o número de teus breves dias,
 o dia da morte, repartirás tua herança.

Servos
(Ef 6,5-9; Cl 3,22-24; Tt 2,9-10)

²⁵Ao asno forragem, chicote e carga; ao servo, sujeição e tarefas;
 ²⁶faz trabalhar o servo sem descanso,
 pois, se levanta a cabeça, te trai;
 ²⁸faz trabalhar o servo para que não se rebele,
 ²⁹porque a preguiça traz muita malícia;
²⁷com canga, rédeas e vara firme de quem o guia,
 ³⁰carrega de cadeias o servo mau.
Mas não te excedas com nenhum homem,
 nem faças nada injustamente.
³¹Se tens um só servo, trata-o como a ti mesmo,
 pois o compraste a preço de sangue;
 se tens um só servo, considera-o como irmão,
 não tenhas ciúme de teu próprio sangue.

33,16-19 À reflexão teológica sobre os planos de Deus, o autor acrescenta uma confissão sobre seu próprio trabalho (como no fim do capítulo 24). Tem sido o último a deitar e o primeiro a levantar, chegou ao trabalho depois dos outros e antecipou-se a eles nas descobertas. Ben Sirac é quase o último autor do Antigo Testamento, e vê diante de si muitos outros. Isso lhe permitiu recolher uma tradição, que ele próprio está enriquecendo. Trabalho posto a serviço de outros: 24,34; sobre as comparações, ver Lv 19,10; Dt 24,21. Agora pede a atenção dos governantes do povo, ver Sb 6,2. Leiam-se esses versículos como introdução a uma nova série.

33,20-24 Enquanto vive, o homem deve conservar a posse de seus bens e a direção de seus negócios; do contrário, arrisca-se a ficar à mercê de seus filhos. A morte é o momento de transmitir as posses, por meio de testamento. Entregar dinheiro é dar poder sobre a própria vida.

33,25-32 Sobre o servo, a doutrina se equilibra em duas estrofes complementares. Por um lado, a severidade prevenindo contra a preguiça, rebeldia e deslealdade; por outro, o respeito e o afeto.

33,25 Ver Pr 26,3.

33,27 Posição e texto duvidosos: o hebraico tem só dois nomes, o grego lê "canga e rédeas dobram a cerviz". O servo é comparado a um animal: o que é doutrina em outras culturas, aqui é simples comparação. Comparar com Pr 29,19; Eclo 42,5.

33,30-31 Na segunda parte o servo é homem, não menos que o dono: talvez o hebraico lesse "tua carne e sangue", expressão enérgica que afirma a igualdade.

⁣³²Se o maltratas, escapará e o perderás;
por qual caminho poderás encontrá-lo?

Sonhos
(Dt 13,2; Jr 23,15-18)

34 ¹A esperança do néscio é vã e enganosa,
os sonhos dão asas aos insensatos;
²caça sombras ou persegue ventos
quem confia nos sonhos;
³as visões do sonho são para a realidade
aquilo que um rosto no espelho é para o verdadeiro.
⁴O que poderá limpar a sujeira?
O que poderá comprovar a mentira?
⁵Magia, adivinhação e sonhos são falsidade:
a mente fantasia como parturiente.
⁶Se não vêm como aviso do Altíssimo,
não lhes dês crédito.
⁷Quantos se extraviaram com sonhos,
e confiando neles fracassaram.
⁸A Lei, porém, deve ser cumprida sem falta;
a sabedoria é a perfeição de uma boca sincera.

Viagens

⁹Quem viajou sabe muitas coisas,
homem experimentado fala com sensatez;
¹⁰quem não foi provado sabe muito pouco,
quem viajou aumenta seus recursos.
¹¹Vi muito em minhas viagens,
e sei mais do que conto;
¹²quantas vezes passei perigos de morte,
e me livrou o que segue.

Temor de Deus

¹³Os que temem o Senhor viverão,
porque esperam em seu salvador;

Tampouco falta a motivação interesseira, para os casos de as outras não convencerem. Ver 7,20; Dt 2.

34,1-8 A legislação do Deuteronômio acautela contra os sonhos (Dt 13,2); Jeremias polemiza contra os profetas que apelam para seus sonhos diante da palavra de Deus (Jr 23,15-18). Mas, desde o Gênesis até o Evangelho de Mateus, o sonho é reconhecido como possível meio de comunicação divina; por isso Ben Sirac reconhece e exclui esse caso; ver também Jó 33,14-18. O aspecto psicológico do sonho que o autor conserva pode recordar a comparação de Is 29,8.

34,4-5 Mentira é o título aplicado aos ídolos; assim os sonhos entram na constelação idolátrica de magia e adivinhação; ver Dt 18.

34,6 Ver Jó 4,12-21. O gênero apocalíptico explora o sonho como recurso literário, p. ex. o livro de Daniel.

34,8 A sabedoria aparece em perfeito paralelismo com a Lei, e não se menciona a profecia. O último hemistíquio é duvidoso.

34,9-12 As viagens, como experiência humana, se opõem também aos sonhos, e são fonte de sabedoria, por causa de tudo o que o viajante tem de passar, exposto a diversos perigos, e pelo que contempla da vida humana em suas viagens. Ben Sirac não sente a fidelidade à terra da Palestina como imobilidade; a diáspora judaica abriu muitas janelas aos judeus e reavivou a velha experiência nômade. Talvez algumas viagens do autor tivessem caráter oficial. Ver 39,4; 51,13.

34,13-17 Esses versículos parecem conclusão do anterior, voltando à terra firma, ao ponto de partida, que é o temor de Deus. Se é assim, formam inclusão com 32,14-33,1. Também é possível lê-los como introdução à importante seção que se segue.

34,13-15 Eis aqui o grande paradoxo: quem teme o Senhor nada teme, temer o Senhor é confiar nele, e a confiança é coragem. A esperança num salvador será também esperança de um Salvador. O tema pode vir de salmos de confiança, e também é ressonância de 2,7-9.

¹⁴quem teme o Senhor não se alarmará
  nem se acovardará, porque ele é sua esperança;
¹⁵feliz aquele que teme o Senhor:
  em quem confia, quem é seu apoio?
¹⁶O Senhor olha pelos que o amam,
  é seu robusto escudo, seu firme apoio,
  sombra no mormaço, abrigo ao meio-dia,
  proteção de quem tropeça, auxílio de quem cai,
¹⁷levanta o ânimo, ilumina os olhos,
  dá saúde, vida e bênção.

Culto e justiça
(Is 1,10-20; Sl 50; Jr 7; Am 5,21-25)

¹⁸Sacrifícios de posses injustas são impuros,
  nem são aceitos os dons dos iníquos;
¹⁹o Altíssimo não aceita as ofertas dos ímpios
  nem lhes perdoa o pecado por seus muitos sacrifícios;
²⁰é sacrificar um filho diante de seu pai
  tirar dos pobres para oferecer sacrifício.
²¹O pão da esmola é vida do pobre,
  quem o nega é homicida;
²²mata seu próximo quem lhe tira o sustento,
  quem não paga o justo salário derrama sangue.
²³Um constrói e outro derruba:
  que proveito tira, além de mais trabalho?
²⁴Um reza e outro amaldiçoa:
  a quem o Senhor vai escutar?
²⁵Alguém se purifica do contato com cadáver e volta a tocá-lo:
  de que lhe adianta tomar banho?
²⁶Assim, quem jejua por seus pecados e depois volta a cometê-los,
  quem escutará sua súplica?
  De que lhe servirá sua mortificação?

34,16-17 Elenca títulos de Deus no estilo dos salmos: Sl 18 começa com dez títulos. Provavelmente o último hemistíquio tinha dois membros, p. ex. "dá saúde, abençoa com a vida", como Sl 29,11; isso daria dez membros. Escudo: Sl 3,4; 18,3.31; 28,7; 33,20; 59,12; 84,12; 119,114; 144,2. Apoio, baluarte: Sl 27,1; 28,7.8; 31,5; 37,39; 43,2. Sombra: 17,8; 36,8; 57,2; 63,8; 91,1; 121,5. Abrigo: 27,5; 31,21; 32,7; 61,5; 91,1; 119,114 etc. Portanto, esses seis versos equivalem a uma oração intercalada no ensinamento, toda feita de reminiscências sálmicas.

34,18-35,10 O autor dedica vinte versos à questão capital do culto. Já os profetas tinham protestado contra um culto que não é unido à justiça e à caridade. O culto pertence à primeira parte do decálogo, deveres para com Deus; mas, se falha a segunda parte do decálogo, o culto fica viciado na raiz. Em certo sentido, os deveres para com o próximo são mais urgentes, já que no culto Deus nada recebe do homem, a não ser o reconhecimento. Assim falam Sl 50, Is 1 e Mq 6. Ben Sirac repetirá o ensinamento com todo o vigor: aqui o sábio emprega linguagem profética.

34,18 A legislação de Lv 22,17-25 fala de manchas ou imperfeições nos animais, que os excluem do sacrifício. Há uma impureza mais grave: a injustiça que se apega ao dom roubado: Pr 15,8; 21,27.

34,19 Ou seja, quando insistem na sua própria atitude, sem converter-se interiormente.

34,20 A sentença está cheia de ressonâncias sombrias: os abomináveis sacrifícios humanos de outros povos (às vezes imitados por Israel), sacrifícios humanos pelo fogo no Tofet ou vale de Enom (= Geena), a crueldade máxima de executar um filho na presença do pai (e talvez arrancar-lhe depois os olhos, 2Rs 25,7). Também ressoa aqui a revelação de Deus como pai de oprimidos e desamparados (Sl 68,6). Ver também Is 66,3.

34,21-22 Comentam o versículo precedente: ver Dt 24,14-15.

34,23-26 Por comparações, em bom estilo sapiencial, sublinha a contradição de oferecer sacrifício ou mortificação por um pecado, e continuar na injustiça. Tocar um cadáver deixa impuro e impedido de assistir ao culto público: Lv 16,29; 23,27; Nm 19,11-13.

35 ¹Quem observa a Lei faz boa oferta,
    quem guarda os mandamentos oferece sacrifício de ação de graças,
²quem faz favores oferece flor de farinha,
    quem dá esmola oferece sacrifício de louvor.
³Afastar-se do mal é agradável a Deus,
    afastar-se da injustiça é expiação.
⁴Não te apresentes a Deus de mãos vazias:
    isso é o que a Lei pede.
⁵A oferta do justo enriquece o altar,
    e seu aroma chega até o Altíssimo.
⁶O sacrifício do justo é aceito,
    sua oferta memorial não será esquecida.
⁷Honra o Senhor com generosidade
    e não sejas mesquinho em tuas ofertas;
⁸quando ofereces, mostra semblante alegre,
    e paga de boa vontade os dízimos.
⁹Dá ao Altíssimo como ele te deu:
    generosamente, segundo tuas possibilidades,
¹⁰porque o Senhor sabe pagar
    e te dará sete vezes mais.

Os gritos do pobre

¹⁴Não o subornes, porque não o aceita,
    não confies em sacrifícios injustos;
¹⁵porque é um Deus justo
    que não pode ser parcial;
¹⁶não é parcial contra o pobre,
    escuta as súplicas do oprimido;
¹⁷não deixa de ouvir os gritos do órfão
    ou da viúva quando repete sua queixa;
¹⁸enquanto lhe correm as lágrimas pelas faces
    ¹⁹e o gemido se acrescenta às lágrimas,

35,1-10 Na segunda parte, expõe o que é o culto autêntico, recordando um série de práticas rituais, opondo a cada prática uma forma de justiça ou caridade (1-3), afirmando o valor de tal sacrifício (4-6) e, por fim, exortando à generosidade (7-10).

35,1 Lei e mandamentos acerca do próximo, como em Sl 50,16-17. Na oferta e no sacrifício de ação de graças, o povo ou os sacerdotes comem parte do que é oferecido.

35,2 Flor de farinha é produto seleto oferecido a Deus; conforme Lv 5,5; 16,21, sacrifício de louvor também poderia ser de penitência ou confissão do pecado.

35,3 O mesmo em forma negativa. "Agradável" como sacrifício que Deus "aceita". Expiação é outro tipo de sacrifício. Ver Pr 21,3.

35,4 Segundo manda a lei: Ex 23,15; 34,20; Dt 16,16.

35,5 Uma parte da oferta é separada para o Senhor, como obséquio ou prenda ('azkara), e é queimada no altar, de modo que o "aroma aplaque" o Altíssimo.

35,6 O grego não entendeu a referência cultual. Trata-se da 'azkara (da raiz zkr = recordar); daí o jogo de palavras "não será esquecida"; ver Lv 2,2.

35,7 Honrar significa aqui prestar culto, como em Pr 3,9-10.

35,8 Esse versículo, aqui referido ao culto, é citado por Paulo para animar os coríntios a contribuir na coleta: 2Cor 9,7. A lei dos dízimos: Lv 27,30-32.

35,9-10 A dialética da graça ou dom divino é admirável: Deus começa dando, o homem responde dando do que recebeu, Deus torna a dar multiplicando. O homem sempre age aprisionado, envolvido e elevado entre os dons de Deus.

35,14-26 Com o versículo 14 como ligação, o autor passa a um tradicional tema semelhante ao anterior: Deus não recebe os sacrifícios de bens injustos, mas escuta o grito do oprimido, Ex 22,22-24. Desse tema passa à situação histórica de Israel, e assim desemboca na súplica do capítulo seguinte.

35,14 Dt 10,17-18; 2Cr 19,7. Oferecer sacrifícios a Deus para que deixe passar a injustiça, equivale a suborná-lo.

35,15-17 Se Deus sente alguma parcialidade, é a favor do oprimido e indefeso: em toda a história de Israel, Deus se põe do lado do oprimido. Parece parcialidade, mas é a suprema justiça, que é vitória e salvação. Ver Lv 4,4-6; a doutrina aplicada à conversão dos gentios, At 10,34; Rm 2,11; 1Pd 1,17.

35,18-21 Essa é a oração de súplica profundamente sentida, e tem sido súplica em tantos momentos históricos de aflição do povo. Israel foi na história

²⁰seus sofrimentos conseguem o favor dele,
e seu grito alcança as nuvens;
²¹a reclamação do pobre atravessa as nuvens
e não descansa até alcançar Deus;
não cede até que Deus a atenda,
e o juiz justo lhe faça justiça.
²²Deus tampouco adiará;
como guerreiro, não repousará,
²³até quebrar os lombos do tirano
e vingar-se dos soberbos,
até arrancar o cetro dos arrogantes
e quebrar a vara dos perversos,
²⁴até pagar ao homem por suas ações
e retribuir ao mortal por seus pensamentos,
²⁵até defender a causa de seu povo
e dar-lhes a alegria da salvação.
²⁶Bem-vinda sua misericórdia na tribulação,
como chuvarada durante a seca.

Oração por Israel
(Sl 79)

36 ¹Salva-nos, Deus do universo,
²infunde teu terror em todas as nações;
³ameaça com tua mão o povo estrangeiro
para que sinta teu poder.
⁴Como lhes mostraste tua santidade ao castigar-nos,
assim mostra-nos tua glória castigando-os;
⁵para que saibam, como nós sabemos,
que não há Deus fora de ti.
⁶Renova os prodígios, repete os portentos;
⁷exalta tua mão, robustece teu braço;
⁸desperta a ira, derrama a cólera;
⁹curva o opressor, dispersa o inimigo;

---

o pobre que grita pedindo justiça, e desse modo foi testemunha da misericórdia de Deus.

35,21-22a O versículo retoma e resume o pensamento: o rico ofereceu a Deus ricos sacrifícios, à maneira de suborno, e o pobre oferece suas lágrimas, gritos e sua sede de justiça. Deus atende o pobre, e essa é sua justiça. Síntese de teologia do AT.

35,22b A situação histórica abre caminho. Recordemos que em Lm 1,1-2 Israel aparece como viúva. A imagem de Deus guerreiro pertence às tradições da guerra santa: entre as formulações, pode-se recordar o fim de Sl 78 e o canto de Habacuc; dos livros narrativos, Ex 15. Ver também Is 42,14; 63,15; 64,12.

35,23-25 Ver Is 51,22; Mq 7,9. A causa do povo é causa de Deus, porque o Senhor quis ocupar-se dela: Sl 43,1; 74,22.

36,1-22 A situação histórica é o domínio dos Diádocos na Palestina: não é possível especificar mais. A súplica retoma temas tradicionais do gênero, abundantes nos salmos, e se caracteriza mais pelo movimento apaixonado do que pelas imagens. Por seu caráter genérico, essa oração pode servir como formulário para ocasiões semelhantes, e até adquire sentido escatológico.

36,1-3 A situação histórica é vista num contexto universal que o Senhor domina: 45,23; 50,22; Segundo Isaías.

36,4-5 Castigando, Deus revela a santidade que não pode tolerar a injustiça, a rebeldia, o pecado; a santidade divina é exigência. A glória aparece como presença ativa e poderosa de Deus, estreitamente unida à santidade. O resultado dessa dupla manifestação é o reconhecimento humano do verdadeiro Deus, a vitória sobre a idolatria: Ez 28,22; 38,23.

36,6 Na situação histórica presente, a história passada tem de se fazer atual. A experiência passada de salvação fundamenta a confiança presente e o fervor da súplica, mas não pode consistir em pura lembrança inoperante. Deus tem de demonstrar sua continuidade e coerência, às quais a oração apela. Note-se nos versículos seguintes o estreitamento na sucessão dos imperativos.

36,7-8 Mão e braço são símbolo da ação histórica de Deus; ira e cólera são sua reação apaixonada contra a injustiça.

¹⁰apressa o termo, cuida do prazo,
  pois quem poderá dizer-te: "o que fazes?"
¹¹Um fogo vingador devore os que escapam,
  que os opressores de teu povo vão à ruína.
¹²Esmaga a cabeça dos chefes inimigos
  que dizem: "Ninguém é mais do que nós".
¹³Reúne todas as tribos de Jacó
  e dá-lhes como antigamente a herança delas.
¹⁷Tem compaixão do povo que leva teu nome,
  de Israel, que nomeaste teu primogênito;
¹⁸tem compaixão de tua cidade santa,
  de Jerusalém, lugar de tua residência.
¹⁹Enche Sião de tua majestade,
  e teu templo com tua glória.
²⁰Dá uma prova de tuas obras antigas,
  cumpre as profecias pronunciadas em teu nome;
²¹recompensa os que esperam em ti,
  torna acreditados os teus profetas;
²²escuta a súplica de teus servos por amor a teu povo,
  e reconheçam os confins do orbe que tu és Deus eterno.

Escolha de mulher
(Eclo 25-26; Pr 31,10-31)

²³O estômago recebe qualquer comida,
  porém há comidas mais saborosas do que outras;
²⁴o paladar distingue os manjares,
  a mente distingue as mentiras;
²⁵o intrigante provoca desgraças,
  o experimentado as torcerá contra ele.
²⁶A mulher aceita qualquer marido,
  porém umas jovens são mais belas do que outras.
²⁷A beleza da mulher ilumina o rosto
  e ultrapassa tudo o que é desejável;
²⁸se além disso fala acariciando,
  seu marido não é um mortal;

36,10-11 Na história, Deus tem seus momentos e seus dias: Sl 75,3; sabe esperar até a hora certa, Is 18,4-5. O homem se impacienta e reclama a Deus: o autor pretende talvez uma adversativa, "mas quem pode pedir-te contas do que fazes?"

36,12 É o grito soberbo de Babilônia no auge do seu poderio: Is 47,8-10.

36,13-16 Israel está disperso: os judeus sonham com a restauração da antiga unidade na terra prometida.

36,17 Ver Dt 28,10; Is 43,1-7.

36,18 Faz parte da restauração a reconstrução da cidade e do templo, dois sinais da escolha e da presença da glória.

36,20-22 A palavra de Deus estava comprometida nas muitas profecias de restauração. O autor pode pensar sobretudo no Segundo Isaías. Mas não viu que sua oração é, acima de tudo, profecia em forma de desejo, e que a resposta de Deus não virá como simples restauração, mas superando todo desejo e expectativa. A súplica adquire bem cedo valor escatológico.

36,23-37,15 Três capítulos da arte de escolher: os três primeiros versos servem de introdução às três partes.

36,23-25 Também nós empregamos a imagem do "sabor". Ben Sirac pensa num paladar treinado e especializado, porque há muitos que tentam enganar com aparências. O paladar saboreia e distingue, e, de modo semelhante, a reflexão testada. Pode-se dizer que o gosto, como capacidade de discernir com êxito, é qualidade sapiencial.
O versículo 25 ultrapassa o tema, e seria um passo a mais para o discernimento.

36,26-29 Com lógica não muito rigorosa, o autor introduz a mulher como sujeito agente. A referência sexual não está ausente, e favorece o salto. O homem deve distanciar-se, porque a ele cabe escolher: é a situação social da época.

36,27 Ver 26,13-18.

36,28 Na tradição sapiencial, o que normalmente se teme numa mulher é o mau caráter ou a má língua: Pr 21,9.19; 25,24; 26,21; 27,15. Por contraste, ressalta o valor de uma língua que cura.

²⁹tomar mulher é o melhor negócio:
auxílio e defesa, coluna e apoio.
³⁰Vinha sem cerca será saqueada,
homem sem mulher andará errante;
³¹quem confia na tropa de soldados
que anda saltando de cidade em cidade?
Assim é o homem sem ninho,
que se deita onde a noite o alcança.

Escolha de amigo
(Eclo 6,5-17; 12,8-18; 22,19-26)

37

¹Qualquer um pode dizer que é teu amigo,
mas há amigos só de nome.
²Não é um desgosto mortal
quando o amigo íntimo se torna inimigo?
³Ai do mal-intencionado! para que foste criado?
Para encher de traições a face da terra.
⁴O amigo desleal senta contigo à mesa,
e no aperto fica a distância.
⁵O amigo fiel lutará contra teu inimigo,
usará o escudo diante de teus rivais.
⁶Não esqueças o amigo durante o combate
nem o abandones ao repartir os despojos.

Escolha de conselheiro
(2Sm 17)

⁷Todo conselheiro indica uma direção,
mas há quem aconselha em proveito próprio;
⁸cuidado com quem dá conselhos,
sonda primeiro seus interesses;
porque também ele pensa em si mesmo,
em como levar vantagem;
⁹quando muito te diz: "Vais por bom caminho",
e depois se põe a observar tua ruína.
¹⁰Não consultes com teu inimigo,
nem te reveles a quem te inveja:
¹¹com a mulher, sobre sua rival;
a quem procura despojos, sobre a guerra;
com o comerciante, sobre negócios;
a quem compra, sobre uma venda;

36,29 Gn 2,18.20; Pr 18,22. O livro de Tobias ilustra o ensinamento.
36,31 Parece referir-se às tropas gregas mercenárias.
37,1-6 Ver 6,5-17; 9,10; 12,8-18; 22,19-26.
37,1 Ver Pr 18,21; 27,6.
37,2 "O mel se torna fel"; Sl 55,13-15.
37,3 O sentido é duvidoso: parece referir-se à falta de sinceridade, fonte de traições e ruína de amizades.
37,7-15 Quatro versos propõem genericamente a questão, seis (ou cinco) elencam casos negativos, cinco propõem o aspecto positivo. Ver Pr 12,15; 19,20; 20,18.
37,7-9 Dar conselho é parte da atividade sapiencial. O autor considera ponto pacífico que o conselheiro possua sabedoria e prudência, e se detém noutro elemento importante, o interesse.
37,10-11 A construção é muito artificiosa. Com as preposições *com* e *sobre,* divide os casos em séries paralelas, que dependem alternativamente dos dois hemistíquios do v. 10. Todos têm em comum o interesse do suposto conselheiro, e se podem reduzir ao denominador comum *"do inimigo o conselho"*, entendendo por inimigo também o rival. Outro ditado diz: *"Com quem está na pobreza, não te aconselhes sobre tua riqueza"*. O último verso é duvidoso e falta no manuscrito hebraico, mas encerra bem a série.
37,11 Eclo 26,5; 26,29; 14,3-10.

com o mesquinho, sobre a generosidade;
  ao cruel, sobre o perdão;
com o assalariado, sobre a lida,
  ao empregado por um ano, sobre a colheita;
com servo preguiçoso, sobre a tarefa:
  não confies em tais conselhos,
¹²mas no homem que sempre respeita Deus,
  e sabes que guarda os mandamentos,
que sente como tu sentes,
  e que te ajudará, se tropeçares.
¹³Recebe também o conselho de teu coração,
  pois quem te será mais fiel do que ele?
¹⁴O coração do homem lhe informa da oportunidade,
  melhor do que sete sentinelas nas ameias.
¹⁵E depois de tudo, suplica ao Senhor
  que dirija teus passos na verdade.

Os sábios

¹⁶O pensamento precede a toda ação
  e a reflexão a toda tarefa.
¹⁷A mente é a raiz de toda conduta,
  e produz quatro ramos:
¹⁸bem e mal, vida e morte;
  seu senhor absoluto é a língua.
¹⁹Há sábios que são sábios para outros,
  e inúteis para si mesmos;
²⁰há sábios odiosos ao falar,
  e se privam de banquetes deliciosos.*
²²Há sábios que o são para si,
  e mantêm o fruto de seu saber;

37,12 O temor de Deus encabeça a série positiva. Sua realização prática é guardar os mandamentos, também em relação ao próximo, e por isso é garantia de sinceridade e desinteresse. A segunda parte acrescenta a garantia humana de interesses comuns.

37,13-14 Em vez de "coração", poderíamos traduzir "consciência": a reflexão e a vigilância de um homem são também boas conselheiras. Em vez de "sentinelas", alguns traduzem "astrólogos". Sentinela é imagem aplicada também ao profeta: vigia de noite, vê à distância.

37,15 Há uma área que o homem não pode controlar e que sempre envolve toda decisão humana: por isso o homem deve suplicar a Deus e confiar nele, como numa instância última e ao mesmo tempo central de conselhos.

Esses versos são um bom exemplo da estrutura sapiencial: o oráculo divino não exime o homem da reflexão e da busca, a reflexão humana não deve excluir a oração. A sabedoria secular vive em harmonia com a concepção religiosa. Autores clássicos aconselhavam: *"Age como se tudo dependesse de ti, confia em Deus como se tudo dependesse dele"*.

37,16-18 A colocação desses versos é duvidosa: pela "reflexão" retomam o tema precedente, que havia concluído bem no v. 15; pela "língua" introduzem o tema seguinte. Em si nos oferecem uma interessante síntese antropológica: pensamento, ação, palavra; interioridade radical do homem, liberdade moral, responsabilidade. Ver 15,16-17 e os textos aí citados. Sobre a língua, Pr 18,21.

37,19-26 (deixando por ora os versículos 21 e 25). A construção é formada por dois grupos de oposições sobre o proveito e a inutilidade dos sábios. Os "filósofos" gregos ambulantes ou itinerantes parecem ser o fundo histórico. Estes impõem uma cátedra de saber; o autor é "sábio" de profissão, e quer distanciar-se deles.

37,19-20 Primeiro grupo. Poderia aludir a filósofos estoicos que professam vida austera, não buscam proveito próprio, não aceitam convites, e tampouco pretendem agradar com suas palavras. Desejam ser úteis aos outros convertendo-os à sua escola, e esbarram no ódio de muitos. Ben Sirac não os apresenta como modelos.

* O versículo 21 só se encontra no grego: "porque Deus não lhe concedeu graça, e lhe falta toda sabedoria"; explicação desnecessária e exagerada, que nega a eles totalmente o título de sábios.

37,22-24.26 Nova oposição: aquele que se beneficia, aquele que beneficia seu povo; duas coisas que não se excluem, como já dizia o tradutor no prólogo e também o autor em várias declarações, p. ex. 24,34; 33,18. Proveito próprio: Pr 12,14; 13,2; 18,20-21. Opõe-se claramente a 19-20, e consiste em prazeres e honras na vida. Proveito para o povo: depois de morrer, sua glória e fama perduram, 24,33; 44,13-14.

²³há sábios que o são para seu povo,
e o fruto de seu saber é duradouro.
²⁴Quem é sábio para si, se sacia de prazeres,
os que o veem o felicitam;
²⁶o sábio para com seu povo herda glória,
e sua fama vive para sempre.
²⁵A vida de um homem são anos contados,
a vida de Israel são anos sem conta.

Saúde
(Eclo 30,14-20)

²⁷Filho meu, enquanto tens saúde, põe à prova teu apetite,
e não lhe concedas o que vês que lhe faz mal,
²⁸porque nem tudo é bom para todos,
nem todo alimento é apetecível para todos,
²⁹não te precipites para tudo o que é delicioso,
nem te entregues a todos os alimentos;
³⁰porque a gula acarreta doenças
e a glutonaria provoca cólicas;
³¹por falta de temperança muitos morreram;
quem se domina alonga a própria vida.

Médico

38 ¹Respeita o médico, pois necessitas dele;
também ele foi criado por Deus.
²O médico recebe sua ciência de Deus,
e seu sustento do rei.
³Por sua ciência anda de cabeça erguida
e se apresenta diante dos nobres.
⁴Deus faz que a terra produza remédios:
o homem prudente não os desprezará.
⁵Não adoçou ele a água com um ramo,
mostrando assim a todos seu poder?
⁷O médico alivia as dores com plantas
e o boticário prepara seus unguentos.
⁶Deus concedeu inteligência ao homem
para que se glorie da eficácia divina;
⁸assim, não cessa a atividade de Deus
nem a habilidade dos filhos de Adão.

37,25 Versículo de colocação duvidosa: pode servir de colofão ou comentário do anterior, ou seja, a fama do sábio para seu povo dura para sempre, porque a vida de Israel perdura, e por isso não importa que o sábio morra. Também serviria de introdução ao discurso que se segue sobre saúde, doença e morte.

37,27-**38**,23 Saúde, médico, doença e morte formam unidade temática.

37,27-31 O autor pensa em jovens que ainda não experimentaram os perigos do comer em excesso. A exposição emprega procedimentos comuns: formas negativas com motivação, e conclusão positiva. Ver 6,2-4; 18,30-19,3; 30,14-20; 31,19-21.

37,29-30 O autor pode estar pensando nas cenas do povo no deserto, conforme Nm 11,20; Sl 78; 106,13-15.

37,31 O domínio é visto como qualidade sapiencial, *musar*.

38,1-8 Contra os que rejeitavam a medicina por motivos religiosos, o autor considera o médico e a medicina como parte da criação de Deus, que delega a continuação de sua atividade criadora à natureza e ao homem. A medicina é um ramo da sabedoria.

38,4 Is 38,21.

38,5 Refere-se ao relato de Ex 15,23-25 e talvez também ao de Eliseu, 2Rs 2,19-22.

38,6.8 O homem colabora com Deus, e Deus garante a atividade humana.

⁹Filho meu, quando caíres doente, não te descuides,
  reza a Deus, e ele te fará sarar;
¹⁰foge do delito, lava tuas mãos
  e limpa teu coração de todo pecado;
¹¹oferece, sim, em obséquio, gordura que aplaca,
  segundo tuas possibilidades;
¹²mas deixa também o médico agir,
  e não te falte, pois também dele necessitas;
¹³há momentos em que o êxito depende dele,
  ¹⁴e também ele reza a Deus
  para que lhe dê acerto ao diagnosticar
  e ao aplicar o remédio saudável.
¹⁵Peca contra seu Criador
  quem resiste diante do médico.

Morte
(Sl 6; 38)

¹⁶Filho meu, derrama lágrimas pelo morto,
  geme e entoa o canto fúnebre;
  sepulta-o, conforme merece,
  e não faltes a seu funeral;
¹⁷chora de dor, guarda luto e faze-lhe o luto que merece,
  um ou dois dias para as lágrimas, depois consola-te do sofrimento;
¹⁸pois a aflição acarreta a morte
  e o sofrimento interior abate as forças;
¹⁹na desgraça se prolonga o sofrimento,
  a vida do pobre lhe aflige o coração.
²⁰Não voltes a pensar nele,
  afasta sua recordação e lembra-te do fim;
²²recorda sua Lei, que é a tua:
  ontem ele, hoje tu;
²¹Não continues recordando-te dele, pois não tem esperança;
  a ele isso nada aproveita, e tu te prejudicas.
²³Quando morre, cessa sua memória;
  uma vez que ele expirou, consola-te.

Artes e ofícios

²⁴O ócio do escritor aumenta sua sabedoria,
  quem está pouco ocupado se tornará sábio.

38,9-15 A doença é considerada um castigo de Deus; por isso, o doente deve purificar-se e arrepender-se antes de pedir perdão e saúde. O lugar atribuído ao médico no processo não é originalidade do autor: bancar o valentão diante do médico é ofender a Deus.
38,11 Os termos do culto são usados com pouco rigor.
38,13-14 O médico não pede a Deus milagres, mas êxito no exercício da profissão.
38, 16-23 O sábio acompanha o homem até o final. Aquilo que é inevitável para o morto não deve ser prejuízo para o vivo.
38,16 Tocar num cadáver produzia impureza legal; isso, porém, não justifica faltar aos ritos fúnebres.
38,17 O texto de 22,12 fala de uma semana.
38,19 Versículo obscuro acrescentado no texto grego; completa a medida de dez versos.
38,20 Desaconselha a recordação obsessiva, deprimente.
38,22 Como em nosso ditado: "Eu sou hoje aquilo que tu serás amanhã".
38,23 Ver o consolo de Davi em 2Sm 12,20-23.
38,24-39,10 Breve tratado de artes e ofícios prepara por contraste a profissão de "sábio" ou doutor. Quatro estrofes de quatro versos (a segunda incompleta) terminadas em estribilhos semelhantes e uma estrofe de resumo em seis versos.
38,24 Ócio no sentido clássico: estar livre de trabalhos manuais.

²⁵Como se tornará sábio quem pega o arado,
 e seu orgulho é manejar o aguilhão?
 Quem guia os bois, dirige os touros
 e só se ocupa dos bezerros;
²⁶ele se desvela em arrumar o estábulo
 e se preocupa em traçar os sulcos.
²⁷O mesmo acontece com o artesão e o tecelão,
 que empregam tanto a noite como o dia.
 Os que esculpem relevos de selos procurando variar o desenho
 se esforçam por imitar a vida e se desvelam para terminar a tarefa.
²⁸Igualmente o ferreiro, sentado junto à bigorna,
 enquanto estuda o trabalho do ferro;
 o sopro do fogo lhe resseca a carne,
 enquanto se afadiga no calor do forno;
 o ruído do martelo o ensurdece,
 enquanto está fixo no modelo da ferramenta;
 esforça-se por terminar sua tarefa
 e se desvela em rematar a obra.
²⁹Igualmente o oleiro, sentado ao trabalho,
 faz girar o torno com os pés,
 sempre preocupado com sua tarefa
 e trabalhando para completar a quota;
³⁰com o braço modela a argila
 e abranda sua resistência com os pés;
 esforça-se para terminar o envernizamento
 e se desvela em manter o forno limpo.
³¹Todos esses confiam em sua destreza
 e são competentes em seu ofício;
³²sem seu trabalho a cidade não tem casa
 nem habitantes nem passantes;
³³contudo, eles não se elegem senadores nem sobressaem na assembleia,
 não tomam assento no tribunal nem discutem a sentença justa,
³⁴não expõem sua doutrina ou sua decisão, nem entendem de provérbios,
 embora mantenham a velha criação,
 ocupados em seu trabalho artesanal.

O sábio
(Pr 1,2-7; Ecl 12,9-10; Eclo 24,30-34; Sb 7-8)

39 ¹Ao contrário, quem se entrega plenamente
 a meditar na Lei do Altíssimo
 indaga a sabedoria de seus predecessores
 e estuda as profecias,

38,25-26 Profissão clássica em Israel: 7,22; Pr 12,11; 24,30-34. Ver a parábola agrária de Is 28,23-29.

38,27 Pode-se tratar do tecelão artístico ou do bordador. Os joalheiros faziam selos com figuras gravadas em negativo. O autor omite os escultores, cuja fama estava ligada à idolatria, Is 44,9-20.

38,28 Ferramentas pacíficas, não armas bélicas. Sentimos aqui a falta do carpinteiro e do pedreiro: 2Rs 12,12; 2Sm 5,11; Sl 127.

38,29 O trabalho do oleiro é o mais próximo à nossa produção em série. O importante é produzir muito.

38,31-32 Os artesãos, embora não entendessem de provérbios cultos, certamente conheciam refrães populares.

38,34 O texto grego nos dá uma doutrina sugestiva a respeito da tarefa do homem sobre o mundo; mas não é seguro.

39,1-11 A figura do sábio contém provavelmente traços autobiográficos. Desenvolve-se em quatro estrofes de quatro versos.

39,1-2 Estudos. A Lei (ou Pentateuco), os profetas já codificados, os sábios; estes últimos diferenciados segundo gêneros. Comparar com Sl 1.

²examina as explicações de autores famosos
   e penetra em parábolas intrincadas,
³indaga o mistério de provérbios
   e pensa nos enigmas.
⁴Presta serviço diante dos poderosos
   e se apresenta diante dos chefes,
 viaja por países estrangeiros,
   provando o bem e o mal dos homens;
⁵propõe-se madrugar pelo Senhor,
   seu criador, e reza diante do Altíssimo,
 abre a boca para suplicar, pedindo perdão de seus pecados.
⁶Se o Senhor quiser,
   ele se encherá do espírito de inteligência;
 Deus o fará derramar palavras sábias,
   e ele confessará o Senhor em sua oração;
⁷Deus guiará seus conselhos prudentes,
   e ele meditará em seus mistérios;
⁸Deus lhe comunicará sua doutrina e ensinamento,
   e ele se gloriará da Lei do Altíssimo.
⁹Muitos louvarão sua inteligência, que não perecerá jamais;
   nunca faltará sua lembrança, e sua fama viverá por gerações;
¹⁰o povo comentará sua sabedoria
   e a assembleia pronunciará seu elogio;
¹¹em vida, terá fama entre milhares,
   e isso lhe bastará quando morrer.

Exortação: tudo é bom
(Gn 1)

¹²Pensei em mais coisas e as exporei,
   pois estou cheio como lua cheia;
¹³escutai-me, filhos piedosos, e crescereis
   como roseiral plantado junto à corrente;
¹⁴perfumai como incenso,
   florescei como açucenas, difundi fragrância,
 erguei a voz em canto de louvor,
   bendizei o Senhor por suas obras,
¹⁵exaltai a grandeza de seu nome e louvai-o com hinos,
   com cantos acompanhados de instrumentos,
   pronunciando aclamações:
¹⁶As obras de Deus são todas boas,
   e cumprem sua função a seu tempo.
¹⁷Com sua palavra reuniu as águas,
   à sua ordem se congregaram.

39,4-5 Une a atividade civil do sábio com sua vida religiosa. Uma das tarefas das escolas de sábios era formar governantes e conselheiros. As viagens são ao mesmo tempo serviço e aprendizado. Na oração entra o saltério.

39,6-8 Equipara artificiosamente o dom de Deus e a atividade do mestre. Espírito de inteligência: dom carismático, como em Is 11,2.

39,9-11 Seu ensinamento sobrevive a ele, e com o ensinamento perdura a fama dele. Consolo que acalma quem não espera outra vida.

39,12-15 A confissão autobiográfica desemboca numa exortação emocionada aos discípulos: pode-se ver Eclo 24,32-33. O aprendizado e a atividade sapiencial têm algo de hino que, como incenso, sobe para Deus.
O hino abrange 24 (ou 25) versos divididos em quatro estrofes.

39,16 Gn 1 afirma a bondade de tudo e justifica o louvor universal. Mas a experiência histórica parece desmentir tal bondade. O mestre enfrenta a questão, detendo-se na função de cada ser.

39,17 Reminiscência de Sl 33,7, que fala das águas marinhas: o elemento rebelde e ameaçador obedece prontamente à ordem de Deus.

¹⁸Em cada momento se cumpre sua vontade,
 e nada recusa o serviço a ele;
¹⁹tem diante de si as ações de todo vivente,
 e nada se esconde ao seu olhar;
²⁰desde sempre e para sempre está olhando,
 e não tem limite sua salvação.
²¹Não se deve dizer: para que serve isto?
 Pois cada coisa tem sua função destinada;
não se deve dizer: "Isto é pior do que aquilo",
 porque cada coisa vale em seu momento.
²²Sua bênção transborda como o Nilo,
 como o Eufrates rega a terra;
²³sua cólera despoja as nações
 e converte o terreno regado em marisma.
²⁴Seus caminhos são planos para os honrados
 e são escabrosos para os arrogantes.
²⁵No princípio criou bens para os bons,
 e para os maus, bens e males.
²⁶São essenciais para a vida humana: água, fogo, ferro, sal,
 flor de farinha, leite, mel, sangue de uva, azeite, roupa.
²⁷Tudo isso aproveita aos bons
 e se transforma em mal para os maus.
²⁸Há ventos criados para o castigo
 que com sua fúria desenraízam as montanhas;
para executar a sentença desatam seu poder
 e aplacam a cólera de seu Criador.
²⁹Raios e granizo, fome e peste:
 também foram criados para o castigo;
³⁰animais ferozes, escorpião e víbora,
 e espada vingadora que aniquila os perversos.
 Tudo isso foi criado para sua função
 e está armazenado até o momento oportuno.
³¹Ao receber suas ordens se alegram
 e não protestam contra seus mandatos.

39,18-20 Cada verso é acompanhado de um hemistíquio negativo. Seguem-se reminiscências de Sl 33: sua vontade onipotente, seu saber ilimitado, sua salvação inumerável. O último verso é conclusivo: nem pequeno nem grande, nada fica fora da sua atenção e atividade, 15,19; 16,17-23; 42,18-20.
39,21-25 A segunda estrofe começa com duas objeções e suas respostas correspondentes, nas quais retorna o princípio do v. 1: deve-se distinguir entre a função e o momento. Depois, expõe por oposições radicais: bênçãos e cólera são duas atitudes e ações de Deus, a primeira provocada por seu amor, a segunda pelo pecado do homem; os efeitos são mostrados em imagens de água fecunda e estiagem, aludindo a Sl 107,34 e talvez a Sodoma e Gomorra. Os caminhos de Deus são os mesmos: é o homem quem introduz a distinção e perturba a ordem criada.
39,23 Sl 107,34.
39,25 Serve de conclusão a esta estrofe e introduz o tema da seguinte. "No princípio" é o tempo anterior ao pecado, Gn 1; a distinção entre o bem e o mal entra mediante o pecado, Gn 2-3; mas o pecado não anula totalmente os bens e as bênçãos de Deus.
39,26-30 Essa estrofe tem sete versos: talvez esteja sobrando um.
39,26 Ver 29,21 que fala de água e pão, roupa e casa. O autor quer elencar dez coisas necessárias à vida, fundamentalmente boas; o critério de seleção é que dá vantagem a alimentos e bebidas. Sobre a terminologia, ver Sl 81,17; 147,14; Dt 32,14; Gn 49,11.
39,27 Afirma-se, mas não se explica como esses bens se transformam em males: os primeiros, talvez, por sua ambivalência; os segundos, talvez pelo abuso. O verso é ressonância de 25.
39,28-30a Citam-se nove males, e esperávamos dez: talvez a "ventos" se acrescentassem "terremotos". Os fenômenos atmosféricos podem ser elementos de teofania; em Ezequiel, é clássico o quarteto fome e peste, feras e espada.
39,30b-35 A última estrofe mostra a conclusão e repete vários dados; ver Lv 26,21-25.
39,31 Ver Sl 148,8.

³²Por isso, faz tempo que estou convencido,
refleti e pus por escrito:
³³"As obras de Deus são todas boas
e cumprem sua função a seu tempo".
³⁴Não digas: "Esta é má; para que serve?",
porque cada uma é útil a seu tempo.
³⁵E agora cantai com toda a alma
e bendizei o nome do Deus Santo.

A condição humana

40 ¹Deus designou uma grande fadiga
e um jugo pesado aos filhos de Adão,
desde que saem do ventre materno
até que voltam à mãe dos viventes:
²preocupações, temor de coração
e a espera angustiosa do dia da morte.
³Desde quem ocupa um trono elevado
até o que senta no pó e na cinza;
⁴desde o que cinge diadema com joia
até o que se envolve numa pele de carneiro:
⁵quanto afã, ansiedade e temor,
pavor mortal, paixão e brigas!
E quando se deita para descansar na cama,
o sono noturno o perturba:
⁶descansa um momento, apenas um instante,
e os pesadelos o agitam;
aterrorizado pelas visões de sua fantasia,
como quem escapa fugindo de quem o persegue;
⁷e quando se vê livre, desperta,
surpreendido de que seu terror não tinha motivo.
⁸Isso acontece aos viventes, homens e animais,
e sete vezes mais aos pecadores:
⁹peste e assassinatos, contendas e punhais,
ruína e desastre, fome e morte.
¹⁰A desgraça foi criada para o perverso,
por sua causa não se afasta a destruição.
¹¹O que vem da terra volta à terra,
o que vem do céu volta ao céu.

39,32 Depois da reflexão e do estudo, o autor afirma sua convicção, que deseja comunicar a outros. O tema inicial retorna com nova força, a objeção é de novo rejeitada, a teodiceia desemboca e termina em hino. Quão distante está essa discussão tranquila da dramaticidade de Jó, que, sendo inocente, sentiu na carne a desgraça! Ben Sirac afirma a conexão da desgraça com o pecado, mas não desce ao plano individual do grande problema, nem resolve seu último paradoxo.

40,1-17 O Eclesiastes poderia assinar esses vinte versos. Soam estranhos no livro de Ben Sirac, e muito mais depois do hino à bondade da criação. A divisão em estrofes é simples tentativa.

40,1-5a A primeira não distingue entre bons e maus, mas engloba todos os filhos de Adão. O sofrimento abrange toda a vida humana colocada sob a iminência da morte; os sofrimentos são internos e sociais. Cada um tem de vivê-los pessoalmente, sem distinção de classes sociais. Ver Jó 1,21; Sl 55,5; 139,15; Sb 7,5-6.

40,5b-7 Até o descanso natural do sono se torna fonte de temores. A descrição é psicológica, como Is 29,8. O vazio do sonho, afirmado em 34,1-8, não diminui seu poder de aterrorizar; antes, torna o sofrimento mais desesperador.

40,8-10 Aqui, a menção dos animais é curiosa; o autor ainda se refere aos sonhos, ou pensa só na condição mortal, como Sl 49,13.21? A distinção entre bons e maus é apenas puramente quantitativa, o que está mais próximo da experiência; o salmista (Sl 73) tinha feito a experiência contrária: os perversos vivem melhor.

40,11 O fim, quando Deus retira seu alento vital, iguala todos: Ecl 12,7; Sl 104, 29.

¹²Suborno e injustiça passarão,
    a verdade dura para sempre:
¹³o ganho do perverso seca como torrente,
    como rio cheio com chuva de tempestade;
¹⁴ao inchar-se arranca as rochas,
    mas num instante cessa completamente.
¹⁵O perverso não produzirá brotos,
    o ímpio lança raízes na saliência de uma rocha.
¹⁶Como juncos à margem de uma torrente,
    que secam antes que chova.
¹⁷Mas a misericórdia jamais perece,
    a esmola dura para sempre.

Melhor que os dois

¹⁸Doce é a vida de quem basta a si mesmo e de quem trabalha:
    melhor que os dois, quem encontra um tesouro.
¹⁹Os filhos e uma cidade perpetuam o nome:
    melhor que os dois, quem encontra sabedoria.
A prole e uma lavoura fazem florescer o nome:
    melhor que os dois, uma esposa apaixonada.
²⁰O vinho e o licor alegram o coração:
    melhor que os dois é desfrutar do amor.
²¹A flauta e a cítara harmonizam o canto:
    melhor que as duas, uma língua sincera.
²²Beleza e formosura atraem os olhos:
    melhor que as duas, um campo verdejante.
²³Amigo e companheiro ajudam na ocasião:
    melhor que os dois, uma mulher prudente.
²⁴Irmão e protetor salvam do perigo:
    mais que os dois salva a esmola.
²⁵Ouro e prata dão firmeza aos pés:
    melhor que os dois, um bom conselho.

40,12-17 A última estrofe é muito duvidosa, nem é certo que se deve juntar com as precedentes. O sentido geral, marcado pela inclusão, é a oposição entre as sortes de bons e maus.

40,12 "Verdade", provavelmente no sentido de sinceridade, honestidade, como pede o contexto; conduta humana, não qualidade abstrata.

40,13 O hebraico traz: "de praia a praia, como corrente inesgotável"; seria uma imagem da verdade, imensa como o mar. As traduções pensam no perverso, semelhante a uma torrente temporária.

40,14 O hebraico parece dizer: "a gente desfruta do que leva nas mãos", pensando talvez na paga da conduta. A tradução proposta mantém a imagem precedente: a torrente seca num instante, pouco depois de o aguaceiro acabar.

40,15 O hebraico diz: "O fruto da violência não ficará impune"; isso dá um sentido tradicional, embora menos conforme com o hemistíquio seguinte. A tradução proposta mantém a imagem vegetal.

40,17 O último versículo é esperançoso: a misericórdia de Deus é eterna, diz a liturgia tradicional, p. ex. Sl 136; Ben Sirac aplica o princípio ao homem, que se eterniza por sua própria misericórdia e caridade, e por elas dá sentido à vida.

40,18-27 Em doze versos divididos em quatro estrofes, o autor nos oferece uma exibição de composição. Não a podemos chamar "escala de valores", porque nem todos os verbos superam o anterior. A superação se dá dentro de cada verso e na estrofe final, que em número ternário opõe o doze ao dez.

40,18-19 A primeira estrofe fala da vida urbana e familiar. Os hemistíquios pares trazem membros que o autor costuma vincular: tesouro, sabedoria, esposa. De fato, a sabedoria é considerada um tesouro e se apresenta como esposa (caps. 1; 6; 14); também a esposa é comparada a um tesouro (Pr 31). O homem pode dar seu nome a uma cidade, a um bosque, a seus filhos; esposa porém vale mais (1Sm 1,8).

40,20-22 A segunda estrofe cita prazeres dos sentidos: gosto, ouvido, visão; e reaparece o tema da mulher. A beleza de um campo plantado é prova de fecundidade, e sua extensão verde é puro descanso para os olhos; ver Sl 65,14.

40,23-25 A terceira estrofe pensa em seres ou coisas que protegem. Reaparece o tema da mulher, que assim ganha lugar especial. O valor da esmola é tradicional: Pr 10,2; 11,4. O bom conselho pertence ao mundo sapiencial: 37,7-15.

⁲⁶Riqueza e poder alegram o coração:
melhor que os dois, o temor de Deus.
Nada falta a quem respeita Deus,
nem precisa buscar apoio.
²⁷O temor de Deus é paraíso de bênçãos
e baldaquim cheio de glória.

Viver de esmola

²⁸Filho meu, não vivas de esmola:
é melhor morrer que andar mendigando;
²⁹quem depende de mesa alheia
deve considerar que não vive;
comida mendigada é desonrosa
e pega mal para o homem sensato;
³⁰o faminto pede com doçura,
mas por dentro queima como fogo.

Morte
(Eclo 36,16-23)

41 ¹Ó morte, como é amarga a tua lembrança
para quem vive tranquilo com suas posses,
para o homem contente que prospera em tudo
e tem saúde para desfrutar dos prazeres!
²Ó morte, como é doce a tua sentença
para o homem derrotado e sem forças,
para o homem que tropeça e fracassa,
que se queixa e perdeu a esperança!
³Não temas a morte, pois é tua sina,
recorda que a partilhas
com antepassados e sucessores;
⁴é o destino que Deus reserva para todo vivente,
e irias rejeitar a Lei do Altíssimo?
No túmulo ninguém fará objeções
por mil anos ou cem ou dez.
⁵Prole reprovada é a dos maus,
e descendência insensata na casa do perverso;
⁶de filho iníquo veio um reino perverso,
sua posteridade será sempre infame.

40,26-27 O temor de Deus ocupa o topo e é síntese do que precedeu. Alegra como os prazeres da segunda estrofe; nada lhe falta do que os versos precedentes oferecem; apoia melhor que os bens da terceira estrofe. O último verso supera os limites com as alusões ao paraíso inicial (Gn 2), e ao baldaquim escatológico (Is 4,5).

40,28-30 Quatro versos sobre o viver de esmola: ver Eclo 29,21-28. Ben Sirac rejeita a indigência enquanto ofensa para o homem sábio; é contra a independência e a dignidade. Nosso provérbio diz: "Dar é honra, pedir é dor".

41,1-4 Breve meditação sobre a morte: ver 38,16-23. O consolo que Ben Sirac pode oferecer é muito limitado: morte como libertação para o homem derrotado, morte como termo inevitável imposto por Deus, morte como igualação de todos. Por contraste, podemos apreciar a jubilosa mensagem do NT, sobretudo 1Cor 15. Ver Tb 3,6; Jn 4,8; Lc 12,19-20.

41,5-13 Pelo tema, esses versos continuam os precedentes. Embora igualando a todos, a morte abre a porta para uma dupla diferença: os descendentes que prolongam a família e a fama que prolonga o nome. Essa superação fica reservada aos honrados e caridosos.

41,5-7 Como que respondendo à objeção "embora a gente morra, ficam os filhos". Pode estar pensando em Roboão e em outros reis; "casa" também pode significar dinastia. O autor se dirige sobretudo a reis e nobres, que pensam fazer valer a segurança da linhagem: o julgamento é grave e definitivo. Ver 16,1-5.

⁷o filho amaldiçoa o pai perverso,
    pois por culpa deste o povo o ultraja.
⁸Ai de vós, poderosos,
    que abandonais a Lei do Altíssimo!
⁹Se dais fruto, é para que se perca;
    se gerais, é para o luto;
    quando caírdes haverá eterna alegria,
    quando morrerdes sereis malditos.
¹⁰O que vem do nada, ao nada volta;
    e o ímpio, do não-ser ao não-ser.
¹¹O homem é um sopro num corpo,
    mas o nome do compassivo não perece.
¹²Respeita teu nome, porque ele te acompanhará
    mais que mil tesouros preciosos.
¹³Os bens da vida duram poucos anos;
    a boa fama, anos sem conta.

Vergonha
(Eclo 4,20-26)

¹⁴Sabedoria escondida e tesouro oculto,
    para que valem?
¹⁵Quem oculta sua insensatez é melhor
    de quem oculta sua sabedoria.
¹⁶Filhos meus, escutai minha instrução sobre a vergonha,
    ruborizai-vos segundo minhas normas:
    nem toda vergonha merece ser sentida,
    nem todo rubor deve ser aceito.
¹⁷Envergonha-te da imoralidade, diante de teu pai e de tua mãe;
    de mentir, diante do chefe e do magistrado;
¹⁸da falsidade, diante do senhor e da senhora;
    do crime, diante da assembleia e do povo;
    da deslealdade, diante do amigo e do companheiro;
¹⁹da arrogância, diante dos vizinhos;
    de romper os pactos jurados;
    de comer devorando;
    de negar um favor que te pedem;
²⁰de não responder a uma saudação;
    de olhar a mulher de teu próximo,
²²e de dar atenção a uma estranha;
    da solicitude por sua criada e de corromper seu leito.
    Diante do amigo, de insultá-lo;
    de acompanhar um presente com um desprezo;

41,8-9 Talvez se dirija aos nobres e influentes que renegam a religião paterna sob a influência da cultura grega; ver 1Mc. A estrofe anterior tomava o ponto de vista dos filhos, esta se detém nos pais: a apostasia vicia na raiz a grande bênção da fecundidade, que pretende assegurar a continuidade do povo. A frase final revela no autor uma atitude apaixonada.

41,10-13 Em contraste, o homem compassivo: ver Sl 112. A versão tradicional diz "de pó a pó"; Ben Sirac interpreta o texto com uma fórmula mais radical, empregando um termo do caos primitivo (*tohu*), ver Is 34,11. O autor não explica como a fama afeta quem morreu, mas considera o nome como realidade sólida, e pensa no consolo do momento final.

41,14-42,8 Sobre a vergonha e a timidez, aqui a exposição é mais ampla que a anterior, 4,20-26. Divide-se numa série positiva e outra negativa.

41,14-15 Esses dois versículos se encontram também em 20,30-31, mas encaixam melhor aqui. Por timidez não se deve ocultar a sabedoria, que deve ser de proveito ao próximo; ver 37,19-26.

41,16-42,1 A série apresenta dezoito casos: sete são qualificados com um "diante". Mas não sabemos se a

42 ¹de repetir o que escutaste e de revelar segredos.
Será essa vergonha autêntica que te trará o favor de todos.
Mas, não te envergonhes do que vem a seguir
nem peques por respeito humano:
²da Lei e mandatos do Altíssimo,
de absolver o inocente acusado,
³de acertar as contas com o sócio ou com o patrão,
de repartir uma herança ou propriedade,
⁴da exatidão em pesos e balanças, de pesos e medidas controlados,
de comprar uma ninharia com muito dinheiro,
⁵de ganhar comerciando com viajantes,
de educar com rigor a um filho,
de bater nos lombos de um servo mau,
⁶de enterrar a mulher infiel,
de pôr chave onde andam mãos soltas,
⁷de contar bem um depósito,
de anotar o que dás ou recebes,
⁸de corrigir o néscio e o inexperiente
e o velho que se aconselha com prostitutas.
Assim serás verdadeiramente prudente
e serás estimado por todos.

Cuidados com a filha

⁹Uma filha é tesouro enganoso para seu pai,
tira-lhe o sono por causa da preocupação:
se é jovem, não permaneça em casa;
se é casada, não a repudiem;
¹⁰se donzela, não a seduzam;
se casada, não seja infiel;
na casa paterna, não fique grávida;
na casa do marido, não fique estéril.
¹¹Vigia tua filha donzela,
para que não te acarrete má fama,
comentários da cidade, desprezo da gente
e gozações dos que se reúnem na praça.
Onde ela vive não haja grade,
nem varandas nos acessos ao redor.
¹²Não mostre sua beleza diante de qualquer homem,
nem trate familiarmente com as mulheres;
¹³porque do vestido sai a traça,
e de uma mulher a maldade de outra.

---

ordem é bem conservada e se a forma não sofreu mudanças. Além disso, a série admite facilmente acréscimos; por isso, pode-se supor uma versão antiga mais breve, um decálogo ou dodecálogo sobre a matéria. As situações são heterogêneas, embora se refiram todas à convivência social. Vários casos pertencem à legislação sagrada do povo, outros se referem à educação: o autor tratou esses temas em outras passagens.

42,2-8 A série positiva consta de dezesseis membros: grande parte se refere à economia e administração.
42,2 Poderia referir-se à renegação diante dos estrangeiros, conforme 41,8.
42,4 Ver Pr 16,11.
42,5 Ver 26,29-27,3 e também 30,1-13; 33,25-32.
42,8 A condenação, aqui e no v. 1, é simplesmente social.
42,9-14 Ver 22,3-5; 7,24-25.
42,9-10 Ver 31,1-2, onde se fala de tesouros reais. O autor emprega seu procedimento de oposições de duplo sentido.
42,11 Ver o contrário em Pr 31,23. O último verso é duvidoso: a raiz hebraica significa olhar, observar; alguns traduzem: "onde ela dorme".
42,12 Refere-se a mulheres casadas, que formam grupo à parte com suas famílias e comentários, e poderiam pensar mal da moça.

¹⁴É melhor a dureza do marido do que a indulgência da mulher,
a de má fama traz infâmia para casa.

TERCEIRA PARTE
HINO PELA NATUREZA E PELA HISTÓRIA
O Criador

¹⁵Vou recordar as obras de Deus e contar o que vi:
pela palavra de Deus são criadas
e de sua vontade recebem sua tarefa.
¹⁶O sol sai mostrando-se a todos,
a glória do Senhor enche todas as suas obras.
¹⁷Mesmo os santos de Deus não bastaram
para contar as maravilhas do Senhor.
Deus fortaleceu os seus exércitos,
para que estejam firmes na presença de sua glória.
¹⁸Ele sonda o abismo e o coração,
penetra todas as suas tramas,
¹⁹manifesta o passado e o futuro
e revela os mistérios escondidos.
²⁰Nenhum pensamento lhe é oculto,
nem lhe escapa palavra alguma.
²¹Estabeleceu o poder de sua sabedoria,
é o único desde a eternidade;
não pode crescer nem diminuir, nem lhe falta um mestre.
²²Quão amáveis são todas as tuas obras!,
e o que vemos é apenas uma faísca.
²³Todas vivem e duram eternamente
e obedecem em todas as suas funções.

42,14 O sentido é duvidoso. Alguns o traduzem: "melhor homem mau que boa mulher", hipérbole que não concorda com a doutrina geral de Ben Sirac, apesar de frases como 25,24. Mais duvidosa ainda é a tradução do último hemistíquio.

42,15-25 Essa seção, louvor de Deus e de suas obras, serve de abertura para tudo quanto se segue. A construção parece ser: dois versos de introdução, quatro estrofes de três versos. A figura do sol serve de contraste explícito em duas estrofes, e a lua mutável parece servir de contraste implícito na terceira estrofe.

42,15 Começa o grande hino que se estende até 50,24: louvor de Deus neste capítulo, da natureza no seguinte, dos antepassados ilustres nos restantes. Começo do hino: ver a fórmula de Sl 77,12. O autor viu a natureza e ouviu ou leu a história. Sobre o segundo verso, Sl 33.

42,16 Ver 26,16. O sol, como esplendor único e total que tudo abrange, supera e ilumina, é símbolo favorito da divindade. À sua imagem se concebe a "glória" de Deus, com presença luminosa, universal, sem imagem. Ver Is 6,2; Sl 19.

42,17 Os santos de Deus são seus anjos, sua corte: Sl 89,6; 103,21. Desenvolvimento do tema no próximo capítulo, 43,27-33. Exércitos do Senhor são os astros e constelações: multidão em ordem, movimento pausado, firmes quando o seu Senhor os passa em revista: 17,32; Is 13,4. O mesmo verbo estar firme é empregado para a presença litúrgica, e o povo de Israel é também exército do Senhor, Ex 12,51. Sobre o tema, ver 16, 27-28.

42,18-20 Ciência universal de Deus: como o sol, que penetra tudo com seu calor (Sl 19,7) e luz (17,9.31). Ver também 15,18-19; 16,17-23.
O texto grego acrescenta um verso: "O Altíssimo conhece todos os sentimentos e contempla o sinal eterno"; no seu original, confundiu "futuro" com "sinal", influenciado por 43,6 onde a lua é chamada "sinal eterno". Esse acréscimo parece variante de 20a e 19a.

42,18 Ver Pr 15,11; Jó 26,6. Tramas em sua ambiguidade de bem e mal.

42,19 Ver Is 41,23; 45,11. A abrangência do tempo, sobretudo do futuro, é mais admirável que a do espaço.

42,20 Exposição clássica em Sl 139.

42,21 Ou então, "a obra poderosa da sua sabedoria". Conforme Ben Sirac, a sabedoria é a primeira obra de Deus, aquela que dirige as restantes: cap. 1. O verso seguinte recorda o Segundo Isaías e também 18,6. Aqui é onde a lua pode atuar como contraste implícito: recorde-se Tg 1,18. Na totalidade da sua presença espacial e temporal, de seu saber e agir, mostra sua unicidade.

42,22 O versículo falta no manuscrito hebraico, e o segundo hemistíquio é um tanto duvidoso, embora recorde passagens como Is 40,15: "gotas de um balde".

42,23 Para a mentalidade hebraica, o que se move está vivo, também os astros e os fenômenos atmosféricos. Conhecemos o aspecto "funcional"

²⁴Todas diferem umas de outras,
e ele não fez nenhuma inútil.
²⁵Todas são, por sua vez, cada qual a mais bela:
quem se saciará de contemplar sua formosura?

A criação

43 ¹O firmamento límpido é beleza do céu,
a abóbada celeste é espetáculo majestoso.
²O sol quando surge derramando calor,
que obra tão maravilhosa do Senhor!
³Ao meio-dia abrasa a terra,
quem pode resistir ao seu ardor?
⁴Um forno aceso aquece a fundição,
um raio de sol abrasa os montes;
uma língua do astro resseca a terra habitada
e seu brilho cega os olhos.
⁵Como é grande o Senhor que o fez!
Suas ordens estimulam seus heróis.
⁶Também brilha a lua em fases e ciclos
e rege os tempos como sinal perpétuo;
⁷determina as festas e as datas
e se compraz minguando em sua órbita;
⁸de mês em mês se renova,
que maravilhoso mudar!
Sinal militar, instrumento celeste
que acende o firmamento com seu brilho.
⁹As estrelas adornam a beleza do céu,
e sua luz resplandece na altura divina;
¹⁰a uma ordem de Deus ocupam seu posto,
e não se cansam de montar guarda.
¹¹Olha o arco-íris e bendize seu Criador:
que esplendor majestoso!
¹²Abraça o horizonte com seu esplendor
quando a mão poderosa de Deus o estica.

---

pela teodiceia do cap. 40. Outros leem: "e estão guardadas para as suas funções".

42,24 Mais que o paralelismo e a correspondência sublinhada pela tradução grega sob a influência de 33,15, o autor inculca a variedade e a diversidade.

42,25 Talvez sob influência da cultura grega, aqui se torna explícita a sensibilidade "estética" (contemplação da beleza), implícita em vários salmos.

43,1-33 O grande hino à natureza pode ser dividido em estrofes regulares, uma de seis versos, e seis de quatro, seguidas de um epílogo de oito versos. Quanto ao tema, pode ser considerado comentário livre à série do Salmo 148; o espírito do hino e alguma reminiscência o aproximam do Salmo 147. Conjugam-se no poema: a descrição extasiada, o lirismo expresso em exclamações, e várias imagens que "domesticam" a natureza. Sem dúvida alguma, o autor pôs na obra todo o seu empenho, e conseguiu um bom poema.

43,1-5 Firmamento e sol. Recorde-se Sl 19,7. O sol é visto ao raiar e ao meio-dia, assemelha-se a um herói ou guerreiro percorrendo seu caminho; o versículo 5 se referia à rápida descida do ocaso. A exclamação do v. 3 é dedicada à obra do v. 5, e ao Senhor que a fez. É um tanto duvidosa a comparação do forno.

43,6-8 A lua. Vários elementos tomados de Gn 1 e Sl 104,19. As fases são contempladas com admiração, e há um jogo de palavras em "renovar-se" e "mês" (da mesma raiz). Por isso, outros leem: "cada mês se renova segundo o seu nome". Sinal militar, como fogo de um acampamento para avisar de longe. É duvidosa a palavra "instrumento" do manuscrito hebraico, e poderia significar "odre" ou "instrumento musical". É coisa estranha ao estilo bíblico comparar a lua com um instrumento musical, cujo som seja o brilho.

43,9-10 As estrelas. A imagem do "posto" e da "guarda" são claramente militares, como 42,17.

43,11-12 O arco-íris ocupa lugar privilegiado na narração do dilúvio (Gn 9,13). Admira sua amplitude, seu brilho, sua curvatura esticada.

¹³Seu poder traça o relâmpago
  e acelera os raios justiceiros;
¹⁴cria um depósito para um destino,
  e faz voar as nuvens como abutres.
¹⁵Seu poder condensa as nuvens
  e esmiúça as pedras de granizo.
¹⁶O estrondo de seu trovão faz a terra estremecer,
  e com sua força sacode as montanhas;
¹⁷quando ele quer, sopram o vento sudoeste,
  a tempestade do norte, o ciclone e o furacão.
¹⁸Sacode a neve como bando de pássaros,
  e ao descer pousa como gafanhotos;
 sua beleza branca deslumbra os olhos,
  e quando ela cai, o coração se extasia;
¹⁹derrama geada como sal,
  seus cristais brilham como safiras.
²⁰Faz soprar o gélido vento norte, e seu frio congela o lago,
  gela todos os depósitos e reveste a cisterna com uma couraça;
²¹queima a erva do monte como a seca,
  e os brotos da pastagem como uma chama;
²²mas o orvalho que ele destila cura tudo:
  amolece e fecunda a terra ressequida.
²³Sua sabedoria domina o oceano
  e planta ilhas no mar;
²⁴os navegantes descrevem sua extensão,
  e, ao ouvi-los, nos assombramos;
²⁵nele há criaturas estranhas
  e toda espécie de monstros marinhos.
²⁶Por ele seu mensageiro tem êxito
  e a palavra deste executa sua vontade.
²⁷Mesmo que continuássemos, não acabaríamos;
  a última palavra: "Ele é tudo".
²⁸Exaltemos sua grandeza impenetrável,
  ele é maior que todas as suas obras;
²⁹o Senhor é temível ao extremo,
  e suas palavras são admiráveis.

43,13-16 Tema frequentíssimo no AT. A primeira imagem utiliza o verbo "traçar" um sinal gráfico ou marcar uma rês: a mão de Deus abrange o firmamento com um traço firme, o relâmpago. A segunda imagem é mais serena: alguns a atribuem a bandos de aves migratórias. A terceira é mais artesanal: Deus como gigantesco e celeste talhador de pedras. O v. 16 retoma as conhecidas imagens da teofania, p. ex. Sl 16,9; 97,4; 104,32; Hab 3,10.

43,17-19 Se o primeiro verso vai unido tematicamente aos três seguintes, trata de tempestades de inverno. A contemplação da nevada é única no AT: talvez o autor a tenha contemplado em alguma de suas viagens, pois descreve uma nevada espessa que se acumula. A dupla comparação é feliz em captar a revoada desordenada da neve e seu pouso incessante e fofo. A imagem da geada é conhecida, como em Sl 147,16. Outros leem: "brotam como sarças".

43,20-22 A geada entra pelas casas. A água congelada de 20a se refere talvez aos charcos; em todo caso, trata-se de água não corrente. A geada queima a erva não cultivada de montes e pastagens (o trigo ainda não brotou); das geadas se passa a um tempo intermediário, de orvalho e chuvas, antes de chegar o calor.

43,23-25 O primeiro verso é um tanto duvidoso, porque o manuscrito hebraico está um tanto ilegível: parece referir-se à tradicional imagem (de ascendência mítica) do oceano como monstro rebelde. Os contos de marinheiros estão em Sl 104,25-26; 107,23-24; mas não seria estranho que Ben Sirac tivesse feito alguma viagem marítima.

43,26 Por razões estróficas o juntamos aos anteriores. Retoma a concepção da palavra de Deus como mensageira e executora de ordens: Sl 147,15.

43,27-33 A estrofe final sobe das obras ao Criador, que as sintetiza e supera; repete o convite à assembleia, como pede o gênero "hino".

43,27 Ver 42,17 e Sl 139.

43,29 Ver Sl 76 e também Sl 47,3; 96,4; 99,3. E o começo do livro, 1,8.

³⁰Vós que exaltais o Senhor, levantai a voz,
   esforçai-vos quanto puderdes, que ainda resta mais;
vós que louvais o Senhor, redobrai as forças,
   e não vos canseis, porque não acabareis.
³¹Quem o viu, para que possa descrevê-lo?
   Quem o louvará como ele é?
³²Coisas maiores ficam escondidas,
   vi só um pouco de suas obras.
³³Tudo o Senhor fez,
   e a seus fiéis ele dá sabedoria.

A história

44 ¹Vou fazer o elogio dos homens de bem,
   da série de nossos antepassados:
²grande glória lhes concedeu o Altíssimo,
   engrandeceu-os desde tempos antigos.
³Louvemos os soberanos, por seu governo do país;
   os homens famosos, por suas façanhas;
   os conselheiros, por sua prudência;
   os videntes, por seu dom profético;
⁴os príncipes de nações, por sua sagacidade,
   os chefes, por sua perspicácia;
   os sábios pensadores, por seus escritos;
   os poetas, por suas vigílias.
⁵Compositores segundo a arte,
   que puseram por escrito suas canções.
⁶Homens ricos e poderosos,
   que viveram em paz em suas moradas.
⁷Receberam honra durante a vida,
   e foram a glória de seu tempo.
⁸Alguns legaram seu nome
   para serem respeitados por seus herdeiros.
⁹Outros não deixaram lembrança, e acabaram ao acabar sua vida:
   foram como se não tivessem sido,
   e assim seus filhos depois deles.

43,30-31 Seguem-se as reminiscências do cap. 1: os particípios e as perguntas retóricas.
43,33 Também como 1,10. Sabedoria para entender e proclamar suas obras. É grande sabedoria aprender que, postos a louvar a Deus, sempre nos resta algo mais.
44 Aqui começa o louvor dos antepassados. Recordação histórica que continua o hino começado, já que Deus se revelou na natureza e não menos na história. Por isso chamaríamos esse hino de "louvor a Deus por suas ações históricas". A série se referirá sobretudo a Israel, embora contemple seus antepassados até Adão.
44,1-15 Uma introdução geral prepara o desfile histórico. O autor pensa provavelmente em personagens concretos: Salomão e Ezequias (os soberanos), Elias (o vidente), José (o conselheiro), Isaías (o conselheiro), Davi e Asaf (os compositores), Salomão e os empregados de Ezequias (os poetas) etc. A série genérica quer abranger outras figuras. A divisão em estrofes é hipotética.
44,1 O termo "de bem" é o clássico *hsd*: homens que receberam de Deus a bondade (ou misericórdia), e a praticam com os outros. Isso já significa uma seleção na mente do autor: benfeitores. Além disso os considera na sua categoria de "antepassados", com forte expressão de continuidade e pertença, quase tradição biológica.
44,2 Pela bondade deles, Deus lhes concede participar de sua glória.
44,3-4 Pensa sobretudo nas "façanhas" guerreiras, talvez de Josué. Escrever é atividade reconhecida, também canônica. Os poetas são sobretudo do grupo sapiencial, segundo a tradição e legenda salomônica, sem excluir alguns salmos.
44,5 Refere-se sobretudo à composição musical, incluindo provavelmente a composição literária: ver Ecl 12,9.
44,9 Parece pensar em homens não incluídos na lista precedente, como se dissesse: "Há homens que... outros, ao invés..." Isso prepara, por contraste, a estrofe seguinte. É maldição ou desgraça não deixar nome de família nem lembrança, Eclo 41,9.

¹⁰Não foi assim com os homens de bem:
  sua esperança não se acabou,
¹¹seus bens perduram em sua descendência,
  sua herança passa de filhos a netos.
¹²Seus filhos continuam fiéis à aliança,
  e também seus netos, graças a eles.
¹³Sua lembrança dura para sempre,
  sua caridade não será esquecida.
¹⁴Sepultados seus corpos em paz,
  sua fama vive por gerações;
¹⁵o povo conta sua sabedoria,
  a assembleia anuncia seu louvor.
¹⁶HENOC conversava com o Senhor e foi arrebatado,
  exemplo de religião para todas as eras.
¹⁷O justo NOÉ foi um homem íntegro,
  no tempo da destruição ele foi o renovador;
por causa dele ficou vivo um resto,
  e por sua aliança o dilúvio cessou;
¹⁸sua aliança foi sancionada com o sinal perpétuo
  de não destruir outra vez os viventes.
¹⁹ABRAÃO foi pai de muitos povos,
  em sua glória não cabe mancha,
²⁰porque cumpriu a ordem do Altíssimo, que fez uma aliança com ele;
  em sua carne selou a aliança, e na prova se mostrou fiel;
²¹por isso Deus lhe jurou
  abençoar com sua descendência as nações,
multiplicá-lo como a areia das praias,
  e sua prole como as estrelas do céu;
dar-lhe em herança de mar a mar,
  desde o Grande Rio até o extremo do orbe.
²²A ISAAC assegurou descendência
  por causa de Abraão, seu pai;
²³deu-lhe a aliança de seus antepassados,
  e a bênção desceu sobre ISRAEL,
a quem confirmou a bênção e lhe deu a herança,
  marcou as fronteiras das tribos repartindo porções às doze.
Dele nasceu um homem
  amado por todos: MOISÉS.

44,10-15 Repete a fórmula do primeiro verso. A tradição de Israel é formada pela continuidade das gerações e da memória. A memória torna presentes e atuais os antepassados, como os descendentes tornam presente uma estirpe. A memória está ligada à caridade, conforme a convicção do autor, Eclo 40,17; Sl 112: a prática da "misericórdia" encabeça o fragmento. Mas o homem não sobrevive, só sua fama perdura; comparar com Eclo 39,9-11.

44,16 Começa o desfile. Omite-se Adão, que aparecerá no final, Eclo 49,16. Escolhe um patriarca anterior ao dilúvio, famoso por sua fidelidade a Deus e que incendiou a fantasia dos apócrifos.

44,17-18 Renovador ou sucessor. O resto é a continuidade humana reduzida a uma família. Sua aliança, conforme a teologia sacerdotal, abrange toda a humanidade posterior, e não é exclusiva de Israel. Entre os viventes contam também os animais.

44,19-21 Retoma: a mudança de nome, a aliança, a circuncisão como selo da aliança, a prova de sacrificar o filho, e por fim as três promessas (a terceira iluminada por Sl 72).

44,22 Isaac tem importância reduzida, apenas como ligação, de acordo com as narrativas do Gênesis.

44,23 Israel ou Jacó. Antes de morrer, conforme Gn 49, Jacó abençoa os pais das doze tribos; a divisão da terra se antecipa a eles.

45 ¹Amado por Deus e pelos homens,
Moisés: bendita sua memória!
²Deu-lhe glória como de um deus,
e o tornou poderoso entre os grandes;
³à sua palavra se precipitavam os sinais,
mostrou-o poderoso diante do rei,
deu-lhe mandamentos para seu povo e lhe mostrou sua glória;
⁴por sua fidelidade e humildade
o escolheu entre todos os homens;
⁵ele o fez escutar sua voz
e o introduziu na nuvem espessa;
pôs em sua mão os mandamentos,
lei de vida e de inteligência,
para que ensinasse os preceitos a Jacó,
suas leis e decretos a Israel.
⁶Consagrou AARÃO, da tribo de Levi,
⁷dando-lhe um direito perpétuo,
concedeu-lhe dignidade para ministério de sua glória;
cingiu-lhe os chifres de búfalo e o revestiu com manto de festa,
⁸vestiu-lhe ornamentos preciosos,
insígnias de poder e dignidade: calção, túnica e manto,
⁹e um cinturão de romãs, com chocalhos em volta
para que soassem suavemente ao caminhar,
para que o som fosse ouvido no santuário,
como aviso para seus compatriotas.
¹⁰Ornamentos sagrados de ouro, púrpura e linho, trabalho de artesão;
o peitoral das sortes, o efod e a faixa
¹¹tecida por um mestre com fio escarlate;
no peitoral pedras preciosas engastadas e gravadas como selos,
pedras variadas, gravadas em relevo,
uma para cada tribo de Israel.
¹²Coroa de ouro sobre o turbante
e uma flor com a inscrição "Consagrado":
honra, dignidade, glória e poder,
encanto dos olhos, beleza perfeita.
¹³Antes dele não houve coisa semelhante:
nenhum leigo a vestirá jamais,
somente seus filhos e seus netos sucessivamente.
¹⁴Sua oferta é queimada totalmente,
duas vezes por dia, sem faltar.

45,1-5 Um verso quer afirmar a continuidade. Moisés diante do Faraó, como um deus realizando prodígios; a aparição no Sinai e sua missão junto ao povo escolhido; a entrega da lei como dom precioso para o povo.

45,6-22 Aarão representa o culto, e ocupa mais espaço que Moisés, representante da lei. O autor se compraz em copiar de Ex 28 os emblemas e ornamentos da dignidade sacerdotal. Para ler esse capítulo, leve-se em conta o seguinte: a) o autor, que desmascarou brutalmente o falso culto (34,18-26), se entusiasma diante do culto legítimo, como expressão e realização da vida religiosa do povo; b) para ele, rubricas e cerimônias fazem parte dos livros sagrados, são consideradas instituição divina que garante a legitimidade e validez de tal culto; c) os ornamentos são sinal claro de dignidade e consagração, mais valiosos que nossos uniformes. São coisas que perderam muito de seu sentido e valor no culto cristão, tornando-se muito acidentais; por isso, a página de Ben Sirac interessa quando relacionada com o culto que prefigura a nova liturgia de Cristo, como comenta a carta aos Hebreus.

45,6-13 Ornamentos. Diante do povo, Aarão é presença sagrada; perante Deus leva ao peito a placa com os nomes das doze tribos, "recordando" assim ritualmente o povo na presença de Deus.

45,14-16 Os sacrifícios: ver Lv 1-7.

¹⁵O próprio Moisés o consagrou,
   ungindo-o com óleo sagrado,
assim obtiveram uma aliança perpétua, ele
   e seus filhos, enquanto durar o céu,
para servir a Deus como sacerdotes
   e abençoar o povo invocando seu nome.
¹⁶Escolheu-o entre todos
   para oferecer holocaustos e gordura,
para oferecer em obséquio aroma que aplaca,
   para fazer expiação pelos israelitas.
¹⁷Confiou-lhe os mandamentos
   e autoridade para legislar e julgar,
recomendou-lhe normas e preceitos
   para que ensinasse as normas ao povo
   e os preceitos aos israelitas.
¹⁸Alguns leigos no deserto
   ardiam de inveja dele:
a gente de Datã e Abiram,
   os arrogantes seguidores de Coré.
¹⁹Vendo isso, o Senhor se indignou
   e os consumiu com o incêndio de sua ira,
enviou contra eles um prodígio,
   uma chama que os devorou.
²⁰Mas aumentou a dignidade de Aarão, dando-lhe sua herança,
   concedeu-lhe como sustento as ofertas sagradas,
²¹comer o que foi oferecido ao Senhor;
   sua porção é o pão apresentado
   como um dom para ele e sua descendência;
²²em troca, não tem propriedade na terra
   nem partilha herança com o povo,
   sua porção e herança entre os israelitas são as ofertas ao Senhor.
²³Também FINEiaS, filho de Eleazar,
   herda esse poder em terceiro lugar,
pois com seu zelo pelo Deus do universo
   se pôs na brecha de seu povo,
com seu coração, e generosamente
   fez a expiação pelos israelitas.
²⁴Também a ele Deus assegurou um direito,
   aliança de paz para cuidar do santuário,
concedendo a ele e a seus descendentes
   o sumo sacerdócio para sempre.
²⁵Embora a aliança com Davi,
   filho de Jessé, da tribo de Judá,
seja herança pessoal, devida à sua dignidade,
   a herança de Aarão é para sua descendência.

45,17 A interpretação abalizada da lei é função sacerdotal.

45,18-19 Episódio histórico: Nm 16; Sl 106,16-18.

45,23-26 Sobre Fineias, ver Nm 25 e Sl 106,30-31. A insistência de Ben Sirac na sucessão legítima parece historicamente condicionada: a família dos Tobíadas queria assumir o sumo sacerdócio, que historicamente cabia aos Sadocitas; estes garantiam então, diante das influências gregas, a legitimidade e também a pureza do culto. Nesse momento, a estirpe davídica já não reinava, ao passo que a estirpe sacerdotal conservava a tradição. Trata-se da identidade de Israel enquanto povo.

45,25-26 Funcionam como pausa no hino, para separar o primeiro grupo de figuras ilustres. A instituição do culto perpétuo tem valor conclusivo e permanente, mais que a entrada na terra: se não é a visão dos antigos credos e de tantas fórmulas litúrgicas, ao menos representa a estrutura do Pentateuco, que para junto às portas da terra.

²⁶E agora louvai o Senhor, porque é bom
e vos coroa de glória.
Que vos conceda prudência para julgar o seu povo com justiça;
não cesse vossa felicidade, e vosso poder jamais termine.

46

¹Soldado valente foi JOSUÉ, filho de Nun,
ministro de Moisés na profecia,
destinado para que em seus dias
os escolhidos alcançassem grande vitória,
para vingar-se dos inimigos e dar a herança a Israel.
²Que glorioso quando, erguendo o braço,
agitou seu bastão de comando contra a cidade.
³Quem lhe pôde resistir
quando guerreava as batalhas do Senhor?
⁴Por sua intervenção o sol se deteve, e um dia durou como dois:
⁵invocou o Deus Altíssimo quando o acossavam ao redor,
e o Deus Altíssimo lhe respondeu
com forte granizo e chuva de pedras,
⁶que se lançavam contra as tropas inimigas,
e na Ladeira aniquilou os adversários;
para que os povos condenados soubessem
que o Senhor velava pelas batalhas dele.
Porque seguiu plenamente a Deus
⁷e no tempo de Moisés se manteve fiel,
ele e CALEB, filho de Jefoné, resistiram ao motim do povo,
afastaram da assembleia a ira de Deus
e acabaram com a difamação;
⁸por isso, de seiscentos mil infantes
só eles dois se livraram,
para introduzir o povo em sua herança,
na terra que mana leite e mel.
⁹O Senhor deu forças a Caleb,
que o acompanharam até a velhice,
para estabelecê-los nos montes do país,
e também sua descendência recebeu sua herança.
¹⁰Para que os descendentes de Jacó soubessem
que vale a pena seguir plenamente o Senhor.
¹¹Os JUÍZES, cada um por seu nome, os que não se deixaram seduzir,
os que não se afastaram de Deus, bendita seja sua memória!
¹²Que sua fama renove-se em seus filhos
e revivam seus ossos no túmulo.
¹³Amado do povo e favorito de seu Criador,
pedido desde o ventre materno,
consagrado como profeta do Senhor,
SAMUEL, juiz e sacerdote;

46,1-6 É curiosa a função atribuída a Josué. Js 1 diz apenas "ministro". Significa talvez que Josué executa a profecia de Moisés. Batalhas do Senhor é a guerra santa. A conquista de Hai e a vitória junto a Gabaon são os momentos culminantes.

46,7-10 O motim do povo é narrado em Nm 13-14.

46,11-12 Desculpando-se por não mencionar os Juízes pelo nome, o autor parece suspirar pela volta desses heróis anteriores à monarquia para o tempo depois dela. Precisamente a localização do túmulo é um dado importante nas histórias dos Juízes.

46,13-20 Respiga nos livros de Samuel, ajeitando-se para não mencionar Saul nem suas vitórias ou derrotas; Samuel é quem julga, governa e vence. Uma glosa acrescenta um verso: *"Até o último momento conservou sua prudência aos olhos de Deus e de todos os vivos"*. O último prodígio: *"profeta depois de morrer"*.

por ordem de Deus nomeou um rei
e ungiu príncipes sobre o povo,
¹⁴governou o povo segundo a Lei do Senhor,
visitando os acampamentos de Jacó.
¹⁵Por seu acerto, o consultavam como vidente,
por sua palavra se acreditou como pastor.
¹⁶Também ele invocou o Senhor
quando os inimigos o acossavam ao redor,
e ofereceu um tenro cordeiro em sacrifício.
¹⁷O Senhor trovejou do céu,
e ouviu-se o estrondo de sua voz,
¹⁸derrotou os chefes inimigos
e destruiu os príncipes filisteus.
¹⁹Quando descansava no leito de morte
invocou por testemunhas o Senhor e seu ungido:
"De quem recebi um par de sandálias?"
E ninguém se atreveu a contestá-lo.
²⁰Mesmo depois de sua morte foi consultado
e revelou ao rei seu destino,
levantando do sepulcro sua voz profética
e profetizando a expiação da culpa.

47

¹Depois dele surgiu NATÃ,
que esteve a serviço de DAVI
²(como a gordura é o melhor da oferta,
Davi é de Israel o melhor).
³Brincava com leões como se fossem cabritos,
e com ursos como se fossem cordeirinhos;
⁴sendo ainda jovem matou um gigante,
removendo a vergonha do povo,
quando sua mão fez girar a funda,
e derrubou o orgulho de Golias.
⁵Invocou o Deus Altíssimo, que fortaleceu sua direita
para eliminar o soldado aguerrido
e restaurar a honra de seu povo.
⁶Por isso, as jovens cantavam para ele,
louvando-o por seus dez mil.
⁷Já coroado, combateu e derrotou seus inimigos vizinhos,
derrotou os filisteus hostis, quebrando seu poder até hoje.
⁸Por todos os seus empreendimentos dava graças,
louvando a glória do Deus Altíssimo;
de todo o coração amou seu Criador,
entoando salmos cada dia;
⁹trouxe instrumentos para o serviço do altar
e compôs música de acompanhamento;
¹⁰celebrou festas solenes
e ordenou o ciclo das solenidades;

47,1-4 Natã garante a continuidade ligando-se a Samuel, já que Davi não é sucessor de Saul, mas novo começo, conforme a teologia tradicional. A figura do adolescente Davi é idealizada por influência de Is 11. A luta com Golias é resumida em poucos dados sugestivos.

47,5-7 Acrescentam-se genericamente outros empreendimentos guerreiros, sobretudo a submissão do maior inimigo da época.

47,8-10 A contribuição de Davi para o culto ganha muito relevo, sobretudo como tradicional autor de salmos, e também como organizador.

quando louvava, de madrugada, o nome do Santo,
ressoava o júbilo das cerimônias.
¹¹O Senhor perdoou seu delito e exaltou seu poder para sempre,
conferiu-lhe o poder real e firmou seu trono em Jerusalém.
¹²Por seus méritos lhe sucedeu
um filho prudente que viveu em paz:
¹³SALOMÃO, rei em tempos tranquilos,
porque Deus pacificou suas fronteiras;
construiu um templo em sua honra
e fundou um santuário perpétuo.
¹⁴Como eras sábio em tua juventude,
transbordando doutrina como o Nilo!
¹⁵Teu saber cobria a terra,
tu a desprezavas com teu canto sublime;
¹⁶tua fama chegava até o litoral,
que desejava escutar-te.
¹⁷De teus cantos, provérbios, enigmas e sentenças
os povos ficavam pasmos;
¹⁸chamavam-te com o nome glorioso com que chamam Israel.
Mas amontoaste ouro como ferro
e acumulavas prata como chumbo;
¹⁹entregaste a mulheres tuas coxas,
dando-lhes poder sobre teu corpo;
²⁰lançaste uma mancha em tua honra
e infâmia sobre teu leito,
atraindo a ira sobre teus descendentes
e desgraças sobre teu leito conjugal.
²¹Pois o povo se dividiu em duas partes
com a usurpação do reino de Efraim.
²²Mas Deus não retirou sua lealdade
nem deixou de cumprir suas promessas;
não aniquila a prole de seus escolhidos
nem destrói a estirpe de seus amigos,
mas deixou um resto a Jacó
e a Davi uma cepa de sua linhagem.
²³Salomão descansou com seus pais
e deixou como sucessor um de seus filhos:
rico em loucura e sem juízo,
que com sua política fez o povo se amotinar.
Surgiu um – não se pronuncie seu nome –
que pecou e fez Israel pecar;
²⁴foi um escândalo para Efraim, que o conduziu ao desterro;
seu pecado foi enorme, entregou-se a toda maldade.

47,11 O pecado é recordado com toda discrição, para exaltar o perdão de Deus. A escolha de Jerusalém está unida à de Davi.
47,12-22 O reinado de Salomão se divide em dois tempos, de glória e de ignomínia.
47,12 Antes de tudo, garante a sucessão, baseada na promessa de Deus e na fidelidade do pai. "Em paz": faz jogo de palavras com o nome do rei "pacífico".
47,13 Seu primeiro mérito foi construir o templo, que Ben Sirac chama "perpétuo", apesar da destruição babilônica; ou seja, a interrupção do desterro não anulou a continuidade.
47,14-17 A segunda glória é sua legendária fama de sábio. "Como o Nilo": pode ser comparação tópica, Jr 46,7-8; Am 9,5; Eclo 24,27, ou pode aludir à proverbial sabedoria egípcia.
47,18b-20 O luxo e a luxúria do ancião contrastam com a sabedoria juvenil. A divisão do reino castiga o pecado, sem destruir o povo ou a dinastia.
47,23-24 O original não menciona o sucessor (Roboão), simplesmente alude às peças do seu nome, "rico" + "povo". Um glosador escreveu os nomes de Roboão e Jeroboão, este o chefe maldito do reino separatista.
47,23 1Rs 12-13.

48

¹Então se levantou como fogo um profeta,
cujas palavras eram forno aceso:
²tirou-lhes o sustento de pão,
com seu zelo os dizimou;
³por ordem de Deus fechou o céu
e fez que caíssem três raios.
⁴Como eras terrível, ELIAS!
Quem se compara a ti em glória?
⁵Tu ressuscitaste um morto,
tirando-o do Abismo por vontade do Senhor;
⁶fizeste reis descer ao túmulo,
e nobres, de seus leitos;
⁸ungiste reis vingadores,
e nomeaste um profeta como sucessor.
⁷Escutaste no Sinai ameaças
e no Horeb sentenças vingadoras.
⁹Um turbilhão te arrebatou às alturas,
tropel de fogo até o céu.
¹⁰Está escrito que te reservam para o momento
de aplacar a ira antes que se ateie,
para reconciliar pais com filhos,
para restabelecer as tribos de Israel.
¹¹Feliz quem te vir antes de morrer
[e mais feliz tu que vives].
¹²Quando Elias foi arrebatado ao céu,
ELISEU recebeu dois terços de seu espírito.
Em vida, com sua palavra fez múltiplos milagres e prodígios;
em vida não temeu ninguém,
ninguém pôde dominar seu espírito;
¹³nada lhe era impossível:
debaixo dele a carne reviveu;
¹⁴em vida fez maravilhas
e na morte, obras assombrosas.
¹⁵No entanto, o povo não se converteu
nem deixou de pecar,
até que foram expulsos de seu país
e dispersos por toda a terra.
Judá ficou dizimada,
com um chefe da casa de Davi.
¹⁶Alguns reis agiram retamente,
outros cometeram crimes monstruosos.

48,1-11 A figura de Elias é composta com dados do livro dos Reis e do profeta Malaquias. É enérgica e sugestiva: o autor fica arrebatado ao descrevê-la. O poder de Elias domina a chuva e a tempestade no céu (2-3), reis e dinastias na terra (6-7), e atinge até o Abismo (5).
48,11 O grego introduziu sua fé na vida futura: "e nós também viveremos", o que não se encaixa no contexto. A tradução proposta se baseia em reconstrução conjetural. Note-se a insistência na sucessão (v. 8).
48,12-14 Com o mesmo tema da sucessão, entra em cena Eliseu, o taumaturgo.
48,15-16 A destruição do reino do Norte está associada ao nome de Eliseu. O reino do Sul subsiste como continuidade: o autor vai se ocupar dele, sem mencionar todos os reis.

¹⁷EZEQUIAS fortificou a cidade, desviando a água para dentro dela,
  cavou com bronze a rocha e fechou as bordas do reservatório.
¹⁸Em seu reinado, Senaquerib o atacou, enviando o copeiro-mor;
  estendeu a mão contra Sião,
  e com arrogância blasfemou contra Deus.
¹⁹Então os valentes se acovardaram
  e se contorciam como parturientes.
²⁰Invocaram o Deus Altíssimo, estendendo os braços para ele;
  Deus escutou suas súplicas e os salvou por meio de Isaías;
²¹feriu o acampamento assírio,
  e com sua praga semeou o pânico.
²²Porque Ezequias havia agido retamente,
  mantendo-se no caminho de Davi,
  conforme lhe ordenava o profeta ISAÍAS,
  famoso e acreditado por seus oráculos.
²³Em seus dias o sol voltou atrás
  e prolongou a vida do rei.
²⁴Com espírito poderoso previu o futuro
  e consolou os aflitos de Sião;
  anunciou o futuro até o final
  e os segredos antes que acontecessem.

49 ¹O nome de JOSIAS é incenso aromático,
  misturado por um mestre perfumista;
  sua lembrança é mel doce ao paladar
  ou música no banquete,
²porque sofreu por nossa conversão
  e acabou com a abominação dos ídolos;
³entregou-se a Deus de todo o coração
  e em tempos violentos foi compassivo;
⁴exceto Davi, Ezequias e Josias, todos se perverteram,
  os reis de Judá abandonaram até o fim a Lei do Altíssimo.
⁵Por isso, entregou seu poder a outros
  e sua honra a um povo estrangeiro,
⁶que incendiou a cidade santa
  e assolou suas ruas.
⁷JEREMIAS o anunciou, quando o maltrataram;
  criado profeta no ventre materno,
  para arrancar, arrasar e demolir,
  para edificar, plantar e consolidar.
⁸EZEQUIEL teve uma visão
  e descreveu os diferentes seres do carro;

48,17-24 Ezequias e Isaías aparecem juntos, como anteriormente Davi e Natã.

48,17 De novo joga com o nome do rei (Ezequias = "O Senhor fortifique").

48,19 Confiavam nos seus preparativos militares.

48,20 Isaías significa "O Senhor salve"; ver o mesmo jogo em Is 12.

48,24 Ben Sirac conheceu o livro de Isaías como unidade literária, pois aqui alude a Is 40 e seguintes.

49,1-7 Josias e Jeremias aparecem juntos, como na reforma; Jeremias porém fica sozinho na desgraça.

49,1 2Rs 22-23.

49,3 Essa interpretação teológica é importante: Josias não sofreu por seus pecados, pois era inocente, mas pela conversão do povo; Ben Sirac está pensando no oráculo do servo (Is 53)? Em todo caso, já não se escandaliza com aquela morte enigmática.

49,4 Justifica a escolha de três reis. Deduzimos que Salomão foi admitido como construtor do templo.

49,5-7 O desterro de Judá é outra etapa decisiva. Ressalta a vocação de Jeremias: ver Jr 1.

49,8-10 É estranha a brevidade com que fala de Ezequiel, o profeta do templo e da cidade futuros. O autor não conhece Daniel como profeta; por outro lado, não quer perder Jó, ainda que de passagem.

⁹também mencionou Jó,
  que se manteve no caminho justo.
¹⁰Também os DOZE PROFETAS, floresçam seus ossos no túmulo!
  Eles confortaram Jacó e o salvaram com firme esperança.
¹¹Como foi grande ZOROBABEL,
  anel de selo na direita de Deus.
¹²E o mesmo JOSUÉ, filho de Josedec,
  em cujos dias se construiu o altar,
  se reedificou o templo santo destinado à glória eterna.
¹³NEEMIAS, nome glorioso: ele reconstruiu nossas ruínas,
  restaurou os muros caídos, colocando portas e ferrolhos.
¹⁴Poucos houve no mundo como HENOC,
  também ele arrebatado em pessoa.
¹⁵Não nasceu homem como JOSÉ,
  e seus restos foram sepultados.
¹⁶SEM e SET são respeitados pelos homens,
  mas a todos supera a glória de ADÃO.

50

¹O maior dos irmãos e honra de seu povo
  é o sacerdote SIMÃO, filho de João.
Em seu tempo se restaurou o templo,
  em seus dias foi restaurado o santuário,
²em seu tempo cavaram a cisterna
  e um poço de água abundante,
³em seus dias reconstruíram as muralhas
  com torreões para o palácio real;
⁴protegeu seu povo do saque
  e fortificou a cidade contra o assédio.
⁵Que majestoso quando saía da tenda,
  surgindo detrás das cortinas:
⁶como estrela brilhante entre nuvens,
  como lua cheia em dia de festa,
⁷como sol refulgente sobre o palácio real,
  como arco-íris que aparece entre nuvens,
⁸como ramo florido na primavera,
  como açucena junto ao ribeiro,
  como ramo de cedro no verão,

49,10 A mesma fórmula de antes, suspirando pelo retorno da atividade profética.

49,11-13 A restauração é muito breve, com dados de Esdras, Neemias e Ageu. O templo é o mesmo de antes, "reedificado", e tem um destino escatológico, como anunciou Ageu (Ag 2,1-9).

49,14-16 À maneira de inclusão, volta aos antepassados. Reaparece Henoc, arrebatado ao céu em vida. José, sepultado na terra prometida. Sem é filho de Noé e pai dos semitas; Set encabeça uma linhagem adâmica. Assim chegamos a Adão. Pela primeira vez na Bíblia, este aparece em sua figura aureolada de glória, provavelmente pela esperança messiânica de um novo Adão. A genealogia de Lucas chega a Adão, passando por Noé, Sem e Set (Lc 3,23-38).

50,1-24 Terminado o elogio dos antepassados, Ben Sirac pensa no presente ou passado recente. O sumo sacerdote, oficiando no culto, representa a continuidade religiosa do povo santo. E é ao mesmo tempo garantia do futuro. O esplendor do culto é manifestação de uma glória maior, e o sacerdote é mediador da presença divina. Quando ele pronuncia o nome santo, o povo sente a presença de Deus, se prostra, adora e recebe a bênção. Simão renova a atividade de Neemias e a liturgia de Aarão e Fineias. O povo de Israel pode continuar chamando-se de "seu povo".

50,1-4 Simão revive as atividades de Ezequias e Neemias: o sumo sacerdote assumiu a chefia política e militar.

50,5-24 O que há de mais belo no céu, entre as plantas e entre as joias, se acumula nesse momento maravilhoso. Moisés saía radiante do encontro com o Senhor (Ex 34); algo semelhante é o sumo sacerdote quando sai do santuário (Lv 16,24).

⁹como incenso ardendo sobre a oferta,
  como corrente de ouro
  com pedras preciosas engastadas,
¹⁰como oliveira frondosa carregada de azeitonas,
  como árvore balsâmica de espessa ramagem!
¹¹Quando punha o traje de gala e vestia os ornamentos de festa,
  quando subia ao altar glorioso,
  dando realce à esplanada do santuário,
¹²quando de pé, junto à pira,
  recebia de seus irmãos as porções,
rodeado de uma grinalda de jovens
  como brotos de cedros do Líbano,
  e o cercavam como choupos de rio
¹³os filhos de Aarão, adornados;
  e diante de toda a assembleia de Israel
  apresentava os dons ao Senhor.
¹⁴Quando terminava o serviço do altar
  e preparava a oferta do Altíssimo,
¹⁶aclamavam os sacerdotes aaronitas
  tocando as trombetas lavradas;
aclamavam, e sua voz majestosa ressoava,
  proclamando a presença do Altíssimo;
¹⁷todo o povo junto se apressava
  a prostrar-se por terra,
para adorar a presença do Altíssimo,
  a presença do Santo de Israel;
¹⁸enquanto os cantores entoavam
  sobre suave acompanhamento de harpejos,
¹⁹todo o povo cantava,
  suplicando ao Misericordioso.
Quando terminava o serviço do altar
  e de oferecer a Deus o estabelecido,
²⁰descia, e levantando as mãos
  para a assembleia de Israel,
pronunciava a bênção do Senhor,
  honrando-se com o nome do Senhor.
²¹De novo o povo se prostrava
  para receber a bênção do Altíssimo.
²²E agora, bendizei o Senhor, Deus de Israel,
  que fez maravilhas na terra,
que cria o homem desde o ventre materno
  e o forma à sua vontade.

50,11-21 Recorda três momentos da liturgia: a subida ao altar para oferecer, a invocação do nome divino, a bênção.

50,11-13 Destaca a função dos "filhos de Aarão", outra vez sinal de continuidade. O esplendor impressiona agora mais que o próprio fato do sacrifício e da oferta.

50,14-19 O rito das trombetas (Nm 10,10) era acompanhado com os gritos de aclamação e a pronúncia do Nome: isso era uma memória ritual que realizava ou proclamava a presença de Deus; por isso o povo se prostra e adora seu Senhor presente. Em seguida, vêm as súplicas cantadas com acompanhamento, ou seja, com salmos.

50,20-21 Momento final: a bênção é dada pronunciando o nome do Senhor sobre o povo: Nm 6,22-27; Sl 67.

50,22-24 A exortação e a súplica parecem abandonar a descrição litúrgica, e soam como comentário na boca do autor. É interessante o objeto do pedido: sabedoria para outros e paz, o que apareceu levemente em todo o livro; pelo contexto, trata-se da paz entre seus compatriotas. Na súplica por Simão ressoa um acento messiânico.

²³Ele vos conceda sensatez
 e que reine a paz entre vós.
²⁴Mantenha-se sua fidelidade com Simão
 e cumpra para com Fineias o pacto,
 e não o tire nem tire a sua descendência
 enquanto durar o céu.

Três inimigos

²⁵Duas nações detesto e a terceira já não é povo:
²⁶os habitantes de Seir e Filisteia e o povo néscio que habita em Siquém.

Envio e assinatura

²⁷Ensinamento prudente, conselhos oportunos
 de Simão, filho de Jesus, filho de Eleazar, filho de Sirac,
 como brotavam de sua meditação
 e os pronunciava com sabedoria.
²⁸Feliz quem neles meditar, quem os estudar se tornará sábio,
²⁹quem os cumprir terá êxito, pois respeitar o Senhor é viver.

Epílogo
Ação de graças

51 ¹Eu te louvo, meu Deus e salvador;
 eu te dou graças, Deus de meu pai.
²Contarei tua fama, refúgio de minha vida,
 porque me salvaste da morte,
 detiveste meu corpo diante da cova,
 livraste meus pés das garras do Abismo,
 livraste-me da difamação:
 de línguas que flagelam,
 de lábios que caluniam,
 estiveste comigo diante de meus rivais,
³tu me auxiliaste com tua grande misericórdia:
 do laço dos que espreitam meu tropeço,
 do poder dos que me perseguem mortalmente,
 salvaste-me de múltiplos perigos,

50,25-26 Não sabemos a que circunstâncias históricas se referem esse inesperado desabafo ou essa citação desligada. Os três povos tinham sido inimigos em diversas circunstâncias históricas; nos tempos do autor são, antes, presa militar ou política dos Lágidas ou dos Selêucidas.

50,27-29 Título e assinatura do livro vêm no final, como no Eclesiastes. Encontramos reunidos vários termos sapienciais: ensinamento, conselhos, prudência, sabedoria; é novo o termo *ptr*, que significa interpretação de sonhos ou da Escritura. Grande parte da atividade sapiencial do autor foi refletir sobre os livros sagrados e interpretá-los. Exige de seus discípulos meditação atenta, que não é repetição mecânica; visando à vida, seu ensinamento pede também o cumprimento. E termina mencionando a síntese de todo o seu ensinamento, que é o temor de Deus, o sentido religioso. O final se une ao começo.

51,1-12 Esses versículos seguem a forma clássica do canto eucarístico, ou de ação de graças: introdução, narração da situação infeliz ou desesperadora, libertação, louvor. Desenvolve-se em contínuas reminiscências de salmos, sem se deter concretamente em algum deles. A situação é o perigo de morte, visto como síntese de todos os males e como fato humanamente irremediável. Várias imagens se sobrepõem para simbolizar a suprema angústia humana, e nelas nos parece reconhecer a voz de Is 38; Jn 2; Sl 89. O perigo de morte parece induzido por uma conspiração inimiga, tema também tradicional nos salmos; e predomina, como era de se esperar, o tema da calúnia e da mentira, terríveis armas de destruição.

51,1 Ver Sl 18,47; 22,23; 25,5; 102,22. Os tradutores antigos não conservam o título "Deus de meu pai"; o plural "Deus de meus pais" seria menos interessante. Levando em conta o versículo 10 e seu modelo (Sl 89,27), poderíamos traduzir: "meu Deus, meu pai".

51,2 Ver Sl 27,1 e a oração de Ezequias em Is 38. Sobre os lábios mentirosos, cf. Sl 40,5; "estiveste comigo", cf. Sl 56,10.

51,3 "Tropeço": corrigindo, conforme Jr 20,10.

⁴do cerco apertado das chamas,
   do incêndio de um fogo que não ardia,
⁵do ventre de um oceano sem água,
   de lábios mentirosos e falsos,
   das flechas de uma língua traidora.
⁶Quando já estava para morrer
   e quase no profundo do Abismo,
⁷eu me voltava para todos os lados e ninguém me auxiliava,
   buscava um protetor e não havia,
⁸recordei a compaixão do Senhor e sua misericórdia eterna,
   que livra os que nele se refugiam e os resgata de todo mal;
⁹do solo levantei a voz
   e gritei das portas do Abismo,
¹⁰invoquei o Senhor: Tu és meu Pai,
   tu és meu forte salvador,
não me abandones no perigo,
   na hora do espanto e da perturbação;
¹¹louvarei sempre teu nome
   e te chamarei em minha súplica.
O Senhor escutou minha voz e deu ouvidos à minha súplica,
   ¹²salvou-me de todo mal, me pôs a salvo do perigo.
Por isso, dou graças e louvo
   e bendigo o nome do Senhor:
Dai graças ao Senhor porque é bom,
   porque é eterna sua misericórdia;
dai graças ao Deus do louvor,
   porque é eterna sua misericórdia;
dai graças ao guardião de Israel,
   porque é eterna sua misericórdia;
dai graças ao criador do universo,
   porque é eterna sua misericórdia;
dai graças ao redentor de Israel,
   porque é eterna sua misericórdia;
dai graças ao que reúne os dispersos de Israel,
   porque é eterna sua misericórdia;
dai graças ao que reconstrói sua cidade e santuário,
   porque é eterna sua misericórdia;
dai graças ao que faz rebrotar o poder da casa de Davi,
   porque é eterna sua misericórdia;
dai graças ao que escolhe um sacerdote entre os sadocitas,
   porque é eterna sua misericórdia;
dai graças ao Escudo de Abraão,
   porque é eterna sua misericórdia;

51,4-5 O sentido de 4b.5a é duvidoso, e a tradução é conjetural. Se a aceitamos, temos desse autor um procedimento estilístico original por negação. Ver Sl 52,6; 119,69.
51,6 Ver Sl 88,4.
51,7-8 Ver Sl 25,6; 121,7.
51,10 Sl 89,27. A última fórmula parece citação de Sf 1,15.
51,12 Ao terminar a oração pessoal, o autor se volta para a assembleia, conforme costume tradicional.

Recita um salmo litúrgico litânico, como o 136, mudando as invocações. O primeiro versículo era clássico na liturgia: p. ex. Sl 118; 136.
Primeira estrofe: alternam-se títulos universais de Deus e títulos históricos referentes a Israel. Segunda estrofe: temas escatológicos, como volta dos dispersos, reconstrução da cidade e do templo, restauração da dinastia davídica e do sacerdócio sadocita. Terceira estrofe: títulos divinos referidos aos patriarcas, e de novo o centro religioso.

dai graças à Rocha de Isaac,
    porque é eterna sua misericórdia;
dai graças ao Paladino de Jacó,
    porque é eterna sua misericórdia;
dai graças ao que escolhe Sião,
    porque é eterna sua misericórdia;
dai graças ao Rei dos reis,
    porque é eterna sua misericórdia;
aumenta o poder de seu povo, louvor de todos os seus fiéis,
    de Israel, seu povo escolhido. Aleluia.

Poema alfabético à Sabedoria
(Eclo 6,18-31)

¹³Sendo jovem, antes de me extraviar, eu a busquei.
¹⁴Veio até mim tão bela,
    que até o fim a procurarei.
¹⁵Quando cai a flor, as uvas
    ao amadurecer alegram o coração.
Pisei um caminho plano,
    porque desde jovem me relacionei com ela;
¹⁶dei ouvidos um pouco,
    e adquiri muito saber.
¹⁷Ela foi minha ama de leite:
    à minha mestra entregarei minha honra.
¹⁸Propus-me a desfrutar,
    ansioso por prazer, e não cederei;
¹⁹eu a desejei ardentemente
    e não me retirarei;
eu a desejei arduamente
    e não descansarei em suas alturas;
minha mão abriu suas portas:
    contemplarei seus segredos.
²⁰Limpei minhas palmas...
    Com seus conselhos adquiri prudência
    e não a abandonarei;
²¹minhas entranhas se comoviam ao contemplá-la,
    por isso a adquiri como posse preciosa;
²²o Senhor me concedeu o que meus lábios pediam,
    com minha língua lhe darei graças.

Final: "rei de reis" é a forma antiga de "imperador", e o autor se compraz no superlativo; os últimos versos são citação do final de Sl 148.

51,13-29 Poema alfabético. O autor conta na primeira pessoa seus esforços para adquirir sabedoria e exorta os alunos a seguir os passos dele. Muitos temas e fórmulas vêm de 6,18-31, onde são simples exortação. O poema alfabético se encontrava no final do texto, e muito cedo sofreu danos materiais. Alguém completou o que faltava retraduzindo para o hebraico de traduções, mas sem respeitar o recurso alfabético. A tradução da primeira parte se baseia em reconstruções propostas por diversos autores, a partir do grego ou do siríaco; a partir da letra *lamed*, o texto hebraico está bastante bem conservado.

51,13-15 Nos salmos, vários desses verbos são usados tendo Deus como complemento (no Dt o complemento é a lei). A única imagem recorda o grande hino do cap. 24.

51,16-19 O pouco trabalho e o grande resultado estão em contraste. Quem lhe ensinou foi Deus, conforme Eclo 39,6-9. Também se aplicam a Deus "dar ouvidos", "desejar ardentemente". "Não me retirarei" ou "não fracassarei", expressão de confiança em Deus.

51,20-22 Volta a imagem do fruto, e se ouve uma alusão ao templo, onde o homem contempla a Deus. "Prudência" é a terceira forma sapiencial, depois de "sabedoria" (14) e "doutrina" (16). O verso número quatorze do poema conclui com ação de graças.

²³Vinde a mim, ignorantes,
  e habitai em minha escola.
²⁴Até quando andareis privados
  e morrereis de sede?
²⁵Eu abri a boca para falar dela:
  comprai sabedoria de graça.
²⁶Submetei o pescoço a seu jugo
  e aceitai de boa vontade sua carga;
pois ela se aproxima de quem a busca,
  quem se entrega a encontra.
²⁷Vede com vossos olhos que, sendo eu pequeno,
  eu servi a ela e a consegui.
²⁸Escutai o que aprendi em minha juventude,
  e por mim obtereis prata e ouro.
²⁹Eu me alegrarei com esse auditório,
  e vós não vos envergonhareis de minha canção.
³⁰Fazei vossas obras com justiça,
  e a seu tempo o Senhor vos recompensará.
Bendito seja o Senhor para sempre,
louvado seja seu nome de geração em geração.

Até aqui as palavras de Simão, filho de Jesus, chamado filho de Sirac.
Sabedoria de Simão, filho de Jesus, filho de Eleazar, filho de Sirac.
Seja bendito o nome do Senhor agora e sempre.

51,23-26 A última seção é de exortação: o sábio fala como a sabedoria falava em Pr 9. Também a fórmula "se aproxima" refere-se a Deus.

51,23 Pr 9,1-5.

51,27-29 A antepenúltima e penúltima letras do alfabeto sugerem o convite a "ver" e "escutar". O último verso é um envio, como no final do Sl 19.

51,30 O versículo é como um suplemento acrescentado ao final do alfabeto. Segue-se uma invocação, duas notas sobre o autor e nova invocação. As notas não coincidem perfeitamente. Jesus parece ser filho de Eleazar e neto ou descendente de Sirac; parece que se trata de uma família de sábios que contribuíram de forma diferente na obra; o neto continuou a tradição, traduzindo a obra para o grego.

PROFETAS

ISAÍAS
INTRODUÇÃO

Os oráculos proféticos vão se reunindo em coleções menores e depois formarão os livros ou coleções maiores.

Critérios de ordenação dos oráculos. Dado que os colecionadores nem sempre seguiram a ordem cronológica, o investigador moderno, fiel ao método histórico-crítico, se esforça por resgatar uma pauta histórica e cronológica na qual inserir e distribuir cada oráculo. Ou seja, toma duas séries paralelas: a dos fatos históricos, conhecidos ou reconstruídos, e a dos oráculos na sua ordem literária atual.

Para estabelecer a correspondência individual e detalhada, realiza uma operação com dados correlativos e em processo alternado de mútua implicação. Tem de conhecer os limites de cada oráculo e compreender seu sentido global (ajudado por referências históricas). Depois procura uma conjuntura histórica precisa, na qual encaixar o oráculo em questão. Isso ele consegue por dados claros do texto, por dedução, por conjetura.

Dado que o investigador trabalha com dados desconhecidos ou incertos nas duas séries, os resultados dessa operação muitas vezes são duvidosos. O grau de incerteza afeta necessariamente a interpretação de cada oráculo.

Distribuir os oráculos pela série histórica e explicá-los em função dela não basta para compreendê-los. Porque há outro fato, não menos histórico, ou seja, a ordem literária criada ou imposta pelos recopiladores ou editores de coleções. A nova ordem – o texto que nós lemos – obedece a outros critérios, não rigorosamente cronológicos, mas literários, temáticos, teológicos...

Em alguns casos, os editores registraram o momento ou situação histórica. Em tais casos poupam-nos trabalho, pois também eles tiveram senso histórico. Outras vezes atualizam o texto, isto é, com acréscimos ou glosas vão adaptando-o ao processo histórico; atualizam-no: da situação individual A passam à individual B. Outras vezes (como fazem muitos escritores) generalizam, ou seja, conferem ao oráculo individual alcance mais amplo, geral ou universal. Também os editores estão conscientes de tal valor; e isso é um dado histórico.

Por exemplo, nos relatos de 36-39 vão inserindo diversas intervenções de Isaías, que assim ficam enquadradas e fáceis de compreender. Experimentemos ler tais intervenções prescindindo de seu contexto histórico narrativo e sentiremos a diferença.

A explicação a partir do contexto histórico é importante, essencial no método histórico-crítico. Contudo, para nós pode tornar-se não menos importante captar o alcance generalizado e o poder de atualização.

A época de Isaías

O ministério profético de Isaías corresponde aos reinados de Joatão (740-734), Acaz (734-727) e Ezequias (menor de idade 727-715; maior de idade 715-698). No terreno da conduta social, seu ministério, como o de outros profetas (por ex. Amós), é marcado pela exigência de justiça e lealdade ao Senhor, "o Santo de Israel". No terreno da política internacional, discorre à sombra ameaçadora do expansionismo do império assírio. No ano 745, sobe ao trono Teglat-Falasar III, militar perfeito e criativo. Com seu exército imbatível, vai submetendo nações com a tática da vassalagem forçada, os impostos crescentes, a repressão desapiedada, a conquista e a colonização. Assim vão caindo Urartu, Babilônia, povos da Síria e da Palestina.

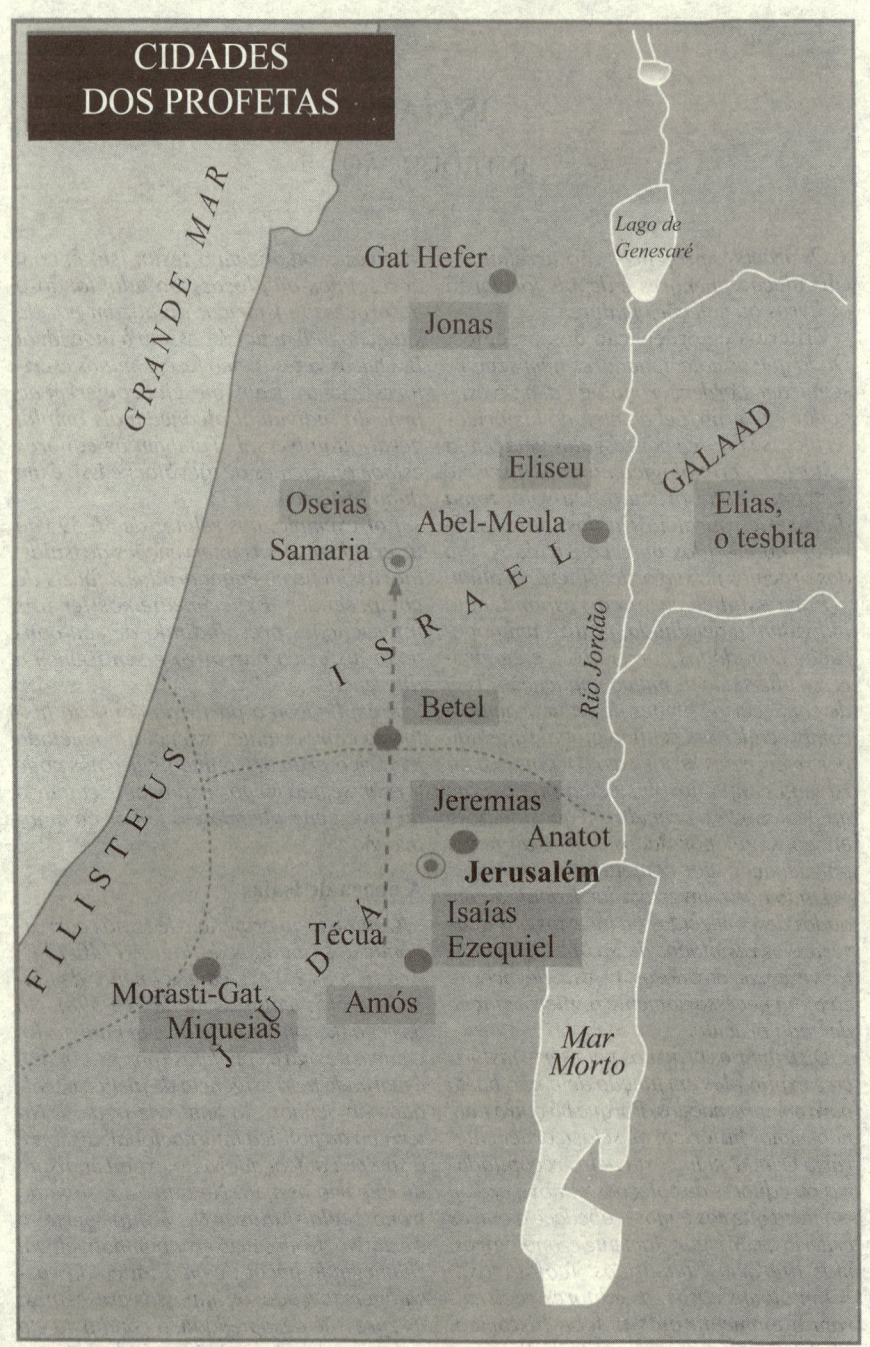

No seu tempo sucede a chamada guerra siro-efraimita, que afeta Judá. Aliados, os reinos de Damasco e Israel planejam rebelar-se contra a Assíria. Para tanto, desejam contar com a aliança de Judá (2Rs 15,37). Acaz, seu rei, resiste, e eles tentam implantar em Jerusalém uma nova dinastia favorável. Judá pede a ajuda da Assíria (2Rs 16,7-9), mas tem de aceitar a vassalagem do poderoso assírio. Nessa época, Isaías prega a confiança no Senhor e não em alianças políticas (7).

Salmanasar V (727-722) sucede a Teglat-Falasar e, para reprimir a rebelião de Israel, sitia e conquista Samaria, a capital (722). Morrendo assassinado, é sucedido por Sargon II (721-705), que executa uma grande deportação de israelitas e instala colonos estrangeiros no território de Samaria (= Israel). Depois dirige suas campanhas contra a Arábia, Edom, Moab etc.

Sucede-lhe Senaquerib (704-681). Contra os conselhos de Isaías, Judá adere a uma tentativa de rebelião, provocando a intervenção armada do imperador, que conquista 46 praças-fortes e sitia Jerusalém (701). A capital livra-se de modo inesperado: o invasor levanta o cerco, mas impõe um forte tributo (2Rs 18,14).

A pregação de Isaías

Conforme indicado acima, pode-se tentar, com moderado êxito e muitas incertezas, a distribuição cronológica dos oráculos do profeta. Sua vocação teve lugar por volta de 740.

a) Na primeira época (reinado de Joatão), o objeto de suas denúncias seriam o luxo, a cobiça e a injustiça disfarçada com falsa devoção. A essa época parecem corresponder muitos oráculos dos capítulos 1-5.

b) A segunda época é marcada pela ameaça da aliança siro-efraimita. A ela correspondem muitos oráculos contidos nos capítulos 7-10.

c) A terceira etapa é menos definida. A ela poderiam corresponder 14,28-32; 21,11-17 e 28,1-4. Alguns autores atribuem a essa época diversos oráculos da série 13-23.

d) A quarta época é definida pela subida de Senaquerib ao trono e pelo processo de rebelião. Aparecem indícios de rebelião nos capítulos 28-29; ela toma corpo em 29,1-5; 30,1-3 (embaixada ao Egito) e 39 (embaixada de Babilônia). Provoca a reação militar do imperador: 36-37. A libertação da capital in extremis (31,5-6) é um alívio num panorama de desolação (1,2-10).

e) O profeta chora a cegueira do povo (22,1-14; 30,8-17), mas abre-se à esperança de um futuro glorioso (2,2-4; 11,1-10; 32,1-5.15-20).

Essa é uma reconstrução hipotética dos eventos e de seus vestígios na atividade do profeta.

1 ¹Visão de Isaías, filho de Amós, a respeito de Judá e de Jerusalém nos tempos de Ozias, de Joatão, de Acaz e de Ezequias, reis de Judá.

Requisitório de Deus e confissão do povo
(Am 4,6-13)

²Ouvi, céus; escuta, terra; fala o Senhor:
    Criei e eduquei filhos,
    e eles se rebelaram contra mim.
³O boi conhece o seu amo,
    e o asno a manjedoura do seu dono;
    Israel não conhece, meu povo não entende.
⁴Ai, gente pecadora, povo carregado de culpas,
    raça de perversos, filhos degenerados!
Abandonaram o Senhor,
    desprezaram o Santo de Israel.
⁵Onde continuar ferindo-vos, se acumulais delitos?
    A cabeça é uma chaga,
    o coração está esgotado,
⁶da planta do pé à cabeça
    não resta parte ilesa:
    chagas, machucaduras, feridas recentes,
    não espremidas nem vendadas,
    nem aliviadas com unguento.
⁷Vossa terra, devastada;
    vossas cidades, incendiadas;
    vossos campos, diante de vós,
    são devorados pelos estrangeiros.
    Devastação como na catástrofe de Sodoma!
⁸E Sião, a capital,
    ficou como cabana de vinha,
    como choça de meloal, como cidade sitiada.
⁹Se o Senhor dos exércitos
    não nos tivesse deixado um resto,
    seríamos como Sodoma,
    pareceríamos com Gomorra.

Segundo requisitório
(Is 58; Sl 50; Eclo 35)

¹⁰Ouvi a palavra do Senhor, príncipes de Sodoma;
    escuta o ensinamento do nosso Deus,
    povo de Gomorra.

1,2-26 O recopilador reúne nestes versículos três oráculos, à maneira de frontispício ou abertura. O primeiro fala de um terrível castigo, não definitivo (talvez a situação depois da invasão de Senaquerib, em 701). No segundo, expõe a causa e oferece a reconciliação. No terceiro, denuncia e promete. Deus se dirige ao povo, aos chefes, à capital; denuncia o abandono para longe de Deus e a injustiça.

1,2 A invocação das testemunhas notariais de Deus (Dt 32,1; Sl 50,4) pode abranger os três oráculos.

1,3-6 O delito tem três agravantes: os cuidados paternais do Senhor (Ex 4,23; Os 11), o exemplo do instinto animal, a correção não aceita (Am 4,6-13). Por isso, o castigo chega ao limite, e o território é como um corpo em chagas.

1,7-8 Os castigos correspondem a maldições recolhidas em Dt 28, e evocam a lembrança de Sodoma, destruída por um fogo escatológico e definitivo.

1,9 Sua menção provoca um calafrio. O povo relembra: vê-se com vida à beira do abismo evitado, e reconhece que continuar existindo é puro dom de Deus. Salvou-se um "resto", que assegura a sobrevivência do povo, como portador da salvação histórica.

1,10-20 Com o Salmo 50, estes versículos são talvez o exemplo mais claro do pleito bilateral ou contraditório de Deus com seu povo (*rib*). Aqui Deus não é

¹¹O que me importa o número
de vossos sacrifícios?
– diz o Senhor.
Estou farto dos holocaustos de carneiros,
da gordura de cevados;
o sangue de bezerros,
cordeiros e bodes não me agrada.
¹²Quando vindes visitar-me e pisais meus átrios,
quem exige algo de vossas mãos?
¹³Não me oferteis mais dons vazios,
nem incenso execrável.
Luas novas, sábados, assembleias...
não aguento reuniões e crimes.
¹⁴Detesto vossas solenidades e festas;
tornaram-se uma carga que não suporto mais.
¹⁵Quando estendeis as mãos, fecho os olhos;
ainda que multipliqueis as orações,
não vos escutarei.
Vossas mãos estão cheias de sangue.
¹⁶Lavai-vos, purificai-vos, afastai de meus olhos
vossas más ações.
Deixai de agir mal, ¹⁷aprendei a agir bem;
buscai o direito, levantai o oprimido;
defendei o órfão, protegei a viúva.
¹⁸Então vinde, e litigaremos
– diz o Senhor.
Ainda que vossos pecados sejam como púrpura,
ficarão brancos como neve;
ainda que sejam vermelhos como escarlate,
ficarão como lã.
¹⁹Se souberdes obedecer,
comereis o fruto saboroso da terra;
²⁰se recusais e vos rebelais, a espada vos devorará.
O Senhor o disse.

A cidade infiel
(Ez 16; Os 2; Jr 23)

²¹Como a Cidade Fiel se tornou uma prostituta!
Antes cheia de direito, morada de justiça;
agora, de criminosos.

---

juiz, mas parte no processo. O problema central é a relação entre culto e justiça (não entre culto formalista e sincero). Enquanto o povo vive na injustiça, o culto está viciado, é uma tentativa perversa de compor esse culto (suborno, segundo Eclo 35,14s). O culto torna-se anticulto.
O profeta acumula um rico paradigma de práticas de culto (cf. Lv 1-5), qualificando-as com predicados de inutilidade ou perversão. Depois descarrega um jato de imperativos urgentes, exigindo a emenda, que desembocam no convite "vinde". Deus não rejeita, atrai. No fim propõe a alternativa: ele oferece salvação, o homem pode recusá-la.
1,10 A "palavra" profética atualiza a lei ou "instrução" do Deus da aliança.
1,11 Sl 40,7; 51,18-21.
1,12 Ex 23,15; 34,20; Dt 16,16.
1,13 "Vazio" ou vão, como no decálogo. "Execrável": o contrário de sagrado. "Reuniões e crimes" como atividades inconciliáveis.
1,15 Cf. Tg 1,26s.
1,16 Ex 30,18-21.
1,17 "Órfão e viúva" são categorias sociológicas que representam as classes desvalidas. Pedra de toque da justiça são os direitos dos mais fracos.
1,18 No diálogo pessoal com Deus, o homem descobre sua situação, arrepende-se, encontra a possibilidade de emendar-se e reconciliar-se.
1,19-20 Resposta é responsabilidade; a palavra não é força mágica ou fatal, é aresta inevitável de decisão.
1,21-26 A inclusão define vigorosamente um processo: a situação passada, presente e futura; fidelidade,

²²Tua prata se tornou escória,
teu vinho está aguado,
²³teus chefes são bandidos, sócios de ladrões:
são todos amigos de subornos, em busca de presentes.
Não defendem o órfão,
não assumem a causa da viúva.
²⁴Pois bem – oráculo do Senhor dos exércitos,
Paladino de Israel:
tomarei vingança de meus inimigos,
satisfação de meus adversários.
²⁵Voltarei minha mão contra ti,
para limpar-te da escória no crisol e afastar de ti a ganga;
²⁶eu te darei juízes como os antigos,
conselheiros como os de outrora:
então te chamarás Cidade Justa, Cidade Fiel.
²⁷Sião será redimida com o direito,
os repatriados com a justiça.
²⁸A ruína virá para rebeldes e pecadores juntos,
os que abandonam o Senhor perecerão.

Contra os cultos idolátricos
(Is 17,9-11; 27,11; 47,14)

²⁹Tereis vergonha dos carvalhos que amáveis,
ficareis envergonhados dos jardins que desejáveis.
³⁰Sereis como carvalho de folhas secas,
como jardim sem água.
³¹O poderoso será a estopa, sua obra a faísca:
os dois arderão juntos,
e não haverá quem os apague.

Sião, centro do reino escatológico
(Mq 4,1.3; Sl 87; Is 2,1; 66,18-24; Zc 8,20-23; Sl 76)

2 ¹Visão de Isaías, filho de Amós, a respeito de Judá e de Jerusalém:
²No final dos tempos

---

adultério, fidelidade. O símbolo matrimonial de *Yhwh* com Jerusalém põe às claras o sentido profundo dos fatos. A capital é esposa do Senhor (Os 2; Jr 2-3), a quem deve fidelidade exclusiva; matrona que gera, acolhe e representa o povo. Paradoxal é que essa fidelidade não se realiza em atos de amor teológico, mas na prática da justiça. O discurso se concentra nos governantes, primeiros responsáveis pela justiça social.
1,21 O oráculo se abre como lamentação, com um grito de dor (cf. Lm 1,1).
1,22-23 Pelo suborno, os chefes se tornam cúmplices, "sócios" dos ladrões.
1,24-25 E se convertem em "inimigos" do Senhor. Para a purificação, cf. Pr 25,4s.
1,26 O adjetivo "fiel" torna-se parte do nome. O adjetivo "justa" recorda nomes como Melquisedec, Adonisedec.
1,27-28 Um autor posterior tentou adaptar o oráculo à situação pós-exílica, mostrando que a restauração se baseia na justiça; cf. Is 56,1; Ne 5.
1,29-31 Talvez cultos de fertilidade e em honra de Tamuz, que se serviam de árvores e hortos sagrados.

Amar e escolher têm ressonâncias eróticas (Pr 6,25) e religiosas (Gn 3,6). Um povo escolhido pelo Senhor escolhe uns jardins que o afastam do Senhor. O castigo acontece na mesma esfera, como pena do talião: seca, aridez e fogo final (cf. Is 27,11; 47,14).
1,30 Ez 8,14.

2,2-5 Um movimento de peregrinação festiva (Dt 16; Sl 122) se transforma em visão profética do futuro. O espaço projeta-se no tempo, a distância se torna futuro remoto. O monte torna-se centro de duplo movimento: centrífugo de irradiação, de lei e palavra, centrípeto de afluência universal. O monte faz com que o acesso seja subida, e se fundem convergência, progresso e ascensão em movimento único e universal, encabeçado pela "casa de Jacó".
Todo o episódio de Babel fica anulado. Diante da torre soberba, está o monte da presença de Deus; diante da confusão de línguas, está uma "palavra" que todos compreendem; diante da dispersão, a reunião. A profecia se cumpre em Pentecostes (At 2).
2,2 A presença do Senhor faz com que o monte seja culminante.

o monte da casa do Senhor estará firme,
sobressaindo entre os montes,
elevado sobre as montanhas.
Para ele confluirão as nações,
³caminharão povos numerosos.
Dirão: Vinde, subamos ao monte do Senhor,
à casa do Deus de Jacó:
ele nos instruirá em seus caminhos,
e caminharemos por suas sendas,
porque de Sião sairá a lei;
de Jerusalém, a palavra do Senhor.
⁴Ele será o árbitro das nações,
o juiz de povos numerosos.
Das espadas forjarão arados;
das lanças, podadeiras.
Povo não levantará espada contra povo,
e já não se adestrarão para a guerra.
⁵Casa de Jacó, vinde,
caminhemos à luz do Senhor.

Teofania e julgamento de Deus

⁶Rejeitaste o teu povo, a casa de Jacó,
porque está cheia de adivinhos do Oriente,
de agoureiros filisteus,
e pactuaram com estranhos.
⁷Seu país está cheio de prata e ouro,
e seus tesouros são sem conta;
seu país está cheio de cavalos,
e seus carros não têm conta;
⁸seu país está cheio de ídolos,
e se prostram diante das obras de suas mãos,
obras feitas com seus dedos.
⁹Pois o mortal será encurvado,
o homem será humilhado
e não poderá levantar-se.
¹⁰Coloca-te nos penhascos, esconde-te no pó,
diante do Senhor terrível,
diante de sua majestade sublime.
¹¹Os olhos orgulhosos serão humilhados,
será dobrada a arrogância humana;
só o Senhor será exaltado naquele dia,
¹²que é o dia do Senhor dos exércitos:
contra todo o orgulhoso e arrogante,
contra todo o empinado e envaidecido,

2,4 Os instrumentos de guerra transformam-se em instrumentos de progresso pacífico. Jl 4,10.

2,5 O monte é como um farol luminoso, que ilumina e orienta o mundo todo. Is 60.

2,6-21 Uma frase unifica, à maneira de estribilho (10b.19b.21c), os temas afins da cobiça, da soberba e da idolatria (6-10.11-17.18-21). O eixo do poema é formado pelas duas frases: "o homem será humilhado... só o Senhor será exaltado".

2,6-10 A cobiça, acumulação de bens, é uma auto-afirmação do homem que será quebrada. Os complementos se referem ao poder econômico e militar, emoldurados pela adivinhação e pela idolatria, que disfarçam o engano com capa de religião. Pode-se recordar o exemplo de Salomão (1Rs 5) e a lei de Dt 17,16s. A adivinhação é proibida em Dt 18,10s.

2,11-18 É um "dia" em que o Senhor se apresenta para julgar. Em dez versículos, uma poderosa enumeração erige e derruba seres heterogêneos, comuns em sua elevação: bosques sobre os montes, montes sobre as planícies, torres e muralhas, naves sobre o mar. Um movimento regular e irresistível vai juntando

¹³contra todos os cedros do Líbano,
    contra todos os carvalhos de Basã,
¹⁴contra todos os montes altaneiros,
    contra todas as colinas elevadas,
¹⁵contra todas as torres altas,
    contra todas as muralhas inexpugnáveis,
¹⁶contra todas as naves de Társis,
    contra todos os navios opulentos:
¹⁷será dobrado o orgulho do mortal,
    será humilhada a arrogância do homem;
    só o Senhor será exaltado naquele dia,
¹⁸e os ídolos desaparecerão sem exceção.
¹⁹Refugiai-vos nas grutas das rochas,
    nas fendas da terra,
    diante do Senhor terrível, diante de sua majestade sublime,
    quando se levantar, aterrando a terra.
²⁰Naquele dia o homem atirará
    seus ídolos de prata; seus ídolos de ouro
    – que fez para se prostrar diante deles –
aos ratos e aos morcegos;
    ²¹e se refugiará nas grutas dos rochedos
    e nas fendas dos penhascos.
Diante do Senhor terrível, diante de sua majestade sublime,
    quando se levantar, aterrando a terra.
²²Deixai de confiar no homem
    que tem o alento no nariz: de que vale?

Anarquia em Jerusalém
(Ez 22; Is 59,9-15)

3 ¹Vede que o Senhor dos exércitos
    afasta de Jerusalém e de Judá bastão e sustento:
    todo sustento de pão, todo sustento de água;
²capitão e soldado, juiz e profeta,
    adivinho e conselheiro;
³comandante e notável, conselheiro, artesão e mago
    e o perito em encantamentos.
⁴Nomearei jovens como chefes,
    meninos os governarão.
⁵O povo se atacará, uns aos outros,
    um homem contra seu próximo;
jovens se amotinarão contra anciãos,
    plebeus contra nobres.

---

e derrubando tudo o que se ergue, como um furacão que viesse do norte (Líbano), avançando pela montanha (Efraim), se dirigisse para Jerusalém e se desviasse para o mar.

2,20-21 Diante do terror de Deus, o homem descobre a nulidade de suas "manufaturas", que não protegem nem salvam; e atira seus ídolos aos animais imundos. Rochedos e poeira se abrem e afundam em covas e grutas. Unem-se e confundem-se o vazio, o profano e o tenebroso.

2,22-4,6 Na atual composição do livro, o processo do julgamento avança para a restauração final. O primeiro é uma etapa de anarquia (2,23-3,9). Depois o julgamento enfrenta os novos senhores, ministros de injustiça (3,12-15). Em seguida volta-se contra o luxo feminino (3,16-24 e 3,25-4,1). A restauração chega num texto que parece tardio (4,2-6).

2,22 Funciona como versículo de ligação. O que tem o alento no nariz (Gn 2,7), pelo nariz o perde (Gn 7,22).

3,1-9 O poeta descreve um processo. Em momentos de crise, a sociedade "apoia-se" em bens elementares, comer e beber, e nos chefes que a unificam e governam. Acontece uma grande carestia, enviada por Deus, e sobrevém a revolução e a anarquia: falham

⁶Um homem agarrará seu irmão
   na casa paterna:
"Tens um manto, sê nosso chefe,
   assume o comando desta ruína".
⁷Nesse dia o outro protestará: "Não sou médico,
   e em minha casa não há pão nem tenho manto:
   não me nomeeis chefe do povo".
⁸Jerusalém desmorona, Judá vem abaixo:
   porque falavam e agiam contra o Senhor,
   rebelando-se na presença de sua glória.
⁹Seu descaramento testemunha contra eles,
   alardeiam seus pecados como Sodoma,
   não os ocultam:
   ai deles, porque provocam sua própria desgraça!
¹⁰Feliz o justo: tudo lhe irá bem,
   comerá o fruto de suas ações!
¹¹Ai do perverso: tudo lhe irá mal,
   e lhe darão o pagamento de suas obras!
¹²Povo meu, a quem criancinhas oprimem
   e mulheres governam: povo meu,
   teus guias te extraviam,
   apagam o traçado de tuas sendas.
¹³O Senhor se levanta para julgar,
   de pé vai sentenciar o seu povo.
¹⁴O Senhor vem para fazer um pleito
   com os chefes e príncipes do seu povo.
Vós devastáveis as vinhas,
   e tendes em casa o que foi roubado do pobre.
¹⁵O que é isso? Triturais o meu povo,
   moeis o rosto dos desvalidos?
   – oráculo do Senhor dos exércitos.

Contra o luxo feminino
(Is 32,9-14; Am 4,1-3)

¹⁶Diz o Senhor:
   Porque se envaidecem as mulheres de Sião,
andam de pescoço empinado, piscando os olhos,
   caminham com passo miúdo,
   tilintando as argolas dos pés:
¹⁷O Senhor cobrirá de caspa
   a cabeça das mulheres de Sião,
   o Senhor desnudará suas vergonhas.

---

os chefes políticos e religiosos, até os ilegítimos, como adivinhos e encantadores. Com o poder se fazem chefes incapazes, provocando a guerra civil (4-5), e o resultado é uma ruína que ninguém quer governar (6-7). Então, quem tem uma casa e um manto se torna personagem: oferecem-lhe o mando e ele o recusa.

3,8-9 O primeiro delito é contra o Senhor. O segundo é duvidoso: partidarismo ou arrogância. Também é duvidoso o que se segue. Poder-se-ia ler: "denunciam-lhes seus pecados sem ocultá-los, dão-lhes o que merecem".

3,10-11 Felicidade e infelicidade acompanham o castigo. Se é o povo que as pronuncia, são um julgamento popular que apela para a justiça de retribuição. Se é um redator que as acrescenta, são comentário sapiencial (Pr 11,21; 12,14). Se é Deus que as pronuncia, são uma sentença de alcance universal.

3,12-15 Oráculo apaixonado contra os chefes perversos e cheio de compaixão por "meu povo". Ver Lv 5,21-23; Ez 18,7-9; 22,9.

3,16-17 A vaidade feminina é descrita com plasticidade satírica. Talvez os gestos impliquem provocação. O castigo é brutal e corresponde ao delito.

¹⁸Naquele dia o Senhor arrancará seus enfeites:
¹⁹braceletes, diademas, meias-luas,
²⁰pingentes, pulseiras, véus,
lenços, correntinhas, cintos,
frascos de perfume, amuletos,
²¹anéis e pingentes de nariz,
²²trajes, mantos, chales, bolsas,
²³vestidos de seda e de linho, turbantes e mantilhas.
²⁴E terão: em vez de perfume, mau cheiro;
em vez de cinto, corda;
em vez de cabelos encaracolados, calvície;
em vez de sedas, pano de saco;
em vez de beleza, cicatriz.

As viúvas de Jerusalém

²⁵Teus homens cairão à espada;
teus soldados, na guerra;
²⁶tuas portas gemerão e farão luto,
e assolada te sentarás no chão.

4 ¹Naquele dia sete mulheres agarrarão um só homem,
dizendo-lhe: Comeremos o nosso pão,
nos vestiremos com nossa roupa;
dá-nos só teu sobrenome, tira nossa desonra.
²Naquele dia, o rebento do Senhor será joia e glória,
o fruto do país, honra e enfeite
para os sobreviventes de Israel.
³Os que ficarem em Sião,
os restantes em Jerusalém,
serão chamados santos:
os inscritos em Jerusalém entre os vivos.
⁴Quando o Senhor lavar a sujeira
das mulheres de Sião
e esfregar o sangue dentro de Jerusalém,
com um vento justiceiro, com um sopro abrasador,
⁵o Senhor criará em todo o recinto
do monte Sião e sua assembleia

3,19-24 Enumeração complacente e zombeteira da ostentação feminina. São vinte e uma peças artificiosamente repartidas e rimadas, como se a sonoridade imitasse as peças de um adorno. Não importa a identificação de cada peça (duvidosa), e sim a acumulação de uma vaidade cobiçosa. O castigo é enunciado com engenhosos jogos de palavras, que sublinham a mudança de situação.

3,25-26 Jerusalém como viúva e sem filhos (Lm 1,7; 2,18s).

4,1 Jerusalém aparece como esposa e mãe; os homens morreram na guerra, a cidade está viúva de homens e realiza as cerimônias do luto, dos gemidos e do sentar-se no chão. Ante a escassez de homens, as mulheres se reúnem em grupos para repartir entre si maridos que lhes deem filhos e sobrenome; elas arcarão com o resto (Ex 21,10).

4,2-6 Oráculo de restauração após a série precedente (provavelmente posterior). A continuidade dos sobreviventes sucede à escassez de homens; às mulheres provocativas, uma grande purificação; aos chefes perversos, um "rebento davídico" (Jr 23,5s; 33,15; Zc 3,8; 6,12); à ruína de Jerusalém, o renovado esplendor de Sião. Com a referência davídica conjuga tradições do êxodo.

4,2 "Naquele dia" soa geralmente como especificação escatológica. "Rebento" é título do herdeiro davídico, do futuro Messias.

4,3 De novo o título "santos" ou consagrados, propriedade de Deus (Ex 19,6; Dt 7,6; 14,2.21; 26,19). Fará um registro dos "vivos" (Ex 32,32; Ez 13,9; Sl 69,29; 87,6).

4,4 A purificação que a água costuma fazer será feita por um sopro ardente, um sopro abrasador.

4,5-6 No templo voltará a habitar a glória do Senhor, coberta com um dossel, que será ornamento e asilo contra os assaltos do mormaço e das tempestades.

uma nuvem de dia, uma fumaça brilhante,
um fogo chamejante de noite.
Dossel ⁶e tabernáculo cobrirão sua glória:
serão sombra no calor do dia,
resguardo no aguaceiro, abrigo na chuvarada.

Canto à vinha
(Os 10,1-8; Sl 80)

5 ¹Vou cantar em nome do meu amigo
um canto de amor para sua vinha:
Meu amigo tinha uma vinha em fértil colina.
²Cavou-a, tirou-lhe as pedras e plantou boas cepas;
construiu no meio uma torre de guarda
e cavou um lagar.
E esperou que desse uvas boas, porém deu uvas azedas.
³Pois agora, habitantes de Jerusalém,
homens de Judá,
por favor, sede juízes entre mim e minha vinha.
⁴O que mais devia eu fazer por minha vinha
que eu não tenha feito?
Por que, esperando que desse uvas boas,
deu uvas azedas?
⁵Pois agora vos direi
o que vou fazer com minha vinha:
vou tirar seu muro para que sirva de pasto,
derrubar sua cerca para que a pisoteiem.
⁶Vou deixá-la arrasada: não a podarão nem cavarão,
crescerão sarças e cardos;
proibirei às nuvens que chovam sobre ela.
⁷A vinha do Senhor dos exércitos
é a casa de Israel,
sua plantação preferida são os homens de Judá.
Deles esperou direito, e aí tendes: assassínios;
esperou justiça, e aí tendes: lamentos.

Maldições
(Am 5,7-17; 6,1-11; Hab 2)

⁸Ai dos que acrescentam casas a casas
e juntam campos com campos,

5,1-7 Na famosa canção da vinha observamos três coisas. a) O duplo plano simbólico. É um canto de trabalho, que mal esconde um canto de amor: aquele que ama canta seu fracasso amoroso, que simboliza o fracasso amoroso do Senhor com seu povo. b) O verbo "fazer", com suas especificações agrícolas, aparece sete vezes. O amor não é só sentimento, mas obras de ambas as partes. O paradoxo é que aos favores do Deus amante deve corresponder o amor ao próximo, à pessoa. Com seus trabalhos de amor, Deus quer que os israelitas se amem e respeitem. c) O canto começa em tom lírico. De repente (3) se interrompe e se torna retórico: interpela o público para que o povo assuma o lugar e a atitude de jurado no pleito. Quando o público já emitiu mentalmente sua sentença, o profeta retorce o oráculo contra seus ouvintes.

5,1 O profeta entoa o canto do amigo, que parece envergonhar-se de entrar em julgamento publicamente.
5,6 A proibição supõe um poder cósmico que compete ao Senhor (Jó 38,34).
5,7 Um versículo lapidar, com engenhosas aliterações, reforça a lição. A imagem da vinha é recolhida e explorada no NT (Mt 21,33-45 par.; Jo 15,1-6).
5,6-25 Série de ais contra diversos delitos. É provável que tenham existido independentes; alguns mostram acréscimos secundários. O recopilador reuniu aqui seis, e colocou o sétimo em 10,1-4, e também encaixaria 29, 15s. O esquema é este: denúncia do delito e anúncio do castigo. No lugar que ocupam convidam a ser lidos como ressonância da canção da vinha, já sem imagem e com gritos em vez de música.
5,8-10 Contra os latifundiários. Deus repartiu a terra por sortes (Js 13-21) para que todas as famílias ti-

até não deixar lugar, e viver só eles
no meio do país!
⁹Sou testemunha: o Senhor dos exércitos jurou:
Suas muitas casas serão arrasadas,
seus palácios magníficos ficarão desabitados,
¹⁷cordeiros pastarão como em prados próprios,
cabritos cevados roerão em suas ruínas,
¹⁰dez jeiras de vinha darão um tonel,
uma carga de semente dará um cesto.
¹¹Ai dos que madrugam em busca de bebidas,
e até o crepúsculo o vinho os acende!
¹²Tudo são cítaras e harpas, pandeiros e flautas,
e vinho em seus banquetes,
e não atendem à atividade de Deus
nem veem a obra de sua mão.
¹³E assim meu povo, inconsciente, é deportado:
seus nobres morrem de fome,
e a plebe se abrasa de sede.
¹⁴O abismo alarga suas fauces,
dilata a boca sem medida:
aí descem os nobres e a plebe,
seu tumulto e seus festejos.
¹⁵Será dobrado o mortal,
será humilhado o homem,
os olhos arrogantes serão humilhados.
¹⁶O Senhor dos exércitos será exaltado ao julgar,
o Deus santo mostrará
sua santidade na sentença*.
¹⁸Ai dos que atraem para si a culpa
com cordas de bois,
e o pecado com sogas de carretas!
¹⁹Os que dizem: Que se apresse,
que apresse sua obra, para que a vejamos;
que se cumpra logo
o plano do Santo de Israel,
para que o comprovemos.
²⁰Ai dos que chamam de bem ao mal
e de mal ao bem,
que têm as trevas como luz
e a luz como trevas,

---

vessem casa e campo. A acumulação lesa a justiça e vai contra o plano de Deus. O castigo acontece no mesmo plano: ruína das casas e esterilidade dos campos.

5,11-16 Contra o luxo dos banquetes, que embota o senso religioso (22,8-11 e 28,7-13). O grito é amplificado com breve descrição, a ameaça está duplicada (12 e 14) e o final se amplia com frases do capítulo 2. O castigo acontece no mesmo plano: fome, sede e a voracidade do Xeol sucedem aos banquetes luxuosos; o desterro, à cegueira religiosa. O acréscimo interpreta o desterro como julgamento de Deus.

5,16 * O v. 17 vai depois do v. 9.

5,18-19 Os que não reconhecem o plano de Deus na história arrastam a desgraça para si com cordas e sogas. A atitude zombeteira coloca prazos para Deus. A ironia está em que, ao desafiar a Deus para que se apresse, aqueles antecipam a ação que os destruirá (Ez 12,21-28).

5,20 Por simples enumeração, deixando o castigo implícito no delito, que consiste na inversão de valores: no ético, bem e mal; no conhecimento e manifestação, luz e trevas; no gosto e deleite, doce e amargo.

5,21-23 O delito é o do segundo ai, mas na sua incidência sobre a injustiça forense. Não se anuncia castigo, pois os versículos seguintes são resultado de uma contaminação entre o 5,24-25 e 10,1-4a. Este último na série dos ais e aquele na série com estribilho do cap. 9, cujo tema é a ira do Senhor.

que têm o amargo como doce
e o doce como amargo!
²¹Ai dos que se consideram sábios
e se creem perspicazes!
²²Ai dos valentes para beber vinho
e aguerridos para misturar bebidas;
²³dos que por suborno absolvem o culpado
e negam justiça ao inocente!
²⁴Pois bem, como a língua de fogo
devora o restolho,
e a palha se consome na chama,
a raiz deles apodrecerá,
seus brotos voarão como pó.
Porque rejeitaram a lei do Senhor dos exércitos
e desprezaram a palavra do Santo de Israel.
²⁵Por isso se inflama
a ira do Senhor contra seu povo
e estende a mão para feri-lo.
Tremem os montes, jazem os cadáveres
como lixo pelas ruas.
E com isso tudo sua ira não se aplaca,
sua mão continua estendida.

Invasão assíria
(Is 8,5-8; 10,28-32)

²⁶Içará uma insígnia para um povo distante,
assobiará para os confins da terra:
Ei-lo chegando veloz e ligeiro.
²⁷Ninguém se cansa, ninguém tropeça,
não se deita, não dorme,
não tira o cinturão dos lombos,
não desata a correia das sandálias.
²⁸Suas setas estão aguçadas
e todos os arcos esticados:
os cascos de seus cavalos são de pedra,
e as rodas, turbilhões.
²⁹Seu rugido é de leão, ruge como os filhotes,
grunhe e agarra a presa,
ele a retém, e ninguém a arranca.
³⁰Naquele dia bramará contra ele
como brama o mar.
Olha a terra em trevas espessas,
nuvens densas obscurecem a luz.

5,21 Contra a sabedoria humana auto-suficiente e satisfeita, que não sente falta da palavra de Deus (Jr 9,22; Pr 26,12).

5,24-25 Começa pois a série, violentamente interrompida pelo bloco de 6,1-9, e que termina em 9,21.

5,26-29 Descreve a invasão assíria ou a canta como marcha militar. Deus mesmo faz recrutamento de longe; imediatamente assistimos à presença próxima e ao avanço, numa ostentação rítmica. A descrição de Isaías não desmerece ante os magníficos relevos assírios. O grito de guerra soa como rugir de leões: é grito de conquista e de posse irresistível.

5,30 Atraído pelo verbo "rugir", caiu aqui este versículo perdido, se não é comentário tardio. Da descrição bélica sobe-se à catástrofe cósmica, com tonalidade mítica; Assur se transforma em símbolo, como em contextos escatológicos.

6 Vocação de Isaías (Jr 1; Ez 2; Sl 99; Ex 3-4; Jz 6,12-24) –

¹No ano da morte do rei Ozias, vi o Senhor sentado num trono alto e excelso: a orla de seu manto enchia o templo. ²Por cima dele havia serafins em pé, com seis asas cada um: com duas asas cobriam o rosto, com duas asas cobriam o corpo, com duas asas voavam. ³E, alternando-se, clamavam: Santo, santo, santo, o Senhor dos exércitos, a terra está cheia de sua glória! ⁴E os umbrais das portas tremiam ao clamor de sua voz, e o templo estava cheio de fumaça. ⁵Eu disse:

"Ai de mim, estou perdido!
Eu, homem de lábios impuros
que habito no meio de um povo
de lábios impuros,
vi com meus olhos o Rei
e Senhor dos exércitos".

⁶E voou até mim um dos serafins com uma brasa na mão, que havia retirado do altar com tenazes; ⁷aplicou-a na minha boca e me disse:

"Vê: isto tocou os teus lábios,
tua culpa desapareceu,
teu pecado está perdoado".

⁸Então escutei a voz do Senhor, que dizia:
– Quem enviarei?
Quem irá de nossa parte?
Respondi:
– Aqui estou, envia-me.
⁹Ele replicou:
– Vai e dize a esse povo:
Ouvi com vossos ouvidos, sem entender; olhai com vossos olhos, sem compreender. ¹⁰Embota o coração desse povo, endurece o seu ouvido, cega seus olhos: que seus olhos não vejam, que seus ouvidos não ouçam, que seu coração não entenda, que não se converta e sare.
¹¹Eu perguntei:
– Até quando, Senhor?
Ele me respondeu:
– Até que desmoronem as cidades despovoadas e as casas desabitadas, e os campos fiquem desolados. ¹²Porque o Senhor afastará os homens, e o abandono no país

---

6,1-13 O profeta nos fala de uma experiência transcendental, numa linguagem de símbolos que convida a vislumbrar o mistério. Podemos dividir o capítulo em três partes: teofania (1-5), consagração (6-7), missão (8-12). O estilo é dominado por fórmulas ternárias. Visão, audição e participação se espalham por todo o capítulo.

6,1-4 A teofania cria uma sensação de plenitude. A orla ou franja de uma túnica cobre o templo, a fumaça o enche, a glória enche a terra. Enchem e transbordam, porque o Senhor não está circunscrito. O templo é estrado da grandeza supracósmica, a fumaça vela e revela, a terra é templo gigantesco.
O Senhor está sentado no seu trono, como rei. A sua corte celeste são os serafins: mantêm-se firmes e cobrem-se respeitosamente. Entoam um canto alternado. Os exércitos são os astros celestes. A teofania, em vez de provocar um terremoto, faz com que o templo estremeça e se encha de fumaça (cf. Ex 19; Sl 104,32).

6,5-7 O profeta sente a sua pequenez limitada, incapaz de abranger em vida a grandeza do Senhor; sente mais a sua limitação ética, sua mancha e pecado, no qual é solidário com todo o povo. A purificação é como rito eficaz que apaga os pecados. Os lábios são o órgão da pregação profética.

6,8 A atividade profética é missão encomendada por Deus. O profeta toma a pergunta como dirigida a si como desafio e convite, e se oferece sem resistência, não como Moisés (Ex 3-4) e Jeremias (Jr 1,4ss).

6,9-10 A missão é paradoxal. O seu destino é o fracasso, o seu êxito será piorar a situação. Pregando a conversão, provocará o endurecimento e tornará inevitável o castigo, pois o povo não poderá alegar ignorância. Quando a desgraça acontecer, a palavra, aparentemente ineficaz, será recordada; e à luz da tribulação será compreendida e aceita como castigo. Em última instância, essa palavra conduzirá à conversão.

6,11-12 O profeta aceita a missão estranha, sem questionar a santidade de Deus; mas pergunta: Até quando? – Até a catástrofe. O vazio de cidades e campos se oporá à plenitude divina, multiplicando-se o abandono.

crescerá. ¹³E ainda que nele fique um de cada dez, de novo será varrido; carvalho ou roble que, ao serem cortados, só deixam um toco. Esse toco será semente santa.

LIVRO DO EMANUEL

7 Primeiro aviso a Acaz (Is 8,9-10; 14,24-27) –

¹Em Judá reinava Acaz, filho de Joatão, filho de Ozias. Rason, rei de Damasco, e Faceia, filho de Romelias, rei de Israel, subiram a Jerusalém para atacá-la; mas não conseguiram conquistá-la. ²A notícia chegou ao herdeiro de Davi:
– Os sírios acampam em Efraim.

E o seu coração e do povo se agitou como se agitam com o vento as árvores do bosque. ³Então o Senhor disse a Isaías:
– Vai com teu filho Sear-Iasub ao encontro de Acaz, na extremidade do canal da piscina superior, junto à estrada do campo do Pisoeiro, ⁴e lhe dirás:

"Vigilância e calma!
 Não temas, não te acovardes
 diante desses dois pedaços de tição fumegantes,
⁵ainda que a Síria trame a tua ruína, dizendo:
⁶Subamos contra Judá, sitiemo-la,
 abramos nela uma brecha
 e nela nomearemos rei o filho de Tabeel".

⁷Assim diz o Senhor:

Não se cumprirá nem se realizará:
⁸ªDamasco é capital da Síria,
e Rason, capitão de Damasco;
⁹ªSamaria é capital de Efraim,
e o filho de Romelias,
 capitão da Samaria.
⁸ᵇ(Dentro de sessenta e cinco anos,
Efraim, destruído, deixará de ser povo).
⁹ᵇSe não crerdes, não subsistireis.

6,13 Provavelmente acréscimo posterior ou dois acréscimos em dois tempos. No fim, soa a voz da esperança: o resto sobrevivente será semente santa, consagrada ao Senhor.

LIVRO DO EMANUEL
Os capítulos 7-12 são uma composição regida por vários princípios. Antes de tudo, deve-se separar 9,7-10,4, que continuam o capítulo 5, e 10,5-27, que pertencem à etapa de Senaquerib.
Os materiais pertencem à guerra de Damasco e Israel. São princípios de organização: a) os sinais; b) a alternância invasão-libertação; c) os nomes próprios.
a) Sinal central e nome emblemático é o menino chamado Emanuel = Deus conosco. É enunciado em 7,14-15 e compreende quatro motivos repetidos no conjunto em ordem inversa: nascimento (9,5); nome (8,10); dieta (7,22); uso da razão (7,16).
b) Alternância. Invasão (7,1-2); sinal (10-15); libertação (16); invasão/libertação (7,17-20.21-22). Desolação/libertação (7,23-25; 8,1-4). Invasão/libertação (8,5-8.9-10). Opressão/libertação (8,21-23; 9,1-6). A alternância prolonga-se em invasão e opressão/libertação (10,28-32.33; 11,1-9).
c) Nomes. Além de Emanuel, os dois filhos do profeta: "Pronto-saqueio" (8,1-4) e "Um resto voltará" (com seus dois componentes, tema condutor). O nome do profeta governa o capítulo 12.
O tema central destes capítulos é: a dinastia davídica está ameaçada; da parte de Deus, está garantida pela promessa (2Sm 7); da parte do monarca e do povo, o princípio de subsistência é a fé (7,9).

7,1-9 Exemplo de oráculo inserido no seu contexto histórico (ver Introdução). As duas imagens sintetizam o processo: um vento impetuoso que agita as árvores se desvanece em fumaça de tições que se consomem. A fé ou confiança no Senhor deve vencer o medo natural (30,15; Sl 27).
7,2 2Sm 7; Sl 27,3.
7,3 O filho seria um menino pequeno: serve de testemunha muda e aponta como símbolo profético.
7,6 Tentativa de implantar uma nova dinastia em Judá: "filho de Tabeel", não de Acaz, não davídico.
7,7-9a A resposta é categórica, jogando com dois significados de "cabeça" (cf. Sl 18,44). O Senhor controla a história, com seus territórios e protagonistas. 8b é acréscimo posterior.
7,9b A frase é uma síntese teológica capital, montada sobre um jogo de conjugações: 'm lo' ta'minu ki lo' te'amenu. A palavra de Deus é o ponto de apoio da salvação, a fé é o centro de gravidade. A fé funda e conserva a existência do povo. A palavra de Deus

Segundo aviso: o sinal do Emanuel
(Jz 13; Mt 1,23) – ¹⁰O Senhor tornou a falar a Acaz:

– ¹¹Pede um sinal ao Senhor teu Deus; no fundo do abismo ou no alto do céu.
¹²Acaz respondeu:

– Não o peço, não quero tentar o Senhor.
¹³Então Deus disse:

– Escuta, herdeiro de Davi:

Não vos basta cansar os homens, quereis cansar também o meu Deus? ¹⁴Pois o Senhor, por sua conta, vos dará um sinal:

Vede: a jovem está grávida e dará à luz um filho,
e lhe dará o nome de Emanuel.
¹⁵Comerá coalhada com mel, até que aprenda
a rejeitar o mal e a escolher o bem.
¹⁶Porque antes que o menino aprenda
a rejeitar o mal e a escolher o bem,
a terra ficará abandonada
pelos dois reis que te causam medo.

¹⁷O Senhor fará vir sobre ti, sobre teu povo, sobre tua dinastia, dias jamais conhecidos desde que Efraim se separou de Judá.

Invasão assíria
(Is 5,26-30)

¹⁸Naquele dia o Senhor assobiará
às moscas dos confins do delta do Egito
e às abelhas do país da Assíria,
¹⁹e virão e pousarão em massa
nas profundezas das quebradas,
nas fendas das rochas,
em todo matagal, em todo bebedouro.
²⁰Naquele dia o Senhor lhe rapará,
com navalha alugada do outro lado do Eufrates,
a cabeça e o pelo de suas partes,
e lhe rapará a barba.
²¹Naquele dia cada um manterá
uma bezerra e duas ovelhas,
²²e como o leite será abundante, comerão coalhada;
sim, comerão coalhada e mel
os que ficarem no país.

---

se cumprirá, diante dos planos humanos que não se cumprirão (cf. Sl 33). Para o NT, cf. Ap 3,14.

7,10-15 O homem não pode exigir sinais, pode pedi-los; se Deus os oferece, o homem deve aceitá-los. O rei se recusa por falsa humildade, que encobre uma fé vacilante. Sinais do céu podem ser estelares ou meteoros; do abismo, devem estar relacionados com os mortos (cf. Mt 12,39-41).

7,14-15 "A jovem" é, no contexto histórico, a esposa do rei. O menino é Ezequias, que assegura a continuidade da dinastia. A dieta condensa os bens da terra prometida. A tradição judaica interpretou "virgem"; assim aparece na versão grega (*parthenos*) e assim passa à tradição cristã, que aplica a frase a Maria (Mt 1,23). A cadeia dinástica depende de Davi quanto ao biológico; quanto ao salvífico, do futuro Messias.

7,16 Com o uso da razão, o menino se decide responsavelmente pelo bem contra o mal. Esse momento coincide com a libertação, com a derrota dos reinos agressores.

7,17 Versículo duvidoso: anuncia dias bons ou dias maus? Uma glosa, "o rei da Assíria", o interpreta como anúncio de desgraça, referida à invasão de Senaquerib.

7,18-25 Quatro oráculos ligados pela expressão "naquele dia", que aponta para um futuro indeterminado. Os dois primeiros são de ameaça, o terceiro de restauração; o quarto prepara por contraste o que se segue.

7,18-19 Variação poética sobre o tema da invasão. Descreve plasticamente, com onomatopeias, a onipresença incômoda dos invasores. Ligando Assur com Egito, oriente com ocidente, parece prenunciar as escatologias, o assalto dos pagãos.

7,20 Nova imagem, que descreve a ignomínia de uma derrota: rapar a cabeça, a barba e as virilhas (traduzo *regel*, "pé", por "partes", pois é eufemismo frequente). Além disso, cabeça e pé designam, em termos militares, capitães e tropa; em termos políticos, governantes e súditos.

7,21-22 Dieta tradicional de bem-estar modesto, sem miséria nem riqueza (cf. 2Sm 12,2-3; Pr 30,7-9).

²³Naquele dia um terreno
de mil cepas no valor de mil moedas
produzirá sarças e espinhos.
²⁴Entrarão por ele com arcos e flechas,
porque todo o país será sarças e espinhos;
²⁵nas ladeiras cavadas à enxada
não entrarás por medo das sarças e espinhos;
serão pasto de vacas, pisado por ovelhas.

8 O filho de Isaías

¹O Senhor me disse:
– Pega uma tábua grande, e escreve com caracteres comuns:
"Pronto-saque, Rápidos-despojos".
²Então eu tomei duas testemunhas fiéis: o sacerdote Urias e Zacarias, filho de Baraquias.
³Acheguei-me à profetisa; ela concebeu e deu à luz um filho. O Senhor me disse:
– Dá-lhe o nome de Pronto-saque, Rápidos-despojos. ⁴Porque antes que o menino aprenda a dizer "papá, mamã", as riquezas de Damasco e os despojos da Samaria serão levados à presença do rei da Assíria.

Invasão
Is 5,26-30; Jr 1,13-16

⁵O Senhor tornou a dirigir-me a palavra:
⁶Já que esse povo desprezou
a água de Siloé, que corre mansa,
pela arrogância de Rason
e do filho de Romelias,
⁷sabei que o Senhor fará que os submerjam
as águas do Eufrates,
torrenciais e impetuosas:
(o rei da Assíria com todo o seu exército)
enchem-se as margens, transbordam as ribanceiras,
⁸invadem Judá e o inundam,
sobem e chegam até o pescoço.
E suas asas se abrirão
até cobrir a largura de tua terra,
ó Emanuel!

Libertação
(Is 14,24-27)

⁹Enfurecei-vos, povos, porque saireis derrotados,
escutai, países distantes:
armai-vos, pois saireis derrotados,
armai-vos, pois saireis derrotados;

7,23-25 Oráculo de ameaça. Faltando a população, a terra cultivável se converte em terreno de sarças (5,6; cf. Pr 24,30-31). A pessoa se aventura por ele armada. Até montes e encostas, aptos para algumas culturas (cf. Is 5,2), ficam à mercê do gado.

8,1-4 Um novo filho do profeta se torna oráculo vivo, seguindo um processo em três etapas: anúncio no templo, realização, explicação. Crescendo, apressa o prazo, seu nome anuncia a derrota do inimigo. Suas primeiras palavras infantis serão alegria do povo, canto de libertação.

8,5-10 A repetição do nome do Emanuel nos vv. 8 e 10 convida a ler os dois oráculos reunidos, como dois tempos de um processo, invasão e libertação. Facilmente se aplicam à atitude do povo: por seu temor diante de Damasco e Efraim, desencadeou a intervenção assíria; mas Deus a fará fracassar.

8,5-8 Nova versão da invasão, em imagem aquática (cf. Jr 1,14). Tem forma de julgamento: denuncia o delito e anuncia a execução da pena. As "asas" não se aplicam em hebraico a um exército; provavelmente são as asas protetoras do Senhor da aliança, invocado com o nome de Emanuel.

8,9-10 Convite irônico a preparar minu-ciosamente o fracasso, a derrota (cf. Sl 2,2). "Não se cumprirão"; cf. 14,24-27.

¹⁰fazei planos, que fracassarão;
    pronunciai ameaças, que não se realizarão,
    porque temos Emanuel.

O Senhor, pedra de tropeço – ¹¹Assim me disse o Senhor, enquanto sua mão me agarrava e me admoestava para que não seguisse o caminho deste povo:

– ¹²Não chameis aliados
    aos que esse povo chama aliados,
    não vos aterre nem vos atemorize o que ele teme;
¹³ao Senhor dos exércitos chamareis Santo,
    seja ele vosso temor; seja ele vosso terror,
¹⁴ele será pedra para tropeçar e rocha para despencar
    para as duas casas de Israel,
será laço e armadilha para os habitantes de Jerusalém:
    ¹⁵muitos nela tropeçarão,
    cairão, se despedaçarão,
    se enrolarão e ficarão presos.

Deus esconde o rosto
(1Sm 28)

¹⁶Conservo seladas as instruções
    que garantem meus discípulos,
    ¹⁷e aguardo o Senhor, que esconde o rosto
    para a casa de Jacó, e nele espero.
¹⁸Aqui estou eu com meus filhos
    – os que o Senhor me deu –
    como sinais e presságios para Israel,
    da parte do Senhor dos exércitos,
    que habita no monte Sião.
¹⁹Certamente vos dirão:
    Consultai os espíritos e adivinhos,
    que sussurram e cochicham:
    Um povo não consulta seus deuses,
    e os mortos a respeito dos vivos,
²⁰em busca de instruções seguras?
    Certamente vos falarão assim.

8,11-20 Duas peças de confissão autobiográfica. Em ambas trata-se da conduta do profeta, distante da conduta do povo.
Na primeira, Deus toma a iniciativa; na segunda, o profeta responde docilmente. O povo busca soluções em alianças políticas, em venerações assustadoras, em consultas espiritistas; Isaías deve confiar só no Senhor, de modo que sua conduta seja exemplar. O profeta entra numa etapa de solidão (Jr 15, 17).
8,12-13 Opõem-se alianças humanas e santidade de Deus, temor dos homens e temor do Senhor.
8,14-15 Se não há conversão, não adianta invocar o Senhor como "rocha" inamovível. A rocha de assento pode transformar-se em rocha de precipício, e o povo pode precipitar-se daquilo em que falsamente se apoia. Polaridade de Deus, aresta de decisões. As "duas casas" são os dois reinos, também o do Norte.
8,16-20 Texto difícil. Proponho uma interpretação provável, baseada em outros textos.
Por culpa do povo, Deus "esconde seu rosto" e nega seu oráculo. Então o povo recorre a magos e adivinhos (como Saul em 1Sm 28; Dt 18,10s), a exemplo de outros povos. O profeta zomba da pretensão (v. 19). Enquanto ele não recebe novo oráculo, conserva e sela seu testemunho anterior para o futuro; entretanto, com seus filhos, converte-se em oráculo vivo, sinal e portento. E continua esperando (Is 21,1-10; Hab 2,1-3).

Dias obscuros

²¹Passará por aí, encurvado e faminto,
  e raivoso de fome
  amaldiçoará o seu rei e o seu Deus.
Voltará a cabeça para o alto ²²e olhará a terra:
  tudo é aperto e obscuridade sem saída,
  angústia e trevas densas, sem aurora;
²³ᵃnão haverá saída para a angustiada.

Profecia messiânica (2Sm 7,8-16; Mq 5,1-3) – ²³ᵇSe em outro tempo humilhou o país de Zabulon e o país de Neftali, no futuro exaltará o caminho do mar, além do Jordão, a região dos pagãos.

9 ¹O povo que caminhava em trevas
  viu uma luz intensa,
  os que habitavam um país de sombras
  se inundaram de luz.
²Multiplicaste a alegria,
  aumentaste o prazer:
  alegram-se em tua presença
  como se exulta na ceifa,
  como se alegram os que repartem os despojos.
³Porque a vara do opressor,
  o jugo de suas cargas,
  seu bastão de comando,
  os trituraste como no dia de Madiã.
⁴Porque a bota que pisa com estrépito
  e a capa empapada de sangue
  serão combustível, pasto do fogo.
⁵Porque um menino nos nasceu,
  um filho nos trouxeram:
  carrega o cetro do principado e se chama
  "Milagre de Conselheiro, Guerreiro divino,
  Chefe perpétuo, Príncipe da paz".
⁶Seu glorioso principado e a paz não terão fim
  no trono de Davi e em seu reino;

8,21-23a Versículos perturbados e difíceis de entender. Falta o sujeito do verbo e o antecedente de "aí". Aceitamos a estranheza e procuramos o sentido: é a visão de um desesperado que cruza a cena sem nome. São dias de derrota e fome; o personagem não aceita o castigo de Deus, antes, se rebela como pode: amaldiçoando o rei, que provocou a catástrofe, e a Deus, que não a deteve. Buscando acima, encontra trevas angustiosas e envolventes; olhando para a terra, encontra-se com seu próprio cansaço opressor. No contexto atual, estes versículos formam um fundo de trevas espessas no qual explodirá a luz.

8,23b-9,6 Grande profecia de salvação. Se não nasceu como messiânica, como tal foi transmitida e recebida. O contexto histórico é a crise bélica e o nascimento do sucessor davídico.
Incluindo a introdução em prosa, o oráculo avança num movimento ternário: a) Três motivos de salvação: glória depois da humilhação, luz nas trevas, alegria realizada; b) explicação climática: porque termina a opressão, porque termina a guerra, porque nasceu um menino; c) anunciação: nascimento, nome, destino futuro.

8,23b O horizonte abrange duas tribos do Norte. O "caminho do mar" une o Egito com a Mesopotâmia.

9,1 Nas trevas, símbolo do caos e da morte, surge repentina a luz como numa nova criação.

9,3 O "dia de Madiã" é a vitória de Gedeão, quando as tochas brilharam na noite, espantando o inimigo (Jz 7).

9,4 Visão impressionista da guerra, em traços visual e auditivo.

9,5 O versículo mais breve e mais denso. O verbo está na voz passiva, sugerindo que o doador é Deus. O recém-nascido recebe nome quádruplo: quatro ofícios de corte – evitando o título de rei – cada um com uma especificação que o eleva à esfera sobre-humana.

9,6 Explica-se o nome, num horizonte sem limites, com o centro na dinastia davídica. Não há falta

ele se manterá e consolidará com a justiça e o direito,
desde agora e para sempre.
O zelo do Senhor dos exércitos o realizará.

A ira do Senhor
(Jr 5; Am 4,6-12)

⁷O Senhor lançou uma ameaça contra Jacó,
  atingiu Israel;
⁸o povo inteiro a entenderá,
  bem como Efraim e os chefes da Samaria,
  que dizem com soberba e presunção:
⁹"Caíram os tijolos?
  Reconstruiremos com pedras lavradas;
precipitou-se o madeiramento de sicômoro?
  Nós o substituiremos com cedro".
¹⁰O Senhor incitará o inimigo contra eles
  e açulará seus adversários:
¹¹pela frente Damasco,
  pelas costas os filisteus
  devorarão Israel de um só trago.
E, apesar disso, sua ira não se aplaca,
  sua mão continua estendida.
¹²Mas o povo não se voltou para quem o feria,
  não procurou o Senhor dos exércitos.
¹³O Senhor cortará de Israel cabeça e cauda,
  palmeira e junco num só dia.
¹⁴(O ancião venerável é a cabeça,
  o profeta enganador é a cauda.)
¹⁵Os que guiam esse povo o extraviam,
  os que se deixam guiar são aniquilados.
¹⁶Por isso, o Senhor não perdoa os jovens,
  não se compadece de órfãos e viúvas;
porque todos são ímpios e perversos
  e toda boca profere infâmias.
E, apesar disso, sua ira não se aplaca,
  sua mão continua estendida.
¹⁷Sim, a maldade está ardendo como fogo
  que consome sarças e espinhos,
incendeia na espessura do bosque,
  e se enrola a altura da fumaça.

---

nem limitação nessa paz e justiça que se dilatam no espaço e no tempo. A explicação não recolhe o título de "Guerreiro". Os cristãos aplicaram o texto a Jesus Cristo. O "zelo" ou amor apaixonado do Senhor cumprirá essa promessa (Jl 2,18; Zc 1,14).

9,7-21 Liga-se com 5,25, como indica o estribilho. Trata-se de uma série de avisos ineficazes pela teimosia do povo. A "ira" do Senhor é sua sentença judicial. Réus e vítimas são o povo do Norte com a sua capital.

9,7-8a O oráculo é uma entidade corpórea e ativa (cf. Is 55,11; Sb 18,15). A palavra faz o que diz e explica o que faz, e assim se faz entender; mas não consegue produzir a conversão.

9,8b-11 O pecado é presunção contra Deus: o homem pretende fazer e melhorar o que Deus desfez (cf. Ecl 7,13). O castigo é uma dupla frente sem escapatória.

9,10 Is 19,2.

9,12 No verbo "voltar" soa negado o nome do filho de Isaías.

9,13-14 Expressão proverbial, com glosa esclarecedora.

9,15 É pecado e castigo. Pecado: dos guias que extraviam, dos guiados que se deixam extraviar. Castigo, porque a população inteira caminha para a ruína.

9,16 O castigo atinge todos, também os que tradicionalmente o Senhor protege (Dt 10,18; 24,17; Sl 68,6). Aqui poderíamos ler 5,24-25, onde o pecado é rejeitar a lei e a palavra de Deus, e o castigo acontece em imagem de fogo.

9,17-20 A ira de Deus arde como fogo que tende a consumir. Fogo é a maldade destruidora do homem, é a ira abrasadora de Deus, é a guerra civil devoradora.

¹⁸ᵃCom a ira do Senhor o país arde,
  e o povo é pasto do fogo:
¹⁹ᵇcada um devora a carne de seu próximo,
  ¹⁸ᵇe ninguém perdoa seu irmão;
¹⁹ᵃdestroça à direita, e continua com fome,
  devora à esquerda, e não se sacia.
²⁰Manassés contra Efraim, Efraim contra Manassés,
  os dois juntos contra Judá.
²¹E, apesar disso, sua ira não se aplaca,
  sua mão continua estendida.

Desventura
(Is 5,8-23)

10 ¹Ai dos que decretam decretos iníquos,
  dos notários que registram vexames,
²que deixam sem defesa o desvalido
  e negam seus direitos
  aos pobres do meu povo,
  que fazem das viúvas sua presa
  e saqueiam os órfãos!
³O que fareis no dia das contas,
  quando a tempestade distante
  se precipitar por cima de vós?
A quem correreis buscando auxílio
  e onde deixareis a vossa fortuna,
⁴para não irdes encurvados com os prisioneiros
  e não cairdes com os assassinados?
E, apesar disso, sua ira não se aplaca,
  sua mão continua estendida.

Assíria, instrumento de Deus
(Jr 25,1-14; 51,20-24)

⁵Ai, Assíria, vara de minha ira, bastão de meu furor!
⁶Contra uma nação ímpia a enviei,
  eu a mandei contra o povo de minha cólera,
para que o saqueasse e o despojasse
  e o pisoteasse como a lama da rua.
⁷Mas ela não pensava assim,
  seus cálculos não eram esses;
  seu propósito era aniquilar,
  exterminar não poucas nações.

9,20 Efraim e Manassés são os dois irmãos filhos de José (Gn 49): superam suas rixas para unir-se contra o "irmão" mais velho, Judá. Não é o que Jacó recomendou ao morrer e o que José praticou (Gn 50).

10,1-4 Excetuado o estribilho, pertence à série de ais do capítulo 5. Dirige-se a uma classe social e à sua função. O governo foi constituído para defender especialmente os pobres e oprimidos, viúvas e órfãos. Os juízes abusam do cargo para explorar e oprimir os desvalidos. Encontrar-se-ão com uma instância superior: num "dia" de julgamento, o juiz se mostrará na teofania da "tempestade". Então não lhes servirão advogados de defesa nem depositários de "fortunas" injustamente amontoadas. O estribilho foi acrescentado ao mudar a colocação deste ai.

10,5-16 O oráculo original compreende os vv. 5-11 e 13-15. Os vv. 12 e 16 parecem acréscimos posteriores. Dirige-se contra o Senaquerib dos capítulos 36 e 37. Poderia unir-se à série de oráculos contra povos pagãos (13-23). O poema oferece uma aula de teologia da história na imagem coerente do instrumento.

10,6-7 Deus explica seu desígnio histórico: "envia" um exército inimigo para que execute um castigo limitado: saquear e humilhar. O inimigo não compreende o plano de Deus e impõe seus planos imperialistas; excede-se e tenta aniquilar: para afirmar-se, o poder destrói.

⁸Dizia: Meus ministros não são todos reis?
⁹Não foi Calane como Carquemis?
  Não foi Emat como Arfad?
  Não foi Samaria como Damasco?
¹⁰Como minha mão se apoderou
  de reinos insignificantes e de suas imagens...
¹¹O que fiz com Samaria e suas imagens,
  não vou fazer com Jerusalém e seus ídolos?*
¹³Ela dizia:
  Eu o fiz com a força de minha mão,
  com meu talento, porque sou inteligente.
  Mudei as fronteiras das nações,
    saqueei seus tesouros e derrubei como um herói
    os chefes de seus assentos.
¹⁴Minha mão tomou, como um ninho,
  as riquezas dos povos;
  como quem recolhe ovos abandonados,
  agarrei toda a terra,
  não houve quem batesse as asas,
  quem abrisse o bico para piar.
– ¹⁵Acaso se gloria o machado
  contra quem o brande?
  Exalta-se a serra contra quem a maneja?
  Como se o bastão guiasse quem o levanta,
  como se a vara erguesse quem não é madeira.
¹²(Quando o Senhor terminar toda a sua tarefa
  no monte Sião e em Jerusalém,
  pedirá contas de suas conquistas ao seu orgulho,
  à arrogância altaneira de seus olhos.)
¹⁶Pois bem, o Senhor dos exércitos
  colocará magreza em sua gordura,
  e debaixo do fígado lhe ateará uma febre,
  como um fogo abrasador.

O resto de Israel

¹⁷A luz de Israel se transformará em fogo,
  seu Santo é uma chama

10,8-9 A voz de Deus se apaga, dominada pela voz potente do imperador, que tem reis por vassalos. Monologa erigindo-se um arco de triunfo de vitórias geográficas. Os prismas comemorativos da Assíria contêm listas semelhantes.

10,10-11 O conquistador de um reino estrangeiro derrota os deuses de tal reino e os submete a seu deus. Envaidecido com as vitórias, atreve-se contra Jerusalém e, com audácia blasfema, chama de ídolo o Deus de Samaria e de Jerusalém.

10,11 * O v. 12 vai depois do v. 15.

10,13-14 Continua o monólogo que ostenta poder e sabedoria (cf. Dt 8,17; Ez 28,2-6), ostentação que se exercita em saquear e derrubar. É notável a comparação final, que expressa a facilidade da tarefa, a imobilidade do pânico, e o silêncio do terror.

10,15 Do fundo, onde estava esperando, adianta-se a voz de Deus para restabelecer, na imagem do instrumento, o sentido transcendente da história, diante do desafio humano. A visão que os imperadores formulam, embriagados de conquistas, é a visão imediata do pobre instrumento que não sabe transcender-se.

10,12 Uma glosa interrompe com indignação o discurso blasfemo; fala na terceira pessoa.

10,16 Provável acréscimo. A obesidade pode mencionar-se como traço cômico (Jz 3,17), como aspecto do rico arrogante (Sl 73, 4.7).

10,17-19 Encaixariam muito bem neste contexto os vv. 33-34, deslocados talvez para introduzir 11,1-9. Pelo começo, estes vv. são paralelos de 8,14-15, pois em ambos se descreve uma mutação polar de Deus em relação a seu povo: lá rocha, aqui luz. Luz e fogo denotam a ambivalência de Deus: luz que quer iluminar, fogo que pode consumir. Quem o rejeita como luz, encontra-o como fogo. Não há neutralidade diante do Deus da aliança.

10,17 Is 27,4.

que arderá e devorará
suas sarças e espinhos num só dia.
¹⁸O esplendor de seu bosque
e de seu jardim Deus o consumirá,
da medula à casca, como rói o caruncho;
¹⁹e restarão tão poucas árvores de seu bosque,
que um menino poderá contá-las.
²⁰Naquele dia o resto de Israel,
os sobreviventes de Jacó,
não tornarão a apoiar-se em seu agressor,
mas se apoiarão sinceramente
no Senhor, o Santo de Israel.
²¹Um resto voltará, um resto de Jacó,
ao guerreiro divino:
²²ainda que fosse teu povo, Israel,
como areia do mar,
só um resto a ele voltará;
a destruição decretada transborda justiça.
²³O Senhor vai cumprir no meio da terra
a destruição decretada.

Oráculo de libertação

²⁴Pois bem, assim diz o Senhor dos exércitos:
Povo meu, que habitas em Sião,
não temas a Assíria,
ainda que te fira com a vara,
e levante seu bastão contra ti, do modo egípcio;
²⁵porque muito em breve a ira acabará
e meu furor os aniquilará.
²⁶O Senhor dos exércitos
sacudirá contra eles o seu açoite,
como quando feriu Madiã em Sur Oreb*,
como quando levantou o seu bastão
contra o mar, no caminho do Egito.
²⁷Naquele dia sua carga resvalará de teu ombro,
arrancarão seu jugo de teu pescoço.

Avanço assírio e derrota
(Mq 1,10-16)

²⁸Sobe do lado de Remon*, chega até Aiat,
atravessa Magron, revisa as armas em Macmas.

10,20-23 Pelo tema do resto, liga-se com o que precede. A fórmula "naquele dia" indica um resultado secundário. Explica o nome do filho de Isaías: "só um resto", por causa do castigo, "voltará", por causa da conversão. É possível que no princípio o oráculo se dirigisse ao reino da Samaria e que mais tarde abrangesse todo o povo escolhido.
10,20 Apoiar-se é sinônimo de crer.
10,22 Ver as promessas de Gn 22,17; 32,12. Dada a extensão semântica da palavra hebraica que traduzimos por "justiça", é difícil determinar seu significado aqui. Parece que o autor não quis especificar. O castigo provocará a conversão e instaurará a justiça (1,21-26). Ou então: a destruição terminará com uma vitória libertadora.

10,24-27 Concluída a tarefa de castigar seu povo com medida, o Senhor volta sua ira contra o agressor. Renova na Assíria dois castigos históricos: o de Gedeão contra os madianitas, o de Moisés contra os egípcios.
10,26 * = Penhasco do Corvo.
10,28-32 Nova variação poética sobre o avanço da Assíria. Uma série de topônimos, sugestivos para os judeus da época, marcam uma rápida campanha militar. Vários nomes são tratados com paronomásias ou jogos sonoros. O movimento é fulminante, com uma parada final nas vésperas do assalto definitivo à capital.
10,28 * = Romã.

²⁹Desfilam pelo desfiladeiro,
passam a noite em Gabaá*;
Ramá está alarmada, Gabaá de Saul fugiu.
³⁰Clama em alta voz, Cidade de Galim; escuta-a, Laísa;
responde, Anatot.
³¹Madmena foge em debandada,
os habitantess de Gabim procuram refúgio.
³²Hoje mesmo em Nob se detém,
e já agita a mão
contra o monte Sião, a colina de Jerusalém.

Paz messiânica
(Is 9; 30,18-26; 65,16-25; Sl 72)

³³Vede, o Senhor dos exércitos
desgalha com violência a ramagem,
são cortadas as árvores próceres,
as mais altas são abatidas;
³⁴a espessura do bosque é cortada a machadadas
e nas mãos do Poderoso o Líbano vem abaixo.

11

¹Mas o toco de Jessé brotará,
de sua cepa brotará um rebento,
²sobre o qual pousará o espírito do Senhor:
espírito de sensatez e inteligência,
espírito de força e prudência,
espírito de conhecimento e respeito do Senhor.
³Não julgará pelas aparências,
nem sentenciará só por ouvir;
⁴julgará com justiça os desvalidos,
sentenciará com retidão os oprimidos;

10,29 * = Colina.
10,33-34 Creio que estes vv. estão destacados de 17-19 para que sirvam de fundo imediato ao surgir do rebento. Colocados aqui, referem-se a Judá e descrevem a desolação que dá lugar a uma esperança futura. O tema os aparenta com 2,12-14.
11,1-9 Grande poema messiânico, paralelo e complementar de 9,1-6, com o qual compartilha vários temas: o rebento sucessor, a justiça como fundamento, a paz universal, dois nomes ou títulos. O poema canta uma paz definitiva, um novo paraíso. Num eixo se colocam dois símbolos cósmicos: os quatro ventos convergentes e o mar em plenitude. No outro eixo se situam o símbolo vegetal e o animal. No meio uma sociedade humana ideal, regida por um governante justo. A tenaz fecundidade terrestre se conjuga com o dinamismo do vento para formar o chefe ideal que, pelo exercício eficaz da justiça, realiza o sonho da paz e o estende ao reino animal. Os animais se reconciliam entre si e com o homem reconciliado plenamente com Deus. O cenário é um monte amplo (2,2-5), consagrado pela presença de Deus. A interpretação messiânica é constante na antiguidade judaica e cristã.

11,1 As origens, Jessé, são insignificantes, o tronco está cortado; mas uma seiva perene, a promessa divina, vivifica essa cepa. Alguns pensam que a indicação de Mt 2,23, "será chamado Nazareno", alude ao termo hebraico *néçer* = rebento.
11,2 O rebento se ergue como centro dos quatro pontos cardeais ou quatro ventos. Estranhamente os quatro convergem e "pousam" sobre o pimpolho. Resumem o alento do Senhor em plenitude (cf. Is 61,1; Lc 4,18).
"Sensatez e inteligência" é uma dupla sapiencial frequente: significam a percepção intelectual, a habilidade para agir. "Força e prudência" recolhem dois títulos de 9,5, como virtudes de governo e militares. "Conhecimento e respeito do Senhor" sintetizam o sentido religioso, feito de tratamento confiante e reverência. O hebraico acrescenta um verso que repete e perturba a composição, mas que deu motivo à teoria dos sete dons do Espírito.
11,3-5 Da plenitude dos carismas brota o governo justo, exercido principalmente no ato de julgar (Sl 72; 101; Jr 22,15s). Julgar inclui eliminar aqueles que, promovendo a injustiça, tornam a paz impossível. A palavra do juiz é vara que executa a sentença.

com o cetro de sua sentença executará o violento
e com seu alento matará o culpado.
⁵A justiça será a faixa de seus lombos
e cingirá como cinto a verdade.
⁶Então o lobo e o cordeiro
andarão juntos, e a pantera
se deitará com o cabrito,
o bezerro e o leão engordarão juntos;
um menino os pastoreia;
⁷a vaca pastará com o urso,
suas crias se deitarão juntas,
o leão comerá palha com o boi.
⁸A criança brincará na cova da áspide,
a criatura porá a mão
no esconderijo da serpente.
⁹Não causarão dano nem estrago
em todo o meu Monte Santo,
porque o país se encherá
de conhecimento do Senhor,
como as águas enchem o mar.

Volta dos exilados
(Ez 37,15-28; Is 35)

¹⁰Naquele dia a cepa de Jessé estará
erguida como insígnia dos povos:
a ela acorrerão as nações
e sua morada será gloriosa.
¹¹Naquele dia o Senhor
estenderá outra vez a sua mão
para resgatar o resto do seu povo:
os que restarem na Assíria,
no Egito e em Patros, em Cuch e no Elam,
em Senaar, em Emat e nas ilhas.

11,6-8 Paz no âmbito animal. O poeta forma duplas de animal selvagem e doméstico em cada hemistíquio; a cada três duplas aparece o homem na figura de menino. O homem, até o mais fraco, torna a submeter e domesticar os animais. Resta um animal que se diria inconciliável. Pois bem, também fazem as pazes a serpente e o homem, ou, mais exatamente, a semente da mulher, que é a criança. E não se trata de vitória difícil, mas de brincadeira infantil.

11,9 Destruídos os perversos e amansadas as feras, instaura-se um paraíso, cujo centro, é o Monte do Senhor. No primeiro, o homem se perdeu por ambicionar a "ciência de Deus"; neste, concedida ao homem como "conhecimento do Senhor", conhecer convivendo. Isso é plenitude de alegria e paz, só comparável à imensa plenitude do mar.

11,10-16 Um autor posterior, no estilo discípulo do Segundo Isaías, compõe um quadro de restauração nacional e o coloca para formar díptico com o precedente. Embora a ligação seja artificial, não faltam correspondências temáticas: volta do resto disperso, reunificação nacional, domínios davídicos, atração para outras nações.

11,10 Da imagem vegetal salta desajeitadamente à militar do estandarte (5,26). Em 2,2-5 os pagãos buscavam o Senhor; aqui buscam o sucessor de Davi. "Morada" pode ser: para o povo, a terra prometida (Dt 12,9; 1Rs 8,56); para o Senhor, o templo (Sl 132,8), genericamente, a situação de paz e descanso (Is 28,12). Aqui pode ser a corte, a capital, o reino.

11,11 A partir deste versículo surgem temas do segundo êxodo, com repetição ou mudança de vocabulário: a mão estendida, resgatar, reunir os desterrados, a passagem através do mar. A Assíria e o Egito são inimigos clássicos; Senaar e Emat representam Babilônia e Síria.

¹²Içará uma insígnia diante das nações
    para reunir os israelitas desterrados
e congregar os judeus dispersos
    pelas quatro extremidades do orbe.
¹³A inveja de Efraim cessará
    e o rancor de Judá acabará:
Efraim não invejará Judá,
    Judá não terá rancor de Efraim.
¹⁴Cairão sobre as costas
    dos filisteus no Ocidente
e unidos despojarão as tribos do Oriente;
    Edom e Moab cairão em suas mãos
e os amonitas se submeterão a eles.
¹⁵O Senhor secará o golfo do mar do Egito,
    acenando com a mão
a seu vento abrasador,
    e o ferirá em seus sete canais,
que serão atravessados de sandálias.
¹⁶E haverá uma estrada para o resto de seu povo
    que ficar na Assíria, como a teve Israel
quando subiu do Egito.

Hino
(Sl 98)

12 ¹Naquele dia recitarás: Eu te dou graças, Senhor,
    porque estavas irado contra mim,
mas tua ira cessou e me consolaste.
²Sendo Deus meu salvador, confio e não temo,
    porque minha força e poder é o Senhor,
ele foi a minha salvação.
³Tirarás água com alegria
    da fonte da salvação.
⁴Naquele dia recitareis: Dai graças ao Senhor,
    invocai o seu nome,
contai aos povos as suas façanhas,
    proclamai que o seu nome é excelso.
⁵Tocai para o Senhor, que fez proezas,
    que toda a terra as conheça;
⁶grita jubilosa, Sião, a princesa,
    pois o Santo de Israel é grande no meio de ti.

11,12 Compare-se com Is 49,12.22; 60,9.
11,13 Volta aos tempos antes do cisma; compare-se com Ez 37,15-28.
11,14 Renova-se a soberania de Davi sobre reinos vassalos. Bem diferente é a visão de 2,2-5.
11,15-16 Os dois tempos do êxodo, a caminho da pátria. A "estrada", como em Is 35 e 40.
12,1-6 Como em Ex 15, um hino comenta e celebra as profecias precedentes. É também recapitulação de temas. Divide-se em duas partes: para um solista e para o coro. A tríplice repetição de "salvar" comenta o nome do profeta, "O Senhor salva".

12,1 Cessou a ira: 9,7-21.
12,2 Confiar e não temer: 7,1-9; 8,12. Com uma citação de Ex 15,2.
12,3 A salvação é como uma fonte inesgotável. Pode evocar as fontes milagrosas do deserto (Ex 17,6), liga-se com a fonte de Siloé (8,6) e, em última análise, é Deus como fonte sempre fluente (Jr 2,13).
12,4-5 Nome e renome: nome revelado para a invocação (Ex 3,15), renome ganho com suas proezas e que o povo escolhido deve difundir a todo o mundo.
12,6 Sião, como capital do reino, representa tradicionalmente a comunidade. O título Santo: 6,3; 8,13.

ORÁCULOS CONTRA AS NAÇÕES
(Is 21; Jr 50-51)

13 ¹Oráculo contra Babilônia, que Isaías, filho de Amós, recebeu em visão.

²Sobre um monte escalvado erguei a insígnia,
gritai-lhes com força agitando a mão,
para que entrem pelas portas dos príncipes.
³Dei ordens a meus consagrados,
recrutei meus guerreiros,
entusiastas de minha honra,
para executar a minha ira.
⁴Escutai: tumulto nos montes,
como de um grande exército.
Escutai: estrondo de reinos,
de nações aliadas;
o Senhor dos exércitos
passa em revista seu exército para o combate.
⁵Estão chegando de terra distante,
dos confins do céu:
o Senhor com as armas de sua ira,
para devastar a terra inteira.
⁶Uivai, porque está próximo o dia do Senhor,
e chegará como açoite do Todo-poderoso;
⁷por isso os braços desfalecerão
e os corações humanos desmaiarão;
⁸espasmos e angústias os agarrarão, se perturbarão
e se retorcerão como parturientes.
Olharão espantados uns para os outros:
rostos febris, seus rostos.

ORÁCULOS CONTRA AS NAÇÕES

Nos capítulos 13-23 os editores do livro reuniram com critério temático alguns oráculos contra nações pagãs, alguns contra o povo judeu, um contra um indivíduo. Nem todos são de Isaías. Neste gênero predomina o esquema judicial: o juiz denuncia o delito e pronuncia a sentença de condenação. Em alguns casos, a pena é limitada pela esperança. Esses oráculos e sua coleção atestam a consciência histórica, de política internacional, do profeta e de seus discípulos.

13,1-22 Abre a série um oráculo dirigido contra Babilônia. Não podemos atribuí-lo a Isaías, já que o seu inimigo histórico é a Assíria. Além disso, o tom universal e "escatológico" fornece a toda a série um prefácio transcendente.
O profeta toma como materiais históricos o grande enfrentamento militar que decidiu a sorte de Babilônia. Mas não menciona a Pérsia, como faz o Segundo Isaías.
O material histórico é transfigurado com elementos universais e cósmicos: homens e mortais, povos e reinos, terra e orbe, sol, lua e constelações. A disposição do material se apresenta numa ordem dinâmica e impressionante. Aparece repentinamente um exército anônimo, cujo general se identifica e afirma seu protagonismo; explica-se que se trata de um grande "dia do Senhor", no qual se executa militarmente a sentença de um julgamento contra os perversos; finalmente essa colossal transcendência se concentra num fato histórico, identificado pelos nomes dos combatentes. Em termos históricos, o desenvolvimento se torna tenso rumo à identificação concreta; em termos teológicos, o sentido religioso se impõe desde o princípio. A disposição literária se serve de alguns sinais que orientam a leitura: partículas, anáforas, imperativos, mudança de pessoa etc. As divisões são de ordem temática, não por estrofes.

13,2-4 Em esquema paralelo, progressivo: recrutamento do exército/fala o general/escuta-se o exército/ nome do general. Os soldados estão "consagrados" para a guerra santa; são executores de uma sentença, "ira"; lutam pela honra do seu chefe.

13,5 A visão se amplia num cenário universal. "Armas de sua ira" são o instrumento da execução: 10,5; Jr 50,25.

13,6-8 Imperativo, convidando ao luto, e "dia do Senhor". Um daqueles dias em que o Senhor entra poderosamente na história, revelando-se em ação, realizando um julgamento histórico: 14,31; 15,2s; 16,7; Jr 19,8. A comparação da parturiente é tópica: 19,1; 21,3; 26,17; Jr 4,31; 6,24; Sl 48,7.

⁹Vede: chega implacável o dia do Senhor,
sua cólera e o incêndio de sua ira,
para deixar a terra desolada,
dela exterminando os pecadores.
¹⁰As estrelas do céu e as constelações
não brilham sua luz,
o sol se escurece ao sair,
a lua não irradia sua luz.
¹¹Pedirei ao orbe contas de sua maldade,
aos perversos de seus crimes;
acabarei com a soberba dos insolentes
e humilharei o orgulho dos tiranos.
¹²Farei que os homens escasseiem mais que o ouro,
e os mortais, mais que o metal de Ofir.
¹³Porque sacudirei o céu,
e a terra tremerá em sua base
por causa da cólera do Senhor dos exércitos,
no dia em que sua ira se acender.
¹⁴Então, como a gazela acossada
ou como rebanho que ninguém congrega,
uns voltarão ao seu povo,
outros fugirão para sua terra;
¹⁵quem é pego, morre trespassado,
quem é capturado cai pela espada;
¹⁶suas crianças são esmigalhadas diante de seus olhos,
suas casas saqueadas, suas mulheres violentadas.
¹⁷Vede: eu incito contra eles os medos,
que não apreciam a prata nem lhes importa o ouro;
¹⁸seus arcos crivam os jovens,
não perdoam as crianças,
não têm piedade das criaturas.
¹⁹Ficará Babilônia, a pérola dos reinos,
joia e orgulho dos caldeus,
como Sodoma e Gomorra
quando Deus as arrasou;
²⁰jamais nela habitarão, nunca mais será povoada;
o beduíno aí não acampará
nem descansarão aí os pastores;
²¹aí repousarão as feras,
suas casas se encherão de bufos,
morarão aí avestruzes e bodes aí brincarão;
²²as hienas uivarão em suas mansões
e chacais em seus luxuosos palácios.
Está para chegar a sua hora,
seu prazo não será prorrogado.

13,9-10 Equivalente de imperativo (partícula dêictica) e "dia do Senhor". As trevas celestes são elemento de teofania de castigo: 24,23; 34,4; Jl 2,10. Aos perversos chega o castigo definitivo: 2,12; Jl 1,15; Sf 1,7; Sl 104,35.

13,11-13 O juiz toma a palavra. No final, terceira menção do "dia" da ira. Ressoa 2,11. 17. O tremor é resposta da terra à teofania: 24,18-20; Ag 2,7.

13,14-16 Cenas e traços da derrota: pânico, debandada, fuga, perseguição, matança sem piedade. Temas desenvolvidos nas Lamentações.

13,17-18 Finalmente se pronuncia o nome do invasor. É o final implacável. O exército vencedor não se detém saqueando, dedica-se a matar; não aceita dinheiro em troca de perdão, não faz exceções: Jr 50,14.29; 51,3.11.

13,19 Soa o nome da vítima (antecipado no título). O desastre de Babilônia só é comparável à sorte das cidades malditas da Pentápole: 1,9; Jr 49,18; 50,40; Sf 2,9.

13,20-22 A cidade fica despovoada. Nem sequer serve como acampamento de beduínos e pastores. Animais

Volta do exílio
(2Mc 9)

14 ¹Sim, o Senhor terá piedade de Jacó,
voltará a escolher Israel
e a estabelecê-lo em sua pátria;
os estrangeiros se associarão a eles
e se incorporarão à casa de Jacó.
²Os povos os irão recolhendo
para levá-los a seu lugar:
a casa de Israel os possuirá,
como servos e servas, na terra do Senhor.
Cativarão seus cativadores,
dominarão seus opressores.
³Quando o Senhor te der repouso
de teus sofrimentos e temores,
e da dura escravidão em que serviste,
⁴entoarás esta sátira contra o rei da Babilônia:

Sátira contra o rei da Babilônia
(Ez 28; 32)

Como acabou o tirano,
e cessou sua agitação!
⁵O Senhor quebrou o cetro dos perversos,
a vara dos dominadores,
⁶daquele que golpeava furioso os povos
com golpes incessantes,
e oprimia iracundo as nações
com opressão implacável.
⁷A terra inteira descansa tranquila,
gritando de júbilo.
⁸Até os ciprestes se alegram com tua sorte
e os cedros do Líbano:
"Desde quando jazes caído,
o cortador já não sobe contra nós".

---

profanos e sinistros serão os donos daquilo que foi Babilônia. Veja-se o desenvolvimento paralelo de 34, 13-15.

14,1-23 O capítulo é resultado da reunião de um breve oráculo (1-2), uma introdução (3-4), a sátira (5-20) e uma conclusão (21-23). Com os dois extremos se compõe a moldura formada por repetições temáticas e antitéticas. Tratemos separadamente das peças.
14,1-2 Recorda em temas e linguagem Is 40-55; 56-65, pela repatriação dos desterrados e pela incorporação de estrangeiros: por ex., Is 43,10; 44,1s; 49,7; 60,10. Os estrangeiros: Is 56,3; Zc 8,22s. Pela duradoura compaixão do Senhor, repete-se a antiga escolha. Mudam as sortes: agora os estrangeiros conduzem os judeus à pátria; alguns se submetem como vassalos ou servos: Is 43,6; 45,14; 60,9.14; 61,5; 66,20.
14,3 Serve de ligação para a introdução. Repouso: Dt 12,10. A "dura escravidão" recorda a do Egito: Ex 1,14; 6,9; Dt 26,6.
14,4 Introdução. A lamentação ou sátira situa-se num contexto de salvação: não é simples canto de vingança, triunfo que se disfarça de tristeza e estupor, mas canto de alívio e gratidão, meditação sobre o poder arrogante do homem abatido pelo ritmo da história dirigida pelo Senhor.
14,5-20 A lamentação tem aproximadamente uma estrutura concêntrica: ABCBA. Começam falando os judaítas (5-9); tomam a palavra os manes ou "sombras", "almas" (10-12); soa o discurso do rei (13-14); os manes continuam falando (15); os espectadores fazem coro. O poema deixou vestígios no NT: Mt 11,23; Lc 10,15; Ap 9,1; dele procede nossa expressão "luzeiro da aurora" com seu sentido irônico.
14,4b-6 Começa com um grito de constatação jubilosa; a seguir o explica, explorando a imagem de 10,5. Desde o começo, o imperialismo é analisado, qualificado e descrito em seus métodos violentos, cf. Hab 3,11.16.
14,7-8 Ao coro se associam a terra e as árvores, que o tirano devastava para as suas construções luxuosas: Is 37,24; Ez 31,16. O fato é documentado em textos assírios e babilônicos.

⁹Nas profundezas, o Abismo estremece por ti,
   ao sair ao teu encontro:
 em tua honra desperta as sombras,
   todos os poderosos da terra,
 e levanta de seu trono
   todos os reis das nações,
   ¹⁰e te cantam em coro, dizendo:
 "Também tu consumido
   como nós, igual a nós,
   ¹¹abatidos até o Abismo teu fausto
 e o som de tuas harpas!
 A esteira em que jazes são vermes;
   teu cobertor, lombrigas.
   ¹²Como caíste do céu,
   luzeiro da aurora,
   e estás abatido por terra,
   agressor de nações?
 ¹³Tu, que dizias a ti mesmo: 'Escalarei os céus,
   acima dos astros divinos
   levantarei o meu trono,
 e me sentarei no monte da Assembleia,
   no vértice da montanha celeste;
   ¹⁴escalarei o dorso das nuvens,
   e me igualarei ao Altíssimo'.
   ¹⁵Ai, abatido até o Abismo,
   até o profundo da cova!"
 ¹⁶Os que te veem ficam olhando,
   meditam tua sorte:
   "É este que fazia tremer a terra
   e os reinos estremecerem,
   ¹⁷que deixava o orbe deserto,
   arrasava suas cidades
   e não soltava seus prisioneiros?"
 ¹⁸Todos os reis das nações
   descem a sepulturas de pedra,
   todos repousam com glória,
   cada qual em seu mausoléu;
   ¹⁹quanto a ti, ao contrário,
   atiraram-te sem dar-te sepultura,
   como carniça asquerosa;

14,9 A queda do tirano faz estremecer o senhor do reino das sombras; e o Abismo, com seus poderosos destronados, oferece uma recepção fúnebre ao grande colega: Ez 32,18-32; Jó 26,5. Na recepção se entoa um novo cântico.

14,10-12 Mistura de estupor e alegria. O título "Luzeiro da aurora" é de ascendência mítica: é a Vênus matutina venerada como divindade celeste. Título divino ironicamente atribuído ao que jaz entre vermes. Seu paralelo no versículo é "agressor de nações".

14,13-14 Neste momento e diante desse público, a menção do discurso do rei soa sinistramente. Os verbos marcam um movimento ascendente: escalarei, levantarei o trono, sentar-me-ei, igualar-me-ei. O mesmo se diga dos predicados ou circunstâncias: céus e nuvens, astros, assembleia dos deuses, vértice do céu, Altíssimo.
A soberba humana realiza sua própria apoteose; e não só aspira a ser como Deus (Gn 3,5), mas também se declara igual ao Deus supremo. Ver Is 47,7s; Ez 28,14-16; 2Ts 2,4.

14,15 Um grito responde a esse discurso. Na antítese dos dois vértices culmina o poema: do reino divino, da vida imortal, ao reino da morte (cf. Sl 49).

14,16-17 Em tom mais suave, de meditação, ressoam vários temas. O poema dá voz ao impacto do acontecimento.

14,18-19 Texto duvidoso, reconstruído com suficiente probabilidade.

cobriram-te de mortos trespassados pela espada,
como cadáver pisoteado.
²⁰Não te juntarás a eles na sepultura
porque arruinaste o teu país,
assassinaste o teu povo;
para sempre se extinguirá
o sobrenome do perverso.
²¹Preparai a matança de seus filhos,
pela culpa de seus pais,
não aconteça que se levantem
e se tornem donos da terra
e cubram o orbe de ruínas.
²²Eu me levantarei contra eles
– oráculo do Senhor dos exércitos –
e extirparei da Babilônia posteridade e sobrenome,
broto e rebento
– oráculo do Senhor –;
²³eu a transformarei em posse de ouriços,
em água parada,
eu a varrerei bem, até que desapareça
– oráculo do Senhor dos exércitos!

Contra o rei da Assíria
(Is 10,5-16)

²⁴O Senhor dos exércitos jurou:
o que planejei acontecerá,
o que decidi se cumprirá:
²⁵desmantelarei a Assíria em meu país,
eu a pisarei em minhas montanhas;
escorregará dos meus o seu jugo,
sua carga escorregará de seus ombros.
²⁶Este é o plano decidido sobre toda a terra,
esta é a mão estendida
sobre todos os povos:
²⁷E se o Senhor dos exércitos decide,
quem o impedirá?
Se a sua mão está estendida,
quem a afastará?

Era a última infâmia ficar sem sepultura; mais ainda ser arrojado às intempéries ou à vala comum: Jr 7,33; 8,2; 22,19; 36,30.

14,20 O tirano agressor não só destruiu outros povos, mas também por lei histórica acabou arruinando seu próprio país (cf. Ex 10,7). Por isso acabará com ele a sua descendência, a continuidade de seu nome e sobrenome. A última frase está na terceira pessoa, com valor conclusivo quanto à forma e ao tema.

14,21-23 Estes versículos, com o seu começo no imperativo e a continuação na primeira pessoa, pertencem à moldura da lamentação. O nome de Babilônia desaparece como designação geográfica e perdura como emblema de cidade hostil a Deus (assim no Ap). Uma semente da serpente termina aí. Conforme ideia tradicional, uma cidade arrasada é ocupada por animais inóspitos (Is 34,11-17). A cidade dos canais (Sl 137) torna-se água parada ou é varrida ao rés do chão (cf. Jr 51,59-64).

14,24-27 Este oráculo é de Isaías e pode pertencer à etapa de Senaquerib. O princípio que valia contra a coalizão de Israel e Damasco (7,7) aplica-se agora ao novo agressor, a Assíria.

14,24 O "plano" e a "decisão" do Senhor opõem-se aos da Assíria, na intenção e no cumprimento: 8,10; 10,7; Sl 33,11.

14,25 O paradoxo do plano consiste em que o Senhor mesmo convida e convoca o inimigo (5,26; 7,18) para derrotá-lo em seu território, "minhas montanhas". Categoria teológica que as escatologias recolhem: Ez 38-39; Jl 3-4.

14,26 É duvidosa a tradução "sobre" ou "contra". Por causa da ambição universal do imperador, o Senhor realiza uma salvação universal. Ninguém pode contrariar seus planos.

14,27 O anúncio cumpre-se com a retirada de Senaquerib no ano 701: capítulos 36-37.

Contra a Filisteia (Jr 47; Ez 25,15-17; Am 1,6-8) – ²⁸No ano da morte do rei Acaz, foi pronunciado este oráculo:

²⁹Não te alegres, Filisteia inteira,
  por ter-se quebrado a vara que te feria;
  porque da cepa da serpente
  brotará uma víbora
  e seu fruto será um dragão alado,
³⁰que fará morrer de fome tua cepa
  e matará teu resto;
  enquanto os desvalidos
  pastarão em meus campos
  e os pobres se deitarão tranquilos.
³¹Geme, porta; grita, cidade;
  treme, Filisteia inteira,
  porque do norte vem uma nuvem de fumaça
  em colunas apertadas.
³²O que responder aos mensageiros dessa nação?
  – Que o Senhor fundou Sião
  e nela se refugiarão
  os oprimidos do seu povo.

O luto de Moab
(Jr 48; Ez 25,8-11; Am 2,1-3)

15 ¹Oráculo contra Moab:
  Na noite em que assolaram Ar, Moab sucumbiu;
  na noite em que assolaram Quir, Moab sucumbiu.
²As pessoas de Dibon chorando sobem às alturas;
  Moab lança alaridos por Nebo e Madaba,
  com as cabeças rapadas e as barbas cortadas.
³Nas ruas, vestidos de pano de saco,
  nas praças e nos terraços
  todos lançam alaridos, desfeitos em pranto.

14,28-32 Depois dos impérios de Babilônia e Assíria, chega a vez dos reinos menores. Acaz morreu em 728/727, como também Teglat-Falasar III. A Filisteia é convidada a não celebrar prematuramente a morte do imperador, porque seu sucessor não será mais benévolo.

14,29 Estes agressores de povos são animais venenosos, inimigos da humanidade, semente da serpente do paraíso (Gn 3). Morto um, surge outro, para continuar as perpétuas hostilidades. Os príncipes de então escolhiam às vezes nomes emblemáticos de animais: Ex 15,15; Jz 8,3; "Serpente": 2Sm 10,2.

14,30 Deus quer salvar os fracos que são conscientes de sua invalidez, aceitam-na e recorrem a ele. Ao invés, o poderoso que confia em si sucumbirá sem resto: Is 29,19; Sf 3,12.

14,31-32 Talvez seja outro oráculo posterior. Uma embaixada filisteia solicitava a aliança de Judá para se rebelar contra o imperador. O profeta se opõe a semelhante aventura perigosa, pois a segurança dos judaítas se apoia na presença do Senhor em Sião.

15-16 Exceto 16,13-14, estes dois capítulos compõem um amplo díptico contra Moab; isso não exclui que suas peças tenham existido antes separadamente. A disposição é de uma tábua central, 16,1.3-5, entre duas tábuas paralelas, 15,1-9 + 16,2 e 16,6-12. Um centro de firmeza e repouso diante da insegurança e agitação; de justiça e direito diante da opressão; de culto, Sião, diante do santuário de Moab. Uma série de pragas conduziu os prófugos de Moab até o asilo sagrado de Judá. A primeira tábua dá mais espaço ao pranto presente, a segunda à melancolia pelo passado. As populações, presentes com seus nomes, formam um coro uníssono de lamentos expressando a tragédia da guerra: prófugos, cidades sem habitantes, famílias sem lar. Embora seja um oráculo "contra Moab", o profeta se compadece de seus sofrimentos.

15,1 Ar e Quir parecem ser duas especificações da capital. Podemos supor que o assalto correspondeu a uma tentativa de rebelião por parte do vassalo. Pode-se comparar este oráculo com a versão de Jr 48, muito ampliada e em tom de condenação.

15,2-3 Gestos de luto. Os terraços da cidade compõem um cenário coletivo em que o luto é expresso comunitariamente. Não é certo que as "alturas" sejam lugares de culto.

⁴Hesebon e Eleale se lamentam,
 até em Jasa se ouve seu clamor;
 por isso tremem os flancos de Moab,
 que respira com dificuldade.
⁵Meu coração se lamenta por Moab:
 seus fugitivos partem para Segor.
Pela encosta de Luit sobem chorando.
 Pelo caminho de Horonaim
 lançam gritos dilacerantes,
⁶porque a fonte de Nemrim secou,
 murcha está a erva,
 consumida a relva, falta o verdor.
⁷Por isso carregam bens e provisões
 para a torrente dos Salgueiros.
⁸Porque um grito vai percorrendo
 as fronteiras de Moab:
 até Eglaim chega o seu grito,
 até Beer-Elim* seu alarido.
⁹Porque a fonte de Dimon está cheia de sangue.
 Reservo novas pragas contra Dimon:
 o leão contra o resto de Moab,
 contra os sobreviventes do campo*.

Os moabitas se refugiam em Judá

16 ¹Enviai carneiros ao soberano do país,
 de Petra do deserto ao monte Sião.
²Como pássaros espantados, ninhada dispersa,
 irão as jovens de Moab
 pelos vaus do Arnon.
³Dá-nos conselho, toma uma decisão;
 adensa tua sombra como a noite
 em pleno meio-dia,
 esconde os fugitivos,
 não descubras o prófugo.
⁴Dá asilo aos fugitivos de Moab,
 sê o seu esconderijo diante do devastador.
 Quando cessar a opressão, terminar a devastação
 e desaparecer o que pisoteava o país,
⁵haverá na tenda de Davi um trono
 fundado na lealdade e na verdade:
 nele sentará um juiz zeloso pelo direito,
 solícito pela justiça.

15,6 Uma seca local soma-se aos desastres da guerra.
15,8 O grito toma corpo e executa uma volta rodeando o território nacional. * = Poço do Carvalhal.
15,9 Recorda uma praga do Egito. "Sangue" (*dam*) afasta-se sonoramente do nome Dimon. * Em vez de "campo", alguns corrigem e leem "gafanhoto", como paralelo de leão.
15,9 O v. 16,2 corresponde a este lugar.
16,1.3-5 Começa em tom dramático com uma série de imperativos. O poeta interpela Moab para que se reconcilie com Judá enviando-lhe um tributo; depois, interpela Judá para que ofereça asilo aos fugitivos; depois, a agitação se aquieta na esperança. Davi submeteu Moab à vassalagem, que incluía o pagamento regular de tributos. Várias vezes Moab se revoltou. Agora, diante da agressão de um inimigo cruel e poderoso, deve acorrer outra vez ao rei de Judá.
16,4b-5 Breve oráculo de salvação: cessa a agressão e um monarca justo se afirma. As promessas feitas a Davi se atualizam em favor da nação vizinha (com a qual Davi estava relacionado, conforme o livro de Rute; cf. 1Sm 22,3-4). O oráculo, dirigido imediatamente a uma situação histórica concreta, contém elementos que apontam para o reino messiânico.

Lamentações sobre Moab
(Is 25,9-11; Jr 48)

⁶Ouvimos falar da soberba de Moab,
  uma soberba desmedida;
  de seu orgulho, soberba e arrogância;
  de que valem suas bravatas?
⁷Pois os moabitas gemerão
  por Moab, todos gemerão;
  pelas tortas de Quir-Hareset*
  suspirai profundamente aflitos.
⁸Definha a campina de Hesebon,
  a vinha de Sábama,
  chefes de nações esmagaram seus sarmentos:
 chegavam até Jazer, serpenteavam pela estepe,
  seus sarmentos se estendiam e cruzavam o mar.
⁹Por isso chorarei com o pranto de Jazer
  pela vinha de Sábama;
  eu vos regarei com minhas lágrimas, Hesebon e Eleale.
 Porque morreram os refrãos
  de tua vindima e de tua colheita,
¹⁰retiraram-se do jardim
  o prazer e a alegria;
 nas vinhas já não cantam jubilosos,
  já não pisam o vinho no lagar,
  os refrãos emudeceram.
¹¹Por isso minhas entranhas por Moab
  vibram como cítara
  e meu peito pela Cidade do Oleiro.
¹²Um dia se verá Moab
  fatigar-se rumo à sua altura,
  irá com orações a seu santuário,
  mas nada conseguirá.

¹³Essa foi a ameaça que outrora o Senhor pronunciou contra Moab; ¹⁴mas agora diz o Senhor: Dentro de três anos, anos de diarista, a nobreza de Moab será humilhada com toda a sua numerosa plebe, e os que restarem serão poucos, escassos e impotentes.

17

¹Oráculo contra Damasco:
 Vede: Damasco vai deixar de ser cidade,
  será um monte de entulhos.

16,6-12 O terceiro quadro, além de prolongar o tom de lamentação, explica a razão da desgraça provocada pela soberba de Moab. O oráculo dá a entender que, por sua confiança arrogante, Moab ousou desafiar o imperador, atraindo para si a repressão. Por seu lado, Judá sabe olhar Moab com compaixão. Os topônimos de antes são repetidos em ordem inversa.

16,6-7 Na primeira pessoa, como pronunciado por um juiz, ou por testemunhas da desgraça, para a qual buscam e encontram justificação. * = Cidade do Oleiro.

16,8-9a Moab era uma região de vinhedos e de vinho, pelo que é descrita como vinha próspera (cf. Is 5,1-7; Sl 80). As lágrimas do profeta são como rega tardia e inútil para a vinha seca.

16,9b-11 Os refrãos dos que vindimam e pisam a uva expressam abundância e alegria (cf. Sl 4,8); resposta humana à fertilidade da terra. Emudecem os cânticos e soa apenas, como cítara, o estremecimento do profeta.

16,12 Provavelmente se celebravam procissões propiciatórias para a vindima. É inútil: seus deuses não escutam porque se cumpre uma sentença superior.

16,13-14 Novo oráculo acrescentado posteriormente, fazendo constar a novidade. Depois da humilhação, já sem poderio, um resto de Moab se salvará.

17 No meio de oráculos desenvolvidos, o presente capítulo nos oferece cinco peças bastante diferenciadas e em parte não identificadas: contra Damasco e Efraim (1-3), contra a nobreza de Jacó (4-6), con-

²Seus povoados, abandonados para sempre,
ficarão para os rebanhos, que se deitarão
sem que ninguém os espante.
³Efraim vai perder sua praça-forte
e Damasco seu poderio,
e ao resto de Aram acontecerá
como à nobreza de Israel
– oráculo do Senhor dos exércitos!
⁴Naquele dia a nobreza de Jacó ficará pobre,
e macilenta a gordura de seu corpo:
⁵como quando o ceifador abraça a messe
e seu braço ceifa as espigas:
como se respigam os restolhos
no vale dos Rafaim
⁶e fica só um restolho;
como quando ao varear a oliveira
ficam duas ou três azeitonas
no alto da copa,
quatro ou cinco em seus ramos fecundos
– oráculo do Senhor, Deus de Israel!

Fim da idolatria
(Jr 49,23-27; Am 1,3-4)

⁷Naquele dia o homem se voltará para seu Criador,
seus olhos contemplarão o Santo de Israel;
⁸já não se voltará para os altares,
obra de suas próprias mãos,
nem contemplará as estelas e cipos
que seus próprios dedos fabricaram.

Os jardins de Adônis (1,29-31) – ⁹Naquele dia tuas praças-fortes serão como aquelas que expulsaram os heveus e os amorreus diante do avanço israelita: ficarão desertas.

¹⁰Porque esqueceste Deus, teu Salvador,
e não te lembraste de tua Rocha de refúgio.
Plantavas jardins de Adônis
e enxertavas mudas estrangeiras:
¹¹no dia em que o plantavas conseguias que germinasse
e que florescesse o enxerto na manhã seguinte;
mas a colheita fracassa,
um dia funesto de dor incurável.

---

versão (7-8), contra cultos pagãos (9-11) e contra nações aliadas (12-14). Vários indícios mostram a autonomia das peças e sua união secundária: os começos "naquele dia" em 4.7.9; os finais de 3 e 6; o "ai" inicial de 12. Também há indícios de composição significativa: um oráculo de conversão (7-8), entre dois e dois de ameaça. Como nos capítulos 13-14, com o centro em 14,1-4, ou como em 15-16, com o centro em 16,1-5. Se atribuímos 9-11 a Judá e 12-14 à Assíria, apreciamos uma disposição concêntrica (ABCBA): aliados – Israel – conversão – Judá – aliados. Esta análise não passa de hipótese.

17,1-3 A presença de Damasco e Efraim coloca este oráculo no contexto da guerra contra Judá. Sua tentativa fracassará miseravelmente, como anunciava 7,7.16.

17,4-6 Creio que Jacó se identifique com o reino do Norte; no final, o Senhor traz como título "Deus de Israel". Ambas as expressões puderam ser aplicadas mais tarde ao Israel ideal. Pela comparação vegetal, aparenta-se com 10,17-23.

17,7-8 O oráculo coloca o homem entre o Criador e suas criaturas: o olhar para o Criador o eleva e liberta; o olhar para as criaturas o escraviza. Em oposição ao "Santo de Israel", o homem é o israelita; em oposição a seu "Criador", é qualquer homem. O horizonte se alarga, porque o Santo de Israel é o Criador de todos os homens: Is 27,11; Jó 31,15; Sl 95,6. Uma glosa especifica as "criações": estelas e cipos.

17,9-11 O texto é bastante duvidoso no princípio e no

A maré dos povos
(Sl 65,7; Ez 38)

¹²Ai, retumbar de multidões
    como retumbar de águas que retumbam;
    bramido de povos, como o bramido
    de águas impetuosas que bramam.
¹³Ele lhes dá um grito, e fogem para longe,
    arrastados pelo vento como palha do monte,
    como lanugem pelo vendaval.
¹⁴Ao entardecer se apresenta o espanto,
    antes de amanhecer já não existem.
    Tal é o destino dos que nos saqueiam,
    a sorte dos que nos despojam.

Contra o reino da Núbia

18 ¹Ai do país do zumbido de asas,
    que fica além dos rios da Núbia,
²que envia mensageiros por mar,
    em canoas de junco sobre as águas!
    Correi, mensageiros velozes,
    ao povo esbelto, de pele bronzeada,
    à gente temida por próximos e distantes,
    ao povo robusto e dominador,
    cuja terra é sulcada por canais.
³Habitantes do orbe,
    moradores da terra,
    ao erguer-se a insígnia nos montes, olhai;
    ao soar a trombeta, escutai,
⁴pois isto me disse o Senhor:
    De minha morada eu contemplo sereno,
    como o ardor deslumbrante do dia,
    como nuvem de orvalho
    no mormaço da ceifa.
⁵Porque antes da vindima,
    terminada a floração,

---

fim. Heveus e amorreus habitavam o território de Canaã antes de se instalarem os israelitas. Visto que foram expulsos por seus crimes, assim acontecerá com os judaítas por seu esquecimento culposo de seu Deus.

Adônis ou Tamuz era um deus estrangeiro da fertilidade, ao qual se dedicavam jardins ou plantas idolátricas (cf. Ez 8,14). O castigo sobrevém no mesmo terreno da agricultura.

17,12-14 No horizonte histórico do profeta Isaías, esse exército inimigo de povos confederados parece ser a Assíria com seus vassalos (cf. 8,6-10). O estrondo do exército avançando é descrito com ostentação de onomatopeia. A Deus basta um grito para fazer calar e dispersar o exército imenso: Sl 65,8; 93,3-4, Na 1,4. Basta-lhe uma noite para acabar com o agressor: Is 37,36; Ex 14.

18,1-6 Os núbios eram um povo que morava na região ao sul de Assuã. Fala-se de embaixadas, provavelmente visando a coalizões contra a Assíria. O poeta revela a impressão que causaram esses estrangeiros corpulentos e musculosos.

O tema são os tempos da história, a época da intervenção divina. Em outras passagens se fala de um "dia do Senhor"; Ezequiel anuncia sua proximidade (Ez 7 e 12,26-28). Aqui a história amadurece por sua conta, como em ciclo agrário sazonal. O Senhor lá da sua altura espera e deixa amadurecer (cf. Jl 4, 13). Mas o homem não conhece o ritmo de tal amadurecimento, razão por que tem de aguardar vigilante o toque de alerta. A comparação vegetal se distingue por sua difícil exatidão.

18,3 O profeta pronuncia uma mensagem universal: na minúscula cidade de Jerusalém se anunciam os destinos do mundo. Para a chamada militar, ver Is 5,26; 13,2; Jr 4,5s.

18,4-6 O profeta escolhe um momento vegetal muito preciso, sugerindo a precisão de Deus na sua atuação. Quando chega o momento, corta a vida vegetal e a entrega a um tempo sem sentido nem salvação: quando as feras veraneiam e invernam.

quando a flor se torna uva
que vai amadurecendo,
cortará as gavinhas com a podadeira,
arrancará e jogará fora os sarmentos,
⁶e juntos serão abandonados
aos abutres dos montes e às feras selvagens:
os abutres veraneiam sobre eles,
sobre eles invernam as feras selvagens.
⁷Então trará tributo
ao Senhor dos exércitos,
o povo esbelto, de pele bronzeada,
a gente temida por próximos e distantes,
o povo robusto e dominador,
cuja terra é sulcada por canais,
ao lugar dedicado ao Senhor dos exércitos,
ao monte Sião.

19

¹Contra o Egito:
Vede o Senhor, que montando em nuvem veloz
penetra no Egito:
vacilam diante dele os ídolos do Egito,
e o coração dos egípcios
desmaia no peito.
²Atiçarei egípcios contra egípcios:
lutarão irmãos contra irmãos,
cada um contra seu companheiro,
cidade contra cidade, reino contra reino.
³A força dos egípcios se desfará no peito,
e anularei seus planos.
Consultarão os ídolos e os agoureiros,
os adivinhos e os feiticeiros.
⁴Entregarei os egípcios nas mãos de um senhor cruel,
um rei cruel os dominará
– oráculo do Senhor dos exércitos!
⁵As águas do Nilo secarão,
o rio ficará seco e árido,
⁶os canais cheirarão mal,
os braços do Nilo minguarão até secar,
caniços e juncos murcharão.
⁷A grama da margem do Nilo
e todas as plantações junto ao Nilo secarão,
varridas pelo vento desaparecerão.

18,7 Acréscimo posterior. Compare-se com Is 60,6s; Sf 3,10; Zc 14,16; Sl 68,31-33.

19,1-15 Apesar da pausa em 4b, o conjunto forma uma unidade coerente por tema e desenvolvimento, segundo o esquema: introdução (1), guerra civil e submissão ao estrangeiro (2-4), fracasso da economia egípcia (5-10), fracasso da sabedoria egípcia (11-14) e conclusão (15). Fracassam o Nilo nos seus produtos, os artesãos nas suas tarefas, as autoridades no seu governo e os ídolos no seu senhorio.

19,1 A nuvem é a cavalgadura do Senhor (Dt 33,26; Sl 104,3), que lá do céu e pelo céu invade o Egito.

19,2-4 E não precisa de executores estranhos para o castigo, porque os próprios egípcios o aplicam a si mesmos numa guerra civil que se vai ampliando. Sobrevindo o pânico e o desconcerto, recorrem a seus magos (Ex 7,8; Is 8,19). Em tal situação se tornam presa fácil do estrangeiro.

19,5-10 O quadro caracteriza muito bem o Egito e, pela exatidão de detalhes, recorda pinturas e relevos de túmulos egípcios. A praga afeta toda a economia do país: agricultura, pesca, tecidos, ordem social.
É famosa a sabedoria do Egito, exercida por profissionais, também pelo Faraó, e transmitida com fidelidade. Mas os conselhos desses sábios e sua

⁸Gemem os pescadores, lamentam-se
os que lançam o anzol no Nilo,
e os que estendem as redes
na água desfalecem;
⁹ficam frustrados os que trabalham o linho,
os cardadores e tecelões estão pálidos,
¹⁰os amos estão consternados,
os diaristas abatidos.
¹¹Como são loucos os magnatas de Tânis,
os sábios que dão ao Faraó
conselhos desatinados!
Como dizeis ao Faraó: Sou discípulo de sábios,
discípulo de reis antigos?
¹²Onde ficaram teus sábios?
Que te anunciem, já que tanto sabem,
o que o Senhor dos exércitos
planeja contra o Egito.
¹³Os magnatas de Tânis são néscios,
estão iludidos os magnatas de Mênfis,
os notáveis de suas tribos desencaminham o Egito.
¹⁴O Senhor infundiu em suas entranhas
um sopro de vertigem:
desencaminham o Egito em todos os seus empreendimentos,
como tropeça o bêbado vomitando.
¹⁵Não terá sucesso para os egípcios
empreendimento que empreendam,
sejam cabeça ou cauda, palmeira ou junco.

Conversão do Egito e da Assíria (Sl 87) – ¹⁶Naquele dia os egípcios serão como mulheres: ficarão assustados e tremerão diante da mão que o Senhor dos exércitos agita contra eles. ¹⁷A Judeia será o espanto do Egito: só de lembrá-la, ele ficará aterrorizado, por causa do plano que o Senhor dos exércitos planeja contra ele.

¹⁸Naquele dia haverá no Egito cinco cidades que falarão a língua de Canaã e que jurarão pelo Senhor dos exércitos; uma delas se chamará Cidade do Sol*.

---

prudência histórica são insensatos, porque não conhecem o desígnio do Senhor. Perturba-os um "espírito" contrário ao espírito profético; Deus o infunde neles como castigo da auto-suficiência.
19,11 Sl 105,22; Is 28,7-13.
19,15 Expressão proverbial.
19,16-25 Esta série de seis oráculos, ligados por anáforas, é uma das profecias mais importantes do AT. Seu universalismo continua na linha de 2,2-5, fazendo-a culminar em formulações audazes e inauditas na tradição profética. Deve ser colocado junto ao Salmo 87.
O texto é tardio. O Egito é o dos Lágidas, a Assíria é disfarce da Síria dos Selêucidas. Até aqui a identificação histórica. Não menos importante é a significação: o Egito representa a opressão inicial; a Assíria, a agressão histórica. Esses dois impérios não serão derrotados e aniquilados, mas escolhidos e transformados.
Este oráculo, escrito em prosa trabalhosa, sem ímpeto lírico, oferece a perspectiva correta para ler outros oráculos contra nações pagãs.

A fórmula "naquele dia", repetida seis vezes, unifica e demarca um processo climático. A palavra Egito se repete em dois setenários. Avança rapidamente da ameaça inicial à bênção final. O oráculo utiliza generosamente o vocabulário do êxodo e da conquista.
19,16-17 Primeiro oráculo. A "mão" do Senhor intervém como outrora, e seu efeito é o terror dos que lhe resistem. O simples nome de Judá consegue esconjurar todo o terror sagrado dos primeiros tempos: Ex 15,14-16; Js 2,9; 5,1.
19,18 O segundo oráculo introduz uma mudança de direção. Grupos da diáspora judaica se estabelecem no Egito e introduzem pacificamente a sua língua e o culto do Senhor. Língua e textos sagrados começam a soar no país antes inimigo; "cinco cidades", como as que foram conquistadas em Canaã (Js 10,3-5).
* Cidade do Sol é em grego Heliópolis. O grego leu Cidade Justa, título de Jerusalém (Is 1,26). Abraão invocava em Canaã o nome do Senhor. * = 'Ir Haheres.

¹⁹Naquele dia haverá no meio do Egito um altar do Senhor e um monumento ao Senhor junto à fronteira. ²⁰Serão sinal e testemunho do Senhor dos exércitos em território egípcio. Se clamarem ao Senhor contra o opressor, ele lhes enviará um salvador e defensor para os livrar.

²¹O Senhor se manifestará aos egípcios, e naquele dia eles reconhecerão o Senhor. Oferecerão sacrifícios e ofertas, farão votos ao Senhor e os cumprirão. ²²O Senhor ferirá os egípcios: ferirá e curará; eles voltarão ao Senhor, ele os escutará e os curará.

²³Naquele dia haverá uma estrada do Egito à Assíria: os assírios irão ao Egito e os egípcios à Assíria; os egípcios e os assírios prestarão culto a Deus.

²⁴Naquele dia Israel será mediador entre Egito e Assíria, será uma bênção no meio da terra; ²⁵porque o Senhor dos exércitos o abençoa, dizendo: "Bendito seja meu povo, Egito, e a obra de minhas mãos, Assíria, e minha herança, Israel!"

20 Ação simbólica: contra o Egito e a Núbia – ¹No ano em que o general enviado por Sargon, rei da Assíria, chegou a Azoto, atacou-a e a conquistou. ²Então o Senhor falou por meio de Isaías, filho de Amós [antes lhe havia dito]:

–Vamos, desata o pano de saco da cintura, tira as sandálias dos pés.

Ele o fez e andou nu e descalço.

³O Senhor explicou:

–Como o meu servo Isaías caminhou nu e descalço durante três anos, como sinal e presságio contra o Egito e a Núbia, ⁴assim o rei da Assíria conduzirá os cativos egípcios, os deportados núbios, jovens e velhos, descalços e nus, com as nádegas descobertas (as vergonhas dos egípcios).

⁵Naquele dia os habitantes dessa costa ficarão consternados e frustrados pela sorte da Núbia, sua confiança, e do Egito, seu orgulho; ⁶e dirão: Aí estão os que eram nossa confiança, aos quais recorríamos em busca de auxílio para que nos livrassem do rei da Assíria. Agora, como nos salvaremos?

Queda da Babilônia
(Is 13-14; 47; Jr 50-51; Jr 51,59-64)

21 ¹Oráculo da marisma:
Como turbilhões que açoitam o Negueb,
vem do deserto, de um país temível.

19,19-20 Um altar e um obelisco dedicados ao Senhor são sinais claros da sua presença e culto. Os israelitas oprimidos no Egito clamavam ao Senhor (Ex 5,8.17 etc.), que lhes enviou Moisés; depois, enviou-lhes juízes. Não mencionando o sujeito, oferece a todos o direito de invocá-lo.

19,19 Js 22,9ss; Ex 3,9; Jz 3,9-15.

19,21-22 A salvação manifesta é a revelação, e seu efeito é o reconhecimento. Este pode ser tardio e forçado (Ex 7-14) ou alegre, expresso no culto festivo. O Senhor, que fere e cura seu povo, tratará do mesmo modo os egípcios.

19,21 Dt 32-39; Os 6,1; Jó 5,18.

19,23 Egito e Assíria representam os dois impérios que se enfrentam em luta pela hegemonia, arrastando com ela reinos menores. Os rivais se reconciliam, a via militar se destina a usos pacíficos. A paz é selada com o culto comum. Ex 4,23; 12,31.

19,24-25 Último oráculo. No espaço universal, o pequeno reino da Palestina, o minúsculo povo escolhido, eleva-se a mediador de paz. Israel leva agora a bênção prometida a Abraão e a difunde a todas as nações. É eficaz porque o Senhor a pronuncia. Sua fórmula transborda além de toda limitação.
Nada menos que ao Egito, o Senhor o chama de "povo meu"; reconhece a Assíria como criatura própria; Israel continua sendo sua herança. Assim se coroa a escolha de Israel, não como privilégio exclusivo, mas como serviço a todas as nações. Em Cristo se cumpre esse destino.

19,24 Ef 2,14-16.

20,1 Provavelmente pelo ano 711, numa das sublevações de reinos vassalos contra o império assírio; contando com o auxílio do Egito e da Etiópia, unidos sob um só monarca.

20,2-4 A exposição é elíptica, deve-se suprir uma nota editorial para recuperar o mandato passado antes da sua explicação presente. O profeta executa uma ação simbólica, espécie de pantomima, ao mesmo tempo plástica e enigmática, até que o seu sentido se explique numa palavra e a sua representação se converta em realidade.

20,5-6 Ao ver o desfile vergonhoso, que possui agora sentido oracular, os pequenos reinos rebeldes reconhecem seu erro de cálculo e perdem toda esperança.

21,1-10 A substância deste oráculo é uma notícia concisa que o arauto-profeta deve proclamar. Mas o poema é uma obra-mestra de sustentação e avanço dinâmico. A notícia vai se retardando exatamente até o final, criando uma tensão de expectativa.

21,1 Começa de repente, como esses turbilhões de areia. Não sabemos de onde vêm nem aonde vão, mas nos surpreendem com sua violência inesperada.

²Manifestou-se a mim uma visão sinistra:
    o traidor traído, o devastador devastado.
Subi, elamitas; ao assédio, medos!
    Silenciai os gemidos.
³Ao ver isso, minhas entranhas se agitam com espasmos,
    angústias tomam conta de mim
    como angústias de parturiente;
ouvir me consome, olhar me espanta;
    ⁴minha mente se perturba, o terror me surpreende,
    a tarde desejada se transforma em pavor.
– ⁵Preparai a mesa, estendei a toalha,
    comei e bebei!
    – De pé, capitães, untai o escudo!
⁶Assim me falou o Senhor:
    "Vai e coloca um vigia que anuncie o que vir:
⁷Se vir gente montada, um par de cavaleiros,
    montados em jumentos ou montados em camelos,
que preste atenção, redobrada atenção,
    ⁸e grite: Estou vendo!"
– Como vigia, Senhor,
    estou de prontidão o dia todo,
    e em meu posto de vigia
    continuo de pé a noite toda.
⁹Atenção! Chega alguém montado,
    um par de cavaleiros,
    e anunciam: Caiu, caiu Babilônia:
    as estátuas de seus deuses
    jazem despedaçadas por terra.
¹⁰Povo meu, trilhado na eira,
    o que escutei
    do Senhor dos exércitos,
    Deus de Israel, isto te anuncio.
¹¹Oráculo contra Duma:
Alguém me grita de Seir:
    Vigia, o que resta da noite?
    Vigia, o que resta da noite?

21,2 Começa a explicar, pela metade. Trata-se de uma visão: verbos no particípio, personagens que atuam, vozes de comando. Elam pelo sul e os medos pelo norte; gemidos, talvez de povos oprimidos.
O "devastador" não tem nome; deduz-se, pelo contexto, que se trata de Babilônia (cf. Sl 137,8).

21,3-4 Diante da visão, o profeta reage expressando liricamente sua agitação. A "tarde" ou crepúsculo é a hora do descanso, e tem aqui valor simbólico.

21,3 Ex 15,14.

21,5 Continua a visão, mais próxima e precisa. É o último banquete antes do assalto.

21,6-7 Espera-se aqui a explicação, mas o Senhor a retarda, excitando uma nova expectativa, a do vigia.

21,6 Ez 33,1-9.

21,8 O profeta se oferece para o encargo que, certamente, pede paciência. O profeta não recebe as mensagens divinas quando quer, mas deve esperar (ver Hab 2,1; Jr 42,7).

21,9 Finalmente vê ao longe os mensageiros anunciados: aproximam-se, chegam, pronunciam a mensagem. Era a notícia suspirada: derrota de Babilônia e libertação de suas vítimas (Ap 18).

21,10 Para a imagem, ver Is 41,55; Am 1,3; Mq 4,13.

21,11-12 Este oráculo é um exercício de ambiguidades, provavelmente intencionais. Duma soa parecido com Edom = Seir e com "silêncio". A pergunta pode ser simples consulta ao vigia de plantão; mas a "noite" pode significar uma calamidade que dura. A resposta pode ser evasiva e significar que a aurora não trará a solução. O convite deixa tudo suspenso.
Ensaiemos uma explicação conjetural. É noite no cenário da história: não vemos nem sabemos quanto falta para clarear. Um profeta sentinela penetra a escuridão e mede o tempo. Todos acorrem a ele pedindo informação. Ele não a possui por ora, mas espera recebê-la. O oráculo retorna ao silêncio e à espera.

¹²O vigia responde:
Virá a manhã e também a noite.
Se quereis perguntar, perguntai, vinde outra vez.
¹³Oráculo contra a Arábia:
No mato da estepe pernoitareis,
caravanas de dadanitas;
¹⁴saí com água ao encontro do sedento,
habitantes de Tema,
levai pão aos fugitivos,
¹⁵porque fogem da espada,
da espada afiada,
dos arcos esticados, da luta encarniçada.

Contra Cedar

¹⁶Assim me falou o Senhor:
Dentro de um ano, ano de diarista,
acabará a nobreza de Cedar,
¹⁷e dos arqueiros de Cedar restará
muito pouca coisa
– disse o Senhor, Deus de Israel.

Contra Jerusalém
(Jr 21,13s; 22,20-23; Is 29,1-16)

22 ¹Oráculo do vale da Visão*:
O que tens,
para subir em massa aos terraços?
²Cheia de ruído, urbe estridente,
cidade divertida.
Teus caídos não caíram pela espada,
não morreram em combate;
³todos os teus chefes desertaram juntos,
sem um disparo de arco caíram prisioneiros;
todas as suas tropas foram capturadas
quando se afastavam fugindo.
⁴Por isso digo: Deixai de olhar-me
e chorarei amargamente,

21,13-14 Dadã é uma tribo do sul da Arábia e se dedica ao comércio. Temã é um oásis. Pão e água são os dons elementares que o fugitivo pede. O furor da guerra chegou às rotas pacíficas das caravanas comerciais.

21,16-17 Cedar era uma grande tribo do norte da Arábia. Ao que parece, possuía experientes arqueiros, que militavam como mercenários em exércitos estrangeiros.

22,1-14 O oráculo profético volta-se contra a população da capital. A descrição corresponde bem à invasão assoladora de Senaquerib, mas o começo é duvidoso. Alguns pensam que os vv. 1-2a e 13 expressam o alvoroço dos habitantes pela retirada dos sitiadores; outros o interpretam como conduta repetida de gente que não quer aprender.
O pecado é o mesmo de 1,2 "não entende, não discerne". A falta de sentido religioso se manifesta em duas atitudes: a cidade cuida das medidas de defesa e não atende ao plano de Deus; o Senhor convida-os ao pranto e à penitência, e eles respondem banqueteando-se.
A ordem do poema não é rigorosamente cronológica; contudo, podem-se distinguir o avanço e o assédio. O profeta denuncia apaixonadamente, em nome do Senhor, mas participando na dor.

22,1 O título é duvidoso na referência; alguns corrigem "de Hinon". "Subir aos terraços": para fazer luto? (cf. 15,3), ou para fazer festa (cf. Jr 48,38).
* = *Ge Hizzayon*.

22,2a A cidade ganha aqui dois títulos depreciativos. "Estridente" ou ruidosa, alvoroçada (Pr 9,13). O segundo é ambíguo: divertida ou triunfalista, segura da sua força.

22,2b-3 As tropas não souberam opor resistência: cf. 10,28-32.

22,4 O profeta assume o luto que a população recusa (13).

não disputeis para consolar-me
da derrota do meu povo.
⁵Aquele era um dia de pânico,
de humilhação e desconcerto
que o Senhor dos exércitos enviava.
No vale da Visão minavam os muros,
e ouviam-se gritos pelos montes.
⁶Elam carregava a aljava,
havia cavaleiros e carros de Aram,
Quir desnudava o escudo.
⁷Teus melhores vales se enchiam de carros,
os cavaleiros avançavam contra a porta,
⁸deixando Judá desguarnecido.

Naquele dia inspecionáveis o arsenal
no palácio de colunas de madeira
⁹e olháveis quantas brechas tinha
a cidade de Davi;
recolhíeis água na cisterna inferior,
¹⁰contáveis as casas de Jerusalém,
demolíeis casas para reforçar a muralha,
¹¹entre os dois muros fazíeis um depósito
para a água da cisterna velha.
Mas não atentáveis para aquele que executava isso,
nem olháveis aquele que há muito o dispôs.
¹²O Senhor dos exércitos vos convidava naquele dia
ao pranto e ao luto,
a rapar a cabeça e cingir pano de saco;
¹³mas vós, festa e alegria,
matando vacas, degolando carneiros,
comendo carne, bebendo vinho,
"comamos e bebamos, pois amanhã morreremos".
¹⁴Comunicou-me sua decisão
o Senhor dos exércitos:
"Juro que não será expiado
esse vosso pecado, até que morrais"
– disse o Senhor dos exércitos.

Contra o mordomo do palácio

¹⁵Assim diz o Senhor dos exércitos:
Vamos, vai a esse mordomo do palácio, a Sobna,
¹⁶ᵇque cava para si uma sepultura no alto
e para si escava um mausoléu na pedra:
¹⁶ᵃQue tens aqui, a quem tens aqui,
para cavar para ti uma sepultura aqui?

22,5a O que acontece é um "dia" do Senhor para a execução de um castigo.
22,5b-8a Traços soltos sugerem a situação confusa, mais do que descrevê-la com nitidez. O texto é duvidoso.
22,8b-11 As medidas para a defesa da capital são precisas, rápidas, regulares. Só lhes falta o mais importante, a dimensão religiosa.
22,12-13 A cegueira é agravada porque foi precedida pela admoestação, e o povo respondeu com alegre despreocupação. A frase final era talvez proverbial. O Senhor recolhe o desafio implícito no "morreremos".
22,14 Com efeito, morrerão e não lhes valerão sacrifícios expiatórios. Isaías foi ministro de um fracasso.
22,15-25 A fórmula "naquele dia" serve para articular o movimento de três oráculos unidos pelo tema e unificados na atual disposição: delito e destituição do mordomo (15-19), nomeação de um substituto (20-24) e desgraça do segundo (25). É o único texto da série dirigido a um indivíduo em particular.
22,16 Talvez o delito seja "cavar para si uma sepultura". Ou porque é superior à sua família e categoria,

¹⁷Vê, o Senhor te atirará com violência:
te agarrará com força
¹⁸e te fará dar voltas e voltas como um aro
sobre a planície dilatada.
Aí morrerás, aí pararão teus carros de gala,
vergonha da corte do teu senhor.

Novo mordomo – ¹⁹Eu te afastarei do teu povo, te destituirei do teu cargo. ²⁰Naquele dia chamarei o meu servo Eliacim, filho de Helcias: ²¹eu o vestirei com tua túnica e o cingirei com tua faixa, lhe darei teus poderes; será um governante para os habitantes de Jerusalém e para o povo de Judá.

²²Eu lhe porei no ombro
a chave do palácio de Davi:
o que ele abrir ninguém fechará,
o que ele fechar ninguém abrirá.
²³Eu o fincarei como um prego em lugar firme,
e haverá um trono glorioso para sua família;
²⁴dele penderão os nobres de sua família,
rebentos e descendentes,
toda vasilha menor, de bandejas a cântaros.
²⁵Naquele dia – oráculo do Senhor dos exércitos –
cederá o prego fincado em lugar firme,
e a carga que dele pendia
se soltará, cairá e se quebrará.
– Assim disse o Senhor.

Contra Tiro e Sidônia
(Ez 26-28; Am 1,9s)

23 ¹Oráculo contra Tiro:
Ululai, navios de Társis,
porque vosso porto está destruído.
Ao voltar de Cetim o descobriram.
²Emudecei, habitantes da costa,
mercadores de Sidônia,
que cruzais o mar
e enviais viajantes pelo oceano.
³Tirava seu ganho do trigo de Sior,

---

ou porque gastou em momentos de crise. Garantir para si um sepulcro é de certo modo perpetuar o nome, possuir um direito na terra (Gn 23).

22,17-18 A planície dilatada se opõe à região montanhosa de Judá; portanto, significa o desterro. Aí vagará e dará voltas, sem pátria, sem terra, sem honra.

22,20-23 Excetuando o nome de pessoa, os dados desta profecia apontam para o tempo messiânico. Se Eliacim pertencer ao oráculo original, será porque nele começam a cumprir-se promessas, sem esgotar-se. Ao horizonte histórico próximo sobrepõe-se o remoto.
"Governante" (literalmente "pai") é título de ofício (9,6). A chave é símbolo de poder. O prego é a estaca que segura a tenda à terra firme e que servirá para pendurar objetos. O trono é sinal de honra e autoridade, talvez com atribuições judiciais (Sl 122,5).

22,24 Quer sugerir que se aproveitou do cargo para interesses de família?

22,25 O escolhido não aguenta o peso e cede por sua culpa, por seu abuso interesseiro. As grandes promessas não se cumpriram e ficam disponíveis para um futuro "servo".

23,1-14 Oráculo contra a Fenícia, o grande empório comercial da antiguidade, a grande potência marítima, colonizadora do Mediterrâneo. O poema está unificado pelo tom de lamentação, animado por imperativos e perguntas retóricas. Os fenícios são chamados aqui "cananeus" (= mercadores). Embora Tiro seja a capital, incluem-se outras metrópoles costeiras. Tiro é o porto principal.

23,1 Társis é o nome do extremo ocidental. As naus são transmediterrâneas, unindo as colônias à metrópole; são os "pés" dos mercadores fenícios (7b).

23,2 O silêncio pode ser rito de luto.

23,3 A Fenícia não é região agrícola, mas empório de intercâmbios comerciais: Ez 27.

das colheitas do Nilo;
chegaste a ser empório internacional.
⁴Envergonha-te, Sidônia, pois fala o mar,
a fortaleza marinha:
"Não tive dores de parto nem dei à luz,
não criei meninos
nem eduquei meninas".
⁵Quando os egípcios ficarem sabendo,
se retorcerão pelas notícias de Tiro.
⁶Voltai a Társis, uivai, habitantes da costa.
⁷É esta a vossa cidade divertida,
de origem remota,
cujos pés a levavam a colônias distantes?
⁸Quem decretou tal coisa contra Tiro,
que presenteava coroas,
cujos comerciantes eram príncipes
e seus mercadores, grandes da terra?
– ⁹O Senhor dos exércitos decretou
abater o orgulho dos príncipes
e humilhar os grandes da terra.
¹⁰Volta à tua terra, cidade de Társis,
pois o porto já não existe.
¹¹O Senhor estendeu a mão sobre o mar,
fez os reinos estremecerem;
e mandou destruir o porto de Canaã.
¹²Disse: "Não voltarás a divertir-te,
donzela violentada, capital de Sidônia;
levanta-te e cruza até Cetim,
pois tampouco aí terás repouso".
¹³Olha o país dos caldeus:
construíram torres e devastaram seus palácios,
entregaram-no às feras,
reduziram-no a escombros.
¹⁴Ululai, navios de Társis,
porque vosso porto está destruído.

Tiro, esquecida e restaurada – ¹⁵Naquele tempo Tiro ficará esquecida setenta anos (anos dinásticos), e ao fim de setenta anos aplicarão a Tiro o refrão da prostituta:

23,4 O poeta vê o mar como ser que não gera pessoas, em oposição à terra e suas cidades. Destruído o porto, o mar não pode oferecer auxílio.

23,5-6 A desgraça de Tiro atinge suas colônias e outros povos relacionados comercialmente com ela.

23,7-8 Coroada como rainha dos mares, talvez aludindo à muralha com ameias, vista do mar. Tem o prestígio de origem remota e de viagens distantes, que aureolam sua pequenez geográfica e sua intensa vida presente.

23,9-11 O v. 10 interrompe a sequência de decreto e execução.

23,12 "Donzela" é título frequente de uma capital; está "violentada" pela derrota. Uma colônia na ilha de Chipre poderia oferecer refúgio. Mas também lá chega a guerra.

23,13-14 Texto e sentido muito duvidosos. Consideramos glosa a nota "esse povo não é a Assíria". Como explicação, convida a não confundir caldeus (babilônios) com assírios. Como nota polêmica, diz que Babilônia não pertenceu à Assíria. Um texto de Sargon II menciona o pânico dos cipriotas ao ficar sabendo da sorte dos caldeus. O versículo final termina em inclusão.

23,15-18 Com a conhecida fórmula de ligação se introduz um novo oráculo contra Tiro, em três tempos, com desfecho escatológico. Primeiro, fica esquecida a cidade, perdida a sua hegemonia marítima e comercial; aos três anos, Tiro recupera seu prestígio e atividade; finalmente, as riquezas da sua nova atividade vão abrilhantar o culto do Deus verdadeiro.

23,15 "Setenta anos" é número redondo: Jr 25,11s. Poderia ser uma trova popular, satírica.

¹⁶"Toma a cítara,
    percorre a cidade, prostituta esquecida,
    acompanha com tino, canta muitos refrães,
    para ver se alguém se lembra de ti".

¹⁷Ao fim dos setenta anos, o Senhor cuidará de Tiro, e ela voltará ao seu tráfico, fornicando com todos os reinos da superfície do orbe. ¹⁸Mas os ganhos do seu tráfico serão consagrados ao Senhor, não serão armazenados nem entesourados. Seus ganhos serão para os que habitam diante do Senhor, para que comam e se saciem e se vistam com esplendor.

ESCATOLOGIA
(Is 34-35; 65-66; Ez 38-39; Zc 14)

Catástrofe

24 ¹Vede o Senhor que fende a terra
    e a racha,
    devasta a superfície e dispersa seus habitantes:

23,18 Ver Dt 23,19.

ESCATOLOGIA

Estes quatro capítulos formam agora uma grande "escatologia" ou descrição de um julgamento seguido da instauração de uma nova ordem definitiva. Como tal, pertencem a um gênero literário tardio, que apresenta uma série de temas comuns, em estruturas semelhantes ou equivalentes, com certa constância e bastante liberdade de desenvolvimento.

Não queremos dizer que todo o material desses capítulos proceda originariamente do mesmo autor, menos ainda que agora apresente uma configuração clara e coerente. Com os seus materiais ou peças já elaboradas seria possível, sem muito esforço, compor um quadro muito mais harmônico e inteligível. A impressão do texto, à primeira leitura e ao final de uma análise paciente, é de repetições desnecessárias, assimetrias confusas, ampliações prolixas. Contudo, é possível identificar, isolar e reagrupar uma série de motivos, temas e cenas compartilhados com outros exemplos do gênero (Is 34-35; 65-66; Ez 38-39; Jl 3-4; Zc 14).

O tema é pós-exílico, obra de escritores que recolhem uma herança profética, prolongando e reunindo num feixe muitos de seus temas. O estilo se afasta substancialmente do estilo de Isaías.

1. **Temas principais.** Para orientar-nos, podemos contar com um esquema genérico: celebra-se um grande julgamento, no qual o Senhor sentencia e castiga os culpados; a catástrofe cósmica é ao mesmo tempo acompanhamento da teofania e execução dos réus. Do seu povo, um resto disperso se salva mediante uma purificação, multiplica-se de novo e é reunido definitivamente na sua terra. O Senhor inaugura o seu reinado definitivo celebrando um banquete. Vários hinos acompanham os eventos. Dados substanciais parecem ser o grande julgamento de bons e maus e a instauração do reinado definitivo.

2. **Construção.** No seu estado atual, o texto realiza o esquema precedente numa ordem que ainda não encontrou explicação satisfatória. Pouco se ganha eliminando peças que não encaixam na própria teoria ou hipótese. Conservando os hinos, súplicas ou meditações intercalados, que parecem comentar as cenas, podemos estabelecer a seguinte lista provisória:
24,1-6 Destruição da terra e seus habitantes.
24,7-12 A cidade sem vinho nem alegria.
24,13-16a Um resto aclama o Senhor.
24,16b-20 Destruição da terra e seus habitantes.
24,21-23 Julgamento e reinado do Senhor.
25,1-5 Hino de vitória.
25,6-8 Banquete e presentes.
25,9-12 Vitória sobre Moab, a cidade hostil.
26,1-6 Hino pela vitória.
26,7-13 Julgamentos históricos: meditação.
26,14-19 Ressurreição da terra e seus habitantes.
26,20-**27**,1 Novo julgamento, contra a serpente.
27,2-5 A vinha do Senhor.
27,6-9 Desterro e expiação.
27,10-11 Colheita frustrada.
27,12-13 Repatriação.

Na lista sugerimos alguns agrupamentos menores. O primeiro (24,1-20), de quatro peças, é bastante claro: entre duas visões da catástrofe cósmica, destaca-se o contraste entre a cidade castigada e o resto disperso e salvo; o tema da cidade retorna nos três grupos seguintes e o tema do resto encerrará toda a composição. O segundo (24,21-25,8) é central: o julgamento e reinado do Senhor ficam separados do banquete festivo por um hino de vitória e reconhecimento universal, no qual figuram a cidade e o resto salvo; o tema do julgamento retornará nas duas seções seguintes, e a vitória sobre a cidade encerrará o terceiro agrupamento. A terceira parte (25,9-26,19) é como uma ressonância da precedente: no princípio e no fim se opõem a vitória sobre a cidade rebelde e a ressurreição dos mortos do Senhor; entre as duas há um hino de vitória e uma reflexão histórica sobre os julgamentos do Senhor. A ressurreição explica o aniquilar da morte, prometido no banquete. A quarta parte (26,20-27,13) é bastante clara: no princípio e no fim a execução da serpente hostil com a grande espada, e a convocação dos dispersos com a grande trombeta; no centro, um desenvolvimento vegetal, em três tempos, que distinguem bons e maus.

²são iguais a plebe e o sacerdote, o escravo e o senhor,
a escrava e a senhora, o comprador e o vendedor,
o mutuário e o mutuante,
o credor e o devedor.
³A terra fica rachada, fica saqueada.
– O Senhor pronunciou essa ameaça.
⁴Perde a força e definha a terra,
desfalece e definha o orbe,
desfalecem o céu e a terra,
⁵a terra profanada sob seus habitantes,
que violaram a lei, transtornaram o decreto,
romperam a aliança perpétua.
⁶Por isso a maldição devora a terra
e o pagam seus habitantes, por isso se consomem
os habitantes da terra,
e sobram homens contados.

A cidade desolada
(Is 16; Jr 48)

⁷O vinho perde a força, a videira desfalece,
gemem os corações alegres;
⁸cessa o alvoroço dos pandeiros,
termina o bulício dos que se divertem,
cessa o alvoroço das cítaras.

As fórmulas articuladoras, começos, ligações e conclusões nos ajudam em parte, sem resolver todas as questões. O colofão "fala o Senhor" pode terminar uma estrofe (24,3) ou um agrupamento (25,8, com ênfase maior). A fórmula "naquele dia", com suas variantes, introduz a cena capital do julgamento (24,21), dois hinos (25,9 e 26,1), e retorna no começo e no fim do quarto agrupamento (27,1.12.13). Vários começos são repentinos, sem introdução que os assinale.
3. Esquemas. O último agrupamento (26,20-27,13) era o mais estruturado pela inclusão das fórmulas "naquele dia" e pela inclusão da "grande espada" e da "grande trombeta". Reparando mais, observamos que começa com um esquema de êxodo: ocultação do povo (= a noite da páscoa), saída do Senhor (= ação contra os primogênitos), morte do dragão (= divisão do mar Vermelho). Seguindo essa pista, encontramos a vinha plantada e cuidada pelo Senhor (Sl 80), expulsa para sua expiação (= desterro), ao passo que uma parte não obtém perdão (= Samaria?) até a grande volta final (= novo êxodo definitivo). Aqui temos um resumo da história sagrada, que se conclui no Monte Santo.
Haverá outro esquema nos grupos precedentes? Observamos que o tema da cidade vencida, conquistada, e da cidade escolhida, sede do julgamento e do reino, predomina no segundo e terceiro grupos (24,21-26,19). São dados da história e da ideologia davídicas, mas sem Davi, porque reina o Senhor em pessoa. Os diferentes traços apresentam semelhanças com momentos ou funções históricas, sem ordenar-se num verdadeiro esquema histórico. Há julgamentos históricos (26,7-13, como no tempo dos Juízes), conquista-se uma cidade (26,1-6, como Jerusalém por Davi); Moab se submete (25,9-12, como nos tempos de Davi), começa festivamente um reinado (24,21-23 e 25,6-8, como o de Salomão). São ligeiras semelhanças, que não se impõem e não se agrupam em esquema histórico. É um esquema ideal de cidade e reinado, transferidos ao Senhor. Ou seja, uma escatologia sem Messias. E o primeiro agrupamento (24,1-20) apresenta o cenário universal e cósmico, sem organizar-se em esquema conhecido.
4. Temas. Outra maneira de ler essa composição é seguir, com atenção musical, os temas literários, que retornam e se transformam, se opõem e se complementam: as duas cidades, o resto, o monte Sião, bons e maus, louvor. São temas em grande parte de ascendência profética, transformados ao entrar no ou para entrar em seu novo contexto.

24,1-6 Em duas estrofes se apresenta um cenário universal. A humanidade não se divide em países, nações, povos e línguas, mas em polaridades sociais comuns a todos. Faltam as duplas reis e vassalos, sacerdotes e leigos. De nada servem as oposições na catástrofe universal.
24,5 A sorte da terra está ligada ao ser humano: se ele se rebela contra a aliança oferecida por Deus, a morada do homem (terra) fica contaminada (cf. Lv 18,28).
24,6 Como no dilúvio, a humanidade não é aniquilada, mas reduzida a um resto exíguo.
24,7-12 Os dois primeiros verbos servem de ligação. O horizonte se estreita numa cidade anônima (cf. 25,10) que concentra e representa a hostilidade contra o Senhor. Era a cidade da alegria, do vinho, da música, e se transforma em "Caosópolis". A "porta" é o centro da vida civil (como nossa praça da matriz): mercado e tribunal, assembleias e defesa.

⁹Já não bebem vinho entre canções,
    e a bebida é amarga para quem a bebe.
¹⁰A cidade, desolada, se arruína,
    as entradas das casas estão fechadas;
¹¹há lamentos pelas ruas porque não há vinho,
    as festas se apagaram,
    o alvoroço foi desterrado do país.
¹²Na cidade só restam escombros
    e a porta está ferida de ruína.

O resto – ¹³Sucederá no meio da terra e entre os povos o que acontece no vareio da azeitona ou na rebusca depois da vindima. ¹⁴Eles erguerão a voz, cantando a grandeza do Senhor.

¹⁵Aclamai desde o poente,
    respondei desde o nascente,
    glorificando o Senhor;
    desde as ilhas do mar,
    ao nome do Senhor, Deus de Israel.
¹⁶Desde os confins da terra nos chegam cânticos:
    "Glória ao Justo!"

Destruição

Mas eu digo: Que dor, que dor, ai de mim!
    Os traidores traem,
    os traidores tramam traições.
¹⁷Pânico, cova e cepo contra ti,
    habitante da terra:
¹⁸quem escapar ao grito de pânico
    cairá na cova,
    quem sair do fundo da cova
    ficará preso no cepo.

Terremoto e dilúvio

Abrem-se as comportas do céu
    e tremem os fundamentos da terra:
¹⁹a terra cambaleia e balança,
    a terra treme e estremece,
    a terra se move e se remove,
²⁰vacila e oscila a terra como um bêbado,
    cabeceia como uma cabana;
    tanto lhe pesa o seu pecado
    que desmorona e não se levanta mais.

24,13-16a Um resto disperso se salva na desolação universal e entoa um cântico uníssono. É duvidosa a identificação de "o Justo". Pela construção, é paralelo de *Yhwh*; o lógico é que os hinos louvem o Senhor, não ao povo. Outros pensam que se trata dos salvos, isto é, os inocentes, diante dos perversos que pereceram (cf. 26,6).

24,16b-18a Há três substantivos hebraicos, fortemente aliterados, que marcam o ritmo implacável de um processo eliminatório; a semelhança sonora provoca uma obsessão trágica.

24,18b-20 Dilúvio e terremoto descritos com efeitos sonoros de onomatopeia. O versículo final é uma magnífica variação do v. 5.

Julgamento e reino do Senhor
(Dn 7; Sl 82)

²¹Naquele dia o Senhor julgará
os exércitos do céu no céu,
os reis da terra na terra.
²²Vão-se agrupando e ficam encerrados,
presos na masmorra;
depois de muitos dias comparecerão em juízo.
²³A Cândida se enrubescerá,
o Ardente se envergonhará,
quando o Senhor dos exércitos reinar
no monte Sião, em Jerusalém,
glorioso diante do seu senado.

Hino dos salvos
(Sl 76)

25 ¹Senhor, tu és o meu Deus,
eu te exalto e te dou graças,
porque realizaste planos admiráveis,
assegurados desde outrora.
²Converteste a cidade em escombros,
a praça-forte em entulhos,
o castelo dos bárbaros em ruína
que jamais será reedificada.
³Por isso um povo poderoso
reconhece a tua glória,
e a capital dos tiranos te respeita:
⁴porque foste baluarte do desvalido,
baluarte do pobre no perigo,
abrigo no aguaceiro, sombra no calor do dia.
Porque o ímpeto dos tiranos
é aguaceiro de inverno, ⁵é calor de verão
o tumulto dos bárbaros;
tu mitigas o calor com sombras de nuvens
e afogas os cantos dos tiranos.

O banquete do Senhor

⁶O Senhor dos exércitos
oferece a todos os povos, neste monte,
um banquete de comidas suculentas,
um banquete de vinhos depurados,
comidas gordurosas, vinhos generosos.

24,21-23 Vai celebrar-se um grande julgamento. São réus os seres celestes (astros como anjos ou divindades, cf. Dt 4,19) e os reis terrenos. São trancados em prisão até o dia de comparecer perante o rei supremo. Condenados e eliminados, reina só o Senhor. O "senado" é a corte celeste. Na presença da sua glória, lua (Cândida) e sol (Ardente) desaparecem.

25,1-5 Hino ao rei vitorioso. Derrotou um povo "poderoso" (Sl 18,18), tirânico, para salvar o "pobre desvalido".

25,1 "Admiráveis": 9,4; "planos": 14,24-27.

25,3 O inimigo reconhece a contragosto a vitória do Senhor: Sl 76,10-11.

25,4-5 A imagem coincide com 4,6, e a sua explicação pode ser glosa.

25,6-8 O banquete real, depois da entronização de 24,23. O poder de convidar muitos é sinal de poderio e riqueza (Est 1,3-8). O Senhor convida todos os povos a um banquete esplêndido, que se celebrará no Monte sagrado. No banquete dá presentes aos comensais. O primeiro é a sua presença e manifestação: antes os povos estavam como cegos, cobertos;

⁷Neste monte arrancará
  o véu que cobre todos os povos,
a cortina que encobre todas as nações:
  ⁸e aniquilará a morte para sempre.
O Senhor enxugará as lágrimas
  de todos os rostos
  e afastará da terra inteira
  o opróbrio do seu povo
  – o Senhor o disse.

Moab, a cidade rebelde
(Is 16,6-11)

⁹Naquele dia se dirá: Aqui está o nosso Deus,
  de quem esperávamos que nos salvasse:
  celebremos e festejemos a sua salvação.
¹⁰A mão do Senhor pousará neste monte,
  enquanto Moab será pisoteado em seu lugar,
  como se pisa a palha nas águas da esterqueira;
¹¹ali dentro estenderá as mãos,
  como as estende o nadador ao nadar.
Mas ele abaterá seu orgulho
  e os esforços de suas mãos;
¹²os altos baluartes de suas muralhas
  ele os dobrará, abaterá e derrubará
  ao solo, no pó.

Hino de vitória

26 ¹Naquele dia se cantará este canto
  no território de Judá:
Temos uma cidade forte:
  pôs-lhe muralhas e baluartes para salvá-la.
²Abri as portas, para que entre um povo justo
  que guarda os compromissos;
³sua vontade é firme,
  tu velas por sua paz, porque confia em ti.
⁴Confiai sempre no Senhor,
  porque o Senhor é a Rocha perpétua:
⁵dobrou os que habitavam no topo,
  e abateu a cidade encarapitada,
  abateu-a até o solo, derrubou-a no pó;
⁶e a pisam os pés, pés do oprimido,
  as pisadas dos desvalidos.

---

agora, removida a coberta, podem reconhecê-lo. O segundo é extraordinário: aniquila a morte, a maldição original do homem (Gn 3,19), para que os convidados vivam sempre com ele uma vida sem dor nem lágrimas. São Paulo (1Cor 15,54) aplica um versículo à vitória de Cristo sobre a morte; Ap 21,4 aplica dois vv. à vida na Nova Jerusalém. Como assinatura de tão estupenda promessa, o texto afirma que "o Senhor o disse".

25,9-12 Novo hino de vitória. A batalha foi dura, porque a cidade resistiu com todos os seus meios. A cidade hostil recebe um nome emblemático: outras vezes chama-se Edom (Is 34), ou Filisteia (Jl 4), ou Gog (Ez 38-39). A salvação é a esperança cumprida. O "pó" pode simbolizar a morte.

26,1-6 Novo hino, paralelo do anterior, ou segunda estrofe dele. À cidade rebelde se opõe a cidade santa; ao orgulho, o povo justo ou inocente; ao vão esforço, a segura confiança.

26,2 Entrada como em Sl 24,7.9; 118,19.

26,3 De acordo com 7,9 e Hab 2,4.

Os julgamentos do Senhor

⁷A senda do justo é reta,
   tu aplanas a trilha do justo.
⁸Na senda de teus julgamentos, Senhor, te esperamos,
   invocamos o teu nome com ânsia:
⁹minha alma te anseia de noite,
   meu espírito em meu interior madruga por ti;
pois quando teus julgamentos chegam à terra,
   os habitantes do orbe aprendem a justiça.
¹⁰Se o perverso é tratado com clemência,
   não aprende a justiça;
   num país honrado, comete crimes,
sem levar em conta a grandeza do Senhor;
      ¹¹mesmo que levantes a mão,
      Senhor, eles não a olham.
   Que olhem confundidos teu zelo pelo povo
   e que o fogo devore os teus inimigos.
¹²Senhor, tu nos governarás em paz,
   porque todos os nossos empreendimentos
   tu os realizas para nós.
¹³Senhor Deus nosso, mesmo que fora de ti
   outros senhores nos dominassem,
   nós invocamos somente o teu nome.

Ressurreição
(Ez 37,1-14; 1Cor 15)

¹⁴Os mortos não viverão,
   as sombras não se levantarão,
   porque tu os julgaste e aniquilaste
   e extirpaste sua memória.
¹⁵Multiplicaste o povo, Senhor,
   multiplicaste o povo manifestando tua glória,
   alargaste os confins do país.

26,7-13 É uma espécie de meditação sobre o modo de Deus agir na história. É coisa admitida que o Senhor seja protagonista; difícil é explicar em casos concretos o desígnio de Deus. Por isso, alguns o negam (Sl 94), outros o acham estranho (Sl 73). O problema é o trato de bons e maus que parece violar as normas de uma retribuição justa. Por que a indulgência de Deus com os perversos faz os inocentes sofrer? (Jr 15,15); por que Deus demora? (Hab 1,2.3.13.17; cf. resposta de Gn 15,16).

"Caminho" de Deus é o seu estilo de governar a história e julgar os responsáveis. Quem segue as diretrizes do Senhor caminha por "vereda plana", embora nem sempre o repare e muitas vezes tenha de esperar. Os homens podem aprender com essa ação de Deus (cf. Sb 12,19). Mas os perversos se fecham. Quando Deus ergue a mão, recusam vê-la; quando os trata com clemência, criam confiança, endurecem e continuam oprimindo os inocentes. Em tal situação, o justo respeita os prazos de Deus, não se vinga com as próprias mãos, se apega somente no Senhor, espera e ora (Sl 37). Cabe a Deus agir e levar a bom termo os empreendimentos humanos. O texto recolhe palavras e temas dos capítulos precedentes.

26,7 Ver Os 14,10, colofão do livro.

26,9-10 Ver Sl 63,2; 77,7. Os "julgamentos" de Deus são luz que descobre o justo e injusto. Esses julgamentos são às vezes clemência gratuita. Aqui os "julgamentos" de Deus parecem ser os marcos de um caminho que orientam o homem.

26,12 Ver Sl 90,17.

26,14-19 A antítese de 14a e 19a define os limites e o tema deste canto triunfal à ressurreição. O desenvolvimento não é claro, e o texto apresenta dificuldades ocasionais (a tradução do v. 16 é conjetural). O tema comenta a frase de 25,8.

O contraste da vida e da morte se desenvolve num processo dialético no tempo, até um desfecho que transborda para além tempo. O processo parece ser assim: destruição de inimigos e perversos, crescimento do povo, redução do povo a um resto, fracasso humano, ressurreição dos escolhidos.

26,14 Os mortos continuam existindo como sombras ou manes ou "almas", incapazes de voltar à vida, porque Deus mesmo executou uma sentença definitiva. Nem sequer ficou memória deles.

26,15 A bênção divina concede fecundidade, que manifesta a glória de Deus.

¹⁶Senhor, no perigo corríamos a ti,
  quando apertava a força da tua correção.
¹⁷Como a grávida, quando lhe chega o parto,
  se retorce e grita de dor,
  assim éramos em tua presença, Senhor:
¹⁸concebemos, nos retorcemos, demos à luz... vento;
  não trouxemos salvação ao país,
  não nasceram habitantes para o mundo.
¹⁹Teus mortos viverão, teus cadáveres se levantarão,
  despertarão jubilosos os que habitam no pó!
Porque o teu orvalho é orvalho de luz,
  e a terra das sombras parirá.

Castigo e refúgio
(Gn 6-7)

²⁰Vamos, povo meu, entra em teus aposentos
  e fecha a porta por dentro;
  esconde-te um breve instante
  enquanto passa a cólera.
²¹Porque o Senhor sairá de sua morada
  para castigar a culpa
dos habitantes da terra:
  a terra descobrirá o sangue derramado
  e já não ocultará os seus assassinados.

27 ¹Naquele dia o Senhor castigará
  com sua espada grande, temperada, robusta,
a Leviatã, serpente escorregadia;
  a Leviatã, serpente tortuosa,
  e matará o dragão marinho.

Canção da vinha
(Is 5,1-6)

²Naquele dia cantareis à vinha formosa.
³Eu, o Senhor, sou o seu guardião,
  rego-a com frequência,
  para que não lhe falte sua folha,
  noite e dia eu a guardo.
⁴Já não estou irritado. Se me desse sarças e espinhos,
  eu me lançaria contra ela para queimá-los todos.

26,17-18 A comparação da parturiente ganha aqui um sentido novo, descrevendo o esforço supremo e o fracasso total.

26,19 A terra, devoradora de homens, cárcere árido de pó e morada de sombras, impregna-se, ou engravida, de um orvalho celeste e luminoso, volta a ser terra-mãe fecunda (Eclo 40,1) e dá à luz seus mortos.

26,20-21 Como na noite da matança dos primogênitos (Ex 12,21-23), o povo deve fechar-se em casa enquanto passa o exterminador, executor da sentença divina; ou como Noé na arca (Gn 7). O sangue derramado, não coberto com terra, clama ao céu pedindo vingança (Gn 4,10; Jó 16,18). A terra se torna cúmplice ao cobrir o sangue do homicídio, mas ante o olhar de Deus descobre o corpo do delito.

27,1 O Senhor enfrenta pessoalmente o velho inimigo, a serpente que hostiliza o homem desde o princípio (Gn 3,15). O autor utiliza imagens mitológicas para descrever como combate singular a vitória pessoal de Deus. Alude, ainda, à luta histórica do Senhor contra o mar Vermelho, visto como serpente mitológica: Is 51,9s; Sl 89,11. A consequência dessa vitória é lida nos vv. 12 e 13.

27,2-5 Esta canção é difícil pelo texto e enigmática por seu lugar aqui. Seria um canto de amor, como Is 5,1-6, só que aqui o Senhor destrói as infidelidades da amada e a reconcilia consigo (cf. Os 2 e Ez 16). Algumas frases podem soar com duplo sentido: "rego-a" soa como "beijo-a", "falte sua folha" se parece com "tenho um encontro".

27,2 Para "formosa", o hebraico diz *hmr*, ardente, de vinho forte. Para a forma, ver Nm 21,7ss.

27,4 Ver 5,6; 7,23-25; 9,17; 10,17.

⁵Se buscar a minha proteção,
   fará as pazes comigo, as pazes fará comigo.

Renovação de Israel

⁶Chegarão dias em que Jacó criará raízes,
   Israel produzirá brotos e flores,
   e seus frutos cobrirão a terra.
⁷Feriu-o como fere os que o ferem?
   Matou-o como morrem os que o matam?
⁸Tu o castigas espantando-o, expulsando-o,
   arrebatando-o com vento impetuoso
   em dia de vento oriental.
⁹Com isto se expiará a culpa de Jacó,
   e este será o fruto de afastar o seu pecado:
deixar a pedra dos altares
   como pedra de calcário triturada
   e não erigir estelas nem cipos.

A cidade deserta

¹⁰A praça-forte está solitária,
   como mansão desprezada,
   abandonada como o deserto:
   aí pastam bezerros,
   aí se deitam e consomem seus ramos.
¹¹Ao secar, a ramagem se quebra,
   vêm mulheres e ateiam-lhe fogo.
   Porque é um povo insensato,
   por isso seu Criador não tem piedade,
   seu Criador não se compadece dele.

Reunião final em Jerusalém
(Is 11,11s)

¹²Naquele dia o Senhor debulhará as espigas
   desde o Grande Rio até a torrente do Egito;
mas vós, israelitas,
   sereis respigados um por um.
¹³Naquele dia soará a grande trombeta,
e virão os dispersos da Assíria,
   os desterrados do Egito,
   para se prostrar diante do Senhor
   no monte santo de Jerusalém.

27,6-9 A restauração será precedida de uma expiação em forma de desterro ou dispersão. Ou, dito ao contrário, a dispersão terá valor de expiação antes da grande restauração. A perícope tem muitos pontos de contato com 17,4-11.

27,6 Nm 17,23.

27,7 O Senhor castiga seu povo com medida, não como aos inimigos teimosos (Sb 12).

27,8 O julgamento por meio do vento separa a palha do grão. Tal foi a função do desterro, só que ao contrário, pois os arrebatados pelo vento ou desterrados se salvarão (compare-se com Jr 24).

27,9 Depois do castigo desaparece todo traço de idolatria, que foi a grande infidelidade ou "adultério" do povo escolhido.

27,10-11 Provavelmente, a "praça-forte" é a mesma de 25,2.9-12, o "povo insensato" que não quer compreender (26,10-11). Alguns a atribuem a uma parte do povo escolhido, p. ex. os samaritanos.

27,12-13 Formam uma grande inclusão com 26,20–27,1. O primeiro versículo descreve a busca cuidadosa dos dispersos: o Senhor vai respigando-os um a um. A "trombeta" dá um toque quase litúrgico (Nm 10), que põe em marcha uma grande peregrinação (Is 11,16). Esta termina no monte do banquete (25,6), onde reina o Senhor (24,23).

ORÁCULOS DIVERSOS

Contra o Reino do Norte

28 ¹Ai da coroa faustosa dos ébrios de Efraim
e da flor caduca, joia do seu atavio,
que está na cabeça dos fartos de vinho!
²Vede: Alguém forte e robusto, da parte do Senhor,
como chuva de granizo, tempestade assoladora,
como chuva torrencial,
impetuosa e transbordante,
³com a mão derruba ao solo
e com os pés pisoteia
a coroa faustosa dos ébrios de Efraim
⁴e a flor caduca, joia do seu atavio,
que está no cume do vale da fertilidade.
Será como figo temporão:
o primeiro que o vê
logo o pega e engole.
⁵Naquele dia o Senhor dos exércitos será
coroa de joias, diadema esplêndido
para o resto do seu povo:
⁶sentido de justiça para os que sentam a julgar,
força para os que rechaçam
o assalto às portas.

Contra os que caçoam do profeta
(Ez 12,21-28)

⁷Também estes cambaleiam por causa do vinho
e tropeçam por causa da bebida;

ORÁCULOS DIVERSOS

Se na série 7-12 se podiam descobrir alguns princípios de composição secundária, não sucede o mesmo com os presentes. Temas e formas são heterogêneos, oráculos históricos alternam com outros escatológicos, os históricos não se deixam datar; as indicações temporais são variadas e genéricas. Destinatários podem ser a Assíria, o Egito, Jerusalém com Judá, e uma vez Efraim. É amplo o campo semântico do conhecimento e da instrução. Elementos escatológicos são: o assalto das nações (33,1-6), a teofania e julgamento do Senhor (30,27-33 e 33,10-16), o reino do Senhor a partir de Sião (33,17.20-22), as bênçãos da natureza e a transformação cósmica (30,23-26). Com os materiais destes cinco capítulos se poderia tentar uma síntese teológica aproximada. Os homens querem realizar seus planos prescindindo do Senhor: dedicam-se à boa-vida, Efraim (28,1-4); mulheres frívolas (32,9-14); fazem pactos com poderes humanos, sem contar com Deus (30,1-7; 31,1-6), ocultando-lhe seus planos (29,15-16), inclusive tentam pactuar com os poderes ocultos da Morte (28,14-19). O Senhor quer instruí-los e orientá-los com sua palavra, por meio de profetas, e eles recusam o ensinamento (28,7-13; 30,8-17); ele tem de recorrer ao castigo, à repreensão (28,15.18-19.20-22; 29,1-12), até ao fracasso dos planos humanos e dos pactos militares (29,14; 30,5.16-17). Deus mesmo se encarregará de destruir os inimigos, fará um grande julgamento e criará um novo reino com os convertidos.

28,1-29 O primeiro ai engloba de modo artificial o capítulo inteiro, até o ai seguinte; equipara Jerusalém à Samaria; insiste na denúncia e na condenação, mas inclui algumas promessas importantes.

28,1-4 Contra o reino do Norte, cuja capital era Samaria. Pertence ao tempo da guerra siro-efraimita. A cidade é o orgulho do reino. Sua muralha eleva-se como coroa (cf. Is 62,3) sobre a colina. Nela se coroam, festejando e banqueteando-se, os despreocupados habitantes ou chefes de Samaria. Ver 5,11-12.22-23. De repente aparece um personagem gigantesco (a Assíria), que se levanta contra a cidade e seus habitantes; é irresistível como um aguaceiro que arrasta escombros monte abaixo, revolvendo-os e confundindo-os no solo (8,7). A tempestade é teofania ou manifestação do Senhor, que envia o executor da sua sentença. A conquista da cidade está expressa com uma imagem de sinal diverso: um figo temporão maduro que excita o apetite do transeunte, que se arranca sem dificuldade e se devora num instante (na história, a conquista de Samaria não foi assim).

28,5-6 Com a peça de junção "naquele dia" e repetindo algumas palavras, um autor posterior completou e até neutralizou a ameaça com uma promessa. O Senhor enviará seu espírito para guiar o povo na administração pacífica da justiça e na resistência à agressão militar.

28,7-13 Ligado com o anterior pelo tema do vinho e da embriaguez. O desenvolvimento é de surpreendente originalidade e vivacidade: ver a descrição irônica

sacerdotes e profetas cambaleiam por causa da bebida,
o vinho os atordoa, tropeçam por causa da bebida,
cambaleiam com a visão,
gaguejam ao dar sentenças;
⁸todas as mesas estão cheias
de vômitos e sujeira,
e não fica espaço livre.
– ⁹A quem ensinará a doutrina,
a quem ensinará a lição?
A recém-desmamados,
apenas tirados do seio?
¹⁰Diz: "ce com ce, ce com ce, pe com pe, pe com pe,
menino aqui, menino aí".
– ¹¹Pois com língua balbuciante,
em língua estrangeira falará a este povo,
¹²aquele que lhes dissera: "Nisto está o repouso,
dai repouso ao cansado, nisto está o descanso",
mas não quiseram obedecer.
¹³Então a mensagem do Senhor lhes soará assim:
"Ceconcê, ceconcê, pecompê, pecompê,
meninoaqui, meninoali",
para que caminhem e caiam para trás
e se despedacem e se enredem
e fiquem presos no laço.

Pacto com a morte e verdadeiro alicerce
(Sb 1,16)

¹⁴Escutai a palavra do Senhor, gente caçoadora,
que governais esse povo de Jerusalém.
¹⁵Vós dizíeis: "Assinamos
um pacto com a Morte,
uma aliança com o Abismo:
quando passar o açoite avassalador, não nos alcançará,
porque temos a mentira como refúgio
e o engano como esconderijo".
¹⁶Assim diz o Senhor:
Vede, eu coloco em Sião uma pedra

---

de Pr 23,29-35. Repetindo "vinho" e "bebida" em posição rítmica irregular, trançando verbos aliterados e assonantes, dá-nos a impressão de uma orgia descompassada, uma dança grotesca, que acaba repugnantemente. Sacerdotes e profetas são culpados, talvez por conivência.

28,9-10 Em plena embriaguez zombam do profeta, que pretende ensinar-lhes como a pequenos alunos; e remedam grotescamente seus oráculos como se fossem uma lição de abecedário. O hebraico traz duas sílabas que começam com as letras sucessivas Q e S, sílabas que sugerem os significados de "mandato" e "regra".
O profeta devolve a zombaria: a linguagem de Deus se fará balbuciante e estrangeira, e soará como ameaça sinistra, eco sarcástico de suas zombarias.

28,14-19 Ligam-se com o anterior pelo tema da zombaria e da lição.

28,15 Morte e Abismo (*Xeol*) são duas potências personificadas como divindades (em Babilônia, Nergal e Ereshkigal; na Grécia, Plutão). São o último poder invencível que o homem enfrenta. Se consegue pactuar com eles, obtém um seguro de vida, não morrerá. Mas o compromisso é fatal: ao reconhecer a Morte como soberana, cai vítima do seu poder. A última segurança é a definitiva insegurança, porque só Deus pode vencer a Morte (25,8). No texto nós leríamos também o poder mortífero da guerra, ao qual se paga o tributo de vítimas humanas. Os zombadores apelam para outra segurança: o abrigo da Mentira e do Engano. Confiar na Mentira é iludir-se, confiar na Morte é atitude desesperada. Só o Senhor é refúgio e proteção.

28,16-17a Em contraste, Deus afirma sua intervenção, a única salvadora. Um novo templo em Sião, que ele mesmo funda (cf. Sl 87). Uma pedra de fundação

provada, angular, preciosa, de alicerce:
"quem se apoia não vacila".
¹⁷Usarei como prumo a justiça,
como nível o direito;
o granizo arrasará vosso falso refúgio
e a água submergirá vosso esconderijo.
¹⁸Vosso pacto com a Morte se romperá,
vossa aliança com o Abismo será anulada;
¹⁹e quando passar, o açoite avassalador vos pisoteará,
cada vez que passar, vos arrebatará,
e há de passar de manhã em manhã,
de dia e de noite;
então bastará o terror
para aprender a lição.

Contra os cínicos

²⁰Será curta a cama para estirar-se
e estreito o cobertor para envolver-se.
²¹Como em Farasim*, o Senhor se levantará,
como no vale de Gabaon
se espreguiçará,
para executar sua obra, obra estranha,
para cumprir sua tarefa, tarefa inaudita.
²²Portanto, não caçoeis, para que não aconteça
que vossas cadeias se apertem,
pois fiquei sabendo
da destruição decretada
pelo Senhor dos exércitos
contra todo o país.

Instrução agrícola

²³Escutai, dai ouvidos à minha voz,
atenção, escutai meu discurso:
²⁴O lavrador passa os dias arando,
abrindo sulcos,
desterroando, para semear?
²⁵Quando igualou a superfície,
semeia nigela e espalha cominho,
lança trigo e cevada, e nas margens espelta e centeio;
²⁶seu Deus o instrui,
ensina-lhe as regras.

---

que, numa inscrição, explica o sentido do templo: "apoiar-se" é confiar, ter fé (7,9), "não vacilar", por temor ou impaciência (8,1). São Pedro, a Pedra, aplica este versículo a Cristo (1Pd 2,4): pela adesão da fé a Cristo, a Rocha, a Igreja vencerá o poder da morte (Mt 16,17-19).

28,17b-18 O tema da tempestade liga esta seção com 1-4; o castigo usa termos de 8,10.

28,20-22 Pelo contexto, contra os que zombam da pregação profética, do convite a confiar. Os expedientes humanos não servirão.

28,20 Talvez frase proverbial: o lugar onde se deitam confiantes não é suficiente, o refúgio em que se abrigam não protegerá.

28,21 Em Monte Faras e em Gabaon, Davi enfrentou duas batalhas decisivas contra os filisteus (2Sm 5,17-25). O Senhor vai repetir uma façanha semelhante (cf. 5,12), que não entra nos cálculos humanos nem se explica por eles. * = Monte Brechas.

28,22 As cadeias ou rédeas significam a submissão ao estrangeiro.

28,23-29 Parábola agrícola desenvolvida com riqueza de detalhes. Seus elementos descritivos são: uma distinção de grãos, que recebem tratamento diversificado, e distinção de etapas no cultivo. Significam: o campo do mundo, as etapas da história, o trato diferente do comum e do precioso, a necessidade de purificação, o amadurecimento. O mistério simples

²⁷Pois a nigela não se trilha com o trilho, nem as rodas do carro são passadas sobre o cominho: a nigela se trilha com varas e o cominho com látego; ²⁸o trigo não é triturado até o fim, mas se trilha arriando a rodinha do carro, que o corta sem triturá-lo. ²⁹Também isto é disposição do Senhor dos exércitos:

seu plano é admirável e grande é sua destreza.

Contra Jerusalém
(Is 22,1-14; Ez 22)

29 ¹Ai, Ariel, Ariel, cidade que Davi sitiou!
Acrescentai anos a anos, gire o ciclo das festas,
²e assediarei Ariel, e haverá prantos e lamentos.
Serás para mim como Ariel:
³eu te sitiarei em círculo,
te apertarei com trincheiras
e erguerei baluartes contra ti.
⁴Abatida, falarás no solo
e tua palavra soará
apagada no pó;
como voz de fantasma na sepultura
sussurrarás tuas palavras no pó.
⁵O tropel de teus inimigos será como poeira.
O tropel de teus agressores como nuvem de palha;
mas de improviso, de repente,
⁶o Senhor dos exércitos te auxiliará
com fragor e estrondo de grandes trovões,
com furacão, vendaval e raios abrasadores.
⁷E terminará como sonho ou visão noturna
o tropel dos povos que combatem Ariel,
suas trincheiras, seus baluartes, seus sitiadores.
⁸Como o faminto sonha que come,
e desperta com o estômago vazio;
como o sedento sonha que bebe,
e desperta com a garganta seca,
assim será o tropel dos povos
que combatem contra o monte Sião.
⁹Ficai tardos e retardados, cegai e ficai cegos;
vós vos embriagareis, mas não de vinho,
cambaleareis, mas não por causa da bebida;

---

da tarefa agrícola abrirá os olhos para compreender o mistério estranho da salvação histórica.

29,1-14 O segundo ai abrange neste capítulo quatro peças, ligadas duas a duas ao capítulo precedente pela repetição de temas comuns: vinho e espanto, instrução e incapacidade de aprender, ação maravilhosa de Deus. As duas primeiras 1-4 e 5-8 compõem, com sua união insuspeita, uma estranha obra do Senhor, perfeitamente aplicável à derrota de Senaquerib; quando a capital é quase uma defunta, o Senhor derrota o inimigo quase vencedor.

29,1-4 A seção avança entre dois assédios históricos: O primeiro, quando Davi conquistou a fortaleza jebuseia, para convertê-la em capital do seu reino e centro do culto. O segundo, que se avizinha, quando o Senhor assediar hostilmente sua cidade escolhida. Ariel é Jerusalém. Entre eles, avança o fluir profano dos anos e o ciclo litúrgico das festas. Os lamentos sucedem aos festejos. A cidade é um fantasma de si mesma (cf. 1Sm 28), quase sem voz para invocar o Senhor.

29,5-8 No contexto atual, a imagem sugere a multidão envolvente e asfixiante, enquanto a cidade pertence mais à morte que à vida. A situação extrema impulsiona Deus a intervir em favor da sua cidade. Um vendaval repentino arremete e dispersa a poeirada. Diante da intervenção do Senhor, o assédio desaparece como um pesadelo (cf. Sl 73,20; Jó 20,8).

29,9-12 Parece dirigido contra os judaítas, rebeldes à voz de Deus. O castigo é um vento que embota os sentidos, que impede de compreender (ao contrário de 11,2). Uma glosa explica: olhos = profetas, cabeça = videntes.

¹⁰mas porque o Senhor vos serve
um vento de sonolência
que vos embotará os olhos
e vos embuçará as cabeças.
¹¹Qualquer visão será para vós
como o texto de um livro lacrado:
entregam-no a alguém que sabe ler,
dizendo-lhe: Por favor, lê isto;
e ele responde: Não posso, está lacrado.
¹²Entregam-no a alguém que não sabe ler,
dizendo-lhe: Por favor, lê isto,
e ele responde: Eu não sei ler.

Formalismo religioso

¹³Diz o Senhor:
Já que este povo chega a mim com a boca
e me glorifica com os lábios,
enquanto seu coração está longe de mim,
e seu culto a mim é preceito humano e rotina,
¹⁴eu continuarei prodigalizando prodígios maravilhosos:
a sabedoria de seus sábios fracassará
e a prudência de seus prudentes se eclipsará.

Maldição
(Sl 139,8-12)

¹⁵Ai dos que afundam
para esconder do Senhor seus planos!
Fazem suas obras na escuridão, dizendo:
"Quem nos vê, quem fica sabendo?"
¹⁶Que desatino! Como se o barro
se considerasse oleiro,
como se a obra dissesse daquele que a fez:
"Ele não me fez",
como se o vaso dissesse do oleiro:
"Ele não me entende".

Salvação escatológica
(Is 32,15-20)

¹⁷Logo, muito em breve, o Líbano se tornará um jardim,
o jardim parecerá um bosque;

29,13-14 Ligado ao anterior pelo tema da incompreensão, resultado da teimosia, pela qual as profecias se transformam em livro selado. Servirão para uma geração futura receber um novo espírito do Senhor e abrir os olhos (cf. 8,16).
Lábios e coração devem estar de acordo; do contrário, a tradição se torna rotina, e o culto, uma farsa. Deus se levanta sobre as rotinas com sua ação maravilhosa e incompreensível. Diante dessa revelação imprevisível (28,21), a prudência humana fracassa: o homem vê sem compreender, ouve sem entender (6,10). Ver 1Cor 1,18-25.
29,15-16 Pela forma de ai, novo começo; pelo tema, continuação. Ataca pessoas que recorrem a artes ocultas, mágicas, refúgios subterrâneos que se julgam inacessíveis ao olhar de Deus. Tal saber mágico é desatino: é como negar o conhecimento da sua obra a quem a fez. Olhar imanente do homem, que se explica a si mesmo sem Deus. Ver Sl 139.
29,16 Is 10,15.
29,17-24 Este oráculo tardio de restauração passa por cima de 15-16 para ligar-se com o que precede em 28,1-29,14 e em capítulos mais distantes. As maldições precedentes serão abolidas. Começa com uma transformação da natureza, que restaura a destruição (10,33s); vêm depois as mutilações físicas, abolidas também na sua função simbólica (6,10; 28,12. 14.23; 29,10); seguem-se as opressões da injustiça, substituídas pelo reino da justiça (1,21-26; 11,4; 28,6); finalmente, o homem depara

¹⁸naquele dia os surdos ouvirão as palavras do livro,
sem trevas nem escuridão
os olhos dos cegos verão;
¹⁹os oprimidos voltarão a festejar o Senhor
e os pobres se alegrarão com o Santo de Israel,
²⁰porque não restarão tiranos,
os cínicos acabarão,
e serão aniquilados
os que se desvelam pelo mal:
²¹os que acusam alguém num processo,
colocam armadilhas
ao que defende num tribunal,
e com falsidades abatem o inocente.
²²Pois bem, assim diz o Senhor,
Deus da casa de Jacó,
que redimiu Abraão:
Jacó já não fracassará, não sentirá vergonha;
²³quando virem o que a minha mão faz
no meio deles,
santificarão meu nome,
santificarão o Santo de Jacó
e temerão o Deus de Israel.
²⁴Os que haviam perdido a cabeça
compreenderão,
e os que protestavam aprenderão a lição.

Contra a aliança com o Egito
(Is 19,1-15; 31,1-3)

30 ¹Ai dos filhos rebeldes!
— oráculo do Senhor —,
que fazem planos sem contar comigo,
que selam alianças sem contar com meu profeta,
acrescentando pecados a pecados;
²descem ao Egito sem consultar o meu oráculo,
buscando a proteção do Faraó
e se refugiam à sombra do Egito;

---

alegremente com Deus (8,13). Acabarão os tiranos e cínicos zombadores (28,14-22; 29,5), os insensatos compreenderão (28,7. 9.19). A síntese de natureza transfigurada, sentidos corporais, sentido ético e sentido religioso, é semelhante à de 11,1-9.

29,17 O tempo escatológico é iminente em seu mistério. O homem não pode precipitar seus prazos (5,19), mas deve esperar.

29,18 Poderia referir-se ao livro de Isaías (8,16; ver 34,16).

29,19-20 Falta o chefe davídico de 11,4.

29,21 Ver Am 5,12.15.

29,22 Recordando os nomes dos patriarcas, dá profundidade histórica à história; falta Isaac.

29,23 Os olhos iluminados reconhecem na história a santidade de Deus, a sua transcendência imprevisível e acertada que se nos impõe.

30 Entre este ai e o seguinte se encaixam oráculos contra as alianças políticas, um anúncio de conversão e o castigo da Assíria. O compilador não buscou uma composição lógica.

30,1-7 Na política internacional do antigo Oriente, o Egito era a potência ocidental antagonista da potência oriental de turno, a Assíria ou Babilônia. Israel se encontrava, como corredor inevitável, exposto aos movimentos militares: cabeça de ponte, base de operações. Por isso, era solicitado ou ameaçado também por pequenos reinos circundantes. Humanamente Israel tinha de recorrer a um império contra a ameaça do outro. Mas não era esse o plano de Deus; ao contrário, exigia absoluta confiança, aliança exclusiva. Mas o povo tem medo e deixa de cumprir a mensagem profética.

30,1 Ver 1,4.23.

30,2 Atribuir ao Egito os títulos do Senhor, "sombra e refúgio", é divinizar ou idolatrar o império humano.

³a proteção do Faraó vos fará fracassar
e o refúgio da sombra do Egito
vos defraudará.
⁴Quando seus magnatas estiverem em Soã
e seus embaixadores chegarem a Hanes,
⁵todos se sentirão defraudados
por um povo inútil
que não pode auxiliar nem servir,
a não ser com fracasso e decepção.

Contra a embaixada

⁶Oráculo contra a Besta do Negueb:
Por terra hostil e sinistra,
de leões e leoas rugidores,
de áspides e dragões alados,
levam suas riquezas em lombo de asno
e seus tesouros em corcova de camelo,
⁷a um povo inútil,
cujo auxílio é vão e nulo;
por isso o chamo de "Fera que ruge e folga".

Testamento de Isaías
(Is 8,16-20)

⁸Agora vai e escreve-o numa tabuinha,
grava-o em bronze,
para que sirva no futuro como testemunho perpétuo:
⁹É um povo rebelde, filhos renegados,
filhos que não obedecem à lei do Senhor;
¹⁰e dizem aos videntes:
Não profetizeis sinceramente;
dizei-nos coisas lisonjeiras,
profetizai-nos ilusões;
¹¹afastai-vos do caminho, retirai-vos da estrada,
deixai de nos pôr diante do Santo de Israel.
¹²Pois bem, assim diz o Santo de Israel:
Uma vez que rejeitais esta mensagem,
e confiais na opressão e na perversidade,
e nelas vos apoiais,

30,5 Também "auxiliar" e "servir" são funções do Senhor. O hebraico *boshet* significa fracasso e designa depreciativamente Baal.

30,6-7 O Negueb é a região da estepe sul, povoada de beduínos. "Besta do Negueb" seria um título emblemático, talvez de um xeque beduíno que enviava rico tributo em troca da proteção do Egito. O "povo inútil" é o Egito. Leva o título clássico de Raab, que significa audácia, fúria, ao que o autor acrescenta um adjetivo zombeteiro.

30,8-17 Alguns o chamam, pelo primeiro versículo, o testamento de Isaías. Uns o situam antes da invasão de Senaquerib, outros depois da sua retirada.

30,8 Ver 8,16. O profeta contempla um futuro sem limites. Ele foi testemunha do Senhor, e seu testemunho não esgota sua validez durante a vida do profeta. Como outro Moisés (Dt 31,21.26.29), compõe um poema para gerações futuras (Jó 19,23s).

30,9 Ver 1,4. A lei atualizada na mensagem profética.

30,10 Com infinita capacidade de auto-engano, o homem convida os profetas à insinceridade, porque a mentira que afaga é mais grata (2Tm 4,3). Videntes e profetas desempenham função semelhante. Ver Am 2,12; Mq 2,11.

30,11 O profeta não enuncia suas ideias, mas "põe diante", faz sentir a presença de Deus.

30,12 O Santo de Israel incomoda ao homem, porque este confia em poderes opostos, opressão e crime (cf. Sl 55,10-12).

¹³por isso essa culpa será para vós
 como brecha que desce numa alta muralha,
 e a abala,
até que de repente, num instante, ela desmorona;
 ¹⁴como vaso de louça quebrado,
 feito em pedaços sem piedade,
até não ficar entre seus pedaços um caco
 com o qual tirar brasas da lareira,
 com o qual tirar água da cisterna.
¹⁵Assim dizia o Senhor, o Santo de Israel:
 Vossa salvação está
 em converter-vos e ter calma,
 vossa força consiste
 em confiar e ficar tranquilos.
 Mas não quisestes, ¹⁶e dissestes:
– Não. Fugiremos a cavalo.
– Está bem, tereis de fugir.
– Correremos apressados.
– Mais correrão os que vos perseguirem.
¹⁷Fugireis mil diante da ameaça de um,
 fugireis diante da ameaça de cinco,
 até ficardes como haste
no topo de um monte,
 como sinal sobre uma colina.

Conversão do povo

¹⁸Mas o Senhor espera para ter piedade de vós,
 aguenta para se compadecer de vós
porque o Senhor é um Deus reto:
 felizes os que nele esperam.
¹⁹Vizinhos de Sião, habitantes de Jerusalém,
 não tereis de chorar,
 porque ele terá piedade ao ouvir teu gemido;
 logo que te ouvir, te responderá.
²⁰Ainda que o Senhor vos dê água racionada
 e pão medido,
 o teu Mestre já não se esconderá,
 com teus olhos verás o teu Mestre;

30,13-14 A muralha é glória e defesa da cidade; a brecha indica o processo inexorável da ruína; o vaso evoca o mundo caseiro e pacífico. Em ambas as ordens, é princípio de ruína rejeitar a palavra de Deus.

30,15 Ao povo cabe confiar no Senhor e manter a calma (Ex 14,13); o agir cabe a Deus (Sl 20,8). Com a sua confiança, o homem compromete Deus.

30,16 Ver Os 14,4. É impossível fugir da palavra de Deus (cf. Sl 139,7-10).

30,17 Ver Dt 32,30.

30,18-26 Segundo a tradição litúrgica, o Senhor é compassivo e clemente (Ex 34,6 e paralelos). Então, por que não se compadece, por que demora? Porque é reto e não deixa impune a culpa. Seu castigo atinge quatro gerações, sua misericórdia abrange mil (Dt 5,9s); portanto, o homem deve converter-se e esperar, até receber de novo as bênçãos. É o que este oráculo promete.
Ainda há um opressor, "torres" (2,15), ainda dura a opressão, "mediram" (Ez 4,10s). Sua função é corrigir: provocar a súplica (19), efetivar a emenda (21), induzir a abjuração (22). Então o Senhor enviará as bênçãos de campos e rebanhos, até culminar numa fantástica transformação da natureza (29,17-24).

30,19 Deus está predisposto a escutar o pranto e o gemido (cf. Ex 3,7; 6,5).

30,20 Função educativa, como em Dt 8,1-5. O povo verá e ouvirá, porque recuperou vista e ouvido (6,10; 29,18). Quem guia pode ir à frente, para ser visto; pode ir atrás, gritando rumos. Com a sua palavra, o Senhor guia o homem nas encruzilhadas ou quando se desvia. *Moré* significa mestre ou chuva (Jl 2,23). Deus Mestre se opõe aos ídolos, "mestres da mentira" (Hab 2,18s).

²¹se vos desviardes à direita ou à esquerda,
 teus ouvidos ouvirão uma chamada pelas costas:
 "Este é o caminho, caminhai por ele".
²²Considerarás impuros
 teus ídolos chapeados de prata
 e tuas estátuas revestidas de ouro:
tu os lançarás fora como imundície,
 e os tratarás como lixo.
²³Ele te dará chuva para a semente
 que semeares no campo;
 o trigo da colheita do campo
 será excelente e substancioso;
 naquele dia teus rebanhos
 pastarão em espaçosas pradarias;
²⁴os bois e asnos que trabalham no campo
 comerão forragem fermentada,
 joeirada com pá e forcado.
²⁵Em todo monte elevado, em toda colina solitária,
 haverá cursos e leitos de água,
 no dia da grande matança,
 quando caírem as torres.
²⁶A luz da Cândida será como a do Ardente,
 a luz do Ardente será sete vezes mais intensa,
 quando o Senhor vendar a fratura do seu povo
 e curar a ferida que lhe causou.

Teofania e castigo da Assíria
(Hab 3; Sl 18)

²⁷Vede: o Senhor em pessoa vem de longe,
 sua cólera arde como espessa fumaça;
 seus lábios estão cheios de furor,
 sua língua é fogo abrasador,
²⁸seu alento é torrente transbordante
 que alcança até o pescoço:
para peneirar os povos com peneira de extermínio,
 para pôr freio de extravio
 na queixada das nações.
²⁹Vós entoareis um cântico,
 como em noite sagrada de festa:
o coração se alegrará ao compasso da flauta,
 enquanto fores ao monte do Senhor,
 à Rocha de Israel.

30,22 A conversão exige abjurar a idolatria (Gn 35,2; Js 24,14-24; Is 2,20).

30,23-24 A chuva prometida (Dt 11,11s; 28,12).

30,25-26 O oráculo dá um autêntico salto lírico; do doméstico e simples para visões fantásticas da escatologia. A lua brilha como o sol, iluminando a noite; exalta-se a luz do sol, que é vida e alegria (Zc 14,7).

30,27-33 Grande teofania de castigo e libertação. Vários elementos recordam a libertação do Egito: a noite da vingança, o cântico, a teofania do Sinai, as pragas ou golpes, o braço que se descarrega. O acontecimento é celebrado numa festa noturna, com música e danças, e com a marcha ao Monte Santo.

30,27-28 O Senhor vem de longe (19,1; Hab 3,3). Aparece como figura humana (Sl 18), com lábios e alento, mas de dimensões cósmicas. Sua ira levanta uma fumaça, seu alento é torrencial, sua língua é uma fogueira, os povos são grãos na peneira, os reinos são cavalos com freios.

30,29 O povo não teme, pois a reconhece como vinda libertadora.

³⁰O Senhor fará ouvir a majestade de sua voz,
  mostrará seu braço que descarrega
com ira furiosa e raios abrasadores,
  com tormenta, aguaceiro e granizo.
³¹À voz do Senhor se acovardará
  a Assíria, sob golpes de vara;
³²e cada golpe da vara de castigo,
  que o Senhor descarregar sobre ela,
  será acompanhado de pandeiros,
  cítaras e danças guerreiras.
³³Pois está preparada há tempo em Tofet,
  está disposta, larga e profunda,
  uma pira com lenha abundante:
e o sopro do Senhor, como torrente de enxofre,
  lhe ateará fogo.

Contra a aliança com o Egito
(Is 30,1-5)

31 ¹Ai dos que descem ao Egito à procura de auxílio
  e buscam apoio na cavalaria!
Confiam nos carros, porque são numerosos,
  e nos cavaleiros, porque são muito fortes,
  sem dar atenção ao Santo de Israel,
  sem consultar o Senhor.
²Pois ele também é hábil
  para enviar desgraças,
  e não revogou sua palavra.
Ele se erguerá contra uma casa de perversos,
  contra um auxílio de malfeitores.
³Os egípcios são homens e não deuses,
  seus cavalos são carne e não espírito.
O Senhor estenderá a mão:
  o protetor tropeçará
  e o protegido cairá,
os dois juntos perecerão,
  ⁴pois o Senhor me disse isto:
Como ruge o leão ou o filhote com sua presa,
  e contra ele se reúne um tropel de pastores,
mas ele não se arreda com suas vozes
  nem se intimida com seu tumulto,
assim descerá o Senhor dos exércitos

30,31-32 O agressor treme, o povo celebra. A vara se volta contra a vara (10, 5), Deus contra o instrumento que se excedeu.

30,33 O Tofet (originariamente talvez Tefat = fogueira) era um lugar execrado por causa dos sacrifícios humanos pelo fogo (Jr 7,31-34; 19,3-9). Encontra-se no Vale de *Hinnom* ou *Gehenna*. Transforma-se em lugar do castigo escatológico.

31 A nova série, encabeçada por outro ai, é semelhante à anterior quanto aos temas: denuncia a aliança (1-3), promete a libertação (4-5), anuncia a conversão (6-7) e a queda da Assíria (8-9); finalmente, promete uma restauração (32,1-6).

31,1 A cavalaria sintetiza o poder militar (Os 14,4; Dt 18,16). Dar atenção: no sentido de conversão, como em 17,7. Consultar: no sentido técnico, ou no sentido genérico, de fidelidade ao Senhor.

31,2 A astúcia humana não pode escapar da destreza divina. No paralelismo, a "casa de perversos" é a casa de Jacó, o "auxílio de malfeitores" é o Egito.

31,3 O homem não pode ocupar o lugar de Deus, pois é carne caduca (Is 14,13-15; Ez 28,6-9).

31,4 Comparação desenvolvida, rara no AT. O guerreiro pode ser comparado ao leão pela valentia: 2Sm 1,23; Is 5,29.

para combater sobre o monte Sião
e sobre o seu cume.
⁵Como ave revoando,
o Senhor dos exércitos
protegerá Jerusalém:
proteção libertadora, resgate salvador.
⁶Filhos de Israel, voltai a ele
do fundo de vossa rebelião.

Conversão de Judá e fim da Assíria

⁷Naquele dia todos vós rejeitareis
os ídolos de prata e os ídolos de ouro
que vossas mãos pecadoras fizeram.
⁸A Assíria cairá pela espada não humana,
espada não de mortal a devorará;
e se seus jovens escaparem da espada,
cairão em trabalhos forçados.
⁹Aterrorizada, sua Rocha escapará,
seus chefes ficarão espantados com sua insígnia
– oráculo do Senhor,
que tem uma fogueira em Sião,
um forno em Jerusalém.

Reino da justiça
(Sl 72; Is 11,1-9)

32 ¹Vede: Um rei reinará com justiça
e seus chefes governarão conforme o direito.
²Será alguém como abrigo do vento,
resguardo do aguaceiro,
como ribeiros em terra seca,
sombra de rocha maciça
em terra ressequida.
³Os olhos dos que veem não estarão fechados
e os ouvidos dos que ouvem atenderão;
⁴a mente precipitada aprenderá sensatez,
a língua que gagueja falará com desembaraço e clareza.
⁵Já não chamarão nobre ao tolo
nem tratarão de excelência o trapaceiro,

31,5 Como uma ave: 8,8; cf. Ex 19,4 e Dt 32,11. "Resgate": em hebraico é raiz de "páscoa".
31,6 A denúncia desemboca na conversão: 29,15 e 30,1.
31,7 Depois da fórmula de ligação, anuncia a conversão, como eco de 2,20 e 30,22. Idolatria de ídolos e de impérios.
31,8-9 Castigo definitivo da Assíria. A espada sobre-humana: 27,1; 34,5. A Rocha é o deus protetor, que foge diante do estandarte do Senhor (Ex 17,15); ao contrário de 5,26, onde o estandarte convoca. Forno e fogueira podem aludir ao Tofet, empregado para indicar a destruição escatológica.

32,1-8 A restauração se concentra nos governantes e não apresenta traços claramente escatológicos. Pelo tema dos governantes, corrobora a pregação de 1,21-26, embora pela presença do rei faça eco a 11,1-9, e, pela descrição social, recorde 3,4-7. A descrição do trapaceiro se alonga prazerosamente. "Tolo" poderia ser alusão a Nabal, que desempenhou papel importante na vida de Davi, e pôde perdurar como exemplo do que o seu nome significa. Negou pão e água à tropa de Davi, que reagiu nobremente, sem fazer justiça pelas próprias mãos. Trata-se de tolice e astúcia culpáveis, que se voltam fatalmente contra pobres e desvalidos, pervertendo a justiça. Planejam e maquinam, encobrem e enganam, praticam e prejudicam. Enquanto tiverem poder, será impossível uma ordem justa. Vão perdê-lo quando o rei futuro instaurar o reino da justiça.
32,1 Ver 1,21; 5,7; 11,3-4.
32,2 Ver 4,6; 28,17; 30,2.
32,3 Conforme 6,10 e 29,18, aplicado aos governantes.
32,4 Ideal humano: mente controlada e língua desembaraçada.

⁶pois o tolo diz tolices
e por dentro planeja o crime, pratica o vício
e fala perversamente do Senhor,
deixa vazio o faminto,
priva de água o sedento.
⁷O trapaceiro usa trapaças e maquina suas intrigas:
prejudica os homens com mentiras
e o desvalido que defende seu direito.
⁸Em troca, o nobre tem planos nobres
e está firme em seu nobre sentir.

Contra as mulheres frívolas
(Is 3,16-24; Am 4,1-3)

⁹Mulheres despreocupadas,
levantai-vos, escutai a minha voz,
damas confiadas, dai ouvidos ao meu discurso:
¹⁰Dentro de um ano e alguns dias
tremereis, confiadas,
pois a vindima se consumirá
e não haverá colheita.
¹¹Estremecei, despreocupadas,
tremei, confiadas,
despi-vos completamente e cingi pano de saco,
¹²batei no peito em luto
pelos campos preciosos,
pelas vinhas fecundas,
¹³pelas terras do meu povo
onde crescem sarças e espinhos,
pelas casas alegres e pela cidade divertida.
¹⁴Porque o palácio está vazio,
a cidade populosa está deserta,
o outeiro e a atalaia, transformados em grutas
para sempre, em delícia de asnos
e pasto de rebanhos.

Restauração
(Is 65,16-25)

¹⁵Até que se derrame sobre nós um alento do alto;
então o deserto será um jardim,
o jardim será tido como um bosque,
¹⁶no deserto morará a justiça,
e o direito habitará no jardim,

32,8 A nobreza inclui generosidade, oferecimento voluntário.

32,9-14 Compare-se com Am 4,1-3; Is 3,18-26. Não se menciona como delito a exploração do pobre ou o esquecimento de Deus, mas simplesmente a confiança em bens materiais unida à despreocupação. O castigo será uma mudança de situação, marcada por fortes oposições. No luto, as mulheres descobriam o peito e vestiam uma saia de estamenha.

32,13 Ver 5,6; 7,24.

32,14 Baluarte e atalaia aludem às fortificações de Davi e seus sucessores.

32,15-20 Oráculo de restauração. Lido como se formasse díptico com o que precede, nota-se a mudança radical: campos e terra/jardim e selva; confiança despreocupada/paz tranquila; cidade populosa e divertida/moradas sossegadas; o gado a serviço do homem, a semeadura com a rega garantida. Naquele tempo cairá uma chuva de espírito ou alento vital, em virtude do qual acontecerá um ciclo novo, um encadeamento de maravilhas. Os novos habitantes serão Justiça e Direito (1,21-26), seus efeitos serão Paz e Tranquilidade. Uma sociedade feliz, num paraíso simples e prodigioso, vivificado pelo alento do céu.

¹⁷o efeito da justiça será a paz,
a função da justiça,
calma e tranquilidade perpétuas;
¹⁸meu povo habitará num lugar pacífico,
em moradas tranquilas,
em mansões sossegadas;
¹⁹ainda que seja cortado o bosque,
ainda que seja abatida a cidade.
²⁰Felizes vós que semeais junto às águas
e deixais soltos o touro e o asno.

Esperança no Senhor

33 ¹Ai de ti, devastador, nunca devastado;
saqueador, nunca saqueado!
Quando acabares de devastar, te devastarão,
quando terminares de saquear,
te saquearão.
²Piedade, Senhor, pois esperamos em ti!
Sê nosso braço pela manhã
e nossa salvação no perigo.
³À tua voz trovejante os povos debandaram,
quando te levantaste as nações se dispersaram,
⁴e se recolhiam despojos como é recolhido o gafanhoto,
atiravam-se sobre ele como avalancha de gafanhotos.
⁵O Senhor é excelso, porque habita no alto,
ele encheu Sião de justiça e direito;
⁶a fidelidade será seu enfeite,
a sabedoria e o conhecimento
serão sua provisão salvadora,
o respeito do Senhor será seu tesouro.

Lamentação

⁷Ouvi! Os arautos gemem na rua,
os mensageiros de paz choram amargamente:

32,19 Versículo duvidoso. Se o tomarmos como concessiva, relativiza a função de Jerusalém (cf. 10,22s), como se relativiza a monarquia ao ser substituída por virtudes personificadas.

33 Salvo a referência a pactos históricos em 7-9, o capítulo é dominado por temas e visões escatológicas. Se o autor emprega temas ou imagens preexistentes, atribui-lhes uma função nova. Se o devastador se chama Assíria, aqui representa as nações que lutam contra Sião; se a aliança é a vassalagem à Assíria, as suas consequências transcendem o território judaico; se o julgamento é cultual, orienta-se para uma purificação definitiva; se Jerusalém é mencionada, é uma cidade transfigurada e irreconhecível. Tentemos delinear uma imagem coerente do capítulo: assalto de nações contra Jerusalém, frustrado pelo Senhor (1-6); Deus anuncia sua intervenção como juiz, para eliminar os pecadores e dar paz aos justos (10-16); o Senhor inaugura seu reinado na nova Jerusalém (17-24). A ideia central é o senhorio de Deus como rei, chefe, capitão, juiz e salvador; e a plenitude de justiça, direito, fidelidade, saber e respeito do Senhor. Mudanças de sujeito e destinatários, súplicas, respostas e interpelações dão certo movimento dramático ou litúrgico à composição.

33,1 O agressor tem título, não tem nome: pode ser qualquer agressor de plantão. A cada um é concedida uma hora de poder na história: abusa desse poder, mas passará a hora e chegará a vez dele.

33,2-6 Observa-se o eixo dispersar – reunir e esvaziar – encher. Deus tem um lugar: a altura (18,4); um momento: a manhã (Sl 46,6; 90,14); um título: salvador.

33,3 Ver Nm 10,35 e Sl 68,2.

33,4 O sentido da comparação é duvidoso; geralmente sugere a multidão.

33,5-6 Partimos de 2,6-8, uma cidade cheia de ídolos e riquezas; passamos pelos novos valores de 11,1-9; desembocamos na presente visão ideal.

33,7-9 Refere-se à situação histórica sob o domínio da Assíria e às tentativas de rebelar-se e violar os pactos. Ezequias rompe a aliança, sem respeitar as testemunhas, que são sagradas (comparar com Ez 17,14, sobre Sedecias e Babilônia). A repressão imperial deixa arrasados campos, hortos e bosques.

⁸as estradas estão destruídas
e já não transitam caminhantes.
Rompeu a aliança, desprezando os testemunhos
e não respeitando o homem.
⁹Fenece e murcha o país,
o Líbano descora e fica murcho,
o Saron está como estepe,
estão pelados o Basã e o Carmelo.

Sentença de Deus
(Sl 15; 24)

¹⁰Agora me ponho de pé, diz o Senhor;
agora me ergo, agora me levanto:
¹¹Concebereis feno e parireis palha,
e meu alento como fogo vos consumirá;
¹²os povos serão calcinados,
arderão como espinhos cortados.
¹³Vós, distantes, escutai o que eu fiz;
vós, de perto, reconhecei minha força.
¹⁴Em Sião temem os pecadores,
um tremor se apodera dos perversos:
"Quem de nós habitará
num fogo devorador?
Quem de nós habitará
numa fogueira perpétua?"
– ¹⁵Quem procede com justiça,
fala com retidão e recusa o lucro da opressão;
quem sacode a mão rejeitando o suborno,
e tapa seu ouvido a propostas sanguinárias;
quem fecha os olhos
para não se comprazer no mal,
¹⁶esse morará nas alturas:
picos rochosos serão sua fortaleza,
com abastecimento de pão e provisão de água.

Restauração

¹⁷Teus olhos contemplarão um rei em seu esplendor,
verão um país dilatado,

33,10-16 O juiz convoca ao julgamento. Distantes e próximos: dito dos judaítas, seriam os da diáspora e os residentes em Judá; dito de estrangeiros, poderiam ser potências longínquas e reinos limítrofes; também poderia distinguir pagãos de judaítas. Todos são convocados ao julgamento. O fogo consome os estrangeiros hostis e os cidadãos pecadores.
33,10 Como 3,13.
33,11 Como 1,31 e 5,24.
33,12 Ver Am 2,1.
33,13 Ver Is 57,19; Jr 25,26; Ez 6,12.
33,14 A ação de Deus contra as nações pagãs provoca um temor sagrado, em virtude do qual a culpabilidade aflora à consciência. Assim brota a consulta jurídica, semelhante à dos salmos 15 e 24. O Senhor revelou-se como fogo que consome os estranhos (10,17; Sl 68,3): quem poderá aproximar-se?
33,15 Responde uma lista sintética de condições éticas.
33,16 Compare-se com 30,20.
33,17-24 Segundo as tradições davídicas, há uma cidade escolhida em que reina uma dinastia estável. Na futura cidade ideal não haverá rei humano (ao contrário de 32,1), porque o Senhor assume todas as funções de governo: paladino militar, legislador, governador e juiz. A cidade encarapitada numa saliência rochosa, inexpugnável, transforma-se magicamente em cidade de rios e canais (como Babilônia, Sl 137, ou Nínive competindo com Tebas, Na 3,8s): eco de Sl 46,5, talvez com uma lembrança nostálgica do paraíso com seus quatro braços fluviais. Ao vê-la, incrédulos os judaítas perguntam: Sião é esta? E o profeta lhes responde: "Tu a verás com teus olhos". Rios e canais desempenham função pacífica, não precisam de uma frota bélica que patrulhe e defenda suas ruas aquáticas.

¹⁸e, surpreso, dirás a ti mesmo:
Onde está aquele que contava?
Onde está aquele que pesava?
Onde está aquele que contava as torres?
¹⁹Já não verás o povo violento,
cuja língua é obscura e não se entende,
que pronuncia de modo estranho
e incompreensível.
²⁰Contempla Sião, cidade de nossas festas:
teus olhos verão Jerusalém,
morada tranquila, tenda permanente,
cujas estacas não se arrancarão,
cujas cordas não se soltarão.
²¹Pois aí o Senhor é nosso capitão,
num lugar de rios
e de canais larguíssimos,
que barcas a remo não sulcam
nem os cruza a nau capitânia:
²³ᵃestão frouxos seus cordames,
não seguram o mastro
nem desfraldam as velas.
²²Porque o Senhor é nosso juiz,
o Senhor nosso governador,
o Senhor nosso rei; ele nos salvará:
²³ᵇentão o cego repartirá enormes despojos
e até os coxos se entregarão ao saque;
²⁴e nenhum habitante dirá: Eu me sinto mal,
pois ao povo que aí habita
lhe perdoaram a culpa.

ESCATOLOGIA DO SEGUNDO ISAÍAS

Julgamento
(Is 13,21-22; 66,15-17; Jl 4,1-8; Sf 1,14-18)

34 ¹Aproximai-vos, povos, para escutar,
atendei, nações;
escute a terra e os que a enchem,
o orbe e tudo quanto ele produz;

Jerusalém será também a tenda ideal do deserto, centro de todas as festas. Capital de um reino de paz, nem agressora nem agredida.
33,18 Ver Sl 48,13.
33,19 Ver 28,11; Ez 3,5s; Sl 114,1.
33,20 Ver 32,18; 54,2.
33,22 Ver sobre a conquista de Jerusalém por Davi, 2Sm 5,6.
33,24 Desfazendo a maldição de 22,4 e a acusação de 1,4. Mas fica muito abaixo de 25,8.

ESCATOLOGIA DO SEGUNDO ISAÍAS

Os dois capítulos têm valor próprio e diferente, e foram unidos pelo editor com função significativa superior. O cap. 34 repete temas do cap. 13, com o qual forma assim uma grande inclusão, e soa como remate escatológico dos oráculos contra as nações de 13-23; Edom é nome emblemático. O cap. 35 tem os temas do êxodo e o estilo de quartetos, característico do Segundo Isaías.
Unidos como díptico por vontade do editor, manifestam traços opostos e complementares: Edom/ Israel, terreno calcinado/jardim florido, feras/não há feras, cadáveres/cura de mutilados, ninguém transita/caminho sagrado dos repatriados, dia da ira/alegria definitiva. Os dois capítulos têm aqui valor conclusivo, antes da grande inserção histórica, 36-39.

34 Apresenta com vigor imaginativo uma visão trágica e sinistra: a execução de uma condenação e suas funestas consequências. Divide-se facilmente em duas seções, que vários recursos estilísticos definem e que trataremos separadamente.
34,1 Introdução, no estilo de 1,2; 41,1; Dt 32,1.

²porque o Senhor está irado
 contra todas as nações,
 aborrecido contra todos os seus exércitos;
 ele os consagra ao extermínio
 e os entrega à matança.
³Seus mortos são atirados fora
 e dos cadáveres levanta-se o fedor,
 os montes jorram sangue
 e os vales se fendem,
⁴o céu se enrola como folha de papel
 e seus exércitos fenecem,
 como fenecem os brotos da videira,
 como fenece a folha da figueira.
⁵Porque a espada do Senhor
 se embriaga no céu:
 olhai-a descer até Edom
 para executar um povo proscrito.
⁶A espada do Senhor pinga sangue,
 está besuntada de sebo,
 sangue de cordeiros e bodes,
 sebo de entranhas de carneiros.
 Porque o Senhor faz massacre em Bosra,
 grande matança em Edom; ⁷e búfalos caem juntos
 com touros e bezerros.
 A terra se empapa com seu sangue,
 o pó está besuntado com seu sebo;
⁸porque é o dia da vingança do Senhor,
 ano de desforra para a causa de Sião.
⁹Suas torrentes se transformam em piche
 e o pó em enxofre,
 seu território se torna piche ardente,
¹⁰que não se apaga de dia nem de noite,
 e sua fumaça sobe perpetuamente;
 de era em era continuará desolada,
 ninguém a transitará por séculos de séculos.
¹¹Apossam-se dela a gralha e o ouriço,
 a coruja e o corvo nela habitam.
 O Senhor lhe aplica o prumo do caos
 e o nível do vazio;

34,2-10a Está balizado pela repetição anafórica da partícula *ki*, encadeando o processo e seu sentido: ira – espada – matança – vingança. A ira move a espada e executa os réus, a execução é ato de justiça vindicativa. Dia de ira para Edom e de salvação para Sião, só que num horizonte universal de céu, montes e terra.

34,2-4 Os "exércitos" são o instrumento do poder militar agressivo. Seu aniquilamento é uma "consagração" ritual. O fedor: Am 4,10. O céu, outras vezes tenda de campanha, é visto como pergaminho de manuscrito: acaba-se a história e enrola-se o volume. Os astros pendem como da copa frondosa de gigantesca árvore: o brilho de suas folhas vai-se enfraquecendo.

34,5-6a A espada: Dt 32,42; Jr 46,10; Ez 21 etc. É o instrumento da execução capital. "No céu": dá a entender que, antes de descer à terra, fez matança dos responsáveis por rebeldia entre os exércitos celestes. Ver o comentário a 24,21.
Animais, sangue e sebo são dados tomados do culto e transferidos para um contexto no qual são vítimas o povo e os chefes (Ex 15,15 e paralelos).

34,6b-7 Compare-se com Ez 39,17-19 e Sf 1,7.

34,8 O dia figura em sua dupla vertente: desforra contra o inimigo, defesa de Sião: 61,2; 63,4.

34,9-10a A imagem amplia livremente a lembrança de Sodoma e Gomorra, exemplos de castigo escatológico ou definitivo. À matança segue-se um fogo perpétuo e irreversível.

34,10b-17 Os limites desta seção estão marcados por uma inclusão em ordem inversa, abc...cba, "era, possuir, cordel". O cosmo retorna ao "caos", a cidade ao estado selvagem.

34,11-12 Antecipa-se a invasão das feras, não muito de acordo com um fogo perpétuo. O v. 11a iria me-

¹²e não resta nome para chamar seu reino,
  seus chefes voltam ao nada.
¹³Em seus palácios crescem espinhos;
  em seus torreões, cardos e urtigas;
  converte-se em covil de chacais,
  em abrigo de avestruzes;
¹⁴reúnem-se hienas e gatos-do-mato,
  o cabrito chama seu companheiro,
  aí descansa o mocho e encontra onde pousar;
¹⁵aí se aninha a serpente,
  põe, incuba e choca seus ovos;
  aí se juntam os abutres
  e o macho não falta à fêmea.
¹⁶Estudai o livro do Senhor:
  nem um só deles falta,
  porque a boca do Senhor o mandou
  e seu alento os reuniu.
¹⁷Lança a sorte para eles,
  e sua mão lhes reparte o país a cordel:
  eles o possuirão para sempre,
  de era em era nele habitarão.

Volta a Sião
(Is 43,19-20; 55,12-13)

35 ¹O deserto e o ermo se regozijarão,
  a estepe florescerá de alegria,
²como flor de narciso florescerá,
  transbordando de júbilo e alegria;
tem a glória do Líbano,
  a beleza do Carmelo e do Saron;
  eles verão a glória do Senhor,
  a beleza do nosso Deus.
³Fortalecei as mãos fracas,
  robustecei os joelhos vacilantes.
⁴Dizei aos covardes:
  "Sede fortes, não temais";
olhai o vosso Deus, que traz a desforra,
  vem em pessoa, ele vos ressarcirá e vos salvará.

---

lhor depois do 12. Os instrumentos para construir, prumo e nível (28,17), empregam-se para destruir o construído (cf. Jr 1,10 e paralelos).
O "nome" (vocalizando *shem*): compare-se com 14,21 e Jr 51,62-64.

34,13-15 A morada lúgubre. Primeiro as plantas silvestres se apoderam das ruínas, depois se reúnem quadrúpedes, répteis e aves. O contrário do paraíso de 11,1-9. A sua ocupação não termina, porque a serpente choca (17,29; 59,5) e os machos se juntam às fêmeas.

34,16-17 O final é uma ironia amarga. Na tradição do dom da terra, Deus "reúne" os dispersos, "reparte para eles tirando sorte" a terra, para que a "possuam e nela habitem". O profeta convida a "estudar" ou "consultar" tais livros, para comprovar que Edom e as feras estão cumprindo esse convite.

35 Junto ao precedente, é a reviravolta total. Hino à alegria, com dez menções de quatro sinônimos de "alegria". Com temas do êxodo, desenvolvidos em quartetos e trios. É o retorno à pátria, como sagrada peregrinação. A renovação atinge as deficiências do corpo mutilado, a fraqueza da natureza deserta. Uma corrente de alegria atravessa e vivifica tudo; e a razão da alegria é a glória do Senhor, a sua recompensa, a sua redenção. Canta apenas a marcha, não descreve a instauração do novo reino.
É interessante o paradigma do que é excluído: impuros ou profanos, feras, sofrimento e aflição (cf. 25,8).

35,1-2 A transformação da natureza reflete a glória do Senhor.

35,3-4 Compare-se com a negativa de Ex 33,2 e a promessa de Is 52,6.

⁵Os olhos do cego se desgrudarão,
 os ouvidos do surdo se abrirão,
⁶o coxo saltará como cervo,
 a língua do mudo cantará;
porque brotou água no deserto,
 torrentes na estepe,
⁷a terra seca será um brejo,
 a terra árida um manancial,
a erva será caniços e juncos no covil
onde se deitavam chacais.
⁸Uma estrada o cruzará,
 e será chamada Caminho Sagrado,
por ela não passará o impuro,
 os inexperientes não se extraviarão.
⁹Aí não haverá leões,
 não se aproximarão animais ferozes,
mas caminharão os redimidos
¹⁰e por ela voltarão os resgatados do Senhor;
voltarão a Sião com cânticos:
 à frente, alegria perpétua,
 os seguirão prazer e alegria;
 sofrimento e aflição se afastarão.

SEÇÃO HISTÓRICA

36

Invasão de Senaquerib (2Rs 18; Is 8,5-8; 10,28-32) – ¹No ano décimo quarto do reinado de Ezequias, Senaquerib, rei da Assíria, subiu contra as praças-fortes de Judá e as conquistou.

35,5-6 Olhos e ouvidos eram tema condutor em 28-33 e o são em 40-55.

35,8 O hebraico acrescenta uma frase duvidosa: "ele percorrerá o caminho para eles" (Nm 10,33).

SEÇÃO HISTÓRICA

Este bloco narrativo coincide, exceto o hino de Ezequias, com 2Rs 18,17-20,19. A mensagem profética é apresentada surgindo da situação histórica, condicionada por esta, e talvez restrita a ela. As palavras de Isaías são nesta seção uma fração mediana, mas a figura do profeta se ergue dominadora, acima do rei de Judá e do imperador assírio. Se é coerente com a sua exigência de fé no Senhor, sabe passar da promessa à ameaça quando as premissas históricas mudam.

Os três episódios estão invertidos cronologicamente: invasão e fracasso (36-37), doença e cura (38), embaixada do rei de Babilônia (39).

Vamos adiantar um pouco de informação extrabíblica sobre a campanha. Do Prisma de Senaquerib *sobre o assédio de Jerusalém (ANET 287 B; 288 A):*

"Todos os reis amorreus vieram beijar-me os pés trazendo magníficos presentes e ricos tributos: Menaém de Samsimuruna, Tubalu de Sidônia, Abdiliti de Arvad, Urumilki de Biblos, Mitinti de Azoto, Buduili de Bet-Amon, Kamusunadbi de Moab e Ayarammu de Edom. Porém, Sedecias, rei de Ascalon, que não se submeteu ao meu jugo, eu o desterrei para a Assíria com seus deuses penates, sua mulher, filhos, irmãos e todos os descendentes masculinos da sua família. Nomeei rei de Ascalon o que era antes, Sarruludari, filho de Rukibtu, e lhe impus o pagamento de tributo e a entrega de presentes a mim como soberano seu. Agora ele procura sacudir minhas rédeas.

Continuando minha campanha, sitiei Bet-Dagon, Jafa, Banay-Barqa, cidades de Sedecias, por não se terem apressado a inclinar-se a meus pés. Conquistei-as e levei seus despojos. Os oficiais, os patrícios e o povo de Acaron tinham acorrentado seu rei Padi, leal ao juramento pronunciado pelo deus Assur, e o tinham entregue ao judeu Ezequias; este o retinha ilegalmente na prisão, como se fosse um inimigo; assustaram-se e pediram auxílio aos reis do Egito e aos arqueiros, carros e cavalos da Etiópia – um exército incontável – que acorreram para reforçá-los. Na planície de Eltece puseram-se em ordem de combate contra mim e afiaram suas armas. Mas seguindo um oráculo fidedigno do meu senhor, o deus Assur, lutei contra eles e os derrotei. Sitiei Eltece e Timna, conquistei-as e levei seus despojos. Assaltei Acaron, matei os oficiais e patrícios réus do crime e pendurei seus cadáveres em postes rodeando a cidade. Tomei como prisioneiros de guerra os cidadãos réus de delitos menores; os demais, que não tinham sido acusados de crimes nem de delitos, soltei-os. Mandei trazer de Jerusalém seu rei, Padi, restabeleci-o no trono, e como soberano lhe impus um tributo.

O judeu Ezequias não se submeteu a meu jugo. Então sitiei suas fortalezas, 46 praças-fortes e povoados incontáveis dos arredores. Fiz rampas de acesso, usei

²De Laquis, o rei da Assíria enviou o copeiro-mor para que fosse com forte destacamento a Jerusalém, ao rei Ezequias. O copeiro-mor se deteve diante do canal da Cisterna Superior, junto à estrada do Campo do Pisoeiro. ³Saíram para recebê-lo Eliacim, filho de Helcias, mordomo do palácio, o secretário Sobna e o chanceler Joaé, filho de Asaf. ⁴O copeiro-mor lhes disse:

– Dizei a Ezequias: Assim diz o imperador, o rei da Assíria: Em que fundamentas a tua confiança? ⁵Pensas que a estratégia e a valentia militares são questão de palavras. Em quem confias para te rebelares contra mim? ⁶Confias nesse bastão de caniço quebrado que é o Egito? Ele penetra e fura a mão de quem nele se apoia. O Faraó é isso para os que nele confiam. ⁷E se me replicas: "Confiamos no Senhor nosso Deus", não é esse o Deus cujas ermidas e altares Ezequias suprimiu, exigindo de Judá e de Jerusalém que se prostrem somente diante desse altar? ⁸Portanto, faze uma aposta com meu senhor, o rei da Assíria, e te darei dois mil cavalos, se é que tens alguém para montá-los. ⁹Como te atreves a menosprezar um dos últimos servos de meu senhor, o rei da Assíria, confiando que o Egito te proporcionará carros e cavaleiros? ¹⁰Crês que subi para devastar este país sem contar com o Senhor? Foi o Senhor que me disse para subir e devastar este país.

¹¹Eliacim, Sobna e Joaé disseram ao copeiro-mor:

– Por favor, fala-nos em aramaico, pois o entendemos; não nos fales em hebraico diante das pessoas que estão nas muralhas.

¹²Mas o copeiro lhes replicou:

– Crês que meu senhor me enviou para comunicar a ti e a teu senhor esta mensagem? É também para os homens que estão na muralha. Convosco eles haverão de comer o próprio excremento e beber a própria urina.

¹³E, erguendo-se, o copeiro-mor gritou em alta voz, em hebraico:

– Escutai as palavras do imperador, rei da Assíria:

¹⁴Assim diz o rei: que Ezequias não vos engane, porque não vos poderá livrar. ¹⁵Que Ezequias não vos faça confiar no Senhor, dizendo: "O Senhor nos livrará e

aríetes com os infantes, galerias e trincheiras. Desalojei 200.150 pessoas, homens e mulheres, jovens e velhos, além de inúmeros cavalos, mulas, jumentos, camelos, gado de pequeno e grande porte, e os tomei como despojos de guerra. Encerrei Ezequias em Jerusalém, sua residência, como um pássaro na sua gaiola. Cavei fossos para dificultar a saída da cidade. Desmembrei seu território entregando as cidades saqueadas a Mitinti, rei de Azoto, a Padi, rei de Acaron e a Silibel, rei de Gaza. Assim reduzi seu território e aumentei o tributo anual que lhe impus como soberano, além do tributo precedente. Ezequias, impressionado com o terrível esplendor do meu senhorio, ao ver que desertavam as tropas especiais e as seletas que tinha trazido para reforçar a sua residência de Jerusalém, enviou-me mais tarde a Nínive trinta talentos de ouro, oitocentos de prata, pedras preciosas, antimônio, blocos de pedra vermelha, divãs e cadeiras marchetadas de marfim, peles de elefante, ébano, buxo e todo tipo de tesouros, além de moças, concubinas, músicos de ambos os sexos. Para fazer a entrega do tributo e render homenagem como vassalo, enviou seu legado pessoal".

36,1 A notícia cronológica está bem colocada em 2Rs 18,9; aqui, porém, está fora de lugar. Seu lugar exato aparece em 38,1. Os eventos aqui narrados correspondem ao ano 701.

36,2 Laquis era uma praça-forte, a uns quarenta quilômetros a sudoeste de Jerusalém, conquistada por Senaquerib e escolhida como quartel general. O canal da Cisterna Superior é o lugar do famoso encontro de Isaías com Acaz (Is 7,3).

36,4-10 O discurso é uma tentação contra a confiança em Deus: vai desmontando primeiro as confianças humanas, palavras, estratégias, aliança com o Egito, e depois ataca a confiança em Deus. Não nega o poder do Senhor, mas declara-o contrário a Ezequias e favorável ao imperador assírio. Esta parte do discurso repete sete vezes o verbo confiar (ver v. 5)

36,5 Vejam-se os diversos oráculos de Isaías contra o Egito, não menos enérgicos que o dito pelo assírio: Is 19; 30,1-7 (o Egito é a "fera que ruge e folga"); 31,1-3.

36,6 Is 30,1-7.

36,7 A fórmula de confiança é litúrgica. A centralização do culto, com a demolição de santuários locais, é interpretada como desfavorável ao Senhor e ao povo. Não faltaria quem assim pensasse em Judá também.

36,9 Ver Is 31,3.

36,10 Na perspectiva do assírio, o próprio *Yhwh* enviou para atacar e destruir. Na perspectiva profética, o atacar é verdadeiro, o destruir é falso. Ver também Is 10,6-7 sobre o plano de Deus e o do imperador assírio, e também 14,25.

36,11 O aramaico era já então a língua das relações internacionais.

36,12 Ante o medo dos judaítas, o mensageiro reage com arrogância: pronuncia então uma ameaça insultante, tenta criar divisão entre o povo e o rei, promete paz e bem-estar, nega o poder do Senhor. A palavra-chave desta seção é "livrar".

36,13 O mensageiro triplica o título do seu senhor: "O rei grande" (= imperador), "o rei da Assíria", "o rei" (com artigo, v. 14a).

36,14-15 Num primeiro momento, Ezequias tinha incitado à confiança no Egito, depois tinha tomado

não entregará esta cidade ao rei da Assíria". ¹⁶Não deis atenção a Ezequias, porque assim diz o rei da Assíria: Rendei-vos e fazei a paz comigo, e cada um comerá de sua vinha e de sua figueira e beberá de seu poço; ¹⁷até que eu chegue para vos levar a uma terra como a vossa, terra de trigo e de mosto, terra de pão e de vinhas. ¹⁸Que Ezequias não vos engane, dizendo: "O Senhor nos livrará". Por acaso os deuses das nações livraram seus países da mão do rei da Assíria? ¹⁹Onde estão os deuses de Emat e Arfad? Onde estão os deuses de Sefarvaim? Livraram a Samaria de meu poder? ²⁰Qual deus desses países pôde livrar seus territórios de minha mão? Será que o Senhor vai livrar Jerusalém de minha mão?

²¹Eles se calaram e nada lhe responderam. Tinham ordem do rei para não responder. ²²Então Eliacim, filho de Helcias, mordomo do palácio, o secretário Sobna e o chanceler Joaé, filho de Asaf, se apresentaram ao rei Ezequias com as vestes rasgadas e lhe comunicaram as palavras do copeiro-mor.

37

Recurso a Isaías (2Rs 19; Is 14, 24-27) – ¹Quando o rei Ezequias ouviu isso, rasgou as vestes, vestiu-se com pano de saco e se dirigiu ao templo do Senhor, ²e enviou Eliacim, mordomo do palácio, o secretário Sobna e os sacerdotes mais velhos, vestidos com pano de saco, para que fossem dizer ao profeta Isaías, filho de Amós:

– ³Assim diz Ezequias: Hoje é dia de angústia, de castigo e de vergonha; os filhos chegam ao parto, e não há força para dá-los à luz. ⁴Oxalá o Senhor ouça as palavras do copeiro-mor, que seu senhor, o rei da Assíria, enviou para ultrajar o Deus vivo, e castigue as palavras que o Senhor teu Deus ouviu. Reza pelo resto que ainda subsiste.

⁵Os ministros do rei Ezequias se apresentaram a Isaías ⁶e este lhes respondeu:

– Dizei a vosso senhor: Assim diz o Senhor: Não te assustes com essas palavras que ouviste, com as blasfêmias dos criados do rei da Assíria. ⁷Eu mesmo porei nele um espírito e, quando ouvir certas notícias, voltará a seu país, e em seu país eu o farei morrer pela espada.

Segunda versão da embaixada (Is 10,5-16) – ⁸O copeiro-mor regressou e encontrou o rei da Assíria combatendo contra Lebna, pois tinha ouvido que o rei se havia retirado de Laquis ⁹ao receber a notícia de que Taraca, rei da Núbia, tinha saído para lutar contra ele.

Senaquerib enviou de novo mensageiros a Ezequias, para lhe dizer:

---

medidas desesperadas para proteger a cidade (Is 22). Só mais tarde se afirma a pregação de Isaías, que exorta à confiança exclusiva no Senhor e no templo como garantia (Is 7,12-14; 30,15; 29,6-8; 31,4-6). O embaixador não leva em conta Isaías, mas confirma indiretamente a sua pregação.

36,16-17 As promessas do rei da Assíria soam como as de um Deus deuterocanônico: paz e bem-estar, vida e não morte, levados a uma terra melhor. Até deixa pequeno o Deus que os tirou do Egito para levá-los a Canaã, e se dispõe a transformar os anos da Palestina numa etapa rumo a um reino e uma era mais felizes.

36,18 Cada nação tem seu deus, cada deus cuida de seu país; a guerra entre nações é como uma versão terrestre de uma guerra superior entre deuses. O assírio coloca o Senhor no nível dos restantes deuses nacionais (ver 10,9-11.13-14).

36,21 A ordem do rei era evitar uma disputa dialética nesse momento: seu silêncio tem como base a confiança no Senhor.

37,1 O templo era a garantia da cidade e seus habitantes (por exemplo, Sl 46; 48). O rei acorre em atitude penitencial, como que disposto a rezar um salmo de lamentação.

37,3 A imagem evoca essa maturação quase biológica da história, para o fracasso = dores infecundas (Is 26,18).

37,4 Motivo de súplica frequente nos salmos: que o Senhor venha por causa de sua honra ultrajada (Sl 79,9-12; 74,10.18.22-23). O "Deus vivo" é título polêmico no contexto: diferente dos demais deuses, que são ídolos inertes (Sl 115).

Uma das funções do profeta é interceder (Jr 7,16; 11,14; 14,11). O conceito de "resto" é peça típica da teologia de Isaías: o resto é a continuidade do povo depois da desgraça, o resto volta para o Senhor (Is 1,9; 6,13; 10,20-21).

37,6 Supõe-se que Isaías já tenha rezado e recebido em resposta um oráculo de salvação, como indica a fórmula "não te assustes".

37,7 Muito longe da pátria, no seu quartel general de campanha, o imperador depende continuamente das notícias que chegam do centro e das fronteiras do enorme império. E como as notícias muitas vezes tardam a chegar, com o atraso vão-se tornando urgentes. O "espírito" é um sentimento de pânico ou desconcerto, pelo qual reage imprevisivelmente à notícia: fica em sobressalto por dentro e por fora.

37,8-38 Soa como segunda embaixada. Enquanto na primeira se insiste na cena histórica, com um brevíssimo oráculo de Isaías, aqui a narrativa se encolhe, deixando espaço para a súplica do rei e o oráculo do profeta. O povo não entra em cena. As

— ¹⁰Dizei a Ezequias, rei de Judá: Não te engane o teu Deus, em quem confias, pensando que Jerusalém não será entregue nas mãos do rei da Assíria. ¹¹Tu mesmo ouviste como os reis da Assíria trataram todos os países, exterminando-os. E tu vais te livrar? ¹²Foram eles salvos pelos deuses dos povos que meus predecessores destruíram: Gozã, Harã, Resef e os edenitas de Telbasar? ¹³Onde estão o rei de Emat, o rei de Arfad, o rei de Sefarvaim, de Ana e de Ava?

Oração de Ezequias (Sl 44) – ¹⁴Ezequias pegou a carta da mão dos mensageiros e a leu; depois subiu ao templo, abriu-a diante do Senhor ¹⁵e orou:

¹⁶"Senhor dos exércitos, Deus de Israel,
sentado sobre querubins:
só tu és o Deus
de todos os reinos do mundo,
tu fizeste o céu e a terra.
¹⁷Dá ouvidos, Senhor, e escuta;
abre teus olhos, Senhor, e vê.
Escuta a mensagem que Senaquerib enviou
para ultrajar o Deus vivo.
¹⁸É verdade, Senhor: os reis da Assíria
assolaram todas as nações
e seus territórios,
¹⁹queimaram todos os seus deuses
– porque não são deuses,
mas obra de mãos humanas,
madeira e pedra – e os destruíram.
²⁰Agora, Senhor Deus nosso,
salva-nos de sua mão,
para que todos os reinos do mundo saibam
que só tu, Senhor, és Deus".

Resposta de Isaías (Is 10,5-16) – ²¹Isaías, filho de Amós, mandou dizer a Ezequias: – Assim diz o Senhor Deus de Israel: Ouvi o que me pedes a respeito de Senaquerib, rei da Assíria. ²²Esta é a sentença que o Senhor pronuncia contra ele:

Despreza-te e caçoa de ti
a donzela, a cidade de Sião:
meneia a cabeça às tuas costas
a cidade de Jerusalém.

---

palavras "confiar" e "livrar" soam outra vez, sem desenvolvimento.
37,9 Taraca era rei da Etiópia e do Egito.
37,10 Sl 46.
37,10-13 O discurso insiste na fraqueza do Senhor. Se na primeira versão o rei "enganava" o povo, aqui é seu deus que engana Ezequias.
37,14-15 A mensagem oral, primária, é acompanhada de um texto escrito que a autentica: o rei torna a lê-la. O gesto de abrir a carta no templo significa fazer que o Senhor conheça os ultrajes.
37,16-20 A súplica abrevia o esquema clássico. Na invocação reúne títulos históricos, cósmicos e cultuais do Senhor. Motivos: a injúria vai contra o Senhor o poder do inimigo; segue-se um aparte sobre os deuses, no estilo deuteronômico, condicionado pelas circunstâncias. Termina com a fórmula de reconhecimento estendida a todas as nações. Assim, a visão universal abre e encerra a oração.

É muito oportuna essa largueza de horizonte no momento em que os fatos e as palavras do inimigo impõem uma visão "universal" da história. Yhwh é senhor não só de Judá, mas de todos os reinos: no cenário universal, um imperador mostrou a impotência dos ídolos; no cenário de Jerusalém, o Senhor mostrará a impotência desse imperador. Será o ato culminante do drama, inesperado e surpreendente. Como auto sacramental ao vivo: Jerusalém, cenário para o mundo; todos os povos, o público.
37,16 "Sentado sobre querubins", ou seja, entronizado como soberano. Refere-se à arca.
37,21 À súplica do povo ou do rei costuma corresponder um oráculo sacerdotal ou profético: Isaías desempenha aqui tal função.
37,22 A cidade assediada, donzela não submetida à vassalagem do senhor estrangeiro, pode zombar do conquistador de povos.

²³A quem ultrajaste e insultaste,
  contra quem levantaste a voz
  e ergueste teus olhos ao alto?
  Contra o Santo de Israel!
²⁴Por meio de teus servos
  ultrajaste o Senhor:
 "Com meus numerosos carros eu subi
  aos cimos dos montes,
  aos cumes do Líbano;
 cortei seus cedros mais altos
  e seus melhores ciprestes;
  cheguei até o último cume,
  até o seu bosque mais denso.
²⁵Eu cavei e bebi águas estrangeiras;
  sequei sob a planta de meus pés
  todos os canais do Egito".
 — ²⁶Não ouviste? Desde outrora o decidi,
  em tempos remotos o preparei,
  e agora o realizo;
  por isso, tu reduzes as praças-fortes
  a montões de escombros.
²⁷Seus habitantes, impotentes,
  com a vergonha da derrota,
  foram como erva do campo,
  como verde dos prados,
  como erva dos terraços
  queimada antes de crescer.
²⁸Sei quando te sentas e te levantas,
  quando entras e sais;
²⁹quando te agitas contra mim
  e quando te calmas sobe aos meus ouvidos.
 Porei minha argola no teu nariz
  e meu freio em teu focinho,
  e te levarei pelo caminho por onde vieste.

Sinal para Ezequias

³⁰Isto te servirá de sinal:
 Neste ano comereis o que nasceu por si;

37,23 Porque Senaquerib desta vez não ataca mais um povo; ao contrário, sacrilegamente se atreve a atacar o Santo. Este é o Santo de Israel e ele defenderá sua glória. É título comum nos oráculos de Isaías.

37,24-25 O discurso recorda Is 10; só que, em vez de povos, contempla a natureza submetida em suas campanhas: os clássicos despojos de madeiras valiosas do Líbano, os poços cavados para as tropas, os canais do Delta do Nilo atravessados por seus exércitos. O pronome pessoal "eu" abre enfaticamente as duas séries de três verbos; grande abundância de aliterações muito eufônicas ornamenta majestosamente o discurso.

37,26-27 O Senhor interrompe o discurso arrogante (a mesma técnica de Is 10): é ele o verdadeiro sujeito da história. Ele a planeja com tempo, a executa no seu momento; e o homem é mero executor do plano divino. Em contraste com as árvores centenárias do Líbano, os homens se transformam em erva efêmera.

37,28-29 Como um domador que vigia todos os movimentos de uma fera e a reduz à obediência com um pequeno artifício (ver Jó 40,25-32). Variação original e zombeteira da conhecida metáfora do inimigo como animal feroz, frequente nos salmos. Deus observa o desenrolar de tudo (Sl 139): quando Senaquerib entra e sai pelas fronteiras, o Senhor o controla; quando se atreve contra o mesmo Senhor, este intervém pronunciando sua ameaça infalível. A palavra hebraica "nariz" significa também cólera; "focinho" pode significar a linguagem, e "caminho" é a conduta; uma ambiguidade irônica.

37,30-32 O oráculo de salvação para o rei e seu povo liga-se como o oráculo precedente, ou com os vv. 6-7. É anúncio de paz através do sofrimento, de restauração depois de diminuir a população. As colheitas do presente ano foram saqueadas ou destruídas pelo exército invasor, a nova semeadura foi impossível;

>   no ano que vem, o que brotar sem semear,
>   no terceiro ano semeareis e ceifareis,
>   plantareis vinhas e comereis seus frutos.
> ³¹De novo o resto da casa de Judá
>   lançará raízes por baixo
>   e dará frutos por cima;
> ³²pois de Jerusalém sairá um resto,
>   do monte Sião os sobreviventes:
>   o zelo do Senhor dos exércitos o cumprirá!
> ³³Pois bem, assim diz o Senhor
>   a respeito do rei da Assíria:
>   Ele não entrará nesta cidade,
>   não disparará sua flecha contra ela,
>   não se aproximará com escudo
>   nem levantará contra ela um terrapleno;
> ³⁴pelo caminho por onde veio voltará,
>   mas não entrará nesta cidade
>   – oráculo do Senhor!
> ³⁵Eu escudarei esta cidade para salvá-la,
>   por minha honra e do meu servo Davi.

Desfecho – ³⁶Naquela mesma noite o anjo do Senhor saiu e feriu cento e oitenta e cinco mil homens no acampamento assírio; pela manhã, ao despertar, só encontraram cadáveres.

³⁷Senaquerib, rei da Assíria, levantou acampamento, voltou para Nínive e aí ficou. ³⁸E um dia, enquanto estava prostrado no templo de seu deus Nesroc, seus filhos Adramelec e Sarasar o mataram com a espada, fugindo para o território de Ararat. E seu filho Asaradon reinou em seu lugar.

38 Doença e cura de Ezequias (2Rs 20,1-11) – ¹Naquele tempo, Ezequias adoeceu gravemente. O profeta Isaías, filho de Amós, foi visitá-lo e lhe disse:

– Assim diz o Senhor: Prepara o testamento, porque com certeza morrerás.

²Então Ezequias voltou o rosto para a parede e orou ao Senhor:

– ³Senhor, recorda que agi de acordo contigo, de coração sincero e íntegro, e que fiz o que te agrada.

E chorou copiosamente.

⁴O Senhor dirigiu a palavra a Isaías:

– ⁵Vai e dize a Ezequias: Assim diz o Senhor, Deus de teu pai Davi: Escutei a tua oração e vi as tuas lágrimas. Vê, acrescento

---

no terceiro ano voltará a normalidade e se comprovará a validez da promessa. A terra continuará seu ritmo fecundo, assim também o povo como árvore frutífera. Jerusalém, último reduto da resistência, terá novo começo de vitalidade, pelo amor apaixonado do Senhor (Is 9,6).

Estes versículos, originais de Isaías, plantam um sistema de símbolos que crescerão e se desenvolverão na teologia da esperança escatológica. Mais tarde, também eles poderão ser lidos como expressão de tal esperança.

37,33-35 Terceiro oráculo. O assédio não será coroado com o assalto final, com a conquista; nesse sentido, a campanha de Senaquerib foi um fracasso, embora o imperador tenha exigido pesado tributo. Jerusalém é a cidade de Davi, a cidade da presença de Deus no templo; este será seu escudo e salvação.

Ver Sl 18,3.31; 33,20; 84,12; 89,17.

37,36-38 Epílogo narrativo, apresentado como cumprimento dos oráculos precedentes.

37,36 Pode ter sido uma peste violenta que dizimou o exército e forçou a retirada. O fato é contado recordando a noite da matança dos primogênitos (Ex 12). Na passagem do mar Vermelho, a manhã descobre os cadáveres (Ex 14,24). Ver Is 17,14 e 29,7.

37,37 As notícias do Egito também podem ter influído na retirada.

37,38 O narrador considera essa morte violenta como castigo de Deus. Precisamente o assassinato no templo do seu próprio deus, que não é capaz de livrá-lo. A rigor, Senaquerib morreu vinte anos mais tarde, em 681; e com sua morte começou a decadência do seu império.

38,1 Aqui tem seu lugar a notícia cronológica de 36,1: ano catorze do seu reinado, 713; muito antes dos fatos narrados no capítulo precedente, que aconteceram no ano 701. O rei tinha vinte anos quando caiu doente.

38,3 A bênção de "longos anos" corresponde a uma vida reta e sincera diante de Deus. Ezequias apela para as bênçãos de Deus, em estilo deuteronômico.

38,4 Por meio do profeta da corte, o oráculo responde à súplica.

38,5-6 O título divino recorda a aliança com a dinastia. A promessa que lhe é feita é limitada, mas apreciável para quem está prestes a morrer; quinze anos a mais

a teus dias outros quinze anos. ⁶Eu vos livrarei das mãos do rei da Assíria, a ti e a esta cidade, e a protegerei.

²¹Isaías ordenou:

— Tragam um emplastro de figos e o apliquem na ferida para que sare.

²²Ezequias disse:

— Qual é o sinal de que subirei à casa do Senhor?

⁷Ele respondeu:

— Este é o sinal do Senhor, de que o Senhor cumprirá a palavra dada: ⁸"No relógio de sol de Acaz, farei que a sombra retroceda os dez graus que avançou".

E o sol recuou no relógio os dez graus que tinha avançado.

Cântico de Ezequias (Sl 30; 88) – ⁹Cântico de Ezequias, rei de Judá, quando ficou doente e sarou da enfermidade:

¹⁰"Eu pensei: 'No meio da vida
   tenho de caminhar
   para as portas do Abismo;
   privam-me do resto de meus anos'.
¹¹Eu pensei: 'Já não verei mais o Senhor
   na terra dos vivos,
   já não olharei os homens
   entre os habitantes do mundo.
¹²Levantam e enrolam a minha morada
   como tenda de pastores.
   Como um tecelão enovelava eu minha vida,
   e me cortam a trama.
   Dia e noite me estavas consumindo,
¹³soluço até o amanhecer.
   Tu como um leão me quebras os ossos,
   dia e noite me estás consumindo.
¹⁴Como andorinha estou piando,
   gemendo como pomba.
   Meus olhos se consomem olhando ao céu:
   Senhor, estou oprimido,
   sê o meu fiador!'
¹⁵O que lhe direi e o que pensarei,
   se é ele quem o faz?
   O sono foge de mim
   por causa do amargor de minha alma.

---

de reinado, segurança para ele e sua cidade; implicitamente, também um herdeiro (nesse momento Ezequias ainda não tinha filhos, a julgar pela idade de Manassés ao suceder-lhe). Escutem-se esses quinze anos de reinado seguro no contexto da catástrofe de Samaria (722), pois assim o jovem rei os escutou.

38,8 O prodígio do relógio de sol simboliza o afastamento da morte, o prolongamento da luz da vida. O relógio como medida e símbolo da vida humana passou às nossas literaturas.

38,10-20 Canto de ação de graças, com a estrutura clássica: narração da desgraça, recordação da súplica, recordação da libertação, ação de graças do salmista, convite à comunidade.

38,10 Ainda que o homem seja limitado, sente certo direito a uma vida coroada: morrer aos vinte anos é fracassar, e ser privado de algo que lhe pertence. A forma impessoal esconde o sujeito, que é Deus.

38,11 A existência depois da morte não conhece culto religioso nem vida social. O Abismo se opõe à "terra dos vivos", terra criada para que o homem habite nela.

38,12 A comparação da tenda mostra a vida como peregrinação, como caminho de nômade: a tenda foi por um momento hóspede de um terreno, foi cravada provisoriamente no chão. Por um momento o fio de uma vida desenhou uma figura no tapete ou cruzou uma parte do tecido; esse fio é cortado sem piedade. A imagem da teia é mais sugestiva que a simples de enovelar, que é a das parcas, e que Quevedo transfere para a dimensão cósmica: "Enovelam sol e lua, noite e dia, do mundo a robusta vida" (Jó 6,9).

38,13 O salmista sente a obra de Deus como destruição contínua e feroz, que destroça até o profundo dos ossos. O homem vive com lucidez seu paulatino aniquilamento e pode apenas soluçar.

38,14 A imagem do pássaro inerme, que geme sem palavras, contrasta com a do leão. Até que o oprimido consiga articular sua brevíssima oração, Deus há de sair em seu favor e não há opressão mais dura que a sua.

38,15 Não encontra palavras para continuar orando, reconhece que é Deus quem o faz, embora não o entenda; esse pensamento lhe tira o sono, seu único repouso. Acordado, pode ter consciência da morte que se aproxima incansável; dormindo, poderia aproximar-se dela sem sentir.

¹⁶Os que Deus protege vivem,
e entre eles viverá o meu espírito:
curaste-me, fizeste-me reviver.
¹⁷Minha amargura se transformou em paz
quando detiveste a minha vida
diante da sepultura vazia
e voltaste as costas a todos os meus pecados.
¹⁸O Abismo não te dá graças,
nem a Morte te louva,
nem esperam em tua fidelidade
os que descem à cova.
¹⁹Os vivos, os vivos são
aqueles que te dão graças: como eu agora.
O pai ensina a seus filhos a tua fidelidade.
²⁰Salva-me, Senhor, e tocaremos nossas harpas
todos os nossos dias na casa do Senhor"*.

39 Embaixada do rei da Babilônia

(2Rs 20,12-19) – ¹Naquele tempo, Merodac-Baladã, filho de Baladã, rei da Babilônia, enviou cartas e presentes ao rei Ezequias, quando ficou sabendo que este se havia restabelecido da doença.

²Ezequias se alegrou e mostrou aos mensageiros seu tesouro: a prata e o ouro, os perfumes e unguentos, toda a baixela e tudo o que havia em seus depósitos. Não ficou nada em seu palácio e em seus domínios que Ezequias não lhes mostrasse.

³Mas o profeta Isaías se apresentou ao rei Ezequias e lhe perguntou:

– O que disse essa gente e de onde vieram para visitar-te?

Ezequias respondeu:

– Vieram visitar-me de uma terra distante, da Babilônia.

⁴Isaías perguntou:

– O que viram em tua casa?

Ezequias respondeu:

– Viram toda a minha casa; não deixei de mostrar-lhes nada de meus tesouros.

⁵Isaías replicou:

– Escuta a palavra do Senhor dos exércitos: ⁶Vê: chegarão dias em que tudo o que há em tua casa, tudo o que teus avós entesouraram até hoje, será levado para a Babilônia. Não ficará nada, diz o Senhor. ⁷E os filhos que saíram de ti, que tu geraste, serão levados para a Babilônia para que sirvam como cortesãos do rei.

⁸Ezequias respondeu:

– A palavra do Senhor que pronunciaste é favorável.

Pois dizia a si mesmo: Enquanto eu viver haverá paz e segurança.

38,16 Repentinamente muda de tom: da angústia à confiança, à experiência da saúde. Nelas experimentou a mão de Deus que vivifica. Ver Sl 30,4: "Fizeste-me reviver quando descia para a cova".

38,17 Diante do túmulo vazio, o homem sente seu ser de pecado que o impele e precipita. Deus detém a queda porque perdoa o pecado.

38,18-19 Em forte contraste aparecem Abismo, Morte e defuntos incapazes de louvar a Deus, de participar do culto. Sua mudez faz ressaltar o grito de alegria do salmista, que é ao mesmo tempo louvor a Deus e grito triunfal de sentir-se vivo.

Quase não acreditando na cura, canta seu hino para se persuadir de que está vivo. E sente sua vida prolongando-se na dos filhos.

38,20 * Os vv. 21 e 22 depois do v. 6.

39,1 Com o apoio do rei de Elam, Marduc (Merodac)-Baladã tinha-se proclamado rei de Babilônia em 721 e, de seu reino meridional, hostilizava o Império da Assíria, promovendo alianças e rebeliões. A embaixada ao rei de Judá não era desinteressada.

39,2 Ezequias responde à cortesia com uma mistura de vaidade e de confiança nas suas possibilidades de resistir. Era um jovem de vinte anos.

39,3-4 O profeta se apresenta como quem exige contas. A resposta do rei soa vaidosa e ingênua ao mesmo tempo. Também revela confiança humana em Babilônia, como possível aliado contra a Assíria.

39,5-7 Mas a visão profética e a palavra de Deus superam o horizonte histórico próximo: a imagem do futuro desterro atravessa sombria o momento atual, diminuindo a ameaça da Assíria.

39,8 Mas o rei não quer temer por um futuro remoto que não lhe interessará; quer desfrutar de seu próprio futuro limitado.

Assim termina a composição literária que contém os oráculos de Isaías e narra sua atividade profética ou alude a ela. Com o tema distante do desterro babilônico se liga sem dificuldade o grande canto da volta, que começa no capítulo seguinte.

SEGUNDO ISAÍAS
(Dêutero-Isaías)

INTRODUÇÃO

Autor e época

É hoje opinião comum que os capítulos 40-55 são obra de um profeta anônimo que exerceu o ministério entre os desterrados de Babilônia, durante a ascensão de Ciro (553-539).

O novo império babilônico, fundado por Nabopolassar, culmina com Nabucodonosor (605-562). Sucede-lhe a decadência: Avil-Marduc (562-560), Neriglisar (560-556). Sobe ao trono o usurpador Nabônides (556-539); começa uma reforma religiosa que o torna inimigo dos sacerdotes de Marduc e da população; por sete anos se retira ao oásis de Teima, deixando como regente seu filho Baltazar.

Ciro começa a sua carreira ascendente como aliado de Nabônides contra os medos. Conquista a capital deles, Ecbátana (553), marcha contra Lídia (547) e conquista grande parte da Ásia Menor (Is 41,2-3; 45,1-3). Conquista a capital de Babilônia em 539, proclama-se imperador e inaugura uma política de tolerância.

Os judaítas deportados se repartiriam em três categorias aproximadas: os instalados na nova pátria, os resignados sem esperança, os que resistem, mantêm sua identidade e sonham com o retorno. Podemos imaginar suas reações ao observar os acontecimentos políticos.

A mensagem do Segundo Isaías

Esse profeta anônimo é um extraordinário teólogo e um magnífico poeta. Concebe sua obra como um segundo êxodo, semelhante e mais glorioso que o primeiro. Conserva a estrutura de base e muitos temas do primeiro, transfigurando-os e exaltando-os.

A saída. Uma palavra sai da boca de Deus, 55,11, sai o Senhor, 42,13, e o povo, 55,12. O Senhor tira seus exércitos (40, 26). O tema faz pausas em 42,7; 43,14; 45,13 e 55,12. O povo sai: da escravidão, 49,7, do cativeiro, 52,2, do cárcere, 42,7; 51,14, da escuridão, 49,9, do trabalho forçado, 40,1s, da opressão, 47,6; 52,4; 54, 14. Saem porque os Senhor os "resgata" (a raiz ga'al aparece 17 vezes).

O caminho pelo deserto é transfigurado: antecipa as bênçãos da terra e assemelha-se a um paraíso, 41,17-19; 43,19-20; 44,3-4; 55,1. Por ele o Senhor caminha, 40,3, conduz, 42,16, abre caminho, 43,19, leva 46,3s. Não é tempo de prova nem de adiamento.

A entrada é um ir e voltar. O Senhor vem, 40,10, volta, 52,8; o povo é trazido, 43,5s. A viagem é peregrinação: a meta é sobretudo Jerusalém. Curiosamente, o poema começa em Jerusalém, 40,2, e termina em Babilônia, 55,12.

O Senhor tem de triunfar sobre múltiplas resistências. Primeira, Babilônia, cruel e soberba, confiante em seus deuses e magos. Segunda, os deuses de Babilônia, que o Senhor desafia a que demonstrem sua capacidade de predizer e realizar. A terceira resistência é a mais grave, porque é dos judaítas, que recusam esperar. O povo se cansa e protesta (40,27); tem medo (41,13s); é cego e surdo (42,18-20); nostálgico (43,18); pecador (43,23s); não compreende a escolha de um estrangeiro (45, 9-11); é falso e obstinado (48,1-8); julga-se abandonado (49,14). O profeta tem de converter à esperança esse povo fracassado ou resignado ou desanimado. Não basta crer (7,9), é preciso esperar, pois quando soa a hora, só os que têm

esperança tornarão real o objeto de sua esperança, pondo-se a caminho para voltar.

A esperança se apoia numa base de largura crescente: Davi-templo, povo--aliança, patriarcas-promessas, dilúvio--humanidade, criação-universo. A esperança se abre ao possível, o possível se define pelo poder do autor, o autor é o criador do céu e da terra. No poema são muitas as referências ao não-ser, não--existir, não-poder, como pano de fundo: 40,17.23; 41,11.24; 43,11.14; 45,18. A esperança deste livro abrange os extremos e a totalidade: morte e vida, ser e não-ser. O tempo de Deus transcende a história, passado e futuro, começo e fim: 41,4; 43,10.13; 44,6; 48,12.

Ainda que vários personagens estejam ao serviço do Senhor, há um personagem anônimo que traz o título de Servo e emerge do contexto próximo em quatro cânticos: 42,1-4 (prolongado em 5-13); 49,1-7 (prolongado em 8-13); 50,4-9; 52,13-53,12. Sua vocação é profética e semelhante à de Moisés, é dramática pela atitude do povo, é trágica e gloriosa. É o paradoxo máximo do livro e a justificação última da esperança: o triunfo surgindo do fracasso. Sua figura contrasta com a do povo. Israel é covarde (40,27; 41,28; 44,1s); ele é valente (49,4; 50,7-9); Israel é pecador (43, 27; 48,4); ele é inocente (50,5; 53,9); Israel é impaciente (40,27; 49,14); ele é paciente (53,7); Israel deve expiar para si (43,22; 47,6; 50,1; 54,7); ele expia para outros (53,4-6.8-11).

Um problema debatido entre os exegetas é a identificação do personagem: Moisés, Jeremias, o autor, Azarias, Ezequias, Zorobabel, um grupo de desterrados, o povo. As opiniões se repartem em quatro grupos: interpretação coletiva, um grupo ou o povo todo; individual; mista; o rei como representante do povo; messiânica.

Para sua tarefa, o profeta dispõe só da palavra, que marca a obra inteira, 40,8 e 55,11; é eficaz, como promessa de Deus. O profeta tem o título novo de "evangelista" ou arauto de boas notícias.

Linguagem e estilo

O autor opõe à concisão de Isaías o fluxo retórico, ama as articulações quaternárias e as enumerações detalhistas; partilha com Isaías um ouvido apurado para os valores sonoros. O texto ganha muito com uma boa declamação.

A linguagem da esperança são os símbolos. O futuro imprevisível e esperado é desejado e sonhado. Desejo e sonho mobilizam a fantasia, que compõe imagens novas com traços assimilados. A fantasia cria e apresenta por antecipação. O criar da fantasia serve ao crer, não só como expressão, mas também como descobrimento. A fantasia dilata a esperança: seu horizonte se move e avança ao avançar o sonhador. Significa que é irrealista? Sem dúvida, se a sua profecia é medida com a repatriação histórica. Medida pelo cumprimento no Messias, seus versos são os que mais se aproximam, em símbolos, da realidade.

O profeta anuncia o futuro, não em forma pontual e circunstanciada, mas com arrebatamento poético, com imagens e símbolos gloriosos, com horizonte ilimitado. Os símbolos acolhem a realidade próxima, fazendo-a transbordar, pois apontam para uma realidade superior, suprema: a libertação autêntica que as outras preparam e prefiguram. A profecia do Segundo Isaías é um dos textos mais citados no NT; o evangelho de João, mesmo sem citá-lo, está sob seu influxo.

Dados cronológicos

612	Queda de Nínive e fim do Império assírio. Começa a ascensão do novo reino babilônico, sob Nabopolassar. No norte, Ciáxares reina sobre os medos.
604	Nabucodonosor sobe ao trono de Babilônia.
597	Primeira deportação de judaítas para Babilônia.
586	Conquista de Jerusalém; segunda deportação.
562	Avil-Marduc sucede a Nabucodonosor.

560	Neriglisar sucede a Avil-Marduc.
559	Ciro, rei de Ansan, na Pérsia, vassalo da Média.
556	Em Babilônia sobe ao trono Labashimarduk, e pouco depois Nabônides.
553	Ciro nega obediência a Astíages, rei da Média, vence-o e unifica o Império. Nabônides conquista Harã.
550-540	Nabônides retira-se a Tema. Ministério profético do Segundo Isaías.
541	Ciro derrota Creso, rei de Lídia.
539	Ciro derrota Nabônides, cruza o Tigre, conquista Babilônia.
538	Edito de repatriação dos judaítas.

A Boa Notícia
(Is 52,7-10)

40 ¹Consolai, consolai meu povo,
   diz o vosso Deus:
²falai ao coração de Jerusalém,
   gritai-lhe que seu serviço se cumpriu
   e está pago seu crime,
   pois da mão do Senhor recebeu
   duplo castigo por seus pecados.
³Uma voz grita: No deserto
   preparai um caminho para o Senhor,
   aplanai na estepe
   uma estrada para o nosso Deus;
⁴que os vales se levantem,
   que os montes e colinas se abaixem,
   que o tortuoso se endireite
   e o escabroso se nivele;
⁵e se revelará a glória do Senhor
   e a verão todos os homens juntos
   – falou a boca do Senhor.
⁶Diz uma voz: Grita.
   Respondo: Que devo gritar?
   Toda carne é erva
   e sua beleza como flor campestre:
⁷a erva murcha, a flor seca,
   quando o alento do Senhor sopra sobre elas;
⁸a erva murcha, a flor seca,
   mas a palavra do nosso Deus
   se cumpre sempre.
⁹Sobe a um monte elevado, arauto de Sião;
   ergue forte a voz, arauto de Jerusalém;
ergue-a, não temas, dize às cidades de Judá:
   "Aqui está o vosso Deus".
¹⁰Vede, o Senhor chega com poder,
   e seu braço comanda.
   Vede, com ele vem seu salário,
   e sua recompensa o precede.
¹¹Como pastor que apascenta o rebanho,
   seu braço o reúne,
   toma nos braços os cordeiros
   e faz as mães se deitarem.

40,1-10 O primeiro oráculo tem algo de abertura, com vários temas principais: consolo de Jerusalém em figura feminina (1-2); o novo êxodo (3-5); a palavra se cumprirá (6-8); o Senhor chega como pastor (9-10). Soam vozes não identificadas, criando a impressão de algo misterioso e repentino.

40,1-2 Falar ao coração: de modo persuasivo ou cortejando: Gn 34,2; 50,21; Jz 19,3; Rt 2,13; Os 2,16. A vassalagem foi um trabalho forçado, consequência de um crime que agora está pago, inclusive com juros, porque o carrasco se excedeu.

40,3-5 O caminho de volta não terá obstáculos nem tropeços, porque a terra se dobra com docilidade cósmica. A glória do Senhor se manifestou no êxodo, Ex 14,17; 16,10; 19. Boca do Senhor é o profeta: 1,20; 30,2; Jr 9,11; Mq 4,4 etc.

40,6-8 Uma voz protagonista proclama sua mensagem numa imagem simples. O homem é comparado ao vegetal mais efêmero (Sl 90,6). Deus age com o alento que vivifica ou abrasa (2,12s) e com a palavra que se cumpre.

40,9-11 O arauto vem pelo deserto anunciando a chegada próxima do Senhor, que ostenta o título da aliança. O salário de Jacó ao regressar eram enormes rebanhos (Gn 31-32). A imagem do pastor pode recordar Davi (Sl 78,71s).

Polêmica de Deus com os ídolos
(Sb 13-15; Is 41,21-29; 44,6-8)

¹²Quem mediu em punhados o mar,
 ou mediu a palmos o céu,
 ou em medidas o pó da terra?
Quem pesou na balança os montes
 e na báscula as colinas?
¹³Quem mediu o espírito do Senhor?
 Quem lhe sugeriu seu projeto?
¹⁴Com quem se aconselhou para entendê-lo,
 para que lhe ensinasse o caminho exato?
Para que lhe ensinasse o saber
 e lhe sugerisse o método inteligente?
¹⁵Vede, as nações são gotas de um balde
 e valem como o pó na balança.
Vede, as ilhas pesam como um grão,
 ¹⁶o Líbano não basta para lenha,
 suas feras não bastam para o holocausto.
¹⁷Diante dele as nações
 são todas como se não existissem,
 para ele não contam absolutamente nada.
¹⁸A quem igualareis Deus,
 que imagem lhe contraporeis?
¹⁹A estátua que o escultor funde
 e o ourives recobre de ouro
 e lhe solda correntes de prata?

41 ⁶Um ajuda o outro,
 dizem a seu companheiro: "Ânimo!",
 e o escultor anima o ourives;
⁷o que forja a martelo ao que golpeia a bigorna,
 dizendo: "Boa soldadura!",
 e a fixam com cravos para que não se mova.

40 ²⁰O modesto na oferta
 escolhe madeira incorruptível,
 procura um hábil escultor
 para que lhe faça uma estátua que não se mova.

40,12-26 O Senhor é um Deus incomparável: nem no espaço cósmico, nem entre as nações, nem no mundo dos ídolos há quem se lhe compare. O Senhor interpela seu povo, respondendo talvez a uma objeção tácita. Os desterrados teriam alegado o poder de Babilônia e de seus deuses; o Senhor apela ao seu próprio poder, sabedoria, grandeza, domínio da natureza e da história. O estilo é retórico e poético, copioso e apaixonado.

40,12-14 Admite duas interpretações. a) Com resposta positiva: "Deus somente"; visto como artesão hábil (Sl 65 e 104) que mede e pesa, e não precisa de conselho alheio. b) Com resposta negativa: ninguém pode medir o imenso com medidas pequenas; muito menos a Deus com medidas humanas. Ver Jó 38-39.

40,13 Ver 1Cor 2,10-11.

40,15-17 Tudo o que enche e habita a terra. Os habitantes de territórios conhecidos e os desconhecidos das costas remotas ficam reduzidos à sua verdadeira escala quando se lhes aplica a medida de Deus. Árvores e feras são vistas em função do sacrifício: Sl 50,10s. Ver Sl 62,10. É notável a insistência em predicados negativos.

40,18 Imagem de Deus é o homem; mas aqui o poeta pensa em imagens idolátricas, contrapostas ao Senhor que proíbe toda imagem.

40,19-20 Com muitos autores transladamos a este contexto os vv. 6-7 do cap. 41. A breve cena (ampliada em 44,12-20) nos apresenta os fabricantes de ídolos em contraste com a atividade do Senhor: têm de juntar-se vários, animar-se, acrescentar solidez extrínseca à sua obra. Ver a exposição clássica de Sb 13,10-15,13 e a zombaria da Carta de Jeremias.

²¹Não sabeis, não ouvistes,
   não vos anunciaram de antemão;
   não o compreendestes
   desde a fundação do mundo?
²²Aquele que senta sobre o círculo da terra
   – seus habitantes parecem gafanhotos –;
   aquele que estendeu como toldo o céu e o desdobrou
   como tenda onde se habita;
²³aquele que reduz a nada os príncipes
   e converte os governantes em nulidade:
²⁴apenas plantados, apenas semeados,
   apenas enraízam seus brotos na terra,
   sopra sobre eles e secam,
   e o vendaval os arrebata como palha.
²⁵A quem podeis comparar-me, que me seja semelhante?
   – diz o Santo.
²⁶Erguei os olhos para o alto e olhai:
   Quem criou aquilo?
   Aquele que conta e estende o seu exército
   e a cada um chama por seu nome;
   tão grande é seu poder, tão robusta a sua força,
   que não falta nenhum.

Polêmica de Deus com o povo
(Is 43,22-28; 45,9-14; 50,1-3)

²⁷Por que andas falando, Jacó,
   e dizendo, Israel:
   "Minha sorte está oculta ao Senhor,
   meu Deus ignora minha causa"?
²⁸Acaso não o sabes, acaso não o ouviste?
   O Senhor é um Deus eterno
   e criou os confins do orbe.
   Não se cansa, não se afadiga,
   sua inteligência é insondável.
²⁹Ele dá força ao cansado,
   acrescenta vigor ao inválido;
³⁰mesmo os jovens se cansam e se afadigam,
   os jovens tropeçam e vacilam;
³¹mas os que esperam no Senhor
   renovam suas forças,
   estendem asas como as águias,
   correm sem se cansar, andam sem se fatigar.

40,21 Parece supor uma catequese. Ver Rm 1,20.
40,22 A dimensão real do homem é vista de uma perspectiva superior.
40,23 Mais radical que o Sl 33,10.
40,24 Como no Sl 90.
40,26 Os astros não são divindades, mas exército em formação e obediente a Deus. Na terra os israelitas são os "esquadrões": Ex 12,51.
40,27-31 A queixa dos judaítas se poderia formular assim: como outrora Moisés (Nm 11), o Senhor se cansou do seu povo, dos seus pecados (43,24) e teimosia (48,4), e o descarregou em terra estrangeira para se desfazer dele. Se restava alguma predição, o povo está cansado de esperar. Um duplo cansaço conjugado lança uma cortina sobre a história, da qual resta uma recordação nostálgica ou amarga.
A resposta apela para as dimensões de Deus: é eterno e tem tempo, é inteligente e conhece a estação, é artífice incansável. Ele dá forças aos cansados; é o homem cansado que tem de aprender a esperar. A esperança rejuvenesce.

Vocação de Ciro
(Is 45,1-8; 48,12-19)

41 ¹Ilhas, calai diante de mim;
nações, esperai meu desafio.
Que se aproximem para falar,
compareçamos juntos para julgamento.
²Quem o suscitou no Oriente
e convoca a vitória à sua passagem,
lhe entrega os povos, lhe submete os reis?
Sua espada os tritura
e seu arco os dispersa como palha;
³persegue-os e avança seguro
por sendas que seus pés não pisavam.
⁴Quem fez isso e executou?
Aquele que anuncia o futuro de antemão.
Eu, o Senhor, que sou o primeiro,
eu estou com os últimos.
⁵Vede-o, ilhas, e estremecei,
tremam os confins do orbe*.

Israel, servo do Senhor
(Is 41,8; 44,1-5; Sl 48)

⁸Tu, Israel, meu servo; Jacó, meu eleito;
estirpe de Abraão, meu amigo.
⁹Tu, a quem tomei nos confins do orbe,
e chamei em seus extremos,
a quem eu disse: "Tu és meu servo,
eu te escolhi e não te rejeitei".
¹⁰Não temas, pois estou contigo;
não te angusties, pois sou o teu Deus:
eu te fortaleço e te auxilio
e te sustento com minha direita vitoriosa.
¹¹Vê: derrotados, se envergonharão
os que se encolerizam contra ti;
serão aniquilados e perecerão
os que pleiteiam contra ti;
¹²buscarás e não encontrarás
os que pelejam contra ti;
serão aniquilados, deixarão de existir
os que guerreiam contra ti.

41,1-5 Começa um julgamento contraditório do Senhor contra um rival, nações próximas e distantes. Convoca, os chamados compareçam, impõe-se silêncio, uma das partes toma a palavra. No cenário universal vão destacar-se dois atores: um glorioso chefe ainda anônimo e Israel. O Senhor reclama e assume no julgamento plena responsabilidade, o chefe será executor e o povo será beneficiário.

41,2-3 Dão-nos a visão histórica estilizada. Uma figura política ascende rapidamente e suscita pânico entre os babilônios, esperança e medo entre os judaítas.

41,4 Acrescenta a visão transcendente: o Senhor que o anunciou, agora o realiza.

41,5 * Os vv. 6-7 vão depois de 40,19.

41,8-16 Preparado o terreno com a vitória no pleito, o Senhor se dirige a seu povo num oráculo de salvação. O texto se divide numa introdução, 8-9, e duas estrofes paralelas, 10-13 e 14-16. O povo recebe um nome duplo e o sobrenome de Abraão (falta Isaac). O título sugere a escolha para o serviço; para Abraão, a intimidade com Deus. O oráculo remonta às origens patriarcais, à promessa feita antes da aliança.

41,10 O medo radical e instintivo do homem se duplica ante a presença numinosa da divindade. A palavra de Deus vence a angústia humana com um imperativo eficaz, com sua presença atestada, com seu auxílio.

41,11-12 Fórmulas provenientes de salmos: 35,26; 40,15; 56,10; 63,10s; 70,3s.

¹³Porque eu, o Senhor teu Deus,
  te seguro pela direita,
  e te digo: "Não temas, eu mesmo te auxilio".
¹⁴Não temas, vermezinho de Jacó, larva de Israel,
  eu mesmo te auxilio – oráculo do Senhor.
  Teu redentor é o Santo de Israel.
¹⁵Vê, eu te converto em debulhador afiado,
  novo, dentado:
    debulharás os montes e os triturarás,
    converterás em palha as colinas;
¹⁶tu os abanarás, e o vento os arrebatará,
    o vendaval os dispersará;
    e tu te alegrarás com o Senhor,
    e te gloriarás do Santo de Israel.

Novo êxodo
(Is 43,14-21; 48,20-22; 52,11-12)

¹⁷Os pobres e os indigentes
  procuram água, e nada;
  sua língua está seca de sede.
  Eu, o Senhor, lhes responderei;
  eu, o Deus de Israel, não os abandonarei.
¹⁸Abrirei rios nas dunas,
  e mananciais no meio dos vales;
  transformarei o deserto em pântano
  e o ermo em fontes de água;
    ¹⁹porei cedros no deserto,
  acácias, mirtos e oliveiras;
  plantarei ciprestes na estepe,
  junto com olmos e plátanos.
²⁰Para que vejam e conheçam,
  reflitam e aprendam de uma vez
  que a mão do Senhor o fez,
  que o Santo de Israel o criou.

Pleito com os deuses
(Is 43,8-13)

²¹Apresentai vosso pleito, diz o Senhor;
  aduzi vossas provas, diz o Rei de Jacó;

41,13 A presença toma a forma de um contato robusto e caloroso.
41,14 Ver Sl 22,7; Nm 13,33.
41,15-16 O vermezinho que rasteja se transforma num debulhador que se estende e cresce até ter debaixo de si a terra com seus montes e outeiros (cf. 2,14).
41,17-20 Temas do êxodo: a sede e a água (Ex 17; Nm 20,1-11), questão de vida ou morte. O deserto se transforma em paraíso portentoso, com quatro torrentes de água e sete espécies de árvores frondosas.
41,18 Sl 107,35.
41,20 A consequência da ação de Deus é o reconhecimento. Os olhos veem a história, a fé reconhece o protagonista. Deus está "criando" de novo, porque salvar é uma criação superior.
41,21-29 Um pleito com os deuses de Babilônia serve para apresentar o executor oficial da nova salvação. O pleito é ficção literária do profeta. A esses deuses numerosos, que recebem culto esplendoroso, que podem impressionar os desterrados, o poeta lhes concede uma existência literária, como contendores num grande pleito. Uma multidão contra um só, um silêncio coletivo contra uma voz dominadora. No fim do julgamento, ficção literária, fica clara a ficção ontológica dessas divindades. Não existem, e essa é a verdade da ficção.

²²que se adiantem e nos anunciem o que vai acontecer.
Narrai-nos vossas predições passadas
e prestaremos atenção;
anunciai-nos o futuro,
e comprovaremos a conclusão;
²³narrai os acontecimentos futuros,
e saberemos que sois deuses.
Fazei algo, bom ou mau,
para que o percebamos e o vejamos inteiramente.
²⁴Vede, vós sois nada;
vossas obras, vazio;
é abominável escolher-vos.
²⁵Eu o suscitei no Norte, e ele veio;
no Oriente o chamo por seu nome;
pisará governantes como barro,
como o oleiro pisa a argila.
²⁶Quem o anunciou de antemão
para que o soubéssemos,
antecipadamente, para que disséssemos:
"Tem razão"?
Ninguém o narra, ninguém o anuncia,
ninguém ouve o vosso discurso.
²⁷Eu o anunciei por primeiro em Sião
e enviei um arauto a Jerusalém.
²⁸Busquei; mas entre eles não havia ninguém,
nenhum conselheiro a quem perguntar,
para que me informasse.
²⁹Todos juntos eram nada; suas obras, vazio;
suas estátuas, ar e nulidade.

Deus apresenta seu servo
(Is 49; 50; 53; Mt 12,18-21)

42 ¹Vede meu servo, a quem sustento;
meu escolhido, a quem prefiro.
Sobre ele pus meu espírito,
para que promova o direito nas nações.
²Não gritará, não clamará, não alardeará pelas ruas.
³Não quebrará a cana rachada,
não apagará o pavio vacilante.
Promoverá fielmente o direito,
⁴não vacilará nem se quebrará, até implantar
o direito na terra,
e sua lei que as ilhas esperam.

41,22-23 A prova exigida é a coerência entre palavra e ação, entre passado e futuro, predição e cumprimento. A palavra constitui o fato em revelação atual, o acontecimento dá crédito à palavra e a quem a pronunciou.
41,22 Hab 2,18.
41,25 Segunda parte. Se os rivais não puderam apresentar provas, o Senhor propõe as suas, com a mesma dialética de ação e palavra.
41,28-29 Os rivais emudeceram. O Senhor já não lhes fala na segunda pessoa, mas os reúne numa terceira pessoa, que já não é pessoa jurídica nem personagem literária, porque não são nada.
42,1-13 Formam uma unidade composta: Deus apresenta seu servo e sua tarefa (1-4); oráculo dirigido ao servo, explicando escolha e tarefa (5-9); hino ao Senhor, que sai para intervir (10-13).
42,1-4 O encargo é recebido por escolha e pelo dom do Espírito. O escolhido é mediador carismático. Sua missão é implantar o direito, segundo a vontade de Deus. Realizará essa tarefa, não com as armas e pela força, mas com novo estilo: mansidão com o fraco

Deus fala a seu servo

⁵Assim diz o Senhor Deus,
 que criou e estendeu o céu,
 firmou a terra com sua vegetação,
deu o alento ao povo que nela habita
 e a respiração aos que nela se movem.
⁶Eu, o Senhor, te chamei para a justiça,
 te tomei pela mão, te formei
 e fiz de ti aliança de um povo,
 luz das nações.
⁷Para que abras os olhos dos cegos,
 tires os presos da prisão,
 e da masmorra os que habitam em trevas:
⁸Eu sou o Senhor, este é meu nome,
 não cedo minha glória a ninguém,
 nem minha honra aos ídolos.
⁹O antigo já aconteceu,
 e algo novo eu anuncio;
 antes que brote, eu vos comunico.

Hino
(Sl 96; 98)

¹⁰Cantai ao Senhor um cântico novo,
 e chegue seu louvor
 aos confins da terra;
 os que se lançam ao mar, os que o povoam,
 as costas e seus habitantes.
¹¹Alegre-se o deserto com suas tendas,
 os cercados onde Cedar habita;
 exultem os habitantes de Petra,
 clamem do alto das montanhas;
¹²deem glória ao Senhor,
 pronunciem seu louvor no litoral.
¹³O Senhor sai como um herói,
 excita seu ardor como um guerreiro,
 lança o grito desafiando o inimigo.

Nova salvação

¹⁴Há muito guardei silêncio,
 eu me calava, suportava;
 como parturiente, arquejo e ofego.

---

e vacilante (como Moisés, conforme Nm 12,3), mas firmeza e tenacidade em resistir e cumprir. O âmbito é universal: o reino da justiça é o que os povos desconhecidos obscuramente esperam. Citado em Mt 3,17 e Mc 1,11.

42,5-9 Os títulos e o nome do Senhor, em 5 e 8, garantem a missão, para a qual "forma" e "chama" o executor.

42,6 A expressão hebraica poderia ser assim traduzida: "com justiça", "legitimamente". Prefiro o sentido de finalidade. Para dentro, o enviado será "aliança" aglutinante do povo e mediador da aliança com Deus (cf. 2Sm 5,3). Para os pagãos será luz nova (cf. 2,5 e Lc 2,32).

42,7 Com valor simbólico: "abre os olhos" aos que estavam encarcerados nas trevas (cf. Sb 17,2).

42,9 Brota ou germina: em sentido próprio e em contexto de criação, Gn 2,5. A imagem retorna em 43,19 e 55,10, criando um contexto simbolicamente unificado: a nova era dará vegetação ao deserto, e na aridez atual da história germinará e brotará uma era nova.

42,10-13 O júbilo do hino corresponde à certeza do anúncio. O convite se dirige ao universo, terra e mar e seus habitantes, deserto de beduínos e litorais remotos. É o horizonte geográfico do autor.

42,13 A saída do Senhor: do Egito, Ex 11,4; militar, 2Sm 5,24; Sl 44,10; 60,12.

42,14-17 O Senhor anuncia com imagens de êxodo sua próxima intervenção. Por cerca de três gerações suportou o sofrimento do seu povo no desterro e

¹⁵Secarei montes e colinas, secarei toda a sua erva,
  converterei os rios em ermo,
  secarei os pântanos;
¹⁶conduzirei os cegos
  por um caminho que desconhecem,
  eu os guiarei por sendas que ignoram.
Diante deles converterei a treva em luz,
  o escabroso em plano.
  Isso é o que penso fazer,
  e não deixarei de fazê-lo.
¹⁷Retrocederão decepcionados
  os que confiam no ídolo,
  os que dizem a uma estátua:
  "Tu és o nosso Deus".

Cegueira do povo
(Is 6,9-10; 22,8-11)

¹⁸Surdos, escutai e ouvi; cegos, olhai e vede:
¹⁹Quem é cego senão meu servo, quem é surdo
  senão o mensageiro que envio?
  Quem é cego como meu enviado,
  quem é surdo como o servo do Senhor?
²⁰Muito olhavas e nada entendias,
  com os ouvidos abertos e não percebias.
²¹O Senhor, por amor de sua justiça,
  queria glorificar e engrandecer sua lei;
²²são porém um povo saqueado e despojado,
  presos todos em cavernas,
  encerrados em masmorras.
  Saqueavam-no, e ninguém o livrava;
  despojavam-no, e ninguém dizia: "Devolve-o".
²³Quem de vós dará ouvidos a isso,
  e atento escutará o futuro?
²⁴Quem entregou Jacó ao saque,
  Israel ao despojamento?
  Não foi o Senhor contra quem pecamos,
  não querendo seguir seus caminhos
  nem obedecer à sua lei?
²⁵Descarregou sobre ele o ardor de sua ira,
  o furor da guerra;
  suas chamas o rodeavam, e ele nem percebia;
  queimavam-no, e não fazia caso.

---

a arrogância do opressor. Agora chega para ele o momento fecundo de agir, como à parturiente (cf. Jó 16,21). Vai nascer uma grande obra do Senhor: seca (na cidade dos canais?) para os opressores, caminho plano para os desterrados (Sl 107,33-37). Em vez de enviar coluna de fogo, o Senhor transformará as trevas em luz. Os que confiavam em seus falsos deuses sentirão o fracasso.

42,18-25 O povo ainda não está preparado para compreender a intervenção de Deus. Continua sendo "servo" ou vassalo do Senhor da aliança, ao qual acusa de cegueira e surdez ante suas desgraças e gritos. O Senhor recolhe a queixa e a devolve contra o povo: este é o cego que não quer ver. Com o desterro, Deus glorificava sua lei, fazia justiça castigando a desobediência. O povo continuava a não compreender (cf. 22,8-11). O povo tem de superar a memória e voltar-se com fé e esperança para o futuro.

42,18 Eco de 6,9s.
42,20 Ver Dt 29,1-5 sobre a dificuldade de compreender.
42,21 Ou então, em virtude do seu direito como parte ofendida.
42,23-25 As mudanças de pessoa dificultam a identificação dos que falam. Sobrepõe-se um movimento de acusação e confissão.

Resgate do povo

43 ¹E agora, assim diz o Senhor,
  aquele que te criou, Jacó;
  aquele que te formou, Israel:
Não temas, pois eu te redimi,
  eu te chamei por teu nome, tu és meu.
²Quando cruzares as águas eu estarei contigo,
  a correnteza não te afogará;
quando passares pelo fogo, não te queimarás,
  a chama não te abrasará.
³Porque eu sou o Senhor teu Deus,
  o Santo de Israel, teu salvador.
Para te resgatar, entreguei o Egito,
  a Etiópia e Sabá, em troca de ti;
⁴porque te aprecio e és valioso,
  e eu te amo;
  entregarei homens em troca de ti,
  povos em troca de tua vida:
⁵não temas, pois estou contigo;
  do Oriente trarei a tua estirpe,
  do Ocidente eu te reunirei.
⁶Direi ao Norte: Entrega-o. E ao Sul: Não o retenhas;
  traze-me meus filhos de longe
  e minhas filhas dos confins da terra;
⁷todos os que levam o meu nome,
  os que eu criei para a minha glória,
  os que eu fiz e formei.

O povo, testemunha de Deus

⁸Tirai o povo cego, embora tenha olhos;
  os surdos, embora tenham ouvidos;
⁹que se reúnam as nações
  e se juntem os povos:
  quem deles pode nos contar
  ou nos informar de predições passadas?
Que apresentem testemunhas para ganhar sua causa;
  que o ouçamos, e diremos: É verdade.

43,1-7 Oráculo de salvação, apelando ao princípio da escolha. No passado, Deus escolheu o patriarca Jacó, o formou, lhe impôs um nome novo, o conduziu e protegeu nas andanças e lhe deu uma descendência. Com coerência histórica, repete a ação com o povo: forma-o, dá-lhe nome, o faz superar graves perigos, toma-o como posse; comprometido com ele, o resgata.
43,2 Água e fogo sintetizam polarmente os perigos da vida: ver Dt 4,20; Is 48,10.
43,3b-4 Em termos comerciais, dá algo valioso por outro objeto mais valioso. Por que Israel é precioso? Devido ao amor de Deus, que torna o ser humano precioso e apreciado. O tema culmina no NT: Jo 3,16; 1Cor 6,20; 7,23; 1Pd 1,18.
43,5-6 "Reunir e trazer" correspondem a tirar e introduzir. "Meus filhos", "minhas filhas": Is 1,2; Ex 4,22s; Os 11.
43,7 Os filhos trazem o nome do pai, e com esse nome o glorificam.

43,8-13 Deus processa as nações pagãs e seus deuses (41,21-29). No processo, os pagãos podem ser testemunhas a favor de seus deuses, aos quais costumam atribuir suas vitórias. Os israelitas têm de ser testemunhas do Senhor. Testemunhas oculares e auriculares, porque foram sujeitos da história e a transmitiram por tradição (Ex 10,2; Sl 78). Mas Israel, com os olhos abertos, não soube ver, com os ouvidos não soube escutar (Dt 29,1-5). Por isso, há um novo chamado de Deus, que o convoca como sua testemunha. O passado demonstra que o Senhor é o único salvador e, portanto, o único Deus. Os fatos históricos nos permitem subir até ao ser de Deus, enquanto nele se baseiam. Deus é o transcendente último, além do qual não há outro. Seu existir supera todo o tempo, por isso pode predizer qualquer acontecimento.
43,8 Ver 42,2-19.

¹⁰Vós sois minhas testemunhas
– oráculo do Senhor –
e meus servos, a quem escolhi,
para que soubésseis e crêsseis em mim,
para que compreendêsseis quem sou eu.
Antes de mim, não haviam fabricado nenhum deus;
e depois de mim nenhum haverá:
¹¹Eu sou o Senhor. Além de mim não há salvador.
¹²Eu predisse, e salvei; eu anunciei,
e não tínheis deus estrangeiro.
Vós sois minhas testemunhas – oráculo do Senhor –;
¹³eu sou Deus, desde sempre o sou.
Não há quem livre de minha mão;
o que eu faço, quem o desfará?

Salvação

¹⁴Assim diz o Senhor,
vosso Redentor, o Santo de Israel:
Em vosso favor
eu mandei gente a Babilônia,
arranquei todos os ferrolhos das prisões,
e os caldeus rompem em lamentos.
¹⁵Eu sou o Senhor, o vosso Santo,
o criador de Israel, o vosso Rei.
¹⁶Assim diz o Senhor, que abriu caminho no mar
e senda nas águas impetuosas;
¹⁷que levou à batalha carros e cavalos,
tropa com seus valentes:
caíam para não se levantar, apagaram-se
como mecha que se extingue.
¹⁸Não recordeis o que foi outrora,
não penseis em coisas antigas;
¹⁹vede que realizo algo novo;
já está brotando, não o notais?
Abrirei um caminho pelo deserto, rios no ermo;
²⁰as feras selvagens me glorificarão,
chacais e avestruzes,
porque oferecerei água no deserto, rios no ermo,
para apagar a sede do meu povo, do meu escolhido,
²¹o povo que formei para mim,
para que proclamasse o meu louvor.

43,10 Talvez *lo' yihye* contenha uma alusão ao nome divino explicado em Ex 3,14s.
43,13 Ver 14,27.
43,14-21 Oráculo de salvação, com uma interessante concentração de tempos: presente de libertação (14-15); passado remoto e glorioso (16-17); futuro próximo, que supera todo o passado. É notável a acumulação de títulos do Senhor, talvez polemizando com os numerosos títulos de Marduc.
43,18 É lei para Israel a memória das ações salvadoras do Senhor, e o esquecimento é delito e fonte de culpas (Sl 78). Mas a memória não deve ser fuga nostálgica, repouso inerte na lembrança, ter saudade do colo materno – em fórmula moderna. A lembrança é válida quando prepara e abre ao futuro. O profeta, paradoxalmente, parece substituir a lei da lembrança pelo princípio da esperança. Mas o resultado é que o futuro é descrito com imagens do passado.
43,19 A nova era abre passagem com impulso incontido, como o broto partindo da semente.

Requisitório contra o povo
(Is 43,22; 45,9-14; 50,1-3)

²²Mas tu, Jacó, não me invocavas;
  nem te esforçavas por mim, Israel;
²³não me oferecias ovelhas em holocausto,
  não me honravas com teus sacrifícios;
  eu não te avassalei exigindo ofertas de ti,
  nem te cansei pedindo-te incenso,
²⁴não me compravas canela a dinheiro,
  não me saciavas com a gordura de teus sacrifícios;
  mas me avassalavas com teus pecados,
  e me cansavas com tuas culpas.
²⁵Eu, era eu quem por minha conta
    apagava teus crimes
    e não me recordava de teus pecados;
²⁶recorda-me tu, e discutiremos;
    argumenta tu, e sairás absolvido.
²⁷Já teu primeiro pai pecou,
    teus chefes se rebelaram contra mim;
²⁸por isso profanei príncipes consagrados,
    entreguei Jacó ao extermínio
    e Israel aos insultos.

Deus consola seu povo

44 ¹E agora escuta, Jacó, meu servo;
    Israel, meu escolhido:
²Assim diz o Senhor que te fez,
  que te formou no ventre e te auxilia:
    Não temas, servo meu,
    Jacó, meu amor, meu escolhido;
³vou derramar água sobre o solo sedento
    e torrentes sobre a terra seca;
  vou derramar meu alento sobre a tua estirpe
    e minha bênção sobre os teus rebentos.
⁴Crescerão como relva junto à fonte,
    como salgueiros junto às correntes de água.
⁵Alguém dirá: Sou do Senhor;
    outro se chamará pelo nome de Jacó;
    alguém tatuará no braço:
    "Do Senhor". E se chamará Israel.

43,22-28 Deus processa seu povo, denunciando-lhe o pecado. A salvação que já desponta exige a conversão interior, para a qual é pronunciado este oráculo penitencial. Já que não precisa de vítimas, Deus rejeita o culto como acordo (Sl 50; Mq 6,6-9). O jogo da antítese é audaz. Por meio do culto, o homem "serve" a Deus, lhe oferece "tributo" como o vassalo ao soberano. Aconteceu o contrário; com seus pecados, Israel adota uma atitude de soberano e submete Deus à vassalagem. Como se Deus tivesse de se pôr a serviço do povo, para lhe remover as culpas, sempre que Israel o desejar.

43,26 O homem deve confessar seu pecado e apelar para a misericórdia do Senhor: Sl 51,3.6.

43,27-28 É frequente a confissão pública de pecados remontar ao passado: Sl 106,6; Esd 9; Ne 9; Dn 9; Br 2.

44,1-5 Novo oráculo de salvação, definido pelos nomes em inclusão. Fala em tom pessoal e carinhoso. Com o mesmo verbo "derramar", a água que fertiliza a terra e o alento que vivifica a semente figuram em paralelo rigoroso. A bênção é a fecundidade (Gn 1,27). Nome, sobrenome e tatuagem selam a entrega e pertença ao Senhor (Ap 7; 13,16-17).

Pleito com os ídolos
(Is 40,12-26; 41,21-29)

⁶Assim diz o Senhor, o Rei de Israel,
 seu redentor, o Senhor dos exércitos:
Eu sou o primeiro e sou o último.
 Além de mim, não existe deus.
⁷Quem se parece comigo? Que fale,
 que o explique e o exponha a mim.
 Quem anunciou de antemão o futuro?
 Quem nos predisse o que irá acontecer?
⁸Não temais, não tremais:
 não o anunciei e não o predisse de antemão?
 Vós sois testemunhas:
 Existe um deus além de mim?
 Não existe rocha que eu não conheça.

Sátira contra a idolatria
(Jr 10,1-16; Sb 13-15)

⁹Os que modelam ídolos são todos nada,
 e é inútil o que eles amam,
 seus devotos não veem nada nem conhecem;
 por isso ficam frustrados.
¹⁰Quem modela um deus ou funde uma imagem,
 a não ser para ganhar alguma coisa?
¹¹Vede: todos os seus sócios ficarão frustrados,
 porque os artífices não são mais do que homens.
 Que se reúnam todos para comparecer:
 sentirão espanto e vergonha ao mesmo tempo.

¹²O ferreiro o trabalha nas brasas e o vai modelando com o martelo, trabalha-o com braço robusto; passa fome, se esgota, não bebe e fica exausto. ¹³O entalhador aplica a régua, o desenha a lápis, o trabalha com o formão e o delineia com o compasso; dá-lhe figura de homem e beleza humana, para o instalar num nicho. ¹⁴Corta cedros, escolhe um carvalho ou um roble, deixando-os crescer entre as árvores do bosque, ou planta um abeto que cresce com a chuva. ¹⁵Para as pessoas serve de lenha, usam para aquecer-se ou também para fazer luz e cozer pão; mas ele faz um deus e o adora, fabrica uma imagem e se prostra diante dela. ¹⁶Com uma parte faz

---

44,6-8 Recomeça a polêmica com os ídolos: 41,1-5.21-29; 43,8-13. "Rocha" é título divino: ver a polêmica de Dt 32,4.13.15. 18.30.31.37.

44,9-20 A polêmica passa dos ídolos a seus fabricantes (como em Sb 13-15). Consiste num desenvolvimento encenado da denominação "manu-fatura". O tema é de lógica popular; não penetra no problema da imagem e representação; tem parentesco com alguns acréscimos gregos a Daniel e com a Carta de Jeremias. A perícope próxima, 24-28, repete vários verbos, mudando o sujeito, o Senhor, e os complementos. O contraste é sistemático e sugestivo (primeira coluna, os fabricantes de ídolos; segunda, Yhwh):

formam uma imagem	um povo
fazem... imagens...	o universo
aplicam a régua...	o céu
moram em... nicho	Jerusalém
apascentam-se de cinza	minha vontade

44,9-10 Insiste nos termos inutilidade e fracasso, numa atividade que é interesseira. Jr 10.

44,11 Poder-se-ia traduzir "não são nem homens" (cf. Pr 30,2), porque se rebaixam com sua atividade, fazendo-se escravos de suas obras.

44,12-13 Primeira cena: os artesãos. Descreve com uma mistura de respeito pela habilidade artesã e de ironia por seu esforço e fadiga. O artífice não é mais que homem (v. 11), trabalha com fadiga, faz uma imagem sua que do homem só tem a beleza, nem sequer a capacidade de afadigar-se.

44,14-15 Da forma humana passa à matéria de que são feitos: árvores nobres que crescem e acabam em lenha ou em ídolos, mais úteis como lenha do que como ídolos.

44,16-17 A cena doméstica se compraz em indicar a distância entre um culto esplendoroso e inútil e os úteis serviços da casa. Na invocação final culmina a ironia.

44,16 Sl 115,4-8.

fogo: assa carne sobre as brasas, come-a, fica satisfeito, se aquece e diz: "Bom, estou aquecido e tenho luz". ¹⁷Com o resto, ele faz a imagem de um deus, se prostra, o adora e lhe reza: "Livra-me, pois tu és o meu deus".

¹⁸Não compreendem nem distinguem, têm os olhos cegos e não veem; a mente, e não entendem. ¹⁹Não reflete, não tem inteligência nem critério para dizer: Queimei a metade no fogo; cozi pão sobre brasas, assei carne para comer. E vou fazer do resto uma abominação? Vou prostrar-me diante de um pedaço de madeira? ²⁰Apascenta-se de cinza, uma mente iludida o extravia, não é capaz de libertar-se, dizendo: Não é um engano o que tenho em minha direita?

Redenção de Israel

²¹Lembra-te disto, Jacó;
de que és meu servo, Israel.
Eu te formei, e tu és meu servo,
Israel, não te esquecerei.
²²Dissipei como névoa tuas rebeliões
e teus pecados como nuvem:
volta para mim, pois eu sou o teu redentor.
²³Aclamai, céus, porque o Senhor agiu;
aplaudi, profundezas da terra,
rompei em aclamações, montanhas,
e tu, bosque, com todas as tuas árvores;
porque o Senhor redimiu Jacó
e se gloria de Israel.

"Eu sou o Senhor"
(Is 45,16-25)

²⁴Assim diz o Senhor, teu redentor,
que te formou no ventre:
Eu sou o Senhor, o criador de tudo;
eu sozinho estendi o céu, eu firmei a terra.
E quem me ajudava?
²⁵Eu sou quem frustra os presságios dos magos
e mostra a estupidez dos agoureiros;
aquele que confunde os sábios
e mostra que seu saber é ignorância;
²⁶mas realiza a palavra de seus servos,
cumpre o projeto de seus mensageiros.
Aquele que diz: "Jerusalém, serás habitada;
cidades de Judá, sereis reconstruídas;
ruínas, eu vos levantarei!"

44,18-19 Da ironia passa à denúncia apaixonada. Ler Sl 115 e 135.

44,20 Reconhecer o absurdo seria o começo da libertação. Fechando-se a essa última saída, só lhe resta a derrota no processo, o fracasso na vida.

44,21-23 Palavra de consolo, com temas já expostos: criação, escolha, perdão. Um hino, minúsculo em dimensão, cósmico no horizonte, acompanha a ação do Senhor.

44,24-28 Liga-se com o anterior pelos termos "formar", "redimir", "céu" e "terra". A forma é de um hino a si próprio ou apresentação das suas realizações incomparáveis. Na ordem cósmica e na histórica, no cosmo a serviço da história, cumprindo predições e dando ordens eficazes. Tudo gravita sobre o momento presente, tempo de nova fundação e construção. Se algo se opõe, será neutralizado, tanto a fúria do oceano quanto a magia e sabedoria humanas. A nova fundação do templo e a reconstrução da capital se destacam num horizonte magnífico.

44,25-26 A palavra profética se opõe à magia impotente, como Moisés no Egito; o princípio é enunciado em Dt 18,9-22. Também falham todos os que confiam no próprio saber: Is 19,11-13; Jr 9,11s.

²⁷Aquele que diz: "Oceano,
  seca-te, secarei tuas correntes".
²⁸Aquele que diz: "Ciro, tu és meu pastor
e cumprirás todo o meu desígnio".
Aquele que diz: "Jerusalém, serás reconstruída;
  templo, serás consolidado".

Investidura de Ciro
(Is 41,1-15; 48,12-19)

45 ¹Assim diz o Senhor a Ciro, seu ungido,
  a quem conduz pela mão:
Curvarei diante dele as nações,
  descingirei as cinturas dos reis,
  abrirei diante dele as portas,
  os batentes não se fecharão.
²Eu irei diante de ti aplanando-te morros;
  estilhaçarei as portas de bronze,
  arrancarei os ferrolhos de ferro;
³eu te darei tesouros ocultos, riquezas escondidas.
  Assim saberás que eu sou o Senhor,
  que te chamo por teu nome, o Deus de Israel.
⁴Por meu servo, Jacó; por Israel, meu escolhido.
  Eu te chamei por teu nome, eu te dei um título,
  embora não me conhecesses.
⁵Eu sou o Senhor, e não há outro;
  além de mim, não existe deus.
  Eu te ponho a insígnia, embora não me conheças,
⁶para que saibam do Oriente ao Ocidente
  que não há outro além de mim.
Eu sou o Senhor, e não há outro:
  ⁷artífice da luz, criador das trevas,
  autor da paz, criador da desgraça;
  eu, o Senhor, faço tudo isso.
⁸Céus, destilai o orvalho;
  nuvens, derramai a vitória;
  abra-se a terra e brote a salvação,
  e com ela germine a justiça:
  eu, o Senhor, criei tudo isso.

44,27-28 Em vigoroso paralelismo soam duas ordens categóricas: uma ao poder cósmico do mar Vermelho, outra ao poder histórico do monarca ascendente. Pela primeira vez se pronuncia o nome de Ciro, encarregado de "pastorear" a serviço do Deus de Israel.

45,1-5 Oráculo de investidura. Ver os oráculos régios de Sl 2 e 110; sobre Ciro, Esd 1,2-4; 6,3-6.

45,1a Pela primeira vez na história do povo escolhido, Deus dirige uma palavra favorável a um monarca estrangeiro, chamando-o seu ungido, equiparando-o de certa forma ao monarca davídico. Chamou Nabucodonosor de "servo" (Jr 27,6).

45,1b-3a O Senhor, como verdadeiro soberano da história, dispõe de reinos, reis, cidades e tesouros. Ver Sl 2; 18; 20; 72.

45,3b O reconhecimento não expressa, nem sequer implica, conversão ao culto do Senhor. O texto citado de Esd o expressa em termos de chancelaria imperial. Ciro nunca reconhece que o Senhor é o Deus único, nem o adota como seu Deus.

45,4-5 Rito de investidura: nome, título, insígnia (Is 11,5; 22,21). Em função de Israel: porque o povo escolhido é centro da história, não é limite.

45,6-7 Continua o hino a si próprio com fórmulas audazes. A criação é uma realidade polar e existe um só criador: as trevas na ordem natural, a desgraça na ordem histórica. Ben Sirac desenvolve essa doutrina (Eclo 39,12-35).

45,8 Ao hino corresponde uma invocação à fecundação celeste e à fecundidade terrestre (42,9; 43,19). Ambas conjugadas produzirão a salvação, como nova criação.

"Eu sou o Senhor"
(Is 44,24-28)

⁹Ai de quem demanda contra seu artífice,
  louça contra o oleiro!
Acaso diz a argila ao artesão:
  "O que estás fazendo?"
  "Tua vasilha não tem asas"?
¹⁰Ai de quem diz ao pai:
  "O que geras?",
  ou à mulher: "Por que te contorces?"
¹¹Assim diz o Senhor,
  o Santo de Israel, seu artífice:
  E vós, ireis pedir-me
  contas de meus filhos?
  Ireis dar-me instruções
  sobre a obra de minhas mãos?
¹²Eu fiz a terra e sobre ela criei o homem;
  minhas próprias mãos estenderam o céu,
  e eu dou ordens a todo o seu exército.
¹³Eu o suscitei para a vitória
  e aplanarei todos os seus caminhos:
  ele reconstruirá minha cidade,
  libertará meus deportados,
  sem preço nem suborno
  – diz o Senhor dos exércitos.
¹⁴Assim diz o Senhor:
  Os operários do Egito, os mercadores da Núbia
e os sabeus de alta estatura
  passarão a ti, serão teus, atrás de ti marcharão,
  desfilarão em correntes;
  diante de ti se prostrarão e te suplicarão:
  "Só em ti está Deus, e não há outros deuses".
¹⁵É verdade: Tu és o Deus escondido,
  o Deus de Israel, o Salvador.

45,9-15 Escutando duas vezes o nome de Ciro, os ouvintes reagem com estranheza, talvez com protestos: como um rei estrangeiro vai ser o Ungido do Senhor? A dinastia davídica não continuará? Na profecia do Segundo Isaías, menciona-se Davi só no final, e Ciro não restaurou a realeza nem a independência dos judeus.

45,9-10 O primeiro ai propõe a imagem do artesão (Is 29,16; Jr 18; Rm 9,19-21); o segundo, a imagem do pai que gera. Levando em conta que Deus forma o homem como artesão (Gn 2), o paralelismo fica esclarecido.

45,11 Com efeito, "obra de minhas mãos" e "filhos" são duas denominações da mesma realidade. Deus pode escolher quem ele quiser (Ex 19,5). Como não recebeu instruções para criar (40,13s), tampouco as aceita para governar.

45,12-13 Três frases começam enfaticamente por "Eu", e o paralelismo das cláusulas é significativo: criador do homem sobre a terra, dos astros no céu, soberano do rei estrangeiro. A atividade deste é simples consequência.

45,14-15 À libertação espetacular dos judaítas corresponderá a vassalagem de estrangeiros, com um reconhecimento submisso ao Senhor, ainda que seja a contragosto (o Faraó se recusava, Ex 5,2). Não sabemos por que escolhe esses povos (cf. Sl 68,32; 72,10): Núbia, 18,7; Egito, 23,18.

Ensaiamos uma interpretação hipotética, combinando 14 e 15. Ante a derrota e deportação dos judaítas, os estrangeiros podiam pensar que o seu Deus fosse impotente. Ao presenciar sua inesperada repatriação, compreendem que esse Deus que "se escondia" é o único Deus.

45,15 Mas a atribuição deste versículo é duvidosa: se 16 forma inclusão com 24, 15 pode formá-la com 25. A frase, como tantas outras literárias, destaca-se do contexto próximo e adquire vida independente e validade mais ampla. A tradição cristã a aplicou à divindade escondida de Jesus Cristo.

¹⁶Derrotados, todos juntos fracassados,
partem com seu fracasso
os fabricantes de ídolos,
¹⁷enquanto o Senhor salva Israel
com uma salvação perpétua,
e não serão derrotados,
nem jamais fracassarão.
¹⁸Assim diz o Senhor, criador do céu – ele é Deus –,
aquele que modelou a terra, a fabricou e firmou;
não a criou vazia, mas a formou habitável:
"Eu sou o Senhor, e não existe outro".
¹⁹Não falei às escondidas, num país tenebroso;
não disse à estirpe de Jacó:
"Procurai-me no vazio".
Eu sou o Senhor que pronuncia sentença
e declara o que é justo.
²⁰Reuni-vos, vinde, aproximai-vos juntos,
sobreviventes das nações:
Não refletem os que levam seu ídolo de madeira
e rezam a um deus que não pode salvar.
²¹Declarai, trazei provas, deliberem juntos:
Quem anunciou isso desde outrora?
Quem o predisse há muito tempo?
Não fui eu, o Senhor?
Não há outro Deus além de mim.
Eu sou um Deus justo e salvador,
e não há mais nenhum.
²²Vinde a mim para vos salvar, confins da terra,
pois eu sou Deus, e não há outro.
²³Juro por meu nome,
de minha boca sai uma sentença,
uma palavra irrevogável:
"Diante de mim se dobrará todo joelho,
por mim toda língua jurará".
²⁴Dirão: "Só o Senhor
tem a justiça e o poder".
A ele virão derrotados
os que se inflamavam contra ele;
²⁵pelo Senhor triunfará
e se gloriará a estirpe de Israel.

45,16-25 O eixo semântico desta peça é fracasso // salvação. Se os "fabricantes de ídolos" e os que "se inflamavam contra ele" são os mesmos, sintetizam a dupla dimensão de idolatria e agressão. Os idólatras são injustos, os injustos veneram deuses falsos: ver Ex 5,2 e Sb 14,22-31.

45,18-19 Os enunciados positivos contrastam com os negativos. Deus criou um mundo bom, povoado, não vazio; quando fala, não busca o vazio ou o oculto, porque pronuncia o que é reto e não precisa esconder-se; e agora quer publicidade. São os deuses que atuam às escuras (Sl 82,5). Tampouco os israelitas devem esconder-se ou distanciar-se para encontrar o Senhor, pois o acharão numa terra povoada e no curso da história. *Tohu* significa vazio e pode designar o ídolo (41,29). Se Deus não quer que a terra fique deserta, a Palestina terá de ser repovoada e o deserto transformado.

45,23 Citado em Rm 14,11; faz alusão a ele Fl 2,10.

45,25 Como o Senhor é o único salvador, assim é o único justo ou inocente. No esquema de julgamento bilateral, ele é inocente e os pagãos são réus convictos. Israel, que deveria aparecer como culpado, foi perdoado e restabelecido assim na justiça.

Contra os deuses e contra Babilônia
(Dn 14)

46 ¹Bel se curva, Nebo desmorona;
suas imagens carregais sobre animais e asnos,
e as estátuas que carregam em andores
são uma carga opressora;
²juntos se encurvam e caem:
incapazes de livrar quem as carrega,
eles próprios caminham para o desterro.
³Escutai-me, casa de Jacó,
resto da casa de Israel,
que carreguei desde que nascestes,
a quem conduzi
desde que saístes das entranhas:
⁴até a vossa velhice eu serei o mesmo,
até as cãs eu vos sustentarei;
eu o fiz, eu continuarei vos conduzindo,
eu vos sustentarei e vos livrarei.
⁵A quem me comparareis, me igualareis
ou me assemelhareis, para que possa se comparar a mim?
⁶Tiram ouro da bolsa e pesam prata na balança;
contratam um ourives
para que com isso fabrique um deus,
prostram-se e o adoram.
⁷Carregam-no aos ombros, o transportam;
onde o põem, aí fica;
não se move do seu lugar.
Por mais que lhe gritem, não responde,
não os salva do perigo.

Deus, dono do futuro
(Is 48,1-11)

⁸Recordai-o e meditai-o,
refleti, rebeldes,
⁹recordando o passado predito.
Eu sou Deus, e não há outro;
não há outro deus como eu.
¹⁰De antemão eu anuncio o futuro;
e antecipadamente,
o que ainda não aconteceu.
Digo: "Meu desígnio se cumprirá,
eu realizo minha vontade".

46,1-7.8-13 Os desterrados em Babilônia estão expostos a duas tentações que os atormentam: por um lado, a vitória aparente dos deuses estrangeiros, demonstrada na guerra e na política; por outro lado, a impotência ou cansaço do seu Deus. Este texto responde a ambas, desqualificando os deuses pagãos e convidando o povo à esperança.

46,1-7 Três verbos formam o eixo semântico: carregar, levar, transportar. Os deuses não podem carregar o povo, porque precisam ser transportados em animais de carga; são transportados em procissão, e o serão, para salvar-se, serão caminho do desterro. Ao invés, o Senhor carregou seu povo (Ex 19,4): como nutriz desde que nasceu (Nm 11) e até a velhice (Sl 71,9.18). O Senhor não se cansa: 40,28-31.

46,1 Nebo é nome, Bel (= baal) é título. Recorde-se o episódio de Dagon que aparece em 1Sm 5,3s.

46,7 Não são esses deuses que dão a riqueza; mas, para fabricar tais deuses são necessárias riquezas. Ver a explanação cômica da Carta de Jeremias.

46,8 O povo não cessa de crer, ou seja, de esperar.

46,9-13 Enquanto a consistência dos ídolos é seu peso e inércia, a do Senhor é cumprir a palavra. Tem um plano e desígnio, cujo conteúdo é salvação e vitória.

¹¹Chamo do Oriente o abutre, de terra longínqua
   o homem de meu desígnio.
¹²Escutai-me, valentes,
   que ficais longe da vitória:
¹³Eu aproximo minha vitória, não está longe;
   minha salvação não tardará;
   trarei a salvação para Sião
   e minha honra para Israel.

Humilhação de Babilônia e de seus magos
(Jr 50-51; Ap 18; Ez 28)

47 ¹Desce, senta-te no pó, jovem Babilônia;
   senta-te por terra, sem trono,
   capital dos caldeus,
   pois já não voltarão a te chamar
   meiga e refinada.
²Agarra um moinho, mói farinha, tira o véu,
   ergue as saias, descobre a coxa,
   vadeia os canais,
³apareça tua nudez, vejam-se tuas vergonhas.
   Tomarei vingança inexorável.
⁴Nosso redentor, que se chama
   o Senhor dos exércitos,
   o Santo de Israel, diz:
⁵Senta-te e cala-te, entra nas trevas,
   capital dos caldeus,
   pois já não te chamarão Imperatriz.
⁶Irado contra meu povo, profanei minha herança,
   entreguei-a em tuas mãos:
  não tiveste compaixão deles,
   oprimiste com teu jugo os anciãos,
⁷dizendo a ti mesma: "Serei senhora para todo o sempre",
   sem considerar isso, sem pensar no resultado.
⁸Pois agora escuta-o, lasciva,
   que reinavas confiada,
   que dizias a ti mesma: "Eu, e ninguém mais.
   Não ficarei viúva, não perderei meus filhos".
⁹As duas coisas te acontecerão
   de repente, num só dia:

Pode parecer que a execução e o executor estejam longe, mas não é assim, porque o encarregado se apresentará com a rapidez do abutre.

46,12 "Valentes" ou esforçados soa como título irônico. A versão grega leu "desanimados".

47,1-15 O oráculo contra Babilônia segue modelos conhecidos: pecado e castigo ou denúncia do delito, e sentença de condenação. Ao apresentar a capital em figura de matrona, o poema prepara por contraste a figura de Jerusalém (49 e 54). É notável a sequência irônica de imperativos que o poeta dispara contra ela, sem deixá-la sequer falar. Inclusive o grito de triunfo se reduz a uma citação trágica ou cômica (7.8.10). "Eu e ninguém mais" é afirmação que só o Senhor tem direito de pronunciar (45,6; 46,9).

47,1-3 A soberana de título ilustre tem de se ocupar com afazeres domésticos de escrava, exposta à vergonha.

47,3 Lm 1,8.

47,4 "Senhor dos exércitos" é título clássico; "Santo de Israel" é típico de Isaías; "redentor" é frequente no Segundo Isaías.

47,6 O desterro não foi simples triunfo humano, mas castigo divino. Babilônia se excedeu cruelmente, incorrendo em delito.

47,7 "Ser para sempre" é prerrogativa divina: Eclo 7,36.

47,8-9 Impõe a pena. "Viúva e sem filhos" são temas fundamentais de Is 49 e 54, referidos a Jerusalém. A última frase poderia ser causal: "por causa de tuas muitas..."

viúva e sem filhos te verás ao mesmo tempo,
apesar de tuas inúmeras bruxarias
e do grande poder de teus sortilégios.
¹⁰Tu te sentias segura em tua maldade,
dizendo a ti mesma: "Ninguém me vê".
Tua sabedoria e tua ciência te transtornaram,
enquanto pensavas: "Eu, e ninguém mais".
¹¹Pois virá sobre ti uma desgraça
que não saberás conjurar,
cairá sobre ti um desastre
do qual não te poderás livrar;
virá sobre ti de repente
uma catástrofe que não imaginavas.
¹²Insiste em teus sortilégios,
em tuas inúmeras bruxarias,
que foram tua tarefa desde jovem;
talvez te sirvam, talvez os espantes.
¹³Estás farta de conselhos:
que se levantem e te salvem
os que conjuram o céu,
os que observam as estrelas,
os que prognosticam a cada mês
o que te vai acontecer.
¹⁴Olha-os transformados em palha:
o fogo os consome
e não podem livrar-se do poder das chamas;
nem sequer são brasas para aquecer
nem lareira para alguém sentar em frente.
¹⁵Nisso acabaram
aqueles com quem traficavas,
com quem te atarefavas desde jovem:
cada um se perde para seu lado,
e não há quem te salve.

Pleito com o povo
(Is 43,22-28; 50,1-3)

48 ¹Escutai isto, casa de Jacó,
que levais o nome de Israel,
e brotais da semente de Judá;
que jurais pelo nome do Senhor,
e invocais o Deus de Israel,
mas sem verdade nem retidão,

47,10-11 Outra vez delito e castigo. "Ninguém me vê" pode equivaler a ateísmo prático: Sl 10,4; 73,11; 94,7; Eclo 16,17-23. Babilônia partilha com outras potências a atividade intelectual, especialmente de caráter mágico. O castigo frustrará a segurança do saber, e Babilônia não "saberá nem poderá" livrar-se. É preciso humildade para prever e prevenir a desgraça.
47,12-15 Desenvolve ironicamente o tema da magia, em particular a predição mensal, quase burocrática. A astrologia, especialidade babilônica, ocupa lugar especial. Todo o esforço e o acúmulo de predições acabam em palha, e a palha no fogo.

48,1-21 Este é um capítulo complexo, no qual surpreendemos dois fios diversos ou duas melodias distintas. Predominam os temas do oráculo de salvação: o povo sofreu por seu pecado (9-11), mas chega ao fim do castigo, por mão de um estrangeiro (14); as predições do passado cumpridas (3-5) garantem o futuro anunciado (7-8); saia o povo cantando hinos (20-21). A voz que canta é acompanhada por outra voz em contraponto, que recorda a Israel seu pecado e rebelião (4.8.18-19, que alguns consideram acréscimo); insiste em que a salvação é imerecida e exorta a se manterem fiéis. É preciso separar as duas

²embora recebais nome da cidade santa
e vos apoieis no Deus de Israel,
cujo nome é "Senhor dos exércitos".
³Eu predisse o passado de antemão:
saiu de minha boca e o anunciei;
de repente o realizei, e aconteceu.
⁴Porque sei que és obstinado,
que tua cerviz é um tendão de ferro
e tua fronte é de bronze;
⁵por isso de antemão o anunciei a ti,
antes que acontecesse, a ti eu o predisse,
para que não dissesses: "Meu ídolo o fez,
minha estátua de madeira ou de metal o ordenou".
⁶Ouviste; olha-o todo: Por que não o anuncias?
E agora te predigo algo novo,
segredos que não conheces;
⁷são criados agora, e não antes,
nem de antemão os ouviste,
para que não digas: "Eu já sabia".
⁸Nem o tinhas ouvido nem o sabias,
ainda não estava aberta a tua orelha;
porque eu sabia quão pérfido és,
que desde o ventre de tua mãe
te chamam rebelde.
⁹Por meu nome retardo minha cólera,
por minha honra me contenho,
para não te aniquilar.
¹⁰Olha, eu te refinei como prata,
te provei no crisol da desgraça;
¹¹por mim, por mim o faço: porque meu nome
não deve ser profanado
e não cedo minha glória a ninguém.

---

vozes para entender o que cada uma diz? O salmo 81 recolhe numa ação litúrgica ambos os elementos. Ensaiemos uma leitura unificada.
Por sua culpa os judaítas sofreram o castigo, a correção do desterro. O povo tenta desvirtuar seu sentido, explicando a desgraça com outras causas. Para que não se refugiem em explicações evasivas, o Senhor se antecipa em anunciar o futuro. O cumprimento passado, desterro, garante o cumprimento pendente, repatriação. Esta acontecerá não obstante a resistência do povo, somente pelo bom nome de Deus. O povo não terá escapatória: quanto à predição, não poderá dizer que o sabia, querendo passar por esperto; quanto à salvação, não poderá atribuí-la a seus méritos.

48,1-2 É interessante a união de Israel e Judá. Ou pensa na futura reunificação, como Ez 37,15-28 e Is 11,12-14, ou então atribui aos judaítas o nome histórico ou ideal de Israel. Insiste em nomes e títulos do Senhor e do povo, mas adiantando uma reprovação.

48,3-5 Soa a predição que se mantém e de repente se cumpre. De repente, não no plano de Deus, mas na expectativa humana. O povo se recusa de três modos: obstina-se, agarra-se ao ídolo, não confessa o Senhor. Ver 32,9; 33,3.5; 34,9; Dt 9,6.13.

48,5 Ver a explicação das mulheres em Jr 44,18.

48,6a Ao povo compete divulgar o evento e seu sentido.

48,6b-8 Aponta para uma nova era na história, como nova criação. "Já o sabia" equivale a negar a novidade (43,19). "Rebelde" de nascimento: ver Ez 16,3; Sl 58,4.

48,9-11 Esta é a novidade, nem sabida nem merecida. O bom nome do Senhor está empenhado na história, como no tempo de Moisés, Nm 14,16-18. Agora, sem intercessão mencionada (mas ver 53,12), o Senhor muda de atitude: Dt 32,26s; Os 2, 16; 11,8. Seu nome é santo: e seria profanado com a vitória da morte. Sua glória passaria a outro, se abdicasse de dirigir a história.

Missão de Ciro
(Is 41,1-5; 45,1-8)

¹²Escuta-me, Jacó; Israel, a quem chamei:
 eu sou, eu sou o primeiro
 e eu sou o último.
¹³Minha mão alicerçou a terra,
 minha direita estendeu o céu;
 quando eu os chamo, comparecem juntos.
¹⁴Reuni-vos todos e escutai:
 quem deles o predisse?
 Meu amigo cumprirá minha vontade
 contra Babilônia e contra a raça dos caldeus.
¹⁵Eu, eu mesmo falei e o chamei,
 eu o trouxe e dei êxito a seu empreendimento.
¹⁶Aproximai-vos e escutai isto:
 Não faço predições em segredo,
 e quando acontece, já estou aí.
 – E agora o Senhor Deus
 me enviou com seu espírito.
¹⁷Assim diz o Senhor, teu redentor, o Santo de Israel:
 Eu, o Senhor teu Deus,
 te ensino para teu proveito,
 te guio pelo caminho que segues.
¹⁸Se tivesses atendido a meus mandamentos,
 tua paz seria como um rio,
 tua justiça como as ondas do mar;
¹⁹tua descendência seria como a areia,
 e como seus grãos, os rebentos de tuas entranhas;
 teu nome não seria aniquilado
 nem destruído diante de mim.

Saída de Babilônia
(Is 52,11-12; 55,12-13)

²⁰Saí de Babilônia, fugi dos caldeus!
 Com gritos de júbilo
 anunciai-o e proclamai-o,
 publicai-o até os confins da terra.
 Dizei: O Senhor redimiu seu servo Jacó.
²¹Não passaram sede quando os guiou pela estepe,
 fez brotar água da rocha,
 fendeu a rocha e a água jorrou.

48,12-19 O anúncio toma elementos do processo. Denuncia a ignorância dos ídolos de Babilônia, para predizer sua impotência de agir, opondo-lhes o poder cósmico de Deus e seu domínio da história; faz o povo compreender a justa razão do castigo, abrindo uma porta à esperança.

48,12-13 Domínio sobre o tempo e o universo. Céu e terra são as testemunhas clássicas do Senhor: Is 1,2; Sl 50,4.

48,14-15 Simples executor do desígnio divino; tem o mesmo título que Abraão (41,8).

48,17 Deus guia: Dt 8,1-6. O caminho da conduta se une agora com o caminho do retorno.

48,18-19 Ver Sl 81,14-17.

48,20-21 "Saí": Ver Gn 12,1 e Ex 12,31. "Rocha" e "água": haverá aqui uma alusão velada a dois títulos ou símbolos do Senhor? (8,6.14).

48,22 Seu lugar está em 57,21.

Segundo cântico do servo: a missão
(Is 42,1-9; 50,4-9; 53)

49 ¹Escutai-me, ilhas; prestai atenção, povos distantes:
Eu estava no ventre, e o Senhor me chamou;
nas entranhas maternas,
e pronunciou o meu nome.
²Fez de minha boca uma espada afiada,
escondeu-me na sombra de sua mão;
fez de mim flecha polida, me guardou em sua aljava
³e me disse: "Tu és meu servo (Israel),
de quem estou orgulhoso".
⁴Eu, porém, pensava: "Em vão me cansei,
inutilmente gastei minhas forças".
Na realidade, o Senhor defendia meu direito,
meu salário estava com o meu Deus.
⁵E agora fala o Senhor, que já no ventre
me formou servo seu,
para que lhe trouxesse Jacó,
para que lhe reunisse Israel
– tanto me honrou o Senhor,
e meu Deus foi minha força –:
⁶É pouco que sejas meu servo
e restabeleças as tribos de Jacó
e convertas os sobreviventes de Israel.
Eu te faço luz das nações,
para que minha salvação chegue
até os confins da terra.
⁷Assim diz o Senhor, redentor e Santo de Israel,
ao desprezado, ao detestado das nações,
ao escravo dos tiranos:
Os reis te verão e se levantarão;
os príncipes, e se prostrarão;
porque o Senhor é fiel,
porque o Santo de Israel te escolheu.
⁸Assim diz o Senhor:
Em tempo de graça te respondi,
em dia propício te auxiliei;
eu te defendi e constituí aliança do povo;
para restaurar o país,
para repartir heranças desoladas,
⁹para dizer aos cativos: "Saí".
Aos que estão em trevas: "Vinde à luz".
Ainda pelos caminhos pastarão,
terão pradarias em todas as dunas;

49,1-13 É opinião comum considerar este capítulo como segundo cântico do Servo do Senhor. O problema consiste em identificá-lo. Será um indivíduo, Ciro ou profeta ou personagem anônimo? Será designação coletiva? O texto fala de um indivíduo chamado Israel (3a), que tem uma tarefa a favor de um grupo, chamado Jacó = Israel (6-7). Na tradição bíblica, enquanto indivíduo, só o patriarca se chama Israel. Por isso, alguns pensam que o nome em 3a seja glosa (embora só falte num manuscrito). Pode-se supor que o servo tem como nome emblemático o do povo e do patriarca. Essa hipótese presta dois serviços: a) Ajuda a repartir as alocuções do poema: o Israel individual fala citando o Senhor (1-3); o Senhor ao servo para que reúna Israel povo (5-6); o Senhor a um personagem no singular (o servo?) (7-9a); mudança de pessoa sem especificação (9b-13). b) Desperta nossa atenção para ressonâncias de relatos patriarcais, conforme as seguintes correspondências: *1 no ventre:* Gn 25,29.

¹⁰não passarão fome nem sede,
 não os molestará o mormaço nem o sol;
 porque os conduz aquele que se compadece deles
 e os guia a mananciais de água.
¹¹Converterei meus montes em caminhos,
 e minhas estradas se nivelarão.
¹²Olhai, alguns vêm de um país remoto;
 olhai, outros do Norte e do Poente,
 e aqueles do país de Siena.
¹³Exulta, céu; alegra-te, terra;
 rompei em aclamações, montanhas,
porque o Senhor consola seu povo
 e se compadece dos desamparados.

Consolo de Sião
(Is 54; 66,7-14; Br 4,30-5,9)

– ¹⁴Sião dizia: "O Senhor me abandonou,
 meu dono se esqueceu de mim".
– ¹⁵Pode uma mãe se esquecer de seu bebê,
 deixar de querer o filho de suas entranhas?
 Pois, ainda que ela se esqueça, eu não te esquecerei.
¹⁶Olha, em minhas palmas te levo tatuada,
 teus muros estão sempre diante de mim;
¹⁷os que te constroem vão mais depressa
 do que aqueles que te destruíam;
 os que te arrasavam se afastam de ti.
¹⁸Levanta os olhos ao redor e vê:
 todos se reúnem para vir a ti;
 por minha vida – oráculo do Senhor –,
 levarás todos como vestido precioso,
 serão teu cinturão de noiva.

---

1 *pronunciou o nome:* 32,29; 35,10.
4 *trabalho e salário:* 30,25-43; 31,1-18.36.
5 *trazer Jacó:* 31,3.13.17s; 33,1s.13s.
É prática profética conhecida desde Oseias utilizar as figuras patriarcais para personificar poeticamente a comunidade. O servo fala da sua vocação e missão em termos proféticos: compare-se com Jr 1,5-10,
49,1-3 O chamado começa na raiz da existência, num horizonte universal, a serviço da palavra (51,16s). A palavra de Deus é espada (Ef 6,17; Ap 1,16) e é flecha (Sl 57,5; 64,4; 127,4): arma para perto e para longe.
49,4 O aparente fracasso é o paradoxo da missão; Deus se encarrega de pagar o serviço: Gn 31,42s; Jr 15,10-18; Ez 33,30-33.
49,5 "Trazer" e "reunir" podem aludir ao desterro e também ao cisma que será anulado (11,13).
49,6 A tarefa do patriarca era doméstica, fundacional; a do novo personagem será internacional: uma mudança espetacular da sorte.
49,7 O rei está sentado no trono, os nobres da corte assistem de pé.
49,8-13 É quase uma síntese da profecia toda: saída, caminho transfigurado, chegada. Abrange os extremos, Babilônia e Sião. O tom é exultante e cordial.
49,8 Citado por Paulo em 2Cor 6,2. Repartidor da terra como Josué. É também mediador da aliança, como Moisés.

49,10 Citado em Ap 7,16. "Compassivo": 49,10.13.15; 54,7.8.10; cf. Ex 34,6.
49,12 Muda o ponto de vista: Br 4,36-37; 5,5-6.
49,14-26 O profeta interpela Sião, apresentada na figura de matrona. Como mãe abandonada pelo marido, indefesa, não pôde proteger os filhos; o inimigo arrebatou-os como cativos de guerra, e ela ficou solitária (cf. cap. 46). Na solidão rumina sua desgraça, reprovando o marido ausente. E quando escuta palavras de consolo, interpõe as dúvidas da sua dor. Assim avança a explanação em três ondas, cada uma introduzida por uma queixa ou objeção de Sião: na primeira, pensa no marido; na segunda, duvida ante os filhos; na terceira, duvida ante o inimigo.
49,14-20 Primeira objeção: cf. Is 40,27; Lm 5,3.20. A resposta de Deus soa com acento de paixão maternal (cf. Nm 11,12). Um amor que não se baseia na resposta do bebê, que tem algo de irremediável e invencível.
49,16-17 A cidade rodeada pela muralha é como um plano tatuado nas mãos do artesão; não foi destruído. Cabe aos construtores realizá-lo.
49,18 Joias e cinturão são como voltar ao noivado, com o sonho primitivo: Os 2,16; Ez 16,10-13. Cinge-se com um cinturão de filhos recuperados, noiva e mãe ao mesmo tempo.

¹⁹Porque tuas ruínas,
  teus escombros, teu país desolado,
  ficarão apertados para teus habitantes,
  ao passo que se afastarão os que te devoravam.
²⁰Os filhos que davas por perdidos
  te dirão outra vez: "Meu lugar é apertado,
  dá-me espaço para habitar".
— ²¹Mas tu perguntarás a ti mesma:
  "Quem gerou estes para mim?
  Eu, sem filhos e estéril, quem os criou?
  Tinham-me deixado sozinha;
  de onde vêm estes?"
— ²²Isto diz o Senhor: Vê, com a mão
  faço sinal às nações,
  levanto meu estandarte para os povos:
  trarão teus filhos nos braços,
  e levarão tuas filhas nos ombros.
²³Seus reis serão teus aios;
  suas princesas, tuas amas-de-leite;
  com o rosto por terra te prestarão homenagem,
  lamberão o pó de teus pés,
  e saberás que eu sou o Senhor,
  que não decepciono os que esperam em mim.
— ²⁴Mas pode-se tirar a presa de um soldado,
  escapa o prisioneiro de um tirano?
— ²⁵Isto responde o Senhor:
  Sim, tira-se de um soldado o prisioneiro,
  e a presa escapa de um tirano;
  eu mesmo defenderei tua causa,
  eu mesmo salvarei teus filhos.
²⁶Farei teus opressores comerem sua própria carne,
  e se embriagarão de seu sangue como de vinho;
  e todo o mundo saberá
  que eu sou o Senhor, teu salvador,
  e que teu redentor é o Campeão de Jacó.

Pleito com o povo
(Is 40,27-31; 41,21-29; 44,6-8)

50 ¹Assim diz o Senhor:
  Onde está a ata de repúdio
  com a qual despedi vossa mãe?

49,19 Como resposta a Sl 74,3; ver também Lm 2,1-3.7-9.16-17.

49,20 O resto se multiplica de novo e reclama seu espaço. Ver Zc 2,8.

49,21 Segunda objeção: como os pensamentos da velha Sara (Gn 18,12), como Noemi a suas noras (Rt 1,11-13). Soam fórmulas de Lm 1,5.15-16.18.20; 2,12; 4, 2-5.

49,22 Os filhos retornam: Jr 31,17; Br 5.

49,23 Gesto de vassalagem. Sl 72,11.

49,24-26 Terceira objeção. O inimigo levou consigo os judaítas como despojos por direito de guerra (cf. Dt 21,10-15); poderia invocar a decisão do Senhor para defender esse direito (Jr 25,1-14). Além do mais, tem força: 5,29.

49,25 Mais direito e mais força tem o Senhor; ele se encarregará de libertar os prisioneiros.

49,26 A expressão violenta deve ser lida sobreposta a Lm 2,20 e 4,10. O "opressor" não tem "direito", sofre um castigo merecido. Como redentor, o Senhor exerce o direito e a função de resgate; como paladino, dobra a resistência inimiga.

50,1-3 O povo se queixa de que Deus tem sido desleal à aliança. Em termos matrimoniais, repudiou a mãe; em termos comerciais, vendeu os filhos para pagar dívidas. O Senhor rebate a objeção, negando ou

Ou, a qual de meus credores vos vendi?
Vede, por vossas culpas fostes vendidos,
  por vossos crimes
  vossa mãe foi repudiada.
²Por que quando venho não há ninguém,
  quando chamo ninguém responde?
Minha mão é tão curta que não pode redimir?
  Ou não tenho força para livrar?
Vede: com um bramido seco o mar,
  transformo os rios em deserto;
por falta de água seus peixes apodrecem,
  mortos de sede.
  ³Eu visto o céu de luto e o cubro com pano de saco.

Terceiro cântico do servo: sofrimento e confiança
(Is 42,1-9; 49,1-13; 53)

⁴Meu Senhor me deu uma língua de iniciado,
  para que eu saiba dizer ao abatido
  uma palavra de alento.
Cada manhã desperta meu ouvido,
  para que escute como os iniciados.
⁵O Senhor me abriu o ouvido;
  eu não resisti nem voltei atrás:
  ⁶ofereci o dorso
aos que me espancavam, e as faces
aos que me arrancavam a barba;
  não tapei o rosto diante de ultrajes e cuspidas.
⁷O Senhor me ajuda, por isso não me acovardava;
  por isso endureci o rosto como pederneira,
  sabendo que não ficaria decepcionado.
⁸Tenho perto o meu defensor,
  quem pleiteará contra mim?
  Compareçamos juntos.
  Quem tem algo contra mim?
  Que se aproxime.
⁹Vede, o Senhor me ajuda: quem me condenará?
  Vede, todos se gastam como roupa,
  a traça os rói.

---

justificando a acusação. Ou não o fez, ou estava bem feito.
O texto avaliza a segunda interpretação. Repudiada, sim, mas legitimamente, por própria culpa (Dt 24,1-4; Jr 3,8). Vendidos, sim, mas não por dívidas, e sim como castigo (Jz 3,8; 4,2). A mudança de Deus é por pura bondade e compaixão.
Ninguém responde ao desafio: os presumidos credores por temor, o povo por dúvida. Para dissipar toda dúvida, o Senhor apela para seu poder cósmico.
50,2 Ex 5,23; 18,8ss.
50,4-9 Um personagem anônimo toma a palavra: é, talvez, o servo do cap. 49? Não tem esse título, mas assemelha-se a ele; não se chama profeta, mas narra sua vocação como a de um profeta: para a palavra (cf. Jr 1,2.7.9; 15,16.19; 17,15; 20,8s); sofrimentos da missão (Jr 1,8.17; 10,17s; 17,17s; 18, 18; 20,7-10); confiança no Senhor (Jr 15,20s; 20,11-13).
50,4 A missão de consolar: 40,1. O profeta vive à escuta, porque não dispõe a seu capricho de provisões de palavras.
50,5 O Senhor modela inteiramente seu profeta: ouvido e língua. E este não opõe resistência, tal é sua justificação. Tampouco resiste às injúrias humanas. É sua segunda justificação.
50,8 A não resistência pode ser tomada como confissão de culpa, dando razão ao adversário. O profeta, confiando em Deus, comparece tranquilo ao julgamento humano. Deus demonstrará a inocência do acusado, conseguirá sua absolvição. Cf. Jo 16,8-11; Rm 8,33s.

Discurso do servo
(Sl 102)

¹⁰Quem de vós respeita o Senhor
  e obedece ao seu servo?
    Ainda que caminhe em trevas,
    sem um raio de luz,
    confie no Senhor e se apóie em seu Deus.
¹¹Atenção, vós que atiçais
    o fogo e acendeis tochas:
    ide à fogueira do vosso fogo,
    das tochas que acendestes.
  Assim vos tratará minha mão, e jazereis no tormento.

51

¹Escutai-me, vós que buscais a justiça,
    vós que procurais o Senhor:
  Vede a rocha de onde vos cortaram,
    a pedreira de onde vos extraíram;
²vede Abraão, vosso pai;
    Sara, que vos deu à luz;
    quando o chamei, era um,
    mas o abençoei e multipliquei.
³O Senhor consola Sião, consola suas ruínas:
    transformará seu deserto num Éden,
    seu ermo em paraíso do Senhor;
  aí haverá prazer e alegria, com ação de graças
    ao som de instrumentos.
⁴Atende, povo meu; dá-me ouvido, minha nação;
    pois de mim sai a lei,
    meu decreto é a luz dos povos.
⁵Num momento farei chegar minha vitória,
    minha salvação amanhecerá como o dia,
    meu braço governará os povos:
  as ilhas estão me aguardando,
    põem sua esperança em meu braço.

50,10-51,8 Parece um discurso do servo como porta-voz do Senhor; isso explica as mudanças de pessoa. Divide-se em quatro partes: 10-11.1-3.4-6.7-8, três das quais começam com um convite a escutar. Exceto a segunda, todas se articulam em alento e ameaça. Isso quer dizer que o discurso distingue entre bons e maus, também dentro da comunidade judaica.

50,10 Algumas versões antigas leem: "que o servo escute".

50,11 A interpretação da imagem é duvidosa: é fogo que controlam, sinal de confiança imanente (44,16); ou então, fogo agressivo dirigido contra outros (Dn 3,22); ou ainda, fogo de sacrifícios ilegítimos (Jr 7,31).

51,1a Em paralelismo, procurar o Senhor e buscar a justiça, condutas inseparáveis.

51,1b-3 Para o povo dizimado e desterrado, Abraão é paradigma de fecundidade e portador de uma promessa. Os judeus, o resto minguado, participam dessa fecundidade e conservam a promessa. A terra, outra promessa patriarcal, se concentra na capital: será um paraíso divino (Ez 28,13; Sl 36,9), onde se celebra uma festa litúrgica.

51,4-5 O servo começa a cumprir sua missão universal (42,6; 49,6). A salvação vem de Jerusalém (2,2-5) e se funda no direito e na lei do Senhor (42,1-4; Dt 4,6). As ilhas, ou costas remotas e anônimas, esperam vagamente o momento de Deus, com uma atitude profunda e não articulada que corresponde ao projeto do Senhor.

51,6 Céu e terra são modelo de estabilidade (Sl 89,3; 93,1); mas comparados com a salvação, vêm a ser modelos de caducidade (Sl 102,25-29), como os habitantes vistos da altura divina (40,22).

51,7-8 A lei que sai de Sião reside já no coração de um povo fiel (Jr 31,33), que há de sofrer por ela, contando com a vitória do Senhor.

51,9-52,12 Podemos contemplar essa unidade como magnífica arcada, cujos apoios formais são imperativos duplicados e outras duplicações:
51,9 Desperta, desperta: o povo ao Senhor
51,12 Eu, eu sou: o Senhor ao povo
51,17 Acorda, acorda: o Senhor a Jerusalém
52,1 Desperta, desperta: o Senhor a Jerusalém
52,11 Fora, fora: o profeta aos desterrados

⁶Levantai os olhos ao céu,
   olhai para baixo, para a terra:
   o céu se dissipa como fumaça,
a terra se gasta como roupa,
   seus habitantes morrem como mosquitos;
mas a minha salvação dura para sempre,
   a minha vitória não terá fim.
⁷Escutai-me, entendidos em direito,
   povo que carrega minha lei no coração:
não temais a afronta dos homens,
   não desmaieis por causa de seus opróbrios,
⁸pois a traça os roerá como à roupa,
   como os vermes roem a lã;
mas a minha vitória dura para sempre,
   minha salvação de era em era.

"Desperta, Senhor"
(Sl 74; 93)

⁹Desperta, desperta;
   reveste-te de força, braço do Senhor;
   desperta como outrora, nas eras antigas!
Não és tu quem destroçou o monstro
   e trespassou o dragão?
¹⁰Não és tu quem secou o mar
   e as águas do Grande Oceano?
   aquele que fez um caminho pelo fundo do mar
   para que passassem os redimidos?
¹¹Os redimidos do Senhor voltarão:
   virão a Sião com cânticos,
   à frente alegria perpétua,
   seguindo-os, júbilo e alegria;
   sofrimento e aflição se afastarão.
¹²Eu, eu sou o vosso consolador.
   Quem és tu para temer a um mortal,
   a um homem que será como erva?
¹³Esqueceste o Senhor que te fez,
   que estendeu o céu e alicerçou a terra.
E temias sem cessar, todo o dia,
   a fúria do opressor,
   quando se dispunha a destruir.
   Onde ficou a fúria do opressor?

Outras repetições em 51,10.18; 52,1.7.8-9.11.
O conteúdo é síntese da presente profecia: lamentação do povo e resposta do Senhor. É preciso lê-lo como diálogo patético de desconsolo, admoestação e esperança.

51,9a Linguagem clássica dos salmos de súplica: 44,24; 74,22; 80,4. Deus fez o papel de quem dorme (Sl 78,65; cf. 1Rs 18,27); a rigor, não dorme (Sl 121,3s). Recorde-se que a libertação ocorreu em noite de vigília: Ex 14; Is 37.

51,9b-10 Em linguagem mitológica, recorda a travessia do mar Vermelho: Sl 74,13; 89,10s. Talvez polemizando contra a religião de Babilônia.

51,11 Está deslocado, como citação quase literal de 35,10; parece atraído pela designação "redimidos".

51,12-16 Na resposta, o Senhor recolhe a imagem do monstro marinho mitológico reduzido às suas dimensões. Deus domina seu ímpeto (Sl 93); mais ainda, se ele se agita, o faz impulsionado por Deus (ver 37,28-29). A hostilidade oceânica primordial pode aparecer em figura histórica (Is 30,7; Sl 87,4; 89,11): Deus reprime ambos os poderes (Sl 65,8). Portanto, não há razão para temer. O temor coíbe a esperança; a intimidação é instrumento de opressão, a esperança é libertadora. Temer o homem é como esquecer-se de Deus, de sua ação cósmica e histórica.

51,13 Is 30,7; Sl 89,11.

¹⁴Solta-se depressa o preso encurvado,
  não morrerá no calabouço nem lhe faltará o pão.
¹⁵Eu, o Senhor teu Deus,
  agito o mar, e suas ondas mugem:
  meu nome é Senhor dos exércitos.
¹⁶Pus em tua boca minha palavra,
  eu te cobri com a sombra de minha mão;
estendo o céu, alicerço a terra,
  e digo a Sião: "Tu és meu povo".

"Desperta, Jerusalém"
(Lm 1-2)

¹⁷Acorda, acorda, põe-te de pé, Jerusalém,
  pois bebeste da mão do Senhor
  a taça de sua ira,
  e bebeste até o fundo a taça da vertigem.
¹⁸Entre os filhos que ela gerou,
  não há quem a guie;
  entre os filhos que ela criou,
  não há quem a conduza pela mão:
¹⁹esses dois males te aconteceram,
  e quem se compadece de ti?
  Ruína e destruição, fome e espada,
  e quem te consola?
²⁰Teus filhos jazem desfalecidos
  nas encruzilhadas, como antílope na rede,
  repletos da ira do Senhor,
  da reprovação do teu Deus.
²¹Portanto, escuta, ó infeliz;
  embriagada, mas não de vinho.
²²Assim diz o Senhor teu Deus,
  defensor de seu povo:
Olha, eu tiro de tua mão a taça da vertigem,
  não voltarás a beber a taça da minha ira;
²³eu a porei na mão de teus verdugos,
  que te diziam:
  "Dobra o pescoço,
  para que passemos por cima".
E apresentaste o dorso como solo,
  como estrada para os transeuntes.

51,14 Ver dois casos em 2Rs 25,27 e Jr 38,6-13.
51,16 A primeira frase encaixa melhor depois de 49,2. A conclusão é impressionante: o poder cósmico de Deus gravita sobre a escolha de Sião, conferindo-lhe peso e consistência.
51,17-23 O Senhor não está dormindo, é Jerusalém que está aturdida: não com sono normal, reparador, mas com vertigem (Sl 60,5) e embriaguez de droga. A droga é a ira do Senhor. Para a imagem da taça: Jr 25,15-29; Ez 23,31-34; Sl 75,9; provavelmente uso de um narcótico antes da execução capital. É como se a mulher, perturbada por um pesadelo ou alucinação, visse seu marido dormindo e lhe gritasse, sendo o marido quem forneceu a droga, quem agora a sacode para que volte a si e desperte.
O abandono dos filhos e a opressão são temas das Lamentações. Ninguém conduz piedosamente a mulher perturbada, porque seus filhos rumaram para o desterro. Os inimigos aproveitam para uma suprema humilhação: a mulher, a face colada ao chão, há de oferecer-se como estrada pisada e dolorida.
Tudo isso soa como discurso do Senhor. Significa que ouviu as queixas, ratifica-as e se deixa comover por elas. Leia-se em contraste Lm 1,16. A mulher há de reconhecer a voz amada, para sair do torpor que a impede de compreender o passado e enfrentar o futuro.
51,23 Ver Js 10,24; 1Rs 5,17; Sl 66,12.

"Desperta, Sião"

52 ¹Desperta, desperta,
veste-te com tua força, Sião;
veste o traje de gala, Jerusalém, cidade santa,
porque não voltarão a entrar em ti
incircuncisos nem impuros.
²Sacode o pó,
põe-te de pé, Jerusalém cativa;
desata as correias do pescoço,
³porque assim diz o Senhor:
Inutilmente fostes vendidos,
e eu sem pagar vos resgatarei.
⁴Porque assim diz o Senhor:
No princípio meu povo desceu ao Egito,
para residir aí como estrangeiro;
mais tarde a Assíria o oprimiu.
⁵Mas agora, que faço eu aqui?
– oráculo do Senhor!
Meu povo foi levado de graça,
seus dominadores lançam uivos
– oráculo do Senhor –
e todo o dia, sem cessar, ultrajam meu nome.
⁶Por isso meu povo reconhecerá o meu nome,
compreenderá naquele dia
que era eu que falava, e aqui estou.

O mensageiro da paz
(Na 2,1-3; Is 40,1-10)

⁷Quão formosos sobre os montes
os pés do arauto que anuncia a paz,
que traz a boa nova, que apregoa a vitória,
que diz a Sião: "Já reina o teu Deus!"
⁸Escuta: teus vigias gritam, cantam em coro,
porque veem face a face
o Senhor voltando a Sião.
⁹Rompei a cantar em coro, ruínas de Jerusalém,
pois o Senhor consola o seu povo,
resgata Jerusalém.

52,1-6 Depois de despertar e voltar a si, agora deve levantar-se, lavar-se, vestir-se. A troca de roupa inaugura uma etapa alegre e gloriosa: ver 2Rs 25,29 e a exploração em Jt 10,3s. A nova era é de liberdade recuperada depois da escravidão de uma prisioneira de guerra. Aquele que os vendeu sem cobrar, os resgatará sem pagar (1Pd 1,18). Não vendeu em proveito próprio, mas do povo; ou então, em proveito do seu nome e fama. Basta-lhe ser reconhecido. Um desenvolvimento em três etapas amplia o tema: Egito, Assíria, Babilônia.

52,1 Depois da profanação (Sl 74,7; 79,1), Sião recupera seu caráter sagrado.

52,5 Citado em Rm 2,24.

52,6 "Eu sou": Ex 3,14; Is 43,10.25; 46,4. Falava por meio dos profetas, agora se apresenta em pessoa (cf. Hb 1,1).

52,7-10 Um hino de júbilo acolhe a notícia em Jerusalém, onde o "aqui estou" se torna realidade alegre. Repetindo vários temas de 40,1-10, convida a uma pausa maior. O poeta se concentra em dados visuais e auditivos, e avança com rapidez.

52,7 O "arauto", como em 40,9. Nos salmos aparentados (96,10; 97,1; 98,9; 99,1) o reinado do Senhor é universal.

52,8 Compare-se com a sentinela singular de 21,8. Aqui estão concentradas todas as sentinelas. "Face a face": Nm 14,14. "Voltando" é a transposição típica do segundo êxodo; deve-se comparar com a chegada em Js 5,14.

52,9 Poeticamente, como um coro de pedras vivas, de ruínas ressuscitadas.

¹⁰O Senhor desnuda seu santo braço
à vista de todas as nações,
e os confins da terra verão
a vitória do nosso Deus.

Saída de Babilônia
(Is 48,20-22; 55,12-13; Br 5,5-9)

¹¹Fora, fora! Saí daí,
não toqueis nada impuro.
Saí dela, purificai-vos,
portadores dos utensílios do Senhor!
¹²Não saireis apressados nem ireis fugindo,
pois à vossa frente marcha o Senhor,
e na retaguarda, o Deus de Israel.

Quarto cântico: paixão e glória do servo
(Is 42,1-9; 49,1-13; 50,4-9; At 8; Lm 3)

¹³Vede, meu servo terá êxito,
subirá e crescerá muito.
¹⁴Como muitos se espantaram com ele,
porque, desfigurado, não parecia homem
nem tinha aspecto humano;
¹⁵assim assombrará muitos povos;
diante dele os reis fecharão a boca,
ao ver algo inenarrável
e ao contemplar algo inaudito.

53
¹Quem acreditou em nosso anúncio?
A quem o Senhor mostrou seu braço?
²Cresceu em sua presença como broto,
como raiz na terra seca:
não tinha presença nem beleza
para atrair nossos olhares,
nem aspecto que nos cativasse.

52,11-12 Ordem de partida. É o novo êxodo, visto como procissão litúrgica (35,1-10), superior ao primeiro. Então recebiam vasos dos egípcios e saíam apressados (Ex 12,33. 34.39); agora saem com calma, levando os vasos do templo; então, fogo e nuvem os guiavam; agora, o Senhor da aliança abrindo e fechando a marcha.

52,13-53,12 Poema de um servo paciente e glorificado. Um locutor principal, Deus, pronuncia introdução e epílogo, emoldurando o corpo, antecipando e confirmando o sentido dos fatos. O corpo é a narração que um grupo faz da paixão, morte e triunfo do personagem. O sentido é claro, a identificação enigmática: quem narra? quem é o servo? Onde se coloca o leitor em relação a "ele" e a "nós"?
Um inocente sofre (contra a doutrina da retribuição), ao passo que alguns culpados são respeitados (escândalo de alguns salmos); um humilhado triunfa (há outros casos), um morto vive (ilusão poética?). O poema é assim, e o leitor pode limar a estranheza, qualificando o estranho de hiperbólico para tornar a mensagem razoável. Mas o texto protesta, proclamando que se trata de algo "inaudito", "inenarrável".

Várias identificações do personagem anônimo foram buscadas e propostas: Moisés, Josias, Jeconias, Jeremias, o eu de Lm 3. A tradição cristã, desde At 8,34s, o identifica com Jesus Cristo.

52,14-15 Humilhação e glorificação são apresentadas indiretamente, pelo efeito que produzem nos espectadores. O sofrimento desfigura o homem, imagem de Deus (cf. Jó 2,12-13); também a exaltação provoca assombro (Sl 64,10s). O silêncio pesa no poema.

53,1 O "nós" coral toma a palavra. O "braço do Senhor" se revela em ação, mas nem sempre é reconhecido. Especialmente agora, muitos recusam reconhecê-lo. É preciso crer para compreender.

53,2-11 Aquilo que anunciam não é teoria nem ideologia, mas biografia concisa de um personagem: nascimento e crescimento (2), sofrimento e paixão (3-7), condenação e execução (8), sepultura (9), glorificação (10-11). Quem proclama a mensagem expressa a sua participação profunda, sua mudança de atitude, sua consciência lúcida do sentido dos fatos.

53,2-3 "Como broto": compare-se com 11,1. É pura presença, significativa por sua dor e humilhação.

³Desprezado e evitado pela gente,
   homem acostumado a sofrer, curtido na dor;
ao vê-lo cobriam o rosto;
   desprezado, nós o tivemos por nada;
⁴ele, que suportou nossos sofrimentos
   e carregou nossas dores,
   nós o tivemos como um contagiado,
   ferido de Deus e afligido.
⁵Ele, ao contrário, foi trespassado
   por causa de nossas rebeliões,
   triturado por causa de nossos crimes.
Sobre ele descarregou o castigo que nos cura,
   e com suas cicatrizes nos curamos.
⁶Todos nós andávamos perdidos como ovelhas,
   cada um para seu lado,
   e o Senhor fez cair sobre ele
   todos os nossos crimes.
⁷Maltratado, suportava, não abria a boca;
   como cordeiro levado ao matadouro,
   como ovelha muda diante do tosquiador,
   não abria a boca.
⁸Sem detenção, sem processo, tiraram-no do meio.
   Quem meditou em seu destino?
Arrancaram-no da terra dos vivos,
   pelos pecados de meu povo o feriram.
⁹Deram-lhe sepultura com os perversos
   e um túmulo com os malfeitores,
   embora não tivesse cometido crimes
   nem houvesse engano em sua boca.
¹⁰O Senhor queria triturá-lo com o sofrimento:
   se entregar sua vida como expiação,
   verá sua descendência, prolongará seus anos,
   e por meio dele triunfará o plano do Senhor.
¹¹Pelos trabalhos suportados
   verá a luz, se saciará de saber;

Homem, mas desfigurado; numa sociedade, mas desprezado. Os outros interpretam seu sofrimento como castigo de Deus e temem contagiar-se: Sl 31,11s; 38,8-9.12; Lm 3,1.14.

53,4-5 Em salmos de súplica, o orante pode confessar seu pecado, p. ex. em 38,5.19; Lm 3,40.42; aqui são os espectadores a confessar. A dor demonstra um pecado, não de quem sofre, mas dos que o contemplam. Sem ser pecador, ele aceitava a consequência do pecado e, sofrendo em silêncio, abria os olhos aos pecadores. A dor é sua, o pecado é nosso.

53,6 Imagem clássica do rebanho (Jr 23,1-3; Ez 34,4-6). Foi Deus quem realizou seu desígnio: cf. Lm 1,14.18; 2,1-9; 3,38; 4,16.

53,7 O silêncio é apreciado como palavra eloquente; recorde-se a mudez de Ezequiel (3,26).

53,8 Pela condenação, entra com força o tema da injustiça humana: ver Sl 7,7.9.12; 35, 11.23.24. Mas o julgamento de Deus é destino, não condenação.

53,9 A sepultura sela uma vida de dores e desprezos. Vai terminar na vala comum dos executados (cf. 14,19). Os narradores acrescentam, como epitáfio, que era inocente em obras e palavras: não é tarde demais? Ele não protestou sua inocência (como p. ex. Sl 7,9; 17,1-5; Jó 31).

53,10-11a Em salmos de ação de graças, a libertação consistia em conservar a vida livrando da morte. Aqui a libertação tem de ir além da morte. Só uma libertação total livrará da destruição total, e a morte já não será definitiva. Cumpriu-se o desígnio de Deus: ver 42,21; 44,28; 46,10; 48,14.

"Expiação" é termo típico do culto (Lv 4-5; 7; 14). Vida longa e descendência pertencem às bênçãos clássicas (Dt 4,40; 5,33; 30,20; Sl 91,16). Ter êxito: Sl 1,3. O texto hebraico de 11a é duvidoso: só diz "verá", o grego acrescenta o complemento "luz"; para "ver" + "saciar-se", cf. Sl 17,15.

53,11b-12 Deus confirma a mensagem. Anula o julgamento humano declarando inocente o seu servo. Mais ainda, sua paixão inocente servirá para levar os demais à justiça. Esses homens reabilitados, libertados de uma condenação merecida, serão os despojos ou botim da vitória. Sua paixão e morte foi "intercessão" aceita, seu silêncio foi ouvido. O

meu servo inocente reabilitará a todos,
porque carregou seus crimes.
¹²Por isso lhe destinarei
uma porção entre os grandes
e repartirá despojos com os poderosos:
porque desnudou o pescoço para morrer
e foi contado entre os pecadores;
ele carregou o pecado de todos
e intercedeu pelos pecadores.

Fecundidade da estéril
(Is 49,14-26; 62,1-9; 66,7-14; Br 4,30-5,9; Tb 13,10-18)

54 ¹Canta de alegria, estéril que não davas à luz;
rompe a cantar de júbilo,
tu que não tinhas dores; porque a abandonada
terá mais filhos do que a casada – diz o Senhor.
²Alarga o espaço de tua tenda,
estende sem medo tuas lonas,
alonga tuas cordas, finca bem tuas estacas;
³porque te estenderás à direita e à esquerda,
tua estirpe herdará nações
e povoará cidades desertas.
⁴Não temas, não terás de envergonhar-te,
não te envergonhes, não te afrontarão;
esquecerás o rubor do tempo de solteira,
já não recordarás a afronta de tua viuvez.
⁵Pois aquele que te fez te toma por esposa:
seu nome é Senhor dos exércitos.
Teu redentor é o Santo de Israel,
ele se chama o Deus de toda a terra.
⁶Qual mulher abandonada e abatida
o Senhor volta a te chamar;
qual esposa de juventude, repudiada
– diz o teu Deus.
⁷Por um instante te abandonei,
mas com grande amor te reunirei.
⁸Num ímpeto de ira
te escondi por um instante meu rosto,

NT cita ou alude a este texto, conforme a seguinte lista de versículos: *52,15*: Rm 15,21; *53,1*: Rm 10,16; *4*: Mt 8,17; Hb 2,10; *5*: Rm 4,25; 1Pd 2,24; *6*: 2Cor 5,21; *7*: Mt 26,63; At 8,32; *8*: Mt 27,26; At 8,33; *9*: Mt 27,57; 1Pd 2,22; *10*: 1Pd 2,1; *12*: Lc 22,37.

54,1-10 Desenvolvem com coerência e intensidade a imagem matrimonial de longa história: Os 2; Is 1,21-26; 5,1-6; Jr 3; 31,21-22; Ez 16.
Antes da aliança, Israel era como solteira que não encontra marido: sozinha e sem filhos, ultrajada. Pela aliança, Israel é esposa do Senhor e mãe fecunda. Por causa da sua infidelidade, foi repudiada pelo marido e ficou solteira ou viúva, outra vez sozinha e sem filhos. Mas Deus não esquece seu amor: o repúdio ou abandono foi momentâneo, voltará a tomá-la por esposa, a estar com ela, a fazê-la fecunda. A reconciliação será perpétua e terá firmeza cósmica. Israel está personificado na cidade, em figura matriarcal e beduína. Todo o discurso é pronunciado pelo marido, ainda que o profeta seja o seu porta-voz.

54,1 Repetiu a experiência de Sara, a estéril fecunda (Gn 18; Is 51,2). Pode-se ver Sl 113,9.

54,2 Ver Jr 10,20.

54,3 Ver Gn 28,14.

54,4 Repete-se a história de Sara diante de Agar (Gn 16), de Raquel diante de Lia (Gn 30), de Ana diante de Fenena (1Sm 1).

54,5 O marido dá nome à mulher (Is 4,1); o Senhor tem um nome ilustre e único. O "Deus de toda a terra" escolhe uma cidade, como escolheu um povo como propriedade (Ex 19,5). O Senhor é santo, e santa será a cidade (52,1), como o povo devia ser (Ex 19,6).

54,6 Ver Jr 2,2; 3,1-13.

54,7-8 Pode mais o amor incondicional: Os 2.

mas com lealdade eterna te amo
– diz o Senhor, o teu redentor.
⁹Acontece-me como no tempo de Noé:
jurei que as águas do dilúvio
não voltariam a cobrir a terra;
assim juro não irar-me contra ti,
nem reprovar-te.
¹⁰Ainda que os montes se retirem
e vacilem as colinas,
não retirarei de ti minha lealdade,
nem minha aliança de paz vacilará
– diz o Senhor, que te ama.

Reconstrução de Jerusalém
(Is 60,10-18; Tb 13)

¹¹Ó afligida, peneirada, desconsolada!
Vê, eu mesmo te coloco
pedras de azeviche, te dou safiras por alicerce,
¹²te ponho ameias de rubi,
portas de esmeralda,
e muralha de pedras preciosas.
¹³Teus filhos serão discípulos do Senhor,
teus filhos terão grande paz.
¹⁴Terás firme assento na justiça;
ficará longe a opressão,
e não terás de temer
o terror, pois não se aproximará.
¹⁵Se alguém te assediar, não será de minha parte;
se luta contigo, diante de ti cairá.
¹⁶Eu criei o ferreiro que aviva as brasas
e tira uma ferramenta, e eu criei
o devastador funesto;
¹⁷não dará resultado nenhuma arma forjada contra ti,
e à língua que te acusar no julgamento
provarás que é culpada.
Essa é a herança dos servos do Senhor,
eu sou seu vingador. – Oráculo do Senhor!

Aliança do Senhor
(2Sm 7; Sl 89)

55 ¹Atenção, sedentos! Vinde às águas,
também vós que não tendes dinheiro:

54,9 A evocação de Noé abre-se a um horizonte universal.
54,10 Ver Sl 46,3; Hab 3,6; Jó 14,18.
54,11-17 Nessa segunda parte predomina a imagem física da cidade que deve ser reconstruída. A cidade está ameaçada por um perigo interno e outro externo. Interno, seria faltar a seu destino de justiça (Sl 122; Is 1,21-26). O externo, provocado pelo interno, seria o justificado ataque do inimigo. Justificado no foro do inimigo e no de Deus (é a teologia de Jeremias). Assim aconteceu. Mas agora a nova era vence ambos os perigos: a cidade será reconstruída com riqueza e beleza fantásticas; voltará a ser morada de justiça; o inimigo não poderá acusá-la nem condená-la com êxito.
54,11 Ver Os 1,5.8; 2,3.25.
54,12 Ver Tb 13,16s; Ap 21,10-21.
54,13 "Filhos": com mudança de vogal, diria que os "construtores" são aprendizes do Senhor.
54,15 Ver Sl 56,7; 59,4; 140,3.
54,16 "O devastador": Ex 12,13.23.
55,1-3a O arauto adota o estilo de um pregoeiro ambulante (cf. Pr 1,20; 8,1), que oferece de graça uma mercadoria abundante e excelente: água e pão do

vinde, comprai trigo, comei sem pagar,
vinho e leite gratuitamente.
²Por que gastais dinheiro com o que não alimenta,
e o salário com o que não pode fartar?
Escutai-me atentos, e comereis bem,
saboreareis pratos substanciosos.
³Dai ouvidos, vinde a mim, escutai-me e vivereis.
Selarei convosco uma aliança perpétua,
a promessa que assegurei a Davi:
⁴Eu fiz dele minha testemunha para os povos,
líder e soberano de nações;
⁵tu chamarás um povo desconhecido,
um povo que não te conhecia correrá para ti:
pelo Senhor teu Deus;
pelo Santo de Israel, que te honra.

A palavra do Senhor
(Is 40,6-8)

⁶Buscai o Senhor enquanto se deixa encontrar,
invocai-o enquanto está perto;
⁷que o perverso abandone seu caminho,
e o criminoso seus planos;
que volte ao Senhor, e ele terá piedade;
ao nosso Deus, que é rico em perdão.
⁸Meus planos não são vossos planos,
vossos caminhos não são meus caminhos.
– Oráculo do Senhor!
⁹Como o céu está acima da terra,
meus caminhos estão acima dos vossos,
e meus planos acima dos vossos planos.
¹⁰Como a chuva e a neve descem do céu,
e não voltam para lá, mas empapam a terra,
a fecundam e a fazem germinar,
para que dê semente ao semeador
e pão para comer,
¹¹assim será a minha palavra, que sai de minha boca:
não voltará vazia para mim,
mas realizará a minha vontade
e cumprirá a minha recomendação.

---

primeiro êxodo, leite da terra prometida, vinho do banquete, gordura do sacrifício de comunhão (Sl 63,6; 65,12). E a vida prometida em Dt.

55,3b-5 Coincide com vários temas e expressões do Sl 89: aliança perpétua, lealdade e fidelidade, testemunha. É como se no texto presente o Senhor respondesse ao problema colocado em tal salmo. Por seu turno, 5a procede de outro salmo davídico, 18,44.

55,6-11 Palavra e caminho. O arauto pronunciou muitas palavras, tão magníficas que chegam a ser incríveis; além do mais, algumas eram tão estranhas. Serão verdade? Sim, porque o Senhor que as pronunciou as cumprirá. O que acontece é que Deus tem outro estilo ou modo de planejar e agir (40,14s). O homem tem de superar sua perspectiva ao rés do chão para remontar à perspectiva celeste e compreender o acerto do "caminho" de Deus.

Em transposição ética: o povo tomará logo o caminho de volta, mas esse caminho passa pela volta ao Senhor (Ex 19,4). Pelo pecado desterrados, pela conversão repatriados.

55,7 "Rico em perdão": Ex 34,9; 1Rs 8,30. 34.36.39.50.

55,10-11 Entre a proximidade (6) e a distância de Deus, medeia a sua palavra, que desce do céu para realizar e revelar a salvação. É como a chuva: bênção primária, dom ativo que desata atividade, rega que fecunda e faz gerar. Seu ritmo não é o da eficiência, mas o da fecundidade. A chuva põe em movimento um ciclo: alimento hoje, semente para a colheita de amanhã.

Epílogo: Saída de Babilônia
(Is 48,20-22; 52,11-12)

¹²Saireis com alegria, seguros vos levarão:
montes e colinas
romperão a cantar diante de vós,
e as árvores silvestres aplaudirão.
¹³Em vez de espinhos, crescerá o cipreste;
em vez de urtigas, o mirto:
serão o renome do Senhor
e o monumento perpétuo, imperecedouro.

55,12-13 Num epílogo ressoam temas do novo êxodo: saída (Is 48,20; 49,9; 52,11s), alegria (35,10; 51,3.11), ser levados (40,11; 46,3.7), segurança e paz (48,18; 52,7), hino da natureza (44,23; 49,13), parque (41,19). Tudo para a sua glória, para o seu nome: 41,25; 42,8; 43,7; 48,1.9; 50,10.

TERCEIRO ISAÍAS
(Trito-Isaías)

INTRODUÇÃO

Atribuir o conjunto de capítulos 56-66 a um Terceiro Isaías ou Trito-Isaías foi durante decênios opinião difundida, hoje abandonada. Alguns atribuíam ao Segundo Isaías toda a seção 40-66; outros consideravam 56-66 obra de um discípulo dele. Hoje se pensa que formam uma coleção planejada de oráculos heterogêneos.

Indubitavelmente, muitos fragmentos continuam o estilo do mestre: pouca construção, amplitude ao desenvolver, imagens visionárias. O tema do êxodo passa para segundo plano, e a cidade transfigurada ocupa o primeiro plano.

Comparando as diversas peças, observam-se claras tensões entre a preocupação presente e a esperança futura, a denúncia de delitos e as mensagens de alento, o desencanto presente e a expectativa escatológica, a abertura aos estrangeiros e a condenação sem matizes.

As diversidades e oposições sinalizam pluralidade de autores, dificilmente identificáveis. Mas é preciso explicar seus pontos de vista. Para fazê-lo, os autores apelam para condições sociológicas sincrônicas e para o processo ou evolução diacrônica. Voltando do desterro e não se cumprindo as maravilhosas promessas do profeta, aparece o desencanto e decai a fidelidade ao Senhor; formam-se e consolidam-se grupos opostos, de conservadores realistas ou exclusivistas e de idealistas sonhadores. A projeção escatológica ganha força e se afirma no final, como sucessora da profecia.

Em algumas ocasiões o autor fala de si: 61,1-3 e 62,1.6. Alguns autores descobrem no conjunto uma disposição "concêntrica", de tipo ABCDEFEDCBA, com o centro no cap. 61 e as seguintes correspondências: 56,1-8 = 66,18-24; 56,9-57,21 = 65,1-66,17; 59,1-15a = 63,7-64,11; 59,15b-20 = 63,1-6; 60 = 62.

Destes capítulos há muitas citações ou alusões no NT, como veremos.

Fim do exclusivismo
(At 8,26-40)

56 ¹Assim diz o Senhor:
Guardai o direito, praticai a justiça,
   pois minha salvação está para chegar,
   e minha vitória vai se revelar.
²Feliz o homem que assim age,
   ditoso o mortal que persevera nisso,
que guarda o sábado sem profaná-lo
   e guarda sua mão de fazer qualquer mal.
³Não diga o estrangeiro que se entregou ao Senhor:
   "O Senhor me excluirá do seu povo".
   Não diga o eunuco: "Eu sou uma árvore seca".
⁴Porque assim diz o Senhor:
   Aos eunucos que guardarem meus sábados,
   que escolherem o que me agrada
   e perseverarem na minha aliança,
⁵eu darei em minha casa e em minhas muralhas
   um monumento e um nome
   melhores que filhos e filhas;
   nome eterno lhes darei, que não se extinguirá.
⁶Os estrangeiros que se tiverem entregue
   ao Senhor, para servi-lo,
   para amar o Senhor e ser seus servidores,
que guardarem o sábado sem profaná-lo
   e perseverarem na minha aliança,
⁷eu os trarei ao meu Monte Santo,
   e os alegrarei em minha casa de oração;
aceitarei sobre meu altar
   seus holocaustos e sacrifícios;
   porque minha casa é casa de oração,
   e todos os povos chamarão minha casa
   Casa de Oração.
⁸Oráculo do Senhor,
   que reúne os dispersos de Israel,
   e reunirá outros aos que já estão reunidos.

56,1-8 Algo novo está para chegar: salvação (vitória) e justiça; é preciso preparar-se para recebê-lo. Em que consiste a novidade? Na abertura universal, indicada na denominação "homem", "mortal" e especificada em duas categorias até agora excluídas: o estrangeiro e o eunuco. Doravante e para todos, bastará praticar a justiça e observar o sábado como sinal de uma nova aliança (cf. Ex 31,13.17). Da "separação" passa-se à "incorporação". Esse espírito de abertura contrasta com a política exclusivista de Esdras e Neemias: Esd 9,1-2; 10,1-17; Ne 10,31.

56,1 Em certo sentido, a salvação de 51,5 foi adiada. A etapa se abre sob o signo da expectativa.

56,2 A fórmula "feliz", frequente em salmos e sapienciais, é rara nos profetas: Is 30, 18; 32,20.

56,3 A legislação de Dt 23,2-9 exclui da comunidade cultual eunucos e estrangeiros ou filhos de estrangeiros. O israelita insere-se na comunidade pela geração e nela perpetua seu nome. O forasteiro se lamenta por não poder participar no culto, o eunuco se lamenta por não dar fruto nessa comunidade (ver Sl 1,3; 92,13-15).

56,4-5 Tal legislação fica abolida: Deus transforma a "árvore seca" em "monumento imorredouro". Dá-lhes um nome mais valioso e duradouro, não submetido aos acasos da geração humana.

56,6-7 Como "casa de oração", o templo está aberto a todo o mundo (Mt 21,13 par.). Os estrangeiros, uma vez incorporados, poderão participar também dos sacrifícios e outras cerimônias festivas do culto.

56,8 A abolição da antiga lei soa num oráculo do Senhor. Terá força expansiva, porque o próprio Senhor continuará atraindo e reunindo.

Cães mudos

⁹Feras selvagens, vinde comer;
feras todas da selva:
¹⁰pois os guardiães estão cegos
e não percebem nada,
são cães mudos incapazes de latir,
vigias caídos, amigos do sono;
¹¹são cães com fome insaciável,
são pastores incapazes de compreender;
cada qual vai por seu caminho
e para seu interesse, sem exceção.
¹²"Eia! Vou por vinho,
embriaguemo-nos de bebida;
e amanhã o mesmo que hoje,
há provisão abundante".

57 ¹O inocente perece, e ninguém faz caso;
levam os homens fiéis,
e ninguém compreende
que levam o inocente diante da maldade,
²para que entre na paz
e descanse em seu leito
aquele que procedia com sinceridade.

Idolatria
(Is 65,1-7; Ez 16)

³Aproximai-vos, filhos de bruxa,
estirpe de adúltera e prostituta:
⁴De quem caçoais abrindo a boca
e mostrando a língua?

56,9-57,13 Depois do anterior, parece-nos dar um salto para trás. Denúncia contra chefes indignos, como em 1,21-26, discurso contra a idolatria, como em 1,29s. Dissiparam-se as esperanças do visionário sonhador, sendo preciso remontar ao velho mestre, crítico e realista? O anúncio do arauto foi um incentivo enganador? Sem dúvida esses capítulos brotam de uma situação nova, na qual renascem velhos problemas. Por outro lado, os versículos precedentes exigiam "praticar a justiça" e "escolher o que Deus quer". É impossível reconstruir a situação concreta, embora Ageu e Zacarias projetem alguma luz. Dirige-se o profeta aos repatriados ou também aos que permaneceram na Palestina? Entram já em cena os sincretistas samaritanos? A identificação concreta é impossível e temos de nos contentar com uma descrição típica.

56,9-12 Pelo tipo de delito, estamos perto de Am 6,1-6: boa vida e despreocupação com os indefesos; também dos ais de 5,11-12.22-23. O brinde insaciável desperta ecos de Am 4,1 e mais próximos de Is 22,13. A imagem pastoril, com substituição dos pastores por cães, pode ligar-se a Ez 34.

56,10 Israel é o rebanho de Deus, seus chefes são os guardiães e vigias, que devem descobrir o perigo e avisar (Ez 33 na imagem da sentinela).

56,11 A cobiça é seu vício capital, que vicia a justiça: Jr 6,13; 8,10; 22,17; Ez 22, 13.27.

56,12 Citação ou imitação de um cântico de brinde. Recordem-se a visão irônica de Pr 23,29-35 e a trágica de Is 28,7s.

57,1 A despreocupação dos chefes provoca a desgraça do inocente: os chefes não se ocupam dele (Is 1,23) ou o condenam, os outros nem percebem; ver Am 5,13.

57,2 Texto e interpretação são duvidosos. No horizonte de Sb 3,1-4 anunciaria o prêmio final da vítima inocente. Com sentido adversativo, a frase anunciaria tempos melhores, de paz e descanso para o inocente.

57,3-13 Quadro sombrio da idolatria, que pode competir com os mais ásperos de Jeremias e Ezequiel; em particular, o autor parece inspirar-se em Ez 16 e 23. Descreve este quadro a conduta de repatriados algum tempo depois do retorno? Seria estranha tão rápida degeneração. Então, se dirige a grupos particulares, samaritanos ou gente que permaneceu na Palestina? A linguagem na segunda pessoa e no feminino costuma personificar a nação ou a cidade. O quadro se articula em quatro partes: introdução (3); delito e condenação (4-6); delito e condenação (7-13a); promessa para os fiéis (13b).

57,3 Interpelação violenta, não menos que 1,10 (Sodoma e Gomorra) ou Ez 16,2.

57,4 A comunidade de Israel está desposada com o Senhor pela aliança, seus filhos são filhos de Deus (Dt 14,1), povo santo ou consagrado. Quando Israel é

Não sois filhos ilegítimos,
prole bastarda?
⁵Vós, que entrais no cio em meio aos carvalhos,
sob qualquer árvore frondosa;
que degolais crianças nas correntezas
e entre as fendas das rochas.
⁶As pedras lisas da torrente serão tua herança,
elas serão tua porção:
em sua honra derramavas libações
e oferecias sacrifícios.
⁷Sobre um monte alto e elevado colocavas teu leito;
aí subias para oferecer sacrifícios.
⁶ᵈ(Poderá isso aplacar-me?)
⁸Atrás das folhas da porta
colocavas teu emblema;
prescindindo de mim, tu te desnudavas,
subias ao leito e o alargavas;
tiravas partido de teus amantes,
com os que gostavas de deitar,
olhando o falo.
⁹Ias a Moloc com unguento,
prodigalizando perfumes;
enviavas longe teus mensageiros,
tu os fazias descer até o Abismo.
¹⁰Tu te cansavas de tanto caminhar,
mas não dizias "é inútil";
recobravas forças e não desfalecias.
¹¹Quem te assustava, a quem temias para negar-me
e não te lembrares de mim nem pensares em mim?
Não é porque eu me calava e dissimulava,
e por isso não me temias?
¹²Mas eu te denunciarei tua justiça e tuas obras,
teus ídolos não te servirão,
¹³nem te livrarão quando gritares;
o vento varrerá a todos,
um sopro os arrebatará.
Mas quem se refugia em mim terá o país como herança,
e possuirá meu Monte Santo.

---

infiel ou comete adultério, os filhos são bastardos (Os 2,6). Não têm direito de zombar de outros povos, apelando para privilégios que eles mesmos invalidaram.

57,5 Cultos idolátricos com sacrifícios humanos: Jr 7,31; Ez 16,20; 23,37. A função de torrentes e precipícios não tem antecedentes; alude ao vale de Hinnon?

57,6 O castigo corresponde ao delito: terão como parte (Js 18) estéril e infecunda as pedras sobre as quais ofereciam libações. Ou então, as pedras da torrente servirão para apedrejá-los e cobrir como sepultura seus cadáveres (Js 7,24-26); até poderia haver uma reminiscência de 1Sm 17,40.49.

57,7-8 A segunda acusação se refere ao culto de Baal, nos lugares altos coroados de árvores sagradas; neles se praticavam ritos de fecundidade, talvez com prostituição sagrada. O "emblema" poderia ser sinal do ofício, e a palavra *yad* parece referir-se a um sinal fálico. Vejam-se as descrições de Ez 16,16-17.31; 23,41.

57,9-10 Não contente com os deuses cananeus (Js 24), a esposa infiel viaja para importar mais divindades, até deuses infernais do Abismo. Compare-se esse afã infatigável com a fadiga de 40,29-31.

57,11 Amor e temor, sedução e intimidação, podem ser duas fontes de idolatria. Como o seu Deus não castiga, Israel sente medo de outros deuses ou de poderes terrenos: 8,12; 51,12s. Pois bem, se o Senhor não castigava, era porque esperava pacientemente (Rm 3,25-27).

57,12-13a Sentença. A fórmula parece irônica: "anunciar tua justiça" é proclamar a justiça de Deus: p. ex. Sl 22,32; 50,6; 97,6. O Senhor desmascara a pretensa inocência da outra parte. Diante da sentença do Senhor, os ídolos "não te servirão" (Jr 2,8.11; Hab 2,18; 1Sm 12,21).

57,13b Conclusão (ou acréscimo) por contraste, especialmente com o v. 6: porção/posse, cantos/Monte Santo.

Consolo
(Is 63,10-12)

¹⁴Aplanai, aplanai, desembaraçai o caminho,
  tirai todo tropeço
  do caminho do meu povo,
¹⁵porque assim diz o Alto e Excelso,
  Morador eterno, cujo nome é Santo:
Eu moro na altura sagrada,
  mas estou com os de ânimo
    humilde e contrito,
  para reanimar os humildes,
    para reanimar o coração contrito.
¹⁶Não estarei em pleito perpétuo
  nem me irritarei para sempre,
  porque diante de mim sucumbirão o espírito
    e o alento que criei.
¹⁷Por causa do seu delito me irritei um momento,
  eu o feri e me ocultei irritado,
  ele se afastou e seguiu seu caminho.
¹⁸Eu vi suas andanças, mas o curarei,
  o guiarei, o pagarei com consolos;
  e aos que fazem luto por ele,
¹⁹farei brotar nos lábios este canto:
  "Paz ao distante, paz ao próximo
  – diz o Senhor –, e o curarei".

Contraste

²⁰Os perversos são como o mar tempestuoso,
  pois não podem se acalmar:
  suas águas removem barro e lodo.
²¹Não há paz para os perversos – diz o meu Deus.

O jejum
(Is 1,10-20; Zc 7)

58 ¹Grita a plenos pulmões, sem ceder,
  levanta a voz como trombeta,
denuncia ao meu povo os seus delitos,
  à casa de Jacó os seus pecados.

57,14-21 Se atingimos até o final do capítulo, reconhecemos o apêndice de contraste que vimos observando: denúncia (56,9-57,1); promessa (2; 57,3-13a e 13b idem); promessa (57,14-19); ameaça (20-21).

57,14 O começo com duplo imperativo e os temas do êxodo recordam o Segundo Isaías. É como se o povo ainda não tivesse chegado, ou uma nova caravana chegasse. Para os já repatriados, "caminho" e "tropeço" adquirem valor metafórico: 8,14; Ez 3,20; 14,3.4.7.

57,15 Títulos de realeza. Da sua altura, Deus condescende: Sl 113,6 e o Magníficat. "Espírito humilde" (Pr 16,19). "Coração contrito" (Sl 51,19).

57,16 Reminiscência de Sl 103,9 e de Jr 3,4.12, que resolve o processo de Deus contra seus povos. O Senhor é "Deus dos espíritos de todos os viventes" (Nm 27,16); retira e restitui o alento vital (Sl 104,29s).

57,17-18 Pode referir-se ao desterro recente, mas ultrapassa o caso particular. Um "momento": 54,7 (o hebraico vocaliza "cobiça", que não foi o delito denunciado por Jeremias como causa do desterro). Quando Deus esconde o rosto, o povo segue o próprio caminho e se extravia.

57,19 A expressão hebraica é elíptica e audaz: "vou criar um broto de lábios", ou seja, um canto novo inspirado por Deus para louvar. O hino terá algo do viço vegetal (cf. Sl 92,15 e Eclo 39,14); brota da experiência interior. "Distantes e próximos": pode referir-se a dispersos e repatriados, a pagãos e judeus. Citado em Ef 2,17.

57,20-21 A paz oferecida não é para os perversos: 48,2. Compare-se essa visão do mar agitado (Am 8,8) com a tranquila plenitude de Is 11,9. Um tema de tipo mitológico é transferido ao campo ético.

58,1-14 Acusação de Deus contra o povo, com elementos típicos: invalidez do culto (2.5); denúncia de injustiças (4.6); preceitos específicos (6-7.9-10.13);

²Consultam meu oráculo diariamente,
  mostram desejo de conhecer o meu caminho
  como povo que praticasse a justiça
  e não abandonasse o decreto do seu Deus.
 Pedem-me sentenças justas,
  desejam ter Deus perto.
³Para que jejuar, se não fazes caso?
  Mortificar-nos, se não prestas atenção?
 Vede: no dia de jejum buscais vosso interesse,
  e explorais vossos servidores.
⁴Vede: jejuais entre brigas e disputas,
  dando socos sem piedade.
  Não jejueis como agora,
  fazendo ouvir no céu vossas vozes.
⁵É esse o jejum que o Senhor deseja,
  o dia em que o homem se mortifica?
 Mover a cabeça como um junco,
  deitar-se sobre esteira e cinza,
  a isso dais o nome de jejum, dia agradável ao Senhor?
⁶O jejum que eu quero é este:
  abrir as prisões injustas,
  soltar os ferrolhos dos cepos,
  deixar livres os oprimidos,
  quebrar todos os cepos;
⁷partilhar teu pão com o faminto,
  hospedar os pobres sem teto,
  vestir aquele que vês nu
  e não te fechares à tua própria carne.
⁸Então, tua luz romperá como a aurora,
  em seguida brotará sadia a tua carne;
  tua justiça te abrirá caminho,
  e atrás irá a glória do Senhor.
⁹Então, clamarás ao Senhor, e ele te responderá;
  pedirás auxílio, e ele te dirá: Aqui estou.

---

exortação com promessas (8-9.11-12.14). A esse esquema se sobrepõe a consulta religiosa e a resposta oracular, exemplos típicos em Ageu.

58,1-12 Como em casos semelhantes (Sl 50; Is 1,10-20; Jr 7), o importante é a tensão entre atos cultuais – aqui o jejum – e a justiça social. A raiz de jejuar soa sete vezes. Os homens o definem e consideram eficaz para "agradar" a Deus, para que "olhe" e "responda"; falhando esses resultados, acusam a Deus e não ao jejum. Mas Deus caçoa dos gestos, desmascara a falsidade ("como se..."), denuncia as injustiças dos devotos jejuadores.
Depois define o jejum que ele "prefere", que consiste em obras de misericórdia. Se eles se corrigem, Deus promete estar perto e escutar as súplicas.

58,1 Num dia de jejum litúrgico, a voz do profeta deve ressoar como trombeta: Jl 2,15; Os 8,1; Sl 81,4. Diz "meu povo" aludindo à aliança (Sl 50,4.7), base da queixa.

58,2-3a O povo vem a Deus com pretensões, alegando, como méritos, seus bons desejos de conhecer o caminho de Deus, o mandamento de Deus, a proximidade de Deus. Vãs pretensões enquanto seguem o próprio caminho (56,11), não cumprem os mandamentos (cf. Tg 1,22-24), buscam uma proximidade mecânica (Jr 7). Como se bastasse consultar...

58,3b-5 A resposta do Senhor é irônica. Desmascara a farsa piedosa: jejuar e procurar o negócio, mortificar-se e ferir o próximo. "Explorar" traz dolorosas ressonâncias da opressão egípcia: Ex 3,7; 5,9.13.14; e vai contra a legislação de Dt 15,2s. A voz que se escuta no céu é a da oração sincera (p. ex. Sl 5,4; 27,7; 55,18); agora se escutam vozes e ruídos de golpes e rixas. De joelhos e inclinando-se ritmicamente parecem um campo de juncos que se curvam à passagem do vento; que vento os move?

58,6-7 "Libertar cativos": o dom da liberdade é mais bem apreciado depois da experiência do desterro. Em vez de "afligir-se" a si mesmo, deve sentir a "aflição" do próximo. "Carne" sublinha a fraqueza e invalidez comum a todos. Se o egoísmo fecha, a compaixão abre. A dor partilhada estabelece e mantém a solidariedade.

58,8-9 Mais ainda. O jejum autêntico e as obras de misericórdia transfiguram o homem, quase o divinizam, como sol que amanhece (cf. Sl 112,4). A Justiça

Se afastas de ti os cepos,
 e o apontar com o dedo, e a maledicência;
¹⁰se dás teu pão ao faminto
 e sacias o estômago do indigente,
 tua luz surgirá nas trevas,
 tua escuridão se tornará meio-dia.
¹¹O Senhor te guiará sempre,
 no deserto saciará tua fome,
 tornará fortes teus ossos,
 serás um jardim bem regado,
 um manancial de águas
 cujo veio nunca falha;
¹²reconstruirás velhas ruínas,
 erguerás sobre os alicerces de outrora;
 e te chamarão reparador de brechas,
 restaurador de casas em ruínas.

O sábado
(Jr 17,19-27)

¹³Se deténs teus pés no sábado,
 e não traficas em meu dia santo;
 se chamas ao sábado tua delícia,
 e honras o dia consagrado ao Senhor;
se o honras abstendo-te de viagens,
 de procurar teu interesse, de cuidar de teus negócios,
¹⁴então o Senhor será tua delícia.
Eu te porei sobre as alturas da terra,
 te alimentarei com a herança
 de teu pai Jacó
 – falou a boca do Senhor.

Liturgia penitencial
O pecado, obstáculo à salvação
(Is 1,10-20; Jr 2)

59 ¹Vê: a mão do Senhor não fica curta para salvar,
 nem é duro de ouvido para ouvir;

---

abre seu cortejo, a Glória do Senhor o encerra (cf. Sl 85,14; 97,2). Pela caridade o homem resplandece, porque revela a glória de Deus (Mt 5,16).

58,10 "Pão": corrigindo o hebraico segundo testemunhos antigos. A aurora culmina ao meio-dia. (Ver a relação entre luz e generosidade em Mt 6,22-23.)

58,11-12 Volta a duas peças do esquema do êxodo, introduzindo algumas transformações. O alimento no deserto se conserva sem mudança. Água e sede: são elas o deserto, no qual aflora a água (a beneficência) que as transforma em jardim. A terra é agora a cidade que será reconstruída. É preciso sair do egoísmo e construir com a caridade. Se eles repartirem o pão, não haverá fome, e o deserto será um paraíso: se derem casa, a cidade será reconstruída. "Reparador de brechas": ver Am 9,11 e Ne 5.

58,13-14 O sábado cresce em importância depois do desterro. Como o templo é um espaço reservado para a divindade, assim o sábado é um tempo subtraído ao interesse humano e dedicado a Deus. Não artifício para aumentar a produtividade, mas sacrifício desta para professar um valor mais alto. E deve ser observado com alegria, com "delícia". O novo êxodo culmina com o repouso do sábado.

59,1-21 As peças deste capítulo podem compor uma liturgia penitencial, com mudanças significativas. Reconhecemos a queixa das duas partes (1-8); a confissão do pecado (9-15a); a sentença e reconciliação (15b-20); uma promessa final (21). O esquema é obscurecido por várias anomalias.
Na primeira parte está implícita uma queixa do povo; o Senhor interpela na segunda pessoa, e de repente salta para a terceira pessoa: é ele que continua falando? Na segunda parte, o povo sente-se ao mesmo tempo culpado e vítima. Na terceira parte, Deus age como juiz acima das partes. A promessa é para os resgatados. Vários gêneros se entrecruzam no capítulo.

59,1 Ver 50,2 e Nm 11,23. A queixa implícita é que Deus não percebe ou não intervém, como em alguns salmos, p. ex. 74,11.

²são vossas culpas que se interpõem
 entre vós e vosso Deus;
são vossos pecados que vos ocultam seu rosto,
 e impedem que vos ouça;
³pois vossas mãos estão manchadas de sangue,
 vossos dedos, de crimes;
 vossos lábios dizem mentiras,
 vossas línguas sussurram maldades.
⁴Não há quem invoque a justiça
 nem quem pleiteie com sinceridade;
apoiam-se na mentira, afirmam a falsidade,
 concebem o crime e dão à luz a maldade.
⁵Chocam ovos de serpente e tecem teias de aranha:
 quem comer esses ovos morrerá;
 se se quebram, saem víboras.
⁶Suas teias não servem para vestes;
 são tecidos que não podem cobrir.
Suas obras são obras criminosas,
 suas mãos executam a violência.
⁷Seus pés correm para o mal,
 têm pressa em derramar sangue inocente;
 seus planos são planos criminosos,
 destroços e ruínas balizam suas estradas.
⁸Não conhecem o caminho da paz,
 não existe o direito nas suas trilhas,
abrem sendas tortuosas;
 quem as segue não conhece a paz.

Confissão do pecado
(Sl 51; Br 1,15-3,8)

⁹Por isso, está longe de nós o direito
 e a justiça não nos alcança:
esperamos a luz, e vêm as trevas;
 claridade, e caminhamos às escuras.

59,2 Entre a oração humana que sobe e a mão divina que desce para agir, interpõe-se uma barreira: o pecado, que rompe as relações.

59,3 Ainda na segunda pessoa. Resumo de delitos de palavra e obra. Ver 1,15 e alguns salmos: 15; 24; 101.

59,4 Passa para a terceira pessoa, como se um fiscal tomasse a palavra. Compare-se a primeira frase com Sl 14,1-3, e a última com Sl 7,15.

59,5-6a Avaliação da conduta pelas suas consequências, em duas imagens originais.
Os pecados, especialmente as injustiças, são fecundos... em ovos venenosos (Sl 58,5-6); produzem... teias de aranha. Da serpente do paraíso passamos ao veneno, que se difunde e contagia mortalmente.

59,6b-7 Continua a enumeração, um tanto tópica, de delitos: mãos, pés e mente, ações, modo de proceder e projetos.

59,8 Resultado dessa conduta. Implantando um sistema encadeado de injustiças, destroem a paz alheia e perdem a própria. Citado no florilégio de Rm 3,11-18.

59,9-15 O povo toma a palavra: para confessar ou para se queixar? Confessa-se culpado (12-13) ou sente-se vítima (9-11)? As confissões clássicas de pecados não apresentam tal ambiguidade. Aqui as atitudes se entrelaçam, e isto é o mais significativo. Equivale a uma análise certeira de situações semelhantes. Imaginemos tempos de crise: a justiça e o direito não conseguem impor-se, e o povo se queixa dos tempos; mas, refletindo, descobre que é cúmplice da situação. Gostaria de romper a espiral, sair do cerco, mas não encontra o modo. A conversão individual não basta para mudar o sistema, seria necessária uma conversão coletiva; e até que chegue a mudança geral, a emenda individual resultaria fatal: os justos pagariam pelos pecadores. É preciso que haja uma intervenção de fora ou de cima, de uma instância mais poderosa.

59,9 Justiça e direito são como luz da ordem social, vitória sobre o tenebroso do homem, esperança cotidiana do amanhecer. Temos aqui um prolongamento de 58,8.10 e uma ressonância de Sl 82,5.

¹⁰Como cegos vamos apalpando a parede,
    andamos às apalpadelas como gente que não enxerga;
  em pleno dia tropeçamos como ao anoitecer,
    em pleno vigor, estamos como os mortos.
¹¹Grunhimos todos como ursos
    e nos queixamos como pombas.
  Esperamos no direito, e nada;
    na salvação, e está longe de nós.
¹²Porque nossos crimes contra ti são muitos,
    e nossos pecados nos acusam;
  temos presentes nossos crimes
    e reconhecemos nossas culpas:
      ¹³rebelar-nos e negar o Senhor,
      voltar as costas ao nosso Deus,
      tratar de opressão e revolta,
      urdir por dentro enganos;
¹⁴e assim se torce o direito
    e a justiça fica longe,
  porque na praça a lealdade tropeça,
    e a sinceridade não encontra acesso;
      ¹⁵a lealdade está ausente,
      e espoliam quem evita o mal.

Intervém o Senhor

O Senhor contempla desgostoso,
    pois a justiça já não existe.
  ¹⁶Ele vê que não há ninguém,
    ele estranha que ninguém intervenha.
  Então seu braço lhe deu a vitória,
    e sua justiça o manteve:
      ¹⁷como couraça vestiu a justiça,
      e como capacete a salvação;
  como traje vestiu a vingança,
    e como manto envolveu-se na indignação.
¹⁸A cada um vai pagar o que merece:
    a seu inimigo, fúria; a seu adversário, represália.
¹⁹Os do Ocidente temerão o Senhor,
    os do Oriente respeitarão sua glória;
  porque ele virá como torrente canalizada,
    conduzida pelo sopro do Senhor.

59,10 Ver a maldição de Dt 28,29 e o anúncio de Sf 1,17.

59,11 A combinação de pombas e ursos é curiosa; se a pomba é inofensiva em seu gemido, o urso geralmente figura como animal feroz. Tenta distinguir entre culpado e vítima? Em todo caso, nada se obtém gemendo e rugindo.

59,12-13 À luz da acusação divina, o homem descobre seu pecado e o confessa.

59,14-15a As qualidades são personificadas, como membros da sociedade: Direito, Justiça, Lealdade, Sinceridade. Personagens que teriam de reger e vigiar a vida civil; mas o primeiro está longe, a segunda retrocede, a terceira tropeça, a quarta não encontra acesso.
Compare-se com Sl 55,10-12 e 85,10-14.

59,15b-16 O Senhor contempla a situação e não pode ficar indiferente (Sl 14,2; 53,3). Diante da impotência do homem, decide intervir para implantar sua justiça.

59,16b-17 Sua intervenção toma feição militar e é a execução de uma sentença judicial. Requer seu arsenal: justiça, vitória, vingança, zelo. A "vingança" é justiça vindicativa que reivindica as vítimas inocentes.

59,18-19 Os inimigos podem ser externos ou internos (1,24). Uma glosa acrescenta: "dará ao litoral o que merece". O Senhor comparece numa teofania de água e vento (30,27-30), que será contemplada a distância e provocará o consequente temor numinoso (Sl 76,9s).

²⁰Mas a Sião virá um Redentor
para afastar os crimes de Jacó
– oráculo do Senhor.

Oráculo de salvação
(Jr 31,31-33)

²¹De minha parte, diz o Senhor,
esta é minha aliança com eles:
o meu espírito, que te enviei;
as minhas palavras, que pus em tua boca,
não cairão de tua boca,
nem da boca de teus filhos,
nem da boca de teus netos, jamais
– disse o Senhor.

A luz da nova Jerusalém
(Ap 21,10-14.23-25)

60 ¹Levanta-te, brilha, pois chega tua luz;
a glória do Senhor amanhece sobre ti!
²Vê: as trevas cobrem a terra,
a escuridão os povos;
mas sobre ti amanhecerá o Senhor,
sua glória aparecerá sobre ti;
³e à tua luz acorrerão os povos,
os reis ao resplendor de tua aurora.
⁴Dá uma olhada ao redor, vê:
todos esses se reuniram, vêm a ti;
teus filhos chegam de longe,
tuas filhas são trazidas nos braços.
⁵Então o verás, radiante de alegria;
teu coração se maravilhará, se dilatará,

59,20 Finalmente, na cidade santa em que se celebrou a liturgia penitencial, ele mesmo se encarrega de "remover o pecado" que "se interpunha". Rm 11,26 cita este versículo segundo a versão grega, dando-lhe extensão universal.

59,21 Inaugura-se nova era: uma aliança garantida pelo espírito e atualizada em cada geração pela palavra de Deus. Espírito e palavra, que são dons para o profeta, tornam-se dons para todo o povo. O oráculo se abre a um horizonte escatológico.

60 Com este capítulo começa uma seção que se estende ao menos até o final do capítulo 62. Forma unidade ampla e bem travada, assim articulada: mensagem a Jerusalém, vocação do profeta, mensagem a Jerusalém, chegada do Salvador. Tem notáveis parentescos formais e temáticos com 40-55, mas está fortemente enraizada nesta parte do livro.

60,1-22 Este poema canta, com esplêndidas imagens e entusiasmo nacional, o triunfo da luz em Jerusalém e a peregrinação dos povos. Nesta, o sentimento é nacionalista, limitado ao contexto histórico; no primeiro, o poema se desprende e transforma a cidade em símbolo de grande alcance. O ponto de partida da inspiração pode ser o poema do monte, 2,2-5. O esquema nos faz apreciar a função da luz: uma aurora, 1-3, sem ocaso, 19-20, no meio a vinda, 4-9, e a reconstrução, 10-18. Uma paráfrase do esquema facilitará a leitura. É de noite: escuridão universal; a sentinela anuncia a aurora. Vai clareando num ponto central, não no oriente, e todos se voltam para contemplar essa luz inesperada que os convoca. Amanhece o dia: trabalhos de reconstrução, acumulação de tesouros. Triunfam a justiça e a paz. Passa o dia, e a noite não chega: começou o dia sem fim, de luz e vida, justiça e fecundidade.

60,1 O duplo imperativo inicial se liga com 51,17 e 52,1. O nome da cidade é subentendido. A glória do Senhor é a nova aurora (compare-se com 40,5).

60,2-3 A luz banha primeiro a cidade, e esta a reflete em torno, a distância. Compare-se com Ez 10-11 e 43,1-5. Em 2,5 a Casa de Jacó inicia a marcha.

60,4 Do alto em que está, a cidade deve contemplar a peregrinação convergente: caravanas do oriente, frotas do poente. Reconhecerá seus filhos que voltam: 43,6; 49,18.22. É a terceira reunião, a definitiva, mais gloriosa que o êxodo do Egito ou o de Babilônia.

60,5 "Radiante": verbo homófono de confluir (2,2). "Tráfico": a palavra significa ruído e multidão; aplica-se ao movimento das ondas marítimas (17,12; 51,15;

quando verterem sobre ti o tráfico do mar
e te trouxerem as riquezas dos povos.
⁶Uma multidão de camelos te inundará,
dromedários de Madiã e de Efa.
Vêm todos de Sabá, trazendo incenso e ouro
e proclamando os louvores do Senhor.
⁷Reunirá para ti os rebanhos de Cedar,
e os carneiros de Nabaiot
estarão ao teu serviço;
subirão ao meu altar como vítimas agradecidas,
e honrarei minha nobre casa.
⁸Quem são esses que voam como nuvens
e como pombas ao pombal?
⁹São navios que acorrem a mim,
à frente os navios de Társis,
trazendo teus filhos de longe,
e com eles sua prata e seu ouro,
pela fama do Senhor teu Deus,
do Santo de Israel, que assim te honra.

Homenagem dos povos
(Is 49,14-26; 54,11-17)

¹⁰Estrangeiros reconstruirão tuas muralhas
e seus reis te servirão;
se te feri com ira, com amor me compadeço de ti.
¹¹Tuas portas estarão sempre abertas,
nem de dia nem de noite se fecharão:
para trazer a ti as riquezas dos povos
com seus reis desfilando.
¹²O povo e o rei
que não se submeterem a ti perecerão;
as nações serão arrasadas.
¹³Virá a ti o orgulho do Líbano,
com o cipreste, o abeto e o pinho,
para adornar o lugar de meu santuário
e enobrecer o meu estrado.
¹⁴Os filhos de teus opressores
virão a ti encurvados,
e os que te desprezavam
se prostrarão a teus pés;
e te chamarão Cidade do Senhor,
Sião do Santo de Israel.

Sl 46,4). As vagas agora são o tráfico comercial dos que trazem e descarregam tesouros. Uma interpretação mais moderada traduz "marinheiros ou tripulação marinha".

60,6 "Multidão": aplica-se também ao mar (Dt 33,19; Jó 22,11; 38,34), ou a uma tropa montada (2Rs 9,17; Ez 26,10). No contexto conserva certa ambiguidade imaginativa.

60,8 As velas das embarcações divisadas ao longe deslizam como nuvens, agitam-se como asas de pomba.

60,9 Aceitamos a correção do texto, harmonizado em hebraico com 51,5.

60,10 Aos dons se acrescenta a prestação pessoal do trabalho (cf. Js 9,23.27). O Senhor passou da ira à compaixão: 40,2; 54,8.

60,11 As portas eram fechadas ao escurecer, para segurança da cidade. Agora não há perigo de agressão (54,15-17), e a afluência de dons é tão grande, que o transporte não é interrompido. "Dia e noite" é expressão convencional de continuidade, que será logo desmentida.

60,12 Destoa pela forma e pelo conteúdo. Parece acréscimo, no estilo de Zc 14, 17-19.

60,14 Troca de gerações e mudança de postos: a humilhada receberá a homenagem dos vassalos. O

¹⁵Estive abandonada, detestada,
   sem um transeunte,
   mas te farei o orgulho dos séculos,
   a delícia de todas as eras.
¹⁶Mamarás o leite dos povos,
   mamarás o peito de reis;
   e saberás que eu, o Senhor,
   sou teu salvador,
   que o Poderoso de Jacó é teu redentor.
¹⁷Em vez de bronze, te trarei ouro;
   em vez de ferro, te trarei prata;
   em vez de madeira, bronze,
   e em vez de pedra, ferro;
   eu te darei como inspetor a paz
   e como capatazes, a justiça.
¹⁸Não se ouvirá mais em tua terra
   "Violência!",
   nem dentro de tuas fronteiras
   "Ruína, destruição!"
   Tua muralha se chamará "Salvação",
   e tuas portas, "Louvor".

Luz perpétua
(Zc 14,6-7; Ap 21,23; 22,5)

¹⁹Tua luz de dia já não será o sol,
   nem te iluminará a claridade da lua;
   tua luz perpétua será o Senhor,
   e teu Deus será o teu esplendor;
²⁰teu sol já não se porá nem tua lua minguará,
   porque o Senhor será tua luz perpétua
   e os dias de teu luto estarão cumpridos.
²¹Em teu povo todos serão justos
   e possuirão a terra para sempre:
   é o broto que eu plantei,
   a obra de minhas mãos, para minha glória.
²²O pequeno crescerá até mil,
   e o menor se tornará povo numeroso:
   eu sou o Senhor e apressarei o prazo.

---

nome da cidade: à luz de 1,26 e 62,4, pode ser o nome que recebe do marido.

60,15 O tema matrimonial passa para o primeiro plano, sobre o fundo citado ou aludido de 49,14.21 e 54,6.11.

60,16 A imagem é insólita para nós, seu sentido é claro e expressivo: a cidade é qual menina comilona que se alimenta à custa de outros. Povos e reis agem como gênios nutritivos. Contudo, a cidade não esquece seu Deus (cf. Dt 32,13-15), ao contrário, reconhece-o agradecida (49,23.26).

60,17a É como uma volta aos tempos de Salomão, agora transfigurados (1Rs 10,21-27).

60,17b-18 Mais importante é a transformação interna, marcada pelas correspondências acumuladas com o capítulo precedente. Os "capatazes" têm má fama de cruéis (Is 9,3); se a justiça em pessoa ocupa seu lugar, nada há que temer. Muralhas e portas mudam de nome e de função (compare-se com Zc 2,5-9).

60,19-20 Isto supera a visão de 30,26 e está mais perto de Zc 14,7; concordam na perspectiva escatológica. A criação fica superada pela presença do próprio Deus, e os luminares que dividem o tempo cessam em sua função. O tema é aplicado à Jerusalém celeste em Ap 21,23 e 22,5.

60,21-22 Cumpre-se a bênção da criação (Gn 1,28) fundida com a de Abraão (Gn 12,3; 17,5-6). Um povo composto totalmente de homens honrados (Sl 104,35) é a grande criação de Deus. "Broto", um dos títulos de 11,1, estende-se a todo o povo. A última frase deixa o sentido suspenso: é preciso estar sempre à espera de um Deus que sempre está por chegar. O capítulo acumula elementos que ultrapassam o realismo histórico; o Apocalipse nos oferece uma chave para prolongar tais sugestões.

Missão do profeta
(Lc 4,18s; Is 42,1-4)

61 ¹O espírito do Senhor está sobre mim,
porque o Senhor me ungiu.
Enviou-me para dar
uma boa notícia aos que sofrem,
para curar os corações desgarrados,
para proclamar a anistia aos cativos
e aos prisioneiros a liberdade,
²para proclamar o ano de graça do Senhor,
o dia de desforra do nosso Deus;
para consolar os aflitos,
os aflitos de Sião;
³para mudar sua cinza em coroa,
seu luto em perfume de festa,
seu abatimento em traje de gala.

Restauração

Serão chamados Carvalhos do Justo,
plantados pelo Senhor, para sua glória.
⁴Reconstruirão as velhas ruínas,
levantarão os antigos escombros;
renovarão as cidades em ruínas,
os escombros de muitas gerações.
⁵Estrangeiros se apresentarão
para pastorear vossos rebanhos,
e forasteiros serão
vossos lavradores e vinhateiros.
⁶Vós vos chamareis "Sacerdotes do Senhor",
dirão de vós: "Ministros do nosso Deus".
Comereis a opulência dos povos,
e tomareis posse de suas riquezas.
⁷Em troca de sua vergonha e rubor,
eles obterão uma porção dupla;
possuirão o dobro em seu país,
e desfrutarão de alegria perpétua.

61,1-9.11 Aceito a inversão de 10 e 11, com a qual o v. 10 passa para a perícope seguinte, e o capítulo se articula em duas partes: vocação e missão do mensageiro, mensagem de esperança. O capítulo tem numerosos contatos verbais com o 58.

61,1-3a No terceiro bloco do livro, estes vv. funcionam como relato de vocação; ver 42,1-4 e 49,1-6. Como em 40,9, sua missão é anunciar uma boa notícia. Para a tarefa, está equipado com o carisma do espírito (48,16). Promulga um ano jubilar da parte do Senhor: Lv 25,10. "Desforra": porque o Senhor paga a seus inimigos pela agressão; "graça": porque ressarce o povo por seus sofrimentos (cf. 40,2). Devido à possível ambiguidade, Jesus suprimiu a frase da desforra quando leu o rolo na sinagoga de Nazaré (Lc 4,18s). A alegria mudará os ritos de luto em ritos de festa: Sl 30; o contrário de Is 3,24.

61,3b-9 As mudanças de pessoa verbal dificultam a leitura: segunda pessoa do plural em 5-6, terceira no resto; fala o Senhor em 8, fala-se do Senhor no resto. Contudo, o conjunto é entendido como anúncio do arauto em nome de Deus.

61,3b A mudança é selada com a imposição de um novo nome. Pelo paralelismo, atribuo "o Justo" ao Senhor. Atribuindo função adjetival ao termo, temos "carvalhos legítimos" à semelhança do "rebento legítimo" de Jr 23,5.

61,4-5 Reconstrução de cidade e campo, restauração de agricultura e pastoreio (49,8). As tarefas do campo são confiadas a estrangeiros, deixando assim livre o povo para funções sagradas.

61,6 Um novo nome que indica a mudança de função: o povo todo será sacerdotal (1Pd 2,9) e receberá as riquezas dos povos como pagamento.

61,7 Os termos são de grande densidade. Vergonha causada por outros; "possuir" é verbo do primeiro êxodo. Embora os judeus já tenham voltado à pátria, fica pendente a posse, o processo se abre de novo. Se a compensação é dupla em quantidade (cf. 40,2), a duração será sem limites (35,10). Aponta-se a abertura escatológica.

⁸Porque eu, o Senhor, amo a justiça,
    detesto a rapina e o crime.
Eu lhes darei fielmente seu salário,
    e farei com eles uma aliança perpétua.
⁹Sua estirpe será célebre entre as nações,
    e seus rebentos entre os povos.
Os que virem reconhecerão
    que são a estirpe que o Senhor abençoou.
¹¹Como o solo lança seus brotos, como um jardim
    faz germinar suas sementes,
assim o Senhor fará brotar a justiça
    e sua fama diante de todos os povos.

A nova Jerusalém
(Is 49; 54; 60)

¹⁰Transbordo de júbilo com o Senhor,
    e me alegro com meu Deus:
porque ele me vestiu um traje de gala
    e me envolveu num manto de triunfo,
como noivo que põe a coroa
    ou noiva que se adorna com suas joias.

62 ¹Por amor de Sião não calarei,
    por amor de Jerusalém não descansarei,
até que rompa a aurora de sua justiça,
    e sua salvação flameje como tocha.
²Os povos verão tua justiça,
    e os reis, tua glória;

61,8 "Amo a justiça" como juiz imparcial da história (Sl 11,7; 33,5; 37,28). O sinal do julgamento paira sobre a restauração dos últimos capítulos do livro. O salário corresponde à justiça comutativa; o pacto instaura outro sistema de relações mútuas.
61,9 Em imagem vegetal, a bênção patriarcal revela a ação de Deus.
61,11 Mais importante é a bênção da justiça para distinguir a estirpe escolhida. A maldição do pecado será anulada (59,9-15); a nova videira dará o fruto esperado (5,7); em virtude dela, serão Carvalhos do Justo (61,3). A cidade, feita um jardim de justiça, começa a ressoar cânticos de louvor que outros povos escutam: porque o louvor sem a justiça não era aceito (1,10-20). A cidade poderá chamar-se Cidade Fiel (1,26) e as portas, Louvor (60,18).
61,10 Embora este versículo forme inclusão com o 1º pelo tema dos noivos, prefiro lê-lo como introdução ao que se segue. Também poderia ser lido como transição, entre uma mensagem para o povo e outra para Jerusalém (mudanças que acontecem várias vezes em 40-55). O arauto se veste como pede a festa.
62,1-9 Tem tantos pontos de contato com poemas dos capítulos 49, 51, 52, 49 e 54, que alguns o consideram obra do mesmo autor. Cabe explicá-lo como imitação consciente de um discípulo. Temos a conhecida imagem da cidade como esposa do Senhor. O original é que, exceto uma referência em surdina, "Abandonada" não fala de reconciliação de casal maduro, mas de casamento juvenil. Até a alusão ao passado serve para realçar o frescor e a novidade do acontecimento. Não se pode expressar com mais vigor a força do amor, sua capacidade de rejuvenescer, sua novidade inesgotável. Divido o poema em duas seções: dirigida à noiva (1-5); às sentinelas acerca dos dons (6-9).
62,1-5 No poema se sobrepõem e se fundem a imagem solar e a do rei vitorioso no dia de seu casamento; em termos conceituais, o rei é o sol. Uma sentinela aguarda impaciente o despontar da aurora (Sl 130,5s), a anuncia e a invoca (Sl 57,9); ou espera uma tocha que arde iluminando um cortejo. Com seu canto desperta a cidade (52,1s). A aurora ilumina a cidade (60,1s), que com a sua muralha com ameias parece uma coroa refulgente sobre o monte (28,4), visível de longe e magnífica.
É o amanhecer de um dia festivo de casamento (Ct 3,11). O rei tinha saído para defender o direito ou "justiça" da cidade, e volta "vencedor". Toma a cidade-noiva como uma coroa (Pr 12,4). Dá seu nome à esposa (60,14; 61,3.6). Terminados os festejos, começa a alegria do marido com a esposa.
Entrou sutilmente um terceiro elemento: a terra fértil, em imagem também matrimonial. Não regada por Baal, mas por quem controla a chuva (Os 2,23-24).
62,1 Sl 130,5.

eles te darão um nome novo,
imposto pela boca do Senhor.
³Serás coroa fúlgida na mão do Senhor
e diadema real na palma do teu Deus.
⁴Já não te chamarão "Abandonada"
nem tua terra de "Devastada",
a ti chamarão "Minha Preferida"
e a tua terra "Desposada",
porque o Senhor te prefere,
e tua terra terá marido.
⁵Como um jovem se casa com uma donzela,
assim te desposa teu construtor;
a alegria que encontra
o marido com sua esposa,
Deus a encontrará contigo.
⁶Sobre tuas muralhas, Jerusalém,
coloquei sentinelas:
nunca se calam, nem de dia nem de noite.
Vós que invocais o Senhor, não tomeis descanso;
⁷não lhe deis descanso até que a estabeleça,
até que faça de Jerusalém
a admiração da terra.
⁸O Senhor jurou por sua direita
e por seu braço poderoso:
já não entregará teu trigo
para que teus inimigos o comam;
estrangeiros já não beberão teu vinho,
pelo qual trabalhaste.
⁹Os que o colhem o comerão
e louvarão o Senhor;
os que o vindimam o beberão
em meus átrios sagrados.

Chegada do salvador vitorioso
(Is 40,3-10; 57,14-17)

¹⁰Passai, passai pelas portas,
desembaraçai o caminho para o povo;
aplanai, aplanai a estrada,
limpai-a das pedras,
erguei uma insígnia para os povos.
¹¹O Senhor envia um anúncio
até os confins da terra:

62,4 Devastada e abandonada: 49,8.14; 54,1.4; 60,15.
62,5 Corrijo o hebraico, que introduz um contra-senso vocalizando "teus filhos". "Construtor": o mesmo verbo para a formação de Eva (Gn 2,22). A alegria: Isaac e Rebeca (Gn 24,67).
62,6-9 A segunda parte se ocupa dos dons que o marido deve à esposa (Ex 21,10s) em troca de sua alegria. O arauto mobiliza um coro de suplicantes que recordem ao Senhor suas promessas.
62,7 "Admiração" ou louvor. De Jerusalém, por sua formosura reconhecida (cf. Gn 12,15; Ct 6,9; Ez 16,14). Ou então a fama que redunda em glória ao Senhor.

62,8-9 Trabalhar para que outros levem os frutos é maldição, desfrutar do fruto do próprio trabalho é bênção (Dt 28). O ritmo de produção e consumo desemboca no ato religioso do louvor agradecido (cf. Dt 8,10-18) no templo (Sl 63).
62,10-12 Estes versículos podem ser lidos como continuação. Está chegando o Salvador e uma entrada triunfal lhe é preparada (Mt 21,5). Todos os povos são convidados a contemplar o espetáculo (45,21; 49,6). Os resgatados são prêmio e recompensa pela vitória (40,10), sendo de novo consagrados ao Senhor. "Salvação" e "Salvador" dominam os três cânticos de Lc 1-2.

Dizei à cidade de Sião:
Vê o teu Salvador chegando,
o prêmio de sua vitória o acompanha,
a recompensa o precede;
¹²serão chamados "Povo Santo",
"Redimidos do Senhor",
a ti chamarão "Procurada",
"Cidade não abandonada".

63

¹Quem é esse que vem de Edom, de Bosra,
com as roupas avermelhadas?
Quem é esse vestido de gala
que avança cheio de força?
– Eu, que sentencio com justiça
e sou poderoso para salvar.
– ²Por que estão vermelhas tuas vestes
e a túnica, como quem pisa no lagar?
– ³Eu sozinho pisei o lagar,
e de outros povos ninguém me ajudava.
Pisei-os com cólera, esmaguei-os com furor:
seu sangue salpicou minhas vestes
e manchei toda a roupa.
⁴Porque é o dia em que penso vingar-me,
o ano do resgate chegou.
⁵Olhava sem encontrar um ajudante,
espantado por não ter quem me apoiasse;
mas meu braço me deu a vitória,
meu furor foi meu apoio;
⁶pisoteei os povos com minha cólera,
embriaguei-os com meu furor,
para que seu sangue descesse à terra.

Meditação histórica
(Sl 77,12-21)

⁷Vou recordar a misericórdia do Senhor,
os louvores do Senhor:
tudo o que o Senhor fez por nós,
seus muitos benefícios para a casa de Israel,
o que fez por sua compaixão
e sua grande misericórdia.

63,1-6 O convite às sentinelas parece iniciar um diálogo às portas da cidade, no estilo dos salmos 24 e 118. Duas perguntas e duas respostas na primeira pessoa. O rei teve de enfrentar o rei inimigo, que retinha sua presa (49,24); não foi fácil fazer triunfar o direito dos oprimidos (42,1-3). Por isso a libertação foi dramática, e o guerreiro traz os sinais da batalha (9,4). O dia de graça era um dia de desforra (61,2). A "desforra" executa a legislação acerca do "vingador do sangue" (Nm 35,9-29; Dt 9,11-13). É um ato de justiça vindicativa, uma obrigação que recai sobre os familiares, segundo ordem precisa. Deus, como parente próximo, tem de sair por seu povo a fim de resgatá-lo (62,12). A especificação jurídica induz a imagem dominante do sangue, com sua cor vermelha de vinho. É uma cena em "vermelho maior": vermelho se diz *'adam*, o inimigo é *'edom*; vindimar se diz *bçr*, e o campo de batalha se chama *Bosra*. O sangue é de cor vinho, e a luta é como pisar no lagar. O vinho-sangue salpica as vestes, o vinho embriaga mortalmente os vencidos e o sangue destes encharca a terra. Em hebraico, "manchar" é homófono de "resgatar".

63,3 Ante a opressão, outros povos se omitem; então ele, indignado ante a injustiça, rebela-se e toma forças de seu "furor", que é senso de justiça (59,16).

63,6 O sangue dos culpados fica coberto e não clama ao céu (Jó 16,18). Ap 19,15 cita uma frase, e a liturgia cristã lê esta passagem na semana santa.

63,7-**64**,11 Em posição simétrica com respeito a 59,1-15, estes versículos formam uma unidade pouco

⁸Ele disse: "São meu povo, filhos que não enganarão".
⁹Ele foi seu salvador no perigo:
não foi um mensageiro nem enviado,
ele pessoalmente os salvou,
por seu amor e sua clemência os resgatou,
e os libertou e os levou sempre nas costas
em todos os perigos.
¹⁰Mas eles se rebelaram
e irritaram seu santo espírito;
então ele se tornou seu inimigo
e contra eles guerreou.
¹¹Eles se lembraram do passado,
daquele que tirou o seu povo:
Onde está aquele que tirou das águas
o pastor de seu rebanho?
Onde está aquele que colocou no peito dele
seu santo espírito?
¹²Aquele que esteve à direita de Moisés,
guiando-o com seu braço glorioso?
Aquele que dividiu o mar diante deles,
ganhando renome perpétuo?
¹³Aquele que os fez andar
pelo fundo do mar
como o cavalo pela estepe sem tropeçar,
¹⁴e como rebanho que desce ao vale?
O espírito do Senhor
os levou ao descanso:
assim conduziste o teu povo,
ganhando renome glorioso.

Invocação a Deus Pai
(Sl 103)

¹⁵Olha do céu e vê
da tua morada santa e gloriosa:

---

ordenada, com elementos de súplica e confissão de pecados. Numa situação de desgraça nacional, o povo pede a seu Deus que intervenha. E como a desgraça foi provocada em parte por seus pecados, o povo confessa a culpa e pede perdão (compare-se com orações penitenciais pós-exílicas: Esd 9; Ne 9; Br 1,15-3,8 etc.). O pecado contrasta com os benefícios precedentes do Senhor. Pelo modo de argumentar, o texto se agrupa aos salmos 44, 74, 77, 79 e 89.
É característica da peça: a) remover para segundo plano as mediações humanas: nem Moisés nem Abraão nem Israel; b) apelar para a relação de filiação e paternidade, na tradição de Os 11; Is 1,2-4; Jr 31,9.20; c) a ação do espírito e a função do nome. Pode-se propor outra distribuição:
7-14 lembrança histórica; 15-16 pedido;
17-19a situação trágica; 19b-4a pedido;
4b-6 pecado e castigo; 7-11 pedido.

63,7 A iniciativa generosa e cordial do Senhor servirá de contraste com a rebeldia do povo e com a atitude presente do Senhor.

63,8 Compare-se com Dt 32,5-6: a filiação é agravante do delito. A esperança de Deus termina em desilusão.

63,9 Como que corrigindo textos tradicionais que introduziam mensageiros: Ex 23,20-23; 32,34; 34,2s.

63,10 De amigo torna-se inimigo: Dt 32, 15.19-20.22-25. O "santo espírito": Sl 51,13.

63,11 A passagem à memória é típica do Sl 78. A memória contém salvação em germe: recordando, o povo está suplicando. "Tirar" em hebraico soa parecido com "Moisés". Sobre o espírito carismático de Moisés, ver Nm 11,17.

63,12-14a A travessia do mar Vermelho simboliza qualquer tipo de perigo que se deva atravessar (43,2; cf. Sl 77).

63,14b Com a terceira menção do espírito conclui a meditação histórica.

63,15-19 Súplica com motivações clássicas: qualidades, títulos, agressão inimiga, desgraça do povo. As quatro qualidades sintetizam afeto e eficácia. Dois títulos: Pai e Redentor, e, implícito, Governante.

Onde estão teu zelo e tua força,
tua entranhável ternura e compaixão?
Não a reprimas, ¹⁶pois tu és nosso Pai:
Abraão não sabe de nós,
Israel não nos conhece;
tu, Senhor, és nosso pai,
teu nome de sempre
é "Nosso Redentor".
¹⁷Senhor, por que nos extravias
longe de teus caminhos,
e endureces nosso coração
para que não te respeite?
Volta-te, por amor a teus servos,
às tribos de tua herança.
¹⁸Por um momento nossos inimigos
se apoderaram de teu povo santo,
e pisotearam o teu santuário.
¹⁹Estamos como outrora,
quando não nos governavas
e não levávamos teu nome.

O povo pede uma teofania
(Sl 68)

Oxalá rasgasses o céu e descesses,
derretendo os montes

64 ¹com tua presença, como fogo
que se acende nos sarmentos
ou faz ferver a água!
Para mostrar a teus inimigos quem és,
para que tremam diante de ti as nações,
²quando fazes portentos que não esperávamos.
³Jamais ouvido ouviu nem olho viu um Deus além de ti,
que fizesse tanto por quem nele espera.
⁴Tu sais ao encontro de quem pratica
alegremente a justiça
e tem presentes teus caminhos.

63,16 Como que corrigindo a frase divina de 51,2, apelando para outra sua de Ex 4,23. Ainda que os patriarcas tenham o título genérico de "nossos pais", não podem agir como tais ao longo da história. São recordação, não presença, e o povo precisa agora de alguém que se faça responsável.

63,17 A primeira pergunta parece tornar o Senhor culpado pelo pecado do povo. É pergunta retórica e sincera. Como se não pudessem entender essa dureza interior que mantêm e sofrem, que lamentam e não conseguem extirpar; até imaginar que há de ser Deus o autor dessa força superior às suas forças. Onde fica o coração de carne (Ez 36,26)?

63,18a O texto é duvidoso. Outros corrigem e traduzem: "por que os perversos pisaram o teu santuário?"

63,19 Agora (sob os persas) como outrora no Egito, os judeus vivem submetidos a um poder estrangeiro, e o Senhor não age como rei deles.

63,19b-64,4a É incerto onde colocar a pausa, em parte por causa do texto difícil de 4a. Confessado o pecado, com propósito de emenda, o povo espera a salvação. Para isso pede um advento ou teofania, com seu acompanhamento cósmico e seu consequente efeito sobre os inimigos (Sl 68,2-3; Mq 1,3-4).

64,3 Citado em 1Cor 2,9.

64,4a O texto hebraico diz: "em teus caminhos se recordam de ti". Este versículo pode ser unido ao seguinte como fundo de contraste: com o honrado és benévolo, com nós pecadores estavas irado.

64,4b A segunda frase é muito duvidosa. Outras leituras: "desde antigamente e nos rebelamos", "quando te ocultavas..."

Confissão do pecado e súplica
(Is 59,9-15; Sl 79)

Estavas irado, e nós fracassamos:
 afasta nossas culpas, e seremos salvos.
⁵Estávamos todos contaminados,
 nossa justiça era um pano nojento;
todos nós murchávamos como folhagem,
 nossas culpas nos arrebatam
 como o vento.
⁶Ninguém invocava teu nome
 nem se esforçava para agarrar-se a ti,
pois nos ocultavas teu rosto
 e nos entregavas em poder de nossa culpa.
⁷E, no entanto, Senhor, tu és nosso pai;
 nós a argila, e tu o oleiro:
 somos todos obra de tua mão.
⁸Não te excedas na ira, Senhor,
 não recordes para sempre nossa culpa:
 olha que somos teu povo.
⁹Tuas santas cidades são um deserto,
 Sião se tornou um deserto,
 Jerusalém um ermo.
¹⁰Nosso templo, nosso orgulho,
 onde nossos pais te louvaram,
 tornou-se pasto do fogo,
 e o que mais amávamos
 está reduzido a escombros.
¹¹Ficas insensível a tudo isso, Senhor,
 e te calas e nos afliges sem medida?

Denúncia e ameaça
(Is 57,3-13)

65 ¹Eu oferecia resposta
 aos que não perguntavam,
 ia ao encontro dos que não me procuravam;
dizia: "Aqui estou, aqui estou",
 ao povo que não invocava meu nome.

64,5 O pecado é mancha que profana e provoca repugnância, é contágio que faz o homem murchar; e depois, como vento escatológico, o arrebata.
64,6 Romperam-se as relações, e o Senhor sanciona a ruptura ocultando o rosto. Entrega o homem ao poder do seu maior inimigo: sua culpa (Rm 1,26).
64,7 Ao título paterno, decisivo, se acrescenta a imagem artesã do oleiro: ver Gn 2.; Is 29,16; 45,9; Jr 18; Sl 103,13-14.
64,8 Ver 57,16 e Sl 103,9.
64,10 Corresponde à situação dos repatriados antes da reconstrução do templo (Ag 4,1-4). "O que mais amávamos": Ez 24,21.25. Dá mais atenção ao "louvor" oral que aos sacrifícios.
64,11 O povo não consegue compreender o silêncio de Deus, mesmo reconhecendo-o pai misericordioso. Numa organização seguida dos capítulos, esta seção é um voltar atrás ou um descer das magníficas alturas sonhadas e prometidas. Numa disposição piramidal, a resposta a um capítulo pode ser encontrada em outro anterior. Por exemplo, o silêncio cessa em 62,1.6; a desolação desemboca em exaltação no 60 e 62; o espírito saudoso de Moisés (63,11) revive em 61,1; em vez de um povo pecador (64,4), haverá um povo de justos (60,21); os inimigos que pisoteiam o santuário (63,18) ajudam na sua reconstrução (60,10). Os capítulos 60-62 são centro e cume da terceira parte do livro.

65-66 a) Seu lugar no livro. Encerram o livro de Isaías com uma gigantesca inclusão. Quase cinquenta palavras ou raízes do cap. 1º ressoam aqui; algumas genéricas, outras porém de forma ou significado. As que ficam são uma concentração que denota um trabalho consciente. Para uma inclusão de temas, teríamos em conta também 2,2-5. Suposto isso, é curioso que não retornem os termos justiça e direito; tudo se resolve no terreno cultual da idolatria (primeiro mandamento).

²Eu tinha as mãos estendidas
o dia todo para um povo rebelde,
que andava pelo mau caminho,
seguindo seus caprichos,
³povo que me provocava
na cara continuamente,
que sacrificava nos jardins
e oferecia incenso sobre os tijolos,
⁴que se sentava nos sepulcros
e pernoitava nas grutas,
que comia carne de porco,
e caldo abominável nas taças;
⁵que dizia: "Retira-te,
não te aproximes, pois estou consagrado".
Isso faz fumegar minha cólera
como fogo que arde o dia inteiro.
⁶Tenho isso escrito diante de mim
e não descansarei até que vos pague
⁷vossas culpas e de vossos pais,
todas juntas – diz o Senhor.
Porque ofereciam incenso nas alturas
e me afrontavam nas colinas,
eu lhes medirei sua paga e a lançarei em cima.

Sorte de bons e maus
(Dt 27-28; Js 8,30-35; Mt 25,31-46)

⁸Assim diz o Senhor:
Como se diz ao encontrar suco num cacho:
"Não o destruas, pois é uma bênção",
assim farei eu em atenção a meus servos:
não o destruirei completamente.
⁹De Jacó tirarei descendência,
e de Judá, aqueles que possuirão minhas montanhas:

b) Como escatologia. Reaparecem os elementos essenciais: um julgamento definitivo de separação, com referência a alguns mandamentos, e a instauração de uma nova ordem, com referência às bênçãos. O acompanhamento cósmico está reduzido em tamanho, não em conteúdo: 65,17; 66,22. O autor não segue uma ordem cronológica, mas duplica ou divide e compõe por blocos opostos.

65,1-7 A primeira seção se dirige contra os apóstatas do povo judeu, que, apesar dos constantes esforços do Senhor, se entregaram à idolatria (primeiro mandamento): ficando em Babilônia e seguindo sua religião? trazendo à pátria cultos pagãos? Estes receberão sua paga.

65,1-2 Ressoa como eco "aqui estou": é a oferta de 52,6, que alguns rejeitaram. "Caminho" e "caprichos" figuram também em 55,7-9. Citado em Rm 10,20.

65,3 Como não conhecemos com exatidão as práticas denunciadas, temos de nos contentar com conjecturas apoiadas em paralelos. "Jardins" idolátricos, talvez em honra de Tamuz (1,29; 17,10). Os "tijolos" substituem o altar oficial do incenso (Ex 30,1-9).

65,4 Havia sepulcros com câmaras espaçosas: provavelmente aí praticavam a necromancia, proibida pela lei de Lv 19,31; Dt 18,11, e praticada ilegalmente (1Sm 28; Is 8,19); talvez se assemelhe a um culto da Morte (Is 28,15; 57,9).
"Pernoitar": talvez em incubação sagrada, esperando o oráculo. O "porco" era tabu: Lv 11,7; Dt 14,8; cf. 2Mc 6-7. O caldo é preparado com restos de carne profana: Lv 7,18; 19,7.

65,5 Esses devotos idólatras se consideram consagrados por tais cultos, intocáveis (cf. Lm 4,14s). Pode ser que a "fumaça" da cólera corresponda ao incenso abominável.

65,7 Chega o momento de castigar delitos acumulados durante gerações; como aconteceu com o desterro por culpa de Manassés (2Rs 24,27).

65,8-16 O tema do resto, de uma escolha que se estreita, governa esta seção: de Jacó se escolhe Judá (excluído Israel; e os samaritanos?); de Judá selecionam-se uns "servos" que "buscaram" o Senhor. Se Israel era a vinha, esses judeus são um cacho que se salva e ocupa o lugar da videira, ao passo que os frutos estragados são excluídos.

65,9 Neste versículo se concentram os verbos do êxodo, "tirar" e "possuir", incluindo uma seleção (como em Ez 20,35-38). Na descendência (que "sai",

meus escolhidos as possuirão
e meus servos aí habitarão.
¹⁰O Saron será aprisco de ovelhas,
o vale de Acor, pasto de vacas,
para meu povo que me procurou.
¹¹Mas a vós que abandonastes o Senhor
esquecendo meu Monte Santo,
que preparáveis a mesa para a Fortuna
e leváveis a taça para o Destino,
¹²eu vos destino para a espada, e todos
vos encurvareis para a degola:
porque chamei e não respondestes,
falei e não escutastes,
fizestes o que não me agrada,
escolhestes o que não quero.
¹³Por isso, assim diz o Senhor:
Vede: meus servos comerão,
e vós passareis fome.
Vede: meus servos beberão,
e vós tereis sede;
Vede: meus servos estarão alegres,
e vós envergonhados.
¹⁴Vede: meus servos cantarão de pura alegria,
e vós gritareis de pura dor
e uivareis com o coração desgarrado.
¹⁵Legareis vosso nome a meus escolhidos
como fórmula de imprecação.
A vós o Senhor matará,
e a seus servos dará outro nome.
¹⁶Quem quiser felicitar-se no país,
se felicitará com o Deus veraz;
quem quiser jurar no país,
jurará pelo Deus veraz.

Gn 15,4.7) se cumprem as bênçãos patriarcais: fecundidade e posse.

65,10 Sobre o Saron, 33,9 e 35,2; sobre o vale de Acor, Os 2,17.

65,11-16 O julgamento de separação alcança aqui sua máxima concentração, num julgamento que junta bons e maus diante do Senhor e os separa na sentença.

65,11a O clássico delito de "abandonar" o Senhor (1,4) toma a forma específica de "esquecer-se do Monte Santo" (65,25 e 66,20). Pode-se entender como correlativo de escolher os lugares altos idolátricos. Na perspectiva samaritana, seria correlativo de escolher o monte Garizim. À luz de Sl 137,5, representa grave deslealdade à pátria, cometida pelos que ficaram em Babilônia.

65,12b Ver 56,4.

65,13-14 Quarteto enfático. Como que resumindo o grande julgamento celebrado entre os dois montes, o Ebal e o Garizim, conforme Js 8,30-35 + Dt 27-28.

65,15 Ao contrário de Abraão, que legou seu nome como bênção: Gn 12,3. Ver Jr 26,6 e 29,22.

65,16a Alusão ao terceiro mandamento. "Veraz" é "amém", palavra com que se ratifica um juramento (ou as maldições, Dt 28, 15-26).

65,16b-25 Primeiro bloco da instauração da nova ordem, formando um todo com 66, 7-14. Conexões: a) novo universo, em inclusão com 66,22; b) Monte Santo como centro, em inclusão com 65,11 e pendente até 66,20; c) a alegria, apontada em 13-14, retorna em 66,10.14; d) imagem vegetal, prolongada em 66,14. Cronologicamente, o segundo bloco é anterior, pois fala do nascimento e infância.

65,16b-19 A nova ordem é estabelecida com a abolição da memória dolorosa e a afirmação da alegria plena. a) A memória pode ser paralisadora (43,18), pode obscurecer a alegria presente, intimando a sua contingência. Não faz falta uma memória que admoesta (Dt 8). O novo universo: 2Pd 3,13 e Ap 21,1. b) A alegria (35) partilhada chama-se festa: o povo festeja o Senhor, o Senhor festeja Jerusalém. Mais ainda, o Senhor cria uma cidade e um povo convertidos em pura alegria: a alegria é seu ser. Culmina a série de 51,3; 54,1; 60,5; 62,5.

Nova criação

Sim, serão esquecidas as angústias de outrora,
 e até de minha vista desaparecerão.
¹⁷Vede: eu vou criar um céu novo
 e uma terra nova;
 do passado não haja lembrança,
 nem venha ao pensamento;
¹⁸antes, exultai e alegrai-vos sempre
 pelo que vou criar.
  Vede: vou transformar Jerusalém em alegria
  e sua população em júbilo;
¹⁹eu me alegrarei com Jerusalém
 e exultarei com meu povo,
 e nela já não se ouvirão gemidos nem prantos;
²⁰já não haverá aí crianças de poucos dias
 nem adultos que não completem seus anos,
pois será jovem quem morrer aos cem anos,
 e quem não os alcançar será tido por maldito.
²¹Construirão casas e nelas habitarão,
 plantarão vinhas e comerão seus frutos,
²²não construirão para que outro habite,
 nem plantarão para que outro coma;
porque os anos de meu povo serão os de uma árvore,
 e meus escolhidos poderão gastar
 o que suas mãos tiverem fabricado.
²³Não se afadigarão em vão, não gerarão filhos
 para a catástrofe;
 porque serão a estirpe dos abençoados do Senhor,
 e como eles, seus rebentos.
²⁴Antes que me chamem, eu lhes responderei,
 ainda estarão falando e já os terei escutado.
²⁵O lobo e o cordeiro pastarão juntos,
 o leão comerá palha como o boi.
 Não causarão dano nem estrago por todo meu Monte Santo:
 – diz o Senhor.

O culto autêntico
(Jr 7; Sl 50)

66 ¹Assim diz o Senhor:
 O céu é meu trono,
 e a terra, o estrado de meus pés.
 Que templo podereis construir-me
 ou que lugar para meu descanso?

65,19b Podem-se ver Is 25,8 e a citação de Ap 21,4.
65,20 A longevidade é uma das bênçãos clássicas no horizonte intramundano. Compare-se com Sl 90,10.
65,21-22 Desfrutar do próprio trabalho é uma das bênçãos (62,8-9). Na nova ordem haverá uma atividade fecunda e satisfatória (cf. Sl 104): excluem-se os agressores externos e os opressores internos. A árvore é a medida da longevidade (Jó 14,7).
65,24 O anunciado em 30,19 e 58,9 tem seu ápice aqui; compare-se com Sl 139,4.
65,25 Citação de 11,7.9, que serve para evocar o mundo maravilhoso do mesmo poema.
66,1-6 Sentença contra o culto perverso e julgamento de separação. O culto inclui templo, sacrifícios, aceitação divina.
66,1 O templo é relativizado, como em 1Rs 8,27 ou Jr 7; contra a exaltação de Cr. Citado em Mt 5,34-35; At 7,49-50. De nada adianta alegar o templo como mérito ou direito diante de Deus.

²Tudo isso minhas mãos o fizeram,
e tudo isso existiu. – Oráculo do Senhor!
Mas nesse porei meus olhos,
no humilde e no abatido
que estremece diante de minhas palavras.
³Há quem imola um touro,
e é como se matasse um homem;
há quem sacrifica uma ovelha,
e é como se destroncasse um cão;
há quem traz uma oferta,
e é como se fosse sangue de porco;
há quem incensa invocando,
e é como se bendissesse a um ídolo.
Todos eles escolheram seu caminho
e escolheram suas abominações;
⁴pois eu também escolherei seus castigos
e lhes mandarei o que mais temem;
porque chamei, e ninguém respondeu;
falei, e não escutaram;
fizeram o que não me agrada,
escolheram o que eu não queria.

Julgamento

⁵Ouvi a palavra do Senhor,
vós que estremeceis diante de suas palavras:
Dizem vossos irmãos, os que vos detestam,
os que vos rejeitam por causa do meu nome:
"Que o Senhor mostre sua glória,
e desfrutemos de vossa alegria".
Eles é que ficarão confundidos.
⁶Uma voz troveja na cidade,
uma voz no templo:
é a voz do Senhor,
que paga o merecido a seus inimigos.

Um povo renasce
(Is 54,1-10)

⁷Antes dos espasmos deu à luz,
antes que lhe chegassem as dores
deu vida a um homem:

66,2 O texto diz "e existiu", como eco adaptado de Gn 1; o grego muda: "e é meu". A versão hebraica olha para trás: em comparação com isso, o que pode o homem construir? A versão grega pode olhar para a frente: "é meu, e escolho a quem quero" (Ex 19,5). Afligidos: 51,21; 54,11; 58,7; é o povo em Sf 3,12. "Estremece": sugere a observância "meticulosa" (*metus*) dos mandamentos.

66,3a Os réus alegam seus sacrifícios, mas o Senhor os desqualifica, segundo a técnica de 1,12-15. O estilo é elíptico, de partícipios justapostos, ao modo sapiencial (Pr 30,11-14). Denuncia o sincretismo religioso ou um culto falsificado.

66,3b-4a O castigo corresponde ao delito.

66,5 Quem são esses irmãos rancorosos e zombadores que em tom de súplica devota lançam em rosto promessas não cumpridas? Poderiam ser os samaritanos de que falam Esd e Ne, ou grupos judeus influentes (cf. Ml 3,14s).

66,6 Os maus irmãos pediam ironicamente para ver: pois caberá a eles ouvir; pediam o cumprimento de promessas, verão o cumprimento de uma ameaça (Jr 25,30).

66,7-14 Sem transição, apresenta-se o segundo quadro de restauração (o primeiro em 65,17-25). Montado sobre uma cena doméstica, consegue uma contagiosa intensidade de sentimento. A mãe, antes do esperado, dá à luz; os vizinhos e os demais filhos a

⁸Quem ouviu tal coisa,
  ou quem viu algo semelhante?
  Gera-se todo um país num só dia,
dá-se à luz a um povo de uma só vez?
  Apenas sentiu os espasmos,
  Sião deu à luz seus filhos.
⁹Abro eu a matriz, e não farei que dê à luz?
  – diz o Senhor.
  Eu, que faço dar à luz,
  vou fechá-la? – diz o teu Deus.
¹⁰Festejai Jerusalém,
  exultai com ela, todos os que a amais;
  alegrai-vos com sua alegria
  os que por ela fizestes luto;
¹¹mamareis em seus seios
  e vos saciareis de seus consolos,
  e bebereis as delícias
  de seus peitos abundantes.
¹²Porque assim diz o Senhor:
Eu farei correr para ela, como um rio, a paz;
  como uma torrente transbordante,
  as riquezas das nações.
Mamareis, vos levarão nos braços,
  e sobre os joelhos vos acariciarão;
¹³como a um menino a quem sua mãe consola,
  assim eu vos consolarei.
¹⁴Ao ver isso se alegrará vosso coração,
  e vossos ossos florescerão como um prado;
  a mão do Senhor se manifestará a seus servos,
  e sua cólera, a seus inimigos.

Julgamento dos povos
(Jl 4,1-8)

¹⁵Porque o Senhor virá com fogo
  e seus carros como turbilhão,
  para desafogar a sua ira com furor,
  e sua indignação com chamas.

---

felicitam; ela dá o peito; o marido lhe traz presentes e acaricia as crianças. A alegria é como seiva que as faz crescer. Ao chegar de improviso a alegria, tudo são perguntas de surpresa alvoroçada. O tema da fecundidade, apontado em 54,1, alcança aqui sua expressão culminante. É uma maravilha este nascer simultâneo de todo um povo, quando o nascimento dos doze pais das tribos foi tão trabalhoso (Gn 30) e um custou a vida à mãe (Gn 35,16-21). Aqui, tudo é fácil, rápido, abundante.
66,9 Em contraste, ver Os 13,13.
66,11 Ver 60,16.
66,12 Paz: soa como o nome da cidade; ver Sl 122.
66,15-22 À primeira leitura, a última seção do livro é desconcertante. Não é central nem sobressai no conjunto. Mas tem alguns sinais estilísticos e temáticos que orientam sua compreensão. Primeiro, as inclusões dos termos "vir", "fogo" e "todo mortal". Vir é tema condutor, repetido seis vezes: o Senhor, 15a.18a; as nações, 18b.20a; os israelitas, 20b; todo mortal, 23b. Esses são os grupos que intervêm. O julgamento de separação se concentra nos termos repetidos e bifurcados "puro" e "santo"/"consagrado", para o bem e para o mal.
Pode-se ensaiar uma reordenação por etapas:
a) monte e templo, em torno os repatriados; o Senhor vem para julgar;
b) escolhe e envia missionários que anunciem sua glória e convidem os pagãos a contemplá-la;
c) acorrem as nações trazendo os irmãos dispersos;
d) celebra-se o julgamento: condenação, execução pela espada, os cadáveres são atirados ao fogo, fora da cidade santa;
e) o Senhor escolhe sacerdotes, assegura a continuidade do povo; os demais acorrem periodicamente a render homenagem.
66,15 Iria bem depois de 66,6. O fogo primeiramente é teofânico, depois é instrumento de castigo (cf. Dn 7,9s).

¹⁶Porque o Senhor vai julgar,
   com seu fogo e com sua espada,
   todo mortal:
      serão muitas as vítimas do Senhor.
¹⁷Os que se consagram e se purificam
   para entrar nos jardins
   atrás de alguém que ocupa o centro,
os que comem carne de porco e répteis e ratos,
   suas obras e seus planos perecerão juntos
   – oráculo do Senhor.

Reunião de todos os povos
(Is 2,2-5)

¹⁸Mas eu virei para reunir
   as nações de toda língua:
   virão para ver minha glória;
¹⁹eu lhes darei um sinal, e dentre eles enviarei
   sobreviventes às nações:
a Társis, Etiópia, Líbia, Mosoc, Tubal e Grécia;
   às costas distantes,
que nunca ouviram minha fama
   nem viram minha glória,
   e anunciarão minha glória às nações.
²⁰E de todas as nações, como oferta ao Senhor,
   trarão todos os vossos irmãos
a cavalo, em carros e em liteiras,
   em mulos e dromedários,
   até meu Monte Santo de Jerusalém
   – diz o Senhor –,
como os israelitas trazem a oferenda
   numa vasilha pura
   ao templo do Senhor.
²¹Dentre eles escolherei sacerdotes
   e levitas – diz o Senhor.
²²Como o céu novo e a terra nova,
   que vou fazer, durarão diante de mim
   – oráculo do Senhor –,
   assim durará vossa estirpe e vosso nome.
²³A cada lua nova e a cada sábado
   virá todo mortal para prostrar-se
   diante de mim – diz o Senhor.

66,16 Reminiscência de Jr 25,30-33.
66,17 Não entendemos a alusão "atrás de alguém, no meio": algum ministro do culto?
66,19 A lista de nações pode ser comparada com a de 11,11; na presente, pode ter influído Ez 27, 38 e 39.
66,20 Compare-se com a peregrinação de 2,2-5. Continua e fecha a série de 43,6s; 49,22s; 60,4.9.
66,21 Ver 61,5s: os estrangeiros prestam serviço, o povo é sacerdotal.

66,22 A expressão é ambígua: "durar na presença" ou "estar a serviço". As duas coisas podem ser ditas do céu, da terra e da estirpe, não do nome. É possível que o autor tenha jogado com a ambivalência.
66,23 Nesta nova criação, ordenada cultualmente, haverá meses e semanas (ao contrário de 60,19s); compare-se com Zc 14,16. O tema do "sábado" inaugurava a nova era em 56,2-6.

²⁴E ao sair, verão os cadáveres
   dos que se rebelaram contra mim:
  seu verme não morre, seu fogo não se apaga,
   e serão o horror de todos os mortais.

66,24 Terminado o ato de vassalagem, que lhes assegura a vida, os peregrinos saem, porque não ficam morando em Jerusalém. E ao saírem, contemplam os cadáveres dos rebeldes executados (compare-se com Ex 14,30 e 2Rs 19,35). A justaposição de vermes e fogo relativiza as imagens. A citação de Mc 9,48 não lhes muda a função. Além disso, não se fala de vivos que sofrem, mas de cadáveres que são queimados. A tradição hebraica repete o v. 23 depois do 24, para terminar em tonalidade maior.

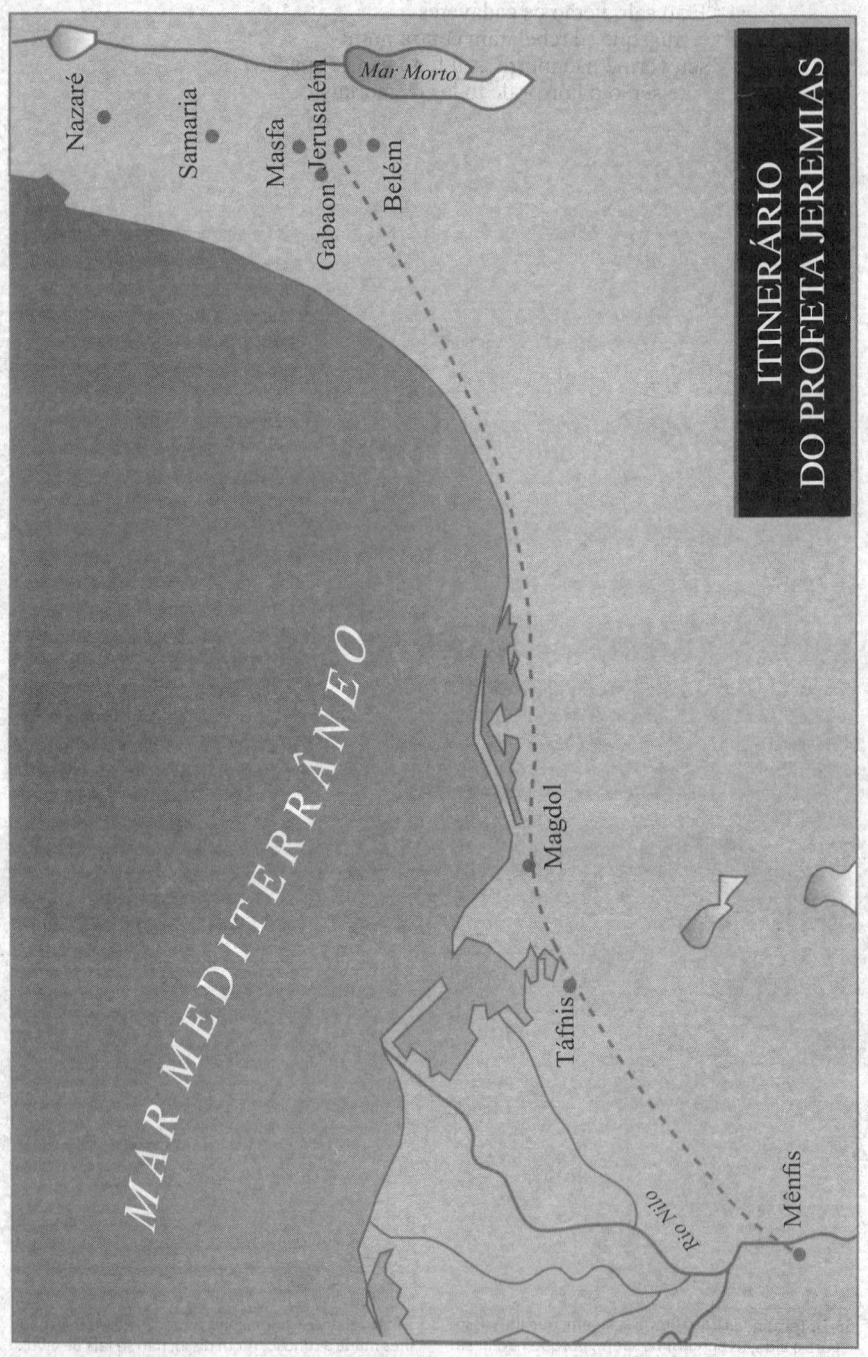

JEREMIAS

INTRODUÇÃO

A época

Sobre a época do ministério de Jeremias estamos bastante bem informados, graças aos livros dos Reis e das Crônicas, aos documentos extrabíblicos e ao próprio livro de Jeremias (supondo a credibilidade substancial de tais documentos). É uma época de importantes mudanças na esfera internacional, dramática e trágica para os judeus.

Durante a segunda metade do século VII a.C. a Assíria declina rapidamente, desmorona e cede diante do ataque combinado de medos e babilônios. Caem Assur, Nínive, Harã (614-610); a estes acontecimentos parecem referir-se Naum e Habacuc. Josias, rei de Judá, aproveita a conjuntura para garantir sua reforma, estender seus domínios para o norte e atrair membros do destroçado reino do Norte.

Também o faraó Necao aproveita para estender seus domínios na Síria e deter o poder crescente de Babilônia. Ao intrometer-se na rivalidade, Josias morre em 609. Os dois impérios se enfrentam na batalha decisiva de Carquemis (605), o Faraó é derrotado e cede a hegemonia a Babilônia; o vencedor, Nabucodonosor, sobe ao trono como sucessor de Nabopolassar (605-562).

Em Judá começa o jogo de submissão e rebelião, que acabará tragicamente. Vejamos primeiro um quadro da monarquia, indicando a ordem de descendência e de reinado:

  1. Amon   (643-640)
  2. Josias   (640-609)
  3. Joacaz   (609)
  4. Joaquim   (609-598)
  5. Jeconias   (598-597)
  6. Sedecias   (597-587)

Dois reis duram três meses e são depostos pelo rei estrangeiro, egípcio ou babilônio; três reis são irmãos; Sedecias sucede a seu sobrinho Jeconias. Em hebraico deve-se distinguir entre yehoyaqim e yehoyakin. A rebelião de Joaquim, em substância negar o tributo, provoca a primeira deportação de gente notável para Babilônia e a nomeação de um rei submisso (598). A rebelião deste provoca o cerco, a matança, o incêndio e a grande deportação (586). Judá deixa de existir como nação soberana.

O ministério de Jeremias

Dado que possuímos o quadro histórico, trata-se de ir encaixando as intervenções do profeta na conjuntura mais apropriada, mais provável. Nessa operação, alcançamos só um grau variável de probabilidade. Supomos que os dados do livro, que compõem uma imagem coerente e verossímil, merecem fé, preferíveis a outras reconstruções ou ao ceticismo metódico de alguns eruditos.

Pois bem, a introdução do livro situa o ministério nos reinados de Josias, Joaquim e Sedecias, e coloca o começo (a vocação) no ano 627. Ao longo do livro leem-se vários oráculos datados ou facilmente datáveis:

3,6 *"durante o reinado de Josias"*
21,1 *"sob Sedecias, durante o cerco"*
22,10 *"a Joacaz-Selum"*
22,24 *"para Jeconias"*
24 *"depois do desterro de Jeconias"* (598)
25,1 *"no quarto ano de Joaquim"* (605)
26 *"no começo do reinado de Joaquim"*
27-28 *"no quarto ano de Sedecias"* (594-593)
29 *"depois da primeira deportação"*

32-33 *"no décimo ano de Sedecias"* (587)
34 *durante o cerco*
35 *"no tempo de Joaquim"*
36 *"no quarto ano de Joaquim"* (605)
37 *aproxima-se o exército do Faraó* (587-586)
39 *"no nono ano... no ano décimo primeiro de Sedecias"* (= 52,4-6)
40-44 *depois da conquista e deportação*
45 *"quando Baruc escreveu o ditado"* (605)
46,2 *"no quarto ano de Joaquim"*
47,1 *"antes de o Faraó derrotar Gaza"* (604?)
51,59 *"no quarto ano de Sedecias"* (594)
52,31 *"no trigésimo sétimo ano do desterro de Jeconias"* (562)

Em nenhum outro livro profético temos tal quantidade de material narrativo e de datas. (Os céticos dirão que é dissimulação refinada dos autores da ficção.)

A partir desses dados, pode-se ir ampliando a datação do resto com resultados hipotéticos. Estamos limitados porque os compiladores não pretenderam datar todos os oráculos e porque muitos são típicos e se encaixam em épocas diversas. Com essas ressalvas, pode-se propor uma reconstrução por etapas. a) No tempo de Josias: provavelmente apoiou a reforma, embora não a mencione expressamente e embora critique algumas aplicações formalistas. Além disso, promove a vinda e a incorporação de israelitas do norte: caps. 1-6 e 30-31. b) No tempo de Joaquim: prega a conversão, contra a idolatria e o fetichismo do templo (7); enfrenta o rei (22), é perseguido (36), prega a submissão ao imperador; por causa da primeira deportação, prega a conversão e a submissão. A essa época pertencem provavelmente muitos oráculos da série 6-26. c) No tempo de Sedecias: continua pregando a submissão, a não confiança no Egito. A essa etapa pertence grande parte do corpo narrativo 34-35 e 37-38. d) Depois da queda de Jerusalém: apoia o governo de Godolias e é levado à força para o Egito, 39-44.

O livro

Costuma-se repartir os materiais do livro em três grandes grupos (as siglas são de uso comum). – A. Oráculos em verso, subdivididos em: oráculos para o povo e o rei, confissões do profeta (10,18-12,6; 15,10-21; 17,14-18; 18,18-23; 20,7-18); oráculos contra as nações pagãs (25 e 46-51). – B. Textos narrativos com palavras do profeta incorporadas. – C. Discursos em prosa elaborados em estilo deuteronomista (7,1-8,3; 11,1-14; 16,1-13; 17,19-27; 18,1-12; 21,1-10; 22,1-5; 25,1-14; 34,8-22; 35,1-19); provavelmente utilizam material do profeta. Na versão grega dos Setenta, o bloco de oráculos contra os pagãos ocupa os capítulos 25-32, e o bloco narrativo 33-51.

O estilo da poesia distingue-se mais pela riqueza imaginativa e pela intensidade emotiva, do que pela arte da composição. A prosa narrativa está entre as melhores do AT.

O profeta

Conhecemos Jeremias mediante os relatos, as confissões nas quais desabafa com Deus, e por suas irrupções líricas na retórica da pregação. Comparado com o "clássico" Isaías, nós o chamaríamos de "romântico". Como seu rolo (36), Jeremias é "o profeta queimado". Depois de uma etapa de idealismo e alegria no seu ministério, vem a resistência passiva do povo e a ativa e crescente de seus rivais. Entre estes estão autoridades, profetas e familiares. Sua pregação é antipática e suas ordens impopulares. Enfrenta o rei e seus conselheiros. Na sua atuação vai fracassando passo a passo, até desaparecer em terra estranha. Alguns falam da "paixão de Jeremias"; não falta quem considere seu destino como inspiração para Lm 3 e Is 53.

Jeremias se nos apresenta como um anti-Moisés. Tem de escrever sua mensagem, e ela é destruída. É proibido de interceder. Tem de abandonar a terra e partir à força para o Egito. Aí deixa de pronunciar-se o nome de Yhwh. Mas seu livro renasce das cinzas e sobrevive ao profeta com uma mensagem de esperança, de amor renovado, de aliança nova (31 e 33).

Dados cronológicos

640	Josias sobe ao trono.
633	O rei se converte a Deus.
629	Começa a desarraigar a idolatria.
628	Vocação de Jeremias. Primeira atividade profética: Jr 1-6; 30-31.
622	Josias encontra o livro da Lei.
622-609	Não há sinais da atividade profética de Jeremias.
612	Queda de Nínive, capital do império Assírio.
610	Queda de Harã, último reduto do império.
609	Campanha do Faraó no Eufrates setentrional. Batalha de Meguido, na qual morre Josias; sucede-lhe no trono o segundo filho, Joacaz, deposto três meses depois pelo faraó Necao, que nomeia rei o primogênito Joaquim: Jr 22,10-22.
609-604	Jr 7,1-15; 22,1-19; 26.
605	Batalha de Carquemis, 46,2-12; derrota do Faraó. Cresce o poder de Babilônia, o "inimigo do Norte"; discurso de Jeremias no templo (25,1-14); por isso é castigado (20,1-6); é proibido de entrar nele (36,5). Sobe ao trono Nabucodonosor.
604	Jeremias compila o primeiro volume: 36,1-4. Invasão da Palestina, conquista de Ascalon: 47,2-7. Dezembro: leitura, destruição do volume: 36; 45.
603	Resistência leve e submissão de Joaquim ao rei de Babilônia.
601	Derrota de Nabucodonosor no Egito.
600	Rebelião de Joaquim.
599	Expedição de castigo contra Judá.
598-597	Dezembro-janeiro: invasão e cerco de Jerusalém.
597	Episódio dos recabitas (35). Morre Joaquim; sucede-lhe seu filho Jeconias.
597	16 de março: Jeconias se rende; primeira deportação de dez mil judeus. Maio: Sedecias, filho de Josias e irmão de Joaquim, é nomeado rei.
594	O faraó Psamético sobe ao trono e fomenta a revolta contra Babilônia. Embaixada de reis vizinhos a Sedecias. Embaixada de Sedecias a Nabucodonosor protestando fidelidade. Carta de Jeremias para os desterrados: Jr 27-29; 51,59-64.
588	Rebelião de Sedecias, talvez incitado por Hofra, o novo faraó.
587	5 de janeiro: começa o cerco de Jerusalém: 34,1-10. Aproxima-se o Faraó, e os babilônios suspendem o cerco: 34,11-22; 37,1-16.
586	18 de julho: queda de Jerusalém; segunda deportação: 52,4-11; 39,2-7.
586	Outubro: assassinato do prefeito Godolias: 40,7-41,18. Parada em Belém: 42,1-43,7; em Táfnis do Egito: 43,8-13. Jeremias profetiza o ataque de 568 ao Egito. Último oráculo de Jeremias, 44,1-30, no qual anuncia a derrota do faraó Hofra.

JEREMIAS 1

1 ¹Palavras de Jeremias, filho de Helcias, dos sacerdotes residentes em Anatot, território de Benjamim. ²Recebeu palavras do Senhor durante o reinado de Josias, filho de Amon, em Judá, no ano décimo terceiro de seu reinado, ³e de Joaquim, filho de Josias, até o final do ano décimo primeiro do reinado de Sedecias, filho de Josias, em Judá; até a deportação de Jerusalém no quinto mês.

Vocação e primeiros oráculos (Ex 3-4; 1Sm 1-3; Is 6; Ez 2) – ⁴O Senhor me dirigiu a palavra:

– ⁵Antes de te formar no ventre eu te escolhi, antes de saíres do seio materno eu te consagrei e te nomeei profeta dos pagãos.

⁶Eu repliquei:

– Ai, Senhor meu! Olha que não sei falar, pois sou jovem.

⁷O Senhor me respondeu:

– Não digas que és jovem: pois onde eu te enviar, irás; o que eu te mandar, dirás. ⁸Não tenhas medo, pois eu estou contigo para te livrar – oráculo do Senhor.

⁹O Senhor estendeu a mão, tocou-me a boca e me disse:

– ¹⁰Vê, eu ponho minhas palavras em tua boca. Hoje eu te estabeleço sobre povos e reis, para arrancar e arrasar, destruir e demolir, edificar e plantar.

¹¹O Senhor me dirigiu a palavra:

– O que vês, Jeremias?

Respondi:

– Vejo um ramo de amendoeira.

¹²Ele me disse:

– Viste bem! Pois estou alerta para cumprir minha palavra.

¹³De novo me dirigiu a palavra:

– O que vês?

Respondi:

– Vejo uma panela fervendo que se derrama pelo lado do norte.

¹⁴Ele me disse:

– Do norte se derramará a desgraça sobre todos os habitantes do país. ¹⁵Vou recrutar todas as tribos do norte – oráculo do Senhor –:

Virá e porá cada um seu assento
diante das portas de Jerusalém,
ao redor de suas muralhas
e diante dos povoados de Judá.
¹⁶Entabularei pleito com eles
por causa de todas as suas maldades:

1,4-19 O tema da vocação profética, dividido em chamado e envio (4-10 e 17-19), emoldura dois oráculos paralelos e complementares; como se entre duas folhas de uma porta nos deixassem olhar para o futuro. Sendo posterior a redação do texto, supõe-se que o autor tenha projetado sua experiência madura para um começo absoluto. Ao gênero pertencem Ex 3-4; 1Sm 3; Is 6; Ez 2-3.

1,4-10 A vocação inclui escolha, consagração e nomeação. A escolha precede a existência, como se a fundamentasse (cf. Is 49,5; Lc 1,41s; Gl 1,15s). Se a vocação fundamenta a existência, um dia a missão poderá consumir a existência. Consagrar é apropriar-se de algo para uma tarefa sagrada. A vocação profética é mais sagrada que a sacerdotal (cf. Dt 17-18). A nomeação tem dimensão universal: ultrapassa os limites da pátria, embora esteja centrada nela. O que dizer do alcance universal de Jr em nossa história?

1,6-8 A objeção ao chamado é reação frequente: Moisés Ex 4,10; 6,12; Gedeão Jz 6,15. Expressa o temor causado pela amplidão e pela dificuldade do empreendimento. Alega incapacidade de linguagem; Jeremias, porém, foi magnífico poeta e orador. O Senhor responde com imperativo categórico: terá de ir como enviado e falar em nome de Deus. A garantia é prometida de forma concisa: quem leva como nome um simples "Sou", se fará sentir como um "Sou contigo". Veremos de que modo tão paradoxal isso vai realizar-se!

1,9-10 A consagração, quase sacramental, inclui o gesto e o texto. Deus não dá ao profeta as palavras, a mensagem feita, mas lhe moverá e guiará a atividade literária a partir de dentro. Enquanto divina, a palavra será poderosa, e isso ela o diz na imagem de duas atividades fundamentais do homem antigo: vida agrícola e vida urbana (18,9; 31,28; 42,10; 1Cor 3,9).

1,11-16 Os dois oráculos adotam o esquema clássico da visão com explicação (Am 7-8), símbolo e interpretação. Se a explicação limita, o símbolo permanece aberto e disponível.

1,11-12 O original joga com a semelhança sonora em hebraico de "amendoeira" (de flor prematura) e "madrugar", fenômeno linguístico impossível de reproduzir em português. A conjuntura histórica como estação agrícola (cf. Is 18,4s).

1,13-16 Uma cena caseira, o líquido fervente, subindo e saindo de uma panela, transforma-se imaginativamente no derramamento de uma desgraça fervente e avassaladora (cf. Is 8,6-8). Virá pelo norte, mas ainda não se identifica. A precisão do cerco e o caráter de sentença judicial podem pertencer a elaboração posterior.

porque me abandonaram,
queimaram incenso a deuses estrangeiros
e se prostraram diante das obras de suas mãos.
¹⁷E tu cinge-te, de pé, dize-lhes o que eu te ordeno.
Não tenhas medo deles;
caso contrário, eu farei que tenhas medo deles.
¹⁸Eu te converto hoje em praça-forte,
em coluna de ferro, em muralha de bronze,
diante de todo o país:
diante dos reis e príncipes de Judá,
diante dos sacerdotes e dos donos de terras;
¹⁹lutarão contra ti, mas não te vencerão,
porque eu estou contigo para te livrar
– oráculo do Senhor.

Pleito de Deus e conversão
(Is 59; Os 2)

1. Volto a pleitear convosco

2 ¹O Senhor me dirigiu a palavra:
– ²Vai, grita, que Jerusalém o escute:
Assim diz o Senhor:
Recordo teu amor de jovem, teu amor de noiva,
quando me seguias pelo deserto,
por uma terra deserta.
³Israel era sagrada para o Senhor,
primícias de sua colheita:
quem ousava comer dela o pagava,
a desgraça caía sobre ele – oráculo do Senhor.

1,17-19 Quem veste longa túnica flutuante, a cinge para o trabalho (Sl 65; 2Rs 1,8) ou para a luta (Jó 38,3; 40,7). Quando a perseguição cerca por fora, surgem por dentro os medos que paralisam; o profeta deve superá-los confiando em Deus (Sl 27). Se falhar na confiança, ficará invadido de medos que se multiplicam, como que atiçados por Deus. Três comparações expressivas. "praça-forte", "coluna", "muralha": cairá a cidade, abrirão brecha na sua muralha, derrubarão suas colunas. O profeta resistirá: como?

2,1-4,4 Um princípio temático e uma estrutura típica unificam esta série heterogênea de oráculos, outrora autônomos. O autor do livro se interessou aqui mais em surpreender e mostrar conexões do que em captar e fixar cada oráculo em sua origem. O tema é um ato penitencial em forma de pleito contraditório (2,9.29); pode-se comparar com Sl 50-51 ou Is 1,10-20. Um vínculo jurídico, aliança ou matrimônio, liga as duas partes. Deus, como parte ofendida, discute com a parte ofensora; denuncia o não cumprimento desta e afirma o próprio cumprimento, exige o reconhecimento da culpa, promete e ameaça, está disposto a reconciliar e perdoar. A parte ofensora se defende às vezes, negando a própria culpa, justificando-se até render-se, confessar e pedir perdão. Esses componentes aparecem ao longo do texto.

No desenvolvimento de temas tradicionais, Jeremias manifesta sua riqueza imaginativa e força expressiva: o profeta "sabe falar". Predomina no texto a imagem conjugal estabelecida por Oseias (Os 2) e transmitida por Isaías (1,21-26; 5,1-7): o povo era noiva e jovem esposa (2,2.32), mulher infiel (2,25; 3,20), amante fácil (2,20; 3,9.13), mulher repudiada (3,1); num momento, a nobre imagem matrimonial desce ao nível do cio animal instintivo (2,23s). O símbolo matrimonial é mais importante que o da aliança.
Acrescentam-se as imagens de fecundidade vegetal (também presentes em Os 2 e Is 5): colheita (2,3), videira (2,21), água de manancial (2,13), chuvas negadas (3,3), terra deserta (2,31). Há algumas imagens animais: bezerro indomável (2,20) e ovelhas dóceis (3,14s). É uma poesia retórica, com perguntas, exclamações e outros recursos para impressionar e mover os ouvintes.

2,2 Como matrona, a capital personifica o povo inteiro. O primeiro amor, juvenil, é recordado com saudade (Pr 5,18). A etapa do deserto é idealizada na lembrança, como tempo de sonho e entrega.

2,3 As primícias das plantas eram consagradas ao Senhor e eram sagradas (Lv 19,23-25); quem as come sem estar autorizado comete sacrilégio e é castigado. Israel era, pela escolha, primícias entre os povos.

⁴Escutai a palavra do Senhor, casa de Jacó,
  tribos todas de Israel: ⁵Assim diz o Senhor:
Que delito vossos pais encontraram em mim,
  para de mim se afastarem?
Correram atrás de vazios e se esvaziaram,
  ⁶em vez de perguntar: Onde está o Senhor?
Aquele que nos tirou do Egito
  e nos conduziu pelo deserto,
  por estepes e barrancos,
  terra sedenta e sombria,
  terra que ninguém atravessa,
  onde ninguém habita.
⁷Eu vos conduzi a um país de jardins,
  para que comêsseis seus frutos saborosos;
mas entrastes e contaminastes minha terra,
  tornastes abominável minha herança.
⁸Os sacerdotes não perguntavam:
  Onde está o Senhor?
  Os doutores da Lei não me reconheciam,
  os pastores se rebelavam contra mim,
os profetas profetizavam em nome de Baal,
  seguindo deuses que para nada servem.
⁹Por isso, volto a pleitear convosco,
  e pleitearei com vossos netos
  – oráculo do Senhor.
¹⁰Navegai até as costas de Chipre e olhai,
  enviai gente a Cedar
  e observai atentamente:
  Aconteceu algo semelhante?
¹¹Um povo muda de deus?
  E esses não são deuses;
  pois meu povo mudou sua Glória
  por aquilo que de nada serve.
¹²Espantai-vos disso, céus,
  horrorizai-vos e pasmai!
  – oráculo do Senhor –,

2,5 Suposto o contrato ou compromisso, a infidelidade de uma parte autoriza a outra a rescindi-lo, afastar-se e comprometer-se com outro. Deus não faltou aos seus compromissos; foi a esposa que o abandonou sem justificativa. "Vazios", sopro, vaidade, é título depreciativo dos ídolos: o homem se converte em imagem daquilo que adora (Sl 115,8; 135,18).

2,6-7 Minúscula síntese da libertação nos seus três tempos clássicos: saída do Egito, caminho pelo deserto, entrada na terra. Propõe o contraste entre esterilidade e fertilidade. A terra prometida é sagrada, como herança do Senhor; os israelitas a profanaram (Lv 8,24-28; Sl 106,37-39).

2,8 Quarteto de pessoas responsáveis e culpadas, que um dia se voltarão contra o profeta. Os sacerdotes (Jeremias é do círculo) "buscam" seu proveito; os doutores interpretam a lei pervertendo-a (Is 10,1s); os profetas vendem seus serviços a divindades falsas e inoperantes. Os mediadores de Deus cortaram a mediação.

2,9 Compare-se com Os 2,4.

2,10-11 Is 1,3 alegava o exemplo de animais sem razão, e Jeremias alega o exemplo de povos sem revelação, do Ocidente e do Oriente. A glória do Senhor, presente sem imagem e ativa, opõe-se aos deuses pagãos, visíveis e inoperantes (Sl 106,20; Rm 1,23).

2,12 Os céus são testemunhas notariais de Deus no pleito (Sl 50,4; Is 1,2); desta vez, comovidos com a insensatez do povo.

¹³porque meu povo cometeu duas maldades:
abandonaram a mim, fonte de água viva,
e cavaram cisternas, cisternas furadas,
que não retêm água.

2. Tua maldade te corrige

¹⁴Era Israel um escravo
ou nascido em escravidão?
Então, como se tornou presa de leões
¹⁵que rugem contra ele com grande estrondo?
Arrasaram sua terra, incendiaram seus povoados
até deixá-los desabitados.
¹⁶Inclusive gente de Mênfis e Táfnis
raparam-te a cabeça.
¹⁷Não te aconteceu tudo isso
por teres abandonado o Senhor teu Deus?
¹⁸E agora, o que procuravas a caminho do Egito?
Beber água do Nilo?
O que procuravas rumo à Assíria?
Beber água do Eufrates?
¹⁹Tua maldade te corrige, tua apostasia te ensina:
olha e aprende que é mau e amargo
abandonar o Senhor teu Deus, sem sentir medo
– oráculo do Senhor dos exércitos.
²⁰Desde outrora quebraste o jugo
e rompeste as correias,
dizendo: Não quero servir.
Em qualquer colina alta,
sob qualquer árvore frondosa,
tu te deitavas e te prostituías.
²¹Eu te plantei, videira seleta de cepas legítimas,
e tu te tornaste espinho, cepa bastarda.
²²Por mais que te laves com salitre
e lixívia abundante,
fica-me presente a mancha
de tua culpa – oráculo do Senhor.

2,13 Água viva, corrente, não parada, perene, não intermitente (15,18; Jó 6,15; Sl 36,10).

2,14-17 Enuncia a dialética histórica das alianças. Israel nasceu livre, de Sara e não de Agar. Sua escravidão no Egito foi ilegal. Como povo, nasceu para a liberdade. Aceitando a soberania exclusiva do Senhor, tinha garantida a liberdade diante de estrangeiros agressores (= leões). Quando entra em alianças de vassalagem e protetorado, fica à mercê de potências interesseiras e despiedadas: outrora a Assíria, hoje o Egito (Is 30,1-5). "Raparam-te a cabeça" é tradução duvidosa; à luz de 48,45 poderia referir-se à capital.

2,18 Agravante: Judá outra vez busca remédio em quem foi causa da sua desgraça (Is 31,1-3). Sobre pactos: Os 7,11; 12,2. O povo deve viver somente da aliança com Deus.

2,19 Metáfora tomada do gosto, que permite saborear e discernir (Is 7,15s; Sl 34,9). O abandono foi temerário.

2,20 "Jugo": imagem tomada do animal indomável ou do escravo rebelde (Os 10,11; Is 14,25).
O culto idolátrico dos baais, deuses da fertilidade, era sempre infidelidade ao Senhor, e às vezes incluía práticas de prostituição sagrada.

2,21 "Videira": imagem tradicional de Os 9,10; 10,1; Is 5,1-7. Cepa bastarda é a não cultivada ou os talos que brotam abaixo do enxerto.

2,22 Pode aludir a tentativas de purificação legal ou ritual (Is 1,18); mancha é um dos símbolos elementares do pecado (Sl 51, 4.11).

3. Por que pleiteais comigo?

²³Como te atreves a dizer:
 Não me contaminei,
 não segui os ídolos?
 Olha no vale teu caminho
 e reconhece o que fizeste,
 camela leviana de extraviados caminhos,
²⁴asna selvagem criada na estepe,
 quando no cio sorve o vento:
 quem domará tua paixão?
 Os que a procuram não precisam cansar-se,
 no cio a encontram.
²⁵Poupa calçados a teus pés, sede à tua garganta;
 tu responde: De nenhum modo!
 Estou apaixonada por estrangeiros
 e irei com eles.
²⁶Como fica confuso um ladrão surpreendido,
 ficam confusos os israelitas,
 com seus reis, príncipes, sacerdotes e profetas;
²⁷dizem a seu lenho: És meu pai;
 a uma pedra: Tu me pariste;
 voltam para mim as costas e não o rosto,
 mas no aperto dizem: Vem salvar-nos!
²⁸E onde estão os deuses que fazias para ti?
 Que se levantem eles e te livrem do aperto!
 Pois eram tantos, quais povoados,
 os teus deuses, Judá.
²⁹Por que pleiteais comigo,
 se sois todos rebeldes?
 – oráculo do Senhor.
³⁰Em vão feri vossos filhos:
 não se corrigiram;
 a espada devorou vossos profetas
 como leão devorador.
³¹(Vós, prestai atenção à palavra do Senhor.)
 Tornei-me para Israel um deserto
 ou terra tenebrosa?
 Por que meu povo diz:
 Fugimos, já não voltamos a ti?

2,23-24 A parte acusada tenta defender-se negando as acusações. A outra parte apresenta as provas. Baal, deus da fertilidade, tinha muitas manifestações locais; além disso, baal significa também marido. Ela, não satisfeita com um, procura vários. O "vale" anônimo poderia ser o *Hinnon* (*Gehenna*), centro de cultos proibidos: 7,39; 9,2-13; 32,35.

2,25 Ou seja, poupa-te a sede e o gasto do calçado por tanta viagem, provavelmente em busca de alianças políticas. As potências estrangeiras ocupam o lugar do Senhor no amor da adúltera. Ez 16,25-28.

2,26 O delinquente surpreendido em flagrante delito não pode negá-lo, fica convicto, não pode defender-se; assim também as autoridades oficiais de Israel. Ver o v. 34.

2,27 As divindades pagãs se distinguiam sexualmente. Os títulos simbolizam a criação, geração e proteção (Is 1,3; 63,16; 64,7). A invocação parece citação de salmo (3,8).

2,28 Ver o testemunho de Moisés (Dt 32,37) e a polêmica de Jz 10,14.

2,29 A parte acusada contra-ataca acusando. Mas quem violou a aliança não tem direito de começar um pleito (Is 45,9; 50,8).

2,30 O povo acusa a Deus de enviar as calamidades. Não lhes compreendendo o sentido de castigo salutar, mudam-lhes o sentido para simples castigo. O hebraico diz "vossa espada", denunciando a perseguição contra os profetas por parte das autoridades (1Rs 18-19).

2,31 Buscando a fertilidade como dom dos baais, chegam a considerar o Senhor como algo estéril, e o Deus da luz (Sl 36,10) como lugar tenebroso.

³²Acaso uma jovem esquece suas joias,
  uma noiva seu cinturão?
  Pois meu povo me esqueceu
  por dias sem conta.
³³Como te sentes feliz no caminho do teu amor!
  Como aprendeste bem o mau caminho!
³⁴Em tuas mãos há sangue de pobres inocentes:
  não os surpreendeste abrindo um rombo.
³⁵E por cima dizes: Sou inocente,
  sua ira não me alcançará.
  Mas eu te julgarei
  por teres dito que não pecaste.
³⁶Quão pouco te custa mudar de rumo!
  Pois o Egito te deixará envergonhada
  como te deixou a Assíria;
³⁷também dali sairás
  com as mãos na cabeça,
  porque o Senhor rejeitou
  a base de tua confiança,
  e não terás êxito com eles.

3

4. Poderás voltar a mim? (Dt 24,1-4; Os 3) – ¹Se um homem repudia sua mulher, e ela se separa e casa com outro, voltará ele para ela? Não está infamada essa mulher? Pois tu fornicaste com muitos amantes. Poderás voltar a mim? – oráculo do Senhor.

²Ergue os olhos para as dunas e vê:
  onde não fizeste amor?
  Como nômade no deserto
 tu te sentavas nos caminhos, à disposição deles,
  e profanaste a terra
  com tuas infames fornicações.
³Faltavam os aguaceiros, não viam a chuva,
  e tu, prostituta descarada,
  não sentias vergonha.
⁴Agora mesmo me dizes:
  "Tu és meu pai, meu amigo de juventude",
⁵pensando: "Não guardará por mim
  um rancor eterno".
  E tão tranquila continuavas
  produzindo maldades.

2,32 Ver Gn 24,22; Is 49,18; Ez 16,13s; Ct 1,11.
2,33 Versículo duvidoso. Outra sugestão, levando em conta as correspondências manifestas: "Como melhoras o teu caminho buscando o amor, assim pioras o aprendizado da tua conduta".
2,34 Segundo a legislação de Ex 22,1. Da idolatria segue-se uma injustiça que chega até o homicídio. Conforme Dt 15,1-10, o pobre tem direito à esmola.
2,35 Negar a culpa é agravante, como confessá-la dispõe ao perdão. Julgar equivale a sentenciar, condenar.
2,36 Muda de rumo, sem dirigir-se ao centro, que é o Senhor.
2,37 Base única de confiança é o Senhor (2Rs 18,35); buscá-la fora é idolatria.

3,1-5 Pelo tema, este oráculo está inserido com acerto no presente contexto. A esposa, acusada e culpada, tenta outro expediente: o afago, as palavras carinhosas, as lembranças felizes (2,2). A parte ofendida rejeita esse apelo a sentimentos fáceis e inoperantes, e alega um caso jurídico: Dt 24,1-4. A teimosia impede uma reconciliação superficial. O amor tem também exigências. Por baixo da imagem matrimonial, como outras vezes, aparece a imagem da terra, que recebe fecundidade da chuva celeste.
3,2 Ver a tática de Tamar em Gn 38,14.
3,4 "Pai" como título carinhoso, que sugere apoio e proteção.
3,5 Soa a citação ou reminiscência de salmos: 103,9; 77,8; 85,6.

5. As duas irmãs (Ez 23)

⁶Durante o reinado de Josias, o Senhor me disse:

– Viste o que fez Israel, a apóstata? Foi por todos os montes altos e se prostituiu sob toda árvore frondosa. ⁷Eu pensei que, depois de fazer tudo isso, voltaria para mim; mas não voltou. Então sua irmã, Judá, a infiel, ⁸viu que eu havia despedido a apóstata Israel por suas infidelidades, dando-lhe a ata de divórcio; contudo, a infiel Judá não temeu, mas foi e se prostituiu também ela. ⁹E assim, com seu fácil prostituir-se, infamou o país, porque cometeu adultério com a pedra e a madeira. ¹⁰Apesar de tudo, sua irmã, a infiel Judá, não voltou para mim de todo o coração, mas de mentira – oráculo do Senhor.

¹¹O Senhor me disse:

– A apóstata Israel é inocente, comparada à infiel Judá.

6. Voltai, filhos apóstatas (Os 14,2-9)

¹²Vai e proclama esta mensagem ao norte:
Volta, apóstata Israel – oráculo do Senhor –,
   e não vos farei cara feia, porque sou leal
   e não guardo rancor eterno – oráculo do Senhor.
¹³Mas reconhece tua culpa, pois te rebelaste
   contra o Senhor teu Deus:
     prodigalizaste teu amor a estranhos
     sob toda árvore frondosa,
     e me desobedeceste – oráculo do Senhor.
¹⁴Voltai, filhos apóstatas – oráculo do Senhor –,
   pois eu sou vosso dono;
escolherei um de cada cidade,
   dois de cada tribo
   e vos trarei a Sião;
¹⁵eu vos darei pastores que me agradem,
   que vos apascentem com saber e acerto;
¹⁶então, quando crescerdes
   e vos multiplicardes no país
   – oráculo do Senhor –,

3,6-11 Novo caso legal, que supõe o casamento com duas irmãs, no estilo antigo (Gn 29): discutem-se as culpas comparadas. Ez 23 recolhe a imagem e a passa ao NT: Mt 12,41 par. A segunda esposa agrava a sua culpa ao não aprender com o erro da outra. O reino do Norte sucumbiu nas mãos do imperador assírio; Josias levou a cabo uma profunda renovação em Judá; mas a conversão não penetrou a fundo, continuaram idolatrias e alianças.

3,6-7 Como em 2,20. A pregação de Oseias e Amós não produziu a esperada conversão.

3,8 Sobre a lei do divórcio, ver Dt 24,1-4. Outro uso profético em Is 50,1.

3,11 O Senhor pronuncia a sentença do julgamento comparativo. Judá não pode alegar álibis.

3,12-14a A mensagem se dirige explicitamente aos israelitas do norte. O convite à penitência ocupa os vv. 12-13 e 19-20. No meio, o editor inseriu magníficas promessas que ultrapassam o contexto literário e o histórico. A parte ofendida envia uma mensagem de boa vontade: está disposta à reconciliação condicionada: exige o reconhecimento, o arrependimento e a emenda. Não seria amor se não fosse exigente; não seria pleno se recusasse o perdão. Só que a razão não é fraqueza sentimental (3,5 na boca da infiel), e sim lealdade do Senhor aos seus compromissos. A primeira frase de 14 pode ser continuação, como repetição anafórica; o resto de 14 e 15 poderia ser uma promessa para mover à conversão (como em casos semelhantes: Is 1,20; Sl 50,24). Ler em seguida 19-20.

3,14-18 As promessas acumulam os grandes temas de uma futura restauração e supõem a catástrofe consumada: reunião dos dispersos, governo de estilo davídico, nova escolha de Sião e Jerusalém, reunificação dos dois reinos. Três notas temporais de futuro indefinido (16a.17a.18a) podem servir para unificar ou diferenciar. No seu lugar atual, as promessas soam condicionadas à conversão dos apóstatas; por sua relação com outras passagens do livro, soam como promessa taxativa.

3,14 "Dono" ou marido, pois baal significa as duas coisas. Como dono, reunirá o que é seu, como marido acolherá a esposa (Os 2,18). À luz de textos como Am 9,9 ou Is 27,12, "um e dois" podem indicar o cuidado particular, mais que sugerir a ideia de um resto minúsculo.

3,15 A expressão "que me agradem" é davídica (1Sm 13,14) e também a imagem pastoril (Sl 78,71s). O tema é desenvolvido em 23,1-8.

3,16 O povo crescerá, de acordo com as bênçãos patriarcais. A arca continha o protocolo da aliança,

já não se nomeará a arca da aliança do Senhor,
não se recordará nem se mencionará,
não sentireis falta nem se fará outra.
¹⁷Naquele tempo chamarão Jerusalém
"Trono do Senhor";
acorrerão a ela todos os pagãos,
porque Jerusalém levará o nome do Senhor,
e já não seguirão a maldade
de seu coração obstinado.
¹⁸Naqueles dias Judá irá reunir-se com Israel,
e juntas virão do país do norte
para a terra que dei a vossos pais em herança.
¹⁹Eu havia pensado contar-te entre meus filhos,
dar-te uma terra invejável,
a pérola das nações em herança,
esperando que me chamasses
"meu pai" e não te afastasses de mim;
²⁰mas, assim como uma mulher trai seu amante,
assim me traiu Israel – oráculo do Senhor.
²¹Ouvi, escuta-se nas dunas
o pranto suplicante dos israelitas,
que se extraviaram do caminho,
esquecidos do Senhor seu Deus.
²²Voltai, filhos apóstatas,
e vos curarei de vossa apostasia.

7. *Viemos a ti* (Esd 9; Ne 9; Br 1,15-3,8)

Aqui estamos, viemos a ti,
porque tu, Senhor, és nosso Deus.
²³Certo, são mentira as colinas
e o barulho dos montes;
no Senhor nosso Deus
está a salvação de Israel.
²⁴A vergonha devorou
as poupanças de nossos pais
desde sua juventude: vacas e ovelhas, filhos e filhas;

---

estava coberta com o "propiciatório" e era o trono da Glória do Senhor (Sl 80,2). Davi a tinha trasladado para a sua capital e Salomão lhe havia construído um templo. Agora, templo e arca pereceram. Não importa, diz o profeta, porque não faltará a presença do Senhor (cf. Ez 48,35).

3,17 A confluência dos pagãos é como a de Is 2,2-5; Zc 8,23. Na tradição do Dt, o Senhor impõe o seu nome ao templo; segundo Is 62, o marido dá nome à esposa.

3,18 É notável que Judá tome a iniciativa e que as duas se encontrem na diáspora do norte. Tal situação não corresponde à época de Jeremias. Sobre a reunificação, ver Is 11,13 e Ez 37,15-19.

3,19-20 Podem ligar-se com 3,12-13 ou com 3,1-5, pelo tema matrimonial e pelo título de pai. Entre os filhos, Israel ia ser o primogênito (Ex 4,23) e a sua terra a melhor (Ez 20,6.15). Um mesmo verbo pode significar afastar-se, voltar, converter-se, e fornece a raiz de "apóstata".

3,21 Começa o movimento decisivo da conversão. Primeiro, um rumor que se escuta distante. A desgraça, reconhecida como castigo merecido, provoca o pranto do arrependimento e a súplica. Para o termo, ver Sl 28,2.6; 31,23; 116,1; 130,2.

3,22a O convite de Deus chega até os recantos do deserto, orientando com sua voz poderosa, para que possam voltar. O convite joga com as palavras, repetindo três vezes a raiz de "voltar".

3,22b Chegaram e se apresentam, pronunciando uma espécie de juramento de lealdade ao soberano.

3,23 O "barulho" ou as orgias de cultos idolátricos nos lugares altos. São "mentira" porque prometem e não dão.

3,24 A palavra *boshet* significa a vergonha da confissão, a confusão do fracasso; é também título depreciativo de baal. Como quem diz: a Ignomínia é a nossa vergonha.

²⁵sobre nossa vergonha nos deitamos
e nos cobre o rubor,
porque pecamos contra o Senhor nosso Deus,
nossos pais e nós mesmos,
desde a juventude até hoje,
e desobedecemos ao Senhor nosso Deus.

4 ¹Se queres voltar, Israel,
volta para mim – oráculo do Senhor –;
se afastas de mim tuas execrações,
não irás errante;
²se juras pelo Senhor com verdade,
justiça e direito,
as nações desejarão tua felicidade e tua fama.
³Assim diz o Senhor
aos habitantes de Judá e Jerusalém:
Lavrai os campos e não semeeis espinhos,
⁴tirai o prepúcio de vossos corações,
em honra do Senhor,
habitantes de Judá e Jerusalém.
Não aconteça que, por causa de vossas ações más,
se inflame como fogo a minha cólera
e arda inextinguível.

O inimigo do norte
(Is 5,26-30)

1. Olhai-o subir

⁵Anunciai-o em Judá, apregoai-o em Jerusalém,
tocai a trombeta no país,
gritai a plenos pulmões:
Congregai-vos em marcha para a cidade fortificada,
⁶levantai a bandeira em direção a Sião;
depressa, não fiqueis parados;
pois eu trago do norte a desgraça,
uma grande calamidade;

3,25 Vergonha envolvente, como esteira para deitar-se e coberta para cobrir-se. Deitar-se no chão pode ser gesto de dor (2Sm 12,16; 13,31).

4,1-4 Na admoestação final de uma liturgia penitencial, Deus costuma prometer e ameaçar (Sl 50,22s; Is 1,19s). Aqui alude ao primeiro e terceiro mandamentos. Corrige o sentido da circuncisão e traduz em sentido ético o cultivo da terra.

4,2 Ver a promessa ao patriarca Abraão: Gn 12,3; 18,18; 22,18; 26,4; 28,14.

4,3-4 Ver Dt 10,16; 30,6; e para o fogo, Is 9,18; 30,33.

4,5-31 Com oráculos e materiais diversos, o editor do livro compõe um quadro impressionante da invasão ameaçada. É impossível hoje definir com precisão os limites e os momentos de cada proclamação; mas é possível, sim, uma leitura unitária, seguindo os temas recorrentes com variações. São: a) anúncio da invasão, b) dados descritivos, c) causa teológica da desgraça, d) convite ou dissuasão. Ver sua divisão, em esquema:

	5-10	11-18	19-26	27-31
a)	5-6	11-12		27
b)	7.9	13-17a	19-21	23-26a 29.31
c)	implic.	17b-18	22.26b	28
d)	8	14	30	

Destaca-se o vigor lírico e dramático da composição. Cruzam-se vozes, anunciando e interpelando; passa do futuro anunciado à visão presente; as imagens desatam o dinamismo e adensam o clima de tragédia; do visual salta para o auditivo. Interrompendo as cenas, escuta-se a irrupção lírica do profeta (tão característica de Jeremias). A urgência dos imperativos não deve perturbar a lucidez para apreciar a causa do desastre.

4,5-6 Os oito imperativos sem introdução tornam presente o alarme repentino, o grito do profeta sentinela (Ez 33). Diante da invasão avassaladora, as populações campesinas recolhem seus pertences e se refugiam nas praças fortificadas.

⁷o leão sobe do mato, sai de sua guarida,
está em marcha um assassino de povos,
   para arrasar teu país
   e incendiar tuas cidades,
   deixando-as despovoadas.
⁸Por isso, vesti-vos de pano de saco,
   fazei luto e gemei,
   porque não cede o incêndio
   da ira do Senhor.
⁹Naquele dia – oráculo do Senhor –
   se acovardarão o rei e os príncipes,
   se apavorarão os sacerdotes,
   se perturbarão os profetas.
¹⁰Eu disse: Ai, Senhor meu!
   Realmente enganaste este povo
   e Jerusalém, prometendo-lhe paz,
   ao passo que temos a espada no pescoço.
¹¹Naquele tempo dirão
   a este povo e a Jerusalém:
Um vento sopra das dunas do deserto
   para a capital do meu povo:
   não vento de aventar nem de peneirar,
¹²mas vento de furacão às minhas ordens:
   agora cabe a mim pronunciar sua sentença.
¹³Olhai-o avançar como uma nuvem,
   seus carros como um furacão,
   seus cavalos mais rápidos que águias:
   ai de nós, estamos perdidos!
¹⁴Jerusalém, lava teu coração
   de maldades, para te salvares;
   até quando se aninharão em teu peito
   planos criminosos?
¹⁵Escuta o mensageiro de Dã,
   o que anuncia desgraças
   na serra de Efraim:
¹⁶Dizei-o aos pagãos,
   anunciai-o em Jerusalém:

4,7 Dito do leão, o verbo "subir" descreve o acesso desde o vale profundo do Jordão; dito do exército inimigo, significa a invasão ou o assalto. A imagem do leão é tradicional: Is 31,4; Na 2,12s; Mq 5,7.

4,8 Ritos penitenciais de arrependimento, para comover o Senhor; ver Jl 1,13-14; 2,15-17.

4,9 Quatro ou três categorias de chefes (2,8.26). O povo fica sem direção num momento crítico.

4,10 De acordo com o texto hebraico, é Jeremias quem fala. A promessa enganosa de paz vem dos falsos profetas: 6,14; 14,13; 23,17. Atribui o engano a Deus, mas envia um espírito falso (1Rs 22,20-23), ou deixa o profeta no seu engano (Ez 14,9s). Alguns comentaristas põem essas palavras na boca dos falsos profetas.

4,11-12 Com fórmula de ligação e nova introdução, começa uma seção nova. A imagem do leão sucede a imagem cósmica da nuvem e do vento, como se o exército chegasse voando. Não é vento que separa o grão da palha, inocentes de culpados, mas vento que carrega sem distinguir. O vento assolador costuma chegar à Palestina do deserto do nordeste (Jó 1,19).

4,13 Ver as comparações de Dt 28,49; Is 5,28; Ez 38,9; Lm 4,19.

4,14 Uma lavagem interior, autêntica, oposta à tentativa extrínseca de 2,22. Ver Sl 51,4.9; Is 1,16.

4,15 Dã se encontra na fronteira norte; Efraim, no caminho intermédio. Em hebraico, "desgraça" e "crime" são a mesma palavra.

4,16 Texto duvidoso. Conforme o hebraico, o anúncio se dirige também a povos pagãos, expostos a um perigo comum. Alguns corrigem o texto para obter o paralelismo normal: Judá/Jerusalém. "Inimigo": o texto hebraico diz "vigilantes", como paralelismo antecipado dos "guardas".

de terra distante chega o inimigo,
lançando gritos contra os povoados de Judá;
¹⁷como guardas de campo te cercam,
porque te rebelaste contra mim
– oráculo do Senhor –;
¹⁸tua conduta e tuas ações
trouxeram-te essas coisas,
esse é teu castigo,
a dor que te fere o coração.

2. O alarido de guerra

¹⁹Ai, minhas entranhas, minhas entranhas!
Tremem as paredes do meu peito,
tenho o coração perturbado e não posso calar;
porque eu mesmo escuto
o toque de trombeta, o alarido de guerra,
²⁰um golpe chama outro golpe,
o país está desfeito;
de repente ficam destroçadas as tendas,
e num instante as barracas.
²¹Até quando terei de ver a bandeira
e ouvir a trombeta alertando?
²²Meu povo é insensato, não me reconhece,
são filhos néscios que não entendem:
são hábeis para o mal,
ignorantes para o bem.
²³Olho para a terra: caos informe;
para o céu: está sem luz;
²⁴olho para os montes: tremem;
para as colinas: dançam;
²⁵olho: não há homens,
as aves do céu voaram;
²⁶olho: o jardim é um deserto,
os povoados estão arrasados:
pelo Senhor, pelo incêndio de sua ira.

3. O grito de Sião

²⁷Assim diz o Senhor:
O país ficará desolado, mas não o aniquilarei;

4,17-18 O desastre pode ser visto como ação de Deus e também como ação do culpado que atrai para si o castigo, que com suas manobras políticas provoca e acelera a invasão.

4,19-26 Culminância lírica. Entre dois lamentos do profeta, escuta-se a voz de Deus (22) apontando implacável a culpa. No primeiro lamento, o profeta ouve o alarido e vê a rápida destruição; no segundo, contempla a catástrofe consumando-se. Olha ritmicamente em todas as direções para descobrir e descrever o acorde perfeito de uma catástrofe total. Aos sete olhares de Deus, que contempla satisfeito o surgimento da criação (Gn 1), opõem-se esses quatro olhares, que contemplam uma volta ao caos: céu e terra, caos informe (Gn 1,2; Is 34,11), homens, aves, plantas... A ira de Deus desfaz a criação ao destruir Judá e Jerusalém.

4,19 Ver Is 16,11; 21,3; Lm 1,20; 2,11.

4,20 Tendas e barracas são imagem de casas e cidades, sugerindo talvez fraqueza e inconsistência.

4,21-22 Funcionam como súplica e resposta, como indica a pergunta "até quando" (Sl 13). Deus rejeita toda tentativa de intercessão. O pecado é insensatez (Is 1,3; Dt 32,28): não reconhecer o Senhor agindo nos acontecimentos (Is 22), não se arrepender com o castigo (5,20). O saber universal, que abrange bem e mal (Gn 3,5; Is 7,15), se especializa na metade negativa (Mq 3,1).

4,25-26 Ver Sf 1,2-4 e Jl 2,3.

4,27-28 Resposta do Senhor à visão escatológica do profeta. O castigo é inevitável (cf. Is 14,26), mas não será total (5,10.18; 30,11). A escuridão celeste não serão as trevas do caos, mas os funerais celestes pela desgraça (cf. Ez 32,7-8). Alguns supõem que a limitação é acréscimo posterior.

²⁸a terra guardará luto,
   o céu em cima escurecerá;
eu o disse e não me arrependo,
   pensei e não volto atrás.
²⁹Ao ouvir os cavaleiros e arqueiros,
   fogem os habitantes,
põem-se em grutas, escondem-se no mato,
   escalam as rochas,
   e a cidade fica abandonada,
   sem um habitante.
³⁰E tu, o que fazes que te vestes de púrpura,
   te adornas de ouro, alargas os olhos de preto?
Em vão te embelezas, teus amantes te rejeitam,
   só procuram tua vida.
³¹Ouço um grito como de parturiente,
   soluços como no primeiro parto;
o grito angustiado de Sião, estirando os braços:
   Ai de mim, desfaleço,
   pois me tiram a vida!

Eu próprio não hei de vingar-me?
(Jr 9,1-10; Is 9,7-21)

5 ¹Repassai as ruas de Jerusalém,
   olhai, inspecionai,
   buscai em vossas praças para ver se há alguém
   que respeite o direito e pratique a sinceridade,
   e eu a perdoarei.
²Quando dizem: "Pela vida do Senhor!", juram falso;
³e teus olhos, Senhor, buscam a sinceridade.
Tu os feriste e não lhes doeu,
   tu os consumiste e não se corrigiram;
   endureciam o rosto como rocha
   e se negavam a converter-se.

4,29-31 Retorna a situação dos vv. 13 e 17. O final chega rápido, em três momentos certeiros. Primeiro, debandada geral e apressada; segundo, uma última tentativa de sedução, minuciosa (como Jezabel, 2Rs 9,30); pura ilusão, porque os amantes não buscam amor, mas vingança; o terceiro é um grito que soa como o começo de uma vida e expressa a esterilidade definitiva da morte. Em Jerusalém se concentram os símbolos conjugais da atração, do amor e da fecundidade. A colossal visão cósmica serve de moldura para a visão humana concisa, fronteira do nascer e do morrer.

5,1-31 Alguns sinais formais dominam as duas peças deste capítulo: 1-17 e 20-31, separadas por uma inserção, 18-19. São: o estribilho de 9 e 29 (prolongado em 9,8), perguntas retóricas em 7 e 22, os imperativos de 1.10.20, referências aos chefes em 5.13.28.31. O modelo genérico do requisitório assegura a unidade temática.

5,1-17 Assistimos à visão de uma catástrofe portentosa. Agora nos recolhemos num espaço reduzido, que traz a chave do que precede. Um juiz dirige um processo: interpela seus inspetores, o réu, os carrascos; um advogado ou fiscal toma a palavra. Em esquema:
5,1 O juiz dá ordens aos seus inspetores.
5,2-5 Jeremias as cumpre em dois tempos; em vão.
5,6-9 O juiz tira a conclusão, justifica a sua sentença.
5,10-14 O juiz dá ordem aos carrascos, motivando a pena.
5,15-17 O juiz enfrenta o réu, intimando-lhe a sentença.
É curioso o afã do juiz em justificar-se, que é mais do que motivar a sentença. Ele quereria perdoar, porque ama o réu. Para justificar o perdão, encarrega os seus agentes de buscar atenuantes ou desculpas. Fracassando estes, tem de condenar: Que outra coisa pode fazer? Salvar-se-ão alguns? O texto se enquadra melhor no tempo de Joaquim.

5,1 O Senhor toma a iniciativa que Abraão tomava em favor de Sodoma (Gn 18). "Alguém": Sl 14. Virtude salvadora é a justiça na sociedade.

5,2-3 Intervém o profeta como fiscal. O Senhor busca sinceridade, e eles juram falso: Ex 20,7; Lv 19,12. Com a agravante de não se arrependerem: 2,30; 7,28; 17,23; 35,15, e a teimosia.

⁴Eu disse a mim mesmo: estes são pobretões e ignorantes,
  não conhecem o caminho do Senhor,
  o preceito do seu Deus;
⁵dirigi-me aos chefes para lhes falar,
  pois eles sim conhecem o caminho do Senhor,
  o preceito do seu Deus.
Mas todos juntos quebraram o jugo,
  arrebentaram as correias.
⁶Pois bem, um leão da selva os ferirá,
um lobo da estepe os despedaçará,
  uma pantera espreita suas cidades
  e arrebata o que sai,
  porque suas culpas são muitas,
  e graves suas apostasias.
⁷Depois de tudo, poderei perdoar-te?
  Teus filhos me abandonaram,
juraram por deuses falsos;
  eu os saciei, eles foram adúlteros,
  iam em tropa aos bordéis;
⁸são cavalos cevados e sensuais que relincham,
  cada qual pela mulher do próximo.
⁹E não vos pedirei contas de tudo isso?
  – oráculo do Senhor –;
  de um povo assim
  não hei de vingar-me eu próprio?
¹⁰Subi a seus terraços, destruí sem aniquilar;
  arrancai seus sarmentos,
  pois já não são do Senhor;
¹¹porque Israel e Judá me foram infiéis
  – oráculo do Senhor –;
¹²renegaram o Senhor, dizendo: "Não é ele",
  nada nos acontecerá,
  não veremos espada nem fome.
¹³Seus profetas são vento,
  não têm palavras do Senhor,
¹⁴por isso, assim diz o Senhor, Deus dos exércitos:
  Por ter falado assim, assim lhes acontecerá:
  farei que minha palavra seja em tua boca um fogo
  que consumirá esse povo como lenha.

5,4-5 A primeira inspeção conduz ao povo que, por ignorância, poderia ter desculpa ou atenuante. Mas acontece que os chefes, embora bem informados, encabeçam a rebelião (2,8; Sl 2,3).

5,6 Um cerco de três feras que não deixam escapatória. Leão, lobo e pantera fazem parte do simbolismo animal explorado pela apocalíptica (cf. Dn 7).

5,7-8 Ao pecado de idolatria somam-se os delitos sexuais, fornicação e adultério (Dt 5,18); para a imagem, ver Ez 23,20. O esquema de fartura e depravação se lê em Dt 32,15.

5,9 Talvez seja intencional o fato de se evitar o nome clássico do povo, 'am (usado no v. 14).

5,10 Ordem aos carrascos. O juiz limita a pena: arrancar sarmentos sem decepar a videira (cf. Is 6,13; 10,5-7). À luz do v. 14, alguns pensam que a limitação da pena é acréscimo, induzido pela inserção de 18-19.

5,11 Os dois reinos igualmente: 3,5-11.

5,12 Em hebraico "não ele"; frase elíptica que recorda expressões do Segundo Isaías: 41,4; 43,10.13; 46,4 etc. Não reconhecem Yhwh como seu Deus ou como soberano da história (cf. Sl 10,11; 14,1).

5,13a Na boca do povo: negam a autenticidade dos profetas que denunciam; não há o que temer. Na boca de Jeremias: os falsos profetas apoiam a impunidade do povo; eles não têm a palavra de Deus e ficam sem palavra; não têm "espírito" de Deus e ficam reduzidos a "vento".

5,14 Sentença motivada. A palavra que Jeremias pronunciar será eficaz, atrairá o castigo pelo fogo (23,29), definitivo, como aconteceu a Sodoma (cf. Is 1,9). A destruição total contradiz o limite do v. 10; a não ser que tomemos "esse povo" no sentido restritivo, os que agem assim.

¹⁵Israel, eu vou conduzir contra vós
  um povo distante – oráculo do Senhor –:
um povo antigo, um povo antiquíssimo,
  um povo de língua incompreensível;
  não entenderás o que disser:
¹⁶sua boca é uma tumba aberta,
  e são todos guerreiros:
    ¹⁷comerá tuas messes e teu pão,
    comerá teus filhos e filhas,
  comerá tuas vacas e ovelhas,
    comerá tua vinha e tua figueira,
    conquistará pela espada
    as fortalezas em que confias.
    ¹⁸Mas naqueles dias – oráculo do Senhor –
    não vos aniquilarei.

¹⁹Quando te perguntarem: "Por que o Senhor nosso Deus nos fez tudo isso?", responderás: Como me abandonastes para servir a deuses estrangeiros em vosso país, assim servireis a deuses estrangeiros em terra estranha.

²⁰Anunciai isto a Jacó, apregoai em Judá:
²¹Escuta-o, povo néscio e sem juízo,
  que tem olhos e não vê, tem ouvidos e não ouve.
²²Não me respeitais,
  não tremeis em minha presença?
  – oráculo do Senhor.
Eu pus a areia como fronteira do mar,
  limite perpétuo que não ultrapassa;
  ferve impotente, mugem suas ondas,
    mas não o ultrapassam; ao contrário, ²³este povo
é duro e rebelde de coração, e anda longe;
    ²⁴não pensam: Devemos respeitar
    o Senhor nosso Deus,
    que envia as chuvas antecipadas
    e tardias em seu tempo
    e observa as semanas justas para nossa ceifa.
²⁵Vossas culpas transtornaram a ordem,
  vossos pecados vos deixam sem chuva,

5,15 Virá como executor um povo tirado do espaço, tempo e linguagem distantes, porém, controlado pelo Senhor. Apesar da distância, acertará o alvo.
5,16 Corrigido, o hebraico diz "aljava"; cf. Sl 5,10.
5,17 Voracidade fantástica, cujo prato principal são rapazes e moças. Ver as maldições de Dt 28,30-33.51-52.
5,18-19 O primeiro requisitório terminou com a destruição e a comilança. Mão posterior aproveitou a pausa para introduzir palavras do profeta ou imitações delas. A pergunta de 19 supõe que o castigo, a deportação, já aconteceu (cf. Dt 29,21-27). O autor esclarece: o castigo foi justo, segundo a lei do talião, mas não foi total nem definitivo.
5,20-31 O segundo requisitório dedica mais espaço à descrição da desordem do pecado e suas consequências. A insensatez do povo consiste em não compreender o sentido e as causas do que está vivendo. Busca nos baais a causa e a solução dos seus males. O povo agrícola conta com a regularidade das chuvas; ao chegar a seca, invoca os ídolos. Isso é insensatez, porque a ordem das chuvas é governada por quem controla as águas oceânicas. O povo deveria aprender do oceano a não transgredir o mandato de Deus; então as chuvas guardariam seu ritmo. Mas o povo viola a ordem da lei divina, provocando assim a desordem da seca punitiva (14,1-10). Não entender isso é grande insensatez e, como consequência, grande temeridade. Os pecados enumerados estão sob o denominador comum da injustiça.
5,21 Ver Is 6,9s; 42,18-20; 43,8; sua aplicação aos ídolos em Sl 135,16s.
5,22 Ver Jó 38,10s; Sl 104,9.
5,24 Ver Lv 26,3 e Dt 11,11s; 28,12.

²⁶porque há em meu povo criminosos
que põem armadilhas como caçadores
e cavam covas para caçar homens:
²⁷suas casas estão cheias de fraudes
como uma gaiola está cheia de pássaros;
²⁸é assim que lucram e enriquecem,
engordam e prosperam;
transbordam de más palavras,
não julgam segundo o direito,
não defendem a causa do órfão
nem sentenciam a favor dos pobres.
²⁹E não pedirei contas de tudo isso?,
– oráculo do Senhor –;
de um povo assim não hei de vingar-me eu próprio?
³⁰Espantos e abominações acontecem no país:
³¹os profetas profetizam mentiras,
os sacerdotes dominam pela força,
e meu povo gosta disso!
Que fareis no desfecho?

Proclamai a guerra santa
(Mq 1,10-16)

6 ¹Fugi de Jerusalém, benjaminitas,
tocai a trombeta em Técua,
fazei sinais em Bet-Acarem*:
desponta no norte a desgraça, uma ruína gigante.
²Sião me parece uma chácara de recreio
³onde entram pastores e rebanhos,
plantam em círculo as tendas,
e apascentam cada um por seu lado.
⁴Declarai-lhe a guerra santa;
vamos, ao ataque ao meio-dia!
Ai, o dia se acaba,
e se alongam as sombras da tarde!
⁵Vamos, ao ataque de noite,
para destruir seus palácios!

5,26 Texto um tanto duvidoso. A expressão dá a entender que nem todos se perverteram.

5,28 Refere-se aos magistrados, como Is 1,23.

5,30-31 A culpa principal é dos chefes; mas o povo aceita ser enganado e submetido, e assim se converte em cúmplice complacente de sua própria sujeição.

6,1-30 O capítulo inteiro prolonga temas e motivos do anterior: o assalto à capital, como castigo por suas culpas, e o convite a converter-se. Algumas introduções nos ajudam a articular o curso fluente da proclamação: 9.16.22. Com grande mobilidade mudam a pessoa que fala e o destinatário imediato: a lírica se contagia de drama em ação. Predominam os imperativos incitando ou convidando a agir. Às vezes a voz do profeta se confunde com a divina, outras vezes se distingue no diálogo.

6,1-8 Na primeira seção Deus se dirige aos benjaminitas (conterrâneos de Jeremias) para que fujam da cidade ameaçada. Depois, supondo que se puseram a salvo, convida o exército inimigo ao assalto; na primeira pessoa do plural se escutam vozes dos assaltantes. Numa última tentativa, se dirige a Jerusalém, pois, corrigindo-se, ainda pode evitar a catástrofe. Isso supõe que os babilônios estejam ameaçando a capital, antes da primeira invasão (ou talvez da segunda), pois alude ao cerco.

6,1 Os que antes se refugiavam na capital (4,5), como em lugar mais seguro, agora devem abandoná-la, como lugar mais ameaçado. Técua e tocar em hebraico têm o mesmo som e produzem uma paronomásia que se prolonga em 3b e 8a. O inimigo penetra pelo norte: 1,14; 5,6. * = Casa-da-vinha.

6,2-3 A capital, formosa fazenda, fica calcada e destroçada; outros se aproveitam do seu luxo refinado. Ver Dt 28,54-56; Is 13,22; Am 6,4-6.

6,4-5 Como soberano, Deus declara a guerra, e como general dirige as operações. A guerra será santa, em nome do Senhor e executando a justiça vindicativa.

⁶Pois assim diz o Senhor dos exércitos:
Cortai árvores,
   construí um aterro contra Jerusalém;
   é uma cidade condenada,
   em que domina a opressão;
⁷como a água brota do poço,
   dela brota a maldade,
   violências e atropelos nela se escutam,
   sempre tenho diante de mim golpes e feridas.
⁸Corrige-te, Jerusalém,
   se não queres que me farte de ti
   e te transforme em desolação,
   em terra desabitada.
⁹Assim diz o Senhor dos exércitos:
Rebusca o resto de Israel,
   como cachos numa vinha,
   passa a mão pelos ramos,
   como um vindimador.
¹⁰A quem conjurar
   para que me escute?
   Têm ouvidos incircuncisos,
      incapazes de atender,
   caçoam da palavra de Deus
      porque não lhes agrada;
¹¹mas eu transbordo da ira do Senhor
   e não posso contê-la.
Derrama-a na rua sobre os meninos
   e sobre os grupos de jovens;
de repente, cairão presos
   marido e mulher, velhos e anciãos,
¹²passarão para estranhos suas casas,
   seus campos e suas mulheres,
quando eu estender a mão
   contra os habitantes do país
   – oráculo do Senhor –,
¹³porque, do primeiro ao último
   só procuram lucrar,
   profetas e sacerdotes se dedicam à fraude.

A sentença é motivada pelo delito de opressão, os assaltantes são insaciáveis e incansáveis: escurece, mas continuam lutando.

6,6-7 Técnica de um cerco: Dt 20,19. A cidade é um manancial, não de "água mansa" e limpa (Is 8,6), mas de crimes. Ver Ez 22; Sl 55.

6,8 É como um ultimato.

6,9-15 Leio a segunda seção como um diálogo de Deus com o profeta. Deus lhe ordena que faça uma rebusca; o profeta obedece e declara que está repleto de ira; Deus lhe ordena que derrame essa ira punitiva, e dá os motivos citando os delitos do réu. Enquadra melhor após a primeira deportação.

6,9 A "rebusca" pode ser para salvar os frutos não estragados, depois de arrancar sarmentos (5,10);

enquadraria depois da primeira deportação. Outros explicam que é o inimigo que a realiza, para rematar o castigo; segundo Ab 5 e Jr 49,9. Cabe supor uma ambiguidade intencional: dirigida ao profeta, pretende salvar; dirigida ao inimigo, pretende destruir. A conduta do povo resolverá a ambiguidade.

6,10-11 Tentou a rebusca, a conversão, com sua palavra profética, mas não a aceitaram. O balanço da sua tentativa é ira e indignação ao extremo (15,17). Agora deve pronunciar uma sentença e provocar a execução. A sentença não distinguirá idade nem sexo: Is 13,16-18; Dt 32,25 e Lm.

6,12-13 Dt 28,30. Delito de cobiça e afã de lucro são tema frequente: 1Sm 8,3; Is 56,11; Hab 2,9; Pr 15,27 etc.

¹⁴Pretendem curar superficialmente
a fratura do meu povo,
dizendo: Vai bem, muito bem.
E não vai bem.
¹⁵Envergonham-se
quando cometem abominações?
Não se envergonham nem conhecem o rubor;
pois cairão com os outros caídos,
tropeçarão no dia de contas
– disse o Senhor.
¹⁶Assim dizia o Senhor:
Parai nos caminhos para olhar,
perguntai pela velha senda:
"Qual é o bom caminho?"
Segui-o e encontrareis repouso;
eles responderam: Não queremos caminhar.
¹⁷Eu vos dei sentinelas:
"Atenção ao toque de trombeta";
eles responderam: Não nos importa.
¹⁸Pois bem, ouvi, nações;
aprende, assembleia, o que vai acontecer;
¹⁹escuta, terra: Eu trago
contra este povo uma desgraça,
resultado de seus planos,
porque desprezaram minhas palavras,
rejeitaram minha Lei.
²⁰O que me importam o incenso de Sabá
e a exótica cana aromática?
Vossos holocaustos não me agradam,
vossos sacrifícios não me são gratos.
²¹Assim diz o Senhor:
Eu porei obstáculos diante deste povo,
para que tropecem neles:
pais e filhos, vizinhos e amigos
acabarão juntos.
²²Assim diz o Senhor:
Vede, um exército vem do norte,
uma multidão se mobiliza
no extremo do mundo,

6,14 A mesma palavra significa, em contexto político, paz e prosperidade; em contexto médico, saúde e integridade. O profeta joga com o duplo sentido: como um médico que, examinando uma fratura, diagnostica "saúde": engana o doente e cobra honorários. A frase retorna em 14,13 e 23,17.

6,15 A vergonha de reconhecer e confessar a culpa é que pode atrair o perdão. Fracassando essa tentativa, não resta outra coisa senão executar a sentença.

6,16-21 A terceira seção se articula em dois segmentos paralelos, conforme o seguinte esquema: a) imperativo, delito; b) imperativo, castigo, 16-19; a') pergunta, não se aceita acordo; b') castigo, 20-21. O primeiro segmento é refinado: seis imperativos convidam à conversão, mas o povo recusa; então três imperativos convidam o público a presenciar o castigo.

6,16-17 O Senhor deu ao povo leis exatas que mostravam o bom caminho; acrescentou a palavra profética, sentinelas (Ez 3,17; 33,2-7) para situações particulares. O povo não o aproveitou, mas refugiou-se num culto deformado (20).

6,19 A desgraça é ao mesmo tempo fruto de planos políticos desatinados e castigo de Deus. Em outros termos: Deus castiga deixando que aconteçam as consequências de uma conduta: Is 3,10; Os 10,13; Pr 1,31.

6,21 Para afastar o perigo, o povo recorre ao culto, sem converter-se, contando com uma expiação mecânica. Semelhante culto não é aceito: Sl 5; Is 1,10-20; Eclo 34,18-35,14.

6,22-26 A quarta seção repete aproximadamente o movimento de 4-8: assistimos ao resultado, poeti-

²³armados de arcos e dardos,
    implacáveis e inexoráveis,
    seus gritos ressoam como o mar,
    avançam a cavalo,
    formados como soldados contra ti, Sião.
²⁴Ao ouvir sua fama nos acovardamos,
    ânsias nos atenazam
    e espasmos de parturiente.
²⁵Não saias em campo aberto,
    não vás pelo caminho,
    pois a espada inimiga
    semeia o terror ao redor.
²⁶Capital do meu povo, veste-te de pano de saco
    e revolve-te no pó,
    faze funeral como por um filho único,
    um luto amargo,
    porque chega de repente nosso devastador.
²⁷Eu te nomeio examinador do meu povo,
    para que examines e proves sua conduta.
²⁸Todos são revoltosos e propalam calúnias,
    todos são bronze e ferro de má qualidade;
²⁹o fole sopra, o fogo desprende o chumbo,
    em vão funde o fundidor,
    a escória não se desprende.
³⁰Prata de refugo devem ser chamados,
    porque o Senhor os refuga.

7 Sermão sobre o templo (Jr 25,1-14; 26,1-19) – ¹Palavras que o Senhor dirigiu a Jeremias: ²Coloca-te à porta do templo e aí proclama: Escutai, judaítas, a palavra do Senhor, vós que entrais por estas portas para adorar o Senhor; ³assim diz o Senhor dos exércitos, Deus de Israel:

    Emendai vossa conduta e vossas ações,
        e habitarei convosco neste lugar;

---

camente evocado. Só que no final, em vez de convidar à conversão, convida ao luto. Tudo foi inútil. Compare-se o avanço do inimigo com Is 5,26-30.

6,24-25 Sem introdução, escutam-se vozes anônimas dentro da cena. Ver 4,31; 13,21; 22,21; 22,23; 30,6. A frase "terror ao redor" repete-se em 20,3.10; 46,5; 49,29.

6,26 Ver Am 8,10 e Zc 12,10.

6,27-30 Deus se dirige ao profeta dando-lhe nova função: será um fundidor que executa suas tarefas minuciosamente. Concluído o processo, deve constatar que o trabalho foi inútil, porque não há metal aproveitável no mineral. O fundidor confirma que a sentença do Senhor é justa.

7,1-15 O sermão sobre o templo é um dos momentos decisivos na atividade profética de Jeremias. O capítulo 26 data-o pouco depois da morte de Josias (609) e nos dá o quadro narrativo. Pelo tema se inscreve na ampla tradição que analisa a relação entre culto e justiça (Sl 50; Is 1,10-20; Eclo 34,18-35,14).

Resumimos a atitude condenada: o culto é uma instituição que periodicamente permite expiar os pecados mediante ritos; portanto, permite que se continue a cometê-los. Assim se fecha um círculo vicioso de injustiça. Não é que o povo o formule tão claramente. Pois bem, Jeremias arremessa, contra o culto e contra o templo assim vividos, a palavra de Deus como uma pedra que, de fora, rompe o círculo vicioso e maldito. Essa palavra detona ilusões e também barreiras materiais.

Ao que parece, existia um rito de entrada no templo, no qual se formulavam as condições para que a pessoa pudesse falar com Deus na sua tenda (Sl 15; 24; Is 33,14-16). Jeremias para na porta e formula as condições para que o Senhor continue habitando no templo no meio do povo. Se o Senhor for embora, ninguém protegerá a cidade nem o templo. Assim aconteceu ao santuário de Silo. Concluindo, é preciso emendar-se (18,11; 26,13) e não iludir-se (compare-se com o discurso dos assírios em 2Rs 18,20-35).

O texto está composto numa prosa muito rítmica ou em verso livre, sem imagens, com vigorosa argumentação retórica.

7,1-2 A palavra será protagonista; o templo, caixa de ressonância.

⁴não vos iludais
   com razões falsas, repetindo:
   "o templo do Senhor, o templo do Senhor,
   o templo do Senhor".
⁵Se emendais vossa conduta
   e vossas ações,
   se julgais retamente os pleitos,
⁶se não explorais o migrante,
   o órfão e a viúva,
   se não derramais sangue inocente neste lugar,
se não seguis deuses estrangeiros,
   para vosso mal,
      ⁷então habitarei convosco neste lugar,
na terra que dei a vossos pais,
   desde outrora e para sempre.
⁸Vós vos iludis
   com razões falsas, que não servem:
      ⁹e assim roubais, matais,
      cometeis adultério,
   jurais falso, queimais incenso a Baal,
      seguis deuses estrangeiros e desconhecidos,
¹⁰e depois entrais para vos apresentar diante de mim
      neste templo que leva o meu nome,
   e dizeis: "Estamos salvos",
      para continuar cometendo tais abominações?
¹¹Credes que seja uma cova de bandidos
      este templo que leva o meu nome?
   Atenção, pois eu o vi – oráculo do Senhor.
¹²Vamos, ide a meu templo de Silo,
   ao qual dei meu nome outrora,
   e vede o que fiz com ele,
   por causa da maldade de Israel, meu povo.
¹³Pois agora, por ter cometido tais ações
   – oráculo do Senhor –,
   porque vos falei sem cessar e não me escutastes,
   porque vos chamei e não me respondestes,
      ¹⁴por isso tratarei o templo que leva o meu nome,
         e vos mantém confiantes,
      e o lugar que dei a vossos pais e a vós,
         da mesma forma que tratei Silo;

7,4 Mq 3,11. A frase soa como estribilho para ser cantado pela multidão. Soa a profissão devota, e expressa uma confiança mágica. Três vezes "templo" diante de três vezes "palavra".

7,6 Categorias sociológicas de proletários. "Derramar sangue inocente": em sentido estrito, homicídios no templo ou por sentenças injustas do tribunal do templo; em sentido amplo, outras injustiças que diminuem a vida do inocente: Dt 19,10; Is 59,7; Pr 6,17. A idolatria redunda em dano para os idólatras, mais que em dano para Deus.

7,7 O templo é centro da terra prometida e partilha sua sorte. Da parte de Deus, promessa e entrega eram perpétuas.

7,9 Vários delitos contra o decálogo. Ver Os 4,2.

7,10 "Salvos" denota algum perigo. Ironicamente, para continuar cometendo crimes.

7,11 "Cova" onde se podem refugiar e planejar impunemente. Citado em Mt 21,13.

7,12 Ver Js 18,1; Jz 18,31; 1Sm 1; Sl 78,60. Depois da vitória filisteia, o templo de Silo não voltou a ser utilizado.

7,13 Ver 35,17; Is 65,12.

¹⁵eu vos expulsarei de minha presença,
como expulsei vossos irmãos,
a estirpe de Efraim.

Não valem intercessões

¹⁶E tu, não intercedas por este povo,
não supliques aos gritos por eles,
não rezes a mim, pois não te escutarei.
¹⁷Não vês o que fazem nos povoados de Judá
e nas ruas de Jerusalém?
¹⁸Os filhos recolhem lenha,
os pais acendem o fogo,
as mulheres preparam a massa para fazer tortas
em honra da rainha do céu, e para irritar-me
fazem libações a deuses estrangeiros.
¹⁹É a mim que irritam – oráculo do Senhor –
ou é a si mesmos, para sua confusão?
²⁰Por isso, assim diz o Senhor:
Vede, minha ira e minha cólera
se derramam sobre este lugar,
sobre homens e rebanhos,
sobre a árvore silvestre,
sobre o fruto do solo, e ardem sem apagar-se.

Não vale o culto
(Jr 11,15; Am 5,18-26)

²¹Assim diz o Senhor dos exércitos,
Deus de Israel:
Acrescentai vossos holocaustos
a vossos sacrifícios
e comei a carne;
²²pois quando tirei do Egito vossos pais,
não lhes ordenei nem falei
de holocaustos e sacrifícios;
²³esta foi a ordem que lhes dei:
"Obedecei-me, e eu serei vosso Deus
e vós sereis meu povo;
caminhai pelo caminho
que vos indico, e tudo irá bem".

7,15 Ver Sl 51,13. O efeito imediato do discurso é descrito no capítulo 26.

7,16-20 Nos grandes momentos de crise fica uma possibilidade, à margem e acima do culto: a intercessão de um mediador. É uma das funções do profeta, já exercida por Moisés (Ex 32; Nm 14). Sutilmente o Senhor convidava Moisés a interceder; Jeremias é proibido sem discussão (11,14; 14,11). É um anti-Moisés.

7,18 Se a aclamação do templo constituía um movimento coletivo, o culto à deusa Ishtar, rainha do céu, parece festa familiar, comprometendo a família toda. Um pai com o fogo e um filho com a lenha trazem sem querer à memória o relato de Abraão e Isaac (Gn 22,6).

7,19 A "confusão" é de novo a vergonha do fracasso e título depreciativo do baal.

7,20 Ver Os 4,3; Mq 7,13; Sf 1,2-4.

7,21 Começa com um sarcasmo. Como se dissesse "bom apetite", ao comerem a carne dos sacrifícios de comunhão.

7,21-28 Continua a polêmica contra o culto mal entendido, interrompida pelo tema da intercessão. Está composta em prosa deuteronomística. A aliança proposta no Sinai impunha, como condição fundamental, a aceitação livre e a obediência ou cumprimento. Selava a relação mútua entre o Senhor e o povo. O povo o aceitou globalmente. Pois bem, nas cláusulas do decálogo não figura mandamento algum sobre sacrifícios e outras práticas de culto. O culto é o "tributo" que o vassalo oferece ao soberano. Ora, o Senhor não pede semelhante tributo como condição da aliança; exige e contenta-se com a obediência (1Sm 15,22).

²⁴Mas não escutaram nem deram ouvidos,
   seguiam seus planos,
a maldade de seu coração obstinado,
   dando-me as costas e não o rosto.
²⁵Desde que vossos pais saíram
   do Egito até hoje,
eu lhes enviei meus servos, os profetas,
   um dia e outro dia;
²⁶e eles não me escutaram nem deram ouvidos,
   mas se tornaram teimosos
   e foram piores que seus pais.
²⁷Tu podes repetir-lhes este sermão,
   pois não te escutarão;
   podes gritar-lhes, pois não te responderão.
²⁸Tu lhes dirás: Esta é a gente
   que não obedeceu ao Senhor seu Deus,
   e não quis se corrigir;
a sinceridade se perdeu, extirpada de sua boca.

Luto pelo vale de Ben-Enom
(Jr 19,3-9)

²⁹Corta os cabelos e lança-os fora,
   entoa nas dunas uma elegia:
   O Senhor rejeitou e expulsou
   a geração digna de sua cólera;
³⁰porque os judaítas fizeram o que eu reprovo
   – oráculo do Senhor –,
puseram suas abominações
   no templo que leva meu nome,
   contaminando-o.
³¹Levantaram ermidas ao Forno*,
   no vale de Ben-Enom,
   para queimar filhos e filhas,
coisa que eu não mandei nem me passou pela cabeça;

7,24 Dão-lhe as costas porque não se atrevem a encarar a Deus.
7,25 Os profetas atualizam a aliança para cada geração: Moisés é o primeiro (Dt 18); não faltam na época dos Juízes (Jz 6,8); continua a corrente com Samuel. Ver 25,4.15; 29,19; 44,4. As rebeliões começaram junto ao mar Vermelho (Sl 106,7).
7,26 "Teimosos": endurecendo a cerviz como novilho que rejeita a canga: Ex 32,9; 33,3; 34,9; Dt 9,6.13.
7,28 A "sinceridade" nas palavras dirigidas a Deus.
7,29-8,3 Este é um dos oráculos mais sombrios do profeta, junto com seu par de 19,3-9. Objeto do ataque são os sacrifícios de crianças queimadas em honra da divindade. Alguns pensam que se executasse um puro rito: uma rápida "passada" pelas chamas da fogueira. A gravidade da denúncia profética faz pensar em sacrifícios reais; em todo caso, Jeremias enfrenta o significado profundo e atroz do rito.
O Senhor não é um deus de mortos, que se compraz em vítimas humanas. Detesta os cananeus que os oferecem: Lv 18,21; 20,2; Dt 12,31; 18,10; mudou o sacrifício de um filho em sacrifício de animal (Gn 22); quanto aos primogênitos, quer que lhe sejam consagrados e permite que sejam resgatados: Ex 13,2.11-16; Nm 3,40-51. Contudo, os israelitas praticaram tal sacrifício ocasionalmente. As histórias o contam: Jz 11,29-39; 1Rs 16,34; 2Rs 16,3; 21,6; os profetas o denunciam: Mq 6,7; Ez 16,20s; 20,26; a oração penitencial o recorda: Sl 106,37-39.
O lugar preferido para o rito parecia estar situado no vale de *Hinnon*. Era um forno ou crematório que, por tais ritos, emprestará seu nome estilizado como designação infernal: *Gehenna*.
O castigo acontece na linha da vida e da morte: uma matança de vivos, uma profanação de cadáveres; até o começo alegre da vida, a voz dos noivos, será desterrado; e quem sobreviver preferirá morrer. Tais são as consequências trágicas de uma conduta que não respeitou a vida, que disfarçou com o nobre título de sacrifício o que era assassinato. O Senhor é um Deus de vivos.
7,29 Gesto de luto: Mq 1,16. Os verbos dão a entender que o castigo já se cumpriu. Seria a primeira deportação, e não é o fim. "Geração" em sentido cronológico ou por seu caráter ético.
7,31 * Ou: *Tofet*.

³²por isso, vede que chegam dias
– oráculo do Senhor –
em que já não se chamará o Forno
nem vale de Ben-Enom,
mas vale das Almas,
pois enterrarão no Forno
por falta de lugar; ³³e os cadáveres deste povo
serão pasto das aves do céu
e das feras da terra,
sem que ninguém as espante.
³⁴Farei cessar nos povoados de Judá
e nas ruas de Jerusalém
a voz alegre e a voz gozosa,
a voz do noivo e a voz da noiva,
porque o país será uma ruína.

8 ¹Então – oráculo do Senhor –
tirarão de suas tumbas
os ossos dos reis de Judá,
os ossos de seus príncipes,
os ossos dos sacerdotes,
os ossos dos profetas,
os ossos dos habitantes de Jerusalém:
²e os estenderão ao sol, à lua,
aos astros do céu,
a quem amaram, a quem serviram,
a quem seguiram, a quem consultaram,
a quem adoraram;
não serão recolhidos nem sepultados,
jazerão como esterco no campo.
³A morte será preferível à vida
para todo o resto,
para os sobreviventes dessa raça perversa,
em todos os lugares por onde os dispersei
– oráculo do Senhor dos exércitos.

Não querem converter-se
(Jr 17,1)

⁴Dize-lhes: Assim diz o Senhor:
Não se levanta aquele que caiu?
Não volta aquele que se foi? ⁵Então,
por que este povo de Jerusalém
apostatou irrevogavelmente?
Ele se firma na rebelião
e se nega a converter-se.

7,32 O substantivo hebraico significa Matança; tomando o abstrato pelo concreto, equivale a Mortos, Almas.
7,33 Maldição de Dt 28,26; também em Jr 16,4; 19,7; 34,20.
8,1-2 Expressão enfática: cinco categorias de chefes e povo, cinco atos de culto, que expressam uma entrega total (cf. Dt 10,12).
8,3 Ver as maldições de Dt 28,65-67.

8,4-7 A raiz de "voltar" se repete seis vezes com mudança de significado: afastar-se e voltar-se, apostatar e converter-se. É verbo favorito de Jeremias. No final, o jogo se torna sarcástico: sim, voltam... a seus extravios. Para a comparação do cavalo belicoso, ver Jó 39,21-25. As aves migratórias que retornam dão uma lição ao povo (cf. Is 1,3). O nome hebraico da cegonha soa como "a fiel".
8,5 Jr 5,3.6.

⁶Escutei atentamente: Não dizem a verdade,
ninguém se arrepende de sua maldade,
dizendo: O que fiz?
Todos voltam a seus extravios
como cavalo que se lança à batalha.
⁷Mesmo a cegonha no céu conhece seu tempo,
a rola, a andorinha, a grou
voltam pontualmente na sua hora;
mas meu povo não compreende
a ordem do Senhor.
⁸Por que dizeis: Somos sábios,
temos a Lei do Senhor?
Ela foi falsificada
pela pena falsa dos escribas.
⁹Pois ficarão confusos os sábios,
e se espantarão e cairão prisioneiros:
rejeitaram a palavra do Senhor,
de que lhes servirá sua sabedoria?
¹⁰Por isso, entregarei vossas mulheres a estranhos
e vossos campos aos conquistadores;
porque do primeiro ao último
só buscam o lucro,
profetas e sacerdotes se dedicam à fraude.
¹¹Pretendem curar superficialmente
a fratura do meu povo,
dizendo: Vai bem, muito bem;
e não vai bem.
¹²Envergonham-se
quando cometem abominações?
Não se envergonham nem conhecem o rubor;
pois cairão com os outros caídos,
tropeçarão no dia de contas
— oráculo do Senhor.
— ¹³Se tento colhê-los — oráculo do Senhor —
não há cachos na videira nem figos na figueira,
a folha está seca; eu os entregarei à escravidão.
— ¹⁴O que fazemos aqui sentados? Reunamo-nos,
entremos nas praças-fortes para morrer aí;
porque o Senhor nosso Deus nos deixa morrer,
nos dá a beber água envenenada,
porque pecamos contra o Senhor.

8,6 Jó 39,21.
8,8-9 O capítulo 7 apresentava a tensão entre templo e palavra profética. Aqui a palavra se opõe à lei e à sabedoria. O povo se julga sábio por possuir a lei: um texto tardio (Dt 4,6) fará a sabedoria de Israel consistir na sua lei revelada. Essa lei é entregue a um corpo de "letrados" para a sua interpretação e aplicação. Mas, se eles empregam sua perícia para falsificar a lei, de que servem lei e perícia? Não serão garantia de salvação.
8,10-12 Repetem, com boa lógica, a ameaça de 6,12-15.
8,13-17 Fala Deus: tudo é inútil, não se convertem. O povo comenta: tudo é inútil, o Senhor nos condena, vamos refugiar-nos nas praças-fortes. Deus responde: enviarei serpentes para lá.

8,13 O Senhor, que plantou seu povo como videira ou figueira, espera fruto dele (Is 5,1-7). Já que não o produz, decide vendê-lo como escravo para compensar a dívida para com os esforços de Deus. Até o capítulo 10 se sucedem as denúncias, repetindo temas e com mudanças frequentes da pessoa que fala. Os interlocutores são três: Deus, o profeta, o povo; nem sempre dialogam. É muito difícil delimitar seções nesse fluir retórico. Tentarei ir explicando unidades menores.
8,14 O povo recolhe o convite de 4,5 e decide cumpri-lo com gesto desesperado: não escravidão, mas morte. "Água envenenada": de uma execução capital (9,14; 23,15; Lm 3,15.19). Em violento contraste com a água da vida que é o Senhor (2,13).

¹⁵Esperamos melhoria
e não há bem-estar, na hora de curar-se
sobrevém o delírio.
¹⁶De Dã se escuta
o bufar dos cavalos;
quando relincham os corcéis,
estremece a terra;
chegam e devoram o país com seus habitantes,
a cidade com sua população.
– ¹⁷Eu envio contra vós serpentes venenosas,
contra as quais não adiantam encantamentos,
elas vos picarão mortalmente – oráculo do Senhor.

Pranto do profeta
(Jr 16,5-7)

– ¹⁸O pesar me oprime, meu coração desfalece,
¹⁹ao ouvir de longe
o grito de socorro da capital:
Não está o Senhor em Sião,
não está aí seu Rei?
– Não me irritaram com seus ídolos,
ficções importadas?
– ²⁰Passou a colheita, acabou o verão,
e não recebemos socorro.
– ²¹Pela aflição da capital ando aflito,
atenazado de espanto:
– ²²Não resta bálsamo em Galaad,
não restam médicos?
Por que não se fecha a ferida
da capital do meu povo?
²³Quem dera água à minha cabeça
e a meus olhos uma fonte de lágrimas,
para chorar dia e noite
os mortos da capital!

Depravação de Jerusalém
(Jr 5; 21,13s; Ez 22; Sl 55)

9

– ¹Quem me dera uma pousada no deserto
para deixar meu povo e me afastar deles;

8,15-16 Estes versículos, em forma impessoal, podem ser atribuídos também ao profeta. O primeiro é repetido em 14,19, onde encaixa melhor; mas não destoa aqui. "Bem-estar": ou saúde, como em 6,14 e 4,10. De Dã: como em 4,6.

8,17 É a praga de Nm 21,4-9. Ver também Is 14,29 e Am 9,3.

8,18-23 Jeremias exprime sua aflição e cita a pergunta da capital pela presença do Senhor; este responde com outra pergunta que é denúncia; o povo lamenta sua desgraça e o profeta se entrega ao pranto. O v. 18 apresenta um texto muito duvidoso. No v. 19 é difícil explicar a cláusula "de longe": supõe o desterro, ou ao menos a primeira deportação, do rei e nobres? A capital alega em seu favor a presença do Senhor no templo; e este replica alegando a idolatria dos habitantes.

8,20 A "salvação" em termos agrícolas. Deus se queixava de que o povo não dera fruto (13); o povo se queixa de que Deus não envia a chuva no tempo certo. Talvez citando um provérbio.

8,21-22 O profeta não se sente irritado, mas aflito: dói-lhe a desgraça do seu povo, mesmo quando sabe que ele é culpado. Os remédios correspondem ao v. 11; ver também 46,11; 51,8; Ez 27,17.

8,23 Este versículo encaixaria melhor depois da catástrofe. Contudo, também haveria mortos na primeira repressão, de 598.

9,1 Levando em conta a última sentença, atribuo estas frases ao Senhor. No capítulo 7 havia

pois são todos uns adúlteros,
  uma quadrilha de bandidos;
²retesam a língua como arcos,
  dominam o país com a mentira
  e não com a verdade;
vão de mal a pior, e a mim não conhecem
  – oráculo do Senhor.
³Cada um se guarde do seu próximo,
  não confieis no irmão;
  o irmão põe armadilhas
  e o próximo anda difamando;
⁴enganam-se mutuamente e não dizem a verdade,
  treinam suas línguas na mentira,
  estão depravados
  e são incapazes de converter-se:
⁵fraude sobre fraude, engano sobre engano,
  e rejeitam meu conhecimento
  – oráculo do Senhor.
⁶Por isso, assim diz o Senhor dos exércitos:
Eu mesmo os fundirei e examinarei,
  pois não posso desinteressar-me
  pela capital do meu povo:
⁷Sua língua é flecha afiada,
  sua boca diz mentiras,
  saúdam ao próximo com a paz
  e por dentro lhe tramam ciladas.
⁸E disso, não vos pedirei contas?
  – oráculo do Senhor.
De um povo assim,
  não hei de me vingar eu mesmo?
⁹Sobre os montes entoarei lamentações,
  elegias nas pastagens da estepe:
Estão queimadas, ninguém transita,
  não se ouve mugir o gado,
  aves do céu e feras fugiram.
¹⁰Converterei Jerusalém em escombros,
  em abrigo de chacais,
  arrasarei os povoados de Judá,
  deixando-os desabitados.

---

ameaçado abandonar sua "morada" no templo, agora suspira por uma "pousada" no deserto, um simples albergue de caravanas (cf. Sl 55,7-9). O povo o abandonou: 1,16; 2,13.17.19; 5,7.19; agora ele o abandona. São adúlteros por causa da idolatria, bandidos por causa da injustiça. Passa a desenvolvê-lo.

9,2 Não reconhecem o Senhor como realmente é e quer ser conhecido. A língua se converte em arma e a mentira em instrumento de poder: Sl 12.

9,3-5 Desenvolve o tema da mentira e da fraude. Disso se segue a desconfiança na convivência, até na esfera familiar. Em sentido extenso, os membros do povo são irmãos. As "armadilhas" aludem a Jacó, patriarca enganador: Gn 27,36; Os 12,4. Sobre a difamação: Lv 19,16; Pr 11,13; 20,19. "Enganar": como Jacó fez com Labão (Gn 31,7). Também Jacó tinha de "voltar": Gn 31,3.13; 32,10.

9,6 O Senhor se incumbe da função confiada ao profeta: 6,27 (cf. Is 1,25). A segunda frase é duvidosa; outra interpretação: "que outra coisa posso fazer com a capital?"

9,7 Ver Sl 57,5 e 64,4.

9,8 Ressoa o estribilho de 5,9.29.

9,9-10 Considerando os verbos, atribuímos 9 ao profeta e 10 ao Senhor. O primeiro fala de uma seca (14,1-10), o segundo da destruição da cidade. Estepes e cidades partilham a mesma sorte: ninguém transita por aquelas, ninguém habita nestas. "Abrigo" de feras: como em Is 13,22.

Não sábios, mas carpideiras

¹¹Quem é o sábio para entender isso?
A quem falou o Senhor,
para que o explique:
Por que perece o país
e se abrasa como deserto intransitado?
¹²Responde o Senhor: Porque abandonaram a Lei
que eu lhes promulguei,
desobedeceram e não a seguiram,
¹³mas seguiram seu coração obstinado
e os baais recebidos de seus pais.
¹⁴Por isso, assim diz o Senhor dos exércitos,
Deus de Israel:
Eu lhes darei a comer absinto
e a beber água envenenada;
¹⁵eu os dispersarei entre nações
desconhecidas deles e de seus pais,
eu lhes enviarei por detrás a espada,
até que os consuma.
¹⁶Assim diz o Senhor dos exércitos:
Sede sensatos e fazei vir carpideiras,
¹⁷fazei vir mulheres capazes;
que venham depressa
e nos entoem uma lamentação,
para que nossos olhos se desfaçam em lágrimas,
e nossas pálpebras destilem água.
¹⁸Já se ouve a lamentação em Sião:
"Ai, estamos desfeitos, que terrível fracasso!
Tivemos de abandonar o país,
expulsaram-nos de nossas moradas".
¹⁹Escutai, mulheres, a palavra do Senhor,
recebam vossos ouvidos
a palavra de sua boca.
Ensaiai uma lamentação com vossas filhas,
cada uma com sua vizinha uma elegia:

9,11-23 O tema desta seção é a oposição entre duas destrezas ou habilidades, a de interpretar e a de fazer luto, ambas contrastadas com o saber autêntico, que é conhecer o Senhor. Depois da seca sucede a guerra. Se a primeira podia ser afastada com a conversão ao Senhor da chuva (5,24s), para a segunda não há remédio. Chega o tempo de chorar. Um processo semelhante se encontra em 4,14.31, purificação e grito final; também em 6,8.26, arrependimento e luto.

9,11 A pergunta sapiencial interpela duas fontes do saber: a reflexão humana e a mensagem divina.

9,12-14 Antes que os peritos tomem a palavra, ou porque não a tomam, o Senhor explica a causa denunciando a culpa e dando a sentença. O estilo é deuteronomista. O povo recorria aos baais para ter a chuva e o alimento; o Senhor os castigará na comida e na bebida; se isso não bastar (como nas séries de Lv 26 e Dt 28), recorrerá ao desterro e à matança (42,16; 44,27). É de notar que aqui não denuncia as alianças.

9,16-17 Como num funeral não chamamos o médico, mas a agência funerária, assim agora chegou o momento de chamar as carpideiras profissionais. Não basta o luto da mãe (6,26) nem do profeta (7,26). Elas saberão instruir outras, de modo que ao lamento de umas solistas responda o coro de todos. Aqui se pode evocar a lembrança das Lamentações.

9,18 Mais grave é ter de abandonar o país, cancelando o dom fundamental da terra. Na palavra "fracasso" ressoa a raiz de "confusão" e "ignomínia" (3,24-25), raiz do desterro. A acumulação de sufixos pessoais rimados sublinha o tom fúnebre do lamento.

9,19 Como se toda a perícia profissional das carpideiras fosse insuficiente, o profeta vai ensinar-lhes uma lamentação mais apropriada, que deve ser cantada por toda a população feminina.

²⁰"Subiu a morte pelas janelas
e entrou nos palácios,
arrebatou a criança na rua,
os jovens na praça".
²¹O Senhor diz seu oráculo:
Jazem cadáveres humanos
como esterco no campo,
como feixes atrás do ceifeiro,
que ninguém recolhe.
²²Assim diz o Senhor:
Não se glorie o sábio do seu saber,
não se glorie o soldado de sua força,
não se glorie o rico de sua riqueza;
²³quem quiser gloriar-se, glorie-se disto:
de conhecer e compreender que eu sou o Senhor,
que na terra estabelece a lealdade,
o direito e a justiça
e se compraz neles – oráculo do Senhor.

Todos incircuncisos

²⁴Vede, chegam dias – oráculo do Senhor –
em que pedirei contas a todo circuncidado:
²⁵ao Egito, Judá, Edom, Amon, Moab
e aos beduínos de cabeça rapada.
Porque todos, assim como Israel,
são incircuncisos de coração.

O Senhor e os ídolos
(Is 44,9-20; Sl 115; Br 6)

10 ¹Israelitas, escutai esta palavra
que o Senhor vos dirige:
²Diz o Senhor: Não imiteis
a conduta dos pagãos,
não vos assustem os sinais celestes
que assustam os pagãos.

9,20 Não só o inimigo, nem só as serpentes (8,17), mas a Morte em pessoa, que entra nos lares para cobrar seu tributo. Não valem sinais nos marcos das portas (Ex 12,22).

9,21 Talvez sobre a frase introdutória. Em tal caso continua o texto da lamentação.

9,22-23 O tema da destreza ou sabedoria atraiu este breve e denso oráculo, que se destaca do seu contexto histórico e se ergue como lápide perene. O saber autêntico consiste em conhecer o Senhor: no seu nome único *Yhwh* e nos seus títulos ou atributos; no que "faz" e "deseja". Diante de valores puramente humanos – saber, valentia e riqueza – estabelece outro trio de valores: lealdade, direito e justiça. Tais são os "méritos" (gloriar-se) que o Senhor reconhece.

9,24-25 Novo oráculo autônomo, projetado num futuro indefinido. Se Judá partilha com outros povos a circuncisão corporal, também partilha a incircuncisão interior; todos serão julgados por igual.

10,1-16 Colocada no tempo da primeira ou da segunda deportação, esta composição é compreendida como aviso de despedida e ordem aos desterrados para que salvem o mais importante: sua adesão exclusiva ao Senhor Deus de Israel. A vitória do imperador de Babilônia parecia demonstrar a superioridade de seus deuses; além disso, faltando em terra estrangeira o culto ao Senhor, os judeus podiam sentir-se atraídos pelo esplendor das cerimônias religiosas de seus novos senhores. Desse tema se ocuparão Is 44,9-20; Dn 14 e a Carta de Jeremias. Alguns pensam que o autor não é Jeremias, mas um judeu no desterro.
Avança em três ondas paralelas: os ídolos e seus fabricantes/o Senhor Criador, 2-5 e 6-7, 8-9 e 10-13, 14-15 e 16. Com uma abjuração em aramaico, à maneira de jaculatória, 11. Repete três vezes que os ídolos são "vaidade" ou vazio, como em 2,5; 8,19; 14,22; 51,18. Sobre a sua incapacidade de agir, Sl 115 e 135.

10,1 Ao chamar os judeus desterrados de "israelitas", parece recordar-lhes sua ligação com o povo escolhido, que agora representam. A intimidação pode ser recurso para induzir à idolatria.

10,2 Is 8,11.

³Os ritos desses povos são falsos:
Corta um lenho no bosque,
o artífice o trabalha com o formão,
⁴o adorna com ouro e prata,
o prende com pregos e martelo,
para que não vacile.
⁵São espantalhos de meloal, que não falam;
a gente deve transportá-los, porque não andam;
não os temais, pois não podem
fazer nem mal nem bem.
⁶Não há como tu, Senhor; tu és grande,
grande é tua fama e teu poder:
⁷Quem não te temerá?
Tu o mereces, Rei das nações;
entre todos os sábios e reis delas,
quem há como tu?
⁸São todos, sem distinção, néscios e insensatos,
educados por uma ficção de madeira.
⁹De Társis importam prata laminada, ouro de Ofir,
o ourives e o fundidor o trabalham,
o revestem de escarlate e púrpura;
pura obra de artesãos.
¹⁰Ao contrário, o Senhor é Deus verdadeiro,
Deus vivo e rei dos séculos:
sob sua cólera treme a terra,
as nações não aguentam o peso de sua ira.
¹¹(Por isso lhes direis:
Deuses que não fizeram céu e terra,
que desapareçam da terra e sob o céu.)
¹²Ele fez a terra com seu poder,
assentou o orbe com sua maestria,
estendeu o céu com sua habilidade.
¹³Quando ele ruge, as águas do céu retumbam,
faz subir as nuvens do horizonte,
com os raios desata a chuva
e tira os ventos de seus silos.
¹⁴O homem com seu saber se embrutece,
o ourives com seu ídolo fracassa:
são imagens falsas, sem alento,
¹⁵são vaidade e embuste;
no dia de contas perecerão.

10,5 Fazer bem e mal compete ao Senhor: Dt 28,63; Js 24,20.
10,6 Coincide com a pregação do Segundo Isaías; também Sl 86,8.
10,7 O mesmo título é lido em Ap 15,3.
10,8 Ver Hab 2,19.
10,10 Os três títulos se contrapõem: verdadeiro diante aos falsos, vivo ante os inertes, rei eterno diante de produção recente. A terra reage tremendo à teofania: Jz 5,4; Is 13,13; Sl 18,8.
10,12-16 Estes versículos se repetem em 51,15-19.
10,12 Em razão do contexto, exalta a destreza artesã (Sl 136,5), mais que a palavra eficaz (Sl 33).
10,14-15 O ídolo desacredita o ourives porque, em vez de provar sua habilidade, acusa sua insensatez.
10,14 Sb 15,7-13.

¹⁶Não é assim a porção de Jacó,
ao contrário, é o artífice de tudo:
Israel é a tribo de sua propriedade,
e seu nome é Senhor dos exércitos.

Os rebanhos se dispersam
(Jr 23,1-8; Ez 34)

¹⁷Recolhe teus bens e sai,
população assediada,
¹⁸porque assim diz o Senhor: Desta vez
vou expulsar com funda os habitantes do país,
vou esmagá-los até esprêmê-los.
¹⁹Ai de mim, que desgraça,
minha ferida é incurável!
Eu dizia:
É uma doença, eu aguentarei.
²⁰Minha tenda está desfeita,
as cordas arrancadas,
foram-se meus filhos e não resta nenhum,
não há quem plante minha tenda
e prenda as lonas.
²¹Os pastores estão embrutecidos,
não consultam o Senhor;
por isso não atinam, e os rebanhos se dispersam.
²²Escutai uma mensagem: Já chega
com grande estrondo do país do norte,
para transformar os povoados de Judá
em desolação, em abrigo de chacais.
²³Já sei, Senhor, que o homem
não é dono de seus caminhos,
que ninguém pode estabelecer seu próprio curso.
²⁴Corrige-nos, com medida, Senhor,
não nos faças minguar com tua cólera;
²⁵descarrega tua ira sobre as nações
que não te reconhecem,
sobre as tribos que não invocam teu nome,
porque devoraram e consumiram Jacó
e assolaram suas pastagens.

10,16 O Senhor escolheu Israel como herança ou propriedade pessoal (Ex 19,5); Israel escolheu o Senhor, excluindo outros deuses (Js 24).

10,17-25 "Desta vez" chega o final: já não é simples ameaça (1,14) ou um castigo a mais numa série. Como fundeiro gigantesco, o Senhor coloca o povo no couro da sua funda, gira-o e lança-o com força e pontaria a grande distância (cf. 1Sm 25,29; Is 22,17s). Qual é a reação a tal anúncio? O inimigo acorre para cumprir a sentença (22), os chefes são pastores incompetentes (21), a cidade personificada se lamenta (19s), o profeta intercede (23s). O poeta altera a ordem lógica, mudando sem avisar os que falam na cena. 17: o profeta à população; 18: o Senhor; 19-21: a capital; 22: o profeta ao povo; 23-25: o profeta ao Senhor.

10,18 Do cerco ao desterro: ver a pantomima de Ez 12,1-16.

10,19 Não soube avaliar a gravidade do mal: como a cura superficial de 8,11.

10,20 A cidade em figura de tenda, em imagem matriarcal de beduínos: Is 54,2.

10,21 Os pastores: 5,31; 12,10; 23,1s. "Não consultam": por meio do profeta, se atêm aos conselheiros políticos desatinados. Vale para Joaquim e Sedecias.

10,22 Consuma-se o anunciado em 1,14; 4,6.15; 6,1.22; 8,16; 9,10.

10,23-24 Como atenuante, o profeta apela para a condição humana, não para a aliança ou para a promessa. Se o homem não é plenamente responsável, o castigo não deve ser desmedido: Sl 6,2; Sb 12,18-21.

10,25 Citação quase literal de Sl 79,6s; neste lugar soa como acréscimo muito posterior. Ver também Eclo 36,8s.

11 Os termos da aliança (Jr 31,31-34; 33,19-22) –

¹Palavras que o Senhor dirigiu a Jeremias:

– ²Escuta os termos desta aliança e comunica-os aos judaítas e aos habitantes de Jerusalém. ³Dize-lhes: Assim diz o Senhor, Deus de Israel: Maldito aquele que não acatar os termos desta aliança, ⁴que eu impus a vossos pais quando os tirei do Egito, daquele forno de ferro: "Obedecei-me e fazei o que vos mando; assim sereis meu povo e eu serei vosso Deus". ⁵Assim cumprirei a promessa que fiz a vossos pais de dar-lhes uma terra que mana leite e mel. Hoje é um fato.

Eu respondi:

– Amém, Senhor.

⁶E o Senhor me disse:

– Proclama estas palavras nos povoados de Judá e nas ruas de Jerusalém: Escutai os termos desta aliança e cumpri-os. ⁷Eu o recomendei a vossos pais quando os tirei do Egito, e até hoje repeti minhas recomendações: "Obedecei-me". ⁸Eles não escutaram nem deram ouvidos, mas cada um seguia a maldade de seu coração obstinado. Por isso fiz cair sobre eles as maldições da aliança, pois não fizeram o que eu lhes mandava.

⁹O Senhor me disse:

– Judaítas e habitantes de Jerusalém se conjuraram ¹⁰para voltar aos pecados de seus antepassados, que recusaram acatar meus mandatos; seguem e servem deuses estrangeiros. Israel e Judá romperam a aliança que estabeleci com seus pais. ¹¹Por isso, assim diz o Senhor: Eu lhes enviarei uma calamidade que não poderão evitar; eles gritarão a mim, e eu não os ouvirei. ¹²Então os povoados de Judá e os habitantes de Jerusalém irão gritar aos deuses aos quais queimavam incenso; mas eles não poderão salvá-los na hora da desgraça.

Nem oração nem culto nem escolha
(Jr 7)

¹³Tinhas tantos deuses quantos povoados, Judá;
fizeste tantos altares quantas ruas, Jerusalém;
altares para oferecer sacrifícios a Baal.

¹⁴E tu, não intercedas por este povo,
não supliques aos gritos por ele, pois não escutarei
quando me invocarem na hora da desgraça.

¹⁵O que procura minha predileta em minha casa?
Executar suas intrigas?
Poderão os votos e a carne imolada
afastar de ti a adversidade, para que celebres isso
com gritos estrepitosos?

¹⁶O Senhor te chamou oliveira verde de fruto excelente;
se lhe ateia fogo, seus ramos se queimam.

11,1-12 Sermão em típico estilo deuteronomista. Com rigor de processo jurídico e à maneira de balanço final, o Senhor, como parte ofendida, pronuncia a sentença. Tempos, pessoas e cláusulas estão perfeitamente definidos.

a) Num primeiro tempo, o Senhor promete com juramento entregar ao povo um território privilegiado; ao sair do Egito sela a promessa com a aliança e entrega a terra; até hoje manteve seu compromisso.
b) Num tempo intermédio, Deus repisava as exigências da aliança, pela renovação periódica e pela palavra profética. Quando o povo violava cláusulas da aliança, o Senhor o castigava conforme o estipulado.
c) No tempo presente, em vez de se arrepender com os castigos salutares, o povo persiste na desobediência. Rompeu a aliança, e o Senhor pronuncia uma ameaça definitiva, diante da qual de nada valerão alianças de ocasião estipuladas com outros deuses.

11,9 Os "habitantes" da capital aliam-se a "indivíduos" judeus para negar a vassalagem ao soberano *Yhwh* e transferir sua lealdade a outros deuses.

11,13-17 Estes versículos soam como ressonância lírica do anterior. Alguns pensam que o v. 13 seja acréscimo inspirado em 2,28. Os fatos denunciados são certos e as provas estão em todas as ruas e povoados (13); a sentença de Deus é firme, e não adianta interpor pedido de graça (14), nem oferecer a compensação do culto (15), nem apelar para a escolha. O texto apresenta muitas dificuldades.

11,13 Baal multiplica suas presenças, ao passo que o Senhor "é único" (Dt 6,4).

11,14 Ver 7,16 e 14,11.

11,15 A tradução é em parte conjectural. As "intrigas" ou más intenções denunciadas em 7,1-15.

11,16 Ver Os 14,7; Is 27,11; Ez 15,6.

¹⁷O Senhor dos exércitos, que te plantou,
pronuncia uma ameaça contra ti,
pela maldade de Israel e de Judá,
que me irritaram queimando incenso a Baal.

Das confissões de Jeremias
(Jr 15,10-21; 17,14-18; 18,18-23; 20,1-18)

1. Começa a perseguição

¹⁸O Senhor me ensinou
e me fez compreender o que eles faziam*:

12 ⁶"Também teus irmãos e tua família
são desleais para contigo, também eles
te caluniam pelas costas;
não confies, mesmo que te digam boas palavras".

11 ¹⁹Eu, como cordeiro manso
levado ao matadouro, não sabia
dos planos homicidas
que tramavam contra mim:
"Cortemos a árvore em seu vigor,
arranquemo-la da terra dos vivos,
que seu nome não seja mais pronunciado".
²⁰Mas tu, Senhor dos exércitos,
julgas retamente,
sondas as entranhas e o coração;
a ti confiei minha causa,
que eu consiga vingar-me deles.

12 ³Tu me examinas, Senhor, e me conheces;
tu sabes qual é minha atitude contigo;
afasta-os como a ovelhas de matança,
reserva-os para o dia do sacrifício.

11 ²¹Assim sentencia o Senhor contra os habitantes de Anatot, que te procuravam matar, dizendo-te: "Não profetizes em nome do Senhor, se não queres morrer pelas nossas mãos".

²²Assim diz o Senhor dos exércitos:
Eu lhes pedirei contas,

11,18 * De 11,18 a 12,6 muda a ordem dos versículos.
11,18-23 Enquadraria muito bem aqui Jr 12,6.3. Aceitamos com vários autores a transposição de dois versículos, em busca do seu contexto lógico. Aqui começam as "confissões de Jeremias": irrupções líricas, traços de autobiografia e relatos biográficos vão se entretecendo com o destino do povo. A perseguição pode ter começado após o discurso sobre o templo (7 e 26). Até os parentes (Mq 7,6; Sl 50,20) e conterrâneos voltam-se contra o profeta incômodo. Primeiro com a "calúnia por trás" (6,28; 9,3); mais tarde, intimidando com ameaças de morte (o texto parece condensar várias etapas).
Em meio à hostilidade, o profeta está sozinho com o Senhor, seu amo e confidente: o Senhor informa o ingênuo, a ele recorre o perseguido, ele executa os culpados. Em vez de autobiografia, Jeremias nos lega notas de oração pessoal.
11,19 Do cordeiro se toma a inocência indefesa, sem alusões sacrificais. A imagem pode ter inspirado Is 53 e passou a ocupar lugar central no Ap. A imagem vegetal é tradicional (Sl 1; 92,13-15; 128,3 etc.). Se Jeremias não tinha filhos, com sua morte seu nome se extinguia.
11,20 "Sondas": 6,27; 9,6; 17,10; 20,12; Sl 139,1b.23 etc.; demonstrou-o descobrindo os planos dos parentes.
12,3 Invoca uma espécie de lei do talião, conforme o esquema: cordeiro ao matadouro/ovelhas de matança, ameaça de morte/sentença capital.
11,21 Ver 26,9 e Am 3,8.

seus jovens morrerão pela espada,
seus filhos e filhas morrerão de fome;
²³e não ficará nenhum resto deles no ano das contas,
quando eu enviar a desgraça
aos habitantes de Anatot.

O problema da retribuição
(Sl 73)

12 ¹Ainda que tu, Senhor, tenhas razão
quando discuto contigo,
quero propor-te um caso:
Por que prosperam os perversos
e os traidores vivem na paz?
²Tu os plantas, se enraízam, crescem, dão fruto;
sim, tu estás perto de seus lábios
e longe de seu coração,
⁴ᶜpois dizem: "Ele não vê nossas andanças"*.
⁵Se te cansas correndo com as crianças,
como competirás com os cavalos?
Mesmo que em terra tranquila te sintas seguro,
que farás na mata do Jordão?

Renunciei à minha herança

⁷Abandonei minha casa e renunciei à minha herança,
entreguei o amor de minha alma
em mãos inimigas;
⁸porque minha herança se voltara contra mim,
rugindo como leão feroz; por isso a detestei;
⁹minha herança se havia tornado um leopardo,
e os abutres giravam sobre ele:
Vinde, feras selvagens, aproximai-vos para comer!
¹⁰Entre tantos pastores destroçaram minha vinha
e pisotearam minha parte,
converteram minha porção escolhida
em deserto desolado,
¹¹deixaram-na desolada, deserta, que desolação!
O país todo desolado, e ninguém se importava!
¹²Por todas as dunas da estepe
chegaram bandoleiros,

12,1-2.4c-5 O colossal problema da retribuição se resume em alguns versículos. O minúsculo diálogo se esgota numa pergunta ingenuamente audaz e numa resposta amistosamente evasiva. A terminologia é de debate ou de pleito. Partindo do oráculo precedente, o assunto seria pessoal: o profeta se reconhece inocente e seus inimigos são os culpados. O problema abrange também a situação política; em tal caso, será inocente o povo judeu e culpados os babilônios? Deus não aceita a colocação simplista do problema e questiona a capacidade do profeta em compreender.
12,1 É o tema dos salmos 37; 73 e de Jó.
12,2 "Seu coração": ou seus rins, sede de afetos e paixões: 11,20; 17,10; 20,12; Sl 7,10.
12,4 * O v. 4ab vai depois de 12,12.
12,4c Compare-se com Sl 94,2 e seu contexto.

12,5 O matagal do Jordão era refúgio proverbial de feras.
12,7-13 Se a terra é herança (7.8.9) e porção (10) do povo, o povo é de Deus. Se Deus abandona sua herança (7), a terra fica árida com a seca (4), produz espinhos (13) silvestres ou fica à mercê da cobiça do chefe (10) ou da espada do invasor (12). Essa lógica do desenvolvimento é perturbada pela imagem da fera numa metamorfose insólita (8-9). Aqui se diz da terra o que corresponderia a um animal doméstico.
12,8 Dt 32,15.
12,9 Os abutres revoam percebendo o cheiro da carniça. Ver Ez 39,17.
12,10 Os pastores colocam seus rebanhos para pastar num jardim, e o devastam.
12,12 Os bandoleiros entram para destruir ou saquear (Jz 6,3-6).

porque a espada do Senhor
devora de ponta a ponta,
e nenhum ser vivo fica incólume.
⁴ᵃAté quando fará luto a terra
e se esgotará a erva do campo?
⁴ᵇPela maldade de seus habitantes,
fogem os animais e as aves do céu.
¹³Semearam trigo e colheram espinhos,
ficaram cansados inutilmente.
Que miséria de colheita!,
por causa da ardente ira do Senhor.

Cada um à sua herança – ¹⁴Assim diz o Senhor a todos os habitantes maus que tocaram a herança que eu presenteei a meu povo Israel:

– Eu os arrancarei de seus campos, arrancarei daí os judaítas. ¹⁵Depois de arrancá-los, voltarei a compadecer-me deles e a levar cada um para a sua terra e sua herança. ¹⁶E se aprenderem o costume do meu povo, de jurar por meu nome, "pelo Senhor", como eles ensinaram o meu povo a jurar por Baal, então se estabelecerão no meio do meu povo. ¹⁷Mas a nação que não obedecer, eu a arrancarei e a destruirei, oráculo do Senhor.

13 O cinturão de linho

¹O Senhor me ordenou:

– Vai, compra um cinturão de linho e coloca-o na cintura, sem que a água toque nele.

²Conforme a ordem do Senhor, comprei o cinturão e o pus na cintura.

³O Senhor me ordenou de novo:

– ⁴Pega o cinturão comprado que cingiste, vai ao rio Eufrates e esconde-o aí, nas fendas de um rochedo.

⁵Fui e o escondi no Eufrates, segundo a ordem do Senhor.

⁶Passados muitos dias, o Senhor me ordenou:

– Vai ao Eufrates e recolhe o cinturão que te mandei esconder.

⁷Fui ao Eufrates, cavei onde o havia escondido e recolhi o cinturão: estava gasto e não servia mais para nada.

⁸Então o Senhor me dirigiu a palavra:

– ⁹Assim diz o Senhor: Do mesmo modo desgastarei o orgulho de Judá e o orgulho desmedido de Jerusalém, ¹⁰desse povo que se nega a me obedecer, que age obstinadamente, que segue deuses estrangeiros e lhes presta adoração. Serão como esse cinturão imprestável. ¹¹Como o cinturão adere à cintura do homem, assim cingi a mim judaítas e israelitas para que fossem meu povo, minha fama, minha glória e minha honra – oráculo do Senhor. – Mas não obedeceram.

O último prazo – ¹²Tu lhes dirás o seguinte: Assim diz o Senhor, Deus de Israel: "As vasilhas se enchem de vinho". Eles te responderão: "Como se não soubéssemos

---

12,13 Como nas maldições de Gn 3,18; Lv 26,16; Dt 28,38.
12,14-17 Acréscimo posterior, depois de consumada a tragédia. Em 1-5 coloca-se o problema da retribuição dos maus e usava-se o termo "plantar"; aqui se dá uma resposta, usando o equivalente "construir" e o correlativo "arrancar". O Senhor, que havia plantado os hebreus na terra ou herança, arrancou-os por causa de seus pecados, por meio de povos estrangeiros. Passado um tempo, o Senhor instalará de novo o seu povo na sua herança. E os estrangeiros, que um dia executaram a sentença divina, caso se convertam, poderão incorporar-se e estabelecer-se entre os judeus; se não se converterem, serão arrancados pela raiz. O desterro dos judeus foi ao mesmo tempo expiação de culpas e missão entre os pagãos. Ver Is 19,16-25; Zc 8,20-23.

13,1-11 Ação simbólica ou pantomima com explicação. "Aderir" é um dos termos clássicos com que o Dt exprime a fidelidade ao Senhor: 10,20; 11,22; 13,5.18; 30,20. A metáfora é traduzida plasticamente no presente de uma roupa pessoal que se apega ao corpo e ainda pode ser gala ou distintivo: Is 11,5; 49,18. O linho é um tecido nobre e pode ser de uso cultual: Ez 44,17s; Pr 31,13. O nome do rio pode ser ficção: o Eufrates é o rio de Babilônia, onde apodrecerão os judaítas infiéis.
13,11 Em vez de manifestar a honra do Senhor, elevaram-se orgulhosamente por sua condição de escolhidos.
13,12-14 Esboço de imagem, quase surrealista, que podemos parafrasear. Homens em figura de vasilhas, ou vasilhas em forma de homens, quietos, alinhados; enchem-se de vinho até em

que as vasilhas se enchem de vinho". ¹³Tu lhes replicarás: "Assim diz o Senhor: Eu mesmo encherei de embriaguez todos os habitantes do país, os reis que se sentam no trono de Davi, sacerdotes e profetas e todos os habitantes de Jerusalém. ¹⁴Eu os farei chocar-se uns com os outros, pais com filhos – oráculo do Senhor –; nem piedade, nem perdão, nem compaixão me impedirão de destruí-los".

¹⁵Ouvi, atenção, e não sejais soberbos,
　　pois fala o Senhor:
¹⁶Confessai-vos diante do Senhor vosso Deus,
　　antes que escureça,
　　antes que tropecem vossos pés
　　pelos montes e à meia-luz,
　e se converta em trevas escuras
　　a luz que esperais.
¹⁷E se não escutardes,
　　chorarei às escondidas vossa soberba;
　meus olhos se desfarão em lágrimas,
　　quando levarem o rebanho do Senhor.
¹⁸Dize ao rei e à rainha-mãe:
　　Sentai no chão,
　　porque caiu de vossa cabeça
　　a coroa real.
¹⁹Os povoados do Negueb estão cercados,
　　ninguém rompe o cerco,
　Judá inteiro marcha para o desterro,
　　para o desterro, sem faltar um sequer.
²⁰Ergue a vista e olha-os vindo pelo norte:
　　Onde está o rebanho que te confiaram?
²¹O que dirás quando te faltar a nata de tuas ovelhas,
　　os que havias educado para te governarem?
　Não sentirás dores como a parturiente?
²²E se perguntas por que te acontece tudo isso,
　por tuas muitas culpas te levantam as vestes
　　e te violentam os tornozelos.
²³Pode um etíope mudar de pele
　　ou uma pantera de pelo?

---

cima, são tomados por uma embriaguez coletiva, começam a cambalear, a chocar-se uns contra os outros, se quebram pela proximidade, acabam ruidosamente em cacos. Depreciativamente chamamos o bêbado de "pau-d'água". Ver 25,15-29; Is 28,7; 29,9.

13,15-17 Convite e ultimato. É a hora do crepúsculo: ainda há luz, a noite se precipita. Ainda resta tempo para a penitência. Se recusarem, a noite os envolverá, tropeçarão, o rebanho será levado para o desterro. Então o profeta se entregará a um pranto póstumo, sem remédio: 8,23; 9,9.17.

13,18-19 Breve oráculo com destinatário, que enquadraria melhor na série de 13,21-22. Refere-se provavelmente a Jeconias e Noesta, no tempo da primeira deportação. Os invasores penetraram até o sul. "Judá inteiro" é expressão hiperbólica (cf. 2Rs 24, 14). "Sentar no chão", não no trono, em gesto de humilhação e luto (Is 3,26; 47,1; Lm 2,10).

13,20-27 Este oráculo dirigido a Jerusalém começa com imperativo feminino. A capital é vista em figura de matrona, encarnação da comunidade e esposa do Senhor (Os 2; Is 1,21-26). Por sua infidelidade conjugal e idolatria sofrerá a pena da vergonha pública (Is 47,1s; Os 2,4s; Na 3,5). O tom é intensamente retórico, de requisitório, com imperativos e perguntas, inclusive assumindo palavras do réu.

13,20-21 Pelo norte avança o exército inimigo: 1,14; 4,15; 6,22. O rebanho é o povo, as ovelhas escolhidas são os chefes, Jerusalém é a suprema responsável. Na primeira deportação, os chefes "educados" para a liderança foram levados ao desterro (2Rs 24,10-17).

13,22 Para a pergunta, ver 5,19. Dt 20,21-23. Os "tornozelos": ou é um eufemismo sexual ou se refere às correntes da escravidão.

13,23 À força de praticar o mal, o "hábito" se converte em segunda natureza incorrigível.

Também vós: Podeis emendar-vos,
habituados que sois ao mal?
²⁴Eu os espalharei como palha arrebatada
pelo vento da estepe.
²⁵Esta é tua sorte, minha paga por tua rebelião
– oráculo do Senhor –,
porque me esqueceste, confiando na mentira,
²⁶também eu te levantarei as vestes pela frente,
e se verá a tua vergonha,
²⁷teus adultérios, teus relinchos,
teus pensamentos de fornicação.
Sobre as colinas do campo
vi tuas abominações.
Ai de ti, Jerusalém,
pois não te purificas!
Até quando adiarás?

A seca

14 ¹Na ocasião da seca, o Senhor dirigiu a palavra a Jeremias:
²Judá se enluta, suas portas desfalecem,
inclinam-se sombrias, Jerusalém lança gritos.
³Os nobres enviam seus servos a procurar água:
vão às cisternas, não encontram água,
voltam com os cântaros vazios,
cobrem desapontados a cabeça,
⁴porque os campos se horrorizam
ao faltar a chuva no país;
os lavradores cobrem a cabeça decepcionados.
⁵Até a cerva dá cria
e a abandona em campo aberto,
porque não há pastos;
⁶os asnos selvagens param nas dunas,
farejando o ar como chacais,
com olhos apagados, porque não há erva.
⁷Se nossas culpas nos acusam,
Senhor, intervém por teu nome,
pois são muitas as nossas apostasias,
pecamos contra ti.
⁸Esperança de Israel, salvador no perigo,
por que te comportas como forasteiro no país,
como caminhante que se desvia para pernoitar?

13,24 O "vento": 4,11-13.

13,25 A mentira pode ser o ídolo, ou as alianças enganosas, ou os profetas enganadores: 5,31; 7,4.8; 8,11; 10,14.

13,27 As colinas são os lugares altos de cultos idolátricos.

14,1-10 Em tempo de grave seca, que inclui fome e mortandade, o profeta intercede pelo povo, confessando o pecado coletivo e pedindo perdão. O Senhor recusa o pedido: compare-se com o êxito de Jl 1-2. Apurado o esquema, após breve diálogo, repete-se passando da seca à invasão militar:

descrição 2-6 17-18
intercessão 7-9 20-22
recusa 10 15,1-4
diálogo 11-16

14,2-6 A descrição é rápida e eficaz. Em cada grupo duas pinceladas: povoados e capital, nobres e lavradores, cerva e asno selvagem.
Três figuras femininas: a capital, a terra, a cerva: todas sem piedade como a última?

14,2 Is 24,11; Sl 144,14.

14,8a Em hebraico, "esperança" tem som semelhante a "lago" e "depósito" (Eclo 50,3; Is 22,11); "no perigo" tem som semelhante a "seca".

⁹Por que te comportas como homem atordoado,
   como soldado incapaz de vencer?
Tu estás conosco, Senhor; levamos teu nome,
   não nos abandones.
¹⁰Assim responde o Senhor a este povo:
Gosta de mover as pernas, não as poupa,
   mas o Senhor não se compraz neles;
agora, recorda as culpas deles
   e castigará seus pecados.

Intercessão e falsos profetas
(Jr 7,16-20; 23,9-32; 28; Ez 13)

¹¹O Senhor me disse:
   Não intercedas a favor deste povo.
¹²Se jejuarem, não escutarei seus gritos;
se oferecerem holocaustos e oferendas, não os aceitarei;
   com espada, fome e peste eu os consumirei.
¹³Eu objetei:
   Ai, Senhor meu! Olha o que os profetas lhes dizem:
   "Não vereis a espada, não passareis fome,
   eu vos darei paz duradoura neste lugar".
¹⁴O Senhor me respondeu:
Os profetas profetizam mentira em meu nome;
   não os enviei, não os mandei, não lhes falei;
visões enganosas, oráculos vãos,
   fantasias de sua mente, é o que profetizam.
¹⁵Por isso, assim diz o Senhor aos profetas
   que profetizam em meu nome
   sem que eu os tenha enviado:
Eles dizem:
   "Nem espada nem fome
   chegarão a este país".
   Pois pela espada e de fome
   acabarão esses profetas;
¹⁶e o povo a quem profetizam
   jazerá pelas ruas de Jerusalém,

14,8b-9 Jeremias descobre que o Senhor está, sim, na cidade; mas não como habitante solidário e comprometido, mas como migrante, como viajante que se hospeda uma noite sem preocupar-se com os assuntos locais. Com a sua fama de guerreiro vitorioso, agora parece um soldado derrotado. O Senhor deve reagir, porque sua fama está comprometida.

14,10 Deus não aceita essas razões. Se está no meio do seu povo, por que tantas viagens a santuários estranhos ou para pedir alianças? Deus não está atordoado; recorda-se, com certeza, das culpas para castigá-las.

14,11 Abre-se um diálogo. Deus proíbe ao profeta interceder (11-12), o profeta mostra uma atenuante: a culpa é dos falsos profetas (13); o Senhor condena esses profetas (14-16), mas não retira a ameaça (17); de novo o profeta descreve a situação trágica (18-19) e intercede confessando (20) e alegando três razões divinas: nome, trono e aliança (21). O Senhor responde: última palavra (15,1-4).

14,12 Sobre o jejum: Is 58; Zc 7. Sobre sacrifícios: 6,20; 7,21.

14,13 Jeremias reage despeitado, porque as pessoas não lhe dão atenção, e sim aos profetas aduladores; põe-se da parte do povo incauto e enganado. (Chegará o dia em que Jeremias e o povo pobre serão os que se salvam: 39.)

14,14-16 O argumento não vale. É verdade que os profetas são mais culpados: despedidos por Deus, convertem sua fantasia em deus inspirador e a sintonizam com o gosto do povo; são artistas do engano (Ez 13). Contudo, também o povo é culpado, porque deseja confiar nas promessas venturosas: 5,12; 6,14; 23,17.

> por causa da fome e da espada;
> e não haverá quem os enterre
> a eles e às suas mulheres,
> a seus filhos e filhas;
> derramarei suas maldades em cima deles.
> ¹⁷Dize-lhes esta palavra:
> Meus olhos se desfazem em lágrimas,
> dia e noite, sem cessar,
> por causa da terrível desgraça
> da capital do meu povo,
> por sua ferida incurável.
> ¹⁸Saio ao campo:
> mortos pela espada. Entro na cidade:
> desfalecidos de fome;
> profetas e sacerdotes
> percorrem o país ao acaso.
> ¹⁹Por que rejeitaste Judá
> e sentes nojo de Sião?
> Feriste-nos sem remédio?
> Espera-se melhoria e não há bem-estar,
> no tempo de curar-se
> sobrevém o delírio.
> ²⁰Senhor, reconhecemos nossa culpa
> e os delitos paternos;
> nós te ofendemos.
> ²¹Por teu nome, não nos rejeites,
> não desprestigies teu trono glorioso,
> recorda tua aliança conosco,
> não a quebres.
> ²²Há entre os ídolos pagãos
> um que dê chuva?
> Soltam sozinhos os céus seus aguaceiros?
> Tu, Senhor, és nosso Deus,
> em ti esperamos,
> porque és tu quem faz tudo isso.
> (Ex 32,9-14; Nm 14,13-19; Sl 99,6)

14,17 A ligação é difícil. À maneira de hipótese, proponho a seguinte explicação: o profeta vai reagir compassivamente à mensagem do Senhor, aparentemente desapiedada. Deus toma essa reação e a transforma em oracular. Já que o profeta se recusa a ameaçar, que chore publicamente: o seu pranto impotente será profecia da desgraça irremediável; segue-se a visão intuitiva da catástrofe. Outra explicação supõe que aqui começa outro oráculo.
14,18 "Espada" e "fome", anunciados em 12.13.15 e 16.
14,19-22 Na interpretação proposta, o profeta salta da visão à súplica apaixonada, como não podendo conter-se, como que insatisfeito das lágrimas, como que apostando na sua vocação profética de intercessor. Pode-se comparar com salmos de súplica: 44, 74 e 79.
14,20 "Delitos paternos": exprime a solidariedade histórica, como no Sl 106,6 e em orações penitenciais pós-exílicas.
14,21 O "nome" é também a fama, a honra pessoal: 13,11; 14,7. O "trono" se encontra no templo: 3,17; 17,2; Is 6,1. Sobre a "aliança", ver 31,31-33.
14,22 Depois da visão bélica, retorna o tema da chuva e da seca colocado no princípio do capítulo, e em sua relação com a divindade, que é expressão de lealdade ao Deus da aliança, inclusive repetindo o "esperar".

15

¹O Senhor me respondeu:
– Ainda que Moisés e Samuel estivessem diante de mim, não me comoveria por esse povo. Expulsa-os, que saiam da minha presença. ²E se te perguntarem para onde hão de sair, dize-lhes: Assim diz o Senhor:

> O destinado à morte, para a morte;
> o destinado à espada, para a espada;
> o destinado à fome, para a fome;
> o destinado ao desterro, para o desterro.

³Eu vos darei quatro tipos de carrascos
— oráculo do Senhor —:
a espada para matar,
os cães para despedaçar,
as aves do céu para devorar,
as feras da terra para destroçar.

⁴Eu os tornarei exemplo
para todos os reis do mundo,
por causa de Manassés, filho de Ezequias,
rei de Judá, por tudo o que fez em Jerusalém.

⁵Quem tem piedade de ti, Jerusalém,
quem se compadece de ti?
Quem se volta para perguntar como estás?

⁶Tu me rejeitaste, voltaste as costas
— oráculo do Senhor —,
e eu estendi a mão para aniquilar-te;
cansado de me compadecer,
⁷eu os aventei com o forcado
pelas cidades do país;
deixei sem filhos, destruí meu povo,
e não se converteram de sua conduta.

⁸As viúvas que deixei
eram como a areia da praia;
eu conduzi em pleno dia um devastador
contra a mãe e o jovem,
de repente os deixei no pânico e na perturbação;
⁹a mãe de sete filhos
desfalecia exalando a alma,

15,1 Com toda a solenidade, Deus recusa a intercessão. Não porque faltem méritos a Jeremias, pois o mesmo aconteceria com outros intercessores tradicionais: Ex 17,11; 32,9-14; Nm 14,13-19; 1Sm 7,9; Sl 99,6. Os verbos "expulsar" e "sair" eram chave do êxodo. O Faraó devia expulsar ou deixar sair; Moisés antecipava a saída (Ex 11,8). Agora o movimento se inverte: "sair" da presença do Senhor é sair para o desterro. É o anti-êxodo, e Jeremias será o anti-Moisés.

15,2 O átrio do templo funciona como tribunal supremo, e os réus saem da audiência a caminho da execução, cada um conforme a pena decretada pelo juiz.

15,3 Consumada a execução, acorrem as feras a despedaçar e devorar os cadáveres, segundo o anunciado em 7,33. As feras simbolizam também a ferocidade do inimigo.

15,4 Ao menos a segunda parte soa como acréscimo posterior, que tenta restringir a responsabilidade ao mal-afamado rei Manassés: 2Rs 21,2-16; 23,26; 24,3s.

15,5-9 O próprio Deus pronuncia este oráculo, em forma de lamentação. Só que, em vez de pêsames pelas desgraças, o canto se transforma em denúncia da culpa. A situação é trágica, porém merecida. E o mais grave é que Jerusalém não se arrependeu, e será preciso rematar a trágica tarefa. O oráculo se enquadra um pouco antes da segunda deportação. É notável o parentesco com Lamentações.

15,5 Imagem da visita de chefe de Estado a um soberano, talvez doente: 2Sm 10,2s; 2Rs 8,29; Jó 2,11s.

15,6 A mão estendida pode ser um gesto judicial de sentença.

15,7 Ver a série de Am 4,6.8.9.10.11. A imagem de aventar aplica-se ao julgamento: ver Mt 3,12; Lc 3,17.

15,8 O texto é duvidoso. Alude a Jeconias e sua mãe?

15,9 A insistência no tema materno interpela Jerusalém, a matrona: vai ficando sem filhos, sem forças para dar à luz outros, sem luz para continuar vivendo. Resta-lhe seu fracasso e desconcerto.

o sol se punha de dia
e ela ficava desconcertada;
o resto eu entregarei à espada inimiga
– oráculo do Senhor.

Confissões de Jeremias
(Jr 11,18ss; 17; 18; 20)

2. Crise de vocação

¹⁰Ai de mim, minha mãe, que me geraste,
homem de pleitos e contendas
com todo o mundo!
Não emprestei nem me emprestaram,
e todos me amaldiçoam.
¹¹De fato, Senhor, eu te servi fielmente:
no perigo e na desgraça intercedi
em favor de meu inimigo;* ¹⁵tu o sabes,
Senhor; lembra-te e ocupa-te de mim,
vinga-me de meus perseguidores,
não me deixes perecer por causa de tua paciência,
olha que suporto injúrias por tua causa.
¹⁶Quando recebia tuas palavras, eu as devorava,
tua palavra era meu prazer e minha íntima alegria;
eu levava teu nome, Senhor, Deus dos exércitos.
¹⁷Não me sentei a desfrutar
com os que se divertiam;
forçado por tua mão me sentei solitário,
porque me encheste de tua ira.
¹⁸Por que minha chaga se tornou crônica,
e minha ferida inflamada e incurável?
Tu és para mim arroio enganador
de água inconstante.
¹⁹Então o Senhor me respondeu:
Se voltares, eu te farei voltar e estar a meu serviço;

15,10-21 Se Deus não faz caso de sua intercessão nem lhe permite interceder, vale a pena continuar na função de profeta? Além disso, os seus oráculos são ameaças repetidas que não dão lugar ao consolo, antes, lhe provocam antipatia e hostilidade. Finalmente, lhe fizeram saber que tudo será em vão, que o povo não se converterá, que o castigo final chegará. Parece que sua função é permitir que Deus comente no desfecho: "bem que Jeremias o disse a eles".
Estranho destino: ter nascido para ser profeta (1,4) e ser profeta para agravar a culpa e precipitar a desgraça. O estilo é impressionante por sua sinceridade e audácia: o autor de Jó aprenderá com ele.

15,10 As relações comerciais provocavam pleitos, porque o fiador tinha de reclamar o dinheiro (Eclo 29,1-7) e quem recebeu o empréstimo buscava subterfúgios para não pagar ou para adiar o pagamento.

15,11 O pleito chama em causa a Deus, que tomou Jeremias a seu serviço, que não se queixa dele mas o maltrata. Tampouco Jeremias mereceu maus-tratos dos seus rivais, pois até intercedeu por eles.

*Os versículos 12.13-14 correspondem a 6,29 e 17,3-4.

15,15 Tudo nasce da estranha conduta de Deus, que, à força de ser paciente com os injustos, deixa os inocentes sofrer e perecer. Compete a Deus vingar o profeta, que por servi-lo se encontra desacreditado.

15,16 Em nossa reconstrução, pode referir-se aos oráculos iniciais de esperança e consolo, dirigidos a israelitas do norte. Em todo caso, soa como lembrança nostálgica do primeiro sonho juvenil.

15,17 A vocação lhe impõe terrível solidão. As palavras que devorava com prazer o enchem por dentro da cólera divina, que tem de derramar em forma de oráculos (6,11; 10,25).

15,18 "Arroio enganador", como que retorcendo a imagem de Deus (2,13); ver Jó 6,15s. O pleito apresenta este balanço: bons serviços mal pagos, boas palavras mal cumpridas. Terá Deus razão também neste pleito?

15,19 Deus responde sem dar explicações, antes, reiterando suas exigências. A solidariedade com o povo não pode consistir em afastar-se junto com eles; o profeta tem de voltar e arrastá-los. A boca do profeta tem de ser purificada: 6,29; Sl 12,7.

se apartares da escória o metal, serás minha boca.
Voltem eles a ti, e não tu a eles.
²⁰Diante deste povo eu te porei
como muralha de bronze inexpugnável:
lutarão contra ti e não te vencerão,
porque eu estou contigo para te livrar e salvar
– oráculo do Senhor.
²¹Eu te livrarei das mãos dos perversos,
e te resgatarei do punho dos opressores.

16

Uma vida profética (Ez 24,15-27) – ¹O Senhor me dirigiu a palavra: – ²Não te cases, não tenhas filhos nem filhas neste lugar. ³Porque assim diz o Senhor aos filhos e filhas nascidos neste lugar, às mães que os pariram, aos pais que os geraram nesta terra:

⁴Morrerão de morte cruel,
   não serão chorados nem sepultados,
   serão como esterco sobre o campo,
acabarão pela espada e de fome,
   seus cadáveres serão pasto
   das aves do céu e das feras da terra.
⁵Assim diz o Senhor:
   Não entres na casa onde houver luto,
   não vás ao velório, não lhes dês os pêsames,
   porque retiro deste povo – oráculo do Senhor –
   minha paz, misericórdia e compaixão.
⁶Morrerão nesta terra grandes e pequenos,
   não serão sepultados nem chorados,
   nem por eles se farão incisões
   ou se rapará o cabelo;
⁷não participarão do banquete fúnebre
para dar os pêsames pelo defunto,
   nem lhes darão a taça do consolo
   por seu pai ou sua mãe.
⁸Não entres na casa
   em que se celebra um banquete,
   para comeres e beberes com os comensais;
⁹porque assim diz o Senhor dos exércitos,
   Deus de Israel:

15,20 Deus reitera a promessa do dia da vocação. Concisa e categórica, capaz de dar têmpera ao profeta para a crise tremenda que se avizinha.

16,1-9 Não só a boca estará a serviço do Senhor, mas a vida inteira do profeta será oracular. Deve representar a tragédia próxima, não só em pantomima, mas na carne viva. A paixão dolorosa do profeta nasce da sua paixão afetuosa pelos seus: dor que enriquece e até satisfaz. Agora lhe tiram essa satisfação: terá de reprimir a compaixão e a solidariedade para representar ao vivo o afastamento de Deus. Daí brota o paradoxo: Deus se distancia do seu povo, e o profeta o demonstra distanciando-se também. Mas no fundo, Deus se distancia por amor, para salvar radicalmente, e o profeta redobra no fundo o seu amor ao povo. As renúncias impostas lhe servirão para estender a todos, intactos, seu amor e sua compaixão, para não esgotá-los numa família e em incidentes locais.

16,2-4 Insiste "neste lugar", "nesta terra": a terra prometida e a capital escolhida, cenários da catástrofe. O grande ciclo do amor e da vida ficará interrompido, e se imporá o senhorio da morte. Ver 7,33 e 14,11-18.

16,5 Pode-se comparar com a ação de Ezequiel ao morrer sua esposa (Ez 24,15-24). "Minha paz" pode significar também "minha saudação": rompem-se as relações amistosas. Mas Deus não nega a palavra.

16,9 "Deus de Israel", contudo, não renuncia ao título da aliança. "A voz...": lendo o Cântico dos Cânticos podemos entender o que significam essas vozes. Recordando as relações de Deus com seu povo em

> Eu farei cessar neste lugar,
> em vossos dias, diante de vós,
> a voz alegre, a voz gozosa,
> a voz do noivo, a voz da noiva.

Motivação da sentença (Dt 29,23-27) – ¹⁰Quando anunciares a este povo todas essas palavras, eles te perguntarão: "Por que o Senhor pronunciou contra nós tão terríveis ameaças? Que delitos ou pecados cometemos contra o Senhor nosso Deus?" ¹¹Tu lhes responderás: Porque vossos pais me abandonaram – oráculo do Senhor –, seguiram deuses estrangeiros, servindo-os e adorando-os. Abandonaram-me e não guardaram minha Lei. ¹²Vós porém sois piores que vossos pais: cada qual segue a maldade de seu coração obstinado, sem escutar-me. ¹³Eu vos expulsarei desta terra para um país desconhecido de vós e de vossos pais; aí servireis a deuses estrangeiros, dia e noite, porque não vos farei graça.

Um novo êxodo (Jr 23,7-8) – ¹⁴Mas chegarão dias – oráculo do Senhor – em que já não se dirá: ¹⁵"Pelo Senhor, que tirou os israelitas do Egito"; e sim: "Pelo Senhor, que nos tirou do país do norte, de todos os países por onde nos dispersou". E os farei voltar à sua terra, a terra que dei a seus pais.

Caça graúda (Hab 1,15-17) – ¹⁶Enviarei muitos pescadores para pescá-los – oráculo do Senhor –, e atrás enviarei muitos caçadores para caçá-los por montes e vales, pelas fendas dos rochedos. ¹⁷Eu vigio sua conduta, não podem ocultar-se de mim, suas culpas não se escondem de minha vista. ¹⁸Eu lhes pagarei o dobro por suas culpas e pecados, porque profanaram minha terra com o cadáver de suas execrações, e com suas abominações encheram minha herança.

Conversão de pagãos

> ¹⁹O Senhor é minha força e fortaleza,
> meu refúgio no perigo.
> A ti virão os pagãos,
> dos extremos do orbe, dizendo:
> Como é enganoso o legado de nossos pais,
> que vazio sem proveito.

---

imagem matrimonial, o versículo se duplica com referência simbólica: cada casal judeu realizava e representava essa relação misteriosa de amor.

16,10-21 Quatro peças ou fragmentos reunidos e colocados artificialmente em alternância de castigo e restauração. A composição aponta um movimento dialético da história: a) na terra os judeus "servem" a deuses estrangeiros; b) servirão a eles no desterro; c) mas voltarão à pátria e reconhecerão o Senhor; d) até os pagãos abandonarão seus ídolos e reconhecerão o poder do Senhor. Agora é preciso explicá-los separadamente.

16,10-13 Em claro estilo deuteronomístico. Pelo lugar que ocupa no livro, é como uma objeção do acusado: "o que foi que fiz?" O juiz responde resumindo as acusações e confirmando a sentença. Se a linguagem é convencional, a composição e a articulação estão bem cuidadas. O delito é duplo, contra o Senhor e contra sua lei. Escalona-se em duas etapas: o passado acumulado e o presente agravado. Os pais seguiram deuses estrangeiros, vós seguis vosso coração depravado. O castigo tem algo de lei do talião: a escravidão externa denunciará a escravidão interna que haviam montado.

16,14-15 Inserção posterior, já consumada a tragédia, convidando à esperança. Uma fórmula de juramento invocava o Senhor com seu título de "aquele que tira" = que liberta do Egito. O título será mudado para acolher um segundo êxodo, o da Babilônia, e talvez um terceiro, da dispersão. O desterro não é a etapa final. Este oráculo não contradiz as ameaças, e corrobora uma promessa do profeta (29,10-14). Estes versículos se leem também em 23,7-8, onde se enquadram melhor.

16,16-18 A imagem da caça expressa o medo e dispersão de uns, a perseguição tenaz de outros. Os ídolos são aqui seres podres que infetam o terreno. O fabricante de ídolos não pode infundir-lhes o dinamismo da vida, e sim o dinamismo corruptor da morte.

16,19-21 Em forma de oração do profeta, com mudanças de pessoa. O contexto histórico é diferente. Recolhe a antítese de 10,1-16 e a promessa de 12,14-17. Na ação histórica, o Senhor demonstra seu poderio e desmascara o vazio dos ídolos, ainda que sejam herança paterna. A fórmula conclusiva é típica de Ezequiel.

16,19 Is 45,16.20.

²⁰Poderá um homem fazer deuses?
Não serão deuses.
²¹Pois desta vez eu lhes mostrarei
minha mão poderosa,
e saberão que me chamo O Senhor.

Persistência do delito

17 ¹O pecado de Judá está escrito
com estilete de ferro,
com ponta de diamante está gravado
na tábua do coração
e nas saliências dos altares,
²para memória de seus sucessores:
são seus altares e postes sagrados
junto a árvores frondosas,
em colinas elevadas,
³em montículos do campo.
Entregarei ao saque tuas riquezas e tesouros,
porque pecaste nas alturas
em todo o teu território;
⁴terás de renunciar
à herança que te dei;
eu te farei escravo de teu inimigo
em país desconhecido,
porque se inflama o fogo de minha ira
e arde perpetuamente.

Falsas confianças

⁵Assim diz o Senhor:
Maldito seja quem confia num homem
e busca apoio na carne,
afastando do Senhor seu coração!
⁶Será cardo da estepe que não chegará a ver a chuva,
habitará num deserto abrasado,
terra salobre e inóspita.
⁷Bendito quem confia no Senhor
e nele busca seu apoio!
⁸Será uma árvore plantada junto às águas,
arraigada junto à corrente;

17,1-4 Pode-se ler como continuação de 16,10-13. Aí perguntavam: "Que pecado cometemos?" Aqui responde que o pecado está gravado dentro e fora e em múltiplos lugares. As tábuas do coração se opõem às de pedra (Ex 31,18; 32,15; 34,1); significam a interiorização (Pr 3,3; 7,3). Mas não se interioriza a lei, e sim o pecado (cf. Sl 36,2), gravado nas saliências verticais dos ângulos dos altares, onde se concentra sua força sagrada. Os altares eram dedicados ao nome da divindade: Gn 12,7; Dt 27,5; Jz 6,26; estes são dedicados à memória trágica dos judeus.

17,3-4 A "renúncia" tem valor jurídico: o verbo empregado alude à remissão de dívidas (Dt 15). O grave é que seu objeto é a "inalienável" herança familiar.

17,5-13 À primeira vista, estes versículos são uma série desconexa de frases proverbiais, antíteses sapienciais, rematadas por uma confissão. Um tema domina rigorosamente a série e se formula numa dupla de sinônimos que formam inclusão: confiança e esperança. Em que o homem confia? Em outros homens, no seu saber, na riqueza, valores instáveis e enganadores. Em quem o profeta espera? No Senhor.

17,5-8 A primeira antítese é desenvolvida com simetria calculada, como no Salmo 1. Jeremias fala de confiança no Senhor, o salmo põe a confiança no estudo e na observância da lei, um deslocamento significativo. Ver Sl 118,8; 146,3.

quando chegar o mormaço,
não temerá, sua folhagem continuará verde,
no ano de seca não se assusta,
não deixa de dar fruto.
⁹Nada mais falso e irritante
que o coração: Quem o entenderá?
¹⁰Eu, o Senhor, penetro o coração,
sondo as entranhas,
para pagar ao homem pela sua conduta,
pelo que suas obras merecem.
¹¹Perdiz que choca ovos que não pôs
é quem acumula riquezas injustas:
na metade da vida o abandonam,
e ele termina feito um néscio.
¹²Trono glorioso, exaltado desde o princípio,
é o nosso lugar santo:
¹³tu, Senhor, és a esperança de Israel;
os que te abandonam fracassam,
os que se afastam serão escritos no pó,
porque abandonaram o Senhor,
manancial de água viva.

Confissões de Jeremias
(Jr 11; 15; 17; 20)

3. Incredulidade

¹⁴Cura-me, Senhor, e ficarei curado;
salva-me, e estarei salvo;
meu louvor é para ti.
¹⁵Eles me repetem:
Onde está a palavra do Senhor?
Que se cumpra.
¹⁶Mas eu não insisti pedindo-te desgraças,
nem augurei um dia funesto;
tu sabes o que meus lábios pronunciam,
tu o tens diante de ti.
¹⁷Não me faças tremer,
tu és meu refúgio na desgraça;
¹⁸fracassem meus perseguidores e não eu,
sintam terror eles e não eu,
faze que lhes chegue o dia funesto,
destrói-os com dupla destruição.

17,9-10 Para confiar no outro, é preciso conhecer suas intenções e interesses. Os sapienciais dão conselhos para conhecer o coração humano, e o conseguem pela metade. Porque só Deus o penetra profundamente. Então, pode o homem confiar no seu próprio coração? Apesar do que dirá Ben Sirac (Eclo 37,13s), a expressão aqui é geral.

17,11 Sobre a riqueza, ver Pr 10,2; 11,4; 13,11.

17,12-13 A doutrina contraposta é apresentada em forma de confissão, em tom otimista e tranquilo. "Trono" do Senhor: 3,17; 14,21. Insinua um jogo de palavras: em hebraico, "esperança" soa parecido com "reservatório", e "fracassam" se parece com "secam". "No pó": não no registro oficial permanente (Is 4,3; Ex 32,32).

17,14-18 Três pronomes articulam a peça e definem o sistema de relações: eles, eu, tu. Eles pedem que as ameaças do profeta sejam cumpridas, como se tivessem pressa; a rigor, desafiando incrédulos (cf. Is 5,19). O profeta não tem pressa nem solicitou ameaças (15,15).

17,17 A petição remete à vocação, pedindo que não se cumpra a ameaça: 1,17.

17,18 Pede que Deus lhe faça justiça, como em Sl 31,18s; 35,4-6; 40,15 etc.

O sábado (Ne 13,15-21; Is 58,13-14) – ¹⁹Assim me disse o Senhor:

– Vai e coloca-te na Porta de Benjamim, por onde entram e saem os reis de Judá, e em cada uma das portas de Jerusalém, e dize-lhes: ²⁰Reis de Judá, judaítas e habitantes de Jerusalém, que entrais por estas portas, escutai a palavra do Senhor. ²¹Assim diz o Senhor: Guardai-vos muito bem de transportar cargas em sábado ou de passá-las pelas portas de Jerusalém. ²²Não tireis cargas de vossas casas em sábado, nem façais trabalho algum; santificai o sábado como ordenei a vossos pais. ²³Eles não me escutaram nem deram ouvidos; tornaram-se obstinados, não me escutaram nem aprenderam a lição. ²⁴Mas, se vós me escutardes – oráculo do Senhor – e não passardes cargas em sábado pelas portas desta cidade, mas santificardes o sábado, não trabalhando nele, ²⁵então entrarão pelas portas desta cidade os reis sucessores no trono de Davi, montados em carros e cavalos, acompanhados de seus dignitários, de judaítas e habitantes de Jerusalém, e a cidade estará habitada para sempre. ²⁶Virão dos povoados de Judá, da região de Jerusalém, do território de Benjamim, da Sefelá, da Serra, do Negueb, e entrarão no templo do Senhor com holocaustos, sacrifícios, ofertas e incenso em ação de graças. ²⁷Mas, se não me escutardes, se não santificardes o sábado, abstendo-vos de passar cargas em sábado pelas portas de Jerusalém, então atearei fogo nas suas portas, e ele devorará os palácios de Jerusalém, sem se apagar.

18 Na oficina do oleiro (Is 29,16; Eclo 38,29-30; Rm 9,19-21) – ¹Palavras que o Senhor dirigiu a Jeremias:

– ²Vai, desce à oficina do oleiro, e aí te comunicarei minha palavra.

³Desci à oficina do oleiro, e o encontrei trabalhando no torno.

⁴Às vezes, trabalhando o barro, um vaso saía errado; então fazia outro vaso, como melhor lhe parecia.

⁵E o Senhor me dirigiu a palavra:

– ⁶E eu, não poderei, israelitas, tratar-vos como esse oleiro? Como o barro está nas mãos do oleiro, assim estais vós em minhas mãos, israelitas. ⁷Primeiro me refiro a um povo e a um rei e falo em arrancar e arrasar; ⁸se esse povo, ao qual me refiro, se converter de sua maldade, eu me arrependerei do mal que pensava em lhes fazer. ⁹Depois me refiro a um povo e a um rei e falo em edificar e plantar; ¹⁰se me desobedecerem e fizerem o que eu reprovo, eu me arrependerei dos benefícios que lhes havia prometido. ¹¹E agora, fala aos judaítas e aos habitantes de Jerusalém:

17,19-27 A instituição do sábado, que não é celebração cultual, vai adquirindo importância e dominará a vida judaica no regresso do desterro: Is 56,1-8; 58,13-14; Ne 13, 15-21 etc. "Transportar cargas" recorda a escravidão, e o sábado deve expressar a liberdade de todos (Ex 20,10s; Dt 5,14s). As portas registram toda a vida urbana: entrar e sair como expressão polar; também as pessoas: reis, nobres e povo, capital e província. O oráculo poderia ser um apoio à reforma de Josias. Deve-se completar essa exigência com a de justiça (22,1-9); a repetição de uma cláusula vincula ambas as passagens (17,25 e 22,4).
17,19 Compare-se com a introdução ao discurso sobre o templo, 7,1-2.
18,1-17 Da atividade artesã do oleiro, que modela sua cerâmica, surge um dia a imagem de Deus como oleiro, que modela o homem do barro da terra: Gn 2,7-8.19. Daí resulta que o homem possui um caráter ou "formatação": Gn 6,5; 8,21. Daí se passa a usar como sinônimos "criador" e "formador" do homem e também da história, especialmente o Segundo Isaías. Pode-se ver: Is 27, 11; 43,21; 44,2; 49,5; 64,7; Zc 12,1; Sl 33,15; 139,16.
O presente capítulo pode estar inspirado em Is 29,16. Jeremias é enviado a contemplar um oleiro trabalhando; a partir da cena, remonta à pregação sobre a situação do momento: do cotidiano ao transcendente, como a panela de 1,13s. A diferença fundamental entre o barro e o homem é que o homem é responsável. O oleiro desfaz o que saiu errado e com o mesmo barro começa outro vaso; o homem tem de reformar o que deformou. Se Deus é soberano, o homem é responsável. Se o homem resiste à mudança, o oleiro terá de rejeitar toda a massa. O barro humano tem a terrível capacidade de resistir à formatação de Deus. Ele quer modelá-lo com sua palavra, não à força; ou seja, com um dinamismo que atue a partir de dentro.
A ameaça acrescenta força à exortação e é condicionada. Se cumpre a condição, o homem converte a ameaça em predição, fazendo com que se cumpra. Tal é a lógica do oráculo.
18,7-10 Mudança de direção ou formatação. Divide a ação em dois tempos contrapostos, usando os verbos programáticos da vocação do profeta, "arrancar e arrasar, edificar e plantar", e os complementos "povos" e "reis". Primeiro a ameaça, que fica frustrada pela conversão; depois a promessa, que resulta frustrada pela perversão. Deus "se arrepende" ou se retrata: Gn 6,6s; Ex 32,12-14; Am 7,2s; Jl 2,13.
18,11-12 Paradoxo dos planos: se o povo mudar seus planos perversos, Deus mudará os seus; se o povo se obstina, Deus cumprirá seus planos.

Assim diz o Senhor: Eu, o oleiro,
vos preparo um castigo
e medito um plano contra vós.
Que se converta cada qual de sua má conduta,
emendai vossa conduta e vossas ações.
¹²Respondem: Não queremos,
seguiremos nossos planos,
cada qual seguirá a maldade
de seu coração obstinado.
¹³Pois bem, assim diz o Senhor:
Perguntai aos pagãos
quem ouviu tal coisa: a capital de Israel
cometeu algo horripilante.
¹⁴A neve do Líbano abandona
as rochas escarpadas?
Corta-se a água fresca que flui caprichosa?
¹⁵Pois meu povo me esquece
e sacrifica a uma ficção:
tropeçam caminhando pelas velhas veredas
e caminham por sendas e caminhos não aplanados,
¹⁶convertendo assim sua terra
em desolação e caçoada perpétua,
os passantes se espantam e sacodem a cabeça.
¹⁷Como vento do Oriente,
eu os aventarei diante do inimigo;
no dia da derrota, volverão as costas e não o rosto.

Confissões de Jeremias
(Jr 11; 15; 17; 20)

4. Perseguição

¹⁸Disseram: Vamos tramar
um plano contra Jeremias,
pois não nos faltará
a instrução de um sacerdote,
o conselho de um douto, o oráculo de um profeta;

18,14-17 Sentença motivada, com o esquema tradicional. A comparação é difícil e duvidosa. A neve é fiel ao Líbano (perpétua): afastada daí, se derrete, só na altura se conserva. Também a água corrente deve conservar-se unida à sua fonte, sob pena de secar ou esgotar-se. O Senhor é Rocha (Sl 19,15) e "manancial" (2,13).

18,17 O vento oriental é assolador: Ez 17,10; 27,26; Sl 48,8. "Voltar as costas" ao inimigo como castigo por ter voltado as costas a Deus: 2,27; 32,33.

18,18-23 Na composição atual do livro vão se alternando os oráculos de ameaça e as confissões de perseguição, sugerindo o entrelaçamento de ambas as realidades na vida do profeta. A parecer do profeta, a perseguição chegou a ser mortal; por isso, diante do tribunal de Deus invoca a lei do talião, pois o profeta não se vingará com as próprias mãos. Os inimigos querem calar para sempre essa língua que denuncia, sem compreender que é uma língua que intercede. Cortam o último apoio deles. Pois bem, a intercessão se converte em pedido de sentença capital. Se Deus prometeu estar do lado do profeta, terá de enfrentar os inimigos do profeta. A neutralidade seria cumplicidade. E o juiz não pode alegar ignorância, pois "conhece o plano homicida" deles. Mas seria essa a única forma de frustrar o plano do inimigo, castigando-o antes que o execute? A linguagem desta súplica inspira-se em temas e fórmulas de salmos, especialmente do 109.

18,18 Os rivais não necessitam de Jeremias, porque contam com conselheiros institucionais que prestam melhores serviços sem falhar: o sacerdote com sua instrução (*torá*), o doutor com seu conselho de prudência humana, o profeta da corte com seu oráculo adulador. Só Jeremias tem uma língua importuna, e é preciso acabar com ela.

vamos feri-lo na língua,
não façamos caso do que diz.
¹⁹Faze-me caso tu, Senhor, escuta meus rivais.
²⁰Acaso se pagam bens com males?
Cavaram uma cova para mim.
Recorda que estive diante de ti,
intercedendo por eles,
para afastar deles tua cólera.
²¹Agora, entrega seus filhos à fome,
coloca-os à mercê da espada,
fiquem suas mulheres viúvas e sem filhos,
morram assassinados seus homens
e os jovens ao fio da espada no combate.
²²Que se ouçam gritos saindo de suas casas,
quando de repente bandidos os assaltarem,
pois cavaram uma cova para me pegar,
esconderam ciladas para meus pés.
²³Senhor, tu conheces seu plano homicida contra mim:
não perdoes suas culpas,
não apagues de tua vista seus pecados;
caiam derrubados diante de ti,
executa-os no momento da ira.

19 A jarra de barro* (Jr 25,1) –

¹O Senhor me disse:
– Vai comprar uma jarra de barro; acompanhado de alguns conselheiros e sacerdotes, ²sai para o vale de Ben-Enom, que está próximo da Porta dos Cacos, e proclama aí o que eu te disser*:

¹⁰"Quebra a jarra na presença de teus acompanhantes, ¹¹e dize-lhes: Assim diz o Senhor dos exércitos: Do mesmo modo eu quebrarei este povo e esta cidade, como se quebra um objeto de barro, e não se pode recompor*.

¹⁴Jeremias voltou da porta aonde o Senhor o havia mandado profetizar, colocou-se no átrio do templo e disse a todo o povo: – ¹⁵Assim diz o Senhor dos exércitos, Deus de Israel: Eu farei vir sobre esta cidade e sua região todos os males com que a ameacei, porque se tornaram obstinados e não escutaram minhas palavras.

18,19-20 Sl 35,1.12; 38,21; 109,5; Pr 17,13.
18,21 Sl 63,11; 109,9.
18,22 Sl 35,7; 119,110; 140,6; 142,4.
18,23 Sl 109,14. A ira é a sentença de condenação, que deve ser executada sem remissão nem atraso.
19-20 Como último ato de uma série, compõe-se de três elementos bem diferenciados: a) o oráculo da jarra; b) o oráculo sobre o vale de Hinnon; c) a última confissão de Jeremias. Na atual composição do livro, este trecho arremata uma série análoga, que podemos esquematizar assim:

oráculo	perseguição	confissão
16,1-17,13	(17,18)	17,14-18
17,19-18,17	(18,18-20)	18,20-23
19	20,1-6	20,7-18

(Entre parênteses a perseguição incorporada à oração.) Se tal esquema é válido, podemos pensar que o compilador juntou dois oráculos antes do relato de perseguição, e na operação se insinuou alguma desordem. Com outros autores proponho uma nova ordem provável. * Ano 604.

19,1-2.10-11.14-15. Outra ação simbólica, unida à precedente pelo tema comum da cerâmica. Também se podem considerar como precedentes os textos de execração, escritos em cacos de cerâmica, quebrados para influir magicamente nos inimigos. Conselheiros e sacerdotes agem como testemunhas do braço secular e clerical.
A palavra "quebrar" adquire seu significado material e se enriquece de sentido simbólico. É imagem corrente: Is 30,14; Am 6,6; Na 3,19; Lm 4,10.
19,2 * Os vv. 3-9 e 12-13 vêm depois de 20,6.
19,11 "Recompor" é em hebraico o mesmo verbo que "curar". * Os vv. 14-15 vêm depois de 19,11.
19,14-15 Na nossa interpretação, Jeremias não se contenta em pronunciar o oráculo diante de poucas testemunhas, mas o faz ressoar no lugar mais público, o átrio do templo; não se detém na porta (7,2). É lógico que semelhante intrusão provocaria a reação do comissário do templo. O versículo 15 é um resumo do discurso.

20 ¹Fassur, filho de Emer, sacerdote comissário do templo do Senhor, ouviu Jeremias profetizando aquilo. ²Fassur mandou açoitar o profeta Jeremias e o colocou no cepo que se encontra na porta superior de Benjamim, no templo do Senhor.

³Na manhã seguinte, quando Fassur o tirou do cepo, Jeremias lhe disse:

– O Senhor já não te chama Fassur, mas Cerco de Pavor, ⁴pois assim diz o Senhor: Serás o pavor teu e de teus amigos, que cairão pela espada inimiga, diante de tua vista; entregarei todos os judaítas em poder do rei da Babilônia e os matará com a espada. ⁵Entregarei aos inimigos todas as riquezas desta cidade, suas posses, objetos preciosos, os tesouros reais de Judá; eles os saquearão, os pegarão e os levarão a Babilônia. ⁶E tu, Fassur, com todos os de tua casa, irás para o desterro, para Babilônia; aí morrerás e serás enterrado com todos os teus amigos, aos quais profetizavas tuas mentiras*.

O vale de Ben-Enom
(Jr 7,29-8,3)

19 ³Dize: Escutai a palavra do Senhor,
reis de Judá e habitantes de Jerusalém:
Assim diz o Senhor dos exércitos, Deus de Israel:
Eu farei vir sobre este lugar
uma catástrofe que, a quem a ouvir,
lhe zumbirão os ouvidos;
⁴porque me abandonaram, desvirtuaram este lugar,
sacrificando nele a deuses estrangeiros,
que nem eles nem seus pais conheciam,
e os reis de Judá
o encheram de sangue inocente.
⁵Construíram ermidas a Baal,
onde queimavam seus filhos
como holocaustos em honra de Baal;
coisas que não lhes mandei, nem lhes disse,
nem me passou pela cabeça.

20,1-6 O episódio de Fassur se destaca pela concentração e pela paixão retórica com que está expresso; observem-se as enumerações enfáticas, a insistência em "todos".

A mudança de nome se apoia numa paronomásia rebuscada. O novo nome aparece em 6,25; 20,10; 46,5; 49,29 e Sl 31,14. Os dois personagens se enfrentam intensamente. Fassur tem a autoridade, Jeremias a palavra; Jeremias vai para a prisão, Fassur irá para Babilônia; Jeremias sairá no dia seguinte, Fassur morrerá no desterro. Jeremias chama Fassur de falso profeta, e essa é a chave da oposição. Acontece que esse sacerdote faz parte do bando de falsos profetas, e emprega suas atribuições para impedir que no recinto por ele custodiado ressoe a palavra do Senhor. Como no caso de Amasias e Amós (Am 7).

Em torno dos protagonistas se move um círculo de amigos e outro mais amplo de inimigos. A espada de Babilônia será executora da sentença. A profecia cumpriu-se na primeira deportação.

20,6 * Os vv. 7ss vêm depois de 19,13.

19,3-13 Talvez seja variante do oráculo sobre o vale de Ben-Enom e o mal-afamado Tofet: profanação do templo 7,30 e 19,4, sacrifícios a Baal 7,31 e 19,5; é uma repetição quase literal: 7,31b-32 e 19,5b-6; 7,32c e 19,11c.

O foco de atenção é o Tofet. O olhar é atraído para esse lugar do vale urbano onde se cometeu o delito mais abominável, o culto a deuses estrangeiros (contra o primeiro mandamento) e o infanticídio (não matar). E vem à memória outro cortejo de delitos: o culto astral nos terraços das casas (Dt 4,19). Do fundo do seu vale, ensanguentado e fumegante de carne humana assada, até os terraços fumegantes de incenso, a cidade inteira está contaminada. O castigo corresponde ao delito: por imolarem seus filhos, comerão seus filhos; pelo culto idolátrico, a cidade fica profanada. Fogo e morte. *Tofet* é provavelmente deformação de *tefat*, que significa forno, fogueira (cf. Is 30,33); no fim a cidade inteira será um *tofet*: alude ao incêndio de Jerusalém no ano 586? Ao menos assim se deve ler depois dos acontecimentos. Os mortos, abandonados à intempérie ou enterrados em região habitada, contaminam (Lv 11): no coração da cidade haverá um foco permanente de contaminação.

19,3 Título amplo do Senhor, dono dos exércitos estelares, que não merecem adoração.

19,4 "Não conheciam": Dt 11,28; 13,3.14; 29,25.

⁶Por isso chegarão dias – oráculo do Senhor –
em que este lugar já não se chamará o Forno
nem vale de Ben-Enom, mas vale das Almas.
⁷Nele farei fracassar
os planos de Judá e de Jerusalém,
e os derrubarei pela espada do inimigo,
por mãos dos que os buscam para matá-los,
darei seus cadáveres como pasto às aves do céu
e às feras da terra.
⁸Farei desta cidade um espanto e caçoada:
os que passarem junto a ela
se espantarão e assobiarão
à vista de tantas feridas.
⁹Farei que comam seus filhos e filhas,
que se comam uns aos outros,
quando seus inimigos mortais apertarem
e estreitarem o cerco*.
¹¹ᶜE os enterrarão no Forno,
por falta de lugar.
¹²Assim tratarei este lugar e seus habitantes,
farei desta cidade um forno
– oráculo do Senhor –;
¹³as casas de Jerusalém
e os palácios reais de Judá
serão imundos como o lugar do Forno;
as casas em cujos terraços ofereciam sacrifícios
aos astros do céu,
e faziam libações a deuses estrangeiros.

Confissões de Jeremias
(Jr 11; 15; 17; 18)

5. Final

20 ⁷Tu me seduziste, Senhor, e me deixei seduzir,
tu me forçaste, me violaste.
Eu era o escárnio o dia todo,
todos caçoavam de mim.
⁸Se falo, é aos gritos, clamando:
"violência, destruição!"

19,6 "Almas": tomando o substantivo como coletivo. Mantendo-se o significado abstrato, seria o vale da Matança.
19,8 "Assobiarão": Lm 2,15s.
19,9 Lv 26,29; Dt 28,53; Lm 4,10; 2Rs 6,28s. * Os vv. 10-11ab vêm depois de 19,2.
20,7-18 Na disposição do livro, última confissão de Jeremias, a mais violenta e desconcertante. Um profeta fala assim com seu Senhor? Antes de tudo, é preciso restabelecer o perfil original do texto que compreendia 7-10 e 14-18. Mais tarde alguém tomou os extremos e os separa para fazer um espaço central, onde inseriu o desfecho venturoso. Para a leitura se oferecem três pistas: ler só e seguidamente 7-10.14-18; ler esse mesmo texto acrescentando depois 9-13; ler o texto atual. Como segunda operação, deve-se buscar um contexto narrativo que explique e justifique um texto tão tremendo. Só cabe oferecer uma sugestão plausível. Suponhamos que Jeremias tenha pronunciado estas palavras quando, entregue à vingança dos inimigos, se atolava no lodo da cisterna, correndo o perigo de morte antecipada (38,1-13). Seus rivais o dominaram, o Senhor o abandonou, sua missão foi um fracasso, sua vocação um engano ou sedução; era melhor não ter nascido. No capítulo citado, conta-se a libertação inesperada do profeta por intervenção de Ebed-Melec. Em tal situação se enquadrariam os versículos acrescentados. Repito que isso é um exercício de leitura.
20,7-10 A estranha oração toma a forma de uma denúncia ou acusação do profeta a seu Deus. A

A palavra de Deus se tornou para mim
  escárnio e caçoada constantes,
⁹e eu disse a mim mesmo: Não me recordarei dele,
  não falarei mais em seu nome.
Mas eu a sentia dentro como fogo
ardente encerrado nos ossos:
  fazia esforços para contê-la e não podia.
¹⁰Ouvia o cochicho da gente: "Cerco de Pavor",
  vamos denunciá-lo, vamos denunciá-lo!
Meus amigos espreitavam meu tropeço:
  Vejamos se ele se deixa seduzir,
  nós o violaremos e nos vingaremos dele.
¹¹"Mas o Senhor está comigo como poderoso soldado,
  meus perseguidores tropeçarão
  e não me vencerão;
sentirão a confusão do seu fracasso,
  um rubor eterno e inesquecível.
¹²Senhor dos exércitos, examinador justo,
  que vês as entranhas e o coração,
que eu veja como te vingas deles,
  pois a ti confiei minha causa.
¹³Cantai ao Senhor, louvai ao Senhor,
  pois livrou o pobre do poder dos perversos".
¹⁴Maldito o dia em que nasci,
  o dia que minha mãe me deu à luz não seja abençoado!
¹⁵Maldito seja aquele que deu a notícia a meu pai:
  "Nasceu um filho teu", causando-lhe alegria!
¹⁶Oxalá fosse esse homem como as cidades
  que o Senhor transtornou sem compaixão!
  Oxalá ouvisse gritos pela manhã
  e alaridos ao meio-dia!
¹⁷Por que não me matou no ventre?
  Minha mãe teria sido meu sepulcro;
  seu ventre me teria levado para sempre.
¹⁸Por que saí do ventre
  para passar trabalhos e sofrimentos
  e acabar meus dias derrotado?

---

julgar por várias expressões, à luz da legislação de Dt 22,23-29, penso que a acusação é formulada em termos de sedução e abandono. Como se o Senhor tivesse atraído com amores o profeta (no papel feminino) até seduzi-lo (verbo *pth* conforme Ex 22,15). Recorde-se que o Senhor tinha proibido o profeta de casar. Jeremias, seduzido por belas promessas, agora se encontra abandonado e feito zombaria do povo; seus rivais se assanham e pretendem aproveitar-se dele. O grito de Jeremias é bivalente: significa Violência! e equivale ao grito de socorro da moça ameaçada (Dt 22,24.27). É ele quem padece a "violência" *hzq* (Dt 22,25) de Deus. O verbo *ykl* pontua o processo: prepotência de Deus, impotência do profeta, prepotência do inimigo (7.9.10).

20,14-18 Embora o texto apresente várias dificuldades de leitura e interpretação, o sentido de conjunto é claro. Ao amaldiçoar o dia do seu nascimento, amaldiçoa toda a sua existência, fracassada e destroçada por ter aceito a vocação profética. A menção das cidades malditas envolve em tonalidade sombria toda a imprecação, porque são cidades-modelo. Nelas se escutaram gritos e alaridos que o homem que imaginava trazer uma boa notícia deveria ter ouvido. Aliás, essas cidades queimadas sem compaixão não prefiguram a sorte de Jerusalém? Consumada a catástrofe, a associação é inevitável.

20,11-13 Síntese de um canto de vitória e pedido de justiça, inspirado na linguagem dos salmos. Ver p. ex. Sl 35,4.8.9.27.

20,17 Ao morrer, o homem retorna à "mãe dos vivos" (Jó 1,21; Eclo 40,1): um seio materno, com uma criatura morta dentro, seria como a terra dos mortos. A ideia não é lógica, porque não se trata de lógica. Pode-se anular uma existência com o desejo? Não; mas a expressão do desejo absurdo revela o sem-sentido de semelhante existência.

Oráculos dirigidos

21

1. A Sedecias (Jr 27,12-15) – ¹Palavras que o Senhor dirigiu a Jeremias quando o rei Sedecias enviou Fassur, filho de Melquias, e Sofonias, filho de Maasias, para lhe dizer:

– ²Consulta por nós o Senhor, para ver se repete seus prodígios conosco, e se Nabucodonosor, rei da Babilônia, que agora nos está combatendo, tem de se retirar.

³Jeremias lhes respondeu:

– Dizei a Sedecias: ⁴Assim diz o Senhor, Deus de Israel: As armas que empunhais no combate, eu as passarei ao rei da Babilônia e aos caldeus, que vos assediam fora da muralha, e os reunirei no meio desta cidade. ⁵Eu pessoalmente lutarei contra vós, com mão estendida e braço forte, com ira, cólera e fúria. ⁶Ferirei os habitantes desta cidade, homens e animais, e morrerão numa grave epidemia. ⁷Depois – oráculo do Senhor – a Sedecias, rei de Judá, a seus ministros e aos que na cidade sobreviverem à peste, à espada e à fome, eu os entregarei nas mãos de Nabucodonosor, rei da Babilônia, e nas mãos de seus inimigos mortais. Ele os passará a fio de espada, sem piedade, sem respeito, sem compaixão.

2. A esse povo – ⁸Tu lhe dirás: Assim diz o Senhor: Eu ponho diante de vós o caminho da vida e o caminho da morte. ⁹Os que ficarem na cidade morrerão pela espada, de fome e de peste; os que saírem e passarem aos caldeus sitiadores, salvarão a vida, serão presos como despojos vivos. ¹⁰Porque eu enfrento esta cidade para o mal e não para o bem – oráculo do Senhor. Será entregue ao rei da Babilônia, que a passará a fogo.

3. À casa real de Judá – ¹¹Escutai a palavra do Senhor: ¹²Casa de Davi, assim diz o Senhor:

> Ide cedo para administrar a justiça,
>   livrai o oprimido do poder do opressor,
> se não quiserdes que minha cólera se inflame como fogo
>   e arda inextinguível
>   por causa de vossas ações más.

4. A Jerusalém

¹³Aqui estou contra ti,
  Senhora do Vale, Rocha da Planície
  – oráculo do Senhor.

21-23 Formam uma coleção de oráculos dirigidos nominalmente ou por alusão clara a um personagem, um grupo, um lugar. (Entraria na série 13,18-19.) A ordem não é cronológica; a seleção, sim: rei, dinastia, capital, dirigentes, povo (ou tropa).

21,1-7 A situação é parecida com a narrada em 37,3-10: agora em pleno cerco; a seguir, durante a suspensão temporária do cerco. O balanço é o mesmo: Sedecias provocou a catástrofe, que já não tem solução. Fassur não é o do capítulo 19. O rei ainda respeita Jeremias.

21,2 O que o rei e sua corte querem e esperam é um "milagre" do Senhor, como no tempo de Senaquerib (Is 37,36) e como em outras ações históricas. O rei demonstra assim que confia no Senhor.

21,4-5 A resposta é duríssima. Com a linguagem do êxodo, "mão estendida e braço forte", o Senhor volta a agir; só que agora guerreia contra seu povo. Passou para o lado dos caldeus: entrega as armas a estes, e os conduz à conquista, e se apresenta como seu general (v. 7).

21,7 Ao mesmo tempo insinua outro princípio: não é Nabucodonosor o protagonista da história, mas é o Senhor que conserva a iniciativa. Isso servirá para interpretar os eventos depois da catástrofe. O assírio e o babilônio, superficialmente opostos, no fundo coincidem no ser instrumentos de Deus.

21,8-10 O termo hebraico pode significar povo e também tropa (1Sm 13-14; Dt 2,32), que aqui faria mais sentido. O profeta convida os soldados a desertar; isso explicaria a acusação de 38,4. Terão sorte diferente das autoridades. Propõe isso como questão de vida ou morte. Em termos militares, a alternativa é simples; em termos teológicos, a fórmula recorda a proposta de Dt 30,15-19: escolher entre o bem e o mal, a vida e a morte, a bênção e a maldição. Moisés falava dos mandamentos em geral; Jeremias, de uma decisão concreta; alguns a tacharão de traição covarde. "Para o mal", segundo a maldição de Dt 28,53.

21,11-12 Podia figurar à frente da série, por abranger toda a dinastia e pelo tema de justiça, que logo se ampliará. 12b soa como 4,4b. Tarefa principal do rei davídico é administrar a justiça (2Sm 23,3s), que consiste em fazer valer os direitos dos desamparados. E deverão fazê-lo "cedo" (cf. 2Sm 15, 2-4).

21,13-14 Jerusalém é vista poeticamente como cidade situada no alto, sentindo-se segura e inexpugnável

Dizeis: Quem cairá sobre nós,
   quem penetrará em nossas moradas?
¹⁴Eu vos castigarei como vossas ações merecem:
   atearei fogo no bosque
   e ele consumirá tudo ao redor.

22

5. Ao rei – ¹Assim diz o Senhor: Desce ao palácio real de Judá e proclama aí o seguinte: ²Escutai a palavra do Senhor, rei de Judá, que ocupas o trono de Davi, e também teus ministros e o povo que entra por estas portas. ³Assim diz o Senhor:

Praticai a justiça e o direito,
livrai o oprimido do opressor,
não exploreis o migrante, o órfão e a viúva,
não derrameis sem piedade
sangue inocente neste lugar.

⁴Se cumprirdes esses mandatos, vós, os reis que ocupam o trono de Davi, podereis entrar por estas portas, montados em carros de cavalos, acompanhados de vossos ministros e do povo. ⁵E se não cumprirdes esses mandatos, juro por mim mesmo – oráculo do Senhor – que este palácio se transformará em ruínas. ⁶Pois assim diz o Senhor ao palácio real de Judá:

Mesmo que fosses para mim
   como Galaad ou o cume do Líbano,
   juro que farei de ti um deserto,
   uma cidade desabitada;
⁷consagrarei teus devastadores,
   cada qual com suas armas,
   para que cortem teus melhores cedros
   e os atirem no fogo.
⁸Chegarão muitos povos a esta cidade,
   e perguntarão uns aos outros:
Por que o Senhor tratou assim
   esta grande cidade?
⁹E responderão: Porque abandonaram
   a aliança do Senhor seu Deus,
   e serviram e adoraram deuses estrangeiros.

6. A Joacaz-Selum

¹⁰Não choreis pelo morto nem vos lamenteis por ele,
   chorai pelo que parte,

---

em sua altura: Ab 2-4; Hab 2,9. Dentro da capital há no palácio um "Bosque do Líbano" (1Rs 7,2; 10,17): talvez uma sala de colunas de madeira preciosa, nas quais pode estar o foco central do incêndio.

22,1-9 Dado que não é mencionado o rei, podemos imaginar que se refere a Joaquim, embora valha para qualquer um. Para o rei e a corte, cruzar as portas significa exercício de autoridade e dignidade; para o povo, garantia de seus direitos. Pois no palácio reside o supremo tribunal (Sl 122). Mas é a justiça que sustenta palácio e trono (Sl 45,5.7; Pr 16,12; 25,5); sem ela, o palácio é luxo inútil e exposto. A justiça se condensa num par de mandatos: Ex 22,21; Dt 24,17s.

22,4-5 As duas condicionais funcionam como sanção: ocupam o lugar das bem-aventuranças e das maldições da aliança.

22,6-7 Cumprida a segunda condição, o atropelo oficial da justiça, o Senhor pronuncia a sentença. Galaad (inclusive talvez Basã) e o Líbano são regiões de bosques. O cedro pode representar também o emblema do poderoso: Is 2,13; Ez 31. O Senhor "consagrará" os carrascos executores da sentença, numa guerra santa: Is 13,3. Pela consagração dos carrascos, a destruição será como uma liturgia macabra: Ez 9.

22,8-9 Citação de Dt 29,24 e 1Rs 9,8s.

22,10-12 O morto é Josias. 2Cr 35,24s menciona o luto nacional. Quem parte é seu segundo filho,

porque não voltará a ver sua terra natal.
¹¹Pois assim diz o Senhor a Selum, filho de Josias, rei de Judá, sucessor de seu pai Josias:
Aquele que saiu deste lugar, a ele não voltará,
¹²morrerá no país do seu desterro
e não voltará a ver esta terra.

7. A Joaquim (Jr 36,29-31; Hab 2,7-20)

¹³Ai de quem edifica sua casa com injustiça,
andar por andar, iniquamente!
Faz trabalhar gratuitamente seu próximo,
sem lhe pagar o salário.
¹⁴Ele pensa: Construirei uma casa espaçosa para mim,
com salões ventilados, abrirei janelas,
eu a revestirei de cedro, a pintarei de vermelho.
¹⁵Pensas que és rei,
porque competes em cedros?
Se teu pai comeu e bebeu e passou bem,
é porque praticou a justiça e o direito;
¹⁶fez justiça a pobres e indigentes,
e isso sim é conhecer-me
– oráculo do Senhor.
¹⁷Tu, ao contrário, tens olhos
e coração só para o lucro,
para derramar sangue inocente,
para o abuso e a opressão.
¹⁸Por isso, assim diz o Senhor a Joaquim,
filho de Josias, rei de Judá:
Não lhe farão um funeral cantando:
Ai, irmão meu, ai minha irmã!
Não lhe farão funeral: Ai, Senhor! ai, Majestade!
¹⁹Eles o enterrarão como um asno:
eles o arrastarão e o jogarão
fora do recinto de Jerusalém.

8. A Jerusalém

²⁰Sobe ao Líbano e grita, ergue a voz em Basã,
grita de Abarim,
porque estão destroçados teus amantes.

---

deposto e levado cativo para o Egito pelo Faraó. Seu destino não é morrer em campanha, mas viver e morrer como prisioneiro em terra estrangeira, no Egito. Preludia outros desterrados em massa, incluído Jeremias.

22,13 A frase é sarcástica: o rei usa o próximo como simples instrumento de trabalho, que não lhe custa nada. Ver a legislação de Lv 19,13 e o ai de Hab 2,12.

22,13-19 O estilo deste oráculo é de um vigor extraordinário: denso, nítido, animado pela paixão ou sede de justiça, certeiro na seleção e colocação das palavras, valente pela graça de Deus diante do rei. Conhecer o Senhor é reconhecer a sua pessoa e a sua exigência de justiça (cf. Ex 5,2); não fabricar mentalmente uma divindade cúmplice da injustiça (Sl 50,21).

22,14-15 A lembrança de Salomão aparece no fundo, dominada pela menção de Josias. "Comer e beber" simplesmente se opõe à ostentação de construções luxuosas.

22,16 Assim Josias deu conteúdo social à sua reforma religiosa.

22,17 Se é preciso dar por inteiro o coração a Deus (Dt 6,5; 10,12; 13,4; 30,2 etc.), Joaquim não pode dar sequer uma parte, pois o entregou totalmente ao lucro.

22,18-19 Sentença. O castigo é proporcional: quem viveu como tirano, morrerá e jazerá como animal (cf. Is 14,19s). O explorador não terá irmãos nem súditos que o chorem.

22,20-23 Pela referência ao Líbano e seus cedros, este oráculo poderia ser lido como continuação

²¹Eu te falei em teu bem-estar, e tu disseste: Não obedeço.
Essa é tua conduta desde jovem,
não me obedeceste.
²²Por isso, o vento apascentará teus pastores,
e teus amantes irão para o desterro;
então sentirás vergonha e rubor
de todas as tuas maldades.
²³Tu, Senhora do Líbano, que aninhas entre cedros,
como soluçarás quando te chegarem as ânsias,
as dores como de parto.

9. A Jeconias

²⁴Por minha vida, Jeconias,
filho de Joaquim, rei de Judá,
ainda que fosses o selo de minha mão direita,
eu te arrancaria ²⁵e te entregaria
em poder de teus inimigos mortais,
dos que mais temes:
Nabucodonosor, rei da Babilônia,
e em poder dos caldeus.
²⁶Eu expulsarei a ti e a tua mãe, que te deu à luz,
para um país estranho, onde não nascestes,
e aí morrereis.
²⁷E não voltarão para a terra aonde anseiam voltar.
²⁸Esse Jeconias é um vaso quebrado, desprezível,
um traste inútil?
Por que o expulsam com sua estirpe
e o atiram a um país desconhecido?
²⁹Terra, terra, terra!
Escuta a palavra do Senhor:
³⁰Assim diz o Senhor:
Inscrevei esse homem como estéril,
como varão malogrado na vida,
porque de sua estirpe ninguém conseguirá
sentar no trono de Davi
para reinar em Judá.

---

ou variação do precedente, 21,13-14. Jerusalém é vista como matrona infiel ao marido (Is 1,21-26), enamorada dos seus amantes (Os 2; Ez 16). Esses amantes que irão para o desterro poderiam ser nações próximas, aliadas na rebelião (cf. Lm 1,19), ou judeus influentes, falsos profetas. Parece mais provável o segundo: o "vento" da falsa profecia "apascenta" os "pastores" = chefes, que rejeitam o profeta autêntico (cf. Is 30,10-12). A cidade ficará solitária, esperando as ânsias de um parto estéril (4,31).

22,24-30 Jeconias reinou três meses, rendeu-se para evitar males maiores, foi deposto e levado cativo para Babilônia. Não se mencionam culpas pessoais, simplesmente se registra seu destino. O oráculo não é fácil de explicar. Propomos a seguinte interpretação: Ante a desgraça injustificada, surgem duas objeções sucessivas. Primeira: o rei é instrumento escolhido de Deus; o selo é sinal da autoridade e instrumento do seu exercício. Resposta: ainda que o seja, o Senhor pode desfazer-se dele. Segunda: se não é anel precioso, tampouco é um caco inútil que se deva jogar fora. Resposta: ratifica-se a decisão. Assim sucederá que Jeconias não terá um descendente, um elo na cadeia dinástica de Davi. E por Jeconias, tampouco Joaquim (36,30). Contudo, vejam-se as últimas linhas do livro dos Reis (2Rs 25,27-30) e a genealogia de 1Cr 3,17-19.

22,26 A mãe do reinante tinha o título e as prerrogativas de rainha.

22,29 Deus invoca a terra como testemunha pessoal (não invoca o céu).

10. Aos pastores (Jr 10,21; 25,34-38; Ez 34)

23 ¹Ai dos pastores que dispersam e extraviam
as ovelhas do meu rebanho – oráculo do Senhor.
²Pois assim diz o Senhor, Deus de Israel,
aos pastores que pastoreiam meu povo:
Vós dispersastes minhas ovelhas,
expulsaste-as, não cuidastes delas;
por isso eu vos pedirei contas
de vossas más ações
– oráculo Senhor.
³Eu mesmo reunirei o resto de minhas ovelhas
em todos os países para onde as expulsei,
eu as trarei de volta a seus pastos,
para que cresçam e se multipliquem.
⁴Eu lhes darei pastores que as pastoreiem:
não temerão, nem se espantarão,
nem se perderão – oráculo do Senhor.

⁵Vede, chegam dias – oráculo do Senhor –
em que darei a Davi um rebento legítimo.
Reinará como rei prudente,
e administrará a justiça
e o direito no país.
⁶Em seus dias Judá se salvará, Israel habitará em paz,
e lhe darão o título de "Senhor, justiça nossa".

⁷Vede, chegam dias – oráculo do Senhor – em que já não se dirá: "Pelo Senhor, que tirou os israelitas do Egito"; ⁸mas se dirá: "Pelo Senhor, que tirou a estirpe de Israel do país do norte e de todos os países para onde os expulsou, e os trouxe para suas terras".

11. Aos profetas (Jr 14,13-16; 28-29; Ez 13)

⁹Aos profetas:
O coração explode no meu peito,
meus ossos se deslocam,
estou como um bêbado,

23,1-4 Representar os líderes em figura de pastores é imagem tradicional, que em Israel ganhou especial vigor pelo antecedente Davi (Sl 78,70-72). O presente oráculo atraiu dois acréscimos posteriores e sucessivos, que produzem o seguinte esquema de história da salvação: denúncia – castigo – substituição – promessa. Esquema semelhante ao de Is 1,21-26, que é uma unidade original. Culpa e castigo se correspondem.

23,1-2 O rebanho não é propriedade dos pastores, mas do Senhor, diante do qual são responsáveis. "Dispersar e extraviar" podem limitar-se a um sentido político e ético; associados a "expulsar", parecem aludir à deportação, talvez a provocada por Joaquim.

23,3-4 O Senhor castiga os responsáveis, mas não abandona o rebanho. Realiza a sua tarefa em dois tempos: repatriação e governo novo. Aqui assume a responsabilidade da expulsão, "as expulsei", mostrando que controla os acontecimentos: assim como expulsou, pode reunir e repatriar.

23,5-6 Acréscimo em futuro indefinido, expressão de esperança escatológica. Dos pastores passa ao futuro rei davídico, objeto e alimento da esperança messiânica. Será "rebento legítimo", ou seja, descendente e sucessor, não usurpador. Legítimo também por seu governo justo (2Sm 23,3-4, testamento de Davi). Seu nome, que equivaleria a Yehosedec (cf. Ag 1,1; Zc 6,11; Esd 3,2), pode aludir polemicamente a Sedecias (o mesmo nome em outra ordem), que não administrou a justiça. Além disso, o componente *çdq* pertence à tradição de Jerusalém.

23,7-8 Novo acréscimo, vinculado pelo tema ao v. 3, enunciando o princípio teológico do novo êxodo. Com a mudança atualiza-se um velho título de Yhwh. Estes versículos se leem também em 16,14-15.

23,9-32 Os falsos profetas foram o pesadelo de Jeremias (14,13-16). Aqui lemos uma vigorosa acusação, com recurso à caçoada e ao sarcasmo, até culminar no desafio singular ao Senhor: "aqui estou eu". O amplo desenvolvimento está unificado pelo tema, pelas repetidas alegações "oráculo do

como um vencido pelo vinho, por causa do Senhor
e de suas santas palavras:
¹⁰O país está cheio de adultérios,
e por isso a terra faz luto,
esgotam-se os pastos da estepe,
seu curso é perverso, seu poder um abuso;
¹¹profetas e sacerdotes são uns ímpios,
até em meu templo encontro maldades
– oráculo do Senhor –;
¹²portanto, seu caminho se tornará escorregadio,
empurrados para as trevas, nelas cairão;
eu lhes enviarei a desgraça no ano das contas
– oráculo do Senhor.
¹³Entre os profetas de Samaria
vi um desatino: profetizam por Baal,
extraviando Israel, meu povo;
¹⁴entre os profetas de Jerusalém
vi algo horroroso:
adúlteros e mentirosos
que apoiam os perversos,
para que ninguém se converta de sua maldade;
para mim, todos os seus habitantes são
como Sodoma e Gomorra.
¹⁵Por isso, diz o Senhor dos exércitos aos profetas:
Eu vos darei absinto para comer
e água envenenada para beber,
porque a partir dos profetas de Jerusalém
se difundiu a impiedade por todo o país.
¹⁶Assim diz o Senhor dos exércitos:
Não façais caso de vossos profetas,
que vos enganam:
contam visões de sua fantasia,
não da boca do Senhor;
¹⁷aos que desprezam a palavra do Senhor
dizem: Tereis paz;

Senhor" (reduzidas na versão grega), pela relação delito/castigo, pelo tom apaixonado do porta-voz do Senhor. Contudo, alguns autores pensam que vários versículos são breves comentários acrescentados, que interrompem o curso retórico (10.18-20.23-24). Várias paronomásias jogam ironicamente com o termo "profetas" (*nby'ym mn'pym*).

23,9-12 Observam o esquema clássico: delito, agravantes, sentença; antecipa-se a reação lírica do profeta. A seca (14,1-10) é o "luto" da terra que acompanha a dor do profeta. As "santas palavras" são provavelmente a mensagem profética autêntica, pela qual Jeremias sofre. "Adultérios": metáfora da infidelidade ao Senhor. Os sacerdotes se puseram de acordo com os falsos profetas (20,1-6), colocando desse modo a maldade no templo, como no tempo de Eli (1Sm 1,23). O castigo será trevas e queda, como Os 4,5 e Mq 3,6s.

23,13-15 Repetem com mais rigor o esquema delito/castigo. Igualar os dois reinos irmãos para encarecer a culpa de Judá era o recurso de 3,6-11 (cf. Ez 16,44-52; 23,1-12). Também ao reino do norte o Senhor enviava profetas, Oseias e Amós. Se há daqueles que extraviam, outros impedem a conversão, e o resultado é que as duas capitais são como as duas cidades malditas da Pentápole (cf. Is 1,10). É normal que o patrão sustente seus empregados, os profetas (1Rs 18): o Senhor o fará fornecendo-lhes absinto e veneno (8,14; 9,14).

23,16 A partir daqui discute e comenta várias atividades e meios proféticos: visão (16), sonho (25.27.28.32), oráculo (várias vezes), e acima de todos, a palavra (17.22.28.29.30). "Enganar": deriva em hebraico da raiz *hbl*, sopro, vaidade, título depreciativo dos ídolos. "Fantasia": em hebraico é coração, sua sede psicológica, com a qual o "coração" do povo sintoniza (17).

23,17 Enganam adulando: 6,14; 14,13; Is 30,10; Mq 2,11; 3,15.

aos que seguem seu coração obstinado
dizem: Nada de mau vos acontecerá.
¹⁸Quem assistiu ao conselho do Senhor?
Quem o viu e escutou sua palavra?
Quem atendeu à minha palavra e a escutou?
¹⁹Eis, o Senhor desencadeia
uma tempestade, um furacão
que gira sobre a cabeça dos perversos;
²⁰a ira do Senhor não recuará,
até realizar e cumprir seus desígnios.
Ao cabo dos anos conseguireis compreendê-lo.
²¹Eu não enviei os profetas, e eles corriam;
não lhes falei, e eles profetizavam;
²²se houvessem assistido ao meu conselho,
anunciariam minhas palavras ao meu povo,
para que se convertesse do mau caminho,
de suas ações más.
²³Sou eu Deus só de perto e não Deus de longe?
– oráculo do Senhor.
²⁴Porque alguém se esconde em seu esconderijo,
não vou vê-lo? – oráculo do Senhor.
²⁵Ouvi o que dizem os profetas,
profetizando mentiras em meu nome,
dizendo que tiveram um sonho;
²⁶até quando continuarão os profetas
profetizando mentiras
e as fantasias de sua mente?
²⁷Com os sonhos que contam uns aos outros
pretendem fazer meu povo esquecer meu nome,
como seus pais o esqueceram por causa de Baal.
²⁸O profeta que tiver um sonho,
que o conte;
aquele que tiver minha palavra, que a diga ao pé da letra.
O que faz o trigo com a palha?
– oráculo do Senhor.
²⁹Não é fogo a minha palavra – oráculo do Senhor –
ou martelo que tritura a pedra?

23,18 Imagina Deus como soberano que convoca sua corte e convida o profeta a comunicar as resoluções. Ver o texto clássico de 1Rs 22, o fundo implícito de Is 6 e a alusão de Am 3,7. "A minha palavra" polemiza com a "fantasia" do falso profeta.

23,19-20 Esta seria a decisão. Versículos lidos em 30,23-24. Entre os meteoros que Deus emprega como executores da sua sentença se conta o furacão (Eclo 39,28; Am 1,14; Is 29,6). Deus desencadeia o redemoinho e seleciona o ponto onde deve descarregar. Nada nem ninguém lhe poderá resistir. E quando se executar a sentença, aprenderão os que antes não quiseram (Is 28,19).

23,21 São os dois tempos clássicos do profeta. Em vez de "ir", "correr", com uma ponta de ironia.

23,23-24 Deus não precisa correr ao esconderijo do falso profeta para saber, pois está presente em toda parte, não só no templo (Sl 139; Eclo 17,15s). Sua divindade transcende a distinção de perto e longe, pois sua imensidão enche tudo (Is 6,3). Se envia um profeta, não é para manter as distâncias ou para provocar uma distância radical (cf. Is 55,8-11).

23,25 Dizer mentiras em nome de Deus é como invocar seu nome em vão (Ex 20,7); é falsificá-lo, desacreditá-lo.

23,26 Se o sonho pode ser instrumento de comunicação divina, os sonhos dos falsos profetas são jogos da fantasia. Nós diríamos: desejos projetados pela mente quando cai a inibição da vigília.

23,27 Ao cair em desuso, o nome cai em desuso. A longo prazo, o nome do Deus verdadeiro não se conserva num clima de falsidade. Ver o desfecho no Egito: 44,26.

23,28 Citação de um provérbio. "Trigo" é em hebraico componente de "palavra": *bar* de *dabar*.

23,29 Formulada com exatidão, a palavra de Deus é como fogo: não só para o profeta (20,9), mas nos seus efeitos já anunciados.

³⁰Por isso, aqui estou contra os profetas
— oráculo do Senhor —
pois roubam uns aos outros minhas palavras.
³¹Aqui estou contra os profetas
— oráculo do Senhor —
que usam a língua para soltar oráculos.
³²Aqui estou contra os profetas
— oráculo do Senhor —
que contam seus sonhos falsos
e extraviam meu povo
com suas mentiras e jactâncias.
Não os mandei, não os enviei,
de nada aproveitarão a este povo
— oráculo do Senhor.

A carga do Senhor — ³³Se este povo ou um sacerdote ou um profeta te perguntarem qual é a carga do Senhor, tu lhes dirás: Vós sois a carga do Senhor, e eu vos rejeitarei – oráculo do Senhor. ³⁴Se um sacerdote ou um profeta ou alguém do povo disserem "carga do Senhor", eu o castigarei e castigarei sua casa. ³⁵Quando falais e comentais entre vós, tereis de dizer: "O que responde o Senhor, o que diz o Senhor?" ³⁶E que não se torne a mencionar a carga do Senhor, pois cada um carregará suas palavras. Perverteis as palavras do Deus vivo, do Senhor dos exércitos, nosso Deus. ³⁷Ao profeta falareis assim: O que responde o Senhor? o que diz o Senhor? ³⁸E agora diz o Senhor: Se insistirdes em dizer "carga do Senhor", sendo que eu vos proibi dizer "carga do Senhor", então, ³⁹porque o dissestes, eu vos levantarei no ar e vos atirarei para longe de mim, a vós e à cidade que dei a vós e a vossos pais. ⁴⁰E vos enviarei uma afronta eterna, um rubor eterno e inesquecível.

24 Quem é o resto? (Jr 29,16-20) –
¹O Senhor me mostrou duas cestas de figos colocadas diante do santuário do Senhor. (Era depois que Nabucodonosor, rei da Babilônia, desterrou Jeconias, filho de Joaquim, rei de Judá, com os dignitários de Judá, e os artesãos e mestres de Jerusalém, e os levou para Babilônia.)

23,30-32 Termina com triplo desafio triunfante do Senhor: o Deus que vê de longe apresenta-se para agir. Profetas ladrões (*nby'-ym mgnbym*) são os que roubam entre si os oráculos, usando-os fora de ocasião, ou à procura de crédito e proveito. Profetas "oraculantes": é um verbo cômico, criado por Jeremias para apresentá-los arremedando o oráculo autêntico (cf. 28,2-4). "Jactância" (*pahzut*): palavra rebuscada, usada talvez pela sua consonância com o nome de Fassur (20,1-6).

23,33-39 Entre as formas proféticas, havia um gênero que se costumava chamar *ma masa'* (substantivo derivado do verbo *nasa'* = carregar, entoar) e que geralmente era dirigido contra nações pagãs. Também o povo sabe inventar suas caçoadas, e pede ao profeta um oráculo contra o estrangeiro. Deus retorce a caçoada: "vós sois a carga", que carreguei outrora (Ex 19,4), que Moisés não suportava (Nm 11,11s): carga leve um dia, incômoda agora que vos fizestes "pesados"; carga que se dispõe a descarregar. Por sua parte, o povo deve "carregar" sua responsabilidade e consequências. Falta um uso do verbo: perdoar.

24,1-10 A primeira deportação de judaítas apresenta ao profeta um problema teológico. Especialmente porque no reino do Norte já tinha acontecido uma desgraça que podia servir de modelo: uns cidadãos foram desterrados, outros permaneceram, outros se refugiaram em Judá. Agora que Nabucodonosor desterrou as autoridades e a classe alta, quais são os escolhidos? Poder-se-ia pensar: os desterrados foram expulsos por Deus; logo, eram culpados. Os que ficam pertencem à classe média e baixa, e não merecem o castigo. Ou seja, coloca-se o julgamento comparativo como em 3,6-11: os que ficam na pátria são os bons, ao menos comparativamente. E daí se seguiriam consequências dolorosas: falsa confiança no culto e na escolha.

O presente oráculo se dirige contra semelhante atitude: os figos bons são os desterrados. – Onde fica o princípio da retribuição? Os desterrados receberam um castigo salutar, pelo qual poderão reconhecer suas culpas e dispor-se ao novo ato histórico da misericórdia divina. Só eles realizarão o segundo êxodo, mais glorioso que o primeiro (23,8). Deus os escolheu, como outrora aos escravos do Egito, para uma missão histórica. Põe apenas uma condição: "converter-se de todo coração".

24,1 Jr 29,16-20.

²Uma tinha figos deliciosos, isto é, de primeira estação; outra tinha figos muito passados, que não se podiam comer.
³O Senhor me perguntou:
— O que vês, Jeremias?
Respondi:
— Vejo figos: uns deliciosos, outros tão passados que não se podem comer.
⁴E o Senhor me dirigiu a palavra: ⁵Assim diz o Senhor, Deus de Israel: Os desterrados de Judá, os que expulsei de sua pátria para o país caldeu, eu os considero bons, como estes figos bons. ⁶Eu os olharei com benevolência, e voltarei a trazê-los para esta terra; eu os construirei e não os destruirei, eu os plantarei e não os arrancarei. ⁷Eu lhes darei inteligência para que reconheçam que eu sou o Senhor; eles serão meu povo e eu serei seu Deus, se voltarem a mim de todo o coração.

⁸A Sedecias, rei de Judá, a seus dignitários, ao resto de Jerusalém que ficar nesta terra ou residir no Egito, eu tratarei como esses figos tão ruins que não se podem comer. ⁹Serão terrível exemplo para todos os reinos do mundo, serão tema de mofas, sátiras, piadas e maldições em todos os lugares para onde eu os dispersar. ¹⁰Eu lhes enviarei a espada, a fome e a peste, até consumi-los na terra que dei a eles e a seus pais.

25 Nabucodonosor, carrasco de Deus – ¹No quarto ano do reinado de Joaquim, filho de Josias, em Judá, que corresponde ao primeiro ano do reinado de Nabucodonosor na Babilônia, Jeremias recebeu esta mensagem para todo o povo judaíta, ²e o profeta Jeremias a comunicou a todos os judaítas e a todos os habitantes de Jerusalém:

³Desde o décimo terceiro ano do reinado de Josias, filho de Amon, em Judá, até o presente dia – no total, vinte e três anos –, recebi a palavra do Senhor e a preguei sempre, e não me escutastes. ⁴O Senhor vos enviava continuamente seus servos, os profetas, e não quisestes escutar nem prestar ouvidos. ⁵Eles vos exortavam: "Converta-se cada qual de sua má conduta e de suas ações más, e voltará para a terra que o Senhor entregou a vós e a vossos pais, desde sempre e para sempre. ⁶E não sigais deuses estrangeiros para servi-los e adorá-los, e não me irriteis com as obras de vossas mãos, para vosso mal".

⁷Não me escutastes – oráculo do Senhor –, mas me irritastes com as obras de vossas mãos, para vosso mal. ⁸Por isso, assim diz o Senhor dos exércitos: Visto que não escutastes minhas palavras, ⁹eu convocarei os povos do norte e Nabucodonosor, rei da Babilônia, meu servo; eu o trarei a esta terra, contra seus habitantes e os povos vizinhos; eu os consagrarei ao extermínio, os converterei em espanto, caçoada e ruína perpétua. ¹⁰Farei cessar a voz alegre e a voz gozosa, a voz do noivo e a voz da noiva, o barulho do moinho e a luz da lâmpada. ¹¹Toda esta terra ficará desolada, e as nações vizinhas estarão submetidas ao rei da Babilônia durante setenta anos.

24,6 Ver Dt 28,11s; 30,8s.
24,9 Ver 15,4; 29,18; 34,17.

25,1-14 Esta admoestação, artificialmente datada, é na realidade uma recapitulação ou balanço histórico, semelhante p. ex. à de 2Rs 17,13-23. O estilo é deuteronomista. Na composição atual do livro, está colocada no final de uma seção; a seguir, anuncia-se o castigo dos pagãos (na versão grega seguem-se os oráculos contra os pagãos). Como recapitulação, repete temas e frases de outras passagens.
Por seu desenvolvimento articulado em etapas, é uma lição de teologia da história. O Senhor é soberano da história. De sua parte, com solicitude tem admoestado seu povo por meio de profetas; o povo tem respondido com teimosia crescente. As reações ficam tensas até romper-se violentamente. Mas o projeto do Senhor é amplo, e chegará a hora do executor da sentença.
25,1-3 Com esta datação fictícia (604 e 637), o autor tenta apresentar seu balanço histórico como profecia, tal e qual farão os apocalípticos. Oráculos dos já registrados no livro são posteriores a tal data.
25,5 O dom da terra, da parte do Senhor, é perpétuo. O verbo "voltar" implica alguma forma de desterro.
25,6 Inculca o primeiro mandamento. As "obras de vossas mãos" ou manu-faturas são os ídolos.
25,9 Povos "do norte": 1,13-15; 3,12; 4,6; 6,1.22 etc. "Povos vizinhos": reinos limítrofes aliados na rebelião.
25,10 À frase rítmica já ouvida (7,34 e 16,9) acrescenta dois detalhes sugestivos da vida doméstica, nos quais se concentram bens elementares: luz e comida.
25,11-14 Na ficção, o olhar se estende para o futuro: "setenta" é número redondo, equivale à terceira geração. O castigo de Judá se desloca para Babilônia, com repetição de detalhes: desolação, 9 e 12; o Senhor "conduz", 9 e 13; Nabucodonosor é "servo do Senhor"; outros povos lhe "servirão", até que chegue a sua vez de "servir", 9,11 e 14. Está inspirado em 29,10 ou coincide com ele.

¹²Passados os setenta anos – oráculo do Senhor –, pedirei ao rei da Babilônia e à sua nação contas de todas as suas culpas, e transformarei o país dos caldeus em deserto perpétuo. ¹³Realizarei em seu país todas as ameaças que pronunciei contra ele, tudo o que está escrito neste livro. ¹⁴Eles, por sua vez, estarão submetidos a muitas nações e a reis poderosos; eu lhes pagarei suas ações, as obras de suas mãos.

Profecia de Jeremias contra os pagãos (Jr 46-51) – ¹⁵O Senhor, Deus de Israel, me disse:

– Toma de minha mão esta taça de aguardente e faze que a bebam todas as nações aonde te envio. ¹⁶Que bebam e cambaleiem e enlouqueçam diante da espada que atiro no meio deles.

¹⁷Tomei a taça da mão do Senhor e fiz que a bebessem todas as nações às quais o Senhor me enviou:

¹⁸A Jerusalém e aos povoados de Judá, a seus reis e nobres, para convertê-los em ruína e desolação, em caçoada e maldição. Coisa que hoje acontece.

¹⁹Ao Faraó, rei do Egito, a seus ministros, a seus nobres e a todo o seu povo e suas multidões.

²⁰Aos reis de Hus e da Filisteia: Ascalon, Gaza, Acaron e o resto de Azoto.

²¹A Edom, Moab e Amon; ²²a todos os reis de Tiro e Sidônia e aos reis das costas além do mar; ²³a Dadã, Tema, Buz e a todos os de cabeça rapada; ²⁴a todos os reis da Arábia e dos beduínos que vivem no deserto; ²⁵a todos os reis de Zambri, de Elam e da Média; ²⁶a todos os reis do norte, próximos e distantes, um por um, e a todos os reis da superfície terrestre. E depois de todos eles, o rei de Sesac a beberá.

²⁷Tu lhes dirás: Assim diz o Senhor dos exércitos, Deus de Israel: Bebei, embriagai-vos, vomitai, caí para não vos levantardes, diante da espada que eu atiro entre vós. ²⁸E se eles se negarem a pegar a taça de tua mão para beber, tu lhes dirás: Assim diz o Senhor dos exércitos: Deveis beber. ²⁹Porque, se comecei o castigo na cidade que leva meu nome, ficareis vós impunes? Não ficareis impunes, porque eu convoco a espada contra todos os habitantes do mundo, oráculo do Senhor dos exércitos.

³⁰E tu profetiza-lhes, dizendo o seguinte:
O Senhor ruge na altura,
  clama na sua mansão santa,
  ruge e ruge contra sua pastagem,
  entoa o refrão
  dos pisadores de uva
  contra todos os habitantes do mundo;

O império passa de um povo a outro, como o Senhor o determina (Ecl 10,4). Um império, mesmo agindo injustamente (12), pode ser instrumento da justiça divina.

25,13 O texto supõe um "livro" ou documento já existente.

25,15-38 Esta página, de grande alento na concepção, embora mediana na execução, serve de abertura solene aos oráculos contra os pagãos, que no texto hebraico ocupam os capítulos 46-51 (na versão dos LXX vêm depois do v. 14, antes da cerimônia da taça, que chega no final). A cena é uma espécie de juízo universal histórico, dividido em duas partes: rito de execução, 15-29, e discurso que explica a sentença, 30-38.

25,15-29 Primeira parte, em prosa. a) A taça não é de ordálio (Nm 5,11-31) nem de veneno; fornece uma poção que atordoa antes da execução pela espada: pode-se ver Is 51,17; Ez 23,32-34; Hab 2,16; Sl 11,6; 75,9. b) Os povos. A lista coincide em parte com a série de 46-51, conforme o seguinte esquema:

cap. 25	caps. 46-51
Egito,	Egito
Filisteia, Hus	Filisteia
Edom, Moab, Amon	Edom, Moab, Amon
Tiro, Sidônia	Dadã, Tema, Buz
Arábia, Zambri	Damasco, Cadar, Hasor
Elam, Média, Norte	Elam
Babilônia	Babilônia

Jeremias tinha recebido uma missão universal (1,10). Advertimos nos extremos os dois grandes impérios (a Assíria desapareceu). Entre ambos figuram os rivais históricos: os filisteus a oeste e o trio da Transjordânia a leste. Seguem-se os fenícios do litoral e os beduínos do deserto. Finalmente, dois reinos de importância histórica efêmera, e o resto dos reis anônimos.

25,16 A espada emblemática da execução: Dt 32,41; Is 31,8; 34; Ez 21,16-25.

25,27 Com a droga perdem a dignidade e o equilíbrio; assim humilhados, receberão o golpe de misericórdia. Não morrerão em pé nem empunhando as armas.

25,30-38 O discurso se distingue pela acumulação de imagens em torno do juízo universal. Embora a espada continue sendo o instrumento da execução

³¹o eco ressoa até os confins do orbe,
   porque o Senhor pleiteia
   com os pagãos,
vem julgar todos os homens
   e fará executar os culpados
   – oráculo do Senhor.
³²Assim diz o Senhor dos exércitos:
   Vede a catástrofe passar de nação em nação,
   um terrível furacão se agita
   nos extremos do mundo.
³³Naquele dia as vítimas do Senhor
   ocuparão a terra de ponta a ponta,
   não os recolherão nem enterrarão,
   nem lhes farão luto:
   serão como esterco sobre o campo.
³⁴Gemei, pastores; gritai,
   revolvei-vos no pó, chefes do rebanho;
   chegou para vós o dia da matança,
   e caireis como carneiros formosos;
³⁵não há escapatória para os pastores,
   não há saída
   para os chefes do rebanho.
³⁶Ouve-se o grito dos pastores,
   o gemido dos chefes do rebanho,
   porque o Senhor destruiu seus pastos;
³⁷estão silenciosas as prósperas pastagens,
   por causa do incêndio da ira do Senhor;
³⁸abandonam como um leão sua guarida,
   suas terras, pois estão desoladas,
   pelo incêndio devastador,
   pelo incêndio de sua ira.

Relatos biográficos de Jeremias
(Jr 26-45, exceto 30-31 e 33)

26
Jeremias, julgado e absolvido (Jr 7,1-15) – ¹No começo do reinado de Joaquim, filho de Josias, rei de Judá, o Senhor dirigiu a palavra a Jeremias:

– ²Assim diz o Senhor: Põe-te no átrio do templo e dize a todos os moradores dos povoados de Judá, que vêm ao templo

---

capital, outras imagens evocam poeticamente a tragédia: do mundo animal o leão que ruge, do mundo humano o que pisa a uva; do mundo cósmico a tempestade; além disso, a imagem de pastores, rebanhos e pastos. Duas palavras, "leão" e "aprisco", delimitam o poema em inclusão. O desenvolvimento é simples: 30-31 predomina o auditivo, o rugido se estende; 32-33 predomina o visual; 34-36 lamentação dos pastores.

25,30 O rugido do leão tem algo de teofania, espécie de trovão animal: Os 11,10; Am 1,2; 3,4.8; Jl 4,16. O refrão dos que pisam a uva (Is 16,9s): os pagãos são como uvas de uma gigantesca vindima: Is 63,2s; Jl 4,13; Lm 1,15.

25,31 O texto da acusação e da sentença são lidos nos respectivos oráculos, de 46-51. Julga todos, condena os culpados.

25,32 O furacão é variante teofânica: 23,19; 30,23; Is 29,6.

25,34 Pastores e chefes do rebanho são os governantes, também os judaítas. Chega para eles, não para as ovelhas, o dia da matança. Zc 9,14.

25,35 Am 2,14; Jó 11,20.

26,1-24 O desejo de reunir numa parte os oráculos e noutra os relatos, obrigou a separar este capítulo do 7, ou seja, a história, do sermão pronunciado. Conviria, pois, lê-los unidos.

O começo do reinado de Joaquim é agourento: inclui a morte prematura do reformador Josias e a deposição violenta de Joacaz. Os personagens da cena se repartem em três grupos: sacerdotes, profetas, profissionais. Vemos o povo volúvel, incitado primeiro pelos sacerdotes, seguindo depois as autoridades civis; vemos estas agir com sensatez e justiça. No meio, Jeremias, desamparado, sem outro poder a não ser o da palavra.

Duas concepções do templo se defrontam com violência. Uma sagrada, quase mágica: o templo é sa-

para adorar o Senhor, tudo o que eu te mando dizer; não omitas nenhuma palavra. ³Vejamos se cada um se converte de sua má conduta e eu possa arrepender-me do castigo que preparo contra eles por causa de suas ações más. ⁴Tu lhes dirás: Assim diz o Senhor: Se não me obedecerdes, seguindo a Lei que eu vos promulguei, ⁵e escutando o que vos dizem meus servos os profetas, que eu vos envio sem cessar, embora vós não escuteis, ⁶eu tratarei este templo como o de Silo, e esta cidade será fórmula de maldição para todas as nações.

⁷Os sacerdotes, os profetas e todo o povo ouviram Jeremias pronunciar este discurso no templo; ⁸e quando terminou de dizer tudo o que o Senhor lhe havia mandado dizer ao povo, os sacerdotes, os profetas e o povo o prenderam, dizendo-lhe:

— És réu de morte. ⁹Por que profetizas em nome do Senhor, dizendo que este templo será como o de Silo e esta cidade ficará em ruínas e desabitada?

O povo se amotinou contra Jeremias no templo. ¹⁰Os dignitários de Judá ficaram sabendo e, subindo do palácio real ao templo, sentaram-se no tribunal da Porta Nova. ¹¹Os sacerdotes e os profetas disseram aos dignitários e ao povo:

— Este homem merece a morte por ter profetizado contra esta cidade; vós mesmos o ouvistes.

¹²Jeremias respondeu aos dignitários e ao povo:

— O Senhor me enviou a profetizar tudo o que ouvistes contra este templo e esta cidade. ¹³E agora corrigi vossa conduta e vossas ações, obedecei ao Senhor vosso Deus, e o Senhor se arrependerá das ameaças que pronunciou contra vós. ¹⁴Eu estou em vossas mãos: fazei de mim o que vos parecer melhor. ¹⁵Mas, que conste: se me matardes, vós, a cidade e seus habitantes arcareis com sangue inocente. Porque certamente o Senhor me enviou a vós para vos pregar tudo o que eu disse.

¹⁶Os dignitários e todo o povo disseram aos sacerdotes e profetas:

— Este homem não merece a morte, pois nos falou em nome do Senhor nosso Deus.

¹⁷Então se levantaram alguns deputados e disseram a toda a assembleia do povo:

---

crossanto, e falar contra ele é blasfêmia que merece a pena capital (tese defendida pelos sacerdotes); além disso, o templo está apoiado nos contrafortes das promessas divinas e suas demonstrações históricas (defendida pelos profetas). A palavra de Deus garante a permanência do templo. Como não pode ser verdadeira uma profecia que afasta do Senhor (Dt 13,1-6), assim uma profecia contra o templo não pode ser autêntica. Há outra concepção, que vincula o templo às exigências éticas: a permanência do templo depende da conduta do povo. Presença condicionada pela presença absoluta.

O esquema desnuda as atitudes profundas, não formuladas com toda a precisão. Os sacerdotes pensam defender a santidade do templo. A legislação do Levítico exigia a santidade do povo. Jeremias tem a ousadia de pregar no templo, e aos sacerdotes não custa amotinar o povo congregado nesse templo.

26,1 Ano 609.
26,2-3 Desde o princípio se afirma a intenção salvífica do Senhor e a visão autêntica do templo. Como se dissesse: o povo vem ao templo para se converter, não para cobrir pecados com cerimônias devotas. Jeremias não pode "omitir" sequer uma palavra (cf. Dt 4,2; 13,1).
26,4-5 Os profetas atualizam as exigências da lei, e assim continuam a missão de Moisés (Dt 18,15-17). Se os encarregados apelam para o precedente de Senaquerib, Jeremias apela para o caso de Silo.
26,6 A sorte da cidade está vinculada à do templo.
26,9 A profecia de Jeremias era condicionada. Os rivais suprimem a condição, por malícia ou por considerá-la inoperante. Consideram agravante que o tenha dito "em nome do Senhor", arrogando-se uma autoridade que não possui. Contudo, não passam à execução no flagrante nem no processo formal, que parece ser competência dos magistrados da corte.
26,11 Abre-se um processo formal, com Jeremias como acusado, sacerdotes e profetas como acusadores, o povo como espécie de jurado. A acusação passa por alto o templo; ou o inclui tacitamente? O povo é chamado a testemunhar a veracidade da acusação.
26,12-15 O discurso de Jeremias é formulado com admirável concisão. No começo e no fim o argumento supremo: "*o Senhor me enviou*". Como o prova? – Com o testemunho. Em posição simétrica, duas frases condicionais como alternativa. Se se converterem, o Senhor não cumprirá a ameaça (o discurso precedente fica particularizado e reforçado). Se o condenarem, incorrerão em novo crime, que não melhorará a situação, pois todos serão réus solidariamente. Tal perspectiva assusta.

No centro a frase de Jeremias, toda serenidade e mansidão. Aquele que foi enviado com autoridade sobre reis e povos está aqui indefeso mas seguro. Na sua falta de poder está seu poder gigantesco, já que no tratamento que lhe derem, os outros decidirão a sua sorte. Paradoxal "praça-forte" de domínio próprio inexpugnável (cf. Pr 16,32).
26,15 Mt 27,24-25.
26,16 As palavras do profeta se impõem com estranha força de convicção. Sacerdotes e profetas ficam contidos entre os juízes e o povo.
26,17-18 O veredicto é reforçado com uma espécie de argumento da Escritura: um oráculo de Miqueias

— ¹⁸Miqueias de Morasti profetizou durante o reinado de Ezequias, rei de Judá, e disse aos judaítas: Assim diz o Senhor dos exércitos:

"Sião será um campo arado,
Jerusalém será uma ruína,
o monte do templo uma colina de florestas".

¹⁹Ezequias, rei de Judá, e todo o povo o mataram? Não respeitaram o Senhor e o acalmaram, e o Senhor se arrependeu da ameaça que havia pronunciado contra eles? Nós, ao contrário, estamos a ponto de arcar com um crime enorme.

²⁰Houve outro profeta que profetizou em nome do Senhor: Urias, filho de Semeías, natural de Cariat-Iarim*. Ele profetizou contra esta cidade e este país da mesma forma que Jeremias. ²¹O rei Joaquim, com seus guardas e dignitários, o ouviram, e o rei tentou matá-lo; mas Urias ficou sabendo e, atemorizado, fugiu para o Egito. ²²Então o rei Joaquim enviou Elnatã, filho de Acobor, com seu destacamento, ao Egito. ²³Tiraram Urias do Egito e o levaram ao rei Joaquim, que o fez justiçar e atirar seu cadáver na sepultura comum.

²⁴Então Aicam, filho de Safã, se encarregou de Jeremias, para que não o entregassem para ser executado pelo povo.

Submissão ao rei da Babilônia
(Jr 25,1-11)

27 *1. Aos embaixadores* – ¹No quarto ano* do reinado de Sedecias, filho de Josias, rei de Judá, o Senhor dirigiu a palavra a Jeremias:

— ²Assim diz o Senhor: Faze para ti umas correias e um jugo, e encaixa-o no pescoço, ³e envia uma mensagem aos reis de Edom, Moab, Amon, Tiro e Sidônia, por meio dos embaixadores que vieram a Jerusalém visitar o rei Sedecias. ⁴Dize-lhes que informem seus senhores: Assim diz o Senhor dos exércitos, Deus de Israel: Dizei a vossos senhores:

⁵Eu criei a terra e homens e animais
sobre a face da terra,
com meu grande poder e com meu braço estendido;
e a dou a quem eu quero;
⁶pois bem, eu entrego todos estes territórios
a meu servo Nabucodonosor, rei da Babilônia;

---

pronunciado durante o reinado de Ezequias (Mq 3,9-12).

26,20-23 Antes do desfecho, alguém introduziu um episódio do reinado de Joaquim. Assassinato pérfido de um profeta que seguia a linha de Jeremias. Sua fuga seguia a grande tradição de Elias (1Rs 18-19).

26,20 * Vila Soutos.

27,1-22 Sedecias tinha sido nomeado rei por Nabucodonosor e tinha pronunciado seu juramento de vassalagem. O monarca babilônio tinha consolidado rapidamente seu império, estendendo-o até a costa mediterrânea. Os pequenos reinos submetidos espreitavam os momentos de fraqueza ou dificuldade do império para sacudir o jugo da vassalagem. Num desses momentos acontece a embaixada conjunta de reinos vizinhos ao rei judaíta para o atrair a uma aliança militar. A chegada dos mensageiros, provavelmente com seus séquitos, não passou despercebida a Jeremias. A proposta de rebelião era desatinada, pois só serviria para desencadear uma repressão violenta por parte do império. Essa observação de prudência política se apresenta com a autoridade de Deus que, por ser criador de tudo e de todos, é também senhor da história.

A tríplice mensagem permite deduzir que havia quem atiçasse o descontentamento e as vãs esperanças do povo: provavelmente os ministros do rei, que chegariam a ser árbitros da política nacional. Grande instrumento da sua propaganda eram os profetas funcionários, que Jeremias procura desmascarar. Jeremias prega a aceitação da vassalagem política como único meio para sobreviver. Esta é a hora de Nabucodonosor, que por sua vez é servo ou vassalo do Senhor.

27,1 O texto hebraico confundiu a data (cf. vv. 3 e 12). * Ano 594.

27,2 A ação simbólica encena a metáfora da vassalagem como jugo. Parece tratar-se de uma dessas cangas de madeira, apoiadas no pescoço e ombros, à maneira de balança, que permitem transportar equilibrados pesos notáveis.

27,3-4 Em termos geográficos, era uma coalizão modesta. A rebelião começava recusando o tributo. O título tradicional "Deus de Israel" parece aqui enfático.

27,5 A expressão "dar a terra", limitada geralmente a Canaã e Israel, alarga-se a um horizonte universal, como em Dt 32,8. Com "braço estendido", como na épica do êxodo.

27,6 O título "meu servo" é enfático. Nabucodonosor não é senhor absoluto nem está realmente a serviço de divindades locais. O Deus verdadeiro o tomou a seu

também as feras selvagens
eu as dou como servidores;
⁷todas as nações estarão submetidas a ele,
a seu filho e neto,
até que chegue a seu país a hora de ser servidor
de povos numerosos e reis poderosos.
⁸Se uma nação e seu rei não se submeterem
a Nabucodonosor, rei da Babilônia,
e não entregarem o pescoço ao jugo do rei da Babilônia,
com espada, fome e peste
castigarei essa nação,
até entregá-la em suas mãos
– oráculo do Senhor.
⁹E vós, não deis atenção
a vossos profetas e adivinhos,
intérpretes de sonhos, agoureiros e magos,
que vos dizem:
"Não sereis vassalos do rei da Babilônia";
¹⁰porque vos profetizam mentiras
para vos tirar de vossa terra,
para que eu vos disperse e vos destrua.
¹¹Se uma nação entregar o pescoço
e se submeter ao rei da Babilônia,
eu a deixarei em sua terra,
para que a cultive e a habite
– oráculo do Senhor.

2. A Sedecias (Jr 21,1-7)

¹²Eu falei nos mesmos termos a Sedecias, rei de Judá:
Entregai o pescoço ao jugo do rei da Babilônia,
submetei-vos a ele e a seu exército, e vivereis;
¹³assim não morrereis pela espada, de fome e peste,
como disse o Senhor
aos povos que não se submeterem
ao rei da Babilônia.
¹⁴Não escuteis os profetas que vos dizem:
"Não sereis vassalos do rei da Babilônia",
porque vos profetizam mentiras:
¹⁵eu não os enviei – oráculo do Senhor –,
e eles profetizam mentiras em meu nome,
para que eu tenha de expulsar e destruir
a vós com os profetas que vos profetizam.

3. Aos sacerdotes e ao povo

¹⁶Eu disse aos sacerdotes e ao povo: Assim diz o Senhor:

---

serviço. O domínio sobre as feras sai do domínio urbano e agrícola; pode-se recordar Gn 9,2; 10,9 e Sl 50,10.

27,7 Mais que genealogia, "filho e neto" é um modo de chegar à terceira geração.

27,8 "Até entregá-la": leio assim com algumas versões antigas. O hebraico diz "até acabá-los", colocando a alternativa de vassalagem ou morte.

27,9 Cinco categorias de adivinhos em países estrangeiros; a lista coincide em parte com a de Dt 18,10.

27,11 "Cultivar" e "servir" são em hebraico a mesma palavra; muda o complemento.

27,12-15 A mensagem para o rei é semelhante à anterior; quase aplicação de um princípio geral. Revela a influência dos falsos profetas na corte (23,9-32).

27,14 Jr 23.

27,16 O hebraico dissocia os sacerdotes dos profetas e os junta com o povo.

Não escuteis esses profetas
que vos profetizam:
"Brevemente recuperaremos da Babilônia
os utensílios do templo".
Eles vos profetizam mentiras, [17]não os escuteis.
Continuai submetidos ao rei da Babilônia e vivereis,
e esta cidade não se converterá em ruínas.
[18]Se forem profetas e tiverem a palavra do Senhor,
que intercedam ao Senhor
para que não seja levado a Babilônia
o resto dos utensílios do templo
e do palácio real de Jerusalém.

[19]Porque assim diz o Senhor dos exércitos a respeito das colunas, do reservatório, do pedestal e do resto dos utensílios que ainda restam na cidade [20](que Nabucodonosor, rei da Babilônia, não levou de Jerusalém para a Babilônia quando desterrou Jeconias, filho de Joaquim, com todos os notáveis de Judá e Jerusalém). [21]Assim diz o Senhor dos exércitos, Deus de Israel, a respeito dos utensílios que ficaram no templo e no palácio real de Jerusalém:

[22]Eles os levarão a Babilônia e aí ficarão, até que eu faça o inventário – oráculo do Senhor – e os tire e os devolva a este lugar.

28

4. Jeremias e Hananias (Jr 23,13-32; 1Rs 22) – [1]Nesse mesmo ano, o quarto* do reinado de Sedecias em Judá, no quinto mês, Hananias, filho de Azur, profeta natural de Gabaon, me disse no templo, na presença dos sacerdotes e de todo o povo:

– [2]Assim diz o Senhor dos exércitos, Deus de Israel: Quebro o jugo do rei da Babilônia. [3]Antes de dois anos devolverei a este lugar todos os utensílios do templo que Nabucodonosor, rei da Babilônia, açambarcou e levou para Babilônia. [4]A Jeconias, filho de Joaquim, rei de Judá, e a todos os judaítas desterrados na Babilônia, eu os farei voltar a este lugar – oráculo do Senhor. Porque eu quebrarei o jugo do rei da Babilônia.

[5]O profeta Jeremias respondeu ao profeta Hananias, na presença dos sacerdotes e do povo que estava no templo; [6]o profeta Jeremias disse:

– Amém, assim faça o Senhor! O Senhor cumpra tua profecia trazendo da Babilônia para este lugar todos os utensílios do templo e todos os desterrados. [7]Mas escuta o que eu digo a ti e a todo o povo: [8]Os profetas que nos precederam, a ti e a mim, desde tempos imemoriais, profetizaram guerras,

---

27,18 Ao profeta verdadeiro pede-se também que interceda pela nação. Conseguir que o resto dos utensílios do templo ficasse em Jerusalém equivalia a afastar o perigo de nova deportação. Não encontrando imagens da divindade, o invasor levava o mais valioso transportável do templo.

27,22 O texto grego não fala de devolução. A cláusula poderia ser acréscimo posterior, à luz dos acontecimentos.

28,1-17 Continua o tema precedente. O autor deste relato quis concentrar numa página o confronto do profeta verdadeiro com o falso. Coloca seus dois personagens em destacado paralelismo: ambos trazem o título de profeta, ambos pronunciam oráculos com fórmulas proféticas tradicionais e participam de ações simbólicas semelhantes. O leitor atual sabe o que cada um deles representa: os contemporâneos gozam da mesma perspectiva? Sobre o fundo das semelhanças, é preciso destacar as diferenças: Hananias pronuncia uma predição precisa, Jeremias responde com um princípio de discernimento; Jeremias foi-se embora por seu lado, Hananias morreu segundo a predição.

28,1 É curioso que não figurem as autoridades civis.
* Ano 594.

28,6-9 Jeremias não responde em nome do Senhor, mas invocando a experiência histórica. Houve profetas de desgraças e de felicidades: aos segundos se aplica a lei de Dt 18,22. Pois bem, se aceitamos que vários oráculos dos capítulos 31 e 33 se dirigem a israelitas do norte no tempo de Josias, também Jeremias profetizou felicidades. Algumas se cumpriram, outras ficaram pendentes. No confronto presente, Jeremias se fixa na atividade imediata. Ele prega a conversão: não o que vai acontecer, mas o que o homem deve fazer para que a desgraça não aconteça; seus anúncios de desgraças são condicionados. Em todo caso, Jeremias deseja o bem do seu povo, e não obter crédito (como Jonas). O que mais desejaria ver senão o cumprimento da predição do seu rival? Mas, não ao preço de uma perversão sem conversão. Jeremias fala aqui *ad hominem:* não pretende propor uma teoria completa.

calamidades e epidemias a muitos países e a reinos extensos. ⁹Quando um profeta predizia prosperidade, só ao cumprir-se sua profecia era reconhecido como profeta realmente enviado pelo Senhor.

¹⁰Então Hananias tirou o jugo do pescoço do profeta Jeremias e o quebrou, ¹¹dizendo na presença de todo o povo:

– Assim diz o Senhor: Assim quebrarei, antes de dois anos, o jugo do rei da Babilônia, que tantas nações levam no pescoço. O profeta Jeremias foi embora por seu caminho.

¹²Depois que o profeta Hananias quebrou o jugo que o profeta Jeremias levava no pescoço, o Senhor lhe dirigiu a palavra:

– ¹³Vai dizer a Hananias: Assim diz o Senhor: Tu quebraste um jugo de madeira, eu o substituirei com um jugo de ferro. ¹⁴Pois assim diz o Senhor dos exércitos, Deus de Israel: Jugo de ferro porei no pescoço de todas estas nações, para que estejam submetidas a Nabucodonosor, rei da Babilônia, e até as feras selvagens lhe darei como servidores.

¹⁵O profeta Jeremias disse ao profeta Hananias:

– Escuta-me, Hananias: o Senhor não te enviou, e tu levas este povo a uma falsa confiança. ¹⁶Por isso, assim diz o Senhor: Eu te expulsarei da superfície da terra. Neste ano morrerás, por ter pregado rebelião contra o Senhor.

¹⁷O profeta Hananias morreu naquele ano, no mês de outubro.

29 Cartas de Jeremias

– ¹Texto da carta que o profeta Jeremias enviou de Jerusalém aos desterrados: aos conselheiros, sacerdotes, profetas e ao povo deportados de Jerusalém para Babilônia por Nabucodonosor.

²(Foi depois que partiram o rei Jeconias com a rainha mãe, os eunucos, dignitários de Judá e Jerusalém e os artesãos e mestres de Jerusalém.)

³Ele a enviou por meio de Elasa, filho de Safã, e de Gamarias, filho de Helcias, legados de Sedecias, rei de Judá, a Nabucodonosor, rei da Babilônia:

⁴"Assim diz o Senhor dos exércitos, Deus de Israel, a todos os deportados que eu levei de Jerusalém para Babilônia:

⁵Construí casas e nelas habitai, plantai pomares e comei seus frutos, casai-vos e gerai filhos e filhas, ⁶tomai esposas para vossos filhos e casai vossas filhas, para que elas gerem filhos e filhas; crescei aí e não diminuais. ⁷Pedi pela prosperidade da cidade para onde eu vos desterrei, e rezai ao Senhor por ela, porque sua prosperidade será a vossa.

28,11 Dois anos significa que não se cumprirá um setenário a partir da deportação.

28,13 "Jugo de ferro": porque o imperador, provocado pela rebelião dos vassalos, intensificará a repressão.

28,16 "Por ter pregado a rebelião contra o Senhor": falta na versão grega. Pode proceder de Dt 13,6. No contexto presente indica que as vãs ilusões equivalem à rebeldia contra o Senhor.

29,1-23 Em Babilônia chegaram falsos profetas, provavelmente na primeira deportação. O presente intercâmbio de cartas amplia o horizonte da controvérsia precedente e mostra que se mantinham comunicações entre os dois grupos judeus, membros de um mesmo povo. Não sabemos se o rei Sedecias enviava seus legados ao soberano para confirmar a vassalagem, para entregar tributos ou para resolver outros negócios.

A mensagem de Jeremias, medida com os prazos de Deus, é otimista; ao passo que a medida de uma vida individual torna sombria a perspectiva. Em resumo, o desterro não será nem momentâneo nem definitivo. Devem continuar a vida, a família, o trabalho, bens cotidianos e domésticos que revelam o interesse do Senhor por seu povo, não menos que as invenções espetaculares (cf. Sl 127-128). Cada filho e neto que nascer em Babilônia será um ato de confiança no futuro.

Em contraste, os falsos profetas cultivam as ilusões a curto prazo; talvez incitando à rebeldia, como pode sugerir o castigo atroz de dois profetas (22). O texto faz suspeitar que havia acordo entre os falsos profetas do desterro e os da pátria; contudo, não temos sinais de que Jeremias tivesse notícia de Ezequiel, o verdadeiro profeta dos desterrados. Podemos contrapor em resumo a esperança que uns e outros pregam: a curto prazo/a longo prazo; mudança externa de situação/mudança interna de conduta; predição simples/análise de motivos.

29,4 A carta soa como ditada por um soberano, com nome próprio e títulos. Assume a responsabilidade do desterro e mantém seu senhorio sobre o povo que chama de Israel.

29,5-6 "Construir e plantar" são os dois verbos positivos da vocação de Jeremias (1,10), a metade da sua missão. Há mais: o que foi negado ao profeta, como sinal profético de castigo (cap. 16), é concedido e ordenado aos desterrados: casar e ter filhos como penhor do futuro.

29,7 Paz e prosperidade não serão alcançadas pela rebelião armada, mas aceitando e convivendo. É um princípio político concreto, não universal: a prosperidade do Estado redunda em bem dos súditos. Os desterrados agem como intercessores em favor dos pagãos. Embora o motivo da súplica

⁸Assim diz o Senhor dos exércitos, Deus de Israel: não vos deixeis enganar pelos profetas e adivinhos que vivem entre vós; não façais caso dos sonhos que sonhais, ⁹porque vos profetizam mentiras em meu nome, e eu não os enviei, oráculo do Senhor.

¹⁰Isto é o que diz o Senhor: Quando se cumprirem setenta anos na Babilônia, eu me ocuparei de vós, cumprirei minhas promessas trazendo-vos de novo a este lugar. ¹¹Eu conheço meus desígnios sobre vós: desígnios de prosperidade, não de desgraça, de dar-vos um futuro e uma esperança. ¹²Vós me invocareis, vireis rezar a mim e eu vos escutarei; ¹³vós me buscareis e me encontrareis, se me buscardes de todo coração; ¹⁴eu me deixarei encontrar e mudarei vossa sorte – oráculo do Senhor. Eu vos reunirei em todas as nações e lugares para onde vos expulsei – oráculo do Senhor – e tornarei a vos trazer ao lugar de onde vos desterrei.

¹⁵Se disserdes que o Senhor vos nomeou profetas na Babilônia*, ²¹o Senhor dos exércitos, Deus de Israel, diz a propósito de Acab, filho de Colias, e de Sedecias, filho de Maasias, que vos profetizam mentiras em meu nome: Eu os entregarei a Nabucodonosor, rei da Babilônia, que os justiçará em vossa presença. ²²E darão origem a uma maldição que correrá entre todos os judaítas desterrados na Babilônia: 'O Senhor te trate como Acab e Sedecias, que o rei da Babilônia assou'. ²³Porque cometeram uma infâmia em Israel, adulteraram com a mulher do próximo e contaram mentiras em meu nome, sem que eu os enviasse. Eu sei e sou testemunha disso, oráculo do Senhor".

Cartas de Semeías e de Jeremias (Jr 23,13-32,26) – ²⁴O Senhor dos exércitos, Deus de Israel, diz o seguinte ao naalamita Semeías:

– ²⁵Enviaste por tua conta uma carta a Sofonias, filho de Maasias, o sacerdote, nestes termos:

²⁶"O Senhor te nomeou sucessor do sacerdote Joiada como responsável do templo; deves colocar no cepo e na argola quem devanear e se puser a profetizar. ²⁷Então, por que não deste um castigo a Jeremias, de Anatot, que se pôs a profetizar? ²⁸Ele nos enviou uma carta a Babilônia dizendo que vai demorar, que construamos casas e nelas habitemos, que plantemos pomares e comamos seus frutos".

²⁹O sacerdote Sofonias leu a carta ao profeta Jeremias, ³⁰e o Senhor dirigiu a palavra a Jeremias:

– ³¹Envia uma mensagem aos desterrados:

"Assim diz o Senhor a respeito do naalamita Semeías: Semeías vos profetizou, sem que eu o enviasse, levando-vos a uma falsa confiança. ³²Por isso, diz o Senhor: Eu castigarei o naalamita Semeías e sua descendência: não terá um sucessor que viva no meio deste povo, não provará os bens que eu darei a meu povo, porque pregou rebelião contra o Senhor – oráculo do Senhor".

---

seja interesseiro, ao menos não triunfam o rancor vingativo nem o ressentimento.

29,8 Ainda que alguns o corrijam, o hebraico e o grego leem na segunda pessoa os "sonhos que sonhais". Ou seja, os sonhos do povo fazem eco aos oráculos proféticos que se somam e se reforçam. Analisado de outro modo: os sonhos expressam desejos e ideais mais ou menos ocultos, e os profetas afagam esses ideais, conferindo-lhes caráter oracular.

29,10-14 Deus tem seu prazo histórico, que pode comunicar ao seu profeta. Deus realizará uma salvação semelhante à do primeiro êxodo: substituindo "tirar" por "reunir" e mudar a sorte, "introduzir" por "devolver". Ver as promessas de Lv 26,44s e Dt 30,3-6.

29,15.21-23 (Transpondo 16-20 para o final do capítulo). O castigo joga com o nome de um deles Qolaya (= Voz do Senhor), assado (qala) ao fogo, nome que se tornou sinônimo de maldição (qelala). "Infâmia em Israel" poderia ser termo técnico, conforme Gn 34,7; Dt 22,21; Js 7,15; Jz 19,23s. O adultério: recorda o relato de Susana e os dois anciãos. A frase final equivale à assinatura que confirma o escrito.

29,15 * Os vv. 16-20 vêm depois do v. 32.

29,24-32 A carta de Jeremias origina nova perseguição a distância. O fato de que um desterrado escreva semelhante carta mostra as relações mantidas entre dois grupos separados pela força, não convertidos pela desgraça.

29,25 Segundo o texto grego, a carta é dirigida a Sofonias; o hebraico amplia o círculo de destinatários, coisa menos provável.

29,26 A carta apela para a nomeação divina e para a responsabilidade do sacerdote. O termo raro "devanear" poderia aludir a fenômenos orgiásticos ao profetizar.

29,28 O corpo do delito se resume nos verbos construir e plantar. Como se fosse colaboracionismo com o império, como se revelasse o desejo de lançar raízes fora da pátria. Recorde-se Sl 137,5.

29,29 Talvez em interrogatório privado, dando uma oportunidade ao acusado.

Aos que ficam e aos desterrados (Jr 24,1-10) – ¹⁶"Assim diz o Senhor a respeito do rei que senta no trono de Davi e de todo o povo que vive na cidade – de vossos irmãos que não foram convosco para o desterro. ¹⁷Assim diz o Senhor dos exércitos: Eu enviarei contra eles a espada, a fome e a peste; eu os tratarei como figos podres que não se podem comer de tão ruins. ¹⁸Eu os perseguirei com a espada, a fome e a peste, e farei deles um exemplo para todos os reinos da terra, e maldição, espanto, caçoada e opróbrio de todas as nações por onde os dispersei. ¹⁹Porque não escutaram minhas palavras – oráculo do Senhor –; porque lhes enviei constantemente meus servos, os profetas, e não fizeram caso – oráculo do Senhor.

²⁰Vós, os desterrados que enviei de Jerusalém para Babilônia, escutai a palavra do Senhor".

30 Oráculo de restauração*

– ¹Palavras que o Senhor dirigiu a Jeremias: – ²Assim diz o Senhor: Escreve num livro todas as palavras que eu te disse. ³Porque chegarão dias – oráculo do Senhor – em que mudarei a sorte de meu povo, Israel e Judá, diz o Senhor, e tornarei a levá-los à terra que dei em posse a seus pais.

⁴Palavra do Senhor a Israel e a Judá.

⁵Assim diz o Senhor: Ouvimos gritos de pavor,
de terror e não de paz.

⁶Perguntai e averiguai:
Acaso um homem dá à luz?
O que vejo? Todos os homens, como parturientes,
as mãos nas cadeiras,
os rostos alterados e pálidos.

⁷Ai! Aquele dia será grande e sem igual,
hora de angústia para Jacó.
Mas sairá dela.

29,16-20 Faltam na versão grega, interrompem sem justificativa o texto da carta, são resumo ou antologia de frases do livro, especialmente de 24,1-10.

30-33 Suposta a aceitação do castigo, no cap. 29 Jeremias proclamava sua mensagem de esperança. A seguir lemos quatro capítulos dedicados a diversos aspectos da restauração, heterogêneos por sua origem e agrupados com critérios temáticos.
a) Heterogêneos por seus destinatários e pelo momento em que foram pronunciados. Conforme a hipótese que aceitamos, na primeira etapa da sua atividade profética Jeremias anunciou a restauração ao resto do reino do Norte; às vésperas da tragédia final de Judá, anunciou-lhe também a restauração. Os dois reinos, irmanados na desgraça, partilhariam uma salvação comum. Isso permitiria reunir os oráculos e até retocá-los para alargar o âmbito dos destinatários. Onde se dizia Israel-Jacó, era muito fácil acrescentar Judá, e vice-versa.
b) Elementos comuns. Além do tema comum, vários temas literários e frases atravessam a série com função de fios condutores. Talvez o mais importante seja "mudança de sorte", apresentado em 29,14 e que volta em 30,3.18; 31,23; 32,44; 33,7.11.26 (abertamente aparentado com Dt 30,3 e presente em outros autores: Os 6,11; Jl 4,1; Am 9,14; Sf 3,20; Sl 126). A referência a um futuro indefinido muitas vezes é sinal de ligação secundária e se lê em 30,3; 31,27.31.38; 33,14. Os dois verbos da vocação: construir em 30,18; 31,4. 28.38; 32,31.35; 33,7, e plantar em 31,5.28; 32,41. * Anos 627-622.

30,2-3 São introdução a toda a série. Os oráculos falam do futuro: por isso devem ser escritos e conservados (Is 8,16). Além disso, por serem promessas de felicidade, o cumprimento lhes dará crédito (28,9). Tratando-se de introdução a toda a série, é lógico que os destinatários sejam Israel e Judá, fraternidade que é um dos conteúdos do futuro feliz. Ressoa a referência a um futuro indefinido e o anúncio "mudarei a sorte".

30,4-24 A composição está encerrada numa grande inclusão temática: pavor e angústia (5-7) – tempestade e ira (23-24). O corpo do oráculo vaticina a libertação por meio da prova, a cura por meio da ferida. Aproxima-se uma catástrofe que atingirá todos: os pagãos como sentença de aniquilamento; Jacó-Israel como castigo salutar, purificação-libertação. Virá a restauração da capital e de seus habitantes, do chefe e do povo. Termina com a fórmula da aliança. Creio que o oráculo original se dirigia a Israel = Jacó; portanto, são acréscimos: Judá (4) e Sião (17).

30,5-9 Começa de repente, com a percepção violenta que se vai explicando passo a passo. Conhecemos o estilo lírico de irrupção no poema: o poeta assiste, contempla, informa. Os homens são como mulheres pela dor do parto, não pela esperada fecundidade.

30,7 Ver a explanação de Sf 1,7-18.

⁸Naquele dia – oráculo do Senhor dos exércitos –
 quebrarei o jugo de teu pescoço
 e romperei as correias;
⁹já não servirão a estrangeiros,
 servirão ao Senhor seu Deus,
 e a Davi, o rei que lhes nomearei.
¹⁰E tu, servo meu Jacó, não temas;
 não te assustes, Israel – oráculo do Senhor –,
pois eu te salvarei do país remoto
 e tua descendência do desterro;
Jacó voltará e descansará, repousará sem alarmes,
¹¹porque eu estou contigo para salvar-te
 – oráculo do Senhor.
 Destruirei todas as nações
 por onde te dispersei, a ti não destruirei,
 eu te corrigirei com medida
 e não te deixarei impune.
¹²Assim diz o Senhor: tua fratura é incurável,
 tua ferida está inflamada,
¹³não há remédio para tua doença
 nem cura que feche tua ferida.
¹⁴Teus amantes te esqueceram e já não te buscam,
 porque o inimigo te derrotou
 com castigo cruel,
 pela quantidade de teus crimes,
 por teus muitos pecados.
¹⁵Por que gritas por tua ferida?
 Tua chaga é incurável;
 pela quantidade de teus crimes,
 por teus muitos pecados te tratei assim.
¹⁶Os que te devoram serão devorados,
 todos os teus inimigos irão para o desterro,
 os que te saqueiam serão saqueados,
 os que te despojam serão despojados.
¹⁷Eu te devolverei a saúde, te curarei as feridas
 – oráculo do Senhor.
 Chamavam-te Abandonada,
 Sião, por quem ninguém pergunta.
¹⁸Pois assim diz o Senhor:
 Eu mudarei a sorte

30,8-9 Explicam os eventos: é o dia em que se quebra um colossal jugo imperial e os escravos recuperam a liberdade. A imagem do jugo: 2,20; 5,5; 27,8.11s; 28,2-14; também Is 14,24-27. Corrijo o texto hebraico que diz "já não servirão...".

30,10-11 Estes versículos faltam na versão grega e estão também em 46,27s, onde não se enquadram facilmente. Equivalem a estender a todo o reino do Norte a promessa feita ao profeta: "não temas, estou contigo". Sentindo Deus próximo, é possível superar o pavor que espantou os mais valentes.

30,12-17a Mudança de imagem: ferida e fratura; ver 4,6.20; 6,1.14; 8,11.21; 10,19; 14,17. Nem a paciente pode fazer coisa alguma para sarar, nem seus amigos de antes lhe prestarão seus serviços: está doente e abandonada (Sl 41,5-10). O Senhor intervém, primeiro diagnosticando a causa do mal e a justiça do castigo; isso por si é uma cura interna, pois provoca o arrependimento. Depois, a cura completa virá como consequência.

30,13 O hebraico acrescenta "quem julgue tua causa", o que não concorda com o contexto próximo.

30,14 Os amantes são aqui os aliados, como em 22,20 ou Lm 1,2.19.

30,16 O castigo do inimigo aplica a lei do talião.

30,17b-18 Se o original se referia a Samaria, "abandonada" depois da invasão assíria, é lógico que não mencione um templo. Ao atualizar o oráculo, alguém acrescentou a nova identificação: "é Sião". A capital representa o povo todo.

das tendas de Jacó,
compadecido de suas moradas;
sobre suas ruínas a cidade será reconstruída,
seu palácio se assentará em seu lugar;
¹⁹aí ressoarão hinos e barulho de festa;
eu os farei crescer e não minguar, eu os honrarei,
e não serão desprezados.
²⁰Seus filhos serão como outrora,
assembleia estável diante de mim;
castigarei seus opressores,
²¹dela sairá seu príncipe,
dela nascerá seu chefe, e eu o aproximarei de mim;
se não, quem ousaria aproximar-se de mim?
²²Vós sereis meu povo, eu serei vosso Deus,
oráculo do Senhor.
²³Atenção! O Senhor desencadeia uma tempestade,
um furacão gira
sobre a cabeça dos perversos;
²⁴o incêndio da ira do Senhor não cede,
até realizar e cumprir seus desígnios.
Ao cabo dos anos chegareis a compreender isso.

31

¹Naquele tempo – oráculo do Senhor –
serei o Deus de todas as tribos de Israel
e elas serão meu povo.

30,19-20 A população, dizimada na guerra e na deportação, volta a crescer. E se chama "assembleia", título do povo escolhido em Nm, raro na literatura profética.

30,21 O chefe já não será um estrangeiro, mas um nativo; e sua nomeação será confirmada pelo Senhor (Dt 17,15). Mas evita o título de "rei". Talvez polemize com as usurpações e mudanças de dinastia no reino do Norte.

30,22 Fórmula clássica de aliança: 7,23; 11,4; 113,11; 24,7; 31,1.13; 32,38.

30,24 O resultado esclarece o sentido dos acontecimentos: Dt 29,1-3.

31,1-40 Este é um dos capítulos mais importantes e densos do livro, ápice da mensagem de esperança. Ele nos propõe duas perguntas: É uma composição unitária e coerente? A quem se dirigia originariamente?

a) O capítulo pode ser unitário pela forma e conteúdo, mesmo manejando diversos materiais. Podemos analisar o capítulo peça por peça, ou então buscar sua unidade assinalando seus limites. Escolho o segundo. Ficam fora alguns versículos, os que se referem a Judá ou aos dois reinos unidos; três peças introduzidas com fórmula de ligação (27.29.31): pelo tema se enquadram bem no conjunto, mas pelo estilo parecem separar-se.

b) A quem se dirige? A israelitas fiéis do reino do Norte? A judaítas, em código? A todos os que invocam o nome ideal de Israel? Com muitos comentaristas inclino-me ao primeiro, ou seja, à missão de Jeremias animando os irmãos do norte. As relações entre os dois reinos estão amplamente documentadas: união e divisão, hostilidade e reconciliação, batalhas e alianças. A queda de Samaria deve ter despertado sentimentos desencontrados: satisfação rancorosa, arrependimento, compaixão fraterna. Josias tentou conquistar territórios e atrair cidadãos do norte.

c) Composição e desenvolvimento. O Senhor se dirige aos "sobreviventes de Israel" com uma mensagem de esperança: haverá um novo êxodo, com uma peregrinação a Sião, inaugurando uma era de alegria e bem-estar (2-6.8-9); dirige-se de passagem a um grupo não identificado para que participe (7), e às nações do orbe para que o saibam.

Ao escutar mensagem tão feliz, os interpelados desconfiam: pela situação do desterro, pela morte de homens, pelos próprios pecados. O povo aparece na figura da matriarca Raquel, ou com o nome do antepassado Efraim, ou como uma anônima "donzela esquiva". Às suas objeções contra a esperança o Senhor responde com o argumento do seu amor e sua promessa de fecundidade (15-17.18-20.21-22). Até aqui o processo é rigoroso. Depois de uns versículos que saem da moldura (23-26), segue-se uma tríplice promessa em crescendo: fecundidade (27s), responsabilidade pessoal (29-30), nova aliança (31-34). O Senhor confirma suas promessas com duplo juramento cósmico (35-36.37).

Em resumo: mensagem ao interessado, palavras aos circunstantes, objeção e resposta, promessa e juramento. É um modo de compor já observado em outros textos, p. ex. na pregação do Segundo Isaías. O capítulo é pontilhado de referências temáticas e verbais à liturgia penitencial de 2,1-4,4. Seria útil lê-las e estudá-las uma vez como grande díptico teológico.

31,1 Pela introdução temporal e pela fórmula de aliança, este versículo serve de introdução. "Todas

— ²Assim diz o Senhor:
   O povo que escapou da espada
   alcançou favor no deserto:
   Israel caminha para o seu descanso,
      ³o Senhor lhe apareceu de longe.
Com amor eterno te amei,
   por isso prolonguei minha lealdade;
      ⁴eu te reconstruirei e ficarás construída,
      capital de Israel;
   de novo sairás ornada de joias
      bailando com pandeiros em círculos;
      ⁵de novo plantarás vinhas
      nos montes da Samaria,
      e os que as plantam as colherão.
   ⁶"É dia!" gritarão as sentinelas
      na serra de Efraim.
      "De pé, para Sião,
      para visitar o Senhor nosso Deus".
   ⁷Assim diz o Senhor: Gritai jubilosos por Jacó,
      regozijai-vos pelo primeiro dos povos,
   apregoai, louvai, dizei: O Senhor salvou
      seu povo, o resto de Israel.
   ⁸Eu vos trarei do país do norte,
      eu vos reunirei nos rincões do mundo.
   Que grande multidão retorna,
      entre eles há cegos e coxos,
      grávidas e as que deram à luz;
      ⁹se partiram chorando,
      os conduzirei entre consolos,
      os guiarei a torrentes,
      por caminho plano e sem tropeços.
   Serei um pai para Israel,
      Efraim será meu primogênito.
      ¹⁰Escutai, povos, a palavra do Senhor,
      anunciai-a, ilhas longínquas:

---

as tribos" é expressão enfática: o reino do Norte incluía dez tribos (1Rs 11,30-32), cada qual com muitos clãs. O título "Deus de Israel" não pode arvorar-se como um monopólio: todas as tribos e clãs são povo escolhido.

31,2-9 Antes da restauração, o povo tem de passar pela experiência fundacional do êxodo, libertação e prova, experiência na qual se revela o amor eficaz de Deus. Tomará a forma de caminho por um deserto, peregrinação a um santuário.

31,2-3b A raiz de tudo é o amor: por causa dele, Deus "prolonga sua lealdade" muito além do pecado e do castigo; por causa dessa lealdade, o povo pode alcançar o "favor" num momento infeliz. Amor, favor e lealdade formam um trio significativo.

31,3c-5 Daí brota a esperança: há um "de novo". Os dois verbos da vocação, construir e plantar (1,10), ressoam em sentido próprio e como símbolos. Entre o urbano e o agrário, entre o repouso da cidade e o trabalho do campo, o poeta insere a festa, que transforma a veste em adorno, o movimento em dança (cf. Jz 9,27).

31,6 O tema da romaria recobre o do deserto. As sentinelas dos povoados, que espiam o despontar da aurora (Sl 130,6), dão o grito matutino para despertar os romeiros (Sl 122,1). A romaria os conduz a Sião, centro espiritual do povo (cf. 2Cr 30).

31,7 Creio que se dirige a Judá: o irmão que ficou em casa deve alegrar-se com a volta do irmão pródigo, que continua sendo "cabeça" de nações (Dt 28,13), "povo" do Senhor.

31,8 Provavelmente acréscimo que amplia o horizonte em época posterior, mas respeitando o tema, a imagem e o esquema do êxodo. "Cegos e coxos" desfilam em Is 35,5s. "Grávidas e as que deram à luz" sintetizam dor e fecundidade: gravidez que dificulta o caminhar e é penhor de futuro; parto que angustia com sua dor e liberta redobrando alegria.

31,9 Passamos à imagem paterna: Ex 4,23; Dt 8,5. "Primogênito": parece aludir à história de Manassés e Efraim, segundo Gn 48,8-20: o mais novo anteposto ao mais velho.

31,10 A mensagem se amplia e coloca o evento ante um público universal: a todos revela-se o amor

Aquele que espalhou Israel o reunirá, o guardará
como o pastor a seu rebanho;
¹¹o Senhor redimiu Jacó,
ele o resgatou de mão mais forte,
¹²e virão entre aclamações
à altura de Sião;
afluirão aos bens do Senhor,
trigo, vinho e azeite,
e rebanhos de vacas e ovelhas;
será como um pomar regado,
e não voltarão a desfalecer;
¹³então a jovem terá prazer bailando
e os anciãos como os jovens;
transformarei sua tristeza em alegria,
eu os consolarei e aliviarei seus sofrimentos;
¹⁴alimentarei os sacerdotes
com gordura
e meu povo se saciará de meus bens
– oráculo do Senhor.
¹⁵Assim diz o Senhor:
Ouvi, em Ramá se escutam gemidos
e pranto amargo:
é Raquel que chora inconsolável
seus filhos que já não vivem.
¹⁶Pois assim diz o Senhor:
Reprime teus soluços,
enxuga tuas lágrimas – oráculo do Senhor –,
teu trabalho será pago,
voltarão do país inimigo;
¹⁷há esperança de um futuro
– oráculo do Senhor –,
os filhos voltarão à pátria.
¹⁸Estou escutando Efraim se lamentar:
Tu me corrigiste e castigaste,
como novilho xucro;

---

especial do Senhor. "Ilhas longínquas" é expressão típica do Segundo Isaías: 11,11; 41,1; 42,10.12; 49,1.

31,11 A "mão mais forte" poderia ser o poder imperial da Assíria, fortemente enfraquecido ou já destruído (depende da datação do oráculo). É possível que nessa época de decadência alguns israelitas se repatriaram. "Resgatar" é também termo favorito do Segundo Isaías.

31,12 O Senhor convida todos com os "bens" do seu templo (Sl 65,5): produtos de lavradores e pastores, que sintetizam a economia dos repatriados.

31,13-14 Na celebração eucarística a carne gorda era reservada para os sacerdotes. Quem são? Peregrinos pertencentes a famílias de ascendência sacerdotal? Descendentes de sacerdotes destituídos por Jeroboão? (1Rs 12,31). Será acréscimo do autor de 33,18.21c.22d? A dança exprime o caráter festivo: todos são absorvidos na roda alegre. Aqui termina o grande itinerário da reconciliação. Bonito demais para ser real? Assim pensam Raquel e Efraim.

31,15-17 Raquel foi mãe de José e Benjamim, avó paterna de Efraim; segundo Rt 4,11, foi matriarca de Israel. Aqui representa um papel novo: não é ela que morre, mas seus filhos; levanta-se do túmulo para exercer o ofício de carpideira experiente (9,16-20). Seu pranto inconsolável é sua resposta à magnífica mensagem do Senhor (cf. Lm 1,16.21; 2,18-22), que lhe responde pessoalmente (como em Is 49,21s). A "paga do seu trabalho" são os filhos (Sl 127,3), que ela recuperará, porque um resto sobrevive e retornará.

31,18-19 A objeção de Efraim é a sua consciência de pecado. Num par de versículos se adensam as referências verbais (em hebraico) à liturgia penitencial do começo do livro: lamento (4,1); arrependimento (2,19); animal indomável (2,24); voltar (2,35; 3,1.12); juventude (3,24s); mão (2,19.23; 3,13); ignomínia (2,26; 3,24s); vergonha (3,3); fazer voltar (2,24). Aqui predominam os elementos positivos. Contudo, o jovem desconfia de si; se Deus tomasse a iniciativa...

faze-me voltar e voltarei,
  pois tu és meu Senhor, meu Deus;
  ¹⁹se me afastei, depois me arrependi,
  e ao compreendê-lo bati no peito:
sentia-me ruborizado e envergonhado
de suportar o opróbrio de minha juventude.
²⁰Se Efraim é meu filho querido,
  minha criança, meu encanto!
  Cada vez que o repreendo me lembro dele,
minhas entranhas se comovem
e cedo à compaixão
  – oráculo do Senhor.
²¹Coloca marcos, planta sinais,
  presta atenção ao caminho por onde andas,
volta, donzela de Israel, volta a tuas cidades;
  ²²até quando estarás indecisa,
  jovem esquiva?
Pois o Senhor cria de novo no país,
e a mulher abraçará o homem.
²³Assim diz o Senhor dos exércitos, Deus de Israel:
  Quando eu mudar vossa sorte,
  voltará a dizer-se em Judá e em seus povoados:
"O Senhor vos abençoe,
  pastagem legítima, monte santo".
²⁴Em Judá e em seus povoados
  habitarão juntos os lavradores
  e os que migram com o rebanho.
²⁵Regarei gargantas sedentas,
  saciarei os mortos de fome.
²⁶(Eu acordei, olhei e me pareceu um sonho feliz.)
²⁷Vede, chegam dias – oráculo do Senhor –
  em que semearei em Israel e em Judá
  semente de homens e semente de animais.
²⁸Como vigiei sobre eles para arrancar e arrasar,
  para destruir, desfazer e maltratar,

31,20 Deus responde com um movimento de carinho paternal (como em Os 11,8). Tinha enunciado antes sua paternidade (9), agora lhe escapa como um desafogo incontido, anulando o dito em 13,14 e 21,7.

31,21-22 O povo está agora personificado na figura de uma donzela; sua objeção está implícita. Tem razão para desconfiar e não voltar (3,1), mas o convite é urgente (3,12). E não se trata só de voltar ao passado, mas Deus se porá a criar de novo (Is 43,18s; 48,7). Não só voltarão os filhos desterrados e sobreviventes, mas outros nascerão e serão concebidos. O personagem é cada mulher israelita, chamada a ser mãe, e é o povo todo, como matrona que abraça outra vez o seu esposo. Os substantivos usados para "mulher" e "homem" são os do Gênesis (1,27); o verbo é raro, talvez escolhido por sua consonância com "voltar" e "esquiva".

31,23-25 Depois de nova introdução solene, o capítulo menciona Judá. Penso que é um oráculo posterior, inserido aqui para unir os dois reinos na restauração futura. "Mudar a sorte" se cristaliza como fórmula de restauração. "Pastagem" pode referir-se à capital (Is 33,20) ou abranger todo o território (Ex 15,13). "Legítima" ou justa (cf. Is 1,21-26). Explicando a fórmula concisa: território legítimo, possuído com direito, em cujo centro se eleva o monte consagrado pelo templo do Senhor. Não haverá rivalidade entre lavradores e pastores.

31,26 Quem pronuncia esta frase? O que significa aqui? Já conhecemos a irrupção lírica de Jeremias em pleno oráculo. Será que não dá crédito a suas palavras, que lhe parece sonhar? (Sl 126,1). Como se também ele tivesse uma objeção, à qual o Senhor responde com juramento (35-37).

31,27-28 Chegamos ao trio ou dupla de oráculos projetados num futuro indefinido. Trio, se consideramos as introduções; dupla, se subordinamos a segunda à primeira, como objeção à promessa. Começa com a bênção da fecundidade (Os 2,25). Recolhe depois os quatro verbos da vocação (1,10), aos quais acrescenta outros três para formar um setenário. As duas "Casas" anunciam a reunificação.

assim vigiarei sobre eles para edificar e plantar
– oráculo do Senhor.
²⁹Naqueles dias já não se dirá:
"Os pais comeram uvas verdes,
os filhos tiveram os dentes embotados",
³⁰pois aquele que morrer, será por sua própria culpa,
e terá dentes embotados quem comer as uvas verdes.
³¹Vede, chegam dias – oráculo do Senhor –
em que farei uma aliança nova
com Israel e com Judá:
³²não será como a aliança
que fiz com seus pais
quando os peguei pela mão
para tirá-los do Egito;
a aliança que eles romperam
e eu mantive – oráculo do Senhor –;
³³assim será a aliança que farei com Israel
naquele tempo futuro – oráculo do Senhor –:
Colocarei minha Lei em seu peito
e a escreverei em seu coração,
eu serei seu Deus e eles serão meu povo;
³⁴já não terão de instruir-se
uns a outros, mutuamente,
dizendo: "Tens de conhecer o Senhor",
porque todos, grandes e pequenos, me conhecerão
– oráculo do Senhor –,
pois eu perdôo suas culpas e esqueço seus pecados.
³⁵Assim diz o Senhor
que estabelece o sol para iluminar o dia,
o ciclo da lua e as estrelas
para iluminar a noite,
que agita o mar e suas ondas mugem
– seu título é Senhor dos exércitos –:
³⁶Quando falharem estas leis que eu dei
– oráculo do Senhor –,
a estirpe de Israel já não será mais o meu povo.

31,29-30 Objeção implícita, recordando Ez 18: se carregamos as culpas dos antepassados (3,24s), que Deus se encarrega de trazer-nos à memória, a restauração nunca será possível. A ideia se condensou num provérbio mordaz, que pode soar quase como blasfêmia (Ez 18,2). Resposta: acabou a validade do provérbio, inaugura-se uma era de responsabilidade pessoal.

31,31-34 Deus sela a reconciliação efetuando nova aliança. Em 31 se mencionam Israel e Judá, em 33 só Israel: é mais fácil explicar um acréscimo que uma supressão.

A aliança fracassada exigia adesão exclusiva ao Senhor, traduzida no cumprimento integral da lei. A lei era formulada com toda a clareza e respaldada por bênçãos e maldições. Mas era externa, gravada numa pedra, com a qual os ânimos dos homens não sintonizavam. A nova aliança inscreverá a lei dentro, de modo que se converta no impulso ou dinamismo da conduta; o coração estará remodelado pela marca viva da lei.

Assim se restabelecem as relações pessoais, substância autêntica da aliança. Afirma-se o conhecimento do Senhor, que é reconhecimento e se traduz em compromisso. Faltava nos chefes e no povo (2,8; 4,22; 9,2). A transformação fará com que tal conhecimento atue como dom instintivo, não como lição aprendida.

Um "perdão" total, sem reservas, é o primeiro ato da reconciliação, no qual se manifesta o "amor eterno" do Senhor. Estes versículos têm muitas citações e alusões no NT, p. ex. Rm 11,27; Hb 8,8-12; 10,16-17.

31,32 "Mantive": em hebraico "fui senhor" ou "fui marido". Em termos de aliança, o Senhor é o soberano que cumpriu seus compromissos; em termos de matrimônio, o Senhor é o marido ao qual a esposa foi infiel.

31,35-36 No juramento, Deus apela para sua atividade criadora: aos astros que o servem pontualmente, ao mar cuja resistência domina. Como controla a natureza, controla a história; também as forças

⁳⁷Assim diz o Senhor:
Se é possível medir o céu no alto,
ou perscrutar no profundo o alicerce da terra,
eu rejeitarei a estirpe inteira de Israel,
por tudo o que fez – oráculo do Senhor.

³⁸Vede, chegam dias – oráculo do Senhor – em que se edificará a cidade do Senhor, da torre de Hananeel até a porta do Ângulo. ³⁹A corda de medir seguirá direto até Colina de Gareb e girará até Goa. ⁴⁰Todo o vale dos cadáveres, o cemitério das cinzas, até o vale da torrente Cedron, e até a porta dos Cavalos, a oriente, estará consagrado ao Senhor, e nunca mais será arrasado nem destruído.

32 Compra de um terreno (Lv 25, 25; Rt 3-4) –

¹Palavras que o Senhor dirigiu a Jeremias no décimo ano* do reinado de Sedecias em Judá, que corresponde ao décimo oitavo ano de Nabucodonosor.
²Nessa ocasião, o exército do rei da Babilônia assediava Jerusalém, e o profeta Jeremias estava preso no átrio da guarda, no palácio real de Judá. ³Sedecias o havia encarcerado, acusando-o:

– Tu profetizaste: "Assim diz o Senhor. Eu entregarei esta cidade nas mãos do rei da Babilônia, para que a conquiste. ⁴Sedecias, rei de Judá, não escapará das mãos dos caldeus, mas será entregue sem falta nas mãos do rei da Babilônia, que lhe falará face a face, e seus olhos verão os olhos dele. ⁵E levará Sedecias para Babilônia, e aí ficará (até que eu me ocupe dele) – oráculo do Senhor. Se lutardes com os caldeus, não vencereis".

⁶Jeremias respondeu:
– O Senhor me dirigiu a palavra: ⁷Hanameel, filho de teu tio Selum, virá para dizer-te: Compra-me o campo de Anatot, porque a ti cabe resgatá-lo, comprando-o. ⁸E meu primo veio visitar-me, conforme havia dito o Senhor, no átrio da guarda, e me disse: "Compra-me o campo de Anatot, no território de Benjamim, porque a ti cabe resgatá-lo e adquiri-lo: compra-o para mim". Eu compreendi que era uma

---

hostis e rebeldes de ambas. O v. 35 se lê também em Is 51,15 com a mesma função. "Estirpe de Israel" é o reino do Norte (2Rs 17,20), são todos sem distinção (Is 45,25 e Sl 22,24), é a comunidade repatriada (Ne 9,2).

31,37 Segunda parte do juramento, conforme o esquema: dado que é impossível A, é impossível B. Mas o esquema é ultrapassado pela força dos símbolos. O amor do Senhor é eterno e imenso: as medidas humanas não servem para defini-lo, nem seus limites para aprisioná-lo (cf. Is 40,13; 59,1).

31,38-40 Após o juramento, alguém acrescentou uma predição magnífica pelo futuro duradouro que promete, e minuciosa pelos dados de cadastro que apresenta. Assemelha-se em espírito às descrições topográficas do fim de Ezequiel.

32,1-44 À primeira vista se trata de um incidente: a compra e venda de um terreno segundo as normas e o procedimento da legislação judaica. O narrador se compraz em registrar todos os detalhes, mostrando que a lei foi estritamente cumprida e que o ato é juridicamente válido. O surpreendente dessa compra-e-venda é que se realiza às vésperas da catástrofe inevitável. Que sentido tem nesse momento comprar um terreno para que fique em poder da família? Tudo já está perdido. Mas o absurdo do ato é a chave do seu sentido. Para efeitos legais imediatos, a compra nada servirá; para efeitos proféticos, é admirável ato de esperança no futuro. É um oráculo em ação, Jeremias profetiza ao vivo;

não só palavras, nem ação simbólica, mas ato real jurídico. Esse ato significa o futuro que ele antecipa: a jarra de barro onde se guarda o contrato é um penhor que Deus concede. Apesar do que está para acontecer, a terra continua sendo propriedade dos judaítas: a terra prometida aos patriarcas e possuída durante séculos.

Para deixar claro o sentido, o autor o desenvolve numa introdução narrativa e em duas longas intervenções, à maneira de diálogo do profeta com seu Deus. A introdução mostra que o profeta está consciente da situação e não retrata nada do que ele disse sobre o destino próximo de Judá e Jerusalém. Os discursos servem para situar o incidente num grande contexto de compreensão teológica ou para fazer os séculos gravitar sobre o momento presente.

32,1 * Ano 507.

32,2-5 São um resumo dos eventos contados a partir do capítulo 34. Enfocam a atenção com o rei e a capital, unidos em destino comum.

32,7 Conforme a legislação, as propriedades hereditárias deviam ficar em poder da família. Se um membro se visse forçado a vender algo de tal propriedade, competia a outro membro da família, segundo uma ordem estabelecida, comprá-lo ou "resgatá-lo". Esse detalhe imprime ao ato um caráter de solidariedade familiar.

32,8 Ao parente compete resgatar um pedaço de terra, ao profeta compete resgatar um pedaço de futuro. É palavra do Senhor.

palavra do Senhor. ⁹E, assim, comprei de meu primo Hanameel o campo de Anatot; pesei o dinheiro: dezessete siclos de prata. ¹⁰Escrevi o contrato, selei-o, fiz as testemunhas assinarem e pesei a prata na balança. ¹¹Depois, tomei o contrato selado, segundo as normas legais, e a cópia aberta, ¹²e entreguei o contrato a Baruc, filho de Nerias, de Maasias, na presença de meu primo Hanameel, na presença das testemunhas que haviam assinado o contrato e na presença dos judaítas que estavam no átrio da guarda. ¹³Na presença deles ordenei a Baruc: ¹⁴"Assim diz o Senhor dos exércitos, Deus de Israel: Toma estes contratos, o selado e o aberto, e coloca-os numa jarra de barro, para que se conservem muitos anos. ¹⁵Porque assim diz o Senhor dos exércitos, Deus de Israel: Ainda se comprarão casas e campos e vinhas nesta terra".

¹⁶Depois de entregar a Baruc, filho de Nerias, orei ao Senhor: ¹⁷Ai, meu Senhor! Tu fizeste o céu e a terra com teu grande poder, com braço estendido, nada é impossível para ti. ¹⁸Tu tratas com misericórdia por mil gerações, mas castigas o pecado dos pais nos filhos que lhes sucedem. Deus grande e forte, cujo nome é Senhor dos exércitos. ¹⁹Grande em ideias, poderoso em ações, cujos olhos estão abertos sobre os passos dos homens, para pagar a cada um conforme sua conduta e o que merecem suas ações. ²⁰Tu fizeste sinais e prodígios no Egito até hoje, em Israel e entre todos os homens, e ganhaste para ti uma fama que hoje perdura. ²¹Tiraste do Egito o teu povo Israel, com prodígios e portentos, com mão forte e braço estendido, e com grande terror. ²²Deste-lhes esta terra, que havias jurado dar a seus pais, terra que mana leite e mel, ²³e entraram para possuí-la. Mas eles não te obedeceram, não agiram segundo tua Lei, não fizeram o que lhes havias mandado fazer; por isso lhes enviaste todas estas desgraças. ²⁴Vê, os aterros chegam até a cidade para conquistá-la, a cidade está entregue em mãos dos caldeus, que a atacam com a espada, a fome e a peste. Acontece o que anunciaste, e o estás vendo. ²⁵E tu, meu Senhor, me dizes: "Compra para ti o campo com dinheiro, diante de testemunhas", enquanto a cidade cai em mãos dos caldeus.

²⁶O Senhor dirigiu a palavra a Jeremias: ²⁷Eu sou o Senhor, Deus de todos os humanos: existe algo impossível para mim? ²⁸Pois bem, assim diz o Senhor: Eu entrego esta cidade em mãos dos caldeus, em mãos de Nabucodonosor, rei da Babilônia, para que a conquiste. ²⁹Os caldeus que a atacam entrarão nesta cidade e a incendiarão. Eles a queimarão com as casas, em cujos terraços se queimava incenso a Baal e se faziam libações a deuses estrangeiros para me irritar. ³⁰Porque israelitas e judaítas desde a juventude fazem o que eu reprovo; os israelitas me irritam com as obras de suas mãos – oráculo do Senhor. ³¹Esta cidade provocou minha ira e minha cólera, desde que a construíram até hoje.

32,10 Num pergaminho escrevia-se duas vezes o contrato, ou escreviam-se o texto e um resumo. Uma parte era enrolada e selada; a outra, enrolada sem selar. Assim se podia consultar o contrato sem violar os selos, ou quebravam-se estes para comprovar a validade. O dinheiro era pesado, pois ainda não se cunhavam moedas. A jarra de barro preservava a umidade. O ato era público, e as testemunhas se encarregariam de espalhar a notícia do fato, pois Jeremias era personagem conhecido.

32,15 Por sua brevidade, o oráculo contrasta com a lentidão precedente. O que segue pode ser condensado em alguns versículos: 17.19.24.25.26.28.43-44. É provável que o texto primitivo tenha sido submetido a ampliações posteriores.

32,16-25 A oração de Jeremias soa como reprovação ao Senhor pela incoerência do seu agir. Teria sido mais lógico pronunciá-la antes do ato da compra. O narrador faz constar que o profeta obedece antes de rezar. A oração que o texto apresenta vai da criação até o momento presente. Deus é criador e remunerador, 16-19, libertou os israelitas; estes foram rebeldes e ele os castigou, 20-24. Os títulos de Deus são chave antecipada: vê e controla tudo na criação e na história, castiga o pecado e mantém a lealdade (Ex 20,5s; 34,7; Dt 5,9s). A oração é composta em prosa muito rítmica, com versos intercalados, e é cheia de reminiscências litúrgicas.

32,27-44 Na sua resposta, o Senhor retoma algumas sugestões do profeta e abrange por sua vez um âmbito gigantesco. O mais notável do seu discurso é o corte violento, ilógico, pela metade (35/36), e a novidade do futuro. Com a mesma soberania com que entrega sua cidade ao inimigo, realizará generosa restauração. A lealdade por mil gerações sobrepuja o castigo imediato. O estilo é retórico e repetitivo; são abundantes as citações e reminiscências de outros textos.

32,29 Pena do talião: 19,13.

32,31 Afirmação incomum. Isaías distinguia os bons tempos antigos antes da corrupção posterior (Is 1,21-26) e é seguido por Ez 22.

Terei de afastá-la de minha presença, ³²por todas as maldades que israelitas e judaítas cometem, irritando-me todos, com seus reis e príncipes, com seus sacerdotes e profetas, os judaítas e os habitantes de Jerusalém. ³³Voltam para mim as costas, e não a face. Eu os ensinava sem cessar, e eles não escutavam nem se corrigiam. ³⁴Punham abominações na casa que levava meu nome, profanando-a. ³⁵Construíam capelas a Baal, no vale de Ben-Enom, para passar pelo fogo seus filhos e filhas, em honra de Moloc. Coisa que eu não mandei, nem me passou pela cabeça. Fizeram abominações semelhantes, fazendo Judá pecar.

³⁶Por isso, assim diz agora o Senhor, Deus de Israel, a esta cidade, da qual dizeis: "Vai cair em mãos do rei da Babilônia, pela espada, pela fome e pela peste. ³⁷Vede, eu os congregarei em todos os países por onde minha ira, minha cólera e meu grande furor os dispersaram. Eu os trarei a este lugar, e os farei habitar tranquilos. ³⁸Eles serão meu povo e eu serei seu Deus. ³⁹Eu lhes darei um coração inteiro e uma conduta íntegra, para que me respeitem por toda a vida, para seu bem e de seus filhos que lhes sucederem. ⁴⁰Farei com eles uma aliança eterna, e não cessarei de fazer-lhes bem. Eu lhes infundirei respeito por mim, para que de mim não se afastem. ⁴¹Terei prazer fazendo-lhes o bem. Eu os plantarei de verdade nesta terra, com todo meu coração e toda a minha alma. ⁴²Porque assim diz o Senhor: Assim como enviei esta grande calamidade a este povo, eu também lhes enviarei todos os bens que lhes prometo. ⁴³Comprarão campos nesta terra da qual dizeis: "Está desolada, sem homens nem rebanhos, e cai em mãos dos caldeus". ⁴⁴Comprarão campos com dinheiro, diante de testemunhas, e se escreverá e selará o contrato no território de Benjamim e no distrito de Jerusalém, nas povoações de Judá, da Serra, da Sefelá e do Neguebe, porque eu mudarei sua sorte – oráculo do Senhor.

33 Restauração (Jr 30-31) –
¹Enquanto Jeremias continuava detido no átrio da guarda, o Senhor lhe dirigiu a palavra:
– ²Assim diz o Senhor, que fez a terra, a formou e a estabeleceu; seu nome é "Senhor". ³Grita a mim, e te responderei, e te comunicarei coisas grandes e inacessíveis que não conheces.

⁴Porque assim diz o Senhor, Deus de Israel, às casas desta cidade e aos palácios reais de Judá, agora arrasados pelo assédio e pela espada: ⁵Agora vêm guerrear contra ela os caldeus, enchendo-a de cadáveres humanos; porque eu a feri com ira e cólera, ocultei meu rosto a esta cidade, por causa de todas as suas maldades.

⁶Eu mesmo lhe trarei restabelecimento e cura, e lhes revelarei uma riqueza de paz e de fidelidade. ⁷Mudarei a sorte de Judá e

---

32,32 Nos pecados históricos estão irmanados os dois reinos, os grupos dirigentes (2,8.26) e o povo.
32,34 Ver Ez 7.
32,35 Ver 2,23; 7,29-8,3; 19,3-13.
32,39-40 A restauração se afirmará pela transformação interna do povo. "Coração inteiro": não dividido ou repartido entre vários deuses e lealdades divergentes. O "respeito" ou reverência profunda mantém um vínculo pessoal; não é um temor que assuste ou afaste da pessoa temida.
32,41 "Com todo meu coração..." A expressão se aplica ao homem em Dt 6,5. Projetá-la em Deus é uma audácia: só a audácia pode saltar da lógica mesquinha para alcançar o dinamismo da ação salvadora no seu manancial.
32,44 Reino de Judá com suas dependências.
33,1-26 Ocupando-se com introduções e fórmulas de ligação, este capítulo reúne uma série de oráculos de época e procedência diversas. A divisão é esta: introdução (1-3); três vezes "assim diz *Yhwh*" (4-9.10-11.12-13); três vezes futuro indefinido (14.15.16); "assim diz *Yhwh*" (17-18); duas vezes "dirigiu a palavra" (19-22.23-26). A mudança e a articulação do tema unitário da restauração não coincidem exatamente com essas divisões. É a seguinte:

1-3 Introdução solene.
4-5 Israel e Judá: castigo presente.
6-9 Israel e Judá, a sorte muda; Jerusalém.
10-11 Judá e Jerusalém: alegria e festa.
12-13 Território de Judá: paz pastoril.
14-16 Israel e Judá; Davi; Judá e Jerusalém.
17-18 Casa de Israel: rei e sacerdotes.
19-22 Juramento: aliança com Davi.
23-26 Ameaça: a estirpe e Davi.
Em conjunto, notamos o horizonte de Israel e Judá irmanadas, com Jerusalém no centro, e a esperança escatológica e messiânica. É muito difícil delimitar a contribuição de Jeremias neste capítulo. Quem o compilou e introduziu aqui não o considerava estranho à mensagem do grande profeta.
33,1 A introdução coloca artificialmente esta série às vésperas da tragédia. Deus mesmo provoca o profeta para que seja magnânimo no seu pedido; já não lhe proíbe interceder (7,16; 11,14; 14,1). Liga-se sutilmente com a atitude do capítulo precedente.
33,4-9 A preocupação imediata é a capital assediada; os dois reinos são o horizonte salvífico.
33,6 Atribuindo a *shalom* o significado de "saúde" e tomando o verbo com valor causativo, poder-se-

a sorte de Israel, e os edificarei como em outro tempo; ⁸eu os purificarei de todos os crimes que cometeram contra mim, e lhes perdoarei todos os crimes que cometeram contra mim, rebelando-se contra mim.

⁹Jerusalém será título de alegria, louvor e honra, para mim e para todas as nações da terra que ouvirem contar todo o bem que lhes fiz, e os temerão e respeitarão, por todo o bem e paz que lhes dei.

¹⁰Assim diz o Senhor:
Neste lugar do qual dizeis que está em ruínas,
   sem homens nem rebanhos;
nas cidades de Judá
   e nas ruas de Jerusalém,
   agora desoladas, sem homens nem rebanhos,
¹¹ainda se escutará
   a voz alegre e a voz festiva,
   a voz do noivo e a voz da noiva;
a voz dos que cantam
   ao entrar com ação de graças
   no templo:
"Dai graças ao Senhor dos exércitos,
   porque é bom,
   porque é eterna sua misericórdia".
Porque mudarei a sorte desta terra,
   fazendo-a como antes, diz o Senhor.

¹²Assim diz o Senhor dos exércitos:
Neste lugar, agora arruinado,
   sem homens nem rebanhos,
   e em todas as cidades,
   ainda haverá redis de pastores
   que recolhem suas ovelhas.
¹³Pelas povoações da Serra,
   da Sefelá, do Negueb,
   pelo território de Benjamim,
pelo distrito de Jerusalém
   e pelas cidades de Judá,
   ainda passarão as ovelhas
   junto àquele que as conta – diz o Senhor.

¹⁴Vede, chegam dias – oráculo do Senhor – em que cumprirei a promessa que fiz à casa de Israel e à casa de Judá.

¹⁵Naqueles dias e naquela hora
   suscitarei a Davi um rebento legítimo
   que fará justiça e direito na terra.

-ia traduzir: "farei com que mostrem uma saúde transbordante e duradoura". Por outro lado, "paz" alude ao nome da cidade assediada: se agora não honra o nome que tem, um dia o fará.

33,9 As nações inimigas temerão diante da prosperidade de Jerusalém, porque compreendem que seu Deus a protege. Refere-se ao temor numinoso de quem contempla uma ação inesperada de Deus (Sl 64,10).

33,10-11 A voz dos noivos resume intensamente toda a alegria humana: amor, fecundidade, família. A sua ausência define o castigo próximo: 7,34; 16,9;

25,10. Jeremias não antecipa em sua vida essa alegria (16,2s) nem a contempla em vida; mas espera. Cita-se também o estribilho de um canto litúrgico (Sl 136 e outros): essa "misericórdia eterna" é garantia da promessa.

33,12-13 A paisagem pastoril é ao mesmo tempo real e ideal: alude a chefes e povo. Aquele que "as conta" não é um Davi insensato ordenando um recenseamento (2Sm 24), mas o pastor solícito que não quer perder nenhuma ovelha.

33,14-16 Procedem de 23,5-6, atraídos pelo tema pastoril.

¹⁶Naqueles dias se salvará Judá
e em Jerusalém viverão tranquilos,
e a chamarão assim:
"Senhor-nossa-justiça".

¹⁷Porque assim diz o Senhor:
Não faltará a Davi um sucessor
que sente no trono da casa de Israel.
¹⁸Dos sacerdotes e levitas
não faltará quem ofereça
holocaustos em minha presença,
incense as oferendas
e faça sacrifícios todos os dias.

¹⁹O Senhor dirigiu a palavra a Jeremias:
— ²⁰Assim diz o Senhor:
Se pode ser quebrada minha aliança
com o dia e a noite,
de modo que não haja dia e noite a seu tempo,
²¹também se quebrará a aliança
com Davi, meu servo, de modo que lhe falte
sucessor no trono,
e a aliança com os sacerdotes
e levitas, meus ministros.
²²Como as estrelas do céu, incontáveis;
como a areia da praia, inumerável;
multiplicarei a descendência
de meu servo Davi
e dos levitas que me servem.

²³O Senhor dirigiu a palavra a Jeremias:
— ²⁴Não ouves o que diz este povo?
"As duas famílias que o Senhor havia escolhido,
ele mesmo as rejeitou".
Assim desprezam meu povo
e não o consideram como nação.
²⁵Assim diz o Senhor:
Como é certo que criei o dia e a noite
e estabeleci as leis do céu e da terra,
²⁶também é certo que não rejeitarei
a estirpe de Jacó e de meu servo Davi,
deixando de escolher entre sua descendência
os chefes da estirpe de Abraão, Isaac e Jacó.
Porque mudo sua sorte e tenho compaixão deles.

33,17-18 A promessa dinástica, lida quase literalmente em 1Rs 2,4 e 9,5, é dirigida a Salomão. A menção dos sacerdotes pode obedecer ao desejo de equiparar autoridade civil e eclesiástica: é a mentalidade de Zacarias. Jeremias não manteve relações amistosas com os sacerdotes.

33,20-21 A promessa dinástica usa o termo da aliança, *berit*, que é a promessa ou compromisso do Senhor com o monarca (Is 55, 3). Como a natureza obedece às ordens de Deus, assim também a história o fará. Aliança com o dia e a noite: Gn 9,12-14, em ritmo cíclico, como a sucessão das gerações (Sl 45,17).

33,22 Ultrapassa a promessa dinástica introduzindo uma promessa patriarcal (Gn 15,5). Na linha dinástica, basta a Davi um sucessor de cada vez: o que significa para ele uma descendência patriarcal? que seus descendentes chegarão a ser reis por todo o mundo? a aplicação aos levitas vem a ser violenta.

33,23-26 Em esquema de objeção e resposta. As "duas famílias" são os dois reinos: hoje separados e submissos, continuam escolhidos. Um dia recuperarão a unidade e a independência. Céu e terra, noite e dia sintetizam a totalidade do espaço e do tempo controlados por Deus: são também coordenadas da história dirigida por Deus.

34 A Sedecias (Jr 21,1-7) – ¹Palavras que o Senhor dirigiu a Jeremias enquanto Nabucodonosor, rei da Babilônia, e todo o seu exército e todos os reis da terra sob seu domínio e todos os seus exércitos lutavam contra Jerusalém e contra suas cidades:*

– ²Assim diz o Senhor, Deus de Israel: Vai falar com Sedecias, rei de Judá, e lhe dirás: Assim diz o Senhor: Eu entreguei esta cidade em mãos do rei da Babilônia, para que a incendeie. ³Tu não te livrarás de sua mão, mas serás capturado e cairás em seu poder: teus olhos verão os olhos do rei da Babilônia, tua boca falará à sua boca e tu irás para Babilônia. ⁴Escuta, portanto, a palavra do Senhor, Sedecias, rei de Judá: Assim te diz o Senhor: Não morrerás pela espada. ⁵Morrerás em paz. Assim como se queimaram perfumes por teus pais, os reis que te precederam, também se queimarão por ti. Farão teu funeral cantando: "Ai, senhor!" Eu o disse – oráculo do Senhor.

⁶O profeta Jeremias disse tudo isso a Sedecias em Jerusalém, ⁷enquanto o exército do rei da Babilônia lutava contra Jerusalém e contra o resto das cidades de Judá: Laquis e Azeca, as duas praças-fortes que ainda subsistiam.

Alforria de escravos (Lv 25,39-43; Dt 15,12-18; Jr 37,5.11) – ⁸Palavras que o Senhor dirigiu a Jeremias depois que o rei Sedecias fez um pacto com o povo de Jerusalém para proclamar uma remissão: ⁹cada qual liberta seu escravo hebreu e sua escrava hebreia, de modo que nenhum judeu fosse escravo de um conterrâneo seu. ¹⁰Todos os nobres e o povo aceitaram esse pacto de deixar livre cada qual o seu escravo e a sua escrava, de modo que ninguém continuasse em escravidão. Obedeceram, e os puseram em liberdade. ¹¹Mas depois voltaram atrás, tomaram outra vez os escravos e escravas que haviam alforriado, e os submeteram de novo à escravidão.

¹²Então o Senhor dirigiu a palavra a Jeremias:

– ¹³Assim diz o Senhor, Deus de Israel: Eu fiz uma aliança com vossos pais quando os tirei do Egito, da escravidão, dizendo: ¹⁴Ao fim de cada sete anos, todos deixarão livre seu compatriota hebreu que tiverem comprado e que lhes tenha servido seis anos: eles o deixarão ir em liberdade. Mas vossos pais não me escutaram nem deram ouvidos. ¹⁵Vós vos convertestes hoje fazendo o que eu aprovo, proclamando cada qual a alforria

---

34,1-7 Por estar dirigido ao rei Sedecias (ano 587), este oráculo se enquadraria bem na série de 21-22, junto ao de 21,1-7. Pela data, o encaixaram aqui. A julgar pelo v. 7, corresponde ao final do reinado, por volta de 587. Por outro lado, a mensagem pode ser uma síntese programática, como que adiantando os capítulos 37-39.

34,1 Se os versículos finais forem informação histórica exata, o começo quer ampliar o cenário para povoá-lo e enchê-lo de atores. Uma espécie de invasão escatológica e universal de reinos e nações submetidos ao imperador que se apressa a tomar o último reduto de resistência. Literariamente estão se preparando textos como Ez 38-39; Jl 3-4; Jt 2-5. * Ano 587.

34,2-3 A primeira mensagem exalta o poder do imperador e oferece sua presença corpórea. Mas não é o protagonista, e sim instrumento do Senhor.

34,2 2Rs 24,1-3.

34,3 Jr 39,4-7.

34,4-5 A segunda mensagem equivale a uma mitigação da pena (21,7). As notícias de 39,7; 52,11 e 2Rs 25,7 não contradizem formalmente o presente anúncio. Os ritos fúnebres anunciados adquirem plena significação comparados com o destino de Joaquim (22,18s): haverá uma família e um povo que o chorarão como rei.

34,8-22 O episódio se dá durante o cerco de Jerusalém, quando o exército babilônico suspende o cerco ao ficar sabendo que as tropas do faraó Hofra se aproximam. Apertados pelo cerco, os judaítas fizeram um gesto de conversão; ao levantar-se o cerco, o revogaram. O episódio sublinha a teimosia dos judaítas responsáveis e a inutilidade da pregação profética. Nada mais pode afastar ou adiar a catástrofe.

O assunto é substancial, porque nele se debate a liberdade ou escravidão do povo judaíta. Na raiz da sua existência, o povo foi libertado da escravidão do Egito (13), recebeu uma legislação em defesa da liberdade de todos os judaítas como irmãos (14); se não vivem em casa como povo livre, serão escravos do estrangeiro (27,1-11). Compare-se este episódio com a compra do campo: a legislação vincula o resgate de terrenos e pessoas. Jeremias resgata um campo e liberta assim uma parte de liberdade futura. Os chefes de Israel anulam o resgate e se fecham no seu egoísmo sem futuro.

34,8 O rei toma a iniciativa convocando ao templo os responsáveis. Não proclama um dia de jejum nacional, que seria rito passageiro, mas trata de algo substancial (compare-se com Ne 5,1-10). Fazendo-os jurar, exige deles a aplicação ao caso concreto de uma lei tradicional, a remissão: Lv 25,39-43; Dt 15,18. A "remissão" é sagrada, em nome e com a autoridade do Senhor, e é promulgada no templo. Limita-se aos judaítas, não inclui migrantes ou estrangeiros.

34,14 Embora generalize em sua denúncia, o profeta nos dá a entender que tais leis não eram observadas à risca.

34,15-16 O delito tem caráter de sacrilégio, por serem sagrados a lei e o compromisso; profana o nome do

para seu próximo, e havíeis feito um pacto diante de mim, no templo que leva meu nome. ¹⁶Mas depois mudastes, profanastes meu nome; cada qual voltou a tomar o escravo e a escrava que havia deixado livres e os submeteu de novo à escravidão. ¹⁷Por isso, assim diz o Senhor: Vós não me obedecestes proclamando cada qual a alforria para seu próximo e seu compatriota; pois vede, eu proclamo a alforria – oráculo do Senhor – para a espada, a fome e a peste, e vos tornarei exemplo para todos os reis da terra. ¹⁸Os homens que quebraram minha aliança, não cumprindo as cláusulas da aliança que fizeram comigo, eu tratarei como o bezerro que cortaram em dois para passar entre as duas metades. ¹⁹Os dignitários de Judá e Jerusalém, os eunucos e sacerdotes, e todo o povo que passou entre as metades do bezerro, ²⁰eu entregarei em mãos de seus inimigos, para que os persigam mortalmente; seus cadáveres serão pasto das aves do céu e das feras da terra. ²¹E Sedecias, rei de Judá, com seus príncipes, eu os entregarei em mãos de seus inimigos, para que os persigam mortalmente, em mãos do exército do rei da Babilônia, que acaba de retirar-se. ²²Eu os mandei – oráculo do Senhor – e os tornarei a trazer contra esta cidade, para que a ataquem, a conquistem e a incendeiem. E as cidades de Judá ficarão desoladas e sem habitantes.

35 Os recabitas – ¹Palavras que o Senhor dirigiu a Jeremias no tempo de Joaquim, filho de Josias, rei de Judá:

– ²Vai à família dos recabitas, fala com eles, traze-os ao templo, a uma das celas, e dá-lhes vinho para beber.

³Eu tomei Jezonias, filho de Jeremias, filho de Habsanias, com seus irmãos e filhos e com toda a família dos recabitas. ⁴Levei-os ao templo, à cela de Ben-Joanã, filho de Jegdalias, o homem de Deus, que está junto à sala dos dignitários e acima da habitação de Maasias, filho do porteiro Selum. ⁵Ofereci jarras e taças de vinho aos membros da família recabita, e lhes disse:

– Bebei.

⁶Eles responderam:

– Não bebemos vinho. Porque Jonadab, filho de nosso antepassado Recab, nos deu a ordem: Jamais bebereis vinho, nem vós nem vossos filhos; ⁷não construireis casas, não semeareis sementes, não plantareis nem possuireis vinhas, mas habitareis em tendas toda a vida, para que vivais longos anos na superfície da terra em que residis. ⁸Nós obedecemos a Jonadab, filho de nosso antepassado Recab, em tudo o que nos mandou: Não bebemos vinho por toda a vida, nem nós nem nossas esposas, nem nossos filhos, nem nossas filhas; ⁹não construímos casas para habitar, nem temos vinhas nem campos de semeadura, ¹⁰mas vivemos em tendas, e acatamos e cumprimos tudo o que nosso pai Jonadab nos mandou. ¹¹Mas quando Nabucodonosor, rei da Babilônia, invadiu o país, dissemos: Vamos a Jerusalém, fugindo do exército caldeu e do exército arameu. Por isso habitamos em Jerusalém.

Senhor. Porque o Senhor comprometeu sua fama e seu prestígio na liberdade de seus fiéis. É ele quem garante, com o peso da sua autoridade, a exigência humana de justiça.

34,17 As pragas são vistas como servas do Senhor, a quem ele controla e proíbe. Se as solta, elas se lançam à destruição. Aplica-se a lei do talião.

34,18 Rito de aliança que se costuma comparar com o de Gn 15,10.17.

34,19 "Eunucos": em sentido próprio, guardas do harém real; ou em sentido lato, empregados importantes da corte.

34,20 Ver 7,33; 16,4; 19,7.

35,1-19 Cronologicamente este episódio precede ao menos dez anos o anterior. Literariamente funciona como contraste. É um oráculo em ação, ou ação simbólica, para a qual o profeta utiliza uma comparsa. Digo-o em termos dramáticos, pois na realidade a comparsa não finge, mas oferece seu modo de viver como lição, como ilustração do oráculo profético. Conhecemos Jonadab por sua colaboração com Jeú na luta contra o baalismo (2Rs 10,15-27). Recab, o antepassado, é desconhecido. Esse reduzido clã manteve tenazmente o estilo de vida nômade: deduzimos que se dedicavam ao pastoreio. Semelhante vida não representava então um ideal para Israel ou para Jeremias; exemplar era a fidelidade a uma tradição paterna. É modesta afirmação de pluralismo, lembrança viva de tempos patriarcais, inclusive testemunho num momento em que muitos judaítas deverão ser peregrinos forçados.

35,2-4 Sendo Jeremias de família sacerdotal, parece que tinha fácil acesso a algumas dependências do templo. Aí a cerimônia revestia maior solenidade, embora não pareça tratar-se de ato litúrgico.

35,6-10 Os recabitas alegam simplesmente o valor formal de ordem e cumprimento, sem discutir o conteúdo; falam no estilo do Deuteronômio. Entre

¹²O Senhor dirigiu a palavra a Jeremias: — ¹³Assim diz o Senhor dos exércitos, Deus de Israel: Vai e dize aos judaítas e aos habitantes de Jerusalém: Não aprendereis a lição nem obedecereis às minhas palavras? – oráculo do Senhor. ¹⁴Cumpre-se a palavra de Jonadab, filho de Recab, que proibiu seus filhos de beber vinho, e não bebem vinho até hoje, porque obedecem às ordens de seu pai. Ao contrário, eu vos falo sem cessar, e vós não me fazeis caso. ¹⁵Sem cessar vos enviei meus servos, os profetas, para que vos dissessem: Converta-se cada qual de sua má conduta e emende suas ações; não sigais deuses estranhos, prestando-lhes culto; assim habitareis na terra que dei a vós e a vossos pais. Mas não destes ouvidos nem fizestes caso de mim. ¹⁶Realmente, os filhos de Jonadab, filho de Recab, observam as ordens que seu pai lhes deu, mas este povo não faz caso de mim. ¹⁷Por isso, assim diz o Senhor dos exércitos, Deus de Israel: Farei cair sobre Judá e sobre os habitantes de Jerusalém todas as ameaças que pronunciei contra eles, porque lhes falei, e não me escutaram; chamei-os, e não me responderam. ¹⁸Jeremias disse à família dos recabitas:

— Assim diz o Senhor dos exércitos, Deus de Israel: Porque obedeceis aos preceitos de vosso pai Jonadab, e observais suas ordens e cumpris tudo o que vos mandou, ¹⁹por isso assim diz o Senhor dos exércitos, Deus de Israel: Nunca faltarão descendentes de Jonadab, filho de Recab, que estejam a meu serviço todos os dias.

36 O rolo de Jeremias (2Rs 22,11-13)

— ¹No quarto ano de Joaquim, filho de Josias, rei de Judá, o Senhor dirigiu a palavra a Jeremias:

— ²Pega o rolo e escreve nele todas as palavras que eu te disse sobre Judá e Jerusalém e sobre todas as nações, desde o dia em que comecei a falar-te, sendo rei Josias, até hoje. ³Vejamos se os judaítas escutam as ameaças que penso em executar contra eles, e cada qual se converte de sua má conduta, e eu possa perdoar seus crimes e pecados.

⁴Então Jeremias chamou Baruc, filho de Nerias, para que escrevesse no rolo, ao ditado de Jeremias, todas as palavras que o Senhor lhe havia dito.

⁵Depois Jeremias ordenou a Baruc:

— Eu estou preso e não posso entrar no templo. ⁶Entra tu no templo num dia de

---

as proibições mencionam "construir" e "plantar", dois verbos básicos da vocação de Jeremias (1,10). A resposta de Deus avança no mesmo caminho de ordem e cumprimento e no mesmo estilo de pregação.

35,19 "Nunca faltarão": como em 33,17s; "a meu serviço": como 15,19 e 18,20. Tratar-se-ia de serviços auxiliares no templo ou para o templo: será fornecer cordeiros, já que eram pastores? Além disso, parece sugerir que a tradição nômade não se romperia em Israel.

36,1-32 Por vários motivos este capítulo é capital no livro. Para alguns, como base para reconstruir a gênese do livro. Para outros, pela informação cultural sobre a memória e a arte de escrever. Para outros, pela sua maestria literária. Outros leem neste trecho poeticamente cifrado o destino de Jeremias, de sua mensagem, da palavra de Deus. A palavra é protagonista e o rei seu antagonista. Como maré, a palavra vai subindo por estratos, até alcançar o rei; é esquartejada e se vai queimando em lento martírio; renasce das cinzas viva e crescente. O fato de nós hoje lermos esta palavra confirma sua vitória paradoxal.

O profeta é como essa palavra: também ele é queimado retalho por retalho, fracassa até o fim, renasce transformado em palavra poética e profética, viva e perpétua. E como ele será a Palavra em pessoa, triunfadora sobre a morte. O capítulo sobre a palavra nos ensina outras coisas. Primeiro,

ressoa e é ouvida; depois, é escrita para que rompa limites de cárcere e espaço, silêncio forçado; mais tarde volta a ressoar, diante de novos auditórios, em novas situações. Se o secretário escreve ouvindo alguém ditar, o profeta não escreve ouvindo Deus ditar, mas movido por ele. A palavra interpela e exige decisão: julgada, julga. Supera a instituição: templo e palácio, sacerdotes, ministros e rei. O profeta é função da palavra: por ela vive, por ela está disposto a morrer, nela sobrevive.

36,1 É o ano seguinte (604) à batalha de Carquemis e à subida de Nabucodonosor ao trono.

36,2 A ordem de escrever não é frequente; a declamação oral conserva a primazia, até no caso presente. A fórmula quer dar a impressão de totalidade: aos dois reinos, todas as palavras, desde o começo. Foi possível ler tudo três vezes no mesmo dia? Esse único dia é artifício literário, concentração dramática? Do relato se deduz que predominam denúncias e ameaças.

36,3 Elas visam à conversão e ao perdão.

36,4 Entra em cena Baruc, a quem o profeta dedicará breve oráculo (45). Seu nome ficará famoso na literatura apocalíptica apócrifa.

36,5 Detido ou em prisão domiciliar. Provavelmente em consequência do discurso sobre o templo (7 e 26). Compare-se com 2Tm 2,9.

36,6 Um dia de jejum público é propício para encontrar o povo reunido no templo e para contar com uma atitude receptiva e favorável.

jejum, e lê no rolo que escreveste o ditado das palavras do Senhor, de modo que as ouça o povo e todos os judaítas que vêm de suas povoações ao templo do Senhor. ⁷Vejamos se apresentam suas súplicas ao Senhor e cada qual se converte de sua má conduta, porque é grande a ira e a cólera com que o Senhor ameaça este povo.

⁸Baruc, filho de Nerias, cumpriu tudo o que o profeta Jeremias lhe mandou, lendo no rolo as palavras do Senhor no templo.

⁹No quinto ano de Joaquim, filho de Josias, rei de Judá, no nono mês, foi proclamado um jejum em honra do Senhor para toda a população de Jerusalém e para os que vinham dos povoados judaítas a Jerusalém. ¹⁰Na presença de todo o povo, Baruc leu no rolo as palavras de Jeremias no templo, da sala de Gamarias, filho do escrivão Safã, no átrio superior, até a entrada da Porta Nova do templo.

¹¹Quando Miqueias, filho de Gamarias, filho de Safã, ouviu as palavras do Senhor lidas no rolo, ¹²desceu ao palácio real, à sala do secretário, onde encontrou em sessão os dignitários: o secretário Elisama, Dalaías, filho de Semeías, Elnatã, filho de Acobor, Gamarias, filho de Safã, Sedecias, filho de Hananias, e os demais dignitários. ¹³E Miqueias contou-lhes tudo o que havia ouvido Baruc ler no rolo, na presença do povo. ¹⁴Então os dignitários enviaram Judi, filho de Natanias, e Selemias, filho de Cusi, para dizer a Baruc:

Pega o rolo que leste na presença do povo e vem. Baruc, filho de Nerias, pegou na mão o rolo e foi aonde estavam.

¹⁵Eles lhe disseram:

– Senta-te e lê diante de nós.

Baruc o leu diante deles.

¹⁶Quando ouviram o conteúdo, assustaram-se e diziam uns aos outros:

– Temos de comunicar tudo isso ao rei.

¹⁷E perguntaram a Baruc:

– Dize-nos como escreveste tudo isso.

¹⁸Baruc lhes respondeu:

– Jeremias ia pronunciando estas palavras e eu as ia escrevendo com tinta no rolo.

¹⁹Os dignitários disseram a Baruc:

– Vai e esconde-te com Jeremias, e que ninguém saiba onde estais.

²⁰Então se dirigiram ao átrio real, depois de guardar o rolo na sala do secretário Elisama, e comunicaram ao rei pessoalmente todo o assunto.

²¹Então o rei enviou Judi para trazer o rolo da sala do secretário Elisama. Este o leu diante do rei e diante dos dignitários que estavam a serviço do rei. ²²O rei estava sentado nas salas de inverno (era o mês de dezembro), e tinha diante de si um braseiro aceso. ²³Cada vez que Judi terminava de ler três ou quatro colunas, o rei as cortava com a faca do escriba e as atirava ao fogo do braseiro, até que todo o rolo se consumiu no braseiro. ²⁴Mas nem o rei nem seus ministros se assustaram ao ouvir as palavras do livro, nem rasgaram suas vestes. ²⁵E embora Elnatã, Dalaías e Gamarias insistissem com o rei para que não queimasse o rolo, ele não fez caso deles.

²⁶Então o rei mandou o príncipe real Jeremiel, Saraías, filho de Azriel, e Selemias, filho de Abdeel, prenderem o escrivão Baruc e o profeta Jeremias. Mas o Senhor os escondeu.

36,7 "Súplica": usa o termo técnico de pedir perdão, para que o Senhor passe da "ira" à misericórdia.

36,8 "As palavras do Senhor" ressoam na "casa do Senhor" como em casa própria, quando o ritualismo não fecha o espaço sagrado à palavra soberana. A palavra faz do templo um lugar de conversão.

36,9 A data indica que se passaram meses antes de apresentar-se a ocasião propícia.

36,11 Se este Safã é o que atuava no tempo de Josias (2Rs 22,8-12), sua menção aqui pode apoiar a união e contraste entre as duas cenas. A série de nomes pontualmente registrados parece aduzida para autenticar os fatos.

36,16 O primeiro grupo se mostra receptivo: escutam a mensagem, que os impressiona; procuram proteger Jeremias e Baruc, guardam o rolo, servem de intermediários.

36,21 A cena tem como pano de fundo o que aconteceu no tempo do avô Josias (2Rs 22), quando "rasgou as vestes" e empreendeu a grande reforma. Joaquim escuta impassível, diante de todos, como juiz supremo que condenasse à fogueira o rolo culpado.

36,25 Compare-se com 2Rs 22,19: "Ao ouvir a leitura teu coração se comoveu e te humilhaste diante do Senhor".

36,26 Provavelmente com intenção de eliminá-los (cf. 26,21-23). Mas o Senhor tinha dito: *"estarei contigo para livrar-te"* (1,8.19; 15,20).

²⁷Depois que o rei queimou o rolo com as palavras escritas por Baruc, ditadas por Jeremias, o Senhor dirigiu a palavra a Jeremias:

– ²⁸Pega outro rolo e escreve nele todas as palavras que havia no primeiro rolo, queimado por Joaquim, rei de Judá. ²⁹E a Joaquim, rei de Judá, dirás: Assim diz o Senhor: Tu queimaste este rolo dizendo: Por que escreveste nele que o rei da Babilônia virá na certa para destruir este país e aniquilar nele homens e rebanhos? ³⁰Por isso, assim diz o Senhor a Joaquim, rei de Judá: Não terá descendente no trono de Davi; seu cadáver ficará exposto ao calor do dia e ao frio da noite. ³¹Castigarei seus crimes nele, em sua descendência e em seus servos, e farei vir sobre eles, sobre os habitantes de Jerusalém e sobre os judaítas todas as ameaças com que os ameacei, sem que eles me escutassem.

³²Jeremias pegou outro rolo e o entregou ao escrivão Baruc, filho de Nerias, para que escrevesse nele, sob seu ditado, todas as palavras do livro queimado por Joaquim, rei de Judá. E muitas outras palavras semelhantes foram acrescentadas.

37 O profeta e o rei (Jr 21,1-7) – ¹Sedecias, filho de Josias, reinou no lugar de Jeconias, filho de Joaquim, a quem Nabucodonosor, rei da Babilônia, havia nomeado rei de Judá.

²Nem ele nem seus ministros nem os donos de terras escutaram as palavras que o Senhor disse por meio do profeta Jeremias. ³O rei Sedecias enviou Jucal, filho de Selemias, e Sofonias, filho do sacerdote Maasias, para dizerem ao profeta Jeremias: Reza por nós ao Senhor, nosso Deus. ⁴Na ocasião, Jeremias podia mover-se livremente entre o povo: ainda não o haviam posto na cadeia. ⁵O exército do Faraó havia saído do Egito, e quando os caldeus que sitiavam Jerusalém ouviram a notícia, suspenderam o cerco da cidade.

⁶Então o Senhor dirigiu a palavra a Jeremias:

– ⁷Assim diz o Senhor, Deus de Israel: Isto dirás ao rei de Judá, que te enviou para me consultar. Vê, o exército do Faraó, que saiu em vosso auxílio, voltará à sua terra, o Egito. ⁸E os caldeus voltarão a atacar esta cidade, a conquistarão e a incendiarão. ⁹Assim diz o Senhor: Não vos iludais, pensando que os caldeus suspenderão o cerco, porque não irão embora. ¹⁰Ainda que derrotásseis o exército caldeu que vos ataca, de modo que ficassem apenas soldados feridos, cada um se levantaria em sua tenda, e poriam fogo nesta cidade.

¹¹Quando o exército caldeu suspendeu o cerco de Jerusalém, por medo do exército egípcio, ¹²Jeremias tentou sair de Jerusalém para o território de Benjamim, para

---

36,28-32 Com o esquema de ordem e execução, conta-nos a sorte posterior do rolo. As palavras eram conservadas na memória de Jeremias, e, no ato de escrever, a mensagem foi crescendo.

36,30-31 Compare-se com a sorte de Josias: "Quando eu te reunir com teus pais, serás enterrado em paz, sem que chegues a ver com teus olhos a desgraça que vou trazer para este lugar" (2Rs 22,20s).

37,1-21 Neste capítulo narrativo se sucedem três cenas: uma consulta pública ao profeta (1-10); Jeremias preso como provável desertor (11-16); uma consulta pessoal do rei (17-21). A data é durante o cerco (587), sendo Sedecias o rei pela graça de... Nabucodonosor, e o descendente de Davi.

37,2 Ergue-se o pano para o ato final. Entram em cena os poderes adversários: o rei com seus ministros, gente influente na capital (penso que ainda tem esse significado a expressão "gente da terra"), e na frente o profeta, nomeado "sobre povos e reis". O sacerdote entra no versículo seguinte, e um capitão no v. 13.

37,3 "Rezar" equivale aqui a solicitar do Senhor uma resposta: uma forma não proibida de intercessão (cf. 7,16; 11,14; 14,1).

37,4 O "povo" é aqui a classe média, em oposição aos governantes.

37,5 O fato podia ser interpretado como repetição do que aconteceu no tempo de Ezequias e Senaquerib (Is 37,37). Aos olhos humanos, a analogia é clara; na visão teológica não há analogia. A salvação se alcança pela conversão sincera, não pela ajuda do Egito (Is 30,1-5; Sl 75,7s).

37,6-10 Talvez o rei esperasse um oráculo prometendo a proteção divina, como o de Isaías a Ezequias (Is 37,33-35). Jeremias dedica-se a dissipar ilusões. Cada fato histórico tem o seu contexto e suas condições, e a aplicação mecânica de um oráculo a outra situação não funciona, como se se tratasse de um princípio geral imutável.

37,10 Esta condicional irreal conjura uma visão aterradora: um exército derrotado, de soldados gravemente feridos, que se levantam e incendeiam uma capital. A hipótese fantástica desmantela a segurança imaginária.

37,12 Jeremias tenta ir à sua aldeia natal para uma partilha de terra com seus conterrâneos, algo parecido com o episódio do cap. 32. Remonta assim às origens da partilha (Js 13-18), invalidadas pela

repartir uma herança com os seus. ¹³Ao chegar à Porta de Benjamim estava aí o capitão da guarda, Jerias, filho de Selemias, filho de Hananias, que deteve o profeta Jeremias, dizendo:

– Estás passando para os caldeus?

¹⁴Jeremias respondeu:

– Mentira. Não estou passando para os caldeus. Mas Jerias não acreditou, e o deteve e o levou aos dignitários. ¹⁵Os dignitários se irritaram contra Jeremias, mandaram açoitá-lo e o prenderam na casa do escrivão Jônatas – que eles haviam transformado em cárcere. ¹⁶Assim entrou Jeremias no calabouço do porão, e aí passou muito tempo.

¹⁷O rei Sedecias o mandou trazer e lhe perguntou secretamente em seu palácio:

– Tens algum oráculo do Senhor?

Jeremias respondeu:

– Sim. Serás entregue nas mãos do rei da Babilônia.

¹⁸E Jeremias acrescentou ao rei Sedecias:

– Que delito cometi contra ti ou teus ministros ou contra este povo, para que me tranquem no cárcere? ¹⁹Onde estão vossos profetas que profetizavam: "Não virá contra vós o rei da Babilônia nem invadirá o território"? ²⁰Pois agora escuta-me, majestade. Acolhe minha súplica, não me conduzas à casa do escrivão Jônatas, para que eu não morra aí.

²¹Então o rei Sedecias ordenou que guardassem Jeremias no pátio da guarda e que lhe dessem uma fogaça de pão por dia – da Rua dos Padeiros –, enquanto houvesse pão na cidade. E Jeremias ficou no pátio da guarda.

38 Condenado à morte e libertado –

¹Safatias Ben-Matã, Gedalias, filho de Fassur, Jucal, filho de Selemias, e Fassur, filho de Melquias, ouviram as palavras que Jeremias disse ao povo: ²"Assim diz o Senhor: Quem ficar nesta cidade morrerá pela espada, de fome ou de peste; quem passar para os caldeus será tomado como despojos, mas salvará a vida. ³Assim diz o Senhor: Esta cidade será entregue ao exército do rei da Babilônia para que a conquiste". ⁴E os dignitários disseram ao rei:

– Morra esse homem, porque com semelhantes discursos está desmoralizando os soldados que ficam na cidade e todo o povo. Esse homem não busca o bem do povo, mas sua desgraça.

⁵O rei Sedecias respondeu:

– Aí o tendes em vosso poder: o rei não pode nada contra vós.

⁶Eles prenderam Jeremias e o atiraram na cisterna do príncipe real Melquias, no pátio da guarda, descendo-o com cordas. Na cisterna não havia água, mas lodo, e Jeremias afundou no lodo.

---

injustiça secular (Is 5,8), e realiza um ato de esperança no futuro dos seus.

37,13 A acusação mostra o clima de derrota que se propagava na cidade. A pregação repetida do profeta parecia fundamentar a acusação.

37,15 "Irritaram-se": se é reação psicológica, pode sugerir que as autoridades aproveitaram a ocasião para silenciar Jeremias. O verbo pode significar também uma sentença de condenação. Em todo caso, a irritação ocupa o lugar da investigação e do processo (cap. 26). O "cárcere": depois de tê-lo experimentado por um tempo, Jeremias o equiparará a uma condenação à morte (20).

37,17 Assim começa o jogo de esconde-esconde do rei, que nos parece infantil ou senil. É refém de seus ministros, quer e não pode, faz pequenos gestos estéreis.

37,18-19 O pedido de Jeremias equivale a uma apelação forense, e seu argumento é que o condenaram sem lhe provar nenhum delito civil. De passagem contra-ataca os falsos profetas: os acontecimentos estão demonstrando quem era profeta autêntico. O rei podia averiguá-lo (cf. Pr 25,2).

37,20 Poderia exigir absolvição plena e liberdade total; contenta-se em não voltar ao calabouço mortal. E o pede como "graça"; não torna as coisas demasiado difíceis. Seria para o rei o momento de salvar-se *in extremis*.

37,21 O rei fica a meio caminho: salva a vida do profeta e alimenta-o (cf. 1Rs 18,4), mas não lhe concede a liberdade nem conquista a própria. A expressão "o pátio da guarda" vai repetir-se como estribilho.

38,1 O partido da resistência se mobiliza em quatro de seus representantes mais influentes. O relato deixa perceber que representam muitos outros. Ano 587.

38,2 O oráculo está em 21,9 como questão de vida ou morte. É o programa da rendição.

38,3-4 A posição dos dignitários é tão radical quanto a do profeta: está em jogo o bem-estar ou a desgraça do povo. Pelo bem de todo o povo, é preciso eliminar um (cf. Jo 11,50; 18,14). A quem compete definir o que agora é o bem do povo?

38,5 O rei compreende que, com ou sem razão, eles têm mais poder até do próprio rei. Não é por culpa de Sedecias? Podemos dizer que os ministros são mais culpados?

38,6 Equivale a uma condenação à morte lenta: escuridão, fome, solidão (cf. Sl 40,3 e 69,3.15). Neste momento, o Senhor está com Jeremias, como lhe havia prometido em 1,8? Seus inimigos não o derrotaram?

⁷Ebed-Melec, um criado do rei, eunuco núbio que também vivia no palácio, ficou sabendo que haviam colocado Jeremias na cisterna. Enquanto o rei estava sentado junto à Porta de Benjamim, ⁸Ebed-Melec saiu do palácio e falou ao rei:

– ⁹Majestade, esses homens trataram iniquamente o profeta Jeremias, atirando-o na cisterna, onde morrerá de fome (porque não havia pão na cidade).

¹⁰Então o rei ordenou ao núbio Ebed-Melec:

– Pega três homens sob teu comando e tirai o profeta Jeremias da cisterna antes que morra.

¹¹Ebed-Melec pegou os homens sob seu comando, entrou no vestiário do palácio e aí tomou tiras e trapos, e os desceu com a corda até a cisterna.

¹²E o núbio Ebed-Melec disse a Jeremias:

– Coloca os trapos nos sovacos, por baixo da corda.

E Jeremias assim fez.

¹³Então suspenderam Jeremias com as cordas e o tiraram da cisterna. E Jeremias ficou no pátio da guarda.

Último encontro – ¹⁴O rei Sedecias mandou que lhe trouxessem o profeta Jeremias à terceira entrada do templo; e o rei disse a Jeremias:

– Quero perguntar-te uma coisa: não me escondas nada.

¹⁵Jeremias respondeu a Sedecias:

– Se eu te disser, certamente me matarás, e se te der um conselho, não me escutarás.

¹⁶O rei Sedecias jurou secretamente a Jeremias:

– Pelo Senhor, que nos deu a vida, eu não te matarei nem te entregarei em poder desses homens que te perseguem mortalmente.

¹⁷Jeremias respondeu a Sedecias:

– Assim diz o Senhor dos exércitos, Deus de Israel: Se te renderes aos generais do rei da Babilônia, salvarás a vida e não incendiarão a cidade; vivereis tu e tua família. ¹⁸Mas se não te renderes aos generais do rei da Babilônia, esta cidade cairá nas mãos dos caldeus, que a incendiarão, e tu não escaparás.

¹⁹O rei Sedecias disse a Jeremias:

– Tenho medo que me entreguem nas mãos dos judaítas que passaram para os caldeus e me maltratem.

²⁰Jeremias respondeu:

– Não te entregarão. Obedece ao Senhor no que te comunico e tudo irá bem, e salvarás a vida. ²¹Mas se te negares a render-te, este é o oráculo que o Senhor me comunicou: ²²Escuta: todas as mulheres que ficaram no palácio real de Judá serão entregues aos generais do rei da Babilônia, e cantarão:

38,7 É significativo que seja um estrangeiro, embora influente e com fácil acesso ao rei. Sedecias "estava sentado" despachando assuntos, concedendo audiências, administrando a justiça (22,3.15).

38,9 São palavras corajosas, pois o empregado está acusando personagens influentes na política. Coloca o assunto puramente em termos de justiça. O rei encontra no estrangeiro um exemplo e um apoio para sua fraqueza.

38,10-13 E por meio do sentido de justiça e da coragem de um estrangeiro, o Senhor cumpre sua promessa a seu profeta. Contudo, a libertação é parcial, porque Sedecias não se atreve a romper suas amarras.

38,14-28 Assim se chega ao último encontro do rei com o profeta. Em nome de Deus, é a última ocasião de decidir a sorte do povo e do monarca. Decisão histórica, transcendental. Sedecias a evita, ocupando-se de seus medos mesquinhos, entregando-se ao jogo de esconde-esconde com seus ministros. E a prova de sua angústia e indecisão é o fato de chamar de novo Jeremias. Quer o oráculo e o teme, espera e duvida que seja favorável, quer segui-lo até certo limite.

38,15 A resposta é terapêutica: tenta conduzir o rei à sinceridade necessária para escutar; tenta evitar de antemão possíveis reações contra a mensagem de Deus.

38,16 Responde ao primeiro, não ao segundo. Jura pelo Deus vivo, em favor de uma vida contra inimigos mortais. Mas em segredo (37,16), pois é escravo do próprio medo.

38,17-18 O profeta repete o dito (27,12), apurando a alternativa. Não há novo oráculo para o rei.

38,19 Se teme mais seus concidadãos do que os caldeus, significa que os dois partidos judaítas lhe tinham exacerbado a rivalidade.

38,22 As mulheres, inclusive o harém real, costumavam ser presa de guerra (Jz 5,30). Os refrãos das mulheres são uso tradicional (1Sm 18,7). O texto do refrão é muito direcionado, como o avesso do refrão de carpideira. "Enganado" (Is 36,18), "vencido" (Jr 1,19; 15,20; 20,7-11), "afundado" (28,6). Os "bons amigos": os que se apresentavam solícitos pelo bem público (38,4), os que achavam tudo fácil (6,14), os que prometiam paz (23,17; 28,9). Ou seja, os expoentes do partido da resistência, em particular os falsos profetas.

"Enganaram-te e venceram-te
teus bons amigos:
afundaram seus pés no barro
e foram embora".

²³Todas as tuas mulheres e teus filhos serão entregues aos caldeus, e tu não te livrarás deles, mas cairás em poder do rei da Babilônia, que incendiará a cidade.

²⁴Sedecias disse a Jeremias:

– Que ninguém saiba desta conversa e não morrerás. ²⁵Se os chefes souberem que falei contigo e vierem perguntar-te: "Conta-nos o que disseste ao rei e o que ele te disse; não nos ocultes, e não te mataremos", ²⁶tu lhes responderás: "Estava apresentando minha súplica ao rei para que não me levassem de novo à casa de Jônatas, para morrer aí".

²⁷Vieram os dignitários e lhe perguntaram, e ele respondeu segundo as instruções do rei. Assim, eles se foram sem dizer nada, porque a coisa não ficou conhecida. ²⁸E assim ficou Jeremias no pátio da guarda, até o dia da conquista de Jerusalém.

39 Sobre a conquista de Jerusalém
(Jr 52,3-30; 2Rs 25,22-24) – ¹No nono ano de Sedecias, rei de Judá, no décimo mês, Nabucodonosor, rei da Babilônia, veio a Jerusalém com todo o seu exército, pondo-lhe cerco. ²No décimo primeiro ano de Sedecias, no quarto mês, no dia nove, abriram brecha na cidade, ³e os generais do rei da Babilônia entraram e sentaram na porta central: Nergalsareser, príncipe de Sin-Maguir, chefe de empregados, e Nabuzesbã, chefe de eunucos, e os demais generais do rei da Babilônia.

⁴Quando viram isso, Sedecias, rei de Judá, e seus soldados, saíram de noite fugindo da cidade, pelo caminho dos jardins reais, por uma porta entre as duas muralhas, e se dirigiram para o deserto. ⁵Mas o exército caldeu os perseguiu, e alcançou Sedecias na estepe de Jericó. Eles o prenderam e o levaram diante de Nabucodonosor, rei da Babilônia, que estava em Rebla, província de Emat. E ele o julgou aí.

⁶O rei da Babilônia fez justiçar em Rebla os filhos de Sedecias, diante de seus olhos, e o rei da Babilônia fez justiçar também todos os notáveis de Judá. ⁷Cegou Sedecias e lhe pôs cadeias de bronze, a fim de levá-lo para Babilônia.

⁸Os caldeus incendiaram o palácio real e as casas do povo, e destruíram as muralhas. ⁹Nabuzardã, chefe da guarda, levou desterrados para Babilônia o resto do povo que havia ficado em Jerusalém e os que haviam passado para eles. ¹⁰Nabuzardã, chefe da guarda, deixou no território de Judá toda a gente pobre que não tinha nada, entregando-lhes nesse dia vinhedos e campos.

¹¹Quanto a Jeremias, Nabucodonosor, rei da Babilônia, havia dado ordens a Nabuzardã, chefe da guarda, dizendo:

38,24-26 Confrontado com a última alternativa histórica, o rei se refugia na escuridão culpada, e oferece ao profeta a vida em troca do silêncio.

38,27-28 Jeremias retorna à prisão, Sedecias à jaula de sua fútil autoridade. O silêncio conivente do profeta é um ato de submissão e compaixão.
O ato seguinte será a queda da cidade.

39,1-18 Os versículos 1-2 repetem dados de 52,4-6; 4-10, de 52,7-11.13-16; em muitos detalhes coincide com 2Rs 25. O capítulo conta a sorte de três personagens: Sedecias, Jeremias com Ebed-Melec, e a cidade. Mostra, também, como se cumprem as profecias: chega o inimigo do norte, tantas vezes anunciado, põe cerco à cidade (10,18-19,9), os generais sentam nas portas (1,15), destroem (1,10), incendeiam (frequente), os soldados fogem (6,24), fuga para o campo aberto (6,25), o rei diante do imperador (34,3), desterro para Babilônia (34,3), deportação de judaítas (13,19), julgar (1,16; 4,12). A coincidência nem sempre é verbal.

Outros dados sugerem uma mudança de sorte: o que acontecia a Jeremias, acontece ao rei e seus ministros. Os pobres que foram oprimidos (5,28; 22,3.16) recebem pomares. Os que não tinham nada criam raízes e sobrevivem.

39,1 O cerco começou em janeiro de 588; em julho do ano seguinte os sitiadores abriram brecha; em agosto terminou a conquista.

39,2 Agosto de 587.

39,4 Ez 12,12-16; 2Sm 15.

39,6-7 A última cena que os olhos do ancião contemplam é a execução de seus filhos, imagem cruel para a lembrança. Cegar pertencia aos costumes bélicos da época.

39,11-14 O tratamento especial dado a Jeremias se explica porque tinha direcionado seu prestígio para o partido da não resistência, da lealdade ao soberano. Assim Jeremias volta ao seu lugar "no meio do povo".

¹²Toma-o, cuida dele, não lhe faças nenhum mal, mas trata-o conforme ele te disser.

¹³ O chefe da guarda Nabuzardã, o chefe de eunucos Nabuzesbã, o chefe de empregados Nergalsareser e todos os generais do rei da Babilônia ¹⁴mandaram tirar Jeremias do pátio da guarda e o entregaram a Godolias, filho de Aicam, filho de Safã, para que o mandasse à sua casa e habitasse no meio do povo.

¹⁵O Senhor havia dirigido a palavra a Jeremias enquanto estava preso no pátio da guarda:

— ¹⁶Vai dizer ao núbio Ebed-Melec:

Assim diz o Senhor dos exércitos, Deus de Israel:

Eu cumprirei minhas palavras contra esta cidade,
para o mal e não para o bem:
lembra-te delas naquele dia.
¹⁷Naquele dia te livrarei – oráculo do Senhor –
e não cairás em poder dos homens que temes;
¹⁸é certo que te livrarei e não cairás pela espada:
salvarás tua vida como um despojo,
porque confiaste em mim – oráculo do Senhor.

40 Godolias governador (2Rs 25,25-26) –

¹Palavras que o Senhor dirigiu a Jeremias depois que o chefe da guarda Nabuzardã o tomou sob sua responsabilidade em Ramá*, onde se encontrava acorrentado entre os deportados de Jerusalém e de Judá que iam desterrados para Babilônia.

²O chefe da guarda mandou trazer Jeremias e lhe disse:

— O Senhor teu Deus anunciou essa calamidade contra essa cidade; ³o Senhor o cumpriu e executou o que havia dito, porque tínheis pecado contra o Senhor, desobedecendo-lhe; por isso vos aconteceu isso. ⁴Mas agora eu te solto hoje as cadeias de teus braços. Se quiseres vir comigo a Babilônia, eu cuidarei de ti; se não quiseres vir comigo a Babilônia, não venhas. Toda a terra está diante de ti, e podes ir aonde quiseres. ⁵Se preferires viver com Godolias, filho de Aicam, filho de Safã, que o rei da Babilônia nomeou governador de Judá, vive com ele no meio do teu povo, ou vai para onde quiseres.

O chefe da guarda lhe deu provisões e presentes, e o deixou livre. ⁶Jeremias foi com Godolias, filho de Aicam, para viver com ele, no meio do povo que tinha ficado no país.

⁷Os capitães, que estavam no campo com seus homens, souberam que o rei da

---

39,15 Com mais respeito pela cronologia, este oráculo deveria ser lido depois de 38,13. O lugar onde o lemos contribui para o jogo de contrastes: Sedecias/Jeremias; nobres/pobres; ministros/Ebed-Melec.

40,1 Nem tudo terminou com a queda da capital e a deportação em massa. Este capítulo e os seguintes nos narram o começo tímido e esperançoso de outra etapa e seu desatinado fracasso. Nesse contexto, a função profética de Jeremias continua: função de "plantar e construir" à medida do possível. Ele representa a continuidade mais visível, já que os nomes conhecidos se retiram violentamente da cena e figuras anônimas avançam para o palco. Entre elas destaca-se Godolias. Pode-se dizer que Jeremias o conhecia antes e confiava nele; tudo leva a crer que pertencia ao partido da não resistência. A notícia não coincide com 39,14, onde se diz que os vencedores mandaram tirar Jeremias da prisão. A versão presente parece mais verossímil no contexto: Jeremias partilha a sorte de outros desterrados anônimos. Alguns propõem nova ordem do texto: 39,11-12; 40,2a.1.2b etc. Também é preciso contar com a confusão do momento. * Ano 586.

40,2-6 O general babilônio propõe a Jeremias uma escolha delicada; não entre valores absolutos, o bem e o mal, mas entre valores históricos. Uma alternativa seria que deixasse correr os acontecimentos: que fosse para Babilônia deportado, como uns anos antes o sacerdote Ezequiel. Outra alternativa seria ir para Babilônia na qualidade de protegido: poderia alcançar postos importantes na corte estrangeira (como José e Daniel). Outra alternativa ainda seria estabelecer-se onde quisesse em "toda a terra": pode designar o território inteiro do império ou o território judaico. Em particular, incorporar-se aos judaítas que aceitem Godolias como prefeito submetido ao imperador.

A primeira não satisfaz, pois os desterrados já têm um profeta. A segunda significa dar por terminada a atividade profética. Godolias é súdito de Nabucodonosor (conforme ao cap. 27); a terra que ocupa está devastada, o povo que se apinha ao seu redor são pobres. Jeremias escolhe a companhia destes: dá sua confiança pessoal a eles e os apoia com seu prestígio. Tal decisão adquire valor oracular, como a compra do terreno (32).

40,7-8 Breve descrição do resto: o prefeito, uns capitães com sua tropa – desertores? –, gente pobre

Babilônia tinha nomeado Godolias, filho de Aicam, governador do país e que lhe haviam confiado os homens, as mulheres e as crianças e os pobres que não haviam sido deportados para Babilônia. ⁸Então foram visitar Godolias em Masfa*: Ismael, filho de Natanias; Joanã e Jônatas, filhos de Carea; Saraías, filho de Taneumet; os filhos do netofatita Ofi, e o maacatita Jezonias, todos eles com seus homens.

⁹Godolias, filho de Aicam, filho de Safã, jurou a eles e a seus homens:

– Não temais submeter-vos aos caldeus; habitai no país, obedecei ao rei da Babilônia e tudo vos irá bem. ¹⁰Eu tenho de ficar em Masfa, à disposição dos caldeus que venham visitar-nos; vós, pegai vinho, fruta e azeite, colocai em vasilhas, e habitai nos povoados que vos toque ocupar.

¹¹Também os outros judaítas que habitavam em Moab, Amon, Edom e em outros países souberam que o rei da Babilônia havia deixado um resto em Judá e que havia nomeado como seu governador a Godolias, filho de Aicam, filho de Safã. ¹²E todos os judaítas voltaram de todos os lugares da dispersão, e foram a Judá visitar Godolias, em Masfa. E tiveram uma grande colheita de vinho e de fruta.

¹³Joanã, filho de Carea, e os capitães que estavam no campo foram ver Godolias em Masfa, ¹⁴e lhe disseram:

– Não sabes que Baalis, rei de Amon, enviou Ismael, filho de Natanias, para te assassinar?

Mas Godolias, filho de Aicam, não acreditou neles.

¹⁵Joanã, filho de Carea, falou secretamente a Godolias em Masfa:

– Eu irei matar Ismael, filho de Natanias, e ninguém ficará sabendo. Assim não te matarão, não se dispersarão todos os judaítas que se reuniram contigo, e não perecerá o resto de Judá.

¹⁶Godolias, filho de Aicam, respondeu a Joanã, filho de Carea:

– Não faças isso. O que dizes de Ismael é mentira.

41

Assassinato de Godolias – ¹No sétimo mês, veio Ismael, filho de Natanias, filho de Elisama, de estirpe real, com dez homens, para visitar Godolias, filho de Aicam, em Masfa; enquanto comiam juntos aí, ²levantou-se Ismael, filho de Natanias, e seus dez homens, apunhalaram Godolias, filho de Aicam, filho de Safã, o governador do país posto pelo rei da Babilônia, e o mataram. ³E Ismael matou também os judaítas que acompanhavam Godolias em Masfa e os militares caldeus que aí se encontravam.

⁴No dia seguinte ao assassinato de Godolias, quando ninguém ainda o sabia, ⁵vi-

---

que só podia ganhar e não representava um perigo para os ocupantes.

40,8 * = Atalaia.

40,9-10 O juramento parece um ato político: incluiria a invocação do nome do Senhor. O conteúdo sintetiza as exigências do profeta: submissão ao imperador (27), cultivo da terra, ainda dom de Deus, nova partilha entre os pobres (Sl 37).

40,11-12 Acontece uma espécie de duplo milagre. Historicamente um fato insignificante: grupos de judaítas emigrados para reinos vizinhos retornam à pátria. Na visão do narrador começa a cumprir-se uma promessa: compare-se 40,12 com 29,14. Os que eram uma diáspora antecipada vão ser primícias de repatriados.

E a boa colheita. Em termos históricos indica que transcorreu um ano agrícola favorável. À luz de outros dados que o narrador semeia, a colheita significa que o Senhor abençoa o resto pobre na sua terra; compare-se com 12,7-13.

40,13-16 Ismael era um dos capitães, um traidor no grupo. A sua relação com Amon leva a conjeturar. Como outrora Davi com seu bando esteve a serviço do rei de Gat (1Sm 27,2-12), assim esse Ismael pode ter passado para o serviço do rei de Amon.

Os amonitas esperavam sem dúvida beneficiar-se com a derrota de Judá, ocupando territórios férteis da Palestina; e Godolias era um obstáculo para a política expansionista dos amonitas.

Godolias não acreditou na denúncia. Se o plano fosse comprovado, teria sido legítimo matar o traidor. Estava em jogo o bem do povo. Godolias foi vítima da sua honradez e confiança excessiva: por que não consultou Jeremias?

41,1 A data corresponde a setembro, mês em que se celebram duas festas importantes: Cabanas depois da vindima e Expiação antes da semeadura. O banquete é ocasião propícia e agravante do assassinato (2Sm 13,28s).

41,2-3 O ato de terrorismo visa a destruir o novo começo pacífico. Assassinar o prefeito e militares caldeus das forças de ocupação é rebeldia formal, é denúncia de qualquer colaboração. Os judeus comemoraram a data com um jejum, ao qual talvez se refira Zc 7,5.

41,4-5 A presença destes peregrinos é surpreendente, pois o autor dá importância ao fato. Procedem de três localidades importantes do reino do Norte: um elo fiel na corrente de peregrinos nortistas vindos a Jerusalém após a queda de Samaria. É estranha a no-

nham alguns homens de Siquém, de Silo e de Samaria, uns oitenta ao todo, com a barba raspada, com as vestes rasgadas e com incisões, trazendo ofertas e incenso para oferecer no templo. ⁶Ismael, filho de Natanias, saiu-lhes ao encontro em Masfa e caminhava chorando. Quando os alcançou, disse-lhes:

– Vinde ver Godolias, filho de Aicam.

⁷E quando entraram na cidade, Ismael, filho de Natanias, os assassinou; apoiado por seus homens, atirou-os na cisterna. ⁸Entre eles havia dez homens que disseram a Ismael:

– Não nos mates, porque temos trigo, cevada, azeite e mel escondidos no campo.

Ele concordou e não os matou como a seus irmãos.

⁹(A cisterna onde Ismael atirou os cadáveres dos homens assassinados, uma cisterna grande, é a que Asa construiu por temor de Baasa, rei de Israel. Ismael, filho de Natanias, a encheu de cadáveres.)

¹⁰Depois Ismael aprisionou o resto do povo de Masfa, e as princesas reais que o chefe da guarda Nabuzardã havia entregue em custódia a Godolias, filho de Aicam. Ismael, filho de Natanias, os fez prisioneiros, e se pôs em marcha para o território amonita.

¹¹Mas Joanã, filho de Carea, e seus capitães souberam do crime cometido por Ismael, filho de Natanias. ¹²Reuniram toda a sua tropa e marcharam para combater contra Ismael, filho de Natanias, e o alcançaram junto ao Grande Lago de Gabaon. ¹³Quando o povo que Ismael levava preso viu Joanã, filho de Carea, e seus capitães, ficaram alegres. ¹⁴Todo o povo que Ismael levava preso desde Masfa mudou de direção e passou para Joanã, filho de Carea. ¹⁵Enquanto isso, Ismael, filho de Natanias, conseguiu escapar de Joanã com oito homens, e foi para o país amonita. ¹⁶Joanã, filho de Carea, e seus capitães, recolheram o resto do povo que Ismael, filho de Natanias, havia aprisionado em Masfa, depois de matar Godolias, filho de Aicam, soldados, mulheres, crianças e eunucos, libertos em Gabaon, ¹⁷e caminharam, parando no albergue de Camaã, perto de Belém, com intenção de migrar para o Egito, ¹⁸longe dos caldeus; pois os temiam, porque Ismael, filho de Natanias, havia assassinado Godolias, o governador do país nomeado pelo rei da Babilônia.

42 Consulta a Jeremias

¹Então os capitães, com Joanã, filho de Carea, e Jezonias, filho de Osaías, e todo o povo, do mais novo ao mais velho, acorreram ao profeta Jeremias ²e lhe disseram:

– Aceita nossa súplica e reza ao Senhor teu Deus, por nós e por todo este resto; porque da multidão sobramos poucos, como teus olhos podem ver. ³Que o Senhor teu Deus nos indique o caminho que devemos seguir e o que devemos fazer.

⁴O profeta Jeremias lhes respondeu:

– De acordo; eu rezarei ao Senhor vosso Deus, segundo me pedis, e tudo o que o Senhor me responder eu vos comunicarei, sem vos ocultar nada.

⁵Eles disseram a Jeremias:

– O Senhor seja testemunha veraz e fiel contra nós, se não cumprirmos tudo o que o Senhor teu Deus te mandar dizer-nos. ⁶Seja favorável ou desfavorável,

---

tícia sobre o templo, pois deviam saber que fora destruído. Talvez se trate das ruínas, e a visita seja uma homenagem de luto. Entre as oferendas que trazem, não constam vítimas para sacrifícios. Pois bem, se o templo, mesmo destruído, conservava força de atração, Ismael tinha de neutralizar essa força.

41,9 Conforme 1Rs 15,16.

41,10 É como uma nova "deportação do resto", como indicam os termos empregados. "Princesas reais", ou simplesmente damas da corte, empregadas do palácio.

41,12 Ver 2Sm 2,13.

41,17 Dirigem-se para o sudoeste, evitando a capital.

42,1-2 Nesse momento de pânico, reaparece Jeremias, solicitado pelos capitães. Seu reaparecimento é marcado por fórmulas conhecidas: "súplica" (36,7; 37,20), "reza" (29,7; 37,3). Na lógica humana, era preciso temer a represália feroz dos ocupantes, que suspendem a execução para consultar o profeta, já que os judaítas tinham decidido refugiar-se no Egito (41,17).

42,2 Am 7,1-6.

42,3 "Caminho" soa em sentido próprio e metafórico. Notem-se os títulos do Senhor. A sorte do minúsculo grupo encarna a de todo o povo.

42,4 Am 3,7.

42,5-6 Ao jurar parecem sinceros, embora chame a atenção já o emprego de um possível oráculo "desfavorável". Sendo oráculo de Deus, tinha de ser favorável, fosse qual fosse. Desfavorável equivalia a difícil, arriscado, não de acordo com o projeto humano.

42,6 Dt 4,40; 12,25-28.

obedeceremos ao Senhor nosso Deus, a quem nós te enviamos, para que tudo nos corra bem, obedecendo ao Senhor nosso Deus.

⁷Passados dez dias, o Senhor dirigiu a palavra a Jeremias. ⁸Este chamou Joanã, filho de Carea, todos os seus capitães e todo o povo, do mais novo ao mais velho, ⁹e lhes disse:

Assim diz o Senhor, Deus de Israel, a quem me enviastes para lhe apresentar vossas súplicas:

¹⁰Se continuardes vivendo nesta terra,
  eu vos construirei e não vos destruirei,
eu vos plantarei e não vos arrancarei;
  porque me pesa o mal
  que voz fiz.
¹¹Não temais o rei da Babilônia,
  que agora temeis;
não o temais – oráculo do Senhor –
porque eu estou convosco
  para vos salvar e livrar de sua mão.
¹²Eu lhe infundirei compaixão
  para que se compadeça de vós
  e vos deixe viver em vossas terras.
¹³Mas se disserdes: "Não habitaremos nesta terra
  – desobedecendo ao Senhor vosso Deus –,
¹⁴mas iremos ao Egito,
  onde não conheceremos a guerra,
  nem ouviremos o toque de trombetas,
  nem passaremos fome de pão, e aí viveremos";
¹⁵então, resto de Judá,
  escutai a palavra do Senhor:
Assim diz o Senhor dos exércitos,
  Deus de Israel:
Se insistirdes em ir ao Egito para aí residir,
¹⁶a espada que vós temeis
  vos alcançará no Egito,
  a fome que vos assusta
  vos pegará no Egito, e aí morrereis.
¹⁷Todos os que insistirem
  em ir ao Egito para aí residir,
  aí morrerão pela espada,
  pela fome e pela peste,
  e não ficará nenhum sobrevivente
  de todas as calamidades
  que eu lhes enviarei.
¹⁸Porque assim diz o Senhor dos exércitos,
  Deus de Israel:

42,7 Dez dias de espera nessas circunstâncias devem ter sido enervantes. O profeta não dispõe da palavra de Deus: Is 8,17; 21,8; Hab 2,1.

42,9-19 A resposta se divide em duas seções, para as duas condições contrapostas: 10-12 e 13-19. Acrescenta-se uma conclusão.

42,10-12 A primeira parte é extraordinária: os principais temas e fórmulas da vocação de Jeremias se acumulam aqui e se oferecem à escolha dos capitães: arrancar, destruir, plantar, construir, não temer, eu estou convosco para vos salvar. Jeremias está no meio do povo como oráculo vivo, como mediador de bênção.

42,13-18 A segunda parte é mais insistente. Entra em regime de desobediência e castigo. Voltar ao Egito é fuga e recaída. O Egito tinha atraído estrangeiros como celeiro de trigo e como refúgio de perseguidos ou derrotados. Pois bem, as duas coisas atingirão os prófugos no Egito, a espada e a fome (14,15; 15,2s; 16,4; 21,7s etc.). Do Egito ninguém voltará.

Assim como se derramaram minha ira e minha cólera
sobre os habitantes de Jerusalém,
assim se derramará minha cólera
sobre vós, se fordes ao Egito.
Sereis maldição e espanto,
execração e caçoada,
e não voltareis a ver este lugar.
¹⁹Isto diz o Senhor, resto de Judá:
Não entreis no Egito. Sabei-o bem,
porque eu vos dou testemunho hoje.

²⁰É certo que vos enganais quando me enviais ao Senhor vosso Deus, pedindo que reze por vós ao Senhor vosso Deus, e que vos comunique tudo o que diz o Senhor vosso Deus, para cumpri-lo. ²¹Eu vos comuniquei isso hoje, e não quereis obedecer ao Senhor vosso Deus, que me enviou a vós. ²²Pois agora, sabei-o bem: Morrereis pela espada, de fome e de peste no lugar que escolherdes como residência.

43 No Egito – ¹Quando Jeremias terminou de comunicar ao povo as palavras do Senhor seu Deus, todas as palavras que lhe recomendou o Senhor seu Deus, ²tomaram a palavra Azarias, filho de Osaías, e Joanã, filho de Carea, e disseram a Jeremias:

– Mentira! O Senhor nosso Deus não te mandou dizer: Não deveis ir ao Egito para aí residir. ³Mas é Baruc, filho de Nerias, quem te incita contra nós, para nos entregar em mãos dos caldeus, para que nos matem ou nos deportem para Babilônia.

⁴E nem Joanã, filho de Carea, nem seus capitães nem o povo obedeceram ao Senhor, vivendo em terras de Judá; ⁵mas Joanã, filho de Carea, e seus capitães reuniram o resto de Judá, que tinha voltado de todas as nações da dispersão para habitar em Judá; ⁶homens e mulheres, meninas e princesas e todos os que o chefe da guarda Nabuzardã havia confiado a Godolias, filho de Aicam, filho de Safã; e também o profeta Jeremias e Baruc, filho de Nerias. ⁷E chegaram ao Egito, sem obedecer ao Senhor, e chegaram a Táfnis.

⁸O Senhor dirigiu a palavra a Jeremias, em Táfnis:

– ⁹Pega algumas pedras grandes e enterra-as no piso do pavimento que está na entrada do palácio do Faraó em Táfnis, na presença dos judaítas; ¹⁰e lhes dirás: Assim diz o Senhor dos exércitos, Deus de Israel: Eu mandarei buscar Nabucodonosor, rei da Babilônia, meu servo, e colocarei seu trono sobre estas pedras que enterrei, e ele plantará sua bandeira sobre elas. ¹¹Virá e ferirá o Egito: o destinado à morte, à morte; o destinado ao cativeiro, ao cativeiro; o destinado à espada, à espada. ¹²Ateará fogo nos templos do Egito, incendiará suas casas e espulgará o Egito como o pastor espulga seu manto, e partirá daí em paz. ¹³Destroçará as estelas de Bet-Sames*, no Egito, e ateará fogo nos templos dos deuses egípcios.

42,19 Pela terceira vez os chama "resto", como que suscitando a esperança e alertando para a responsabilidade. Aqui se enquadraria a reação imoderada dos chefes: 43,1-3: como não esperavam semelhante oráculo, o declaram falso; assim, não são réus de desobediência ou de violar o juramento. Como resposta a tal reação, entendem-se facilmente os vv. 20-22.

42,20-22 Aceita a inversão, estes versículos significam o anúncio formal da segunda alternativa. "Que vos enganais" (23,13.32): ao rejeitar a resposta do profeta autêntico, os capitães desempenham agora a função de falsos profetas.

43,1 Jeremias cumpriu sua função pronunciando "tudo" o que Deus lhe recomendou (1,7). É profeta autêntico e fiel.

43,2-3 Deixam supor que Baruc deseja perversamente o cumprimento das profecias do seu mestre, desculpando de passagem a Jeremias.

43,4 Repetem a desobediência de Sedecias e frustram o novo começo. Por sua culpa se cumprirá o dito sobre os figos bons (cap. 24).

43,5-6 O narrador quer incluir "todos". Os desterrados para Babilônia poderão ser protagonistas de novo êxodo; os que voltam para o Egito vão na contramão da história, anulando os efeitos desse êxodo. E Jeremias se vê arrastado por essa corrente fatal: é o anti-Moisés.

43,9-12 Aplica o anunciado sobre o domínio universal de Nabucodonosor, "meu servo" (cap. 27). É uma ação simbólica, perante testemunhas. O profeta fundamenta ou coloca um sólido estrado para o

44

Últimos oráculos – ¹Palavras que Jeremias recebeu para os judaítas que habitavam no Egito, em Magdol, Táfnis, Mênfis e na terra de Patros:

– ²Assim diz o Senhor dos exércitos, Deus de Israel: Vós vistes todas as calamidades que enviei sobre Jerusalém e sobre as cidades de Judá: aí as tendes hoje, arruinadas e sem habitantes. ³Por causa das maldades que cometeram, irritando-me, queimando incenso e prestando culto a deuses estrangeiros, que nem eles nem seus pais conheciam. ⁴Sem cessar vos enviei meus servos, os profetas, para que vos dissessem: Não cometais essas abominações que detesto. ⁵Mas não escutastes nem destes ouvidos para vos corrigirdes da maldade, deixando de queimar incenso a deuses estrangeiros. ⁶Então minha cólera e minha ira se derramaram, e queimaram as cidades de Judá e as ruas de Jerusalém, que se transformaram em ruína e desolação até o dia de hoje. ⁷Pois agora, assim diz o Senhor dos exércitos, Deus de Israel: Por que prejudicais gravemente a vós mesmos, extirpando de Judá homens e mulheres, crianças e lactentes, sem deixar um resto, ⁸e me irritais com as obras de vossas mãos, queimando incenso a deuses estrangeiros no Egito, onde viestes morar; e assim sois extirpados e vos converteis em maldição e opróbrio de todas as nações do mundo? ⁹Esquecestes as maldades de vossos pais, dos reis de Judá e de suas mulheres, as maldades vossas e de vossas mulheres, maldades cometidas em Judá e nas ruas de Jerusalém? ¹⁰Até hoje não vos arrependestes, não temestes, não agistes segundo minha Lei e meus preceitos, que eu promulguei para vós e vossos pais.

¹¹Por isso, assim diz o Senhor dos exércitos, Deus de Israel:

> Eu vos enfrentarei para o mal,
> para extirpar Judá.
> ¹²Arrebatarei o resto de Judá
> que insistiu em ir ao Egito
> para aí residir.
> Eles se consumirão todos no Egito,
> cairão pela espada ou se consumirão de fome,
> do mais novo ao mais velho
> morrerão pela espada ou de fome,
> e serão execração e espanto,
> maldição e caçoada.
> ¹³Castigarei os habitantes do Egito,
> como castiguei os de Jerusalém,
> com espada, fome e peste.
> ¹⁴Não ficarão sobreviventes

---

trono do invasor (cf. 1,15); Deus mesmo (no hebraico) lhe coloca o trono, e o encarrega da execução de uma sentença de condenação. Pela mão do invasor, o Senhor executa deuses pagãos e destrói seus templos (46,25s).

43,13 Parece acréscimo posterior, depois dos acontecimentos. Nabucodonosor fez uma expedição contra o Egito no ano 568 (ANET 308 B) * = Casa do Sol.

44,1 No Egito, Jeremias continua sendo profeta do Senhor, sugerindo que os prófugos, apesar de tudo, continuam sendo povo do Senhor. O narrador apresenta suas últimas palavras como discurso em estilo deuteronomístico, convidando à conversão. Último recurso para uma espécie de recapitulação de temas ditos e repetidos (especialmente em 7; 11,1-12; 16,10-13; 25,1-11). Pela teimosia dos ouvintes, o discurso se transforma em sentença final com motivação. Todos os delitos se concentram na idolatria, porque se opõe ao primeiro mandamento, que engloba todos.

44,2 O Senhor continua afirmando seu papel principal, assumindo a responsabilidade dos fatos e justificando sua conduta.

44,4-10 Não serviram a pregação repetida dos profetas nem a terrível e recente correção. O povo no Egito continua na idolatria, mudando de divindades segundo o lugar de residência (cf. Js 24,14-15). Em outra ocasião alegava o exemplo de Silo (7,12); agora acrescenta o exemplo de Sião.

44,9 O delito das mulheres preocupa o pregador (cf. 1Rs 11,1-4 e 2Rs 11).

44,11-14 Conclui com a sentença, em prosa rítmica. Insiste nos nomes de Judá e Egito, nos verbos habitar e voltar, na espada e na fome. A partir do Egito, não haverá um segundo êxodo.

No final de um texto categórico, um leitor posterior acrescentou uma glosa histórica.

do resto de Judá
que veio morar no Egito,
nem voltarão a Judá,
aonde anseiam voltar para aí viver.
(Não voltarão senão alguns fugitivos.)

¹⁵Todos os homens que sabiam que suas mulheres queimavam incenso a deuses estrangeiros, e todas as mulheres que assistiam, e os que habitavam em Patros responderam em alta voz a Jeremias:

— ¹⁶Não queremos escutar essa palavra
que nos dizes em nome do Senhor,
¹⁷mas faremos o que prometemos:
queimaremos incenso à rainha do céu
e lhe ofereceremos libações;
assim como fizemos nós e nossos pais,
nossos reis e chefes nas cidades de Judá
e nas ruas de Jerusalém.
Então nos fartávamos de pão, estávamos bem,
e não conhecíamos a desgraça.
¹⁸Mas desde que deixamos de queimar incenso
à rainha do céu e de oferecer libações,
carecemos de tudo,
e morremos pela espada e de fome.

¹⁹Quando nós queimamos incenso e oferecemos libações à rainha do céu, acaso fazemos tortas com sua imagem e lhe oferecemos libações sem o consentimento de nossos maridos?

²⁰Jeremias respondeu ao povo, homens e mulheres, e a todos os que haviam respondido dessa forma:

— ²¹E o Senhor não se recordava e não pensava em todo o incenso que queimáveis nas cidades de Judá e nas ruas de Jerusalém, vós, vossos pais, vossos reis e príncipes e todos os donos de terras? ²²O Senhor já não podia suportar vossas más ações, as abominações que cometíeis; por isso vossa terra se transformou em ruína, espanto e maldição, sem habitantes até hoje; ²³por ter queimado incenso e haver pecado contra o Senhor, desobedecendo ao Senhor, não agindo segundo sua Lei, preceitos e ordens. Por isso vos aconteceu essa calamidade, que dura até hoje.

²⁴Disse Jeremias ao povo e às mulheres:

— Escutai a palavra do Senhor, judaítas que viveis no Egito: ²⁵Assim diz o Senhor dos exércitos, Deus de Israel:

44,15-18 Chega-se à desobediência formal, ao desafio, a retorcer a interpretação da história. Em termos radicais de bem e mal, bem-estar e desgraça, afirmam que a história caminha governada pela rainha do céu (Ishtar). A pregação fundamental do Deuteronômio (29-30) fica rejeitada, o lugar do Senhor é ocupado por uma deusa rival. Violando o primeiro mandamento, recusa-se praticamente a todos os outros.

Na perspectiva do anti-êxodo, ressoa aqui uma retratação do compromisso do Sinai: "se quereis obedecer" (Ex 19,5)/não obedeceremos (16); "faremos tudo o que o Senhor diz" (Ex 19,8)/faremos o que prometemos (17, à deusa); "o que sai da boca de Deus" (Dt 8,3)/o que sai de nossa boca (17).
44,17 "Estávamos bem": comparar com 22,15.

44,18 "Carecemos de tudo": o contrário de Sl 23,1.
44,19 Para determinados atos religiosos da mulher exigia-se o consentimento do marido: Nm 30,7-16.
44,21-23 Diante de semelhante declaração, que soa como definição da serpente sobre o mal e o bem, Jeremias intervém apaixonadamente para orientar a interpretação dos fatos.
44,24-25 Uma vez que o réu insiste em sua atitude criminosa, nada mais resta senão pronunciar a sentença. No começo do livro, o profeta censurava o povo por não confessar a própria culpa (2,23). O que fazem agora é muito mais grave: confessam como culpa o terem servido exclusivamente ao Senhor, abandonando a rainha do céu. Mas o Senhor não admite rivais: retira-se, e este será o castigo maior.

Com a boca o dizeis, com a mão o cumpris:
"Temos de cumprir
os votos que fizemos
de oferecer incenso e libações
à rainha do céu".
Ratificareis vossos votos,
cumprireis vossas promessas.

²⁶Mas escutai a palavra do Senhor, judaítas que habitais no Egito: Vede: Eu juro por meu nome ilustre – diz o Senhor – que nenhuma boca judia invocará meu nome, dizendo em todo o país do Egito: "pela vida do meu Senhor". ²⁷Eu vigiarei sobre vós para o mal e não para bem. Os judaítas do Egito serão consumidos com a espada, a fome e a peste, até se acabarem. ²⁸(Só os que escaparam da espada, poucos em número, voltarão do Egito para Judá.) Então o resto de Judá que veio residir no Egito saberá qual é a palavra que se cumpre, a minha ou a deles. ²⁹Este será o sinal – oráculo do Senhor –: Eu vos castigarei neste lugar, para que saibais que minhas ameaças contra vós se cumprem. ³⁰Assim diz o Senhor: Eu entregarei o Faraó Hofra, rei do Egito, em mãos dos inimigos que o perseguem mortalmente, como entreguei Sedecias, rei de Judá, em mãos de Nabucodonosor, rei da Babilônia, o inimigo que o perseguia mortalmente.

45 Para Baruc

¹Palavra que o profeta Jeremias disse a Baruc, filho de Nerias, quando escreveu estas palavras no rolo, sob o ditado de Jeremias, no quarto ano de Joaquim, filho de Josias, rei de Judá: — ²Isto diz o Senhor, Deus de Israel, para ti, Baruc: ³Tu dizes:

Ai de mim! Pois o Senhor
acrescenta sofrimentos à minha dor;
canso-me de gemer
e não encontro repouso.
⁴Dize-lhe isto: Assim diz o Senhor:
Olha: estou destruindo o que construí,
e arrancando o que plantei;
⁵e tu pedes milagres para ti?
Não os peças.
Porque hei de enviar desgraças
a todo ser vivo – oráculo do Senhor –
e tu salvarás tua vida como um despojo
em qualquer lugar aonde fores.

44,26 Na perspectiva do anti-êxodo, a frase ganha um significado mais denso. Deus revelou seu nome a Moisés quando o enviou para libertar os hebreus; agora, no Egito, esse nome deixará de ser pronunciado. Jeremias é o anti-Moisés que anuncia tão terrível resultado. Jurando por seu próprio nome, pronunciando-o ele mesmo, o Senhor o retira da boca do seu povo infiel (23,27).

44,27-28 "Vigiarei": retorna o começo do livro. Embora queimem o rolo, mesmo que o profeta se queime na sua missão, ainda que deixe de ser pronunciado o nome do Senhor, a palavra do profeta se cumpre (Is 40,8).

44,28a Glosa posterior.

44,30 Hofra sucedeu a Psamético. Acorreu para defender Sedecias contra os babilônios (43,7); morreu em 566 nas mãos de Amasias, seu parente e rival.

45,1-5 Pela data (ano 605), este oráculo pessoal poderia ser lido depois do cap. 36. O compilador o colocou aqui para que fizesse companhia a seu mestre. A lamentação é concisa: não pode ser comparada com as confissões de Jeremias. A resposta recolhe temas da vocação do profeta (1,10); seu destino é como o de Ebed-Melec (39,18). Nada sabemos de peregrinações geográficas de Baruc; conhecemos suas peregrinações literárias, pois seu nome foi usado por autores apocalípticos posteriores e por um livro bíblico tardio.

ORÁCULOS CONTRA AS NAÇÕES
(Jr 46-51)

46 ¹Palavras do Senhor ao profeta Jeremias sobre as nações:

Oráculo contra o Egito (Is 19; Ez 29-32) – ²Contra o Egito. Contra o exército de Necao, Faraó do Egito, que chegou até Carquemis, junto ao Eufrates, e foi derrotado por Nabucodonosor, rei da Babilônia, no quarto ano do reinado de Joaquim, filho de Josias, em Judá.

³Preparai escudo e adarga, lançai-vos ao ataque,
⁴encilhai os cavalos; montai, cavaleiros;
alinhados com os capacetes, afiai as lanças,
vesti a couraça.
⁵O que vejo? Estão aterrados,
batem em retirada seus soldados derrotados,
fogem correndo sem virar-se, cercados de pavor
– oráculo do Senhor –:
⁶que a agilidade não salve, que a valentia não livre.
Ao norte, à margem do Eufrates,
tropeçaram e caíram!
⁷Quem é esse que sobe como o Nilo
e encrespa suas águas como os rios,
⁸que diz: Crescerei, inundarei a terra,
destruirei cidades com seus habitantes?
⁹Montai a cavalo; lançai-vos, carros;
avançai, soldados:
núbios e líbios que põem escudo,
lídios que retesam o arco.
¹⁰Esse dia é para o Senhor dos exércitos
dia de vingança,
para se vingar de seus inimigos.

ORÁCULOS CONTRA AS NAÇÕES

A introdução a esta série se encontra em 25,15-38, que por sua vez soa como resposta de Deus à súplica do profeta em 10,25.

A lista recolhe os nomes tradicionais: reinos vizinhos de oriente e ocidente, entre os impérios do Egito e da Babilônia.

Há fragmentos simplesmente copiados de autores precedentes; nos demais, seguem-se os temas e procedimentos tradicionais: dados descritivos do inimigo de plantão, referência ou descrição de seus pecados, traços estilizados da mobilização e ataque inimigo, derrota e lamentação.

Nestes oráculos Jeremias cumpre sua missão de "profeta dos pagãos" (1,5.10). O epílogo coincide em grande parte com o final do livro dos Reis.

46,1 Começa a série cuja introdução lógica se lê em 25,15-38.

46,2-28 Conforme as introduções, este capítulo se compõe de três peças e um acréscimo: 2-12.13-24.25-26 + 27-28. A segunda se divide em duas partes: 13-18.19b e 19a.20-24. O Egito é o tema comum da série.

46,2-12 Refere-se à batalha de Carquemis, cidade de renome, situada junto ao rio Eufrates, no norte da Síria. Para o Faraó, conquistá-la representava o controle da faixa costeira e uma ameaça ao império dominante, Assíria ou Babilônia. Necao II pôs em jogo aí a hegemonia, diante de Nabucodonosor, e perdeu-a no ano 606.

O oráculo concentra em breve espaço o momento da partida confiante e o momento da derrota e fuga. As vozes se cruzam dramaticamente por cima dos fatos: vozes de comando do general egípcio, voz de Deus e do profeta como espectadores. É ao mesmo tempo uma lamentação pelo império egípcio derrotado e um hino à vitória do Senhor da história.

46,3-4 Os sete imperativos (hebraico) criam a sensação de rapidez e ordem. Os carros eram arma vital do exército egípcio.

46,5 "Cercados de pavor": 6,25; 20,3-10. A derrota se apresenta através da irrupção lírica do poeta, que comunica sua carga de surpresa e estupor ante o inesperado.

46,6 "Agilidade" para fazer evoluções e "valentia" são as duas qualidades tradicionais do soldado (Sl 18,33-34). Norte, ao longo do livro, é o lugar de partida do invasor: 1,13-15; 3,12.18; 4,6 etc.

46,7-8 Sendo emblema do Egito, o Nilo se presta como imagem de um exército que inunda e arrasa (cf. Is 8,7s). "Encrespar" se diz do mar furioso dominado por Deus (5,22).

46,10 O que se propõe como campanha triunfal é marcha rumo ao matadouro, para onde Deus os atrai com a isca da arrogância deles mesmos (Is 8,10). É o dia da justiça vindicativa, do banquete ao qual Deus convida: Is 34,6; Ez 39,17-20.

A espada se ceva, se sacia, pinga sangue,
   porque o Senhor dos exércitos
   celebra um banquete
   no norte, à margem do Eufrates.
¹¹Sobe a Galaad em busca de bálsamo, capital do Egito:
   em vão multiplicas as curas,
   tua ferida não se fecha.
¹²As nações conheceram tua humilhação,
   pois teus lanceiros enchem a terra.
Tropeçaram soldado com soldado,
   juntos caíram os dois!

¹³Palavra que disse o Senhor ao profeta Jeremias quando Nabucodonosor, rei da Babilônia, foi derrotar o Egito:

¹⁴Anunciai-o no Egito, apregoai-o em Magdol,
   apregoai-o em Mênfis e Táfnis;
   dizei: Em formação, alerta!,
   pois a espada se ceva ao redor.
¹⁵Por que está deitado
   teu Boi Ápis e não se levanta?
¹⁶Porque o Senhor o derrubou
   poderosamente: tropeçou e caiu.
   Dizem a seus camaradas: De pé,
   fujamos da espada mortífera;
ao nosso povo,
   à nossa terra nativa,
¹⁷e chamam o Faraó com este apelido:
   "Estrondo fora de hora".
¹⁸Por minha vida! – oráculo do Rei
   que se chama Senhor dos exércitos.
Como é real o Tabor entre os montes
   e o Carmelo junto ao mar, acontecerá.
¹⁹ᵇMênfis será uma desolação,
   incendiada e desabitada.
¹⁹ᵃPrepara a bagagem do desterro,
   população do Egito;

46,11 Muda a imagem: a capital do Egito na figura de uma donzela ferida que em vão aplica em si mesma medicamentos: sua ferida "não se fecha" (8,22; 14,17; 30,13).

46,13-24 O segundo oráculo se refere à invasão de 568, anunciada no final dos capítulos 43 e 44. Invertendo 19a e 19b, resultam duas seções definidas, cada qual por sua inclusão.
Em pouco espaço se conjuram poeticamente a invasão, a defesa, a debandada, a deportação. Uma série de imagens e títulos descrevem o poder do Egito: o Paladino (= Ápis), bezerra e bezerros (20-21), serpente (22), floresta (23); o título do Faraó acaba em apelido cômico (17).

46,14 Duas cidades fronteiriças e a capital setentrional.

46,15-16a O termo *'abbir* significa touro, corcel, também capitão ou paladino, e pode ser título divino (8,16; 47,3; 50,11). Aqui designa o Boi Ápis, deus da capital, que ele deveria defender. Quem o derrota não é o imperador babilônio, mas o Senhor (cf. Ex 12,12).

46,16b-17 Os mercenários ou aliados ou mercadores estrangeiros abandonam a cidade cosmopolita e, desiludidos, inventam um apelido para o Faraó.

46,18-19b Nome e título do Senhor se opõem ao título de Ápis e ao apelido do Faraó: o Senhor é um rei que dispõe de exércitos (10,16; 31,35; 32,18). O juramento acrescenta uma referência cósmica (como em 31,35 e 33,20). A comparação torna-se paradoxal: a palavra de predição é tão sólida e evidente como o Tabor, como o Carmelo que avança pelo mar. Ao apoiar-se num juramento divino, o futuro adquire corporeidade e consistência. Mas a estabilidade dos montes confirma, por meio do juramento, a instabilidade e queda do império agressor.

46,19a Começa a nova seção.

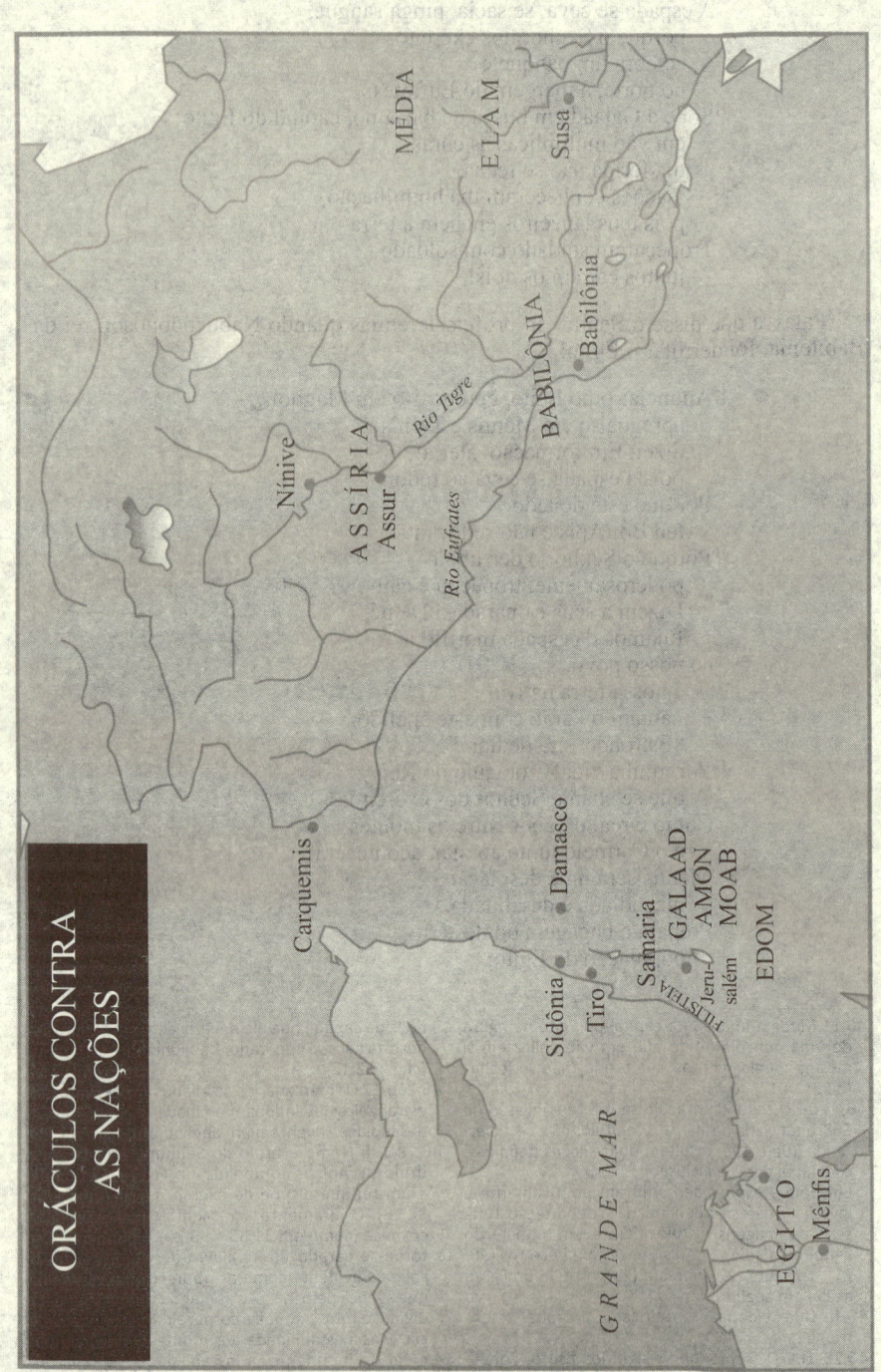

²⁰Egito é uma bezerra formosa;
   do norte vem uma mosca, vem;
²¹também seus mercenários
   eram bezerros cevados;
   fogem juntos sem parar,
   porque lhes chega o dia funesto,
   a hora de prestar contas.
²²Ouvi-a, assobia como serpente,
   porque avançam os exércitos,
   invadem-na como lenhadores com seus machados,
²³cortam seus bosques – oráculo do Senhor.
   Por muitos e incontáveis que sejam,
   embora sejam mais que gafanhotos,
²⁴é derrotada a capital do Egito
   e entregue ao exército do norte.

²⁵Diz o Senhor dos exércitos, Deus de Israel: Eu pedirei contas ao deus Amon de No, ao Egito com seus ídolos e príncipes, ao Faraó e aos que confiam nele. ²⁶Eu os entregarei em mãos de inimigos mortais: Nabucodonosor, rei da Babilônia, e seus generais. Depois será habitada como outrora – oráculo do Senhor.

²⁷Tu não temas, servo meu, Jacó;
   não te assustes, Israel.
   Eu te trarei de longe, são e salvo,
   e a tua descendência do cativeiro;
   Jacó voltará, descansará,
   repousará sem alarmes.
²⁸E tu não temas, servo meu, Jacó,
   pois estou contigo – oráculo do Senhor.
   Acabarei com todas as nações
   por onde te dispersei; não te consumirei,
   embora não te deixe impune;
   eu te corrigirei como é devido.

47 Oráculo contra os filisteus (Am 1,6-8; Sf 2,4-7; Ez 25,15-17; Is 14,28-30) – ¹Palavras do Senhor ao profeta Jeremias contra os filisteus. (Antes que o Faraó derrotasse Gaza:) ²Assim diz o Senhor:

46,20-21 Bezerra e bezerros prolongam a imagem do Boi Ápis.
46,22a A interpretação é duvidosa. O assobio da serpente (versão grega) poderia aludir ao "ureu" ou serpente no adorno da cabeça do Faraó.
46,22b-23 Texto difícil. Lendo como concessiva, temos o seguinte: embora a floresta seja impenetrável, os lenhadores entrarão e cortarão suas árvores; os machados de cortar lenha podem significar machados de combate. A imagem de um bosque não combina com a vegetação do Egito; quando muito, seria visão hiperbólica de seus oásis.
46,23b-24 A comparação com os gafanhotos é tópica.
46,25-26 Em prosa enunciativa, repete-se o mesmo, acrescentando a futura mudança de sorte. Insiste na derrota de deuses e governantes.
46,27-28 Estes dois versículos se encontram em 30,10-11, onde se enquadram perfeitamente.

Tratando-se de princípio geral, não é ilegítimo que um leitor posterior os aplique a outra situação e os dirija a judaítas residentes no Egito durante a invasão babilônica.
47,1-7 Subindo do Egito pelo litoral, encontramos as cidades filisteias e fenícias, para as quais chega a vez de beber a taça drogada: Gaza e Ascalon, Tiro e Sidônia e também Creta; creio que Azoto, Acaron e Gat estão escondidas, cada qual na sua paronomásia alusiva. Alguém acrescentou no título uma nota histórica de aplicação muito duvidosa. O inimigo aparece primeiro na imagem conhecida de um rio que transbordou e inunda territórios: o poeta observa seu avanço rápido e o desembocar na orla marítima. Depois se transforma na espada do Senhor, executor da sentença. O v. 3 se detém no fator sonoro de um exército dotado de carros e cavalos.
47,2-5 Paronomásias.

Olha as águas crescendo no norte,
já são uma torrente, uma enxurrada que inunda
o país e seus habitantes, a cidade e seus habitantes.
Gritam os homens,
gemem os habitantes do país,
³ao ouvir o estrépito
dos cascos dos corcéis,
o ribombo dos carros,
o fragor das rodas;
os pais, já sem força,
não olham para seus filhos.
⁴Porque chega o dia assolador para toda a Filisteia,
em Tiro e Sidônia acabará
até o último defensor.
O Senhor destrói os filisteus,
o resto da ilha de Creta.
⁵Cresce a calvície de Gaza,
Ascalon emudece.
Ai, resto dos enacitas!
Até quando fareis incisões em vós mesmos?
⁶Ai, espada do Senhor!
Quando vais descansar?
Recolhe-te na bainha, acalma-te, cessa.
⁷E como pode descansar,
se o Senhor a mandou?
Ele a enviou contra Ascalon
e contra o litoral.

48 Oráculo contra Moab (Is 15-16; Ez 25,8-11; Am 2,1-3) – ¹Assim diz o Senhor dos exércitos, Deus de Israel:

47,4 O espaço de um só versículo dedicado a Tiro e Sidônia contrasta com a amplidão e beleza dos oráculos de Ezequiel. É tradicional considerar os filisteus como vindos de Creta (Dt 2,23; Am 9,7; Ez 25,16).

47,5 Trata-se de ritos fúnebres. Conforme Js 11,22, os enacitas se refugiaram na zona costeira; conforme 1Sm 17,4 e 2Sm 21,16, residiam em Gat.

47,6-7 É notável a apóstrofe contra a espada: cf. Ez 21,13-22.

48,1-47 O capítulo sobre Moab é difícil de interpretar pela sua ambiguidade entre a unidade temática e a variedade de materiais. Começo por uma descrição.
a) Materiais. Grande parte dos versículos do capítulo são repetição ou imitação de outros textos. Eis aqui uma lista:

Jr 48	Is 15-16	Jr 48	Is 15-16
5	15,5b	37	15,3a
29	16,6	38	15,3b
30	16,6	40b	Jr 49,22
31	16,7	41b	49,24
32	16,8s	43s	Is 24,17s
33	16,9s	45b	Nm 21,28a
34	15,4a.6a	46	21,29
35	16,12		
36	15,5a.2b		

Este plano geral se enriquece com semelhanças e reminiscências. Contudo, não faltam no capítulo elementos originais.

b) Composição. Deve-se ler o texto como composição coerente, como lamentação dolorosa sem arquitetura, ou como coleção de cantos autônomos? Por mais que busquemos indícios de composição, introduções, repetições, não conseguimos descobrir uma estrutura principal. Seria melhor observar os fatores de unidade e o desenvolvimento ou processo dos elementos.

c) Unidade. É clara a presença contínua e nominal de Moab, mais de trinta vezes no capítulo. São abundantes os topônimos do reino de Moab, alguns dos quais emprestam seus nomes para engenhosas paronomásias. É possível que provoquem outras alusões culturais para nós desconhecidas. O delito capital de Moab é a soberba, a vã confiança em suas riquezas acumuladas, seus soldados aguerridos e sua posição estratégica. Entre as imagens se destacam as relacionadas com a videira e o vinho, culturas típicas da região. O conjunto conserva um tom de lamentação dolente, com abundância de prantos e gritos, sem que faltem convites irônicos e tiradas satíricas. Impõe-se a mobilidade de personagens que tomam a palavra ou que são interpelados, o que dificulta mas anima a leitura. Os tempos mudam com rapidez: espera o futuro iminente, contempla o presente desastrado, anuncia um futuro trágico.

d) Desenvolvimento. Para seguir o curso irregular desta corrente lírica, podemos esforçar-nos por

Ai de Nebo, arrasada; Cariataim,
   derrotada e conquistada!
   Da Exaltada, derrotada e desfeita!
²Já não existe a fama de Moab.
   Em Hesebon planejavam contra ela.
   Vamos destruí-la como nação!
   Madmena, emudeces,
   perseguida pela espada.
³Escutai gritos em Oronaim:
   grande desastre e devastação:
   ⁴devastada está Moab,
   que se ouçam seus gritos em Seir.
⁵Pela encosta de Luit subiam chorando;
   pela baixada de Oronaim
   ouvem-se gritos dilacerantes.
⁶Fugi, salvai a vida, como asnos da estepe.
⁷Por confiar em tuas obras e tesouros,
   também tu serás conquistada;
 Camos partirá para o desterro
   com seus sacerdotes e dignitários.
⁸Virá o devastador a cada povoado:
   nenhum se livrará; ficará desolada a várzea
   e destruída a planície – assim disse o Senhor.
⁹ .... *
   seus povoados ficarão desertos
   por falta de habitantes.
¹⁰Maldito quem executar com negligência
   a ordem do Senhor!
   Maldito quem retiver sua espada do sangue!
¹¹Moab repousou desde jovem,
   tranquila sobre suas fezes:
   não a transvasaram de uma vasilha a outra,
   não foi para o desterro;
   assim conservou seu gosto e não alterou seu aroma.
¹²Mas chegará um tempo – oráculo do Senhor –
   em que enviarei transvasadores
   para que a transvasem:
   esvaziarão as vasilhas, quebrarão os vasos.

---

apreciar a direção aproximada. Nós o faremos por blocos ou segmentos: 1-10.11-13.14-28.29-42.43-44.45-46.

48,1-10 Predomina o tema do pranto pelas populações e nelas. Vozes anônimas o interrompem: dos assaltantes (2b), de um personagem que escuta e dá ordens (3.6), de alguém que incita à execução sem piedade (10). Anuncia-se a desgraça final (7-9).

48,1 Nebo era uma importante cidade fortificada (Nm 32,3). A Exaltada poderia designar a cidadela da capital.

48,2-3 A "fama" ou orgulho, aquilo de que se gloriava. "Como nação": Sl 83,5. "Planejar": a raiz verbal coincide com as consoantes de Hesebon. "Emudeces": paronomásia de Madmena (cf. Is 10,31). "Desastre e devastação": dupla aliterada, como em Is 51,19; 59,7; 60,18.

48,4-5 Moab pode designar a capital. Em vez de Seir, o hebraico diz "seus pequenos". "Gritos dilacerantes": texto hebraico duvidoso.

48,6-7 "Asno", "onagro": corrigindo o hebraico que diz Aroer. "Obras": o grego leu "fortalezas". Camos era o deus de Moab: Nm 21,29; 1Rs 11,7.

48,8-9 Sai o deus, entra o devastador: saída vergonhosa, entrada trágica. 9a duvidoso; talvez: "dai-lhe asas para que escape" (cf. Sl 11,1; 55,7).

48,9 * = Inintelígivel.

48,10 Casos semelhantes: Jz 5,23; Ez 32,28; Nm 25,7.

48,11-13 Imagem do vinho com borra. Moab conservou o aroma de sua identidade não adulterada, mas também aumentou os graus da sua soberba. O desterro ou a dispersão a curarão de suas pretensões. O mais grave é que até as vasilhas que conservam a borra serão quebradas, de modo que

¹³E Camos decepcionará Moab,
como aconteceu a Israel
com Betel, em quem confiava.
¹⁴Como presumíeis de valentes,
de soldados aguerridos?
¹⁵Avança o destruidor de Moab e seus povoados,
a flor de seus soldados desce ao matadouro
– oráculo do Rei que se chama
Senhor dos exércitos.
¹⁶Aproxima-se a catástrofe de Moab,
sua desgraça se apressa:
¹⁷chorai-a, todos os seus vizinhos,
e os que respeitam sua fama.
Dizei: Ai, quebrado o bastão do poder,
o cetro de majestade!
¹⁸Desce do teu sólio, senta-te no deserto,
população de Dibon,
porque avança contra ti o devastador de Moab,
para derrubar tuas fortalezas;
¹⁹e tu, população de Aroer,
põe-te a caminho e vigia,
pergunta ao fugitivo evadido:
"O que aconteceu?"
²⁰Pois Moab está derrotada e desfeita:
gemei e gritai,
anunciai no Arnon que Moab está arrasada;
²¹que executaram a sentença
contra o planalto:
Helon*, Jasa, Mefaat*,
²²Dibon, Nebo, Bet-Deblataim,
²³Cariataim, Bet-Gamul*, Bet-Maon*,
²⁴Cariot, Bosra,
contra todos os povoados de Moab,
próximos e distantes.
²⁵Arrancaram o chifre de Moab,
quebraram-lhe o braço – oráculo do Senhor.
²⁶Embriagai-a, porque desafiou o Senhor;
Moab se revolverá em seu vômito,
e caçoarão dela.

---

o aroma primitivo não será recuperado. Compare-se com 13,12-14.

48,14-28 Apresento em esquema o movimento quase dramático de interpelações, perguntas e respostas desta seção:

48,14 O poeta interpela com pergunta retórica: cita suas palavras e anuncia seu fracasso.

48,17 Interpela os vizinhos convidando ao luto; sugere o texto.

48,18 Interpela Dibon e o motiva.

48,19 Interpela Aroer para que se informe: pergunta ao fugitivo, resposta do fugitivo; pede que se difunda,

48,21-24 informação detalhada, como parte de guerra,

48,25 O Senhor toma a palavra,

48,26 interpelando o invasor,

48,27 interrogando retoricamente Moab,

48,28 convidando os habitantes a fugir.

48,14-15 Confiança militar. "Matadouro" em hebraico tem som parecido com "confiança". O título solene do Senhor se opõe à tropa de Moab.

48,17 "Bastão" e "cetro", como em Is 14,29; Ez 19,11s.

48,18 "Deserto": ou sedento; alguns corrigem e leem lixo, excremento.

48,21 * = Areal; Fonte do Clamor.

48,23 * = Casa-do-pago; Mansão.

48,25 "Chifre" pode designar o comando, e "braço" o poder militar.

48,26 Retorna uma imagem do vinho: 13,13 e 25,15; ver também Is 19,14 e 28,8.

²⁷Não zombaste tu de Israel como de alguém
    surpreendido entre ladrões?
    Não fazias trejeitos quando falavas dela?
²⁸Deixai as cidades,
    habitai entre rochedos, habitantes de Moab,
    como pombas que se aninham
    na parede de uma caverna.
²⁹Nós soubemos da soberba de Moab,
    de seu orgulho desmedido,
    de sua soberba, vaidade,
    presunção e orgulho.
³⁰Eu conheço sua arrogância – oráculo do Senhor –,
    suas bravatas desatinadas,
    suas ações desatinadas.
³¹Por isso vou uivar por Moab,
    gritar por todo Moab,
³²soluçar por Cariat-Jazer*;
    chorar por ti, vinha de Sábama,
    mais que chorei por Jazer.
Teus sarmentos se estendiam até o mar
    e chegavam até Jazer:
sobre tua colheita e tua vindima
    caiu o devastador;
³³cessaram o júbilo e a alegria
    nas várzeas de Moab.
Acabei com o vinho de teus lagares,
    e já não pisarão
    entoando refrães e refrães.
³⁴O grito de Hesebon
    chega até Eleale e Jasa,
    as vozes se ouvem em Segor,
    Oronaim e Eglat-Salisia,
    porque até a Fonte de Nemrim*
    secou.
³⁵Acabarei em Moab
    com os que sobem às ermidas
    para oferecer incenso a seus deuses
    – oráculo do Senhor.
³⁶Por isso meu coração geme
    por Moab com voz de flauta,
    meu coração geme
    com voz de flauta por Cariat-Jazer,
    porque perderam tudo o que foi poupado.
³⁷Todas as cabeças estão calvas
    e as barbas raspadas,
    levam incisões nos braços
    e pano de saco na cintura;

48,29-38 Apoia-se em Is 16,6-12 com algumas mudanças. O esqueleto é articulado em denúncia do delito, sentença de castigo e consequências. Fala uma primeira pessoa do singular ou do plural: em alguns casos, como juiz bem informado (31.35.38) que decreta e faz executar; em outros casos, como alguém que participa e se compadece (32.36). Poder-se-ia ler como diálogo, distinguindo as vozes.
48,32 Ver Sl 80,10-12. * = Vila Olaria.
48,33 Ver Is 24,7-9.
48,34 * = Panteras.

³⁸nos terraços e ruas de Moab
há luto unânime,
porque quebrei Moab
como cântaro inútil
– oráculo do Senhor.
³⁹Gemei: Ai, Moab!,
desfeita voltou as costas;
que vergonha, Moab!,
tornada a caçoada e o espanto de todos os seus vizinhos.
⁴⁰Assim diz o Senhor:
Olhai-o lançar-se como águia
abrindo as asas sobre Moab:
⁴¹As cidades foram conquistadas,
as cidadelas tomadas.
Naquele dia os soldados de Moab se sentirão
como mulher em parto.
⁴²Moab deixará de ser nação,
porque desafiou o Senhor.
⁴³Pânico, cova e cepo contra ti,
população de Moab!
– oráculo do Senhor –:
⁴⁴Quem se livra do pânico cai na cova,
quem se levanta da cova
é preso pelo cepo;
porque faço que chegue a Moab
o ano de prestar contas
– oráculo do Senhor.
⁴⁵Ao amparo de Hesebon se detêm
sem forças os fugitivos:
saiu um fogo de Hesebon,
uma labareda de Seon
que devora as têmporas de Moab
e o crânio dos saonitas.
⁴⁶Ai de ti, Moab!
Estás perdido, povo de Camos!
Teus filhos vão deportados,
tuas filhas partem para o desterro.

⁴⁷Ao cabo dos anos mudarei a sorte de Moab – oráculo do Senhor. Fim da sentença de Moab.

Oráculo contra Amon
(Ez 25,1-8; Am 1,13-15)

49 ¹Assim diz o Senhor:
Acaso Israel não tem filhos, não tem herdeiro?
Por que Melcom recebeu Gad como herança
e seu povo vive em seus povoados?

48,39 A dupla interjeição pode servir de colofão.
48,40 Ver 4,13; Is 46,11; Ez 17,3.
48,43-44 Como eliminatória implacável, que dizima uma e outra vez. Os obstáculos são sucessivos e soam quase por igual.
48,47 Acréscimo que corrige as ameaças definitivas da série (2.12.38.42).

49,1-2 O oráculo gira em torno da imagem do herdeiro. Como se Israel não tivesse "filhos", o deus Melcom quis apoderar-se de seu território na qualidade de herdeiro. Um dia, o Senhor destruirá a capital dos "filhos" de Amon e suas cidades "filiais"; então Israel, o herdeiro legítimo, ocupará o lugar do intruso.

²Pois chegará um tempo – oráculo do Senhor –
em que farei ressoar em Rabat-Amon
o alarido de guerra:
ele se transformará em colina de escombros
e suas cidades serão incendiadas;
então Israel terá por herança o herdeiro
– assim diz o Senhor.
³Geme, Hesebon, porque Ai está arrasada;
gritai, cidades de Rabat,
vesti pano de saco, fazei luto,
errai por entre as cercas,
porque Melcom parte para o desterro
com seus sacerdotes e dignitários.
⁴Por que te glorias de teus vales,
vales que gotejam, cidade perversa,
confiada em teus tesouros;
dizias: "Quem me invadirá?".
⁵Eu farei que te invada o terror
por todos os lados
– oráculo do Senhor dos exércitos –:
cada um fugirá numa direção,
e ninguém reunirá os dispersos.
⁶Depois mudarei a sorte de Amon
– oráculo do Senhor.

Oráculo contra Edom
(Is 34; Ez 25,12-14; Am 1,11-12; Ab)

⁷Assim diz o Senhor dos exércitos:
Já não há sabedoria em Temã?
Seus mestres já não dão conselhos?
Já se tornou rançosa sua sabedoria?
⁸Fugi, dai a volta,
cavai refúgios, habitantes de Dadã,
porque envio para Esaú
seu desastre, a hora das contas.

49,3-5 Unido ao anterior, é um convite ao luto pela desgraça. Incendiadas as moradias, a população tem de vagar pelas "cercas".
49,6 Como 48,47.
49,7-22 O oráculo contra Edom se inspira parcialmente em Abdias, repetindo outras passagens de Jeremias. Eis as correspondências:

Jr 49	Ab	Jr 49	Jr
7	8	8	46,21
9	5	12	25,29
10	6	17	19,8
12	16	18	50,40
14	1	19-21	50,44-46
15	2	22a	48,40b
16	3s	22b	48,41b
22	9		

Usa também frases convencionais do gênero. É original no desenvolvimento de algumas imagens. Esaú é o antecessor dos idumeus; Seir é seu território montanhoso.

Edom tem montado um sistema de defesas contra possíveis agressões: todas as suas defesas fracassarão diante do Senhor. Conta com a sabedoria, que de tão velha se torna rançosa; conta com esconderijos em região acidentada de montes e vales, mas o Senhor desnuda todos; conta com suas praças-fortes inacessíveis, que servirão para agravar a queda; se está alta como ninho de águia, lhe enviarão outra águia que se abaterá sobre o ninho elevado; seu pastor não resistirá ao leão; seus soldados se tornarão mulheres. O poema vai desmantelando todas as defesas. Tudo isso se apresenta, não como simples informação, mas num tom animado de perguntas, interpelações, ordens, combinando retórica com dramaticidade.
49,7 O cultivo da sabedoria é tradicional em Edom: Jó; Br 3,22s.
49,8 Os dadanitas eram caravaneiros e comerciantes: Is 21,13.

⁹Se te invadissem vindimadores,
   não deixariam cachos?
   Se viessem ladrões noturnos,
   não te saqueariam com medida?
¹⁰Mas sou eu quem desnudo Esaú,
   descubro seus esconderijos,
   e não poderá ocultar-se.
  Está destruída sua linhagem,
   de sua família não restam habitantes;
¹¹abandonas teus órfãos,
   e vou mantê-los eu?
   Vão depender de mim tuas viúvas?
¹²Assim diz o Senhor:
  Os que não costumam beber a taça
   tiveram de bebê-la,
   e tu vais ficar impune?
   De modo nenhum! Tu a beberás.
¹³Juro por mim mesmo – oráculo do Senhor –:
   Bosra se transformará em espanto,
   opróbrio, ruína, maldição; todos os seus povoados
   serão ruínas perpétuas.
¹⁴Ouvi uma mensagem do Senhor
   enviada às nações:
   Reuni-vos, marchai contra ela,
   apresentai-lhe batalha.
¹⁵Eu te converto em nação menor,
   desprezada pelos homens.
¹⁶O terror que semeavas te seduziu,
   e a arrogância de teu coração:
   habitas nas rochas escarpadas,
   agarrada aos cumes;
  pois ainda que ponhas o ninho
   tão alto como uma águia,
   dali te derrubarei – oráculo do Senhor.
¹⁷E Edom será um espanto:
   os que passarem junto a ela
   assobiarão, espantados ao ver suas feridas.
¹⁸Será como a catástrofe
   de Sodoma e Gomorra e seus habitantes,
   onde ninguém habita
   nem mora homem nenhum – diz o Senhor.

49,9-10 Os vindimadores não remexem para descobrir os últimos cachos: deixam-nos aos rebuscadores. Tampouco o ladrão noturno se atrasa para levar tudo: escolhe o melhor. Ao contrário, o Senhor fará seu trabalho com clareza, deixando manifesto tudo o que está escondido.
49,11 Lendo-se como afirmação, significa que o Senhor se encarregará de proteger a população desvalida que Edom abandona à própria sorte (cf. Sl 68,6). Lido como pergunta retórica, significa que o Senhor não aceita carregar os "cachos" abandonados; outro modo de dizer: agirá "sem compaixão" (13,14; Ez 5,11; Lm 2,2.17.21).
49,12 A taça de 25,28s.
49,13 Bosra, capital de Edom, traz em seu nome uma consonância com "vindima" (Is 63,1-6).
49,14 O Senhor aparece como soberano que recruta para a guerra contra Edom.
49,15 Contém duas paronomásias: uma clara, Edom e 'adam; outra oculta: Seir é sinônimo de "pequeno", se'ir.
49,16 "Rochas", em hebraico, é o nome de Petra, outra cidade de Edom.

¹⁹Como um leão que sobe
  da espessura do Jordão
  até as pastagens sempre verdes,
assim os espantarei de repente
  e me apossarei dos escolhidos.
  Pois, quem há como eu?
  Quem me desafia?
  Quem é o pastor que pode resistir a mim?
²⁰Agora, escutai o desígnio
  do Senhor contra Edom
  e seus planos contra os habitantes de Temã:
Juro que até as ovelhas menores
  serão arrebatadas,
  juro que sua pastagem se espantará delas.
²¹Ao estrondo de sua caída estremece a terra,
  o clamor e os gritos
  se ouvem até o mar Vermelho.
²²Como uma águia, paira e se lança
  abrindo as asas contra Bosra;
  naquele dia os soldados de Edom
  se sentirão como mulher em parto.

Oráculo contra Damasco
(Is 17,1-6; Am 1,3-5)

²³Emat e Arfad estão confusas,
  porque ouviram uma notícia terrível:
  ansiosas, flutuam como o mar,
  não conseguem acalmar-se.
²⁴Damasco desfalece e empreende a fuga,
  aperta-a um tremor, agarram-na dores
  e espasmos como de parturiente.
²⁵Ai, abandonada a cidade famosa,
  a cidade gozosa!
²⁶Seus jovens naquele dia caem nas ruas,
  e seus guerreiros emudecem
  – oráculo do Senhor dos exércitos.
²⁷Atearei fogo
  às muralhas de Damasco
  e devorará os palácios de Ben-Adad.

Oráculo contra Cedar e Hasor (Is 21,26s) – ²⁸Contra Cedar e os reinos de Hasor (que Nabucodonosor, rei da Babilônia, derrotou).

49,19-21 Versículos de repertório. Depois de enviar seus exércitos, o Senhor chega em pessoa: ver Is 31,4 e Mq 5,7. Outra leitura: "eu me ocuparei de seus carneiros escolhidos" (os chefes, Ex 15,15).
49,21 Continuação lógica de 16: o estrondo da queda. De Edom ao mar Vermelho, havia uma distância considerável.
49,23-27 A brevidade deste oráculo contrasta com a importância histórica da Síria e de sua capital, Damasco. Também aqui reconhecemos citações e repetições:
49,24b Inspirado em Is 57,20.
49,24b Tópico (6,24; 13,21; 22,23 etc.).

49,26 Jr 50,30.
49,27 Citação de Am 1,14.
Não há traços descritivos locais. Só os topônimos orientam.
49,28-33 Este oráculo contra beduínos e seminômades é modelo de composição. Aproveitando o caráter dos habitantes, descreve sua situação, e nela toma pé para um desenvolvimento imaginativo. Se Cedar significa "escuro", da cor da lona de suas tendas (Ct 1,5), Hasor significa "cercado", "curral". Outras paronomásias e aliterações enriquecem o texto hebraico. Os beduínos vivem em agrupamentos circulares de

Assim diz o Senhor:
De pé, ide contra Cedar,
 destruí as tribos do Oriente.
²⁹Que recolham suas tendas e suas ovelhas,
suas lonas, toda a sua bagagem,
 que levem seus camelos,
 que se erga um grito: "Cercados de pavor!"
³⁰Fugi em debandada, cavai refúgios,
 habitantes de Hasor – oráculo do Senhor –,
porque Nabucodonosor, rei da Babilônia,
 tem planos e desígnios contra vós.
³¹De pé, marchai contra um povo seguro
 que habita tranquilo – oráculo do Senhor –,
não usa portas nem ferrolhos e vive apartado:
 ³²seus camelos serão despojos;
 seus imensos rebanhos, espólios;
aventarei por todos os ventos
 os de têmporas rapadas,
 de todos os lados conduzirei seu desastre
 – oráculo do Senhor.
³³Hasor será guarida de chacais,
 um deserto perpétuo;
 aí ninguém habitará, nem morará homem nenhum.

Oráculo contra Elam – ³⁴Palavra do Senhor ao profeta Jeremias contra Elam (no começo do reinado de Sedecias em Judá).

³⁵Assim diz o Senhor dos exércitos:
Eu quebrarei o arco de Elam
 e a flor de seus soldados:
 ³⁶conduzirei contra Elam os quatro ventos
 dos quatro pontos cardeais;
eu os dispersarei por todos os ventos,
 e não haverá nação
 aonde não cheguem prófugos de Elam.
³⁷Farei que Elam se aterrorize
 diante de seus inimigos
 que procuram matá-lo;
 eu lhes enviarei uma desgraça,
o incêndio de minha ira – oráculo do Senhor –;
 enviarei atrás deles
 a espada até consumi-los.
³⁸Colocarei meu trono em Elam
 e destruirei o rei e os nobres
 – oráculo do Senhor.

---

tendas, sem muralhas que os protejam. Em terreno de estepe vivem tranquilos, abertos aos quatro ventos; talvez confiem no seu conhecimento do terreno e na sua mobilidade. Pois bem, dos quatro ventos virá um assaltante, os cercará e os dispersará aos quatro ventos. O terreno fica varrido, à disposição das feras.
49,31 Ver Jz 18,7 e Ez 38,11.
49,34-39 Depois de ter repassado as nações próximas a Judá, o compilador da série se afasta para o oriente e se detém num país secundário, Elam, famoso por sua capital Susa e submetido sucessivamente a Babilônia, Assíria, Média e Pérsia. O oráculo se desenvolve sem originalidade em oito verbos, cujo sujeito imediato é o Senhor. Os instrumentos de castigo são o vento, a desgraça, o incêndio e a espada.
49,36 Os quatro ventos: Zc 2,10; 6,5.
49,37c Tomado de 9,15b.
49,38 O trono: em sinal de conquista (1,15), não de residência.

³⁹Ao cabo dos anos
mudarei a sorte de Elam
– oráculo do Senhor.

50 Oráculo contra Babilônia (Is 21,1-10; 14,4-23; 46; Br 4,31-35; Ap 18) – ¹Palavra do Senhor contra Babilônia (país caldeu) por meio do profeta Jeremias:

²Anunciai-o às nações, apregoai-o,
içai a bandeira, apregoai,
não o caleis, dizei:
"Babilônia foi conquistada,
Bel está confuso, Merodac consternado,
seus ídolos derrotados,
suas imagens consternadas".
³Porque do norte subiu contra ela
um povo que assolará seu território,

49,39 A restauração como em 46,26; 48,47 e 49,6.

50,1-**51**,58 Finalmente chega a vez de Babilônia, e o compilador lhe reserva 104 versículos, como se quisesse descarregar nas páginas finais toda a sua indignação partilhada e reprimida.
a) Em relação a Jeremias: é o "inimigo do Norte", o executor do castigo divino, que por sua vez será castigado. Mas o profeta aceita o imperador, não lhe dedica ataques, anuncia sua vitória sobre o Egito, e na roda da taça o introduz com o pseudônimo Sesac (25,26). Em relação ao livro: é lógico que o compilador tardio reservasse espaço para o protagonista da época, em seu esplendor e sua queda. Assim se projeta e se dilata no quadro a cena comprimida da taça.
b) À perspectiva histórica se sobrepõe a *escatológica*, que aponta para a apocalíptica. Os autores de apocalipses indicaram Nabucodonosor como começo do reino do mal, e Babilônia como exemplo de nação hostil ao Senhor. Com essa trágica auréola, Babilônia passa ao NT. Pois bem, os presentes capítulos preparam essa visão transcendente, se já não estão contagiados por ela.
c) Tema. Colocados perante um quadro ou visão grandiosa: algo como o dedicado a Gog de Magog (Ez 38-39) ou ao Egito (Ez 29-32). A ideia de conjunto é bem-sabida: Babilônia foi instrumento de castigo, carrasco enviado por Deus, porém se excedeu na execução de sua tarefa, e agora chega a ela a execução de sua sentença, ao passo que as vítimas, bem corrigidas, obtêm a libertação.
A realização literária não corresponde à grandeza do tema. Assistimos à metamorfose do personagem, com incoerências no desenvolvimento de várias imagens, e a uma repetição cansativa de temas e situações, na qual sobressaem momentos impressionantes. O leitor pensa que teria sido mais eficaz um tríptico de quadros intensos e bem-compostos.
d) Desenvolvimento. Para nos orientar na leitura, podemos deter-nos em seus personagens e respectivos papéis: Israel é vítima, Babilônia é ré, o Senhor é juiz, outros povos são executores.
O Senhor é vingador, libertador, resgatador do seu povo, pessoalmente ou dando as ordens pertinentes. É juiz que condena o agressor; mas, como este o desafiou, aceita o desafio e desce para lutar. A execução da sua sentença toma a forma de guerra, na qual identificamos vários momentos: mobilização, avanço, cerco, assalto, saque, matança, destruição. Os executores podem ser figuras cósmicas. O Senhor é personagem individual, os outros são coletivos, que atuam em grupo ou personificados num indivíduo.
Todos podem falar dentro do poema, sem prévia introdução, dando ordens, interpelando, contando. O poeta toma a palavra e a cede com grande mobilidade. A ordem não é cronológica; procede por saltos e com vaivéns, sem suficiente domínio do material. Uma declamação a quatro vozes diferenciadas daria relevo e tiraria a monotonia da série.
e) Listas. Para evitar repetições ao longo do comentário, proponho aqui umas listas sinóticas:
Imagens de Babilônia: 50,11 ladrão, bezerra, corcel; 17 leão; 23 martelo; 26s grão e gado; 45 pastos e ovelhas; 51,2.33 eira; 5 devedor; 7 taça; 25 monte e pedreira; 34.44 dragão; 38 leões; 55 oceano.
Intervenção pessoal do Senhor: 50,18.24s. 31s.34.44; 51,7.25.26.39s.44.57.
Inimigos de Babel: mobilização 50,29; 51,1s.11.27s.53; avanço 50,2l; 51,41s.48; cerco 50,14. 51,3; assalto 50,9; 51,3.12; saque 50,10.26s; matança 50,16.26s.

50,2-10 Dada a fluidez e indecisão dos limites entre as seções do texto, ofereço, a título de hipótese de leitura, divisões menores, atendendo a leves indícios estilísticos.
A primeira seção alcança uma pausa com a segunda fórmula "oráculo do Senhor"; leva um corte no versículo 4 com a fórmula de união, de futuro indefinido. Começa audaciosamente pelo final: a grande notícia internacional da queda de Babilônia, que nos versículos 9-10 figura como evento iminente. Vinculados a tal acontecimento, ocorrem a saída e retorno dos desterrados (4-5), que no v. 8 é uma ordem do Senhor. Em resumo, a disposição está invertida, com técnica aproximada de espelho. A ordem cronológica seria: (6-7) 8-10.4-5.2-3.

50,2 Marduc (Merodac) é o nome da divindade babilônica, Bel é título (= senhor). O Segundo Isaías pregou contra esses ídolos, p. ex. Is 46. Compare-se a notícia no princípio com a sustentação de Is 21,1-10.

50,3 "Do norte": ironia da história para o clássico "inimigo do Norte" (1,14 par.).

até que não fique nela um habitante sequer,
pois homens e animais fugirão em debandada.
⁴Naqueles dias e naquela hora
– oráculo do Senhor –
virão juntos israelitas e judaítas,
chorando e buscando o Senhor seu Deus;
⁵perguntam por Sião e para lá se encaminham:
"Vamos unir-nos ao Senhor
em aliança eterna, irrevogável".
⁶Meu povo era um rebanho perdido
que os pastores extraviavam pelos montes,
iam de monte em colina, esquecendo o aprisco;
⁷os que os encontravam os comiam,
seus rivais diziam: "Não somos culpados,
pois pecaram contra o Senhor,
sua Pastagem legítima, a Esperança de seus pais".
⁸Fugi de Babilônia e do território caldeu,
saí como cabrestos diante do rebanho,
⁹porque eu mobilizo contra Babilônia no norte
uma aliança de nações poderosas,
que formarão contra ela e a conquistarão;
suas flechas, como soldado experiente,
que não voltam vazias.
¹⁰Os caldeus serão saqueados
e os saqueadores se fartarão
– oráculo do Senhor.
¹¹Ainda que festejeis ruidosamente,
ladrões de minha herança, ainda que salteis
como bezerra no prado,
e relincheis como corcéis,
¹²vossa mãe ficará envergonhada,
ruborizada aquela que vos deu à luz,
transformada na última das nações,
em deserto e estepe ressequida.
¹³Pela cólera do Senhor, ficará desabitada
e feita toda um deserto;
os que passarem junto a Babilônia
assobiarão espantados ao ver tantas feridas.

50,4-5 Isto significa a reunião dos dois reinos irmãos separados. Uniu-os a desgraça comum, o centro de atração de Sião, a atração do Deus da aliança (cf. Ex 19,4).

50,7 O julgamento contra os estrangeiros parece justificado (2,3): os judaítas já não pertencem ao Senhor, não são sagrados nem intocáveis. Enganam-se: os judaítas continuam sendo propriedade do Senhor, por isso os que os escravizam são "ladrões" (50,11) e "devedores" (51,5), e o Senhor resgatará o que é seu (50,34). Se pecaram, já pagaram a culpa.

50,8 O convite é o reverso de 6,1 e 15,1-2; ver Is 48,20 e 52,11.

50,9 Mobilização: ver Is 13,17.

50,10 Como 30,16.

50,11-20 Faço uma pausa no versículo 20 porque se completa aí um ciclo de exposição: anúncio da derrota (11-13); ordem de ataque (14-16); situação de Israel (17); o Senhor anuncia intervenção (18-20). Poder-se-ia fazer uma pausa menor depois de 16. Pelo tema, o v. 20 se une ao que precede, apesar da fórmula de futuro indefinido. Acontecem estreitamente vinculados o castigo de Babilônia e a libertação de Israel; só que a segunda se baseia no perdão de Deus.

50,11-12 A capital imperial é personificada, conforme o costume, numa figura feminina, que é ao mesmo tempo a coletividade e sua mãe (Is 49 e 54). Entregou-se aos festejos de suas vitórias ou à sua despreocupação. Como bezerra (46,20; Os 10,11). "Relinchar" pode ter sentido lascivo (5,8). "Ladrões" ou saqueadores: território e povo eram "herança" do Senhor (12,7-9; 16,18).

¹⁴Arqueiros, cercai Babilônia,
   apontai, não poupeis flechas,
   pois ela pecou contra o Senhor;
¹⁵lançai o grito em torno dela,
   para que se entregue sua guarnição,
   caiam seus pilares
   e desmoronem suas muralhas;
   porque o Senhor se vinga dela assim:
   o que ela fez, fazei-o a ela.
¹⁶Extirpai em Babel o semeador
   e aquele que empunha a foice na ceifa.
   Fogem da espada mortífera,
   cada um para sua gente e para sua terra natal.
¹⁷Israel era uma ovelha desgarrada,
   acossada por leões:
   primeiro a devorou o rei da Assíria,
   ultimamente a despedaçou
   Nabucodonosor, rei da Babilônia.
¹⁸Por isso, diz o Senhor dos exércitos,
   Deus de Israel: Eu pedirei contas
   ao rei da Babilônia e a seu país,
   como as pedi ao rei da Assíria.
¹⁹Restituirei Israel às suas pastagens,
   para que paste no Carmelo e em Basã,
   para que sacie sua fome
   na serra de Efraim e em Galaad.
²⁰Naqueles dias e naquela hora
   – oráculo do Senhor –
   se buscará a culpa de Israel, e não aparecerá;
   o pecado de Judá, e não se encontrará;
   porque eu perdoarei os que deixar com vida.
²¹Avancei contra o território de Merataim,
   contra os habitantes de Facud!
   Aniquila a fio de espada, faze tudo o que eu te disser
   – oráculo do Senhor.

50,14 O juiz se dirige aos carrascos, o general a suas tropas. Aplica-se a lei do talião: o cerco (1,15; 34), a espada (14,12, frequente), a muralha (39,8). "Pecou contra o Senhor": porque se excedeu no castigo e atribuiu a si a vitória.

50,16 Urbana e agrícola são as duas dimensões que sintetizam a vida antiga: "plantar e construir".

50,17-18 Síntese histórica que abrange os dois reinos e quase dois séculos; ver 2,18.

50,20 Inspirado em 31,34. Aliança e perdão são mencionados em 5 e 20. Uns judaítas morreram na catástrofe de 586, outros salvaram a vida e expiaram a culpa no desterro (Is 40,1-2). Continuar com vida já é uma espécie de perdão: substituição da pena de morte pelo desterro. Mais: o Senhor perdoará, num regime novo de aliança perpétua, os sobreviventes que retornarem.

50,21-34 Faremos uma pausa maior no v. 34, solicitada pelo que segue. Outra pausa chega depois do v. 30, também solicitada pelo v. seguinte. Retornam os temas sem ordem rigorosa: anúncio da queda de Babilônia, por sua culpa; ordem aos carrascos de execução ou ordem de assalto à tropa; situação e destino próximo de judaítas e israelitas. Continua o mesmo cruzamento de vozes e de pessoas interpeladas. É nova a imagem de um desafio aceito ou de uma provocação. O desafio pode suceder de duas maneiras: diretamente, de pessoa para pessoa, ou indiretamente, atentando contra algo pessoal do rival. O desafiado, por seu turno, pode responder pessoalmente ou enviando seus heróis (cf. 1Sm 17). O Senhor, como parte, envia sua gente (21.25-27.29) ou se apresenta em pessoa (31); explica sua tática (24) ou justifica sua ação (29.33s). Diante do fato, os vencidos reagem gemendo (23) e os libertados exultando (28). Esse esquema não aparece puro, mas contagiado com a imagem precedente do julgamento.

50,21 A ouvidos hebreus, *Merataim* soa parecido com "Dupla rebelião", e *Facud* soa como "sanção".

²²Soa o grito de guerra no país,
um grave desastre:
²³"Ai, arrancado e quebrado
o martelo do mundo!
Ai, Babilônia, transformada
no espanto das nações!"
²⁴Babilônia, eu te pus uma armadilha,
e caíste sem perceber;
eles te surpreenderam e prenderam
porque desafiaste o Senhor.
²⁵O Senhor abriu seu arsenal
e tirou as armas de sua ira,
porque o Senhor dos exércitos
tem uma tarefa no país caldeu.
²⁶Vinde contra ela desde os confins:
abri os celeiros, empilhai seus feixes,
destruí até não deixar resto;
²⁷matai seus bezerros, que desçam ao matadouro;
ai deles, chega para eles o dia
e a hora das contas!
²⁸Ouvi os fugitivos evadidos da Babilônia
que anunciam em Sião a vingança
do Senhor nosso Deus,
a vingança de seu templo.
²⁹Recrutai contra Babel flecheiros,
todos os arqueiros;
fechai o cerco, que ninguém escape;
pagai-lhe conforme suas obras, o que ela fez, fazei a ela:
ela foi arrogante contra o Senhor,
o Santo de Israel;
³⁰seus jovens cairão nas ruas,
naquele dia seus guerreiros emudecerão
– oráculo do Senhor.
³¹Aqui estou contra ti, arrogante!
– oráculo do Senhor dos exércitos –,
chegou teu dia, a hora de prestares contas:
³²tropeçará a arrogante,
cairá, e ninguém a levantará.
Atearei fogo em seus povoados,
para consumir tudo ao redor.

50,23 Variante da imagem de instrumento: ver Is 10,12.

50,24 Caiu na armadilha da sua confiança desmedida em si mesma, no laço da sua crueldade e arrogância: cf. Is 8,15; 28,13.

50,25 As armas podem ser meteoros destruidores (Eclo 39,28-29; Sb 5,17-23) ou exércitos humanos (Is 13,4s).

50,26-27 Numa cultura agropecuária, aparecem a colheita de trigo e os bezerros em paralelo. Os bezerros representam chefes e soldados (Is 34,2.6; Ez 39,18-20); também os feixes? (cf. Gn 37,6s). São prováveis tanto a leitura própria como a metafórica; o verbo "destruí" apoia mais a metafórica.

50,28 Estes fugitivos que levam a notícia a Sião têm de ser judaítas: ver a descrição de Is 21,1-10. A destruição de Babilônia é um ato de justiça vindicativa, própria do Deus "justiceiro" (Sl 94,1). O exército babilônio tinha saqueado os utensílios e incendiado o templo do Senhor: uma profanação sacrílega.

50,30 Este versículo, copiado de 49,26, interrompe o desenvolvimento continuado do tema da "arrogância".

50,31 O Senhor aceita o desafio: 21,13; 23,30; Na 2,14; 3,5. Desafiar o Senhor, ainda que seja um império que o faça, é arrogância intolerável: Pr 11,2; 13,10; 21,24.

³³Assim diz o Senhor dos exércitos:
Israelitas e judaítas sofrem juntos a opressão,
aqueles que os desterraram os retêm
e se negam a soltá-los.
³⁴Mas o resgatador é forte,
chama-se Senhor dos exércitos:
ele defenderá sua causa, fazendo calar a terra,
agitando os habitantes da Babilônia.
³⁵Espada! Contra os caldeus,
contra os habitantes da Babilônia
– oráculo do Senhor –,
contra seus nobres e seus mestres.
³⁶Espada! Contra seus adivinhos,
que se desconcertem.
Espada! Contra seus soldados, que se aterrorizem.
³⁷Espada! Contra seus tesouros e carros,
contra a turba entre eles,
que se tornem mulheres;
contra seus tesouros, para que sejam saqueados.
³⁸Espada! Contra seus canais, que sequem,
porque é um país de ídolos,
que enlouquece por seus espantalhos.
³⁹Habitarão aí chacais, hienas e avestruzes,
para todo o sempre,
de geração em geração estará desabitada.
⁴⁰Será como a catástrofe
de Sodoma, Gomorra e suas vizinhas,
onde não habita ninguém, nem mora homem nenhum
– oráculo do Senhor.
⁴¹Vede: um exército vem
do norte, uma multidão
e muitos reis se mobilizam
no extremo do mundo;
⁴²armados de arcos e dardos,
implacáveis e inexoráveis,
seus gritos ressoam como o mar,
avançam a cavalo,
formados como soldados contra ti, Babilônia.
⁴³Ao ouvir a fama deles, o rei da Babilônia se acovarda,
ânsias o apertam
e espasmos de parturiente.

50,33-34 Apela para a instituição jurídica do resgate de posses alienadas ou de familiares escravizados. Deus assume essa função em favor de seu povo: Is 41,14; 44,6; 47,4 etc.). Babilônia não alega, além da força, outros direitos para reter os cativos de guerra; mas o resgatador é mais forte (31,11), seu nome ou título celeste lhe dá crédito (31,35; 32,18); "defenderá sua causa" pelo vínculo da aliança (25,31; Is 49,25).

50,35-40 Na cena de introdução a estes oráculos, 25,15-29, passava primeiro a taça, depois vinha a espada. Aqui lemos uma invocação à espada, como instrumento de execução; pode-se comparar com Ez 21,13-22. Seis apelos (talvez falte um em 35b) e doze dados enumerados (compare-se com Is 2,12-16). A espada há de destruir tudo quanto fazia a grandeza de Babilônia: poder político, militar, técnico e mágico, recursos naturais e riquezas acumuladas, abundância de imagens idolátricas.

50,38 O verbo final é ambíguo, segundo a vocalização: as versões leram "se gloria", o hebraico lê "se enlouquecem". Talvez a ambivalência seja proposital.

50,39 Ao ficar despovoada, os animais selvagens a invadem: Is 13,20-22; 34,14.

50,40 Citação de 49,18 e de Is 34,19.

50,41-43 Repetição quase literal de 6,22-24; aquilo que o Senhor ameaçou contra Jerusalém, agora se volta contra Babilônia; o que esta fez, lhe será feito.

⁴⁴Como um leão que sobe
　　da espessura do Jordão
　　até as pastagens sempre verdes,
assim os espantarei de repente
　　e me apossarei dos escolhidos;
　　pois, quem há como eu?
　　Quem me desafia?
　　Quem é o pastor que possa resistir a mim?
⁴⁵Agora, escutai
　　o desígnio do Senhor contra Babel,
　　e seus planos contra o território caldeu:
Juro que até as ovelhas menores
　　serão arrebatadas,
　　juro que as pastagens se espantarão delas.
⁴⁶Ao estrondo de sua caída estremece a terra,
　　e as nações escutam seus gritos.

51

¹Assim diz o Senhor:
　　Eu mobilizo um vento mortífero
　　contra Babilônia e os caldeus,
²envio contra Babilônia joeireiros
　　que a peneirarão e esvaziarão seu território;
　　no dia funesto a assediarão;
³que não se vá o arqueiro
　　nem se retire aquele que veste couraça;
não perdoeis seus soldados,
　　aniquilai seu exército,
⁴caiam feridos em terra caldeia,
　　caiam atravessados em suas ruas.
⁵Porque Israel e Judá não são viúvas de seu Deus,
　　o Senhor dos exércitos,
ao passo que o país caldeu
　　é devedor do Santo de Israel.
⁶Fugi de Babilônia, salve-se quem puder,
　　não pereça por culpa dela;
porque é a hora
　　da vingança do Senhor,
　　quando lhe pagará o que ela merece.

50,44-46 Repetição de 49,19-21 como peça de repertório.

51,1-10 A linguagem jurídica nos orienta: dívida, retribuição, justiça vindicativa, culpa, sentença, direito vingado. O personagem divino flutua entre o papel de juiz e o de parte ofendida como marido. A execução toma forma militar, por isso o juiz mobiliza para a guerra os executores da sua sentença. O delito contra o Santo é sacrilégio. A ordem cronológica não é respeitada. São abundantes os jogos de palavras.

51,1 Segue o mesmo estilo do capítulo anterior. Buscando lugares onde fazer pausa, eu me deterei na menção ou alusão de Israel em 5.10 e 19. Utilizando o procedimento chamado *atbas* (leitura do alfabeto como num espelho: primeira letra = última, segunda = penúltima etc.), o autor transforma o nome "caldeus" em algo que soa como "coração inquieto". A frase é ambígua: "mobilizo um vento mortífero" ou "incito um devastador".

51,2 Mudando uma vogal, "joeireiros" passa a ser "estrangeiros".

51,5 Em termos matrimoniais (Is 54), o desterro parecia repúdio ou abandono da esposa infiel, por causa do qual as duas irmãs (Ez 23) se encontravam em terra estranha na situação social de viúvas indefesas. Não é assim: se o Senhor as abandonou, foi por breve tempo, pois continua amando-as e ocupando-se delas. Por outro lado, o inimigo incorreu em dívida criminal; e como emprega a violência para reter as que não são suas, o Senhor deve recorrer à força.

51,6 O povo que já expiou não deve sofrer as consequências do desastre de Babilônia. Isso explica o imperativo "fugi", simétrico do que ordenava "invadir". Além disso, o povo, uma vez libertado, tem uma tarefa a cumprir em Sião (10).

⁷Babilônia era na mão do Senhor
uma taça de ouro
que embriagava toda a terra,
de seu vinho as nações bebiam
e se perturbavam.
⁸Caiu de repente Babilônia
e se quebrou: gemei por ela.
Trazei bálsamo para suas feridas,
para ver se ela se cura;
⁹tratamos Babilônia,
e não se cura; deixai-a,
vamos cada um para nossa terra;
sua condenação chega ao céu,
alcança as nuvens;
¹⁰o Senhor nos reabilitou,
vamos a Sião contar as façanhas
do Senhor nosso Deus.
¹¹Afiai as flechas, colocai o escudo,
o Senhor incita os chefes medos,
pois quer destruir Babilônia:
é a vingança do Senhor,
a vingança do seu templo.
¹²Içai a bandeira
contra as muralhas da Babilônia,
reforçai a guarda, colocai sentinelas,
armai emboscadas;
pois o Senhor executa o que pensou e anunciou
contra os habitantes de Babilônia.
¹³Cidade opulenta, que vive entre canais:
chega teu fim e te cortam a trama.
¹⁴O Senhor dos exércitos jura por sua vida:
Ainda que tua multidão seja mais que a do gafanhoto,
sobre ti cantarão vitória.
¹⁵Ele fez a terra com seu poder,
fundou o orbe com maestria,
estendeu o céu com habilidade.
¹⁶Quando ele troveja, as águas do céu retumbam,
do horizonte faz subir as nuvens,
com os raios desata a chuva
e tira os ventos de seus celeiros.

51,7-9 As imagens se agrupam e se deformam. Uma taça de ouro se quebra (?), e fica gravemente ferida. Não há bálsamos com que curá-la. Os mercenários e aliados tentam uma cura inútil, a abandonam e se afastam. A pena sentenciada tem dimensões cósmicas.

51,10 Falam os libertados. Como se dissessem: o Senhor fez valer "nosso direito", "levou adiante" nossa causa. Diante de Babilônia, o Senhor reivindicou as vítimas; diante de si, reabilitou-as pelo perdão. Celebrá-lo liturgicamente em Sião será a prova da libertação consumada (cf. Ex 3,12).

51,11-19 A menção de Israel não serve de pausa. Assim fica a seção articulada em duas peças, sendo a segunda copiada de 10,12-16, que é seu lugar lógico. Com essa operação, coloca o fato presente na perspectiva de uma contenda do Senhor com os deuses de Babilônia (50,2.38).

51,11 Os medos figuram também na lista da taça, 25,25 e em Is 13,17.

51,12 Também se poderia ler a primeira metade como convite irônico a uma defesa extrema da capital, defesa vã diante da atuação do Senhor. Essa primeira metade distingue projeto, anúncio e execução.

51,13 O limite da existência é na imagem a última braça da trama antes de cortar e dar por terminado o tecido: Is 38,12.

51,14 Como gafanhoto: Na 3,16s. O canto de vitória soará como canto de quem pisa a uva.

51,15-19 Ampliação hínica dos títulos do Senhor que pronuncia o juramento.

¹⁷O homem, com seu saber, se embrutece;
o ourives, com seu ídolo, fracassa:
¹⁸são imagens falsas, sem alento,
são vaidade e zombaria:
no dia das contas perecerão.
¹⁹Não é assim a porção de Jacó,
mas ele fez tudo:
Israel é a tribo de sua propriedade;
o nome dele é Senhor dos exércitos.
²⁰Tu és minha maça, minha arma bélica:
esmagarei contigo as nações,
destruirei os reis,
²¹esmagarei contigo cavalos e cavaleiros,
esmagarei contigo carros e condutores,
²²esmagarei contigo homens e mulheres,
esmagarei contigo anciãos e jovens,
esmagarei contigo jovens e moças,
²³esmagarei contigo pastores e rebanhos,
esmagarei contigo lavradores e juntas,
esmagarei contigo governadores e magistrados
²⁴e pagarei a Babilônia e a todos os caldeus
todo o mal que fizeram a Sião
em vossa presença
– oráculo do Senhor.
²⁵Aqui estou contra ti, Monte Extermínio,
que exterminou a terra inteira
– oráculo do Senhor –;
estenderei contra ti meu braço,
e te farei rodar rochedos abaixo,
e te transformarei em Monte Queimado;
²⁶já não tirarão de ti pedras
de remate ou de alicerce,
porque serás desolação eterna
– oráculo do Senhor.
²⁷Içai bandeira na terra,
tocai a trombeta pelas nações,
convocando para a guerra santa;
recrutai contra ela os reinos
de Ararat, Meni e Asquenez,
nomeai contra ela um general,
avancem os cavalos
como gafanhotos eriçados;

51,20-24 Imagem clássica de um exército como arma ou instrumento de castigo: Is 10,5; 13. Da mesma raiz se formam "malho" e "malhar". O malho descarrega com precisão rítmica, sem falhar golpe. Suas vítimas se desdobram em duplas polares ou correlativas. Se unimos "em vossa presença" a "pagarei", significa que eles presenciarão o castigo. De novo fazemos pausa em Sião.

51,25-26 Não é fácil seguir a imagem. Antes de tudo, a capital dos caldeus não está situada num monte. Depois, um monte não rola penhascos abaixo para acabar queimado. Alguns visualizam a imagem de um vulcão: ele mesmo se precipita monte abaixo e termina como montanha e cratera queimados. Outros o visualizam em dois tempos: Babilônia era centro notável de corrupção, foi caindo num processo de decadência, até terminar sendo pasto das chamas.

51,27-32 Aqui temos uma unidade coerente, bem desenvolvida em três tempos: mobilização, derrota, comunica-se a notícia. Na primeira se adiantam nomes de aliados, destacam-se em visão impressionista esses cavalos "eriçados" de armas. Soam sete imperativos convocando para a guerra santa.

²⁸chamai para a guerra santa as nações,
 os reis medos,
 com seus governadores e magistrados
 e toda a terra de seus domínios.
²⁹Tremerá e se retorcerá
 a terra, quando se cumprir
 o plano do Senhor contra Babilônia,
quando deixar o território babilônio
 como um deserto desabitado.
³⁰Os soldados da Babilônia deixam de lutar,
 agacham-se nos fortins,
sua valentia acaba, tornaram-se mulheres;
 queimaram seus edifícios
 e quebraram seus ferrolhos.
³¹Um arauto encontra outro,
 um mensageiro encontra outro,
 para anunciar ao rei da Babilônia
que sua cidade está
 inteiramente conquistada,
 ³²os vaus tomados,
 as eclusas incendiadas
 e os soldados feitos presa do pânico.
³³Assim diz o Senhor dos exércitos,
 Deus de Israel:
A capital de Babilônia
 era uma eira em tempo de debulha:
 logo chegará o tempo da ceifa.
³⁴Nabucodonosor, rei da Babilônia,
 me comeu, me devorou,
 deixou-me como prato vazio,
engoliu-me como um dragão,
 encheu sua pança com meus manjares
 e me vomitou;
³⁵recaia sobre Babilônia minha carne violentada
 – diz a população de Sião –,
recaia meu sangue sobre os caldeus
 – diz Jerusalém.
³⁶E assim responde o Senhor:
 Aqui estou para defender tua causa
 e executar tua vingança: secarei seu mar,
 esgotarei seus mananciais;
³⁷Babilônia se transformará em escombros,
 em guarida de chacais,

51,29 A terra reage ao sentir a ação do Criador na catástrofe de Babilônia.

51,31 Isto supõe que o rei não se encontrava na capital durante o assalto final.

51,32 A tradução "eclusas" é conjectural; o texto não parece estar completo.

51,33 Este versículo se encontra sem companhia. É estranha a ordem das etapas: debulha, sega. Quer dizer que ela debulhava ou pisoteava outros e agora chega a sua hora? O autor pretendeu o paradoxo?

51,34-37 Cena de julgamento: a dama Jerusalém acorre ao juiz para se queixar contra um injusto explorador. O juiz escuta e promete castigar o culpado. A exploração é descrita ampliando a conhecida imagem de comer, devorar (cf. Mq 3,2s). Além disso, o dragão babilônico nos traz à memória as narrativas de Dn 14. Babilônia, o dragão comilão, acaba como moradia de chacais: *tannin-tannim*.

objeto de burla e espanto,
vazia de habitantes.
³⁸Em coro rugem como leões,
grunhem como filhotes de leão:
³⁹farei que seus festins
acabem em febre; eu vos embriagarei
para que celebrem uma orgia
e durmam um sono eterno, sem despertar
– oráculo do Senhor.
⁴⁰Eu os farei descer ao matadouro
como cordeiros ou carneiros ou bodes.
⁴¹Ai, Babilônia conquistada,
capturado o orgulho do mundo!
Ai, Babilônia transformada
no espanto das nações!
⁴²O mar subiu até Babilônia
e a inundou com o tumulto de suas ondas;
⁴³suas cidades ficaram desoladas
como terra erma e deserta,
terra que ninguém habita,
que o mortal não atravessa.
⁴⁴Pedirei contas a Bel em Babilônia,
e lhe tirarei o bocado da boca.
Já não confluirão a ele os povos,
e até as muralhas de Babilônia
desmoronarão.
⁴⁵Povo meu, sai! Põe-te a salvo
da ira ardente do Senhor.
⁴⁶Não vos acovardeis nem temais
por causa das notícias que se espalham,
cada ano uma nova notícia:
"Violência no país, senhores contra senhores".
⁴⁷Porque chega um tempo em que castigarei
os ídolos da Babilônia:
o país ficará confuso
e os caídos jazerão no meio dele.

51,38-40 Do dragão e chacais saltamos ao leão e aos carneiros. O leão pode representar o imperador (cf. Dn 7,4), não é rês de matadouro. Os carneiros representam os chefes (Ex 15,15; Ez 32,21) e os cordeiros são a população. O trio final como em Ez 27,21. O estranho é a embriaguez neste lugar; justifica-se ou explica-se como eco de 25,15-29.

51,41 A notícia se transforma em canto de lamentação.

51,42-43 Dada a posição costeira da antiga Babilônia, a imagem é acertada; mas seus efeitos não são coerentes. As vagas do mar podem simbolizar a invasão e assalto militar, embora o inimigo venha do norte (50,3; 51,48). A cidade submersa traz reminiscências de Ex 14-15, favorecendo a associação mental dos dois impérios.

51,44 Concorda com o v. 34 pela imagem do animal voraz. Pode referir-se aos tesouros do seu templo, produto de rapinas, ou genericamente a saques e anexações violentas. O império, a capital e seu templo deixarão de ser centro de atração. Para "acorrer" ou "confluir", emprega o mesmo verbo que Is 2,2 na profecia do monte Sião: as sortes de ambos são opostas.

51,45-46 Novo convite a fugir: 50,8; 51, 6.50. No meio da crise internacional, mãe de notícias e boatos, os judaítas têm um ponto de referência que os orienta: o "nome" do Senhor e a "lembrança" de Jerusalém (v. 50; cf. Sl 137).

51,47 O confronto principal é do Senhor ante os deuses e ídolos de Babilônia. É a doutrina desenvolvida pelo Segundo Isaías em várias passagens.

⁴⁸Clamarão contra Babilônia
céu e terra e o que há neles,
quando vier do norte sobre ela
o destruidor
– oráculo do Senhor.
⁴⁹Também Babilônia há de cair
pelas vítimas de Israel,
como por Babilônia caíram
vítimas de todo o mundo.
⁵⁰Vós que evitastes sua espada,
marchai sem vos deter,
invocando de longe o Senhor,
recordando Jerusalém.
⁵¹Envergonhamo-nos ao ouvir a infâmia,
nosso rosto se cobre de vergonha,
entraram estrangeiros no santuário do Senhor.
⁵²Pois bem, chegarão dias – oráculo do Senhor –
em que castigarei seus ídolos
e por todo o país
os feridos se queixarão.
⁵³Ainda que Babel se encarrapite até o céu
e fortifique na altura sua cidadela,
eu lhe enviarei destruidores
– oráculo do Senhor.
⁵⁴Ouvem-se os gritos de Babilônia,
grave desastre dos caldeus,
⁵⁵porque o Senhor devasta Babilônia,
põe fim a seus gritos ruidosos,
por mais que rujam
suas ondas como um oceano
e ressoe o fragor de suas vozes.
⁵⁶Porque o devastador chega a Babilônia:
seus soldados cairão prisioneiros,
seus arcos se quebrarão.
Porque o Senhor é um Deus que recompensa
e lhes dará a paga.
⁵⁷Embriagarei seus nobres, seus mestres,
seus governadores, magistrados
e seus soldados,
e dormirão um sono eterno sem despertar
– oráculo do Rei que se chama
Senhor dos exércitos.

51,48 A catástrofe de Babilônia adquire dimensões cósmicas, como numa escatologia.

51,49 Por causa de Babilônia, caíram vítimas no mundo inteiro; entre elas os israelitas, propriedade do Senhor. O Senhor intervirá por suas vítimas e fará com que Babilônia caia. A libertação do povo do Senhor servirá para libertar outros (Is 14,24-27).

51,51 Ao ouvir estas palavras, eles opõem uma objeção (como em Is 49,14-25): a lembrança de Jerusalém é afronta para nós; renova-nos o sentimento de fracasso e culpa; o templo não nos serviu de asilo diante do invasor.

51,52 Deus responde concedendo implicitamente o fato, mas convidando a esperar no futuro, garantido por seu "oráculo".

51,53 Como Babel estava em região baixa, não montanhosa, elevar-se ao céu parece uma lembrança agourenta de Gn 11, a torre da dispersão; ver também Is 14.

51,54-58 Depois do final climático dos versículos precedentes, pouco ou nada há que acrescentar. Talvez os gritos dos caldeus fazendo eco ao rugir do mar e o fim dos gritos.

51,56 A afirmação rubrica o caráter de um julgamento de retribuição.

51,57 Eco de 26,15-29.

⁵⁸Assim diz o Senhor dos exércitos:
A grossa muralha da Babilônia será desmantelada,
suas altas portas serão incendiadas,
para nada trabalharam os povos,
para o fogo se afadigaram as nações.

⁵⁹Ordem do profeta Jeremias a Saraías, filho de Nerias, de Maasias, quando foi a Babilônia com Sedecias, rei de Judá, no quarto ano de seu reinado (Saraías era chefe de intendência).

⁶⁰Jeremias havia escrito num rolo todas as desgraças que iam acontecer a Babilônia, todas as palavras citadas a respeito da Babilônia.

⁶¹E Jeremias disse a Saraías:
– Quando chegares a Babilônia, procura um lugar e proclama todas estas palavras. ⁶²Dirás: "Senhor, tu ameaçaste destruir este lugar até deixá-lo desabitado, sem homens nem animais, transformado em perpétua desolação". ⁶³E quando terminares de ler o rolo, atarás nele uma pedra e o atirarás ao Eufrates, ⁶⁴e dirás: "Assim afundará Babilônia e não se levantará, por causa das desgraças que eu envio contra ela".

Aqui terminam as palavras de Jeremias.

52 Epílogo narrativo (2Rs 24,20-25,30) –

¹Quando Sedecias começou a reinar, tinha vinte e um anos, e reinou onze anos em Jerusalém. Sua mãe se chamava Hamital, filha de Jeremias, natural de Lebna.

²Fez o que o Senhor reprova, como tinha feito Joaquim. ³Isso aconteceu a Jerusalém e a Judá por causa da cólera do Senhor, até que os expulsou de sua presença. Sedecias se rebelou contra o rei da Babilônia.

⁴No nono ano de seu reinado, no dia dez do décimo mês, Nabucodonosor, rei da Babilônia, veio a Jerusalém com todo o seu exército, acampou diante dela e construiu torres de assalto ao redor.

⁵A cidade ficou sitiada até o ano onze do reinado de Sedecias, ⁶no dia nove do quarto mês. A fome apertou na cidade e não havia pão para a população.

⁷Abriu-se uma brecha na cidade, e os soldados fugiram de noite pela porta entre as duas muralhas, junto aos jardins reais, enquanto os caldeus rodeavam a cidade, e partiram pelo caminho da estepe.

⁸O exército caldeu perseguiu o rei; alcançaram Sedecias na estepe de Jericó, enquanto suas tropas se dispersavam, abandonando-o. ⁹Prenderam o rei e o levaram ao rei da Babilônia, que estava em Rebla, província de Emat, e o processou.

¹⁰Em Rebla, o rei da Babilônia fez justiçar os filhos de Sedecias, diante de seus olhos, e também fez justiçar em Rebla todos os nobres de Judá. ¹¹Cegou Sedecias, pôs-lhe cadeias de bronze, o levou para Babilônia e o trancou na prisão até a sua morte.

¹²No dia dez do quinto mês (que corresponde ao ano dezenove do reinado de Nabucodonosor na Babilônia) chegou a Jerusalém o chefe da guarda Nabuzardã,

---

51,58 Citação de Hab 2,13.
51,59-64 Se tomamos a cena como abertura, a presente cena é o poslúdio. Tudo quanto foi dito até agora contra Babilônia vai ser representado numa pantomima profética. Eufrates é o rio nacional de Babilônia, fonte de fecundidade, mãe dos canais da capital. Um enviado especial, irmão de Baruc, há de ler o oráculo no coração do império (como Baruc leu o rolo no templo, coração de Judá); provavelmente o faria diante de testemunhas judaítas e invocando o Senhor como autor da profecia.
Embora os capítulos 50 e 51 sejam fruto de ampliação e elaboração posterior, não é improvável que alguns elementos pertenceram a um texto original de Jeremias. Ao afundar o pergaminho atado à pedra, afunda Babilônia como império, cujo nome flutua, legado como símbolo de uma potência humana hostil a Deus.

52,1 Como indica o último versículo do capítulo 51, este relato é um acréscimo artificial ao livro de Jeremias. É cópia de 2Rs 24,18-25,30, com leve modificação na lista dos desterrados. Quem acrescentou este relato quis mostrar que se cumpriu a profecia de Jeremias sobre Judá, fato que os fragmentos recolhidos em 39,1-2.4-10 já tinham feito compreender. Os números nos falam de um monarca jovem; seus filhos eram crianças quando foram executados pelo imperador.
52,3 "Expulsar da presença" é negar o favor, romper as relações; no discurso do templo (7,15); fórmula do deuteronomista: 2Rs 13,23; 17,20; 24,20; variante em Sl 51,13.
52,6 A "fome" anunciada: Jr 5,12; 14,15; 34,17 etc.
52,8 A "dispersão": Jr 9,15; 13,24; 18,17.
52,9-10 Ver 34,10.

funcionário do rei da Babilônia. ¹³Incendiou o templo, o palácio real e as casas de Jerusalém, e pôs fogo em todos os palácios.

¹⁴O exército caldeu, sob as ordens do chefe da guarda, derrubou as muralhas que rodeavam Jerusalém. ¹⁵O chefe da guarda Nabuzardã levou cativo o resto do povo que tinha ficado em Jerusalém, os que haviam passado ao rei da Babilônia e o resto da plebe. ¹⁶Da classe baixa deixou alguns como vinhateiros e lavradores.

¹⁷Os caldeus quebraram as colunas de bronze, os pedestais e o reservatório de bronze que havia no templo, para levar o bronze a Babilônia. ¹⁸Também tomaram as panelas, pás, facas, aspersórios, bandejas e todos os utensílios de bronze empregados no culto.

¹⁹O chefe da guarda Nabuzardã tomou os copos, braseiros, aspersórios, panelas, candelabros, bandejas, travessas, em dois lotes, de ouro e de prata.

²⁰Também as duas colunas, o reservatório e os doze touros que sustentavam o pedestal – que o rei Salomão havia encomendado para o templo –; impossível calcular quanto pesava o bronze desses objetos.

²¹Cada coluna media nove metros de altura, oito centímetros de espessura e eram ocas; tinha um anel de vinte e cinco centímetros de circunferência. ²²Era rematada por um capitel de bronze de dois metros e meio de altura, adornado com trançados e romãs ao redor, tudo de bronze. ²³Sobressaíam noventa e seis romãs, e era cem o total das romãs sobre a circunferência.

²⁴O chefe da guarda prendeu também o sumo sacerdote Saraías, o vigário Sofonias e os três porteiros. ²⁵Na cidade prendeu um cortesão, chefe da tropa, com sete homens do serviço pessoal do rei que se encontravam na cidade, o secretário do general-em-chefe, que havia feito a leva entre os donos de terras, e sessenta donos de terras que se encontravam na cidade. ²⁶O chefe da guarda Nabuzardã os prendeu e os levou ao rei da Babilônia, em Rebla. ²⁷O rei da Babilônia os fez executar em Rebla, província de Emat. Assim Judá partiu para o desterro.

²⁸Este é o número dos deportados por Nabucodonosor: no sétimo ano, três mil e vinte e três judaítas; ²⁹no décimo oitavo ano de Nabucodonosor, oitocentos e trinta e dois habitantes de Jerusalém; ³⁰no vigésimo terceiro ano de Nabucodonosor, o chefe da guarda Nabuzardã deportou setecentos e quarenta e cinco judaítas. Total, quatro mil e seiscentos.

³¹No trigésimo sétimo ano do desterro de Jeconias, rei de Judá, no vigésimo quinto dia do décimo segundo mês, Evil-Merodac, rei da Babilônia, no ano de sua ascensão ao trono, concedeu graça a Jeconias, rei de Judá, e o tirou do cárcere. ³²Prometeu-lhe seu favor, e colocou seu trono mais alto que dos outros reis que estavam com ele na Babilônia. ³³Mudou-lhe a veste de preso e o fez comer à sua mesa enquanto viveu.

³⁴Da parte do rei lhe era passada uma pensão diária e vitalícia, até que morreu.

52,13 O incêndio: 32,29; 34,22.
52,31-34 Esta notícia, colocada aqui, completa e contrabalança o oráculo de 22,24-30. Jeconias é parte dos "figos bons" (24,5).

LAMENTAÇÕES

INTRODUÇÃO

Ano 586. Aconteceu o impossível: as promessas de Deus, que alimentaram a piedade e a esperança de gerações israelitas, falharam em seu momento. Porque o templo não só era inviolável, mas também dele irradiava segura proteção para a cidade (Sl 46,6-7; 48,4-9; 76,2-4). Até o inimigo considerava a cidade inexpugnável (Lm 4,12).

Os israelitas rezavam isso, e também recordavam a libertação da cidade no tempo de Ezequias e Senaquerib. Jerusalém e seu templo não podiam cair em mãos inimigas. Jeremias ergueu-se contra semelhante convicção, e teve de sofrer a prisão. Agora os fatos dão razão a Jeremias, desmentem esperanças e convicções. Acabou-se tudo e não resta senão chorar? Ou é preciso compreender através do pranto? Hora de chorar, hora de pensar.

O poeta chora e pensa: não teria intervindo uma força superior ao exército imperial? Não teria Deus abandonado a cidade ou não se teria voltado contra ela? Sabemos que o Senhor não se descomprometeu; logo, algo muito grave provocou sua intervenção. O que é? Algo irremediável, de modo que a desgraça seja definitiva, ou algo removível, para que mude a situação? No segundo caso, quem tem de mudar: o inimigo, o povo, Deus?

Antes de tudo, não vale rebelar-se contra o inimigo. Tampouco se deve pensar em refazer-se pouco a pouco para tomar a desforra. É preciso suportar com resignação e honradez (3,29-30). Então, será preciso importunar o Senhor com orações para que mude logo de atitude? Também não. É preciso orar, deixando a ele o prazo (3,26). Quem deve mudar radicalmente é o povo: descobrir seu pecado, arrepender-se, corrigir-se (1,14.18; 3,42).

Pecaram os falsos profetas (2,14), profetas e sacerdotes (4,13), a cidade, personificando todo o povo (1,8.14; 4,6), um grupo anônimo (3,34), "nós" (3,42; 5,16). O pecado não foi puramente rebeldia contra Deus; de acordo com a tradição profética, são também essas injustiças nas quais a crueldade e o ódio humanos já estavam agindo (3,34-36; 4,13).

Os poemas e o artifício alfabético

Ainda que nas Lamentações tome a palavra um corista, um protagonista, Jerusalém, ocasionalmente o inimigo ou algum grupo anônimo, na realidade o poeta convoca muitas vozes antigas para o luto. Ele quer que em seus versos soe a voz da aliança (Lv 26 e Dt 28), a voz inumerável da profecia (especialmente Jeremias), a voz suplicante dos salmos, lembranças da história, ameaças, promessas, orações, imagens, expressões... Tudo parece sabido e, no entanto, o coro é novo.

O artifício alfabético consiste em começar um versículo ou uma estrofe ou os versículos de uma estrofe sucessivamente com as 22 letras do alfabeto hebraico. Concretamente: nas lamentações 1 e 2 o primeiro versículo de cada estrofe; na lamentação 3 os três versículos de cada estrofe; na lamentação 4 os dois versículos de cada estrofe; na lamentação 5 o número "alfabético" de 22 versículos.

O artifício, que já conhecemos por outros textos bíblicos, assume aqui um sentido particular: é o abecê do pranto. Do manancial do pranto, que parece inesgotável, brota também o dizer, que deve ser completo; por isso, o silêncio não o abafa enquanto não esgotam todas as letras exprimindo a dor.

Num dia de dor intensa, o poeta nos legou esse manual do pranto, para que

aprendamos a nos juntar a um luto que é coluna vertebral da história. Porque a beleza violada, as cidades em escombros, a crueldade e o ódio ainda não terminaram.

Tempo de chorar

Há um tempo de cantar e um tempo de chorar, um tempo de dança e um tempo de luto (5,15). Queremos esquecer o tempo do pranto ou afastar a dor iminente. Mas o luto chega inexoravelmente ao encontro do mortal. Tempo de luto para Israel pela cidade amada, pela cidade materna, Jerusalém (Sl 35,14); pelo templo, belo como noiva e como esposa (Ez 24,21). É o reverso total do Cântico, é o pranto pela beleza desfigurada.

Chora o poeta porque passou a loucura humana, a fúria destruidora da fera (5,11-12). A fera espreita por trás de cada cena dolorosa e incompreensível (3,10) e, saltando contra a nossa despreocupação, nos descobre o horror profundo e ancestral de ser humano (4,10). Passou o poder da Morte, com sua espada insaciável (1,20). Quem desata o poder da Morte? Não é o sangue que chama o sangue? (4,13; cf. Gn 9,6). Passou a ira divina desencadeada sobre os homens. Ou foi "sem ímpeto de mãos humanas"? (Cf. 4,6). Uma cólera que é chicote e fogo (1,12; 2,4; 3,1); uma ação que nos sobressalta (3,47), nos faz pensar (3,40) e nos ultrapassa (2,20).

Não é só tempo de chorar, mas também de dizer e meditar. Porque passando pelo caminho (1,12) temos pressa e medo, o poeta reitera seus versos, atirando-nos violento convite ao luto. Porque também é preciso neutralizar outros que passam pelo caminho para desafogar o afã de vingança e alimentar o rancor (2,15).

Quando ainda não sofremos nós, talvez a compaixão nos possa salvar, talvez ela domestique nossa fera de tocaia e faça amadurecer nossa humanidade, que só é tal se for partilhada.

Também Jesus se deteve no caminho para chorar por Jerusalém; e quando algumas mulheres choravam por ele, convidou-as a chorar pelos que iriam sofrer. A liturgia cristã lê esses textos durante a Semana Santa, convidando ao luto pelo sofrimento do Inocente que sofre pelos outros. Felizes os que choram, porque serão consolados!

É também tempo de queixa? Pela dor dos inocentes (2,12). Queixa de quem? Do inimigo que se excede ou de Deus que decide ou permite? (3,37). O poeta da terceira lamentação reprime a queixa para aprofundar na reflexão (3,39).

E assim o poeta, reprimindo uma intenção de queixa, passa do pranto à penitência (3,40). O abismo da dor chama o abismo do pecado com voz de lamentação, e o abismo do pecado confesso chama o abismo da misericórdia (3,21-22). Nesses cantos de dor respira a esperança, brilha uma velha brasa, que o poeta invoca comedido (5,21).

É verdade que nessas lamentações o horizonte se fecha para nós. Várias vezes o poeta conclui pedindo vingança contra os inimigos: 1,21; 3,66; 4,21. Parece-nos escutar em tais palavras o prazer da vingança (2,15). Se assim é, tememos que se abra a espiral do ódio. E não basta dizer que o inimigo se excedeu, que sua função de carrasco não justificava sua crueldade, que a vingança é a justiça vindicativa de Deus. Isso é verdade, mas é "renovar o passado", e não sair dele. É o mesmo que Jeremias pedia (15,15; 17,18; 18,21-23; 20,11). Nem basta simplesmente dizer que o homem não assume a vingança, mas que a entrega a Deus – o que não é falso. A novidade começará quando o inocente pedir ao Pai perdão para seus inimigos, "porque não sabem o que fazem" (Lc 23,34).

As Lamentações, pela grandeza da dor (2,13) e pela intensidade de sua expressão, nos conduzem até o limite de nossa experiência humana em que nos sentimos pequenos diante da grandeza do sofrimento, da imensidão da crueldade humana e da ameaça do ódio em nós. Do fundo do pranto levantamos os olhos e o coração (3,41), buscando algo maior que a dor e o ódio: 5,19; 3,23; 3,32.

Autor e época

A atribuição dessas lamentações a Jeremias serve para dar autoridade ao escrito. O texto tem certamente muitos pontos de contato com o livro de Jeremias, mas não parece provável que seja

ele o autor. De resto, identificar o autor interessa pouco.

Os fatos que dão origem às lamentações são narrados no final do segundo livro dos Reis, em Jeremias 39 e 52, e se transformam numa visão de Ezequiel (Ez 9). Trata-se do segundo assédio de Jerusalém, com suas conseqüências de fome e sede, o assalto, as matanças, saques e incêndios, e depois o exílio forçado.

Um ou vários autores fazem do fato o tema de suas canções. Diríamos que viveram os acontecimentos e escrevem pouco depois da catástrofe. Pode ser que esses cantos tenham sido recitados ou cantados em celebrações comunitárias de luto pela cidade.

O autor não soube superar todos os obstáculos do artifício alfabético. Teologicamente as Lamentações podem representar uma ponte entre os profetas precedentes e a mensagem do Segundo Isaías: temos de colocar e ler essas cinco lamentações entre Jeremias paciente e o Servo do Senhor.

1

¹Como está solitária a cidade populosa!
  Tornou-se viúva a primeira das nações;
  a princesa das províncias, em trabalhos forçados.
²Passa a noite chorando, correm-lhe lágrimas pelas faces.
  Não há ninguém entre seus amigos que a console;
  todos os seus aliados a traíram, tornaram-se seus inimigos.
³Judá foi para o desterro, humilhada e escrava;
  hoje habita entre gentios, sem encontrar repouso;
  os que a perseguiam alcançaram-na e a cercaram.
⁴Os caminhos de Sião estão de luto, pois ninguém vem às festas;
  suas portas estão em ruínas, seus sacerdotes gemem,
  suas donzelas estão desoladas, e ela própria cheia de amargura.
⁵Seus inimigos a venceram, seus adversários triunfaram,
  porque o Senhor a castigou por sua contínua rebeldia;
  até suas crianças foram para o desterro à frente do inimigo.
⁶A cidade de Sião perdeu toda a sua formosura;
  seus nobres, como cervos que não encontram pasto,
  caminhavam desfalecidos, empurrados pelas costas.
⁷Jerusalém recorda os dias tristes e turbulentos,
  quando seu povo caía em mãos inimigas e ninguém o socorria,
  e, ao vê-la, seus inimigos riam de sua desgraça.
⁸Jerusalém pecou gravemente e ficou manchada;
  os que antes a honravam, a desprezam vendo-a nua,
  e ela entre gemidos se vira de costas.
⁹Leva sua impureza na veste, sem pensar no futuro.
  Que queda tão terrível! Não há quem a console.
  "Olha, Senhor, minha aflição e o triunfo do meu inimigo".

---

1 A primeira lamentação coloca e desenvolve os principais temas: a) o sofrimento coletivo e de grupos, realçado pelo contraste clássico do antes e do depois; b) a causa, que é o pecado coletivo, de rebelião contra o Senhor, infidelidade; c) o castigo ou cumprimento de uma sentença, dada pelo Senhor, executada por ele mesmo e por seus instrumentos humanos; d) expressões de dor e luto; e) pedido a Deus para si e contra os inimigos.
A bem conhecida imagem da matrona é predominante: a capital, no simbolismo de mulher e mãe, representa corporativamente todo o povo. A imagem cria uma tensão entre a identidade da cidade com sua população e a distinção entre a mãe e seus filhos. Além disso, a imagem permite um desenvolvimento rico de pormenores: desonra, nudez e vergonha pública, amantes, filhos e filhas. Essa imagem é o fator mais importante de unidade. No entanto, a composição não é rigorosa, ainda que bem centrada.

1,1 Começa a voz do poeta com o clássico grito de dor. "Solitária": oposto a habitada. "Cidade populosa" ou capital. Chamá-la capital do povo é lógico, chamá-la "capital (a primeira) das nações" poderia aludir aos vassalos que outrora reconheciam sua soberania (Moab, Edom, Damasco...), o que soa como hipérbole que sublinha a tragédia por contraste. "Viúva" supõe a imagem conjugal e propõe o aspecto social de solidão e desamparo. Os trabalhos forçados trazem à memória a situação do Egito antes da libertação (Ex 1,11).

1,2 Continua a imagem conjugal. Jerusalém foi infiel ao Senhor correndo atrás de uma série de amantes, ou seja, buscou sua segurança e sobrevivência nos pactos com outros países. O castigo é ao mesmo tempo dialética da história e castigo de Deus: ver Jr 2,18. 24.36; Ez 16,26.

1,3 Da capital passa ao reino de Judá: seu exílio em Babilônia era como retroceder na história, retornando ao Egito.

1,4 Recordação de Sião como centro de peregrinações festivas (Sl 68; 84; 122), nas quais o humano, "sacerdotes e donzelas", contagiava o inanimado, "caminhos e portas".
Ver também Jz 21,18 e Jr 31,13.

1,5 "Rebeldia": frequente em Ezequiel e Amós. É a primeira aparição do Senhor, para afligir a cidade nos seus filhos.

1,6 Em termos femininos, Sião é uma jovem que perdeu a formosura. A frase deixa transparecer outro sentido: sua formosura, a Glória de Deus, abandonou-a. A imagem dos nobres é de caça, de perseguição.

1,7 O texto hebraico tem um acréscimo na parte b: "todos os tesouros que tinha desde outrora". Em hebraico, seu "final" faz consonância com "sábado", um descanso trágico de inatividade forçada.

1,8 "Manchada": leio *niddá*, como em 17c, a impureza da menstruação. Nua e não desejada, volta-se ou senta-se de costas para esconder a vergonha. Seus amantes já não a procuram.

1,9 Nesse momento da queda, o poeta deixa escutar a voz de Jerusalém numa invocação ao Senhor que recorda Dt 32,26-29. "Consolar" é tema repetido (2.9.16.17.21); pode ser função do marido (2Sm 12,24; cf. Is 40,1).

¹⁰O inimigo pôs a mão em todos os seus tesouros;
ela viu os gentios entrar no santuário,
apesar de os teres proibido de entrar em tua assembleia.
¹¹Todo o povo, entre gemidos, anda à busca de pão;
ofereciam seus tesouros para comer e recuperar as forças.
"Olha, Senhor, vê como estou humilhada.
¹²Vós que passais pelo caminho, olhai e vede:
Existe dor como a minha dor? Como me maltrataram!
O Senhor me castigou no dia do incêndio de sua ira.
¹³Do céu atirou um fogo
que entrou em meus ossos;
estendeu uma rede diante de meus passos e me fez retroceder,
me deixou consternada e sofrendo o dia todo.
¹⁴O Senhor fez um fardo com minhas culpas e o atou com sua mão,
o lançou no meu pescoço e curvou minhas forças,
entregou-me em mãos que não me deixam levantar.
¹⁵O Senhor desbaratou meus capitães no meio de mim;
fez recrutamento contra mim para triturar meus soldados;
o Senhor pisou no lagar a donzela, capital de Judá.
¹⁶Por isso estou chorando, meus olhos se desfazem em água;
não tenho perto quem me console, quem me reanime;
meus filhos estão consternados diante da vitória do inimigo".
— ¹⁷Sião estende as mãos, mas ninguém a consola.
O Senhor mandou os povos vizinhos atacar Jacó,
Jerusalém ficou no meio deles como lixo.
¹⁸"Mas o Senhor é justo, porque me rebelei contra sua palavra.
Povos todos, escutai e vede minhas feridas:
minhas donzelas e meus jovens partiram para o desterro.
¹⁹Chamei meus amantes, mas eles me traíram.
Meus sacerdotes e anciãos morreram na cidade,
enquanto buscavam alimento para recuperar as forças.
²⁰Vê, Senhor, minhas angústias e a amargura de minhas entranhas,
meu coração por dentro se revolve de tanta amargura,
na rua a espada me deixa sem filhos; em casa, a morte.

1,10 Preparados pelo que vimos, podemos escutar alusões sexuais, apoiadas em "pôr a mão", "tesouros" (Ex 20,17; Ez 24,15; Ct 2,3), "entrar". Em sentido físico, os tesouros são principalmente os do templo (2Rs 25, 13ss). Sobre a proibição de entrar: Dt 23,1; Ez 44,7.9; 25,3.

1,11 "Pão": cf. Jr 38,9; 52,6. A cidade fala de novo, invocando o Senhor: presente na mente da cidade e do autor, instruídos pelos salmos: 9,14; 25,18; 59,5; 80,15; 119,153; 142,5.

1,12 É o dia de um julgamento histórico, no qual o Senhor pronunciou sentença e a fez executar. A cidade parece buscar a compaixão dos homens diante da cólera impiedosa de seu Deus.

1,13 A ira é um ardor que se materializa num fogo arremessado. Fogo do céu é o raio vingador, que penetra nos ossos como febre mortal (Sl 102,4; Jó 30,30), que cai na cidade como incêndio destruidor (Am 1).

1,14 A culpa é o peso intolerável e acabrunhador na consciência: Sl 65,4; é o jugo de levar cargas.

1,15 O Senhor recruta inimigos para uma guerra santa contra sua cidade (cf. Is 13,3).

A cidade inteira é vista como gigantesco lagar, do qual o sangue jorra como mosto: compare-se com Is 63,2s.

1,16 Ver Jr 13,16.

1,17 Sião estendendo as mãos corresponde ao gesto de os inimigos lançarem mão (10a); a ordem de atacar corresponde à proibição de entrar (10c).

1,18 Peça de liturgia penitencial (Ne 9; Dn 9; Br 1,15-3,8): Jerusalém se confessa culpada em suas relações com o Senhor; ela é culpada, o Senhor é inocente, o castigo é merecido. A palavra contra a qual se rebelou é a profética em geral ou a de Jeremias em particular.

1,19 Como no v. 2, os amantes são as potências estrangeiras; segundo Jr 37,6, pode tratar-se do Egito; segundo Jr 27,3, dos demais aliados. "Anciãos": em sentido estrito, os senadores.

1,20 Mais que seres humanos, a espada e a morte são as duas potências que rondam e penetram sem resistência (Jr 14,8; Ez 7,15). Sua visão produz esse ardor que exprime o arrependimento.

²¹Escutai como gemo, sem ninguém que me console.
O inimigo se alegrou com minha desgraça,
que tu mesmo executaste;
porém, faz que chegue o dia anunciado, e serão como eu.
²²Cheguem suas maldades à tua presença e trata-os
como me trataste por causa de minhas rebeliões:
multiplicam-se meus gemidos, desfalece meu coração".

2

¹Ai, com sua cólera o Senhor nublou Sião, a capital!
Do céu atirou por terra a glória de Israel,
e no dia de sua cólera se esqueceu do estrado de seus pés.
²O Senhor destruiu sem compaixão todas as moradas de Jacó,
com sua indignação demoliu as praças-fortes de Judá,
derrubou por terra, desonrados, o rei e os príncipes.
³Inflamado em ira, abateu o vigor de Israel;
ao chegar o inimigo, escondeu a direita nas costas,
e as chamas arderam em Jacó, consumindo tudo ao redor.
⁴Como um inimigo, esticou o arco, aplicou a direita
e matou, como inimigo, a flor da juventude,
e nas tendas de Sião derramou como fogo seu furor.
⁵O Senhor se portou como inimigo, destruindo Israel:
derrubou todos os seus palácios, arrasou suas praças-fortes,
e na capital de Judá multiplicou choros e lamentos.
⁶Como um salteador, destruiu a tenda, arrasou o lugar da assembleia,
o Senhor esqueceu em Sião sábados e festas,
indignado e furioso rejeitou o rei e o sacerdote.
⁷O Senhor repudiou seu altar, desprezou seu santuário,
entregou em mãos inimigas os muros de seus palácios;
e gritavam no templo do Senhor, como em dia de festa.

1,21 Sobre a alegria do inimigo, ver Ab 12-13; Ez 25,1-7. O dia anunciado pode referir-se a Jr 25,15-31.

1,22 À presença e ao conhecimento do juiz, que pode castigar um carrasco que se excedeu cruelmente.

2 Com toda a força, a nova lamentação faz o Senhor entrar como protagonista: sua ação vai-se desenvolvendo pela descrição de partes materiais da cidade ou de grupos de vizinhos. Pode-se comparar com o Salmo 79. Na estrofe 18 acontece uma mudança: o poeta continua acusando, mas convida a cidade a dirigir-se ao Senhor e lhe dita as palavras da sua lamentação (20-22). Se Deus (não tanto o inimigo) é o autor da desgraça, é a ele que deve dirigir-se para comovê-lo. Essa lamentação conserva a mesma situação lírico-dramática da anterior; os pormenores trágicos são vigorosos, são vistos com participação intensa e se exige o mesmo olhar e atitude do Senhor. É como pedir-lhe que volte a si e considere o que fez (20), como se a esposa repreendesse modestamente o marido. É um final de grande força dramática, uma oração audaz e confiante.

2,1 No templo habitava a glória do Senhor como um esplendor recolhido; arca e templo eram o estrado onde ele apoiava pés (1Cr 28,2; Sl 99,5; Ez 43,7). Agora sua cólera vem como nuvem de tempestade que escurece, pronta para se descarregar.

2,2 "Sem compaixão": Ez 9,5.10. Derrubou por terra: Sl 79,13. Profanar/desonrar: Is 43,28. A humilhação do rei, dado seu caráter sagrado, é uma profanação; ou seja, Deus mesmo rejeita a consagração e deixa que o tratem como a um qualquer.

2,3 A imagem do fogo, que brota ao irromper a ira, pode aludir ao raio (1,3) e ao incêndio provocado pelo inimigo (2Rs 25,9; Ez 9). "Vigor" é em hebraico "chifre": ver Sl 75. A "direita", ou seja, a mão que tradicionalmente estendeu para libertar ou defender seu povo (Ex 15,6; cf. Sl 74,11).

2,4 A imagem de Deus guerreiro é tradicional. É terrível que o Senhor abandone a inatividade e aja, passando para o lado do inimigo (Jr 21,5). A tenda de Sião é o templo.

2,6 "Salteador": corrigindo o hebraico, que diz "horto". Aludindo ao templo enquanto "tenda/cabana" (hebraico sucô), evoca a festa mais alegre do ano; com o termo "assembleia" evoca a "tenda do encontro", ou seja, de face a face com Deus (Ex 29; 33-34 etc.). Junto ao rei o sumo sacerdote: o duplo poder sagrado do povo.

2,7 Entregar ao inimigo é ato do poder soberano. Agora são os inimigos que celebram no templo uma festa macabra (Sl 74,4). Os "palácios" da capital: Sl 122,7.

⁸O Senhor decidiu arrasar as muralhas de Sião:
　　estendeu o prumo e não retirou a mão que derrubava;
　　muros e baluartes se lamentavam desmoronando juntos.
⁹Afundou na terra as portas, quebrou os ferrolhos.
　　Reis e príncipes estavam entre os gentios. Não havia lei.
　　E os profetas já não recebiam visões do Senhor.
¹⁰Os anciãos de Sião sentam no chão silenciosos,
　　atiram pó na cabeça e vestem pano de saco;
　　as donzelas de Jerusalém humilham a cabeça até o chão.
¹¹Meus olhos em lágrimas se consomem,
　　de amargura minhas entranhas,
　　meu fel se derrama por terra,
　por causa da ruína da capital do meu povo,
　　meninos e bebês desfalecem pelas ruas da cidade.
¹²Perguntavam a suas mães: Onde há pão e vinho?,
　　enquanto desfaleciam, como os feridos,
　pelas ruas da cidade,
　　enquanto expiravam nos braços de suas mães.
¹³Quem se iguala, quem se assemelha a ti, cidade de Jerusalém?
　　A quem te compararei, para consolar-te, Sião, a donzela?
　　Imensa como o mar é tua desgraça: Quem poderá curar-te?
¹⁴Teus profetas te ofereciam visões falsas e enganosas;
　　e tuas culpas não te denunciavam para mudar tua sorte,
　　mas te anunciavam visões falsas e sedutoras.
¹⁵Os que vão pelo caminho esfregam as mãos ao ver-te,
　　assobiam e meneiam a cabeça contra a cidade de Jerusalém:
　　"É essa a cidade mais formosa, a alegria de toda a terra?"
¹⁶Caçoaram de ti a gargalhadas todos os teus inimigos,
　　assobiaram e rangeram os dentes dizendo: "Nós a arrasamos;
　este é o dia que esperávamos:
　　nós o conseguimos e o estamos vendo".
¹⁷O Senhor realizou seu desígnio, cumpriu a palavra
　　que há tempo havia pronunciado: destruiu sem compaixão;
　exaltou o poder do adversário,
　　deu ao inimigo a alegria da vitória.

2,8 A imagem tem a força da inversão: o Senhor é um arquiteto que primeiro planeja, depois empunha o prumo e o aplica... para derrubar (Is 34,11). Ao ruir, as muralhas se animam com sentimentos humanos.

2,9 Com a queda do templo caem outras instituições (ver Jr 18,18), o governo é desterrado. Conforme Jr 18,18, é o sacerdote que administra a lei ou instrução; conforme Dt 18,15, Deus suscitará profetas. Como o templo está destruído, tampouco lhes resta o culto. O autor não conta com Jeremias nem com Ezequiel: é o silêncio de Deus na história.

2,10 Gestos de luto: podem-se ver Jó 2,8. 12; Is 3,2s; 47,1; Ez 27,30; Jr 4,8 etc. A terra (chão) como plano de humilhação é frequente no capítulo: 1b.2c.9a.10ac.11b.21a.

2,11 Jó 16,14.

2,12 É uma das cenas mais patéticas da série.

2,13 Em vão o poeta busca comparações: aliviará a dor sentindo-se em companhia de outros que sofrem? Até esse consolo minguado é impossível. O mar como imagem de imensidão: Is 11,9.

2,14 Nesta estrofe se concentra a lembrança de Jeremias: sua polêmica com os falsos profetas (5,31; 23,13-32; 27-28; 29,8-9), a referência aos oráculos (23,33-40), sua expressão "mudar a sorte" (32,44-33,7). O poeta, conduzindo o povo pelo pranto à conversão, quer conseguir o que os profetas não conseguiram.

2,15 As expressões irônicas se encontram em Sl 48,1; 50,2; Ez 16,14; 27,3; 28,12. "Esfregar as mãos" é tradução idiomática do aplaudir por zombaria (Jó 27,23; 34,37).

2,16 Sl 34,16.21.25. Os verbos acumulados na primeira pessoa sublinham com a rima o canto de vitória.

2,17 A velha ameaça pode referir-se a Lv 26 ou Dt 28 (se são anteriores), e a repetidos oráculos de Jeremias (não tão remotos). Destruir é um dos verbos programáticos de Jeremias: 1,10; 24,6; 31,28; 42,10; 45,4; é grave que, no profeta, costume vir acompanhado de um verbo oposto de promessa, ao que aqui venha reforçado pela negação adverbial.

¹⁸Grita com toda a alma ao Senhor; lamenta-te, Sião,
 derrama torrentes de lágrimas, de dia e de noite,
 não te concedas repouso, não descansem tuas pupilas.
¹⁹Levanta-te e grita de noite, na troca da guarda,
 derrama teu coração como água na presença do Senhor,
 levanta para ele as mãos, pela vida de teus filhinhos
 (desfalecidos de fome nas encruzilhadas):
²⁰"Olha, Senhor, vê: A quem trataste assim?
 Quando as mulheres comeram seus próprios filhos,
 seus ternos filhos?
 Quando assassinaram sacerdotes e profetas
 no templo do Senhor?
²¹No solo das ruas estendem-se jovens e anciãos,
 meus jovens e minhas donzelas caíram a fio de espada;
 no dia de tua ira mataste, mataste sem compaixão.
²²Convocaste, como para uma festa, terrores que me cercam:
 no dia de tua ira, ninguém pôde salvar-se nem escapar.
 Os que eu criei e alimentei, o inimigo aniquilou".

3

¹Eu sou um homem que provou a dor sob a vara de sua cólera,
 ²porque ele me guiou e conduziu para as trevas e não para a luz;
 ³está voltando sua mão o dia todo contra mim.
⁴Consumiu minha pele e a carne, e me quebrou os ossos;
 ⁵ao meu redor levantou um cerco de veneno e amargura
 ⁶e me confinou nas trevas, como os mortos de outrora.
⁷Cercou-me com muro sem saída, carregando-me de cadeias;

2,18 O texto hebraico do primeiro versículo é duvidoso; admitimos as correções comumente aceitas. Para valorizar a imagem é preciso levar em conta que em hebraico a mesma palavra significa olho e fonte. Ver Sl 77,3 e 42,4, e também Jr 13,17; 14,17. Pupila (= menina): "menina dos olhos", como em hebraico.

2,19 A visão dos filhos nos braços das mães conduz à imagem da cidade como mãe que deve interceder por seus filhos. Uma frase estranha se introduziu no final da estrofe: "desfalecidos de fome nas encruzilhadas".

2,20 A cena macabra é anunciada em Lv 26,29; Dt 28,53 e Jr 19,9; narra-se em 2Rs 6,28-30.

2,21 A ira empunha a espada e provoca a morte. Só que o agente é o Senhor.

2,22 Retorna o tema das festas (6.7). Os caminhos desertos (1,4) se povoaram, os que acorrem já rodeiam a cidade...: são terrores personificados convocados pelo próprio Deus. A expressão está em Sl 31,14 e Jeremias a repete (6,25; 20,3.4.10; 46,5; 49,29).

3 Essa lamentação constitui o centro teológico do livro. Em lugar da cidade, como encarnação do povo, aparece um personagem anônimo, solidário na dor e no pecado dos seus. Essa chave poética unifica o poema, que tem menos dramaticidade e mais reflexão. O poeta parece colocar-se na situação do profeta Jeremias: caçoado, perseguido, preso, condenado a morrer na masmorra; mas o autor de tal perseguição foi Deus (1-18). A esperança o anima em sua situação desesperadora, primeiramente como iluminação estranha; depois, consegue raciocinar propondo o princípio da aceitação não violenta (19-39), do sofrimento como castigo e como passo para a conversão. Retornam a dor e a consciência da sua situação desesperadora (46-54), mas desta vez a lembrança de uma libertação e uma promessa o conduzem à súplica por si e contra os inimigos (55-66).
Como se vê, predominam o estilo e os temas literários da súplica pronunciada por um inocente injustamente perseguido; tudo isso aparece transposto a uma situação como a do profeta Jeremias. Isso permite um avanço na aceitação solidária do sofrimento e de suas consequências, embora não haja pecado pessoal correspondente, e na busca de sentido para essa dor. Este capítulo pode ter inspirado a teologia e a espiritualidade de Is 50 e 53 ou ter influído nelas.

3,1 "Homem": em hebraico *guéber*, que sugere o vigoroso e varonil, o honradez. A cólera de Deus o atingiu indiretamente, ou seja, através de sua vinculação e atividade entre os culpados.

3,2 Os verbos costumam indicar o cuidado solícito de Deus, especialmente como guia no deserto. A escuridão da masmorra tem valor simbólico (Is 8,22; 47,5; 59,9).

3,4 O castigo atinge até o próprio corpo (cf. Jó 2,4-5), penetrando até os ossos (Jr 37,15; cf. Mq 3,2s).

3,5 O final do versículo é duvidoso.

3,6 A presença da escuridão, pressentimento da morte, torna-se inexorável: Jó 16,16 e Sb 17,21; Sl 88,7.

⁸por mais que eu grite: "Socorro",
ele se faz surdo à minha súplica;
⁹fechou-me a passagem com pedras, retorceu minhas sendas.
¹⁰Está me espreitando como urso ou como leão escondido;
¹¹fechou-me o caminho para me despedaçar e me deixou inerte;
¹²estica o arco e me torna o alvo de suas flechas.
¹³Cravou-me nas entranhas as flechas de sua aljava;
¹⁴a gente caçoa de mim, faz refrães de mim o dia todo;
¹⁵saciou-me de amargura e embebedou-me com absinto.
¹⁶Meus dentes rangem mordendo cascalhos, e me revolvo no pó;
¹⁷arrancaram-me a paz, e nem me lembro da felicidade;
¹⁸digo a mim mesmo:
"Acabaram-se minhas forças e minha esperança no Senhor".
¹⁹Olha minha aflição e minha amargura, o fel que me envenena;
²⁰não faço mais que pensar nisso, e estou abatido.
²¹Mas algo existe que trago à memória e me dá esperança:
²²a misericórdia do Senhor não termina, e sua compaixão não se acaba;
²³ao contrário, a cada manhã se renovam:
como é grande a tua fidelidade!
²⁴"O Senhor é minha porção", digo a mim mesmo, e nele espero.
²⁵O Senhor é bom para os que nele esperam e o buscam;
²⁶é bom esperar em silêncio a salvação do Senhor;
²⁷tudo irá bem ao homem se suportar o jugo desde jovem.
²⁸Que esteja só e calado quando a desgraça cair sobre ele;
²⁹que ponha a boca no pó, talvez reste esperança;
³⁰que entregue a face a quem o fere e se sacie de opróbrios.
³¹Porque o Senhor não rejeita para sempre;
³²embora aflija, ele se compadece com grande misericórdia,

3,8 No contexto próximo é um grito individual. Num contexto global, é uma voz que clama em nome de todos e por todos.

3,9 Uma prisão magnífica de pedras lavradas e um labirinto onde se perder: para o profeta que tinha de libertar e guiar.

3,10-11 Imagem da fera, já usada pelos profetas (Os 13,7; Am 5,19; Pr 28,15). O Deus escondido à espreita do seu profeta, atraindo-o para um estranho destino.

3,12-13 Da fera passa à imagem correlativa do caçador (Jó 6,4; 16,14). Essa imagem é até mais brutal, porque supõe mais consciência e menos instinto, como num esporte cruel ou na guerra.

3,14 Jr 20,7; Sl 31,12; 35,16; 44,14s; 69,13.

3,15 De acordo com Jr 9,14; 23,15, esse castigo era destinado ao povo. As sortes do povo e do profeta se fundem.

3,16 Ver Pr 20,17.

3,18 O tema da esperança é articulado em três finais de estrofe: 18.21.24: o poeta sente a desesperança, luta contra ela com sólidas afirmações; embora retorne a dúvida, ele se recusa render-se.

3,19-21 Sob o signo da memória. A de Deus induzirá compaixão. A do homem, primeiro abate, depois reanima (cf. Sl 77).

3,22-23 Apela para qualidades clássicas de Deus, recitadas na oração e credenciadas na história: o arco da lealdade, capaz de abraçar tudo e fundar uma esperança, se estende para além do pecado e do castigo, com um detalhe: a capacidade de renovar-se dia a dia em novas manifestações. Assim a esperança se abre à novidade: é possível esperar o inesperado.

3,24 Fórmula tradicional de sacerdotes e orantes: Nm 18,20; Sl 16,5; 73,26; 119,57. A parte ou porção, fragmento de uma posse total; ter o Senhor como porção é possuir uma plenitude, é partilhar sem partir. O personagem diz isso num momento em que tudo se perdeu, aberto a uma imensidão sentida por dentro; ver Jr 32.

3,25-26 A bondade de Deus (Sl 73,28; 34,9) justifica a atitude de submissão e não-violência; tal mensagem adquiriu urgência decisiva nos tempos de Jeremias, em relação a ele diante da perseguição, e em relação ao povo diante da invasão.

3,27 Por isso, com toda a lógica, prossegue este enunciado paradoxal: à bondade de Deus corresponde a bondade ou conveniência de suportar o jugo. Como em Jeremias: jugo da submissão ao Senhor (2,20; 5,5), e submissão ao domínio babilônico (27,8; 28,4.11.14 e 30,8). Também no texto presente é o jugo da lei do Senhor e o jugo do sofrimento na vida e na história, tanto imerecido quanto merecido.

3,28-30 A sorte de Jeremias foi sofrer em silêncio e com esperança. Esses versículos aperfeiçoam a atitude e assim preparam a figura do servo paciente, que não abre a boca nem diante do tribunal: Is 50,6 e 53,7.

3,31-33 Segue-se a sugestiva alternância de estrofes: a compaixão (31-33), a culpa (34-36), o sofrimento resignado e esperançoso (37-39), a penitência (40-42). "Para sempre": até a quarta geração, conforme Ex 34,7; cf. Sl 103,8s. "Não se alegra": refutação ou correção de Dt 28,63. Ver também Is 49,15; 51,6; Ez 18,23 e Sb 11,24-27.

⁳³porque não se alegra afligindo ou fazendo sofrer os homens.
³⁴Esmagar sob os pés todos os prisioneiros da terra,
   ³⁵negar o direito ao pobre, na presença do Altíssimo,
   ³⁶defraudar alguém num processo: isso o Senhor não aprova.
³⁷Quem mandou que acontecesse, se não foi o Senhor?
   ³⁸Não é o Senhor quem dispõe que aconteça o bem e o mal?
   ³⁹Por que há de se queixar de sua desgraça o homem enquanto vive?
– ⁴⁰Examinemos e revisemos nossa conduta e voltemos ao Senhor,
   ⁴¹levantemos com as mãos o coração ao Deus do céu:
   ⁴²nós nos rebelamos pecando, e tu não nos perdoaste;
⁴³envolto em cólera nos perseguiste e mataste sem piedade,
   ⁴⁴tu te envolveste em nuvens para que as orações não te alcancem;
   ⁴⁵tu fizeste de nós o desprezo e o lixo das gentes.
⁴⁶Todos os nossos inimigos se riem de nós;
   ⁴⁷assaltam-nos terrores e espantos, desgraças e fracassos,
   ⁴⁸choramos rios de lágrimas pela ruína da capital.
⁴⁹Meus olhos se diluem sem cessar e sem descanso,
   ⁵⁰até que o Senhor apareça no céu e me veja;
   ⁵¹os olhos me doem de chorar pelas jovens da cidade.
⁵²Os que me odeiam sem razão caçaram-me como pássaro;
   ⁵³jogaram-me vivo no poço e me atiraram pedras;
   ⁵⁴as águas se fecham sobre minha cabeça, e penso: "Estou perdido".
⁵⁵Do fundo da cova invoquei teu nome, Senhor;
   ⁵⁶ouve minha voz, não feches o ouvido a meus gritos de socorro;
   ⁵⁷tu te aproximaste quando te chamei, e me disseste: "Não temas".
⁵⁸Tu te encarregaste de defender minha causa e de resgatar minha vida,
   ⁵⁹viste que sofro injustiça, julga minha causa;
   ⁶⁰viste a vingança que tramam contra mim;
⁶¹ouviste, Senhor, como me insultam e tramam minha desgraça,
   ⁶²o que dizem e pensam contra mim continuamente;
   ⁶³vigia todos os seus movimentos: sou o objeto de suas sátiras.
⁶⁴Tu lhes pagarás, Senhor, como suas obras merecem,
   ⁶⁵tu lhes darás mente obcecada e os amaldiçoarás;
   ⁶⁶tu os perseguirás com ira até os aniquilar sob o céu, Senhor.

3,34-36 Os delitos. O v. 34 sintetiza a crueldade da guerra. Os outros são pecados de injustiça. A injustiça desata a cólera e o castigo de Deus. A expressão final pode ser interpretada como pergunta retórica: "o Senhor não vê?", ou com valor modal (como em português "não pode vê-lo").

3,37-38 É a doutrina de Am 3,6 e Is 45,7. Ver também expressões parecidas em Sl 33,9; Is 41,2-3; Sf 1,12.

3,39 O sentido é ambíguo. Pode-se tomar como pergunta e resposta, ou como dupla pergunta. O verbo "viver" com ênfase particular: se seu delito merecia pena de morte e o deixaram com vida, por que se queixa da pena que cumpre?

3,40-41 É como uma resposta não totalmente tardia à pregação de Jeremias: 3,7.10. 14.22; 4,1; 8,4-5. A conversão é uma volta e uma elevação, cujo termo é o Senhor (ver Sl 25,1; 86,4; 143,8).

3,42 Ver Jr 5,9.29; 9,8.

3,43-44 Não é a nuvem benéfica do deserto, mas nuvem de tempestade que vai descarregar-se, nuvem que as súplicas não atravessam (cf. Eclo 35,21).

3,46 Como 2,16.

3,48 1,16; 2,11; Jr 9,1.18.

3,50 Ver Dt 26,15; Is 63,15; Sl 14,2; 102,20.

3,51 As jovens podem ser as aldeias próximas e dependentes da capital.

3,52 A imagem de caça é frequente.

3,53-54 Descrição livre da condenação de Jeremias, Jr 38,6. Ver também Sl 69,2-3; 88,5-8.

3,55-56 Por meio de Ebed-Melec, o Senhor livrou Jeremias da morte certa (Jr 38). Esse último fragmento poderia ser lido como alteração cronológica: em 55-58 resume a súplica, resposta e libertação; em 59-66 dá o texto da oração pronunciada, conforme diz o v. 56.

3,55 Sl 88,14; 130,1-2.

3,57 Palavra dirigida a Jeremias em sua vocação e depois: 1,8; 30,10; 42,11; 46,27-28.

3,58 Expressão da oração (Sl 35,1) que teve sua aplicação na vida de Jeremias, processado por seus inimigos (Jr 26,7-24). "Resgatar" é verbo técnico: Jr 31,11 e frequente no Segundo Isaías.

3,60 Jr 11,19.

3,63 Is 37,28-29 referido a Senaquerib.

3,64 Ver Jr 11,20.

3,66 Ver Jr 18,21-23.

4

¹Tornou-se pálido o ouro, o ouro mais puro,
as pedras santas estão espalhadas pelas encruzilhadas;
²os nobres habitantes de Sião, que valiam seu peso em ouro,
valem como vasos de barro, trabalho de oleiro.
³Até os chacais dão os peitos para amamentar suas crias;
mas a capital foi impiedosa como avestruz do deserto.
⁴De pura sede, a língua das criancinhas gruda ao paladar;
as crianças pedem pão e ninguém lhes dá;
⁵os que comiam alimentos deliciosos desfalecem na rua;
os que se criaram entre púrpuras se revolvem no lixo.
⁶A culpa da capital era mais grave que o pecado de Sodoma,
que foi arrasada num instante sem mãos humanas.
⁷Seus príncipes eram mais limpos do que a neve,
mais brancos do que o leite;
eram mais vermelhos que corais, com veias como safiras,
⁸agora estão mais pretos que a fuligem,
não são reconhecidos na rua,
sua pele se enruga sobre os ossos, seca como lenha.
⁹Mais felizes os que morreram pela espada do que os mortos de fome!
Aqueles, apunhalados, perderam o sangue;
estes, por falta de alimento.
¹⁰As mãos de mulheres delicadas cozem seus próprios filhos,
e os comem enquanto desmorona a capital do meu povo.
¹¹O Senhor saciou sua cólera e derramou o incêndio de sua ira,
ateou em Sião um fogo que devora até os alicerces.
¹²Não acreditavam os reis do mundo nem os habitantes do orbe
que o inimigo conseguiria entrar pelas portas de Jerusalém.
¹³Pelos pecados de seus profetas e pelos crimes de seus sacerdotes,
que derramaram sangue inocente no meio dela.
¹⁴Vagavam como cegos pelas ruas, manchados de sangue:
ninguém podia tocar suas vestes.
¹⁵"Para trás – gritavam –, estou impuro; para trás, não me toqueis!"
Iam como prófugos ou fugitivos que já não recebem asilo.

---

4 Quanto às imagens e à reflexão teológica, o momento culminante das lamentações passou. Até o tamanho decrescente parece indicar uma descida acelerada até o final.
A presente lamentação emprega sobretudo o recurso da enumeração e parece concentrar-se no momento de máxima confusão. A enumeração irmana e quase confunde os habitantes com sua cidade: Jerusalém com suas pedras santas, os nobres, a capital Sião, crianças, encruzilhadas, nazireus, mulheres, alicerces, portas, sacerdotes, anciãos, ruas, o Ungido.

4,1 O metal mais precioso, que revestia a capela do templo, simboliza os valores: cf. Is 1,20. As "pedras": ver Sl 102,15.

4,2 A comparação com olaria recorda Jr 18,1-6; 19,10-11; 22,28 e Sl 31,13.

4,3 A crueldade do avestruz é imagem proverbial: Jó 39,13.

4,4 Sl 137,6. Ver 2,11.

4,6 O castigo proverbial de Sodoma: Is 1,10; 3,9. Considera-se mais suportável um castigo executado diretamente por Deus do que o executado pelos homens: 2Sm 24,14; mais temperado (Sb 12,18), ou mais breve.

4,7 Os nazireus eram soldados voluntários consagrados: Nm 6; Am 2,1; a palavra pode referir-se genericamente a um grupo seleto: Dt 33,16. Sua beleza traz ressonâncias do Cântico dos Cânticos (Ct 2,10).

4,10 Há um paralelo imaginativo entre a crueldade impiedosa da cidade (3) e a dessas mães enlouquecidas. Ver 2,20; Dt 28,57; Jr 19,9.

4,11 Ez 5,13. Os alicerces que ele mesmo pôs: Sl 87,2. Pode-se ler a visão de Ez 10.

4,12 Por suas fortificações (2Cr 26,9; 27,3) e pela proteção divina (Sl 46 e 48).

4,13 A acusação de sacerdotes e profetas está em Jeremias: 2,8-5,31; 6,13; 23,11. Por causa desses assassinatos, o inimigo se converte em vingador do sangue; ver Ez 22.

4,14-15 O sangue contamina e os torna intocáveis. Os sacerdotes pervertem radicalmente sua função e têm de vagar como os leprosos de Lv 13,45. Como cegos: Is 59,10.

¹⁶O próprio Senhor os dispersou e já não se ocupa deles:
  não há respeito pelos sacerdotes,
  não há compaixão pelos anciãos.
¹⁷Nossos olhos se consomem esperando socorro em vão:
  aguardamos vigilantes um povo impotente.
¹⁸Não podíamos andar pela rua, porque espreitavam nossos passos;
  nosso fim se aproximava, o término de nossos dias.
¹⁹Nossos perseguidores eram mais velozes que as águias do céu,
  e nos acossavam pelos montes e nos espreitavam no deserto.
²⁰O ungido do Senhor, que era nosso alento,
  foi caçado numa armadilha,
  aquele de quem dizíamos: "À sua sombra
  viveremos entre os povos".
²¹Exulta e desfruta, capital de Edom, princesa de Hus,
  pois também a ti chegará a taça:
  tu te embriagarás e te desnudarás!
²²Está cumprida tua condenação, Sião, não continuarás no desterro;
  examinarão tua culpa, capital de Edom, e aparecerá teu pecado.

5

¹Recorda, Senhor, o que nos aconteceu;
  olha e considera nossas afrontas.
²Nossa herança passou para os bárbaros;
  nossas casas, para estrangeiros;
³ficamos órfãos de pai
  e nossas mães ficaram viúvas.
⁴Temos de comprar a água que bebemos
  e pagar a lenha que levamos.
⁵Empurram-nos com um jugo ao pescoço,
  afadigam-nos sem nos dar descanso.
⁶Fizemos pacto com o Egito e a Assíria
  para nos saciar de pão.

4,16 Tem talvez um jogo na primeira frase, pois *hlq* pode significar a porção (2,24). Com outra vocalização se leria: "O Senhor é sua porção".

4,17 Refere-se à falsa confiança no auxílio do Egito, denunciada repetidas vezes por Jeremias: 2,18; 37,7; também Is 30,1-5; 31,1-3.

4,18 Ver Ez 7,1-12; 12,21-28. Inútil a vontade de adiar o inevitável.

4,19 Ver Dt 28,49; Jr 4,13.

4,20 Sobre a captura de Sedecias, ver Jr 39,4-7; 52,9. São notáveis os títulos dados ao rei: alento ou respiração, sombra protetora; não é tanto a pessoa de Sedecias quanto sua função sagrada.

4,21 Talvez na ocasião não fosse prudente mencionar Babilônia, ou era preciso submeter-se seguindo as normas de Jeremias. Referir-se a Edom não era suspeito, e o povo vizinho podia converter-se em nome codificado. Sobre a atitude de Edom, ver Abdias; Sl 137, 7; Ez 25,12; 35; Jr 49,7-22. Sobre a taça do castigo, ver Jr 25,15-29.

4,22 A condenação cumprida, como em Is 40,2. Pode-se ler em sentido não temporal, ou seja, Sião já recebeu o castigo pleno, e doravante começa sua recuperação.

5 A última lamentação, chamada tradicionalmente "oração do profeta Jeremias", se parece muito com alguns salmos, como o 44 e o 74. Reconhecem o pecado, alegam argumentos para mover o Senhor e lhe recomendam a solução.

5,1 A libertação do êxodo começou com a recordação de Deus e o seu olhar (Ex 3,7.16; 6,3-6). Não poderá começar uma nova etapa semelhante? "Afrontas": podem resumir toda a escravidão do Egito (Js 5,9) e sintetizar o novo cativeiro.

5,2 A herança é a terra prometida; encerrou-se uma era do dom divino: Dt 6,11 e Js 24,13; Jr 32. Se a herança passou para mãos estranhas, haverá quem a resgate: Jr 32.

5,3 Órfãos e viúvas atraem a proteção especial de Deus, conforme Sl 68,6.

5,4 Água tem aqui sentido concreto e material (cf. Dt 2,6; 6,11), mas não exclui a possível ressonância do valor simbólico.

5,5 Transportando cargas, como outrora no Egito (Ex 5), materializam o jugo estrangeiro.

5,6 A menção da Assíria aqui se deve a uma citação de Jr 2,18 ou é código para camuflar o nome de Babilônia. O pacto já não é para conseguir ajuda militar: cf. Sl 105,16-18.

⁷Nossos pais pecaram, e já não vivem,
e nós carregamos suas culpas.
⁸Uns escravos nos submeteram,
e ninguém nos livra de seu poder.
⁹Arriscamos a vida pelo pão,
pois a espada ameaça em campo aberto.
¹⁰Nossa pele queima como forno,
torturada pela fome.
¹¹Violaram as mulheres em Sião
e as donzelas nos povoados de Judá;
¹²com suas mãos enforcaram os príncipes,
sem respeitar os anciãos;
¹³forçaram os jovens a tocar o moinho,
e os rapazes sucumbiam sob cargas de lenha.
¹⁴Os anciãos já não sentam à porta,
os jovens já não cantam;
¹⁵cessou a alegria do coração,
as danças se tornaram luto;
¹⁶a coroa caiu de nossa cabeça:
Ai de nós, pois pecamos!
¹⁷Por isso, nosso coração está doente
e nossos olhos se anuviam,
¹⁸porque o monte Sião está desolado
e as raposas passeiam por ele.
¹⁹Mas tu, Senhor, és rei para sempre,
teu trono dura de geração em geração.
²⁰Por que te esqueces de nós para sempre
e nos abandonas por tanto tempo?
²¹Senhor, leva-nos a ti para que voltemos,
renova os tempos passados.
²²Ou será que já nos rejeitaste,
que tua cólera não tem medida?

5,7 Convém recordar a polêmica de Ezequiel 18 e o anúncio de Jr 31,29-30. A lamentação confessa o pecado paterno e o próprio (7.16), como o Sl 106,6 ou Jr 14,20. A culpa paterna vai-se acumulando até ultrapassar a possibilidade de perdão; a culpa própria a atualiza e enche a medida. Ver Br 3,4.
5,8 Inverte a promessa de Dt 15,6; ver 1Sm 17,8s.
5,9 Ou então: "vendendo-nos compramos o pão", ou seja, pagamos o alimento com a liberdade (Gn 47). Ver Jr 6,26 e Dt 28,48.
5,11-14 Lê-se uma duplicação de "anciãos e jovens": talvez se deva ao duplo valor, de idade e de função: "senadores e soldados". Para ilustrar os grupos podem-se ler alguns textos seletos: mulheres (Dt 28,30.32), príncipes (Dt 21,23 e Js 10,26), anciãos (Lv 19,32), jovens (Jz 16,21; Is 47,2), rapazes (Js 9,27), conselheiros (Jó 29,7), moços (Jr 16,9; 25,10).
5,15 Pode aludir ao sábado trágico de 1,7. Ver Jr 31,4.13; Sl 30,12.
5,16 A "coroa" dos comensais num banquete (Is 28,1), do rei ou chefe (Jr 13,18); em sentido metafórico, pode descrever a cidade com sua muralha de ameias (Is 28,3; 62,3).
5,17 Citação de Is 1,5.
5,18 Cumpre-se o anunciado em Jr 9,10; ver também Ez 13,4.
5,19-22 Movimento alternado e unitário de súplica e pergunta; a última palavra do poema e do livro são esses quatro versículos; o acorde final não é de desespero, mas de súplica.
5,19 Quando parece que o trono de Davi jaz derrubado, afirma-se o trono do Senhor, como rei de Israel e soberano da história. Compare-se com Sl 72,5; 102,13.
5,20 O reinado de Deus é perpétuo, mas não a vida humana; por isso, os judeus têm pressa. O fato de Deus reinar para sempre não justifica que adie a salvação do seu povo: ver Jr 25,12 e Sl 12,1; 41,10; 74,19.23.
5,21 O verbo *shub* – voltar, mudar, converter-se – indicará a mudança de direção na história. A atração do Senhor produzirá a conversão, a volta para ele fará voltar do desterro. É um verbo favorito de Jeremias em suas diversas acepções: 3,1.7.10.12.14.22; 4,1; 5,3; 31,8.16.17.18.19.21-23 etc.
5,22 Torna-se claro o tom retórico do versículo, se comparado com Jr 14,19; 33,36; cf. 31,37.

BARUC

INTRODUÇÃO

Autor e época

Baruc, filho de Nerias, desempenhou papel importante na missão de Jeremias: como secretário (Jr 32), porta-voz (36), companheiro (43), e como destinatário de um oráculo pessoal (45). A partir desses dados escassos surgiu e cresceu a lenda do personagem. Isso moveu escritores tardios a se amparar no seu nome, ilustre e menos gasto, para lhe atribuir escritos pseudônimos. Entre esses escritos se encontra o presente, o único encontrado em nosso cânon como deuterocanônico. O original hebraico é desconhecido; o que chegou até nós foi uma versão grega do presente livro. Seus modelos são as orações penitenciais de Esd, Ne e Dn, e as grandes profecias de Is 40-66.

Só podemos afirmar que houve um autor ou compilador. Tampouco temos dados para datar o livro ou suas peças, pois a situação que pressupõem é típica e repetível. Conjetura-se razoavelmente que é um dos últimos livros do Antigo Testamento.

A obra

O livro de Baruc se compõe de uma introdução (1,1-15a) e três seções relativamente autônomas: 1,15b-3,8 liturgia penitencial; 3,9-4,4 reflexão sobe a sabedoria e a lei; 4,5-5,9 promessa de retorno à pátria. Como muda o tema, também muda o estilo. Sua qualidade literária é notável e crescente: a primeira parte cede à ampliação, a segunda e a terceira combinam o sentimento lírico com a retórica eficaz. Sem dúvida, o livro merece mais atenção do que tem recebido.

É possível ler o livro como unidade? – Penso que sim, seguindo o modelo de Jl 1-2: oração penitencial – resposta exortando a converter-se e emendar-se – oráculo de esperança e restauração. No breve livro confluem três correntes veneráveis: a litúrgica, a pregação do Deuteronômio traduzida em termos sapienciais, a profética.

1

¹Texto do documento que escreveu Baruc, filho de Nerias, de Maasias, de Sedecias, de Asadias, de Helcias, na Babilônia, ²no sétimo dia do mês do quinto ano, data em que os caldeus conquistaram Jerusalém e a incendiaram.

³Baruc leu este documento na presença do rei Jeconias, filho de Joaquim, rei de Judá, e do povo que acorreu para escutar; ⁴na presença dos magnatas, príncipes reais, senadores, e de todo o povo, pequenos e grandes, de todos os que viviam na Babilônia junto ao rio Sud.

⁵Todos choraram, jejuaram e suplicaram ao Senhor; ⁶depois fizeram uma coleta: cada um ofereceu segundo suas possibilidades, ⁷e enviaram o dinheiro a Jerusalém, ao sumo sacerdote Joaquim, filho de Helcias, de Salom, aos demais sacerdotes e a todo o povo que habitava em Jerusalém.

⁸Foi então, no dia dez de junho, quando Baruc recuperou os utensílios roubados do templo para devolvê-los a Judá; tratava-se dos utensílios de prata encomendados por Sedecias, filho de Josias, rei de Judá, ⁹depois que Nabucodonosor, rei da Babilônia, deportou, de Jerusalém para Babilônia, Jeconias, os chefes e autoridades, príncipes e gente do povo.

¹⁰A carta dizia assim:

Nós vos enviamos este dinheiro para que compreis holocaustos, vítimas expiatórias, incenso, ofertas, e as ofereçais sobre o altar do Senhor nosso Deus, ¹¹rezando pela saúde de Nabucodonosor, rei da Babilônia, e por seu filho Baltazar, para que vivam na terra o quanto dura o céu sobre a terra. ¹²O Senhor nos conceda forças e nos ilumine para que possamos viver à sombra de Nabucodonosor, rei da Babilônia, e de seu filho Baltazar, servindo-os muitos anos e gozando de seu favor. ¹³Rezai também por nós ao Senhor nosso Deus, porque pecamos contra o Senhor nosso Deus, e a cólera e o furor do Senhor continuam pesando sobre nós.

¹⁴Lede este documento que vos enviamos e fazei vossa confissão no templo, no dia de festa e nas datas oportunas, ¹⁵dizendo assim:

1,2-14 A situação que estes versículos supõem é a seguinte. Existem duas comunidades judaicas: uma em Babilônia, com o rei Jeconias, os príncipes, um senado e o povo; outra em Jerusalém, com o sumo sacerdote, os demais sacerdotes e os habitantes da capital. Os desterrados têm liberdade de movimento e podem celebrar funções litúrgicas, sem sacrifícios; em Jerusalém se encontra o único altar legítimo para os sacrifícios. Não é preciso esforçar-se para fazer concordar os dados concretos do texto com a história. O autor construiu uma situação ideal, típica, que se repetiu com variantes no tempo dos persas, dos Lágidas e Selêucidas. A situação típica se projeta em chave ao início do desterro. Isso pode justificar a presença de um rei entre os deportados. Mas há outro fator: pode ser que o autor se inspire na teoria de Zc 4,14, sobre os dois poderes, que no livro estão geograficamente distantes.

1,2 A data está incompleta, pois falta o número do mês.

1,3-4 O autor quer dar a impressão de uma afluência geral. É uma grande assembleia hierarquizada, no estilo das antigas (Js 8,33 e 24) ou das tardias (Ne 8-9). Original é que o autor nos apresenta no desterro uma comunidade bem estruturada.

1,6 Nos tempos posteriores se estabeleceu o costume de enviar a Jerusalém um tributo anual para o serviço do templo; mais de uma vez isso ocasionou dificuldades políticas. Pode inspirar-se em 2Cr 24,5.11 ou em Esd 1,4.

1,7 É provável que "Joaquim" seja um nome artificial tomado de listas oficiais, como faz Jt 4,6.

1,8 Temos notícias de dois saques dos utensílios do templo, nas duas deportações (2Rs 14,13 e 25,15; cf. Jr 27,16-22 e 28,3).

1,9 Citação de Jr 24,1, anulando a distinção que Jeremias costuma fazer.

1,10 Ver a ordem de Artaxerxes em Esd 7,17.

1,11 Ver o pedido recomendado por Jeremias (29,7) e o de Ciro (Esd 6,10). Reflete a atitude de uma diáspora submissa (cf. 4,25), que aprendeu a viver sem independência política; isso não acontecia no começo do desterro.

1,12 "Iluminar" ou dar luz aos olhos pode ter sentido físico, ou espiritual, e também pode significar a vida (Sl 13,14; 19,9; Pr 29,13). "À sombra de": aplicado ao rei legítimo em Lm 4,20.

1,13 É a lógica de Mq 7,9 e base das orações penitenciais.

1,14 "Fazer a confissão": conforme o sentido exato estabelecido em Lv 5,5; 16,21; 26,40; Nm 5,7; Sl 32,5.

1,15b-3,8 As duas comunidades distantes formam unidade étnica e religiosa. Solidários na confissão de um pecado comum e no reconhecimento de uma história também comum, o povo disperso sente-se um, vivo e continuador para o futuro de algumas promessas. Jerusalém é seu centro de gravidade. No momento, fortes obstáculos coíbem essa força; quando Deus remover os impedimentos, Jerusalém, com sua força de atração, provocará a volta.

A submissão ao poder imperial é ato de prudência política, porque a rebelião seria inútil e contraproducente; é também ato religioso, porque é aceita como castigo merecido. O opressor se converte em protetor quando o pecador se converte em penitente perdoado; e o perdão limitado se converte em penhor do definitivo. A confissão da culpa e a aceitação do castigo têm algo de teodiceia: justificam Deus, o proclamam inocente e lhe dão razão (Sl 51,6). Esses

Confissão de pecados
Primeira parte
(Esd 9; Ne 9; Dn 9; Sl 50-51)

Confessamos que o Senhor nosso Deus é justo e que hoje a vergonha nos oprime: judeus e habitantes de Jerusalém, ¹⁶nossos reis e governantes, nossos sacerdotes e profetas e nossos pais; ¹⁷porque pecamos contra o Senhor, não fazendo caso dele, ¹⁸desobedecemos ao Senhor nosso Deus, não seguindo as normas que o Senhor nos havia dado.

¹⁹Desde o dia em que o Senhor tirou nossos pais do Egito até hoje, não fizemos caso do Senhor, nosso Deus, e recusamos obedecer-lhe. ²⁰Por isso nos perseguem agora as desgraças e a maldição com que o Senhor ameaçou seu servo Moisés, quando tirou nossos pais do Egito para dar-nos uma terra que mana leite e mel.

²¹Não obedecemos ao Senhor nosso Deus, que nos falava por meio de seus enviados, os profetas; ²²todos nós seguimos nossos maus desejos, servindo a deuses estranhos e fazendo o que o Senhor nosso Deus reprova.

2 ¹Por isso, o Senhor cumpriu as ameaças que havia pronunciado contra nós, nossos governantes que governavam Israel, nossos reis, e contra israelitas e judaítas. ²Nunca aconteceu sob o céu o que aconteceu em Jerusalém – segundo o que está escrito na Lei de Moisés –: ³entre nós houve quem comeu seu filho e sua filha; ⁴o Senhor os submeteu a todos os reinos vizinhos, deixou desolado seu território, fazendo-os objeto de caçoada e execração diante dos povos ao redor, para onde os dispersou.

⁵Foram vassalos e não senhores, porque havíamos pecado contra nosso Deus, não ouvindo sua voz.

⁶O Senhor nosso Deus é justo; a vergonha nos oprime hoje. ⁷Todas as ameaças que o Senhor havia pronunciado caíram sobre nós; ⁸contudo, não aplacamos o Senhor, convertendo-nos de nossa atitude perversa. ⁹Por isso o Senhor esteve vigiando para nos enviar as desgraças ameaçadas.

O Senhor foi justo em tudo o que dispôs contra nós, ¹⁰porque nós não lhe obedecemos, pondo em prática o que nos havia ordenado.

Segunda parte

¹¹Mas agora, Senhor, Deus de Israel, que tiraste o teu povo do Egito com mão forte, com sinais e prodígios, com braço erguido

---

penitentes estão dispostos a arcar com as culpas dos antepassados (cf. Ex 34,7); não protestam como os contemporâneos de Ezequiel (Ez 18,3).
Para o delineamento e esquema de base de uma oração penitencial, ver os comentários a Sl 50-51; Is 1,10-20 etc. A vergonha é o rubor da culpa sentida e confessada; seu oposto é a justiça/inocência da parte ofendida. A consciência se enche de um sentido de pecado original e continuado, da saída do Egito até agora: a lei tem sido ponto de partida, ocasião de pecados; a pregação profética foi agravante repetida. Inclui-se na presente confissão uma longa série de delitos, dando-lhe volume e profundidade.
A sequência é clara em grandes linhas, oscilante nos detalhes. Podemos esquematizar assim: confessamos o pecado 1,15b-2,10 – pedimos perdão 2,11-19 – confessamos o pecado 2,20-35 – pedimos perdão 3,1-8. A bondade de Deus é ao mesmo tempo agravante do pecado e fundamento da esperança. O povo sente que não ultrapassou o limite da tolerância divina, porque se apoia numa promessa sempre vigente. Entre os antecedentes deste texto não se deve esquecer 1Rs 8,48-51.

1,15b-2,10 A primeira confissão tem como molduras as proclamações correlativas da justiça de Deus e do rubor do povo. Dentro do quadro avança em três ondas: a) 15-16 confissão binária, 17-22 pecado e castigo; b) 2,1-5 castigo e pecado, 6 confissão binária; c) 7 castigo, 8 não nos corrigimos, 10 confissão binária.

1,15a Deus é parte e não juiz; é parte pelo compromisso da aliança, na qual se baseia o título "nosso Deus" (16 vezes). Não vem condenar como juiz, mas denunciar como parte ofendida.

1,15b-16 A enumeração pretende abranger a totalidade articulada.

1,17-18 Em vez de enumerar espécies de pecados, seguindo o decálogo, acumula sinônimos.

1,18 Dt 30,15.

1,19 Confissão de um pecado original histórico: Jr 7,25 e 11,7.

1,20 As maldições de Lv 26 e Dt 28.

1,21 Os profetas vão atualizando o compromisso da aliança.

1,22 Seguem as ressonâncias do discurso de Jeremias no templo (7,24s; também 11,7; 16,11s).

2,1 Israelitas e judaítas representam os dois reinos do cisma.

2,4 Os reinos vizinhos se distinguem dos grandes impérios.

2,6-9 Deus não agiu contra seus compromissos, pois a sanção constava desde o princípio: é inocente. Adiou a execução da sentença e ofereceu a possibilidade de aplacá-lo: é inocente. Exortou e deu tempo para a conversão: é inocente.

2,11-18 A súplica do perdão invoca os temas tradicionais: a primeira libertação, a desgraça presente, a honra e fama de Deus, a contrição humilde, as consequências entre os de dentro e os estranhos.

e força incontrastável, adquirindo fama que dura até hoje; ¹²nós pecamos, Senhor, Deus nosso; cometemos crimes e delitos contra todos os teus mandamentos; ¹³afasta de nós tua cólera, pois sobramos muito poucos nas nações onde nos dispersaste.

¹⁴Escuta, Senhor, nossas orações e súplicas, livra-nos por tua honra, faze que ganhemos o favor dos que nos deportaram, ¹⁵para que todo mundo conheça que tu és o Senhor nosso Deus, que deste o teu nome a Israel e à sua descendência.

¹⁶Olha da tua santa morada, Senhor, e dá-nos atenção; inclina teu ouvido, Senhor, e escuta; ¹⁷abre os olhos e olha: os mortos no túmulo, com seus corpos já sem vida, não podem cantar tua glória e tua justiça; ¹⁸ao passo que o ânimo profundamente aflito, o que caminha encurvado e desfalecido, os olhos que se apagam, o estômago faminto reconhecerão tua honra e tua justiça, Senhor.

Terceira parte

¹⁹Nossas súplicas não se apoiam nos direitos de nossos pais e reis, Senhor Deus nosso. ²⁰Tu descarregaste tua ira e tua cólera sobre nós, como havias ameaçado por meio de teus servos, os profetas, que gritavam: ²¹"Assim diz o Senhor: Dobrai os ombros, submetei-vos ao rei da Babilônia, e vivereis na terra que dei a vossos pais. ²²Se desobedecerdes ao Senhor e não vos submeterdes ao rei da Babilônia, ²³afastarei das povoações de Judá e das ruas de Jerusalém a voz alegre e gozosa, a voz do noivo e a voz da noiva, e o país ficará deserto, sem habitantes". ²⁴E como não obedecemos submetendo-nos ao rei da Babilônia, cumpriste todas as ameaças pronunciadas por meio de teus servos, os profetas: tiraram dos túmulos os ossos de nossos reis e antepassados, ²⁵e ficaram expostos ao calor do dia e ao frio da noite. Eles morreram de diversas calamidades, de fome, de peste e pela espada. ²⁶E por causa da maldade de Israel e de Judá, a casa que levava teu nome chegou a ser o que é hoje.

²⁷Tu, Senhor Deus nosso, nos havias tratado segundo tua imensa piedade e compaixão; ²⁸tu falaste por meio de teu servo Moisés, quando lhe mandaste escrever tua Lei na presença de Israel: ²⁹"Se não me obedecerdes, essa imensa multidão ficará reduzida a uns poucos, no meio dos povos para onde os dispersarei. ³⁰Sei que não vão me obedecer, porque são um povo teimoso; contudo, no desterro se converterão, ³¹e reconhecerão que eu sou o Senhor seu Deus; então lhes darei ouvidos e mente dóceis, ³²em seu desterro me louvarão e invocarão meu nome, ³³se arrependerão de sua teimosia e de sua má conduta, recordando como seus pais pecaram contra o Senhor. ³⁴Então os trarei de novo para a terra que com juramento prometi a seus pais Abraão, Isaac e Jacó, e a possuirão;

Ver Ex 32; Nm 14; Sl 44 e 74. Graça e favor se opõem à cólera. Deus pode mostrar seu favor afastando ou moderando sua cólera, e transformando a crueldade do inimigo em compaixão e favor.

2,11 Libertar do Egito é um ato público que põe em jogo o prestígio e a fama do Senhor.

2,13 Um povo escasso é infeliz e redunda em desonra de seu Deus.

2,15 Fórmula típica de Ezequiel.

2,16 A morada do céu, conforme 1Rs 8,29-49.

2,17-18 Os mortos já não fazem parte do povo, não participam da liturgia de louvor (Is 38,18s; Sl 88,11-13), não podem arrepender-se e glorificar a misericórdia de Deus, não podem reconhecer sua justiça, deixaram aos descendentes uma herança de delitos.

2,19-35 Esta seção está dominada pela presença de Jeremias e de Moisés, o profeta anterior ao desterro, o legislador e profeta da fundação. Entre os dois situa-se a história da aliança, até o momento do desterro, que é o horizonte literário da oração. O desterro é o castigo merecido e anunciado.

A evocação de Jeremias define o pecado concreto do povo: desobedecer ao não submeter-se à vassalagem. Ao se rebelarem contra o monarca babilônio, acarretaram para si um castigo maior. Foi um processo dialético, que acabou cumprindo o anúncio de Jeremias por não seguir o convite de Jeremias. Então não há esperança? – Sim, há, e para inculcá-la remonta ao momento fundacional. Eis aí o paradoxo: o Senhor pronunciou uma ameaça... e cumpriu-a; tinha pronunciado uma promessa... e a cumprirá.

2,19 Os "direitos" são a justiça do homem nas suas relações com Deus. Como não cumpriu seus compromissos, não pode reivindicar direitos.

2,21-23 Composição de versículos de Jeremias: 27,11s e 7,34; com ressonâncias de 25,10; 28,14; 34,22 etc.

2,24-25 Conforme Jr 8,1; 36,30.

2,28 Conforme Ex 24,4; 34,27; Dt 5,22; 31,24.

2,29-33 Composto principalmente de elementos de Lv 26 e Dt 30.

2,29 Conforme Dt 28,62.

2,31 Conforme Dt 29,3; cf. Jr 5,21.

2,34 Jr 24,6; 30,19.

eu os farei crescer e não diminuirão; ³⁵eu lhes darei uma aliança eterna: serei seu Deus e eles serão meu povo, e não tornarei a expulsar meu povo Israel da terra que lhes dei".

Quarta parte

3 ¹Senhor todo-poderoso, Deus de Israel, uma alma afligida e um espírito abatido gritam a ti. ²Escuta, Senhor, tem piedade, porque pecamos contra ti. ³Tu reinas para sempre, nós morremos para sempre. ⁴Senhor todo-poderoso, Deus de Israel, escuta as súplicas dos israelitas que já morreram e as súplicas dos filhos dos que pecaram contra ti: eles desobedeceram ao Senhor seu Deus, e nós somos perseguidos pelas desgraças. ⁵Não te lembres dos delitos de nossos pais, lembra-te hoje de teu braço e de teu nome. ⁶Porque tu és o Senhor Deus nosso, e nós te louvamos, Senhor. ⁷Tu nos infundiste o teu temor, para que invocássemos teu nome e confessássemos no desterro apartando nosso coração dos pecados com que nossos pais te ofenderam. ⁸Olha, hoje vivemos no desterro, para onde nos dispersaste, fazendo-nos objeto de caçoada e maldição, para que assim paguemos os delitos de nossos pais, que se afastaram do Senhor nosso Deus.

Exortação sobre a sabedoria

⁹Escuta, Israel, preceitos de vida;
dá ouvidos para aprender prudência.
¹⁰A que se deve, Israel,
que estejas ainda em país inimigo,
que envelheças em terra estrangeira,
¹¹que estejas contaminado
entre os mortos e te contem
entre os habitantes do Abismo?
– ¹²É que abandonaste a fonte da sabedoria.

2,35 Segundo Jr 31,31-33. Citando o novo pacto indestrutível, a oração alcança o cume da esperança, sem perder-se em especulações temporais no estilo apocalíptico. Mais que restauração, é instauração de algo novo.

3,1-8 Repete os temas para comover a Deus e serve de recapitulação.

3,1 O título divino costuma corresponder ao hebraico *Yhwh Çebaot* (*Kyrie Pantokrator*), título cósmico e histórico. No extremo oposto se encontra a aflição e desfalecimento do homem.

3,2 Ver Sl 41,5; 27,7; 30,11.

3,3 O grego *apollymenoi* (perecemos, morremos), v. 3s, duvidoso aqui. Parece corresponder ao hebraico '*bd*. Pode significar andar perdido, vagar = desterro e diáspora; ou perecer; como pergunta retórica com o povo como sujeito, ou como metáfora do desterro (Ez 37,11).

3,4 De novo sobre os mortos. Se os pecados podem ser legados, parece que também se pode acumular um depósito de orações, ainda por responder e que se podem aduzir num prazo determinado. Também morreram alguns inocentes: não terão valor suas súplicas recordadas, especialmente as dirigidas para o futuro? Ver a intercessão de Jeremias em 2Mc 15,12, ideia que nosso autor não partilha. Alguns, em vez de "mortos", com uma mudança vocálica, leem "mortais".

3,5 Ver Sl 79,8.

3,7 Conforme Ex 20,20 ou Jr 32,40. O importante não é a promulgação de novas leis, mas a mudança interna da comunidade.

3,9-4,4 A referência inicial ao desterro pode servir de ligação com o que precede. O capítulo em conjunto se inspira em Jó 28; Eclo 24 e Dt 4. Na alternativa entre vida e morte, bem e mal (Dt 30,15s), que denota a situação do desterro ou diáspora e que se apresentou à consciência no ato penitencial, o povo busca uma resposta concreta e a encontra: cumprir os mandamentos, ou, se não os cumpriram, arrepender-se e emendar-se. Deve-se emendar a vida para salvar a vida; nisso consiste saber viver e saber para viver (Dt 4,5s). Arrepender-se é sabedoria (Sl 51,8); emendar-se é seguir o caminho da sabedoria.
Israel ainda pode voltar ao bom caminho de Deus, da sabedoria. Ainda que seus indivíduos tenham de morrer como homens, o povo continuará vivendo como povo de Deus. Se outros povos fracassaram por não encontrarem essa sabedoria, Israel fracassou porque, conhecendo-a, não a seguiu.
Atravessam o capítulo, como dois trilhos paralelos, palavras do campo do conhecer e do caminhar. O texto atualiza a parênese do Deuteronômio com marcado estilo sapiencial.

3,9 O começo é eco de Dt 4,1.6; 6,4 e de Is 1,2.10.

3,10-11 "Envelheças": dá a entender que já passou uma boa etapa no desterro. Os "mortos" contaminam com seu contato, mesmo mediato (Lv 16,29; 23,27; Nm 19,11-13; Eclo 35,25). O país estrangeiro também pode contaminar (Am 7,17); viver em terra estrangeira é como estar morto (Ez 37,11).

3,12 A "fonte da sabedoria" é Deus.

¹³Se tivesses seguido o caminho de Deus,
   habitarias em paz para sempre.
¹⁴Aprende onde se encontra a prudência,
   onde a força e onde a inteligência;
assim aprenderás onde se encontra a vida longa,
   e onde a luz dos olhos e a paz.
— ¹⁵Quem encontrou seu lugar
   ou entrou em seus armazéns?
¹⁶Onde estão os chefes das nações,
   os donos dos animais terrestres,
¹⁷os que brincavam com as aves do céu,
   os que entesouravam ouro e prata,
   em que os homens confiam,
   e era imensa sua fortuna?
¹⁸Onde os ourives minuciosos
   cujas obras não podemos descrever?
— ¹⁹Desapareceram, descendo ao túmulo,
   e outros ocuparam seus lugares.
²⁰Uma nova geração viu a luz
   e habitou na terra,
   mas não conheceram
   o caminho da inteligência,
²¹não descobriram suas sendas
   nem conseguiram alcançá-la,
   e seus filhos se extraviaram.
²²Não se deixou ouvir em Canaã
   nem se deixou ver em Temã;
²³nem os agarenos que procuram
   o saber na terra,
   e os mercadores de Merrã e Temã,
   que contam histórias e procuram o saber,
   não conheceram o caminho da sabedoria
   nem recordaram suas sendas*.
²⁶Ali nasceram os gigantes,
   famosos na antiguidade,
   corpulentos e aguerridos;

3,13 Como o caminho que Deus indica pelo deserto conduz ao repouso na terra, assim o caminho que os mandamentos traçam conduz à paz (compare-se Is 48,18 com 59,8).

3,14 Correspondência global de três virtudes e três dons.

3,15 Começa a descrever a grande busca fracassada: busca-se uma sabedoria que garanta a vida e lhe dê sentido; a vã tarefa mobilizou todo tipo de homens. Imagina-se a sabedoria em termos espaciais, como um tesouro oculto em local ignorado, ao fim de um caminho desconhecido. Deslocando 24-25, obtemos uma série coerente definida por inclusão menor de 15 e 31.

3,16-28 Para mostrar o fracasso dos homens, incluídos os mestres, o autor menciona várias gerações, diversas atividades, várias regiões ou povos. Os homens buscaram a sabedoria: por meio do poder e do comando, com as riquezas, com o trabalho artesanal, com a guerra, investigando e transmitindo. A série tem alcance geral. Poder-se-ia ler como crítica do ideal salomônico. No contexto de uma diáspora tardia se tinge de alusões polêmicas: os impérios (persa, selêucida) pelo poder, os Macabeus pelas armas, o comércio internacional, a filosofia grega. Por se tratar de tarefas fundamentais do homem, também nós podemos lê-lo em nosso horizonte: poderes político, econômico, militar, tecnológico não constituem o *homo sapiens*.

3,16 Poder sobre homens (Eclo 10,4s) e sobre animais (Gn 1; Sl 8).

3,17 Brincar com as aves (Jó 40,29). Riquezas: Dt 17,17; Sl 49,7; Pr 11,28 etc.

3,18 Artesanato: compare-se com Eclo 38,24-34.

3,22 Os cananeus foram mestres dos hebreus na literatura, conforme testemunham documentos.

3,23 Os belicosos agarenos são mencionados em 2Cr 5,20-22 e Sl 83,7. Dos mercadores beduínos fala Jó 6,9.
* Os vv. 24 e 25 vêm depois do v. 35.

3,26-28 Refere-se aos gigantes que pereceram no dilúvio (Gn 6,4). Ver também Nm 13,32; Dt 2,10s; Eclo 16,7.

²⁷mas Deus não os escolheu nem lhes mostrou
  o caminho da inteligência;
²⁸morreram por sua falta de prudência,
  pereceram por falta de reflexão.
²⁹Quem subiu ao céu para se apoderar dela,
  quem a desceu das nuvens?
³⁰Quem atravessou o mar para encontrá-la
  e comprá-la a preço de ouro?
– ³¹Ninguém conhece o seu caminho
  nem pode rastrear suas sendas.
³²Aquele que tudo sabe a conhece,
  e a examina, e a penetra.
  Aquele que criou a terra para sempre
  e a encheu de animais quadrúpedes;
³³envia o raio e ele vai,
  chama-o, e tremendo lhe obedece;
³⁴aos astros, que brilham contentes
  em seus postos de guarda,
³⁵ele os chama e respondem "Presente!",
  e brilham contentes para seu Criador.
²⁴Quão grande, Israel, é o templo de Deus;
  quão vastos são seus domínios!
²⁵Ele é grande e sem limites,
  é sublime e sem medida.
³⁶Ele é nosso Deus,
  e não há outro diante dele:
³⁷investigou o caminho da inteligência
  e o mostrou a seu filho Jacó;
  a seu amado, Israel.
³⁸Depois apareceu no mundo
  e viveu entre os homens.

4 ¹É o livro dos preceitos de Deus, a lei de validade eterna:
  os que a guardarem viverão,
  os que a abandonarem morrerão.
²Volta-te, Jacó, para recebê-la,
  caminha na claridade
  do seu resplendor;

3,29-30 Adaptação de Dt 30,11-13: substitui preceito por sabedoria e afirmação por negação. Talvez encerre uma polêmica oblíqua contra especulações apocalípticas.

3,32-35 Com sua atividade criadora e seu domínio sobre a criação, Deus demonstra que possui a sabedoria. Sua soberania se concentra em três regiões ou esferas: os animais na terra, os astros no céu, a luz ou o raio unindo ambas.

3,24 A interpretação é duvidosa. Pode-se ler os dois membros como complementares: templo = céu, domínios = terra (Sl 24,1). Ou então como sinônimos: casa e domínios são o universo.

3,25 Também é duvidoso, porque o grego não muda de sujeito. Referido aos domínios, o versículo avalia as dimensões ilimitadas do universo. Pode muito bem referir-se a Deus, imenso e eterno (1Rs 8,27; Sl 139; Eclo 43,28).

3,36 Esse Deus é o Deus de Israel (Jr 10,1-16).

3,37 Aquilo que o homem não pode adquirir nem comprar, Deus lhe concede; o que não pode encontrar, Deus lhe ensina. A verdadeira sabedoria é revelação, que o povo escolhido recebe e aprende (Dt 4,6).

3,38 Uma vez comunicada, a sabedoria começa a viver na terra: é a ideia de Pr 8,31 e Eclo 24,12. Não é de estranhar que muitos Padres da Igreja, apoiados em 1Cor 1,24, tenham lido este versículo em chave cristológica.

4,1-2 Mas o autor segue a identificação de Dt 6,4 e Eclo 24,23: sabedoria = lei. Lei de vida segundo o Dt. Lei como luz: Is 2,2-5; Sl 19,9 e Sb 18,4.

³não entregues a outros a tua glória,
nem tua dignidade
a um povo estrangeiro.
⁴Felizes somos nós, Israel,
que conhecemos o que agrada ao Senhor!

Restauração de Jerusalém

⁵Ânimo, povo meu,
que trazes o nome de Israel!
⁶Eles vos venderam aos gentios,
mas não para serdes aniquilados;
por causa da cólera de Deus contra vós,
eles vos entregaram a vossos inimigos,
⁷porque irritastes vosso Criador,
sacrificando a demônios e não a Deus;
⁸vós vos esquecestes do Senhor eterno,
que vos havia criado,
e afligistes Jerusalém,
que vos sustentou.
⁹Quando ela viu que o castigo de Deus
vos atingia, disse:
Escutai, vizinhas de Sião.
Deus me enviou um sofrimento terrível:
¹⁰vi como o Eterno
desterrava meus filhos e filhas;
¹¹eu os criei com alegria,
e me despedi com lágrimas de dor.
¹²Que ninguém se alegre vendo
esta viúva abandonada por todos.

4,4 O autor continua olhando a lei com otimismo. Nisto não supera a teologia do Deuteronômio: pertence a Deus revelá-la, ao homem cabe cumpri-la.

4,5.5-9 Depois da confissão dos pecados e do convite à emenda, vem o oráculo de salvação e consolo. É um poema inspirado de perto em modelos de Is 40-66, sobretudo pela imagem matrimonial e pelo estilo lírico de apóstrofe.
A relação do Senhor com o povo é vista aqui em imagem familiar. Deus é o pai que criou o povo (Dt 8,5; Is 1,2). Jerusalém é a mãe do povo, pois representa a comunidade em seu valor fecundo e acolhedor (Is 49; 54; 66,7-14). O Senhor é o esposo de Jerusalém, como indicam tais textos e também Is 62,1-9.
O pai exige respeito (Ml 1,6), castiga os filhos para melhorá-los (Os 11). A mãe não pode conter-se (Is 49,15), deixa-se levar pela compaixão, ainda que seus filhos sejam a causa do seu pesar. A mãe, embora não seja culpada, não tem autoridade para perdoar e restabelecer (Sl 130,4); só pode exortar os filhos e interceder perante o marido. (Compare-se com a atitude de Moisés em Nm 11.)
Abandonada pelo marido, a cidade se encontra no lugar social de uma viúva sem recursos (Is 50,1; 54,4); tampouco podem ajudá-la os filhos, mortos ou desterrados (Is 51,18). Apesar de tudo, continua confiando e esperando. Já sente a iminência da salvação, que é totalmente obra de Deus, é renovação do antigo êxodo.
O profeta se dirige ao povo (5-8); ela se dirige às suas vizinhas (9-16) e a seus filhos (17-29); o profeta se dirige a Jerusalém (4,30-5,9). Jerusalém é o centro geográfico: em torno há uma série de capitais vizinhas, longe está o desterro ou a diáspora. De um ponto central se contempla um movimento de ida e volta. Mas só voltam israelitas, não acorrem pagãos. Nisto fica longe de Is 2,2-5 ou Zc 8,20-23.

4,5 "Ânimo": o imperativo grego corresponde ao hebraico "não temas".

4,6-8 Citação livre de Dt 32,15-18. O título "o Eterno" repete-se sete vezes neste poema.

4,9-29 Às vésperas da tragédia, Jerusalém levanta sua voz de denúncia e intercessão, com a dor e a ternura de mãe. Seu discurso é um vaivém de efusões líricas na primeira pessoa e de conselhos prementes. No desafogo lírico se alternam a lembrança, a dor, a esperança. Em vários versículos a tragédia se supõe consumada.

4,9 "Vizinhas de Sião" são os reinos limítrofes, personificados como um coro de mulheres (cf. Ez 16,57; 23,48). Lm 2,16; Sl 137,7; Ab 11-14 referem-se à sua alegria maligna.

4,12 "Viúva" é aqui termo sociológico, apto para expressar o abandono da cidade (Lm 1,1). Jerusalém não confessa aqui pecados próprios, ao contrário de Lm 1,8.9.14.18 etc.

Se estou deserta, é por causa dos pecados de meus filhos,
que se afastaram da lei de Deus.
¹³Não fizeram caso de suas ordens
nem seguiram o caminho de seus preceitos,
não pisaram fielmente
a senda de sua instrução.
¹⁴Que se aproximem as vizinhas de Sião,
recordem que o Eterno
levou cativos meus filhos e filhas.
¹⁵Enviou-lhes um povo distante,
povo cruel e de língua estranha,
que não respeitava os anciãos
nem sentia piedade pelas crianças;
¹⁶arrebataram da viúva seus filhos queridos,
deixaram-na só e sem filhas.
¹⁷E eu, o que posso fazer por vós?
¹⁸Só aquele que vos enviou tais desgraças
vos livrará do poder inimigo.
¹⁹Parti, filhos, parti,
enquanto eu fico sozinha.
²⁰Tirei a veste da paz,
vesti o pano de saco do suplicante,
gritarei ao Eterno toda a minha vida.
²¹Ânimo, filhos! Clamai a Deus
para que vos livre do poder inimigo.
²²Eu espero que o Eterno vos salve,
o Santo já me enche de alegria,
porque muito em breve o Eterno,
vosso Salvador,
terá misericórdia de vós.
²³Se vos expulsou entre luto e prantos,
Deus mesmo vos devolverá a mim
com júbilo e alegria sem fim.
²⁴Como há pouco as vizinhas de Sião
vos viram partir cativos,
também logo verão a salvação
que Deus vos concede,
acompanhada de grande glória
e do esplendor do Eterno.
²⁵Filhos, suportai com integridade o castigo
que Deus vos enviou;

4,13 O membro final do quarteto é duvidoso.
4,14 A sentença de morte foi substituída pelo desterro, como em Gn 3.
4,15-16 Ver Is 13,16-18; 28,11-13; Lm 4,16.
4,17-18 Em termos matrimoniais, a mulher não tem autoridade para desfazer o que é feito pelo marido, só pode suplicar. Em termos militares, cabe aos filhos defender a cidade, que sozinha não pode resistir ao inimigo. Na visão teológica, Deus é o protagonista e continua amando Jerusalém.
4,21-22 No desterro os filhos vão acompanhar a súplica, e esta passará imediatamente à esperança. A ficção poética junta o começo do desterro (586) com o alvorecer da esperança (cerca de 550).

4,22 Sl 126; Is 9; 35.
4,22-23 O tema da alegria, com suas variações, é mais frequente que o da dor. Alegria perversa do inimigo (12.31.33), alegria da mãe ao criar os filhos e ao recuperá-los vivos (22.23.36), alegria dos filhos (29.37; 5,9). O tema da alegria, que soa em Is 9 e culmina em Is 35, ressoa com força neste livro tardio.
4,24 Outro tema semelhante é a glória do Senhor: acompanha e guia (5,6-7), comunica-se e ilumina (5,1.2.9); através do povo se manifesta a outros (4,24; 5,3).
4,25 O inimigo, carrasco a serviço de Deus, arrogou-se o poder e excedeu-se no castigo. Sofrerá por sua vez o castigo correspondente. Continua em 31-35.

se teus inimigos te alcançaram,
logo verás a perdição deles,
e porás o pé sobre o pescoço deles.
²⁶Meus filhos mimados
percorreram caminhos ásperos,
o inimigo os roubou como um rebanho.
²⁷Ânimo, filhos, gritai a Deus!
Pois aquele que vos castigou
se lembrará de vós.
²⁸Se um dia insististes em distanciar-vos de Deus,
voltai a buscá-lo
com redobrado empenho.
²⁹Aquele que vos mandou as desgraças,
vos mandará o gozo eterno
de vossa salvação.
– ³⁰Ânimo, Jerusalém!
Aquele que te deu seu nome te consola.
³¹Malditos os que te fizeram mal
e se alegraram com tua queda;
³²malditas as cidades
que escravizaram teus filhos;
maldita a cidade que os aceitou.
³³Assim como se alegrou com tua queda
e desfrutou de tua ruína,
chorará sua própria desolação.
³⁴Eu lhe tirarei a população
da qual se orgulha,
e sua arrogância se converterá em luto.
³⁵O Eterno lhe enviará um fogo
que arderá muitos dias,
e nela habitarão por longos anos
os demônios.
³⁶Olha para o Oriente, Jerusalém,
contempla a felicidade que Deus te envia.
³⁷Já chegam alegres
os filhos que viste partir,
reunidos pela palavra do Santo
no Oriente e no Ocidente;
já chegam alegres e dando glória a Deus.

5 ¹Jerusalém, despoja-te da veste
de luto e aflição
e veste para sempre
as galas da glória que Deus te dá;

4,27 O povo traz um nome imposto por Deus: por ele, Deus se lembra do povo para salvá-lo.

4,28 Is 55,6.

4,29 Compare-se com Sl 51,14.

4,30 O marido dá nome à esposa (Is 4,1), o Senhor a Jerusalém (Is 60,14; 62,4).

4,31-35 Destruir o agressor é condição para salvar o agredido. Não será uma batalha que o povo enfrenta e vence, é Deus mesmo quem aceita o desafio e o resolve em favor dos inocentes. Batalha e derrota têm valor de julgamento, no qual se aplica a lei do talião. Acumula reminiscências de Is 13; 24; 34; Jr 50-51 etc.

4,36 Ver Is 49,18; 60,4; 11,11.

5,1 Mudar a veste simboliza o começo da libertação: Jt 10,3; Is 52,1.

²envolve-te no manto da justiça de Deus
   e põe na cabeça o diadema
   da glória do Eterno;
³porque Deus mostrará teu esplendor
   a todos os que vivem sob o céu.
⁴Deus te dará um nome para sempre:
   "Paz na Justiça, Glória na Piedade".
⁵Põe-te de pé, Jerusalém, sobe às alturas,
   olha para o Oriente e contempla teus filhos,
   reunidos de Oriente a Ocidente
   pela voz do Santo,
   alegres invocando a Deus.
⁶Partiram a pé, conduzidos pelo inimigo,
   mas Deus os trará a ti com glória
   como levados em carruagem real.
⁷Deus mandou que se abaixassem
   os montes elevados
   e as colinas perpétuas,
 mandou encher os vales
   até aplainar o solo,
   para que Israel caminhe com segurança,
   guiado pela glória de Deus;
⁸mandou as florestas
   e as árvores aromáticas
   fazer sombra para Israel.
⁹Porque Deus guiará Israel
   com alegria para a luz de sua glória,
   com sua justiça e sua misericórdia.

5,2 Deus comunica sua justiça a Jerusalém: ele a defendeu e a restabelece nos direitos que ela tem.
5,4 A imposição ou mudança de nome é tradicional: Is 1,26; 60,14.18; 62,4.12. O novo título joga com o nome *yeru-shalem/shalom* e o componente do nome de seus reis – *çedeq*: Paz na Justiça. O grego *theosebeia* corresponde ao hebraico "temor"/"respeito de Deus", sentido religioso. O nome sintetiza um destino: a cidade respeitará Deus, e essa será a sua glória; promoverá a justiça, e daí brotará a paz.
5,5 Estava estendida por causa da dor; levanta-se para sair do seu fechamento e olhar do alto.
5,6 O retorno glorioso transfigura o caminho, como em Is 40; 55,12.
5,7 A glória de Deus substitui a nuvem e a fogueira do êxodo: Is 40,3s; 35,2.

CARTA DE JEREMIAS

INTRODUÇÃO

Tomando pé nas cartas de Jeremias aos desterrados (Jr 29), um autor anônimo da diáspora compôs esta breve sátira contra a idolatria, baseada em Jr 10,1-16 e em textos polêmicos do Segundo Isaías. A carta parece dirigida a homens da mesma fé do autor e possuidores de pouca cultura. O autor simplifica o fato da idolatria, acumula fáceis traços cômicos, não aprofunda. Um pagão culto poderia responder e mesmo rebater alguns de seus argumentos. A carta não pode ser comparada com as análises de Sb 13-15; está mais perto dos relatos cômicos de Dn 14.

Tampouco o autor sobressai na composição e no estilo. Os temas se repetem e se interrompem; os dados clássicos (Sl 115) estão salteados e diluídos. O único princípio formal é praticamente uma espécie de estribilho que, depois da introdução (1-6), divide a carta em dez seções. Embora o grego seja rico e correto, pensa-se que provavelmente o original fosse hebraico. Em diversas traduções, esta carta figura como capítulo 6 de Baruc.

6 Carta de Jeremias aos desterrados, conduzidos a Babilônia pelo rei da Babilônia, na qual lhes comunica o que Deus lhe recomendou.

¹Por causa de vossos pecados contra Deus, Nabucodonosor da Babilônia vos conduzirá desterrados para Babilônia. ²Chegando a Babilônia, passareis aí muito tempo, longos anos, umas sete gerações. Depois vos tirarei dali em paz. ³Durante esse tempo vereis na Babilônia, levados nos ombros, deuses de prata, ouro e madeira, que infundem temor aos gentios. ⁴Cuidado! Não vos torneis como os estrangeiros, não vos deixeis dominar pelo temor. ⁵Quando virdes, à frente e atrás deles, multidões que os adoram, dizei interiormente: "A ti, Senhor, se deve a adoração", ⁶pois meu anjo está convosco, e ele sonda as consciências.

⁷Os ídolos têm uma língua modelada pelo escultor, estão recobertos de ouro e prata, mas são falsos e incapazes de falar. ⁸Como se faz com uma donzela apaixonada por joias, pegam ouro e tecem coroas para seus deuses. ⁹Mas os sacerdotes subtraem ouro e prata de deuses para seus usos pessoais, e chegam a dar parte disso a prostitutas de bordel. ¹⁰Adornam com vestes, como a homens, seus deuses de prata, ouro e madeira, mas não se livram da ferrugem nem dos cupins. ¹¹Colocam neles mantos de púrpura, e têm de limpar-lhes o rosto do pó do tempo que se acumula em cima deles. ¹²Empunha um cetro como juiz de comarca, mas com ele não pode matar quem o ofende. ¹³Empunha na direita um punhal e um machado que não os livrarão na guerra nem dos bandidos. ¹⁴Daí se deduz que não são deuses e que não deveis temê-los.

¹⁵Os deuses que eles entronizam em seus nichos são como vaso quebrado que não serve para nada. ¹⁶Têm os olhos cheios do pó levantado pelos que entram. ¹⁷Seus átrios estão cercados, como se fecha a cela de um réu de lesa-majestade, em cubículo onde ser executado, assim os sacerdotes protegem os templos com portões, barras e ferrolhos, para que os ladrões não os roubem. ¹⁸Acendem para eles mais lâmpadas do que para si próprios, embora os deuses não possam ver nenhuma. ¹⁹São como as vigas das casas que, segundo dizem, os cupins as roem por dentro, e devorados com suas vestes, não o sentem. ²⁰Têm o rosto enegrecido pela fumaça do templo. ²¹Sobre seus corpos e cabeças revoam corujas, andorinhas e outros pássaros, e pulam os gatos. ²²Daí sabereis que não são deuses e que não deveis temê-los.

²³O ouro que os recobre e enfeita não brilha, se não lhe limpam o ofuscamento. Quando eram fundidos não sentiam. ²⁴Compram-se a qualquer preço, embora não tenham vida. ²⁵Levados nos ombros – porque não têm pés –, demonstram às pessoas que não valem nada; e até seus servidores ficam envergonhados, pois têm de prendê-los para que não caiam; ²⁶se os colocam de pé, não podem mover-se; se eles se inclinam, não se endireitam, e recebem como mortos os dons que lhes oferecem. ²⁷Os sacerdotes vendem as vítimas de seus sacrifícios para se aproveitarem, e da mesma forma suas mulheres as tem-

---

6,1 Jr 10-16; 29.
6,2 Jeremias indicava setenta anos (25,12); sete gerações é um tempo indefinido; Babilônia representa a era da opressão.
6,3-4 Parece pensar na intimidação que avilta, não no temor divino que enobrece. Medos que o homem inventa e impõe.
6,5-6 "Interiormente": bastam a atitude e a confissão mental; nada de violência nem de proclamações perigosas, provocadoras.
6,7 Conforme Sl 115,5.
6,8 Alimentam com artifícios extrínsecos a vaidade e o exibicionismo.
6,9 Ainda que o termo grego para "bordel" não tenha conotação sagrada, é possível que o autor, em seu afã polêmico, qualifique a prostituição sagrada de meretrício.
6,12-13 Atributos emblemáticos de diversas divindades.
6,15 Em termos de utilidade para o homem artesão, os ídolos são instrumentos imprestáveis e inúteis.
6,17 Guardamos o precioso e também o perigoso. Os ídolos pertencem à segunda categoria, de ladrões encarcerados.
6,19 O minúsculo poder destrutivo se insinua e corrói a partir de dentro. Também a sátira do autor é corrosiva, não violenta.
6,21 Compare-se com os serafins de Is 6.
6,25 Segundo Is 46,6.
6,26 Ver Sl 115,7; Is 46,7.
6,27-28 Conforme a mentalidade judaica, este é um grave processo de profanação (cf. Lv 6-7). Seus sacerdotes negociam execrando o sagrado.

peram, sem dar a pobres e necessitados. Esses sacrifícios são tocados por mulheres que pariram ou que estão em suas regras. ²⁸Portanto, sabendo que não são deuses, não tenhais medo deles.

²⁹Então, por que se chamam deuses? As mulheres levam oferendas a deuses de prata, ouro e madeira. ³⁰Em seus templos, os sacerdotes guiam carros com as túnicas rasgadas, a cabeça e a barba raspadas, a cabeça descoberta, ³¹dão uivos diante de seus deuses, como se faz num banquete fúnebre. ³²Os sacerdotes lhes roubam vestes para vestir suas mulheres e filhos. ³³Recebam bens ou males, não podem reclamar. Não podem nomear nem destituir reis. ³⁴Tampouco podem dar riquezas ou dinheiro. Se alguém lhes faz uma promessa e não a cumpre, não podem vingar-se. ³⁵Não arrancam o homem da morte nem livram o fraco do poderoso. ³⁶Não devolvem a vista ao cego nem livram o homem do perigo. ³⁷Não se compadecem das viúvas nem socorrem os órfãos. ³⁸Esses seres de madeira, dourados e prateados, são como pedras do monte. Seus servidores ficarão frustrados. ³⁹Então, como é possível crer neles ou chamá-los de deuses?

⁴⁰Mais ainda, os próprios caldeus os desonram; pois, vendo que um mudo não fala, o levam a Bel e lhe pedem que lhe dê a fala, como se ele mesmo pudesse escutar. ⁴¹Mas eles não são capazes de refletir e de abandoná-los, vendo que não sentem. ⁴²As mulheres, cingidas de cordas, se sentam nas ruas e queimam como incenso esfarelado. ⁴³Quando uma delas, agarrada por algum transeunte, se deita, caçoa da vizinha que não teve o mesmo êxito nem lhe cortaram as cordas.

⁴⁴Tudo o que fazem com eles é falso. Então, como é possível crer neles ou chamá-los de deuses? ⁴⁵São fabricados por escultores e ourives, e são o que seus autores desejam. ⁴⁶Os que os fabricam não vivem muitos anos; o que será, portanto, de suas fabricações? ⁴⁷Deixam aos sucessores enganos e infâmias. ⁴⁸Pois se sobrevém uma guerra ou uma desgraça, os sacerdotes deliberam onde esconder-se com eles. ⁴⁹Como é que não compreendem que não são deuses, se não podem salvar-se na guerra ou na desgraça? ⁵⁰Sendo de madeira, dourados e prateados, é evidente que são falsos; ficará evidente a reis e povos que não são deuses, e sim manufatura humana, e não realizam nenhuma ação divina. ⁵¹Quem não vê que não são deuses?

⁵²Não nomeiam reis de um país, nem dão a chuva aos homens; ⁵³não podem julgar suas causas nem vingar suas injúrias, porque são impotentes. São como corvos que voam entre céu e terra. ⁵⁴Se acontece um incêndio no templo desses deuses de madeira, dourados e prateados, seus sacerdotes escapam para se porem a salvo, e eles queimam como as vigas do templo. ⁵⁵Não podem resistir nem ao rei nem aos inimigos. ⁵⁶Portanto, como se pode aceitar ou crer que sejam deuses?

⁵⁷Esses deuses de madeira, dourados e prateados, não se livram de ladrões nem de bandidos; estes são mais fortes e lhes tiram o ouro, a prata e as vestes, os levam, e os ídolos não podem defender-se. ⁵⁸Portanto, vale mais que esses deuses um rei que faz

---

6,29-33 Segue-se a comédia de dons e roubos. Os objetos valiosos mudam de dono por mediação dos ídolos e de seus sacerdotes. Os ídolos se convertem em peças de um tráfico devotamente legalizado.

6,30-31 Recorda os sacerdotes de Baal de 1Rs 18.

6,34-37 Série negativa em que aos ídolos vão sendo negados alguns predicados tradicionais do Senhor. 33b: 1Sm 2,8; Jó 12,18; 1Rs 19,34; Dt 23,21; 35a: Sl 9,14; 33,19; 56,14; 35b: Sl 18,28; 35,10; 140,13; 36a: Is 29,18; 35,5; 36b: Sl 25,22; 34,7.18; 54,9; 37: Sl 68,6; 146,9. Em resumo, um anti-hino disparado contra os ídolos.

6,37 Hab 2,19.

6,40-41 Implica o grave tema da oração. A oração dirigida aos ídolos é um mudo que tenta falar a um surdo; seus sacerdotes são mediadores do absurdo. Is 35,6; 44,20.

6,42-43 Parece tratar-se de um rito de prostituição sagrada, ou de um voto de oferecer a si mesma uma vez no templo da deusa. O cúmulo da depravação é que a mulher se orgulha de ter sido violada.

6,45-47 O homem lega a seu filho o nome e algo da sua própria vida; o escultor morre e legou a forma, a aparência, não a vida. Lega uma fraude.

6,48-49 Era costume os reis e imperadores atribuírem suas vitórias à divindade protetora. A consequência era que também as derrotas atingiam os deuses, e levar a estátua do deus inimigo era sinal de conquista.

6,50-51 Ver Is 41,23; 43,13.

6,57 Os ídolos polarizam um movimento alternante: atraem as oferendas dos devotos e a cobiça dos ladrões.

6,58 Sobre o valor utilitário dos ídolos, comparado com o rei na política, e com as portas e as colunas na casa.

alarde de seu valor ou uma serviçal vasilha doméstica que seu proprietário utiliza. Uma porta de casa que protege os moradores vale mais do que os deuses falsos. Coluna de madeira num palácio vale mais do que os deuses falsos.

[59] O sol, a lua e as estrelas brilham e obedecem quando são encarregados de suas tarefas. [60] Quando aparece o raio, é bem visível. O próprio vento sopra em qualquer região. [61] As nuvens obedecem logo, quando Deus as envia por todo o mundo habitado. [62] O raio, quando o enviam do alto para consumir montes e selvas, o faz imediatamente. Os ídolos não se podem comparar a eles nem na figura nem no poder. [63] Portanto, como é possível crer que sejam ou chamá-los de deuses? Pois não podem fazer justiça nem favorecer os homens. [64] Portanto, sabendo que não são deuses, não tenhais medo deles.

[65] Não podem maldizer nem bendizer os reis. [66] Não podem mostrar sinais celestes aos povos, não iluminam como o sol nem brilham como a lua. [67] Valem mais as feras, que sabem defender-se, refugiando-se em suas tocas. [68] Nenhum argumento prova que sejam deuses; portanto, não os temais.

[69] Esses deuses de madeira, dourados e prateados, são como espantalhos inúteis num meloal. [70] São como espinhos numa horta, onde pousa qualquer pássaro; esses deuses de madeira, dourados e prateados, são como um morto lançado às trevas. [71] Pela púrpura e pelo linho que apodrecem em cima deles, sabereis que não são deuses. Terminam carcomidos e são a vergonha do país. [72] Em conclusão: Vale mais o homem honrado que não tem ídolos, pois a vergonha deles não o atingirá.

6,59-64 Astros e meteoros são criaturas controladas por seu Criador; ele lhes atribui suas funções, e eles as cumprem fielmente. Se eles não são deuses, quanto menos os ídolos.
6,59 Eclo 39,16-35.
6,69-70 Com três passos, o autor chega ao ápice: não o inerte, mas o morto é o reino dos ídolos. Deuses que um dia receberam veneração e morreram (Sl 82), deuses que contaminam e profanam, diametralmente opostos ao Deus vivo.
6,70 Sl 82.
6,71-72 A decadência física dos ídolos simboliza sua decadência na veneração. Primeiro a veste que cobre, depois a corrupção que entra neles; no fim, são vexame e fracasso. Não é assim o homem honrado (Sl 1): qualquer que seja, e não apenas o judeu.

EZEQUIEL

INTRODUÇÃO

Sua vida

Não sabemos quando nasceu. Provavelmente na infância e juventude conheceu algo da reforma de Josias, sua morte trágica, soube da queda de Nínive e da ascensão do novo Império Babilônico. Sendo de família sacerdotal, receberia sua formação no templo, onde deve ter oficiado até o momento do desterro. Para ele, Jeconias (Yehoyakin) é o verdadeiro continuador da dinastia davídica. No desterro recebe a vocação profética, que o faz uma espécie de irmão mais novo de Jeremias: são os dois intérpretes da tragédia, na pátria e no desterro.

A sua atividade se divide em duas etapas com um corte violento. A primeira etapa dura uns sete anos, até a queda de Jerusalém; sua tarefa aí é destruir sistematicamente a falsa esperança; denunciando e anunciando, faz compreender que é vão confiar no Egito e em Sedecias, que a primeira deportação é só o primeiro ato, preparação da catástrofe definitiva. A queda de Jerusalém confirma a validade da profecia: uma esperança foi sepultada. Segue-se um entreato de silêncio forçado, quase mais trágico que a palavra precedente. Uns sete meses de intervalo fúnebre sem ritos nem palavras, sem consolo nem compaixão.

O profeta começa a segunda etapa pronunciando seus oráculos contra as nações: enquanto solapa toda a esperança humana em outros poderes, afirma o julgamento de Deus na história. Depois começa a refazer uma nova esperança, fundada somente na graça e na fidelidade de Deus. Seus oráculos precedentes recebem nova luz, seu autor os completa, acrescenta-lhes novas conclusões e outros oráculos de pura esperança.

Seu estilo

Ezequiel está familiarizado com a mentalidade e o estilo dos sacerdotes: nota-se isso em suas fórmulas declaratórias, na sua temática do culto, nas suas explanações casuísticas. Também conhece a tradição profética, e com frequência explora temas e motivos tradicionais: às vezes uma simples imagem se transforma numa visão, outras vezes uma metáfora serve para amplo desenvolvimento imaginativo; também sabe criar imagens novas, sem a riqueza e a variedade de Jeremias, sem a concisão de Isaías. Seu sentimento tende para o patético, que facilmente se transforma em retórica (mesmo suprimindo prováveis adições). A tendência intelectual o leva a compor grandes quadros articulados ou a sintetizar simplificando. O intelectualismo é a maior fraqueza de seu estilo: com frequência a razão apaga a intuição, o alegorismo seca uma imagem válida, as explicações afogam o valor sugestivo. Alguns de seus defeitos sobressaem mais na simples leitura; se declamamos os seus oráculos, ganham relevo seus jogos verbais, suas palavras dominantes repetidas e chega a impor-se o ritmo de seu verso livre ou prosa rítmica.

Sua obra

Sucede como em outros profetas: o livro de Ezequiel não é inteiramente obra de Ezequiel. Primeiro, porque sua atividade literária é oral, composta primeiramente para a recitação, conservada na memória e na repetição oral, difundida pelo profeta e seus discípulos. Indicamos com parênteses as adições mais notáveis.

Se Ezequiel escreveu algo e começou a reunir seus oráculos, aquilo que hoje conhecemos como livro de Ezequiel é obra

da sua escola. Por um lado, incorporam-se a ele muitas adições: especulações teológicas, fragmentos legislativos no final, explicações exigidas por acontecimentos posteriores; por outro, com todo esse material se realiza uma tarefa de composição unitária de um livro. A sua estrutura é clara nas grandes linhas e corresponde às etapas da sua atividade: até a queda de Jerusalém (1-24); oráculos contra as nações (25-32); depois da queda de Jerusalém (33-48). Essa construção oferece o esquema ideal de ameaça-promessa, tragédia-restauração. Acontece que esse esquema se aplica também a capítulos individuais, por meio de acréscimos ou transpondo material da segunda etapa para os primeiros capítulos; também se transpõe material posterior para os capítulos iniciais, a fim de apresentar desde o princípio uma imagem sintética da atividade do profeta.

O livro pode ser lido como unidade ampla, dentro da qual se abrigam peças não bem harmonizadas: mais ou menos como catedral de três naves góticas, na qual foram abertas capelas barrocas com monumentos fúnebres e estátuas de devoções limitadas. Na leitura devemos descobrir sobretudo o dinamismo admirável de uma palavra que interpreta a história para criar nova história, o dinamismo de uma ação divina que, através da cruz merecida de seu povo, vai extrair o puro dom da ressurreição.

Dados cronológicos

609 Começa o reinado de Joaquim (Yehoyaquim) em Judá.
605 Começa o reinado de Nabucodonosor em Babilônia.
603 Joaquim, vassalo do rei de Babilônia.
600 Nabucodonosor é derrotado no Egito; Joaquim se rebela (2Rs 24,1).
597 Morre Joaquim, sucede-lhe Jeconias/Joaquin (Yehoyakin).
     Nabucodonosor conquista Jerusalém, deporta muitos nobres com o rei, nomeia Sedecias rei vassalo. Ezequiel vai para o desterro.
593 Vocação de Ezequiel (1-3). Jeremias envia sua carta aos desterrados (Jr 29).
592 Visão do templo profanado (8-10); a glória do Senhor abandona o templo e a cidade.
591 Os anciãos visitam Ezequiel (20).
588 Incitado por Tiro e Egito, Sedecias rebela-se contra Nabucodonosor.
587 5 de janeiro: Começa o assédio de Jerusalém (24,1).
     7 de janeiro: Oráculo contra o Egito (29,1).
     29 de abril: Oráculo contra o Egito (30,20).
     21 de junho: Oráculo contra o Egito (31,1).
586 Junho: Morre a mulher do profeta e ele fica mudo (24,15ss).
     18 de julho: Os sitiantes abrem brecha na muralha de Jerusalém; Sedecias tenta fugir (2Rs 25,2-7).
     15 de agosto: Destruição da cidade e do templo (2Rs 25,8-17).
585 8 de janeiro: Chega um fugitivo de Jerusalém com a notícia da queda da cidade; o profeta recupera a fala (33,21-22).
     6 de fevereiro: Oráculo contra Tiro (26). 3 de março: Oráculo contra o Egito (32). Começa o cerco de Tiro.
573 Abril: Visão do novo templo (40ss).
572 Nabucodonosor abandona o cerco de Tiro.
571 Oráculo contra o Egito (29,17).
562 Morre Nabucodonosor, sucede-lhe seu filho Avil-Marduc.
560 Avil-Marduc tira Jeconias (Yehoyakin) do cárcere (2Rs 25,27).

VOCAÇÃO

1 Teofania (Ex 3; Is 6; Ap 4-5) – ¹No trigésimo ano, o quinto da deportação do rei Jeconias, ²no dia cinco do quarto mês, encontrando-me entre os deportados, às margens do rio Cobar, abriram-se os céus e contemplei uma visão divina.

³(Veio a palavra do Senhor a Ezequiel, filho do sacerdote Buzi, na terra dos caldeus, às margens do rio Cobar.)*

Então apoiou-se em mim a mão do Senhor, ⁴e vi que vinha do norte um vento de furacão, uma grande nuvem e um ziguezague de relâmpagos. (Nuvem nimbada de resplendor, e entre o relampaguear como o brilho do electro.)

⁵No meio destes aparecia a figura de quatro seres viventes: ⁶tinham forma humana (quatro rostos) e quatro asas cada um.

⁷[Suas pernas eram retas e seus pés como cascos de bezerro; reluziam como brilha o bronze polido. ⁸Debaixo das asas tinham braços humanos pelos quatro lados (os quatro tinham rostos e asas.) ⁹(Suas asas se juntavam de duas em duas.) Não se voltavam ao caminhar; caminhavam de frente. ¹⁰Seu rosto tinha esta figura: rosto de homem, rosto de leão pelo lado direito

---

1-3 O livro de Ezequiel, como o de Jeremias, se abre com uma notícia autobiográfica sobre a vocação: o profeta se apresenta e se acredita diante do leitor, como um dia se acreditou diante de seus ouvintes. O relato se articula em duas peças com uma conclusão: teofania (1,1-28); vocação e missão (2,1-3,1); conclusão (3,12-15).

1,1-28 *Teofania.* Para entender este capítulo é preciso primeiro esclarecer o texto original de Ezequiel. a) O profeta redigiu com eficaz concisão a sua visão impressionante (tipo normal). Uma visão em que o próprio Deus se manifesta intriga os teólogos posteriores; b) Não se atrevendo ao mais alto da visão, especulam sobre a parte inferior, sobre os portadores da plataforma, e até inventam e descrevem uma carruagem, semelhante ao que se usava no templo para transportar a arca (entre colchetes). Essas especulações penetram primeiro no cap. 10, quando a glória do Senhor abandona o templo, e daí passam para o capítulo primeiro. c) Outro grupo de autores acrescenta glosas explicativas que entram no texto e o confundem mais do que o explicam (entre parênteses). É conveniente ler primeiro o texto original e depois os acréscimos e glosas.

Contexto histórico. No ano 593 os habitantes de Judá e Jerusalém têm um rei e o culto: a casa de Davi e a casa do Senhor. Têm também a palavra de Deus que ressoa na boca de Jeremias. Os desterrados em território babilônico não têm monarquia: Jeconias, seu rei, definha no cárcere; não têm culto, o Senhor está ausente. Nem têm um profeta que lhes anuncie a palavra de Deus. São ainda povo eleito? Voltarão à pátria? De repente, o Senhor se apresenta no céu de Babilônia e escolhe para si um profeta, mensageiro da sua palavra.

Visão de Ezequiel. A teofania tem dimensão cósmica: "abriram-se os céus", que contrasta com a localização precisa. Uma tempestade avança vertiginosa, e nela se destacam imagens que o profeta descreve por aproximações. Predomina o visual, não se ouvem trovões; e, mais que as formas, destaca-se o fulgor, o esplendor, a luz. É "a glória do Senhor"; o sacerdote Ezequiel a reconhece e adora. A luz deslumbrante dissipa as formas, porém permite distinguir quartetos: quatro seres viventes, quatro asas, e, de baixo para cima, os carregadores, a plataforma, o trono, a figura humana.

Reflexões teológicas. Os seus autores são provavelmente sacerdotes que oficiaram no templo de Jerusalém. Se a plataforma sustenta o trono do Senhor, é preciso relacioná-la com a arca, que levava uns querubins sobre a tampa e era trasladada em carruagem processional. Assim, pois, os comentaristas se detêm a descrever por um lado os querubins da visão, por outro lado o movimento das rodas da carruagem; e acrescentam ruídos à visão. Nem as patas dos animais nem umas supostas rodas interessavam ao profeta, já que na sua visão tudo vinha voando pelo céu, a favor do vento e em silêncio. A especulação sacerdotal tinha uma intenção prática: dar ao povo uma explicação da arca desaparecida.

1,1-2 Não sabemos o ponto de partida desse ano "trigésimo": da vida do profeta? É a idade mínima do ministério sacerdotal, segundo Nm 4,3.23.30. Menciona Jeconias como rei legítimo. O rio Cobar (= Grande) é um afluente do Eufrates ou talvez um canal próximo a Nipur.

"Abre-se o céu": imaginado como abóbada sólida que separa a esfera celeste da terrestre, as águas superiores das inferiores (Gn 1,7.11). "Visão divina" equivale a êxtase, conforme 8,3 e 40,1-3.

1,3 Glosa: nova introdução, com fórmula profética. Chama de "caldeus" os babilônios do segundo império. "A mão do Senhor" se apodera do profeta e o dirige na atividade: 3,14.22; 8,1; 33,22; 40,1.

* Os parênteses e colchetes assinalam os acréscimos de grau diverso (ver Introdução).

1,4 O norte representa a esfera celeste onde habita o Senhor: Jó 37,22; Is 14,13. Em outros textos, o Senhor vem do sul: Sl 68; Hab 3,3. A tempestade é com frequência a figura que a teofania adota. A "nuvem" revela velando: aqui se concentra o olhar do profeta. "Electro": liga metálica famosa por seus reflexos (glosa).

1,5-6 "Quatro" é número de totalidade cósmica.

1,7-10 Acréscimo. Segundo Ezequiel, os carregadores tinham "figura humana" alada. Os discípulos os identificam com querubins no cap. 10, e daí surge a especulação: desce do céu à terra. Os querubins dos templos orientais eram seres mitológicos, polimorfos, guardiães dos templos ou adoradores de suas divindades. Os discípulos os imaginam com quatro formas: rosto de homem, asas de águia, corpo de leão, patas de touro. Depois lhes atribuem "quatro faces" para que caminhem sempre "de frente".

dos quatro, rosto de touro pelo lado esquerdo dos quatro, rosto de águia os quatro.]

¹¹Suas asas estavam estendidas para cima; um par de asas se juntava, outro par de asas lhes cobria o corpo.

¹²Os quatro caminhavam de frente, avançavam a favor do vento, sem voltar-se ao caminhar.

¹³Entre esses seres viventes havia como brasas acesas (pareciam tochas agitando-se entre os viventes); o fogo brilhava e lançava relâmpagos. ¹⁴(Iam e vinham como chispas.)

¹⁵[Olhei e vi no solo uma roda ao lado de cada um dos quatro seres viventes. ¹⁶O aspecto das rodas era como o brilho do crisólito; as quatro tinham a mesma aparência. Sua feitura era como se uma roda estivesse encaixada dentro da outra, ¹⁷para poderem rodar nas quatro direções sem terem de virar ao rodar. ¹⁸Tinham pinas e aros, e vi que a circunferência dos quatro aros estava cheia de olhos.

¹⁹Quando os seres viventes caminhavam, as rodas avançavam ao lado deles; quando os seres viventes se elevavam do solo, elevavam-se também as rodas; ²⁰avançavam para onde soprava o vento; as rodas se elevavam juntas, porque levavam o espírito dos seres vivos. ²¹(E assim avançavam quando eles avançavam), detinham-se quando eles se detinham (e quando eles se elevavam do solo, as rodas se elevavam também, porque levavam o espírito dos seres viventes.)]

²²Sobre a cabeça dos seres viventes havia uma espécie de plataforma, brilhante como o cristal (estendida por cima de suas cabeças).

²³[Sob a plataforma, suas asas estavam horizontalmente emparelhadas; cada um cobria o corpo com um par. ²⁴E ouvi o barulho de suas asas, como estrondo de águas torrenciais, como a voz do Todo-poderoso; quando caminhavam, gritaria de multidões como estrondo de tropas; quando se detinham, abaixavam as asas. ²⁵Também se ouviu um estrondo sobre a plataforma que estava em cima de suas cabeças; quando se detinham, abaixavam as asas.]

²⁶E por cima da plataforma, que estava sobre suas cabeças, havia uma espécie de safira em forma de trono; sobre esta espécie de trono sobressaía uma figura que parecia um homem. ²⁷E do que parecia sua cintura para cima, vi um brilho como de electro (algo como fogo o emoldurava), e do que parecia sua cintura para baixo, vi algo parecido com fogo. Estava nimbado de resplendor.

²⁸O resplendor que o nimbava era como o arco que aparece nas nuvens quando chove. Era a aparência visível da glória do Senhor. Ao contemplá-la, caí com o rosto por terra, e ouvi a voz de alguém que me falava.

2 Vocação (Ex 3-4; Jr 1; Is 6) – ¹Dizia-me:

– Filho de Adão, põe-te de pé, pois vou falar-te.

1,11-13 Continua o texto do profeta. Com os pares de asas estendidas formam um quadro fechado sustentador. Como as outras asas se cobrem em sinal de respeito. A articulação das asas lhes permite uma posição frontal. O "fogo" é também elemento de teofania, quer seja relâmpago, raio ou chama; Sl 50,3; 97,3; Is 30,27-33 etc.

1,13-14 As tochas que se agitam são glosa.

1,15-21 Agora os discípulos identificam, ou confundem, a plataforma com a carruagem da arca. Suposto isso, têm de justificar a função das rodas e sua mobilidade em todas as direções. As rodas têm feitio prodigioso e possuem um "espírito vital" que lhes permite a perfeita sincronia de movimentos com os viventes. Os autores não conseguem descrever com coerência esse trem de decolagem e aterrissagem.

1,16 2Rs 2,11; 6,17.

1,22 Continua o profeta. A plataforma sustenta e separa, à imagem do firmamento celeste.

1,23-25 Novo acréscimo que perturba o silêncio original. O responsável orquestra o estrondo com duas comparações clássicas: Sl 93,3s; 65,8; Is 17,12.

1,26-27 Continua o profeta. A descrição se torna cada vez mais aproximativa, por temor e respeito; as comparações não procuram precisar, mas esfumar. O personagem entronizado é fonte de resplendor, irradia luz e centelhas, mal tem figura. Ver Ez 24,10.

1,28 A glória do Senhor vai ser um tema-chave na profecia de Ezequiel: abandonará o templo (10) e voltará a ele (43). No princípio, sai da sua morada celeste para visitar um desterrado em Babilônia. Não está confinada por fronteiras, pode escolher qualquer território. Toda a visão caminhou em silêncio; finalmente se escuta uma voz que se dirige a Ezequiel.

2,1-3,11 O relato da vocação está articulado com oito fórmulas "filho de Adão", três dedicadas ao rito no centro (2,8; 3,1.3). O protagonista continua não sendo nomeado: é uma voz, uma mão. A Ezequiel lhe retiram seu sobrenome ilustre, Ben Buzi, filho de Buzi, e lhe impõem o sobrenome de todos os mortais, Ben Adam, filho de Adão, distintivo de sua missão profética. Escuta pela primeira vez o novo

²Penetrou em mim o espírito enquanto estava me falando e me ergueu de pé, e ouvi aquele que me falava. ³Dizia-me:

– Filho de Adão, eu te envio a Israel, povo rebelde: eles e seus pais se rebelaram contra mim, sublevaram-se contra mim até o dia de hoje. ⁴(Eu te envio a filhos duros de rosto e de coração empedernido.) Tu lhes dirás: "isto diz o Senhor", ⁵quer te escutem ou não te escutem, pois são casa rebelde, e saberão que há um profeta no meio deles. ⁶E tu, filho de Adão, não tenhas medo deles, não tenhas medo do que disserem, mesmo quando te rodearem espinhos e te sentares sobre escorpiões. (Não tenhas medo do que disserem, nem te acovardes diante deles, pois são casa rebelde.) ⁷Tu lhes dirás minhas palavras, quer te escutem ou não, pois são casa rebelde. ⁸E tu, filho de Adão, ouve o que te digo: Não sejas rebelde como a casa rebelde! Abre a boca e come o que te dou.

⁹Vi então uma mão estendida para mim, com um rolo. ¹⁰Desenrolou-o diante de mim: estava escrito na frente e no verso; estavam escritos elegias, lamentos e ais.

3 Missão do profeta (Jr 1; Is 50,4-9) –

¹E me disse:

– Filho de Adão (come o que tens aí); come este rolo e vai falar à casa de Israel.

²Abri a boca e me deu o rolo para comer, ³dizendo-me:

– Filho de Adão, alimenta teu ventre e sacia tuas entranhas com este rolo que te dou.

Eu o comi, e na boca me parecia doce como mel.

⁴E me disse:

– Filho de Adão, anda, vai à casa de Israel e dize-lhes minhas palavras, ⁵pois não és enviado a um povo de idioma estranho e de línguas estrangeiras que não compreendes. ⁶Se fosses enviado a estes, certamente te dariam atenção; ⁷ao contrário, a casa de Israel não quererá fazer caso de ti, porque não querem fazer caso de mim. Pois toda a casa de Israel são cabeçudos e duros de coração. ⁸Olha, faço teu rosto tão duro como o deles e tua cabeça dura como a deles; ⁹como o diamante, faço tua cabeça mais dura que a rocha.

Não os temas nem te acovardes diante deles, embora sejam casa rebelde.

¹⁰E me disse:

– Filho de Adão, todas as palavras que eu te disser escuta-as atentamente e aprende-as de memória. ¹¹Anda, vai aos deportados, a teus compatriotas, e dize-lhes: "isto diz o Senhor", quer te escutem ou não.

¹²Então o espírito me arrebatou e ouvi às minhas costas o estrondo de um grande terremoto, quando a glória do Senhor se elevou do seu lugar. ¹³(Era a revoada das asas dos seres viventes roçando uma na outra, junto com o fragor das rodas: o estrondo de um grande terremoto.) ¹⁴O

---

nome quando está estendido no chão, e recebe um espírito de profecia que o põe de pé.

É enviado aos "israelitas", à Casa de Israel, que vai se chamar "Casa Rebelde". O fato de que Deus lhe envie um profeta demonstra que não a rejeitou.

2,1-2 O "espírito" acompanha a palavra; vitaliza e sintoniza o profeta para que escute.

2,3-4 No contexto da aliança, é a rebelião do vassalo contra o soberano. Ezequiel há de ser uma espécie de fiscal, representante do Senhor.

2,5 A missão profética é para a palavra. Esta leva em si uma força tal que, mesmo rejeitada, se impõe. Os desterrados, mesmo à força, haverão de reconhecer que o Senhor lhes enviou um profeta. Enviou com dois objetivos: para que se salvem, se o aceitarem; para que não tenham desculpa, se o rejeitarem.

2,6 É o tratamento grotesco e cruel que caberá ao profeta; deve sabê-lo desde o começo, para que sua valentia não seja consequência da ignorância.

2,8-3,3 Dentro da visão, equivalem à nomeação. Ezequiel transforma em pantomima aquilo que Jeremias diz como imagem (15,16; cf. Sl 19,11).

O profeta tem de assimilar a mensagem antes de pronunciá-la; antes de assimilá-la, a saboreia. O volume ou rolo está escrito de ambos os lados e deve encher as entranhas do profeta.

3,4-7 Deus fala ao homem em linguagem humana e inteligível; o homem que não quer entender ou que teme entender, a declara e a torna ininteligível. Mas quando o homem se abre, mesmo a língua estrangeira usada por Deus se torna inteligível.

3,7-9 A dureza de Israel é rebeldia e teimosia; a de Ezequiel deve ser valentia e constância, e terá de superar toda a dureza que o homem opõe.

3,10 Embora se fale de comer ou memorizar, não esqueçamos que o profeta tem de trabalhar os oráculos em seu estilo pessoal.

3,12-13 A visão desaparece sem que o profeta saiba para onde; da glória do Senhor só percebe um estrondo que se afasta. A glosa procura harmonizar o ruído com o acréscimo de 1,23-25.

3,14-15 Esse áspero contraste entre a marcha excitada e a semana de abatimento marca com sua tensão a atividade do profeta.

espírito me tomou e me arrebatou e parti decidido e excitado, enquanto a mão do Senhor me impelia. ¹⁵Cheguei aos deportados de Tel Abib (que viviam às margens do rio Cobar), que é onde eles viviam, e fiquei aí sete dias abatido no meio deles.

Primeira atividade do profeta - I

O profeta como sentinela (Ez 33,1-7; Am 3; Is 21) – ¹⁶Ao fim de sete dias, o Senhor me dirigiu a palavra:

– ¹⁷Filho de Adão, eu te coloquei como sentinela na casa de Israel. Quando escutares uma palavra de minha boca, tu lhes darás alarme por mim. ¹⁸Se eu digo ao perverso que é réu de morte e tu não lhe dás o alarme – isto é, não falas alertando o perverso para que mude sua má conduta e conserve a vida –, então o perverso morrerá por causa de sua culpa e a ti pedirei contas de seu sangue. ¹⁹Mas se tu alertas o perverso, e ele não se converte de sua perversidade e de sua má conduta, então ele morrerá por causa de sua culpa, mas tu salvarás a vida. ²⁰E se o justo se afasta de sua justiça e comete perversidades, porei um tropeço diante dele e morrerá; por não o teres alertado, ele morrerá por causa de seu pecado e não se levarão em conta as obras justas que fez; mas a ti pedirei contas de seu sangue. ²¹Se tu, pelo contrário, alertas o justo para que não peque, e com efeito não peca, certamente conservará a vida por ter estado alerta, e tu salvarás a vida.

²²Então se apoiou sobre mim a mão do Senhor, que me disse:

– Levanta-te, sai para a planície e aí te falarei.

²³Levantei-me e saí para a planície: aí estava a glória do Senhor, a glória que eu havia contemplado às margens do rio Cobar, e caí com o rosto por terra. ²⁴Penetrou em mim o espírito e me pôs de pé; então o Senhor me falou assim:

– Vai e tranca-te em casa. ²⁵E tu, filho de Adão, olha que te porão cordas, te amarrarão com elas e não poderás soltar-te. ²⁶Grudarei tua língua ao palato, ficarás mudo e não poderás ser o acusador, pois são casa rebelde. ²⁷Mas quando eu te falar, te abrirei a boca para que lhes digas: "isto diz o Senhor"; quem quiser, que te escute; e quem não quiser, que o deixe; pois são casa rebelde.

4 **Ações simbólicas** – ¹E tu, filho de Adão, pega um tijolo, coloca-o diante de ti e grava nele uma cidade, ²põe-lhe cerco, constrói torres de assalto contra ela, e faze um aterro contra ela; põe tropas contra ela e coloca aríetes ao seu redor.

3,16-21 No capítulo 18 e sobretudo no 33, descreve-se a responsabilidade do profeta em termos de uma casuística rigorosa: destruída a cidade santa e perdida a esperança, o profeta apela para a responsabilidade de cada indivíduo.
O editor do livro quis apresentar essa característica já no princípio da obra, como que explicando a sua vocação de profeta. Para isso copiou e adaptou alguns versículos do cap. 33 (que veremos em seu lugar). Assim acontece que o v. 16 fica separado de 4,1.

3,22-27 Esta peça é uma composição artificial feita por algum discípulo de Ezequiel e colocada no princípio do livro, como panorâmica da atividade do profeta. Dos capítulos precedentes tomou a aparição da glória e a missão de falar à Casa Rebelde; o tema do encerramento não se lê no resto do livro, mas pode complementar a imobilidade do cap. 4. O tema da mudez adquire grande relevo nos capítulos 24 e 33. A planície só aparece como cenário da visão dos ossos, cap. 37.

3,24-25 O encerramento, entre voluntário e forçado, é imagem óbvia do cerco de Jerusalém. Paralelo da prisão de Jeremias, Jr 38.

3,26 Sobre a mudez, ver o comentário a 24,25-27 e 33,21-22.

4-5 Costuma-se chamar de *ações simbólicas* a um tipo de oráculos proféticos, nos quais a palavra é substituída por uma pantomima que prefigura os acontecimentos; 4,3 o chama de sinal ou signo. Podem consistir em pura pantomima significativa, podem ser retalhos da vida do profeta; costumam ser acompanhados de uma palavra que os explica, anunciando o futuro. Não são ações mágicas nem sacramentais nem ritos jurídicos. Pode-se ver: 1Rs 11,29-39; 2Rs 13,14-19; Os 1 e 3; Is 8,1-4; 20; Jr 13,1-11; 16,1-9; 19,1s.10s; 27,1-3.12; 32; 43,8-13; 51,59-64. A estranheza de algumas ações pode servir para chamar a atenção, para sublinhar o caráter alegórico do gesto, para sugerir o estranho da ação divina. Ezequiel impõe seu estilo pessoal também a essas ações; prefere a alegoria intelectual e minuciosa ao símbolo imaginativo e inspirador; suas pantomimas costumam ser mais pormenorizadas.
Estes dois capítulos recolhem três ações que se referem ao cerco de Jerusalém e à dispersão.

4,1-3 Em Babilônia se empregavam tijolos para escrever e para desenhar. A princípio o público não deve saber de que cidade se trata; até podem imaginar que seja Babel. O tijolo fica no centro, e o profeta monta em torno dele uma imagem de cerco, conforme as regras da poliorcética. Ezequiel recusa todo auxílio, refugiando-se atrás de uma panela de ferro. Devemos imaginar a execução diante de um público entretido e intrigado: de que cidade se trata?

³E tu, pega uma panela de ferro e coloca-a como muralha de ferro entre ti e a cidade; dirige contra ela teu rosto; ficará sitiada e lhe apertarás o cerco. É um sinal para a casa de Israel.

⁴E tu, deita-te do lado esquerdo, e lançarei sobre ti a culpa da casa de Israel. Os dias em que estiveres assim deitado, carregarás sua culpa. ⁵Eu te indico em dias os anos de sua culpa (trezentos e noventa dias) para que carregues a culpa da casa de Israel.

⁶Ao terminá-los, tu te deitarás do lado direito e carregarás a culpa da casa de Judá quarenta dias: eu te indico um dia para cada ano.

⁷Dirigirás o rosto e o braço despido para o cerco de Jerusalém e profetizarás contra ela.

⁸Olha, eu te amarro com cordas, e não poderás mudar de lado, até que cumpras os dias de teu aperto.

⁹E tu, recolhe trigo e cevada, favas e lentilhas, centeio e espelta: põe tudo numa vasilha, e com isso faze o que comer. (Comerás isso trezentos e noventa dias, todos os dias em que estiveres deitado de lado.)

¹⁰Comerás teu alimento racionado: uma porção diária de oito onças; numa hora determinada a comerás.

¹¹Beberás a água medida: a sexta parte de um hin, numa hora determinada a beberás.

¹²Comerás uma fogaça de cevada, que cozinharás diante deles sobre excremento humano.

¹³E o Senhor disse:

– Os israelitas comerão um pão impuro nas nações por onde eu os dispersar.

¹⁴Eu repliquei:

– Ai, Senhor! Olha que eu nunca me contaminei; desde criança nunca comi carne de animal morto ou despedaçado por uma fera; nunca entrou em minha boca carne estragada.

¹⁵Respondeu-me:

– Está bem, eu te concedo que prepares teu pão, não sobre excremento humano, mas sobre excremento de boi.

¹⁶E acrescentou:

– Filho de Adão, cortarei o sustento
do pão em Jerusalém:
comerão o pão racionado e com angústia,
beberão a água medida e com medo,
¹⁷para que, ao faltar-lhes o pão e a água,
se consumam, por sua culpa,
e o mundo inteiro se horrorize.

5 ¹E tu, filho de Adão, pega uma faca afiada, pega uma navalha afiada e passa na cabeça e na barba. Depois pega uma balança e faze porções.

²Um terço o queimarás na fogueira no meio da cidade (quando terminar o assédio), um terço o sacudirás com a espada (em torno da cidade), um terço o espalharás ao vento (e os perseguirei com a espada desembainhada).

³Recolherás alguns pelos e os colocarás na dobra do manto; ⁴destes separarás alguns e os jogarás no fogo, e os deixarás queimar.

4,4-6 A segunda ação distingue os dois reinos: a casa de Israel e a casa de Judá. O profeta participará do sofrimento de seus concidadãos e poderá simbolizá-lo; ao mesmo tempo mostra que não é definitivo, mas limitado. De Nm 14 conhecemos a correspondência dias-anos: quarenta é número redondo de uma geração; o outro número talvez se deva a acréscimo ou manipulação. O povo não foi condenado à morte nem ao desterro perpétuo.

4,7-8 Parecem acréscimos. O primeiro seria uma boa introdução para 5,5, como gesto que acompanha um oráculo solene. O segundo insiste no tema da imobilidade.

4,9-15 Consequência do cerco serão a fome e a sede, o racionamento rigoroso de víveres, o reunir com trabalho restos heterogêneos de alimento sem distinguir a qualidade. Acrescenta-se um detalhe doloroso, repugnante para a sensibilidade sacerdotal de Ezequiel. O cerco anula violentamente essa separação entre sagrado e profano que ordena a vida humana; atira o povo ao caos indiferenciado do profano. O que acontecer no cerco será o começo da situação do desterro (v. 13). O uso de excrementos secos para fazer fogo não era raro entre nômades e povo pobre. Ver a legislação de Ex 22,30; Lv 19,7; Dt 23,13-15. Também o protesto de Pedro: At 10,9-16.

4,16-17 Podem proceder de 12,19, onde se enquadram melhor.

5,1-4 Depois do cerco, vem a matança e a dispersão. A pantomima faz eco parcial à imagem de Is 7,20, pu-

Dirás à casa de Israel: ⁵Isto diz o Senhor:
Trata-se de Jerusalém:
eu a pus no centro dos povos,
rodeada de países,
⁶e se rebelou contra minhas leis e ordens,
pecando mais que outros povos,
mais que os países vizinhos.
Porque rejeitaram minhas ordens
e não seguiram minhas leis,
⁷por isso, assim diz o Senhor:
Porque fostes mais rebeldes
que os povos vizinhos,
porque não seguistes minhas leis
nem cumpristes minhas ordens,
nem agistes como é costume
dos povos vizinhos;
⁸por isso, assim diz o Senhor:
Aqui estou contra ti para fazer justiça em ti
à vista dos povos.
⁹Por tuas abominações,
farei em ti coisas que jamais fiz
nem voltarei a fazer.
¹⁰Por isso, os pais comerão
seus filhos no meio de ti,
e os filhos comerão seus pais;
farei justiça em ti, e teus sobreviventes
eu os espalharei por todos os ventos.
¹¹Por isso, por minha vida! – oráculo do Senhor –,
por teres profanado meu santuário
com teus ídolos e abominações,
juro que te rejeitarei, não terei piedade de ti
nem te perdoarei.
¹²Um terço dos teus morrerá de peste
e a fome os consumirá dentro de ti,
um terço cairá à espada ao redor de ti
e espalharei um terço por todos os ventos.
E os perseguirei com a espada desembainhada.
¹³Esgotarei minha ira contra eles,
e desafogarei minha cólera

---

ramente literária. A cabeleira e a barba, formosura e dignidade da cabeça do homem, são sacrificadas; recorde-se o voto dos nazireus, o gesto de luto de Is 15,2 e Jr 41,5. A operação de pesar e fazer porções é sinistra: exatidão minuciosa e calma para uma partilha trágica. O vento dispersa sem destruir, e o profeta, à luz de acontecimentos posteriores, completou seu oráculo com uma referência ao resto salvo. Várias glosas explicativas penetraram no texto. A explicação da pantomima se prolonga e se amplifica no resto do capítulo.

5,5 "Centro dos povos": Babilônia se definia o umbigo do mundo, porque no seu templo prendia-se o cordão umbilical que unia a terra ao céu; também se chama assim a terra prometida: Ez 38,12; e não por estatuto mitológico, mas por escolha histórica.

Jerusalém deveria centrar a história da humanidade, irradiando e atraindo. Agora vai tornar-se um centro de correção: destino universal do povo escolhido.

5,6 O delito foi mais grave porque Israel conhecia os mandamentos revelados, tinha mais consciência, vivia em aliança com seu Deus.

5,7 Outros povos eram fiéis a seus deuses, Jr 2,10-11.

5,10 Tão atroz canibalismo é uma das maldições de Lv 26,29 e Dt 28,54-57; Jr 19,9 o anuncia; 2Rs 6,29 o narra.

5,11 A profanação do templo é descrita no cap. 8. A profanação penetra até a proximidade máxima do Deus Santo. O juramento é terrível: castigo sem compaixão: Jr 13,14; Zc 11,6; Lm 2,2.17.21.

5,13 "Paixão" ou ciúme: o ciúme de um Deus que não admite rivais (Ex 20,3), o ciúme em que se transforma o amor ofendido, dando lugar à paixão

até ficar satisfeito;
e saberão que eu, o Senhor, falei cheio de paixão,
quando esgotar minha cólera contra eles.

¹⁴Eu te tornarei assombro e escárnio
para os povos vizinhos,
à vista dos que passarem.

¹⁵Serás escárnio e afronta,
lição e espanto
para os povos vizinhos,
quando eu fizer em ti justiça com ira e cólera,
com castigos sem piedade.
Eu, o Senhor, o disse:

¹⁶Dispararei contra vós
as flechas fatídicas da fome,
que acabarão convosco
(para acabar convosco as dispararei).
Eu vos darei fome com juros
e vos cortarei o sustento do pão.

¹⁷Mandarei contra vós
fome e feras selvagens,
que vos deixarão sem filhos;
passarão por ti peste e matança
e mandarei contra ti a espada.
Eu, o Senhor, o disse.

Contra os montes de Israel
(Ez 36,1-15)

6 ¹O Senhor me dirigiu a palavra:
– ²Filho de Adão, olha para os montes de Israel
e profetiza contra eles.
³Montes de Israel,
escutai a palavra do Senhor!
Assim diz o Senhor aos montes e às colinas,
às quebradas e aos vales:

---

e à ira. O antropomorfismo tenta expressar a participação de Deus, a sua não neutralidade diante do pecado dos seus.

5,14-15 Os povos vizinhos acrescentarão suas zombarias à dor da desgraça, e receberão uma lição. Jerusalém em ruínas continuará revelando: Dt 29,21-27. A última frase é como a firma oral de Deus.

5,16-17 Amplificação que talvez incorpore experiências da segunda deportação.

6,1-14 Depois de profetizar contra Jerusalém, cidade que centraliza o universo e a história, o profeta ameaça os montes, que representam a terra prometida. O capítulo é um díptico com uma inserção central (8-10), articulado por três fórmulas de reconhecimento (7.10.14).

A *natureza* sente-se ligada à conduta e ao destino do homem desde o princípio: Gn 3,17-19; 4,12; sente a perversão do homem: Lv 18,24-30, e se ressente: Is 24,5; Sl 82,5.

Os *montes* são a pátria recordada e vista da planície do desterro: definem a terra prometida: Ex 15,17; 1Rs 20,23; Dt 32,13; Is 14,25.

Os *lugares altos* eram um pouco como nossas capelas que, do alto de uma colina, dominam aldeias e campos. Eram lugares favoritos dos cananeus. Aí prestavam culto a deuses da vegetação. Segundo Dt 7,5, Israel recebeu ordem de destruir os objetos do culto idolátrico. Transformou as colinas já purificadas em centros de culto local. Bem cedo se converteram em centros de sincretismo religioso, que os profetas denunciam, até que Josias impõe uma rígida centralização do culto em Jerusalém. Visto que há um só Deus diante de muitos ídolos, haverá um só monte diante de muitos lugares altos. Ezequiel contempla a história infiel de Israel ligada a esses lugares altos.

O *castigo* denunciará a falsidade dessas capelas ao ar livre: seus deuses não poderão salvar nem salvar-se, e serão profanados com os cadáveres de seus devotos.

6,3 Quatro termos sintetizam a orografia da Palestina. O Senhor cumprirá neles o que os israelitas não quiseram fazer.

Atenção! Pois eu mando
a espada contra vós
para destruir vossos lugares altos;
⁴serão arrasados vossos altares
e quebrados vossos postes sagrados;
farei que caiam vossos mortos
diante de vossos ídolos.
⁵(Jogarei os cadáveres dos israelitas
diante de seus ídolos.)
Espalharei vossos ossos
em torno de vossos altares.
⁶Em todas as vossas regiões,
arruinarão as aldeias e arrasarão as elevações;
até que fiquem arruinados
e arrasados vossos altares,
quebrados e destruídos vossos ídolos,
arrancados vossos postes sagrados
e apagadas vossas obras.
⁷Os mortos jazerão entre vós,
e sabereis que eu sou o Senhor.
⁸Deixarei que alguns escapem
da espada para outras nações,
e quando se dispersarem por seus territórios,
⁹os que se salvarem se lembrarão de mim
nas nações para onde os deportarem;
eu lhes quebrarei o coração adúltero
que se apartou de mim, e os olhos
que fornicaram com seus ídolos;
sentirão nojo de si mesmos
pelo mal que praticaram,
por suas abominações.
¹⁰E saberão que eu, o Senhor,
não os ameacei em vão com esses castigos.
¹¹Isto diz o Senhor:
Bate palmas e baila, e dize:
Bem feito pelas graves abominações
da casa de Israel!
Pois cairão pela espada, de fome e de peste.
¹²Aquele que está longe morrerá de peste,
aquele que está perto cairá à espada
e aquele que ainda estiver vivo morrerá de fome.
Esgotarei minha cólera contra eles.
¹³E sabereis que eu sou o Senhor,
quando seus mortos e seus ídolos
jazerem juntos em torno a seus altares,

6,5 Ver a profecia de 1Rs 13,2.
6,6 As "obras" são às vezes os ídolos; aqui parecem referir-se à atividade cultual.
6,7 No castigo executado reconhecerão o Senhor como dono da terra e vencedor dos ídolos.
6,8-10 Numa etapa posterior se introduz aqui uma profecia de conversão, que revela a função saudável do desterro: ver Lv 26,39-45.

"Adultério e fornicação": metáforas utilizadas para expressar a infidelidade do povo a seu Deus.
6,9 1Rs 8,47-48.
6,11 Esta dança é talvez uma paródia de danças rituais idolátricas (cf. 1Rs 18,26), talvez imitação de uma dança guerreira (cf. Sl 149), talvez pantomima das zombarias do vencedor.

nas altas colinas,
no cume dos montes,
ao pé das árvores frondosas
e ao pé dos carvalhos copados,
santuários onde ofereciam a seus ídolos
oblações de aroma que aplaca.
¹⁴Estenderei minha mão contra eles
e farei do país um deserto desolado
– todos os povoados,
do deserto até Rebla.
E saberão que eu sou o Senhor.

Chega o dia
(Sf 1,7-18)

7 ¹O Senhor me dirigiu a palavra:
– ²Tu, filho de Adão, dize:
Isto diz o Senhor à terra de Israel:
O fim, chega o fim
para os quatro extremos do orbe!
³Já te chega o fim:
Lançarei minha ira contra ti,
eu te julgarei como mereces,
e pagarás tuas abominações.
⁴Não terei piedade nem te perdoarei:
eu te darei a paga que mereces,
ficarás com tuas abominações,
e sabereis que eu sou o Senhor.
⁵Isto diz o Senhor:
Aproxima-se desgraça após desgraça:
⁶o fim chega, chega o fim,
ele te espreita, está chegando.
⁷É a tua vez, habitante da terra:
chega o momento, o dia se aproxima
sem demora e sem tardar.
⁸Logo derramarei minha cólera sobre ti,
e em ti esgotarei minha ira;
eu te julgarei como mereces,
e pagarás tuas abominações.
⁹Não terei piedade nem te perdoarei,
eu te darei a paga que mereces,

6,14 Rebla foi o lugar do castigo de Sedecias (2Rs 26,6), limite setentrional, ao passo que o desterro assinala o limite meridional.

7,1-27 Depois da coordenada espacial, Jerusalém e os montes (de Judá), vem uma coordenada temporal, o dia final. O capítulo anuncia o fim em 1-9 e descreve o dia em 10-27. O texto está mal conservado, mas permite correções prováveis. Contém duplicações e repetições: é provável que o texto tenha sido amplificado ou tenha reunido duas versões do mesmo oráculo. Mas é muito difícil reconstruir um texto original. Lido em voz alta, o oráculo manifesta sua força retórica, seu incansável martelar.

7,1-9 O tema do fim se desenvolve em duas estrofes, marcadas pelo final de reconhecimento: 1-4 e 5-9. Estão dominadas pelo termo "fim" e por outras designações temporais, e pelo verbo do futuro hebraico "vem, chega". É uma presença obsessiva. O fim é o dia da ira do Senhor, dia de sentença justa que será executada sem remissão.

7,1-2 Fazem ressoar o sobrenome do profeta e o "território", 'adam e 'adamá. O texto hebraico se abre com um panorama universal, o que suporia uma visão escatológica. A sorte de Judá afeta o orbe inteiro.

7,6 "Te espreita": ou "se desperta", jogo de palavras com "o fim" (algumas versões o suprimem).

7,7 "Vez" estabelecida por Deus, e não efeito de um ciclo cego e fatal.

ficarás com tuas abominações,
   e sabereis que eu sou o Senhor que castiga.
¹⁰Aí está o dia, está chegando, é a tua vez.
   Floresce a injustiça, amadurece a insolência,
¹¹triunfa a violência,
   o cetro do perverso.
   Sem demora e sem tardar,
¹²chega o momento, o dia se aproxima;
   o comprador, não se alegre;
 o vendedor, não esteja triste
   (porque a todos o incêndio atinge).
¹³Pois o vendedor não recuperará o vendido
   nem o comprador reterá o comprado
   (porque a todos o incêndio atinge).
¹⁴Tocam a trombeta, preparam as armas,
   mas ninguém acorre à batalha
   (porque a todos meu incêndio atinge).
¹⁵A espada na rua,
   em casa a peste e a fome:
   quem está em campo aberto morre pela espada,
   o que está na cidade
   é devorado pela fome e pela peste.
¹⁶Os que escapam fugindo para as montanhas,
   gemendo como pombas,
   morrerão todos eles,
   cada qual por sua culpa.
¹⁷Todos os braços desfalecem
   e todos os joelhos fraquejam;
     ¹⁸vestem-se de pano de saco, cobrem-se de espanto;
todos os rostos, consternados;
   todas as cabeças, rapadas.
¹⁹Atirarão na rua a prata,
   terão o ouro como imundície;
   nem seu ouro nem sua prata poderão salvá-los
   no dia da ira do Senhor,
   porque foram seu tropeço e pecado.
   Não lhes tirarão a fome
   nem lhes encherão o ventre.

7,10-27 Percebe-se um movimento irregular, embora incontido, que vai destruindo todas as seguranças e recursos humanos: o comércio (12s), o exército (14s), a fuga (16), as riquezas (19), os ídolos (20), o templo (22), chefes e conselheiros (26). O pecado é denunciado em 10-11.19-20 e 23-24: injustiça, luxo, idolatria e violência.

7,10-11 Os pecados sociais possuem uma espécie de dialética interna com a qual crescem, se afirmam e se convertem em castigo.

7,12-13 O mundo do comércio dominado pela injustiça (cf. Is 24,2). Trata-se do que se vê forçado a malbaratar, ainda com certa esperança de recuperar o que vendeu (Lv 25,23-34), e do que se aproveita do mau momento alheio. O final não será um jubileu de graça, como o Levítico prescreve, mas um incêndio que a todos iguala na destruição. O final do v. 13 está mal conservado e parece glosa. Alguns o reconstroem e traduzem: "e ainda que esteja com vida entre os vivos, não voltará, pois por sua culpa não conservará a vida"; quer dizer: os sobreviventes morrerão por sua culpa em Babilônia e não retornarão a recuperar suas posses. Compare-se com Jr 32.

7,14 Alguns leem no imperativo o toque de alarme, seguindo Jr 4,5; 6,1; 51,27.

7,15 Como ressonância da ação simbólica do capítulo 5. As duas duplas são convencionais: Dt 32,25; Jr 9,21; 14,18; Lm 1,10.

7,16 Parece acréscimo, inspirado talvez em Sl 11 e 55,5.

7,17 "Fraquejam": literalmente "se vão em água", que alguns interpretam como molhar-se de puro medo.

7,18 Gestos convencionais de luto.

7,19-20 O ouro não salva no julgamento, Pr 10,2; 11,4, nem salva na fome. O abuso mais grave do ouro é deixar-se seduzir por seu esplendor e convertê-lo em ídolo (cf. Jó 31,24s). "Imundície" com caráter cultual: Lv 12,2.

²⁰Estavam orgulhosos de seus esplêndidos enfeites:
com eles fabricaram as estátuas
de seus ídolos abomináveis,
mas eu os transformarei em imundície.
²¹Eu o darei como despojo a bárbaros,
como presa aos criminosos da terra,
e o profanarão.
²²Afastarei deles meu rosto,
e profanarão meu tesouro:
bandoleiros invadirão a cidade
e a profanarão.
²³Prepara grilhões,
pois o país está cheio de crimes,
a cidade está cheia de violências.
²⁴Trarei os povos mais ferozes
para que se apoderem de suas casas;
porei fim à sua obstinada soberba
e seus santuários serão profanados.
²⁵Quando chegar o pânico,
buscarão paz, e não haverá.
²⁶Virá desastre após desastre,
e alarme após alarme;
pedirão visões ao profeta,
fracassarão as instruções do sacerdote
e as propostas dos conselheiros.
²⁷O rei fará luto,
os nobres se vestirão de espanto,
as mãos dos latifundiários
ficarão tremendo;
eu os tratarei como merecem,
eu os julgarei com sua mesma justiça,
e saberão que eu sou o Senhor.

O TEMPLO PROFANADO

8 **Pecado** – ¹No sexto ano, no dia cinco do sexto mês, estando eu sentado em minha casa e os conselheiros de Judá sentados diante de mim, desceu sobre mim a mão do Senhor. ²Vi uma figura que parecia um homem: do que parecia a cintura

---

7,22 O "tesouro" é o templo ou sua mobília. A invasão inimiga: Lm 4,12.
7,25 Ver Is 48,22; Jr 6,14; 8,15.
7,26 Ver Jr 18,18.

O TEMPLO PROFANADO

Os capítulos 8-10 com 11,23-25 formam a grande unidade inserida no tema da glória. É a visão de um *julgamento* solene: o cap. 8 ocupa o lugar da acusação e prova dos delitos, o 9 contém a sentença e sua execução na presença do juiz; depois, a glória abandona o templo e o país. A essa construção simples se acrescentaram glosas que tentavam explicar e reflexões especulativas que perturbam o conjunto; no cap. 10, o texto original é uma fração do atual. O profeta é convidado a presenciar o julgamento para contá-lo depois em forma de profecia. O leitor deve esforçar-se por conseguir a visão de conjunto.

8,1-18 Imaginemos que num processo, em vez de contar e testemunhar oralmente as acusações, seja projetado diante do tribunal e do público um filme dos fatos delituosos; é inútil qualquer protesto de inocência, e o público fica impressionado; os jornalistas o contarão depois. É um pouco assim o presente capítulo: é a versão escrita de uma experiência visual. São quatro delitos, número de totalidade, contra o Senhor e seu templo. O estribilho imprime uma força crescente, até que a cólera explode no final. Os traços são concisos, porque o narrador dá por conhecidos muitos dados aludidos. Não sabemos se a visão exagera nas ações ao concentrar e estilizar as cenas.
8,1 A partir da deportação, no dia 17 de agosto de 592. O senado ou conselho do povo são os anciãos; acorreram para consultar ou escutar o profeta, ao que parece com respeito. Serão testemunhas mudas de um êxtase do profeta e ouvirão da sua boca a primeira versão oral, imaginamos.
8,2 A glória do Senhor é a mesma contemplada na vocação. Tem de voltar a Jerusalém para que o processo funcione; o templo ainda está de pé.

para baixo, fogo; da cintura para cima, como um resplendor, um brilho como de electro. ³Alongando uma espécie de mão, agarrou-me pelos cabelos; o espírito me levantou no ar e me levou em êxtase, entre o céu e a terra, a Jerusalém junto à porta setentrional do átrio interno (onde estava a estátua rival). ⁴Aí estava a glória do Deus de Israel, como eu o tinha contemplado na planície.

⁵Ele me disse:

– Filho de Adão, dirige o olhar para o norte.

Dirigi o olhar para o norte, e ao norte da porta do altar vi a estátua rival (a que está na entrada).

⁶Acrescentou:

– Filho de Adão, não vês o que estão fazendo? Graves abominações comete aqui a casa de Israel para que eu me afaste do meu santuário. Mas verás abominações ainda maiores.

⁷Depois me levou à porta do átrio e vi uma fresta no muro.

⁸Ele me disse:

– Filho de Adão, abre um buraco no muro.

Abri um buraco no muro e vi uma porta.

⁹Acrescentou:

– Entra e olha as cruéis abominações que estão cometendo aí.

¹⁰Entrei, e nas quatro paredes vi gravado todo tipo de répteis e animais imundos, todos os ídolos da casa de Israel. ¹¹Diante deles, setenta senadores da casa de Israel estavam em pé, incensório na mão. (Jezonias, filho de Safã, entre eles.) Uma nuvem de incenso se elevava.

¹²Disse-me:

– Não vês, filho de Adão, o que estão fazendo os senadores da casa de Israel às escuras, nos camarins de suas imagens? Porque pensam: O Senhor não nos vê, o Senhor abandonou o país.

¹³E acrescentou:

– Tu os verás fazer abominações ainda maiores.

¹⁴Depois me levou junto à porta setentrional da casa do Senhor; estavam aí algumas mulheres sentadas no solo, chorando por Tamuz.

¹⁵Disse-me:

– Não vês, filho de Adão? Verás abominações ainda maiores do que estas.

¹⁶Depois me levou até o átrio interno da casa do Senhor. À entrada do templo do Senhor, entre o átrio e o altar, havia uns vinte e cinco homens, de costas para o templo e olhando para o Oriente: estavam adorando o Sol.

¹⁷Disse-me:

– Não vês, filho de Adão? As abominações que aqui cometem parecem pouca coisa para a casa de Judá, e enchem o país de violências, indignando-me mais e mais! Aí os tens mandando carrascos para me enfurecerem!

¹⁸Pois também eu agirei com cólera, não terei piedade nem perdoarei; eles me invocarão gritando, mas não os escutarei.

8,3 A viagem é imitada em Dn 14,36.
8,4 Não se deve perder de vista essa glória que preside a cena. A glória é a razão do templo, seu único dono. O título da aliança "Deus de Israel" é particularmente significativo no contexto judicial.
8,5 "A estátua rival", que provoca ciúme. O Senhor é um "Deus ciumento": Ex 20,5; 34,14; Dt 4,24; 5,9; 6,15; os outros deuses lhe causam ciúme: Dt 32,21; Sl 78,58. Seu ciúme nasce da exigência exclusiva. A quem representava tal estátua? O artigo denota algo conhecido. 2Rs 21,7 e 2Cr 33,7 falam de uma estátua de Astarte colocada no templo por Manassés, antes da reforma de Josias; Jr 7,18 e 44,15-19 denuncia o culto à Rainha do céu. Ezequiel não especifica.
8,6 "Me afaste": expressão duvidosa.
8,7-11 Escondem-se, não por medo do Senhor, mas por medo das autoridades, que agora favorecem os cultos de Babilônia, enquanto que os gravados representam divindades egípcias: ver Dt 4,18. Os senadores representam o governo de Israel: Nm 11,16.24.
8,12 "Não nos vê": Sl 94,7; Eclo 16,17-23; 23,18.
8,14-15 Tamuz era um deus da vegetação: morre, desce à profundeza da terra, ressurge na primavera, devolvendo fecundidade aos campos ao celebrar as núpcias com a deusa Ishtar. O pranto era rito fúnebre pela morte do deus. Is 17,10 e talvez 1,29 aludem a ele.
8,16 Culto solar proibido: Dt 4,19; Jó 31,26. Por receber culto idolátrico será condenado: Is 24,23.
8,17 No contexto de idolatria penetra o delito de injustiça, que é sua consequência ou seu companheiro: ver Sb 14,22-29. "Carrascos": a enigmática palavra hebraica *zemora* deu origem a muitas explicações hipotéticas. Nós a relacionamos com a violência precedente; outros a veem como gesto cultual, talvez obsceno ou grosseiro.

9 Sentença e execução (2Rs 10,17-27; Ap 7) – ¹Então o ouvi chamar em voz alta:

– Aproximai-vos, carrascos da cidade, empunhando cada um sua arma mortal.

²Então apareceram seis homens pelo caminho da porta de cima, que dá para o norte, empunhando maças. No meio deles, um homem vestido de linho, com os instrumentos de escrivão na cintura. Ao chegar, detiveram-se junto ao altar de bronze. ³A glória do Deus de Israel se havia levantado do querubim em que se apoiava, indo colocar-se no umbral do templo. Chamou o homem vestido de linho, com os instrumentos de escrivão na cintura, e o ⁴Senhor lhe disse:

– Percorre a cidade, atravessa Jerusalém e marca na fronte os que se lamentam afligidos pelas abominações que nela se cometem.

⁵Disse aos outros em minha presença:

– Percorrei a cidade atrás dele, ferindo sem compaixão e sem piedade.

⁶Matai velhos, jovens e donzelas,
   crianças e mulheres, acabai com eles;
   mas não toqueis em nenhum dos marcados.
   Começai pelo meu santuário.

E começaram pelos anciãos que estavam diante do templo.

⁷Depois disse-lhes:

– Profanai o templo, enchendo seus átrios de cadáveres, e saí pela cidade matando.

⁸Somente eu fiquei com vida. Enquanto eles matavam, caí com o rosto por terra e gritei:

– Ai, Senhor! Vais exterminar o resto de Israel, derramando tua cólera sobre Jerusalém?

⁹Ele me respondeu:

– Grande, muito grande é o delito da casa de Israel e de Judá; o país está cheio de crimes; a cidade repleta de injustiças, pois dizem:

– O Senhor abandonou o país, o Senhor não o vê.

¹⁰Pois tampouco eu terei piedade nem perdoarei; dou a cada um o que merece.

¹¹Então o homem vestido de linho, com os instrumentos de escrivão na cintura, informou dizendo:

– Cumpri o que me ordenaste.

10 A glória parte (1Sm 4,22) – ¹(Na plataforma que estava sobre a cabeça dos querubins vi uma espécie de safira, em forma de trono, que sobressaía.)

9,1-11 Sentença e execução. Encontramo-nos perante uma visão. Ezequiel não vê de antemão os fatos como vão acontecer dentro de alguns anos. Assiste a uma representação que lhe facilita a chave teológica dos fatos. Não convidado, intervém na representação com o papel profético de intercessor. O juiz recusa o apelo à clemência, porque já tomou providências para salvar os inocentes. Dado que se encontra dentro do templo, não vê o que se passa na cidade.
A pena será incêndio e matança, dos quais um resto fiel ao Senhor se livrará. Os carrascos são o exército babilônio. A ordem cronológica se inverte: na realidade, os invasores entraram pela cidade até o último reduto do templo. Na visão, por razões teológicas, a ação se estende do templo à cidade.
9,1 A terminologia traz à lembrança o exterminador de Ex 12; ver também 2Sm 24,16 e Is 10,4ss.
9,2 Linho era geralmente tecido sacerdotal: Lv 16,4.23.32.
9,3 Versículo acrescentado para ligar esta cena com o contexto (8,2 e 10,4), e para recordar ao leitor a presença dominadora do Senhor.
9,4 A marca é um *tau*, última letra do alfabeto hebraico, que antigamente tinha a forma de cruz. Os marcados são propriedade do Senhor, porção sagrada e intocável: ver Ap 7.
9,5 Dt 13,16; Js 10,40.
9,6 Fórmulas de guerra santa: Dt 13,16; 20,16; Js 10,40; 11,11s. O templo já não é asilo sagrado, porque os sacrilégios o profanaram.
9,8 A intercessão é função profética: Ex 32; Nm 14; Dt 9; Jr 15; Am 7,2-5.
9,9 Ver a descrição no cap. 22.
9,10 Mas o Senhor está presente, vê culpas e inocência, ainda não foi embora, julga e condena.
10,1-22 Este capítulo é o mais complicado do livro, um dos mais difíceis do AT. Em grandes linhas reconstruímos assim sua gênese. Ezequiel teve uma visão da glória de Deus em movimento, abandonando o templo e o país. Redigiu-a concisamente (texto em itálico). Sua visão desencadeou duas linhas de especulação: o que houve com a arca? que figura tem a glória? Alguns discípulos mais próximos do sacerdote profeta tentaram responder à primeira pergunta; uma série de teólogos especulativos, à segunda (entre colchetes ou em parênteses os acréscimos).
Texto de Ezequiel. O Senhor dá uma última ordem para que se proceda ao incêndio da cidade com fogo

²O Senhor disse ao homem vestido de linho:

– Coloca-te debaixo da carruagem (sob o querubim), *recolhe um punhado de brasas* do meio dos querubins e *espalha-as pela cidade*.

E vi que ele se *colocou*.

³Ao entrar esse homem, os querubins se encontravam ao sul do templo (e a nuvem enchia o átrio interno).

⁴*A glória do Senhor se ergueu sobre os querubins e se colocou no umbral do templo; a nuvem encheu o templo e o resplendor da glória do Senhor encheu o átrio.*

⁵(O rumor das asas dos querubins chegou até o átrio externo: era como a voz do Todo-poderoso quando fala.)

⁶(O homem vestido de linho, ao receber a ordem de recolher fogo de sob a carruagem, entre os querubins, colocou-se ao lado de uma roda.)

⁷(O querubim) *estendeu a mão* (entre os querubins) *para o fogo* que estava entre os querubins (recolheu-o e colocou-o na concha das mãos do homem vestido de linho); *ele o recolheu e saiu.*

⁸(Por baixo das asas dos querubins aparecia uma espécie de braços humanos.)

⁹[E vi quatro rodas ao lado dos querubins, uma ao lado de cada um. O aspecto das rodas era como o brilho do crisólito. ¹⁰As quatro tinham a mesma aparência. Sua feitura era como se uma roda estivesse encaixada dentro da outra, ¹¹para poderem rodar nas quatro direções sem terem de se voltar ao rodar, pois já de antemão estavam orientadas na direção em que rodavam. (Não se voltavam ao avançar.) ¹²A circunferência dos quatro aros estava cheia de olhos.

¹³Ouvi que chamavam as rodas de Carruagem.

¹⁴Cada uma tinha quatro faces: de querubim, de homem, de leão e de águia. ¹⁵(Os querubins se elevaram.) Estes eram os seres viventes que eu tinha visto às margens do rio Cobar.

¹⁶Quando os querubins caminhavam, ao seu lado avançavam as rodas. As rodas não se afastavam de seu lado, nem mesmo quando os querubins levantavam as asas para subir do chão. ¹⁷Paravam quando eles paravam e junto com eles se elevavam, porque levavam o espírito dos seres viventes.

¹⁸*Logo a glória do Senhor saiu* levantando-se do umbral *do templo*, e se colocou sobre os querubins. ¹⁹Vi os querubins levantar as asas, subir do solo (sem separar-se das rodas) e sair. *E se deteve junto à porta oriental da casa do Senhor;* enquanto isso, a glória do Deus de Israel sobressaía por cima deles.

---

do templo. O escrivão o executa, mas não se descreve a execução fora do templo, porque Ezequiel não sai para ver. Entretanto, a glória se levanta, sai do templo e da cidade.

O *fogo* representa o castigo escatológico ou definitivo, porque não se apaga enquanto não se consome o combustível: o exemplo clássico é Sodoma e Gomorra; também os rebeldes de Nm 16 etc. Jerusalém foi incendiada: 2Rs 25,9; Lm 2,3s; 4,11. A *glória* segue uma trajetória linear e desaparece em poucas etapas. Teoricamente se encontra no camarim ou *debir*. Deixa o camarim, atravessa a nave e se detém no vestíbulo, atravessa o pátio central e se detém na porta oriental do templo; atravessa parte da cidade, a torrente Cedron, e para no monte das Oliveiras. Desaparece. Ezequiel vê uma parte da trajetória e completa o que não vê com o que sabe como sacerdote. Sem a presença do Senhor, o templo já não é templo, é um edifício profano.

10,1 Versículo de ligação com o capítulo primeiro.

10,2 Entra até o lugar onde se conserva o fogo sagrado: Lv 16,13; Is 6,6.

10,4 Os "querubins" colocados sobre a placa de ouro da arca: Ex 25,18-20. A "nuvem" é sinal da presença encoberta do Senhor: Ex 19,9; 24,16; 33,9-10 etc. O átrio é o lugar de reunião do povo, e nele se encontra o altar dos holocaustos.

Interpretações. A primeira identifica a plataforma da visão de Ezequiel com a carruagem processional da arca. 1Rs 7,27-33 fala de carros para a mobília; a carruagem terrestre do culto corresponde à celeste de Deus: Sl 104,3 e 18,11. Mencionam-se procissões: 1Sm 6 e 2Sm 6; aludem a elas: Sl 24; 47,6; 68,25-28. O autor supõe que a carruagem esteja esperando no átrio e a glória suba nela ao sair da nave. Outros acréscimos perseguem fins particulares: as mãos do querubim, para estender os carvões; as rodas com o seu mecanismo e animação; os quatro rostos dos seres viventes.

10,5 Ver Sl 29.

10,12 "Olhos" ou cintilações luminosas.

10,14-15 Ezequiel viu os "seres viventes" em figura humana com asas. Ao identificá-los em "querubins", atribuiu-lhes uma figura de quatro formas. Visto que o termo hebraico *panim* significa rosto ou aspecto, outro autor inventou os quatro rostos orientados aos quatro ventos; outro autor tardio atribuiu um aspecto a cada um, e essa visão se impôs em nossa iconografia religiosa dos quatro evangelistas.

O texto que hoje lemos conserva traços da indecisão de tais figuras. Na tradução limamos asperezas sintáticas que mostram a manipulação sucessiva e que ajudam para a reconstrução.

²⁰Eram os seres viventes que eu tinha visto debaixo do Deus de Israel, às margens do rio Cobar, e percebi que eram querubins. ²¹Tinham quatro rostos e quatro asas cada um, e uma espécie de braços humanos debaixo das asas; ²²sua fisionomia era a dos outros que eu tinha contemplado às margens do rio Cobar. Caminhavam de frente.

11 O resto (Jr 24) –

¹Arrebatou-me o espírito e me levou no ar até a porta oriental da casa do Senhor (que olha para o Oriente); aí, junto à porta, havia vinte e cinco homens, entre os quais distingui Jezonias, filho de Azur, e Feltias, filho de Banaías, chefes do povo.

²O Senhor me disse:

– Filho de Adão, são esses que nesta cidade maquinam perversidades e planejam crimes. ³Andam dizendo: "Logo reconstruiremos as casas: a cidade é a panela e nós somos a carne". ⁴Portanto, profetiza contra eles, profetiza, filho de Adão.

⁵Desceu sobre mim o espírito do Senhor e me disse:

– Dize: Isto diz o Senhor: Tal coisa pensais vós, casa de Israel; eu conheço vossas cavilações. ⁶Multiplicastes vossas vítimas nesta cidade, enchestes suas ruas de vítimas. ⁷Portanto, isto diz o Senhor: A cidade é a panela, da qual vos tirarei, e vossas vítimas são a carne.

⁸Temeis a espada:
Pois mandarei a espada contra vós
– oráculo do Senhor.
⁹Eu vos tirarei da cidade,
eu vos entregarei em poder de bárbaros
e farei justiça em vós.
¹⁰Eu vos julgarei na fronteira de Israel,
caireis à espada e sabereis que eu sou o Senhor.
¹¹(Já não será vossa panela, nem vós a sua carne:
eu vos julgarei na fronteira de Israel.)
¹²E sabereis que eu sou o Senhor,
cujas leis não seguistes,
cujas ordens não cumpristes,
mas imitastes
os costumes dos povos vizinhos.

11,1 Tudo acontece em visão, dentro da qual o profeta identifica dois governantes, conhecidos seus.

11,1-21 Compõe-se de dois oráculos que tratam um tema semelhante: a relação entre os desterrados e os sobreviventes de Jerusalém. *O problema*. O ponto de partida é a teoria do "resto", grupo reduzido de povo que se salva e assegura a continuidade. A doutrina funciona em relatos do êxodo (p. ex. Nm 14; Js 5); Isaías a expõe bem. Destruído o reino setentrional, o reino de Judá ocupa o lugar do resto. Depois da primeira deportação (597), quem é o resto?
A resposta. Os que ficaram em Judá se consideram os continuadores legítimos do povo escolhido. Jeremias, na visão dos figos (Jr 24), denuncia essa confiança; Ezequiel o faz com mais vigor aqui (1-13). Poucos anos mais tarde acontece a catástrofe: incêndio da cidade, do templo e deportação em massa. A situação muda: o oráculo precedente é lido à luz da tragédia; o povo humilhado e abatido amadurece para um novo oráculo de esperança. O editor do livro tomou ambos os oráculos e os uniu num díptico em contraste: condenação dos teimosos de Judá, promessa para os desterrados.

E inclui o díptico na visão do templo. Assim o leitor saberá de antemão que a última palavra do Senhor é de esperança.

11,2-3 O delito é agravado pela contradição de ações e palavras. Praticam uma política de violência e exploração (ver Mq 2,1s; 3,1-3.9-12). Declaram sua política benéfica e construtiva, e, com frase proverbial, atribuem a si a excelência suprema na cidade.

11,6-7 Depois de uma introdução solene, repete a denúncia do pecado e pronuncia a sentença, retorcendo o provérbio contra os culpados e acrescentando uma cláusula. Caso se refira a vítimas mortais, dever-se-ia traduzir "eram", e o sentido seria irônico: os supostos construtores da pátria aniquilaram seus habitantes. Caso se refira a vítimas da exploração, diz que os oprimidos são o que vale na cidade.

11,8 Talvez acréscimo explicativo. Se no livro de Jeremias a espada é presença repetida, no de Ezequiel é obsessiva.

11,9-10 Pode aludir aos fatos narrados em 2Rs 25,20: julgamento e execução em Rebla.

11,11 Glosa para completar o v. 7.

11,12 O pecado é genérico e inclusivo.

¹³Enquanto eu profetizava, caiu morto Feltias, filho de Banaías; então caí com o rosto por terra e comecei a gritar, dizendo:

– Ai, Senhor, vais aniquilar o resto de Israel!

¹⁴Veio-me esta palavra do Senhor:

– ¹⁵Filho de Adão, os habitantes de Jerusalém dizem de teus irmãos, companheiros teus de desterro, e de toda a casa de Israel: "Eles se afastaram do Senhor, a nós cabe possuir a terra". ¹⁶Portanto, dize: Isto diz o Senhor:

Certo, eu os levei para povos distantes, os dispersei pelos países e fui para eles um santuário passageiro nos países aonde foram.

¹⁷Portanto, dize: Isto diz o Senhor:
Eu vos reunirei dentre os povos,
vos recolherei dos países
em que estais dispersos
e vos darei a terra de Israel.
¹⁸Entrarão e tirarão dela
todos os seus ídolos e abominações.
¹⁹Eu lhes darei um coração íntegro
e infundirei neles um espírito novo:
eu lhes arrancarei o coração de pedra
e lhes darei um coração de carne,
²⁰para que sigam minhas leis
e ponham em prática minhas ordens;
serão meu povo e eu serei seu Deus.
²¹Mas se o seu coração vai
atrás de seus ídolos e abominações,
eu lhes darei o que merecem – oráculo do Senhor.

²²Os querubins levantaram as asas (sem separar-se das rodas); enquanto isso, a glória do Deus de Israel sobressaía por cima deles. ²³A glória do Senhor se elevou sobre a cidade e se deteve no monte, ao leste da cidade. ²⁴Então o espírito me arrebatou e me levou no ar ao desterro da Babilônia, em êxtase; a visão desapareceu. ²⁵E eu contei aos desterrados o que o Senhor me havia revelado.

11,13 A morte de Feltias ocorre dentro da visão. Parece provável que o fato aconteceu realmente, e os desterrados tiveram notícia dele. Outras mortes repentinas: 1Sm 25,37s; Nm 14,37; 16,32; Jr 28; At 5,1-11. O caso de Feltias é especial, também pelo seu nome, que significa Salvação de *Yahwh* e soa como augúrio de sobrevivência. Sobreviveu à primeira deportação, mas chega para ele a hora: sirva de aviso a outros como ele. A súplica do profeta é um grito espontâneo de terror.

11,15 O versículo coloca o problema da posse da terra. Repartida em partes por sorte, cada família devia conservar sua propriedade hereditária e resgatá-la se fosse alienada. Os judeus não desterrados raciocinam assim: os resgatadores titulares dos campos estão desterrados, não podem exercer sua função; cabe a nós, parentes mais afastados, resgatar e possuir seus terrenos. E acrescentam um julgamento contra os desterrados: afastaram-se do Senhor: é o pecado; estão longe do Senhor: é o castigo. Responde o oráculo seguinte.

11,16 Primeiro, o desterro. O Senhor os afastou, mas não os afastou totalmente. No desterro lhes concedeu uma presença reduzida, uma espécie de santuário menor: a lei, os sacerdotes e a palavra profética. Presença mais eficaz que a construção espetacular do templo.

11,17 Segundo, a volta, que repetirá o padrão do primeiro êxodo, terminando com o dom da terra.

11,18 Condição prévia para renovar a aliança: Js 24,23. O castigo do desterro os terá curado da idolatria.

11,19-20 A mudança interna garantirá a aliança renovada: ver 36,26s. "Coração íntegro": não dividido entre vários deuses. "Espírito novo": dinamismo a partir de dentro para uma vida nova. Leis e ordens são as cláusulas da aliança.

11,21 Parece ser um acréscimo introduzido depois da volta do desterro, ao se descobrirem germes de idolatria (cf. Is 57 e 65).

11,22-23 Ligam-se com 8,4 formando inclusão, e completam o capítulo 10.

11,24-25 Formam inclusão com 8,3. O profeta, tendo voltado a si, conta a visão aos anciãos e provavelmente também ao povo.

Primeira atividade do profeta - II

12 **Ao desterro** (2Rs 25,11) – ¹O Senhor me dirigiu a palavra:

– ²Filho de Adão, vives na casa rebelde: eles têm olhos para ver, mas não veem; têm ouvidos para ouvir, mas não ouvem; pois são casa rebelde. ³Tu, filho de Adão, prepara a bagagem do desterro (e emigra) à luz do dia, à vista de todos; à vista de todos migra para outro lugar, para ver se eles o veem, pois são casa rebelde. ⁴Pega tua bagagem, como quem vai ao desterro, à luz do dia, à vista de todos, como quem vai ao desterro. ⁵(À vista de todos abre um buraco no muro e tira por aí tua bagagem.) ⁶Põe tua carga no ombro, à vista de todos (tira-a na escuridão); cobre o rosto, para não ver a terra, porque faço de ti um sinal para a casa de Israel.

⁷Eu fiz o que me mandou: tirei minha bagagem como quem vai ao desterro, à luz do dia; ao entardecer (abri um buraco no muro, tirei-a na escuridão), carreguei ao ombro a carga, à vista de todos.

⁸Na manhã seguinte o Senhor me dirigiu a palavra:

– ⁹Filho de Adão, a casa de Israel, a casa rebelde, não te perguntou o que é que fazias? ¹⁰Pois responde-lhes: (Isto diz o Senhor: Este oráculo contra Jerusalém vai para o príncipe e para toda a casa de Israel que vive aí. ¹¹Dize:) Sou um sinal para vós; o que eu fiz, também eles o farão: irão (cativos) ao desterro. ¹²O príncipe que vive entre eles carregará ao ombro a equipagem, abrirá um buraco no muro para tirá-la, a tirará na escuridão e cobrirá o rosto para que não o reconheçam. ¹³Mas eu estenderei minha rede sobre ele e o caçarei em minha armadilha; eu o levarei para Babilônia, país dos caldeus, onde morrerá sem poder vê-la. ¹⁴Dispersarei sua escolta e seu exército por todos os ventos e os perseguirei com a espada desembainhada. ¹⁵E saberão que eu sou o Senhor, quando os esparramar pelos povos e os espalhar pelos territórios. ¹⁶Mas deixarei uns poucos, sobreviventes da espada, da fome e da peste, para que contem suas abominações pelos povos aonde forem, e saibam que eu sou o Senhor.

¹⁷O Senhor me dirigiu a palavra:

– ¹⁸Filho de Adão, come o pão com sobressalto, bebe a água com tremor (e susto). ¹⁹Para os latifundiários dirás: Isto diz o Senhor aos que habitam (em Jerusalém) na terra de Israel:

Comerão o pão com susto,
    beberão a água com medo,
        porque devastarão e despovoarão seu país
        por causa das violências de seus habitantes;
²⁰arrasarão as cidades habitadas,
    e o país ficará desolado,
    e sabereis que eu sou o Senhor.

12,1-16 Nova ação simbólica, composta de pantomima e explicação. A partida precipitada se refere primeiro ao povo. Pouco depois acontecem os fatos narrados em 2Rs 25,1-7, e um discípulo do profeta acrescenta versículos para aplicar o oráculo a Sedecias. Assim entram no texto ao príncipe, o buraco e a escuridão. A ação original é feita à luz do dia e à vista de todos.

12,2 A introdução tenta justificar a nova profecia sobre a próxima deportação: as precedentes não bastaram. Os ouvintes fazem jus ao título que tinham recebido: "Casa Rebelde". Já Is 6,10 anunciou sua cegueira e surdez voluntárias, que serão reprovadas pelo Segundo Isaías: Is 43,8-10.

12,3 Bagagem mínima e leve para a longa viagem.

12,5 Alusão a Sedecias. Os deportados saem pela porta de casa; só os fugitivos escapam por um buraco.

12,6 Cobre-se o rosto em gesto de dor: 2Sm 15,30.

12,11 Como conclusão, poder-se-ia ler a fórmula de reconhecimento: "e saberão que eu sou o Senhor", encontrada no v. 15.

12,12-15 Aplicação expressa a Sedecias: o ocultamento e a escuridão preludiam a cegueira de quem não quis ver quando tinha olhos (Jr 38). Deus na imagem de um caçador: Os 7,12.

12,13 Os 7,12.

12,14 Ver 5,2.

12,16 Parece novo acréscimo. Os desterrados contando suas culpas recebem outro encargo: justificar o castigo divino. Desse modo, a catástrofe não será desonra para Deus, mas revelação de sua santidade.

12,17-18 Outra ação simbólica destinada a camponeses, ou a latifundiários, que ainda moram em Judá. O castigo dos camponeses é menos grave que o da capital: ver Jr 39.

Estribilhos (Is 5,18s) – ²¹O Senhor me dirigiu a palavra:

– ²²Filho de Adão, o que significa esse refrão que dizeis na terra de Israel: "Passam dias e dias e não se cumpre a visão"? ²³Pois dize-lhes: Isto diz o Senhor: Acabarei com esse refrão e não voltarão a repeti-lo em Israel. Dize-lhes este outro: "Já está chegando o dia de cumprir-se a visão". ²⁴(Pois já não haverá visões vãs nem vaticínios lisonjeiros na casa de Israel.) ²⁵Porque eu, o Senhor, direi o que tiver de dizer, e o que eu disser se fará, não atrasará mais; em vossos dias, porém, casa rebelde, eu o direi e o farei – oráculo do Senhor.

²⁶O Senhor me dirigiu a palavra:

– ²⁷Filho de Adão, olha o que a casa de Israel anda dizendo: "As visões deste são para dias remotos, ele profetiza a longo prazo".

²⁸Pois dize-lhes: Isto diz o Senhor: Minhas palavras não atrasarão mais; o que eu disser, eu o farei – oráculo do Senhor.

13 Falsos profetas e bruxas (Dt 18,9-22; Mq 2,6-7; 3,5-8; Jr 23) – ¹O Senhor me dirigiu a palavra:

– ²Filho de Adão, profetiza contra os profetas de Israel, profetiza dizendo-lhes: Escutai a palavra do Senhor. ³Isto diz o Senhor:

Ai dos profetas insensatos
    que inventam profecias,
    coisas que nunca viram,
    seguindo sua inspiração!
⁴(Como raposas entre ruínas
    são teus profetas, Israel.)
⁵Não subistes à brecha, nem levantastes cerca
em torno da casa de Israel,
    para que resistisse na batalha,
    no dia do Senhor.

12,21-25 Ezequiel lançou um oráculo de urgência: "chega o fim" (7,1-12). O tempo desmente o profeta. E se era precipitada a sua urgência, não será falso o seu alarme? Contra o oráculo que parece esconjurar o dia e o fim, eles cantam um estribilho rítmico e cômico: o tempo se encarrega de cancelar as visões. É um desafio como o de Is 5,18-19. Por sua atitude irônica causam a si próprios o castigo. E o Senhor responde com outro estribilho do mesmo ritmo e rimando: os fatos darão crédito à palavra do profeta.

12,22 Ez 7.

12,24 Atraído pelo tema, soa um oráculo contra os falsos profetas, que adulam anunciando felicidade: 1Rs 22; Is 30,10; Mq 2,11; 3,5.

12,26-28 O tema é semelhante, a objeção é algo diferente. As profecias são verdadeiras, mas o cumprimento pertence a outra geração (cf. Is 39,8). Distanciando assim o final, o tornam inofensivo, e a palavra do Senhor se reduz a uma predição que satisfaz a curiosidade. A resposta de Deus é taxativa e penetrante: se o atrevimento humano consegue alguma coisa, é apressar o prazo.

13,1-16 No momento em que Deus comunica a sua palavra ao profeta, nasce o perigo dos falsos profetas. Conforme Dt 18, todas as práticas de magia e adivinhação ficam abolidas em Israel; em troca disso, o Senhor promete enviar profetas de sua palavra. Mas, como a presença do Senhor não conseguiu desbancar inteiramente os ídolos, assim a ressonância autêntica da palavra de Deus não desbancou totalmente a adivinhação, antes, emprestou-lhe as formas da profecia verdadeira. Falso profeta pode ser aquele que nomeia a si mesmo e também aquele que abusa do seu ofício para lançar mensagens inventadas; aquele que por interesse pessoal adula e engana os ouvintes. O problema dos falsos profetas acompanha a história da monarquia e entorpece a atividade dos profetas autênticos: 1Rs 18; 22; Mq 2,6-11; 3,5-8; Is 9,14; 30,10; Sf 3,4. Em tempos de crise e calamidades, os falsos profetas proliferam: o povo está disposto a crer no que confirma seus desejos ou esperanças, no que dissimula a realidade de fora ou da consciência. Dessa época temos os testemunhos de Jeremias: 5,31; 6,13; 14, 14; 23,9-40; 27,9-22; 28; 29,8s.23.

13,2 Também os falsos profetas empregam a fórmula oficial: "isto diz o Senhor"; agora têm de escutá-la dirigida a eles.

13,3 Dois jogos de palavras. Um de "profetas" com "mentecaptos": *nebi'im - nebalim*. Outro com o termo espírito: de Deus ou deles.

13,4 Nas ruínas, as raposas encontram infinitos e maravilhosos esconderijos; são seu reino ideal para sair e esconder-se. De modo semelhante, as ruínas materiais e espirituais do povo são reino ideal de falsos profetas. Na cultura bíblica, a raposa é animal desprezível e nocivo; não aparece como símbolo de falsidade. O versículo é duvidoso.

13,5 "Pôr-se na brecha" é imagem militar da mediação salvadora do profeta: Sl 106,23. Se a ameaça vem do Senhor, como castigo do pecado, a tarefa do profeta será converter Deus à misericórdia, converter o povo à penitência.

⁶Visionários falsos, adivinhos de mentiras,
  que dizíeis "oráculo do Senhor"
 quando o Senhor não vos enviava,
  e vós esperando que ele cumprisse sua palavra.
⁷Vós vistes visões vãs
  e pronunciastes oráculos falsos,
 dizendo "oráculo do Senhor",
  quando o Senhor não falava.
⁸Portanto, isto diz o Senhor:
 Por terdes dito mentiras e terdes visto enganos,
  por isso aqui estou contra vós
  – oráculo do Senhor.
⁹Estenderei minha mão contra os profetas,
  visionários falsos e adivinhos de mentiras;
 não participarão do conselho de meu povo,
  nem serão inscritos no recenseamento
  da casa de Israel,
  nem entrarão na terra de Israel,
  e sabereis que eu sou o Senhor.
¹⁰Sim, porque extraviastes
  meu povo, anunciando paz
  quando não havia paz,
  e enquanto eles construíam a parede
  vós a íeis rebocando.
¹¹(Dize aos rebocadores:
  Virá uma chuva torrencial, cairá granizo,
  um vendaval se desencadeará.)
¹²Quando a parede desmoronar, vos dirão:
  "Que aconteceu com o reboco que fazíeis?"
¹³Portanto, isto diz o Senhor:
 Com fúria desencadearei um vendaval,
  uma chuva torrencial mandarei com ira,
  e granizo, no cume de minha fúria.
¹⁴Derrubarei a parede que rebocastes
  e a lançarei ao solo,
 ficarão nus seus alicerces;
  desmoronará e perecereis debaixo,
  e sabereis que eu sou o Senhor.
¹⁵(Quando esgotar minha cólera no muro
  e nos que o rebocaram,
  vos dirão: "O que aconteceu ao muro
  e aos que o rebocaram:

13,6 A tal ponto chega a sua presunção, que caem vítimas de seus próprios enganos: inventam profecias e esperam que Deus as cumpra.

13,8 O Senhor que aguardam virá, não para cumprir as fantasias deles, mas para enfrentá-los. Desafiaram-no, e ele aceita o desafio.

13,9 A pena é excomunhão ou exclusão da comunidade eleita. Sobre o "recenseamento": Jr 22,30; Nm 1-4.

13,10 Citação de Jr 6,14; 8,11.

13,10-16 Os vv. 10.13.14 articulam este novo oráculo em pecado – castigo – reconhecimento. Os vv. 11 e 15s parecem acréscimo repetitivo. A mesma comparação liga as partes: o povo constrói ilusões, os profetas as abençoam com palavras de Deus; o povo levanta defesas inconsistentes, os profetas as enfeitam. O castigo é coerente e terá aspecto de teofania (cf. Js 10 e Jz 5).

13,13 Ver Is 28,2.17; Jr 23,19.

13,14 O termo hebraico *tapel* significa também ignorância e soa parecido com arruinar, *napal*. Também se assemelham, quanto ao som, fundamento e plano: *yesod - sod*.

¹⁶aos profetas de Israel
  que profetizavam para Jerusalém,
  que tinham para ela visões de paz,
  quando não havia paz?" – oráculo do Senhor.)

¹⁷Tu, filho de Adão, volta-te contra por sua conta, e profetiza contra elas, tuas conterrâneas, metidas a profetisas ¹⁸dizendo-lhes:

  Isto diz o Senhor: Ai das que costuram
    laços nos pulsos e fazem véus
    de todos os tamanhos para caçar as pessoas!
  Caçais meus patrícios,
    para vos enriquecer a vós mesmas.
  ¹⁹Vós me profanais diante de meu povo
    por um punhado de cevada
    e um pedaço de pão seco,
  destinando à morte
    aquele que não devia morrer,
    e à vida aquele que não devia viver;
  enganais desse modo o meu povo,
    que dá atenção a vossas mentiras.
  ²⁰Portanto, isto diz o Senhor:
  Aqui estou eu contra os laços
    com que caçais a gente em pleno vôo;
    eu arrancarei de vossos braços
    as pessoas que vós caçais,
    e as soltarei para que voem.
  ²¹Rasgarei vossos véus
    e livrarei meu povo de vossas mãos;
    não tornarão a ser presa de vossas mãos,
    e sabereis que eu sou o Senhor.
  ²²Porque afligistes o justo com mentiras,
    sem que eu o afligisse,
  porque destes apoio ao perverso,
    para que não se convertesse
    de sua má conduta
    e pudesse conservar a vida;
  ²³portanto, não voltareis a ver falsidades
    nem a vaticinar mentiras, livrarei meu povo
    de vossas mãos,
    e sabereis que eu sou o Senhor.

13,16 A última palavra, com inclusão, é "não havia paz".
13,17-23 A segunda parte do capítulo se ocupa de um fenômeno paralelo: uma forma de adivinhação praticada por mulheres. Repete o esquema de desenvolvimento da primeira parte: Ai – portanto – e sabereis; porque – portanto – e sabereis.
Essas mulheres são feiticeiras ou adivinhas menores, que passam fome e estão fartas de pretensões. Se ao menos fossem inofensivas... Mas o estrago que causam comprova a credulidade insensata de um povo desesperado.
13,18 Não conhecemos a forma exata e o alcance dessas práticas mágicas; podemos imaginá-las apelando para dados de etnologia comparada. O profeta ironiza, apresentando laços e véus como instrumentos de caça, de uma frutífera caçada humana.
13,19 Ao apelarem para forças ocultas para disporem da vida e da morte (Is 28,15-19), as feiticeiras profanam o Senhor da vida. Sua atividade esconde um jogo fatal: enganando os homens com falsas promessas, os afastam do Senhor e os impelem para a morte como castigo merecido; com isso ganham a vida, quando mereciam a morte. Também o povo é culpado, pois paga para escutar o que deseja ouvir.
13,20-21 Continua a imagem da caça: Deus quer livrar as incautas vítimas das feiticeiras.
13,20 Sl 124,7.
13,22-23 O binômio justos e perversos deve corresponder a vida e morte. As feiticeiras perturbam a

14 **Saudades dos ídolos** (Ex 20,34; Dt 6,5) – ¹Apresentaram-se a mim alguns conselheiros de Israel e se sentaram diante de mim. ²Então o Senhor me dirigiu a palavra:

– ³Filho de Adão, esses homens se puseram a pensar em seus ídolos e imaginaram algo que os faz cair em pecado: vou permitir que me consultem? ⁴Portanto, fala-lhes assim: Isto diz o Senhor: Qualquer israelita que se ponha a pensar em seus ídolos, imaginando algo que o faz cair em pecado, quando procurar o profeta, eu, o Senhor, me encarregarei de lhe responder, de acordo com a multidão de seus ídolos, ⁵e assim agarrarei por dentro todos os israelitas que desertaram de mim por causa de seus ídolos. ⁶Portanto, dize à casa de Israel: Isto diz o Senhor: Arrependei-vos e convertei-vos de vossas idolatrias, voltai as costas para vossas abominações, ⁷porque qualquer israelita ou migrante residente em Israel que apostate de mim e se ponha a pensar em seus ídolos, imaginando algo que o faz cair em pecado, quando for ao profeta para me consultar, eu, o Senhor, me encarregarei de lhe responder. ⁸Eu o enfrentarei, farei dele uma correção proverbial, o extirparei de meu povo, e sabereis que eu sou o Senhor. ⁹E se um profeta, deixando-se enganar, pronuncia um oráculo, eu, o Senhor, o deixarei em seu engano; estenderei minha mão contra ele e o eliminarei de meu povo, Israel. ¹⁰Tanto o profeta como quem o consultar serão réus da mesma culpa. ¹¹Para que a casa de Israel não torne a se extraviar para longe de mim nem a manchar-se com seus crimes, e assim será meu povo e eu serei seu Deus – oráculo do Senhor.

Quatro casos de intercessão (Gn 18; Ex 32; Nm 14; Am 7) – ¹²O Senhor me dirigiu a palavra:

– ¹³Filho de Adão, se um país pecar contra mim cometendo um delito, estenderei minha mão contra ele, lhe cortarei o sustento de pão e lhe mandarei fome e

---

correspondência, confirmando o perverso e perturbando o inocente.

14,1-8 O Senhor teu Deus é um só: deves amá-lo de todo o coração. O mandamento exige: a exclusão de outros deuses, a entrega interior ao Senhor. O sincretismo religioso significa um coração dividido, o culto formalista é uma religião sem coração. Se o desterro deve ser saudável, tem de provocar a conversão interior, "do coração", e total, "de todo o coração".
O capítulo 8 denunciou idolatrias evidentes ou escondidas; este capítulo penetra mais, até a idolatria de pensamento e de desejo. Arrancados da pátria e sem templo, os judaítas têm de aprender a buscar a Deus por dentro; deverão lutar contra uma idolatria de saudades ou de ânsias.
É curioso o desenvolvimento do oráculo. Começa denunciando o pecado, passa ao estilo legal levítico (4), acrescenta uma exortação (6) motivada no estilo legal (7).

14,3 A expressão literalmente soa assim: "fazem subir seus ídolos ao coração, colocam diante de si o tropeço de suas culpas". Atividade interior culpada. Semelhante atitude os incapacita para escutar e acatar a resposta de Deus.

14,4 Para o estilo legal, ver Lv 15,2; 17; 20,2; 22,4.18. A atitude dos anciãos se eleva à lei universal. Deus responde, não à consulta oral, mas à atitude interior.

14,5 Dessa maneira o Senhor desmascara a pretensão, e com sua palavra penetra até o coração (cf. Hb 4,12). A expressão é enérgica e original.

14,8 A pena é a exclusão para fora da comunidade, o que pode realizar-se pela morte, pelo desterro ou pela proibição de participar do culto. A fórmula de reconhecimento indica pausa.

14,9-11 Propõe uma alternativa: que um profeta se preste ao jogo dos idólatras mentais e responda à sua consulta. Ele se engana ou se deixa enganar pela atitude piedosa dos que consultam. Castigo grave é não desfazer o engano, encerrar em seu círculo quem consulta e quem responde. "Réus" é palavra técnica: Lv 5,1.17; 7,18; 10,17 etc.

14,11 Tudo o que está exposto no capítulo se destina a manter a aliança do Senhor com o seu povo.

14,12-23 Quanto à *forma*, o oráculo propõe quatro parágrafos legais, dos quais se tira uma aplicação para um caso novo. Encabeça um delito não especificado, enumeram-se quatro tipos de pena, discute-se quem deve sofrer a pena. Se se tratasse de retribuição individual, o problema não seria tão sério; a gravidade está em manipular grupos.
Por essa *apresentação*, deve-se aproximar este texto da intercessão de Abraão (Gn 18), em que a presença de dez justos bastaria para salvar uma cidade inteira. O nosso texto fala de presença no âmbito familiar. Por quê? – Porque a família acompanha o pai na pena: Nm 16; Js 7; mas Dt 24,16 o corrige. A presença de pais justos salvará a vida de seus filhos culpados?
O problema preocupou a geração de Ezequiel: o *desterro*, com suas crueldades, suas confusões e distinções sem lógica, era um enigma. Estava em jogo o destino do povo, o sentido da justiça, a fama de Deus. O sacerdote profeta se ocupa do problema, combinando sua formação levítica com seu espírito profético. O estilo legal, objetivo e rigoroso não aplaca a tensa paixão do oráculo.

14,13 "Delito" em sentido técnico: Lv 5,15.21; Nm 5,6.12.27 etc. A fome, quando muito, distingue entre fortes e fracos, não entre inocentes e culpados.

extirparei dele homens e animais. ¹⁴Se estes três homens se encontrassem aí: Noé, Daniel e Jó, por serem justos, eles salvariam a vida – oráculo do Senhor. ¹⁵Se eu soltar pelo país feras selvagens que o deixem sem filhos, para que fique devastado e sem ninguém que ande por ele, por medo das feras, ¹⁶ainda que esses três homens se encontrem aí, por minha vida – oráculo do Senhor – juro que não salvarão seus filhos nem suas filhas; somente eles se salvarão, e o país ficará devastado. ¹⁷Se eu mandar a espada contra esse país, se ordenar à espada que atravesse o país, e eu extirpar dele homens e animais, ¹⁸ainda que se encontrem aí esses três homens, por minha vida – oráculo do Senhor –, juro que não salvarão seus filhos nem suas filhas, mas somente eles se salvarão. ¹⁹Se enviar a peste a esse país e derramar sobre ele minha cólera, para dele extirpar homens e animais, ²⁰ainda que se encontrem aí Noé, Daniel e Jó, por minha vida – oráculo do Senhor –, juro que não salvarão seus filhos nem suas filhas, mas somente eles, por serem justos, salvarão a vida. ²¹Pois assim diz o Senhor: Quanto mais quando eu mandar minhas quatro pragas fatídicas: a espada, a fome, as feras selvagens e a peste, contra Jerusalém, para dela extirpar homens e animais! ²²Se restar aí algum sobrevivente, filhos e filhas que tenham conseguido escapar para onde estais, então, ao virdes sua conduta e suas más obras, vos sentireis aliviados da catástrofe que mandei contra Jerusalém, de tudo o que mandei contra ela. ²³Certamente vos aliviarão, pois, ao virdes sua conduta e suas más obras, tomareis consciência de que não foi sem razão que executei nela o que executei – oráculo do Senhor.

A videira inútil
(Is 5,1-7; Os 10,1-8)

15 ¹O Senhor me dirigiu a palavra:
– ²Filho de Adão, em que a videira ganha
dos demais arbustos silvestres?
³Tiram dela madeira para qualquer trabalho?
Tiram acaso pregos para pendurar a vasilha?
⁴Se a jogam no fogo para alimentá-lo,
e o fogo lhe devora as pontas,
e o centro se queima, para que trabalho servirá?
⁵Se quando estava inteira
não se fazia nada com ela,

14,14 Três exemplos de homens justos. Noé (6,8; 7,1) salva a família do dilúvio e amaldiçoa seu filho Cam. Daniel, herói da literatura cananeia, famoso por sua sabedoria. Jó é figura legendária e proverbial. Os três situam-se fora de Israel: conferem ao caso legal um alcance sem fronteiras.
14,15-16 As feras podem simbolizar a ferocidade humana do inimigo.
14,15 2Rs 17,25.
14,17 A espada é símbolo da guerra e pode ser instrumento de execução capital: Is 34,5-6.
14,19 A peste pode ser consequência da guerra e pode representar qualquer tipo de epidemia: 2Sm 24,15-17.
14,21 Os quatro casos universais se concentram agora em Jerusalém. É aplicação legítima? Não goza Jerusalém de um estatuto privilegiado? O Senhor rejeita semelhante pretensão: escolha não é privilégio, é missão. A Jerusalém a lei se aplica *a fortiori*: as quatro pragas juntas serão seu castigo. Aqui podia terminar a lógica do argumento (e não poucos pensam que aqui terminava o oráculo original).

14,22-23 Mas sobrevém algo inesperado e ilógico. Acontece que alguns dos mais culpados escapam e se refugiam com os já deportados: esse fato invalida a lei e a sentença do Senhor? De modo algum; antes, com sua má conduta, vão salvar a boa fama de Deus. É um paradoxo: suas obras más justificam a sentença divina, porque são mais terríveis que o castigo. Libertados temporariamente, se convertem em testemunhas ambulantes da santidade do Senhor.
15,1-8 Se a videira é símbolo da fertilidade de Canaã (Nm 13), a imagem da videira é símbolo da nobreza de Israel: Os 10,1; Is 5,1; Jr 2,21; Sl 80. Da consciência de povo escolhido se passa ao pensamento de povo privilegiado, à ideia de povo superior. Quem escolhe, escolhe o melhor: Deus escolheu o povo que mais merecia. Das plantas, a videira; dos povos, Israel. Dt 7,6s e 9,4-7 prega contra semelhante pretensão; Ezequiel lança o seu ataque em forma de alegoria, desenvolvido com insistência retórica e com engenhosos jogos de palavra.
15,2 Pode-se recordar o apologo de Joatão, Jz 9,7-15.
15,4 As pontas são Israel e Judá, o centro é Jerusalém.

quando a queimar o fogo e a devorar,
tirarão dela menor vantagem.
⁶Portanto, isto diz o Senhor:
Assim como o lenho da videira silvestre
que atirei no fogo para alimentá-lo,
também tratarei os habitantes de Jerusalém;
⁷eu os enfrentarei:
Escaparam do fogo? Pois o fogo os devorará,
e saberão que eu sou o Senhor,
quando eu os enfrentar.
⁸Transformarei sua terra em deserto
por causa dos delitos que cometeram
– oráculo do Senhor.

Uma história de amor
(Ez 20 e 23; Os 2)

16 ¹O Senhor me dirigiu a palavra:
– ²Filho de Adão,
denuncia a Jerusalém suas abominações,
³dizendo: Isto diz o Senhor: Jerusalém,
és cananeia de casta e de berço:
teu pai era amorreu e tua mãe heteia.
⁴[Foi assim teu nascimento:]
No dia em que nasceste
não te cortaram o umbigo,
não te lavaram nem te esfregaram com sal,
nem te envolveram em cueiros.
⁵Ninguém teve piedade de ti
fazendo-te uma dessas coisas
por compaixão,

15,6-7 A aplicação supõe que o primeiro ataque a Jerusalém já tenha acontecido e anuncia o definitivo.

16 Neste capítulo Ezequiel desenvolve, em imagem matrimonial, amplo quadro histórico de Jerusalém. Pelo que sabemos, Oseias, Isaías e Jeremias o precederam. Oseias 1-2 começa em plena situação conjugal; Jeremias 2-3 remonta ao noivado, com sabor melancólico; Ezequiel remonta ao nascimento, ligando a imagem ao tema popular do bebê enjeitado. Se Jeremias vai concatenando imagens originais e expressivas, Ezequiel se detém em detalhes realistas, até brutais. Oseias compõe um poema concentrado e bem articulado; Jeremias abre o flanco a amplificações; Ezequiel constrói uma alegoria de correspondências intelectuais. É provável que o seu texto original tenha recebido acréscimos secundários; não é fácil decidir se o próprio Ezequiel o fez em recitações sucessivas, ou algum de seus discípulos. O delito cresce na boca do fiscal: pelos antecedentes, pela teimosia, por outros agravantes. A pena invoca a lei e acrescenta detalhes que agravarão a infâmia. Porque o ofendido fala e questiona, a sentença não assume tom objetivo e contido, mas soa como discurso eloquente, intensamente pessoal. A paixão poética de Ezequiel encarna a reação pessoal de Deus, o mistério revelado do seu amor.

Os vv. 1-43 estão articulados segundo o esquema clássico de delito e castigo, com a divisão depois de 34. Os vv. 44-58 saltam para o tema das duas irmãs, próprio do cap. 23; os vv. 59-63 anunciam a reconciliação. Os capítulos 20 e 23 fazem companhia ao presente capítulo.

16,2 Ezequiel recebe o encargo de fiscal, como Is 58.

16,3 "Cananeia" era a população na chegada dos israelitas (na versão bíblica); gente mal-afamada por suas práticas cultuais e imorais: Lv 18,3.24-30; Gn 9,25 (Canaã no lugar de Cam). "Amorreu" significa ocidental; designa grupos semitas da região: Nm 21,13; Js 10,5. Os hititas formavam grupos de população estabelecidos em Canaã no tempo dos patriarcas: Gn 23; 25,9s; 26,34; 27,46. Dita de Jerusalém, a genealogia não é inverossímil; dita de Israel, não é real. É, antes, um julgamento religioso global: sua origem é pagã e até ilegítima. O restante é como início.

16,4-5 Ver Os 11, que remonta à infância de Efraim. O fato de expor ou abandonar crianças, sobretudo meninas, não era tão raro na antiguidade: restava na cidade a esperança de que alguém as adotasse, no campo ficavam expostas às feras. Humanamente, a criatura está abandonada, nascida para morrer.

mas te lançaram em campo aberto,
com nojo de ti, no dia em que nasceste.
⁶Passando ao teu lado, eu te vi
agitando-te em teu próprio sangue,
e te disse enquanto jazias em teu sangue:
"Vive e cresce
como broto campestre".
⁷Cresceste e te tornaste jovem, chegaste à maturidade;
teus seios se firmaram e o pelo brotou,
mas estavas inteiramente nua.
⁸Passando de novo ao teu lado,
eu te vi na idade do amor;
estendi sobre ti meu manto
para cobrir a tua nudez;
com juramento me comprometi,
fiz aliança contigo
– oráculo do Senhor – e foste minha.
⁹Eu te lavei, limpei teu sangue e te ungi com azeite.
¹⁰Eu te vesti de bordado, te calcei com toninha;
eu te cingi com linho, te revesti de seda.
¹¹Eu te enfeitei com joias:
pus pulseiras em teus braços
e um colar em teu pescoço.
¹²Pus um anel em teu nariz,
pingentes nas orelhas
e diadema de luxo na cabeça.
¹³Luzias joias de ouro e prata
e vestidos de linho, seda e bordado;
comias flor-de-farinha, mel e azeite;
estavas belíssima
e prosperaste mais que uma rainha.
¹⁴Espalhou-se entre os povos a fama de tua beleza,
completa com as galas, com o que te enfeitei
– oráculo do Senhor.
¹⁵Tu te sentiste segura de tua beleza
e, amparada em tua fama, fornicaste
e te prostituíste com o primeiro que passava.

16,6 O Senhor atravessa a solidão, e sua passagem é salvadora; ver Dt 32,10 e Os 9,10. Pronuncia uma palavra, quase criadora, como bênção eficaz: a criatura deverá a vida a esse imperativo de Deus. Apenas uma vida vegetativa, não cultivada.

16,8 O Senhor conhece o lugar: passa de novo e a reconhece. Cobre-a (cf. Rt 3,9). Com sua pura iniciativa a toma como noiva, como esposa de aliança (cf. Pr 2,17), com juramento. Depois do imperativo inicial, quase tudo é ação.

16,9 Tarefas da família da noiva, que o noivo desempenha aqui.

16,10 Tecidos e materiais próprios de um rei ou do templo: Ex 26-29; Sl 45.

16,1-12 Presente de casamento que enfeita a noiva na cerimônia: Gn 24,22.29.47; Ct 3,11; 4,4.

16,13 A referência aos alimentos parece interromper o curso da descrição, a não ser que se atribua a esses alimentos o poder de embelezar as formas (cf. Sl 104,15); também pode estar sob o influxo de Os 2,10.

16,14 Versículo de resumo e transição.

16,15 Mudança de sujeito: correspondência dela; como em Dt 32,15. Is 1,21 supõe uma primeira época de fidelidade; Jeremias coloca a fidelidade no deserto; Ezequiel salta violentamente das núpcias à infidelidade. A confiança em si mesma é começo de pecado: Is 30,12; 47,10; Jr 13,25; 17,5; Sl 49,7; 62,11 etc.
A metáfora "fornicar" significando a infidelidade é correlativa da imagem conjugal. Seu uso é fluido: pode referir-se à prostituição sagrada, pode designar a idolatria como infidelidade ao Deus único e ciumento, pode converter-se em metáfora tópica e até lexicalizada. É expressão frequente na literatura profética e muito frequente em Ezequiel. O versículo termina em hebraico com um sintagma ininteligível.

¹⁶Tomaste teus vestidos e sobre eles fornicavas,
e fizeste para ti toucas coloridas*.
¹⁷Tomaste teus enfeites,
o ouro e a prata que eu te presenteei,
e fizeste para ti estátuas de homens
com as quais fornicavas.
¹⁸Tomaste teus vestidos bordados
e as revestiste com eles,
e lhes oferecias meu perfume e meu incenso.
¹⁹O alimento que eu te dava
– flor-de-farinha, mel e azeite eu te dava de comer –
também o ofereceste
como oblação de aroma que aplaca
– oráculo do Senhor.
²⁰Tomaste teus filhos e tuas filhas,
os que deste à luz para mim,
e os imolaste para que comessem.
Não te bastando as tuas fornicações,
²¹degolaste meus filhos,
passando-os pelo fogo em sua honra.
²²Com tuas abomináveis fornicações,
não te lembraste de tua infância,
quando estavas inteiramente nua,
agitando-te em teu próprio sangue.
²³E, em cima de tanta perversidade,
ai de ti, ai de ti! – oráculo do Senhor –
²⁴edificavas alcovas para ti
e levantavas lugares em todas as ruas.
²⁵Nas encruzilhadas instalavas teus postos
e profanavas tua formosura;
abrindo as pernas ao primeiro que passava,
continuamente te prostituías.
²⁶Fornicaste com os egípcios,
teus vizinhos, de grandes membros,
e, à força de te prostituíres, me encolerizaste.
²⁷Então estendi meu braço contra ti,
diminuí a tua ração,
e te entreguei à avidez de teus rivais,
as filhas dos filisteus,
que se envergonhavam de tua conduta infame.

16,16-21 Uma série anafórica de quatro membros (ou cinco, se suprimos "tomaste" em 19) amplifica o pecado de idolatria. É claro o influxo de Oseias.

16,16 Refere-se a centros de culto nos lugares altos, decorados com tecidos coloridos, onde praticavam talvez a prostituição sagrada; cf. Am 2,7s. * No final do versículo há uma frase ininteligível.

16,17-18 Ver o exemplo clássico de Ex 32 e também 2Rs 23,7; Os 2,10. Diz "meu" perfume e incenso, porque são dom seu, e a ele devem ser oferecidos.

16,19 Também flor-de-farinha e óleo são oferecidos no culto: Lv 2; mas não o mel, Lv 2,11. A expressão "aroma que aplaca" também é cultual.

16,20-21 Prática proibida pela legislação sob pena de morte e denunciada pelos profetas: Lv 20,1-5; Dt 12,31; Jr 7,31. Seguindo a imagem conjugal, os filhos são de Deus, e essa propriedade é reconhecida com a oferta, não cruenta, do primogênito.

16,24-25 Identifica com bordéis os lugares de culto das cidades. Compare-se com Jr 3,2.

16,26-29 Amplificação. Outro delito de infidelidade é constituído pelas alianças políticas, já denunciadas por Isaías: 30,1-5; 31,1-3; Jr 2,18. Ezequiel amplia a série para três, a fim de completar a síntese histórica.

16,27 Pode referir-se a uma partilha de território israelita entre os filisteus, feita por Senaquerib em 701.

²⁸Fornicaste com os assírios sem saciar-te,
> voltavas a fornicar com eles
> e ainda não te saciavas.
²⁹Sem cessar fornicaste na Caldeia,
> terra de mercadores,
> e nem com isso te saciaste.
³⁰Como me enfureci contra ti
> – oráculo do Senhor –
> quando fazias tudo isso,
> o que faz uma prostituta empedernida!
³¹Quando instalavas tuas alcovas
> nas encruzilhadas
> e levantavas teus lugares em todas as ruas,
> não cobravas o preço
> como fazem as prostitutas.
³²[Ó fêmea adúltera,
> que tendo marido acolhe estranhos!]
³³Às prostitutas se dão presentes;
> tu, ao contrário,
> deste teu presente de casamento a teus amantes;
> tu os subornavas para que acorressem
> de todos os lugares para fornicar contigo.
³⁴Tu fazias o contrário das outras fêmeas:
> ninguém te solicitava,
> eras tu quem pagava;
> não te pagavam, e agias ao contrário.
³⁵Por isso, prostituta, escuta a palavra do Senhor.
³⁶Isto diz o Senhor:
Por teres prodigalizado teus encantos
> e desnudado tuas vergonhas,
prostituindo-te com teus amantes,
> com teus abomináveis ídolos,
por lhes teres oferecido o sangue de teus filhos;
³⁷por isso aqui me tens:
vou reunir todos os teus amantes,
aos quais agradaste, todos os que amavas
> e os que detestavas.
Eu os reunirei de todos os lugares contra ti,
> e te deixarei nua diante deles,
> para que vejam tuas vergonhas.
³⁸Eu te aplicarei a punição das adúlteras
> e das homicidas,
> descarregando sobre ti meu furor e minha raiva.

16,30-35 Novo agravante da conduta, comparada com a prática comum das prostitutas: Gn 38,17; Os 2,14; Is 23,17; Mq 1,7.
16,30 O começo do versículo é duvidoso. Gn 38,17.
16,32 Provável glosa. Ver a descrição de Pr 7.
16,35 Passa a pronunciar a sentença, fazendo breve resumo dos delitos. A convocação dos cúmplices serve para preparar a execução. A adúltera é punida com pena de morte: Dt 22,22 e Lv 20,10; é executada por apedrejamento: Jo 8,5.
16,37 Ela detesta uns amantes quando se cansa deles ou quando encontra um novo: uns decepcionados, outros despeitados, todos se voltam contra ela. A nudez é agora castigo, como em Os 2,11-12; não é a nudez inocente do começo.
16,38 "Homicida": por ter matado ritualmente os filhos.

⁳⁹Eu te entregarei em suas mãos:
>derrubarão tuas alcovas,
>demolirão teus lugares;
>tirarão tuas vestes, te roubarão os enfeites,
>deixando-te inteiramente nua.
⁴⁰Trarão contra ti uma tropa que te apedrejará
>e te esquartejará a facadas.
⁴¹Atearão fogo às tuas casas
>e executarão em ti a sentença
>em presença de muitas mulheres.
⁴²Aplacarei minha ira contra ti
>e afastarei de ti minha cólera;
>eu me acalmarei e não voltarei a irritar-me.
⁴³Por não te haveres lembrado de tua juventude,
>por me teres provocado
>com todas essas coisas,
>também eu te pagarei segundo tua conduta,
>– oráculo do Senhor.
>Não acrescentaste a infâmia
>a todas as tuas abominações?
⁴⁴Olha, todos caçoam dizendo-te o refrão:
>"Tal mãe, tal filha".
⁴⁵És filha de tua mãe,
>que detestou marido e filhos;
>és irmã de tuas irmãs,
>que detestaram maridos e filhos.
>Vossa mãe era heteia
>e vosso pai amorreu.
⁴⁶Tua irmã mais velha
>é Samaria com suas aldeias,
>situada à tua esquerda;
>tua irmã mais nova,
>situada à tua direita,
>é Sodoma com suas aldeias.

16,39 Derrubar e demolir é o que deviam ter feito com os lugares de culto cananeus: Dt 7,5.

16,40 Esquartejar não está previsto na lei.

16,41 As "mulheres" são outras populações ou capitais, às quais servirá de lição.

16,42 Um acréscimo posterior anuncia que o castigo terá limite.

16,43 Novo acréscimo ou simples recapitulação.

16,44-58 O oráculo precedente era de Ezequiel, antes da destruição da capital. Este segundo oráculo parece posterior e estranho. A catástrofe da cidade santa causou tremenda impressão entre os desterrados. Então um discípulo do profeta compôs um complemento, inspirando-se em Jr 3,6-10 e Ez 23. Para introduzi-lo, recolhe alguns elementos do oráculo original, mas não consegue boa coerência poética. Lendo-o agora, pode-se escutar uma espécie de coro das mulheres convidadas para a execução da sentença. Um coro de zombarias, que coloca a cidade culpada entre dois criminosos. Mais tarde outro autor, ou o autor de 59-63, insere os vv. 53b e 55c, que perturbam o texto do coro. Esse texto abandona o estilo narrativo da alegoria e toma o estilo de interpretação. Também se pode ler o texto como discurso pronunciado pelo Senhor, e só o primeiro versículo como refrão cantado em coro pelo público. (Uma recitação do texto por uma voz solista, com repetições corais e antifônicas do refrão, seria muito expressiva.)

16,44 Como o nosso "tal pai, tal filho".

16,45 Marido seria a divindade própria, filhos seriam o povo. A aplicação a Jerusalém é clara, menos clara, se referida às outras mulheres.

16,46 Esquerda e direita são em hebraico norte e sul. Historicamente não é exato que Sodoma seja meio heteia nem Samaria de origem heteia e amorreia. Sodoma é puramente pagã, Samaria puramente israelita. Inverte-se a ordem cronológica. Samaria foi conquistada pelos assírios em 722; Sodoma pertence à era patriarcal, Gn 19, e se transformou em paradigma de maldade e castigo definitivo: Am 4,11; Is 1,9s; Lm 4,6 etc.

⁴⁷Não apenas seguiste seus caminhos
e imitaste suas abominações,
mas pareceu-te pouco
e ganhaste delas em conduta depravada.
⁴⁸Juro por minha vida – oráculo do Senhor –
que Sodoma, tua irmã, e suas aldeias
não agiram
como agistes tu e tuas aldeias.
⁴⁹Olha, este foi o delito de Sodoma,
tua irmã: soberba, fartura de pão
e bem-estar tranquilo
tiveram ela e suas aldeias,
mas não deu a mão
ao desgraçado e ao pobre.
⁵⁰Elas se envaideceram diante de mim,
cometeram abominações,
e as tirei do meio quando o vi.
⁵¹E Samaria não pecou nem a metade do que tu;
cometeste mais abominações que elas,
e, com as abominações cometidas,
tornaste boas as tuas irmãs.
⁵²Pois carrega, tu também, a tua vergonha,
porque com teus pecados
deixaste em bom lugar as tuas irmãs,
tu te infamaste mais que elas;
comparadas a ti, elas são inocentes.
Ruboriza-te também tu e carrega tua vergonha,
porque tornaste boas as tuas irmãs.
⁵³Mudarei sua sorte,
a sorte de Sodoma e suas aldeias,
a sorte de Samaria e suas aldeias
(também mudarei tua sorte
junto com a delas)
⁵⁴para que carregues tua vergonha
e te envergonhes de tudo o que fizeste.
⁵⁵E tua irmã Sodoma e suas aldeias
voltarão ao seu estado antigo;
Samaria e suas aldeias
voltarão a seu estado antigo.
(Também tu e tuas aldeias
voltareis a vosso estado antigo.)
⁵⁶Não te lembravas de Sodoma, tua irmã,
difamando-a em tua época arrogante,

16,49 Distancia-se de Gn 18-19 ao especificar o delito de Sodoma. Aqui é pecado de omissão: fartura própria negando ajuda ao pobre.
16,50 "Quando o vi": diversos manuscritos e traduções leram "como viste". Quer dizer: és testemunha, e por isso a tua culpa é maior.
16,52-55 Imagina-se um julgamento comparativo. É justiça de retribuição: se o juiz sentenciou contra Jerusalém, terá de absolver as outras duas, para manter a proporção de pena e delito; teria de suspender o cumprimento da pena e devolver a liberdade e os direitos a Sodoma e a Samaria. "Mudar a sorte" é expressão técnica: Os 7,1; Am 9,14; Jl 4,3; Sl 14,7 etc.
16,56 Tradução conjectural. Outros traduzem: "na tua época arrogante, não te dignavas nem mencionar a tua irmã Sodoma".

⁵⁷antes de descobrir tuas vergonhas?
Agora és o opróbrio das edomitas
    e de suas vizinhas filisteias,
    que te desprezam de todos os lados!
⁵⁸Agora levas tua infâmia
    e tuas abominações
– oráculo do Senhor.
⁵⁹Pois assim diz o Senhor:
Agirei contigo conforme tuas ações,
    pois menosprezaste o juramento
    e violaste a aliança.
⁶⁰Mas eu me lembrarei da aliança
    que fiz contigo quando eras jovem
    e farei contigo uma aliança eterna.
⁶¹Tu te lembrarás de tua conduta
    e te ruborizarás, ao acolher tuas irmãs,
    as mais velhas e as mais novas;
pois eu as darei a ti como filhas,
    mas não em virtude de tua aliança.
⁶²Eu mesmo farei aliança contigo
    e saberás que eu sou o Senhor,
⁶³para que te lembres e te ruborizes
    e não voltes a abrir a boca de vergonha,
    quando eu te perdoar tudo o que fizeste
– oráculo do Senhor.

17 A águia e o cedro (Sl 80) –

¹O Senhor me dirigiu a palavra: ²Filho de Adão, propõe um enigma e narra uma parábola para a casa de Israel, ³dizendo: Isto diz o Senhor:

16,57 Idumeus e filisteus eram inimigos tradicionais de Israel, felizes com a desgraça deste.

16,59-63 Depois do trágico quadro, traçado com amplitude e com amplificações, alguém acrescentou uma última palavra de consolo e esperança. Não para anular o que precede, mas para colocá-lo num horizonte mais largo. Hoje temos de ler essas linhas unidas às precedentes, para que tenham sentido; mas temos de ler o que precede desembocando neste final. Vários elementos asseguram a união de ambas as peças.
O tema é uma nova aliança, uma renovação da antiga. Jerusalém foi infiel, por isso justamente castigada. Mas o Senhor é fiel a si mesmo, a seu compromisso, e torna a receber a infiel. Só que ela não pode voltar com a atitude de antes. Ao ver a própria culpa e suas consequências, se ela se sente envergonhada e fracassada ao receber o perdão imerecido, o seu rubor se intensifica e permanece como fundo de contraste das novas relações. O terrível pecado exalta assim a incrível misericórdia. Já não poderá alegar mérito, nem confiar na própria beleza (cf. Rm 5,20).

16,61 A mudança é surpreendente. Jerusalém, esposa perdoada e reconciliada, recebe outros filhos: povos estrangeiros ou povos convertidos e perdoados. Não por direito de conquista, mas por dom do Senhor, porque ele os chama e atrai.

16,62 Em todo o capítulo, é a única fórmula de reconhecimento, adquirindo assim força conclusiva.

16,63 A memória humilde de Jerusalém responderá à memória compassiva (60) do Senhor.

17,1-25 O texto o chama de enigma e parábola. Nós o chamamos de alegria, e a colocamos entre as mais intelectuais e artificiais do seu gênero. Recordemos a história em grandes linhas. Ano 609: o faraó Necao derrota Josias e nomeia Joaquim rei de Judá. Ano 605: Nabucodonosor derrota o Faraó. Ano 597: o imperador de Babilônia depõe e desterra Jeconias, nomeando Sedecias rei de Judá, que pronuncia juramento de vassalagem. Ano 588: Sedecias rompe o juramento, buscando o apoio do faraó Hofra; Nabucodonosor reage imediatamente e conquista Judá. Ano 586: Nabucodonosor conquista Jerusalém.
O segundo livro dos Reis e Jeremias se ocupam desses fatos. As notícias chegariam aos desterrados em Babilônia: a possível aliança com o Egito deve ter reanimado a esperança. Ezequiel intervém com este oráculo, pronunciado provavelmente no ano 588: Sedecias não é o rei legítimo, nem do Egito virá a salvação. Mais tarde, o mesmo profeta, ou um discípulo, acrescenta um oráculo de esperança para a dinastia de Davi, apelando para a soberania do Senhor (22-25). O resultado é o presente capítulo como síntese esquemática da história da salvação, segundo o esquema que governa todo o livro.

17,2 O "enigma" é um gênero que treina o talento do autor e do ouvinte: se este se dá por vencido, o autor lhe dá a solução (Jz 14; Sl 49 e 78). Ezequiel

A águia gigante, de gigantescas asas,
de grande envergadura, de plumagem espessa,
de cor mosqueada, voou ao Líbano;
tomou a ponta do cedro,
⁴arrancou seu broto da ponta
e o levou a um país de mercadores,
plantando-o numa cidade de traficantes.
⁵Depois recolheu semente da terra
e a lançou em terreno lavrado.
Semeou-a ribeirinha, junto de águas abundantes,
⁶para que germinasse e se tornasse
videira aparreirada, atarracada,
para que orientasse para ela
os sarmentos, e lhe submetesse as raízes.
E se tornou videira, e lançou ramos
e se tornou frondosa.
⁷ᵃVeio depois outra águia gigante,
de gigantescas asas e de espessa plumagem,
e então nossa videira,
⁸ᵃembora plantada em bom terreno,
junto de águas abundantes,
⁷ᵇinclinou suas raízes para ela
e orientou para ela seus sarmentos,
para receber mais regadura
do que no canteiro em que estava plantada,
⁸ᵇe assim lançar ramos e dar fruto
e tornar-se videira esplêndida.
⁹Dize: Isto diz o Senhor:
Acaso vingará, ou a deceparão
e se perderá seu fruto
e murcharão seus brotos?
Não é preciso um braço robusto
nem muita gente para decepá-la.
¹⁰Vede, já está plantada: vingará?
Ou murchará quando o vento oriental a açoitar,
murchará no canteiro em que germinou?
¹¹O Senhor me dirigiu a palavra:
– ¹²Dize à casa rebelde:
Não entendeis o que isso significa?

---

propõe um enigma fácil demais e ainda por cima o explica: os ouvintes não terão desculpa se não quiserem entendê-lo.

17,3 Animais e plantas são figuras dóceis nos apologos: curvam-se ao jogo intelectual. Ezequiel começa com uns versículos brilhantes: das aves a águia, das árvores o cedro, do cedro a ponta mais alta. Uma águia que, com seu colorido fantástico, detém o avanço do poema, mas uma águia sabida e não vista (pois voando alto não deixa ver seu colorido). O começo é bom e sugestivo, ainda é adivinhação.

17,4 Apresenta Babilônia como país de mercadores, que no hebraico é o mesmo que "terra de Canaã" (um aceno para os ouvintes). "Traficantes" é um termo que designa também mexeriqueiros e charlatães (Pr 11,13; 20,19).

17,5-6 Das alturas desce ao terreno de cultivo, com a imagem tradicional e nobre da videira. O artifício intelectual se torna claro.

17,7-8 O texto apresenta dificuldades, devidas talvez a glosas. A segunda águia é mais modesta que a primeira. Naturalmente, uma águia-jardineira ou uma águia-rio não melhoram a alegoria. A história termina aí, sem mencionar a luta das duas águias.

17,9-10 O narrador dirige perguntas retóricas aos ouvintes, solicitando sua colaboração. A resposta é óbvia; talvez menos óbvias sejam as consequências do apólogo.

17,11-15 A explicação se apresenta como palavra de Deus. O título "Casa Rebelde" é uma denúncia contra o rei e os desterrados: rebeldes ao plano do Senhor (Jr 27), que deixará os acontecimentos seguirem sua lógica humana. Compare-se com Is 30-31.

Dize: Vede, o rei da Babilônia veio a Jerusalém,
   e prendendo seu rei e seus príncipes
      os levou para Babilônia.
¹³Tomando um de estirpe real,
      fez com ele um pacto
   e o comprometeu com juramento,
      levando os nobres do país
¹⁴para que fosse um reino humilde
      que não se ensoberbecesse
   e observasse fielmente o pacto.
      ¹⁵Mas se rebelou contra ele
   e enviou mensageiros ao Egito,
      pedindo cavalos e tropas numerosas.
      Terá êxito?
      Escapará com vida aquele que fez isso?
      Aquele que violou o pacto escapará com vida?

¹⁶Por minha vida – oráculo do Senhor –, juro que morrerá no território do rei que o fez rei, cujo juramento desprezou e cujo pacto violou, em Babilônia. ¹⁷E o Faraó não intervirá em seu favor na guerra com grande exército e muita tropa, quando fizerem aterros e construírem torres de assalto para matar tanta gente. ¹⁸Desprezou o juramento e violou o pacto. Deu a mão e depois fez isso. Não escapará com vida. ¹⁹Portanto, assim diz o Senhor:

      Juro por minha vida que o castigarei
      por ter desprezado meu juramento
      e por ter violado meu pacto.
²⁰Estenderei minha rede sobre ele
      e o caçarei em minha armadilha;
      eu o levarei a Babilônia para julgá-lo aí
      por suas traições e por todos os seus extravios.
²¹Todas as suas fileiras cairão pela espada
      e os sobreviventes se dispersarão
      por todos os ventos,
      e sabereis que eu, o Senhor, falei.
²²Isto diz o Senhor:
   Tomarei um galho do cimo
      do cedro alto e exaltado;
      do rebento cimeiro eu arrancarei um galho
   e o plantarei num monte elevado e solitário,
²³eu o plantarei no monte elevado de Israel.
      Lançará ramos, dará fruto

17,16-18 Nova explicação em prosa, semelhante à de Jr 34 sobre o Faraó.

17,19-21 O Senhor chama "meu" o juramento de fidelidade que Sedecias prestou a Nabucodonosor. Em primeiro lugar, porque os contraentes invocam seus respectivos deuses (Gn 32,53) e a divindade sanciona o pacto. Em segundo lugar, o rei judeu e seu povo estão obrigados, em virtude da aliança, a obedecer aos mandamentos genéricos da lei e aos individuais transmitidos pelos profetas. O juramento de vassalagem de Sedecias se volta contra ele. De modo paralelo, a vingança do imperador se torna instrumento de castigo do Senhor.

17,22-23 O acréscimo sobre a futura restauração recolhe uma série de palavras do texto precedente. Da videira voltamos ao cedro legítimo; não intervêm águias humanas, mas Deus diretamente. Ainda que sirva à árvore antiga, a plantação é nova. Se no princípio este oráculo alimentou a esperança de uma volta à pátria sob a dinastia legítima renovada, mais tarde foi lido como profecia messiânica. As aves são outros reinos vassalos, como no tempo de Davi.

e chegará a ser um cedro magnífico; bra de sua ramagem se aninharão todas
nele aninharão todos os pássaros, à som- as aves,

²⁴e saberão as árvores silvestres
 que eu, o Senhor, humilho a árvore elevada
 e elevo a árvore humilde, seco a árvore verde
 e reverdeço a árvore seca.
²⁵Eu, o Senhor, o digo e o faço.

Responsabilidade pessoal
(Ez 33,1-21)

18 ¹O Senhor me dirigiu a palavra:
²Por que repetis
 este refrão na terra de Israel:
 "Os pais comeram uvas verdes
 e os dentes dos filhos ficaram irritados"?
³Por minha vida, eu vos juro – oráculo do Senhor –,
 ninguém voltará a repetir
 esse refrão em Israel.
⁴Sabei-o: todas as vidas são minhas;
 tanto a vida do pai,
 como a vida do filho;
 quem peca é que morrerá.
⁵O homem que é justo,
 que observa o direito e a justiça,

17,24 Termina com um enunciado de princípio, um aforismo repetido na Bíblia em diversas formulações (Lc 14,11).

18 Este é um dos capítulos mais importantes do livro e deve ser lido junto com o cap. 33. Um passo importante no progresso da revelação deixou aqui seu traço, passo preparado e provocado pela história. O *passado*. Imaginemos a situação dos desterrados depois da catástrofe. O presente amargo é consequência invencível do passado – diz a teologia tradicional. Não precisamente os pecados desta geração, que não mereciam tamanho castigo, mas os pecados acumulados de um Manassés e de muitos como ele (2Rs 23,31-24,4). Chegou-se a uma plenitude de pecado; crimes seculares encheram e fizeram transbordar a medida da misericórdia divina; esgotada a misericórdia, sua ira derramou-se sobre... a geração à qual coube viver no fim do processo; que fatalidade! É justo? Se Deus leva em conta os delitos paternos, por que não leva em conta a bondade de um Josias, de um Ezequias e de outros? "Por amor a Abraão, por amor a Davi", diz a tradição. O *futuro*. Foi rompida a aliança que empenhava Deus; falta o culto que permitia reconciliar-se periodicamente com o Senhor. Longe da terra prometida, da cidade santa, do templo destruído, não há futuro para esta geração de escravos. Vítimas de um passado du qual não são imediatamente responsáveis e sem futuro, o que lhes resta? É inútil dirigir-se a Deus com salmos apaixonados de súplica: "por quê? até quando?" É melhor a pequena vingança de um refrão que sai de uma boca com dentes irritados, que fere sem nomear. Que Deus se dê por mencionado. A *resposta*. O profeta enfrenta o refrão e a atitude de despeito e fatalismo de onde brota esse refrão. Desmente-o redondamente numa linguagem descarnada de cláusulas, quase de contabilidade. Da parte de Deus, traz uma mensagem positiva: é possível romper a corrente do passado, é necessário comprometer-se para refazer o futuro.
Junto à *responsabilidade* coletiva, que une solidariamente os membros de uma comunidade entre si e com os antepassados, e sem anulá-la, anuncia-se a responsabilidade do indivíduo, senhor do seu destino por vontade de Deus. Destino de vida e morte para os judeus (Dt 30,15) e para todos os homens (Eclo 15,11-17). Precisamente na nova situação, a responsabilidade individual se fará mais consciente e mais bem entendida: não vale jogar a culpa nos pais e avós, e menos ainda ironizar a justiça divina. Ao mesmo tempo, a responsabilidade individual é exigência para começar a ação e perseverar nela. O desterro removeu a confiança mecânica no templo e outras instituições, e o profeta remove a confiança preguiçosa em méritos adquiridos.
A mensagem de Ezequiel é esperançosa. Se o Senhor castigou "nos filhos, netos e bisnetos" (Dt 5,9s), "a sua piedade se prolonga por mil gerações", abraçando o presente e o futuro.
O *estilo* do capítulo conjuga três formas: a casuística, as fórmulas declaratórias e a parênese ou exortação.

18,2 O refrão é também lido em Jr 31,29-30; ressoa em Lm 5,7 sem imagem.

18,3-4 A primeira resposta apela para a soberania de Deus, senhor da vida e da morte na ordem biológica; ele pode atribuir à morte função de castigo, instituindo a pena de morte como sanção do pecado.

18,5-18 Em termos de justiça, o princípio é ilustrado com um caso complexo que abrange três gerações, com clara assimetria: bem – mal – bem. Mas não

⁶que não come nos montes,
  levantando os olhos aos ídolos de Israel;
 que não profana a mulher de seu próximo,
  nem se achega à mulher em suas regras;
⁷que não explora, mas devolve
  a prenda empenhada;
 que não rouba, mas dá
  seu pão ao faminto e veste o nu;
⁸que não empresta com usura nem cobra juros;
  que afasta da iniquidade a mão
  e julga imparcialmente os delitos;
⁹que caminha segundo meus preceitos
  e guarda meus mandamentos,
  cumprindo-os fielmente, esse homem é justo
  e certamente viverá – oráculo do Senhor.
¹⁰Se ele gerar um filho criminoso e homicida,
  que viola algumas dessas proibições
¹¹ou não cumpre todas essas coisas,
 mas come nos montes
  e profana a mulher de seu próximo;
¹²explora o desgraçado e o pobre,
  rouba e não devolve a prenda empenhada,
  levanta os olhos aos ídolos
  e comete abominações;
¹³empresta com usura e cobra juros,
  certamente não viverá;
 por ter cometido todas essas abominações,
  certamente morrerá
  e será responsável por seus crimes.
¹⁴E se ele gerar um filho,
  que, apesar de ter visto
  os pecados de seu pai, não os imita;
¹⁵não come nos montes,
  levantando os olhos aos ídolos de Israel;
 não profana a mulher de seu próximo;
¹⁶não explora
  nem se apropria da prenda empenhada;
  não rouba, mas dá
  seu pão ao faminto e veste o nu;
¹⁷afasta da iniquidade a mão
  e não cobra juros com usura;
  cumpre meus mandamentos
  e caminha segundo meus preceitos,
 esse homem não morrerá por causa de seu pai,
  mas certamente viverá.

---

explica como Deus permite a passagem da segunda à terceira (suspendendo a execução).
18,5-9 Compare-se com as liturgias de entrada: Sl 15; 24; Is 33,15s.
18,6 Banquetes rituais idolátricos nos lugares altos (cap. 6).
18,7-8 Enumera cláusulas diversas da legislação, Ex, Lv e Dt.

18,9 "Viverá" equivale a "não é réu de morte". Designa a vida com todos os bens da relação com Deus e com a comunidade: ver Dt 4,1.33; 5,24.26.33; 8,1.3 etc.
18,10-13 Exige-se o cumprimento de todos os mandamentos. Sentença de morte: de nada servirá ao criminoso a honradez de seu pai.
18,15 Is 58,7.
18,17 Dt 23,20.

¹⁸Seu pai, que cometeu
   atropelos e roubos e maltratou sua gente,
   morreu por sua culpa.
¹⁹Objetais: Por que o filho
   não carrega a culpa do pai?
   Se o filho observar o direito e a justiça
   e guardar meus preceitos e os cumprir,
   certamente viverá.
²⁰Quem peca é que morrerá;
   o filho não carregará a culpa do pai,
   o pai não carregará a culpa do filho;
   sobre o justo recairá sua justiça,
   sobre o perverso recairá sua perversidade.
²¹Se o perverso se converter
   dos pecados cometidos
   e guardar meus preceitos
   e praticar o direito e a justiça,
   certamente viverá e não morrerá.
²²Não serão levados em conta
   os delitos que cometeu;
   pela justiça que praticou viverá.
²³Acaso eu quero a morte do perverso
   – oráculo do Senhor –
   e não que se converta
   de sua conduta e viva?
²⁴Se o justo se afastar de sua justiça
   e cometer perversidade,
   imitando as abominações do perverso,
não será levada em conta a justiça que praticou:
   pela iniquidade que cometeu
   e pelo pecado que praticou, morrerá.
²⁵Objetais: Não é justo o proceder do Senhor.
   Escutai, casa de Israel:
   É injusto o meu proceder?
   Não é o vosso proceder que é injusto?
²⁶Quando o justo se afasta de sua justiça,
   comete a perversidade e morre,
   morre por causa da perversidade que cometeu.
²⁷E quando o perverso se converte
   da perversidade que fez
   e pratica o direito e a justiça,
   ele mesmo salva sua vida.

18,19-20 Contra a doutrina exposta, poderiam citar Ex 20,5; 34,7; Nm 14,18; Dt 7,9-20; a favor, Dt 24,16. O Senhor responde confirmando o princípio numa antítese lapidar.

18,21-28 Da sucessão das gerações, passamos à sucessão de duas etapas na vida de dois indivíduos: o justo que se torna perverso, o perverso que se torna justo. Embora condicione, o passado não determina, não aprisiona o homem: é possível superá-lo. Mas não há simetria na alternativa proposta, já que o justo tornado pecador pode converter-se de novo. A simetria fica quebrada pela vontade de Deus, segundo o princípio fundamental proposto no v. 23.

18,23 Ponto alto do capítulo. Mensagem de esperança e exigência: ver Sb 1,13; Jo 10,10; 1Tm 2,4-6; 2Pd 3,9.

18,25 A objeção pode ser dos resignados ao fatalismo ou dos que temem a exigência de conversão. Objeção e resposta compõem uma espécie de pleito ou debate com Deus. No proceder injusto dos desterrados se inclui a sua maneira de julgar a justiça de Deus. Tudo desemboca numa exortação final, palavra de Deus que, ao convidar, torna possível o novo começo. Quatro vezes Deus interpela a "casa de Israel": já não a chama Casa Rebelde.

²⁸Se ele se arrepende e se converte
 dos delitos cometidos,
 certamente viverá e não morrerá.
²⁹Objeta a casa de Israel:
 Não é justo o proceder do Senhor.
 É injusto o meu proceder, casa de Israel?
 Não é o vosso proceder que é injusto?
³⁰Pois bem, casa de Israel,
 eu julgarei cada um segundo seu proceder
 – oráculo do Senhor.
 Arrependei-vos e convertei-vos
 de vossos delitos,
 e não caireis em pecado.
³¹Lançai fora os delitos
 que cometestes,
 e formai um coração novo
 e um espírito novo,
 e assim não morrereis, casa de Israel.
³²Pois eu não quero a morte de ninguém
 – oráculo do Senhor.
 Convertei-vos e vivereis!

A leoa e os filhotes

19 ¹E tu, entoa esta lamentação
 pelos príncipes de Israel:
²Que leoa era tua mãe no meio de leões!
 Deitada entre leõezinhos,
 amamentava seus filhotes.
³Criou um de seus filhotes,
 que se tornou leão jovem
 e aprendeu a dilacerar a presa,
 devorando homens.
⁴Recrutaram gente contra ele,
 e o prenderam na cova,
 e com argolas o levaram
 à terra do Egito.
⁵E vendo desvanecida e burlada sua esperança,
 tomou outro de seus filhotes
 e o fez leão jovem.
⁶Rodeava entre os leões
 feito já um leão jovem;
⁷fazia estragos nos palácios
 e arrasava as cidades;

18,31 A mudança interior será a grande novidade. O que aqui soa como mandato, soará como promessa em 36,26. No retorno do desterro, este final apontará outra vez para o futuro, para a comunidade do espírito novo.
18,32 A última palavra é oferta de vida.
19,1-9 Intitula-se "lamentação", gênero que parece ter sua origem em ritos fúnebres, e pede a participação dos presentes (outras lamentações: 26,17; 27,2.32; 28,11; 32,2). É dedicada a "príncipes" de Israel, a dois reis depostos. O primeiro é Joacaz, deposto e deportado pelo faraó Necao; o segundo é Jeconias ou Sedecias. Um, deportado ao ocidente; o outro, ao oriente. Ambos vítimas de potências estrangeiras, de algum modo provocadas por Judá. A mãe representa a capital e a comunidade. Não é raro o animal como emblema ou como título de monarcas.
19,4 Ver 2Rs 23,33s e Dt 28,68.
19,5 A esperança de restabelecer a independência de Judá.

mantinha o país e seus moradores
amedrontados com seus rugidos.
⁸Juntaram contra ele os povos
das regiões vizinhas;
estenderam suas redes sobre ele
e o prenderam na cova.
⁹Com coleira e com argolas
o levaram ao rei da Babilônia;
enjaulado o levaram
para que não se tornasse a ouvir seu rugido
nas montanhas de Israel.

A videira decepada
(Ez 17,6-10; Is 27,2-5.11)

¹⁰Tua mãe é como videira cheia de ramos
plantada à beira das águas:
produziu folhas e fruto
pela abundância de água.
¹¹Lançou rebentos robustos para cetros reais;
sua estatura elevou-se até tocar as nuvens;
destacava-se por sua altura,
por sua abundância de sarmentos.
¹²Mas a deceparam com raiva
e a jogaram por terra,
e o vento oriental secou seu fruto;
[perdeu os galhos e secou]
e o fogo devorou seu rebento robusto.
¹³Agora está plantada na estepe,
em terreno calcinado e seco.
¹⁴[Brotou fogo de um rebento
e devorou seus brotos.]
Não resta nela rebento robusto,
cetro para governar.
(É uma elegia: canta-se como elegia.)

20 História de uma rebeldia (Ez 16 e 23) – ¹No sétimo ano, no décimo dia do quinto mês, vieram alguns conselheiros de Israel para consultar o Senhor e sentaram diante de mim. ²Então o Senhor me dirigiu a palavra:

19,9 O rugido é a voz autoritária do rei.
19,10-14 Pela imagem, poderia ser continuação do cap. 17; conforme o Sl 80, a videira é o povo. A mãe é a capital. Não é coerente tirar de uma videira bastões de comando. Parece acrescentado depois do ano 586. Visto que Ezequiel contava com Jeconias em Babilônia, o final se refere ao cessar do exercício das funções reais, não à extinção da dinastia. O colofão nos informa sobre o uso do poema.
20,1 Agosto de 591, dois anos depois da vocação. Consulta-se o Senhor por mediação do profeta: Jr 42.
20,1-31 Aceito esses limites por causa da inclusão dos vv. 1-3 e 31, a "consulta". Outros põem o limite após o v. 32, tomando o juramento divino como início de oráculo. A diferença não é importante.
Pela *ocasião*, este texto coincide com 14,1-11: autoridades judaicas vão ao profeta para consultar o Senhor; o profeta lhes dá uma resposta que não esperavam. Pelo *conteúdo*, trata-se de uma grande síntese histórica, articulada em três ou quatro etapas, que seguem um esquema mais ou menos cíclico. É clássico o esquema de Juízes, cíclico com variações: benefícios – pecado – castigo – súplica – libertação. O movimento de Ezequiel é menos regular e está em função da denúncia profética. Distinguimos quatro etapas:
20,5-9 promessa/idolatria/salvação por "meu nome".
20,10-17 lei e sábado/desobediência/salvação por "meu nome"/castigo no deserto/sobreviventes.
20,18-26 exortação à obediência/rebelião/castigo: dispersão.

— ³Filho de Adão, fala assim aos conselheiros de Israel: Isto diz o Senhor: Por que vindes consultar-me? Por minha vida, juro que não me deixarei consultar por vós — oráculo do Senhor. ⁴Julga-os tu, julga-os tu, filho de Adão! Denuncia-lhes as abominações de seus pais, ⁵dizendo-lhes: Isto diz o Senhor:

> Quando escolhi Israel, jurei com a mão erguida
>   à linhagem da casa de Jacó;
> quando me manifestei a eles no Egito,
>   eu lhes disse com a mão erguida:
>   "Eu sou o Senhor vosso Deus".
>
> ⁶Naquele dia lhes jurei com a mão erguida
>   tirá-los do Egito
>   e levá-los para uma terra
> que eu mesmo havia explorado para eles:
>   manava leite e mel,
>   era a pérola das nações.
> ⁷E lhes disse: Lançai fora os fetiches que vos deslumbram,
>   e não vos contamineis com os ídolos do Egito.
>   Eu sou o Senhor vosso Deus.
> ⁸Mas eles se revoltaram contra mim
>   e não quiseram obedecer-me;
>   ninguém lançou os fetiches que os deslumbravam,
>   nem se desfizeram dos ídolos do Egito.
> Então pensei em derramar
>   minha cólera sobre eles
>   para neles esgotar minha ira
>   em território egípcio.
> ⁹Mas agi por respeito a meu nome,
>   para que não fosse profanado
>   diante dos pagãos com os quais viviam,
>   e em cuja presença me manifestei a eles
>   para tirá-los do Egito.
> ¹⁰Tirei-os do Egito e os levei ao deserto.
> ¹¹Dei-lhes meus preceitos
>   e lhes ensinei meus mandamentos,
>   que dão a vida a quem os cumpre.
> ¹²Dei-lhes também meus sábados
>   como sinal recíproco, para que se soubesse
>   que eu sou o Senhor que os santifico.

20,27-29 dom da terra/rebelião: lugares altos. As etapas acontecem: no Egito, no deserto, no deserto, na terra. É provável que Ezequiel tenha seguido um esquema regular e que os acréscimos de discípulos tenham desfigurado o traçado original. Mas, é praticamente impossível reconstruir o suposto traçado original. Ezequiel maneja e estiliza seus materiais com grande liberdade.

20,4 Ezequiel é nomeado fiscal: na sua exposição aos réus, repassará a história culpada destes.

20,5-6 O tempo patriarcal está apenas evocado no nome "casa de Jacó". No momento da escolha, o Senhor oferece três coisas: a revelação do seu nome, a promessa de libertá-los, ser "vosso Deus" pela aliança. A libertação está formulada no clássico esquema binário: saída-entrada.

20,7-8 As tradições que conhecemos nada dizem sobre a idolatria dos hebreus no Egito; só temos a referência de Js 24,14; o Sl 106,7 não fala de idolatria. Pode ser iniciativa do profeta, desejoso de abranger a história desde o começo. No rito da aliança se exige a eliminação de ídolos e fetiches: Gn 35,2; Js 24,23; 1Sm 7,3; Is 2,20.

20,9 Coincide com Sl 106,8. Está em jogo o bom "nome", a fama deste Deus diante de outros povos.

20,10-11 O esquema tradicional: "saída – deserto – dom da terra" sofre uma modificação, termina em dom da lei "da vida": Dt 4,1; 5,33; 8,1; 16,20; 30,16.

20,12 Por influência sacerdotal, o sábado adquire posição privilegiada: ver Is 56 e 58,13s. Chama-os "meus sábados", porque ele os instituiu e consagrou

¹³Mas contra mim se revoltou
   a casa de Israel no deserto:
   não caminharam segundo meus preceitos,
  rejeitaram meus mandamentos,
   que dão a vida a quem os cumpre,
   e profanaram gravemente meus sábados.
  Então pensei em derramar minha cólera sobre eles,
   no deserto, para exterminá-los.
   ¹⁴Mas agi por respeito a meu nome,
  para que não fosse profanado diante dos pagãos,
   em cuja presença os havia tirado.
  ¹⁵Apesar de tudo, jurei no deserto,
   com a mão erguida,
   não levá-los à terra que lhes havia designado,
   que manava leite e mel
   e era a pérola das nações,
   ¹⁶por terem rejeitado meus mandamentos,
   por não terem caminhado
   segundo meus preceitos,
  por terem profanado meus sábados,
   porque seu coração ia atrás de seus ídolos.
  ¹⁷Mas, compadecido deles, não os aniquilei,
   nem acabei com eles no deserto.
  ¹⁸Disse a seus filhos no deserto:
   Não caminheis segundo os preceitos
   de vossos pais,
   nem guardeis seus mandamentos,
   nem vos contamineis com seus ídolos.
  ¹⁹Eu sou o Senhor vosso Deus:
   caminhai segundo meus preceitos,
   guardai meus mandamentos e cumpri-os;
  ²⁰santificai meus sábados:
   serão sinal recíproco para que se saiba
   que eu sou o Senhor vosso Deus.
  ²¹Mas seus filhos se rebelaram contra mim:
   não caminharam segundo meus preceitos,
  nem guardaram nem cumpriram
   meus mandamentos,
   que dão a vida a quem os cumpre,
   e profanaram meus sábados.
  Então pensei em derramar minha cólera sobre eles,
   para neles esgotar minha ira no deserto.
  ²²Mas retirei minha mão
   e agi por respeito a meu nome,
   para que não fosse profanado diante dos pagãos,
   em cuja presença os havia tirado.

(cf. Eclo 33,7-15); são "sinal recíproco", porque o homem reconhece neles a santidade de Deus; ver Lv 19,3.30; 23,2; 26,2.

20,13 Que os israelitas tenham observado o sábado no deserto é projeção, já presente no relato do maná (Ex 16). Nm 13-14 nos dá outra versão da rebelião no deserto; a ela correspondem os vv. 15 e 17.

20,14 Ver a argumentação de Moisés em Ex 32,12 e Nm 14,14-16; e a mudança mental de Deus em Dt 32,27 e Sl 78,65.

20,16 Pode ser alusão ao pecado do bezerro de ouro (Ex 32).

20,18-19 Opõe os mandamentos paternos, quer dizer, da primeira geração no deserto, aos de Deus. Não temos outras notícias dessas tradições a serem evitadas.

²³Contudo, jurei no deserto,
com a mão erguida,
dispersá-los pelas nações
e espalhá-los pelos países,
²⁴por não terem cumprido meus mandamentos,
por terem rejeitado meus preceitos
e terem profanado meus sábados,
por seus olhos terem ido
atrás dos ídolos de seus pais.
²⁵Acaso lhes dei preceitos não bons,
mandamentos que não lhes dariam a vida?
²⁶Contaminei-os com as ofertas que faziam,
imolando seus primogênitos?
Eu os horrorizei, para que assim
soubessem que eu sou o Senhor?
²⁷Portanto, filho de Adão, fala assim à casa de Israel:
Isto diz o Senhor:
Vossos pais ainda me ofenderam
cometendo esta traição:
²⁸Quando os introduzi na terra
que com a mão erguida havia jurado dar-lhes,
ao ver uma colina alta, ao ver uma árvore copada,
aí faziam seus sacrifícios,
aí depositavam sua irritante oferta,
aí punham suas oblações
de aroma que aplaca,
aí derramavam suas libações.
²⁹Então lhes perguntei:
O que há nesse lugar alto que frequentais?
E ficou com o nome de "lugar alto"
até o dia de hoje.
³⁰Portanto, dize à casa de Israel:
Isto diz o Senhor: Vós vos contaminais
como vossos pais,
fornicais com seus fetiches,
³¹ofereceis vossos filhos
passando-os pelo fogo,
continuais contaminando-vos com vossos ídolos,
e vou deixar-me consultar
por vós, casa de Israel?
Por minha vida – oráculo do Senhor –,
juro que não me deixarei consultar.

20,23 A "dispersão" é normalmente entendida a partir da terra, não como consequência da viagem pelo deserto. Por isso, alguns transferem o v. 28 para antes do 23, de modo que a dispersão seja o desterro. Por outro lado, Dt 28,36s.63s fala do desterro em forma de predição.

20,25-26 O capítulo inclui várias perguntas retóricas, e estas têm urgência particular. Segundo a constante pregação do Deuteronômio, a lei de Deus dá vida, alonga a vida; é tão importante como o pão para se continuar vivendo. Os sacrifícios de crianças matam os filhos e tornam réus de morte os pais. Mal interpretada, a lei de consagração dos primogênitos veio a ser fatal; mas não é legítimo atribuí-la assim a Deus. O Senhor rejeita indignado semelhante suposição. Outros comentaristas o leem como afirmação, que tentam explicar como podem.

20,25 Jr 7,31.

20,27-28 Compare-se com o cap. 6 e também com Sl 106,37s.

20,29 Parece acréscimo etiológico para explicar a origem dessa denominação.

20,30-31 A exortação supõe que continuam sendo praticados os mesmos delitos em Babilônia. Apresenta a culpa como infidelidade ou "fornicação" e, no aspecto cultual, como "contaminação".

³²Jamais se realizarão os planos
  que estais pensando:
  "Seremos como os outros povos,
  como as raças de outros países,
  servindo à madeira e à pedra".
³³Por minha vida – oráculo do Senhor –,
  eu juro: com mão poderosa,
  com braço estendido,
  com cólera incontida,
  reinarei sobre vós
³⁴e vos tirarei dos países
  e vos reunirei do meio das nações
  pelas quais andais dispersos,
  com mão poderosa, com braço estendido,
  com cólera incontida.
³⁵E vos levarei ao deserto dos povos
  para aí pleitear convosco face a face.
³⁶Assim como pleiteei com vossos pais
  no deserto do Egito,
  assim pleitearei convosco – oráculo do Senhor.
³⁷Eu vos farei passar sob o cajado
  e vos farei entrar um por um
  pelo aro da aliança,
³⁸e excluirei os rebeldes
  que se revoltam contra mim;
  eu os tirarei do país do seu desterro,
  mas não entrarão na terra de Israel.
  E sabereis que eu sou o Senhor.
³⁹A vós, casa de Israel,
  isto vos diz o Senhor:
  Cada um vá servir seus ídolos
  se não quiser obedecer-me,
  mas não continue profanando
  meu santo nome
  com suas ofertas idolátricas.

20,32-44 Mais tarde, passada a catástrofe, o profeta acrescentou um oráculo de esperança. O peculiar dessa restauração é que se realizará através de um julgamento de separação. O Senhor colocará outra vez o seu povo em situação de escolher, e em função da resposta humana vai peneirar seu povo, o rebanho dos escolhidos. Com esse grupo realizará a volta à pátria, ao monte santo, e a restauração de tipo cultual.
Uma série de elementos ligam esta peça à anterior: juramento, dispersão, deserto, rebeldia, ídolos, "meu nome", profanação, contaminação.

20,32 Pode-se entender de duas maneiras. Como projeto voluntário, e então expressa a ruptura definitiva com a história e com o Senhor. Como previsão à força, e então expressa resignação trágica ou fatalismo desesperado. "Madeira e pedra" são designações correntes, depreciativas, dos ídolos.

20,33 Conforme 1Sm 8, os israelitas, para serem como os demais povos, pediam um rei; o Senhor resistia, mas consentia. Aqui, para ser como outros povos, optam pela idolatria; o Senhor o rejeita, proclamando-se rei único. Exercerá seu senhorio, primeiro diante dos inimigos, com os gestos do êxodo, "mão poderosa e braço estendido", como execução de uma sentença ou "cólera".

20,34 Depois se ocupará dos seus. Israel não se confundirá com outros povos nem se dissolverá entre eles, porque o Senhor o reunirá: Jr 23,3; 31,8.

20,35-36 Depois da saída, num novo deserto, longe das nações, a sós com seu Deus, celebra-se o pleito decisivo. O Senhor julga ou questiona; os judeus, acusados por Deus, terão de confessar a culpa: Jr 2-3; Sl 50-51.

20,37 Como faz o pastor para contar e separar as ovelhas (Lv 27,32). A segunda frase é duvidosa.

20,38 Conforme Ezequiel, a saída do desterro não é automaticamente salvação, pois o deserto apresentará uma prova decisiva. Isaías coloca o julgamento em Babilônia, de modo que o deserto já é salvação.

20,39 Como em Js 24, escolha livre, mas não neutra.

⁴⁰Porque em meu santo monte,
  no mais alto monte de Israel
  – oráculo do Senhor –,
aí na terra me servirá
  a casa de Israel inteira.
  Aí os aceitarei,
  aí vos pedirei vossos tributos,
  vossas primícias
  e vossos dons sagrados.
⁴¹Como aroma que aplaca vos aceitarei,
  quando vos tirar dos países
  e vos reunir do meio das nações
  em que estais dispersos,
  e mostrar em vós minha santidade
  à vista dos pagãos,
⁴²e sabereis que eu sou o Senhor,
  quando eu vos levar à terra de Israel,
  ao país que jurei, com a mão erguida,
  dar a vossos pais.
⁴³Aí, quando vos lembrardes
  de vossa conduta e das obras más
  com que vos contaminastes,
  sentireis nojo de vós mesmos
  por causa das perversidades que cometestes.
⁴⁴E sabereis que eu sou o Senhor,
  quando eu vos tratar como exige meu nome,
  não segundo vossa má conduta
  e vossas obras perversas,
  casa de Israel – oráculo do Senhor.

21 O bosque em chamas

– ¹O Senhor me dirigiu a palavra:
– ²Filho de Adão, coloca-te olhando para o sul, profetiza ao sul, ³profetiza assim ao bosque austral: Bosque austral, escuta a palavra do Senhor! Isto diz o Senhor:

Vou atear em ti um fogo que devore
  tuas árvores verdes, tuas árvores secas.
Não se apagará a chama ardente
  que abrasará todos os terrenos,
  desde o sul até o norte.

20,40-41 A terra prometida se concentra nesse pequeno monte, o mais alto por escolha divina: 17,22. O povo inteiro "será aceito", termo técnico dos sacrifícios: Lv 1,4; 22,23.25.27.
20,43 Ver o final do cap. 16.
20,44 Um princípio mais alto se sobrepõe ao princípio da retribuição: o perdão gratuito de Deus. Um oráculo semelhante se presta à leitura escatológica.
21,1-37 Com peças diversas e aparentadas, o compilador ou autor final compôs uma unidade bem coesa. Começa o fogo devorador (2-5), que dá lugar à espada (6-12); canto à espada (13-22); é a espada do rei da Babilônia (23-29); chega o final (29-33); a espada volta à bainha (33-35) e conclui com o fogo que começou (36-37).

O texto combina seções retóricas de interpelação com efusões líricas. Embora grande parte seja pronunciada como anúncio e como mandato do Senhor, é possível e fácil imaginar sua execução, de sorte que a peça adquire valor dramático. Exalta-se a figura da espada; surge, ganha corporeidade, quase vida, torna à mão de um homem e perece.
21,2-3 É como se Ezequiel se tivesse transferido a um lugar setentrional, de onde olha e profetiza para o sul. Conforme Jeremias, Babilônia é o inimigo do norte, que invadirá o país pelo norte: Jr 1,14; 3,18; 4,6; 6,1 etc. Correlativamente, Judá é território meridional, embora os três sinônimos não bastem para a identificação ou a deixem aberta. A guerra

⁴E todo mortal verá
que eu, o Senhor, o ateei,
e não se apagará.
⁵Então eu repliquei:
– Ai, Senhor! Estão dizendo de mim:
"É um contador de fábulas".
⁶O Senhor me dirigiu a palavra:
– ⁷Filho de Adão, coloca-te olhando para Jerusalém,
profetiza ao templo,
⁸profetiza assim à terra de Israel:
Terra de Israel, isto diz o Senhor:
Aqui estou contra ti, desembainho a espada
para extirpar de ti inocentes e culpados.
⁹Porque tenho de extirpar de ti
inocentes e culpados,
por isso minha espada sai da bainha
contra todo mortal, de sul a norte.
¹⁰E todo mortal saberá que eu, o Senhor,
desembainhei minha espada: não voltará à bainha.
¹¹E tu, filho de Adão, geme dobrando a cintura,
geme amargamente à vista deles.
¹²E quando te perguntarem por que gemes,
responderás: Porque ao chegar uma notícia,
todos os corações desmaiarão
e todos os braços desfalecerão,
todos os espíritos vacilarão
e fraquejarão todos os joelhos.
Olha que chega, que acontece
– oráculo do Senhor.

Canto à espada
(Is 27,1; Jr 50,35-38)

¹³O Senhor me dirigiu a palavra:
– ¹⁴Filho de Adão, profetiza dizendo:

---

se apresenta na imagem de um incêndio no bosque (Is 9,17; 10,17-19): queima as árvores secas e se propaga nas verdes. Também o bosque ardendo é imagem aberta. É um espetáculo impressionante, que quer ser revelador: o fogo vem do Senhor.
21,5 O profeta se queixa do descrédito diante de sua pregação profética: ver 33,31-33.
21,7 O segundo oráculo, introduzido como resposta do Senhor, oferece a identificação: o templo, a capital, o território.
21,8 Como "verdes e secos", também "inocentes e culpados" é expressão polar. Este oráculo é pronunciado antes da catástrofe, o cap. 18 depois; por isso não se contradizem. A guerra é desapiedada, e o conquistador não faz distinções ao matar: para ele, toda a população é culpada. Contudo, apesar das fórmulas de totalidade, sabemos por Jr 39 que muitos salvaram a vida.
21,9-10 A espada se torna sujeito da frase: está saindo da bainha e da mão.
21,11-12 Os gestos de dor do profeta funcionam como ação simbólica que prefigura o que se aproxima. Em vez de comunicar a "notícia", o profeta entretém os ouvintes com um poema representado.
21,13-22 Alguns atribuem função mágica a este canto, e não é improvável que um antigo canto mágico o tenha inspirado. Outros o consideram texto de uma dança guerreira, como a do Salmo 149. De fato, o poema inclui indicações para a execução, embora sem identificar quem intervém. É claro que a espada personificada ou animada é protagonista.
A título de hipótese, poder-se-ia ensaiar a seguinte execução: aparece a espada, recebida por uma saudação ou estribilho coral (14-15); estrofe descritiva enquanto a espada é entregue ao solista sicário (16); palmas e gritos do profeta (19); resposta do solista (20); novo convite do profeta ou do coro (21); final do solista, que representa o Senhor (22). Dois verbos hebraicos, 15b e 18a, são irrecuperáveis. Outros detalhes são muito duvidosos: ou porque a linguagem é arcaica ou dialetal, ou porque aludem a passos da execução que desconhecemos. O fator sonoro parece importante.
21,14 Compare-se com Dt 32,41; Is 27,1; 34.

Isto diz o Senhor:
Espada, espada afiada e além disso polida!
¹⁵Afiada para degolar, polida para fulgurar.
....*

¹⁶Levaram-na para polir antes de empunhá-la;
a espada já está afiada, já está polida,
para ser posta nas mãos do sicário.
¹⁷Grita e uiva, filho de Adão,
porque a brandem contra meu povo,
contra todos os príncipes de Israel;
eles os entregaram à espada,
junto com meu povo;
portanto, bate no peito.
....*

– ¹⁸oráculo do Senhor.
¹⁹E tu, filho de Adão, profetiza e bate palmas:
que se duplique a espada, que se triplique
a espada dos crivados,
a espada grande que criva,
que os tem encurralados.
²⁰Para que o coração trema
e haja muitos caídos,
contra todas as suas portas
dirijo a ponta da espada,
irmanada com o raio,
nua para a matança.
²¹Dá estocadas à direita e talhos à esquerda:
onde sua folha seja solicitada.
²²Também eu baterei palmas
e desafogarei minha raiva.
Eu, o Senhor, falei.

²³O Senhor me dirigiu a palavra:
– ²⁴E tu, filho de Adão, traça duas rotas para a espada do rei da Babilônia; as duas partirão do mesmo país. ²⁵Põe um sinal na partida de cada rota para a espada: "A Rabá dos amonitas; a Judá, que tem em Jerusalém sua praça-forte". ²⁶O rei da Babilônia se deteve na bifurcação da estrada, onde se dividem as duas rotas, para consultar o oráculo: embaralha as flechas, pergunta aos ídolos, inspeciona o fígado. ²⁷Ele já tem na mão direita o vaticínio: A Jerusalém! Para prorromper em alaridos e lançar gritos de algazarra, para colocar aríetes contra as portas, para fazer um aterro e construir torres de assalto!

²⁸O vaticínio pareceu-lhes falso, pois lhes haviam jurado vassalagem; mas ele os acusará e os prenderá. ²⁹Portanto, assim diz o Senhor:

21,15 * Ininteligível.
21,17 A referência aos "príncipes" como fato sucedido pode ser indício de acréscimo à luz dos acontecimentos. * Ininteligível.
21,22 Ver Lm 2,15.
21,23-27 O sicário que brandia a espada tem um nome. Com grande concentração, sem distinguir mandato e execução, o profeta surpreende o rei de Babilônia com a espada empunhada, no momento decisivo: para onde arremessará? O oráculo corresponde ao tempo da rebelião de Sedecias.
21,25 Por uma vez, o reino de Amon aliou-se com seu vizinho Judá para sacudir o jugo babilônico.
21,26 Consultar o oráculo era parte da estratégia antiga. A hepatoscopia era uma técnica muito desenvolvida em Babilônia.
21,27 Os infinitivos (ou gerúndios) soam como urgentes vozes de comando: a palavra está se convertendo em ação ao se montar o o cerco à capital.
21,28 Os habitantes de Jerusalém não creem no vaticínio, e o profeta insiste, mostrando o rei de Babilônia como fiscal que acusa e oficial que prende.

Porque vos denunciam vossa culpa
e vossos delitos são descobertos;
   porque ficam às claras vossos pecados
   e todos os vossos crimes;
porque estais processados,
   vos prenderão pela força.
³⁰E tu, malfeitor infame, príncipe de Israel,
cujo dia chegou, a hora do castigo final;
³¹isto diz o Senhor:
   Fora o turbante, tira a coroa!
Isto já não é isto:
   o alto é baixo, o baixo é alto;
   ³²caos, caos, transformo tudo em caos.
Mas isto não acontecerá, até que chegue
   aquele que há de executar a sentença
   que eu lhe confiei.
³³E tu, filho de Adão, profetiza:
   Isto diz o Senhor contra os amonitas
   e contra seus sarcasmos.
Espada, espada desembainhada para a matança,
   polida para fulgurar!
³⁴De ti vaticinam mentiras em visões falsas.
   Que te apliquem ao pescoço
   dos malfeitores infames,
   cujo dia chegou,
   a hora do castigo final!
³⁵Volta à bainha!
   No mesmo lugar onde foste forjada,
   em tua terra natal, eu te julgarei;
³⁶derramarei meu furor sobre ti,
   atiçarei contra ti o fogo de minha fúria
   e te entregarei
   em poder de homens bárbaros,
   artesãos do extermínio.
³⁷Serás alimento do fogo,
   teu sangue cairá em tua própria terra.
   Jamais serás nomeada,
   porque eu, o Senhor, falei.

21,30-31a O malfeitor é Sedecias destronado.

21,31b-32a Confusão de normas e valores (cf. Is 5,20), como se o homem perdesse a capacidade de se orientar verticalmente.

21,32b Esta frase em prosa, glosa posterior, divide os intérpretes. O autor hebreu recolhe uma leitura tardia de Gn 49,10, que se aplicava a Davi e à sua dinastia, e a retorce aplicando-a ao rei de Babilônia. É o extremo da desgraça: terra, templo e dinastia acabaram.

Outras traduções do discutido versículo: "Isto já não será quando chegar aquele a quem compete o julgamento e a quem o entrego". "Converto-o em ruína como não houve outra, até que chegue o soberano legítimo. A ele tudo entregarei". Esta segunda leitura é messiânica.

21,33 Executada a sentença contra Jerusalém, a espada se dirige contra os amonitas. Este oráculo supõe que a catástrofe já se consumou. O autor trabalha com elementos originais de Ezequiel: a espada e o fogo.

21,34 Este versículo é muito difícil, só permite conjecturas. Proponho uma: os amonitas se iludem com vaticínios enganosos acerca da espada (Babilônia); mas a ordem é taxativa e a execução vai cumprir-se.

21,35-36 Terminada a segunda parte, a execução de Amon, a espada (Babilônia) voltará à bainha para repousar. Depois, chegará para essa espada a hora do julgamento, a condenação e a execução pelo fogo.

21,37 A sangue e fogo, como em Is 9,4. O capítulo termina com dois breves oráculos contra nações pagãs, germe de esperança para os judeus.

A cidade sanguinária
(Is 3,1-15; Sl 55,10-12)

22 ¹O Senhor me dirigiu a palavra:
– ²E tu, filho de Adão, julga,
julga a cidade sanguinária,
denuncia-lhe todas as suas abominações,
³dizendo: Isto diz o Senhor:
Cidade que se encaminha para seu fim,
derramando sangue dentro de si,
e que se contaminou
fabricando ídolos para si!
⁴O sangue que derramaste te condena,
os ídolos que fabricaste
te contaminaram.
Precipitaste a tua hora
e chegaste ao fim de tua existência.
Por isso faço de ti o escárnio dos povos
e a caçoada de todas as nações.
⁵As vizinhas e as remotas caçoam de ti,
famosa por tua impureza,
grande por tua anarquia.
⁶Olha, os príncipes de Israel
derramam em ti sangue à porfia.
⁷Em ti despojam o pai e a mãe,
em ti atropelam o forasteiro,
em ti exploram o órfão e a viúva.
⁸Desprezas minhas coisas santas,
e profanas meus sábados.
⁹Em ti há homens que caluniam
para derramar sangue;
em ti vão comer nos montes,
em ti se cometem infâmias.
¹⁰Em ti há quem peca com sua madrasta,
em ti quem violenta a mulher em suas regras.

---

22 Três peças de caráter diverso e separadas no tempo formam agora este capítulo, que pode ser lido como nova unidade, pouco rigorosa. Depois de uma acusação do fiscal (3-12), o juiz pronuncia a sentença (13-16); anuncia-se a execução na imagem do forno (17-22); e numa espécie de *post mortem* se justifica a sentença cumprida, recordando os crimes dos culpados (23-31). Predomina o estilo enumerativo, pelo que serve de complemento aos capítulos 8 e 20.

22,2 Ao ser processada, a cidade ganha o título de "sanguinária", oposto ao de Is 1,21 "Cidade Fiel"; é o título que Na 3,1 aplica a Nínive. Ezequiel costuma chamar os delitos de "abominações", termo de sabor cultual.

22,3-12 O sangue predomina na enumeração dos crimes: 2.3.6.9.12: dir-se-ia que o sangue não coberto (Gn 4; Jó 16,18) grita pela boca do profeta pedindo vingança. Os delitos de sangue tocam o terreno do sagrado: alguns diretamente, animais degolados e sangrados fora do santuário (Lv 17,3-6), comer sangue (Lv 17,10-14; 1Sm 14); indiretamente, o homicídio tem algo de sacrilégio, já que a vida do homem é sagrada para Deus (Gn 9,5s).

A enumeração dos delitos não se apresenta como resultado de uma investigação, mas como acusação retórica. Nem o número nem a seleção nem a ordem revelam uma intenção particular.

22,4 Homicídio e idolatria sintetizam todos os delitos contra Deus e contra o homem. Com tais delitos a cidade apressa o final: Is 5,18-19.

22,5 Impureza cultual (Lv 18,28) e anarquia política (Is 3,1-15) são nova síntese de delitos.

22,6 Os "príncipes" são reis, de Davi (2Sm 11) até Manassés.

22,7 "Pai e mãe": Ex 20,12; Eclo 3,1-16. Forasteiro, órfão e viúva são três categorias que representam as classes necessitadas: Dt 26,12-13.

22,8 Ver Lv 19,30; Jr 17,19-27.

22,9 Calúnia para assassinar: é o caso de Jezabel e Nabot, 1Rs 21.

22,10-11 Para delitos sexuais, ver Lv 18 e 20.

¹¹Em ti alguns cometem abominações
  com a mulher do próximo;
  outros com infâmia abusam de sua nora,
  outros violentam sua irmã,
  filha de seu mesmo pai.
¹²Em ti se pratica o suborno
  para derramar sangue;
  cobras juros com usura,
  lucras à custa do próximo
  e te esqueces de mim
  – oráculo do Senhor.
¹³Mas eu estou batendo palmas
  ao ver os negócios que fazes
  e o sangue que há em ti.
¹⁴Continuará teu coração sem temor
  e firmes tuas mãos
  quando eu agir contra ti?
  Eu, o Senhor, o digo e o faço.
¹⁵Eu te dispersarei pelas nações
  e te espalharei pelos países,
  e assim te limparei de toda mancha.
¹⁶Em ti ficarei profanado
  à vista dos pagãos,
  e saberás que eu sou o Senhor.
¹⁷O Senhor me dirigiu a palavra:
– ¹⁸Filho de Adão, a casa de Israel
  para mim transformou-se em escória:
  todos eles são prata, cobre e estanho,
 ferro e chumbo dentro do forno;
  transformaram-se em escória.
¹⁹Portanto, isto diz o Senhor:
  Por vos terdes transformado todos em escória,
  por isso vou reunir-vos dentro de Jerusalém.
²⁰Assim como se reúnem prata e cobre,
  ferro, chumbo e estanho dentro do forno,
  e se atiça o fogo para que tudo se funda,
  da mesma maneira vos reunirei;
  em minha ira e em minha cólera
  vos colocarei e vos fundirei.

22,12 Delitos econômicos contra o próximo. Neles o homem "se esquece de Deus", que estabeleceu e garantiu uma ordem justa.

22,13 A sentença abandona a forma tradicional e a substitui com formas de intensa participação pessoal: gesto, pergunta retórica, ameaça.

22,14 "Eu... o digo e o faço" equivalem a sentença e execução; ver 12,25.28; 17,25; 24,14; 36,36; 37,14.

22,15 O desterro visa à purificação.

22,16 "Ficarei profanado": porque seu nome e sua fama estão empenhados no destino de Israel. Para os pagãos, o fracasso dos judeus desacredita a sua divindade: ver 13,19; Jr 34,16.

22,17-22 O profeta toma uma imagem rápida de Is 1,22.25 e a desenvolve, sublinhando o tema do fogo e deixando duvidosos vários detalhes. Estão claras: a acusação na imagem da escória e a atividade do fundidor (inspirada talvez em Jr 6,27-30). Essa atividade compreende três tempos: reunir o material, atiçar o fogo, fundir. Reunir: os que se refugiam na cidade fortificada estão entrando na fornalha que arderá em breve (cf. 2Rs 10,18-28). Fogo: representa a ira do Senhor. Fundir: para separar a ganga do metal. Neste ponto o texto é confuso: toda a prata tornou-se escória? o mineral encerra prata, que se desprenderá da escória? O contexto próximo e remoto favorecem a segunda hipótese, a de um castigo salutar, purificador.

22,18 O forno é Jerusalém, como outrora foi o Egito, Dt 4,20; mas não usa o termo *Tofet* como Jr 18.

²¹Eu vos juntarei e atiçarei contra vós
o fogo de minha fúria,
que vos fundirá nela.
²²Aí vos fundireis como se funde a prata
dentro do forno.
E sabereis que eu, o Senhor,
derramei minha cólera sobre vós.
²³O Senhor me dirigiu a palavra:
– ²⁴Filho de Adão, dize a Jerusalém:
És terra não limpada nem chovida,
no dia do meu furor.
²⁵Seus príncipes dentro dela
eram como leão que ruge
ao dilacerar a presa;
devoravam as pessoas, arrebatavam riquezas
e objetos preciosos,
multiplicavam dentro dela
o número de viúvas.
²⁶Seus sacerdotes violavam minha lei
e profanavam minhas coisas santas;
não separavam o sagrado do profano
nem declaravam o que é puro ou impuro.
Diante de meus sábados fechavam os olhos,
e assim fui profanado no meio deles.
²⁷Seus nobres dentro dela
eram lobos que dilaceravam a presa,
derramando sangue e eliminando gente
para se enriquecerem.
²⁸Seus profetas eram caiadores
que lhes ofereciam visões falsas
e lhes vaticinavam mentiras,
dizendo: "Isto diz o Senhor",
quando o Senhor não falava.
²⁹Os latifundiários cometiam
atropelos e roubos,
exploravam o desgraçado e o pobre
e atropelavam iniquamente o imigrante.
³⁰Procurei entre eles um
que levantasse uma cerca,
que por amor à terra
aguentasse na brecha diante de mim,
para que eu não a destruísse;
mas não o encontrei.

22,23-31 Se as seções precedentes correspondem a um momento antes da conquista da capital, esta seção supõe a tragédia consumada. À enumeração abundante de delitos acrescenta a menção de cinco categorias de pessoas influentes, que tinham abusado do poder e pervertido o governo. Acrescenta um grupo ao quarteto de Sf 3,3-4.

22,24 O hebraico emprega o termo técnico "purificada", dando a entender que um aguaceiro sobre a cidade a limpava de imundícies, à semelhança das abluções do templo. O hebraico "purificar" é correlativo de "imundície" ou "contaminação", *thr-tm'*. No dia da ira, ou do julgamento, a cidade se mostra culpada.

22,25 Alude talvez a abusos do poder real (1Sm 8).

22,26 Sobre os deveres sacerdotais, consulte-se o Levítico.

22,27 Por comparação com Sofonias, se deduz que esses nobres são juízes.

22,28 Ver o capítulo 13.

22,30 "Aguentar na brecha": 13,5; ver o exemplo de Moisés como aparece em Sl 106,23.

³¹Então derramei meu furor sobre eles
e os consumi no fogo de minha fúria;
dei a cada um o merecido – oráculo do Senhor.

As duas irmãs
(Ez 16; Jr 3,6-13; Os 2)

23 ¹O Senhor me dirigiu a palavra:
– ²Filho de Adão, havia duas mulheres
filhas da mesma mãe;
³fornicaram no Egito,
eram donzelas e fornicaram.
Aí apalparam seus peitos,
aí defloraram seu seio virginal.
⁴Oola se chamava a mais velha,
e Ooliba sua irmã.
Depois foram minhas
e deram à luz filhos e filhas.
⁵Oola, sendo minha, fornicou
e se enamorou de seus amantes:
⁶guerreiros vestidos de púrpura,
governantes e regentes;
todos eram galãs galhardos,
cavaleiros cavalgando em corcéis.
⁷E fornicou com eles, com a nata dos assírios;
contaminou-se com os ídolos
de todos os seus namorados.
⁸Mas não deixou de fornicar com os egípcios,
que tinham deitado com ela quando jovem,
haviam deflorado seu seio virginal
e fornicado com ela.
⁹Por isso a entreguei em poder de seus amantes,
em poder dos assírios, seus namorados.
¹⁰Eles despiram suas vergonhas,
e lhe arrebataram filhos e filhas
e a mataram pela espada;
foi o comentário das mulheres
por causa da sentença que nela executaram.

23,1-34 Ezequiel prossegue acrescentando uma segunda alegoria histórica à do cap. 16. Elementos comuns fundamentais são: história estilizada do povo, imagem matrimonial, desenvolvimento alegórico. A jovem do cap. 16 é substituída aqui por duas irmãs casadas com o mesmo marido, ambas infiéis. A imagem ignora a proibição de Lv 18,18, para inspirar-se em veneráveis exemplos patriarcais, como as irmãs Raquel e Lia, esposas de Jacó, matriarcas de Israel. As duas irmãs da alegoria são os dois reinos, Israel e Judá. Ezequiel, com mais audácia que objetividade, as descobre já no Egito. Os nomes são intencionais; lendo as letras finais como sufixos possessivos, temos: *Ohlah* = Tenda dela (o santuário cismático de Samaria); *Ohlibah* = Minha tenda nela (o santuário de Jerusalém).

Se no cap. 16 a infidelidade era a idolatria, aqui é a política instável e adaptável de pactos com a potência do momento, da qual provém naturalmente a importação de seus deuses e cultos. A linguagem é crua, inspirada pela paixão.

23,2 Em contexto de poligamia, é preciso afirmar que são da mesma mãe; subentende-se que sejam do mesmo pai.

23,3 Enquanto o Êxodo nos relata uma situação de conflito entre os migrantes hebreus e o poder do Egito, Ezequiel supõe uma etapa de relações fáceis. E não dá a entender que se refira a uma época anterior à opressão. Segundo Dt 22,21, a jovem que perde voluntariamente a virgindade antes de casar merece pena de morte. Esse dado sublinha a total indignidade das jovens e a escolha gratuita de Deus que o sabe, e apesar de tudo as toma por esposas.

23,5-10 O reino de Israel sente-se atraído pelo poder militar da Assíria, mas sem comprometer-se totalmente; ao mesmo tempo se apoia no Egito para se proteger da excessiva agressividade da Assíria. Com isso consegue apenas provocar o soberano,

¹¹Ooliba, sua irmã, que viu isso,
viciou-se ainda mais que ela
e fornicou mais que sua irmã.
¹²Apaixonou-se pelos assírios:
governantes e regentes,
guerreiros de esmero,
cavaleiros cavalgando em corcéis,
galãs galhardos todos eles.
¹³E vi como se contaminava:
as duas iam pelo mesmo caminho.
¹⁴Suas fornicações foram além:
viu gravuras de homens nas paredes,
figuras de caldeus pintadas em vermelho,
¹⁵de lombos cingidos com cinturões,
as cabeças ornadas com turbantes,
todos com faixa de capitães,
fiel retrato dos babilônios,
naturais da Caldeia,
¹⁶e se apaixonou por eles à primeira vista
e lhes enviou mensageiros à Caldeia.
¹⁷E acorreram a ela os babilônios,
a seu leito de mancebia,
contaminando-a com suas fornicações;
uma vez contaminada, cansou-se deles.
¹⁸Descobriu suas fornicações
e desnudou suas vergonhas;
então eu me cansei dela,
assim como me havia cansado
de sua irmã.
¹⁹Ainda multiplicou suas fornicações,
lembrando sua juventude,
quando se prostituía no Egito,
²⁰e voltou a apaixonar-se por seus rufiões,
que têm sexo de garanhões
e orgasmo de reprodutores.
²¹Sentias falta de tua juventude infame,
quando os egípcios defloraram teu seio,
seduzidos por teus peitos de donzela.
²²Portanto, Ooliba, isto diz o Senhor:
Olha, eu açulo contra ti teus amantes,
dos quais te cansaste;
eu os trago contra ti de todas as partes;
²³os babilônios e todos os caldeus,
Facud, Soa, Coa,

---

atraindo sobre si a ruína: ver 2Rs 17 e as alusões de Os 7,11; 8,9; 12,2.
23,11-21 O delito da segunda irmã é semelhante, com agravantes: por não se ter corrigido, por acrescentar um terceiro amante. Em termos humanos, Judá podia ter aprendido cautela política nas relações com as potências; em termos religiosos, podia ter compreendido a gravidade e as consequências de ser infiel ao Senhor. Suas relações com os assírios remontam aos tempos de Oseias e Isaías. Suas relações com o Egito são recentes, quando este já era vassalo de Babilônia.
23,14 Corresponde aos relevos artísticos babilônicos.
23,20 Houve um príncipe em Siquém com o nome ou título (honorífico) de Asno (*Hemor*): Gn 34,2 etc.
23,22 Os últimos amantes abandonados executarão o castigo. Aquilo que antes os tornava atraentes, agora os torna terríveis.
23,23 Babilônios era a população nativa, caldeus eram os invasores já assentados. Os outros três nomes se

e todos os assírios com eles,
galãs galhardos,
todos governantes e regentes,
capitães e oficiais,
todos eles cavalgando em corcéis.
²⁴Vêm contra ti infantes e cavaleiros
e carros, multidão de tropas;
e te cercam com escudos,
adargas e elmos;
confio a eles a justiça
e executarão em ti sua sentença.
²⁵Descarregarei sobre ti minha paixão
e te tratarão com raiva;
cortarão teu nariz e orelhas,
e tua prole cairá pela espada;
eles te arrebatarão filhos e filhas,
e o fogo devorará tua prole.
²⁶Arrancarão teus vestidos
e te roubarão as joias;
²⁷acabarei com tua infâmia
e o meretrício que começaste no Egito,
e não voltarás
a levantar os olhos para eles,
nem a lembrar-te do Egito.
²⁸Porque isto diz o Senhor:
Olha, vou entregar-te
nas mãos daqueles que detestas,
nas mãos daqueles
dos quais te cansaste.
²⁹Eles te tratarão com ódio
e te tirarão tudo o que ganhaste;
e te deixarão inteiramente nua,
visíveis tuas vergonhas de prostituta.
³⁰Isto é o que te trazem:
tua infâmia e tuas prostituições,
por fornicares com as nações
e te contaminares com seus ídolos.
³¹Por seguires o caminho de tua irmã,
ponho sua taça em tuas mãos.
³²Isto diz o Senhor:
Beberás a taça de tua irmã,
larga, profunda e de grande capacidade.
[Serás a irrisão e o escárnio.]
³³Tu te encherás de embriaguez e vergonha;
é taça de espanto e tontura:
a taça de tua irmã Samaria.

---

prestam a paronomásias agourentas: *Facud* soa como sanção, *Soa* como grito, *Coa* como enfastiar-se. Assírios seriam os mercenários no exército babilônico.
23,24 "Confio-lhes a justiça": compare-se com Sl 72,1 dito do monarca judeu.
23,25 A mutilação estava prevista na legislação babilônica.

23,28-30 Repetem prosaicamente o já amplificado. Talvez seja acréscimo.
23,31-34 O rito da taça de castigo é lido em Jr 25,19-25. Não parece que se trate de veneno (como a cicuta grega), mas de uma bebida embriagante e letárgica dada aos condenados. Ezequiel se compraz em descrever a pena.

³⁴Tu a beberás, sorverás, morderás os cacos
   e dilacerarás os peitos.
Porque sou eu quem fala – oráculo do Senhor.
³⁵Portanto, assim diz o Senhor:
Por te haveres esquecido de mim
   e me teres voltado as costas,
   carrega também tu a tua infâmia
   e as tuas fornicações.
³⁶O Senhor me disse:
– Julga Oolá e Ooliba,
   acusando-as de suas abominações.
³⁷Porque cometeram adultério
   e há sangue em suas mãos,
   cometeram adultério com seus ídolos;
e até seus próprios filhos,
   que deram à luz para mim,
   elas os imolaram, para que comessem.
³⁸Algo mais fizeram:
   profanaram meu santuário
   e violaram meus sábados.
³⁹Depois de degolar seus filhos
   em honra de seus ídolos,
   entraram em meu santuário, profanando-o.
Aí está o que fizeram dentro de minha casa.
   ⁴⁰E também mandavam recado
   a homens que vinham de longe;
mandavam-lhes mensageiros
   e logo acorriam;
   para eles te lavavas, pintavas os olhos
   e te enfeitavas com joias.
⁴¹Tu te sentavas num divã acolchoado
   diante de uma mesa arrumada
   e lhes oferecias meu perfume e meu incenso.
⁴²Uma chusma desordeira se divertia com ela;
   eram multidão, homens beberrões
   trazidos do deserto;
   punham-lhe pulseiras nos braços
   e diademas de luxo na cabeça.
⁴³..*
⁴⁴Acorriam a ela
   como quem acorre a uma prostituta;
   assim acorriam a Oolá e Ooliba,
   fêmeas depravadas.
⁴⁵Mas homens justos as julgarão,
   aplicando-lhes as punições
   das adúlteras e das homicidas,

23,35-49 Apesar das semelhanças e repetições, estes versículos são estranhos ao quadro precedente. As duas irmãs só servem como sujeito de verbos no plural; não há relação dialética entre as duas. Os delitos ultrapassam as alianças políticas. Fica o tema da licenciosidade sexual e suas consequências.

23,35 A expressão é inusitada: "teres-me atirado às tuas costas".

23,37 Explica o sentido de adultério e homicídio.

23,40 Notem-se nesta seção os verbos no singular.

23,41 É agravante que incenso e perfume sejam do Senhor: Os 2,15.

23,43 * Ininteligível.

23,45 Ezequiel age como fiscal; homens justos atuarão como juízes: cf. Is 5,1-7.

porque são adúlteras
e há sangue em suas mãos.
⁴⁶Pois isto diz o Senhor:
Trarão gente contra elas
para que se irritem com elas e as despojem.
⁴⁷A gente as apedrejará
e as cortará com suas espadas;
matarão seus filhos e filhas
e atearão fogo em suas casas.
⁴⁸Assim acabarei com a infâmia desta terra,
e todas as mulheres aprenderão
e não imitarão vossas infâmias.
⁴⁹Recebereis o merecido por vossa infâmia
e carregareis vossos pecados de idolatria,
e sabereis que eu sou o Senhor.

24 A panela no fogo (Ez 11 e 22)

– ¹No ano nono, no décimo dia do décimo mês, o Senhor me dirigiu a palavra: – ²Filho de Adão, anota a data de hoje, de hoje mesmo. O rei da Babilônia hoje mesmo atacou Jerusalém.* ³Propõe uma parábola à casa rebelde, dizendo-lhes: Isto diz o Senhor:

Põe a panela no fogo, despeja água nela;
⁴põe pedaços nela,
os melhores pedaços, pernil e espádua;
enche-a de ossos escolhidos.
⁵Separa o melhor do rebanho;
depois empilha embaixo a lenha,
cozinha os pedaços na panela
e ferve os ossos.
⁶ᶜ(Pedaço por pedaço a esvazia,
sem tirá-los por sorte.)
⁶Portanto, assim diz o Senhor:
Ai, cidade sanguinária, panela enferrujada
que não se desenferruja!
⁷Pois o sangue que nela se derramou
ela o lançou em rocha descalvada,
não o derramou por terra
para que o pó o cobrisse.
⁸Para me encolerizar, para me vingar
pus na rocha descalvada

23,48 As outras mulheres são capitais ou populações de outras nações.

24,1-14 O arranjo temático destes versículos pode ser representado no esquema A B A' B'. Apresenta duas imagens aparentadas: a panela cheia de pedaços e a panela enferrujada, 3-5 e 6-8. Depois propõe a explicação de ambas, 9-10 e 11-12. Acrescenta-se uma conclusão. Se a primeira parábola corresponde à data indicada, a segunda parece posterior à conquista da capital.

24,1-2 Corresponde a 5 de janeiro de 587. Nono ano do reinado de Jeconias, que Ezequiel continua considerando rei legítimo.

24,2 * Janeiro de 587.

24,3-5 A parábola soa como canto de trabalho do cozinheiro num dia de grande banquete. São festivas a qualidade e abundância dos manjares, a dignidade dos convidados. Aqui a ironia é quase sarcasmo, pois os soldados de Babilônia serão convidados de honra. Ver Ez 39 e Mq 3,2-3. Ao final do v. 5 corresponde uma frase que parece glosa, 6c: "Pedaço por pedaço a esvazia, sem tirá-los por sorte".

24,6-8 Como entra o tema do sangue (tão frequente no cap. 22)? Talvez pelas operações culinárias, ou pela cor da ferrugem. Jerusalém é a panela, o sangue na cidade é a ferrugem na panela. Os homens já não se preocupam em "cobrir" com terra o sangue que clama ao céu; e tampouco o Senhor o cobre, porém o vingará com fogo.

o sangue que ela derramou:
assim não será coberto.
⁹Portanto, assim diz o Senhor:
Ai, cidade sanguinária!
Eu mesmo aumento a pira,
¹⁰amontôo mais lenha, acendo a fogueira,
consumo a carne, tiro o caldo,
e os ossos se queimam.
¹¹Eu a ponho vazia sobre as brasas
para que o cobre se aqueça,
fique vermelho e derreta a sujeira,
e se consuma a ferrugem.
¹²Por mais que alguém se canse,
nem ao fogo se desprende dela
sua muita ferrugem.
¹³Por tua infame imundície,
porque tentei limpar-te
e não ficaste limpa de tua sujeira,
não voltarás a ser limpada
até que eu desafogue em ti a minha cólera.
¹⁴Eu, o Senhor, o digo, o realizo, e acontece,
não passo por alto,
nem tenho piedade, nem me arrependo.
Segundo tua conduta e tuas más obras,
eu te julgarei – oráculo do Senhor.

Morte da esposa
(Jr 16)

¹⁵O Senhor me dirigiu a palavra:
– ¹⁶Filho de Adão,
vou te arrebatar repentinamente
o encanto de teus olhos;
não chores nem faças luto nem derrames lágrimas;
¹⁷lamenta-te em silêncio
como um morto, sem fazer luto;
amarra o turbante e calça as sandálias;
não cubras o rosto
nem comas o pão do luto.

¹⁸Pela manhã eu falava ao povo, pela tarde morreu minha mulher, e na manhã seguinte fiz o que me fora mandado.

¹⁹Então as pessoas me disseram: Queres explicar-nos o que nos anuncia isso que estás fazendo?

24,9-10 O ai trágico do Senhor responde ao canto festivo do cozinheiro. Posta sobre o fogo divino, a panela se transforma em forno destruidor; a fortaleza protetora se torna lugar de execução.

24,11-13 Falharam repetidas tentativas de purificação; só resta o castigo final.

24,15-27 Esta seção combina dois temas relacionados com a queda da capital: a morte da esposa do profeta e a mudez. O primeiro é um relato breve e coerente; o segundo é uma peça desligada do seu contexto. Será preciso tratar os dois temas à parte e reordenar as peças do segundo.

24,15-24 O profeta não só cumpre sua missão com a boca, mas pode fazê-lo com a vida. Situações comuns em outros homens sobem ao nível de oráculo, quando Deus as toma para comunicar sua mensagem. Não é uma pantomima que o profeta representa; é sua própria vida oferecida em espetáculo que grita. A sua vida adquire novo sentido e a palavra ganha intensidade.

24,16 "O encanto dos olhos": Lm 2,4 aplica a expressão aos soldados.

24,17 Gestos rituais que expressam e desafogam a dor: Jr 16,5-7.

24,19 A conduta de Ezequiel é estranha e provocadora, desperta estupor e curiosidade.

²⁰Eu lhes respondi: O Senhor me dirigiu a palavra: ²¹Dize à casa de Israel: Isto diz o Senhor:

> Olha, vou profanar meu santuário,
> vosso soberbo baluarte,
> o encanto de vossos olhos,
> o tesouro de vossas almas.
> Os filhos e filhas que deixastes cairão pela espada.
> ²²Então fareis o que eu fiz:
> não cobrireis o rosto
> nem comereis o pão do luto;
> ²³continuareis com o turbante na cabeça
> e as sandálias nos pés;
> não chorareis nem fareis luto;
> vós vos consumireis por vossa culpa
> e vos lamentareis uns com os outros.

O profeta mudo
(Ez 3,25ss; 33,21s)

> ²⁴Ezequiel vos servirá de sinal:
> fareis como ele fez.
> E quando acontecer, sabereis que eu sou o Senhor.
> ²⁵E tu, filho de Adão,
> no dia em que eu lhes arrebatar seu baluarte,
> sua esplêndida alegria,
> o encanto de seus olhos,
> a ânsia de suas almas*,
> ²⁶nesse dia um fugitivo se apresentará a ti
> para te comunicar uma notícia.
> ²⁷Nesse dia tua boca se abrirá,
> e poderás falar na presença do fugitivo,
> e não voltarás a ficar mudo.
> Tu servirás de sinal para eles,
> e saberão que eu sou o Senhor.

24,21 O triplo predicado exalta a força protetora, a beleza artística e o valor espiritual do templo. O próprio Senhor o profana, ou seja, priva-o do caráter sagrado. Ver Lm 2,6-8.

24,25-27 Vamos reconstruir aqui o texto e os acontecimentos. A partir da sua vocação, Ezequiel inicia uma intensa pregação profética com resultados escassos; a catástrofe se avizinha e se precipita. No dia 5 de janeiro de 587 começa o cerco de Jerusalém, a 18 de julho de 586 abrem uma brecha na muralha e penetram, a 15 de agosto a cidade é destruída. Um pouco antes, morre a esposa do profeta e ele fica mudo. Um fugitivo põe-se a caminho para levar a notícia aos deportados e chega a Babilônia a 5 de janeiro de 585; ao ouvir a notícia, o profeta recupera o uso da palavra. * O texto seguido seria assim: *3,25 Neste dia eu te atarei com cordas, te amarrarei com elas e não poderás soltar-te. 3,26 Colarei tua língua ao palato, ficarás mudo e não poderás ser seu acusador. 24,26 Mas quando se apresentar a ti um fugitivo para comunicar-te uma notícia, 24,27 nesse dia se abrirá tua boca e poderás falar na presença do fugitivo e não voltarás a ficar mudo. 33,21 No ano décimo segundo de nossa deportação, no quinto dia do décimo mês, apresentou-se a mim um fugitivo de Jerusalém e deu-me esta notícia: "Destruíram a cidade". 33,22 Na tarde anterior tinha vindo sobre mim a mão do Senhor, permaneceu até que o fugitivo se apresentou a mim pela manhã; então minha boca se abriu e não voltei a ficar mudo.*

A mudez do profeta foi mais eloquente que suas palavras: representou ao vivo o silêncio de Deus que acompanha a destruição do templo e da cidade.

ORÁCULOS CONTRA AS NAÇÕES

Pela metade do livro topamos com um bloco compacto de oráculos dirigidos contra nações pagãs. Situam-se aproximadamente entre a primeira e a segunda etapa da atividade profética de Ezequiel. A esse bloco deve-se acrescentar o oráculo do cap. 21 contra Amon e o dirigido a Edom-Seir no cap. 35. O gênero é normal desde Amós e está presente em I e II Isaías e em Jeremias. A razão é política e religiosa. É destino de Israel sair dentre outros povos, atravessar pelo meio deles, viver rodeado por eles em relações complexas. A voz dos profetas acompanha o povo em seu peregrinar histórico em meio às nações. Os destinatários são sete: Amon, Moab, Edom,

Oráculos contra as nações

25

Contra Amon (Jr 49,1-6; Am 1,13-15; 25,31-33) – ¹O Senhor me dirigiu a palavra: – ²Filho de Adão, volta teu rosto aos amonitas e profetiza contra eles, ³dizendo aos amonitas: Escutai a palavra do Senhor: Isto diz o Senhor:

Por teres exclamado: "Que bom!",
  quando profanavam meu santuário,
quando devastavam a campina de Israel,
  quando a casa de Judá ia para o desterro;
⁴por isso te dou em propriedade aos orientais:
  colocarão em ti seus cercados
  e plantarão em ti seu acampamento;
  eles comerão teus frutos,
  eles beberão teu leite.
⁵Tornarei Rabá um pasto de camelos
  e Amon um curral de ovelhas,
  e sabereis que eu sou o Senhor.
⁶Porque assim diz o Senhor:
Porque bateste palmas
  e teus pés bailaram,
porque te alegraste com tuas más entranhas,
à custa dos campos de Israel;
  ⁷por isso estendo minha mão contra ti:
eu te darei como despojo às nações,
eu te extirparei do meio dos povos
  e te exterminarei da terra,
eu te destruirei para que saibas que eu sou o Senhor.

Contra Moab
(Is 15-16; Jr 48)

⁸Isto diz o Senhor:
Porque Moab disse:

Filisteia, Tiro e Sidônia, Egito. Ou seja, os reinos vizinhos a oriente, ocidente e norte, e o império egípcio. O número sete é clássico; o estranho é a ausência de Babilônia. Por que falta? Porque no plano de Deus esta é a hora do império babilônico; logo virá o profeta que condenará Babilônia (Is 14 e 47; Jr 50-51). A forma corresponde com liberdade ao esquema de julgamento: denúncia de delitos, sentença de condenação, execução. O Senhor é o juiz supremo da história: julga impérios, reinos e divindades. O profeta atua como fiscal ou como porta-voz do Senhor. Os delitos são o rancor contra o povo eleito ou a soberba diante de Deus. O castigo é uma grande catástrofe ou a perda do poderio.

Quanto ao estilo, esses oráculos são o que Ezequiel compôs de melhor. A alegoria intelectual é muito mitigada; sucedem-se imagens rápidas que conjuram em poucos versículos toda uma visão desolada, imagens desenvolvidas com dinamismo, símbolos de ascendência mítica. Também séries repetitivas, bem declamadas, adquirem solenidade lúgubre. Se nem todos os oráculos são de Ezequiel, o compilador soube compor uma antologia brilhante.

25,1-17 A série começa com um quarteto de nações que rodeiam Judá a leste, sul e oeste. Os oráculos são breves, esquemáticos, ainda bastante ligados às formas estabelecidas por Amós (Am 1-2): uma breve sentença que denuncia o delito e impõe a pena. Os quatro povos rodearam Judá com rancor e hostilidade, cantaram sua desgraça ou se aproveitaram dela. A voz profética gira ao redor, recorda o coro de zombarias, e fulmina a condenação da parte do Senhor. O valor desses quatro (ou cinco) oráculos esquemáticos está na composição. Supõem já consumada a queda de Jerusalém.

25,1-5 O reino de Amon ficava no atual território da Jordânia; sua capital, Rabá Amon, é a atual Amã. É tradicional a sua hostilidade contra os israelitas: desde o tempo dos Juízes (Jz 3,13; 10-11), durante a monarquia (1Sm 11; 2Sm 10 e 12; 2Rs 24,2; Jr 14), até à época dos Macabeus (1Mc 5,1-3). Região em grande parte de estepes, voltará a ser domínio de beduínos "orientais", pastores transumantes.

25,6-7 O segundo oráculo é genérico. O sintagma "do meio dos povos" pode ser paronomásia cômica que joga com o nome de Amon: 'ammon-'ammim; uma lenda maliciosa os fazia descendentes de um incesto (Gn 19,38, ben-'ami).

25,8-11 Moab se encontrava ao sul de Amon, a leste do mar Morto. Sua hostilidade vem dos tempos de

"Olha, a casa de Judá,
igual a todas as nações";
⁹por isso vou abrir o flanco de Moab,
de suas cidades fronteiriças
até Bet-Jesimot, Baal-Meon
e Cariataim, a joia do país.
¹⁰Eu a darei em propriedade aos orientais,
junto com Amon,
para que não seja nomeada
entre as nações.
¹¹Farei justiça contra Moab,
e saberão que eu sou o Senhor.

Contra Edom
(Is 34; Jr 49,7-22; Ab)

¹²Isto diz o Senhor:
Porque Edom se enfureceu contra a casa de Judá,
porque cometeu crime vingando-se deles;
¹³por isso, assim diz o Senhor:
Estendo minha mão contra Edom:
exterminarei dela homens e animais
e a transformarei em ruínas:
de Temã a Dadã todos cairão pela espada.
¹⁴Eu me vingarei de Edom
pela mão de meu povo, Israel;
tratarão Edom segundo minha cólera e minha raiva;
conhecerão então minha vingança
– oráculo do Senhor.

Contra os filisteus
(Is 28,32; Jr 47,1-7; Am 1,6-8)

¹⁵Isto diz o Senhor:
Porque os filisteus se enfureceram,
porque se vingaram,
aniquilando com más entranhas,
por velha hostilidade;
¹⁶por isso, assim diz o Senhor:
Estendo minha mão contra os filisteus,
vou sentenciar os carrascos,
vou acabar com os sobreviventes
da orla marítima.
¹⁷Farei com eles uma vingança terrível,
castigos sem piedade,
e saberão que eu sou o Senhor,
quando eu executar neles minha vingança.

Seon e se prolonga durante a época dos Juízes e da monarquia (Jz 3,12-30; 1Sm 14,47; 2Rs 3). Seu delito foi não reconhecer o lugar único de Judá na história. O castigo menciona os acessos mais bem protegidos e a zona mais fértil.

25,12-14 Segundo a tradição, Edom descende de Esaú, irmão mais velho de Jacó. Já as velhas tradições se divertem à custa desses bravios e incultos sulistas, que fizeram jus a essa fama. As hostilidades se estenderam ao longo da história (Nm 20; 1Sm 14,47; 2Sm 8; 1Rs 11; 2Rs 14); mas o espírito vingativo se excedeu quando Jerusalém caiu: Ab e Sl 137. O texto insiste na palavra vingança, que, atribuída ao Senhor, significa o ato de justiça vindicativa, executado pelo ministério de Israel; ver Lm 4,21.

25,15-17 Realmente era velha a hostilidade dos filisteus, que disputam o território com os advetícios israelitas e, embora vencidos, dão seu nome à

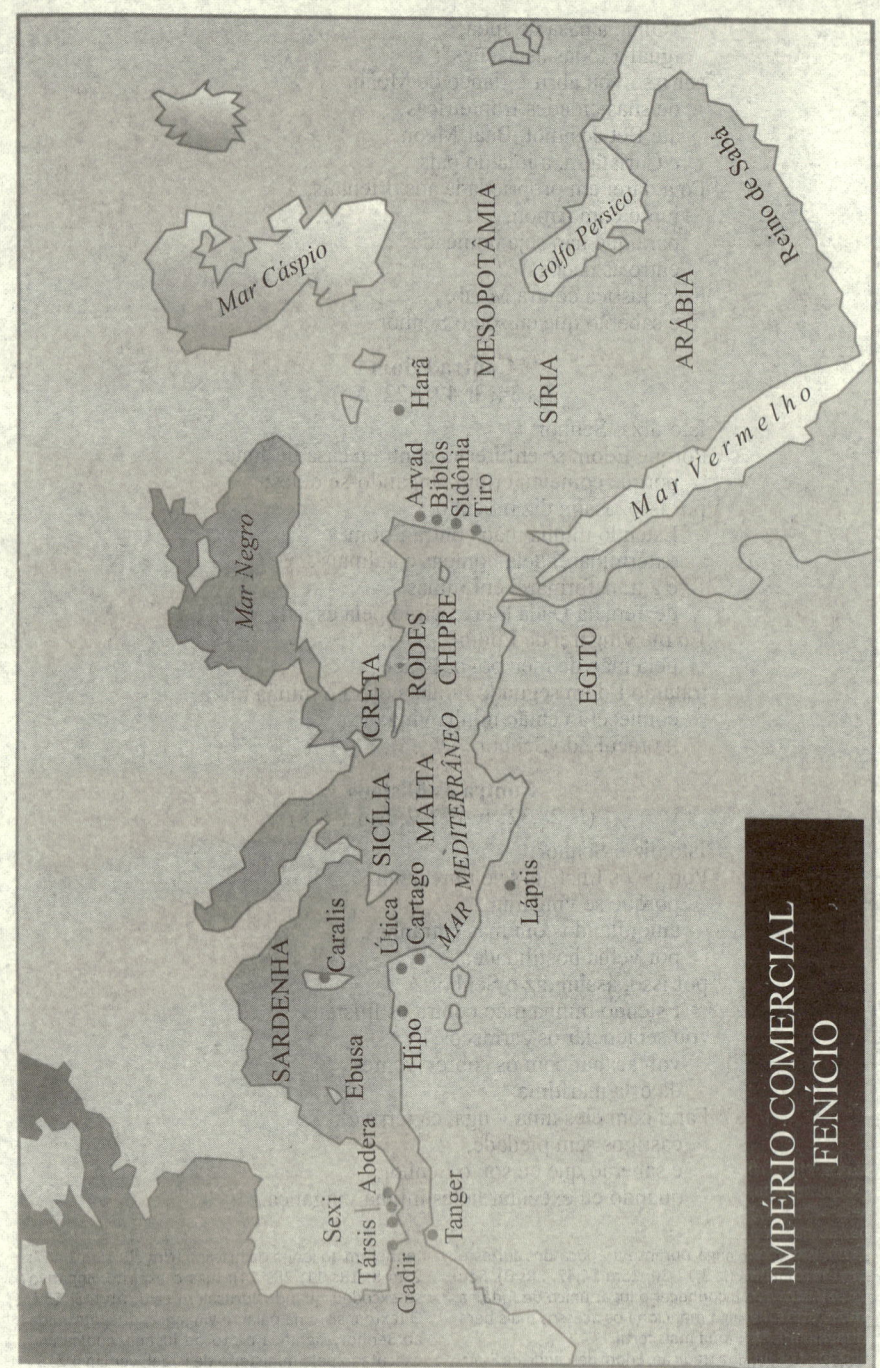

26 Contra Tiro - I (Am 1,9-12) –

¹No décimo primeiro ano, no primeiro dia do mês, o Senhor me dirigiu a palavra:

– ²Filho de Adão, visto que Tiro disse de Jerusalém:
"Já está quebrada a porta dos povos!
Caiu em meu poder;
nela saciarei minha espada";
³por isso diz o Senhor:
Aqui estou, Tiro, contra ti;
levanto contra ti nações numerosas,
como o mar levanta suas ondas.
⁴Demolirão as muralhas de Tiro,
derrubarão seus baluartes;
rasparei seu solar, transformando-a em rocha pelada.
⁵Será secadouro de redes no meio do mar,
porque eu falei – oráculo do Senhor.
⁶Serão despojos das nações,
e seus povoados do campo
serão passados à espada,
e saberão que eu sou o Senhor.
⁷Porque isto diz o Senhor:
Do norte eu trago contra Tiro

Palestina. O castigo usa um jogo de palavras, "aniquilar" *krt* com "kereteus". Discute-se o significado de tal termo: uma função, "carrascos", ou então originários de Creta (os LXX), ou escolta real (2Sm 8,18; 1Rs 1,38).

26-28 Por muito tempo, na antiguidade, as costas do Mediterrâneo tinham centros colonizados pelos fenícios, território de um império naval e comercial. Grandes capitais fenícias foram Biblos, Tiro e Sidônia. Na antiguidade, Tiro (que significa Rocha ou Penha) estava construída sobre uma ilha rochosa, bem junto à costa, quase inexpugnável, oferecendo seu porto a naus e mercadorias de todos os países do Mediterrâneo. Comerciava também com reinos orientais, servindo de intermediária mercantil entre o continente e o mar. Pela sua riqueza se expunha à cobiça ou arrogância dos impérios: Assíria, Babilônia, Pérsia, Macedônia.

No tempo de Ezequiel, Tiro era um limite humilhante imposto à ambição imperial de Babilônia. Embora Nabucodonosor não tenha conseguido conquistá-la e devesse levantar o cerco, Tiro ficou gravemente enfraquecida, perdeu seus apoios costeiros e muito de sua influência marítima. Nos poemas de Ezequiel (e talvez de algum colaborador anônimo), Tiro ergue sua figura majestosa, régia, quase mítica; e um coro gigantesco de ilhas e costas entra em cena convocado pela voz do poeta. Na antiguidade, é difícil escutar uma voz com espaço de ressonância tão amplo. A gravidade da queda corresponderá à grandeza do esplendor.

26,1 A data está incompleta e talvez errada. Provavelmente foi pronunciada algum mês depois da chegada do fugitivo (24,26; 33,21s). É impossível definir quantos oráculos a data inicial abrigue. Segundo as fórmulas de introdução, o capítulo se compõe de quatro oráculos ou quatro partes de uma composição. Procuremos seguir o processo poético: predomina a visão do mar, antes submetido à sua rainha, agora rebelde, como força elementar e mítica (2-6); imagem da maré dos povos; assalto, conquista e destruição da cidade (7-14); o litoral celebra ritos fúnebres por sua rainha (15-18), enquanto Tiro desce ao reino dos mortos (19-21).

26,2-6 Conforme Jr 27,3, Tiro foi um dos reinos que enviaram embaixadores a Jerusalém para propor ou planejar uma rebelião conjunta contra o imperador; os outros eram Amon, Moab, Edom e Sidônia (falta a Filisteia). A embaixada conjunta permite conjeturar alguma superioridade de Judá. Uns anos mais tarde, quando Jerusalém caiu, Tiro só calculou as vantagens materiais do fato, e se uniu ao coro dos que celebravam a queda. No poema, o fator sonoro, feito de abundantes aliterações, é significativo.

26,2 "Porta dos povos": título de significado duvidoso. Talvez símbolo do poder (a Sublime Porta, as Portas do Inferno). Ou então imitação irônica do título de Babilônia como *Bab ilanu* = Porta dos Deuses. Is 17,12; Jr 47,2.

26,3 O tradicional paralelo de ondas e exércitos aliados (Is 17,12; Jr 47,2; Sl 65,8) adquire neste contexto uma força particular.

26,4-5 A pena é irônica: a Rocha inexpugnável convertida em "rocha pelada"; o empório comercial, em anônimo porto pesqueiro.

26,6 Refere-se a cidades costeiras dependentes.

26,7-13 Da imagem passamos à descrição: as ondas têm um nome histórico. Assalto e conquista são descritos, são registrados com impressionante rapidez: envolvem os povoados, cercam, assaltam, penetram; ocupação, matança, saque, destruição, silêncio. Pode-se comparar com Na 2-3. Também aqui é importante o fator sonoro.

26,7 "Rei de reis" é título imperial.

Nabucodonosor,
rei da Babilônia, rei de reis,
com cavalos, carros, cavaleiros
e um exército de tropa numerosa.
⁸Passará pela espada
teus povoados do campo.
Armará contra ti torres de assalto,
contra ti elevará aterros,
contra ti montará testudos.
⁹Com aríetes derrubará tuas muralhas,
e abaterá a machadadas teus baluartes.
¹⁰A poeira de seus esquadrões de cavalos te envolverá.
O estrépito das cavalarias
e o rodar dos carros
fará que trepidem tuas muralhas,
quando ele entrar por tuas portas
como se entra em cidade desguarnecida.
¹¹Com os cascos de seus cavalos
irá pisoteando tuas ruas.
Passará a espada nos teus vizinhos
e lançará por terra
teus robustos pilares.
¹²Farão despojos de teus tesouros
e saquearão tuas mercadorias.
Derrubarão tuas muralhas
e farão desmoronar teus suntuosos edifícios.
Arrojarão no meio do mar tuas pedras,
tua madeira e teus escombros.
¹³Farei cessar o barulho de tuas canções,
e não se escutará o acompanhamento de tuas cítaras.
¹⁴Eu te transformarei em rocha pelada,
serás secadouro de redes.
Não te reedificarão;
pois eu, o Senhor, falei
– oráculo do Senhor.
¹⁵Isto diz o Senhor:
Tiro, ao estrondo do teu desmoronamento,
com o lamento de teus transpassados
e a matança de tuas vítimas
no meio de ti, as ilhas tremerão.
¹⁶Descerão de seus tronos
todos os príncipes marinhos,
e se despojarão de seus mantos
e tirarão suas roupagens bordadas;
eles se vestirão de terror e se sentarão no chão,
com calafrios intermitentes,
espantados por causa de ti.
¹⁷Eles te entoarão esta lamentação:
"Como sucumbiu, destruída pelo mar,

26,13 Depois do *fortíssimo* da destruição, sente-se ainda mais o silêncio.

26,15-18 Ritos fúnebres das colônias fenícias, semeadas em "ilhas" e costas, encabeçados por príncipes vassalos.

26,17 O detalhe do "terror" é convencional. Não temos notícias históricas de uma Tiro militar e agressiva; seu poderio era comercial.

a cidade famosíssima!
   Era mais forte que o mar, ela e seus chefes;
   que terror infundiam ela e seus chefes;
¹⁸agora as ilhas estremecem
   porque desmoronas,
   e a orla marítima
   se horroriza com teu resultado".
¹⁹Porque isto diz o Senhor:
   Quando eu te converter em cidade arrasada,
      como as cidades despovoadas;
      quando eu levantar contra ti o oceano,
      e as águas caudalosas te cobrirem,
²⁰eu te precipitarei com os que descem à cova,
   os povoadores do passado;
   porei tua moradia no fundo da terra,
      nas ruínas perpétuas,
      com os que descem à cova,
   para que não voltes a reinar
      nem a adornar a terra dos vivos.
²¹Eu te transformarei em espanto, deixarás de existir;
   serás procurada, mas não te encontrarão
   nunca mais
      – oráculo do Senhor.

27 Contra Tiro - II (1Rs 10) – ¹O Senhor me dirigiu a palavra:

– ²E tu, filho de Adão, entoa uma lamentação para Tiro.
³Dize: Oh! Tiro, princesa dos portos,
   mercado de inumeráveis povos litorâneos!
Isto diz o Senhor:
   Tiro, tu dizias: "Sou a beleza acabada".
⁴Teu território era o coração do mar,
   teus armadores deram remate à tua beleza;
⁵com abetos de Sanir armaram todo o teu madeiramento;
   escolheram um cedro do Líbano
   para levantar teu mastro;
⁶com carvalhos de Basã fabricaram teus remos;
   teus bancos são de cipreste das costas de Cetim,
   incrustado de marfim;
⁷tuas velas, de linho bordado do Egito,
   eram teu estandarte;
   de púrpura e escarlate
   das costas de Elisa, era teu toldo.
⁸Príncipes de Sidônia e Arvad eram teus remadores,
   sábios de Tiro eram teus timoneiros;

27 A segunda unidade nos apresenta Tiro na imagem de uma nau, contando a sua história em chave alegórica, mas com habilidades descritivas e num processo emotivo autêntico. É construída, a tripulação embarca, enchem-na de mercadorias, lança-se ao mar, afunda, celebram-lhe ritos fúnebres. No meio do poema, quando carregam as mercadorias, Ezequiel ou um discípulo introduz uma longa enumeração de produtos e países produtores. É um registro comercial no meio de um poema. Fornece informação sobre o comércio da época, mas pode aborrecer o leitor. Para o afundamento poético da nau, não era necessária tanta prosa. Uma primeira leitura, saltando os versículos 12-24, permitirá captar a beleza do poema original.

27,2-3 O profeta atribui a Tiro um título funcional, realista. Tiro ostenta outro título com vaidade feminina: riqueza a serviço da beleza. Em Is 2,16 as naus são símbolo de soberba e grandeza.

27,5 Sanir é o Hermon ou Antilíbano: Dt 3,9. Sobre o comércio de madeiras: 1Rs 5,20-25.

27,7 A vela maior serve de estandarte. Elisa é provavelmente Chipre.

27,8 Arvad é uma ilha hoje chamada Ruad.

⁹senadores e sábios de Biblos
   tinhas como remadores;
   todas as naves do mar
   e seus marinheiros traficavam contigo;
¹⁰tinhas alistados em teu exército
   guerreiros persas, lídios e líbios;
   escudo e elmo pendiam de ti,
   e te adornavam com eles.
¹¹Os de Arvad e de Helec
   estavam em tuas muralhas,
   os de Gamad em teus baluartes;
   em tuas muralhas penduraram seus escudos,
   dando remate à tua beleza.

¹²Társis comerciava contigo, por causa do teu luxuoso comércio: prata, ferro, estanho e chumbo te dava em permuta. ¹³Grécia, Tubal e Mosoc comerciavam contigo; com escravos e objetos de bronze te pagavam. ¹⁴Os de Bet-Togorma te davam em troca cavalos, corcéis e mulos. ¹⁵Os de Rodes comerciavam contigo; muitos povos litorâneos negociavam contigo presas de marfim e madeira de ébano. ¹⁶Aram negociava contigo por causa de tua abundante manufatura: turquesa, púrpura, bordados, linho, corais e rubis te dava em troca.

¹⁷Judá e a terra de Israel comerciavam contigo; com trigo de Minit, rosquinhas, mel, azeite e bálsamo te pagavam. ¹⁸Damasco acorria a teu mercado por causa de tua abundante manufatura, por teu luxuoso comércio com vinho de Helbon e lã de Saar, ¹⁹e cântaros de vinho de Uzal te dava em troca; com ferro batido, canela e cana aromática te pagava. ²⁰Dadã comerciava contigo com mantas de montaria.

²¹Arábia e os príncipes de Cedar negociavam contigo; negociavam cordeiros, carneiros e bodes. ²²Os mercadores de Sabá e Reema comerciavam contigo; davam-te em troca os melhores perfumes, pedras preciosas e ouro. ²³Harã, Quene e Éden, Assíria e Quelmad comerciavam contigo; ²⁴comerciavam contigo objetos primorosos, mantos bordados de turquesa, tecidos preciosos, cordões fortes retorcidos; nisso comerciavam contigo.

²⁵Navios de Társis transportavam tuas mercadorias;
   tu te inchaste e pesavas demais
      no coração do mar;
²⁶em alto mar te conduziram teus remadores;
   vento oriental te desmantelou
      no coração do mar;
²⁷tua riqueza, teu comércio,
   tuas mercadorias, teus marinheiros
   e teus pilotos, teus remadores
      com teus mercadores e teus guerreiros,
         toda a tripulação a bordo,

27,10 Se não é convenção, os guerreiros embarcariam para proteger a mercadoria. Os escudos pendurados em cordames e torres servem de ornamento (cf. Ct 4,4).

27,12 Começa a lista. Não é segura a identificação de Társis com Tartesos, na desembocadura do Guadalquivir. Naus de Társis são naus transmediterrâneas: ver Jn 1,3; 1Rs 10,22.

27,13 Grécia: em hebraico *Yawan*, ou seja, jônios (Gn 10,4). Tubal são os tibarenos da Cilícia; Mosoc, os moscos da Frígia (Gn 10,2).

27,14 Togorma, na Ásia Menor (Gn 10,3).

27,17 Israel e Judá ocupam lugar neutro numa lista compilada com critério mercantil.

27,18 O vinho de Helbon deve ter sido famoso na antiguidade, quando Babilônia e a Pérsia o importavam.

27,19 Uzal, na península arábica ou perto do Tigre.

27,22 Sabá, na península arábica. Ver 1Rs 10.

27,23 Harã é a grande capital ao norte da Mesopotâmia, passagem normal do oriente ao ocidente.

27,25 O versículo capta muito bem o momento em que a riqueza se volta contra o seu dono, e as mercadorias se tornam fatais.

27,26 O vento oriental, sufocante, sopra na Palestina vindo do leste.

todos naufragarão no coração do mar,
no dia do teu naufrágio.
²⁸Ao grito de socorro de teus pilotos
retumbará o espaço;
²⁹saltarão de seus navios todos os remadores,
marinheiros e capitães, para ficar em terra.
³⁰Serão ouvidos seus gritos,
gemendo amargamente por ti;
lançarão cinzas na cabeça,
e rolarão no pó.
³¹Por ti se raparão, vestirão pano de saco;
chorarão amargamente por ti
com luto amargo.
³²Entoarão para ti uma elegia fúnebre
e te cantarão lamentos:
"Quem era como Tiro,
submersa no seio do mar?"
³³Ao desembarcar tuas mercadorias
fartavas muitos povos;
com teu luxuoso comércio
enriquecias reis da terra.
³⁴Agora estás desmantelada
nos mares, no fundo do mar;
carregamento e tripulação
naufragaram a bordo.
³⁵Os habitantes do litoral se espantam de ti,
e seus reis se consternam, confusão no rosto.
³⁶Os mercadores dos povos assobiam por ti;
sinistro resultado,
deixarás de existir para sempre!

Contra o rei de Tiro
(Is 14)

28 ¹O Senhor me dirigiu a palavra:
– ²Filho de Adão, dize ao príncipe de Tiro:
Isto diz o Senhor:
Teu coração se inchou e disseste a ti mesmo:
"Sou Deus, entronizado em trono de deuses,
no coração do mar".
Tu, que és homem e não deus,
te julgavas acabado como os deuses.

27,28-30 Ao grito de socorro respondem o grito de consternação e, depois, os ritos fúnebres da tripulação. Vários temas do poema são recolhidos pelo autor do Apocalipse na sua lamentação por Babilônia: Ap 18,15-20.

28,1-19 Vimos Tiro como rocha marinha coberta pelo mar e como nau riquíssima naufragada. Seguem-se dois oráculos dirigidos ao príncipe ou rei de Tiro. Não se trata de um personagem histórico concreto, mas da encarnação da monarquia numa figura típica, como a Babilônia de Is 14. Por seu caráter típico, valerá mais tarde como símbolo universal. O primeiro oráculo é uma sentença judicial típica, delito e pena; o segundo se intitula lamentação.

28,1-10 O peculiar deste julgamento é que, não contente com enunciar o delito, analisa o processo psicológico. Começa a habilidade mercantil, que produz e acumula riquezas, das quais nasce a presunção, até a arrogância de se considerar deus. Pode-se comparar com o processo analisado em Dt 8 (Santo Inácio indica: riquezas, honra vã do mundo, soberba desmedida). À presunção segue-se a queda (Pr 18,12); outros povos serão executores. No momento da execução, o juiz dirige ao réu uma pergunta irônica: a morte devolve ao deus presumido a sua dimensão humana; compare-se com o Sl 82.

28,2 Na frase ressoa algo do cerimonial da corte, recolhido e adaptado em Sl 2; 45; Is 9. Ezequiel dá

³Se és mais sábio que Daniel,
nenhum enigma resiste a ti.
⁴Com teu talento, com tua habilidade,
fizeste fortuna para ti;
acumulaste ouro e prata em teus tesouros.
⁵Com agudo talento de mercador
ias aumentando tua fortuna,
e tua fortuna te encheu de presunção.
⁶Por isso, assim diz o Senhor:
Porque te julgaste sábio como os deuses,
⁷por isso trago contra ti
bárbaros povos ferozes;
desembainharão a espada
contra tua beleza e tua sabedoria,
profanando teu esplendor.
⁸Eles te afundarão na cova,
morrerás de morte vergonhosa no coração do mar.
⁹Tu, que és homem e não deus,
ousarás dizer: "Sou Deus",
diante de teus assassinos,
em poder dos que te apunhalam?
¹⁰Morrerás com morte de incircunciso,
nas mãos de bárbaros.
Eu o disse – oráculo do Senhor.
¹¹O Senhor me dirigiu a palavra:

– ¹²Filho de Adão, entoa uma lamentação para o rei de Tiro. Assim diz o Senhor:

Eras um modelo de perfeição,
cheio de sabedoria, de acabada beleza;
¹³estavas num jardim de deuses,
revestido de pedras preciosas:
cornalina, topázio e água marinha,
crisólito, malaquita e jaspe,
safira, rubi e esmeralda;

à expressão toda a sua força blasfema: compare-se com a réplica de Is 31,3.

28,3 Daniel é uma figura lendária cananeia; o seu nome significa Deus julga. Julgar retamente é ato de sabedoria, como o ilustra a anedota de 1Rs 3,16-28. Mas aqui se fala de outras habilidades.

28,4 O versículo resume o capítulo precedente.

28,6-7 Bárbaros que não respeitam beleza nem riqueza, como em Is 13,17.

28,8 Morte "vergonhosa", que profana (v. 7), ou de apunhalados, sentenciados (v. 9); o adjetivo tem som parecido com riqueza: *hll hyl*. Coloca "a cova" no coração do mar (cf. Jn 2).

28,10 Não conhecemos a modalidade dessa morte, considerada particularmente vergonhosa pelos israelitas.

28,11-19 Depois da sentença e da execução, o profeta deve pronunciar uma lamentação fúnebre, segundo a antítese clássica do gênero, antes e depois, esplendor e ruína. A originalidade do poema consiste em cantar o rei de Tiro como o homem primordial que, colocado no jardim ou parque dos deuses, peca e é expulso (Gn 2-3). O autor incorpora ao esquema mítico dados que pertencem à realidade histórica de Tiro: o poema incorre em prosaísmo, mas fica bem enraizado na história. Atribuindo ao rei de Tiro o papel poético de homem primordial, sua figura histórica cresce com dimensões fantásticas; ao mesmo tempo, a realidade histórica se retira, para que o personagem represente um papel que outros reis assumirão.

28,12 O personagem. "Modelo de perfeição" ou "selo modelado", com o qual se assina e se referenda, e por isso é propriedade pessoal (Gn 38,18; Jr 22,24; Ag 2,21). Recorde-se a notável perfeição dos selos cilíndricos gravados em negativo que Ezequiel pôde conhecer em Babilônia. O homem primordial é esse modelo perfeito, que transmite e multiplica sua marca, mas que pode fracassar.

Sendo o originário o melhor, é normal considerar o primeiro homem como auge de sabedoria (Jó 38,4.21). Por outro lado, a sabedoria é a primeira criação (Pr 8,22). A beleza é própria da realeza: 1Sm 16,12; Sl 45,3.

28,13 Cenário: mais que um jardim, deve-se imaginar um parque formoso. As pedras preciosas vão

de ouro em filigranas teus brincos e enfeites,
preparados no dia de tua criação.
¹⁴Eu te pus junto a um querubim,
protetor de asas estendidas.
Estavas na montanha sagrada dos deuses,
entre pedras de fogo passeavas.
¹⁵Era irrepreensível tua conduta
desde o dia de tua criação,
até que tua culpa foi descoberta.
¹⁶À força de fazer contratos,
ias te enchendo de atropelos, e pecavas.
Então eu te desterrei da montanha dos deuses,
e o querubim protetor te expulsou
dentre as pedras de fogo.
¹⁷Tua beleza te encheu de presunção
e teu esplendor te transtornou o sentido;
lancei-te por terra,
e te fiz espetáculo para os reis.
¹⁸Com tuas muitas culpas, com teus negócios sujos,
profanaste teu santuário;
fiz brotar de tuas entranhas fogo que te devorou;
eu te converti em cinza sobre o solo,
à vista de todos.
¹⁹Teus conhecidos de todos os povos
se espantaram de ti;
sinistro resultado,
para sempre deixaste de existir!

Contra Sidônia – ²⁰O Senhor me dirigiu a palavra:

– ²¹Filho de Adão, volta o rosto para Sidônia e profetiza contra ela.
²²Isto diz o Senhor:
Aqui estou contra ti, Sidônia,
em ti me cobrirei de glória.
Saberão que eu sou o Senhor,
quando eu fizer justiça contra ela
e brilhar nela minha santidade.
²³Contra ela mandarei peste,
e sangue por suas ruas;
cairão trespassados seus habitantes
pela espada hostil que a rodeia,
e saberão que eu sou o Senhor.

engastadas no manto real: faltam três pedras do "peitoral" sacerdotal (Ex 28,15-21): a supressão é proposital ou casual?

28,14 O querubim é aqui um guarda às ordens de Deus. A montanha sagrada, dos deuses, é concepção antiga: o Olimpo dos gregos, o Safon dos cananeus. "Pedras de fogo": é enigmático o seu significado; são parte do cenário ou personagens que nele habitam? Alguns leem "filhos do fogo" ou "seres ígneos"; outros pensam em astros divinizados; outros ainda, nos reservatórios da tempestade.

28,15 Se o poema utiliza um texto precedente, suspeitamos que o profeta suprime aqui a descrição do delito, para expô-la a seguir em termos realistas.

28,16 Primeiro: um comércio injusto (o homem primordial não comerciava com outros). O castigo é a expulsão, o querubim é o executor.

28,17 Segundo: presunção. O castigo é expulsá-lo da montanha divina para a terra dos mortais. Castigo público, que serve de lição (o homem primordial não tem reis colegas).

28,18 Terceiro: sacrilégio. A injustiça perverte o culto, segundo a doutrina tradicional (Is 1,10-20). A morada sacra vinga-se com o fogo: cap. 9.

28,19 O castigo tem valor exemplar: ver Sl 64,10; Jr 18,16; Jó 17,8.

28,20-23 Este oráculo completa a série fenícia. Sidônia foi por um tempo a capital (cf. Dt 3,9). No castigo

²⁴E a casa de Israel já não terá
  espinho que fira nem sarçal que dilacere
  nos vizinhos que a açoitam,
  e saberão que eu sou o Senhor.

²⁵Isto diz o Senhor: Quando eu recolher a casa de Israel do meio dos povos onde está dispersa, e brilhar nela minha santidade, à vista das nações, voltarão a habitar sua terra, que dei a meu servo Jacó; ²⁶habitarão nela seguros, edificarão casas e plantarão vinhas; habitarão seguros, quando eu fizer justiça nos vizinhos que a açoitam, e saberão que eu sou o Senhor, seu Deus.

29 Contra o Egito (Is 19; Jó 40,25-41) –

¹No décimo ano, no dia doze do décimo mês*, o Senhor me dirigiu a palavra:

– ²Filho de Adão, volta o rosto para o Faraó, rei do Egito, e profetiza contra ele e contra todo o Egito; ³fala assim: Isto diz o Senhor:

  Aqui estou contra ti, Faraó, rei do Egito,
    colossal crocodilo deitado
    no leito do Nilo,
    que dizes: "O Nilo é meu,
    fui eu que o fiz".
  ⁴Eu te porei argolas nas fauces,
    prenderei em tuas escamas
    os peixes do teu Nilo;
  eu te tirarei do leito do teu Nilo
    com todos os peixes do teu Nilo
    presos em tuas escamas.
  ⁵Eu te lançarei na estepe,
    a ti e aos peixes do teu Nilo;
    jazerás no deserto,
    sem que ninguém te recolha e te enterre.
  Eu te jogarei como comida às feras da terra
    e às aves do céu;
  ⁶assim saberão os habitantes do Egito
    que eu sou o Senhor.

---

se revelam a glória e a santidade do Senhor: Ex 14,4.17s e Eclo 36,4.

28,24 Fechado o círculo dos inimigos vizinhos, Israel fica em paz: Dt 12,10; Js 21,44; 2Sm 7,1.

28,25-26 Mais tarde se acrescenta esta promessa de restauração, que remonta ao patriarca e atualiza as bênçãos da aliança. Construir e plantar sintetizam a vida inteira de uma cultura agrária e urbana.

29,1 * Janeiro de 587.

29-32 Os oráculos contra o Egito ocupam quatro capítulos. O Egito é a potência que pode resistir à Babilônia e ameaçá-la; é o polo geograficamente oposto aos impérios do leste, é a tentação repetida para Israel; e é o ponto de partida para a libertação. Uma série de variações nos apresentam o Egito: na imagem de crocodilo, de caniço quebrado, de árvore frondosa, ou então no primeiro plano do seu braço; anunciarão seu dia trágico e acompanharão com cantos fúnebres sua condução ao Abismo. A acumulação maciça pesa mais que os oráculos individualmente.

29,1-6a Janeiro de 587, antes da conquista da capital. Geograficamente, o país longo e estreito podia ser comparado a um crocodilo; só que Ezequiel não dispunha de um mapa. Prefere tomar um símbolo animal, como se usava então, transformando-o em imagem poética. Assim exalta a figura do Egito, também porque o crocodilo pertence à família de monstros mitológicos: Is 27,1; 51,9; Sl 74,13; Jó 7,12. A grande quantidade de caça adquire proporções gigantescas. O Nilo é para o Egito aquilo que a chuva e os mananciais são para a Palestina (Dt 11,10-12); por isso, pode ser divinizado e receber culto. Atribuir a si criação do Nilo é arrogar-se caráter e poderes divinos. O Faraó proclama: "o Nilo é meu", e o Senhor lhe retruca ironicamente, repetindo quatro vezes "teu Nilo".

29,4 Ver Jó 40,25.

29,5 Fora do seu hábitat, o monstro jaz à mercê de aves e quadrúpedes, grande demais para ser enterrado.

29,6b-9a A imagem do caniço usado como bastão vem de Is 36,6. A consistência do Egito é aparente,

Porque foste bastão de caniço
para a casa de Israel:
⁷quando a mão deles te empunhava,
tu rachaste e lhes furaste a mão;
quando se apoiavam em ti,
tu te quebraste e os fizeste cambalear.
⁸Por isso, assim diz o Senhor:
Trago a espada contra ti,
exterminarei em ti homens e animais.
⁹A terra do Egito
será desolação e ruína;
saberão então que eu sou o Senhor.
Por teres dito: "O Nilo é meu,
fui eu que o fiz",
¹⁰por isso, aqui estou contra ti e contra o teu Nilo;
transformarei o Egito em ruínas, em deserto desolado,
de Magdol a Siene e até as fronteiras da Etiópia.
¹¹Por ela não transitará pé humano,
não a percorrerá casco de animal;
ninguém a povoará por quarenta anos.
¹²Tornarei o Egito a mais desolada
de todas as terras:
suas cidades ficarão mais arrasadas
que todas as cidades em ruínas,
por quarenta anos.
Dispersarei o Egito entre as nações,
eu o espalharei pelos países.
¹³Porque isto diz o Senhor:
Ao cabo de quarenta anos recolherei o Egito
dentre os povos pelos quais andar disperso.
¹⁴Mudarei a sorte do Egito,
fazendo-os regressar
à terra de Patros,
a seu berço, onde formarão
um reino miserável,
¹⁵o mais miserável de todos os reinos,
e não voltarão a alardear diante das nações:
eu os farei diminuir
para que não submetam as nações.
¹⁶Já não serão a confiança da casa de Israel,
mas lhe denunciarão
o delito de tê-los seguido;
saberão então que eu sou o Senhor.

Nabucodonosor conquistará o Egito (Jr 43,8-13) – ¹⁷No ano vinte e sete, no primeiro dia do primeiro mês, o Senhor me dirigiu a palavra:

---

não simplesmente por fraqueza política ou militar, mas por sua condição humana (Is 31,1-3). Qualquer potência humana que se ofereça como salvadora de Israel é enganosa. O castigo é expresso em termos genéricos.

29,9b-12 Amplificação do anterior, já sem imagem. O destino do Egito copiará o esquema de Judá e Jerusalém: ruína, desolação e dispersão; só que limitadas a quarenta anos.

29,13-16 Promete-se ao Egito uma restauração limitada: viverá como povo, não como potência. Ficará reduzido às suas dimensões originais autênticas; ao se descobrir sua realidade, se converterá em denúncia permanente dos que confiaram em sua soberba. O castigo do Egito tem consequências em Judá.

29,17-21 Em abril de 571, dezessete anos depois do primeiro, Ezequiel pronuncia seu último oráculo. O que aconteceu nesse período é importante. Ezequiel

— ¹⁸Filho de Adão, Nabucodonosor, o rei da Babilônia, impôs a seu exército dura campanha contra Tiro; toda cabeça ficou calva, toda costa esfolada; mas nem ele nem seu exército nada tiraram da campanha contra Tiro. ¹⁹Por isso, assim diz o Senhor: Vou entregar o Egito a Nabucodonosor, rei da Babilônia: levará seus tesouros, o despojará e o saqueará, servirá de pagamento a seu exército. ²⁰Como pagamento por sua façanha, pois a fizeram por mim, eu lhe entregarei o Egito – oráculo do Senhor. ²¹Nesse dia farei germinar o vigor da casa de Israel, e a ti darei uma palavra intrépida no meio deles, e saberão que eu sou o Senhor.

30 O dia do Egito

¹O Senhor me dirigiu a palavra:

— ²Filho de Adão, profetiza: Isto diz o Senhor:
Ululai: Ai daquele dia!
³Pois está perto o dia, está perto o dia do Senhor:
será dia de nuvens, a hora das nações.
⁴A espada virá contra o Egito,
e a Núbia estremecerá
quando caírem trespassados no Egito;
seus tesouros serão arrebatados,
seus alicerces demolidos.
⁵Etiópia, Fut, Lídia e toda a Arábia,
Líbia e os habitantes do país aliado
cairão com eles pela espada.
⁶Isto diz o Senhor:
Cairão os que apoiam o Egito,
seu orgulhoso poderio minguará;
de Magdol até Siene cairão pela espada
— oráculo do Senhor.
⁷O país ficará mais desolado
que qualquer outro país,
suas cidades mais arruinadas
que qualquer outra cidade.
⁸Saberão que eu sou o Senhor,
quando eu atear fogo no Egito
e ficarem desbaratados todos os que o auxiliam.

---

tinha profetizado o cerco, conquista, saque e destruição de Tiro pelas mãos do exército de Nabucodonosor. Após um cerco de treze anos, o babilônio teve de desistir e contentar-se com forte tributo. A profecia não se cumpriu. O Senhor faltou à sua palavra e deixou desamparado seu profeta (cf. Jn 4). Não basta responder apologeticamente que o poderio de Tiro foi quebrado, que suas riquezas passam anualmente para Babilônia. Tampouco basta apelar para convenções desse tipo. Ezequiel remonta da profecia não cumprida a uma visão mais complexa da história. Emprega a imagem desconcertante do soldo ou estipêndio de mercenários: o saque era incentivo da batalha. Ao fracassar parcialmente em Tiro, o imperador de Babilônia planeja uma campanha contra o Egito; o êxito do novo empreendimento lhe servirá de revanche. Essa dialética humana de fracasso e compensação entra nos planos de Deus, que se dispõe a humilhar o Egito por meio de Babilônia. Em última análise, dessa história complicada vai brotando com esforço a salvação de Israel, como o "chifrezinho" de um bezerro (cf. Sl 132,17). E ao crescer a salvação do povo, a palavra profética ganhará vigor e será reconhecida pelo povo.

30,1-19 Este agrupamento de quatro oráculos, separados cada qual por sua introdução, expõe dois temas centrais: o "dia" do Egito e a lista de povos aliados e localidades. O texto é bastante trivial, e é pouco o que acrescenta aos outros oráculos contra o Egito. É possível que se trate de acréscimos ou explicações de discípulos do profeta. A terminologia e fraseologia são tópicas, sem habilidades imaginativas; os nomes não são aproveitados para paronomásias.
A palavra "dia" forma inclusão menor em 2 e 9; unida a "nuvem", forma inclusão maior em 3 e 18. Sobre o dia do Senhor, ver Ez 7; Sf 1; Jl 2 etc.
30,4 A Núbia se encontrava ao sul do Egito; ver Is 18.
30,5 Em vez de Arábia, alguns interpretam como a massa heterogênea de mercenários: ver Ex 12,38; Jr 25,20; 50,37.

⁹Nesse dia enviarei mensageiros em barcos
para assustar a confiante Etiópia;
> estremecerão no dia do Egito,
> dia que está chegando.

¹⁰Isto diz o Senhor:
Porei fim ao luxo do Egito
por meio de Nabucodonosor,
rei da Babilônia.

¹¹A ele e a suas tropas, terror das nações,
eu vou trazê-los para devastar o país;
> desembainharão a espada contra o Egito,
> enchendo o país de trespassados.

¹²Transformarei o Nilo em secura,
venderei o país a desalmados;
> arrasarei o país e tudo o que há nele
> por mãos de bárbaros.
> Eu, o Senhor, falei.

¹³Isto diz o Senhor:
Exterminarei os ídolos,
> acabarei com os deuses de Mênfis
> e com os príncipes do Egito,
> que não existirão mais.

Amedrontarei o Egito, ¹⁴arrasarei Patros,
> atearei fogo em Tânis
> e farei justiça contra Tebas,

¹⁵derramarei minha cólera sobre Pelúsio,
> cidadela do Egito,
> exterminarei a multidão de Tebas,

¹⁶atearei fogo no Egito,
Pelúsio se retorcerá de dor,
abrirão brechas em Tebas,
................................*

¹⁷Os jovens de Heliópolis e de Bubaste
cairão pela espada;
as mulheres irão cativas.

¹⁸Em Táfnis o dia escurecerá,
quando eu quebrar aí o cetro do Egito
e extinguir sua teimosa soberba;
uma nuvem a velará, suas filhas irão cativas.

¹⁹Farei justiça contra o Egito,
e saberão que eu sou o Senhor.

²⁰No décimo primeiro ano, no dia sete do primeiro mês, o Senhor me dirigiu a palavra: — ²¹Filho de Adão, quebrei o braço do Faraó, rei do Egito, e aí o tens; não

---

30,10-12 Os executores da sentença recebem nome e atributos: uns adjetivos pouco honoríficos; estarão a serviço temporal do Senhor, mas não por méritos humanos.
30,13 O Senhor enfrenta seus rivais, as divindades do Egito: ver Sl 96,5; Is 19,1 e especialmente Ex 12,12. Mênfis, muito perto do delta, outrora capital da monarquia.
30,14 Tânis, no delta, outrora residência de Ramsés II. Tebas, na região de Luxor, cidade do deus Amon, por muito tempo foi capital do reino unido e do império egípcio.
30,15 Pelúsio, porto da extremidade oriental, fronteira fortificada.
30,16 Talvez se deva corrigir Pelúsio por Assuã (leve mudança em hebraico). * Ininteligível.
30,17 Heliópolis, capital do culto solar, muito perto do Cairo. Bubaste, na região oriental do delta.
30,18 Táfnis, lugar da derrota, segundo Jr 43,7.
30,20 É o ano 587; ver Jr 34.

o vendaram aplicando medicamentos, colocando uma bandagem para que recupere as forças, e assim possa empunhar a espada. ²²Portanto, isto diz o Senhor:

> Aqui estou contra o Faraó, rei do Egito;
> vou quebrar-lhe os dois braços,
> o sadio e o quebrado,
> e farei que lhe caia da mão a espada.
> ²³Dispersarei o Egito entre as nações
> e o espalharei pelos países.
> ²⁴Fortalecerei os braços do rei da Babilônia,
> e lhe porei na mão a minha espada;
> quebrarei os braços do Faraó,
> que gemerá diante dele com gemidos de esfaqueado.
> ²⁵Fortalecerei os braços do rei da Babilônia,
> e os braços do Faraó cairão.
> Saberão que eu sou o Senhor
> quando eu entregar minha espada ao rei da Babilônia
> para que a descarregue contra o Egito.
> ²⁶Dispersarei o Egito entre as nações,
> e o espalharei pelos países,
> e saberão que eu sou o Senhor.

31 Contra o Faraó - I (Is 14; Ez 17,22-24; Dn 4)

– ¹No ano décimo primeiro, no primeiro dia do terceiro mês, o Senhor me dirigiu a palavra:

> – ²Filho de Adão, dize ao Faraó,
> rei do Egito, e à sua tropa:
> Com quem pareces em tua grandeza?
> ³Olha para a Assíria, cedro do Líbano,
> de copa magnífica,
> fechada e sombria, de estatura gigante,
> cujo topo se destaca entre as nuvens.
> ⁴As chuvas o criaram,
> as águas subterrâneas o elevaram:
> com suas correntes lhe rodeavam o tronco

30,20-26 Historicamente assistimos a um confronto de dois impérios da antiguidade: Babilônia ao leste, Egito no oeste. O poeta vê esse confronto e o apresenta como uma queda de braço de dois campeões igualados. Intervém um terceiro mais poderoso que os dois, soberano de ambos, e faz prevalecer um braço. Essa visão simples e gigantesca se alarga com traços alegóricos e se infla com repetições suspeitas; a dispersão dos egípcios (23.26) não se enquadra na imagem. A alegoria se amplia introduzindo as curas do braço quebrado.
Depois das enumerações precedentes, é boa ideia fazer a guerra culminar em combate singular; pena que o autor não tenha acertado ao realizar sua ideia poética. Deus mesmo entrega sua espada ao rei de Babilônia.

31,1-18 Como a exaltação e a queda de Tiro eram cantadas na imagem de uma nau, assim as do Egito na imagem de um cedro. Árvore eminente e avantajada, já Isaías a tinha posto na sua linha heterogênea de grandezas (Is 2). Mas o presente cedro é a árvore cósmica das mitologias. A sua estatura colossal começa no mais profundo, no oceano primordial subterrâneo (Gn 49,25; Dt 33,13), atravessa o espaço humano e animal, alcançando as águas celestes das nuvens. Sua extensão é universal, sua amplidão acolhe tudo quanto vive e se move. Encontra-se no centro, no parque dos deuses, sobressaindo sobre as demais e dando água às árvores de fora. Como árvore cósmica, é copada, frondosa, belíssima; a seu serviço estão as águas cósmicas; sob seu amparo, animais e homens.
À exaltação física segue-se a arrogância e, por causa dela, a queda. Apesar de algumas incoerências, as três partes do capítulo compõem um texto unitário.

31,1 É o mês de junho de 587. Alguns judeus ainda esperam que o Faraó liberte a capital do cerco. Jeremias em Jerusalém e Ezequiel em Babilônia dissipam toda ilusão.

31,3 É estranha a menção da Assíria: alguns corrigem o texto e leem "te comparo".

31,4 Embora o chame *tehom*, esse oceano subterrâneo é de água doce, estendido sob a terra firme (*Apsu* acádico). Quatro formas de água indicam

e faziam seus canais seguir
para o arvoredo da campina.
⁵Assim se empinou por cima
das árvores da campina;
tornou-se espessa sua ramagem, dilatada sua copa,
graças a seus canais caudalosos.
⁶Aninhavam em sua ramagem as aves do céu,
pariam sob sua copa as feras selvagens,
à sua sombra se abrigavam
multidões de povos.
⁷Era magnífico por sua corpulência,
pela envergadura de seus ramos,
pois afundava sua raiz em águas abundantes.
⁸Os cedros do jardim dos deuses
não o ultrapassavam,
nem os abetos competiam com a ramagem dele,
nem os plátanos igualavam sua copa;
nenhuma árvore do jardim dos deuses
podia competir com a formosura dele.
⁹Eu o tornei magnífico, espesso de ramos,
e o invejavam as árvores do paraíso,
do jardim dos deuses.
¹⁰Pois bem, isto diz o Senhor:
Por ter empinado sua estatura
e ter erguido seu topo até as nuvens,
e ter-se orgulhado por sua altura,
¹¹eu o entreguei à mercê da nação mais poderosa,
para que o tratasse segundo sua perversidade.
¹²Os bárbaros mais ferozes o cortaram
e o jogaram pelos precipícios:
pelos vales foram caindo seus ramos;
sua copa se foi desgalhando
pelas correntezas do país,
de sua sombra fugiram os povos da terra,
deixando-o abatido.
¹³Aninharam-se em seus escombros as aves do céu,
e em sua copa
se abrigaram os animais selvagens.
¹⁴Para que não empinem sua estatura
as árvores bem regadas,
e não ergam seu topo até as nuvens,
nem os bem regados confiem na sua altura;
pois estão todos destinados à morte,

---

totalidade, como em Is 35,6s; 41,18; mas sem os nomes de Gn 2,3.

31,6 O trio clássico é aves, feras e répteis (Gn 7,14.23; Os 2,20). Introduzindo-se no terceiro lugar os homens, sublinha-se a dimensão universal da árvore cósmica.

31,9 Compare-se com a inveja das montanhas de Sl 68,17.

31,10 Acontece uma quebra psicológica: a soberba e exaltação interior correspondem aos verbos acumulados de grandeza e altura (cf. Os 13,6; Dn 11,12). Esse ato interno transforma o anterior: a altura se faz altivez, o acolhimento subjugação, a escolha privilégios; mas também a inveja de outros se transforma em agressão, e assim se prepara a queda.

31,12 Os carrascos trabalham com fúria e rapidez. O movimento vertical ascendente muda de direção e começa a descida veloz. Os verbos cair e descer vão dominar o resto do poema.

31,13 Enquanto os homens escapam, aves e feras ainda se aproveitam da grandeza caída (cf. Is 18,6).

31,14 Da imagem voltamos ao destino comum dos mortais. Dado que o homem no poder chega a julgar-se uma figura sobre-humana, mítica,

> ao profundo da terra,
> em meio aos filhos de Adão que descem à cova.
>
> ¹⁵Isto diz o Senhor:
> No dia em que ele desceu ao Abismo, vesti de luto o Oceano:
> detive suas correntes,
> as águas caudalosas pararam.
>
> Enlutei por ele o Líbano,
> por ele o arvoredo da campina perdeu as forças.
>
> ¹⁶Ao estrondo de sua queda fiz tremer as nações,
> quando o precipitei no Abismo
> com os que descem à cova;
> então se consolaram no profundo da terra
> as árvores do paraíso,
> a pompa do Líbano, as bem regadas.
>
> ¹⁷Também elas desceram com ele ao Abismo,
> com os mortos pela espada;
> e os que se abrigavam à sua sombra
> se espalharam entre as nações.
>
> ¹⁸Com qual árvore do paraíso
> competias em glória e em grandeza?
> Foste precipitado com as árvores do paraíso
> ao profundo da terra:
> jazes no meio de incircuncisos,
> com os mortos pela espada.
> Trata-se do Faraó e de sua tropa
> – oráculo do Senhor.

32 Contra o Faraó - II

– ¹No décimo segundo ano, no primeiro dia do décimo segundo mês, o Senhor me dirigiu a palavra: – ²Filho de Adão, entoa esta lamentação para o Faraó, rei do Egito:

> Parecias leão das nações,
> mas és crocodilo do Nilo;
> tu te revolves na correnteza,
> e com tuas patas turvas as águas,
> pateando em sua correnteza.
>
> ³Isto diz o Senhor:
> Estenderei minha rede sobre ti,
> te apanharei em minha tarrafa,

---

aureolada de divindade, a morte inexorável o iguala a qualquer mortal. Como no Sl 82. Vão-se afastando os contornos da imagem, e passam para o primeiro plano os traços diretamente humanos. Isso cria um desequilíbrio estilístico.

31,15 Retornam os personagens do começo: Oceano, correntes, árvores do Líbano. Luto cósmico pela árvore cósmica precipitada.

31,17-18 Dois versículos acrescentados, comentando e interpretando os símbolos, sem conseguir uma clara distinção de planos. No *Xeol* todos se igualam, e as imagens vegetais se confundem com os seres mortais. Na tradição cristã, o movimento vertical é contrário: primeiro descer, depois subir.

32,1 No mês de março de 585, uns meses depois da queda de Jerusalém. O faraó Hofra reina no Egito de 588 a 569.

32,2a Este versículo e o 16 catalogam a peça como lamentação: disfarça-se de lamentação pela derrota acontecida ao Egito, o que é ameaça de futuro certo. Também podemos imaginar que a lamentação é antecipada, cantada em vida.

32,2b Aspirava ao domínio de outros povos, ao passo que seu domínio se restringe a seu hábitat, a água do Nilo; sua especialidade são movimentos tumultuosos e desordenados, cujo efeito é turvar. A descrição é irônica.

32,3-15 O poema se articula em duas partes: imagem e explicação, 3-10 e 11-15. Prolonga a imagem do cap. 29, acentuando as dimensões míticas do crocodilo egípcio. O desenvolvimento é simples: descreve o monstro (2); chega o contendor (3); derrota e consequências (4-6); luto cósmico (7-8); espanto dos povos (9-10). O poeta trabalha com expressões polares que significam totalidades.

⁴te deixarei encalhado no chão,
　　te esmagarei contra a terra,
para que em ti as aves do céu se aninhem
　　e em ti se saciem as feras selvagens.
⁵Porei nas colinas tua carniça
　　e encherei os vales com teu cadáver;
⁶com teu sangue regarei a várzea,
　　a espremerei sobre os morros
　　e as torrentes se encherão com teu suco.
⁷Escurecerei o céu quando te extinguires
　　e enlutarei suas estrelas;
taparei o sol com nuvens espessas
　　e a lua não iluminará;
⁸os astros fulgurantes do firmamento
　　por tua causa enlutarei,
e mandarei trevas à tua terra
　　– oráculo do Senhor.
⁹Agitarei o coração de muitos povos
　　quando levar teus despojos
　　às nações, a países desconhecidos.
¹⁰Ao brandir diante deles minha espada,
　　farei que se espantem de ti muitos povos,
que seus reis se horrorizem de ti;
　　no dia do teu abatimento
　　tremerão a cada instante por sua própria vida.
¹¹Pois isto diz o Senhor:
A espada do rei da Babilônia te atingirá.
¹²Pela espada de valentes,
　　os mais ferozes das nações,
farei tua tropa cair;
　　arrasarei o orgulho do Egito
　　e sua tropa será desfeita.
¹³Acabarei com o gado da margem
　　do rio caudaloso:
não mais pé humano o turvará,
　　casco de gado não o turvará.
¹⁴Então acalmarei suas águas
　　e farei fluir como azeite seu caudal
　　– oráculo do Senhor.
¹⁵Quando eu transformar o Egito
　　em desolação
e o país ficar despovoado,
quando eu ferir todos os seus habitantes,
　　saberão que eu sou o Senhor.

32,4 O senhor das águas, fora de seu hábitat, fica à mercê de animais do ar e da terra; torna-se banquete para muitos, como no cap. 39.

32,7-8 O animal se extingue, se apaga (verbo *kbh*) como um pavio: é o sinal e começo de um eclipse universal; a disposição sugere a escuridão envolvente: céu – astros – sol – lua – luzeiros celestes – terra. Trevas como no tempo das pragas.

32,9-10 A dispersão não se enquadra na imagem; recolhe o tema de 29,12 e serve para manifestar em muitas regiões a sentença do Senhor. Esta provoca um terror numinoso em outras nações: ver 23,33; 26,16; Jr 18,16; 50,13; Jó 21,5 etc.

32,11-14 O profeta ou um discípulo acrescenta uma explicação, recolhendo alguns elementos da imagem e introduzindo outros. A espada do inimigo destrói primeiro a tropa, depois a riqueza pecuária do país; e o Nilo, antes agitado e turvo (2), volta a fluir com ritmo pacífico e natural.

¹⁶Essa é a lamentação que cantarão; as capitais das nações a cantarão; por causa do Egito e de suas tropas a cantarão – oráculo do Senhor.

¹⁷No décimo segundo ano, no dia quinze do mês*, o Senhor me dirigiu a palavra:

– ¹⁸Filho de Adão, entoa cantos fúnebres para as tropas do Egito; conduze-as junto com as capitais de nações ilustres até as profundidades da terra, com os que descem à cova.

¹⁹És mais agraciado que os outros? Pois desce, deita-te com os incircuncisos. ²⁰Cairão no meio de mortos pela espada e jazerão com ele todas as suas tropas, ²¹os mais bravos guerreiros lhe dirão no meio do Abismo: "Tu e teus aliados, descei, jazei com os incircuncisos mortos pela espada".

²²Aí está a Assíria e todo o seu exército rodeando seu sepulcro; todos caíram mortos pela espada, ²³e os sepultaram no fundo da cova, seu exército rodeando sua sepultura; todos caíram mortos pela espada, por ter aterrorizado o mundo dos vivos.

²⁴Aí estão Elam e suas tropas rodeando sua sepultura; todos caíram mortos pela espada, desceram incircuncisos até as profundidades da terra, por ter aterrorizado o mundo dos vivos; arrastam sua vergonha com os que descem à cova. ²⁵No meio de trespassados puseram seu jazigo, suas tropas rodeando seu sepulcro; todos eles incircuncisos, mortos pela espada, por ter aterrorizado o mundo dos vivos; arrastam sua vergonha com os que descem à cova, no meio de trespassados os lançaram.

²⁶Aí estão Mosoc, Tubal e suas tropas rodeando seu sepulcro; todos incircuncisos, mortos pela espada, por ter aterrorizado o mundo dos vivos. ²⁷Mas não jazerão com os heróis caídos de outrora, que desceram ao Abismo com as armas de guerra: a espada sob a cabeça, o escudo sobre o esqueleto. Ainda dão medo suas façanhas no mundo dos vivos! ²⁸Tu, ao contrário, irás desmoronando no meio de incircuncisos, jazerás com os mortos pela espada.

²⁹Aí está Edom com seus reis e príncipes: foram sepultados com os mortos pela espada, jazerão com os incircuncisos que descem à cova.

³⁰Aí estão todos os chefes do norte e os sidônios todos, que desceram vergonhosamente com os trespassados, por terem infundido terror com suas proezas: jazem incircuncisos com os mortos pela espada, arrastam sua vergonha com os que descem à cova.

³¹Vendo-os, o Faraó se consolará pela perda de suas tropas: mortos pela espada

---

32,16 As capitais, como coro de carpideiras (cf. Jr 9,11-20), cantam a lamentação.

32,17 * Provavelmente o mesmo mês do ano 585.

32,18-32 Chama-o de lamentação ou canto fúnebre na condução do cadáver de um personagem ilustre. Ao profeta compete guiar a procissão e cantar o lamento. A colocação é irônica, quase sarcástica – lágrimas de crocodilo –: choram uma morte da qual se alegram intimamente, porque essa morte foi sua libertação. A lamentação terá uma monotonia de marcha fúnebre que acompanha a condução do cadáver até o túmulo. A monotonia é proposital, parte do sentido. Realiza-se pela repetição, com leves variações de alguns temas poéticos. Sua disposição não é plenamente regular, e há espaço para algumas surpresas. Uma declamação em voz alta, com moderadas inflexões e tom dolente, permite recuperar a beleza austera do poema.

Quanto aos nomes, o Egito é o protagonista da última humilhação; os demais são companheiros da pena, como foram outrora antecessores na crueldade. É recebido na terra dos mortos; da terra dos vivos chega a lembrança do terror que ele infundia, triste prova do seu poder. Há vários povos da Ásia, no centro os heróis de antiguamente, depois povos vizinhos ao sul e ao norte de Judá. Incluído o Egito, podem sair sete, se separamos Mosoc de Tubal ou se contamos os heróis anônimos.

Essa lamentação olha para trás, encerrando por ora a série de oráculos contra as nações, como visão transmundana que contempla o desaguar da história, como epitáfio colossal para uma etapa da história. Babilônia fica de fora por enquanto; no fim de poucas gerações, os leitores a incluirão mentalmente na série. E restará lugar para outras potências em leituras sucessivas.

O poema repete e varia algumas fórmulas e termos. Não sabemos por que e como a morte distingue também os incircuncisos (no Egito e na Fenícia se praticava a circuncisão).

32,20 "Mortos pela espada": em combate; em outros contextos podem ser os sentenciados.

32,22 O império assírio terminou no ano 612, em mãos de Babilônia. Tinha dominado com o terror ou com intimidação.

32,24 Elam era um reino ao leste de Babilônia, com quem disputou por algum tempo a hegemonia. Foi subjugado por Assurbanipal da Assíria.

32,26 Mosoc e Tubal eram dois reinos na Ásia Menor.

32,27 Gn 6 e 10,8-10 parecem aludir a estes personagens lendários; são conhecidos nas tradições de outros povos.

32,31 Minguado consolo do Faraó, pronunciado talvez com uma pitada de ironia. Depois desta série se enquadraria perfeitamente o final dos capítulos 38 e 39, contra Gog de Magog.

o Faraó e todo o seu exército – oráculo do Senhor. ³²Por ter aterrorizado o mundo dos vivos, ele se encontrará jazendo no meio de incircuncisos, com os mortos pela espada, o Faraó com suas tropas – oráculo do Senhor.

SEGUNDA ATIVIDADE DO PROFETA

33 O profeta como sentinela (Ez 3 e 18) –

¹O Senhor me dirigiu a palavra:

– ²Filho de Adão, fala assim aos teus compatriotas: Quando eu levar a espada contra uma população e a vizinhança escolher alguém do lugar e o puser de sentinela; ³se, ao perceber a espada que avança contra a população, der o alarme aos habitantes a toque de trombeta, ⁴aquele que ouvindo o toque de trombeta não se puser alerta, será responsável por seu próprio sangue quando chegar a espada e o arrebatar. ⁵Isso porque ouviu o toque de trombeta e não ficou alerta, responderá por seu próprio sangue; ⁶se tivesse estado alerta, teria salvo a vida. Mas, se a sentinela perceber a espada que avança e não tocar a trombeta, e a vizinhança não ficar alerta, e chegar a espada e arrebatar alguns deles, estes morrem por sua culpa, mas eu pedirei à sentinela contas do sangue.

⁷Filho de Adão, eu te pus como sentinela na casa de Israel; quando escutares palavras de minha boca, tu lhes darás o alarme por mim. ⁸E se eu disser ao perverso: Perverso, és réu de morte, e tu não falares alertando o perverso para que mude de conduta, o perverso morrerá por sua culpa, mas a ti pedirei contas do seu sangue; ⁹mas, se tu alertares o perverso para que mude de conduta, e ele não mudar de conduta, ele morrerá por sua culpa, e tu salvarás a vida.

¹⁰E tu, filho de Adão, dize à casa de Israel: Vós pensais deste modo: Nossos crimes e nossos pecados pesam sobre nós, e por causa deles nos consumimos; poderemos continuar com vida? ¹¹Pois dize-lhes: Por minha vida – oráculo do Senhor –, juro que não quero a morte do perverso, mas que mude de conduta e viva. Convertei-vos, mudai de conduta, perversos, e não morrereis, casa de Israel!

¹²E tu, filho de Adão, dize aos teus compatriotas: A justiça do justo não o salvará,

---

33,1 Se começássemos a ler este capítulo pelos vv. 21-22, a situação ficaria clara e o texto revelaria todo o seu sentido. O profeta ficou mudo porque Deus se calou na última hora de Jerusalém. Passado esse momento, Deus fala de novo pela boca do seu profeta e lhe confia uma mensagem de esperança. Para Ezequiel é quase uma nova vocação, ao menos uma nova tarefa. Antes de começar a sua pregação, hão de ficar claros a sua finalidade e alcance. Por isso a terceira parte do livro, como a primeira, começa com um texto programático.

O que é um profeta? – A boca de Deus. E o que é um profeta entre os desterrados, quando cai Jerusalém? Uma sentinela. Sem cidade, sem casas, sem muralhas, onde se instala a sentinela, contra quem alerta? – Contra o próprio Senhor. Novo paradoxo, como se o guerreiro, terminada a tarefa de destruir Jerusalém, ainda tivesse forças e vontade para continuar batalhando. Dirige-se aos desterrados em Babilônia, ainda em clima de guerra; porque o seu povo desterrado continua provocando-o e nunca aprende. E aqui acontece o mais estranho: em vez de se aproximar em silêncio ou de repente, para pegar desprevenidas as suas vítimas, o Senhor despacha uma sentinela sua, para que os avise, uma espécie de anti-espião que informe a tempo; e como se fosse pouco, o Senhor sobrecarrega a consciência do anti-espião para que previna o povo ameaçado. O paradoxo é revelador: a série menor, pecado – ameaça – castigo, fica englobada numa série maior, pecado – ameaça – conversão – perdão; porque Deus quer a vida e não a morte. Ainda que venha em clima de guerra, traz a paz. O cerco e a pressão de Deus, em última instância, é amor. O profeta será solidário com o destino de seus concidadãos. Ao mesmo tempo, a palavra exerce a função de dividir e separar os que escutam dos que não escutam. Daí o estilo casuístico do desenvolvimento, em subdivisões calculadas. A palavra exige resposta ativa, criando responsabilidade.

33,2 Na parábola, é Deus quem conduz a espada, o que implica que são culpados, e são os vizinhos que colocam uma sentinela; mas é Deus quem pede contas à sentinela. A parábola antecipa a interpretação teológica.

33,7 Na aplicação, é o Senhor quem nomeia a sentinela: nova categoria para definir o profeta; ver Jr 6,17; Is 56,10.

33,8 Deus atrasa a execução da sentença para dar tempo à conversão.

33,10 Com o peso da desgraça se sente mais o peso da culpa; a desgraça e a culpa esmagam o homem e lhe roubam a esperança: é a resposta lógica aos capítulos 16,20 e 23. Mas, precisamente quando não resta esperança de vida, soa o anúncio de vida nova que Deus oferece. O homem pode desfazer-se da carga maldita do passado.

33,12-20 É uma variação do cap. 18 sobre a responsabilidade individual. Sublinha o tema da vida: o Senhor jura por sua vida, quer a vida. Daí a assimetria dos casos e a supremacia da vida: o justo, por ser justo, ficará vivo; o perverso, por deixar de ser perverso, ficará vivo; o justo que peca, por voltar a ser justo, ficará vivo. O desenvolvimento é

se ele cometer um delito; a perversidade não condenará o perverso, se dela ele se converter. (Se pecar, o justo não poderá continuar vivendo à custa de sua justiça.) [13]Se digo ao justo "viverás", e ele, confiado em sua justiça, cometer um delito, não se levará em conta sua justiça, mas morrerá pelo delito que cometeu. [14]Se digo ao perverso "morrerás", e ele se converter de seu pecado, praticar o direito e a justiça, [15]devolver o penhor, restituir o furto e seguir os preceitos de vida sem incorrer em delito, então viverá e não morrerá; [16]não se levará em conta nenhum dos pecados que cometeu; viverá por ter praticado o direito e a justiça.

[17]Teus compatriotas replicarão: "O proceder do Senhor não é justo", quando são eles os que não procedem retamente. [18]Se o justo se perverter de sua justiça e cometer um delito, por ele morrerá. [19]Se o perverso se converter de sua perversidade e praticar a justiça e o direito, por eles viverá. [20]Insistis em dizer que o proceder do Senhor não é justo? Julgarei cada um de vós segundo a vossa conduta.

Chega o fugitivo (Ez 24,26-27) – [21]No décimo segundo ano de nossa deportação, no dia cinco do décimo mês, apresentou-se a mim um fugitivo de Jerusalém e me deu esta notícia: "Destruíram a cidade". [22]Na tarde anterior tinha vindo sobre mim a mão do Senhor, e permaneceu até que o fugitivo se apresentou a mim pela manhã; então minha boca se abriu, e não voltei a ficar mudo.

Em Jerusalém – [23]O Senhor me dirigiu a palavra:

– [24]Filho de Adão, os moradores daquelas ruínas da terra de Israel andam dizendo: "Se Abraão, que era um só, tomou posse da terra, quanto mais nós, que somos muitos, seremos donos da terra!" [25]Pois dize-lhes: Isto diz o Senhor: Vós, que comeis nos montes levantando os olhos para vossos ídolos, e derramais sangue, ireis possuir a terra? [26]Vós, que vos apoiais em vossas espadas, cometeis abominações e profanais a mulher do próximo, ireis possuir a terra? [27]Dize-lhes assim: Isto diz o Senhor: Eu vos juro por minha vida: os que estiverem nas ruínas cairão pela espada; e eu entregarei os que estiverem em campo aberto como pasto das feras, e os que estiverem nas fortalezas e refúgios morrerão de peste. [28]Transformarei o país em deserto desolado, e assim terminará sua teimosa soberba. Ficarão desolados os montes de Israel, sem ninguém que transite por eles. [29]Saberão que eu sou o Senhor, quando eu transformar o país em deserto desolado, por causa de todas as abominações que cometeram.

Cancioneiro de amoricos (Is 5,1-7; Os 2) – [30]Filho de Adão, teus compatriotas

---

assim: enunciado geral (12), casos de perversão e conversão (13-16); objeção e resposta (17-20). Em linhas paralelas, a correspondência dos capítulos:
33,1-9 / / 10-11 / 12-13.14-16/ 17-20
18, / 1-20 / 23.30b-32 / 24.21-22 / 25-30a

33,12-13 Nem a justiça é garantia perpétua, nem o pecado é fatalidade irremediável. Uma justiça, ainda que prolongada, não é algo acumulado e operante que permita cometer algum delito grave; como se fossem quantidades que se opõem na balança da justiça, ou como se fosse um seguro contra riscos e perdas. Um ato pode comprometer toda uma existência.

33,14-16 Preceitos concretos que representam o resto; preceitos que dão vida.

33,17 O povo não age retamente, porque sua conversão não foi plena; dominados pela sua atitude ambígua, não são capazes de apreciar o valor esperançoso da mensagem profética.

33,21-22 Cumprimento do anunciado em 24,26-27 e começo da nova atividade do profeta. A palavra nova nasce da mudez, como uma vida nasce milagrosamente da esterilidade. Deus poderia ter encerrado o ministério de Ezequiel e ter chamado outro candidato. Ao continuar com ele mesmo, nos ensina que da negação total surgirá a afirmação plena, e que era necessário descer ao abismo do silêncio para encontrar a nova palavra.

33,23-29 Remontar às origens é algo que o israelita aprende muito cedo. Os sobreviventes da catástrofe em Judá alegam o exemplo de Abraão como argumento *a minore ad maius*. Mas a posse da terra não é questão de número, mas sim dom de Deus. Conforme Jr 40, os sobreviventes começaram a organizar-se com êxito discreto. Ezequiel lhes atribui os pecados de antes (18,6; 22,3.11). Três pecados principais: idolatria, homicídio, adultério; três castigos: espada, feras e peste.

33,27 Com uma correção: "vós vos mantendes em vossas ruínas".

33,28 Ver 6,3.14; 7,24; 15,8.

33,30-33 Passou a etapa da resistência à palavra profética e sucedeu-lhe uma forma refinada de invalidar a sua eficácia: convertê-la em objeto de

andam murmurando de ti ao abrigo dos muros e à porta das casas, dizendo um a outro: "Vamos ver que palavra o Senhor nos envia". ³¹Acorrem a ti em bando, e meu povo senta diante de ti; escutam tuas palavras, mas não as praticam; com a boca fazem elogios, mas seu ânimo anda atrás do negócio. ³²És para eles cancioneiro de amoricos, de voz bonita e bom tocador. Escutam tuas palavras, mas não as praticam. ³³Mas quando se cumprirem, e estão para se cumprir, eles perceberão que tinham um profeta no meio deles.

34 Os pastores de Israel (Jr 23,1-8; Sl 23; Jo 10) – ¹O Senhor me dirigiu a palavra:

– ²Filho de Adão, profetiza contra os pastores de Israel, profetiza dizendo-lhes: Pastores, isto diz o Senhor:

> Ai dos pastores de Israel
> que apascentam a si mesmos!
> Não devem os pastores
> apascentar as ovelhas?
> ³Comeis sua gordura e vos vestis com sua lã;
> matais as mais gordas,
> e não apascentais as ovelhas.
> ⁴Não fortaleceis as fracas,
> nem curais as enfermas,
> nem vendais as feridas;
> não recolheis as desgarradas,
> nem procurais as perdidas
> e maltratais brutalmente as fortes.
> ⁵Por não ter pastor, se dispersaram
> e se tornaram pasto das feras selvagens.

---

conversações entretidas, em notícia que apela só para a curiosidade transitória, em distração artística. São dimensões inerentes a uma palavra de Deus que se fez humana: é notícia, porque entra na história; é bela, porque os profetas sabem elaborá-la. Só que essas dimensões estão subordinadas ao essencial: a palavra entra na história para transformá-la, transformando o homem, seu protagonista; o profeta a elabora, não por amor à arte, mas para encarná-la com eficácia. Mas o homem fará qualquer coisa para tornar inofensiva a palavra de Deus. Assim ofendem o profeta, com ares de interesse e acumulando lisonjas; e ofendem a Deus rebaixando quem só condescende. Pois bem, a palavra agirá vingando-se e vingando aquele que foi tido como simples poeta e que, além disso, era profeta.

34,1-2 Ezequiel tratou da responsabilidade de gerações e indivíduos, mas não nega a responsabilidade dos dirigentes. A do profeta ficou bem clara na parábola da sentinela; agora chega a vez dos chefes do povo, vistos na imagem de pastores. A imagem é tradicional e se apoia principalmente na figura de Davi. Deve-se ler este capítulo em paralelo com Jr 23.

Ao esquema clássico de julgamento, denúncia do delito e anúncio da pena, acrescenta magníficas promessas para as vítimas. A imagem é tratada com riqueza de detalhes, o esquema se ramifica com liberdade frondosa, sem prejudicar a coerência. Tendo em conta fórmulas de transição, "por isso, assim diz *Yhwh*", e de reconhecimento, vou esquematizar com certa amplitude o movimento do oráculo:

34,2-4 Ai! denúncia do delito, na segunda pessoa
34,5-6 consequências: as vítimas
34,7-8 Por isso, escutai a palavra do Senhor: recapitula o delito
34,9 Por isso, escutai a palavra do Senhor
34,10 assim diz Yhwh: castigo: serão depostos; terceira pessoa
34,11-16 assim diz Yhwh: eu serei o pastor; primeira pessoa
34,17 Assim diz Yhwh: anuncia o pleito e julgamento do rebanho
34,18 denuncia o delito, na segunda pessoa
34,19 consequências: as vítimas
34,20 Por isso, assim lhes diz Yhwh: eu julgarei o pleito
34,21 delito dos culpados, segunda pessoa
34,22 salvação das vítimas, eu julgarei o pleito
34,23 Davi
34,25 aliança
34,26 bênçãos
34,27 e saberão
34,28-29 paz e bem-estar
34,30 e saberão fórmula de aliança

O esquema nos mostra que, por razões formais, era desnecessário (7-8). Permite-nos apreciar a articulação em três partes: julgamento entre pastores e rebanho (2-16); julgamento entre exploradores e vítimas dentro do rebanho (17-22); futura restauração, sem imagem.

A raiz *pasc-* atravessa e unifica os versículos 2-23: pastar, apascentar, pastos, pastagens, pastor.

34,5-6 A dispersão é primeiramente local, dentro do território; depois se estende como desterro ou diáspora.

⁶Minhas ovelhas se dispersaram
e vagaram sem rumo
por montes e altas colinas;
minhas ovelhas se dispersaram por toda a terra,
sem que ninguém as buscasse seguindo seu rastro.
⁷Por isso, pastores, escutai a palavra do Senhor:
⁸Juro por minha vida – oráculo do Senhor.
Minhas ovelhas se tornaram presa,
minhas ovelhas se tornaram pasto
das feras selvagens, por falta de pastor;
pois meus pastores não cuidavam do meu rebanho,
os pastores apascentavam a si mesmos
e não apascentavam meu rebanho.
⁹Por isso, pastores, escutai a palavra do Senhor.
¹⁰Isto diz o Senhor:
Vou enfrentar os pastores:
reclamarei deles minhas ovelhas,
eu os destituirei de pastores de minhas ovelhas,
para que os pastores deixem
de apascentar a si mesmos;
livrarei minhas ovelhas de suas fauces,
para que não sejam seu manjar.
¹¹Assim diz o Senhor:
Eu em pessoa buscarei minhas ovelhas
seguindo seu rastro.
¹²Como o pastor segue o rastro de seu rebanho
quando as ovelhas se dispersam,
assim eu seguirei o rastro de minhas ovelhas
e as livrarei, tirando-as
de todos os lugares
por onde se dispersaram
num dia de escuridão e nuvens densas.
¹³Eu os tirarei dentre os povos,
os congregarei dos países,
os trarei da sua terra, os apascentarei
nos montes de Israel, nas quebradas
e nos povoados do país.
¹⁴Eu os apascentarei em ótimas pastagens,
terão seus prados
nos mais altos montes de Israel;
aí deitarão em férteis pastagens,
e pastarão pastos suculentos
nos montes de Israel.
¹⁵Eu mesmo apascentarei minhas ovelhas,
eu mesmo as farei repousar
– oráculo do Senhor.
¹⁶Procurarei as ovelhas perdidas,
recolherei as desgarradas;

34,11-16 O Senhor cumpre pessoalmente as tarefas de pastor num momento crítico para o rebanho. Nas etapas dessa ação pode-se descobrir o esquema clássico do êxodo transportado para o retorno do desterro: reunir – tirar – levar; chegados à terra, terminam os cuidados extraordinários e começam as tarefas ordinárias do pastor, suprindo o que não fizeram os maus pastores. Mesmo no desterro continuam sendo chamadas de "minhas ovelhas" (catorze vezes).

vendarei as feridas,
curarei as doentes;
guardarei as gordas e fortes
e as apascentarei como é devido.
¹⁷E a vós, minhas ovelhas, isto diz o Senhor:
Vou julgar o pleito de minhas ovelhas:
carneiros e bodes!
¹⁸Não vos basta pastar o melhor pasto,
e ainda pisais com os cascos
o resto do pasto?
Nem beber a água clara,
e ainda turvais o resto com os cascos?
¹⁹E por isso minhas ovelhas têm de pastar
o que pisaram vossos cascos,
e têm de beber
o que vossos cascos turvaram.
²⁰Por isso, assim lhes diz o Senhor:
Eu mesmo julgarei o pleito
das reses magras e das gordas.
²¹Porque investis de ombros e com os lados
e chifrais as fracas,
até dispersá-las em debandada,
²²eu salvarei minhas ovelhas,
e não voltarão a ser presa;
eu julgarei o pleito de minhas ovelhas.
²³Eu lhes darei um pastor único
que as pastoreie: meu servo Davi.
Ele as apascentará, ele será seu pastor.
²⁴Eu, o Senhor, serei seu Deus,
e meu servo Davi, príncipe no meio deles.
Eu, o Senhor, o disse.
²⁵Farei com eles uma aliança de paz:
extirparei da terra
os animais ferozes;
acamparão seguros na estepe,
dormirão nos bosques.
²⁶Eles e minha colina toda ao redor
serão uma bênção:
enviarei chuvas a seu tempo,
uma bênção de chuvas.
²⁷A árvore silvestre dará seu fruto
e a terra dará sua colheita,
e eles estarão seguros em seu território.

34,17 Já não se trata dos pastores, mas de indivíduos do grande rebanho: carneiros e bodes desempenham o papel de maus.

34,23-24 Reconstituído o rebanho autêntico do Senhor, chega o momento de nomear o novo pastor. Chamar-se-á Davi, como o primeiro; não será um a mais na linha dinástica, mas sim, de algum modo, o definitivo. Será um só para todo o rebanho, sem divisão de reinos. Levará o título de príncipe, que remonta à época pré-monárquica; e também de "servo do Senhor"; como tantos ilustres escolhidos. Terá lugar especial na aliança renovada. Deve-se relacionar esses versículos com 1Sm 7; Is 9,1-6; Jr 23,5s; 30,9s; Os 3,5. Textos que na sua origem, ou em leitura posterior, tiveram sentido messiânico.

34,25-29 O quadro da aliança renovada é uma seleção de bênçãos que se leem em Lv 26, Dt 28 e dispersas em outros livros. A metade são supressões de males: feras e fome, opressão, saque e zombaria; a metade são bens: chuva, colheitas, segurança. Podem-se comparar com Is 11,1-10 e 32,15-20.

>   Saberão que eu sou o Senhor,
>   quando eu fizer saltar as cordas de seu jugo
>   e os livrar do poder dos tiranos.
> ²⁸Não voltarão a ser despojos das nações,
>   e as feras selvagens não os devorarão;
>   viverão seguros, sem sobressaltos.
> ²⁹Eu lhes darei um plantio famoso:
>   não mais haverá
>   mortos de fome no país,
>   nem terão de suportar
> a caçoada dos povos.
> ³⁰E saberão que eu, o Senhor seu Deus,
>   estou com eles, e eles são meu povo,
>   a casa de Israel – oráculo do Senhor.
> ³¹[E vós sois minhas ovelhas,
>   ovelhas de meu rebanho, e eu sou vosso Deus
>   – oráculo do Senhor.]

35 Contra o monte Seir (Ez 25,12-14; Ab) – ¹O Senhor me dirigiu a palavra: – ²Filho de Adão, põe-te de frente para o monte Seir e profetiza assim contra ele: ³Isto diz o Senhor:

>   Aqui estou contra ti, monte Seir,
>   estenderei minha mão contra ti
>   para te tornar deserto desolado.
> ⁴Transformarei tuas cidades em escombros,
>   ficarás desolado
>   e saberás que eu sou o Senhor.
> ⁵Porque, movido por um rancor antigo,
>   entregaste os israelitas à espada
> no dia fatídico, no dia do castigo final;
>   ⁶por isso, juro por minha vida
>   – oráculo do Senhor –,
> em sangue te transformarei,
>   e o sangue te perseguirá.
>   Detestas o sangue?
>   Pois o sangue te perseguirá.
> ⁷Transformarei o monte Seir em deserto desolado
>   e extirparei dele aquele que vai e aquele que vem.
> ⁸Encherei de apunhalados tuas colinas e quebradas
>   e todas as tuas torrentes;
>   aí jazerão os mortos pela espada.

34,29 Ver Is 60,21.

34,31 Uma mão posterior acrescentou uma explicação desnecessária: a identificação do rebanho com a casa de Israel.

35,1-15 De repente nos encontramos com um oráculo contra Seir = Edom. Parece que o seu lugar teria sido na série de oráculos contra as nações, capítulos 25-32, concretamente no terceiro lugar. No lugar atual, o capítulo tem outra função. Mais que oráculo contra Edom, é peça de oráculo a favor de Israel: montes contra monte.

O capítulo se compõe de três oráculos semelhantes, à maneira de variações sobre o tema de Edom, com tríplice fórmula de reconhecimento.

35,2-4 Enunciado simples; matança (5-9); tentativa de conquista (10-13); conclusão (14-15). Ao esquema delito – castigo se aplica a lei do talião. A linguagem da "desolação" atravessa as três variações: 3.4.7. 9.12. 15ab.

35,3-4 A forma da sentença é anômala porque não menciona o delito. O monte Seir representa o território de Edom; e o nome soa como "abrupto", "escabroso", e se relaciona com o "peludo", "hirsuto" Esaú, antepassado de Edom (Gn 25,25).

35,5-9 O tema do sangue é atraído pelo nome de Edom (*dam* = sangue); ver Is 63,1-6. Supõe que os

⁹Eu te transformarei em desolação eterna,
tuas cidades não serão habitadas,
e sabereis que eu sou o Senhor.
¹⁰Por teres dito: "As duas nações serão minhas,
e me apoderarei dos dois países"
– e o Senhor estava aí;
¹¹por isso, juro por minha vida – oráculo do Senhor –,
que te tratarei com a mesma ira
e com a mesma raiva
com que tu os trataste, movida pelo ódio,
e farei que me conheças, quando eu te julgar.
¹²E saberás que eu, o Senhor,
escutei os insultos que dizias
contra os montes de Israel:
"Estão desertos: eles os deram a nós
para que os devoremos".
¹³Vós vos tornastes valentes contra mim
com vossas bravatas,
e vos fizestes insolentes contra mim
com vosso palavrório
– e eu estava ouvindo.
¹⁴Isto diz o Senhor:
[Com gozo de toda a terra,
eu te transformarei em desolação.]
¹⁵Assim como te alegraste
ao ficar desolada a herança
da casa de Israel,
assim farei contigo: ficarão desolados o monte Seir
e todo o território de Edom,
e saberão que eu sou o Senhor.

36

Aos montes de Israel (Ez 6) – ¹E tu, filho de Adão, profetiza assim aos montes de Israel: Montes de Israel, escutai a palavra do Senhor:

²Isto diz o Senhor: Por ter dito vosso inimigo: "Viva! Os montes antigos são propriedade nossa"; ³por isso, profetiza assim:

Isto diz o Senhor: Porque vos arrasaram e pisotearam e conquistaram os povos restantes; porque andastes na boca de deslinguados e toda gente vos difamou; ⁴por

---

amonitas se somaram aos babilônios na matança de judeus. Pois o castigo será matança e desolação.

35,10-13 O Senhor destina os territórios: a Edom as montanhas de Seir (Js 24,4), a Israel os montes de Canaã. E ainda que agora tenha expulsado temporariamente seu povo, não lhe retirou a propriedade (Jr 32). O objetivo expansionista de Edom é cobiça e ódio contra Israel, insolência contra o Senhor, que escutava seus propósitos, embora aparentemente se tivesse ausentado (caps. 10-11).

35,10 "As duas nações" são Israel e Judá.

35,13 Ver Ab 12 e Jr 49,26.42.

35,14 Duplicação incompleta do v. seguinte.

36,1-15 Primeiro, é preciso abrir caminho no emaranhado do texto. Ou o profeta não reprimiu uma expressão barroca, torrencial, ou mãos estranhas manipularam o texto sem habilidade. Cinco vezes aparece "assim diz *Yhwh*", duas vezes jura o Senhor, duas vezes manda "profetizar"; quatro vezes se repete o esquema "porque... por isso..." ou equivalente. Enumerações e repetições poderiam trair a paixão de quem fala; mas a sintaxe falha várias vezes.

Nesse matagal se destacam duas coisas claras e correlativas: o Senhor se dirige aos inimigos e aos montes de Israel. Aos inimigos, porque com seu ódio destruíram provocaram o ciúme do Senhor; ele faz grandes promessas aos montes de Israel. As duas partes são correlativas, castigo de uns e libertação de outros; mas não são simétricas. No caso dos inimigos, o castigo corresponde ao delito; no caso de Israel, as promessas nascem da compaixão do Senhor pelo sofrimento do seu povo, brotam do seu amor constante.

Essas promessas aos montes contrastam com as ameaças do capítulo 6. Aquelas ameaças se

isso, montes de Israel, escutai a palavra do Senhor:

Isto diz o Senhor aos montes e às colinas, às torrentes e às quebradas, às ruínas desoladas e às cidades abandonadas, que foram despojos e caçoada do resto dos povos vizinhos; ⁵portanto, isto diz o Senhor: Juro que no fogo do meu ciúme falo contra o resto das nações que se apoderaram de minha terra com regozijo de coração e más entranhas, despovoando-a e exaurindo-a. ⁶Por isso, profetiza à terra de Israel, dizendo aos montes e às colinas, às torrentes e às quebradas:

Isto diz o Senhor: Eu falo com ciúme e com cólera, porque suportastes o sarcasmo das nações; ⁷por isso, assim diz o Senhor: Juro com a mão erguida que os povos que vos rodeiam carregarão seus sarcasmos. ⁸E vós, montes de Israel, produzireis folhagem e dareis fruto para meu povo Israel, que está para chegar. ⁹Porque eu estou convosco e me volto para vós: eles vos lavrarão e vos semearão. ¹⁰Multiplicarei vossa população, toda a casa de Israel; serão repovoadas as cidades, e as ruínas serão reconstruídas. ¹¹Multiplicarei vossa população e vosso gado [serão muitos e fecundos] e farei que sejais habitados como outrora, e vos concederei mais bens que no princípio, e sabereis que eu sou o Senhor. ¹²Farei que sejais transitados pela gente do meu povo Israel; tomarão posse de vós e sereis sua herança, e não voltareis a ficar sem filhos.

¹³Isto diz o Senhor: Porque te dizem: "És devoradora de homens, deixaste a tua nação sem filhos"; ¹⁴por isso, não devorarás mais homens nem deixarás a tua nação sem filhos – oráculo do Senhor. ¹⁵Farei que não escutes mais os sarcasmos dos pagãos, e já não terás de suportar as afrontas dos povos, nem voltarás a deixar a tua nação sem filhos – oráculo do Senhor.

Castigo e reconciliação – ¹⁶O Senhor me dirigiu a palavra:

– ¹⁷Filho de Adão, quando a casa de Israel habitava em sua terra, a contaminou com sua conduta e com suas más obras; para mim, seu proceder foi como sangue imundo. ¹⁸Então derramei minha cólera sobre eles, por causa do sangue que haviam derramado no país e por tê-lo contaminado com seus ídolos. ¹⁹Espalhei-os pelas nações e vagaram dispersos pelos países; eu os julguei segundo seu proceder

---

cumpriram, e o delito dos lugares altos está expiado (o termo "lugar alto" é mencionado aqui, mas sem a conotação pecaminosa). Agora soou a hora da misericórdia e da lealdade.

36,5 Um glosador, para ligar este texto com o capítulo precedente, acrescentou "e todo Edom" depois de "resto das nações".

36,8 Como outrora o Senhor preparava uma terra para um povo que vinha do Egito (Dt 6,10-11), assim agora prepara um país fértil para o seu povo que retorna.

36,9 O gesto do Senhor que volta o rosto para os montes é o começo das bênçãos: campos de novo semeados, cidades reconstruídas.

36,13-15 Novo oráculo com outro ponto de vista. A hostilidade brotou da mesma terra, devoradora de homens (Nm 13,12). Na metáfora pode soar a imagem do sepulcro (Nm 16,32), das fauces do *Xeol* (Is 5,14). Terra de enterrar e não de colher.

36,16-38 Grande oráculo de restauração apoiada na renovação da aliança. Estamos acostumados a reconhecer o esquema de aliança em três peças: um prólogo histórico de benefícios divinos, a oferta e aceitação com as cláusulas ou estipulações, bênçãos e maldições condicionadas. Pois bem, a presente aliança nos oferece algumas surpresas.

Em primeiro lugar, a *história* precedente: não é um povo oprimido, que comove o Senhor misericordioso; é um povo ingrato, rebelde, teimoso. Tem de ser outra a força que induz a nova ação do Senhor, e será seu nome ou fama: não será uma liturgia penitencial (Sl 50-51), nem um rito de expiação (Lv 16), nem o clamor do povo (Jz 10).

Em segundo lugar, a *assinatura* da aliança. O Senhor poderia ter rejeitado definitivamente o povo e escolhido outro para começar de novo (cf. Ex 32,10). Teria sido melhor? O Senhor escolhe outra solução: transformar radical e internamente o povo, de modo que, renovado, responda à aliança renovada. Mas o povo não poderá doravante gloriar-se, nem atribuir a seus méritos os dons de Deus. Será sempre "o perdoado" e deverá ser consciente disso.

Profanar e santificar o nome. Nome pode equivaler a bom nome, fama. Com suas proezas em favor de inocentes oprimidos, o Senhor dá crédito à própria fama, "santifica seu nome". Castigando um povo pecador, também dá crédito à sua própria fama (20,41; Eclo 36,4); os desterrados mostram com sua conduta que o Senhor é um Deus exigente. Mas pode acontecer o contrário: que apareça como um Deus impotente (Nm 14,16), que escolheu mal, que se cansou (Is 40,27-28); assim se desacredita a sua fama, se "profana o seu nome" (22,16). Pois bem, o Senhor se manifesta pelo seu bom nome, revelando sua misericórdia gratuita, sua lealdade aos compromissos, sua capacidade de perdoar e transformar.

36,17 A terminologia é cultual: Lv 15,19-24; 18,27s; Dt 21,22s.

e suas más obras. ²⁰Ao chegar às diversas nações, profanaram meu santo nome, pois diziam deles: "Estes são o povo do Senhor, tiveram de sair de sua terra". ²¹Então senti pena de meu nome santo, profanado pela casa de Israel nas nações para onde foi. ²²Por isso, dize à casa de Israel:

Isto diz o Senhor: Não o faço por vós, casa de Israel, mas por meu santo nome, profanado por vós nas nações para onde fostes. ²³Mostrarei a santidade do meu nome ilustre profanado entre os pagãos, que vós profanastes no meio deles, e saberão os pagãos que eu sou o Senhor – oráculo do Senhor – quando eu lhes mostrar minha santidade em vós. ²⁴Eu vos recolherei pelas nações, vos reunirei de todos os países e vos levarei à vossa terra. ²⁵Eu vos aspergirei com água pura que vos purificará: de todas as vossas imundícies e idolatrias vos purificarei. ²⁶Eu vos darei um coração novo e vos infundirei um espírito novo; arrancarei de vossa carne o coração de pedra e vos darei um coração de carne. ²⁷Eu vos infundirei meu espírito e farei que caminheis segundo meus preceitos e que cumprais meus decretos, pondo-os em prática. ²⁸Habitareis na terra que dei a vossos pais; vós sereis meu povo e eu serei vosso Deus.

²⁹Eu vos livrarei de vossas imundícies, chamarei o trigo e o tornarei abundante, e não vos deixarei passar fome; ³⁰tornarei abundantes os frutos das árvores e as colheitas dos campos, para que os pagãos não vos insultem, chamando-vos de "mortos de fome". ³¹Ao lembrar-vos de vossa perversa conduta e de vossas ações más, sentireis nojo de vós mesmos por causa de vossas culpas e abominações. ³²Sabei-o bem, não o faço por vós – oráculo do Senhor –; envergonhai-vos e corai por causa de vossa conduta, casa de Israel.

³³Isto diz o Senhor: Quando vos purificar de vossas culpas, farei que as cidades sejam repovoadas e as ruínas reconstruídas. ³⁴Voltarão a lavrar a terra assolada, depois de ter estado baldia à vista dos passantes. ³⁵Dirão: Esta terra desolada parece um paraíso, e as cidades arrasadas, desertas, destruídas, são praças-fortes habitadas. ³⁶E os povos que ficarem ao vosso redor saberão que eu, o Senhor, reedifico o que foi destruído e planto o que foi arrasado. Eu, o Senhor, o digo e o faço.

³⁷Isto diz o Senhor: Eu deixarei que a casa de Israel me suplique, e lhe concederei isto: multiplicarei sua população como um rebanho. ³⁸Como rebanho de ovelhas consagradas, como ovelhas em Jerusalém durante a festa, assim transbordarão de gente as cidades arrasadas. E saberão que eu sou o Senhor.

37 Os ossos e o espírito (Is 26,14-19)

– ¹A mão do Senhor se apoiou sobre mim, e o Senhor me levou em espírito,

---

36,25-27 Em forma de promessa, soa a resposta ao pedido do Salmo 51: o lavar interior (cf. Nm 19, o coração novo, o espírito santo). A mudança interior tornará possível e real o cumprimento dos mandamentos. Compare-se com Jr 31,31-34 e Rm 8,3. Não basta curar um coração doente (Is 1,5), é preciso um transplante espiritual.

36,28 A fórmula da aliança, tantas vezes desmentida pelo povo, soará com verdade plena.

36,29 Ver Os 1,23s.

36,31-32 Ver o comentário a 16,61-63.

36,33-36 Bênção clássica de campos e cidades.

36,35 Ver Gn 13,10; Is 51,3.

36,37-38 Depois da fórmula conclusiva do versículo 36, soam como acréscimo. Ter Deus acessível desfaz a maldição dos capítulos 14 e 20 e sintetiza as boas relações do povo com seu Deus.

37,1-14 Eis aqui uma das páginas mais famosas de Ezequiel. É uma *visão* com sua consequente explicação. Na visão – como nos sonhos – o profeta é espectador e ator: uma voz lhe dá ordens e ele as executa "profetizando" = conjurando. Dois seres elementares ocupam a visão: os *ossos* e o *vento*. Os ossos humanos secos são o árido, o inerte, ainda não pó e quase mineral. O vento = aliento = espírito é o elemento cósmico – quatro ventos –, o carisma do profeta, a vida universal. Quem poderá mais? Conjurado pelo profeta, o vento (= aliento) desencadeia seu dinamismo, transforma primeiro os ossos em cadáveres orgânicos, depois os cadáveres em seres viventes. O esquema de Gn 2,2 funciona com outros fatores; ver também Jó 10,9-11.

Observemos o eixo das dimensões *horizontal* e *vertical*. O vale é o profundo e horizontal, talho de terra dos vivos que se aproxima do reino dos mortos; na horizontal ao rés do chão se espalham e jazem os ossos; na horizontal ainda, juntam-se os ossos. A carne inicia a "subida"; no final, os vivos são inumeráveis, de pé. Esta visão fantástica se aproxima do mistério radical da existência humana, *a morte e a vida*. Quem poderá mais? Quem ganhará a última batalha? – Aquele que dá e controla o aliento (Sl 104,29-30), o Deus da vida. *Explicação*. O próprio profeta explica o significado da sua visão, respondendo a uma queixa do povo: os ossos secos são os desterrados em Babilônia, a sua volta à vida é o retorno à pátria. O profeta não compreendeu o alcance da visão; preocupado com o problema imediato e não contando com uma vida

deixando-me num vale totalmente cheio de ossos. ²Ele fez que eu os passasse em revista: eram muitíssimos os que havia na concha do vale; estavam ressequidos. ³Então ele me disse:

– Filho de Adão, poderão esses ossos reviver?

Respondi:

– Tu o sabes, Senhor.

⁴Ele me ordenou:

– Profetiza assim a esses ossos: Ossos ressequidos, escutai a palavra do Senhor. ⁵Isto diz o Senhor a esses ossos: Vou infundir em vós espírito para que revivais. ⁶Enxertarei tendões em vós e vos farei criar carne; esticarei sobre vós a pele e vos infundirei espírito para que revivais. Assim sabereis que eu sou o Senhor.

⁷Profetizei o que me fora mandado, e enquanto profetizava, ressoou um trovão, a seguir houve um terremoto, e os ossos se juntaram, osso com osso. ⁸Vi que estavam cobertos de tendões, que haviam criado carne e tinham a pele esticada; mas não tinham alento.

⁹Então ele me disse:

– Profetiza ao alento, profetiza, filho de Adão, dizendo ao alento: Isto diz o Senhor: Vem, alento, dos quatro ventos, e sopra nestes cadáveres para que revivam.

¹⁰Profetizei o que me fora mandado. Penetrou neles o alento, reviveram e se puseram de pé: era uma multidão imensa.

¹¹Então me disse:

– Filho de Adão, esses ossos são toda a casa de Israel. Aí os tens, dizendo: Nossos ossos estão ressequidos, nossa esperança se apagou; estamos perdidos. ¹²Por isso profetiza, dizendo-lhes: Isto diz o Senhor: Vou abrir vossos sepulcros, vou tirar-vos de vossos sepulcros, povo meu, e vou levar-vos à terra de Israel. ¹³Sabereis que eu sou o Senhor, quando eu abrir vossos sepulcros, quando vos tirar de vossos sepulcros, povo meu. ¹⁴Infundirei meu espírito em vós para que revivais, e vos estabelecerei em vossa terra, e sabereis que eu, o Senhor, digo e faço – oráculo do Senhor.

As duas varas (Is 11,10-16; 34,23s) – ¹⁵O Senhor me dirigiu a palavra:

– ¹⁶E tu, filho de Adão, pega uma vara e escreve nela "Judá"; pega depois outra vara e escreve nela "José". ¹⁷Junta uma com a outra, de modo que formem uma só vara e fiquem unidas em tua mão. ¹⁸E quando teus compatriotas te perguntarem: "Explica-nos o que queres dizer", ¹⁹responde-lhes:

Isto diz o Senhor: Vou pegar a vara de José e juntá-la com a vara de Judá, de modo

---

depois da morte, encurtou a validade acelerada do símbolo.

Mas o poeta Ezequiel criou um *símbolo* que ultrapassa a intenção imediata do autor. Descendo a uma visão biológica da morte, remontando a temas da criação, trabalhando com o elemento dinâmico do vento-alento, deu expressão às ânsias mais radicais do homem, à mensagem mais gozosa da revelação. Superada a conjuntura histórica e aberto ao horizonte da ressurreição, os cristãos leem nesta página de Ezequiel uma mensagem de Páscoa.

37,1 Dados já conhecidos: a mão (1,3; 3,22; 8,1 etc.), o espírito (11,24), a planície (3,22).

37,2 A pergunta do Senhor é um desafio; o profeta se refugia na ignorância confessa.

37,4 É incomum que os ossos "escutem" a palavra de Deus; não a escutaram os vivos...

37,9 A plenitude do alento converge dos quatro pontos cardeais: ver Is 11,2.

37,11 Para a metáfora dos ossos, ver Sl 31,11; 51,10; Pr 17,22.

37,12-14 Funciona em chave nova o esquema clássico do êxodo: tirar-levar.

37,15-28 A divisão do povo em dois reinos, Israel e Judá, tragicamente consumada na morte de Salomão, pesou sobre a consciência de muitos. Guerra de irmãos, divisão do culto e interesses políticos consolidaram a divisão, tornando-a mais amarga.

Agora um duplo desterro parece ter irmanado na desgraça os membros divididos do mesmo povo. Não pode haver restauração plena sem reconciliação e unificação do dividido (Jr 30,3s; 31,27.31). As tentativas de Ezequias e Josias não bastaram, o próprio Senhor realizará o milagre, e o profeta o anuncia numa ação simbólica.

a) A palavra predominante é "um": no princípio como artigo indefinido (quatro vezes), depois como locução adverbial ou adjetivo "um só, único" (sete vezes). A unidade se consuma na mão do profeta e na de Deus, porque as varas são duas, e é a pressão da mão divina que as mantém unidas. Embora não o chame "único", também o santuário, "o meu santuário entre eles", será um fator eficaz de unidade.

b) Davi tinha sido o criador da unidade das tribos sob um rei único. Na futura nação voltará a reinar um novo Davi, e sua herança continuará unida para sempre. É o pastor do qual tinha falado no cap. 34.

c) Na parte final, repete cinco vezes a expressão "para sempre", ligada a temas da aliança e da monarquia e a promessas patriarcais, terra e fecundidade. Nos caps. 40-48, esses dados são desenvolvidos minuciosamente. Algumas glosas deslizaram nos versículos 16 e 19.

37,16 Usa o nome de José para o reino do Norte, porque reserva o de Israel para a comunidade ideal unificada. Pode-se comparar com 1Rs 11,30-36.

que formem uma só vara e fiquem unidas em minha mão.

²⁰Pega na mão as varas escritas e, mostrando-as, ²¹dize-lhes:

Isto diz o Senhor: Eu vou recolher os israelitas das nações para onde partiram, vou congregá-los de todos os lugares e vou repatriá-los. ²²Farei deles um só povo em seu país, nos montes de Israel, e um só rei reinará sobre todos eles. Não voltarão a ser duas nações nem desmembrar-se em duas monarquias. ²³Não voltarão a contaminar-se com seus ídolos e fetiches e com todos os seus crimes. Eu os livrarei de seus pecados e prevaricações, e os purificarei: eles serão meu povo e eu serei seu Deus. ²⁴Meu servo Davi será seu rei, o único pastor de todos eles. Caminharão segundo meus decretos e cumprirão meus preceitos, pondo-os em prática. ²⁵Habitarão na terra que dei a meu servo Jacó, na qual habitaram vossos pais; aí viverão para sempre, eles e seus filhos e seus netos, e meu servo Davi será seu príncipe para sempre. ²⁶Farei com eles uma aliança de paz, aliança eterna farei com eles. Eu os estabelecerei, os multiplicarei, e porei entre eles meu santuário para sempre; ²⁷terei minha morada junto a eles, eu serei seu Deus e eles serão meu povo. ²⁸E as nações saberão que eu sou o Senhor que consagra Israel, quando meu santuário estiver entre eles para sempre.

ORÁCULOS CONTRA GOG

38 Contra Gog: Escatologia (Is 24-27; 34; Jl 3-4; Ap 20,8-9) – ¹O Senhor me dirigiu a palavra:

–²Filho de Adão, confronta-te com Gog, chefe e caudilho de Mosoc e Tubal, e profetiza assim contra ele:

37,28 Como o Senhor está no meio do seu povo, Israel está no meio das nações, e por isso é mediador de revelação, órgão da presença universal do Senhor no mundo e na história.

38-39 Contra Gog. Escatologia (Is 24-27; 34-35; 65-66; Jl 3-4; Zc 14). Chamamos escatologia um gênero tardio, que se ocupa da etapa final da história e da era definitiva. Formam o seu esqueleto um julgamento de castigo e salvação e a instauração da nova ordem.
Deus é o protagonista, *juiz* e rei. Na terra se enfrentam dois personagens coletivos. O inimigo, que pode ter um nome histórico com valor simbólico (Moab, Edom) ou fictício (Gog), ou toma a figura de um monstro mitológico (Leviatã). O outro personagem é o "resto" purificado do povo eleito.
O *julgamento*. O inimigo é chamado a comparecer. O juiz enuncia as acusações e pronuncia a sentença; a execução pode ser acompanhada de teofania cósmica. A culpa se sintetiza em duas categorias: agressão contra o povo indefeso, e contra Deus a arrogância, pretendendo ser protagonista da história. A pena pode utilizar elementos heterogêneos: espada, fogo, peste; pode atingir o exército e o território. Uma variante consiste em atrair o exército inimigo para derrotá-lo e aniquilá-lo no território do Senhor. No momento da execução, o inimigo reconhece a soberania do Senhor.
O *resto* do povo pode ser submetido a nova purificação. Depois, formará o novo reino do Senhor e receberá as bênçãos da restauração. O centro do reino será Jerusalém, cidade do templo. Com alegria, o povo renovado reconhecerá o Senhor.
A técnica de desenvolvimento e composição é bastante livre e variável. A seguinte pode ser esquematizada em pequenas etapas:
38,1-9 *Fala o Senhor como protagonista da história;*
38,10-12 *fala Gog com pretensões de protagonista;*
38,13 *coro de povos espectadores.*
38,14-16 *Fala Deus, resumindo e preparando a sentença.*
38,18-23 *Castigo acompanhado de teofania cósmica;*
39,1-5 *derrota de Gog em território de Israel,*
39,6-8 *e no seu território.*
39,9-10 *Depois da derrota: recolhimento de armas como lenha,*
39,11-16 *enterro e limpeza do país,*
39,17-20 *banquete das feras.*
39,21-24 *Restauração: purificação do desterro;*
39,25-29 *promessa e reconhecimento.*
Lugar no livro. Embora algumas peças possam ser originais de Ezequiel ou de um discípulo imediato, o conjunto é de autor posterior. A escatologia foi separada dos oráculos contra as nações (25-32) ao apresentar a segunda atividade do profeta (33-37); precede imediatamente o amplo quadro da restauração (40-48).

38,1-9 O nome de Gog parece ser ficção; falhou qualquer tentativa de identificação. Sobre Mosoc e Tubal, ver 27,13; 32,26.
Esta primeira parte coloca os dados essenciais, começando de repente no momento em que Deus intervém, anunciando o seu plano; aparentemente, um recrutamento do exército aliado. Daí um olhar para trás, para ver o povo judeu no desterro e na volta. Depois, um olhar para o futuro, que é a grande demora regulada por Deus: tudo preparado e esperando até que o Senhor dê a ordem de avançar. Nesse momento o imenso exército se erguerá e avançará como nuvem. O conjunto é uma visão do alto, da altura de Deus, criando tensão entre a expectativa dramática e a segurança controlada. A nuvem se abate sobre um povo indefeso, a mão do Senhor domina todo o conjunto dos acontecimentos.

³Isto diz o Senhor: Aqui estou contra ti, Gog, chefe e líder de Mosoc e Tubal; ⁴eu te farei mudar de rumo e te porei argolas na mandíbula; farei que saias à luta, tu e todo o teu exército: cavalos e cavaleiros, todos bem equipados, uma milícia imensa, com escudos e adargas, todos empunhando a espada. ⁵Pérsia, Cuch e Fut vão com eles, todos com escudos e elmos. ⁶Gomer e todas as suas tropas; Bet-Togorma, o norte distante, com todas as suas tropas; tropas inumeráveis te seguem. ⁷Em pé de guerra, prepara-te, com toda a milícia que recrutaste, mantendo-os alerta! ⁸Depois de muito tempo te passarão em revista; ao terminar os anos, invadirás uma nação resgatada da espada, reunida de muitos países nos montes de Israel, que foram deserto perene. Foram tirados dentre os povos e habitam todos confiados. ⁹Mas tu te levantarás como borrasca, avançarás como nuvens até cobrir o país. Tu, com todas as tuas tropas e incontáveis tropas aliadas.

¹⁰Isto diz o Senhor: Naquele dia terás pensamentos e planejarás planos perversos: ¹¹"Invadirei um país aberto e atacarei o povo pacífico que habita tranquilo em cidades sem muralhas, sem ferrolhos e sem portas; ¹²para saquear e levantar-me com os despojos, para estender a mão para as ruínas repovoadas. Atacarei um povo recolhido dentre as nações, que se dedica ao rebanho e às propriedades e habita no umbigo do mundo". ¹³Sabá e Dadã, os mercadores de Társis e todos os seus traficantes te dirão: "Vieste saquear? Recrutaste tua milícia para te levantar com os despojos; para roubar prata e ouro, para arrebatar gado e propriedades, para te levantar com ricos despojos?"

¹⁴Pois bem, filho de Adão, profetiza contra Gog:

Isto diz o Senhor: Naquele dia, quando meu povo Israel habitar tranquilo, tu despertarás ¹⁵e virás do teu território, do norte distante, com tropas aliadas incontáveis, todos montados a cavalo, uma grande milícia, um exército imenso, ¹⁶e atacarás meu povo Israel, como nuvens, até cobrir o país. No fim dos anos, eu te trarei contra meu país, para que as nações me reconheçam, ao verem minha santidade atuando sobre ti, Gog.

¹⁷Isto diz o Senhor: Tu és aquele de quem falei antigamente por meio de meus servos, os profetas de Israel; já então profetizaram durante anos que eu te traria contra eles. ¹⁸Naquele dia, quando Gog invadir a terra de Israel – oráculo do Senhor –, brotarão minha cólera e minha indignação. ¹⁹No fogo de minha fúria e em minha paixão eu juro: naquele dia haverá um grande terremoto na terra de Israel, ²⁰tremerão diante de mim os peixes do mar e as aves do céu, os animais selvagens e os répteis do solo e todos os homens da superfície da terra. As montanhas desmoronarão, as rochas íngremes cairão e as muralhas ruirão. ²¹Chamarei contra ele a espada –

38,3 Os combatentes são o exército aliado e o Senhor único. A fórmula de desafio é corrente em oráculos contra nações pagãs: Is 13,17; Jr 50,31; Na 3,5 etc.

38,4 Em Is 37,29 o Senhor leva Senaquerib à força para a sua terra; aqui traz Gog aos montes de Israel.

38,5-6 É uma aliança universal contra um povo minúsculo; ver o desenvolvimento narrativo de Jt.

38,8 O verbo hebraico *pqd* significa passar em revista e também pedir contas. A ambiguidade parece proposital e irônica: primeiro, o Senhor passa em revista um exército que, sem o saber, está às suas ordens; segundo, o vem trazendo para que compareça ao julgamento.

38,9 A imagem evoca uma teofania (cf. Is 19,1). De fato, é o poder de Deus que avança nesse exército, conduzindo-o à derrota.

38,10-16 Os planos humanos contrastam com os de Deus (Is 10,5-12), e a estes se subordinam sem querer (cf. Sl 33).

38,11 Ver Jr 49,30s e Zc 2,8s.

38,12 O umbigo do mundo é o lugar onde está preso o cordão umbilical que une a terra com o céu: Babilônia, Siquém (Jz 9,37), Roma...

38,13 Não é claro o tom do comentário, zombaria irônica ou esperança diligente. À luz do cap. 26, parece mais provável o segundo.

38,14-16 Retrocede e repete para tomar distância. Recolhe o tema de Is 14,26-27 e o coloca em perspectiva escatológica.

38,17 Esta frase, ao reunir e situar os profetas no passado, trai o caráter tardio da composição.

38,19-22 A colossal teofania é ao mesmo tempo sentença e execução. Diante do exército aliado de muitas nações, o Senhor mobiliza o exército de suas potências cósmicas destruidoras (Eclo 39,28-31 e Sb 5,17-23).

38,19b-20 A descrição do terremoto se impõe pela amplitude do horizonte e pelas dimensões gigantescas; compare-se com Is 13,13; 24,1.4.19-20; Jr 51,29.

38,21 Espada, símbolo da guerra: Is 34,5-6; 66,16; Mq 5,5. Guerra civil ou confusão de um exército desbaratado: Is 9,18s; Zc 14,13; 2Cr 22-24.

oráculo do Senhor –, e a espada de cada um se voltará contra seu irmão. ²²Pleitearei com ele com peste e com sangue; farei que chovam trombas d'água e granizo, fogo e enxofre sobre ele, suas tropas e suas incontáveis tropas aliadas. ²³Mostrarei minha grandeza e minha santidade e me darei a conhecer a muitas nações, e saberão que eu sou o Senhor.

39

¹E tu, filho de Adão, profetiza assim contra Gog:

Isto diz o Senhor: Aqui estou contra ti, Gog, chefe e caudilho de Mosoc e Tubal. ²Eu te farei voltar e te conduzirei, eu te levantarei no norte distante e te levarei aos montes de Israel. ³Eu tirarei teu arco da mão esquerda e as flechas cairão da mão direita. ⁴Tu cairás nos montes de Israel com todas as tuas tropas e com as tropas que vêm contigo. Eu te darei como pasto a todas as aves de rapina e às feras selvagens. ⁵Cairás em campo aberto, pois eu o disse – oráculo do Senhor. ⁶Enviarei fogo contra Magog e contra os que habitam tranquilos nas ilhas, para que saibam que eu sou o Senhor. ⁷Darei a conhecer meu nome santo no meio de meu povo Israel; já não profanarei meu nome santo, e as nações saberão que eu sou o Senhor, o Santo de Israel. ⁸Olha que chega, que acontece – oráculo do Senhor –: é o dia que eu predisse.

⁹Sairão os habitantes das cidades de Israel e pegarão as armas e as queimarão: arco e flechas, adarga e escudo, dardo e lança; farão fogo com eles durante sete anos. ¹⁰Não terão de catar lenha do monte, nem terão de cortá-la nos bosques, pois farão fogo com as armas. Saquearão seus saqueadores e despojarão os que os despojavam – oráculo do Senhor.

¹¹Naquele dia darei a Gog um mausoléu, um sepulcro em Israel: o vale de Oberim, a leste do mar Morto, fechará a passagem aos caminhantes. Aí enterrarão Gog com toda a sua tropa, e lhe darão o nome de Gue-Hamon* de Gog. ¹²A casa de Israel os enterrará para limpar o país, e demorarão sete meses. ¹³Entre todos os do país os enterrarão, e o dia em que eu me cobrir de glória será memorável para eles – oráculo do Senhor. ¹⁴Destacarão patrulhas que se dedicarão a rastrear o país para enterrar os que ainda estiverem na superfície da terra, para limpar o país. Passados sete meses, farão a inspeção. ¹⁵O rastreador que, percorrendo o país, vir um osso humano, plantará junto a ele um poste, até que os coveiros o enterrem ¹⁶no Gue-Hamon de Gog, e deixem limpo o país.

¹⁷E tu, filho de Adão, isto diz o Senhor: Dize às aves de toda plumagem e às feras selvagens: Reuni-vos e congregai-vos, vinde de todos os lugares para o banquete que vos preparei, um banquete colossal

---

38,22 A teofania é julgamento e combate, ou também ação militar como execução da sentença.

39,1-16 O poeta retorna à imagem de um combate singular para introduzir o novo tema: a derrota em território israelita e suas colossais consequências sobre armas e cadáveres. A descrição é minuciosa, hiperbólica. O território, que serve primeiro de cenário para a derrota definitiva, depois há de ficar purificado, limpo de tudo o que o contamina: as armas que destroem a paz, os cadáveres que negam a vida.

39,4 Inspirado em Is 14,25-27.

39,6 Muitos consideram Magog como nome do território de Gog. Em tal interpretação, a derrota do exército no país invadido é completada com o ataque ao país de origem. A operação arrasta dados convencionais medianamente integrados, p. ex. o fogo, que, segundo Am 1-2, se espalha nas cidades; também as ilhas ou litoral não mencionados antes no exército dos aliados.

39,7-8 A ação em Israel e sobre Israel revelará a justiça e o poder do Senhor, ofuscados na etapa precedente, a hora do inimigo.

39,9-10 Destruição das armas, inspirada em Is 9,4 e Sl 46,10, apresentada aqui em forma original e enfática.

39,11-16 A simples proximidade de um cadáver contamina: Lv 21,1-11; Nm 19; Eclo 34,25; quanto mais o número ingente de caídos "na superfície da terra". Compare-se com a visão dos ossos do capítulo 37. O texto hebraico fala de "mausoléu", designação irônica – não como os nossos cemitérios clandestinos do regime de exceção. Ficará fora do território de Israel, ocupará um vale inteiro e impedirá a passagem dos transeuntes. Compare-se com os sepultamentos de Js 7,26 e 10,27. * = Vale-da-Horda.

39,17-20 Terceiro tema, o banquete das feras, segundo a tradição de 1Sm 17,44-46; Jr 7,33; Sl 79,2 etc. A rigor, deveria preceder o segundo; antes, a carne dos cadáveres é devorada por animais selvagens, depois os ossos são recolhidos e enterrados. A ideia é irônica, como se o Senhor oferecesse um banquete cultual invertendo a relação animal/homem: vítimas culpadas para animais selvagens; ver Is 34; Jr 12,9; Sf 1,7. Além disso, os títulos honoríficos de chefes (Carneiros, Bezerros) são interpretados em sentido literal cômico.

nos montes de Israel. Comereis carne e bebereis sangue: ¹⁸comereis carne de heróis e bebereis sangue de cavaleiros da terra; eles serão os carneiros, cordeiros e bodes, os bezerros e cevados de Basã. ¹⁹Comereis gordura até saciar-vos e bebereis sangue até embriagar-vos: é o banquete que vos preparei. ²⁰Em minha mesa, vos fartareis de corcéis e cavaleiros, de heróis e guerreiros – oráculo do Senhor.

²¹Mostrarei minha glória às nações: todas as nações verão o julgamento que faço neles e a mão que o executa. ²²A partir daquele dia a casa de Israel saberá que eu sou o Senhor seu Deus. ²³E as nações saberão que a casa de Israel foi deportada por sua culpa, por ter-se rebelado contra mim; por isso lhes ocultei meu rosto, os pus nas mãos de seus adversários, e caíram todos pela espada. ²⁴Tratei-os conforme mereciam sua imundície e seus delitos, ocultando-lhes meu rosto. ²⁵Portanto, assim diz o Senhor: Agora mudo a sorte de Jacó, tenho piedade da casa de Israel e zelo por meu santo nome. ²⁶Carregarão sua ignomínia e sua deslealdade contra mim quando habitarem seguros em sua terra, sem sobressaltos, ²⁷quando eu os fizer regressar das nações e os recolher dos países hostis e mostrar neles minha santidade à vista de muitos povos. ²⁸Saberão que eu sou o Senhor, e se os deportei entre os pagãos, agora os reúno em sua terra, sem excluir ninguém. ²⁹Não voltarei a ocultar-lhes meu rosto, eu que infundi meu espírito na casa de Israel – oráculo do Senhor.

Novo templo e nova terra

40 **O novo templo** (Ex 25-31; 35-40; 1Rs 6-7) – ¹No vigésimo quinto ano

---

39,21-29 Numa escatologia, é normal terminar com a instauração do novo reino, feliz e maravilhoso. No seu lugar, lemos um fragmento que nos transfere a simples promessas de repatriamento. O resultado é ambíguo: ou a escatologia restringe no final o seu horizonte, ou a restauração se abre à escatologia. Em ambos os casos é importante vê-las na sua relação recíproca. O desenvolvimento é uma história retrospectiva em duas etapas, desterro e repatriamento, ambas justificadas como castigo e reconciliação.

Israel de fato "reconhecerá" o Senhor como seu Deus, e as nações pagãs o reconhecerão como Senhor da história.

39,26 "Carregarão", como em 16,61-63 e 20,43; outros leem "esquecerão", semelhante a Is 25,8.

39,28 "Ninguém", ver Is 27,12.

39,29 Com o dom do espírito e a validade definitiva, a escatologia se abre a um horizonte sem limites.

Novo templo e nova terra

No livro do Êxodo deparamos com dois blocos referentes ao santuário: mandato e execução. A ficção literária situa tudo no deserto, de sorte que a tenda móvel dos nômades abriga e transporta a mobília do templo de Jerusalém. A teologia do templo, morada de Deus, ganha muita importância ao longo da história.

Enquanto sacerdote que oficiou no templo, Ezequiel partilha essa mentalidade. Para ele, se o desterro se consuma quando a glória do Senhor abandona seu templo, a restauração ficará formalmente inaugurada quando a glória voltar ao seu lugar. Por isso, 43,1-11, texto original do profeta, é o momento culminante destes capítulos. Mas o templo tinha sido destruído e tem de ser reconstruído: 40-42 tentam dar uma visão literária do novo templo. Mas o templo tem seus ministros, seu culto e solenidades: aproximadamente, o tema de 44-46. A morada do Senhor focaliza o território eleito: 47-48 descrevem a divisão e partilha da terra. E assim, o acontecimento transcendental fica literariamente submerso em páginas de sabor geométrico. Como se um arquiteto e um agrimensor tivessem tomado a pena para honrar o seu saber o Senhor que retorna. Comparem-se estes capítulos com os do Segundo Isaías, e teremos os dois polos opostos.

O arquiteto está mais atento à planta que à execução; a geometria não se rebela. Por outro lado, o agrimensor prescinde da configuração do terreno, como se a Palestina fosse um quadro liso e quadrado, sobre o qual se traçam linhas retas. As complicadas trajetórias dos limites de Josué são sacrificadas à pura geometria.

Contudo, o resultado final não é exato; provavelmente o texto sofreu acréscimos e correções não bem integradas. Há outras incoerências ou variações: descrição em ação e estática, anúncios e ordens. Nada estranho num texto amplo.

Deparamos com uns capítulos medianamente claros e bastante áridos. Temos de contrabalançá-los com salmos que exprimem o amor e a dor pelo templo: 42-43; 48,13-15; 75; 79; 84. A visão final deste livro alimentou o simbolismo do Apocalipse, e tal simbolismo influiu secularmente na arquitetura cristã.

40,1 * É o mês de abril de 573.

40,1-49 Deve-se imaginar o templo como um recinto quadrado de quinhentos côvados de lado, e as portas como as de castelos medievais: corredores com guaritas laterais. Suponhamos que alguém entra pelo oriente. Sobe umas escadas, passa por uma porta, atravessa outro corredor de vinte e cinco metros, passa por outra porta e se encontra no grande átrio externo. Vai em frente: a cem côvados encontra outro muro, sobe outra escada, cruza outro corredor, passa por outra porta e se encontra no átrio interno. À frente vê elevar-se uma escadaria e um altar; rodeia-o por um lado, e na outra extremidade desse pátio descobre uma escada pela qual se tem acesso a um edifício, no qual só podem entrar pessoas autorizadas. Esse edifício retangular

de nossa deportação, no dia dez do mês, dia de ano novo, no décimo quarto ano da queda da cidade*, nesse mesmo dia pousou sobre mim a mão do Senhor, ²e Deus me levou em êxtase à terra de Israel, deixando-me num monte muito alto, em cujo topo se erguia uma construção gigantesca com traços de fortaleza. ³Levou-me para lá e vi junto à porta um homem que parecia de bronze: tinha na mão um cordel de linho e uma vara de medir. ⁴Este homem me disse:

— Filho de Adão, olha e escuta atentamente, presta atenção no que vou te mostrar, pois foste trazido aqui para que eu te mostre. Anuncia à casa de Israel tudo o que vires.

⁵Uma muralha cingia todo o perímetro do templo. A vara de medir que o homem levava na mão era de seis côvados (côvado maior, de côvado e palmo)*. A muralha media três metros de espessura por três metros de altura.

⁶Entrou pela porta oriental: subiu os degraus e se pôs a medir. ⁷O umbral da porta media três metros de fundo; as guaritas, três metros de comprimento por três de largura; ⁸as divisórias, dois metros e meio; o umbral interno da porta contígua ao vestíbulo, três metros. ⁹O vestíbulo da porta media quatro metros; as jambas, um metro; o vestíbulo estava no fundo. ¹⁰A porta oriental tinha três guaritas de cada lado, todas com as mesmas dimensões. As pilastras de ambos os lados tinham também as mesmas dimensões. O vão da porta tinha cinco metros de bandeira. ¹¹O corredor da porta media um metro e meio de largura. ¹²As guaritas tinham em sua embocadura um parapeito de meio metro. ¹³As guaritas mediam três metros de lado. Seção transversal da porta, do começo do teto de uma guarita até o remate do teto da guarita de frente, doze metros e meio. ¹⁴Os vãos das guaritas caíam frente a frente. O vestíbulo media dez metros e comunicava com o átrio. ¹⁵Seção longitudinal da porta, da fachada da entrada até a frente do vestíbulo interno, vinte e cinco metros. ¹⁶As guaritas de dentro da porta tinham ameias. Também o vestíbulo tinha ameias. As jambas do vestíbulo estavam ornamentadas com palmas.

¹⁷Depois me levou ao átrio externo, no qual havia trinta quartos. Um pavimento ladeava todo o átrio. ¹⁸O pavimento começava nas portas, e sua largura correspondia ao comprimento destes. ¹⁹É o pavimento inferior. O átrio, da frente da porta externa até a fachada da porta interna, media cinquenta metros.

²⁰Mediu também a porta setentrional do átrio externo no comprimento e na largura. ²¹Tinha as mesmas dimensões da porta anterior: vinte e cinco metros de comprimento por doze metros e meio de largura, com suas três guaritas de cada lado, suas pilastras e seu vestíbulo. ²²As ameias do vestíbulo e as palmas ornamentais tinham as mesmas dimensões que as da porta oriental. Tinha uma escada de sete degraus. O vestíbulo estava no fundo. ²³Pelo norte, como pelo leste, a porta do átrio interno caía diante da porta do átrio externo. Entre porta e porta havia uma distância de cinquenta metros.

²⁴Conduziu-me para o sul. Vi aí uma porta meridional. Suas pilastras e seu vestíbulo tinham as mesmas medidas das outras portas. ²⁵As guaritas e o vestíbulo da porta tinham ameias, iguais às das outras portas. A porta media vinte e cinco metros de comprimento por doze metros e meio de largura. ²⁶Tinha uma escada de sete degraus. O vestíbulo estava no fundo. ²⁷As jambas do vestíbulo estavam ornamentadas com palmas. O átrio interno tinha também uma porta olhando para o sul. Entre porta e porta havia uma distância de cinquenta metros.

²⁸Pela porta meridional levou-me ao átrio interno. Essa porta tinha as mesmas medidas das outras. ²⁹Suas guaritas, suas pilastras e seu vestíbulo tinham as mesmas medidas das outras portas. ³⁰A porta e seu

---

é o santuário; está dividido em um vestíbulo, uma nave chamada o Santo e um camarim chamado o Santíssimo. Compare-se com Ex 25-31 e 1Rs 7.
40,2 O êxtase ou arrebatamento é como o do capítulo 8. O monte altíssimo é o monte Sião poeticamente transfigurado, como em Is 2,2.

40,3 "De bronze", pela cor ou pela pele lustrosa.
40,4 A visão de Ezequiel será traduzida em oráculo profético.
40,5 * Simplificamos as medidas, reduzindo o côvado maior (518 mm) a meio metro.
40,30 * O texto está corrigido.

vestíbulo tinham ameias. A porta media vinte e cinco metros por doze metros e meio*. ³¹O vestíbulo comunicava com o átrio externo. Suas jambas estavam ornamentadas com palmas. Tinha um escada de oito degraus. ³²Levou-me ao átrio interno, na direção leste. Essa porta tinha as mesmas medidas das demais. ³³Suas guaritas, suas pilastras e seu vestíbulo tinham as mesmas medidas das outras portas. A porta e seu vestíbulo tinham ameias. A porta media vinte e cinco metros por doze metros e meio. ³⁴O vestíbulo comunicava com o átrio externo. Suas jambas estavam ornamentadas com palmas. Tinha uma escada de oito degraus. ³⁵Levou-me à porta setentrional, que tinha as mesmas medidas das demais. ³⁶Suas guaritas, suas pilastras e seu vestíbulo tinham ameias. A porta media vinte e cinco metros por doze e meio. ³⁷O vestíbulo comunicava com o átrio externo. Suas jambas estavam ornamentadas com palmas. Tinha uma escada de oito degraus*.

⁴⁷O átrio central era um quadrado com cinquenta metros de lado. O altar estava situado em frente ao templo.

⁴⁸Levou-me ao vestíbulo do templo. As jambas mediam dois metros e meio. A entrada tinha sete metros de bandeira. Os flancos da porta mediam um metro e meio. ⁴⁹O vestíbulo media dez metros de largura por seis de fundo. Tinha uma escada de dez degraus. Junto às jambas havia colunas estreitas.

41

¹Levou-me à nave do templo. As jambas mediam três metros de espessura. ²A entrada tinha cinco metros de bandeira; os lados da entrada mediam dois metros e meio. A nave media vinte metros de comprimento por dez de largura. ³Penetrou no compartimento interno. As jambas da entrada mediam um metro. A entrada tinha três metros de bandeira. Os lados da entrada mediam três metros e meio. ⁴Esse compartimento media dez metros de comprimento por dez de largura. Então me disse: "Este é o Santíssimo".

40

³⁸Havia um quarto que comunicava com o vestíbulo da porta. Era o lavadouro das vítimas dos holocaustos. ³⁹De cada lado do vestíbulo da porta havia duas mesas destinadas à degolação das vítimas dos holocaustos e dos sacrifícios expiatórios e penitenciais. ⁴⁰Fora do vestíbulo, de cada lado da entrada da porta setentrional, havia duas mesas. ⁴¹Havia quatro mesas dentro da porta e outras quatro fora. As mesas destinadas à degolação eram oito ao todo. ⁴²ᵃAs quatro mesas para as vítimas dos holocaustos estavam construídas com pedras lavradas. Mediam setenta e cinco centímetros de comprimento por setenta e cinco de largura e cinquenta de altura. ⁴³ᵃAs sapatas que havia encravadas nas paredes mediam um palmo. ⁴²ᵇNelas se punham as ferramentas utilizadas para degolar as vítimas dos holocaustos [e do sacrifício]. ⁴³ᵇA carne das oferendas era posta nas mesas.

⁴⁴Conduziu-me ao átrio interno, onde havia duas salas: uma no lado da porta setentrional, olhando para o sul, e outra no lado da porta oriental, olhando para o norte. ⁴⁵Ele me disse:

– Essa sala voltada para o sul é para os sacerdotes que atendem ao serviço do templo; ⁴⁶e a sala voltada para o norte é para os sacerdotes que atendem ao serviço do altar, isto é, os sadocitas, escolhidos entre os levitas para servir ao Senhor.

41

⁵A parede do templo media três metros de espessura. As coxias anexas que cingiam o templo mediam dois metros de largura. ⁶As coxias estavam superpostas, formando três planos. A parede do templo tinha saliências nas quais se estribavam as vigas das coxias, que assim não eram encravadas na parede do templo. ⁷As coxias se tornavam mais largas à medida que se

---

40,37 * Os vv. 38-46 vêm depois de 41,4.
40,47 O altar está descrito em 43,13-17.
41,1-4 Ezequiel, como sacerdote, podia entrar até a nave do templo, mas não até o Santíssimo, cujo acesso era reservado exclusivamente ao sumo sacerdote no dia da expiação (Lv 16). O misterioso acompanhante e guia pode entrar, e de dentro indica o recinto e pronuncia solenemente o seu nome.
40,46 A razão de tal privilégio remonta a Salomão, segundo 1Rs 1.
41,17 Os querubins eram fantásticos seres mitológicos. Não sabemos se à palmeira eram atribuídas virtudes extraordinárias ou se era puramente decorativa.

subia, pois em cada plano ganhavam espaço do muro do templo. Do plano inferior se podia subir ao intermediário e ao superior.

⁸O templo estava ladeado por um parapeito. As coxias anexas tinham mais de uma vara de alicerces. O parapeito media três metros. ⁹A parede externa das coxias anexas media dois metros e meio de espessura. ¹⁰Entre as coxias anexas ao templo e os blocos de salas havia um solar de dez metros de largura ao redor do templo. ¹¹As coxias anexas comunicavam com este solar por amplos postigos, um ao norte e outro ao sul. Esse solar tinha uma parede de dois metros e meio de espessura.

¹²Contíguo a esse recinto, pelo lado ocidental, levantava-se um pavilhão de trinta e cinco metros de largura por quarenta e cinco de comprimento. A parede desse pavilhão media dois metros e meio de espessura. ¹³Comprimento total do templo, cinquenta metros. Comprimento do pavilhão, incluindo a espessura do muro e o recinto, cinquenta metros. ¹⁴Largura da fachada oriental do templo, incluindo o recinto, cinquenta metros. ¹⁵Largura do pavilhão contíguo ao recinto, pela parte de trás, cinquenta metros.

A nave do templo e o vestíbulo eram revestidos de madeira. ¹⁶Os peitoris das janelas eram chapeados de madeira. A parede era guarnecida de madeira desde o solo até as janelas; igualmente o reboco acima da porta. ¹⁷Nas paredes do Santíssimo e da nave havia painéis ornamentados com palmas e querubins alternando-se. ¹⁸Os querubins tinham dois rostos: ¹⁹um rosto humano olhando para a palma de um lado, e um rosto de leão olhando para a palma do outro lado. Todo o templo tinha essa ornamentação. ²⁰Do piso até o reboco de cima da porta, toda a parede estava ornamentada com querubins e palmas.

²¹A porta da nave tinha jambas quadradas. ²²Diante do santuário havia uma espécie de altar de madeira: media um metro e meio de altura por um de comprimento e um de largura; tinha ângulos salientes; sua base e suas paredes eram de madeira. Disse-me: "Esta é a mesa que está na presença do Senhor".

²³A porta da nave tinha duas folhas. ²⁴A porta do santuário tinha duas folhas. As folhas dessas portas eram giratórias. ²⁵Eram ornamentadas com querubins e palmas. Tinham a mesma ornamentação das paredes. Na fachada do vestíbulo havia um toldo de madeira. ²⁶As paredes laterais do vestíbulo e o toldo estavam ornamentados com querubins e palmas.

42

¹Fez-me sair para a parte setentrional do átrio externo e me conduziu a um bloco de salas situado diante do recinto e diante do pavilhão, ao norte. ²Media cinquenta metros de comprimento por vinte e cinco de largura, pelo lado norte. ³Levantava-se entre o recinto interno de dez metros e o parapeito do átrio externo. Tinha três galerias, uma sobre a outra. ⁴A fachada desse bloco dava para uma rua interna, de cinco metros de largura por cinquenta de comprimento. Esse bloco comunicava com a rua ao norte.

⁵As salas do piso superior eram menos amplas que as do piso inferior e intermediário, porque as galerias lhes roubavam espaço. ⁶Com efeito, o bloco constava de três planos, e não tinha colunas como as do átrio externo; por isso estava escalonado, com entrantes nos pisos intermediário e superior. ⁷Um muro de vinte e cinco metros de comprimento separava esse bloco de salas do átrio externo. ⁸O bloco do átrio externo media vinte e cinco metros de comprimento. Esse bloco caía em frente do outro e media cinquenta metros. ⁹Do átrio externo podia-se entrar nesse bloco de salas por uma porta que se abria ao leste, no começo do muro do átrio. ¹⁰Ao sul havia outro bloco gêmeo diante do recinto e do pavilhão. ¹¹Na frente passava uma rua.

42,1-20 A forma quadrada é símbolo de perfeição. O templo é um universo à parte, um mundo sacro solidamente separado do profano. Por dentro, a sua sacralidade tem graus, de acordo com espaços rigorosamente delimitados. A entrada a esse mundo sacro e o acesso a espaços de sacralidade crescente estão perfeitamente controlados por escadas e largas portas com função simbólica. Subidas e intróitos são os gestos humanos que simbolizam o acesso à esfera sagrada. Isso não basta para os sacerdotes; sua aproximação e entrada são simbolizadas também na troca de vestes e, por fim, no banho ritual. Ver o comentário ao Levítico.

Tinha o mesmo aspecto do bloco norte; tinha o mesmo comprimento e largura, tinha idênticos acessos e estrutura. [12]Ao pé desse bloco, abria-se uma porta no começo do muro, pela parte oriental.

[13]Disse-me: "As salas desses blocos, setentrional e meridional, colocadas diante do recinto, são sacristias. Nelas os sacerdotes que se aproximam do Senhor comerão os manjares sagrados. Nelas depositarão a oblação sagrada e a oferta, o sacrifício expiatório e o penitencial, pois o lugar é sagrado. [14]Os sacerdotes que entrarem aí não poderão sair do recinto santo para o átrio externo, sem antes tirar as vestes com as quais oficiaram, pois são sagradas. Devem mudar de roupa antes de ir aonde está o povo".

[15]Quando terminou de medir o âmbito do templo, fez-me sair pela porta oriental e se pôs a medir o perímetro do templo. [16]O lado oriental media duzentos e cinquenta metros, medidos com a vara de medir. [17]Passou para o lado setentrional, que media duzentos e cinquenta metros, medidos com a vara de medir. [18]Passou para o lado meridional, que media duzentos e cinquenta metros, medidos com a vara de medir. [19]Passou para o lado ocidental, que media duzentos e cinquenta metros, medidos com a vara de medir. [20]Mediu-o pelos quatro lados. Circundava-o uma muralha de duzentos e cinquenta metros de largura por duzentos e cinquenta de comprimento, que separava o sagrado do profano.

43 A glória volta (Ex 40,34s; 1Rs 8,10s; 10,19; 11,23) – [1]Conduziu-me à porta oriental: [2]vi a glória do Deus de Israel que vinha do oriente, com estrondo de águas impetuosas; a terra refletiu sua glória. [3]A visão que tive era [como a visão que havia contemplado quando veio para destruir a cidade] como a visão que havia contemplado nas margens do rio Cobar. E caí com o rosto por terra. [4]A glória do Senhor entrou no templo pela porta oriental. [5]Então o espírito me arrebatou e me levou ao átrio interno. A glória do Senhor enchia o templo.

[6]Então, ouvi no templo alguém que me falava – o homem continuava ao meu lado – [7]e me dizia:

– Filho de Adão, este é o lugar do meu trono,
   o lugar das plantas de meus pés,
   onde vou residir para sempre
     no meio dos filhos de Israel.
A casa de Israel e seus reis
   já não profanarão meu nome santo
   com suas fornicações
     nem com os cadáveres de seus reis defuntos.
[8]Pondo seu umbral junto ao meu umbral
   e as jambas de suas portas
     junto às minhas

43,1-11 Chega o momento culminante. À visão trágica dos cap. 8-11 corresponde, a uns vinte anos de distância, esta visão de esperança. A glória do Senhor retorna ao lugar de onde partiu. Isso não significa voltar ao passado, como se nada tivesse ocorrido; trata-se de novo começo que brota da experiência do duplo fracasso: fracasso do pecado, "as abominações que cometeram", fracasso do castigo, "minha ira os consumiu". Uma promessa do Senhor inaugura a nova era "para sempre", completada pelo anúncio da obediência do povo. O dom do espírito do capítulo 36 precedeu.

43,2 Rapidamente retrocede o caminho de 11,23 e 10,19. A glória chega do oriente, como um esplendor, e a primeira resposta é o reflexo da terra (comparar com Is 6).

43,3 Depois cabe a Ezequiel ser o primeiro adorador humano, representando o povo, num gesto profético (como Josué em Js 5). Não fala de fumaça nem de nuvem.

43,7 Trono podem ser a arca, o templo, a cidade (Jr 3,16s; 14,21; 17,12); o templo é também estrado (Sl 99,5; 132,7; Is 60,13). Ambos são atributos da realeza, porque o Senhor será o rei de Israel.

43,7b-8 O oráculo polemiza contra a proximidade de palácio e templo, de que falam 1Rs 6 e 2Rs 11. Essa proximidade não respeitava suficientemente a distinção entre sagrado e profano, e agravava os pecados cometidos pelos monarcas. Fornicações eram os cultos idolátricos (cap. 8); em vez de "cadáveres", poder-se-ia tratar de estelas funerárias erigidas perto do recinto do templo.

– eles e eu parede no meio –,
profanaram meu nome santo
com as abominações que cometeram,
e por isso minha ira os consumiu.
⁹Mas agora afastarão de mim suas fornicações
e os cadáveres de seus reis,
e residirei no meio deles para sempre.

¹⁰E tu, filho de Adão, descreve o templo para a casa de Israel, para ver se ela se envergonha de suas culpas. ¹¹Ao medir o plano, eles se envergonharão do que fizeram. Ensina-lhes e mostra-lhes a estrutura e disposição do templo, suas entradas e saídas, seus preceitos e leis, para que ponham em prática todas as suas leis e preceitos.

¹²Lei do templo. A área inteira do alto do monte é lugar sagrado. Esta é a lei do templo.

¹³Dimensões do altar (em côvados maiores, de um côvado e um palmo). A caixa do altar media meio metro de profundidade e meio metro de espessura; entre a borda e o altar havia um espaço de meio metro; a borda media um quarto.

¹⁴Traçado do altar. O bloco inferior, desde a caixa, media um metro de altura e tinha um patamar de meio metro. O bloco superior media dois metros de altura e tinha um patamar de meio metro. ¹⁵Daqui até a ara, dois metros de altura. Da ara sobressaíam quatro arremates.

¹⁶Dimensões da ara. Um quadrado de seis metros de lado. ¹⁷O bloco superior era um quadrado de sete metros de lado. Entre o altar e o patamar havia um espaço de meio metro; o patamar que o rodeava media vinte e cinco centímetros. A escada do altar olhava para o oriente.

¹⁸Ele me disse:

– Filho de Adão, isto diz o Senhor: Preceitos sobre o altar. No dia em que terminarem de construí-lo, para oferecer holocaustos e aspergi-lo de sangue, darás um bezerro, para o sacrifício expiatório, ¹⁹aos sacerdotes levitas da linhagem de Sadoc, que se aproximam de mim para servir-me – oráculo do Senhor. ²⁰Pegarás seu sangue, ungirás com ele as quatro saliências do altar, os quatro ângulos de seus blocos e o patamar que rodeia a base, e assim o purificarás e o expiarás. ²¹Pegarás o novilho do sacrifício expiatório e o queimarão no lugar estabelecido do templo, fora do santuário. ²²No segundo dia oferecerás um bode sem defeito como sacrifício expiatório; com ele expirarão o altar da mesma forma que o expiaram com o bezerro. ²³Terminada a expiação, oferecerás um bezerro e um carneiro sem defeito; ²⁴tu os oferecerás ao Senhor, e os sacerdotes lhes porão sal e os oferecerão ao Senhor em holocausto. ²⁵Durante sete dias oferecerás um bode como sacrifício expiatório, e oferecerão um bezerro e um carneiro sem defeito. ²⁶Durante sete dias purificarão o altar, o expiarão e o consagrarão. ²⁷Assim passarão estes sete dias. A partir do oitavo, os sacerdotes oferecerão sobre o altar vossos holocaustos e vossos sacrifícios de comunhão. E eu os aceitarei – oráculo do Senhor.

43,10-11 É a vergonha de que falam 16,61-63 e 20,43. Pode ser entendida em dois planos: o templo, com a sua harmonia e perfeição, é uma reprovação da má conduta passada do povo; ou então, a salvação imerecida, que o Senhor outorga com sua presença, é reprovação do que fizeram e lembrança do que mereceram. Além disso, o templo se converte em lei e norma que governará a vida litúrgica e, por ela, toda a conduta.

43,12 Parece introduzir o que se segue, no estilo de Lv 6,2 e 7,1. O Senhor acrescenta uma declaração importante. Antes a sala interna do santuário era "sacrossanta"; doravante o será todo o alto do monte ao redor. Isso representa uma dilatação conquistadora do espaço sagrado, que não excluirá, antes, acolherá o povo.

43,13-17 O altar (dos holocaustos) tem forma um tanto apontada, de cinco metros de altura. Sobre a ara se queimam as vítimas, de modo que o cheiro e a fumaça se elevem sem afetar o átrio interno, e do átrio externo o povo pode ver o fogo e a fumaça.

43,17 Ao que parece, um copista saltou a referência ao bloco inferior, que poderia soar assim: "o bloco inferior era um quadrado de oito metros de lado". Lemos em Ex 20,25-26 um desenho diferente do altar.

43,18-27 Compare-se com Ex 29; Lv 8 e 16. Na nova era continuará a prática regular do culto com sacrifícios.

44 ¹Depois me fez voltar à porta externa do santuário que olha para o nascente; estava fechada.

²E me disse:

– Esta porta permanecerá fechada. Nunca se abrirá e ninguém entrará por ela, porque o Senhor, o Deus de Israel, entrou por ela; permanecerá fechada. ³Só o príncipe em função poderá sentar-se aí para comer o pão na presença do Senhor; entrará pelo vestíbulo da porta e sairá pelo mesmo caminho.

⁴Depois me levou pela porta setentrional para a fachada do templo. Contemplei a glória do Senhor, que enchia o templo do Senhor, e caí com o rosto por terra.

⁵E me disse:

– Filho de Adão, presta atenção, olha com os olhos, escuta com os ouvidos: vou comunicar-te os preceitos e leis do templo do Senhor. Presta atenção nos que têm acesso ao templo e ao santuário.

⁶Dize à casa rebelde, à casa de Israel: Basta de perpetrar abominações, casa de Israel. ⁷Profanais meu templo colocando em meu santuário estrangeiros, incircuncisos de coração e incircuncisos de carne, e oferecendo-me como alimento gordura e sangue, enquanto violais minha aliança com vossas abominações. ⁸Em vez de atender ao serviço de minhas coisas santas, vós os encarregais do serviço de meu santuário. ⁹Portanto, isto diz o Senhor: Nenhum estrangeiro incircunciso de coração e incircunciso de carne entrará em meu santuário; absolutamente nenhum dos estrangeiros que vivem com os israelitas.

¹⁰Os levitas, que se afastaram de mim quando Israel se extraviou, abandonando-me para seguir seus ídolos, pagarão sua culpa, ¹¹e desempenharão em meu santuário o ofício de porteiros e sacristães do templo. Eles degolarão as vítimas do holocausto e do sacrifício do povo, a serviço do povo. ¹²Porque estiveram a seu serviço diante de seus ídolos, arrastando a casa de Israel ao pecado; por isso eu lhes juro com a mão erguida – oráculo do Senhor – pagarão suas culpas, ¹³e não se aproximarão de mim para oficiar como sacerdotes, nem poderão aproximar-se de minhas coisas santas ou sagradas. Carregarão sua ignomínia e as abominações que cometeram. ¹⁴Eu os nomeio encarregados de todos os serviços e ofícios auxiliares do templo.

¹⁵Mas os sacerdotes levitas descendentes de Sadoc, que foram encarregados do serviço de meu santuário quando os israelitas vagaram extraviados longe de mim, eles se aproximarão de mim para me servir e estarão em minha presença, para me oferecer gordura e sangue – oráculo do Senhor. ¹⁶Eles entrarão em meu santuário e se aproximarão de minha mesa como ministros meus, e se encarregarão do meu serviço.

¹⁷Quando tiverem de entrar pela porta do átrio interno, porão vestes de linho; não usarão roupa de lã quando forem oficiar nas portas do átrio interno ou dentro do átrio. ¹⁸Usarão turbantes de linho, calções de linho, mas não se cingirão, para não suarem. ¹⁹Quando tiverem de sair para o átrio externo, onde está o povo, tirarão as vestes com que oficiaram, deixando-as nas sacristias, e porão outra roupa. Assim não consagrarão o povo com suas vestes.

44,1-4 As grandes portas reservadas à divindade ou aos heróis são conhecidas em diversas culturas. No AT as portas do Sl 24 e do 118. Nelas se celebra um rito periódico. Em contraste, a porta oriental do templo foi escolhida para um ato único e inédito, a entrada do Senhor para morar no meio do seu povo para sempre. O povo há de recordar esse momento como decisivo na sua história futura.

44,5 Estes preceitos, segundo a introdução, parecem continuar a lei fundamental de 43,12; segundo o conteúdo, apresentam um ar limitado de restauração, que não corresponde à visão da nova era. Devem ser lidos como acréscimo que reflete a leitura dos grandes textos feita por uma comunidade que começa a viver outra vez na pátria.

44,6 Esta comunidade parece não ter recebido a efusão do espírito do capítulo 36, mas volta a chamar-se Casa Rebelde. O autor que reuniu esses preceitos procurou escalonar seu material: estrangeiros, povo, levitas, sadocitas. Os estrangeiros são excluídos porque não trazem o sinal da circuncisão, que caracteriza o povo escolhido, e também pelo seu coração incircunciso. Exclusivismo moral e religioso na linha de Lv 22,25 e Dt 23,2-4, contra Is 56,3-8. Os levitas são rebaixados por um suposto pecado antigo. Os sadocitas são absolvidos por sua fidelidade ao culto, obtendo privilégios cultuais e materiais (contra 22,26).

44,10-14 Não temos outras notícias de semelhante delito grave contra a lei de Dt 13. O delito merecia pena de morte; aqui se reduz a rebaixamento. Por quê? Insinua que o delito foi dos antepassados? Então iria contra a nova norma dos capítulos 18 e 33 sobre responsabilidades.

44,17 Ver Ex 28.

²⁰Não raparão a cabeça nem andarão despenteados; cortarão o cabelo. ²¹Nenhum sacerdote beberá vinho quando estiver para entrar no átrio interno. ²²Não tomarão como mulher a viúva nem a repudiada; só poderão casar com virgens da linhagem da casa de Israel ou com a viúva de um sacerdote. ²³Declararão ao meu povo o que é sagrado e o que é profano, e determinarão o que é puro ou impuro. ²⁴Nos pleitos atuarão como juízes. Sentenciarão segundo minhas leis; guardarão minhas ordens e preceitos em todas as minhas festividades, e santificarão meus sábados. ²⁵Não se contaminarão com nenhum cadáver, a não ser do pai, da mãe, do irmão ou da irmã solteira. ²⁶Depois de purificar-se, contará sete dias, ²⁷e quando estiver para entrar no átrio interno a fim de oficiar no santuário, oferecerá por si mesmo um sacrifício expiatório – oráculo do Senhor.

²⁸Não terão propriedade hereditária: eu sou sua propriedade; não lhes dareis nenhuma posse em Israel: eu sou sua posse. ²⁹Comerão a oferta e as vítimas dos sacrifícios expiatórios e penitenciais. ³⁰Também lhes pertence tudo o que é dedicado ao Senhor. O melhor das primícias de toda espécie e dos tributos de toda espécie será para os sacerdotes. Vós dareis ao sacerdote as primícias de vossa moenda, para que a bênção desça sobre tua casa. ³¹Os sacerdotes não comerão nenhuma ave nem animal terrestre morto ou dilacerado por uma fera.

45 Partilha da terra (Js 13-21) –
¹Quando repartirdes por sorte as heranças da terra, reservareis para o Senhor como tributo uma parte sagrada de doze quilômetros e meio de comprimento por dez de largura. Toda a sua superfície será sagrada. ²[Nela se deixará para o santuário um quadrado de duzentos e cinquenta metros de lado, rodeado por vinte e cinco metros de pastagens.] ³Aqui separareis uma parcela de doze quilômetros e meio de comprimento por cinco de largura, na qual se levantará o santuário. ⁴É a parcela sagrada do país. Ela será reservada aos sacerdotes ministros do santuário, que se aproximam do Senhor para servi-lo. Aí terão lugares para suas casas e pastos para o gado. ⁵Uma propriedade de doze quilômetros e meio de comprimento por cinco de largura será reservada aos levitas, empregados do templo, para que tenham cidades onde habitar. ⁶A área marcada como fim da cidade medirá doze quilômetros e meio de comprimento por dois e meio de largura, ao longo da parte sagrada. Pertencerá a toda a casa de Israel.

⁷Ao príncipe destinareis territórios de ambos os lados da parte sagrada e do fim da cidade; eles se estenderão do limite da parte sagrada e do fim da cidade até o mar pelo lado do ocidente, e até a fronteira pelo oriente. Seu comprimento de fronteira a fronteira corresponde a uma das porções destinadas às tribos. ⁸Esta será sua posse em Israel. Meus príncipes já não explorarão meu povo, mas reservarão a terra para a casa de Israel, por tribos.

⁹Isto diz o Senhor: Basta, príncipes de Israel! Afastai a violência e a rapina e praticai o direito e a justiça. Deixai de atropelar meu povo – oráculo do Senhor.

44,20 Ver Lv 10,6; 21,5.10.
44,21 Ver Lv 10,9.
44,22 Ver Lv 21,7.14 e 22,13.
44,23 Ver 22,26 e Lv 10,10.
44,24 Ver Dt 17,8-13.
44,25 Ver Lv 21 e Nm 19.
44,28-30 Ver Nm 18,8-19.20-32 e Dt 18,2.
44,31 Prescrição geral em Ex 22,30; especialmente aplicada ao sacerdote em Lv 22,8.

45,1-6 Não é fácil compreender essa geografia. Num mapa nosso, traçado de norte a sul, devemos imaginar faixas horizontais de 12,5 km de largura. Entre as três, formam um quadrado. A superior, de 5 km de altura, é para os sacerdotes; a seguinte, igual, é a área sagrada do templo; a seguinte, igual, é para os levitas; a inferior é propriedade comum de todo Israel e mede 2,5 km de altura.
45,7 O príncipe ocupa o lugar do rei na nova organização. O seu território ocupa um lugar privilegiado, como guardião do quadrilátero central; suas posses se alongam numa franja ininterrupta, paralela horizontalmente às das tribos. O capítulo seguinte fala das suas funções.
45,8 A tarefa da partilha renova a atividade de Josué, que também não tinha o título de rei. Na frase contra a exploração do povo ressoam recordações tristes de muitos monarcas, remontando talvez à descrição de 1Sm 8 e aos começos de Salomão e Roboão.
45,9 Em tom de oráculo profético, interrompe o curso da exposição.

¹⁰Usai balanças exatas, meias medidas justas e cântaros justos. ¹¹A meia medida e o cântaro terão capacidade fixa. A meia medida e o cântaro serão a décima parte da carga. A meia medida será o padrão. ¹²O siclo valerá vinte óbolos. Cinco siclos serão sempre cinco siclos, dez siclos serão dez siclos, e cinquenta siclos valerão uma mina.

¹³Oferta tributária: uma vasilha por carga de trigo e uma vasilha por carga de cevada. ¹⁴Taxa de azeite (o azeite se medirá com o cântaro): um bat por coro, pois dez bats fazem um coro. ¹⁵Uma ovelha por rebanho de duzentas cabeças, como tributo das famílias de Israel, para expiar por meio da oferta, do holocausto e do sacrifício de comunhão – oráculo do Senhor.

¹⁶Toda a população em Israel é obrigada a dar esse tributo ao príncipe. ¹⁷O príncipe é responsável pelo holocausto, pela oferta e pela libação nas festas, luas novas, sábados e solenidades da casa de Israel. Ele pessoalmente fará o sacrifício expiatório, a oferta, o holocausto e o sacrifício de comunhão para expiar os pecados da casa de Israel.

¹⁸Isto diz o Senhor: No primeiro dia do primeiro mês, pegarás um bezerro sem defeito e purificarás o santuário. ¹⁹O sacerdote pegará sangue da vítima expiatória, untará com ele os umbrais do templo e os quatro ângulos do bloco do altar e os umbrais da porta do átrio interno. ²⁰Farás o mesmo no dia sete do mês [pelos que pecaram por inadvertência ou por ignorância, e assim expiarás pelo templo]. ²¹No dia catorze do primeiro mês celebrareis a páscoa. ²²Comereis pães ázimos durante sete dias. No primeiro dia, o príncipe oferecerá um bezerro como vítima expiatória por si e por toda a população do país. ²³A cada um dos sete dias da festa, oferecerá ao Senhor em holocausto sete novilhos e sete carneiros sem defeito e um bode como vítima expiatória. ²⁴Acrescentará uma oferta de meia medida por bezerro e meia medida por carneiro, mais um bat de azeite a cada meia medida. ²⁵Na festa do dia quinze do sétimo mês, será feita a mesma oferta durante sete dias: sacrifício expiatório, holocausto, oferta e azeite.

46

¹Isto diz o Senhor: A porta oriental do átrio interno permanecerá fechada nos seis dias de trabalho. Só será aberta aos sábados e nos dias de lua nova. ²O príncipe entrará de fora pelo vestíbulo, detendo-se junto aos umbrais da porta; os sacerdotes oferecerão o holocausto e o sacrifício de comunhão; o príncipe se prostrará no saguão da porta e tornará a sair. A porta não será fechada até o entardecer. ³Também os latifundiários do país se prostrarão diante do Senhor, na entrada da porta, nos sábados e nos dias de lua nova.

⁴Oblação do príncipe do Senhor: Nos sábados: um holocausto de seis cordeiros sem defeito e um carneiro sem defeito. ⁵Como oferta, meia medida por carneiro; e pelos cordeiros, à vontade, mais um bat de azeite para cada meia medida. ⁶Nos dias de lua nova: um bezerro sem defeito, seis cordeiros e um carneiro sem defeito. ⁷Como oferta, meia medida por bezerro, meia medida por carneiro; e pelos cordeiros, segundo suas possibilidades, mais um bat de azeite para cada meia medida.

⁸O príncipe entrará pelo vestíbulo da porta e sairá pelo mesmo caminho. ⁹Mas, quando os latifundiários do país forem apresentar-se diante do Senhor nas festividades, os que entrarem pela porta setentrional, para fazer a adoração, sairão pela meridional, e os que entrarem pela porta meridional sairão pela setentrional; não se retirarão pela mesma porta pela qual entraram, mas sairão pela da frente. ¹⁰E o príncipe entrará e sairá no meio deles.

¹¹Nas festas e solenidades, a oferta consistirá em meia medida por bezerro, meia medida por carneiro; e pelos cordeiros, à

45,10-12 Normas de justiça para o comércio e para as tarifas do templo (cf. Lv 19,35s; Dt 25,13-16; Pr 11,1; Mq 6,11).

45,13-17 São tributos para o culto, que o príncipe recebe como simples mediador.

45,18-25 O calendário difere dos tradicionais (Ex 23,14-16; Lv 23; Dt 16) porque não menciona Pentecostes; a expiação poderia ser considerada englobada na festa do ano novo. Nota-se uma grande insistência nos sacrifícios expiatórios.

46,1-3 Refere-se à porta que une o átrio externo, onde fica o povo, com o átrio interno, onde se encontram o altar e o edifício do santuário. O príncipe fica a distância, pois o ato de sacrificar compete aos sacerdotes.

46,9 Não conhecemos o sentido desta disposição. Parece mais ritual que funcional.

vontade, mais um bat de azeite para cada meia medida.

ⁱ²Quando o príncipe oferecer voluntariamente ao Senhor um holocausto ou sacrifício de comunhão, abrirão para ele a porta oriental, oferecerá seu holocausto ou sacrifício de comunhão como todos os sábados, e depois sairá. E quando ele sair, fecharão a porta.

¹³Oferecerás diariamente ao Senhor em holocausto um cordeiro de um ano sem defeito; tu o oferecerás todas as manhãs. ¹⁴Acrescentarás cada manhã como oferta uma vasilha, mais um terço de bat de azeite para aspergir a flor-de-farinha; esta oferta ao Senhor é um rito cotidiano e perpétuo. ¹⁵O cordeiro com a oferta e o azeite serão oferecidos todas as manhãs como holocausto cotidiano.

¹⁶Isto diz o Senhor: Quando o príncipe der parte de sua herança a algum de seus filhos, a estes ela pertencerá como propriedade hereditária. ¹⁷Mas, se der parte de sua herança a um súdito seu, a este ela pertencerá até o ano da remissão. Depois voltará ao príncipe. ¹⁸É herança de seus filhos e pertence a eles. O príncipe não tirará do povo sua herança, expropriando-o tiranicamente. Só poderá deixar a seus filhos o que for propriedade sua, para que meu povo não se disperse, despojado de sua propriedade.

¹⁹Levou-me pela entrada do lado da porta aos blocos de sacristias sacerdotais, que dão para o norte; na parte de trás, ao poente, havia um local. ²⁰E me disse:

– Este é o local onde os sacerdotes cozinharão as vítimas dos sacrifícios expiatórios e penitenciais e prepararão a oferta; assim, não terão de levá-los para o átrio externo, pois consagrariam o povo.

²¹Levou-me ao átrio externo e me fez atravessá-lo até as quatro esquinas do átrio; aí, em cada esquina do átrio, havia um curral. ²²Ao abrigo das quatro esquinas havia currais de vinte metros de comprimento por quinze de largura; os quatro tinham as mesmas dimensões. ²³Os quatro estavam cercados; ao pé da cerca havia lareiras. ²⁴E me disse:

– Estas são as cozinhas onde os servidores do templo cozerão os sacrifícios do povo.

47 O manancial do templo (Jl 4,18; Zc 14,8; Sl 46,5) – ¹Fez-me voltar para a entrada do templo. Do saguão do templo manava água para o nascente – o templo olhava para o nascente. A água ia descendo pelo lado direito do templo, ao sul do altar. ²Fez-me sair pela porta setentrional e me levou por fora até a porta do átrio que olha para o nascente. ³A água corria pelo lado direito. O homem que levava o cordel na mão saiu para o nascente. Mediu quinhentos metros, e me fez atravessar as águas: água até os tornozelos! ⁴Mediu outros quinhentos, e me fez cruzar

---

46,12 Sobre ofertas voluntárias e votos, ver Lv 7,16; 22,18-21; Nm 15,3; 30.

46,16-18 A terra é dom de Deus, repartida por sorte entre tribos e famílias; as partes devem ficar como herança dentro da família, por isso também se chamam herança. Assim, cada geração participa do dom original de Deus, enquanto se sente enraizada na terra. A erradicação leva à dispersão e à miséria. A concentração de propriedades rurais é em Israel uma exploração que vai contra o plano original do Senhor. Na nova organização, o príncipe deve garantir a partilha e deve começar com seu exemplo, não permitindo o enriquecimento indevido de alguns favorecidos e não expropriando o povo.

46,19-23 A disposição serve para os sacrifícios de comunhão, nos quais os assistentes participavam como comensais.

47,1-12 Depois de prolixas inserções e áridas regulamentações, retorna o alento poético da visão. Da chegada da glória (43) se passa a seus efeitos vivificantes. É preciso unir esse alento também ao espírito do cap. 37: vento e água, duplo princípio da nova vida. Água como no paraíso (Gn 2,10-14): em vez de quatro rios, quatro etapas crescentes. Água na cidade santa (Is 30,25; Jl 4,18; Zc 14,8): o templo está na plataforma superior, sobre as plataformas do átrio interno, do externo e do terreno circundante. Água derramada pelo Senhor (Sl 65,10). Água que transforma o deserto (Is 35). Porque o Senhor é "fonte de água viva" (Jr 2,13; 17,13).

Água de vida: contínua, crescente, invasora, comunicada. Comunica-se às plantas, produzindo um parque maravilhoso; comunica-se aos animais, fazendo com que o mar Morto pulule de seres vivos; comunica-se aos homens em forma de alimento e remédio. O profeta sentirá no corpo o poder da água; o resto só escuta dos lábios do acompanhante.

47,1 A água avança para leste, talvez por ser a região mais árida, talvez imaginando uma localização oriental do paraíso (cf. Gn 13,10).

47,3-5 As distâncias são medidas, o crescimento é desmedido. Bem depressa a torrente supera a do Jordão (cf. Js 3-4; Jz 12,5s).

as águas: água até os joelhos! Mediu outros quinhentos, e me fez passar: água até a cintura! ⁵Mediu outros quinhentos: era uma torrente que não pude atravessar, pois as águas haviam subido e não dava pé; era uma torrente que não se podia passar a vau.

⁶Disse-me então:

– Viste, filho de Adão?

Na volta, conduziu-me pela margem da torrente.

⁷Ao regressar, vi à margem do rio um grande arvoredo em ambas as margens. ⁸Disse-me:

– Estas águas correm para a região oriental, descerão até a estepe, desembocarão no mar das águas podres e o sanearão. ⁹Todos os seres vivos que a povoam, terão vida aí onde desembocar a corrente, e haverá peixes em abundância. Ao desembocarem aí estas águas, o mar ficará saneado, e haverá vida onde quer que chegue a corrente. ¹⁰Os pescadores se postarão à sua margem: desde Engadi até En-Eglaim haverá lugares de estender redes; sua pesca será variada, tão abundante como a do Mediterrâneo. ¹¹Porém, seus marismas e pântanos não serão saneados: ficarão para salinas. ¹²À beira do rio, em suas duas margens, crescerá todo tipo de árvores frutíferas; suas folhas não murcharão nem seus frutos acabarão; darão colheita nova a cada lua, porque são regadas por águas que manam do santuário; seu fruto será comestível e suas folhas medicinais.

¹³Isto diz o Senhor: Fronteiras da terra que as doze tribos de Israel receberão como propriedade hereditária. ¹⁴Todos vós recebereis partes iguais. Eu jurei, com a mão erguida, dá-la a vossos pais. Por isso, esta terra tocará a vós como propriedade hereditária.

¹⁵Fronteiras da terra. Pelo norte: desde o Mediterrâneo, por Hetalon, a Entrada de Emat, Sedada, ¹⁶Berota e Sebarim – separando os territórios de Damasco e Emat –, até Haser-Enã*, que limita com Aurã. ¹⁷Portanto, a fronteira vai do Mediterrâneo até Haser-Enã, separando ao norte os territórios de Damasco e Emat. Esta é a fronteira setentrional.

¹⁸Pelo leste: desde Haser-Enã, pela linha que separa os territórios de Aurã e Damasco, seguindo o curso do Jordão, entre Galaad e Israel, até o mar Oriental e Palmeira. Esta é a fronteira oriental.

¹⁹Pelo sul: desde Tamar* até o oásis de Meriba* Cades e, seguindo a torrente, até o Mediterrâneo. Esta é a fronteira meridional.

²⁰Pelo oeste: limita com o mar Mediterrâneo, até a latitude da Entrada de Emat. Esta é a fronteira ocidental.

²¹Esta é a terra que repartireis entre as doze tribos de Israel. ²²Vós a repartireis por sorte como propriedade hereditária, incluindo os migrantes residentes entre vós que tenham tido filhos em vosso país. Serão para vós como os israelitas nativos. Entrarão na distribuição com as tribos de Israel. ²³Aos migrantes dareis sua propriedade hereditária no território da tribo em que residirem – oráculo do Senhor.

48

¹Lista das tribos:

No extremo setentrional – que vai do Mediterrâneo, por Hetalon e a Entrada de Emat, até Haser-Enã, separando pelo norte a região de Damasco da de Emat

---

47,8-9 Renasce prodigiosamente a vida, como em nova criação: Gn 1,20s. A água doce (*Apsu*) vence a água salgada (*Tehom*).

47,10-11 Atividade humana como sinal de paz e prosperidade. O sal não é só tempero necessário para a vida (Eclo 39,26); é também penhor da aliança (Nm 18,19) e acompanha os sacrifícios (Ex 30,35; Lv 2,13).

47,12 A região se transforma em paraíso. Os frutos de todas as suas árvores serão comestíveis; as folhas medicinais afastarão a morte.

47,13 As fronteiras externas do território conservam certo realismo geográfico: delimitam uma faixa, não um quadrilátero perfeito; contudo, sob o domínio persa, essas fronteiras eram teóricas. Sobre esse território estenderá depois (48) as faixas regulares das doze tribos, que formam o Israel ideal do futuro.

A propriedade será hereditária, pois irá sendo legada às gerações vindouras, e atualizará a promessa divina aos patriarcas.

47,16 * = Aldeia da Fonte.

47,19 * = Palmeira; Acareação.

47,21 No antigo êxodo, primeiro se repartia a terra e, após alguns séculos, se edificava o templo. Na futura restauração, a ordem se inverte.

47,22-23 Conceder direito de propriedade de terrenos aos migrantes é um passo importante de tolerância e acolhida.

48,1-29 A ordem das tribos corresponde só em parte à antiga distribuição. Excluindo do território sagrado todo o país a leste do Jordão, é preciso deslocar Rúben, Gad e a meia tribo de Manassés.

– estende-se de leste a oeste o território de Dã.

²Limitando com Dã, estende-se de leste a oeste o território de Aser.

³Limitando com Aser, estende-se de leste a oeste o território de Neftali.

⁴Limitando com Neftali, estende-se de leste a oeste o território de Manassés.

⁵Limitando com Manassés, estende-se de leste a oeste o território de Efraim.

⁶Limitando com Efraim, estende-se de leste a oeste o território de Rúben.

⁷Limitando com Rúben, estende-se de leste a oeste o território de Judá.

⁸Limitando com Judá, estende-se de leste a oeste a parte sagrada: medirá doze quilômetros e meio de largura, e de leste a oeste, o mesmo que as outras porções. No centro se levantará o santuário.

⁹A parte sagrada que reservareis como tributo ao Senhor terá doze quilômetros e meio de comprimento por dez de largura.

¹⁰Beneficiários da parte sagrada: Aos sacerdotes corresponderá uma parcela retangular, de doze quilômetros e meio de comprimento – lados setentrional e meridional – por cinco de largura – lados oriental e ocidental. No centro se levantará o santuário do Senhor.

¹¹Trata-se dos sacerdotes consagrados, descendentes de Sadoc, que foram encarregados do meu serviço e não se extraviaram como os levitas, quando os israelitas se extraviaram; ¹²e lhes corresponderá uma porção sagrada da parte sagrada da terra, junto à dos levitas.

¹³Aos levitas corresponderá uma parcela de doze quilômetros e meio de comprimento por cinco de largura, limitando com a dos sacerdotes. Área total da parte sagrada: doze quilômetros e meio de comprimento por dez de largura. ¹⁴Nada disso poderão vender nem permutar. Não poderão alienar o melhor da terra, porque é porção santa do Senhor.

¹⁵Resta uma extensão de dois quilômetros e meio de largura por doze e meio de comprimento: é terreno profano. Pertence à cidade para moradias e pastos. ¹⁶A cidade se levantará no centro. Área da cidade: dois mil e duzentos e cinquenta metros de cada lado: norte, sul, leste e oeste. ¹⁷Terá centro e vinte e cinco metros de campos comuns ao norte, sul, leste e oeste.

¹⁸Restam ao leste e oeste da cidade, junto à parte sagrada, amplas parcelas de cinco quilômetros de comprimento. Com o que produzirem se alimentarão os que trabalharem na cidade. ¹⁹Serão lavradas pelos trabalhadores de todas as tribos israelitas que trabalharem na cidade. ²⁰Área total da parte sagrada, incluindo o que pertence à cidade: um quadrado de doze quilômetros e meio de lado.

²¹Restam os terrenos do príncipe. Estão situados de ambos os lados da parte sagrada e das propriedades da cidade. Pelo leste, estendem-se da fronteira de doze quilômetros e meio até a fronteira oriental; e, pelo oeste, da fronteira de doze quilômetros e meio até a fronteira ocidental, paralelos aos territórios das tribos. Pertencem ao príncipe. No meio ficará a parte sagrada com o santuário do templo.

²²Da mesma forma, as propriedades dos levitas e da cidade ficarão encravadas entre os terrenos do príncipe e os territórios de Judá e de Benjamim.

²³Resto das tribos:

De leste a oeste se estende o território de Benjamim.

²⁴Limitando com Benjamim, estende-se de leste a oeste o território de Simeão.

²⁵Limitando com Simeão, estende-se de leste a oeste o território de Issacar.

²⁶Limitando com Issacar, estende-se de leste a oeste o território de Zabulon.

²⁷Limitando com Zabulon, estende-se de leste a oeste o território de Gad.

²⁸O território de Gad coincide ao sul com a fronteira meridional, que vai de Palmeira, pelo oásis de Acareação Cades, seguindo o leito da torrente, até o Mediterrâneo.

²⁹Esta é a terra que distribuireis como propriedade hereditária às tribos de Israel, e são estas as suas porções – oráculo do Senhor.

³⁰ᵃPortas de saída da cidade: ³¹ᵃ terão os nomes das tribos de Israel.

48,15 A capital fica próxima, porém separada da área do templo. Supõe-se que seja habitada por representantes das doze tribos.

48,30-31 As portas eram o centro da vida urbana, como para nós são as praças. Todas as tribos estavam representadas na capital.

⁳⁰ᵇPelo lado setentrional, ³¹ᵇque mede dois mil, duzentos e cinquenta metros, três portas: a porta de Rúben, a porta de Judá e a porta de Levi.

³²Pelo lado oriental, que mede dois mil, duzentos e cinquenta metros, três portas: a porta de José, a porta de Benjamim e a porta de Dã.

³³Pelo lado meridional, que mede dois mil, duzentos e cinquenta metros, três portas: a porta de Simeão, a porta de Issacar e a porta de Zabulon.

³⁴Pelo lado ocidental, que mede dois mil, duzentos e cinquenta metros, três portas: a porta de Gad, a porta de Aser e a porta de Neftali.

³⁵Perímetro da cidade: nove quilômetros. A partir daí, a cidade se chamará: "O Senhor aí está".

48,35 Se os nomes das portas são ilustres, mais glorioso é o novo e definitivo nome da cidade: "O Senhor aí está", unindo e consagrando com sua presença um povo numa cidade. Talvez a aliteração seja proposital: *Yeru-shalem/Yhwh*-shamma.

A restauração de Jerusalém é também lida em outros textos escatológicos: Is 24-25; 65,18-19; 66,10.13.20; Jl 3,5; 4,17; Mq 4,8; Zc 14,11. O Apocalipse, e com ele o NT, terminam com a visão da cidade celeste, a nova Jerusalém.

DANIEL

INTRODUÇÃO

A obra

Um primeiro olhar nos diz que está escrita em três línguas: hebraico 1,1-2,4a + 8-12; aramaico 2,4b-7,28; grego 3,24-90 + 13-14. Os textos gregos são manifestamente acrescentados; a divisão entre hebraico e aramaico corresponde com certa aproximação à mudança de tema. O aramaico tinha sido língua diplomática e popular; o hebraico do livro é tradicional e acadêmico.

Uma segunda leitura nos permite distinguir blocos. Depois de um relato introdutório, 1,1-2,4a, vem uma série de relatos dramáticos ou visionários, 2,4b-7,28 (ou 6,29); um bloco de visões ocupa os capítulos (7)8-12; 13-14 são relatos em grego. No cap. 2 inserem-se uma oração penitencial e um hino em grego, 3,24-90. O capítulo 7 é um caso especial. Pela apresentação, parece inaugurar a série de visões (7-12); pelo estilo (prescindindo de acréscimos claros), faz companhia ao bloco 2-6 como conclusão transcendente.

Apocalíptica

Com o livro de Daniel, entra no AT um gênero novo num caso único; todas as imitações e expansões desse fecundo gênero ficam fora do cânon judaico, e um só descendente encerra o cânon do NT. O livro entrou no cânon judaico, não como livro profético, pois a série estava encerrada, mas entre os "escritos", conceito vago e acolhedor. Nas versões grega e latina e na tradição cristã, Daniel figura como um dos quatro "profetas maiores".

a) O tema deste livro é a história. Se outros apocalipses se espraiam em visões cósmicas e arcanas, o nosso se detém no cosmo unicamente como repertório de símbolos (o hino universal está em grego).

Com olhar amplo, o autor contempla a história universal, aquela que ele abraça, em suas etapas estilizadas ou impérios. O antecessor desse olhar universal ou internacional é Habacuc. Quando o olhar se aproxima do passado próximo e do presente, seu horizonte se estreita e sua visão se turva. Essa história é dramática: lutam e caem e se sucedem impérios ou reinos, e os soberanos são protagonistas; mas ela é governada por Deus e é conduzida para uma conclusão, que chegará como um corte abrupto. A passagem dramática de um império a outro antecipa e prefigura a mudança final, na qual Deus confere a "seus consagrados" um poder novo. O que acontecerá depois se enuncia, não se descreve.

b) Recursos. Os principais recursos do gênero e do livro são a ficção narrativa e a alegoria. O autor conhece o passado em grandes linhas, estiliza-o e conta-o como profecia. Para isso, inventa um personagem passado, a quem dá um nome ilustre, pondo-lhe na boca a história passada como profecia do futuro. A ficção é basicamente uma inversão de perspectiva. Outros recursos narrativos envolvem a ficção. (Mais adiante falarei do autor e do personagem Daniel.)

A alegoria é um procedimento intelectual. O autor esquematiza um ou vários períodos históricos, depois transpõe esse esquema, peça por peça, a uma imagem articulada; o resultado é uma correspondência em série, A-Xa, B-Xb, C-Xc, D-Xd etc. Cabe ao leitor abolir a imagem para recuperar o esquema intelectual. Às vezes o autor acerta com uma imagem feliz; outras vezes lhe falta a fantasia, e tudo termina em árido jogo intelectual. A alegoria serve também para comunicar em código ensinamentos politicamente perigosos.

No uso da alegoria, o autor de 2-7 foi genial. Com função alegórica soube criar umas imagens poderosas, que fecundaram a arte e o pensamento ocidental: a estátua de diversos materiais, o imperador transformado em fera, o banquete de Baltazar, os jovens no forno, Daniel na cova dos leões, as quatro feras com o ancião e a figura humana. Quantos escritores poderão exibir um repertório semelhante? Graças a seu vigor imaginativo, esses símbolos sobreviveram ao fracasso da expectativa do autor, se desprenderam de suas amarras alegóricas e começaram uma nova vida como instrumentos para interpretar a história.

Influências

A apocalíptica é herdeira da profecia: surge quando a profecia se extingue (cf. 1Mc 14,41; Sl 74,9) e pretende levar adiante a missão dela. Da profecia toma o gênero da visão (Am, Jr) e a oferece como revelação; de profetas posteriores (Ez, Zc) toma o mediador intérprete. Em particular, liga-se com escritos tardios que costumamos chamar de escatologias proféticas (Is 24-27; 65-66; Jl 3-4; Ez 38-39; Zc 13-14). Em momentos de crise, a apocalíptica traz uma mensagem de esperança: a tribulação é passageira, o Senhor vai agir logo e de modo definitivo. Em várias ocasiões a apocalíptica se apresenta como interpretação atualizada de uma profecia.

Por outro lado, ao não apresentar seus ensinamentos ou visões como oráculos do Senhor, o autor desenvolve uma atividade sapiencial de reflexão. De Daniel se pondera no princípio sua formação cultural e literária, superior à dos mestres de Babilônia. Quanto à narração, segue a grande tradição hebraica (ou grega), especialmente a ficção (Tb, Jt, Est).

Autor

Antes de tudo, o autor é único? – Ficam descartados sem mais os acréscimos gregos. O bloco 8-12 difere tanto do bloco 2-7, que faz suspeitar a mão de outro autor, que conheceu e quis completar o primeiro. Algumas incoerências dentro de cada bloco podem ser devidas a outras causas, não denotam autores diversos. Ao longo do comentário vou deter-me em outros prováveis acréscimos ocasionais.

O personagem Daniel é introduzido umas vezes na terceira pessoa (1-6), outras na primeira pessoa (8-12), como se fosse o autor. No capítulo 7 passa da terceira à primeira. Nos relatos aparece como adivinho e chefe de magos (4,5; 5,10-12), como político e administrador real (2,48; 6,3s; 8,27).

Parece que na antiguidade houve um personagem chamado Daniel, famoso por sua bondade e sabedoria (Ez 14,14.20; 28,3). Não poucos o identificam com o Dnil do poema ugarítico de Aqhat. Existiu um personagem semelhante, com o mesmo nome, no desterro? Não sabemos. Certo é que "Daniel" se tornou legendário e popular; por isso, o autor deste livro e seus seguidores – acréscimos gregos e Qumrã – o escolhem como protagonista. A pseudonímia é normal no gênero: há apocalipses de Henoc, de Moisés, de Isaías, de Baruc etc.

Época

O livro é composto durante a perseguição de Antíoco IV (175-163), depois de 167 e um pouco antes de sua morte. Por causa da perseguição religiosa e das rivalidades internas, os judeus atravessam grave crise. O autor quer infundir-lhes alento e esperança: faz isso com um personagem fictício e aureolado, num gênero novo; escreve velando-o debaixo de chaves, oferece-o como revelação. Alguns pensam que os capítulos 1-6 foram escritos no final do período persa ou no começo do helenista. Os acréscimos gregos, por seu caráter fictício ou fantástico, não permitem uma datação provável.

Daniel e o Novo Testamento

Três doutrinas principais deste livro influíram de algum modo no NT. A angelologia, inclusive com os nomes concretos de Miguel e Gabriel (Lc, Jd e Ap). A doutrina da ressurreição e retribuição na outra vida. A "figura humana" do capítulo 7, que se converteu, por falsa tradução,

em "Filho do Homem" transcendente, ao menos o da parusia anunciada.

Além desses casos, Mc 13,14 e Mt 24,15 mencionam "o ídolo abominável" de Dn 9,27; 11,31 e 12,11. Mc 13,19 e Mt 24,21 citam literalmente Dn 12,1. Finalmente, Mt 13,43 parece reminiscência de Dn 12,3. 1Cor 6,2 parece baseado em Dn 7,22. Dos relatos gregos, o de Susana teve grande aceitação na teologia e na arte cristã.

História de Daniel
(1-6)

1 Daniel na corte da Babilônia – ¹No terceiro ano do reinado de Joaquim, rei de Judá, Nabucodonosor, rei da Babilônia, chegou a Jerusalém e assediou-a. ²O Senhor lhe entregou em seu poder Joaquim de Judá e o resto dos utensílios que se achavam no templo; ele os levou a Senaar, e colocou os utensílios do templo no tesouro do templo de seu deus.

³O rei ordenou a Asfenez, chefe dos eunucos, que selecionasse alguns israelitas de sangue real e da nobreza, ⁴jovens perfeitamente sadios, de boa aparência, bem formados na sabedoria, cultos e inteligentes e aptos para servir no palácio, e ordenou que lhes ensinassem a língua e a literatura caldeias. ⁵Cada dia o rei lhes passaria uma ração de comida e de vinho da mesa real. Sua educação duraria três anos, no fim dos quais passariam ao serviço do rei.

⁶Entre eles havia alguns judeus: Daniel, Ananias, Misael e Azarias. ⁷O chefe dos eunucos mudou-lhes os nomes, chamando Daniel de Baltassar, Ananias de Sidrac, Misael de Misac, e Azarias de Abdênago.

⁸Daniel fez propósito de não se contaminar com os manjares e o vinho da mesa real, e pediu ao chefe dos eunucos que o dispensasse dessa contaminação. ⁹O chefe dos eunucos, movido por Deus, compadeceu-se de Daniel ¹⁰e lhe disse:

– Tenho medo do rei, meu senhor, que vos destinou a ração de comida e bebida; se vos vê mais magros que vossos companheiros, arrisco minha cabeça.

¹¹Daniel disse ao guarda que o chefe dos eunucos havia nomeado para cuidar dele e de Ananias, Misael e Azarias:

– ¹²Faz uma prova conosco durante dez dias: deem-nos legumes para comer e água para beber. ¹³Em seguida, compara nosso aspecto com o dos jovens que comem da mesa real, e então trata-nos conforme o resultado.

¹⁴Ele aceitou a proposta e fez a prova durante dez dias. ¹⁵No fim, tinham aspecto melhor e estavam mais gordos do que os jovens que comiam da mesa real. ¹⁶Assim lhes retirou a ração de comida e de vinho, dando-lhes legumes.

¹⁷Deus concedeu aos quatro um conhecimento profundo de todos os livros do

---

1 A penetração e ascensão de um israelita em corte estrangeira é trama literária bem estabelecida desde os relatos sobre José; o livro de Daniel recolhe o tema com estrutura paralela evidente.
a) Egito, Daniel como prisioneiro de guerra; b) José supera a prova da sedução, Daniel a da dieta; c) José triunfa no confronto com a sabedoria local, Daniel igualmente; d) José ocupa importante posto no reino, Daniel também; e) José no seu posto salva os pais de Israel, Daniel anuncia a salvação de seus irmãos. Sublinhemos a diferença em b): do ético universal passamos a uma observância convencional. A dieta se tinha convertido em observância religiosa distintiva, sinal de identidade, que provocava estranheza e desprezo entre os gregos. Muitos judeus fizeram dessa dieta uma questão de ser ou não ser fiéis a seu Deus (2Mc 6-7); compare-se com a conduta de Jeconias (2Rs 25,29). O chefe de eunucos, "movido por Deus", secularizava o assunto, e acontece o que o autor pretende: a dieta judaica demonstra a sua superioridade higiênica como inspirada por Deus. O papel de Daniel é de penetração e confrontação. Não se exige a conversão religiosa dos jovens judeus selecionados. Eles aceitam sem dificuldade a língua e literatura (em parte religiosa), a vassalagem genérica e o serviço específico com suas implicações; só recusam alguns alimentos. Através da fábula se apresenta o confronto do judaísmo com o helenismo dos Lágidas e Selêucidas. O segundo confronto situa-se no terreno intelectual; nele os jovens judeus derrotam amplamente seus rivais. Tudo pela graça de Deus.

1,1-2 A data indicada, historicamente falsa, é teologicamente significativa: é o começo de uma era, a do poder de impérios e nações pagãs, que durará até a morte de Antíoco Epífanes. A queda de Jerusalém, o incêndio do templo e o transporte de seus utensílios para Babilônia marcam a mudança de poderes. Os apocalípticos não consideram a volta do desterro como verdadeira restauração, porque o povo continua submetido. Nem consideram o edifício de Ageu e Zacarias como o templo consumado. Tudo isso é uma etapa intermédia, que culminará numa grande profanação e na plena restauração iminente.

1,3-4 Seu saber está na ordem do conselho e da administração. Ter nobres como servidores enaltece a glória de um soberano (Is 10,8 e 23,8). Ele afirma seu poder, eles acedem ao confronto. Daí brota a ironia de vários relatos.

1,7 A adoção de nomes estrangeiros volta frequentemente em tempos helenísticos (cf. Gn 41,45). Os novos nomes soam como leves deformações de modelos babilônicos.

1,8 Sobre tabus alimentares: Ez 4,13s; Os 9,3; Est 4,14; Jt 10,5 etc.

1,12 Além de evitar manjares proibidos, praticam uma dieta ascética. Podia ser praticada como penitência ou para alcançar a inspiração celeste (10,2s); ver o precedente dos recabitas (Jr 35).

1,15 Lm 4,7.

1,17 O primeiro é um saber tradicional, recolhido em escritos, que se aprende estudando e que os mestres caldeus podem ensinar. Deus o concede

saber. Além disso, Daniel sabia interpretar visões e sonhos.

[18]Ao se cumprir o prazo marcado pelo rei, o chefe dos eunucos os apresentou a Nabucodonosor. [19]Depois de conversar com eles, o rei não encontrou nenhum como Daniel, Ananias, Misael e Azarias, e os tomou a seu serviço.

[20]E em todas as questões e problemas que o rei lhes propunha, eles o faziam dez vezes melhor que todos os magos e adivinhos de todo o reino.

[21]Daniel esteve no palácio até o primeiro ano do reinado de Ciro.

2 O sonho de Nabucodonosor (Gn 41) –

[1]No segundo ano de seu reinado, Nabucodonosor teve um sonho; ficou sobressaltado e não pôde continuar dormindo. [2]Mandou chamar os magos, astrólogos, agoureiros e adivinhos para que lhe explicassem o sonho. Quando chegaram à sua presença, [3]o rei lhes disse:

– Tive um sonho que me sobressaltou e quero saber o que significa.

[4]Os adivinhos responderam:

– Viva o rei eternamente! Conte sua majestade o sonho e nós explicaremos seu sentido.

[5]O rei lhes disse:

– Ordeno e mando! Se não me disserdes o sonho e sua interpretação, sereis despedaçados e vossas casas serão demolidas; [6]mas, se me explicardes o sonho e sua interpretação, eu vos cumularei de dons, presentes e honras. Portanto, dizei-me o sonho e sua interpretação.

[7]Eles replicaram:

– Majestade, conta-nos o sonho e explicaremos seu sentido.

---

por meios humanos, abençoando o trabalho (Eclo 39,5-8). Entender visões e sonhos é dom direto de Deus (Eclo 34,1-8).

1,20 Compare-se com a rainha estrangeira propondo enigmas a Salomão (1Rs 10,1-3): os papéis se invertem.

1,21 A data significa para ouvidos judeus a volta do desterro; outra datação em 10,1.

2 O núcleo deste capítulo é um sonho e sua interpretação; esse núcleo é emoldurado por um relato brilhante, no qual o autor mistura a sustentação narrativa com a distância irônica. A primeira começa com o fracasso dos magos; a segunda se consuma em três relações: do rei com os magos, dos magos com Daniel, de Daniel com o rei.

O desmedido pedido do rei põe em marcha o enredo. Interpretar sonhos era parte da atividade convencional desses adivinhos. Tratando-se de uma arte regulamentada e exclusiva, não podia ser controlada de fora pelos inexpertos e conferia poder político aos expertos. O autor zomba de semelhante monopólio através da rebelião inesperada do rei, farto de submeter-se ao saber arcano de seus funcionários. O autor pisca para o leitor.

Daniel se solidariza com seus rivais, em vez de saborear sua matança, e assim os salva. Novo traço irônico: os que pretendiam salvar o rei e o império com seu saber recôndito têm de ser salvos por um jovem estrangeiro. A batalha se apresenta por ora no terreno do saber histórico; por enquanto, a idolatria fica à margem. O Senhor conhece e prediz a história, porque ele a planeja e dirige.

O sonho é uma alegoria (ver Introdução). A história pode reduzir-se a uma sucessão de impérios, em poderio decrescente, controlados por Deus; no final, repentinamente, chega o reinado que Deus inaugura. Graças ao artifício da ficção, aquilo que na mente do autor era olhar retrospectivo, na boca do personagem se converte em profecia antecipada.

A estátua aqui significa a projeção do tempo no espaço, para que possamos assistir ao desmoronamento instantâneo de um longo processo, que parece acumulado e como que congelado. Mas, em vez de proceder de baixo para cima, por sedimentação, como faríamos nós, mentalizados pela arqueologia, o autor começa de cima para baixo. Porque em hebraico a cabeça é o começo (en-cabeça-mento) e as primícias, o capit-al. A ordem resultante é: império babilônico – medo persa – Alexandre – Lágidas e Selêucidas. Mas a estátua de materiais inorgânicos significa uma concepção esquemática e reduzida. Ficam de fora os impérios egípcio, hitita e assírio, e os reinos menores. Por quê? – Porque Nabucodonosor e o desterro são considerados começo de uma nova era. Além disso, o processo não é orgânico: não vemos as causas, não assistimos ao amadurecer dos acontecimentos, não percebemos o movimento dialético.

Uma estátua, para a mentalidade bíblica, é "produto de mãos humanas", ao passo que a pedra se desprende da montanha "sem mãos humanas". Salvando as diferenças, vem à memória a estátua que Moisés reduziu a pó (Ex 32).

Através de Daniel, o Deus dos judeus enfrenta o imperador do mundo. Não exige dele que "solte seu povo" (Ex, *passim*), mas que reconheça o poder soberano do Deus de Daniel (cf. Ex 5,2). Deus é um salvador escatológico; Nabucodonosor não pode fundar uma dinastia perpétua, nem todas as dinastias sucessivas encherão a medida da perpetuidade.

2,2 Ao longo do livro encontramos as seguintes denominações: magos, astrólogos, agoureiros, sábios, adivinhos; o autor enumera sem especificar. Ver Dt 18,10; Is 47,13.

2,4 A interpretação de sonhos e visões adquire grande importância na época. Às vezes a interpretação é confiada a outro, a um anjo mediador, ou é relegada a outra época. Em 4b começa o texto aramaico, que vai até 7,28.

⁸O rei retomou:

— Está claro que tentais ganhar tempo, sabendo que ordenei que, ⁹se não me contardes o sonho, tereis todos a mesma sentença. Porque fizestes conchavos para me contar mentiras e embustes até que chegue uma mudança de situação. Portanto, contai-me o sonho, e eu me convencerei de que sabeis interpretá-lo.

¹⁰Os adivinhos responderam ao rei:

— Não há homem na terra que possa dizer o que o rei pede; nenhum rei ou príncipe exigiu coisa semelhante de magos, astrólogos ou adivinhos. ¹¹O que o rei exige é sobre-humano; só os deuses, que não habitam com os mortais, podem dizê-lo ao rei.

¹²Ao ouvir isso, o rei se enfureceu e mandou acabar com todos os sábios da Babilônia. ¹³E decretou que os sábios fossem executados. E foram buscar Daniel e seus companheiros para executá-los.

¹⁴Quando Arioc, chefe da guarda real, ia executar os sábios, ¹⁵Daniel aconselhou ter prudência e perguntou ao funcionário real:

— Por que o rei deu um decreto tão severo?

Arioc lhe explicou toda a questão, ¹⁶e Daniel se dirigiu ao rei para lhe pedir um pouco de tempo a fim de lhe explicar o sonho.

¹⁷Daniel voltou para casa e contou tudo a seus companheiros Ananias, Azarias e Misael, ¹⁸e lhes recomendou invocar a misericórdia do Deus do céu para que lhes revelasse o segredo e não tivessem de perecer Daniel e seus companheiros com os outros sábios da Babilônia.

¹⁹Numa visão noturna, Daniel teve a revelação do segredo, e bendisse o Deus do céu, ²⁰dizendo:

"Bendito seja o nome de Deus
pelos séculos dos séculos.
Ele possui a sabedoria e o poder,
²¹ele muda tempos e estações,
destrona e entroniza os reis.
Ele dá sabedoria aos sábios
e ciência aos experientes,
²²revela os segredos mais profundos
e conhece o que as trevas escondem.
²³Eu te louvo e te dou graças,
Deus de meus pais,
porque me deste
sabedoria e poder:
revelaste-me o que te pedia,
revelaste-me a questão do rei".

²⁴Depois Daniel foi até Arioc, a quem o rei havia mandado executar os sábios da Babilônia, e lhe disse:

— Não mates os sábios de Babilônia; leva-me à presença do rei e lhe explicarei o sentido do sonho.

²⁵Arioc o conduziu apressadamente ao rei e lhe disse:

— Há um homem dos deportados de Judá que está disposto a explicar o sonho a vossa majestade.

²⁶O rei perguntou a Daniel:

— És realmente capaz de me contar o sonho e de me explicar seu sentido?

²⁷Daniel respondeu:

— O segredo de que fala vossa majestade, não o podem explicar nem os sábios nem os astrólogos nem os magos nem os adivinhos; ²⁸mas há um Deus no céu que revela os segredos e que anunciou ao rei Nabucodonosor o que acontecerá no fim dos tempos.

2,10 Preparam para Daniel uma plataforma monumental. Nova ironia do autor.
2,18 O termo "segredo" aparece oito vezes no capítulo. É segredo que só Deus pode revelar (Dt 29,28; cf. Am 3,7).
2,20-23 O breve hino resume a situação.
2,28 Os apocalípticos são conscientes de viver no último ato, esperando o fechamento das cortinas e a irrupção do reinado de Deus.

²⁹"Este é o sonho que viste quando estavas deitado. Começaste a pensar no que iria acontecer, e aquele que revela os segredos te comunicou o que irá acontecer. ³⁰Quanto a mim, não é que eu tenha uma sabedoria superior à de todos os viventes; se me revelaram o segredo, é para que explique o sentido ao rei e assim possas entender o que pensavas.

³¹Tu, rei, viste uma visão: uma estátua majestosa, uma estátua gigantesca e de brilho extraordinário; seu aspecto era impressionante. ³²Tinha a cabeça de ouro fino, o peito e os braços de prata, o ventre e as coxas de bronze, ³³as pernas de ferro e os pés de ferro misturado com barro. ³⁴Em tua visão, uma pedra se desprendeu sem intervenção humana, bateu contra os pés de ferro e barro da estátua, e a fez em pedaços. ³⁵De repente se fizeram em pedaços o ferro e o barro, o bronze, a prata e o ouro, triturados como palha de uma eira no verão, que o vento arrebata e que desaparece sem deixar rastro. E a pedra que desfez a estátua cresceu até se transformar numa montanha enorme que ocupava toda a terra.

³⁶Este era o sonho. Agora explicaremos ao rei seu sentido: ³⁷Tu, majestade, rei de reis, a quem o Deus do céu concedeu o reino e o poder, o domínio e a glória, a quem deu poder ³⁸sobre os homens onde quer que vivam, sobre as feras selvagens e as aves do céu, para que reines sobre eles: tu és a cabeça de ouro. Um reino de prata, menos poderoso, te sucederá. ³⁹Depois um terceiro reino, de bronze, que dominará todo o orbe. ⁴⁰Virá depois um quarto reino, forte como o ferro. Como o ferro destroça e esmaga tudo, assim destroçará e triturará a todos. ⁴¹Os pés e os dedos que viste, de ferro misturado com barro de oleiro, representam um reino dividido; conservará algo do vigor do ferro, porque viste ferro misturado com argila. ⁴²Os dedos dos pés, de ferro e barro, são um reino ao mesmo tempo poderoso e fraco. ⁴³Como viste o ferro misturado com a argila, assim se misturarão as linhagens, mas não chegarão a fundir-se, assim como não se pode ligar o ferro com o barro. ⁴⁴Durante esses reinados, o Deus do céu suscitará um reino que nunca será destruído nem seu domínio passará a outro, pelo contrário, destruirá e acabará com todos os demais reinos, ao passo que ele durará para sempre; ⁴⁵isso significa a pedra que viste desprendida do monte sem intervenção humana e que destroçou o barro, o ferro, o bronze, a prata e o ouro. Esse é o destino que o Deus poderoso comunica a vossa majestade. O sonho tem sentido, a interpretação é certa".

⁴⁶Então Nabucodonosor se prostrou por terra, prestando homenagem a Daniel, e mandou que lhe oferecessem sacrifícios e oblações.

⁴⁷O rei disse a Daniel:
– Sem dúvida que teu Deus é Deus de deuses e Senhor de reis; ele revela os segredos, visto que foste capaz de explicar esse segredo.

⁴⁸Depois o rei cumulou Daniel de honras e riquezas, o nomeou governador da província da Babilônia e chefe de todos os sábios da Babilônia.

⁴⁹A pedido de Daniel, o rei pôs Sidrac, Misac e Abdênago à frente da província da Babilônia, enquanto Daniel ficou na corte.

3 A estátua de ouro (Is 43,2; 2Mc 7) –

¹O rei Nabucodonosor fez uma estátua de ouro, com trinta metros de altura por três de largura, e a colocou na planície de Dura, província da Babilônia.

2,29-30 É sugestivo contemplar o imperador do mundo escutando dos lábios do seu servo o sonho oculto no peito real (compare-se com Pr 25,1s).

2,31-35 A brevidade e a lucidez da descrição convencem o rei e, artisticamente, também o leitor. A grandeza colossal, o brilho deslumbrante, a queda súbita, o cenário varrido pelo vento e enchendo-se com a montanha, acontecem em poucas frases certeiras. A visão é grandiosa com sobriedade. Reina o silêncio, quebrado pelo choque final.

2,35 "Como palha": Sl 1,4; 18,43.

2,37-38 Inspirado em Jr 27,6 e 28,14; indiretamente depende de Gn 1,28 e Sl 8; reaparece em Br 3,16.

2,41-43 A ampliação um tanto desajeitada destoa no resto; talvez seja acréscimo de um comentarista. Temos de manter a mistura de poder e fraqueza.

2,44 O material do novo reino é pedra sólida ou rocha; a montanha representa o estável e duradouro (Gn 49,26; Hab 3,6).

2,45 No contexto do autor, a pedra é o povo escolhido; a leitura messiânica se impõe mais tarde.

2,46 O imperador rendendo homenagem a Daniel é um traço irônico final.

2,47 O título como em Dt 10,17 e Sl 136,2.

3 À estátua do sonho, modelada por Deus na fantasia para transmitir uma mensagem, sucede a estátua

²Mandou convocar os sátrapas, ministros, prefeitos, conselheiros, tesoureiros, letrados, magistrados e governadores de província para que acorressem à inauguração da estátua que o rei Nabucodonosor havia feito.

³Reuniram-se os sátrapas, ministros, prefeitos, conselheiros, tesoureiros, letrados, magistrados e governadores de província para a inauguração da estátua que o rei Nabucodonosor havia feito, e enquanto estavam de pé diante dela ⁴o arauto proclamou com voz potente:

— A todos os povos, nações e línguas: ⁵quando ouvirdes tocar a trombeta, a flauta, a cítara, o alaúde, a harpa, a viola e todos os outros instrumentos, vós vos prostrareis para adorar a estátua que o rei Nabucodonosor fez. ⁶Aquele que não se prostrar em adoração será no mesmo instante atirado dentro de um forno aceso abrasador.

⁷Assim, pois, quando os diversos povos ouvirem tocar a trombeta, a flauta, a cítara, o alaúde, a harpa, a viola e todos os outros instrumentos, todos os povos, nações e línguas se prostraram adorando a estátua de ouro que Nabucodonosor havia feito.

⁸Então alguns caldeus foram ao rei para denunciar os judeus:

— ⁹Viva o rei eternamente! ¹⁰Sua majestade decretou que todos os que escutarem o toque da trombeta, flauta, cítara, alaúde, harpa, viola e de todos os demais instrumentos se prostrem adorando a estátua de ouro, ¹¹e quem não se prostrar em adoração será atirado dentro de um forno aceso abrasador. ¹²Pois bem, há alguns judeus, Sidrac, Misac e Abdênago – a quem confiaste o governo da província da Babilônia –, que não obedecem à ordem real, nem veneram teus deuses, nem adoram a estátua de ouro que fizeste.

¹³Nabucodonosor, num acesso de ira, ordenou que levassem Sidrac, Misac e Abdênago, e quando os teve diante de si, disse-lhes:

— ¹⁴É verdade, Sidrac, Misac e Abdênago, que não respeitais meus deuses nem adorais a estátua que fiz? ¹⁵Vede: se ao ouvir o toque da trombeta, flauta, cítara, alaúde, harpa, viola e de todos os demais instrumentos, estiverdes dispostos a prostrar-vos adorando a estátua que fiz, fazei-o; mas, se não a adorardes, no mesmo instante sereis atirados dentro do forno

---

obra de mãos humanas. Com isso, a polêmica passa ao terreno da idolatria. Age também a inveja dos chefes babilônicos, que se viram desbancados por Daniel e seus companheiros.

Estátua sonhada e estátua real. Paradoxalmente, a estátua sonhada é real, e a real é falsa. Porque a sonhada tem como substância significar, e o significado é verdadeiro (2,45). Ao passo que a real representa algo que não tem existência; por isso, é um sem-sentido, quer represente uma divindade ou um ser divinizado. No contexto narrativo, babilônico, a estátua representa um deus, talvez Marduc; no contexto do autor, alude a Antíoco Epífanes, rei divinizado. Em contexto politeísta, o imperador não exige de seus súditos que reneguem seus próprios deuses, mas que reconheçam o deus do império. Somente os monoteístas se negarão.

Em todo caso, a estátua é perversa. Nela se cumpre o esquema radical da idolatria, que escraviza o homem a uma fabricação humana. Nas mãos do rei, a estátua se transforma em instrumento de opressão, pois o rei subjuga seus súditos com pretexto religioso e ao toque de uma banda musical.

A prova. Todos se submetem à ordem do rei, com as autoridades à frente. Resistem três judeus (falta Daniel no relato). A fé dos judeus os livra de fazer-se escravos; a confiança no seu Deus lhes dá coragem diante da intimidação. Submetidos à prova, põem à prova a capacidade salvadora do seu Deus (v. 18). Neles e por eles, seu Deus é posto à prova, como Deus salvador; e tanto os jovens judeus como seu Deus saem da prova honrados. O relato anima os mártires: fala mais a Eleazar que a Judas Macabeu. É a prova do fogo (cf. Is 43,2).

Nabucodonosor. A princípio, não parece que aja pensando nos seus funcionários judeus; é a inveja dos cortesãos que descobre a desobediência. Quando o rei fica a par, irrita-se e pronuncia sua acusação: faltaram ao rei, desobedecendo; à estátua e aos deuses, negando-lhes adoração. Em sua cólera, o rei se atreve a desafiar o Deus dos judeus (15); no fim tem de reconhecer a superioridade dele (29).

O estilo desse relato, com suas enumerações e repetições, tem um encanto especial. Caminha devagar, majestosamente, e se tinge de ironia pelo contraste entre a grande exibição do rei e seu fracasso: ouro em quantidade incalculável, a planície imensa, autoridades em peso, *todos* os da banda de música, o forno na sua temperatura máxima... Tampouco carece de ironia o quadro dos cortesãos examinando aqueles homens "à prova de fogo" (27).

3,1 O texto ultrapassa o realismo do cenário limitado, sugerindo uma adoração universal de todos os súditos do império.

3,2 Seis cargos têm nomes persas.

3,5 Inclui três instrumentos musicais de nome grego. Compare-se com 2Cr 20,28 e Sl 150.

3,6 A pena do fogo: Jr 29,22; Is 30,33.

3,15 Embora o rei não controle os elementos, pode manipular a seu arbítrio um fogo domesticado. O seu desafio implica que nenhum deus pode controlar esse fogo.

aceso abrasador, e qual Deus vos livrará de minhas mãos?

¹⁶Sidrac, Misac e Abdênago responderam:
– Majestade, não temos por que responder a isso. ¹⁷Se é assim, o Deus a quem veneramos pode livrar-nos do forno aceso e nos livrará de tuas mãos. ¹⁸E ainda que não o faça, majestade, conste que não veneramos teus deuses nem adoramos a estátua de ouro que fizeste.

¹⁹Nabucodonosor, furioso contra Sidrac, Misac e Abdênago e com o rosto alterado pela raiva, mandou acender o forno sete vezes mais que de costume, ²⁰e ordenou a alguns de seus soldados mais robustos que amarrassem Sidrac, Misac e Abdênago e os atirassem no forno aceso abrasador.

²¹Assim, vestidos com suas calças, camisas, gorros e as outras roupas, os amarraram e atiraram no forno aceso abrasador.

²²A ordem do rei era severa e o forno estava ardendo; aconteceu que as chamas queimaram os que conduziam Sidrac, Misac e Abdênago, ²³enquanto os três, Sidrac, Misac e Abdênago, caíam amarrados no forno abrasador.

Oração penitencial de Azarias (Esd 9; Ne 9; Br 1,15-3,8) – ²⁴*Passeavam pelas chamas louvando e dando graças a Deus.*

²⁵*Azarias se deteve para orar, e abrindo os lábios no meio do fogo, disse:*

²⁶*Bendito sejas, Senhor,*
Deus de nossos pais,
louvado e glorificado
teu nome para sempre.
²⁷*O que fizeste conosco*
está justificado:
todas as tuas ações são justas,
teus caminhos são retos,
tuas sentenças são justas.
²⁸*São justas as sentenças*
que executaste contra nós,
contra tua cidade santa,
a Jerusalém de nossos pais;
com justiça e direito
executaste tudo
por causa de nossos pecados.
²⁹*Porque cometemos*
todo tipo de pecados,

3,17-18 A tradução suaviza uma dificuldade gramatical. Na sua declaração, os jovens expressam a têmpera do martírio diante do imperador do universo e de toda a sua corte. Estão convencidos de que o seu Deus pode livrá-los, mas do poder não deduzem o fato. Os estrangeiros precisam ver o fato para crer no poder.

3,23 A opressão do Egito é comparada várias vezes a um forno de fundição (Dt 4,20; 1Rs 8,51; Jr 11,4). No original aramaico se sucedem sem pausa o cair dos jovens atados e o levantar-se do rei atônito.
Os vv. 24-33 da numeração aramaica aparecem após 3,90. Em itálico estão as inserções gregas.

3,24-45 Oração penitencial. O homem glorifica a Deus de duas maneiras: confessando as ações gloriosas do Senhor e confessando as próprias culpas. A primeira é clara, a segunda se baseia nas relações do povo com seu Deus. Suposta a escolha, que é pura graça, e a oferta e aceitação da aliança bilateral com suas condições, e o processo histórico ulterior, resulta que o Senhor cumpriu lealmente seus compromissos, mas o homem não. Por isso, quando o homem confessa sua culpa e aceita humildemente o castigo, reconhece que o Senhor tinha razão e por isso glorifica seu Deus.
A presente oração pertence a um gênero bem conhecido e bastante estável em seus componentes. Podem consultar-se: Sl 50-51; Esd 9; Ne 9; Dn 9; Br 1,15-3,8. Como em textos semelhantes, Azarias fala em nome da comunidade; o contexto dá uma ressonância particular à sua oração.
O texto é sóbrio. Da confissão retém o essencial, em particular a relação das duas partes em termos de justiça = inocência diante de culpa = vergonha. Depois da confissão, apela à misericórdia, enumerando motivos clássicos: a honra de Deus, sua promessa, a situação do povo. Segue-se o propósito de emenda e acrescenta-se uma imprecação contra o inimigo.

3,27-28 O desterro colocou um problema de teodiceia: a sua solução serviu de modelo para a diáspora. O autor da presente inserção adota uma atitude política e religiosa com uma pitada de polêmica: diante da linha macabaica, que proclama a rebelião armada, ele proclama a culpa e remete a solução a Deus.

prevaricamos,
rebelando-nos contra ti,
cometemos
todo tipo de pecados,
violamos
os preceitos de tua lei;
³⁰não pusemos em prática
o que nos havias ordenado
para nosso bem.
³¹Por isso, tudo o que nos enviaste
e nos fizeste,
o fizeste com justiça.
³²Tu nos entregaste em poder
de nossos inimigos,
iníquos, perversos e rebeldes,
do rei mais iníquo
e perverso do mundo.
³³Já não podemos abrir a boca,
pois a vergonha oprime
teus servos e teus fiéis.
³⁴Pela honra de teu nome,
não nos abandones para sempre,
não rompas tua aliança,
não nos negues tua misericórdia.
³⁵Por Abraão, teu amigo;
por Isaac, teu servo;
por Israel, teu consagrado;
³⁶aos quais prometeste
multiplicar sua descendência
como as estrelas do céu,
como a areia das praias.
³⁷Por nossos pecados, Senhor,
somos hoje o menor dos povos,
humilhado por toda a terra;
³⁸já não temos príncipe,
nem chefe, nem profeta,
nem holocaustos, nem sacrifícios,
nem ofertas, nem incenso,
nem lugar em que oferecer-te primícias
e alcançar tua misericórdia.
³⁹Mas temos um coração quebrantado
e um espírito humilhado;
recebe-os como se fossem uma oblação
de holocaustos de touros e carneiros,
de milhares de cordeiros cevados.

3,34 "Misericórdia": a palavra grega e seu original hebraico podem significar o ato de piedade que perdoa ou a lealdade ao compromisso. O povo faltou a seus compromissos; que o Senhor não falte a suas promessas.

3,37 Israel era o menor povo no momento da escolha e da libertação (Dt 7,7); voltará a ser pequeno, se não for fiel à aliança (Dt 28,61). É a situação que o autor contempla ou esquematiza.

3,38 Faltam duas instituições centrais: a dinastia ou casa de Davi, e o templo ou casa do Senhor. Falta a palavra profética (Sl 74,9), que em tempos turbulentos remediou a falta de ambas. Estas palavras não se enquadram em tempos da dinastia asmoneia, e sim sob a dominação romana.

3,39 Inspirado em Sl 51,19.

⁴⁰Será esse o sacrifício que hoje te oferecemos
 para aplacar-te fielmente;
 porque os que confiam em ti
 não ficam frustrados.
⁴¹Daqui para a frente te seguiremos
 de todo o coração, te respeitaremos,
 buscaremos teu rosto.
 Não nos decepciones;
⁴²trata-nos segundo tua piedade
 e tua grande misericórdia;
⁴³livra-nos, como tu fazes,
 maravilhosamente,
 e sai pela honra de teu nome, Senhor.
⁴⁴Sejam humilhados os que nos maltratam,
 fiquem confundidos, percam o comando,
 seja triturado seu poder
⁴⁵e saibam que tu, Senhor, és o Deus único,
 glorioso, em toda a terra.

Cântico dos três jovens (Sl 136; 148) – ⁴⁶Os servos do rei que os tinham atirado não cessavam de atiçar o fogo. No momento de atirá-los, o forno estava aceso sete vezes mais que de costume. Os servos que os atiraram se encontravam na parte superior, enquanto outros, por baixo, alimentavam o fogo com petróleo, piche, estopa e lenha. ⁴⁷As chamas se levantavam vinte e quatro metros e meio por cima do forno; ⁴⁸estenderam-se e queimaram os caldeus que se encontravam perto do forno.

⁴⁹Um anjo do Senhor desceu aonde estavam Azarias e seus companheiros, expulsou as chamas fora do forno, ⁵⁰introduziu um vento úmido que soprava, e o fogo não os atormentou, nem os feriu, nem sequer os tocou.

⁵¹Então os três, em uníssono, cantavam hinos e bendiziam e glorificavam a Deus no forno, dizendo:

⁵²Bendito és, Senhor, Deus de nossos pais,
 a ti glória e louvor pelos séculos.
 Bendito teu nome, santo e glorioso,
 a ele glória e louvor pelos séculos.
⁵³Bendito és no templo de tua santa glória,
 a ti glória e louvor pelos séculos.

3,44 Embora o inimigo tenha sido carrasco a serviço de Deus, excedeu-se com arrogância e mereceu o castigo. Na conjuntura histórica, a libertação dos judeus está vinculada ao fracasso dos opressores: ver Sl 35,24-26; 40,14-16; 56,8-10.

3,45 Ressonância de Sl 83,19: é um reconhecimento que não termina em conversão.

3,46-50 O autor grego introduz esta peça de ligação, desenvolvendo o que o original indica sobriamente. O forno é imaginado como uma estrutura vertical: por baixo se alimenta e se atiça, por cima se joga o material. A morte dos caldeus é uma execução da lei do talião. O esquema é uma transposição aproximada do episódio do mar Vermelho, com fogo em vez de água.

3,51-90 O autor grego insere um hino inspirado no Sl 136 pelo artifício de repetição, e no 148 pelo convite universal. Existiu talvez como hino autônomo. No presente contexto carrega-se de novo sentido. Dura era um cenário universal dos súditos do imperador; os cantores no forno se abrem a um cenário cósmico. A banda do rei, música instrumental, convocava chefes e súditos para a homenagem à estátua; a voz humana dos jovens convoca o universo ao elogio uníssono de Deus. Em vez de holocaustos de aroma que aplaca, brota agora o "sacrifício dos lábios", a oferta musical do louvor. Deus não aceita por ora o sacrifício da vida de seus fiéis, contenta-se com o sacrifício do testemunho heroico e do louvor entusiasta. A série se divide comodamente em seis invocações dirigidas a Deus, um convite universal e seis convites celestes, dez aos meteoros, oito a animais e sete a homens. Tem menos rigor e concentração que o Sl 148. Toda a criação se une ao coro de louvor, quando a palavra humana a convoca. Desse modo, o homem exerce seu senhorio sobre a criação, dando-lhe nome outra vez (cf. Gn 1) e dando-lhe ordens desinteressadas. Assim a submete a si para submetê-la a Deus, fechando o círculo que começou na criação.

3,53-54 Templo e trono celestes, do rei do céu.

⁵⁴*Bendito és em teu trono real,*
a ti glória e louvor pelos séculos.
⁵⁵*Bendito quando cavalgas sobre querubins,*
sondando os abismos,
a ti glória e louvor pelos séculos.
⁵⁶*Bendito és na abóbada do céu,*
a ti glória e louvor pelos séculos.
⁵⁷*Criaturas todas do Senhor, bendizei ao Senhor,*
exaltai-o com hinos pelos séculos.
⁵⁸*Anjos do Senhor, bendizei ao Senhor,*
exaltai-o com hinos pelos séculos.
⁵⁹*Céus, bendizei ao Senhor,*
exaltai-o com hinos pelos séculos.
⁶⁰*Águas do espaço, bendizei ao Senhor,*
exaltai-o com hinos pelos séculos.
⁶¹*Exércitos do Senhor, bendizei ao Senhor,*
exaltai-o com hinos pelos séculos.
⁶²*Sol e lua, bendizei ao Senhor,*
exaltai-o com hinos pelos séculos;
⁶³*astros do céu, bendizei ao Senhor,*
exaltai-o com hinos pelos séculos.
⁶⁴*Chuva e orvalho, bendizei ao Senhor,*
exaltai-o com hinos pelos séculos.
⁶⁵*ventos todos, bendizei ao Senhor,*
exaltai-o com hinos pelos séculos;
⁶⁶*fogo e calor, bendizei ao Senhor,*
exaltai-o com hinos pelos séculos;
⁶⁷*frios e gelos, bendizei ao Senhor,*
exaltai-o com hinos pelos séculos;
⁶⁸*orvalhos e nevascas, bendizei ao Senhor,*
exaltai-o com hinos pelos séculos;
⁶⁹*gelos e frios, bendizei ao Senhor,*
exaltai-o com hinos pelos séculos;
⁷⁰*geadas e neves, bendizei ao Senhor,*
exaltai-o com hinos pelos séculos.
⁷¹*Noites e dias, bendizei ao Senhor,*
exaltai-o com hinos pelos séculos;
⁷²*luz e trevas, bendizei ao Senhor,*
exaltai-o com hinos pelos séculos;
⁷³*raios e nuvens, bendizei ao Senhor,*
exaltai-o com hinos pelos séculos.
⁷⁴*Bendiga a terra ao Senhor,*
exalte-o com hinos pelos séculos;
⁷⁵*montes e cumes, bendizei ao Senhor,*
exaltai-o com hinos pelos séculos;
⁷⁶*tudo o que germina na terra,*
bendiga ao Senhor,
exalte-o com hinos pelos séculos;

3,56 A abóbada é o firmamento.
3,59 O oceano celeste, acima do firmamento (Sl 29,10).
3,61 Astros e constelações a serviço de Deus.
3,64 Os meteoros começam com as águas abaixo da abóbada.
3,71 Ver Sl 19,3.

⁷⁷mananciais, bendizei ao Senhor,
   exaltai-o com hinos pelos séculos;
⁷⁸mares e rios, bendizei ao Senhor,
   exaltai-o com hinos pelos séculos;
⁷⁹cetáceos e tudo o que se agita no mar,
   bendizei ao Senhor,
   exaltai-o com hinos pelos séculos;
⁸⁰aves do céu, bendizei ao Senhor,
   exaltai-o com hinos pelos séculos;
⁸¹feras e rebanhos, bendizei ao Senhor,
   exaltai-o com hinos pelos séculos.
⁸²Homens todos, bendizei ao Senhor,
   exaltai-o com hinos pelos séculos;
⁸³bendiga Israel ao Senhor,
   exalte-o com hinos pelos séculos;
⁸⁴sacerdotes do Senhor, bendizei ao Senhor,
   exaltai-o com hinos pelos séculos;
⁸⁵servos do Senhor, bendizei ao Senhor,
   exaltai-o com hinos pelos séculos;
⁸⁶almas e espíritos justos,
   bendizei ao Senhor,
   exaltai-o com hinos pelos séculos;
⁸⁷santos e humildes de coração,
   bendizei ao Senhor,
   exaltai-o com hinos pelos séculos;
⁸⁸Ananias, Azarias e Misael, bendizei ao Senhor,
   exaltai-o com hinos pelos séculos;
   porque vos tirou da cova,
   vos livrou do poder da morte,
   vos arrancou da chama ardente
   e vos livrou do fogo.
⁸⁹Dai graças ao Senhor, porque é bom,
   porque é eterna sua misericórdia.
⁹⁰Louvai a Deus, fiéis todos de Deus,
   dai-lhe graças com hinos,
   porque é eterna sua misericórdia,
   dura pelos séculos dos séculos.

Confissão de Nabucodonosor – ²⁴Então o rei, estupefato, levantou-se apressadamente e perguntou a seus conselheiros:
– Não eram três os homens que amarramos e atiramos no forno?
Responderam-lhe:
– Sim, majestade.

²⁵Perguntou:
– Então, como é que vejo quatro homens, sem amarras, passeando pelo forno sem sofrer nada? E o quarto parece um ser divino.
²⁶E aproximando-se da porta do forno aceso, disse:

3,77 Nos mananciais aflora a água do oceano subterrâneo de água doce (Dt 33,13).
3,80 Céu equivale a ar: por baixo da abóbada, na esfera do homem.
3,86-87 Uma comunidade definida pela santidade, justiça e humildade, na alma, no espírito e no coração (Dt 6,5). Não é uma comunidade de poderosos nem de guerreiros, mas de consagrados ao Senhor.

3,88 Ver Eclo 51,4.
3,24 Continua o relato original, em hebraico.
3,25 O "ser divino" chama-se "anjo" no v. 28. O rei vê o personagem em figura humana, como os outros três, mas descobre nele traços ou aspecto divino (cf. Gn 18 e Jz 13); Tobit não consegue tanto (Tb 5).
3,26 "Deus Altíssimo": o título compete ao Deus supremo; não é inconciliável com o politeísmo, embora coloque Ywhw acima de Marduc.

— Sidrac, Misac e Abdênago, servos do Deus Altíssimo, saí e vinde.

Sidrac, Misac e Abdênago saíram do forno. ²⁷Os sátrapas, ministros, prefeitos e conselheiros se acotovelaram para ver aqueles homens à prova de fogo: o cabelo não se havia queimado, as calças estavam intactas, nem sequer cheiravam a chamuscadas.

²⁸Nabucodonosor então disse:

— Bendito seja o Deus de Sidrac, Misac e Abdênago. Ele enviou um anjo para salvar seus servos, que, confiando nele, desobedeceram ao decreto real e preferiram enfrentar o fogo a venerar e adorar outros deuses exceto o seu. ²⁹Por isso, eu decreto que quem blasfemar contra o Deus de Sidrac, Misac e Abdênago, de qualquer povo, nação ou língua a que pertença, seja feito em pedaços e sua casa seja derrubada. Porque não existe outro Deus como esse, capaz de livrar.

³⁰O rei deu cargos a Sidrac, Misac e Abdênago na província da Babilônia.

Visão da árvore (Ez 31) – ³¹O rei Nabucodonosor, a todos os povos, nações e línguas que habitam na terra: Paz e prosperidade.

³²Quero contar os sinais e prodígios que o Deus Altíssimo fez comigo:

³³Quão grandes são seus sinais,
   que admiráveis seus prodígios!
Seu reinado é eterno,
Seu poder dura por todas as eras.

4 ¹Eu estava em paz em minha casa,
   com boa saúde em meu palácio,

3,27 Parece que os funcionários assistiam à execução, dispostos a saborear a vitória (cf. Sl 35,25). Seu exame pode ter caráter notarial. O castigo não os atinge, nem ao rei (v. 22).

3,28-29 Resume o sentido teológico do relato. Na mente do imperador pagão, não é profissão de monoteísmo, mas aceitação do Deus dos judeus no panteão do império. Na mentalidade do autor, Yhwh é Deus único. Não se trata do Deus metafísico, mas do Deus que age em favor dos seres humanos. A questão é salvar ou não salvar; é a ideia de Is 43,11 e 45,21. O autor diz aos judeus que há um só Deus salvador, portanto há um só Deus. Não faz os pagãos tirar a última consequência, que Is 45,14 põe na boca de pagãos convertidos.

3,30 Em termos narrativos soa como estribilho.

3,31-4,34 Neste quarto ato, Nabucodonosor faz sua última aparição. Pelo tema, é paralelo do segundo, pois narra sonho, interpretação, cumprimento e confissão. Distingue-se pela forma, pois em grande parte é contado como confissão autobiográfica. Pelo tema, forma e posição no livro, notamos que o principal é a confissão do imperador. Pronunciada sua confissão, Nabucodonosor se retira da cena.
O tema parece inspirar-se na crônica e lenda de Nabônides, último rei babilônio. Segundo a Crônica, esse rei passou dez anos fora de Babilônia, submetendo tribos e regiões da Arábia. Conforme a lenda (um fragmento encontrado em Qumrã), Nabônides passou sete anos em Tema da Arábia, doente por causa de seus pecados. Em nosso texto, as coisas mudam notavelmente: não é Nabônides, mas Nabucodonosor (último e mais importante imperador babilônio); a doença é substituída por uma demência bestial. O deserto é tradicionalmente a região inumana, morada de feras. O sonho combina dois temas literários: a imagem da árvore cósmica e a imagem da fera. O resultado é incoerente: a árvore se converte em fera. A incoerência é consequência do método intelectual dos apocalípticos.

A árvore. Imediatamente se inspira em Ez 31. Trata-se da árvore cósmica e central, doadora de vida e morada de todos os viventes. Árvore benéfica e protetora, tal é seu destino. Representa o império universal do monarca e sua função benéfica durante uma etapa histórica. A árvore comete um grave pecado: a arrogância, desviando-se da sua função benéfica para centrar-se em si, em seu prestígio e força, até endeusar-se, como autora da sua própria glória. O pecado tem duas direções: para cima, se arroga a glória de Deus; para baixo, nega a função benéfica de sua função. Por isso, exigem dela uma dupla conversão: "reconhecer o Soberano do céu" (23) e "socorrer os pobres" (24).

A fera. Da capital esplêndida o imperador é expulso para o deserto desabitado, do palácio real para a intempérie inclemente; de imperador a fera. Quando o homem, mesmo exaltado, não sabe guardar seu lugar perante Deus, rebaixa-se à condição de bruto. O arrogante toma ou desenvolve instintos de fera, pelo que é conduzido ao lugar das feras, para viver com elas e como elas. O animal recupera a razão ao reconhecer a Deus.

O castigo imita o esquema das origens: desterro perpétuo em vez de pena de morte (Adão e Caim). Deus deixa ao imperador "um toco" para que possa voltar a si e a reinar. Voltar a si é recuperar sua postura e lugar humanos.

3,32-33 "Sinais" e "prodígios" é binômio tradicional do Deuteronômio e dos profetas. O reinado eterno do Deus Altíssimo abrange e ultrapassa o reinado de qualquer mortal, de sua dinastia e dos impérios sucessivos.

4,2 Ver Eclo 34,5 e 40,5-7.

²quando tive um sonho que me assustou,
e as fantasias de minha mente me perturbaram.

³Mandei todos os sábios da Babilônia que se apresentassem para me explicar o sentido do sonho. ⁴Acorreram os magos, astrólogos, agoureiros e adivinhos; contei-lhes meu sonho, mas não souberam explicar-me seu sentido.
⁵Depois, apresentou-se Daniel – chamado Baltassar em honra do meu deus –, homem dotado de espírito profético, e lhe contei meu sonho:
– ⁶Baltassar, chefe dos magos, sei que tens espírito profético e que nenhum segredo resiste a ti; eu te contarei meu sonho e tu me explicarás.
⁷Deitado, eu tive esta visão:

Vi uma árvore gigantesca no meio do orbe:
⁸a árvore se tornava robusta,
sua copa tocava o céu, e era vista
até nos confins da terra.
⁹Sua folhagem era formosa,
de seus frutos copiosos todos se alimentavam,
debaixo dela se abrigavam as feras selvagens,
e em sua ramagem se aninhavam
as aves do céu;
sustentava todos os viventes.
¹⁰Deitado, eu tive esta visão:
Vi descer do céu um Guardião Sagrado
¹¹que gritou com voz forte:
"Derrubai a árvore, cortai sua ramagem,
arrancai-lhe a folhagem, espalhai seus frutos;
que fujam de sua sombra as feras
e de sua ramagem as aves.
¹²Deixai na terra somente
o toco com as raízes.
Acorrentado com ferro e bronze,
comerá a erva;
molhado pelo orvalho, dividirá com as feras
os pastos do solo.
¹³Perderá o instinto de homem
e adquirirá instintos de fera,
e ficará nesse estado sete anos.
¹⁴Os Guardiães o decretaram,
os Santos o anunciaram,
para que todos os viventes
reconheçam que o Altíssimo é dono
dos reinos humanos,
que dá o reino a quem quiser
e põe o mais humilde no trono".

4,5 "Espírito profético" ou "de Deus Santo": compare-se com Sl 51,13; Gn 41,38; Is 63,10s.
4,6 "Chefe dos magos" é título dificilmente conciliável com a legislação judaica (Dt 18,10ss).
4,10 O "Guardião Sagrado" ou o guardião, o santo. Pela primeira vez no AT encontramos esta categoria de seres celestes, sobre-humanos. Zc 4,10 poderia ser antecedente. Esses guardiães da literatura apocalíptica não dormem (Is 62,6; Sl 121), velam e vigiam os seres humanos. Neste texto, também pronunciam ou comunicam decretos celestes. Na especulação posterior se cristalizará a ideia do "anjo da guarda", e se conta que alguns daqueles guardiões pecaram com mulheres humanas (cf. Gn 6,2).
4,12 Sobre o toco: Is 6,13; 11,1; Jó 14,8. A condição bestial pode-se traduzir como doença ou loucura, "doido varrido", contanto que não se perca o valor simbólico. Se aplicarmos o método da gematria, ou seja, ler e somar as letras em seu valor numérico, dão o mesmo resultado *nbwkdnsr* e *'ntywkw 'pyphns*.
4,14 O v. 21 atribui o decreto ao Altíssimo. Os Guardiães são o seu conselho.

¹⁵Esse é o sonho que vi, eu, o rei Nabucodonosor; e tu, Baltassar, explica-me seu sentido, pois nenhum sábio foi capaz de fazê-lo, ao passo que tu tens espírito profético.

¹⁶Por um instante, Daniel, chamado Baltassar, ficou perplexo, perturbado por seus pensamentos.

O rei lhe disse:

– Baltassar, não te assustes com meu sonho ou com seu sentido.

Baltassar replicou:

– Senhor, que o sonho vá para teus inimigos, e sua interpretação para teus rivais.

¹⁷"A árvore gigantesca que viste, cuja copa tocava o céu e era vista até nos confins da terra, ¹⁸de formosa folhagem e frutos copiosos que a todos sustentavam, em cuja sombra habitavam as feras selvagens e em cuja ramagem se aninhavam as aves do céu, ¹⁹és tu mesmo, majestade; porque teu poder é imenso, teu domínio chega até o céu e teu império se estende até os confins da terra.

²⁰O Guardião Sagrado que viste descer do céu e que disse: 'Derrubai a árvore, destroçai-a, deixando somente seu toco e suas raízes na terra; acorrentado com bronze comerá a erva, molhado pelo orvalho dividirá com as feras a erva do solo e ficará nesse estado sete anos', significa o seguinte:

²¹É o decreto do Altíssimo pronunciado contra o rei, meu senhor. ²²Serás afastado dos homens, viverás com as feras, comerás erva como os touros, o orvalho te molhará, e assim ficarás sete anos; até que reconheças que o Altíssimo é dono dos reinos humanos e dá o poder a quem ele quiser. ²³Mandaram deixar o toco com as raízes, porque voltarás a reinar quando reconheceres que Deus é soberano. ²⁴Portanto, majestade, aceita meu conselho: expia teus pecados com esmolas, teus delitos socorrendo os pobres, para que dure tua tranquilidade".

²⁵Tudo isso aconteceu ao rei Nabucodonosor.

²⁶No fim de doze meses, passeando por seu palácio na Babilônia, ²⁷disse:

– Esta é a magnífica Babilônia que eu construí como capital do meu reino, numa demonstração de poder e para honrar minha majestade.

²⁸Não havia acabado de falar, quando se ouviu uma voz do céu:

– Falo contigo, rei Nabucodonosor! Perdeste o reino, ²⁹serás afastado dos homens, viverás na companhia das feras, comendo erva como os touros; o orvalho te molhará, e assim ficarás sete anos, até que reconheças que o Altíssimo é dono dos reinos humanos e dá o poder a quem ele quer.

³⁰Imediatamente executaram a sentença contra Nabucodonosor: foi afastado dos homens, comeu erva como os touros, o orvalho o molhou, cresceu-lhe pelo de abutre e garras de ave de rapina.

³¹Passado o tempo, eu, Nabucodonosor, levantei os olhos ao céu, recuperei a razão, bendisse o Altíssimo, louvei aquele que vive para sempre:

"Seu reino é eterno,
  seu império dura de geração em geração;
³²os que habitam na terra não contam,
  e como quer, trata o exército do céu;
  ninguém pode atentar contra ele
  nem exigir-lhe contas do que faz".

³³Nesse momento recuperei a razão, recuperei as honras e a dignidade real, meus conselheiros e nobres vieram a mim, voltei a ocupar o trono e cresceu meu poder incomparável.

³⁴E agora eu, Nabucodonosor, louvo, exalto e glorifico o Rei do céu, porque suas obras são justas e seus caminhos são retos; ele humilha quem age com arrogância.

4,16 O rei estava perturbado porque não entendia o sentido do sonho; Daniel se perturba porque o entende. Daniel responde ao soberano com um floreio cortês (cf. 2Sm 18,32).

4,23 Compare-se com a confissão e morte de Antíoco IV, conforme 2Mc 9,11s.

4,31 Em figura de animal, o rei olhava para o chão; no momento em que se levanta e transcende o olhar rasteiro, recupera a razão humana: humano é contemplar o céu (Sl 8). O primeiro ato da sua razão recuperada é bendizer, louvar e dar graças ao Altíssimo.

4,32 Para a segunda frase, ver Is 40,17; para a última, Is 45,9; Jó 9,12.

4,34 Inspirado em salmos: 30,1; 118,28.

5 O banquete de Baltazar —

¹O rei Baltazar ofereceu um banquete a mil nobres do reino, e se pôs a beber diante de todos. ²Depois de provar o vinho, mandou trazer os vasos de ouro e prata que seu pai Nabucodonosor havia roubado no templo de Jerusalém, para que neles bebessem o rei e os nobres, suas mulheres e concubinas. ³Quando trouxeram os vasos de ouro que haviam roubado no templo de Jerusalém, brindaram com eles o rei e seus nobres, suas mulheres e concubinas. ⁴Bebendo o vinho, louvavam os deuses de ouro e prata, de bronze e ferro, de pedra e madeira.

⁵De repente apareceram uns dedos de mão humana escrevendo sobre o reboco da parede do palácio, diante do candelabro, e o rei via como os dedos escreviam. ⁶Então seu rosto empalideceu, sua mente ficou perturbada, faltaram-lhe as forças, os joelhos batiam um no outro. ⁷Aos gritos ordenou que viessem os astrólogos, magos e adivinhos, e disse aos sábios da Babilônia:

— Quem ler e me interpretar esse escrito se vestirá de púrpura, receberá um colar de ouro e ocupará o terceiro posto em meu reino.

⁸Acorreram todos os sábios do reino, mas não puderam ler o escrito nem explicar ao rei seu sentido. ⁹Então o rei Baltazar ficou consternado e empalideceu, e seus nobres estavam perplexos.

¹⁰Ao saber o que acontecia ao rei e aos nobres, a rainha entrou na sala do banquete e disse:

— Viva sempre o rei! Não te perturbes nem empalideças. ¹¹No reino há um homem a quem Deus concedeu espírito de profecia. No reinado de teu pai, demonstrou possuir inteligência, prudência e um saber sobre-humano. Teu pai, o rei Nabucodonosor, o nomeou chefe dos magos, astrólogos, agoureiros e adivinhos, ¹²porque demonstrou ter um dom extraordinário de ciência e de perspicácia para interpretar sonhos, esclarecer enigmas e resolver problemas. Trata-se de Daniel, a quem o rei deu o nome de Baltassar. Chamem Daniel e ele nos dará a interpretação.

¹³Quando levaram Daniel diante do rei, este lhe perguntou:

— És tu Daniel, um dos judeus desterrados que o rei, meu pai, trouxe da Judeia? ¹⁴Disseram-me que tens espírito de profecia, inteligência, prudência e um saber extraordinário. ¹⁵Trouxeram-me aqui os sábios e os astrólogos para que lessem o escrito e me explicassem seu sentido, mas foram incapazes de fazê-lo. ¹⁶Disseram-me que tu podes interpretar sonhos e resolver problemas; pois bem, se conseguires ler o escrito e explicar-me seu sentido, tu te vestirás de púrpura, receberás um colar de ouro e ocuparás o terceiro posto em meu reino.

¹⁷Então Daniel falou assim ao rei:

5,1-6,1 Historicamente este capítulo é indefensável. Nem Baltazar foi o último rei da dinastia neobabilônica, nem Dario foi o conquistador da capital; Baltazar não era filho de Nabucodonosor nem chegou a reinar, Dario não era medo nem inaugurou a dinastia. O autor não pretende escrever a crônica de fatos importantes, mas criar uma série de relatos exemplares, dotando-os de uma auréola de vagas referências históricas. O esquema do capítulo pode ser aplicado a qualquer troca de turno no cenário da história. Literariamente o capítulo é memorável. Vários fatores concorrem para o acerto narrativo: o momento crítico e dramático em que um império desmorona, o mistério da mão que escreve uma mensagem incompreensível, o contexto frívolo e blasfemo de um banquete real, a terrível mensagem interpretada e a inutilidade de compreendê-la.

5,1 Os mil nobres, primeiro vão ser cúmplices de um sacrilégio, depois testemunhas de uma sentença.

5,2-4 Baltazar não pode humilhar o Deus de Jerusalém numa imagem, porque Yhwh não admite imagens; nos utensílios do templo, o rei despreza o Deus estrangeiro, e ao mesmo tempo exalta seus próprios deuses "de ouro e prata".

5,5 O autor redige com sobriedade, convidando a imaginação do leitor. Como uma inscrição comemorativa num bloco de pedra, assim a escrita ressalta na parede branca e bem iluminada. O palácio, sinal de esplendor (4,27), se rende como pergaminho para receber uma assinatura. A sala do banquete se converte em sala do tribunal supremo, em que o rei será réu acusado. Se os deuses "têm mãos e não tocam" (Sl 115,7), essa mão escreve sem ter corpo, age porque não é "produto de mãos humanas".

5,6 Com menos sobriedade se descreve a reação do rei, como que sublinhando sua fraqueza e desamparo perante o mistério.

5,8 Podemos recordar que em Babel se confundiram as línguas.

5,17 É próprio do profeta autêntico profetizar gratuitamente; Miqueias denuncia os profetas que graduam os oráculos conforme a recompensa (Mq 3,5).

— Fica com teus dons e dá a outro teus presentes. Eu vou ler para o rei o escrito e lhe explicarei seu sentido.

¹⁸"Majestade: o Deus Altíssimo concedeu império e poder, glória e honra a teu pai Nabucodonosor. ¹⁹E por causa daquele poder recebido, todos os povos, nações e línguas o temeram e respeitaram. Tinha poder sobre a vida e a morte, exaltava e humilhava a seu arbítrio. ²⁰Mas ele se ensoberbeceu e sua arrogância cresceu; então o derrubaram do trono real e o despojaram de sua dignidade. ²¹Teve de viver longe dos homens, com instintos de animal; em companhia de asnos selvagens, comendo erva como os touros, com seu corpo empapado de orvalho, até que reconheceu que o Deus Altíssimo rege os reinos humanos e coloca no trono quem ele quer.

²²Pois bem, tu, Baltazar, seu filho, mesmo sabendo disso, não quiseste humilhar-te. ²³Tu te rebelaste contra o Senhor do céu, fizeste trazer as taças de seu templo, para com elas brindar na companhia de teus nobres, tuas mulheres e concubinas. Louvastes deuses de ouro e prata, de bronze e ferro, de pedra e madeira, que não veem nem ouvem nem entendem; mas não honraste o Deus que é dono de vossa vida e de vossos empreendimentos. ²⁴Por isso Deus enviou essa mão para escrever esse texto.

²⁵O que está escrito é: 'Contado, Pesado, Dividido'. ²⁶A interpretação é esta: 'Contado': Deus contou os dias de teu reinado e marcou-lhes o limite. 'Pesado': ²⁷Ele te pesou na balança e te falta peso. ²⁸'Dividido': Teu reino foi dividido e entregue a medos e persas'.

²⁹Baltazar mandou vestir Daniel de púrpura, pôr-lhe um colar de ouro e anunciar que ocupava o terceiro posto no reino.

³⁰Baltazar, rei dos caldeus, foi assassinado nessa mesma noite,

6

¹e o medo Dario reinou em seu lugar com a idade de sessenta e dois anos.

Daniel na cova dos leões (Sl 57,5) – ²Dario decidiu nomear cento e vinte sátrapas para governar o reino, ³e acima deles três ministros, a quem os sátrapas prestariam

---

5,19 Sendo divinos esses poderes, a frase nos recorda que por ora Deus os tem cedido ao imperador.

5,25-28 Entre outras explicações, considero mais provável a seguinte: o autor joga com paronomásias tiradas de três moedas ou unidades de dinheiro. A primeira é a mina, da raiz *mnh* = contar (como "conto de réis", nossa antiga moeda); a segunda é *teqel*, da raiz *tql* = pesar (como o "peso", a "peseta", a "onça"); a terceira é *peres*, da raiz *prs* = dividir (como nossos "quartos", "oitavas", "centavos"), e equivalia a meia mina.

Daniel vê na parede os nomes ou os sinais das três moedas, os lê e traduz em termos políticos de teologia da história. Além disso, a moeda *peres* joga com o nome dos persas; e "marcar limite" se diz com um verbo usado também no comércio.

5,29-30 Baltazar executa o último ato do seu reinado, que é promover Daniel, arauto da sua condenação. Na mesma noite do banquete, Baltazar morre sem confessar.

6,2-29 Este relato pertence à série das provas e é uma variação da segunda: em vez de fogo, feras. Como no capítulo terceiro, Deus é posto à prova na pessoa de seu servo, e isso é o mais importante do relato. A prova desse Deus é esta: se ele se pode e quer salvar. O texto o vai dizendo com uma série de repetições estratégicas. O rei tenta "salvar" e "livrar" (15), mas não pode; remete a "salvação" a Deus (17), indaga se pôde "salvar" (21) e o confessa no final (28). A salvação do inocente violentado define esse Deus, e é a sua prova. Num plano, o homem supera a prova do fogo e das feras; em outro plano, Deus supera a prova de "seus fiéis", que ele não abandona. Daniel era digno de fé aos olhos do rei (3), Deus é digno de fé para Daniel. Posto à prova, Deus transforma a situação num julgamento de inocentes e culpados. Os leões, presos e não domesticados, aprendem a discernir: recusam ser executores de uma sentença injusta e executam a justa sentença de Deus.

O político e o religioso se misturam perversamente na trama. A inveja dos funcionários é de ordem política; não tendo nesse plano recurso para vingar-se, provocam um caso religioso. No terreno da administração, o rei está satisfeito com Daniel, mas fica preso e enredado na estrutura de sua legislação. Quem promulga o decreto acaba escravizado por ele, ainda que seja injusto e contrário a seus interesses políticos. Daí o seu desgosto e o seu desejo de salvar Daniel, vítima de uma instituição absurda e opressiva, que os cortesãos sabem explorar legalmente. O imperador do mundo é escravo.

O Deus de Daniel, salvando seu fiel servidor, liberta também o rei do cerco de seus funcionários e da pressão legal. Tanto que no final, rezando e confessando o Deus proibido, o soberano viola publicamente seu decreto. Libertado da sua escravidão, o rei pode introduzir um decreto de tolerância religiosa (como Ciro, como Antíoco III), abrindo no seu panteão lugar para esse Deus salvador que se introduziu por meio do primeiro ministro.

6,2 Dario foi o grande organizador do império persa.

6,3 Continua a penetração: um judeu é promovido funcionário exemplar na corte do imperador e lhe oferece seu talento e serviços.

contas para que os interesses da coroa não sofressem. Um dos três era Daniel.

⁴Daniel sobressaía entre os ministros e os sátrapas por seu talento extraordinário, de modo que o rei decidiu colocá-lo à frente de todo o reino. ⁵Então os ministros e os sátrapas procuraram algo para acusá-lo em sua administração do reino; mas não encontraram nele nenhuma culpa nem descuido, porque era homem de confiança que não cometia erros nem era negligente.

⁶Aqueles homens disseram entre si:

– Não poderemos acusar Daniel de nenhuma falta. Temos de buscar um delito de caráter religioso.

⁷Então os ministros e sátrapas foram ao rei, dizendo-lhe:

– Viva sempre o rei Dario! ⁸Os ministros do reino, os prefeitos, os sátrapas, conselheiros e governadores estão de acordo que o rei deve promulgar um edito, decretando que nos próximos trinta dias ninguém faça oração a outro deus a não ser a ti, sob a pena de ser atirado à cova dos leões. ⁹Portanto, majestade, promulga essa proibição e assina o documento para que seja irrevogável, como lei perpétua de medos e persas.

¹⁰Assim, o rei Dario promulgou e assinou o decreto.

¹¹Quando Daniel soube da promulgação do decreto, subiu ao andar superior de sua casa, que tinha janelas orientadas para Jerusalém. E, ajoelhado, orava três vezes ao dia dando graças a Deus, como costumava fazer.

¹²Aqueles homens o espiaram e o surpreenderam orando e suplicando a seu Deus. ¹³Então foram dizer ao rei:

– Majestade, não assinaste um decreto que proíbe fazer oração a qualquer deus além de ti, sob pena de ser atirado à cova dos leões?

Respondeu o rei:

– O decreto está em vigor, como lei irrevogável de medos e persas.

¹⁴Eles replicaram:

– Pois Daniel, um dos deportados da Judeia, não te obedece, majestade, nem à proibição que assinaste, mas três vezes ao dia faz suas orações.

¹⁵Ao ouvir isso, o rei, entristecido, se pôs a pensar de que maneira salvar Daniel, e até o pôr do sol fez o impossível para livrá-lo. ¹⁶Mas aqueles homens o pressionavam, dizendo-lhe:

– Majestade, tu sabes que, segundo a lei de medos e persas, uma proibição ou edito real é válido e irrevogável.

¹⁷Então o rei mandou trazer Daniel e lançá-lo à cova dos leões. O rei disse a Daniel:

– Que te salve esse Deus a quem veneras com tanta constância!

¹⁸Levaram uma pedra, taparam com ela a boca da cova, e o rei a selou com seu selo e com o de seus nobres, para que ninguém pudesse modificar a sentença dada contra Daniel. ¹⁹Depois o rei voltou ao palácio, passou a noite em jejum, sem mulheres e sem poder dormir.

²⁰Madrugou e foi correndo à cova dos leões. ²¹Aproximou-se da cova e gritou aflito:

– Daniel, servo do Deus vivo! Esse Deus a quem veneras com tanta constância pôde salvar-te dos leões?

²²Daniel lhe respondeu:

– Viva sempre o rei! ²³Meu Deus enviou seu anjo para fechar as goelas dos leões, e não me fizeram nada, porque diante dele sou inocente, como também não fiz nada contra ti.

6,5 A equipe anônima de invejosos se sente unida no ódio ao estrangeiro. Conspira e põe em movimento um mecanismo estatal para destruir legalmente o estrangeiro. Para isso dão três passos. Primeiro, comprometer o rei adulando sua vaidade; segundo, comprometer Daniel contanto com sua fidelidade religiosa; terceiro, fazer condenar e executar Daniel para salvar a autoridade imperial. Realmente são eles os verdadeiros leões, que afiam a língua do engano para devorar o inocente, contra o qual lançam redes e põem armadilhas (Sl 7; 17,10-13; 35,11-17).

6,11 Daniel tinha de expor-se publicamente? O decreto imperial abrangia só a expressão externa. As janelas orientadas para Jerusalém são o sinal da sua lealdade pátria (Sl 5,8; 28,2); não se sente obrigado a repatriar-se. Basta-lhe a oração, sem sacrifícios, embora respeite o horário (Sl 141,2).

6,15 Mt 14,9.

6,17 Na intenção do narrador, esta frase poderia ter tom sarcástico contra Dario; pelo menos é ambígua, de dois gumes.

6,19 "Mulheres": duvidoso; outros traduzem "distrações". Depois deste versículo se enquadraria o episódio de Habacuc, narrado por um acréscimo grego (14,33-39).

6,20 Est 6,1; Dt 5,26; Jr 10,10.

6,21 "Deus vivo" é título clássico: Dt 5,26; Jr 10,10; Os 1,10; Sl 42,2 etc.

²⁴O rei se alegrou muito e ordenou que tirassem Daniel da cova. Ao tirá-lo, não tinha nenhum arranhão, porque havia confiado em seu Deus. ²⁵Depois o rei mandou trazer os que haviam caluniado Daniel e atirá-los à cova dos leões com seus filhos e esposas. Não tinham chegado ao solo e já os leões os haviam agarrado e despedaçado.

²⁶Então o rei Dario escreveu a todos os povos, nações e línguas da terra:

"Paz e bem-estar! ²⁷Ordeno e mando: Em meu império, todos respeitem e temam o Deus de Daniel.

> Ele é o Deus vivo
>   que permanece para sempre.
>   Seu reino não será destruído,
>   seu império dura até o fim.
> ²⁸Ele salva e livra,
>   faz sinais e prodígios
>   no céu e na terra.
> Ele salvou Daniel dos leões".

²⁹Foi assim que Daniel prosperou durante o reinado de Dario e de Ciro da Pérsia.

AS VISÕES

7

As quatro feras – ¹No primeiro ano de Baltazar, rei da Babilônia, Daniel teve um sonho, visões de sua fantasia, estando na cama. Imediatamente escreveu o que havia sonhado:

²Tive uma visão noturna: Os quatro ventos agitavam o oceano. ³Quatro feras gigantescas saíam do mar, as quatro diferentes.

6,25 Com suas famílias, segundo o antigo costume (Nm 16,32; Js 7,24s). Nm 16,32; Js 7,24s; Est 9,13s.
6,27-28 O imperador faz uma profissão de fé israelita: diz com artigo "o Deus vivo" (cf. Sl 82) e imortal (Sl 102); governa a história por cima dos impérios humanos, sem abandonar um pobre inocente condenado à morte.

AS VISÕES (caps. 7-12)

São quatro ao todo e não são homogêneas; predomina o esquema visão-interpretação. O seu conteúdo global se divide desigualmente: da história passada temos três visões esquemáticas; da história próxima e recente temos referências confusas e um resumo detalhado. O resultado é anunciado várias vezes, e também se indica a data.
Primeira. No cenário da história (oceano), agitado pelos ventos cósmicos, agem e atuam os impérios em figura emblemática de animais: leão = Babilônia, urso = Média, leopardo = Pérsia, besta = Alexandre. Ao chegar aqui, o autor se atrapalha manipulando chifres para introduzir Antíoco.
Segunda. O último rei persa, em figura emblemática de carneiro, é atacado e destruído por Alexandre, em figura emblemática de bode. Morre Alexandre, e o autor volta à manipulação de chifres para chegar até Antíoco IV, do qual refere a divinização blasfema e a perseguição aos judeus. Termina anunciando simplesmente o seu fracasso.
Terceira. Refere-se ao tempo e é uma reinterpretação da carta de Jeremias sobre o tempo do desterro (Jr 29). Antes da revelação, Daniel pronuncia, em nome do seu povo, uma oração penitencial como a do capítulo 2 (em grego) e como Esd 9 e Ne 9.
V. 26. O ungido assassinado é o sumo sacerdote Onias III. A semana seguinte é o tempo entre a profanação do altar e sua nova dedicação, 168-165. Logo virá o fim do perseguidor, simplesmente anunciado. *Quarta*. É anunciada com grande aparato no capítulo 10, com alusões a lutas entre anjos protetores dos diversos impérios. Inspira-se de perto nas visões de Ezequiel. O anúncio se realiza sem visão, em forma de profecia: até o v. 39 narra a história conhecida pelo autor; em 40-45 anuncia a morte do perseguidor em termos tomados de tradições proféticas, não por conhecimento da história, que foi diferente. No capítulo 12 se anuncia a restauração do povo escolhido.
O capítulo 11 é bastante claro quando se conhece a história. Remetemos às cronologias e sincronias dos Macabeus.

7 Indiquei na Introdução o problema deste capítulo. Pela forma, é uma visão: encabeça a série de visões de 8-12. Pelo estilo (prescindindo dos acréscimos), é diferente e muito superior às seguintes, de 8-11. Pelo tema, contempla o futuro definitivo, ao passo que as seguintes se envolvem em acontecimentos próximos. E como ato final, encerra brilhantemente os capítulos 2 e 5. Em conclusão, inclino-me a unir este capítulo com os precedentes.
Este capítulo é a ápice do livro, pelo seu valor de solução e pela atração e influência sobre os leitores. Vamos considerar o cenário cósmico, os personagens, o resultado.
O cósmico: água, vento e fogo. Tradicionalmente, o grande oceano é o elemento caótico e hostil, que, dominado pelo espírito ou vento, pode tornar-se dócil (Gn 1; Sl 74,13s; 93,4; 136,13 etc.). Os quatro ventos cósmicos agitam aqui o oceano no tempo da história, e desse oceano surgem poderes ferozes, inumanos, dispostos a dominar o segmento da história que lhes atribuam. O cenário concentra as etapas da história num quadro simultâneo (como a

⁴A primeira era como um leão com asas de águia; enquanto eu olhava, arrancaram-lhe as asas, a levantaram do solo, a puseram de pé como um homem e lhe deram mente humana.
⁵A segunda era como um urso semi-erguido, com três costelas na boca entre os dentes. Disseram-lhe: "Vamos! Come carne em abundância".
⁶Depois vi outras feras como um leopardo, com quatro asas de ave no lombo e quatro cabeças. E lhe deram o poder.

⁷Depois tive outra visão noturna: Uma quarta fera, terrível, espantosa, fortíssima. Tinha grandes dentes de ferro, com os quais comia e triturava, e pisava as sobras com os cascos. Era diferente das feras anteriores, porque tinha dez chifres. ⁸Olhei atentamente os chifres e vi que do meio deles saía outro chifre pequeno; para lhe dar lugar, arrancaram três dos chifres anteriores. Aquele chifre tinha olhos humanos e uma boca que proferia insolências.
⁹Durante a visão, vi que colocavam uns tronos, e um ancião sentou:

> Sua veste era branca como neve,
> seus cabelos como lã limpíssima;
> seu trono, chamas de fogo;
> suas rodas, labaredas.
> ¹⁰Um impetuoso rio de fogo
> brotava diante dele.
> Mil milhares o serviam,
> milhões estavam às suas ordens.

estátua do cap. 2). A água oceânica se contrapõe à água celeste das nuvens, que transportam a figura humana. Opõe-se também ao fogo, elemento da divindade (Sl 50,3; 97,3 etc.).
As feras. Embora devam ser entendidas em contraponto constante com o homem, vamos separar provisoriamente os campos. É tradicional na literatura profética representar os impérios em figura de animais (Ez 17,3; 32; Jr 51,34); não são simples imagens, mas interpretam e avaliam. As tribos podem ter animais emblemáticos (Gn 49), os chefes podem levar títulos de animais. Pois bem, as quatro feras que se sucedem na história, mas não humanizam os homens nem melhoram a existência humana. Enviando uma quinta ou sexta fera, substitui-se a precedente, não se resolve o problema.
O baixo cifrado das feras pede uma voz humana em contraponto. O homem é de outra categoria: é imagem de Deus, chamado a dominar os animais. Deus aparece em figura humana. O domínio humano sobre os animais se estende em sentido próprio e figurado: Gn 4,7; Sl 80; 91,13. O autor inspirou-se diretamente no Salmo 8, traduzindo para o aramaico a expressão hebraica *ben 'adam*. Ora, o homem é grande e é pequeno (Is 51,12; Jó 25,6): como poderá dominar essas feras? – Se Deus lhe confere ou restitui o poder. O que faz na natureza, com mais razão tem de fazê-lo na história, para que a vida dos homens seja vida humana, não inumana e feroz.
7,1 Daniel tem os sonhos ou visões sem intervenção do rei. E os escreve sem receber uma ordem especial. Sublinha o caráter visionário.
7,3 São feras terrestres, não dragão marinho (Sl 74,13s; Is 27,1). As formas anormais e as dimensões gigantescas apoiam a função emblemática das feras.
7,4 O leão alado é o mais importante, representa Nabucodonosor, conforme o cap. 4.
7,5 Segue-se em importância o urso (Os 13,18; Am 5,19). A postura sugere que, enquanto devora, está

disposto a atacar; sua voracidade não sossega. Representa o império medo (Is 13,17; Jr 51,11.28).
7,6 O leopardo (Is 13,7; Jr 5,6) com quatro asas e quatro cabeças representa o império persa, universal em mobilidade e poder, atento às quatro direções.
7,7 A quarta fera não é identificável; supera em ferocidade todas as conhecidas. Representa Alexandre e o império macedônio, visto pelo autor através dos Selêucidas. É puro instinto devorador e destruidor, insaciável e implacável.
7,8 Até este ponto, a visão tinha simplicidade e coerência. Aqui, provavelmente por mão de um autor posterior e sem experiência, a história se bifurca; e, para chegar até Antíoco IV, o seu autor se mete no terreno perigoso dos chifres (cf. Gn 33,17; Sl 75; 89,18.25 etc.). Não se descreve aqui um animal com um magnífico chifre ou com muitos chifres, mas um chifre que possui olhos para se orgulhar e boca para dizer insolências. Não é um homem com poder, é um poder que olha e ruge.
7,9 Já nas escatologias proféticas, antes que Deus instaure o seu reinado, se celebra um julgamento universal (Jl 4,12-14; Is 24,21-23; 66,5s).
Os "tronos" são os assentos do tribunal, formado por Deus com sua corte. O ancião é Deus mesmo: anterior a tudo (Segundo Isaías), que "reina desde sempre" (Sl 55,20). Senta-se tranquilamente, acima da tempestade terrestre dos impérios (cf. Sl 65,8). Venerável por sua cabeleira, vestido com o branco da majestade celeste. O fogo que o rodeia torna-o inacessível e radiante.
7,10 Com o fogo que brota diante dele, executa a sentença (Is 30,27-33). Fogo com flexibilidade de rio de lava para chegar aonde o mandem. Os servos são inumeráveis (Dt 33,2; Sl 68,18). Abrem-se os livros em que estão registradas as ações dos homens (Is 65,6; Ml 3,16; Sl 56,9). Não esqueçamos que, para o nosso autor, trata-se de uma visão.

Começou a sessão, e se abriram os livros. ¹¹Eu continuava olhando, atraído pelas insolências que aquele chifre proferia; até que mataram a fera, a despedaçaram e jogaram no fogo. ¹²Das outras foi tirado o poder, deixando-as vivas por uma temporada.

¹³Continuei olhando, e na visão noturna notei vir nas nuvens do céu uma figura humana, que se aproximou do ancião e foi apresentada diante dele. ¹⁴Deram-lhe poder real e domínio: todos os povos, nações e línguas o respeitarão. Seu domínio é eterno e não passa, seu reino não terá fim.

¹⁵Eu, Daniel, me sentia agitado por dentro, e as visões de minha fantasia me perturbavam. ¹⁶Aproximei-me de um dos servidores e lhe pedi que me explicasse tudo aquilo. Ele me respondeu, explicando-me o sentido da visão:

– ¹⁷Essas quatro feras gigantescas representam quatro reinos que surgirão no mundo. ¹⁸Mas os santos do Altíssimo receberão o reino e o possuirão pelos séculos dos séculos.

¹⁹Eu quis saber o que significava a quarta fera, diferente das outras; a fera terrível, com dentes de ferro e garras de bronze, que devorava, triturava, e que pisava as sobras com os cascos; ²⁰o que significavam os dez chifres de sua cabeça e o outro chifre que saía e eliminava outros três, que tinha olhos e uma boca que proferia insolências, e era maior que os outros.

²¹Enquanto eu continuava olhando, aquele chifre lutou contra os santos e os derrotou. ²²Até que chegou o ancião para fazer justiça aos santos do Altíssimo, e começou o império dos santos.

²³Depois me disse:

– A quarta fera é um quarto reino que haverá na terra, diferente de todos os outros; devorará, debulhará e triturará a terra toda. ²⁴Seus dez chifres são dez reis que haverá naquele reino; depois virá outro, diferente dos anteriores, e destronará três reis; ²⁵blasfemará contra o Excelso, perseguirá os santos do Altíssimo e tentará mudar o calendário e a lei. Deixarão os santos em poder dele durante um ano, outro ano e outro ano e meio. ²⁶Mas, quando sentar para julgar, o tribunal lhe tirará o poder, e será destruído e aniquilado totalmente. ²⁷O poder real e o domínio sobre todos os reinos sob o céu serão entregues ao povo dos santos do Altíssimo. Será um reino eterno, ao qual temerão e se submeterão todos os soberanos.

²⁸Fim do relato. Eu, Daniel, perturbado com meus pensamentos, empalideci; mas guardei tudo dentro de mim.

7,11-12 Sem assistir ao processo (Sl 82), saltamos para a execução da sentença. Supõe-se a coexistência temporal de todas as feras ante o tribunal supremo no final da história (Sb 4,20ss). Começa pela última: no chifre arrogante, o império grego alcançou o limite da sua perversidade, e com ele termina a besta inteira: atirada ao fogo e aí consumida. As outras feras subsistirão como nações ou povos, não como impérios.

7,12 Ez 29,15.

7,13 Na visão tudo era figura, "como"; também neste ponto aparece uma "figura humana" ou "figura de um homem". Substituir a expressão aramaica por "filho de homem" é calcar, não traduzir. Compare-se com o hebraico de Sl 8,5; Is 56,2; Jr 49,18.33; 50,40; 51,43; Jó 35, e com o aramaico de Dn 4,22 equivalente de 5,21 e 7,8.13. É uma figura humana, contraposta às quatro feras; não é um ser misterioso e celeste. Não desce, sobe; mas, do ponto de vista do vidente, ela "vem".

7,14 O personagem recebe o poder antes concedido a Nabucodonosor (4,33; 5,18), só que eterno (como a pedra de 2,44).

7,17 A explicação é concisa, não exata. O silêncio do texto e as mudanças históricas provocaram outras identificações: p. ex. babilônios, medo-persas, gregos, romanos; mais tarde identificou-se a quarta fera com o Islã, com o império turco. A leitura messiânica condicionou a identificação: o quarto tinha de ser o romano.

7,18 A interpretação que o autor dá não é messiânica nem individual. Os "santos do Altíssimo" formam a comunidade de judeus "consagrados" ao Senhor (Ex 19,6). Pode-se comentar com dados do Sl 34: não é um império a mais na série, não é uma revanche dos oprimidos, é um modo novo no qual a consagração a Deus garante o humanismo autêntico.

7,19-26 Aqui poderia terminar a visão. Provavelmente o glosador de antes prolonga de modo desajeitado a visão até o v. 26 e acrescenta o v. 27 para ligar com o final. Os dez chifres parecem ser os Diádocos e os Selêucidas até Antíoco IV. Este luta contra o grupo da explicação, não contra o personagem da visão, como seria lógico.

7,25 O melhor comentário se lê em 1Mc 1,46-63. Era sacrílego modificar um calendário estabelecido por Deus. Três anos e meio, conforme 1Mc 4,54 (168-165 a.C.).

7,27 Uma interpretação posterior identificou a figura humana com o Messias, e o chifre com o Anticristo. A interpretação do livro de Henoc, na seção Livro das parábolas, descreve um personagem diferente e oposto à figura humana de Dn 7.

8 O carneiro e o bode (Ez 34; 1Mc 1)

– ¹No terceiro ano do rei Baltazar, eu, Daniel, tive uma visão, depois daquela que já tivera. ²Contemplava a visão na qual me encontrava em Susa, capital da província de Elam, e contemplava a visão na qual me encontrava junto ao rio Ulai. ³Levantei a vista e vi junto ao rio, de pé, um carneiro de altos chifres, um mais alto e atrás do outro. ⁴Vi que o carneiro dava chifradas ao poente, ao norte e ao sul, e não havia fera que lhe resistisse, nem quem se livrasse de seu poder; fazia o que queria, alardeando.

⁵Enquanto eu refletia, apareceu um bode que vinha do poente, atravessando toda a terra sem tocar o solo; tinha um chifre entre os olhos.

⁶Aproximou-se do carneiro de dois chifres, que eu vira de pé junto ao rio, e lançou-se furiosamente contra ele. ⁷Eu o vi chegar junto ao carneiro, enfrentá-lo e feri-lo; quebrou-lhe os dois chifres, e o carneiro ficou sem força para resistir. Derrubou-o por terra e o pisoteou, sem que ninguém livrasse de seu poder o carneiro.

⁸Então o bode demonstrou seu poder. Mas, ao crescer seu poderio, seu grande chifre se quebrou e em seu lugar saíram outros quatro orientados para os quatro pontos cardeais.

⁹De um deles saiu outro chifre pequeno que cresceu muito, apontando para o sul, para o leste, para a Pérola. ¹⁰Cresceu até atingir o exército do céu, derrubou ao solo algumas estrelas desse exército e as pisoteou. ¹¹Cresceu até alcançar o general do exército, arrebatou-lhe o sacrifício cotidiano e arrasou os alicerces do templo. ¹²Entregaram-lhe o exército e o sacrifício expiatório; a lealdade caiu pelo chão, enquanto ele agia com grande êxito.

¹³Então ouvi dois santos que falavam entre si. Um perguntava: "Quanto tempo abrange a visão dos sacrifícios cotidiano e expiatório, da desolação do santuário e do exército pisoteado?" ¹⁴O outro respondia: "Duas mil e trezentas tardes e manhãs. Depois será feita justiça ao santuário".

¹⁵Eu, Daniel, continuava olhando e procurando entender a visão, quando apareceu em pé diante de mim uma figura humana. ¹⁶Ouvi uma voz humana

---

8-11 Descartado o cap. 7, restam-nos três visões heterogêneas, que nos oferecem quadros esquemáticos da história passada, referências confusas da história recente e um resumo detalhado; do desfecho, vários anúncios e a data. A primeira apresenta a luta de Alexandre contra o rei persa, e a sucessão até Antíoco IV. A segunda trata do tempo e é uma interpretação de Jr 29. A terceira descreve lutas angélicas, narra alguns fatos históricos e anuncia a morte do perseguidor.

8 Com este capítulo voltamos à língua hebraica e entramos num caminho descendente, que nos oferecerá repetições, comentários e alguns complementos interessantes. Também decai notavelmente o valor literário, exceto em breves momentos felizes. É difícil aceitar que o grande escritor dos capítulos precedentes seja o autor dos que se seguem. O mais interessante do capítulo é o choque histórico do macedônio com o persa e a exaltação e queda do tirano. Por essa visão ampla e simplificada, podemos perdoar-lhe a desajeitada manipulação dos chifres (3.8-10). O manejo da alegoria e algum de seus componentes parecem imitar a visão precedente. Daniel fala na primeira pessoa.

8,2 A reminiscência de Ez 1 e 8 aparece no caráter visionário, na mudança de lugar e na proximidade de um rio. Daniel se vê transferido para a capital do futuro reino persa.

8,3-4 O império medo-persa é duplo, com predomínio dos persas. A partir do oriente, ataca em três direções e luta contra vários reinos.

8,5 Do poente: da Macedônia. Ver 1Mc 1,1-3. A figura está entre cabra e unicórnio. Vitórias de Grânico, Isos e Gaugamela (334, 333, 331).

8,6-7 Conquista de Persépolis e Ecbátana (331, 330).

8,8 Com a morte de Alexandre (323), seu império se divide em quatro reinos (1Mc 1,4-9): Cassandro fica com a Grécia, Lisímaco com a Trácia e a Ásia Menor, Seleuco com Babilônia e a Pérsia, Ptolomeu com o Egito.

8,9 Antíoco se encontrava em Roma como refém. Ao morrer envenenado seu irmão Seleuco, Antíoco consegue escapar e suplantar o herdeiro Demétrio. Lutou contra o Egito ao sul, a Pérsia ao leste, e a Pérola = Jerusalém (Jr 3,19; Ez 20,6).

8,10-12 Começam as dúvidas e se oferecem três propostas de identificação. a) O exército do céu são os astros (cf. Dt 4,19) ou os anjos (Is 24,21) e o seu chefe é o Senhor: ver 2Mc 9,10, inspirado talvez em Is 14,13. b) O exército celeste são "os esquadrões de Israel" (Ex 12,7.41.51), cujo chefe são os sacerdotes ou levitas (Nm 15; 19,16-18). c) Solução intermédia, apoiada em Js 5,14: o Senhor é o chefe do exército dos israelitas. O texto hebraico apresenta outras dificuldades: sobre o sacrifício (cf. 1Mc 1,45); sobre 'emet que pode significar lealdade ou, em concreto, a verdadeira religião, os livros autênticos (cf. 1Mc 1,56s); mas compare-se com v. 25.

8,13-14 Esses "santos" são anjos que assistem e comentam a luta. A cifra de 6 anos e quatro meses parece equivocada com respeito a 7,25 e 1Mc 4,43.

8,15-16 A "figura humana" com voz humana é aqui pouco definida: trata-se de outro anjo? Daniel se

junto ao rio Ulai, que gritava: "Gabriel, explica-lhe a visão".

¹⁷Ele se aproximou do lugar onde eu estava, e ao se aproximar, eu aterrorizado caí de bruços; mas ele me disse: "Homem, deves compreender que a visão se refere ao final".

¹⁸Enquanto ele falava, continuei de bruços, sonolento; ele me tocou e me pôs de pé. ¹⁹Depois me disse: "Eu te explicarei o que acontecerá no tempo final da cólera; porque se trata do prazo final".

²⁰O carneiro de dois chifres que viste representa os reis da Média e da Pérsia. ²¹O bode é o rei da Grécia; o chifre grande entre seus olhos é o chefe da dinastia. ²²Os quatro chifres que saíram quando o primeiro se quebrou, são quatro reis de sua estirpe, mas não de sua força.

²³No final de seus reinados,
 no auge de seus crimes,
 se levantará um rei ousado,
²⁴experiente em enigmas, de força indomável,
 prodigiosamente destrutivo,
 que atuará com grande êxito.
Destruirá poderosos, um povo de santos.
²⁵Com sua astúcia fará triunfar
 a fraude em suas ações.
Ele se julgará grande, e destruirá
 muitos com toda a calma.
Ele se atreverá contra o Príncipe dos príncipes,
 mas sem intervenção humana fracassará.

²⁶A visão em que falavam de tardes e manhãs é autêntica. Mas tu, sela a visão, porque se refere a um futuro remoto.

²⁷Eu, Daniel, fiquei doente alguns dias; quando me levantei, comecei a despachar os assuntos do rei, mas continuava perplexo, sem compreender a visão.

9 As setenta semanas (Esd 9; Ne 9; Br 1,15-38) – ¹No primeiro ano de Da-

---

chama, como Ezequiel, "filho de Adão". Os anjos começam a ter nomes próprios.

8,17 O espanto de Daniel denota o caráter sobre-humano do seu interlocutor. "Ao final", não de uma etapa (Ez 7), mas da história. O autor sente que está vivendo o fim do mundo, que quando se fecharem as cortinas começará algo novo e autêntico. Os anjos conhecem a data e a revelam em código ao vidente.

8,19 O tempo da cólera começou na destruição do templo (586) e terminará com a morte de Antíoco IV. Diferente e mais reduzida é a visão de 2Mc: morte de Onias e morte dos mártires (4,34 e 6-7).

8,23-25 Descrição de Antíoco com traços de qualidades humanas pervertidas para o mal. "Poderosos" são seus rivais políticos; "povo de santos", os judeus (Dt 26,19; Jr 2,3); o "Príncipe dos príncipes" é o Senhor. "Experiente" (Ez 28,25), "força" (Is 10,13; 37,29); "fraude" (1Mc 1,29s). "Sem intervenção humana" (2,34): polêmica contra os Macabeus? Ver duas versões da morte de Antíoco em 1Mc 6 e 2Mc 9.

8,26 Conforme a ficção, estamos nos tempos de Daniel na corte de Babilônia. Como a sua profecia não é destinada a seus contemporâneos, deve ser selada até o momento de ser lida. Assim a ficção justifica que a profecia não tenha sido concluída até o tempo real do autor. É procedimento normal no gênero.

8,27 Ver Is 21,3-4.

9 Dois elementos compõem este capítulo: a oração penitencial e o tema da datação. A uma primeira leitura pode parecer que a oração de Daniel seja para conseguir inteligência: tal explicação não basta. Essas orações penitenciais brotam em tempos de calamidades para o povo: no desterro, que é a situação do relato, sob a perseguição de Antíoco, que é a situação do autor. A culpa do que acontece não é de Deus, mas do povo, por seus pecados. A primeira consequência é que o autor não reza por mera curiosidade pessoal, mas comprometido profundamente com seu povo, solidário com seus pecados históricos. Daniel intercede. Interceder não é simples desafogo ou estímulo para dentro; é uma tentativa de mobilizar a compaixão de Deus para que mude o curso da história, excessivamente determinada por um sistema de pecados. Isso é mais notável quando o autor pensa que o destino está definido, mesmo temporalmente, por Deus. Se a data está indicada, para que rezar? O autor responde a esse problema, fazendo seu personagem rezar. Se a contagem de semanas é certa, não é menos certo que Deus deseja a conversão e a vida (Is 59,12). As semanas. Quanto ao mais, as datas ficam disponíveis. O número setenta de Jeremias (25,12; 28,11; 29,10) é número redondo, ou seja, aproximado: segunda deportação, 586, edito de Ciro, 538. O autor do livro é radical: considera pendente o cumprimento do prazo ainda no tempo de Dario, e substitui anos por setenários. Assim atualiza uma velha profecia e calcula chegar até seus próprios dias.

rio, filho de Xerxes, medo de linhagem e rei dos caldeus, ²no primeiro ano de seu reinado, eu, Daniel, lia atentamente no livro das profecias de Jeremias o número de anos que Jerusalém haveria de ficar em ruínas: eram setenta anos. ³Depois me dirigi ao Senhor Deus, implorando-lhe com orações e súplicas, com jejum, pano de saco e cinza.

⁴Orei e me confessei ao Senhor, meu Deus: Senhor, Deus grande e terrível, que guardas a aliança e és leal com os que te amam e cumprem teus mandamentos: ⁵Pecamos, cometemos crimes e delitos, rebelamo-nos, afastando-nos de teus mandamentos e preceitos.

⁶Não demos atenção a teus servos, os profetas, que falavam em teu nome a nossos reis, a nossos príncipes, pais e donos de terras.

⁷Tu, Senhor, és justo; hoje a vergonha nos oprime: os habitantes de Jerusalém, judeus e israelitas, vizinhos e distantes, em todos os países por onde os dispersaste, por causa dos delitos que cometeram contra ti.

⁸Senhor, a vergonha oprime nossos reis, príncipes e pais, porque pecamos contra ti.

⁹Mas, apesar de nos termos rebelado, o Senhor nosso Deus é compassivo e perdoa.

¹⁰Não obedecemos ao Senhor nosso Deus, não seguindo as normas que nos dava por meio de seus servos, os profetas.

¹¹Todo Israel violou tua lei, recusando obedecer-te; por isso caíram sobre nós as maldições inscritas com juramento na Lei de Moisés, o servo de Deus; porque pecamos contra ele.

¹²Cumpriu a palavra que pronunciou contra nós e contra os chefes que nos governavam, enviando-nos uma calamidade – aquela que aconteceu a Jerusalém – como não aconteceu sob o céu.

¹³Conforme está escrito na Lei de Moisés, aconteceu-nos essa desgraça completa; contudo, não aplacamos o Senhor nosso Deus, convertendo-nos de nossos crimes e compreendendo tua veracidade.

¹⁴O Senhor nosso Deus vigiou para nos enviar essa desgraça: o Senhor nosso Deus nos trata com justiça, porque não lhe obedecemos.

¹⁵Mas agora, Senhor Deus nosso, que com mão forte tiraste teu povo do Egito, adquirindo para ti a fama que dura até hoje: pecamos e agimos iniquamente.

¹⁶Senhor, à medida de tua justiça, afasta a ira e a cólera de Jerusalém, tua cidade e teu monte santo. Por nossos pecados e pelos delitos de nossos pais, Jerusalém e todo o teu povo sofrem afrontas dos povos vizinhos.

¹⁷Agora, pois, Deus nosso, escuta a oração e as súplicas de teu servo, olha benévolo teu santuário assolado, Senhor meu, por tua honra!

¹⁸Deus meu, inclina teu ouvido e escuta-me; abre os olhos e vê nossa desolação e a cidade que traz teu nome; pois, ao apresentar diante de ti nossa súplica, não confiamos em nossa justiça, mas em tua grande compaixão.

¹⁹Escuta, Senhor; perdoa, Senhor; atende, Senhor; age sem tardar, Deus meu, por

---

Tal liberdade foi imitada por muitos comentaristas de duas maneiras: com exercícios matemáticos ou tomando isso como cifra simbólica.

9,1 Outra vez tropeçamos com uma data que é uma piscada do autor ao leitor. Dario não é filho de Xerxes; não era medo, mas um persa que usurpou o trono e reinou de 522 a 486; supõe-se que ainda não foi promulgado o edito de repatriação. Na perspectiva do autor, a volta de Zorobabel e a de Esdras não são a libertação esperada, pois o tempo dos impérios opressores continua. Portanto, o oráculo de Jeremias tem de ser reinterpretado.

9,2 Tal atividade demonstra o interesse com que os judeus liam seus livros sagrados, seu afã de atualizá-los, sua liberdade de procedimentos. O autor de Daniel é um sapiencial comentando um profeta.

9,3 Jn 3,5.

9,4-19 A oração penitencial pertence a um tipo bem conhecido, do qual são exemplos Esd 9; Ne 9; Br 1,15-3,8 e cujo antecedente é Sl 50-51. Trata-se de um processo bilateral entre duas partes unidas por um compromisso. Uma parte reprova à outra o descumprimento, até que esta o reconhece e pede perdão. A presente oração inclui uma recordação histórica e é povoada de citações e reminiscências.

9,4 Ver Ex 34,6; Dt 7,9; 1Rs 9,23.

9,5 Especialmente Jeremias: 7,25; 25,4; 26,5; 29,19; 35,15; 44,4.

9,7 A "vergonha" é a confusão do réu convicto e confesso.

9,9 Mudança de direção: o Senhor, parte inocente, teve razão em castigar, mas tem poder para perdoar (Sl 130).

9,11 Maldições reunidas em Lv 26 e Dt 28.

9,13 "Veracidade" em pronunciar e cumprir a ameaça.

9,14 "Vigiou": Jr 1,12; 44,27.

9,15 Termina a confissão e começa a súplica.

9,16 A "afronta" de Jerusalém depõe contra a fama do Senhor (Sl 44,14-17; 89,50-52).

9,19 O nome do Senhor está comprometido na sorte da sua cidade.

tua honra! Por tua cidade e teu povo, que invocam teu nome. ²⁰Ainda estava falando, suplicando e confessando meu pecado e o de meu povo Israel, e apresentando minhas súplicas ao Senhor, meu Deus, em favor de seu monte santo; ²¹ainda estava pronunciando minha súplica, quando aquele Gabriel que eu tinha visto na visão chegou voando até mim, na hora da oferta vespertina. ²²Ao chegar, falou-me assim:

– Daniel, acabo de sair para te explicar o sentido. ²³No princípio de tuas súplicas pronunciou-se uma sentença, e eu vim para comunicá-la a ti, porque és um predileto. Entende a palavra, compreende a visão!

²⁴Setenta semanas estão decretadas
para teu povo e tua cidade santa:
para trancar o delito,
selar o pecado, expiar o crime,
para trazer uma justiça perene,
para selar a visão e o profeta
e ungir o lugar santíssimo.
²⁵Tu o saberás e compreenderás:
Desde que se decretou a volta
e a reconstrução de Jerusalém,
até um príncipe ungido,
passarão sete semanas.
Durante sessenta e duas semanas
estará reconstruída com ruas e fossos,
em tempos difíceis.
²⁶Passadas as sessenta e duas semanas,
matarão o ungido inocente;
virá um príncipe com sua tropa
e arrasará a cidade e o templo.
O final será um cataclismo,
e até o fim estão decretadas
guerra e destruição.
²⁷Firmará uma aliança com muitos
durante uma semana;
durante meia semana
fará cessar ofertas e sacrifícios
e porá sobre a ala o ídolo abominável,
até que o fim decretado
chegue ao destruidor.

9,21 A tarde é o tempo da oração penitencial; pela manhã Deus concede seu favor.

9,22-23 Estes preparativos sugerem que o autor dava grande importância a seu descobrimento e mensagem: custou-lhe uma visão, uma doença, muito estudo sem compreender, num tempo de mudança de impérios; chamam-no predileto, dão-lhe um anjo intérprete. É um encarecido convite ao leitor.

9,24-27 Por fim chega a revelação da contagem temporal. O autor aplica o esquema de setenta setênios = dez jubileus = 490 anos. Divide-os em três etapas: até a volta de Babilônia e a unção de Josué (Zc 3; ou Zorobabel), sete setênios; domínio persa e grego (sessenta e dois setênios); domínio de Antíoco, um setênio dividido em duas metades. Aplicando nossos conhecimentos históricos, mais exatos, a contagem falha sobretudo na seção central. Além disso, com a morte do perseguidor não chegou a era esperada do domínio judeu pacífico no mundo. A contagem ficou à mercê de especuladores ou disponível para uma leitura simbólica.

9,24 "Selar o pecado" equivale a arquivar, desistir (cf. Sl 32,1; Jó 14,17). "Justiça perene" ou permanente: perdoado o pecado, o povo retorna à justiça de modo estável. "Selar": provavelmente no sentido de impor o selo da consumação (cf. Ez 28,12). "Ungir o lugar santíssimo": a nova consagração do altar por Judas Macabeu (1Mc 4).

9,25 Os "tempos difíceis" estão mais perto de Neemias que do entusiasmo do Segundo Isaías.

9,26 O "ungido" é o sumo sacerdote Onias (1Mc 4,23-28). "Arrasará" se refere à represália de Antíoco ao voltar do Egito.

9,27 Pode aludir à aliança ou acordo de Antíoco com o partido judeu colaboracionista (1Mc 1,10). "O ídolo abominável" corresponde a uma deformação

10 A visão terrível

¹No terceiro ano de Ciro, rei da Pérsia, revelaram uma coisa a Daniel: a coisa era certa, mas era uma tarefa enorme. Compreendeu a coisa; graças à visão, conseguiu compreender.

²Na ocasião, eu, Daniel, estava fazendo luto de três semanas: ³não comia manjares deliciosos, não provava vinho nem carne, nem me ungia durante as três semanas.

⁴No vigésimo quarto dia do primeiro mês, eu estava junto ao Rio Grande. ⁵Levantei a vista e vi aparecer um homem vestido de linho com um cinturão de ouro; ⁶seu corpo era como crisólito, seu rosto como relâmpago, seus olhos como tochas, seus braços e pernas como o fulgor do bronze polido, suas palavras ressoavam como uma multidão.

⁷Somente eu via a visão; a gente que estava comigo, embora não visse a visão, ficou tomada de terror e foi esconder-se. ⁸Assim fiquei sozinho; ao ver aquela magnífica visão me senti desfalecer, meu semblante ficou desfigurado, e eu não encontrava forças. ⁹Então ouvi um ruído de palavras, e ao ouvi-las caí em sonolência com o rosto por terra.

¹⁰Uma mão me tocou e me sacudiu, pondo-me de quatro. ¹¹Depois me falou:

– Daniel, predileto: Presta atenção às palavras que vou dizer-te e fica de pé, porque me enviaram a ti.

Enquanto me falava assim, fiquei de pé, tremendo.

¹²Ele me disse:

– Não temas, Daniel. Desde o dia em que te dedicaste a estudar e a humilhar-te diante de Deus, tuas palavras foram ouvidas e eu vim por causa delas. ¹³O príncipe do reino da Pérsia me opôs resistência durante vinte e um dias; Miguel, um dos príncipes supremos, veio em meu auxílio; por isso me detive aí junto aos reis da Pérsia. ¹⁴Mas agora vim explicar-te o que há de acontecer a teu povo nos últimos dias. Porque a visão é para tempo distante.

¹⁵Enquanto ele assim me falava, caí de bruços e emudeci. ¹⁶Uma figura humana me tocou os lábios: abri a boca e falei ao que estava diante de mim:

– A visão me fez retorcer de dor e não encontro forças. ¹⁷Como este escravo falará a tal senhor, se agora as forças me abandonam e fiquei sem alento?

¹⁸De novo uma figura humana me tocou e me fortaleceu. ¹⁹Depois me disse:

– Não temas, predileto; fica calmo, sê forte.

Enquanto me falava, recuperei as forças e disse:

– Deste-me forças, senhor, podes falar.

²⁰Ele me disse:

– Sabes para que eu vim? Agora tenho de voltar para lutar com o príncipe da Pérsia; quando terminar, virá o príncipe da Grécia. ²¹Mas eu te comunicarei o que está escrito no livro da verdade. Ninguém me ajuda em minhas lutas, a não ser o vosso príncipe Miguel.

11

¹Eu, de minha parte, durante o primeiro ano do medo Dario, o ajudei e

---

insultante do título "senhor do céu" e se refere à estátua de Zeus Olímpico (1Mc 1,54-59; 2Mc 6,2).

10 A rigor, este capítulo é a introdução pomposa ao que se segue até o final do livro (em hebraico). O terror do profeta ao contemplar uma visão é tema conhecido. O autor segue de perto Ezequiel, mas, no seu afã de ampliar, dilui o relato. Ezequiel contempla o Senhor, e Daniel é um intermediário que possui os atributos luminosos da divindade. Ezequiel se punha prontamente em pé, Daniel tem de ser tocado três vezes e sustentado por uma figura humana; se recupera a fala, é para expressar seu terror. O modelo de Daniel fará escola entre apocalípticos posteriores.

10,2-3 O jejum é considerado preparação para receber uma revelação. Ben Sirac se contentava em orar quando estudava, sem jejuar (Eclo 39,5s).

10,5-6 Imitação de Ez 1.

10,13-14 Pela primeira vez na Bíblia encontramos a ideia de anjos da guarda ou protetores de reinos. Talvez se inspire na concepção de Dt 32,8 e 4,19, tomando as divindades como anjos mediadores. Semelhante especulação acentua a transcendência de Deus, que rege a história por mediadores. É estranho que esses seres celestes participem das disputas humanas e dos conflitos de interesses (Jd 9); talvez um antecedente remoto seja o "satã" do livro de Jó, rival com acesso à corte celeste.

10,14 A última frase é duvidosa. Outros traduzem: "resta outra visão para os dias vindouros".

10,20-21 Estes versículos, com 11,1, parecem estar desordenados, e o texto resulta duvidoso em vários pontos. A tradução é em parte conjetural. As lutas angélicas e a função reveladora são claras. O livro da verdade é um dos livros ou tábuas celestes que registram de antemão os acontecimentos da história (cf. Sl 139,16).

11 O autor traça de novo a história até os dias de Antíoco IV. Tendo sido contemporâneo também de Antíoco III (ano 300, edito de tolerância), o autor poderia informar com bastante precisão. Da história

fortaleci. ²Agora te comunicarei a verdade:
— A Pérsia terá ainda três reis. O quarto os superará em riquezas; mas quando seu poderio crescer por causa das riquezas, provocará todo o reino grego.

³"Surgirá um rei batalhador, que terá grandes domínios e poder absoluto. ⁴Quando se firmar, seu reino será dividido para os quatro pontos cardeais. Não o receberão como herança seus descendentes, nem será tão poderoso; seu reino passará a mãos alheias.

⁵O rei do sul se tornará forte, mas um de seus generais o superará, e seus domínios serão mais dilatados. ⁶Depois, os dois farão uma aliança; a filha do rei do sul acorrerá ao rei do norte para fazer as pazes. Perderá a força de seu braço, sua linhagem não subsistirá; ela, seu séquito, seu filho e seu protetor serão entregues por algum tempo.

⁷De suas raízes, brotará em seu lugar um rebento, que entrará na praça-forte do rei do norte e os tratará como vencedor. ⁸Levará para o Egito seus deuses e ídolos e os utensílios preciosos de ouro e prata, e por alguns anos deixará em paz o rei do norte.

⁹Este último invadirá o reino do rei do sul, mas voltará a seu território.

¹⁰Seus filhos declararão guerra, reunirão exércitos enormes: ele invadirá e passará como inundação, e tornará a lutar até a fortaleza.

¹¹O rei do sul, despeitado, sairá para lutar contra ele, porá em pé de guerra um grande exército que cairá em suas mãos. ¹²Ele se orgulhará com a vitória sobre o exército e fará morrer milhares, mas não prevalecerá.

¹³O rei do norte porá em pé de guerra outro exército maior que o primeiro; passados alguns anos, voltará com grande exército bem equipado.

¹⁴Então muitos se levantarão contra o rei do sul; homens violentos de teu povo se levantarão para cumprir uma visão, mas fracassarão. ¹⁵Virá o rei do norte, fará um terrapleno e conquistará a cidade fortificada. As tropas do sul não resistirão, nem sequer os mais valentes terão força para resistir.

---

precedente recolhe alguns fatos salientes e esquematiza outros. A divisão de conjunto é esta: 2 império persa, 3-4 Alexandre e os Diádocos, 5 Ptolomeu I e Seleuco I, 6-9 Laodice, Berenice e Ptolomeu III Evergetes, 10-19 Antíoco III, 21-45 Antíoco IV Epífanes. Apesar do valor histórico de vários dados, no conjunto é obscuro e confuso; fica obscurecido de propósito ao ser apresentado como predição de Daniel. Como se colocasse um vidro polido diante dos fatos. Se não fosse por informações de outras fontes, não conseguiríamos decifrar o presente capítulo. O que pretendia o autor com essa velada exatidão? Queria recomendar a verdade do livro? – Era uma verdade *a posteriori*, e muitos leitores o sabiam. A verdade do narrado devia garantir a verdade do predito.
O Segundo Isaías, o profeta do grande retorno, entusiasmou muitos com seus inflamados cânticos de vida e esperança; o autor de Daniel fixa os olhos na história que conhece ou como a conhece, e daí os levanta ao soberano da história. Seu olhar é mais intelectual, sua convicção não é menos firme. Historicamente, o advento de Ciro foi mais importante que a morte de Antíoco IV; para o autor, a única grandeza do seu momento era ser véspera do fim definitivo. O capítulo 11 tende para o 12, e assim deve ser lido. Comparado com outros capítulos precedentes, é inferior, porque lhe faltam símbolos convincentes. O que ficou do presente capítulo na nossa cultura, exceto a curiosidade histórica? Mas, através das formas confusas se percebe uma constante de violência e engano, de guerras e conspirações, fraquezas e arrogâncias. É o reverso de cobiça e ambição movendo demais a história humana.

11,2 Ao autor interessa o conjunto de quatro. O quarto tem sido identificado com Ciro, Dario, Xerxes, Artaxerxes e Dario III.

11,5 Sul e norte = Egito e Síria = Lágidas e Selêucidas. Seleuco começa como aliado inferior de Ptolomeu; mais tarde se consolidou e estendeu seus domínios até Babilônia. Bem cedo a divisão se converteu em hostilidade.

11,6 O neto de Seleuco faz as pazes com o filho de Ptolomeu. O sírio abandona sua esposa Laodice e casa com Berenice, filha do egípcio. Mas Laodice foi eliminando Antíoco II, Berenice e o filho de ambos, até entronizar seu filho, Seleuco II.

11,7 O sucessor lágida decidiu vingar o pai e a irmã e derrotou Seleuco.
A praça-forte pode ser o porto ou a capital, Antioquia.

11,8 A vitória e a recuperação da presa roubada por Cambises lhe valeram o título de Evergetes = Benfeitor (da pátria).

11,10 Os filhos são Seleuco III e Antíoco III. O segundo sobe ao trono em 223, com intenção de grandeza militar e política, na Ásia e à custa do Egito.

11,11-12 Ano 217: batalha de Rafia. Dois grandes exércitos se enfrentaram; Antíoco III foi derrotado com terríveis perdas, mas Ptolomeu IV não soube explorar a vitória.

11,13 Passados dez anos, prepara-se a desforra. Antíoco III tinha consolidado seu poder na Ásia.

11,14 Parece referir-se a Felipe V da Macedônia ou a uma coalizão anti-egípcia. Os "violentos" representam talvez o grupo judeu colaboracionista de 1Mc.

11,15 Em 201 Antíoco III conseguiu conquistar a estratégica praça-forte de Gaza, às portas do Egito.

¹⁶Alguém que avança contra ele o tratará a seu bel-prazer sem que ninguém lhe possa resistir. Ele se estabelecerá na Pérola da Terra*, que será toda sua. ¹⁷Decidido a submeter todo o seu reino, oferecerá a paz e a assinará; dará a ele em matrimônio uma princesa, com intenção de arruiná-lo, mas o projeto não terá êxito.

¹⁸Então se voltará contra o litoral e conquistará grande território; mas um chefe porá fim à sua insolência, para que não responda com insolências.

¹⁹Então se dirigirá às fortalezas de seu território; aí tropeçará e cairá sem deixar rastro.

²⁰Um sucessor seu enviará um exator de sua majestade para requisitar o tesouro do templo; em poucos dias será liquidado sem incômodos nem lutas.

²¹Será substituído por um plebeu sem títulos reais. Abrirá passagem para si suavemente, e com intrigas se tornará dono do reino. ²²Varrerá exércitos inimigos e também o príncipe da aliança, desbaratando-os. ²³Mesmo dispondo de pouca gente, com seus cúmplices e com a força de traições se tornará forte. ²⁴Sem agitar-se irá penetrando nas zonas mais férteis da província, e fará o que não fizeram seus pais nem seus avós: repartirá saques, despojos, riquezas, atacará as fortalezas com estratagemas, mas por pouco tempo.

²⁵Cheio de valentia, se disporá a atacar o rei do sul com grande exército; o rei do sul o enfrentará com exército imenso, mas cairá vítima de conspirações; ²⁶os que partilhavam seu pão serão sua ruína, seu exército será varrido e terá muitíssimas baixas.

²⁷Os dois reis, cheios de más intenções, sentaram a uma mesa para dizerem mentiras entre si. Mas não lhes adiantará, porque o prazo já está fixado. ²⁸Ele voltará a seu país com muitas riquezas e com planos contra a santa aliança*; depois de executá-los, voltará a seu país.

²⁹No prazo fixado, voltará ao país do sul, mas não lhe acontecerá como as outras vezes. ³⁰Navios de Chipre o atacarão; voltará assustado para desafogar sua cólera contra a santa aliança. Ao voltar, dará atenção aos que abandonam a santa aliança. ³¹Alguns destacamentos seus se apresentarão para profanar o santuário e a cidadela, abolirão o sacrifício cotidiano e instalarão um ídolo abominável. ³²Perverterá com lisonjas os que violam a aliança, mas os que reconhecem seu Deus se decidirão a agir. ³³Os mestres do povo instruirão os demais, embora por um tempo tenham de suportar a espada, o fogo, o cativeiro e o confisco de bens. ³⁴Ao vê-los em tais perigos, alguns os ajudarão e outros se juntarão a eles por adulação. ³⁵A desgraça de alguns mestres servirá para purificar, acrisolar e branquear, até que chegue o fim, pois o prazo está fixado.

11,16 Antíoco III impôs sua autoridade sobre Judá, concedendo liberdade religiosa e de costumes próprios (200). Triunfam o partido pró-Síria e os fiéis à lei. * Ou: *Judá*.

11,17 O selêucida fez as pazes com Ptolomeu e selou dando-lhe em matrimônio sua filha Cleópatra (197).

11,18 Sentindo-se seguro ao leste e ao sul, Antíoco inicia a expansão para o ocidente. Mas Roma não podia tolerar essa expansão, e por meio do seu cônsul Lúcio Cornélio Cipião, o Asiático, infligiu-lhe a derrota definitiva de Magnésia (190).

11,19 Foi a perdição de Antíoco, que morreu, conforme a tradição, quando tentava saquear um templo (187).

11,20 Sucedeu-lhe seu filho mais velho, Seleuco IV Filopátor. O "exator" é Heliodoro (2Mc 3). O rei morreu, provavelmente envenenado (175).

11,21 Devia suceder-lhe seu filho Demétrio; mas adiantou-se seu irmão, que estivera em Roma como refém e, apoiado por Eumenes de Pérgamo, conseguiu apoderar-se do trono e reinou com o apelido de Epífanes = (Deus) Manifesto. O autor o rebaixa a "plebeu".

11,22 O "príncipe da aliança" é provavelmente o sumo sacerdote Onias.

11,23-24 Continua descrevendo as táticas do rei, suas intrigas e rapacidade.

11,25-28 Na primeira campanha contra o Egito, prendeu Filométor. Tratou-o com benevolência, fingindo apoiar seus direitos contra o irmão, Físcon. O banquete da amizade foi um jogo de enganos. Entretanto, em Jerusalém correu o boato de que Antíoco tinha morrido e houve distúrbios contra o domínio selêucida. Antíoco, de volta do Egito, submeteu a cidade a um castigo exemplar (1Mc 1; 2Mc 4). V. 28: * Ou: *os judeus*.

11,29-30 Na segunda campanha contra o Egito, tentou apoderar-se também de Chipre; penetrou em Mênfis, avançou rumo a Alexandria; mas saiu-lhe ao encontro o legado romano Popílio Lenas e o humilhou, obrigando-o a retirar-se.

11,31 Despeitado, desafogou sua cólera nos judeus (2Mc 5).

11,32-35 Descreve os dois partidos judeus e suas respectivas reações diante da perseguição: os colaboracionistas, os mártires, a rebelião dos Macabeus, os que vão se juntando a eles, os mestres do povo. Para os mártires inspira-se em Is 53.

³⁶O rei agirá a seu bel-prazer, se orgulhará desafiando todos os deuses, e falará com arrogância contra o Deus dos deuses; prosperará até o momento do castigo, que está decretado e será executado. ³⁷Não respeitará o deus de seus pais nem o favorito das mulheres, não respeitará nenhum deus, porque se crerá superior a todos. ³⁸Ao contrário, prestará culto ao deus da cidadela, oferecerá prata e ouro, pedras preciosas e joias a um deus desconhecido de seus pais. ³⁹Com a ajuda de um deus estrangeiro, atacará cidadelas fortificadas; cumulará de honras os que o reconhecerem, os nomeará governadores de povos numerosos e lhes dará terras em recompensa.

⁴⁰No final, o rei do sul investirá contra ele; o rei do norte se lançará em turbilhão com carros, cavaleiros e muitos navios. Invadirá e cruzará países como inundação. ⁴¹Penetrará na Pérola da Terra. Cairão aos milhares, mas edomitas, moabitas e a juventude dos amonitas se livrarão de suas mãos. ⁴²Estenderá a mão a diversos países, e nem sequer o Egito se livrará. ⁴³Ele se tornará dono do ouro e da prata e de todos os tesouros do Egito; líbios e núbios formarão seu séquito. ⁴⁴Mas, alarmado por notícias recebidas do leste e do norte, marchará com toda a fúria para destruir e aniquilar multidões.

⁴⁵Armará sua tenda entre o mar e a Pérola da Santa Montanha. Aproxima-se do seu fim e ninguém o defenderá".

Ressurreição e salvação
(Is 24-27; Ez 38-39; Jl 3-4)

12 ¹Então se levantará Miguel,
    o arcanjo que se ocupa de teu povo:
serão tempos difíceis, como não houve
    desde que houve nações até agora.
Então o teu povo se salvará:
    todos os inscritos no livro.
²Muitos dos que dormem
    no pó despertarão:

11,36-39 Refere-se à progressiva exaltação de Antíoco, documentada em suas moedas. A supressão do culto de Apolo e Tamuz = Adônis em favor de Zeus Capitolino.

11,39 Com leve emenda alguns leem: "e porá para defender a cidadela um povo de um deus estrangeiro", como alusão ao estabelecimento da Acra ou *pólis* grega no coração de Jerusalém.

11,40-45 Até aqui o autor referiu fatos recentes, conhecidos pessoalmente. Descreve o futuro próximo, projetando suas previsões e esperanças e formulando-as com motivos tradicionais. Na realidade, quase arruinado e temeroso dos romanos, Antíoco empreendeu uma campanha no oriente, na qual, depois de algumas vitórias, morreu desastrosamente (1Mc 6; 2Mc 9). A descrição inspira-se no modelo de Senaquerib.

11,45 Ou "entre os mares", mar Morto e Mediterrâneo; com possível ressonância cósmica: os mares delimitam a terra, e a montanha sagrada é seu centro. Digno cenário para o ato final da história.

12,1-3 Como nas escatologias clássicas, a derrota do inimigo não é mais que o penúltimo ato, precedendo a instauração definitiva do reinado de Deus. A nova era se ilumina com dores de parto, arautos de vida e salvação. Este livro segue a tradição oficial, mas acrescenta a doutrina nova da ressurreição (antecedentes em Is 53; Ez 37; Is 26,14-19), que se imporá entre a maioria dos judeus. Sua ressurreição não é universal, mas pessoal e diferenciada. A ressurreição precede o julgamento de separação (cf. Ez 20,35-38). Se para Ezequiel ressuscitar é sair do desterro (Ez 37,12), concebe uma ressurreição para retornar à pátria e outra para morrer no deserto. Nosso autor toma a imagem ao pé da letra e amplia o seu alcance: ressurreição para se incorporar ao novo reino de Deus. Entre os que ressuscitam há um grupo privilegiado: não os guerreiros Macabeus, nem sequer os mártires – Eleazar e companheiros –, mas uns mestres que pregam com êxito a conversão. Os cidadãos do novo reino têm de ser justos (Is 26,2). É bastante claro o sentido de uma vida eterna que, se ultrapassa Is 65,20, pode apoiar-se em Is 25,8. O seu oposto não é tão claro. A "vergonha perpétua" pode ser a consciência de derrota que se experimentará sem término ou a consciência de uma derrota definitiva e irreversível. A distinção é indefinida ou definitiva. A expressão hebraica "vergonha perpétua/definitiva" se lê em Sl 78,66 sem implicação de sobrevivência perpétua; Is 66,24 fala de "cadáveres", não de seres ressuscitados sofrendo. Não parece que os autores da época imaginassem um Antíoco outra vez vivo em cárcere perpétuo; pensavam antes em seu fracasso definitivo. Finalmente, o texto não opõe vida eterna gloriosa/vida eterna vergonhosa, mas vida eterna/vergonha eterna. Então, para que ressuscitam? – Para comparecer a julgamento (Sb 5).

uns para vida eterna,
outros para vergonha perpétua.
³Os mestres brilharão
como brilha o firmamento,
e os que convertem os outros,
como estrelas, perpetuamente.

⁴"Tu, Daniel, guarda essas palavras e sela o livro até o momento final. Muitos o examinarão e aumentarão seu saber".

⁵Eu, Daniel, vi outros homens em pé de ambos os lados do rio. ⁶E perguntei ao homem vestido de linho, que pairava sobre a água do rio:
– Quando acabarão esses prodígios?

⁷O homem vestido de linho, que pairava sobre a água do rio, levantou ambas as mãos para o céu, e o escutei jurar por aquele que vive eternamente:
– Um ano, e dois anos e meio. Quando acabar a dispersão do povo santo, tudo isso se cumprirá.

⁸Eu ouvi sem entender e perguntei:
– Senhor, qual será o resultado?

⁹Ele me respondeu:
– Vai, Daniel. As palavras estão guardadas e seladas até o momento final. ¹⁰Muitos se purificarão, acrisolarão e branquearão; os perversos continuarão em sua perversidade, sem entender; os mestres compreenderão. ¹¹Desde que suprimirem o sacrifício cotidiano e colocarem o ídolo abominável, passarão mil duzentos e noventa dias. ¹²Feliz de quem aguardar até que passem mil, trezentos e trinta e cinco dias. ¹³Tu, vai e descansa. Tu te levantarás para receber teu destino no final dos dias.

Relatos gregos

13 **Susana e Daniel** – ¹*Vivia na Babilônia um homem chamado Joaquim,* ²*casado com Susana, filha de Helcias, mulher muito bela e religiosa.* ³*Seus pais eram honrados e haviam educado sua filha segundo a Lei de Moisés.* ⁴*Joaquim era muito rico e tinha um jardim junto à sua casa; como era o mais respeitado de todos, os judeus costumavam reunir-se aí.*

⁵*Naquele ano foram nomeados juízes dois conselheiros do povo, desses que o Senhor denuncia, dizendo: "Na Babilônia*

12,3 "Como brilha o firmamento": a palavra hebraica que corresponde a brilho, *zohar*, tornou-se famosa na literatura cabalística por sua obra capital, *séfer hazzohar* (século XIII).
12,6-7 É a pergunta de 8,13 com a resposta de 7,27.
12,10 Ao negar-se a compreender a mensagem, os perversos se confirmam em sua perversidade.
12,11-12 Duas revisões cronológicas para salvar a esperança, quando o prazo assinalado não trouxe a libertação.
12,12 Sb 4,20; 5,1.
12,13 O descanso da morte com a esperança de ressuscitar.

Relatos gregos

13 Começam os relatos em grego. O relato de Susana é um dos mais populares do livro. Vários ingredientes contribuíram para sua popularidade: o tema com seu drama e resultado feliz, que é o triunfo da inocência; a descrição irônica da paixão dos dois velhos e o processo da vingança; a figura do rapaz que salva a situação com um recurso bastante ingênuo. Todo um pano de fundo de sabedoria popular ou culta, de piedade de salmos, toma a palavra por meio do relato ou acompanhando os personagens. A cena acontece numa comunidade judaica pequena, em que não falta o bem-estar, regida por chefes locais. Os personagens. Os dois velhos/conselheiros são tratados sem piedade: dois velhos apaixonados como rapazinhos e brincando de esconde-esconde como crianças. A sátira se dirige primeiro a abusos de poder dentro da comunidade. Pode ampliar-se a chefes estrangeiros que pretendem aproveitar-se da mulher/comunidade, desonrando-a, roubando-a do seu marido/Yhwh. Susana representa um ideal de fidelidade conjugal e confiança em Deus. Por suas qualidades e segundo a tradição, pode representar a comunidade judaica, fiel a seu Deus até o sacrifício. Num parque (*paradeisos*) infiltrou-se o tentador, que conhece vida e morte, e que, não podendo atrair, ameaça. A simpatia do autor por Susana é manifesta: rica, bela, honesta, religiosa. Daniel é o rapaz que evoca a figura de Samuel. Por sua idade contrasta com os velhos e realiza assim o tema do pequeno herói diante dos grandes. Seu nome é seu destino: "Deus julga". O grito do rapaz atravessa a multidão como protesto crítico, contra a perversão de uns e a leviandade dos outros. É uma voz profética diante de uns chefes institucionais e uma comunidade complacente. Celebra um julgamento de vida e morte que a comunidade inteira deve ratificar. Daniel é uma consciência sadia, não manchada nem inflada, através da qual Deus volta a tomar posse de seu povo.
13,1 Os 14,6; Dt 4,9; 6,7.
13,2 Susana significa açucena ou lírio (com o artigo árabe), é elogio para a amada (Ct 2,2; 6,3); Os 14,6 o aplica a Israel. Alusão inicial que pode despertar a referência em código ao povo escolhido.
13,5 Ver Dt 1,9-18.

a maldade brotou dos velhos juízes, que passam por guias do povo". ⁶Costumavam ir à casa de Joaquim, e os que tinham pleitos a resolver acorriam a eles.

⁷Ao meio-dia, quando a gente ia embora, Susana costumava passear pelo jardim com seu marido. ⁸Os conselheiros a viam diariamente, quando saía para passear pelo jardim, e se enamoraram dela: ⁹"Perverteram seu coração e desviaram os olhos para não olhar a Deus nem se lembrar de suas justas leis".

¹⁰Os dois estavam loucos de paixão por ela, mas não confessavam mutuamente seu tormento, ¹¹porque lhes dava vergonha admitir que estavam ansiosos para possuí-la. ¹²Dia após dia espreitavam ansiosamente para vê-la.

¹³Um dia disseram:

– Vamos para casa, que é hora de comer.

E ao sair se separaram. ¹⁴Mas, dando meia volta, encontraram-se outra vez no mesmo lugar. Perguntando um a outro o motivo, acabaram por confessar mutuamente sua paixão. Então, de acordo, marcaram uma ocasião para encontrá-la sozinha.

¹⁵Um dia, enquanto eles esperavam o momento oportuno, ela saiu como de costume, acompanhada só de duas criadas, e deu-lhe vontade de banhar-se no jardim, porque fazia muito calor. ¹⁶Aí não havia ninguém, além dos dois velhos escondidos à espreita.

¹⁷Susana disse às criadas:

– Trazei-me o perfume e os cremes e fechai a porta do jardim enquanto me banho.

¹⁸Elas, cumprindo a ordem, fecharam a porta do jardim e saíram por uma porta lateral para trazer o que lhes fora pedido, sem perceber que os velhos estavam escondidos.

¹⁹Apenas saíram as criadas, os dois conselheiros se levantaram, correram até ela ²⁰e lhe disseram:

– As portas do jardim estão fechadas, ninguém nos vê, e nós estamos apaixonados por ti; consente e deita-te conosco. ²¹Se te negares, testemunharemos contra ti, dizendo que um jovem estava contigo e que por isso despediste as criadas.

²²Susana deu um gemido e disse:

– Não tenho saída: se fizer isso, serei ré de morte; se não o fizer, não escaparei de vossas mãos. ²³Mas prefiro não fazê-lo e cair em vossas mãos, antes que pecar contra Deus.

²⁴Susana se pôs a gritar, e os conselheiros, por sua vez, também gritaram. ²⁵Um deles foi correndo e abriu a porta do jardim. ²⁶Ao ouvir gritos no jardim, os servos foram correndo pela porta lateral para ver o que havia acontecido. ²⁷E quando os velhos contaram sua história, os criados ficaram envergonhados, porque Susana jamais tinha dado o que falar.

²⁸No dia seguinte, quando o povo foi à casa do marido Joaquim, foram também os dois velhos com o propósito criminoso de fazê-la morrer. ²⁹Na presença do povo ordenaram:

– Ide buscar Susana, filha de Helcias, mulher de Joaquim.

Foram buscá-la, ³⁰e ela foi com seus pais, filhos e parentes.

³¹Susana era mulher muito delicada e formosa. ³²Os canalhas mandaram que ela tirasse o véu, a fim de fartar-se olhando sua beleza. ³³Toda a sua família e todos os que a viam choravam.

³⁴Então os dois conselheiros se levantaram no meio da assembleia e puseram as mãos sobre a cabeça de Susana.

³⁵Ela, chorando, levantou a vista ao céu, porque seu coração confiava no Senhor. ³⁶Os conselheiros declararam:

– Enquanto passeávamos sozinhos pelo jardim, esta saiu com duas criadas, fechou a porta do jardim e despediu as criadas. ³⁷Então se aproximou dela um jovem que estava escondido e se deitou com ela. ³⁸Nós estávamos num canto do jardim e, ao ver esse delito, corremos até eles. ³⁹Nós os vimos abraçados, mas não pudemos prender o jovem, porque era mais forte do que nós, e abrindo a

---

13,6 Dt 1,9-18.
13,8 Ver o aviso de Eclo 9,8; 16,17-23.
13,20 Ver a descrição de Eclo 16,17.23; 23,19.
13,22 A adúltera recebia pena de morte: Lv 20,10.
13,23 Recorda o exemplo de José (Gn 39,9).
13,34 Segundo a lei de Lv 24,14.
13,36 Duas testemunhas, segundo a lei de Nm 35,30; Dt 19,15.

porta saiu correndo. ⁴⁰Mas agarramos esta e lhe perguntamos quem era o jovem, ⁴¹mas não quis dizer-nos. Damos testemunho disso.

– Deus eterno, que vês o escondido,
que sabes tudo antes que aconteça,
⁴³tu sabes que deram
falso testemunho contra mim,
e agora tenho de morrer, sendo inocente
daquilo que sua maldade
inventou contra mim.

⁴⁴*O Senhor a escutou.*
⁴⁵*Enquanto a levavam para executá-la, Deus, com sua santa inspiração, moveu um jovem chamado Daniel,* ⁴⁶*que gritou:*
– Não sou responsável por esse homicídio!
⁴⁷*Todo o povo se voltou para vê-lo e lhe perguntaram:*
– O que acontece? o que estás dizendo?
⁴⁸*Ele, em pé no meio deles, respondeu-lhes:*
– Estais loucos, israelitas? Sem discutir a causa nem apurar os fatos, condenais uma israelita? ⁴⁹Voltai ao tribunal, porque esses deram falso testemunho contra ela.
⁵⁰*O povo voltou depressa, e os conselheiros lhe disseram:*
– Vem, senta-te conosco e explica-te, pois Deus te nomeou conselheiro.
⁵¹*Daniel lhes disse:*
– Separai-os longe um do outro, pois vou interrogá-los.
⁵²*Separaram-nos. Ele chamou um e lhe disse:*
– Envelhecido em anos e em crimes! Agora voltam teus pecados passados; ⁵³quando davas sentença injusta condenando inocentes e absolvendo culpados, contra a ordem do Senhor: "Não matarás o inocente nem o justo". ⁵⁴Agora, já que a viste, dize-me: debaixo de que árvore os viste abraçados?
Ele respondeu:
– Debaixo de uma acácia.

Como eram conselheiros do povo e juízes, a assembleia acreditou neles e condenou Susana à morte.
⁴²*Ela disse, gritando:*

⁵⁵*Daniel replicou:*
– Tua calúnia se volta contra ti: o anjo de Deus recebeu a sentença divina e vai te partir pelo meio.
⁵⁶*Afastou-o, mandou trazer o outro e lhe disse:*
– És cananeu e não judeu! A beleza te seduziu e a paixão perverteu teu coração. ⁵⁷Fazíeis isso com as mulheres israelitas, e elas por medo se deitavam convosco; mas uma mulher judia não tolerou vossa maldade. ⁵⁸Agora dize-me: debaixo de qual árvore os surpreendeste abraçados?
Ele respondeu:
– Debaixo de um carvalho.
⁵⁹*Daniel replicou:*
– Tua calúnia se volta contra ti: o anjo de Deus aguarda com a espada para te dividir pelo meio. E assim acabará convosco.
⁶⁰Então toda a assembleia se pôs a gritar, bendizendo a Deus que salva os que nele esperam. ⁶¹Levantaram-se contra os dois conselheiros, a quem Daniel havia deixado convictos de falso testemunho por sua própria confissão. ⁶²Segundo a Lei de Moisés, aplicaram-lhes a pena que eles haviam tramado contra seu próximo e os executaram. Nesse dia foi salva uma vida inocente.
⁶³Helcias, sua mulher, todos os parentes e o marido Joaquim louvaram a Deus, porque sua parente Susana não havia cometido nenhuma ação vergonhosa.

13,40 Ver Sl 64,4; Pr 10,6.18.
13,42 Ver Pr 15,3; Sl 7,10.
13,43 Ver Sl 17,3; 27,12; 120,2.
13,44 Ver Pr 15,29.
13,46 Ver Pr 24,11.
13,48 Ver Pr 17,15.
13,49 Ver Sl 94,20.
13,53 Contra a lei de Ex 23,7 e Lv 19,15.
13,55 Ver Pr 19,5 e Sl 59,13. Neste versículo e no 59, o castigo em grego tem som parecido com o nome da árvore correspondente.
13,56 Ver Gn 9,25-27 e Ez 16,3.
13,60 Ver Sl 109,30s.
13,61 Ver Sl 64,9; Pr 19,9.
13,62 A lei: Dt 19,18s. Ver também Pr 11,8 e Sl 34,22.
13,63 Ver Sl 3,4.

⁶⁴E desde esse dia, Daniel gozou de grande prestígio entre o povo.

14 Bel, ou a fraude descoberta (Is 46; Jr 50,2.10)

– ¹O rei Astíages foi sepultado no sepulcro familiar e o persa Ciro reinou em seu lugar. ²Daniel vivia com o rei, mais honrado que os outros amigos deste. ³Os babilônios tinham um ídolo chamado Bel; cada dia lhe levavam mais de seiscentos litros de flor-de-farinha, quarenta ovelhas e duzentos e setenta litros de vinho.

⁴Também o rei o venerava e ia todos os dias adorá-lo, ao passo que Daniel adorava o seu próprio Deus.

⁵O rei lhe perguntou:

– Por que não adoras Bel?

Ele respondeu:

– Porque eu não venero deuses de fabricação humana, mas o Deus vivo, criador do céu e da terra e senhor de todos os viventes.

⁶O rei lhe replicou:

– Então não crês que Bel é um deus vivo? Não vês tudo o que come e bebe diariamente?

⁷Daniel retomou, sorrindo:

– Não te enganes, majestade. Esse é de barro por dentro e de bronze por fora, e jamais comeu nem bebeu.

⁸O rei se enfureceu, chamou seus sacerdotes e lhes disse:

– Se não me disserdes quem come esses alimentos, morrereis. Mas, se demonstrardes que Bel os come, Daniel morrerá por ter blasfemado contra Bel.

⁹Daniel disse ao rei:

– Faça-se o que disseste.

Os sacerdotes de Bel eram setenta, sem contar mulheres e crianças. ¹⁰O rei se dirigiu com Daniel ao templo de Bel. ¹¹Os sacerdotes de Bel lhe disseram:

– Nós sairemos. Tu, majestade, traze a comida, mistura o vinho e aproxima-o, depois fecha a porta e lacra-a com teu anel. Amanhã cedo voltarás; se descobrires que Bel não consumiu tudo, morreremos nós; caso contrário, morrerá Daniel por ter-nos caluniado.

¹²(Diziam isso muito seguros, porque haviam feito debaixo da mesa uma passagem oculta por onde sempre entravam para comer as oferendas.)

¹³Quando eles saíram, o rei aproximou de Bel a comida. ¹⁴Daniel mandou que seus criados levassem cinza e a espalhassem por todo o templo, na presença do rei somente. Saíram, fecharam a porta, a lacraram com o anel real e foram embora.

¹⁵Nessa noite os sacerdotes, segundo o costume, foram com suas mulheres e crianças e comeram e beberam tudo.

¹⁶O rei madrugou, e o mesmo fez Daniel.

¹⁷O rei perguntou:

– Os lacres estão intactos?

Ele respondeu:

– Intactos, majestade.

¹⁸Ao abrir a porta, o rei olhou a mesa e gritou:

– Que grande és, Bel! Não há fraude em ti.

¹⁹Daniel, rindo, segurou o rei para que não entrasse e lhe disse:

– Olha o chão e reconhece de quem são essas pegadas.

13,64 Como Samuel: 1Sm 3,19-21.

14,1-22 Um autor grego escreveu esta página de literatura cômica, que conseguiu entrar em nosso cânon. O relato é divertido e superficial: inventam-se uns inimigos fáceis, que são desmantelados com uma ironia simples. O autor não leva a sério seus personagens, nem o problema que encarnam. Estamos num clima ilustrado, no qual muitos pagãos estavam de acordo com os judeus, e estes podiam rir-se tranquilamente do culto idolátrico. Não se pode comparar esta crítica com a dos profetas, muito mais séria e profunda, quando o problema era vivo e transcendental. O ataque não se dirige apenas ao ídolo venerado, e sim muito mais à casta sacerdotal, que vive da fraude religiosa. Para o povo, o ídolo continua de pé porque come as oferendas; na realidade, os sacerdotes mantêm de pé o ídolo para eles comerem as oferendas. E os sacerdotes judeus não comiam também as oferendas? – Sim, mas sem fraude. Daniel repete seu papel de "julgamento de Deus": um julgamento de vida e morte, no qual ficam comprometidos Daniel, os sacerdotes e o ídolo. O ídolo, comendo e bebendo, deve provar que é deus vivo e que salva seus ministros; se não o fizer, perderá a vida fictícia que lhe deram. Ao deus caberia defender-se, dizia o pai de Gedeão (Jz 6,31). Acontece que o único deus vivo é o de Daniel.

14,3 Bel significa senhor; é título de Marduc em Jr 50,2.

14,4 Ver Mq 4,5.

14,5 Ver Sl 115; 135; Jr 10.

14,7 O prevê o delito de blasfêmia, e os sacerdotes o de calúnia.

14,8 Será um julgamento de Deus: compare-se com 1Rs 18, Elias no Carmelo.

²⁰O rei retomou:

— Estou vendo pegadas de homens, mulheres e crianças.

²¹E encolerizado, o rei mandou prender os sacerdotes com suas mulheres e crianças. Mostraram-lhe a porta secreta por onde entravam para comer o que havia na mesa. ²²O rei os fez executar e entregou Bel a Daniel, que o destruiu com seu templo.

²³Havia também um dragão enorme, que os babilônios veneravam.

²⁴O rei disse a Daniel:

— Não dirás que este é de bronze; está vivo, come e bebe; não podes negar que é um deus vivo. Adora-o.

²⁵Daniel replicou:

— Eu adoro o Senhor meu Deus, que é o Deus vivo. Dá-me permissão, majestade, e eu matarei o dragão, sem bastão nem espada.

²⁶O rei respondeu:

— Concedido.

²⁷Então Daniel pegou piche, gordura e pelos; cozinhou-os, fez umas almôndegas e as atirou na boca do dragão. O dragão as comeu e rebentou. Daniel sentenciou:

— Era isso que veneráveis.

²⁸Ao saber disso, os babilônios se enfureceram, se amotinaram contra o rei e disseram:

— O rei se tornou judeu: destroçou Bel, matou o dragão e degolou os sacerdotes.

²⁹Foram ao rei e exigiram:

— Entrega-nos Daniel, se não quiseres morrer com tua família.

³⁰Vendo o rei que o pressionavam com violência, forçado entregou-lhes Daniel. ³¹Eles o atiraram na cova dos leões, onde passou seis dias.

³²Havia na cova sete leões; cada dia lhes atiravam dois executados e duas ovelhas; nessa ocasião não lhes deram nada, para que devorassem Daniel.

³³Na Judeia vivia o profeta Habacuc. Nesse dia, tinha acabado de cozinhar um caldo e de dividir pães em pedaços numa cesta e ia ao campo para levá-los aos ceifeiros.

³⁴O anjo do Senhor ordenou a Habacuc:

— Leva esse almoço a Daniel, que está na Babilônia, na cova dos leões.

³⁵Habacuc respondeu:

— Senhor, nunca visitei Babilônia nem conheço essa cova.

³⁶Então o anjo do Senhor o pegou pelo alto da cabeça, segurando-o pelo cabelo, e voando com seu alento o levou e o colocou diante da cova.

³⁷Habacuc gritou:

— Daniel, Daniel, toma o almoço que Deus te envia.

³⁸Daniel respondeu:

— Deus meu, tu te lembraste de mim, não desamparaste os que te amam.

³⁹E, levantando-se, pôs-se a comer. Enquanto isso, o anjo do Senhor devolvia Habacuc a seu país.

⁴⁰No sétimo dia, o rei foi chorar Daniel. Aproximou-se da cova, olhou dentro e aí estava Daniel sentado. ⁴¹Com todas as suas forças gritou:

— Grande és, Senhor, Deus de Daniel, e não há outro além de ti!

⁴²Mandou retirá-lo e mandou atirar na cova os culpados pelo atentado, e no mesmo instante foram devorados em sua presença.

14,22 Ver Ex 12,12 e Is 46,1.
14,23-42 O segundo relato continua o precedente, como resposta à segunda objeção do rei. Daniel responde no mesmo terreno: um Deus que morre não é Deus. O relato é divertido como o anterior e é reforçado pelo episódio intercalado de Habacuc. É cômico imaginar os sete leões contemplando desconsolados o apetitoso personagem, que não podem morder, enquanto que ele saboreia a comida da panela. Almoço delicioso no contexto de um jejum multiplicado por sete leões e sete dias. Almoço com sabor de receitas pátrias e trazido por correio angélico. O autor se diverte, pisoteando mentalmente "leões e dragões" (Sl 91,13).

O dragão é aqui a grande superstição do povo, partilhada pelo rei; Daniel quer livrá-los, matando o dragão. A ação provoca um motim popular, porque o povo se agarra a suas superstições, quer ser enganado: ver Eclo 22,9-12; também 6,20s e 21,18s.
14,23 Ver Sb 15,18.
14,27 Há ironia nessa receita para matar dragões, como havia no perfume de espantar demônios de Tb 8,3. A campanha dos judeus contra os pagãos se fará com a zombaria, sem bastão nem faca.
14,29 Jr 38,5.
14,37 Os corvos levavam comida a Elias (1Rs 17,4).
14,38 Ver Sl 145,20.
14,41-42 Como comentário, pode-se ler Sl 35,17-28.

OSEIAS

INTRODUÇÃO

Época

De acordo com o título do livro, o profeta Oseias Ben Beeri exerceu sua atividade no reino do Norte, durante o reinado de Jeroboão II (782-753); ao dar o sincronismo com o reino do Sul, prolonga a atividade até Ezequias (727-698).

Jeú, chefe militar de uma guarnição, levantou-se para vingar violentamente crimes passados e selou a vingança mandando assassinar Jezabel no campo de Jezrael. Fundou uma vigorosa dinastia que contou cinco reis e durou quase noventa anos (841-753); o penúltimo rei da dinastia foi este Jeroboão II. Durante o seu reinado restabeleceu as fronteiras nacionais, desde a passagem de Emat até o mar Morto, submetendo de novo o reino transjordânico de Moab.

Com a paz veio a prosperidade, e com ela graves desigualdades sociais, luxo e exploração, confiança nos bens da terra, corrupção de costumes. Mas também o cultivo das artes: com dependência estrangeira nas artes plásticas, com soberana maestria na literatura. Nesse século começa ou se consolida uma era literária clássica, que culminará no sul com Isaías, e que conta com poetas tão importantes como Oseias e Amós, e magníficos narradores, como os autores de tantas páginas incorporadas nos livros dos Reis.

Com a morte de Jeroboão II começa a rápida decadência do reino do Norte. Zacarias, seu filho e sucessor, é assassinado no sexto mês de reinado, e o assassino usurpador dura um mês. Em trinta anos se sucedem quatro dinastias por assassinato e usurpação. Entretanto, cresce o poderio da Assíria e seu afã expansionista: em 745 sobe ao trono Teglat-Falasar III (745-727), criador do novo império assírio. O reino do Norte deixa de existir em 722. O título do livro, com sua cronologia parcial, dá a entender que a atividade de Oseias continuou depois da morte de Jeroboão II; de fato, em suas páginas se refletem as mudanças violentas de dinastias. Não sabemos se o profeta chegou a contemplar a destruição da pátria.

Temas

Oseias é sobretudo um profeta acusador, e o pecado capital que denuncia é a infidelidade ao Senhor, apresentada como fornicação, prostituição ou adultério.

A infidelidade se mostra antes de tudo no culto a Baal, deus da fertilidade, e suas manifestações locais, os baais; em seu culto se praticava às vezes a prostituição sagrada; esse pecado acarretará a infidelidade das mulheres, os filhos bastardos, a esterilidade. No culto a Yhwh continuava a perversão de representá-lo em imagem de touro (4,15-18; 7,16; 8,5s; 10,5s; 12,9).

Outra forma de infidelidade são as alianças políticas, em particular com a Assíria e o Egito, dos quais o poderio político e militar ocupa o lugar de Deus. Suas consequências são a dependência política e econômica, tributos pesados, por fim a repressão e a deportação (7,8-12; 8,9s).

Internamente, um delito da primeira etapa era a confiança em fortificações militares e nas riquezas (8,14; 11,13s; 12,9). Outro delito era a ambição, com suas sequelas de usurpações, instabilidade, fraqueza do rei, política de alianças e rebeliões fatais (7,3-7; 11,15; 13,10s).

Finalmente, ainda que menos desenvolvidas, soam as denúncias das injustiças sociais (4,1s; 6,6-9; 7,1; 10,12s).

A história da salvação. Um tema peculiar a Oseias é a sua interpretação crítica do passado. As referências se adensam a par-

tir do capítulo 9. O pecado da monarquia começa na sua origem, concessão irada do Senhor (13,11). Mais acima ainda, está a origem do pecado, desde o patriarca Jacó. Com os castigos, o povo não se corrige; por isso se chega à destruição do reino. Mas esta não é a última palavra do Senhor. Porque ele continua amando, haverá salvação. O perdão é concedido antes que o povo se converta.

Formas

A articulação pecado-castigo dirige a pregação de Oseias, muitas vezes com a correspondência inspirada na lei do talião: porque rejeitam, são rejeitados; porque esquecem, serão esquecidos; uma infidelidade gera outra, os cultos de fertilidade geram esterilidade, a pomba atordoada cai na rede, a bezerra atrai o jugo, o arco falso provoca a espada certeira; "semeiam ventos, colhem tempestades".

A imagem mais importante do livro é o símbolo conjugal, desenvolvido nos primeiros capítulos (1-3) e espalhado no resto. Segue-se em importância o símbolo da paternidade (11,1-9). São frequentes as imagens do mundo vegetal: chuva e orvalho (6,4; 13,3), semear e colher (6,11; 10,12s), uva e vinha (9,10.16; 10,1). Mais curiosas são as imagens do mundo animal: vaca brava (4,16), pomba (7,11-13), asno selvagem (8,9), pássaro (9,11), bezerra domesticada (10,11); algumas audaciosamente aplicadas a Deus: traça e cárie (5,12), leão (5,14; 11,10), leopardo, pantera e ursa (13,7s).

O texto hebraico com frequência é difícil de ser interpretado, porque está mal conservado, porque usa formas dialetais, ou por alusões que não identificamos.

1 ¹Palavra do Senhor recebida por Oseias, filho de Beeri, durante os reinados de Ozias, Joatão, Acaz e Ezequias em Judá, e de Jeroboão, filho de Joás, em Israel.

O mau amor – ²Começam as palavras do Senhor a Oseias: Disse o Senhor a Oseias:

– Vai, toma uma mulher prostituta e gera filhos bastardos, porque o país está prostituído, afastado do Senhor.

³Ele foi e tomou Gomer, filha de Deblaim, que concebeu e deu à luz um filho. ⁴O Senhor lhe disse:

– Dá-lhe o nome de Jezrael, porque muito em breve pedirei contas do sangue de Jezrael à dinastia de Jeú e porei fim ao reino de Israel. ⁵Naquele dia quebrarei o arco de Israel no vale de Jezrael.

⁶Ela tornou a conceber e deu à luz uma filha. O Senhor lhe disse:

– Dá-lhe o nome de "Não-compadecida", porque já não me compadecerei de Israel nem o perdoarei. ⁷(Mas de Judá me compadecerei e o salvarei, porque sou o Senhor seu Deus. Não o salvarei com arco, nem espada, nem batalhas, nem cavalos, nem cavaleiros.)

⁸Quando desmamou Não-compadecida, concebeu e deu à luz um filho.

⁹O Senhor lhe disse:

– Dá-lhe o nome de "Não-meu-povo", porque vós não sois meu povo e eu não estou convosco.

Salvação
(Rm 9,26-27)

2 ¹O número dos israelitas chegará a ser
como a areia da praia,
que não se mede nem se conta,
e em lugar de chamá-los Não-meu-povo,
os chamarão Filhos do Deus vivo.

---

1 O nome de Oseias vem da raiz "salvar" (Nm 13,8.16) e o sobrenome é um adjetivo gentílico. A citação de reis de Judá se deve a um compilador posterior.

1,2-3,5 Formam a primeira unidade do livro, dominada pelo tema do matrimônio e dos filhos, com um pleito matrimonial em posição central. A disposição não é cronológica, mas por correspondências simétricas. O breve oráculo de restauração (2,1-3) interrompe o movimento (nós o colocaríamos no final do cap. 3).

1,2-9 "Começam": início inusitado, enfático. Um começo que define a atividade do profeta, na cronologia e na figuração. Tudo começa com um *casamento* estranho, como se esse casamento ocupasse o lugar da vocação de outras biografias proféticas. Esse casamento estabelece um sistema simbólico que se desenvolverá ao longo do livro: amor – união – fecundidade diante de desvio – ruptura – morte. O casamento é uma *ação simbólica* do tipo que assume um segmento da vida do profeta para torná-lo oracular (celibato de Jeremias, mudez de Ezequiel etc.). O desenvolvimento é breve e estilizado.

Os *nomes* dos três filhos também são oraculares, impostos em função da profecia. O primeiro, Jezrael, significa "Semeie Deus": é um vale ao leste do Esdrelon e está vinculado historicamente ao rei Acab e ao vingador Jeú. O segundo, Não-compadecida, nega ou suspende um atributo fundamental do Senhor, o Compassivo (Ex 33,19; 34,6 etc.). O Senhor retira sua compaixão e auxílio na hora fatal. A filha, como personagem feminina, pode representar a comunidade e a capital. O terceiro, Não-meu-povo, nega a fórmula da aliança num dos contraentes; no outro soa ainda com mais gravidade, pois parece desmentir a revelação do nome a Moisés: "Não-Sou". *Ficção ou realidade.* Alguns comentaristas antigos, tomando-o como fato verídico, perguntavam sobre a moralidade da conduta. Também alguns comentaristas modernos o consideram histórico e pensam que a atividade precedente da esposa marcou sua vida e a dos seus filhos (cf. Jefté, Jz 11,1); não faltam os que pensam numa prostituta sagrada. Prefiro outra explicação: Oseias toma uma esposa que mais tarde lhe será infiel; quando o Senhor lhe revela o sentido transcendente do fato, o profeta projeta a descoberta no passado, atribuindo o casamento à disposição de Deus. Há também autores que consideram tudo parábola literária ou ficção profética. Nenhuma explicação anula a validade impressionante do símbolo.

1,2 "Bastardos" ou adulterinos. O termo é usado para o filho concebido por Tamar (Gn 38), para a idolatria de Jezabel (2Rs 9,30-37). O "país" contagiado ou contaminado pelos habitantes (cf. Lv 18,25.28).

1,4 A dinastia terminou no filho, o reino, umas décadas mais tarde. O texto o apresenta como predição.

1,5 Recorda a derrota de Saul (2Sm 1,19-27). Parece acréscimo.

1,7 Acréscimo evidente para sublinhar o diferente destino dos dois reinos. Liga-o com os termos "compadecer", "salvar" e "arco".

1,8 Segundo o costume, dois anos depois.

1,9 Passa à segunda pessoa, com força de interpelação.

2,1-3 A breve profecia nasce do horizonte profético de Oseias. Não menciona uma volta do desterro, mas um "subir" = "brotar" da terra. Conjuga a bênção patriarcal de fecundidade (Gn 22,17; 32,13) com a

²Os israelitas se reunirão com judeus
e nomearão para si um único chefe,
e ressurgirão da terra,
porque é o grande dia de Jezrael.
³Chamai vosso irmão de Povo-meu
e vossa irmã de Compadecida.

O bom amor: pleito e reconciliação
(Jr 2-4; Ez 16)

⁴Pleiteai com vossa mãe, pleiteai,
pois ela não é minha mulher, nem eu sou seu marido,
para que ela afaste do rosto suas fornicações
e seus adultérios dentre os peitos;
⁵senão eu a deixarei completamente nua,
como no dia em que nasceu;
eu a transformarei em estepe,
a converterei em terra deserta,
a matarei de sede;

---

promessa dinástica (2Sm 7). A ordem dos dados é coerente: crescimento do povo, nova adoção de parte de Deus, reunificação das tribos e reinos. A mudança de nomes sela a mudança de situação e insere a profecia no seu contexto adotivo. Onde esperávamos ler "meu povo", fórmula de aliança, lemos "Filhos do Deus vivo", fórmula de adoção (Ex 4,23). O título divino se enquadra bem no presente contexto (cf. Sl 42,3; 84,3).

2,2 A reunificação, sob um monarca comum, dos dois reinos separados na morte de Salomão continuou sendo um sonho político de muitos. Embora filhos de Deus, crescem enraizados na terra.

2,4 A fórmula é de repúdio ou divórcio. Mas, se tudo terminou, por que continua falando?

2,4-25 Na composição atual do texto, esta é a melhor página de Oseias, um dos grandes poemas do AT. Poema do amor não correspondido, porém vivo; amor apaixonado, dolorido, mas forte para vencer o desvio e recuperar a infiel.

O poema recria a experiência de um *homem apaixonadamente enamorado*, que tenta, quando a esposa o trai, livrar-se do amor para não sofrer, e não o consegue. A paz seria esquecer, mas o amor não o permite. Chama-a de prostituta, esperando que assim deixará de amá-la; mas as palavras exprimem um despeito que brota do amor. Tenta vingar-se reclamando seus presentes e expondo à vergonha pública, mas o amor persiste. Até decidir cortejá-la e namorá-la de novo, para além de dons e ameaças. Talvez os muitos presentes tenham tornado o afeto material, e seja necessário voltar a ele a sós e na pobreza. Se Oseias viveu essa tremenda dor, um dia, de repente, foi iluminado do alto, e no fundo do seu amor dolorido descobriu apenas refletido outro amor mais alto e profundo, o do Senhor por seu povo. Como num poço profundo se reflete um céu mais profundo. Também *Deus amou como marido apaixonado*, também foi traído por sua esposa, e apesar de tudo continua amando. Não pode deixar de amar; até mesmo as medidas que toma são ditadas pelo amor (cf. Ct 8,6-7).

A esses dois planos se soma uma terceira voz, enriquecendo e complicando o contraponto: a imagem da *fertilidade da terra*, paralela à fecundidade humana. Semelhante tecido poético brota no cultivo dos cultos de fertilidade dos baais – baal significa senhor e também marido. Os israelitas queriam venerar simultaneamente Yhwh, Deus da história, e Baal, deus da vegetação. Mas o Senhor é ciumento e não admite deuses rivais; venerar outros deuses é traí-lo. Ele se encarrega da fecundidade de homens e de campos (Dt 28,4). Se os israelitas buscam essas bênçãos cortejando outras divindades, o Senhor os fará fracassar, para que aprendam ou se lembrem de quem os controla e concede, e assim se convertam a seu Deus.

O *desenvolvimento* se processa em dois quadros antitéticos, que existiram talvez como peças autônomas. Para compreender o poema, é preciso ter em mente as seguintes correspondências: Esposa = Israel = terra, filhos/fruto; Esposo = Senhor, Amantes = ídolos. Várias partículas e fórmulas indicam a articulação do poema. Eis o esquema:
4-6 imperativo/*senão* castigo
7-9 porque porque delito/*pois bem* castigo
10-15 e ela delito/*pois bem* castigo/agora castigo
16 *pois bem* reconciliação
O terceiro *pois bem* (em hebraico *laken*) marca a ruptura do processo lógico.

O primeiro quadro se apresenta como pleito ou querela do esposo fiel com a esposa; o segundo, como a reconquista do amor e fidelidade da esposa. No pleito, em vez de se apresentar ele em pessoa, encarrega seus filhos (4). Busca primeiro um acordo pelo reconhecimento da esposa; se fracassar, o esposo tomará outras medidas ou represálias (5-15). No segundo, o esposo começa cortejando de novo nos lugares do primeiro amor (16), acrescenta promessas ou presentes (17), toca-lhe o coração (18), livra-a dos amantes (19), celebra com ela novo casamento (21s), consuma o matrimônio (22b).

2,5 Castigo das adúlteras: Ex 16,37s; 23,29.

⁶e não me compadecerei de seus filhos,
porque são filhos bastardos.
⁷Sim, sua mãe se prostituiu,
aquela que os gerou desonrou-se.
Dizia a si mesma: Vou aos meus amantes,
que me dão meu pão e minha água,
minha lã e meu linho, meu vinho e meu azeite.
⁸Pois bem, vou cercar o caminho dela com espinhos
e vou pôr à sua frente uma barreira,
para que não encontre os caminhos deles.
⁹Seguirá seus amantes e não os alcançará,
ela os buscará e não os encontrará,
e dirá: Vou voltar ao meu primeiro marido,
porque eu estava então melhor que agora.
¹⁰Ela não compreendia que era eu quem lhe dava
o trigo, o vinho e o azeite,
ouro e prata em abundância*.
¹¹Por isso lhe tirarei outra vez
meu trigo em seu tempo e meu vinho em sua estação;
retomarei minha lã e meu linho,
com que cobria sua nudez.
¹²Descobrirei sua infâmia diante de seus amantes,
e ninguém a livrará de minha mão;
¹³porei fim a suas alegrias, suas festas,
suas luas novas, seus sábados
e todas as suas solenidades.
¹⁴Arrasarei sua videira e sua figueira,
das quais dizia: são meu pagamento,
meus amantes as deram para mim.
Eu as reduzirei a matagais,
e os animais selvagens as devorarão.
¹⁵Eu lhe pedirei contas de quando oferecia
incenso aos Baais
e se enfeitava com anéis e gargantilhas
para ir aos seus amantes,
esquecendo-se de mim – oráculo do Senhor.
¹⁶Portanto, olha, vou seduzi-la,
levando-a ao deserto
e falando-lhe ao coração.

2,6 Recolhe o tema de 1,2.8.

2,7-9 A primeira medida do esposo é impedi-la de se encontrar com seus amantes; assim, sozinha e desesperada, terá de voltar ao marido. Ela denota um amor interesseiro: busca mais os presentes que o amor. A "volta" que se propõe é puramente mental.

2,10 * O hebraico acrescenta: *com isso faziam um ídolo para si.*

2,11 Com quatro possessivos ritmados, o esposo restaura a verdadeira propriedade, deformada pelo egoísmo venal da esposa.

2,12-15 Repete com variações os temas precedentes. Nudez: ver Is 47,2 e Na 3,3. As "solenidades" eram dias "de encontro". A presença de animais selvagens pode sugerir a intervenção de potências hostis.

2,15 Se ela se esqueceu, o amor terminou: será possível continuar? Tudo depende do marido; terá de confessar o que ocultava: que continua amando. Terá de voltar aos começos do amor: não rejeitar um amor que se esquece, não se vingar de um amor infiel, mas reconquistar o primeiro amor. Ao pleito sucede um cortejar solícito.

2,16-25 Atendo-nos às fórmulas temporais de ligação, podemos dividir o segundo quadro em quatro etapas desiguais:
2,16-17 ele e ela: chamado e resposta
2,18-19 ela e ele, mencionando só o esposo
2,20-22 aliança com os animais; casamento com ela
2,23-25 ciclo de fertilidade; nomes dos filhos

2,16 Começa com a "sedução" amorosa ao contrário (Ex 22,15; Jr 20,2). O deserto significa a sós (Ct 7,12), o lugar do noivado (Jr 2,2). "Cortejar" (falar ao coração): como Hemor a Dina (Gn 34,3), o levita a sua esposa (Jz 19,2s), Booz a Rute (Rt 2,13).

¹⁷Aí lhe darei suas vinhas, e o vale de Acor*
   será Passagem da Esperança.
 Aí me responderá como em sua juventude,
   como quando saiu do Egito.
¹⁸Naquele dia – oráculo do Senhor –
   tu me chamarás Esposo meu,
   já não me chamarás Ídolo meu.
¹⁹Afastarei de sua boca
   os nomes dos Baais
   e seus nomes não serão invocados.
²⁰Naquele dia farei em seu favor
   uma aliança com os animais selvagens,
   com as aves do céu e os répteis da terra.
 Arco, espada e armas quebrarei no país,
   e os farei dormir tranquilos.
²¹Eu me casarei contigo para sempre,
   eu me casarei contigo
   a preço de justiça e de direito,
   de afeto e de amor.
²²Eu me casarei contigo a preço de fidelidade,
   e conhecerás o Senhor.
   ²³Naquele dia escutarei – oráculo do Senhor –,
   escutarei o céu, e este escutará a terra,
²⁴a terra escutará o trigo,
   o vinho e o azeite,
   e estes escutarão Jezrael.
²⁵Eu a semearei para mim no país,
   me compadecerei de Não-compadecida
   e direi a Não-meu-povo:
   És meu povo, e ele responderá: Deus meu.

Matrimônio simbólico

3 ¹Disse-me o Senhor: Vai outra vez,
   ama uma mulher amante de outro e adúltera,
   como o Senhor ama os israelitas,
 apesar de seguirem deuses estrangeiros,
   gulosos de tortas de uva.

2,17 Acor recorda o sacrilégio de Acã (Js 7,24). * *Acor* (Desgraça) e *Tiqvá* (Esperança) soam parecidos com "estéril" e "reservatório".

2,18 Jogo de palavras sutil: não me chamarás *ba'li* = meu senhor = meu esposo = meu Baal. Ao chamá-lo "meu esposo", anula a declaração do v. 4.

2,20 Estabelece a paz na dupla frente das feras e das armas (Lv 26,6).

2,21-22 A fórmula de casamento é solene. Conforme 2Sm 3,14, a construção com preposição é empregada para indicar o dote. O Senhor não a paga em bens materiais, mas em atitudes. Duas, direito e justiça, expressam o vínculo legal; outras duas, afeto e amor, expressam a relação pessoal, íntima; a última sela a estabilidade. São atitudes que o esposo possui e infunde na esposa. Ela corresponde como sujeito de um verbo único: "conhecerás", que pela intensidade do contexto não pode coibir sua referência sexual (dito da mulher: Gn 19,8; Nm 31,17; Jz 11,39 etc.).

Em português poderíamos ensaiar: serás penetrada de, te impregnarás de, te unirás a.

2,23-24 O esposo providencia o alimento (Ex 21,10), pondo em marcha um processo sem falha, uma engrenagem perfeita. Supõe-se uma ordem de pedido e se propõe a ordem de resposta encadeada.

2,25 Termina com a fórmula de aliança.

3,1-5 Este oráculo não significa reincidência no pecado. Não ocupa um lugar cronológico sucessivo, mas é paralelo ao capítulo primeiro. É a mesma mulher, submetida ao castigo e à prova. É o mesmo gênero literário de ação simbólica ao vivo. Depois dos três filhos, interrompem-se as relações conjugais.

3,1 A equivalência é sarcástica, como mostra o seguinte esquema:
Oseias – esposa: amante de outros, adúltera
Yhwh – Israel: amante de tortas, idólatra
por uma sobremesa apetitosa, não pelo alimento cotidiano, cortejam deuses estrangeiros. Não

²Eu a comprei por quinze siclos de prata
e uma medida e meia de cevada, ³e lhe disse:
– Viverás comigo muitos anos; não fornicarás
nem estarás com homem nenhum,
nem eu estarei contigo.
⁴Porque os israelitas viverão muitos anos
sem rei e sem príncipe,
sem sacrifícios e sem estelas,
sem efod nem amuletos.
⁵(Depois os israelitas voltarão a buscar
o Senhor seu Deus, e Davi, seu rei,
tremendo acorrerão ao Senhor
e à sua riqueza num tempo futuro.)

Pleito com os sacerdotes
(Sl 50)

4 ¹Escutai a palavra do Senhor, filhos de Israel:
o Senhor abre pleito contra os habitantes do país,
pois não há verdade nem lealdade
nem conhecimento de Deus no país,
²mas juramento e mentira, assassinato e roubo,
adultério e libertinagem,
homicídio atrás de homicídio.
³Por isso, geme o país e desfalecem seus habitantes:
até os animais selvagens,
até as aves do céu,
inclusive os peixes do mar desaparecem.

---

sabemos se esse doce tinha algum outro significado cultual.
3,2 "Comprar", ou seja, pagar o dote; bem modesto.
3,3 Pelo contrato, ela pertence legal e exclusivamente ao marido, que decidirá o momento da coabitação sexual. Ela estará como que confinada em casa para os trabalhos domésticos; mas não poderá ir atrás de outros, nem seu marido terá relações com ela. Trata-se de uma penitência, uma purificação e um ir despertando o desejo.
3,4 A divisão é ambígua quanto a efod e sacrifícios; estelas e amuletos são sem dúvida idolátricos. Resumindo: faltar-lhe-ão a monarquia e o culto para se relacionar com o seu Deus; e não terá a compensação de cultos idolátricos.
3,5 Versículo acrescentado mais tarde como conclusão da etapa de castigo. Emprega dois verbos-chaves do livro: voltar e buscar.

4-11 Formam a segunda seção maior do livro. Como a primeira, começa com um pleito (4,1s e 2,4) e conclui com o retorno (11,10s e 3,5). A dinâmica do desenvolvimento é semelhante. Na primeira, havia infidelidade e afastamento (fornicação, adultério), tentativas de rejeição e transformação, novo começo no deserto, reconciliação. Nesta segunda: afastamento (idolatria, alianças), volta falsa (culto mecânico), fracassos históricos, novo começo no Egito. Notamos duas substituições significativas: os ídolos e impérios ocupam o lugar dos amantes; o começo não está no deserto, mas no Egito.
O verbo voltar, retornar, apoiado às vezes por buscar, serve de fio condutor: 5,4; 6,1; 7,10.16; 8,13; 9,3; 11,5. No acordo final é substituído por ir ou vir. Dentro desta segunda parte, algumas inclusões menos rigorosas permitem separar quatro seções, conforme o seguinte esquema:
4,1-5,7   tropeçar   em 4,4 e 5,5
5,8-7,15   ir buscar, voltar em 5,11.15; 6,1 e 7,10.11.16
8,1-14   minha lei em 8,1 e 8,12
9,1-11,11 voltar e habitar em 9,3 e 11,5
As quatro começam por um imperativo. À divisão formal não corresponde uma separação rigorosa de temas, pois há repetições e interferências. Quem compôs o livro com os materiais do profeta respeitou bastante as peças originais. Nossa divisão em unidades menores, com os títulos, são parte substancial do comentário.

4,1-3 Podemos ler estes versículos como introdução à seção inteira, já que colocam a ação judicial do pleito, dirigem-se a todos os israelitas e enumeram uma série ampla de delitos: três carências e sete ações. Verdade e lealdade podem sintetizar as atitudes que regem as boas relações entre os homens. Conhecimento de Deus é o ato responsável de reconhecer e aceitar, e pode incluir o trato pessoal. Em Oseias tem valor inclusivo, ocupa o lugar que outras tradições atribuem ao temor ou respeito a Deus (o que falta em Oseias); equivale ao cumprimento do primeiro mandamento. Na lista seguinte, vários são tomados do decálogo. Terra e habitantes, irmanados no castigo, trocam entre si os papéis: a terra faz luto, os habitantes

⁴Embora ninguém acuse, ninguém repreenda,
   contigo vai meu pleito, sacerdote!
⁵Tropeçarás de dia, e contigo
   tropeçará o profeta de noite.
⁶Perecerá tua pátria, perecerá meu povo,
   por falta de conhecimento.
Porque tu recusaste o conhecimento,
   eu te recusarei meu sacerdócio;
tu te esqueceste da lei do teu Deus,
   também eu me esquecerei dos teus filhos.
⁷Quantos mais são, mais pecam contra mim;
   mudarei sua dignidade em ignomínia.
⁸Alimentam-se do pecado de meu povo
   e com suas culpas matam a fome.
⁹Povo e sacerdote correrão a mesma sorte:
   eu lhes pedirei contas de sua conduta
   e lhes darei a paga de suas ações.
¹⁰Comerão e não se saciarão,
   fornicarão sem ficar satisfeitos,
   porque abandonaram o Senhor
   para entregar-se à fornicação.

Fornicação idolátrica
(Ez 16)

¹¹(A fornicação), o vinho e a bebida
   tiram o juízo de meu povo,
¹²ele consulta seu lenho,
   escuta o oráculo de sua vara;
porque um espírito de fornicação

---

murcham. Despovoada da vida animal, a terra fica vazia, em certo sentido desfeita (cf. Is 45,18; Sf 1,3).

4,4 Poder-se-ia traduzir também: "Oh! que não venha um pleiteando e outro arguindo". Como se rejeitasse objeções dos acusados, no estilo de Jr 2,23.35.

4,4-10 O pleito se concentra por ora nos sacerdotes, pois, ainda que um profeta os apóie e o povo os siga, cabe a eles a responsabilidade principal. O desenvolvimento se assemelha a um suceder-se de minúsculas sentenças judiciais que aplicam a lei do talião a delitos particulares.
O sacerdote deve ser mediador do "conhecimento" autêntico de Deus, não simples funcionário de práticas rituais. Como funcionário, pode viver do pecado alheio, pois come vítimas oferecidas por pecados (Lv 6,19; 1Sm 2,12-15). Quanto mais pecados, mais comida substanciosa. O profeta, em vez de denunciar o abuso como fez Samuel, torna-se seu cúmplice.

4,5-6 A construção predica os dois tempos dos dois sujeitos: dia e noite tropeça o sacerdote com o profeta. Se os distinguíssemos, haveria uma alusão a sonhos e visões noturnas dos profetas. O texto hebraico diz "tua mãe", ou seja, a "Mátria", que nós chamamos "pátria", em harmonia com o capítulo precedente. Não é provável que se refira à família estrita do sacerdote. "Pai" pode ser título sacerdotal (Jz 17,10). A "lei": ver Ml 2,7.

4,7 Texto submetido à "correção de escribas". O original seria: "mudaram minha glória em ignomínia", com provável alusão ao bezerro de Betel (cf. Sl 106,20).

4,10a Ao castigo normal de comer sem saciar-se (Lv 26,26; Mq 6,14) acrescenta-se outro castigo sarcástico que coloca em paralelismo comer e fornicar. Em vez de "ficar satisfeitos", outros traduzem "sem propagar-se" (cf. Ex 2,12), aludindo talvez a relações com prostitutas sagradas como rito de fecundidade.

4,10b É difícil determinar o limite da perícope. Por um lado, o verbo *shmr* pede complemento; por outro, fornicar é tema da perícope seguinte.

4,11-19 Do culto no templo passa aos lugares altos idolátricos; não se dirige aos sacerdotes, mas ao povo. O tema principal é a "fornicação", como indica a raiz *znh*, repetida sete vezes.
Em imagem matrimonial, o culto aos baais locais é adultério, infidelidade ao Senhor; entre as suas práticas se conta a prostituição sagrada, à qual poderiam reduzir-se outros pecados. As moças solteiras se prostituem: ritualmente? as casadas cometem adultério: oferecendo-se ritualmente? (cf. Pr 7). A comunidade em figura materna é modelo de todas.

4,11 "Vinho e bebida": em uso profano ou cultual; como as tortas de uvas de 3,1.

4,12 "Lenho" é designação depreciativa do ídolo; o mesmo poderia ser "vara", se não se tratar de instrumento de adivinhação (rabdomancia). Em vez de "inspiração" divina, movem-se por inspiração

os extravia e eles fornicam,
abandonando seu Deus.
¹³Sacrificam no cimo dos montes
e queimam ofertas nas colinas,
debaixo de carvalhos e choupos
e terebintos de sombra agradável.
E assim se prostituem vossas filhas
e adulteram vossas noras.
¹⁴Não castigarei vossas filhas por se prostituírem
nem vossas noras por seus adultérios,
porque eles mesmos vão com prostitutas
e sacrificam com prostitutas do templo.
(O povo incauto vai à ruína.)
¹⁵És mãe prostituta, Israel,
que Judá não o pague!
Não vos dirijais a Guilgal, não subais a Bet-Áven,
não jureis: "Pela vida do Senhor!"
¹⁶Se Israel investe como vaca brava,
irá agora o Senhor apascentá-los
como cordeiros no campo?
¹⁷Efraim se aliou com os ídolos,
¹⁸os príncipes dos bêbados
se entregaram à prostituição,
seus chefes cortejam a desonra.
¹⁹Um furacão a envolverá em suas asas,
e seus altares os decepcionarão.

Sentença sem apelação: não vale o culto
(Jr 7,21-28; Am 5,18-26)

5 ¹Escutai, sacerdotes; atenção, israelitas;
casa real, ouvi: A sentença é contra vós.
Porque fostes armadilha em Masfa*,
rede estendida sobre o Tabor,

fornicadora, idolátrica, seguindo os oráculos dos ídolos (Hab 2,18s).

4,13 A sombra da árvore idolátrica simboliza a proteção divina (Sl 121,5; Nm 14,9).

4,14c Parece glosa, comentário de um leitor, com um verbo raro (Pr 10,8.10).

4,15 Leio "mãe", corrigindo a vogal. A referência a Judá poderia ser glosa (como 1,7). No estilo de Am 5,5 e 8,14, convida a suspender as peregrinações a lugares de culto idolátrico ou contaminado. Guilgal, legítimo no princípio, depois pervertido (Js 5,2-9; Os 9,15; 12,12): *Bet-Áven* = Casa Funesta, deformação de Bet-El = Casa de Deus. Também proíbe jurar por *Yhwh* em lugares onde o culto está baalizado ou onde o Senhor é representado em imagem de touro (Ex 32,5; 1Rs 12,29).

4,16 Se o profeta pensava na proibida imagem do touro, explica-se melhor a passagem para a imagem pastoril. O Senhor não vai pastorear uma vaca brava.

4,17 A última cláusula hebraica é muito duvidosa.

4,18 Com ligeira correção, leio "os príncipes dos bêbados" como título satírico.

4,19 O castigo é teofânico e demonstra o fracasso da idolatria.

5,1-7 O versículo 4 liga este oráculo aos precedentes pelo tema da fornicação (4,12-19) e do conhecimento (4,4-10). Além disso, pela correlação destes dois fatores, é o núcleo do oráculo. Com efeito, a fornicação-idolatria implica não reconhecer o Senhor como Deus ciumento, que não admite rivais. A paixão pela fornicação leva à infidelidade. Sua consequência é dupla: os filhos que nascem são bastardos (Eclo 23,22s), o estrangeiro consome as colheitas. Acrescenta-se uma agravante, a arrogância no pecado (cf. Sl 19,14 com outro termo). É o pecado consciente, contando talvez com um perdão fácil; oferecendo expiações rituais que permitam continuar pecando impunemente (cf. Jr 7,9-11). O resultado é uma atitude complexa que impede a volta, a conversão sincera.

5,1a Dirige-se ao povo com seus dirigentes civis e religiosos. A casa real tinha protegido o culto de Betel, a *Yhwh* em imagem de touro, "fazendo pecar" Israel (1Rs 14,16 e mais de vinte vezes); os sacerdotes tinham oficiado. Deduz-se que ambos tinham tolerado o culto local a Baal.

5,1b-2 Não sabemos que função particular desempenharam as três localidades mencionadas; eram

²e cova cavada em Sitim.
Eu castigarei todos.
³Eu conheço Efraim,
  Israel não me é desconhecido;
  se tu, Efraim, fornicaste,
  Israel está contaminado.
⁴Suas ações não os deixam converter-se a seu Deus,
  porque levam dentro um espírito de fornicação
  e não conhecem o Senhor.
⁵A arrogância de Israel o acusará na cara,
  Efraim tropeçará em seus delitos
  (também Judá tropeçará com eles).
⁶Com ovelhas e vacas irão em busca do Senhor,
  sem encontrá-lo, pois se afastou deles;
⁷enganaram o Senhor e tiveram filhos bastardos,
  pois agora um intruso lhes comerá os campos.

As alianças não valem
(Is 30,1-7; 31,1-3)

⁸Tocai a corneta em Gabaá, a trombeta em Ramá,
  lançai o grito de guerra em Bet-Áven:
  "Perseguem-te, Benjamim!"
⁹Efraim se espantará quando o acusarem.
  É seguro o que proclamo
  contra as tribos de Israel.
¹⁰São os príncipes de Judá
  como os que deslocam os marcos,
  sobre eles derramarei minha cólera como água.
¹¹Efraim oprime, viola o direito,
  obstina-se em seguir a idolatria.

---

talvez centros de culto idolátrico. O autor os descreve em imagem cinegética, de armadilha, rede e cova. * = Atalaia.

5,3 Efraim era uma tribo importante do reino do Norte. Oseias o toma como equivalente de Israel. O Senhor o conhece, não se omite, conhece sua situação e conduta.

5,4 Converter-se é "voltar", verbo condutor desta parte do livro.

5,5 Eles mesmos puseram a armadilha e cavaram a cova para si. Uma glosa põe em cena Judá.

5,6 "Afastou": o verbo hebraico é termo técnico do levirato, rito pelo qual renuncia a receber a viúva do irmão por esposa. Não é seguro que soe aqui tal conotação matrimonial.

5,7 "Intruso": duvidoso.

5,8-6,6 É muito difícil indicar os limites e entender o sentido destes versículos; as duas coisas são correlativas. Um dado indubitável é a presença simultânea de Efraim e Judá em 5,12.14 e 6,4. Também é claro o fracasso de duas sucessivas tentativas de cura: acorrer ao imperador da Assíria (13) e acorrer com presunção ao Senhor.
Tento descrever assim o processo dialético destes versículos: Depois de uma introdução (8-9), apresentam-se o pecado e o castigo de Judá (10), o pecado de Efraim (11) e o castigo de ambos (12); em vista das feridas sofridas ou da doença causada por Deus, ambos acorrem em busca de remédio humano junto ao imperador da Assíria (13ab). A tentativa foi uma agravante, e o auxílio fracassa, porque o assírio não pode curar e porque Deus intervém de novo sem admitir oposição (13c-14). Então o Senhor vai-se embora e se põe a esperar que acorram a ele (15); efetivamente, os dois reinos acorrem agora ao Senhor seguros e confiantes (6,1-3). Ele os acolherá? – Não pode ser, porque a conversão é interesseira e ritualista.

5,8-9 A introdução parece concentrar-se primeiro na região benjaminita: Gabaá (a de Saul?), Ramá, pátria de Benjamim, Betel; depois se estende ao vizinho Efraim, em cujos limites se encontra Samaria; finalmente às tribos de Israel. As ordens podem ser entendidas como toque de alarme militar ou como convocação para a assembleia (Nm 10; 1Rs 1,34; 2Rs 9,13; 11,14). O que se segue é um pleito ou julgamento do Senhor.

5,10 Mover marcos para aumentar as possessões à custa do vizinho é delito: Dt 19,14; 27,17; cf. Pr 22,28; 23,10. A forma de comparação sugere uma atividade equivalente, anexações fraudulentas, abuso dos poderosos (cf. 1Rs 21). Sobre essas terras roubadas e sobre seus legítimos proprietários, o Senhor derramará uma chuva fatal, a sua cólera. Não acusa Judá de idolatria.

5,11 O texto hebraico apresenta Efraim como vítima; mudamos a vocalização para torná-lo sujeito ativo.

¹²Pois eu sou traça para Efraim,
cárie para a casa de Judá.
¹³Quando Efraim viu sua doença
e Judá sua chaga,
Efraim foi à Assíria,
mandou recado ao imperador,
mas ele não pode curar-vos nem sanar a chaga.
¹⁴Pois eu serei um leão para Efraim,
um leãozinho para a casa de Judá.
Eu mesmo darei o bote e irei embora,
eu a levarei sem que ninguém a salve.

Conversão autêntica
(Jr 3,22-4,4)

– ¹⁵Vou voltar ao meu posto,
até que se sintam réus
e acorram a mim, e em sua aflição
madruguem à minha procura.

6 – ¹Vamos voltar ao Senhor:
ele nos despedaçou e nos curará,
nos feriu e nos atará a ferida.
²Em dois dias nos fará reviver,
no terceiro dia nos restabelecerá
e viveremos em sua presença.
³Esforcemo-nos por conhecer o Senhor:
sua saída é pontual como a aurora;
virá a nós como a chuva,
como aguaceiro que empapa a terra.
– ⁴Que farei de ti, Efraim, que farei de ti, Judá?
Vossa lealdade é nuvem matutina,
orvalho que se evapora ao amanhecer.
⁵Por isso os matei com as palavras de minha boca,
os atravessei com meus profetas,
e minha sentença brilha como a luz.

O seu delito é duplo: injustiça e idolatria (corrigindo o complemento).

5,12 Traça e cárie atuam no interior, com lenta eficácia (cf. Sl 39,12).

5,13 Os culpados sentem a ferida sem procurar a causa; veem-na como dano, não como sintoma (cf. Sl 38,2-9).

5,14 O leão assalta de fora e arrebata a presa (cf. Is 5,29).

5,15 O Senhor abandona a iniciativa e se põe à espera: talvez os israelitas se convertam. Apertados pela necessidade, abreviarão a espera e madrugarão para buscar o Senhor (Sl 63,2): o amanhecer é a hora do favor divino.

6,1-3 As palavras do povo parecem uma conversão sincera. O remédio está no Senhor: fé; ele nos remediará: esperança; viveremos na sua presença: correção. No entanto, o profeta descobre a falsidade de tal discurso. Mais que conversão sincera, é cálculo, segurança presunçosa que submete o Senhor a ritmos e módulos cósmicos. O Senhor – pensam – é como a aurora: pontual e inevitável, como a chuva que com seus dons acode à convocação. O Senhor é perfeitamente previsível, e o homem pode controlar o mecanismo da reconciliação.

Viver na sua presença é desfrutar do seu favor ou proceder segundo o seu agrado. Os três dias: ver a cura de Ezequias em 2Rs 20,5.8. À luz do NT, o verbo *qwm* será lido como "ressuscitar". Talvez 3c seja duplicação de 5c.

6,4-6 É como se no Senhor sobreviesse um momento de indecisão: cede ou resiste? Até que responde repetindo e retorcendo palavras e imagens usadas pelo povo. Na ordem agrária, eles é que são como orvalho ou nuvem: não fecundos, mas passageiros; esperavam a aurora de Deus, e chegará, para sentenciar; queriam que enfaixasse, mas fere; pediam vida, e ele mata. Conclui com uma frase lapidar. A lealdade aqui tem por termo o Senhor. Mt 9,13 a cita aplicando-a relações humanas.

⁶Porque quero lealdade, não sacrifícios;
  conhecimento de Deus, não holocaustos.

Levo em conta suas maldades

⁷Na terra eles violaram minha aliança,
  aí me traíram.
⁸Galaad é cidade de malfeitores,
  com pegadas de sangue.
⁹Como bandidos à espreita,
  confabulam os sacerdotes;
  assassinam a caminho de Siquém,
  cometem crueldades.
¹⁰Na casa de Israel vi algo horrível:
  aí se prostitui Efraim, contamina-se Israel.
¹¹(Também para ti, Judá, a ceifa está preparada.)

7 ¹Quando mudei a sorte de meu povo,
  quando curei Israel,
  descobria-se o pecado de Efraim
  e as maldades de Samaria:
  agiram de má-fé,
como ladrões que se metem nas casas
  ou bandoleiros que assaltam no despovoado.
²E não refletem que levo em conta
  todas as suas maldades,
  suas ações já lhes cortaram a retirada,
  eu as tenho diante de mim.

Conspirações de palácio
(1Rs 15; 2Rs 14-16)

³Lisonjeiam o rei com sua maldade,
  e os príncipes com suas mentiras;
⁴todos ardem de ira, são como forno aceso
  que o padeiro deixa de atiçar,
  desde que amassa até que a massa fermente.

6,7-7,2 Primeiro exemplo de falta de lealdade. Referida a Deus, pode chamar-se prostituição, falsidade, trair, quebrar a aliança. Referida aos homens, engloba atitudes e ações criminosas. E são os sacerdotes de Betel os diretores de tais desmandos. Nessas condições o perdão é impossível, porque falta a conversão autêntica, os culpados se iludem (Sl 36,3); e no ato de uma possível reconciliação, fica mais clara a condição pecadora. Haverá uma série de alusões sutis a tradições patriarcais? ʿqb Jacó, dam Edom (Esaú), galʿed Galaad (Gn 31,47), ladrão (Gn 31,19-39), Siquém a traição, Betel (ver nota 4,15).

6,7 O hebraico diz "como Adão" ou "de modo humano". O contexto parece pedir uma localização, pelo que muitos corrigem e leem "na terra" sem mais detalhes, ou "em Adama", localidade no vale do Jordão.

6,8 Galaad é aqui nome de uma vila.

6,9 O primeiro versículo é muito duvidoso. Interpreto-o à luz de Is 1,23 "sócios de ladrões" e Jr 7,11 "covil de bandidos".

6,10 O hebraico diz "na casa de Israel". Pela abundância de localidades, muitos corrigem para Bet-el ou "no templo de Israel", denunciado como idolátrico pela estátua do touro.

6,11 O olhar oblíquo a Judá parece glosa (cf. Jl 4,13).

7,1 "Mudar a sorte" para melhorá-la. Ao tratar o doente, descobre-se a gravidade da doença. Com muitos autores, acrescentando "nas casas": o texto o pede e é tradicional antônimo de "na rua, no despovoado".

7,2 O verbo zkr tem aqui sentido forense.

7,3-7 Segundo exemplo de deslealdade dupla: a Deus, porque não contam com ele em assuntos de governo; aos homens, pelas conjuras de palácio e as mudanças de dinastia. O texto da perícope está mal conservado, embora sem perturbar alguns dados claros: reis e príncipes como atores, imagens do campo semântico do fogo e da ira. Há muitas aliterações e jogos de palavras.

A imagem do padeiro e do forno serve de fio condutor; talvez encerre alusões a uma atividade que desconhecemos. O forno é preparado e aceso, depois

⁵Na festa do rei, com o calor do vinho,
os príncipes dão a mão ⁶aos agitadores.
Sim, seu coração é como um forno,
sua mente está tramando;
de noite sua ira adormece,
pela manhã arde como fogueira.
⁷Todos queimam como forno
e devoram seus governantes.
Todos os seus reis vão caindo,
sem que alguém me invoque.

Alianças funestas
(Os 5,8-14)

⁸Efraim se mistura com os povos,
Efraim é fogaça não virada.
⁹Estrangeiros lhe comeram seu vigor,
sem ele perceber;
já tem os cabelos grisalhos,
sem ele perceber.
¹⁰Sua arrogância acusa Israel,
mas eles não voltam ao Senhor seu Deus;
apesar de tudo, não o procuram.
¹¹Efraim é ingênua pomba atordoada:
pedem ajuda ao Egito, acorrem à Assíria;
¹²enquanto vão, lançarei sobre eles minha rede
e os abaterei como pássaros, os agarrarei
quando escutar o bando.

Insinceros e ingratos

¹³Ai deles, pois me escaparam;
desgraçados, pois se rebelaram contra mim.
Eu os redimiria, mas eles me caluniam,
¹⁴e não gritam para mim de coração,
mas berram em seus leitos,

é deixado a noite toda sem apagar nem alimentar, e pela manhã volta a ser aceso; o tempo todo mantém o calor e "algo se assa". Até o momento em que a chama se eleva, disposta a consumir seja o que for. Os conjurados sabem esperar o momento oportuno, aproveitam uma festa de palácio para entrar em acordo. É um processo fatal: cortesãos ardendo, governantes devorados, reis destronados ou assassinados; e em todo o processo ninguém se lembra de Deus. O oráculo reflete as mudanças dinásticas violentas depois de Jeroboão II.

7,8-12 Da política interna passamos à externa. De fato, estiveram intimamente unidas, e as mudanças de dinastia seguiam com frequência a mudança de aliado. A alternativa era Egito ou Assíria, e é provável que houvesse em Samaria dois partidos, um pró-Egito e outro pró-Assíria. Errado nessa política não era enganar-se de sócio, mas meter-se no jogo político internacional. Isso era, segundo a imagem do padeiro, ser massa com outros povos, perdendo identidade e independência. O resultado, uma fogaça sem virar: por cima crua, por baixo queimada, estragada de ambos os lados.

Uma vez que o minúsculo reino de Samaria se mete no jogo das potências, acaba devorado, sem forças e envelhecido. E o mais grave, embora normal, foi a inconsciência com que fomentou e assistiu ao processo da sua desintegração.

7,10 A inconsciência se traduz em arrogância ou segurança orgulhosa.

7,12 A rede não é mortal para a presa; talvez o apanhá-los seja ainda castigo salutar.

7,13-16 A deslealdade se volta contra o Senhor, e tem intenso tom pessoal. Lida sobre o fundo narrativo de Nm 14, é fácil detectar correspondências: a calúnia ou murmuração, o pranto noturno, a lembrança do Egito, os caídos. Mas o autor não semeia alusões, seu esquema é genérico. Não falta a referência aos ídolos: "Ceres e Baco" divinizados (Trigo e Vinho). O mais difícil no texto é definir o valor das relações sintáticas; parecem predominar as adversativas.

7,13 Cabe a tradução no imperfeito: eu os redimia.

7,14 "Em seus leitos": compare-se com o silêncio de Sl 4,5 e o canto de Sl 149,5. O pecado pode ser a falta de sinceridade. Em vez de "são devotos" (de *htgrr*), alguns corrigem e leem "fazem incisões" (*htgdd*).

são devotos de Ceres e Baco
e se afastam de mim.
¹⁵Eu adestrei, robusteci seus braços,
e eles planejavam contra mim.
¹⁶Voltavam-se a seu deus, eram como arco falso.
Seus príncipes cairão pela espada
por causa do veneno de suas línguas,
por suas zombarias contra o Egito.

Violaram a aliança
(Ex 32; 1Rs 12,25-33)

8 ¹Emboca a trombeta!
Pois uma águia revoa sobre a casa do Senhor.
Porque quebraram minha aliança,
rebelando-se contra minha lei.
²Eles gritam para mim: "Nós te conhecemos, Deus de Israel".
³Mas Israel rejeitou o bem;
que o inimigo o persiga.
⁴Nomearam reis sem contar comigo,
nomearam príncipes sem minha aprovação.
Com sua prata e seu ouro
fizeram ídolos para si, para sua própria perdição.
⁵Teu bezerro fede, Samaria, ardo de ira contra ele.
Quando alcançareis a inocência?
⁶Pois, o que é esse touro? Acaso um deus?
Um escultor o fez, não é deus,
o bezerro de Samaria se faz em pedaços.

Não valem alianças nem fortalezas
(Os 7,8-12)

⁷Semeiam vento e colhem tempestades;
as messes não soltam espiga nem dão grão,
e se o dessem, estranhos o devorariam.

7,16 "Seu deus", ou "ao Baal", corrigindo levemente o texto. A frase final é muito duvidosa. "Suas zombarias contra o Egito": seriam provocações do partido pró-Assíria. Serão a zombaria do Egito: cf. Nm 14,13s. A menção do Egito pode ser chave de interpretação: no Egito os hebreus "clamavam" ao Senhor, ele os "redimia"; agora "chamam" o Egito em vez de "clamar" ao Senhor.

8,1-6 Nova deslealdade: violar a aliança. Esta exige o reconhecimento de Yhwh como Deus exclusivo e soberano de Israel e o cumprimento das cláusulas ou mandamentos. Idolatria é ir contra o seu reconhecimento como Deus único; instituir outras autoridades sem contar com ele é ir contra o reconhecimento dele como soberano. O profeta considera ídolo a imagem do touro de Betel (5-6), porque Yhwh não admite ser representado em figura nenhuma. Ainda que faça declarações verbais (v. 2, corrigido), o povo não respeita as exigências da aliança.

8,1 A "águia" é a potência inimiga (Hab 1,8; Ez 17,3), que cai sobre Israel, "a casa do Senhor", e o profeta dá o alarme (Ez 33). Alguns corrigem "águia", e leem "como sentinela".

8,3 A perseguição do inimigo é consequência da má opção de Israel (cf. Dt 28,22.45; 32,30).

8,4 Recordamos que Saul foi nomeado com a aprovação do Senhor, e que o rei Jeroboão I contou com um oráculo profético (1Rs 9).

8,5 Duas palavras são ambíguas neste versículo: O primeiro verbo, "rejeita" (transitivo) ou "fede", repugna; o último substantivo: "inocência" ou "impunidade". Não sabemos se a ambiguidade é intencional. O bezerro idolátrico provoca a ira do Senhor, ao passo que o povo continua na culpa, porque os sacrifícios oferecidos a essa imagem não servem para expiar.

8,6 O começo do texto está corrompido. Nós o analisamos em seus possíveis componentes, orientados pelo contexto. O bezerro não é deus, nem pode ser imagem do Deus verdadeiro.

8,7-14 Continua o tema da infidelidade. É deslealdade ao Senhor soberano fazer alianças com outras potências (9) ou confiar a segurança nacional a defesas militares (14), bem como renegar a lei e confiar num culto pervertido (11-12). A conduta se volta contra eles: outros se aproveitam de sua prosperidade (7), seu aliado os oprime com tributos (10), o culto não

⁸Devoraram Israel,
é já é entre as nações um caco inútil.
⁹Pois foram à Assíria
como asno selvagem.
Efraim contrata seu amor;
¹⁰pois, ainda que o tenham contratado
com as nações,
eu os agarrarei, e começarão a diminuir
sob as cargas do Rei soberano.
¹¹Porque Efraim multiplicou
seus altares para pecar,
para pecar lhe serviram seus altares.
¹²Embora lhes dê multidão de leis,
eles as consideram como de um estranho.
¹³Ainda que imolem vítimas em minha honra
e comam a carne, não agradam ao Senhor.
Ele tem presentes suas culpas
e castigará seus pecados:
terão de voltar ao Egito.
¹⁴Israel se esqueceu do seu Criador
e construiu palácios,
Judá fortificou muitas cidades;
pois atearei fogo a suas cidades
e devorarei suas cidadelas.

Cultos de fertilidade: nem pão nem vinho

9 ¹Não te alegres, Israel,
não te regozijes como os pagãos,
porque te prostituíste abandonando teu Deus.
Vendeste teu amor em todas as eiras de trigo;
²eira e lagar não os alimentarão,
o vinho lhes falhará.
³Não habitarão na terra do Senhor,

é aceito (13) e as fortalezas são devoradas pelo fogo (14). O fim será voltar ao Egito, ou seja, retroceder na história: definitivamente?

8,7 O começo tem ar de refrão, e como tal se perpetuou. É maldição trabalhar para proveito alheio (cf. Dt 28,16-18.30.33).

8,9-10 O nome de Efraim, por assonância, atrai a imagem do onagro ou asno selvagem. As alianças com o império, não menos que a idolatria, são namoros venais, que sairão caro, pois o imperador não age por amor, mas por interesse. O verbo "reunir" é estranho neste contexto; nós o interpretamos metaforicamente por "agarrar".

8,11-12 A multiplicidade dos altares locais só serve para multiplicar as culpas. E se nega validade jurídica à multidão de leis recebidas do Senhor, como que promulgadas por um estrangeiro.

8,14 Talvez todo o versículo seja acréscimo. Ao menos a presença de Judá é muito suspeita. Am 1,7.10.

9,1-7a A infidelidade se manifesta agora nos cultos de fertilidade. Os produtos do campo são dom de Deus e servem ao homem para usos profanos e sacros. O povo oferece a Deus farinha e libações (Lv 2-4), agradecendo os dons recebidos e assegurando novos. Além do pão profano (ou neutro) e do sagrado, há outro que contamina, ou seja, incapacita para o culto: é o compartilhado com estrangeiros em condições proibidas, o do banquete fúnebre e os alimentos excluídos por algum tabu (Lv 11,24-27; Dt 26,14s). Israel procura assegurar a fertilidade dos campos por meio de cultos idolátricos, e com isso trai seu Deus e contamina os produtos do campo. O castigo: por afastar-se do Senhor, será expulso da pátria; pelos cultos idolátricos, os campos recusarão sua fertilidade; o que produzirem não será admitido no templo de Deus. O povo terá de comer o pão de luto por seus mortos em guerra, e o pão contaminado do desterro, e estará privado das festas litúrgicas. Acabará no Egito, e a terra prometida voltará a ser terreno baldio.

9,1 Alegria e regozijo podem ter caráter público de festa. O pecado é denunciado na imagem frequente de infidelidade matrimonial e amor venal.

9,2 Eira e lagar: Nm 18,30; Dt 16,13; 2Rs 6,27.

9,3 A adúltera é expulsa do recinto doméstico do marido (não é condenada à morte, como manda Dt 22,22). Como foi de um império a outro (711),

Efraim voltará ao Egito,
na Assíria comerão alimento impuro.
⁴Não farão libações de vinho ao Senhor,
nem lhe oferecerão seus sacrifícios;
serão para eles pão de luto,
os que o comerem se contaminarão.
Seu pão lhes tirará a fome,
mas não entrará na casa do Senhor.
⁵O que fareis no dia da solenidade,
no dia da festa do Senhor?
⁶Pois, se escaparem da catástrofe,
o Egito os recolherá, Mênfis os enterrará;
urtigas terão sua cobiçada prata em herança,
cardos crescerão em suas tendas.
⁷Chega a hora das contas,
chega a hora do pagamento
– que Israel o perceba –,
por causa de tua grande culpa,
por tua grande subversão.

Não valem profetas nem videntes
(Jr 28; Ez 13)

O profeta é um louco,
o homem inspirado delira.
⁸O vidente de Efraim profetiza,
sem contar com seu Deus;
é armadilha escondida em seus caminhos,
subversão na casa de Deus.
⁹Corromperam-se profundamente,
como nos dias de Gabaá,
mas ele tem presente a culpa deles,
castigará seu pecado.

1. Uva no deserto

¹⁰Como uvas no deserto encontrei Israel,
como figo temporão na figueira
descobri vossos pais.

---

terminará repartida entre os dois: ou fugitiva no Egito ou cativa na Assíria.

9,4 Compare-se com o rito das primícias, Dt 26,1-11.

9,6 A catástrofe será a invasão assíria. Se os enterram no Egito, é porque não voltam à pátria. Sepulcros no Egito (Ex 14,11) e cardos (Is 7,23-25) em Israel formam uma visão final lúgubre.

9,7 O texto está mal conservado. Mudo a ordem de dois versículos.

9,7b-9 Profeta, homem inspirado e sentinela são três títulos do mediador da palavra divina. Mas "o profeta", oficial de Israel é falso, não conta com Deus (texto corrigido); com seus falsos oráculos coloca armadilhas para o povo. Jz 19-20 narra um caso de perversão em Gabaá; mas Gabaá é topônimo corrente.

A última frase serve de conclusão à série começada em 4,1 sobre a deslealdade.

9,10-14,1 Série histórica. Começa em 9,10 uma vasta série histórica que, superando sinais formais, chega quase até o final, 14,1. Esta série se sobrepõe à outra ordem formal, que vai de 4,1 a 11,11. A ordem das peças não é cronológica: remonta ao nascimento de Israel (13,13), à infância (11,1-11), o vê adulto (13,1-11); contempla-o no deserto (9,10-14), na terra (10,1-8.11-15) e em outros momentos. Tampouco é sistemática a série de imagens, vegetais e animais: uva, pássaro, videira, bezerra, menino, homem. Os fatos históricos descritos ou aludidos são exemplares e fundacionais: fundam e explicam atitudes presentes. Os castigos servirão de lição para a geração presente; do contrário, justificarão novos castigos. Nem todas as referências podem ser identificadas.

9,10-14 A prostituição sagrada em Baalfegor (Nm 25) foi uma espécie de pecado original que juntou sexo perverso e morte violenta. Ainda prolonga a

Mas eles foram a Baalfegor,
consagraram-se à Ignomínia
e se tornaram abomináveis
como seu idolatrado.
¹¹A glória de Efraim migra como pássaro:
não haverá parto nem gravidez nem concepção;
¹²embora criem seus filhos,
eu os deixarei sem descendência,
pois, ai deles, quando deles eu me apartar.
¹³Efraim...
Efraim entrega seus filhos ao carrasco.
¹⁴Dá-lhes, Senhor; que vais dar a eles?
Dá-lhes ventres estéreis, peitos secos.

2. Em Guilgal

¹⁵Sua maldade começa em Guilgal,
eu aí o detestava;
por causa da maldade de suas ações
os expulsei de minha casa,
não voltarei a amá-los;
todos os seus chefes são rebeldes.
¹⁶Efraim está ferido, sua raiz está seca, não dá fruto;
ainda que deem à luz,
matarei o amor de suas entranhas.
¹⁷Meu Deus os rejeitará
por causa de sua desobediência,
e andarão errantes pelas nações.

3. Na terra: videira frondosa (Is 5,1-7; Ez 15; Sl 80)

10 ¹Israel era videira frondosa, dava frutos:
quanto mais frutos, mais altares;
quanto melhor ia o país, melhores estelas.
²Têm o coração dividido, e hão de pagá-lo;
ele desnucará seus altares, arrasará suas estelas.
³Sim, já podem dizer: "Não temos rei,

---

sua presença. O castigo está no plano concomitante da fecundidade humana.

9,10 "No deserto": ver Dt 32,10 e Ez 16. "Ignomínia" é expressão depreciativa frequente *ba'al boshet*; contrapõe-se à Glória do Senhor. Seus amantes ou devotos ficam contaminados, abomináveis.

9,11 A glória de Efraim: ou é a honra da fecundidade ou é a presença do Senhor (cf. 1Sm 4,14-22).

9,13 É impossível tirar sentido coerente do texto do primeiro versículo. Levando em conta as versões, alguns propõem: "Efraim fez de seus filhos peças de caça"; ou seja, ao meter-se em guerras perigosas, tornou-os objeto da caçada militar inimiga. O outro versículo é paralelo, só que "o carrasco" poderia ser também um deus a quem se ofereçam sacrifícios humanos.

9,14 Em forma de pedido, o profeta pronuncia uma maldição: será melhor a esterilidade que a matança?

9,15-17 Guilgal está associada aos começos da monarquia, sob Saul. Daquela "raiz" perversa brota a monarquia presente: se então começou o "ódio"

do Senhor, agora o "amor" se tornou impossível, e as relações terminarão na "rejeição".

10,1-8 Pecado e castigo vão-se entrelaçando com calculada correspondência, delimitados pelo benefício inicial e pelo grito de fracasso final. Tema dominante são os cultos idolátricos e do "bezerro" de Betel.

10,1 A imagem da videira virá a ser tradicional: Is 5,1-7; Ez 15; Sl 80 etc. Corresponde à época de Jeroboão II, como ciclo do múltiplo ao múltiplo: quanto mais prosperidade, mais altares, levando em conta que a mais altares corresponde mais prosperidade.

10,2 Não é multiplicação, mas divisão: os numerosos santuários correspondem a um coração dividido, contra Dt 6,4. Com essa divisão incorrem em crime: quanto mais altares, mais dívidas. "Desnucar" parece metáfora para quebrar as quatro saliências angulares, garantia da consagração dos altares e sua força sagrada.

10,3 É duvidoso o tom com que se pronuncia a primeira frase: desolação ou triunfo? Pelo paralelismo

não respeitamos o Senhor;
o que pode fazer-nos o rei?"
⁴Falam e falam, juram falso, fazem alianças;
os pleitos florescem como a cizânia
nos sulcos do campo.
⁵Os habitantes de Samaria tremem
por causa do bezerro de Bet-Áven,
o povo e os sacerdotes
fazem luto a seu deus,
revolvem-se, porque sua glória
partiu para o desterro:
⁶levam-na à Assíria como tributo a seu deus.
A vergonha se apodera de Efraim,
Israel se envergonha de seu plano.
⁷Samaria e seu rei desaparecem
como galhos quebrados que a água carrega.
⁸São destruídos os lugares altos idolátricos,
o pecado de Israel.
Cardos e abrolhos crescem em seus altares,
gritam aos montes: "Cobri-nos!"
e às colinas: "Esmagai-nos!"

4. Em Gabaá

⁹O pecado de Israel começa desde os tempos de Gabaá,
aí me enfrentaram;
a guerra não os surpreenderá em Gabaá?
¹⁰Contra os malvados
vim para aprisioná-los,
os povos se reunirão contra eles,
aprisionando-os por sua dupla culpa.

5. Na terra: bezerra de lavoura

¹¹Efraim é uma bezerra domesticada
que debulha com gosto;
mas eu porei o jugo em seu formoso pescoço,

---

e pelo contexto, optamos pelo segundo. Negada a autoridade do Senhor e do rei, cada um "faz o que quer" (Jz 17,6; 21,25); sem entraves divinos nem humanos, a imoralidade reina nas relações civis.

10,4 Entre a pluralidade de significados de *mishpat*, o contexto pede algo negativo. Nos sulcos do campo, lugar da fertilidade, pululam plantas venenosas que envenenam a vida civil.

10,5-6 O bezerro de Bet-Áven (deformação de Bet-El) é a imagem do Senhor entronizada por Jeroboão I no templo nacional (1Rs 12) e venerada pela população. Em sua honra se celebram cultos ilegítimos, fomentados pelos sacerdotes cismáticos. Em concreto, um luto como por uma divindade que morre e ressuscita (Baal, Tamuz, Adônis). Como castigo, o rito se tornará realidade: terão de chorar por "seu deus" impotente e desterrado, por seu próprio engano e fracasso. O ídolo será levado à corte imperial como tributo ou troféu.

10,8 Um grito desesperado faz eco ao grito de triunfo: é melhor morrer numa catástrofe natural, nas mãos do Senhor, do que nas mãos do exército inimigo. Pelo que tem de desesperador e final, o grito é recolhido por Lc 23,30 e Ap 6,16.

10,9-10 O crime de Gabaá é provavelmente o narrado em Jz 19, que provocou a guerra civil contra a tribo de Benjamim. Se a hipótese for válida, o pecado original de Israel é anterior ao cisma e à monarquia; foi um delito de lesa-humanidade. A situação se prolonga, e agora é uma coalizão de povos que ataca Israel. Como o Senhor "veio" ao Egito para libertar o povo, assim agora vem para "aprisioná-los"; ou, segundo as versões, "para dar-lhes uma lição".

10,11-15 Uma nova comparação animal introduz um desenvolvimento com termos agrários. A bezerra domesticada = Efraim, submetida ao jugo = lei, trabalhará para produzir bons frutos = conduta. Em 4,16 aparecia como "vaca brava". Entrando em Canaã, Jacó = Israel se torna lavrador, o Senhor o encaminha ao trabalho produtivo. Israel fez o contrário (13): dedicou-se mais ao poderio militar (13), que será sua fatalidade (14).

atrelarei Efraim para que are,
  Jacó para que lavre a terra.
¹²Semeai segundo a justiça, colhei com lealdade,
  roteai vosso terreno novo,
 pois estais em tempo de buscar o Senhor,
  até que venha e vos dê a chuva conveniente.
¹³Arastes maldade, colhestes crimes,
  comestes o fruto da traição.
 Por confiares em teu poder,
  na multidão de teus soldados,
   ¹⁴clamor de guerra se levantará contra teu povo;
 tuas fortalezas serão arrasadas,
  como Sálmana arrasou Bet-Arbel,
  quando na batalha
  esmagaram a mãe com os filhos.
¹⁵Assim farão convosco, Betel,
  por causa de vossa maldade consumada.
  Ao amanhecer, o rei de Israel desaparecerá.

6. A infância de Israel (Ex 4,23)

11 ¹Quando Israel era criança, eu o amei,
  e do Egito chamei o meu filho.
²Quanto mais os chamava, mais se afastavam de mim:
  ofereciam sacrifícios aos Baais
  e queimavam oferendas aos ídolos.
³Eu ensinei Efraim a andar
  e o levei em meus braços,
  mas eles nem percebiam que eu cuidava deles.
⁴Com correias de amor os atraía,
  com cordas de carinho.
 Fui para eles como quem levanta
  uma criatura até o rosto;
  eu me inclinava e lhes dava de comer.

10,12 Contém várias expressões de duplo sentido. Semear segundo a justiça, atendo-se às normas do ofício (Is 28,23-29) e respeitando direitos alheios. Colher lealmente, tendo em conta normas de caridade e generosidade (Lv 19,9s; Dt 24,19-22). Rotear terrenos novos, respeitando a terra (Lv 26,36); ou então campos novos, não acumulando sem cultivar.

10,13b-14 O pecado é semelhante ao de 8,14. Confiar na força militar é uma espécie de idolatria de consequências fatais. Impele a uma política de resistência e desafio, que provoca o inimigo, o qual responde com poder superior e esmagador. Desconhecemos essa batalha de Bet-Arbel.

10,15 "Ao amanhecer": quando mal começa a batalha (2Cr 20,15; Is 17,14). Oseias, último rei de Israel, foi encarcerado por Salmanasar V antes de começar o cerco de Samaria.

11,1-11 O poema do amor paterno de Deus, com traços maternais, é paralelo ao poema do amor conjugal: traços que se completam e se relacionam. Coincidem na quebra paradoxal do esquema: quando tudo parece perdido por causa da resistência da esposa/do filho, o amor invencível de Deus salva tudo. Encontramos o tema da paternidade em textos narrativos e proféticos: Ex 4,23; Dt 8,5; 32,6; Is 1,2; 30,9; Jr 3,4.19-22; 4,22; 31,9.20. O poema está encaixado numa inclusão maior.

11,1 A história remonta à origem no Egito, antes da monarquia e do cisma. Amar é o primeiro verbo, o motor de tudo (cf. Jr 31,3). Mt 2,15 aplica a Jesus menino a frase de Oseias.

11,2 O chamado se repete no Sinai e em Canaã; em ambos os lugares, o povo é rebelde.

11,3-4 Cena doméstica em traços de emoção contida. O texto hebraico diz "com cordas humanas", como que se opondo às usadas para animais e carros (Is 5,18). É um paralelismo sugestivo, "homem e amor"; mas no v. 9 Deus diz que não é homem. Por isso, alguns corrigem e leem "carinho".
Em "fui para eles" pode ressoar o nome *Yhwh*. "Criatura": mudando a vocalização para nos manter no contexto imaginativo.

⁵Pois voltará ao Egito, assírio será seu rei,
 porque não quiseram converter-se.
⁶Irá girando as costas por suas cidades
 e destruirá seus ferrolhos;
por suas maquinações devorará meu povo,
 ⁷propenso à apostasia.
Ainda que invoquem seu Deus,
 ele não os levantará.
⁸Como poderei deixar-te, Efraim;
 entregar-te, Israel?
Como deixar-te semelhante a Adama,
 tratar-te como Seboim?
Meu coração se contorce
 e minhas entranhas se comovem.
⁹Não executarei minha condenação,
 não voltarei a destruir Efraim;
pois sou Deus e não um homem,
 o Santo no meio de ti,
 e não inimigo devastador.
¹⁰Irão atrás do Senhor, que rugirá como leão;
 sim, rugirá, e tremendo
 seus filhos virão do ocidente,
¹¹do Egito virão tremendo como pássaros,
 da Assíria como pombas,
 e os farei habitar em suas casas
 – oráculo do Senhor.

12 ¹Efraim me rodeia com mentiras,
 e a casa de Israel com enganos.
 (Judá é o rebanho, o povo do Senhor
 se mantém fiel ao Santo.)

11,5 Chega o limite da paciência: diante da teimosia de quem não quer voltar = converter-se, torna-se necessário voltar ao começo, voltar ao Egito (8,13; 9,3), o que nas tradições do êxodo significa retroceder na história e cancelar a libertação.

11,6-7 A sentença é justificada e se executará sem escapatórias. Nem os projetos humanos lhes podem valer, nem a invocação a "seu Deus" (Baal, o bezerro). O texto apresenta algumas dificuldades. Em vez de "maquinações", uma variante lê "fortalezas".

11,7 Jr 2,28.

11,8 Pronuncia a sentença inapelável com a execução já em marcha quando acontece algo inesperado: um arrebatamento de amor em Deus mesmo, expresso numa espécie de monólogo em voz alta. Com singular força, soa o verbo *hpk* = inverter, voltar-se. É o verbo clássico da subversão de Sodoma e Gomorra, Adama, Seboim e Soar. Ocorre uma subversão ao contrário, no coração de Deus. "Entranhas": corrigindo o texto para manter o paralelismo.

11,9 Um homem cederia à cólera, provocada várias vezes, e se desligaria de um pacto violado pelo outro parceiro. Deus não é condicionado pela conduta humana: sua santidade pode-se manifestar perdoando, convertendo e salvando. A última frase é duvidosa; outra interpretação: "não quero arrasar".

11,10-11 Assim será possível e se realizará o grande retorno do Egito: primeiro pessoal, para o Senhor; depois material, para suas casas. O Senhor lança um rugido que atravessa as distâncias. É um chamado terrível e magnífico. Ainda que faça tremer, não afugenta, mas atrai. O povo sentirá ao mesmo tempo o atrativo irresistível do Senhor e o temor pela própria conduta. Com essa síntese paradoxal se realiza o retorno.
"Oráculo do Senhor", expressão estranha a este livro, parece indicar o final da segunda parte.

12-14 Formam a terceira e última parte de um livro bem construído com materiais originais do profeta. Coincide com as partes precedentes na estrutura genérica: começa com um pleito (12,3), desenvolve-o com denúncia de pecados e lembranças históricas (12,3-14,1), conclui com oráculo de restauração (14,2-9).

12,1-2 Lemos estes versículos como introdução que situa o que se segue no terreno da deslealdade, especialmente em forma de alianças políticas. A menção de Judá parece acréscimo, como as outras do livro; o seu texto está mal conservado. "Apascentar-se de vento" é encher o estômago de ar que não alimenta; perseguir o vento é tarefa desatinada, que pode

²Efraim se apascenta de vento,
vai o dia todo atrás do vento oriental,
multiplica mentiras funestas.
Faz aliança com a Assíria,
envia azeite ao Egito.

7. Jacó adulto (Gn 25,26; 32,26-32)

³O Senhor inicia o pleito com Israel,
para pedir contas a Jacó de sua conduta,
para lhe dar o pagamento de suas ações.
⁴No ventre superou seu irmão,
como adulto lutou contra Deus,
⁵lutou com um anjo e o venceu.
Chorou e obteve misericórdia;
em Betel o encontrou e aí falou com ele:
⁶"O Senhor Deus dos exércitos,
seu nome é o Senhor;
⁷E tu, converte-te ao teu Deus,
pratica a lealdade e a justiça,
espera sempre em teu Deus.
⁸Canaã maneja balança falsa, gosta de explorar.
⁹Efraim diz: "Já sou rico,
consegui uma fortuna";
pois seus ganhos não lhe bastarão
para a culpa que cometeu.
¹⁰Eu sou o Senhor teu Deus desde o Egito;
eu te farei habitar em tendas outra vez,
como nos dias de peregrinação.
¹¹Eu falei pelos profetas,
eu multipliquei as visões
e falei pelos profetas em parábolas.

---

desencadear o seu poder destruidor. "Mentira e destruição" é uma mentira que virá a ser funesta. "Envia azeite" como prenda para fazer um pacto.

12,3 Israel = Jacó designa neste oráculo o reino do Norte. Por ser Israel também nome da comunidade ideal, não foi difícil aplicá-lo mais tarde a Judá. O pleito é anunciado com sua conclusão condenatória.

12,4-5 Pecador de nascimento e traidor de nome, conforme as tradições de Gn 25,26 e 27,36. Quando criança teve atrito com seu irmão, quando adulto quis medir-se com Deus, segundo Gn 32,23. Jacó aparece vencedor e vencido: lutou e Deus levou a melhor, mas também ele levou a melhor; conseguiu graça, mas chorando. Não será uma lição para o presente? Jacó procurou a Deus e o encontrou em Betel, onde era esperado (Gn 28,11-22 e 35,9-15); o Israel presente procura em Betel um ídolo inerte e mudo.

12,6-7 Seja ou não acréscimo, estes versículos são lidos aqui como tentativa de atualizar a invocação do patriarca e a recomendação de Deus. A invocação soa como fórmula litúrgica. A recomendação de "voltar" à terra (Gn 28,15) se transforma em "voltar ao teu Deus"; ao passo que ao "guardar" de Deus (Gn 28,15) corresponde o guardar a justiça. Finalmente, a "esperança" é a resposta que as promessas do Senhor exigiam.

12,8-9 Efraim leva o nome infamante de Canaã (cf. Gn 9,25-27), povo de mercadores falsos (Ez 16,29); pode-se pensar no enriquecimento astuto de Jacó na casa de Labão (Gn 30,43). Acrescenta-se a confiança arrogante nas riquezas. Alguns pensam que o v. 9b é pronunciado por Efraim, protestando inocência em seus negócios.

12,10-15 Estes versículos apresentam notáveis dificuldades de interpretação, por causa de um versículo ininteligível (12a) e pelo sistema de referências. Para nos orientar, levemos em conta que o autor sobrepõe três planos: origens de Israel no patriarca, origens na saída do Egito, o Israel atual. Num primeiro momento, o passado justifica o castigo próximo; num segundo momento pode convidar à esperança.

12,10 A saída do Egito recorda a aliança e a entrega exclusiva ao Senhor. A etapa do deserto é celebrada na alegre romaria da festa das Cabanas (Dt 16,13-15). Pois bem, por ter violado a aliança na terra, terão de voltar ao deserto (2,16) e o rito alegre se converterá em amarga realidade.

12,11 Os profetas atualizavam as exigências da aliança. Na última expressão, o termo "parábolas" é duvidoso.

¹² ....*
 em Guilgal sacrificavam ao Touro,
 e seus altares eram como montes de pedras
 nos sulcos do campo.
¹³Jacó fugiu para o campo da Síria,
 Israel se pôs a servir por uma mulher,
 por uma mulher guardou rebanhos.
¹⁴Por meio de um profeta,
 o Senhor tirou Israel do Egito,
 e por um profeta o guardou.
¹⁵Efraim o irritou amargamente:
 seus crimes o Senhor os descarregará sobre ele
 e lhe devolverá a injúria.

8. Síntese histórica

13 ¹Efraim falava e impunha,
 a autoridade estava em Israel;
 mas se fez réu de idolatria e morreu.
²E agora continuam pecando:
 fundem imagens,
 com habilidade fazem ídolos de prata,
 obras de puro artesanato.
 Em sua honra imolam cordeiros,
 dão-lhes de beber sangue de bezerros.
³Por isso, serão nuvem matutina,
 orvalho que se evapora ao amanhecer,
 palha arrebatada da eira,
 fumaça pela chaminé.
⁴Mas eu sou o Senhor teu Deus desde o Egito,
 não conhecias outro deus além de mim,
 nenhum salvador fora de mim.
⁵Eu te conheci no deserto,
 em terra abrasadora.
⁶Eu os apascentei e se fartaram,
 fartaram-se e seu coração se orgulhou,
 e assim se esqueceram de mim.
⁷Serei para eles como leopardo, eu os espreitarei
 como pantera no caminho,

12,12 Não sabemos a que fatos se refere. Uma tradução conjetural da primeira frase diz: "se em Galaad houve fraude, eles foram engano". * Ininteligível.
12,13 O paralelismo permite desta vez colocar as duas mulheres. Gn 30.
12,14 Esse profeta é Moisés: ver Dt 18,15.
13,1-11 Começa e termina com o tema da autoridade. Podemos identificar Efraim com a tribo dominante no reino do Norte, ou então, guiados pelo versículo 11, com o rei fundador, Jeroboão I. Ele impôs a "autoridade" da sua dinastia, mas inaugurou a "idolatria", entronizando os bezerros em Dã e Betel, apesar de terem reconhecido Yhwh como seu Deus. Movido de ira pelos pecados cometidos por Salomão, o Senhor concedeu a instauração da monarquia e do cisma. O pecado foi crescendo, e o castigo crescerá proporcionalmente, contra o qual nada poderão o rei nem os governantes.
13,1 É o pecado original do reino do Norte.
13,2c Corrigido. Literalmente soa assim: "Falam a eles sacrificando homens, beijam os bezerros": possível alusão a sacrifícios humanos e ao rito de adoração.
13,3 Recolhe e muda 6,4b. Síntese imaginativa do celeste, campestre e doméstico.
13,4-5 As duas menções do verbo "conhecer" são correlativas, equivalem à aliança. O povo conhece-reconhece Yhwh como o seu único Deus, Yhwh conhece-escolhe Israel como povo seu.
13,6 Pecado de ingratidão, como o de Dt 32,15. Consequência do bem-estar, como em Dt 8.
13,7-8 O Senhor se transforma e se desdobra em quatro feras que não deixam escapatória.

⁸eu os assaltarei como ursa de quem roubam as crias,
    e lhes dilacerarei o peito;
  aí os devorarei como um leão,
    as feras os despedaçarão.
⁹Israel, se eu destruir, quem te auxiliará?
    ¹⁰Onde está teu rei para te salvar?
    E os prefeitos de tuas cidades?
  Tu os pediste a mim:
    "Dá-me rei e príncipes".
    ¹¹Irado te dei um rei, e encolerizado o retomo.

Pecador de nascimento

¹²A culpa de Efraim está registrada,
    seu pecado está arquivado.
¹³Quando sua mãe estava com dores,
    foi criancinha idiota,
    que não se pôs a tempo
    na embocadura do nascimento.
¹⁴Deveria livrá-los do poder do Abismo,
    resgatá-los da Morte?
    Que pragas as tuas, ó Morte,
    que pestes as do Abismo!
    O consolo se afasta de minha vista.
¹⁵Ainda que frutifique entre carriços,
    virá o vento oriental, vento do Senhor,
    subindo do deserto,
  e secará sua fonte, esgotará seu manancial;
    levará seus tesouros, seus bens preciosos.

14 ¹Samaria pagará a culpa
    de rebelar-se contra seu Deus:
      serão passados à espada,
      esmagarão suas criancinhas,
      abrirão o ventre das grávidas.

13,9-10 Os juízes ou o rei podem salvar de filisteus e outros inimigos humanos. Se o inimigo é o Senhor, quem poderá salvar? O rei será a primeira vítima.

13,12-14,1 Num quadro que encerra pecado e culpa, apresentam-se duas imagens rápidas de fecundidade, no mundo humano e no vegetal. Entre as duas situa-se a correlação de culpa e castigo. Somente Deus poderia salvar da morte, desafiando com o seu poder (Dt 32,39); mas a rebeldia de Israel desencadeou os agentes humanos desse poder fatal, e Deus deixará os fatos e suas consequências acontecerem. Um dia o menino nasce, sem a sua colaboração responsável. Chega o momento histórico em que um homem ou um povo podem renascer responsavelmente: conhecendo a hora, ocupando em tempo e lugar justo. Assim as dores da mãe não serão inúteis. Por outro lado, o começo da vida coincide com a vitória da morte (Jó 10,19). Se o homem resiste à vida, será que Deus terá de enfrentar sozinho a Morte?
Oseias nos deixou nestes versículos um símbolo riquíssimo, que autores do AT e do NT se encarregarão de explorar.

13,12 O versículo tem valor sintético de recapitulação: 'awon 4,8; 5,5; 7,1; 8,13; 9,7.9; 12,9; ht' 4,7s; 8,11.13; 9,9; 10,9; 12,9.

13,14 Lemos este versículo como interrogação, à semelhança de 6,4 e 11,8. A resposta no texto é negativa. Autores posteriores suprimiram o tom de interrogação e converteram a frase em afirmação maravilhosa: Deus vencerá definitivamente a morte; pode-se ver 1Cor 15,55; 2Tm 1,10; Ap 20,14; 21,4. O verbo "resgatar" é particularmente grave quando se trata de homicídio (Nm 35): quem resgatará-vingará a morte de um homem? (cf. Jó 16,18 e 19,25). A frase seguinte pode ser lida como exclamação e como pergunta.

13,15 Imagem paralela, coerente, no campo da fecundidade, com as oposições radicais de rega e deserto, fruto e esterilidade. O vento do Senhor pode penetrar até o subterrâneo e entranhável (Sl 139,15), até secar a fonte da vida (Lv 12,7; Pr 5,15.18).

14,1 O castigo será a vitória da morte, não só sobre os soldados caídos em campanha, mas alcançando os começos da vida: as criaturas desvalidas, os ventres grávidos (Is 13,18).

Conversão
(Jr 3,14-22)

²Converte-te, Israel, ao Senhor teu Deus,
pois tropeçaste em tua culpa.
³Preparai vosso discurso
e convertei-vos ao Senhor; dizei-lhe:
"Perdoa inteiramente nossa culpa;
aceita o dom que te oferecemos,
o fruto de nossos lábios.
⁴A Assíria não nos salvará,
não montaremos a cavalo;
não voltaremos a chamar de nosso deus
às obras de nossas mãos;
em ti o órfão encontra compaixão".
⁵Curarei sua apostasia,
eu os amarei sem que o mereçam,
minha cólera já se afastou deles.
⁶Serei orvalho para Israel:
florescerá como açucena
e se enraizará como choupo;
⁷lançará rebentos, terá o vigor da oliveira
e o aroma do Líbano;
⁸voltarão a morar em sua sombra,
reviverão como o trigo,
florescerão como a videira, serão famosos
como o vinho do Líbano.
⁹Efraim, que tenho eu a ver com as imagens?
Eu respondo e olho. Eu sou cipreste frondoso:
de mim procedem teus frutos.

Epílogo

¹⁰Entenda quem for sábio,
compreenda
quem for inteligente.
Os caminhos do Senhor são planos,
por eles caminham os justos,
neles tropeçam os pecadores.

14,2-9 Contudo, a matança não é o último ato. O lugar que 2,16-25 e 11,8-11 ocupavam em suas respectivas unidades, é ocupado por este final na terceira parte e no livro inteiro. Por isso, não é por acaso que se abre com um chamado à conversão e se encerra com a garantia dos frutos. O desenvolvimento é linear: convite a converter-se (2), discurso do réu convicto e arrependido (3-4), perdão e cura (5), e assim Efraim floresce e dá fruto (6-8); diálogo final (9).
Dois elementos condutores atravessam o texto: a raiz *shwb* com derivados (2a.3a.5ab. 8a), e paronomásias do nome de Efraim. Do primeiro resulta o seguinte sentido: a "apostasia" tem de se transformar em "volta", assim a ira do Senhor "se apartará", e o povo "voltará e habitará".

14,3 "Fruto de nossos lábios" (com leve correção) é a confissão do pecado (Sl 50,14.23).

14,4 É uma renúncia das alianças políticas e da idolatria. Estabelece uma oposição radical entre "as obras de nossas mãos" e o Deus de Israel. As primeiras, tanto instituições como imagens idolátricas, não têm piedade no exigir e são impotentes no auxiliar. O Senhor é salvador porque se compadece dos fracos.

14,5 É a dobradiça do oráculo marcando a mudança de direção: a vitória do amor sobre a cólera, fechando uma série: 3,1; 4,18; 8,9; 9,1.10.15; 10,11; 11,1.4; 12,5.

14,6-9 É significativa a coincidência com temas e expressões do Cântico dos Cânticos: perfume, vinho, açucena, cipreste (Ct 1,17) frondoso (Ct 1,17), sentar-se à sombra (2,3), orvalho (5,2), florescer (6,11; 7,3).

14,9 É duvidosa a atribuição de frases neste breve diálogo. A última frase é o Senhor quem a pronuncia. Graças a ele, Efraim cumprirá o destino inscrito em seu nome.

14,10 Colofão provavelmente acrescentado pelo compilador do livro. Sua leitura pode parecer estranha ou difícil, exige esforço de compreensão e atitude correta. A palavra profética convida e desafia o homem.

JOEL

INTRODUÇÃO

O texto bíblico não fala nada de Joel ben Fatuel, sob qual reinado atuou, algum dado da sua vida... O seu nome significa "Yhwh é Deus". O livro tampouco oferece bases para datá-lo com segurança: o inimigo do Norte (2,20) pode ser a Assíria, que destruiu Israel, ou Babilônia, que destruiu Judá, ou pode ser, para autores tardios, o inimigo por excelência. A dispersão entre as nações (4,2) é o desterro, e é vista como fato histórico. A menção dos gregos (4,6) – se não for acréscimo – nos leva também a uma época tardia. E também parece tardia a concepção escatológica. A principal razão para colocar o profeta em período pré-exílico é que se encontra entre Oseias e Amós, ambos profetas do século VIII.

Mas se pouco sabemos da biografia do autor, tanto mais interessante é contemplar a sua obra, poderosa criação literária e ao mesmo tempo característica do modo de profetizar.

O profeta toma como ponto de partida uma catástrofe social, uma terrível praga de gafanhotos, fatal para a cultura agrícola. Também ele tomou parte na situação: conhece as diversas variedades do inseto destruidor, observou como se sucedem as ondas ou nuvens invasoras; contemplou com detalhes os efeitos destruidores nas plantas. Em sua imaginação poética, a praga de gafanhotos se converte num exército aguerrido e ordenado que assalta e conquista uma cidade. Este é um primeiro passo de elevação poética.

A catástrofe nacional requer uma ação religiosa de expiação, uma jornada de jejum e penitência para suplicar a compaixão divina. E aqui se nos apresenta um aspecto da religiosidade israelita, seus atos de culto, a proclamação do profeta, a participação de sacerdotes e povo em seus respectivos postos. Esses elementos litúrgicos estão no livro em seu estado natural, sem transformação poética. Tudo culmina no oráculo com que Deus responde ao povo, anunciando a libertação da praga e as bênçãos tradicionais que retornam sobre a terra.

Nesse ambiente litúrgico e com a iluminação poética, Joel eleva todo o acontecimento, a praga de gafanhotos, à categoria religiosa de "dia do Senhor": momentos da história em que Deus intervém soberanamente, usando como instrumento os fenômenos atmosféricos ou os exércitos humanos. Nesses "dias" o Senhor faz julgamento público, castigando e salvando. Este, que é um "dia do Senhor", pode converter-se facilmente no dia do Senhor, enquanto o anuncia e prefigura.

"O dia do Senhor" é um momento escatológico que inclui os temas clássicos: um julgamento solene e público, ao qual as nações pagãs terão de comparecer; portentos cósmicos marcam o julgamento. Depois vem a grande restauração definitiva, que no texto de Joel se distingue por dois fatos: a efusão do espírito sem discriminação e a prosperidade agrícola. O contexto escatológico explica a atitude diante dos pagãos, vistos como inimigos culpados; e, correlativamente, o tom nacionalista do final.

Assim é o livro de Joel: obra de um grande poeta que constrói com rigor, sabe desenvolver coerentemente uma transposição imaginativa, renova com breves imagens a tradição literária e os temas poéticos comuns. Ao mesmo tempo, é profeta ligado ao culto, exemplo de um desses profetas cultuais que a investigação recente descobriu.

1

¹Palavra que o Senhor dirigiu a Joel, filho de Fatuel.

Liturgia penitencial por uma praga

1. Descrição e pranto (Ex 10; Dt 28,38-42)

²Ouvi, chefes; escutai, camponeses:
Aconteceu algo semelhante em vossos dias
ou nos dias de vossos antepassados?
³Contai-o a vossos filhos,
vossos filhos aos seus,
seus filhos à geração seguinte.
⁴O que o saltão deixou, o gafanhoto comeu;
o que o gafanhoto deixou, o saltador comeu;
o que o saltador deixou, o gafanhotão comeu.
⁵Acordai, bêbados, e chorai; gemei, beberrões,
pois vos tiram o mosto da boca;
⁶porque um povo invade meu país,
poderoso, sem número:
tem dentes de leão e queixadas de leoa;
⁷transforma meu vinhedo em desolação,
reduz as figueiras a galhos secos;
pela, descasca, até que os ramos branquejam.
⁸Como jovem vestida de pano de saco, suspira
pelo marido de sua juventude;
⁹no templo do Senhor cessaram oferta e libação,
fazem luto os sacerdotes que servem o Senhor.

1-2 Estes capítulos formam unidade definida por uma clara inclusão: a praga chega... termina a praga. Pela forma, podemos falar de uma liturgia penitencial, real ou literária. O desenvolvimento duplica descrição e pedido antes do oráculo de resposta. Resulta um movimento lógico de blocos maiores.
Motivado por uma praga agrícola, o profeta convoca o povo a um ato de luto, ao fim do qual ele próprio entoa uma súplica. Não soa um oráculo benévolo de Deus, e o profeta trata de uma nova descrição da praga em chave fantástica, à qual Deus responde convidando à penitência e à conversão. O povo é novamente convocado, desta vez expressamente para um ato penitencial, e Deus responde pronunciando o seu oráculo de perdão e promessa.
Também o universo semântico é unitário. Como base temos a terra: solo, campos, pastagens, torrões; na terra, o povo dividido em categorias. A terra é objeto de oposições fundamentais: fertilidade/esterilidade, frutos/carestia. Eiras e lagares, frutos e produtos específicos, e também a chuva, pertencem à fertilidade; os desastres agrários vão ao oposto: gafanhoto e seca. Acrescentem-se as ações ou reações humanas: festa/luto, hino/súplica.
O autor maneja esse material com singular concentração e com organização articulada. O leitor pode sentir-se envolto nele, sem perder a orientação. O talento do poeta lhe permite superar o perigo da monotonia.

1,1-20 Dividimos o capítulo em duas seções: descrição (1-12) e súplica (13-20). Sobre as duas estende-se a articulação irregular dos imperativos: 2.5.8.13.14. Esses imperativos nos dizem que a descrição e a súplica são acompanhados de interpelação urgente; o povo deve participar na dor e na súplica. O homem e a natureza se solidarizam num luto único e gigantesco, tanto que pelo final o homem se contagia de seca e os animais se juntam ao coro de queixas. O luto afeta também o Senhor, pois no templo faltam os dons do campo.

1,2-3 O começo é hiperbólico e apela para o princípio da tradição (Sl 78,3-6). Os "chefes" são os "anciãos" ou senadores; não há referência ao rei e aos príncipes. "Camponeses": creio que aqui tem esse valor, como correlativo dos chefes e pelo contexto agrícola.

1,4 A identificação das quatro variedades ou quatro estágios dos ortópteros não vem ao caso. Com os quatro nomes de uma entomologia empírica, o autor faz desfilar quatro ondas de insetos vorazes, em ritmo perfeito e imperturbável.

1,5 Por que seleciona os bêbados? – Porque o vinho é fonte e sinal de alegria, e a sua falta, sintoma de desastre (Is 16,9-10; 24,7-12; Jr 48,33).

1,6-7 Parreira e figueira, além de representar os frutos, sugerem a paz doméstica (Is 36,16s; Mq 4,4). A visão desmedida dos insetos se sobrepõe à descrição realista das plantas, aumentando sua ferocidade destrutiva e preparando uma transposição transcendente.

1,8 O sujeito feminino deve ser a cidade, como encarnação do povo. A rápida comparação sugere o mundo familiar do amor e da fecundidade.

1,9-10 Formam um paralelismo expressivo, entoam uma lamentação em antífona: os sacerdotes, porque

¹⁰Assolado o solo, faz luto a terra:
    o cereal está perdido,
    o vinho seco, o azeite rançoso;
¹¹estão frustrados os lavradores,
    queixam-se os vinhateiros pelo trigo e pela cevada,
    pois não há colheita nos campos.
¹²A vinha está seca, a figueira murcha;
    a romãzeira, a palmeira, a macieira,
as árvores silvestres estão secas,
    e até a alegria dos homens secou.

2. *Luto e súplica* (Jr 14,1-10)

¹³Vesti-vos de luto, sacerdotes;
    gemei, ministros do altar;
    vinde dormir em esteiras, ministros do meu Deus,
porque faltam oferta e libação
    no templo do vosso Deus.
¹⁴Proclamai um jejum, convocai a assembleia,
    reuni os chefes e todos os camponeses
no templo do Senhor vosso Deus,
    e clamai ao Senhor: ¹⁵Ai, que dia!
Porque está próximo o dia do Senhor,
    chegará como açoite do Todo-poderoso.
¹⁶Não estais vendo como faltam
    no templo do nosso Deus
    a comida, a festa e a alegria?
¹⁷As sementes secaram sob os torrões,
    os silos estão desolados, os celeiros vazios,
    porque a colheita se perdeu.
¹⁸Como muge o gado, está inquieta a vacada,
    porque não há pastos, e as ovelhas o pagam!
¹⁹A ti, Senhor, eu invoco,
    pois o fogo se saciou
    nos prados da estepe,
    o calor abrasa as árvores silvestres.
²⁰Até as feras selvagens rugem a ti,
    porque estão secos os vales,
    e o fogo se sacia
    nos prados da estepe.

---

no templo faltam as ofertas de farinha e vinho; a terra, porque ficou sem trigo, vinho e azeite, matéria básica do alimento e das ofertas (Sl 104,15 e Lv 2).

1,11-12 Note-se a insistência no verbo "secar", dito inclusive da "alegria" humana.

1,13 Devem depor os ornamentos sacerdotais; parece implicar a abstinência sexual.

1,14 Trata-se de jejum ritual, coletivo: ver Is 58; Jr 26; Zc 7, para provocar a compaixão de Deus.

1,15 Há um "hoje" presente, infeliz, que anuncia e quase inaugura um "dia do Senhor", de maior alcance. "Açoite" ou calamidade: Is 13,6; Jr 48,3; paronomásia do título que traduzimos por Todo-poderoso.

1,16-17 O poeta equipara, no desastre, o mundo agrário e o cultual, mostrando assim a sua interdependência: da colheita se tomam as ofertas, do templo sai a bênção.

1,18 O poeta incorpora os animais domésticos ao coro de lamentações; ver Jr 14,5s e Sl 104,21. Também os rebanhos fornecem vítimas para o culto.

1,19-20 O chefe da liturgia toma a palavra e se faz porta-voz dos prados das estepes que o homem não cultiva, e dos animais selvagens que o homem não domestica. A praga que descreve se parece mais com seca persistente do que com a invasão do gafanhoto.

3. A invasão dos gafanhotos

2 ¹Tocai a trombeta em Sião,
lançai o alarme em meu monte santo;
tremam os camponeses, porque chega,
já está próximo o dia do Senhor;
²dia de escuridão e trevas,
dia de nuvens e escuridão;
como crepúsculo
que se estende sobre os montes
é o exército denso e numeroso;
não houve semelhante nem voltará a se repetir
por muitas gerações.
³Na vanguarda o fogo devora,
as chamas abrasam na retaguarda;
à frente a terra é um bosque,
atrás é uma estepe desolada; nada se salva.
⁴Seu aspecto é de cavalos, de cavaleiros que galopam;
⁵seu estrondo,
de carros saltando pelas montanhas;
como crepitar de chama que consome a palha,
como exército numeroso
formado para a batalha;
⁶diante dele tremem os povos,
com os rostos avermelhados.
⁷Correm como soldados,
escalam aguerridos a muralha,
cada qual avança em sua linha,
sem desordenar as filas;
⁸ninguém atrapalha o camarada,
avança cada qual por seu caminho;
embora caiam flechas ao lado,
não debandam.

2,1 O toque de alarme estabelece uma tonalidade militar: Os 5,8; Jr 4,5. O dia do Senhor não é dia de festejos, mas de alarme: Am 5,18.

2,1-11 É um quadro descritivo magistral, cheio de movimento, rápido e conciso. Começa, depois do toque de alarme, com uma visão distante, uma espécie de crepúsculo que se ressalta sobre um fundo de nuvens; a visão se torna nítida como multidão compacta, se aproxima e nos deixa ver sua passagem rápida e desoladora por campos e pomares. A visão se aproxima, permite distinguir figuras individuais e escutar ruídos de perto. Chegou à região habitada e se encontrou com seres humanos, que só podem assistir à invasão espantados e impotentes. Na nova etapa, preparam e executam um assalto e invasão da cidade, até apoderar-se dos últimos recintos. Terminada a conquista, o universo se contagia e assiste tremendo ao espetáculo; e por cima do quadro aparece o chefe de todos, cujas ordens se cumpriram. O poeta realiza uma grande transposição poética. A invasão de gafanhotos é recriada na imagem de um exército que avança arrasando plantações e dá o assalto final à cidade amuralhada. É quase uma visão de pesadelo: os gafanhotos pernaltas se aproximam como cavalos, o seu ato de serrar caules e cascas aparece como cintilação de chamas. A transposição imaginativa dá outro salto: não é um exército qualquer, mas o grande exército escatológico que o Senhor conduz como general chefe; daí o contágio cósmico. Os espectadores impotentes, que aparecem fugazmente dentro do poema, refletem os leitores ou os participantes da liturgia penitencial. O texto é inspirado em Is 13 – supondo que seja anterior –, como a concepção e muitas coincidências verbais o mostram.

2,2 A escuridão provocada pela nuvem de gafanhotos é real (Ex 10,22) e ao mesmo tempo simbólica (Sf 1,15).

2,3 O exército avança semeando destruição nos campos, como se fosse uma chama (cf. Nm 22,4); a comparação acrescenta uma ressonância de teofania. "Bosque", sem artigo, desperta ressonância de paraíso (Ez 36,35).

2,4-5 Aspecto e ruído, com regularidade de marcha militar (cf. Is 5,24).

2,7-8 Assombra que essa multidão imensa não perturbe seu avanço. O último verbo, como se lê no hebraico, procede do grupo dos tecelões e se poderia traduzir: "não cortam a trama", ou seja, o tecido perfeito que vão tecendo em seu avanço. Alguns corrigem e leem o verbo "fender", "rachar".

⁹Assaltam a cidade, escalam as muralhas,
  sobem às casas,
  penetram pelas janelas como ladrões.
¹⁰Diante deles treme a terra
  e se comove o céu,
  sol e lua escurecem,
  os astros retiram seu resplendor.
¹¹O Senhor levanta a voz diante do seu exército:
  são inumeráveis seus acampamentos,
  são fortes os que cumprem suas ordens.
  Grande e terrível é o dia do Senhor:
  quem lhe resistirá?

4. Penitência e súplica

¹²Pois agora – oráculo do Senhor –,
  convertei-vos a mim de todo o coração,
  com jejum, com pranto, com luto.
¹³Rasgai os corações, e não as vestes;
  convertei-vos ao Senhor vosso Deus,
pois é compassivo e clemente,
  paciente e misericordioso,
  e se arrepende das ameaças.
¹⁴Talvez se arrependa e volte, deixando em sua passagem
  bênção, oferta e libação
  para o Senhor vosso Deus.
¹⁵Tocai a trombeta em Sião, proclamai um jejum,
  ¹⁶convocai a reunião, congregai o povo,
purificai a assembleia, reuni os anciãos,
  congregai jovens e bebês;
saia o esposo do quarto, a esposa do aposento,
  ¹⁷chorem os sacerdotes entre o átrio e o altar,
digam os ministros do Senhor:
  Perdoa, Senhor, o teu povo,
  não entregues tua herança ao opróbrio,

2,9 Ver Ex 10,6 e Jr 9,20.
2,10 Está em plena escatologia. Quando a cidade santa é conquistada, o universo estremece. Quando o Senhor vem para julgar, suas testemunhas cósmicas acorrem tremendo. Com a convenção literária, os escritores escatológicos queriam expressar a unidade do universo e sua participação nos grandes acontecimentos da história.
2,11 O Criador e Senhor da história dirige as operações; astros e meteoros são seus corpos de exército. A última frase é lida também em Ml 3,2.
2,12-18 Esta seção está ligada a 1,13-14 pela repetição de vários termos. Na hipótese de um ato de culto, o toque de alarme militar era uma transformação da convocação litúrgica.
O presidente aprofundou o grito: "Ai desse dia!" (1,15), e em nome de todos perguntou: "Quem poderá resistir?" Deus responde convidando à conversão. Assim se estabelece o eixo da seção com o verbo *shub*: se o povo volta = se converte, o Senhor voltará cessando sua ira. A conversão do povo é condição para que a misericórdia do Senhor entre em ação; mas deve ser "de coração"; os ritos são aceitos se brotam como expressão da atitude interior.
2,12 "Pois agora": embora se aproxime o dia do Senhor, ainda há tempo para se converter: ver Dt 30,10.
2,13 Compare-se com Jr 4,4. Os atributos de Deus são tomados de uma fórmula litúrgica frequente: Ex 34,6; Sl 86,15; 103,8 etc.
2,14 "Talvez". Na dúvida humilde se escuta a voz do profeta: o homem não pode dispor de Deus a seu bel-prazer; compare-se com Os 6,1s.
2,16 A assembleia incluirá pessoas que geralmente eram excluídas ou dispensadas.
2,17 A súplica introduz um elemento que até agora não tinha aparecido: a ameaça estrangeira. Se o livro é pós-exílico, Judá seria parte de uma província do império persa, com liberdade religiosa e certa autonomia civil. Temem os orantes perder essa autonomia limitada? Os desastres agrícolas obrigavam muitas vezes as pessoas a sobrecarregar-se de dívidas até perder a liberdade; recorde-se a política de José como primeiro ministro do Egito (Gn 47) e Lv 25,39.

não a submetam os gentios,
 não se diga entre os povos:
 onde está o seu Deus?
¹⁸O Senhor tenha ciúmes por sua terra
 e perdoe o seu povo.

5. Oráculo de salvação (Dt 28,11-12)

¹⁹Então o Senhor respondeu a seu povo:
Eu vos enviarei o trigo,
 o vinho, o azeite à saciedade,
 já não farei de vós
 o opróbrio dos pagãos;
²⁰afastarei de vós o povo do norte,
 eu o dispersarei por terra árida e deserta:
a vanguarda para o mar do nascente,
 a retaguarda para o mar do poente;
seu fedor se espalhará,
 sua pestilência se estenderá,
 porque tentou fazer proezas.
²¹Não temas, solo; alegra-te, faz festa,
 porque o Senhor fez proezas;
²²não temais, feras selvagens,
 pois os prados da estepe germinarão,
 as árvores darão seus frutos,
 a videira e a figueira darão sua riqueza.
²³Filhos de Sião, alegrai-vos,
 e festejai o Senhor vosso Deus,
 que vos dá a chuva temporã em sua estação,
 a chuva tardia como outrora,
 e derrama para vós o aguaceiro.
²⁴As eiras se encherão de grão,
 os lagares transbordarão de vinho e azeite;
²⁵eu vos compensarei os anos
 que foram devorados pelo gafanhoto,
 pelo saltão, pelo saltador e pelo gafanhotão,
 meu grande exército que enviei contra vós.
²⁶Comereis até fartar-vos
 e louvareis o Senhor vosso Deus,
 que fez prodígios por vós;

2,18 Se o povo voltou, foi respondendo à iniciativa de seu Deus. Alguns transferem este versículo à seção seguinte, lendo um perfeito narrativo.

2,19-27 A resposta do Senhor recolhe múltiplos elementos do que precede. Concretamente, há repetições verbais ou temáticas nos versículos 19.20.21.22.23.25.26. As promessas têm conteúdo material, agrário, como que refreando a fantasia e voltando ao ponto de partida. Mas, em tudo isso o povo deve sentir a presença e ação do Senhor.

2,20 É o exército de insetos descrito antes. Leva um nome tradicional na história (Jr 4,6; 6,1 etc.), que passa para a escatologia (Ez 38,6.15; 39,2). Os dois mares são o mar Morto e o Mediterrâneo.

2,21-22 Respondendo à experiência humana de antes e à participação no mundo dela, o Senhor interpela a terra cultivada e os animais.

2,23 "Filhos de Sião": ou designa os habitantes da capital, ou os judeus filhos da matrona Jerusalém. A chuva, em três denominações, curará as feridas do gafanhoto e da seca, devolvendo fertilidade aos campos. Juntando a expressão "chuva na sua estação" com a de Os 10,12, alguns leram "o Mestre da justiça", e fizeram dele um personagem esperado da era futura.

2,25 Para o princípio de compensação, ver Sl 90,15.

2,26 O louvor pelo alimento: ver Is 62,9; Rm 14,6; 1Cor 10,30.

⁲⁷sabereis que eu estou no meio de Israel,
e meu povo não ficará defraudado.
Eu sou o Senhor vosso Deus, e não há outro,
e meu povo não ficará frustrado.

Escatologia: o dia do Senhor
(Is 24-27; 34-35; Ez 38-39; Zc 14; At 2)

1. O dom do espírito

3 ¹Depois, derramarei meu espírito sobre todos:
vossos filhos e filhas profetizarão,
vossos anciãos terão sonhos,
vossos jovens verão visões.
²Também sobre servos e servas
derramarei naquele dia o meu espírito.
³Farei prodígios no céu e na terra:
sangue, fogo, colunas de fumaça;
⁴o sol aparecerá escuro, a lua ensanguentada,
antes de chegar o dia do Senhor,
grande e terrível.
⁵Todos os que invocarem
o nome do Senhor se livrarão:
no monte Sião ficará um resto
– disse-o o Senhor –,
em Jerusalém os sobreviventes
que ele convocar.

Julgamento das nações
(Mt 25,31-46)

4 ¹Atenção! Naqueles dias,
naquele momento,
quando eu mudar a sorte de Judá e de Jerusalém,
²reunirei todas as nações
e as farei descer ao vale de Josafá:
aí as julgarei por seus delitos
contra meu povo e herança;
porque dispersaram Israel pelas nações,

2,27 Fórmula de aliança, enriquecida com a pregação do Segundo Isaías (Is 45,5.6.18.21; 46,9). Pronunciando sinceramente esta profecia de fé, o povo não ficará frustrado.

3-4 As anotações escatológicas dispersas nos capítulos precedentes se integram numa escatologia que inclui os elementos típicos: dia do Senhor, acompanhamento cósmico de teofania, julgamento solene das nações, libertação do povo, instauração da ordem nova e definitiva.

3,1-2 Estes versículos devem ser lidos sobre o pano de fundo de Nm 11, sobretudo da resposta de Moisés aos ciúmes mesquinhos de Josué: "Oxalá todo o povo do Senhor fosse profeta e recebesse o espírito do Senhor!" (v. 29); também levando em conta Dt 18,15. O profeta anuncia como futuro o cumprimento do desejo de Moisés, anulando explicitamente qualquer discriminação de idade, classe social, gênero. E com a expressão literal "toda carne", abre sem limites a sua profecia. Por isso será recolhida por At 2.
Aqui se anuncia a restauração do povo pelo espírito, e em 4,18s a restauração da terra pela água: os dois elementos como em Ez 37 e 47.

3,3-4 Os portentos da teofania conjuram uma visão temerosa. É como passar a sangue e fogo a paisagem, de modo que o sangue salpique a lua e a fumaça escureça o sol.

3,5 Restam uma cidade de asilo (cf. Is 37, 36) e um nome que salva quando for invocado, porque invocá-lo equivale a uma profissão de fé. Ver At 4,10-12; Rm 10,10.

4,1-3 Julgamento das nações. É pouco diferenciado: pode-se tomar como julgamento do pleito de judeus com pagãos, ou como julgamento penal de delinquentes, ou como pleito entre o Senhor, enquanto parte

repartiram minha terra, ³sortearam meu povo,
     trocavam um jovem por uma prostituta,
     vendiam uma prostituta por uns tragos de vinho.
⁴Também vós, Tiro, Sidônia
     e região filisteia,
     o que quereis de mim?
     Quereis vingar-vos de mim?
     Quereis que eu vos pague?
          Pois logo vos darei o que mereceis:
⁵porque roubastes meu ouro e minha prata,
     levastes para vossos templos
     meus objetos preciosos;
⁶vendestes aos gregos
     os filhos de Judá e Jerusalém
     para afastá-los do seu território.
⁷Pois eu os tirarei do país para onde os vendestes,
     farei recair sobre vós o pagamento:
⁸venderei vossos filhos e filhas aos judeus,
     e eles os venderão
     ao povo remoto dos sabeus
     – assim disse o Senhor.

2. *Julgamento militar* (Is 13)

⁹Anunciai às nações,
     declarai a guerra santa, alistai soldados,
     venham todos os combatentes;
¹⁰dos arados forjai espadas;
     das podadeiras, lanças;
     diga o covarde: Sou um soldado!
¹¹Vinde, povos todos vizinhos, reuni-vos aí:
     o Senhor conduzirá seus guerreiros.

---

ofendida, e os pagãos, já que se trata do seu povo e sua herança. Destina-se à "mudança de sorte" de Judá. Os julgamentos costumavam ser celebrados na porta da cidade; mas não há porta nem praça que possa conter essa multidão de processados; por isso, o autor inventa um vale que leva o nome ominoso de Josafá = O Senhor julga. Como se dissesse: no vale do tribunal, da audiência do Senhor, que é audiência suprema e sem apelação.

Comparadas com outras (p. ex. Am 1-2), as acusações são surpreendentemente modestas: deportações, expropriações, abusos sexuais. A gravidade está em que o destino é decidido pelo modo como trataram aos pobres judeus.

4,4-8 Um glosador acrescentou um julgamento e condenação dos habitantes do litoral, fenícios e filisteus (serão nomes dissimulados dos Selêucidas?). O seu delito é o comércio de escravos judeus (cf. 2Rs 5,2; 1Mc 3,41), capturados talvez em escaramuças ou em batalhas, e vendidos vantajosamente a comerciantes gregos. O estilo de perguntas pode sugerir que tentam justificar sua conduta com vingança de vexames sofridos; a rigor, não os moveu o afã de justiça, mas sim a cobiça. O castigo aplica rigorosamente a lei do talião, mas nada tem de escatológico.

Claro na formulação e pobre na linguagem, com certa paixão e sem fantasia, o fragmento não soube contagiar-se do contexto. Fica como testemunho de uma leitura histórica que se prendeu ao nacionalismo de Joel, exacerbando-o.

4,9-17 O recrutamento militar precede o julgamento e a execução da sentença. O seu desenvolvimento em cena, com vozes diretas e mudanças de pessoa, dificulta a identificação dos personagens. À luz de textos como Ez 38 e seu antecedente, Is 14,25, leio o fragmento em chave irônica (cf. Sl 2,2.4 e 37,13). O Senhor despacha seus mensageiros para que recrutem nações para uma guerra santa, com o chamariz de grandes vitórias. As nações respondem com ambição e cobiça e são atraídas ao vale trágico, onde se decidirá a sua sorte numa batalha ou julgamento. Grandes multidões acorrem, quando então o Senhor ordena a seus servos que executem a sentença: nova ironia final.

4,9 Sobre a guerra santa: Is 13,3; Jr 6,4; 22,7; 51,27s.

4,10 Invertendo os termos de Is 2,4 e Mq 4,3, a guerra suspende as atividades agrícolas.

4,11 A última frase é duvidosa. Outra interpretação em paralelismo com 10b: "o pacífico se transforma em soldado".

¹²Alerta, venham as nações
 ao vale de Josafá,
 pois aí me sentarei para julgar
 os povos vizinhos.
¹³Mãos à foice, a messe está madura:
 vinde e pisai, o lagar está repleto.
Transbordam as cubas, porque é abundante sua maldade;
 ¹⁴turbas e mais turbas
no vale da Decisão;
porque chega o dia do Senhor
 no vale da Decisão.
¹⁵Sol e lua escurecem,
 os astros recolhem seu brilho.
¹⁶O Senhor rugirá de Sião,
 levantará a voz em Jerusalém,
 e céu e terra tremerão;
o Senhor será refúgio do seu povo,
 fortaleza dos israelitas.
 ¹⁷E sabereis que eu sou
 o Senhor vosso Deus,
que habito em Sião, meu monte santo;
 Jerusalém será santa,
 e os estrangeiros não a atravessarão.

3. Restauração

¹⁸Naquele dia os montes manarão licor,
 as colinas se desfarão em leite,
os vales de Judá estarão cheios d'água;
 brotará no templo do Senhor um manancial
 que engrossará a Torrente das Acácias.
¹⁹O Egito se tornará um deserto,
 Edom, estepe desolada,
 porque violentaram os judeus
 e derramaram sangue inocente em seu país.
²⁰Judá será sempre habitada,
 Jerusalém sem interrupção.
 ²¹Vingarei seu sangue, não ficarão impunes,
 e o Senhor habitará em Sião.

4,12 O julgamento de algum modo precedeu e não se desenvolve aqui.

4,13 Execução da sentença. Num salto da fantasia, o vale repleto de homens se transforma num vale coberto de lavouras maduras para a ceifa. Guerreiros como espigas cheias que uma foice gigantesca abate. Ou se transforma em gigantesca tina de lagar, repleta de uvas, pisadas por pés que lhes tiram o sangue (Is 63,1-6).

4,14 É o vale da Decisão ou sentença: Is 10,22s; 28,22.

4,15-16a A menção do "dia do Senhor" conduz à visão de uma teofania dominada pelas trevas estelares, no meio das quais ressoa como rugido o trovão ou "voz do Senhor".

4,16b A voz que espanta o universo pode ser reconhecida como chamado que atrai ao refúgio.

4,17 A confissão plena inclui o nome Yhwh, o título "vosso Deus", e sua morada "Sião". Sendo Jerusalém cidade santa, pela presença do Senhor, não podem entrar nela estrangeiros ou profanos. A tradução "estrangeiro", de zar, é de cunho nacionalista; a tradução "profano" abre a porta para os que se consagram (cf. Is 56).

4,18 Recolhendo o tema de Ez 47, anuncia a transformação da natureza como sinal da nova era. O tradicional "leite e mel" será então leite e licor (Am 9,13). Uma fonte maravilhosa no templo suprirá a chuva e os mananciais (Dt 11,11 e 8,7).

4,19 O castigo aos dois inimigos serve de contraste. Por que selecionou esses dois? Talvez por alguma razão histórica que desconhecemos. Ou então, o Egito pelo seu papel histórico, e Edom por sua assonância com sangue. Gn 4,12; Jl 3,17.

4,20-21 Na conclusão, figura Judá (não Israel) com a sua capital, Jerusalém. O dia do Senhor inaugurou uma era perpétua, e o segredo é que ele habita em Sião.

AMÓS

INTRODUÇÃO

Pessoa e época

O profeta Amós nasceu em Técua, pequena cidade a quase vinte km de Jerusalém; portanto, era natural do reino de Judá, mas sua atividade profética se desenvolveu no reino de Israel. Era vaqueiro ou sitiante de profissão (outros pensam que fosse pastor e assalariado), posição econômica estável que lhe permitiria adquirir boa cultura e aprender a arte literária. O chamado de Deus o arrancou dessa situação tranquila (7,10-14): não foi profeta de nascença (como Jeremias) nem pertenceu a uma comunidade profética (como Eliseu). Não é estranho que as sensações e experiências da sua vida anterior o acompanhassem na nova atividade. Alguns autores situam seu nascimento por volta de 750.

Amós se encontrou assim forçado a pregar em território estranho sob o reinado de Jeroboão II (782-753). Foi uma época de paz e prosperidade material, depois de Jeroboão submeter Moab e de alargar as fronteiras do reino. Mas, se temos de tomar como descrição geral os dados de Oseias e de Amós, essa sociedade estava doente de injustiça social, de sincretismo religioso e idolatria, de confiança nos recursos humanos. Não sabemos se as denúncias do profeta apontam para casos particulares ou abrangem a sociedade inteira.

Além de denunciar vigorosamente as injustiças sociais, o luxo, o culto falso, a satisfação ilusória, Amós prediz a catástrofe iminente. Estranha predição num momento em que Damasco, o inimigo próximo, está sem forças para se refazer, e a Assíria, o inimigo remoto e terrível, não pode pensar em campanhas ocidentais. Contudo, Amós sabe que Israel está "maduro" para a catástrofe (8,1s), porque não quer corrigir-se com os castigos previstos. Por causa desse anúncio, Amós chega a um choque com o rei (7,10-17). No ano 753 morre Jeroboão II, em 745 sobe ao trono Teglat-Falasar III (745-727), que será o começo do fim para Israel. Contudo, Amós encerra a sua profecia com um oráculo de esperança.

A mensagem

A mensagem do livro de Amós é um conjunto claro e orgânico, mas não o é tanto em sua disposição. O Senhor é o leão que ruge antes de atacar a presa, e o profeta é a voz do seu rugido (3,4.8), que denuncia delitos e convida à conversão; se esta não chegar, o leão atacará (3,12; 5,19). O inimigo externo atacará Israel numa sequência de devastação, ruína, morte e deportação.

O julgamento de Deus começará pelos povos vizinhos (1,3-2,3), passará a Judá (2,4s) e culminará em Israel (2,6-16). A injustiça vicia o culto legítimo, a idolatria o corrompe. A elite e o povo pensam que podem continuar com suas injustiças e evitar suas consequências, seja com práticas cultuais (5,21-23), seja com as riquezas e as fortificações (6,1), seja sobretudo com um suposto "dia do Senhor", em que o Senhor será propício a seu povo. Esse dia chegará, mas será funesto (7,17); o Senhor passará, mas castigando (5,16s); a escolha redobrará a responsabilidade (3,2), e o encontro com Deus será terrível (4,12).

Amós ataca o luxo dos ricos pelo que tem de inconsciência e falta de solidariedade (6,4-6); além disso, porque muitas riquezas foram adquiridas explorando os pobres (4,1; 5,11). Ataca as devotas e frequentes peregrinações que não incidem na vida.

Denuncia a ilusão do povo que se sente seguro porque escolhido por Deus e tirado do Egito.

Dado que o povo não se corrigiu com uma série de castigos (4,6-11), chegará a um julgamento definitivo, de fome e sede, luto e aflição (8,9-14); mas, depois de castigados os pecadores (9,8.10), chegará a restauração (9,11-15). Assim termina em tom de esperança um livro cheio de vibrantes denúncias.

O material do livro se divide de maneira ordenada, assinalada por começos anafóricos: 1-2 oráculos contra as nações; 3-6; 8,4-14; 9,7-10 oráculos contra Israel; 4,13; 5,8; 9,5s fragmentos de um hino; 7,1-8,2; 9,1-4 cinco visões; 9,11-15 oráculos de salvação.

1 ¹Palavras de Amós, um dos vaqueiros de Técua. Visão a respeito de Israel, durante os reinados de Ozias em Judá e de Jeroboão, filho de Joás, em Israel.

Dois anos antes do terremoto, ²ele disse:
O Senhor ruge em Sião,
>levanta a voz em Jerusalém,
>e murcham as pastagens
>dos pastores,
>seca-se o cimo do Carmelo.

Delito e castigo de oito nações

³Assim diz o Senhor: Por três delitos
>e pelo quarto, não perdoarei Damasco;
porque debulhou Galaad com trilhadeira de ferro,
>⁴enviarei fogo à casa de Hazael,
>e devorará os palácios de Ben-Adad.
⁵Quebrarei os ferrolhos de Damasco
>e aniquilarei os chefes de Biceat-Áven
>e aquele que carrega o cetro em Bet-Éden,
e o povo sírio irá desterrado para Quir,
>– disse o Senhor.
⁶Assim diz o Senhor: Por três delitos
>e pelo quarto, não perdoarei Gaza:
porque fizeram prisioneiros em massa
>e os venderam a Edom,
>⁷enviarei fogo às muralhas de Gaza,
>e devorará seus palácios;
⁸aniquilarei os habitantes de Azoto,
>aquele que carrega o cetro em Ascalon;
>estenderei a mão contra Acaron
>e perecerá o resto dos filisteus
>– disse o Senhor.

1,1 O compilador chama o livro inteiro de "visão". Mostra interesse pela sincronia dos dois reinos, citando Ozias (767-739).

1,2 Embora Amós pregue em Israel, a origem da sua profecia está em Sião, morada do Senhor. É como um rugido poderoso que atravessa as fronteiras, como um mormaço vai secando as pastagens, até alcançar o topo arborizado do Carmelo. Antes que os homens o escutem, a natureza o escutou e reconheceu.

1,3-2,16 Mais do que os oito oráculos individuais, interessam a construção dinâmica, o critério do julgamento e a pena. Sucedem-se seis oráculos muito semelhantes quanto à forma e dirigidos a seis nações ao redor de Israel. Quando o público está acostumado, servem-lhe um sétimo oráculo contra Judá, os irmãos do sul, ainda invejados. É o sétimo... será o último. E o autor do livro acrescenta o oitavo, inesperado, contra Israel. É tão amplo, que o anterior soa quase como prelúdio; a força construtiva, simetria e regularidade cedem lugar à força expressiva, amplitude e tragicidade.
A forma numérica, n + 1, é típica da literatura sapiencial: Pr 30,15s.18s.23.29-31; Eclo 25,7-9; 26,5.28. É curioso que dos quatro anunciados se mencione um só delito, o que faz exceder a medida e perder a paciência. Amós não usa os nomes dos povos para agourentas paronomásias.
Os delitos são significativos porque não vão contra o povo do Senhor, mas contra os "direitos humanos". O Senhor se preocupa com a justiça nas relações internacionais, para além das fronteiras do seu povo. Não denuncia a idolatria dos pagãos nem outras práticas que em Israel seriam inadmissíveis. Os grandes impérios, Egito e Assíria, ficam fora do horizonte de Amós, ao contrário de Oseias.

1,3-5 O delito, se não é metáfora, consistiu em estragar as terras de cultivo de Galaad (ver no entanto o uso metafórico de "trilhar" em Is 21,10; Mq 4,13; Hab 3,12). O fogo enviado pelo Senhor é o raio, ou então o que o inimigo aplica como instrumento de Deus. O portão é controle da vida urbana e defende a cidade. Quebrados seus ferrolhos, o inimigo pode penetrar. *Awen* pode significar riqueza e vaidade. *Éden*, delícia ou luxo. Se Quir for considerado o país nativo dos sírios (cf. 9,7), esse desterro é uma volta às origens humildes e pobres.

1,6-8 Da Pentápole filisteia falta Gat, que no tempo de Amós já não era filisteia. O delito é o comércio de escravos, capturados provavelmente em expedições militares. Os filisteus continuaram vivendo e atuando muito tempo depois.

⁹Assim diz o Senhor: Por três delitos
e pelo quarto, não perdoarei Tiro:
porque vendeu inumeráveis prisioneiros a Edom
e não respeitou a aliança fraterna,
¹⁰enviarei fogo às muralhas de Tiro,
e devorará seus palácios.
¹¹Assim diz o Senhor: Por três delitos
e pelo quarto, não perdoarei Edom:
porque perseguiu com a espada seu irmão,
afogando a compaixão;
sempre ardia sua ira,
sempre conservou sua cólera;
¹²enviarei fogo a Temã,
e devorará os palácios de Bosra.
¹³Assim diz o Senhor: Por três delitos
e pelo quarto, não perdoarei Amon:
porque abriram as entranhas
das grávidas de Galaad,
para alargar seu território;
¹⁴atearei fogo na muralha de Rabá,
e devorará seus palácios,
entre os alaridos da batalha
e o torvelinho da tormenta;
¹⁵seu rei partirá para o desterro
junto com seus príncipes
– disse o Senhor.

2 ¹Assim diz o Senhor: Por três delitos
e pelo quarto, não perdoarei Moab:
porque consumiu com cal
os ossos do rei de Edom,
²enviarei fogo a Moab,
e devorará os palácios de Cariot;
Moab morrerá no tumulto bélico,
entre alaridos e toques de trombeta;
³excluirei dela o governante
e matarei com ele os príncipes
– disse o Senhor.
⁴Assim diz o Senhor: Por três delitos
e pelo quarto, não perdoarei Judá:
porque rejeitaram a lei do Senhor

1,9-10 A fraternidade surge precisamente de um pacto (cf. 1Rs 9,13). A acusação implica que os fenícios traem por dinheiro, aplicam seu talento comercial a uma mercadoria humana que tinha direito à liberdade e ao tratamento fraterno (mercadoria não mencionada na lista de Ez 27,12-24).

1,11-12 Edom, descendente de Esaú, considera-se irmão de Israel, descendente de Jacó. Se um ímpeto de ira pode ser escusado, conservar e cultivar o rancor, acima de toda compaixão fraterna, não tem perdão. Temã e Bosra representam toda a nação.

1,13-15 O delito de Amon é particularmente grave (ver 2Rs 8,12; 15,16; Os 14,1), pela crueldade com que destroem a descendência em sua fonte vital. Vidas indefesas por áreas de terra. A intervenção do Senhor será ostensiva: no meio de "alaridos da batalha" se apresentará com a tempestade da teofania, lançando o fogo de seu raio justiceiro.

2,1-3 O delito de Moab contra seu vizinho meridional viola o respeito devido aos mortos. É pior do que negar sepultura ou lançar à vala comum, é a destruição humilhante dos últimos restos. Também o castigo de Moab será ostensivo.

2,4-5 Os delitos de Judá são de outra ordem e estão formulados numa linguagem diferente. Relacionam-se com a aliança e suas cláusulas de modo genérico. As "mentiras" são aqui os ídolos. Também o castigo é genérico.

e não observaram seus mandamentos;
suas mentiras os extraviaram,
 aquelas que seus pais veneravam;
⁵enviarei fogo a Judá,
e devorará os palácios de Jerusalém.
⁶Assim diz o Senhor: Por três delitos
e pelo quarto, não perdoarei Israel:
porque vendem o inocente por dinheiro
e o pobre por um par de sandálias;
⁷esmagam no pó o desvalido
e torcem o processo do indigente.
Pai e filho vão juntos a uma mulher,
 profanando meu santo nome;
⁸deitam-se sobre roupas deixadas como penhor,
 junto a qualquer altar;
 bebem vinho de multas
 no templo do seu Deus.
⁹Eu destruí os amorreus quando eles chegaram:
 eram altos como cedros,
 fortes como carvalhos;
 destruí por cima o fruto, por baixo a raiz.
¹⁰Eu vos tirei do Egito,
 vos conduzi quarenta anos pelo deserto,
 para que conquistásseis o país amorreu.
¹¹Nomeei filhos vossos profetas,
 vossos jovens, nazireus:
 não é certo, israelitas? – oráculo do Senhor.
¹²Mas vós embebedáveis os nazireus
e proibíeis os profetas de profetizar.
¹³Pois vede, eu vos esmagarei no chão,
 como carroça carregada de feixes:

2,6-16 O oráculo final contra Israel perde seu caráter de sentença motivada e se alarga em forma de discurso de acusação pronunciado pela parte ofendida. O Senhor não figura aqui como juiz da história que, do alto da sua instância suprema, julga relações e delitos internacionais. O Senhor é aqui a parte ofendida que se queixa contra o ofensor, prova a sua inocência e a culpa do outro, exerce seu direito à justiça vindicativa. O fundamento da queixa é o compromisso mútuo da aliança; os benefícios concedidos são uma agravante; os pecados são principalmente de injustiça social.
A ordem da composição é irregular: delitos, benefícios, delito, castigo, 7-8.9-11.12.13-16; a antítese governa o desenvolvimento. Primeiro, Deus prepara a terra; depois, tira o povo do Egito (não menciona a aliança), a seguir chega a atuação na terra. A presença dos nazireus como testemunhas de Deus, e a dos profetas como porta-vozes do Senhor, introduz a agravante da teimosia: os israelitas não poderão alegar ignorância nem esquecimento.
2,6b-7a O primeiro adjetivo qualifica os outros três: são vítimas "inocentes". Não são delinquentes nem devedores, ou suas dívidas são minúsculas.
2,7b-8 Três delitos relacionados com o culto ou a santidade. Sobre o primeiro nos falta informação legal: chama a mulher de "moça", não prostituta estrangeira ou de profissão (*nokriya, zoná*) e menos ainda prostituta sagrada. O delito não é a simples fornicação, mas que pai e filho tenham relações com a mesma mulher. A desonra da moça (israelita) redunda em desonra do nome santo, profana-o.
O segundo delito se relaciona com a lei de Ex 22,25; Dt 24,12s.17, promulgada para defender direitos elementares dos necessitados. A última cláusula – se não for acréscimo – constitui uma agravante.
O terceiro pode aludir a Ex 21,22 e Dt 22,19: as multas eram pagas ao templo ou ao prejudicado como compensação. O delito consiste em abusar do cargo ou em exigi-las para vícios.
2,9 A injustiça ressalta sobre o dom gratuito da terra. Deus com soberano (não se coloca um problema de teodiceia) teve de desimpedir o terreno onde os amorreus estavam arraigados e florescentes.
2,10 Estiliza a libertação em três tempos: saída do Egito – caminho pelo deserto – conquista da terra. Is 30,10; Am 7,12s.
2,11-12 Sobre os nazireus, ver Nm 6. Bebendo vinho, violam um voto. A corrente de profetas remonta a Débora e Samuel: impedem a eles de falar, como ao próprio Amós (cap. 7).
2,12 Is 30,10.
2,13 A comparação é evasiva: esmagar, com uma carroça pacífica sob o peso de ótima colheita, é

¹⁴o mais veloz não conseguirá fugir,
  o mais forte não terá forças,
  o soldado não salvará a vida;
¹⁵o arqueiro não resistirá,
  o mais ágil não se salvará,
  o cavaleiro não salvará a vida;
¹⁶o mais valente entre os soldados
  fugirá nu naquele dia – oráculo do Senhor.

Eu vos pedirei contas

3 ¹Escutai, israelitas,
  esta palavra que vos diz o Senhor,
  a todas as tribos que tirei do Egito:
²Só a vós escolhi
  entre todas as tribos da terra,
  por isso vos pedirei contas
  de todos os vossos pecados.
³Caminham dois juntos sem ter combinado?
⁴Ruge o leão na floresta sem ter presa?
  Grita o filhote no esconderijo
  sem ter caçado?
⁵Cai o pássaro no chão se não há armadilha?
  Levanta-se a rede do chão sem ter pego alguma coisa?
⁶Soa a trombeta na cidade
  sem que os habitantes se alarmem?
  Acontece uma desgraça na cidade
  sem que o Senhor a envie?
⁷O Senhor não fará uma coisa
  sem revelar seu plano
  aos profetas, seus servos.
⁸Ruge o leão: quem não temerá?
  Fala o Senhor: quem não profetizará?
⁹Anunciai nos palácios de Azoto,
  dizei nos palácios do Egito:
  Reuni-vos junto aos montes da Samaria,

---

sarcasmo no castigo. Talvez insinue que a prosperidade injusta se voltará contra eles.

2,14-16 Da imagem pacífica passa para a visão militar. As duas qualidades apreciadas num soldado são a força para resistir e a agilidade para manobrar.

3,1-2 Quase na forma de aforismo, estes versículos enunciam um grande princípio: escolha é responsabilidade. Quase poderia ser considerado programa de quanto segue, ou seja, um pedido de contas aos escolhidos. Ver especialmente 4,12 e 9,7.

3,3-8 Por que Amós fala? Quais são suas credenciais? Responde uma autoapresentação do profeta com recursos sapienciais. Por ora vamos prescindir do versículo 7, que parece acréscimo explicativo. Lemos cinco versículos que começam com *ha* interrogativo e outros quatro que começam com *alef*. A regularidade da forma serve para debulhar uma série à primeira vista heterogênea. A conexão de dois membros as unifica como causa (ou condição) e efeito: X não acontece sem a causa Z, ou X não acontece sem o efeito Z. Os dois membros vão juntos porque estão de acordo, como diz o primeiro versículo.

No conteúdo, a série é impressionista: um rugido, sua resposta, uma ave que cai, uma armadilha que se desarma, um toque de corneta, pânico. O leão ruge perto... é o Senhor. O significado é enigmático. Os dois que caminham juntos, de acordo, têm de ser Amós e o Senhor.

O profeta embocará a trombeta e dará o toque de alarme, não pode negar-se (7,16s); ainda há tempo para salvar-se, porque o Senhor controla os acontecimentos; só será armadilha para os incautos que não se protegem devidamente.

3,7 Mão posterior acrescenta esta explicação em prosa, elevando a princípio geral o que Amós apenas indicava como fato. O profeta como confidente universal de Deus é reflexão tardia e generalizadora.

3,9 Começa uma série marcada pelos imperativos "escutai" 3,1.13; 4,1; 5,1, e "anunciai" 3,9. Convém reunir os três primeiros, dirigidos contra a elite, da

contemplai a desordem no meio dela,
    as opressões em seu recinto.
¹⁰Não sabiam agir retamente
    – oráculo do Senhor –,
entesouravam violências
e crimes em seus palácios.
¹¹Por isso assim diz o Senhor:
    O inimigo assedia o país,
    derruba tua fortaleza, saqueia teus palácios.
¹²Assim diz o Senhor:
    Assim como o pastor salva das fauces do leão
      um par de patas ou um lóbulo de orelha,
  assim se salvarão os israelitas, habitantes da Samaria,
    com a borda de uma esteira
    e um cobertor de Damasco.
¹³Escutai e dai testemunho
    contra a casa de Jacó
    – oráculo do Senhor, Deus dos exércitos.
¹⁴Quando eu pedir a Israel contas de seus delitos,
    pedirei contas dos altares de Betel:
as saliências do altar
serão arrancadas e cairão no chão;
¹⁵derrubarei a casa de inverno e a casa de verão,
as magníficas arcas* se perderão,
se desfarão os ricos palácios
    – oráculo do Senhor.

4 ¹Escutai esta palavra, vacas de Basã,
    no monte da Samaria:
Oprimis os indigentes, maltratais os pobres,
    pedis aos vossos maridos: "Traze de beber".
²O Senhor jura por sua santidade:
    Chegará a hora
    em que vos agarrarão com arpões,
    e a vossos filhos, com ganchos;

---

qual se denuncia ou implica um delito e se ameaça a pena correspondente, segundo o seguinte esquema:
3,9-11 espectadores... injustiça, palácios... ruína e saque
3,13-15 testemunhas... altares, casas, luxo... ruína
4,1-3 opressão, luxo... desterro.
A eles se poderia acrescentar, como arremate, a breve lamentação de 5,1-3.
3,9-12 Primeiro oráculo: contra poderosos injustos, gente que habita em palácios, que se enriqueceu explorando os demais. O profeta desmascara as riquezas que acumularam: "entesouravam violências e crimes". Ironicamente convida estrangeiros a contemplar o espetáculo que os ricos montaram e que o profeta vai mostrar. Têm som parecido em hebraico Egito e entesourar, Azoto e crime. O castigo é correspondente: cerco e saque.
Conforme a lei de Ex 22,9-12, o homem a quem foi confiado um animal não será castigado se apresentar prova de que uma fera despedaçou o animal (Gn 31,39). Ironicamente, os israelitas são como animal ou rebanho que o inimigo vai despedaçar; quem escapar com vida dará testemunho da catástrofe. É um nada aquilo que salvarão de suas riquezas acumuladas.
3,13-15 Mistura-se o luxo com a devoção, as casas de campo e marfins (6,4) com os altares. Estes serviram aos ricos para dar graças e pedir graças; em momentos de perigo oferecem asilo diante do inimigo (Ex 21,13s; 1Rs 1,50; 2,28). Tudo falhará porque, no dia de prestar contas, serão eles os primeiros acusados.
* "Arcas" ou casas decoradas com marfins.
4,1-3 As "vacas" são as mulheres dos ricos. É título de zombaria? Touro é título honorífico de chefes (cf. Ex 15,15; Is 34,7), vaca também poderia sê-lo; ou então, o profeta joga ironicamente com o duplo sentido. Essas mulheres representam o escândalo de juntar a boa-vida com a exploração dos pobres (Ez 16,49). Quando o exército inimigo abrir múltiplas brechas na muralha, aquelas vacas disporão cada uma de sua brecha para ser tirada com ganchos e arpões. Atiradas "ao esterco" ou "conduzidas ao Hermon".

³sairá cada uma pela brecha que tiver à frente,
e vos atirarão no esterco
– oráculo do Senhor.
⁴Ide a Betel pecar,
em Guilgal multiplicai os pecados;
oferecei pela manhã vossos sacrifícios
e em três dias vossos dízimos;
⁵oferecei ázimos, pronunciai a ação de graças,
anunciai dons voluntários,
pois é disso que gostais, israelitas
– oráculo do Senhor.

Lições inúteis
(Lv 26,14-33; Is 1,1-9)

⁶Embora vos tenha dado em vossos povoados
dentes que não foram usados,
carestia de pão em todos os vossos lugares,
não vos convertestes a mim – oráculo do Senhor.
⁷Embora eu tenha retido para vós a chuva
três meses antes da ceifa,
fiz chover num povoado e não em outro,
num campo choveu, outro sem chuva secou;
⁸de dois ou três povoados iam a outro
para beber água, e não se fartavam,
não vos convertestes a mim – oráculo do Senhor.
⁹Eu vos feri com aridez e praga,
sequei vossos pomares e vinhedos,
vossas figueiras e olivais
o gafanhoto devorou,
mas não vos convertestes a mim
– oráculo do Senhor.
¹⁰Eu vos enviei a peste egípcia,
matei pela espada vossos jovens
com o melhor de vossa cavalaria,
fiz subir ao vosso nariz
o fedor de vosso acampamento;

4,4-5 Olhando para trás, estes versículos encerram o trio precedente, compondo a imagem dos ricos opressores e devotos. Olhando para a frente, para 5,1-3, encerram em inclusão a série de advertências, 4,6-13. Começa como convite de salmos: 43,4; 66,13; 100,2.4 etc; mas é convite sarcástico. Se os santuários abençoam a sua injustiça ou se alimentam dela (Eclo 34,18-22), são santuários sem força para denunciar. Os ricos exploradores podem ser muito "generosos" com seus santuários, com os dízimos habituais. Em hebraico, dízimo soa parecido com riqueza, e ázimo parecido com crime.

4,6-13 Temos aqui uma série de cinco pragas ou advertências marcadas por um estribilho. O eixo da série é o valor salutar do castigo, que denuncia culpas e convida para a conversão e para a correlativa resistência que se transforma em teimosia. Se o Senhor um dia os trouxe a si (Ex 19,2), depois do afastamento eles têm de "voltar": a isso visam as advertências.

A série de pragas pode ser construída com dados da experiência, com dados da tradição ou utilizando listas preexistentes. Um camponês israelita podia pessoalmente conhecer várias delas ou ouvir seus antepassados falar disso. À tradição pertencem as pragas acontecidas no Egito. Concretamente, Lv 26 também mostra o escalonamento dos castigos, em forma condicional. A série de Amós soa como história, culminando numa catástrofe exemplar e desembocando numa confrontação nova, talvez num castigo iminente.

4,6 A expressão é única e terrível. Literalmente, "imunidade de dentes", como se mastigar fosse crime.

4,7-8 Mais que de uma seca total (1Rs 17; Jr 14), trata-se de uma seca caprichosa. Também alguns poços secaram por falta d'água.

4,9 Ver Dt 28,22; 1Rs 8,37.

4,10 A peste egípcia deve ser a descrita em Ex 9,3-7, que abate animais e homens. A espada representa a guerra.

mas não vos convertestes a mim
– oráculo do Senhor.
¹¹Eu vos enviei uma catástrofe tremenda,
como a de Sodoma e Gomorra,
e fostes como tição tirado do incêndio;
mas não vos convertestes a mim
– oráculo do Senhor.
¹²Por isso, vou te tratar assim, Israel,
e porque assim vou te tratar,
prepara-te para encarar teu Deus;
¹³ele formou as montanhas, criou o vento,
descobre os pensamentos do homem,
fez a aurora e o crepúsculo
e caminha sobre o dorso da terra:
chama-se Senhor, Deus dos exércitos.

Lamentação pela casa de Israel

5 ¹Escutai esta palavra
que entoo por vós:
uma lamentação pela casa de Israel.
²A donzela de Israel caiu para não se levantar,
está jogada no chão e ninguém a ergue.
³Pois assim diz o Senhor à casa de Israel:
A cidade de onde partiram mil
ficará com cem;
de onde partiram cem, ficará com dez.

Culto e justiça

⁴Assim diz o Senhor à casa de Israel:
Buscai-me e vivereis;
⁵não busqueis Betel, não deveis ir a Guilgal,
não vos dirijais a Bersabeia;
pois Guilgal irá cativa e Betel se tornará Bet-Áven.
⁶Buscai o Senhor e vivereis.
Se não, a casa de José penetrará como fogo,
e inextinguível devorará Betel.

4,11 A catástrofe de Sodoma e Gomorra é proverbial: Dt 29,22; Is 1,7; Jr 49,18. Original é fixar-se no tição tirado do fogo.

4,12 O anúncio contém dois termos: "assim, isso". A que se referem? Dão-se três respostas possíveis. a) Um fato histórico não mencionado, que desconhecemos. b) A lamentação que se segue imediatamente, 5,1-3, como se a desgraça já tivesse acontecido. Mas esse texto não explica o enfrentamento. c) Saltando-se a lamentação, o convite de 5, 4-6, que em sua forma negativa e positiva coloca diante do povo a escolha de vida ou morte.

4,13 Colocado aqui, o fragmento de hino descreve com quem Israel vai encontrar-se: não com um dos tantos ídolos, mas com o Criador do universo. "Dorso": talvez contenha também uma alusão às alturas ou lugares altos do culto a Baal.

5,1-3 O profeta entoa antecipadamente a lamentação fúnebre pela capital. Uma capital pode ser imaginada como moça formosa e como matrona. O versículo 2 toma a primeira imagem, e o versículo 3, a segunda. Ninguém levanta a moça caída, a matrona fecunda fica quase sem filhos. Os números (Dt 28,62) insinuam que fica um resto; o verbo "sair", partir, sugere um desterro.

5,4-6 Em 4b-6a, temos notável exemplo de disposição concêntrica ou em espelho, conforme o esquema AB-CDCBA. A isso se acrescentam as paronomásias com os nomes: Guilgal e desterro, Betel e o depreciativo com Áven. Como no caso de Elias (1Rs 18), é hora de escolher: os santuários ou o Senhor – que não se encontra nos santuários –; e é uma escolha de vida ou morte, como a de Dt 30,15.19. Esse convite parece negar ou ao menos condicionar a lamentação precedente. Duas coisas chamam a atenção. Primeira, a menção de um santuário no extremo sul de Judá; segunda, a presença incendiária da "casa de José", que coincide praticamente com a casa de Israel; por isso alguns tomam *Yhwh* como sujeito, e a casa de José como complemento.

Primeiro ai: justiça nos tribunais
(Is 5,1-25)

⁷Ai dos que convertem a justiça em veneno
 e arrastam pelo chão o direito,
¹⁰odeiam os fiscais do tribunal
 e detestam quem depõe com exatidão!
¹¹Pois, por ter oprimido o indigente,
 exigindo-lhe um tributo de trigo,
se construirdes casas de cantaria, nelas não habitareis;
 se plantardes vinhas seletas,
 não bebereis seu vinho.
¹²Conheço bem vossos muitos crimes
 e inumeráveis pecados:
 espremeis o inocente, aceitais subornos,
 atropelais os pobres no tribunal
¹³(por isso se cala então o prudente,
 porque é um momento perigoso).
¹⁴Buscai o bem, não o mal, e vivereis,
 e estará realmente convosco, como dizeis,
 o Senhor, Deus dos exércitos.
¹⁵Odiai o mal, amai o bem,
 instalai no tribunal a justiça:
 talvez o Senhor, Deus dos exércitos,
 tenha piedade do resto de José.
¹⁶Assim diz o Senhor, Deus dos exércitos:
Em todas as ruas há luto,
 em todas as ruas gritam: Ai, ai!
Os camponeses chamam para o lamento e o luto
 os experientes em lamentações;
¹⁷em todas as vinhas haverá luto,
 quando eu passar entre vós, diz o Senhor
⁸que criou as Plêiades e o Órion,
 converte as sombras em aurora,
 o dia em noite escura;
convoca as águas do mar

5,7-17 Quase todos os comentaristas restauram um ai no princípio, e muitos transferem o fragmento de hino, 8-9, para o final. Embora a forma seja irregular, com suas mudanças de pessoa gramatical e de gênero literário, o tema fica claro: a injustiça dos poderosos, especialmente nos tribunais.

5,7 Os sabores para os hebreus, como para nós, são modelos de discernimento (Is 5,20; 7,15s); também o exercício da justiça é um discernimento sem discriminação.

5,10 As funções no processo israelita não eram tão definidas como na tradição romana. Pode referir-se ao árbitro e à testemunha submetida à intimidação (cf. Sl 12,6).

5,11 O empréstimo com usura era proibido (Ex 22,24; Lv 25,37). Amós supõe que essas casas luxuosas são fruto de exploração (cf. Jr 22,13). Não desfrutar do próprio trabalho é uma das maldições clássicas (Dt 28,30s).

5,13 Parece comentário em prosa. A situação é tal, que é prudente calar-se. Mas o profeta não se calou (Mq 3,5-8).

5,14-15 Exortação. Bem e mal são especificados no terreno da justiça. Tal é a condição para que o Senhor esteja com eles. Mas, como já violaram tais normas, só resta a emenda eficaz e esperar a "compaixão" e perdão do Senhor. Mencionar o "resto" supõe alguma catástrofe já acontecida.

5,16-17 Não é necessário fazer uma leitura cronológica dos versículos. Na forma de lamentação presente, anuncia-se o castigo futuro. O luto, que soou primeiro na boca do profeta, se estenderá pelos rincões do campo e da cidade e exigirá uma mobilização de peritos. A nova passagem do Senhor será de castigo; compare-se com Ex 12,12.

5,8-9 Aceita a transposição, o Senhor passa com seus atributos de senhorio cósmico e histórico. Ele pode abolir ou anular as leis que estabeleceu, alterando

e as derrama sobre a terra;
  seu nome é o Senhor;
⁹lança a destruição contra a fortaleza,
  e a destruição atinge a praça-forte.

Segundo ai: culto e justiça
(Is 1,10-20; 58)

¹⁸Ai dos que anseiam pelo dia do Senhor!
  De que vos servirá o dia do Senhor,
  se é tenebroso e sem luz?
¹⁹Como quando alguém foge do leão
  e topa com o urso,
  ou se mete em casa, apoia a mão na parede,
  e a serpente o morde.
²⁰Não é tenebroso e sem luz o dia do Senhor,
  escuridão sem resplendor?
²¹Detesto e rejeito vossas festas,
  não me aplacam
  vossas reuniões litúrgicas;
²²por mais holocaustos e ofertas
  que me trouxerdes,
  não os aceitarei, nem olharei
  vossas vítimas gordas.
²³Tirai de minha presença
  o barulho dos cantos,
  não quero ouvir a música da cítara;
²⁴que o direito flua como a água,
  e a justiça como arroio perene.
²⁵Acaso no deserto,
  durante quarenta anos,
  me trazíeis ofertas e sacrifícios,
  casa de Israel?
²⁶Tereis de transportar Sacut e Caivã,
  imagens de vossos deuses astrais,
  que fabricastes para vós,
²⁷quando eu vos desterrar para além de Damasco,
  diz o Senhor, Deus dos exércitos.

---

a ordem natural. As fortalezas humanas não lhe resistirão.

5,18-20 Oráculo polêmico contra uma concepção otimista do dia do Senhor. Em princípio, poder-se-ia entender o dia como uma festa litúrgica de reconciliação (Lv 16) ou de festejo alegre. Nunca se chama tecnicamente "dia do Senhor" a uma festa, mas os versículos que se seguem, também polêmicos, falam de festas. Em termos militares, espera-se uma saída vitoriosa do Senhor; mas sua passagem será de castigo. Do dia se espera que traga luz (Sl 57), mas aquele dia do Senhor não será assim. Uma parábola minúscula ilustra essa fatalidade, que culmina no inimigo mais perigoso, a serpente.

5,21-24 Com bastante clareza, estes versículos colocam um problema capital e duradouro: a relação entre culto e justiça social. Tema atestado na literatura profética (Is 1,10-20; Jr 7), nos salmos (Sl 50), na literatura sapiencial (Pr 15,8; 21,3.27; Eclo 34,18-35,8).

Se o homem pratica o culto que ele inventou para garantir a si o favor de Deus, sem mudar de conduta, essa prática é farsa, é tentativa de suborno; Deus não a aceita. A injustiça vicia o culto.

Como a água de um rio perene fecunda continuamente a terra, assim a prática da justiça há de fecundar uma sociedade.

5,25 Efetivamente, o decálogo não contém preceitos cultuais. Muito diferente é a versão que nos dão Ex, Lv e Nm, que colocam na etapa do deserto a organização minuciosa do culto.

5,26-27 A referência a divindades astrais assírias pode ser justificada já no tempo de Amós; embora seja mais bem compreendida depois da conquista de Samaria. Por outro lado, um delito tão claro de idolatria não corresponde ao contexto precedente. Há fortes razões para considerar esses dois versículos como acréscimo. "Para além de Damasco" seria a Assíria.

Terceiro ai: luxo e riquezas
(Is 5,11s)

6 ¹Ai dos que se fiam de Sião
e confiam no monte da Samaria!
Os indicados como chefes de nações,
aos quais acorre a casa de Israel.
²Ide a Calane e observai,
daí segui para Emat, a Grande,
e descei a Gat da Filisteia:
valeis mais que esses reinos,
é mais extenso vosso território?
³Quereis espantar o dia funesto,
aplicando um cetro de violência.
⁴Vós vos deitais em leitos de marfim,
estendidos em divãs;
comeis carneiros do rebanho
e bezerras do estábulo;
⁵cantarolais ao som da harpa,
inventais, como Davi,
instrumentos musicais;
⁶bebeis vinho em taças,
vos ungis com perfumes exóticos
e não vos lamentais do desastre de José.
⁷Pois encabeçareis a corda de cativos
e a orgia dos dissolutos se acabará.
⁸Oráculo do Senhor, Deus dos exércitos:
O Senhor jurou por sua vida:
Porque detesto o luxo de Jacó
e odeio seus palácios,
entregarei a cidade e seus habitantes.
¹¹O Senhor deu ordens de reduzir
a escombros as mansões
e a cacos os casebres.
⁹E se restarem dez homens numa casa, morrerão.

¹⁰(O tio e o incinerador virão tirar os ossos da casa. Alguém dirá ao que está no canto da casa: Sobra algum? Ele responderá: Nenhum. E ele dirá: Psss! Pois não é hora de pronunciar o nome do Senhor.)

6,1-10 Contra os ricos que esbanjam em luxos e vivem seguros em suas riquezas injustamente adquiridas. O pecado é estilizado numa série de particípios descritivos; o castigo corresponde ao delito.

6,1 A presença de Sião é suspeita. Embora Amós possa ter-se ocupado de sua pátria, o mais provável é que o texto tenha sido manipulado mais tarde para estendê-lo aos judeus. O monte da capital de Samaria se considerava inexpugnável; a conquista demorou alguns anos. Seus chefes desfrutam de grande prestígio fora e dentro da nação.

6,2 O convite é lógico (Is 10,9), mas não cronológico. As conquistas por conta da Assíria, de que temos notícia, são Calane em 738, Emat em 720, Gat em 712. Esse versículo, que interrompe a série regular de particípios, poderia ser acréscimo.

6,3 "Cetro": corrigindo uma consoante; em contraste com Sl 45,7. Um governo injusto não afastará a desgraça.

6,4-6 Adornado com peças ou incrustações de marfim. Descreve festins e banquetes: comida, bebida (Eclo 31,25-31), música (Eclo 32,5s), perfumes (Lc 7,46). A referência a Davi poderia ser glosa, conforme 1Cr 23,5. A despreocupação é necessária para não atrapalhar o desfrute.

6,8 "Detesto": ler em paralelo com 5,21.

6,9 Liga-se a distância com 5,3, como último ato da catástrofe.

6,10 A breve cena, sugestiva e misteriosa, pressupõe coisas que desconhecemos. Parece que se trata de uma rebusca de mortos (cf. Ez 39,14-16) até os lugares mais escondidos das moradias. O domínio da morte torna importuna a invocação do Senhor.

¹²Correm os cavalos pelos penhascos?
 Pode-se arar com vacas?
Pois vós transformais o direito em veneno,
 a justiça em absinto.
¹³Ficais satisfeitos com um Nada,
gloriai-vos de ter conquistado
Carnaim com vosso esforço.
¹⁴Pois eu, casa de Israel
 – oráculo do Senhor, Deus dos exércitos –,
suscitarei contra vós
 um povo que vos oprimirá
 desde a Passagem de Emat
 até a Torrente da Arabá.

7 Visões (Ex 32; Nm 14) –

¹Isto me mostrou o Senhor: Havia uma eclosão de gafanhotos quando começava a crescer a erva (a erva que brota depois da ceifa do rei); ²e quando terminavam de devorar a erva do país, eu disse: Senhor, perdoa: como poderá Jacó resistir, se é tão pequeno? ³Com isso o Senhor se compadeceu, e disse: Não acontecerá.

⁴Isto me mostrou o Senhor: O Senhor convocou um julgamento pelo fogo que devorava o grande Oceano e devorava a Chácara. ⁵Eu disse: Senhor, para; como poderá Jacó resistir, se é tão pequeno? ⁶Com isso o Senhor se compadeceu, e disse: Tampouco isso acontecerá.

⁷Isto me mostrou o Senhor: Estava de pé junto ao muro com um prumo na mão. ⁸O Senhor me perguntou: – Que vês, Amós? Respondi: – Um fio de prumo. Ele me explicou: – Vou pôr um fio de prumo no meio de meu povo Israel; já não o perdoarei mais; ⁹ficarão desolados os lugares altos de Isaac, arruinadas as ermidas de Jacó; empunharei a espada contra a dinastia de Jeroboão.

Amós e Jeroboão (Jr 21-22; 36) – ¹⁰Amasias, sacerdote de Betel, enviou uma mensagem a Jeroboão, rei de Israel:
 – Amós está conjurando contra ti no meio de Israel; o país já não pode suportar suas palavras. ¹¹Assim prega Amós: "Je-

---

6,12-14 Em estilo sapiencial, duas perguntas retóricas apresentam o absurdo de uma conduta: os que sabem usar devidamente de seus animais domésticos não sabem administrar a justiça; as bestas merecem respeito deles mais que os seres humanos. Com isso se chega a uma situação em que a justiça está envenenada. Por outro lado, sentem-se satisfeitos com duas conquistas ridículas. Quão diferente é, no tamanho e no poder, o povo que o Senhor vai mobilizar, a Assíria!

7,1-9 Entra uma série de visões, que se prolonga em 8,2-3 com regularidade formal e com mudança de forma em 9,1-4. Em outras palavras, temos quatro visões interrompidas por um episódio narrativo sobre a atividade do profeta. As visões, mais que série, são processo: nas duas primeiras, Deus não pergunta, e o profeta intercede com êxito; em outras duas, Deus pergunta e o profeta não intercede. A terceira anuncia o inevitável, e a quarta anuncia a sua proximidade.
Interceder faz parte da missão profética: Ex 32; Nm 14; Jr 14-15. O Senhor torna o profeta confidente de seus planos (3,7), precisamente para que intervenha com a súplica. Se Deus detesta o luxo e a soberba (6,8), deixa-se comover pela pequenez (Gn 19,20-22). Amós se faz intérprete desse estranho valor, diante da avaliação superficial dos israelitas.

7,1-3 Para a praga do gafanhoto, ver sobretudo Jl 1-2. Está em perigo o sustento do povo para o próximo ano, não os banquetes dos ricos (6,4).

7,4-6 Que se trate do oceano subterrâneo de água doce (Gn 1,2), ou do oceano que representa o caos hostil (Is 51,10), o assalto do fogo constitui uma catástrofe cósmica. Diante das suas dimensões, que poderá a pequena Chácara, o território de Israel?

7,7-9 O prumo inverte sua função e serve para destruir (Is 34,11). O edifício ameaça cair e não se manterá de pé (Is 30,13). Não entendemos a alusão às "alturas" ou lugares altos do patriarca Isaac. O Jeroboão mencionado, se não é recordação histórica, deve ser o segundo desse nome, o rei contemporâneo de Amós. Assim o entendeu o compilador do livro, que introduz aqui um episódio que diz respeito ao rei e ao profeta.

7,10-17 Estamos diante de um episódio capital para entender a missão do profeta neste e em outros casos. Quase todo o relato discorre em intervenções orais, com citações dentro de citações. Para entender a questão, começamos por observar os personagens e suas funções: Jeroboão rei, Amasias sacerdote, Amós profeta, e *Yhwh*. É um triângulo de funções, competências e relações.
a) O sacerdote é um funcionário real, encarregado do santuário nacional, que o rei controla (1Rs 12,25-33).

roboão morrerá pela espada, Israel partirá de seu país para o desterro..."

¹²Amasias ordenou a Amós:
— Vidente, vai embora, foge para o território de Judá; aí ganharás a vida, aí profetizarás; ¹³mas em Betel não voltes a profetizar, porque é o templo real, é o santuário nacional.

¹⁴Amós respondeu a Amasias:
— Eu não era profeta nem pertencia a grupo profético. Era um vaqueiro e cultivava figueiras. ¹⁵Mas o Senhor me tirou de meu rebanho e me mandou profetizar a seu povo, Israel. ¹⁶Pois bem, escuta a palavra do Senhor:

> Tu me dizes: Não profetizes contra Israel,
> não vaticines contra a casa de Isaac.
> ¹⁷Mas o Senhor diz:
> tua mulher será desonrada na cidade,
> teus filhos e filhas morrerão pela espada;
> tua terra será repartida a cordel,
> tu morrerás em terra pagã,
> Israel partirá de seu país para o desterro.

8 **Quarta visão** (Jr 24,1-3) – ¹Isto me mostrou o Senhor: Um cesto de figos maduros. ²Perguntou-me: – Que vês, Amós? Respondi: – Um cesto de figos maduros. Explicou-me: – Maduro está meu povo Israel, e já não o perdoarei mais. ³Naquele dia – oráculo do Senhor – gemerão as cantoras do palácio: "Quantos cadáveres atirados por todos os lados. Psss!"

⁴Escutai, vós que espremeis os pobres e eliminais os miseráveis; ⁵pensais: Quando passará a lua nova para vender trigo, ou o sábado para oferecer grão e até o refugo de trigo? Para encolher a medida e aumentar o preço, ⁶para comprar o fraco por dinheiro e o pobre por um par de sandálias? ⁷O Senhor jura pela glória de Jacó que não esquecerá jamais o que fizeram!

> ⁸E não vai tremer a terra,
> não vão fazer luto seus habitantes?
> Ela se levantará toda como o Nilo,
> como o Nilo se agitará e se acalmará.

---

b) O sacerdote controla a competência em seu terreno, o templo, e, por ordem do rei, em todo o território.

c) O profeta, como porta-voz do Senhor, é a instância suprema (Dt 17-18); um profeta pode legitimar e condenar dinastias.

Israel se constitui como espaço geográfico fechado, controlado; é um "reino" cujo centro está em Betel. Betel é centro cultual, fechado, controlado pelo rei e pelo sacerdote. A palavra de Deus irrompe nesse espaço cultual, tornando-o caixa de ressonância, até que as palavras encham e excedam o espaço do "país". O sacerdote tenta defender o espaço do seu templo, protegendo assim o espaço do seu reino; mas a palavra de Deus penetra, instala-se, até expulsar os culpados para o espaço estranho, impuro.

7,10 Para o sacerdote oficial, a pregação de Amós é conjuração, não palavra profética. Mas descobre um perigo real nessas palavras e procura neutralizá-las, primeiro com a denúncia, depois com a expulsão; mas não se atreve a matá-lo.

7,14-15 Para Amós, profetizar não é profissão, é missão divina. O Senhor considera Israel povo seu.

7,16-17 A designação casa de Isaac é excepcional. A pena vincula família e campos, o enraizamento num terreno e um nome.

8,1-3 Quarta visão, depois da inserção narrativa. Baseia-se no duplo sentido de uma palavra hebraica, "colheita" e "fim". O povo está maduro para o castigo, o fim se aproxima pontualmente. Foi como um processo interno: o amadurecimento conduziu à corrupção. Israel está maduro para a cobiça estrangeira. As "cantoras" são carpideiras profissionais (cf. Jr 9,16-20).

8,4-8 O último oráculo da série "escutai" se concentra no comércio injusto. Esses comerciantes consideram o sábado como entediante interrupção do negócio (Is 58,13; Jr 17,19-27); fazem dos pobres mercadoria humana, obrigando-os a se venderem por dívidas mesquinhas.

8,4 Ver 2,7; 4,1; 5,11.

8,7 "Não esquecer" equivale a não perdoar. É estranho que Deus jure "pela glória de Jacó"; é mais provável que fale do objeto do orgulho, ou seja, por si mesmo. A frase torna-se irônica: Jacó se orgulha de mim; pois verá as consequências (coerente com 3,2).

8,8 Antecipando um fragmento de hino de 9,5, implica a natureza na desordem ética e em seu castigo.

Dia de julgamento

⁹Naquele dia – oráculo do Senhor –
farei pôr-se o sol ao meio-dia
e em pleno dia escurecerei a terra.
¹⁰Transformarei vossas festas em luto,
vossos cantos em lamentações,
vestirei toda cintura com pano de saco
e deixarei calva toda cabeça;
eu lhes darei um luto como por filho único,
o final será um dia trágico.
¹¹Vede que chegam dias
– oráculo do Senhor –
em que enviarei fome ao país:
não fome de pão nem sede de água,
mas de ouvir a palavra do Senhor;
¹²andarão errantes do nascente ao poente,
vagando de norte a sul,
buscando a palavra do Senhor,
e não a encontrarão.
¹³Naquele dia desfalecerão de sede
as belas jovens e os jovens.
¹⁴Os que juram:
"Por Asima da Samaria,
pela vida de teu Deus, Dã,
pela vida do Senhor de Bersabeia",
cairão para não se levantar.

Quinta visão

9 ¹Vi o Senhor de pé junto do altar,
dizendo: Golpeia os capitéis,
e os umbrais trepidarão;
arrancarei todos os capitães
e matarei seu séquito pela espada;
não escapará sequer um fugitivo,
não se salvará sequer um evadido.

8,9-9,15 Quanto à forma, esta é uma nova série de cinco peças marcadas pela fórmula de futuro indefinido: "naquele dia" 8,9.13; 9,11; e "vede que chegam dias" 8,11 e 9,13. Com relação ao que precede no livro, reconhecemos a presença de uma visão, 9,1-4, com apêndice de hino, 9,5-6, e um julgamento de separação, 9,7-10. Orientados por composições que chamamos escatologias, podemos propor a seguinte leitura de conjunto:
a) Abre-se um cenário cósmico com um luto estelar e humano, 8,9s; b) acontecem castigos em três ondas: uma fome estranha (8,11s), uma sede mortal (8,13s), e um desastre militar com escapatória (9,1-4); c) intermédio hínico apresentando o juiz (9,6s) e julgamento de castigo e purificação (9,8-10); d) restauração de reino e domínios (9,11s), do povo e suas tarefas (9,13-15).

8,9-10 Este é o dia obscuro e as festas recusadas de 5,18-21. O eclipse solar suspende o ritmo da criação. O sol participa do luto e aterroriza os mortais: cf. Ex 10,21-23. As festas em luto: 1Mc 1,39s: ao contrário de Sl 30,12. "Por filho único": Jr 6,26; Zc 12,10.

8,11-12 Essa fome insatisfeita é castigo de não ter escutado a palavra profética.

8,13-14 Asima é a deusa mãe; o texto hebraico deforma malignamente seu nome em "crime".
Em Dã e Bersabeia se encontravam dois santuários fronteiriços, em Israel e em Judá.

9,1-4 A quinta visão é muito simplificada no primeiro componente, e pede a ação do profeta. Coloca e desenvolve a correlação do alto e baixo, ou do superior e inferior. A fuga atinge limites fantásticos (ver Sl 139), onde o Senhor ou seus emissários alcançam o fugitivo.

9,1 Supõe-se que seja o altar de Betel, idolátrico para Amós: ver 1Rs 13,1-6.

²Ainda que perfurem até o abismo,
 daí minha mão os tirará;
 ainda que subam ao céu, daí os derrubarei;
³ainda que se escondam no topo do Carmelo,
 aí os descobrirei e agarrarei;
 ainda que se escondam no fundo do mar,
 lá enviarei a serpente para os morder;
⁴ainda que vão cativos diante do inimigo,
 lá enviarei a espada para os matar.
 Cravarei neles meus olhos para o mal,
 não para o bem.
⁵O Senhor dos exércitos,
 que toca a terra e ela treme,
 num fluxo e refluxo como o do Nilo,
 e fazem luto seus habitantes;
⁶que constrói no céu sua escadaria
 e alicerça sua abóbada sobre a terra;
 que convoca as águas do mar
 e as derrama sobre a superfície
 da terra; chama-se o Senhor.
⁷Israelitas, não sois para mim
 como núbios? – oráculo do Senhor.
 Pois tirei Israel do Egito,
 tirei os filisteus de Creta
 e os sírios de Quir.
⁸Vede, o Senhor crava os olhos
 sobre o reino pecador, e o extirparei
 da superfície da terra
 (embora não aniquile a casa de Jacó)
 – oráculo do Senhor.
⁹Vede, darei ordens de peneirar
 Israel entre as nações,
 como se sacode uma peneira
 sem que caia um grão por terra.
¹⁰Mas morrerão pela espada
 todos os pecadores do meu povo;
 os que dizem: Não chega,
 não nos atinge a desgraça.

Dia de restauração
(Jr 31; Ez 36,16-38; At 15,16-18)

¹¹Naquele dia levantarei a cabana caída de Davi,
 restaurarei suas brechas, levantarei suas ruínas
 até reconstruí-la como era outrora;

9,2 É absurdo tomar o *Xeol* como lugar de refúgio (cf. Jó 14,13) e é temerário procurá-lo no céu.
9,3 O Carmelo é refúgio realista, ainda que árduo; não assim o fundo do mar. "A serpente", com artigo, designa um emissário particular de Deus.
9,4 "Para o mal": Js 24,20; Jr 21,20; 39,16; 44,27.
9,5-6 Este minúsculo hino ou fragmento tem por função introduzir o juiz, como 4,12-13. Abrange céu, terra e mar; pode atuar "tocando" ou dando ordens; pode mudar a função dos elementos, dando fluidez à terra, terremoto, e tirando o mar de suas fronteiras, dilúvio. Para a escada, ver Gn 28; alguns corrigem e traduzem "salões", segundo Sl 104,3.
9,7-10 Liga-se com 2,10 e 3,2. A escolha e a libertação são dons que fundam exigências. De nada valem escolha e libertação, se o povo as anula com seus pecados. E a saída do Egito se reduz a uma simples migração de povos. O reino é pecador e

¹²para que conquistem o resto de Edom
e todos os povos que levaram meu nome
– oráculo do Senhor, que o cumprirá.
¹³Vede que chegam dias – oráculo do Senhor –
quando o que ara seguirá de perto o ceifeiro
e o que pisa uvas ao semeador;
fluirá mosto pelos montes
e as colinas ondularão.
¹⁴Mudarei a sorte do meu povo Israel:
reconstruirão cidades arruinadas
e nelas habitarão,
plantarão vinhedos e beberão seu vinho,
cultivarão pomares e comerão seus frutos.
¹⁵Eu os plantarei em sua terra, e não os arrancarão
da terra que lhes dei, diz o Senhor teu Deus.

---

será aniquilado como tal. Entre seus membros, nem todos são pecadores; por isso, à escolha seguirá a seleção. Essa função será cumprida pelo desterro; ver Tb 1-3.

9,11-15 A restauração compreende restauração do reino davídico, em imagem de construção, com seus domínios e bênçãos da terra; restauração do povo, em imagem de plantação e de bênção de suas tarefas.

9,11 O oráculo supõe a decadência e supressão da dinastia davídica, fatos posteriores a Amós. Supõe também firme esperança histórica ou messiânica, fundada na promessa de 2Sm 7. Só Deus poderá reconstruir a monarquia, não as forças humanas.

9,12 A casa de Davi voltará a dominar seus vassalos, começando por Edom, o inimigo clássico, e continuando por outros que, como vassalos, levaram mediatamente o nome do Senhor. Isso não se cumpre depois do desterro, quando todos esses povos se tornaram domínio persa.

9,13-14 A visão agrária fantástica se assemelha à de Is 30,24s. "Ondularão": supomos que sejam messes ou plantas medianas (cf. Sl 72,16). As maldições de 5,11 ficam anuladas e transformadas nas bênçãos opostas.

9,15 É a terra que prometeu aos patriarcas e entregou aos pais.

ABDIAS

INTRODUÇÃO

Não sabemos quem era esse profeta chamado Servo do Senhor, que profetizou contra Edom pouco depois de 586 e que figura como profeta mínimo entre os Menores, com vinte e um versículos.

Para compreender sua breve profecia convém recordar alguns dados históricos ou lendários. Segundo a tradição, a relação entre Israel e Edom remonta aos irmãos gêmeos Jacó e Esaú (Gn 25-27), antecessores de ambos os povos. A bênção de Isaac (Gn 27) reflete a situação de ambos: Israel ou Judá possui a região montanhosa relativamente fértil, Edom ou Esaú habita ao sul, na região de estepes.

Edom viveu em relações de submissão ou rebeldia. Judá tinha interesse na rota meridional com saída para o golfo de Ácaba, cobiçando as minas do território meridional. Conforme a tradição bíblica, Davi o conquistou (2Sm 8,13s); rebelou-se contra Salomão (1Rs 11,14.25), conseguiu a independência sob Jorão (2Rs 8,20-22). Edom guardou um "rancor antigo" (Ez 35,5; Am 1,11), talvez pela represália cruel de Davi (1Rs 11,14-16). Por isso, embora no ano 594 tenha tentado aliar-se a Judá contra Babilônia (Jr 27,1-3), quando as tropas de Nabucodonosor sitiaram Jerusalém, os edomitas colaboraram com elas e celebraram a derrota dos judaítas. Isso foi um espinho para os judaítas (Sl 137,7; Lm 4,21s).

A presente profecia dirige-se contra esse último pecado, que nos versículos 1-5 coincide em boa parte com Jr 49,9.14-16. Mas no v. 15 a profecia se separa e se ergue a um panorama transcendente do "dia do Senhor", com olhar universal e final de restauração. A visão última conserva a sua relação com o horizonte concreto de Edom.

O profeta denuncia a espiral da violência, a incapacidade de esquecer erros antigos. E oferece uma mensagem de esperança ao povo derrotado e desterrado.

Para entender esta profecia, é útil recordar alguns episódios patriarcais. Jacó, o Enganador, ao nascer "passa o pé" no irmão, comprando abusivamente os direitos de primogênito e conseguindo fraudulentamente a bênção paterna, que o nomeia senhor do seu irmão. Ver também a partilha descrita em Js 24,4.13.

ABDIAS

¹Visão de Abdias. Assim diz o Senhor a Edom:
Ouvimos uma mensagem do Senhor
ao embaixador enviado às nações:
"Avante, vamos combater contra ela!"
²Vou transformar-te na menor
e mais desprezível nação:
³tua arrogância te seduziu;
porque habitas em rochas escarpadas,
assentada nos cimos, pensas:
Quem me derrubará por terra?
⁴Pois embora voes como águia
e ponhas o ninho nas estrelas,
daí te derrubarei – oráculo do Senhor.
⁵Se te invadissem assaltantes
ou ladrões noturnos,
não te roubariam o que lhes é suficiente?
Se te invadissem vindimadores,
não deixariam cachos?
⁶Ai de Esaú, destruído!
Registraram-no e requisitaram seus tesouros;
⁷teus aliados te empurraram para a fronteira,
teus amigos te enganaram e submeteram,
teus comensais te armam ciladas.
⁸Pois naquele dia – oráculo do Senhor –
acabarei com os sábios de Edom,
com os prudentes do monte de Esaú,
e não lhes restará habilidade.
⁹Teus soldados se acovardarão, Temã,
e se acabarão os varões do monte de Esaú;
¹⁰pela violência criminosa
contra teu irmão Jacó,
a vergonha te cobrirá,
e perecerás para sempre.

1-2 As mudanças de sujeito e destinatário dificultam a compreensão deste começo. Escolho como mais provável a seguinte explicação: o profeta, como membro de um grupo, escuta em dois planos correlativos: na terra, um mensageiro que promove a mobilização dos aliados "contra ela", a capital; no céu, a sentença do Senhor que anuncia a Edom o desfecho. Sobre o recrutamento, ver Is 13,2-3; Jr 6,4; Ez 38,7.

3-4 Um delito de Edom é crer-se imbatível, a partir de sua situação lançar um desafio. O seu território é região montanhosa e escarpada, cortada por vales estreitos e profundos, impraticável para a manobra militar. O Senhor rebate o processo mental com uma hipótese hiperbólica; as estrelas pertencem ao mundo celeste (cf. Is 14,13s).

5-7 O Senhor expõe a execução e suas consequências, usando provérbios ou costumes tradicionais, contrapondo o método limitado de alguns com a tarefa sistemática do inimigo de Edom. Os ladrões roubam o que lhes é suficiente: limitados por sua capacidade de carregar, por causa da noite ao mesmo tempo cúmplice e traidora (Jó 24,13-17). Os vindimadores têm instruções para deixar cachos (Lv 19,9s). Edom não será tratado com tais considerações, impostas ou voluntárias.

7 Com simples acréscimo obtemos três designações: os homens do "pacto" selado, da "paz" concordada, do "pão" partilhado, o traíram. "Empurraram para a fronteira": expulsando-os do seu território ou negando-lhes asilo (Is 16,3). Uma glosa acrescenta: "não tem sensatez".

8-9 A "sabedoria" era atividade proverbial, embora não exclusiva, dos idumeus (1Rs 5,10; Jó 1,1). Prudência política e coragem militar são qualidades que encontramos unidas em outras passagens: Is 11,2; 19,11.

10 Parece conclusão: justifica o precedente, prolonga o tema dos irmãos, repete um verbo e acrescenta o advérbio "para sempre". A vergonha é a consciência da culpa e da derrota.

Na queda de Jerusalém
(Sl 137,7)

[11] Naquele dia tu estavas presente,
  no dia em que bárbaros capturaram seu exército;
quando estranhos invadiam a cidade
  e rifavam entre si Jerusalém,
  tu eras um deles.
[12] "Não desfrutes do dia de teu irmão,
  seu dia funesto,
não te alegres pelos judaítas, no dia de seu desastre,
não fales com insolência no dia do aperto,
[13] não entres na capital de meu povo
  no dia de sua ruína,
não desfrutes tu também de sua desgraça
  no dia de sua ruína,
não metas a mão em suas riquezas no dia de sua ruína,
[14] não esperes à saída
  para matar os fugitivos,
não vendas os sobreviventes no dia do aperto".

O dia do Senhor
(Ez 7; Sf 1,14)

[15] Aproxima-se o dia do Senhor
  para todas as nações:
  como fizeste, assim te será feito;
  pagarão o que mereceste.
[16] Assim como bebestes em meu monte santo,
  beberão todas as nações por sua vez,
  beberão, consumirão
  e desaparecerão sem deixar rastro.
[17] Mas no monte Sião
  ficará um resto que será santo,
  e a casa de Jacó recuperará suas posses.
[18] Jacó será o fogo, José será a chama,
  Esaú será a estopa: arderá até se consumir;
não restará sobrevivente ao povo de Esaú
  – disse o Senhor.
[19] Ocuparão o Negueb, o monte de Esaú,
  ocuparão a Sefelá e a Filisteia,

---

11 É o dia da queda de Jerusalém: incêndio, matança, saque, deportação. Em vez de dar asilo aos fugitivos, os idumeus os descobriram, os entregaram aos vencedores e participaram na partilha de bens e pessoas. É como se o fiscal lesse aqui uma oitava de proibições violadas pelo réu. Para facilitar a leitura, podemos substituir mentalmente: não devias ter desfrutado... não devias ter metido a mão... A série acusa uma participação completa: olhos para olhar, boca para falar com insolência, pés para entrar, mãos para pegar, coração para alegrar-se. Encabeçando a série, o princípio da fraternidade.

15 Alguns invertem esses dois versículos, de modo que o primeiro encerre a série precedente enunciando a lei do talião, e o segundo abra a perspectiva universal e o "dia do Senhor". Se conservamos a ordem hebraica, o castigo de Edom entra num horizonte internacional, e as peças cruzadas asseguram a ligação.

16 O autor parece inspirar-se na cena de Jr 25,15-29. Se a supõe conhecida dos ouvintes, podemos imaginar que o primeiro "bebestes" refere-se aos judaítas, que já beberam até o fim a taça do castigo. Edom seguirá junto com as outras nações.

17-18 O tema dos sobreviventes serve para um jogo de contrastes. Edom os entregou (14) e ficará sem os seus, ao passo que em Sião ficará um resto "santo" (Ex 19,3; Is 6,13).

19-20 O segundo tema é a posse da terra. Os despossuídos pela força recuperarão suas propriedades e até as estenderão. Alguém acrescentou esses dois

Benjamim e Galaad,
os campos de Efraim, os campos da Samaria;
[20] os desterrados israelitas, esses desgraçados,
ocuparão Canaã até Sarepta;
os desterrados de Jerusalém,
que vivem em Safarad,
ocuparão os povoados do Negueb;
[21] depois subirão vitoriosos ao monte Sião
para governar o monte de Esaú,
e o reino será do Senhor.

versículos para identificar os territórios que deverão ser ocupados e seus respectivos ocupantes. O Negueb pertenceu a Edom, a Sefelá aos filisteus, os campos de Efraim a Samaria; permanece obscura a relação entre Benjamim e Galaad. Os desterrados do norte se estendem até a cidade fenícia de Sarepta; os do sul, até o Negueb. Safarad parece ser uma cidade ou região na Ásia Menor ocidental (séculos posteriores designou a Espanha).
Em resumo, observamos dimensões modestas e espírito meticuloso, duas coisas estranhas à visão universal da presente profecia.

21 O último versículo restabelece o tema e o tom do oráculo. O Resto consagrado sobe vitorioso ao monte do templo, na cidade escolhida, de onde inaugura o seu governo sobre o território de Edom, como anuncia a bênção de Isaac (Gn 27). Com isso se instaura o reinado do Senhor (cantado pelos salmos 96 e 98). Em tempos posteriores, o texto se projeta até a escatologia.

JONAS

INTRODUÇÃO

Como quinto dos Profetas Menores, encontramos Jonas, o homem que se empenha em fazer exatamente o contrário do que um profeta deveria fazer. Numa série de poetas que normalmente escrevem em verso, encontramos esse genial narrador que, exceto o vocabulário um tanto tardio, manuseia a prosa como qualquer dos melhores narradores clássicos hebreus. Entre tantas profecias contra nações determinadas ou contra as nações em geral, encontramos esse Jonas, que traz uma mensagem de misericórdia para o povo que é símbolo de crueldade, imperialismo, agressão contra o povo de Israel. E numa série de profetas firmemente enraizados na situação política e social, desfila esse Jonas sem ligação nem na terra nem no mar.

Aí está indicada a estranheza e a importância excepcional: porque no meio de profetas chamados por Deus para pregar a seu povo, para denunciar pecados, ameaçar castigos e prometer restauração, se insere essa cunha violenta, grande pregador dos gentios no Antigo Testamento. Essa é a mensagem capital do livro, e para essa mensagem tende todo o movimento narrativo e dramático do livro. (Seria um erro tomar do livro somente a baleia mediterrânea.)

É lógico que essa baleia serviçal, que fornece hospedagem ao náufrago e o vomita em terra firme, tenha despertado a imaginação de tantos leitores e de tantos artistas desde o tempo das catacumbas. A razão não é só o seu valor de aventura, mas a referência que os evangelistas fazem ao livro de Jonas: Mt 12,39-41; 16,4; Mc 8,12; Lc 11,29.32.

A figura de Jonas é favorita da arte das catacumbas. Os primeiros cristãos viam nessa história e na sua representação pictórica ou escultórica um símbolo de ressurreição e salvação. Deus salvou o profeta do perigo mortal dele para salvar, por meio dele, um povo gentio. Deus salvou Cristo, não afastando o cálice da paixão, mas ressuscitando-o da morte, para com essa morte e ressurreição de seu Filho salvar todos os povos da terra.

A parábola de Jonas nos oferece um grande ensinamento, por meio de uma ironia sustentada, que num ponto chega a sarcasmo, e conclui com uma pergunta desafiadora. Jonas é o antiprofeta que não quer ir aonde o Senhor o envia, nem dizer o que lhe ordena. Assim se torna o mau, enquanto que os bons são primeiro os marinheiros pagãos, depois os ninivitas agressores. Jonas tem de enfrentar os inimigos mitológicos, o mar e o cetáceo, e aprender que o Senhor os controla e os submete a seu serviço. Na intenção de Jonas, a profecia é predição categórica, na intenção de Deus é ameaça condicionada; porque Deus não quer a morte do pecador, mas que ele se converta e viva (Ez 18,23. 32), e os pagãos escutaram a palavra estrangeira (Ez 3,5-7) e se converteram. Se Nínive obtém perdão, quem ficará excluído? Um minúsculo verme e uma modesta mamoneira dão uma lição sapiencial ao profeta teimoso.

1 No barco

¹O Senhor dirigiu a palavra a Jonas, filho de Amati:

– ²Levanta-te e vai a Nínive, a grande metrópole, e nela proclama que sua maldade chegou a mim.

³Jonas se levantou a fim de fugir para Társis, longe do Senhor; desceu a Jope e encontrou um barco que partia para Társis; pagou o preço e embarcou para navegar com eles até Társis, longe do Senhor.

⁴Mas o Senhor enviou um vento impetuoso sobre o mar, levantou-se uma furiosa tempestade no mar, e o navio estava a ponto de naufragar.

⁵Os marinheiros temeram, e cada qual gritava a seu deus. Lançaram os apetrechos no mar para aliviar o navio, enquanto Jonas, que havia descido ao fundo do navio, dormia profundamente.

⁶O capitão se aproximou e lhe disse:

– Que fazes, dorminhoco? Levanta-te e grita ao teu Deus; vejamos se esse Deus se compadece de nós e não perecemos.

⁷E diziam uns aos outros:

– Tiremos sortes para ver por causa de quem nos vem esta calamidade.

Tiraram sortes e caiu em Jonas.

⁸Interrogaram-no:

– Dize-nos: por que nos sobrevém esta calamidade? Qual é a tua ocupação? De onde vens? Qual é teu país? De que povo és?

⁹Ele respondeu:

– Sou um hebreu e adoro o Senhor Deus do céu, que fez o mar e a terra firme.

¹⁰Apavorados, aqueles homens lhe perguntaram:

– O que fizeste? (Pois compreenderam que fugia do Senhor, pelo que ele havia declarado.)

¹¹Perguntaram-lhe:

– O que fazemos contigo para que o mar se acalme ao nosso redor?

Porque o mar continuava se enfurecendo.

¹²Ele respondeu:

– Levantai-me no ar e lançai-me ao mar, e o mar se acalmará ao redor de vós; pois sei que foi por minha causa que vos sobreveio esta furiosa tempestade.

¹³Mas eles remavam para alcançar terra firme, e não conseguiam, porque o mar continuava se enfurecendo.

¹⁴Então invocaram o Senhor:

– Ah, Senhor, que não pereçamos por causa deste homem; não nos faças responsáveis de um sangue inocente! Tu, Senhor, podes fazer o que queres.

---

1 O primeiro episódio emprega uma disposição concêntrica artificial: o seu esquema é ABCDFG N GFDCBA.

1,1 O nome e sobrenome do profeta aparecem em 2Rs 14,25, como anterior a Jeroboão II (782-753). A maioria dos comentaristas antigos, não todos, tomaram o dado e o livro como históricos. O nome soa a ouvidos hebreus como Pomba filho de Veraz, e assim vem a ser o primeiro Colombo = Pombo da história. O começo do livro é claramente profético.

1,2 Primeira surpresa do livro. Um profeta de Israel enviado à capital do império agressor e expansionista. Ainda bem que a mensagem soa ameaçadora, como a de Gn 18,20-21; mas aí está precisamente o grave perigo.

1,3 Segunda surpresa, não tão grave: o profeta faz exatamente o contrário do mandado. Razão? O narrador não a adianta, deixa-nos com a suspeita genérica do medo (cf. Jr 1,17-19). Para outras fugas, ver Am 9,1-4; Sl 139; 1Rs 19. Supõe-se que Társis se encontrasse em alguma costa do Mediterrâneo ocidental. "Longe": porque o Senhor mora em Sião.

1,4 Os ventos são "ministros" de Deus (Sl 104,4), e a tempestade costuma ser teofania ou manifestação divina.

1,5 O autor começa a brincar com o contraste entre os marinheiros, lúcidos e decididos, e o profeta inconsciente. O verbo "temer" irá mudando de significado para balizar o desenvolvimento: começa como simples medo, terminará como reconhecimento do Senhor.

1,6 Sem querer, o capitão repete duas palavras do Senhor: "*levanta-te e grita/proclama*". Sua postura é honradamente politeísta.

1,7 Ao falharem as orações, a tripulação conjetura que a desgraça acontece por causa de algum criminoso presente, e decide aplicar o procedimento habitual da época: ver Js 7; 1Sm 14 e o princípio em Pr 16,33.

1,8 Apontado o culpado, abre-se o interrogatório. É curioso que entre as cinco perguntas falte uma: o que fizeste? Na mente do leitor, as mais importantes são: de onde vens? qual é a tua ocupação?

1,9 Por isso, surpreende a resposta, que confessa apenas a nacionalidade e a confissão religiosa; esta em termos inteligíveis para os marinheiros e adaptados à situação.

1,10 Inversão da ordem cronológica para introduzir a pergunta-chave: o que fizeste? O temor dos marinheiros é agora o temor religioso diante do Deus de Jonas, que na perseguição ao passageiro "hebreu" se mostrou eficaz e terrível.

1,11 O que fizeste? o que fazemos? Só o passageiro hebreu possui um saber superior e pode fazer seu Deus desistir da perseguição.

1,12 Jonas começa a ser bom: toma sobre si a pena de morte, para que os demais se salvem.

1,13 Não menos bons são os marinheiros: com seu esforço pretendem neutralizar a fuga de Jonas, sem sacrificar sua vida. Mas, seu objetivo não é provocado nem dirigido pelo Senhor.

1,14 A oração se dirige agora expressamente ao Senhor, e nela cita-se uma frase de Jeremias aos seus

¹⁵Levantaram Jonas no ar e o lançaram ao mar, e o mar acalmou sua fúria.

¹⁶E aqueles homens temeram muito o Senhor. Ofereceram um sacrifício ao Senhor e lhe fizeram votos.

2 No ventre da baleia –
¹O Senhor enviou um peixe gigantesco para que tragasse Jonas, e Jonas esteve no ventre do peixe três dias e três noites. ²Do ventre do peixe, Jonas rezou ao Senhor seu Deus:

³"No perigo gritei ao Senhor e ele me atendeu,
  do ventre do abismo
  pedi socorro e ele me escutou.
⁴Tu me havias lançado ao fundo, em alto-mar,
  a corrente me rodeava,
  tuas torrentes e tuas ondas me envolviam.
⁵Pensei: Expulsaste-me de tua presença;
  oxalá eu visse de novo teu santo templo!
⁶A água me chegava até a garganta,
  o oceano me rodeava,
  as algas se enredavam em minha cabeça;
⁷descia até as raízes dos montes,
  a terra se fechava para sempre sobre mim.
  E tiraste minha vida da cova,
  Senhor, Deus meu.
⁸Quando se acabavam minhas forças,
  invoquei ao Senhor, chegou a ti minha oração,
  até teu santo templo.
⁹Os devotos dos ídolos faltam à sua lealdade;
¹⁰eu, ao contrário, cumprirei meus votos a ti,
  meu sacrifício será um grito de ação de graças:
  'a salvação vem do Senhor' ".

¹¹O Senhor ordenou ao peixe que vomitasse Jonas em terra firme.

---

juízes (Jr 26,14s). A frase final parece reminiscência do Sl 115,3.

1,15 O mar é quase personificado. Ao cair Jonas, acalma-se instantaneamente, como se tivesse recebido uma presa.

1,16 O versículo conclui o primeiro episódio do relato. A imprevista tarefa missionária de Jonas foi um êxito: o profeta que embarcou para fugir do Senhor pregou seu nome a pagãos. E o narrador completa o resultado, informando-nos sobre uma ação cultual dos marinheiros; não nos diz se foi no barco ou uma vez chegados à terra.

2,1-2 Depois da tempestade no mar, que atrasa a viagem de Jonas, o Senhor envia um peixe gigantesco que o conduzirá na viagem de volta. O Senhor se serve até de elementos hostis para realizar seus planos. No plano narrativo, o autor nos convida a imaginar um peixe, masculino ou feminino (2,2), de proporções tais que pode comodamente engolir um homem inteiro. Assim o imaginaram ingenuamente comentaristas antigos, e os artistas o representaram incansavelmente. No plano simbólico, esse peixe devorador (Sl 69,16; Pr 1,12) é o *Xeol* (3), a "cova" (7), da qual o Senhor o "extrai vivo". Para um leitor do AT, equivale a uma volta à vida (cf. Dt 32,39); um leitor do NT lê uma imagem da ressurreição à luz de Mt 12,39s e Mc 8,12.

2,3-10 O salmo, ainda que composto com vocabulário e fraseologia de outros salmos, tem identidade própria. A súplica descreve um movimento de descida até o fundo, às raízes dos montes, e de subida até o "santo templo". Alguns traços realistas, ondas e algas, se mesclam aos fantásticos.

2,3 Ver Sl 120,1; 31,23 e 116,1. Insiste no verbo "gritar".

2,4 Ver Sl 69,3.16; 42,8.

2,5 Ver Sl 31,23; 5,8; 138,2. Ser expulso da presença divina corresponde ao objetivo inicial de afastar-se do Senhor (1,3).

2,6-7 Ver Sl 69,2s; 18,6; 116,3. Ver Sl 103,4; 30,4. No mais profundo começa o movimento ascensional, com o verbo "tirar".

2,8 Ver Sl 143,4; 88,3. O "santo templo" pode ser o de Sião, distante agora do mar, ou o celeste.

2,9 A frase é ambígua: pode ser a lealdade devida ao Deus verdadeiro, ou a praticada nas relações humanas. O contexto favorece a primeira. Ora, os ninivitas veneram ídolos vãos; de que vale a sua religiosidade?

2,10 Ver Sl 116,17s; 3,9. A profecia de fé se alarga: o Deus cósmico é o Salvador (Is 12,2s).

2,11 A terra firme por ora é salvação (cf. Sl 18,17-20). O cetáceo cumpre as ordens sem muitas considerações (cf. Jr 51,34).

3 Em Nínive (Gn 19) –

¹O Senhor dirigiu outra vez a palavra a Jonas:

– ²Levanta-te e vai a Nínive, a grande metrópole, e anuncia o que eu te disser.

³Jonas se levantou e foi a Nínive, conforme lhe ordenara o Senhor. Nínive era uma grande metrópole, eram necessários três dias para percorrê-la. ⁴Jonas foi entrando na cidade e caminhou um dia inteiro, anunciando:

Dentro de quarenta dias Nínive será arrasada!

⁵Os ninivitas creram em Deus, proclamaram um jejum e se vestiram de pano de saco, pequenos e grandes.

⁶Quando a mensagem chegou ao rei de Nínive, ele se levantou do trono, tirou o manto, vestiu-se de pano de saco, sentou-se no pó ⁷e mandou o mensageiro proclamar em Nínive um decreto real e da corte:

– Homens e animais, vacas e ovelhas não provem nada, não pastem nem bebam; ⁸homens e animais se cubram com pano de saco. Invoquem fervorosamente a Deus; cada qual se converta de sua má vida e de suas ações violentas. ⁹Vamos ver se Deus se arrepende, cessa o incêndio de sua ira e não perecemos.

¹⁰Deus viu suas obras, viu que se haviam convertido de sua má vida, e se arrependeu da catástrofe com que havia ameaçado Nínive, e não a executou.

4 A lição da mamoneira –

¹Jonas sentiu um desgosto enorme. Irritado, rezou ao Senhor nestes termos:

– ²Ah, Senhor, eu já dizia isso quando estava em minha terra! Por isso me adiantei e fugi para Társis; porque sei que és "um Deus compassivo e clemente, paciente e misericordioso", que te arrependes das ameaças. ³Pois bem, Senhor, tira-me a vida; é melhor morrer que viver.

⁴O Senhor respondeu:

– E vale a pena irritar-se?

⁵Jonas havia saído da cidade e se havia instalado ao oriente; aí fizera uma cabana, e estava sentado à sombra, esperando o destino da cidade.

⁶Então o Senhor fez crescer sobre Jonas uma mamoneira, para que lhe desse sombra na cabeça e o livrasse de uma insolação. Jonas estava encantado com essa mamoneira.

⁷Então, ao amanhecer do dia seguinte, Deus enviou um verme que danificou a mamoneira, e ela secou. ⁸E quando o sol

---

3,1-10 O capítulo trabalha por paralelismos: Jonas, o hebreu que crê, e os ninivitas idólatras; os ninivitas convertidos e os marinheiros bons. Também: Jonas em oração solitária e pregando a multidões.

3,1 Tudo recomeça com a palavra do Senhor, só que mudou o destinatário. Agora Jonas sabe que é inútil tentar escapar de Deus. Se escapou, foi da morte.

3,2-3 A cidade é gigantesca, como o cetáceo, e engole o profeta por três dias, como o cetáceo.

3,4 "Arrasar" (*hpk*) é verbo ambíguo, que significa subverter e converter. É o verbo das cidades malditas (Gn 19,21.25.29; Is 1,7; Jr 20,16 etc.), e é o verbo da mudança radical de atitude ou situação (Dt 29,22; Os 11,8; Sl 105, 25 etc.). Quarenta dias são um prazo, não para antecipar a angústia diante do inevitável, mas para provocar uma reação que o evite.

3,5 A reação é sensacional: é Nínive, a arquiinimiga de Israel, modelo de agressão e crueldade (Na 3,1.4). "Crerem em Deus": não diz em *Yhwh*, mas tampouco menciona seus deuses que são "ídolos vazios". O que creem? – Que o grito do estrangeiro é palavra de Deus; creem na ameaça merecida, e no prazo para a penitência.

3,7 É surpreendente ver os animais convocados ao jejum: cf. Sl 36,7.

3,8-10 A mensagem se concretiza no verbo da conversão, que é repetido quatro vezes, duas para os homens e duas para Deus. Deus está disposto a mudar, se o homem muda. O que é oferecido aos israelitas (Ex 32,14; Jr 26,13; 36,7) vale também para os pagãos, representados por Nínive e seu rei; é o princípio formulado em Jr 18,7s. O rei põe uma pitada de dúvida, respeitando a liberdade de Deus.

4,1-11 Encerrou-se um tríptico, e aí o relato poderia terminar, com o perdão de Deus. A ameaça cumpriu gloriosamente sua função. Só que, por meio do personagem, o autor tem ainda uma lição para o leitor. Como reage Jonas? Como reage o leitor?

4,1 Do fundo da sua irritação, Jonas volta a orar.

4,2 A ironia do autor chega ao sarcasmo. Jonas "sabe" que Deus é misericordioso, e por isso foge dele. Os atributos são citação de uma fórmula litúrgica: Ex 34,6; Sl 86,15; 103,8; 111,4; Ne 9,17.31. Com um Deus justo se podem fazer contas e prever o resultado; com um Deus misericordioso não se pode fazer cálculos. Porque é capaz de perdoar aos maiores adversários, deixando prejudicado o profeta. Um profeta é acreditado quando a sua profecia se cumpre (Jr 28,9). Perdido todo o crédito profissional, não quer continuar vivendo.

4,3 Compare-se com Moisés e Elias: Nm 11,15; 1Rs 19,4.

4,5 Este versículo é um salto narrativo atrás, mostrando-nos o profeta no quadragésimo dia à espera do fantástico espetáculo que havia anunciado.

4,6-8 Visto que não bastou a lição do barco, o Senhor prepara uma parábola em ação para ensinar seu profeta; para isso congrega, em dimensões reduzidas, o reino vegetal, o animal e os elementos.

esquentava, Deus enviou um vento oriental sufocante; o sol abrasava a cabeça de Jonas, fazendo-o desmaiar. Jonas desejou a morte e disse:

– É melhor morrer que viver.

⁹Deus respondeu a Jonas:

– E vale a pena irritar-se pela mamoneira?

Ele respondeu:

– Ah, se vale! E mortalmente.

¹⁰O Senhor lhe replicou:

– Tu tens compaixão de uma mamoneira que não te custou cultivá-la, que brota numa noite e na outra morre, ¹¹e eu não vou ter compaixão de Nínive, a grande metrópole, em que habitam mais de cento e vinte mil homens que não distinguem a direita da esquerda, e muitíssimo gado?

4,9 O interrogatório confronta o profeta com seus interesses: a mamoneira, ele próprio, a cidade. São interesses magnânimos ou mesquinhos?

4,10-11 Deus tem a última palavra. E acontece que essa última palavra é uma interrogação retórica, de amplo respiro, longuíssima para os cânones da prosa hebraica. Sobre esta pergunta gravita todo o relato, imprimindo-lhe força de penetração. É uma pergunta que Deus faz a Jonas, e Jonas aos leitores. Uma pergunta para aqueles que se creem bons e desprezam os maus; para os que sabem que são maus e buscam esperança. O que significa ser profeta desse Deus misericordioso? As respostas sabidas não bastam, a pergunta continua desafiando. E nós podemos escutar o diálogo do pai com o irmão mais velho do filho pródigo (Lc 15,32).

MIQUEIAS

INTRODUÇÃO

Autor e época

O título nos fala de três reinados em Judá: 740; 734; 727; 698. Combinando a menção de Samaria ainda existente, 1,2-7, com a de Ezequias em Jr 26,18, obtemos um centro de atividade, 727-722, que se prolongaria antes e depois. Atualmente há comentaristas que atribuem o livro a dois ou mais autores de épocas diferentes. Nós imaginamos uma controvérsia de Miqueias com um falso profeta ou vários.

Miqueias nasceu em Morasti-Gat, aldeia não distante de Jerusalém, onde as montanhas centrais começam a descer para o mar. Conheceu a agonia de Samaria, sua destruição e a deportação de habitantes em massa. Provavelmente também conheceu a invasão de Judá por Senaquerib em 701, que ecoa em 1,8-16. O profeta vindo da aldeia encontrou na corte um profeta extraordinário, chamado Isaías, e ao que parece recebeu sua influência literária. Miqueias sobressai por seu estilo incisivo, suas frases lapidares e também pelo modo como elabora uma imagem.

No cenário internacional, a época de Miqueias contempla a ascensão e afirmação da Assíria sob Teglat-Falasar III (745-727). Por volta de 743, Israel começa a pagar tributo como vassalo da Assíria; terminará com a rebelião de Oseias e a destruição do reino do Norte (722). 4,9-14 e 5,4-5 podem referir-se à ameaça e ao perigo de invasão estrangeira; 2,12s e 5,6-8 parecem aludir à grande deportação.

No âmbito nacional, Miqueias denuncia graves injustiças, especialmente dos governantes, apoiados por falsos profetas. Se a nossa leitura a duas vozes for válida, ela denuncia também as falsas esperanças de solução cultual e de salvação imediata.

O livro

O compilador aplicou aos oráculos de Miqueias critérios de composição clara, mas não unívoca. Podemos ler os capítulos 1 e 6-7 em chave de julgamento: o juiz se apresenta numa teofania (1,2-4), para pedir conta dos pecados (1,5-7); reação do profeta (1,8-9) e das povoações (1,10-16). Julgamento com interrogatório (6,1-5); não vale o culto (6,6-9), denúncias e ameaças (6,9-16); lamentação do profeta (7,1-7). Restauração (7,8-20). Alguns elementos e sua abrangência facilmente são reconhecíveis.

Outro modo de leitura abarca o livro inteiro e, privilegiando alguns aspectos, permite reduzi-lo a um esquema regular:

I. Teofania e consequências
  1. *Manifestação de Deus 1,1-2*
     reação da natureza 3-5
     reação de Samaria 6-7
     reação de Judá 8-16
  2. *Justificação do castigo*
     denúncia contra os latifundiários 2,1-5
     e acusação contra os falsos profetas 2,6-13
     denúncia contra as autoridades 3,1-4
     e acusação contra os falsos profetas 3,5-8
     denúncia contra sacerdotes, juízes e profetas 3,9-11
     e sentença final: condenação de Jerusalém 3,12
  3. *Superação do castigo*
     no futuro, não agora 4,1-14
     não de Jerusalém, mas de Belém 4,8; 5,1-3
     não cruel, mas benéfica 5,4-8
     mediante uma purificação 5,9-14

II. Julgamento de Deus
  1. Convocação e acusação 6,1-5
  2. Rejeição do culto 6,6-8
  3. Acusação 6,9-16
  4. Lamentação do profeta 7,1-7
  5. Restauração
     Derrota do inimigo 7,8-10
     Tempo de reconstrução 11-15
     Derrota do inimigo 7,16-17
     Perdão e lealdade 7,18-20

Poder-se-ia atribuir valor superior ao que aparece como "superação do castigo", caps. 4-5, intitulando-o: Segunda controvérsia sobre a salvação. *No julgamento de Deus, a acusação ocupa boa parte da lamentação do profeta, pronunciada na terceira pessoa. O movimento da restauração é irregular.*

Alguns fragmentos do livro estão mal conservados, como atestam as versões antigas. A isso acrescenta-se o estilo conciso, o tom polêmico e as alusões que nos escapam. O resultado é que em algumas seções a tradução é bastante conjetural.

1

¹Palavra do Senhor que o morastita Miqueias recebeu durante os reinados de Joatão, Acaz e Ezequias de Judá. Visão sobre Samaria e Jerusalém.

Teofania de julgamento
(Na 1; Hab 3; Sl 76)

²Escutai, povos todos;
   atenção, terra e os que a povoam:
   o Senhor seja testemunha entre vós,
   o Senhor em seu santo templo.
³Olhai o Senhor
   que sai de sua morada e desce
   e caminha sobre o dorso da terra.
⁴Debaixo dele se derretem os montes
   e os vales racham,
   como cera junto ao fogo,
   como água precipitada pela torrente.
⁵Tudo por causa do delito de Jacó,
   pelos pecados de Israel.
   Qual é o delito de Jacó? Não é Samaria?
   Qual é o lugar alto de Judá? Não é Jerusalém?
⁶Pois reduzirei Samaria a uma ruína,
   seu campo a vinhedos,
   arrastarei ao vale suas pedras
   e desnudarei seus alicerces.
⁷Todos os seus ídolos serão triturados
   e suas ofertas queimadas,
   arrasarei todas as suas imagens;
 ela as reuniu como preço de prostituição,
   outra vez serão preço de prostituição.

Lamento do profeta

⁸Por isso é que gemo e me lamento,
   caminho descalço e nu,
   lamento-me como uivam os chacais
   e gemo como os avestruzes.

---

1 Para o julgamento do seu povo, o Senhor convoca a terra, coisa não insólita, e os "povos todos", coisa extraordinária. Tal julgamento pode ser para eles correção e aviso: se Deus castiga seu povo, quanto mais aos pagãos (ver Jr 25,29). Ao julgamento comparecem dois réus: Samaria, ainda em pé (5-7), e Judá-Jerusalém (5.9.12-13). Para resolver a dualidade, alguns supõem dois tempos de composição: o oráculo original se referia só a Samaria (antes de 722); durante a invasão de Senaquerib (701) foram acrescentadas as referências a Judá com o pranto das povoações. Outros pensam que, na queda iminente de Samaria, o profeta contempla um aviso ameaçador para Judá. No plano histórico, era previsível que a conquista de Samaria incitasse o vencedor a continuar a expansão; no plano teológico, os delitos de Judá não desmereciam os de Israel.
1,2 O Senhor pode no julgamento bilateral depor contra o réu, ou seja, assumir a função de testemunha.
1,3-4 A teofania atinge a natureza na forma de vulcão e terremoto; a descrição não é realista. O "dorso" é formado pelas colinas, estrada de um gigantesco Deus caminheiro.
1,5 A presença de Judá como réu é surpreendente, e não menos o delito que lhe é atribuído. Porque em Jerusalém não se venera Yhwh na imagem de touro; mas podiam existir abusos no templo e no culto, como os que Jr 7 denuncia; chamar o monte Sião de "lugar alto" constitui acusação grave. Se o original fosse só 5ab, seria muito fácil acrescentar 5c.
1,6 Samaria perderá seu prestígio urbano, não seu valor como terra de vinhedos: ver Is 28,3; Jr 31,5.
1,7 Prostituição pode significar: em sentido próprio, a prostituição sagrada unida a cultos de fertilidade de Baal; o culto idolátrico; as alianças políticas. Tomando o segundo sentido, o povo fabrica imagens de Baal e lhes presta culto, o deus paga em espécie dando fertilidade aos campos; como castigo, os ídolos serão queimados, as riquezas servirão aos conquistadores para prostituir e pagar os vencidos.
1,8-9 O pranto do profeta se refere claramente à invasão de Senaquerib, à ocupação das praças-fortes

⁹Incurável é a ferida que Judá sofreu,
chegou até a capital de meu povo,
até Jerusalém.

Luto das povoações
(Is 10,28-34; Sf 2,4-9)

¹⁰Não o conteis em Gat, não choreis em o Pranto,
em Bet-Apar revolvei-vos no lodo,
¹¹a população de Safir
se afasta nua e envergonhada,
a população de Saanã* não sai,
há luto em Bet-Esel*,
porque vos tiram sua residência,
¹²muito doente está
a população de Marot,
porque o Senhor lança a desgraça
sobre Jerusalém, a capital;
¹³atrelai os cavalos ao carro,
população de Laquis
(aí começou o pecado de Sião,
aí se encontravam os delitos de Israel);
¹⁴repudiai Morasti*-Gat,
Bet-Aczib* defraudou
os reis de Israel;
¹⁵eu te enviarei um herdeiro, população de Maresa*;
a tropa de Israel se refugia em Odolam.
¹⁶Corta os cabelos, raspa-os, por teus filhos adorados,
faze em ti uma calva larga como a de uma águia,
pois eles os desterraram.

Primeira denúncia
(Is 5; Am 5)

2 ¹Ai dos que planejam maldades
e tramam iniquidades em suas camas!

---

e ao assédio da capital: ver a seção de Is 36-37, especialmente 37,3.

1,10-16 Um coro de cidades fronteiriças e centrais se soma ao luto pela capital. O profeta vai introduzindo vozes e gestos, ou marca silêncios. O seu procedimento literário principal é a paronomásia ou exploração do significado aproximado ou do som do nome, em forma clara ou alusiva. Esses jogos e a má conservação do texto dificultam a interpretação; contudo, tentarei reproduzir o efeito sonoro de alguns.

1,10a Começa citando um versículo da lamentação de Davi por Saul e Jônatas (2Sm 1,20), com a aliteração *gat taggidu*. O Pranto pode recordar Jz 2,5.

1,10b A paronomásia soaria em português: *Em Casa Lodaçal revolvei-vos no lodo*.

1,11a Dado que Safir significa belo, esplendoroso (*zafir*), a paronomásia é dissimulada nos opostos, nua e envergonhada.

1,11b A paronomásia de Ovina é discreta *tsa'nan yatse'a*.

1,12a Marot pode conduzir-nos a "rebelar-se" ou a "amarga", mais próxima de "doente".

1,12b Jerusalém se decompõe popularmente em duas partes: *yeru* induz *yarad*, *shalom* induz o contrário, "desgraça".

1,13 Os cavalos ou o tiro têm som parecido com o nome do povoado: *larekesh lakish*.

1,14a Tem toda a aparência de glosa: introduz-se com um pronome, oferece explicações, interrompe sentido e tom. O problema é que tais explicações são indecifráveis para nós. * *Moreset* soa como desposada, o que justifica a alusão ao repúdio.

1,14b * Já que *kzb* significa mentira, fraude, podemos traduzir: Casa Fraude defraudou.

1,15 * Toma-se Maresa como derivado de *yrsh* = herdar. Odolam foi o refúgio de Davi perseguido (1Sm 22,1).

1,16 Rito de luto: Is 22,12; Jr 48,37. Em resumo, à teofania ameaçadora do Senhor correspondem o pranto do profeta e o luto das povoações. Bastarão pranto e luto para aplacar o Senhor? Os capítulos seguintes respondem.

2,1-5 A construção segue o modelo clássico: denúncia do pecado, ameaça do castigo, consequências.

Ao amanhecer as executam,
porque têm poder.
²Cobiçam campos e os roubam, casas e as ocupam,
oprimem o homem com sua casa,
o homem com sua herança.
³Por isso, assim diz o Senhor:
Vede, eu planejo uma desgraça
contra essa gente,
da qual não podeis afastar o pescoço,
nem podeis caminhar erguidos,
porque é uma hora funesta.
⁴Naquele dia entoarão contra vós
uma sátira, cantarão uma elegia:
"Ai porque roubam e vendem minha propriedade familiar!
Tomam e repartem nossas terras.
Estamos perdidos!".
⁵Assim, não terás quem te sorteie os lotes
na assembleia do Senhor.

Os profetas
(Jr 23; Ez 34)

⁶Não pregueis – pregam –,
não se prega assim,
a vergonha não chegará.
– ⁷Está amaldiçoada a casa de Jacó?
Acabou-se a paciência do Senhor,
ou vão ser tais suas ações?
"Não são boas minhas palavras
para quem procede retamente?"
⁸Outrora meu povo se levantava
contra o inimigo,
hoje arrancais túnica e manto
de quem caminha tranquilo,
desertores da guerra!

Original é utilizar um "ai" para a primeira parte e uma sátira para a terceira.

2,1 Em dois versículos admiráveis por sua concisão, o poeta concentra a perversão dos poderosos; compare-se com a magistral fórmula de Sb 2,11. A noite pode ser tempo de penitência (Sl 4) e o amanhecer tempo de graça (Sl 57; 90,14).

2,2 "Cobiçar" é o verbo usado no decálogo (Ex 20,17). A "casa" inclui família e empregados. "Herança" acentua o caráter sagrado e ancestral da propriedade: Nm 27,1-11 e 36,1-12.

2,3 "Planejo": o hebraico emprega o mesmo verbo dito antes dos poderosos (tramam). O "pescoço" parece aludir ao jugo dos escravos transportando cargas.

2,4-5 A sátira toma a forma de lamentação, para tornar-se mais pungente. E remonta à concepção da terra como dom de Deus, no início repartido por sorte. Um dia a assembleia repartirá de novo a terra, e nenhuma porção caberá aos exploradores.

2,6-11 O segundo oráculo apresenta dificuldades nada comuns, pelo estado do texto ou por alusões a fatos que desconhecemos. A chave para desenredar o emaranhado é a polissemia do verbo ntp = gotejar, borbotar, tagarelar, servir bebida, e sua semelhança fonética com nb' = profetizar e com htyb = agir bem. O procedimento estilístico é comum entre os profetas e particularmente apto para uma controvérsia de grupo.
Com seus enganos, esses profetas se dedicam a despojar mulheres, crianças e caminhantes, enquanto convidam para festas despreocupadas. Fazem boa companhia aos poderosos, usando a mentira em vez do poder.

2,6 Miqueias cita palavras dos falsos profetas, usando a linguagem deles. Na nossa interpretação: eles pregam pedindo que não preguemos e rejeitando o nosso modo de profetizar ou pregar; a isso opõem três perguntas retóricas como de alguém ofendido.

2,7 Três perguntas retóricas que pedem resposta afirmativa. a) A casa de Jacó não está amaldiçoada (corrigido); antes, leva a bênção patriarcal (Gn 28,13; 32,30; 34,11s). b) A paciência de Deus não se esgotou (Sl 103,8). c) É o Deus da retribuição, bom para os inocentes.

2,8 O contraste parece ser entre duas épocas (cf. Is 1,21): exemplar a antiga, vergonhosa a presente.

⁹Expulsais do lar querido
as mulheres de meu povo,
e tirais de seus filhos
minha honra para sempre.
¹⁰Portanto, vamos, parti,
que aqui não é lugar de repouso,
porque está contaminado,
está hipotecado e exigem a hipoteca*.
¹¹Se viesse um profeta
soltando mentiras:
"Eu te convido ao vinho e à bebida",
seria um profeta digno deste povo.

O rebanho reunido (falsos profetas)

¹²"Eu te reunirei inteiro, Jacó;
congregarei teus sobreviventes, Israel;
eu os juntarei como ovelhas num redil,
como rebanho na várzea,
e se ouvirá o barulho da multidão.
¹³Na frente avança o cabresto,
os outros abrem passagem,
atravessam a porta e saem:
na frente marcha seu rei,
o Senhor à cabeça".

Segunda denúncia
(Is 1,17-23; Jr 22,13-17)

3 ¹Mas eu digo: Escutai-me,
chefes de Jacó, príncipes de Israel:
Não cabe a vós ocupar-vos do direito,
²vós que odiais o bem e amais o mal?
Arrancais a pele do corpo,
a carne dos ossos,
³comeis a carne de meu povo
e lhe arrancais a pele,
quebrais seus ossos e o cortais
como carne para a panela ou caldeirão.

Em vez de "desertores", outros interpretam "que voltam da batalha", e o aplicam a fugitivos depois da queda de Samaria.

2,9 A "honra" seria a liberdade, ou então alude a abusos sexuais; alguns, com leve mudança, leem "sua morada".

2,10 Uns tomam este versículo como palavras dos profetas desapiedados, que expulsam da sua morada as mulheres. Outros o tomam como palavras de Deus anunciando o castigo segundo a lei do talião: "contaminaram" sua morada com a injustiça, hipotecaram-na com a sua opressão; o inimigo virá para cobrar a hipoteca. * Ou: *será destruído terrivelmente.*

2,11 O profeta-servente que esse povo quer e merece é alguém que substitui a denúncia pelo brinde, a penitência por banquetes (cf. Is 22,13).

2,12-13 O sentido destes versículos é claro, e por isso a sua atribuição é duvidosa. Interrompem a série de denúncias, antecipando a volta dos desterrados. Por isso, ou é um oráculo autônomo fora de lugar, ou é pronunciado pelos falsos profetas da controvérsia.

2,13 A imagem é pastoril: o Senhor é dono e pastor, o rei pode ser capataz ou guia; as ovelhas formam um rebanho compacto e barulhento. Reunidas num redil, hão de atravessar a porta que as retém e sair em novo êxodo; Is 48,20; 52,11.

3,1-4 O começo é de controvérsia: Miqueias quer rebater uns interlocutores. A sátira, sem prescindir da frase incisiva (1), toma uma imagem conhecida e a desenvolve com realismo brutal. Como castigo, o Senhor lhes recusará o rosto e a palavra.

3,1 No governo e na administração da justiça, coloca-se a distinção ética radical entre o bem e o mal: ver Dt 29,15.19; Is 5,20; Am 5,14.

3,2-3 É comum a metáfora "comer", "devorar" o próximo: Is 9,11; Jr 5,17; Sl 14,4 etc.

⁴Pois, quando gritarem ao Senhor,
não lhes responderá;
então lhes ocultará o rosto
por suas más ações.

Os profetas e o profeta
(Ez 13)

⁵Assim diz o Senhor aos profetas
que extraviam o meu povo:
Quando eles têm algo para morder,
anunciam paz,
e declaram uma guerra santa
a quem não lhes enche a boca.
⁶Por isso, chegará uma noite sem visão,
uma escuridão sem oráculo;
o sol se porá para os profetas,
escurecendo o dia;
⁷os videntes envergonhados,
os adivinhos ruborizados
cobrirão a barba,
porque Deus não responde.
⁸Eu, ao contrário, estou cheio de coragem,
de espírito do Senhor,
de justiça, de fortaleza,
para denunciar a Jacó seus crimes,
a Israel seus pecados.

Denúncia e sentença

⁹Escutai-me, chefes de Jacó,
príncipes de Israel:
vós que detestais a justiça
e torceis o direito,
¹⁰edificais Sião com sangue,
e Jerusalém com crimes.
¹¹Seus chefes julgam por suborno,
seus sacerdotes pregam por salário,
seus profetas adivinham por dinheiro;
e ainda se apoiam no Senhor,
dizendo: Não está o Senhor
no meio de nós?
Nada de mau nos acontecerá.

3,4 O castigo desta vez é genérico, mas não menos radical: ver Sl 11,5.
3,5 Com leve toque de ironia, a introdução clássica do oráculo profético se dirige aos profetas e contra eles. Segue-se um dos máximos acertos de Miqueias. Considera a boca um órgão profético, que só reage à comida. O falso profeta invoca a guerra santa, fulminando em nome de Deus a quem não paga.
3,6 O castigo passa a outro campo, justificado porque o profeta é "vidente". De dia o sol se eclipsa, de noite falta a luz da visão (cf. Jó 4,12-16).
3,7 "Não responde", como no monte Carmelo, 1Rs 18. Cobrir a barba: gesto de vergonha, ou para que não penetrem maus espíritos (cf. 1Rs 22,24).
3,8 Miqueias se distancia e se opõe aos falsos profetas, oferecendo-nos uma chave para interpretar seu livro. Sua valentia lhe vem da missão, sua força reside na palavra de Deus a serviço da justiça.
3,9-12 Contra as classes dirigentes: magistrados, sacerdotes e profetas, unidos no pecado comum da cobiça. Tudo se faz por dinheiro: Is 1,23; Ez 22,25; Am 5,7-11.

¹²Pois por vossa causa
Sião será um campo arado,
Jerusalém será uma ruína,
o monte do templo, um morro de matas.

Restauração: o monte do templo
(Is 2,2-4)

4 ¹[M] – No final dos tempos, estará firme
o monte da casa do Senhor,
no topo dos montes,
exaltado sobre as montanhas.
²Para ele se dirigirão as nações,
caminharão povos numerosos;
dirão: Vinde, subamos ao monte do Senhor,
à casa do Deus de Jacó;
ele nos instruirá em seus caminhos,
e andaremos por suas sendas;
porque de Sião sairá a lei,
de Jerusalém a palavra do Senhor.
³Será o árbitro de muitas nações,
o juiz de numerosos povos.
Das espadas forjarão arados;
das lanças, podadeiras.
Não levantará a espada povo contra povo,
não se treinarão para a guerra.

O templo, o monte Sião, Jerusalém, concentram a alegada presença do Senhor. Jeremias se inspira neste oráculo para o seu discurso sobre o templo (Jr 7), e os seus juízes o citam no processo (Jr 26,7.26).

4-5 Estes dois capítulos falam de restauração; por isso alguns os consideram como conclusão depois dos oráculos de denúncia, 2-3. Mas dentro deles há incoerências e mesmo oposições. Como se explicam? a) Supondo autores ou épocas; ao escrito original de Miqueias se acrescentaram glosas importantes e abundantes. b) Imaginando duas vozes que dialogam numa controvérsia, de modo que a oposição e o debate são fatores do sentido.
Sinais de composição propostos em esquema:
No final dos tempos 4,1
Naquele dia 4,6
E tu 4,8: agora 4,9.10.11.14
E tu 5,1; será 5,4.6.7.9
Todos os oráculos tratam de restauração. Diferem e até se opõem no modo de concebê-la, no tempo previsto, nos protagonistas indicados. Em esquema:
4,2 todos confessam o Senhor
4,5 só nós o confessamos
4,9 por que te contorces?
4,10 contorce-te, porque agora
4,14 eles golpeiam o juiz
4,13 tritura muitos povos
5,3 com o poder do Senhor
5,5 com espada e adaga
5,6 será como orvalho
5,7 será como leão
5,9s sem armas + 4,3
5,5 com armas + 4,13

Comparando começo e fim, descobrimos uma repetição temática significativa: Deus destrói as armas em todo o mundo e em Israel. Miqueias tem a primeira e a última palavra; os textos beligerantes são dos falsos profetas. Na tradução o indicamos com as letras F(alsos) e M(iqueias). Restam dois versículos de atribuição muito duvidosa: 4,7b e 5,3b.

4,1-4 Os vv. 1-3 coincidem com Is 2,2-4; o v. 4 se afasta totalmente do último de Isaías. Não há como resolver qual dos dois – ou um terceiro – é original.
Imaginemos, como hipótese heurística, que o poeta contempla do monte Sião a convergência de caravanas israelitas que acorrem para a alegre festa das Cabanas. Vêm de todas as partes do solo pátrio, convergem, sobem pela colina para o templo; ao se aproximarem, ouvem-se seus cânticos... De repente, na fantasia do poeta a cena se transforma: contempla ao longe uma paisagem de montanhas, e destacando-se na serra uma montanha sobranceira, como que atraída para o céu pela força ascensional da presença divina.
De todas as partes do mundo se veem caravanas de povos convergindo (cf. Is 19,16-25; Sl 87), como se fossem rios engrossados por afluentes, que avançam, confluem e seguem morro acima. Que força de gravidade contrária os congrega? O canto o diz: a lei ou vontade do Senhor feita palavra para a convivência humana e a palavra do Senhor feita mensagem profética de esperança. Aceitam a arbitragem justa e pacífica de Deus e transformam as armas em instrumentos pacíficos (cf. Is 11,6-9; Sl 46,9). Estão desfazendo a dispersão primitiva de Babel e prefigurando Pentecostes.

⁴Cada um sentará sob sua parreira e sua figueira,
sem sobressaltos
– o Senhor dos exércitos o disse.

⁵[F] – Todos os povos caminham
invocando o seu Deus,
nós caminhamos invocando sempre
o Senhor nosso Deus.

O resto e o Senhor rei

⁶[M] – Naquele dia – oráculo do Senhor –
reunirei os inválidos,
congregarei os dispersos,
os que maltratei:
⁷farei dos inválidos o resto,
os desterrados serão
um povo numeroso.
Sobre eles reinará o Senhor no monte Sião,
desde agora e para sempre.

⁸[F] – E tu, Torre do Rebanho, colina de Sião,
receberás o poder antigo,
o reino da capital Jerusalém.

Salvação pela prova

⁹E agora, por que gritas queixando-te?
Não tens rei, falta para ti o conselheiro?
Por que te contorces como parturiente?

¹⁰[M] – Contorce-te como parturiente,
expulsa, Sião,
porque agora sairás da cidade
para viver no descampado;
irás a Babilônia e daí te tirarão,
o Senhor te resgatará de mãos inimigas.

¹¹[F] – Agora se aliam contra ti
muitas nações, dizendo:
Estás profanada.
Gozemos do espetáculo de Sião.

4,4 Versículo de Miqueias que condensa a vida pacífica: 1Rs 5,5; Zc 3,10.

4,5 Os falsos profetas negam a universalidade. Só Israel venera o Deus verdadeiro, os outros povos veneram os seus deuses. (Ainda hoje se usa entre os judeus esta frase como profissão de fé.)

4,6-7 Ligado com o anterior. Nas caravanas haverá também uma confluência de desterrados israelitas, precisamente os inválidos, para o monte Sião. Isso supõe um desterro: o de Israel já aconteceu (722, cf. Jr 31,1-14), ou o futuro e previsto de Judá.

4,8-9 Os falsos profetas anunciam a Sião triunfo e poderio, como no tempo de Davi. O "Rebanho" evoca a lembrança do rei pastor; a "Torre" é sinal de poder (Is 2,15). A capital não tem por que temer, por que se retorcer; pode fiar-se de seu rei davídico e da prudência política do seu conselheiro (Is 9,6; 11,2).

4,10 Miqueias porém convida ao contrário: o tempo atual é de prova. Ao serem conquistadas as praças-fortes (por Senaquerib), cidades e aldeias se tornaram inseguras (Jr 6,1; 10,17). Cremos que Miqueias falou simplesmente de sair da cidade e morar por um tempo na estepe; mais tarde, e à luz dos fatos, alguém especificou que se tratava de Babilônia.

4,11-13 Os falsos profetas propõem uma vitória fulminante de Sião contra uma coalizão de nações. Sem crítica, estão aplicando à conjuntura presente um esquema de ação divina (que conhecemos por textos posteriores), isto é, convoca os inimigos, os faz vir e os derrota em seu território (ver Sl 2; Is 14,24-27; Ez 38). Do animal doméstico que debulha (Dt 25,4; Os 10,11) o autor salta ao touro bravo que investe (Dt 33,17).

¹²E não entendem os planos do Senhor,
não compreendem seus desígnios,
pois ele os reúne como feixes na eira.
¹³Levanta-te, debulha, Sião:
eu te darei chifres de ferro e cascos de bronze,
para que tritures muitos povos;
consagrarás ao Senhor seus ganhos,
sua riqueza ao Dono da terra.

¹⁴[M] – Agora se juntam em tropas,
e nos colocam assédio,
com o cetro batem na face
do Juiz de Israel.

5 ¹Mas tu, Belém de Éfrata,
pequena entre as aldeias de Judá, de ti tirarei
aquele que há de ser chefe de Israel:
sua origem é antiga, de tempo imemorial.
²Pois, somente os entrega
até que a mãe dê à luz,
e o resto dos irmãos
volte aos israelitas.
³Em pé pastoreará
com a autoridade do Senhor,
em nome da majestade do Senhor seu Deus;
e habitarão tranquilos, quando sua autoridade
se estender até os confins da terra.

⁴[F] – A paz virá assim: Se a Assíria se atrever
a invadir nosso país
e pisar nossos palácios,
levantaremos contra ela sete pastores, oito capitães,
⁵que pastorearão a Assíria com espada,
Nemrod com adaga.
Assim nos livrará da Assíria,
quando ela invadir nosso país
e pisar nosso território.

4,14 Miqueias corrige a visão otimista para evitar falsas ilusões. Ferir com vara ou cetro parece ser ato injurioso, talvez imposição de vassalagem. O Juiz = governante = rei tem de aguentar a ofensa.

5,1 Mas a humilhação não é definitiva. Só que a dinastia tem de resgatar seus humildes começos: não Sião, mas Belém, chamada também Éfrata (1Sm 17,12; Sl 132,6). A "origem antiga" pode remontar à genealogia do final de Rute.
Quando Mateus aplica este versículo ao Messias, muda ou lê "não és a menor" (Mt 2,6), sem contradizer o que implica o original. A tradição cristã, prolongando a sugestão de Mateus, leu neste versículo a origem eterna do Messias.

5,2 A restauração anunciada tem um momento previsto, que o profeta só pode propor num enigma. Suas duas peças se referem ao crescimento do povo por dois fatores: porque as mulheres voltam a dar à luz, porque os desterrados voltam a reunir-se com seus irmãos (cf. Is 7,14; 9,5 e 10,21s). Aquela que dá à luz é qualquer mulher judia, e também a capital personificada como matrona. Os que voltam podem ser os israelitas do reino do Norte ou os judeus depois de um desterro previsto. "Mãe" e "irmãos" imprimem a esta profecia um tom familiar.

5,3a Davi e seu sucessor recebem de Deus o poder, e em seu nome o exercem (Sl 72).

5,3b A atribuição é muito duvidosa. Na boca dos falsos profetas, exalta o tom otimista e triunfal da sua mensagem. Na boca de Miqueias, projeta para um futuro indefinido promessas davídicas (2Sm 7,9).

5,4-5 Os falsos profetas rejeitam a visão humilde de Miqueias, aplicando o esquema de Is 14,24-27. Os pastores serão capitães, a vitória será obtida pelas armas e a Assíria será submetida à vassalagem, mesmo que encarne o legendário Nemrod, caçador e guerreiro (Gn 10,8-12). Recorde-se aqui a vitória de Davi sobre Golias, sem espada, com os apetrechos de pastor.

O resto entre os povos

⁶[M] – O resto de Jacó será
como orvalho do Senhor
no meio de muitas nações,
como orvalho sobre a erva,
que não tem de esperar
os homens nem aguardar ninguém.

⁷[F] – O resto de Jacó
será no meio de muitas nações
como um leão entre feras selvagens,
como filhote num rebanho de ovelhas,
que penetra e pisoteia e agarra, impune.
⁸Levanta tua mão contra os agressores,
e sejam aniquilados todos os teus inimigos!

A grande purificação
(Is 2,6ss)

⁹[M] – Naquele dia – oráculo do Senhor –
eu aniquilarei vossa cavalaria
e destruirei vossos carros,
¹⁰aniquilarei as cidadelas
e arrasarei as praças-fortes,
¹¹aniquilarei em tuas mãos os sortilégios,
e não te restarão adivinhos;
¹²aniquilarei ídolos e estelas no meio de ti
e não adorarás as obras de tuas mãos;
¹³derrubarei no meio de ti os postes sagrados
e acabarei com teus bosques sagrados.
¹⁴Com ira e cólera me vingarei
das nações que não obedecerem.

Chamada ao julgamento
(Sl 50)

6 ¹Escutai o que diz o Senhor:
Levanta-te, convoca os montes para o julgamento;
que as colinas escutem tua voz.

5,6-8 Estes dois versículos mostram a oposição aguda entre o orvalho fecundante e o leão feroz. Israel teve de viver entre muitas nações, e seu destino não é violento, mas pacífico. Tem valor a oferecer. Oposto é o programa dos falsos profetas: todas as nações são feras, e Israel a pior de todas. Seu destino é atacar e aniquilar.

5,9-14 No final, o Senhor intervém no debate com a última palavra. Recolhe ironicamente o verbo "aniquilar" e muda-lhe a direção, contra as pretensões militaristas. Em forma de condenação, nova ironia anuncia uma purificação libertadora. Destruirá o poder militar com suas armas (que se tornam rivais do Senhor); destruirá a magia, que milita contra a profecia autêntica (Dt 18,9-11); destruirá a idolatria, pela qual o homem se escraviza a um produto humano.

5,9 Ver Dt 17,16; Os 14,4; Zc 9,10.
5,10 Ver Is 17,3; Os 10,14; Am 5,9.
5,12 Ver Dt 12,3; Is 10,10; Jr 10,14; Os 11,2.
5,13 Ver Ex 34,13; Dt 12,3.

6-7 Uma composição genérica de denúncia e promessa reuniu estes oráculos no final do livro, 5,1-7,7 e 7,8-20, embora sem correspondências exatas entre ambas as partes. Por sua vez, de 6,1 a 7,7 discorre uma unidade semelhante a outras, especialmente de Jeremias.

6,1-7,7 O processo pode ser resumido assim: a) 6,1-5 o Senhor acusa seu povo diante de testemunhas: depois de ter feito tanto por ele, o que recebeu em troca? b) 6,6-9a o povo reconhece sua culpa e propõe uma compensação cultual, que o Senhor recusa; o que ele busca é justiça. c) 6,9b-16 uma enumeração apertada e apaixonada demonstra a injustiça do povo, que torna inútil a compensação cultual; terá valor a intercessão de um mediador? d) 7,1-7 o profeta, discorrendo como Abraão diante de Sodoma, não encontra justos que aplaquem a Deus;

²Escutai, montes, o julgamento do Senhor,
  firmes alicerces da terra:
 o Senhor entra em julgamento contra seu povo,
  pleiteia com Israel.
  ³Povo meu, que te fiz eu,
  em que te aborreci? Responde-me.
  ⁴Eu te tirei do Egito, te redimi da escravidão,
  enviando à frente Moisés, Aarão e Maria.
  ⁵Povo meu, recorda
  o que planejava Balac, rei de Moab,
  e como respondeu Balaão, filho de Beor;
 lembra-te de Setim* até Guilgal,
  para que compreendas que o Senhor tem razão.

Compensação cultual

– ⁶Com que me apresentarei ao Senhor,
  inclinando-me ao Deus do céu?
  Com holocaustos me apresentarei,
  com bezerros de um ano?
  ⁷Aceitará o Senhor mil carneiros
  ou dez mil riachos de azeite?
  Por minha culpa lhe oferecerei meu primogênito,
  ou o fruto de meu ventre por meu pecado?
– ⁸Homem, eu já te expliquei o que é bom,
  o que o Senhor deseja de ti:
 que defendas o direito e ames a lealdade,
  e que sejas humilde com teu Deus.
  Quão acertado é respeitares a ti mesmo!

Denúncias e ameaças

⁹Ouvi! O Senhor chama a cidade;
  escutai, tribo e suas assembleias:

---

pelo contrário, só lhe resta denunciar, admoestar e esperar sozinho no seu Deus.

A acusação não é penitencial, pois não termina em conversão e perdão. É parecida com a denúncia de Jeremias sobre o templo: não têm valor o culto nem a intercessão, Jr 7,1-28, e a denúncia sobre a aliança: não têm valor a intercessão nem a eleição, 11,1-17. Três vezes, ao começar, se chama o pleito de *rib*. Desta vez, são testemunhas os montes e os alicerces da terra: o elevado e o profundo. O pleito se estabelece entre duas partes, "o Senhor e seu povo", uma das quais será inocente, terá razão (Sl 51,6), e a outra será culpada ou pecadora.

6,1 Os montes não são processados, mas são testemunhas notariais, como o céu e a terra em outros textos: Is 1,2; Dt 32,1.

6,3 Ou não se deixa responder, ou ficou sem resposta.

6,4-5 É curiosa a seleção de benefícios. Maria talvez recordando o hino triunfal (Ex 15) e a passagem do mar Vermelho. Setim e Guilgal recordando a passagem do Jordão.

6,5 * = Acácias.

6,6 Ver Ex 23,15; 34,20.

6,6-9a O povo recorda e reconhece suas rebeldias. Ora, o culto oficial oferece mecanismos para expiar pecados. O povo sugere sacrifícios valiosos, até recorre mentalmente aos mais valiosos, embora ilegais (Lv 18,21; 20,2), sacrifícios humanos. Em tais condições, sem emenda radical, o Senhor não aceita sacrifícios. O tema é tradicional e frequente: Is 1,10-20; Jr 7; Sl 50 etc.

6,8 A interpelação concisa "homem" nos surpreende e soa com ênfase como correlativo de "teu Deus", como que assinalando a comum humanidade de todos diante de Deus. O versículo nos oferece uma síntese de deveres para com o próximo e para com Deus. Não sabendo o que fazer com ele, transfiro para cá um sintagma do versículo seguinte.

6,9-16 O texto apresenta dificuldades, razão por que alguns mudam a ordem dos versículos. Preferimos manter a ordem do texto hebraico, suavizando asperezas gramaticais na tradução.

6,9 Interpela a capital, onde se celebram as assembleias (Is 33,30; Ez 36,38; Sl 74,4).

— ¹⁰Vou tolerar a casa do malvado
com seus tesouros injustos, com suas medidas
exíguas e que irritam?
¹¹Vou absolver as balanças viciadas
e uma bolsa de pesos falsos?
¹²Os ricos estão cheios de violências,
a população mente, têm na boca
uma língua mentirosa.
¹³Por isso, vou começar a golpear-te
e a devastar-te por teus pecados:
¹⁴comerás sem saciar-te,
e te retorcerás por dentro;
se algo reservares, se perderá.
se algo se conservar, eu o darei aos guerreiros;
¹⁵semearás e não ceifarás,
pisarás a azeitona e não te ungirás,
pisarás a uva e não beberás vinho.
¹⁶Observam-se os decretos de Amri
e as práticas de Acab;
seguis seus conselhos; é certo que vos devastarei,
entregarei a população ao opróbrio,
e tereis de suportar a vergonha de meu povo.

Discurso do profeta
(Sl 14)

7 ¹Ai de mim! Acontece comigo como a quem rebusca,
terminada a vindima:
não ficam cachos para comer
nem figos temporãos de que tanto gosto;
²desapareceram do país os homens leais,
não resta um homem honrado;
todos espreitam para matar,
estendem redes uns aos outros;
³suas mãos são boas para a maldade:
o príncipe exige, o juiz é subornado,
o poderoso declara suas ambições;
⁴a bondade é retorcida como espinhos
e a retidão como sarçais.
O dia das contas que anuncia a sentinela
chegará: logo chegará a desgraça.

6,10 Ver Am 8,5.
6,11 Ver Dt 25,13-15.
6,12 Ver Am 3,10; Sf 1,9.
6,14-15 Uma das maldições clássicas é cultivar sem fruto ou ver que os outros o levam (Lv 26,26).
6,16 Amri foi o fundador de uma dinastia e da capital Samaria (884-874). Acab foi seu sucessor e passou à história por causa do crime contra Nabot (1Rs 21). A "vergonha" é provavelmente a vassalagem a um soberano estrangeiro. Se os judeus imitarem seus irmãos do norte, sofrerão a mesma sorte.
7,1-7 A última peça propõe de novo a descrição de pecados com o anúncio da sentença; com uma particularidade: que o castigo é consequência lógica do pecado, ou seja, que o pecado cria uma situação injusta que também os culpados terão de suportar (cf. Is 59). Onde reinam falsidade e engano, a confiança e a convivência se acabam.
7,1 O profeta parece sentir a tragédia da sua mensagem e do seu destino, e por meio do seu sentir expressa a dor de Deus. Em busca de frutos que justificarão o perdão, chegou-se à rebusca, em vão: ver Jr 5,1. A imagem de Miqueias diz que o final está chegando.
7,2 Ver Sl 12,2s.
7,3 É enérgico o oxímoro (opostos) da expressão: "boas para a maldade". O último verbo é duvidoso; nós o passamos com outros ao versículo seguinte.
7,4 O que devia ser reto (Sl 45,7) foi retorcido.

⁵Não vos fieis do próximo,
  não confieis no amigo,
  daquela que dorme em teus braços
  guarda a porta de tua boca;
⁶porque o filho desonra o pai,
  a filha se levanta contra a mãe,
  a nora contra a sogra,
  e os inimigos de uma pessoa
  são os de sua casa.
⁷Mas eu estou alerta aguardando o Senhor,
  meu Deus e salvador:
  meu Deus me escutará.

Restauração
(Eclo 36)

– ⁸Não cantes vitória, minha inimiga: se caí, me levantarei;
  se me sento em trevas, o Senhor é minha luz.
⁹Suportarei a cólera do Senhor,
  pois pequei contra ele,
  até que julgue minha causa e me faça justiça;
  ele me conduzirá para a luz e gozarei por sua justiça.
¹⁰Ao vê-lo, minha inimiga se cobrirá de vergonha,
  ela que me dizia: "Onde está o teu Deus?"
  Meus olhos gozarão logo vendo-a
  pisoteada como barro da rua.
– ¹¹É o dia de reconstruir tua cerca,
  é o dia de estender teus limites,
¹²o dia em que virão a ti
  da Assíria até o Egito,
  do Nilo ao Eufrates,
  de mar a mar, de monte a monte.
¹³O país com seus habitantes ficará desolado
  em paga de suas más ações.

7,5 Ver Jr 9,1-10 e Sl 55.
7,6 Ver Ex 20,12; Lv 20,9; Dt 21,18-21.
7,7 Soa como conclusão do começado em 6,1. O profeta toma distância da situação e ocupa o seu lugar próprio de sentinela à espera (Is 8,17; 21,5s; Ez 33; Hab 2,1). Apesar de suas denúncias e sua controvérsia, Miqueias aguarda e espera. No livro, o último bloco de oráculos dá a resposta.
7,8-20 Como os livros de Oseias e Amós, também o presente termina em tom de esperança. A este bloco não faltam relações temáticas com o julgamento de 6,1-7,7: há um pleito (9), a linguagem do pecado (18b.19b), a saída do Egito (15), a lealdade de Deus (18c). O bloco é uma composição quaternária alternada; em esquema:
7,8-10 Jerusalém repreende sua rival, recordando o passado e o futuro.
7,11-13 Deus anuncia a Jerusalém o dia da sua libertação.
7,14-17 Jerusalém invoca a ação libertadora do Senhor.
7,18-20 Jerusalém expressa sua confiança no Senhor.
7,8-10 Primeira parte. Jerusalém sofreu em mãos inimigas, o que não significa que a potência inimiga seja árbitro da situação. Jerusalém era culpada, e o Senhor a entregou temporariamente em mãos inimigas (Jz 2,11-15). Agora que Jerusalém está arrependida e perdoada, o Senhor sairá por ela, livrará a humilhada e castigará a arrogância do agressor. É uma confissão teológica tradicional, que historicamente se explicaria melhor depois da queda da capital (586), embora possa se enquadrar depois da assoladora invasão de Senaquerib (701).
7,8 Cantar vitória: Sl 25,2; 35,19.
7,9 O Senhor se encarrega do pleito de Jerusalém e o faz seu, como parte ofendida (cf. Sl 35,1). Predomina a imagem do ver e da luz (Is 42,7).
7,10 A pergunta é feita pelo inimigo em tom de zombaria, ao ver que esse Deus não age: Sl 42,4.11; 79,10; 115,2.
7,11-13 Segunda parte. Chega o dia da reconstrução e do retorno dos dispersos. A cidade se enche, e é preciso alargar sua muralha: Is 49,19; 54,2. O profeta contempla uma diáspora universal: Is 11,11; 43,6; 60,5-9.

— ¹⁴Pastoreia o teu povo com o cajado,
as ovelhas de tua propriedade, habitante solitário
da floresta do Carmelo;
que pastem como outrora em Basã e Galaad;
¹⁵mostra-nos teus prodígios,
como quando saíste do Egito.
¹⁶Que os povos ao vê-lo se envergonhem,
apesar de sua valentia;
que levem a mão à boca e tapem os ouvidos;
¹⁷que mordam o pó
como cobras ou répteis;
que saiam tremendo de seus baluartes,
que temam e se assustem diante de ti,
Senhor Deus nosso.
— ¹⁸Qual é o Deus que perdoa o pecado como tu
e que absolve a culpa ao resto de sua herança?
Não manterá sempre a ira,
pois ama a misericórdia;
¹⁹voltará a compadecer-se,
destruirá nossas culpas,
lançará ao fundo do mar
todos os nossos pecados.
²⁰Assim serás fiel a Jacó e leal a Abraão,
conforme no passado prometeste
aos nossos pais.

7,14-17 Terceira parte. Se a imagem do Senhor pastor está vinculada às tradições do deserto, o pastoreio em Basã e Galaad pertence à ocupação da terra na Transjordânia. A atividade pastoril do Senhor em favor do seu povo terá poder de teofania (Sl 80,2-4), infundindo pânico no inimigo (Ex 15,14-16).
7,14 "Habitante solitário": semelhante título não tem antecedentes nem iguais no AT, pelo que alguns o atribuem ao rebanho. Tampouco é estranho imaginar as divindades residindo nas montanhas. Por outro lado, Carmelo pode ser topônimo genérico (1Sm 25,2), e sabemos que a arca esteve estacionada em Cariat-Iarim = Vila Moitas (Sl 132).
7,17 Ver Sl 18,45; 72,9; Is 49,23; Os 3,5.
7,18-20 Quarta parte. Pelo tema do pecado e do perdão, a última parte se liga à primeira. Se ao inimigo o Senhor se revela poderoso castigando, a seu povo se revela misericordioso perdoando.
7,19 Ver Sl 32,1; 103,12. Desaparece no fundo do mar.
7,20 A lealdade do Senhor se mostra perdoando: a última, a insuperável. A esperança se baseia na promessa, uma promessa que o pecado não pode invalidar.

NAUM

INTRODUÇÃO

Época

De Naum sabemos que nasceu em Elcós, mas não sabemos onde fica Elcós. Embora a introdução ao livro não traga datas, o conteúdo nos orienta com aproximação.

Assurbanipal, que nos legou a melhor biblioteca do antigo Oriente, foi o último rei importante do Império assírio (668-627). Durante o seu reinado fica decidida a sorte do grande Império opressor de nações, "o leão que fazia presas" (2,13). Ele pôde reconquistar Babilônia, derrotando seu irmão, que se rebelou à frente de uma grande coalizão; mas não pôde vencer o faraó Psamético.

Sucedem a Assurbanipal três monarcas frágeis, enquanto que o pêndulo do poder oscila de novo para o sul, onde Nabopalassar funda o novo Império babilônico (626). Nabopalassar, aliado a Ciáxares, rei dos medos, conquista de assalto a cidade de Nínive (612). Naum canta uma data grande e terrível da história universal. Desaparece a Assíria, retorna babilônia e se anuncia uma terceira potência, a Média.

É discutível se Naum proclamou a sua profecia depois da queda de Nínive ou quando a decadência da Assíria era evidente. Muitos traços descritivos da conquista valem para muitas cidades; o fato das "comportas", 2,7 (supondo que a tradução seja correta), é próprio de Nínive, mas era conhecido antes. Os festejos de 2,1.3 sugerem que o fato já acontecera.

Descrevendo com exaltada paixão a queda do Império temido e odiado, Naum canta também o Senhor da história, que faz soar sua hora aos Impérios. A hora de prestar contas de agressões persistentes e incorrigíveis, a hora de libertar as vítimas, castigando os carrascos segundo a justiça.

Obra e estilo

O livro de Naum que hoje possuímos começa com um quebra-cabeça textual. A tradução portuguesa do capítulo primeiro se baseia numa reconstrução hipotética. Não assim os capítulos 2 e 3. Naum é um magnífico poeta que descreve com exaltada paixão a queda do Império temido e odiado.

1

¹Oráculo contra Nínive: texto da visão do elcosita Naum.

Teofania e julgamento (poema alfabético)
(Mq 1,2-7; Hab 3)

²ᵃO Senhor é um Deus ciumento e justiceiro,
 o Senhor sabe enfurecer-se e vingar-se.
³ᵇCaminha no furacão e na tempestade,
 as nuvens são a poeira de seus passos.
⁴Ruge contra o mar e o seca,
 e evapora todos os rios;
 ficam áridos o Basã e o Carmelo
 e murcha a flor do Líbano.
⁵As montanhas tremem diante dele,
 as colinas estremecem,
 a terra em sua presença se levanta,
 o orbe com todos os seus habitantes.
⁶Quem resistirá à sua cólera,
 quem aguentará sua ira ardente?
 Seu furor se derrama como fogo,
 e as rochas se quebram diante dele.
⁷O Senhor é bom,
 atende aos que nele se abrigam,
⁸ᵃé refúgio no perigo,
 quando passa a enchente.

1,1 O versículo de apresentação acumula novidades. O livrinho se chama *massa'*, título genérico dos oráculos contra nações pagãs; em concreto, "contra Nínive", porque tudo se concentra na capital da Assíria. Depois se chama "visão", que corresponde ao conceito do profeta como vidente, e não é raro (Is 1,1; Ez 12; Hab 2,3 etc.). Considera-se o texto "escrito": como garantia até que se cumpra a predição? (Is 8,16; Jr 30,2), ou para que se conserve para o futuro? O profeta não traz sobrenome; na ocasião, seu lugar de origem seria conhecido.

1,2-14 Não começa atacando Nínive, mas entoando um hino ao poder de Deus, que destrói e salva, na natureza e na história. Que função tem? É teofania de julgamento, como a do começo de Miqueias ou do final de Habacuc. Um império afunda, e na catástrofe pavorosa e libertadora revela-se ao profeta o seu Deus em ação: pronunciando a sentença, mostrando a execução. A palavra poética de Naum quer conjurar essa manifestação divina, para que os seus ouvintes saibam interpretar o que acaba de ocorrer e o que está por ocorrer. O hino está cheio de reminiscências litúrgicas e coincide com versículos de outros profetas.

O texto nos coloca frente a um problema grave, pelo que tem de alfabético. Os poemas alfabéticos são acrósticos que seguem as letras de um alfabeto hebraico já estabelecido: nós os encontramos em vários salmos, quatro Lamentações e no final do Eclesiástico. Pois bem, nosso texto respeita bastante bem o alfabeto até o *Caf* ou o *Mem*, depois se perde. O que fazemos com ele? Alguns propõem respeitar a seção regular e deixar o resto como está. Eu preferi tentar uma reconstrução hipotética, contando com os usos poéticos hebraicos. Isso nos obriga a várias mudanças de lugar e várias correções do texto. Na tradução, respeito a numeração oficial.

1,2a *Alef*. Título clássico. O Senhor tem ciúmes do seu lugar exclusivo, não admite rivais (Ex 20,5; Js 24,19); também tem ciúmes do seu povo, não tolera que outros se apropriem dele (Is 9,6; Jl 2,18; Zc 1,15). O antropomorfismo indica que o Senhor não fica indiferente diante de atropelos e agressões; em determinados casos, sua reação é ato de justiça vindicativa.

1,2b depois de 11; pertence sem dúvida ao *Nun*.

1,3a depois de 7.8a; pertence ao *Yod* e continua o tema.

1,3b *Bet*. A tempestade é elemento clássico da teofania. As nuvens são a poeira que o caminhante gigantesco levanta no céu.

1,4a *Guímel*. Seu rugido ou bufido é o trovão aterrador que domina o oceano rebelde. Ver Sl 104,7.

1,4b *Dálet* com leve correção. Depois do mar, os montes cobertos de bosques representam a vegetação centenária (Sl 104,16); podem simbolizar orgulho e arrogância (Is 2,13).

1,5a *He*. O terremoto é a resposta terrestre à convulsão do céu, como voz de antífona na teofania: Mq 1,4; Hab 3,10; Zc 14,4 etc.

1,5b *Waw*. É duvidoso o sentido desse levantar-se provocado pela presença do Senhor.

1,6a *Záin*. Considero *lifné* adição desnecessária. Ver Jr 10,10; Am 7,2; Ml 3,2.

1,6b *Het*. Até aqui o poeta cantou o terrível poder de Deus: ver Jr 7,20; 42,18.

1,7-8a *Tet*. Passa a cantar a vertente complementar, com um atributo clássico do Senhor: Sl 25,8; 34,9; 52,11; 73,1 etc. Esta letra parece continuar com outro versículo. Mudo a distribuição: a "enchente" especifica o genérico "perigo": Is 28,18; Sl 32,6; 124,4.

³ᵃO Senhor é paciente e poderoso,
   o Senhor não deixa impune.
⁸ᵇExtermina seus adversários,
   empurra o inimigo para as trevas;
⁹ᵇseu adversário não se levantará duas vezes,
   pois ele o aniquilará.
⁹ᵃO que tramais contra o Senhor?
¹¹De ti saiu aquele que tramava maldades
   contra o Senhor, o conselheiro iníquo.
²ᵇO Senhor se vinga de seus adversários,
   guarda rancor de seus inimigos.
¹⁰Os que se embebedam em festins
   serão consumidos
   como emaranhado de espinhos,
   como montão de palha seca.
¹²ᵇAssim diz o Senhor:
   Se te afligi, já não te afligirei mais.
¹⁴ᵇNo templo de teu Deus
   aniquilarei ídolos e imagens.
¹⁴ᵃO Senhor dispôs para ti:
   já não se dispersarão os de tua estirpe.
Desprezavam-te, mas eu te darei um sepulcro.
¹²ᵃEmbora sejam muitos e estejam sãos,
   serão tosquiados e passarão,
¹³pois agora vou quebrar o jugo que te oprime,
   farei saltar tuas correias.

1,3a *Yod*. O acróstico o pede, e pelo tema se encaixa muito bem neste lugar. O atributo é litúrgico: Ex 34,6; Sl 103,8. A variante da segunda parte corresponde bem à situação: se a Assíria continua dominando e explorando, é porque o Senhor tem paciência; mas a sua paciência não é indefinida, e lhe sobra "força" para castigar o culpado.

1,8b *Kaf*. Quando chegar o seu momento de agir, acabará com o inimigo e o relegará à sombra do esquecimento e da morte: Sl 88,13; Lm 3,2.

1,9b *Lamed*. Invertendo a ordem dos hemistíquios, encontramos a letra esperada. O afundamento da Assíria será definitivo.

1,9a.11 *Mem*. Combinando os dois verbos, obtém-se uma duplicação do verbo "tramar", "planejar". A forma feminina "de ti" refere-se à capital, cujo nome ainda não foi pronunciado. Os reis assírios planejaram seus empreendimentos contra o Senhor ou contra seus desígnios: Is 10,11; 36,20.

1,2b *Nun*. O Senhor decide fazer justiça. Os crimes foram-se acumulando, e o Senhor não os esquece (Gn 15,16) e é um Deus justiceiro (Sl 94,1).

1,10 *Samec*. Este versículo nos brinda com quatro palavras que começam com tal letra e se compraz em jogos sonoros. A bebedeira caracteriza o desregramento dos assírios e sugere a sua falta de juízo (Is 28,1-13). O castigo emprega uma comparação tradicional: Is 10,17; 27,4; 33,11s.

1,12a.c *Áin*. Para esta letra, parece-me preferível o verbo afligir, humilhar, repetido no versículo. O Senhor se dirige pessoalmente a Jerusalém. Terminou o tempo do castigo ou da prova, o poder de Senaquerib e sucessores.

1,14b *Pê*. Com uma simples inversão dos hemistíquios, obtemos a letra oportuna. A destruição dos ídolos preludia ou acompanha a queda do reino: Is 21,9; 46,2; Jr 46,25; 49,3. Eco invertido das palavras do imperador assírio em Is 10,10s.

1,14a *Çade*. É duvidoso o destinatário interpelado na segunda pessoa. Se o dirigimos à Assíria, temos de ler "não se semeará"; se o dirigimos a Jerusalém, temos de mudar uma consoante final e ler "não se dispersará".

1,14c *Qof*. Duas palavras começam com esta letra, o sentido não muda. Dirige-se a Nínive: Is 14,19s; 22,16.18.

1,12b *Resh*. Descobrimos uma palavra com a letra desejada, mas não conseguimos formar uma frase sintaticamente aceitável. Supomos uma oposição entre muitos ou poderosos sadios e o destino de serem tosquiados e passarem.

1,13 *Shin*. Acrescento o infinitivo do verbo "quebrar", para encabeçar o versículo com a penúltima letra. É uma palavra de alento para Jerusalém, na imagem tradicional do jugo: Is 9,3; 10,27; Jr 30,8. Uma palavra de alento se seguiria, começando pela última letra, o *Taw*, do qual não sobrou traço. *Tiqvá* começa com T e significa esperança.

Foi um exercício de conjeturas não exageradas. O poema canta primeiro o poder impressionante do Senhor, depois se dirige ao inimigo assírio e a Jerusalém. No conjunto, predomina a impressão de contemplar um futuro próximo.

Festa em Jerusalém
(Is 52,7-10)

2 ¹Olhai sobre os montes os pés
do mensageiro que anuncia a paz:
"Festeja tua festa, Judá, cumpre teus votos,
pois o Criminoso não voltará a atravessar-te,
porque foi aniquilado".
³Porque o Senhor restaura
a glória de Jacó, a glória de Israel,
que salteadores haviam assaltado,
destruindo seus sarmentos.

Assalto e conquista de Nínive
(Is 14,24-27)

²Assaltam-te os aríetes e estreita-se o cerco:
vigia os acessos,
prepara-te e redobra tuas forças.
⁴O escudo da tropa está vermelho
e os soldados se vestem de púrpura,
é uma brasa o revestimento
dos carros em formação.
⁵Os cavaleiros vertiginosos,
os carros enlouquecidos
se lançam por ruas e vielas,
revolvendo-se como tochas ou relâmpagos.
⁶Passa em revista seus capitães
que tropeçam em seus percursos;
eles se apressam rumo às muralhas
e se assegura a barreira.
⁷Abrem-se as comportas dos rios
e o palácio se precipita;
⁸fazem os cativos formar e sair,
conduzem as escravas,
que batem no peito,
gemendo como pombas.

2,1-3 Como consequência do anterior, o profeta convida a festejar a libertação. O começo parece com Is 52,7.9. A festa (*hag*) pode incluir uma romaria à capital para cumprir os votos pronunciados durante a tribulação (Sl 65,2). O profeta considera o fato já acontecido: pode ser a derrocada final ou uma decadência irremediável.
A restauração é proposta na imagem clássica da vinha: salteadores a haviam despojado sem chegar a destruí-la; agora o Senhor lhe devolve seu esplendor vegetal, Sl 80,9-16. O paralelismo Jacó-Israel parece sugerir que agora Judá leva o nome emblemático do povo escolhido.
2,2 É claro que este versículo pertence ao assédio e assalto de Nínive. Aqui se acende a fantasia poética do autor, que nos faz presenciar imaginativamente algo do espetáculo: misturando traços visuais a traços auditivos, com abundantes efeitos sonoros, falando ele e deixando falar seus personagens, distante na descrição e inserido lírica ou retoricamente na cena. A descrição não é ordenada e sistemática, mas impressionista. O poeta conseguiu captar e transmitir a agitação do acontecimento.
Creio que o "aríete" que golpeia num assédio é a maça. Alguns mudam as vogais de *pny* para ler "ameias", que faz bom sentido para o assédio, mas não para os aríetes.
2,4-5 Magnífica descrição de cores em movimento. "Revestimento" é duvidoso; alguns emendam e leem tochas.
2,6 O olhar se transfere ao campo dos defensores. "Tropeçam" pela pressa.
2,7 Segundo uma antiga tradição, transmitida por Diodoro da Sicília, os atacantes desviaram um riacho e o fizeram penetrar na cidade, de modo que solapasse a muralha de terra calcada.
2,8 Texto duvidoso. Pode referir-se ao pessoal do palácio.

⁹Nínive é um reservatório cujas águas escapam:
Parai, parai! – Mas ninguém volta atrás.
¹⁰Saqueai prata, saqueai ouro,
o tesouro é inesgotável:
que abundância de todo tipo
de objetos preciosos!
¹¹Destruição, desolação, devastação!
A coragem se funde, os joelhos vacilam,
dobram-se os rins, o rosto perde a cor.
¹²Onde está o covil de leões,
o pasto dos filhotes,
aonde iam sem assustar-se
o leão com a leoa e suas crias?
¹³O leão que fazia presas
para seus filhotes
e despedaçava para suas leoas,
sua cova se enchia de vítimas,
seu refúgio de despojos.
¹⁴Aqui estou eu contra ti!
– oráculo do Senhor dos exércitos.
Teus carros arderão fumegando
e a espada devorará teus filhotes,
extirparei da terra tuas presas,
e não voltará a soar
a voz de teus mensageiros.

Cidade sanguinária
(Ez 22)

3 ¹Ai da cidade sanguinária e traidora,
repleta de rapinas, insaciável de despojos!
²Escutai: chicotes, estrépito de rodas,
cavalos a galope, carros saltando,
³cavaleiros ao assalto, chamejar de espadas,
relampejar de lanças, multidão de feridos,
montões de cadáveres, cadáveres sem fim,
tropeça-se em cadáveres.
⁴Pelas muitas fornicações da prostituta,
tão formosa e feiticeira,
que vendia povos com suas fornicações
e tribos com suas feitiçarias;
⁵aqui estou eu contra ti!
– oráculo do Senhor dos exércitos.

2,9 Dois versículos estupendos captam o pânico da debandada, a inútil tentativa de contê-la.
2,11 Ver Is 13,8; 24,17; Sf 1,15.
2,12-13 A imagem esconjura a ferocidade e cobiça dos assírios; suas riquezas são fruto da espoliação violenta.
2,14 Acima do espetáculo militar, eleva-se a figura desafiadora do Senhor.

3,2-3 A força excepcional destes versículos reside no uso alucinante de substantivos, que evocam sons, visões fugazes, presenças obsessivas; os particípios apresentam ações concisas. Tudo é anônimo, não individual. Acrescentam-se os abundantes efeitos sonoros.
3,4 Nínive empregou também os recursos da sedução e o fascínio dos seus valores, para comprar e submeter ao seu domínio povos imprudentes. Vende encantamentos prostituindo-se, compra povos corrompendo-os (Is 47,9).
3,5 Deus expõe a sedutora à vergonha pública: Is 47,2s; Jr 13,22.26; Ez 16,36s; Os 2,5.12. É o fracasso final do imperialismo no cenário universal.

Levantarei tua roupa até o rosto,
 mostrando tua nudez aos povos,
 tua vergonha aos reis.
⁶Jogarei lixo sobre ti
 e te exporei à vergonha pública.
⁷Os que te virem se apartarão de ti, dizendo:
 Nínive está desolada:
 quem se compadecerá dela?
 Onde encontrar quem a console?

Tu como ela

⁸És tu melhor que No-Amon,
 senhora do Nilo, rodeada de águas?
 Sua fortaleza era o mar, as águas sua muralha,
 ⁹incontáveis núbios, egípcios sem número,
 líbios e núbios eram seus defensores.
¹⁰Também ela foi para o desterro,
 partiu prisioneira,
 seus filhos foram esmagados
 nas encruzilhadas,
 os nobres foram rifados
 e os notáveis acorrentados.
¹¹Também tu te embriagarás e te esconderás,
 também tu buscarás asilo
 longe do inimigo.
¹²Tuas praças-fortes são figueiras
 carregadas de figos temporões;
 ao sacudi-las caem na boca que os come.
¹³Olha, teus soldados se tornaram
 mulheres diante do inimigo;
 abertas estão as portas do teu território
 e o fogo consumiu os ferrolhos.

Não há remédio

¹⁴Abastece-te de água para o assédio,
 fortifica as defesas,
 pisa o barro, amassa a argila, coloca-a no molde:
¹⁵pois o fogo te consumirá,
 como devora o gafanhoto,
 e a espada te aniquilará.

3,7 Ninguém tem compaixão dela, porque ela não o merece.

3,8 No-Amon era uma cidade egípcia rodeada ou ladeada de rios ou canais, que as tropas assírias conquistaram por volta do ano 667. Por sua situação parecia inexpugnável e, no entanto, teve de render-se a Assurbanipal. Agora – ironia da história – os papéis estão trocados. O Nilo é visto em seus múltiplos braços e no caudal de água que o assemelha a um mar.

3,9 Tropas mercenárias de territórios submetidos.

3,10 A matança de crianças dizima a população futura. Os nobres, como despojos de guerra, para tarefas especiais de escravos.

3,11 A embriaguez pode aludir à taça que se oferece ao condenado: Jr 25,15; Lm 4,21.

3,12 Madura para a conquista, como Is 28,4.

3,13 Comparação tópica: Is 19,16; Jr 49,22; 50,37; 51,30. "Ferrolhos" podem ser as praças-fortes estratégicas.

3,14-17 O poeta põe em cena uma invasão de gafanhotos e saltadores com diversas funções. São em primeiro lugar imagem do incêndio múltiplo e devorador. São depois a multidão de defensores e agentes, fugidios e mutáveis ao mudar a situação. Compare-se com Jl 2.

3,14 Começa com acumulação de imperativos. O último se poderia traduzir: "agarra a forma para tijolos". Com os tijolos se constrói rapidamente uma barreira defensiva.

Ainda que te reproduzas como o gafanhoto,
e te multipliques como os saltadores,
o gafanhoto muda a pele e voa;
¹⁶ainda que sejam teus comerciantes
mais que as estrelas do céu,
¹⁷teus capitães como gafanhotos,
teus chefes como insetos
pousados no muro durante o frio:
ao brilhar o sol, partem sem deixar pegada.
¹⁸Teus pastores, rei da Assíria, cochilaram,
e teus capitães se deitaram,
a tropa está dispersa pelos montes,
e não há quem a reúna.
¹⁹Não há remédio para tua fratura,
tua ferida é incurável.
Os que ouvem notícias tuas batem palmas,
pois sobre quem não passou
tua perpétua maldade?

3,16-17 Podemos supor que os caixeiros-viajantes vendiam sua mercadoria praticando modesto mercado internacional. Nada lhes custa mudar sua lealdade seguindo seu interesse privado. "Chefes" pode referir-se a notários e administradores imperiais. A imagem do gafanhoto se funde com a das estrelas que desaparecem ao sair o sol.

3,18 Pode ser o sono da inércia que antecipa a morte, ou o sono mortal dos caídos na defesa; Is 14,18; Jr 51,39.57.

3,19 O coro de nações submetidas irrompe num formidável aplauso pela derrota, que é libertação. E ao encerrar-se o poema, continua ressoando uma pergunta, tantas vezes repetível e repetida na história.

HABACUC

INTRODUÇÃO

Autor e época

Habacuc, profeta sem pátria e sem sobrenome, vive e escreve na mesma época de Naum. O seu horizonte histórico é definido por dois grandes poderes: a Assíria decadente e Babilônia renascente. A Assíria é a pescadora de povos e o seu deus é a sua rede; sucumbirá diante do novo Império babilônico, águia guerreira cujo deus é a sua força.

Entre os dois Israel vive a sua história, e Habacuc representa o seu povo. São tempos de opressão e violências, e Habacuc reza: "Até quando?" Os caldeus farão justiça, e o profeta espera impaciente. Até que a sua impaciência se converte em expectativa.

Deus enuncia um princípio geral: o arrogante confiado em si faz sua própria vida fracassar, o inocente que confia em Deus salva a vida. Neste momento, o arrogante é o Império assírio; os caldeus por ora fazem justiça, mas também podem pecar por arrogância. São tempos turbulentos, em que Israel pode converter-se em joguete dos impérios. É o decênio 622-612.

Caindo o império insaciável, os povos libertados entoam um coro de ais satíricos, repassando alguns crimes do opressor: roubos, fraudes, assassinatos, luxúria, idolatria, e expondo o castigo.

Sobre o coro ergue-se a voz solista de Habacuc, intercedendo pelo seu povo. (A tradução de 3,1, "por delitos inadvertidos", é insegura.) É uma súplica em forma de ato de confiança: embora os inimigos sejam poderosos, mais poderoso é o Senhor, que aparece como guerreiro cósmico sem opositores; embora também os campos sofram com a seca, o profeta celebra o Senhor da natureza e da história.

A obra

Nenhum profeta como Habacuc se apresentou na cena internacional das grandes potências, perguntando pela justiça da história, e daí remontou à contemplação da soberania de Deus. À primeira vista, a construção do livro é clara e simples:

1,2-4 O profeta clama ao Senhor numa situação trágica.
1,5-11 Deus lhe responde descrevendo uma potência militar.
1,12-17 O profeta, não satisfeito, objeta e interroga a Deus.
2,1-5 Deus, depois de certa demora, responde enunciando um princípio.
2,6-20 Canção dos cinco ais entoada pelos povos oprimidos pela queda do agressor.
3,1-19 O profeta canta um hino ao Deus guerreiro e termina professando sua confiança.

Nesta construção deve-se apreciar a dramaticidade do diálogo, que não é puro recurso retórico, mas esforço e tensão. Note-se também o jogo matizado do ver e escutar, que podemos esquematizar assim:

Deus parece não escutar (1,2), e antes de responder se faz esperar. Olha como se não visse, vê e se cala (1,13), como se o que vê não lhe ferisse a vista. O profeta é convidado a ver, não lhe basta saber por ouvir dizer (1,5). A visão profética, que em outros casos pode ser termo convencional (1,1; 2,3), se traduz em ver e experimentar fatos históricos. Como resposta a seu problema, ordenam-lhe olhar e observar o cenário político internacional (1,5); vendo, terá de entender. O profeta se coloca vigilante: "para ver o que me diz". Quando lhe chega a palavra, recebe a ordem de escrever, para que outro o veja e o proclame. Também o leitor moderno destas páginas é convidado ao jogo de ver e escutar; em outras palavras, ler e contemplar.

1

¹Oráculo que o profeta Habacuc recebeu em visão.

O fim da injustiça: impaciência e anúncio
(Is 21,1-10)

²Até quando, Senhor,
pedirei socorro sem que me escutes,
e te gritarei: Violência!, sem que me salves?
³Por que me fazes ver crimes,
me mostras injustiças,
pões diante de mim violências e destruição,
e surgem rixas e se levantam contendas?
⁴Pois a lei cai em desuso
e o direito não sai vencedor,
os perversos cercam o inocente
e o direito acaba torcido.
⁵Olhai as nações, contemplai, espantai-vos:
em vossos dias farei uma obra tal,
que não creríeis nela se vos contassem.
⁶Eu mobilizarei um povo cruel e decidido
que percorrerá a extensão da terra,
conquistando povoações alheias.
⁷É temível e terrível: com sua sentença,
ele imporá sua vontade e seu direito.
⁸Seus cavalos são mais velozes que panteras,
mais aguçados que lobos das estepes.
Seus cavaleiros pulam, seus cavaleiros vêm de longe,
voando como rápida águia sobre a presa.
⁹Acorrem todos para a violência,
em massa, adiantando o rosto,
e juntam prisioneiros como areia.
¹⁰Caçoa dos reis, zomba dos chefes;
ri de todas as praças-fortes,
calca a terra e as conquista.

1,1 O título *massa'* parece abranger até 2,5, já que em 2,6 se anuncia um gênero novo *mashal*, e outro em 3,1 *tefillá*. É título típico de oráculos contra nações pagãs. "Recebeu em visão" parece fórmula genérica de um profeta vidente.

1,2-4 Começa no estilo dos salmos de súplica, gritando a sua impaciência, questionando a atitude de Deus (Sl 13; 77,8-10; 79; Jr 15,10). Deus "me mostras", em sentido forte: confronta-o com a situação, para que tome consciência e reaja. O profeta reage reconhecendo, no que vê, o triunfo da violência unido à inércia de Deus. São injustiças que acontecem dentro de Judá, por ex. durante o reinado de Joaquim? (Cf. Sl 55). Ou são causadas por uma potência estrangeira? (Cf. Sl 44). Os autores discutem e discordam; pelo contexto nos inclinamos a pensar que já está em contexto internacional. O elenco de seis tipos de injustiça é enfático. Na eterno conflito entre perverso e inocente, o culpado triunfa, o direito é derrotado.

1,5-11 Deus responde. Após breve introdução, descreve um povo e suas campanhas militares. Descreve-o com tal vivacidade, que esse povo ocupa a cena como protagonista. Mas não o é, porque o Senhor afirma a sua própria iniciativa histórica; a afirmação final "seu deus" é pura ilusão da sua crueldade.

1,5 Deus responde com imperativos no plural, abrindo um horizonte internacional. No grande tabuleiro, Deus vai fazer um movimento incrível, vai mover uma peça inesperada.

1,6 Considero "os caldeus" glosa. Deus se reserva o nome. Em sua ação paradoxal, não é desta vez que um povo fraco abate o poderoso; não é fraco o povo que descreve. Paradoxal é que um povo cruel e injusto venha a fazer justiça. Já aconteceu outras vezes (p. ex. o caso de Jeú, 2Rs 9-10).

1,7 Corresponde ao versículo 4, repetindo verbo e substantivo, mas acrescentando um estranho possessivo: "imporá seu direito". Também o direito dos inocentes oprimidos? Compare-se com Is 42,1.4.

1,8-9 O poeta concentra sua atenção na cavalaria; o galope militar lhe sugere imagens de ferocidade; compare-se com Jó 39,18-25. "Aguçados": anotação visual certeira. "Violência" é um dos termos do v. 3. No fundo, a situação não mudou.

1,10 A guerra tem para eles algo de brincadeira e zombaria, apesar de reis e fortalezas.

¹¹Depois toma alento e continua.
Sua força é seu deus.

Súplica e descrição

¹²Não és tu, Senhor, desde outrora,
meu Deus santo que não morre?
Senhor, foste tu que o puseste no tribunal?
Rocha, estabeleceste-o para que julgue?
¹³Teus olhos são puros demais
para estar olhando o mal,
não podes estar contemplando a opressão:
então, por que contemplas
em silêncio os traidores,
e o culpado que devora o inocente?
¹⁴Fizeste tu os homens
como peixes do mar,
como répteis sem chefe?
¹⁵Ele os fisga todos com o anzol,
e os pega na rede, os reúne no cesto,
e depois ri satisfeito;
¹⁶e oferece sacrifícios ao cesto,
incenso à rede,
porque deram excelente presa,
comida substanciosa.
¹⁷E vai continuar esvaziando suas redes
e matando povos sem compaixão?

Espera e oráculo
(Is 21,1-10)

2 ¹Eu me porei de sentinela,
farei a guarda, observando
para ver o que me diz,
o que responde à minha reclamação.
²O Senhor me respondeu:
– Escreve a visão, grava-a em tabuinhas,
de modo que se leia corretamente:
³a visão tem um prazo, anseia pela meta,
não falhará; embora demore, espera por ela,
pois há de chegar sem atraso.

1,11 A primeira metade é duvidosa. Poder-se-ia traduzir "muda direção". Conclui o oráculo com uma expressão lapidar: esse povo sacraliza a sua força militar. Poderia ampliar: a força lhe dá ordens e lhe permite cumpri-las. Poderia analisar: atribuindo ao seu deus as suas conquistas, na realidade está divinizando sua própria força. Acrescente-se Sb 2,11. Não é estranho que semelhante oráculo divino provoque o protesto do profeta.

1,12 A resposta de Habacuc ocorre sem introdução, como de um ouvinte escandalizado. Acumula os títulos para mostrar a contradição. "Meu Deus", não o deles, que é sua força; "Santo", não como a violência; "desde outrora", antes destes fatos históricos; "não morre", como morrerão os deuses injustos (cf. Sl 82); "Rocha" que dá estabilidade à existência. O debate com Deus soa quase como um interrogatório.

1,13 O profeta, impotente, olhava e gritava; Deus, poderoso, olha e se cala. Se o silêncio de Deus era insuportável no começo, agora chega a ser incompreensível.

1,14 Leiamos a imagem da pesca sobre o pano de fundo do Sl 8: o senhor dos peixes convertido em peixe por outro domina; é possível que o Deus santo tenha organizado semelhante pescaria?

1,16 Sacraliza ou diviniza os instrumentos de poder e domínio: o critério supremo é a eficácia.

2,1 Com essa tensão, o profeta trata de sua nova função, que é ser sentinela (Is 21; Ez 33). Põe-se a olhar, para ver se Deus vai agir de novo num momento imprevisível; a escutar, porque Deus lhe deve uma resposta.

2,2-3 A resposta de Deus abre uma nova etapa de expectativa. Quais são os prazos na cronologia de

⁴"O ânimo ambicioso fracassará;
 o inocente, por confiar, viverá".
⁵Ainda que se lance o pérfido,
 um tipo fanfarrão, nada conseguirá;
 ainda que escancare as fauces como o abismo
 e seja insaciável como a morte;
 ainda que arraste todos os povos
 e se apodere de todas as nações,
⁶ᵃtodos eles entoarão contra ele
 refrães, sátiras e epigramas:

Canção dos cinco ais

⁶ᵇAi de quem acumula o bem alheio:
 por quanto tempo?,
 e amontoa objetos penhorados!
⁷De repente se levantarão teus credores, despertarão
 e, sacudindo-te bem, te depenarão;
⁸porque saqueaste tantas nações,
 os outros povos te saquearão;
 por causa de teus assassinatos e violências
 em países, cidades e povoações.
⁹Ai de quem ajunta em casa ganhos injustos
 e aninha muito alto
 para se livrar da desgraça!
¹⁰Destruindo tantas nações,
 planejaste a vergonha de tua casa
 e malograste tua vida.

Deus? Recordemos o tempo vegetal de Is 18,4s e a pressa de Is 5,19; Ez 12,21-28. Escrever o oráculo acrescentará seu valor jurídico (Is 8,16). A escritura há de ser clara e duradoura, para que não seja preciso decifrá-la.

2,4 O problema é que, ao chegar a nós, o texto não pode ser lido corretamente; temos quase de decifrá-lo. O enunciado parece um enigma proposital. É claro que o princípio é uma antítese, com correspondência de membros; o segundo membro é unívoco, ao passo que o primeiro tem vários termos ambíguos. A antinomia orienta para defini-los; mas penso que o autor joga com polissemia. Suposto isso, e poupando a análise técnica, proponho uma leitura parafrástica ampla.

Há um homem movido pela cobiça e pela ambição (*nfsh*) que "se infla" ('*flh*) com a arrogância e com o que traz, com seus êxitos; mas não triunfará (*l' yshrh*), porque "não é reto", justo (idem). Há um homem "justo e inocente" (*sdyq*), que não recorre à força, porque confia (*b'mwntw*) em Deus, e por isso salvará a vida (*yhyh*). O versículo seguinte amplia e estende esse princípio, os cinco ais comentam o fracasso do arrogante.

Paulo cita duas vezes este versículo para provar que não se obtém a salvação pela observância da lei, mas pela fé: Rm 1,17 e Gl 3,11; por sua vez, Hb 10,37-38 cita-o segundo a versão grega, exortando à paciência.

2,5 Com uma ligeira emenda que realiza o jogo de palavras, corresponde ao princípio precedente: tipo/ soldado fanfarrão = inflado, fracassará; escancara as fauces e não se sacia = inflado. A comparação com a morte e o abismo qualifica sinistramente o personagem: seu poder mortífero, sua cobiça abissal.

2,6a Este versículo qualifica com três termos aquilo que nós chamamos "ais": *lvm* é genérico, refrão semelhante; *hxylm* costuma implicar caçoada, sátira; *hdh* requer engenho, enigma ou adivinhação. O terceiro título nos avisa que estejamos vigilantes para escutar alusões engenhosas e dissimuladas.

2,6b-20 A composição dos ais é bastante regular. Ela nos faz ver que o v. 19 se lê antes do 18. Não é tão clara a posição do v. 17; por seu tema e pela menção da madeira (Is 37,24), ficaria melhor depois de 11. Os cinco são breves e respeitam o esquema clássico: denúncia do delito e anúncio do castigo. O quinto introduz uma mudança significativa.

2,6b-8 Na economia interna, os pobres vão penhorando os bens e empobrecendo cada vez mais, ao passo que os ricos credores despojam legalmente e se enriquecem. No comércio internacional se repete a relação entre reinos pobres, que penhoram seus produtos, e o império rico que saqueia legalmente, segundo a sua lei. Hoje chamamos isso de dívida externa. Habacuc pôs a descoberto um esquema de conduta que se repete. O castigo acontece na mesma linha. Se cortamos em duas partes a palavra "penhorado", '*abtit* = '*ab-tit*, nos fica na mão uma "massa de barro", das tabuinhas em que se registravam os contratos.

2,9-11 "Casa" tem o duplo sentido de moradia e família. O comércio fraudulento pode ser praticado dentro da nação, e foi denunciado muitas vezes

¹¹As pedras das paredes reclamarão,
  alternando com as vigas de madeira.
¹²Ai de quem constrói a cidade com sangue
  e alicerça no crime a capital!
¹³O Senhor dos exércitos decidiu
  que os povos trabalhem para o fogo
  e as nações se afadiguem inutilmente,
¹⁴quando toda a terra se encher
  do conhecimento
  da glória do Senhor,
  como as águas enchem o mar.
¹⁵Ai de quem embebeda seu próximo,
  e o embriaga com uma taça drogada,
  para contemplá-lo nu!
¹⁶Bebe tu também e mostra o prepúcio,
  farta-te de vergonhas e não de honras,
pois a direita do Senhor te passa a taça,
  e tua vergonha superará tua honra.
¹⁷O Líbano violentado te esmagará,
  a matança de animais te aterrará:
por causa de teus assassinatos e violências
  em países, cidades e povoações.
¹⁹Ai de quem diz a um lenho: Desperta,
  e a uma pedra: Acorda! Vai te instruir?
  Olha-o forrado de ouro e prata,
  mas não tem alma.
¹⁸De que serve ao ídolo que o artesão o talhe,
  se é uma imagem, um mestre de mentiras?
  De que vale ao artesão confiar em sua obra
  ou fabricar ídolos mudos?
²⁰Ao contrário, o Senhor está em seu templo santo:
  cale-se o mundo todo em sua presença!

3

¹Intercessão do profeta Habacuc
  por delitos inadvertidos.

---

pelos profetas. O autor pensa aqui (se não é glosa) no comércio internacional, de "muitas nações". É magnífico o coro em antífona de vigas e madeiras.

2,12-14 Também este acontece no espaço nacional (Joaquim, Jr 22,13.17) e no âmbito internacional (Babilônia, conforme Jr 51,58). São os edifícios suntuosos ou as obras caras construídas à custa dos operários, com seu "sangue". O v. 14 é citação de Is 11,9, final do reino futuro maravilhoso, e dificilmente se enquadra no contexto presente. Quem o acrescentou acusa uma mentalidade escatológica, ou seja, depois da conflagração mencionada se instaurará o novo reino.

2,15-17 O delito mistura uma sensualidade perversa com o aproveitamento da humilhação alheia. Também tem dupla aplicação, nacional e internacional, e é um símbolo permanente. Há modos não violentos de submeter outros povos: embriagá-los com dons fúteis e valores falsos, depois despojá-los e celebrar sua humilhação. Há muitos produtos que embriagam e muita nudez vergonhosa (Gn 9,21), e muitas zombarias da humilhação alheia. Delito humano, cujo castigo transcende a esfera humana, pois Deus mesmo fornecerá a taça da sua ira e o despojador ficará exposto à vergonha universal.

2,18-20 Bom arremate da série. A idolatria está unida à injustiça, porque os ídolos não exigem justiça, antes justificam e consagram o poder injusto (Sb 14,22-31). Em poucas palavras o autor caracteriza os ídolos; quanto à matéria, madeira e pedra mudas sem alento vital; quanto à forma, simples elaboração artística sem eficiência; quanto à função, transmissores de oráculos enganosos. Em contraste, ergue-se solitário o Senhor. Um silêncio numinoso e universal deve acolher a invocação e a presença do Senhor do universo.

3,1-19 O que nós chamaríamos de hino traz um título e um colofão que se referem ao uso litúrgico e parecem notas posteriores. Intitula-se "súplica" ou intercessão. Sobre "inadvertências" e seu tratamento, ver Lv 4,2; 5,15; Nm 15. O colofão acrescenta uma instrução musical.

²Senhor, ouvi falar de tua fama:
   Senhor, vi tua ação!
No meio dos anos realiza-a,
   no meio dos anos manifesta-a,
   na ira lembra-te da compaixão.
³O Senhor vem de Temã,
   o Santo do monte Farã;
   seu resplendor eclipsa o céu,
   e a terra se enche de seus louvores;
⁴seu brilho é como o sol;
   sua mão cintila, velando seu poder.
⁵Diante dele marcha a Peste,
   a Febre segue seus passos.
⁶A terra se detém e treme, lança um olhar
   e dispersa as nações;
as velhas montanhas desmoronam, se prostram
   as colinas primordiais,
   as órbitas primordiais, diante dele.
⁷Encurvadas vejo as tendas de Cusã,
   sacudidas as lonas de Madiã.
⁸Arde, Senhor, contra os rios,
   contra os rios tua cólera, contra o mar teu furor,
   quando montas teus cavalos, teu carro vitorioso?
⁹Desnudas e alertas teu arco,
   carregas de flechas tua aljava.
Fendes com torrentes o solo,

O canto descreve o Senhor como guerreiro de proporções cósmicas. A natureza inteira sente a sua presença ou está a seu serviço: céu e terra, montes e colinas, rios e mares, águas e oceano, sol e lua. A sua "saída" é para salvar seu povo dos agressores pagãos. O Senhor guerreiro dispõe de cavalos e carros, arco e setas, flechas e lança. Não sai para lutar contra o oceano, como outrora (criação e passagem do mar Vermelho), mas contra o perverso, sua casa e suas fileiras. Põe-se em marcha no sul, Temã e Farã; sua passagem deixa tremendo os acampamentos beduínos de Cusã e Madiã; enche o cenário cósmico. Apressa-se contra o inimigo, contra seu capitão, porque urge salvar *in extremis* seu povo indefeso, vítima de voracidade agressiva.

Visto que o universo se comove, também o profeta sente-se em sobressalto ante a marcha ameaçadora de Deus, mesmo compreendendo que Deus responde ao seu pedido inicial. Derrotado o agressor, o Senhor restabelece a fecundidade dos campos, e o profeta exulta com o triunfo de seu Deus, dele recebendo poder.

Como canto de vitória ou de triunfo, este poema coloca-se ao lado e à altura de Ex 15 e Js 5; pelo tema se aparenta com os salmos 18 e 68. A sua maestria está nas imagens, que sintetizam o traço realista com a visão transcendente. O mundo, sem perder evidência, se aprofunda em manifestação; a natureza se mobiliza na história. O texto apresenta não poucas dificuldades de leitura e interpretação.

3,2 "Vi", com uma leve correção. Escutar e ver sintetizam a atividade do profeta. Que o Senhor realize sua ação e a faça perceber no meio da história, sem adiá-la para um futuro indeterminado. Os anos da opressão do povo eram tempo de cólera divina; que a compaixão ponha fim à cólera (cf. Sl 30).

3,3 A vinda do sul pode aludir ao Sinai ou ser tema autônomo; ver Sl 68,18 e Dt 33,2. A terra responde com o louvor a uma manifestação da glória de Deus como esplendor (Ex 16,10).

3,4 A primeira sensação é luminosa e paradoxal: um esplendor que ilumina e ofusca, irradiação que revela e vela. No meio do fulgor se aprecia apenas a mão radiante e poderosa.

3,5 Como escolta maléfica e protetora, disposta a executar sentenças de castigo. Recordem-se a peste ameaçada em 2Sm 24 e os perigos de Sl 91,6.

3,6a A eficácia do versículo está na concisão. Vimos o guerreiro incontido avançar. De repente se detém, e a freada brusca da marcha provoca um abalo telúrico, como se toda a terra tivesse acompanhado seu ritmo gigantesco. Um olhar do gigante põe em fuga multidões de nações.

3,6b As montanhas representam o primordialmente sólido e estável da terra; além disso, o dorso das montanhas forma a estrada cósmica de Deus (Am 4,13; Mq 1,3).

3,7 "Encurvadas": duvidoso. Creio que o poeta descreve o efeito de um furacão varrendo a estepe com os acampamentos nômades (cf. Is 21,1).

3,8-11 Descrição de uma tempestade. Comparando-a com Sl 18,8-16 e Sl 77,17-20, poder-se-ia apreciar a maestria e riqueza imaginativa dos três autores.

3,9 Num texto duvidoso, conservo dois verbos aliterados e tomo do grego a "aljava". As setas são tradicionalmente os raios. O aguaceiro violento abre leitos e forma torrentes impetuosas e efêmeras, "fendendo" a superfície.

¹⁰e ao ver-te tremem as montanhas;
passa uma tromba d'água, o oceano ruidoso
levanta seus braços ao alto.
¹¹Sol e Lua se detêm em sua morada
à luz de tuas flechas que cruzam,
ao brilho do relâmpago de tua lança.
¹²Caminhas irado pela terra,
pisoteias furioso os povos,
¹³sais para salvar teu povo,
para salvar teu ungido:
destroças o teto da casa do perverso,
desnudas seus alicerces até a rocha.
¹⁴Com seus dardos atravessas o capitão,
e suas tropas se dispersam em turbilhão,
quando triunfantes iam devorar
uma vítima às escondidas.
¹⁵Pisas o mar com teus cavalos,
e ferve a imensidão das águas.
¹⁶Escutei-o e minhas entranhas tremeram,
ao ouvi-lo meus lábios estremeceram,
entrou-me um calafrio pelos ossos,
e ao andar me tremiam as pernas.
Gemo pelo dia de angústia
que se lança sobre o povo que nos oprime.
¹⁷Ainda que a figueira não floresça
e as cepas não deem fruto,
ainda que a oliveira se negue à sua tarefa
e os campos não deem colheitas,
ainda que se acabem as ovelhas do redil
e não fiquem vacas no estábulo,
¹⁸eu festejarei o Senhor,
alegrando-me com meu Deus salvador:
¹⁹o Senhor é minha força,
ele me dá pernas de gazela,
e faz-me caminhar pelas alturas.
(Ao diretor do coro: com cítaras.)

3,10 O oceano responde à chuva que desaba: lança um grito e levanta as mãos num gesto de súplica submissa. Poderia aludir à luta primordial contra o caos.

3,11 A tempestade escurece densamente o universo. Sol e lua se escondem amedrontados ante os raios e relâmpagos, flechas e lança do Senhor.

3,12-13 A oposição "o perverso/o teu povo" corresponde ao eixo da profecia (1,4.15). O povo honrado não entra no jogo do poder e da violência, mas aguarda confiando no Senhor. A "casa" do perverso, arrasada de alto a baixo, pode representar o centro do seu domínio e o depósito de suas rapinas.
Não esperávamos aqui a menção do Ungido, que é o rei davídico.

3,14 Versículo difícil. Creio que o autor surpreende o momento extremo da libertação, quando o agressor já desfrutava do seu fácil triunfo, quando ia tragar a sua pobre vítima. "Seus" dardos se voltam contra ele.

3,15 Derrotado o agressor e salvo o inocente, o vencedor se retira cavalgando majestosamente.

3,16 O profeta fica contagiado pelo temor e tremor geral, como em casos semelhantes: Is 21.

3,17 Não é rara a síntese de guerra e desolação ou o seu oposto, paz e fertilidade: Sl 65; Jr 4,19-26; 14,1-10.

3,18 Depois da agitação, o profeta expressa o seu júbilo; como no princípio expressou cólera e compaixão.

3,19 O profeta pronuncia as palavras de um rei: Sl 18,34; ver também Dt 33,29.

SOFONIAS

INTRODUÇÃO

Autor e época

Sofonias é um profeta do reinado de Josias, e Josias é um paradoxo no plano histórico de Deus. Depois dos tristes anos de decadência religiosa sob o reinado de Manassés (698-643), Josias é o grande restaurador e continuador das reformas religiosas do seu bisavô Ezequias. Lutou eficazmente contra necromantes e adivinhos, proscreveu o culto em santuários locais para centralizá-lo exclusivamente em Jerusalém, desenraizou os restos da idolatria, lutou contra a influência assíria, promoveu com seu exemplo uma nova observância religiosa, conseguiu ampliar o reino para o norte, em território do destruído reino de Israel. Conforme a doutrina comum, semelhante rei tinha todas as garantias para assegurar a própria prosperidade e do seu reino. Mas, o que aconteceu? Tentando deter as tropas do Faraó que iam em auxílio da Assíria, o rei foi morto em combate junto a Meguido; o povo, escandalizado por esse aparente abandono da parte de Deus, voltou aos pecados religiosos, ao sincretismo pagão. Estava a pouca distância da catástrofe.

Sofonias colaborou com Josias (640-609), denunciando os costumes estrangeiros, e predisse a destruição de Nínive. Sentiu aproximar-se a grande catástrofe sobre Jerusalém, o grande "dia da cólera", dies irae. Mas conclui, como outros profetas, com uma profecia de esperança. Como poeta é menos pessoal, recolhe temas da tradição profética e os compõe com o procedimento da enumeração. Sofonias vive à sombra do seu grande contemporâneo Jeremias.

A obra

O livro de Sofonias pode ser lido como composição unitária, semelhante às escatologias proféticas, ou como exemplo delas.

Celebra-se um julgamento solene, definitivo em relação a uma etapa, ao que se segue a grande restauração que implanta o reino do Senhor.

O julgamento é celebrado num dia estabelecido e num espaço de dimensões cósmicas. Termina o tempo da paciência e do perdão, é preciso prestar contas finais, o Senhor pronuncia a sentença. Por isso, é um dia de ira, introduzido por uma teofania surpreendente.

Terão de prestar contas primeiramente cinco nações: Filisteia, Moab e Amon, Núbia e Assíria; depois será a vez de Jerusalém (seguindo o esquema de Am 1-2).

O profeta, ao anunciar a proximidade do dia, encontra-se ainda em tempo de misericórdia e convida à conversão. Porque de Israel se salvará um resto, não constituído pela simples circuncisão física, mas pela conversão e pela humilde fidelidade. Por isso, também entre os pagãos haverá quem se salve e se incorpore ao serviço do Senhor.

A restauração é tempo de alegria mútua, do Senhor e do seu povo; tempo de mudança interna e definitiva; terminam o temor e a opressão e retornam os dispersos.

1 ¹Palavras do Senhor recebidas por Sofonias, filho de Cusi, de Godolias, de Azarias, de Ezequias, durante o reinado de Josias, filho de Amon, em Judá.

Destruição

²Acabarei com todas as coisas na superfície da terra
— oráculo do Senhor —:
³acabarei com homens e animais,
   acabarei com as aves do céu
   e os peixes do mar
   (com os escândalos e os perversos);
extirparei os homens da superfície da terra
   — oráculo do Senhor.
⁴Estenderei minha mão contra Judá
   e contra todos os habitantes de Jerusalém,
extirparei deste lugar o que resta de Baal
   e o nome de seus sacerdotes e seu clero,
⁵os que nos terraços adoram o exército do céu,
   os que, adorando o Senhor e jurando por ele,
   juram também por Moloc,
⁶os que apostatam do Senhor,
   os que não o buscam nem o consultam.

"Dies irae"
(Ez 7)

⁷Silêncio na presença do Senhor,
   pois se aproxima o dia do Senhor.
O Senhor preparou um banquete
   e purificou seus convidados.
⁸No dia do banquete do Senhor,
   pedirei contas aos nobres e príncipes reais
   e a todos os que se vestem à moda estrangeira;

1,1 Chama a atenção a série de sobrenomes: queria o editor fazê-lo descendente do rei Ezequias? – Mas o nome é comum. Queria contrabalançar com três nomes javistas o sobrenome Cusi, que significa núbio? – Mas Sofonias é também nome javista.

1,2-6 Começa *ex abrupto* tornando mais surpreendente o trágico enunciado universal: a terra, que Deus "não criou vazia" (Is 45,18), agora ele resolve esvaziá-la e voltar ao terceiro dia da criação (Gn 1). E no meio da destruição universal, Judá e Jerusalém chegarão ao mesmo destino. O poeta emprega como procedimento a repetição anafórica e a enumeração. Mas é estranho que em Judá e Jerusalém a aniquilação seja seletiva: somente os idólatras, sincretistas e apóstatas. Será preciso ler o começo como hipérbole? Outra explicação é escutar a ameaça como um novo dilúvio universal, do qual se salvam os fiéis javistas na arca de Jerusalém, os destinados a começar nova era. No relato atual do dilúvio encontramos o verbo 'asap (Gn 6,21); a "superfície da terra" (6,1.7; 7,4.23; 8,8), "homens e animais" (6,7; 7,23). Uma glosa acrescenta aqui e especifica: "escândalos e perversos".

1,4 Do horizonte universal que Deus abrange (Sl 139,9-10), sua mão se dirige certeira a um ponto escolhido. "O que resta de Baal", ou seja, do seu culto, favorecido por Manassés e não extirpado por Amon. Josias lutará contra ele. O "nome de seus sacerdotes": em sentido próprio equivale a dizer que ficarão sem descendência que perpetue o nome da família; em sentido de título, significa que perderão o cargo (coisa que Josias fez).

1,5 O primeiro é o culto astral (Dt 4,19). O segundo é sincretismo, pois jurar por uma divindade é reconhecê-la e venerá-la.

1,6 Atitudes radicais com relação ao Senhor são apostatar e desistir. O verbo "buscar" reaparecerá significativamente em 2,3.

1,7-2,3 Nestes versículos aparece catorze (ou quinze) vezes a palavra "dia", harmonizada com outros termos temporais. Também se repete catorze vezes o nome do Senhor. Será um "dia do Senhor", está perto, e será um dia de ira, *dies irae*, expressão que tornou Sofonias famoso na liturgia e na música.

1,7 A voz de um arauto impõe silêncio (cf. Hab 2,20), para anunciar e descrever o dia. É preciso preparar-se para recebê-lo; os versículos finais dirão como. A primeira imagem é de uma ironia trágica: o Senhor preparou um banquete sagrado, já escolheu e preparou os convidados. Quem são? Em que função? Banquete é a mesma palavra que matança, e purificados ou consagrados podem ser as vítimas.

1,8-9 Será o dia de pedir e prestar contas. Vestir à moda estrangeira implicava aceitar costumes exóti-

⁹aos que escalam o terraço do templo – nesse dia –,
aos que enchem de enganos
e violências a casa de seu Senhor.
¹⁰Naquele dia – oráculo do Senhor –
se ouvirá gritar na Porta dos Peixes,
gemer no Bairro Novo
e lamentar-se nas colinas:
¹¹Gemei, habitantes do Morteiro!
Pois acabaram os mercadores,
desapareceram os cambistas.
¹²Então registrarei Jerusalém com lanternas,
para pedir contas aos adormecidos
com vinhos generosos,
aos que pensam:
"Deus não age nem bem nem mal";
¹³suas riquezas serão saqueadas,
suas casas derrubadas,
não habitarão as casas que construírem,
não beberão vinho das vinhas que plantarem.
¹⁴Aproxima-se o grande dia do Senhor!
Aproxima-se com grande rapidez:
o dia do Senhor é mais ágil
que um fugitivo, mais veloz que um soldado.
¹⁵Esse dia será um dia de cólera,
dia de angústia e aflição,
dia de destruição e desolação,
dia de escuridão e trevas,
dia nublado e de nuvens escuras,
dia de trombeta e alaridos,
¹⁶contra as praças-fortes,
contra as altas ameias.
¹⁷Perseguirei os homens
para que andem cegos,
porque pecaram contra o Senhor;
seu sangue será derramado como pó,
suas entranhas como esterco;

---

cos, talvez com gastos excessivos. Escalar o terraço do templo era talvez um rito supersticioso.

1,10-11 Descreve a reação dos habitantes diante da desgraça: não choram seus pecados, mas o fim dos negócios. Os "cambistas" eram pesadores de prata, porque ainda não se cunhavam moedas.

1,12 Deus toma a palavra, e entra em cena outro grupo de réus: os bêbados incapazes de compreender (Is 5,12; 28,7s). Não negam a Deus, negam sua ação na história: Sl 94,7.

1,13 Introduz o castigo segundo o esquema das maldições: trabalhar sem fruto ou para que outros o desfrutem: Dt 28,31.33.38-42. Assim Deus mostra que age para o bem e para o mal.

1,14 Segundo desenvolvimento, que com adjetivos caracteriza o dia do Senhor. Apresenta-se personificado, como um campeão de velocidade preocupado em chegar a tempo, antes que a presa lhe escape.

As qualidades primárias do soldado eram coragem e agilidade: Sl 18,33-35.

1,15-16 Canta o dia com efeitos de acumulação e concentração. Sete vezes soa a palavra "dia". Dele pendem cinco duplas de traços correlativos: desolação externa e angústia interna, o visual e o auditivo, as trevas cósmicas e o clamor bélico que atravessa a escuridão. Dia "de ira": não tanto sentimento ou paixão, quanto ação judicial. Equivale a "dia de condenação". Os antigos comentaristas o aplicaram primeiro à destruição de Jerusalém pelos babilônios, depois pelos romanos, mais tarde ao juízo final. Com a última aplicação inspira o hino medieval *Dies irae*.

1,17 "Cegos" pelo pânico. O motivo parece glosa. Em alguns sacrifícios, o sangue era derramado em honra do Senhor e eram reservadas para ele várias vísceras (Lv 3); o sangue e as vísceras deste banquete trágico (1,7) não têm valor, são jogados fora como poeira ou lixo.

¹⁸nem sua prata nem seu ouro poderão livrá-los,
no dia da cólera do Senhor,
quando o fogo de seu zelo
consumir a terra inteira,
quando acabar atrozmente
com todos os habitantes da terra.

2 ¹Amontoai-vos bem, povo desprezível,
²antes que vos arrebatem como palha que voa,
antes que vos alcance o incêndio da ira do Senhor,
antes que vos alcance o dia da ira do Senhor.
³Buscai o Senhor, humildes
que cumpris seus decretos;
buscai a justiça, buscai a humildade,
para terdes um refúgio no dia da ira do Senhor.

Contra as nações
(Am 1,3-2,3)

⁴Gaza ficará abandonada; Ascalon, devastada;
Azoto, repudiada ao meio-dia;
Acaron, arrancada.
⁵Ai dos que habitam no litoral,
povo cretense!
– a palavra do Senhor vai para vós –:
Canaã, terra filisteia,
eu te deixarei totalmente despovoada,
⁶o litoral se transformará em pastagens,
porção do resto dos judeus,
⁷prados de pastores, redis de ovelhas,
que pastarão aí, e ao entardecer
se recolherão nas casas de Ascalon,
quando o Senhor seu Deus os visitar
para mudar sua sorte.
⁸Ouvi as injúrias de Moab,
os insultos dos amonitas:

1,18 O juiz não se deixa subornar, a parte ofendida não admite acordos. Acontece a conflagração universal do começo.

2,1-3 Numa espécie de exortação se dirige a dois grupos opostos: um é o "povo desprezível", outro "os humildes".
O primeiro entra com dois verbos de significado muito duvidoso. Traduzimos o primeiro como derivado de "palha", "reunir", e o segundo como derivado de "prata", "apreciar". Duas vezes são convidados "antes que". Pode ser um convite a converter-se *in extremis*, ou então a desfrutar o pouco que lhes resta. A primeira interpretação seria generosa, a segunda, irônica. A primeira parece preferível.
Os pobres são convidados a "buscar" o Senhor, não os ídolos nem potências humanas. No dia fatal terão um refúgio, formarão uma exceção no juízo universal; como Noé, "justo e honrado" (Gn 5,8s), que se salvou na arca com sua família (cf. Is 26,20s).

2,4-15 Depois do colossal e impressionante juízo universal, assistimos a um oráculo de conjunto contra cinco nações, mais ou menos nos quatro pontos cardeais. Terminada a rodada, a sorte caberá a Jerusalém; tal é a surpresa sarcástica. O autor utiliza o recurso da paronomásia, clara ou velada. Dois versículos de restauração (7c e 9c) destoam no contexto e parecem glosas de antecipação e de desfecho.

2,4-5 Na pentápole filisteia falta Gat: incorporada então a Judá? Só Gaza e Acaron trazem uma paronomásia clara. Outras paronomásias fáceis não são exploradas. A tradição hebraica supunha que os filisteus procedessem de Creta.

2,7 A frase final emprega primeiro um termo típico da libertação do Egito: "visitar", "ocupar-se de" (Ex 3,16; 4,31); e depois uma expressão clássica de restauração: Jr 30-33; 48,47; 49,6.39. Provavelmente é glosa.

2,8 É costume irmanar Moab com Amon por razões geográficas, históricas e de lendas genealógicas. Conforme Gn 19, seus antepassados são fruto de duplo incesto, consumado junto a Sodoma por ocasião da destruição das cidades.

injuriavam o meu povo;
    invadiam seu território;
⁹pois juro por minha vida
    – oráculo do Senhor dos exércitos,
    Deus de Israel –,
Moab será como Sodoma, Amon como Gomorra:
    terreno de urtigas,
    jazida de sal, deserto perene.
(O resto de meu povo os saqueará,
    seus sobreviventes serão seus donos.)
¹⁰Essa será a paga de sua arrogância,
    de seus insultos depreciativos,
    contra o povo do Senhor dos exércitos;
        ¹¹terrível se lhes mostrará o Senhor,
    quando deixar macilentos
    todos os deuses da terra;
    então de seus lugares as ilhas dos pagãos
    lhe prestarão homenagem.
¹²Também vós, núbios,
    caireis atravessados por minha espada.
¹³Ele estenderá a mão para o norte
    e exterminará a Assíria,
    deixará Nínive desolada,
    como terra baldia, um deserto:
¹⁴em seu recinto se deitarão
    bandos de feras de toda espécie,
    corujas e ouriços pernoitam nos capitéis,
    ressoa seu canto nas janelas,
    o umbral fica destroçado,
    nuas as madeiras de cedro.
¹⁵Esta é a cidade alegre que vivia tranquila,
    que pensava:
    "Eu e ninguém mais".
Ficou reduzida a escombros,
    abrigo de feras;
    os que passam junto a ela
    assobiam e agitam a mão.

2,9 O castigo ameaçado atualiza a lembrança: os que na ocasião se livraram, não se livrarão desta vez. A última frase não faz sentido depois de uma destruição total; parece acréscimo.

2,11 Retorna a uma visão universal, em nível de luta de deuses. O tema deve ser compreendido colocado no contexto de textos parecidos: Ex 12,12 os deuses do Egito; Sl 29; 82; 96,5; 97,7. O verbo empregado (*rzh*) é raro, evoca uma visão física e material de deuses obesos: ver Is 10,16, o imperador, 17,4; Ez 34,20.
Destruídos os desvirtuados os demais deuses, todo o mundo rende homenagem ao Senhor, mas sem uma peregrinação a Jerusalém. Por si o gesto de vassalagem não significa a fé plena; compare-se com Sl 102,23.

2,12 Os núbios estão aí para preencher o lugar do sul ou talvez substituindo o Egito.

2,13-15 Nos primeiros tempos de Josias, a Assíria ainda era uma potência ameaçadora, embora ameaçada, e sua capital era modelo de imperialismo agressor. Sofonias se antecipa aos acontecimentos do ano 612. Abandonada pelos homens, a cidade é ocupada por feras de diversas espécies: Is 13,21s; 34,13-15. A ferocidade da Assíria cederá lugar a animais selvagens.

2,14-15 Apesar de alguns termos duvidosos, oferece-nos uma visão impressionista: capitéis, uma janela como poleiro de aves, escombros obstruindo uma porta, vigas de cedro aparecendo. O canto desafinado de algumas aves e o assobio dos raros passantes, é tudo o que se escuta da cidade orgulhosa e soberba.

Julgamento de Jerusalém

3 ¹Ai da cidade rebelde, manchada e opressora!
²Não obedeceu nem se corrigiu,
  não confiava no Senhor
  nem acorria a seu Deus;
³nela seus príncipes eram leões rugindo;
  seus juízes, lobos à tarde,
  sem comer desde o amanhecer;
⁴seus profetas, uns fanfarrões,
  homens desleais;
  seus sacerdotes profanavam o sagrado,
  violentavam a lei.
⁵Nela está o Senhor justo,
  que não comete injustiça;
  cada manhã dá sem falta
  a sentença, à aurora;
  mas o criminoso não reconhece sua culpa.
⁶Aniquilei nações, arrasei suas ameias,
  enchi de escombros suas ruas
  para que ninguém transitasse,
  arrasei suas cidades
  para que ninguém as habitasse,
⁷pensando: "Talvez se corrija e me tema,
  e não pereça sua morada
  quando eu lhe pedir contas";
  mas eles madrugavam
  para perverter suas ações.
⁸Pois esperem – oráculo do Senhor –
  que eu me levante para acusar,
  porque eu costumo reunir os povos,
  juntar os reis,
  para derramar sobre eles meu furor,
  o incêndio de minha ira;
  no fogo de meu zelo
  se consumirá a terra inteira.

3,1 A ameaça contra Jerusalém é introduzida com um paralelismo irônico: como há uma cidade "alegre e confiante", Nínive, assim há uma "rebelde" contra o Senhor, "manchada" com práticas cultuais, e "opressora" do próximo.

3,2 O seu delito tem agravantes: "não obedeceu" ao Senhor nem os profetas, "não se corrigiu" com o castigo a outros povos; "não confiava" em seu Deus, mas em potências estrangeiras.

3,3-4 As classes dirigentes estão corrompidas. Os *governantes* – não menciona o rei – são violentos e prepotentes, lançam como ameaça o rugido do poder para amedrontar, em vez de apascentar. Os *magistrados* são vorazes e cobiçosos; como animais que não comeram desde o amanhecer, e de tarde estão cegos de fome (Sl 59,15s); alguns autores traduzem "estepe" em lugar de "tarde". Os *profetas*: com uma significativa aliteração, zomba-se do seu antigo título "videntes". Os *sacerdotes* foram chamados a distinguir e separar o sagrado do profano, interpretando a lei.

3,3 Sl 59,15.

3,5 No meio da cidade o Senhor tem seu palácio, o templo, e aí administra a justiça. Abre cedo seu tribunal (Jr 21,12), não chega tarde nem o abandona, julga com toda a retidão (Sl 7,12). Podia servir de exemplo para os chefes, e de instância que os acusava; mas eles resistiam teimosos.
Em contexto judicial, a "vergonha" é a confissão do réu convicto (Esd 9,6; Ne 9,7).

3,6 Administrava justiça também no âmbito internacional, castigando nações agressoras (cf. Am 1-2). Se ele alcançava povos distantes, sua justiça não irá alcançar Jerusalém? Esse princípio ilumina a lista de 2,4.15.

3,7 Se Deus era pontual e madrugador para administrar justiça, os judaítas eram madrugadores para perverter a própria conduta.

3,8 Este versículo é recapitulação: "reunir" é o mesmo verbo de "acabar com" de 1,2s; o dia 1,7.14; o incêndio da ira de 2,2; o versículo final repete 1,18b. O autor engloba Jerusalém numa sentença comum e universal, que se desenvolveu até aqui. Mas não é esta a última palavra.

Restauração

⁹Então purificarei os lábios dos povos
 para que todos invoquem o nome do Senhor
 e o sirvam de comum acordo;
¹⁰desde o outro lado dos rios da Etiópia,
 da dispersão,
 os que rezam a mim me trarão ofertas.
¹¹Naquele dia não terás de envergonhar-te
 das ações com que me ofendeste,
 porque extirparei tuas soberbas bravatas,
 e não voltarás a orgulhar-te
 em meu monte santo.
¹²Deixarei em ti um povo pobre e humilde,
 ¹³um resto de Israel que se refugiará no Senhor,
 que não cometerá crimes nem dirá mentiras,
 nem terá na boca uma língua mentirosa.
 Pastarão e repousarão sem que ninguém os espante.
¹⁴Grita, cidade de Sião; grita de alegria, Israel;
 festeja-o exultante, Jerusalém, a capital!
¹⁵Pois o Senhor expulsou os tiranos,
 eliminou teus inimigos;
 o Senhor dentro de ti é o rei de Israel,
 e já não temerás nada de mau.
¹⁶Naquele dia dirão a Jerusalém:
 Não temas, Sião, não te acovardes;
 ¹⁷o Senhor teu Deus é dentro de ti
 um soldado vitorioso
 que exulta e se alegra contigo,
 renovando seu amor,

3,9-20 A última palavra, como em outros livros proféticos, é um oráculo de restauração. Considero acréscimo 18b-20, como explicarei abaixo. O amplo oráculo fica bem enquadrado no livro e sustentado por uma série de repetições verbais com mudanças pertinentes. P. ex., os núbios passados à espada em 2,12, rendendo homenagem em 3,10; a confissão que o perverso recusa em 3,5 não é necessária ao purificado em 3,11; o tumulto de 1,16, as aclamações de 3,14; o Senhor no meio de ti, 1,3.5 e 3,15; que me tema, 3,7; não temas, 3,16 etc. Aconteceu uma transformação.
Uma série de oposições e correlações governam o quadro: outros povos e Jerusalém, conduta passada e futura. O oráculo se divide em duas seções: a primeira dedicada à grande purificação, a segunda à promessa alegre de amor: 9-13 e 14-18a. O centro não é o monte santo em sua materialidade, mas o nome do Senhor, invocado pelos pagãos, refúgio do povo humilde.

3,9-10 Pela reunião dos dispersos e a transformação da língua, estes versículos evocam a dispersão da torre de Babel. São necessários lábios purificados para invocar o nome do verdadeiro Deus. Trazer ofertas ou tributo é um ato de vassalagem. "De comum acordo", literalmente "com um ombro", supõe uma pacificação semelhante à de Is 2,2-5.

3,11 Se a "vergonha" é a confissão do réu convicto, Jerusalém não terá de repeti-la, porque o Senhor transformou eficazmente a capital; despojou-a dos seus delitos precedentes. "Gloriava-se do seu monte santo", ou seja, alegava-o como mérito e defesa (cf. Jr 7,1-15).

3,12-13 O povo novo é o interpelado em 23. A escolha é uma seleção. Nada de bravatas; antes, ser humilde e refugiar-se no Senhor. Protegido diretamente pelo Senhor, o rebanho humilde poderá viver em paz. É o povo eleito do futuro. Este versículo é capital.

3,14-18a A voz profética se dirige com carinho à donzela-matrona Jerusalém, nuns versículos que têm semelhança com Os 2; Is 49; 54; 62. Os sinônimos de júbilo e alegria se acumulam, alguns se duplicam. A alegria não brota de bens materiais, mas da relação pessoal de amor. Se o Senhor se alegra com ela (Is 62,5), ela não tem o que temer, deve ficar alegre. O Senhor elimina uns rivais para ficar ele só como rei, como soldado, como marido que ama. Volta o amor antigo e a alegria de um casamento renovado, e se celebra a festa. O Senhor fará tudo: expulsará, eliminará, renovará; ela é convidada a se alegrar e nada temer.

3,15 "Tiranos": podem ser estrangeiros ou conterrâneos (cf. Is 1,21-26). Não pensa num descendente de Davi.

3,17 O rei é soldado que sai para defender seu povo: Sl 45; Is 9,5; 10,21.

¹⁸enche-se de júbilo por ti,
como em dia de festa.
Afastarei de ti a desgraça
e o opróbrio que pesa sobre ti;
¹⁹então eu mesmo
agirei contra teus opressores,
salvarei os inválidos, reunirei os dispersos.
Eu lhes darei fama e renome na terra
onde agora os desprezam.
²⁰Então os trarei, e quando os tiver reunido,
vos darei fama e renome
em todos os povos do mundo,
mudando vossa sorte diante de seus olhos.
– Assim disse o Senhor.

3,18b-20 Muda a pessoa que fala, o que não é grave; muda a tonalidade, que se poderia justificar por uma mudança de tema; muda a perspectiva, que significa uma volta atrás. Se fossem atribuídos a um leitor posterior que sentia a falta do retorno da diáspora, estes versículos se explicariam facilmente. "Diante de seus olhos" pode ser anotação temporal: durante vossa vida. Tentativa de especificar um pouco o cumprimento, confirmando a esperança.

AGEU

INTRODUÇÃO

Autor e época

A atividade de Ageu registrada no livro estende-se de 27 de agosto a 18 de dezembro de 520, no reinado de Dario da Pérsia. Em 538, o edito de libertação de Ciro permitiu aos judeus cativos em Babilônia voltar à sua terra. Um grupo sob a chefia de Sasabassar aproveitou a ocasião, animado talvez pelas maravilhosas promessas do Segundo Isaías. Mas era lamentável a situação que encontraram: cidades em ruínas, campos abandonados, muralhas derrubadas, o templo incendiado. A pregação de Ageu deixa entrever que entre os repatriados se propagou o desânimo, de modo que se limitaram a reconstruir suas casas e trabalhar seus campos, descuidando a reconstrução do templo e os anseios de independência.

Em 529, sucede a Ciro o seu filho Cambises, tirano caprichoso e doente, que ganhou a inimizade do povo e das classes dirigentes. Em 522 um mago chamado Gautama, fazendo-se passar pelo irmão assassinado de Cambises, comandou uma rebelião. Morto Cambises, provavelmente assassinado, sucedeu-lhe Dario I, que reprimiu ferreamente a revolta, até restaurar em 520 a paz no império. Nesse ambiente turbulento, compreende-se que Ageu esperasse uma intervenção de Deus que fizesse tremer as nações (2,7), destruísse o poder dos pagãos (2,21s) e restaurasse a independência de Judá.

O livro

O livro consta de quatro breves oráculos, ou cinco, se separamos 2,10-14 e 2,15-19. Sobreposta à divisão em oráculos, o livro apresenta uma construção calculada, em dois blocos paralelos, conforme o seguinte esquema:

	A	B
crítica do povo	1,1-5	2,10-14
descrição da miséria	1,6-11	2,15-17
volta a bênção	1,12-14	2,18-19
oráculo messiânico	2,2-9	2,20-23

É provável que a composição final do livro seja obra de um discípulo.

Conteúdo

A pregação de Ageu gira em torno de dois temas: o templo e a irrupção da era escatológica, o segundo condicionado pelo primeiro. Diferentemente de Is 56-66, Ageu não se preocupa com problemas morais. O templo era e seria fator essencial para a coesão do povo e para a vida religiosa da comunidade.

Na esperança escatológica de Ageu, entra a restauração do reino davídico na pessoa de Zorobabel, com independência política.

O NT cita muito pouco Ageu: 1,13 em Mt 28,20; 2,6.21 em Mt 24,29 e Lc 21,26; 2,6 em Hb 12,26. Ou seja, recolhe o que o profeta não concretizou e evita as concretizações do templo e de Zorobabel.

1 **Primeiro oráculo** – ¹No segundo ano do reinado de Dario, no dia primeiro do sexto mês, por meio do profeta Ageu, o Senhor dirigiu a palavra ao governador da Judeia Zorobabel, filho de Salatiel, e ao sumo sacerdote Josué, filho de Josedec:
– ²Assim diz o Senhor dos exércitos: Este povo anda dizendo que ainda não chegou o momento de reconstruir o templo.
³E o Senhor dirigiu a palavra por meio do profeta Ageu:
– ⁴É, portanto, tempo de viver em casas revestidas, enquanto o templo está em ruínas? ⁵Pois agora, assim diz o Senhor dos exércitos: Pensai em vossa situação:

⁶Semeais muito, colheis pouco;
    comeis sem saciar-vos, bebeis sem embriagar-vos;
    vestis sem abrigar-vos,
    e o assalariado deposita em sacola furada.
⁷Assim diz o Senhor dos exércitos:
    Pensai em vossa situação;
⁸subi ao monte, trazei madeira,
    construí o templo; eu o aceitarei,
    e nele mostrarei minha glória
    – diz o Senhor.
⁹Fazeis muito, resulta pouco;
    levais para casa e eu peneiro;
    por quê?
    – oráculo do Senhor dos exércitos.
    Porque minha casa está em ruínas,
    enquanto vós
    desfrutais cada um de sua casa.
¹⁰Por isso, o céu vos recusa o orvalho
    e a terra vos recusa a colheita;
¹¹porque convoquei uma seca
    contra a terra e os montes;
    contra o trigo, o vinho, o azeite;
    contra os produtos do campo,
    contra homens e rebanhos;
    contra todos os vossos trabalhos.

¹²Zorobabel, filho de Salatiel, o sumo sacerdote Josué, filho de Josedec, e o resto do povo obedeceram ao Senhor; porque o povo, ao ouvir as palavras do profeta Ageu, temeu o Senhor.

1,1-15 Este capítulo deixa entrever uma situação econômica precária, de uma comunidade agrícola atingida pelas más colheitas. O profeta analisa a causa teológica do fato e indica uma culpa concreta: o descuido em relação ao templo. (Compare-se com o caso oposto de Davi: palácio sim, templo não, 2Sm 7, e com o de Jr 40,12: boa colheita com o templo em ruínas.) Conforme os primeiros capítulos de Esdras, a oposição dos samaritanos e dos povos vizinhos foi o principal obstáculo para a reconstrução.

A comunidade judaica era governada por uma autoridade civil, um prefeito nomeado pelo imperador persa e uma autoridade religiosa, o sumo sacerdote. Se dermos crédito às genealogias de Crônicas (1Cr 3,18s), o prefeito Zorobabel era neto do rei Jeconias, e Josué era de família sacerdotal. Os dois representavam a continuidade entre o antes e o depois do desterro. Outra vez, como nos tempos passados, sobre eles se eleva a voz profética com autoridade superior. Nessa conjuntura, construir juntos o templo significava um empenho comum. Trabalhar em meio à pobreza e nos apertos em algo economicamente inútil significaria desapegar-se e lançar-se à frente. E no futuro próximo, embora Ageu não o soubesse, o templo iria desempenhar papel essencial para os judeus.

O oráculo começa comentando a demora do povo e termina com o começo das obras. No centro se ergue a ordem. De ambos os lados da ordem, são mencionadas as calamidades causadas pela demora. A organização aplica o esquema tradicional ABCBA.

1,5 Um convite profético a refletir é significativo, como se a palavra de Deus renunciasse um pouco ao tom categórico para mobilizar a colaboração dos ouvintes.

1,8 "Aceitar" é termo técnico da linguagem cultual; é a garantia divina para a obra. "Minha glória": ver Ex 14,17s.

¹³Ageu, mensageiro do Senhor, transmitiu ao povo esta mensagem do Senhor:

– Eu estou convosco – oráculo do Senhor.

¹⁴O Senhor moveu o governador da Judeia Zorobabel, filho de Salatiel, o sumo sacerdote Josué, filho de Josedec, e o resto do povo. Eles foram e empreenderam as obras do templo do Senhor dos exércitos, seu Deus.

¹⁵Era o vigésimo quarto dia do sexto mês.

2 **Segundo oráculo** – ¹No segundo ano do reinado de Dario, no vigésimo primeiro dia do sétimo mês, o Senhor dirigiu a palavra por meio do profeta Ageu:

– ²Dize ao governador da Judeia Zorobabel, filho de Salatiel, ao sumo sacerdote Josué, filho de Josedec, e ao resto do povo: ³Sobrou alguém entre vós que tenha visto este templo em seu esplendor primitivo? Como o vedes agora? Não vos parece que não existe? ⁴Portanto, coragem, Zorobabel – oráculo do Senhor –; coragem, sumo sacerdote Josué, filho de Josedec; coragem, povo todo – oráculo do Senhor –; mãos à obra, pois eu estou convosco – oráculo do Senhor dos exércitos. ⁵O compromisso que assumi convosco quando saístes do Egito e o meu espírito continuam entre vós; não temais. ⁶E assim diz o Senhor dos exércitos: Dentro em breve eu agitarei céu e terra, mares e continentes; ⁷farei tremer todas as nações, e virão as riquezas de todos os povos, e encherei este templo de glória – diz o Senhor dos exércitos. ⁸Minha é a prata, meu é o ouro – oráculo do Senhor dos exércitos. ⁹A glória deste segundo templo será maior que a do primeiro – diz o Senhor dos exércitos. Neste lugar darei a paz – oráculo do Senhor dos exércitos.

Terceiro oráculo – ¹⁰No segundo ano de Dario, no vigésimo quarto dia do nono mês, o profeta Ageu recebeu esta palavra do Senhor:

– ¹¹Assim diz o Senhor dos exércitos: Consulta os sacerdotes sobre o seguinte caso: ¹²Se alguém tocar carne consagrada com a barra da veste e com ela tocar pão, caldo, vinho, azeite ou qualquer alimento, ficarão consagrados?

Os sacerdotes responderam que não.

¹³Ageu acrescentou:

– E se alguma dessas coisas tocar um cadáver, ficará contaminada?

Os sacerdotes responderam que sim. ¹⁴E Ageu replicou:

– Pois o mesmo acontece com este povo e nação em relação a mim: todas as obras que me oferecem estão conta-

---

1,13 Chamar o profeta "mensageiro/anjo do Senhor" é exato, mas não corrente. Comunica uma mensagem concisa e densa: "Eu estou convosco". Em certo sentido, o mensageiro se anula para instaurar, com sua palavra, a presença daquele que o envia.

1,14 "Moveu": ver Is 42,1; Jr 5,9; Esd 1,5. Move por meio da palavra profética.

1,15 Pelo tema aqui se poderia enquadrar 2,15-19.

2,1-9 Este segundo oráculo se compõe de duas peças: 1-5 uma palavra de alento, 6-9 uma promessa magnífica, hiperbólica; tudo pontuado por fórmulas de autoridade divina.

2,1-5 Tudo acontecia em tom menor: um descendente de Davi sem trono, um sumo sacerdote sem templo. Nessa humildade vivida ressoou a palavra de Ageu. Os anciãos, com sua recordação nostálgica, engrandeciam o antigo templo, deduzindo, pelo volume das obras, que o próximo templo seria muito inferior (Esd 3,12). A promessa o compensará. "Coragem": dirigida ao Josué da conquista (Js 1,6.9.18). "Compromisso" é em hebraico *dabar* (literalmente, "palavra"), com o que temos um trio sugestivo: Eu, minha palavra, meu espírito (Jerônimo o interpreta em chave trinitária).

2,6-9 A promessa com a sua grandeza parece desmentir a proximidade do cumprimento. A terminologia nos faz contemplar um dia histórico transcendental, com acompanhamento de teofania cósmica e agitação internacional (Jl 2,10; 4,10; Sl 77,19). Chegarão três coisas: as riquezas das nações (conforme Is 60,9-11), a glória do Senhor (Ex 40,43; Ez 43,1-5), a paz e a prosperidade (Jr 29,11; Sl 122).

2,10-19 O terceiro oráculo coloca um sério problema de discrepância temática e datação. Os primeiros versículos (10-14) tratam um tema cultual, de consagração e contaminação; os seguintes (15-19) tratam de bênção e carestia, templo e colheitas. Formam uma unidade? É correta a data do v. 18?

2,10-14 Três meses depois de iniciadas as obras, não havia ocorrido a comoção universal nem a mudança espetacular. Em relação aos anteriores, o novo oráculo é um retrocesso, na atitude do Senhor e na conduta do povo. O desalento se propagou entre o povo, talvez pela dificuldade das obras e por não se ter cumprido a predição. O profeta repreende a inércia do povo e lhe recorda como a bênção de Deus veio em forma de chuva, logo que o povo começou a trabalhar. Além disso, entre fins de agosto e fins de novembro, a colheita não pôde mudar, embora as chuvas outonais pudessem infundir esperança. A consulta litúrgica. Compete aos sacerdotes discernir entre o sagrado e o profano, o puro e o contami-

minadas. ¹⁵Agora, pensai bem no tempo antes de construir o templo: ¹⁶qual era a vossa situação? O montão que calculáveis pesar vinte, pesava dez; calculáveis tirar cinquenta cubas do lagar, e tiráveis vinte. ¹⁷Eu feria vossos trabalhos com ferrugem, mela e granizo, e não voltáveis para mim – oráculo do Senhor. ¹⁸Agora, olhando para trás, atenção para o vigésimo quarto dia do nono mês, quando foram lançados os alicerces do templo do Senhor: ¹⁹Havia grão no celeiro? Vinhas, figueiras, romãs e oliveiras não produziam. A partir desse dia, eu os abençoo.

Quarto oráculo – ²⁰No vigésimo quarto dia do mesmo mês, o Senhor dirigiu pela segunda vez a palavra a Ageu:

– ²¹Dize ao governador da Judeia Zorobabel: Farei tremer céu e terra, ²²derrubarei os tronos reais, destruirei o poder dos reinos pagãos, derrubarei carros e condutores, cavalos e cavaleiros morrerão nas mãos de seus companheiros. ²³Naquele dia – oráculo do Senhor dos exércitos – eu te tomarei, Zorobabel, filho de Salatiel, meu servo – oráculo do Senhor –; farei de ti meu selo, porque te escolhi – oráculo do Senhor dos exércitos.

---

nado; aqui encontramos as categorias cruzadas: consagrado/contaminado. Da regra profissional se deduz que o cadáver tem mais força para contaminar, do que a carne sacrifical para consagrar. Aplicando a analogia de proporção: ainda que o povo se ocupe de uma tarefa sagrada, não fica consagrado, porque se mantém em contato com algo que pertence ao reino da morte. O povo deve ser santo (Ex 19,6; Lv 19,2), o Senhor quer santificá-lo (Ez 37,28), mas o povo não o permite (Eclo 34,25).

2,15-19 Agora, apliquemos a analogia de proporção ao tema do templo, e teremos uma correspondência cruzada ou quiástica:
consagração: carne sagrada
bênção: templo em construção
carestia: não templo
contaminação: cadáver
Descuidar do templo é conduta "mortal" que contamina e acarreta carestia; trabalhar no templo é atividade sagrada que atrai bênção. E qual é o momento divisório em que se passou da maldição à bênção? Logicamente o dia 24 do sexto mês (1,15). Um glosador pensou que fosse o dia do terceiro oráculo, 24 do nono mês; outro remontou ao dia do lançamento dos fundamentos (ano 536, conforme Esd 3,8s).

2,20-23 O tema vincula este oráculo ao segundo: repete-se o abalo cósmico que acompanha a vitória do Senhor sobre potências políticas e militares do mundo (com reminiscências do Sl 76). Deus escolhe Zorobabel como alguém muito pessoal, com o que referenda e autentica seus decretos (Gn 38,18; 1Rs 21,8). Com isso anula a sentença dada contra o avô Jeconias (Jr 21,24s). Ageu prevê o restabelecimento da dinastia davídica na pessoa histórica de Zorobabel. Não se cumprindo a profecia em tais termos, foi projetada para o futuro escatológico, e Zorobabel tornou-se figura do Messias.

ZACARIAS

INTRODUÇÃO

Um ou dois Zacarias

Antes de tratar do autor e da sua obra, é preciso discutir essa questão prévia. A maioria dos comentaristas modernos distinguem duas partes no livro, 1-8 (A) e 9-14 (B), diferentes por conteúdo, estilo e intenção. A se ocupa do templo, B prescinde dele; A dá muita importância à atividade humana, B só se detém na ação de Deus; A estima muito a profecia, B assiste ao seu desaparecimento; A é livro de visões, B é de oráculos; em A existem muitos dados biográficos, escassos em B; em A as fórmulas proféticas são abundantes; em B, as apocalípticas. Pode-se aceitar a distinção como solidamente provável.

Autor e época

Aparece citado, junto com Ageu, em Esd 5,1 e 6,14, como inspirador da reconstrução do templo. A sua atividade se estende até dezembro de 518. Dois grandes temas o preocupam: o templo e a restauração escatológica. Sobre a época, veja-se a Introdução a Ageu; sobre sua pessoa não temos dados.

Obra e estilo

Depois de uma introdução, 1,1-6, segue-se uma série de oito ou sete visões, 1,7-6,8, interrompida por algumas inserções, dedicadas especialmente a Josué, 3,1-10, e a Zorobabel, 4,6-10 e 6,9-15. A terceira seção é mais complexa. Uma consulta sobre o jejum, 7,1-7, adia a resposta até 8,18s. Entrementes se lê uma exortação ética e uma série de promessas centradas em Jerusalém.

Zacarias se insere conscientemente na linha dos antigos profetas (1,4), prega a conversão, inculca as exigências éticas, critica o culto sem justiça. Depende do Segundo Isaías (2,10-17) e mais ainda de Ezequiel em procedimentos literários. Desenvolve um estilo visionário que adquire em alguns momentos formas quase surrealistas. Antecipa-se à literatura apocalíptica. Esse cruzamento de caminhos torna mais interessantes a pessoa e a mensagem do profeta. Sua abertura a todas as tendências, sua capacidade de sintetizá-las sem simplismos, o convertem em modelo para não interpretar unilateralmente a tradição profética.

Presença do NT

Escutam-se veladas referências: de 2,6 em Mt 24,31, de 2,6.10 em Mc 1,27. São abundantes as citações ou alusões ou reminiscências no Apocalipse:

Zc 1,6	Ap 10,7; 11,18	Zc 4,3	Ap 11,4
1,8	6,2.4; 19,11	4,10	5,6
2,1s	11,1	4,11-14	11,4
2,9	21,23	6,2	6,4s
3,1	12,10	6,3	6,2; 19,11
4,2	4,5	6,5	7,1
	6,6	6,2s	19,11

1

¹No segundo ano de Dario, no oitavo mês, o Senhor dirigiu a palavra ao profeta Zacarias, filho de Baraquias, filho de Ado: – ²O Senhor estava muito irritado com vossos antepassados. ³Agora dize-lhes: Assim diz o Senhor dos exércitos:

Voltai a mim – oráculo do Senhor dos exércitos –,
   e eu voltarei a vós
– diz o Senhor dos exércitos.
⁴Não sejais como vossos antepassados,
   a quem pregavam
   os mais antigos profetas:
Assim diz o Senhor dos exércitos:
Convertei-vos de vossa má conduta
   e de vossas más ações;
   e não me escutaram nem me deram atenção
– oráculo do Senhor dos exércitos.
⁵Onde estão vossos antepassados?
   Vivem para sempre vossos profetas?
⁶Ao contrário, minhas palavras e decretos,
   que prescrevi a meus servos os profetas,
   não alcançaram vossos antepassados?
Então se converteram, dizendo:
   Como o Senhor havia disposto tratar-nos
por nossa conduta e nossas ações,
   assim nos tratou.

Oito visões

1. Os cavaleiros (Ap 6,1-8) – ⁷No vigésimo quarto dia do décimo primeiro mês do segundo ano do reinado de Dario, o Senhor dirigiu a palavra a Zacarias, filho de Baraquias, filho de Ado:

1,1-6 Zacarias não narra sua vocação profética, mas coloca-se formalmente numa tradição que lhe dá crédito: ele é um anel na corrente profética, e não gostaria de continuar a sorte dos seus antecessores. A primeira coisa que prega é a conversão. Ora, a dezoito anos da "volta", é preciso converter-se de novo? Em hebraico, converter-se e voltar são o mesmo verbo. Instalados pobremente na pátria, ainda têm de voltar... ao Senhor. A posse da terra continua sendo contingente e condicionada. Assim se contrapõem dois esquemas: a) pregação profética – conversão; b) pregação profética – resistência – cólera divina – correção – conversão. Se não aceitam o primeiro, cairão no segundo, como seus antecessores. O profeta inverte a ordem do segundo esquema e coloca no começo, enfaticamente, o momento da cólera. Os judeus repatriados são por natureza uma geração de filhos que carregam nos ombros o peso da história paterna. Portanto, a história não se rompeu, pois Deus foi fiel, sustentando a ponte das gerações. Mas a história é exemplar e admoesta.

1,4 Por exemplo, Jr 18,11s; 25,5s.

1,5-6 Estes versículos colocam agudamente a tensão entre profeta e oráculo, autor e obra. Uma geração tem seus profetas, que convidam, mandam, ameaçam; passa a geração com seus profetas, e o que fica? – As palavras, a obra: como pura palavra passada? – Antes de tudo, a palavra sobrevive ao profeta no seu cumprimento; sobrevive também como palavra que é citada e atualizada, porque o seu sentido não se esgota na referência histórica única.

1,7-6,15 Vamos examinar este bloco no seu estado atual, olhando para os personagens e entidades interessados na mudança de sorte e seguindo a ordem das ações. Contém oito (ou sete) visões.
a) As realidades atingidas são: Judá – Jerusalém – Sião – templo, e do outro lado Babilônia; rei – sacerdote – profeta – povo. O território e a capital serão purificados e depois repovoados, o templo será reconstruído até o arremate. O sumo sacerdote receberá sua consagração e investidura, o rei sua coroação, o profeta sairá acreditado, o povo retornará para viver em paz. Ao contrário, Babilônia arcará com toda a maldade e será castigada.
b) Se olharmos as ações que se vão sucedendo, a ordem não é puramente linear, mas há como que duas ondas e uma rede entrecruzada de correspondências temáticas e formais. Primeira visão: respondendo a uma súplica, o Senhor decide intervir num julgamento contra os pagãos e a favor do seu povo. Na segunda, Jerusalém e Judá se livram de inimigos externos. Na terceira, ampliam-se os limites da cidade e os exilados são convidados a retornar. A quarta nos apresenta a investidura do sumo sacerdote. A quinta introduz os dois poderes nacionais, justificando a função do rei na construção do templo. Fica pendente o castigo: a sexta nos diz que os culpados serão destruídos, e a sétima mostra a maldade personificada sendo transladada para Babilônia, seu legítimo lugar. Na oitava, os executores do castigo partem rumo ao país do norte; de regresso a Sião, assistimos à coroação

⁸Numa visão noturna apareceu-me um cavaleiro sobre um cavalo vermelho, parado num fundão entre os mirtos; atrás dele havia cavalos vermelhos, alazões e brancos.
⁹Perguntei:
– Quem são, Senhor?
O anjo que falava comigo me respondeu:
– Vou te mostrar quem são.
¹⁰E o que estava entre os mirtos me disse:
– O Senhor os enviou para que percorram a terra.

¹¹Eles informaram o anjo do Senhor, que estava entre os mirtos:
– Percorremos a terra e a encontramos em paz e tranquila.
¹²Então o anjo do Senhor disse:
– Senhor dos exércitos, quando te compadecerás de Jerusalém e dos povoados de Judá? Já faz setenta anos que estás irado contra eles.
¹³O Senhor respondeu ao anjo que falava comigo palavras boas, frases de consolo. ¹⁴E o anjo que me falava me ordenou proclamar:
– Assim diz o Senhor dos exércitos:

---

do rei e à instauração pacífica dos dois poderes. Há vários sinais de composição: a primeira visão e a última formam inclusão temática; a quarta e a quinta estão unidas pelo tema e cortadas quando o vidente noturno é despertado pelo anjo. Escutamos no texto ecos de Isaías, Jeremias e Ezequiel, e notamos um interesse particular por tradições sacerdotais do Êxodo e do Levítico.
Quanto ao estilo, a exatidão de alguns detalhes fantásticos e a falta de clareza alusiva do conjunto soam como antecipação de técnicas surrealistas. Seu antecedente mais próximo é Ezequiel, se bem que Zacarias não intervenha como ator nas visões. Deus se comunica ao profeta por um anjo mediador. As imagens, breves e alusivas, prestaram-se a diversas leituras e sofreram manipulações; por isso o texto sofreu.
1,7-17 Deus põe-se em movimento para restaurar sua cidade escolhida. Poucos meses antes, Ageu tinha profetizado uma comoção histórica que se resolveria a favor da comunidade judaica na pátria (Ag 2,7-9.21-22). O presente oráculo mostra uma situação de paz universal, sem que se tenha consumado a libertação dos judeus. A informação dos cavaleiros inspetores é esta: "sem novidade, tudo está tranquilo". Ora, esse não acontecer não significa que os judeus continuam submetidos e oprimidos. Por isso intercede em favor do povo um mediador, não o profeta, como p. ex. Amós, e o Senhor responde anunciando sua intervenção próxima.
Ao identificar os personagens, proponho como mais provável o seguinte: o cavaleiro entre os mirtos é o chefe da expedição; um mesmo anjo mediador intercede e dá explicações ao profeta. Justapondo a primeira visão e a oitava, observamos semelhanças e diferenças. Na primeira cavaleiros inspetores, na última carros executores. Mas não podemos harmonizar as diferenças: três ou quatro, mirtos ou montanhas, séries diferentes de cores.
Sobre o significado. A ascensão de Ciro e o seu decreto de tolerância (539-538) foram uma primeira comoção histórica. Outra comoção histórica aconteceu quando Dario tomou o poder e começou sua gigantesca obra de reorganização do império. Em números redondos, cumpriram-se os setenta anos anunciados por Jeremias (Jr 25,11 e 29,10). É necessário novo oráculo transcendental?
Primeiro: a rigor faltavam alguns anos para os setenta; a proximidade pôde reavivar a esperança.
Segundo: as magníficas profecias de Jeremias e Isaías ainda não se tinham cumprido; os judeus da Palestina eram uma população escassa, pobre, submetida. A esperança de futuro melhor, unida a cálculos numéricos, acenderão as especulações apocalípticas: Zacarias é um precursor.
Como ensinou Jeremias (Jr 31,3), o amor do Senhor é o motor da mudança: um amor que se traduz em zelo ou ciúme (12-16) e em compaixão, dos quais brotarão o consolo e a escolha renovada.
1,8 O fundão e os mirtos (ambos com artigo, como se fossem conhecidos) e os cavalos se devem a um jogo livre da fantasia, que fabrica um cenário exótico e sugestivo? Ou encerram um sentido escondido para nós? Mirtos figuram na vegetação esplêndida do retorno de Babilônia (Is 41,19; 55,13) e na festa das Cabanas (Ne 8,15). Os cavalos podem ser inspirados no sistema de correios do império persa. O fundão é em hebraico uma profundidade marinha: é incongruente que esteja plantada de mirtos. A versão grega mudou uma vogal e leu "sombra", "umbria". Uma explicação conjetural é que o profeta visionário tenha querido conjurar um mundo remoto, transcendente, morada do Deus escondido, onde se decidem os destinos da história. Ou então imaginamos uma profundeza abissal, inacessível e coberta de bosques, como região intermédia onde acampam os inspetores terrestres; mais além habita a divindade remota, que atua por intermediários.
1,10 "Percorrer": como em Js 18,4.8 e Jó 1,7.
1,11 "Em paz": fórmula tradicional em Js e Jz; especial, depois da queda de Babilônia (Is 14,7) e como aspecto de Sodoma (Ez 16,49); ou seja, com valor positivo e negativo, convergentes nesta visão: a paz do mundo é violência não revidada, a tranquilidade dos poderosos se apoia na fraqueza dos oprimidos.
1,12 A pergunta "até quando?" é clássica da súplica (Hab 1,2; Sl 13). Setenta anos é número redondo, que alcança a terceira geração; é o tempo predito por Jeremias; é o tempo de uma vida humana (Sl 90). A intercessão, função clássica dos profetas, é assumida por um mediador sobre-humano. A compaixão é tema de grande ascendência profética: Os 1,6s; Jr 30,18; Is 49,10.13.15; Sl 102,14 etc.
1,13 "Palavras boas" equivale a promessas. "Consolo" é termo-chave do Segundo Isaías: Is 40,1; 49,13; 51,3.12.19; 52,9.
1,14 "Zelo" ou ciúme: em sentido lato de diligência, ou restrito de exigência exclusiva (Ex 20,5; 34,14; Dt 5,9; 6,15), ou em imagem matrimonial (Is 49 e 54).

Tenho ciúmes de Jerusalém, grandes ciúmes de Sião,
[15]e sinto grande cólera
contra as nações tranquilas
que se aproveitam de minha breve cólera
para colaborar com o mal.
[16]Por isso, assim diz o Senhor:
Eu me volto para Jerusalém com compaixão,
e meu templo será reedificado
– oráculo do Senhor dos exércitos –
e aplicarão o prumo a Jerusalém.
[17]Continua proclamando:
Assim diz o Senhor dos exércitos:
Outra vez as cidades transbordarão de bens,
outra vez o Senhor consolará Sião,
Jerusalém será sua eleita.

2. Os chifres e os ferreiros (Dn 7,8.11.20; Sl 75) –

[1]Levantei a vista e vi quatro chifres. [2]Perguntei ao anjo que falava comigo:

– O que significam?

Ele me respondeu:

– Significam os chifres que dispersaram Judá (Israel) e Jerusalém.

[3]Depois o Senhor me mostrou quatro ferreiros. [4]Perguntei:

– O que vieram fazer?

Ele respondeu:

– Aqueles são os chifres que dispersaram Judá tão bem, que ninguém pôde levantar a cabeça, e estes vieram para espantá-los, para expulsar os chifres das nações que investiam com os chifres contra Judá para dispersá-la.

3. O cordel de medir (Is 54,2.3; Jr 31, 38-40) –

[5]Levantei a vista e vi um homem com um cordel de medir. [6]Perguntei:

– Aonde ele vai?

Ele me respondeu:

– Medir Jerusalém, para comprovar sua largura e comprimento.

[7]Então o anjo que falava comigo adiantou-se e outro anjo saiu ao seu encontro, [8]dizendo-lhe:

1,15 "Breve cólera", segundo Is 54,8, da qual se aproveitam os inimigos, se arrogam a iniciativa e se excedem na crueldade.

1,16 A "volta" do Senhor corresponde à volta ou conversão do povo (1,4). O "prumo" como instrumento de construção (Is 28,17) ou de destruição (Is 34,11).

2,1-4 A cólera contra os pagãos começa a agir, desembaraçando a capital de pessoas hostis. Se pela forma o chifre significasse um forcado, se conservaria uma imagem agrícola: ferramenta de aventar, que os ferreiros quebrarão. Chifre tradicionalmente significa poderio: agressivo ou defensivo Sl 75,5, de Deus Nm 23,22, de Davi Sl 132,17; Daniel explorará até a exaustão a imagem dos chifres. O número quatro pode significar a totalidade humana ou cósmica. Falava-se de tranquilidade (1,10.15): os ferreiros vêm para espantar ou deixar em sobressalto essa injusta calma. "Dispersar" é frequente em Ezequiel.

2,5-17 Dezoito anos depois da primeira caravana de repatriados, Jerusalém estava reconstruída só pela metade e pouco menos que despovoada; ao passo que o Segundo Isaías tinha profetizado uma superpopulação (Is 49,19; 54,2). A muralha continua em parte arruinada ou desmantelada; ao passo que o Segundo Isaías falava de seus esplêndidos muros (Is 49,16; 54,12).

O presente oráculo recolhe e corrige esses anúncios, e também a minuciosa agrimensura de cadastro de Ez 40-48. Na visão, um moço, oficial do cadastro, encarna o projeto de medir o perímetro da cidade amuralhada. Sua ingênua pretensão serve para sublinhar a novidade da situação: não se poderá medir a capital, nem serão necessárias muralhas.

a) *A extensão*. A abundância de homens e rebanhos prolonga a profecia de Jr 31,27. Jerusalém, mais que uma "cidade compacta" e administrativa (Sl 122), será como povoação aberta, composta de granjas (cf. Ez 38,11). É o contrário do recinto geométrico e das pastagens delimitadas de Ez 47-48.

b) *A muralha*. Isaías falava de uma muralha ornamentada, mas confiava a defesa ao Senhor que controla as armas (Is 54,15-17). Zacarias dá um passo a mais, eliminando a muralha de pedra, porque o Senhor em pessoa servirá de muralha de fogo, intransitável e vingador, como a espada chamejante que fechava o acesso ao paraíso (Gn 3,24). Que distância dos esforços realistas de Neemias para reconstruir a muralha da capital!

c) Não precisa de correção a promessa da presença da glória: ver Is 4,2-6 e Ez 43,4s. O verbo "serei" remete em hebraico à revelação de Ex 3,14.

2,6 Ver Jr 31,37 e 33,22.

– Vai dizer àquele jovem:
Pela multidão de homens
e rebanhos que haverá,
Jerusalém será cidade aberta;
⁹eu a rodearei como muralha de fogo,
e minha glória estará no meio dela
– oráculo do Senhor.
¹⁰Ei, ei! Fugi do país do norte
– oráculo do Senhor –,
pois eu vos dispersei aos quatro ventos
– oráculo do Senhor.
¹¹Ei, filhos de Sião,
que habitais em Babilônia, escapai!
¹²Porque assim diz o Senhor dos exércitos
às nações que os deportaram:
Quem vos toca,
toca a pupila de meus olhos.
¹³Eu agitarei minha mão contra eles,
e serão despojos de seus vassalos,
e saberão que o Senhor dos exércitos
me enviou.
¹⁴Festeja e aclama, jovem Sião,
pois eu venho para habitar em ti
– oráculo do Senhor.
¹⁵Naquele dia se incorporarão ao Senhor
muitos povos,
e serão meu povo;
habitarei no meio de ti,
e saberás que o Senhor dos exércitos
me enviou a ti.
¹⁶O Senhor tomará Judá
como sua porção na terra santa
e voltará a escolher Jerusalém.
¹⁷Silenciem todos diante do Senhor,
porque se levanta em sua santa morada!

3

4. Investidura do sumo sacerdote (Ex 28-29; Lv 8) – ¹Depois me mostrou o sumo sacerdote Josué, de pé diante do anjo do Senhor. À sua direita

---

2,10-17 Uma vez preparada a cidade – desembaraçada, alargada, protegida –, é hora de convidar os que irão repovoá-la. Isso se expressa utilizando o esquema clássico de libertação: sair-entrar, transformado pelo Segundo Isaías e ampliado com elementos escatológicos. A saída se expressa no imperativo, como em Is 48,20 e 52,11. O Senhor protagoniza a chegada, como em Is 40,10 (cf. Js 5,14). A volta do povo está implicada nos festejos da capital. A motivação é o interesse afetuoso do Senhor por seu povo, expresso na imagem, talvez proverbial, da pupila dos olhos (Dt 32,10; Sl 17,8). A incorporação de outros povos é de estilo escatológico, como em Is 2,2-5.

2,11 O versículo junta dramaticamente as duas rivais, Sião e Babilônia, como o Sl 137.

2,13 "Agitar a mão", como em Is 19,16. O castigo aplica a lei do talião (Ex 39,10).

2,14 Ver Is 12,6; 54,1; Sf 3,14.

2,15 Com a conhecida fórmula de união "naquele dia" acrescenta-se outro oráculo que alarga a visão precedente (Is 56,3.6; Jr 50,5). "Meu povo": ver Is 19,25.

2,16 A incorporação de pagãos não tira de Judá e Jerusalém seu lugar privilegiado: "porção escolhida".

2,17 É como o grito de um arauto impondo silêncio ao chegar o soberano (Hab 2,20). Como final de 15-16, refere-se à tomada de poderes de um reino próprio e um império internacional. Como final de 10-16, assinala o começo da repatriação: o Senhor se levanta (ver o diálogo de Is 51,9-52,6, e também Sl 44,24; 5,9; 73,20).

3,1-10 Alguns excluem este capítulo da série de visões, embora a introdução empregue a mesma fórmula de 2,3. Na habitação terrestre do Senhor há um

estava o Satã, acusando-o. ²O Senhor disse a Satã:

– O Senhor te chama à ordem, Satã; o Senhor, que escolheu Jerusalém, te chama à ordem. Não é esse um tição tirado do fogo?

³Josué estava vestido com um traje sujo, de pé diante do anjo. ⁴Este disse aos que estavam diante dele:

– Tirai-lhe o traje sujo.

E lhe disse:

– Olha, eu afasto de ti a culpa e te visto de festa.

⁵E acrescentou:

– Colocai-lhe na cabeça um diadema limpo.

Puseram-lhe o diadema limpo e o revestiram.

⁶O anjo do Senhor assistia e disse a Josué:

⁷Assim diz o Senhor dos exércitos:
Se seguires o meu caminho
e guardares os meus mandamentos,
também administrarás meu templo
e guardarás meus átrios,
e deixarei que te aproximes
com esses que aí estão.

⁸Escutai, sumo sacerdote Josué e os companheiros que estais sentados diante dele: São figuras proféticas que eu hei de trazer a meu servo Germe. ⁹Olhai a pedra que apresento a Josué: é uma e tem sete olhos. Tem uma inscrição: "Num dia removerei a

---

encarregado que vai receber a investidura. O texto recolhe e revisa elementos da legislação de Ex e Lv. Ex 28-29 oferece uma versão ampla, Lv 8,6-9 uma versão breve. O sumo sacerdote deve ser de família sacerdotal; no dia da sua consagração toma banho, veste os paramentos sacerdotais, é ungido e oferece um sacrifício de expiação. Entre os paramentos menciona-se o efod (espécie de roquete), que traz duas pedras engastadas nas ombreiras, um peitoral com as doze pedras gravadas com os nomes das doze tribos, e o diadema com a flor da consagração (pela qual carrega a culpa). Alguns sacerdotes faltaram a suas obrigações oferecendo fogo ilegítimo (Lv 10) ou rebelando-se (Nm 16): os culpados foram castigados com o fogo. Entre as funções do sumo sacerdote, estão a de representar o povo diante do Senhor e a de expiar removendo a culpa. Tendo presentes esses dados, é fácil perceber a coerência do texto. A mudança mais significativa é que Josué foi purificado, não por um banho ou sacrifício, mas por um fogo, do qual escapou com dificuldade.

A visão tem outro princípio de coerência: um verbo hebraico condutor que significa "estar de pé", "permanecer", "aguentar", "enfrentar", "estar a serviço". Estão de pé: o anjo do Senhor, espécie de árbitro ou jurado, e uns ministros a seu serviço (4.7); diante dele Josué (1a.3b), à direita o satã como acusador ou fiscal (1b). Destaca-se a postura dos sentados (8). O profeta assiste a uma cerimônia litúrgica que se desenvolve como uma espécie de julgamento: o acusado é o sumo sacerdote, culpado em pessoa ou representando o povo; acusa-o um fiscal de ofício, que exagera as acusações e não pode prová-las, tanto que o juiz, por meio do anjo, tem de chamá-lo à ordem. Então o anjo, ajudado por outros ministros, realiza um rito de purificação e investidura, que consiste em mudar-lhe as vestes. O sumo sacerdote, passando por grave e perigosa tribulação, purificou-se interiormente, e agora se submete ao rito que lhe permite oficiar. Terminada a cerimônia, em nome de Deus o anjo confia um encargo a sua responsabilidade.

3,2 Compare-se com o satã de Jó 1-2. Josué não saiu ileso da prova (Is 43,2), mas tampouco pereceu (Lv 10); não aparece como metal nobre acrisolado (Is 1,25; 48,10; Jr 9,6; Sl 66,10), mas como tição de pouco valor (Am 4,11; Is 7,4).

3,3 Ver Lv 21,10 e Ez 24,17.

3,7 A repetição do verbo "guardar" é significativa: guardar os mandamentos é condição para guardar os átrios: ética e culto. O sumo sacerdote é mordomo da casa de Deus.

3,8-10 O rito inclui dois elementos simbólicos. Os homens sentados são uns "assessores" (de *sedeo*), a pedra tem poder expiatório. Só isso? – O autor lhe atribui uma função simbólica acrescentada.

a) Os assessores são anúncio e garantia de alguém que o Senhor fará vir ou brotar. Será o "Vindouro", o "Germe" (Jr 23,5; 33,15), o sucessor de Davi. Num horizonte histórico, o Germe é Zorobabel (6,12). Num horizonte escatológico, o Germe será o Messias. Assim o chefe histórico é reduzido a elo de uma corrente secular, e a profecia se projeta para um futuro definitivo.

Em *Os nomes de Cristo*, Frei Luís de León comenta o "nome" ou título de Pimpolho = Germe.

b) O sentido da pedra é mais duvidoso e discutido. Uns a identificam com a pedra de arremate (4,7); mas esta corresponde a Zorobabel, não a Josué. Outros a identificam com a pedra de fundação (Is 28,16); mas também esta é tarefa de Zorobabel. Outros a identificam com alguma peça dos paramentos, em particular com a flor do diadema, pela qual Aarão "carrega a culpa" e "reconcilia o povo com o Senhor" (Ex 28,38s). Não alude ao dia da expiação (Lv 16), mas a textos como Sl 32,1-2 e 103,12.

culpa desta terra" – oráculo do Senhor dos exércitos. [10]Naquele dia uns convidarão os outros debaixo da parreira e da figueira – oráculo do Senhor dos exércitos.

4 5. O candelabro e as duas oliveiras (Ap 11,1-14) –
[1]Voltou o anjo que falava comigo e me acordou como uma pessoa acorda alguém do sono; [2]e me disse:
– O que vês?
Respondi:
– Vejo um candelabro de ouro maciço com um reservatório na ponta, sete lâmpadas e sete tubos que enlaçam com a ponta. [3]E duas oliveiras junto dele, à direita e à esquerda.
[4]Perguntei ao anjo que falava comigo:
– O que significa, senhor?
[5]O anjo que falava comigo respondeu:
– Como?, não sabes o que significam?
Respondi:
– Não, senhor.
[6a]Então ele me explicou:
– [10b]Essas sete lâmpadas representam os olhos do Senhor, que percorrem toda a terra.
[11]Então eu perguntei:
– E o que significam essas duas oliveiras à direita e à esquerda do candelabro?
[12]Insisti:
– O que significam os dois ramos de oliveira junto aos dois tubos de ouro que conduzem o azeite?
[13]Ele me disse:
– Como?, não o sabes?
Respondi:
– Não, senhor.
[14]Ele me disse:
– São os dois ungidos que servem ao Dono de todo o mundo.
[6b]Nisto diz o Senhor a Zorobabel:
– Não contam força nem riqueza, o que conta é meu espírito – diz o Senhor dos exércitos. [7]Quem és tu, montanha solitária? Diante de Zorobabel serás aplainada. Ele tirará a pedra de arremate entre exclamações: "Que bela, que bela!"
[8]O Senhor me dirigiu a palavra:
– [9]Zorobabel com suas mãos pôs os alicerces desta casa e com suas mãos a terminará. E assim saberás que o Senhor dos exércitos me enviou a vós. [10a]Aquele que desprezava os começos humildes, exultará vendo a pedra aprumada nas mãos de Zorobabel.

5 6. O rolo voando –
[1]Levantei de novo a vista e vi um rolo voando. [2]O anjo me perguntou:
– O que vês?
Respondi:
– Vejo um rolo voando, de dez metros por cinco.
[3]Ele me explicou:

3,10 Essa pedra única, através do perdão divino, realiza a concórdia social, que se expressa no mútuo convite doméstico (Is 36,16; Jó 1).

4,1-14 A exortação de 6b-10a introduziu-se como cunha, interrompendo o curso óbvio do discurso; restabeleço uma ordem que facilite a leitura. Depois do sumo sacerdote, é a vez do chefe civil, seu colega. O autor continua inspirando-se em textos do Êxodo, acrescentando dados da sua colheita.
a) O candelabro era peça importantíssima do mobiliário do templo: alimentava-se com azeite puríssimo e ardia na presença do Senhor (Ex 25,31-40 e 27,20s). O profeta introduz duas mudanças: não é alimentado com azeite humano; ele mesmo é a presença vigilante, os olhos do Senhor (Is 37,17). O autor funde poeticamente o alumiar e o ver: o sol que tudo alumia, tudo vê; nosso olho é nossa lâmpada (Mt 6,22).
b) Os dois ramos de oliveira crescem no templo do Senhor (Sl 92,14): são dois vizires ou vigários do Dono do mundo todo. Também aqui se realiza a fusão poética: as oliveiras que produzem azeite receberam o azeite da unção, como seiva divina que as mantém viçosas, como selo do poder e garantia da sua capacidade (Ex 29,7; Lv 4). Significam o poder civil e religioso em perfeita harmonia, ladeando o Senhor presente (cf. Jr 33,17s). São, no tempo de Zacarias, Josué e Zorobabel; mudam em leituras posteriores.
c) A obra se conclui entre solenes festejos. A aclamação do povo é ambígua ou polivalente. A palavra hebraica designa a beleza que atrai e o favor que se outorga. O templo é obra de beleza cabal (Sl 50,2), de grande atração (Ez 24,21); o Senhor com essa pedra "completa seus favores" (Sl 138,8).

4,2 1 e 7 são números de unicidade e totalidade.

4,10b "Percorrer" tem caráter oficial de inspeção: 2Sm 24,2.8; Jó 1,7; Jr 5,1.

4,14 Silencia a soberania política dos persas e reduz a autoridade dos chefes judeus.

4,6b Princípio tradicional: Dt 8,17; Jz 6,14; 1Sm 2,9; Sl 33,16.

4,7 É a montanha que se interpõe: Is 51,25; Dn 2,35.44s.

4,9-10 A montanha se aplaina, o templo se ergue, Jerusalém é a capital do Dono universal (Sl 48).

5,1-4 Nova purificação da cidade: desta vez, dos inimigos internos, pecadores contra o terceiro e o oitavo mandamentos. Por que escolhe o roubo? – Talvez pela situação econômica. Por que o falso juramento? – Porque, ao implicar a profissão religiosa, torna-se sacrílego. Outra explicação: em Lv

É a maldição que se dirige
à superfície de todo o país.
De um lado do rolo:
"Os ladrões ficam impunes".
Do outro:
"Os que juram falso ficam impunes".
⁴Eu tirei-a
– oráculo do Senhor dos exércitos –
para que entre na casa do ladrão
e na casa de quem jura falso por meu nome;
ela se instalará na casa
até consumir madeiras e pedras.

7. O recipiente e a mulher – ⁵O anjo que falava comigo se adiantou e me disse:
– Ergue os olhos e vê o que aparece.
⁶Perguntei:
– O quê?
Ele me respondeu:
– Um recipiente de vinte e dois litros: grande assim é a culpa em todo o país.
⁷Então se levantou uma tampa de chumbo e apareceu uma mulher sentada dentro do recipiente.
⁸Ele me explicou:
– É a maldade.
Empurrou-a para dentro do recipiente e pôs a tampa de chumbo.
⁹Levantei a vista e vi duas mulheres com asas de cegonha voando no vento e transportando o recipiente entre o céu e a terra.
¹⁰Perguntei ao anjo que falava comigo:
– Para onde levam o recipiente?
¹¹Ele me respondeu:
– Para lhe construir um nicho no território de Senaar, e quando estiver terminado o colocarão sobre um pedestal.

6

8. Os quatro carros – ¹Levantei a vista de novo e vi aparecer quatro carros entre duas montanhas; as montanhas eram de bronze. ²O primeiro carro era puxado por cavalos alazões, o segundo por cavalos tordilhos, ³o terceiro por cavalos brancos e o quarto por cavalos malhados.
⁴Perguntei ao anjo que falava comigo:
– O que significam, senhor?
⁵O anjo me respondeu:
– Estão a serviço do Dono de todo o mundo e saem aos quatro ventos. ⁶Os alazões partem para o nascente, os tordilhos

---

19,11-18 Iemos um bloco de leis que começam por roubo e falso juramento e terminam com o preceito geral do amor ao próximo. Se Zacarias o cita como início, inclui o bloco todo.
São dois delitos que podem ficar ocultos e seus autores impunes. Um rolo gigantesco que passa voando parece proclamar uma carta de impunidade e a maldição dessa impunidade. Até que o Senhor se ocupa do rolo, o tira e o põe certeiramente na casa do culpado. O rolo, como contágio trágico, se converte em maldição do culpado, até carcomer pedras e madeiras (cf. Hab 2,11; Lv 14,33ss). Roubo com falso juramento são dois lados de um rolo, da perfeita injustiça. O rolo acusa, prova e executa a sentença contra os ladrões.
5,5-11 É preciso concluir a purificação, extirpando culpa e maldade. A maldade é um poder maligno, personificado em figura de mulher (por ser palavra feminina, como sabedoria e insensatez em Pr 9). A culpa é o vasto recipiente onde é encerrada e transportada a maldade. Levam-no para seu lugar natural, onde será entronizada e adorada.
Alguns detalhes pertencem ao tema: a tampa, para que não escape. Outros servem ao realismo da visão onírica: as asas de cegonha (como o tamanho do rolo, a cor dos cavalos etc.). Para entender o texto, o melhor é soltar a fantasia. É uma visão de pesadelo. A maldade é como um animal posto num tacho com tampa que tenta escapar levantando a tampa; empurram-na rapidamente para dentro e tampam. As duas mulheres são como duas bruxas com mantos esvoaçantes: entrando o ar entre as pregas, elas se levantam com aparência de asas de cegonha. Levantam-se a favor do vento, batendo suas asas de pano, e no ar levam a vasilha com sua carga maldita. É um mundo de sonhos e de contos. A explicação dissipa o pesadelo.
Na cerimônia do dia da expiação, as culpas do povo passavam para um bode, mandado para o deserto. Em vez do animal, Zacarias introduz a caldeira; em vez do deserto, introduz Senaar ou Babilônia, como lugar emblemático, morada do mal, reino do pecado. Pode-se comparar este texto com Sl 32,1; 103,12 e Ez 22.
6,1-8 Esta última visão se liga com a primeira; só que, em vez de cavaleiros, temos carros; em vez de três cores, temos quatro; em vez de inspeção, temos castigo. O texto hebraico foi manipulado, especialmente o v. 6; a tradução tenta remediar incoerências. Mesmo assim, fica um problema: se

para o norte, os brancos para o poente, os malhados para o sul.

⁷Saíam briosos, dispostos a percorrer a terra. Ele ordenou-lhes:

– Percorrei a terra.

E o fizeram. ⁸E gritou-me:

– Os que saem para o norte aplacam minha ira contra o país do norte.

A coroa – ⁹O Senhor me dirigiu a palavra:

– ¹⁰Pede dons aos exilados que voltaram da Babilônia: Heldai, Tobias e Idaías. Depois, vai à casa de Josias, filho de Sofonias. ¹¹Toma ouro e prata, faze uma coroa e a coloca na cabeça de Zorobabel, filho de Salatiel. ¹²E lhe dirás:

Assim diz o Senhor dos exércitos:
Aí está o homem chamado Germe,
que construirá o templo
– sua descendência germinará –;
¹³ele construirá o templo, ele assumirá a dignidade
e sentará no trono para governar;
ao passo que o sumo sacerdote sentará no seu,
e reinará a concórdia entre os dois.
¹⁴A coroa ficará no templo do Senhor como memorial para Heldai,
Tobias, Idaías e Josias, filho de Sofonias.
¹⁵Se obedecerdes ao Senhor vosso Deus,
de longe vireis para construir o templo,
e sabereis que o Senhor dos exércitos
me enviou a vós.

7

Consulta litúrgica: culto e justiça (Is 58) – ¹No quarto ano do reinado de Dario, no quarto dia do nono mês, isto é, Casleu, o Senhor dirigiu a palavra a Zacarias.

---

os expedicionários são quatro e partem em quatro direções, por que o castigo atinge só o país do norte? Porque, segundo Jeremias (3,18; 4,6; 6,1.22 etc.), esse país é Babilônia, onde se acumulou e se entronizou a maldade.

Os carros com os cocheiros se encontram numa região remota, na corte do Soberano do mundo; montanhas a rodeiam, com um desfiladeiro de entrada e saída. O material transfere as montanhas para o reino da fantasia.

6,8 Se o "país do norte" é Babilônia, temos o seguinte processo: os judeus devem fugir (2,10), a maldade se instala aí (5,11), a cólera se desafoga contra esse país. As visões terminaram, mas resta algo a dizer.

6,9-15 À investidura do sumo sacerdote (3,1-10) corresponde a coroação do rei. Em sentido técnico, Zorobabel não foi rei coroado, pois era um chefe local submetido a Dario; em sentido lato se pode considerar como rei vassalo do imperador. Ao profeta parece interessar mais a categoria de sucessor legítimo de Davi, "Germe". A coroa cingida no dia da entronização fica no templo como memorial. Lembrança desse dia ou da instituição real quando faltar o rei? Zorobabel desapareceu do cenário histórico em silêncio, sem avisar, pela porta dos fundos. Faltando o monarca em função, o templo conserva como memorial e penhor de esperança a coroa que cabe exclusivamente ao sucessor legítimo, ao Germe de Davi. Uma vez um sumo sacerdote ocupou o comando supremo (ver o final de 1Mc, sobre a dinastia asmonéia). Então um editor pôs Josué no texto onde se dizia Zorobabel (v. 12). Esta é a explicação mais plausível da anomalia.

Até o fim do v. 13 se completa o quadro dos dois poderes, conforme o seguinte esquema:

Josué	
investidura	3,4
promessa condicionada	3,7
sinais de Germe	3,8
duas oliveiras	4,9
serviço do Soberano	4,14
Zorobabel	
coroação	6,11
promessa condicionada	6,15
Germe presente	6,12
dois tronos	6,13
governo concorde	6,13

6,11 A coroa é do rei: 2Sm 12,30; Jr 13,18; Sl 21,4; Lm 5,15.

6,13 A "dignidade" é predicado do rei em Jr 22,18; Sl 21,6; 45,4 etc.

6,15 A colaboração de homens vindos de longe não se enquadra nem no tempo de Zacarias nem no tempo de Neemias; a não ser que se trate de novas ondas de repatriados. Parece acréscimo. No final, o profeta dá crédito à sua missão.

Nestes seis capítulos, o profeta compôs um quadro bastante completo da restauração, aprofundando sua perspectiva para o futuro.

7,1-14 Pelo tema e pelas fórmulas, este capítulo se liga com a introdução, 1,2-6, compondo com ela uma moldura parenética para as visões. Em ambos se inculca a observância da lei, apelando para o exemplo dos pais. Coloca-se como consulta litúrgica sobre o jejum: ao remeter a resposta formal à série

²Betel-Sarasar havia enviado Regem-Melec com seu séquito para aplacar o Senhor ³e para consultar os sacerdotes do templo do Senhor dos exércitos e os profetas sobre o seguinte:

– Devemos observar o quinto mês como dia de luto e abstinência, como estamos fazendo há anos?

⁴O Senhor dos exércitos me dirigiu a palavra:

– ⁵Dize à gente do campo e aos sacerdotes:

Quando nestes setenta anos jejuáveis
e fazíeis luto
no quinto e no sétimo mês,
vós o fazíeis em minha honra?
⁶Quando comeis e bebeis,
não o fazeis em proveito próprio?

⁷Recordai as palavras que o Senhor proclamava por meio dos antigos profetas, quando Jerusalém, os povoados de sua região, o Negueb e a Sefelá ainda estavam habitados e em paz.

⁸O Senhor dirigiu a palavra ao profeta Zacarias:

– ⁹Assim diz o Senhor dos exércitos:
Julgai segundo o direito;
cada um trate seu irmão
com piedade e compaixão;
¹⁰não oprimais viúvas, órfãos,
migrantes e necessitados;
que ninguém planeje maldades contra seu próximo.
¹¹Mas não fizeram caso;
deram-me as costas, rebelando-se,
taparam os ouvidos para não ouvir.
¹²Empedernidos, não escutaram a lei
nem as palavras
que o Senhor dos exércitos
inspirava aos antigos profetas.
Então o Senhor dos exércitos
encolerizou-se e disse:
¹³Como não escutaram quando eu os chamava,
não os escutarei quando me chamarem.

---

das promessas (8,18s), o capítulo toma outro rumo que tentarei explicar. Antes de tudo, os versículos 8-9a são uma cunha desnecessária, que interrompe o discurso (emendo o texto).

A consulta litúrgica se dirige aos peritos, sacerdotes e profetas (cultuais?, de uma corporação?). Deus intervém por meio do seu profeta pessoal, mudando a colocação da consulta. Em outros termos, em vez de responder, Deus muda a pergunta e com ela o horizonte. Exemplo insigne de dialética interpretativa. Os judeus vinham celebrando um jejum no quinto mês, talvez comemorando a queda de Jerusalém, e outro no sétimo mês, talvez comemorando o assassinato de Godolias. É preciso continuar jejuando, depois que o povo retornou do desterro e o templo foi reconstruído? Pesa mais a desgraça passada que a libertação presente? A pergunta está mal colocada: O jejum é por causa da desgraça; mas o que provocou a desgraça? Apelando ao passado: o que pregaram os antigos profetas? Como o povo respondeu? Quais foram as consequências? – Então, que se medite e se aplique a lição, que continua sendo atual. A questão retorna assim ao velho tema da tensão entre culto e justiça social: Is 1,10-20 culto, Jr 7 templo, Is 58 jejum. O jejum é um modo de suplicar, aplacar e mover Deus: de nada serve, se o homem persiste nas suas injustiças. Uma vez mais comprovamos a liberdade crítica da palavra de Deus. Pelos caminhos institucionais do rito e da consulta aos técnicos, não se ia resolver nada; pior, ia-se dissimular o problema de fundo, tranquilizando por alto as consciências. Zacarias intervém em nome de Deus para relativizar o rito e sacudir as consciências.

7,2-3 Aplacar a Deus: Ex 32,11; 1Rs 13,6; Jr 26,19. O pranto é litúrgico: Jz 2,4s.

7,6 Jerônimo cita 1Cor 8,8.

7,9-10 Ensinamentos tradicionais: piedade (Jr 9,23; Os 6,6), oprimir (Lv 19,33; Dt 26,14; Jr 7,6), planejar maldades (Mq 2,3; Na 1,11).

7,12 Soa o binômio "lei e profetas", estes inspirados. Zacarias não é menos inspirado que os antigos profetas, e é capaz de fazer reviver os velhos oráculos.

¹⁴E os dispersarei entre nações estrangeiras;
às suas costas a terra ficou devastada,
sem habitantes nem viandantes.
Assim transformaram uma terra invejável
numa desolação.

8 Dez promessas (Jr 30-31; 33; Ez 36,16-38)

– ¹O Senhor dos exércitos enviou esta mensagem:

²Assim diz o Senhor dos exércitos:
Sinto ciúmes de Sião, ciúmes terríveis,
sinto dela ciúmes
que me arrebatam.
³Assim diz o Senhor:
Voltarei a Sião,
habitarei no meio de Jerusalém;
Jerusalém se chamará Cidade Fiel,
o monte do Senhor dos exércitos,
Monte Santo.
⁴Assim diz o Senhor dos exércitos:
De novo sentarão anciãos
e anciãs nas ruas de Jerusalém,
e haverá homens tão anciãos,
que se apoiarão em bastões;
⁵as ruas da cidade
se encherão de meninos e meninas
brincando na rua.
⁶Assim diz o Senhor dos exércitos:
Se então o resto deste povo
julgar algo como impossível,
também eu terei de julgá-lo
impossível?

8,1-23 Pela forma, lemos uma série de dez promessas com suas introduções. Pelo conteúdo, reúnem-se em três trios com um inciso. Primeira, segunda e terceira promessas: tudo começa num acesso de ciúmes e paixão do Senhor por Sião, na qual ele fixa residência, atrai e protege uma população de todas as idades. Quarta: como que respondendo a uma objeção possível ou implícita, o Senhor apela a seu poder para realizar o que o homem julga impossível (cf. Jr 31 e Is 49). Quinta, sexta e sétima: organizam-se num sistema de libertação, retorno e aliança. A antiga continha bênçãos e maldições: por culpa do povo cumpriram-se as maldições, por desígnio de Deus se cumprirão as bênçãos. Oitava, nona e décima falam da celebração: culto festivo, romarias solenes, afluxo de pagãos.
Vários dados são repetição não imaginativa de temas das visões:

8,2; 1,15	ciúmes do Senhor
8,3; 2,14	que vem morar em Sião
8,7; 2,10	dispersão e retorno
8,10s; 1,17; 3,10.12	paz social
8,14; 1,12.15	ira de Deus
8,16; 5,4; 7,10	justiça social
8,19; 7,3	jejum
8,21; 7,2	aplacar o Senhor
8,22s; 2,15	chegada de outros povos

A mudança de sorte é muito marcada, ainda que sem a fórmula clássica. Os oráculos foram trabalhados com autonomia; sua composição se apresenta compacta e fechada. Predominam fatores de ritmo, sonoridade e antítese.

8,1 A introdução sem destinatário é anômala.
8,2 Impõe a tonalidade a quanto se segue. O amor é matrimonial.
8,3 A volta do Senhor prolonga um tema de Jeremias, Ezequiel e Segundo Isaías. "Cidade Fiel" é título tomado de Is 1,26, e significa fidelidade matrimonial, resposta ao amor do Senhor.
8,4-5 Cena aprazível e sugestiva: as idades extremas convivem pacificamente em Jerusalém, o ancião com seu bastão e as crianças brincando. Compare-se com Jr 31,13 e leia-se sobre o fundo contrastante de Lm 2,10.21.
8,6 Engloba e sustenta qualquer promessa, também as maravilhosas de Is 40-55, que ainda não se cumpriram. O que excede ao homem não excede a Deus: Jr 32,17.27; Sl 118,23.

⁷Assim diz o Senhor dos exércitos:
Eu salvarei meu povo ⁸e o trarei
dos países do nascente e do poente,
para que habite em Jerusalém.
Eles serão meu povo,
eu serei seu Deus autêntico e legítimo.

⁹Assim diz o Senhor dos exércitos: Cobrai ânimo vós que nesses dias escutastes essas palavras, pronunciadas pelos profetas, no dia em que se lançaram os alicerces para a construção do templo do Senhor dos exércitos.

¹⁰Antes não se contratavam
homens nem animais,
não havia segurança de movimentos,
devido às rivalidades.
Eu lançava uns contra outros.
¹¹Agora não vou mais tratar o resto do povo
como em tempos passados
– oráculo do Senhor dos exércitos.
¹²Semearão tranquilos, a cepa dará seu fruto,
a terra dará sua colheita,
o céu dará seu orvalho;
eu deixo tudo ao resto deste povo.
¹³Assim como fostes amaldiçoados
pelos pagãos, Judá e Israel,
também vos salvarei e sereis abençoados.
Não temais, cobrai ânimo.
¹⁴Assim diz o Senhor dos exércitos:
Assim como eu planejava desgraças contra vós,
quando vossos pais me irritavam,
e não me arrependia
– diz o Senhor dos exércitos –,
¹⁵também mudarei então meus planos
para fazer bem a Jerusalém e a Judá.
Não temais.
¹⁶Isto é o que tendes de fazer:
Dizer a verdade ao próximo,
julgar com integridade nos tribunais,

8,7-8 Segundo ou terceiro êxodo? – Não menciona Babilônia nem o país do norte; os dispersos se encontram no oriente e ocidente (Is 60,1-9). A fórmula clássica da aliança se reforça com uma expressão adverbial que pode afetar um ou os dois membros, e que admite várias interpretações. Serei seu Deus autêntico e legítimo, e como tal me reconhecerão; serei leal cumpridor de meus compromissos, e eles dos seus; nossas relações serão leais e estáveis. O antônimo do hebraico "justiça" é "maldade", que foi transportado para Babilônia (5,5-11); autêntico ou verdadeiro se opõe a "falsidade", palavra que designa o falso testemunho (5,1-4).

8,9-13 Desenvolve as bênçãos da aliança com amplidão e por oposições de antes e agora. Qual é a linha divisória temporal? – Logicamente, quando fala o profeta; por isso, muitos consideram a referência aos alicerces (9) como glosa tomada de Ag 2,18. A partir do oráculo, começa uma era de paz e bem-estar.
Primeira oposição. A principal desgraça social não era a ocupação externa, mas as rivalidades internas: Sl 54; Ez 22; Is 9,18-21; Jr 9,3s. Agora semeia-se em paz, ou há uma semeadura de paz. Céu e terra, como em abraço conjugal, tornam-se fecundos: Sl 85,13; Os 2,24-26; Lv 26,4.20. O vinho simboliza a alegria: Is 24,9 e Jr 31,5. Segunda oposição: renova-se uma promessa patriarcal (Gn 12; 17 etc.). Na extrema desgraça, os judeus foram objeto de desprezo e maldição (Jr 24,9; 25,18; 26,6 etc.); pela salvação, recuperam sua condição de povo abençoado. Talvez a referência aos dois reinos irmãos seja glosa.

8,14-17 Corte formal e terceira oposição: a mudança de Deus é de sinal oposto ao ameaçado em Dt 28,63; Js 24,20. Correlativamente o povo deve mudar, cumprindo as exigências da aliança.

¹⁷não tramar males uns contra os outros,
não amar o juramento falso.
Pois eu detesto tudo isso – oráculo do Senhor.

¹⁸O Senhor dos exércitos dirigiu-me a palavra:
¹⁹Assim diz o Senhor dos exércitos: O jejum do quarto, quinto, sétimo e décimo mês se transformará em gozo, alegria e festa para Judá. Amai a sinceridade e a concórdia.
²⁰Assim diz o Senhor dos exércitos: Ainda virão povos e habitantes de cidades populosas; ²¹os de uma cidade irão aos de outra e lhes dirão:

"Vamos aplacar o Senhor.
– Eu vou contigo visitar o Senhor
dos exércitos".
²²Assim, virão povos numerosos
e nações poderosas
para visitar o Senhor dos exércitos
em Jerusalém, e para aplacar o Senhor.

²³Assim diz o Senhor dos exércitos: Naqueles dias dez homens de cada língua estrangeira agarrarão um judeu pela barra do manto e lhe dirão: "Vamos convosco, pois soubemos que Deus está convosco".

Zacarias 9-14

Contra as nações
(Am 1,3-10)

9 ¹Uma palavra do Senhor em território de Hadrac,
com residência em Damasco;

8,18-19 Resposta à consulta de 7,1-3, mudança de tema e quarta oposição. Completa-se um processo em três passos: jejum litúrgico, reforma ética, liturgia festiva. Restabelecida a justiça, o sacrifício encontra seu lugar; como no Sl 51.

8,20-22 Versão menos poética de Is 2,2-5 com alguns decalques verbais. Jerusalém se converte em centro de uma romaria internacional. Os pagãos acorrem para aplacar o Senhor por seus delitos, talvez por terem maltratado os judeus.

8,23 Os judeus servem de mediadores, atraindo e guiando outros povos para o Senhor (Is 19,23-25). A frase final faz eco ao nome de Emanuel. Todas as línguas do mundo estão representadas, invertendo a dispersão de Babel, prefigurando Pentecostes. A profecia de Zacarias termina com essa tonalidade exaltada. Segue-se a obra de outro autor, amparado pelo nome de Zacarias.

Zacarias 9-14

O livro dos Doze profetas menores se conclui com três coleções encabeçadas pela fórmula: Oráculo. Palavra do Senhor... Zc 9,1; 12,1; Ml 1,1. Se levarmos em conta que Malaquias não é nome, mas título, "Meu mensageiro", parece claro que o editor do livro acrescentou três coleções de oráculos anônimos a Zacarias, o último profeta conhecido. A terceira terminaria convertendo-se no livro de Malaquias.

Autor e época. De quem procedem estes seis capítulos? Os comentaristas têm dado respostas diferentes: de um só autor; de dois, para 9-11 e 12-14; são uma antologia de textos de origem diferente não identificável. Época: tem sido proposto desde o século VIII até o II, baseando-se em três indícios bastante ambíguos: 9,1-8 uma ameaça se estende a Tiro, Sidônia e Filisteia; 9,13 menciona os "jônios" ou gregos; 10,10s menciona juntos Egito e Assíria. Parece-nos mais provável uma época a partir das campanhas de Alexandre Magno.

A obra. Vamos deter-nos em divisões maiores, descendentes. A primeira distingue 9-11 e 12-14. Depois divide 9-11 em três blocos: a) 9,1-10,2 canta as vitórias do Senhor, a libertação do seu povo, a fecundidade das chuvas. b) 10,3-11,3 canta batalhas e vitórias de Judá e Efraim, e a derrota do inimigo poderoso. c) 11,4-7 + 13,7-9 contém uma alegoria de pastores do povo.

A segunda parte é formalmente articulada por sete fórmulas "acontecerá naquele dia": 12,3.9; 13,2.4; 14,6.8.13. Tematicamente predominam temas escatológicos: o assalto dos pagãos contra Jerusalém, a vitória e purificação da capital, a instauração de uma era de paz, com festejos cultuais.

A presença de Zc 9-14 no NT é abundante: 9,9 é citado em Mt 21,5 e Jo 12,15; 11,12s é citado em Mt 27,9s (com um erro de atribuição); 12,10 é citado em Jo 19,38 e Mt 24,30; 13,7 em sentido acomodatício em Mt 26,31 e Mc 14,27. Inspira também outras cenas dos evangelhos e do Apocalipse.

9,1-11,3 Apesar de sérias dificuldades de detalhe, pode-se descobrir nestes versículos uma composição

porque ao Senhor pertence
a capital da Síria,
como todas as tribos de Israel;
²e também a vizinha Emat,
e as habilíssimas Tiro e Sidônia.
³Tiro construiu para si uma fortaleza,
amontoou prata como pó
e ouro como barro da rua;
⁴mas o Senhor a despossuirá,
lançará ao mar suas riquezas,
e ela será pasto do fogo.
⁵Ao ver, Ascalon tremerá, Gaza se retorcerá,
e também Acaron, por causa do fracasso
daquela que era sua esperança.
O rei de Gaza perecerá,
Ascalon ficará desabitada.
⁶Em Azoto habitarão bastardos,
e aniquilarei o orgulho dos filisteus.
⁷Eu lhes arrancarei da boca o sangue,
e dos dentes as comidas horríveis,

---

de conjunto. A composição pode ser posterior à existência de algumas de suas peças.

A imagem de conjunto não nos parece estranha. Deus entra na história com uma grande ação libertadora articulada nas duas direções tradicionais: castigo do inimigo opressor e salvação do povo escolhido. A última por sua vez se articula em defesa da capital, repatriação de desterrados, purificação interna, prosperidade. Como o autor se deixa levar por reminiscências formais e temáticas, sem seguir uma ordem rigorosa, vou reordenar logicamente os motivos principais, para facilitar uma leitura de conjunto.

A) O castigo do inimigo se reparte no começo (9,1-7) e no fim (10,11-11,2), e está implícito na visão guerreira (9,13-15 e 10,4-7). B) A salvação se distribui assim: a) defesa de Sião (9,8); b) purificação de armas (9,10), de ídolos (10,2), de maus chefes (10, 2s); c) repatriação (9,11s e 10,6-12); d) reinado pacífico (9,9s), fecundidade humana e agrícola (10,8s e 9,17-10,1).

O autor comunica uma visão dramática da história, porque sabe que muitos se opõem à instauração de um reino de justiça e paz; embora o Senhor não aja sem resistências, sairá vencedor. A visão é também paradoxal, porque o Senhor quer vencer usando como arma um povo indefeso, embora mobilizando forças cósmicas. Também a repatriação repete alguns paradoxos do Êxodo: ao compasso da invocação ao Senhor, os fracos derrotam a cavalaria (Ex 14,6s) e um mar hostil fica seco (Ex 14,21s). Soam também lembranças do tempo dos Juízes e da monarquia davídica.

As lembranças tradicionais são mais fáceis de identificar do que as referências históricas. Provavelmente a Assíria representa a Síria dos Selêucidas, e o Egito o reino dos Ptolomeus. Alguns pensam que a conquista de Tiro (9,4) alude à vitória de Alexandre Magno (332); mas também Tiro poderia ser código para a capital costeira Antioquia.

Em conjunto, prefiro uma interpretação ideal e escatológica a uma interpretação histórica exata de fatos únicos: chega o reinado do Senhor, preparado com grandes vitórias e consumado com a grande volta final, a do terceiro êxodo. Se a situação histórica forneceu dados ao autor, as grandes tradições de Israel dão fôlego na composição.

9,1-8 Um oráculo unitário aponta diretamente contra a Síria e sua capital tradicional, desce ao litoral fenício e varre a faixa costeira até a Pentápole filisteia. São os domínios ocidentais dos "gregos" ou Selêucidas. Imita Mq 1,10-16 ou Sf 2,4-15. No fim, a palavra se recolhe na capital de Judá em atitude vigilante.

9,1 O começo requer várias correções e se presta a muitas conjeturas. É óbvio corrigir Adam em Aram (Síria); o verbo "confinar" em hebraico tem as mesmas consoantes que Biblos. A palavra do Senhor proclama o seu domínio sobre territórios estrangeiros, sem que lhes valha poder ou saber. Recorda os domínios davídicos (2Sm 15,10; 19,10; 24,2). A palavra "residência" está teologicamente carregada: "morada" do Senhor é a Palestina (Sl 95,11), como também Sião e o templo (Is 11,10; 66,1; Sl 132,8.14).

9,2-3 As cidades fenícias sobressaem tradicionalmente por sua habilidade (Ez 28,3-6). Por meio do comércio, Tiro acumulou riquezas e reforçou sua posição estratégica.

9,4 O castigo se realiza por uma aliança de água e fogo (cf. Ez 27 e 28,18).

9,5-6 Na Pentápole filisteia falta Gat. Como é costume, o autor parece jogar com os nomes, pois Gaza tem som parecido com forte, Acaron com estéril, Ascalon com azar, e Azoto com destruição.

9,7 Em sentido próprio, o sangue na boca pode referir-se ao costume de comer sangue, que os judeus detestam (Lv 11 e Dt 14). Em sentido metafórico, evoca uma crueldade sanguinária. Deus lhes retira seu hábito abominável ou lhes arranca a vítima da

então um resto deles será de nosso Deus,
será como uma tribo de Judá,
e Acaron como os jebuseus.
⁸Porei uma guarnição em minha casa
contra os que me cercam,
e não voltará a passar o tirano,
porque agora vigio com meus olhos.

Paz e guerra

⁹Alegra-te, cidade de Sião; aclama, Jerusalém;
olha teu rei que está chegando:
justo, vitorioso, humilde,
cavalgando um jumento, cria de jumenta.
¹⁰Destruirá os carros de Efraim
e os cavalos de Jerusalém;
destruirá os arcos de guerra
e dará paz às nações;
dominará de mar a mar,
do Grande Rio ao confim da terra.
¹¹Pelo sangue de tua aliança,
libertarei os presos do calabouço.
¹²Voltai à praça-forte,
cativos esperançados;
hoje te envio um segundo mensageiro.
¹³Esticarei Judá como um arco
e o carregarei com Efraim;
Sião, eu te converto em espada de herói,
e incitarei teus filhos contra os da Grécia.
¹⁴O Senhor lhes aparecerá
disparando flechas como raios,

---

boca. Os jebuseus, cuja capital era Jerusalém, se integraram na comunidade israelita.

9,8 "Cercar" descreve os movimentos dos exércitos mercenários na época selêucida. O termo hebraico para "tirano" é clássico: Ex 3,7; 5,6.10; Is 9,3 etc. O templo, pela sua altura geográfica, fica à margem dos movimentos do litoral e em posição vigilante, como atalaia bem protegida. Deus em pessoa se encarrega da guarda.

9,9-15 Prescindindo de um par de versos difíceis, a visão é nítida e gloriosa. Inspira-se em passagens sobre o reinado do Senhor, como Sl 96 e 98; Is 62; os vv. 9-10 podem-se comparar com Mq 4-5. Consumada a vitória, o rei volta à capital para nela inaugurar uma era de paz e esplendor. Não entra triunfante, mas com toda a simplicidade (compare-se com 2Sm 19; Is 40,10; 63,1-3). Não vai libertar com poderoso armamento, mas desarmando seu povo (Mq 5,9) e agindo ele pessoalmente (Sl 98,2); não por meio de alianças humanas (Is 30,1-7), mas por força da sua aliança selada com sangue (Ex 24). Também o povo deve ser simples e humilde, como um rebanho (16); toda a sua riqueza será a colheita de trigo e vinho (17), a qual dependerá da chuva, que é dom de Deus (10,1). Se aceitarem esse papel, o Senhor fará deles uma joia (16), espada e arco (13), corcel (10,3).

9,9a Alegria da capital pela chegada do seu rei: 2Sm 19; 1Rs 1,40; Is 65,18; Sf 3,17 etc.

9,9b Não há monarca davídico, porque o rei é o Senhor; ver Is 33,22; Sf 3,15; Mq 4,7. Sua chegada: Sl 96,13; 98,8s; Is 62,11. Justo e vitorioso: venceu porque tinha a justiça do seu lado, ou venceu defendendo a justiça.

9,9c O jumento era a cavalgadura dos Juízes (5,10; 10,4; 12,14); os reis preferiam as mulas (2Sm 13,29; 1Rs 1,33).

9,10a Carros e cavalos eram obtidos comerciando com o Egito (Dt 17,16); os profetas condenam o fato como sinal de militarismo: Is 2,7; Mq 5,9.

9,10b Destroem-se as armas para promulgar uma paz universal: Is 2,2-5; 9,6; Mq 4,1-3 e Sl 76.

9,10c Os domínios como os do rei histórico e messiânico: Sl 2,8; 18,44; 72,8; Mq 5,3.

9,11 Começa a libertação dos cativos: Is 42,7; 49,9; 51,14.

9,12 Invertendo a ordem interna do versículo, o sentido se aclara. "Segundo mensageiro": pensando talvez em Is 40 como o primeiro.

9,13 Como o Senhor tem dois exércitos, o céu e a terra (Ex 12,41.51), assim tem dois arsenais, o celeste dos meteoros e o terrestre de Judá e Efraim já reconciliados (cf. Is 11,11). A menção dos gregos destoa por razões internas; mas compare-se com Is 11,12. O Senhor move ou mobiliza suas armas.

9,14 Teofania, como em Js 10,10; 1Sm 7,10; Sl 18 etc. Os raios são as flechas, e o trovão se disfarça de trombeta.

o Senhor tocará a trombeta
e avançará entre furacões do sul.
¹⁵O Senhor dos exércitos será seu escudo:
engolirão como carne os fundeiros,
beberão como vinho seu sangue,
e se encherão como taças
ou como saliências de altar.

Fecundidade

¹⁶Naquele dia o Senhor os salvará,
e seu povo será como um rebanho em sua terra,
como pedras agrupadas num diadema.
¹⁷Qual é sua riqueza, qual é sua beleza?
Um trigo que faz crescer os moços,
um vinho que faz crescer as jovens.

10 ¹Implorai do Senhor
as chuvas temporãs e tardias,
pois o Senhor envia
os relâmpagos e os aguaceiros,
dá pão ao homem e erva ao campo.
²Ao contrário, os fetiches prometem em vão,
os agoureiros veem falsidades,
contam sonhos fantásticos,
consolam sem proveito.
Por isso, vagueiam perdidos
como ovelhas sem pastor.

Repatriação

³Contra os pastores se acende minha cólera,
pedirei contas aos bodes.
O Senhor dos exércitos cuidará
de seu rebanho (a casa de Judá) e fará dele
seu corcel real na batalha.

9,15 Este versículo é um enigma dificílimo. Só posso oferecer explicações conjeturais.

9,15b A comida lhes dá força para desprezar e pisar vitoriosamente as pedras que os fundeiros lançam; ou então, a tradução oferecida, como correção.

9,15c Depois de beber, produzem o ruído de um exército em campanha (Is 5,30; 14,3; 16,2 etc.); ou então, a tradução oferecida, como correção.

9,16-10,2 O tema é a fertilidade agrícola, que o Senhor concede, e não os baais.

9,16c Frase difícil. Parafraseando: as doze tribos eram como pedras engastadas num diadema; pelo desterro se dispersaram e ficaram espalhadas, mas o Senhor as reúne de novo.

9,17 Já na terra prometida, renova-se o ciclo fecundo das colheitas, a grande e simples riqueza de um povo que não aspira ser potência militar. Uma juventude que cresce sadia e vigorosa é dom e garantia de futuro: Sl 127,4; 128,3; 144,12.
A construção é exemplo de disposição por correlativos, e equivale a "trigo e vinho" para "moços e moças". O vinho acrescenta o tom festivo (leia-se sobre o pano de fundo de Lm 1,18; 2,21; 5,11-13).

10,1-2b É tradicional a relação entre chuva e ídolos ou baais; ver entre outros Is 30,22s e a história de Elias (1Rs 17-18). O final é estranho: tradicionalmente os pastores são os chefes. Parece insinuar que os chefes, consultando os ídolos, tinham extraviado o povo.

10,3-11,3 A nova repatriação tem caráter militar e utiliza temas do êxodo: a) Por culpa dos pastores, o povo está disperso na Assíria e no Egito, domínios de Selêucidas e Lágidas; o Senhor os congrega para repatriá-los. b) Por causa da resistência inimiga, o retorno tem momentos bélicos, expressos com termos como soldado, batalha; o Senhor o fortalece e o povo luta. c) No caminho de volta, eles têm de superar um mar hostil, como outrora o mar Vermelho. O desenvolvimento da perícope resulta um tanto confuso: compare-se com a clareza de um oráculo semelhante, Is 11,11-16.

10,3 É estranha a transformação de um rebanho num corcel de guerra.

⁴Eles fornecerão arremates
e estacas para as tendas,
eles, os arcos guerreiros e os capitães;
⁵todos juntos serão como soldados
que pisam o barro da rua na batalha;
lutarão, porque o Senhor está com eles,
e os cavaleiros sairão derrotados.
⁶Tornarei aguerrida a casa de Judá,
darei a vitória à casa de José,
eu os repatriarei, pois me fazem pena, e serão
como se eu não os houvesse rejeitado.
Eu sou o Senhor seu Deus, que lhes responde.
⁷Efraim será como um soldado, se sentirá alegre,
como se houvesse bebido;
ao vê-lo, seus filhos se alegrarão,
se sentirão felizes com o Senhor.
⁸Assobiarei para reuni-los, pois os redimi,
e serão tão numerosos como antes.
⁹Se os dispersei por várias nações,
lá longe criarão filhos,
se lembrarão de mim e voltarão.
¹⁰Eu os repatriarei do Egito,
os reunirei na Assíria,
os conduzirei a Galaad e ao Líbano,
e não lhes sobrará espaço.
¹¹Então atravessarão um mar hostil:
golpearei o mar agitado,
e o fundo do Nilo secará.
Será abatido o orgulho da Assíria
e arrancado o cetro do Egito;
¹²com a força do Senhor
avançarão em seu nome
– oráculo do Senhor.

11

¹Abre tuas portas, Líbano,
para que o fogo se sacie em teus cedros.
²Geme, cipreste, pois caiu o cedro,
cortaram as árvores altas;
gemei, carvalhos de Basã,
pois caiu a selva impenetrável.
³Ouvi: gemem os pastores,
porque assolaram seus pastos;
ouvi: rugem os leões
porque assolaram a mata do Jordão.

10,4 O povo fornece o necessário para a restauração, sem ter de importar. Estacas e arremates equivale a dizer de ponta a ponta; as duas peças podem identificar-se com funções na comunidade.

10,5-6 Note-se que o sujeito principal é o Senhor: está com eles, torna-os aguerridos, dá-lhes a vitória. Judá é o reino do Sul; José, ou Efraim, o do Norte.

10,8 "Assobiar": inspirado em Is 5,7 e 7,18.

10,9 Emendado. No desterro não faltou a bênção da fecundidade.

10,10 No contexto histórico se refere à Síria dos Seleucidas e ao Egito dos Lágidas.
Galaad foi território israelita até a conquista assíria (2Rs 15,29); não assim o Líbano. Se este nome não ocultar em código outro território, será um traço ideal no quadro.

10,11 Ver Is 11,15.

10,12 Ver Sl 20,8.

11,1-3 As árvores eminentes, concretamente cedros e carvalhos, são imagem tradicional dos poderosos

Ovelhas e pastores (Ez 34) – ⁴Assim diz o Senhor meu Deus: Engorda as ovelhas para a matança: ⁵os compradores as matam impunemente, os vendedores dizem: "Bendito seja Deus! Vou ficar rico". Os pastores não as poupam.

⁶Não voltarei a perdoar os habitantes do país
 – oráculo do Senhor –,
 entregarei cada um em mãos
 de seu pastor e de seu rei;
 quando destruírem o país,
 não os livrarei de suas mãos.

⁷Então eu engordarei as ovelhas para a matança, por conta dos mercadores. Tomei duas varas: a uma chamei Beleza, a outra Concórdia, e continuei engordando as ovelhas. ⁸Num mês eliminei os três pastores: já não os aguentava, nem eles a mim. ⁹Disse-lhes:

 – Não quero continuar pastoreando convosco.
  Se uma morrer, que morra;
  se uma perecer, que pereça; as que ficarem
  comerão umas às outras.

(Is 2,13; 37,24; Ez 31). O leão pode representar o poder agressor (Jr 25,38). Os pastores que gemem são os pastores infiéis.
É uma lamentação final em que as vozes das árvores, dos pastores e o rugido dos leões cantam em coro.

11,4-17 + 13,7-9 Este oráculo de pastores é o mais difícil de entender em toda a literatura profética, por razões formais e de conteúdo.
a) *Forma*. É claro que se trata de uma ação simbólica, daquelas em que Ezequiel foi especialista e que costumam seguir o seguinte esquema: ordem do Senhor, execução do profeta, explicação de sentido num oráculo que anuncia o futuro. A execução costuma corresponder fielmente à ordem. Visto que a execução deve suscitar surpresa entre os espectadores, a explicação não deve ser antecipada. Pois bem, Zacarias antecipa a explicação e sua execução, sem obedecer à ordem. Várias explicações interrompem a ação, sem chegar a compor uma explicação acabada. Podemos escutá-las como apartes de um intérprete, que de fora aponta a cena, ou como indicações do diretor de cena, ou como apartes do próprio protagonista. Se projetam alguma luz sobre o conteúdo, quebram a coerência formal.
b) *Conteúdo*. O problema é compreender os fatos aos quais a pantomima se refere: são fatos históricos, ou são fatos típicos, aplicáveis a situações semelhantes? Primeiro é preciso captar bem a cena com seus personagens e enredo. Podemos dividi-lo em dois atos ou quatro cenas:
Numa situação de mercado, em que pastores e mercadores exploram as ovelhas, chega um pastor novo, diligente e aplicado que, em um mês de trabalho, consegue eliminar três maus pastores, mas a situação não melhora substancialmente.
Então decide retirar-se e abandonar o rebanho; como sinal disso, quebra publicamente um dos seus cajados. Pede a paga do mês e a deposita no tesouro do templo. Torna a apresentar-se, quebra o segundo cajado, e parte. (Os espectadores deduzem que tudo fica como antes.)
O ator de antes reaparece em figura de pastor insensato e descuidado, como para piorar a situação.

Uma voz externa pronuncia a sentença contra esse pastor e dá a ordem de executá-la. Depois, a mesma voz anuncia uma grande purificação e restauração.
Entendido o enredo e guiados por uma tradição profética, podemos ensaiar uma explicação. O rebanho é o povo de Deus, a quem o Senhor envia pastores: juízes, reis, governantes, também sacerdotes e profetas. Os chefes são interesseiros, se descuidam do povo e até traficam com ele, vendem-no a mercadores estranhos. Então o Senhor envia um novo pastor, que enfrentará os pastores aproveitadores e cuidará das ovelhas. Com um cajado as tornará formosas, com o outro as reunirá num rebanho único. Mas a resistência dos outros ajudantes e as discórdias das ovelhas o desanimam; sente-se fracassado e renuncia ao cargo. Para demonstrar que ele não tirou proveito, entrega o salário integral ao tesouro do templo. Agora o Senhor envia um pastor incapaz, que levará a situação ao extremo, de maneira que se imponha uma seleção rigorosa no rebanho. O pastor incapaz recebe seu castigo, e o rebanho volta a ser povo de Deus.
Aconteceu isso alguma vez na história de Israel? Aconteceu uma só vez? Pode voltar a acontecer? Faltam-nos dados certos para identificar com segurança personagens e enredo. Contudo, mesmo quando o texto contivesse uma referência histórica, não esgotaria nela o seu potencial de sentido. Pode-se comparar este texto com Jr 23 e Ez 34.

11,4 "Para a matança": a ordem adianta o sentido.
11,5 A invocação "Bendito seja Deus!" tem nesta conjuntura um tom macabro: agradecer a Deus a exploração que alguém pratica. Negociar com a morte do povo e agradecê-la a Deus.
11,6 "De seu pastor" ou do seu vizinho (texto massorético), sugerindo que também os súditos com suas rivalidades são culpados.
11,7 Mercadores aparecem geralmente com avaliação negativa (Os 12,8). "Beleza": dito das vacas "formosas" em Gn 41,2. A "concórdia" das doze tribos ou dos dois reinos sob o pastor Davi.

¹⁰Tomei a vara Beleza e a quebrei, como sinal de que anulava minha aliança com todas as nações. ¹¹Naquele dia se anulou, e os mercadores que me vigiavam compreenderam que se tratava de uma palavra do Senhor.

¹²Então lhes disse:
– Se vos parece bem, pagai-me o salário; se não, deixai-o.

Eles pesaram meu salário: trinta siclos.

¹³E o Senhor me disse:
– Lança-o no tesouro.

Eu tomei essa valiosa soma com que me haviam avaliado e a lancei no tesouro do templo do Senhor.

¹⁴Depois quebrei a segunda vara, Concórdia, como sinal de que anulava a fraternidade de Judá e Israel.

¹⁵O Senhor me ordenou:

Procura os apetrechos de um pastor insensato.
¹⁶Porque eu porei no país um pastor
que descuide das extraviadas
e não procure as perdidas,
que não cure as feridas
nem alimente as sadias,
que coma as gordas e lhes arranque os cascos.
¹⁷Ai do pastor insensato que abandona o rebanho!
Um punhal contra seu braço,
contra seu olho direito:
que seu braço se paralise,
que seu olho direito fique cego.

13 ⁷Vamos, espada, contra meu pastor,
contra meu ajudante!
– oráculo do Senhor dos exércitos.
Fere o pastor,
para que as ovelhas se dispersem;
voltarei minha mão contra os ajudantes.
⁸Em todo o país – oráculo do Senhor –
dois terços serão arrancados
e perecerão,
e ficará só um terço.
⁹Passarei esse terço pelo fogo,
o acrisolarei como o ouro,
o purificarei como a prata.
Depois me chamará
e eu lhe responderei;
direi: São meu povo.
E eles dirão: O Senhor é meu Deus.

12 **Naquele dia** – ¹Oráculo. Palavra do Senhor para Israel. Oráculo do Senhor que estendeu o céu, alicerçou a terra e modelou o espírito do homem dentro dele.

11,10 É estranha uma aliança "com todas as nações"; talvez seja preciso corrigir e ler "com meu povo".
11,12 Salário de um mês ou preço de um escravo (Ex 21,32).
11,13 Sobre o tesouro do templo: 1Rs 14,26; 2Rs 24,13. O dinheiro era entregue como esmola, contribuição, multa, cumprimento de promessa ou como depósito.
11,14 Ver 1Rs 12.
11,16 Terceiro aparte explicativo, redigido com citações e alusões de Ez 34.
11,17 A pena é uma mutilação que o incapacita (cf. Sl 137,5s).
13,8-9 A sucessiva purificação parece inspirar-se em Ez 5,12. "Acrisolar": Is 1,25; Sl 66,12. O final é fórmula de reconciliação que restabelece a aliança: as duas partes a pronunciam (Dt 26,17s).
12-14 O que se segue até o final, três capítulos menos três versículos, traz um novo título e se apresenta como uma série de oráculos breves, introduzidos pela fórmula "naquele dia" ou equivalente. No último

²Vede: vou fazer de Jerusalém uma taça embriagadora para todos os povos vizinhos; também Judá estará no assédio de Jerusalém.

³Naquele dia farei de Jerusalém uma pedra superior para todos os povos: quando as nações do mundo se aliarem todas contra ela, quem tentar levantá-la se ferirá com ela.

⁴Naquele dia – oráculo do Senhor –
farei que os cavalos se espantem
e os cavaleiros se assustem;
porei meus olhos em Judá
e cegarei os cavalos dos pagãos.
⁵As tribos de Judá comentarão:
Os habitantes de Jerusalém ganham forças,
graças ao Senhor dos exércitos, seu Deus.
⁶Naquele dia farei das tribos de Judá
um incêndio na mata,
uma tocha nos feixes,
devorarão à direita e à esquerda
em todos os povos vizinhos.
Jerusalém, ao contrário,
continuará habitada em seu lugar.

---

membro, a fórmula aparece no final, mostrando a intenção de fechar a série. Somando, temos dezessete fórmulas. Pergunta-se: formam uma série heterogênea ou formam uma unidade? Não perguntamos pela gênese, mas pelo resultado.

a) Primeira hipótese. Os oráculos são autônomos e devem ser entendidos cada qual separadamente. Esses capítulos são um recipiente em que autores posteriores foram depositando suas contribuições. Cabe ao intérprete distinguir e atribuir.

b) Segunda hipótese. A repetição anafórica produz uma impressão unitária. Suposto isso, o intérprete pergunta-se o conjunto compõe uma figura conhecida, identificável ou redutível a um esquema genérico comum. Então se oferecem textos como Is 24-27; 65-66; Jl 3-4; Ez 37-38, textos que pertencem a um gênero que costumamos chamar "escatologias proféticas".

c) Esquema ideal de escatologia profética. Limites geográficos universais: uma coalizão de nações contra o povo santo ou a cidade santa; povo e cidade são purificados por eliminação ou conversão; os agressores são derrotados em batalha ou condenados em julgamento. O cosmo costuma acompanhar os fatos, revelando a vinda do Senhor (teofania) ou emprestando-lhe suas armas. O novo reino tem sua capital em Jerusalém; Deus mesmo é seu rei, embora possa haver lugar para mediadores. As nações, reduzidas a certo número de sobreviventes, podem incorporar-se ao novo reino, rendendo homenagem, em peregrinação litúrgica. No novo reino, Deus concede suas bênçãos generosamente.

d) A versão de Zc 12-14:
Jerusalém, centro do mundo, é assaltada pelos pagãos;
o assalto servirá de purificação para ela, e de castigo para os agressores.
A purificação de Jerusalém inclui:

morte e desterro de muitos,
eliminação de idólatras e falsos profetas,
ato penitencial do povo.
Provocando uma transformação cósmica, o Senhor chega para reinar, como monarca único e universal. A paisagem e o clima mudam, desaparecem as trevas, garante-se a fertilidade.
O rei convida os pagãos sobreviventes a render homenagem como condição para lhes conceder suas bênçãos. Em torno de Jerusalém tudo fica consagrado.
Deve-se contar com prováveis inserções. Por ex., um autor faz constar a participação de Judá, sua rivalidade e reconciliação com Jerusalém (acréscimos em 12,2-7 e 14,13). Alguns acréscimos se revelam pela presença de "também". O estilo em geral é conciso e rítmico; as imagens são breves, pouco desenvolvidas.

12,1 O título é estranhamente cumulativo: Oráculo (contra pagãos), palavra, oráculo. "Modelar" é imagem de olaria (Gn 2,7s.19); é insólito aplicá-la ao espírito (Sl 33,15 o diz do coração).

12,2 Sem introdução. Abre as cortinas e prepara a cena. A imagem da "taça" é tomada de Jr 25,15 (ou 51,7) e transformada ao aplicá-la a Jerusalém. A primeira ou parcial conquista de Jerusalém embriagará de triunfo os assaltantes com embriaguez fatal. Costuma-se chamar de "povos vizinhos" aos reinos limítrofes, de cujo ataque Jerusalém sai facilmente vitoriosa, antes do ataque universal (14,1-3). A sentença final é acréscimo.

12,3 Pedra superior e horizontal do moinho. Tal é a capital, de dimensões gigantescas, perigosas para o agressor. Sugere o ataque universal.

12,4 Três substantivos rimados derrotam cavalos e tropa (Dt 28,28; 2Rs 6,18-20). A referência a Judá é acréscimo.

12,6 Imagem de incêndio: Mq 5,7; Is 9,18s.

⁷O Senhor salvará as tendas de Judá como outrora:
assim, nem a dinastia davídica
nem os habitantes de Jerusalém
olharão com orgulho para Judá.
⁸Naquele dia o Senhor escutará
os habitantes de Jerusalém:
O mais covarde será um Davi,
o sucessor de Davi será um deus,
um anjo do Senhor à frente deles.
⁹Naquele dia me disporei a aniquilar
todas as nações
que invadirem Jerusalém.
¹⁰Sobre a dinastia davídica
e os habitantes de Jerusalém
derramarei um espírito
de pesar e de pedir perdão.
Ao olhar-me transpassado por eles mesmos,
farão luto como por um filho único,
chorarão como se chora por um primogênito.
¹¹Naquele dia o luto de Jerusalém será tão grande
como o de Adad-Remon,
no vale de Meguidon.
¹²Fará luto o país,
família por família:
A família de Davi à parte, e suas mulheres à parte;
a família de Natã à parte, e suas mulheres à parte;
¹³a família de Levi à parte, e suas mulheres à parte;
a família de Semei à parte, e suas mulheres à parte;
¹⁴todas as famílias sobreviventes uma por uma à parte,
e suas mulheres à parte.

13

¹Naquele dia se abrirá
um manancial
contra os pecados e impurezas
para a dinastia de Davi
e os habitantes de Jerusalém.
²Naquele dia
– oráculo do Senhor dos exércitos –
extirparei do país

12,7 Uma rivalidade entre a província e a capital pode refletir uma situação nova, ou é lembrança de velhas rivalidades surgidas quando Jerusalém foi promovida a capital diante de cidades tradicionais: Hebron, Betel, Gabaon...

12,8 Sobre a valentia de Davi, 1Sm 17. Como um deus ou um ser sobre-humano: 2Sm 14,17; Is 9,5-7.

12,10 Efusão de espírito: Ez 39,29; Jl 3,1s; com outros verbos Is 42,1; Ez 37,5. O enigmático "transpassado" parece referir-se a um mártir inocente e anônimo, de cuja morte o povo é responsável. A menção de Meguido, v. 11 (2Rs 23,29), faz pensar em Josias, morto em batalha, transfigurado pela profecia de Is 53. O homem, ao contemplar a vítima de sua fúria insensata, discerne os fatos e começa um processo de arrependimento. O caminho custa caro, com a morte de um inocente (Jo 19,37).

12,11 Adad-Remon é provavelmente uma divindade que morre, e pela qual se entoa um lamento ritual: ver Ez 8,14 referindo-se a Tamuz.

12,12-14 Parte do ritual: por grupos ou turnos. Não sabemos explicar a referência a Semei (2Sm 16 e 19 ou Nm 3,12).

13,1 O pranto se completa com um rito lustral (Ez 36,17). Este manancial não deve ser confundido com o de 14,8; substitui antes o depósito das abluções, oferecendo água corrente.

13,2-6 Continua a purificação, eliminando as causas de rebeldias e crimes: os profetas de ídolos e os falsos profetas do Senhor (Jr 23; Ez 13; Mq 1-2). Extirpar nome e invocação é retirar-lhes toda função, é condená-los à extinção (cf. Sl 82 e Dt 12,3).

os nomes dos ídolos,
e já não serão invocados;
também afastarei do país seus profetas
e o espírito que os contamina.

³Se alguém voltar a profetizar, os próprios pais que o geraram lhe dirão: Não ficarás vivo, por teres profetizado mentiras em nome do Senhor. Seus próprios pais o atravessarão por se meter a profeta.

⁴Naquele dia os profetas se envergonharão de suas visões e profecias, e não vestirão mantos peludos para enganar. ⁵Dirão: Não sou profeta, mas lavrador; a terra é minha ocupação desde a juventude. ⁶E lhe perguntarão: O que são essas feridas que levas entre os braços? Ele responderá: Feriram-me na casa de meus amantes.

14

¹Eis que chega o dia do Senhor,
em que se repartirão despojos
no meio de ti.
²Mobilizarei todas as nações
contra Jerusalém;
conquistarão a cidade,
saquearão as casas,
violentarão as mulheres;
a metade da população
partirá para o desterro,
o resto do povo
não será expulso da cidade.
³Porque o Senhor sairá para lutar
contra essas nações,
como quando saía para lutar
na batalha.

⁴Naquele dia assentará os pés sobre o monte das Oliveiras, a oriente de Jerusalém, e o dividirá pelo meio com um vale dilatado, do nascente ao poente: a metade do monte se afastará para o norte, a outra metade para o sul. ⁵O vale de Enom ficará bloqueado, porque o vale entre os dois montes continuará sua direção. E vós fugireis como quando houve o terremoto nos tempos de Ozias, rei de Judá. E virá o Senhor meu Deus, com todos os seus consagrados.

⁶Aquele dia não se dividirá
em luz, frio e gelo;

13,3 Até os pais deverão colaborar na purificação (cf. Ex 32,27-29 e Dt 13,7-12).

13,4-6 A breve cena contém alusões a costumes que desconhecemos. Ver o traje de Elias (2Rs 1,8) e incisões rituais (Dt 14,1 e 1Rs 18,28). "Amantes": ou título de falsos deuses ou simplesmente amigos. Talvez a resposta do profeta seja uma evasiva, citando uma frase de Amós (Am 7,14).

13,7-9 Depois do cap. 11.

14,1-3 Chega o grande assalto da coalizão internacional (Ez 38-39). A fórmula anafórica muda, para introduzir o grande dia do Senhor, final e definitivo (Jl 3-4; Sf 1,7-18). Os invasores penetram até o coração da cidade (Jr 52), onde saqueiam, matam e deportam (cf. Is 13,15; Am 7,17). Quando a situação parece desesperada, como no cerco de Senaquerib (Is 37,36-38), Deus intervém numa expedição militar (Ex 11,4). Assim se salva um resto da cidade.

14,4-5 Quando abandonou Jerusalém, a glória do Senhor fez sua última parada no monte das Oliveiras (Ez 11,23). Pelo mesmo caminho, o Senhor volta e faz sua entrada triunfal (Is 40 e 62). À sua chegada os montes se abrem fazendo passagem (cf. Ex 14), oferecendo uma estrada ao soberano que retorna. Nesse contexto, a fuga dos judeus torna-se incoerente: diante do inimigo derrotado?, diante da teofania libertadora? Creio que seja glosa baseada num erro de leitura. Os "consagrados" podem ser a corte angélica (Dt 33,3; Sl 89,8) ou seus guerreiros (Is 13,3), ou o séquito de repatriados (Dn 7,18).

14,6-7 Ao contrário de Gn 8,22, anula-se a alternância de noite e dia; seguindo Is 60, começa um dia único

⁷será um dia único,
escolhido pelo Senhor,
sem distinção de noite e dia,
porque ao entardecer
continuará havendo luz.
⁸Naquele dia brotará
um manancial em Jerusalém:
a metade fluirá para o mar oriental,
a outra metade para o mar ocidental,
tanto no verão como no inverno.
⁹O Senhor será rei de todo o mundo.
Naquele dia o Senhor será único,
e único será o seu nome.

¹⁰Todo o país se aplainará: desde Gaba até Remon Negueb*. Jerusalém estará no alto e habitada, da Porta de Benjamim até a Porta Velha e até a Porta do Ângulo, da torre de Hananeel até o Lagar do Rei. ¹¹Estará habitada, não voltará a ser proscrita; habitarão tranquilos em Jerusalém.

¹²O Senhor lhes imporá o seguinte castigo
a todos os povos
que lutaram contra Jerusalém:
sua carne apodrecerá enquanto estiverem de pé,
seus olhos apodrecerão nas órbitas,
sua língua apodrecerá na boca.
¹³Naquele dia os assaltará um pânico terrível,
enviado pelo Senhor.
Quando alguém pegar a mão de um camarada,
o outro voltará a mão contra ele.
¹⁴Até Judá lutará contra Jerusalém.
Arrebatarão as riquezas dos povos vizinhos:
Prata e ouro e trajes inumeráveis.

¹⁵Os cavalos, mulos, burros, camelos e outros animais que houver nos acampamentos sofrerão o mesmo castigo. ¹⁶Os sobreviventes das nações que invadiram Jerusalém virão cada ano prestar homenagem ao Rei, ao Senhor dos exércitos, e celebrar a festa das Cabanas. ¹⁷A tribo que não subir a Jerusalém para prestar homenagem ao Rei, não receberá chuva em seu território. ¹⁸Se alguma tribo egípcia não for, o Senhor a castigará como castiga aos que não vão celebrar a festa das Cabanas. ¹⁹Essa será a punição do Egito e das nações que não vierem celebrar a festa das Cabanas.

---

e interminável. Um dia "conhecido" ou escolhido (cf. Eclo 33,7-9). O dia final e escolhido seria um sábado único e interminável: a terra participaria do descanso genesíaco de Deus.

14,8 É o manancial de vida prefigurado em Is 8,6 e Jr 2,13, anunciado em Ez 47 e Jl 4,18. Não secará em nenhuma estação.

14,9 Convém ler unidos os dois enunciados, com a cláusula temporal no meio. O Senhor começa a reinar definitivamente, ele só, em todo o mundo. É a oração de Dt 6,4 levada ao extremo; é o cumprimento de Sl 96 e 98. Extirpados os nomes dos ídolos (13,2), o nome do Senhor é único.

14,10 * = Romãzeira do Sul.

14,10-12 Jerusalém, ameaçada e dizimada (14,1-2), agora se enche de habitantes que vivem na paz (Jr 33,16; Ez 34,27). A capital sobressai solitária no meio de uma grande planície (cf. Jr 21,13).

14,13 Ver 2Rs 19,35 e Ez 38,22.

14,14 A primeira frase é provavelmente glosa.

14,16-19 A festa das Cabanas era uma festa popular e alegre, terminada a vindima e concluídos os trabalhos do campo. Os pagãos são convidados à vassalagem, mais que à alegria da festa: não é muito o que se lhes concede.

²⁰Naquele dia os chocalhos dos cavalos
 levarão escrito: "Consagrado ao Senhor";
os caldeirões do templo serão
 como os aspersórios do altar.
²¹Todos os caldeirões de Jerusalém e de Judá
 estarão consagrados ao Senhor.
Os que vierem oferecer sacrifícios
 os usarão para cozinhar neles.
E já não haverá mercadores no templo
 do Senhor dos exércitos naquele dia.

14,20-21 Continuando no terreno do culto e em decrescendo final, o autor contempla uma consagração íntegra na cidade santa: não haverá distinção de instrumentos sagrados e profanos, pois todos estarão a serviço do templo. O tráfico do comércio profana e, por isso, fica excluído.

MALAQUIAS

INTRODUÇÃO

Autor e época

Aquilo que nós tomamos como nome próprio é simples título, que significa Mensageiro do Senhor. Aparece em 3,1 e daí passou a 1,1. O autor é desconhecido. Por alguns indícios do texto conjeturamos que é do século V, antes da reforma de Esdras e Neemias, entre 480 e 450 ou por volta de 433-430. O templo está reconstruído e o culto funciona (1,10.12s), sacerdotes e levitas estão organizados (2,3-9). O povo, desanimado ao ver que as antigas promessas continuam sem cumprir-se, cai na apatia religiosa e na desconfiança. Duvida do amor do Senhor e de seu interesse pelo povo; isso repercute no culto e na ética. Essa é a impressão que o breve livro nos deixa; mas não sabemos se seus traços desenham o quadro inteiro.

O livro

É característica do livro usar o diálogo do profeta com os ouvintes, em três fases: enunciado – objeção – resposta confirmando. O procedimento talvez imite a prática judicial. É bastante influenciado pelo Deuteronômio.

Os comentaristas costumam dividir o livro em cinco ou seis seções:

a) 1,2-5 O amor de Deus: Jacó e Esaú ou judeus e edomitas.
b) 1,6-2,9 Censura os sacerdotes por sua mesquinhez no culto.
c) 2,10-16 Matrimônios mistos e divórcio.
d) 2,17-3,5 Retribuição divina e julgamento de purificação.
e) 3,6-12 Dízimos e primícias e más colheitas. 3,13-21 Retribuição de bons e maus. Conclui com dois apêndices: 3,22.23-24.

Usa bastante a imagem de Deus pai (1,2.6; 3,17), e o tema das relações familiares.

Os anúncios de 3,1 e 3,23s são citados várias vezes nos evangelhos; 1,2-3 em Rm 9,13.

1 ¹Oráculo. O Senhor dirigiu a palavra a Israel por meio de Malaquias.

Amor de Deus e escolha – ²Diz o Senhor: "Eu vos amo". Vós objetais: "Em que se nota que nos amas?" Oráculo do Senhor: Não eram irmãos Jacó e Esaú? Contudo, amei Jacó ³e odiei Esaú, reduzi seus montes a um deserto, sua herança a currais da estepe. ⁴Se Edom diz: "Embora estejamos desfeitos, reconstruiremos nossas ruínas", o Senhor dos exércitos replica: "Eles construirão e eu derrubarei. E os chamarão Terra Malvada, Povo da Ira Perpétua do Senhor".

⁵Quando vós o virdes com vossos olhos, direis: "A grandeza do Senhor transborda as fronteiras de Israel".

Delitos cultuais (Lv 22,17-25) – ⁶"O filho honre seu pai, o escravo a seu amo". Mas, eu sou pai, e onde está minha honra? Eu sou dono, e onde está o respeito a mim? O Senhor dos exércitos vos fala: "Sacerdotes que desprezais meu nome!" Objetais: "Em que desprezamos teu nome?"

⁷Trazeis ao meu altar pão manchado, e ainda perguntais: "Com que te manchamos?" Por pretender que a mesa do Senhor não importa, ⁸que trazer vítimas cegas não seja mau, que trazê-las coxas ou doentes não seja mau. Oferecei-as a vosso governador, para ver se lhe agradam e se vos reconciliais com ele – diz o Senhor dos exércitos. ⁹Trazeis isso, e vos reconciliareis com ele? Pois bem, diz o Senhor dos exércitos, aplacai a Deus, para que vos seja propício. ¹⁰Oxalá alguém de vós vos fechasse as portas, para que não acendam meu altar sem motivo. Vós não me agradais e não aceito a oferta de vossas mãos – diz o Senhor dos exércitos.

¹¹Do nascente ao poente, é grande minha fama nas nações, e em todo lugar me ofe-

---

1,1 O primeiro versículo é uma concentração de anomalias. Classifica-se como "oráculo" (contra pagãos, como Zc 9,1 e 12,1). "Palavra do Senhor a Israel", sem o verbo costumeiro, dando aos judeus o nome ideal de Israel. *Mal'aky*: se o i final é tomado como adjetival, vem a ser: "mensagérico", "embaixadórico"; tomado como abreviatura de *Yhwh*, o nome é inusitado; se o tomamos como nome de função, faz sentido: o profeta se chamou sucessivamente vidente, profeta, arauto, mensageiro.

1,2-5 O primeiro oráculo é uma palavra de alento (Is 50,4), uma declaração de amor (Os 2 e 11). O estranho é que o amor se demonstre no ódio e na rejeição de um terceiro, na ira que descarrega sobre outrem. Pois o binômio amar/odiar não equivale aqui a preferir (como em Dt 21,15-17; cf. Gn 4,5), já que o ódio se expressa na ira e decide "derrubar". Obtém-se a solução aplicando um princípio geral ao caso histórico e típico de Edom. Um pai se aborrece com quem maltrata seu filho, rechaça-o quando ataca, e sobretudo se o agressor se assanha; se não o fizesse, não amaria seu filho. Agora consideremos a conduta histórica de Edom: foi o vizinho aproveitador e sem piedade na desgraça de Judá (Ab e Sl 137), assanhou-se contra o irmão (Am 1,11; ver também Jr 49,7-22 e Ez 25). Além disso, Edom pode representar o papel escatológico da hostilidade final e o castigo definitivo (Is 34). Para defender os judeus, o Senhor detesta e derruba esse Edom. Contudo, Paulo cita o texto em sentido de preferência (Rm 9,10-13).

1,3 Seus montes são as montanhas de Seir: Js 24,4; a desolação é dado tópico (Jr 9,10; 23,10 etc.).

1,4 Ao desafio de Edom (inspirado em Is 9,9), o Senhor responde com sua ameaça, retorcendo "Seir" em "Maldade".

1,5 A ação justa de Deus manifesta sua "grandeza" e provoca o reconhecimento: ver Sl 63,12; 64,10; 58,12 etc. Manifesta a sua grandeza (Sl 126,2).

1,6-14 O segundo oráculo é uma grande denúncia de delitos cultuais, também em estilo dialogado. Com frequência os profetas e outros textos se expressavam sobre o culto. Traçavam seu sentido como tensão entre culto e justiça. Não assim Malaquias, que se encerra no recinto cultual e coloca o problema em termos de relação pessoal com o Senhor: quais atitudes revelam as práticas do culto, como reage a pessoa a quem se homenageia de tal modo. Mais grave quando essa pessoa é pai, amo, rei, e se a homenageiam melhor em outras partes.

Por que essa concentração no culto, partilhada com Ageu e o Cronista? — Porque o templo e o seu culto chegaram a ser princípio de identidade de um povo pobre e submetido, sem autonomia política nem força militar. A relação pessoal vai abrir passagem inclusive em fórmulas sintáticas inesperadas. Alguns traços irônicos animam esta seção.

1,6 Ver o preceito do decálogo (Dt 5,16 e também 21,18-21). Deus é pai do povo (Ex 4,22s; Dt 32,19; Is 1,2; Jr 3,4; Os 11,1); o Senhor é comparado a um amo (Sl 123).

1,7 Para os "pães apresentados": Ex 37,10-16; 40,23; ver também Lv 21,6 sobre funções sacerdotais. Por analogia, também o altar dos sacrifícios é mesa do Senhor.

1,8 Ver a legislação de Lv 22,19.21-25; Nm 6,14; 19,2; Ez 45,23.

1,10 "Sem motivo" ou em vão, com sacrifícios que não serão aceitos.

1,11 Ver é ideia estranha aos profetas que a fama ou o nome do Senhor sejam conhecidos e respeitados fora de Israel, e é pressuposta em textos narrativos (Js 2,9-12; 5,1); lê-se em alguns salmos (76,11-13; 83,19; 99,1 etc.) e é repetida nas escatologias proféticas. Por outro lado, estranha muito ouvir que em todas as partes se oferecem "sacrifícios puros" e que o Senhor os aceita. Soa como o extremo contrário à

recem sacrifícios e ofertas puras; porque minha fama é grande nas nações – diz o Senhor dos exércitos. ¹²Vós, ao contrário, a profanais quando dizeis: "A mesa do Senhor está manchada e sua comida não vale a pena". ¹³Dizeis: "Que fadiga!", e soprais em cima – diz o Senhor dos exércitos. Vós me trazeis vítimas roubadas, coxas, doentes, e vou aceitá-las de vossas mãos? – diz o Senhor. ¹⁴Maldito seja o mentiroso que tem um macho em seu rebanho e oferece ao Senhor uma vítima castrada. Eu sou o Grande Rei, e meu nome é respeitado nas nações – diz o Senhor dos exércitos.

2 ¹E agora toca a vós, sacerdotes: ²Se não me obedecerdes e não vos propuserdes honrar-me – diz o Senhor dos exércitos – eu vos enviarei minha maldição; amaldiçoarei vossas bênçãos, eu as amaldiçoarei porque não fazeis caso. ³Vede que vos arranco o braço e vos atiro lixo na cara; o lixo de vossas festas... ⁴Então sabereis que eu vos enviei esta mensagem, enquanto durava minha aliança com Levi – diz o Senhor dos exércitos. ⁵Minha aliança com ele era de vida e paz; eu a dei para que me temesse, respeitasse e acatasse.

⁶Uma doutrina autêntica levava na boca, e não se encontrava maldade em seus lábios; portava-se comigo com integridade e retidão e afastava muitos da culpa. ⁷Lábios sacerdotais hão de guardar o saber, e em sua boca se busca a doutrina, porque é mensageiro do Senhor dos exércitos. ⁸Mas vós vos afastastes do caminho, fizestes muitos tropeçar com vossa instrução, invalidastes a aliança com Levi – diz o Senhor dos exércitos. ⁹Pois eu vos tornarei desprezíveis e vis diante de todo o povo, por não terdes seguido meus caminhos e terdes sido parciais em vossa instrução.

Justiça e lealdade – ¹⁰Não temos um só pai? Não nos criou um mesmo Deus? Por que alguém trai seu irmão, profanando

---

centralização do culto (Dt 12). Os judeus da diáspora não ofereciam sacrifícios legítimos em seus lugares de residência; as práticas de Samaria e Elefantina eram cismáticas. O versículo que comentamos relativiza o valor do templo e do altar de Jerusalém e dá a entender que muitos sacrifícios de pagãos são aceitos pelo Senhor. Tal universalismo estranha no presente livro, pelo que alguns o consideram acréscimo. Os antigos cristãos e o concílio de Trento o aplicaram como profecia sobre a eucaristia.

1,13 "Assoprar": talvez gesto de desprezo. Os sacerdotes atuam como funcionários desacreditados e enfastiados, que não se importam com o que fazem.

1,14 Grande Rei ou Imperador é título divino excepcional (Sl 48,3).

2,1-9 Outras funções sacerdotais são abençoar e ensinar. Como antes se contrapunha a sua conduta à dos pagãos, assim agora se contrapõe à de antecessores ilustres no cargo.

2,2 Bênção significa aqui a ação de abençoar. Tarefa levítica, segundo Nm 6,22-27. Conforme Malaquias, os sacerdotes ficarão incapacitados para abençoar, e sua bênção se tornará maldição. O contrário do caso de Balaão (Nm 23,11s.25s; 24,10-13).

2,3 A expressão é enérgica e parece tirada da prática litúrgica. O braço ou pernil do animal sacrificado é mencionado em Nm 6,19 e Dt 18,3; os intestinos com os excrementos, em Lv 4,11; 8,17; Nm 19,5. Ao receber a vítima indigna de mãos indignas, o Senhor lhes atira o pernil e os asperge com o excremento. Alguns interpretam esse braço como o braço dos sacerdotes, segundo Jó 31,22.
Fortes, mas não tão brutais, são as expressões de Is 1,10-20 e Am 5,21.

2,4 Com Levi: não com Aarão (Lv 8 e 21) ou Sadoc (Ez 44,15). Compare-se com Nm 25,12s.

2,5-6 A aliança promete e exige. As "instruções" costumavam ser respostas a consultas (cf. 1Sm 1,17) ou solução de casos legais (Dt 17,8-13). A função de converter, embora não seja citada em outros lugares, vai implícita na de pregar. Daniel a atribui aos doutores (Dn 12,3).

2,7 Remonta a um princípio geral. O "saber" tem aqui um campo extenso, pois o seu objeto pode ser Deus e sua vontade (Os 4,1-6; 6,6; Is 11,10). O sacerdote chega a ter funções proféticas, segundo o título, que coincide com o de Ageu (1,13).

2,8 Fazer tropeçar ou escandalizar é o contrário de converter.

2,9 A parcialidade supõe casos que implicam várias pessoas e equivale muitas vezes a corrupção: ver Pr 6,35; 28,21; Jó 13,8.10.

2,10-16 O autor alude à paternidade divina a sua dimensão vertical e horizontal: deveres dos filhos para com os pais, dos irmãos entre si.
Dadas as dificuldades do texto, penso que o melhor modo de entendê-lo é deter-se na sobreposição entre matrimônios mistos e divórcios. O autor parece preocupado com essa relação. Havia judeus que repudiavam a mulher judia, esposa da juventude, para casar com uma estrangeira, por amor ou conveniência. Ficar com as duas era árduo por razões econômicas e sociais. Examinemos os casos.

2,10-12 Como o Senhor é pai do povo judeu, assim o deus estrangeiro é pai das estrangeiras (cf. Jr 2,27); casar com elas era aparentar-se com a divindade estrangeira; Dt 7,3-5 proíbe os matrimônios mistos por suas consequências: Malaquias os considera profanação. Sobre o assunto, a abertura antiga (Abraão, Moisés, Davi...) está muito distante do rigorismo de Neemias (Ne 13); Malaquias vai com os últimos. E provoca uma pergunta: se um só Deus criou os

a aliança de nossos pais? ¹¹Judá trai, em Jerusalém se cometem abominações; Judá profanou o santuário que o Senhor ama, e casou com a filha de um deus estrangeiro. ¹²O Senhor exclua das tendas de Jacó, dos que trazem ofertas ao Senhor dos exércitos, quem assim faz, incita ou responde.

¹³E fazeis outra coisa: cobris o altar do Senhor com lágrimas, prantos e lamentos, porque não olha vossa oferta nem a aceita de vossas mãos. ¹⁴Perguntais por que; porque o Senhor dirime tua causa com a mulher de tua juventude, à qual foste infiel, embora fosse tua companheira, esposa de aliança. ¹⁵Ele os fez um só de carne e espírito, esse um busca descendência divina; controlai-vos para não serdes infiéis à esposa de vossa juventude. ¹⁶Pois aquele que detesta e repudia – diz o Senhor Deus de Israel – cobre sua veste de violência – diz o Senhor dos exércitos. Controlai-vos e não sejais infiéis.

Julgamento de purificação – ¹⁷Com vossas palavras cansais o Senhor. Objetais: Por que o cansamos? – Porque dizeis que quem age mal agrada ao Senhor; que ele se compraz com tais homens. E também: Onde está o Deus justo?

3 ¹Vede, eu envio um mensageiro para me preparar o caminho. Logo entrará no santuário o Senhor que procurais; o mensageiro da aliança que desejais, olhai-o entrar – diz o Senhor dos exércitos. ²Quem resistirá quando ele chegar? Quem ficará de pé quando ele aparecer? Será fogo de fundidor, lixívia de lavadeiro; ³ele sentará como fundidor para refinar a prata, refinará e purificará os levitas como prata e ouro, e eles oferecerão ofertas legítimas ao Senhor. ⁴Então agradará ao Senhor a oferta de Judá e de Jerusalém, como em tempos passados, como em anos remotos. ⁵Eu vos chamarei a julgamento, serei testemunha exata contra feiticeiros,

---

judeus, não criou todos os homens? O argumento se volta contra o exclusivismo. O autor parece enfocá-lo de outra maneira. O deus estrangeiro não criou os judeus nem a estrangeira, ainda que ela o adote como pai; o judeu que casa com ela reconhece uma paternidade falsa ou espúria, trai o próprio Deus e a própria família. O autor qualifica o fato de traição ou deslealdade ao irmão e à aliança, e de profanação do santuário.

2,10 Um só pai é Jacó; mas pode-se dizer de Deus.
2,11 Poder-se-ia ler o relativo como causal, "porque se enamora...".
2,12 Equivale a excomunhão.
2,13 Segundo caso. O pranto pode ser metafórico: assemelha-se a devoção e é queixa injustificada.
2,14 Em vez de "dirime", outros leem "foi testemunha" da aliança matrimonial. Esposa da juventude: Dt 24,1; Is 54,6; Pr 2,17; 5,15-19; Ecl 9,9.
Sobre este versículo só posso oferecer conjeturas plausíveis. Apóio-me em três textos: Gn 1,27 com 2,23 homem e mulher; Gn 6,2 "meu alento"; Jr 31,27 semente/descendência. E proponho o seguinte: Aquele que é uno criou os dois, os fez da mesma carne e espírito; esse um quer que o casal cresça e se multiplique, quer que tenham semente "abundantíssima" ou semente que Deus adota como filhos. Os filhos bastardos, que nascem por causa de matrimônios mistos ou divórcios, não cumprem o desígnio de Deus. Por isso, o homem deve medir-se com sua consciência ou controlar sua paixão.
2,17-3,5 Há grupos que pela prova ou castigo podem ser purificados, perdoados e restabelecidos no seu lugar; outros, de dentro ou de fora, devem ser eliminados. Um mesmo fogo serve para purificar a prata e queimar a palha. Isso é doutrina tradicional, que se pode aplicar à história e à escatologia (Is 1,21-26; Ez 22,18-22). O texto de Malaquias se inclina para a escatologia.
2,17 É a grande tentação de uma religião concebida primariamente em termos de retribuição, de bênçãos e maldições pela observância ou inobservância dos mandamentos (p. ex. Sl 37 e 73 e o livro de Jó). O enunciado é uma inversão de valores: o que dizia Is 5,20 aplicado a Deus: um desmentido do ensinamento de Sl 11,5. Parece um grito desesperado de judeus que continuam sob o poder da Pérsia.
3,1 Este versículo coloca um problema de identificação e distinção de personagens. Vejamos primeiro os dados em esquema:
Eu envio meu mensageiro
Virá a seu templo o amo
que buscais
o mensageiro da aliança que desejais.
À primeira vista parecem intervir dois personagens: o soberano que envia e o mensageiro enviado; este traz três títulos. "Mensageiro": compare-se com a distinção de Is 63,9. "Amo": embora "senhor" possa atribuir-se ao rei (Jr 22,18) e "palácio" ao palácio real (1Rs 21,1), aqui parece referir-se ao "Senhor" que vem ao "seu templo". "Mensageiro da aliança" é o mediador que faz as negociações; nunca se deu a Moisés semelhante título.
Por outros dados, parece preferível distinguir nesta profecia dois tempos: primeiro, vem o arauto a preparar o caminho (Is 40,3; 57,14; 62,10); depois, virá em pessoa o procurado e desejado, que pode ser Deus mesmo ou o Messias. Deus mesmo: conforme o Segundo Isaías, Ez 43; Ag 2,7-9 e Ml 3,5. O Messias: interpretando textos como Is 42,6; 49,8; 55,3, e conforme Hb 9,15 o lê.
3,2-3 Julgamento pelo fogo: Is 1,25; 4,4; Ez 22,20; Zc 13,9. Em hebraico soam muito parecidos "aliança" e "lixívia", "procurais" e "lavadeiros".
3,4 Só se mandam ofertas, não sacrifícios.
3,5 Responde à queixa impaciente de 2,17. Feiticeiros: Ex 22,17; Dt 18,10s.

adúlteros e perjuros, contra os que defraudam o operário de seu salário, oprimem viúvas e órfãos e atropelam o migrante sem me respeitar – diz o Senhor dos exércitos.

Dízimos e colheitas – ⁶Eu, o Senhor, não mudei; e vós, filhos de Jacó, não acabastes. ⁷Desde os tempos de vossos antepassados vos afastais de meus preceitos e não os observais. Voltai a mim, que eu voltarei a vós – diz o Senhor dos exércitos. Objetais: Por que temos de voltar? – ⁸Pode um homem enganar a Deus, como vós procurais enganar-me? Objetais: Em que te enganamos? – Nos dízimos e tributos: ⁹incorrestes em maldição, porque a nação toda me engana. ¹⁰Trazei íntegros os dízimos ao tesouro do templo, para que haja sustento em meu templo; fazei a prova comigo – diz o Senhor dos exércitos – e vereis como vos abro as comportas do céu e derramo bênçãos sem conta sobre vós. ¹¹Expulsarei de vós o gafanhoto para que não vos destrua a colheita do campo, nem vos despoje dos vinhedos dos campos – diz o Senhor dos exércitos. ¹²Todos os povos vos felicitarão, porque sereis meu país favorito – diz o Senhor dos exércitos.

A justiça de Deus – ¹³Diz o Senhor: Vossos discursos são insolentes contra mim. Objetais: Em que nossas palavras te ofendem? ¹⁴Porque dizeis: "Não vale a pena servir a Deus; o que ganhamos em guardar seus mandamentos e andar enlutados diante do Senhor dos exércitos? ¹⁵Temos de parabenizar os arrogantes: os perversos prosperam, tentam a Deus impunemente".

¹⁶Assim comentavam entre si os fiéis do Senhor. O Senhor atendeu e os ouviu. Diante dele escrevia-se um livro de memórias: "Fiéis do Senhor que estimam seu nome". ¹⁷Diz o Senhor dos exércitos: No dia em que eu agir, eles serão minha propriedade; eu os perdoarei como um pai ao filho que o serve. ¹⁸Então vereis a diferença entre bons e maus, entre os que servem a Deus e os que não lhe servem.

¹⁹Vede que chega o dia, ardente como um forno, em que arrogantes e perversos serão a palha: esse dia futuro os queimará, e não ficará deles ramo nem raiz – diz o Senhor dos exércitos.

²⁰Mas o sol da justiça que cura com suas asas iluminará os que respeitam meu nome. Saireis saltando como bezerros do estábulo; ²¹pisoteareis os perversos, que serão como pó sob a planta de vossos pés, no

---

3,6-12 Parêntese sobre dízimos, continuação de 1,6-14. A relação com Deus se baseia na honradez ou na armadilha? O texto se apoia numa paronomásia clara, Jacó/fraude, e numa latente Yhwh/Aquele que é, e não muda, e noutra leve Israel/felicitar (Dt 33,29). Podemos parafrasear: Eu não mudei, continuo amando-vos, eu vos prefiro a Esaú; vós, porém, não parastes de fazer armadilhas, como vosso pai Jacó. Mas, enquanto condeno Esaú, vos chamo à conversão e vos ofereço o perdão. Eu não mudei, mudai vós; então porei fim às maldições e vos abençoarei. E na felicitação de outros povos soará vosso nome autêntico, Israel.
A seção está composta com puros termos de retribuição a curto prazo, o que coloca problemas insolúveis. O autor, que sabe abrir-se a perspectivas escatológicas, encerra aqui de modo estranho. Tanto que, para reconciliar seus pontos de vista, temos de apelar para a seguinte hipótese: trata-se de uma prova concreta, de um sinal, como o de Gedeão (Jz 6,34-40).
3,8 Sobre dízimos: Lv 27,30-33.
3,10 As "comportas do céu": para dar passagem às chuvas: 2Rs 7,2.19; Dt 28,12.
3,13-21 Liga-se com o versículo 5 para expor o desfecho, utilizando o recurso dialético da objeção respondida. Pode-se ler sobre o pano de fundo do Sl 73: falam uns judeus fiéis e desanimados; têm servido ao Senhor sem ver resultados, começam a invejar os perversos (Pr 23,17; 24,1); Deus responde fazendo-os perceber o destino dos perversos, o erro das avaliações destes.
3,14 Ver em Is 58,3s a objeção dos que jejuam. "Enlutados" em sinal de penitência: 2Sm 19,25; Sl 35,13.
3,15 "Parabenizar": como revirando às avessas o Sl 1.
3,16 O livro em que se registram as ações e que será aberto no julgamento: Dn 7,10.
3,17-18 Forma inclusão temática com 1,6: uns sacerdotes desprezam a Deus negando-lhe o respeito que lhe devem como filhos e servos; 17: Deus perdoa quem lhe respeita o nome, o filho que lhe serve (Sl 103,10-14).
3,19-21 Expõe a diferença de destinos, com mediana coerência de imagens e por um sistema de oposições. Podemos imaginar um dia em que se acende uma grande fogueira para nela queimar o nocivo e o inútil; depois, vem outro dia, amanhece um sol libertador e restaurador; os inocentes podem sair, livres e felizes, para desfrutar do sol e da liberdade; os opressores já não são mais que pó sob os pés daqueles. E não se enuncia o ocaso. Entre as oposições se deve assinalar: agir mal/respeitar meu nome; opõe às obras uma relação pessoal.
3,20 Chamamos "um sol de justiça" o que abrasa e queima: o contrário do que pretende Malaquias. O sol com asas, porque atravessa o céu, e ministro de justiça, porque tudo vê, pertence às imagens religiosas da Assíria e da Babilônia.

dia em que eu agir – diz o Senhor dos exércitos.

Retorno de Elias (Eclo 48,9-10; Mt 11,14) – ²²Recordai a Lei de meu servo Moisés, os preceitos e decretos que eu lhe prescrevi para todo Israel no Monte Horeb. ²³E eu vos enviarei o profeta Elias antes que chegue o dia do Senhor, grande e terrível: ²⁴ele reconciliará pais com filhos, filhos com pais, e assim não virei eu para exterminar a terra.

3,22-24 O mesmo autor ou um posterior pensou que a notícia de 3,1 merecia desenvolvimento especial. Assim, no final dos livros proféticos se reúnem Moisés e Elias, a lei e a profecia, em bom concerto: até que se reúnam no monte da transfiguração como testemunhas que confirmam o Messias (Mt 17,1-12 par.). A tarefa de Moisés é proclamar a lei; converter o coração compete ao profeta. A lei é uma lembrança, a profecia uma esperança. Moisés não voltará, Elias sim. A especulação sobre a volta de Elias se alimenta do relato do seu rapto celeste (2Rs 2) e desta nota de Malaquias. Ben Sirac recolhe a lenda como coisa aceita (Eclo 48,9s), e os evangelhos explicam seu sentido (Mt 11,15; 17,10). A tarefa de Elias será reconciliar as gerações divididas, para que a terra não seja destruída. O final de Malaquias se destaca do seu contexto com valor permanente.

NOVO TESTAMENTO

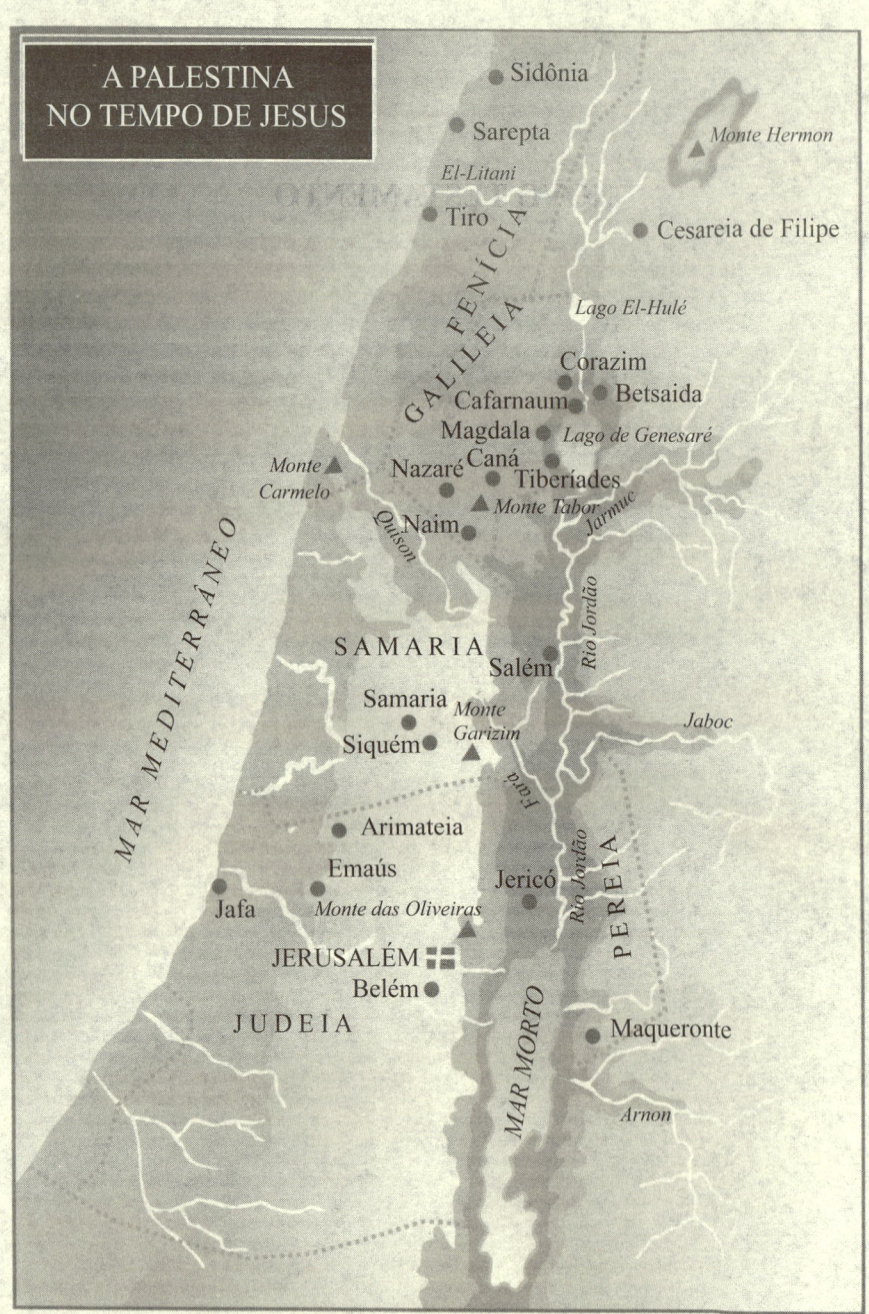

EVANGELHO SEGUNDO MATEUS

INTRODUÇÃO

Durante certo tempo, a comunidade judaica se divide em tendências e grupos, que em alguns casos se poderiam chamar de seitas. Quatro parecem ser as mais importantes: saduceus, fariseus, essênios e zelotes. *Como dentro de alguns grupos se podem formar escolas, é legítimo falar de pluralismo. Convivem entre tensões, tolerância, indiferença. Em certa época, os que reconhecem Jesus como Messias são um grupo a mais, olhado por outros grupos com suspeita ou tolerância. Não faltam ameaças e esboços de perseguição. Em 70 sobrevém a catástrofe de Jerusalém e Judeia. Das ruínas materiais e da crise espiritual emerge um grupo fariseu que unifica poderosamente o judaísmo normativo, excluindo qualquer pluralismo. A rejeição aos cristãos, ou "nazarenos", vai se intensificando até tornar-se oficial no sínodo de Jâmnia (entre os anos 85 e 90). Os judeu-cristãos são excluídos formalmente da sinagoga. Por seu lado, que relação espiritual, sentimental e de conduta guardam em relação a suas raízes judaicas?*

Para essas comunidades parece escrever primariamente Mateus. Não precisa explicar usos e tradições judaicos. Ele os respeita, estima e explora. Afirma a continuidade e a novidade, como "um dono de casa que tira de sua despensa coisas novas e velhas" (13,52). Continuidade, porque em Jesus, como Messias, se cumprem as profecias, e a lei atinge sua perfeição; só que transbordando as expectativas. Mateus aduz com frequência textos do AT (mais de sessenta) que se cumprem em eventos da vida de Jesus. Sua genealogia remonta a Abraão, "nosso pai". Além disso, apresenta Jesus como antítipo de Moisés e superior a ele. Já nos relatos da infância nos faz observar o paralelismo. Muito mais como legislador – não mero mediador – e mestre.

Neste evangelho Jesus aprova e recomenda os mandamentos da lei judaica; e os corrige, propondo "bem-aventuranças" e acrescentando: "pois eu vos digo…" Diante da conduta de adversários típicos, pronuncia em tom polêmico seus ais. Durante seu ministério limita-se ao Israel de então; excepcionalmente concede algum milagre a pagãos, olhando com suspeita seus concidadãos. Depois do momento escatológico, investido de plenos poderes com a ressurreição, lega o seu ensinamento como mandamento. Em lugar da convergência das nações, anunciada pelos profetas, ordena a dispersão por todo o mundo. Em lugar da circuncisão, instaura o batismo.

Mateus chama de "igreja" a comunidade cristã, e a considera continuadora legítima do Israel histórico. É o Israel autêntico, que já entrou na etapa final. Jesus anunciou a iminência do "reinado de Deus" e realizou o ato decisivo com sua morte e ressurreição. A comunidade não deve ter saudade do passado, nem renegá-lo. Atingiu um presente glorioso, não imaginado. Agora se aglutina em sua lealdade a Jesus, Messias e Mestre, novo Moisés e filho de Davi. É uma comunidade consciente e organizada: vão se fixando normas de conduta, práticas sacramentais e litúrgicas, até uma instituição judicial; uma comunidade que se abre para proclamar a sua mensagem a judeus e pagãos. Jesus a tinha preparado, escolhendo, instruindo e prevenindo seus apóstolos.

Sinopse

O evangelho de Mateus se distingue pela clareza da composição e exposição. O tom é didático e o estilo é sóbrio. A

grande introdução da infância (1-2) tem valor de relato programático que se inspira em Moisés no Egito e em anúncios proféticos. O corpo se reparte geograficamente entre o ministério na Galileia (4-13) e em Jerusalém (14-26). Afora outros blocos e conexões, sobressaem nele os famosos cinco discursos – como novo Pentateuco. O sermão da montanha (5-7), antítipo da lei do Sinai; a missão presente dos apóstolos (10), que prefigura a futura; as parábolas (13), que explicam como é o reinado de Deus; instruções à comunidade (18), discurso escatológico (24-25). Segue-se como desfecho a paixão, calcada sobre o Salmo 22 e outros textos do AT.

Autor e data

A tradição antiga atribuiu este evangelho a Mateus apóstolo; tal atribuição considera-se hoje bastante duvidosa. A notícia de Pápias, recolhida por Eusébio, segundo a qual Mateus compilou oráculos em hebraico (ou aramaico), não merece crédito. O autor deste evangelho deve ter sido um judeu helenista, que cita o AT, os LXX. Data provável: a década de 80-90. Lugar provável: alguma cidade da Síria, p. ex. Antioquia.

1

Genealogia (Lc 3,23-38) – ¹Genealogia de Jesus Cristo, da linhagem de Davi, da linhagem de Abraão:

²Abraão gerou Isaac, Isaac gerou Jacó, Jacó gerou Judá e seus irmãos.

³De Tamar, Judá gerou Farés e Zara; Farés gerou Esrom, Esrom gerou Aram.

⁴Aram gerou Aminadab, Aminadab gerou Naasson, Naasson gerou Salmon.

⁵De Raab, Salmon gerou Booz; de Rute, Booz gerou Obed, Obed gerou Jessé.

⁶Jessé gerou o rei Davi. Da mulher de Urias, Davi gerou Salomão.

⁷Salomão gerou Roboão, Roboão gerou Abias, Abias gerou Asaf.

⁸Asaf gerou Josafá, Josafá gerou Jorão, Jorão gerou Ozias.

⁹Ozias gerou Joatão, Joatão gerou Acaz, Acaz gerou Ezequias.

¹⁰Ezequias gerou Manassés, Manassés gerou Amon, Amon gerou Josias.

¹¹Josias gerou Jeconias e seus irmãos, por ocasião da deportação para Babilônia.

¹²Depois da deportação para Babilônia, Jeconias gerou Salatiel, Salatiel gerou Zorobabel.

¹³Zorobabel gerou Abiud, Abiud gerou Eliacim, Eliacim gerou Azor.

¹⁴Azor gerou Sadoc, Sadoc gerou Aquim, Aquim gerou Eliud.

¹⁵Eliud gerou Eleazar, Eleazar gerou Matã, Matã gerou Jacó.

¹⁶Jacó gerou José, esposo de Maria, da qual nasceu Jesus, chamado Messias*.

¹⁷Portanto, as gerações de Abraão até Davi são catorze; de Davi até a deportação para Babilônia, catorze; da deportação para Babilônia até o Messias, catorze.

Anúncio a José (Lc 2,1-7) – ¹⁸O nascimento de Jesus o Messias aconteceu assim: Sua mãe, Maria, estava prometida a José, e antes do matrimônio engravidou por obra do Espírito Santo. ¹⁹José, seu esposo, que era honrado e não queria difamá-la*, decidiu repudiá-la privadamente. ²⁰Já o tinha

---

1,1-17 Mateus começa sua história imitando genealogias do Gênesis (5; 10; 36) e Crônicas. Mas troca o tradicional plural "gerações" pelo singular (que o grego usa em Gn 2,4 e 5,1), porque vai concentrar-se numa geração especial e culminante, a de Jesus, apresentado com seu título de Messias. A bênção genesíaca, que era expansiva, "crescei e multiplicai-vos", aqui se torna linear, em progressão ininterrupta até a plenitude histórica do Messias. Está claro e explícito o seu desejo de estilizar a série, pela divisão em três segmentos e pelo número de dois setenários para cada etapa. Com tal artifício, o nascimento de Jesus fica inserido e enquadrado na história da humanidade, na história de um povo. Abraão é o pai dos crentes, Davi o fundador de uma dinastia real; ambos, beneficiários de promessas divinas. Jesus é filho da história humana e da promessa divina. Mencionam-se quatro mães, Tamar, nora de Judá que o engana e seduz (Gn 38), Raab, a prostituta que escondeu os espiões (Js 2), Rute, a estrangeira moabita, e Betsabeia, a adúltera mãe de Salomão (2Sm 11); a quinta é Maria. Não chama Maria esposa de José, mas sim o contrário, José esposo de Maria (Gl 4,4 diz "nascido de mulher").
Pode-se comparar esta genealogia com a de Lucas 3,23-38, que é ascendente e chega a Adão.
1,1 Gn 11; 1Cr 1-3.
1,16 * Ou: *cujo título é o Messias.*
1,18-25 A série precedente desemboca no fato individual, que não é uma a mais, porém único e extraordinário. Mateus se apoia na promessa/profecia de Is 7,14, lida num sentido específico já pela tradição judaica. O hebraico '*lmh* significa de modo indiferenciado "moça, jovem núbil". Isaías o

atribui provavelmente à esposa de Acaz, a mãe de Ezequias. Os judeus de língua grega tinham especificado o sentido traduzindo *parthenos* = virgem. Mateus segue essa tradição e autentica-a no seu relato. É possível que tivesse intenção apologética contra boatos que começavam a difundir-se sobre o nascimento de Jesus. No sentido de "virgem" foi recebido no texto e transmitido pela Igreja.
O relato mostra com toda a clareza que a maternidade de Maria não é obra de José, mas do Espírito Santo, fato que é afirmado duas vezes no breve relato. José, interpelado enfaticamente como "filho de Davi", garante a linhagem dinástica de Jesus, que receberá esse título. Celebraram-se, segundo o costume, os esponsais, não o casamento, e não há coabitação precedendo o nascimento. (Pode-se comparar com outros nascimentos extraordinários: Gn 21; 25,23-26; Jz 13,3-5.)
Aqui se diz que José era "honrado". O termo poderia significar que era "inocente" no assunto que começava a se manifestar, mas que não queria repudiá-la. (Veja-se a legislação em Dt 22,23-24.) "Privadamente" com o mínimo de testemunhas, sem processo ou ação pública. A visão em sonhos recorda os sonhos de outro José e os supera. O menino será realmente "filho" de Maria. Se José impõe o nome é porque age como pai legal (compare-se com Zacarias, Lc 1,13). O nome do menino (o mesmo que Josué e parecido com Oseias) enuncia e anuncia o destino: se um rei deve "salvar" seu povo, também o descendente de Davi nasce para salvar seu povo dos pecados. Salvação teológica, não política. Mateus emprega o sonho como meio de revelação fidedigna (cf. Eclo 34,1-8).
1,19 * Ou: *era inocente, mas não queria...*

decidido, quando um anjo do Senhor lhe apareceu em sonhos e lhe disse:

— José, filho de Davi, não tenhas medo de acolher Maria como tua esposa, pois o que ela concebeu é obra do Espírito Santo. ²¹Dará à luz um filho, a quem tu chamarás Jesus, porque ele salvará seu povo de seus pecados.

²²Tudo isso aconteceu para que se cumprisse o que o Senhor havia anunciado por meio do profeta: ²³*Vê, a virgem está grávida, dará à luz um filho que será chamado Emanuel* (que significa Deus-conosco). ²⁴Quando despertou do sono, José fez o que o anjo do Senhor lhe havia ordenado, e acolheu sua esposa. ²⁵Porém não teve relações com ela, até que deu à luz um filho, a quem chamou Jesus.

2 Homenagem dos magos

— ¹Jesus nasceu em Belém de Judá, quando Herodes reinava. Aconteceu que uns magos* do Oriente se apresentaram em Jerusalém, ²perguntando:

— Onde está o rei dos judeus recém-nascido? Vimos surgir seu astro e viemos render-lhe homenagem.

³Ao ouvir isso, o rei Herodes começou a tremer, e toda Jerusalém com ele. ⁴Então, reunindo todos os sumos sacerdotes e doutores do povo, perguntou-lhes onde deveria nascer o Messias. ⁵Responderam-lhe:

— Em Belém de Judá, como está escrito pelo profeta: ⁶*Tu, Belém, no território de Judá, em nada és o menor dos povoados de Judá, pois de ti sairá um chefe, o pastor do meu povo Israel.*

⁷Então Herodes, chamando secretamente os magos, perguntou-lhes o tempo exato em que havia aparecido o astro; ⁸depois os enviou a Belém com a recomendação:

— Averiguai com exatidão o que se refere ao menino. Quando o encontrardes, informai-me, para que eu também vá prestar-lhe homenagem.

⁹Tendo ouvido a recomendação do rei, partiram. Imediatamente o astro que haviam visto surgir avançava à frente deles, até deter-se sobre o lugar em que estava o menino. ¹⁰Ao ver o astro, encheram-se de imensa alegria. ¹¹Entraram na casa, viram o menino com sua mãe Maria, e, prostrando-se, prestaram-lhe homenagem. Depois abriram seus cofres e lhe ofereceram como

---

1,22-23 Abraão, o patriarca, Davi, o rei, e agora Isaías, o profeta. Mateus gosta de mostrar que em Jesus cumprem-se as profecias. Dá-nos como equivalentes o nome de Jesus e o de Emanuel.

2,1-12 O episódio é centrado no tema da realeza. Herodes, chamado o Grande (37-4 a.C.), é rei da Judeia, um rei estrangeiro, idumeu, nomeado e protegido pelo senado romano; é visto como ilegítimo por parte da população (cf. Dt 17,15). Jesus nasce na cidade de Davi, como descendente de Davi, potencialmente sucessor legítimo (cf. Am 9,11; Ez 37,24; Jr 30,9; 33,15). Para Herodes é um rival perigoso, a ser eliminado. Concordam com Herodes cortesãos e vizinhos complacentes da capital; "toda Jerusalém" é enfático e intencional, antecipando uma oposição. Uns "magos" orientais (astronomia e astrologia não eram separadas então; veja-se Dn 2,2.10 em grego), que o narrador supõe conhecedores de tradições e predições judaicas (talvez o oráculo de Balaão, Nm 24,17 sobre a estrela de Jacó que avança), acorrem a render homenagem ao provável herdeiro, tratando-o com o título de "Rei dos judeus" (será o título da cruz, 27,11.29.37). A astúcia maligna de Herodes é vencida pelo milagre da estrela e pela fidelidade dos visitantes. Os magos trazem o tributo dos pagãos ao rei menino (Is 60,6; Zc 8,20-22; Sl 72,10-15; 102,13). Omitem-se as descrições, já conhecidas em textos do AT.

A profecia de Miqueias (5,1) opõe a humilde aldeia de Belém às prerrogativas de Jerusalém. A mesma oposição rege o presente relato. Só que para Mateus já não é humilde, mas gloriosa por causa de seus dois filhos. *De Belém saiu Davi e sairá seu descendente esperado* (cf. 2Sm 5,2 para o título de pastor). A tradição leu neste episódio a epifania ou manifestação do Salvador aos pagãos, ligando com o anúncio de Gn 49,10: "Não se afastará de Judá o cetro, nem o bastão de comando de entre seus joelhos, até que lhe tragam tributo e os povos lhe prestem homenagem".

2,1 * Ou: *astrólogos*.

2,2 O grego *anatolê* significa o "levante" geográfico = oriente, ou o levante ou surgir de um astro. Aqui vale o segundo significado. Os magos dizem "seu astro", com um possessivo que o dá por conhecido.

2,4 O narrador mostra Herodes conhecedor da esperança messiânica dos judeus. Aqui temos os doutores interpretando a profecia sobre o Messias anunciado e esperado. Os sumos sacerdotes costumavam ser saduceus, e os doutores, fariseus.

2,6 Mq 5,1; 2Sm 5,2.

2,8 "Prestar-lhe homenagem": reconhecendo sua dignidade superior. Mas na boca de Herodes é expressão de ironia perversa, a fim de despistar os visitantes.

2,10 A menção enfática da alegria não é uma simples nota psicológica, mas retoma uma longa tradição do AT.

2,11 Entram na casa (de José), não numa gruta usada como dormitório. Não menciona José. Na tradição bíblica, a mãe do rei ou do herdeiro tem papel

dons ouro, incenso e mirra. ¹²Em seguida, avisados por um sonho que não voltassem à casa de Herodes, regressaram para sua terra por outro caminho.

Fuga para o Egito e matança de inocentes – ¹³Depois que partiram, um anjo do Senhor apareceu em sonhos a José e lhe disse:

– Levanta-te, pega o menino e a mãe, foge para o Egito e fica aí até que eu te avise, porque Herodes vai procurar o menino para matá-lo.

¹⁴Levantou-se, pegou o menino e a mãe, ainda de noite, e se refugiou no Egito, ¹⁵onde residiu até a morte de Herodes. Assim se cumpriu o que o Senhor anunciou pelo profeta: *Chamei meu filho que estava no Egito.*

¹⁶Então Herodes, vendo-se enganado pelos magos, enfureceu-se e mandou matar todos os meninos menores de dois anos em Belém e seus arredores, de acordo com o tempo que tinha averiguado com os magos. ¹⁷Então se cumpriu o que anunciou o profeta Jeremias: ¹⁸*Escuta-se uma voz em Ramá: pranto e soluços copiosos. É Raquel que chora seus filhos e recusa consolação, porque já não vivem.*

¹⁹Quando Herodes morreu, o anjo do Senhor apareceu em sonhos a José no Egito, ²⁰e lhe recomendou:

– Levanta-te, toma o menino e a mãe e dirige-te para Israel, pois morreram os que atentavam contra a vida do menino.

²¹Levantou-se, pegou o menino e a mãe e se dirigiu para Israel. ²²Mas, ao ouvir que Arquelau sucedera a seu pai Herodes como rei de Judá, temeu dirigir-se para lá. E avisado em sonhos, partiu para a província da Galileia ²³e foi morar num povoado chamado Nazaré. Assim se cumpriu o que foi anunciado pelos profetas: *Será chamado Nazareno.*

3 **João Batista** (Mc 1,2-8; Lc 3,1-18; Jo 1,19-28) – ¹Por esse tempo apresentou-se João Batista no deserto da Judeia, proclamando:

– ²Arrependei-vos, pois está próximo o reinado de Deus.

---

preponderante (cf. Sl 45,10). "A mãe com o menino": pode aludir a Mq 5,2: "até que a mãe dê à luz". A mãe com o menino será uma imagem favorita da iconografia cristã.

2,13-15 José continua em seu papel de confidente sofrido e eficiente: é ele quem enfrenta os problemas domésticos e transcendentais, e os resolve, executando ordens divinas. A citação de Oseias (11,1) é adaptada oportunamente ao episódio, e sugere que Jesus está refazendo concentradamente a sorte histórica do seu povo (veja-se também Nm 27,8). Oseias se refere ao êxodo e apresenta Israel como menino que o Senhor chama "meu filho". A aplicação a Jesus confere ao título outra dimensão. Pode-se comparar com a sorte de Moisés: salvo (Ex 2,1-9), perseguido para ser morto (2,15), em marcha com a família (4,20 as fórmulas). Egito foi também tradicional lugar de refúgio e asilo (1Rs 11,40; Jr 43).

2,16-23 Outras fontes falam da suspeita doentia e da crueldade impiedosa de Herodes, inclusive contra a sua própria família. O narrador apresenta um modelo definitivo de violência contra vítimas inocentes, por ambição de poder. A nossa tradição captou e salientou isso ao chamar os meninos de "inocentes" por antonomásia. O episódio refaz em nova chave a matança dos meninos no Egito (Ex 1,15-22). Sobre o assanhamento contra crianças pode-se ver 2Rs 8,12; Is 13,16.18; Os 14,1. Menores de dois anos equivale a lactantes.

A citação de Jr 31,15 parece referir-se, em seu contexto original, à tribo de Benjamim como representante do reino do Norte; o narrador adapta livremente a citação, fixando-se no pranto da matriarca. O narrador procura pontuar cada episódio com uma citação do AT, vista como predição ou prefiguração. Mas ainda não se conseguiu identificar o texto a que se refere o v. 23 sobre o título de "nazareu". Pensa-se na figura de Sansão nazireu (Jz 13,5-7) ou no "rebento" (Is 11,1, mais provável). Polemicamente os judeus chamaram os cristãos de "nazarenos". Alguns comentaristas suspeitam de uma alusão ao sinônimo hebraico "broto" (Jr 23,5; 33,15).

2,20-21 A morte de Herodes (4 a.C.) costuma ser tomada para datar com probabilidade o nascimento de Cristo. É significativa a fórmula repetida "o menino e a mãe" pela ordem e pelo que não diz.

2,22 Dados históricos sobre Arquelau justificam esse temor de José.

3,1-12 Com uma fórmula temporal genérica, o narrador introduz em cena João, com seu título próprio "o Batista". É a ligação entre os profetas e Jesus: o que os profetas viram e entreviram como futuro, João o mostra presente. Escolhe uma citação do profeta do retorno (Is 40,3 segundo a pontuação do grego): ou seja, do segundo êxodo, que se atualiza agora no definitivo. O deserto recorda a viagem dos israelitas e simboliza a nova peregrinação. A passagem pela água recorda a passagem do mar Vermelho e do Jordão (veja-se 1Cor 10,2 sobre a passagem do mar como batismo).

João tem um aspecto de asceta (como Elias, 2Rs 1,8). Prega a fariseus e saduceus em tom profético, embora sem explicitar pecados. Exige o arrependimento (Jr 8,6), a confissão pública (Ne 9), a conversão como fruto (Sl 50,23; 51,15). E como sinal de purificação, o batismo.

3,2 Reinado de Deus ("dos céus", para evitar mencionar Deus) será usado como *leitmotiv* do evangelho.

³É o que havia anunciado o profeta Isaías: *Uma voz clama no deserto: Preparai o caminho para o Senhor, aplainai sua estrada*. ⁴Esse João usava uma veste de pelos de camelo, cingia-se com cinturão de couro e se alimentava de gafanhotos e mel silvestre. ⁵Iam a ele de Jerusalém, de toda a Judeia e da região do Jordão, ⁶e se faziam batizar por ele no Jordão, confessando seus pecados. ⁷Ao ver que muitos fariseus e saduceus iam para que os batizasse, disse-lhes:

— Raça de víboras! Quem vos ensinou a fugir da condenação que se aproxima? ⁸Dai frutos válidos de arrependimento, ⁹e não penseis que basta dizer a si mesmos: *Nosso pai é Abraão*. Pois vos digo que dessas pedras Deus pode tirar filhos para Abraão. ¹⁰O machado já está posto à raiz da árvore; a árvore que não produz frutos bons será cortada e lançada ao fogo. ¹¹Eu vos batizo com água em sinal de arrependimento. Depois de mim, vem alguém com mais autoridade do que eu, e eu não tenho direito de tirar-lhe as sandálias. Ele vos batizará com Espírito Santo e com fogo. ¹²Já empunha a pá para limpar sua eira: o trigo o recolherá no celeiro, e queimará a palha num fogo que não se apaga.

Batismo de Jesus (Mc 1,9-11; Lc 3,21s; Jo 1,29-34) – ¹³Por esse tempo, foi Jesus da Galileia ao Jordão e se apresentou a João para que o batizasse. ¹⁴João o impedia, dizendo:

— Sou eu quem precisa ser batizado por ti, e tu vens a mim?

¹⁵Jesus lhe respondeu:

— Deixa por ora, pois desse modo convém que realizemos toda a justiça.

Diante disso, consentiu. ¹⁶Jesus foi batizado, saiu da água e logo o céu se abriu, e ele viu o Espírito de Deus que descia como uma pomba e pousava sobre ele; ¹⁷ouviu-se uma voz do céu que dizia: Este é o meu Filho querido, o meu predileto.

4 Jesus posto à prova (Mc 1,12s; Lc 4,1-13) – ¹Então Jesus, movido pelo Espírito, retirou-se ao deserto para ser posto à prova pelo Diabo. ²Jejuou quarenta

---

Os Salmos 96 e 98 anunciam a vinda do Senhor "para governar o mundo". O reinado do mundo celeste se apresentará na pessoa de Jesus.

3,3 Is 40,3; 2Rs 1,8.

3,5 Saem de Jerusalém, como se o templo e seu culto não satisfizessem o exercício da penitência e a preparação para a chegada do reinado anunciado.

3,7-8 O tom e o apelido fazem suspeitar que fariseus e saduceus não acorriam com sinceridade, com boa disposição (cf. Is 1,10). Raça de víboras: 12,34; 23,33 (cf. Is 14,29). A conversão é fruto do arrependimento. A condenação (*orge*) é a sentença de separação definitiva no julgamento escatológico (12).

3,9 Invocar os patriarcas era recurso na intercessão (p. ex. Ex 32,13; cf. Jo 8,33). No contexto hebraico se poderia jogar com a alteração de "filhos" e "pedras" (*banim 'abanim*). Is 51,1-2 apresenta Abraão e Sara como "rocha e pedreira".

3,10 Destino de plantas inúteis (Is 27,11; Ez 15,4-7).

3,11 A alusão às sandálias parece referir-se ao símbolo matrimonial do levirato (segundo Dt 25,5-10 e Rt 4). Os quatro evangelistas e At 13 as mencionam; o símbolo se esclarece na versão do evangelho de João. Uma longa tradição transmite essa interpretação teológica das sandálias, ao passo que outra tradição, também antiga, reduz o tema a uma expressão ética de humildade.

3,12 Is 66,24.

3,13-17 O batismo é a segunda epifania ou manifestação de Jesus: aos judeus presentes e à comunidade cristã que escuta o evangelho. Jesus se incorpora ao povo na cerimônia, mas no diálogo mostra o sentido diferente da sua ação: o que para outros era sinal de arrependimento, para ele é plenitude de justiça: é enfrentar seu destino (batismo/morte) e é conferir ao batismo cristão o poder de tornar justos. O testemunho celeste deixa perceber uma estrutura trinitária: voz do Pai, repouso do Espírito e título de Filho. Deve-se unir ao batismo final (28,19). A figura da pomba talvez aluda simbolicamente à esposa do Cântico dos Cânticos (cf. Jo 1,32). A filiação atestada pelo próprio Pai deve ser relacionada com a filiação humana de Mt 1,1-17 (vejam-se combinados Sl 2,7, o rei como filho, e Is 42,1, o servo preferido). Recebendo o Espírito, está ungido e declara-se sua missão messiânica.

3,16 Os céus se abriram, como na visão inaugural de Ezequiel 1,2.

4,1-11 Deve-se evitar chamá-las de tentações, porque são provações. Como o povo de Israel, passado o mar Vermelho e guiado por Moisés, é posto à prova repetidas vezes no deserto, assim Jesus, depois do batismo, é guiado pelo Espírito e enfrenta provação no deserto. O povo falhou várias vezes, Moisés uma vez. Jesus supera todas as provas. O evangelho encena dramaticamente o grande confronto, entre o projeto salvador de Deus e o antiprojeto apresentado pelo rival (*diábolos*, o Satã do AT; cf. Jó 1-2). O milagre fácil e injustificado, o espetáculo gratuito abusando dos anjos, e sobretudo o poderio universal, submetendo-se às regras do jogo impostas pelo pretenso soberano do mundo. Contra isso, três citações tiradas do contexto do êxodo: Dt 8,3; 6,16; 6,13 (cf. Ex 17,1-7 e Nm 20,7-13).

4,1 Levado pelo Espírito: como Ezequiel (3,12; 11,1). O Espírito, pelo qual foi concebido e que desceu sobre ele no batismo.

4,2 Jejuou: como Moisés (Ex 34,28) e sentiu fome como o povo.

dias e quarenta noites, e no fim sentiu fome. ³Aproximou-se o tentador e lhe disse:

– Se és filho de Deus, ordena que estas pedras se transformem em pão.

⁴Ele respondeu:

– Está escrito que *não somente de pão vive o homem, mas de toda palavra que sai da boca de Deus.*

⁵Então o Diabo o levou à Cidade Santa, colocou-o no beiral do templo, ⁶e lhe disse:

– Se és filho de Deus, lança-te para baixo, pois está escrito que *ele deu ordens a seus anjos a teu respeito, e eles te levarão nas palmas das mãos, para que teu pé não tropece na pedra.*

⁷Jesus replicou:

– Também está escrito: *Não porás à prova o Senhor teu Deus.*

⁸Novamente o Diabo o levou a uma montanha altíssima e lhe mostrou todos os reinos do mundo em seu esplendor, ⁹e lhe disse:

– Tudo isso te darei se prostrado me prestares homenagem.

¹⁰Então Jesus lhe replicou:

– Vai-te, Satanás! Pois está escrito: *Ao Senhor teu Deus adorarás, e somente a ele prestarás culto.*

¹¹No mesmo instante o Diabo o deixou e anjos vieram servi-lo.

Na Galileia (Mc 1,14s; Lc 4,14s) – ¹²Ao saber que João fora preso, Jesus se retirou para a Galileia, ¹³saiu de Nazaré e se estabeleceu em Cafarnaum, junto ao lago, no território de Zabulon e Neftali. ¹⁴Assim se cumpriu o que foi anunciado pelo profeta Isaías: ¹⁵*Território de Zabulon e território de Neftali, caminho do mar, do outro lado do Jordão, Galileia dos pagãos.* ¹⁶*O povo que habitava em trevas viu uma luz intensa, para os que habitavam em sombras de morte lhes amanheceu a luz.*

¹⁷A partir disso começou Jesus a proclamar:

– Arrependei-vos, pois está próximo o reinado de Deus.

Chama os primeiros discípulos (Mc 1,16-20; Lc 5,1-11) – ¹⁸Enquanto caminhava junto ao lago da Galileia, viu dois irmãos – Simão, apelidado Pedro, e André seu irmão – que lançavam uma rede na água, pois eram pescadores. ¹⁹Disse-lhes:

– Vinde comigo e vos farei pescadores de homens.

²⁰Imediatamente deixaram as redes e o seguiram. ²¹Um pouco mais adiante viu outros dois irmãos – Tiago de Zebedeu e João seu irmão – na barca com seu pai Zebedeu, consertando as redes. Chamou-os, ²²e eles imediatamente, deixando a barca e o pai, o seguiram.

²³Jesus percorria toda a Galileia ensinando nas sinagogas, proclamando a boa notícia do reino e curando todo tipo de enfermidades e doenças entre o povo. ²⁴Sua fama se espalhou por toda a Síria, de modo que lhe traziam todos os que padeciam diversas en-

---

4,3 A prova da filiação: No contexto de Dt 8,3 fala-se de Deus como pai que educa. Um pai não dá a seu filho uma pedra quando lhe pede pão (Mt 7,9). Ver também Sb 2,18 e o contexto.

4,6 Os anjos a serviço do homem, do filho, contra poderes nefastos. Citação de um salmo de confiança (Sl 91,11-12).

4,7 Dt 6,16.

4,8 O monte da visão parece reminiscência de Abraão, quando se detém no país de Canaã (Gn 13) e do monte de onde Moisés contemplou a terra antes de morrer (Dt 34; cf. Ez 40,2); opõe-se ao monte da transfiguração (Mt 17,1). Os reinos do mundo com seu esplendor se opõem ao reino dos céus com sua glória. Sobre a homenagem, ver Dn 3,5.10.15.

4,10 *Vai-te*: compare-se com 16,23. Citação de Dt 6 em termos de monoteísmo estrito. Ele está acima dos anjos (Hb 1).

4,12-17 Cafarnaum, junto ao lago, será sua cidade (9,1). Galileia, a região outrora pagã e paganizada, será cenário da revelação luminosa, como no grande oráculo de Is 8,23-9,1 messianicamente lido, pela presença do menino dos títulos sublimes. A mensagem abreviada de Jesus soa como a do Batista (3,2). Só que Jesus a personifica, e o arrependimento que pede é para receber o evangelho (4,23; 9,35). O reinado de Deus é centro da sua pregação, segundo Mateus.

4,18-22 O chamado é categórico, a resposta é imediata e incondicional. A profissão humana, "pescadores", é assumida e transcendida: o pescador vive em contato com um elemento potencialmente hostil e não tem garantido o êxito de sua tarefa (a imagem com valor negativo em Hab 1,14-17). Seguir ou ir atrás: expressão frequente no Dt para significar a fidelidade ao Senhor; ver o chamado de Eliseu (1Rs 19,19-21). Daí nasce a espiritualidade cristã do "seguimento" de uma pessoa, Jesus. Desde o começo, Pedro encabeça a série dos discípulos.

4,23-25 Resumo narrativo. A atividade de Jesus junta e unifica ensinamento (7,28-29; 21,23), proclamação da boa notícia ou evangelho (10,7; 24,14) e curas (8,16-17). Sua fama se difunde e atrai uma afluência que representa todo Israel histórico, com Jerusalém como capital.

4,23 Cumpre-se a profecia de Is 41,27; 52,7; 61,1.

4,24 Toda sorte de enfermidades: prometido em Dt 7,15.

fermidades ou tinham doenças: endemoninhados, lunáticos, paralíticos. Ele os curou.

²⁵Seguia-o uma grande multidão da Galileia, Decápole, Jerusalém, Judeia e Transjordânia.

5 Sermão da montanha: as bem-aventuranças (Lc 6,20-23) – ¹Vendo a multidão, subiu ao monte. Sentou-se e os discípulos se aproximaram. ²Abriu a boca e os instruiu nestes termos:

³Felizes os pobres de coração,
    porque o reinado de Deus lhes pertence.
⁴Felizes os afligidos,
    porque serão consolados.
⁵Felizes os despossuídos,
    porque herdarão a terra.
⁶Felizes os que têm fome e sede de justiça,
    porque serão saciados.
⁷Felizes os misericordiosos,
    porque os tratarão com misericórdia.
⁸Felizes os limpos de coração,
    porque verão a Deus.

5-7 O "sermão da montanha" é como a constituição do novo povo de Deus, o protocolo da nova aliança, o manifesto do Messias Salvador. Deve ser lido com o Sinai e Moisés ao fundo, para apreciar correspondências e contrastes. Jesus se dirige a todos os que o escutam (4,25), à multidão. Dirige-se à nova comunidade ou povo seu. Seu discurso é exigência incondicional, convite a uma constante superação de si mesmo, denúncia de mesquinhezas e infidelidades, oferta da misericórdia de Deus. Através dessa comunidade limitada, dirige-se à comunidade humana, fermento para uma transformação da história. No amplo discurso ou instrução, composto de material heterogêneo, podem-se distinguir algumas unidades menores. As bem-aventuranças com o contraste entre lei antiga e nova (5,1-16.17-48); três obras de justiça ou fidelidade: esmola, oração e jejum (6,1-4.5-15.16-18). Seguem-se outros temas, como a confiança em Deus e a misericórdia com o próximo (6,19-7,12) e um esclarecimento sobre os dois caminhos e os falsos profetas. Encerra o discurso a comparação das duas construções (7,24-29).

5,1-12 Depois do solene início, "abriu a boca" (cf. Is 53,7; Ez 3,27; Sl 78,2), encabeçam o discurso as oito bem-aventuranças, como cerne do manifesto. O gênero (em hebraico *ashrê*) é mais frequente nos salmos e na poesia sapiencial. São enunciados de valor, não mandamentos (como o decálogo do Sinai). Revelam uma "felicidade" humana paradoxal, que vincula promessas de bens excelentes a exigências extraordinárias. Mateus insiste em atitudes mais do que em situações. Mais do que espiritualizar, vai à raiz; pretende mais o alcance que a precisão. Tal como estão formuladas, a felicidade não está no exercício, mas em suas consequências; mas não se exclui que a consequência aconteça já no exercício. A mesma promessa toca à primeira e à oitava, em inclusão; a quarta e a oitava referem-se à justiça.

5,3 O tema dos pobres é corrente no AT e seu sentido é claro; ver como exemplo o cântico de Ana (1Sm 2,8 e Sl 72,4.13 lido em chave messiânica). É difícil especificar o sentido da restrição *toi pneûmati* (que o paralelo de Lc 6 não traz). Indica a interioridade consciente: em sentido intelectual? ou seja, reconhecem sua pobreza diante de Deus, sabem que são pobres; em sentido volitivo? ou seja, aceitam a pobreza e renunciam à cobiça. O português "de coração" respeita a ambiguidade do original. O reinado de Deus vem para eles.

5,4 *Os afligidos*: frequente nos salmos, como argumento para mover e comover a Deus; também nos dois êxodos (Ex 3,17; Is 48,10; 61,1-3). O consolo é típico de anúncios proféticos (Is 40,1 par.). É frequente ler no AT unidos "pobre e afligido"; não é raro que o segundo esteja unido com "oprimido ou marginalizado", e até se confundam por sua semelhança fonética. Sob esse pano de fundo as três primeiras bem-aventuranças poderiam ser tratadas unitariamente: pobres e afligidos e oprimidos serão consolados com a terra e o céu.

5,5 Citação do Sl 37,11, acrescentando o artigo; salmo dedicado aos injustamente despossuídos (e que tem outros contatos com várias dessas bem-aventuranças). O salmo é rezado no contexto da partilha ideal da terra (Js 12-21) e da apropriação injusta. Aqui não se deve logo espiritualizar.

5,6 *Fome e sede* são metáfora frequente de desejo intenso, de necessidade sentida, e seu objeto pode ser inclusive Deus (p. ex. Sl 42,2; 63,2). O objeto aqui é a justiça, tomada em seu sentido mais amplo. Vários textos do "sermão do monte" esclarecem o alcance transcendente de tal justiça: 5,20; 6,1.25.31.33. É a justiça que corresponde ao reinado de Deus. "Serão saciados": Eclo 4,28 diz: "Até a morte luta pela justiça, e o Senhor combaterá a teu favor".

5,7 A misericórdia ou piedade é um dos atributos máximos de Deus (Ex 34,6 par.). Também é aconselhada ao homem (Pr 14,21), inclusive com "bem-aventurança" (Sl 41,2). O passivo é teológico, tem Deus como agente. Compare-se com Pr 14,31 e 19,17.

5,8 Ou sinceros com Deus e com os homens (vejam-se as fórmulas de Sl 24,4 e Pr 22,11). Essa pureza que procede de dentro opõe-se à pureza somente externa ou ritualista (Mt 23,25-28). Ver a Deus é desejo e esperança suprema (Sl 11,7; 17,15; 63,3), que Moisés não alcançou (Ex 33,20 e a alusão de Jo 1,14).

⁹Felizes os que procuram a paz,
porque se chamarão filhos de Deus.
¹⁰Felizes os perseguidos por causa da justiça,
porque o reinado de Deus lhes pertence.

¹¹Felizes vós quando vos injuriarem e vos perseguirem e vos caluniarem de tudo por minha causa. ¹²Ficai contentes e alegres, pois vosso prêmio no céu é abundante*. Da mesma forma perseguiram aos profetas que vos precederam.

Sal e luz (Mc 9,50; Lc 14,34s; Mc 4,21; Lc 8,16; 11,33) – ¹³Vós sois o sal da terra: se o sal perde o gosto, com que o salgarão? Serve somente para ser jogado fora e para que as pessoas o pisem. ¹⁴Vós sois a luz do mundo. Não se pode esconder uma cidade construída sobre um monte. ¹⁵Não se acende uma lamparina para tapá-la com uma vasilha, mas para colocá-la no candelabro, a fim de que ilumine os que estão na casa. ¹⁶Brilhe vossa luz diante dos homens, de modo que, ao ver vossas boas obras, glorifiquem vosso Pai do céu.

Jesus e a lei – ¹⁷Não penseis que vim abolir a lei ou os profetas. Não vim abolir, mas cumprir. ¹⁸Asseguro-vos que, enquanto durarem o céu e a terra, nem um i ou til da lei deixará de se realizar. ¹⁹Portanto, quem violar o mínimo desses preceitos e ensinar outros a fazê-lo, será considerado mínimo no reino de Deus. Mas quem o cumprir e o ensinar será considerado grande no reino de Deus. ²⁰Pois eu vos digo: se vossa justiça não superar a dos letrados e fariseus, não entrareis no reino de Deus.

²¹Ouvistes que foi dito aos antigos: *Não matarás*; o homicida responderá perante o tribunal. ²²Pois eu vos digo: todo aquele que se encher de cólera contra seu irmão responderá perante o tribunal. Quem chamar seu irmão de inútil responderá perante o Conselho. Quem o chamar de louco incorrerá na pena do fogo. ²³Se enquanto levas tua oferenda ao altar te recordas de que teu irmão tem queixa contra ti, ²⁴deixa tua oferenda diante do altar, vai primeiro reconciliar-te com teu irmão e depois vai levar tua oferenda. ²⁵Procura rapidamente um acordo com aquele que pleiteia contigo, enquanto estás a caminho com ele. Do

---

5,9 A paz faz parte do anúncio messiânico (Is 2,2-5 em chave escatológica; cf. Pr 12,20). A forma grega fala de ação em favor da paz e da concórdia (Eclo 25,1-2 em âmbito doméstico). Filhos de Deus é título honorífico que se lê em Dt 14,1; Os 2,1. A tradição aplicou a Jesus o título de Isaías 9, "príncipe da paz".
5,10 Os perseguidos: 10,23; 23,34. "Por causa da justiça": por serem justos, como vítimas inocentes: ver Sb 2.
5,11-12 Passando à segunda pessoa verbal, acrescenta essa ampliação da oitava; supõe as perseguições dos primeiros cristãos, aos quais anima. Um bom comentário pode ser lido em 1Pd 4,4.12-19; 2Cr 36,16. A chave está na cláusula "por minha causa" (cf. Sl 44,23 por tua causa, e 74,22). Os profetas predecessores são Elias, Amós, Jeremias e outros.
5,12 * Ou: *porque Deus vos premiará com abundância*.
5,13-16 O sal comunica seu sabor e conserva alimentos, mas pode se desvirtuar; a luz ilumina todos, mas pode ser escondida. Assim deve ser a comunidade cristã: ativamente, não por vaidade, mas para louvor do Pai. A cidade irradiando luz do alto é como a Jerusalém que, em meio às trevas, ilumina como farol os povos, na visão de Is 60,1-3; sua luz é somente reflexo do amanhecer do Senhor.
5,14 Is 60,1-3.
5,17-48 Depois de propor "felicidades" em lugar de "mandamentos", Jesus expõe sua posição diante da lei tradicional, a *torá*. Primeiro em termos genéricos, incluindo toda a Escritura na fórmula consagrada "lei e profetas"; depois numa série de contraposições agudamente perfiladas.
5,17-20 O AT, especialmente na sua qualidade de lei, que também os profetas inculcam (e às vezes corrigem), receberá sua plenitude de sentido no cumprimento da nova economia. A lei se articula em múltiplos preceitos, que se cumprem quando são postos em prática. As profecias, como predições, cumprem-se quando o anunciado acontece. "Não penseis", diz, como que adiantando-se a uma dedução precipitada dos ouvintes (da Igreja). Refere-se a "preceitos" contidos na Escritura, não a tradições ou interpretações acrescentadas. O i (*yod*) é a menor letra do alfabeto hebraico. Jesus fala com uma autoridade que está acima da legislação antiga. Sua interpretação é autêntica.
A dos letrados e fariseus: ou porque não cumpriam o que ensinavam, ou porque invalidavam a lei com sua casuística, ou porque se fixavam na letra sem penetrar no espírito. Jesus cumpre lei e profetas em seu sentido profundo. O reino de Deus é visto como um território no qual se entra, ou como uma instituição à qual alguém se incorpora. Os membros do novo reino têm de superar os doutores, imitando Jesus.
5,21-26 Na forma repetida "foi dito/eu vos digo" Jesus se apresenta como autoridade soberana. Aqui há alguém maior que Moisés. A primeira antítese compreende duas partes: sobre o homicídio, sobre

contrário, teu rival te entregará ao juiz, o juiz ao oficial de justiça, e te colocarão no cárcere. ²⁶Asseguro-te que não sairás enquanto não tiveres pago o último centavo. ²⁷Ouvistes que foi dito: *Não cometerás adultério.* ²⁸Pois eu vos digo: quem olha uma mulher desejando-a, já cometeu adultério com ela em seu coração. ²⁹Se teu olho direito te leva a pecar, arranca-o e atira-o para longe. É melhor perder um membro do que ser jogado inteiro no forno. ³⁰Se tua mão direita te leva a pecar, corta-a e atira-a para longe. É melhor perder um membro do que ser jogado inteiro no forno. ³¹Foi dito: *Quem repudia sua mulher lhe dê uma ata de divórcio.* ³²Pois eu vos digo: quem repudia sua mulher – exceto em caso de concubinato – a induz a adulterar, e quem se casa com uma divorciada comete adultério.

³³Também ouvistes que foi dito aos antigos: *Não perjurareis* e *cumprirás teus juramentos ao Senhor.* ³⁴Pois eu vos digo: não jureis de modo algum: nem pelo *céu,* que é *trono de Deus;* ³⁵nem pela *terra,* que é *estrado de seus pés;* nem por *Jerusalém,* que é a *capital do Soberano;* ³⁶nem por tua cabeça, pois não podes tornar branco ou preto um cabelo. ³⁷Seja vossa linguagem sim, sim, não, não. O que passa disso procede do Maligno.

³⁸Ouvistes que foi dito: *Olho por olho, dente por dente.* ³⁹Pois eu vos digo: não resistais ao malvado. Pelo contrário, se alguém te dá uma bofetada na face direita, oferece-lhe a esquerda. ⁴⁰Ao que pleitear contigo para tirar-te a túnica, deixa-lhe também o manto. ⁴¹Se alguém te força a caminhar mil passos, caminha com ele dois mil. ⁴²Dá a quem te pede, e não rejeites quem te pede emprestado.

⁴³Ouvistes que foi dito: *Amarás o teu próximo e odiarás o teu inimigo.* ⁴⁴Pois eu vos digo: Amai vossos inimigos, rezai

---

a reconciliação. a) O mandamento de não matar (Ex 20,13; Dt 5,17; Lv 24,17) radicaliza-se na atitude interior (cf. Lv 19,17-18) – de onde brota o homicídio (Gn 4,1-7; 37,4.8) –, e se estende a ofensas menores. "Inútil e louco" são insultos graves que negam ao outro a capacidade de compreender: expressam desprezo e talvez rancor, inveja, e podem conduzir a ações graves. O castigo está escalonado: o tribunal local, o Conselho nacional, o próprio Deus. O "fogo" é o do castigo escatológico, localizado na Geena (cf. Is 66,15.16.24), lugar associado a sacrifícios humanos de crianças (Jr 7,31). b) O preceito negativo "não matar" estende-se à exigência positiva da reconciliação, posta para dar mais ênfase em relação ao culto. O ensinamento de Jesus poderia citar textos afins do AT (como Is 1,10-20; 58,1-12; Jr 7; Eclo 34,18-22).

5,27-30 Segunda antítese. Sobre o adultério. A proibição do decálogo (Ex 20,14; Dt 5,18), sob pena de morte (Lv 20,10), radicaliza-se até a atitude interior, o desejo consentido que induz ao ato (cf. Pr 6,25.27; Jó 31,1; Eclo 9,5). Também abrange os sentidos, pois pela vista entra o desejo (cf. Davi em 2Sm 11,2 e o episódio de Susana em Dn 14), ao passo que a mão é o membro do tato e da ação. A expressão é hiperbólica. O "forno" sugere o castigo escatológico.

5,27 Ex 20,14.

5,31-32 Terceira antítese. Sobre o divórcio, exigido pela lei (Dt 24,1) para afastar do lar a imoralidade e a infâmia, concedido pelos rabinos ao homem, sem muita dificuldade. Jesus se opõe à lei e à sua jurisprudência. Sobre a cláusula de exceção continua-se discutindo graças à polissemia do termo grego *porneia,* que não significa adultério nem permissão genérica: refere-se à união ilegal que não é verdadeiro matrimônio?, as comunidades judeu-cristãs admitiam uma exceção? A letra favorece a segunda hipótese; a interpretação tradicional, a primeira.

5,31 Dt 24,1.

5,33-37 Quarta antítese. Sobre o jurar (Lv 19,12; Nm 30,2). Entre cristãos, a sinceridade deve ser tal que torne inútil todo juramento (Tg 5,12). O juramento era procedimento legal e prática religiosa admitidos e respeitados. No fundo, oculta um resíduo de desconfiança na simples palavra humana, e procura respaldá-la com uma instância superior. Não se deve meter Deus nisso nem substituir seu nome com seus atributos ou símbolos. Como o trono, que é o céu (Is 66,1), ou a capital, que é Jerusalém (Sl 48,2). O sim e o não concentram as formas elementares da sentença gramatical e lógica; veja-se a exposição de Paulo (2Cor 1,17-20).

5,34 Is 66,1; Sl 48,2.

5,38-42 Quinta antítese. Trata-se da lei do talião (Ex 21,24; Lv 24,20; Dt 19,21), que na sua origem tentava pôr um freio à espiral da violência (o grito de Lamec, Gn 4,23-24); o princípio da equivalência rege muitos textos do AT, até salmos em que o orante apela a Deus para que lhe faça justiça. O freio que Cristo propõe é vencer o mal com o bem (cf. Sl 35,11-13). Os três casos propostos representam muitos outros na ordem do sofrer, possuir e executar. Túnica e manto são as duas peças do vestuário normal (cf. Dt 24,13). Sobre a generosidade pode-se ver Pr 3,27s; sobre o emprestar, veja-se a instrução de Ben Sirac (Eclo 29,1-13).

5,43-48 Sexta antítese. Sobre o ódio ao inimigo não conhecemos nenhum texto explícito do AT. Aproximam-se a boa distância Sl 139,22: "Odeio, Senhor, os que te odeiam"; Pr 29,27 "o criminoso é detestado pelos justos". O preceito de Jesus retoma sugestões do AT (como Ex 23,4-5; Lv 19,17-18; Jr 15,15) e as faz culminar na extensão e no motivo: nada menos que a imitação de Deus Pai. Enfaticamente diz "seu sol", porque Deus controla suas criaturas em favor dos homens, sem distinção, e o sol é fonte de bens, luz e calor.

pelos que vos perseguem. ⁴⁵Assim sereis filhos de vosso Pai do céu, que faz surgir seu sol sobre maus e bons, e faz chover sobre justos e injustos. ⁴⁶Se amais somente os que vos amam, que prêmio mereceis? Também os coletores de impostos fazem isso. ⁴⁷Se amais somente os vossos irmãos, que fazeis de extraordinário? Também os pagãos fazem isso. ⁴⁸Sede, portanto, perfeitos como vosso Pai do céu é perfeito.

6 Esmola, oração e jejum (Lc 11,2-4) –
¹Guardai-vos de praticar as boas obras em público para serdes admirados. Caso contrário não vos recompensará vosso Pai do céu. ²Quando deres esmola, não faças tocar a trombeta à frente, como fazem os hipócritas* nas sinagogas e nas ruas, para que o povo os louve. Assegurovos que já receberam seu pagamento. ³Quando deres esmola, não saiba a esquerda o que faz a direita. ⁴Desse modo tua esmola ficará oculta, e teu Pai, que vê o escondido, te pagará.

⁵Quando rezardes, não façais como os hipócritas, que gostam de rezar em pé nas sinagogas e nas esquinas para se exibirem ao povo. Assegurovos que já receberam seu pagamento. ⁶Quando fores rezar, entra no teu quarto, fecha a porta e reza a teu Pai em segredo. E teu Pai, que vê o escondido, te pagará. ⁷Quando rezardes, não sejais faladores como os pagãos, que pensam que à força de palavras serão ouvidos. ⁸Não os imiteis, pois vosso Pai sabe do que necessitais, antes que o peçais. ⁹Rezai assim:

Pai nosso do céu! Seja respeitada a santidade do teu nome, ¹⁰venha teu reinado, cumpra-se teu desígnio na terra como no céu; ¹¹dá-nos hoje o pão de amanhã*,

---

5,48 Lv 19,2 e outros textos convidam a imitar a "santidade" de Deus. Jesus fala de "perfeição" e a centraliza no amor.

6,1 O princípio geral se prende à intenção ou finalidade, que pode ser raiz ou motor das obras, modelando-as qualitativamente. Contradiz a norma de 5,16? Não, porque tal norma fala de consequência, não de finalidade, e o resultado é o louvor de Deus, não do homem. Orientadas para o Pai celeste, nossas obras recebem dele uma recompensa.

6,2-18 Normas sobre esmola, oração e jejum, três práticas tradicionalmente recomendadas.

6,2-4 A esmola é muito recomendada no AT, especialmente em textos tardios. Sobressai o livro de Tobias, que a converte quase em *leitmotiv*; ver também Is 58,10; Pr 3,27; Sl 112,3.5 etc. Subordinar a esmola, que é altruísmo, ao interesse pessoal, que é egoísmo, é esvaziá-la de sentido (pode-se pensar em patrocinadores publicitários). Deve-se salientar o aforismo do v. 3, no qual esquerda e direita poderiam sugerir a oposta valorização tradicional. "Quem se compadece do pobre empresta ao Senhor" (Pr 19,17). Ben Sirac nos oferece uma instrução sobre o mesquinho e o generoso (Eclo 14,2-19).

6,2 * Ou: *comediantes*.

6,5-15 Sobre a oração: em particular, de poucas palavras, o Pai-nosso.

6,5-6 Não se refere à oração comunitária, que é necessariamente pública; muitos salmos concluem com o louvor a Deus "perante a assembleia", mas falam também de orar na cama (Sl 4,5; 77,2-5), de súplica de doentes (Sl 6; 38). Jesus fala, antes, da oração em particular. Não se deve convertê-la em espetáculo. Que contra-senso louvar a Deus para glória própria! Deus não está confinado no templo, mas presente em toda parte, embora oculto (Is 45,15).

6,6 2Rs 4,33.

6,7-8 Não condena a frequência (Lc 18,1) nem a assiduidade, mas a prolixidade (cf. Tg 1,26: não frear a língua; Eclo 7,17). Antes de pedi-lo: Is 65,24; Sl 139,4.

6,9-13 Nós a chamamos "oração dominical" porque foi ensinada por nosso Senhor, e por isso tem um lugar privilegiado. No contexto se apresenta como compêndio oposto à prolixidade (*polylogia*). É fazer-lhe justiça multiplicá-lo? Não será melhor saboreá-lo ou ruminá-lo?

Contém uma invocação e sete pedidos, três em honra de Deus, quatro a favor do homem. Vários sintetizam a dimensão empírica com a transcendente: Pai/céu, reino/venha, terra/céu, perdoamos/perdoa.

6,9 Invocação a Deus Pai (Sl 89,27 o rei; Eclo 51,10 um particular). Lucas escreve só "Pai"; talvez se trate da fórmula original ou primitiva. Pai equivale ao novo nome de Deus que implica a consciência da filiação, testemunhada pelo Espírito; é a primeira palavra do cristão (cf. Rm 8,15-16; Gl 4,6-7).

Santificar não é dar, mas reconhecer. O nome pode ser também o título e a fama. Não mostrar a santidade de Deus foi o delito de Moisés (Nm 27,14). Is 29,23 o anuncia para a salvação escatológica. Ez 36,23 o estende aos pagãos. O contrário é profaná-lo: abusando dele, manipulando-o, trivializando-o.

6,10 O reinado de Deus é o exercício do seu poder. Vir é símbolo espacial que se resolve na realização histórica final (Sl 98,8-9). Esse pedido corresponde ao anúncio primordial da boa nova, por obra do Batista e de Jesus.

Cumprir o desígnio equivale ao anterior, a exercer o reinado. O desígnio é concreto e diferenciado. O pedido não é fatalismo nem resignação inerte. Esse pedido ressoa ao longo do evangelho (7,21; 12,50) e no momento dramático do Getsêmani (26,42).

6,11 Sendo duvidoso o significado de *epiousion* (a Vulgata traduz de forma diferente a mesma palavra em Mt *supersubstantialem* e em Lc *quotidianum*), propõem-se duas interpretações. O pão empírico, cotidiano, "que dá pão a todo vivente" (Sl 136,25); o pão do amanhã escatológico, celeste, antecipado na eucaristia (Jo 6). O segundo parece um pouco mais provável (ver Ex 16,19-25 sobre o alimento para o

¹²perdoa nossas ofensas como também nós perdoamos aos que nos ofendem; ¹³não nos deixes sucumbir à prova e livra-nos do maligno. ¹⁴Pois se perdoais aos homens as ofensas, vosso Pai do céu vos perdoará; ¹⁵mas se não perdoais aos homens, tampouco vosso Pai vos perdoará vossas ofensas.

¹⁶Quando jejuardes, não façais um rosto sombrio como os hipócritas, que desfiguram o rosto para fazer o povo ver que estão jejuando. Asseguro-vos que já receberam seu pagamento. ¹⁷Quando jejuares, perfuma a cabeça, lava o rosto, ¹⁸de modo que os homens não percebam teu jejum, mas somente teu Pai, que está escondido; e teu Pai, que vê o escondido, te pagará.

Sobre o possuir – ¹⁹Não acumuleis riquezas na terra, onde roem a traça e o caruncho, onde os ladrões arrombam e roubam. ²⁰Acumulai riquezas no céu, onde não roem traça nem caruncho, onde ladrões não arrombam nem roubam. ²¹Pois onde está tua riqueza, aí estará teu coração.

²²O olho fornece luz a todo o corpo: portanto, se teu olhar é generoso, todo o teu corpo será luminoso; ²³porém, se teu olhar é mesquinho, todo teu corpo será tenebroso. E se tua fonte de luz está às escuras, que terrível escuridão!

²⁴Ninguém pode estar a serviço de dois senhores, pois ou odeia um e ama o outro, ou agradará a um e desprezará o outro. Não podeis estar a serviço de Deus e do Dinheiro. ²⁵Por isso vos recomendo que não andeis angustiados pela comida e bebida para conservar a vida ou pela roupa para cobrir o corpo. Não vale mais a vida do que o sustento, o corpo mais do que a roupa? ²⁶Observai as aves do céu: não

---

dia de descanso), a não ser que prevaleça o duplo sentido, e no sustento diário da vida se vislumbre a vida perdurável, o dia eterno.
* Ou: *de cada dia*.

6,12 O perdão: o texto usa a imagem da dívida, que abrange qualquer caso: "Não tenhais dívidas com ninguém, a não ser a do amor mútuo" (Rm 13,8), como na parábola dos devedores (Mt 18,21-35). A condição do perdão mútuo está já enunciada e comentada em Eclo 28,2: "Perdoa a ofensa a teu próximo, e te perdoarão os pecados quando pedires".

6,13 A provação é condição do homem, em particular do homem religioso (Eclo 2,1-5) e do cristão; não pedimos para ver-nos livres de provações; com formulação negativa pedimos para superá-las (cf. Mt 26,41).
O maligno é o tentador, que na provação tenta provocar a queda; é o Satã e a antiga serpente.
No Pai-nosso ressoa a experiência de Israel no processo de sua libertação: provações no deserto, o maná cotidiano, a vontade de Deus promulgada com a lei, a santidade cultual do nome revelado a Moisés, o reinado de Deus pela aliança na terra entregue.

6,16-18 Havia jejuns prescritos e voluntários, públicos por alguma calamidade (Jl 1,14; 2,12), e privados para respaldar a súplica (2Sm 12,16). Compare-se o jejum ritual do dia da expiação (Lv 16,29-31) com a crítica cômica e indignada de Is 58,1-7. Sobre o jejum dos discípulos: Mt 9,14-15.

6,19-34 Quatro recomendações sobre posse de bens, comentando o espírito de pobreza da primeira bem-aventurança.

6,19-21 Tesouros no céu. Profetas e sapienciais condenam transformar as riquezas em ponto de apoio para a existência (p. ex. Sl 62,11 no contexto). Um modo concreto de não acumular é a esmola, como ensina Pr 19,17 e explica Eclo 29,10-12. Segundo Eclo 3,14-15, a esmola que o pai fez conserva sua valor em favor do filho. A traça: Sl 39,12; o ladrão: Ex 22,1.

6,22-23 Generosidade e mesquinhez. Há aqui um jogo de palavras intraduzível. Para os hebreus, o olho é o órgão da visão e sede da faculdade que avalia (cf. "aos olhos de N."). Olho bom/olho mau, sobretudo contrapostos, significa generoso/mesquinho (Dt 15,9; Pr 22,9; Eclo 14,3.10; 31,13.23-24; 37,11; cf. Mt 20,15). Esse uso é atestado também na literatura rabínica. *Ophthalmós ponerós* nunca significa olho doente; *haplous* significa generoso (2Cor 8,2; Tg 1,5). O jogo consiste em sobrepor os dois sentidos: o olho simples vê bem, ilumina toda a pessoa = o generoso é luminoso ("esplêndido" em português). O olho mau, mesquinho ou invejoso, deixa às escuras. Assim se enquadram esses vv. na presente perícope sobre a posse. Sobre mesquinho e generoso disserta Eclo 14,3-16.

6,24-34 Bens terrenos e confiança em Deus. Condena o afã excessivo de segurança, a falta de confiança em Deus, típicos de uma mentalidade pagã. Já Ben Sirac denunciava essa preocupação "que acaba com a saúde" (Eclo 31,1-2). Recomenda a concentração nos valores do reino e a confiança em Deus Pai. Os dois correlativos devem ser entendidos ligados, para não excluir a previsão econômica razoável. "O reinado de Deus e sua justiça" buscam também uma ordem justa entre os homens. As imagens tiradas da natureza, embora a serviço do ensinamento, revelam algo da sensibilidade contemplativa de Jesus, que prolonga textos do AT (p. ex. Sl 36,7; 104,27-28). Sobre Salomão, 1Rs 10. A perícope se encerra com um aforismo lapidar. O texto é paradoxal: sob uma superfície agradável circula uma exigência dramática. Não ensina a despreocupar-se, mas a mudar o objeto da preocupação. De fato, se o afã humano buscasse o autêntico reinado de Deus, seguir-se-ia um tranquilo e simples bem-estar. Ideal que não poucos cristãos viveram.

6,24 Mamon é o deus do dinheiro, da cobiça: rival inconciliável do Deus verdadeiro, que é doador generoso (Sl 21,5; 37,4; 136,25 etc.) e ensina a dar. A cobiça é idolatria, diz Cl 3,5. O cobiçoso não possui, mas é possuído por seus bens e suas ânsias. Quevedo sentenciava: Poderoso cavaleiro é Dom Dinheiro.

semeiam nem colhem nem ajuntam em celeiros e, no entanto, vosso Pai do céu as sustenta. Não valeis vós mais do que elas? ²⁷Quem de vós pode, à força de se preocupar, prolongar um pouco a vida? ²⁸Por que vos angustiais pela roupa? Observai como crescem os lírios silvestres, sem trabalhar nem fiar. ²⁹Asseguro-vos que nem Salomão, com todo o seu esplendor, se vestiu como um deles. ³⁰Pois se à erva do campo, que hoje cresce e amanhã a lançam ao forno, Deus veste assim, não vestirá melhor a vós, desconfiados? ³¹Em conclusão, não vos angustieis, pensando: o que comeremos, o que beberemos, o que vestiremos. ³²Tudo isso procuram os pagãos. E vosso Pai do céu sabe que tendes necessidade de tudo isso. ³³Buscai antes de tudo o reinado de Deus e sua justiça, e o resto vos darão por acréscimo. ³⁴Portanto, não vos preocupeis com o amanhã, pois o amanhã se ocupará consigo mesmo. A cada dia basta o seu problema.

7 Avisos diversos
– ¹Não julgueis e não sereis julgados. ²Como julgardes vos julgarão. A medida que usardes para medir será usada para convosco. ³Por que observas a felpa no olho de teu irmão, e não reparas a viga do teu? ⁴Como te atreves a dizer a teu irmão: deixa-me tirar a felpa do olho, enquanto levas uma viga no teu? ⁵Hipócrita! Tira primeiro a viga de teu olho, e então poderás distinguir para tirar a felpa do olho de teu irmão.

⁶Não jogueis o que é santo aos cães, não jogueis vossas pérolas aos porcos, para que não as pisoteiem e depois se voltem para destroçar-vos.

⁷Pedi e vos darão, buscai e encontrareis, batei e vos abrirão; ⁸pois quem pede recebe, quem busca encontra, a quem bate lhe abrem. ⁹Quem de vós, se seu filho lhe pede pão, lhe dá uma pedra? ¹⁰Ou se lhe pede peixe, lhe dá uma cobra? ¹¹Pois se vós, sendo tão maus, sabeis dar coisas boas a vossos filhos, quanto mais dará vosso Pai do céu coisas boas aos que lhe pedirem!

¹²Tratai os outros assim como quereis que vos tratem. Nisso consistem a lei e os profetas.

A conduta correta – ¹³Entrai pela porta estreita; porque é larga a porta e espaçoso o caminho que leva à perdição, e são muitos os que por ela entram. ¹⁴Quão estreita é a porta, quão apertado o caminho que leva à vida, e são poucos os que a encontram!

7,1-5 Começa aqui uma série de breves instruções e exortações. A primeira é contra o julgamento arrogante, "hipócrita", que despreza e condena. Recordemos nossa imagem do "telhado de vidro". Mas não se exclui a admoestação e mesmo o julgamento em casos extremos (cf. 18,15-17). Os rabinos usavam a proporção (v. 2) como norma positiva do julgamento; Jesus a cita para proibir o julgamento. Paulo aplica o ensinamento à comunidade cristã, a propósito de consciência escrupulosa e formada (Rm 14). O ensinamento encerra uma observação psicológica correta: o homem esforça-se por não ver seus defeitos, para assim conviver com eles. O profeta tem de inventar uma personagem fictícia para denunciar o rei ou o povo (2Sm 12; Is 5).

7,6 Interrompe o contexto. Cães e porcos eram animais desprezíveis ou impuros. Para comer das oferendas ou sacrifícios do culto a pessoa deve estar pura. Não inculca o esoterismo, mas a devida discrição no uso dos tesouros cristãos. Profana-se o santo e os indignos não se beneficiam. Ben Sirac diz em chave sapiencial que "ensinar um néscio é catar cacos" (Eclo 22,9a).

7,7-11 Orar confiando em Deus Pai: complementa ou comenta o Pai-nosso. As três frases são variações que reforçam o ensinamento; a forma passiva tem Deus como sujeito. O próprio Deus convida a pedir e promete dar (Sl 2,8; 27,4 pedir e procurar). Ele próprio convida a procurar e se deixa encontrar (Is 55,6; Jr 29,13). Sois maus: pelo egoísmo radical que no entanto é vencido pelo afeto paterno. Deus é mais pai que qualquer pai humano; qualquer paternidade imita a Deus. Precisamente por seu amor paterno, quer dar "coisas boas", não satisfazer caprichos prejudiciais. Ver em 2Cor 12,8-9 um caso em que Deus nega um pedido de Paulo; outras vezes, por causa da má disposição dos que acorrem a ele, se nega a responder (Ez 14).

7,10 Sl 37,4.

7,12 A regra de ouro, síntese de toda a Escritura, se encontra, na sua formulação negativa, em outras culturas, também em Tb 4,15. Sua aplicação abrange desde o cotidiano até o heroico. É outra formulação do amor ao próximo: "como a si mesmo" em sua vertente ativa.

7,13-27 O cristão deve tomar decisões e caminhar entre dificuldades e ambiguidades. Jesus o previne e lhe oferece critérios para distinguir, usando e renovando as imagens tradicionais do caminho, da árvore e da construção. A insistência do verbo fazer indica o sentido prático da instrução (cf. as sete vezes de "fazer" no poema hebraico de Is 5,1-7).

7,13-14 É tradicional a imagem dos dois caminhos (p. ex. Pr 4,10-19), inclusive está lexicalizada. É novo o critério de largueza e estreiteza (comparar com o caminho largo de Sl 119,45 ou 18,37). O próprio Jesus se oferece como caminho e como porta (Jo 14,6; 10,7.9).

¹⁵Guardai-vos dos falsos profetas, que se aproximam de vós disfarçados de ovelhas, e por dentro são lobos ferozes. ¹⁶Por seus frutos os reconhecereis. Colhem-se uvas das sarças ou figos dos cardos? ¹⁷Uma árvore sadia dá frutos bons, uma árvore prejudicada dá frutos ruins. ¹⁸Uma árvore sadia não pode dar frutos ruins, nem uma árvore prejudicada pode dar frutos bons. ¹⁹A árvore que não der frutos bons será cortada e lançada ao fogo. ²⁰Assim, pois, pelos frutos os reconhecereis.

²¹Nem todo aquele que me disser: Senhor, Senhor! entrará no reino de Deus, mas aquele que cumprir a vontade de meu Pai do céu. ²²Quando chegar aquele dia, muitos me dirão: Senhor, Senhor! Não profetizamos em teu nome?, não expulsamos demônios em teu nome?, não fizemos milagres em teu nome? ²³E eu então lhes declararei: Nunca vos conheci; apartai-vos de mim, malfeitores.

²⁴Assim, pois, quem escuta estas minhas palavras e as põe em prática parece-se com um homem prudente que construiu a casa sobre rocha.

²⁵Caiu a chuva, cresceram os rios, sopraram os ventos e se abateram sobre a casa; mas não a derrubaram porque estava alicerçada na rocha. ²⁶Quem escuta estas minhas palavras e não as põe em prática parece-se com um homem sem juízo que construiu a casa sobre areia.

²⁷Caiu a chuva, cresceram os rios, sopraram os ventos, golpearam a casa e ela desmoronou. Foi um desmoronamento terrível.

²⁸Quando Jesus terminou seu discurso, a multidão estava maravilhada com seu ensinamento; ²⁹porque ele a ensinava com autoridade, não como os letrados.

8 Curas (Mc 1,40-45; Lc 5,12-16; 7,2-10; Jo 4,43-54; Mc 1,29-34; Lc 4,38-41) –

¹Quando descia do monte, uma grande mul-

7,15 Os falsos profetas foram o pesadelo dos autênticos (cf. Jr 23 e Ez 13 entre outros). Elogiam e não denunciam (Is 30,10); prometem falsamente a paz (Jr 6,14; 8,11). Não faltarão falsos profetas nas comunidades cristãs (Mt 24,11.24; 1Jo 2 fala de anticristos), nem mestres que "elogiem os ouvidos" (2Tm 4,3).

7,16-20 Também é tradicional a imagem do fruto (Eclo 27,6; Pr 1,31; 11,30; 31,3); ver também a parábola de Joatão em Jz 9, a de Isaías em Is 5 e Tg 3,12. Os frutos podem ser suas ações ou os efeitos da sua pregação (cf. Jr 8,11; Ez 13,10).

7,21-23 Esses vv. traçam um horizonte escatológico que todo o sermão da montanha adotará. Porque nele está a "vontade do Pai" (6,10; cf. Sl 143,10) a ser cumprida, é o caminho que leva à vida. "Em nome de" significa: como enviados, representando ou invocando o Senhor; também o fazem os falsos profetas (segundo Jr 27,15). Tampouco bastará a atividade carismática de profetizar ou fazer milagres. "Aquele dia" refere-se à parusia, o momento de prestar contas. Invocar Jesus como Senhor é profissão solene de fé, mas não basta. A admoestação é grave: a última frase é uma sentença definitiva de condenação, adaptação do Sl 6,9, súplica de um doente.

7,24-27 Pode-se ler a comparação sobre o pano de fundo de Ez 13,10-14, que fala da construção fraca que é derrubada pelo aguaceiro. Jesus apresenta com autoridade a sua mensagem como terreno firme sobre o qual se pode construir uma vida frente à fúria dos elementos. Os dois tipos são qualificados de prudente e sem juízo, termos sapienciais (cf. Mt 11,19; 1Cor 1,30); o manifesto de Jesus oferece ao homem que o cumpre a sabedoria autêntica, para que seja realmente *homo sapiens*.

7,28 A autoridade de Jesus não se apoia em citações de doutores, não progride por casuística sutil; expõe com limpidez e exige sem concessões.

8-9 Formam um bloco de dez curas (contando as duas separadas de endemoninhados), interrompidas por uma viagem marítima com milagre e duas vocações. Dez é o número de totalidade, que se articula em vários campos da saúde e integridade do homem. Outra contagem possível: nove curas humanas mais um milagre cósmico. Como pano de fundo, devemos ter presentes os anúncios proféticos de curas: p. ex. Is 35 na caravana que volta do desterro anuncia a cura de cegos, surdos, mudos e coxos; podem-se acrescentar alguns milagres dos profetas taumaturgos, Elias e Eliseu, o "leproso" Naamã, o menino morto. Quanto aos beneficiários, são dignos de atenção: um doente crônico excluído da sociedade, um pagão, uma mulher em estado impuro e endemoninhados. O valor de sinal das curas é confirmado na mensagem ao Batista (11,5). Mas as curas não são prova extrínseca e heterogênea de uma doutrina e missão, mas já são realização parcial e concreta: ao curar, Jesus está introduzindo o reinado de Deus, que deseja salvar o homem todo, inclusive do poder da morte.

Os relatos de cura seguem com grande liberdade um esquema básico, no qual costumam-se destacar o diálogo com o doente ou a pessoa encarregada e o efeito nos que presenciam ou ouvem falar. No primeiro plano vemos a necessidade de crer e confiar em Jesus para dispor-se a receber a cura.

8,1-4 O texto grego fala de "lepra", de "limpar", e da "oferta" estabelecida pela lei. Estamos, pois, no âmbito de Lv 13-14: uma elaborada sintomatologia de doenças da pele, de gravidade variada, que contagiam por contato e podem excluir do culto. Não é certo, é muito duvidoso que se trate no evangelho de lepra em sentido clínico; é que a versão grega traduziu por *lepra* um termo hebraico genérico que engloba muitas lesões da pele (nenhuma

tidão o seguia. ²Um leproso se aproximou dele, prostrou-se diante dele e lhe disse:

– Senhor, se queres, podes curar-me.

³Ele estendeu a mão e o tocou, dizendo:

– Quero, fica curado.

No mesmo instante curou-se da lepra. ⁴Jesus lhe disse:

– Não o digas a ninguém; vai apresentar-te ao sacerdote e, para que lhes conste, leva a oferta estabelecida por Moisés.

⁵Ao entrar em Cafarnaum, um centurião se aproximou dele e lhe suplicou:

– ⁶Senhor, meu criado está em casa deitado com paralisia, e sofre terrivelmente.

⁷Disse-lhe:

– Eu irei curá-lo.

⁸Mas o centurião lhe replicou:

– Senhor, não sou digno de que entres sob meu teto. Basta que pronuncies uma palavra e meu criado ficará curado. ⁹Também eu tenho um superior e soldados às minhas ordens. Se digo a este que vá, ele vai; a outro que venha, ele vem; ao servo que faça isso, ele o faz.

¹⁰Ao ouvi-lo, Jesus se admirou e disse aos que o seguiam:

– Eu vos asseguro: fé semelhante não encontrei em nenhum israelita. ¹¹Digo-vos que muitos virão do Oriente e Ocidente e sentarão com Abraão, Isaac e Jacó no reino de Deus. ¹²Ao passo que os cidadãos do reino serão expulsos para as trevas exteriores. Aí haverá pranto e ranger de dentes.

¹³Ao centurião Jesus disse:

– Vai, e aconteça como acreditaste.

Nesse instante o criado ficou curado.

¹⁴Entrando Jesus na casa de Pedro, viu a sogra dele deitada com febre. ¹⁵Tomou-a pela mão, e a febre passou; ela se levantou e se pôs a servi-los. ¹⁶Ao entardecer, lhe trouxeram muitos endemoninhados. Ele, com uma palavra, expulsava os demônios, e todos os enfermos se curavam. ¹⁷Assim se cumpriu o anunciado pelo profeta Isaías: *Ele assumiu nossas fraquezas e carregou nossas enfermidades.*

Seguimento (Lc 9,57-62) – ¹⁸Vendo Jesus a multidão que o rodeava, deu ordem de atravessar o lago. ¹⁹Então aproximou-se um letrado e lhe disse:

– Mestre, eu te seguirei aonde fores.

---

identificável como lepra). Aqui se trataria da forma extrema, incurável. Os sacerdotes examinavam, diagnosticavam e em certos casos confinavam ou excluíam da vida civil. Exemplo interessante dessa exclusão pode ser lido no relato de 2Rs 7. Outros casos: Maria, irmã de Moisés (Nm 12), o rei Ozias (2Cr 26,16-21). Jesus cura, limpa, restitui à vida da comunidade. É muito expressivo o diálogo conciso: "se queres, podes": crê no poder, conta com o querer. Jesus quer, pois para isso tem o poder. Se Jesus evita a publicidade, quer que, pelo cumprimento de um preceito, a classe sacerdotal se dê conta de sua atividade. Os sacerdotes deviam diagnosticar, não podiam curar, mesmo que o quisessem.

8,2 2Rs 5.
8,4 Lv 4,12.
8,5-13 Não por ser doente, mas por ser pagão, o centurião fica fora da comunidade de Israel; um judeu observante não podia entrar na sua casa. Além disso, representava o poder estrangeiro de Roma. Mas pela sua fé entra na nova comunidade e cresce como figura exemplar: denúncia dos que resistem a crer, anúncio de muitos que crerão. Percebe-se a polêmica da comunidade cristã frente ao judaísmo oficial: os obstáculos legais não são impedimento para a ação benéfica de Jesus.

O centurião expõe com simplicidade a gravidade da situação. Jesus o entende como pedido discreto e se oferece para intervir pessoalmente. Mas o centurião entende o poder de Jesus em termos militares típicos da sua experiência pessoal. Imagina Jesus como subordinado a um poder superior e as doenças como subordinados dóceis.

Jesus remonta aos patriarcas, saltando a aliança mosaica. O simples caso de um paralítico, doença incurável, se amplia como anúncio missionário de alcance universal (cf. Is 2,2-5; Mq 4,1-5; Sl 87 etc.). A expressão de Sl 107,3 se enche de novo sentido. "Sentarão" à mesa, no banquete do reino, imagem frequente, inspirada talvez pela promessa escatológica de Is 25,6-8.

8,14-15 Pode-se imaginar a intercessão de Pedro ou se supõe que Mateus sublinhe a iniciativa espontânea de Jesus. O gesto de tomar pela mão é atribuído a Deus no AT: Is 42,6 o servo; 45,1 Ciro; Jr 31,32 o povo etc. A cura capacita a mulher para o serviço (ver em contraste Sl 41,4.11).

8,16-17 Duas coisas chamam a atenção nesse resumo. Primeiro, o paralelismo que identifica "demônios" com "doenças". Segundo, a citação livremente adaptada de Is 53,4 (podia ter citado Is 29,18 ou 35,5-6). Diz que o Messias toma sobre si o sofrimento para poupá-lo a outros: é salvador à sua custa, por amor. As curas são muito mais que sinais apologéticos. Nelas "apareceu a bondade do nosso Deus e Salvador e seu amor pelo homem" (Tt 3,4).

8,18-22 O entusiasmo suscitado pelo ensinamento e pelos milagres não deve iludir, pois o seguimento de Jesus é exigente. Os dois casos são complementares e exemplares: um é um letrado que quer fazer-se discípulo, e Jesus o enfrenta com a dificuldade; outro é discípulo, e Jesus não lhe permite distrair-se. Apresenta a pobreza quotidiana do pregador itinerante. As raposas: Sl 63,11; Ez 13,4; as aves: Sl 104,12.17. Pr 27,8 compara o "vagabundo longe do lar" com o "pássaro que fugiu do ninho". Sobre

²⁰Jesus lhe respondeu:

– As raposas têm tocas, os pássaros têm ninhos, mas este Homem não tem onde recostar a cabeça.

²¹Outro discípulo lhe disse:

– Senhor, deixa-me ir primeiro enterrar meu pai.

²²Jesus lhe respondeu:

– Segue-me, e deixa que os mortos enterrem seus mortos.

A tempestade acalmada (Mc 4,35-41; Lc 8,22-25) – ²³Quando subia à barca, os discípulos o seguiram. ²⁴Imediatamente levantou-se tal tempestade no lago, que as ondas cobriam a embarcação; enquanto isso, ele continuava dormindo. ²⁵Aproximaram-se e o despertaram, dizendo:

– Senhor, salva-nos, pois estamos afundando.

²⁶Disse-lhes:

– Como sois covardes e desconfiados!

Levantou-se e ordenou aos ventos e ao lago, e sobreveio uma calma perfeita. ²⁷Os homens diziam assombrados:

– Que tipo de indivíduo é esse, a quem até os ventos e o lago obedecem?

Os endemoninhados (Mc 5,1-20; Lc 8, 26-39) – ²⁸Ao chegar à outra margem e entrar no território de gadarenos, saíram-lhe ao encontro dois endemoninhados, saídos dos sepulcros; eram tão violentos, que ninguém se atrevia a passar por aquele caminho. ²⁹Imediatamente puseram-se a gritar:

– Filho de Deus! Que tens conosco?* Vieste antes do tempo para nos atormentar?

³⁰A certa distância havia uma grande manada de porcos fuçando. ³¹Os demônios lhe suplicaram:

– Se nos expulsas, envia-nos à manada de porcos.

³²Disse-lhes:

– Ide.

Eles saíram e entraram nos porcos. A manada em massa se lançou ao lago por uma encosta e se afogou na água. ³³Os pastores fugiram, chegaram ao povoado e contaram o que havia acontecido com os endemoninhados. ³⁴O povoado em massa saiu ao encontro de Jesus e, ao vê-lo, lhe suplicaram que se retirasse de seu território.

9

Cura um paralítico (Mc 2,2-12; Lc 5,17-26) – ¹Subiu a uma barca, atravessou a outra margem e chegou à sua cidade. ²Levaram-lhe um paralítico estendido numa maca. Ao ver a fé que tinham, Jesus disse ao paralítico:

---

o fundo de Jr 16,5-7 ressalta a exigência radical de Jesus, numa fórmula paradoxal, especialmente porque enterrar os pais era dever sagrado, como se lê nos relatos patriarcais, com a insistência no livro de Tobias (Tb 4,3-4; 14,12): os que confinam seu horizonte a esta vida mortal que se ocupem de enterrar; eles por sua vez serão enterrados. Jesus chama a uma vida nova, à vida. Nem sequer basta a atividade exemplar de Tobit enterrando mortos (cf. Tb 2,3-8; 14,10).

8,23-27 O mar na sua realidade empírica pode ser força destruidora, incontrolável para o homem (cf. Sl 69,3.16; 107,23-30). Até aí os pescadores do lago seriam um caso a mais. Porém o mar apresenta outro aspecto no AT: é a potência rebelde, caótica, que Deus submete e domestica (Sl 93; 104,6-7; etc.). Jesus "dormia" como Jonas (1,5). Levanta-se e repreende: como o Senhor à maré dos povos (Is 17,13), o mar (Na 1,4) ou o mar Vermelho (Sl 106,9). Assim se revela dominador dos elementos cósmicos (como Deus em Sl 104,7-9). Os presentes entreveem nele um poder sobre-humano superior aos ventos (Sl 104,4).

8,28-34 Segundo a concepção da época, o mundo dos espíritos perniciosos ou malévolos se associa com o contaminado que mancha, também o território pagão, com o doente que contagia (Lv 11,7; Sl 91,6), com o mundo infernal que devora (Jó 18,13). Os demônios sentem a presença de Jesus, reconhecem-no e o confessam Filho de Deus, ou Messias. Confissão pesarosa e forçada, como a dos inimigos derrotados no AT, "e saberão que eu sou o Senhor" (frequente em Ez). Confissão de impotência e medo, que não vale: "Também os demônios creem e tremem de medo" (Tg 2,19).

Com sua presença e ação, Jesus vai desterrando o poder demoníaco: empurrando-o ao reino do impuro (porcos, Is 66,3.17), ao abismo da perdição (precipício, mar). Os moradores não demonstram apreciar tal libertação, e sua atitude contrasta com a admiração de outros ante o poder de Jesus. Está bem libertar de demônios dois homens e de sustos à população, mas negócio é negócio.

Embora a região seja pagã, não se diz que os personagens o sejam. "Antes do tempo" é antes da derrota final.

8,29 * Ou: *que queres de nós?* (1Rs 17,18).

9,1-8 O paralítico é doente incurável, está morto em vida. Os carregadores materiais são também portadores espirituais, pela fé. Jesus conduz a atenção para a relação, tradicionalmente sentida, entre doença e pecado. Vejam-se salmos de doentes, p. ex. 38,4.6: "por causa do teu furor, por causa do meu pecado, por causa de minha insensatez"; e 41,5: "Cura minha vida, pois pequei contra ti"; um eco em Tg 5,14-15. Perdoando, Jesus não blasfema, pois

— Ânimo, filho! Teus pecados estão perdoados.

³Então alguns letrados pensaram:
— Esse blasfema.

⁴Jesus, lendo seus pensamentos, disse:
— Por que pensais mal? ⁵O que é mais fácil: dizer teus pecados estão perdoados, ou dizer levanta-te e caminha? ⁶Pois, para que saibais que este Homem tem autoridade na terra para perdoar pecados – dirigindo-se ao paralítico, disse-lhe:
— Levanta-te, toma a maca e vai para casa.

⁷Ele se levantou e foi para sua casa. ⁸Ao ver isso, a multidão ficou espantada, e dava glória a Deus por ter dado tal autoridade aos homens.

Chama Mateus (Mc 2,13-17; Lc 5,27-32) – ⁹Seguindo adiante, Jesus viu um homem (chamado Mateus) sentado diante da mesa dos impostos. Disse-lhe:
— Segue-me.

Ele se levantou e o seguiu. ¹⁰Estando Jesus na casa, sentado à mesa, muitos coletores e pecadores chegaram e se sentaram com Jesus e seus discípulos. ¹¹Vendo isso, os fariseus disseram aos discípulos:
— Por que vosso mestre come com coletores e pecadores?

¹²Ele ouviu e respondeu:
— Os sadios não têm necessidade de médico, e sim os doentes. ¹³Ide estudar o que significa misericórdia quero e não sacrifícios. Não vim chamar justos, mas pecadores.

¹⁴Então aproximaram-se dele os discípulos de João e lhe perguntaram:
— Por que nós e os fariseus jejuamos, ao passo que teus discípulos não jejuam?

¹⁵Jesus lhes respondeu:
— Podem os convidados ao casamento fazer luto enquanto o noivo está com eles? Chegará um dia em que o noivo lhes será tirado, e então jejuarão. ¹⁶Ninguém põe um remendo de pano novo numa roupa velha; pois o acrescentado repuxa a roupa e faz um rasgo pior. ¹⁷Nem se põe vinho novo em odres velhos, pois os odres arrebentariam, o vinho se derramaria e os odres se estragariam. Vinho novo se coloca em odres novos, e ambos se conservam.

---

veio libertar do pecado (Mt 1,21). Como "homem", recebeu poder de perdoar e curar; o povo se admira de que tal poder tenha sido concedido "aos homens". A expressão grega *ho hyios tou anthrópou* designa um indivíduo da coletividade humana (semitismo: compare-se com o título de Ezequiel "filho de Adão"), e com o artigo, a um individualmente; somente assim se explica a admiração expressa pelo povo (homem/homens); não se admiram de que um personagem sobre-humano tenha recebido tal poder.
"O perdão é coisa tua", diz Sl 130,4 (cf. Is 55,7 rico em perdão); os mediadores do AT não perdoam, só intercedem pedindo perdão para os outros (Ex 32; Nm 14; 2Sm 12 etc.). O máximo que fazem é oferecer sacrifícios de expiação (Lv 4). Deus confere sua autoridade a Jesus "na terra", cumprindo assim a profecia de Jr 31,34. É mais fácil perdoar que curar? É mais atraente, mais convincente para os objetores da cura; mas a cura física deve remeter à cura espiritual, que segundo Sl 51,12 equivale a uma criação.

9,9-13 Não somente perdoa pecados, mas transforma o pecador: de um explorador, com uma palavra, faz um discípulo. O sistema de arrecadação de impostos, por intermediários a serviço dos romanos ou do governador regional, prestava-se a abusos, favorecia e tornava odiosos esses profissionais (5,46; 18,17; 21,21); os cobradores pertenciam à categoria formal de "pecadores". O chamado soberano de Jesus transfere da escravidão do dinheiro à liberdade do seguimento (cf. 6,24). "Chamado Mateus": o narrador identifica o apóstolo com Levi (Mc 2,14).

Os fariseus se sentem guardiães da separação que garante a pureza e com ela a santidade ou consagração do povo; entre as separações, a mais importante é entre "justos e pecadores" (Sl 139,19-22; Pr 29,27). À força de observâncias, não entendem a Escritura; consideram-se sãos e santos. Supõem insanável a situação que Jesus veio sanar (cf. Eclo 38,1-15). Mas o primeiro passo para a cura é reconhecer a doença. A citação de Os 6,6 se adapta bem à situação, e será repetida em 12,7, pois seu alcance é geral.

9,14-17 Veja-se em Zc 7 uma consulta sobre um jejum particular. Por detrás da instrução sobre o jejum se entrevê o símbolo do Messias esposo (cf. Mt 22,1-14; 25,1-13), próprio do NT. Os discípulos de João estão ainda fechados na velha mentalidade, como que centrados na penitência, e não descobrem a festa que já começou; leia-se o convite do esposo: "Comei e bebei, companheiros, e embriagai-vos, amigos meus" (Ct 5,1). João não é o esposo nem o Messias (cf. Jo 3,28-29). Jesus procura suavemente, com imagens, abrir-lhes os olhos. Ao mesmo tempo, deixa entrever o fim trágico, "lhes será tirado o noivo", como "arrebataram" o Servo (Is 53,8). Soa aqui a reflexão posterior da comunidade. Com o símbolo concordam as imagens da veste e do vinho (Is 61,10; Ct 1), embora seu alcance ultrapasse o contexto atual: a economia antiga não se corrige com remendos; a nova economia não cabe em recipientes velhos (cf. Mt 26,29 sobre o vinho escatológico).

9,15 Refere-se propriamente ao lugar onde se celebra a festa de casamento, que contém o quarto nupcial.

Duas curas (Mc 5,21-43; Lc 8,40-56) – ¹⁸Enquanto lhes explicava isso, aproximou-se um funcionário, prostrou-se e lhe disse:

– Minha filha acaba de morrer. Mas vem, põe a mão sobre ela, e recobrará a vida.

¹⁹Jesus levantou-se e o seguiu com seus discípulos. ²⁰Entretanto, uma mulher que estava há doze anos sofrendo de hemorragias, aproximou-se por trás, e tocou a orla do manto dele. ²¹Pois dizia: só com tocar seu manto, ficarei curada. ²²Jesus voltou-se e, ao vê-la, disse:

– Ânimo, filha! Tua fé te curou.

No mesmo instante a mulher ficou curada. ²³Jesus entrou na casa do funcionário e, ao ver os flautistas e o barulho de gente, ²⁴disse:

– Retirai-vos, a menina não está morta, mas adormecida.

Riam-se dele. ²⁵Mas, quando retiraram as pessoas, ele entrou, tomou-a pela mão, e a menina se levantou. ²⁶O fato se divulgou por toda a região.

Curas: os cegos e o mudo (Lc 11,14s) – ²⁷Enquanto Jesus seguia adiante, dois cegos o seguiam gritando:

– Filho de Davi! Tem piedade de nós!

²⁸Quando entrou em casa, os cegos se aproximaram, e Jesus lhes disse:

– Credes que posso fazê-lo?

Responderam:

– Sim, Senhor.

²⁹Ele lhes tocou os olhos, dizendo:

– Que aconteça como crestes.

³⁰Seus olhos se abriram, e Jesus os admoestou:

– Cuidado, que ninguém fique sabendo!

³¹Eles, porém, se foram e divulgaram sua fama por toda a região.

³²Enquanto saíam, levaram-lhe um mudo endemoninhado. ³³Ele expulsou o demônio, e o mudo começou a falar. A multidão comentava assombrada:

– Nunca se viu tal coisa em Israel.

³⁴Mas os fariseus diziam:

– Ele expulsa os demônios com o poder do chefe dos demônios.

Escolha e missão dos doze (Mc 3,13-19; 6,34; Lc 6,12-16; 10,2) – ³⁵Jesus percorria todas as cidades e aldeias, ensinando em suas sinagogas, proclamando a boa notícia do Reino e curando todo tipo de enfermidades e doenças. ³⁶Vendo a multidão, comoveu-se por eles, porque andavam

---

9,18-26 Como nos paralelos, o relato de um milagre (20-22) se encaixa no relato de outro (16-19.23-26) com o recurso do caminho, o primeiro milagre realizado prepara o segundo, a cura de uma doença incurável, a ressurreição de uma defunta. Em ambos os casos, é decisiva a fé e o contato de Jesus.

A ressurreição deve ser lida sobre o pano de fundo dos milagres de Elias e Eliseu (1Rs 17,17-24; 2Rs 4,32-37), com inversão de sexos. Se o sono é imagem da morte (Jr 51,39; Sl 13,4; Jó 3,13), uma morte não definitiva assemelha-se a um sono, para despertar (Jo 11,4.11-13). O ceticismo do povo faz ressaltar a fé do funcionário e o poder de Jesus. Pela primeira vez, mostra que seu poder atinge até a morte, como o de Deus (Tb 13,2). Aquele que devolve a vida não se contamina tocando um cadáver.

A cura tem algo parecido, já que ser tocado por uma mulher com hemorragias contamina. Através do contato mediato do manto, acontece o contato profundo com Jesus pela fé. Esse é o contato que cura.

9,23 Cerimônias fúnebres: Jr 9,16-20.

9,24 "Riam-se": como Sara estéril ao ouvir o anúncio da sua fecundidade (Gn 18,12-15).

9,27-31 O detalhe da casa indica que o milagre se realiza à parte, e prepara a proibição do v. 30; esta por sua vez destaca a força de propagação dos milagres. O diálogo solicita e obtém formalmente a fé, como condição para serem curados. Pela fé os cegos já estavam vendo mais além: Filho de Davi é título messiânico (1,1.20).

9,27-34 Essas duas curas soam como duplicatas: os cegos, do cego de Jericó, com notáveis coincidências verbais (20,29-34); o mudo, do mudo que provoca a controvérsia sobre Belzebu (12,22-29). As versões variantes estariam aqui para completar o número de dez curas. Também para preparar a declaração de 11,5.

9,32-34 Esse relato é reduzido a esquema, para que ressaltem a atitude favorável do povo e a atitude maliciosa dos fariseus.

9,35–11,1 A série das dez curas foi interrompida duas vezes com um relato de seguimento e outro de vocação. Agora aborda formalmente o grande tema da escolha e missão dos doze. O episódio tem alcance imediato durante a vida de Jesus que prepara, com o trato assíduo, as testemunhas da ressurreição. Por ela se passará à missão apostólica das novas comunidades, em movimento de expansão. Pela segunda etapa, o texto chega até nós como síntese exemplar e autorizada da paixão e glória do apostolado.

A unidade se abre e termina sobre a atividade missionária de Jesus, percorrendo cidades, pregando, proclamando, ensinando e curando (35-36 e 11,1). No centro enuncia o grande princípio da semelhança: o discípulo como o mestre. Por isso a atividade de Jesus emoldura toda a instrução aos discípulos.

9,35-38 A sinagoga era lugar de culto e também de ensino ou catequese. Jesus escolhe esse lugar de reunião para seu anúncio pessoal: a boa notícia do reino (4,23). O êxito de Jesus aumenta o trabalho,

maltratados e prostrados, como ovelhas sem pastor.

³⁷Então disse aos discípulos:

– A messe é abundante, os trabalhadores são poucos. ³⁸Rogai ao dono da messe que envie trabalhadores à sua messe.

10 ¹E chamando seus doze discípulos, conferiu-lhes poder sobre espíritos imundos, para expulsá-los e para curar todo tipo de enfermidades e doenças.

²Nomes dos doze apóstolos: O primeiro Simão, apelidado Pedro, e André, seu irmão, Tiago de Zebedeu e seu irmão João, ³Filipe e Bartolomeu, Tomé e Mateus, o coletor, Tiago de Alfeu e Tadeu, ⁴Simão o zelota* e Judas o traidor. ⁵Jesus enviou esses doze com as seguintes instruções:

– Não vos dirijais a países de pagãos, não entreis em cidades de samaritanos; ⁶antes, dirigi-vos às ovelhas desgarradas da Casa de Israel. ⁷E pelo caminho proclamai que o reinado de Deus está próximo. ⁸Curai enfermos, ressuscitai mortos, purificai leprosos, expulsai demônios. De graça o recebestes, dai-o de graça. ⁹Não leveis no cinturão ouro nem prata nem cobre, ¹⁰nem alforje para o caminho, nem duas túnicas, nem sandálias, nem bastão. Pois o operário tem direito ao sustento. ¹¹Quando entrardes numa cidade ou aldeia, perguntai por alguma pessoa respeitável, e hospedai-vos com ela até partirdes. ¹²Ao entrardes na casa, saudai-a: ¹³se ela merece, nela entrará vossa paz; se não a merece, vossa paz voltará a vós. ¹⁴Se alguém não vos receber, nem escutar vossa mensagem, ao sair daquela casa ou cidade, sacudi o pó dos pés. ¹⁵Asseguro-vos que no dia do julgamento a sorte de Sodoma e Gomorra será mais leve que a daquela cidade.

¹⁶Vede, eu vos envio como ovelhas entre lobos: sede prudentes como serpentes, cândidos como pombas. ¹⁷Cuidado com as pessoas! Pois vos entregarão aos tribunais e vos açoitarão em suas sinagogas. ¹⁸Eles vos farão comparecer diante de governadores e reis por minha causa, para que

---

para o qual reúne colaboradores íntimos que, agindo, aprenderão junto dele. À imagem da pesca (4,19) se acrescentam a clássica do pastor (Jr 23; Ez 34; Sl 23; 80) e a do ceifador (mencionada em Sl 126). São as duas atividades básicas daquela cultura, que continuarão a ser usadas para se descrever o apostolado na Igreja. Ofícios que serão encargo recebido, não iniciativa própria. A multidão tinha seus chefes: sacerdotes e doutores; no entanto, Jesus se comove ao vê-la, como Moisés quando lhe anunciam a morte próxima (Nm 27,17); como via o povo um profeta na presença de dois reis (1Rs 22,17). Jesus assume o ofício de um bom pastor e deixará a seus discípulos a tarefa de colher (Jo 4,37-38).

10,1-4 Os escolhidos, chamados, são doze, como as tribos de Israel (19,28), como a família do novo Israel. Antecipa-se o título futuro de apóstolos, ou seja, mensageiros; o Mestre comunica-lhes seus poderes messiânicos (7,29). Encabeça-os Pedro com seu novo nome de ofício. São de origem e mentalidade diversa: nomes hebraicos e gregos, pescadores, um publicano, um zelota..., e Jesus será seu centro de unidade. A tradição identificou Natanael (Jo 1,44) com Bartolomeu, Levi (Mc 2,13; Lc 5,27) com Mateus (Mt 9,9). Antecipa-se o destino de Judas. A lista é programática. Começa aqui um tema que terminará nas últimas páginas do Apocalipse, na Jerusalém celeste, com "doze pedras de alicerce, que trazem os nomes dos doze apóstolos" (Ap 21,14).

10,4 * Ou: *fundamentalista*.

10,5-15 A mensagem que pregarem será a de Jesus, o reinado de Deus que se apresenta (4,17). Vão munidos de poder taumatúrgico, à semelhança do mostrado por Jesus e recebido gratuitamente; não devem aproveitar-se dele por cobiça. Vejam-se o gesto e as palavras de Pedro ao fazer o milagre, "o que tenho te dou" (At 3,6). Sua área de operação é por ora restrita e mostra a preferência cronológica por Israel, citado com seu nome tradicional; como Jesus (15,24). No fim, não terá limites (28,19).

10,5 Os samaritanos não são o Israel autêntico, estão a meio caminho entre os judeus e os pagãos (2Rs 17,29-34). Ben Sirac diz deles: "a terceira já não é povo" (Eclo 50,26).

10,6 As ovelhas dispersas, por culpa dos pastores: "meu povo era um rebanho perdido" (Jr 50,6).

10,8 O quarteto abraça tudo, até o poder sobre a morte. A lepra é mencionada à parte porque contamina. São os poderes exercidos por Jesus na série precedente.

10,9-10 Levar duas túnicas era considerado luxo. O salário era pago por dia (por isso se chama diária, do latim *diurnus*), o trabalhador era diarista (Lv 19,13; Dt 24,15). É como dizer que os enviados não acumularão dinheiro, viverão do seu salário merecido dia por dia, confiando em Deus segundo o ensinamento do Mestre (6,25-33).

10,11-15 Levam a paz do Messias, que os amantes da paz saberão reconhecer e se disporão a receber (Sl 120; 122; Mt 5,9). Mas a rejeição será fatal (cf. Lc 19,42): acarretará o castigo exemplar das cidades que violaram a hospitalidade (Gn 18-19; Sb 19,17).

10,16-33 Fortaleza nas perseguições. Escutamos a mensagem de Jesus e sua ressonância nas primeiras comunidades cristãs.

Uma equação de quatro animais (16) simboliza seu destino: cordeiros e lobos, não pacificados (Is 11,6; Jr 5,6); estranha conduta de um pastor. A serpente cauta e sinuosa (Gn 3,1), a pomba que voa em linha reta (Is 60,8).

deis testemunho diante deles e dos pagãos. ¹⁹Quando vos entregarem, não vos preocupeis com o que ireis dizer; ²⁰pois não sereis vós que falareis, mas o Espírito de vosso Pai falando por vós. ²¹Um irmão entregará à morte o seu irmão, um pai a seu filho; filhos se revoltarão contra pais e os matarão. ²²Sereis odiados de todos por minha causa. Quem resistir até o fim se salvará. ²³Quando vos perseguirem numa cidade, fugi para outra; eu vos asseguro que não tereis percorrido todas as cidades de Israel antes que venha este Homem*.

²⁴O discípulo não está acima do mestre nem o servo acima do senhor. ²⁵Ao discípulo basta-lhe ser como seu mestre, e ao servo como seu senhor. Se chamaram de Belzebu ao dono da casa, quanto mais a seus empregados. ²⁶Portanto, não os temais. Nada há de encoberto que não se descubra, nem escondido que não se divulgue. ²⁷O que vos digo de noite, dizei-o em pleno dia*; o que escutais no ouvido, apregoai dos terraços. ²⁸Não temais os que matam o corpo e não podem matar a alma; temei antes aquele que pode acabar com corpo e alma no fogo. ²⁹Não se vendem dois pardais por alguns centavos? Mas nenhum deles cai no chão sem licença de vosso Pai. ³⁰Quanto a vós, até os cabelos da cabeça estão contados. ³¹Portanto, não os temais, pois vós valeis mais que muitos pardais. ³²Aquele que me confessar diante dos homens, eu o confessarei diante do meu Pai do céu. ³³Aquele que me renegar diante dos homens, eu o renegarei diante do meu Pai do céu.

³⁴Não penseis que vim trazer paz à terra. Não vim trazer paz, mas espada. ³⁵Vim tornar inimigo *um homem com seu pai, uma filha com sua mãe, uma nora com sua sogra;* ³⁶e os inimigos de uma pessoa são os de sua casa. ³⁷Quem amar seu pai ou sua mãe mais que a mim, não é digno de mim; quem amar seu filho ou sua filha mais que a mim, não é digno de mim.

As perseguições serão internas, "sinagogas", e externas, "reis". Comparecendo como acusados (18), atuarão como testemunhas (como Jeremias no seu julgamento, Jr 26; e Paulo, At 23,11). Por isso seu testemunho se compara (19-20) à palavra profética; daí a veneração primitiva aos mártires e a conservação devota das atas de martírio. O Apocalipse chama Jesus de "testemunha fiel" e a sua mensagem de "testemunho" (Ap 1,2-5).
O mais doloroso é que a perseguição venha de familiares e amigos (21-22), como a de Jeremias: "também teus irmãos e tua família são desleais para contigo" (Jr 12,6 par.), de alguns salmos: "mas eras tu, meu camarada, meu amigo e confidente, a quem me unia doce intimidade" (55,13-15; 69,9; Jó 19). O motivo (22), "por minha causa", e o exemplo do mestre (24-25) os fortalecerão, até a parusia: a perseverança é virtude fundamental. O horizonte é eclesial e escatológico.
10,23 A fuga nem sempre é resultado de covardia; pelo contrário, pode ser exigida pela prudência; o apóstolo deve poupar-se para sua missão. Em alguns casos pode servir à expansão missionária, como documentam os Atos dos Apóstolos. O anúncio parece referir-se à parusia, como em textos semelhantes (embora alguns façam referir-se à ressurreição). Supõe a situação da comunidade cristã, que aguarda com expectativa a vinda sempre iminente do Senhor glorificado.
10,23 * Ou: *o Filho do Homem*.
10,24-25 Grande princípio da relação do apóstolo com Jesus: nunca deixará de ser servo e discípulo. Aprende para servir e servindo aprende. Máxima blasfêmia é atribuir ao diabo a ação de Deus (Mt 12,27).
10,26-27 A mensagem de Jesus não é esotérica, embora por enquanto seja comunicada a um círculo escolhido; o medo não deve induzir a escondê-la (Jr 1,8.17). Tampouco é propriedade exclusiva. Embora se aprenda privadamente, está destinada aos outros. Como diz Ben Sirac: "Farei brilhar meu ensinamento como a aurora para que ilumine as distâncias" (Eclo 24,32). A comparação indica o caráter expansivo da mensagem.
10,27 * Ou: *trevas... na luz*.
10,28-29 Não introduz a distinção grega de alma e corpo, mas distingue entre uma vida simplesmente biológica e a vida plena e transcendente. De ambas Deus se ocupa paternalmente: um filho de Deus é mais que qualquer animal (cf. a distinção de Sl 36,7-10). O fogo é símbolo do castigo escatológico, definitivo (final de Is).
10,30 Os cabelos da cabeça são exemplo proverbial de algo incontável (Sl 40,13; 69,5). Tudo está nas mãos de Deus (Sl 31,6.16).
10,32-33 Gravidade máxima da missão apostólica e da vida cristã, conduzidas a seu desfecho no julgamento definitivo de Deus. Aí caberá a Jesus, como testemunha, reconhecer como seus ou como estranhos (cf. 25,12). Não admite a neutralidade nem as concessões, afirma a reciprocidade.
10,34-37 O profeta Miqueias (7,6) denunciava a desordem social. Mateus o aplica à comoção que a opção cristã vai provocar. Porque a lealdade a Jesus deve superar qualquer outra, mesmo familiar; será única incondicional. Não é que Jesus provoque ou declare a guerra, mas a sua mensagem provoca a hostilidade dos que a rejeitam: "eu sou pela paz, eles pela guerra" (Sl 120,7); são estes que empunham a espada (cf. Ex 5,21, Moisés ao Faraó).

³⁸Quem não tomar sua cruz para seguir-me, não é digno de mim. ³⁹Quem se agarrar à vida irá perdê-la, quem a perder por mim a conservará. ⁴⁰Quem vos recebe a mim recebe; quem me recebe recebe aquele que me enviou. ⁴¹Quem recebe um profeta por sua condição de profeta, terá recompensa de profeta; quem recebe um justo por sua condição de justo terá recompensa de justo. ⁴²Quem der de beber um copo de água fresca a um destes pequenos por sua condição de discípulo, eu vos asseguro que não perderá sua recompensa.

11 ¹Quando Jesus terminou de dar instruções aos doze discípulos, partiu dali para ensinar e pregar por aquelas cidades.

Sobre João Batista (Lc 7,18-35) — ²Na prisão, João ouviu falar da atividade de Jesus e lhe enviou esta mensagem por meio de seus discípulos:

— ³És tu aquele que devia vir, ou devemos esperar outro?

⁴Jesus respondeu:

— Ide informar a João sobre o que ouvis e vedes: ⁵Cegos recobram a visão, coxos caminham, leprosos são purificados, surdos ouvem, mortos ressuscitam, pobres recebem a boa notícia; ⁶e feliz aquele que não tropeça por minha causa.

⁷Quando partiram, Jesus pôs-se a falar de João à multidão:

— O que saístes para contemplar no deserto? Um caniço sacudido pelo vento? ⁸O que saístes para ver? Um homem vestido elegantemente? Vede: os que se vestem elegantemente habitam nos palácios reais. ⁹Então, o que saístes para ver? Um profeta? Eu vos digo que sim, e mais que profeta. ¹⁰A este se refere aquele texto da Escritura: *Eu envio adiante meu mensageiro para que me prepare o caminho.* ¹¹Eu vos asseguro: dos nascidos de mulher ainda não surgiu um maior que João Batista. No entanto, o último no reino de Deus é maior do que ele. ¹²Desde os dias de João Batista até agora o reino de Deus sofre violência, e pessoas violentas o ar-

---

10,38-39 Como Isaac levando "a lenha para o holocausto" (Gn 22,6). Como Jesus que vai adiante com seu exemplo, e por Jesus. Mas, paradoxalmente, sua cruz e morte são fonte de vida. Mistério prefigurado pelo Servo (Is 53).

10,40-42 Vejam-se os exemplos de Elias e Eliseu, acolhidos como "profeta santo" (1Rs 17,9-24; 2Rs 4,8-37). O apóstolo enviado representará Jesus que o envia, como Jesus representa o Pai que o enviou: "Como o Pai me enviou, eu vos envio" (Jo 20,21). Os três casos alegados oferecem um progresso inesperado. Primeiro o profeta, com a dignidade da sua missão; depois o justo, com a recomendação da sua conduta; finalmente o pequeno, com o título da preferência divina.

11,1 V. de ligação, como 7,28, que encerra, em forma de inclusão, a instrução precedente.

11,2-19 Em algumas comunidades primitivas foi preocupante a questão sobre o lugar de João Batista com referência a Jesus. Algo disso se reflete nessa perícope. Vamos dividi-la em duas partes: Jesus responde a João e seus discípulos definindo sua identidade messiânica (1-6); Jesus define a missão do Batista e explica a reação dos judeus (7-15.16-19).

11,2-3 A pergunta de João é sincera ou retórica? Alguns pensam que João faz a pergunta simplesmente para que seus discípulos recebam a resposta. Muitos pensam, por causa do contexto e da atitude ambígua dos discípulos, que João pergunte desiludido ou desconsertado. A pergunta é nada menos que sobre o Messias esperado, futuro, "aquele que há de vir" (Ml 3,1). João o esperava como o juiz escatológico, armado de pá e fogo (3,11-12), e sua imagem se fundamenta na Escritura (p. ex. Is 66,5-6.15-16);

as notícias que recebe falam de um Jesus benéfico, acolhedor, disposto a perdoar.

11,4-6 Jesus responde primeiro sobre sua pessoa e missão, apontando para uma imagem alternativa da Escritura. Aponta os milagres realizados (5), nos quais ressoa um eco de profecias (Is 35,5-6; 61,1). Em outras palavras, o cumprimento de profecias messiânicas confirma sua missão. A bem-aventurança, traduzida em forma positiva, felicita a quem o recebe como Messias. Tropeçar é sentir-se frustrado por ele e não reconhecê-lo como Messias. Essa mensagem é em primeiro lugar para judeus, em segunda instância estende-se a pagãos convertidos. A imagem de alguém que se faz Messias condiciona a esperança e a acolhida.

11,7-15 Em seguida Jesus define a missão de João. Por sua conduta ascética, é como o primeiro dos profetas, Elias, que se retirava ao deserto e enfrentava o rei e sua corte (1Rs 17-18). Por seu estilo de vida atraiu o povo, e não por um luxo ostensivo ou por volubilidade caprichosa. Pela sua atividade, devidamente reconhecida, João é o Elias anunciado (Ml 3,1; Eclo 48,10-11). Até ele chegou a velha economia; ele se apresenta à nova, anunciando a presença do reino e do Messias. Sua atividade supera todos os anúncios proféticos, mas não se iguala a pertencer ao novo reino (compare-se com a segunda parte do *Benedictus*, Lc 1,76-79). Todavia, muitos são hostis ao reino, ou olham-no indiferentes, sem entrar no jogo.

11,6 Is 61,1.

11,10 Ml 3,1.

11,12 Discute-se o sentido de "os violentos". a) Os inimigos do reino que se opõem com violência a seus mensageiros. Herodes, prendendo o Batista, e

rebatam. ¹³Até João todos os profetas e a lei eram profecia. ¹⁴E, se estais dispostos a recebê-lo, ele é o Elias que devia vir. ¹⁵Quem tiver ouvidos, escute.

¹⁶A quem compararei esta geração? São como crianças sentadas na praça, que gritam a outras:

> ¹⁷*Tocamos a flauta*
> *e não dançastes,*
> *cantamos lamentações*
> *e não fizestes luto.*

¹⁸Veio João, que não comia nem bebia, e dizem: está endemoninhado. ¹⁹Veio este Homem que come e bebe, e dizem: vede que comilão e beberrão, amigo de coletores e pecadores. Mas a sensatez* é acreditada por seus efeitos.

Recrimina as cidades da Galileia (Lc 10,13-15) – ²⁰Então pôs-se a recriminar as cidades em que havia realizado a maioria de seus milagres sem que se arrependessem:

– ²¹Ai de ti, Corazim, ai de ti, Betsaida! Pois, se em Tiro e Sidônia tivessem sido feitos os milagres realizados em vós, há tempo teriam feito penitência com pano de saco e cinza. ²²Pois eu vos digo que o dia do julgamento será mais leve para Tiro e Sidônia que para vós. ²³E tu, Cafarnaum, *pretendes elevar-te até o céu? Mas cairás até o abismo.* Pois se em Sodoma tivessem sido feitos os milagres realizados em ti, ela subsistiria até hoje. ²⁴Pois eu vos digo que o dia do julgamento será mais leve para Sodoma que para ti.

O Pai e o Filho (Lc 10,21s) – ²⁵Nessa ocasião Jesus tomou a palavra e disse:

– Dou-te graças, Pai, Senhor do céu e da terra! Porque, ocultando estas coisas aos entendidos, tu as revelaste aos ignorantes. ²⁶Sim, Pai, essa foi tua escolha. ²⁷Meu Pai me confiou tudo: ninguém conhece o Filho, senão o Pai; ninguém conhece o Pai, senão o Filho e aquele a quem o Filho decidir revelá-lo*. ²⁸Vinde a mim, vós que andais cansados e curvados, e eu vos aliviarei. ²⁹Tomai meu jugo e aprendei de mim, que sou tolerante e humilde, *e*

---

seus partidários querem "arrebatá-lo" (13,19). b) Os seguidores de Jesus, confundidos com um proletariado violento, mas que de fato se apoderam do reino.

11,13 Porque tudo aponta para um futuro novo. É grave declarar que a lei era profecia, pois equivale a subordiná-la em sua função. No culto das sinagogas, a profecia se subordinava à lei ou *torá*.

11,14 Ml 3,23; Eclo 48,10.

11,15 Ver Jr 5,21; Ez 12,2.

11,16-19 Em lugar de parábola, cita um fragmento de brincadeira infantil, no qual reconhecemos o birrento "então não vou brincar". Suas duas metades se dividem entre João, o penitente austero, e Jesus, o liberal feliz (cf. 9,14). Entre os ouvintes há os que não querem brincar nem com este nem com aquele, e criticam tudo como crianças manhosas.

* Mas a *sabedoria* ou *sensatez* de Jesus e de Deus vai demonstrar seu êxito nos resultados: as obras ou os filhos = discípulos (segundo alguns manuscritos, harmonizados talvez com Lc 7,35). Em livros sapienciais, Sabedoria personificada valoriza suas obras (Pr 3; 8; Eclo 24; Sb 7 etc.).

11,20-24 Esta perícope pertence ao gênero profético de oráculos contra nações pagãs, com sua exclamação "Ai de ti!" Concretamente deve-se ler esse julgamento comparativo sobre o pano de fundo de Ez 16,46-48, que compara Judá com Samaria e Sodoma: "superaste-as em conduta depravada". O julgamento final será um julgamento comparativo aduzindo agravantes. Tiro e Sidônia representam o poderio comercial dos fenícios (Is 23; Ez 26-28; Zc 9,2-4); além disso, Sidônia, como Betsaida, traz no nome uma referência à pesca. Sodoma é a principal cidade da Pentápole, destruída pelo fogo por causa de seu delito contra a hospitalidade (Gn 19; Sb 19,13-17). Mas são também símbolo de outras cidades, como indica a citação hiperbólica de Is 14,13-15. Assim também Corazim e Cafarnaum representam as cidades que recusaram a ocasião oferecida de arrepender-se; pois os milagres eram sinais que induziam ao arrependimento como preparação para acolher o anúncio evangélico.

11,25-30 Diante da soberba e arrogância das cidades amaldiçoadas desprende-se no contexto essa exaltação do humilde e simples. "Deus revela seus segredos aos humildes" (Eclo 3,20). Destaca-se como um pico, estreito e altíssimo, esta efusão da espiritualidade íntima de Jesus; testemunho da predileção do Pai, do seu sentimento filial e da missão soberana que recebeu. Como em Is 29,14, os prodígios de Deus confundem a sabedoria dos sábios: "Eu continuarei prodigalizando prodígios..., a sabedoria dos sábios fracassará". O prodígio presente é o envio e presença de seu Filho, mistério que os "ignorantes" humildes compreendem, pois não vivem satisfeitos com seus preconceitos; ao passo que os doutores que se creem suficientes olhando não veem (cf. Is 42,20). A fé pascal dos cristãos acolhe e proclama essa revelação. A relação filial de Jesus com seu Pai, o Deus criador do universo, é única. Do Pai recebe, como mediador único, a missão de revelar e salvar. O evangelho e a primeira carta de João são o melhor comentário a essa breve e densa perícope.

11,25 1Cor 1,26-29.

11,27 * Ou: *um Filho... um Pai.* Jo 1,18; 10,15.

11,28-30 Não só os animais, também os homens carregam o jugo como sinal e exercício de escravidão. Era um jugo curvo de madeira, apoiado com almofadas

vos sentireis aliviados. ³⁰Pois meu jugo é suave e minha carga é leve.

12 **O sábado** (Mc 2,23-28; Lc 6,1-5; Mc 3,1-6; Lc 6,6-11) – ¹Por esse tempo, num sábado, Jesus atravessava plantações. Seus discípulos, famintos, puseram-se a arrancar espigas e comê-las.

²Os fariseus lhe disseram:

– Vê, teus discípulos estão fazendo uma coisa proibida no sábado.

³Ele lhes respondeu:

– Não lestes o que fez Davi com seu pessoal quando estavam famintos? ⁴Entrou na casa de Deus e comeu os pães apresentados, que só aos sacerdotes é permitido comer, não a ele nem a seu pessoal. ⁵Não lestes na lei que, no templo e no sábado, os sacerdotes violam o repouso sem incorrer em culpa? ⁶Pois eu vos digo que aqui está alguém maior que o templo. ⁷*Se compreendêsseis o que significa misericórdia quero e não sacrifícios,* não condenaríeis os inocentes. ⁸Porque o homem é senhor do sábado.

⁹Dirigiu-se a outro lugar e entrou em sua sinagoga. ¹⁰Havia aí um homem que tinha uma das mãos paralisada. Perguntaram-lhe, com intenção de acusá-lo, se era lícito curar no sábado. ¹¹Ele respondeu:

– Suponhamos que um de vós tenha uma ovelha e num sábado ela caia num buraco: não a agarrará e a tirará? ¹²Quanto mais que uma ovelha vale um homem! Portanto, é permitido no sábado fazer o bem.

¹³Então disse ao homem:

– Estende a mão.

Ele a estendeu e ela ficou tão sã como a outra. ¹⁴Os fariseus saíram e deliberaram como acabar com ele. ¹⁵Mas Jesus percebeu e partiu dali. Muitos o seguiam; ele curava todos ¹⁶e insistia que não o

---

sobre os ombros, que servia para transportar cargas equilibradas. A imagem é frequente no AT: pode referir-se à lei (Jr 2,20; 5,5 etc.), à tirania estrangeira (Is 10,27; Jr 27,8 etc.) e também à sabedoria, em princípio jugo, no fim joia (Eclo 6,24.30 no contexto 18-31). A escravidão no Egito se definia pelas "cargas" (Ex 6,6). O jugo que Jesus impõe, aceito com amor e levado com sua ajuda, é leve, particularmente se comparado com as cargas dos fariseus (23,4).

12 Nesse capítulo o autor descreve a crescente hostilidade dos fariseus contra Jesus. As controvérsias resultantes servem para esclarecer aspectos da missão e ação de Jesus. Trata-se do sábado, da origem do seu poder de taumaturgo, da exigência de um sinal que comprove sua missão.

12,1-15a Dois episódios sobre o sábado: um caso de fome e um de doença. Os fariseus acusam Jesus de permitir que seus discípulos violem o sábado, preceito do decálogo (Ex 20,10), tido em máxima estima depois do exílio. Recorde-se o episódio dos fugitivos que se deixam matar por não se defenderem em dia de sábado (1Mc 2,31-38). Segundo a lei, violá-lo merecia pena de morte: o delito foi cortar lenha em dia de sábado (Nm 15,32-36; cf. Ez 20,13). Mas uma casuística minuciosa, no seu afã de defendê-lo contra perigos e tentações, havia estreitado os limites mínimos dessa violação.
Jesus responde no estilo de *halaká*, alegando um relato sobre Davi e seus soldados (1Sm 21,2-7), que aparentemente violam a proibição de Lv 24,5-9. Se o sábado é dia consagrado ao Senhor, também aquele pão era alimento consagrado ao Senhor. A necessidade anula a proibição e o pão consagrado não fica profanado. Não se atreverão os fariseus a criticar o rei Davi. Acrescenta outra disposição legal (Nm 28,9-10). A Escritura, tomada como norma de conduta, desacredita a casuística sobreposta. O homem não deve escravizar-se a uma instituição legal ou a suas interpretações casuísticas.

12,6-7 Completa-o apelando à sensatez ou capacidade de compreender uma palavra profética em todo o seu alcance (Os 6,6). A citação de Oseias adapta-se à situação, já que sacri-fício é fazer sagrado, consagrar, ao passo que dar de comer ao faminto é misericórdia. Portanto, Jesus declara "inocentes" seus discípulos. Está em jogo o valor do homem acima da instituição. Conclui com um aforismo lapidar, ao qual Mc 2,27 dará uma formulação não menos incisiva.

12,9-15a O segundo caso acontece numa sinagoga, que é o lugar onde se lê e se comenta a lei. Aquilo que o templo é no espaço, âmbito demarcado e consagrado a Deus, é o sábado no tempo, dia separado em honra de Deus. Ben Sirac diz que a distinção procede de Deus (Eclo 33,7-9). No sábado o homem participa ou se associa ao descanso genesíaco do Criador (Ex 20,8-11). Seus rivais se adiantam com uma pergunta capciosa, que supõe algum antecedente, p. ex., a cura anterior. Jesus responde com um argumento *a minore ad maius*, apelando ao senso comum, e não à Escritura, e talvez polemizando com interpretações de doutores. O sábado não proíbe fazer o bem. E Jesus faz o bem publicamente, provocando. Deus "descansou" depois de fazê-lo inteiramente bom, mas não cessou de fazer o bem. Fazer o bem não se opõe ao descanso; não é descanso deixar de fazer o bem. Seus rivais ficam sem resposta, mas decidem fazer o mal àquele que consideram já um perigo público. No relato de Mateus, é este o momento (cf. 27,1), em que se decide o desfecho.

12,15b-21 Jesus retira-se seguido de uma multidão e continua fazendo o bem. Se proíbe que sua atividade seja divulgada, ele o pode fazer para não provocar indevidamente os doutores ou então porque não quer que seus "sinais" degenerem em espetáculo ou em busca imediata sem sentido transcendente (cf. Jo 6,26). Diante da deliberação dos fariseus, o narrador pronuncia um veredicto que consiste em aplicar a Jesus um texto profético, aquele que

divulgassem. ¹⁷Assim se cumpriu o que o profeta Isaías anunciou: ¹⁸*Vede o meu servo, a quem sustento; meu eleito, a quem prefiro. Sobre ele porei meu Espírito para que anuncie o direito aos pagãos.* ¹⁹*Não gritará, não discutirá, não levantará a voz pelas ruas.* ²⁰*Não quebrará o caniço rachado, não apagará o pavio vacilante. Promoverá eficazmente o direito.* ²¹*Em seu nome esperarão os pagãos.*

Jesus e Satanás (Mc 3,20-30; Lc 11,14-23) – ²²Então levaram-lhe um endemoninhado cego e mudo. Ele o curou, de modo que recobrou a visão e a fala. ²³A multidão assombrada comentava:

– Não será este o filho de Davi?

²⁴Mas os fariseus ao ouvir isso disseram:

– Este expulsa demônios com o poder de Belzebu, chefe dos demônios.

²⁵Ele, lendo seus pensamentos, replicou:

– Um reino dividido internamente vai para a ruína; uma cidade ou casa dividida internamente não se mantém de pé. ²⁶Se Satanás expulsa Satanás, como seu reino se manterá? ²⁷Se eu expulso demônios com o poder de Belzebu, com que poder vossos filhos os expulsam? Por isso, eles vos julgarão. ²⁸Mas, se eu expulso os demônios com o Espírito de Deus, é porque chegou até vós o reinado de Deus. ²⁹Como poderá alguém entrar na casa de um homem forte e levar seus bens, se primeiro não o amarra? Depois poderá saquear a casa. ³⁰Quem não está comigo está contra mim. Quem não reúne comigo dispersa. ³¹Por isso eu vos digo que qualquer pecado ou blasfêmia podem ser perdoados aos homens, mas a blasfêmia contra o Espírito não tem perdão.

³²A quem disser algo contra este Homem pode-se perdoar; a quem o disser contra o Espírito Santo, não se lhe perdoará nem no presente nem no futuro.

³³Plantai uma árvore boa, e ela dará fruto bom; plantai uma árvore prejudicada, e ela dará frutos prejudicados. Pois, pelo fruto conhecereis a árvore. ³⁴Ninhada de víboras! Como podeis dizer palavras boas se sois maus? A boca fala do que enche o coração. ³⁵O homem bom tira coisas boas de seu bom tesouro; o homem mau tira coisas más de seu mau tesouro. ³⁶Eu vos digo que no dia do julgamento o homem prestará contas de qualquer palavra

---

chamamos de "primeiro cântico do Servo". Colocado aí, servirá também de contraste para a controvérsia que se segue, na qual os rivais o denunciam como servo do diabo. O texto profético deste título, a missão também para os pagãos, o estilo não violento de sua atividade. Temos aqui uma leitura "cristológica" do AT, que ultrapassa o momento histórico em que está inserida. É reflexão teológica madura, mais que crônica de acontecimentos.

12,18 Is 42,1-4.

12,22-32 Controvérsia sobre a origem do seu poder. Completa-se nos vv. 43-45. O doente neste caso está quase incomunicável (não se diz que fosse surdo): sofre com duas das quatro doenças citadas em Is 35,5-6. Diante do milagre, o povo se pergunta se Jesus não seria o Messias. Os fariseus, não podendo negar o fato evidente, acusam Jesus de ser agente da divindade pagã Baal Zebul (cf. 2Rs 1, onde o nome é deformado maliciosamente em *Baal Zebub* = Senhor das Moscas), identificado como príncipe ou soberano dos espíritos malignos. Jesus responde utilizando imaginativamente crenças e representações populares sobre o reino dos espíritos. Todo esse mundo cederá, retirando-se ante o poder de Jesus, e assim o reinado de Deus avançará e irá se manifestando.

Toda a controvérsia se desenvolve sob o signo do Espírito, que Jesus, como servo do Senhor, recebeu (12,18). Adiante se encontra o mundo dos demônios ou "espíritos imundos", seres malignos, membros de um reino sob um chefe, que procuram manter seu domínio sobre as pessoas. Jesus o reprime e expulsa com a força do Espírito: assim recebe e dá um testemunho messiânico.

12,23 Jr 30,9.

12,25 Jesus responde com três argumentos. O primeiro é de lógica: é a comparação com a discórdia doméstica ou a guerra civil. Não tem sentido afirmar que Satanás delegue poderes para que sejam expulsos seus agentes. Seria voltar-se contra si próprio.

12,27 O segundo argumento supõe o exercício profissional dos exorcismos. Esses filhos, se sentiriam englobados *a pari* na acusação dos fariseus, e reagiriam julgando os acusadores.

12,28 O Espírito de Deus é mais poderoso que todos os espíritos malignos, e com sua ação atesta a presença do reinado de Deus no seu Messias.

12,29 O terceiro argumento é reminiscência de Is 49,24: Mas pode-se tirar a presa de um soldado, escapa o prisioneiro de um tirano?

12,30 O aforismo é complementar ao de Mc 9,40 e Lc 9,50. Frente ao Messias não cabe neutralidade.

12,31 A blasfêmia contra Deus era considerada delito gravíssimo (Ex 22,27; Lv 24,11-16 pena de lapidação; Eclo 23,12 palavras que merecem a morte). Jesus argumenta *ad hominem*: blasfemar contra o Espírito é negar ou denegrir a ação manifesta de Deus. O homem se fecha totalmente a essa ação, corta o galho em que está apoiado.

12,33-37 Agora cabe a Jesus julgar seus julgadores maliciosos, tomando-os na palavra, pois "o cultivo de uma árvore se mostra no fruto, a mentalidade

inconsiderada que tenha dito. ³⁷Por tuas palavras te absolverão, por tuas palavras te condenarão.

O sinal de Jonas (Mc 8,11s; Lc 11,29-32) – ³⁸Então alguns letrados e fariseus lhe disseram:

– Mestre, queremos ver-te fazendo algum prodígio.

³⁹Ele lhes respondeu:

– Uma geração malvada e adúltera reivindica um prodígio, e não lhe será concedido outro prodígio, a não ser o do profeta Jonas. ⁴⁰*Assim como esteve Jonas no ventre do monstro marinho três dias e três noites,* assim estará este Homem nas entranhas da terra três dias e três noites. ⁴¹Durante o julgamento, os ninivitas se levantarão com esta geração e a condenarão, porque eles se arrependeram com a pregação de Jonas, e aqui há alguém maior que Jonas. ⁴²A rainha do sul se levantará no julgamento com esta geração e a condenará, porque ela veio do extremo da terra para escutar o saber de Salomão, e aqui há alguém maior que Salomão.

⁴³Quando um espírito imundo sai de um homem, percorre lugares áridos buscando domicílio, e não o encontra. ⁴⁴Então diz: Volto para a casa de onde saí. Ao voltar, encontra-a desabitada, varrida e arrumada. ⁴⁵Então vai, reúne outros sete espíritos piores que ele, e se põe a habitar aí. E o final desse homem torna-se pior que o começo. Assim acontecerá a esta geração malvada.

A mãe e os irmãos de Jesus (Mc 3,31-35; Lc 8,19-21) – ⁴⁶Ainda estava falando à multidão quando se apresentaram fora sua mãe e seus irmãos, desejosos de falar com ele. ⁴⁷Alguém lhe disse:

– Vê, tua mãe e teus irmãos estão aí fora e desejam falar contigo.

⁴⁸Ele respondeu àquele que falava:

– Quem é minha mãe? Quem são meus irmãos? ⁴⁹E, apontando com a mão os discípulos, disse:

– Aí estão minha mãe e meus irmãos. ⁵⁰Quem cumprir a vontade de meu Pai do céu, esse é meu irmão, minha irmã e minha mãe.

13 Parábolas (Mc 4,1-20.30-34; Lc 8,4-15; 13,18-21) – ¹Naquele dia, Jesus saiu de casa e sentou-se junto ao

---

de um homem em suas palavras" (Eclo 27,6 e Mt 7,16-20). Sobre a palavra como expressão: Jó 7,11; 32,18-19. Responsabilidade das palavras: Lv 5,4.

12,38-42 Pelo contexto, o que pedem a Jesus é um sinal ou prodígio que garanta sua missão. Há sinais que garantem antecipadamente (Jz 6,36-40), outros confirmam o já acontecido (cf. Ex 3,12). O relato de Jonas é polivalente e recebeu diversas explicações: morte e ressurreição (Jn 2,1), pregação aos pagãos e sua conversão (Jn 3-4). A conversão de um grande inimigo tradicional de Israel se voltará no juízo final contra os impenitentes que não creram na ressurreição. O caso dos ninivitas atrai por semelhança o exemplo da rainha de Sabá (1Rs 10,1-10). Jesus é mais que um profeta, mesmo o mais eficiente, e mais que um rei, até o mais sábio.

12,39 Jn 1,17.

12,41 Jn 3,5.8; 1Rs 10,1-10.

12,43-45 Retorna à imagem dos espíritos, prevenindo contra a recaída. Como ilustração da imagem, ver Is 34,13-15; Sl 102,7; o deserto é sua morada, como a de Azazel (Lv 16,10.21), ou de Asmodeu (Tb 8,3).

12,46-50 Esse episódio parece fora de contexto, como se fosse acrescentado para não se perder, antes de começar a grande série de parábolas. A rigor, deveria ser lido com o cap. 10, que trata dos discípulos. Não são só discípulos e apóstolos, mas também sua nova família, núcleo inicial de uma família mais extensa e unida, porque ele será centro e vínculo. O termo "irmãos" abrange, em linguagem bíblica, também os parentes. Quanto à mãe, ninguém como Maria cumpriu a vontade do Pai: sua maternidade se identifica com um deixar fazer: "Que a sua palavra se cumpra em mim..." (Lc 1,38).

13 Parábolas, provérbios, refrães são traduções diversas do hebraico *meshalim*, conceito pouco diferenciado. (Do latim *parabola* deriva nosso vocábulo "palavra".) Basicamente são comparações que revelam ou ilustram aspectos da vida. Podem ter forma descritiva ou narrativa, podem ser simples ou desenvolvidas. São antes de tudo os Sapienciais que as usam (Provérbios e Eclesiástico), também o Saltério (49; 78) e os profetas (Is 28,23-29; Ez 15). A comparação pode também encobrir, despertando a curiosidade, desafiando o engenho, incitando a descobrir. Assim o *mashal* se aproxima do *hidá* ou adivinhação (Sl 49,5; 78,2).

As duas funções, descobrir e encobrir, se atribuem às parábolas de Jesus. Mateus reúne, nesse capítulo, sete em dois blocos: quatro para o povo em geral, duas das quais são explicadas aos apóstolos em particular; e três para os discípulos: semente, joio, mostarda, fermento, tesouro, pérola, rede; agricultura e pesca, comércio e trabalho doméstico. O tema das parábolas é o reinado de Deus, não como teoria, mas como proclamação que para ser compreendida exige resposta. Como se um arauto anunciasse o início do reinado de um soberano, exigindo aceitação e obediência dos súditos. Quem não quer aceitar, se nega a compreender. Entrevê-se a resistência de uns e a indecisão de outros, enquanto que os discípulos são iniciados no mistério: compreendendo e aceitando estão entrando no reino de Deus.

lago. ²Reuniu-se junto a ele uma grande multidão; por isso ele subiu a uma barca e sentou, enquanto a multidão estava de pé na margem. ³Explicou-lhes muitas coisas com parábolas.

Um semeador saiu a semear. ⁴Ao semear, algumas sementes caíram junto ao caminho, vieram os pássaros e as comeram. ⁵Outras caíram em terreno pedregoso com pouca terra. Faltando-lhes profundidade, brotaram logo; ⁶mas, ao sair o sol, elas se abrasaram e, como não tinham raízes, secaram. ⁷Outras caíram entre espinheiros: os espinheiros cresceram e as sufocaram. ⁸Outras caíram em terra fértil e deram fruto: algumas cem, outras sessenta, outras trinta. ⁹Quem tiver ouvidos, escute.

¹⁰Os discípulos se aproximaram e lhe perguntaram:

– Por que lhes falas contando parábolas?

¹¹Ele lhes respondeu:

– Porque a vós é concedido conhecer os segredos do reinado de Deus, a eles não é concedido. ¹²Àquele que tem, lhe será dado e lhe sobrará; ao que não tem lhe tirarão inclusive o que tem. ¹³Por isso lhes falo contando parábolas: porque olham e não veem; escutam e não ouvem nem compreendem. ¹⁴Cumpre-se neles aquela profecia de Isaías: *Por mais que escuteis, não compreendereis; por mais que olheis, não vereis.* ¹⁵*A mente deste povo se embotou; tornaram-se duros de ouvido, taparam os olhos. Não aconteça que vejam com os olhos, ouçam com os ouvidos, entendam com a mente, e se convertam, e eu os cure.* ¹⁶Felizes vossos olhos que veem e vossos ouvidos que ouvem. ¹⁷Eu vos asseguro que muitos profetas e justos ansiaram ver o que vós vedes, e não viram, e ouvir o que vós ouvis, e não ouviram. ¹⁸Escutai a explicação da parábola do semeador.

¹⁹Se alguém escuta o discurso sobre o reino e não o entende, vem o maligno e lhe arrebata o que foi semeado em sua mente. Essa é a semente semeada junto ao caminho. ²⁰A que foi semeada em terreno pedregoso é aquele que escuta o discurso e logo o acolhe com alegria; ²¹mas não lança raiz e torna-se efêmero. Chega a tribulação ou perseguição pela mensagem, e sucumbe. ²²A que foi semeada entre espinheiros é aquele que escuta o discurso; mas as preocupações mundanas e a sedução da riqueza o sufocam, e não dá fruto. ²³A que foi semeada em terra fértil é aquele que escuta o discurso e o entende. Este dá fruto: cem ou sessenta ou trinta.

²⁴Contou-lhes outra parábola. O reinado de Deus é como um homem que semeou

---

13,1-3 Faz do lago cenário e da barca púlpito; a sinagoga não lhe basta.

13,1-9 e 18-23 A primeira parábola descreve o dinamismo da palavra proclamada, as dificuldades que encontra em seu desenvolvimento, o êxito final (cf. Is 55,10-11, não tornará a mim vazia). A comparação é vegetal, para mostrar de forma global a vitalidade do anúncio evangélico, condicionado pelo modo de recebê-lo. Da parte de Jesus, é dom; da parte dos ouvintes é responsabilidade. A comunidade acrescentou à comparação do Mestre uma explicação por alegoria, isto é, desmembrando suas partes e atribuindo um significado particular a cada membro. Compare-se com a breve comparação do grão que morre e dá fruto (Jo 12,24). A explicação alegórica permite descrever obstáculos diversos, que a vida opõe ao crescimento da mensagem nos cristãos. A correspondência não é exata, pois identifica a semente (não o terreno) com o receptor. Mateus recolhe no evangelho uma versão primitiva da parábola de Jesus e uma explicação homilética para a comunidade cristã.

13,10-17 Entre exposição e comentário se insere uma reflexão sobre a função das parábolas. O texto de Isaías (6,9-10) prediz o fracasso do profeta por culpa dos ouvintes. Dada a dureza dos ouvintes, a pregação profética os irrita e endurece, e lhes agrava a culpa (Isaías fala de sua experiência em 30,9-11). Mesmo prevendo o resultado negativo, o profeta não pode calar-se, pois é Deus que o envia, e a denúncia tem intenção salvadora. Mateus muda o "para que/ de modo que" de Marcos em "porque": a atitude condicionou a compreensão.

13,11 1Cor 4,1; Ef 3,3s.

13,12 A frase é repetida quase literalmente em 25,29. Trata-se de uma fórmula paradoxal que admite aplicações diversas, contanto que se mantenha o paradoxo. Trata-se de dinamismo e colaboração, numa espécie de processo dialético que implica as duas partes.

13,14 Is 6,9s; Is 42,18.

13,16-17 Ver o Messias e ouvir sua mensagem era a ânsia oculta dos antigos. Compare-se Is 42,20 "Muito olhavas e nada entendias" com 52,8 "veem face a face o Senhor voltando a Sião" e 62,11 "Vê o teu Salvador chegando". Da parábola se passa à pessoa de Jesus presente na história, porque nele já se realiza o reinado de Deus. Esse é o grande segredo do reinado de Deus que se dá a conhecer aos que acolhem Jesus como o Messias desejado e esperado.

13,22 1Tm 6,9s.

13,24-30 A imagem do joio no meio do trigo tornou-se proverbial em nossos tempos, a tal ponto que a parábola evangélica nos é transparente. Duas coisas

semente boa em seu campo. ²⁵Enquanto as pessoas dormiam, seu inimigo foi e semeou joio no meio do trigo, e foi embora. ²⁶Quando as hastes cresceram e começaram a granar, descobriu-se o joio. ²⁷Os servos foram e disseram ao dono: Senhor, não semeaste semente boa em teu campo? De onde vem o joio? ²⁸Respondeu-lhes: Um inimigo fez isso. Os servos lhe disseram: Queres que o recolhamos? ²⁹Respondeu-lhes: Não; pois, ao recolhê-lo, arrancareis com ele o trigo. ³⁰Deixai que cresçam juntos até a ceifa. Quando chegar a ceifa, direi aos ceifadores: Recolhei primeiro o joio, atai-o em feixes e lançai-o ao fogo; o trigo colocai-o em meu celeiro.

³¹Contou-lhes outra parábola. O reinado de Deus se parece com um grão de mostarda que um homem toma e semeia em seu campo. ³²É a menor de todas as sementes; contudo, quando cresce, é mais alta que outras hortaliças; torna-se uma árvore, vêm os pássaros e se aninham em seus ramos.

³³Contou-lhes outra parábola. O reinado de Deus se parece com o fermento: Uma mulher o toma, o mistura com três medidas de massa, até que tudo fermente.

³⁴Tudo isso Jesus explicou à multidão com parábolas; e sem parábolas não lhes explicou nada. ³⁵Assim se cumpriu o que anunciou o profeta: *Vou abrir a boca pronunciando parábolas, proferindo coisas ocultas desde a criação do mundo.*

³⁶Depois, despedindo a multidão, entrou em casa. Os discípulos foram e lhe pediram:

— Explica-nos a parábola do joio.

³⁷Respondeu-lhes:

— Aquele que semeou a semente boa é este Homem; ³⁸o campo é o mundo; a boa semente são os cidadãos do reino; o joio são os súditos do maligno; ³⁹o inimigo que o semeia é o Diabo; a ceifa é o fim do mundo; os ceifadores são os anjos. ⁴⁰Assim como se recolhe o joio e se lança ao fogo, assim acontecerá no fim do mundo: ⁴¹Este Homem enviará seus anjos para que recolham em seu reino todos os escândalos e os malfeitores; ⁴²e os lançarão no forno de fogo. Aí haverá pranto e ranger de dentes. ⁴³Então, no reino de seu Pai, os justos brilharão como o sol. Quem tiver ouvidos, escute.

⁴⁴O reinado de Deus se parece com um tesouro escondido num campo: um homem o descobre, volta a escondê-lo e, todo contente, vende todas as suas posses para comprar esse campo. ⁴⁵O reinado de Deus se parece com um comerciante em busca de pérolas finas: ⁴⁶ao descobrir uma de grande valor, ele vai, vende todas as suas posses e a compra. ⁴⁷O reinado de Deus se parece com uma rede lançada ao mar, que apanha peixes de toda espécie. ⁴⁸Quando está cheia, puxam-na para a margem, sentam-se, reúnem os bons em cestas e jogam fora os que não prestam.

---

não se tornaram proverbiais e temos de destacá-las: Que há poderes empenhados em malograr a boa colheita, que se aproveitam dos momentos de descuido ou descanso legítimo (cf. Sl 127,2). Que é preciso levar em conta o joio com paciência e lucidez. Isso se deve entender no contexto social da Igreja, de sorte que é lido como um capítulo de eclesiologia em germe. "Saíram do nosso meio, mas não eram dos nossos" (1Jo 2,19). O final alude ao julgamento escatológico (cf. Is 27,11). A explicação é dada mais adiante.

13,31-32 Também essa parábola de imagem vegetal descreve o dinamismo da mensagem evangélica. Mas a desproporção e a reminiscência de Ez 17,23 e de Dn 4,8-9.18, os pássaros voando nas hortaliças, alargam o alcance da imagem inicial e sugerem a entrada de muitos povos no reino.

13,33 É uma variante doméstica da anterior. Também essa imagem se tornou proverbial. A imagem sugere o ocultamento de uma minoria na massa e o contraste entre tamanho e eficácia.

13,34-35 Chama de profeta o salmista (Sl 78,2), inaugurando uma tradição interpretativa que os Santos Padres repetirão. Unido a 11,13, considera grande parte do AT como profecia: lei, profetas, salmos. É citação de um salmo que repassa teologicamente a história de Israel desde o êxodo até Davi. A aplicação parte de Jesus e visa ao futuro.

13,36-43 Na explicação da imagem do joio podemos apreciar exemplarmente o trabalho alegórico dos pregadores posteriores. A imagem intensa e eficaz se converte num rosário de correspondências menores. Várias alusões ou semelhanças do AT enriquecem a explicação: sobre o fogo para os malfeitores (Jr 29,22; Dn 3,6), sobre os justos, que brilham como o sol (Dn 12,3). A perspectiva escatológica do reino passa para o primeiro plano.

13,44-50 Outras duas parábolas encarecem o valor do reino, pelo qual é preciso sacrificar os demais valores. Cabe ao homem descobrir o tesouro escondido. A terceira parábola se traslada ao fim, que separa para sempre os destinos. O fogo acaba com o joio e com os peixes ruins. O chamado dos discípulos começou com uma imagem de pesca (4,19).

13,44 Pr 2,4.

⁴⁹Assim acontecerá no fim do mundo: os anjos separarão os maus dos bons ⁵⁰e os lançarão no forno de fogo. Aí haverá pranto e ranger de dentes.

⁵¹Entendestes tudo isso?

Responderam que sim, ⁵²e ele lhes disse:

– Pois bem, um letrado experiente no reinado de Deus parece-se com um dono de casa que tira de sua despensa coisas novas e velhas.

⁵³Quando Jesus terminou essas parábolas, partiu daí, ⁵⁴dirigiu-se à sua cidade e se pôs a ensinar-lhes em sua sinagoga. Eles perguntavam assombrados:

– De onde tira ele seu saber e seus milagres? ⁵⁵Não é ele o filho do artesão? Não se chama sua mãe Maria e seus irmãos Tiago, José, Simão e Judas? ⁵⁶Sua irmã não vivem entre nós? De onde tira tudo isso?

⁵⁷E o sentiam como um obstáculo. Jesus lhes disse:

– Um profeta é desprezado somente em sua pátria e em sua casa.

⁵⁸E, por causa da incredulidade deles, não fez aí muitos milagres.

14

Morte de João Batista (Mc 6,14-29; Lc 9,7-9) – ¹Naquele tempo o tetrarca Herodes ouviu a fama de Jesus ²e disse a seus cortesãos:

– Esse é João Batista, ressuscitado dentre os mortos e por isso o poder milagroso atua por meio dele.

³Herodes fizera prender João, acorrentá-lo e colocá-lo na prisão por instigação de Herodíades, esposa de seu irmão Filipe. ⁴João lhe dizia que não lhe era lícito tê-la. ⁵Herodes queria matá-lo, porém temia o povo, que considerava João como profeta. ⁶Chegou o aniversário de Herodes, e a filha de Herodíades dançou no meio de todos. Herodes gostou tanto, ⁷que jurou dar-lhe o que pedisse. ⁸Ela, induzida por sua mãe, pediu:

– Dá-me aqui, numa bandeja, a cabeça de João Batista.

⁹O rei se entristeceu; mas, por causa do juramento e dos convidados, ordenou que a entregassem; ¹⁰e mandou degolar João na prisão. ¹¹A cabeça foi trazida numa bandeja e entregue à jovem; ela a entregou à sua mãe. ¹²Seus discípulos foram, recolheram o cadáver e o sepultaram; depois foram contar isso a Jesus.

Dá de comer a cinco mil homens (Mc 6,30-44; Lc 9,10-17; Jo 6,1-14) – ¹³Ao

---

13,50 Dn 3,6.
13,51-52 Propondo parábolas, Jesus se apresenta como doutor sapiencial (ver o programa de Pr 1,2-7 e a descrição de Eclo 39,1-11). Há "letrados" que são doutores na lei (*torá*); Jesus é doutor no reinado de Deus. Esta é a sua especialidade. Ele a conhece como o dono de casa conhece seus depósitos. Pode tirar e oferecer produtos novos e velhos (cf. Ct 7,14). Também aquele que entende, o discípulo, pode converter-se em intérprete e catequista de outros, repetindo, renovando, acrescentando. "Quando o inteligente ouve uma palavra sábia, ela a louva e acrescenta outra" (Eclo 21,15).
13,53-58 O que é proposto nas parábolas continua cumprindo-se na vida de Jesus. Seus concidadãos julgam conhecer sua origem, "filho do artesão"; na realidade o ignoram (1,18-25). Em nome de uma origem modesta, rejeitam o mérito evidente. Mas ao rejeitá-lo, tropeçam e fracassam. É sabido que na tradição bíblica "irmão" pode designar também um parente (o tio em Gn 13, o concidadão em Dt 15 etc.).
13,54-14,36 Depois do discurso sobre as parábolas, o autor oferece uma seção narrativa. Por um lado, crescem a resistência e a hostilidade à missão de Jesus e à do Batista; por outro, as multidões o seguem por causa de seus milagres, e os discípulos são testemunhas do seu poder e o reconhecem como Messias. Pedro ocupa um lugar relevante, e a colaboração dos discípulos com o Senhor aumenta.
14,1-12 Como em Mc 6, o relato da decapitação do Batista entra retrospectivamente, no mais-que-perfeito, como recordação inquietante suscitada por fatos presentes. Um João redivivo cabe na imaginação popular e na má consciência de Herodes. Mateus abrevia o relato de Marcos (6,14-29), conservando o essencial. O suficiente para construir um drama: paixão e vingança, medo e complacência, dança fatal e uma vida humana servida em bandeja num banquete. A morte do Batista é história com aura de lenda. Muitos artistas sentiram o fascínio do relato e o recriaram a seu modo e com seus recursos. Se a missão do Batista está vinculada à de Jesus (3,2; 4,15; 11,18-19), sua morte violenta e a sepultura podem prefigurar as de Jesus (17,11-13).
14,2 Um ressuscitado vem do outro mundo, adquiriu poderes sobre-humanos. Diríamos que Herodes atribui os milagres de Jesus a poderes adquiridos no reino dos mortos.
14,4 Segundo a lei contra o incesto de Lv 18,16; 20,21. O Batista, qual novo profeta Natã, enfrenta o rei (2Sm 12).
14,9 Num fundo remoto vislumbra-se outro juramento insensato e a dança fatal e inocente de filha de Jefté (Jz 11).
14,10-11 Com quanta frieza distante o narrador informa. Como se a cabeça numa bandeja fosse troféu militar (cf. Jt 13,15) ou sobremesa de um banquete.
14,12 Compare-se com 1Sm 31,12 a respeito de Saul.
14,13-21 A partilha do alimento maravilhoso, comumente chamada multiplicação dos pães, é narrada

saber disso, Jesus partiu daí numa barca, sozinho, para um lugar despovoado. Mas a multidão ficou sabendo disso e o seguiu a pé desde os povoados. ¹⁴Jesus desembarcou e, ao ver a grande multidão, sentiu compaixão e curou os enfermos. ¹⁵Ao entardecer, os discípulos foram dizer-lhe:

— O lugar é despovoado e a hora é avançada; despede as pessoas para que vão às aldeias comprar alimento.

¹⁶Jesus lhes respondeu:

— Não precisam ir; dai-lhes vós de comer.

¹⁷Responderam:

— Aqui não temos mais que cinco pães e dois peixes.

¹⁸Ele disse-lhes:

— Trazei-os aqui.

¹⁹Depois mandou a multidão sentar-se na grama, tomou os cinco pães e os dois peixes, levantou os olhos ao céu, deu graças, partiu o pão e o deu a seus discípulos; eles o deram às pessoas. ²⁰Todos comeram, ficaram satisfeitos, recolheram as sobras e encheram doze cestos. ²¹Os que comeram eram cinco mil homens, sem contar mulheres e crianças. ²²Em seguida mandou que os discípulos embarcassem e passassem à frente para a outra margem, enquanto ele despedia a multidão.

Caminha sobre a água (Mc 6,45-52; Jo 6,15-21) – ²³Depois de despedi-la, subiu sozinho à montanha para orar. Ao anoitecer ele estava sozinho ali. ²⁴A barca já estava a boa distância da costa, batida pelas ondas, porque havia vento contrário. ²⁵Pela quarta vigília da noite, aproximou-se deles caminhando sobre o lago. ²⁶Ao vê-lo caminhar sobre o lago, os discípulos se assustaram e disseram:

— É um fantasma.

E gritaram de medo. ²⁷Imediatamente Jesus lhes disse:

— Ânimo! Sou eu, não temais.

²⁸Pedro lhe respondeu:

— Senhor, se és tu, manda-me ir pela água ao teu encontro.

²⁹Disse-lhe:

— Vem.

Pedro saltou da barca e pôs-se a caminhar pela água, aproximando-se de Jesus; ³⁰porém, ao sentir a força do vento, teve medo, começou a afundar, e gritou:

— Socorro, Senhor!

---

nos quatro evangelhos, e duas vezes em Mt e Mc. Deve ser lida sobre o pano de fundo dos relatos de Ex e Nm sobre o maná (como explica Jo 6) e de um relato profético menor (Eliseu em 2Rs 4,42-44). Jesus age como novo Moisés e como profeta. Antecipa, outrossim, o alimento eucarístico. Assim a interpretou a tradição, apoiada nas fórmulas litúrgicas do v. 19, tomadas da prática litúrgica primitiva: a ação de graças, a fração do pão, a distribuição pelos discípulos.
Jesus recusou um milagre fácil e cômodo para satisfazer sua própria fome no deserto (4,4), porque ele vive da palavra de Deus; agora distribui ao povo essa palavra e recorre ao milagre para dar-lhe também o pão. O simbolismo se sustenta no realismo. O diálogo com os discípulos os converte em testemunhas do milagre e em modestos colaboradores, que primeiro têm de apreciar a insuficiência dos seus próprios meios e depois desprender-se do pouco que têm (cf. 1Rs 17,9-13). Para ouvir Jesus, o povo abandona suas aldeias e parece esquecer-se do sustento: "não fome de pão... mas de ouvir a palavra do Senhor" (Am 8,11). O número dos cestos parece significar as doze tribos.
Deus é doador por excelência (Sl 104,27-28; 136,25 "dá alimento a todo vivente"; 145,15-16 "tu lhes dás o alimento a seu tempo"), que agora dá por meio do seu enviado. A generosidade faz parte do seu reinado.

14,23-34 Na escuridão da noite, na agitação de um mar turbulento, Jesus aparece a seus discípulos. Podemos chamar isso de cristofania e compará-lo com os relatos da transfiguração e da páscoa. Jesus domina os elementos (Sl 77,20), infunde paz e confiança com sua presença (fórmula clássica, p. ex. Is 41,10; 43,5), com sua palavra, com o contato da sua mão (cf. Sl 53,9; 73,23; 80,18).

14,23 Os evangelistas não nos informam o conteúdo dessa oração (como farão antes da paixão). Só nos dizem o lugar, a montanha e a solidão. O importante para o narrador é apresentar a oração de Jesus, solitária e elevada, como ponto de partida de sua manifestação. Os discípulos aparecem em contraste: montanha/mar, oração/agitação.

14,25 A quarta vigília ou turno de guarda é a última, próxima ao amanhecer. "Caminha sobre o dorso do mar" (Jó 9,8).

14,26 O fantasma era uma aparição noturna, como a de Elifaz (Jó 4,12-16).

14,27 Jesus se identifica. Mas a fórmula "Sou eu" desperta sem querer ressonâncias do nome divino (Ex 3,14, mais evidentes em João).

14,28 Sem secar as águas, como no mar Vermelho e no Jordão.

14,30 Não teme porque se afunda, mas se afunda porque teme (cf. Sl 69,2-3). A atuação de Pedro é própria de Mateus, que quer mostrar o itinerário espiritual do primeiro apóstolo: quando Jesus se identifica, o reconhece; solicita seu chamado e o segue com audácia confiante; titubeia e falha no perigo, mas é salvo por Jesus. Figura exemplar para a Igreja. A imagem da "barca da Igreja" se tornará corrente e tradicional.

³¹Imediatamente Jesus estendeu a mão, o agarrou e lhe disse:

— Desconfiado! Por que duvidaste?

³²Quando subiram à barca, o vento cessou. ³³Os da barca se prostraram diante dele, dizendo:

— Certamente és filho de Deus.

³⁴Terminaram a travessia e atracaram em Genesaré. ³⁵Os homens do lugar souberam disso e difundiram a notícia por toda a região. Levaram-lhe todos os doentes ³⁶e lhe rogavam que lhes permitisse simplesmente tocar a orla de seu manto. Os que o tocavam ficavam curados.

15 A tradição (Mc 7,1-23)

¹Então alguns fariseus e alguns letrados de Jerusalém se aproximaram de Jesus e lhe perguntaram:

— ²Por que teus discípulos violam a tradição dos antepassados? Pois não lavam as mãos antes de comer.

³Ele respondeu-lhes:

— E por que vós violais o preceito de Deus em nome de vossa tradição? ⁴*Pois Deus mandou: Sustenta teu pai e tua mãe. Aquele que abandona seu pai ou sua mãe é réu de morte.* ⁵Vós, ao contrário, dizeis: Se alguém declara a seu pai ou a sua mãe que o socorro que lhe devia é oferenda sagrada, ⁶já não tem que sustentar seu pai ou sua mãe. E assim invalidais o preceito de Deus em nome de vossa tradição. ⁷Hipócritas! Bem profetizou sobre vós Isaías quando disse: ⁸*Este povo me honra com os lábios, mas seu coração está longe de mim;* ⁹*o culto que me prestam é inútil, pois a doutrina que ensinam são preceitos humanos.*

¹⁰E chamando a multidão, disse-lhes:

— Escutai e entendei. ¹¹Não contamina o homem o que entra pela boca, mas o que sai da boca: isso contamina o homem.

¹²Então aproximaram-se dele os discípulos e lhe disseram:

— Sabes que os fariseus se escandalizaram ao ouvir o que disseste?

¹³Ele respondeu:

— Toda planta que meu Pai do céu não plantou será arrancada. ¹⁴Deixai-os: são cegos e guias de cegos. E, se um cego guia a outro cego, os dois cairão num buraco.

¹⁵Pedro respondeu:

— Explica-nos essa comparação.

¹⁶Ele lhes disse:

— Também vós continuais sem entender? ¹⁷Não percebeis que o que entra pela boca passa para o ventre e é expulso na latrina?

14,32 Ver Sl 107,29.
14,33 O título tem alcance messiânico.
15,1-20 Relação de Jesus com a tradição, ou seja, a tradição oral que acompanha o texto oficial sem fazer parte dele. Um texto sapiencial de âmbito doméstico reflete a prática da tradição: "Escutai, filhos..., ensino-vos uma boa doutrina... Eu também fui filho de meu pai... ele me instruía assim..." (Pr 4,1-4). Nem todos os fariseus eram letrados (ou doutores, rabinos). Os letrados eram os guardas e transmissores da tradição; os fariseus eram zelosos de seu cumprimento. O movimento farisaico tinha seu centro em Jerusalém e estava ligado ao templo. Se uma parte da lei regulava a pureza dos alimentos (tabus alimentares de Lv 11 e Dt 14), a tradição oral tinha refinado as distinções. A pureza legal pretendia medir o valor de uma doutrina e conduta. De Jerusalém, com um encargo quase oficial, os guardas da tradição interrogam o novo pregador itinerante. Jesus converte o interrogatório em controvérsia, e aproveita para expor com clareza desafiadora o seu ensinamento. A natureza e os alimentos não se dividem radicalmente em dois compartimentos estanques, o puro e o impuro, que são distinções introduzidas pelo homem. Há outra pureza autêntica, que brota da intimidade do homem e define seu valor moral e religioso. Ao cuidado da pureza legal pertencem também as abluções (Ex 30; Lv 15 etc.) e lavatórios em diversas circunstâncias.

15,1-9 A controvérsia se concentra na pergunta inicial sobre as "tradições" de doutores respeitados, cujas interpretações faziam lei. As abluções rituais eram um caso particular: serviam para inculcar e recordar ao povo sua consagração ao Senhor. Jesus responde *ad hominem*, elevando-se a um princípio e denúncia geral: com as tradições os letrados invalidam a lei. O exemplo escolhido é o primeiro preceito positivo do Decálogo (Ex 20,12; 21,17), que usa os verbos antitéticos *kbd* e *qll*. Ambos se referem ao campo da honra e do sustento, "honrar/sustentar os pais". A discussão se concentra no sustento, que é subtraído a pais necessitados sob pretexto de oferecê-lo a Deus no culto. Não é esse o culto que Deus quer. A citação do profeta (Is 29,13) se encaixa bem na situação: une culto e doutrina: opõe lábios/coração, qualifica de preceitos humanos.

15,10-20 Da controvérsia passa ao ensinamento geral para a multidão e à explicação particular para os discípulos. O princípio não só anula as tradições, mas também equivale a abolir uma lei (Lv 11,25-47 e Dt 14,11-21). Jesus devolve todos os alimentos ao processo fisiológico normal. O coração (consciência) é a raiz das ações éticas do homem; por isso é preciso "um coração novo" (Sl 51,12). Na série de sete ou seis vícios entram quatro preceitos do Decálogo (comparar com a lista de Jr 7,9 no discurso sobre o templo).
15,13 Sl 52,7.

¹⁸Ao contrário, o que sai da boca brota do coração; e isso sim contamina o homem. ¹⁹Pois do coração saem pensamentos malvados, assassinatos, adultérios, fornicação, roubos, perjúrios, blasfêmias. ²⁰Isso sim contamina o homem. Mas comer sem lavar as mãos não contamina o homem.

A mulher cananeia (Mc 7,24-30) – ²¹Daí partiu para a região de Tiro e Sidônia. ²²Uma mulher cananeia da região saiu gritando:

– Tem compaixão de mim, Senhor, filho de Davi! Minha filha é maltratada por um demônio.

²³Ele não respondeu uma palavra. Os discípulos se aproximaram e lhe suplicaram:

– Despede-a, pois vem gritando atrás de nós.

²⁴Ele respondeu:

– Fui enviado somente às ovelhas desgarradas da Casa de Israel!

²⁵Porém ela se aproximou e se prostrou diante dele, dizendo:

– Senhor, ajuda-me!

²⁶Ele respondeu:

– Não é certo tirar o pão dos filhos para jogá-lo aos cachorrinhos.

²⁷Ela replicou:

– É verdade, Senhor; mas também os cachorrinhos comem as migalhas que caem da mesa de seus donos.

²⁸Então Jesus lhe respondeu:

– Mulher, que fé tão grande tens. Que teus desejos se cumpram.

E a filha ficou curada nesse momento.

²⁹Daí se dirigiu ao lago da Galileia, subiu a um monte e se sentou. ³⁰Acorreu grande multidão levando consigo coxos, mutilados, cegos, mudos e muitos outros doentes. Colocavam-nos a seus pés e ele os curava. ³¹De modo que a multidão estava admirada vendo mudos falar, mutilados sarar, coxos caminhando, cegos com visão. E glorificavam o Deus de Israel.

Dá de comer a quatro mil (Mc 8,1-10) – ³²Jesus chamou os discípulos e lhes disse:

– Tenho compaixão dessa multidão, pois há três dias estão comigo, e não têm o que comer. Não quero despedi-los em jejum, para que não desmaiem pelo caminho.

³³Os discípulos lhe disseram:

– Onde poderemos em lugar despovoado prover-nos de pães suficientes para saciar tal multidão?

³⁴Jesus lhes perguntou:

– Quantos pães tendes?

Responderam:

– Sete e alguns peixinhos.

³⁵Ele ordenou ao povo que sentasse no chão. ³⁶Tomou os sete pães e os peixinhos, deu graças, partiu o pão e o deu aos discípulos; estes os deram à multidão. ³⁷Todos comeram até ficar satisfeitos; e com os restos encheram sete cestas. ³⁸Os que haviam comido eram quatro mil homens, sem contar mulheres e crianças. ³⁹Ele despediu a multidão, subiu à barca e se dirigiu ao território de Magadã.

15,21-28 Esse episódio sobressai em continuação e contraste com o anterior. Também entre os homens e os povos existia uma separação de pureza legal: judeus e pagãos. Os judeus não podiam comer com os pagãos para não se contaminar. Jesus vem abolir tal distinção, tornando acessível a qualquer um o dom de Deus, pela fé em sua pessoa. O diálogo com os discípulos e com a mulher esclarece emotivamente atitudes e normas. Já o profeta Elias havia concedido seus milagres a uma mulher fenícia (1Rs 17).

Canaã se opõe tradicionalmente a Israel (desde Gn 10 e 15 em diante). Os títulos que a mulher dá a Jesus, lidos em contexto cristão, equivalem a uma profissão: Filho de Davi (= Messias) e Senhor. Pela fé, essa mulher se apresenta como tipo dos pagãos que crerão; sem que o evangelho está sendo escrito. No projeto genérico de Deus primeiro vêm os direitos e necessidades do povo escolhido (Jr 50,17); mas a fé da mulher pagã e a bondade de Jesus superam qualquer privilégio.

O silêncio de Jesus põe à prova e depura a fé da mulher. Mais ainda a comparação com os cachorros (ao que parece, já domesticados). A posição de Jesus é por exclusão: tirar de uns para dar a outros; semelhante posição pode ter ressurgido nas comunidades primitivas. Mas Jesus não tem riquezas para todos? A mulher aceita humildemente o papel e retorce a resposta: umas migalhas da mesa de Jesus valem o pão todo, e com elas a mulher se contenta.

15,29-31 Sumário de curas que parece dar uma moldura coletiva ao milagre individual precedente. Menciona quatro tipos de enfermidade, como expressão de totalidade (cf. Is 35,5-6). A multidão reconhece nos milagres a bondade e o poder daquele que chamam Deus de Israel (Sl 72,18; 106,48).

15,32-39 Aquela que era chamada "segunda multiplicação dos pães" é uma duplicata do relato anterior (14,13-21) com algumas variantes significativas: o atrativo da sua pessoa e a tenacidade do povo que já há três dias está com ele e esgotou as provisões; a fraqueza para fazer o caminho de volta (cf. 1Rs 19,7); os números, a fórmula eucarística simplificada. É resultado da compaixão do Senhor, e não exibição de poder: "não passarão fome porque aquele que se compadece deles os conduz" (Is 49,10.13). Ver o milagre de Eliseu em 2Rs 4,42-44.

16 **Um sinal celeste** (Mc 8,11-13; Lc 12,54-56) – ¹Aproximaram-se os fariseus e os saduceus e, para tentá-lo, pediram que lhes mostrasse um sinal do céu. ²Ele respondeu-lhes:

– Ao entardecer dizeis: tempo bom; o céu está vermelho. ³Pela manhã dizeis: hoje chove; o céu está vermelho-escuro. Sabeis distinguir o aspecto do céu e não distinguis os sinais da história. ⁴Esta geração perversa e adúltera reivindica um sinal; e não lhe será dado outro sinal, a não ser o de Jonas.

Deixou-os e partiu.

⁵Ao atravessar para a outra margem, os discípulos se esqueceram de levar pão. ⁶Jesus lhes disse:

– Atenção! Abstende-vos do fermento dos fariseus e saduceus.

⁷Eles comentavam:

– Ele se refere a não termos trazido pão.

⁸Percebendo isso, Jesus lhes disse:

– O que andais comentando, desconfiados? Que não tendes pão? ⁹Ainda não entendeis? Não vos lembrais dos cinco pães para os cinco mil, e quantos cestos sobraram? ¹⁰Ou dos sete pães para os quatro mil, e quantas cestas sobraram? ¹¹Como não entendeis que eu não me referia aos pães? Abstende-vos do fermento dos fariseus e saduceus.

¹²Então entenderam que não falava de abster-se do fermento do pão, mas do ensinamento de fariseus e saduceus.

Confissão de Pedro (Mc 8,27-30; Lc 9,18-27) – ¹³Quando Jesus chegou à região de Cesareia de Filipe, interrogou os discípulos:

– Quem dizem os homens que é este Homem?

16,1-4 Discute-se a autenticidade de 2b-3 (que fazem sentido no contexto). Desta vez, os fariseus estão acompanhados dos saduceus, que, embora um pouco racionalistas, exigem um sinal celeste (cf. Is 7,11) como legitimação daquele que se apresenta como Messias. Ao rei Acaz é oferecida a opção de um sinal no abismo ou no céu (Is 7,11). Jesus responde com um argumento sutil: eles interpretam sem dificuldade os sinais atmosféricos naturais do céu; mas não sabem interpretar os sinais terrestres, as conjunturas decisivas da história, que em Jesus são evidentes. Pois que se atenham ao sinal definitivo de Jonas (morte ou abismo e ressurreição).

16,5-12 Da preocupação material os discípulos devem passar à confiança, instruídos pelos milagres dos pães. Da compreensão material devem passar a uma espiritual e a uma atitude de vigilância. O fermento faz fermentar (13,33), mas também põe a perder e é excluído durante a páscoa (Ex 12,15; 1Cor 5,7-8). Que vivam prevenidos contra a influência dos ensinamentos ou tradições judaicos, tal como os propõem as duas escolas extremas e opostas: os saduceus e os fariseus. As comunidades cristãs se distanciam de ensinamentos judaicos que poderiam desvirtuá-las.

16,13 Daqui até o final do cap. 18 Jesus vai dedicar-se a seus discípulos para ir formando a comunidade. Na confissão de Pedro e na transfiguração culmina a composição de Mateus sobre o ministério de Jesus. Ambas as cenas apontam para a ressurreição.

16,13-20 O texto de Mateus é muito denso e elaborado. Apresenta um fato tal como a comunidade o entendeu e viveu. Note-se o paralelismo das identificações:
o povo diz que o Filho do Homem é João, Elias, Jeremias, profeta
vós dizeis que eu sou...
Pedro diz que tu és o Messias Filho de Deus
Jesus diz que tu és Pedro
Trata-se de identificar o ser da pessoa de Jesus (não de um ser transcendente e misterioso); "o Filho do Homem" e "eu" são o mesmo sujeito que busca um predicado.
O povo não hostil, que presenciou a atividade de Jesus, considera-o algum enviado especialíssimo de Deus para preparar a era messiânica; inclusive alguém poupado da morte (Eclo 48,1) ou morto e redivivo para ter maior autoridade (Lc 16,30). Simão, que pela carne e sangue é filho de Jonas, declara que Jesus é o Messias esperado; e Jesus o ratifica, declarando que a confissão procede de uma revelação do Pai (cf. 11,27), pela qual Pedro tem uma bem-aventurança particular.
Dito isso, prosseguue estabelecendo e declarando a função específica de Simão. Jesus se propõe "construir" um templo, que é uma comunidade nova, na qual Pedro será uma "pedra" fundamental. O grego *petros* designa uma pedra ou pedregulho, algo que se pode pegar e lançar. Ao passo que *petra* designa um silhar ou penha ou rocha onde se assenta um edifício. O edifício ou comunidade é obra e domínio de Jesus, "minha igreja", que substituirá a comunidade sagrada *qahal Yhwh* ou *qahal Yisrael* (Dt 23,2; 1Rs 8,22 etc.). Pedro terá nela uma função medianeira central: por sua adesão ou aderência a Cristo, participará da solidez da rocha. Contra a igreja de Jesus nada poderá o poder da morte, que abre suas portas para prender e fecha para não soltar. A obra de Jesus é imortal (talvez sugira a ressurreição e a vida eterna dos seus membros).
Pedro terá as chaves de acesso ao reino de Deus (de acordo com as bem-aventuranças, 5,3.10) e terá o poder de julgar, perdoar e condenar, ratificado por Deus. Diante de doutores e fariseus que "amarram fardos pesados" (23,4) e fecham o acesso ao reino de Deus (23,13).
Paralelos: v. 14: 14,2. v. 16: 3,17; 11,27; 14,33. v. 17: 13,11-17. v. 18 edificar sobre rocha: 7,24; império da morte = portas do abismo, Is 38,10; Jó 38,17; Sb 16,13. V. 19 poderes do mordomo: Is 22,22; Jo 20,23; sobre Jeremias pode-se ver o sonho de Judas Macabeu (2Mc 15,12-16).

¹⁴Responderam:

– Uns que é João Batista; outros, Elias; outros, Jeremias ou algum outro profeta. ¹⁵Disse-lhes:

– E vós, quem dizeis que eu sou? ¹⁶Respondeu Simão Pedro:

– Tu és o Messias, o Filho de Deus vivo. ¹⁷Jesus lhe replicou:

– Feliz és tu, Simão, filho de Jonas! Porque não foi alguém de carne e sangue que te revelou isso, e sim meu Pai do céu. ¹⁸Pois eu te digo que tu és Pedro e sobre esta Pedra construirei minha igreja, e o império da morte não a vencerá. ¹⁹A ti darei as chaves do reino de Deus: o que atares na terra ficará atado no céu; o que desatares na terra ficará desatado no céu.

²⁰Então lhes ordenou que não dissessem a ninguém que o Messias era ele.

Primeiro anúncio da paixão e ressurreição (Mc 8,31-9,1; Lc 9,22-27) – ²¹A partir daí começou a explicar aos discípulos que haveria de ir a Jerusalém, padecer muito por causa dos senadores, sumos sacerdotes e letrados, sofrer a morte e ao terceiro dia ressuscitar.

²²Pedro o levou à parte e se pôs a repreendê-lo:

– Deus te livre, Senhor! Tal coisa não te acontecerá.

²³Ele se voltou e disse a Pedro:

– Retira-te, Satanás! Queres fazer-me cair. Pensas de modo humano, não de acordo com Deus.

²⁴Então Jesus disse aos discípulos:

– Quem quiser seguir-me, negue a si mesmo, carregue sua cruz e me siga. ²⁵Quem se empenha em salvar a vida, a perderá; quem perder a vida por mim, a encontrará. ²⁶Que aproveita ao homem ganhar o mundo inteiro às custas de sua vida? Que preço pagará por sua vida? ²⁷O Filho do Homem há de vir com a glória de seu Pai e acompanhado de seus anjos. Então pagará a cada um conforme a sua conduta. ²⁸Eu vos asseguro: há alguns dos que estão aqui que não sofrerão a morte antes de ver chegar o Filho do Homem como rei.

17

Transfiguração (Mc 9,2-13; Lc 9,28-36) – ¹Seis dias mais tarde, Jesus tomou Pedro, Tiago e seu irmão João e os levou à parte a uma montanha elevada. ²E transfigurou-se diante deles: seu rosto resplandecia como o sol, suas vestes se tornaram brancas como a luz. ³Apareceram-lhes Moisés e Elias conversando com ele. ⁴Pedro tomou a palavra e disse a Jesus:

– Senhor, como se está bem aqui! Se parece bem, armarei três tendas: uma para ti, outra para Moisés e outra para Elias.

16,21-23 "A partir daí" significa um corte narrativo, um novo começo, o caminho para a paixão e morte (balizado em 17,22 e 20,17). Mateus e sua comunidade antecipam o anúncio, iluminados pela páscoa. Jesus vai ao encontro do seu destino, segundo a vontade do Pai plenamente aceita.
Contudo, apesar do corte, essa perícope se une por contraste com a precedente: Pedro recebe o título de Satã, não é inspirado pelo Pai, mas pelo inimigo, o rival que tem um projeto oposto ao do Pai (4,10), a Pedra se transforma em tropeço (cf. Is 8,14-15). Pedro não aceita a paixão de seu mestre porque não compreende o valor fecundo que ela tem.

16,24-27 O exemplo do Mestre define as condições para ser discípulo. Repete o ensinamento sobre o valor e o sentido da vida (10,39). Não há preço humano para assegurá-la (Sl 49,8-10). Negar a si mesmo é a vitória sobre o egoísmo, na qual está a máxima afirmação. Pode-se perder a vida por algo, alguém que valha mais, e então a perda é ganho: "pois tua lealdade vale mais que a vida" (Sl 63,4).

16,27 A referência explícita à parusia aconselha aqui a tradução "Filho do Homem" como título. Virá como rei para julgar e retribuir (Sl 62,12; Eclo 35,24). No último v. se percebe a expectativa da comunidade pela vinda próxima do Senhor glorioso.

16,28 Sl 62,12; Eclo 35,24.

17,1-8 A manifestação da glória de Cristo é um momento culminante, que antecipa a ressurreição e foi escrito à luz da páscoa. Situa-se entre dois anúncios da paixão, justificando o projeto do Pai e o destino de Jesus. O texto deve ser lido sobre o pano de fundo de Ex 24,1-18, que fornece vários temas: os três acompanhantes, o monte, a nuvem, os seis dias, a obediência, a manifestação luminosa, a visão de Deus. A identificação com o monte Tabor não tem fundamento exegético.
A transformação é luminosa. Segundo uma tradição constante no AT, a Glória se faz visível em forma luminosa (p. ex. Sl 57,6.12; Eclo 42,16). O rosto de Jesus brilha como o sol (Eclo 17,31); em alguns salmos pede-se ao Senhor que "faça brilhar seu rosto/mostre seu rosto radiante" (Sl 31,17; 67,2; 80,4); também suas vestes: a luz é a veste de Deus (Sl 104,2); inclusive a nuvem, que vela e revela, é luminosa (Jó 37,15; 1Rs 8,10-12). É de dentro que lhe brota a luz, não lhe vem de fora como a de Moisés (Ex 33-34). A glória de Jesus atrai Moisés e Elias (os dois arrebatados por Deus?), o mediador da aliança e o primeiro dos profetas; outrora representantes da lei e dos profetas, agora testemunhas e interlocutores de Jesus. O Antigo Testamento testemunha a favor de Jesus Messias. A glória parece abolir o tempo ou atualizar o passado.

⁵Ainda estava falando quando uma nuvem luminosa lhes fez sombra, e da nuvem saiu uma voz que dizia:

– Este é o meu Filho amado, o meu predileto. Escutai-o.

⁶Ao ouvir isso, os discípulos caíram de bruços, tremendo de medo. ⁷Jesus se aproximou, tocou-os e lhes disse:

– Levantai-vos, não temais!

⁸Levantando os olhos, viram somente Jesus. ⁹Enquanto desciam da montanha, Jesus lhes ordenou:

– Não conteis a ninguém o que vistes, até que este Homem ressuscite da morte.

¹⁰Os discípulos lhe perguntaram:

– Por que dizem os letrados que primeiro deve vir Elias?

¹¹Ele respondeu:

– Elias deve vir para restaurar tudo. ¹²Mas eu vos asseguro que Elias já veio e não o reconheceram e o trataram arbitrariamente. O mesmo tanto há de sofrer este Homem por causa deles.

¹³Então os discípulos compreenderam que ele se referia a João Batista.

O menino epilético (Mc 9,14-29; Lc 9,37-43) – ¹⁴Quando voltaram para junto do povo, um homem se adiantou, se ajoelhou diante dele ¹⁵e lhe disse:

– Senhor, tem compaixão de meu filho que é lunático e sofre muito. Muitas vezes cai no fogo ou na água. ¹⁶Eu o trouxe aos teus discípulos e não conseguiram curá-lo.

¹⁷Jesus respondeu:

– Que geração incrédula e perversa! Até quando terei de estar convosco e aguentar-vos? Trazei-o aqui.

¹⁸Jesus deu uma ordem, o demônio saiu dele e o menino ficou curado a partir desse momento.

¹⁹Então os discípulos se aproximaram de Jesus em particular e lhe perguntaram:

– Por que nós não pudemos expulsá-lo?

²⁰Ele respondeu:

– Por vossa pouca fé. Eu vos asseguro: se tivésseis fé como um grão de mostarda, diríeis àquele monte que se deslocasse dali, e ele se deslocaria. E nada seria impossível para vós. [²¹Mas esse tipo só se expulsa com oração e jejum]*.

²²Enquanto passeavam juntos pela Galileia, Jesus lhes disse:

– Este Homem será entregue em mãos de homens ²³que o matarão. Ao terceiro dia ressuscitará.

Eles se entristeceram profundamente.

O imposto do templo – ²⁴Quando chegaram a Cafarnaum, os que coletavam o

---

A nuvem é companheira ordinária de teofanias (frequente em Ex e Nm), também na liturgia (Lv 16,2; Is 6,4). Da nuvem soa a voz de Deus (Dt 5,22; Sl 99,7). Aqui é a voz do Pai dando testemunho de seu Filho: combinando citações de Is 42,1; Sl 2,7 e Dt 18,15; ou seja, do Servo, do rei, do profeta futuro. "O Pai conhece o Filho" e o revela (Mt 11,27). Escutai-o: também quando anuncia a paixão e pede seguimento. A intervenção de Pedro expressa a alegria da visão e poderia aludir à festa das Tendas. Como ele identifica Moisés e Elias, o narrador não diz. É a terceira intervenção de Pedro, e parece expressar um desejo de ficar no mistério glorioso. O silêncio imposto por Jesus ao descer une a transfiguração passageira com a glorificação definitiva. Pelo que viram e ouviram, os três poderiam repetir: "Contemplamos sua glória, glória como de Filho único do Pai" (Jo 1,14; cf. Is 35,2; 40,5).

17,10-13 A pergunta surge atraída pela visão de Elias. Os discípulos se tornam eco da crença popular, ensinada pelos doutores (segundo Ml 3,23-24 e Eclo 48,10): se Elias ainda não voltou, Jesus não é o Messias. Já voltou, diz Jesus, e cumpriu sua tarefa de preparar o povo. Mas não o reconheceram (no plural, não só Herodes). A paixão de João, à mercê do "capricho" deles, prefigura a de Jesus, e essa é outra preparação mais profunda.

17,14-21 A função desse relato é instruir sobre a fé, a partir de um fato concreto. Tornou-se proverbial "uma fé que move montanhas" (cf. 1Cor 13,2), pela qual o homem repete a ação de Deus (Jó 9,6). Mas não seria fé se agisse por capricho ou por espetáculo. Jesus cura por compaixão e cumprindo sua missão libertadora. Água e fogo é um merisma que abrange qualquer perigo (Is 43,2; Sl 124,3-4).

Jesus se queixa com palavras que transcendem o contexto específico. Queixa-se expressando cansaço acumulado; como o de Moisés, farto de suportar o povo (Nm 11,11-15); como o cansaço de Deus na etapa do deserto (Sl 95,10; Is 43,14). O delito dessa geração é a falta de fé: ela se detém na beneficência e no maravilhoso. Mas os discípulos têm de robustecer a fé para enfrentar o que se aproxima. A confissão de Pedro e a transfiguração hão de guiá-los.

Alguns manuscritos acrescentam o v. 21, tomado de Mc 9,29.

17,21 * Falta em muitos códices.

17,22-23 Segundo anúncio da paixão (16,21-23; 20,18-19). A resposta é a tristeza do grupo. Pedro já não opõe resistência.

17,24 Ex 30,12; 38,26.

17,24-27 Trata-se do imposto para o templo, cobrado localmente. Mencionado por Neemias (Ne 10,33), talvez como aplicação de uma lei (Ex 30,11-16). O incidente, no qual se misturam traços maravilhosos, serve também de instrução aos discípulos, e provavelmente à comunidade judeu-cristã, enquanto

imposto das duas dracmas se aproximaram de Pedro e lhe disseram:

– Vosso mestre não paga as duas dracmas?

²⁵Ele respondeu:

– Sim.

Quando entrou em casa, Jesus se antecipou e perguntou:

– Que te parece, Simão? De quem os reis do mundo cobram impostos: dos filhos ou dos estranhos?

²⁶Respondeu que dos estranhos, e Jesus lhe disse:

– Portanto, os filhos estão isentos. ²⁷Mas, para não dar motivo de escândalo, vai ao lago, atira um anzol, e o primeiro peixe que fisgar, pega-o, abre-lhe a boca e encontrarás uma moeda. Toma-a e paga por mim e por ti.

18 Instrução comunitária (Mc 9,33-37.42-48; Lc 9,46-48; 17,1s) – ¹Naquele tempo os discípulos se aproximaram de Jesus e lhe perguntaram:

– Quem é o maior no reino de Deus?

²Ele chamou um menino, colocou-o no meio deles ³e disse:

– Eu vos asseguro: se não vos converterdes e não vos tornardes como as crianças, não entrareis no reino de Deus. ⁴Quem se humilha como esta criança é o maior no reino de Deus. ⁵E aquele que acolhe uma destas crianças em atenção a mim, a mim acolhe. ⁶Porém, quem escandaliza um destes pequenos que creem em mim, seria melhor que lhe pendurassem no pescoço uma pedra de moinho e o atirassem ao fundo do mar. ⁷Ai do mundo por causa dos escândalos! É inevitável que aconteçam escândalos. Contudo, ai do homem mediante o qual vem o escândalo! ⁸Se tua mão ou teu pé são para ti ocasião de queda, corta-os e joga-os fora. É melhor entrar na vida manco ou coxo do que com duas mãos ou dois pés ser atirado ao fogo eterno. ⁹Se teu olho te é ocasião de queda, arranca-o e joga-o fora. É melhor para ti entrar na vida zarolho do que com dois olhos ser atirado no forno de fogo.

A ovelha perdida (Lc 15,3-7) – ¹⁰Cuidado para não desprezar um destes pequenos. Pois eu vos digo que seus anjos no céu con-

---

ainda existia o templo. Mais tarde a comunidade cristã o aplicará a tributos com finalidade religiosa impostos pelo imperador. Se o templo é a casa de Deus, seu Filho não deve pagar tributo; nem mesmo seus outros filhos. Pagá-lo é concessão, não obrigação. O episódio do peixe não é contado segundo a forma clássica do milagre; sua interpretação é duvidosa. Segundo Sl 8, o homem é também senhor dos peixes do mar.

18 Mateus reúne aqui várias instruções para a comunidade. Tema central é a atenção devida aos pequenos, necessitados, ofensores, extraviados; é o valor da humildade, da compreensão, do perdão mútuo e da reconciliação. "Menino e pequenos" repete-se em 1.14, "irmão" em 15.21.35. É o terceiro dos "discursos" de Jesus (com o do monte, 5-7 e o das parábolas, 13), o último antes de partir para a Judeia (19,1).

18,1-5 O protocolo da época era escrupuloso em designar precedências e definir classes. Os discípulos podem contagiar-se com o costume (23,8-12). Como será no reino de Deus, que é a nova comunidade na sua dimensão transcendente? A questão é grave, devido ao afã em busca de riqueza, de superar-se e de superar, ao menos no confronto com os outros. A resposta de Jesus vai à raiz. Embora contraste com pretensões da época, está na linha de múltiplas declarações do AT sobre exaltação e humilhação (p. ex. o cântico de Ana, 1Sm 2; Sl 113 etc.). Especialmente interessante é Eclo 3,17-20. O termo grego *paidíon*, além da idade, pode denotar o ofício: menino, criança, ou criado, servente. Sl 8,3 e 131,2 falam de "criança" como modelo de louvor e como exemplo de saber contentar-se. O menino colocado por Jesus no centro é uma presença simbólica: no reino celeste todos serão pequenos, filhos de Deus, e essa será sua grandeza.

Acolher o menino é consequência do que precede (cf. Gn 21,20): pode-se entender em sentido próprio ou metafórico. Deve-se fazê-lo "em atenção a Jesus".

18,6-9 Escandalizar é em sentido próprio pôr tropeços, provocar a queda. Assim soa a proibição legal: "Não porás tropeços ao cego" (Lv 19,14). O escândalo pode provir de outrem ou de si mesmo (12,29-30). Aqui se refere a tropeçar e falhar na fé; daí a gravidade do delito (compare-se com o "tropeço" ou "escorregão" de Sl 73,2). A perda do seduzido seria mais grave que a morte do sedutor. Alude ao moinho caseiro, manual. Dada a condição do homem na sociedade, pela maldade de uns ou a fraqueza de outros, é inevitável que haja tropeços ou caídas.

Depois passa a órgãos corporais que podem vir a ser perigosos em sua função: a mão, sede da ação; o pé, da conduta (caminho); o olho, da faculdade que avalia. O fogo definitivo que consome (Is 35,9-10; 66,24; Dn 7,11) se contrapõe à vida que dura.

18,10-14 Se por qualquer causa um membro se extraviou, a comunidade deve esforçar-se por recuperá-lo. A comparação da ovelha pode ser inspirada em Ez 34,11-12.16; poderia haver uma reminiscência de Davi pastor (1Sm 17,34).

18,10 Seus anjos: enviados de Deus que cuidam dos pequeninos (segundo Sl 91,11-12), servidores que têm acesso à presença dele (como os que Jacó viu, Gn 28,12).

templam continuamente o rosto do meu Pai do céu*. ¹²Que vos parece? Suponhamos que um homem tenha cem ovelhas e uma se extravie: não deixará as noventa e nove nas encostas para ir buscar a extraviada? ¹³E se chega a encontrá-la, eu vos asseguro que se alegrará mais por ela do que pelas noventa e nove não extraviadas. ¹⁴Do mesmo modo, vosso Pai do céu não quer que se perca sequer um destes pequenos.

Perdão das ofensas (Lc 17,3) – ¹⁵Se teu irmão te ofende*, vai e admoesta-o tu e ele a sós. Se ele te escutar, ganhaste o irmão. ¹⁶Se não te dá atenção, faze-te acompanhar de um ou dois, *para que o assunto se resolva por duas ou três testemunhas.*

¹⁷Se não lhes dá atenção, informa à comunidade. E se não dá atenção à comunidade, considera-o um pagão ou um coletor. ¹⁸Eu vos asseguro que o que ligardes na terra ficará ligado no céu, o que desligardes na terra ficará desligado no céu*. ¹⁹Eu vos digo também que, se dois de vós na terra se põem de acordo para pedir alguma coisa, meu Pai do céu a concederá. ²⁰Pois onde há dois ou três reunidos em meu nome, aí estou eu, no meio deles.

²¹Então Pedro aproximou-se e perguntou:

– Senhor, se meu irmão me ofende, quantas vezes devo perdoá-lo? Até sete vezes?

²²Jesus lhe responde:

– Eu te digo que não sete vezes, mas setenta e sete. ²³Pois bem, o reino de Deus se parece com um rei que decidiu ajustar contas com seus criados. ²⁴Imediatamente apresentaram-lhe um que lhe devia dez mil talentos. ²⁵Como não tinha com que pagar, o patrão mandou que vendessem sua mulher, seus filhos e todas as suas posses para saldar a dívida. ²⁶O criado se prostrou diante dele, suplicando-lhe: Tem paciência comigo, e eu te pagarei tudo. ²⁷Compadecido, o patrão daquele criado o deixou ir e lhe perdoou a dívida. ²⁸Ao sair, aquele criado encontrou outro criado que lhe devia cem denários. Agarrou-o e o sufocava, dizendo: Paga o que me deves. ²⁹Caindo a seus pés, o companheiro lhe suplicava: Tem paciência comigo, e eu te pagarei. ³⁰Mas o outro negou e o pôs na prisão até que pagasse a dívida. ³¹Ao ver o que acontecera, os outros criados ficaram muito tristes e foram contar ao patrão tudo o que havia acontecido. ³²Então o patrão o chamou e lhe disse: Criado perverso! Eu te perdoei toda aquela dívida porque me suplicaste; ³³não devias também tu ter

---

18,11 * Alguns manuscritos acrescentam o v. 11, tomado de Lc 19,10.
18,14 O princípio de Ez 18,32 se aplica de modo especial aos pequenos.
18,15-18 Na comunidade deve reinar a paz. Ou porque não há ofensas, ou porque se busca a reconciliação. Embora os testemunhos dos manuscritos se equilibrem, a pergunta de Pedro (21) nos faz preferir a leitura (ou explicação) "peca contra ti" = te ofende, em lugar do simples "peca". A primeira instância é totalmente privada: o ofendido, fazendo o irmão refletir e reconciliar-se, "ganha-o". A segunda instância é privada, com testemunhas (Dt 19,15), que servirão de mediadores. A última instância é o julgamento da comunidade. Alguém que, em última instância, se negasse a reconciliar-se, já não faz parte da comunidade; deve ser decretada a sua separação. Os responsáveis pela comunidade têm o direito de excluir ou excomungar (ver o exemplo de Paulo, 1Cor 5,5-6).
18,15 * Outros códices: *se teu irmão peca.*
18,18 É complemento de 16,19-20 (cf. Jo 20,23). * Ou: *o que proibirdes, o que permitirdes.*
18,19-20 Pode-se ler de várias maneiras: o acordo se deve manifestar também na oração; ou então: também para orar deve haver acordo (cf. Eclo 34,24). A oração comunitária é corrente no saltério; agora adquire novo sentido pela presença de Cristo. Entende-se a presença real de Cristo glorificado, não mera presença mental. Os rabinos exigiam o número mínimo de dez para o culto; Jesus o reduz a dois ou três.
18,21-35 À pergunta "matemática" de Pedro, Jesus responde no mesmo terreno, saltando de um número generoso a outro indefinido. E o explica com uma parábola que se cumpre em contrastes extremos. Ofensa e dívida são dois símbolos que expressam a situação negativa do homem diante de Deus. Como no Pai-nosso, adota aqui a imagem da dívida, que permite quantificar a explicação. Cem denários é o salário de cem dias de trabalho de diarista; dez mil talentos (um talento = uns 35 kg) é uma quantidade fantástica, cem milhões de denários. O relato não explica como o funcionário pôde endividar-se a tal ponto; imaginemos um governador de província corrupto. Este não se recusa a pagar, só pede paciência (Eclo 29,1-13); o patrão responde cheio de compaixão (talvez pense que o outro não poderá pagar), e perdoa. Já perdoado, deveria imitar, em escala reduzida, o exemplo do rei.
O homem, destinatário da imensa misericórdia de Deus (Sl 86,5), deve aprender a exercer sua pequena misericórdia com o próximo devedor. Ver no Sl 112 a passagem do v. 4 ao 5; também a consequência que tira Sb 12,18-19; e tantos textos que recomendam a piedade e a compaixão (Pr 14,21; 19,17; Sl 37,21.26 etc.).

compaixão de teu companheiro como eu tive de ti? ³⁴E indignado o entregou aos torturadores até que pagasse totalmente a dívida. ³⁵Assim vos tratará meu Pai do céu, se não perdoais de coração cada um a seu irmão.

19 O divórcio (Mc 10,1-12s)

¹Quando Jesus terminou esse discurso, transferiu-se da Galileia para a Judeia, do outro lado do Jordão. ²Seguia-o uma multidão imensa, e aí ele os curava.

³Aproximaram-se alguns fariseus e, para o porem à prova, lhe perguntaram:

– Pode alguém repudiar sua mulher por qualquer motivo?

⁴Ele respondeu:

– Não lestes que no princípio o Criador *os fez homem e mulher?* ⁵E disse: *por isso, um homem deixa seus pais, junta-se à sua mulher e os dois se tornam uma só carne.* ⁶De modo que já não são dois, mas uma só carne. Portanto, o que Deus uniu, o homem não separe.

⁷Replicaram-lhe:

– Então, por que Moisés mandou *dar-lhe ata de divórcio ao repudiá-la?*

⁸Respondeu-lhes:

– Por vosso caráter inflexível, Moisés vos permitiu repudiar vossas mulheres. Mas no princípio não era assim. ⁹Eu vos digo que quem repudia sua mulher – se não for em caso de concubinato – e se casa com outra, comete adultério, e aquele que se casa com a divorciada comete adultério.

¹⁰Os discípulos lhe dizem:

– Se essa é a condição do marido com a mulher, é melhor não casar-se.

¹¹Ele lhes disse:

– Nem todos aceitam essa solução, a não ser os que recebem tal dom.

¹²Pois há eunucos que são assim de nascença; há os castrados pelos homens e há os que se castraram pelo reinado de Deus. Aquele que pode com isso, que o aceite.

Abençoa algumas crianças (Mc 10,13-16; Lc 18,15-17)

¹³Então levaram-lhe algumas crianças para que pusesse as mãos sobre elas e pronunciasse uma oração. Os discípulos as repreendiam. ¹⁴Mas Jesus disse:

– Deixai as crianças e não as impeçais de se aproximarem de mim, pois o reino de Deus pertence aos que são como elas. ¹⁵Pôs as mãos sobre elas e partiu.

19,1-30 Geograficamente, começa uma etapa nova, o caminho de Jerusalém e da paixão. Tematicamente, continuam as instruções do capítulo precedente, falando sobre o matrimônio e os bens. O público é agora a multidão que o segue. Daqui em diante, não abandonará a Judeia, embora por algum tempo se mantenha afastado da capital.

19,1-12 Matrimônio e celibato pertencem de cheio à nova comunidade. O assunto é apresentado pelos fariseus como pergunta capciosa sobre o divórcio. Para eles, ponto de partida é a lei de Dt 24,1-4, que, para proteger a mulher, ordena entregar-lhe uma ata de divórcio. Ao interpretar os motivos válidos para o divórcio, que é decisão do marido, divergiam o rigoroso *Shammai* e o liberal *Hillel.* O texto da lei dizia: "porque descobre nela algo de vergonhoso". Isso explica a expressão "por qualquer motivo". A intenção capciosa consiste em fazer a pergunta para conduzir Jesus a declarar-se contra a lei, como tinha feito anteriormente (5,31-32), ou a enfrentar uma das escolas de interpretação.

Jesus passa de uma lei positiva, concessão mais que imposição, para a ordem primordial estabelecida por Deus (Gn 1,27; 2,24; 5,2), não como lei positiva, mas como constituição do homem como casal, "homem e mulher os criou". O "caráter inflexível" é a dureza de coração ou mental, a resistência em submeter-se à vontade de Deus (Dt 10,16; Jr 9,25). Na nova comunidade que é sua igreja, o matrimônio terá um lugar, segundo a ordem fundacional de Deus (1Cor 7,10-11). Porém, o texto admite uma exceção, o caso de *porneia,* sobre cujo sentido se continua discutindo (ver 5,32). Uma opinião razoável interpreta o caso como matrimônio ilegítimo, inválido, concubinato ou consanguinidade em grau proibido.

Os discípulos se assustam diante da exigência de um vínculo indissolúvel (os fariseus já não intervêm). Jesus não retira o que disse, antes, dá mais um passo, propondo outra situação que terá um lugar na sua comunidade: o celibato voluntariamente aceito, como dom de Deus e motivado pelo (pela pregação do) reinado de Deus. O AT registra apenas o caso de Jeremias (Jr 16). Em Israel, os eunucos eram excluídos do ofício sacerdotal (segundo Lv 21,20), da assembleia do Senhor (segundo Dt 23,2), mas podem figurar como funcionários (2Rs 8,6; 9,32); em época posterior abre-se a passagem para uma avaliação positiva (Is 56,3-5; Sb 3,14); entre os monges de Qumrã alguns praticavam o celibato. Sobre o caráter voluntário, 1Cor 7,7.

19,11 "Essa solução": pelo termo grego usado, *lógon,* e pela colocação, a referência fica ambígua: o projeto originário de Deus?, o estado de solteiro? Dado que fala de dom (de Deus), parece referir-se ao regime exigente do "reino" e ao caso extraordinário dos "eunucos pelo reino".

19,13-15 As crianças pertencem também à família e com ela farão parte da comunidade (cf. Js 8,35). Inclusive servirão de modelo (18,3). A mão sobre elas: como no Sl 139,5.

O jovem rico (Mc 10,17-31; Lc 18,18-30)

¹⁶Então aproximou-se alguém e lhe disse:

— Mestre, que obras boas devo fazer para alcançar vida perdurável?

¹⁷Respondeu-lhe:

— Por que me perguntas sobre o que é bom? Um só é o bom. Se queres entrar para a vida, guarda os mandamentos.

¹⁸Perguntou-lhe:

— Quais?

Jesus lhe disse:

— *Não matarás, não cometerás adultério, não roubarás, não perjurarás,* ¹⁹*honra o pai e a mãe, e amarás o próximo como a ti mesmo.*

²⁰O jovem lhe disse:

— Cumpri tudo isso. O que me resta fazer?

²¹Jesus lhe respondeu:

— Se queres ser perfeito, vai, vende teus bens, dá aos pobres, e terás um tesouro no céu; depois segue-me.

²²Ao ouvir isso, o jovem partiu triste, pois era muito rico.

²³Jesus disse a seus discípulos:

— Eu vos asseguro: um rico dificilmente entrará no reino de Deus. ²⁴Eu vos repito: é mais fácil um camelo passar pelo buraco de uma agulha que um rico entrar no reino de Deus.

²⁵Ao ouvir isso, os discípulos ficaram espantados e disseram:

— Então, quem poderá salvar-se?

²⁶Olhando para eles, Jesus lhes disse:

— Para os homens isso é impossível, para Deus tudo é possível.

²⁷Então Pedro lhe respondeu:

— Vê, nós deixamos tudo e te seguimos. Que será de nós?

²⁸Jesus lhes disse:

— Eu vos asseguro que vós, que me tendes seguido, no mundo renovado, quando o Filho do Homem sentar em seu trono de glória, também vós sentareis em doze tronos para reger as doze tribos de Israel. ²⁹E todo aquele que por mim deixar casas, irmãos ou irmãs, pai ou mãe, mulher ou filhos, ou campos, receberá cem vezes mais e herdará vida perpétua. ³⁰Mas muitos primeiros serão últimos, e últimos serão primeiros.

19,16-30 Um caso particular dará ocasião a Jesus para expor seu ensinamento sobre a posse de bens dentro da sua comunidade.

19,16-22 O caso. Apresenta-se "alguém" (16), que depois se caracteriza como "jovem" (20) e no fim como "rico" (22). Talvez seja intencional a gradação, pois a pergunta pode ser feita por "qualquer um", na contraposição entre a adolescência, e a recusa é provocada pela riqueza. A contraposição *neaniskos/téleios* pode denotar a idade, jovem/adulto, ou a condição adolescente/maduro. O jovem se informa sobre uma espiritualidade de obras que assegure uma vida perpétua: "Praticai o que o Senhor ordenou... e vivereis, e tudo vos correrá bem e prolongareis a vida" (Dt 5,32-33). Jesus o chama ao seguimento pessoal, removido o impedimento da riqueza. A perfeição é mais do que a pura observância do Decálogo (5,48): não cumprimento, mas seguimento.

19,18-19 É segunda parte do Decálogo (Ex 20,12-16 com Lv 19,18; cf. Rm 13,9).

19,21 Tesouro no céu pode equivaler a um tesouro em Deus: Deus será, ou Deus te reservará (cf. Jó 22,24-25). O distintivo é o seguimento. Não é simples evitar as preocupações de que fala Ben Sirac (Eclo 31,1-2) ou o perigo de perversão (Eclo 31,8-12). Não é um estilo de vida estoico. O convite superior: apóstolos (4,20), o voluntário (8,22); Zaqueu não é convidado ao seguimento.

19,22 Sl 62,11; 1Tm 6,17.

19,23-24 Com uma comparação hiperbólica e enérgica, bem conhecida na época (cf. Eclo 31,1-11), Jesus comenta a covardia do jovem. Não se deve embotar a hipérbole, mas canalizá-la à ação de Deus que, em seu reino, torna possível o humanamente impossível.

19,23 Pr 11,28.

19,25-30 O novo susto dos discípulos serve para introduzir o ensinamento de Jesus. Como o celibato significava aceitar um dom de Deus, assim a pobreza voluntária faz as contas com a generosidade e o poder de Deus (Gn 18,14; Is 59,1; Zc 8,6).

Primeiro se dirige aos Doze (10,2-4) com uma promessa escatológica. A *paliggenesia* é a nova criação (Is 65,17; 66,22). Quando Jesus glorificado ocupar seu trono real (Sl 110,1) como rei e juiz, também os doze apóstolos atuarão como juízes, julgando as tribos de Israel que não tiverem aceito Jesus como Messias. Outros interpretam como governo dos apóstolos na Igreja, o novo Israel, em que Jesus glorificado é o rei.

Depois se dirige a todos, prometendo-lhes que "receberão o cêntuplo e herdarão a vida eterna". É apenas promessa? Em tal caso, o cêntuplo chegará na consumação. Mateus distingue dois tempos como Marcos? Então o cêntuplo já se dá neste mundo, na vida da Igreja. No contexto de uma comunidade de seguidores em grau diverso, de casados e célibes, podem embaralhar-se as classes, e cabe a Deus designar os lugares. A frase aparece um tanto alterada em 20,16 e Lc 13,30. Outros o interpretam em relação aos judeus, que ficam para trás, e dos pagãos que se adiantam.

19,30-20,16 Experimentemos ler a perícope com estes limites: o primeiro v. anuncia e o último explica, em perfeita inclusão. No começo anuncia-se uma inversão de valores que no final desemboca numa igualdade. A relação correta do homem com Deus decide-se no trabalho. Quer proceder em regime

20 Os diaristas da vinha

¹O reinado de Deus se parece com um proprietário que saiu de manhã para contratar trabalhadores para a sua vinha. ²Combinou com eles um denário ao dia e os enviou para a sua vinha. ³Voltou a sair no meio da manhã, viu outros ociosos na praça ⁴e lhes disse: Ide também vós para a minha vinha, e vos pagarei o que for justo. ⁵Eles foram. Voltou a sair ao meio-dia e no meio da tarde e fez o mesmo. ⁶Ao cair da tarde, saiu, encontrou outros parados e lhes disse: O que fazeis aqui parados todo o dia sem trabalhar? ⁷Respondem-lhe: Ninguém nos contratou. E ele lhes diz: Ide também vós para a minha vinha. ⁸Ao anoitecer, o dono da vinha disse ao capataz: Reúne os trabalhadores e paga-lhes sua diária, começando pelos últimos e acabando pelos primeiros. ⁹Passaram os do entardecer e receberam um denário. ¹⁰Quando chegaram os primeiros, esperavam receber mais; no entanto, também eles receberam um denário. ¹¹Ao recebê-lo, protestaram contra o proprietário: ¹²Estes últimos trabalharam uma hora e os igualaste a nós, que suportamos a fadiga e o calor do dia. ¹³Ele respondeu a um deles: Amigo, não te faço injustiça; não combinamos um denário? ¹⁴Portanto, toma o que é teu e vai-te. Eu quero dar ao último o mesmo que a ti. ¹⁵Acaso não posso dispor de meus bens como me agrada? Ou tens de ser mesquinho por eu ser generoso? ¹⁶Assim, serão primeiros os últimos e últimos os primeiros.

Novo anúncio da morte e ressurreição
(Mc 10,32-34; Lc 18,31-34) – ¹⁷Quando Jesus subia para Jerusalém tomou à parte os doze e pelo caminho lhes disse:

– ¹⁸Vede, subimos a Jerusalém, e este Homem será entregue aos sumos sacerdotes e letrados, que o condenarão à morte. ¹⁹Eles o entregarão aos pagãos para que o injuriem, o açoitem e o crucifiquem. No terceiro dia ressuscitará.

Contra a ambição
(Mc 10,35-45) – ²⁰Então se aproximou a mãe dos Zebedeus com seus filhos e se prostrou para fazer um pedido. ²¹Ele lhe perguntou:

– Que desejas?

Respondeu:

– Ordena que, quando reinares, estes dois filhos meus sentem um à tua direita e outro à tua esquerda.

²²Jesus lhe respondeu:

– Não sabeis o que pedis. Sois capazes de beber a taça que eu vou beber?

Respondem:

---

de obras, por via de justiça? Fará um contrato com Deus, trabalhará pelo salário, o pedirá em justiça e o receberá. Mas não ficará satisfeito ao contemplar a sorte do companheiro: protesta e insinua injustiça em Deus; porque tem uma ideia da justiça distributiva que exige proporção matemática de trabalho e salário. Sua ideia de méritos e direitos gera inveja e mesquinhez. Quer o outro trabalhar em regime de necessidade própria e generosidade do patrão? Então não terá que postular a proporção, mas aceitar agradecido a desproporção. Deus não é injusto ao ser generoso. Jesus, como capataz, vem repartir. Cabe ao homem procurar o regime favorável. O último não tinha trabalho nem encontrava patrão. Existe melhor patrão do que Deus? Contanto que a pessoa não queira submetê-lo ao regime da justiça comutativa.

20,1 Começa uma série de três parábolas sobre a vinha. Vinha ou videira é imagem tradicional de Israel (Is 5; Sl 80 etc.), e se aplica depois à Igreja.
20,2 A jornada costumava ser de sol a sol e pagava-se diariamente (diária = *diurnalis*).
20,6-7 Deduz-se que os últimos fossem gente necessitada, sem trabalho e sem diária.
20,8 Segundo o costume de Lv 19,13; Dt 24,15; Jó 7,2. A inversão da ordem normal é significativa.
20,15 Semitismo: mesquinho, invejoso. Veja-se a sutil instrução de Eclo 14,3-10.
20,16 A sentença final é aberta. Aplica-se à relação dos judeus e pagãos em relação ao reino, aplica-se dentro da Igreja em diversas circunstâncias. Os primeiros refugiam-se em suas prestações de serviço, os últimos na generosidade de Deus.
20,17-19 Terceiro anúncio da paixão (16,21; 17,22), ao começar a última viagem para Jerusalém. Essa subida é como uma peregrinação pascal, em direção à nova páscoa. Segundo o texto, a sentença de morte vem das autoridades judaicas, a execução cabe aos pagãos.
20,20-28 Continua o tema de grandes e pequenos, desta vez no plano do poder. O episódio acontece no círculo dos doze e mostra como os apóstolos entenderam mal o ensinamento do Mestre. Do fato concreto Jesus passa ao princípio geral, válido para a sua comunidade.
O pedido da mãe pode recordar as manobras de Betsabeia em favor de seu filho Salomão (1Rs 1,15-21) e se une com a promessa dos doze tronos (19,28): entre os doze haverá dois privilegiados, os imediatos do rei. Jesus mostrou preferência por eles, como antes por Pedro (4,21; 17,1). Pretendem os irmãos superar ou antecipar-se a Pedro, passar de segundos a primeiros?
A "taça" é a da paixão (Jr 25,15-29; Ez 23,32-34; Is 51,17-23; Sl 75,9). A mãe dos Zebedeus assistirá um dia à paixão e morte de Jesus (Mt 27,55-56). Quando

— Podemos.

²³Diz-lhes:

— Bebereis minha taça, mas sentar à minha direita e esquerda não cabe a mim conceder; será para aqueles a quem meu Pai destinou.

²⁴Quando os outros dez ouviram isso, ficaram indignados com os dois irmãos.

²⁵Mas Jesus os chamou e lhes disse:

— Sabeis que entre os pagãos os governantes submetem os súditos, e os poderosos impõem sua autoridade. ²⁶Não será assim entre vós; pelo contrário, quem quiser ser grande entre vós, que se torne vosso servidor; ²⁷e quem quiser ser o primeiro que se torne o vosso escravo. ²⁸Da mesma forma que este Homem não veio para ser servido, mas para servir e dar sua vida como resgate por todos.

Cura dois cegos (Mc 10,46-52; Lc 18,35-43) — ²⁹Quando partiram de Jericó, uma grande multidão o seguia. ³⁰Dois cegos, que estavam sentados à beira do caminho, quando ouviram que Jesus passava, puseram-se a gritar:

— Senhor, filho de Davi, tem compaixão de nós!

³¹A multidão os repreendia para que calassem. Mas eles gritavam mais forte:

— Senhor, filho de Davi, tem compaixão de nós!

³²Jesus se deteve e lhes falou:

— Que quereis que vos faça?

³³Responderam:

— Senhor, que nossos olhos se abram.

³⁴Compadecido, Jesus lhes tocou os olhos, e no mesmo instante recobraram a visão e o seguiram.

21 Entrada triunfal em Jerusalém
(Mc 11,1-11; Lc 19,28-38; Jo 12,12-19) — ¹Ao chegar perto de Jerusalém, entraram em Betfagé, junto ao monte das Oliveiras. Então Jesus enviou dois discípulos, ²encarregando-os:

— Ide à aldeia em frente e logo encontrareis uma jumentinha amarrada e uma cria junto a ela. Soltai-a e trazei-a. ³Se alguém disser algo, lhe direis que o Senhor precisa deles. Dizendo isso os enviou. ⁴Isso aconteceu para que se cumprisse o que fora anuncia-

---

Mateus escreve, a predição já se cumpriu em Tiago pelo martírio (At 12,2), não em João. Mas também existe paixão sem chegar ao martírio. Aqui temos outro exemplo de que nem tudo o que pedimos nos é concedido: "ainda que não saibamos pedir como é devido" (Rm 8,26).

Um modo de exercer o poder no mundo civil é autoritário e tirânico: não pode servir de modelo para a comunidade de Jesus. Nela haverá autoridade, mas vai ser exercida não por ostentação de poder, mas com espírito de serviço. (Ver como o expõe Pedro, 1Pd 5,1-4.) Tal é a grandeza e a primazia no reino. Jesus é o exemplo supremo (cf. Is 53,12; 1Tm 2,6). O símbolo do "resgate", com termos aparentados, aparece em outros textos: Rm 3,24; 1Cor 1,30; Ef 1,7.14. Segundo Sl 49,8-10, ninguém pode entregar o resgate de sua vida, para viver sempre.

20,29-34 O episódio dos cegos se encontra a meio caminho. Prolonga as instruções aos discípulos com o tema do seguimento; antecipa o triunfo de Jerusalém com a confissão dos cegos (cf. 21,9.15). É uma cura messiânica (cf. Is 29,18).

A cegueira corporal é compensada por sua agudeza espiritual: reconhecem Jesus como descendente davídico, o Messias; três vezes invocam-no como Senhor; refugiam-se em sua compaixão. Ao toque de Jesus recuperam a visão (cf. Is 35,5) e se tornam seguidores ou discípulos.

O seu grito passou à liturgia na forma: "Senhor, tende piedade de nós".

21-25 Formam um bloco compacto e estilizado, que Mateus compõe para mostrar a tensão crescente entre Jesus e as autoridades judaicas, e para preparar o desfecho na paixão e morte. As fortes tensões entre judaísmo e cristianismo na época da composição do evangelho influem na redação acentuando o tom e os detalhes polêmicos. Entre o Jesus histórico e a igreja do autor se dá uma correlação que configura o relato. Deve ser lido olhando as duas vertentes. A interpretação precisa levar em conta o gênero literário da controvérsia, presente entre escolas filosóficas ou entre seitas de uma religião. Pode ter havido também influência de alguns modelos de violenta denúncia profética e de polêmica com falsos profetas, inclusive no debate de Jó com os amigos não faltam palavras injuriosas. As discussões com as autoridades judaicas combinam com os ensinamentos para a comunidade.

21,1-11 A cena faz o papel de pórtico para o que se segue; realiza a mudança de cenário e oferece um fundo de contraste. O que pode ter sido uma simples caravana de galileus peregrinando a Jerusalém para a Páscoa se transforma em entrada reveladora, acompanhada pelo fervor popular. Deve-se ler sobre o pano de fundo das aclamações na entrada de um rei: Salomão (1Rs 1,38-40), Jeú (2Rs 9,13. 30). O episódio é iluminado por três citações combinadas e adaptadas: chegada do Salvador (Is 62,11), entrada humilde do Messias (Zc 9,9), hosana de súplica e aclamação (Sl 118,25-26). Jesus é recebido como o rei messiânico: ele o aceita, mas salientando o caráter pacífico, sem aparato militar ou cortesão (não alarma os romanos). Não monta um espetáculo: inclusive o jumentinho está à sua disposição, por desígnio superior. Jesus age como diretor de cena sapiente e dominador.

do pelo profeta: ⁵Dizei à cidade de Sião: Vê o teu rei que está chegando: humilde, cavalgando um asno, uma cria, filho de uma jumenta. ⁶Os discípulos foram e, seguindo as instruções de Jesus, ⁷levaram-lhe a jumenta e o jumentinho. Puseram os mantos sobre eles e o Senhor montou. ⁸Uma grande multidão forrava o caminho com seus mantos; outros cortavam ramos de árvores e os espalhavam pelo caminho. ⁹A multidão na frente e atrás dele clamava:

– Hosana ao filho de Davi! Bendito aquele que vem em nome do Senhor. Hosana ao Altíssimo!

¹⁰Quando entrou em Jerusalém, toda a cidade perguntava agitada:

– Quem é esse?

¹¹E a multidão respondia:

– Esse é o profeta Jesus, de Nazaré da Galileia.

Purifica o templo (Mc 11,15-19; Lc 19,45-48; Jo 2,13-22) – ¹²Jesus entrou no templo e expulsou todos os que vendiam e compravam no templo, virou as mesas dos cambistas e as cadeiras dos que vendiam pombas. ¹³Disse-lhes:

– Está escrito que minha casa será casa de oração, ao passo que vós a convertestes em covil de ladrões.

¹⁴No templo aproximaram-se cegos e coxos, e ele os curou. ¹⁵Quando os sumos sacerdotes e letrados viram os milagres que fazia e as crianças no templo gritando Hosana ao filho de Davi!, ficaram indignados ¹⁶e lhe disseram:

– Ouves o que estão dizendo?

Jesus lhes respondeu:

– Sim; nunca ouvistes que tirarei um louvor da boca de bebês e crianças de peito?

¹⁷Deixando-os, saiu da cidade e se dirigiu a Betânia, onde passou a noite.

A figueira seca (Mc 11,12-14.20-24) – ¹⁸De manhã, a caminho da cidade, sentiu fome; ¹⁹vendo uma figueira junto ao caminho, aproximou-se, mas encontrou apenas folhas. Disse-lhe:

21,5 Cita a primeira frase: os ouvintes ou leitores conheciam o contexto, que anuncia a chegada de "teu Salvador". O texto grego de Zacarias tem três adjetivos: justo, salvador, humilde (o hebraico diz "vitorioso" em segundo lugar). Mateus retém só o terceiro adjetivo, que não contradiz as bem-aventuranças. O jumentinho era cavalgadura pacífica e mansa (Jz 5,10); a mula podia ser cavalgadura régia (1Rs 1,38.44); para a guerra serviam mulas e cavalos (Jz 5,22; 2Sm 18,9). O contexto de Zacarias anuncia a destruição do aparato bélico.

21,9 O grito *Hosana* é antes um grito de socorro (2Rs 6,26-27). Depois se converte em aclamação e se tornou familiar por causa do Salmo 118, recitado na festa das Tendas. O ato de bendizer admite duas leituras: a) "Em nome do Senhor" ligado com "bendito", bendiz invocando o Senhor (como diz o original hebraico; ver o texto clássico de Nm 6,24-26). b) "Vem em nome do Senhor", como seu representante. "Filho de Davi" é título messiânico (20,29.31).

21,10 Compare-se essa agitação com a de 2,3, pelo nascimento do descendente de Davi.

21,11 A expressão "o profeta" poderia despertar a recordação de Dt 18,15. De Nazaré: 2,23.

21,12-17 A purificação do templo é consequência do que precede: entra na capital, dirige-se ao templo para purificá-lo, como anunciara Malaquias: "Logo entrará no santuário o Senhor que procurais" (Ml 3,1). O templo fora centro religioso e também político, dir-se-ia centro de gravidade de residentes e da diáspora. Mais do que uma purificação sistemática, o gesto de Jesus é ação simbólica: em âmbito restrito, dá uma lição com autoridade. O que era o comércio de gado e de moedas no pátio maior do recinto do templo se pode deduzir de testemunhos da época: centenas ou milhares de cabeças de gado e de aves, câmbio de moeda de muitos países. Se a operação era necessária, prestava-se a múltiplos abusos, tolerados pela autoridade. Desfigurava o sentido e a função do templo.
Jesus justifica seu gesto com duas citações proféticas combinadas. A primeira (Is 56,7) se encontra no princípio da terceira parte do livro de Isaías, numa importante mudança da legislação. A segunda (Jr 7,11) é tomada do discurso de Jeremias contra o abuso no templo (como talismã mágico), que quase lhe custa a vida. O covil é o lugar onde os bandidos abrigam sua impunidade. As palavras de Jesus apontam mais além dos comerciantes e cambistas. Pode-se acrescentar o final de Zacarias (Zc 14,21): "Já não haverá mercadores no templo".

21,14 Sobre cegos e coxos, ver Lv 21,18, que legisla sobre os sacerdotes, e 2Sm 5,8, que recolhe um dito proverbial: "Nem coxo nem cego entre no templo". O templo é lugar para acolher os necessitados e fazer o bem.

21,15 As autoridades cultuais e doutrinárias consideram profanação do templo essas curas e a aclamação messiânica das crianças (recorde-se o incidente entre Amós e Amasias, Am 7,10-15). Jesus responde citando Sl 8,3, que equivale a dizer: a aclamação messiânica à minha pessoa é louvor provocado por Deus.

21,18-22 Cena à primeira vista incongruente. Os profetas praticaram a ação simbólica, explicada depois, como forma de predição. Jesus age aqui como profeta. A figueira pode representar Israel: "Como figo temporão na figueira descobri vossos pais" (Os 9,10); Miqueias identifica os frutos com homens leais e honrados (Mq 7,1-2); Jeremias, os que recusam converter-se (Jr 8,13). Pelo fato de

— Jamais voltes a dar fruto.

Imediatamente a figueira secou. ²⁰Ao ver isso os discípulos diziam assombrados:

— Como foi que a figueira secou de repente?

²¹Jesus lhes respondeu:

— Eu vos asseguro que, se tivésseis fé sem vacilar, não só faríeis o que aconteceu à figueira, mas diríeis a este monte que saia daí e se lance ao mar, e ele o faria. ²²E tudo o que pedirdes com fé o recebereis.

A autoridade de Jesus (Mc 11,27-33; Lc 20,1-8) — ²³Entrou no templo e se pôs a ensinar. Aproximaram-se os sumos sacerdotes e senadores do povo e lhe perguntaram:

— Com que autoridade fazes isso? Quem te deu tal autoridade?

²⁴Jesus lhes respondeu:

— De minha parte vos farei uma pergunta. Se a responderdes, vos direi com que autoridade faço isso. ²⁵O batismo de João, de onde procedia: de Deus ou dos homens?

Eles discutiam a questão: Se dizemos de Deus, ele nos perguntará por que não cremos nele; ²⁶se dizemos dos homens, o povo nos assusta, pois todos têm João como profeta.

²⁷Por isso responderam a Jesus:

— Não sabemos.

Ele lhes replicou:

— Tampouco eu vos digo com que autoridade faço isso.

Os dois filhos — ²⁸Que vos parece? Um homem tinha dois filhos. Dirigiu-se ao primeiro: Filho, vai hoje trabalhar na minha vinha.

²⁹Respondeu-lhe: Sim, senhor. Mas não foi. ³⁰Depois foi dizer o mesmo ao segundo. Este respondeu: Não quero. Mas logo se arrependeu e foi. ³¹Qual dos dois cumpriu a vontade de seu pai?

Dizem-lhe:

— O último.

E Jesus lhes diz:

— Eu vos asseguro que os coletores e as prostitutas entrarão antes de vós no reino de Deus. ³²Porque veio João, ensinando o caminho da honradez, e não crestes nele, ao passo que os coletores e as prostitutas creram. E vós, mesmo depois de ver isso, não vos arrependestes nem crestes nele.

Os vinhateiros (Mc 12,1-12; Lc 20,9-19) — ³³Escutai outra parábola. Um proprie-

---

não dar o fruto esperado (cf. Is 5,1-7, na imagem da vinha), Jesus a amaldiçoa (compare-se por contraste com Sl 1,3-4; 129,8; Is 65,8). O Israel que não dá fruto será rejeitado (mas complete-se com a reflexão de Rm 9-11). Mais tarde poderá ser aplicada a membros da comunidade cristã (Mt 7,19).

A explicação não encaixa e encaixa. Não encaixa porque do destino da figueira se = povo salta para a fé operadora de milagres (17,2; 1Cor 13,2). Encaixa porque a fé é o primeiro fruto que se exige ou a seiva da árvore.

21,23-27 O discurso do templo (Jr 7 e 26) custou a Jeremias um processo no qual confirmou sua missão profética. A atuação de Jesus no templo o conduz a uma espécie de interrogatório oficial, ante autoridades religiosas e civis; já interviera nos doutores. Na autoridade de ensinar e fazer milagres está comprometida toda a missão e identidade de Jesus. Ele transforma o interrogatório em controvérsia de estilo rabínico: responde perguntando. É lógico que os sacerdotes indaguem sobre a fonte de uma autoridade exercida em seus domínios; não é justo que de antemão deem por condenada a resposta verdadeira. Condenar antecipadamente não é julgar. Jesus foge de uma resposta que não estão dispostos a aceitar. Por sua parte, já o povo e um centurião romano haviam reconhecido sua autoridade superior (7,29; 8,9; 9,6-8). Na resposta de João está implicada sua missão de mostrar que o Messias está presente. Além disso, João é como um esboço de Jesus.

A controvérsia se prolonga em três parábolas de grande alcance: os dois filhos, os vinhateiros, os convidados ao casamento. As três contêm um elemento de condenação e um de salvação.

21,28-32 A parábola dos dois filhos é reduzida a um esquema, que é o dizer e o agir em resposta à vontade de Deus. Os dois filhos podem representar diversos personagens: o povo do Israel histórico que disse sim (Ex 19,8) e não cumpriu (p. ex. Jr 2,20); a geração do momento, com respeito à pregação do Batista (cf. 3,7) e de Jesus. O outro filho representa qualquer um que se arrepende: as duas categorias que recebiam então o qualificativo de "pecadores" (9,10-11; 11,19) e que aceitaram o convite do Batista para o arrependimento (3,2.6.8); também o povo dos pagãos que se arrepende e crê (em Jesus). O caminho da honradez: Pr 8,20; 12,28.

21,33-43 Pela imagem da vinha, por alguns traços descritivos e pela pergunta dirigida ao público tomado como uma espécie de júri, a perícope recorda Is 5,1-7, que os ouvintes conheciam muito bem e termina com a identificação "a vinha é a Casa de Israel". É notável na versão de Mateus a importância atribuída aos "frutos" (vv. 34.41.43). Mais importantes são as diferenças, que sintetizam o drama da história da salvação, como a compreende a comunidade de Mateus: missão reiterada e frustrada dos profetas, envio do Filho, sua morte violenta, vocação dos pagãos. O dono conserva a propriedade, que arrenda, e cobra uma parte dos frutos; os colonos querem apropriar-se do que é apenas emprestado.

tário plantou uma vinha, rodeou-a com uma cerca, cavou um lagar e construiu uma torre; a seguir arrendou-a para alguns agricultores e partiu. ³⁴Quando chegou a colheita, enviou seus servos para recolher dos agricultores o fruto que lhe cabia. ³⁵Eles agarraram os servos: espancaram um, mataram outro e apedrejaram o terceiro. ³⁶Enviou outros servos, mais numerosos que os primeiros, e os trataram da mesma forma. ³⁷Finalmente lhes enviou seu filho, pensando que respeitariam seu filho. ³⁸Mas os agricultores, ao ver o filho, comentaram: É o herdeiro. Vamos matá-lo e ficar com a herança. ³⁹Agarrando-o, lançaram-no fora da vinha e o mataram. ⁴⁰Quando voltar o dono da vinha, como tratará aqueles agricultores?

⁴¹Respondem-lhe:

– Certamente destruirá aqueles malvados e arrendará a vinha a outros agricultores que lhe entreguem seu fruto na colheita.

⁴²Jesus lhes diz:

– Nunca lestes na Escritura: *A pedra que os arquitetos desprezaram agora é a pedra angular; é o Senhor quem fez isso e nos parece um milagre*? ⁴³Por isso vos digo que vos tirarão o reino de Deus e o darão a um povo que dê os frutos devidos. [⁴⁴Quem tropeçar nessa pedra se despedaçará; aquele sobre o qual ela cair ficará esmagado]*.

⁴⁵Quando os sumos sacerdotes e os fariseus ouviram suas parábolas, compreenderam que falava deles. ⁴⁶Tentaram prendê-lo, mas tiveram medo da multidão, que o tinha como profeta.

22 O banquete de casamento (Lc 14,15-24) –

¹Jesus tomou de novo a palavra e lhes falou usando parábolas.

²O reino de Deus se parece com um rei que celebrava o casamento de seu filho.

³Enviou seus servos para chamar os convidados ao casamento, mas estes não quiseram ir. ⁴Então enviou outros servos, recomendando que dissessem aos convidados: Meu banquete está preparado, os touros e animais cevados foram degolados e tudo está pronto. Vinde ao casamento. ⁵Mas eles se desculparam: um foi para seu campo, outro para seu negócio; ⁶outros agarraram os servos, os maltrataram e

---

21,35 P. ex. Elias perseguido (1Rs 19), Jeremias, julgado e atirado à cisterna para morrer, conduzido ao Egito à força (Jr 26; 38), Azarias, lapidado no átrio do templo por ordem do rei (2Cr 24,20-21).

21,38 No AT pode-se falar da terra como herdade-herança do povo, também do povo como herança do Senhor: 1Rs 8,51; Jr 12,8 etc. No salmo messiânico (Sl 2,8), Deus oferece ao rei, "seu filho": "Pede-me, e te darei as nações como herança". O Filho de Deus é agora o herdeiro, e seus rivais pretendem eliminá-lo para ficar com a herança.

21,39 É fora da cidade que Jesus morre (Hb 13,12).

21,41 É a resposta do júri. Pode-se comparar com Ct 8,11.

21,42-43 Com a citação de Sl 118,22-23, insinua a ressurreição como ação do Pai, que ratifica e revela a dignidade transcendente do seu Filho. De fato, matando o Filho não conseguiram seu objetivo: incorreram em culpa grave, ao passo que o Filho volta a viver para receber a herança. Exercerá sua autoridade no "povo" novo, aberto aos pagãos, não fechado aos judeus. Dará fruto (7,21-23).

21,44 * Falta em vários manuscritos. Parece tomado de Lc 20,18 e acrescentado aqui.

21,46 O medo do povo, como em 14,5.

22,1-14 A perícope se compõe de dois trechos. A parábola dos convidados ao casamento (1-10) e o acréscimo parabólico sobre o traje para o banquete (11-14). Na primeira parte cresce, como cunha, um episódio bélico. Segundo alguns, a primeira parte se refere ao destino do povo judeu e à vocação dos pagãos, isto é, repete o esquema da parábola precedente; a segunda se dirige à comunidade cristã. Outros comentaristas propõem uma interpretação mais diferenciada. Os empregados representam os missionários cristãos que pregam aos judeus até à destruição de Jerusalém; vem a seguir a pregação aos pagãos, que se encerra com uma visão escatológica. A parábola é contada e lida no tempo da Igreja, apesar de colocada na etapa final de Jesus. A introdução deixa aparecer um símbolo de grande alcance, que se mantém como fundo do relato: o convite visa sempre a um casamento. É o símbolo do Messias esposo, próprio do NT (Jo 1-3; 2Cor 11,2; Ef 5; Ap 19 e 22 etc.), prefigurado no símbolo nupcial entre *Yhwh* e Jerusalém ou a comunidade (Os 2; Is 1,21-26; 49; 54 etc.).

O rei pai representa obviamente Deus, e Jesus é seu filho, príncipe herdeiro (não pode ser sucessor; cf. Sl 45). Não se menciona a noiva (cf. 25,1-13), cujo lugar, com menor coerência, os convidados ocupam (o autor precisa de um plural). O banquete expressa a alegria do casamento: representa a participação da Igreja e aponta para a consumação escatológica (cf. Is 25,6-8; Mt 26,29; Ap 19,9). Os enviados são os profetas e, no horizonte eclesial de Mateus, os pregadores do evangelho.

22,6-7 Esse episódio, concisamente referido, rompe a lógica do relato: introduz a violência não justificada dos convidados (em lugar da desculpa), reúne os culpados numa cidade, menciona uma expedição militar. Nesses vv. se vislumbra a destruição histórica de Jerusalém no ano 70.

mataram. ⁷O rei se enfureceu e, enviando suas tropas, acabou com aqueles assassinos e incendiou sua cidade. ⁸Depois disse a seus servos: O banquete nupcial está preparado, mas os convidados não o mereciam. ⁹Portanto, ide às encruzilhadas e convidai para o casamento todos os que encontrardes. ¹⁰Os servos saíram pelos caminhos e reuniram todos os que encontraram, maus e bons. O salão se encheu de convidados. ¹¹Quando o rei entrou para ver os convidados, observou um que não usava traje apropriado. ¹²Disse-lhe: Amigo, como entraste sem traje apropriado? Ele emudeceu. ¹³Então o rei ordenou aos serventes: Atai-lhe pés e mãos e lançai-o fora nas trevas. Aí haverá pranto e ranger de dentes. ¹⁴Pois são muitos os convidados e poucos os escolhidos.

O tributo a César (Mc 12,13-17; Lc 20,20-26) – ¹⁵Então os fariseus foram deliberar um modo de enredá-lo com suas palavras. ¹⁶Enviaram-lhe alguns discípulos seus, acompanhados de herodianos, que lhe disseram:

– Mestre, consta-nos que és veraz, que ensinas sinceramente o caminho de Deus e não te importa ninguém, porque não fazes distinção de pessoas. ¹⁷Dize-nos tua opinião: É lícito pagar tributo a César ou não?

¹⁸Jesus, adivinhando sua má intenção, lhes disse:

– Por que me tentais, hipócritas? ¹⁹Mostrai-me a moeda do tributo.

Apresentaram-lhe um denário. ²⁰E ele lhes diz:

– De quem é esta imagem e esta inscrição?

²¹Respondem:

– De César.

Então lhes disse:

– Pois dai a César o que é de César, e a Deus o que é de Deus.

²²Ao ouvir isso, se surpreenderam, o deixaram e se foram.

A ressurreição (Mc 12,18-27; Lc 20,27-40) – ²³Naquela ocasião aproximaram-se alguns saduceus (que negam a ressurreição) e lhe disseram:

22,10 Maus e bons: entende-se, em sua conduta precedente (Pr 15,3). A nova chamada não se baseia em méritos adquiridos. Esse dado serve para enganchar a cena acrescentada.

22,11-14 Não obstante, o salto é violento e exige do leitor colocar-se na situação da Igreja. O traje vai simbolizar sua conduta de acordo com o chamado e a função (cf. Ap 15,6; Is 61,10). A exclusão do reino, fato negativo, é representada pela imagem das trevas, que podem ser as da morte (Jó 10); o pranto é a reação do excluído, contraposta à alegria da festa.

22,15-44 Quatro perguntas e respostas mostram a crescente tensão com as autoridades judaicas; refletem também a atitude de comunidades cristãs quando Mateus escreve. Três vezes Jesus é interrogado, a quarta pergunta é ele que faz e deixa sem resposta. As perguntas e os interlocutores vão mudando: a primeira, sobre o tributo, perguntam fariseus por meio de discípulos unidos a seguidores de Herodes; a segunda, sobre a ressurreição, perguntam os saduceus; a terceira, sobre o preceito máximo, pergunta um fariseu com título de letrado doutor (segundo alguns manuscritos e Lc 10,25); a quarta, sobre o filho de Davi, Jesus interroga os fariseus. Podemos classificar aproximadamente: a primeira é política, a segunda teológica, a terceira ética, a quarta messiânica.

22,15-22 O primeiro, diz Mateus, é uma conspiração premeditada. Os discípulos de fariseus podem perguntar fingindo curiosidade inocente e antecipando um elogio; os herodianos são dependentes de um poder estabelecido ou respaldado pelos romanos. Os fariseus em geral não simpatizavam com Herodes.

A pergunta tenta conduzir Jesus a um terreno extremamente perigoso. É a vertente econômica da política, na qual entram em jogo a lealdade e a submissão ao poder imperial. Pode ter conotação religiosa porque a inscrição da moeda reza: *Tiberius Caesar divi Augusti filius Augustus*. Os publicanos andavam às vezes acompanhados por soldados romanos. A resposta de Jesus é habilíssima: revela a má intenção ou "hipocrisia", rompe os fios da rede que lhe lançam e levanta seu ensinamento a um nível superior, de maior alcance.

Se reconhecem o curso legal da moeda, pois a exibem, é porque entraram no sistema econômico, e devem aceitar suas consequências. Mas, acima de qualquer poder humano está Deus, e o homem é a imagem de Deus. A missão de Jesus não é uma libertação política; ele veio libertar o homem restabelecendo sua relação com Deus. O princípio, em sua formulação lapidar, tem sido fonte de inspiração e de interpretações ou aplicações diversas, nem sempre acertadas; porque as comunidades cristãs vivem dentro de instituições políticas. A resposta de Jesus, inesperada em sua segunda parte, mostra que a pergunta foi mal colocada (bom ensinamento hermenêutico para o intérprete da Bíblia).

22,23-33 Sobre os saduceus e a ressurreição, Lucas nos oferece uma divertida ilustração (At 23,6-10). Vem a propósito porque, nesse ponto, os saduceus eram inimigos dos fariseus. Para o leitor cristão, é inevitável a recordação de 1Cor 15,12-14: "Ora, se se proclama que Cristo ressuscitou da morte, como dizem alguns de vós que não há ressurreição dos mortos? Se não há ressurreição dos mortos,

— ²⁴Mestre, Moisés ordenou que *quando alguém morre sem filhos, seu irmão case com a viúva, para dar descendência ao irmão defunto.* ²⁵Pois bem, havia em nossa comunidade sete irmãos. O primeiro casou, morreu sem descendência e deixou a mulher a seu irmão. ²⁶O mesmo aconteceu com o segundo e o terceiro, até o sétimo. ²⁷Depois de todos morreu a mulher. ²⁸Quando ressuscitarem, de qual dos sete será a mulher? Pois todos foram maridos dela.

²⁹Jesus lhes respondeu:

— Estais enganados, porque não entendeis as Escrituras nem o poder de Deus. ³⁰Quando ressuscitarem, os homens e as mulheres não se casarão, mas serão no céu como anjos de Deus. ³¹E a propósito da ressurreição, não lestes o que Deus vos diz? ³²*Eu sou o Deus de Abraão, o Deus de Isaac, o Deus de Jacó.* Não é um Deus de mortos, mas de vivos.

³³Ao ouvi-lo, o povo ficava assombrado com seu ensinamento.

³⁴Os fariseus, ao saber que havia fechado a boca dos saduceus, reuniram-se num lugar. ³⁵E um deles* lhe perguntou capciosamente:

— ³⁶Mestre, qual é o preceito mais importante na lei?

³⁷Respondeu-lhe:

— Amarás o Senhor teu Deus de todo o coração, com toda a alma, com toda a mente. ³⁸Este é o preceito mais importante; ³⁹porém, o segundo é equivalente: *Amarás o próximo como a ti mesmo.* ⁴⁰Esses dois preceitos sustentam a lei inteira e os profetas.

O Messias e Davi (Mc 12,35-40; Lc 20, 41-44) – ⁴¹Estando reunidos os fariseus, Jesus propôs uma questão:

— ⁴²O que pensais sobre o Messias? De quem é filho?

Respondem-lhe:

— De Davi.

⁴³Ele lhes diz:

— Então, como Davi, inspirado, o chama Senhor, dizendo: ⁴⁴*Disse o Senhor a meu Senhor: Senta-te à minha direita até que eu faça de teus inimigos estrado de teus pés?* ⁴⁵Pois se Davi o chama Senhor, como pode ser seu filho?

⁴⁶Ninguém podia responder-lhe, e daí em diante ninguém se atreveu a fazer-lhe perguntas.

23 Invectiva contra os fariseus (Lc 11,37-54) – ¹Então Jesus, dirigindo-se à multidão e aos discípulos, ²disse:

---

tampouco Cristo ressuscitou; e se Cristo não ressuscitou, é vã nossa proclamação, é vã a nossa fé". Os saduceus não se dão conta de que estão abordando o grande tema messiânico (cf. Jo 10,10).

Os saduceus baseiam seu caso na lei do levirato, em virtude da qual o cunhado deve tomar a viúva do irmão sem filhos para dar-lhe um filho e perpetuar o nome do defunto (Dt 25,5-10; Rt 4). A apresentação do caso é zombadora, como de quem se sente seguro e pode ironizar.

Jesus responde de frente. A colocação é distorcida, porque supõe que a outra vida seja repetição e prolongamento da presente. A vida do ressuscitado é obra do "poder de Deus", que estabelece a nova condição humana (cf. 1Cor 25,35-53). Depois cita um texto do Pentateuco (que os saduceus reconhecem), no qual o próprio Deus se apresenta e se define (Ex 3,6): o Deus da Escritura não é um deus infernal (cf. Sl 49,15; Is 28,15), mas vivo, da vida, dos vivos. Quando os judeus invocam o "Deus de nossos pais/patriarcas", não invocam um soberano de mortos.

22,34-40 A pergunta se explica, porque os fariseus contavam 613 preceitos na lei, 365 proibições e 248 mandamentos. Era mister sabê-los e praticá-los todos. Era necessário estabelecer uma hierarquia para casos conflitivos e também porque o primeiro devia reger todos os demais. Miqueias sintetiza todas as obrigações na lealdade com o próximo, a humildade com Deus (Mq 6,8). Jesus responde combinando Dt 6,5 com Lv 19,18. A integração dos dois amores, a Deus e ao próximo, é seu ensinamento fundamental. A lei e os profetas é toda a Escritura (Mt 7,12). Pela colocação no contexto, esse ensinamento de Jesus tem algo de testamentário.

22,35 * Alguns manuscritos acrescentam: *um doutor da lei...*

22,41-46 Supõe a atribuição tradicional do Salmo 110 a Davi e sua interpretação messiânica, ambas comumente aceitas na época. O título messiânico Filho de Davi aplica-se reiteradamente a Jesus (8 vezes em Mt). O texto grego do salmo repete o vocábulo *Kyrios*: o texto hebraico distingue *Yhwh* e *'adony* (o primeiro divino, o segundo não). Dada a invocação de Jesus como *Kyrios* na comunidade cristã, a frase recebe uma luz oblíqua. Se Davi fala "inspirado", Deus garante o que ele diz. A conclusão seria que o Messias é mais que simples descendente de Davi, conclusão que os interlocutores não parecem dispostos a aceitar.

22,44 Sl 110,1.

23,1-36 Aqui culmina a polêmica da comunidade cristã com as autoridades religiosas judaicas. A redação provavelmente reflete a época em que os cristãos já tinham sido excluídos da comunidade judaica. O gênero de polêmica explica indubitáveis exageros

— Na cátedra de Moisés sentaram-se os letrados e fariseus. ³Praticai o que vos ordenarem, mas não imiteis o que fazem; pois dizem e não cumprem. ⁴Amarram fardos pesados e os põem nos ombros das pessoas, enquanto eles se negam a movê-los com um dedo. ⁵Fazem tudo para exibir-se às pessoas: carregam faixas largas e borlas grandes. ⁶Gostam de ocupar os primeiros lugares nos banquetes e os primeiros assentos nas sinagogas; ⁷de serem saudados pelas pessoas na rua e serem chamados mestres.

⁸Não vos façais chamar de mestres, pois um só é o vosso mestre, ao passo que todos vós sois irmãos. ⁹Na terra a ninguém chameis pai, pois um só é o vosso Pai, o do céu. ¹⁰Nem vos chameis instrutores, pois vosso instrutor é um só, o Messias. ¹¹O maior de vós seja vosso servidor. ¹²Quem se exalta será humilhado, e quem se humilha será exaltado.

¹³Ai de vós, letrados e fariseus hipócritas, que fechais aos homens o reino de Deus! Vós não entrais nem deixais entrar os que o tentam*.

¹⁵Ai de vós, letrados e fariseus hipócritas, pois percorreis mar e terra para ganhar um prosélito, e quando o conseguis, o tornais merecedor do fogo duas vezes mais que vós!

¹⁶Ai de vós, guias cegos, que dizeis: Quem jura pelo templo não se compromete; quem jura pelo ouro do templo fica comprometido! ¹⁷Insensatos e cegos, o que é mais importante: o ouro ou o templo que consagra o ouro? ¹⁸Dizeis: Quem jura pelo altar não se compromete, quem jura pelo dom que há sobre o altar fica comprometido. ¹⁹Cegos! O que é mais importante: o dom ou o altar que consagra o dom?

²⁰Com efeito, quem jura pelo altar jura por ele e por tudo o que há sobre ele; ²¹e quem jura pelo templo jura por ele e por

---

ou simplificações ao descrever o contrário; alguns traços são mais caricatura que retrato. Leem-se coisas semelhantes em escritos filosóficos polêmicos da época. O texto se apresenta condicionado pelas circunstâncias e pelo gênero. A descrição e caracterização de letrados e fariseus não concorda em tudo com o que sabemos desses grupos através de outras fontes. Por outro lado, é possível e conveniente tomar o texto como descrição de tipos que se podem encontrar em outros grupos religiosos, inclusive a própria comunidade. O hipócrita, como tipo humano, fica desmascarado.
Compõe-se de sete ais, gênero que já se encontra em séries em textos proféticos (Is 5,8-23; Hab 2,7-20). O número 7 parece intencional. Predominam neles a contradição da conduta e a hipocrisia. Grande afã proselitista, mas resistência ativa contra o reino, o pequeno e o grande, o interior e o exterior, agressão em vida e honras após a morte.

23,1 A introdução faz o texto soar como denúncia pública; ao mesmo tempo dá a entender que oferece algo especial para os discípulos.

23,2 Escritos rabinos descrevem Moisés sentado numa "cátedra" para ensinar, como fundador de uma tradição oral que os doutores dizem conservar e transmitir (Jesus também se senta para ensinar, Mt 13,2; 26,55). Significa o ensinamento autorizado de Moisés para as gerações sucessivas (Dt 4,2; 32,46).

23,3 Para fazer concordar esse aviso com outros precedentes (p. ex. as antíteses do cap. 5) seria preciso restringir seu alcance: o que vos disserem de acordo com Moisés. A citação de Dt 4,2 proíbe acrescentar ou suprimir. Denuncia uma contradição radical, dizer e não fazer. Jesus fez e ensinou, ordenou e deu exemplo.

23,4 Os fardos pesados parecem ser as múltiplas observâncias. Jesus impõe um jugo leve (cf. 11,29-30).

23,5 Segundo a lei de Nm 15,38-39; Dt 6,8-9 materialmente entendida, sem respeitar sua função, que era "recordar os mandamentos do Senhor e ajudar a cumpri-los".

23,6 Vejam-se os conselhos de Pr 25,6-7; Eclo 13,8-9 e a parábola de Lc 14,7-10.

23,8-11 Aqui vemos como Jesus (como Mateus) dirige palavras polêmicas aos seus. Também Tiago tem uma preocupação semelhante (Tg 3,1). Mestre é o Senhor (Is 48,17), e agora Jesus (Mt 8,19; Jo 13,14 etc.). "Pai" parece tomado aqui como título honorífico, sem referência à paternidade física (veja-se, p. ex., Jz 17,10; Is 9,5). A irmandade de todos na comunidade fica fortemente destacada.

23,11 Segundo 20,26-27 par.

23,12 Aforismo de alcance geral (Jó 22,29; Pr 15,33; 29,23) e de aplicação especial na comunidade cristã.

23,13 Primeiro ai. Refere-se à hostilidade do judaísmo contra a pregação do evangelho documentada, p. ex., em vários episódios dos Atos.

23,13 * Alguns manuscritos acrescentam o v. 14, tirado de Lc 20,47: ¹⁴*Ai de vós, letrados e fariseus hipócritas, que devorais os bens das viúvas com o pretexto de fazer longas orações. Por isso tereis uma sentença mais severa!*

23,15 Prosélito quer dizer convertido ao judaísmo e circuncidado. Por vários séculos os judeus desenvolveram grande atividade proselitista com notáveis resultados. Como a circuncisão o obriga a cumprir toda a lei, o expõe ao castigo do descumprimento. Merecedores do fogo é literalmente "filhos da Geena" (13,42), em oposição a "filhos do reino" (13,34).

23,16-22 Ridiculariza a interpretação casuística sobre o juramento: não condena o juramento (comparar com 5,35-37). Normalmente o juramento era feito por Deus; substituindo o nome de Deus, invocava-se o céu ou o templo ou o altar. "Guias cegos": como em 15,14; Rm 2,19.

quem o habita; ²²e quem jura pelo céu jura pelo trono de Deus e por aquele que nele está sentado.

²³Ai de vós, letrados e fariseus hipócritas, que pagais o dízimo da menta, do anis e do cominho, e descuidais o mais grave da lei: a justiça, a misericórdia e a lealdade. Isso é o que se deve observar, sem descuidar o resto. ²⁴Guias cegos, que filtrais o mosquito e bebeis o camelo!

²⁵Ai de vós, letrados e fariseus hipócritas, que limpais por fora a taça e o prato, quando por dentro estão cheios de roubos e devassidão. ²⁶Fariseu cego! Limpa primeiro por dentro a taça, e assim ficará limpa por fora.

²⁷Ai de vós, letrados e fariseus hipócritas, que pareceis sepulcros caiados: por fora são formosos, por dentro estão cheios de ossos de mortos e de todo tipo de impureza. ²⁸Dessa forma, por fora pareceis justos diante das pessoas, por dentro estais cheios de hipocrisia e iniquidade.

²⁹Ai de vós, letrados e fariseus hipócritas, que construís mausoléus para os profetas e monumentos para os justos, ³⁰comentando: Se tivéssemos vivido no tempo de nossos antepassados, não teríamos participado do assassinato dos profetas. ³¹Com isso reconheceis que sois descendentes dos que mataram os profetas. ³²Portanto, enchei a medida dos vossos antepassados. ³³Serpentes, ninhada de víboras! Como evitareis a condenação ao fogo? ³⁴Vede, para isso vos envio profetas, doutores e letrados: a uns matais e crucificais, a outros açoitais em vossas sinagogas e os perseguis de cidade em cidade. ³⁵Assim recairá sobre vós todo o sangue inocente derramado na terra, desde o sangue do justo Abel até o sangue de Zacarias, filho de Baraquias, que matastes entre o átrio e o altar. ³⁶Eu vos asseguro que tudo recairá sobre esta geração.

Lamentação por Jerusalém (Lc 13,34s) – ³⁷Jerusalém, Jerusalém, que matas os profetas e apedrejas os enviados, quantas vezes tentei reunir teus filhos como a galinha reúne a ninhada debaixo de suas asas, e vós resististes. ³⁸Pois bem, *vossa casa ficará deserta.* ³⁹Eu vos digo que a partir de agora não voltareis a ver-me até que digais: *Bendito aquele que vem em nome do Senhor.*

24 Discurso escatológico: Destruição do templo (Mc 13,1-23; Lc 21, 5-24) – ¹Jesus saiu do templo e, enquanto

---

23,23-24 Interpretação da lei dos dízimos (Nm 18,11-13; Dt 14,22-23). Em nome de coisas pequenas sacrificam o importante, também exigido pela lei e pelos profetas (Mq 6,8; Am 5,24; Is 1,17; Jr 22,15; Pr 21,21). Não é preciso esforçar-se para ver aqui a descrição de um tipo humano.

23,25-26 Refere-se a prescrições de pureza (Lv 6,21; 11,33; Mt 15,11), das quais passa metaforicamente à pureza interior. Também aqui identificamos um tipo humano.

23,27-28 Cadáveres e sepulcros produziam por contato a máxima contaminação e deviam ser evitados (Lv 21,11; Nm 6,6; 19,11-21; Eclo 34,25); por isso se pintavam com cal os sepulcros para serem evitados. Por outro lado, eram ornamentados para honra dos defuntos. A comparação dos hipócritas com o mundo da morte é violenta, quase macabra. Alguém concluiria que eram extremamente abomináveis.

23,29-32 O costume de erigir mausoléus ou monumentos funerários é documentado (de Raquel: Gn 35,20; de Sobna: Is 22,16; do poderoso: Jó 21,32). Completam a medida (cf. Gn 15,16), matando o último profeta (Dt 18,15), Jesus.

23,33 Começa uma espécie de conclusão violenta. Víboras: 3,7; 12,34; Is 14,29; 59,5.

23,34 Profetas: Zc 1,4; doutores são os mestres sapienciais; letrados, os de Mc 12,35. Três grupos de pregadores do evangelho perseguidos violentamente; como o livro dos Atos pode ilustrar, e já se anunciava no discurso sobre o apostolado (10,17.23). A violência homicida começa com o fratricídio de Caim (Gn 4,8), espécie de pecado original do ódio, passa pelo profeta Zacarias (2Cr 24,20-21) e chega até ao tempo em que Mateus escreve.

23,37-39 A lamentação por Jerusalém é sentida. Em Jerusalém concentra-se uma história de infidelidades (compare-se com o quadro esquemático de Ez 20 e a descrição da Cidade Sanguinária em Ez 22). Embora haja culpa em seus chefes (cf. Is 1,21-22), a cidade continua sendo amada (Is 54,10). Antecedentes de tais sentimentos podem ser Salmos (Sl 74; 79; 102,15) e as Lamentações, que choram culpas e desgraças.
Como a galinha: cf. Is 31,5; deserta: Jr 7,14. Conclui com a invocação do Sl 118,26, citada também na entrada em Jerusalém (21,9). A referência é escatológica.

24-25 Formam o último grande discurso de Jesus, dirigido a seus discípulos, sobre os acontecimentos finais (escatologia: do grego *éschaton* = último). Divide-se em três partes: uma descritiva de eventos futuros, outra parenética sobre a vigilância, e a terceira, o quadro do juízo final.

24,1-44 Esse é provavelmente o texto mais difícil de interpretar no evangelho de Mateus: porque muitos eventos eram futuros e desconhecidos em seus detalhes, e porque se sobrepõem às perspectivas.

caminhava, aproximaram-se os discípulos e lhe mostraram as construções do templo. ²Ele lhes respondeu:

– Vedes tudo isso? Pois eu vos asseguro que desmoronará, sem que fique pedra sobre pedra.

³Estando sentado no monte das Oliveiras, os discípulos se aproximaram em particular, e lhe perguntaram:

– Dize-nos quando acontecerá isso e qual é o sinal de tua chegada e do fim do mundo.

⁴Jesus lhes respondeu:

– Cuidado para que ninguém vos engane. ⁵Pois muitos se apresentarão alegando meu título, dizendo que são o Messias, e enganarão a muitos. ⁶Ouvireis falar de guerras e notícias de guerras. Atenção! Não vos alarmeis. Tudo isso acontecerá, mas ainda não é o final. ⁷Povo se levantará contra povo, reino contra reino. Haverá carestias e terremotos em diversos lugares. ⁸Tudo isso é o começo das dores do parto.

⁹Entregar-vos-ão para vos torturar e matar; todos os povos vos odiarão por causa do meu nome. ¹⁰Então muitos falharão, se trairão e se odiarão mutuamente. ¹¹Surgirão muitos falsos profetas que enganarão a muitos. ¹²E, ao crescer a iniquidade, o amor de muitos se esfriará. ¹³Mas quem aguentar até o fim se salvará. ¹⁴A boa notícia do reino será proclamada a todas as nações, e então chegará o fim.

A grande tribulação (Mc 13,14-23; Lc 21,20-24) – ¹⁵Quando virdes entronizado no lugar sagrado o ídolo abominável anunciado pelo profeta Daniel (o leitor que o entenda), ¹⁶então os que vivem na Judeia escapem para os montes; ¹⁷quem estiver no terraço não desça para recolher as coisas da sua casa; ¹⁸quem se encontrar no campo não volte para pegar o manto. ¹⁹Ai das

---

No pano de fundo estão, por um lado, o anúncio de Ezequiel sobre o final trágico e iminente (Ez 7); por outro lado, as escatologias e apocalipses bíblicos e extrabíblicos (como Is 24-27; 65-66; Zc 14; Dn), com suas fórmulas estereotipadas, suas descrições fantásticas, o acompanhamento cósmico, alguns dados temporais, o estilo vago e alusivo.

Os apóstolos parecem fundir e confundir duas coisas: a destruição do templo e o fim do mundo, quando virá o Messias. Pedem sinais exatos para elaborarem um calendário seguro e razoavelmente exato. A curiosidade se mistura com o temor.

Em sua resposta, Jesus recusa toda determinação temporal, não apura a distinção dos dois planos: transforma a informação em exortação à vigilância diante de enganos, à fortaleza frente a tribulações certas, à expectativa do inesperado diante da desatenção.

Para orientar-nos na leitura, podemos prestar atenção a temas repetidos: falsos messias e profetas (4-5.11.23-26); catástrofes sociais, políticas (7-8) e cósmicas (8,29.37-38). Outro recurso de orientação é distinguir quatro blocos. Dois no centro: a destruição de Jerusalém, prefigurando o juízo final (15-28 e 29-31). Nas extremidades uma descrição geral e uma exortação à vigilância (4-14 e 32-44).

24,1-2 Mateus imagina Jesus saindo do templo e voltando a contemplá-lo a certa distância. Essa imaginação tem valor simbólico: Jesus sai do templo, pela última vez, deixa-o definitivamente para trás. E se reúne com seus discípulos, a nova comunidade. O templo magnífico, de gigantescos silhares, construído por Herodes Magno, é o trampolim para saltar ao tema do discurso. Tornou-se proverbial a expressão "não ficará pedra sobre pedra". Pode recordar a destruição do templo salomônico, em 586 a.C. (cf. Lm 2,6-7; 4,11).

24,3 Os discípulos perguntam duas coisas sem definir a sua relação. "Isso": a destruição do templo. "Tua chegada" é a parusia, o comparecimento do rei em visita oficial, a vinda gloriosa de Jesus Senhor, que coincide com o fim do mundo (os discípulos perguntam representando a comunidade cristã).

24,4-14 Uma série de acontecimentos tremendos precederá o final, mas não se podem ordenar num calendário. Prevalecerão a anarquia interior, as guerras entre povos, as catástrofes naturais, a purificação pelas perseguições. Ao juntarem-se a pressão externa com a crise interna, muitos "falharão" na fé e na caridade. Tudo junto são as dores de parto da nova e definitiva era (8). Portanto, é preciso aguentar e esperar: pois a causa enobrecerá o sofrimento (9), o evangelho será pregado a todos (14), os fiéis se salvarão (13). A imagem do parto e o anúncio de uma salvação são motivos de esperança na prova.

24,5 Como houve falsos profetas (Jr 23; Ez 13 etc.), haverá falsos messias (cf. At 5,35-39); João os chamará de anticristos (1Jo 2,18). Pode-se ler a intervenção de Gamaliel diante do Conselho (At 5,35-37).

24,6 Não vos alarmeis: Jr 30,5.

24,7 Povo contra povo: Is 19,2; 2Cr 5,6.

24,8 Dores de parto: Jo 16,21-22; Ap 12,2. Um parto fecundo. Pode-se comparar com as imagens de Is 26,7, escatologia, e 42,14, volta do exílio.

24,9 Perseguição: já anunciada em Mt 10,17.23.

24,11 Falsos profetas: Dt 13.

24,12 O amor: Ap 2,4.

24,13 Aguentar: Mt 10,22.

24,14 É como se a atividade missionária (28,19) estivesse retardando o final; a tarefa encomendada não está terminada. Continuará para a frente em meio a contradições e apesar de resistências. Sobre a demora do fim: Ez 7.

24,15-28 Costuma-se denominar "a grande tribulação" aquela que precede imediatamente a vinda do Messias. Temas e fórmulas procedem em boa parte da literatura escatológica e apocalíptica, e em parte ressoam como recordação da destruição de Jerusalém.

grávidas e das que derem à luz naqueles dias! ²⁰Orai para que a fuga não aconteça no inverno ou no sábado. ²¹*Haverá uma tribulação tão grande como não houve desde o começo do mundo até agora, nem haverá no futuro.* ²²Se não fosse abreviado aquele tempo, ninguém se salvaria. Contudo, em atenção aos escolhidos, aquele tempo será abreviado. ²³Então, se alguém vos diz que o Messias está aqui ou ali, não lhe deis atenção. ²⁴Surgirão falsos messias e falsos profetas, que farão portentos e prodígios, a ponto de enganar, se fosse possível, inclusive os escolhidos. ²⁵Vede que eu vos preveni. ²⁶Se vos dizem: *Vede, está no deserto,* não saiais; ou *vede, está na despensa,* não deis atenção. ²⁷Pois, como o relâmpago aparece no levante e brilha até o poente, assim será a chegada do Filho do Homem. ²⁸Onde está o cadáver os abutres se reunirão.

A parusia (Mc 13,24-27; Lc 21,25-28) – ²⁹Imediatamente depois dessa tribulação, *o sol se escurecerá, a lua não irradiará seu esplendor; as estrelas cairão do céu e os exércitos celestes tremerão.* ³⁰Então aparecerá no céu o estandarte do Filho do Homem. *Todas as raças do mundo farão luto e verão o Filho do Homem chegar nas nuvens do céu, com glória e poder.* ³¹Enviará seus anjos para reunir, com um grande toque de trombeta, os eleitos dos quatro ventos, de um extremo a outro do céu.

O dia e a hora (Mc 13,32-37; Lc 17,26-30.34-36) – ³²Aprendei o exemplo da figueira: quando os ramos se tornam tenros

---

É claro que os traços não podem ser tomados ao pé da letra para construir uma crônica antecipada dos eventos. Mas, admitindo o sentido simbólico ou alegórico, perguntamos se a visão corresponde a eventos históricos (a queda de Jerusalém no ano 70) ou a eventos futuros (o ato final antes do fim). É possível também que, na contraluz da catástrofe de Jerusalém, se vislumbre o final dos tempos.
Uma situação ameaçadora e grave que aconselha a fuga rápida não é desconhecida: a fuga de Ló (Gn 19,17); "aquele dia" de Jeremias (Jr 30,5-10.23-24; 51,6.45-47; Ez 7,16). Em escala menor a espiritualidade a propõe (Sl 11,1; 55,7-10). O texto citado de Daniel (a famosa "abominação da desolação", Dn 9,27) refere-se ao ídolo que Antíoco IV mandou colocar no templo de Jerusalém (167 a.C.; cf. 1Mc 1,54); o contexto fala de "assassinato do Ungido", de "guerra e destruição", de cidade e templo arrasados. Seria o texto uma atualização composta e difundida nos dias turbulentos da represália romana dos anos 66-70? As citações indicadas e as outras (Dn 12,1; Jl 2,2) fornecem imagens abertas, aplicáveis a muitas situações. Dn 12,1 já estava fora do seu contexto histórico restrito; Jl 2,2 é uma transposição simbólica de uma praga agrária, e também fica disponível. Por outro lado, o texto de Mateus desemboca na exortação à cautela e à vigilância. É provável que esse fragmento se dirija à comunidade cristã sobre o tema da parusia, prefigurada na destruição de Jerusalém.

24,20 Ver o episódio do sábado em 1Mc 2,31-40.
24,25-26 Os dois lugares onde, segundo crenças da época, poderia aparecer o Messias: em campo aberto e despovoado, em lugar habitado e escondido.
24,27 Do relâmpago se assinalam o repentino e o evidente. Pode ser sinal teofânico (Sl 18,8-16).
24,28 Soa como provérbio de interpretação duvidosa. Talvez se refira aos falsos messias que se aproveitam da turbulência (cf. as raposas de Ez 13,4). Ou sinal de catástrofe (como em Ez 39,17-20). Se se coloca no final de seção, não é para uni-lo com o v. precedente, mas como aforismo conclusivo. É uma pincelada macabra, de aves necrófagas aproveitando-se da matança; recorda a visão de Abrão (Gn 15,11) e o episódio de Resfa (2Sm 21,10). Algum comentarista tomou-o como valor positivo: o Senhor reunirá seus mortos.

24,29-31 A chegada final do Messias é construída com traços proféticos e apocalípticos. O colossal aparato sideral vem de Is 13,10, e se lê com variantes em outros textos como "luto da natureza" por uma catástrofe (Is 24,23 escatologia; Jl 2,10; Ez 32,7-8). A tradição iconográfica cristã identificou o "estandarte" (o sinal) com a cruz. No texto de Mateus, "o sinal" pode ser a mesma aparição gloriosa do Messias, o sinal de Jonas (12,39; 16,1-4). Ao pranto celeste responde o terrestre, numa citação adaptada de Zc 12,9-14.
Em Dn 7,13 "uma figura humana" (não mais um animal feroz) sobe à presença do Altíssimo para receber poder universal e perpétuo. O texto é adaptado para ser aplicado ao momento seguinte e final, a parusia. A reunião dos eleitos é também um traço escatológico (cf. Is 27,13).

24,32-44 Quando do fato se passa à data, a resposta é evasiva e as perspectivas se sobrepõem: a do evento histórico, aproximadamente previsível, e a do fim do mundo, de data imprevisível. De tal modo que o drama do primeiro prefigura e simboliza o segundo; e este fica sempre distante e iminente, inspirador de esperança e expectativa. Contudo, o fim iminente poderia referir-se à ressurreição de Cristo, que inaugura a nova era. Cabe outra explicação, diacrônica. Um breve texto correspondente à vida de Jesus anunciava a ressurreição do Messias e a queda da Cidade Santa. Depois da ressurreição, o texto se adapta à expectativa da parusia para qualquer geração.

24,32-35 Aplica-se melhor ao fato histórico, na perspectiva de Jesus. O mundo vegetal fornece a imagem da estação ou tempo (cf. Is 18,5). A garantia é a palavra do Senhor (cf. Is 65,17): sua palavra se cumprirá (cf. Is 40,8).

e brotam as folhas, sabeis que a primavera está próxima. ³³Também vós, quando virdes que acontece tudo isso, sabei que o fim está próximo, às portas. ³⁴Eu vos asseguro que esta geração não passará antes que aconteça tudo isso. ³⁵Céu e terra passarão, minhas palavras não passarão. ³⁶Quanto ao dia e à hora, ninguém os conhece, nem os anjos do céu nem o Filho; só o Pai os conhece. ³⁷Como em tempos de Noé, assim será a chegada do Filho do Homem: ³⁸Nos dias antes do dilúvio, as pessoas comiam, bebiam e se casavam, até que Noé entrou na arca. ³⁹E eles não perceberam, até que veio o dilúvio e levou a todos. Assim será a chegada do Filho do Homem. ⁴⁰Dois homens estarão num campo: um será levado e outro será deixado; ⁴¹duas mulheres estarão moendo: uma será levada e outra deixada. ⁴²Assim, pois, vigiai, porque não sabeis o dia em que chegará vosso Senhor. ⁴³E sabeis que, se o dono da casa soubesse a que hora da noite vai chegar o ladrão, estaria vigiando para que não abram um buraco na parede.

⁴⁴Portanto, estai preparados, porque este Homem chegará quando menos pensardes.

Vigilância (Mc 13,33-36; Lc 12,41-48) – ⁴⁵Quem é o servo fiel e prudente, encarregado pelo dono da casa de repartir em suas horas a comida para os empregados? ⁴⁶Feliz o servo a quem o dono de casa, ao chegar, encontrar atuando assim. ⁴⁷Eu vos asseguro que o encarregará de todos os seus bens. ⁴⁸Ao contrário, se um servo mau, pensando que o dono de casa tardará, ⁴⁹começar a espancar os companheiros, a comer e a beber com os bêbados, ⁵⁰o patrão desse servo virá em dia e hora que menos imagina ⁵¹e o despedaçará, dando-lhe o destino dos hipócritas. Aí haverá pranto e ranger de dentes.

25 ¹Então o reinado de Deus será como dez moças que saíram com suas lamparinas para receber o noivo. ²Cinco eram insensatas e cinco prudentes. ³As insensatas pegaram as lamparinas, porém não levaram azeite. ⁴As prudentes levaram frascos de azeite com as lamparinas. ⁵Como o noivo tardasse, todas cochilaram e dormiram. ⁶À meia-noite ouviu-se um grito: Aqui está o noivo, saí para recebê-lo! ⁷Todas as moças despertaram e se puseram a preparar as lamparinas. ⁸As insensatas pediram às prudentes: Dai-nos um pouco do vosso azeite, pois nossas lamparinas se apagam. ⁹As prudentes responderam: Talvez não baste para todas; é melhor ir comprá-lo no armazém. ¹⁰Enquanto iam comprá-lo, chegou o noivo. As que estavam preparadas entraram com ele na sala de casamento, e a porta foi fechada. ¹¹Mais tarde chegaram as outras moças, dizendo: Senhor, Senhor! Abre-nos! ¹²Ele respondeu: Eu vos asseguro que não vos conheço. ¹³Portanto, vigiai, porque não conheceis o dia nem a hora.

24,36 Também a ignorância do Filho se enquadra melhor no tempo anterior à ressurreição. Contradiz o que foi dito em 11,27? Talvez a solução seja atribuí-la à condição humana e missão histórica de Jesus.

24,37-43 Os exemplos ilustram a incerteza: quando? a quem caberá? No tempo de Noé (Gn 6,9-12), a vida continuava quando sobreveio a catástrofe; assim são as catástrofes naturais. Outras desgraças chegam em plena vida e atividade sem dar razões. Enquanto o homem dorme, o ladrão vigia (cf. Jó 24,15-16; 27,20). A incerteza é a única certeza.

24,44 Portanto, uma só conclusão: em lugar de curiosidade, vigilância (cf. 1Ts 5,2; 2Pd 3,10; Ap 3,3; 16,15). Ilustra-o a seguir com três parábolas: *o servo fiel, as dez moças, os três administradores*.

24,45-51 O objetivo que a parábola visa é a vigilância na incerteza; mas de passagem revela aos homens sua condição de servos e administradores, responsáveis perante o patrão. O servo fiel merece a qualificação de prudente, sensato. Pode referir-se aos chefes judeus e não menos a chefes da comunidade cristã. Critério de julgamento será a conduta com os outros servos ou companheiros de serviço. O castigo encarece a gravidade da culpa e suas consequências; hipócritas são os malvados que fingiram bondade (8,12; 13,42.50).

25,1-13 Circunstâncias de um casamento são transformadas e rodeadas de um halo misterioso. Não há quem conduza a noiva (Sl 45,14-15; Gn 2,22), mas é o noivo que está para chegar (Ct 2,8; 5,2). A noiva é substituída por dois grupos contrapostos de moças, o que introduz o tema do julgamento e da escolha (cf. Sl 45,15-16). O banquete é celebrado à meia-noite, e assim se introduz o tema da vigilância (cf. Ct 3,1; 5,2); entra-se no casamento ou festa nupcial (Ct 1,4; 2,4). As reminiscências do Cântico dos Cânticos se acumulam e conferem certo ar de realismo à cena. Ao mesmo tempo se sobrepõem outros traços que geram uma atmosfera irreal. Não esqueçamos que o Apocalipse (a Bíblia) termina com a espera ansiosa da esposa/comunidade pela vinda do esposo.

As moças são classificadas em prudentes, ou sensatas, e insensatas. Duas categorias contrapostas

¹⁴É como um homem que partia para o estrangeiro; antes chamou seus servos e lhes confiou seus bens. ¹⁵A um deu cinco milhões, a outro dois, a outro um; a cada um segundo sua capacidade. E partiu. Imediatamente ¹⁶o que havia recebido cinco milhões negociou com eles e ganhou outros cinco. ¹⁷Da mesma forma aquele que havia recebido dois milhões, ganhou outros dois. ¹⁸Aquele que havia recebido um milhão foi, fez um buraco no chão, e escondeu o dinheiro do patrão. ¹⁹Passado muito tempo, o patrão dos servos apresentou-se para pedir-lhes contas. ²⁰Aproximou-se o que havia recebido cinco milhões e lhe apresentou outros cinco, dizendo: Senhor, deste-me cinco milhões; vê, ganhei outros cinco. ²¹O patrão lhe disse: Muito bem, servo fiel e cumpridor; foste confiável no pouco, eu te ponho à frente do importante. Entra na festa de teu patrão. ²²Aproximou-se aquele que havia recebido dois milhões e disse: Senhor, deste-me dois milhões; vê, ganhei outros dois. ²³O patrão lhe disse: Muito bem, servo fiel e cumpridor; foste confiável no pouco, eu te ponho à frente do importante. Entra na festa de teu patrão. ²⁴Aproximou-se também aquele que havia recebido um milhão e disse: Senhor, eu sabia que és exigente, que colhes onde não semeaste e recolhes onde não espalhaste. ²⁵Como tinha medo, enterrei teu milhão; aqui tens o que é teu. ²⁶O patrão lhe respondeu: Servo indigno e preguiçoso. Já que sabias que colho onde não semeei e recolho onde não espalhei, ²⁷devias ter depositado o dinheiro num banco, para que, ao chegar, eu o retirasse com juros. ²⁸Tirai-lhe o milhão e dai-o para aquele que tem dez. ²⁹Pois a quem tem se lhe dará e sobrará; a quem não tem se lhe tirará inclusive o que tem. ³⁰Expulsai o servo inútil para as trevas de fora. Aí haverá pranto e ranger de dentes.

O julgamento das nações – ³¹Quando chegar o Filho do Homem com majestade, acompanhado de todos os seus anjos, sentará em seu trono de glória ³²e comparecerão diante dele todas as nações. Ele

---

de sólida tradição em livros como Pr e Eclo. São adjetivos de enorme peso, a ponto de as qualidades aparecerem personificadas como Sensatez e Senhora Insensatez (Pr 9). Na parábola, por sua sensatez ou insensatez, está em jogo o sentido último da vida. As lâmpadas e o óleo que as alimenta são expressão da vigilância noturna (Pr 31,18; Jr 25,10; Ap 18,22). Ao mesmo tempo servem para inculcar a responsabilidade pessoal: aqui não vale omitir-se fiando-se no outro. Mais ainda, essa noite mágica não é noite para dormir (cf. Ct 5,2-6; Is 51,17; 52,1). Essa parábola é exclusiva de Mateus e é a terceira referência ao tema nupcial (9,14-15; 22,1).

25,14-30 Da cena nupcial Mateus nos transporta ao mundo da economia, que também vale para explicar o mistério do reinado de Deus. A simples expectativa e vigilância se convertem e culminam aqui em responsabilidade para a ação no mundo. A responsabilidade é proporcional ao "talento" recebido para o serviço. Prêmio e castigo pela administração se orientam para o julgamento definitivo. O relato se concentra no serviço ao patrão, dono único do dinheiro, e não fala expressamente do serviço aos outros. Ele reparte livremente e não de modo arbitrário seu dinheiro, levando em conta "a capacidade de cada um"; em grego *dynamis*, dinamismo, capacidade de fazer. Só que também essa capacidade é dom (cf. Dt 8,17-18). Um talento equivale a cerca de 35 quilos.

O patrão se ausenta (15, final de Lucas) e tardará em voltar. Já não menciona uma chegada iminente (19, escatologia adiada, 2Ts 2,2). Quando volta pede contas da administração, numa espécie de julgamento, no qual o patrão qualifica a conduta e retribui. Os dois primeiros são: cumpridor, ou seja, bom em seu ofício, e fiel ou fiável (é o título de Moisés segundo Nm 12,7); o terceiro é malvado ou mau em seu ofício preguiçoso, um adjetivo substantivado como tipo em Pr. O prêmio supera qualquer previsão: perto dele os milhões eram nada; de uma posse administrada passa-se à convivência com o patrão.

O terceiro procura defender-se, pondo a culpa no patrão exigente. Realmente o medo do risco paralisa (Ecl 11,10), a inércia se afirma na preguiça. Mas o dinheiro não é uma semente que se enterra e cresce por si só; é o homem que imprime nele seu dinamismo para fazê-lo crescer. A colaboração humana está fortemente sublinhada.

O diálogo com o terceiro criado mostra a outra face do dinamismo do trabalho humano. O dinheiro confiado a mãos ativas tende a crescer; mas a preguiça deixa-o inerte, e o preguiçoso fica de mãos vazias. A quem aproveita o dinheiro enterrado? O provérbio final, com sua formulação paradoxal (13,12), expressa felizmente o duplo movimento: do mais ao sempre mais, do menos até o nada.

Prêmio e castigo são de cunho escatológico. Prêmio: participar do banquete escatológico do Senhor. Castigo: a expulsão e as trevas da morte (8,12; 22,13).

25,31-46 A ação do homem e das sociedades em suas relações mútuas têm uma dimensão transcendente que Deus conhece e sanciona. Essa ideia ou mistério se dramatiza na linguagem de um grande julgamento público e universal. Como antecedentes literários podem-se recordar: o rito de Js 8,32-35 completado com Dt 27,12-28,14; a nota escatológica de 24,21-22; os destinos opostos de Is 65,13-15; Dn 12,2 o indica ou implica; Sb 4,20-5,16 o descreve a seu modo.

separará uns de outros, como um pastor separa as ovelhas das cabras. ³³Colocará as ovelhas à sua direita e as cabras à sua esquerda. ³⁴Então o rei dirá aos da direita: Vinde, benditos de meu Pai, para herdar o reino preparado para vós desde a criação do mundo. ³⁵Porque tive fome e me destes de comer, tive sede e me destes de beber, era migrante e me acolhestes, ³⁶estava nu e me vestistes, estava enfermo e me visitastes, estava encarcerado e fostes ver-me. ³⁷Os justos lhe responderão: Senhor, quando te vimos faminto e te alimentamos, sedento e te demos de beber, ³⁸migrante e te acolhemos, nu e te vestimos; ³⁹quando te vimos enfermo ou encarcerado e fomos visitar-te? ⁴⁰O rei lhes responderá: Eu vos asseguro: o que fizestes a estes meus irmãos menores, a mim o fizestes. ⁴¹Depois dirá aos da esquerda: Afastai-vos de mim, malditos, para o fogo eterno preparado para o Diabo e seus anjos. ⁴²Porque tive fome e não me destes de comer, tive sede e não me destes de beber, ⁴³era migrante e não me acolhestes, estava nu e não me vestistes, estava enfermo e encarcerado e não me visitastes. ⁴⁴Eles replicarão: Senhor, quando te vimos faminto ou sedento, migrante ou nu, enfermo ou encarcerado e não te socorremos? ⁴⁵Ele responderá: Eu vos asseguro: o que não fizestes a um destes mais pequenos, não o fizestes a mim. ⁴⁶Estes irão para o castigo perpétuo, e os justos para a vida perpétua.

26 Complô para matar Jesus (Mc 14,1s; Lc 22,1s; Jo 11,45-53) –

¹Quando terminou este discurso, Jesus disse a seus discípulos:

– ²Sabeis que dentro de dois dias se celebra a Páscoa e este Homem será entregue para ser crucificado.

³Então se reuniram os sumos sacerdotes e senadores do povo na casa do sumo sacerdote Caifás, ⁴e se puseram de acordo para, com um estratagema, apoderar-se de

---

Em primeiro lugar, o texto propõe um problema de dupla identificação: a) fala de "todas as nações" pagãs ou de todas sem distinção? b) os "irmãos menores" de Jesus são os cristãos ou todos os necessitados? Uma interpretação minimalista diria que os pagãos serão julgados de acordo como tratarem os cristãos. Resposta: a) segundo a tradição bíblica, a expressão designa os pagãos. O texto o comprova, pois os cristãos não podem alegar ignorância, os pagãos sim. Mas antes disse que "a boa notícia do reino será proclamada a todas as nações" (24,14). b) Embora Jesus tenha limitado sua missão "às ovelhas desgarradas da Casa de Israel" (15,24), compadeceu-se também dos pagãos necessitados e proclama uma mensagem universal. Pois bem, se num momento a parábola teve um alcance limitado, em seu estado atual parece exigir um alcance universal: os que creram em Jesus, pelo cumprimento de seu mandato serão julgados; os que não o conheceram, serão julgados pela fidelidade a seus valores.
O juiz é Jesus. O "filho do rei", na ocasião do casamento (22,2), é no julgamento o rei (cf. Sl 72,1) que chega acompanhado da sua corte e toma assento no seu tribunal (cf. Dn 7,9-10; Dt 33,2; Zc 14,5). Perante ele comparecem "todas as nações". Inspirados em Jl 4,11-12, alguns quiseram tomar a parábola como descrição realista e até localizaram a cena no "vale de Josafá".
O julgamento será de separação (aphorizo): verbo de grande tradição no culto e na legislação (ver especialmente Lv 20,25s; Is 56,3); seu complemento são os bons, que são "separados" dos maus. Compará-los com ovelhas e cabras pode ser sugestão de Ez 34,17, que distingue entre ovelhas e bodes; ao passo que a ceia pascal admite sem distinção "cordeiro e cabrito" (Ex 12,5). O valor da direita e da esquerda

é transcultural (cf. Dt 27,12-13), segundo a posição geográfica relativa.
O critério de separação são as obras de misericórdia, que se podem ilustrar com textos do AT e do NT (p. ex. Is 58,7; Pr 19,17; Mt 5,7; 9,13; 12,7; 23,23). Servem para especificar o preceito capital do amor ao próximo. Jesus fez-se próximo do necessitado e irmão dos pequenos.
Como em Dt 27-28, a sentença é pronunciada em forma de bênção e maldição: benditos (Sl 115,15; Is 65,23), malditos (Jr 17,5; Sl 37,22). A sentença será "herdar o reino" (1Cor 6,9; 15,50; Gl 5,21) ou ser lançados no "fogo eterno" (Is 66,24; Dn 7,11; Ap 20,10). A cena nos faz compreender que muitos, sem conhecer a pessoa de Jesus, se ajustam aos valores dele, na esfera do amor ao próximo. E isso decide o destino deles.

25,41 Is 66,24.

26,1-5 Acabaram-se os discursos, resta um momento para uma profecia sucinta. Chega a hora de sofrer em silêncio. Mas Jesus conserva a iniciativa: vai ao encontro da paixão com plena consciência e aceitação voluntária. "Será entregue": uma forma passiva que no mínimo sugere a ação de Deus e faz eco ao destino do Servo (Is 53,6 com o mesmo verbo em grego). O Filho não conhece a hora do fim do mundo (24,36), mas sabe que a sua hora chega com a Páscoa, que as duas vão juntas, e faz os discípulos saber isso.
Só "então" se reúnem o braço religioso e secular para decidir a prisão e a execução de Jesus. Pensam poder marcar a data, em oposição ao dito de Jesus. A Páscoa devia ser celebrada em paz, e um tumulto popular podia provocar os romanos. O medo supõe que "o povo" e "os chefes do povo" não estavam de acordo. Caifás foi sumo sacerdote de 19 a 36.

Jesus e matá-lo. ⁵Mas acrescentaram que não devia ser durante as festas, para que o povo não se amotinasse.

Unção em Betânia (Mc 14,3-6; Jo 12,1-8) – ⁶Estando Jesus em Betânia, em casa de Simão o leproso, ⁷aproximou-se dele uma mulher com um frasco de alabastro cheio de um perfume de mirra caríssimo, e o derramou na cabeça enquanto estava à mesa. ⁸Ao ver isso, os discípulos disseram indignados: Para que esse desperdício? ⁹Podia ser vendido a alto preço para dar o produto aos pobres. ¹⁰Jesus percebeu e lhes disse:

– Por que aborreceis esta mulher? Ela fez uma ação boa para comigo. ¹¹Tendes os pobres sempre por perto. A mim nem sempre tendes.

¹²Ao derramar o perfume sobre meu corpo, ela estava preparando minha sepultura. ¹³Eu vos asseguro que em qualquer parte do mundo onde se proclamar a boa notícia, será mencionado o que ela fez.

¹⁴Então um dos doze, chamado Judas Iscariotes, dirigiu-se aos sumos sacerdotes ¹⁵e lhes propôs:

– O que me dareis se eu vo-lo entregar? Eles concordaram em trinta denários. ¹⁶Desde esse momento ele procurava uma ocasião para entregá-lo.

Páscoa e Eucaristia (Mc 14,12-26; Lc 22,7-20; Jo 13,21-30; 1Cor 11,23-25) – ¹⁷No primeiro dia dos ázimos os discípulos se aproximaram de Jesus e lhe perguntaram:

– Onde queres que te preparemos a ceia de Páscoa?

¹⁸Respondeu-lhes:

– Ide à cidade, a um tal, e dizei-lhe: é uma mensagem do Mestre: Minha hora está próxima; em tua casa celebrarei a Páscoa com meus discípulos.

¹⁹Os discípulos prepararam a ceia de Páscoa seguindo as instruções de Jesus. ²⁰Ao entardecer, ele se pôs à mesa com os doze, ²¹e enquanto comiam disse-lhes:

– Eu vos asseguro que um de vós vai me entregar. ²²Consternados, começaram a perguntar-lhe um por um:

– Sou eu, Senhor?

²³Respondeu:

– Aquele que pôs comigo a mão na travessa, esse me entregará. ²⁴Este Homem vai,

---

26,6-16 Em duas personagens se opõem a homenagem amorosa e a traição interesseira, o esbanjamento e a cobiça.

26,6-13 Mateus não dá o nome da mulher; Jo 12 a identifica com Maria, irmã de Lázaro. O perfume na cabeça de Jesus não é unção (cf. 1Sm 10,1; 2Rs 9,6), mas esplêndido e público gesto de estima (cf. Sl 23,5; 141,5). Os discípulos o qualificam de esbanjamento; podia ser mais bem empregado em benefício dos pobres (19,21). Jesus os corrige publicamente, interpretando o significado profundo do gesto. Também Jesus é pobre neste momento, com a pobreza total da morte. Além disso, a ajuda cristã aos pobres será feita em nome de Cristo.
Em primeiro lugar, o gesto expressa o afeto à sua pessoa, "comigo". No contexto do texto aludido (cf. Dt 15,1-11) se diz que, pelo egoísmo de uns, haverá pobreza em Israel; mas a mulher mostra a generosidade do amor (6,22-23). Segundo, o gesto é uma unção sepulcral antecipada; como tal, Jesus o recebe em vida, consciente de sua morte próxima. Terceiro, o gesto conservará para sempre um valor eclesial: sua lembrança será exemplar e testemunho de ressurreição (Pr 22,9).

26,14-16 A traição de Judas está pontuada com uma alusão a Zc 11,12; o preço irrisório de um escravo morto (Ex 21,32), de uma vida, que deveria ser muito alto (cf. Sl 49,9). O verbo "entregar" pertence aos anúncios da paixão (17,22; 20,19; 26,2); o mesmo que Jesus acaba de pronunciar. A figura de Judas atraiu a atenção de escritores que tentaram analisar ou imaginar seu processo interno.

26,17-30 Vários detalhes do relato apontam para uma ceia ritual da Páscoa: os preparativos (17.18.19), o roteiro com a bênção (26) e os hinos (30). Mas não se menciona o cordeiro (imolado no templo), e a cronologia de João exclui que se trate de ceia pascal. Portanto, ou Jesus antecipa por conta própria o rito, ou segue outro calendário, ou a celebração cristã da nova Páscoa (1Cor 5,7) influi na redação do relato.

26,17-19 Como na entrada festiva em Jerusalém (21,1-4), Jesus conhece e controla a situação. Pode dar ordens aos discípulos e ao anfitrião. Ele a chama de "minha hora", apropriando-se da celebração tradicional (Ex 12,3-5). Ao escurecer começa o novo dia, e treze é um número aceitável de comensais, segundo o direito. Só que "os doze" têm um sentido novo (10,1): o novo Israel celebra a nova Páscoa.

26,20-25 O anúncio precedente se faz mais preciso, porque Jesus quer revelar detalhes pessoais. A lembrança da traição passa pela reação da Igreja primitiva, pois para ela Judas se converte em tipo de traidor, e assim seu nome para nossos idiomas; e a resposta pessoal de Jesus pode dirigir-se de novo a novos traidores da sua pessoa. Judas não o chama de Senhor, mas rabi, mestre. O ai do narrador não é somente compaixão por Jesus, mas dor pelo fato de que entre os doze haja um traidor (1Jo 2,19).
Um par de alusões à Escritura dão relevo ao relato: a traição do amigo (Sl 41,9), o "ir embora" da morte (Is 53 e Sl 22).

como está escrito sobre ele; mas ai daquele pelo qual este Homem será entregue. Seria melhor para esse homem não ter nascido.

²⁵Disse-lhe Judas, o traidor:
– Sou eu, Mestre?
Diz-lhe:
– Tu o disseste.

²⁶Enquanto ceavam, Jesus tomou um pão, pronunciou a bênção, o partiu e o deu a seus discípulos, dizendo:
– Tomai, comei, isto é o meu corpo.

²⁷Tomando a taça, pronunciou a ação de graças e deu-a, dizendo:
– ²⁸Bebei todos dela, porque este é o meu sangue da aliança, que se derrama por todos para o perdão dos pecados. ²⁹Eu vos digo que daqui em diante não beberei deste produto da videira até o dia em que o beberei convosco no reino de meu Pai.

³⁰Cantaram o hino e saíram para o monte das Oliveiras.

³¹Então Jesus lhes diz:
– Nesta noite todos vós tropeçareis por minha causa, como está escrito; *ferirei o pastor e as ovelhas do rebanho se dispersarão*. ³²Mas quando eu ressuscitar, irei à vossa frente para a Galileia.

³³Pedro lhe respondeu:
– Ainda que todos tropecem esta noite, eu não tropeçarei.

³⁴Jesus lhe respondeu:
– Eu te asseguro que nesta noite, antes que o galo cante, me terás negado três vezes.

³⁵Pedro lhe replica:
– Mesmo que tenha de morrer contigo, não te negarei.

Os outros discípulos diziam o mesmo.

Oração no horto (Mc 14,34-42; Lc 22, 39-46) – ³⁶Então Jesus foi com eles a um lugar chamado Getsêmani, e disse a seus discípulos:
– Sentai-vos aqui, enquanto vou ali orar.

³⁷Tomou Pedro e os dois Zebedeus e começou a sentir tristeza e angústia. ³⁸Disse-lhes:
– Sinto uma tristeza mortal; ficai aqui vigiando comigo.

26,26-30 Jesus celebra e institui sua eucaristia e manda celebrá-la em sua memória. As primeiras comunidades o cumprem, celebrando o rito (At 2,42.46; 20,7.11; 1Cor 10,16; 11,20). Essa prática influi na redação do fato fundacional, produzindo duas variantes básicas: a de Paulo e Lucas, a de Marcos e Mateus.
Os gestos que o narrador detalha são óbvios: tomar e partir um pão como então era cozido, ou pronunciar as costumeiras bênção sobre o pão e ação de graças sobre o vinho e distribuí-los. Mas esses gestos estão carregados de sentido superior: Jesus não come, mas se entrega; ele o parte para repartir e para que partilhem. O dom indica a morte, e o partilhar é a união com ele.
Ao passar o cálice de vinho, explica com mais riqueza e precisão seu sentido superior. O vinho é o sangue, que indica a morte como entrega; é o sacrifício da nova aliança (Ex 24,8), que expia os pecados. Bebendo, os discípulos se unem ao sacrifício, partilham o sangue, sede da vida (comparar com a proibição de Lv 3,17; 7,26-27 etc.), e selam a aliança que constitui o povo novo.
Jesus une esse banquete com o do céu onde reina seu Pai; desde agora seus discípulos estão convidados a esse banquete (22,2-10): "convosco". Nele se servirá um vinho novo, como corresponde ao mundo novo (Ap 21,1-3). O canto do hino costumava compreender os Salmos 113-118.

26,31-35 Segundo anúncio trágico: os discípulos vão tropeçar na grande prova (cf. 6,13), se dispersarão como ovelhas (citação de Zc 13,7); mas sua queda não será definitiva, porque o pastor, ressuscitado, voltará a reuni-los na Galileia (insinuado, cf. Jr 32,37; Ez 34,13). O protesto de Pedro é presunção, que agrava a queda. "Eu pensava muito seguro: jamais vacilarei" (Sl 30,7). Sempre haverá na Igreja uma Galileia onde os que se dispersam voltarão a reunir-se com o Pastor.

26,36-46 Nessa cena, o narrador quer revelar-nos algo da espiritualidade de Jesus; por isso, deveríamos lê-la junto com a confissão de 11,15-27. Pelo que tem de prova e luta, forma díptico com a cena das provações no deserto (4,1-11). Como fundo de contraste, podemos pensar em Jeremias (Jr 15 e 20); como acompanhamento, a terceira Lamentação. Aqui se expressa a angústia humana de Jesus, como em tantos salmos de súplica (p. ex. Sl 42-43; 55,2-6 etc.); ouvimo-lo repetir a súplica (Hb 5,7); na luta, triunfa a entrega plena e confiante à vontade do Pai (Hb 10,9). Dois pedidos do Pai-nosso ressoam na cena: seja feita a tua vontade, não nos deixes sucumbir na provação.
Mateus nos mostra além disso o homem angustiado que busca companhia: "com eles" (36), "comigo" (38.40), e não a encontra (cf. Sl 38,12; Jó 19,13-19.21; Lm 1,16). O sono inconsciente dos três íntimos o faz sentir ainda mais a solidão. No meio da tempestade ele dormia na barca (8,23ss).
O cálice está cheio da ira do Senhor contra o pecado (Jr 25,15-29; Ez 23,33): o Pai lho oferece, Jesus deve esgotá-lo. Espírito e carne se opõem como o forte e o fraco (Is 31,3). O espírito "decidido" deve ser acompanhado de um espírito generoso (diz Sl 51,12-14). As palavras de Jesus, através dos três apóstolos, são dirigidas à Igreja, a todos os cristãos.

26,37 São os três que assistiram à transfiguração.

26,38 O Salmo 88 expressa com imagens intensas essa tristeza mortal: cova, confinamento, trevas abismais, escolhos, incêndio, espanto...

³⁹Adiantou-se um pouco e, prostrado com o rosto no chão, orou assim:
– Pai, se é possível, que se afaste de mim esta taça. Mas não se faça a minha vontade, e sim a tua.
⁴⁰Voltou aonde estavam os discípulos. Encontra-os adormecidos e diz a Pedro:
– Não fostes capazes de vigiar uma hora comigo. ⁴¹Vigiai e orai para não sucumbirdes na prova. O espírito é decidido, a carne é fraca.
⁴²Pela segunda vez se distanciou para orar:
– Pai, se esta taça não pode passar sem que eu a beba, que se cumpra tua vontade.
⁴³Voltou de novo e os encontrou adormecidos, pois seus olhos estavam pesados. ⁴⁴Deixou-os e se afastou pela terceira vez, repetindo a mesma oração. ⁴⁵Depois se aproxima dos discípulos e lhes diz:
– Ainda adormecidos e descansando! Aproxima-se a hora em que este Homem será entregue em poder dos pecadores. ⁴⁶Levantai-vos, vamos! Aproxima-se o traidor.

A prisão (Mc 14,43-52; Lc 22,47-53; Jo 18,3-12) – ⁴⁷Ainda estava falando, quando chegou Judas, um dos doze, acompanhado de uma multidão armada de espadas e paus, enviada pelos sumos sacerdotes e pelos senadores do povo. ⁴⁸O traidor lhes havia dado uma senha: Aquele que eu beijar, é ele. Prendei-o. ⁴⁹Em seguida, aproximando-se de Jesus, disse-lhe:
– Salve, Mestre!
E lhe deu um beijo.
⁵⁰Jesus lhe disse:
– Amigo, para que vieste?
Então se aproximaram, agarraram Jesus e o prenderam. ⁵¹Um dos que estavam com Jesus pegou a espada, a desembainhou e com um golpe cortou uma orelha do servo do sumo sacerdote. ⁵²Jesus lhe diz:
– Embainha a espada: quem empunha a espada, pela espada morrerá. ⁵³Crês que não posso pedir ao Pai que me envie imediatamente mais de doze legiões de anjos? ⁵⁴Mas então, como se cumprirá o escrito, que isso deve acontecer?
⁵⁵Então Jesus disse à multidão:
– Saístes armados de espadas e paus para capturar-me, como se fosse um bandido. Diariamente me sentava no templo para ensinar, e não me prendestes. ⁵⁶Mas tudo isso acontece para que se cumpram as profecias.
Então todos os discípulos o abandonaram e fugiram.

Jesus diante do Conselho (Mc 14,53-65; Lc 22,54s.63-71; Jo 18,13s.19-24) – ⁵⁷Aqueles que o haviam preso o conduziram à casa do sumo sacerdote Caifás, onde se tinham reunido os letrados e os senadores.

26,45 Aproxima-se a hora: Jo 12,23; 13,1; 17,1.
26,47-56 Em toda a cena da prisão, segundo Mateus, Jesus domina a situação, como o Servo do Senhor (Is 42,3-4). Reprime a violência, mesmo defensiva, de um dos seus; aceita o beijo do traidor (cf. Sl 55,13-15); sem opor resistência denuncia a violência injustificada da multidão. Não é um bandido perigoso, mas um mestre público e pacífico. Poderia convocar forças superiores (2Rs 6,16-18); mas sua força está em aceitar o desígnio do Pai: assim foi anunciado na Escritura, assim tem que acontecer.
26,47 O pelotão é enviado pela autoridade religiosa e pela civil (ver 26,3), e vem armado com as espadas e paus da polícia do templo.
26,48 "O beijo do inimigo é enganador" (Pr 27,6), mas Jesus o chama de amigo. Sobre amigos e inimigos disserta Ben Sirac (Eclo 6,5-17; 12,8-18).
26,51 Espada: a palavra grega pode designar um punhal ou navalha de uso pessoal e pacífico.
26,52-54 O episódio serve de admoestação para a Igreja em tempo de perseguição. Morrer por Cristo, não matar por Cristo, é seu heroísmo (cf. 5,10-11.39-41). Jesus concentra três argumentos: Primeiro, o provérbio que penetrou como refrão: nele ressoa a lei do talião ou a dialética da violência; quem a provoca torna-se vítima dela. Segundo, o auxílio celeste milagroso. Terceiro, a vontade do Pai.
26,55 Os capítulos 21-24, especialmente 21,23.
26,56 Segundo o anunciado antes (Zc 13,7).
26,57-68 No relato de Mateus, o processo, ou instrução do processo, de Jesus diante do Grande Conselho corre com fluidez e coerência. Mas não pensemos que seja a redação pontual de um taquígrafo. Até que ponto a primitiva tradição cristã modela o relato? Até que ponto Mateus estiliza os fatos para salientar certos aspectos? Há razões para pensar que houve um interrogatório noturno perante Caifás (ou Anás, Jo 18,12.24) e que o Conselho se reuniu de manhã cedo. Mateus os concentra em um, de noite, para obter o contraste entre a confissão de Jesus e a negação de Pedro (que foi noturna). Dir-se-ia que coloca com intenção polêmica as zombarias como consequência da sentença. Também parece indicar intenção polêmica o dizer que buscavam testemunhas "falsas".
Contudo, algo se destaca e se perfila no processo ou interrogatório. Descartados outros motivos duvidosos, a questão se concentra no messianismo

⁵⁸Pedro o foi seguindo à distância até o palácio* do sumo sacerdote. Entrou e sentou-se com os criados para ver em que acabaria isso. ⁵⁹Os sumos sacerdotes e todo o Conselho procuravam um falso testemunho contra Jesus que permitisse condená-lo à morte. ⁶⁰E, embora se apresentassem muitas testemunhas falsas, não o encontraram. Finalmente se apresentaram duas, ⁶¹alegando: Ele disse: Posso destruir o templo de Deus e reconstruí-lo em três dias. ⁶²O sumo sacerdote se pôs de pé e lhe disse:

— Não respondes ao que estes alegam contra ti?

⁶³Mas Jesus continuava calado. O sumo sacerdote lhe disse:

— Pelo Deus vivo, eu te conjuro que nos digas se és o Messias, o filho de Deus.

⁶⁴Jesus lhe responde:

— É o que disseste. E eu vos digo que desde agora *vereis o Filho do Homem sentado à direita do Todo-poderoso e chegando nas nuvens do céu.*

⁶⁵Então o sumo sacerdote, rasgando a veste, disse:

— Blasfemaste! Que falta nos fazem as testemunhas? Acabais de ouvir a blasfêmia. ⁶⁶Qual é o vosso veredicto?

Responderam:

— Réu de morte.

⁶⁷Então lhe cuspiram no rosto, deram-lhe bofetadas e o golpeavam, ⁶⁸dizendo:

— Messias, adivinha quem te bateu.

Negações de Pedro (Mc 14,66-72; Lc 22,56-62; Jo 18,15-18.25-27) – ⁶⁹Pedro estava sentado fora, no pátio. Aproximou-se uma criada e lhe disse:

— Tu também estavas com Jesus, o galileu.

⁷⁰Ele o negou diante de todos:

— Não sei o que dizes.

⁷¹Saiu para o pórtico, outra criada o viu, e disse aos que estavam aí:

— Este estava com Jesus, o Nazareno.

⁷²De novo o negou, jurando que não conhecia esse homem. ⁷³Pouco tempo depois aproximaram-se os que estavam aí e disseram a Pedro:

— Tu és realmente um deles, pois o sotaque te denuncia.

⁷⁴Então começou a lançar maldições e a jurar que não o conhecia. Imediatamente o galo cantou ⁷⁵e Pedro recordou o que Jesus dissera: Antes que o galo cante, me terás negado três vezes. E saindo, chorou amargamente.

---

transcendente de Jesus. Não o messianismo político que uma parte do povo espera, nem o messianismo simples de um rei descendente de Davi, mas sim o de quem tem um trono à direita de Deus (Sl 110,1; Mt 22,41-45) e recebe do Altíssimo o poder supremo e universal (Dn 7,13, segundo a interpretação individual secundária). Se Jesus sem fundamento se arroga semelhante título, é blasfemo e merece a morte. Se o possui realmente, é ele quem, julgado, julga (recorde-se a palavra de Deus em Jeremias que, julgada, julga Joaquim, Jr 36). Jesus, conjurado pelo sumo sacerdote do momento, pronuncia um testemunho (cf. 1Tm 6,13, diante de Pilatos) que o leva à morte: testemunha e mártir.

26,57 O Grande Conselho consta de 72 membros (cf. Nm 11), entre os quais há peritos na lei, senadores ou anciãos do povo e sacerdotes. Preside-o o sumo sacerdote.

26,58 O dado sobre Pedro deixa um gancho pendente, para que não se desprenda a cena seguinte. * Ou: *o pátio.*

26,59 Como no caso de Nabot (1Rs 21,10-13). O narrador insinua que todo o procedimento está viciado desde o início.

26,60 Número mínimo requerido pela lei (Dt 17,6; 19,15). Sobre falsas testemunhas: Pr 19,28; 21,28. Pouco vale o acordo de dois na falsidade.

26,61 A famosa frase sobre o templo corre em muitas versões (Mc 15,29 par.; Mt 24,7; 27,40; Jo 2,19; At 6,14). Atentar contra o templo era delito grave (recorde-se o caso de Jeremias, Jr 7 e 26 "este homem merece a morte"). Mateus suaviza a acusação: "posso".

26,62-63 Tais acusações não merecem resposta; Jesus se cala, como o Servo "não abria a boca" (Is 53,7). Por isso, para romper seu silêncio, o sumo sacerdote recorre ao último expediente. Com sua autoridade e invocando Deus, faz Jesus jurar, e concentra a questão. Na boca de Caifás "filho de Deus" é título messiânico, de acordo com os Salmos 2 e 89.

26,64 Na boca de Jesus, o que Caifás disse tem alcance superior. A confissão combina uma frase do Sl 110,1 com outra de Dn 7,13: supõe-nas bem conhecidas e as aplica a si. Desde agora: com sua confissão seu poder começa a se manifestar. Quando ressuscitar, esse poder celeste se estenderá.

26,65 A blasfêmia é punida com a morte (Lv 24,16).

26,67 Ver o terceiro cântico do Servo (Is 50,6). A zombaria supõe que o Messias é profeta e possui o dom de adivinhar.

26,69-75 Os quatro evangelhos, que reconhecem a primazia indiscutível de Pedro, narram sem dissimulação seu pecado e arrependimento. Sem dúvida, o consideram uma dor de Jesus e um ensinamento para a Igreja. Colocado aqui o relato, a negação contrasta fortemente com o testemunho de Jesus e com seu testemunho em Cesareia (Mt 16,15-17). Mateus o gradua em intensidade crescente: nega, jura, lança maldições; os interlocutores vão

27 Conduzido a Pilatos (Mc 15,1; Lc 23,1s; Jo 18,28-32)

¹Na manhã seguinte, os sumos sacerdotes e os senadores do povo deliberaram para condenar Jesus à morte. ²Amarraram-no, conduziram-no e o entregaram a Pilatos, o governador.

Morte de Judas (At 1,18s) – ³Então Judas, o traidor, vendo que o haviam condenado, arrependeu-se e devolveu os trinta denários aos sumos sacerdotes e senadores, ⁴dizendo:

– Pequei, entregando à morte um inocente.

Responderam-lhe:

– O que temos a ver com isso? O problema é teu!

⁵Jogou o dinheiro no templo, foi-se e se enforcou. ⁶Os sumos sacerdotes, recolhendo o dinheiro, disseram:

– Não é lícito pô-lo na arca, pois é preço de uma vida.

⁷E, depois de deliberar, compraram o campo do oleiro para sepultura de estrangeiros. ⁸Por isso, até hoje aquele campo se chama Campo de Sangue*. ⁹Assim se cumpriu o que profetizou Jeremias: *Tomaram as trinta moedas, preço do que foi taxado, do que os israelitas taxaram,* ¹⁰*e com isso pagaram o campo do oleiro, conforme as instruções do Senhor.*

Jesus diante de Pilatos (Mc 15,2-15; Lc 23,2-5.13.25; Jo 18,28-19,1) – ¹¹Jesus compareceu diante do governador, que o interrogou:

– És tu o rei dos judeus?

Jesus respondeu:

– É o que tu dizes.

¹²Mas, quando o acusavam os sumos sacerdotes e os senadores, ele nada respondia. ¹³Então lhe diz Pilatos:

– Não ouves de quantas coisas te acusam?

---

mudando, mas coincidem em ressaltar a origem galilaica de Jesus e Pedro. O apóstolo nega por medo, não por arrogância. E se arrepende logo e profundamente. Um galo lhe recorda a predição de Jesus (e se reveste de lenda na tradição). Pedro, como a Igreja, é chamado e perdoado.

27,1-2 A deliberação matutina serve para pronunciar ou ratificar a pena e assim entregar o réu ao governador. O relato discorre em base ao verbo entregar: anúncios 17,22; 20,28-29; 26,2; Judas 26,15.16.21.23.24.25.46.48; 27,3.4; os chefes a Pilatos 27,2; Pilatos a eles 27,26. Era competência romana permitir a execução de condenações à morte. Como se verá depois, as autoridades judaicas buscam algo mais: um processo civil por rebelião, terreno no qual eles não são competentes.
Pilatos representava o poder militar de Roma na região. Não é estranho que se encontre em Jerusalém durante a festa e aglomeração da Páscoa.

27,3-10 O episódio da morte de Judas interrompe estranhamente o curso do relato, como se a entrega de Jesus ao governador ultrapassasse suas previsões. Sabemos que a figura de Judas alimentou desde cedo fantasias legendárias. Lucas dá uma versão diferente (At 1,18-20). A morte violenta do perseguidor ou culpado é tema literário conhecido (p. ex. Absalão, 2Sm 18; Antíoco Epífanes, 2Mc 9; em versão poética vários oráculos proféticos, p. ex. Is 14; Ez 28). Antes de morrer, Judas acrescenta seu testemunho sobre a inocência de Jesus. Confessa o pecado, mas desespera do perdão.
Deixando de lado os casos militares de Saul e Abimelec, o AT só registra um suicídio, o de Aquitofel (2Sm 17,23). Fica ambíguo o significado do novo nome do campo, *Campo de Sangue*: campo de homicídio ou campo de mortos = cemitério. A citação é uma combinação artificial de Jr 32,6-9 e Zc 11,12-13.

27,8 * Ou: *Cemitério*.

27,11-26 Depois da interrupção do episódio precedente, continua o processo diante de Pilatos, até seu desfecho fatal. Mateus prossegue acumulando testemunhos sobre a inocência de Jesus: a resistência e manobras de Pilatos, sua declaração aparatosa, o sonho da sua mulher. Correlativamente, carrega a mão sobre a responsabilidade das autoridades judaicas e "o povo" ali reunido. Na súplica final os chama "todo o povo" (*kol ha 'am* em pontos-chaves: Ex 19,11 aliança; Js 24 renovação da aliança; 1Sm 10,24 Saul rei; 1Rs 8,38 súplica numa calamidade). Nessa ampliação da responsabilidade parece refletir-se a ruptura consumada entre judaísmo e cristianismo e a exclusão dos cristãos oficializada pela autoridade judaica. Como na história de Jeremias diante de Sedecias e sua corte (Jr 37-39), acontece aqui um jogo de resistências, pressões e concessões até a sentença final.
Pilatos tem de zelar pelos interesses de Roma na região. Segundo o costume romano, interroga diretamente o réu. Sua pergunta está entre o terreno político e o religioso, e admite diversas interpretações: desde sonhos religiosos peculiares até a rebelião formal contra o império. A sequência mostra que Pilatos não o toma no sentido mais grave. Também é um tanto ambígua a resposta de Jesus: é exatamente como tu dizes, isso é o que tu dizes; sim, com reservas. O diálogo termina aí (compare-se com a versão extensa de João).

27,12-14 Então intervêm os acusadores judeus, sem que o narrador especifique suas acusações. Jesus não responde a elas (Is 53,7) nem mesmo incitado pelo procurador. É surpreendente o silêncio de um réu, a quem dá ocasião de se defender (cf. Sl 38,14; 39,10): Pilatos não está acostumado a tal atitude. Aqui entra o episódio de Barrabás (a quem alguns manuscritos dão como nome próprio Jesus: ofensivo para Jesus de Nazaré? histórico e acertado para marcar o contraste?).

¹⁴Mas não respondeu uma palavra, com grande admiração do governador.

¹⁵Pela Páscoa o governador costumava soltar um prisioneiro, aquele que o povo quisesse. ¹⁶Havia então um prisioneiro famoso chamado Barrabás. ¹⁷Quando estavam reunidos, perguntou-lhes Pilatos:

– Quem quereis que eu vos solte? Barrabás, ou Jesus chamado o Messias?

¹⁸Pois sabia que o haviam entregue por inveja. ¹⁹Estando ele sentado no tribunal, sua mulher lhe mandou um recado:

– Não te metas com esse inocente, porque esta noite, em sonhos, sofri muito por sua causa.

²⁰Entretanto, os sumos sacerdotes e os senadores persuadiram a multidão para que pedisse a liberdade de Barrabás e a condenação de Jesus. ²¹O governador tomou a palavra:

– Qual dos dois quereis que vos solte?

Responderam:

– Barrabás.

²²Responde Pilatos:

– O que faço com Jesus, chamado o Messias?

Todos respondem:

– Crucifica-o.

²³Ele lhes disse:

– Mas que mal ele fez?

Eles porém continuavam gritando:

– Crucifica-o.

²⁴Vendo Pilatos que não conseguia nada, ao contrário, estavam se amotinando, pediu água e lavou as mãos diante da multidão, dizendo:

– Não sou responsável pela morte deste inocente. É problema vosso.

²⁵O povo respondeu:

– Nós e nossos filhos somos responsáveis por sua morte.

²⁶Então soltou-lhes Barrabás, mandou açoitar Jesus e o entregou para que o crucificassem.

A zombaria dos soldados (Mc 15,16-20; Jo 19,2s) – ²⁷Então os soldados do governador conduziram Jesus ao pretório* e reuniram em torno dele toda a companhia. ²⁸Tiraram-lhe a roupa, envolveram-no num manto escarlate, ²⁹trançaram uma coroa de espinhos e a puseram em sua cabeça, e um caniço na mão direita. Depois, zombando, ajoelhavam-se diante dele e diziam:

– Salve, rei dos judeus!

³⁰Cuspiam-lhe, pegavam o caniço e batiam com ele em sua cabeça.

³¹Terminada a zombaria, tiraram-lhe o manto e lhe puseram suas vestes. Depois o levaram para crucificar.

Morte de Jesus (Mc 15,21-41; Lc 23,26-49; Jo 19,17-30) – ³²À saída encontraram um homem de Cirene, chamado Simão, e

---

27,15-18 Pilatos descobre no assunto divisões e rivalidades internas entre os judeus, sem culpas verdadeiras. Em lugar de encerrar o assunto com sua autoridade (recorde-se o episódio de At 23,1-10), busca uma escapatória, o privilégio do indulto de Páscoa: enfrenta os judeus com uma escolha comprometida. Barrabás pode representar a violência contra o poder estrangeiro (era "famoso": quer dizer que era uma espécie de herói popular?); Jesus se apresenta como o Messias pacífico (5,9; 7,38-42; 12,18-21; 26,52), sem reivindicações políticas. As autoridades judaicas intervêm rapidamente para inclinar o plebiscito contra Jesus.

27,19-23 Nesse ponto intervém a mulher de Pilatos. Conceda-se aos sonhos, especialmente em conjunturas graves, valor premonitório (cf. Eclo 34,6). Ao menos infundiam respeito.

Pilatos conhecia provavelmente a popularidade de Jesus, dava certa a resposta a favor. Por isso, fica desconcertado com a resposta popular. A crucifixão era pena comum de escravos e rebeldes a Roma: os acusadores abandonam a visão de um Messias transcendente, em favor de um messias político e violento. Nesse terreno deve ser condenado por Pilatos.

A cena teatral serve para distribuir responsabilidades. Pilatos rejeita toda responsabilidade, faz o gesto simbólico de lavar as mãos como prova de inocência (cf. Sl 26,6; 73,13). Mas não pode prová-la, e seu gesto se torna proverbial em nossas culturas. O povo em massa assume a responsabilidade, na fórmula consagrada (cf. Dt 19,10; Js 2,19; Jz 9,57; 2Sm 1,16; 3,28-29; 1Rs 2,33.44; Ez 33,4). Ao julgar essas palavras, não devemos esquecer o testemunho de Paulo (1Cor 2,8).

27,27-31 As zombarias da soldadesca se concentram no suposto título de rei dos judeus. O manto escarlate serve de manto régio. A coroa é infamante, feita de sarças, mas não torturadora (como mostra a iconografia); o texto não fala de cravar, mas de colocar. Também é cômica a cana a modo de cetro real. As cuspidas substituem o beijo, e os golpes com a cana substituem a saudação.

27,27 * Ou: *residência do pretor ou magistrado*.

27,32-49 O narrador avança com estranha sobriedade, como sentindo-se distante. Contenta-se com traços rápidos sem comentário, sem explorar a dramaticidade ou patetismo da cena. Em compensação, estende um tecido de citações ou alusões, especialmente dos Salmos 22 e 69.

o forçaram a carregar a cruz. ³³Chegaram a um lugar chamado Gólgota (isto é, Caveira), ³⁴e lhe deram a beber vinho misturado com fel. Ele o provou, mas não quis beber. ³⁵Depois de crucificá-lo, repartiram por sorte suas vestes ³⁶e se sentaram ali, montando guarda.

³⁷Acima da cabeça puseram um letreiro com a causa da condenação: *Este é Jesus, rei dos judeus.* ³⁸Com ele estavam crucificados dois bandidos, um à direita e outro à esquerda. ³⁹Os que passavam o insultavam balançando a cabeça ⁴⁰e dizendo:

– Aquele que destrói o templo e o reconstrói em três dias, que se salve; se é filho de Deus, que desça da cruz.

⁴¹Por sua vez, os sumos sacerdotes com os letrados e senadores zombavam, dizendo:

– ⁴²A outros salvou, a si mesmo não pode salvar. Se é rei de Israel, desça agora da cruz e creremos nele. ⁴³Confiou em Deus: que o livre, se é que o ama. Pois disse que é filho de Deus.

⁴⁴Também os bandidos crucificados com ele o injuriavam.

⁴⁵A partir do meio-dia, todo o território se escureceu até a metade da tarde. ⁴⁶À metade da tarde Jesus gritou com voz potente:

– Eli, Eli, lema sabactani (ou seja: *Deus meu, Deus meu, por que me abandonaste?*).

⁴⁷Alguns dos presentes, ao ouvi-lo, comentavam:

– Este chama Elias.

⁴⁸Imediatamente um deles correu, tomou uma esponja empapada em vinagre, e com um caniço lhe deu de beber. ⁴⁹Os outros disseram:

– Espera, vejamos se Elias vem salvá-lo.

⁵⁰Jesus, lançando outro grito, expirou. ⁵¹O véu do templo se rasgou em dois, de cima a baixo, a terra tremeu, as pedras racharam, ⁵²os sepulcros se abriram e muitos cadáveres de santos ressuscitaram. ⁵³E, quando ele ressuscitou, saíram dos sepulcros e apareceram a muitos na cidade santa. ⁵⁴Ao ver o terremoto e o que acontecia, o

---

27,32 Provavelmente o travessão horizontal, que os condenados eram obrigados a carregar. Foi uma "carga leve"? (Mt 11,30; cf. 23,4 e Gl 6,2 "Carregai os fardos dos outros, e assim cumprireis a lei de Cristo".)

27,33 A lenda o identificou com o sepulcro de Adão ou com o lugar do sacrifício de Isaac.

27,34 A costumeira bebida letárgica serve ao narrador para aludir ao Sl 69,22, súplica de um inocente perseguido: "em minha sede me deram vinagre". Não é este o "cálice" que o Pai lhe oferece.

27,35 Fazia parte do pagamento do carrasco; serve para aludir ao Sl 22,19: "Repartem entre si minhas vestes e sorteiam minha túnica". São os últimos despojos, a pobreza total (cf. Mq 2,8), a vergonhosa nudez (cf. Is 20,2-4).

27,37 O letreiro declara a causa civil, que justifica esse tipo de execução capital.

27,38 Como se fossem a escolta do suposto rei. Pode aludir a Is 53,12: "foi contado entre os pecadores". Também a esses o Pai designou os lugares à direita e à esquerda? (Mt 20,21).

27,39 Gesto de zombaria, como em Sl 22,8: "fazem caretas, meneiam a cabeça" e Lm 2,15.

27,40 A segunda parte é alusão a Sl 22,8; veja-se também o discurso dos malvados sobre o justo em Sb 2,13.18.

27,41-43 As autoridades ampliam a zombaria. É o sarcasmo naquilo que mais dói, a relação com o Pai. O "salvar" pode ser zombaria do nome; mas deve-se recordar o título de Salvador que os cristãos davam a Jesus. Mudam o título em "rei de Israel", que corresponde melhor ao título de Messias (cf. Jo 1,49; 12,13). Alude ao Sl 22,9: "Recorreu ao Senhor, que o ponha a salvo; que o livre, se é que o ama" (cf. Sb 2,18.20).

27,44 Mateus não faz distinção entre os bandidos.

27,45 São trevas anormais: "Farei pôr-se o sol ao meio-dia, em pleno dia escurecerei a terra" (cf. Am 8,9); podem ser de julgamento (Is 13,10; Jl 2,2; Sf 1,15). Parece que Mateus as considera teofânicas, como o "grande grito" (*qol gadol* Dt 5,22; Is 29,6) dos vv. 46 e 50.

27,46 Cita o começo de Sl 22. Sugere com isso que rezou o salmo todo? Tal pode ser o valor de citar um começo. Os judeus usavam o começo como título do livro. Os evangelistas levaram muito em conta o Sl 22 ao narrar a paixão.

27,48 É uma bebida refrescante, que serve também para aludir a Sl 69,22 (paralelo de "veneno na comida").

27,49 Gracejo cruel jogando com o nome de Elias e recordando que o profeta deve voltar a serviço do Messias (Ml 3,23).

27,51-53 Expirou = expulsou o alento/espírito. O duplo sentido da palavra grega *pneuma* permitiu a alguns escutar uma velada alusão ao dom do Espírito. Com três traços simbólicos, Mateus comenta o significado dessa morte, sem esclarecer suficientemente sua intenção. O véu do templo (Ex 26,31-35): significa o final do culto antigo?, o acesso a Deus aberto a todos, sem segredos? tem alguma dimensão cósmica? O terremoto é muitas vezes teofânico, como reação da terra na presença do seu Criador (Sl 18,8; 77,19 etc.). Quanto aos sepulcros abertos, Cristo morto conquista o reino dos mortos e os faz reviver (cf. Dt 32,39; 1Sm 2,6; Tb 13,2; Sl 30,4); pode conter uma alusão à grande visão de Ez 37,1-14, dos ossos que revivem. Cristo ressuscitado transmite sua vida aos "santos", que entram na cidade novamente "santa" (cf. Is 26,2) e se manifestam como testemunhas da ressurreição do Senhor.

27,54 Com a confissão dos soldados pagãos Mateus quer mostrar a força reveladora da morte de Jesus e

capitão e a tropa que montavam guarda a Jesus diziam espantados:

– Realmente este era filho de Deus.

⁵⁵Estavam ali olhando de longe muitas mulheres que haviam acompanhado e servido a Jesus desde a Galileia. ⁵⁶Entre elas estavam Maria Madalena, Maria mãe de Tiago e José, e a mãe dos Zebedeus.

Sepultamento de Jesus (Mc 15,42-47; Lc 23,50-56; Jo 19,38-42) – ⁵⁷Ao entardecer chegou um homem rico de Arimateia, chamado José, que também tinha sido discípulo de Jesus. ⁵⁸Apresentando-se a Pilatos, pediu-lhe o cadáver de Jesus. Pilatos mandou que o entregassem. ⁵⁹José o tomou, envolveu-o num lençol de linho limpo, ⁶⁰e o depositou num sepulcro novo que havia cavado na rocha; depois fez rodar uma grande pedra na entrada do sepulcro e foi embora. ⁶¹Estavam aí Maria Madalena e a outra Maria, sentadas diante do sepulcro.

⁶²No dia seguinte, o que segue à vigília, os sumos sacerdotes se reuniram com os fariseus e foram a Pilatos ⁶³dizer-lhe:

– Recordamos que, quando ainda vivia, aquele impostor disse que ressuscitaria no terceiro dia. ⁶⁴Manda que vigiem o sepulcro até o terceiro dia, para que seus discípulos não roubem o cadáver e digam ao povo que ele ressuscitou da morte. A última impostura seria pior que a primeira.

⁶⁵Respondeu-lhes Pilatos:

– Aí tendes uma guarda. Ide e vigiai-o, como entendeis.

⁶⁶Eles vigiaram o sepulcro, pondo lacres na pedra e postando a guarda.

28 **Ressurreição** (Mc 16,1-8; Lc 24,1-12; Jo 20,1-10) – ¹Passado o sábado, ao despontar a aurora do primeiro dia da semana, Maria Madalena com a outra Maria foram examinar o sepulcro. ²Sobreveio um forte tremor, pois um anjo do

---

sua força de atração sobre os pagãos. A perspectiva é eclesial. De passagem, propõe um contraste: os judeus recusam, os pagãos confessam.

27,55-56 A notícia sobre as mulheres serve de ponte para os relatos da ressurreição. Sua presença até o final contrasta com a ausência covarde dos discípulos. Desde o começo alegre na Galileia, até o final doloroso, elas o acompanharam e serviram. Outro ensinamento para a comunidade.

27,57-61 A sepultura de um homem era extremamente importante entre os israelitas (Is 22,16). O último reconhecimento da pessoa. Ver-se privado dela era a ignomínia final (cf. Is 14,18-20; Jr 22,18-19). Um executado devia ser removido para não contaminar o terreno (Dt 21,22-23); era destinado à vala comum. José quer oferecer sua homenagem póstuma ao Mestre e se une assim à homenagem antecipada da mulher que o ungiu para a sepultura (26,13). Mateus dá importância aos detalhes do sepulcro. Ao ato do sepultamento assistem como testemunhas duas dentre as mulheres citadas anteriormente. A sepultura e o sepulcro testemunham a morte de Jesus, sua descida à cova, ao xeol, ao reino dos mortos.

27,62-66 Com essa notícia, e com sua consequência de 28,11-15, Mateus quer responder a rumores maliciosos que os judeus iam difundindo contra os cristãos e contra a ressurreição de Jesus. A intenção do narrador é polêmica, e nem todos os detalhes são verossímeis. É plausível que queiram se opor ao gesto de Pilatos de entregar o cadáver a José. Também que considerem Jesus como "impostor", ou seja, falso profeta e falso Messias. É improvável que tenham notícia de que Jesus tinha predito sua ressurreição, e dir-se-ia uma projeção da situação posterior, quando o evangelho é escrito. Chegam os fariseus, que haviam pedido um sinal (12,40): aí têm o sinal de Jonas. Pilatos não se retrata da concessão a José, mas cede ao pedido das autoridades, talvez suspeitando um fundo religioso misterioso no assunto que para ele está liquidado. Para Mateus, os "lacres" são uma garantia involuntariamente acrescentada: todas as precauções humanas fracassarão diante do poder de Deus.

28 Se no relato da paixão os três sinóticos seguem trilhos paralelos, nos relatos da ressurreição apresentam divergências impressionantes. O momento e o modo da ressurreição, ninguém tenta descrever: transcende a experiência sensível. Nem sequer nos dão um relato paralelo à transfiguração. Afirmam o fato triunfalmente e o confirmam com relatos diversos. Nestes se encontra o núcleo essencial: a identificação do aparecido, sua identidade com o Jesus de antes, sua corporeidade, sua manifestação certa, seu trato com os discípulos, a personalidade de diversas testemunhas.

Saltando o intermédio de 11-15, Mateus estiliza seu breve relato em três momentos: a mensagem do anjo às mulheres, a aparição de Jesus a elas, a missão dos discípulos.

28,1-10 O primeiro dia é o domingo (*dominicus*), como o chamarão os cristãos em memória do Senhor. Nada mais? Mateus nos acostumou à concentração e densidade de alusões. Num horizonte mais amplo, esse dia poderia ser o primeiro de uma nova semana, da nova era, na qual, após as trevas da morte, amanhece a luz da glorificação (cf. Sl 57,6.12).

Para os judeus terminou o descanso sabático, e é lícito caminhar e trabalhar. As mulheres vão fazer uma visita de afeto ou de inspeção; dessa forma tornam-se testemunhas de que o "sepulcro" foi simples lugar de passagem.

28,2-4 Aqui o narrador monta uma cena dramática cheia de ressonâncias e contrastes com a morte. O tremor é de teofania, como o tremor na morte; o anjo é mensageiro de Deus, pois Deus não abandonou seu Filho; seu aspecto é de outro mundo; sua força, sobre-humana; parece refletir a glória

Senhor, descendo do céu, chegou e fez rodar a pedra, sentando-se em cima. ³Seu aspecto era de relâmpago e sua veste branca como a neve. ⁴Os que montavam guarda começaram a tremer de medo e ficaram como mortos. ⁵O anjo disse às mulheres:

– Não temais. Sei que buscais a Jesus, o crucificado. ⁶Não está aqui; ressuscitou como havia dito. Aproximai-vos para ver o lugar em que jazia. ⁷Depois, ide correndo anunciar aos discípulos que ele ressuscitou e irá à frente para a Galileia; lá o vereis. Esta é minha mensagem.

⁸Afastaram-se depressa do sepulcro, cheias de medo e alegria, e correram para dar a notícia aos discípulos. ⁹Jesus saiu ao seu encontro e lhes disse:

– Alegrai-vos!

Elas se aproximaram, abraçaram seus pés e se prostraram diante dele.

¹⁰Jesus lhes disse:

– Não temais; ide avisar meus irmãos que se dirijam à Galileia, onde me verão.

¹¹Enquanto elas caminhavam, alguns da guarda foram à cidade e contaram aos sumos sacerdotes tudo o que acontecera. ¹²Estes se reuniram para deliberar com os senadores e ofereceram aos soldados uma boa soma, ¹³recomendando-lhes:

– Dizei que de noite, enquanto dormíeis, os discípulos chegaram e roubaram o cadáver. ¹⁴Se a notícia chegar aos ouvidos do governador, nós o tranquilizaremos para que não vos castigue.

¹⁵Eles aceitaram o dinheiro e seguiram as instruções recebidas. Assim se espalhou esse boato entre os judeus até hoje.

Missão dos discípulos (Mc 16,14-18; Lc 24,36-49; Jo 20,19-23; At 1,9-11) – ¹⁶Os onze discípulos foram à Galileia, ao monte que Jesus lhes havia indicado. ¹⁷Ao vê-lo, prostraram-se, mas alguns duvidaram. ¹⁸Jesus se aproximou e lhes falou:

– Concederam-me plena autoridade no céu e na terra. ¹⁹Portanto, ide fazer discípulos entre todos os povos, batizai-os consagrando-os ao Pai, ao Filho e ao Espírito Santo, ²⁰e ensinai-lhes a cumprir tudo o que vos mandei. Eu estarei convosco sempre, até o fim do mundo.

---

de Deus e do ressuscitado. Não vem abrir a porta do sepulcro para que o morto saia (Jo 11,39.44), mas para mostrar que não está mais aí; os guardas tremem ante a aparição sobrenatural. Como mortos, no reino a que pertencem.

28,2 Pode referir-se a "um anjo" ou "o anjo do Senhor", segundo o costume da Escritura (*mal'ak Yhwh*).

28,5-7 É preciso, antes de tudo, vencer o temor com a expressão clássica do AT: "não temais". O medo fecha e paralisa, e o Ressuscitado vem vencer o medo último e radical (cf. Hb 2,15). A mensagem é densa: primeiro, elas (as primeiras) hão de escutar a grande notícia, depois hão de comprová-la indiretamente, em seguida hão de comunicá-la: testemunhas de ouvido e de visão. Jesus tem como título, já não infamante, "o Crucificado". Cumpriu o que havia predito (12,40; 16,21; 17,23; 20,19). Jesus marca encontro com os seus na Galileia, e vai à frente. Desse modo, duas mulheres são as primeiras portadoras da mensagem pascal, são duas testemunhas fidedignas.

28,8 É um traço psicológico essa mistura de medo e alegria; corresponde à polaridade do numinoso (cf. Sl 65,9).

28,9-10 Jesus sai ao seu encontro, comprovando a mensagem com sua presença, dissipando o medo com sua saudação: elas o veem, tocam e ouvem. Têm que identificá-lo. Dar aos discípulos o título de "irmãos", esquecendo e perdoando, faz parte da mensagem pascal (cf. 12,48).

28,11-15 Completa o narrado em 27,62-66. A versão de roubo do cadáver circulava já no tempo de Mateus, é atestada no século seguinte e reaparece ao longo da história. Mateus não se assusta em oferecer esse traço inverossímil, as famosas "testemunhas adormecidas"; ou o diz ironicamente? Implicitamente reconhecem que o túmulo está vazio. Resistência teimosa ao "sinal de Jonas". A intenção de encobrir o fato contrasta com a difusão por parte das mulheres. É que tudo se apoia na ressurreição. Paulo diz que se Cristo não ressuscitou, nossa fé é vã (1Cor 15,14.17).

28,16-20 Para concluir, Mateus compõe uma cena magistral. No espaço de cinco vv. condensa o substancial da sua cristologia e eclesiologia.

Vão à Galileia, como que voltando ao começo e abandonando Jerusalém, aonde foi só para morrer. Sobe a um monte, em ascensão simbólica, como quando lançou seu manifesto (5-7) ou se transfigurou (17). Os onze daquele momento representam toda a Igreja; por isso não falta quem duvide, como no lago (8,26; 14,30-41). Veem o ressuscitado e hão de ser suas testemunhas.

Jesus toma a palavra, afirmando sua plena autoridade recebida de Deus (aludindo a Dn 7,14; Mt 9,6). Em virtude desta, envia seus discípulos para a missão universal, não mais limitada aos judeus (10,6; 15,24). Não hão de ensinar para serem mestres de muitos discípulos (23,8), mas para "fazer discípulos" de Jesus. Como rito de consagração administrarão o batismo, com a invocação trinitária explícita (compare-se com a fórmula de At 2,38; 8,16; 1Cor 1,13; Gl 3,27). Como consequência, a vida de acordo com o ensinamento de Jesus.

Inaugura-se o tempo da Igreja, cujo fim não é iminente. É preciso viver e agir nesse tempo com a certeza de que Jesus, não obstante ir-se embora, fica com eles. Emanuel era Deus conosco na história do povo eleito. Agora é Jesus glorificado com sua Igreja para sempre.

EVANGELHO SEGUNDO MARCOS

INTRODUÇÃO

Como a nuvem no AT, em seu evangelho Marcos joga com o velar e o desvelar. Seu tema é a pessoa de Jesus, mais ainda que seu ensinamento e milagres, e a reação do povo à sua pessoa. O mistério de Jesus, o Jesus misterioso. Marcos possui a luz da ressurreição, mas ao longo do seu relato não abusa dessa luz esplendorosa; ao contrário, apresenta os homens cegados e ofuscados, mais que iluminados.

Já no princípio, declara que Jesus é "Filho de Deus" e que o relato sobre ele é "boa notícia". Imediatamente soa uma declaração solene do Pai, um impulso do Espírito, uma vitória fulgurante sobre Satã e uma pacificação cósmica (com as feras). Jesus anuncia a chegada iminente do "reinado de Deus", Marcos se limita a contar seu "começo".

O fato estava anunciado e era esperado, mas sua novidade (2,21) provoca a confrontação dramática. Para os espectadores, a luz fica velada. Não o compreende a sua família (3,21) nem seus concidadãos (6,1), tampouco seus discípulos chegam a compreender; fariseus – poder religioso – e herodianos – poder político – decidem eliminá-lo (3,6). Contudo, alguns pagãos reconhecem seu poder (7,24). Os discípulos estão cegos, não aceitam o anúncio da paixão: mas Jesus pode curar os cegos (8,22).

Diríamos que Jesus, por seu lado, não facilita a compreensão; manifesta seu poder milagroso, e impõe silêncio: aos demônios, às testemunhas, aos discípulos. Mais de uma vez tenta esconder-se, com êxito escasso (7,24 e 9,3). Revela-se na transfiguração, e impõe reserva até a ressurreição. Quase um terço do livro é dedicado ao ciclo inteiro da paixão em Jerusalém.

Marcos evoca uma figura desconcertante ante um auditório desconcertado: não seria a situação histórica parecida? Jesus é o Messias que deve padecer: no extremo o aguarda a morte ignominiosa; pelo caminho o acompanham incompreensão e hostilidade. Quando chega o triunfo final, Marcos volta a ser conciso: a cortina do templo rasgada e a confissão do centurião pagão contrastam com o silêncio medroso das mulheres ao ouvirem o anúncio categórico do jovem vestido de branco. Ante a morte o pagão confessa, ante a ressurreição as discípulas se assustam.

Marcos é mestre de uma escritura "a duas vozes". Detém-se numa cena, seleciona dados certeiros que dão impressão de realismo, explora a dramaticidade. Mas cena e traços têm na pena de Marcos um alcance superior, são expressões simbólicas do mistério. Bom exemplo é a confissão do centurião: com um alcance na boca do personagem narrativo pagão, e outro alcance na pena do autor. Ou então as cenas conjugadas da incompreensão dos familiares e a apresentação da nova família de crentes. Ou a enigmática notícia do jovem que foge nu da paixão, resolvida no jovem vestido de branco que anuncia a ressurreição. Marcos se presta a uma leitura fácil, de superfície, como uma melodia simples; mas é preciso esforçar-se para ouvir o contraponto.

Composição

Numa primeira parte sucedem-se velozes: batismo, deserto, discípulos, primeiros milagres e controvérsias, 1-3. Segue-se o ministério na Galileia 4,1-7,23. Depois de um intermédio na Fenícia e Cesareia, 7,23-8,26, acontece a mudança decisiva, com a confissão de Pedro, transfiguração e anúncio da paixão, e a caminhada para Jerusalém, 8,27-10,52. Em Jerusalém: acolhida, controvérsias,

discurso escatológico, 11-13; paixão e ressurreição, 14,1-16,8. (Alguém acrescentou um apêndice, 16,9-20, ao final desconcertante do autor.)

Autor

Desde sempre, este evangelho se chamou "segundo Marcos". Uma velha tradição ou lenda, transmitida de segunda mão, faz do autor um discípulo de Pedro, de quem teria recolhido a informação sobre Jesus. Outros tentaram identificar o autor com a personagem de nome Marcos, que figura nos Atos (12,12; 13,5.13) e envia saudações em Cl 4,10 e 1Pd 5,13, mas, sendo Marcos um nome corrente na época, a identificação é incerta.

Os destinatários são em boa parte convertidos de língua grega, a quem é preciso explicar termos e costumes judaicos. Escreve Marcos para uma comunidade definida ou para todos os que desejarem saber a respeito de Jesus? A partir de dados dispersos no evangelho, alguns tentam reconstruir o perfil da comunidade, supondo que Marcos escreve sua obra para responder a seus problemas específicos. Seria uma comunidade pobre e perseguida, vacilante na fé, que se reflete na conduta dos discípulos do evangelho. Tal reconstrução tem fundamento pouco firme. Não teria sido mais eficaz apresentar aos vacilantes uns discípulos de Jesus firmes e valentes na fé? Além disso, não é legítimo negar ao autor a vontade de escrever uma obra de maior alcance, para além de uma estreita conjuntura local e temporal.

Data

Não parece que Marcos se refira à destruição de Jerusalém como já acontecida. Em função de uma reconstrução coerente, a maioria dos comentaristas coloca a composição na época turbulenta das revoltas contra o império de Roma antes da conquista da capital; com isso pretendem deixar o espaço de uma geração para a formação e cristalização de tradições orais. É uma hipótese, baseada em dados internos, que nem todos compartilham.

O certo é que seu evangelho fala a qualquer grupo e geração, estabelecendo alguns fatos fundamentais, irrefutáveis, por entre incompreensões e fraquezas. Sem o evangelho de Marcos, a imagem de Jesus seria mais simples e mais pobre. Jesus é "Filho de Deus": isso diz o narrador, duas vezes o Pai, os demônios, o centurião. É "o Messias", o "ungido": Pedro o proclama, e Jesus manda que se guarde segredo (8,27-30). Um cego e a multidão o reconhecem como "filho de Davi".

1

João Batista (Mt 3,1-12; Lc 3,1-9.15-17; Jo 1,19-28) – ¹Começo da boa notícia de Jesus Cristo, Filho de Deus. ²Tal como está escrito na profecia de Isaías: *Vê, eu envio à frente meu mensageiro para que te prepare o caminho.* ³*Uma voz grita no deserto: Preparai o caminho para o Senhor, aplainai suas veredas.* ⁴Apareceu João no deserto batizando e pregando um batismo de penitência para o perdão dos pecados. ⁵Toda a população da Judeia e de Jerusalém acorria para que os batizasse no rio Jordão, confessando seus pecados. ⁶João vestia um traje de pele de camelo, cingia-se com um cinto de couro e comia gafanhotos e mel silvestre. ⁷E pregava assim:
– Depois de mim vem alguém com mais autoridade do que eu, e eu não tenho direito de agachar-me para soltar-lhe a correia das sandálias. ⁸Eu vos batizo com água, ele vos batizará com Espírito Santo.

Batismo de Jesus (Mt 3,13-17; Lc 3,21s) – ⁹Por esse tempo foi Jesus de Nazaré da Galileia e se fez batizar por João no Jordão. ¹⁰Enquanto saía da água, viu o céu aberto e o Espírito descender sobre ele como uma pomba. ¹¹Ouviu-se uma voz do céu: Tu és o meu Filho querido, o meu predileto.

A prova (Mt 4,1-11; Lc 4,1-13) – ¹²Imediatamente o Espírito o levou ao deserto, ¹³onde passou quarenta dias, posto à prova por Satanás. Vivia com as feras e os anjos o serviam.

1,1 "Começo": com ressonâncias do Gênesis (Gn 1,1); como a palavra de Deus dirigida a Oseias (Os 1,2). Só que se trata da "boa notícia": a que o arauto anuncia aos exilados (Is 40,9; 52,7). É de Jesus Cristo, porque ele a traz da parte de Deus, e mais ainda porque trata dele, porque é ele o objeto da mensagem. Jesus Cristo sintetiza nome e título: Jesus Messias. Alguns manuscritos acrescentam "Filho de Deus" (cf. 15,39). O começo é um título que abrange e orienta tudo: o livro inteiro de Marcos deve ser ouvido como boa notícia sobre Jesus Cristo. Por que este Jesus = salvador, este Cristo = Messias, este evangelho = boa notícia desconcertam?

1,2-8 A boa notícia foi anunciada pelos profetas e agora João Batista a prepara. Marcos o identifica como o anjo prometido no êxodo: "Enviarei na frente meu anjo" (Ex 33,2), como o arauto de Is 40,3 (definido, segundo o grego, para destacar o deserto) e como o Elias que retorna (Ml 3,1). No vestuário e na austeridade, imita Elias (2Rs 1,8; Zc 13,4).
Prega no "deserto", lugar do caminho de volta para Deus: "escuta-se nas dunas pranto suplicante dos israelitas… Aqui estamos, viemos a ti" (Jr 3,21-22; cf. Os 2,16 etc.). Lá acorrem, atraídos por sua fama, os que na Judeia e em Jerusalém não acham resposta, os que não se satisfazem com as liturgias penitenciais e os ritos de expiação do templo. Prega um "batismo de arrependimento" (*metánoia*), que se expressa na confissão pública dos pecados: "propus confessar meus delitos ao Senhor" (Sl 32,5), para obter o perdão de Deus: "e tu perdoaste minha culpa e meu pecado" (idem), e na imersão na água purificadora (cf. Ez 36,25). O batismo é o rito que representa e sela a reconciliação.
Dessa maneira, os judeus refazem a viagem dos israelitas pelo deserto e a passagem do Jordão (Js 3-4); não só como recordação, mas inaugurando uma era. Com isso se preparam, não para entrar na terra prometida, mas para receber o Senhor que chega (cf. Js 5,14; Sl 96 e 98). Esse Senhor (*Kyrios Yhwh*) é agora o Messias.
Essa é a "proclamação" ou pregão (*keyrysso*) do arauto. A chegada do outro com mais autoridade: a frase das sandálias com o gesto de agachar-se é provável alusão ao esposo da lei do levirato (Dt 25,1-5; Rt 4), como que sugerindo que ele não vai suplantar o Messias. "O que vem" ou há de vir, o vindouro (equivale ao nosso futuro) podia ser título do Messias esperado. É ele que traz o autêntico batismo: não de água que limpa, mas do Espírito Santo que vivifica e consagra; não água de rio, mas vento ou "alento" que desce do céu e transforma o deserto em jardim (cf. Is 32,15).

1,9-11 Efetivamente, chega o personagem não mencionado: um homem que vem do norte, nativo de Nazaré na Galileia. Recebe de João o batismo, com outro sentido: seu "submergir" e "subir" (para os ouvintes e leitores de Marcos) pode apontar em imagem para sua morte e ressurreição. Pois acontece uma grande revelação. Ele vê "os céus se abrir" (o que pediam os israelitas em Is 63,19); o Espírito desce até ele (como anuncia Is 11,1). E se escuta uma voz celeste, de Deus, que pronuncia seu testemunho definitivo sobre Jesus: é mais que o rei (Sl 2,7), mais que o servo (Is 42,1), é o Filho querido (cf. 12,6). O título Filho de Deus (1,1) fica definido e exaltado. O testemunho do Pai é pronunciado desde a primeira aparição de Jesus e deve iluminar quanto segue. Tal é a riqueza da "boa notícia". Escute-se seu eco na voz do centurião pagão (15,39). Forma quase uma inclusão de todo o evangelho.

1,12-13 O Espírito, do qual está repleto, o impele para o deserto; o Filho de Deus se deixa levar pelo Espírito (cf. o correlativo: "Todos os que se deixam levar pelo Espírito de Deus são filhos de Deus", Rm 8,14). O deserto é lugar de encontro com Deus (1,35), como os israelitas (Ex 19), e também de submeter-se à prova (Dt 8). Os quarenta dias correspondem aos dias dos exploradores e aos anos do povo (Nm 14), aos quarenta dias de Moisés e Elias (Ex 34,28; 1Rs 19,8), e são tomados como base de nossa quaresma litúrgica. Satanás é o rival, que procura frustrar ou desvirtuar o projeto de Deus. Jesus supera a prova (cf. Jó 1-2); antes de começar sua atividade messiânica tem de ser provado e comprovado. Convive pacificamente com animais selvagens (Gn 2; Is 11,6-9; Sl 8), os anjos

Pregação na Galileia (Mt 4,12-17; Lc 4, 14s) – ¹⁴Quando prenderam João, Jesus se dirigiu à Galileia para proclamar a boa notícia de Deus. ¹⁵Dizia:

– Cumpriu-se o prazo e está próximo o reinado de Deus: arrependei-vos e crede na boa notícia.

Chama os primeiros discípulos (Mt 4, 18-22; Lc 5,1-11) – ¹⁶Caminhando junto ao lago da Galileia, viu Simão e seu irmão André que lançavam as redes ao mar, pois eram pescadores. ¹⁷Jesus lhes disse:

– Vinde comigo e vos farei pescadores de homens.

¹⁸Imediatamente, deixando as redes, o seguiram. ¹⁹Um pouco adiante viu Tiago de Zebedeu e seu irmão João, que consertavam as redes na barca. ²⁰Chamou-os. Eles, deixando seu pai Zebedeu na barca com os diaristas, foram com ele.

O endemoninhado de Cafarnaum (Lc 4,31-37) – ²¹Entraram em Cafarnaum, e no sábado seguinte entrou na sinagoga para ensinar. ²²O povo se assombrava com seu ensinamento, pois os ensinava com autoridade, não como os letrados. ²³Nessa sinagoga havia um homem possuído por um espírito imundo, que gritou:

– ²⁴O que tens a ver conosco, Jesus de Nazaré? Vieste para nos destruir? Sei quem és: o Consagrado por Deus.

²⁵Jesus o repreendeu:

– Cala-te e sai dele.

²⁶O espírito imundo o sacudiu, deu um forte grito e saiu dele.

²⁷Todos se encheram de estupor e se perguntavam:

– O que significa isso? É um ensinamento novo, com autoridade. Dá ordens inclusive aos espíritos imundos, e lhe obedecem.

²⁸Sua fama espalhou-se rapidamente por todas as partes, em toda a região da Galileia.

Curas (Mt 8,14-17; Lc 4,38-41) – ²⁹Depois saiu da sinagoga, e com Tiago e João dirigiu-se à casa de Simão e André. ³⁰A

---

estão a seu serviço (Sl 91,11-12; 1Rs 19,7-8): como se dissesse que os anjos de Deus estão a serviço do Filho de Deus. Hb 1,4-14 ilustra teologicamente a relação dos anjos com Jesus Cristo.

1,14-15 O resultado da prisão de João é contado em 6,14-29. Colocada aqui, a notícia estende uma nuvem agourenta. Do deserto Jesus volta à Galileia para começar aí o seu ministério de proclamar a boa notícia. Um versículo resume o conteúdo num fato e sua consequência. Está próximo o efetivo reinado de Deus, o exercício de seu poder real na história (cf. Sl 96,13-14 e 98,8-9). Tal é a boa notícia. Em Jesus já está atuando e por ele se oferece. Só pede a ruptura do arrependimento e a fé: elementos que perduram na pregação posterior do evangelho.

1,16-20 Como pilares para dois arcos de uma ponte, podemos considerar: o chamado dos discípulos aqui, a escolha dos Doze (3,13-19), a missão dos Doze (6,6-13; ver a adição do epílogo em 16,15-18). O chamado é soberano; o seguimento, imediato e incondicional; compare-se com o chamado de Eliseu por parte de Elias (cf. 1Rs 19,19-22): é modelo de toda vocação cristã e apostólica. O ofício desses pescadores (cf. Jr 16,16; Ez 47,10; Hab 1,15-16), realidade cotidiana e empírica, serve para fazer compreender o novo ofício transcendente: é um caso da subida constante do empírico ao transcendente por via simbólica. É a estrutura das parábolas, as comparações, as ações simbólicas. O núcleo do novo regime de vida é "vinde comigo", a companhia e trato pessoal, o conhecer imediatamente, o assimilar por familiaridade. "Foram com ele": até onde chegará o seguimento?

1,21-28 O curso do relato tem sido até agora veloz. Curiosamente, nesse episódio se remanseia, como se Marcos lhe atribuísse um valor particular. Efetivamente, nessa primeira atuação de Jesus se unem ensinamento e milagre. Aqui se apresenta, na linguagem e na mentalidade da época, a primeira confrontação e a vitória de Jesus sobre os poderes do mal que escravizam o homem. O povo, ao ver e ouvir, começa a admirá-lo. Forma o círculo amplo, em torno dos seguidores íntimos.

1,21-22 Por algum tempo, Cafarnaum será seu centro de operações. Respeita as instituições religiosas e se aproveita delas para sua atividade. Ensina, não como repetidor de tradições (7,3), mas como fonte autorizada de doutrina. "Farei brilhar meu ensinamento como a aurora, para que ilumine as distâncias" (Eclo 24,31). O povo sem querer começa a fazer comparações. Quando leem esse evangelho, os cristãos repetem a comparação entre tradições humanas e a autoridade do seu Mestre.

1,23-26 É chamado de "espírito imundo", qualidade incompatível com o sagrado ou santo (= consagrado, título que dão a Jesus). Os dois poderes estão frente a frente: o diálogo nas intervenções de cada um esclarece o sentido misterioso. O espírito pronuncia nomes e títulos de Jesus para dominar-lhe o poder ou a contragosto o reconhece, como o vencido reconhece o vencedor; como os pagãos em vários oráculos de Ezequiel, como Antíoco Epífanes (2Mc 9,12). Jesus não dá explicações, dá ordens que os rivais têm de cumprir.

1,27 Na pergunta do povo se ouve a pergunta com a resposta da comunidade cristã. O fato de ter ouvido muitas vezes o relato não deve embotar nossa estupefação. O âmbito é ainda restrito, a região norte.

1,29-31 A sogra de Pedro é a primeira beneficiária do poder curador de Jesus, transmitido pelo contato

sogra de Simão estava de cama com febre, e pediram por ela. ³¹Ele se aproximou, tomou-a pela mão e a levantou. A febre passou e ela se pôs a servi-los. ³²Ao entardecer, quando o sol se pôs, levavam-lhe toda espécie de enfermos e endemoninhados. ³³Toda a população se aglomerava junto à porta. ³⁴Ele curou muitos enfermos de várias doenças, expulsou muitos demônios e não lhes permitia falar, pois o conheciam.

³⁵Bem de madrugada levantou-se, saiu e se dirigiu a um lugar despovoado, e aí esteve orando. ³⁶Simão e seus companheiros saíram atrás dele e, ³⁷quando o alcançaram, lhe disseram:

– Todos te procuram.

³⁸Respondeu-lhes:

– Vamos às aldeias vizinhas, para pregar também aí, pois vim para isso.

³⁹E foi pregando e expulsando demônios em suas sinagogas por toda a Galileia.

Cura um leproso (Mt 8,1-4; Lc 5,12-16) – ⁴⁰Aproxima-se um leproso e [ajoelhando-se] suplica-lhe:

– Se queres, podes curar-me*.

⁴¹Ele se compadeceu, estendeu a mão, tocou nele e lhe disse:

– Quero, fica curado.

⁴²Imediatamente a lepra desapareceu e ficou curado. ⁴³Depois o admoestou e o despediu, ⁴⁴recomendando-lhe:

– Não o digas a ninguém. Vai apresentar-te ao sacerdote e, para que lhe conste, leva a oferenda estabelecida por Moisés pela tua cura.

⁴⁵Porém ele saiu e se pôs a anunciá-lo e a divulgar o fato, de modo que Jesus não podia apresentar-se em público em nenhuma cidade, mas ficava fora, no despovoado. E de todos os lugares acorriam a ele.

2 Cura um paralítico (Mt 9,1-8; Lc 5,17-26) – ¹Depois de alguns dias,

---

da sua mão (Sl 62,9; "tua direita me sustenta", Sl 73,23). Uma vez curada, põe-se a seu serviço. O fato acontece durante o sábado e na casa de Simão. Dos parentes não se volta a falar nos evangelhos; Paulo faz alusão ao matrimônio de Pedro (1Cor 9,5).

1,32-38 Ao pôr do sol termina o sábado, e o povo acorre atraído por sua fama; a união de enfermidade e possessão será uma constante. O dia seguinte é "programático": começa com um momento de oração na solidão (tema repetido em Lc), de onde sai para declarar sua missão primária de pregar. Diante da sua palavra e dos seus milagres, o domínio satânico vai se retirando, e o reinado de Deus avança. Marcos o propõe como modelo a seus leitores.

1,38 É uma espécie de sumário da atividade de Jesus: viagens, ensinamento, curas, expulsão de demônios, oração.

1,40-45 Não é certo que se tratasse de lepra em sentido clínico estrito. Em todo caso, era uma enfermidade grave da pele, que provocava impureza legal e excluía a pessoa da comunidade. A cura tinha de ser testemunhada oficialmente (Lv 14,2-32); os sacerdotes diagnosticavam, não curavam. Jesus toca nele: não se contamina com ele, mas cura ou "limpa" o enfermo; o termo "limpar" implica o aspecto cultual da doença.

No fim assistimos a essa tensão na missão de Jesus: procura retirar-se e ocultar-se, mas irradia uma força superior de atração. Como o Deus de Is 45,14-15, "escondido" e atraente, mesmo para pagãos.

1,40 * Ou: *limpar-me*, por causa da impureza legal.

2,1-3,6 Formam um bloco de cinco episódios, nos quais Jesus enfrenta representantes autorizados do judaísmo, a saber, fariseus e letrados. Já venceu Satanás e um espírito imundo; agora toca-lhe outro tipo de resistência. Fariseu designa um tipo de mentalidade e conduta, letrado denota algo de profissão; as duas categorias se sobrepõem parcialmente. As situações são diversas: duas curas, um banquete, um jejum, um dia de fome: a saúde e a comida fornecem o suporte realista da manifestação. A tensão vai crescendo até desembocar na decisão de eliminá-lo; o relato aponta para a paixão. Também varia o tema: perdão dos pecados, trato com os pecadores, sábado. É estranho que a palavra libertadora, a boa notícia em ação, provoque tal resistência e hostilidade.

Cada cena culmina numa sentença que a retoma em forma de princípio ou ensinamento. Jesus, escondido e apertado pela multidão, se apresenta para enfrentar os guias espirituais e distanciar-se deles com autoridade. Marcos pensa em sua comunidade e em futuros leitores, ao compor essa sequência polêmica.

2,1-12 Um paralítico é um doente grave, morto em vida. Segundo a concepção antiga, a doença está intimamente vinculada ao pecado: talvez como efeito da sua causa, ou como sintoma de um mal interior. Podem-se conferir os salmos dos doentes (p. ex. 32; 38; 41). Em sua instrução sobre a doença Ben Sirac recomenda: "reza a Deus e ele te fará sarar... limpa teu coração de todo pecado" (Eclo 38,9-10). Os carregadores, talvez familiares, querem a cura física do doente. Jesus desvia a atenção para o mais importante e grave da sua missão: vencer o pecado com o perdão. A doença pode ser situação de humildade e ocasião de arrependimento: "Outras vezes o corrige no leito de dor" (Jó 33,19).

Embora o passivo "são perdoados" possa ser teológico (Deus, agente da passiva), os letrados atribuem a sentença a Jesus, e ele se mostra de acordo. Aí surge a oposição. Os letrados, com a tradição, defendem que perdoar pecados é competência exclusiva de Deus (Sl 130,4: "O perdão é coisa tua"; 51,6 no

voltou a Cafarnaum e correu a notícia de que estava em casa. ²Reuniram-se tantos, que não havia espaço junto à porta. Ele lhes expunha a mensagem. ³Chegaram alguns levando um paralítico, carregado por quatro; ⁴e, como não conseguissem aproximá-lo por causa da multidão, ergueram o teto sobre o lugar onde estava Jesus, abriram um buraco e desceram o leito em que jazia o paralítico. ⁵Vendo Jesus a fé que eles tinham, disse ao paralítico:

– Filho, teus pecados são perdoados.

⁶Estavam aí sentados alguns letrados que refletiam em seu íntimo:

– ⁷Como pode falar assim? Ele blasfema! Quem pode perdoar pecados, a não ser somente Deus?

⁸Jesus, adivinhando o que pensavam, disse-lhes:

– Por que pensais isso? ⁹O que é mais fácil? Dizer ao paralítico que os pecados estão perdoados, ou dizer-lhe que carregue o leito e comece a andar? ¹⁰Pois bem, para que saibais que este Homem tem autoridade na terra para perdoar pecados – diz ao paralítico –: ¹¹Falo contigo, levanta-te, toma teu leito e vai para casa.

¹²Levantou-se imediatamente, tomou o leito e saiu diante de todos. De modo que todos se assombraram e glorificavam a Deus: Nunca vimos coisa semelhante.

Chama Levi (Mt 9,9-13; Lc 5,27-32) – ¹³Saiu novamente à margem do lago. Todo o povo acorria a ele, e ele os ensinava. ¹⁴Ao passar, viu Levi de Alfeu, sentado junto à mesa de impostos, e lhe diz:

– Segue-me.

Levantou-se e o seguiu.

¹⁵Era convidado na casa dele, e muitos coletores e pecadores estavam à mesa com Jesus e seus discípulos. Pois muitos eram seus seguidores. ¹⁶Os letrados do partido

---

contexto, e outros salmos penitenciais, Is 43,25). Jesus reivindica esse poder na terra, também como homem; entende-se, recebido de Deus. Veja-se a promessa da nova aliança: "Eu perdoo suas culpas e esqueço seus pecados" (Jr 31,34).
E o prova com uma ação que empiricamente se considera mais difícil. Pois, para expiar pecados, o culto oferecia recursos institucionais; para curar milagrosamente, não. A cura prova o poder, já que Deus não escutaria um blasfemo. A cura externa expressa e revela a interna.
Jesus se apropria da expressão "filho do homem" (ho hyiós tou anthrópou = ben 'adam, título corrente em Ezequiel), que por um lado afirma sua condição humana, correlativo de "filho de Deus", e por outro lado está associada com a "figura humana" de Daniel (7,14). Isso pode ser fonte de ambiguidade, conforme pretenda Jesus afirmar sua condição humana exemplar ou queira aludir à sua parusia gloriosa. (Procuro diferenciar a tradução segundo os casos.) A cena começa com uma descrição precisa, ao gosto de Marcos, e termina com a glorificação coral de Deus, no estilo de muitos salmos.
2,1-2 Uma casa com terraço é cenário funcional do fato. Abrir um buraco para entrar era operação de ladrões (Ex 22,1-2); fazem isso "à luz do dia", destruindo sem considerações, abrindo uma passagem do tamanho de um homem, numa ostentação de criatividade e decisão. Jesus reconhece, na ação, a fé.
2,5 O título "filho" é carinhoso, como de superior a inferior, de mestre a discípulo.
2,7 Blasfema: em sentido amplo, porque se arroga um privilégio exclusivo de Deus. A pena da blasfêmia é a lapidação.
2,8 Penetrar os pensamentos é próprio de Deus (Pr 15,11).
2,11 O Senhor... afofará o leito de sua enfermidade (Sl 41,4).

2,13-17 Levi era coletor de impostos, ofício que acarretava a seus titulares o qualificativo formal de "pecadores", porque tratavam com não-judeus e abusavam da função, provocando o ódio do povo, pois exploravam e estavam a serviço dos romanos. O cargo era recebido em arrendamento. O chamado soberano de Jesus prescinde de preconceitos e convenções e vence a possível resistência da cobiça. Também a cobiça é uma forma de idolatria (Ef 5,5) e o deus do dinheiro, Mamon, é rival de Deus (Mt 6,24). Como os pecadores, Levi deixa tudo e "segue" Jesus; porque a renúncia está em função do seguimento, que dá sentido à renúncia. Marcos é conciso: o longo e difícil processo de conversão (veja-se o episódio do homem rico, 10,17-31) resolve-se num imperativo de Jesus, como uma palavra criadora: "Cria em mim um coração puro" (Sl 51,12).
Na oportunidade se oferece um banquete aos colegas de profissão (ou da casta): "na casa dele". De quem? O grego é ambíguo. O mais natural é que seja Levi quem oferece o banquete (de despedida), e o convidado principal é o seu novo chefe. Gramaticalmente é possível que o anfitrião seja o próprio Jesus, na sua casa de Cafarnaum. Em tal caso, o convite seria enormemente significativo, quase um ato de solidariedade religiosa. Seja como for, compartilhar a mesa com "pecadores" é pecaminoso e escandaloso, pois ser comensal (co-mens-al) é um ato significativo de relação amistosa, selada pela bênção sobre os alimentos. Os guardas da legalidade protestam: não serão pecadores também Jesus e seus companheiros?
Jesus responde com a autoridade de um anfitrião ou do convidado especial que preside (cf. Eclo 32,1); responde com um refrão. Quem se considera sadio não procura o médico (cf. Eclo 38,1-15), e Jesus veio como médico, ostentando o título que o AT costuma atribuir a Deus: "Eu sou o Senhor que te cura" (Ex

farisaico, vendo-o comer com pecadores e coletores, disseram aos discípulos:

– Por que come com coletores e pecadores?

[17]Jesus os ouviu e respondeu:

– Os sãos não têm necessidade de médico, mas os doentes sim. Não vim chamar justos, mas pecadores.

O jejum (Mt 9,14-17; Lc 5,33-39) – [18]Os discípulos de João e os fariseus estavam de jejum. Vão e lhe dizem:

– Por que os discípulos de João e os dos fariseus jejuam e teus discípulos não jejuam?

[19]Respondeu-lhes Jesus:

– Podem os companheiros do noivo jejuar enquanto o noivo está com eles? Enquanto têm o noivo com eles, não podem jejuar. [20]Chegará um dia em que lhes arrebatarão o noivo, e nesse dia jejuarão. [21]Ninguém põe remendo de pano novo numa roupa velha; pois o acrescentado repuxa a roupa e faz um rasgo pior. [22]Ninguém põe vinho novo em odres velhos, pois o vinho arrebenta os odres, e se perdem odres e vinho. Para vinho novo, odres novos.

Arrancando espigas no sábado (Mt 12,1-8; Lc 6,1-5) – [23]Um sábado atravessava plantações, e os discípulos, pelo caminho, puseram-se a arrancar espigas. [24]Os fariseus lhe disseram:

– Vê o que fazem no sábado: é proibido.

Responde-lhes:

– [25]Não lestes o que fez Davi quando passava necessidade, e estavam famintos ele e seus companheiros? [26]Entrou na casa de Deus, sendo sumo sacerdote Abiatar, e comeu os pães apresentados (que somente os sacerdotes podem comer) e repartiu com seus companheiros.

[27]E acrescentou:

– O sábado foi feito para o homem, não o homem para o sábado. [28]De sorte que este Homem é senhor também do sábado.

3

O homem da mão atrofiada (Mt 12,9-14; Lc 6,6-11) – [1]Entrou outra vez na

---

15,26; Dt 32,39; Is 19,22). Do refrão salta para a definição de sua missão: Jesus "veio", é aquele que devia vir, com a missão de um chamado universal: pecadores são todos, mesmo os que não querem reconhecê-lo: "porque ninguém está livre de pecado" (1Rs 8,46).

2,18-22 Após o banquete, uma controvérsia sobre o jejum: a coerência narrativa é notável. O jejum era tradicionalmente praticado por lei ou por devoção, como expressão de arrependimento, humildade ou luto (Zc 7,3-5; a crítica de Is 58). Também o círculo de João Batista se surpreende diante do estilo de vida de Jesus e seus discípulos. A uma pergunta responde outra, bem no estilo rabínico. Jesus leva a questão até outro plano. Ele é o Messias esposo e seus discípulos desfrutam por ora a sua presença festiva: "companheiros, comei e bebei" (Jr 33,11; Ct 5,1). Antes a esposa de Yhwh jejuava por sua infidelidade; agora celebra-se o casamento de fidelidade (cf. Os 2,21-22). "Será tirado deles": alude em surdina à morte violenta (cf. Is 53,8), já acontecida quando Marcos escreve?

2,21-22 Soa o refrão como explicação, "pelo contrário", em forma rítmica. Poderia ser assim formulado: Não ponhas remendo novo em pano velho, não ponhas vinho novo em odres velhos. Tem relação com o anterior? Talvez enquanto o casamento inaugura uma vida nova, e não é um tapa-buracos; é vinho novo que não pode ser perdido.

A mensagem de Jesus não é um remendo para consertar o pano gasto (Sl 102,27; Jr 13,7; Jó 13,28); é um vinho que as velhas instituições não podem conter. Também essa discussão se encerra com um refrão. Jesus não é um letrado a mais no grupo ou na série. Ele traz algo novo que tornará antiquado o precedente: "o antigo passou, chegou o novo" (2Cor 5,17; Hb 8,13).

2,23-28 Aqui a questão é a observância do sábado, prescrita pelo decálogo (Ex 20,8). Ben Sirac o considera instituição da "sabedoria divina" (Eclo 33,8); era questão capital na prática religiosa judaica. Arrancar espigas, a lei permite (Dt 23,26); debulhá-las no sábado, a jurisprudência rabínica proíbe. A intervenção dos fariseus se apresenta não como simples chamada de atenção, mas como acusação. Jesus responde, no estilo da *halaká*, com um exemplo bíblico do rei mais ilustre, Davi, o qual mostra que em caso de necessidade suspende-se a obrigação da lei (1Sm 21,1-7). Se é sagrado o sábado, tempo consagrado a Deus, não o eram menos os pães oferecidos a Deus (Lv 24,5-9). Davi não sente escrúpulos, e o sacerdote colabora com ele. Os objetantes se atreveriam a censurar a conduta do rei Davi?

A cena se conclui com um provérbio incisivo, que alarga sua vigência a muitos casos equivalentes. O provérbio geral se aplica de modo especial a Jesus, o Homem pleno e autêntico.

3,1-6 Nessa quinta cena, culmina a tensão e se consuma a ruptura. O tema é o sábado, e a ocasião é oferecida na sinagoga por um doente que tem a mão, órgão de ação, atrofiada (cf. Sl 137,5). Acontece na sinagoga, lugar de reunião para orar e explicar a Escritura. Os rivais (Marcos não diz quem) vigiam ou espiam Jesus com má intenção: "as palavras do perverso são insídias mortais" (Pr 12,6a; cf. Jr 20,10; Sl 59,4), quer dizer, não procuram discutir e resolver uma questão debatida, mas desacreditar aquele que propõe uma doutrina e conduta diversas.

Jesus avalia a intenção e a converte em desafio, no qual ele toma a iniciativa, e coloca a questão

sinagoga, onde havia um homem com a mão atrofiada. ²Vigiavam-no para ver se o curava no sábado, com intenção de acusá-lo. ³Diz ao homem da mão atrofiada:

– Põe-te no centro.

⁴E pergunta a eles:

– O que é permitido no sábado? Fazer o bem ou o mal? Salvar a vida ou matar?

Eles calavam. ⁵Repassando sobre eles um olhar de indignação, embora dolorido por sua obstinação, diz ao homem:

– Estende a mão.

Ele a estendeu e a mão ficou restabelecida. ⁶Os fariseus saíram imediatamente e deliberaram com os herodianos como acabar com ele.

Curas junto ao lago – ⁷Jesus se retirou com seus discípulos para junto do lago. Seguia-o uma multidão da Galileia, Judeia, ⁸Jerusalém, Idumeia, Transjordânia e do território de Tiro e Sidônia. Uma multidão, ao ouvir o que fazia, acorria a ele. ⁹Disse aos discípulos que tivessem de prontidão uma barca, para que a multidão não o apertasse. ¹⁰Pois, visto que curava a muitos, os que sofriam enfermidades lançavam-se sobre ele para tocá-lo. ¹¹Os espíritos imundos, ao vê-lo, lançavam-se sobre ele, gritando: Tu és o filho de Deus. ¹²Ele os repreendia severamente para que não o descobrissem.

Escolhe os Doze (Mt 10,1-4; Lc 6,12-16) – ¹³Subiu à montanha, foi chamando os que quis, e foram com ele. ¹⁴Nomeou doze [a quem chamou apóstolos] para que convivessem com ele e para enviá-los a pregar ¹⁵com poder para expulsar demônios.

¹⁶[Nomeou, pois, os doze]. A Simão chamou Pedro; ¹⁷a Tiago de Zebedeu e a seu irmão João chamou Boanerges (que

---

na aresta aguda da decisão ética, o bem e o mal (Dt 30,15, "hoje ponho diante de ti a vida e o bem, a morte e o mal"). Inclusive o mal por omissão do bem. A pergunta pode atingir também os rivais, que proíbem o bem da cura e se permitem o mal da intenção perversa e que, acusando Jesus, sacrificam a saúde de um infeliz. A decisão ética se concretiza na ajuda ao próximo necessitado: exigência superior a instituições religiosas humanas (mesmo que se digam divinas), e mais ainda, superior à sua interpretação rigorosa e inumana. Os rivais pensam que se deve sacrificar o homem à instituição. Jesus se indigna, porque põe a instituição ao serviço do homem. (Compare-se com o caso de consciência de 1Mc 2,32-40.)

3,5 A linguagem exige nossa atenção. Jesus parece unir uma cólera divina (tema frequente no AT) com uma compaixão humana. A mão "restabelecida" indica um início de atividade normal: "fortalecei as mãos fracas" (Is 35,2).

3,6 A reação dos rivais ao ensinamento de Jesus os leva à obstinação (Dt 29,18; Jr 3,17 par.). E dela passam à aliança com os partidários ou empregados de Herodes, à decisão de eliminar o perigoso Jesus, a planejar o modo de realizá-la. Marcos tem pressa no seu relato. No bloco dos cinco episódios com sua culminação, domina a intenção narrativa, estilizada às expensas da cronologia.

3,7-12 Novo sumário que sintetiza e prefigura acontecimentos. Jesus é um centro de atração, diríamos irresistível. O entusiasmo da multidão contrasta com a obstinação dos fariseus. Vêm da Galileia, que é seu terreno de operações no momento; da Judeia com a capital: já não é Jerusalém o centro de atração (Sl 84 e 122), mas Jesus. Também da Transjordânia a leste, incluindo o semipagão Edom ao sul. E o território pagão de Tiro e Sidônia a noroeste. Embora limitadas na sua extensão real, as regiões representam em escala reduzida o que um dia será a igreja (cf. Sl 87).

Marcos sugere essa visão, sem sacrificar traços descritivos realistas: o detalhe da barca, a multidão atraída pelos milagres, a urgência de tocar o taumaturgo, a pressão física da multidão. Os poderes do mal reconhecem a presença do poder divino que os vencerá, mas Jesus não quer aceitar um testemunho suspeito, que pode turvar a sua missão: "Também os demônios creem e tremem de medo" (Tg 2,19).

3,13-30 No restante do capítulo, antes do discurso das parábolas, soa outro terrível confronto, colocado entre duas cenas dedicadas à nova comunidade. Da massa do povo destacam-se os discípulos que o seguirão.

3,13-19 A primeira cena é a escolha dos doze, articulada significativamente em dois tempos. Chamado espontâneo e livre de Jesus, "os que quis" (cf. Sl 115,3; Jo 15,16); nomeação de um grupo restrito de doze (muitos manuscritos acrescentam o título de apóstolos). Os doze enquanto grupo são "feitura" de Jesus, segundo a linguagem grega.

Os doze representam globalmente as doze tribos do Israel tradicional (não uma a uma, já que vários são galileus). Serão como os patriarcas do novo povo. Por ofício e mentalidade são de origem diversa: honrados pescadores e coletor suspeito, gente pacífica e o extremista Simão (zelote, cf. 1Mc 2,26-27.50; 2Mc 4,2). Judas projeta já uma sombra premonitória, com o verbo "entregar" como palavra-chave no livro. Para eles e por ora, o importante é "conviver" com Jesus; daí partirá a missão, que prolongará com autoridade delegada a atividade de Jesus. Um fato tão óbvio como estar com outra pessoa começa a ter uma transcendência incalculável, já que o "estar com" é recíproco.

3,13 "A montanha" (com artigo) tem valor simbólico: subida e convergência, lugar de encontro com Deus.

3,17 Ainda não se esclareceu a etimologia do apelido; alguns o interpretam com Filhos do Trovão ou Trovejantes.

significa Trovejantes), [18]André e Filipe, Bartolomeu e Mateus, Tomé, Tiago de Alfeu, Tadeu, Simão o zelote [19]e Judas Iscariotes, que o entregou.

Jesus e Belzebu (Mt 12,22-32; Lc 11,14-23; 12,10) – [20]Entrou em casa, e se reuniu tal multidão que não podiam sequer comer.

[21]Seus familiares, quando o souberam, saíram para dominá-lo, pois diziam que estava fora de si. [22]Os letrados que haviam descido de Jerusalém diziam:

– Tem Belzebu dentro de si e expulsa os demônios pelo chefe dos demônios.

[23]Ele os exortava com comparações:

– Como pode Satanás expulsar Satanás? [24]Um reino dividido internamente não pode subsistir. [25]Uma casa dividida internamente não pode manter-se. [26]Se Satanás se levanta contra si e se divide, não pode subsistir, mas perece. [27]Ninguém pode entrar na casa de um homem forte e levar seus bens, se primeiro não o amarra. Depois poderá saquear a casa. [28]Eu vos asseguro que aos homens serão perdoados todos os pecados e blasfêmias que pronunciarem. [29]Mas aquele que blasfemar contra o Espírito Santo jamais terá perdão; é réu de um delito perdurável.

[30]É porque diziam que tinha dentro de si um espírito impuro.

A mãe e os irmãos de Jesus (Mt 12,46-50; Lc 8,19-21) – [31]Sua mãe e seus irmãos foram, se detiveram fora e enviaram um recado chamando-o. [32]As pessoas estavam sentadas em torno dele e lhe dizem:

– Vê, tua mãe e teus irmãos [e irmãs] estão fora e te procuram.

[33]Ele lhes respondeu:

– Quem é minha mãe e meus irmãos?

[34]E olhando os que estavam sentados em círculo ao redor dele, diz:

– Vede minha mãe e meus irmãos. [35]Pois, quem cumpre a vontade de Deus, esse é meu irmão, irmã e mãe.

4 Parábola do semeador (Mt 13,1-23; Lc 8,4-15) – [1]Em outra ocasião começou a ensinar junto ao lago. Reuniu-se

---

3,20-21 A resistência se infiltra entre seus familiares ou parentes próximos (cf. Zc 13,3), embora seja mais incompreensão que hostilidade. Quem são? Parece que não possam ser identificados com os do versículo 31, que acorrem com um recado pacífico. São provavelmente achegados que o conheceram num estilo de vida corrente, e não conseguem integrar sua nova figura. Como se para eles fosse uma personagem nova. Procuram dominá-lo, impedir sua atividade; julgam que delira ou que não sabe conter-se e, eventualmente, temem por ele (a interpretação é duvidosa).

3,22 O fato de serem letrados e descerem de Jerusalém confere-lhes certo caráter oficial ou ao menos oficioso; como os enviados do templo para interrogar o Batista (Jo 1,19). Com sua brevidade, Marcos cria a impressão de que os letrados trazem a sentença já confeccionada. Belzebu é um dos nomes tradicionais do Diabo (tomado do deus de Acaron, 2Rs 1). A quem liberta os possessos declaram o primeiro possesso, aliado camuflado do chefe dos demônios. Zebul significa provavelmente príncipe; aludiria ao forte da casa que será preciso amarrar.

3,23-30 Acusação gravíssima que visa desacreditar pela base toda a atividade de Jesus, declarando-o agente do rival (= Satã) de Deus. (Pode-se recordar o confronto inicial de Moisés com os magos egípcios, Ex 7,11-12.) É uma acusação absurda em simples lógica e se voltará contra os que a pronunciam. Agora Jesus se dirige ao povo presente, rebatendo os acusadores com uma dupla comparação. Reino pode ser a povoação (Is 19,2), e casa, a grande família. Satanás tem seus agentes (o Apocalipse explica isso), seus instrumentos, sua morada e servidores, certa liberdade de ação; insinua-se a oposição ao reino de Deus e à casa ou família de Deus. Jesus já o enfrentou (1,13) e venceu. Não é que uma facção do reino de Satanás esteja lutando contra outra; todos formam um reino compacto. O ataque vem de fora, de um que é mais forte que ele, e o atará e saqueará seu domínio (cf. Ab 5-6). Quando ele for atado (15,1), também o domínio da morte o será – podem pensar os leitores de Marcos (cf. Lc 10,18; Hb 2,14).

Atribuir a Satanás o que é ação de Deus é blasfemar contra o Espírito de Deus. Ora, quem se obstina diante dos sinais evidentes, fecha-se à ação de Deus, também ao perdão, pelo qual venceria Satanás. Quem recusa o perdão não pode recebê-lo.

3,31-35 Marcos descreve a cena com traços significativos. Jesus no meio, o povo sentado ao redor, fora desse círculo os familiares. É preciso notar que não se menciona o pai; Jesus adulto deveria ser o chefe da família. Quer dizer, os seguidores relegaram a segundo lugar a família, separando Jesus dos seus. Quem tem mais direito? A família quer romper o círculo, reclama seu parente famoso. Cabe a Jesus decidir a questão, e ele o faz com autoridade. Os vínculos familiares são coisa grande; por isso Jesus, que tem um Pai no céu (Lc 2,41-52), está criando uma nova família, definida pelo cumprimento da vontade de Deus: era normal na família que todos acatassem a autoridade do pai (e quem a cumpriu melhor que Maria?).

4,1-34 As parábolas avançam entre comparação e adivinhação, e podem assumir forma narrativa: velam e desvelam segundo a capacidade e disposição do ouvinte; por isso, a parábola se aparenta com o

junto a ele tal multidão, que teve de subir numa barca que estava na água; sentou-se, ao passo que a multidão estava na terra, junto ao lago. ²Ensinava-lhes muitas coisas com parábolas, e lhes dizia instruindo-os:

– ³Atenção! Um semeador saiu para semear. ⁴Ao semear, algumas sementes caíram junto ao caminho; vieram os pássaros e as comeram; ⁵outras caíram em terreno pedregoso, com pouca terra; faltando-lhes profundidade, brotaram logo; ⁶mas, ao sair o sol, se abrasaram e, como não tinham raízes, secaram. ⁷Outras caíram entre espinheiros: os espinheiros cresceram e as sufocaram, e não deram fruto. ⁸Outras caíram na terra fértil e deram fruto, brotaram, cresceram e produziram umas trinta, outras sessenta, outras cem. ⁹E acrescentou: Quem tiver ouvidos, escute.

¹⁰Quando ficou sozinho, os acompanhantes com os doze lhe perguntaram sobre as parábolas. ¹¹Ele lhes dizia:

– A vós é comunicado o segredo do reinado de Deus; aos de fora tudo é proposto em parábolas ¹²de modo que *por mais que olhem não vejam, por mais que ouçam não entendam; não aconteça que se convertam e sejam perdoados**.

¹³E acrescentou-lhes:

– Se não entendeis esta parábola, como entendereis as restantes?

¹⁴Aquele que semeia, semeia a palavra. ¹⁵Uns são os que estão junto ao caminho onde se semeia a palavra; enquanto escutam, chega Satanás e leva a palavra semeada. ¹⁶Outros são como o que foi semeado em terreno pedregoso: quando escutam a palavra, acolhem-na com alegria; ¹⁷mas

---

"enigma" ou adivinhação (Sl 49,5; 78,2). Por isso, é palavra ativa, que interpela e exige resposta, provocando a separação dos ouvintes em dois campos. O tema central é o reinado de Deus, que chega e vai se afirmando. O fato transcendente se torna de algum modo inteligível pela mediação de símbolos. Marcos reúne num discurso três parábolas agrárias, a explicação de uma, a função de todas e algumas sentenças.

É significativa a preferência por imagens vegetais, ou melhor, agrárias. Nelas se conjugam os fatores da semente, do terreno e também do trabalho do homem. Elas fazem compreender a vitalidade, o dinamismo condicionado do reinado de Deus e do seu anúncio. Se por um lado sugerem a vitalidade da mensagem, por outro indicam que a sua força não é a eficácia, mas a fecundidade, e que esta tem suas leis e seus tempos. Não é de estranhar que profetas e sapienciais tenham recorrido com frequência à imagem agrária (para citar alguns, Pr 11,18 e 22,8 o que semeia, 12,11 e 20,4 o trabalho de cultivar, 31,16 o terreno etc.).

4,1-2 De novo apreciamos o gosto de Marcos pelo traço descritivo como cenário: a barca serve de púlpito; da praia o povo contempla Jesus como vindo das águas; por contraste, escutam uma linguagem agrícola que poderia refletir condições e costumes galileus. As parábolas ou comparações são meio de instrução (Sl 49,5; 78,2; cf. Eclo 39,2-3).

4,3-9 A primeira é quase uma metalinguagem que explica o sentido e a função de tal linguagem (como Is 55,10-11 ou Jr 23,24): é palavra acerca da palavra. Para os detalhes, aqui vão alguns paralelos: o sol que abrasa (Eclo 43,3-4), os espinheiros (Pr 24,31). Protagonista é a semente, essa pequenez prodigiosa, que se deixa tomar e espalhar e imediatamente inicia sua atividade. E a primeira página do Gênesis observa e destaca a semente de ervas e árvores, como agente de fertilidade (Gn 1,11-12). O desenvolvimento se parece ao de alguns provérbios do tipo três + um quarto: três fracassos e um êxito destacado. Também os espinheiros são vegetais, dotados de uma vitalidade ameaçadora; ao passo que os pássaros exploram sua liberdade de voo. Ou seja, a semente jaz ameaçada.

4,10-12 Intermédio sobre a função das parábolas, dedicado aos doze, porque a eles caberá explicar as parábolas do Mestre. Entender seu segredo é dom celeste, não conquista humana. Os de fora são os que não entram ou não querem entrar no reino de Deus; ficam voluntariamente fora. O tema das parábolas é o reinado de Deus como mistério (Sb 2,22; 6,22): presente ou iminente, mas oculto; e a parábola tem muito de enigma. Quem se fecha a esse mistério olha sem ver, ouve sem escutar. Nele se cumpre o destino fatal anunciado a Isaías: "têm olhos cegados e não veem, a mente, e não entendem" (6,9-10; 44,18-19). Acontece o endurecimento numa espécie de processo dialético, e o oráculo antecipa o resultado. Outros traduzem a última cláusula: "a não ser que se convertam"; tiram a força do paradoxo.

No tempo de Jesus, a frase alude à resistência teimosa das autoridades; no tempo da Igreja, aponta para a rejeição e para a ruptura consumadas.

4,12 * Ou: *a não ser que se convertam*...

4,13-20 A explicação alegorizante, por correspondências membro a membro, é da comunidade que medita e aplica a si o ensinamento (compare-se com o símbolo conciso da semente que morre e germina, de Jo 12,24-25). Também a comunidade se reconhece na parábola e formula alguns perigos e ameaças entre os quais lhe cabe viver e agir.

No primeiro caso a palavra fica na superfície, não penetrando no íntimo. No segundo caso penetra, mas não se enraíza. No terceiro caso enraíza-se, mas não vence a concorrência de outra germinação hostil. Dito ao contrário, a palavra precisa ser recebida, acolhida, assimilada, protegida. É um mistério "vital".

4,13 Entender a primeira é condição para entender as seguintes: a primeira é programática.

não têm raízes, são inconstantes. Acontece uma tribulação ou perseguição pela palavra, imediatamente sucumbem. ¹⁸Outros são semeados entre espinheiros: escutam a palavra, ¹⁹mas as preocupações mundanas, a sedução das riquezas e o afã por tudo o mais os penetram, os sufocam e os deixam sem fruto. ²⁰Os outros são o semeado em terra fértil: escutam a palavra, acolhem-na e dão fruto de trinta ou sessenta ou cem.

Outras parábolas e comparações (Lc 8,16-18; Mt 13,31-35; Lc 13,18s; Mt 13,34s) – ²¹Dizia-lhes:

– Acende-se uma lamparina para colocá-la debaixo de uma vasilha ou debaixo da cama? Não se põe no candeeiro? ²²Não há nada oculto que não se descubra, nada encoberto que não se divulgue. ²³Quem tiver ouvidos, escute.

²⁴Dizia-lhes também:

– Cuidado com o que ouvis: a medida com que medirdes usarão convosco e com acréscimos. ²⁵A quem tem, será dado; a quem não tem lhe será tirado o que tem.

²⁶Dizia-lhes:

– O reinado de Deus é como um homem que semeou um campo: ²⁷de noite se deita, de dia se levanta, e a semente germina e cresce sem que ele saiba como. ²⁸A terra por si mesma produz fruto: primeiro o caule, depois a espiga, depois a espiga cheia de grãos. ²⁹E quando o trigo está maduro, passa a foice, pois chegou a ceifa.

³⁰Dizia também:

– Com que compararemos o reinado de Deus? Com que parábola o explicaremos? ³¹Com uma semente de mostarda: quando é semeada na terra, é a menor das sementes; ³²depois de semeada, cresce e se torna a maior de todas as hortaliças, e lança ramos tão grandes que as aves podem se aninhar em sua sombra.

³³Com muitas parábolas semelhantes lhes expunha a mensagem, adaptada à sua capacidade. ³⁴Sem parábolas não lhes expunha nada; mas em particular, explicava tudo a seus discípulos.

Acalma a tempestade (Mt 8,23-27; Lc 8,22-25) – ³⁵No entardecer desse dia lhes disse:

4,21-25 A sentença, refrão ou aforismo, é um gênero diferente, embora aparentado com a parábola (em hebraico têm o mesmo nome). Costumam ser autônomas e elásticas para amoldar-se a diversas situações. Marcos reúne aqui quatro e, ao colocá-las nesse contexto particular, faz com que o iluminem e se iluminem reciprocamente com ele. O leitor pode ensaiar relações paralelas e oblíquas. P. ex., duas sobre o divulgar e duas sobre o corresponder. Aos discípulos foi explicado o segredo, não para o guardarem consigo, mas para difundi-lo, como uma luz (cf. Eclo 24,32-34). O ocultamento presente, de Jesus e seu segredo, não é definitivo; tem uma função e visa à futura manifestação (também a semente se esconde sob a terra). "É glória de Deus ocultar um assunto" (Pr 25,1).

A resposta à mensagem é uma medida que será superada pela fecundidade do grão: "Instrui o douto, e será mais douto" (Pr 9,9). Cabe outra interpretação: se ensinais generosamente, aprendereis e compreendereis mais; "Aprendi sem malícia, reparto sem inveja, e não guardo suas riquezas para mim" (Sb 7,13). O grão que não dá fruto apodrece, e o terreno perde até o que tinha.

Mas as sentenças podem desprender-se de qualquer contexto para suscitar novo sentido. A última é um paradoxo que não se deve embotar com explicações razoáveis (em termos sapienciais, sobre o prudente e o néscio, é feliz a descrição de Eclo 21,12-15).

4,26-29 Embora o homem ceda o terreno e o trabalho de lavrar, a vitalidade se encerra na semente, onde Deus a inseriu (Gn 1,11-12). Essa vitalidade se processará segundo seu próprio ritmo, porque Deus continua agindo: "eu plantei, Apolo regou, mas era Deus quem fazia crescer" (1Cor 3,6; cf. Sl 65,10-12) para além do trabalho humano: "Deus o concede a seus amigos enquanto dormem" (cf. Sl 127,2). O reinado de Deus não crescerá por puro esforço humano, nem se estende com a violência; é preciso deixá-lo crescer; sua força é misteriosa. É um convite à esperança (ao passo que Tg 5,7 convida à paciência). Passa a foice (cf. Jl 4,13).

4,30-32 Se a parábola precedente se fixava no ritmo do crescimento, a presente sublinha a desproporção entre o tamanho de uma semente e a planta na qual se converte. Começa com uma semente concreta, miúda; mas quando se põe a descrever a planta, a parábola se deixa levar pelas reminiscências de Ez 17,23; 31,6 e Dn 4,12-21, para sugerir a largueza acolhedora de uma árvore frondosa, do reino de Deus.

4,33-34 Conclusão do discurso das parábolas. A "capacidade" não é puramente intelectual, já que inclui a disposição do ouvinte para aceitar o ensinamento; quem tem prevenção contra é "incapaz" de entender. "Explicava tudo a seus discípulos": é uma antecipação colocada aqui por Marcos para arredondar o discurso. Além disso, aponta ao tempo da Igreja.

4,35-6,6 Do discurso passamos à ação. Mas continua o esquema de velar e desvelar o mistério. Se para captar a palavra é preciso saber escutar, para perceber a ação é mister saber olhar. Jesus manifesta seu poder enfrentando os grandes poderes adversos; o oceano que representa o caos, o diabo que se apodera de um homem, a doença invencível, a morte. Quatro potências nefastas, aparentadas na mentalidade bíblica.

— Passemos à outra margem. ³⁶Despedindo a multidão, o recolheram tal como estava na barca; outras barcas o acompanhavam. ³⁷Levantou-se um vento de furacão, as ondas se arremessavam contra a barca, que estava a ponto de afundar. ³⁸Ele dormia na popa sobre um travesseiro. Despertam-no e lhe dizem:

— Mestre, não te importa que naufraguemos?

³⁹Levantou-se, ameaçou ao vento e ordenou ao mar:

— Cala-te, emudece!

O vento cessou e sobreveio uma calma perfeita. ⁴⁰E lhes disse:

— Por que sois tão covardes? Ainda não tendes fé?

⁴¹Cheios de medo diziam entre si:

— Quem é este, a quem até o vento e o lago obedecem?

5 O endemoninhado de Gerasa (Mt 8,28-34; Lc 8,26-39)

– ¹Passaram à outra margem do lago, no território dos gerasenos. ²Ao desembarcar, um homem possuído por um espírito imundo saiu-lhe ao encontro do meio dos sepulcros. ³Habitava nos sepulcros. Nem com cadeias alguém podia dominá-lo; ⁴pois muitas vezes o dominavam com correntes e grilhões, e ele fazia

---

Também a ação prodigiosa de Jesus conserva um caráter ambíguo, pois exige a fé para ser compreendida e provoca a resistência dos que não estão dispostos a aceitar suas consequências. Assim, apesar dos prodígios, vai crescendo a oposição que culmina na rejeição dos seus concidadãos de Nazaré. Os discípulos têm fé? (4,40). Os gerasenos não acolhem Jesus (5,17), outros se riem (5,40), o pai deve crer (5,36), uma mulher mostra grande fé (5,34), seus conterrâneos surpreendem pela incredulidade (6,6). Nesses episódios Marcos não condensa, antes, se deixa levar pelo gosto de contar, com grande senso dos valores dramáticos.

4,35-41 O lago de Genesaré, cenário agradável de ensinamento, desempenha agora o papel de inimigo rebelde. A cena tem traços realistas que ajudam a imaginação do leitor e permitem aos exegetas alongar-se sobre as tempestades repentinas e violentas desse lago, que os pescadores conhecem por repetidas experiências. Pois bem, o realismo serve para sustentar o sentido transcendente. O mar é a criatura que se agita e se encrespa perturbando a ordem da criação, é herdeiro de monstros mitológicos: "saía impetuoso do seio materno... aqui cessará a arrogância de tuas ondas" (Jó 38,8.11; Sl 93,3-4; 65,8; Is 17,12). Jesus se põe de pé, sem vacilar pelas sacudidas (Sl 107,25-26), ameaça o mar com uma ordem decisiva, réplica do tradicional "bufido" do Senhor em textos poéticos: "a teu bramido fugiram" (Is 17,13; Na 1,4; Sl 18,16; 104,7), às vezes aludindo ao mar Vermelho (Sl 68,31; 106,9). O vento e o mar lhe obedecem (Jn 1). Enquanto ele dorme serenamente (Jn 1,5-6; cf. Sl 4,9), seus acompanhantes temem, sem fé, e o despertam (Is 51,12). Quando sobrevém a calma, se interrogam sem chegar a compreender. Embora o sucedido seja uma libertação, ao narrador interessa a manifestação de Jesus. Como a libertação do perigo do mar é um dos casos mais típicos (Sl 69; 124), o relato pronuncia uma palavra de ânimo para a Igreja nas perseguições; a tradição posterior comparará a Igreja a uma barca no mar (cf. Sl 107,23).

4,35-36 Jesus dá a ordem, pondo-se e pondo-os no perigo. As outras barcas servirão de testemunhas.

4,39 Dirige a mesma ordem aos demônios (1,24). "Transformou a tempestade em suave brisa, e as ondas emudeceram" (Sl 107,29).

4,40 Se o medo é lógico, a fé deve vencer o medo: "Espera no Senhor, sê valente. Coragem! Espera no Senhor." (Sl 27,14).

5,1-20 Ninguém contou esse episódio com tanto detalhe e vivacidade como Marcos. O poder inimigo, desta vez, é o demoníaco no homem.

O relato, que pode ser lido como texto realista, mostra sua coerência significativa se o enquadrarmos nas crenças da época. Jesus entra em território pagão, impuro (1Sm 26,19; 2Rs 5,17), onde se apascentam animais impuros (Dt 14,8; Lv 11,7); aí encontra um homem possuído de um espírito imundo, que habita em sepulcros (ou câmaras mortuárias), lugares impuros que contaminam. Um texto de Isaías ilustra a conexão desses elementos: *"habitava nos sepulcros e pernoitava nas grutas, comia carne de porco, pondo nos seus pratos caldo abominável"* (Is 65,4). O homem é libertado, e toda a impureza se afunda no abismo do mar. Os moradores não agradecem a operação de limpeza do forasteiro. O homem libertado não é admitido como discípulo, mas recebe um cargo circunscrito aos seus, que ele executa alargando o próprio alcance.

Às crenças da época pertencem também os ritos e textos dos exorcismos, bem documentados. O possesso ou seu demônio se volta contra o exorcista, pronuncia seu nome para dominá-lo, inclusive tenta conjurá-lo. Sentindo-se impotente, pede uma concessão: um alojamento alternativo (animal ou terreno), não ser expulso para o deserto (Is 13,21; 34,14; Br 4,35; Tb 8,3), ficar no território para exercer aí seu domínio. Esses traços influem na forma do relato de Marcos e a explicam.

5,2 Os sepulcros sugerem a vinculação da possessão ao reino dos mortos (cf. Is 28,15; 65,4). Sai-lhe ao encontro, como saído do reino da morte. Jesus aceita o encontro, não teme contaminar-se porque vem libertar purificando.

5,3-4 A força descomunal do energúmeno é um traço realista (essa é a etimologia de "energúmeno" = acionado de dentro por um demônio). Sua força rompe as correntes (cf. Is 45,14; Sl 149,8); mas não pode com as outras que o prendem; será necessária a força maior de Jesus.

saltar as correntes e rompia os grilhões, e ninguém podia com ele. ⁵Passava as noites e os dias nos sepulcros ou pelos montes, dando gritos e golpeando-se com pedras. ⁶Ao ver Jesus de longe, pôs-se a correr, prostrou-se diante dele ⁷e, dando um grande grito, disse:

– Que tens comigo, filho do Deus Altíssimo? Eu te conjuro por Deus que não me atormentes.

⁸(Pois lhe dizia: Espírito imundo, sai desse homem.) ⁹Perguntou-lhe:

– Como te chamas?

Ele respondeu:

– Chamo-me Legião, porque somos muitos.

¹⁰E lhe suplicava com insistência que não o expulsasse da região. ¹¹Havia ali, na ladeira, uma grande manada de porcos fuçando. ¹²Suplicavam-lhe:

– Envia-nos aos porcos para que entremos neles.

¹³Ele o permitiu. Então os espíritos imundos saíram e entraram nos porcos. A manada, de uns dois mil, lançou-se ao lago por um precipício, e se afogaram na água. ¹⁴Os pastores fugiram, e o contaram na cidade e nos campos; e foram ver o que tinha acontecido. ¹⁵Aproximaram-se de Jesus e viram o endemoninhado que tivera dentro de si uma legião, sentado, vestido e em perfeito juízo; e se assustaram. ¹⁶Os que haviam presenciado explicavam-lhes o que acontecera ao endemoninhado e aos porcos. ¹⁷E começaram a suplicar-lhe que partisse de seu território. ¹⁸Quando embarcava, o endemoninhado suplicava que lhe permitisse acompanhá-lo. ¹⁹Não o permitiu, mas lhe disse:

– Vai para tua casa e aos teus, e conta-lhes tudo o que o Senhor, por sua misericórdia, fez contigo.

²⁰Ele foi e pôs-se a apregoar pela Decápole o que o Senhor havia feito por ele, e todos se maravilhavam.

Duas curas (Mt 9,18-26; Lc 8,40-56) – ²¹Jesus atravessou novamente, de barca, para a outra margem, e reuniu-se a ele grande multidão. Estando junto ao lago, ²²chega um chefe de sinagoga, chamado Jairo, e ao vê-lo se lança a seus pés. ²³E lhe suplica insistentemente:

– Minha filhinha está nas últimas. Vem e põe as mãos sobre ela, para que se cure e conserve a vida.

5,5 Também é realista o ferir-se com pedras. Mostra o caráter autodestrutivo e anti-humano da possessão.

5,7-12 O diálogo dramatiza a resistência até à concessão, para dar relevo à superioridade de Jesus. Os demônios não querem nada com ele: chamam-no de filho do Deus Altíssimo, título divino oportuno em boca pagã. E em nome de Deus, tentam conjurá-lo. Se o demônio conhece o nome e título de Jesus, Jesus pergunta pelo nome, como se o ignorasse. Ou para que declare que não tem nome, mas número. Chama a atenção no texto grego o uso do termo latino "legião", tipicamente romano e militar.

5,13 Entrados na vara, mostram seu número de legião e sua violência destrutiva. Mas a concessão de Jesus é sua ruína: afundam-se no caos do mar.

5,15-18 O endemoninhado recuperou sua dignidade humana, individual e social. Mas os habitantes pagãos, embora libertos de uma presença demoníaca, ainda não aceitam Jesus. Assustam-se com seu poder que vem perturbar seu modo de vida: pesa mais a perda do rebanho que a cura de um possesso. Contudo, a notícia do possesso libertado contrapõe-se de algum modo à notícia dos pastores; ao menos consegue difundir o espanto pelo sucedido.

5,19 Jesus não o aceita em seu seguimento. Deixa-o em território pagão como testemunha e mensageiro. O Senhor, na boca de Jesus, é o Deus verdadeiro, o dos judeus. O fato foi obra de sua misericórdia.

5,21-43 Dois relatos de cura, um encaixado no outro, como a tradição oral o transmite. A distribuição dos trechos é: 21-24.25-34.35-43. O recurso do caminho permite integrar fluentemente os dois casos. Mais ainda, acrescenta o progresso fatal da enfermidade grave da moça, o atraso no caminho, a notícia da sua morte. Como se dissesse que, curando uma, deixou morrer a outra; e para responder que assim o milagre será maior. Em ambos os casos é fundamental a fé, que pode contrastar com o ceticismo zombeteiro de alguns presentes. Ambos os casos se relacionam com a vida e a fecundidade: a mulher padece "na fonte do sangue" (Lv 12,7; 20,18), a moça completou doze anos, acaba de tornar-se núbil. As duas estão afastadas da vida social: a moça obviamente por sua doença e morte, a mulher por uma doença que a mantém durante anos em estado constante de impureza. As duas são incorporadas plenamente à sociedade: a moça andando e comendo, a mulher confessando publicamente o que fez às ocultas (segundo o provérbio de 4,22). A cura da mulher não tem antecedentes no AT, a ressurreição da moça se destaca sobre os milagres de Elias e Eliseu (1Rs 17 e 2Rs 4).

5,21-22 De novo em território nativo e com a multidão conhecida ao redor. O chefe da sinagoga dirigia as cerimônias do culto, era uma personagem importante e respeitada na comunidade. Seu nome pode significar "Yhwh ilumine" ou "Yhwh suscite" (conforme se leia com 'alef ou com 'ayn). O gesto de prostrar-se expressa um extraordinário respeito.

5,23 O pai supõe que as mãos de Jesus transmitam força vital de cura, até numa moribunda. O pedido

²⁴Foi com ele. Seguia-o grande multidão que o apertava.

²⁵Havia uma mulher que há doze anos sofria de hemorragias; ²⁶sofrera muito nas mãos de médicos, tinha gastado tudo sem melhorar, pelo contrário, só piorando. ²⁷Ouvindo falar de Jesus, misturou-se com a multidão, e por trás tocou-lhe o manto. ²⁸Pois pensava: Basta tocar seu manto e ficarei curada. ²⁹No mesmo instante a hemorragia estancou, e sentiu no corpo que estava curada da doença. ³⁰Jesus, consciente de que uma força tinha saído dele, voltou-se entre as pessoas e perguntou:

– Quem tocou no meu manto?

³¹Os discípulos lhe diziam:

– Vês que a multidão te comprime e perguntas quem tocou em ti? ³²Ele olhava ao redor para descobrir aquela que o havia feito. ³³A mulher, assustada e tremendo, pois sabia o que lhe havia acontecido, aproximou-se, prostrou-se diante dele e lhe confessou toda a verdade. ³⁴Ele lhe disse:

– Filha, tua fé te curou. Vai em paz e fica curada de tua doença.

³⁵Ainda estava falando, quando chegaram os enviados do chefe da sinagoga para dizer-lhe:

– Tua filha morreu. Não importunes o Mestre.

³⁶Jesus, ouvindo o que falavam, disse ao chefe da sinagoga:

– Não temas, basta que tenhas fé.

³⁷Não permitiu que ninguém o acompanhasse, exceto Pedro, Tiago e seu irmão João. ³⁸Chegam à casa do chefe da sinagoga, vê o alvoroço e os que choravam e gritavam sem parar. ³⁹Entra e lhes diz:

– Para que esse alvoroço e esses prantos? A menina não está morta, mas adormecida.

⁴⁰Riam-se dele. Mas ele, expulsando todos, pegou o pai, a mãe e seus companheiros, e entrou onde estava a menina. ⁴¹Pegando a menina pela mão, diz-lhe: *Talitha qum* (que significa: Menina, eu te digo: Levanta-te!). ⁴²No mesmo instante a menina se levantou e se pôs a caminhar. (Tinha doze anos.) Ficaram fora de si pelo assombro. ⁴³Recomendou-lhes encarecidamente que ninguém o soubesse e ordenou que lhe dessem de comer.

6 Na sinagoga de Nazaré (Mt 13,53-58; Lc 4,16-30) – ¹Saindo daí, dirigiu-se a sua cidade, acompanhado de seus dis-

---

soa em grego "se salve e viva": de duplo sentido, segundo a entende aquele homem e segundo soa aos ouvidos da comunidade cristã: "O Senhor é minha luz e minha salvação... baluarte de minha vida" (Sl 27,1). Jesus atende.

5,25-26 A doença da mulher a exclui de toda celebração festiva, pois contamina com seu contato mediato ou imediato (Lv 15,25-31). O detalhe do fracasso dos médicos (cf. Eclo 38,1-15), embora verossímil, serve para exaltar por contraste o poder de Jesus, verdadeiro médico por força divina.

5,27-28 Embora soubesse que seu contato contaminava, a mulher, seguindo crenças populares, considera Jesus como carregado de um fluido terapêutico, descarregado e transmitido por contato, mesmo que seja mediato (cf. At 19,12). O narrador se coloca na mente do personagem.

5,30-34 Agora se sucedem as duas reações: de Jesus, ressaltada pela observação dos discípulos, e da mulher. Devem ser lidas como correlativas, em função do que revelam. Jesus pergunta surpreso: quem foi? onde está? como se lhe houvessem roubado algo às ocultas. Constata e confirma que uma força prodigiosa brotou dele; mas acrescenta que foi a fé da mulher que a extraiu. E a chama carinhosamente de filha. Ela se assusta com o atrevimento (que fez!). Violou as leis de pureza, misturando-se com as pessoas e tocando Jesus; na presença de um chefe de sinagoga que deve zelar pela pureza ritual. Prostrada e humilde, confessa. Sua crença no fundo era fé: pode ir em paz. A fórmula usual de despedida carrega-se de novo sentido.

5,35-36 Entretanto, a menina morreu e trazem a notícia a Jairo. Não há nada que fazer: a doença pode ser curada, para a morte não há remédio. A resposta de Jesus serve de contraste. Há remédio, sim: a fé.

5,37 Enquanto isso, o tradicional pranto fúnebre começou (Jr 9,16-17). Jesus se rodeia de poucas testemunhas: os pais da menina e três discípulos. Pronuncia uma frase carregada de sentido. É conhecida a relação sono-morte em muitas culturas, também no AT: o sono eterno (Jr 51,39.57), o sono da morte (Sl 13,4), sem despertar (Jó 14,12). Jesus joga com a ambiguidade (como no caso de Lázaro, Jo 11,11-12). Os presentes não captam a alusão; riem porque não conhecem um poder superior à morte, não conhecem o poder de Jesus. A comunidade cristã que lê capta seu sentido mais profundo: Jesus é a vida, vencedor da morte. Na versão grega de Paulo: "Onde está, ó morte, tua vitória?" (1Cor 15,55).

5,41 Devolve-lhe a vida pelo contato: "tua direita me sustenta" (cf. Sl 63,9; 73,23) e por uma ordem soberana. A tradição conservou a lembrança da frase em aramaico (o tradutor grego se excedeu um pouco ao explicar o vocativo).

6,1-6 Na realidade, os quatro episódios precedentes podem ter acontecido em lugares e tempos diversos. Na construção narrativa de Marcos, desembocam na inesperada reação negativa dos seus conterrâneos. O ciclo se encerra numa sinagoga, onde Jesus lê e

cípulos. ²Num sábado, pôs-se a ensinar na sinagoga. A multidão que o escutava comentava assombrada: De onde ele tira tudo isso? Que tipo de saber lhe foi dado para que realize tais milagres com suas mãos? ³Esse não é o carpinteiro, o filho de Maria, irmão de Tiago e Joset, Judas e Simão? Suas irmãs não vivem aqui entre nós? E sentiam isso como um obstáculo.

⁴Jesus lhes dizia:

– Um profeta é desprezado só em sua pátria, entre seus parentes e em sua casa.

⁵E não podia fazer aí nenhum milagre, exceto uns poucos enfermos a quem impôs as mãos e curou. ⁶E estranhou a incredulidade deles. Depois percorria as aldeias da redondeza ensinando.

Missão dos doze (Mt 10,1.5-15; Lc 9,1-6) – ⁷Chamou os doze e os foi enviando dois a dois, conferindo-lhes poder sobre os espíritos imundos. ⁸Recomendou-lhes que levassem somente um bastão; nem pão, nem sacola, nem dinheiro no cinto, ⁹que calçassem sandálias, mas que não levassem duas túnicas.

¹⁰Dizia-lhes:

– Quando entrardes numa casa, ficai aí até partir. ¹¹Se um lugar não vos recebe nem escuta, saí de lá e sacudi o pó dos pés, para que lhes conste.

¹²Foram-se e pregavam para que se arrependessem; ¹³expulsavam muitos demônios, ungiam com óleo muitos enfermos e os curavam.

Morte de João Batista (Mt 14,1-12; Lc 9,7-9) – ¹⁴O rei Herodes ficou sabendo, porque a fama de Jesus se difundia, e pensava que João Batista houvesse ressuscitado da morte e por isso atuava nele o poder milagroso. ¹⁵Outros porém diziam que era Elias, e outros que era um profeta como os clássicos. ¹⁶Herodes ouviu e disse:

---

comenta o texto bíblico (Marcos não especifica qual, cf. Lc 4). O povo do lugar conhece de ouvido suas curas e talvez de vista, e escuta maravilhado seu ensinamento. Mas se nega a tirar a consequência necessária.

Sua imagem do Messias ou do Profeta (Dt 18,15) não é compatível com os antecedentes familiares e profissionais de Jesus: Nazaré é uma aldeia sem importância (cf. Jo 1,46). Depreciativamente o chamam "esse". Não estudou – deu-lhe Deus sabedoria? (Cf. Sb 8,21). Suas "mãos" são de artesão, agora são instrumento de poder. Admiram-se, perguntam, mas resistem em responder, porque "tropeçam" na humildade. "Como se tornará sábio o que maneja o arado..., igualmente o artesão..., e o ferreiro..., igualmente o oleiro...?", assim Ben Sirac contrapõe o artesanato ao cultivo da sabedoria (Eclo 38,24-39,11).

6,2-3 A primeira pergunta é genérica: "tudo isso". A segunda é sobre o poder taumatúrgico: vem de Deus?, ou do diabo, como dizem os letrados? (3,22). E sua sabedoria: vem de Deus? (segundo Is 11,1-2; cf. Eclo 39,6-10), ou do diabo? "Essa não é sensatez que desce do céu, mas terrena, animal, demoníaca"? (Cf. Tg 3,15). Seguem-se algumas perguntas para afirmar que sabem tudo de Jesus e de sua família. Os quatro irmãos têm nomes patriarcais.

6,4 A resposta de Jesus é um refrão ampliado (cf. Jr 11,18-23). Entre nós se diz: Ninguém é profeta em sua pátria. A pátria é a cidade de nascimento, os parentes, o círculo intermédio, a casa é a família. Não pôde fazer milagres porque lhes faltava a fé para receber e reconhecer o dom.

6,7-13 Vocação e missão (ou chamado e envio) são dois momentos complementares (Is 6; Jr 1,5-8.17; Ez 2-3). Assim o presente envio é complemento de 3,13-16. A redação tem caráter de sumário.

Os apóstolos saem em duplas: "Melhor dois juntos que alguém sozinho: sua fadiga terá boa paga" (cf. Ecl 4,9), como testemunhas (Dt 17,6): do anúncio e também do julgamento de condenação em caso de rejeição. Vão revestidos de poder para ampliar ou prolongar a atividade de Jesus, ou seja, pregar, curar e expulsar demônios.

A missão tem função histórica, durante a vida de Jesus. Mais tarde se oferece como exemplo da condição missionária da Igreja e de alguns membros em particular.

O estilo desses missionários pode estar condicionado historicamente nos detalhes (corrigidos em Mt e Lc); mantém sua validade na substância: simplicidade e desapego. Nada que tenha sabor de interesse e possa desacreditar a mensagem. A boa notícia não chega a cavalo da riqueza.

Não devem levar dinheiro nem provisões de reserva, porque viverão da diária e da hospitalidade generosa. Podem levar o bastão de andarilho (cf. Gn 32,11). Duas túnicas eram consideradas luxo. Na perspectiva da comunidade e de Marcos, o texto combina dois aspectos da mensagem: desapego dos missionários, apoio das comunidades, subordinados naturalmente à missão e poderes recebidos de Jesus.

6,11 Trata-se de uma ação simbólica que toma o pó como sinal (2Rs 5,17): nada do território culpado se apegue aos pregadores. A boa notícia se converte em juízo e condenação de quantos a recusam (At 13,51).

6,13 A unção pode ser remédio terapêutico (Lc 10,34) e também símbolo da cura (Tg 5,14).

6,14-16 Quem é este?, perguntavam os discípulos (4,41); e o povo fazia a mesma pergunta. Era preciso identificar o mestre cativador e taumaturgo generoso. Para os familiares era simplesmente seu conterrâneo, artesão iletrado, cujos familiares moravam em Nazaré. Algumas autoridades o consideraram blasfemador e agente de Satanás. Para outros era o profeta Elias, cuja volta fora anunciada

– João, a quem fiz degolar, ressuscitou. ¹⁷Herodes tinha mandado prender João e o mantinha encarcerado por instigação de Herodíades, esposa de seu irmão Filipe, com a qual casara. ¹⁸João dizia a Herodes que não era lícito ter a mulher do próprio irmão. ¹⁹Herodíades tinha rancor dele e queria matá-lo, mas não conseguia, ²⁰porque Herodes respeitava João, sabendo que era homem honrado e santo, protegia-o, fazia muitas coisas aconselhado por ele e o ouvia com prazer. ²¹A oportunidade chegou quando, no seu aniversário, Herodes ofereceu um banquete a seus magnatas, seus comandantes e às grandes personalidades da Galileia. ²²A filha de Herodíades entrou, dançou e agradou a Herodes e aos convidados. O rei disse à jovem:

– Pede-me o que quiseres, e eu te darei. ²³E jurou:

– Ainda que me peças a metade do meu reino, eu te darei.

²⁴Ela saiu e perguntou à sua mãe:

– O que lhe peço?

Respondeu-lhe:

– A cabeça de João Batista.

²⁵Entrou logo, aproximou-se do rei e lhe pediu:

– Quero que me dês imediatamente numa bandeja a cabeça de João Batista.

²⁶O rei se entristeceu; mas, por causa do juramento e dos convidados, não quis decepcioná-la. ²⁷E mandou imediatamente um guarda com ordem de trazer a cabeça. Este foi, degolou-o na prisão, ²⁸levou numa bandeja a cabeça e a entregou à jovem; ela a entregou à sua mãe. ²⁹Seus discípulos, ao tomar conhecimento, foram recolher o cadáver e o depuseram num sepulcro.

Dá de comer a cinco mil (Mt 14,13-21; Lc 9,10-17; Jo 6,1-14) – ³⁰Os apóstolos se reuniram com Jesus e lhe contaram tudo o que haviam feito e ensinado. ³¹Ele lhes diz:

(Ml 3,23-24; Eclo 48,10-11). Outros o consideravam um profeta como os de outra época, ou talvez como o prometido por Moisés: "um profeta como eu... o Senhor suscitará para ti" (Dt 18,15). Porque há tempo a profecia havia cessado e se esperava que voltasse: "até que surgisse um profeta fidedigno" (1Mc 14,41). As notícias sobre a atividade de Jesus e os rumores do povo chegam aos ouvidos do rei, que também precisa identificar a surpreendente personagem. E propõe sua teoria. Ninguém o identifica como o Messias.

A tradição bíblica apresentara Elias como taumaturgo: se voltasse à terra, logicamente chegaria com poderes celestiais. Não tinha tal fama o Batista; portanto, os novos poderes teriam sido concedidos a ele na sua ressurreição e nova missão. O narrador aproveita o comentário de Herodes para narrar um fato precedente, em técnica retrospectiva.

6,17-29 Com grande maestria literária, Marcos nos conta o martírio do Batista. Começa descrevendo a situação na corte: a relação ilegítima de Herodes (Lv 18,16), a ascendência de João, sua admoestação franca (como a do profeta Natã a Davi, 2Sm 12), o rancor passional de Herodíades. Bons ingredientes para um drama. No fundo, podemos escutar o drama do fraco rei Acab, a consorte Jezabel que o incita ao crime e o profeta Elias perseguido de morte (modelo do Batista, 1Rs 18-19). Marcos segue a técnica narrativa bíblica: reprime suas emoções, como se narrasse a frio, e deixa que os fatos comovam o leitor. Muitos escritores e músicos exploraram o potencial dramático desse relato.

6,20 Respeitava: ou temia. Talvez um temor reverencial por sua condição "sagrada". Compare-se com a atitude do rei de Israel diante do profeta (1Rs 22,8 e contexto).

6,21-23 Celebra-se o aniversário do rei, em clima de festa. É a ocasião de fazer benefícios e conceder perdão. A princesa faz o papel de bailarina (cf. Ct 7,1-7) num solo de exibição oferecido a um público masculino. O aplauso é geral, e o rei, numa demonstração de esplendidez, promete dar-lhe quanto pedir, e o jura com uma fórmula hiperbólica (Est 5,3.6; 7,2).

6,24 A expressão "pedir a cabeça de N" tornou-se proverbial.

6,25-27 Herodíades aproveita a ocasião propícia. O inesperado pedido da princesa coloca o rei numa posição comprometida: dividido entre sua estima pelo Batista e o juramento pronunciado diante dos convidados. O pedido invalida sem mais o juramento. Um juramento não pode justificar um crime de assassinato. Mas o rei cede à sensualidade e aos compromissos de corte. A festa tem um final macabro. O quadro denuncia sem afetação a imoralidade e corrupção dos dirigentes.

6,28-29 A moça levando a bandeja com a cabeça cortada tem acendido a fantasia de leitores e artistas e convertido João e Salomé em figuras arquetípicas. Mas João está prefigurando antes de tudo a morte de Jesus e também sua sepultura. Uma cena semelhante, embora de signo contrário, é Judite levando e mostrando a cabeça de Holofernes.

6,29 Ver 1Sm 31,11-13.

6,30-33 Depois da interrupção retrospectiva sobre o Batista, continua o relato com o regresso dos apóstolos da sua missão. Também essa cena tem clara intenção eclesial para as comunidades cristãs. Os apóstolos prestam contas da sua atividade (cf. At 11,1-18; 14,27-28), Jesus os convida à solidão e ao descanso. Pela sequência de informações, dá-nos a impressão de que a afluência se deve à atividade missionária dos enviados. A partir daqui até 8,26 assistiremos aos movimentos correlativos de Jesus: generosamente unido a seus discípulos, distancia-se dos guias do povo e abre sua atividade aos pagãos. É um esquema eclesial.

– Vinde vós, sozinhos, a um lugar despovoado, para descansar um pouco. Pois os que iam e vinham era tantos, que não tinham tempo nem para comer. ³²E assim foram sozinhos de barca a um lugar despovoado. ³³Mas muitos os viram partir, e se deram conta. De todos os povoados foram correndo a pé até lá, e chegaram antes deles. ³⁴Ao desembarcar, viu uma grande multidão, e sentiu pena, porque eram como ovelhas sem pastor. E se pôs a ensinar-lhes muitas coisas. ³⁵Como se tornasse tarde, os discípulos foram dizer-lhe:

– O lugar é despovoado e a hora avança-da; ³⁶despede-os, para que vão aos campos e às aldeias dos arredores para comprar o que comer.

³⁷Ele lhes respondeu:

– Dai-lhes vós de comer.

Replicaram:

– Devemos ir comprar duzentos denários de pão para dar-lhes de comer?

³⁸Respondeu-lhes:

– Quantos pães tendes? Ide ver.

Averiguaram e lhe disseram:

– Cinco, e dois peixes.

³⁹Ordenou que os fizessem sentar em grupos sobre a grama verde. ⁴⁰Sentaram-se em grupos de cem e de cinquenta. ⁴¹Tomou os cinco pães e os dois peixes, levantou os olhos ao céu, deu graças e partiu os pães e os foi dando aos discípulos para que os servissem; e repartiu os peixes entre todos. ⁴²Todos comeram e ficaram satisfeitos. ⁴³Recolheram as sobras dos pães e dos peixes e encheram doze cestos. ⁴⁴Os que comeram eram cinco mil homens.

Caminha sobre a água (Mt 14,22-33; Jo 6,15-21) – ⁴⁵Em seguida, obrigou seus discípulos a embarcar e ir adiante, à outra margem, para Betsaida, enquanto ele despedia a multidão. ⁴⁶Depois de despedir-se, subiu ao monte para orar. ⁴⁷Anoitecia, e a barca estava no meio do lago, e ele

---

6,34 Mesmo no despovoado, as multidões que não encontram guias autênticos o seguem. O ofício de pastor é feito de cuidado e compaixão: "Que a comunidade do Senhor não fique como rebanho sem pastor" (Nm 27,17; 1Rs 22,17; Zc 10,2).

6,35-44 O milagre comumente chamado de "multiplicação dos pães", ou a refeição milagrosa, está nos quatro evangelhos, por. duplicado e com função complementar em Mt e Mc. Neste evangelho é a terceira refeição (precedem 1,31 e 2,15-17); é a última refeição na Galileia, como banquete festivo de uma comunidade em formação. A refeição tem algo de sacramental, apesar da falta de vinho nesse banquete. Temos de enquadrar o relato presente entre os antecedentes do AT e o consequente do NT, ou seja, da prática eclesial.

No AT temos de considerar: O pastor que dá descanso e comida às ovelhas (Sl 23), sugerido no contexto de Mc. A comida do maná no deserto (Ex 16 par.): não usado aqui, apontado em Mc 8,1-9 (explorado em Jo 6). Os milagres de alimento de Elias e Eliseu (1Rs 17; 2Rs 4,1-7); de maneira especial 2Rs 4,42-44, que serve quase de guia ao relato de Marcos; só que Jesus faz muito mais.

No NT contamos com a eucaristia, que fornece algumas fórmulas ao relato (v. 41) e o leva a outro plano de sentido transcendental. Marcos redige um texto breve e essencial, com traços realistas e alusões veladas.

6,35-38 O diálogo de Jesus com os discípulos serve para marcar o contraste: a visão empírica e calculadora deles frente à soberania pródiga do Mestre. Duzentos denários não é muito para cinco mil (um paga cada vinte e cinco), é o bastante para quem deve desembolsá-lo (o salário de duzentos dias). Os peixes do lago acompanham o pão numa refeição modesta.

6,39-44 A distribuição recorda a ordem do acampamento de Israel no deserto (Ex 18,21.25). "Sentar" é posição de convidados a um banquete, e "grama verde" pode aludir às "verdes pastagens" do Sl 23,2.

6,41 O gesto de olhar para o céu equivale a invocação e súplica, a bênção consagra o pão, infunde-lhe uma espécie de vitalidade e fecundidade, o partir serve ao repartir.

Ao comprovar o fato milagroso, pelo número de comensais, porque todos ficam satisfeitos e pelo que sobra (mais do que havia no princípio), revela-se a generosidade de Deus por meio de Jesus: "Ele dá alimento a todo vivente" (Sl 136,25); "...que lhes dês sustento a seu tempo" (Sl 104,27). Os doze cestos podem aludir às doze tribos, a todo Israel. A capacidade do homem nunca esgota o dom de Deus.

O episódio é uma epifania de Jesus: poderíamos chamá-lo de cristofania. Como em outras do AT, Moisés e Elias, o realismo cede lugar ao mistério, velado e sugerido com alusões simbólicas.

6,45-52 Sob pretexto de despedir o povo, Jesus "obriga" seus discípulos a embarcar e zarpar. Coloca-os no mar e aí os deixa a sós, a noite toda até a aurora, enquanto ele fica sozinho no monte do encontro com Deus para orar (como Moisés e Elias): a oração faz parte da sua missão, pode preparar um acontecimento especialmente importante. Moisés e Elias assistiram a uma teofania, Jesus fará sua manifestação, em ação e palavra: cristofania. Os discípulos têm que experimentar a oposição dos elementos, água e vento, e mais ainda a ausência do Senhor: "o Senhor não estava no vento" (1Rs 19,11).

Quando se aproxima a aurora, hora do auxílio divino (Ex 14,24.27; 2Rs 19,35; Sl 90,14), Jesus "caminha sobre a água": "caminha sobre o dorso do mar" (Jó 9,8); "teu caminho pelo mar... e não ficava rastro de tuas pegadas" (Sl 77,20). Mas segue adiante, oferecendo

sozinho na costa. ⁴⁸Vendo-os cansados de remar, porque tinham vento contrário, pela quarta vigília da noite aproxima-se deles caminhando sobre a água, tentando ultrapassá-los. ⁴⁹Ao vê-lo caminhar sobre o lago, creram que fosse um fantasma, e deram um grito. ⁵⁰Pois todos o viram e se espantaram. Ele, porém, imediatamente lhes falou e disse:

– Ânimo! Sou eu, não temais.

⁵¹Subiu à barca com eles, e o vento cessou. Eles não cabiam em si de espanto, ⁵²porque não haviam entendido nada a respeito dos pães, pois tinham a mente obcecada.

Curas em Genesaré (Mt 14,34-36) – ⁵³Terminada a travessia, alcançaram terra em Genesaré e atracaram. ⁵⁴Quando desembarcaram, o reconheceram. ⁵⁵Percorrendo toda a região, foram levando a ele em macas todos os doentes, onde ouviam que se encontrasse. ⁵⁶Em qualquer aldeia ou cidade ou campo aonde ia, colocavam os enfermos na praça e lhe rogavam que os deixasse tocar ao menos a orla do manto. E os que o tocavam ficavam curados.

7 A tradição (Mt 15,1-20) – ¹Reuniram-se junto a ele os fariseus e alguns letrados vindos de Jerusalém. ²Viram que alguns de seus discípulos tomavam alimentos com mãos impuras, isto é, sem lavá-las. ³(Sabe-se que os fariseus e os judeus em geral não comem sem antes lavar as mãos esfregando-as, seguindo a tradição dos anciãos; ⁴quando voltam do mercado, não comem sem antes lavar-se; e observam muitas outras regras tradicionais, lavagem de taças, jarras e panelas.) ⁵De modo que os fariseus e letrados lhe perguntaram:

---

as costas ao olhar (Ex 33,21-23; 1Rs 19,11). Eles estão cegos e não são capazes de reconhecê-lo; só sentem pavor ante o inexplicável. Têm de passar por essa última experiência antes da revelação em palavras. Jesus se identifica, "Sou eu" – é a clássica frase da autoapresentação de Deus *Yhwh* (Ex 3,14; Dt 32,39; Is 41,4; 43,10). E pronuncia a clássica frase de salvação: "não temais". Apesar dessa manifestação e da precedente dos pães, os discípulos continuam sem entender (cf. Sl 28,5; Jó 23,8). Só depois da ressurreição entenderão. Como os israelitas em Moab: "Mas o Senhor não vos deu inteligência para entender até hoje" (Dt 29,3). Porém Marcos, que ilumina com luz pascal a ação de Jesus, não a concede aos discípulos na conjuntura do relato. Em todo o seu evangelho sublinha antes a incompreensão humana.

6,48 A noite dividida em quatro turnos de vigília ao estilo romano.

6,53-56 Novo sumário (como 3,7-12), com o detalhe novo das macas e da orla do manto. O manto de um profeta pode ser sinal de sua profissão (2Rs 2,13).

7,1-23 Esse é um capítulo central do presente evangelho, no qual a controvérsia já em ato (2,23-28; 3,1-6) cristaliza-se em declarações de princípio. Oferece ocasião o escândalo de uns fariseus ao verem que os discípulos omitem uma observância. A reação de Jesus se dá em três fases: discussão polêmica com os rivais (5-13), instrução ao povo (14-16), instrução aos discípulos (17-23). O texto, apesar de refletir tensões entre o judaísmo e o cristianismo já na época em que é escrito, contém ensinamentos capitais sobre o fundamento da moral cristã.

7,1-13 Os que se reúnem são membros do grupo ou partido farisaico e, com eles ou entre eles, alguns letrados ou doutores, intérpretes oficiais da lei. Vêm de Jerusalém, onde o partido fariseu é mais forte e com a auréola e autoridade que a capital acrescenta (o texto grego não diz claramente se todos vêm de Jerusalém). Os doutores preservam a doutrina, os fariseus promovem a prática, não só da lei de Moisés, mas especialmente da muralha de observâncias que a concretizam e defendem.

É uma norma fundamental: "Santificai-vos e sede santos, porque eu, o Senhor vosso Deus, sou santo" (Lv 20,7; 19,1). Essa consagração funda a identidade do povo. Com o louvável propósito de formar um povo observante da lei e santo ou consagrado ao Senhor (como os sacerdotes dedicados ao culto), os dirigentes fariseus tinham acumulado prescrições vinculantes. As consequências perniciosas das observâncias acumuladas eram várias: impunham ao povo uma carga insuportável na vida cotidiana, apelando ilegitimamente para a vontade de Deus; em alguns casos a interpretação anulava o sentido da lei; favorecia uma religião ritualista e externa; favorecia o orgulho dos observantes que desprezavam os demais (Jo 7,49). O movimento farisaico era uma realidade perigosa para os cristãos no tempo de Marcos. Mas os aqui descritos continuam sendo um tipo que pode afetar qualquer pessoa sinceramente religiosa. Não seria justo condená-los e imitá-los: "ao julgar o outro, te condenas, porque tu, que julgas, cometes as mesmas coisas" (Rm 2,1).

Entre as muitas observâncias, algumas se referem a lavatórios e abluções; são cotidianas e dão na vista, e os doutores lhes atribuíam grande importância (cf. Jt 12,8-9). Baseiam-se em leis cultuais, sacerdotais (Ex 40; Lv 15; Nm 19), que os fariseus levam ao extremo e tentam impor ao povo todo. Ex 40,12 refere-se ao banho ritual dos sacerdotes; 40,31-32 inclui Moisés e prescreve abluções de pés e mãos antes de aceder à tenda do encontro ou ao altar. Lv 15 enumera coisas que contaminam e prescreve banhos de purificação. Nm 19 legisla sobre águas lustrais e purificações. Não se trata de higiene sem mais, e sim de pureza ritual.

7,5 Não apelam a Moisés e à *torá*, mas à "tradição dos anciãos".

– Por que teus discípulos não seguem a tradição dos anciãos, mas comem com mãos impuras?

⁶Respondeu-lhes:

– Quão bem profetizou Isaías sobre vossa hipocrisia quando escreveu: *Este povo me honra com os lábios, mas seu coração está longe de mim;* ⁷*o culto que me prestam é inútil, pois a doutrina que ensinam são preceitos humanos.* ⁸Descuidais o mandato de Deus e mantendes a tradição dos homens.

⁹E acrescentou:

– Quanto desprezais o mandamento de Deus para observar vossa tradição. ¹⁰Pois Moisés disse: *Sustenta teu pai e tua mãe,* e também: *quem abandona seu pai ou sua mãe é réu de morte.* ¹¹Vós, ao contrário, dizeis: Se alguém declara a seu pai ou sua mãe que o socorro que lhe devia é *corban* (isto é, oferenda sagrada), ¹²não lhe deixais que faça nada por seu pai ou sua mãe. ¹³E assim invalidais o preceito de Deus em nome de vossa tradição. E como estas, fazeis muitas outras coisas.

¹⁴Chamando de novo a multidão, dizia-lhes:

– Escutai todos e compreendei. ¹⁵Não há nada fora do homem que, ao entrar nele, possa contaminá-lo. O que sai do homem é que contamina o homem*.

¹⁷Quando se afastou da multidão e entrou em casa, os discípulos lhe perguntaram o sentido da comparação. ¹⁸E ele lhes diz:

– Também vós continuais sem entender? Não compreendeis que o que entra no homem, vindo de fora, não pode contaminá-lo, ¹⁹porque não lhe entra no coração, mas no ventre e depois é expulso na latrina?

(Com isso declarava puros todos os alimentos.) ²⁰E acrescentava:

– O que sai do homem é o que contamina o homem. ²¹De dentro, do coração do homem, saem os maus pensamentos, fornicação, roubos, assassinatos, ²²adultérios, cobiça, malícia, fraude, devassidão, inveja, calúnia, arrogância, desatino. ²³Todas essas maldades saem de dentro e contaminam o homem.

A mulher cananeia (Mt 15,21-28) – ²⁴Saindo daí, dirigiu-se ao território de Tiro.

Entrou numa casa com intenção de passar despercebido, porém não conseguiu ocultar-se. ²⁵Uma mulher, que tinha sua filha possuída por um espírito imundo, inteirou-se de sua chegada, acorreu e se prostrou a seus pés.

²⁶A mulher era pagã, natural da Fenícia síria. Pedia-lhe que expulsasse de sua filha o demônio. ²⁷Respondeu-lhe:

– Deixa que se saciem primeiro os filhos. Não fica bem tirar o pão dos filhos para jogá-lo aos cachorrinhos.

²⁸Ela replicou:

– Senhor, também os cachorrinhos debaixo da mesa comem as migalhas das crianças.

7,6-8 A primeira réplica brande a profecia contra a suposta prescrição. O texto de Isaías (29,13) denuncia duas coisas: o desacordo entre o interior e o exterior, coração e lábios; o preferir os preceitos humanos aos divinos. O primeiro ponto define a hipocrisia objetiva (nem sempre consciente e pretendida); *hypokrités* é o ator teatral). O segundo ponto é o decisivo na controvérsia.

7,9-13 A segunda réplica é *ad hominem*. O exemplo escolhido serve bem para os que vieram de Jerusalém. Refere-se aos preceitos de Ex 20,12 e 21,17, nos quais a antítese *kbd/qll* abrange o campo da honra (preferido por Eclo 3,1-16 e na nossa formulação corrente, "honrar pai e mãe") e o campo econômico, preferido aqui. Em nome do culto, abandonam e não sustentam os pais necessitados. Deus não precisa desses dons, os pais sim. Veja-se também Pr 20,20.

7,15 * Alguns manuscritos inserem aqui: ¹⁶*Quem tem ouvidos ouça.*

7,14-23 Já não se trata de interpretação e observância, mas da própria lei, ou seja, dos tabus alimentares rituais (Lv 11; Dt 14). Na *torá* Deus diz: "Separai o puro do impuro" (Lv 10,10) e: "Separai também vós os animais puros dos impuros... e não vos contamineis com animais, aves ou répteis que eu separei como impuros. Sede santos para mim, porque eu, o Senhor, sou santo..." (20,25-26). O que Jesus diz equivale à abolição formal dessa lei (v. 20).

7,17-23 O que se segue é, para os discípulos, um comentário ao novo princípio. A expressão "o que sai do homem" pode soar com duplo sentido (excremento, cf. Dt 23,13-15), o que induz à explicação do v. 19. O coração, a consciência livre, é a fonte da vida moral. A lista de doze pecados, embora seletiva, quer abranger os principais campos ou os mais frequentes; alguns pertencem ao decálogo. Compreender isso é difícil para os discípulos e também para os chefes da igreja primitiva (At 10).

7,24-30 É significativo que, depois de romper com as tradições, Jesus se dirija a território pagão. A Galileia confina ao norte com a Fenícia. Como que afastando-se da multidão, buscando ocultação; na realidade, para oferecer aos pagãos seu poder e bondade sem fronteiras. Em outra chave, está refazendo a viagem do profeta Elias à Fenícia (1Rs 17). À luz do resultado vê-se que a ocultação serve para

²⁹Disse-lhe:

– Por causa do que disseste, vai, que o demônio saiu de tua filha.

³⁰Ela voltou para casa, e encontrou a filha deitada na cama; o demônio havia saído.

O surdo-mudo – ³¹Depois, saiu do território de Tiro, passou por Sidônia, e se dirigiu ao lago da Galileia, atravessando os montes da Decápole. ³²Levaram-lhe um homem surdo e gago e lhe suplicavam que impusesse a mão. ³³Tomou-o, afastou-o da multidão e, sozinho, pôs-lhe os dedos nos ouvidos; depois tocou-lhe a língua com saliva; ³⁴levantou os olhos ao céu, gemeu e lhe disse:

– *Effatha* (que significa abre-te).

³⁵Imediatamente se lhe abriram os ouvidos, soltou-se-lhe o impedimento da língua e falava normalmente. ³⁶Mandou-lhes que não contassem a ninguém; mas, quanto mais o mandava, mais o anunciavam. ³⁷Estavam estupefactos e comentavam: Fez tudo bem: faz ouvir os surdos e falar os mudos.

8 Dá de comer a quatro mil (Mt 15,32-39) –

¹Nessa ocasião reuniu-se outra vez muita gente e não tinham o que comer. Chama os discípulos e lhes diz:

– ²Tenho compaixão dessa multidão, pois faz três dias que estão comigo e não têm o que comer. ³Se os despeço em jejum para casa, desfalecerão no caminho; e alguns vieram de longe.

⁴Os discípulos lhe responderam:

– Aqui, no despovoado, onde alguém encontrará pão para alimentá-los?

⁵Pergunta-lhes:

– Quantos pães tendes?

Responderam:

– Sete.

⁶Ordenou à multidão que sentasse no chão. Tomou os sete pães, deu graças, partiu-os e os deu aos discípulos para que os servissem. E serviram à multidão. ⁷Tinham também uns poucos peixes. Deu graças e mandou que os servissem. ⁸Comeram até ficar satisfeitos, e recolheram as sobras em sete cestos. ⁹Eram uns quatro mil. Despediu-os ¹⁰e em seguida embarcou com os discípulos, e se dirigiu ao território de Dalmanuta.

O sinal no céu (Mt 16,1-4) – ¹¹Os fariseus saíram e se puseram a discutir com ele,

---

dar relevo à irradiação e à distância dos pagãos, "cachorrinhos", para mostrar que Jesus não é monopólio de Israel, "os filhos". É certo que Elias proveu de sustento a mulher fenícia enquanto seus concidadãos de Israel passavam fome; depois ressuscitou o filho da viúva (1Rs 17,9-24). Quem deu de comer a cinco mil homens não terá pão também para uma pagã infeliz? O relato supõe que a fama de Jesus tenha ultrapassado as fronteiras (3,7). A preferência de Israel é cronológica e a riqueza do Messias não está circunscrita; a comunidade de Marcos já o experimenta. Por outro lado, observamos que o poder do demônio tampouco respeita fronteiras.

7,31-37 O itinerário que Marcos traça medianamente coloca Jesus outra vez no território pagão a leste do lago (5,1-20). Não explica quem são "eles" ou "o povo": judeus ou pagãos? O doente está incomunicável em grande parte. Ao surdo fala primeiro com gestos corporais, comprometendo o tato. O dedo transmite poder e é sinal dele (Ex 8,15); penetra e abre o ouvido (cf. Sl 40,7 texto hebraico); Os antigos atribuíam à saliva virtudes terapêuticas: a de Jesus é milagrosa. Erguendo os olhos ao céu indica "de onde vem o auxílio" (Sl 121,1 e 123,1); o gemido funciona como súplica (cf. Rm 8,26). Depois pronuncia o mandato peremptório que "abre" e "desata". Os presentes, assombradíssimos, prorrompem numa exclamação que recorda a ação criadora de Gn 1 e a profecia de Is 35,5-6. O Criador fez tudo bem; o Redentor restaura a bondade.

8,1-26 Esse bloco, antes da confissão de Pedro, repete aproximadamente e abreviando a sequência de 6,32-7,37. De acordo com a seguinte correspondência:
Dá de comer a 5000/4000 (6,32-44 e 8,1-9);
Cruza o lago (6,45-56 e 8,10);
Discussão com fariseus (7,1-23 e 8,11-13);
O tema do pão (7,24-30 e 8,14-21);
Cura de um mudo/cego (7,31-37 e 8,22-26).
Conteúdos e desenvolvimentos diferem bastante e se prestariam a um estudo comparativo.

8,1-10 Como em Mt, o milagre da comida se conta uma segunda vez. Segue-se uma viagem por mar a, a pouca distância, um diálogo sobre o significado do milagre. Mudam alguns detalhes, como os números; simplifica-se a cena. Início e impulso é a compaixão: "É hora de piedade, chegou o prazo" (Sl 102,14); "não passarão fome nem sede... porque os conduz aquele que se compadece deles" (Is 49,10).
Permanece o substancial: a comida abundante até ficarem satisfeitos e sobrar, a fórmula eucarística de bênção. Marcos faz o leitor imaginar que o fato acontece em território pagão, pois não indica mudança de localidade.
O milagre forma assim um tríptico junto com os dois precedentes: da menina endemoninhada e do surdo-mudo. (Não são migalhas o que é dado aos comensais da presente.) "Ele faz bem" também isto: dar de comer ao faminto: "cumulou de bens os famintos" (Sl 107,9; 146,7; Ne 9,15).
Ainda não se conseguiu localizar a misteriosa "Dalmanuta".

8,11-12 Os fariseus querem "comprovar" a missão de Jesus: profética, messiânica? Marcos não o diz. Como legitimação de sua atividade (talvez o narrador

pedindo, para tentá-lo, um sinal do céu. ¹²Suspirou profundamente e disse:

— Para que esta geração pede um sinal? Eu vos asseguro que não será dado um sinal para esta geração.

¹³Deixando-os, embarcou de novo e passou para a outra margem. ¹⁴Tinham-se esquecido de prover-se de pão, e levavam na barca só um pão. ¹⁵Ele lhes dava instruções:

— Atenção! Abstende-vos do fermento dos fariseus e do de Herodes.

¹⁶Discutiam entre si porque não tinham pão.

¹⁷Percebendo, Jesus lhes diz:

— Por que discutis que é por não terdes pão? Ainda não entendeis nem compreendeis? Tendes a mente embotada? ¹⁸*Tendes olhos e não vedes? Tendes ouvidos e não ouvis? Não vos lembrais?* ¹⁹Quando reparti os cinco pães entre os cinco mil, quantos cestos cheios de sobras recolhestes?

Respondem-lhe:

— Doze.

— ²⁰E quando reparti os sete entre quatro mil, quantos cestos de sobras recolhestes?

Respondem:

— Sete.

²¹Disse-lhes:

— Ainda não compreendeis?

O cego de Betsaida — ²²Quando chegaram a Betsaida, levaram-lhe um cego e pediram-lhe que o tocasse. ²³Tomando o cego pela mão, tirou-o da aldeia, ungiu-lhe com saliva os olhos, impôs-lhe as mãos e lhe perguntou:

— Vês algo?

²⁴Ele foi recobrando a visão e disse:

— Vejo homens. Vejo-os como árvores, mas caminhando.

²⁵Novamente impôs-lhe as mãos nos olhos. Olhou atentamente, ficou curado e distinguia tudo perfeitamente. ²⁶Jesus o enviou para casa e lhe disse:

— Não entres na aldeia!

Confissão de Pedro (Mt 16,13-20; Lc 9,18-21) — ²⁷Jesus empreendeu viagem com seus discípulos para as aldeias de Cesareia de Filipe. No caminho perguntava aos discípulos:

---

se refira a 7,19), pedem-lhe um sinal concedido por Deus (= céu, cf. a atitude do rei Acaz, Is 7,11 e o pedido de Gedeão, Jz 6,36-40).
O suspiro expressa a comoção interior. "Geração malvada e perversa... geração depravada, filhos desleais" (Dt 32,5.20). Com um juramento assegura que "não lhe será dado" (passivo teológico, o agente é Deus). Nas entrelinhas lemos que o motivo é a incredulidade. Para quem não quer crer, nenhum sinal vale.
8,13-21 "Povo néscio e sem juízo". Numa travessia do lago, Marcos coloca esse diálogo áspero e enigmático. Em plano superficial, está a preocupação dos discípulos por não terem levado provisões. A essa omissão pode responder o convite a confiar em Jesus, subindo a um plano superior. Mas essa não é a substância do diálogo, que não é instrução, mas aviso e repreensão dura, sem condescendência. O problema de fundo é a incredulidade, a incapacidade de compreender a revelação da pessoa e da missão de Jesus. Os discípulos são ainda como o povo que Jeremias e Ezequiel criticam (Jr 5,21; Ez 12,2). Esse é o fermento que corrompe (1Cor 5,7-8) e se contrapõe ao fermento do reinado de Deus (Mt 13,33). Fermento dos fariseus é a tradição humana de observâncias, fermento de Herodes é o poder sem moral. A imagem que Marcos apresenta é pessimista até o final. Foi talvez assim a atitude dominante dos discípulos durante a vida de Jesus: contemplam milagres e não veem sinais, ouvem palavras e não escutam a mensagem, "têm olhos para ver e não veem, têm ouvidos para ouvir e não ouvem, pois são casa rebelde" (Jr 5,21; Ez 12,2). Em semelhante atitude,

não se projeta ainda a luz da ressurreição. Mas Jesus fez um surdo ouvir e um cego ver.
8,22-26 A cura do cego é muito parecida, em estrutura e gestos, com a precedente do surdo-mudo. Com o mesmo afã de afastar-se e a comunicação pelo tato. Novo e único é o processo da cura em duas etapas. Não era cego de nascença, pois soube identificar as figuras como árvores. Com essa cura, completa a profecia de Is 35,5-6.
8,27-30 Em contraste com a cegueira e a incompreensão de antes, soa clara a confissão de Pedro, que se apresenta recortada pela reação violenta que se segue imediatamente. Por ora, é Pedro quem toma a palavra em nome de todos: indica-se seu lugar principal, mas não recebe um encargo específico (como em Mt 16).
Pode-se tomar a perícope como conclusão do que precede. Em tal caso, seria um final positivo antes de abordar a segunda parte do evangelho. Mas sua estreita união e articulação com os episódios que se seguem aconselham lê-lo como começo da segunda parte do evangelho e do bloco que termina com o cap. 10. Nele Jesus dedicará bastante espaço à instrução de seus discípulos. Como o evangelho começa com a figura do Batista anunciando aquele que há de vir, assim a segunda parte começa com a confissão do Messias anunciando o que há de vir. Ela servirá de fundo, bem sombrio, em direção à cruz. Como no batismo de Jesus o Pai pronunciava seu testemunho acerca do seu Filho, assim sucede na transfiguração, novo ponto de referência, que aponta para a ressurreição.

— Quem dizem os homens que eu sou?
²⁸Responderam-lhe:
— João Batista; outros, Elias; outros, um dos profetas.
²⁹Ele lhes perguntou:
— E vós, quem dizeis que eu sou?
Pedro respondeu:
— Tu és o Messias.
³⁰Então os admoestou para que a ninguém falassem disso.

Prediz a morte e ressurreição (Mt 16,21-28; Lc 9,22-27) – ³¹E começou a explicar-lhes que esse Homem devia padecer muito, ser reprovado pelos senadores, sumos sacerdotes e letrados, sofrer a morte e depois de três dias ressuscitar. ³²Falava-lhes com franqueza. Pedro o levou à parte e se pôs a intimá-lo. ³³Mas ele se voltou e, vendo os discípulos, diz a Pedro:

— Retira-te, Satanás! Pensas de modo humano, não segundo Deus.
³⁴E chamando a multidão com os discípulos, disse-lhes:
— Quem quiser seguir-me, negue a si mesmo, carregue sua cruz e me siga. ³⁵Quem se empenha em salvar a vida a perderá; quem perder a vida por mim e pela boa notícia a salvará. ³⁶Que aproveita ao homem ganhar o mundo inteiro às custas da própria vida? ³⁷Que preço pagará o homem por sua vida? ³⁸Se alguém se envergonhar de mim e de minhas palavras, diante desta geração adúltera e pecadora, o Filho do Homem se envergonhará dele quando vier com a glória de seu Pai e acompanhado de seus santos anjos.

9 ¹E lhes acrescentou:
— Eu vos asseguro que estão aqui presentes alguns que não sofrerão a morte

---

8,27 Essa Cesareia encontra-se ao norte, junto às fontes do Jordão, não muito distante de Betsaida. É a residência do tetrarca Filipe e proclama em seu novo nome uma homenagem ao imperador Tibério. Sugestivo cenário para a confissão messiânica. Jesus toma a iniciativa, primeiro com uma pergunta indireta, preparatória: a opinião do povo. A resposta já ouvimos (6,14-15). Então interpela os discípulos com uma pergunta que, desprendida do seu contexto imediato, se dirige a qualquer pessoa: "quem dizeis que eu sou?".

8,29-30 Que sentido Pedro dá ao título Messias no relato de Marcos? (Se nos vem à mente a versão de Mateus, seja para observar o que falta aqui.) Se o narrador cita a pergunta como iniciativa de Jesus, é que ele quer provocar a confissão formal. Se depois manda não divulgá-lo, é porque a confissão deve orientar apenas os discípulos, já que o povo haveria de desvirtuar seu sentido autêntico. O Messias é mais que qualquer profeta, pois todos os profetas e o Batista estão em função dele. Então, como entender a cegueira de Pedro e a duríssima repreensão de Jesus? Marcos não oferece uma sequência cronológica, mas uma visão teológica dominada pela polaridade, pelas tensões. Todo o seu evangelho tem esse caráter, com predomínio da incompreensão.

8,31-9,1 Três predições da paixão balizam o relato da viagem de Jesus para Jerusalém (8,31; 9,31; 10,32-34). Não tem que sofrer ele só, mas também todos os que quiserem segui-lo. As três predições introduzem instruções para a comunidade: sobre a abnegação, a humildade, contra a ambição.

8,31-33 Como em outras passagens, substitui o pronome pessoal de antes (27.29) pela expressão semítica que denota um indivíduo da espécie "homem" (*ben adam, bar 'enosh*) calcado no grego com *hyiós tou anthrópou*. Às vezes, em contextos escatológicos, a expressão se carrega com a ressonância de determinadas leituras de Dn 7,14. O Messias é homem e como homem padecerá. Na linguagem do anúncio parece ressoar o poema do Servo (Is 53).
O plano de Deus para o Messias conduz pela paixão à glória. O plano rival (*Satã* = rival) exclui a paixão e só aceita o triunfo do Messias. Pedro se coloca contra, com olhar e mentalidade "humanos", e se atreve a repreender Jesus; mas Jesus pensa "como Deus" e "repreende" Pedro. "Por meio dele triunfará o plano do Senhor" (Is 53,10). "Ser reprovado": cf. Sl 118,22-23.

8,34-38 Uma série de sentenças graves sobre o seguimento, dirigidas aos discípulos e ao povo que o escuta. É dessa forma que Marcos as propõe à comunidade cristã, também tentada de aceitar e venerar somente um Messias triunfante. O Pedro-Satã é uma admoestação para todos.

8,34 Negar-se é vencer o egoísmo. O condenado à crucifixão tinha de carregar a trave transversal da sua cruz, instrumento de sua execução, e percorrer assim o último trecho do caminho da vida (cf. 15,21). A imagem diz que o seguimento de Jesus é grave e exigente; mas diz também que é possível levar a própria cruz seguindo a Jesus.

8,35-36 O instinto de conservação a todo custo volta-se contra o homem. A vida sem sentido não se salva. Há valores superiores que dão sentido à vida: a pessoa de Jesus e o anúncio da sua mensagem.

8,37 Coloca a questão do ser e do possuir: "é tão caro o preço da vida, que não lhes bastará" (cf. Sl 49,7-10). "Vida" tem aqui um sentido inclusivo, pleno.

8,38 A última sentença projeta o seguimento até o julgamento da parusia. O destino final, ante esse Homem como juiz glorioso (Zc 14,5), decide-se pela atitude presente diante desse Homem humilhado. O adjetivo "adúltera" é tradicional: denota os que veneram outros deuses, violando a fidelidade devida ao Deus único e ciumento. Portanto, é a geração de Jesus que o rejeita e é qualquer outra geração.

9,1 Eco da expectativa da comunidade por uma parusia iminente: ver 1Ts 4,15-17. O reinado de Deus

antes de ver chegar o reinado de Deus com poder.

A transfiguração (Mt 17,1-13; Lc 9,28-36) – ²Seis dias depois, Jesus tomou Pedro, Tiago e João e os levou a uma elevada montanha. Na presença deles transfigurou-se: ³suas vestes se tornaram de uma brancura resplandecente como nenhum tintureiro deste mundo consegue alvejar. ⁴Apareceram-lhes Moisés e Elias falando com Jesus. ⁵Pedro tomou a palavra e disse a Jesus:

– Mestre, como se está bem aqui! Vamos armar três tendas: uma para ti, uma para Moisés e uma para Elias.

⁶(Não sabia o que dizia, pois estavam cheios de medo.) ⁷Veio uma nuvem e lhes fez sombra, e da nuvem saiu uma voz:

– Este é o meu Filho querido. Escutai-o.

⁸De repente olharam ao redor e viram Jesus sozinho com eles. ⁹Enquanto desciam da montanha, recomendou-lhes que não contassem a ninguém o que haviam visto, a não ser quando esse Homem ressuscitasse da morte. ¹⁰Eles observaram essa recomendação e discutiam o que significava ressuscitar da morte. ¹¹E lhe perguntavam:

– Por que os letrados dizem que primeiro deve vir Elias?

¹²Respondeu-lhes:

– Elias virá primeiro e restaurará tudo. Mas, por que está escrito que este Homem há de padecer muito e ser desprezado? ¹³Pois eu vos digo que Elias já veio e o trataram arbitrariamente, como estava escrito a respeito dele.

O menino epilético (Mt 17,14-20; Lc 9,37-43) – ¹⁴Quando voltaram aonde estavam os

---

já chegava em e com Jesus; mas ainda não chega "com poder", mas sim submetido à paixão (cf. Rm 1,4 que o vincula à ressurreição).

9,2-8 A transfiguração é um fato capital na vida de Jesus, um provisório desvelamento do mistério, para três testemunhas privilegiadas, uma antecipação da ressurreição. Sua narração insere-se entre duas predições da paixão. Os três sinóticos a registram, menciona-a enfaticamente 2Pd 1,16: "não nos guiávamos por fábulas engenhosas, mas tínhamos sido testemunhas de sua grandeza"; João alude à "glória" (Jo 1,14). Vários dados nos fazem olhar para Ex 24,9-18: o monte, os seis dias, os três acompanhantes, o esplendor, a visão, a nuvem. Era a descrição de uma teofania: "Viram o Deus de Israel... puderam contemplar a Deus... a glória do Senhor apareceu". Assim podemos apreciar as diferenças. É o próprio Jesus quem mostra sua glória, no esplendor das vestes (cf. Sl 104,2; Ap 3,5; 19,8). Moisés e Elias, aliança e profecia, tinham recebido revelações extraordinárias de Deus (Ex 34,5-7; 12; 1Rs 19,11-13). Agora se apresentam como testemunhas da glória de Jesus. O que para a velha instituição era futuro esperado, é agora presente que atrai o passado e centraliza a história. Porque para o futuro estão as três testemunhas, cheias de alegria e de surpresa.

9,2 A tradição situou a cena no monte Tabor. Teologicamente é o novo Horeb ou Sinai de Moisés e Elias. Transfigurou-se: ao verbo grego corresponde estritamente em português trans-formar. A importância da "forma" é mais bem compreendida a partir de Fl 2,7-8, que opõe à *morfe* de Deus a do escravo: "mostrando-se em figura humana, humilhou-se".

9,3 Brancura resplandecente: incomparável. Isaías comparava a neve à lã (Is 1,18).

9,4 Conta-se que Moisés conversava com Deus (Ex 33,9; 34,29; Nm 12,8). Elias fez isso brevemente na montanha (1Rs 19).

9,5-7 Tendas e nuvem parecem aludir ao acampamento no deserto, à tenda do encontro e à nuvem no caminho. Pedro queria perpetuar a experiência. Sobre a esperança escatológica da nuvem: "serão vistas a glória do Senhor e a nuvem que aparecia no tempo de Moisés" (2Mc 2,8).

9,7 O mais importante de tudo é o testemunho do Pai, que referenda o do batismo (1,11; cf. Jo 12,27-28). Trata da pessoa em quem se deve crer, e o ensinamento que é preciso cumprir.

9,9 Não devem contá-lo, porque não saberiam explicá-lo agora, nem o povo poderia entendê-lo. À luz plena da ressurreição, brilhará a luz provisória da transfiguração: "À tua luz vemos a luz" (Sl 36,10).

9,11-13 Dado que muitos judeus esperavam a ressurreição, o que os discípulos não entendem é concretamente a ressurreição anunciada do seu Mestre, implicando a morte. Assim surge a pergunta ou a objeção: Se Elias há de vir primeiro para pôr tudo em ordem (Ml 3,1.23; Eclo 48,10), que lugar resta para a paixão do Messias? – É que Elias já veio (o Batista) e o rejeitaram, como farão com o Messias. Jesus fala como intérprete autorizado da profecia. A carreira de Elias não foi triunfal, mas dolorosa: perseguido de morte, sentindo o tédio de semelhante vida e, finalmente, arrebatado por Deus.

9,14-29 Como no caso do endemoninhado de Gerasa (5,1-20), Marcos se deixa levar aqui por seu talento narrativo e compõe uma cena de grande vivacidade, a serviço de um ensinamento superior. Também um bom relato pode ser uma boa notícia. Além disso, situa-se após a transfiguração e entre anúncios da paixão. O Messias glorioso e paciente é também o Messias compassivo, que empregará seu poder para salvar a outros, não a si próprio. Jesus presta ajuda ao menino doente, à fé vacilante do pai, à ignorância dos discípulos. Vários detalhes conjugados convidam a localizar a cena na Galileia, perto de Cafarnaum.

9,14-16 A introdução é elíptica. Jesus com os três desceu da montanha e se aproxima do resto dos discípulos. Encontra-os discutindo com uns letrados ou doutores e cercados de gente que acorre surpresa

discípulos, viram grande multidão e alguns letrados discutindo com eles. ¹⁵Quando a multidão o viu, ficaram estupefactos e correram para saudá-lo. ¹⁶Ele lhes perguntou:

– Sobre o que estais discutindo?

¹⁷Alguém da multidão lhe respondeu:

– Mestre, eu te trouxe meu filho possuído por um espírito que o deixa mudo. ¹⁸Cada vez que o ataca, ele o atira ao chão; ele solta espuma, range os dentes e fica rijo. Disse aos teus discípulos que o expulsassem, mas não o conseguiram.

¹⁹Ele lhes respondeu:

– Que geração incrédula! Até quando terei de estar convosco? Até quando terei de suportar-vos? Trazei-o a mim.

²⁰Levaram-no; e, quando o espírito o viu, sacudiu-o, o rapaz caiu por terra e se revolvia espumando. ²¹Perguntou ao pai:

– Quanto tempo faz que lhe acontece isso?

Respondeu:

– Desde criança. ²²E muitas vezes o atirava na água ou no fogo para acabar com ele. Mas se podes alguma coisa, tem piedade de nós e ajuda-nos.

²³Jesus lhe respondeu:

– Se posso? Tudo é possível para quem crê.

²⁴Imediatamente o pai do menino gritou:

– Creio; socorre minha falta de fé.

²⁵Vendo Jesus que a multidão se aglomerava em torno deles, intimou o espírito imundo:

– Espírito surdo e mudo, eu te ordeno, sai dele e não voltes a entrar nele.

²⁶Dando um grito e sacudindo-o, saiu. O menino ficou como um cadáver, de modo que muitos diziam que estava morto. ²⁷Porém Jesus, tomando-o pela mão, levantou-o, e o menino se pôs de pé. ²⁸Quando Jesus entrou em casa, os discípulos lhe perguntaram em particular:

– Por que nós não conseguimos expulsá-lo?

²⁹Respondeu:

– Essa espécie só sai à força de oração.

Prediz de novo a morte e ressurreição (Mt 17,22-23; Lc 9,43-45) – ³⁰Daí foram percorrendo a Galileia, e ele não queria que ninguém o soubesse. ³¹Aos discípulos explicava:

– Este Homem vai ser entregue em mãos de homens, que o matarão; depois de morrer, ao final de três dias, ressuscitará.

³²Eles, embora não entendessem o assunto, não se atreviam a fazer-lhe perguntas.

Instrução comunitária (Mt 18,1-9; Lc 9,46-50; 17,1s) – ³³Chegaram a Cafarnaum e, já em casa, lhes perguntava:

---

e alvoroçada. Sobre o que discutem? Pode-se suspeitar que seja sobre alguma interpretação da lei ou sobre a pessoa e missão de Jesus; ou então sobre exorcismos, se as palavras do pai são a resposta à pergunta de Jesus. Pelo visto os discípulos ensaiaram um exorcismo, sem resultado, apesar de terem recebido poder sobre espíritos imundos (6,7).

9,17-18 A doença do menino é descrita primeiramente pelo pai e a seguir em ação. Os sintomas que descreve são típicos da epilepsia. O povo a atribuía à possessão diabólica. O pai recorria a Jesus e tropeçou na impotência dos discípulos (pode-se recordar o fracasso de Giezi, servo do profeta Eliseu, 2Rs 4,31).

9,19 Incrédula, porque busca só milagres e não chega a crer na pessoa (cf. Dt 32,5.20). Jesus tem de agir no meio da incompreensão, sem deixar-se vencer por ela.

9,20 O exorcismo é apresentado de forma dramática. Ao apresentar-se Jesus, o "espírito" provoca uma reação violenta e agrava os sintomas.

9,21-24 No diálogo com o pai, Marcos nos oferece um exemplo. O pai apela titubeante à compaixão: "se podes, tem piedade". Jesus responde apelando à fé como condição para curar-se. O pai pede mais fé. A fé é consciente de seu desamparo e de seu dinamismo, e procura apoio em Jesus. Uma série de detalhes ressalta a grandeza do milagre, como a duração da doença, seus efeitos aterradores, a resistência.

9,22 Perigos clássicos que representam a totalidade (Is 43,2).

9,25-26 O exorcismo de Jesus consiste numa ordem soberana, eficaz e duradoura. O povo, ao ver o menino "como morto", duvida: Quem vence no exorcismo, o demônio ou Jesus, a morte ou a vida? Porém Jesus acrescenta à palavra um gesto; o toque de sua mão que ergue, como se ressuscitasse um morto. Repete os gestos com que ressuscitou a filha de Jairo (5,41-42).

É preciso refletir sobre a reação dos diversos personagens. O poder soberano de Jesus, "eu te ordeno" (em nome próprio), a fé trabalhosa do pai, o estupor e a incompreensão do povo, a frustração dos discípulos. Um milagre de Jesus é uma pedra que move as águas e provoca um movimento.

9,29 Entende-se a oração com fé e por mais fé. (Alguns manuscritos acrescentam "e jejum", como prática que acompanha a oração.)

9,31-32 O grego emprega o perfeito, "ficou entregue", como se fosse um fato aceito por Jesus, incompreensível para os discípulos (cf. Dt 29,3).

9,33-50 Marcos reúne numa instrução uma série de sentenças de Jesus, conservadas e transmitidas pela tradição e unidas por conexões temáticas ou verbais: "em atenção a/em meu nome" (37.38.39.41) e "escandalizar/fazer cair" (42.43.45.47). Predomina

— Sobre o que discutíeis no caminho? ³⁴Ficaram calados, pois no caminho iam discutindo sobre quem era o maior. ³⁵Ele sentou, chamou os doze e lhes disse:

— Se alguém deseja ser o primeiro, seja o último e servidor de todos.

³⁶Depois chamou uma criança, colocou-a no meio deles, acariciou-a e lhes disse:

— ³⁷Quem acolher uma destas crianças em atenção a mim, a mim acolhe. Quem acolhe a mim, não é a mim que acolhe, mas sim àquele que me enviou.

³⁸João lhe disse:

— Mestre, vimos alguém que expulsava demônios em teu nome, e o impedimos, pois não anda conosco.

³⁹Jesus respondeu:

— Não o impeçais. Alguém que faça um milagre em meu nome não pode em seguida falar mal de mim. ⁴⁰Quem não está contra nós, está a nosso favor. ⁴¹Quem vos der de beber um copo de água por serdes cristãos, eu vos asseguro que não perderá sua recompensa. ⁴²Se alguém escandalizar um desses pequenos que creem, seria melhor que lhe pusessem uma pedra de moinho ao pescoço e o atirassem ao mar. ⁴³Se tua mão te faz cair, corta-a. É melhor entrar na vida com uma só mão, do que com as duas ir parar no forno, no fogo inextinguível*. ⁴⁵Se teu pé te faz cair, corta-o. É melhor entrar coxo na vida, do que com os dois pés ser lançado no forno. ⁴⁷Se teu olho te faz cair, arranca-o. É melhor para ti entrar zarolho no reino de Deus, do que com os dois olhos ser lançado no forno, ⁴⁸onde o verme não morre e o fogo não se apaga. ⁴⁹Todos serão temperados no fogo. ⁵⁰O sal é bom; mas se o sal se torna insosso, com que o temperarão? Tende sal e vivei em paz com outros.

10 Sobre o divórcio (Mt 19,1-12) –

¹Daí se dirigiu ao território da Ju-

---

o tema da humildade, ou seja, a dignidade e a grandeza do pequeno. O narrador coloca no discurso uma moldura: o cenário, na casa de Cafarnaum, a casa é como uma escola de apóstolos; e a pergunta aos discípulos como ocasião. Naturalmente, uma moldura intencionada: os discípulos continuam sem compreender a mensagem de Jesus e o seguem com a bagagem de seus critérios humanos. A instrução é dirigida à comunidade cristã, também em suas relações para fora (41).

9,34 Se não se atrevem a responder é porque se envergonham diante de Jesus por causa da conversa. A confissão de Pedro (8,29) e o tratamento especial com os três (9,2) valeriam como ocasião.

9,35 Provérbio de formulação paradoxal: o último será preferido (cf. Mt 20,8; Lc 13,30). Seria contradizê-lo submeter-se ao último lugar com a finalidade de alcançar o primeiro. A adição do serviço é um princípio capital para a comunidade cristã.

9,36-37 O menino serve como exemplo de último, a quem Jesus dedica a sua preferência (compare-se com Mt 25,35). Ademais, o menino pode representar Jesus, como Jesus representa o Pai. A título de ilustração, veja-se a imagem de Is 66,12: "Vos levarão nos braços, e sobre os joelhos vos acariciarão".

9,38-40 A intervenção de João é recurso narrativo, que se une à cena precedente. Podia tratar-se de exorcistas profissionais (At 19,13-14) que, ao verem o êxito de Jesus, põem o nome dele nos conjuros. O provérbio final prega a tolerância: o nome de Jesus não é monopólio da comunidade (1Cor 12,3). Deve ser lido com seu complemento de Mt 12,30, observando a diferença "conosco/comigo". Um bom antecedente encontra-se nos dois que recebem espírito fora da cerimônia, na reação ciumenta de Josué e a resposta magnânima de Moisés (Nm 11,26-29). Ver também a atitude generosa de Paulo conforme Fl 1,15-18.

9,41 Ligação verbal, "em nome de, em atenção a". Ligação temática, a motivação. "Cristãos" = de Cristo (1Cor 3,23); é lógico concluir que os que fazem tal favor não são cristãos. A expressão é hiperbólica, mesmo levando em conta o valor da água nessa região.

9,42-48 Escândalo é algo que faz tropeçar e cair. O assunto é a fé. É agravante o fato de as vítimas serem "os pequenos que creem". Isso explica a gravidade da pena. Mas o tropeço pode proceder da própria pessoa: de órgãos em si bons que se pervertem pelo objeto ou pela inclinação do homem. O olho que olha cobiçando, a mão que pega o proibido (Gn 3,6), o pé que anda no mau caminho. O extremo do castigo e das mutilações preventivas serve para inculcar a gravidade de perder a fé ou de induzir outra pessoa a fazer o mesmo. O forno é a Geena onde se ofereciam sacrifícios humanos (Jr 7,32; 19,6). Acrescenta uma citação de Is 66,24, que não muda de sentido ao ser citada. Fala de cadáveres lançados a uma fossa, onde apodrecem comidos por vermes, ou são incinerados até consumir-se. O verme não morre, o fogo não se apaga antes de concluir sua tarefa aniquiladora.

9,43 * Os vv. 44 e 46 são repetição do 48.

9,49-50 Ligação verbal, "o fogo". O provérbio é enigmático: alude a práticas cultuais? (Lv 2,13-16; Ez 43,24). É o fogo a prova que conserva (como na salmoura) aquele que resiste? Quem supera a prova do fogo não será arremessado ao forno.

Ligação verbal, "o sal". Explica-se bem à luz de Mt 5,13, sobre os discípulos como sal da terra. O sal era empregado em alianças; partilhar o sal era sinal de amizade.

10,1-11,45 Antes da entrada em Jerusalém, Marcos propõe quatro instruções básicas destinadas às comunidades cristãs que vivem no meio do mundo. As

deia, do outro lado do Jordão. Novamente o povo acorreu a ele e, segundo seu costume, os ensinava. ²Aproximaram-se alguns fariseus e, para pô-lo à prova, lhe perguntaram:

— Pode um homem repudiar sua mulher?

³Respondeu-lhes:

— Que vos mandou Moisés?

⁴Responderam:

— Moisés permitiu escrever a ata de divórcio e repudiá-la.

⁵Jesus lhes disse:

— Porque sois obstinados, Moisés escreveu semelhante preceito. ⁶Mas no princípio da criação *Deus os fez homem e mulher,* ⁷*e por isso um homem abandona seu pai e sua mãe, une-se à sua mulher,* ⁸*e os dois se tornam uma carne. De modo que já não são dois, mas uma só carne.* ⁹Portanto, o que Deus juntou, o homem não separe.

¹⁰Entrando em casa, perguntaram-lhe de novo os discípulos sobre o assunto. ¹¹Ele lhes diz:

— Quem repudia sua mulher e casa com outra, comete adultério contra a primeira. ¹²Se ela se divorcia do marido e casa com outro, comete adultério.

Abençoa algumas crianças (Mt 19,13-15; Lc 18,15-17) – ¹³Traziam-lhe crianças para que as tocasse, e os discípulos as repreendiam. ¹⁴Ao ver isso, Jesus indignou-se e disse:

— Deixai que as crianças se aproximem de mim; não as impeçais, porque o reino de Deus pertence aos que são como elas. ¹⁵Eu vos asseguro que quem não receber o reino de Deus como uma criança não entrará nele.

¹⁶Acariciava-as e as abençoava, pondo as mãos sobre elas.

O homem rico (Mt 19,16-30; Lc 18,18-30) – ¹⁷Quando se pôs a caminho, chegou alguém correndo, ajoelhou-se diante dele e lhe perguntou:

---

questões tratadas são: o matrimônio, as crianças, a cobiça e a ambição. Nos quatro casos Jesus se põe do lado dos fracos. São quatro ensinamentos encenados, ou melhor, cenas que dão ocasião a ensinamentos transcendentes. As quatro cenas têm um desenvolvimento dramático.

10,1-12 A lei de Moisés (Dt 24,1-3) tentava proteger os direitos da mulher, mesmo concedendo vantagem ao homem. A teoria fisiológica da época favorecia a parcialidade em favor do homem: desconhecia a função do óvulo e imaginava o sêmen como portador de novo ser. A lei do divórcio era uma concessão em regime de mesquinhez, que muitas vezes se interpretava com perigosa leviandade ao definir essa "coisa vergonhosa" de que fala a lei. Os fariseus querem "pôr à prova" Jesus num assunto tão central como o matrimônio (e que pode alarmar os maridos, cf. Est 1,16-18). Apresentam a questão partindo da lei de Moisés, supondo que Jesus, mais do que propor uma interpretação alternativa, invalide a lei. Marcos imagina uma discussão pública, na presença da multidão, visto que o matrimônio interessa a todos. Jesus aceita o desafio no terreno da *torá*, refazendo-se ao Deuteronômio e ao Gênesis. Contrapõe à lei de Moisés o projeto original de Deus (Gn 1,27; 2,24; 5,2), que busca a igualdade dos cônjuges, a entrega total e duradoura que unifica. Na versão do evangelho mais antigo, não há exceção.
Em alguns manuscritos não aparecem os fariseus, como se a pergunta fosse feita pelo povo: mas o "tentá-lo" é tática farisaica. A pergunta de Jesus diz "mandou", a resposta diz "permitiu": para os fariseus é o bastante. Obstinação: Jr 18,12 par.; Sl 81,13.

10,6 A expressão "no princípio" pode também ser lida como título do livro, "no Gênesis".

10,9 A raiz grega significa unir sob um jugo, "conjugar". A citação de Gn 1,27; 2,24 diz "apegar-se, aderir-se", como tendência da natureza. O provérbio opõe enfaticamente Deus ao homem, talvez aludindo ao Deus de Gn 1 e ao Moisés de Dt 24; só que Moisés se apresenta como porta-voz de Deus.

10,10 A explicação é para os discípulos em particular. Consiste em tirar a consequência do que foi dito. A última cláusula supõe uma legislação mais igualitária.

10,13-16 Ao contexto geral do matrimônio pertencem também as crianças. Eram desejadas e estimadas como prolongamento de uma vida limitada; eram bem tratadas. Todavia, até a maturidade responsável não gozavam de plena consideração. Não sendo capazes de acumular méritos com as observâncias, não podiam aspirar ao reino futuro. Exatamente essa incapacidade de merecer as mantém capazes de receber gratuitamente, que é a condição para entrar no reino que Jesus anuncia. Marcos transforma uma ou várias sentenças de Jesus sobre as crianças numa cena que conjuga gestos com ensinamento. A atitude dos discípulos serve de contraste. Poderia representar uma tendência na comunidade; alguns suspeitam de uma referência ao batismo de crianças. As crianças são merecedoras de respeito e carinho; têm livre acesso a Jesus, e ninguém deve impedi-las. São, além disso, exemplo de como acolher o reino de Deus. Por qual qualidade? Talvez pela simplicidade sem preconceitos; ou pelo abandono confiante (Sl 131), contraposto à autossuficiência; ou sobretudo pelo espírito filial que se revela sobretudo na criança (tratando-se de um adulto, não representam na filiação). As carícias e a bênção de Jesus são já um acolhê-las no reino.

10,17-31 Seguem-se três ensinamentos sobre a posse: a vocação de um rico (17-22), o impedimento da

— Bom Mestre, o que devo fazer para herdar a vida eterna?

[18] Jesus lhe respondeu:

— Por que me chamas bom? Ninguém é bom, a não ser Deus. [19] Conheces os mandamentos: *Não matarás, não cometerás adultério, não roubarás, não perjurarás, não defraudarás, honra teu pai e tua mãe.*

[20] Ele lhe respondeu:

— Mestre, tudo isso eu cumpri desde a adolescência.

[21] Jesus o olhou com carinho e lhe disse:

— Uma coisa te falta: vai, vende tudo o que tens e dá-o aos pobres, e terás um tesouro no céu. Depois, vem comigo.

[22] A essas palavras, o outro franziu a testa e partiu triste, pois era muito rico. [23] Jesus olhou ao redor e disse a seus discípulos:

— Como é difícil para os ricos entrar no reino de Deus!

[24] Os discípulos se assombraram com aquilo que dizia. Mas Jesus insistiu:

— Como é difícil entrar no reino de Deus! [25] É mais fácil para um camelo passar pelo buraco de uma agulha, do que para um rico entrar no reino de Deus.

[26] Eles ficaram espantados e comentavam entre si:

— Então, quem pode salvar-se?

[27] Jesus ficou olhando para eles, e lhes disse:

— Para os homens é impossível, não para Deus; tudo é possível para Deus.

[28] Pedro então lhe disse:

— Vê: nós deixamos tudo e te seguimos.

[29] Jesus respondeu:

— Em verdade eu vos digo: todo aquele que deixar casa ou irmãos ou irmãs ou mãe ou pai ou filhos ou campos por causa de mim e por causa da boa notícia, [30] há de receber nesta vida cem vezes mais em casas e irmãos e irmãs e mães e filhos e

---

riqueza (23-27), o prêmio da pobreza (28-31). O tema da "vida eterna" abre e fecha a perícope (17 e 30). O tema do "reino de Deus" centraliza-a (23.24.25).

10,17-22 Com poucos vv. o narrador compõe uma cena intensa e convincente. Vemos o homem entusiasta e decidido, que vem correndo (quer chegar por primeiro?), saúda com título elogioso, propõe sem mais a sua pergunta, afirma satisfeito sua grande prestação – começou o quanto antes – (cf. Pr 22,6). E vemos Jesus corrigindo e temperando o título, remetendo o demandante ao já sabido; só depois lhe mostra seu carinho. Nesse ponto inverte-se dramaticamente o movimento. Vejamos como.
O homem propõe sua consulta em termos tradicionais: o que é preciso fazer para conseguir, visando ao mais alto (cf. Dt 4,1; 5,33; 8,1; 30,19). No Deuteronômio Deus promete vida ao povo na terra prometida; o jovem refere-se à vida perdurável na era definitiva. Todavia conserva a mesma espiritualidade de obras. A essa colocação responde suficientemente o decálogo, citado nos deveres para com o próximo (Ex 20,12-16; Dt 5,16-20). Pois bem, cumprir tudo isso é a plataforma para seguir mais adiante, mudando mentalidade. Falta o mais importante, que é renunciar à riqueza, embora legítima: "e se vossa fortuna prospera, não lhe deis o coração" (Sl 62,11; 112,9) para seguir Jesus. Se não é capaz de renunciar à riqueza, ama a Deus de todo coração? Ou tem o coração dividido? Terá cumprido todos os mandamentos exceto o primeiro, de amar a Deus. A companhia e seguimento de Jesus justifica a exigência; mas não se propõe como condição para "herdar a vida eterna", embora receba em troca um tesouro celeste (ou de Deus). A esmola, tão estimada na espiritualidade bíblica, não é a renúncia total que Jesus lhe pede.

10,18 Bom é título corrente de Deus e bondade é seu atributo (Sl 25,8; 34,9; 54,8 etc.). Jesus não procura sua honra pessoal, mas a de Deus.

10,22 O homem não deu o passo para seguir adiante, ao invés, "partiu triste": por causa do custo da exigência, por sentir-se sem ânimo para a renúncia. Nada se diz do destino final desse homem, que fica com seus mandamentos e suas riquezas. É um caso típico que admitirá diversas aplicações, e que no momento dá ocasião à reflexão de Jesus.

10,23-25 É comum no AT a denúncia contra os que confiam, ou seja, apoiam sua existência na riqueza (p. ex. Sl 49,7-8; 62,11: "e se vossa fortuna prospera, não lhe deis o coração"; Jr 17,10; Jó 30,24-25). Ao ensinamento tradicional Jesus acrescenta o confronto com o "reino de Deus" (cf. 4,19), e o reforça com uma comparação hiperbólica (alguns manuscritos acrescentam em 24 o sujeito "os que confiam na riqueza"). A espiritualidade dos pobres, marginalizados ou despossuídos prepara esta visão do reino: "deixarei em ti um povo pobre e humilde que se refugiará no Senhor" (Sf 3,12; Sl 37). Paulo a desenvolve com energia numa série de oposições (1Cor 1,22.26-29). Tiago o reforça: "não escolheu Deus os pobres de bens mundanos e ricos de fé como herdeiros do reino que prometeu aos que o amam?" (Tg 2,5).

10,26-27 Ao espanto dos discípulos responde com uma palavra de alento: segundo a tradição, a confiança em Deus se opõe à confiança na riqueza. E Deus é todo-poderoso.

10,28-30 Dir-se-ia que a terceira frase recai na espiritualidade interesseira, de remuneração. Inclusive exacerbada pela distinção "nesta vida/no mundo futuro". É verdade que a resposta se presta a uma interpretação que fomenta o interesse e o escapismo. Mas, notemos que não se fala de finalidade ("para" v. 17), mas de consequência da generosidade de Deus, "cem vezes mais"; que o bem desta vida é a nova família cristã (3,34-35) e nela não faltarão perseguições; que a "vida eterna" é sempre o "tesouro" reservado por Deus. A vida presente não o pode esgotar.

campos, com perseguições, e no mundo futuro vida eterna. ³¹Mas muitos primeiros serão últimos, e muitos últimos, primeiros.

Novamente anuncia a morte e ressurreição (Mt 20,17-19; Lc 18,31-34) — ³²Caminhavam, subindo para Jerusalém. Jesus se adiantou, e eles se surpreendiam; os que seguiam, iam com medo. Ele reuniu outra vez os doze e se pôs a anunciar-lhes o que lhe iria acontecer:

— ³³Vede: estamos subindo para Jerusalém. Este Homem será entregue aos sumos sacerdotes e aos letrados, o condenarão à morte e o entregarão aos pagãos, ³⁴que caçoarão dele, cuspirão nele, o açoitarão e o matarão, e ao fim de três dias ressuscitará.

Contra a ambição (Mt 20,20-28) — ³⁵Aproximaram-se dele os filhos de Zebedeu, Tiago e João, e lhe disseram:

— Mestre, queremos que nos concedas o que te pedirmos.

³⁶Perguntou-lhes:

— O que quereis que vos faça?

³⁷Responderam:

— Concede-nos sentar-nos em tua glória, um à tua direita e outro à tua esquerda.

³⁸Jesus replicou:

— Não sabeis o que pedis. Sois capazes de beber a taça que eu vou beber, ou batizar-vos com o batismo que vou receber?

³⁹Responderam:

— Podemos.

Porém Jesus lhes disse:

— Bebereis a taça que vou beber e recebereis o batismo que vou receber; ⁴⁰mas sentar-vos à minha direita e à minha esquerda não cabe a mim concedê-lo, mas é para quem está reservado.

⁴¹Quando os outros ouviram isso, indignaram-se com Tiago e João. ⁴²Mas Jesus os chamou e lhes disse:

— Sabeis que, entre os pagãos, os que são tidos como chefes submetem os súditos, e os poderosos impõem sua autoridade. ⁴³Não será assim entre vós; ao contrário, quem quiser entre vós ser grande, que se faça vosso servidor, ⁴⁴e quem quiser ser o primeiro, que se faça vosso escravo. ⁴⁵Pois este Homem não veio para ser servido, mas para servir e dar sua vida como resgate por todos.

O cego de Jericó (Mt 20,29-34; Lc 18,35-43) — ⁴⁶Chegam a Jericó. E quando saía de

---

10,31 Anuncia uma inversão de categorias, como a do cântico de Ana (1Sm 2) ou a de Maria no Magnificat.

10,32-34 Terceiro anúncio da paixão, desta vez a caminho de Jerusalém. Marcos sublinha a união dos dois dados: Jesus começa a "subida", adianta-se, o Mestre caminha à frente; os outros o seguem surpresos, medrosos. O nome de Jerusalém soa finalmente como termo da viagem e unido ao anúncio da paixão. Uma tensão emotiva faz vibrar a predição. A formulação é da comunidade, posterior à Páscoa, embora o texto a refira aos "doze". A descrição é detalhada, dominada pela repetição de "ser entregue". Depois do anúncio, já não há comentário. A não ser que tomemos a cena seguinte como a incrível e incrédula resposta dos discípulos.

10,35-45 A cena é semelhante à discussão pelo primeiro lugar (9,33-37). O relato supõe nos irmãos uma concepção política do messianismo: um dia Jesus triunfará e ocupará o trono de "glória". Eles, a quem o Messias tratou como favoritos (1,19-20; 5,37), querem assegurar para si nessa hora os dois primeiros postos de mando e de honra. Outros comentaristas o interpretam em relação aos dois melhores lugares no banquete celeste. Do banquete passa-se à taça, que não é a do banquete. Para isso estão dispostos a enfrentar as lutas e sofrimentos com seu chefe. Fazem o pedido em dois tempos, para conquistar a benevolência. Assim os apresenta Marcos.

Não entenderam o elementar. O destino do Messias é esgotar o cálice da ira (Jr 25,15-29; Is 51,17); é submergir-se na torrente da paixão (Sl 42,8; 69,2.16; 124,4). Um dia, quando o tiverem compreendido, os dois irmãos compartilharão sua sorte, até o martírio (de Tiago, At 12,1-2). Isso não garante os primeiros lugares no reino transcendente. Somente Deus reserva os lugares e os reserva como quer. Mais ainda, ambicionar os primeiros lugares exclui deles.

Porque a comunidade do Messias rege-se por princípios opostos aos do mundo. Nela, a ambição será substituída pelo espírito de serviço. Não é que o serviço seja meio para conseguir o primeiro lugar, mas que no serviço reside a dignidade. Não em virtude de um oráculo individual (como em Gn 25,23), nem por desordem social (como diz Ecl 9,6-7); mas pelo preceito e pelo exemplo de Jesus (visto como o servo de Is 53,10).

Na menção do cálice e da imersão, o cristão pode ler nas entrelinhas uma alusão ao batismo e à eucaristia como participação na paixão de Cristo (Rm 6,3-4; 1Cor 11,26).

10,45 O máximo serviço de Jesus será dar a vida como resgate. O AT menciona diversos tipos de resgate: Judá escravo pela liberdade de Benjamim (Gn 43), um escravo por dinheiro (Lv 25,47-48), os levitas pelos primogênitos, um animal por um homem etc. Jesus chega ao extremo, oferecendo sua vida (Rm 3,24; 1Cor 1,30).

10,46-52 A cura do cego pouco se parece com a anterior (8,22-26). Através do realismo narrativo da cena

Jericó com seus discípulos e uma multidão considerável, Bartimeu (filho de Timeu), um mendigo cego, estava sentado à beira do caminho. ⁴⁷Ouvindo que era Jesus de Nazaré, pôs-se a gritar:

— Jesus, filho de Davi, tem piedade de mim!

⁴⁸Muitos o repreendiam para que se calasse. Mas ele gritava mais forte:

— Filho de Davi, tem piedade de mim!

⁴⁹Jesus se deteve e disse:

— Chamai-o.

Chamaram o cego, dizendo-lhe:

— Ânimo! Levanta-te, pois te chama.

⁵⁰Ele tirou o manto, pôs-se de pé e se aproximou de Jesus. ⁵¹Jesus lhe dirigiu a palavra:

— Que queres que te faça?

O cego respondeu:

— Mestre, que eu recobre a visão.

⁵²Jesus lhe disse:

— Vai, tua fé te salvou.

No mesmo instante recobrou a visão e o seguia pelo caminho.

11 Entrada triunfal em Jerusalém

(Mt 21,1-11; Lc 19,28-40; Jo 12,12-19) – ¹Quando se aproximavam de Jerusalém por Betfagé e Betânia, junto ao monte das Oliveiras, ele enviou dois discípulos, ²encarregando-os:

— Ide à aldeia que está à nossa frente, e logo ao entrar encontrareis um burrinho amarrado, que ninguém ainda montou. Soltai-o e trazei-o. ³E se alguém vos perguntar por que fazeis isso, direis que o Senhor precisa dele e que logo o devolverá.

⁴Foram e encontraram o burrinho amarrado junto a uma porta, por fora, contra o portão. Soltaram-no. ⁵Alguns dos que aí estavam lhes perguntaram:

— Por que soltais o burrinho?

⁶Responderam conforme Jesus lhes havia recomendado, e eles permitiram.

⁷Levam o burrinho a Jesus, colocam sobre ele seus mantos, e Jesus montou. ⁸Muitos forravam com seus mantos o caminho, outros com ramos cortados no campo. ⁹Os que iam à frente e atrás gritavam:

---

impõe-se o paradoxo da situação. O cego, condenado por sua doença e reprimido pelo povo, percebe o que os outros não veem. Ouve mencionar Jesus de Nazaré, invoca o "filho de Davi". A sua fé, embora imperfeita, é um órgão mais penetrante: "não tendo olhos vê". Por ela receberá de Jesus o dom da visão recuperada. Nele cumprem-se as profecias: "verão a glória do Senhor... abrir-se-ão os olhos dos cegos" (Is 35,5; 42,7.18). Imediatamente "segue" Jesus, que o mandara "chamar". Um itinerário exemplar, de fé e iluminação, chamado e seguimento.

O seu grito é uma confissão messiânica. Jesus é um descendente legítimo de Davi, anunciado e esperado (Jr 23,5; 33,15; Zc 3,8). O povo o repreende porque grita, pelo que grita. Jesus aceita a confissão, além de confirmá-la como brotada da fé.

10,46 Para "subir" (10,32) a Jerusalém partindo da Transjordânia, Jesus tem de atravessar o Jordão e passar pela cidade das palmeiras, Jericó, refazendo de certo modo o itinerário dos israelitas (Js 3-6). O episódio de Jericó, pelo grito do cego, prepara imediatamente a entrada em Jerusalém e se integra assim num bloco de quatro atos significativos de Jesus: cura do cego (10,46-52), acolhida triunfal (11,1-11), maldição da figueira (11,12-14), purificação do templo (11,15-19). A esses atos seguirão as controvérsias com as autoridades e uma instrução para os discípulos sobre o futuro e o final.

O primeiro bloco compõe-se de duas vertentes. A primeira, positiva, mostra Jesus poderoso em milagres e aclamado. A segunda, negativa, mostra-o rejeitando o uso que fazem do templo e repelindo o povo numa ação simbólica. Narrativamente as peças estão ligadas por indicações topográficas: Jericó, Jerusalém, Betânia, o templo.

11,1-11 Pela Páscoa rios de peregrinos vão a Jerusalém: "para onde sobem as tribos, as tribos do Senhor" (Sl 122,4). Jesus não é um a mais, perdido na multidão anônima. Vem a Jerusalém cumprir seu destino. Vai "ser entregue"; mas antes planeja com previsão milagrosa e executa com precisão soberana: "se o Senhor dos exércitos decide, quem o impedirá?" (Is 14,27). A sua entrada é para os contemporâneos um ato significativo: aclamam o herói popular com imprecisos sonhos messiânicos, pronunciando versos litúrgicos. Num plano superior, a entrada é significativa para a comunidade cristã crente. Marcos, que é seu intérprete e guia, dá a entender isso discretamente em seu relato.

11,2-7 Em proporção, os preparativos ocupam muito espaço. Jesus planeja uma entrada solene, em montaria régia, mas humilde, não belicosa. A alusão a Zc 9,9: "olha teu rei que está chegando... cavalgando um jumento", define o caráter pacífico e mostra que o plano de Jesus está cumprindo a profecia. É um jumentinho que ninguém montou: como se disséssemos umas primícias de montaria, como as pedras não talhadas para um altar (Ex 20,25), como as árvores frutíferas até a quinta colheita (Lv 19,23-25), como o sepulcro novo. Salomão, recém-ungido rei, havia entrado na capital "montado em mula do rei" (1Rs 1,44). Além disso, Jesus usa o título de Senhor.

11,8 É uma homenagem honrosa (cf. 2Rs 9,13, Jeú proclamado rei); não consta que as palmas fossem usadas para cobrir o chão (cf. Sl 118,27). A vegetação soma-se à homenagem.

11,9-10 A primeira parte é citação do Sl 118,25-26. "Hosana", que antes fora súplica de auxílio (como nosso "socorro", cf. 2Rs 6,26; 19,19), mais tarde se

– Hosana! Bendito o que vem em nome do Senhor. ¹⁰Bendito o reino de nosso pai Davi que chega. Hosana ao Altíssimo!

¹¹Entrou em Jerusalém e se dirigiu ao templo. Depois de inspecioná-lo inteiramente, visto que era tarde, voltou com os doze para Betânia.

Amaldiçoa a figueira (Mt 21,18-19) – ¹²No dia seguinte, quando saíam de Betânia, sentiu fome. ¹³Ao ver de longe uma figueira frondosa, aproximou-se para ver se encontrava alguma coisa; mas encontrou somente folhas, pois não era época de figos. ¹⁴Então lhe disse:

– Jamais alguém coma teus frutos.

Os discípulos o ouviam.

Purifica o templo (Mt 21,12-17; Lc 19,45-48; Jo 2,13-22) – ¹⁵Chegaram a Jerusalém e, entrando no templo, pôs-se a expulsar os que vendiam e compravam no templo, virou as mesas dos cambistas e as cadeiras dos que vendiam pombas, ¹⁶e não deixava ninguém transportar objetos pelo templo. ¹⁷E lhes explicou:

– Está escrito: *minha casa será casa de oração para todos os povos, mas vós a convertestes em covil de bandidos.*

¹⁸Os sumos sacerdotes e letrados ouviram isso e procuravam como acabar com ele; mas o temiam, porque todo o povo admirava seu ensinamento. ¹⁹Quando anoiteceu, ele saiu da cidade.

A figueira seca (Mt 21,20-22) – ²⁰De manhã, passando junto à figueira, observou que havia secado pela raiz. ²¹Pedro lembrou-se e lhe diz:

– Mestre, olha: a figueira que amaldiçoaste secou.

²²Jesus lhe respondeu:

– Tende fé em Deus. ²³Eu vos asseguro que se alguém, sem duvidar por dentro, mas crendo que se cumprirá o que diz, disser a esse monte que saia daí e se atire

---

converteu em simples aclamação (e assim passou à nossa língua). O salmo era cantado na festa das Tendas e outras ocasiões. Louva-se invocando o Senhor (cf. Nm 6,24-27); mas os leitores posteriores uniram "vem em nome do Senhor", como descrição posterior do Messias.

Marcos acrescenta em paralelo uma segunda aclamação, que identifica o Messias como o rei descendente de Davi (Jr 33,17.21; Ez 37,24), e dá a este o inusitado título de "nosso pai", colocando-o entre os patriarcas.

11,11 Imediatamente faz uma visita de inspeção ao templo, com a qual Marcos prepara a cena do dia seguinte. Devemos recordar que o cuidado do templo era competência do rei desde a sua construção.

11,12-14 O que se segue é a primeira parte de uma ação simbólica, como faziam os antigos profetas em tempos críticos, sobretudo Jeremias e Ezequiel. A ação simbólica é uma espécie de parábola em forma de mímica. O gesto, embora desconcertante, pode ser fator expressivo. Portanto, não estranhemos se nos parece estranha a ação de Jesus. A figueira, como outras árvores, pode representar o povo escolhido (Jr 8,13; Os 9,10); os figos representam os judeus (Jr 24,1-8); agora a figueira representa o povo incrédulo, que tem folhagem de aparências e não dá fruto. A imagem dos frutos é convencional à força de repetição (Is 37,31; Ez 17,8-9.23). O texto não parece distinguir entre a estação das bêberas e a dos figos (que no hebraico distingue com dois termos; "bêbera" é quase igual a "primogênita"); o mês de abril não é estação de figos, mas quando muito de bêberas (Ct 2,13).

11,15-19 Também a chamada "purificação" do templo é uma ação simbólica de Jesus. Na esplanada do templo, no átrio acessível aos pagãos, montava-se para a Páscoa um verdadeiro mercado de animais para o sacrifício e bancas de câmbio para o imposto do templo (Ex 30,12-16); tudo era tolerado pelas autoridades. Esse é um dado realista. A intervenção de Jesus deve ter sido limitada quanto à extensão; um gesto, mais que uma operação sistemática. Três detalhes representam a totalidade: pombas (oferta da população pobre), cambistas, o átrio como caminho para o transporte de mercadorias.

São as palavras que explicam e ampliam o alcance do gesto. São uma citação combinada de Is 56,7 e Jr 7,11. Comecemos pela segunda: Jeremias denuncia o abuso do templo por parte dos judeus, que o convertem em refúgio para continuar pecando impunemente (como fazem os bandidos em seus covis); a citação aumenta a gravidade do abuso. A primeira se encontra no começo da terceira parte de Isaías: é uma profecia para o futuro, com abolição de uma lei precedente. Duas coisas são essenciais no versículo: a função do templo, casa de Deus, casa de oração, e a abertura aos pagãos. A citação ultrapassa a situação imediata e projeta a visão para o futuro, para o novo templo, casa de Deus, aberto a todos. Os leitores de Marcos captam o alcance. De algum modo também as autoridades judaicas, que querem eliminar Jesus pelo que fez e disse: "ouviram isso". A ação de Jesus, como Marcos apresenta, não é violenta: não há resistência. Não tem alcance político: não alarmou os romanos, nem é citada no processo.

11,20-26 Um dia Jeremias esmigalhou um jarro de louça e explicou aos presentes que dessa forma o Senhor quebraria o povo e a cidade, "como se quebra uma vasilha de louça e não é possível recompô-la" (Jr 18,1-2.10-11). Aquilo que o profeta fez com as mãos, Jesus o faz com a palavra: amaldiçoa e deixa

ao mar, isso acontecerá. ²⁴Portanto, eu vos digo, que, quando orardes pedindo alguma coisa, ²⁵crede que o recebestes, e acontecerá para vós. ²⁶Quando orardes, perdoai o que tiverdes contra outros, e o Pai do céu perdoará vossas culpas.

Autoridade de Jesus (Mt 21,23-27; Lc 20,1-8) – ²⁷Voltaram a Jerusalém e, enquanto passeava pelo templo, aproximam-se dele os sumos sacerdotes, os letrados e os senadores ²⁸e lhe dizem:

– Com que autoridade fazes isso? Quem te deu tal autoridade para fazê-lo?

²⁹Jesus respondeu:

– Eu vos farei uma pergunta: respondei-me, e vos direi com que autoridade faço isso. ³⁰O batismo de João procedia de Deus ou dos homens? Respondei-me.

³¹Eles discutiam entre si: Se dissermos: de Deus, nos dirá: por que não cremos nele? ³²Vamos dizer: dos homens? (Tinham medo do povo, pois todos tinham João como profeta autêntico.) ³³Então responderam:

– Não sabemos.

E Jesus lhes disse:

– Tampouco eu vos digo com que autoridade faço isso.

12 Os vinhateiros (Mt 21,33-46; Lc 20,9-19) – ¹Pôs-se a falar-lhes em parábolas:

– Um homem plantou uma vinha, a rodeou com uma cerca, cavou um lagar e construiu uma torre; arrendou-a para uns agricultores e partiu. ²Na colheita, enviou um servo aos agricultores para cobrar sua parte do fruto da vinha. ³Eles o agarraram, o espancaram e o despediram sem nada. ⁴Enviou-lhes um segundo servo; feriram-no na cabeça e o injuriaram. ⁵Enviou um terceiro, e o mataram. Enviou muitos outros: a uns espancaram, a outros mataram. ⁶Sobrava-lhe um, o seu filho querido, e o enviou por último, pensando que respeitariam seu filho. ⁷Mas os agricultores disseram entre si: é o herdeiro. Vamos matá-lo, e a herança será nossa. ⁸Então o mataram

---

estéril a árvore simbólica. O resultado, a figueira seca, completa a ação simbólica, a maldição: entre as maldições de Dt 28 e Lv 26, várias se referem a árvores frutíferas. Para a comunidade cristã o sentido é claro. Para a instrução imediata dos discípulos, Jesus toma um dado particular e dá a seu comentário uma direção inesperada. Não fala da rejeição dos incrédulos (Sl 37,22), mas da oração dos fiéis. Com isso prolonga uma frase pronunciada antes no templo, "casa de oração".
Como deve ser a oração? Tendo em Deus uma fé que confia em seu poder e quer escutar, "que peça confiante e sem duvidar" (Tg 1,6). O exemplo é uma hipérbole expressiva, talvez proverbial (cita-o 1Cor 13,2). Falando de oração, por associação, é atraído o tema do perdão no Pai-nosso (que Marcos não cita). A instrução de Jesus a seus discípulos encerra-se com a referência ao "Pai do céu".

11,27-12,40 A discussão com as autoridades judaicas desenrola-se em seis atos que o narrador quis agrupar aqui. No campo doutrinal, mostram como se desprendem e se apartam de Jesus. No campo narrativo, preparam o fim violento da paixão. Os interlocutores mudam o suficiente para representar a totalidade: fariseus e saduceus, senadores e herodianos, sumos sacerdotes e letrados. O povo e os discípulos fazem o papel de público. Também o tema varia, provavelmente dado pela tradição. Poderíamos articulá-lo assim, mas sem pretensões: sobre a autoridade de Jesus, e correlativamente a de Davi, autoridade de César nos impostos, autoridade de Deus em seus enviados e em seus mandamentos.

11,27-33 A pergunta "fazes isso" é vaga e genérica. Pelo contexto próximo, poderia limitar-se à purificação do templo; pelo contexto mais amplo, parece abranger o conjunto de sua atividade, inclusive os milagres e o ensinamento. Os falsos profetas arrogavam-se a autoridade de enviados de Deus; e "inventavam profecias... seguindo sua inspiração... Dizíeis oráculo do Senhor quando o Senhor não vos enviava... quando o Senhor não falava". De modo semelhante as falsas profetisas arrogavam-se a autoridade para "destinar à vida ou à morte" (Ez 13,6.7.17).
As autoridades têm direito de pedir credenciais a quem se apresenta como Jesus o faz: os interlocutores representam o braço eclesiástico (sacerdotes), o braço civil (senadores), a autoridade doutrinal (letrados). Porém, de onde lhes vem a autoridade?, responde a parábola seguinte. A pergunta aponta para a autoridade messiânica de Jesus, que os interlocutores negam de antemão. Para eles, incrédulos, se Jesus se arroga essa autoridade, é impostor, comete delito. Impossível convencer a quem se nega a crer, depois de tudo o que viu e ouviu. Por isso Jesus responde, no estilo rabínico, com outra pergunta, que transfere o assunto para a autoridade de João Batista, a fim de desarmar seus opositores com um dilema. No batismo de João, tomado em seu conjunto, está implícita a justificação: porque preparava a vinda do Messias, porque dera ocasião ao testemunho do Pai. O batismo e João estavam em função de Jesus Messias. Esse dilema funciona *a fortiori* com Jesus, em quem eles tampouco creem, mas temem o povo.

12,1-12 Jesus toma de Is 5,1-7 o texto do começo e o tema final, ou seja, a conhecida imagem da vinha (Sl 80) e o resultado, "em vez de justiça (= frutos),

e o jogaram fora da vinha. ⁹Pois bem: que fará o dono da vinha? Virá, acabará com os agricultores e entregará a vinha a outros. ¹⁰Não lestes aquele texto da Escritura: *A pedra que os arquitetos rejeitaram se tornou a pedra angular;* ¹¹*é o Senhor quem o fez e nos parece um milagre?*

¹²Tentaram prendê-lo, pois compreenderam que a parábola era sobre eles. Mas, como temiam o povo, deixaram-no e se foram.

O tributo a César (Mt 22,15-22; Lc 20,20-26) – ¹³A seguir, enviaram-lhe alguns fariseus e herodianos para apanhá-lo nas palavras. ¹⁴Aproximam-se e lhe dizem:

– Mestre, consta-nos que és veraz e não fazes preferências, pois não és parcial; pelo contrário, ensinas sinceramente o caminho de Deus. É lícito pagar tributo a César ou não? Pagamos ou não?

¹⁵Adivinhando sua hipocrisia, disse-lhes:

– Por que me tentais? Trazei-me um denário, para que o veja.

¹⁶Levaram-no, e pergunta-lhes:

– De quem são esta imagem e esta inscrição?

Respondem-lhe:

– De César.

¹⁷E Jesus replicou:

– Então devolvei a César o que é de César, e a Deus o que é de Deus.

E ficaram surpresos com sua resposta.

Sobre a ressurreição (Mt 22,23-33; Lc 20,27-40) – ¹⁸Aproximaram-se alguns saduceus (que negam a ressurreição) e lhe disseram:

---

assassinato". Muda o resto, dirigindo a parábola, não ao povo, mas aos dirigentes. Uma parábola pode digerir detalhes inverossímeis em função do sentido. O movimento se estiliza em três mais um. A herança de Deus é o povo (Dt 4,20; 32,9; 1Rs 8,51.53; Jr 50,11; Sl 79,1 etc.); ele dará sua herança ao "Filho querido" (1,11; 9,7). Também Deus é herança do levita (Dt 10,9; 18,2; Ez 44,28). Os dirigentes, meros arrendatários, querem ficar com a herança como propriedade sua, arrendada, eliminando o herdeiro, o filho. O sentido é superficialmente transparente: refere-se aos profetas, aos chefes; e eles o entendem. Mas não querem entender a força da interpelação, o chamado à fé. Antes, se endurecem em sua resistência. "Desde que vossos pais saíram do Egito vos enviei meus servos, os profetas, dia após dia, e não os escutastes" (cf. Jr 7,25; 25,4; 26,5; 29,19; 35,15; 44,4). A violência contra os profetas está documentada no caso de Jeremias; sem violência física, Is 30 e Am 7. Os chefes recebem de Deus nada mais do que a administração, e perante Deus são responsáveis, como aparece em muitos textos (até Sb 6,1-11). Sobre o envio do filho recorde-se a história de José, enviado por Jacó. A vinha não é arrasada, como em Is 5, mas confiada a outros administradores.

Pode-se ler a parábola em chave davídica: o futuro Messias, "filho de Davi", é herdeiro legítimo do reino, da realeza; eliminando o Messias que não reconhecem, pensam em ficar com a herança, o povo que eles dominam (pode-se ampliar com dados do Sl 2, sobre filiação e herança).

A citação do Sl 118,22-23, que canta a reviravolta inesperada provocada por Deus em favor do inocente perseguido, faz pleno sentido aplicada a Jesus. Os arquitetos guias do povo excluem Jesus como imprestável a sua construção; mas ele se converte em base da nova construção (por sua ressurreição). Será a ação clara de Deus.

12,13-17 A pergunta é uma armadilha para desacreditar Jesus como colaboracionista, ou denunciá-lo como revoltoso. Armadilha em forma de dilema. "O homem que adula seu companheiro estende uma rede aos passos dele" (Pr 29,5; 28,23). Mas a armadilha está camuflada, recoberta de corteses adulações: "verniz que recobre a louça são os lábios que adulam com má intenção" (Pr 26,23). Dada a má intenção, os louvores soam como hipocrisia. Os fariseus aceitavam resignados o império e seus tributos como castigo divino que cessaria por ação do Messias. Os partidários de Herodes aceitavam o status quo. Fariseus e herodianos não costumavam concordar entre si; só se unem contra o inimigo comum (Mc 3,6). O partidarismo se condena e cega no julgamento (Pr 24,23; Jó 13,8.10; 32,21). O tributo a César significava no campo econômico a submissão política ao imperador. A imagem de César na moeda cunhada multiplicava sua presença e circulava na vida econômica cotidiana do país. Além disso, a moeda ostentava símbolos do culto imperial. A efígie de Tibério trazia uma inscrição que o identificava como "divi Augusti filius". A imagem de Deus era terminantemente proibida, e a imagem de reis judeus tradicionais nunca foi usada em moeda (foi usada pelos Asmoneus e pela família de Herodes). A única imagem de Deus é o homem.

Eles disseram "pagar", Jesus responde "devolver". A frase de Jesus, por sua forma lapidar e por sua amplidão indiferenciada, tornou-se proverbial e aplicável a múltiplas situações.

12,18-27 Os saduceus se baseiam na legislação (Dt 25,5) para propor um caso divertido que ponha em ridículo a crença na ressurreição. São eles que caem no ridículo (Pr 29,9), ao mostrarem que não entendem as coisas mais elementares acerca de Deus, do destino humano, da Escritura.

Os saduceus, seguindo a velha tradição, não admitiam outra vida (Jó 14,19 e outros); não a liam na Escritura nem aceitavam uma tradição oral. Nisso eram conservadores. Os fariseus, seguindo a nova tradição (Dn 12,1; e o testemunho de 2Mc 7), acreditavam em outra vida e na ressurreição, e imaginavam-na como um retorno à vida em condições de total bem-estar.

¹⁹Mestre, Moisés nos deixou escrito que *quando alguém morrer sem filhos, seu irmão case com a viúva, para dar descendência ao irmão defunto.* ²⁰Havia sete irmãos: o primeiro casou e morreu sem descendência; ²¹o segundo tomou a viúva e morreu sem descendência; a mesma coisa o terceiro. ²²Nenhum dos sete deixou descendência. Por último morreu a mulher. ²³Na ressurreição [quando ressuscitarem], de qual deles ela será mulher? Pois os sete casaram com ela.

²⁴Jesus lhes respondeu:

— Estais enganados, pois não entendeis a Escritura nem o poder de Deus. ²⁵Quando ressuscitarem da morte, homens e mulheres não casarão, mas serão no céu como anjos. ²⁶E a propósito de que os mortos ressuscitarão, não lestes no livro de Moisés o episódio da sarça? Deus lhe diz: *Eu sou o Deus de Abraão, o Deus de Isaac, o Deus de Jacó.* ²⁷Não é um Deus de mortos, mas de vivos. Estais muito enganados.

O preceito mais importante (Mt 22,34-40; Lc 10,25-28) — ²⁸Um letrado que ouviu a discussão e apreciou o acerto da resposta, aproximou-se e lhe perguntou:

— Qual é o mandamento mais importante?

²⁹Jesus respondeu:

— O mais importante é: *Escuta, Israel, o Senhor nosso Deus é um só.* ³⁰*Amarás o Senhor teu Deus com todo o coração, com toda a alma, com toda a mente, com todas as tuas forças.* ³¹O segundo é: *Amarás o próximo como a ti mesmo.* Não há mandamento maior do que estes.

³²O letrado lhe respondeu:

— Muito bem, Mestre; o que dizes é verdade: ele *é um só, e não há outro fora dele.* ³³Amá-lo com todo o coração, com toda a inteligência e com todas as forças, e amar o próximo como a si mesmo vale mais do que todos os holocaustos e sacrifícios.

³⁴Vendo que havia respondido com sensatez, Jesus lhe disse:

— Não estás longe do reino de Deus.

E ninguém mais se atreveu a fazer-lhe perguntas.

³⁵Quando ensinava no templo, Jesus tomou a palavra e disse:

O caso está artificial e engenhosamente construído sobre a base da lei do levirato, que procurava assegurar a descendência de um defunto sem filhos e, com isso, acolher uma viúva. Se os sete irmãos ressuscitam, voltará a mulher ao primeiro para dar-lhe um filho e conservar seu nome? Os outros têm garantida a descendência? A conclusão é que a lei do levirato desacredita, ridiculariza a ideia da ressurreição e aos que creem nela, também a Jesus. Jesus afirma a ressurreição, baseada no poder e na fidelidade de Deus (Ex 3,6.15-16). Não apela a uma imortalidade natural da alma, mas ao poder vivificante de Deus. Mas não consistirá num prolongamento ou repetição da vida terrena. Visto que já não morrem, não fará falta a geração para perpetuar o nome. Pela comparação com os anjos e o lugar celeste, está claro que Jesus fala da ressurreição gloriosa dos justos.

O argumento da Escritura tinha força para aqueles ouvintes. A frase final conclui lapidarmente. Vejamos o correlativo. Os israelitas podiam chamar *Yhwh* de "nosso Deus", porque era "seu Deus"; também o indivíduo no singular. Mas os mortos não podiam invocar o "nosso Deus" (p. ex. Sl 88,11-13); não era o Deus deles. Em contraste com a crença geral se leem os vislumbres de Sl 16,11; 17,15; 73,23-28. Em outras culturas circundantes, imaginavam a existência de deuses do reino dos mortos (Nergal, Plutão etc.). O Pai de Jesus é Deus de mortos só para que cessem de estar mortos.

12,28-34 Esse letrado, provavelmente do partido farisaico, gostou da vitória de sua crença na defesa que Jesus fez. Aborda-o bem-disposto. No AT há decálogos, dodecálogos, listas de preceitos, códigos legais, decisões de jurisprudência. Regulavam a conduta do israelita observante. A tradição rabínica contou até 613 preceitos, 365 proibições e 248 mandatos. Era preciso sabê-los todos para cumprir todos? Podiam ser sintetizados e reduzidos a poucos capítulos? A um só? Essa pode ser a força de "o primeiro", que engloba tudo.

Em vez de um, Jesus propõe dois, combinando Dt 6,5 com Lv 19,18. O primeiro é recitado pelos judeus diariamente várias vezes; o segundo deve ser condicionado fortemente ao primeiro, para que não se desvirtue. Ao acrescentar que "não há outro maior", implica que qualquer preceito deve submeter-se aos dois primários. João disserta sobre a vinculação de ambos (1Jo 3,11-24; 4,20-21). Quem os cumpriu a não ser Jesus? Quem os cumpriu como Jesus?

O letrado está de acordo e alude a outros textos da Escritura (talvez Dt 4,35 ou Is 45,21). Na escala de valores, substituiu "preceitos" por "holocaustos e sacrifícios", quer dizer, a prática do culto. Doutrina frequente no AT (p. ex. Is 1,10-20; Sl 50; Eclo 34-35). O letrado, que aceitou a soberania de Deus na velha legislação, agora se abre ao reinado de Deus, que se faz presente em Jesus. Desse modo, afasta-se dos letrados incrédulos. Para a comunidade de Marcos, esse letrado judeu se incorpora à igreja, e pode representar outros.

12,35-40 Desta vez, Jesus pergunta sobre a descendência davídica do Messias, apoiada na Escritura, aceita pelos expertos, identificada em Jesus pelo cego e pela multidão (10,47-48; 11,10). "Chegam dias... em que darei a Davi um rebento legítimo"

— Como dizem os letrados que o Messias é filho de Davi? ³⁶Se o próprio Davi disse, inspirado pelo Espírito Santo: *Disse o Senhor ao meu Senhor: Senta-te à minha direita, até que eu faça de teus inimigos estrado de teus pés*. ³⁷O próprio Davi o chama Senhor: como pode ser filho dele?

A numerosa multidão o escutava com prazer. ³⁸E ele, instruindo-os, disse:

— Cuidado com os letrados. Gostam de passear com largas túnicas, que os saúdem pela rua, ³⁹dos primeiros assentos nas sinagogas e dos melhores lugares nos banquetes. ⁴⁰Com pretexto de longas orações, devoram as propriedades das viúvas. Receberão sentença mais severa.

A oferta da viúva (Lc 21,1-4) – ⁴¹Sentado diante do cofre do templo, observava como as pessoas punham moedinhas no cofre. Muitos ricos punham muito. ⁴²Chegou uma viúva pobre e pôs dois centavos. ⁴³Jesus chamou os discípulos e lhes disse:

— Eu vos asseguro que essa pobre viúva pôs no cofre mais que todos os outros. ⁴⁴Com efeito, todos puseram daquilo que lhes sobrava; esta, em sua indigência, pôs tudo quanto tinha para viver.

13

Discurso escatológico: Ruína do templo (Mt 24,1-14; Lc 21,5-24) – ¹Quando saía do templo, um de seus discípulos lhe diz:

(Jr 23,5; 33,15); "meu servo Davi será seu rei" (Ez 37,24). Acrescenta-se a leitura messiânica de textos como Is 11,1-10; Am 9,11; Sl 45 e outros.
Jesus quer introduzir em sentido superior e transcendente a expressão "Senhor" (cf. Sl 110,1. O grego diz *ho Kyrios toi kyrioi mou*; o hebraico *Yhwh la'adony*). Para isso conta com a opinião comum de que Davi seja o autor do salmo e que fale inspirado, com autoridade divina. A comunidade cristã deu a Cristo o título de *Kyrios*. Dada a tendência do evangelista, tem muita força o que a aprovação do povo apresenta, em contraste com a atitude das autoridades.

12,38-40 À maneira de conclusão, o narrador reúne algumas críticas contra autoridades corruptas. É o que fizeram os profetas reiteradamente (p. ex. Jr 21-23; Mq 2-3). Os letrados e doutores arrogavam-se uma autoridade superior e exerciam uma influência dominante entre o povo. Daí a gravidade da denúncia. O primeiro capítulo de acusação é a vaidade, parente da soberba, fustigada pelos Sapienciais e pelos profetas (Pr 8,13; Is 2,12). O segundo é a exploração de classes indefesas (as viúvas, segundo ampla tradição, Is 1,17.23) sob pretexto de orações que resultam viciadas; abusam ao mesmo tempo das viúvas e do culto. De modo bem diferente, os profetas Elias e Eliseu socorriam as viúvas e os órfãos (1Rs 17; 2Rs 4 e 8). Pelo tema da oração, essa série se une ao capítulo anterior (11,17.26).

12,41-44 Atraída pela palavra "viúva", entra aqui esta narração: episódio sucedido ou parábola em ação. Colocada nesse contexto próximo, irradia reflexos de contraste. Seu desprendimento total ante a cobiça dos outros; o último lugar ante a busca dos primeiros; seu conceito puro do culto, vivido como sacrifício da pessoa. Podemos recordar a viúva fenícia que partilhou com Elias a última comida sua e do filho (1Rs 17). Sobre o cofre do templo, ver 2Rs 12,5; no tempo de Jesus se haviam diversificado os cofres, segundo o destino do dinheiro.
Com essas palavras, termina o ministério público de Jesus no evangelho de Marcos. Quis conservar para todas as gerações (onde se pregar o evangelho) a figura dessa viúva pobre e anônima: uma lição e uma denúncia. Não precisava conhecer os 613 preceitos para cumpri-los; sabia dar a Deus o que é de Deus, ou seja, em forma de duas moedinhas, toda a sua vida.

13 Chegamos ao capítulo mais difícil desse evangelho, o chamado discurso escatológico. Difícil, porque fala de acontecimentos futuros mal conhecidos em seu desenvolvimento, dos quais salta audaciosamente ao final, sem distinguir com rigor as perspectivas. Difícil, porque se refere a tempos de crise, confusos por natureza, e também porque emprega imagens e uma linguagem marcada pelas alusões enigmáticas, reticências enunciadas, ocultação tática.
Para interpretá-lo no seu conjunto, tenhamos em conta algumas observações.
a) Embora contenha alguma predição formal, ou seja, de um fato individual, a intenção primeira não é satisfazer a curiosidade de agoureiros e de seus clientes crédulos (como fazem alguns adivinhos profissionais da Babilônia, "que observam as estrelas, os prognosticam a cada mês o que te vai acontecer", Is 47,13) e seus imitadores sem conta.
b) A formação de atitudes é muito mais importante do que a mera informação. Por isso, devem-se destacar as admoestações à cautela e à vigilância. Atitudes especialmente necessárias em tempos de crise.
c) Já na literatura profética se leem anúncios desse tipo. Especialmente em Jeremias e Ezequiel, profetas da grande crise do exílio. Jeremias anuncia a destruição do templo (7,14); no processo seguinte, cita-se a profecia de teor semelhante em Miqueias. Descreve uma situação de turbulências sociais e é vítima de perseguição, até mesmo dos parentes, por seu ministério profético. Indica um termo aproximado (em números redondos, 29,10); previne contra falsos profetas (29,8-9); apresenta-se diante de reis nativos (21-22) e de chefes nativos ou estrangeiros (26; 40,2-5). Usa a imagem da parturiente (4,31). Ezequiel anuncia o fim próximo (7,1-12), a destruição da cidade e do templo (cap. 9); denuncia os falsos profetas (13,1-16). Não vale objetar que os textos de Jr e de Ez são elaboração posterior, porque não é de todo certo, e porque agora nos interessam os textos que os contemporâneos de Jesus liam.
d) Aos profetas sucedeu em séculos posteriores a literatura escatológica e a apocalíptica, criadoras de um mundo particular de imagens. Podemos citar o bloco de Is 24-27 e o livro de Daniel, canteiro de alegorias e incitador de especulações cronológicas.
e) A isso se deveria acrescentar a literatura apócrifa

– Mestre, olha que pedras e que construções!

²Jesus lhe respondeu:

– Vês esses grandes edifícios? Pois desmoronarão, sem que fique pedra sobre pedra.

³Estava sentado no monte das Oliveiras, diante do templo. Pedro, Tiago, João e André lhe perguntaram em particular:

– ⁴Quando acontecerá tudo isso? Qual é o sinal de que tudo está para acabar?

⁵Jesus começou a dizer-lhes:

– Cuidado! Que ninguém vos engane. ⁶Muitos se apresentarão alegando meu título e dizendo que sou eu, e enganarão a muitos. ⁷Quando ouvirdes rumores de guerras e notícias de guerras, não vos alarmeis. Tudo isso deverá acontecer, mas ainda não é o fim. ⁸Pois se levantará povo contra povo, reino contra reino. Haverá terremotos em diversos lugares, haverá carestias. É o começo das dores de parto. ⁹Ficai de sobreaviso. Eles vos entregarão aos tribunais, vos espancarão nas sinagogas, comparecereis diante de magistrados e reis por minha causa, para dar testemunho diante deles. ¹⁰Em todas as nações deverá ser anunciada antes a boa notícia. ¹¹Quando vos conduzirem para entregar-vos, não vos preocupeis com o que haveis de dizer; direis naquele momento aquilo que Deus vos inspirar. Pois não sereis vós que falareis, mas o Espírito Santo. ¹²Um irmão entregará seu irmão à morte, um pai a seu filho; filhos se levantarão contra pais e os matarão. ¹³Sereis odiados de todos por causa do meu nome. Aquele que aguentar até o fim se salvará.

A grande tribulação (Mt 24,15-28; Lc 21,20-24) – ¹⁴Quando virdes o *ídolo abominável* erigido onde não se deve (o leitor que o entenda), então os que viverem na Judeia escapem para os montes. ¹⁵Aquele que estiver no terraço não desça nem entre em casa para recolher alguma coisa; ¹⁶aquele que se encontrar no campo, não volte para recolher o manto.

¹⁷Ai das grávidas e das que amamentam naqueles dias! ¹⁸Rezai para que não aconteça no inverno. ¹⁹*Naqueles dias haverá uma tribulação tão grande como nunca houve desde que Deus criou o mundo até hoje*, nem haverá. ²⁰Se o Senhor não abre-

---

da época, que testemunha a atualidade da literatura bíblica citada em tempos de crise.

f) Toda essa literatura se presta a interpretações e aplicações variadas. Assim, pois, resulta verossímil e provável uma instrução de Jesus a seus discípulos para a crise que se avizinha e para o futuro. Deve-se contar com uma atualização das suas instruções para o tempo de composição do evangelho.

Costuma-se dividir o discurso nestas seções: 1-2 destruição do templo; 3-13 a crise; 14-23 a grande tribulação; 24-27 a parusia; 28-37 o dia e a hora. Composto de peças diversas e colocado neste lugar como um testamento de Jesus, como os de Jacó (Gn 49), Moisés (Dt 33), Tobit (Tb 13). O moribundo anuncia o futuro e dá conselhos.

13,1-2 A introdução põe em cena a predição. O monte das Oliveiras ocupa um lugar importante na escatologia de Zacarias (Zc 14,4). Fala-se do templo construído por Herodes, o Grande, cujos restos ainda hoje nos impressionam. Superior ao faustoso de Salomão (1Rs 7-8), ao modesto da volta do exílio (Ag 2,2-4; Zc 4,7; 6,13). A admiração do discípulo (um pescador galileu?) provoca a predição (compare-se Sl 48,13-14 com a predição de Jr 7,14; 26,6.18). "Pedra sobre pedra" é modismo hiperbólico, cuja literalidade é desmentida pelo que hoje vemos. O templo foi destruído no ano 70 pelo fogo. Porém, a destruição do templo é anunciada como algo mais do que um acontecimento histórico particular: tantos templos foram destruídos! A presença de Deus brevemente vai mudar de lugar.

13,3-13 Muda o cenário e limita-se o número de interlocutores. A pergunta é dupla e pressupõe uma pluralidade de fatos: "essas coisas, tudo isso"; ultrapassa a predição sobre o templo. Os interlocutores querem conhecer a data e um sinal imediato que avise da sua iminência. O verbo grego pode significar cumprir-se ou acabar-se, levar a cabo (*syntelésthai*). A crise incluirá: aparição de falsos messias, calamidades históricas e naturais, perseguições. Incluirá também fatores positivos: as penalidades são as dores de um grande parto, a perseguição servirá para estender a pregação a todo o mundo; diante dos tribunais, o Espírito Santo falará por vossa boca. Vejamos alguns pontos para ilustrá-lo.

13,6 Como surgem falsos profetas, exatamente em tempos de crise, Jr 23; como raposas entre ruínas (Ez 13,4; Mq 2,11; 3,5).

13,7-8 Guerras: não devem temê-las (Jr 30,10; Is 19,2; 2Cr 15,5-7), nem esperar que delas surja a libertação, como pensavam os zelotes.

Terremotos e carestias: Am 8,8; Ag 2,7; At 11,28; o terremoto escatológico: Zc 14,4-5. As dores de parto: de uma nova era: Os 13,13; Jo 16,21-22; Ap 12,2.

13,9-10 Perseguições (2Cor 11,24-25), documentadas nos Atos; anúncio universal (Mt 28,19).

13,11 Como Estêvão diante do tribunal (At 7).

13,12 Discórdias (Mq 7,6); desfazendo a concórdia anunciada por Ml 3,24-25.

13,14-23 A grande tribulação é introduzida por uma alusão verbal a Dn 9,27; 11,31 e 12,11, textos que se

viasse aquela etapa, ninguém se salvaria. Mas, em atenção aos que escolheu, será abreviada. ²¹Então, se alguém vos disser que o Messias está aqui ou ali, não lhe deis atenção. ²²Pois surgirão falsos messias e falsos profetas, que farão sinais e prodígios, a ponto de enganar, se fosse possível, os escolhidos.

²³Quanto a vós, estai atentos, pois vos preveni.

A parusia (Mt 24,29-31; Lc 21,25-28) – ²⁴*Naqueles dias, depois dessa tribulação, o sol escurecerá, a lua não irradiará seu esplendor,* ²⁵*as estrelas cairão do céu e os exércitos celestes tremerão.* ²⁶Nesse momento verão chegar o Filho do Homem numa nuvem, com grande poder e majestade. ²⁷Então enviará os anjos e reunirá os escolhidos dos quatro ventos, de um extremo da terra a um extremo do céu.

O dia e a hora (Mt 24,32-44; Lc 21,29-33) – ²⁸Aprendei o exemplo da figueira: quando os ramos ficam tenros e as folhas brotam, sabeis que a primavera está próxima. ²⁹Também vós, quando virdes acontecer isso, sabei que está próximo, às portas. ³⁰Eu vos asseguro que não passará esta geração antes que aconteça tudo isso. ³¹Céu e terra passarão, minhas palavras não passarão. ³²Quanto ao dia e à hora,

---

aclaram em 1Mc 1,54: profanação do altar com uma ara estranha ou com um ídolo por ordem de Antíoco Epífanes. O texto acrescenta quase um aviso, uma chamada de atenção ao leitor, para que o entenda em código. Quer dizer-lhe que não tome ao pé da letra a citação? ou que a veja cumprida num acontecimento próximo? ou num futuro indefinido? A referência à Judeia parece definir o cenário, a não ser que equivalha à imagem de território povoado. Hoje não temos dados para averiguar a que se referia o discurso primitivo: o que a tradição transmitia, ou o que Marcos recolheu. Costuma-se aduzir à tentativa do imperador Calígula de instalar sua estátua no templo de Jerusalém (ano 39/40).

Nós conhecemos a fuga em tempo de perigo extremo por textos de gênero diferente (Is 48,20; Jr 4,29; Sl 11,1; 55,8-9), e a fuga no tempo dos Macabeus (1Mc 2,28; 2Mc 5,27). "As grávidas e as que amamentam": pela dificuldade da fuga e pela angústia acrescentada; não porque expostas à sanha do inimigo (2Rs 15,16; Os 14,1). "Como nunca houve nem haverá" é hipérbole proverbial (cf. Dn 12,1). O tema da abreviação do tempo se encontra em apocalipses não canônicos. Por outro lado, a salvação em atenção aos escolhidos já está presente no grande diálogo de Abraão com Deus: "Longe de ti fazer tal coisa! Matar o inocente com o culpado" (Gn 18,23-33).

13,21-23 Retoma, variando, o tema do v. 5, formando assim uma inclusão de todos os preparativos antes da parusia. Em lugar de oferecer-lhes um sinal indubitável, os previne dos enganos que serão muitos (cf. Dn 13,1-3). A incerteza deve alimentar a vigilância.

13,24-27 O fato da parusia ou vinda do Messias se afirma de modo transparente; todo o resto é opaco. Primeiro a data. Marcos, que gosta tanto da ligação "logo" (*euthys*), usa aqui um vago "naqueles dias", fórmula corrente nos profetas para indicar um futuro indefinido. Os outros são temas próprios da apocalíptica e textos afins.

13,24-25 Começando pela perturbação estelar (Is 13,10; 24,23; 34,4), que se pode considerar como testemunho cósmico do fato. As estrelas são o exército celeste que cumpre as ordens do Senhor (cf. Eclo 43,9-10).

13,26 A "figura humana" que sobe ao céu numa nuvem (em Dn 7,13-14), desce agora entre nuvens, ostentando o poder universal e perpétuo recebido do Altíssimo. O texto de Daniel identifica depois a "figura humana" com "o povo dos santos do Altíssimo" (7,18-27), ou seja, a comunidade judaica fiel. O NT e a tradição cristã a identificam com o Messias Jesus.

13,27 A reunião dos eleitos se encontra na escatologia de Isaías (Is 27,12-13; cf. Zc 2,6.10; Dt 30,4).

Em conclusão, a parusia se propõe como fato cósmico, histórico (naqueles dias), transcendente (poder, majestade), universal. A tradição cristã é unânime em esperar a "vinda" de Jesus Cristo e afirma que será "gloriosa".

13,28-37 Sobre a data dos acontecimentos futuros, a última seção nos deixa na incerteza. Partimos da repetição, formando inclusão marcada, de "essas coisas" e "tudo isso" (13,4). Todas essas coisas são os fatos que precedem a parusia e indicam sua proximidade. O problema é que "tudo isso", inclusive a grande tribulação, são descrições bastante genéricas, modeladas por citações e alusões. A comparação vegetal sugere um processo imanente da história; sugere também que a parusia traz uma primavera como o parto doloroso traz uma nova vida. Compare-se com o oráculo de Is 18,5: "Porque antes da vindima, terminada a floração, quando a flor se torna uva". É um tempo concreto, mas não rigorosamente preciso. Ezequiel anunciara a iminência da desgraça: "o fim chega, chega o fim, espreita-te, está chegando" (Ez 7,5 no contexto); e o povo caçoava da demora: "passam dias e dias e não se cumpre a visão" (12,22).

13,30 Este v. parece refletir a atitude da comunidade que espera uma parusia próxima; atitude própria da primeira geração cristã (documentada p. ex. em 2Ts).

13,31 A expressão enfática equivale à concessiva, "ainda que passem..." (como em Is 54,10; Jr 31,35-36). Um salmo fala do céu e da terra: "eles perecerão, tu permaneces" (Sl 102,27), ao passo que Is 40,8 garante que "a palavra de Deus se cumpre sempre".

13,32-37 Como se quisesse corrigir o que precede, ou ao menos evitar interpretações demasiado precisas e confiadas. A fórmula "aquele dia" é típica de anúncios proféticos, entre os quais sobressai

ninguém os conhece. Nem os anjos no céu, nem o Filho; só o Pai os conhece. ³³Atenção! Estai despertos, porque não conheceis o dia nem a hora! ³⁴E como um homem que, ao ausentar-se de sua casa, a confiou a seus servos, repartindo as tarefas, e encarregou o porteiro de vigiar. ³⁵Assim, pois, vigiai, porque não sabeis quando vai chegar o dono da casa: ao anoitecer, ou à meia-noite, ou ao canto do galo ou de manhã; ³⁶para que, ao chegar de repente, não vos surpreenda adormecidos. ³⁷O que vos digo, eu o digo a todos: Vigiai!

14 Complô para matar Jesus (Mt 26,1-5; Lc 22,1s; Jo 11,45-53) –
¹Faltavam dois dias para a Páscoa e os Ázimos. Os sumos sacerdotes e os letrados procuravam apoderar-se dele com algum estratagema e matá-lo. ²Mas diziam que não devia ser durante as festas, para que o povo não se amotinasse.

Unção em Betânia (Mt 26,6-13; Jo 12,1-8) – ³Estando ele em Betânia, convidado em casa de Simão, o leproso, chegou uma mulher com um frasco de perfume de nardo puro, muito caro. Quebrou o frasco e o

---

Sf 1,15 ("*dies irae dies illa*"); Zc 14,7 diz que "será conhecido de Yhwh". "O Filho" é o Messias em sua condição humana e sua missão histórica delimitada. Contudo, a formulação correlativa, o Filho-o Pai, é extraordinária.
Conclusão de tudo é um convite a vigiar como atitude básica do cristão. A breve parábola procura sublinhá--lo com os detalhes gráficos do porteiro sonolento: "guardas caídos, amigos do sono" (cf. Is 56,10). Servos, patrão e casa apontam para a comunidade cristã. A nova páscoa inaugura para o cristão uma noite de vigília (Ex 12,42), até que amanheça o dia da parusia.

14-15 Para ler e interpretar esses capítulos, servirão algumas observações. a) Os discípulos quiseram conservar a recordação de um fato, à primeira vista inesperado e inexplicável, mas que não se deve esquecer como se fosse episódio vergonhoso: "algo inenarrável... algo inaudito" (Is 52,15b); "loucura e sem-sentido era aos olhos dos pagãos" (cf. 1Cor 1,23). b) A paixão de Jesus responde a predições ou figuras do AT, em particular a figura do inocente perseguido, que culminam em Is 53 e Sl 22. c) Daí se segue certo interesse apologético, isto é, de distribuir responsabilidades para afirmar a inocência do acusado, como em salmos de súplica (7; 17 etc.). d) O sentido teológico da paixão é tão importante quanto o fato: é preciso inserir a paixão no plano do Pai para que adquira sentido. A comunidade medita para compreender o sentido de um fato tão misterioso: "eu meditava para entendê-lo, mas era-me muito difícil, até que entrei no mistério de Deus" (Sl 73,16-17), para ir elaborando sua cristologia e eclesiologia, para configurar a liturgia. Esforço que se cristaliza tanto nos relatos evangélicos como na proclamação primitiva e nas exposições doutrinárias das cartas. A elaboração narrativa, com a sequência de episódios, precede em boa parte os evangelhos escritos.
Dado o estilo despojado dos relatos, deve-se prestar atenção em qualquer detalhe, que pode ser intencional e significativo. Em particular, quando lemos o relato de Marcos, temos de tomar precauções. Estamos acostumados a ler o relato da paixão nos quatro evangelhos, dos quatro tiramos um relato unificado. Depois descarregamos os materiais do conjunto em cada evangelho. Estamos muito habituados a ler obras que ampliam o relato, buscando a coerência dos dados, analisando os motivos das ações, entrando na psicologia dos personagens, preenchendo lacunas. Isso que temos lido foi meditado e assimilado. A consequência é que não conseguimos ler com atitude aberta e disponível o relato individual. É preciso, portanto, um esforço para apreciar separadamente cada relato da paixão. Isso não tira o valor das reconstruções do conjunto histórico ou das meditações guiadas pela fé.

14,1-2 Sobre a data exata, a crítica não chegou ainda a uma solução comumente aceita. A expressão grega pode significar também "no segundo dia", ou seja, "no dia seguinte" (cf. 8,31). Tomam a iniciativa dois grupos restritos, os mesmos de 10,33 e 11,18. O narrador tem o cuidado de separá-los do "povo", que poderia alvoroçar-se ou amotinar-se com o fato (provocando a guarnição romana). A Páscoa era tempo de grande aglomeração em Jerusalém e às vezes de exaltação popular. A intenção dos chefes vai esmagar-se contra os planos de Deus, que já fixou a data de uma nova páscoa.
O relato continua logicamente com a oferta de Judas (10-11). No meio se insere uma cena de contraste.

14,3-11 Simão, o leproso, ou seja, curado de uma doença notória da pele; seria um personagem conhecido na comunidade que transmite o fato. Uma mulher, aqui anônima, irrompe na sala do banquete, contra as normas vigentes. Embora o perfume acompanhe de ordinário os banquetes (Am 6,6), o que a mulher oferece é exorbitante: com sua homenagem quer expressar o quanto aprecia o hóspede.
Para entender o protesto de alguns comensais e a defesa de Jesus, voltemos ao livro de Tobias, no qual se recomenda reiteradamente a esmola e se põe em primeiro plano o enterrar os mortos. A mulher tomou parte, à sua maneira e por antecipação, no sepultamento de Jesus; para a esmola haverá tempo. "Não faltarão pobres", diz Dt 15,11, e o contexto o explica; por vossa mesquinhez, por não cumprirdes o mandamento de Deus; se o cumprísseis, não haveria pobres (15,1).
Jesus afirma seu conhecimento da paixão e morte próxima e da pregação futura na Igreja. O dom feito à pessoa de Jesus e a fama divulgada dos que lhe são fiéis serão norma prática da comunidade.

derramou na cabeça dele. ⁴Alguns comentavam indignados:

– Para que esse desperdício de perfume? ⁵O perfume poderia ser vendido por trezentos denários, para dá-los aos pobres. E a repreendiam. ⁶Mas Jesus disse:

– Deixai-a. Por que a aborreceis? Ela fez uma boa obra para comigo. ⁷Pobres sempre tereis entre vós e podeis socorrê-los quando quiserdes; a mim nem sempre tereis. ⁸Ela fez o que podia: antecipou-se para ungir meu corpo para a sepultura. ⁹Eu vos asseguro que, em qualquer lugar do mundo onde for proclamada a boa notícia, será mencionado também o que ela fez.

¹⁰Judas Iscariot, um dos doze, dirigiu-se aos sumos sacerdotes para entregá-lo. ¹¹Ao ouvir isso, eles se alegraram e prometeram dar-lhe dinheiro. E ele começou a procurar uma oportunidade para entregá-lo.

Páscoa e Eucaristia (Mt 26,17-35; Lc 22,7-20.31-34; Jo 13,21-30.36-38) – ¹²No primeiro dia dos ázimos, quando se imolava a vítima pascal, os discípulos lhe dizem:

– Onde queres que vamos preparar para ti a ceia da Páscoa?

¹³Ele enviou dois discípulos, encarregando-os:

– Ide à cidade e vos sairá ao encontro um homem carregando um cântaro de água. Segui-o, ¹⁴e onde ele entrar, dizei ao dono da casa: O Mestre pergunta onde está a sala em que vai comer a ceia da Páscoa com seus discípulos. ¹⁵Ele vos mostrará um salão no piso superior, preparado com divãs. Preparai-a para nós nesse lugar.

¹⁶Os discípulos saíram, dirigiram-se à cidade, encontraram o que lhes havia dito, e prepararam a ceia da Páscoa. ¹⁷Ao entardecer, chegou com os doze. ¹⁸Puseram-se à mesa e, enquanto comiam, Jesus disse:

– Eu vos asseguro que um de vós vai me entregar, um que come comigo.

¹⁹Consternados, começaram a perguntar-lhe um por um:

– Sou eu?

²⁰Respondeu:

– Um dos doze, que molha o pão comigo na travessa. ²¹Este Homem se vai, como está escrito sobre ele; mas ai daquele por quem este Homem será entregue! Seria melhor esse homem não ter nascido.

²²Enquanto ceavam, tomou um pão, pronunciou a bênção, o partiu e o deu, dizendo:

– Tomai, isto é o meu corpo.

²³E tomando a taça, pronunciou a ação de graças, deu-a, e todos beberam dela. ²⁴Disse-lhes:

14,5 Trezentos denários é o salário de trezentos dias de um operário. É preciso comparar essa generosidade com o paradoxal desperdício da viúva pobre (12,41-44). O perfume de nardo em contexto amoroso (Ct 1,12). Rompendo o frasco expressa o dom total, sem reservas, como é o amor.

14,6-7 Jesus põe-se do lado da mulher insultada pelos comensais. Marginaliza dessa forma os pobres? Não. Se os comensais tivessem a mesma atitude da mulher, os pobres receberiam ajuda. O texto aludido (Dt 5,1-11) denuncia a mesquinhez.

14,10-11 Em forte contraste, a traição de Judas. Insinua-se o motivo do dinheiro; mas o que impressiona o narrador é que seja "um dos doze". A traição do amigo é particularmente odiosa e dolorosa (Sl 55,13-15; Eclo 6,8-13).

14,12-16 De novo tropeçamos no problema da data: temos de seguir os sinóticos, que situam a ceia na noite da Páscoa (14 de Nisã), ou João, que faz coincidir a morte de Jesus com a hora em que no templo se sacrificavam os cordeiros pascais? A solução afeta o caráter ordinário ou pascal da ceia. Por ora não temos resposta certa nem convergência de opiniões. Como em 11,1-6, Jesus conhece e dirige tudo de antemão. Como o Senhor na pregação do Isaías do exílio: "De antemão eu anuncio o futuro; e antecipadamente, o que ainda não aconteceu. Digo: meu desígnio se cumprirá, eu realizo minha vontade"

(Is 46,10; cf. 41,27; 42,9; 43,12; 44,7-8; 45,21). O carregador de água (um escravo?), confere realismo à cena; sem sabê-lo serve de guia, guiado de longe por Jesus. O "dono da casa", que reconhece Jesus como o Mestre, já tinha preparado a sala. O restante são os discípulos que preparam, segundo o costume (o narrador supõe que os detalhes sejam conhecidos).

14,17-21 De novo transparece o saber e o domínio tranquilo de Jesus. Ele conhece a traição e o traidor: admite-o à mesa consigo, deixa-o molhar o pão no mesmo prato; denuncia o fato, revela o culpado, coloca a ação no plano mais amplo, citando um versículo da Escritura, que soa assim: "Até meu amigo, em quem eu me fiava e partilhava meu pão, sobressai em me trair" (cf. Sl 41,10, súplica de um pobre doente perseguido e atraiçoado); partilhar o alimento cria e expressa familiaridade ("companheiro" deriva de "cum-pane"). Também está anunciada a sua morte (talvez em Is 53); "está escrito a meu respeito que deverei cumprir tua vontade" (Sl 40,8-9). O "ai" é forma típica da literatura profética (cf. Is 1,4, "filhos degenerados"). Melhor não ter nascido: é uma forma corrente para detalhe extremo: "desejarás não ter nascido, amaldiçoarás o dia em que viste a luz" (Eclo 23,14; cf. em outro sentido Jó 3; Jr 20). Apesar de tudo, Deus lhe concedeu existência e liberdade, mas o engajou em seu desígnio.

— Este é o meu sangue da aliança que se derrama por todos. ²⁵Eu vos asseguro que não voltarei a beber do produto da videira até o dia em que o beber de novo no reino de Deus.

²⁶Cantaram o hino e saíram para o monte das Oliveiras. ²⁷Jesus lhes diz:

— Todos tropeçareis, como está escrito: *Ferirei o pastor e as ovelhas se dispersarão.* ²⁸Mas quando ressuscitar, irei diante de vós para a Galileia.

²⁹Pedro lhe respondeu:

— Ainda que todos tropecem, eu não.

³⁰Jesus lhe diz:

— Eu te asseguro que hoje mesmo, nesta noite, antes que o galo cante duas vezes, me terás negado três.

³¹Ele insistia:

— Ainda que deva morrer contigo, não te negarei.

O mesmo diziam os outros.

Oração no horto (Mt 26,36-46; Lc 22,39-46) – ³²Chegando ao lugar chamado Getsêmani, ele diz a seus discípulos:

— Sentai-vos aqui, enquanto faço oração.

³³Toma consigo Pedro, Tiago e João e começou a sentir tristeza e angústia. ³⁴Ele lhes diz:

— Sinto uma tristeza mortal; ficai aqui vigiando.

³⁵Adiantou-se um pouco, prostrou-se por terra e orava para que, se fosse possível, se afastasse dele aquela hora. ³⁶Dizia:

— Abba (Pai), tu podes tudo, afasta de mim essa taça. Mas não se faça a minha vontade, e sim a tua.

³⁷Voltou, encontrou-os adormecidos, e diz a Pedro:

14,25-26 Discute-se, sem chegar a um acordo, se a ceia foi ou não pascal em sentido estrito. A favor estão a tríplice menção de "páscoa", o contexto próximo e o canto do hino no final. O problema da data e a ausência completa do cordeiro fazem duvidar. Diríamos que Marcos despojou o relato para deixá-lo no que considera essencial. "Enquanto ceavam" indica novo começo (talvez relato independente em sua origem). Tomar pão, abençoar e partir são gestos comuns, que competem ao pai de família ou a quem preside. Jesus não come, ele reparte; e explica o gesto com uma palavra inaudita. Dá-lhes seu corpo em forma de pão, e pelo pão do seu corpo ele os in-corpor-a. A segunda parte é comum no gesto, é mais explícita e não menos inaudita na explicação. Meu sangue: sede e portador da vida: "o sangue é a vida" (Dt 12,23); vai ser derramado na morte por todos, não somente pelos judeus (Is 53,12), e agora se dá como bebida aos presentes; e todos menos ele bebem do mesmo cálice. Com esse sangue sacrifical, sela-se a nova aliança (Ex 24,8 e Jr 31,31-33), sangue do Homem, não de um animal; os apóstolos começam a constituir o povo da nova aliança. Pão e vinho, alimento dessa nova juventude (Zc 9,11).

O banquete presente prefigura o celeste, portanto a morte não será o fim. "O Senhor dos exércitos oferece a todos os povos, neste monte, um banquete de comidas suculentas, um banquete de vinhos depurados" (Is 25,6). Ao ler as breves linhas de Marcos, contemplamos a comunidade que nos transmite o fato com suas próprias palavras e sua celebração.

14,27-31 Depois do anúncio da traição, o anúncio da deserção. Todos vão tropeçar e cair, porque não entendem o mistério. Mas é certa a ressurreição, e então o pastor guiará suas ovelhas para a Galileia (16,7). A citação de Zc 13,11 ilumina a situação com a imagem rica do pastor. Os comensais no banquete falharão no perigo (cf. Eclo 12,9; 37,4). Pedro pretende ser excepcional, e a presunção agravará a deserção: "Eu pensava muito seguro: jamais vacilarei" (Sl 30,7).

14,32-42 Desta vez Marcos deixa aparecer algo da intimidade de Jesus. Na oração "derrama o coração" (Sl 62,9; 142,3). Soam dois pedidos e a invocação do Pai-nosso: faça-se tua vontade e não sucumbir na prova. Em meio à solidão e ao abandono, dominado pela angústia mortal, Jesus fala com o Pai. Suplica, insiste, entrega sua vontade. Teríamos de reunir fragmentos de salmos para imaginarmos essa intimidade. Getsêmani é o momento escolhido, porque na cruz (segundo Mc) Jesus pronunciará só uma palavra.

Para a solidão, Sl 38,12; Jó 19,13-19: "meus irmãos se afastam de mim"; para a angústia, Sl 38,10-11; 55,2-6: "agito-me na minha ansiedade... sobre mim caem terrores mortais; medo e tremor me invadem, e um calafrio me envolve"; a luta interior no estribilho do Sl 42-43: "Por que te acabrunhas, alma minha, por que te perturbas?"; a entrega ao Pai: Sl 31,16 "minha sorte está em tua mão" e 55,23: "descarrega teu fardo em Yhwh". Pode-se comparar também com a oração de Moisés em Nm 11,11-12 e com a terceira Lamentação, pronunciada por uma pessoa: "Olha minha aflição e minha amargura... estou abatido... É bom esperar em silêncio a salvação do Senhor..." (Lm 3,19-20).

14,33 São as três testemunhas de um milagre de ressurreição e de transfiguração (5,37; 9,2).

14,34-36 Veja-se a expressão de Jonas diante do fracasso (Jn 4).

14,35 Não é corrente chamar isso de "a hora"; o termo é típico de João (que o usa muitas vezes, Jo 7,30; 8,20; 12,23.27; 13,1; 17,1); ver também a hora trágica de Is 13,22: "Está para chegar sua hora, seu prazo não demora"; e a famosa série de Ecl 3,2-8.

14,36 É o cálice da ira e da amargura (Jr 25,15-29; Sl 75,9; Lm 4,21). É o cálice devido a Samaria e a Judá e a todos os pecadores (leiam-se as violentas expressões de Ez 23,31-34).

14,37-38 Ver a breve parábola e admoestação de 13,34-36. À maneira de provérbio. Para a oposição de carne e espírito, veja-se Is 31,3.

– Simão, dormes? Não foste capaz de vigiar uma hora? ³⁸Vigiai e orai para não sucumbirdes na prova. O espírito é decidido, a carne é fraca.

³⁹Voltou outra vez e orou repetindo as mesmas palavras. ⁴⁰Ao voltar, encontrou-os outra vez adormecidos, porque tinham os olhos pesados; e não souberam o que responder. ⁴¹Voltou pela terceira vez e lhes diz:

– Ainda adormecidos e descansando! Basta! Chegou a hora. Vede, este Homem será entregue em poder dos pecadores. ⁴²Levantai-vos! Vamos! Aproxima-se o traidor.

A prisão (Mt 26,47-56; Lc 22,47-53; Jo 18,3-12) – ⁴³Ainda estava falando quando se apresenta Judas, um dos doze, e com ele um grupo armado de espadas e paus, enviado pelos sumos sacerdotes, pelos letrados e pelos senadores. ⁴⁴O traidor lhes havia dado uma senha: Aquele que eu beijar, é ele; prendei-o e conduzi-o com cautela. ⁴⁵A seguir aproximou-se, disse-lhe "Mestre!", e lhe deu um beijo. ⁴⁶Os outros o agarraram e o prenderam. ⁴⁷Um dos presentes desembainhou a espada e de um golpe cortou uma orelha do servo do sumo sacerdote. ⁴⁸Jesus se dirigiu a eles:

– Saístes armados de espadas e paus para capturar-me, como se fosse um bandido. ⁴⁹Diariamente eu estava convosco ensinando no templo e não me prendestes. Mas vai cumprir-se a Escritura.

⁵⁰Todos o abandonaram e fugiram. ⁵¹Seguia-o também um jovem, vestido apenas com um lençol. Agarraram-no; ⁵²mas ele, soltando o lençol, nu escapou deles.

Jesus diante do Conselho (Mt 26,57-63; Lc 22,54s.63-71; Jo 18,13s.19-24) – ⁵³Conduziram Jesus à casa do sumo sacerdote e se reuniram todos os sumos sacerdotes

---

14,41-42 À luz do que se segue, não faz sentido ler os dois verbos como imperativos, convidando ao descanso. Em mãos dos pecadores: compare-se com as súplicas: as garras do cão (Sl 22,21), do inimigo (Sl 31,9; 106,10), do perverso (Sl 37,33; 71,4).

14,43-52 A cena da prisão acontece com toda a rapidez até o v. 46, com seu momento mais intenso no beijo traidor (Pr 27,6; 2Sm 20,9, beijo traidor de Joab). Depois seguem-se três momentos que ampliam a cena. Os três grupos que compõem o Sinédrio ou Grande Conselho enviam um pelotão armado.

14,47 A fútil tentativa de defesa por parte de um dos presentes é atestada pelos quatro evangelistas e serve de contraste ao segundo momento, a alocução de Jesus.

14,48-49 São palavras de domínio e repreensão; sugerem má consciência nos executores ou ilegalidade no modo da execução. Bandido: como qualquer zelote revoltoso; os zelotes não ensinam pacificamente no templo. Sem pretendê-lo, o grupo armado está cumprindo a Escritura: se se refere a um texto em particular, seria o canto do servo (Is 53,7-8).

14,51-52 O terceiro momento é um enigma. Como simples fato ilustra o ambiente noturno, a suspeita e confusão do momento. Se o narrador o oferece como contraste, o seguimento se opõe à fuga dos discípulos, sua fuga à entrega de Jesus. A cena de José, deixando o manto nas mãos da mulher de Putifar, oferece uma semelhança casual. O que mais intriga os críticos são as coincidências na descrição desse jovem e do outro na ressurreição (16,5): as consequências que daí se tiram não passam de conjecturas. Se nos referirmos a Am 2,14-16, a fuga desse jovem selaria a debandada geral, pois é o sétimo e último na série; o veloz, o forte, o soldado, o arqueiro, o ágil, o cavaleiro e o soldado mais valente.

14,53-65 De alguns mártires se conservaram as atas do processo ou notas taquigráficas. Dos dois processos de Jesus, o religioso e o civil, não se conserva senão o relato dos evangelistas, os quais, embora desejem conservar alguns fatos históricos, se ocupam mais dos aspectos ético e teológico. Jesus é inocente e é condenado porque se arroga o título de Messias transcendente. É inocente e é condenado porque se faz rei e se rebela contra Roma. Tiveram razão os judeus, condenando um falso Messias? Então a sua culpa foi não crer. Teve razão Pilatos condenando-o por delito de rebeldia? Então sua culpa foi ceder por cálculo. As razões e as culpas dos processos continuam sendo debatidas e, por mais que os investigadores se esforcem, suas posturas religiosas afetam o estudo. Alguns chegam a negar que tenha havido um processo religioso, ou o reduzem a um veredicto sem valor forense. Talvez seja parte do destino humano de Jesus que a sua condenação e execução continuem sem se esclarecer totalmente e solicitem a atitude profunda de leitores e examinadores. Para os discípulos, a condenação ficou incompreensível; mas a ressurreição justificou plenamente o inocente. Para os cristãos, a ressurreição reconhecida ajudou a compreender a condenação. Para os não crentes, a condenação continuará sendo um enigma histórico, e a justificação se imporá na parusia.

Com essas ressalvas, escutemos Marcos contando o processo religioso. Celebra-se ante o Grande Conselho completo. Depois de tenteios infrutíferos pela via dos testemunhos, o sumo sacerdote centra a questão no messianismo. A partir da sua posição, a pergunta é capciosa: se Jesus nega, se desqualifica; se afirma, se compromete. Jesus responde com um ato paradoxal: confessando, ele se acusa, se entrega; citando dois textos combinados da Escritura (Dn 7,13 e Sl 110,1) e apropriando-se deles, anuncia o triunfo posterior.

14,53-54 Marcos narra um processo ou interrogatório diante do Conselho em plena noite (contra a

com os senadores e os letrados. ⁵⁴Pedro o foi seguindo à distância, até entrar no palácio do sumo sacerdote. Ficou sentado com os criados, esquentando-se ao fogo. ⁵⁵O sumo sacerdote e todo o Conselho procuravam um testemunho contra Jesus, que permitisse condená-lo à morte, e não o encontravam, ⁵⁶pois embora muitos testemunhassem falso contra ele, seus testemunhos não concordavam. ⁵⁷Alguns se levantaram e testemunharam falso contra ele:

– ⁵⁸Nós o ouvimos dizer: Destruirei este templo, construído por mãos humanas, e em três dias construirei outro, não feito com mãos humanas.

⁵⁹Mas tampouco nesse ponto o testemunho deles concordava. ⁶⁰Então o sumo sacerdote se pôs em pé no centro e perguntou a Jesus:

– Nada respondes ao que estes alegam contra ti?

⁶¹Ele continuava calado, sem responder nada. De novo o sumo sacerdote lhe perguntou:

– Tu és o Messias, o filho do Bendito?
⁶²Jesus respondeu:

– Eu o sou. *Vereis o Filho do Homem sentado à direita da Majestade e chegando entre nuvens do céu.*

⁶³O sumo sacerdote, rasgando as vestes, diz:

– Que necessidade temos de testemunhas? ⁶⁴Ouvistes a blasfêmia. Que vos parece?

Todos sentenciaram que era réu de morte. ⁶⁵Alguns começaram a cuspir nele, a tapar-lhe os olhos e dar-lhe bofetadas, dizendo:

– Adivinha!

Também os criados lhe davam bofetadas.

Negações de Pedro (Mt 26,69-75; Lc 22,56-62; Jo 18,15-18.25-27) – ⁶⁶Pedro estava embaixo, no pátio, quando uma criada do sumo sacerdote, ⁶⁷vendo Pedro que se aquecia, ficou olhando para ele e lhe disse:

– Tu também estavas com o Nazareno, com Jesus.

⁶⁸Ele o negou:

– Não sei nem entendo o que dizes.

Saiu para o saguão [e um galo cantou]. ⁶⁹A criada o viu, e começou outra vez a dizer aos presentes:

– Este é um deles.

⁷⁰De novo o negou. Pouco tempo depois, também os presentes diziam a Pedro:

– Realmente és um deles, pois és galileu.

⁷¹Então começou a proferir maldições e a jurar que não conhecia o homem de quem falavam. ⁷²No mesmo instante cantou o galo pela segunda vez. Pedro recordou o

---

posterior lei mishnaica). Pedro entra em cena para um papel de contraste.

14,55-56 Marcos dá a entender que a sentença de condenação está de antemão decidida e que as testemunhas procuram justificá-la. Segundo a lei: "Somente com o depoimento de duas ou três testemunhas se procederá à execução do réu" (Dt 17,6; 19,15). Sobre testemunhos falsos pode-se recordar o episódio de Jezabel e Nabot (1Rs 21) e os conselhos sapienciais (Pr 6,19; 12,17; 14,5; 19,28).

14,58-59 Parece incluir dois delitos: atentado contra o templo (Jr 26) e magia ou trato com poderes ocultos. Da frase acerca do templo diferem as formulações (Mt 26,61; Jo 2,19; At 6,14). Marcos põe na boca da falsa testemunha uma afirmação que é verdadeira num plano superior (cf. 1Cor 3,11.16); no novo templo ele será a pedra-chave e será obra de Deus, não de mãos humanas.

14,60-61 O silêncio recorda a figura do servo: "não abria a boca... como ovelha muda diante do tosquiador" (Is 53,7) e serve para provocar a pergunta do presidente. O "Bendito" é Deus (evitando mencioná-lo); Filho de Deus é título que se pode dar ao Messias davídico, de acordo com 2Sm 7,14 e Sl 2,7; 89,27-28.

14,62-63 No contexto, "eu sou" é a resposta afirmativa. Em círculos cristãos a fórmula Eu sou (*ego eimi*,

repetido em João) faz ressoar a revelação de Ex 3,14. Pela referência escatológica, traduzimos aqui "Filho do Homem", para que se entenda a condição transcendente que mais tarde se atribuiu à "figura humana" de Daniel. O trono de majestade e a vinda celeste (Sl 110,1; Dn 7) implicam o poder judicial, ameaça velada para os seus juízes.

Para quem não crê, as palavras de Jesus são blasfêmia, punida com pena de morte (Lv 24,16).

14,65 Marcos traslada a este ponto afrontas e ultrajes sucedidos em outros momentos da paixão. Apresenta assim a figura do servo paciente: "Ofereci o dorso aos que me espancavam, e as faces aos que me arrancavam a barba; não tapei o rosto diante de ultrajes e cuspidas" (Is 50,6), "que entregue a face a quem o fere e se sacie de opróbrios" (Lm 3,30).

14,66-72 A negação de Pedro, preparada no v. 54, é um sofrimento a mais para Jesus, e ao mesmo tempo é cumprimento da sua predição. Com o testemunho corajoso de Jesus diante do Conselho, contrasta a covardia de Pedro diante dos servos. Marcos gradua habilmente a cena: primeiro Pedro se faz de desentendido, ante a insistência nega, atemorizado pelo grupo jura. "Não o conheço" pode ser semitismo, equivalente a "não tenho relação com ele" (cf. Jó 19,13). Um incidente trivial, o canto matutino de

que lhe havia dito Jesus: Antes que o galo cante duas vezes, me terás negado três. E começou a chorar.

15 Jesus diante de Pilatos (Mt 27, 1s.11-14; Lc 23,1-5; Jo 18,28-38)

– ¹Logo ao amanhecer, todo o Conselho, sumos sacerdotes, senadores e letrados puseram-se a deliberar. Amarraram Jesus, o conduziram e o entregaram a Pilatos. ²Pilatos o interrogou:

– És tu o rei dos judeus?

Respondeu:

– É o que dizes.

³Os sumos sacerdotes o acusavam de muitas coisas. ⁴Pilatos o interrogou de novo:

– Não respondes nada? Vê de quantas coisas te acusam.

⁵Mas Jesus não lhe respondeu, com grande admiração de Pilatos. ⁶Pela festa costumava deixar-lhes livre um preso, aquele que pedissem. ⁷Um tal Barrabás estava preso com os amotinados que numa revolta haviam cometido um homicídio. ⁸A multidão subiu e começou a pedir-lhe o costumeiro. ⁹Pilatos lhes respondeu:

– Quereis que vos solte o rei dos judeus? ¹⁰Pois ele sabia que os sumos sacerdotes o haviam entregue por inveja. ¹¹Mas os sumos sacerdotes incitaram o povo para que, ao contrário, pedissem a liberdade de Barrabás. ¹²Pilatos perguntou outra vez:

– O que faço com aquele [que chamais] rei dos judeus?

¹³Gritaram:

– Crucifica-o!

¹⁴Mas Pilatos disse:

– Mas o que ele fez de mal?

Eles gritavam mais forte:

– Crucifica-o!

¹⁵Pilatos, decidido a satisfazer a multidão, soltou-lhes Barrabás, e, quanto a Jesus, o entregou para que o açoitassem e o crucificassem.

A zombaria dos soldados (Mt 27,27-31; Jo 19,2s) – ¹⁶Os soldados o levaram para dentro do palácio, no pretório, e convocaram toda a companhia. ¹⁷Vestiram-no de púrpura, trançaram uma coroa de espinhos e a colocaram. ¹⁸E começaram a saudá-lo: *Salve, rei dos judeus!* ¹⁹Batiam-lhe com o caniço na cabeça, cuspiam-lhe e dobrando o joelho lhe prestavam homenagem. ²⁰Ter-

---

um galo, com a lembrança da predição de Jesus, e Pedro passa do abismo da negação à libertação do arrependimento. "Que nossos olhos se desfaçam em lágrimas e nossas pálpebras destilem água" (Jr 9,17). Nazareno para Jesus e galileu para Pedro se encaixam bem no contexto narrativo. Quando Marcos escreve, os judeus já chamavam os cristãos de "nazarenos".

15,1-2 "Puseram-se a deliberar" pode dar a impressão de outra sessão privada. Outros leem e traduzem: "prepararam a conclusão do acordo", ou "chegaram à decisão". Amarram-no, como a um malfeitor perigoso, e o "entregam". Esse verbo vem carregado de sentido: nas predições (9,31; 10,33), referido a Judas (3,19; 14,10.11.18.21.42.44). Um dos doze "o entrega" às autoridades judaicas; representantes de Israel (as doze tribos) o "entregam" à autoridade romana; Pilatos "o entrega" para ser crucificado (15,15). Entregue pelos chefes ao procurador romano, é como se fosse excluído e expulso do povo judeu.

15,3-5 Marcos é conciso, reserva dados para o episódio de Barrabás. Do tema religioso passa-se ao político, ambos unidos pela ideia de um Messias rei. Segundo o costume romano, Pilatos interroga primeiro o acusado. Concentra a questão na realeza, como ele a entende; subentende-se que foi essa a acusação apresentada pelas autoridades judaicas. Jesus entende de outro modo, e por isso responde afirmativamente, com alguma reserva: tu o dizes, é o que tu dizes. Propriamente o título messiânico é Rei de Israel.

15,6-15 O que se segue são mais acusações que Marcos não especifica e às quais Jesus não responde. Falou o bastante e enfrenta seu destino.
O rei humilde e pacífico (Zc 9,9-10) que dá a vida (Mc 5,37-43) é contraposto a um homicida. Marcos quer indicar responsabilidades. Os judeus o entregaram por inveja de seu êxito, de sua influência sobre o povo, talvez de seus milagres. Mas, se a acusação não tem fundamento, Pilatos é culpado de condenar um inocente. Ambos são culpados, pecadores, assim Jesus o predizia: "será entregue em poder dos pecadores" (14,41).
Sublevada pelos chefes, a multidão se volta contra Jesus: única vez no evangelho de Marcos. Recorde-se o caso de Jeremias, acusado "por sacerdotes e profetas" de profetizar contra o templo: "o povo se amotinou contra Jeremias" (Jr 26,8). Provavelmente era uma multidão restrita e local, não galileus. O fanatismo estala num grito repetido que pede morte e infâmia (cf. Nm 14,10).
A Pilatos não custava muito condenar um judeu para "satisfazer" a uns tantos judeus. O gesto é ambíguo: cede por fraqueza e covardia? (como o rei Sedecias em relação a Jeremias.) Ou concede o pedido com complacente sarcasmo? A flagelação costumava preceder a crucifixão.

15,16-20 A cena dos soldados pretende zombar, não torturar, e é centralizada no título de rei. É uma paródia grotesca e humilhante. A coroa real é de sarças, o cetro é uma cana (implícito), o manto imita

minada a zombaria, tiraram-lhe a púrpura, vestiram-no com suas vestes e o levaram para crucificar.

Morte de Jesus (Mt 27,32-56; Lc 23,26-49; Jo 19,17-30) – ²¹Passava por aí, voltando do campo, certo Simão de Cirene (pai de Alexandre e Rufo), e o forçaram a carregar a cruz. ²²Conduziram-no ao Gólgota (que significa Lugar da Caveira). ²³Ofereceram-lhe vinho com mirra, mas ele não o tomou. ²⁴Crucificaram-no e repartiram sua roupa, tirando sortes sobre o que tocaria a cada um.

²⁵Eram nove horas quando o crucificaram. ²⁶A causa da condenação na inscrição dizia: "O rei dos judeus". ²⁷Com ele crucificaram dois bandidos, um à direita e outro à esquerda*. ²⁹Os que passavam o insultavam balançando a cabeça e dizendo:

– Aquele que derruba o templo e o reconstrói em três dias, ³⁰que se salve, descendo da cruz.

³¹Por sua vez os sumos sacerdotes, zombando, comentavam com os letrados:

– Salvou outros, a si mesmo não pode salvar. ³²O Messias, o rei de Israel, desça da cruz para que o vejamos e creiamos.

Os que estavam crucificados com ele o injuriavam.

³³Ao meio-dia toda a região escureceu até a metade da tarde. ³⁴No meio da tarde, Jesus gritou com voz potente:

– *Eloí, Eloí, lemá sabachtáni* (que significa: *Deus meu, Deus meu, por que me abandonaste?*).

³⁵Alguns dos presentes, ao ouvir isso, comentavam:

– Vê. Ele chama Elias.

³⁶Alguém empapou uma esponja em vinagre, prendeu-a num caniço e lhe ofereceu de beber, dizendo:

– Quietos! Vejamos se Elias vem para libertá-lo.

³⁷Mas Jesus, lançando um grito, expirou. ³⁸O véu do templo se rasgou em dois de

---

a cor da realeza. Segue-se a saudação e aclamação. Depois se anima a zombaria e passam aos golpes e ultrajes (cf. Jr 20,7; Sl 44,14). A brutalidade anula a compaixão.

15,21-32 Os narradores da crucifixão e morte lançaram mão de textos do AT, com preferência o Salmo 22, a grande súplica do inocente perseguido. O estilo de Marcos neste último trecho é sóbrio, diríamos insensível; como se deixasse todo o sentimento ao leitor.

15,21 Na trave horizontal da cruz se fixavam ou atavam os braços para içá-la sobre a trave vertical, já fincada na terra. Simão e seus filhos deviam ser conhecidos em alguma comunidade primitiva. Seu nome gentílico (Cireneu, de Cirene) passou a designar uma obra de caridade, porque leva o peso de outrem (cf. Lm 1,14). Além disso, é o primeiro seguidor de Jesus, de acordo com a norma de 8,34.

15,22 Deixando de lado fantasias – identificação com o monte de Abraão e Isaac, com a sepultura de Adão –, o lugar devia servir para execuções públicas. Ficava fora da cidade (Hb 13,12).

15,23 A bebida oferecida entorpecia e atenuava o tormento. O narrador parece aludir ao cumprimento de uma profecia (Sl 69,21; cf. 1Sm 15,32). "Dai vinho ao aflito: que beba e esqueça o sofrimento" (cf. Pr 31,6-7).

15,24 As vestes do condenado eram a paga dos carrascos; mas o texto alude a Sl 22,18.

15,25 A hora não coincide com a de Jo 19,14. Talvez Marcos atribua um sentido especial à hora terceira.

15,26 Segundo o ponto de vista, o título assume significados diversos: infâmia do condenado, zombaria do fracassado, glória do humilhado.

15,27 Talvez a notícia dos dois bandidos aluda a Is 53,12, citado expressamente em alguns manuscritos. Estão aí como se fossem uma escolta grotesca do rei. * Alguns manuscritos acrescentam: *²⁸E se cumpriu a Escritura que diz: "e foi contado entre os malfeitores"* (Is 53,12).

15,28-30 Os gestos de zombaria, como em Sl 22,7; 109,25. Como se fosse um pretenso mago. Talvez jogando zombeteiramente com o nome de Jesus (= o Senhor salva) dizem "que se salve".

15,31-32 A observação dos sumos sacerdotes encerra uma verdade profunda e paradoxal. Jesus não pode mudar o designio do Pai (14,35, "se é possível"). Também o título de Messias tem duplo sentido: zombaria na boca dos inimigos, confissão na boca dos fiéis. Rei de Israel é o título correto; dito da dinastia davídica (2Sm 5,12; 12,7). Pedem uma legitimação *in extremis*, sabendo que não chegará. O desafio coincide com o dos ímpios: "Glorie-se de ter Deus por pai... Se o justo é filho de Deus, ele o ajudará" (Sb 2,16.18).

15,33 As trevas não são naturais, mas teofânicas (Am 8,9; Ez 32,7). Toda a região ou toda a terra.

15,34-35 É o primeiro versículo do Salmo 22, que a tradição conservou em aramaico. Pode sugerir que Jesus recitou o salmo por inteiro. Pertence às lendas de Elias ser considerado protetor de necessitados.

15,36 Na bebida refrescante há uma alusão ao Sl 69,21. Pelo comentário de quem oferece a bebida, parece que procura prolongar a vida do moribundo para dar tempo a Elias (caçoando?).

15,37-38 Um grito potente nas condições em que se encontra o moribundo, extenuado e sufocando-se, não é realista. Provavelmente, para o narrador é a "voz" da teofania (p. ex. 1Sm 7,10; Is 29,6), ou de uma súplica intensa.

O simbolismo do véu do templo é ambíguo (Ex 26,31-35). Diz que o culto antigo, com seus compartimentos e segredos, terminou. Ou que o acesso a Deus é

cima a baixo. ³⁹O centurião, que estava em frente, ao ver como expirou, disse:

– Realmente este homem era filho de Deus.

⁴⁰Estavam aí olhando à distância algumas mulheres, entre elas Maria Madalena, Maria mãe de Tiago o menor e de Joset, e Salomé, ⁴¹as quais, quando ele estava na Galileia, o tinham seguido e servido; e muitas outras que haviam subido com ele para Jerusalém.

Sepultamento de Jesus (Mt 27,57-61; Lc 23,50-56; Jo 19,38-42) – ⁴²Já anoitecia; e como era o dia da preparação, véspera de sábado, ⁴³José de Arimateia, conselheiro respeitado, que esperava o reinado de Deus, teve a ousadia de apresentar-se a Pilatos para pedir-lhe o corpo de Jesus. ⁴⁴Pilatos estranhou que já houvesse morrido. Chamou o centurião e lhe perguntou se já havia morrido. ⁴⁵Informado pelo centurião, concedeu o corpo a José. ⁴⁶Este comprou um lençol, desceu-o da cruz, envolveu-o no lençol e o colocou num sepulcro escavado na rocha. Depois, fez rodar uma pedra na boca do sepulcro. ⁴⁷Maria Madalena e Maria de Joset observavam onde o colocava.

16 Ressurreição (Mt 28,1-8; Lc 24, 1-12; Jo 20,1-10) –
¹Quando passou o sábado, Maria Madalena, Maria, de Tiago, e Salomé compraram perfumes para ir ungi-lo. ²No primeiro dia da semana, bem cedo, ao raiar o sol, chegam ao sepulcro. ³Diziam entre si:

– Quem rolará para nós a pedra da boca do sepulcro?

⁴Ergueram os olhos e observaram que a pedra estava rolada. Era muito grande. ⁵Entrando no sepulcro, viram um jovem vestido com um traje branco, sentado à direita; e ficaram espantadas. ⁶Disse-lhes:

---

agora claro. Recorde-se Ef 2,14 "derrubou o muro de separação", e também "pelo sangue de Jesus, irmãos, temos livre acesso ao santuário" (Hb 10,19; cf. 9,8).

15,39 Esse é um ponto culminante. Muitos o viram e não o compreenderam. O centurião representa Roma, o poder pagão, que pela cruz alcança a fé. O simples centurião é agora mais que o procurador. Sua confissão é como a resposta à voz do Pai (1,11; 9,7). "Meu servo terá êxito... por seu intermédio triunfará o plano do Senhor" (Is 52,13; 53,10). Primícias dos pagãos convertidos.

15,40-41 O contraste da inteireza e da fidelidade das mulheres, colocado no final, é impressionante. "Tinham-no seguido e servido" e não o abandonam.

15,42-47 Da morte de Jesus se fazem testemunhas José, o centurião e Pilatos.

Receber sepultura num sepulcro era muito importante para os israelitas; ficar sem ele era desgraça e infâmia. Numerosos textos o ilustram (compare-se Is 22,16 com Jr 22,19). No caso de Jesus tem importância redobrada, como sinal da ressurreição. Ao executado cabia a vala comum. A coragem de José o evita.

É importante notar que José era membro estimado do Conselho e "esperava o reinado de Deus", de acordo com a pregação de Jesus. Deduzimos que nem todos no Conselho consentiram na condenação. E que um importante chefe judeu faz companhia ao centurião romano. A morte do Mestre infunde-lhe ousadia diante de outros chefes ou de Pilatos, e quer oferecer sua homenagem póstuma, completando a ação da mulher anônima (14,8, onde se diz que José o embalsamou). O centurião confirma a morte de Jesus. O lençol é normal, pois os judeus não usavam caixões; era recém-comprado (novo). O sepulcro, no estilo de muitas da região.

Como a lei mandava que não ficassem pendurados os corpos dos executados (Dt 21,22-23) e por outro lado era iminente o novo dia, que começava ao pôr do sol, José apressa a operação. Duas mulheres o observam: serão testemunhas.

16,1-8 A conclusão original do evangelho de Marcos é surpreendente e desconcertante, a ponto de os escritores posteriores terem acrescentado um epílogo, respaldado como canônico pela autoridade da Igreja. Um mensageiro celeste pronuncia o anúncio da ressurreição, e as mulheres que o escutam e calam. Vamos propor duas hipóteses para explicar o texto. As mulheres, que são as de 15,40, vão ao sepulcro de Jesus para embalsamar o cadáver, coisa que José não pôde fazer porque o sábado era iminente. Encontram a pedra corrida e o sepulcro vazio. Apavoradas pelo desaparecimento do defunto e sem poder explicá-lo, se refugiam no silêncio. Depois vêm as aparições, que explicam o mistério do túmulo vazio. Finalmente se projeta o anúncio numa cena transcendente no mesmo sepulcro e no dia primeiro. Os que acrescentaram o epílogo ampliaram a segunda fase.

As mulheres recebem nessa hora e aí mesmo o anúncio e o encargo. Seu medo é a intimidação diante do sobrenatural. Seu silêncio reflete a ambiguidade das atitudes diante da mensagem central da ressurreição (cf. 1Cor 15,12). Mas o fato foi proclamado por uma voz celeste, e Marcos lhe dá a ressonância do seu evangelho.

Em qualquer hipótese, o mais importante é a mensagem. O Nazareno, o homem com quem convivestes, o crucificado de modo injusto e incompreensível, ressuscitou (na voz passiva). O sepulcro vazio o confirma. Essas duas palavras "o crucificado ressuscitou" são como um querigma primordial e urgente. Como outrora ele se apresentou e chamou discípulos, assim agora vai reunir os seus no lugar dos

— Não vos espanteis. Procurais Jesus Nazareno, o crucificado. Ressuscitou, não está aqui. Vede o lugar onde o haviam posto. ⁷Mas ide dizer a seus discípulos e a Pedro que irá à frente deles para a Galileia. Lá o verão, como lhes havia dito.

⁸Saíram fugindo do sepulcro, tremendo e fora de si. E por puro medo, nada disseram a ninguém.

Epílogo (Mt 28,9s; Lc 24,13-35; Jo 20,11-18) – ⁹No primeiro dia da semana, pela manhã, Jesus ressuscitou e apareceu a Maria Madalena, da qual tinha expulsado sete demônios. ¹⁰Ela foi contá-lo aos seus, que estavam chorando e de luto.

¹¹Eles, ao ouvir que estava vivo e que havia aparecido, não lhe deram crédito. ¹²Depois apareceu disfarçado a dois deles que iam passeando pelo campo. ¹³Eles foram contá-lo aos outros, que tampouco creram neles. ¹⁴Por último, apareceu aos onze quando estavam à mesa. Repreendeu sua incredulidade e obstinação por não terem crido nos que o haviam visto ressuscitado da morte. ¹⁵E lhes disse:

— Ide por todo o mundo, proclamando a boa notícia a toda a humanidade. ¹⁶Quem crer e for batizado se salvará; quem não crer se condenará. ¹⁷Estes sinais acompanharão os que crerem: em meu nome expulsarão demônios, falarão línguas novas, ¹⁸pegarão serpentes; se beberem algum veneno, não lhes causará dano. Porão as mãos sobre os doentes, e ficarão curados.

¹⁹O Senhor Jesus, depois de falar com eles, foi levado ao céu e sentou à direita de Deus. ²⁰Eles saíram para pregar por todos os lugares, e o Senhor cooperava e confirmava a mensagem com os sinais que a acompanhavam.

---

começos e se deixará ver por eles. Será o novo começo, consumação do primeiro; porque aqueles que o virem, terão de dar testemunho disso. Era isso que as mulheres deviam ter comunicado aos discípulos com Pedro à frente. E não é necessário dizer mais. Marcos põe ponto final no seu relato.

16,9-20 Outros membros da comunidade pensaram que ainda havia muito a dizer. Lançando mão de várias tradições, acrescentaram os vv. 9 a 20.
A Maria Madalena: Lc 8,2; Jo 20,11-18. Com a reação de incredulidade dos discípulos.
Aos dois discípulos a caminho de Emaús: Lc 24,13-35. Nova incredulidade.

Aos onze: Lc 24,36-43.
A missão universal: Mt 28,16-20; Lc 24,46-49; 1Tm 3,16. Não crer é resistência positiva à mensagem do evangelho.
Ascensão e exaltação: Lc 24,50-53; Sl 110,1 (cf. 2Rs 2,11; Eclo 48,12).
Cumprimento da missão: é o tempo da Igreja, dos Atos e do que vem depois.
Outro final apócrifo soa assim: *"Elas comunicaram o anúncio inteiro aos que estavam com Pedro. Depois, por meio deles, Jesus enviou do Oriente ao Ocidente o anúncio santo e incorruptível da salvação eterna. Amém"*.

EVANGELHO SEGUNDO LUCAS

INTRODUÇÃO

O livro de Lucas, ou sua primeira parte, sem dúvida é evangelho, e tem muitas coisas em comum com Marcos e Mateus. Contudo, a obra de Lucas é bem diferente.

Em primeiro lugar, por seu caráter grego. Usa a língua grega melhor que os outros, embora não elimine todos os semitismos tradicionais, em grande parte devidos à influência do AT. Dirige-se a leitores desligados de questões judaicas. Oferece uma mensagem mais imediatamente acessível a leitores pagãos.

Em segundo lugar, apresenta-se como historiador de estilo grego: cuidadoso ao consultar suas fontes e apurar os fatos, curtido em viagens, especialmente marítimas. Menciona um círculo de testemunhas oculares: depois, um grupo de narradores (que poderiam ser os mesmos). Atrás vem ele para recolher e ordenar. Sem deixar de proclamar a fé, quer fazer obra de historiador. Na hora de compor suas cenas, não é puramente grego: depende de tradições evangélicas escritas e talvez orais, e segue a grande tradição narrativa hebraica.

Em terceiro lugar, porque seu evangelho é nada mais que a primeira parte de uma obra maior, que continua nos Atos dos Apóstolos. Com essa operação, o evangelho passa a ocupar uma posição intermédia, a metade dos tempos: entre o anúncio e preparação do AT, que se estende até o Batista, e o tempo da Igreja, que começa em Pentecostes. A preparação da antiga economia é essencial para compreender a missão de Jesus. Os personagens da infância, especialmente Simeão, encarnam essa tensão do passado para o momento culminante que chegou. Não menos importante é a continuação, a expansão da Igreja. Como o AT profetiza e prefigura Jesus, assim Jesus profetiza e prefigura a missão dos Apóstolos. Forma-os a seu lado, os instrui, os previne, dá-lhes o seu Espírito. Depois, ao contar seus "atos", o autor se compraz em estabelecer paralelos de situação e também verbais. O modelo de Jesus continua atuando.

Também há um centro espacial, que é Jerusalém. Aí começa o relato e aí se conclui o itinerário de Jesus, até que retorne ao céu. Daí parte a expansão até os confins do mundo.

Lucas entrelaça seu relato com datas da historiografia profana, com sentido encarnacionista. Por seus olhos, uma comunidade autônoma e consolidada volta o olhar para repassar as próprias origens, que são a vida de Jesus desde a infância. Uma comunidade, já curada de aguardar uma parusia iminente, toma consciência do seu ser e da sua vocação histórica, no seio da organização política do seu tempo.

Perfil do evangelho

a) Quanto à composição. Embora em boa parte esteja condicionado pelo modelo de Marcos, inclusive na ordem de várias perícopes, e por materiais que compartilha com Mateus, Lucas compõe a seu gosto. No bloco da infância constrói um díptico de correspondências rigorosas, entre Isabel e Maria, João e Jesus. Estabelecida a simetria de base, pode efetuar deslocamentos significativos. Três hinos, em estilo bíblico, balizam o relato.

O que mais sobressai no livro, segundo opinião comum, é o relato da grande viagem ascensional: para Jerusalém (9,51) arrastando os discípulos; para a cruz, até o céu. Só Lucas descreve a ascensão. Cenas programáticas: Podemos selecionar duas, na sinagoga de Nazaré e a caminho de Emaús. Na primeira Jesus se identifica como cumprimento da profecia, prega a

graça, abre-se aos pagãos, provoca a oposição e a tentativa de matá-lo, atravessa e prossegue seu caminho. Na segunda, de viagem, propõe a chave pascal do cumprimento e a sela com uma eucaristia.

b) Quanto à sua visão particular. Destaca a universalidade: a genealogia remonta a Adão; sua pregação se abre aos pagãos. Inclusive procura deixar bem conceituadas várias personagens romanas, ao passo que registra a oposição crescente de autoridades judaicas. Jesus traz uma mensagem de misericórdia e perdão, de acolhida aos pecadores e busca dos extraviados, de ajuda aos pobres e necessitados. As mulheres desempenham papel saliente no ministério de Jesus. O chamado dos apóstolos é gradual e delicado. O Espírito começa a agir, preparando sua ação dominante em Atos.

Composição

Dupla introdução, notável por sua construção em blocos paralelos: infância de João e de Jesus (1-2), batismo e tentações (3). Ministério na Galileia: abre-se com a auto-apresentação programática de Nazaré (4,16-30); conclui-se com a confissão-anúncio da paixão; transfiguração (9,18-50). A grande viagem de subida a Jerusalém como quadro narrativo (9,51-19,28). Em Jerusalém: confronto, paixão, ressurreição e ascensão.

Autor e data

A tradição intitulou este evangelho "segundo Lucas". O nome aparece em Fm 24 e 2Tm 4,11, como em Cl 4,14. A identificação não é improvável. Pelo contrário, a identificação com Lúcio (Loukios) de At 13,1 e Rm 16,21 é pouco provável. O autor tem notícia da destruição de Jerusalém, mas não da perseguição de Domiciano; parece viver a tensão crescente e a rejeição próxima por parte da sinagoga. Esses dados sugerem como data de composição a década 80-90.

1

Prólogo – ¹Visto que muitos empreenderam a tarefa de contar os fatos que nos aconteceram, ²tal como nos transmitiram as primeiras testemunhas oculares, postas a serviço da palavra, ³também eu pensei, ilustre Teófilo, escrever-te tudo em ordem e exatamente, começando desde o princípio; ⁴assim compreenderás com certeza os ensinamentos que recebeste.

Anuncia-se o nascimento de João – ⁵No tempo de Herodes, rei da Judeia, havia um sacerdote chamado Zacarias, do turno de Abias; sua mulher era descendente de Aarão e se chamava Isabel. ⁶Os dois eram retos diante de Deus e agiam irrepreensivelmente, de acordo com os mandamentos e preceitos do Senhor. ⁷Não tinham filhos, porque Isabel era estéril, e os dois eram de idade avançada.

⁸Certa vez, quando oficiava diante de Deus com os do seu turno, ⁹conforme o ritual sacerdotal, coube-lhe entrar no santuário para oferecer incenso. ¹⁰Enquanto isso, a multidão do povo ficava fora, orando durante a oferta do incenso. ¹¹Apareceu-lhe um anjo do Senhor, de pé à direita do altar do incenso. ¹²Ao vê-lo, Zacarias se assustou, tomado de temor. ¹³O anjo lhe disse:

– Não temas, Zacarias, pois teu pedido foi ouvido, e tua mulher Isabel te dará um filho, a quem chamarás João. ¹⁴Ele te encherá de gozo e alegria, e muitos se

---

1,1-4 Lucas compõe com grande cuidado um prólogo no estilo retórico da época, para justificar ou explicar o novo relato de fatos já contados, o método de estudo e exposição, a finalidade do livro. Não sendo ele testemunha ocular, atém-se à tradição dos que assistiram e que estiveram a serviço da palavra, da mensagem evangélica. Seu relato remontará aos começos e estará exposto com ordem (não necessariamente cronológica). Nos acontecimentos se cumpriu um desígnio; contá-lo dá garantia a um ensinamento. Lucas está consciente de ter composto uma obra literária.

1,5-2,52 O chamado "evangelho da infância" ocupa dois longos capítulos e é contribuição própria de Lucas, que pôde contar com informações orais ou com documentação já elaborada. Ele nos conta que o Espírito preenchia ou guiava ou inspirava as principais personagens. Num mundo de relações familiares e de política imperial irrompe e age uma presença celeste. Lucas projeta nessas páginas a deslumbrante e depurada luz da ressurreição.
O estilo do relato semítico é mais marcado nesses capítulos: são abundantes as expressões de cunho hebraico, claras reminiscências do Antigo Testamento, paralelismos de ascendência poética, padrões narrativos: três hinos transformam o relato em oração. Lucas compõe em quadros paralelos: duas anunciações angélicas, dois nascimentos, dois hinos de ação de graças, a mãe estéril e a mãe virgem; o encontro das duas mães, que é encontro pré-natal de João e Jesus. Estas as duas personagens principais: João precede no tempo, Jesus na dignidade. A relação se prolongará no capítulo 3. A composição paralela faz ressaltar a categoria excepcional de Maria e Jesus. Não há paralelismo entre Zacarias e José, que atua em segundo plano.

1,5-25 Era o tempo do chamado Herodes o Grande (37-4 a.C.). Os pais têm algo de patriarcas, embora ele seja um sacerdote que profetiza e o filho venha a ser grande profeta, como os sacerdotes profetas Jeremias e Ezequiel. Seu sacerdócio tem a legitimação da estirpe (Abias, 1Cr 24,10); ela é descendente de Aarão. Seu nome significa O-Senhor-lembra, o dela Meu-Deus-jura ou promete. Herodes não tem tal legitimação. Isabel é estéril: não por castigo (Micol, esposa de Davi, 2Sm 6,23), mas como outras mulheres ilustres, Sara, Rebeca e Raquel (Gn 11,30; 17,16-17; 25,21; 29,31), e sobretudo como Ana, a mãe do profeta Samuel (1Sm 1-2), que consagrou Davi. Os pais são ademais exemplares segundo a religiosidade tradicional (Jó 1,1; Tb 1,3; Ez 36,27): sua justiça aceita por Deus consiste no cumprimento exato de todos os preceitos.

1,8-10 Os sacerdotes oficiavam por turnos de permanência, e oferecer o incenso era privilégio não repetido. O rito era feito no altar especial do incenso (Ex 30,7.34-38; Sl 141,2), no interior do templo, enquanto o povo esperava no átrio exterior. A revelação acontecerá em contexto cultual, como a de Isaías (Is 6).

1,11-20 A aparição angélica imita modelos tradicionais, como os de Gedeão e Sansão (Jz 6,12; 13,3), e visa ao oráculo de anunciação, segundo os cânones do gênero. São tópicos da cena: a aparição inesperada, o susto, a objeção, o sinal. O oráculo costuma anunciar a concepção, o nascimento, o nome e o futuro do menino; às vezes acrescenta prescrições dietéticas (Gn 16,11-12; Jz 13,3-5; Is 7,14-16).

1,11-20 O grego é decalque do hebraico (*mal'ak Yhwh*): com a expressão "anjo do Senhor" designa uma manifestação, às vezes visual, do Senhor. (No v. 19 identifica-se com o nome próprio.) Provoca o temor numinoso ou intimidação da presença do divino ou do sobre-humano (Dn 10,7 ao ouvi-lo, Hab 3,18).

1,13-14 O oráculo é pormenorizado. Começa com a fórmula clássica: "não temas", que serve para conter o pavor inicial: a divindade chega com intenção pacífica. Além disso serve para dispor o ânimo à recepção da mensagem. A seguir vem o anúncio: o nascimento de um filho, que será dom especial de Deus, respondendo ao pedido do sacerdote (Gn 18,10.14; 25,21). O nome João significa O-Senhor-se-compadece. Logicamente, o filho será uma alegria para o pai, que assim terá um sucessor (Jr 20,15; e Sara em Gn 21,6). A alegria será partilhada por muitos nos quais a missão da criança afetará (Gn 30,13; Is 9,2; 66,10).

alegrarão com o seu nascimento. ¹⁵Será grande diante do Senhor; não beberá vinho nem licor. Estará cheio de Espírito Santo desde o ventre materno ¹⁶e converterá muitos israelitas ao Senhor seu Deus. ¹⁷Irá à frente, com o espírito e o poder de Elias, para reconciliar pais com filhos, rebeldes com o modo de ver dos honrados; assim preparará para o Senhor um povo bem-disposto.

¹⁸Zacarias respondeu ao anjo:

— *Que garantia me dás disso?* Pois sou ancião, e minha mulher de idade avançada.

¹⁹O anjo lhe replicou:

— Eu sou Gabriel, e sirvo na presença de Deus: enviaram-me para falar-te, para dar-te esta boa notícia. ²⁰Mas olha: Ficarás mudo e sem poder falar, até que isso se cumpra, por não teres crido em minhas palavras, que se cumprirão em seu devido tempo.

²¹O povo aguardava Zacarias e estranhava que demorasse no santuário. ²²Quando saiu, não podia falar, e eles adivinharam que tivera uma visão no santuário. Ele lhes fazia sinais e continuava mudo.

²³Quando terminou o tempo do seu serviço, voltou para casa. ²⁴Algum tempo depois, sua mulher Isabel concebeu, e ficou escondida cinco meses, comentando:

— ²⁵Assim tratou-me o Senhor quando providenciou remover minha humilhação pública.

Anuncia-se o nascimento de Jesus — ²⁶No sexto mês, Deus enviou o anjo Gabriel a uma cidade da Galileia chamada Nazaré, ²⁷a uma virgem prometida a um homem chamado José, da família de Davi; a virgem se chamava Maria. ²⁸O anjo entrou onde ela estava e lhe disse:

1,15-17 Segue-se a breve descrição de seu destino. Será grande na apreciação decisiva do Senhor: "o maior até agora entre os nascidos de mulher". Como os nazireus, se absterá de vinho (Nm 6,3; Jz 13,4). Cheio do Espírito, como Josué (Dt 34,9) e nisso consistirá sua grandeza. Ou como Elias (cf. 2Rs 9,15), com o qual exercerá a função profética de "converter" (Jr 3,12.14; 15,19; 18,11; Dn 12,3 "brilharão como estrelas"), e a função específica de "reconciliar". Do texto bíblico (Ml 3,23-24) suprime a segunda parte, "converter os filhos aos pais" (como já tinha feito Eclo 48,10), talvez porque o movimento é agora todo para o futuro, não para o passado. A cláusula paralela traça o perfil ético da reconciliação, como que evitando mal-entendidos. Assim prepara para o Senhor um povo (cf. Is 43,21) bem-disposto a receber a novidade que se aproxima (cf. Am 4,12).

1,18-20 Duvida como Abraão e Sara (Gn 17,16; 18,11), pede um sinal como Gedeão (Jz 6,36-40). A objeção serve ao narrador para salientar o puro dom de Deus, o milagre da fecundidade (cf. Is 66,9). O anjo está a serviço de Deus, assiste à corte divina, segundo representações tradicionais. Seu nome significa Força-de-Deus (e é o quarto nome significativo no relato). Só em época tardia se impõe o costume de dar nome a alguns seres celestes, se são investidos de alguma missão especial (Dn 8,16; 9,21). Vem como mensageiro de uma boa notícia (Is 40,9). A mudez e a incomunicação, além de castigo, servirão de sinal, como aconteceu a Ezequiel (3,26-27; 24,27; 33,21-22). Não poderá comunicar a boa notícia. Quando recuperar a fala, o sacerdote será profeta. Assim começa uma etapa de incomunicação e escondimento para a família enquanto amadurece uma vida nova.

1,21-22 O povo esperava talvez a bênção sacerdotal (cf. Nm 6,23-26), que o mudo não podia pronunciar. O povo adivinha algo sobrenatural (cf. Dn 10,7-8).

1,24-25 É um ocultamento precursor, até que Maria o rompa com sua visita.

A "humilhação" pública da esterilidade, como a de Raquel ou de Jerusalém (Gn 30,23; Is 54,4). Tratou-me/fez-me (perfeito grego): intervenção de Deus e fato consumado.

1,26-38 Segundo quadro do primeiro díptico. Se o esquema literário é semelhante, as diferenças ressaltam mais: protagonista não é o pai, mas a mãe (ambos em Jz 13); a objeção não é a esterilidade, mas a virgindade; fé diante da desconfiança; não é resposta a um pedido, mas pura iniciativa divina; a concepção será obra prodigiosa de Deus e do seu Espírito; a "grandeza" do menino será a sua condição de sucessor de Davi, rei Messias, mais que profeta (ela será mãe do rei herdeiro, com título de rainha, segundo a tradição do AT). Encenações com anjos e diálogos pertenciam às convenções literárias da época.

1,26-27 Gabriel anuncia os acontecimentos finais (Dn 8,16). A Galileia era zona limítrofe, longe de Jerusalém; Nazaré, um lugar sem importância (cf. Jo 1,46; 7,52), perto da importante cidade de Séforis. Maria estava "prometida", com o vínculo legal dos esponsais, mas sem ter celebrado ainda o casamento, começo da co-habitação. (Veja-se a legislação em Dt 22,23-28; Ex 22,15.) José era descendente de Davi, de nobreza decadente; mais tarde Lucas nos dará a árvore genealógica (3,23-38; cf. 1Cr 3,1-24).

1,28-29 A saudação corrente grega (*chaire*) soa com os acordes de uma rica tradição bíblica, em contextos de renovação ou restauração (p. ex. Jz 2,21; Sf 3,16; Is 49,13; 65,18). "Favorecida" é um daqueles particípios passivos, quase títulos, que conhecemos pela literatura profética (Compadecida, Os 2,3; Preferida, Is 62,4). Atribui-se à figura emblemática, não a uma pessoa em particular. O Senhor está contigo; "Deus conosco" (*immanu'el*) é o nome do anunciado em Is 7,14-15 e é expressão própria de momentos importantes (Ex 3,12; Jz 6,12; Jr 1,19. A concentração dos três elementos é suficiente para surpreender e perturbar Maria).

— Alegra-te, favorecida, o Senhor está contigo.

²⁹Ao ouvir isso, ela se perturbou e refletia que tipo de saudação era essa. ³⁰O anjo lhe disse:

— Não temas, Maria, pois gozas o favor de Deus. ³¹Vê: Conceberás e darás à luz um filho, a quem chamarás Jesus. ³²Ele será grande, levará o título de Filho do Altíssimo; o Senhor Deus lhe dará o trono de Davi seu pai, ³³para que reine sobre a Casa de Jacó para sempre, e seu reinado não tenha fim.

³⁴Maria respondeu ao anjo:

— Como acontecerá isso, se eu não convivo com um homem?

³⁵O anjo lhe respondeu:

— O Espírito Santo virá sobre ti e o poder do Altíssimo te fará sombra; por isso o consagrado que nascer levará o título de Filho de Deus. ³⁶Vê: Também tua parente Isabel concebeu em sua velhice, e a que era considerada estéril já está de seis meses. ³⁷*Pois nada é impossível para Deus.*

³⁸Maria respondeu:

— Aqui tens a escrava do Senhor. Que sua palavra se cumpra em mim.

O anjo a deixou e se foi.

Maria visita Isabel — ³⁹Então Maria se levantou e se dirigiu apressadamente à serra, a um povoado da Judeia. ⁴⁰Entrou em casa de Zacarias e saudou Isabel. ⁴¹Quando Isabel ouviu a saudação de Maria, a criatura deu um salto em seu ventre; Isabel, cheia de Espírito Santo, ⁴²exclamou com voz forte:

— Bendita és tu entre as mulheres e bendito o fruto do teu ventre. ⁴³Quem sou eu para que me visite a mãe de meu Senhor?

1,31-33 Agora o anunciado se chamará Jesus (= o Senhor salva), equivalente a Josué e Isaías (explicado provavelmente em Is 12,2-3). É o descendente de Davi (2Sm 7; Is 11,1), herdeiro legítimo do trono (Jr 23,5); levará o título de Filho do Altíssimo (Deus, segundo 2Sm 7,14; Sl 2,7; 89,27-28), e terá um reinado perpétuo (Is 9,6; Sl 72,5; 89,37; Mq 4,7). Ou seja, será um cumprimento no qual convergem várias profecias.

1,34 Da objeção autores antigos e modernos deduziram um voto virginal de Maria; todavia, o suposto voto não concorda com os dados do contexto. Uma objeção do destinatário é corrente no gênero anunciação; a presente serve para que o narrador sublinhe a concepção sem intervenção do homem. Podemos, sim, afirmar, por força do contexto, que Maria se pusera à inteira disposição de Deus, incluída sua capacidade maternal, que é bênção genesíaca.

1,35-37 Num parágrafo breve, recebemos pela voz do anjo um resumo de cristologia. A maternidade será obra do Espírito (cf. Jo 3,5); o "poder" de Deus agirá como sombra que fecunda (cf. Sl 91,1; 121,5). Espírito e poder ou força formam um paralelismo, porque o Espírito é o dinamismo de Deus criador e recriador. Nas fórmulas "vir sobre" e "cobrir com a sombra" alguns leram uma sutil alusão nupcial. Outros autores o relacionaram com a sombra da nuvem, segundo Ex 40,34: "A nuvem cobriu a tenda do encontro e a glória de Yhwh encheu o santuário". É uma explicação sugestiva: Maria coberta pelo Espírito e cheia da glória de Deus. Nascendo de mulher, nasce homem. Sendo concebido pela ação do Espírito nascerá consagrado, "santo" por excelência (4,34; cf. o título divino "Santo de Israel" em Is 5,19.24; 37,23 etc.). E será Filho de Deus de modo especial, não simplesmente como Adão (3,21). A maternidade de Isabel serve de sinal não solicitado do que foi anunciado, do poder divino. "Há algo difícil para Deus?", diz o Senhor anunciando ao cético Abraão a maternidade de Sara (Gn 18,14); Jó, no final, confessa: "nenhum plano para ti é irrealizável" (Jó 42,2).

1,38 Maria não usa um verbo ativo na primeira pessoa, "cumprirei" (Ex 19,8), mas um intransitivo "aconteça": o que disse o anjo, ou seja, a ação divina e sua consequências (como um novo Gênesis). Deixar Deus agir é a suprema humildade e grandeza de Maria (1,49). A tradição entendeu o consentimento de Maria como pronunciado em nome da humanidade.

1,39-56 A reclusão de Isabel se abre para receber a visita de sua prima. As duas linhas paralelas se cruzam numa intersecção transcendental. O novo episódio, o encontro de duas parentes em sua primeira gravidez, se polariza para o encontro misterioso de Jesus e João e para o hino de Maria. João, o anunciado, é chamado antes de nascer: "Antes de te formar no ventre eu te escolhi; antes de saíres do seio materno eu te consagrei" (Jr 1,5; Is 49,1).

1,39 De Nazaré a um povoado (desconhecido) da Judeia seriam uns dois dias de caminhada. Podemos supor que o sacerdote Zacarias não morava longe de Jerusalém e do templo. A tradição localizou-o em Ain Karim.

1,40-41 A saudação de Maria é medianeira de alegria e de inspiração celeste. A criatura expressa sua alegria inconsciente (de sinal contrário os gêmeos de Gn 25,22). Isabel fala profetizando. Alguém quis ver Maria como a arca da aliança, com base em 2Sm 6.

1,42 A interpretação profética menciona três elementos conjugados: a fé, a maternidade, o Messias. Bendita: embora possa recordar mulheres ilustres (Jael, Jz 5,24; Judite, Jt 13,18; Abigail, 1Sm 25,33), o contexto próximo nos convida a pensar na bênção genesíaca da fecundidade (Gn 1,28; 9,1; 17,16; Dt 28,4). Nenhuma maternidade da história pode ser comparada com a de Maria; a ela estavam direcionadas muitas maternidades precedentes.

1,43 Chama o filho de Maria de "meu Senhor", como que reconhecendo o Messias. Não sabemos se o autor alude a Sl 110,1. Na pluma e boca cristãs,

⁴⁴Vê: Quando tua saudação chegou aos meus ouvidos, a criatura deu um salto de alegria em meu ventre. ⁴⁵Feliz és tu que creste, porque se cumprirá o que o Senhor te anunciou. ⁴⁶Maria disse:

Minha alma proclama a grandeza do Senhor,
⁴⁷meu espírito *festeja a Deus, meu salvador,*
⁴⁸porque *olhou a humildade de sua escrava*
e daqui para a frente me felicitarão todas as gerações.
⁴⁹Porque o Poderoso fez proezas,
seu nome é sagrado.
⁵⁰*Sua misericórdia com seus fiéis*
continua de geração em geração.
⁵¹Seu poder é exercido com seu braço:
dispersa os soberbos em seus planos;
⁵²*derruba do trono os potentados*
e exalta os humildes;
⁵³*cumula de bens os famintos*
e despede vazios os ricos.
⁵⁴*Socorre Israel seu servo,*
recordando a lealdade,
⁵⁵prometida a nossos antepassados,
em favor de Abraão e sua descendência para sempre.

⁵⁶Maria ficou com ela três meses, e depois voltou para casa.

Nascimento de João — ⁵⁷Quando se completou para Isabel o tempo do parto, deu à luz

---

Senhor é título divino de Jesus Cristo. A bênção acrescenta a felicitação (macarismo), a primeira de uma série sem fim: a fé é mérito principal: crendo, tornou possível o cumprimento.

1,46-55 Maria dirige o louvor para Deus, que fez tudo, ao passo que ela deixou fazer. Na passagem prodigiosa da virgindade à maternidade ela descobre o estilo e o esquema da ação renovadora de Deus, manifestada também na esfera política e na econômica (1Sm 2,4-8; Sl 113,6-9): não para mudar os lugares, deixando as coisas como estão, mas sim no espírito messiânico das bem-aventuranças (felicidades, venturas). A ela felicitarão (Gn 30,13; Ct 6,9) todos os que reconhecerem esses valores. Ela é a "serva" que representa Israel, "servo" desvalido e socorrido por Deus (e também a igreja pelas bem-aventuranças). O hino é de puro estilo bíblico, cheio de citações e reminiscências do AT.
O cântico é composto em estilo de hino, com temas tradicionais. Divide-se em duas seções, com o corte final do versículo 50. Parece unir-se a Israel, o povo escolhido; no tempo, parte de Abraão e continua sem fim. Não menciona expressamente a maternidade, implícita no contexto próximo. Não é improvável que Lucas tenha adaptado um hino já existente. Do cântico de Ana e seu contexto (1Sm 1-2) toma: o tema básico da maternidade (2,5), as duplas poderosos/humildes, ricos/pobres (2,5.7.8), a reviravolta da situação, a alegria da celebração (2,1), a santidade de Deus (2,2), a atenção para a humildade ou humilhação (1,11), o Deus de Israel (1,17).

1,46 A grandeza: Sl 34,4; 69,31.
1,47 O hino é alegre, festivo. A "alegria" irrompeu pela saudação de Gabriel, e agora toma a palavra na boca de Maria. Meu salvador: 2Sm 22,3; Is 43,3.

1,48 Humildade e humilhação: Maria pertence ao "povo pobre e humilde" que o Senhor conservou (Sf 3,12). Me felicitarão: como as vizinhas de Lia por causa do nascimento de Aser (= Félix, Gn 30,13), mas projetado para um futuro sem fim. Profecia que vem se cumprindo na igreja.

1,49 Poderoso: Sf 3,17. Gabriel mencionava o "poder" do Altíssimo. Proezas: Sl 126,2-3; Jl 2,20-21. Santidade: o triságio de Sl 99; Is 57,15; Gabriel havia apelado ao Espírito Santo e ao futuro menino santo ou consagrado.

1,50 Misericórdia: Sl 103,17; e o estribilho litúrgico do Salmo 136.

1,51-52 Exerce o poder: Sl 118,15-16. O braço: Ex 15,16; Is 51,5.9. Desbarata, derruba: Sl 89,10-11 (davídico); Jó 5,11-12; 12,19.

1,53 Sl 57,9 e as mudanças de Sl 107,33-41. Vazios: Dt 15,13.

1,54 Seu servo: Is 41,8. Se a misericórdia é pura iniciativa, a lealdade supõe um compromisso: Sl 25,6; 98,3.

1,55 Mq 7,20.

1,57-66 O nascimento de João, pelas circunstâncias, apresenta-se como acontecimento maravilhoso: a anciã estéril e mãe, o nome inesperado, a fala recuperada. Quando chegou o tempo: a fórmula pode recordar Rebeca (Gn 25,24) e a promessa feita a Abraão (Gn 18,10). Os festejos como na tradição patriarcal (Gn 30,13). A procura do nome, como Rt 4,17. A maternidade da anciã e o parto feliz foram um ato insigne da "misericórdia" de Deus. Com a discussão sobre o nome o narrador sublinha sua importância: Piedoso é, precisamente, um dos títulos clássicos de Deus (Ex 34,6; Jl 2,13; Jn 4,2; Sl 86,15 etc.).

um filho. ⁵⁸Os vizinhos e parentes, ao saber que o Senhor a tratara com tanta misericórdia, congratularam-se com ela. ⁵⁹No oitavo dia foram circuncidá-lo e o chamavam como seu pai, Zacarias. ⁶⁰Mas a mãe interveio:
– Não; será chamado João.
⁶¹Observavam-lhe que ninguém entre os parentes levava esse nome. ⁶²Perguntaram por sinais ao pai que nome queria dar-lhe. ⁶³Pediu uma tabuinha e escreveu: Seu nome é João. Todos se assombraram. ⁶⁴Imediatamente a boca e a língua se soltaram e se pôs a falar bendizendo a Deus. ⁶⁵Todos os vizinhos ficaram espantados: o fato foi contado por toda a serra de Judá ⁶⁶e os que o ouviam refletiam, dizendo:
– O que este menino irá ser?
Pois a mão do Senhor o acompanhava.
⁶⁷Seu pai Zacarias, cheio de Espírito Santo, profetizou:

⁶⁸*Bendito o Senhor, Deus de Israel,*
   porque se preocupou em resgatar seu povo.
⁶⁹*Suscitou-nos uma eminência salvadora*
   na Casa de Davi, seu servo,
⁷⁰*como havia prometido desde tempos antigos*
   por boca de seus santos profetas:
⁷¹*salvação diante de nossos inimigos,*
   do poder de quantos nos odeiam,
⁷²*tratando com lealdade nossos pais*
   e recordando sua aliança sagrada,
⁷³*aquilo que jurou a nosso pai Abraão,*
   que nos concederia,
⁷⁴*libertados do poder inimigo,*
   servi-lo sem temor em sua presença,
⁷⁵*com santidade e justiça por toda a vida.*
⁷⁶*E a ti, menino, te chamarão profeta do Altíssimo,*

1,64-65 Aquele que emudeceu por não crer recupera a fala, quando tudo se cumpriu, para dar graças e profetizar. Também isso é para todos um sinal (Ez 24,27; 33,22) que provoca o temor numinoso.

1,66 É a versão teológica de nossa frase "uma criança que promete", porém é Deus quem promete. A mão de Deus: Is 41,20; Ez 1,3; Sl 80,18.

1,67 O autor apresenta esse hino como profecia inspirada. Alguns sacerdotes foram também profetas de profissão, como Jeremias e Ezequiel. Zacarias o é numa só ocasião (2Sm 23,2).

1,68-79 O cântico divide-se em duas partes desiguais: na primeira (68-75) recorda a ação de Deus até esse momento; na segunda (76-79) anuncia o destino do menino. Com esse recurso, a missão de João fica inserida na história do povo escolhido. É composto em puro estilo bíblico repleto de citações e reminiscências, como síntese teológica.

1,68-75 No princípio houve a promessa feita com juramento a Abraão (73): Deus se compromete com ele, e a história vai sendo cumprimento progressivo. Depois, a promessa se materializa na forma jurídica de um pacto mútuo (72) "com nossos pais"; pela lealdade do Senhor, o povo não foi aniquilado por seus inimigos (71.74). Um dia essa promessa se concretiza na promessa feita a Davi de fundar-lhe uma dinastia ou "casa" (69). A dinastia, aparentemente interrompida, renasce, porque Deus "suscita" nela uma força salvadora (69). O Messias restaura a dinastia davídica, renova a aliança sinaítica, cumpre a promessa patriarcal.

1,68 Começa com aclamação litúrgica "Bendito Yhwh" e variantes, que constituem fórmula clássica, também para começar (Gn 9,26; 24,27 etc.); a fórmula inteira (1Sm 25,32; 1Rs 1,48 etc.); e fechando a primeira coleção de salmos (Sl 41,14).
O Senhor vem "resgatar" novamente o seu povo, segundo sua função tradicional (Ex 6,6; Is 43,1; Jr 31,11; Sl 77,16). Tratando-se de homens, é resgate de alguma escravidão, se corresponde ao hebraico *pedut* (Is 50,2; Sl 119,9; 130,7).

1,69 "Eminência": Na linguagem bíblica do chifre, símbolo de poder (Sl 75,11; 89,18.25 davídico; 112,9). "Salvadora": competia ao rei salvar (Saul, 1Sm 10,27); um rei de Israel (2Rs 7,26s). Davi tem o título de "servo" (2Sm 3,18; 7,8; Sl 89,4.21).

1,70 Sem dar nomes, supõe que vários profetas anunciaram o Messias.

1,71 Tema frequente nos salmos (p. ex. 18,1; 31,16; 106,10.45).

1,72 Deus "se recorda", leva em conta a sua aliança, é coerente com seu compromisso (Ex 20,6; Sl 18,15; Sl 105,8).

1,73 Promessa com juramento, aliança em forma de compromisso unilateral.

1,74-75 Traduz as promessas patriarcais em termos de serviço autêntico. Livrará do "temor" (74) e do pecado (77). Para uma vida "a serviço", também cultual, do Senhor.

1,76-79 O destino de João é sua missão de abrir caminho para outro, para o "Senhor" (76). Abre caminho como arauto, "anunciando a salvação" (77) e

pois caminharás à frente do Senhor
preparando-lhe o caminho;
⁷⁷anunciando a seu povo a salvação
pelo perdão dos pecados.
⁷⁸Pela entranhável misericórdia do nosso Deus,
nos visitará do alto um amanhecer
⁷⁹que ilumina *os que habitam em* trevas
e em sombras de morte,
que encaminha nossos passos por um caminho de paz.

⁸⁰E o menino crescia, fortalecia-se espiritualmente, e viveu no deserto até o dia em que se apresentou a Israel.

2 Nascimento de Jesus (Mt 1,18-25) –

¹Nesse tempo promulgou-se um decreto do imperador Augusto, que ordenava ao mundo inteiro inscrever-se no censo. ²Este foi o primeiro censo, realizado quando Quirino era governador da Síria. ³Todos iam inscrever-se, cada um em sua cidade. ⁴José subiu de Nazaré, cidade da Galileia, à cidade de Davi, na Judeia, chamada Belém – pois ele pertencia à Casa e família de Davi – ⁵para inscrever-se com Maria, sua esposa, que estava grávida. ⁶Estando eles aí, cumpriu-se a hora do parto, ⁷e deu à luz o seu filho primogênito. Envolveu-o em panos e o deitou numa manjedoura, pois não haviam encontrado lugar na pousada.

⁸Havia na região uns pastores que vigiavam por turnos o rebanho a céu aberto.

---

dispondo o povo para o perdão pelo arrependimento (77). Assim ele poderá chegar: o esperado, a luz no caminho da vida e da história.

1,76 Será o precursor, segundo Ml 3,1 e Is 40,3.
1,77 A experiência da salvação pelo perdão dos pecados (Jr 31,34; 33,8; Sl 130,4).
1,78 Entranhável: título clássico de Deus (Ex 34,6; Dt 4,31; Sl 103,8). Pelo contexto, o grego *anatolé* parece significar, não broto, mas o levante, o levantar-se da luz que surge e ilumina; mas não vem do oriente, e sim "do alto", do céu: "sobre ti amanhecerá o Senhor" (cf. Is 60,1-2).
1,79 Alusão a Is 9,1; 42,7. O caminho da paz: Is 59,8.
1,80 Como Sansão (Jz 13,24-25); como o menino Samuel (1Sm 2,21). Mora no deserto como Elias (1Rs 17); no seu caso, esse retiro significa afastar-se do templo e do culto. A sua atividade fica pendente até o capítulo 3.
2,1-7 Segundo quadro do segundo díptico: nascimento de Jesus. Posto junto ao nascimento de João, ressalta pela diferença. Para o quadro histórico, Lucas não poupa dados; para o nascimento do Salvador, escolhe a brevidade e a simplicidade. O Messias nasce como qualquer homem: "No ventre materno foi esculpida minha carne... também eu respirei o ar comum, e ao cair na terra que todos pisam estreei minha voz chorando, como todos" (Sb 7,3-6; Gl 4,4), mais pobremente que a maioria (9,58): "por vós tornou-se pobre para vos enriquecer com sua pobreza" (2Cor 8,9). Mas os planos humanos de poder e domínio, o recenseamento, se subordinam ao plano divino, anunciado pelo profeta: o Messias, como descendente de Davi – José o garante –, há de nascer em Belém (1Sm 16,1; Mq 5,1). Séculos antes, o recenseamento de Davi provocou um castigo divino (2Sm 24). Nasce como súdito do imperador do mundo de então, Augusto (30 a.C.-14 d.C.), que Deus guia como instrumento (cf. Is 10,5). Hoje se considera como data mais provável o ano 6/5 a.C.

"Primogênito" diz que é o primeiro, sem supor que haja outros, pois indica uma qualidade legal (Ex 13,2; Dt 21,15-17). Em outros sentidos o chamarão "primogênito de muitos irmãos" (Rm 8,29), "de toda a criação" (Cl 1,15), "dos mortos" (Ap 1,5).
2,1 Nesse tempo: pode valer simplesmente para ligar o relato à história imperial, e também como fórmula clássica de cumprimento escatológico.
2,2 Para explicar discrepâncias históricas alguns traduzem: "este recenseamento foi precedente/anterior ao governo de Quirino na Síria".
2,4 Sobe-se à Judeia e a Jerusalém: primeira subida para nascer; chegará outra para morrer (9,51). Belém, cidade de origem de Davi, não de reinado (1Sm 16; Mq 5,2).
2,5-6 Grávida: como na grande peregrinação do Norte a Sião (Jr 31,8). Cumpriu-se: como para a matriarca Rebeca (Gn 25,24).
2,7 "Criaram-me com mimo, entre cueiros" (Sb 7,4). Manjedoura: Além das representações tradicionais, podia tratar-se de uma casa semi-escavada na rocha ou de uma gruta adaptada como moradia, com uma habitação familiar e um recinto contíguo como estábulo.
2,8-20 Glória, luz e alegria formam a constelação inicial de Is 8,23-9,6 (na disposição atual do texto hebraico), com a paz no título glorioso. E a razão culminante de tudo isso é que "nasceu-nos um menino". Glória luminosa, alegria e paz pelo nascimento de um salvador dominam o anúncio evangélico. Também o final de Baruc está dominado pelos termos glória, esplendor, alegria e paz. Pronuncia-o um (ou o) anjo do Senhor (*mal'ak Yhwh*), ao qual se junta "a multidão do exército celeste", ou seja, os astros como anjos, ou ao contrário (cf. Jó 38,7 e o título Yhwh dos Exércitos, siderais); "que todos os anjos o adorem" (Hb 1,6; cf. Ap 5,11-12). Os favorecidos são uns pastores, em harmonia com o ofício primitivo de Davi por aquela região (1Sm 16,11; 17; Sl

⁹Um anjo do Senhor se lhes apresentou. A glória do Senhor os envolveu de resplendor e eles se aterrorizaram. ¹⁰O anjo lhes disse:

– Não temais. Vede: Dou-vos uma boa notícia, uma grande alegria para todo o povo: ¹¹Hoje nasceu para vós na cidade de Davi o Salvador, o Messias e Senhor. ¹²Isto vos servirá de sinal: Encontrareis um menino envolto em panos e deitado numa manjedoura.

¹³Nesse instante juntou-se ao anjo uma multidão do exército celeste, que louvavam a Deus, dizendo:

– ¹⁴Glória a Deus no alto, e na terra paz aos homens que ele ama!

¹⁵Quando os anjos partiram para o céu, os pastores diziam:

– Atravessemos em direção a Belém para ver o que aconteceu, o que o Senhor nos comunicou.

¹⁶Foram apressadamente e encontraram Maria, José e o menino deitado na manjedoura. ¹⁷Ao ver isso, contaram o que lhes haviam dito do menino. ¹⁸E todos os que ouviram isso assombravam-se com o que os pastores contavam. ¹⁹Maria, porém, conservava isso e meditava tudo em seu íntimo. ²⁰Os pastores voltaram glorificando e louvando a Deus por tudo o que ouviram e viram, tal como lhes havia sido anunciado.

Circuncisão e apresentação – ²¹No oitavo dia, tempo de circuncidá-lo, puseram-lhe o nome de Jesus, como o anjo o havia chamado antes que fosse concebido.

²²E, quando chegou o dia de sua purificação, ²³de acordo com a lei de Moisés, levaram-no a Jerusalém para apresentá-lo ao Senhor, como a lei do Senhor manda: *Todo primogênito homem será consagrado ao Senhor;* ²⁴e para fazer a oferenda que manda a lei do Senhor: *um par de rolas ou dois pombinhos.*

²⁵Havia em Jerusalém um homem chamado Simeão, homem honrado e piedoso, que esperava a consolação de Israel e se guiava pelo Espírito Santo. ²⁶Comunicara-lhe o Espírito Santo que não morreria sem antes ter visto o Messias do Senhor*. ²⁷Movido, pois, pelo Espírito, dirigiu-se ao templo. Quando os pais introduziam o menino Jesus para cumprir com ele o que a lei mandava, ²⁸Simeão tomou-o nos braços e bendisse a Deus, dizendo:

78,70; cf. Ez 34,23 sobre o futuro Davi como pastor); gente simples e sem preconceitos, receptiva para a mensagem; tudo se passa à margem da corte e das autoridades. O sinal oferecido é estranho: um menino na pobreza e humildade. Estavam vigiando (ao contrário dos de Is 56,10-11). Vencido o temor diante do sobrenatural, aceitam conciliar a humildade da aparência com a sublimidade do título; o "Messias" esperado, o "Senhor". Alguém comparou essa cena com a ressurreição. Certamente concordam vários temas: os seres celestes que "aparecem", o resplendor, o anúncio, o sinal, o título "Senhor".

2,10 A boa notícia = *eu-aggelion*. O anjo é evangelista (Is 52,7, com paz e salvação). Salvador é título dos antigos juízes e raramente de Jesus (At 5,31; 13,23).

2,14 Glória no céu e paz aos homens, como no princípio e no final do Salmo 29. Para os que são objeto da "benevolência" divina (não por boa vontade humana, mas por iniciativa de Deus, cf. Is 49,8; Sl 30,6; 89,18).

2,15-20 A segunda parte avança num movimento de recolhimento e difusão em contrastes alternados. Os pastores vão comprovar a mensagem: serão testemunhas oculares como o foram escutando, "o que haviam visto e ouvido" (cf. Is 43,10.12; 44,8). Os fatos comprovam as palavras, e estas revelam o sentido dos fatos. Primeiro é o grupo reduzido (17); depois vem a divulgação (18); segue-se a interiorização de Maria, que guarda tudo na memória e o medita (talvez Lucas aponte para Maria como fonte última de informação). Maria é modelo da Igreja que contempla os mistérios da vida de Cristo.

2,21 A circuncisão é sinal da promessa crida (Gn 17,12) e é lei para Israel (Lv 12,3). Jesus nasce sob a lei (Gl 4,4); mas não é a lei que salva, e sim ele, como o diz seu nome, imposto por Deus, para marcar o seu destino (cf. Is 12,2).

2,22-24 "Nascido sob a lei" (Gl 4,4). Segundo a legislação (Lv 12,8; Ex 13,2.12.15). Embora já tenha nascido "consagrado" (1,35). Vemos que "primogênito" é qualidade que não diz nada do que venha ou não depois. A lei de Moisés conduz o Filho do Altíssimo à casa do Pai.

2,25-32 O velho e o menino. Em Simeão o AT se alonga para se unir com o Novo; estica o pescoço para ver a personagem que chega. A esperança alimentou sua vida, a expectativa alimenta sua velhice, não o deixando morrer. A esperança funda-se em muitas profecias, na expectativa de uma promessa pessoal do Espírito Santo. No AT, "ver a salvação" pode significar simplesmente assistir a uma ação salvadora de Deus; pode equivaler a desfrutar dela. Em Simeão se acumulam os significados: ver é ter nos braços, desfrutar, porque a salvação é o Salvador. Certo de um futuro esplêndido (32) que começa, pode morrer tranquilo; como se fosse a alforria de um escravo (Ex 21,26-27; Dt 15,13). Penetrou no NT antes de morrer.

2,25 Trata-se do consolo escatológico, messiânico (Is 40,1); "o Senhor consola seu povo" (49,13; Sl 94,19).

2,26 * Ou: *O Ungido do Senhor* (cf. 1Sm 24,7; Sl 84,10; 89,39.52; Lm 4,20). Aqui em sentido messiânico estrito.

⁻²⁹Agora, Senhor meu, segundo tua palavra, deixas livre e em paz teu servo; ³⁰porque meus olhos viram teu Salvador, ³¹que dispuseste diante de todos os povos ³²como luz revelada aos pagãos e como glória de teu povo Israel.

³³O pai e a mãe estavam admirados com o que dizia do menino. ³⁴Simeão os abençoou e disse a Maria, a mãe:

— Vê: Este está posto de forma que todos em Israel ou caiam ou se levantem; será uma bandeira disputada, e assim ficarão evidentes os pensamentos de todos. ³⁵Quanto a ti, uma espada te atravessará.

³⁶Estava aí a profetisa Ana, filha de Fanuel, da tribo de Aser. Era de idade avançada, vivera com o marido sete anos depois do casamento ³⁷e permaneceu viúva até os oitenta e quatro. Não se afastava do templo, servindo noite e dia com orações e jejuns. ³⁸Apresentou-se nesse momento, dando graças a Deus e falando do menino a todos os que aguardavam o resgate de Jerusalém.

³⁹Cumpridos todos os preceitos da lei do Senhor, voltaram à Galileia, à sua cidade de Nazaré. ⁴⁰O menino crescia e se fortalecia, enchendo-se de saber; e o favor de Deus o acompanhava.

O menino Jesus no templo – ⁴¹Por ocasião da festa da Páscoa, seus pais iam a Jerusalém todos os anos. ⁴²Quando cumpriu doze anos, subiram à festa segundo o costume. ⁴³Ao terminar a festa, enquanto eles voltavam, o menino Jesus ficou em Jerusalém, sem que seus pais o soubessem. ⁴⁴Pensando que estivesse na caravana, fizeram um dia de viagem e começaram a procurá-lo entre parentes e conhecidos. ⁴⁵Não o encontrando, voltaram a Jerusalém à procura dele. ⁴⁶Após três dias, o encontraram no templo, sentado em meio aos doutores, escutando-os e fazendo-lhes perguntas. ⁴⁷E todos os

---

2,30 Viram: Is 40,5; "um rei em seu esplendor" (Is 33,17).

2,31 Todos os povos: Is 52,10; Sl 98,2.

2,32 "Faço de ti luz das nações" (Is 42,6; 49,6).

2,34-35 A bênção é provavelmente sacerdotal (como em 1Sm 2,20). Destino dramático do Messias e de sua mãe. Como fundo, pode-se ler a profecia de Ml 3,1: entrada do Senhor no santuário e grande purificação. A profecia é formulada em imagens ou com traços bélicos: o sinal ou estandarte (Sl 74,4.9), o tomar partido (cf. 12,51), o cair e levantar-se (Is 8,14; Sl 20,9), a espada como emblema (Ex 33,2; Am 9,4).

2,35 A primeira frase está entre parênteses em vários manuscritos. Caso traduza um semitismo, equivale a "a espada atravessará o pescoço" (cf. Jr 4,10). Outros procuram antecedentes em Ez 14,17; Zc 12,10; 13,7. Os pensamentos: Dt 8,2.

2,36-38 Segundo seu costume, Lucas põe uma mulher ao lado de um homem. Ana é de uma tribo setentrional, é viúva e anciã, como Judite (Jt 16,22-23), profetisa como Débora (Jz 4-5), ou Hulda (2Rs 22,14). Segundo Joel (3,2) nos últimos tempos profetizarão homens e mulheres, jovens e anciãos. Ana se une a Simeão: para o narrador a coincidência não é casual. O "resgate de Jerusalém" é expressão única (cf. Is 52,9): poderia sugerir o resgate da escrava. Dirigindo-se à matrona Jerusalém, o Senhor lhe atribui o título "teu Redentor" (Is 49,26; 54,5; 60,16).

2,39-40 Semelhante a 1,80, só que sem retirar-se no deserto. Lucas se detém na qualidade sapiencial que inclui conhecimentos, juízo são, sensatez. Não o recebe de uma vez (como poderia sugerir Is 11,2), mas por maturação lenta; como o apresentam os mestres sapienciais. Vejam-se os paralelismos com o menino Samuel (1Sm 2,21.26; 3,19). Na sua pregação Jesus adotará o estilo sapiencial com mais frequência que o profético.

2,41-52 Jesus completa a idade em que assume suas obrigações legais: a marca inicial da circuncisão desemboca na entrega da lei. Esta submete agora com mais autoridade que o pátrio poder. Cheio de sabedoria e graça, dá uma lição dolorosa a seus pais, contrastando duas paternidades. Dá também uma lição aos doutores da lei no templo de Jerusalém. Jesus é filho carnal de Maria, pela qual está ligado fisicamente à humanidade. Está ligado a ela por afeto e submissão filial. Mas essa relação fica relativizada e submetida a outra superior. Jesus é filho legal de José, pelo qual fica registrado oficialmente como descendente de Davi. Mas também a sua relação com José fica relativizada e submetida à relação de Jesus com o Pai.
O adolescente está cortando muitos vínculos com um só gesto, que por isso se torna espetacular e dramático, como ação simbólica. Não pede permissão, porque recebe ordens diretamente do Pai. Maria e José ficam implicados, têm que contribuir, com sua angústia e dor, para a trama: no final, esses atores não compreenderam completamente. O relato de Lucas põe em primeiro plano a relação suprema e misteriosa de Jesus com o Pai.

2,41 Segundo Dt 16,1-8. Veja-se o paralelo de 1Sm 1,3.7.21; 2,19.

2,42 É a segunda viagem explícita de Jesus a Jerusalém e ao templo, como uma visita ao Pai.

2,43 É a primeira iniciativa independente e consciente de Jesus.

2,44 Supõe que a caravana se divida em vários grupos. Tampouco entre "parentes e conhecidos" encontra-se agora Jesus: numa breve demonstração cortou laços.

2,46 "Sê íntimo dos sábios, partilha teus pensamentos com o prudente e teus segredos com os entendidos" (Eclo 9,14-15). É como uma antecipação das futuras discussões no templo (cap. 20).

que o ouviam estavam atônitos com sua inteligência e suas respostas. ⁴⁸Ao vê-lo, ficaram desconcertados, e sua mãe lhe disse:

– Filho, por que nos fizeste isso? Vê: teu pai e eu te procurávamos angustiados.

⁴⁹Ele replicou:

– Por que me procuráveis? Não sabíeis que eu tenho de estar na casa do meu Pai?

⁵⁰Eles não entenderam o que lhes disse. ⁵¹Desceu com eles, foi a Nazaré e continuou sob sua autoridade. Sua mãe guardava tudo isso em seu íntimo. ⁵²Jesus progredia em saber, em estatura e no favor de Deus e dos homens.

3 **Pregação de João Batista** (Mt 3,1-12; Mc 1,1-8; Jo 1,19-28) – ¹No ano quinze do reinado do imperador Tibério, sendo Pôncio Pilatos governador da Judeia, Herodes tetrarca da Galileia, seu irmão Filipe tetrarca da Itureia e da Traconítide, e Lisânias tetrarca da Abilene, ²sob o sumo sacerdócio de Anás e Caifás, a palavra do Senhor foi dirigida a João, filho de Zacarias, no deserto. ³Percorreu toda a bacia do Jordão pregando um batismo de arrependimento para o perdão dos pecados, ⁴como está escrito no livro do profeta Isaías: *Uma voz grita no deserto: Preparai o caminho para o Senhor, aplainai suas veredas.* ⁵*Todo vale será preenchido, montes e colinas serão abaixados, o torto será endireitado e o escabroso será nivelado* ⁶*e todo mortal verá a salvação de Deus.* ⁷E dizia às multidões que tinham ido ao seu encontro para que as batizasse:

– Ninhada de víboras! Quem vos ensinou a fugir da condenação que se aproxima? ⁸Produzi fruto digno de arrependimento e não comeceis a dizer: *Nosso pai é Abraão;* pois vos digo que dessas pedras Deus pode tirar filhos para Abraão. ⁹O machado já está posto à raiz da árvore: árvore que não produzir bons frutos será cortada e jogada no fogo.

2,48 Na pergunta é descarregada a angústia acumulada da mãe, a forma da pergunta pertence como acusação ao pleito ou querela. A referência a "teu pai" contrasta com a resposta "meu Pai" (Jo 15,28).
2,49 Outros traduzem: nos assuntos, Jesus "tem que" por uma obrigação superior (4,43; 9,22; 24,7 etc.). Um dia "terá que" deixar todos para voltar a "seu Pai".
2,50 O mistério de Jesus é profundo e ainda não está totalmente revelado.
2,51 Ver o comentário de Eclo 3,1-16.
2,52 Como 1Sm 2,26; Pr 3,4. O crescimento faz parte da sua humanidade.

3,1-20 O aparecimento do Batista é o de um profeta. Definem-se as coordenadas históricas: o imperador do mundo, seu representante na Judeia, as autoridades dos lugares afetados pela pregação, a autoridade sacerdotal. João é introduzido com a fórmula profética tradicional (*dbr Yhwh hyh l-*) "a palavra do Senhor foi dirigida a N."; mas não é narrada a vocação porque é suficiente a predição do anjo e o salto no ventre materno. Como profetas precedentes, denuncia pecados e propõe emendas específicas. Mas é um profeta único: não um na série anunciada (Dt 18,15), mas o anunciado por Is 40,3-5. Sua visão do Messias que chega é tremenda: juiz implacável que sentencia e executa; aventa a palha e queima-a em seu fogo, empunha o machado para cortar as árvores inúteis e prejudiciais. Resta uma saída: arrependimento e emenda. Aos que acorrem, João não lhes pede que se retirem do mundo (como a comunidade de Qumrã), mas que cumpram com justiça seu respectivo ofício: não abusar, não extorquir, partilhar.
3,1 Tibério (14-37 d.C.), Pilatos (26-36), Herodes Antipas (4 a.C.-39 d.C.), Filipe (4 a.C.-34 d.C.), Lisânias (morre antes de 37 d.C.), Anás (6-15), Caifás (18-36). Veja-se a introdução histórica de Os 1,1 e Jr 1,1-3.
3,2 No deserto: 1,80. Alguns autores pensam que João viveu algum tempo na comunidade de Qumrã, onde teria recebido a missão. Do texto decorre que não recebeu o chamado no templo (como Isaías) nem em ambiente doméstico (como Jeremias).
3,3 O rito de imersão na água corrente sela o perdão de Deus alcançado pelo arrependimento. Não é um dos muitos ritos de purificação que se praticavam no templo ou em casa. A água corrente simboliza melhor o perdão na imagem de "lavar" (Sl 51,4; Is 1,16-17; Jr 4,14), melhor que o hissopo (Sl 51,9); arrastando as impurezas do delito, deixa o homem limpo.
3,4-6 Do profeta do exílio, Lucas cita significativamente Is 40,3-5: a preparação do caminho comunica seu valor simbólico e desemboca na grande revelação: "todo mortal verá a salvação de Deus". Salvação será o salvador. Seu caminho na estrada percorre as consciências das pessoas; veja-se o início da terceira parte do livro de Isaías: "Praticai a justiça, pois minha salvação está para chegar" (Is 56,1). No deserto começará uma restauração dolorosa ou amorosa (Ez 20,35-38; Os 2,16).
3,7 O tom do discurso é violento; como Isaías (Is 1,10) não pretende captar a benevolência. Raça de víboras: venenosos que envenenam a outros (Is 14,29; 59,5; cf. Sl 58). A condenação é também "a ira" de Deus (Sf 1,14; Is 34,2). Não é fácil fugir (Am 5,19).
3,8 A não ser pela emenda, que é fruto maduro do arrependimento, não basta a descendência carnal de Abraão (Jo 8,39; cf. Ex 32,13); é como apelar para a escolha, repetidas vezes declarada insuficiente (Jr 11,13-17). Se Abraão era a pedreira (Is 51,1-2) por dom divino, Deus pode utilizar outras pedras (em hebraico filhos e pedras fazem assonância *banim 'abanim*).
3,9 No fogo: Is 27,11; Ez 15,6-7. Símbolo de castigo escatológico ou definitivo, que destrói ou aniquila.

¹⁰Então a multidão lhe perguntava:

– O que devemos fazer?

¹¹Respondia-lhes:

– Quem tiver duas túnicas dê uma a quem não tem; o mesmo faça quem tiver comida.

¹²Foram também batizar-se alguns coletores, e lhe perguntavam:

– Mestre, o que devemos fazer?

¹³Ele lhes respondeu:

– Não exijais mais do que está estipulado.

¹⁴Também os policiais lhe perguntavam:

– E nós, o que devemos fazer?

Respondeu-lhes:

– Não maltrateis nem denuncieis ninguém e contentai-vos com vosso pagamento.

¹⁵Visto que o povo estava na expectativa e todos perguntavam a si próprios se João não seria o Messias, ¹⁶João dirigiu-se a todos:

– Eu vos batizo com água; mas está para chegar aquele que tem mais autoridade que eu, e eu não tenho direito de desamarrar-lhe a correia das sandálias. Ele vos batizará com Espírito Santo e com fogo. ¹⁷Já empunha a pá para peneirar sua eira: recolherá o trigo no celeiro, queimará a palha num fogo que não se apaga.

¹⁸Com muitas outras exortações anunciava ao povo a boa notícia.

¹⁹O tetrarca Herodes, repreendido por João por causa do assunto de Herodíades, sua cunhada, e pelos demais crimes cometidos, ²⁰acrescentou a todos o de prender João no cárcere.

Batismo de Jesus (Mt 3,13-17; Mc 1,9-11) – ²¹Enquanto todo o povo se batizava, também Jesus se batizou; e enquanto orava, o céu se abriu, ²²desceu sobre ele o Espírito Santo em figura corpórea de pomba e ouviu-se uma voz do céu:

– Tu és o meu Filho querido, o meu predileto.

Genealogia de Jesus (Mt 1,1-17) – ²³Quando Jesus começou seu ministério, tinha trinta anos e passava por filho de José, que o era de Eli, ²⁴o de Matat, o de Levi, o de Melqui, o de Janai, o de José,

---

3,10 Corretamente os penitentes perguntam sobre a emenda (cf. Sl 51,15; 25,4).

3,11 A primeira emenda é partilhar. Naquele tempo, era difícil obter vestes, e ter duas túnicas era considerado luxo; o alimento podia faltar ou escassear (23,34; 16,21). Compare-se com o programa penitencial de Is 58,7: "partir teu pão com o faminto..., vestir o que vês nu..."

3,12-13 O regime de arrendamento da cobrança de impostos prestava-se a contínuos abusos.

3,14 Alguns pensam em soldados estrangeiros mercenários. É mais provável que fossem judeus a serviço do tetrarca ou dos cobradores de impostos.

3,15-17 Aborda a grande questão: a relação do Batista com o Messias (questão que preocupou sobretudo o evangelista João). O Batista se identifica por oposição. O Messias vem depois, com maior autoridade e direito; é o esposo que não cede seu direito (Dt 25,9, levirato e rito da sandália). Seu batismo será de fogo purificador (Is 4,4; Ml 3,3) e de Espírito vivificador. Será vento de aventar (cf. Jr 4,11).

3,15 Poderia aludir a expectativas messiânicas da época, polarizadas pelo êxito aureolado de João. O "povo" é Israel.

3,18 Além de profeta, João é arauto de boas notícias (cf. Is 40,9), por suas últimas palavras, anunciando a proximidade do Messias.

3,19-20 Esse anúncio é a última palavra pública de João. Herodes o prende porque o profeta se tinha atrevido a denunciar o pecado do tetrarca; destino semelhante ao de Jeremias, preso para que não falasse.

3,21-22 Mas antes da prisão aconteceu este grande episódio: novo encontro de João com Jesus, já adultos. O batismo de Jesus, sumariamente registrado por Lucas, apresenta-se quase como ação simbólica: humilhação que provoca a exaltação (cf. Fl 2,8-10). Misturado com os pecadores sem o ser, Jesus recebe o duplo testemunho do Espírito e do Pai. Testemunho, por autoridade e conteúdo, muito superior ao do Batista. O Espírito se manifesta em imagens (a pomba da arca, Gn 8,12, ou do amor, Ct 2,10), o Pai na voz (Jo 12,28.30). O testemunho do Pai sobre o Filho há de orientar e iluminar toda a narração seguinte. A descida do Espírito é como a consagração ou unção do Messias para seu ministério.

3,21 Como em outras ocasiões, Lucas registra o fato da oração sem informar sobre o conteúdo. Pode-se conjecturar que peça o que se cumprirá imediatamente. O céu se abre para revelar um mistério (Is 63,19; Ez 1,1).

3,22 A voz do Pai se dirige em segunda pessoa a Jesus: "tu és" (Sl 2,7). No segundo predicado soa um eco do canto angélico, *eudokia*. A expressão "em figura corpórea" é enfática e própria de Lucas.

3,23-38 Esse Filho de Deus é também Filho da humanidade, *ben 'adam*. Paulo remonta a Davi (Rm 1,3), Mateus sobe até Abraão, Lucas até Adão e Deus. Em última análise, todos nós homens somos "filho-de-Adão". Nessa lista não figura nenhuma mãe; compensa-o o relevo de Maria. As genealogias são listas introduzidas no Gênesis (Gn 5; 10; 36), amplamente exploradas em 1Cr 1-4. Lucas escolhe a disposição ascendente, menos usada.

²⁵o de Matatias, o de Amós, o de Naum, o de Esli, o de Nagai, ²⁶o de Maat, o de Matatias, o de Semein, o de Josec, o de Jodá, ²⁷o de Joanã, o de Ressa, o de Zorobabel, o de Salatiel, o de Neri, ²⁸o de Melqui, o de Adi, o de Cosã, o de Elmadã, o de Her, ²⁹o de Jesus, o de Eliezer, o de Jorim, o de Matat, o de Levi, ³⁰o de Simeão, o de Judá, o de José, o de Jonã, o de Eliacim, ³¹o de Meleia, o de Mená, o de Matatá, o de Natã, o de Davi, ³²o de Jessé, o de Obed, o de Booz, o de Salá, o de Naasson, ³³o de Aminadab, o de Admin, o de Arni, o de Esron, o de Farés, o de Judá, ³⁴o de Jacó, o de Isaac, o de Abraão, o de Taré, o de Nacor, ³⁵o de Seruc, o de Ragau, o de Faleg, o de Éber, o de Salá, ³⁶o de Cainã, o de Arfaxad, o de Sem, o de Noé, o de Lamec, ³⁷o de Matusalém, o de Henoc, o de Jared, o de Malaleel, o de Cainã, ³⁸o de Enós, o de Set, o de Adão, o de Deus.

4 **A prova de Jesus** (Mt 4,1-11; Mc 1,12s) – ¹Jesus, cheio do Espírito Santo, afastou-se do Jordão e deixou-se levar pelo Espírito ao deserto, ²durante quarenta dias, enquanto o Diabo o punha à prova. Nesse tempo não comeu nada, e no fim sentiu fome. ³O Diabo lhe disse:

– Se és Filho de Deus, diz a essa pedra que se transforme em pão.

⁴Replicou-lhe Jesus:

– *Está escrito que o homem não vive somente de pão.*

⁵Depois o levou a uma altura e lhe mostrou num instante todos os reinos do mundo. ⁶O Diabo lhe disse:

– Eu te darei todo esse poder e sua glória, porque o deram a mim, e o dou a quem quero. ⁷Portanto, se te prostrares diante de mim, tudo será teu.

⁸Replicou-lhe Jesus:

– *Está escrito: Adorarás o Senhor teu Deus, e somente a ele prestarás culto.*

⁹Então o conduziu a Jerusalém, colocou-o no beiral do templo e lhe disse:

– Se és Filho de Deus, lança-te para baixo, ¹⁰*pois está escrito que deu ordens a seus anjos para que te guardem* ¹¹*e te levarão em suas palmas, para que teu pé não tropece na pedra.*

¹²Replicou-lhe Jesus:

– Está dito que *não porás à prova o Senhor teu Deus.*

Embora menos que Mateus, Lucas estiliza sua lista em 77 nomes, onze setenários: três até o exílio, três até Davi, dois até Isaac, três até Adão. Algumas personagens importantes ocupam o lugar inicial ou final de um setenário: Davi, Abraão, Henoc. Com Jesus começa a duodécima etapa. Nela culmina a bênção genesíaca (Gn 1,27).

4,1-13 Antes de começar seu ministério, Jesus é submetido à prova (cf. Eclo 2,1-3; Tg 1,2-4). Cheio do Espírito e movido por ele (Rm 8,13), vai repetir a experiência de Moisés e do povo no deserto (Ex 16,35; 24,18; Nm 14,33), e de certa forma a de Adão no paraíso. Nem Adão nem o povo superaram a prova, pois não estavam repletos do Espírito Santo. É posto à prova pelo "Diabo" – que não figura no Êxodo – (compare-se 2Sm 24,1 com a versão do mesmo fato em 1Cr 21,1 e veja-se Jó 1-2). O Diabo apresenta e representa um projeto de ação oposto ao do Pai. Como Mt, Lucas seleciona três provas exemplares, e se afasta de Mt ao colocar a culminante no centro. A cena representa em forma dramática, num cenário despojado, a oposição dos planos humanos, "diabólicos", ao plano divino de salvação; encerrares uma "sensatez terrena, animal, demoníaca" (Tg 3,15). Paulo descreverá a luta no interior do homem (Rm 7,15-22).

4,2-4 A prova da fome é mencionada e explicada em Dt 8,3, da qual cita só uma parte; no original continua: "mas de tudo o que sai da boca de Deus". O jejum de quarenta dias é como o de Moisés (Ex 34,28) ou de Elias (1Rs 19,8). O Diabo apela ao título proclamado no batismo: "se és Filho de Deus"; supondo que esse título outorgue autoridade e poder para transmutar os elementos em proveito próprio (cf. Sb 19,18-22). Precisamente enquanto Filho, Jesus deve depender confiadamente do Pai (Lc 12,22-31).

4,5-8 Olhar mais amplo que a visão de Abraão (Gn 13,14-15) ou de Moisés (Dt 34,1-4). O Diabo pretende ser senhor do mundo e dispor dele à vontade (ver 2Cr 4,4), talvez alusão ao culto imperial. É um poder que compete só a Deus: "O Altíssimo é dono dos reinos humanos e dá o poder a quem ele quiser" (Dn 4,22; Jr 27,7). A condição do Diabo é prostrar-se (como em Dn 3,5), reconhecendo seu domínio e suas leis para triunfar. Na proposta, descobrimos o diabólico da ambição, do poder irresistível. Jesus responde concisamente, citando um texto fundamental e muito conhecido (Dt 6,13). Ele receberá o poder do Pai (Lc 10,22), não do Diabo, e executando o plano do Pai; e não pretenderá a "glória" mundana, e sim a do Pai.

4,9-12 A terceira prova evolui a golpes de "argumentos da Escritura". O Diabo apela de novo ao título de Filho de Deus, em virtude do qual e com um gesto inútil e suicida poderá provocar a intervenção divina prometida. Como confirmação, cita um grande salmo de confiança (91,11); é irônico que esse salmo cante o poder sobre as forças demoníacas. Jesus cita Dt 6,16. Pôr Deus à prova é pedir-lhe ou exigir dele milagres injustificados; como no exemplo clássico de Massa e Meriba (Ex 17,1-7; Nm 20,12-13; Sl 95,8).

[13]Concluída a prova, o Diabo afastou-se dele até outra ocasião.

Na sinagoga de Nazaré (Mt 13,53-58; Mc 6,1-6) — [14]Impulsionado pelo Espírito, Jesus voltou à Galileia, e sua fama estendeu-se por toda a região. [15]Ensinava em suas sinagogas, respeitado por todos.

[16]Foi a Nazaré, onde se criara, e segundo seu costume entrou no sábado na sinagoga e se pôs de pé para fazer a leitura. [17]Entregaram-lhe o rolo do profeta Isaías. Desenrolou-o e encontrou o texto que diz: [18]*O Espírito do Senhor está sobre mim, porque ele me ungiu para que dê a boa notícia aos pobres; enviou-me a anunciar a liberdade aos cativos e a visão aos cegos, para pôr em liberdade os oprimidos,* [19]*para proclamar o ano de graça do Senhor.* [20]Enrolou-o, entregou-o ao servente e sentou. A sinagoga inteira tinha os olhos fixos nele. [21]Ele começou dizendo-lhes:

— Hoje, em vossa presença, cumpriu-se esta Escritura.

[22]Todos o aprovavam, admirados com essas palavras sobre a graça* que saíam de sua boca. E diziam:

— Mas não é este o filho de José?

[23]Ele lhes respondeu:

— Sem dúvida me direis aquele refrão: *médico, cura-te a ti mesmo.* O que ouvimos que aconteceu em Cafarnaum, faze-o aqui, em tua cidade.

[24]E acrescentou:

4,13 Termina a prova (Hb 4,15), até outra ocasião: a do poder das trevas (22,53) ou quando o Diabo entrar em Judas (22,3).

4,14-15 Entre dois sumários (14-15 e 40-44), Lucas coloca duas cenas importantes: a declaração na sinagoga de Nazaré, a cura do endemoninhado na sinagoga de Cafarnaum; mais um milagre doméstico. A primeira parte do seu ministério se desenvolve na Galileia, a princípio com êxito. Age sozinho, pois na composição de Lucas ainda não chamou os discípulos. Os sumários têm função de moldura, pois a cena de Nazaré funciona como a auto-apresentação pública.
Superada a prova, o Espírito continua guiando-o: do deserto ao cenário da primeira atividade. Nas sinagogas, lugar de oração e catequese, começa a ressoar a voz do Messias: apesar de respeitado, ainda não reconhecido como tal.

4,16-30 Lucas captou e plasmou um momento culminante na história da humanidade. Foi registrando detalhes para aumentar a curiosidade dos presentes e a expectativa dos leitores. Fez soar a notícia sensacional e deixou que provocasse estupor, tensão, luta dramática. A cena é programática: síntese e modelo da pregação de Jesus. Apresenta-se como Messias, provoca um entusiasmo passageiro, seguem-se a dúvida e a rejeição e a tentativa de homicídio. Sucede com os camponeses da terra natal, sucederá com o povo ao qual pertence.

4,16-17 Jesus segue o rito habitual. No culto semanal da sinagoga se ora e se canta, se lê uma perícope da Lei (Torá) e depois outra dos profetas. Ambas estão escritas em rolos de pergaminho, que se conservam na sinagoga, e um funcionário apresenta e guarda. Acrescenta-se um comentário. Qualquer assistente adulto pode solicitar o privilégio de ler e comentar. Lê-se de pé e se comenta sentado. Jesus se adapta ao ritual e lê a perícope indicada: Is 61,1-2, citada por Lucas segundo a versão grega, que substitui um versículo por 58,6 e suprime a frase final.

4,18-19 Dois verbos do texto original adquirem nova ressonância: trazer uma boa notícia e proclamar ou apregoar. A boa notícia leva como denominador comum a libertação de qualquer espécie de opressão: física, os cegos; econômica, os pobres; política, os cativos. Esse é o ano jubilar anunciado, assim definido e proclamado em nome do Senhor (não importa que seja o ano quinze do imperador Tibério, 3,1). No texto, um profeta anônimo fala na primeira pessoa: quem o pronuncia? Conforme o *eu* que o pronuncie, assim será o alcance real das palavras. Muitos leram os versículos, e o seu sentido sempre ficava a meio caminho. Até que chegue o *eu* que o pronuncia autenticamente: quando este o pronunciar, o texto se terá cumprido, estará "cheio" de sentido. É isso que acontece, "hoje", na presença de um grupo privilegiado. Jesus não lê apenas um texto casual da Escritura. Lê o seu texto, é ele que lhe dá sentido. Declara-se ungido pelo Espírito, e a unção tem aqui sentido messiânico (Sl 2,7). É o ungido por antonomásia, o Messias.
Suprime uma cláusula, que podia soar (especialmente na Galileia) em tom nacionalista: "o dia da desforra do nosso Deus". A mensagem de Deus é inteiramente libertadora, e não coincide com a visão tremenda do Batista (3,7-17).

4,22 * Ou *palavras atraentes*. A reação do povo é exposta em termos ambíguos. Testemunhar, segundo o contexto, o objeto ou a construção, pode ser a favor ou contra; o mesmo vale para admirar-se. Caberia traduzir: "declaravam-se contra... estranhavam..."; é mais frequente e provável o sentido positivo (com dativo, como em At 10,43; 13,22; 15,8). Segundo ele, acontece uma reação imediata: de aprovação e admiração pelo seu comentário sobre "a graça" do texto lido. Recebem como "boa notícia" a chegada do suspirado e esperado momento da libertação. Mas que seja Jesus o Messias profetizado, isso é outro assunto. A seguir, essa impressão espontânea se opõe aos antecedentes conhecidos do jovem nazareno, e se impõe à dúvida: pode o filho de José ser o Messias? "Filho de José" é a crença do povo; Lucas está mais a par. A dúvida pede provas: um milagre como os que se contam. A incredulidade vence.

4,23-27 A incredulidade provoca o ensinamento polêmico de Jesus, antecipando a objeção ou adivinhação dos pensamentos: "A a palavra nem chegou à boca, e já, Senhor, a conheces" (Sl 139,4). Cita Elias e Eliseu

– Asseguro-vos que nenhum profeta é aceito em sua pátria. ²⁵Certamente, vos digo, havia muitas viúvas em Israel no tempo de Elias, quando o céu esteve fechado três anos e meio e houve grande carestia em todo o país. ²⁶A nenhuma delas foi enviado Elias, a não ser à *viúva de Sarepta, na Sidônia*. ²⁷Havia muitos leprosos em Israel no tempo do profeta Eliseu; ninguém ficou curado a não ser o sírio Naamã.

²⁸Ao ouvir isso, todos na sinagoga se indignaram. ²⁹Levantando-se, expulsaram-no para fora da cidade e o levaram a um precipício do monte sobre o qual estava construída a cidade, com intenção de precipitá-lo de lá. ³⁰Ele, porém, passando entre eles, foi-se embora.

O endemoninhado (Mc 1,21-28) – ³¹Desceu a Cafarnaum, cidade da Galileia, e aos sábados ensinava o povo. ³²Estavam assombrados com seu ensinamento, pois falava com autoridade.

³³Havia na sinagoga um homem possuído pelo espírito de um demônio imundo, que começou a gritar:

– ³⁴Ah! que tens comigo, Jesus de Nazaré? Vieste para nos arruinar? Sei quem és: o consagrado de Deus.

³⁵Jesus o repreendeu:
– Cala e sai dele.

O demônio o arremessou no meio e saiu dele sem causar-lhe dano.

³⁶Ficaram todos estupefatos e comentavam entre si:

– O que significa isso? Manda com autoridade e poder nos espíritos imundos, e saem.

³⁷Sua fama se espalhou por toda a região.

Curas e pregação (Mt 8,14-17; Mc 1,29-39) – ³⁸Saiu da sinagoga e entrou em casa de Simão. A sogra de Simão estava com febre alta, e lhe suplicaram por ela. ³⁹Ele se inclinou sobre ela, repreendeu a febre, e ela passou. Imediatamente levantou-se e se pôs a servi-los.

⁴⁰Ao pôr do sol, todos os que tinham doentes atingidos de diversos males os levavam a ele. Ele punha as mãos sobre cada um e os curava.

⁴¹De muitos saíam demônios, gritando: Tu és o filho de Deus. Ele os repreendia e não os deixava falar, pois sabiam que ele era o Messias.

⁴²De manhã saiu e se dirigiu a um lugar despovoado. O povo o procurava, e quando o alcançaram, o seguravam para que não fosse embora. ⁴³Mas ele lhes disse:

---

como taumaturgos a serviço dos pagãos (1Rs 17,1-7; 2Rs 5,1-27). O Messias será como eles e mais ainda: aponta-se para a missão aberta da Igreja. Como se aplica o refrão? (Cf. 23, 35). – Cura a ti e aos teus; ou então: curar teus conterrâneos será tua cura, para que sejas acreditado. Ou é um insulto: começa curando-te, pois precisas. E acrescenta a frase que se tornou proverbial na fórmula "ninguém é profeta em sua pátria".

4,28-29 A isso responde a indignação dos conterrâneos. Se Jesus não confirma sua pretensão com um milagre, é usurpador do título messiânico e merece a morte. A Bíblia nada fala de atirar no abismo como forma de execução. Acaba sendo macabro que o suposto lugar do nascimento (ou infância) seja o da execução capital. A tentativa falha, porque não chegou a sua hora. Lucas antecipou os fatos numa composição dramática.

4,31-32 Repete-se o esquema do ensinamento e a reação favorável do povo. Fala com autoridade própria, não citando fontes alheias. Nem rotina nem imposição; a autoridade brota de uma plenitude. A sua palavra transmite força de convicção e não precisa de reforços alheios. A seguir se acrescenta o milagre.

4,33-37 Segundo a mentalidade da época, a doença é atribuída a um poder maligno personificado; a cura é exorcismo. Não contamina um demônio imundo o recinto religioso da sinagoga? Pelo menos é inconciliável com a presença "santa" de Jesus: "Que concórdia entre Cristo e Belial?" (2Cor 6,15). O demônio pronuncia nome e títulos do exorcista, quer para neutralizá-lo, quer por despeito da derrota. O título "consagrado", santo de Deus, parece ter aqui alcance messiânico (simplesmente sacerdotal em Sl 106,16). O demônio teme pelos do seu grupo, "nós". Jesus pronuncia duas ordens categóricas. "Cala": que não diga seu nome e título; "sai": de teus domínios ilegítimos. Realmente Jesus vem "acabar com eles". "Repreendeu" é o verbo que se diz de Deus debelando rebeldias (Zc 3,2 a Satã; Sl 68,31; 106,9). O povo, que admirou a "autoridade" do seu ensinamento, admira agora "a autoridade do seu poder sobre o demônio".

4,38-39 Lucas menciona Simão, que ele ainda não apresentou: a comunidade (e o leitor) sabia de quem se tratava. A doente jaz sobre uma esteira, e Jesus, de pé, a domina de cima. Não lhe fala; dirige-se à febre como antes ao demônio (v. 35, verbo *epitimao*). Ela fica curada de imediato e tão perfeitamente, que se põe a servir os hóspedes. É um milagre doméstico, familiar, realizado de forma rápida.

4,40-41 Sumário de curas, nas quais doença e possessão se misturam. O tato corporal realiza e expressa a transmissão do poder curador a cada um dos doentes. Ao invés, aos demônios ele "conjura" (o mesmo verbo do v. 35), e não aceita deles o título messiânico "filho de Deus".

4,42-44 Sumário de viagem apostólica. O afã de Jesus pelo retiro acaba sendo vão: sinal da popularidade

— Tenho que levar também às demais cidades a boa notícia do reinado de Deus, pois para isso fui enviado.

⁴⁴E pregava nas sinagogas da Judeia.

5 Chama os primeiros discípulos (Mt 4,18-22; Mc 1,16-20; Jo 1,35-51) – ¹A multidão se comprimia ao redor dele para escutar a palavra de Deus, enquanto ele estava à beira do lago de Genesaré. ²Viu duas barcas junto à margem, pois os pescadores haviam descido e estavam lavando as redes. ³Subindo a uma das barcas, a de Simão, pediu-lhe que se afastasse um pouco da terra. Sentou-se e, da barca, começou a ensinar o povo. ⁴Quando terminou de falar, disse a Simão:

— Rema lago adentro e joga as redes para pescar.

⁵Replicou-lhe Simão:

— Mestre, labutamos a noite inteira sem nada conseguir; porém, já que o dizes, jogarei as redes.

⁶Fizeram isso e apanharam tamanha quantidade de peixes que as redes se rompiam. ⁷Fizeram sinais aos sócios da outra barca para que fossem ajudá-los. Chegaram e encheram as duas barcas, que quase afundavam. ⁸Ao ver isso, Simão Pedro caiu aos pés de Jesus e disse:

— Afasta-te de mim, Senhor, pois sou um pecador.

⁹Pois o espanto se havia apoderado dele e de todos os seus companheiros por causa da quantidade de peixes que haviam pescado. ¹⁰O mesmo acontecia com Tiago e João, filhos de Zebedeu, que eram sócios de Simão. Jesus disse a Simão:

— Não temas, daqui para a frente pescarás homens.

¹¹Então, atracando as barcas à terra, deixaram tudo e o seguiram.

Cura um leproso (Mt 8,1-4; Mc 1,40-45) – ¹²Encontrava-se num povoado em que havia um leproso; este, vendo Jesus, caiu com o rosto por terra e lhe suplicava:

---

que vai alcançando. Não pode confinar-se num lugar, porque a sua missão é difundir "a boa nova" (3,18; 4,18) do reino de Deus. É curioso que no sumário o autor salta da Galileia à Judeia, antecipando os acontecimentos, a fim de alargar o sumário. Como se dissesse que o acontecido na Galileia era exemplar. Jesus se considera "enviado" – pelo Pai – e guiado pelo Espírito. Dessa "missão" partem as outras.

5,1-6,16 Nova seção. Lucas nos apresentou a unção messiânica de Jesus no batismo, a prova no deserto, a auto-apresentação em Nazaré. Com algum fato particular e com visões panorâmicas nos mostrou o começo de um ministério de Jesus com tendência expansiva. Para realizar a expansão, Jesus cerca-se de colaboradores, tema que domina essa seção. Está cuidadosamente composta de sete peças (!). A primeira, a quarta e a sétima são vocações: dos pescadores (1), do coletor (4), dos doze (7). De ambos os lados da central: duas curas em atenção à fé (2 e 3); duas controvérsias sobre observância pela rejeição dos fariseus.

5,1-11 No relato de Lucas, até agora Jesus age sozinho, no território da Galileia. Daí para a frente vai alargar seu campo de ação e rodear-se de colaboradores. Lucas não se contenta em contar sucintamente chamado e resposta; mas narra de modo que apareçam como projeção antecipada do que será a missão apostólica da Igreja. Como ação simbólica explicada por Jesus, como antecipação do dom generoso.

5,1 O primeiro chamado tem como cenário as multidões; no entanto, Jesus se afasta para expor-lhes "a palavra de Deus", fórmula que a liturgia popularizou e que designa a mensagem evangélica. As duas posturas de Jesus definem sua atitude: de pé, comprimido pelo povo, ensinando sentado. Em seguida, sobre o fundo realista de pescadores em ação, toma forma o relato teológico do chamado, claramente concentrado na pessoa de Pedro.

5,3 O ofício empírico será o objeto do prodígio e a imagem do novo ofício (em outro sentido Jr 16,16 e Hab 1,14). O pescador oferece sua barca como plataforma ou tribuna para o Mestre.

5,4-7 Pedro vai experimentar seu fracasso humano, seu êxito ao obedecer a Jesus; suas palavras, entre reticentes e confiantes, expressam estima e respeito: "já que o dizes". Efetivamente, a ordem de Jesus compensa fadigas e transborda em expectativas.

5,8-9 Mais importante, Pedro tem de descobrir sua condição pecadora revelada pela presença e atuação de Jesus, o Santo, e como pano de fundo do chamado: de modo semelhante a Isaías, "eu, homem de lábios impuros" (Is 6,5); como o salmista: "Puseste nossas culpas diante de ti, nossos segredos à luz do teu olhar" (Sl 90,8). Como pecador, sente que Jesus deve afastar-se do seu contato; mas o chamado pede mais, como que uma reconciliação.

5,10-11 Pescar é imagem de apostolado, como será depois o pastoreio; o pescador vive em mais contato com a natureza, está mais exposto ao acaso dos elementos e à sorte do trabalho. A abundância da pesca pode simbolizar para a comunidade a expansão da Igreja. Simão é o primeiro; quando "cai aos pés" de Jesus, já tem o nome oficial de Simão Pedro. Ao final da cena se acrescentam os dois irmãos que formarão o trio dos íntimos. Ao chamado respondem com o seguimento imediato e incondicional.

5,12-26 Em duas curas revela-se o poder de Jesus. Em comum têm a gravidade da doença e a atitude de fé. Estão dispostas em progressão: por ser mais grave a paralisia, pela passagem ao perdão dos pecados e pela oposição nascente dos fariseus e dos letrados.

— Senhor, se queres podes curar-me*.
¹³Estendeu a mão e o tocou, dizendo:
— Quero, fica curado.
Imediatamente a lepra desapareceu. ¹⁴E Jesus lhe ordenou:
— Não o contes a ninguém. Vai apresentar-te ao sacerdote e, para que lhe conste, leva a oferenda de tua cura estabelecida por Moisés.
¹⁵Sua fama se difundia, de sorte que grandes multidões acorriam para escutá-lo e para serem curadas de suas enfermidades. ¹⁶Mas ele se retirava a lugares solitários para orar.

Cura um paralítico (Mt 9,1-8; Mc 2,1-12)

– ¹⁷Certo dia, quando estava ensinando, assistiam sentados alguns fariseus e jurisconsultos* que vieram de todas as aldeias da Galileia e Judeia e também de Jerusalém. Ele tinha força do Senhor para curar. ¹⁸Uns homens, que levavam um paralítico numa maca, tentavam introduzi-lo e colocá-lo diante de Jesus. ¹⁹Não encontrando modo de fazê-lo, por causa da multidão, subiram ao terraço e, entre as telhas, o desceram com a maca, no centro, diante de Jesus. ²⁰Vendo a fé deles, disse-lhe:
— Homem, teus pecados estão perdoados.
²¹Os fariseus e os letrados começaram a pensar:
— Quem é esse que diz blasfêmias? Quem, exceto Deus, pode perdoar pecados?
²²Jesus, lendo seus pensamentos, respondeu-lhes:
— ²³O que é mais fácil? Dizer: *teus pecados estão perdoados,* ou dizer *levanta-te e anda*? ²⁴Pois para que saibais que este Homem tem autoridade na terra para perdoar pecados – disse ao paralítico –, falo contigo: levanta-te, carrega tua maca e vai para casa.
²⁵Imediatamente se levantou diante de todos, carregou o que havia sido seu leito e foi para casa, dando glória a Deus. ²⁶Cheios de espanto, diziam:
— Hoje vimos coisas incríveis.

5,12-14 Embora não se trate de lepra em sentido clínico, o homem sofria de uma grave doença da pele que o afastava do convívio social e do culto (Lv 13,45-46; cf. Lm 4,15). Já curado, tinha de apresentar-se ao sacerdote para que este confirmasse oficialmente a "limpeza" legal e para levar uma oferenda de ação de graças (Lv 14). O doente crê no poder de Jesus. A prostração e o título Senhor soam no evangelho com acento cristão. Jesus não teme contagiar-se tocando o impuro, antes, cura-o com seu contato. Os sacerdotes diagnosticam, Jesus cura. Pode-se contrastar esse breve relato com o milagre da água do Jordão, feito por Eliseu (2Rs 5).

5,12 * Ou: *limpar-me.*

5,15-16 Lucas considera importante a notícia e a insere entre as duas curas: o desejo de solidão e oração de Jesus. É um dado que não se presta a descrição dramática nem a encenação (cf. Eclo 39,9-10). A sobriedade do narrador responde à discrição do Mestre. (Compete ao leitor deter-se respeitosamente.)

5,17-26 Até agora Jesus curou corpos e expulsou demônios. Pois bem, a missão primária do Messias é perdoar pecados (Mt 1,21; cf. Lc 1,77; 3,3). Fá-lo-á num caso exemplar. Na espiritualidade do Antigo Testamento aparecem, em diversas conexões, doença e pecado e hostilidade. Um exemplo importante é oferecido pelo Salmo 38; interessa também o Salmo 41, pela menção do leito. Os três temas funcionam neste caso, com uma repartição e um desfecho diferente: doença/cura, pecado/perdão, hostilidade/demonstração. Apresentam-lhe um doente incurável, e Jesus vai direto à raiz, o pecado; de modo provocatório, desafiante. Este milagre é especial, porque se realiza como prova de um poder: inferior num sentido, "mais fácil", superior em outro sentido: "quem, exceto Deus". Esse "filho de Adão", Homem por antonomásia, recebeu entre seus poderes o de perdoar pecados. O enfermo é simplesmente "homem" (18.20).

Judeus observantes e peritos na interpretação da lei acorreram inclusive da Judeia e da capital, talvez com a finalidade de inspecionar. Lucas amplia a concorrência para dar a impressão de um confronto global. Na mentalidade da época, a doença estava ligada ao pecado, como efeito ou como sintoma. Os que empregam seu engenho e esforço para apresentar-lhe o enfermo buscam a saúde corporal. Jesus vai ao fundo, percebe a fé (também do doente) e sua boa disposição, e pronuncia uma fórmula de absolvição (na voz passiva, cf. Sl 32,1-2). Jamais um profeta ou sacerdote pronunciaram palavras semelhantes; perdoar pecados é competência de Deus (Is 43,25; Sl 130,4). O verbo *slh* sempre tem Deus por sujeito, e na voz passiva é consequência da expiação ritual. Quem se arroga tal autoridade, blasfema (Lv 24,11-16). Assim, o primeiro confronto de Jesus com seus rivais acontece na frente mais avançada: a libertação do pecado.

Embora a forma passiva "são perdoados" pudesse ser entendida como teológica, com Deus como agente da passiva, Jesus não se refugia nessa possível interpretação, antes aguça a controvérsia. Na terra e como homem, ele mesmo tem esse poder e veio exercê-lo.

5,17 A força do Senhor: Jr 10,6; Sl 66,7; Jó 12,13. * Ou *doutores da Lei.*

5,25 O paralítico entoa uma espécie de liturgia de louvor a Deus, e a multidão se une ao louvor. É o ritmo clássico dos salmos.

5,26 Coisas incríveis são a cura de uma doença incurável, que fazia do doente um morto vivo. Também o poder de Homem para perdoar pecados.

Chama Levi (Mt 9,9-13; Mc 2,13-17)
– ²⁷Pouco depois saiu e viu um coletor, chamado Levi, sentado diante da mesa dos impostos. Disse-lhe:
– Segue-me.
²⁸Deixando tudo, levantou-se e o seguiu. ²⁹Levi lhe ofereceu grande banquete em sua casa. Havia grande número de coletores e outras pessoas sentados à mesa com eles. ³⁰Os fariseus e letrados murmuravam e perguntavam aos discípulos:
– Como é que comeis e bebeis com coletores e pecadores?
³¹Jesus lhes replicou:
– Os sadios não têm necessidade de médico, e sim os doentes. ³²Não vim chamar justos, mas pecadores para que se arrependam.

Sobre o jejum (Mt 9,14-17; Mc 2,18-22)
– ³³Eles lhe disseram:
– Os discípulos de João jejuam com frequência e fazem suas orações, bem como os dos fariseus; os teus, ao contrário, comem e bebem.
³⁴Jesus lhes respondeu:
– Podeis fazer jejuar os convidados ao casamento, enquanto o noivo está com eles? ³⁵Chegará o dia em que o noivo lhes será arrebatado; então jejuarão.
³⁶E lhes propôs uma comparação:
– Ninguém rasga um retalho de um manto novo para remendar um velho. Pois seria rasgar o novo, e o remendo do novo não cai bem no velho. ³⁷Ninguém põe vinho novo em odres velhos; pois o vinho novo arrebentaria os odres, se derramaria e os odres se estragariam. ³⁸Deve-se pôr o vinho novo em odres novos. ³⁹Ninguém que tenha bebido o velho deseja o novo, pois diz: bom é o velho.

6 O sábado (Mt 12,1-14; Mc 2,23-28; 3,1-16) – ¹Num sábado em que atravessava algumas plantações, seus discípulos arrancavam espigas, as debulhavam com as mãos e comiam os grãos. ²Alguns fariseus lhes disseram:
– Por que fazeis uma coisa proibida no sábado?
³Jesus lhes respondeu:
– Não lestes o que fez Davi com seu pessoal quando estavam famintos? ⁴Entrou na casa de Deus, tomou pães apresentados – que só aos sacerdotes é permitido comer –, comeu e repartiu com os seus.
⁵E acrescentou:

Para a comunidade de Lucas e para seus leitores, a purificação do impuro e o perdão dos pecados têm ressonâncias batismais (cf. 1Pd 3,21).

5,27-32 A cena tem duas partes. Pela primeira se liga ao chamado (5,1-11); pela segunda continua o processo dos confrontos.
O coletor é tido como "pecador". Toma seu ofício por arrendamento da autoridade romana e aproveita-se dele para enriquecer à custa do povo. Ladrão e colaboracionista. São esses os antecedentes. Chamado e resposta, na brevidade despojada com que se apresentam, mostram toda a sua força. A segunda parte é o banquete de despedida e de homenagem ao novo senhor. À objeção dos rivais (cf. Sl 104,21-22; Pr 29,27) Jesus responde ironicamente com um aforismo: há doentes que, por se considerarem sãos, recusam o médico e se tornam incuráveis (cf. Eclo 38,1-15). A dor é um mecanismo que acusa a doença; por isso tantos doentes acorrem a Jesus. Em troca, nem todos sentem a dor pelo pecado. A espiritualidade de observâncias chega a suprimir semelhante dor. Levi é modelo do pecador arrependido e perdoado que se converte em apóstolo.

5,33-35 Terceiro momento de confronto: a propósito de jejuns voluntários como prática ascética de determinados grupos religiosos. O Messias se apresenta como esposo: título de Yhwh frequente no AT (Os 2; Is 49; 54; 62; Ez 16 etc.), aplicado a Jesus no NT (Ef 5,22-32). O casamento é tempo de alegria partilhada (Jr 16,8-9; Ct 3,11; 5,1; Sl 45). De "comer e beber" (5,30). Mas Lucas conhece já o tempo em que Jesus lhes foi arrebatado (Is 53,8): o tempo da Igreja.

5,36-39 Com a imagem do casamento podem-se conciliar a da roupa e do vinho. Ambas têm associações nupciais (p. ex. Is 52,1; 61,10; Sl 45,9; Ct 2,4; 8,2) e servem para explicar a "novidade" ("renovando seu amor" diz Sf 3,17, e o português "noivo" vem de *novum*). "Antigo", velho, é o adjetivo que Paulo aplica à aliança de Israel (2Cor 3,14). A imagem dos odres (Jó 32,19). Ambas as imagens são muito expressivas, como se disséssemos: o Messias não vem para pôr remendos em panos gastos, traz um vinho que fermenta vida nova.

5,39 Não se refere ao antigo, de melhor qualidade, mas ao costumeiro, o de sempre.

6,1-5 Quarto momento de confronto. O primeiro versículo da cena apresenta um grupo itinerante, necessitado, sem um sustento cotidiano garantido. Para eles não há milagre. Os detalhes descritivos têm uma função na controvérsia. Segundo a interpretação rabínica do descanso sabático, os discípulos fazem uma ação proibida, não como roubo, mas como trabalho (cf. Dt 23,26). Segundo Ex 34,21, o descanso sabático obriga também "na semeadura e na ceifa" (sobre o maná e o sábado, Ex 16,19-30). Jesus argumenta *a pari* com um caso da história de Davi (1Sm 21,1-6), no qual uma lei cultual (Lv 24,5-9) fica suspensa por necessidade maior; Davi o fez "na casa de Deus" com aprovação do sacerdote.

– Este Homem é senhor do sábado.
⁶Noutro sábado, entrou na sinagoga para ensinar. Havia aí um homem que tinha uma mão direita paralisada. ⁷Os letrados e os fariseus o espiavam para ver se curava no sábado, para ter algo de que acusá-lo. ⁸Ele, lendo seus pensamentos, disse ao homem da mão paralisada:
– Levanta-te e põe-te de pé no meio.
Ele se pôs de pé. ⁹Depois se dirigiu a eles:
– Eu vos pergunto o que é permitido no sábado: fazer o bem ou o mal, salvar uma vida ou destruí-la.
¹⁰Depois, olhando todos à sua volta, disse ao homem:
– Estende a mão.
Ele o fez e a mão ficou restabelecida. ¹¹Eles ficaram enfurecidos e deliberavam o que fazer com Jesus.

Escolhe os doze (Mt 10,1-4; Mc 3,13-19)
– ¹²Naquele tempo, subiu a uma montanha para orar e passou a noite orando a Deus. ¹³Quando se fez dia, chamou os discípulos, escolheu entre eles doze e os chamou apóstolos: ¹⁴Simão, a quem chamou Pedro, André, seu irmão, Tiago e João, Filipe e Bartolomeu, ¹⁵Mateus e Tomé, Tiago de Alfeu e Simão o zelote, Judas de Tiago ¹⁶e Judas Iscariot, o traidor.

Sermão na planície (Mt 4,23-25; 5,1-12)
– ¹⁷Desceu com eles e se deteve numa planície. Havia grande número de discípulos e grande multidão do povo, vindos de toda a Judeia, de Jerusalém, da costa de Tiro e Sidônia, ¹⁸para escutá-lo e curar-se de suas enfermidades. Os atormentados por espíritos imundos ficavam curados, ¹⁹e toda

---

Aquilo que é o templo no espaço é o sábado no tempo (cf. Ex 31,12-18). A linguagem parece enfática: "tomou, comeu, repartiu". Passando por cima da Escritura, Jesus apela ao poder recebido, que se sobrepõe também à veneranda instituição do sábado (Ex 20,8; Is 58,13; Jr 17; Ne 13,15-20). Mas não apela para a sua dignidade messiânica como descendente de Davi, e sim à sua condição humana excepcional. Não só a interpretação dos doutores, mas também a própria lei fica em segundo plano; e na igreja o sábado será substituído pelo "dia do Senhor" (*kyriaké, dominica*, Ap 1,10).

6,6-11 Quinto momento do confronto. O progresso é marcado, porque dessa vez Jesus se adianta a desafiar os rivais e pelo resultado trágico. A sinagoga é o lugar do ensinamento de Jesus, que é mais importante ainda que a cura, porque por meio da controvérsia eleva a princípio o caso particular. Ensina com a palavra e dá uma lição com o milagre explicado. Lucas atribui a letrados e fariseus uma intenção má: espiam em silêncio: "homens cruéis me espreitam emboscados" (Sl 59,4) para acusá-lo diante da autoridade suprema (ver o caso de Daniel, Dn 6,12).
Na doença se antecipa a morte (Sl 30,3-4; 41; 88,2-7); por isso, curar é fazer o bem, arrancar ou afastar da morte. Omitir o socorro possível em tais circunstâncias é fazer um mal. O doente centraliza e concentra a atenção. Ora, a vida é mais importante que o sábado (comparar com 1Mc 2,32-41). Jesus leva a questão ao terreno do bem e do mal, da vida e da morte, como fizera Moisés: "Hoje ponho diante de ti a vida e o bem, a morte e o mal" (Dt 30,15.19). Jesus provoca e desafia os desumanos intérpretes da lei, "que decretam injustiças invocando a lei" (Sl 94,20), e eles por falta de razões reagem com o rancor. Em resumo escalonado: defender a própria autoridade, defender a autoridade da lei, defender a vida humana.

6,12 Com ênfase e acumulando detalhes Lucas registra a oração de Jesus. Sai da massa entusiasta e dos rivais hostis, sobe à "montanha", lugar do encontro com Deus (1Rs 19), "passa a noite" (Sl 1,2; 42,4; 119,55) "orando". Sobre o conteúdo da oração de Jesus, os sinóticos são muito sóbrios: uma efusão (10,21-22), Getsêmani (22,39-46); João é mais explícito. No contexto, essa oração prepara a escolha dos doze e o grande discurso da planície.

6,13-16 Terceiro texto de escolha. Nesse texto com seu contexto já aparece uma estrutura da comunidade. Em círculos concêntricos situam-se o povo, os discípulos, os doze. Pedro figura sempre em primeiro lugar e Judas Iscariot no último. O grupo é heterogêneo: há dois nomes gregos, um ex-colaboracionista (identificando Mateus com Levi), um ex-simpatizante dos extremistas zelotes, e até um traidor.
Jesus tem a iniciativa da escolha (no AT *Yhwh*: 1Sm 10,24; Sl 78,68.70); impõe o título de "apóstolos", aceito sem discussão (1Cor 12,28; Ef 2,20), título que define a função e muda o nome de Simão. O nome implica nomeação. Significa enviado em geral e legado em particular. São doze, como as tribos que formam o Israel clássico. São doze como corpo ou colégio. No tempo da Igreja, embora os doze tenham um lugar único, o título se estende e se aplica com maior facilidade; e forma derivados, como apostólico, apostolado etc.

6,17-19 O novo sumário, de ensinamento e curas, serve de fundo ao discurso que se segue. Como Moisés, Jesus desce da montanha para dirigir-se ao povo. O narrador insiste na multidão de discípulos e de povo. Amplia o âmbito da procedência: da capital e da sua província (não se menciona a Galileia) até o litoral pagão de Tiro e Sidônia (10,13-14). Essa afluência significa primeiro uma reunião da diáspora; num segundo tempo simboliza a igreja de judeus e pagãos. Jesus atrai por seu ensinamento (11,31); é um dado que prepara o próximo discurso; e por seu poder curador, que se transmite por contato. Podemos falar do poder de Deus encarnado em corpo humano, do poder vivificante que "nossas mãos tocam" (1Jo 1,1). Dos possessos se diz que "eram curados".

a multidão tentava tocar nele, porque dele saía uma força que curava a todos.

²⁰Dirigindo o olhar aos discípulos, dizia-lhes:

– Felizes os pobres, porque o reinado de Deus lhes pertence.

²¹Felizes os que agora passais fome, porque vos saciareis.

Felizes os que agora chorais, porque rireis.

²²Felizes quando os homens vos odiarem, vos desterrarem, vos insultarem, e denegrirem vosso nome por causa deste Homem. ²³Saltai então de alegria, porque vosso prêmio no céu é abundante*. Assim vossos pais trataram os profetas.

²⁴Mas ai de vós, ricos, porque recebeis vosso consolo;

²⁵ai de vós, que agora estais saciados, porque passareis fome; ai de vós que agora rides, porque chorareis e fareis luto;

²⁶ai de vós quando todos falarem bem de vós. Assim vossos pais trataram os falsos profetas.

²⁷A vós que escutais eu vos digo: Amai vossos inimigos, tratai bem os que vos

---

6,20-49 Como não houve mudança de lugar, o autor parece ater-se à notícia que acaba de dar: "numa planície"; com isso o "sermão da montanha" em Mateus muda de nome em Lucas. O discurso se divide em três partes: as bem-aventuranças e mal-aventuranças (20-26), o preceito do amor (27-38), parábolas e comparações (39-49).

6,20-26 A proclamação programática de Lucas distingue-se marcadamente da de Mateus. Pela composição: divide-se em duas estrofes paralelas e antitéticas, que correspondem a dois gêneros literários. Cada estrofe articula-se em três peças concisas e uma desenvolvida. Pelo conteúdo: as três equivalem a variações ou mostram aspectos da mesma realidade. Não há atitudes positivas (como beneficência, trabalho pela paz). A pobreza não é qualificada pela interioridade. Talvez a versão de Lucas esteja mais próxima da forma original.

Os dois gêneros literários estão estabelecidos no AT. A bem-aventurança (macarismo, 'shry) é frequente sobretudo nos salmos e sapienciais. A mal-aventurança (Ai de!, hoy) é profética (ou fúnebre). Leem-se séries de ais em Is 5,8-23; Hab 3,6-19; Eclo 2,12-14. Com outros gêneros literários formam-se as séries contrapostas de bênçãos e maldições de Dt 27-28. Jesus une-as num díptico essencial de felicidade e infelicidade, bem e mal do homem. Revelação escatológica que abre caminho pelo paradoxo (não fruto de uma árvore proibida). Anúncio que confronta e divide a humanidade, que introduz e difunde o reinado de Deus na história humana.

Mateus e Lucas coincidem em acrescentar suas próprias motivações, "porque, vede, pois"; isso parece deslocar a ventura da situação para suas consequências, que se resumem no "reinado de Deus". Essa primeira parte dirige-se "aos discípulos".

6,20-21 Como três aspectos de uma situação, representam qualquer classe de necessitados, indigentes, desvalidos, marginalizados, oprimidos etc. O Deus do AT, pela legislação e pela profecia, mostrou seu especial cuidado deles (p. ex. Is 29,19 salvação escatológica; 57,15 e o citado 61,1; como ocupação do rei, Sl 72). O reinado de Deus vem para libertá-los e mudar sua sorte, já na história, embora sem excluir a consumação.

6,20 Pobres: mesmo limitando-nos ao termo 'ebyôn, nós o encontramos na legislação e nos sapienciais, muitas vezes nos profetas e nos salmos (cf. Dt 15,1-11; Is 29,19; Sl 74,21).

6,21 Os famintos são uma categoria mais limitada (Is 58,7; Sl l07,9; Jl 2,26). Os que choram têm seu precedente na categoria frequente do "afligido"; em sentido próprio vale o "enxugar as lágrimas" (Is 25,8 escatológico; 30,19; Sl 56,9 na vida; 126,5-6).

6,22-23 A perseguição por causa de Jesus Cristo. No AT os profetas foram perseguidos por cumprirem sua missão (11,47; 2Cr 36,16): desde Elias por Jezabel (1Rs 19) até à figura exemplar de Jeremias, "o profeta queimado", passando por Amós (Am 7). A perseguição por Jesus e seu evangelho é uma constante da Igreja desde a época dos *Atos dos Apóstolos* e tem lugar importante no *Apocalipse*. Ver 1Pd 4,14.

6,23 * Ou: *porque Deus vos recompensará com abundância*.

6,24-25 O trio forma uma unidade e deve ser entendido em oposição ao anterior. O tipo humano tem antecedentes no AT: na série de ais de Isaías (Is 5,10-23), a injustiça acompanha o luxo; parecida é a descrição de Sodoma (segundo Ez 16,49); enérgica é a descrição do luxo em Amós (Am 6,1-9; cf. Tg 5,1). Ao reinado de Deus, que comunica seu consolo (Is 40,1; 49,13; 51,12), opõe-se o consolo humano efêmero e vão (cf. Jó 21,34).

6,26 Sobre os falsos profetas, é muito expressivo Miqueias (2,11; 3,5.11); também Jr 23 e Ez 13 e o grande confronto de 1Rs 22.

6,27-38 O amor ao próximo, em particular aos inimigos, ocupa boa parte do discurso programático de Jesus. Dirige-se a todos os que escutam. Embora esteja formulado em imperativos, não deve ser entendido como novo código legal para regular uma conduta em determinados casos, mas como expressão de um espírito que anima de dentro toda a vida cristã. A motivação não deve ser interesseira; busca precisamente refrear o egoísmo interesseiro. A motivação é o exemplo de Deus Pai, que seu Filho vem revelar, para devolver sua imagem aos homens.

No centro soa a regra de ouro, que outros textos e culturas formularam em termos negativos ("não faças..." Tb 4,15; Eclo 31,15 num campo muito restrito) e Jesus exprime em forma positiva, muito mais exigente: "fazer"; porque o amor inculcado não se esgota em sentimentos (cf. Is 5,1-7). Aqui se vai à raiz da ética: fazer o bem/fazer o mal nas relações recíprocas uns dos outros. Por serem recíprocas, permitem traçar um quadro ou pauta para distinguir casos típicos, que se poderiam ilustrar com exemplos ou textos bíblicos:

odeiam; ²⁸bendizei os que vos maldizem, rezai pelos que vos injuriam. ²⁹A quem te bater numa face, oferece-lhe a outra, a quem te tirar o manto não lhe negues a túnica; ³⁰ao que te pede, dá, e ao que te tira algo, não o reclames. ³¹Como quereis que os homens vos tratem, tratai vós a eles. ³²Se amais os que vos amam, que mérito tendes? Também os pecadores amam seus amigos.

³³Se fazeis o bem aos que vos fazem o bem, que mérito tendes? Também os pecadores fazem isso. ³⁴Se emprestais quando esperais cobrar, que mérito tendes? Também os pecadores emprestam para recuperar outro tanto. ³⁵Antes, amai vossos inimigos, fazei o bem sem esperar nada em troca. Assim vossa recompensa será grande e sereis filhos do Altíssimo, que é generoso com ingratos e maus. ³⁶Sede compassivos, como vosso Pai é compassivo. ³⁷Não julgueis e não sereis julgados; não condeneis e não sereis condenados. Perdoai e vos perdoarão. ³⁸Dai e vos darão: recebereis uma medida generosa, calcada, sacudida e transbordante. A medida que usardes será usada para vós.

³⁹E acrescentou uma comparação:

– Poderá um cego guiar outro cego? Não cairão ambos num buraco? ⁴⁰O discípulo não é mais que o mestre; embora, uma vez

---

fazer mal a outrem sem razão: do que se queixa o salmista (35,7; 6,5);
mal por mal: pode ser castigo legal ou vingança legítima;
mal por bem: máximo agravante (Sl 35,12; 38,21; Pr 17,13; Jr 18,20);
bem sem razão: por compaixão, por generosidade; Ex 23,4-5 exorta à compaixão pelo asno do inimigo e pelo inimigo;
bem por bem: se recebido, é agradecimento; não tem mérito especial, segundo vv. 32-33; cf. 1Pd 2,19-23;
se esperado, é interesseiro: contra isto adverte o v. 34;
bem por mal: 1Sm 24,18; Pr 25,21-22; é o tema central da exortação. Paulo o formula assim: *Não te deixes vencer pelo mal, mas vence o mal com o bem* (Rm 12,21).
O estilo é aforístico, de frases concisas e incisivas; ligadas ou articuladas em paralelismos e agrupadas em unidades menores.

6,27-28 Convém tomar juntos os quatro verbos, que reúnem e articulam: o afeto ou atitude, "amai"; as obras, "tratai bem"; as palavras, "bendizei"; a oração, "rezai". Sobre o último podem-se recordar: Moisés intercedendo pelo Faraó (Ex 8,25; 9,28-29), Jeremias por seus perseguidores (15,15). Pela oração o ofendido recomenda a Deus o ofensor, e isso é grande benefício; ao mesmo tempo olha o ofensor numa perspectiva superior. A oração favorece os três atos precedentes.

6,29-30 Capacidade de suportar a injustiça no corpo ou nas posses. Como um manifesto de não-violência. O dar e emprestar a fundo perdido, como o aconselha Dt 15,1-11; comparar com as salvaguardas de Eclo 29,1-13.

6,31 Se alguém procura instintivamente o próprio bem, pense que também os outros o procuram. Se duvida como tratar o próximo, consulte seus próprios desejos. Não somente tratar como o tratam, mas como desejaria que o tratassem. Para tanto promove a iniciativa de fazer o bem. Pôr-se na situação do outro, adivinhar seus desejos, sentindo os próprios. Em outro contexto, Ben Sirac aconselha: "Pensa que teu vizinho é como tu" (Eclo 31,16). Como seria uma sociedade regida por esse princípio?

6,32-35a Repete três normas: amar, fazer o bem, emprestar. Três coisas que os homens honestos praticam, só que em limites estreitos e pensando no interesse. O que Jesus propõe é superior porque derruba os limites da reciprocidade e o motor do interesse.

6,35b A recompensa virá de Deus: "Quem se compadece do pobre empresta ao Senhor" (Pr 19,17). *Filho do Altíssimo:* o título é usado pelo Eclesiástico (Eclo 4,10), encerrando uma instrução sobre esmola e beneficência a pobres e oprimidos, órfãos e viúvas, "e Deus te chamará filho". O título pode ser lido no Salmo 82,6, num contexto de administração da justiça em favor do necessitado. Nós diríamos que o filho puxa o pai.

6,36 "Compassivo" é um dos títulos clássicos do Senhor, que se repete em fórmulas litúrgicas: Ex 34,6; Dt 4,31; Jl 2,13; Jn 4,2; Sl 86,15; 103,8; 145,8. Agora o tributo pertence a "vosso Pai": "Como um pai se enternece com seus filhos..." (Sl 103,13).

6,37-38 Seguem-se quatro sentenças paralelas, duas negativas e duas positivas, cinzeladas por formas correspondentes. Embora a formulação de três seja forense, seu alcance se estende a qualquer campo da vida. O cristão não deve erigir-se em juiz do próximo, não deve condenar sem razão, ser indulgente. Isso não suspende o juízo de valores que é parte integrante do sentido moral.

A imagem da recompensa refere-se a um recipiente de medir cereais, que ao ser sacudido contém mais, e ao qual depois não se passa a rasoura. Deus é compassivo e generoso (Pr 19,17).

6,39-45 O autor anuncia aqui uma parábola, como se pretendesse ilustrar o ensinamento precedente. A rigor nos achamos perante várias sentenças em forma de comparação, de aforismo comentado, de vinheta polêmica, de pergunta didática. A conexão temática com o que precede não é clara.

6,39 O lugar original dessa vinheta ou comparação é a polêmica com os letrados, intérpretes da lei (Mt 23,16). Dirigida aqui aos discípulos, mostra que o farisaísmo é atitude típica que também pode ocorrer na comunidade. São cegos os que não veem com os olhos de Jesus. Sem a metáfora da cegueira, Is 3,12.

6,40 O lugar deste aforismo é a instrução aos discípulos sobre os sofrimentos da missão (Mt 10,24-25). Aqui o Mestre é Cristo: o discípulo não pode aspirar a superá-lo; por outro lado, deve procurar transmitir o que dele recebeu.

instruído, venha a ser como seu mestre. ⁴¹Por que reparas no cisco do olho do teu irmão, e não reparas na viga que tens no teu? ⁴²Como podes dizer ao teu irmão: Irmão, deixa-me tirar o cisco do teu olho, quando não vês a viga do teu? Hipócrita! Tira primeiro a viga de teu olho, e depois poderás distinguir para tirar o cisco do olho de teu irmão.

⁴³Não há árvore sadia que dê fruto podre, nem árvore podre que dê fruto sadio. ⁴⁴Pelos frutos distingues cada árvore. Não se colhem figos das sarças nem se colhem uvas dos espinheiros. ⁴⁵O homem bom tira coisas boas do seu bom tesouro interior; o mau tira o mal de seu mau tesouro. A boca fala do que está cheio o coração.

⁴⁶Por que me invocais: Senhor! Senhor!, se não fazeis o que vos digo?

⁴⁷Aquele que vem a mim escuta minhas palavras e as põe em prática, vou explicar-vos com quem se parece. ⁴⁸Parece-se com alguém que ia construir uma casa: cavou, afundou e colocou um alicerce sobre a rocha. Veio uma enchente, a torrente se chocou contra a casa, mas não pôde sacudi--la, porque estava bem construída. ⁴⁹Ao contrário, aquele que ouve sem pôr em prática parece-se com alguém que construiu a casa sobre a terra, sem alicerce. A torrente se chocou e a casa desmoronou. E foi uma ruína colossal.

7 Cura o servo do centurião (Mt 8,5-13; Jo 4,43-54) –

¹Quando terminou seu discurso ao povo, entrou em Cafarnaum. ²Um centurião tinha um servo a quem estimava muito, que estava doente a ponto de morrer. ³Tendo ouvido falar de Jesus, enviou-lhe uns notáveis judeus para pedir-lhe que fosse curar seu servo. ⁴Apresentaram-se a Jesus e lhe rogavam insistentemente, alegando que ele merecia esse favor.

6,41-42 Outra vinheta feliz, hiperbólica, que nos legou as expressões "o cisco e a trave". Quem corrige a outros que se corrija. A trave é como uma cegueira para os próprios defeitos. Atenção aos censores que se creem exemplares.

6,43-49 Para concluir o discurso, uma comparação agrária e outra urbana, na combinação clássica daquela cultura (cf. Jr 1,10); entre as duas, uma comparação doméstica. Nelas sintetiza a importância decisiva da interioridade e a necessidade de traduzir o ensinamento em conduta.

6,43-44 Cada árvore dá fruto segundo sua espécie e qualidade. Pelo fruto identificamos a árvore (Tg 3,12).

6,45 Imagem doméstica: o tesouro pode ser o depósito, a adega ou a despensa. No homem é a intimidade, o coração como sede da vida consciente e livre. Referido à boca, à palavra, o provérbio se aplica a quem ensina; mas seu alcance é mais amplo. Segue-se a necessidade de ir assimilando e acumulando coisas boas para partilhá-las com outros no momento oportuno.

6,46 No plano da imagem, "senhor" é o patrão: pouco vale que o criado diga "sim, senhor", se depois não cumprir as ordens (Ml 1,3). No tempo em que Lucas escreve, Senhor é título de Jesus; era muito importante reconhecê-lo e confessá-lo (Rm 10,9), o que supõe a assistência do Espírito Santo (1Cor 12,3). Contudo, a invocação pode esvaziar-se de sentido, se não conduz a cumprir seus ensinamentos.

6,47-49 A comparação conclui todo o discurso à maneira de exortação. Todo o ensinamento de Jesus é para a vida; se fica na simples informação, sem se traduzir em obras, carecerá de fundamento para ele. Também insinua que a construção da vida cristã estará ameaçada de fora. Se o edifício é valioso, sua ruína será terrível.

7,1-17 Ao discurso seguem-se dois milagres notáveis. Um é a cura à distância, a favor de um pagão doente que está nas últimas. O outro é a ressurreição do filho de uma viúva. Indubitavelmente, Lucas dá importância à condição dos beneficiários.

7,1-10 A figura do centurião é toda descrita com traços significativos. É um pagão, simpatizante da religião e das práticas judaicas, às quais tem dedicado parte da sua fortuna (ou autoridade) construindo (ou mandando construir) uma sinagoga. Reconhece a dignidade especial de Jesus: aproxima-se dele por intermediários e não se atreve a hospedá-lo (não apresenta como motivo a proibição judaica de entrar em casa de pagãos, mas a dignidade pessoal de Jesus). O que mais importa é que crê no poder sobrenatural de Jesus. Enquanto o povo procura tocá-lo para receber dele seu fluido curador (6,19), o centurião reconhece que basta uma ordem de Jesus para que aconteça a cura. Sua experiência militar é imagem para expressar esse poder. Mas, curiosamente, o narrador não menciona essa palavra de Jesus, mas diz apenas que se põe a caminho com ele. O relato é bem graduado em dois encontros e desemboca, não na admiração do povo, como outros (4,36), mas na admiração de Jesus diante da fé do pagão. Fé no poder e na misericórdia de Jesus, na palavra que penetra no tecido da vida humana. A cura do moribundo pode ser comentada com o Salmo 30.

Para a igreja de Lucas, a fé do pagão é exemplar e consoladora.

7,2 "Se tens somente um servo, trata-o como a ti mesmo... considera-o um irmão" (Eclo 33,31).

7,3-4 Exemplo de um pagão que reclama a mediação dos judeus. De acordo com predições proféticas (Zc 8,23).

— ⁵Ama nossa nação e ele próprio nos construiu a sinagoga.

⁶Jesus partiu com eles. Não estava longe da casa, quando o centurião lhe enviou alguns amigos para dizer-lhe:

— Senhor, não te incomodes; não sou digno de que entres sob meu teto. ⁷Por isso, nem sequer me considerei digno de aproximar-me de ti. Pronuncia uma palavra, e meu servo ficará curado. ⁸Também eu tenho um superior e soldados às minhas ordens. Se digo a este que vá, ele vai; a outro que venha, ele vem; ao servo que faça isso, ele o faz.

⁹Ao ouvir isso, Jesus admirou-se e voltando-se disse à multidão que o seguia:

— Nem sequer em Israel encontrei fé semelhante.

¹⁰Quando os enviados voltaram para casa, encontraram o servo curado.

Ressuscita o filho da viúva — ¹¹Prosseguindo, dirigiu-se a uma cidade chamada Naim, acompanhado pelos discípulos e grande multidão. ¹²Justamente quando se aproximava da porta da cidade, levavam para fora um morto, filho único de uma viúva; acompanhava-a um grupo considerável de moradores. ¹³Ao vê-la, sentiu compaixão e lhe disse:

— Não chores.

¹⁴Aproximou-se, tocou o féretro, e os carregadores pararam. Então disse:

— Jovem, falo contigo, levanta-te.

¹⁵O morto se levantou e começou a falar. Jesus *o entregou a sua mãe*. ¹⁶Todos ficaram espantados e davam glória a Deus, dizendo:

— Um grande profeta surgiu entre nós; Deus se preocupou com seu povo.

¹⁷A notícia do que havia feito se divulgou por toda a região e pela Judeia.

Sobre João Batista (Mt 11,2-19) — ¹⁸Os discípulos de João o informaram de todos esses fatos. João chamou dois de seus discípulos ¹⁹e os enviou ao Senhor para perguntar-lhe:

— És tu aquele que deveria vir, ou temos de esperar outro?

7,6 A liturgia cristã conservou a frase do centurião no contexto da eucaristia. "Quem ousaria aproximar-se de mim?", pergunta Deus (Jr 30,21).

7,7-8 Um modo de fazer, próprio de soberanos e autoridades, é por meio da palavra, ou seja, dando ordens: é fazer fazer. Dessa condição são as ordens criadoras de Deus (Gn 1; Sl 33). O centurião o experimentou dentro do regime e da hierarquia militar. Em várias ocasiões os evangelistas citam palavras soberanas de Jesus, pronunciadas sobre a criação para melhorá-la ou restaurá-la.

7,11-17 Naim é uma aldeia, na estrada de Cafarnaum a Samaria. Desta vez toca a uma viúva e ao órfão defunto. Como nos casos famosos de Elias e Eliseu (1Rs 17,17-24 e 2Rs 4,32-37). Viúvas e órfãos são categorias necessitadas que no AT reclamam atenção especial (Eclo 4,10) e aparecem ainda no NT (Tg 1,27). Deus mesmo se ocupa deles: "pai de órfãos, protetor de viúvas" (Sl 68,6). Jesus, portador de vida, vai ao encontro da comitiva fúnebre; a sincronia não é casual. Sai ao encontro da dor humana com toda a compaixão, e esta mobiliza o poder. É o poder máximo, da vida sobre a morte: por isso atualiza ditos antigos: "tu tens poder sobre a vida e a morte" (cf. Dt 32,39; Tb 13,2; Sb 16,13); e à luz da Páscoa, prefigura a ressurreição; porque mostra que a morte não será o caminho sem retorno. O comentário do povo evoca a promessa de Dt 18,15; reconhecem-lhe de imediato o título de profeta. À luz da simbologia dos profetas, essa viúva sem filhos pode representar a comunidade de Israel, da qual o Senhor se compadece (cf. Is 51,18-19; 54,4.8).

7,14 Féretro ou lençol mortuário, conforme o uso de então. Jesus une a ação à palavra. O toque de sua mão é um toque de vida que detém o caminho de regresso ao pó.

7,16 O comentário do povo evoca a promessa de Dt 18,15; reconhecem-lhe o título de profeta, nada mais. Preocupa-se ou visita: anunciado no Benedictus (1,68.78); segundo expressão corrente no AT (Ex 3,16; 1Sm 2,21; Sl 8,5); é o verbo usado por Tiago referindo-se a órfãos e viúvas (Tg 1,27).

7,18-35 O autor dedica à figura de João Batista uma longa passagem, dividida em três segmentos. Embaixada de João e resposta de Jesus (vv. 18-23), juízo de Jesus sobre João (vv. 24-30), uma parábola (vv. 31-35). Em tudo isso se propõe a relação de João com Jesus, sua função como precursor do Messias. O estilo exibe uma grata variedade e força de interpelação.

7,18-23 João está preso, mas pode receber visitas de seus discípulos, leais ao mestre. Agora depende de informações orais. Os discípulos lhe falam do ensinamento e dos milagres de Jesus. Correspondem as informações à expectativa messiânica do AT? Correspondem à sua visão do Messias? Ele o descrevera empunhando o machado para cortar, a pá para peneirar, manejando o fogo para queimar. Apresenta-se assim?

7,18 Profetas e escatólogos haviam cultivado entre os judeus a esperança numa futura libertação e num futuro libertador; particularmente como rei da dinastia davídica (Am 9,11; Jr 23,5; 33,17; Ez 34,24); devia vir, era o "vindouro" (Zc 9,9; Ml 3,1).

7,19-20 A pergunta de João beneficia seus discípulos e também a si próprio, para dissipar suas dúvidas e perplexidades. Precisa que sua missão seja confirmada e que se defina o destino de seus discípulos.

²⁰Os homens se apresentaram a ele e lhe disseram:

– João Batista nos enviou para perguntar-te se és tu aquele que deveria vir, ou se temos de esperar outro.

²¹Então Jesus curou muitos de doenças, enfermidades e espíritos maus; e devolveu a visão a muitos cegos. ²²Depois lhes respondeu:

– Ide informar a João sobre o que vistes e ouvistes: cegos recuperam a visão, coxos caminham, leprosos ficam limpos, surdos ouvem, mortos ressuscitam, pobres recebem a boa notícia. ²³E feliz aquele que não tropeça por minha causa.

²⁴Quando os mensageiros de João partiram, ele começou a falar de João à multidão:

– O que saístes para contemplar no deserto? Um caniço sacudido pelo vento? ²⁵O que saístes para ver? Um homem elegantemente vestido? Ora, os que se vestem com elegância e desfrutam de comodidades habitam em palácios reais. ²⁶Então, o que saístes para ver? Um profeta? Eu vos digo que sim, e mais que profeta. ²⁷A este se refere aquele texto da Escritura: *Eu envio à frente meu mensageiro para que me prepare o caminho*. ²⁸Eu vos digo que entre os nascidos de mulher ninguém é maior que João. Todavia, o último no reino de Deus é maior que ele. ²⁹(Todo o povo que escutou e os coletores deram razão a Deus, aceitando o batismo de João; ³⁰ao contrário, os fariseus e jurisconsultos rejeitaram o que Deus queria deles, por não deixar-se batizar por ele.)

³¹Com quem compararei os homens desta geração? Com quem se parecem? ³²São como crianças sentadas na praça, que gritam às outras: *Tocamos flauta e não dançastes, cantamos lamentações e não fizestes luto*. ³³Veio João Batista, que não comia pão nem bebia vinho, e dizeis: Está endemoninhado. ³⁴Veio este Homem que come e bebe, e dizeis: Vede que co-

---

A pergunta é exata e transcendental: trata-se de identificar a missão de Jesus. A pergunta se desprende do contexto: é preciso esperar um Messias, outro Messias? João os envia "ao Senhor", como se exprime o narrador.

7,21-23 Jesus se identifica como o Messias vindouro em ação e ao mesmo tempo descreve o Messias autêntico. Não vem para dar a Israel uma independência nacional e o domínio pacífico sobre outros povos, segundo esperanças nacionalistas, mas para curar enfermos, libertar possessos e proclamar a boa notícia aos pobres (6,20). Quem não alimentar ilusões triunfalistas não se frustrará com ele. Suas ações, com duas alusões bíblicas, respondem à pergunta de João e de quantos a repetirem sinceramente.

7,22 Os dois discípulos serão as duas testemunhas (Dt 19,15) de tudo o que Jesus realizou na presença da multidão. As palavras aludem a Is 35,5-6 e 61,1. Jesus as aplica a si, como na sinagoga de Nazaré (Lc 4,17-20). Não ficar frustrado é expressão corrente na espiritualidade bíblica (p. ex. Sl 25,2.20; 31,18; 71,1).

7,24-30 João perguntara: Quem é Jesus? Jesus responde quem ele é e quem é João, como num testemunho recíproco. A figura de João é de um asceta que atrai o povo por sua austeridade de vida. Retirado ao deserto, vive longe da corte e dos seus prazeres (cf. Ecl 2,1-3). Acrescenta a inteireza da sua pregação (cf. a figura do servo segundo Is 42,4); nada se diz de milagres. Esses valores podem atrair o povo sadio e criterioso. Por tais cuidados receberam João como profeta, depois do silêncio de séculos (cf. 1Mc 14,41).

7,24-25 No deserto ou paramo o vento balança os caniços: é um espetáculo atraente, digno de uma viagem? Na corte há desfiles e banquetes suntuosos: podem ser espetáculo atraente. O povo não procurou isso. A figura ascética e a voz profética foram a atração. Todavia, há alguém maior que João.

Jesus tampouco habita um palácio real, rodeado de comodidades.

7,26-28 É pouco esse título. Moisés anunciou o envio de um profeta como ele (Dt 18,15). O último dos profetas, Malaquias, encerrou a série predizendo a chegada daquele que prepararia o caminho para a vinda do Senhor (Ml 3,1; Ex 23,20). Ou seja, na cadeia profética de predições o último anel não prediz, mas assinala o cumprimento. Este é o Batista e esta é sua grandeza: mais que profeta. Contudo, existe algo superior: qualquer um que pertença à nova comunidade de Jesus, na qual o próprio Deus reina (Sl 145,13), é maior que João (cf. 1,15).

7,29-30 Esses dois vv. soam como inserção, talvez comentário antecipado da parábola seguinte. O batismo de João operou uma divisão clara. Os que confessaram arrependidos seus pecados, gente do povo e até publicanos, "deram razão" a Deus, reconhecendo sua justiça. Segundo o clássico esquema penitencial: "És inocente... e nós somos culpados", "tu, Senhor, és justo/inocente, nos oprime a vergonha (do pecado)" (Ne 9,33; Dn 9,7; Sl 51,6).

Os fariseus e letrados, que se tinham por justos (18,9-14), recusaram o batismo de João, desprezando o desígnio de Deus. Deus queria que se dispusessem a receber o Messias, mas para isso teriam primeiramente de reconhecer-se pecadores e arrepender-se. O batismo de João exigia séria revisão e mudança de vida e de mentalidade.

7,31-35 Depois do que precede, a "geração" não ficaria definida pela cronologia, mas pela atitude no que tem de típico. A parábola generaliza seu alcance, embora não sejamos capazes de reconstruir exatamente o jogo. Crianças que, convidadas a brinquedos diversos, replicam com o clássico "não vou brincar"; seres birrentos a quem nada satisfaz e buscam pretextos para justificar sua reserva.

milão e beberrão, amigo de coletores e pecadores. ³⁵Mas a Sensatez é acreditada por seus discípulos.

Perdoa a pecadora (Mt 26,6-13; Mc 14, 3-9; Jo 12,1-8) – ³⁶Um fariseu o convidou a comer. Jesus entrou na casa do fariseu e se reclinou à mesa. ³⁷Nisso uma mulher conhecida na cidade como pecadora, sabendo que estava à mesa na casa do fariseu, veio com um frasco de perfume de mirra, ³⁸colocou-se por trás, a seus pés, e chorando se pôs a banhar-lhe os pés com lágrimas e a secá-los com o cabelo; beijava-lhe os pés e os ungia com a mirra. ³⁹Ao ver isso, o fariseu que o havia convidado começou a pensar: Se esse fosse profeta, saberia quem e que tipo de mulher o está tocando, pois é uma pecadora. ⁴⁰Jesus tomou a palavra e lhe disse:

– Simão, tenho algo a dizer-te.

Respondeu:

– Fala, mestre.

⁴¹Disse-lhe:

– Um credor tinha dois devedores: um lhe devia quinhentos denários, e outro cinquenta. ⁴²Visto que não podiam pagar, perdoou a ambos a dívida. Qual dos dois lhe terá mais afeto?

⁴³Simão respondeu:

– Suponho que aquele a quem perdoou mais.

Replicou-lhe:

– Julgaste corretamente.

⁴⁴E voltando-se para a mulher, disse a Simão:

– Vês esta mulher? Quando entrei em tua casa, não me deste água para lavar os pés; ela os banhou em lágrimas e os secou com seu cabelo. ⁴⁵Tu não me deste um beijo; desde que entrei ela não parou de beijar-me os pés. ⁴⁶Tu não me ungiste a cabeça com perfume; ela me ungiu os pés com mirra. ⁴⁷Por isso te digo que lhe foram perdoados muitos pecados, já que sente tanto afeto. Aquele a quem se perdoa pouco, sente pouco afeto.

Não sabemos quando disseram que João estava endemoninhado. As expressões comilão e beberrão encontram ressonância em Dt 21,20.

7,35 A Sabedoria ou Sensatez aparece muitas vezes personificada em Pr e Eclo. Pode dirigir-se a seus alunos, chamando-os de "filhos" (Pr 8,32; Eclo 15,2). Enquanto uns a desprezaram, outros se abriram ao ensinamento do sábio desígnio de Deus e acreditaram na sua sabedoria, revelada na missão do Batista e de Jesus.

7,36-50 Por que Lucas inseriu aqui a sua história da pecadora perdoada? Porque se une com o que precede em vários detalhes: a pecadora corresponde aos "publicanos" do v. 29; seria uma das arrependidas e batizadas por João; o julgar e condenar o próximo (6,37); dar razão a Deus com o arrependimento (v. 29); Jesus come e bebe, amigo de pecadores (v. 34).

7,36 Jesus aceita dos fariseus convites para refeições (11,37; 14,1), e aproveita a ocasião para ensinar. O anfitrião é correto e cortês, não é cordial: não presta deferências extraordinárias (vv. 44-46; cf. Gn 18,4; Sl 23,5). Pretende também provar Jesus em sua conduta e doutrina?

7,37-38 Nisso uma pecadora da cidade, provavelmente uma prostituta, irrompe na sala (cf. Os 1,2; 3,1). Os comensais estão reclinados em almofadas, com a cabeça para a frente e os pés para fora. Embora a sala do banquete estivesse aberta, era muito pouco decoroso que tal mulher entrasse na casa de tal anfitrião; os fariseus eram muito cautelosos nesses assuntos. O que ela faz depois com Jesus é tão afetuoso quanto escandaloso: soltar os cabelos na presença de homens, enxugar com eles os pés banhados em suas lágrimas, o esbanjamento do perfume (embora não o derrame na cabeça, como era costume). Tudo sem hesitação e com insistência. E Jesus a deixa fazer sem rejeitá-la nem opor resistência.

7,39 Com razão se escandaliza o anfitrião (e não seria o único); por cortesia se abstém de manifestá-lo em voz alta. Pronuncia um juízo mental. Se Jesus não adivinha a profissão da mulher, não possui a clarividência própria de um profeta (não pensa na outra parte: se conhece a profissão é culpado por omissão, por deixar fazer; a omissão seria mais grave que a ignorância). Mas Jesus adivinha o pensamento dele, e com isso rebate o julgamento sobre ele, e lhe responde em voz alta, corrigindo assim o seu juízo sobre a mulher.

7,40 O recurso é contar uma parábola para distanciar e ao mesmo tempo comprometer o fariseu: terá de julgar o caso, como mentalmente a julgou. No fim, o juiz será julgado. Como Davi (2Sm 12) ou o jurado na canção da vinha (Is 5,1-7).

7,41-43 A parábola é descarnada e a solução é óbvia. O "suponho" pode exprimir cortês modéstia. O fariseu entrou no jogo e não pode evitar a aplicação. Abre-se outro julgamento sobre a mulher no qual, por comparação, o fariseu está implicado.

7,44-46 O triplo contraste serve para dar relevo às mostras de um afeto intenso e incontido. Lavar os pés ao hóspede foi costume patriarcal (Gn 18,4; 19,2; 24,32; e posterior 1Sm 25,41). Ungir (a cabeça) também era costume (Sl 23,5; 141,5).

7,47 Na parábola e na sua aplicação, todos os intérpretes e muitos leitores têm observado uma estranha incoerência, que podemos resumir assim: ama muito, porque lhe perdoaram muito (parábola); foi-lhe perdoado muito, porque amou muito (aplicação). Note-se que "amar" pode equivaler a "agradecer" (que em hebraico se exprime com o verbo *brk*). Substitui-se o "porque" por "posto que, sinal que" de manifestação. No Salmo 116 o orante pronuncia: "Amo" (1), "acreditei" (10) e pergunta: "Como pagarei ao Senhor por todo o bem que me fez?" (12),

⁴⁸E disse a ela:
— Teus pecados estão perdoados.
⁴⁹Os convidados começaram a dizer entre si:
— Quem é esse que até perdoa pecados?
⁵⁰Ele disse à mulher:
— Tua fé te salvou. Vai em paz.

8 Mulheres com Jesus — ¹Em seguida, foi percorrendo cidades e aldeias proclamando a boa notícia do reinado de Deus. ²Acompanhavam-no os doze e algumas mulheres que havia curado de espíritos imundos e de enfermidades. Maria Madalena, da qual tinham saído sete demônios; ³Joana, mulher de Cuza, mordomo de Herodes; Suzana e muitas outras, que os atendiam com seus bens.

Parábola do semeador (Mt 13,1-23; Mc 4,1-20) — ⁴Reuniu-se grande multidão e aumentavam os que acorriam a ele de uma cidade após outra. Então lhes propôs uma parábola:
— ⁵Saiu o semeador a semear a semente. Ao semear, alguns grãos caíram junto ao caminho; foram pisados e os pássaros os comeram. ⁶Outros caíram sobre pedras; brotaram e secaram por falta de umidade. ⁷Outros caíram entre espinheiros e, ao crescer os espinheiros com eles, os sufocaram. ⁸Outros caíram em terra fértil e deram fruto centuplicado.
Tendo dito isso, exclamou:
— Quem tem ouvidos, escute.
⁹Os discípulos perguntaram-lhe o sentido da parábola, ¹⁰e ele lhes respondeu:
— A vós é concedido conhecer os segredos do reinado de Deus; aos demais se fala em parábolas, *para que vendo não vejam e ouvindo não ouçam.* ¹¹O sentido da parábola é o seguinte: a semente é a palavra

---

mas não fala de arrependimento.
Talvez a explicação se obtenha considerando as duas realidades, amor e perdão, como correlativas, que se implicam mutuamente. Tentemos explicá-lo brevemente. Alguém pode arrepender-se de ter violado uma norma objetiva (respeito pela ordem), ou porque vê sua indignidade (vergonha de si), ou por ter ofendido outra pessoa sem razão. O terceiro caso implica estima (um aspecto do amor) por tal pessoa. Quem pede e espera obter perdão, estima o ofendido, sente-se atraído por ele (amor e fé confiante). Obtido o perdão, a boa relação se restabelece, e o perdoado sente o afeto do agradecimento, o amor se desenvolve sem empecilhos.
Outra questão é o perdão. A passiva (teológica) indica que Deus perdoou, provavelmente pela atuação do Batista. Então, por que agradecer a Jesus? — Porque é ele quem dá sentido ao batismo de João.
Jesus insinua que os fariseus tinham pouco do que ser perdoados? Em termos de lei e observâncias, talvez. Mas a religiosidade deles é mesquinha, calculista, não entra de cheio na dimensão do amor. Quem entrou no reino recebeu o perdão por pura graça e tem de viver em puro agradecimento.

7,48-50 Jesus pronuncia a fórmula de absolvição, sancionando a reconciliação (Sl 103,3). Isso provoca o segundo escândalo dos convidados, mais grave que o primeiro, porque tem como motivo a missão e a revelação de Jesus.
A fórmula convencional de despedida, "vai em paz", carrega-se aqui de sentido transcendente e passou para a prática cristã da penitência e da eucaristia.

8,1-3 O sumário acrescenta elementos que o colocam como complemento da escolha dos doze (6,12-16). Ao grupo de seguidores juntou-se um grupo de mulheres, contra os costumes dos rabinos. Umas, agradecidas por uma libertação recebida de Jesus; outras, simpatizantes que prestam serviços, inclusive econômicos. A tradição evangélica conservou o nome de algumas e sua atuação em momentos capitais. O texto tem valor exemplar para as comunidades cristãs.

8,4-18 A coleção de parábolas é reduzida na versão de Lucas (ela se completará com outras próprias de Lucas, distribuídas em outros lugares). A parábola principal é para o povo todo; a explicação, com outra parábola menor, é para os discípulos.

8,5-8 Uma parábola agrária se encontra num contexto profético (Is 28,23-29). Embora Jesus não tenha sido lavrador por profissão, cresceu numa cultura dominada pela agricultura, tanto que Adão e Caim se apresentam como lavradores. Lucas simplifica o resultado final sem graduar a fertilidade da semente, multiplicando-a pela cifra fantástica ou emblemática de cem (cf. Gn 24,12). A parábola segue o esquema de três mais um: três ameaças e um bom resultado. Os animais (aves), as plantas (espinheiros), os minerais (pedras) podem ser hostis à colheita, a semente exige proteção permanente.
A exclamação final de Jesus é como um aparte do narrador, que apresenta seu relato como interpelação. Escutar não pode ser uma recepção passiva. A exclamação é como uma versão ainda mais grave do grito profético "escutai!" (Is 1,2.10; 46,3 etc.). Poderíamos parafrasear a exclamação: Quem tiver entendimento, entenda.

8,10a O segredo do reinado de Deus é sua presença em Jesus; é que está chegando e avançando. Entendê-lo é dom de Deus, "a vós foi dado" (cf. Dt 29,3.20; cf. Lc 10,21-22).

8,10b Completa o dito no v. 8. Ao não escutarem as parábolas, como era devido, cumpre-se neles a maldição de Isaías (6,9-10; 42,20). Quem não escuta como deve, quem não sintoniza, não só fica sem compreender, mas se endurece progressivamente.

8,11-15 Supõe-se que a explicação alegórica, membro a membro, seja obra da tradição posterior. Nela podemos notar vários pontos: a) A reciprocidade:

de Deus. ¹²A que caiu junto ao caminho são os que escutam; mas logo vem o Diabo e lhes arranca do coração a palavra, para que não creiam e não se salvem. ¹³A que caiu entre pedras são os que, ao escutar, acolhem com alegria a palavra, mas não lançam raízes; esses creem por um tempo, mas, ao chegar a prova, desistem.

¹⁴A que caiu entre espinheiros são os que escutam; mas, com as preocupações, a riqueza e os prazeres da vida, vão se sufocando e não amadurecem. ¹⁵A que cai em terra fértil são os que com excelente disposição escutam a palavra, a retêm e dão fruto com perseverança.

¹⁶Ninguém acende uma lamparina e a cobre com uma vasilha ou a põe debaixo da cama, mas a coloca no candelabro para que os que entram vejam a luz. ¹⁷Pois não há nada oculto que não se descubra, ou escondido que não se divulgue e se manifeste. ¹⁸Atenção, portanto, como escutais, pois a quem tem se lhe dará, e a quem não tem se lhe tirará até mesmo o que parece ter.

A mãe e os irmãos (Mt 12,46-50; Mc 3,31-35) – ¹⁹Apresentaram-se sua mãe e seus irmãos, mas não conseguiam aproximar-se por causa da multidão. ²⁰Avisaram-no:

– Tua mãe e teus irmãos estão fora e querem ver-te.

²¹Ele lhes replicou:

– Minha mãe e meus irmãos são os que ouvem a palavra de Deus e a cumprem.

Acalma a tempestade (Mt 8,23-27; Mc 4,35-41) – ²²Num desses dias ele subiu a uma barca com os discípulos e lhes disse:

– Vamos atravessar para a outra margem do lago.

---

a semente é a palavra, porque a palavra de Deus é semente vital e fecunda, que cresce e se multiplica. b) Essa palavra deve ser semeada pela pregação do evangelho, que é palavra de Deus por excelência. c) A semente é ameaçada por forças externas e internas, com as quais é preciso contar. Essas forças são (em nossa terminologia de catecismo): o demônio (v. 12), o mundo e a carne (v. 14); a elas acrescentamos a "superficialidade" e falta de convicção (v. 13).

8,12 A fé responde à palavra, e da fé segue-se a salvação. O Maligno procura impedir o processo porque procura a perdição.

8,13 A prova é inevitável e de duplo efeito: consolida o firme, destrói o fraco. "A raiz do honrado não se desenraíza" (Pr 12,3).

8,14 Um profeta pregava: "Lavrai os campos e não semeeis espinhos" (Jr 4,3). Já Adão teve de lutar com os espinheiros (Gn 3,18); e em contexto escatológico, da vinha brotam espinheiros (Is 27,4).

8,15 Se cada planta dá fruto segundo sua espécie (Gn 1,11-12), também a palavra de Deus dará fruto segundo sua espécie. A perseverança é virtude inculcada com frequência (Lc 21,19; Rm 2,7; 2Cor 6,4 etc.).

8,16-18 Nessa série apreciamos o parentesco da parábola com o refrão ou provérbio. Em fórmula concisa encerram um potencial de significados. O oculto se deve comunicar, o oculto se saberá. Escutando, aprende-se a escutar; assimilando, alarga-se a capacidade; quem julga saber e possuir tudo, irá ficando sem nada...

8,16 Essa parábola minúscula fica englobada na explicação para os discípulos. Daí brota seu sentido contextual: com a explicação de Jesus os discípulos foram iluminados. Não devem guardar para si o ensinamento, como um saber esotérico para iniciados, mas devem difundi-lo: "Farei brilhar meu ensinamento como a aurora, para que ilumine às distâncias" (cf. Eclo 24,32; 37,22-26).

8,17 Também esse aforismo fica envolvido pelo contexto. O mistério do reinado e tudo o que os discípulos estão aprendendo em particular está destinado a manifestar-se. É um aviso para eles e para as futuras comunidades.

8,18 Para o novo aforismo, dispomos de uma frase que o situa: trata-se da arte de escutar. O aforismo é um paradoxo, que admite explicações, mas não tolera uma mudança de formulação. Sugere o dinamismo do receber e produzir. O que "seguramos" sem produzir apodrece, "nos é tirado".

8,19-21 Vimos a escolha dos doze (6,12-16) e a incorporação de mulheres ao grupo (8,2-3). Cabe agora à família? Parece que só querem vê-lo, saudá-lo. Lucas dedicou a Maria um lugar predominante na etapa da infância; agora aparece em público. Os irmãos são mencionados aqui e em At 1,14. Ora, com perfis ásperos, o vínculo familiar é usado como símbolo para expressar o mistério da nova família que Jesus está fundando, na qual se sublimam as relações naturais.

A palavra de Deus contém e comunica fecundidade, maternidade. A palavra de Deus plenamente aceita tornou Maria mãe. Ao crescer a família, a palavra cria e mantém o espírito de fraternidade. Jesus suspendeu o vínculo paterno humano, para atender à casa ou às coisas do Pai (2,41-49); seguindo seu exemplo, é possível fazer parte da nova casa do Pai. Toda comunidade cristã deve ser materna e fraterna.

8,22-39 Os dois milagres relatados formam um díptico que devemos contemplar primeiro no seu conjunto. Jesus enfrenta e anula as potências adversas: a força mítica do oceano, os poderes diabólicos que escravizam o homem. O primeiro com uma ordem soberana, o segundo com um exorcismo graduado. Também pesa a reação dos assistentes: medo, falta de fé, estupor dos discípulos; medo e terror dos gerasenos, proclamação do possesso curado.

8,22-25 Para ler o episódio é oportuno pôr como pano de fundo o primeiro quadro da história de Jonas: o profeta embarcado, adormecido, vento e água na tempestade. A diferença é que, agora, na barca vai

Zarparam [23]e, enquanto navegavam, ele ficou dormindo. Um furacão se precipitou sobre o lago, a barca se enchia de água e eles corriam perigo. [24]Então foram despertá-lo e lhe disseram:

– Mestre, estamos afundando.

Ele despertou e ameaçou o vento e as ondas; cessaram e sobreveio a calma. [25]Disse-lhes:

– Onde está vossa fé?

Espantados de estupor, diziam entre si:

– Quem é esse que dá ordens ao vento e à água, e lhe obedecem?

O endemoninhado de Gerasa (Mt 8,28-34; Mc 5,1-20) – [26]Navegaram até o território dos gerasenos, que fica em frente à Galileia. [27]Ao pôr os pés em terra, saiu-lhe ao encontro um homem da cidade, endemoninhado. Havia muito tempo que não vestia uma túnica e não vivia em casa, mas nos túmulos. [28]Ao ver Jesus, deu um grito, lançou-se diante dele e disse gritando:

– Que tens comigo, Jesus, filho do Deus Altíssimo? Eu te suplico que não me atormentes.

[29]É que estava mandando o espírito imundo sair daquele homem; pois muitas vezes se apoderava dele; embora o atassem com correntes e grilhões, rompia as correntes e o demônio o impelia a lugares despovoados.

[30]Jesus lhe perguntou:

– Como te chamas?

Respondeu:

– Legião (porque haviam entrado nele muitos demônios).

[31]Eles lhe rogavam que não os mandasse para o abismo. [32]Havia ali, na ladeira, uma grande manada de porcos fuçando. Rogavam que lhes permitisse entrar nos porcos. Ele o concedeu; [33]e os demônios, saindo do homem, entraram nos porcos. A manada se precipitou por um despenhadeiro e se afogou. [34]Ao ver o que havia acontecido, os pastores fugiram e o contaram na cidade

---

Jesus, que não está fugindo e é mais que profeta. O lago quase doméstico de Genesaré, mesmo com suas tempestades proverbiais, representa agora papel dramático do oceano rebelde ou monstro marinho. Embora o narrador não cite um texto em particular, a sua linguagem o prende a muitos textos do AT. Escolhemos para a água Sl 65,8; 93,3-4; e 103,4.7 como representação de muitos outros. Para os ventos, Eclo 39,28: "Há ventos... que com sua fúria desenraízam as montanhas"; e Sl 48,8: "Como vento de verão que faz naufragar navios de Társis". Vento e água são os elementos peculiares dos pescadores.

Jesus dá ordem de zarpar: começa o desafio. Põe-se a dormir (como Jonas 1,5), dando vantagem ao adversário. O mar mobiliza sua fúria: como em Sl 107,25 ou Jn 1,4 em chave realista, como em Sl 18,5 em chave simbólica. Os discípulos são testemunhas da potência destruidora das águas (Sl 107,26-27) e da própria falta de fé. Despertou (Sl 78,65) e "ameaçou" (3,35.39.41): é o verbo do "bufido" de Deus reprimindo o oceano ou o exército inimigo (Is 17,13; 50,2; Na 1,4; Sl 104,7; 106,9). Jesus é Senhor dos elementos. Lucas descreverá uma cena medianamente parecida na navegação e naufrágio de Paulo (At 27).

8,26-39 O segundo confronto é contado com amplidão e riqueza de detalhes, de acordo com as crenças da época e as práticas do exorcismo.

O demônio culpável apoderou-se de um homem e o sequestrou (Ex 21,16). Excluindo-o da sociedade, leva-o ao deserto (Jó 6,18; 30,3-7; Dt 32,10) e o faz inquilino e companheiro do mundo dos mortos, que o contamina (Nm 19; Jó 17,13), torna-o intratável, dotado de força sobre-humana. O demônio comparece ao julgamento do exorcismo: reconhece um título transcendente de Jesus, identifica-se com seu nome, que é nome de multidão, sofre a tortura do processo. Suplica não ser condenado à pena máxima, porém a uma pena limitada, em sua terra, passando do mundo humano ao mundo animal. Mas sua maldade volta-se contra ele: os porcos endemoninhados despencam os demônios no abismo marinho. Vários traços dessa cena são conhecidos por documentos contemporâneos de exorcismos.

8,26 É território pagão, idólatra. Convém recordar que já Paulo identificava os ídolos com os demônios (1Cor 10,20-21).

8,27 Nu: Saul em transe 1Sm 19,24; Jó 24,7.10. Em sepulturas, muitas vezes escavadas ou aproveitado cavernas. Is 65,4 reúne alguns dados denunciando o povo "que se sentava nos sepulcros e pernoitava nas grutas, que comia carne de porco, que dizia: Retira-te!" Jesus não denuncia, compadece-se.

8,28 Título messiânico e gesto de homenagem; a seu pesar. O demônio e Jesus são inconciliáveis.

8,30 Legião: palavra latina no texto; unidade militar de uns seis mil homens. Jesus sozinho contra tantos (Lv 26,8; Dt 32,30; Is 30,17; Sl 55,19).

8,31 O Abismo (*Xeol*) como cárcere de demônios: 2Pd 2,4; Ap 20,1-2. Quando Jonas ora "no fundo do mar", no ventre do monstro marinho, diz "do ventre do Xeol". Nessa perspectiva, o destino dos demônios é irônico, cumprindo seu pedido.

8,32-33 Em chave de idolatria deve-se comparar com a queda de Dagon (1Sm 5,1-5), dos deuses da Babilônia (Is 46,1-2).

8,34-39 As reações pelo ocorrido se entremeiam. Os pastores logicamente vão contando por todo lado o que aconteceu aos porcos (v. 34), ou seja, a desgraça econômica; e os vizinhos, perplexos entre a surpresa pelo poder de Jesus e o medo de outras

e nos campos. ³⁵Os moradores saíram para ver o que havia acontecido e, chegando onde estava Jesus, encontraram o homem de quem haviam saído os demônios, vestido e sentado, aos pés de Jesus e em perfeito juízo. E se assustaram. ³⁶Os que o haviam visto lhes contaram como tinha sido libertado o endemoninhado. ³⁷Então todos os moradores da região dos gerasenos rogaram que ele fosse embora; pois eram presa do terror. Jesus embarcou de volta. ³⁸O homem, do qual haviam saído os demônios, pediu para ficar com ele. Mas Jesus o despediu, dizendo:

– ³⁹Volta para tua casa e conta o que Deus te fez.

Ele foi por toda a cidade proclamando o que Jesus havia feito.

Duas curas (Mt 9,18-26; Mc 5,21-43) – ⁴⁰Quando Jesus voltou, a multidão o recebeu, pois todos o estavam esperando. ⁴¹Nisso se aproximou um homem, chamado Jairo, chefe da sinagoga. Caindo aos pés de Jesus, rogava-lhe que entrasse em sua casa, ⁴²pois sua filha única, de doze anos, estava à morte. Enquanto caminhava, a multidão o apertava.

⁴³Uma mulher que há doze anos padecia de hemorragias e que gastara com médicos toda a sua fortuna sem que nenhum a curasse, ⁴⁴aproximou-se dele por trás e tocou-lhe a orla do manto. No mesmo instante estancou-se a hemorragia. ⁴⁵Jesus perguntou:

– Quem me tocou?

E, como todos o negassem, Pedro disse:

– Mestre, a multidão te cerca e te aperta.

⁴⁶Porém Jesus replicou:

– Alguém me tocou, pois eu senti uma força sair de mim.

⁴⁷Vendo-se descoberta, a mulher se aproximou tremendo, prostrou-se diante dele e explicou diante de todos por que o havia tocado e como ficara curada imediatamente. ⁴⁸Jesus lhe disse:

– Filha, tua fé te salvou. Vai em paz.

⁴⁹Ainda estava falando, quando chega alguém da casa do chefe da sinagoga e lhe anuncia:

– Tua filha morreu, não aborreças o Mestre.

⁵⁰Jesus ouviu e respondeu:

– Não temas; basta que creias, e ela se salvará.

⁵¹Entrando na casa, não deixou que entrassem com ele senão Pedro, João, Tiago

---

perdas, rogam ao forasteiro que abandone o território (v. 37). Simbolizam a reação dos pagãos que preferem manter sua idolatria. Outros contam o ocorrido, como libertação, aos que contemplam agora o possesso curado (vv. 35-36). O beneficiário recuperou a normalidade e dignidade humana: a razão; como Nabucodonosor, convertido em fera e de novo em homem (Dn 4). O endemoninhado recupera a serenidade, as relações sociais; e pede para ficar com Jesus. Simboliza o pagão convertido que reconhece Jesus e propaga seu nome e fama. Não contente de contá-lo a seus familiares, divulga-o por todo o povoado (Sl 22,23; 26,7).

8,40-56 Podemos considerá-lo como terceiro confronto: Jesus diante do poder da doença e da morte; ou então como outra dupla de milagres. Mas não podemos chamá-lo díptico, porque um relato está inserido dentro do outro, como acontecido pelo caminho.

As duas beneficiadas são mulheres. Uma sofre de doença incurável que a arruína e afasta da sociedade porque contamina (Lv 14,25-27), afeta a fonte da vida (compare-se Lv 12,7 com 20,18). A outra é uma jovem apenas núbil, filha única (como a filha de Jefté, Jz 11,34-39), moribunda e morta. Jesus vai ao encontro dos dois poderes aliados, doença incurável e morte. O poder de Jesus não é mágico, embora atue pela corporeidade, descarregando-se no contato imediato. Para recebê-lo, não basta o contato da mão, é preciso o mais profundo e tenaz toque da fé ("adesão" vem de *adhaerere*, apegar-se, em hebraico *dbq*).

8,40 Expulso pelos pagãos, é acolhido pelo povo que o espera.

8,41 Jairo é um representante do judaísmo oficial, que distribui seus centros nas sinagogas locais.

8,42 Se morre aos doze anos, não amadurece na maternidade. A data é particularmente trágica.

8,43-44 Os detalhes servem para realçar o contraste: doze anos/no mesmo instante, ninguém a pudera curar/parou, gastou a fortuna/tocou-lhe a orla. A ação da mulher tem algo de furtivo, como se roubasse às escondidas. A ação de Jesus é eficaz, imediata, gratuita.

8,45 Com a pergunta Jesus não pretende descobrir um culpado, mas manifestar um exemplo de crente. Pedro oferece uma explicação tão razoável quanto obtusa: há tocar e tocar. "Aquilo que nossas mãos apalparam... a Palavra da vida" (1Jo 1,1).

8,46 É a força de Deus que a fé conseguiu extrair (4,36; 5,17).

8,47 Faz uma dupla confissão "diante de todos": da sua culpa cometida tocando em estado de impureza, e do milagre realizado por Jesus.

8,48 Se houve culpa legal, fica absolvida e curada, por sua fé.

8,49-50 Como se dissesse: não há nada a fazer (Jó 10,21; 14,12); contra a morte, o Mestre não tem poder. E assim ressalta a resposta: contra a morte a fé tem poder.

e os pais da menina. ⁵²Todos choravam, fazendo luto por ela. Ele, porém, disse:

– Não choreis, porque não está morta, mas adormecida.

⁵³Riam dele, pois sabiam que estava morta. ⁵⁴Ele, porém, pegando-a pela mão, ordenou-lhe:

– Menina, levanta-te.

⁵⁵Voltou-lhe a respiração e logo se pôs de pé. Ele mandou que lhe dessem de comer. ⁵⁶Seus pais ficaram estupefatos e ele lhes ordenou que não contassem a ninguém o que havia acontecido.

9 Missão dos doze (Mt 10,5-15; Mc 6,7-13) –
¹Convocou os doze e lhes conferiu poder e autoridade sobre todos os demônios e para curar doenças. ²E os enviou para proclamar o reinado de Deus e curar enfermos. ³Disse-lhes:

– Não leveis nada para o caminho: nem bastão, nem sacola, nem pão, nem dinheiro, nem duas túnicas. ⁴Na casa em que entrardes, permanecei até partir. ⁵Se não vos receberem, ao sair da cidade sacudi o pó dos pés como prova contra eles.

⁶Quando saíram, percorreram as aldeias anunciando a boa notícia e curando por toda parte.

Herodes e João (Mt 14,1-12; Mc 6,14-29) –
⁷Herodes ficou sabendo de tudo o que havia acontecido e estava em dúvida; porque uns diziam que era João ressuscitado da morte, ⁸outros que era Elias que tinha aparecido, outros que havia surgido um dos antigos profetas. ⁹Herodes comentava:

– Eu mandei degolar João; quem será esse de quem ouço tais coisas? E desejava vê-lo.

Dá de comer a cinco mil (Mt 14,13-21; Mc 6,30-44; Jo 6,1-14) –
¹⁰Os apóstolos voltaram e lhe contaram tudo o que haviam feito. Ele os tomou à parte e se retirou a uma cidade chamada Betsaida.

¹¹Mas a multidão ficou sabendo e o seguiu. Ele os acolheu e lhes falava do reinado de Deus, curando os que tinham

---

8,52a Refere-se aos ritos fúnebres costumeiros (cf. Jr 9,16-17).

8,52b-53 O sono como imagem da morte é clássico (Sl 13,4; Jr 51,39.57 "sono eterno, definitivo"); invertem-se os termos: não sendo definitiva a morte da jovem, equivale a um sono. Para ela é um voltar à vida, ainda não é glorificação. Mas simboliza de antemão a futura ressurreição: usa o mesmo verbo grego (18,23; 24,7). Riso e pranto denotam o mesmo desespero do homem frente à morte.

8,54 Compare-se com 2Rs 4,12-36.

9,1-6 A missão dos doze continua de modo ideal a escolha (6,12-16). "Apóstolos" quer dizer enviados; era o título que lhes havia imposto. São os doze, como corpo ou colégio compacto. Jesus foi enviado (4,18.43), agora ele envia (cf. Jo 20,21). O poder que ele possui (4,36), ele o comunica. Confia-lhes a própria tarefa de proclamar "a boa notícia do reinado de Deus" (8,1). Assim se estende seu raio de ação, sem que ele deixe de ocupar o centro. Sendo assim, essa missão prefigura a definitiva, antes da ascensão (24,48). As instruções servem para inculcar o desprendimento e a confiança em Deus e para que experimentem a hospitalidade da boa gente. São dois fatores correlativos: o desprendimento e a confiança em Deus fazem que o povo lhes dê crédito e confie neles. Pode-se recordar a hospitalidade prestada a Eliseu por uma mulher: "Vê, esse que sempre vem à casa é um profeta santo..." (2Rs 4,8-10). Também isso é ensinamento para os futuros missionários do evangelho, como o experimentará por exemplo Paulo (At 16,15) e João o recomenda (3Jo 3-8). A mensagem dos apóstolos é boa notícia para os que a recebem e é juízo de condenação para os que a rejeitam. Os apóstolos serão testemunhas de acusação, e sacudir a poeira é um gesto que o atesta. Nada da cidade incrédula deve apegar-se a seus pés; assim o fará Paulo (At 13,51). Cantou-o o profeta do exílio: "Quão formosos são sobre os montes os pés do arauto que anuncia a paz, que traz a boa notícia..., que diz a Sião: Teu Deus já reina" (Is 52,7).

9,7-9 Essa breve notícia serve aqui para preencher o tempo da missão apostólica. Herodes faz a si mesmo a pergunta fundamental: quem é esse Jesus? Conhece, de ouvido, respostas: o povo precisa enquadrá-lo; identifica-o com o Batista ressuscitado ou com algum profeta redivivo ou com Elias que não morreu e há de voltar (Eclo 48,10). Na moldura não há um vazio para o messias esperado. Herodes Antipas não crê em tais boatos, quer vê-lo pessoalmente (23,8). Bastaria vê-lo sem ter fé? Não se esclarece seu mistério simplesmente com uma inspecção. A lembrança de Herodes, nesse ponto, durante a atividade dos doze, projeta uma sombra agourenta.

9,10 Não especifica o que contaram, se a primeira expedição apostólica foi êxito ou fracasso. Considera mais significativo o retiro de Jesus com seus estreitos colaboradores. Para descansar dos trabalhos ou para afastar-se de um perigo. É também ensinamento para futuros pregadores: terminada a tarefa, voltar a sós com Jesus.

9,11-17 Jesus é o anfitrião generoso e prodigioso (ver Sl 23,5; 136,25; 145,15-16). No fundo, temos de colocar a atuação de Moisés e de Eliseu (Ex 16; 2Rs 4,42-44). No extremo oposto, a eucaristia (22,19). Os dois quadros emprestam traços e vocabulário ao milagre de Jesus.

O breve diálogo com os doze serve para mostrar a impotência humana diante da emergência, para que assim ressalte o poder de Jesus. A solução dos

necessidade. ¹²Como caísse a tarde, os doze se aproximaram para dizer-lhe:

– Despede a multidão para que vão às aldeias e campos dos arredores procurar hospedagem e comida, pois aqui estamos no despovoado.

¹³Respondeu-lhes:

– Dai-lhes vós de comer.

Replicaram:

– Não temos senão cinco pães e dois peixes; a não ser que vamos nós comprar comida para toda essa gente.

¹⁴(Os homens eram uns cinco mil.) Ele disse aos discípulos:

– Fazei-os sentar em grupos de cinquenta.

¹⁵Assim o fizeram e todos sentaram. ¹⁶Então tomou os cinco pães e os dois peixes, levantou os olhos ao céu, abençoou-os, partiu-os e os foi dando aos discípulos para que os servissem à multidão. ¹⁷Todos comeram e ficaram saciados, e recolheram em doze cestos os pedaços que sobraram.

Confissão de Pedro (Mt 16,13-19; Mc 8,27-29) – ¹⁸Estando ele certa vez orando a sós, os discípulos se aproximaram e ele os interrogou:

– Quem diz o povo que eu sou?

¹⁹Responderam:

– Uns, João Batista; outros, Elias; outros dizem que surgiu um dos antigos profetas.

²⁰Perguntou-lhes:

– E vós, quem dizeis que eu sou?

Pedro respondeu:

– Tu és o Messias de Deus.

Prediz a morte e ressurreição (Mt 16,21-28; Mc 8,30-9,1) – ²¹Ele os admoestou, ordenando-lhes que não o dissessem a ninguém. ²²E acrescentou:

– Este Homem tem de sofrer muito, ser rejeitado pelos senadores, sumos sacerdotes e letrados, tem de ser condenado à morte e ressuscitar ao terceiro dia.

²³E dizia a todos:

– Quem quiser seguir-me, negue-se a si mesmo, tome a sua cruz cada dia e venha

---

doze é despedir o povo. Afastar-se de Jesus seria a solução? A de Jesus se mostra na ação.
O povo há de (literalmente) "reclinar-se", como comensais num banquete. Em "grupos de cinquenta", como os israelitas no deserto (Ex 18,25). A massa do povo volta a ser um povo organizado como em outros tempos e começa a ser o povo do novo reino, que celebra seu banquete comunitário. Este encerra solenemente uma etapa do ministério de Jesus na Galileia. O olhar ao céu é de pedido e confiança (Sl 123,1). A bênção é dada sobre qualquer alimento, em especial o eucarístico (24,30; 1Cor 10,16). Abençoar é transmitir fecundidade: crescei e multiplicai-vos. O "partir" supõe pães grandes e dá nome à eucaristia, "a fração do pão" (At 2,42). O servir, comer e ficar satisfeitos e sobrar podem estar influenciados pela linguagem do citado 2Rs 4. Doze cestos: é o número das tribos, dos apóstolos.

9,18-50 Segue-se uma série de seis peças que devem ser lidas como unidade maior. Começa a confissão messiânica de Pedro: depois, entre duas predições da paixão, a transfiguração e a cura do epilético; fecham a série umas breves instruções. Ou seja: Jesus é Messias; Messias sim, porém paciente; Messias paciente, porém glorioso; glorioso e também benfeitor; Messias benfeitor e, no entanto, odiado; por isso, aprendei. E agora, a caminho!

9,18-20 A versão lucana chama a atenção por sua brevidade e também pelo contexto de oração em que se coloca. A oração de Jesus é o contexto da confissão dos apóstolos por meio de Pedro. Como a indicar que além da confissão esconde-se uma profundidade insondável. Jesus pergunta numa espécie de resumo de sua atividade até agora e apresentando o futuro. Propõe a pergunta fundamental, "quem sou eu", em dois tempos, para que a resposta dos discípulos se destaque sobre as opiniões do povo. A pergunta é desafiadora (não simples curiosidade ou inquietação, como as de Herodes), e se dirige a todos. Cada um tem de dar sua resposta. O povo, com todo o seu entusiasmo, não ultrapassa o nível profético ou o nível de João. Na cena evangélica, Pedro responde como cabeça de todos. A eles foi dado conhecer o segredo do reinado de Deus. O Messias de Deus é o Ungido de Deus: primeiro título de Saul, depois do monarca descendente de Davi (Sl 2,2.6; 18,51; 132,17; Lm 4,20). Na boca de Pedro, significa o Messias esperado. Por ora, não deve divulgá-lo, para evitar interpretações equivocadas.

9,21-27 Messias paciente. Imediatamente depois da confissão messiânica de Pedro, Jesus pronuncia, como Homem, a primeira das três predições da paixão (vv. 44-45; 18,31-34). O desígnio de Deus para seu Messias o conduz à glória através da paixão e morte. Daí se seguem consequências para os apóstolos e discípulos de Jesus. A aceitação e seguimento desse caminho decidirão o destino último do homem. A cruz fica implantada no seguimento, também a cruz cotidiana, que consiste em ir superando o egoísmo que arruína o homem.

9,22 Os três grupos mencionados formam o grande Conselho (22,66), que é representação e guia do povo. A reprovação é vista como ato oficial; o termo pode aludir à "pedra rejeitada pelos construtores" (Sl 118,22). Outras frases e o processo aludem ao poema do Servo (Is 53); assim completa o texto citado e assumido na auto-apresentação em Nazaré (4,16-30). A ressurreição segue-se à morte na primitiva proclamação (*kerygma*).

9,23 Alarga-se o círculo de destinatários. Portanto, "seguir" abrange a vida de qualquer cristão. A cruz é a trave horizontal que o condenado tinha de levar

comigo. ²⁴Quem se empenha em salvar a vida, a perderá; quem perder a vida por mim, a salvará. ²⁵Que aproveita ao homem ganhar o mundo inteiro, se se perde ou malogra? ²⁶Se alguém se envergonhar de mim e de minhas palavras, este Homem se envergonhará dele quando vier com sua glória, a de seu Pai e de seus santos anjos. ²⁷Eu vos asseguro que alguns dos que estão aqui presentes não sofrerão a morte antes de ver o reinado de Deus.

Transfiguração (Mt 17,1-8; Mc 9,2-8) – ²⁸Oito dias depois dessas palavras, tomou Pedro, João e Tiago e subiu a um monte para orar. ²⁹Enquanto orava, seu rosto mudou de aspecto e suas vestes resplandeciam de brancura. ³⁰Dois homens falavam com ele: eram Moisés e Elias, ³¹que apareceram gloriosos e comentavam o êxodo que iria se consumar em Jerusalém. ³²Pedro e seus companheiros estavam pesados de sono. Ao despertar, viram sua glória e os dois homens que estavam com ele. ³³Quando estes se retiraram, Pedro disse a Jesus:

– Mestre, como se está bem aqui! Armemos três tendas: uma para ti, uma para Moisés e uma para Elias.

(Não sabia o que dizia.) ³⁴Ainda falava, quando veio uma nuvem que lhes fez sombra. Ao entrar na nuvem, assustaram-se. ³⁵Da nuvem veio uma voz, que dizia:

– Este é o meu Filho escolhido. Escutai-o.

³⁶Ao ressoar a voz, Jesus se achava sozinho. Eles guardaram silêncio e por enquanto não contaram a ninguém o que haviam visto.

---

no último trecho da vida. O discípulo há de fazê-lo "em companhia" de Jesus, por ele tem de estar disposto ao martírio. Só que o martírio, fato final, não anula o ritmo paciente de cada dia.

9,24 Note-se a assimetria: "salvar/perder por mim". Esse tema, referido à pessoa do Messias, dá sentido ao perder a vida e, pela perda, dá sentido à vida. Uma vida que apenas se esgota em conservá-la não tem sentido, se arruína. O destino de Jesus, traçado pelo Pai e estendido exemplarmente aos homens, é paradoxal; parte do mistério do reinado de Deus.

9,25 Variação aclaratória (cf. Sl 49), delineada na oposição do ser e do possuir. O demônio oferecera a Jesus o domínio do mundo inteiro: era o projeto oposto ao do Pai. E volta a tentar apoiando-se no instinto de conservação do homem.

9,26 Projeta a situação presente até a parusia, a hora da verdade definitiva, a vinda "gloriosa" do Messias acompanhado de seu séquito (Zc 14,5). Envergonhar-se: Sl 69,7-8; 119,46.

9,27 A interpretação é duvidosa. Se Lucas recolhe sem mais um dito transmitido pela tradição, o versículo seria testemunho da expectativa das primeiras comunidades (da qual fala 2Ts); ele o teria recolhido aqui por associação temática. Se Lucas pretende dar à frase um sentido adaptado à sua época, "ver o reinado de Deus" seria reconhecê-lo na ressurreição de Jesus.

9,28-36 Messias paciente, porém glorioso. Imaginemos os pensamentos de "aquele Homem" (= Filho de Adão). A partir de sua apresentação em Nazaré (4,18), atravessou entusiasmos, incompreensões e hostilidades dos chefes. Para o povo, que conhece a Escritura (Torá e Profetas), o Messias tinha de ser reconhecível, identificável: corresponde Jesus à imagem bíblica? Até os discípulos têm pouca fé. À frente apresenta-se cada vez mais claro e próximo o trágico destino: é este o desígnio do Pai? À confissão de Pedro acrescenta-se a do Pai, que a faz transbordar. E soma-se o testemunho da Escritura, representada por Moisés e Elias. O caminho da paixão vai iluminar-se com o esplendor, antecipado e provisório, da transfiguração.

Lucas, como outras vezes, prepara um contexto de oração e um monte como cenário (cf. Ex 3; 19,1; 1Rs 19): Jesus a sós com seu Pai, em sublime contemplação. Sobe para orar e seu orar é subida. Exposto ao esplendor da glória de Deus, o rosto de Moisés tornava-se "radiante" (Ex 34,29-35); um salmo convida: "contemplai-o e ficareis radiantes" (Sl 34,6). Enquanto Jesus ora, a glória de Deus o penetra e lhe transfigura luminosamente o rosto e as vestes (Sl 104,2), como se a matéria se convertesse em energia luminosa. Costuma-se conceber ou representar a glória de Deus em termos de esplendor: "O resplendor que o envolvia... era a aparência visível da glória do Senhor" (Ez 1,28; cf. Ex 16,10; 24,10; Jó 37,22).

A aparição de uma grande personagem já morta nós a conhecemos por um texto tardio (Jeremias, 2Mc 15,12-16). De Elias se contava a lenda do rapto celeste (2Rs 2; Eclo 48,9-10); de Moisés, há um ligeiro apoio em Dt 34,6. Não surgem como Samuel das profundezas da terra (1Sm 28), mas se apresentam como duas testemunhas celestes (Dt 19,15); ao passo que os três apóstolos serão testemunhas terrestres no momento oportuno. Ademais, Moisés, como vimos, havia refletido a glória de Deus. Agora, Moisés participa com Elias da glória de Jesus. Os dois falam da morte (partida, êxodo) de Jesus em Jerusalém: aponta-se o movimento para a capital, que Lucas vai tomar como itinerário do destino de Jesus (9,51; 13,22; 17,11; 18,31; 19,11). Lei e Profetas estão de acordo em compreender a morte de Jesus como o grande "êxodo" (também eles sofreram hostilidade e perseguição).

Segundo Lucas, os apóstolos dormiam no momento crítico e não puderam ver a transformação em ato, só veem o resultado. (Outro tanto acontecerá com a ressurreição.) Pedro pretende fixar e perpetuar o momento, como numa festa não imaginada das Tendas, ou como uma presença cultual em "tendas

O menino epilético (Mt 17,14-18; Mc 9,14-27)

³⁷No dia seguinte, ao descer do monte, saiu-lhes ao encontro grande multidão. ³⁸Um homem da multidão gritou:

– Mestre, rogo-te que dês atenção a meu filho, que é único. ³⁹Um espírito o agarra, de repente grita, o contorce e o faz espumar, e dificilmente se afasta, deixando-o moído. ⁴⁰Pedi aos teus discípulos que o expulsassem, mas não foram capazes.

⁴¹Jesus respondeu:

– Que geração incrédula e perversa! Até quando terei de estar convosco e vos aguentar? Traze aqui o teu filho.

⁴²Ainda se aproximava, quando o demônio o arremessou e o retorceu. Jesus ameaçou o espírito imundo, curou o menino e o entregou a seu pai. ⁴³E todos se maravilharam da grandeza de Deus.

Nova predição da morte e ressurreição (Mt 17,22-23; Mc 9,30-32)

– Visto que todos se admiravam do que fazia, disse a seus discípulos:

– ⁴⁴Prestai atenção a estas palavras: Este Homem será entregue em mãos de homens.

⁴⁵Mas eles não entendiam essa linguagem; seu sentido era-lhes oculto e ininteligível; mas não se atreviam a perguntar a respeito disso.

Diversas instruções (Mt 18,1-5; Mc 9,33-40)

– ⁴⁶Surgiu uma discussão entre eles sobre quem era o maior.

⁴⁷Jesus, sabendo o que pensavam, aproximou uma criança, colocou-a junto a si ⁴⁸e lhes disse:

– Quem acolhe esta criança em atenção a mim, a mim acolhe; e quem me acolhe, acolhe aquele que me enviou. O menor de todos vós é o maior.

⁴⁹João lhe disse:

– Mestre, vimos alguém que expulsava demônios em teu nome e o impedimos, pois não anda conosco.

⁵⁰Jesus replicou:

– Não o impeçais. Quem não está contra vós está a vosso favor.

---

da reunião" (Ex 33,7-11). Não sabe o que diz, porque a revelação é um momento maravilhoso e fugaz, um indicador que aponta para a certeza da ressurreição. E tampouco a ressurreição poderá estar presa a uma tenda terrestre: o último êxodo será a ascensão. Vem a nuvem, sinal da presença velada de Deus (Ex 14,20; 1Rs 8,10-12; 2Mc 2,8); nela penetram os apóstolos (Ex 24,18). Da nuvem soa a voz do Pai, o testemunho supremo, a revelação mais alta, com palavras tomadas de Is 42,1 e talvez apontando ao contexto. Por ora hão de guardá-la ciosamente para si.

9,37-43 Moisés glorioso e benéfico. Ao descer do monte, como outro Moisés, com os três apóstolos, Jesus encontra uma situação desalentadora: um menino atormentado pelo demônio, uns discípulos impotentes por falta de fé, a massa incrédula só atenta a milagres, e nessa massa uma situação que provoca piedade: um pai aflito por seu filho único, os sofrimentos do menino. Os sintomas são claramente de epilepsia, que Lucas descreve em processo e com exatidão e que os antigos atribuíam à possessão diabólica. A primeira reação de Jesus é de queixa, como as palavras de Deus no chamado cântico de Moisés (Dt 32,5), como as queixas "até quando continuará essa comunidade malvada protestando contra mim?" (Nm 14,27). Mas a compaixão tem mais força: como Filho do Pai compreende a dor de um pai por seu filho. Além disso, urge a necessidade de enfrentar os poderes maléficos. "Ameaça" como em outras ocasiões. Por fim, entrega ao pai o filho curado (cf. 1Rs 17,23; 2Rs 4,36). O povo reconhece no milagre a "grandeza" de Deus (Dt 3,24; 9,26; Sl 150,2).

9,44-45 Benéfico e, no entanto, odiado. Enquanto o povo continua maravilhado, Jesus se dirige aos discípulos. Na segunda predição da paixão, não menciona a ressurreição. A tragédia da paixão se consumará entre irmãos: este Homem (filho de Adão) será entregue a outros homens (como Abel e Caim em outra escala). Os discípulos entendem a frase gramatical e, porque a entendem, não compreendem seu sentido. Esse destino anunciado não se enquadra com o que eles esperam de Jesus; não conseguem conciliar poder com fraqueza, que o dominador de espíritos malignos caia em poder de homens. As palavras são obscuras para quem não está disposto a compreender.

9,46-48 Ao verem o êxito do exorcismo, todos tinham admirado "a grandeza" de Deus. Pois bem, à grandeza se acede pela pequenez do menino, pela humildade de Jesus. É frequente no AT essa preferência de Deus pelo pequeno (p. ex. 1Sm 16,5-13; cf. o menino de Is 11,6). Os discípulos não compreenderam, continuam com mentalidade e critérios humanos, disputando o primeiro lugar. Talvez à frente dos três preferidos ou em lugar de Pedro. Um menino, que por si só não se vale, que não conta na sociedade, é colocado no lugar mais próximo de Jesus. Pelo serviço ao menino, em atenção a Jesus, serve-se a Jesus; servindo a Jesus serve-se ao Pai.

9,49-50 Refere-se a exorcistas profissionais, talvez itinerantes, que, conhecida a fama de Jesus, invocam seu nome nos exorcismos. Aos discípulos isso parece um abuso (como pôr num produto uma marca famosa). Jesus responde com uma declaração de tolerância, que se há de completar com a de 11,23. O caso é semelhante ao de Josué e Moisés, narrado em Nm 11: os ciúmes exclusivistas de Josué contrastam com a magnanimidade de Moisés. Veja-se também a reação de Paulo (Fl 1,15-18).

Caminho para Jerusalém – ⁵¹Quando ia se cumprindo o tempo para que o levassem*, enfrentou decidido a viagem para Jerusalém, ⁵²e enviou à frente alguns mensageiros. Eles foram e entraram numa aldeia de samaritanos para prepará-la. ⁵³Mas estes não o receberam, porque se dirigia a Jerusalém. ⁵⁴Ao ver isso, seus discípulos Tiago e João disseram:

– Senhor, queres que mandemos que caia um raio do céu e acabe com eles?

⁵⁵Ele se voltou e os repreendeu. ⁵⁶E partiram para outra aldeia.

Seguimento (Mt 8,19-22) – ⁵⁷Enquanto caminhavam, alguém lhe disse:

– Eu te seguirei para onde fores.

⁵⁸Jesus lhe respondeu:

– As raposas têm tocas, as aves têm ninhos, mas este Homem não tem onde reclinar a cabeça.

⁵⁹A outro disse:

– Segue-me.

Respondeu-lhe:

– Senhor, deixa-me ir primeiro enterrar meu pai.

⁶⁰Replicou-lhe:

– Deixa que os mortos enterrem seus mortos; quanto a ti, vai anunciar o reinado de Deus.

⁶¹Outro lhe disse:

– Eu te seguirei, Senhor, mas primeiro deixa despedir-me de minha família.

⁶²Jesus lhe replicou:

– Quem põe a mão ao arado e olha para trás não é apto para o reinado de Deus.

10 **Missão dos setenta e dois** – ¹Um pouco depois, o Senhor designou outros setenta [e dois] e os enviou à frente,

---

9,51 Nesse versículo começa a segunda parte do evangelho de Lucas: é a subida de Jesus para Jerusalém, para a cruz, para o céu. Partindo um pouco antes, o início do ministério na Judeia repete esquematicamente o começo do ministério na Galileia: batismo e transfiguração; confronto com o demônio no deserto e com um endemoninhado no vale; rejeição em Nazaré e na Samaria; escolha dos apóstolos e dos discípulos. O começo é um ato consciente e decidido de Jesus: "enfrentou", literalmente "endureceu a face". Como o Servo: "por isso não me acovardava, por isso endureci o rosto como pedra" (Is 50,7), como a dureza de Jeremias: "coluna de ferro, muralha de bronze" (Jr 1,18), como Ezequiel: "parti decidido e inflamado" (Ez 2,6).
O substantivo usado (*analémpsis*) corresponde ao verbo de arrebatamento de Elias: "o Senhor vai levar hoje" (2Rs 2,3.5, solicitado em 19,4). O significado original é "tomar, levar" (como o latim *assumere*); logicamente, se aquele que toma está no alto, no céu, tomar é levantar (como explica o v. 11 e Eclo 48,9). O matiz de levantar, como símbolo, adere-se ao termo (At 1,2.11.22; 1Tm 3,16).
A viagem é balizada por referências, sem muita preocupação com a geografia (9,52; 17,11; 18,35; 19,1.28). Pelo caminho vão sucedendo-se ensinamentos, parábolas, milagres, controvérsias. * Ou: *de sua assunção*.

9,52-53 A viagem começa solenemente, enviando à frente quem prepare caminho e alojamento (como o Batista na primeira parte). Logo tropeça em resistência. Desta vez são os antigos rancores dos samaritanos contra os judeus, radicados na conquista pela Assíria (2Rs 17,24-41), rancores esses manifestados no tempo de Esdras. Os samaritanos tinham seu templo no monte Garizim e não reconheciam o de Jerusalém.

9,54-56 A reação dos discípulos é de cunho profético, como a de Elias: "Se sou um profeta, que caia um raio e queime a ti e a teus homens" (2Rs 1,10.12), e parece justificada pela ofensa feita àquele que é mais que profeta. Não entenderam o programa de Jesus nem sabem para onde ele se dirige. Sacudir o pó dos pés não é fulminar com fogo celeste (9,5). Alguns manuscritos acrescentam: "Não sabeis de que espírito sois. Este Homem não veio para destruir vidas humanas, mas para salvá-las".

9,57-62 Três cenas de seguimento ilustram o começo da marcha de Jesus. São personagens anônimas, típicas. A primeira e a terceira tomam a iniciativa sem serem chamadas, a segunda é Jesus quem a chama. Nos três casos, é decisiva a prontidão, o desprendimento de outros vínculos, a disposição de enfrentar o desconforto. Tudo isso dominado pelo desejo de seguir em companhia do Senhor.

9,57-58 O salmo da criação canta, entre outras coisas, as habitações de aves e animais (104,12.17-18). Jesus se parece com Jacó na paisagem pedregosa de Betel: "pegou uma pedra do lugar, colocou-a como travesseiro e deitou-se naquele lugar" (Gn 28,11). Seguir Jesus é caminhar sem pátria nem lar (cf. Pr 27,8). Ben Sirac considera desonroso e desgraçado viver de esmola (Eclo 40,28-30).

9,59-60 Enterrar os pais é dever sagrado (Gn 35,29; Tb 14,10-13). Jesus responde com um provérbio paradoxal. Quem só conta com esta vida, recebe ao final honras fúnebres; Jesus vem trazer uma vida nova. O que acabou, acabou (cf. Hb 8,13).

9,61-62 Comparar com o chamado de Eliseu (1Rs 19,20). Quem ara, segura com a mão a rabiça, olha para frente e traça um sulco reto. Olhar para trás foi a fatalidade da mulher de Ló (Gn 19,26).

10,1-16 Assim como houve uma missão dos doze na Galileia (9,1-6), assim se narra agora a missão de setenta (setenta e dois, em alguns manuscritos) na Judeia. Assim, temos um segundo círculo em expansão, que pode refletir a intenção de Lucas dirigindo-se a comunidades cristãs. São setenta,

de dois a dois, a todas as cidades e lugares onde pensava ir. ²Dizia-lhes:

– A messe é muita, os operários poucos; pedi ao dono da messe que envie operários à sua messe. ³Ide, eu vos envio como ovelhas entre lobos. ⁴Não leveis nem bolsa nem sacola nem sandálias. Pelo caminho não saudeis ninguém. ⁵Quando entrardes numa casa, dizei primeiro: Paz a esta casa. ⁶Se houver aí gente de paz, descansará sobre ela a vossa paz. Do contrário, voltará a vós. ⁷Ficai nessa casa, comendo e bebendo o que houver; pois o operário tem direito à sua diária. Não passeis de casa em casa. ⁸Se entrardes numa cidade e vos receberem, comei do que vos servirem. ⁹Curai os enfermos que houver, e dizei-lhes: O reinado de Deus chegou até vós. ¹⁰Se entrardes numa cidade e não vos receberem, saí às ruas e dizei: ¹¹Até o pó desta cidade, que se pegou em nossos pés, o sacudimos e devolvemos a vós. Apesar de tudo, sabei que o reinado de Deus chegou. ¹²Eu vos digo que naquele dia a sorte de Sodoma será mais branda que a dessa cidade.

Recrimina as cidades da Galileia (Mt 11,20-24) – ¹³Ai de ti, Corazim! Ai de ti, Betsaida! Porque, se em Tiro e Sidônia tivessem sido feitos os milagres realizados em vós, há tempo teriam feito penitência sentados na cinza com pano de saco. ¹⁴E assim, a sorte de Tiro e Sidônia no julgamento será mais branda que a vossa. ¹⁵E tu, Cafarnaum, pretendes elevar-te até o céu? *Mas cairás até o abismo.*

¹⁶Quem vos escuta, escuta a mim; quem vos despreza, despreza a mim; quem me despreza, despreza aquele que me enviou.

Voltam os setenta e dois – ¹⁷Voltaram os setenta [e dois] muito contentes e disseram:

---

como os povos de que se compõe a humanidade (segundo Gn 10) ou, antes, como os auxiliares de Moisés, participantes do seu espírito (Nm 11,16-30). O verbo da missão é o mesmo usado para os apóstolos. Envia-os "à sua frente", como o Batista (1,76; 7,27 citando Ml 3,1). Preparar-lhe a chegada será sempre o sentido de todo o apostolado da Igreja: a geografia se alarga, o esquema permanece. As condições são gerais: renúncia a seguranças e comodidades, para dar crédito e apresentar ao vivo a mensagem. Levarão a paz com mansidão (3), não a da saudação convencional e apressada, mas a paz messiânica, eficaz quando bem recebida, mas que se converte em condenação se é rejeitada. A tarefa deles, como a de Jesus, será anunciar a boa notícia do reinado de Deus (9,11) e curar doentes em nome dele. Irão dois a dois, como testemunhas (Dt 19,15). Hão de confiar na generosidade que sua mensagem provocará, sem abusar dela para deixar-se hospedar.

10,2 A metáfora da colheita é correlativa com a tomada da semeadura (8,5-8; cf. Jo 4,35-37). Colheita abundante é informação otimista. Supõe a bênção de Deus. A colheita toda, e não só as primícias (Dt 26) deve ser oferecida ao dono, Deus. Os setenta devem pedir generosamente que aumente seu número, sem fechar-se em privilégios.

10,3 O "eu vos envio" é aqui enfático e por isso a comparação se torna paradoxal: é bom pastor aquele que põe suas ovelhas num bando de lobos? É realista e garante seu apoio. Pobres, indefesos e ameaçados irão cumprindo sua missão.

10,4 Refere-se à saudação demorada e efusiva que, às vezes, incluía desviar-se do caminho para saudar (cf. 2Rs 10,13; 4,29).

10,5-6 A paz é a saudação hebraica (Sl 122) e é saudação messiânica (2,14). Descreve-se como personificada, móvel, com "filho" (semitismo). Dois textos ilustram as duas respostas à mensagem de paz: "Quão formosos os pés do arauto que anuncia a paz" (Is 52,7) e "eu sou pela paz... eles pela guerra" (Sl 120,7).

10,7 Ir de casa em casa pode significar um espírito interesseiro e pode ofender o primeiro anfitrião. A diária: é um princípio legal que se aplica à atividade do pregador (1Cor 9,8-14; 1Tm 5,18; cf. Ez 29,20).

10,8 Sem escrúpulos legais de moradia ou alimentos. O único requisito é que recebam em paz a paz messiânica.

10,10-11 É uma ação simbólica explicada em palavras, como faziam os profetas. Esse pó está contaminado e é preciso sacudi-lo dos pés antes de voltar a pisar o pó sagrado (cf. Sl 102,15).

10,12 A sorte da Pentápole, exemplo de castigo definitivo ou escatológico (Gn 19,24-25; Ez 16,49.56). A instrução continua no v. 16.

10,13-15 Atraída pela figura das cidades fechadas à mensagem, soa aqui esta maldição contra povoados da Galileia onde Jesus tinha pregado e feito milagres. O estilo é o dos ais pronunciados por profetas contra nações ou impérios pagãos. Isaías e Ezequiel pronunciam seus oráculos contra Tiro e Sidônia (Is 23; Ez 26-28). Mas as três cidades costeiras, em ordem crescente, haviam recebido um tratamento preferencial por parte de Jesus. Preferidas a Jerusalém, a cidade preferida de Yhwh em outros tempos. Translada-se a um julgamento definitivo e comparativo. A má resposta à graça abundante é agravante; por isso sua condenação será mais grave. Cafarnaum, cidade de Jesus ou centro de suas operações, atrai o oráculo contra Babilônia (Is 14). Não é sem ironia dizer de uma cidade costeira que ela tenta elevar-se até o céu.

10,16 Com o princípio clássico da representação, conclui a instrução antes da missão (cf. Nm 12,6-8); a cadeia que desce do Pai a Jesus e aos apóstolos, e sobe de volta.

10,17-20 É curioso o relato dos setenta pelo que selecionam e pelo que excluem. O que mais lhes satisfaz

— Senhor, em teu nome até os demônios se submetiam a nós.

¹⁸Respondeu-lhes:

— Eu via Satanás cair do céu como um raio. ¹⁹Vede: Eu vos dei poder para pisar serpentes e escorpiões e sobre toda a força do inimigo, e nada vos fará mal. ²⁰Contudo, não vos alegreis porque os espíritos se submetem a vós, e sim porque vossos nomes estão registrados no céu.

O Pai e o Filho (Mt 11,25-27; 13,16-17) – ²¹Naquela ocasião, com o júbilo do Espírito Santo, disse:

— Dou-te graças, Pai, Senhor do céu e da terra! Porque, ocultando essas coisas aos entendidos, tu as revelaste aos ignorantes. Sim, Pai, essa foi a tua escolha. ²²Tudo me foi entregue por meu Pai. Ninguém conhece quem é o Filho, a não ser o Pai, e quem é o Pai, a não ser o Filho e aquele a quem o Filho decida revelá-lo.

²³Voltando-se para os discípulos, disse-lhes em particular:

— Felizes os olhos que veem o que vedes! ²⁴Eu vos digo que muitos profetas e reis quiseram ver o que vós vedes, e não viram, escutar o que vós escutais, e não escutaram.

O bom samaritano – ²⁵Nisso um jurista se levantou e, para pô-lo à prova, lhe perguntou:

— Mestre, que devo fazer para herdar vida eterna?

²⁶Respondeu-lhe:

— O que está escrito na Lei? O que é que lês?

²⁷Replicou:

— *Amarás o Senhor teu Deus de todo o coração, com toda a alma, com toda a força*, com toda a mente *e ao próximo como a ti mesmo*.

²⁸Respondeu-lhe:

é a eficácia dos exorcismos em nome de Jesus. Não o conseguiram com o meninо no vale (9,37-43). E não dizem nada da resposta das cidades à boa nova. Jesus levanta a mira.

Satã (= fiscal ou rival) comparece à corte celeste para acusar os homens (Zc 3,1-2; Jó 1-2) e exerceu no mundo um poder daquele que ostenta: "o deram a mim, e o dou a quem quero" (4,6). Agora foi derrubado do seu lugar, como o imperador emblemático de Babilônia, "caído do céu, abatido até o abismo" (Is 14,12.14) pela vitória de Jesus (4,1-12). Graças a isso, os discípulos submeterão as potências do mal (Sl 91,13). Mas não basta submeter o inimigo de baixo; mais importante é pertencer ao reino de cima, estar inscrito em seu registro: "O Senhor escreverá no registro dos povos: Este nasceu ali" (Ex 32,32; Sl 87,6).

10,21-24 Junto com a transfiguração, este é um momento culminante do evangelho. Uma alegria sobre-humana, infundida pelo Espírito Santo, brota incontida e se expressa nessa confissão. Com estas palavras Jesus se transfigura e irradia luz de revelação. Sugestões ou vislumbres do AT parecem convergir neste ponto, especialmente da Sabedoria personificada (Pr 8,22-31; Eclo 24).

A oposição entendidos e ignorantes é clássica na literatura sapiencial (Eclo 21,12-24 e outros). Aqui invertem-se os valores em virtude de uma revelação superior e em paralelo com outras inversões (cf. o Magnificat, 1,51-53). Os entendidos são aqui os chefes judeus; os ignorantes são os discípulos (compare-se com a função da lei, que "instrui o ignorante", no Sl 19,8); mas o enunciado ultrapassa o horizonte temporal (cf. 1Cor 1-2). O Pai revela antes de tudo a filiação única de Jesus (3,22; 9,35). Jesus é o Filho, revelador do Pai (João desenvolverá essa teologia).

10,23-24 Essa é uma bem-aventurança (macarismo) para o ver e o ouvir penetrando, em termos de encarnação; ver e ouvir no e pelo Filho ao Pai (cf. 1Jo 1,1-2). Os discípulos são testemunhas privilegiadas dessa revelação, que se estenderá a todos os cristãos. Profetas, que vislumbravam o futuro, e reis, que prolongavam a dinastia: pode-se aduzir o pedido do povo (Is 63,19), a menção de reis (Is 52,15 e 60,3) e também Davi, rei-profeta, como suposto autor dos salmos.

10,23 Ver Eclo 48,11 referido à volta de Elias: "Feliz quem te vir antes de morrer"; compare-se com Simeão "meus olhos viram" (2,29-30).

10,25-37 O diálogo com um letrado ou jurista serve a Lucas para introduzir a parábola do "bom samaritano", que somente ele conservou.

10,25-28 O letrado coloca a pergunta em termos de religiosidade deuteronomista: para viver é preciso cumprir (Dt 4,1; 5,33; 8,1; 16,20; 30,16); muda o horizonte, que é agora uma vida perpétua no mundo novo. "Herdar" é termo técnico no AT e seu objeto é a terra. A pergunta tem sua resposta explícita na "Lei", por isso Jesus faz aquele que pergunta responder; ele não legisla, mas urge o cumprimento. O letrado responde sintetizando todos os preceitos (seiscentos e treze na conta dos rabinos) em dois, o amor a Deus e o amor ao próximo (Dt 6,5 e Lv 19,18; síntese que Jesus faz segundo Mt 12,28 e 22,27-29). O homem consegue a plenitude da vida saindo de si: para Deus e para o próximo como termos correlativos. A resposta, diz Jesus, é correta, a síntese está bem-feita; seguindo a religiosidade da lei, é preciso cumprir o que foi dito. Os dois mandamentos são não somente síntese, mas também alma de todos os outros: somente o amor dá sentido à lei e a justifica.

– Respondeste corretamente: faze isso e viverás.

²⁹Ele, querendo justificar-se, perguntou a Jesus:

– E quem é meu próximo?

³⁰Jesus lhe respondeu:

– Um homem descia de Jerusalém para Jericó. Deu de cara com assaltantes que lhe tiraram a roupa, o cobriram de golpes e foram embora deixando-o semimorto. ³¹Coincidiu que descia por esse caminho um sacerdote e, ao vê-lo, passou longe. ³²O mesmo fez um levita: chegou ao lugar, viu-o e passou longe. ³³Um samaritano que ia de viagem, chegou onde estava, viu-o e se compadeceu. ³⁴Pôs azeite e vinho nas feridas e as atou. A seguir, montando-o em sua cavalgadura, o conduziu a uma pousada e cuidou dele. ³⁵No dia seguinte, tirou dois denários, deu-os ao dono da pousada e lhe recomendou: Cuida dele, e o que gastares eu te pagarei na volta. ³⁶Qual dos três te parece que se portou como próximo daquele que deu de cara com os assaltantes?

³⁷Respondeu:

– Aquele que o tratou com misericórdia.

E Jesus lhe disse:

– Vai e faze tu o mesmo.

Marta e Maria – ³⁸Prosseguindo viagem, Jesus entrou numa aldeia. Uma mulher chamada Marta o recebeu em sua casa. ³⁹Tinha uma irmã chamada Maria que, sentada aos pés do Senhor, escutava suas palavras, ⁴⁰enquanto Marta se agitava em múltiplos serviços. Até que parou e disse:

– Mestre, não te importa que minha irmã me deixe sozinha nos trabalhos? Dize-lhe que me ajude.

⁴¹O Senhor lhe replicou:

– Marta, Marta, tu te preocupas e te inquietas com muitas coisas, ⁴²quando uma só é necessária. Maria escolheu a melhor parte, que não lhe será tirada.

11

A oração (Mt 6,9-15; 7,7-11) – ¹Certa vez, estava num lugar orando. Quando terminou, um dos discípulos lhe pediu:

10,29 O letrado o escuta como repreensão e busca uma escapatória na casuística: o simples e claro se problematiza, neutralizando sua validez. Pelo visto, identificar Deus não era problema; identificar o próximo, sim. Próximo, no contexto do Levítico, é o israelita; o Deuteronômio reserva o título de "irmãos" para os israelitas. A prática dos doutores podia excluir pecadores e não observantes. Em última instância eles decidem quem é e quem não é próximo. Para Jesus, não há escapatória. Em lugar de discutir e teorizar, propõe uma parábola exemplar: um espelho não para justificar a própria conduta, mas para criticá-la e corrigi-la.

10,30-37 Podemos observar as personagens e estudar sua relação. "Um homem" qualquer, anônimo, sem indicação de pátria nem ofício, vítima indefesa de salteadores; jaz meio morto num caminho de curvas e abismos. Um "samaritano", isto é, meio pagão; gentílico que é quase um insulto para um judeu (Jo 8,48). Mas "compassivo", solícito, generoso, tanto que a tradição o distinguiu com o título de "Bom Samaritano". Um "sacerdote" e um "levita" (clérigo de ordem inferior), ou seja, funcionários do culto, atentos às prescrições de pureza ritual. A tensão entre culto e ajuda ao próximo, justiça social, é uma constante no AT, profetas, sapienciais, salmos (Is 1,10-20; Jr 7; Sl 50; Eclo 34,18-35,10). Os dois clérigos da parábola separaram compaixão e culto. A relação de "próximo". O termo grego (*plesíon*) corresponde a um hebraico, que significa vizinho (Pr 25,17; 27,14) ou amigo (Pr 27,9; 17,17; Eclo 37,1-6). É conceito de relação recíproca, que inclui dois correlativos: um considera e trata o outro como próximo = amigo. Isso explica o deslocamento da resposta com relação à pergunta: quem é meu próximo? quem se comportou como próximo? É preciso tomar a iniciativa, é preciso tornar-se próximo do necessitado. A resposta de Jesus não é teórica: sua palavra quer educar na arte de tornar-se próximo.

Num segundo tempo, a comunidade viu Jesus na figura do bom samaritano e o desenvolveu em detalhe. O mais válido e sugestivo deles é o que desce, se aproxima e ajuda o homem necessitado.

10,34 O azeite suaviza e protege a ferida (Is 1,6), o álcool do vinho desinfeta. Ambos se prestam a explicações alegóricas.

10,37 Ver Is 61,1; Pr 14,21.

10,38-42 Aqui temos uma casa que recebe e hospeda o pregador. Como em outros tempos uma mulher toma a iniciativa para hospedar o profeta Eliseu (2Rs 4,8-10; cf. At 16,14-15). Também desta vez é uma dona de casa que hospeda Jesus. Como o honra? Alguém que fala ou escreve deseja sobretudo ser ouvido ou lido: é vaidade? ou é apreço pelo que ele oferece? Então que é mais importante, dar ou receber? (At 20,35), servir ou escutar? Os doutores desse tempo não explicavam a lei às mulheres. No caso de Jesus, ele veio para dar vida e ensinamento. Essa vida é o único necessário; sua doutrina deve ser ouvida. Se o sustento é necessário, para viver é mais importante "o que sai da boca" de Jesus, seu ensinamento. Como as preocupações podem abafar a semente (8,14), assim o afã pode impedir a escuta. A tradição, simplificando um pouco e esquematizando, fez das duas irmãs símbolos da vida ativa e contemplativa, como formas diversas e complementares da existência cristã.

11,1 A oração responde à palavra escutada. E agora as duas coisas se fundem porque os discípulos "escutam" como se deve "orar". Orar é atividade

— Senhor, ensina-nos a orar, como João ensinou seus discípulos.

²Respondeu-lhes:

— Quando orardes, dizei:

"Pai, seja respeitada a santidade de teu nome, venha teu reinado; ³dá-nos hoje o pão do amanhã*; ⁴perdoa-nos nossos pecados, como também nós perdoamos os que nos ofendem; não nos deixes sucumbir na prova".

⁵E acrescentou:

— Suponhamos que alguém tem um amigo que acorre a ele à meia-noite e lhe pede: Amigo, empresta-me três pães, ⁶pois chegou de viagem um amigo meu e não tenho o que oferecer-lhe. ⁷O outro de dentro lhe responde: Não me importunes; a porta está trancada, estamos deitados eu e meus filhos; não posso levantar-me para dá-los. ⁸Eu vos digo que, se não se levantar para dá-los por amizade, se levantará por seu aborrecimento para dar-lhe o que necessita. ⁹E eu vos digo: Pedi e vos darão, buscai e encontrareis, batei e vos abrirão; ¹⁰pois quem pede recebe, quem busca encontra, a quem bate lhe abrem. ¹¹Quem de vós, se seu filho lhe pede pão, lhe dá uma pedra? Ou se lhe pede peixe, lhe dá uma cobra? ¹²Ou se pede um ovo, lhe dá um escorpião? ¹³Portanto, se vós, sendo tão maus, sabeis dar coisas boas a vossos filhos, quanto mais vosso Pai do céu dará o Espírito Santo àqueles que lhe pedirem.

Jesus e Belzebu (Mt 12,22-30.43-48; Mc 3,20-27) – ¹⁴Estava expulsando um demônio [que era] mudo. Quando o demônio saiu, o mudo falou; e a multidão ficou admirada. ¹⁵Mas alguns disseram:

---

integrante de toda a vida religiosa e pode ser mais importante que os sacrifícios: "Todos os povos chamarão minha casa Casa de Oração" (Is 56,7). Para orar, o AT nos oferece textos abundantes e variados: o Saltério inteiro e muitas orações dispersas em textos narrativos, proféticos e sapienciais. Não basta? Jesus dá exemplo frequente de oração (3,21; 5,16; 6,12; 9,29); algo tem a ensinar, como João e outros mestres.

11,2-4 Jesus responde ao pedido, propondo uma oração muito breve, inclusive mais breve (e talvez mais próxima do texto original) que a de Mateus, cinco pedidos ao invés de sete (Mt 6,9-13).

11,2 A invocação "Pai" orienta o resto. Substitui o do AT, Yhwh = "Senhor", ou "meu Deus". O indivíduo não chama a Deus de Pai, exceto o rei (Sl 89,27) e um par de textos tardios (Eclo 23,1; 51,10).
Seja respeitada ou reconhecida a tua santidade, não seja profanado o teu nome (cf. o triságio de Is 6,3 e Sl 99). Também com a conduta pode-se profanar o nome santo, especialmente diante dos pagãos: "Ao chegar às nações profanaram meu nome... Mostrarei a santidade do meu nome... profanado entre os pagãos" (Ez 36,20-23).
Venha o teu reinado: responde em forma de pedido ao anúncio da boa nova; que Deus seja efetivamente quem rege a história dos homens (cf. Sl 82,8; 98). Pede-se porque é um processo: chegou em Jesus e está para chegar em nós.

11,3: * Ou: de cada dia. É duvidoso o significado do adjetivo do pão: se é cotidiano, refere-se à nossa vida aqui (cf. Sl 136,25); como a vida, também o sustento é dom de Deus. Se é o pão do amanhã, refere-se ao escatológico, o que alimenta a vida eterna na casa do Pai. É possível que o autor queira abranger tudo.

11,4 Sobre o perdão: "Perdoa a ofensa a teu próximo, e te perdoarão os pecados quando pedires" (Eclo 28,2; Lc 6,37). O perdão é dom excelso. Sobre a prova: Eclo 2,1; 33,1; Sb 3,5.

11,5-13 As duas imagens, do amigo e do pai, ilustram na oração o caráter de relação pessoal.

11,5-8 A primeira parábola pode desconcertar o leitor: um Deus que atende aos pedidos para que o deixem em paz? Jesus conhece o Pai (11,22) e pode permitir-se esse ato de condescendência, ou seja, pode humanizar ao máximo a situação. Por contraste, pode-se recordar a caçoada que Elias faz dos profetas de Baal que importunam um deus surdo (1Rs 18,27). A parábola supõe uma situação de emergência e que o pedinte seja movido por obrigação de hospitalidade. Não é por capricho ou por puro interesse pessoal. Desenvolve-se em regime de amizade, nas condições culturais da época: o pão é assado em casa a cada dia, todos dormem num único cômodo, a porta está trancada com uma barra. Um breve salmo repete quatro vezes "Até quando?" (Sl 13).

11,9-10 Em forma de aforismo recolhe o ensinamento. Isto é o contrário de uma resignação fatalista aos acontecimentos, como se fossem vontade de Deus. A iniciativa de Deus, em imperativos, quer provocar a iniciativa do homem: "estarão ainda falando e eu os terei escutado" (Is 55,6; 65,24). Quem pede confessa-se necessitado, quem insiste não procura outro remédio, bate à porta de quem sabe que irá responder.

11,11-13 A imagem do pai é mais expressiva. Jesus "quer revelar-nos" o Pai e nos revela também o Espírito Santo (10,22). Os homens, mesmo os pais, são egoístas; contudo, o amor paterno se sobrepõe. Deus é o doador (Sl 136,25; 144,10; 146,7), seu dom máximo é o Espírito Santo (Jo 14,17; At 2,33; 5,32; Ef 1,17).

11,14-26 Um exorcismo público serve para introduzir em contraste a admiração popular e as reservas de alguns em dois pontos: a origem do poder de Jesus (vv. 17-26), a necessidade de um sinal particular (vv. 29-32). A mudez é atribuída à possessão diabólica que impede a comunicação. A de Ezequiel foi induzida por Deus como sinal, a de Zacarias foi castigo por sua falta de fé. Jesus expulsa o demônio, liberta o mudo e o restitui à comunidade humana normal.

– Ele expulsa os demônios com o poder de Belzebu, chefe dos demônios.

[16]Outros, para pô-lo à prova, pediam-lhe um sinal celeste. [17]Ele, lendo seus pensamentos, lhes disse:

– Um reino dividido internamente vai à ruína e desmorona casa sobre casa. [18]Se Satanás está dividido internamente, como seu reino se manterá? Pois dizeis que eu expulso os demônios com o poder de Belzebu. [19]Se eu expulso os demônios com o poder de Belzebu, com que poder os expulsam vossos filhos? Por isso, eles vos julgarão. [20]Mas, se eu expulso os demônios com o dedo de Deus, é porque chegou a vós o reinado de Deus. [21]Enquanto um homem forte e armado guarda sua morada, tudo o que possui está seguro. [22]Se chega um mais forte e o vence, tira-lhe as armas em que confiava e reparte os despojos. [23]Quem não está comigo está contra mim; quem não recolhe comigo dispersa. [24]Quando um espírito imundo sai de um homem, percorre lugares áridos buscando domicílio, e não o encontra. Então diz: Voltarei à minha casa de onde saí. [25]Ao voltar, a encontra varrida e arrumada. [26]Então vai, toma consigo outros sete espíritos piores que ele, e passam a habitar aí. E o final desse homem torna-se pior que o começo.

[27]Quando dizia isso, uma mulher da multidão levantou a voz e disse:

– Feliz o ventre que te carregou e os peitos que te amamentaram!

[28]Ele replicou:

– Felizes, antes, os que escutam a palavra de Deus e a cumprem.

O sinal de Jonas (Mt 12,38-42; Mc 8,12) –

[29]A multidão se aglomerava e ele começou a dizer-lhes:

– Esta geração é má: exige um sinal e não lhe será concedido outro sinal a não ser o de Jonas. [30]Como Jonas foi um sinal para os ninivitas, assim o será este Homem para esta geração. [31]A rainha do Sul se levantará no julgamento contra esta geração e a condenará; porque ela veio do extremo da terra para escutar o saber de Salomão, e aqui está alguém maior que Salomão. [32]Os ninivitas se levantarão no julgamento contra esta geração e a condenarão; porque eles se arrependeram com a pregação de Jonas, e aqui está alguém maior que Jonas.

A admiração dos presentes é resultado frequente nos milagres, e ainda não significa fé messiânica. Alguns, para desacreditar Jesus ou para justificar sua rejeição, atribuem o êxito do exorcismo a um pacto com o "chefe dos demônios". Dão-lhe o nome de Belzebu, o deus de Acaron, a quem Ocozias queria consultar (2Rs 1,2). Isaías fala de um pacto com a divindade infernal Xeol (Is 28,15). Outros pensam que o êxito do exorcismo não basta para acreditar o Messias, pois outros exorcistas têm poderes semelhantes. Um sinal celeste, nos astros ou nos meteoros, será uma garantia (para o limite máximo dos sinais, ver Is 7,11). O julgamento é puro preconceito: Será verdade que Jesus exibe poder sobre um demônio? – É poder delegado do chefe dos demônios. Seu poder pode ser autêntico? – Não nos é suficiente. Exigimos um sinal celeste.

11,17-20 À primeira objeção, Jesus responde com um argumento de congruência e outro de semelhança. Os demônios lutam contra outros, não entre si. Se dizem que Jesus é agente de Belzebu, têm de dizer o mesmo dos filhos deles, e estes se voltarão para condená-los. A consequência é que na ação de Deus se mostra "o dedo de Deus" (Ex 8,10): o confronto de Moisés com os magos do Egito é atraído mentalmente por tal expressão: quando pela terceira vez suas artes mágicas fracassaram, tiveram de reconhecer a ação da divindade.

11,21-26 A luta com Satanás é travada desde o princípio (Gn 3,15). Com suas armas domina os homens, despojo conquistado, e está seguro: "Mas pode-se tirar a presa de um soldado, escapa um prisioneiro de um tirano?" (Is 49,24). Sim, porque Jesus é mais forte, como o veio demonstrando, e está tirando-lhe as armas em que confiava. Seu despojo são os homens libertados (cf. Is 53,11-12). Portanto, os que foram libertados desse poder não devem abdicar da vigilância, porque a hostilidade continua e o inimigo pode retornar com mais força e maior prejuízo que antes.

11,23 Complemento de 9,50, também em contexto de exorcismo, mas na primeira pessoa do singular.

11,24 Como sugerem as descrições de Is 13,21; 34,13-15.

11,26 A frase admoesta gravemente o cristão convertido que apostata e se entrega novamente ao poder diabólico. Seu delito tem uma agravante e o resultado pode ser definitivo.

11,27-28 Essa mulher do povo, talvez mãe, representa o sentir popular. Pelo filho louva a mãe e vice-versa. Em termos de realista maternidade, faz eco à felicitação de Isabel e à predição de Maria (1,45.48). Pode emprestar sua voz a uma humanidade que felicita Maria que escutou e cumpriu, ou deixou cumprir-se, a palavra de Deus.

11,29-32 Essa geração, contemporânea de Jesus, é malvada por sua incredulidade. Reclama sinais, mas desqualifica os que lhe são dados. Jonas não fez milagres em Nínive; a presença e pregação de um profeta israelita na metrópole pagã foi sinal suficiente para o arrependimento e o perdão. A geração ninivita de adultos e de crianças suscitou a compaixão divina.

Generosidade (Mt 5,15; 6,22s) – ³³Não se acende uma lamparina para tê-la escondida [ou sob uma vasilha], mas põe-se no candelabro, para que os que entram vejam a luz. ³⁴O olho fornece luz para todo o corpo*. Se teu olhar é generoso, o corpo inteiro será luminoso; porém, se é mesquinho*, todo o teu corpo será tenebroso. ³⁵Procura que tua fonte de luz não fique escura. ³⁶Assim, portanto, se o corpo todo é luminoso, sem mistura de escuridão, será inteiramente luminoso, como quando uma lamparina te ilumina com seu brilho.

Invectiva contra os fariseus (Mt 23,1-36; Mc 12,38-40) – ³⁷Enquanto falava, um fariseu o convidou a comer em sua casa. Apenas entrou, reclinou-se à mesa. ³⁸O fariseu, vendo-o, estranhou que não se lavasse antes de comer. ³⁹Mas o Senhor lhe disse:

– Vós, fariseus, limpais por fora a taça e o prato, mas por dentro estais cheios de roubo e malícia. ⁴⁰Insensatos! Aquele que fez a parte de fora não fez também a de dentro? ⁴¹Dai, antes, o interior em esmola, e tereis tudo limpo. ⁴²Ai de vós, fariseus, que pagais o dízimo da hortelã, da arruda e de todo tipo de verduras, e descuidais a justiça e o amor de Deus. Isso é o que se deve observar, sem descuidar as outras coisas. ⁴³Ai de vós, fariseus, que desejais os assentos de honra nas sinagogas e as saudações pela rua. ⁴⁴Ai de vós, que sois como sepulcros não assinalados, que os homens pisam sem dar-se conta.

Ora, o sinal está aí: a pessoa, os ensinamentos e os milagres de Jesus. Mas, como não querem aceitá-lo, em lugar de sinal se convocarão duas testemunhas de acusação, que no dia final das contas deporão num juízo comparativo de agravantes (Ez 16,46-52). "Comparecerão assustados por ocasião do inventário de seus pecados... aquele dia o justo estará de pé sem temor" (Sb 4,20-5,1). As testemunhas serão: o profeta Jonas com os ninivitas arrependidos e a rainha de Sabá, pagã, que fez uma longuíssima viagem para ouvir o sábio Salomão (1Rs 10). Os pagãos acusarão os judeus incrédulos que rejeitaram Jesus, mais que profeta e mais que mestre de sábios.

11,33-36 A explicação utiliza um jogo de palavras baseado num semitismo intraduzível. Em hebraico "olho bom/simples" significa generoso, "olho mau" significa tacanho ou avaro e invejoso, nunca significa doente (Pr 22,9; 23,6; 28,22; Dt 15,9; Eclo 14,3.10; 31,13). O olho é o órgão da visão e sede da avaliação (cf. o semitismo "bom aos olhos de"). O olho, que capta a luz, fornece-a todo o corpo, o corpo inteiro vê pelo olho; se o órgão não funciona, o homem inteiro fica às escuras; em pleno meio-dia um cego se move em trevas. Na ordem moral, a generosidade, olho simples, irradia: "Se dás teu pão ao faminto... tua luz surgirá nas trevas" (Is 58,10); a tacanhez, olho mau, torna tudo opaco e tenebroso. Para "simples = generoso", ver Rm 12,8; 2Cor 9,11.13; Tg 1,5.

11,34 * Ou: *é a lâmpada*; * Ou: *tacanho*.

11,37-54 A ocasião, pouco propícia, de um convite a uma refeição serve para introduzir o tema das abluções. Daí se passa a um ataque violento contra determinadas condutas e atitudes, típicas de fariseus e letrados. Lucas divide o discurso em duas seções: contra os fariseus, contra os letrados (juristas). Emprega, em duas séries de três, a forma profética do Ai! (Is 5,11.18.20-22; Ez 13,3.18).

Nesse capítulo, mais que em outros, soa a polêmica entre judaísmo estabelecido e cristianismo emergente; o texto é provavelmente posterior à excomunhão oficial dos cristãos, "nazarenos" pelas autoridades de Jâmnia (85-90 de nossa era).

Por outro lado, não engloba a classe inteira, a cada indivíduo, mas toma fariseus e letrados mais como tipos. Aí entra também a autoridade que se arrogam enquanto mestres e juízes de outros e sua influência e ascendência sobre o povo. Quando no ano 70 o Estado judaico foi destruído, foram os fariseus que salvaram a continuidade. O cristão que lê essa página deve examinar-se antes de atirar a primeira pedra.

11,37-38 Marcos explica essas práticas com certo detalhe (Mc 7,2). Não se tratava de práticas simplesmente higiênicas, mas de pureza legal e cultual. Em teoria, limpos para receber o sustento como dom de Deus.

11,39-41 É estranho e significativo o modo de juntar peças que aparentemente não se correspondem. O exterior do copo e do prato/o interior do homem/o interior (do prato e do copo) dado em esmola. Apesar da montagem, o sentido se entende: Deus busca a intimidade responsável do homem, a qual se expressa nas obras de caridade. A esmola é muito recomendada em livros tardios (Tb 4,7.11; 12,9; Eclo 4,1). O exterior é o que se vê, porém provavelmente o que mais se suja seja o interior. Deus fez o homem do barro e lhe insuflou o alento vital, consciente e livre. Deus vê e julga. Talvez o que enche o prato seja abuso do ofício (roubo); dado em esmola, ficará limpa a vasilha. Insensatos! é a antítese de doutos, entendidos; o insensato não tem direito de ensinar.

11,42 Sobre dízimos, Lv 27,30. A justiça se refere ao próximo, de modo que a frase equivale a uma síntese completa. É preciso salvar a hierarquia dos preceitos segundo o conteúdo. O fato de ser ordenado é um dado formal, pede cumprimento. Mas o que conta é o conteúdo. Pode acontecer que, por força de observar ninharias, se descuide do substancial.

11,44 Os sepulcros enterrados eram marcados com cal, para evitar que os transeuntes os pisassem e se contaminassem. A imagem é muito forte pelo que sugere: o mundo da morte escondido entre os vivos; a corrupção e a impureza camufladas no meio do povo.

⁴⁵Um jurista tomou a palavra e lhe respondeu:
– Mestre, ao dizer isso nos ofendes.
⁴⁶Replicou:
– Ai de vós também, juristas, que carregais os homens com cargas insuportáveis, enquanto vós não tocais essas cargas sequer com um dedo.
⁴⁷Ai de vós, que construís mausoléus para os profetas que vossos antepassados assassinaram. ⁴⁸Assim vos tornais testemunhas e cúmplices do que vossos antepassados fizeram; pois eles os mataram e vós construís os mausoléus. ⁴⁹Por isso diz a Sabedoria de Deus: Eu lhes enviarei profetas e apóstolos; alguns eles matarão e perseguirão; ⁵⁰assim se pedirá conta a esta geração de todo o sangue de profetas derramado desde a criação do mundo: ⁵¹desde o sangue de Abel até o de Zacarias, assassinado entre o altar e o santuário. Sim, eu vos digo, serão pedidas contas a esta geração. ⁵²Ai de vós, juristas, que ficastes com a chave do saber: vós não entrastes, e fechastes a passagem aos que entravam.
⁵³Quando saiu daí os letrados e os fariseus começaram a atacá-lo violentamente e a fazer-lhe perguntas insidiosas, ⁵⁴para apanhá-lo em suas palavras.

12 ¹Nesse momento, milhares de pessoas se comprimiam, pisando-se umas às outras. Ele se dirigiu primeiro aos discípulos:
– Atenção com o fermento (ou seja, a hipocrisia) dos fariseus. ²Não há nada encoberto que não se descubra, nada oculto que não se divulgue. ³Pois, o que disserdes de noite se escutará em pleno dia; o que disserdes ao ouvido no porão será proclamado nos terraços.

Confessar sem temor (Mt 10,28-33) – ⁴A vós, meus amigos, eu digo que não temais os que matam o corpo e depois nada mais podem fazer. ⁵Eu vos indicarei a quem

---

11,45 Nem todos os fariseus eram letrados e vice-versa; mas os fariseus respeitavam o corpo dos letrados e se esforçavam por executar e fazer cumprir as decisões destes. Por isso, o ataque de Jesus recai sobre os estudiosos competentes, que se sentem ofendidos.

11,46 Diante da objeção, Jesus não retrocede, mas muda de objetivo. Denuncia a quantidade acumulada de observâncias, que torna insuportável o cumprimento da lei. Impõem obrigações e não ajudam a cumpri-las. Ao passo que eles, com sutilezas casuísticas, eximem-se de cumpri-las. A imagem das cargas traz a recordação das cargas do Egito (Ex 1,11; 2,11) ou as de Salomão e Roboão (1Rs 12).

11,47-51 O esquema é simples. O profeta que denuncia crimes e anuncia desgraças é eliminado (1Rs 22; Is 30,10-11; Jr 26; 38); depois se constrói para ele um mausoléu como homenagem póstuma (cf. 2Rs 23,17-18). Profeta morto não fala. O esquema pode abranger várias gerações: uma elimina o profeta, outra lhe dedica o mausoléu. Todas são membros da mesma família.
Remontando a Abel, não o converte em profeta, mas denuncia os assassinos de profetas como fratricidas; herdeiros do pecado original contra a fraternidade. Zacarias (= Azarias) encerra a série histórica (2Cr 24,20-21) com o agravante do lugar onde se cometeu o assassinato. Falta ainda na série Jesus, mas sua sorte fica apontada de sobra para os leitores de Lucas.

11,52 O "saber" é provavelmente a compreensão da Escritura. Os letrados se arrogam o monopólio da sua compreensão; eles possuem a chave, e ninguém mais. Por esse caminho eles penetram o verdadeiro sentido da Escritura (cf. 2Cor 3,14), e não permitem a outros entendê-lo. O "entra" poderia sugerir também o reino de Deus, para o qual a Escritura conduz.

11,53-54 A batalha próxima escolhe como campo a dialética, na qual os letrados se sentem fortes. Se o caçam em alguma palavra delituosa (como a um suposto profeta), apresentarão outra batalha mais grave.

12,1 Mudando de cenário, Lucas faz com que a advertência seja ouvida por todo o mundo; ou seja, a massa submissa aos fariseus, que agora escuta Jesus como mestre e profeta. Hipocrisia pretende ser síntese das atitudes denunciadas; é dissimular o interior com o exterior, é inverter a escala de valores, é confundir ao invés de esclarecer. Mais que um delito específico é um arbítrio, um fermento que penetra e corrompe toda a massa (Ex 12,15; 1Cor 5,7).

12,2-3 Diante da simulação e da hipocrisia, recomenda-se a sinceridade, tendo em conta o resultado (cf. Eclo 24,21.24). É convite e advertência. Convite a partilhar o bem aprendido; advertência de que um dia serão arrancadas máscara e disfarce.

12,4-12 Essa instrução dirige-se aos "amigos", provavelmente aos discípulos (Jo 15,15). Exorta à coragem de confessar publicamente Jesus. Na boca de Jesus são palavras proféticas, na pena de Lucas refletem perseguições já experimentadas (morte de Estêvão e de Tiago e processos diversos).

12,4-5 A primeira é não temer. A frase clássica de encorajamento "não temais" tem aqui uma explicação. Ver a vocação de Jeremias: "Não tenhas medo deles, caso contrário, eu te farei ter medo deles" (Jr 1,17-18), o encargo de Isaías (Is 8,12-13), a vocação de Ezequiel: "Não tenhas medo deles... ainda que te rodeiem espinhos e te sentes sobre escorpiões" (Ez 2,6). O fogo aniquila o que morre deixa; mata-se e depois se queima totalmente: "mataram a fera, esquartejaram-na e a atiraram ao fogo" (Is 66,24; Dn 7,11). Equivale a dizer que não alcançará a vida futura (cf. Ap 19,20; 20,14-15; 21,8).

deveis temer: temei aquele que, depois de matar, tem poder para lançar ao fogo. Sim, eu vos repito, temei a este. ⁶Não se vendem cinco pardais por dois centavos? Pois Deus não se esquece de nenhum deles. ⁷Até os cabelos de vossa cabeça estão todos contados. Não tenhais medo, pois valeis mais que muitos pardais.

⁸Eu vos digo que quem me confessar diante dos homens, o Filho do Homem o confessará diante dos anjos de Deus. ⁹Quem me negar diante dos homens será negado diante dos anjos de Deus. ¹⁰Quem disser uma palavra contra este Homem será perdoado; aquele que blasfemar contra o Espírito Santo não será perdoado.

¹¹Quando vos conduzirem às sinagogas, chefes ou autoridades, não vos preocupeis de como vos defendereis ou o que direis; ¹²o Espírito Santo vos ensinará nesse momento o que será preciso dizer.

Contra a cobiça – ¹³Alguém da multidão disse:

– Mestre, dize a meu irmão que reparta comigo a herança.

¹⁴Respondeu-lhe:

– Homem, quem me nomeou juiz ou árbitro entre vós?

¹⁵E lhes disse:

– Atenção! Abstende-vos de qualquer cobiça, porque, por mais rico que alguém seja, a vida não depende dos bens.

¹⁶E lhes propôs uma parábola:

– As terras de um homem deram grande colheita. ¹⁷Ele disse a si mesmo: Que farei?, pois não tenho onde colocar toda a colheita. ¹⁸E disse: Farei o seguinte: derrubarei os celeiros e construirei outros maiores, nos quais colocarei meu trigo e minhas posses. ¹⁹Depois direi a mim mesmo: Querido, tens acumulados muitos bens para muitos anos; descansa, come e bebe, desfruta. ²⁰Mas Deus lhe disse: Insensato! Nesta noite te pedirão a vida. Aquilo que preparaste, para quem será? ²¹Assim é aquele que acumula para si e não é rico para Deus.

²²Disse a seus discípulos:

12,6-7 Correlativo de não temer é confiar. Curioso é que seja a mesma personagem a que pode ditar sentença de condenação e a que cuida dos desvalidos como de pássaros indefesos. Do paradoxo segue-se que o que se deve realmente temer é fazer-se merecedor da condenação; em outras palavras, a pessoa teme a si mesma, não os outros, cujo poder alcança só esta vida, não a "segunda morte" (Ap 21,8). O Salmo 36 mostra o cuidado de Deus por "homens e animais", em geral e em particular; o Salmo 104 o desenvolve.

12,8-9 O medo deve ser vencido em vista do testemunho público e arriscado em favor de Jesus. O horizonte antes indicado do juízo final (fogo) coloca-se em primeiro plano. Então, ante a corte celeste, "os anjos de Deus" (cf. Dn 7,10), cada um será reconhecido ou reprovado. O texto grego se desloca do "eu" presente, ao "Filho do Homem" da parusia e ao passivo (teológico) da rejeição. Em resumo, a atitude presente e pública diante de Deus decidirá o destino último do homem.

12,10 Blasfêmia contra o Espírito Santo, nesse contexto, parece significar a rejeição obstinada do seu testemunho a favor de Jesus, pelo qual a pessoa se fecha ao perdão que Jesus oferece. Como se disséssemos: a pessoa corta o galho sobre o qual está sentada.

12,11-12 Outro conselho para o momento da confissão, que o próprio Espírito sugerirá (1Cor 12,3). O confessor fala nesse momento como profeta inspirado: "O Espírito do Senhor fala por mim, sua palavra está em minha língua" (cf. 2Sm 23,2). O próprio Lucas mostrará o exemplo de Estêvão discutindo e testemunhando (At 6,10; 7,35).

12,13-15 A intervenção de alguém da multidão amplia o âmbito dos ouvintes. Tinha razão talvez aquele homem, ao reclamar o que lhe era devido (cf. Gn 21,10; Jz 11,2); é razoável supô-lo. Naquela cultura, herdar era assunto importante, não somente para o herdeiro, mas também para a continuidade da família. O Eclesiástico instrui sobre testamentos (Eclo 32,20-24). Pois bem, Jesus não veio dirimir pleitos de interesses pecuniários. Ele ensina a dar mais do que a reclamar. Vai à raiz que vicia as relações humanas e escraviza a vida às posses. A riqueza não é seguro de vida (Sl 49).

12,16-21 O rico do relato é um bom exemplo de confiança nas riquezas (Sl 49,7.19; 52,9; Pr 11,28). Se não está inspirado em Eclo 11,18-28, faz bom paralelo com ele: "Quando diz: Agora posso descansar, agora comerei de minhas posses, não sabe o que acontecerá até que o deixe a outro e morra". Num monólogo interior se denuncia. Seu ideal de vida é comer e beber e desfrutar (cf. Jr 22,15; Ecl 2,24; 3,13; 8,15); espera "muitos anos" de vida; trabalhou e agora pode "descansar"; acumulou e pode viver de rendas. Seu horizonte é imanente: esta vida (cf. Sb 2,1-9).
Ao monólogo responde o próprio Deus: essa filosofia de vida é "insensata" (Sb 2,1.21-22). O rico tem a vida como empréstimo e está vencendo o prazo de restituí-la. A morte sempre iminente devolve sua dimensão e pode devolver seu sentido à vida. Rico para Deus é aquele com o que ele ajuda o próximo: "Quem se compadece do próximo empresta a Deus" (Pr 19,17; Eclo 29,8-13).

12,22-34 De novo se dirige a seus discípulos; o ensinamento, portanto, é para quem vai dedicar-se a pregar

– Por isso eu vos digo: Não andeis angustiados pela comida para conservar a vida ou pela veste para cobrir o corpo. ²³A vida vale mais que o sustento e o corpo mais que a veste. ²⁴Observai os corvos: não semeiam nem colhem, não têm celeiros nem despensas, e Deus os sustenta. Quanto mais que as aves valeis vós. ²⁵Quem de vós pode, à força de preocupações, prolongar um pouco a vida? ²⁶Pois, se não podeis o mínimo, por que vos preocupais com o resto? ²⁷Observai como crescem os lírios, sem trabalhar nem fiar; porém, eu vos digo que nem Salomão, com todo o seu esplendor, se vestiu como um deles. ²⁸Portanto, se Deus veste assim a erva do campo, que hoje cresce e amanhã é lançada no forno, quanto mais a vós, desconfiados. ²⁹Não andeis buscando o que comer ou o que beber; não fiqueis pendentes disso. ³⁰Tudo isso são coisas que as pessoas do mundo procuram. Quanto a vós, vosso Pai sabe que elas vos fazem falta. ³¹Basta que busqueis o reinado dele, e o resto vos será dado por acréscimo. ³²Não temas, pequenino rebanho, porque vosso Pai decidiu dar-vos o reino. ³³Vendei vossos bens e dai esmola. Fazei bolsas que não envelheçam, um tesouro inesgotável no céu, onde os ladrões não chegam nem a traça os rói. ³⁴Porque, onde está o vosso tesouro, aí estará o vosso coração.

Vigilância (Mt 24,45-51) – ³⁵Tende a cintura cingida e as lamparinas acesas. ³⁶Imitai os que aguardam que o dono volte de um casamento, para abrir-lhe quando chegar e chamar. ³⁷Felizes os servos que o dono,

---

o evangelho. O estado de preocupação e ansiedade atrapalha gravemente no ministério; a cura não é psicológica, mas teológica. Acima de tudo, devem pôr o reinado de Deus, que é o tema da boa notícia (v. 31). Para pregá-lo, têm de estar libertados: não só de riquezas que atam e travam, mas também de preocupações que afogam e desalentam. Repartindo com os pobres é possível libertar-se das riquezas (v. 33); das preocupações, a pessoa só se liberta confiando no cuidado "paternal" de Deus (vv. 30.32). A argumentação progride em duas fases. Primeira: a vida é mais importante que os meios para conservá-la e protegê-la, comida e roupa (vv. 22-23); pois, se Deus cuida de vossa vida, quanto mais dos meios para conservá-la. Segunda fase, argumento *a minore ad maius*: Deus alimenta as aves e veste de luxo as flores; quanto mais fará por vós. Ele é "Deus" dos animais, é "Pai" vosso. O importante é vencer a preocupação angustiada. O espírito filial é o remédio. Os pagãos que só contam com esta vida têm que dedicar-se a conservá-la, até o ponto de desviver para continuar vivendo. Vós tendes outro horizonte: o reino que o Pai quer dar-vos (v. 32), o tesouro celeste que ele tem reservado para vós. Com vossas forças trabalhais difundindo o reinado de Deus, vosso coração já se adiantou a viver no céu, onde está o vosso tesouro.

As pinceladas da natureza animal e vegetal favorecem o efeito de serenidade e confiança que o discurso busca e denunciam de alguma forma a sensibilidade de Jesus diante da natureza.

12,24 O corvo é animal impuro (Lv 11,15; Dt 14,14), mas Deus o alimenta: "que dá seu alimento ao rebanho, às crias do corvo que grasnam" (Sl 147,9; Jó 38,41), e ele leva alimento a Elias (1Rs 17,4-6).

12,25 Outros traduzem: acrescentar um côvado à estatura; o homem não controla sua dimensão no espaço e no tempo.

12,27 Alude a 1Rs 10,4-7 e à ficção "salomônica" de Ecl 2,4-10.

12,28 Para outra comparação: Sl 9,5-6; Is 40,8. Deus é visto e apresentado em plena atividade, como se continuasse atarefado com suas criaturas. Não há criatura minúscula que Deus abandone. Os filósofos o chamam conservação e concurso; o evangelho sugere uma atenção afetuosa: "Amas todos os seres e não detestas nada do que fizeste" (Sb 11,24).

12,31 O reinado de Deus é o primeiro tema da pregação, é um pedido do Pai-nosso, é tarefa prioritária dos discípulos.

12,32 Pequenino rebanho pelo número durante a vida de Jesus; mais tarde, pequeno pela humildade. Por mais que cresça o número ou idade, sempre será filho de Deus. O reino do Pai será para esse pequeno rebanho.

12,33 Ben Sirac recomenda com certa agudeza: "Guarda esmolas em tua despensa". Dar é guardar? (Eclo 29,12; cf. Sl 62,11; Jó 31,24-25).

12,34 O provérbio passou para nossa língua. O coração na Bíblia é visto como o centro da vida consciente e livre: aquilo que alguém declara seu tesouro polariza seu interesse e alimenta sua atividade. Jesus convida a pôr nosso tesouro num lugar que transcenda o limite desta vida.

12,35-48 Exorta à vigilância com uma montagem de três parábolas: servo e patrão, dono e ladrão, administrador. O horizonte se alarga para a Igreja, que espera a parusia ou retorno do Senhor. Embora a exortação valha para todos, há diversos graus de responsabilidade. As parábolas têm como horizonte a parusia e sua aplicação no tempo da Igreja.

12,35-38 O israelita se cinge e prende a túnica talar para trabalhar ou caminhar ou para brigar (Ex 12,11; 1Rs 20,11). Estar cingido é estar disponível. As lamparinas indicam que a cena acontece de noite (cf. Pr 31,17-18). Lucas não apresenta o patrão como noivo, mas como convidado a um casamento anônimo. A reação do patrão é inverossímil, exorbitante, e nisso está a graça: o patrão age como servo (22,27) e convida os criados a um banquete (Ap 3,20). É o banquete do céu, que só com hipérbole se pode esboçar (Mt 26,29; Is 25,6). Duas vezes chama "felizes" (macarismo) os criados que vigiam.

ao chegar, encontrar vigiando: eu vos asseguro que se cingirá, os fará reclinar-se à mesa e os irá servindo. ³⁸E se chegar ao segundo ou terceiro turno de vigília e os encontrar assim, felizes deles. ³⁹Sabeis que, se o dono de casa soubesse a que hora chegaria o ladrão, não deixaria que arrombasse sua casa. ⁴⁰Estai preparados, pois quando menos pensardes, chegará este Homem.

⁴¹Pedro lhe perguntou:

– Senhor, dizes esta parábola para nós ou para todos?

⁴²O Senhor respondeu:

– Quem é o administrador fiel e prudente, ao qual o dono porá à frente do seu pessoal, para que lhes reparta as rações a seu tempo? ⁴³Feliz aquele servo que o dono, de regresso, encontrar agindo assim. ⁴⁴Eu vos asseguro que o encarregará de todas as suas posses. ⁴⁵Mas, se aquele servo, pensando que o dono tarda em chegar, começar a bater em criados e criadas, a comer, beber e embriagar-se, ⁴⁶chegará o dono do servo em dia e hora que menos espera, e o partirá ao meio, dando-lhe o destino dos desleais. ⁴⁷O servo que, conhecendo a vontade do dono, não dispõe e não executa o que o dono quer, receberá muitos golpes; ⁴⁸aquele que, não a conhecendo, comete ações dignas de castigo, receberá poucos golpes. A quem muito se deu, muito se pedirá; a quem muito se confiou, mais se exigirá.

Sinais do tempo (Mt 10,34-36) – ⁴⁹Vim pôr fogo à terra, e o que mais quero se já está aceso!* ⁵⁰Tenho de passar por um batismo, e como me impaciento até que se realize. ⁵¹Pensais que vim trazer paz à terra? Não paz, eu vos digo, mas divisão. ⁵²Daqui para a frente haverá cinco numa família, divididos: três contra dois, dois contra três. ⁵³Opor-se-ão pai a filho e filho a pai, mãe a filha e filha a mãe, sogra a nora e nora a sogra.

⁵⁴Disse ao povo:

– Quando vedes levantar-se uma nuvem no poente, dizeis logo que haverá chuva, e assim acontece. ⁵⁵Quando sopra o vento sul, dizeis que haverá mormaço, e assim acontece. ⁵⁶Hipócritas! Sabeis interpretar o aspecto da terra e do céu, e não sabeis interpretar a conjuntura presente? ⁵⁷Por que

---

12,39 Os ladrões escolhem a noite: "de noite ronda o ladrão, penetra às escuras nas casas" (Jó 24,14.16), e utilizam o procedimento de abrir um buraco; a surpresa é seu principal recurso (Ex 22,1). Embora a vigilância seja coletiva, aplica-se a cada pessoa.

12,42-46 Ver a figura de José (Gn 41,37-44). O administrador da parábola é encarregado de outros criados; ocupa um posto intermédio, ocupa-se de pessoas, não de bens. A aplicação imediata aponta para os discípulos que recebem cargo mediador. As condutas opostas são: um serviço organizado para os outros servos ou um aproveitar-se licenciosamente da situação. A demora do patrão a vir corresponde à geração de Lucas, que já não espera uma parusia iminente. Contudo, o espírito de vigilância deve permanecer, porque a demora não desmente o fato (Ez 7,1-12; 12,21-28). E como o fato é certo, a incerteza da hora incita à vigilância. Sem cessar é iminente o que pode acontecer a qualquer momento.

12,47-48a A ignorância de ordens concretas do patrão é atenuante, mas não exime da responsabilidade genérica. O conhecimento é agravante; e os discípulos as conhecem.

12,48b Referido aos governantes em Sb 6,1-8: "Os elevados serão julgados implacavelmente... os fortes sofrerão dura pena".

12,49-50 Fogo e água podem resumir qualquer tipo de perigo (Is 43,2). Será que as duas imagens se referem aqui ao mesmo fato, a paixão próxima? Em 3,16 fala-se de um batismo "com Espírito Santo e fogo", fogo de julgamento e purificação; Is 4,4 fala de uma purificação com "vento" (*pneuma*) de julgamento: aniquila ou purifica e limpa. A pregação de Jesus já acendeu esse fogo (cf. Is 1,25; 9,17; Zc 13,9). Cabe referir os versículos à paixão, como julgamento que vai separar. O batismo é a grande prova, que alude à paixão (cf. Sl 42,8; 124,4). Outros distinguem: o batismo é a paixão, o fogo é Pentecostes; Jesus anseia que chegue o Espírito purificador, mas se aflige diante da proximidade da paixão. E o cristão tem de seguir a mesma trajetória.

12,49 * Ou: *e como desejaria que já estivesse aceso*.

12,51-53 Esses versículos que se seguem apoiam a interpretação do fogo em chave do julgamento. Diante de Jesus as pessoas terão de tomar partido, como Simeão anunciou (2,34-35), passando por cima dos laços familiares. Recorde-se a tremenda cena de Ex 32, o grito de Moisés: "A mim os do Senhor!" e a matança dos culpados, sem perdoar "irmão, parente ou vizinho". A divisão que Jesus provocará atravessará grupos humanos naturais. A citação é de Mq 7,6. A expectativa da paz messiânica (Is 2,2-5; 11,1-10) não pode ignorá-lo.

12,54-59 De fato, o momento da decisão está chegando e os sinais o anunciam. No correr do tempo uniforme há estações agrárias que o lavrador distingue. No decorrer do tempo histórico há ocasiões e conjunturas prenhes de consequências. O mais importante é saber distingui-las. Os que sabem interrogar o aspecto da atmosfera para suas tarefas agrícolas não sabem interpretar a época da história para o destino transcendente. Sua conduta é uma farsa (significado de *hypokrités*). Enquanto Jesus está com eles, é tempo de possível reconciliação; quando chegar a hora do julgamento, será tarde demais.

não julgais por vossa conta o que é justo? ⁵⁸Quando fores com teu rival ao juiz, procura pelo caminho um acerto com ele; não aconteça que te arraste até ao juiz, o juiz te entregue ao guarda e o guarda te coloque no cárcere. ⁵⁹Eu te digo que não sairás daí enquanto não pagares até o último centavo.

13

Arrependimento – ¹Naquela ocasião se apresentaram alguns informando-o sobre uns galileus cujo sangue Pilatos havia misturado com o dos sacrifícios deles. ²Ele respondeu:

– Pensais que esses galileus, dado que sofreram isso, eram mais pecadores que os demais galileus? ³Eu vos digo que não; mas, se não vos arrependerdes, acabareis como eles. ⁴Ou aqueles dezoito sobre os quais desmoronou a torre de Siloé e os matou, pensais que eram mais culpados que o resto dos habitantes de Jerusalém? ⁵Eu vos digo que não; mas, se não vos arrependerdes, acabareis como eles. ⁶E lhes propôs a seguinte parábola:

– Um homem tinha uma figueira plantada em sua vinha. Foi buscar fruto nela e não encontrou. ⁷Disse ao vinhateiro: Há três anos venho buscar fruto nesta figueira e não encontro. Corta-a, pois além disso está esgotando o terreno. ⁸Ele lhe respondeu: Senhor, deixa-a ainda este ano; cavarei ao redor, porei adubo, para ver se dá fruto. ⁹Se não, a cortarás no ano que vem.

Cura uma mulher encurvada – ¹⁰Num sábado, estava ensinando numa sinagoga, ¹¹quando se apresentou uma mulher que há dezoito anos padecia de um espírito. Andava encurvada, sem poder endireitar-se completamente. ¹²Ao vê-la, Jesus a chamou e lhe disse:

– Mulher, estás livre de tua doença.

¹³Impôs-lhe as mãos, e no mesmo instante ela se endireitou e dava glória a Deus. ¹⁴O chefe da sinagoga, indignado porque Jesus havia curado no sábado, interveio para dizer à multidão:

– Há seis dias em que se deve trabalhar: vinde nesses dias para curar-vos, e não no sábado.

¹⁵O Senhor lhe replicou:

– Hipócritas! Quem de vós no sábado não solta da manjedoura o boi ou o asno para levá-lo a beber? ¹⁶Quanto a esta filha de Abraão, que Satanás amarrou por dezoito anos, não era necessário soltar-lhe as amarras no sábado?

¹⁷Ao dizer isso, seus adversários sentiam-se confundidos, enquanto a multidão se alegrava com os portentos que realizava.

13,1-5 No relato de Lucas, Jesus acaba de falar sobre o sentido e urgência da conjuntura histórica. O que lhe contam pode assinalar o significado do presente. Embora não valha a aplicação mecânica do princípio da retribuição (o grande problema do livro de Jó), as desgraças alheias podem conservar sua força de admoestação. O que para uns é desgraça, seja para outros advertência. Sobre a força da admoestação em cabeça alheia dissertou Ezequiel em seu julgamento comparativo: se Ooliba não se corrigiu, pelo contrário, "viciou-se mais que sua irmã", quando ela sofrer o castigo exemplar, "serão admoestadas todas as mulheres" (Ez 23,11.48). Sobre admoestações vãs, por experiência própria, prega Amós (Am 4,6-13). Quem não aproveita o tempo para arrepender-se, não se livrará da desgraça (Sl 7,13; 50,22). Sobre esse aviso gravita o peso da exortação à vigilância: "Não demores em voltar a ele nem te delongues de um dia para outro" (cf. Eclo 5,5-7).

13,6-9 Lucas apresenta como parábola o que nos outros sinóticos é ação simbólica. O tema é também o tempo último para arrepender-se. A figueira pode ser símbolo de Israel (Jr 8,13; Os 9,10; Mq 7,1). Fruto é metáfora frequente de ação responsável e de suas consequências (Pr 1,31; 12,14; 31,31). Um dado particular dessa parábola é a intercessão do vinhateiro a favor da figueira pedindo moratória. Como as sucessivas intercessões de Amós, duas escutas, duas recusas (Am 7,1-9; 6,1-3). Embora Jesus introduza essa moratória, cada árvore pode esgotar seu tempo de tolerância.

13,10-17 O tempo de Jesus não é só de admoestação, mas também de salvação. Depois de dezoito anos, chega o momento. Precisamente um sábado e numa sinagoga, aos olhos de todos. O drama é vivido por uma mulher "filha de Abraão" (Is 51,1-2), que pode simbolizar todo o povo e se encontra sob o domínio de um "espírito". Anda toda encurvada, sem poder erguer os olhos ao céu. Quem poderá mais: a lei que proíbe curar no sábado ou Jesus que vem curar os doentes? A objeção do chefe da sinagoga soa razoável e pode apoiar-se na lei: "Durante seis dias trabalha e faz tuas tarefas; mas o sétimo dia é um dia de descanso dedicado ao Senhor teu Deus" (Ex 20,8-10); não é preciso profanar o sábado. Jesus chama isso de legalismo hipócrita. Nem sequer um dia se deve esperar para cumprir o que diz o salmo: "endireita os curvados" (145,14; 146,8). Ele está a caminho e tem que repartir seus bens, mesmo que seja no sábado. O encontro da mulher com Jesus andarilho é sua conjuntura. "Procurai o Senhor enquanto se deixa encontrar" (Is 55,6). Podemos notar a terminologia de atar e desatar, que aponta para o nível de pecado e perdão.

13,17 A ação de Jesus já está operando a divisão do que falou antes (12,52), entre o povo e os dirigentes.

Mostarda e fermento (Mt 13,31-33; Mc 4,30-32) –

¹⁸Dizia-lhes:

– Com que se parece o reinado de Deus? A que o compararei? ¹⁹Parece com um grão de mostarda que um homem pega e semeia em sua horta; cresce, torna-se arbusto e as aves se aninham em seus ramos.

²⁰Acrescentou:

– Com que compararei o reinado de Deus? ²¹Parece com o fermento que uma mulher toma e mistura com três medidas de massa, até que tudo fermente.

A porta estreita (Mt 7,13s.21-23) –

²²Caminhando para Jerusalém, percorria cidades e aldeias ensinando. ²³Alguém lhe perguntou:

– Senhor, são poucos os que se salvam? Respondeu-lhes:

– ²⁴Lutai para entrar pela porta estreita, porque vos digo que muitos tentarão e não conseguirão. ²⁵Logo que se levantar o dono de casa e fechar a porta, ficareis de fora batendo na porta e dizendo: Senhor, abre-nos! Ele vos responderá: Não sei de onde vindes. ²⁶Então direis: Comemos e bebemos contigo, ensinaste em nossas ruas. ²⁷Replicará: Eu vos digo que não sei de onde vindes. *Apartai-vos de mim, malfeitores*. ²⁸Ali haverá pranto e ranger de dentes, quando virdes Abraão, Isaac e Jacó e todos os profetas no reino de Deus, ao passo que vós sois expulsos. ²⁹Virão do Oriente e do Ocidente, do Norte e do Sul, e se reclinarão à mesa no reino de Deus. ³⁰Vede: Há últimos que serão primeiros, e primeiros que serão últimos.

Lamentação por Jerusalém (Mt 23,37-39) –

³¹Naquele momento se aproximaram alguns fariseus para dizer-lhe:

– Sai daqui, pois Herodes procura matar-te.

³²Respondeu-lhes:

– Ide dizer a esse raposo: Vê: hoje e amanhã expulso demônios e realizo curas; depois de amanhã terminarei. ³³Contudo, hoje, amanhã e depois, devo prosseguir minha

---

13,18-21 Duas parábolas concisas, comparações sem armação narrativa, ilustram o dinamismo do reinado de Deus e do seu anúncio na boa notícia. A primeira se exalta com uma alusão hiperbólica ao "cedro magnífico no qual, à sombra de sua ramagem, aninharão as aves" (Ez 17,23). A segunda é doméstica. Não conta a quantidade de matéria, mas a energia. Nas duas parábolas intervém um homem e uma mulher, ao sabor de Lucas. As duas parábolas oferecem uma mensagem de paciência e esperança.

13,22-30 A pequenez do reino de Deus suscita a pergunta sobre o número dos que se salvam. Soa na pergunta a concepção clássica do resto, que se salva e assegura a continuidade do povo. Aqui se trataria do resto que passará à nova e definitiva era, que entrará no reino de Deus. É importante advertir que a pergunta se faz "a caminho de Jerusalém". A resposta de Jesus é intencionalmente ambígua: salvam-se poucos e muitos (se lemos a parábola até o v. 30, ou seja, até a mudança de interlocutor). A pergunta pode ser colocada em termos étnicos: salvar-se-ão todos os judeus, todo Israel? A profecia de Daniel parece ambígua: "teu povo... se salvará, todos os inscritos no livro. Muitos dos que dormem no pó despertarão: uns... outros" (Dn 12,1-2).

13,24 A primeira resposta passa da curiosidade à admoestação com o vigoroso imperativo "lutai" (cf. 22,24). A porta é estreita e é preciso abrir passagem à força para entrar na casa. Que muitos não possam não exclui que também muitos possam. As Pastorais se referem à luta apostólica (1Tm 6,12; 2Tm 4,7-8).

13,25-27 Segue-se a imagem da porta de entrada que o dono da casa controla (recorde-se a cena de Gn 19,1-11). Não bastava ter convivido fisicamente com Jesus para ter salvo-conduto assegurado; nem bastava uma neutralidade cortês. Era preciso tomar partido (12,8-9). É verdade que conviveram com Jesus, pois ele escolheu conviver com eles. Todavia, passou o tempo em que ao que bate à porta será aberto (11,9). Chama os excluídos de "malfeitores".

13,28-29 Alarga-se a visão escatológica. Fora da casa, do reino, ficam judeus excluídos, que desesperados e de fora verão o grande banquete do reino (Is 25,6-8). Como os hedonistas do livro da Sabedoria ao comparecer ao julgamento: "Ao vê-lo, estremecerão de pavor, atônitos diante da salvação inesperada; dirão... entre soluços de angústia... nós insensatos..." (Sb 5,2-4). Os convidados serão os patriarcas, os profetas e muitos pagãos das quatro partes do mundo: "todos os resgatados do Senhor" (Sl 107,3).

13,30 Então alguns que foram chamados primeiro serão os últimos (e não entrarão); outros chamados na última hora se adiantarão aos primeiros lugares. O provérbio é de aplicação múltipla já nos evangelhos.

13,31-33 A notícia não se encaixa bem na viagem a Jerusalém. A intenção dos fariseus não é clara: pretendem intimidar Jesus? Buscam descarregar a culpa em outro? Jesus não admite intimidações em seu caminho. Embora detenha o poder, Herodes é um animalzinho sem importância (cf. Ez 13,4; Ne 3,35). Esta vez não é como a do outro Herodes e as crianças inocentes. Jesus tem ainda tarefa clara. Morrerá quando chegar sua hora, não antes; em Jerusalém, não fora. Cabe a Deus fixar os prazos (Sl 75,3). Os poderes humanos podem executar, mesmo sem pretendê-lo nem sabê-lo, o plano decidido por Deus; não podem interferir nem impedi-lo. O esquema dos três dias pode ter sido tomado de Os 6,2 e adaptado como enigma à situação presente.

viagem, porque não convém que um profeta morra fora de Jerusalém. ³⁴Jerusalém, Jerusalém, que matas os profetas e apedrejas os enviados: Quantas vezes eu quis reunir teus filhos como a galinha reúne a ninhada sob suas asas; e vós resististes. ³⁵Pois bem, vossa casa ficará deserta. Eu vos digo que não me vereis até o momento em que direis: *Bendito o que vem em nome do Senhor!*

14 Cura um hidrópico

– ¹Numa ocasião em que entrou no sábado para comer na casa de um chefe de fariseus, eles o vigiavam. ²Pôs-se diante dele um hidrópico. ³Jesus tomou a palavra e perguntou a juristas e fariseus:

– É permitido curar no sábado ou não? ⁴Eles se calaram.

Jesus tomou o doente, o curou e o despediu. ⁵Depois lhes disse:

– Quem de vós, se seu filho ou boi cair num poço, não o tirará logo no sábado?

⁶E não podiam responder-lhe a isso.

O convidado – ⁷Observando como escolhiam os lugares de honra, disse aos convidados a seguinte parábola:

– ⁸Quando alguém te convidar para um casamento, não ocupes o primeiro lugar; não aconteça que haja outro convidado mais importante que tu, ⁹e aquele que convidou os dois vá dizer-te para ceder o lugar a outro. Então, envergonhado, terás de ocupar o último lugar. ¹⁰Quando te convidarem, vai e ocupa o último lugar. Assim, quando chegar quem te convidou, te dirá: Amigo, sobe a um posto superior. E ficarás honrado na presença de todos os convidados. ¹¹Pois, quem se exalta será humilhado, e quem se humilha será exaltado.

¹²Disse a quem o havia convidado:

– Quando ofereceres um almoço ou jantar, não convides teus amigos ou irmãos ou parentes ou os vizinhos ricos; porque eles, por sua vez, te convidarão e ficarás pago. ¹³Quando deres um banquete, convida pobres, mutilados, coxos e cegos. ¹⁴Feliz

---

13,34-35 O Senhor quis proteger seu povo "à sombra das suas asas" (Sl 36,8; 63,8) e a capital com sua presença no templo (Is 31,5; 37,33-35), exigindo ao mesmo tempo a conversão (Jr 7). Ela, em vez de receber "profetas e enviados", os matou (Ne 9,26; At 7,52), "resistiu" ao chamado de Deus. Leia-se a terrível descrição da "Cidade Sanguinária" traçada por Ezequiel, profeta da catástrofe: "Cidade que se encaminha para seu fim" (Ez 22,2). Agora sem Jesus, novo enviado de Deus, para cumprir a mesma missão; e vai sofrer o destino dos profetas. Ora, como já aconteceu uma vez (Lm 1,8.14.18 etc.), a casa habitada ficará deserta, seja o templo, seja a cidade (1Rs 9,7-9; Jr 12,7). Mas chegará um dia, quando o verão voltando, e o receberão com a saudação do salmo (118,26). Anúncio de conversão? (cf. Rm 11,25-26).

14,1-24 Com a situação comum de comida ou convite, Lucas reúne quatro cenas que servem de instruções. Numa espécie de "simpósio" evangélico. Dos conselhos particulares passa à visão escatológica. Por ora Jesus é o convidado e corresponde com seu ensinamento; no fim convidará o Pai. A instrução de Ben Sirac sobre banquetes e convidados pode servir de fundo empírico, sapiencial (Eclo 31,12-32,13).

14,1 O convite a um banquete no sábado oferece ocasião para vários ensinamentos reunidos. Imaginemos que Jesus, segundo o costume, leu e comentou numa sinagoga e, ao terminar, um dos chefes o convida à ceia solene do sábado. Outros colegas fariseus participam da ceia. Jesus não recusa esses convites nem desperdiça tais ocasiões, mesmo sabendo que o vigiam (cf. 7,36-50; 11,17-53). Lucas reúne quatro peças numa espécie de simpósio ao estilo grego. O banquete oferece a ocasião e o tema central, que se desenvolve com variedade de aspectos e interlocutores. Nesse banquete se prefigura a refeição eucarística e se anuncia o banquete celeste. Os fariseus convidados o vigiam para avaliá-lo com o critério das observâncias (cf. Sl 37,32).

14,2-6 O primeiro episódio reforça o tema da cura no sábado (13,10-17). A comparação do filho ou do boi caídos num poço (cf. Ex 21,33-34) torna mais aguda a situação. O interesse pelo animal ou o dever paterno se sobrepõem à prescrição, e esses sentimentos não faltam a Jesus. Pergunta desafiando e comenta argumentando. Sua pergunta não proíbe, mas permite o repouso sabático. Se um homem normal socorre de sábado a um filho ou animal, "Deus socorre homens e animais" (Sl 36,10). Calam-se diante da pergunta porque dão por descontada a resposta. Não respondem ao argumento porque não têm resposta.

14,7-11 Num banquete de casamento o protocolo designa rigorosamente os lugares. A parábola fala de consequência, não de finalidade. Pois, se alguém se dirige ao último lugar para provocar a honra de ser chamado ao primeiro, está incorrendo na mesma vaidade, inclusive mais refinada. "É melhor ouvir: suba para cá do que ser humilhado diante de um nobre" (Pr 25,6-7).

14,11 Aforismo de valor geral, que pode desprender-se do contexto (Ez 17,24; Pr 15,33). Um provérbio formula-o assim: "À frente da glória caminha a humildade" (Pr 15,33). Exemplo máximo é o próprio Jesus, como o expõe Paulo (Fl 2,6-11).

14,12-14 Sobre a generosidade desinteressada. É um ensinamento de 6,32-33 e é tradicional (Is 58,7-12; Sl 112,9; Eclo 7,32-33). A novidade está no modelo de convidados e na recompensa escatológica. Os convites mútuos, como costume social, criam e afiançam um círculo de bem-estar, do qual são excluídos os

de ti, porque não podem pagar-te; pois te pagarão quando ressuscitarem os justos.

Parábola dos convidados ao banquete (Mt 22,1-10) – [15]Ao ouvi-lo, um dos convidados disse:

– Feliz quem comer no reino de Deus!

[16]Replicou-lhe:

– Um homem dava um grande banquete, para o qual convidou muitos. [17]Na hora do banquete, enviou seu servo avisar os convidados: Vinde, já está preparado. [18]Um após o outro, todos foram se desculpando. O primeiro disse: Comprei um terreno e preciso ir examiná-lo; por favor, aceita minhas desculpas. [19]O segundo disse: Comprei cinco juntas de bois e vou prová-los; por favor, aceita minhas desculpas. [20]O terceiro disse: Acabo de casar e não posso ir. [21]O servo voltou para informar o senhor. O dono de casa, irritado, disse ao servo: Sai depressa até as praças e ruas da cidade, e traze pobres, mutilados, cegos e coxos. [22]O servo lhe disse: Senhor, foi feito o que ordenaste, e ainda sobra lugar. [23]O senhor disse ao servo: Sai pelos caminhos e veredas e obriga-os a entrar, até que se encha a casa. [24]De fato, eu vos digo que nenhum daqueles convidados provará o meu banquete.

O discípulo (Mt 10,37-38) – [25]Seguia-o grande multidão. Ele se voltou e lhes disse:

– [26]Se alguém vem a mim e não põe em segundo lugar seu pai e sua mãe, sua mulher e seus filhos, seus irmãos e irmãs, e até sua própria vida, não pode ser meu discípulo. [27]Quem não leva sua cruz e não me segue não pode ser meu discípulo. [28]Se um de vós pretende construir uma torre, não senta primeiro para calcular os gastos e ver se tem com que terminá-la? [29]Não aconteça que, tendo lançado os alicerces e não podendo completá-la, todos os que

---

mais necessitados. A caridade que Jesus prega e pratica rompe esse círculo a favor dos indigentes e também em proveito de quem é caridoso. O convite interesseiro atinge seu pagamento neste mundo e nesta vida. A caridade desinteressada tem pagamento transcendente. A "ressurreição dos justos" é a glorificação a exemplo e pelo dom de Jesus Cristo.

14,15 Com a frase final, "a ressurreição dos justos", se liga à exclamação do fariseu. Ele se considera incluído entre esses justos e sonha com a sorte de participar do banquete com que o Messias inaugurará seu reinado (Is 25,7-9; 65,13-14). O Apocalipse dá novo sentido à frase "Felizes os convidados para o casamento do Cordeiro" (Ap 19,9).

14,16-24 Jesus responde com uma parábola que freia e desvia semelhante esperança ou presunção. O banquete é grande pelo número de convidados e a qualidade dos manjares. Muitos foram convidados e aceitaram. Chega a hora, com o banquete preparado, e os convidados recebem o segundo convite. Nesse momento voltam atrás com várias desculpas. É faltar à palavra e ofender gravemente o anfitrião. Suas desculpas recordam os "espinheiros" da parábola do semeador (8,14). Negócios, trabalho, família, embora sejam atividades honestas, impedem realmente de comparecer a um banquete?

O anfitrião não renuncia à festa nem quer que se percam os manjares preparados. Como se exultasse presenteando, hospedando. Sua generosidade não é condicionada pelo interesse ou pela qualidade dos hóspedes. Faz um duplo convite. Primeiro na cidade às categorias de antes (v. 13); depois aos arredores, aos que encontrarem. Como estes resistirão, envergonhados ou incrédulos, será preciso trazê-los e forçá-los amistosamente. Eles acorrem e enchem a casa. Os outros ficam definitivamente excluídos. Deus dá a todos. É o ser humano quem recusa aceitar. Quem recusa o dom ofende o doador.

A parábola pôde ser aplicada a judeus que resistiram e a pagãos que responderam. Também é aplicável dentro da Igreja, pela sua dimensão escatológica (cf. 1Cor 1,26-29). Os primeiros foram escolhidos por vontade do anfitrião, os outros são convidados em sua condição de marginalizados.

14,25-27 Sobre o seguimento de Jesus. Pode-se unir com o trio de 9,57-62. Jesus caminha para Jerusalém a fim de padecer e morrer. Nesse contexto soam as condições para o seguimento. Os vínculos puramente humanos de família e o interesse pessoal interferem muitas vezes e contrastam com o chamado de Jesus. Por isso o seguidor ou discípulo de Jesus tem que rejeitar, "odiar" esses impedimentos (cf. Ex 33,9). Se não está disposto a isso, não reúne as condições para rematar o projeto.

14,26-27 Vínculos familiares: Na bênção a Levi, Moisés pronuncia estas frases: "Disse a seus pais: Não faço caso de vós; a seus irmãos: Não vos reconheço; a seus filhos: Não vos conheço", porque antepuseram o mandato de Deus (Dt 33,9, referido a Ex 32,26-29). A vida e a cruz: 9,23-24.

14,28-32 As duas parábolas insistem no conhecimento das condições e na plena consciência com que se deve tomar a decisão de seguir Jesus. Diferente parece o caso dos pescadores e de Levi, a quem uma palavra soberana de Jesus ilumina e move (5,1-11.27-28); ou o caso de Paulo, cegado e iluminado (At 9). Talvez se inspirem nas normas de prudência que a sensatez ordena: "Com sensatez constrói-se uma casa... Com estratagemas ganha-se a guerra" (Pr 24,3.6). Contêm um paradoxo na aplicação: se para construir ou fazer guerra é preciso contar com meios, para seguir Jesus, o essencial é não possuí-los.

14,28 Pode tratar-se de uma dessas torres que se construíam nos pomares para vigiar ou como abrigo contra o mau tempo (Is 5,2), mais sólidas e cômodas que uma cabana (Is 1,8).

veem ponham-se a caçoar dele, ³⁰dizendo: Este começou a construir e não pode concluir. ³¹Se um rei vai travar batalha com outro, não senta primeiro para avaliar se poderá resistir com dez mil a quem vem atacá-lo com vinte mil? ³²Se não pode, quando o outro ainda está longe, envia-lhe uma delegação para pedir-lhe a paz. ³³Assim é para qualquer de vós: Quem não renunciar a seus bens, não pode ser meu discípulo.

³⁴O sal é bom; mas, se o sal se torna insosso, com que o temperarão? ³⁵Não serve nem para o campo nem para a esterqueira; deve ser jogado fora. Quem tiver ouvidos para ouvir, escute.

15 A ovelha e a moeda perdidas –

¹Todos os coletores e os pecadores se aproximavam para ouvir. ²Os fariseus e os letrados murmuravam:

– Este recebe pecadores e come com eles.

³Ele lhes respondeu com a seguinte parábola:

– ⁴Se algum de vós tem cem ovelhas e perde uma, não deixa as noventa e nove no deserto e vai atrás da extraviada até encontrá-la? ⁵Sim, ao encontrá-la, a coloca nos ombros contente, ⁶vai para casa, chama amigos e vizinhos e lhes diz: Alegrai-vos comigo, porque encontrei a ovelha perdida. ⁷Eu vos digo que da mesma forma haverá no céu mais festa por um pecador que se arrepende do que por noventa e nove justos que não precisam arrepender-se.

⁸Se uma mulher tem dez dracmas e perde uma, não acende uma lamparina, varre a casa e procura diligentemente até encontrá-la? ⁹Ao encontrá-la, chama as amigas e vizinhas e lhes diz: Alegrai-vos comigo, porque encontrei a dracma perdida. ¹⁰Eu vos digo que da mesma forma se alegrarão os anjos de Deus por um pecador que se arrepende.

O filho pródigo – ¹¹Acrescentou:

– Um homem tinha dois filhos. ¹²O menor disse ao pai: Pai, dá-me a parte

---

14,34-35 Parece dirigido ao discípulo. Terá de diluir-se para comunicar seu sabor e para conservar alimentos: se o perde, será rejeitado.

15,1-2 Começa uma segunda série de parábolas, mais ampla que a do cap. 8. Nesta seção reúnem-se as três parábolas chamadas "da misericórdia" e outras duas sobre o uso dos bens. As três primeiras são construídas com cálculo: sobre uma dupla paralela se levanta a figura dominante. As paralelas são: um homem no campo e sua ovelha extraviada; uma mulher em casa e sua moeda perdida. A terceira costumamos chamar "do filho pródigo", porém melhor seria chamá-la "do pai amoroso". Segundo a introdução, as três se dirigem a "coletores e pecadores", para os quais são verdadeiramente boa notícia, e eles acorrem ansiosos para escutá-la. Em contraste, ressalta o desgosto dos fariseus, apresentados como tipo, e que reaparecerão na figura do irmão mais velho. As três falam do perdão de Deus para o pecador; por isso podemos encabeçá-las com o texto clássico: "Deus não quer a morte do pecador, mas que se converta e viva" (Ez 18,23.32). Predominam nas três os sentimentos, e entre eles, a alegria; é a vantagem de falar com relatos, e não com teorias. Como a ovelha e a dracma, assim o homem, apesar de pecador, é propriedade de Deus: "Perdoas a todos porque são teus, Senhor, amigo da vida" (Sb 11,26).

15,3-7 A primeira toma a imagem de uma atividade muito sensível na tradição bíblica: compare-se a figura do rei pastor que vai à luta para resgatar uma ovelha (1Sm 17,34-36) e a grande exposição de Ezequiel (em particular Ez 34,11-16). As noventa e nove ficam em lugar seguro. Leva a ovelha nos ombros (como em Is 40,11). É um por cento de sua propriedade; no entanto, alegra-se com uma alegria comunicativa e incontida, como se tivesse com a ovelha uma relação pessoal e não simplesmente econômica (cf. 2Sm 12,1-4). É a alegria que sobe até o céu. A frase é audaz: no céu se festeja o acontecimento.

15,8-10 O segundo caso parece mais modesto à primeira vista. Mas a mulher é mais pobre e perdeu um décimo de seus bens. Proporcionalmente a alegria é a mesma e só em parte a aplicação: não se fala de alegria comparativa. Contudo, na alegria acusa um sofrimento precedente: a perda dói. Um pecador convertido é algo valioso que os anjos de Deus recuperam.

15,11-32 Poderíamos partir de dois textos clássicos que revelam o aspecto emotivo e entranhado da paternidade de Deus (Os 11 e Jr 31,18-20). Mais em concreto, um salmo nos fala de Deus pai que, como um pai por seu filho, enternece-se e perdoa (103,13). A "rainha das parábolas" é transparente em seu desenvolvimento: a partida, a dissipação libertina, a queda humilhante, as privações, a saudade da casa paterna, o retorno à nova vida, o abraço sem recriminações, a festa. Contudo, vale a pena observar mais de perto alguns detalhes.

15,11 Ao passar da ovelha e da moeda ao filho, a exposição se torna mais profunda e reveladora. Aqui Jesus está cumprindo algo do que disse (10,22): está revelando o Pai. A paternidade humana é reflexo de Deus, e por isso serve para fazê-lo compreender. O dramático relato de José, com desfecho feliz, nos fala de amor paternal; e dois momentos trágicos na vida de Davi: o primeiro filho de Betsabeia, e Absalão morto (2Sm 12,15-25; 19,1-9).

15,12 A parte que corresponde ao mais novo é um terço dos bens móveis (Dt 21,17). Ben Sirac recomenda não ceder a herança em vida: seria dar poder a outros e submeter-se e estar à mercê deles (Eclo 33,20-24).

da fortuna que me cabe. Ele repartiu os bens entre eles. ¹³Em poucos dias o filho menor reuniu tudo e emigrou para um país distante, onde esbanjou sua fortuna vivendo como um libertino. ¹⁴Quando gastou tudo, sobreveio grave carestia naquele país, e ele começou a passar necessidade. ¹⁵Foi e se comprometeu com um fazendeiro do país, que o enviou a seus campos para cuidar de porcos. ¹⁶Desejava encher o estômago com os frutos da azinheira que os porcos comiam, mas ninguém lhe permitia. ¹⁷Então, caindo em si, pensou: A quantos diaristas de meu pai sobra pão, enquanto eu morro de fome. ¹⁸Voltarei à casa de meu pai e lhe direi: Pequei contra Deus e te ofendi; ¹⁹já não mereço chamar-me teu filho. Trata-me como um de teus diaristas. ²⁰E se pôs a caminho da casa de seu pai. Estava ainda longe, quando seu pai o avistou e se comoveu. Correndo, lançou-se ao seu pescoço e o beijou. ²¹O filho lhe disse: Pai, pequei contra Deus e te ofendi. Já não mereço chamar-me teu filho. ²²Mas o pai disse aos servos: Rápido, trazei a melhor veste e vesti-o; colocai-lhe um anel no dedo e sandálias nos pés. ²³Trazei o bezerro cevado e matai-o. Celebremos um banquete. ²⁴Porque este meu filho estava morto e reviveu. Tinha-se perdido e foi encontrado. E começaram a festa.

²⁵O filho maior estava no campo. Quando se aproximava de casa, ouviu música e danças ²⁶e chamou um dos criados para informar-se do que estava acontecendo. ²⁷Respondeu-lhe: É que veio teu irmão, e teu pai matou o bezerro cevado, pois o recuperou são e salvo. ²⁸Irritado, ele se negava a entrar. Seu pai saiu para exortá-lo. ²⁹Mas ele respondeu a seu pai: Vê: há tantos anos eu te sirvo, sem desobedecer a uma ordem tua, e nunca me deste um cabrito para eu comer com meus amigos. ³⁰Porém, quando chegou esse teu filho, que devorou tua fortuna com prostitutas, mataste para ele o bezerro cevado. ³¹Respondeu-lhe: Filho, tu estás sempre comigo, e tudo o que é meu é teu. ³²Era necessário fazer festa, porque esse teu irmão estava morto e reviveu, tinha-se perdido e foi encontrado.

15,13 Distante significa longe da presença paterna, num desterro voluntário, buscando a liberdade. Uma libertinagem que o leva logo à miséria: "porque bebedores e comilões se arruinarão" (Pr 23,21); "quem se junta com prostitutas dissipa sua fortuna" (29,3; Eclo 18,30-19,2). Fome e miséria não são castigo extrínseco, mas consequência de uma conduta, sanção imanente.

15,15 Submetido como escravo a um patrão pagão (Lv 25,47); "a fome do diarista trabalha por ele, porque sua boca o estimula" (Pr 16,25). Ofício humilhante para qualquer um, mais ainda para um judeu, forçado a ficar entre animais impuros (Lv 11,17). Como se não bastasse, esses animais gozam de melhor sorte que ele.

15,17 O narrador entra na mente do jovem para revelar suas reações. A necessidade faz refletir, ainda em termos de interesse próprio: "naquela ocasião era mais feliz do que agora" (Os 2,9; Jr 2,19).

15,18-19 Superando o interesse próprio, descobre a dimensão transcendente. O pecado vai contra Deus (José, Gn 39,9; o Faraó, Ex 10,16; o povo, Dt 1,41; Davi, 2Sm 12,13; Sl 51,8). O jovem, mesmo que só mentalmente, impõe a pena a si mesmo: perder todos os direitos de filho (cf. Lm 43,9).

15,20 O pai não leva o assunto por via legal (Dt 21,20), mas se deixa levar pelo afeto paternal: "minhas entranhas se comovem e cedo à compaixão" (Jr 31,20); "meu coração se contorce dentro de mim, minhas entranhas se comovem" (Os 11,8); identifica-o de longe, sai correndo a seu encontro. O abraço sela a reconciliação, antes que o filho pronuncie a confissão: "Volta, Israel apóstata, pois não estou irado... não guardo eterno rancor" (Jr 3,12). É recebido como filho: traje e anel serão os sinais externos.

15,24 É um reviver; não a simples volta, mas o arrependimento e o perdão (Jr 3,14; cf. Eclo 32,5s). Uma vida nova merece ser festejada.

15,25-32 A parábola tem uma segunda parte porque nem todos se alegram com o resultado. Há quem não aceita nem compreende a fraqueza do pai. Jonas é um exemplo admirável: não quer ser profeta de um Deus "compassivo e clemente, paciente e misericordioso" (Jn 4,2), capaz de deixar mal seu profeta ao perdoar os inimigos. O irmão mais velho, que regressa do trabalho no campo, discorre em termos de retribuição comparativa, protesta contra o irmão e o pai. E o pai, no mesmo terreno, o faz ver que está bem pago convivendo com ele. O irmão mais velho tem de aceitar a misericórdia do pai e reconciliar-se com seu irmão arrependido. Paternidade gera fraternidade.

15,27 O criado se fixa apenas no aspecto externo: "recuperou são e salvo". Se olhasse em profundidade, diria: "arrependido e transformado". O pai diz: "voltou à vida".

15,29 O filho mais velho designa sua vida dizendo "te sirvo"; o pai replica: "estás sempre comigo, e tudo o que é meu é teu".

No contexto da vida de Jesus, o irmão mais velho pode representar o fariseu como tipo. No contexto posterior, seu alcance é universal. Demos graças a Lucas que contribuiu com essa joia para a literatura universal.

16 Parábola do administrador

¹Dizia aos discípulos:

– Um homem rico tinha um administrador. Chegaram-lhe queixas de que estava esbanjando seus bens. ²Chamou-o e lhe disse: O que é isso que me contam de ti? Presta-me contas de tua administração, pois não poderás continuar no cargo. ³O administrador pensou: O que vou fazer, agora que o patrão me tira o cargo? Não tenho forças para cavar; pedir esmolas me dá vergonha. ⁴Já sei o que vou fazer para que, quando me despedirem, alguém me receba em sua casa. ⁵Foi chamando um por um os devedores de seu patrão, e disse ao primeiro: Quanto deves ao meu patrão? ⁶Ele respondeu: Cem barris de azeite. Disse-lhe: Pega o recibo, senta-te rápido, e escreve cinquenta. ⁷Ao segundo disse: E tu, quanto deves? Respondeu: Cem medidas de trigo. Disse-lhe: Pega teu recibo e escreve oitenta. ⁸O patrão louvou o administrador desonesto pela astúcia com que havia agido. Pois os cidadãos deste mundo são mais astutos com seus colegas do que os cidadãos da luz. ⁹E eu vos digo que com o dinheiro sujo ganheis amigos, de modo que, quando acabar, eles vos recebam na morada eterna. ¹⁰Aquele que é confiável no pouco, é confiável no muito; quem é desonesto no pouco, é desonesto no muito. ¹¹Pois, se com o dinheiro sujo não fostes confiáveis, quem vos confiará o legítimo? ¹²Se no alheio não fostes confiáveis, quem vos confiará o vosso?

¹³Um empregado não pode estar a serviço de dois patrões: pois odiará um e amará o outro, ou apreciará um e desprezará o outro. Não podeis estar a serviço de Deus e do dinheiro.

16,1 As duas parábolas que se seguem têm como tema comum o uso dos bens. Os do patrão no caso do administrador (16,1-13), os próprios no caso do rico (16,19-31). Ambas abrem passagem para suas próprias instruções medianamente ligadas, a primeira aos fariseus (16,14-18), a segunda aos discípulos (17,1-10). A primeira dirige-se aos discípulos; a segunda, por não haver uma segunda mudança, dirige-se aos fariseus.

16,1-9 A parábola do administrador pode soar desconcertante. Porque se diz claramente que ele era desonesto, o patrão o louva, e Jesus no-lo apresenta como modelo. De quê? Que uma parábola intrigue não é desconcertante, mas saudável.

É o administrador de um rico abastado. Acusam-no de má administração, e pela ação do amo deve-se deduzir que a acusação foi comprovada. O castigo lógico é demiti-lo imediatamente. Assim, ele que vivia folgadamente enfrenta uma emergência. Este dado é capital. Como homem entendido em negócios se detém a calcular e buscar saídas para a emergência, dentro do sistema econômico em que se move e conhece por dentro. Descarta duas saídas razoáveis, que ele não é capaz de enfrentar, e planeja outra astuta: criar interesses, buscando cúmplices. Em outros termos, dos devedores do patrão fazer devedores de favores seus. Alguns comentadores dizem que o tanto por cento perdoado cabia a ele; mas o relato não parece apoiar isso. Afinal de contas, o patrão era rico e a perda global de uns mil denários não era excessiva para ele. Maior prejuízo tinha sido a má administração precedente.

O recurso é tão engenhoso quanto desonesto; e o patrão admira o engenho (cf. Pr 22,3; 27,12). É inegável que esse administrador era homem de recursos. Devemos acrescentar por nossa conta a aplicação? Os bens nos foram confiados por Deus para os administrarmos. Sobrevém uma situação de emergência, e eles vão acabar. Com esse dinheiro ao qual se prendem tantas injustiças grandes ou pequenas, é preciso fazer amigos o quanto antes; perdoando dívidas, fazendo favores a outros mais necessitados. Conclusão não menos desconcertante: o próprio Deus, o patrão "defraudado", nos recebe em sua "morada eterna". "Quem se compadece do pobre empresta ao Senhor" (Pr 19,17). A parábola se quebra no final. Porque há uma prudência cristã que é insensatez aos olhos do mundo, mas à luz do evangelho é suprema, prudência paradoxal.

16,3 Ben Sirac disserta sobre a mendicância: "É melhor morrer que andar mendigando; quem depende da mesa alheia tem de saber que não vive" (Eclo 40,28-30).

16,8 Chama os discípulos de "cidadãos (filhos) da luz": ver 1Ts 5,5; Ef 5,8. No novo reino da luz e segundo seu regime deveriam desdobrar iniciativa e engenho na administração dos bens recebidos. Talento e engenho também são dons recebidos que administramos.

16,9 "A esmola livra da morte e expia o pecado; os que dão esmolas se saciarão de vida" (Tb 12,9). "Dinheiro" em grego se diz Mamon, deus da fortuna.

16,10-11 Seguem-se algumas sentenças aparentadas com o tema. Ver a parábola parecida de 19,17-26. O que se requer do administrador é que seja fiel (1Cor 4,2). O primeiro aforismo é geral: o "pouco" e o "muito" admitem muitas identificações. No contexto presente, o pouco são os bens deste mundo, o muito são os bens do céu ou do reino de Deus.

16,12 Mais difícil é o segundo aforismo (alguns manuscritos leem "nosso"). Alheios ao homem (ou a Deus) são os bens que ficam fora e passam; "vosso", próprios, são os bens que Deus entrega ao fiel. Os bens de dentro orientam e regulam o uso dos bens de fora.

16,13 O terceiro é aplicação do primeiro mandamento: o Deus verdadeiro não admite rivais. Mamon, deus das riquezas, quer ser servido como rival ou competidor de Deus (cf. Is 65,11). O dinheiro é para ser administrado como meio de fazer o bem, não como sujeição a ele (Mt 6,24). "Quem ama o

A lei e a boa notícia (Mt 11,12s) – ¹⁴Ouviam tudo isso os fariseus, muito amigos do dinheiro, e caçoavam dele. ¹⁵Ele lhes disse:

– Vós passais por justos diante dos homens, mas Deus vos conhece por dentro. Pois o que os homens exaltam, Deus detesta. ¹⁶A lei e os profetas duraram até João. A partir daí anuncia-se a boa notícia do reinado de Deus, e todos querem forçar o acesso*. ¹⁷Mas é mais fácil que passem céu e terra do que cair um acento da lei. ¹⁸Quem repudia sua mulher e casa com outra, comete adultério; quem casa com uma repudiada, comete adultério.

O rico e Lázaro – ¹⁹Havia um homem rico que vestia púrpura e linho e banqueteava esplendidamente cada dia. ²⁰E havia um pobre, chamado Lázaro, coberto de chagas, e deitado à porta do rico. ²¹Queria saciar-se com o que caía da mesa do rico. Até os cães iam lamber-lhe as chagas.

²²O pobre morreu e os anjos o levaram para junto de Abraão. O rico também morreu e o sepultaram. ²³Estando no Hades, em meio a tormentos, levantou os olhos e avistou Abraão com Lázaro a seu lado. ²⁴Chamou-o e lhe disse: Pai Abraão, tem piedade de mim, e envia Lázaro, para que molhe a ponta do dedo na água e me refres-

---

dinheiro será por ele extraviado... Feliz o homem que se conserva íntegro e não se perverte com a riqueza" (Eclo 31,5.8).

16,14 Em lugar de objeção ou comentário, como é seu costume outras vezes, Lucas faz intervir a zombaria dos fariseus, desta vez como tipos de amor ao dinheiro, e por isso identificáveis com muitos outros. Segundo eles, a riqueza é bênção de Deus, prêmio pela observância. E sem muito preocupar-se, o autor introduz algumas sentenças heterogêneas.

16,15 Outra forma de cobiça: acumular obras de observância pensando que com elas se adquirem direitos sobre Deus, ou direito à recompensa de Deus e à estima dos homens. O alto é a altivez, que Deus detesta: "O Senhor detesta o arrogante" (Pr 16,5; Is 2,9-18). Conhece o coração (Pr 15,11; 16,5).

16,16-17 O regime antigo, lei e profetas, terminou com o Batista. Com Jesus começa o regime novo, o reinado de Deus. É preciso esforço e luta para incorporar-se a ele, ou ceder a seu convite premente. Outros o interpretam em relação à violência externa a que se vê submetido. Contudo, a substância da lei continuará em vigor; ou a lei do novo reino de Deus (cf. Sl 102,26s). Se a lei era a vontade de Deus formulada para os homens, ao chegar o reinado de Deus, cumpre-se perfeitamente.

16,16 * Ou: *usam de violência contra ele.*

16,18 Precisamente nesse ponto do divórcio, Jesus anula a lei de Dt 24,1. Ver a explicação de Mc 10,11-12 e 1Cor 7,10-11.

16,19-31 A segunda parábola costuma ser chamada do "rico Epulão e Lázaro", fazendo do latim *epulo* = comilão, um nome próprio. O rico da parábola não tem nome, o pobre se chama Lázaro = Eleazar = Deus auxilia. As avaliações correlativas de bem-aventuranças e mal-aventuranças (6,20.24) se cumprem neste relato; nele se realiza a reviravolta que Ana e Maria cantam (1Sm 2; Lc 1,52-53). Não nesta vida, mas num além imaginado e descrito segundo algumas crenças da época.

A parábola é clara na colocação (cf. Pr 22,2), desenvolvimento e conclusão. Em busca de clareza, corremos o perigo de não tomá-la como parábola, mas como manual de novíssimos. Ora, se a tomamos como descrição realista, muitas coisas estranhas se deduzem: que no céu os eleitos se banqueteiam reclinados sobre almofadas, com Abraão no lugar principal; que céu e inferno são dois lugares ao alcance da vista e da palavra, separados por uma espécie de abismo ou desfiladeiro; que do inferno se pode interceder pelos vivos. Será preciso tomar uma metade em sentido realista e outra metade em sentido metafórico?

Segundo o profeta Ezequiel, "este foi o pecado de Sodoma: soberba, fartura de pão e bem-estar aprazível... mas não deu uma mão ao infeliz e pobre" (Ez 16,49). E qual foi seu castigo? "Do céu o Senhor fez chover fogo e enxofre sobre Sodoma e Gomorra, e arrasou aquelas cidades" (Gn 19,24-25).

A parábola se coloca no terreno das posses, na oposição entre riqueza e pobreza. Apresenta um rico pecador e um pobre que supõe justo. Afirma que haverá castigo e prêmio transcendentes depois da morte. O pecado é exposto com dados do rico e de seus irmãos. Consiste em entregar-se à boa vida sem preocupar-se com os necessitados (Is 22,13; Ez 16,49; Am 6,4-6; Sb 2). Uma riqueza empregada assim é injusta. Acrescenta-se o não fazer caso da Escritura, Moisés e profetas; fórmula que é todo um tratado de rebeldia. Na Escritura é bem clara e reiterada a exigência de socorrer o pobre (p. ex., Dt 15,1-11; Is 58).

De Lázaro se contam os sofrimentos, não as virtudes. Estas se deduzem do fato de ele ser levado ao céu pelos anjos. Não consegue afugentar os cães que lhe lambem a umidade das chagas.

Imagina-se já cumprido o anúncio de Daniel: "Muitos dos que dormem no pó despertarão: uns para a vida eterna, outros para a vergonha perpétua" (Dn 12,2). Com variantes: o rico "é sepultado", o pobre não, pelo contrário, é levado ao céu, onde o primeiro patriarca ocupa o lugar de honra.

16,23 Salvo raríssimas exceções (Jó 14,22), o Xeol do AT não é lugar de tormentos e sim de existência sem vida. A parábola segue representações que conhecemos dos apócrifos (4Esd), com fogo do forno instalado no vale de Enom (Geena). Lázaro está reclinado ao lado direito de Abraão, em cuja almofada se apoia com o cotovelo esquerdo.

16,24 O fogo como tormento não é tradicional. É o elemento divino, o inacessível, em Is 33,14, o aniquilador em Sl 68,3.

que a língua, pois estas chamas me torturam. ²⁵Abraão respondeu: Filho, recorda que em vida recebeste bens, e Lázaro, por sua vez, desgraças. Agora ele é consolado, e tu, atormentado. ²⁶Além disso, entre vós e nós há um abismo imenso; de modo que, ainda que se queira, não é possível atravessar daqui até vós, nem passar daí até nós. ²⁷Insistiu: Então, por favor, manda-o à casa de meu pai, ²⁸onde tenho cinco irmãos, para que os admoeste a fim de que não venham também eles parar neste lugar de tormento. ²⁹Abraão lhe disse: Eles têm Moisés e os profetas: que os escutem. ³⁰Replicou: Não, pai Abraão; se um morto os visita, eles se arrependerão. ³¹Disse-lhe: Se não escutam Moisés nem os profetas, mesmo que um morto ressuscite, não lhe farão caso.

17

Instruções aos discípulos (Mt 18,6s.21s; Mc 9,42) – ¹Disse a seus discípulos:

– É inevitável que haja escândalos; mas ai de quem os provoca! ²Seria melhor que lhe encaixassem no pescoço uma pedra de moinho e o atirassem ao mar, antes de escandalizar a um desses pequenos. ³Ficai atentos: Se teu irmão pecar, repreende-o; se se arrepender, perdoa-o. ⁴Se sete vezes ao dia te ofender e sete vezes voltar a ti dizendo que se arrepende, perdoa-o.

⁵Os apóstolos disseram ao Senhor:

– Aumenta-nos a fé.

⁶O Senhor disse:

– Se tivésseis fé como um grão de mostarda, diríeis a essa amoreira: Arranca-te pela raiz e planta-te no mar, ela vos obedeceria.

⁷Quem de vós, se tem um servo arando ou pastoreando, quando voltar do campo, lhe dirá que sente depressa à mesa? ⁸Pelo contrário, lhe dirá: Prepara-me de comer, cinge-te e serve-me enquanto como e bebo; depois comerás e beberás tu. ⁹Terá de agradecer ao servo por ter feito o que mandou? ¹⁰Assim também vós: Quando tiverdes feito tudo o que vos mandaram, dizei: Somos servos inúteis, cumprimos nosso dever.

Cura dez leprosos – ¹¹Caminhando para Jerusalém, atravessava a Samaria e Galileia. ¹²Ao entrar numa aldeia, saíram a seu encontro dez leprosos que pararam a certa distância ¹³e, levantando a voz, disseram:

– Jesus, Senhor, tem piedade de nós.

¹⁴Ao vê-los, disse-lhes:

16,25 A resposta de Abraão desmente uma teoria da retribuição nesta vida. Pobreza e riqueza estão em correlação. A riqueza de um, desfrutada com egoísmo, provocou e conservou a pobreza do outro. As vítimas inocentes que choram "serão consoladas".

16,26 Nesta vida convivem ricos e pobres, malvados e honrados. Na vida futura a separação é definitiva e insuperável.

16,31 A frase se abre para sugerir a ressurreição de Jesus e a resistência dos incrédulos. Segue-se uma nova série de instruções heterogêneas.

17,1-2 Escândalo é o que faz tropeçar e cair (Sl 73,2); geralmente se refere à fé. É um agravante que as vítimas sejam os pequenos: "Não amaldiçoarás o surdo nem porás tropeços ao cego" (Lv 19,14). São inevitáveis, porque brotam como reação a exigências do evangelho, e também de estilos de vida socialmente aceitos e amplamente divulgados. Os pequenos, os fracos e necessitados, os que passam por crises estão mais expostos. Paulo tira uma aplicação: "Comendo, não destruas alguém pelo qual o Messias morreu... Por um alimento não destruas a obra de Deus" (Rm 14, 15.20).

17,3-4 Lucas fala primeiro de pecado em geral e recomenda a repreensão ou admoestação, para que o pecador se dê conta e se corrija. É uma espécie de denúncia profética em formato menor. Ora, perdoar o irmão supõe que ele nos ofendeu (Gn 50,15-21; Eclo 28,1-6). Segundo a doutrina do Levítico (Lv 19,17). O culpado seja rápido em arrepender-se, humilde em pedir perdão; o ofendido esteja sempre disposto a que, pelo perdão, triunfe a paz. Irmão é o israelita no AT, é o cristão no NT.

17,5-6 A força da fé não depende da grandeza, mas sim do seu ponto de apoio que é a promessa de Jesus. Pedir que Jesus a faça crescer já é expressão de fé, estima do seu valor, consciência da própria impotência. A pitoresca imagem da amoreira é própria de Lucas; é uma imagem hiperbólica empregada para encarecer o poder sobre-humano da fé.

17,7-10 A parábola, com toda a dureza da cena descrita, vem sublinhar a relação de serviço do discípulo. Não pode alegar direitos nem exigir remuneração. O que lhe compete é simplesmente estar sempre a serviço de Jesus, com a humildade de quem reconhece a desproporção entre sua prestação e a tarefa encomendada.

17,11-19 Embora não se trate de lepra em sentido clínico, trata-se de uma doença grave e contagiosa, de pele, que impede a participação no culto e na vida civil ordinária. O Levítico regula a conduta desses doentes, pensando mais em proteger os outros do contágio do que em prestar ajuda aos necessitados. Também regula a conduta em caso de cura: cabe aos sacerdotes examinar, opinar e dar a permissão para a reincorporação plena à sociedade (Lv 13,45-46; 14,2). Um caso parecido, embora menor, se conta de Maria, irmã de Moisés, confinada sete dias fora do acampamento (Nm 12,9-16); é clássico o caso do sírio Naamã, curado nas águas do Jordão e convertido

– Ide apresentar-vos aos sacerdotes.

Enquanto iam, ficaram curados. ¹⁵Um deles, vendo-se curado, voltou glorificando a Deus em voz alta, ¹⁶e caiu de bruços a seus pés, dando-lhe graças. Era samaritano. ¹⁷Jesus tomou a palavra e disse:

– Não foram curados os dez? Onde estão os outros nove? ¹⁸Não houve quem voltasse para dar glória a Deus, a não ser este estrangeiro?

¹⁹E lhe disse:

– Levanta-te, vai, tua fé te salvou.

A chegada do reinado de Deus (Mt 24, 23-28.37-41) – ²⁰Os fariseus lhe perguntaram quando iria chegar o reinado de Deus, e ele lhes respondeu:

– A chegada do reinado de Deus não está sujeita a cálculos; ²¹nem dirão: Ei-lo aqui! Ei-lo ali! Porque está entre vós.

²²Depois disse aos discípulos:

– Chegarão dias em que desejareis ver um dos dias deste Homem, e não o vereis. ²³Se vos disserem: Ei-lo aqui! Ei-lo ali! não saiais nem os sigais. ²⁴Pois, como o relâmpago brilha de um horizonte a outro, assim será o Filho do Homem [quando chegar o seu dia]. ²⁵Mas primeiro deve padecer muito e ser reprovado por esta geração. ²⁶O que aconteceu no tempo de Noé acontecerá no tempo do Filho do Homem: ²⁷Comiam, bebiam, casavam-se, até que Noé entrou na arca, veio o dilúvio e acabou com todos. ²⁸Ou como aconteceu no tempo de Ló: Comiam, bebiam, compravam, vendiam, plantavam, construíam. ²⁹Mas, quando Ló saiu de Sodoma, choveu fogo e enxofre do céu e acabou com todos. ³⁰Assim será o dia em que se revelar o Filho do Homem.

---

ao culto do Deus de Israel (2Rs 5); muito curiosa é a atuação dos quatro leprosos durante o cerco de Samaria (2Rs 7).

Os doentes incuráveis se movem em grupos. Quando chega Jesus, ficam a certa distância, para não contaminarem: "Afasta-te, estou impuro, afasta-te, não me toqueis!" (Lm 4,15); e daí gritam pedindo ajuda. A ordem que Jesus dá implica o processo de cura, pois adianta o final, o testemunho oficial dos sacerdotes. Ao obedecer a Jesus, os leprosos já demonstram confiança, pois do contrário evitariam o diagnóstico oficial. Pelo caminho de ida descobrem que estão curados, sem necessidade de abluções, banhos e vários ritos, e então um volta nem mais para agradecer, enquanto os outros, cumprindo o mandato de Jesus, preocupam-se com o aspecto jurídico, ou seja, o ser oficialmente declarados curados.

É frequente no Saltério que o homem curado ou libertado acorra a dar graças a Deus na presença de uma assembleia (Sl 31,22-25). Aqui um dos curados, adiando o requisito legal, retorna, dá glória a Deus em alta voz, dá graças a Jesus e se prostra a seus pés: uma síntese significativa. O gesto do samaritano (meio pagão) põe em relevo a ingratidão dos nove judeus, que parecem esquecer-se de deveres elementares ou não reconhecer a mediação de Jesus. A gratidão a Jesus pela salvação é componente essencial da vida cristã.

17,19 Tua fé te salvou: e os outros nove? curou-os, apesar de não terem fé? ou a salvação de que fala abrange mais que a simples cura?

17,20-37 Como em outras ocasiões, Lucas reparte uma instrução em duas seções, uma para os discípulos, outra para os demais. Desta vez responde primeiro aos fariseus sobre o tempo do reinado de Deus e depois instrui os discípulos sobre a vinda do Messias. A segunda parte é como uma antecipação do grande discurso escatológico do cap. 21.

17,20-21 A expressão "reino/reinado de Deus" é quase exclusiva de Jesus. Mas um conteúdo semelhante, com outros aspectos, era conhecido, esperado e objeto de especulações. Dois salmos anunciam a chegada de Yhwh como rei (96,13-14 e 98,8-9). Muitos judeus esperavam a restauração política de Israel. Como Jesus anunciou repetidas vezes a chegada do reinado de Deus, os fariseus o identificam com sua expectativa e lhe perguntam a data exata.

Jesus evita uma resposta em termos de cronologia. O reinado de Deus já está presente e ativo entre eles, na pessoa e ação de Jesus: proclamou-o na sinagoga de Nazaré (4,16). Só falta que o queiram reconhecer. A resposta conserva e aumenta sua vigência no tempo da igreja pela presença do Ressuscitado, "eu estou convosco".

17,22 Depois se dirige aos discípulos para exortá-los à vigilância. O texto distingue "dias" e "o dia". Segundo o ensinamento tradicional, há dias de Yhwh nos quais o Senhor intervém de forma extraordinária na história; há também o dia decisivo de Yhwh, num futuro indefinido. Exemplo clássico de ambos é o livro de Joel: a praga dos gafanhotos e a libertação são um dia de intervenção divina (caps. 1-2); nos capítulos seguintes anuncia-se "o dia do Senhor, grande e terrível" (9,4). Também a "figura humana" de Dn 7 tem seus tempos (Dn 9,2.24-26 e 12,11-12 se ocupam de cômputos e suscitaram especulações). Os discípulos quererão assistir a alguns desses dias (22) e não o obterão; ao contrário, devem esperar "o dia" (vv. 30-31). Tempo e lugar não são previsíveis; só é certo que antes deve acontecer a paixão do Senhor (cf. a pergunta de 19,11). Diz isso caminhando para Jerusalém.

17,26-30 Será como no tempo do dilúvio (Gn 6-8) ou da catástrofe da Pentápole (Gn 19). Enquanto o povo está ocupado com os assuntos da vida e despreocupado de assuntos transcendentes, sobrevém

³¹Nesse dia, se alguém estiver no terraço e seus utensílios em casa, não desça para recolhê-los; o mesmo se alguém estiver no campo, não volte atrás. ³²Lembrai-vos da mulher de Ló. ³³Quem se empenha em conservar a vida a perderá, quem a perder a conservará. ³⁴Eu vos digo: nessa noite estarão dois numa cama: um será arrebatado, o outro deixado; ³⁵haverá duas mulheres moendo juntas: uma será arrebatada, a outra deixada*.

³⁷Perguntaram-lhe:

– Onde, Senhor?

Respondeu-lhes:

– Onde está o cadáver se reúnem os abutres.

18 Parábola do juiz e a viúva – ¹Para inculcar-lhes que é necessário orar sempre sem se cansar, contou-lhes uma parábola:

– ²Havia numa cidade um juiz que não temia a Deus nem respeitava os homens. ³Na mesma cidade havia uma viúva que recorria a ele para dizer-lhe: Faze-me justiça contra meu rival. ⁴Por um tempo ele se negou, porém, mais tarde pensou: Embora eu não tema a Deus nem respeite os homens, ⁵visto que esta viúva está me importunando, eu lhe farei justiça, para que não me esbofeteie.

⁶O Senhor acrescentou:

– Atenção ao que diz o juiz injusto. ⁷E Deus, não fará justiça a seus escolhidos se gritam a ele dia e noite? Ele os fará esperar? ⁸Eu vos digo que lhes fará justiça logo. Porém, quando o Filho do Homem chegar, encontrará essa fé na terra?

O fariseu e o coletor – ⁹Para alguns que confiavam em sua própria honradez e desprezavam os demais, contou-lhes esta parábola:

---

o julgamento. É interessante a síntese descritiva da vida cotidiana: sustento e família, comprar e vender (economia), plantar (agricultura), construir (vida urbana). O julgamento se dará pela água ou pelo fogo (cf. 2Pd 3,5-7 numa interpretação peculiar). Será juízo de separação (vv. 34-35), como o anuncia uma escatologia: "meus servos cantarão de pura alegria e vós gritareis de pura dor" (Is 65,13-15), como sucedera já no Egito (Ex 8,19; 9,4.7).

17,31-33 Nesses momentos de crise ninguém deve confiar em falsas referências, pois a vinda será celeste e visível para todos, como relâmpago que alumia toda a abóbada celeste e ofusca a terra (cf. Sl 77,19). Então será preciso arriscar tudo, até a vida, para salvar-se (v. 33), sem deter-se em recolher pertences que já não servem (v. 31), sem voltar atrás como a mulher de Ló (Gn 19,17.26; Sb 10,7). Noé preparou-se para salvar-se na arca, Ló fugiu precipitadamente. Há momentos urgentes em que atarefar-se com medidas de segurança é entregar-se à catástrofe, ao passo que arriscar tudo é salvação. O hebraico o afirma assim (literalmente): "Tomarei minha carne em meus dentes, porei minha alma em minha palma" (Jó 13,14).

Podemos resumir: um tempo próximo da paixão, um tempo de espera da Igreja, um dia final de julgamento.

17,35 Refere-se ao doméstico moinho de mão, acionado por duas mulheres de uma só vez (Jr 25,10).
* Alguns manuscritos acrescentam (segundo Mt 24,40): ³⁶*Dois estarão no campo: um será tomado, o outro será deixado.*

17,37 Os discípulos perguntam pelo lugar do julgamento, talvez por referência ao "vale de Josafá" (Jl 4,2). A resposta de Jesus continua sendo evasiva. A imagem parece ser eco de Ez 39: a grande matança do inimigo invasor atrai as aves do céu: "Dize a todas as aves e às feras selvagens: Reuni-vos e congregai-vos, vinde ao banquete que vos preparei".

18,1 Lucas antecipa a intenção didática da parábola e a enquadra assim na sua explicação. Não longas orações, mas sim reiteradas e prementes. Para que venha o Senhor fazer justiça.

18,2-8 As viúvas eram um grupo especial particularmente exposto a abusos legais e judiciais, entre outras razões, porque não podiam subornar nem pagar (Is 1,17.23; Pr 15,25; Sl 94,6). O juiz em função era "iníquo": não temia a Deus nem respeitava as pessoas. É significativa a associação: respeitar a Deus e as pessoas; implicam-se mutuamente (cf. Sl 14 e, em forma positiva, as parteiras egípcias, Ex 1,17). Os julgamentos costumavam celebrar-se à porta da cidade ou em outro lugar público, de modo que a viúva tinha acesso e podia reclamar publicamente. A mulher não desespera nem se resigna, insiste tenazmente. É sua única arma; resignar-se seria fazer o jogo da injustiça. Até que o juiz ceda e se ocupe dela por puro egoísmo: para que não me encha (diríamos em linguagem popular).
É audaz sobrepor a Deus a imagem do juiz injusto e egoísta. Quando Deus tolera o malvado e deixa sofrer suas vítimas, é injusto? (Jr 15,15). A surpresa nos faz fixar-nos mais no ponto central: Deus fará justiça, e sem demora. O salmista repete "até quando?" (Sl 13). Muitos acontecimentos históricos induzem os homens a duvidar da justiça de Deus. Deus não se omite nem desatende os escolhidos: "Há um Deus que faz justiça na terra" (Sl 9,9; 58,12; 94,2). Virá fazer justiça; mas não basta: o escolhido deve conservar a fé para continuar orando e para receber o que vem. A fé e a esperança num Deus, justo juiz, deve animar a Igreja até o fim de seu itinerário terrestre.

18,9-14 Essa parábola é extremamente importante. Descreve satiricamente um tipo de religiosidade falsa e contrapõe-lhe afetuosamente um tipo autêntico. O fariseu é um personagem do relato, figura típica que se pode encontrar em todas as latitudes. O

—¹⁰Dois homens subiram ao templo para orar: um era fariseu, o outro coletor. ¹¹O fariseu, de pé, orava assim em voz baixa: Ó Deus, eu te dou graças porque não sou como o resto dos homens, ladrões, injustos, adúlteros, ou como esse coletor. ¹²Jejuo duas vezes por semana e pago dízimos de tudo o que possuo. ¹³O coletor, à distância, nem sequer levantava os olhos ao céu, mas batia no peito, dizendo: Ó Deus, tem piedade deste pecador. ¹⁴Eu vos digo que este voltou para casa absolvido, o outro não. Pois, quem se exalta será humilhado, e quem se humilha será exaltado.

Abençoa algumas crianças (Mt 19,13-15; Mc 10,13-16) – ¹⁵Aproximaram-lhe também algumas crianças para que as tocasse. Ao ver isso, os discípulos as repreendiam. ¹⁶Mas Jesus chamou-as, dizendo:

– Deixai que as crianças se aproximem de mim e não as impeçais, pois a elas pertence o reino de Deus. ¹⁷Eu vos assegura que quem não receber o reino de Deus como uma criança, não entrará nele.

O homem rico (Mt 19,16-30; Mc 10,17-31) – ¹⁸Um dos chefes lhe perguntou:

– Bom Mestre, que devo fazer para herdar vida eterna?

¹⁹Jesus lhe respondeu:

– Por que me chamas bom? Ninguém é bom, a não ser somente Deus. ²⁰Conheces os mandamentos: *Não cometerás adultério, não matarás, não roubarás, não perjurarás, honra teu pai e tua mãe.*

²¹Respondeu-lhe:

– Cumpri tudo desde a adolescência.

²²Ao ouvir isso, Jesus lhe disse:

– Falta-te uma coisa: Vende o que tens, reparte-o com os pobres e terás um tesouro no céu; depois, segue-me.

²³Ao ouvir isso, entristeceu-se, pois era muito rico.

---

personagem está satisfeito de si e despreza os demais: a conexão é significativa. A ação de graças é recitada no AT pelos benefícios recebidos de Deus; o fariseu a perverte dando graças a Deus por sua própria bondade, a de suas obras e observâncias (Dt 14,22).

Também o coletor é personagem típico. Os judeus qualificavam tais pessoas de pecadoras. Diante de Deus, o publicano não rejeita o título de pecador; assume-o no arrependimento: "Declarei-te meu pecado, não te encobri meu delito" (Sl 32,5). Só pede piedade (Sl 51,3-11; 41,5). Obtém o perdão e começa a ser justo, a estar em paz com Deus: "Feliz o homem a quem o Senhor não aponta o delito e cuja consciência não é turva" (Sl 32,1-2).

A sentença conclusiva é mais ampla que a parábola, mas nos ensina que o arrependimento e a confissão do pecado são uma forma egrégia de humildade (Ez 17,24). A parábola se dirige de cheio à Igreja. "E assim ninguém poderá orgulhar-se diante de Deus" (1Cor 1,29).

18,15-17 No contexto histórico, a cena das crianças mostra a atitude bondosa e não convencional de Jesus; o toque de suas mãos valerá como uma bênção. Em ambos circula uma mútua corrente de simpatia. Jesus vê sua filiação refletida nelas e as aproxima, ultrapassando sua inconsciência. No contexto literário, equivale a uma ação simbólica: as crianças encarnam espontaneamente a atitude fundamental para entrar no reino de Deus. Não têm de confessar pecados como o coletor, mas não alegam méritos como o fariseu; sua fraqueza as leva à confiança e ao abandono (Sl 131,2) e ao louvor singelo (Sl 8,2). No contexto da comunidade, os críticos questionam se o relato teria algo a ver com a questão do batismo das crianças.

18,18-30 Segue-se uma série sobre a riqueza e a pobreza dos discípulos: riqueza e seguimento (vv. 18-23), riqueza e reino de Deus (vv. 24-27), pobreza dos seguidores (vv. 28-30).

18,18-23 Um chefe, não sabemos se da sinagoga ou do conselho. Lucas não diz que era jovem. Podemos notar o tema da bondade, e a tensão tudo/falta algo. Talvez seja preciso uni-los e ver a bondade como a plenitude que só se dá em Deus (cf. Sl 16,2). Esse homem tem boa disposição básica: cumpriu tudo, como o inculca o Deuteronômio, e aspira à vida transcendente e sem fim. O Deuteronômio promete vida longa para os cumpridores, prolongar a vida, continuidade do povo na terra (Dt 4,40; 5,16; 6,2 etc.). O chefe aspira mais.

Começa com o título cortês e desusado, talvez de cultura grega, e Jesus se aproveita disso para elevar-se à origem de tudo, mostrando dessa forma ser um "bom mestre". Deus mostrou "toda a sua bondade" a Moisés (Ex 33,19) e os salmos a cantam (25,7; 27,13; 31,20; 145,7). Em sentido pleno, só Deus é bom, como é sábio (segundo Eclo 1,8).

O chefe fez a pergunta clássica da espiritualidade da lei: obras para ganhar/herdar a vida eterna. A tal colocação responde suficientemente a lei, o decálogo (Ex 20,13-16); Jesus enumera preceitos da "segunda tábua" e não menciona as observâncias. O homem se sente satisfeito (sem desprezar os outros): com suas obras garantiu para si a vida eterna. "Ensinaste-me, Senhor, desde a juventude" (Sl 71,17). Cumpriu "tudo".

18,22-23 Nesse ponto, Jesus intervém: não tudo, falta algo, o mais importante. Livrar-se das riquezas em favor dos pobres (cf. Sl 112,9; Eclo 29,11) e seguir pessoalmente Jesus. O chefe rico se entristece: quereria continuar em companhia de Jesus sem abandonar suas posses. Doravante ficará com elas e com seus mandamentos. Valeu mais Mamon, rival de Deus. Um tesouro no céu, reservado por Deus para a outra vida: "Quão grande bondade reservas a teus fiéis" (Sl 31,20), ou, será Deus = céus, o teu tesouro.

²⁴Vendo isso, Jesus disse:

– Como é difícil para os que possuem riquezas entrar no reino de Deus! ²⁵Um camelo entrará pelo vão de uma agulha mais facilmente que um rico no reino de Deus.

²⁶Os que o ouviam disseram:

– Então, quem poderá salvar-se?

²⁷Ele respondeu:

– O que é impossível para os homens é possível para Deus.

²⁸Então Pedro disse:

– Vê: nós deixamos o que é nosso e te seguimos.

²⁹Respondeu-lhe:

– Eu vos asseguro que ninguém que tenha deixado casa ou mulher ou irmãos ou parentes ou filhos pelo reino de Deus, ³⁰deixará de receber muito mais nesta vida e vida eterna na era futura.

Novo anúncio da morte e ressurreição (Mt 20,17-19; Mc 10,32-34) – ³¹Levando os doze à parte, disse-lhes:

– Vede: Subimos a Jerusalém e se cumprirá neste Homem tudo o que os profetas escreveram. ³²Será entregue aos pagãos: caçoarão dele, o insultarão, cuspirão nele, ³³o açoitarão e o matarão; e no terceiro dia ressuscitará.

³⁴Eles não entenderam nada, o assunto lhes era obscuro, e não compreendiam o que ele dizia.

O cego de Jericó (Mt 20,29-34; Mc 10, 46-52) – ³⁵Quando se aproximava de Jericó, um cego estava sentado junto ao caminho pedindo esmola. ³⁶Ao ouvir que passava a multidão, perguntou o que estava acontecendo. ³⁷Disseram-lhe que Jesus de Nazaré estava passando. ³⁸Ele gritou:

– Jesus, filho de Davi, tem piedade de mim!

³⁹Os que iam à frente o repreendiam para que calasse. Mas ele gritava mais forte:

– Filho de Davi, tem piedade de mim!

⁴⁰Jesus parou e mandou que o buscassem. Quando o teve próximo, perguntou-lhe:

– ⁴¹Que queres que eu te faça?

Respondeu:

– Senhor, que eu recupere a visão.

⁴²Jesus lhe disse:

– Recupera a visão, tua fé te salvou.

⁴³No mesmo instante recuperou a visão e o seguia glorificando a Deus; e o povo, ao ver isso, louvava a Deus.

18,24-27 O fato provoca uma reflexão geral de Jesus. É muito difícil, e inclusive "humanamente impossível" conciliar riquezas e reinado de Deus. Explica-o com uma comparação que faz sentido como hipérbole. A razão são as atitudes que a riqueza costuma induzir: confiança nela e descuido dos pobres, como mostrou a parábola de Lázaro (16,19-31; cf. Eclo 13,3.20); e além do mais, porque o reino de Deus é dos pobres (6,20). Contudo, Deus pode mover o coração de modo que os homens anteponham o reinado dele às posses. "Feliz o homem que se conserva íntegro e não se perverte pela riqueza... fez algo admirável em seu povo" (Eclo 31,8-9); "a mão do Senhor não fica curta para salvar" (Is 59,1).

18,28-30 Então adianta-se Pedro como o próximo da fila: se o chefe cumpriu "todos" os mandamentos, nós fizemos "tudo o que faltava". É verdade, diz Jesus: eles e todos os que no futuro forem como eles serão recompensados com outros bens já nesta vida e receberão a vida eterna, que o chefe rico procurava.

18,31-34 Só para os doze prediz de novo (9,21-22.44-45) o fato e alguns detalhes da sua paixão e morte, e também sua ressurreição. Eles continuam incapazes de entender o mistério da paixão (Is 53,1; cf. Dt 29,3), não obstante os profetas já o terem anunciado (entre os quais inclui talvez Davi, Sl 22); apesar de estar acostumados a escutar os livros proféticos e a recitar os salmos. Ou seja, tudo será cumprido, não só a vertente triunfal; essa se cumprirá, mas através da paixão.

18,35 Dois episódios em Jericó respondem de algum modo ao que vai sendo narrado. O cego que reconhece o Messias contrasta com a cegueira mental dos doze. O rico que se converte revela o que é possível para Deus. O cego, sem ver, já conhece o Filho de Davi; Zaqueu procura ver e chega a conhecer o Senhor.

18,35-43 Se é importante e significativa a cura que Jesus efetua (Is 35,5-6), não o é menos no relato a confissão do cego em três tempos. Primeiro reconhece-o como Messias sucessor de Davi (Jr 33,15; Ez 34,23-24; 37,24), depois chama-o de Senhor (cf. Fl 2,11), finalmente dá glória a Deus e segue Jesus. É um itinerário para todos os que se convertem: podemos recordar que o batismo se chamou "iluminação" (cf. Hb 6,4; 10,32); estes a fé salva.

18,35 Jericó impõe uma descida profunda antes da subida definitiva para Jerusalém.

18,37 O povo o identifica com seus dados civis, nome e naturalidade, Jesus de Nazaré.

18,38-39 O cego, que não calcula a distância, grita, por mais que o repreendam. É o grito genérico "tem piedade" (Sl 57,2; 123,3).

18,40-41 Jesus manda que ele se aproxime para dialogar e lhe pede que especifique o pedido. Jesus nos pede que lhe peçamos, com fé. Uma esmola já seria piedade (Sl 112,5); será muito pouco para a generosidade de Jesus.

19 Jesus e Zaqueu

— ¹Entrando em Jericó, atravessava a cidade, ²quando um homem chamado Zaqueu, chefe de coletores e muito rico, ³tentava ver quem era Jesus; porém, não o conseguia por causa da multidão, pois era baixo de estatura. ⁴Adiantou-se correndo e subiu a um sicômoro para vê-lo, pois iria passar por ali. ⁵Quando Jesus chegou ao lugar, levantou os olhos e lhe disse:

— Zaqueu, desce depressa, pois hoje tenho de hospedar-me em tua casa.

⁶Ele desceu apressadamente e o recebeu muito contente. ⁷Ao ver isso, todos murmuravam, dizendo que fora hospedar-se em casa de um pecador. ⁸Mas Zaqueu se pôs de pé e disse ao Senhor:

— Vê, Senhor: dou a metade de meus bens aos pobres, e a quem defraudei restituo quatro vezes mais.

⁹Jesus lhe disse:

— Hoje chegou a salvação a esta casa, pois também ele é filho de Abraão. ¹⁰Porque este Homem veio procurar e salvar o que estava perdido.

Parábola dos empregados (Mt 25,14-30)

— ¹¹Como a multidão o escutasse, acrescentou uma parábola, pois estavam perto de Jerusalém e eles criam que o reinado de Deus iria revelar-se de um momento para outro. ¹²Disse então:

— Um homem nobre partiu para um país distante para ser nomeado rei e voltar. ¹³Chamou dez empregados seus, entregou-lhes mil denários e recomendou: negociai até que eu volte. ¹⁴Seus concidadãos, que o odiavam, enviaram atrás dele esta embaixada: Não queremos que esse seja nosso rei. ¹⁵Nomeado rei, voltou e chamou os

---

19,1-10 Pelo relato e por textos paralelos, compreendemos que a riqueza de Zaqueu procede do seu ofício, desempenhado sem escrúpulos. Os romanos davam em arrendamento a cobrança de impostos sem exigir outra coisa senão o pagamento pontual da quantidade estipulada. Um chefe de coletores, como intermediário superior, tinha mais ocasiões para enriquecer-se "defraudando": não o fisco, mas os pobres cidadãos. Zaqueu deseja ver Jesus, e sua curiosidade não parece simplesmente superficial. De alguma maneira, também ele se pergunta quem é (como Herodes e melhor que ele, 9,9). Jesus se adianta (Sl 59,11; 79,8), sai ao seu encontro, pede pousada a um pecador. Talvez a vinheta do homem muito rico e muito baixinho, que sobe numa árvore, seja irônica. A cena ganha com isso interesse, já que Jesus tem que falar-lhe olhando para cima. Jesus o chama pelo nome, como se o conhecesse, como se houvesse descido expressamente para visitá-lo.

Zaqueu obedece contente: é uma honra Jesus se hospedar em sua casa: como a arca na casa de Obed-Edom e de Davi (2Sm 6), como pede o autor de um salmo: "Quando virás à minha casa?" (101,2). Mas o fato provoca uma reação contrastada, em triângulo: os presentes, Zaqueu, Jesus.

Os presentes se escandalizam, pois o importante é observar as normas da pureza legal. Zaqueu faz uma devolução generosa, acima do duplo que a lei exige (Ex 22,1-4), mesmo segundo o cálculo de Davi, "quatro vezes" (2Sm 12,6). À maneira de expiação, reparte a metade da sua fortuna com os pobres e fica com o resto. Não se desprende de tudo para seguir Jesus, pois não foi chamado. Jesus faz a declaração final: como a um "filho de Abraão" (13,6), cabe a ele e à sua casa a promessa de salvação. Um profeta, sem definir data, anunciava: "Praticai a justiça, pois minha salvação está para chegar". Jesus declara: Hoje chegou, porque ele é o Salvador que veio buscar o que estava perdido (Ez 34,7).

19,11-27 É uma montagem hábil de duas peças: a do pretendente a rei e a do dinheiro a juros. A primeira se inspira provavelmente em algum fato histórico, quando os romanos depunham e nomeavam reis locais, embora possa recordar antecedentes bíblicos (1Sm 10,27; 11,12). A segunda é uma exortação a trabalhar com os dons recebidos.

19,11 A introdução esclarece a dupla parábola. Jesus vai subindo a Jerusalém: para padecer e ser glorificado. Vai caminhar para receber do Pai o poder real (cf. Sl 72,1-2; 110,1). Os discípulos pensam que vai proclamar imediatamente, em Jerusalém, o reinado de Deus prometido e anunciado, sem passar pela paixão. "Diante do Senhor, que está chegando, já está chegando para reger a terra" (Sl 96,13; 98,9). Não é assim: para receber o poder real, primeiro terá que morrer. Então voltará com poder, como rei, mas não imediatamente. Vai demorar, e enquanto isso eles terão de ocupar-se com as tarefas determinadas. Se o fizerem devidamente, participarão afinal do governo no reino celeste, ao passo que os que resistiram ativamente à sua missão serão condenados e executados. A segunda parábola ensina que os dons não são propriedade, mas depósito encomendado, e que o homem tem de colaborar para que rendam. Deus não "o dá enquanto dormem" (Sl 127,2).

19,12 Um salmo lido em chave messiânica começa assim: "Ó Deus, confia teu julgamento ao rei, tua justiça a um filho de rei" (Sl 72,1).

19,13 Aqui menciona dez, depois só três vão agir. O dinheiro entregue se chama "mina": em Atenas equivalia a cem dracmas, na Palestina a cinquenta siclos de prata; uma quantidade moderada, que contrasta com a enormidade da recompensa.

19,14 Supõe-se que os cidadãos o odeiem sem razão e se oponham a um direito. No contexto do evangelho, os conterrâneos ou concidadãos são os judeus em relação a Jesus (cf. Jo 18,35).

19,15 Investido com o poder supremo, estabelece a hora de prestar contas. Alusão à parusia.

empregados aos quais havia entregue o dinheiro, para ver como cada um havia negociado. ¹⁶Apresentou-se o primeiro e disse: Senhor, teu dinheiro produziu dez vezes mais. ¹⁷Respondeu-lhe: Muito bem, empregado diligente; por teres sido fiel no pouco, administrarás dez cidades. ¹⁸Apresentou-se o segundo e disse: Senhor, teu dinheiro produziu cinco vezes mais. ¹⁹Respondeu-lhe: Tu administrarás cinco cidades. ²⁰Apresentou-se o terceiro e disse: Aqui tens teu dinheiro, que guardei num lenço. ²¹Tinha medo porque és rigoroso: retiras o que não depositaste, colhes o que não semeaste. ²²Respondeu-lhe: Por tua boca te condeno, empregado negligente. Sabias que sou rigoroso, que retiro o que não depositei e colho o que não semeei. ²³Por que não puseste meu dinheiro num banco para que, ao voltar, o recuperasse com juros? ²⁴Depois ordenou aos presentes: Tirai-lhe o dinheiro e dai-o àquele que conseguiu dez vezes mais. [²⁵Replicaram-lhe: Senhor, já tem dez vezes mais.] ²⁶Eu vos digo que será dado a quem tem, e a quem não tem será tirado inclusive o que tem. ²⁷Quanto a esses inimigos que não queriam que eu fosse seu rei, trazei-os aqui e degolai-os na minha presença.

²⁸Dito isso, prosseguiu adiante, subindo para Jerusalém.

Entrada triunfal em Jerusalém (Mt 21, 1-11; Mc 11,1-11; Jo 12,12-19) – ²⁹Quando se aproximavam de Betfagé e Betânia, junto ao monte das Oliveiras, enviou dois discípulos, ³⁰recomendando-lhes:

– Ide à aldeia que está à frente; ao entrar, encontrareis um jumentinho amarrado, no qual até agora ninguém montou. Desamarrai-o e trazei-o. ³¹Se alguém vos perguntar por que o desamarrais, dizei-lhe que o Senhor necessita dele.

³²Os enviados foram e o encontraram como lhes havia dito. ³³Enquanto o desamarravam, os donos lhes disseram:

– Por que desamarrais o jumentinho?

³⁴Responderam:

– Porque o Senhor precisa dele.

³⁵Levaram-no a Jesus, puseram seus mantos sobre o jumentinho e o fizeram montar. ³⁶Enquanto avançava, a multidão forrava o caminho com seus mantos. ³⁷Quando se aproximavam da encosta do monte das Oliveiras, os discípulos em mas-

---

19,16 A fórmula é rigorosa: "teu dinheiro". Um provérbio diz: "Mão diligente mandará, mão negligente servirá" (Pr 12,24; 17,2).

19,21 A ideia que esse empregado tem do patrão é contrária à realidade: o patrão foi razoável ao emprestar e muito generoso ao remunerar. O acomodado e covarde quer descarregar sua culpa no patrão, e a si mesmo se condena (Pr 12,27), descreve o patrão como déspota implacável, como o Faraó (Ex 5).

19,23 Teoricamente o depositado pode ficar intacto, como uma joia num banco. O Senhor quer que o depositado funcione como semeado que cresce e se multiplica. O diligente demonstrou sua capacidade de tirar partido do dinheiro confiado.

19,26 O aforismo é um paradoxo, e como tal deve ser tratado. Ao interpretá-lo cabem diversas aplicações, p. ex. o terceiro tem (confiado) e não tem (próprio); tirar-lhe-ão o que tem sem possuí-lo; outra explicação: os dotes que tem e as realizações que não tem.

19,28 Foi o último ensinamento durante a caminhada e é pensado para o futuro.

19,29-48 Três cenas apresentam a chegada do rei messiânico: a entrada festiva na cidade, o choro pela cidade rebelde, a purificação do templo. Nada se diz do palácio nem do pretório.

19,29-40 A entrada em Jerusalém pode ser como a de outras vezes, ou ele se mistura com os peregrinos que acorriam para a Páscoa. Desta vez, a última, quando se aproxima sua "subida", Jesus quer entrar como rei.

19,30-34 Dirige os preparativos com sua presciência e domínio: envia os discípulos para que lhe procurem a cavalgadura adequada. Um jogo de palavras destaca o domínio: os "donos" perguntam, o Senhor o reclama (*kyrioi/kyrios*).
Não é cavalgadura militar (Sl 20,8; 147,10), e sim a anunciada por Zacarias: "teu rei está chegando... humilde, cavalgando um jumento..." (Zc 9,9). Mas, trata-se de primícias da cavalgadura, já que ninguém até agora a montou: tão nobre para seu primeiro serviço (cf. para outros destinos Nm 19,2; Dt 21,3). Estendendo seus mantos sobre o jumento, à maneira de gualdrapa, os discípulos "fazem Jesus montar"; como quando Salomão foi ungido rei e subiu para sentar-se no trono de Davi: "ordenou que conduzíssem Salomão montado na mula do rei... Subiram em clima de festa, a cidade está alvoroçada" (1Rs 1,33-35.44-45). Também o atapetar recorda a aclamação de Jeú como rei (2Rs 9,13).

19,37-38 Começa o desfile jubiloso em que se louva a Deus e se aclama o Messias. À saudação clássica do salmo (118,26) Lucas acrescenta "o rei". O versículo do salmo citado continua ressoando e orientando para a parusia (Lc 13,35). A segunda parte da aclamação recorda o cântico de Natal (2,14), com a "paz" trasladada ao céu (118,26), em paralelo com a "glória". Talvez soe na palavra "paz" uma alusão velada ao nome de Jerusalém, onde ainda não reina a paz, como veremos a seguir.

sa e alegres começaram a louvar a Deus em voz alta por todos os milagres que haviam presenciado. ³⁸Diziam:

– *Bendito o que vem como rei em nome do Senhor. Paz no céu, glória ao Altíssimo!*

³⁹Alguns fariseus da multidão lhe disseram:

– Mestre, repreende teus discípulos.

⁴⁰Replicou:

– Digo-vos que, se estes se calarem, as pedras gritarão.

Lamentação por Jerusalém – ⁴¹Ao aproximar-se e avistar a cidade, disse chorando por ela:

– ⁴²Se também tu reconhecesses hoje aquele que conduz à paz. Mas agora está oculto a teus olhos. ⁴³Chegará um dia em que teus inimigos te rodearão de trincheiras, te sitiarão e te cercarão por todos os lados. ⁴⁴Derrubarão por terra a ti e a teus filhos dentro de ti, e não te deixarão pedra sobre pedra; porque não reconheceste o tempo da visita divina.

Purifica o templo (Mt 21,12-17; Mc 11,15-19; Jo 2,13-22) – ⁴⁵Depois entrou no templo e começou a expulsar os mercadores, ⁴⁶dizendo-lhes:

– Está escrito que *minha casa é casa de oração, e vós a transformastes em covil de bandidos.*

⁴⁷Diariamente ensinava no templo. Os sumos sacerdotes, os letrados e os chefes do povo tentavam acabar com ele; ⁴⁸mas não encontravam como fazê-lo, pois o povo em massa estava pendente de suas palavras.

20 **Autoridade de Jesus** (Mt 21,23-27; Mc 11,27-33) – ¹Certo dia, enquanto ensinava no templo e anunciava a boa notícia ao povo, apresentaram-se os sumos sacerdotes e os letrados com os senadores ²e lhe disseram:

19,39-40 O protesto dos fariseus pode significar oposição tenaz a Jesus ou medo dos romanos. Dão-lhe o título de Mestre. Mas o episódio não é mencionado no processo religioso nem no civil. A resposta de Jesus soa como provérbio. Seu sentido preciso depende do paralelo que lhe indicarmos; se é Is 52,9, o grito das pedras será triunfal: "Prorrompei a cantar em coro, ruínas de Jerusalém, pois o Senhor consola seu povo, resgata Jerusalém"; se é Hab 2,11, o grito é de acusação: "As pedras das paredes reclamarão". O primeiro se harmoniza melhor com o que precede, o segundo com o que se segue.

19,41-42 Para os ouvidos do povo, Jerusalém leva a paz impressa no seu nome, como um destino. Os peregrinos a saúdam com a paz (Sl 122), o arauto lhe anuncia a chegada do rei e da paz (Is 52,7 e no citado Zc 9,9-10). Jerusalém não aceita a saudação (10,5-6), não recebe a visita (1,68). Em consequência, a cidade "compacta" será destruída. O pranto por Jerusalém faz eco aos da outra destruição (Jr 9,19-20; 13,17; Lm 1,2.16; 3,48-51).

19,41 Jesus chora ao pronunciar sua trágica predição. Não a pronuncia irado e com sentimentos de vingança. Pode repetir com o salmo: "Teus servos amam suas pedras, dói-lhes até o pó" (Sl 102,15); e chorar com Jeremias: "Meus olhos se desfazem em lágrimas, dia e noite sem cessar, pela terrível desgraça da capital de meu povo, por sua ferida incurável" (Jr 14,17).

19,43 Como o assédio e o arrasamento antigos: Isaías o prediz de longe e introduz como sujeito o Senhor (Is 29,3). Ezequiel está próximo e tem de gravá-lo em tijolo, esboço da tragédia (Ez 4,2); um salmo o recorda como já aconteceu (Sl 137,9).

19,44 Ver a lamentação de Sl 79,1-2. É a última ocasião oferecida por Deus; compare-se com a vigorosa imagem de Os 13,13.

19,45-46 O cuidado do templo era responsabilidade do rei (2Cr 29,4.12; 29,6-11; 34,8). Jesus, que entrou na cidade como rei messiânico, dirige-se ao templo para purificá-lo. Numa espécie de ação simbólica, que dois textos bíblicos explicam. O primeiro define a função do templo como casa de oração, e sua abertura aos pagãos (Is 56,7 citado em parte), o segundo denuncia o abuso do templo, como garantia de impunidade para continuar pecando: "Credes que é uma cova de bandidos este templo que traz meu nome?" (Jr 7,11).

19,47-48 Agora o templo serve de caixa de ressonância para o ensinamento de Jesus; como quando Amós pregava em Betel (Am 7,13). Neste ponto se apartam e contrapõem a hostilidade das autoridades (Sl 86,14) e a avidez do povo em escutar. A notícia introduz os discursos que se seguem.

20,1 Começa no templo a controvérsia que vai ocupar o capítulo. Jesus ensina, como tantos outros, mas acrescenta algo pessoal: "anunciar a boa notícia" (Is 40,9). Sabemos que o tema é o reinado de Deus, com o qual estão ligadas sua missão e autoridade. Compõe-se de cinco unidades mais um ataque final, e segue de perto a tradição sinótica.

Lucas gosta de ir variando os interlocutores ou destinatários, e aqui pode seguir seus modelos. Começam as autoridades em bloco: sumos sacerdotes, letrados e senadores (do povo) investigando a origem da sua autoridade. Depois Jesus toma a iniciativa dirigindo-se ao povo acerca das autoridades. Em terceiro lugar, contra-atacam os sumos sacerdotes e letrados sem aparecer: indagam sobre a autoridade de César. Insistem os saduceus, na tentativa de ridicularizar a fé na ressurreição; deles se distanciam os letrados. Por último, Jesus contra-ataca com uma pergunta sobre a autoridade de Davi. Supõe-se desde o primeiro versículo que o povo assiste às discussões. O tema da autoridade domina a discussão: de Jesus, dos fariseus, de César, de Davi.

20,2-8 A pergunta é legítima. Os três grupos citados representam de algum modo o Grande Conselho

— Com que autoridade fazes isso? Quem te deu essa autoridade?
³Respondeu-lhes:
— Eu também vos farei uma pergunta para que me respondais: ⁴O batismo de João vinha de Deus ou dos homens?
⁵Eles discutiam entre si: Se dissermos de Deus, ele nos responderá: por que não cremos nele? ⁶Se dissermos dos homens, o povo em massa nos apedrejará, pois estão convencidos de que João era profeta. ⁷Então responderam que não sabiam de onde vinha. ⁸E Jesus lhes replicou:
— Tampouco eu vos digo com que autoridade faço isso.

Os vinhateiros (Mt 21,33-46; Mc 12,1-12) – ⁹Contou ao povo a seguinte parábola:
— Um homem plantou uma vinha, arrendou-a para alguns agricultores e se ausentou por bastante tempo. ¹⁰No tempo oportuno, enviou um servo aos agricultores para que lhe entregassem o fruto que lhe correspondia. Mas os agricultores bateram nele e o despediram de mãos vazias. ¹¹Enviou outro servo. Mas eles bateram nele, o insultaram e o despediram de mãos vazias. ¹²Enviou um terceiro, e eles o feriram e lançaram fora. ¹³Então disse o dono da vinha: Que farei? Enviarei o meu filho predileto; talvez o respeitem. ¹⁴Mas, ao vê-lo, os agricultores deliberavam entre si: É o herdeiro; vamos matá-lo para ficar com a herança. ¹⁵Lançaram-no fora da vinha e o mataram. Pois bem, que fará com eles o dono da vinha? ¹⁶Irá, acabará com esses agricultores e entregará a vinha a outros.

Ao ouvir isso, disseram:
— Deus nos livre!
¹⁷Ele, olhando-os fixamente, disse-lhes:
— Então, o que significa isso que está escrito: *A pedra que os arquitetos rejeitaram é agora a pedra angular.* ¹⁸*Quem tropeçar nessa pedra se despedaçará, e aquele sobre quem ela cair, ela o esmagará?*
¹⁹Os letrados e sumos sacerdotes tentaram pegá-lo nesse momento, pois haviam compreendido que a parábola era para eles; mas temeram o povo.

---

e podem exigir de Jesus garantias e credenciais. Imediatamente por sua atuação no templo, contra a permissão da autoridade e sem contar com ela. Mas a pergunta se estende à atividade de Jesus e ao título messiânico que lhe estão dando. Jesus, que recebeu do Pai a autoridade (9,35), responde com um dilema, para eles sem saída, sobre a autoridade de João Batista. Este, na qualidade de profeta, tinha atestado a missão de Jesus. Não respondendo, Jesus responde. Porque o dilema, por transparência, ajusta-se a Jesus: se sua autoridade vem de Deus, como o atestam os milagres, por que não creem nele? Se dizem que vem dos homens, terão de enfrentar a opinião e o entusiasmo populares. O salto ao contra-ataque é lógico.

20,9-18 Que autoridade têm os chefes? como a exercem? Uma parábola o diz. A vinha é imagem tradicional de Israel (Is 5,1-7; 27,2-3; Sl 80), cujo dono é o Senhor (Jr 12,10). Os chefes a receberam como administradores; tratam-na como donos e pretendem ficar com ela como herdeiros, eliminando o filho, herdeiro legítimo, depois de ter maltratado os servos. A parábola é transparente para o povo, para os interessados e para o leitor de Lucas. A vinha é o povo, os servos são os profetas, o filho é Jesus. No começo a vinha figura como propriedade de quem a plantou. Depois é definida como herança, que caberá ao único herdeiro. Na falta deste, os arrendatários se apossam da propriedade ou herança. Abraão se lamenta de que seu criado será herdeiro (Gn 15,2). Na correspondência: Jesus é o Filho único e herdeiro legítimo. Os chefes judeus querem eliminar Jesus para continuar controlando a instituição, fechada aos pagãos. Numa reflexão posterior: Jesus ressuscitado herdará em sua pessoa instituições e símbolos do Antigo Testamento, e herdará também as nações (Sl 2,8), e nomeará novos administradores de sua nova vinha, a Igreja. Neste ponto não podemos esquecer que a igreja-mãe de Jerusalém era formada por judeus.

20,9 Acabada a libertação, saída do Egito e entrada em Canaã, Deus parece afastar-se e agir por meio de seus encarregados.
20,10 Cf. Ct 8,11.
20,13 É o título prenunciado em 3,22 (cf. Mc 9,7).
20,14 Herança do Senhor é seu povo (Dt 4,20; Jl 4,2). Ele promete uma herança ao rei "seu filho" (Sl 2,8). Os leitores da comunidade de Lucas dão à frase um grande alcance: com Jesus Messias termina a velha economia; seria necessário eliminar Jesus para que continuasse como eles a entendem e controlam.
20,15 Assim, "lançar fora" pode soar como excomungar (cf. Jo 9,22), e também pode significar a morte fora da cidade (Hb 13,13).
20,16 A vinha começa a ser aqui a Igreja, confiada aos apóstolos. "Deus nos livre": não é claro se é o povo ou as autoridades que o dizem.
20,17-18 A citação é tomada do Salmo 118, o mesmo da aclamação do hosana. Com mudança violenta de imagem, vem dizer que a morte do herdeiro não será o final; muito ao contrário, desdenhado como inservível pelos construtores, será a base do futuro edifício.
20,18 Para os rebeldes Yhwh se converte em pedra de tropeço (Is 8,14); uma pedra, desprendida da montanha sem ajuda de mão humana, esmaga e tritura os reinos (Dn 2,44-45).
20,19 Como em 19,48, separam-se povo e autoridades.

O tributo a César (Mt 22,15-22; Mc 12,13-17) — ²⁰Assim pois, espreitando, enviaram-lhe alguns agentes, fingindo ser gente de bem, para apanhá-lo em suas palavras e poder entregá-lo à autoridade e jurisdição do governador.
²¹Perguntaram-lhe:
— Mestre, consta-nos que falas e ensinas retamente, que não és parcial, mas ensinas sinceramente o caminho de Deus. ²²É lícito pagar tributo a César ou não?
²³Adivinhando sua má intenção, disse-lhes:
— ²⁴Mostrai-me o denário. De quem traz a imagem e a inscrição?
Respondem-lhe:
— De César.
²⁵E ele lhes disse:
— Pois daí a César o que é de César, e a Deus o que é de Deus.
²⁶E não conseguiram apanhá-lo em suas palavras diante do povo. Ao contrário, admirados com a resposta, calaram-se.

A ressurreição (Mt 22,23-33; Mc 12,18-27) — ²⁷Então se aproximaram alguns saduceus – que negam a ressurreição – e lhe perguntaram:
— ²⁸Mestre, Moisés nos ordenou que *se um homem casado morre sem filhos, seu irmão case com a viúva, para dar descendência ao irmão defunto.* ²⁹Pois bem, eram sete irmãos. O primeiro casou e morreu sem deixar filhos. ³⁰Assim o segundo ³¹e o terceiro casaram com ela; e assim os sete, que morreram sem deixar filhos. ³²Depois morreu a mulher. ³³Quando ressuscitarem, de quem a mulher será esposa? Os sete foram maridos dela.
³⁴Jesus lhes respondeu:
— Os que vivem neste mundo tomam marido ou mulher. ³⁵Os que forem dignos da vida futura e da ressurreição da morte não tomarão marido nem mulher; ³⁶porque não podem morrer e são como anjos; e, tendo ressuscitado, são filhos de Deus. ³⁷E que os mortos ressuscitam também Moisés o indica, na passagem da sarça, quando ao Senhor ele chama Deus de Abraão, Deus de Isaac e Deus de Jacó. ³⁸Não é Deus de mortos, mas de vivos, pois para ele todos vivem.
³⁹Intervieram alguns letrados:
— Mestre, como falaste bem.
⁴⁰E não se atreveram a fazer-lhe mais perguntas.

20,20-26 Numa contra-ofensiva e com um estratagema, os rivais propõem a Jesus um dilema do qual não possa escapar. Posto entre a espada e a parede, terá que fazer uma declaração que o comprometa gravemente ante as autoridades romanas. De fato, o tema do tributo soará no processo perante Pilatos (23,2). O dilema da autoridade imperial romana se coloca no terreno econômico, que todos sentem e não deixa saída.
A adulação serve de entrada (Pr 6,24; 26,28). Podem insinuar que Jesus se apresente imparcial entre o povo judeu e o poder romano. Essa imparcialidade lhe permite decidir num caso concreto "o caminho de Deus". Recorde-se a postura polêmica de Jeremias, profeta do Senhor, no assunto da submissão a Nabucodonosor (Jr 27). Jesus encontra uma saída engenhosa: pede que lhe mostrem a moeda do tributo. Eles levam na bolsa a moeda com a imagem em que há atributos divinos do odiado imperador Tibério. Usam-na; logo, reconhecem sua validez; guardam-na; portanto aceitam o regime que representa. Que tirem as consequências. Com isso lhes tapou a boca (Sl 63,12). Mas não basta, é preciso responder ao que não perguntam, a pergunta realmente importante, porque é o homem que leva a imagem de Deus e a ele pertence. O problema e a resposta orientam as primeiras comunidades cristãs em sua vida dentro do império e acusadas pelos judeus (At 17,7; 18,12-13). A frase final soltou-se do contexto e a usamos como moeda corrente.

20,27-40 Nessa questão, os saduceus discordam acerrimamente dos fariseus, como ilustra o episódio de Paulo (At 23,8), e têm do seu lado quase toda a tradição precedente. Tal como a imaginam, a suposta ressurreição consiste em prolongar ou repetir a vida presente. Vigoram as mesmas leis, não obstante surjam novas situações. É fácil ridicularizar essa doutrina, e agora vão divertir-se à custa de Jesus. O caso que inventam se baseia na chamada lei do levirato (Dt 25,5; Gn 38,8; Rt 4).
Jesus começa corrigindo a falsa imagem: a ressurreição verdadeira consiste em passar a uma categoria nova, comparável aos "filhos de Deus" da tradição (Sl 29,1; 82,6), ou seja, os anjos. O matrimônio, em seu aspecto de fecundidade, é lei da vida e da morte. Acabada a morte (1Cor 15,26), não se geram filhos. Jesus se refere ao matrimônio em sua função de procriar, segundo a exposição do caso, não enquanto relação pessoal amorosa. O segundo é um argumento da Escritura no estilo da época (Ex 3,2.6). O Senhor não pode aduzir sua identidade como Deus dos mortos; seria absurdo imaginá-lo como divindade infernal (cf. Is 28,15; Sl 49,15). Os que vivem, vivem para o Senhor (Rm 14,8) e os que são do Senhor vivem. Jesus afirma a ressurreição, não a sobrevivência da doutrina grega. Essa ressurreição, a exemplo e como dom do Senhor glorificado, é transmitida como artigo da fé cristã.

O Messias e Davi (Mt 22,41-46; Mc 12,35-37) – ⁴¹Então ele lhes disse:
– Como dizem que o Messias é filho de Davi? ⁴²Se o próprio Davi diz no livro dos Salmos: *Disse o Senhor ao meu Senhor: Senta-te à minha direita,* ⁴³*até que eu faça de teus inimigos estrado de teus pés.*
⁴⁴Se Davi o chama senhor, como pode ser seu filho?

Invectiva contra os letrados (Mt 23,1-36; Mc 12,38-40; Lc 11,37-54) – ⁴⁵Na presença de todo o povo, disse aos discípulos:
– ⁴⁶Cuidado com os letrados, que gostam de passear com largas túnicas, apreciam as saudações na rua e os primeiros lugares nas sinagogas e banquetes; ⁴⁷que devoram as propriedades das viúvas com pretexto de longas orações. Sua sentença será mais severa.

21

A oferta da viúva (Mc 12,41-44) – ¹Levantando os olhos, observou alguns ricos que punham seus donativos na arca do templo. ²Observou também uma viúva pobre que punha dois centavos; ³disse:
– Eu vos asseguro que essa viúva pobre pôs mais que todos. ⁴Porque todos esses puseram donativos do que lhes sobrava; esta, embora necessitada, pôs tudo o que tinha para viver.

Discurso escatológico (Mt 24,1-21; Mc 13,1-19) – ⁵Para alguns que admiravam as formosas pedras do templo e a beleza de sua ornamentação, disse:
– ⁶Chegará o dia em que tudo o que contemplais será derrubado, sem deixar pedra sobre pedra.
⁷Perguntaram-lhe:

20,41-44 O salmo citado (110,1) distingue entre *Yhwh* e '*adony* (meu senhor); o grego repete o substantivo *kyrios*. Suposta a leitura messiânica, corrente então, o salmista (Davi) chama o Messias de meu Senhor, o que implica reconhecer-se súdito ou vassalo. Logo, o Messias não pode ser simples descendente de Davi. Jesus termina com uma pergunta: responda quem puder e quiser. Paulo nos dá uma resposta autorizada: "nascido fisicamente da linhagem de Davi, a partir da ressurreição, estabeleceido Filho de Deus com poder pelo Espírito Santo" (Rm 1,3-4). O texto de Davi inclui uma promessa e uma ameaça: que o Messias submeterá todos os seus inimigos.

20,45-47 O discurso conclui com uma acusação grave e pública contra os letrados, intérpretes oficiais da Lei. Acusa-os de vaidade e cobiça. Se a vaidade pode ser inofensiva, a cobiça se volta contra o povo pobre e vicia o culto.

21,1-4 Colocada aqui, a breve cena, quase parábola em ação, redobra seu significado. Quer dizer, depois de purificar o templo para que seja casa de oração, depois de denunciar a cobiça dos letrados que se aproveitam das viúvas, depois de afirmar sua autoridade transcendente. Havia no átrio do templo cofres para os impostos do culto e as contribuições voluntárias. Não importa o detalhe inverossímil do relato. Essa viúva é como aquela da história de Elias (1Rs 17), que repartiu com o profeta a última comida sua e do filho. No reino do espírito, a medida não é a quantidade. Dando tudo ao Senhor, confia no Deus que se ocupa das viúvas (Sl 68,6; Pr 15,25).

21,5-36 O discurso escatológico de Lucas começa como os outros, anunciando a destruição do templo (vv. 5-9) e a estende depois à capital (vv. 20-24); em breve apêndice anuncia a parusia (vv. 25-28) e seus sinais (vv. 29-33), e conclui convidando à vigilância (vv. 34-36). Resta uma peça (vv. 10-19) que pelo tema encaixa em duas partes.
Diríamos que o discurso se propõe definir etapas e tempos, pois são frequentes as indicações temporais: v. 9 quando... ainda não; v. 12 antes disso...; vv. 20-21 quando... então; v. 24 até que; v. 27 então; v. 28 quando começar; vv. 30-31 quando... está próximo; v. 32 esta geração; v. 34 de repente. A sequência temporal pode ser esquematizada assim: a) tempo precedente (v. 12) de seduções (v. 8) e perseguições (vv. 12-13.16), conduta aconselhada (vv. 14-15.19); b) sinais antes da destruição de Jerusalém (vv. 9-11.20), medidas para salvar-se (v. 21), a catástrofe (vv. 22-24); c) sinais antes da parusia (vv. 25-26), conduta ou parusia (vv. 27-28), parusia. Há um dado orientador: onde Marcos fala do "ídolo abominável" na grande tribulação, Lucas fala do assédio de Jerusalém. Essa será a grande tribulação próxima. Predição de Jesus ou composição de Lucas? Um profeta que pelo ano 30 fosse denunciar os pecados e ameaçar o castigo de Jerusalém, encontraria na tradição bíblica quase todo o material que lemos aqui: na pregação e relatos do livro de Jeremias, nas visões de Ezequiel, em algum salmo, nas Lamentações. Cada versículo de Lucas poderia receber a anotação de vários paralelos. Nem todos: as perseguições (vv. 12-17) são ilustradas abundantemente com textos dos Atos dos Apóstolos. O curioso é que, escrevendo depois da queda de Jerusalém (70 d.C.), Lucas não tenha oferecido uma descrição mais realista, mesmo de ouvir dizer.
Quanto à parusia, futuro indefinido, imagens e linguagem dependem em grande parte de escatologias e apocalipses bíblicos ou apócrifos. Não desaparecem de todo as ambiguidades. Sinais cósmicos semelhantes (vv. 11.25) podem induzir a confusão; alguns sinais anunciarão a parusia próxima (vv. 29-30), mas chegará de repente (v. 34).

21,5 O templo construído por Herodes, de cuja magnificência restam mostras ou vestígios até hoje. Um salmo canta a beleza do monte Sião, onde se ergue o templo salomônico (Sl 48). Ageu e Zacarias ocupam-se com a reconstrução por ação de Zorobabel.

21,6 O mesmo que no ano 586 a.C. "O Senhor repudiou seu altar, desfez seu santuário... estendeu o prumo e não retirou a mão que derrubava" (Lm 2,5-9; cf. Sl 74). Não deixar pedra sobre pedra é fórmula estereotipada.

— Mestre, quando acontecerá isso, e qual é o sinal de que está para acontecer?

⁸Respondeu:

— Atenção! Não vos deixeis enganar. Pois muitos se apresentarão alegando meu título e dizendo: Sou eu; chegou a hora. Não saiais atrás deles. ⁹Quando ouvirdes falar de guerras e revoluções, não entreis em pânico. Primeiro deverá acontecer tudo isso, mas não será logo o fim.

¹⁰Então lhes disse:

— Há de se levantar povo contra povo, reino contra reino; ¹¹haverá grandes terremotos, fomes e pestes em diversas regiões, e sinais grandes e terríveis no céu. ¹²Mas antes de tudo isso vos prenderão, perseguirão, levarão às sinagogas e às prisões, conduzirão diante de reis e magistrados por causa do meu nome, ¹³dando-vos oportunidade de dar testemunho. ¹⁴Tomai a decisão de não preparar a defesa; ¹⁵eu vos darei uma eloquência e uma prudência às quais nenhum adversário poderá resistir nem retrucar. ¹⁶Até vossos pais e irmãos, parentes e amigos, vos entregarão e matarão alguns de vós; ¹⁷e todos vos odiarão por causa do meu nome. ¹⁸Contudo, não perdereis nem um fio de cabelo da cabeça. ¹⁹Com vossa constância ganhareis vossas vidas.

A grande tribulação (Mt 24,15-21; Mc 13,14-19) – ²⁰Quando virdes Jerusalém cercada de exércitos, sabei que sua destruição é iminente. ²¹Então, os que estiverem na Judeia fujam para os montes; os que estiverem dentro da cidade saiam para os campos; os que estiverem no campo não voltem à cidade. ²²Porque é o dia da vingança, quando se cumprirá tudo o que está escrito. ²³Ai das grávidas e das que amamentam naquele dia! Sobre o país virá uma grande desgraça, e sobre este povo a ira. ²⁴Cairão ao fio de espada e serão levados prisioneiros a todos os países. Jerusalém será pisada por pagãos, até que a etapa dos pagãos se cumpra.

A parusia (Mt 24,29-31; Mc 13,24-27) – ²⁵Haverá sinais no sol, na lua e nas estrelas. Na terra se angustiarão os povos, desconcertados pelo estrondo do mar e das ondas. ²⁶Os homens desmaiarão de medo,

---

21,8 A pergunta liga-se à destruição do templo; a resposta afasta enormemente o horizonte, até o tempo da Igreja. Em tempo de crise surgem os exaltados e os astutos se aproveitam (Dt 13,2-6), p. ex., os casos de Teudas e Judas, referidos por Lucas (At 5,36-37). Sou eu, subentende-se o Messias. Chega a hora: Ezequiel martela o tema de forma obsessiva (Ez 7,1-12; cf. Dn 7,22).

21,9 Em tempo de crise, que não se deixem vencer pelo pânico (Jr 30,10). O aviso precedente deverá ressoar em cada situação semelhante.

21,10-11 São antes sinais genéricos: fome, peste e espada são quase tópicos (Is 19,2-3; Jr 21,9-10).

21,12-13 Segundo os *Atos*, os Apóstolos, Paulo em particular (Fl 1,12-13), comparecem diante de tribunais religiosos e civis, dão testemunho de Jesus e anunciam o evangelho diante deles; Estêvão e Tiago morrem mártires. Ora, o que é história para Lucas se converte em anúncio e exortação para os sucessores que lerem seu evangelho.

21,14-15 Equivale a um carisma de sabedoria superior: "Observando a ousadia de Pedro e João, e constatando que eram homens simples e iletrados, admiravam-se..." (At 4,13; 6,10; cf. Jó 32,13); como Moisés ou Salomão: "Vê, eu estarei em tua boca e te ensinarei o que terás de dizer" (Ex 4,11; 1Rs 5,14).

21,16-17 A traição dos parentes: Mq 7,6; Jr 12,6; Jó 6,15.

21,18 Expressão proverbial (1Sm 14,45). Também os *Atos* registram episódios de libertação milagrosa.

21,19 Do anúncio passa à exortação, que vale para os cristãos de qualquer época. A constância é virtude capital (Rm 2,7; 2Cor 12,12; Cl 1,11).

21,20 É o assédio pelas tropas de Tito no ano 70 d.C. A tragédia passada se repete e as predições proféticas, como se não tivessem esgotado seu sentido, recuperam atualidade. Nos tempos de Jeremias e Ezequiel foram as tropas da Babilônia, agora são as legiões romanas. Na base se encontra a teimosia pecadora da cidade, não somente um jogo político humano. Lucas acrescenta conselhos para os que considera inocentes. Já Isaías anunciara um assédio frustrado (cf. Is 29,1-3; 2Rs 25,1).

21,21 A cidade amuralhada já não oferece segurança; os montes oferecem guaridas recônditas (1Mc 2; Sl 11,1), como na primeira fuga de Matatias (1Mc 2). Em tais circunstâncias o deserto inóspito pode oferecer refúgio (55,7-9; Jr 50,8; 51,45).

21,22-23 Dia de vingança ou de justiça vindicativa, dia de ira ou de sentença de condenação (Jr 46,10; 51,6; Sl 79,10; Ez 25,14-17; Is 34,8; 61,2; 63,4). Lucas interpreta a queda de Jerusalém como castigo de Deus, como tinham feito os profetas. As "grávidas e as que amamentam" não podem fugir e estão expostas à brutalidade da tropa inimiga (2Rs 8,12; 15,16; Os 14,1; Am 1,13).

21,24 Pisada por pagãos (Lm 1,10). A etapa dos pagãos: a) com valor positivo, a etapa em que vão se convertendo, segundo a teologia de Paulo (Rm 11,25-26), apoiados no plural grego "estações" (*kairoi*); b) com valor negativo, até que chegue a hora deles (Lm 1,21-22; Sl 75,3; Jr 51,33). A nota temporal indica uma fase longa, depois da qual chegará o fim.

21,25-26 O cenário cósmico, segundo uma das versões tradicionais, é dividido em três esferas: céu, terra e mar. Nas três sucederão portentos e agitações

aguardando o que estará para sobrevir ao mundo; pois as potências celestes serão abaladas. ²⁷Então verão o Filho do Homem chegando numa nuvem com grande poder e glória. ²⁸Quando começar a acontecer tudo isso, erguei-vos e levantai a cabeça, pois se aproxima a vossa libertação.

²⁹E lhes acrescentou uma parábola:
– Observai a figueira e as outras árvores: ³⁰Quando soltam brotos, sabeis com certeza que o verão está próximo. ³¹Assim vós, quando virdes acontecer isso, sabei que se aproxima o reinado de Deus. ³²Eu vos asseguro que esta geração não passará, antes que aconteça tudo isso. ³³O céu e a terra passarão, minhas palavras não passarão.

Vigilância – ³⁴Prestai atenção: Que vossa mente não se embote com o vício, a embriaguez e as preocupações da vida, de modo que aquele dia vos surpreenda de repente, ³⁵pois cairá como armadilha sobre todos os habitantes da terra. ³⁶Vigiai a todo o momento, pedindo para poderdes escapar de tudo o que vai acontecer e para vos apresentardes diante do Filho do Homem.

³⁷De dia ensinava no templo; de noite saía e ficava no monte das Oliveiras. ³⁸E todo o povo madrugava para escutá-lo no templo.

22 Complô para matar Jesus (Mt 26,1-5.14-16; Mc 14,1s.10s; Jo 11,45-53) – ¹Aproximava-se a festa dos ázimos, chamada Páscoa. ²Os sumos sacerdotes e os letrados procuravam como acabar com ele, pois temiam o povo. ³Satanás entrou em Judas, apelidado Iscariotes, um dos doze. ⁴Ele foi combinar

---

dispondo o cenário da parusia. No céu sol, lua e astros, trio clássico (Is 13,9-10; 34,4-5; Ez 32,7-8). Na terra, que Deus "formou habitável" (Is 45,18) e que distribuiu entre as nações (Dt 32,8), acontece a angústia dos povos que já não acham segura sua moradia (Is 34,7-8). No mar acontece o retorno à sua condição primordial violenta (Sl 18,5-6.16; Dn 7,2). Os astros seriam as potências que regem a ordem do mundo (Ag 2,6.21).

21,27 Concisamente a chegada do Messias, enunciada adaptando a visão de Daniel (Dn 7), o qual anuncia o seguinte: "uma figura humana" (não já um quinto animal) é elevada numa nuvem (não desce) e chega à presença do Ancião, do qual recebe o poder; a "figura humana" é, segundo o texto, a comunidade dos "santos do Altíssimo, que receberão o reino e o possuirão pelos séculos dos séculos". Na leitura do evangelho a figura humana é um indivíduo, o Messias, Jesus, em sua humanidade arquetípica; recebeu de Deus o poder (depois de ascender ao céu) e agora "desce numa nuvem" para "libertar" os seus.

21,28 Levantar a cabeça: Sl 3,4; 27,6; 110,7. Lucas contempla a parusia como acontecimento alegre, libertação definitiva.

21,29-32 A parábola da figueira refere-se em geral à proximidade do reinado de Deus. No contexto presente, parece visar à queda de Jerusalém; outros pensam que se refere à parusia, e nesse caso se falaria do reinado definitivo de Deus: "depois virá o fim, quando entregar o reino a Deus Pai" (cf. 1Cor 15,24-28). A parábola, em sua qualidade de imagem, é aplicável a diversas situações.

21,33 O último versículo, em estilo aforístico, garante tudo o que foi anunciado até aqui (cf. Is 55,11; Sl 102,26-27).

21,34-36 Isso se refere à parusia. Embora preceda a preparação do cenário cósmico, pode-se dizer que "aquele dia" chegará de repente (Sf 1,15). A maneira de preparar-se não é perguntando datas e fabricando um calendário, mas vigiando constantemente.

21,34 Ver Rm 13,12-13.
21,35 Ver Is 24,17.
21,36 Apresentar-se: para comparecer ao julgamento ou para pôr-se a seu serviço.
21,37-38 Sumário que preenche o tempo até a paixão. De novo Lucas salienta a devoção do povo (19,48). O amanhecer é tradicionalmente o tempo da graça (Sl 5,4; 30,6; 90,14); o povo madruga para escutar (Sl 63,2; Pr 8,17).

22,1 Na Páscoa tinham confluído duas festas: uma agrária das primeiras espigas, comidas sem fermento (Lv 23,6; Dt 16,3-4); outra pastoril, dos primeiros cordeiros. Depois a Páscoa tinha-se carregado de sentido histórico, como celebração da libertação do Egito (Ex 12). Com esse versículo, Lucas coloca todo o relato que se segue sob o signo da Páscoa, a nova, a do novo cordeiro pascal, a da libertação que Jesus realiza com seu sangue.

22,2 Os guardiães do culto e os intérpretes da lei de comum acordo tomam a iniciativa hostil. Têm contra si o povo, que seguiu Jesus com interesse crescente (7,1.16; 18,43; 19,49; 20,38). Se agirem pela força e publicamente contra Jesus, têm medo de que o povo se levante contra eles (cf. Nm 14,10) ou contra os romanos, o que seria pior. Por isso buscam outro procedimento.

22,3 Judas será a solução: instrumento de Satã ou de Deus? No plano da consciência, de Satã (compare-se 2Sm 24,1 com 1Cr 21,1). Satã volta para o encontro anunciado e o faz por meio de um dos doze. É terrível que o homem se tenha rendido a um poder monstruoso de destruição, que "espreita à porta", como no caso de Caim (Gn 4,7). Satã entra porque o ser humano lhe permite entrar.

22,4 O verbo "entregar" é chave de desenvolvimento e de iluminação de sentido: Judas às autoridades judaicas (22,4.6.21-22.48), as autoridades a Pilatos (20,20), Pilatos à plebe (23,25). Anunciado por Jesus como desígnio divino (9,44; 18,32; 24,7).

com os sumos sacerdotes e os guardas um modo de entregá-lo. ⁵Eles se alegraram e se comprometeram dar-lhe dinheiro. ⁶Ele aceitou e andava procurando uma ocasião para entregá-lo, longe da multidão.

Páscoa e Eucaristia (Mt 26,17-30; Mc 14,12-26; Jo 13,21-30) – ⁷Chegou o dia dos ázimos, quando se devia sacrificar a vítima pascal. ⁸Jesus enviou Pedro e João, recomendando-lhes:

– Ide preparar-nos a ceia de Páscoa.

⁹Disseram-lhe:

– Onde queres que a preparemos?

¹⁰Respondeu-lhes:

– Quando entrardes na cidade, sairá ao vosso encontro um homem levando um cântaro de água. Segui-o até a casa em que entrar ¹¹e dizei ao dono da casa: O Mestre pergunta onde está a sala em que vai comer a ceia de Páscoa com seus discípulos. ¹²Ele vos mostrará um salão no piso superior, com divãs. Preparai-a aí.

¹³Foram, encontraram o que lhes havia dito, e prepararam a ceia de Páscoa. ¹⁴Quando chegou a hora, pôs-se à mesa com os apóstolos ¹⁵e lhes disse:

– Como desejei comer convosco esta vítima pascal antes de minha paixão! ¹⁶Eu vos digo que não tornarei a comê-la até que alcance seu cumprimento no reino de Deus. ¹⁷E tomando a taça, deu graças e disse:

– Tomai isto e reparti-o entre vós. ¹⁸Eu vos digo que daqui por diante não beberei do fruto da videira até que chegue o reinado de Deus.

¹⁹Tomando um pão, deu graças, o partiu e o deu, dizendo:

– Isto é o meu corpo, que é entregue por vós. Fazei isto em minha memória.

²⁰Igualmente tomou a taça depois de cear e disse:

– Esta é a taça da nova aliança, selada com o meu sangue, que é derramado por vós. ²¹Mas atenção! A mão daquele que me entrega está comigo na mesa. ²²Este

---

22,5-6 Lucas não diz que o motivo principal fosse a cobiça (cf. 1Tm 6,10), só diz que o dinheiro foi parte do pacto. De alguma forma o dinheiro rubrica o contrato, e a traição se torna venal. Tipo de muitas traições humanas. Judas distancia-se da multidão, cuja devoção por Jesus ele conhece muito bem.

22,7-13 Como para a entrada em Jerusalém (19,29-34), Jesus prepara sua festa pascal com saber e poder soberanos, prevendo e controlando o que se poderia chamar de casual. Os dados que o evangelista dá convergem na celebração do banquete pascal: era necessário sacrificar a vítima pascal... preparar a ceia de páscoa... comer essa vítima pascal.

Os cordeiros eram sacrificados no templo pelas duas horas da tarde e eram comidos nas casas ao anoitecer. Mas é sabido que, segundo João, os judeus celebraram nesse ano a ceia pascal na sexta-feira, não na quinta; a discrepância ainda não se explicou satisfatoriamente. A comunidade pascal, requerida por lei, vai ser "o Mestre com seus discípulos"; mais adiante especifica que são "os apóstolos".

22,11 A lei ordena: "Cada um procurará uma rês para sua família, uma por casa" (Ex 12,3). A família de Jesus são seus discípulos. A lei diz: "Cada cordeiro será comido dentro de uma casa, sem jogar fora nada" (Ex 12,46); Jesus escolhe um salão numa casa amiga.

22,14-20 No relato da instituição da eucaristia, Lucas segue um caminho próprio que pode despistar o leitor. É que associa elementos da Páscoa antiga com a instituição da nova. Daí a menção dos dois cálices. O primeiro visa à celebração judaica, o segundo, à celebração cristã.

A celebração judaica era conhecida (talvez menos entre pagãos convertidos): primeiro cálice, ervas amargas e relato pascal, canto da primeira parte do Hallel (Sl 113-114); segundo cálice, o pão é partido e repartido e se come o cordeiro; terceiro cálice e canto do resto do Hallel (Sl 115-118). Um dos versículos citados soa assim: "Erguerei o cálice da salvação invocando o nome do Senhor" (Sl 116,13); o Salmo 118 é um dos mais citados no NT. Dos ritos, Lucas toma: a refeição em termos genéricos e a ceia, o primeiro cálice, a ação de graças. Essa Páscoa judaica é para Jesus a última e a despedida, pois a próxima será a celeste, no reino de Deus. Atingirá seu cumprimento quando toda sua missão estiver cumprida, quando regressar ao Pai. Está sob o signo da paixão próxima e foi desejada (12,49-50).

A nova Páscoa é descrita nos vv. 19-20. Para ela, Jesus toma o rito do pão e do terceiro cálice e os dota de um sentido radicalmente novo. Ele se entrega por eles em corpo e sangue, entrega-lhes sua vida. E pela participação no pão e no vinho os faz participantes da sua vida. Com o sacrifício do seu sangue sela a nova aliança (Ex 24,8; Jr 31,31-33). As fórmulas de Lucas se aproximam das de Paulo (1Cor 11,23) e refletem usos das comunidades cristãs.

Seguem-se instruções aos apóstolos.

22,21-23 Na festa da irmandade há um traidor: "até meu amigo, de quem eu me fiava e partilhava meu pão, sobressai em trair-me" (Sl 41,10; 55,14-15). Não basta a presença física, é antes um agravante. Embora Jesus siga o curso definido por Deus, isso não tira a responsabilidade humana, que marca o destino de um homem. A cena contém um aviso para as comunidades cristãs, e assim o compreendeu Paulo (1Cor 11). Os futuros discípulos repetem assustados as perguntas dos apóstolos.

22,22 * Ou: *vai segundo o que foi determinado.*

Homem segue o curso definido*; mas ai daquele que o entrega! ²³Eles começaram a perguntar entre si quem deles iria fazer isso.

Contra a ambição (Mt 20,24-28; Mc 10,41-45) – ²⁴Surgiu uma disputa entre eles sobre quem deles seria o mais importante. ²⁵Jesus lhes disse:

– Os reis dos pagãos os mantêm submissos, e os que impõem sua autoridade levam o título de benfeitores. ²⁶Vós não devereis ser assim; pelo contrário, o mais importante entre vós seja como o mais jovem, e quem manda seja como quem serve. ²⁷Quem é maior: Aquele que está à mesa ou aquele que serve? Não é o que está à mesa? Pois eu estou no meio de vós como quem serve. ²⁸Vós sois os que permaneceram comigo nas provas, ²⁹e eu vos confio o reino, como meu Pai o confiou a mim: ³⁰para que comais e bebais e vos senteis em doze tronos para reger as doze tribos de Israel.

Prediz a negação de Pedro (Mt 26,31-35; Mc 14,27-31; Jo 13,36-38) – ³¹Simão, Simão, eis que Satanás vos reclamou para peneirar-vos como trigo. ³²Mas eu rezei por ti, para que a tua fé não falhe. E tu, uma vez convertido, fortalece teus irmãos.

³³Respondeu-lhe:

– Senhor, contigo estou disposto a ir até para a prisão e a morte.

³⁴Replicou-lhe:

– Eu te digo, Pedro, que hoje o galo não cantará antes que tenhas negado conhecer-me.

³⁵E disse-lhes:

– Quando vos enviei sem bolsa nem sacola nem sandálias, faltou-vos alguma coisa?

Responderam:

– Nada.

³⁶Disse-lhes:

– Pois agora, quem tiver a bolsa leve também sacola, quem não a tiver venda o manto e compre uma espada. ³⁷Digo-vos que se cumprirá em mim o que está escrito: *Foi tido por malfeitor*. O que se refere a mim está chegando a seu fim.

³⁸Disseram-lhe:

– Senhor, aqui há duas espadas.

Respondeu-lhes:

– É o suficiente.

22,24-30 O primeiro salmo recitado do Hallel canta Deus "encimado" que "se abaixa" e "levanta do pó o desvalido... para sentá-lo com os nobres" – entendendo-se sentar-se em posto de autoridade (Sl 113,5-7). O que se canta vale para os discípulos? – Sim, mas não como eles imaginam, mas pelo caminho contrário. Como Davi recebeu do Senhor, Jesus recebeu do Pai, numa espécie de pacto, a autoridade real (Is 55,3; Sl 89,4.29.35). Logo vai reparti-la com os apóstolos, só que num estilo novo, fundado em seu exemplo. Não fundado no poder, como os reinos humanos, mas no serviço. Numa espécie de corpo colegial, de doze tronos ou escanos, vão governar o novo Israel, fraterno e diferenciado.

22,24 A disputa recorda o dito dos fariseus (20,46). Talvez estejam se aproveitando das preferências que Jesus demonstrou por três apóstolos e por Pedro.

22,25 Não só os pagãos; também Samuel previu abusos de poder (1Sm 8,11-18) e Roboão precipitou o cisma com sua atitude autoritária (1Rs 12). "Benfeitor" foi o título de um rei da dinastia lágida (*Euergetes*).

22,26-27 Ben Sirac dá conselhos a anciãos e jovens para se comportarem devidamente nos banquetes (Eclo 32,1-10).

22,28 Essa observação visa mais ao futuro que ao passado dos apóstolos; para outras gerações, ela tem valor de condicional.

22,31-34 Satã se apoderou de Judas e ameaça todos os demais. Como no começo do livro de Jó, exige para si os apóstolos para submetê-los à prova. Quando Jesus ia ser submetido à prova, era movido pelo Espírito e repleto dele (4,1). Simão ainda não conta com semelhante auxílio; mas a oração de Jesus é mais forte que Satanás, a quem já venceu (11,21-22). Os apóstolos não são poupados da prova; e a Pedro não faltará a fé, ainda que lhe falte a valentia para confessá-la (ver a distinção entre fé e confissão em Rm 10,10). A fé não é desempenho puramente humano, mas se apoia nessa oração de Jesus. O convertido, com a experiência dolorosa de sua fraqueza (Gl 6,1; 1Cor 10,12), poderá "fortalecer" seus companheiros (cf. Jr 15,19). Nesse momento Pedro confia demais em sua boa disposição (cf. Eclo 11,24-25) de adesão a Jesus: "contigo". De modo semelhante admoestará Paulo: "Quem crê estar firme, tome cuidado para não cair" (1Cor 10,12).

22,35-38 Com a paixão começa uma nova etapa de hostilidade e desvio, e os apóstolos terão de valer-se por si, sem o apoio próximo de Jesus. Ele os enviava sem apetrechos, confiantes na hospitalidade alheia, e eles voltavam contentes com a experiência (10,1-9.17-20). Acabou esse regime e começa a batalha: agora têm que sacrificar outros bens para munir-se de armas necessárias. A linguagem é metafórica: "A espada do Espírito é a palavra de Deus" (Ef 6,13-17; 1Ts 5,8): no momento de ser atacados é mais importante uma arma do que um manto. Os apóstolos a entendem ao pé da letra e põem à disposição de Jesus duas "espadas", talvez facas de uso pessoal (como entre nós a navalha). A resposta de Jesus fica no ar carregada de ambiguidade: bastam as duas facas, basta de discursos, basta de incompreensões...

Oração no horto (Mt 26,36-46; Mc 14,32-42) – ³⁹Saiu e, segundo o costume, dirigiu-se ao monte das Oliveiras. E os discípulos o seguiram. ⁴⁰Ao chegar ao lugar, disse-lhes:

– Pedi para não sucumbirdes na prova.

⁴¹Afastou-se deles à distância de um tiro de pedra, ajoelhou-se e orava:

– ⁴²Pai, se queres, afasta de mim esta taça. Mas não se faça a minha vontade, e sim a tua.

⁴³Apareceu-lhe um anjo do céu que lhe deu forças. ⁴⁴E, entrando em agonia, orava mais intensamente. O suor lhe corria como gotas de sangue caindo no chão*.

⁴⁵Levantou-se da oração, aproximou-se de seus discípulos e os encontrou adormecidos de tristeza; ⁴⁶e lhes disse:

– Levantai-vos e pedi para não sucumbir na prova.

A prisão (Mt 26,47-56; Mc 14,43-50; Jo 18,3-11) – ⁴⁷Ainda estava falando, quando chegou um grupo. O chamado Judas, um dos doze, adiantou-se, aproximou-se de Jesus e o beijou. ⁴⁸Jesus lhe disse:

– Judas, com um beijo entregas este Homem?

⁴⁹Vendo o que ia acontecer, os que estavam com ele disseram:

– Senhor, ferimos à espada?

⁵⁰Um deles feriu o servo do sumo sacerdote, cortando-lhe a orelha direita. ⁵¹Jesus lhe disse:

– Basta!

E tocando-lhe a orelha, o curou.

⁵²Depois, Jesus disse aos sumos sacerdotes, guardas do templo e senadores que tinham ido prendê-lo:

– Saístes armados de espadas e paus, como se se tratasse de bandido? ⁵³Diariamente estava convosco no templo e não me prendestes. Porém esta é a vossa hora, o domínio das trevas.

Negações de Pedro (Mt 26,57s.69-75; Mc 14,53s.66-72; Jo 18,12-18.25-27) – ⁵⁴Eles o prenderam e o conduziram, introduzindo-o

---

Bem claro está que ele tem de cumprir seu destino, cumprindo a Escritura (Is 55,12).

22,39-46 Terminou o banquete no qual se cantaram versos de júbilo. No último salmo (118) pronunciaram também estas frases: "rodeavam-me fechando o cerco... como abelhas... empurravam-me para derrubar-me... o Senhor me socorreu... a pedra que rejeitaram..." Não interrompe seu costume de orar de noite; sai para o lugar costumeiro ao encontro de sua paixão. A oração que se segue e seu ambiente vão ser muito diversos. Os discípulos devem pedir como no Pai-nosso (o que não figura na versão de Lucas 11,2-4): "não sucumbir na prova". Jesus repete uma frase. Os comensais do banquete dormem na hora da dor, e esse sono é o começo do abandono: "O amigo desleal atende à mesa, no aperto fica à distância" (Eclo 37,4).

Jesus reza de joelhos, humilde e confiante. Como sempre e de modo único, invoca Deus como Pai; desta vez não sente o "júbilo do Espírito" (10,21). Que passe o cálice da ira, devido aos pecadores e não ao inocente (Jr 25,29; Is 51,22), mas que a vontade de Deus se anteponha à sua humana. "No texto do rolo está escrito a meu respeito que cumprirei tua vontade, eu o quero, Deus meu, levo tua instrução nas entranhas" (Sl 40,8-9).

22,43-44 * Alguns manuscritos suprimem esses versículos, provavelmente por preocupações dogmáticas em tempo de heresias. Deus envia um anjo a confortar seus enviados (Dn 10,15-19). Assim fortalecido, "entra em combate", como Jacó com o personagem misterioso (Gn 32,26-29), de noite e sozinho. Luta para que triunfe a vontade de Deus, e o esforço da luta o faz suar. A força de Jesus é submeter-se e aceitar.

22,47-53 O narrador compõe uma cena breve de efeito dramático: o beijo do traidor, a intervenção armada de um apóstolo, a alocução de Jesus definindo o sentido e a dimensão do ocorrido.

22,47-48 O "beijo de Judas" passou à tradição como emblema de traição: "Não é um desgosto mortal quando o amigo íntimo se torna inimigo?" (Eclo 37,2). "Mas és tu, meu amigo e expressando suave me unia doce intimidade" (Sl 55,14-15). A pergunta de Jesus tem a força suprema da mansidão.

22,49-51 Os apóstolos continuam sem entender, pensando ainda no fato das espadas e associando sua fidelidade com a violência. Com isso entram no jogo do "poder tenebroso". Assim não o vencerão, e justificarão humanamente a reação dos inimigos. Curando o servo ferido, Jesus demonstra que não tem nada a ver com a violência crescente e, mais ainda, louvada. Também essa cura é emblema da vontade de Jesus de curar feridas mais profundas e fatais. Com o bem quer vencer o mal. "A ninguém pagueis mal com mal... não te deixes vencer pelo mal, mas vence o mal com o bem" (Rm 12,17.21).

22,52-53 No plano visível se justifica a censura: o ensinamento de Jesus foi público, no templo não dialogou ou discutiu com eles. É um mestre e não um bandoleiro. Em outro plano está acontecendo a grande confrontação da luz com as trevas (Jo 1,5.9); "Deus é luz sem mistura de trevas... Quem odeia seu irmão está em trevas, caminha em trevas e não sabe aonde vai" (1Jo 1,5; 2,11). Poder das trevas ou tenebroso é o poder de Satã e da morte (Na 1,8; Sl 88,13; Jó 10,21; Sb 17).

22,54-62 Depois do beijo do traidor, a negação do primeiro apóstolo. Pedro quer demonstrar sua lealdade seguindo-o; avança e entra confiando em si.

na casa do sumo sacerdote. Pedro o seguia de longe. ⁵⁵Haviam aceso o fogo no meio do pátio, e estavam sentados ao redor. Pedro sentou-se entre eles. ⁵⁶Uma criada o viu sentado junto ao fogo, olhou-o fixamente e disse:

– Também este estava com ele.

⁵⁷Ele o negou:

– Mulher, não o conheço.

⁵⁸Pouco depois, outro o viu e disse:

– Também tu és um deles.

Pedro respondeu:

– Homem, não sou.

⁵⁹Cerca de uma hora depois, outro insistia:

– Realmente este estava com ele, pois também é galileu.

⁶⁰Pedro respondeu:

– Homem, não sei o que dizes.

Imediatamente, quando ainda falava, o galo cantou. ⁶¹O Senhor se voltou e olhou para Pedro; este recordou o que lhe havia dito o Senhor: Antes que o galo cante, me negarás três vezes. ⁶²Saiu fora e chorou amargamente.

Diante do Conselho (Mt 26,59-68; Mc 14,55-65; Jo 18,19-24) – ⁶³Aqueles que o haviam preso caçoavam dele e batiam. ⁶⁴Tapando-lhe os olhos, diziam-lhe:

– Adivinha quem te bateu.

⁶⁵E lhe diziam muitas outras injúrias.

⁶⁶Ao amanhecer, reuniram-se os senadores do povo, os sumos sacerdotes e os letrados, conduziram-no diante do Conselho ⁶⁷e lhe disseram:

– Se és o Messias, dize-nos.

Respondeu-lhes:

– Se vo-lo disser, não me crereis, ⁶⁸e se perguntar, não me respondereis. ⁶⁹Mas daqui em diante o Filho do Homem estará sentado à direita da Majestade de Deus.

⁷⁰Disseram todos:

– Então, tu és o Filho de Deus?

Respondeu:

– É o que dizeis: eu o sou.

⁷¹Replicaram:

– Que necessidade temos de testemunhas? Nós o ouvimos de sua boca.

Dormiu e não se uniu à oração do Mestre. Nenhum evangelista correu um véu sobre a covardia daquele que se fazia de valente, sobre a fraqueza da "pedra". A Pedro advém a primeira ocasião de dar testemunho, não, porém, diante do tribunal público (21,13), e falha no ensaio. Os detalhes mudam nas diversas versões.

Lucas apresenta três assaltos e três derrotas, sem outro progresso senão a reiteração e o transcorrer do tempo e o passar do comentário de uma mulher ao testemunho das testemunhas (Dt 19,15). As três testemunhas concordam e seu testemunho é veraz: "estava com ele, era um deles". Contudo, Pedro renega o mais íntimo, sua relação com Jesus; Jesus não o renega (cf. 12,9). O galo é o despertador da consciência de Pedro: sem palavras lhe atualiza a palavra de Jesus. O olhar deste não é traço realista, mas sim um modo de indicar o interesse pessoal de Jesus (Is 66,2; Sl 13,4); o mesmo vale do "voltar-se": "Por tua grande compaixão, volta-te para mim" (Sl 25,16; 69,17). "Puseste nossas culpas... à luz do teu olhar" (Sl 90,8). O pranto de arrependimento é como um batismo que purifica (Jz 2,4; Is 22,12; Jr 3,21).

22,63-65 Os que prenderam Jesus eram sumos sacerdotes, guardas do templo e senadores (v. 52). Os que agora o custodiam seriam alguns daqueles, provavelmente da guarda do templo. Não se referem ao título messiânico, e sim à fama de profeta. Aquele que lê pensamentos pode ver com os olhos fechados, para ele não há trevas (cf. Sl 139,11-12). Mas se cumprirá o anunciado no terceiro cântico do Servo (Is 50,5-6). Não é justiça, e sim vingança.

22,66-71 Lucas apresenta uma sessão matutina diante do Grande Conselho (Sinédrio), formado pelos sumos sacerdotes, letrados ou intérpretes autorizados da lei e senadores do povo. Não lhe dá forma exata de processo: não são interrogadas testemunhas, não se pergunta com juramento, não se pronuncia sentença. O assunto versa sobre dois títulos equivalentes: Ungido ou Messias e Filho de Deus. É preciso esclarecer seu significado. Messias pode-se entender de três modos que não se excluem mutuamente. a) O descendente de Davi anunciado e esperado, que restaurará a soberania de Israel: "Não faltará a Davi um sucessor que se sente no trono" (Jr 33,17), como mediador da lei de Deus para todos os povos. b) O Messias político da luta contra Roma; talvez atualizando frases de Miqueias: "Vamos, Sião, trilha, e eu te darei chifres de ferro e patas de bronze para que trituras muitos povos... O resto de Jacó será em meio às nações como um leão entre feras selvagens" (Mq 4,13; 5,7). c) Um Messias transcendente, segundo as visões de Daniel, a pedra desprendida da montanha sem intervenção humana, a "figura humana" (Dn 2; 7), lida já em chave messiânica. As autoridades esperam o tipo a), mas não estão dispostas a reconhecer esse título em Jesus, pensam que este se apropria ilegitimamente. Por isso transferem capciosamente a pergunta ao sentido b), que lhes permitirá acusar Jesus diante do Procurador romano, como rebelde. Jesus não recusa o primeiro sentido, mas lhe acrescenta enfaticamente o terceiro.

Jesus não responde taxativamente, porque seria inútil, já que eles resistem em crer (cf. a atitude de Jeremias, Jr 38,15). Tampouco pergunta, porque já o fez, sobre o Batista e sobre Davi, e não responderam (cap. 20). Assim, pois, responde em outro plano: substituindo o "eu" pela expressão que atrai a ressonância de Dn 7,14 e apropriando-se da frase do Sl 110,1. Mas suprime a "vinda nas nuvens" e o "vereis", porque a exaltação está sucedendo "agora".

23 Diante de Pilatos (Mt 27,1a.11-14; Mc 15,1-5; Jo 18,28-38) – ¹Toda a multidão se levantou, o conduziu a Pilatos ²e começaram a acusação:

– Encontramos este agitando nossa nação, opondo-se ao pagamento do tributo a César e declarando-se Messias rei.

³Pilatos lhe perguntou:

– És tu o rei dos judeus?

Respondeu:

– É o que dizes.

⁴Mas Pilatos disse aos sumos sacerdotes e à multidão:

– Não encontro culpa alguma neste homem.

⁵Eles insistiam:

– Está agitando todo o povo da Judeia; começou na Galileia e chegou até aqui.

⁶Ao ouvir isso, Pilatos perguntou se esse homem era galileu; ⁷e, ao saber que pertencia à jurisdição de Herodes, o remeteu a Herodes, que nessa ocasião se encontrava em Jerusalém.

Jesus diante de Herodes – ⁸Herodes se alegrou muito ao ver Jesus. Fazia tempo que desejava vê-lo pelo que ouvia dele, e esperava vê-lo fazer algum milagre. ⁹Fez-lhe muitas perguntas, mas ele não lhe respondeu. ¹⁰Os sumos sacerdotes e letrados estavam aí, insistindo em suas acusações. ¹¹Herodes com seus soldados o trataram com desprezo e caçoada e, impondo-lhe uma veste esplêndida, o remeteu a Pilatos. ¹²Nesse dia Herodes e Pilatos estabeleceram boas relações, pois até então tinham sido inimigos.

Filho de Deus, na mente dos judeus, é o título que Deus confere ao rei ungido no dia da nomeação e entronização: "Tu és meu filho, eu hoje te gerei" (Sl 2,7); ainda não tem o sentido metafísico da confissão trinitária, ou seja, que coincide com o primeiro (unidos apareciam em Mc 14,61) e é título religioso, não político. À pergunta sobre esse título, Jesus responde categoricamente, inclusive com a fórmula "Eu sou", em que pode ressoar a revelação de Deus (Ex 3,14).

Lucas não diz que o declaram réu, mas que têm o testemunho do acusado para apresentar o caso ao Procurador.

23,1-5 Começa o processo civil diante do Procurador romano, juiz em última instância. Ele pode instruir ou repetir um processo, dar sentença, permitir ou recusar a execução de um réu. Sem diminuir a responsabilidade de Pilatos (Procurador da Judeia e Samaria de 26-36 d.C.), Lucas parece buscar-lhe atenuantes. Mostra que faz esforços para livrar-se do processo, para deixar Jesus livre, reiteradamente o declara inocente; dá a entender que cede à pressão dos judeus. No relato de Lucas se sobrepõem o interesse histórico, o apologético e o teológico. Da história retém dados essenciais: o processo perante Pilatos e a execução numa causa civil; a pressão das autoridades comprometidas. Para a apologética, diante do império no qual agora vivem os cristãos, esforça-se por mostrar que Jesus era inocente, que não é um agitador político nem um guerrilheiro violento. Para a teologia, dá relevo ao silêncio de Jesus como sinal de dignidade e submissão ao desígnio de Deus.

23,1 Lucas não o descreve amarrado, mas apenas rodeado da massa dos seus inimigos: "Encurrala-me um tropel de novilhos... abrem contra mim suas fauces... Cerca-me um bando de malfeitores" (cf. Sl 22,13; 55,19; 119,157).

23,2 A acusação é formulada em termos de delito civil e se articula em três capítulos que se reduzem a um: agitar a massa popular (problema de ordem pública), impedir que se pague o tributo imperial (problema econômico), declarar-se Messias rei (problema político). O último é o decisivo, e aí as autoridades realizam o deslocamento de sentido: para eles, Messias, Ungido, figura religiosa; para o Procurador romano, rei. No primeiro capítulo dão a entender que o povo os segue, fato certo; que os segue para o mal e com perigo público, insinuação mal-intencionada. A falsidade das acusações fica evidente no contexto de Lucas.

23,3 Segundo o costume romano, o processo se abre interrogando o réu. Pilatos recolhe, como resumo, o terceiro capítulo de acusação, com a fórmula calculada "Rei dos judeus", e Jesus responde afirmativamente com ressalvas: tu o dizes, assim o dizes tu, tu o dizes com teu significado. Lucas resumiu todo o interrogatório numa pergunta e numa resposta; de que modo Jesus é rei se viu na sua entrada em Jerusalém, que não alarmou a tropa romana: cavalgando um jumento e dirigindo-se ao templo para ensinar.

23,4 Primeira declaração de inocência, em favor também da multidão que está presente (cf. Sl 17,3; 59,5). Pode-se comparar com o processo de Jeremias (Jr 26).

23,5 Insistem no primeiro ponto: mostrando sem querer a extensão do ministério de Jesus e sua popularidade; ao mesmo tempo, pronunciando o nome Galileia, reconhecidamente uma terra de terroristas e exilados.

23,6-7 Pilatos viu e declarou a inocência do acusado. Não deduz as consequências justas; procura unicamente livrar-se do assunto. Passa-o a outra jurisdição, tirando partido da operação.

23,8-12 Herodes Antipas, tetrarca da Galileia (3,1), filho de Herodes o Grande. Considera Jesus um espetáculo, objeto de curiosidade; e o milagre, uma demonstração de habilidade que se contempla de fora, sem participar; como o atirar-se do beiral do templo, sugerido por Satanás. Embora tenha Jesus à sua frente, Herodes fica distante, o diálogo é impossível. O silêncio de Jesus denuncia a falsidade da situação (Is 53,7). As autoridades judaicas persistem em acusá-lo (cf. Sl 35,11; 69,20; 109,6-7). Decepcionado, Herodes se desforra com uma zombaria que confirma a inocência de Jesus: veste-o como

Condenado à morte (Mt 27,15-26; Mc 15,6-15; Jo 18,39-19,16) – [13]Pilatos convocou os sumos sacerdotes, os chefes e o povo e [14]lhes disse:

– Vós me trouxestes este homem alegando que agita o povo. Vede: eu o examinei em vossa presença e não encontro neste homem nenhuma culpa das que o acusais. [15]Tampouco Herodes, pois ele o remeteu a mim. Como vedes, não cometeu nada que mereça a morte. [16]Eu o castigarei e o deixarei livre.

[[17]Pela festa tinha de lhes soltar um preso.] [18]Mas eles gritaram todos juntos:

– Fora com ele! Solta-nos Barrabás!

[19](Este estava preso por causa de um motim na cidade e um homicídio.)

[20]Pilatos se dirigiu de novo a eles, tentando libertar Jesus; [21]mas eles gritavam:

– Crucifica-o! Crucifica-o!

[22]Falou-lhes pela terceira vez:

– Mas que delito cometeu? Não encontro nele nada que mereça a morte. Vou castigá-lo e deixá-lo livre.

[23]Mas eles insistiam com grandes gritos, pedindo que o crucificasse; e redobravam os gritos. [24]Então Pilatos decretou que se fizesse o que pediam. [25]Assim, pôs em liberdade aquele que havia sido preso por motim e homicídio, pelo qual pediam, e entregou Jesus ao arbítrio deles.

Crucifixão (Mt 27,32-44; Mc 15,21-32; Jo 19,17-27) – [26]Quando o conduziam, tomaram um tal Simão de Cirene, que voltava do campo, e lhe impuseram a cruz para que a levasse atrás de Jesus. [27]Seguia-o grande multidão do povo e mulheres chorando e lamentando-se por ele. [28]Jesus voltou-se e lhes disse:

"candidato" a um cargo honorífico (*candidus* = esplêndido). Pode-se recordar Davi, voluntariamente caçoado na corte do rei Aquis (1Sm 21,11-18).

23,12 Os poderes civis se aliaram, o pagão e o meio judeu, como comenta a oração dos cristãos, aduzindo um versículo do salmo messiânico (Sl 2): "aliaram-se contra teu santo servo Jesus, teu Ungido, Herodes e Pôncio Pilatos, com pagãos e gente de Israel" (At 4,27).

23,13-16 Acontece uma mudança importante: Pilatos convoca também "o povo". Quer dizer que daí em diante membros do povo atuarão junto das suas autoridades. O povo não agiu como acusador; assistiu a um processo público e pôde constatar que não foi comprovada culpa alguma. No futuro o povo não será mero expectador (Is 5,3). O que abrange o termo "povo" pode ser problema de leitura. A seguir, Lucas vai atribuir também ao povo uma parte da responsabilidade.

23,16 Após a declaração de inocência, o castigo ou admoestação, a flagelação é uma pura e cruel injustiça.

23,17-25 Com enfática regularidade se sucedem as três declarações de inocência e vão crescendo os gritos dos judeus. O episódio é a última tentativa de Pilatos para deixar Jesus livre: já que não o consegue por absolvição de inocente, tenta-o por indulto de culpado. Alguns manuscritos acrescentam o v. 17 como explicação do episódio. O resultado é um trágico paradoxo: fica em liberdade o revoltoso homicida e triunfam uns amotinados: "Vós rejeitastes o santo e inocente, pedistes que vos indultassem um homicida e matastes o Príncipe da vida" (At 3,14-15).

23,20-23 Lucas salta a atividade dos chefes incitando o povo (Is 3,15). A crucifixão é a forma mais cruel de execução capital; aplica-se a escravos e a rebeldes contra o império. Paulo o comenta citando um versículo da lei: "Maldito quem é suspenso a um madeiro" (Gl 3,13; Dt 21,13). A resistência do romano exacerba a plebe, como se atiçasse seus instintos bestiais (cf. Sl 22,13-14). Estêvão os acusará com violência (At 7,51-52).

23,24 Logicamente aqui se deveria registrar a sentença de Pilatos, que sanciona o processo com valor jurídico e dá lugar à execução. Lucas insinua a sentença no verbo *epekrinen* (único uso no NT) para salientar que foi o "pedido" dos judeus. Todos os dados confirmam que Pilatos pronunciou sentença e dela foi o principal responsável. Confirmam-nos: outros evangelistas (Jo 19,13), o título com a causa (Lc 23,38), a pena infligida e os carrascos romanos.

23,25 Pedro comentará isto depois da ressurreição (At 3,13-14). Soa de novo o verbo "entregar" (cf. Sl 27,12; 41,3). "Dia de escuridão e trevas" (Sf 1,15). "Ai dos que tomam as trevas por luz, a luz por trevas" (Is 5,20).

23,26 A partir desse momento, que é a execução, o narrador compõe uma cena densa e dramática pelo contraste de atitudes em torno ao centro, que é Jesus. De um lado, chefes, soldados, um malfeitor; do outro, mulheres compassivas, um malfeitor arrependido, o centurião, assistentes compungidos. Esses são os que se distanciam da crueldade e os que se deixam abrandar ou vencer pelo que viram (compare-se com a atitude dos que falam em Is 53). A cruz de Cristo começa a frutificar, e os diversos grupos estão prefigurando gerações de homens confrontados pela morte de Jesus.

O primeiro personagem mencionado é Simão, provavelmente judeu da diáspora, procedente de Cirene. O gentílico "Cireneu" passou para nossa língua como tipo de caridade. Ele vai levar o madeiro transversal da cruz, "atrás dele". No último trajeto que resta a Jesus, converte-se em seu seguidor (9,23; 14,27).

23,27-31 É notável o espaço dedicado a esse episódio; sinal de que o narrador o considera importante. São mulheres que choram, como carpideiras num rito fúnebre antecipado (cf. Jr 9,16-20). Chama-as "moradoras", literalmente "filhas de Jerusalém", frequente no Cântico dos Cânticos (ver especialmente 3,11); equivale ao título "filhas/moradoras de Sião" de profetas (Is 3,16-17; 4,4). Essas mulheres compassivas

— Moradoras de Jerusalém, não choreis por mim; chorai por vós e por vossos filhos. ²⁹Porque chegará um dia em que se dirá: Felizes as estéreis, os ventres que não pariram, os peitos que não amamentaram! ³⁰Então começarão a dizer aos montes: *Caí sobre nós*; e às colinas: *Sepultai-nos*. ³¹Pois, se tratam assim a árvore viçosa, o que não farão com a seca?

³²Conduziam com ele outros dois malfeitores para executá-los. ³³Quando chegaram ao lugar chamado Caveira, o crucificaram com os malfeitores: um à direita e outro à esquerda. ³⁴Jesus disse:

— Pai, perdoa-lhes, porque não sabem o que fazem.

Repartiram a roupa dele, tirando sortes. ³⁵O povo estava olhando; os chefes caçoavam dele:

— A outros salvou, que se salve, se é o Messias, o predileto de Deus.

³⁶Também os soldados caçoavam dele. Aproximavam-se para oferecer-lhe vinagre ³⁷e diziam:

— Salva-te, se és o rei dos judeus.

³⁸Acima dele havia uma inscrição: Este é o rei dos judeus.

³⁹Um dos malfeitores crucificados o insultava:

— Não és tu o Messias? Salva a ti mesmo e a nós.

⁴⁰O outro o repreendia:

— E tu, que sofres a mesma pena, não respeitas a Deus? ⁴¹Quanto a nós, é justo, pois recebemos o pagamento de nossos delitos; este, ao contrário, não cometeu nenhum crime.

⁴²E acrescentou:

---

assumem a tarefa de representar as tribos de Israel que "farão luto como por um filho único, chorarão como se chora um primogênito" (Zc 12,10). Não chorem por Jesus, que cumpre seu destino trágico e glorioso. Chorem por si, numa espécie de liturgia de arrependimento (cf. Jl 2,16-17). E por seus filhos: pranto antecipado pela desgraça que se aproxima; então não haverá tempo para ritos fúnebres: "Morrerão nesta terra pequenos e grandes, não serão sepultados nem chorados"; "as viúvas não os choram" (cf. Jr 16,5-7; Sl 78,64). Então se sentirá como desgraça a maior alegria de uma mulher, a maternidade (cf. 2Rs 4,28).

O texto citado (Os 10,8) é uma acusação contra a "videira frondosa" que se converterá em "espinheiros". Jesus recorre a outra imagem vegetal: se o inocente sofre desse modo, o que será dos culpados? (1Pd 4,17-18); "se na cidade que traz meu nome o castigo começou, ireis vós ficar impunes?" (Jr 25,29; e para a imagem, Nm 17,23).

23,32-33 Segundo a profecia de Is 53,12. Os evangelistas supõem conhecido o suplício da crucifixão e não se detêm a descrever sua brutalidade. Deixam-no à imaginação do leitor. Hoje sabemos que os cravos não atravessavam mãos e pés, e sim o carpo e o tarso. O fato da crucifixão é um artigo de nossa fé, e a cruz muda de sentido na história.

23,34-46 Lucas recolhe três palavras de Jesus na cruz: pelos culpados (34), ao ladrão (43), por si (46). A primeira e a última começam igual: Pai! Revelação de um mistério que nos sobrepuja. Tinha dito que "ninguém conhece quem é o Pai, a não ser o Filho e aquele a quem o Filho decida revelá-lo" (10,22); agora o faz, em sua capacidade de perdoar; porque agora este é sendo "compassivo como o Pai" (6,36). Jesus intercede; como Abraão (Gn 18), como Moisés (Ex 32; Nm 14), como Samuel (1Sm 12), como Jeremias (Jr 15,15) e mais que eles; e continuará para sempre intercedendo (Hb 7,25). Não pode negar a culpa, busca uma atenuante: "Ele conhece nossa condição e se lembra que somos de barro" (Sl 103,13-14). Disso Pedro e Paulo farão eco falando aos judeus (At 3,15-17; 13,27). O que fizeram ultrapassa sua capacidade de compreensão: "Israel não conhece, meu povo não pondera" (cf. Sl 103,13-14). A partilha das roupas entre os executores era prática normal; aqui indica o cumprimento de uma profecia (Sl 22,18).

23,35 Também as zombarias correspondem à profecia (Sl 22,7-8). "Vamos ver se é verdade o que diz, comprovando como é sua morte; se esse justo é filho de Deus, este o auxiliará e o arrancará das mãos de seus inimigos" (Sb 2,17-18).

23,36-38 Oferecem vinagre como bebida refrescante; também recordando o salmo (69,21). A zombaria dos soldados faz eco à dos chefes judeus: a "Messias" corresponde "rei dos judeus". A zombaria está no tom, pois o que dizem é verdade, embora o título clássico seja Rei de Israel. O título infamante da cruz é título honorífico. Jamais esqueça o cristão que Jesus era judeu e de dinastia real.

23,39-43 A cena é própria de Lucas e é elaborada com cuidado. Dois malfeitores no mesmo tormento e os destinos opostos por sua relação com Jesus. À direita e à esquerda: como as bênçãos e maldições da aliança (cf. Js 8,33), como no julgamento de Mateus (Mt 25,31). A separação e oposição tratam do tema da realeza. Para um, serve à zombaria do desesperado, não ao pedido sério de um milagre; não há milagre que os salve. Para outro, é revelação misteriosa e acolhida com fé. Dá por descontado que esse condenado um dia será rei e lhe pede que então se lembre de seu companheiro de suplício (como José no cárcere, Gn 40,41); "lembra-te" é pedido frequente nos salmos (25,6; 74,2; 119,49). Sua fé passou pela confissão do crime e pela aceitação da pena, por compreender que zombar desse homem é não respeitar a Deus.

Ao pedido "quando" responde a promessa "hoje" (cf. Fl 1,23). "Paraíso" (no sentido original, "parque"), é imagem de uma vida feliz após a morte, na qual Jesus exercerá seu reinado. Jesus já possui o poder e pode prometer com segurança e generosidade régia. A salvação é "estar com ele" (cf. 1Ts 4,17).

– Jesus, quando chegares ao teu reino, lembra-te de mim.

⁴³Respondeu-lhe:

– Eu te asseguro que hoje estarás comigo no paraíso.

Morte de Jesus (Mt 27,45-56; Mc 15,33-41; Jo 19,28-30) – ⁴⁴Era meio-dia. Toda a região escureceu até a metade da tarde, ⁴⁵ao faltar o sol. O véu do templo se rasgou pelo meio. ⁴⁶Jesus gritou com voz forte:

– Pai, *em tuas mãos entrego o meu espírito.*

Dito isso, expirou. ⁴⁷Ao ver tudo o que estava acontecendo, o centurião glorificou a Deus, dizendo:

– Realmente este homem era inocente.

⁴⁸Toda a multidão que se havia reunido para o espetáculo, ao ver o que acontecera, voltava batendo no peito. ⁴⁹Seus conhecidos mantinham-se à distância, e as mulheres que o haviam seguido desde a Galileia observavam tudo.

Sepultamento de Jesus (Mt 27,57-61; Mc 15,42-47; Jo 19,38-42) – ⁵⁰Havia um homem chamado José, natural de Arimateia, cidade da Judeia. Pertencia ao Conselho, era justo e honrado ⁵¹e não havia consentido na decisão dos outros nem na execução dele, e esperava o reinado de Deus. ⁵²Foi a Pilatos e lhe pediu o cadáver de Jesus. ⁵³Desceu-o, envolveu-o num lençol e o depositou num sepulcro cavado na rocha, no qual ainda ninguém fora enterrado. ⁵⁴Era o dia da Preparação, e começava o sábado. ⁵⁵As mulheres que o haviam acompanhado desde a Galileia foram atrás para observar o sepulcro e como haviam colocado o cadáver. ⁵⁶Voltaram, prepararam aromas e unguentos, e no sábado guardaram o descanso de preceito.

23,44-45 A escuridão ao meio-dia é extraordinária, teofânica: "farei o sol se pôr ao meio-dia e em pleno dia escurecerei a terra" (Am 8,9); dia de julgamento para o Faraó (Ez 32,7), "ao faltar o sol" (Is 13,10; Jr 15,9; Jl 3,4).

O véu do templo separava o arcano onde estava presente a glória de Deus; era acessível só ao sumo sacerdote, uma vez por ano, entre nuvens de incenso, no dia da expiação (Ex 26,31-33). Esse sinal da velha economia se rasga, deixa de funcionar, porque doravante o acesso a Deus está presente, sempre a todos, por meio de Jesus: "com o mesmo Espírito e por meio dele, temos acesso ao Pai" (Ef 2,18).

23,46 As últimas palavras de Jesus são citação adaptada de um salmo (31,6): onde este invoca a "Deus", Jesus diz "Pai". Deixa seu alento vital em depósito (assim o hebraico original) a alguém que é fiel, em quem confia plenamente; sabe que recobrará seu depósito. No mesmo salmo se diz (v. 16): "em tuas mãos está o meu destino". "A vida dos justos está nas mãos de Deus" (Sb 3,1). Expirou: "tornou-se obediente até à morte, morte de cruz" (Fl 2,8).

23,47 Confessando o próprio pecado, a pessoa dá glória a Deus (Js 7,19); e também confessando a inocência de Jesus. Homenagem póstuma do pagão, como a prestada ao Servo (Is 53,9): "embora não tivesse cometido crimes nem houvesse engano em sua boca" (Is 53,9).

23,48 A morte na cruz é fecunda. A penitência que começou com a pregação do Batista (3,7-14) culmina agora ante o "espetáculo" sem palavras. O espetáculo não foi o castigo fulminante dos culpados (Sl 64,9-10), mas a morte de um inocente. Cumpre-se o luto de Jerusalém anunciado por Zacarias: "Derramarei um espírito de compunção e de súplica de perdão. Ao olhar-me traspassado por eles, eles lamentarão como se fosse a lamentação por um filho único; eles chorarão como se chora um primogênito" (Zc 12,10).

23,49 Mantêm-se à distância: como os amigos de Jó "vendo a atrocidade de seu sofrimento" (2,12-13), como os conhecidos do salmista: "meus próximos se mantêm ao longe" (Sl 38,12; 88,9). As mulheres "seguidoras" (8,2; 23,55). Um centurião romano, uma multidão de judeus, umas mulheres constantes são o primeiro grupo que está reunindo: "dar-lhe-ei uma multidão como quinhão" (Is 53,12).

23,50-51 A eles junta-se esse homem nobre, judeu, honrado, membro do Conselho, mas em desacordo, que espera o reinado de Deus anunciado por Jesus.

23,52-53 Segundo a lei romana, o sentenciado ficava insepulto, à mercê das intempéries e das feras (cf. Jr 7,33; 16,4; Sl 79,2). Segundo a lei judaica, os cadáveres não deviam ficar pendurados no madeiro durante a noite: "Não deves contaminar a terra que o Senhor teu Deus vai te dar como herança" (Dt 21,22-23). José quer dar a Jesus uma sepultura digna (segundo a leitura duvidosa do texto hebraico de Is 53,9). A Pilatos compete conceder a licença, que o narrador dá por suposta sem explicá-lo. O sepulcro é de qualidade, e ainda não foi usado (como o jumentinho da entrada em Jerusalém, 19,30), como primícias da terra para acolher Jesus morto. A antiga tradição dirá: como o seio virginal de Maria. A sepultura confirma a morte e é recordada nas confissões antigas (1Cor 15,4; At 13,29).

23,54-56 A morte aconteceu na tarde da sexta-feira; sobrevém-lhe o ocaso, quando começa o sábado (em grego o mesmo verbo de "amanhecer", Mt 28,1, indicando o crepúsculo). Por isso o enterro é rápido. As mulheres preparam os unguentos para um tratamento digno, quando passar o descanso do sábado. Nesse sábado também Jesus descansa: "descansarão de suas fadigas, pois suas obras os acompanham" (cf. Ap 14,13).

24 Ressurreição de Jesus

(Mt 28,1-10; Mc 16,1-8; Jo 20,1-10) – ¹No primeiro dia da semana, de madrugada, foram ao sepulcro levando os perfumes preparados. ²Encontraram removida a pedra do sepulcro, ³entraram, mas não encontraram o cadáver de Jesus. ⁴Estavam desconcertadas pelo fato, quando se lhes apresentaram dois personagens com vestes fulgurantes. ⁵E, como ficassem espantadas olhando para o chão, eles lhes disseram:

– Por que procurais entre os mortos aquele que está vivo? ⁶Não está aqui, ressuscitou. Recordai o que vos disse ao estar ainda na Galileia, ⁷ou seja: Este Homem deve ser entregue aos pecadores e ser crucificado; e no terceiro dia ressuscitará.

⁸Elas se lembraram das palavras dele, ⁹voltaram do sepulcro e contaram tudo aos onze e a todos os outros. ¹⁰Eram Maria Madalena, Joana e Maria de Tiago. Elas e as outras o contaram aos apóstolos. ¹¹Mas eles tomaram o relato por um delírio e não creram nelas. ¹²Pedro, ao contrário, se levantou e foi ao sepulcro. Inclinando-se, viu somente os lençóis. E voltou para casa estranhando o acontecido.

Caminho de Emaús

– ¹³Naquele mesmo dia, dois deles iam em direção a uma aldeia chamada Emaús, distante cerca de duas léguas de Jerusalém. ¹⁴Iam comentando tudo o que aconteceu. ¹⁵Enquanto conversavam e discutiam, Jesus em pessoa os alcançou e se pôs a caminhar com eles. ¹⁶Eles po-

---

24 Coordenadas da Páscoa. Lugar: Jerusalém. Lucas não apresenta uma aparição na Galileia, porque a grande viagem de Jesus para Jerusalém passa pela cruz e termina na ascensão. Em 24,51 encerra-se o grande ciclo aberto em 9,51. Tempo: um domingo. É o primeiro dia da nova criação, e assim a Igreja o celebrará doravante (Ap 1,10). Desenvolvimento: um ato único desdobra-se em três cenas: revelação pelos anjos às mulheres (1-12); revelação pessoal a duas testemunhas (13-35); revelação aos onze e ascensão (36-49.50-53). Embora a ressurreição ocorra nas coordenadas do nosso tempo e espaço, ao fato transcendente da ressurreição ninguém assiste e ninguém pode descrevê-lo. A fé se abre à presença física e espiritual do Ressuscitado. O fato de a fé dos apóstolos ser trabalhosa confirma sua validez.

24,1-9 Um sinal e dois testemunhos proclamam a notícia da Páscoa. O sinal é um dado comprovável e desconcertante: a pedra está rolada, o sepulcro está vazio. Mas esse sinal não revela por si só. Vem o testemunho angélico, celeste (também no nascimento houve um sinal, "um menino na manjedoura", e uma mensagem angélica, luminosa), de duas testemunhas (Dt 19,15): "ressuscitou" (que se converte em saudação pascal dos gregos). Um provérbio em forma de pergunta retórica propõe uma norma fundamental de conduta: não buscar entre os mortos aquele que está vivo (cf. Is 26,14.19). Jesus não é um a mais na corrente dos homens ilustres que se foram. O testemunho profético de Jesus arremata o testemunho angélico: o que ele mesmo anunciou reiteradamente se cumpriu (9,22; 17,25; 18,32-33). Os unguentos devotos e o sepulcro não servem mais (a basílica que nós chamamos de Santo Sepulcro, os gregos a chamam de *Anástasis*, Ressurreição). As mulheres são as primeiras mensageiras do grande acontecimento.

24,1 Este é o dia no qual Deus criou a luz (Gn 1); "este é o dia em que o Senhor agiu" (Sl 118,24); este é o dia da "luz perpétua" (Is 60,19-20). Os perfumes procuram deter piedosamente o caráter hediondo da morte (Jo 11,40).

24,2 Uma pedra pesada, que era rolada para fechar a entrada.
24,3 Primeiro precisam experimentar o espanto e a dor da ausência (como Elias, 1Rs 19).
24,4 Ao que se acrescenta a perplexidade de não compreender o fato.
24,6 Nesse vazio ressoa o grande anúncio. Não encontram o que procuram; todavia, por procurar com diligência, encontram muito mais. Não está aqui: o cadáver, porque não há cadáver: "Não deixarás que teu fiel conheça a corrupção" (cf. Sl 16,10).
24,10-11 Embora fossem conhecidas e estimadas, seu testemunho não convence; por serem mulheres? pelo que dizem? "Quem acreditou em nosso anúncio?" (Is 53,1).
24,12 Pedro como outras vezes toma a iniciativa, separa-se, vai curioso e audaz ao lugar dos fatos. Comprova o sinal do sepulcro com detalhe, mas faltam-lhe por ora os testemunhos e fica "assombrado", nem incrédulo nem crente. Ainda lhe falta o olhar do Mestre (22,61).
24,13-35 Do material próprio de Lucas podemos destacar: o evangelho da infância (1-2), a auto-apresentação na sinagoga de Nazaré (4,16-22), a parábola do filho pródigo (15,11-32), o caminho de Emaús. Hesitamos em turvar com nossos comentários esse relato belíssimo.
Descobrimos nele um esquema de protoliturgia (como o de Moisés e Jetro em Ex 18,6-12), composta de palavra e banquete. A primeira parte, caminho, é uma aula de exegese pascal, ou seja, explicação da Escritura (AT) à luz da ressurreição, feita por Jesus em pessoa. A segunda parte, a chegada, é a descoberta e compreensão do mistério ao partilhar Jesus o seu pão de vida. A liturgia converte-os em mensageiros. Também se tem observado a semelhança estrutural desse relato com o do eunuco: leitura do profeta Isaías, explicação cristológica, batismo (At 8,26-40).
24,16 Jesus ressuscita em sua inteira realidade humana, portanto, também corporalmente. Mas sua corporeidade pertence a uma nova esfera. Nessa nova condição está realmente, continuamente presente;

rém tinham os olhos incapacitados para reconhecê-lo. ¹⁷Perguntou-lhes:

– Sobre o que conversais pelo caminho?

Eles pararam com semblante aflito, ¹⁸e um deles, chamado Cléofas, lhe disse:

– És o único forasteiro em Jerusalém que desconhece o que aconteceu aí nesses dias?

¹⁹Perguntou:

– O quê?

Responderam-lhe:

– A respeito de Jesus de Nazaré, que era um profeta poderoso em obras e palavras diante de Deus e diante de todo o povo. ²⁰Os sumos sacerdotes e nossos chefes o entregaram para que o condenassem à morte, e o crucificaram. ²¹E nós, que esperávamos fosse ele o libertador de Israel! Além disso, hoje é o terceiro dia depois que isso aconteceu. ²²É verdade que algumas mulheres do nosso grupo nos alarmaram; pois, indo de madrugada ao sepulcro, ²³e não encontrando o cadáver, voltaram dizendo que tiveram uma visão de anjos dizendo que ele está vivo. ²⁴Também alguns dos nossos foram ao sepulcro e o encontraram como as mulheres haviam contado. Mas não o viram.

²⁵Jesus lhes disse:

– Como sois insensatos e lentos para crer em tudo o que disseram os profetas! ²⁶Não tinha o Messias de sofrer isso para entrar em sua glória?

²⁷E começando por Moisés e continuando por todos os profetas, explicou-lhes o que se referia a ele em toda a Escritura.

²⁸Aproximavam-se da aldeia para onde se dirigiam, e ele fingiu continuar adiante. ²⁹Porém eles insistiam:

– Fica conosco, pois é tarde e o dia está terminando.

Entrou para ficar com eles; ³⁰e, enquanto estava com eles à mesa, tomou o pão, o abençoou, o partiu e o deu a eles. ³¹Abriram-se os olhos deles e o reconhe-

---

só que, acostumados a outra convivência, não o percebem. Tem que abrir rasgões para mostrar-se à evidência dos sentidos. Quando estiverem convencidos do fato e tiverem aprendido a reconhecer seu novo modo de presença, Jesus partirá. Pode tomar a figura de antes, visando à identificação, e pode mostrar-se em outra figura, como caminheiro desconhecido, como jardineiro (Jo 20,15), como desconhecido na praia (Jo 21,4). No entanto, mais grave que a figura dissimulada de Jesus é a cegueira dos discípulos, cegueira de quem não espera ver de novo o amigo que morreu (comparar com a percepção do cego de Jericó, 18,35-43). Contudo, o aceitam como companheiro de viagem.

24,18 A pergunta do discípulo indica que a execução de Jesus tinha tido ressonância na cidade; e como ocorreu durante a Páscoa, parece implicar que o desconhecido não assistiu até então às festas da Páscoa. "Forasteiro" que "enfrentara" a subida a Jerusalém (9,51). A pergunta admite uma leitura irônica: são eles os que não se deram conta do que realmente aconteceu.

24,19 Jesus pergunta concisamente, para que pela resposta saia o que está corroendo por dentro. Pergunta sempre atual, dirigida a cada um. Pergunta que ecoa na que provocou a confissão de Pedro (9,18). Cléofas reconhece Jesus como um dos antigos profetas: como Moisés (segundo a fórmula repetida em At 7,22); em fatos milagrosos como Elias e Eliseu; em palavras como a série ilustre da Escritura. Diante de todo o povo, diferente dos chefes.

24,20 Responsabilizam somente as autoridades; ao dizer "entregaram e crucificaram", insinuam a intervenção do poder romano.

24,21 "Feliz aquele que não tropeça por minha causa" (7,23), quem não se sentir frustrado. E isso depende do que alguém espera do outro. Eles esperavam que Jesus seria o libertador e restaurador de (todo) Israel, em termos políticos de independência nacional. Não é que fosse um falso profeta, mas fracassou em seu empenho (de modo semelhante fracassou Jeremias).

24,22-24 A profunda desesperança impede de captar o valor dos recentes acontecimentos ou dos relatos surpreendentes. As mulheres os "alarmaram", não serenaram; os discípulos testemunham apenas uma ausência.

24,25-27 E começa a grande aula pascal sobre a Escritura. O caminho pode durar duas horas. Eles selecionaram da Escritura os dados triunfais e a estes conformaram sua imagem do Messias. Que leiam também os outros dados, o Servo que sofre (Is 49,4.7; 50,4-9; 53), a paixão de Jeremias, o pastor (Zc 12,10; 13,7) e os orantes anônimos dos salmos (como o 21; 38; 55; 69 etc.); pois também os salmos são profecia. Jesus morto e ressuscitado será doravante a chave de compreensão da Escritura, desvelará seu sentido profundo; Paulo fala de um "véu" que se interpõe na leitura (2Cor 3,14-16). Com essa cena entronca uma leitura tradicional do AT na liturgia e nos textos dos Santos Padres e dos autores espirituais. Ele entrou na glória (Sl 73,16.22) e pode irradiar sua luz sobre a palavra.

24,26 "Tinha de" significa que era desígnio do Pai, que era seu messianismo concreto dirigido pelo Espírito. Tinha de beber a taça e mergulhar num batismo mortal. Mas tinha também de ser glorificado. "O qual, pela alegria que lhe foi proposta, sofreu a cruz, desprezou a humilhação e sentou-se à direita do trono de Deus" (Hb 12,2; cf. 2,9).

24,29 Oferecem insistentes sua hospitalidade com o desejo de tirar proveito (como aconteceu com Eliseu, 2Rs 4,10; como Manué fez com o anjo, Jz 13,13-18; como Gedeão, também com o anjo, Jz 6,18).

24,30-31 Lucas impõe à refeição a forma litúrgica de uma eucaristia: bênção e fração e partilha do pão; não se diz que ele o tenha tomado nem se menciona o vinho (22,19). O alimento lhes abre os olhos,

ceram. Mas ele desapareceu de sua vista. ³²Comentavam:

– Não se abrasava nosso coração enquanto nos falava pelo caminho e nos explicava a Escritura?

³³Levantaram-se imediatamente, voltaram a Jerusalém e encontraram os onze com os outros companheiros, ³⁴que afirmavam:

– Realmente o Senhor ressuscitou e apareceu a Simão.

³⁵Eles, por sua vez, contaram o que acontecera no caminho e como o haviam reconhecido ao partir o pão.

Aparição aos discípulos (Mt 28,16-20; Mc 16,14-18; Jo 20,19-23) – ³⁶Estavam falando disso, quando Jesus se apresentou no meio deles e lhes disse:

– A paz esteja convosco.

³⁷Espantados e tremendo de medo, pensavam que fosse um fantasma.

³⁸Mas ele lhes disse:

– Por que estais perturbados? Por que vos ocorrem essas dúvidas? ³⁹Vede minhas mãos e meus pés: sou eu mesmo. Tocai e vede: um fantasma não tem carne e osso como vedes que eu tenho.

⁴⁰Dito isso, mostrou-lhes as mãos e os pés. ⁴¹E, como não acreditassem por pura alegria e assombro, disse-lhes:

– Tendes aqui algo para comer?

⁴²Ofereceram-lhe um pedaço de peixe assado.

⁴³Ele o pegou e o comeu na presença deles. ⁴⁴Depois lhes disse:

– Isto é o que vos dizia quando ainda estava convosco: que tinha de cumprir-se em mim tudo o que está escrito na lei de Moisés, nos profetas e nos salmos.

⁴⁵Então abriu-lhes a inteligência para que compreendessem a Escritura. ⁴⁶E acrescentou:

– Assim está escrito: o Messias tinha de padecer e ressuscitar da morte; ⁴⁷e em seu nome se pregaria penitência e perdão dos pecados a todas as nações, começando por Jerusalém. ⁴⁸Vós sois testemunhas disso. ⁴⁹Eu vos envio aquele que o Pai prometeu. Ficai na cidade até que do céu sejais revestidos de força.

⁵⁰A seguir os levou a Betânia e, erguendo as mãos, os abençoou.

⁵¹E enquanto os abençoava, separou-se deles e era levado ao céu.

---

revela-lhes a identidade do caminheiro, a vida do ressuscitado, o sentido da instrução precedente. Uma vez reconhecido, sua presença física não é necessária.

24,32 A metáfora psicológica (Sl 39,4), semelhante ao nosso "ter o coração abrasado", mostra a participação intensa numa exegese bíblica que não é pura informação acadêmica, porque é revelação do Senhor glorificado.

24,33 A experiência e a notícia são muito grandes para ficar com elas. Imediatamente, sem reparar as duas léguas de distância nem a escuridão da hora, regressam a Jerusalém.

24,34 É curioso que só indiretamente se faça referência à aparição de Jesus a Simão. Recompensa-o apresentando Pedro como testemunha digna de fé, capaz de "fortalecer" os outros.

24,36-49 Esta é em Lucas a única aparição ao grupo inteiro, razão pela qual tem valor de síntese. Articula-se em duas partes: a aparição e identificação (vv. 36-43) e a missão (vv. 44-49).

24,36-43 A primeira incorpora uma intenção apologética, provocada talvez por objeções externas, ou por dúvidas dentro da comunidade de Lucas: os discípulos não são crédulos ou ingênuos (Pr 14,15), antes, desconfiados, críticos, exigem provas. Estas se articulam ou se estilizam em duas intervenções – tocá-lo (1Jo 1,1) e vê-lo comer – acompanhadas de palavras. O narrador indica dois traços psicológicos: a perturbação e as dúvidas pelas notícias que vão chegando, e o não crer de pura alegria: como quem não quer entregar-se a uma boa notícia por medo de ficar outra vez frustrado: bonito demais para ser verdade.

24,36 Sem bater, sem atravessar a porta, de repente "se apresenta", ou seja, manifesta corporalmente sua presença. A saudação tradicional, invocando a paz, forma inclusão com o anúncio do Benedictus (1,79) e especialmente o do nascimento (2,14).

24,39 São de fato as mãos do fazedor de milagres, os pés do pregador itinerante, carne e ossos de sua comum humanidade (Gn 2,23; cf. Jz 9,2).

24,41-43 No seu discurso na casa de Cornélio, Pedro vai contar como Jesus apareceu e "nós comemos e bebemos com ele" (At 10,40-41). É preciso comparar com a comida do anjo Rafael (Tb 12,19).

24,44-49 A segunda parte concentra muitos dados. Liga palavras presentes com as que precederam sua morte, o que também tem valor de identificação. Liga os fatos com o anúncio da Escritura, Moisés, os profetas e os salmos, segundo o plano de Deus: "tinha de cumprir--se". Explica outra vez a Escritura, desta vez acrescentando à morte e ressurreição um dado: a pregação. Ou seja: a paixão e a ressurreição desembocam na pregação apostólica, universal, a partir de Jerusalém.

24,48-49 Como um dia os enviou numa primeira expedição limitada (9,1-6), agora os chama de "testemunhas" (Is 43,10.12; 44,8). E nós falamos de "testemunho apostólico".

A promessa do Espírito prepara o relato de At 2. O Espírito é a "força" de Deus prometida, a mesma "força" da encarnação (1,35).

24,50-51 A glorificação de Jesus se expressa no símbolo espacial de ser levado ao céu. Com ele se conclui o ciclo das "aparições". O passivo (teológico) "ser levado, levantado" indica que o agente é Deus. É

⁵²Eles se prostraram diante dele e voltaram a Jerusalém muito contentes. ⁵³E passavam o tempo no templo bendizendo a Deus.

---

o Pai quem o toma e o leva ao seu lado. Embora o verbo grego seja diferente, com ele se completa a "subida" iniciada em 9,51. A "bênção" é sacerdotal (Nm 6,23) e real (2Sm 6,18; 1Rs 8,14.55).

24,53 O templo, como casa de oração, será por algum tempo vínculo de união com o AT. Chamar Jesus de Kyrios e render-lhe homenagem não contradiz o Deus do templo.

EVANGELHO SEGUNDO JOÃO

INTRODUÇÃO

Também o originalíssimo livro de João é um evangelho. Se atendermos à intenção básica, proclamar a fé em Jesus para provocar a fé de outros, o quarto evangelho é o mais puro e radical. Como em Dt 29 a existência se decide diante da lei de Deus, assim em João ela se decide diante de Jesus: por ele ou contra ele, fé ou incredulidade.

João se concentra assim na pessoa de Jesus. Mas em conteúdo biográfico é muito mais reduzido que os outros evangelistas. Supõe conhecidos os dados e não pretende preservar nem elaborar seus materiais. Seleciona alguns fatos importantes que apresenta e desenvolve com singular talento literário. Não é que substitua o relato pela exposição de uma doutrina religiosa, uma "cristologia". Mais que doutrina, oferece matéria de contemplação. A descrição é realista, com pitadas antidocéticas: vê, cheira e apalpa. Mas sua realidade é simbólica, carregada de um excesso de sentido, que a fé descobre e a contemplação assimila. Sua visão pode ser apresentada num diálogo com o artifício do mal-entendido que Jesus corrige; ou em cenas dramáticas de protagonista e antagonista e comparsas; ou em acaloradas controvérsias. A polêmica e a ironia são recursos que maneja para aprofundar em seu personagem.

João utiliza seus materiais e recursos com liberdade e domínio. A sua pátria é a Escritura: presente num grupo de citações formais (a grande distância de Mateus), em frases alusivas que se adaptam a outra situação, num tecido sutil de símbolos apenas insinuados, como se convidasse a um jogo de enigmas e desafios. Para captar o pano de fundo de João é preciso submergir no mundo simbólico do AT: luz, água, vinho, casamento, trabalho, pastor, caminho, pomba, palavra. Outras vezes são personagens do AT, mencionados explicitamente ou aos quais se faz alusão em filigranas para quem sabe adivinhá-los: Abraão, Moisés, Jacó-Israel, a mulher infiel de Os 2, Davi, a esposa do Cântico dos Cânticos. Acima de tudo ressoa a fórmula "Eu sou", própria de Yhwh, de que Jesus se apropria reiteradamente.

Também se abre a influências judaicas do rabinismo oficial ou de Qumrã, pondo Jesus no lugar da lei. Conheceu talvez tendências difusas e pouco definidas de um gnosticismo incipiente, a que parece opor-se.

Composição

O livro é composto com singular artifício. A cronologia é condensada em duas séries de dias e um ciclo de festas. Os comentaristas costumam dividir assim este evangelho: Prólogo e introdução (1). Livro dos sete sinais (2-12), articulado em três blocos. O primeiro (2-4) localiza em Caná dois sinais, exemplos de fé, formando inclusão; no meio, vários casos de recusa, fé pela metade e fé plena: autoridades judaicas, Nicodemos, o Batista, a samaritana e os samaritanos. O segundo bloco (5-10) se articula em quatro festas, com seu tema correspondente: o sábado e o trabalho; a Páscoa e o pão da vida; as Tendas com a água e a luz; a Dedicação e o templo. O terceiro bloco (11-12) apresenta o último sinal, que conduz à cruz. Segue-se o livro da glória, que abrange a grande despedida no cenáculo (13-17), a paixão (18-19) e a ressurreição (20). O capítulo 21 é um acréscimo posterior.

Os sinais são: em Caná o vinho, de Caná o filho do funcionário real, o paralítico junto à piscina, os pães na beira do lago, o caminhar sobre o lago, a cura de um cego,

a ressurreição de Lázaro. Sobressaem os diálogos com Nicodemos e com a samaritana; entre as cenas, a do cego e a de Lázaro; por sua aspereza, a controvérsia do capítulo 8; pelo artifício, o julgamento perante Pilatos.

João oferece uma visão trinitária centrada na revelação do Filho. Se em Marcos Jesus se revela como Filho de Deus a partir do batismo, e em Mateus e Lucas desde a concepção, João remonta à preexistência, afirmada no prólogo, em 8,58 e 17,5. Sua divindade se afirma ou é sugerida em 8,42 e 20,28, nas fórmulas "Eu sou", no título "Senhor". Missão primária de Jesus é revelar o Pai. Jesus glorificado enviará o Espírito para continuar sua obra.

A comunidade de João demonstra conhecer familiarmente o AT e o judaísmo. Mas está separada dele, não por questões de observância, mas pela fé em Jesus Cristo. A parusia adiada já não é problema: já aconteceu num plano interior, como experiência mística e pela ação do Espírito. Os sacramentos aparecem por referências oblíquas: o batismo no diálogo com Nicodemos e símbolos de água; a eucaristia no milagre e no discurso dos pães, e é substituída pelo lava-pés (ato humilde de solidariedade exemplar); o perdão dos pecados no dom do Espírito depois da ressurreição. Além disso, todo o cap. 21 é eclesial.

Autor e data

Uma tradição antiga identificou o autor com o apóstolo João, o "discípulo espiritual". Hoje é muito difícil manter essa opinião. A maioria dos comentaristas considera esse evangelho como obra de um discípulo de João, uma geração mais tarde. Por sua familiaridade com o AT e o sabor semítico do seu estilo, deve ter sido judeu. Várias notícias do relato parecem referir-se à expulsão dos cristãos da sinagoga (ver 9,22; 12,42 e 16,2). Propõe-se como data provável de composição a última década do século, e Éfeso como lugar razoável.

1

¹No princípio já existia a Palavra
e a Palavra se dirigia a Deus
e a Palavra era Deus.
²Esta, no princípio, se dirigia a Deus*.
³Tudo existiu por meio dela,
e sem ela nada existiu de tudo o que existe.
⁴Nela havia vida,
e a vida era a luz dos homens.
⁵A luz brilhou nas trevas,
e as trevas não a compreenderam*.

⁶Houve um homem enviado por Deus, chamado João, ⁷que veio como testemunha, para dar testemunho da luz, de modo que todos cressem por meio dele. ⁸Ele não era a luz, mas uma testemunha da luz.

⁹A luz verdadeira que ilumina todo homem
estava vindo ao mundo*.
¹⁰Estava no mundo, o mundo existiu por ela,
e o mundo não a reconheceu.
¹¹Veio aos seus,
e os seus não a acolheram.
¹²Mas aos que a receberam
os tornou capazes de ser filhos de Deus:
os que creem nele,

1,1-18 Esses versículos constituem o prólogo solene do quarto evangelho; não têm precedente nos três sinóticos. Mateus e Lucas apresentam uma árvore genealógica humana de Jesus (Mt 1; Lc 3); Lucas chegava até Deus, Criador de Adão. João remonta mais além do humano e talvez por esse voo tenha merecido a figura da águia. A estrutura básica e o estilo são de um hino; deste se destacam claramente duas inserções (vv. 6-8 e 15) que servem para uni-lo ao que se segue, e acréscimos na primeira pessoa (vv. 14 e 16). Alguns comentaristas supõem que um hino primitivo foi adaptado pelo autor numa ou duas etapas de elaboração.

O sujeito do hino é o *Logos* (*dabar, verbum*, palavra). Nesse termo confluem ou se cruzam três correntes: a especulação bíblica sobre a Sabedoria personificada (especialmente Pr 8; Eclo 24; Sb 7-8); o *Logos* da filosofia grega sobre a razão do universo; a especulação judaico-helenista de Fílon sobre a sabedoria. Indubitavelmente a primeira influência é dominante, as outras duas podem ser objeto de um olhar oblíquo do autor. O *Logos*, misterioso a princípio, vai se identificando com Jesus Cristo pela encarnação. Ele é o mediador da revelação de Deus (v. 18), que pode ser recusada ou aceita (7,12-13).

1,1 No princípio: assim começa o Gênesis, a *torá*, a Bíblia dos hebreus. João o corrige remontando a um princípio anterior a Gn 1,1: é o *Logos* (= Palavra). O grego emprega um verbo no imperfeito de continuidade. A Palavra se dirige a Deus: no AT há uma fórmula profética básica que, com variações morfológicas ou de nomes, aparece umas cem vezes: "a palavra de Deus/*Yhwh* se dirigiu a N.". João teria retomado e corrigido paradoxalmente a fórmula, tornando a Palavra sujeito e Deus destinatário. O paradoxo se resolve esclarecendo que a Palavra era Deus. A maioria dos comentaristas pensa que o sintagma é equivalente do v. 18 e que adianta a identificação pessoal do *Logos*.

1,2 * Ou: *a Palavra estava junto de Deus*.

1,3 É ressonância de Sl 33,6 (cf. 148,15). Tudo: não há dois princípios na criação (em chave polêmica, Is 45,7).

1,4-5 Vida e luz são dois conceitos frequentemente vinculados no AT (p. ex. Sl 36,10; 56,14; Jó 3,16). Nesse ponto surge o dualismo dramático de João: frente à luz (de vida e revelação) umas trevas que a rejeitam, que não a deixam penetrar.

1,5 * Ou: *não a dominaram*.

1,6-8 Historicamente João é precursor de Jesus. Será personagem importante na primeira parte do evangelho. Como uma sentinela que aguarda a aurora para gritar que é dia (Sl 130,6-7; Jr 31,6), assim João anuncia, como testemunha, a chegada da luz. O símbolo da luz domina esse evangelho, junto com o da vida (8,12).

1,9 * Ou: *Era a luz verdadeira, que ilumina todo homem e vinha ao mundo*.

1,9-10 A luz autêntica e universal estava chegando ao mundo para uma revelação especial (Sl 57,12). O mundo criado pelo *Logos* era bom (Gn 1,31; Cl 1,10), mas esse mundo, por livre escolha, "não reconhece" a luz (cf. Rm 1,20-21) e assim se torna mau. No evangelho, "mundo" terá com frequência essa conotação negativa.

1,11 "Os seus" admite duas leituras: a) A humanidade inteira (como em Eclo 24,6-7; Br 3,20-21), capaz de receber ou recusar. b) O povo escolhido. A segunda leitura significa um estreitamento do horizonte.

1,12-13 A palavra é acolhida pela fé, e acolhida concede a filiação divina, que supera a humana, carnal (cf. Sb 7,2), porque pertence a outra ordem. Alguns manuscritos e comentaristas antigos leram "este nasce...", referindo-o ao nascimento virginal de Jesus.

¹³os que não nasceram do sangue
nem do desejo da carne,
nem do desejo do varão,
mas de Deus.
¹⁴A Palavra se fez homem
e acampou entre nós.
Contemplamos sua glória,
glória como de Filho único do Pai,
cheio de lealdade e fidelidade*.

¹⁵João grita dando testemunho dele: Este é aquele do qual eu dizia: Aquele que vem depois de mim existia antes de mim, porque está antes de mim.

¹⁶De sua plenitude todos recebemos:
uma lealdade que responda à sua lealdade*.
¹⁷Pois a lei foi promulgada por meio de Moisés,
a lealdade e a fidelidade se realizaram por Jesus Cristo.
¹⁸Ninguém jamais viu a Deus; o Filho único, Deus,
que estava ao lado do Pai, o explicou*.

Testemunho de João Batista (Mt 3,1-12; Mc 1,2-8; Lc 3,15-17) – ¹⁹Este é o testemunho de João, quando os judeus lhe enviaram de Jerusalém sacerdotes e levitas para perguntar-lhe quem era. ²⁰Ele confessou sem reticências, confessou que não era o Messias. ²¹Perguntaram-lhe:
– Então, és Elias?

1,14 Finalmente, o *Logos* se apresenta em pessoa, toma "carne" (en-carna-ção), se faz simples homem (Gl 4,4); o tema da "carne" retorna em passagens importantes do NT (Rm 1,3; 8,3; 1Tm 3,16). Arma a "tenda" onde se manifesta sua "glória". Não como no templo feito por homens: "Então a nuvem cobriu a tenda do encontro e a glória do Senhor encheu o santuário" (Ex 40,34-35; 1Rs 8,11; Ez 44,4), mas como Filho único do Pai, como um Filho único que herda tudo; cf. "tudo o que é teu é meu" (Jo 17,10).
* *Lealdade e fidelidade*. Parece provável que o texto do prólogo adapte a dupla clássica de atributos divinos *hesed we'emet*, que admitem uma gama de traduções (basicamente, leal à pessoa, fiel à sua palavra): favor estável, bondade constante, amor fiel... No *Logos* feito homem reside a plenitude da divindade (Cl 2,9) na forma de seus dois atributos insignes, proclamados pessoalmente pelo Senhor e que se condensam em fórmula litúrgica (Ex 34,6 par.).
1,15 Um personagem não apresentado e uma citação ainda não aparecida mostram que esse versículo é inserção de engate. Sua identificação virá em 1,30. Afirma a precedência cronológica e de autoridade do *Logos*. Ou seja, o testemunho do Batista coincide com o ensinamento do evangelista; este, porém, remontou ao "princípio".
1,16 Liga-se com 14b na primeira pessoa do plural. Não deve causar estranheza a passagem, pois no hino à Sabedoria do Eclesiástico também se passa no fim à primeira pessoa, com o tema do receber (Eclo 24,30-34). Afirma que o *Logos* feito homem é o mediador de todo dom divino. A última frase é duvidosa pela partícula "em lugar de" (*anti*, gr.; *tahat* hbr.), que costuma introduzir uma realidade que substitui, sucede ou responde a outra. Cabem várias interpretações: a) em lugar da lealdade do Sinai, a de uma nova aliança; b) por uma outra graça, em progressão contínua; é a mais comum; c) em troca do seu favor, nossa lealdade para poder corresponder.
* Ou: *graça após graça*.
1,17 Explicitamente contrapõe os dois testamentos ou economias. Moisés promulgou uma lei (Ex 31,18), cujo conteúdo era a bondade nas relações com Deus e com o próximo; preceitos e proibições que não conseguiram realizar o que continham. Aquele mandamento externo tornou-se realidade em e por Jesus Cristo. Finalmente se pronuncia o nome até aqui evitado, identificando-se o *Logos* feito homem com Jesus de Nazaré, o Messias. Não se deve mais olhar para a lei como modelo de conduta.
1,18 Moisés pedia para ver a Deus, "mostra-me tua glória", mas não o conseguiu (Ex 33,18-20), porque "não podes ver meu rosto, porque ninguém pode vê-lo e continuar vivo". Só o Deus Filho único o conhece por sua relação íntima, e veio para descrevê-lo. Com essa frase se levanta a cortina do evangelho: o que se segue é essa "exegese" de Jesus Cristo em fatos e palavras. No Antigo Testamento às vezes aparece a palavra de Deus como personificação poética: "não voltará a mim vazia... mas cumprirá minha ordem" (Is 55,11); "quando a noite mediava sua corrida, tua palavra todo-poderosa se lançou do trono real dos céus" (Sb 18,14-15). De modo semelhante é apresentada a Sabedoria personificada (Pr 8; Eclo 24 etc.). No prólogo de João a Palavra é uma pessoa.
É preciso emparelhar este solene prólogo com o início da primeira carta de João (1Jo 1,1-4).
* Ou: *descreveu*.
1,19-28 Abre-se o ciclo do Batista, que se encerrará em 3,30. Sua função é a de precursor do que há de vir e testemunha do que chegou. Diante de tendências errôneas, o evangelista quer deixar definida a

Respondeu:
— Não sou.
— És o profeta?
Respondeu:
— Não.
²²Disseram-lhe:
— Quem és? Temos de levar uma resposta aos que nos enviaram. Que dizes de ti?
²³Respondeu:
— Eu sou a voz daquele que clama no deserto: aplainai o caminho do Senhor (conforme diz o profeta Isaías).
²⁴Alguns fariseus dos enviados ²⁵lhe disseram:
— Se não és o Messias nem Elias nem o profeta, por que batizas?
²⁶João lhes respondeu:
— Eu batizo com água. Entre vós está alguém que não conheceis, ²⁷que vem depois de mim; e eu não sou ninguém para soltar-lhe a correia da sandália.

²⁸Isso acontecia em Betânia, junto ao Jordão, onde João batizava.
²⁹No dia seguinte, viu Jesus aproximar-se e disse:
— Aí está o cordeiro de Deus, que tira o pecado do mundo. ³⁰Dele eu disse: Depois de mim vem um homem que existia antes de mim, porque está antes de mim. ³¹Embora eu não o conhecesse, vim batizar com água para que se manifestasse a Israel.
³²João deu este testemunho:
— Contemplei o Espírito descendo do céu como pomba e pousando sobre ele. ³³Eu não o conhecia; mas quem me enviou a batizar me havia dito: aquele sobre o qual vires descer o Espírito e pousar, é o que haverá de batizar com Espírito Santo. ³⁴Eu o vi, e testemunho que ele é o Filho de Deus.

Os primeiros discípulos (Mt 4,18-22; Mc 1,16-20; Lc 5,1-11) – ³⁵No dia seguinte,

---

posição de João com respeito a Jesus, e começa fazendo-o em forma de um testemunho qualificado perante oficiais autorizados. Os "judeus" neste evangelho são de ordinário as autoridades hostis a Jesus, como grupo restrito e típico; geralmente não são o povo judeu. Os enviados em missão oficial são pessoal do templo, segundo a distinção tradicional de sacerdotes e levitas (p. ex. na parábola do bom samaritano, Lc 10,25-37), e membros do partido farisaico também hostis a Jesus em Jo.
O interrogatório procura identificar a personalidade de um personagem que está se tornando popular (o narrador o dá por conhecido), e procede por exclusão até a afirmação. Não é o Messias (v. 20) esperado como descendente legítimo de Davi (Jr 23,5; 33,15; cf. Zc 6,12). A segunda pergunta rebaixa: Elias, o precursor do Messias, reservado no céu até seu momento (Ml 3,1.23-24; Eclo 48,10). A terceira, o profeta (com artigo) alude à promessa de um sucessor de Moisés (Dt 18,15).
À quarta lhe pedem e aceitam sua identificação pessoal. João a dá citando o começo do profeta do desterro (Is 40,3); segundo o texto grego que uma deserto tem voz (o hebraico vo junta; com melhor lógica, com "aplanar"). Isaías diz "Senhor", o Batista pensa em Jesus, o Messias. A volta do exílio era a volta da Glória a Jerusalém.
1,24-25 A pergunta dos fariseus supõe que batizar é uma ação transcendente, que se deve justificar.
1,26-27 João responde com um enigma. O que eu faço está claro; mas já existe um personagem desconhecido, que chega depois de mim, embora me anteceda em direitos. O enigma da sandália (deveria ser inteligível para peritos na lei) alude à lei do levirato (ver a função da sandália no tema do matrimônio com a cunhada, Dt 25,5-10; Rt 4), e começa a insinuar o que irá se esclarecendo: Jesus é o Messias esposo.
1,28 Não confundir esta Betânia com a que está perto de Jerusalém.

1,29-34 Depois do testemunho sobre sua função, vem o testemunho sobre Jesus; este não solicitado e diante de um público não definido. Começa um ciclo de anotações cronológicas, de uma semana, que se concluirá no casamento de Caná. O texto inverte a ordem temporal, que seria: anúncio de um sinal, visão do sinal, identificação por ele, testemunho.
O sinal é o Espírito que desce e repousa sobre ele (Is 11,2; 48,16; 61,1); alude ao batismo não narrado. Como uma pomba (talvez aludindo ao Cântico dos Cânticos; note-se a união de Espírito e esposa em Ap 22,17); em figura de "vento" (Is 32,15) não seria visível.
Jesus recebe três títulos: a) "Cordeiro de Deus", com função sacrifical expiatória, segundo Is 53,13-15; 1Pd 1,18-19. Será título emblemático de Jesus, glorificado no Apocalipse. b) Aquele que batiza com Espírito Santo, não com água somente; o tema é desenvolvido no diálogo com Nicodemos (3,5-8); é o Espírito que infunde vida nova. c) O Filho de Deus (alguns manuscritos dizem: o escolhido, segundo Is 42,1): título messiânico na boca do Batista, título transcendente na pena de João.
1,31 O batismo de João, purificando, prepara o terreno para que Jesus "manifeste" a Israel quem ele é. Esse nome do povo tem sentido positivo, em oposição a "os judeus".
1,34 Com a menção do "testemunho" termina em inclusão o que começou em 1,19. Mas o testemunho do Batista não está completo.
1,35-42 Começa outro dia na atividade do Batista, e nele vai tirar consequências do seu testemunho. Generosamente cede a Jesus seus discípulos; com uma frase os incita a segui-lo. São eles: André e um outro (João?). Mais que uma cena realista, o autor quer escrever um modelo de chamada e seguimento. Não nos trabalhos cotidianos de pescadores, mas como discípulos previamente instruídos e preparados. Tanto que lhes basta uma frase para entender: este

João estava com dois de seus discípulos. ³⁶Vendo Jesus passar, diz:

– Aí está o cordeiro de Deus.

³⁷Os discípulos o ouviram e seguiram Jesus.

³⁸Jesus se voltou e, ao ver que o seguiam, lhes diz:

– O que estais procurando?

Responderam:

– Rabi (que significa Mestre), onde moras?

³⁹Diz-lhes:

– Vinde e vede.

Foram, pois, viram onde morava e ficaram com ele nesse dia. Eram as quatro da tarde. ⁴⁰Um dos que haviam ouvido João e tinham seguido Jesus era André, irmão de Simão Pedro. ⁴¹Encontra primeiro seu irmão Simão e lhe diz:

– Encontramos o Messias (que se traduz Cristo).

⁴²E o conduziu a Jesus. Jesus olhou para ele e disse:

– Tu és Simão, filho de João; tu te chamarás Cefas (que significa pedra).

⁴³No dia seguinte, dispunha-se a partir para a Galileia, quando encontra Filipe. Jesus lhe diz:

– Segue-me.

⁴⁴Filipe era de Betsaida, terra de André e Pedro. ⁴⁵Filipe encontra Natanael e lhe diz:

– Encontramos aquele de quem falam Moisés na lei e os profetas: Jesus, filho de José, natural de Nazaré.

⁴⁶Natanael replica:

– De Nazaré pode sair alguma coisa boa?

Filipe lhe diz:

– Vem e verás.

⁴⁷Jesus, vendo Natanael aproximar-se, diz:

– Aí tendes um israelita de verdade, sem falsidade.

⁴⁸Natanael lhe pergunta:

– Como me conheces?

Jesus respondeu-lhe:

é o cordeiro de Deus. Como se tal título fosse uma tese da escola (de fundo pastoril e não de pesca). Seguem-no e vão com ele. E ele lhes faz a pergunta exigindo que se examinem a sério, que tomem consciência do que pretendem e o declarem sem dissimulação. Eles respondem com outra pergunta, que a nível superficial significa "onde te alojas", e a nível profundo investiga o mistério da morada transcendente de Jesus. As quatro da tarde, "hora décima", pode estar registrada como plenitude de dez (muito duvidoso) ou como arremate do dia (que acaba às seis).

1,36 Embora o pareça, a "passagem" de Jesus não é casual; en seu movimento exerce uma força de atração, quer ir à frente.

1,39 Desde o início Jesus quer torná-los testemunhas oculares. Supõe-se que o tempo que passam com ele seja preenchido com alguma instrução preliminar. Terminado o primeiro encontro, André já sente a necessidade de comunicar sua descoberta.

1,40-42 Pedro não esteve entre os discípulos do Batista. É uma conquista de seu irmão, o qual já crê que Jesus é o Messias. (Já no começo lhe deu o título de mestre.) Diríamos que Pedro chega na undécima hora (cf. Mt 20,6). Filho de João: outros testemunhos dizem "filho de Jonas" (= Pomba). Já no primeiro encontro com Jesus, sem prévia informação, conhece e reconhece Simão, e com autoridade soberana, escolhe Pedro e lhe impõe o novo nome da nova função (Mt 16,18). Simão começa a ser Pedro e terá que aprender a levar o nome.

1,43-51 Novo dia e chamada de outros dois discípulos. Repete-se o esquema de um que atrai o outro. Betsaida era vila de pescadores (como o nome indica), detalhe que harmoniza João com os sinóticos.

1,44 Sobre Filipe o narrador não podia ser mais conciso: Para seguir Jesus, é suficiente escutar seu imperativo (reaparecerá em 6,5-7; 12,21-22 e 14,8-9).

1,45 A dupla "Moisés e os profetas" equivale à Escritura, e funciona como confissão global, que entrona Jesus com a história e a esperança do povo. Seria necessário citar Dt 18,18 e vários textos proféticos. Quanto à figura de Natanael (= dom de Deus) deve ser entendida sobre o pano de fundo do patriarca Jacó-Israel, visto por Gn 28,32 e Os 12. O nome de Jacó soa ao ouvido popular como traiçoeiro, falso, que passa o pé; viveu fiel a seu nome armando ciladas para seu irmão (a. Gn 27,36; Os 12,4), e por isso tem de fugir. A caminho, numa visão noturna contempla uma rampa, que une terra e céu, pela qual sobem e descem mensageiros divinos (b. Gn 28). Voltando da casa de Labão para Betel, em nova visão noturna luta com Deus, que lhe muda o nome para Israel (c. Gn 32) e o abençoa. Damos um salto de séculos quando "todas as tribos de Israel... todos os conselheiros de Israel... foram a Hebron... e ungiram Davi rei de Israel" (d. 2Sm 5,1-3).

Pois bem, Natanael não tem "falsidade" (a. Jacó), mas é um verdadeiro Israel (c) e como tal reconhece a Jesus como "o rei de Israel" (d. cf. Sf 3,15). Jesus responde-lhe, para todo o grupo, com uma revelação. É ele a verdadeira rampa que une o céu à terra, o mediador das mensagens celestes e das orações humanas (b). Natanael o chamou "Filho de Deus"; Jesus confessa-se "filho do homem" (*ben 'adam*, homem verdadeiro). Essa última declaração é dirigida ao grupo inteiro, "eu vos asseguro".

1,46 A pergunta de Natanael pode expressar o desprezo de um habitante às margens do lago e pode abranger mais: como será o Messias natural de Nazaré? Jo não alude a Mq 5,1. Lc 4 mostra que os habitantes de Nazaré não aceitaram Jesus como Messias.

1,48 A alusão à figueira, perfeitamente clara para Natanael, continua sendo enigmática para nós. Uns pensam na figueira como imagem de Israel (Os 9,10);

— Antes que Filipe te chamasse, eu te vi debaixo da figueira.

⁴⁹Natanael respondeu:

— Mestre, tu és o Filho de Deus, o rei de Israel!

⁵⁰Jesus lhe respondeu:

— Crês porque te disse que te vi debaixo da figueira? Coisas maiores verás.

⁵¹E acrescentou:

— Eu vos asseguro que vereis o céu aberto e os anjos de Deus subindo e descendo por este Homem.

2 O casamento em Caná –

¹No terceiro dia, celebrava-se um casamento em Caná da Galileia; aí estava a mãe de Jesus. ²Jesus e seus discípulos estavam convidados para o casamento. ³Acabou-se o vinho, e a mãe de Jesus lhe diz:

— Eles não têm vinho.

⁴Responde-lhe Jesus:

— Que queres de mim, mulher? Ainda não chegou a minha hora.

⁵A mãe diz aos serventes:

— *Fazei o que vos disser*.

⁶Havia aí seis talhas de pedra para a purificação dos judeus, com capacidade de setenta a cem litros. ⁷Jesus lhes diz:

— Enchei as talhas de água.

Eles as encheram até as bordas.

⁸Diz-lhes:

— Agora tirai um pouco e levai ao mestre-sala.

E eles levaram. ⁹Quando o mestre-sala provou a água transformada em vinho (sem saber de onde procedia, embora o soubessem os serventes que haviam retirado a água), dirige-se ao noivo ¹⁰e lhe diz:

— Todos servem primeiro o vinho melhor, e quando os convidados já estão um pouco embriagados, servem o pior. Tu guardaste até agora o melhor vinho.

¹¹Em Caná da Galileia Jesus fez este primeiro sinal, manifestou sua glória e os discípulos creram nele. ¹²Depois, com sua mãe, seus irmãos e discípulos desceu a Cafarnaum, onde se deteve vários dias.

---

outros na vida tranquila e cotidiana sob a parreira e a figueira (1Rs 5,5). Uma tradição antiga identificou Natanael com Bartolomeu; muitos pensam que não foi um dos doze.

1,51 O céu se abriu para Jesus (Mc 1,13); Jesus o abrirá e o tornará acessível (cf. 14,6-10).

2,1-25 No início da atividade de Jesus e ainda encaixadas no ciclo do Batista, estão duas ações públicas e programáticas de Jesus. De Caná da Galileia ao templo de Jerusalém. Em Caná realiza o "sinal" do vinho messiânico; em Jerusalém anuncia o sinal da ressurreição. Em ambas responde a fé dos discípulos e de muitos.

2,1-11 Uma festa de casamento na aldeia é o episódio que sustenta um sistema de símbolos. O casamento é um momento festivo que costuma congregar muitas pessoas. O versículo final define o fato: é o primeiro sinal, portanto deve ser lido como cabeça de uma série; é manifestação da glória de Jesus (glória do Filho único do Pai, segundo 1,14), como gesto de poder e de "bondade"; pelo sinal os discípulos "creem" em Jesus. No evangelho como livro, o relato se dirige ao grande círculo de discípulos fiéis.

A festa de casamento sustenta e unifica os símbolos. O matrimônio é no AT símbolo frequente do amor de *Yhwh* pela comunidade, muitas vezes personificada na capital: "Como um jovem se casa com uma donzela, assim te desposa aquele que te construiu" (Is 62,5; Os 2; Is 1,21-26; 5,1-7; 49; 54; 62,1-9; Ez 16; Br 4-5). No NT, é símbolo da união do Messias com a Igreja: "Esse símbolo é magnífico, e eu o aplico a Cristo e à Igreja. Cristo amou a Igreja e se entregou por ela" (Ef 5,32-33.25; Mt 22,1-14; 25,1-13; 2Cor 11,1-4; Ap 12; 19,7-9; 21,2). O vinho é dom do amor: "tua boca é um vinho generoso" (Ct 1,2.4; 2,4; 4,10; 7,10; 8,2) e se anuncia como

dom messiânico: "plantarão vinhedos e beberão seu vinho" (Am 9,13-14; Os 14,7; Jr 31,12; Is 25,6; 62,9). É além disso símbolo do Espírito (At 2,15-16). Mas o casamento de Jesus não é simbolizado como presente, pois "não chegou a hora" (palavra-chave em João, sobretudo apontando para a paixão e glorificação: 4,21; 5,25; 12,3.27; 16,2.32). Qual é o papel de Maria? No casamento é uma convidada importante; com autoridade, translada os criados ao serviço de Jesus. No casamento prefigurado deste e segundo a tradição bíblica, ela é a mãe do noivo: "com a coroa que lhe cingiu sua mãe, no dia de seu casamento, dia de festa de seu coração" (Ct 3,11; Sl 45,10; 1Rs 1,16.28; Jr 22,26). Com ela se retirará no final a Cafarnaum (v. 12). O mestre-sala faz o papel de testemunha involuntária do prodígio: a água das abluções (Mc 7,3-4) não traz o amor e a fecundidade.

2,1 Contando desde o chamado de André, é o sexto dia, que é o dia da criação do homem e da mulher (Gn 1).

2,3 Acabar o vinho é sinal trágico: "Já não bebem vinho entre canções, e o licor tem sabor amargo para quem o bebe" (Is 16,9-10; 24,9; Jl 1,10).

2,4 Mais que repreensão, a frase parece um convite a não intrometer-se no assunto. O narrador a chamou "mãe de Jesus"; Jesus a chama "mulher". Não cabe a ela definir os tempos nem as ações de Jesus.

2,5 Como o Faraó a propósito de José (Gn 41,55).

2,9 De onde: aponta ao mistério da origem de Jesus e de seus dons (4,11; 7,27; 8,14).

2,10 A mudança da água em vinho simboliza a passagem da velha à nova economia. O vinho novo é o vinho melhor, "melhor que o amor" dos noivos humanos (Ct 1,2.4).

2,11 Em Caná ele fará o segundo sinal, encerrando um ciclo (4,54).

Purifica o templo (Mt 21,12s; Mc 11,15-17; Lc 19,45s) – [13]Como se aproximasse a Páscoa judaica, Jesus subiu a Jerusalém. [14]Encontrou no recinto do templo os vendedores de bois, ovelhas e pombas, e os cambistas sentados. [15]Fez um açoite de cordas e expulsou do templo ovelhas e bois; espalhou as moedas dos cambistas e virou as mesas; [16]aos que vendiam pombas disse:

– Tirai isso daqui, e não convertais num mercado a casa de meu Pai.

[17]Os discípulos se recordaram daquele texto: *O zelo por tua casa me devora*. [18]Os judeus lhe disseram:

– Que sinal nos apresentas para agir desse modo?

[19]Jesus lhes respondeu:

– Derrubai este templo, e em três dias o reconstruirei.

[20]Os judeus replicaram:

– A construção deste templo demorou quarenta e seis anos, e tu o reconstruirás em três dias?

[21]Mas ele se referia ao templo do seu corpo. [22]Quando ressuscitou da morte, os discípulos recordaram que ele havia dito isso, e creram na Escritura e nas palavras de Jesus.

[23]Estando em Jerusalém para as festas de Páscoa, muitos creram nele ao ver os sinais que fazia. [24]Mas Jesus não se fiava deles, porque os conhecia todos; [25]não necessitava de informações sobre ninguém, pois sabia o que há dentro do homem.

3 Jesus e Nicodemos

– [1]Havia um homem do partido fariseu, chamado Nicodemos, uma autoridade entre os ju-

---

2,13-22 Com relação aos sinóticos, João antecipa o episódio da purificação do templo, já que o carrega de sentido simbólico referindo-o à morte e ressurreição. Um resultado é o encolhimento do ministério na Galileia.
No plano realista, João é generoso em detalhes. A celebração da páscoa consumia grande quantidade de reses, bois, ovelhas e pombas; com licença das autoridades do templo, um átrio se convertia quase em estábulo ou mercado. Além disso, para o tributo do templo ou para oferendas voluntárias, o povo que vinha de outros países tinha de trocar dinheiro. Os cambistas prestavam esse serviço e faziam seus negócios. Contra o abuso, Jesus executa uma ação simbólica, que explica e amplia numa ordem decisiva; o "mercado" alude ao final de Zacarias: "e já não haverá mercadores no templo do Senhor dos exércitos, naquele dia" (14,21).
Em lugar de Is 56 e Jr 7, como nos sinóticos, João alega um versículo de um salmo bastante usado, de um inocente perseguido (Sl 69,9). Ao fazê-lo seu, Jesus demonstra seu interesse pela instituição do templo de Jerusalém. Se num princípio o templo foi construção e responsabilidade do rei (1Rs 7-8 par.), no tempo de Jesus era o centro espiritual de todos os judeus da Palestina e da diáspora. O modo de alegar o versículo é exemplar, porque apresenta a compreensão que os discípulos adquirem depois da ressurreição. O que o evangelista diz aqui pode ser estendido, como princípio hermenêutico, à grande parte da obra: o evangelho registra a compreensão do mistério de Jesus depois da sua ressurreição.

2,18-21 A ação um tanto violenta de Jesus provoca a reação das autoridades: quem age dessa maneira tem de comprovar sua autoridade com algum sinal atestador. O sinal que Jesus oferece, condicional, tem por objeto o próprio templo que acaba de purificar. Da frase sobre o templo temos várias versões: a das falsas testemunhas no julgamento (Mc 14,58 e Mt 26,61), as zombarias na crucifixão (Mc 15,29 e Mt 27,40) e a presente, que é como um desafio: destruí... eu reconstruirei. Os judeus o tomam ao pé da letra, por falta de penetração (recurso favorito de João). O narrador dá a interpretação correta (1Cor 6,19) e apela de novo para a compreensão do fato à luz da ressurreição. Os leitores do evangelho de João conheciam a ressurreição de Jesus e a destruição do templo pelos romanos (ano 70 d.C.).

2,23-25 A fé tem graus de intensidade e estabilidade. Uma fé incipiente reconhece a pessoa (ou seu título, se "nome" for tomado como semitismo) pelos milagres que faz; externamente parece autêntica e plena, internamente é deficiente e insegura. Por isso Jesus adota uma atitude de reserva, "não confia" (com o mesmo verbo *pisteuo*), porque vê o interior: "Deus não vê como os homens, que veem a aparência. O Senhor vê o coração" (1Sm 16,7; Sl 139,1-4; Pr 15,11).

3,1-36 A ordem lógica do capítulo está claramente alterada. O tema do Batista é uma cunha que interrompe o diálogo e instrução a Nicodemos. Pelo tema, a instrução também parece alterada. Na ordem lógica seria: 1-12 diálogo e testemunho. 31-36: Jesus revelador do Pai. 13-21 exaltado e juiz. 22-30 testemunho do Batista. Não podemos postular que essa ordem lógica seja a autêntica e original; também no prólogo entravam duas cunhas sobre o Batista.

3,1-13 Nicodemos se destaca do grupo fariseu. Mas continua ligado por sua espiritualidade simplesmente reformista, por sua dependência de "sinais", por sua compreensão "terrena"; ainda atua "de noite" (cf. Is 59,9-10; Jo 9,4). Respeita Jesus como igual, "mestre", e como superior, "enviado de Deus". Jesus lhe propõe a mudança radical: não renovação, mas inovação, "nascer de novo". Nascer é começar, o nascimento define o ser: *natura* vem de *natus*. Nicodemos não entende (outro "mal-entendido" de João), porque discorre no plano da razão humana. "Desde o seio materno" é fórmula proverbial no AT (Jz 13,5; Is 44,2; Jr 1,5 etc.); "entrar" corresponde às crenças fisiológicas da época, que imaginavam o homem já presente no sêmen, para ser elaborado no seio materno. Sobre a fisiologia da geração no AT há mais dúvidas que explicações (Ecl 11,5; 2Mc 7,22; Sb 7,1-2).

deus. ²Foi visitá-lo de noite e lhe disse:

— Rabi, sabemos que vens da parte de Deus como mestre, pois ninguém pode fazer os sinais que fazes, se Deus não estiver com ele.

³Jesus lhe respondeu:

— Eu te asseguro que, se alguém não nascer de novo, não poderá ver o reinado de Deus.

⁴Nicodemos lhe respondeu:

— Como pode um homem nascer sendo velho? Poderá entrar de novo no ventre materno para nascer?

⁵Jesus lhe respondeu:

— Eu te asseguro que, se alguém não nascer da água e do Espírito, não poderá entrar no reino de Deus. ⁶Da carne nasce carne, do Espírito nasce espírito. ⁷Não estranhes se te disse que é preciso nascer de novo. ⁸O vento sopra onde quer: ouves seu rumor, porém não sabes de onde vem, nem para onde vai. Assim acontece com aquele que nasceu do Espírito.

⁹Nicodemos lhe respondeu:

— Como pode acontecer isso?

¹⁰Jesus replicou:

— Tu és o mestre de Israel e não entendes essas coisas? ¹¹Eu te asseguro: falamos daquilo que sabemos, testemunhamos o que vimos, e não aceitais nosso testemunho. ¹²Se vos disse coisas da terra e não credes, como crereis quando vos disser coisas do céu? ¹³Ninguém subiu ao céu, a não ser aquele que desceu do céu: este Homem. ¹⁴Como Moisés no deserto levantou a serpente, assim será levantado este Homem, ¹⁵para que quem crer nele tenha vida eterna. ¹⁶Deus tanto amou o mundo, que entregou seu Filho único, para que quem crer não pereça, mas tenha vida eterna. ¹⁷Deus não enviou seu Filho ao mundo para julgar o mundo, mas para que

---

Jesus responde rigorosamente à objeção: seio materno é a água (mitologúmeno comum a muitas culturas) batismal (como o entendeu a tradição), fecundada pelo Espírito. Também a tradição bíblica contempla a mulher como poço ou manancial (Pr 5,15.18; Ct 4,12.15). O paralelismo de água e espírito na fertilidade é anunciado desde o exílio (Is 44,3). A função do princípio Espírito é primordial. Quem nasce desse Espírito/vento move-se livremente num espaço novo e superior.

3,1 Nicodemos é nome grego (= Vitória do povo) embora judeu influente. Jesus o chamará (com uma ponta de ironia?) "o mestre de Israel".

3,2 A noite pode ser também tempo de iluminação (Sl 1,2; 4,5; 16,7); especialmente escutando Jesus. Se Nicodemos procura a clandestinidade, Jesus pode ensinar tanto de noite quanto de dia: "nem mesmo a escuridão é escura para ti, a noite é clara como o dia" (Sl 139,12).

3,3 Aquele que nasce "vê" a luz do dia (cf. Sl 49,20; Jó 3,16). O novo nascimento permite ver ou desfrutar o reinado de Deus que se anuncia como um amanhecer (cf. Sl 97,1.11).

3,4 Entrar: como a semente na terra; a palavra hebraica significa tanto a semente vegetal como o sêmen e a descendência humana.

3,5 Segundo a tradição, a água é o elemento feminino. O Espírito, o elemento masculino fecundante (alguns Padres aludem inclusive ao "espírito" e às "águas" de Gn 1). Ver a interpretação de Tt 3,5 "nos salvou com o banho do novo nascimento e a renovação pelo Espírito Santo".

3,6 Ver o prólogo (1,13). E sobre a geração, Ecl 11,5. Enuncia o princípio da geração segundo a espécie natural, ou seja, "Adão gerou à sua imagem e semelhança" (Gn 5,3).

3,8 Em grego como em hebraico, o mesmo vocábulo pode designar o vento, o alento, o espírito. À natureza do Espírito Santo correspondem a mobilidade, a liberdade, o dinamismo. Nisso apoia-se a comparação.

3,9 A explicação de Jesus complicou as coisas para Nicodemos. Naquele mundo evocado pelas palavras de Jesus, o raciocínio do mestre judeu vacila.

3,10 Um mestre ou doutor (Pr 5,13); "teu Mestre" (Is 30,19-20).

3,11 Dar testemunho pode ser função profética (Is 8,16); aqui Jesus aponta mais alto (ver no prólogo 1,18). O Apocalipse dá a Jesus o título de testemunha fidedigna (Ap 1,5).

3,12 A subida ao céu, se não se toma como a vertente ascendente da encarnação, adianta a futura glorificação. Nesse sentido o interpreta o versículo seguinte. Coisas terrenas são a mensagem da salvação, coisas celestes são a origem e o itinerário do Filho de Deus, que "desceu" para tornar-se "filho da humanidade", homem. Jesus vem dar testemunho e exige ser acreditado (aqui podem ser lidos os versículos 31-36).

3,13 "Quem subiu ao céu e depois desceu? Quem recolheu o vento no punhado?" (Pr 30,4) une a subida ao céu e o controle do vento.

3,14-21 Encadeando repetições verbais, João distribui várias sentenças em torno da fé: crer para ter vida (vv. 14 e 16), incredulidade e condenação (v. 18), luz e trevas (vv. 19 e 21).

3,14-15 Olhando para a serpente de bronze içada num estandarte, os mordidos de serpentes se curavam (Nm 21,8-9) pela fé (acrescenta Sb 16,7.10). É imagem de Jesus exaltado na cruz (8,28; 12,34). A serpente livrava de uma morte repentina, Jesus crucificado dará a vida eterna.

3,16 Não se refere ao amor genérico à criação (Sb 11,24), mas ao "mundo" dos homens. Entregou (palavra-chave) até as últimas consequências (Rm 8,32; 1Jo 4,9-10). "O Filho único", 1,18, talvez com alusão oblíqua ao sacrifício de Isaac (Gn 22,2.16).

3,17-18 Como antitético de "salvação", entende-se aqui "julgamento" de condenação. A incredulidade

o mundo se salve por meio dele. ¹⁸Aquele que crer nele não será julgado; o que não crer já está julgado por não crer no Filho único de Deus. ¹⁹O julgamento trata disto: a luz veio ao mundo, e os homens preferiram as trevas à luz. E que suas ações eram más. ²⁰Quem age mal detesta a luz e não se aproxima da luz, para que não delate suas ações. ²¹Quem procede lealmente aproxima-se da luz, para que se manifeste que procede movido por Deus.

Jesus e João Batista – ²²Um pouco depois, Jesus com seus discípulos se dirigiu à Judeia; ficou aí com eles e começou a batizar. ²³Também João batizava em Enom, perto de Salim, onde havia água abundante. A multidão acorria e se batizava. ²⁴(Ainda não haviam posto João na prisão.)

²⁵Surgiu uma discussão dos discípulos de João com um judeu a propósito de purificações. ²⁶Foram a João e lhe disseram:
– Rabi, aquele que estava contigo na outra margem do Jordão, de quem deste testemunho, está batizando, e todos vão a ele.
²⁷João respondeu:
– Ninguém pode arrogar-se coisa alguma, se Deus não a conceder. ²⁸Vós sois testemunhas do que eu disse: Eu não sou o Messias, mas me enviaram à frente dele. ²⁹Quem tem a noiva é o noivo. Aquele que o ouve alegra-se por ouvir a voz do noivo. E nisso consiste minha alegria completa. ³⁰Ele deve crescer, eu diminuir.

Enviado de Deus – ³¹Quem vem de cima está acima de todos. Quem vem da terra é

---

se fecha ao dom do amor, e com isso fica julgada e condenada. Não crer é ato positivo livre, é subtrair-se à salvação. O dom do amor é "crítico", discerne entre crentes e incrédulos. Compare-se essa seção com 12,46-48.

3,19-21 Em grego *krisis* significa julgamento/condenação e distinção/separação. No princípio "Deus separou a luz da treva" (Gn 1,4): ao vir ao mundo, Jesus, a luz, atua um julgamento de separação de acordo com a reação dos homens. O tema se desenvolve com a imagem clássica da luz e das trevas (Jo 1,5; Is 5,20, inversão de valores). Deus "amou" o mundo (Rm 8,32; 1Jo 4,9), eles "amaram" as trevas (cf. Sb 17,4 e, referido à morte, 1,16). O perverso busca a escuridão para agir impunemente, como refúgio no delito (Jó 24,14; Eclo 23,18-19). A luz de Jesus manifesta a realidade do homem (Sl 90,8), e também a realidade de uma fé que se traduz em obras feitas como Deus quer.

3,22-30 e 4,1-3 Uma bem elaborada inclusão define os limites dessa seção. Jesus com seus discípulos abandonam a capital e se instalam numa região do Jordão, onde se dedicam a batizar. O último versículo esclarece que o fazia por meio dos discípulos. Em todo caso, aparece como concorrente de João, que continua batizando, talvez rio acima (não se identifica o lugar). Seria um batismo de penitência, como o de João (Jesus, antes da sua ressurreição, ainda não batiza com o Espírito). A João acorre "gente", a Jesus acorrem "todos". O êxito maior de Jesus provoca ciúme nos discípulos de João e alarma depois os fariseus. Então "um judeu" (alguns manuscritos trazem o plural) se põe a discutir com os discípulos de João sobre purificações ou abluções, provavelmente sobre o sentido dessas práticas batismais que atraem tanta gente; talvez sobre méritos comparados. O versículo serve também para unir a cena ao sinal de Caná, de acordo com a seguinte proporção: água de abluções – vinho nupcial e messiânico = purificações – o Messias esposo. No final, Jesus se retira da cena. O narrador utiliza todo esse contexto para enquadrar o último testemunho de João (Batista). Que é o último insinua-o a menção do cárcere e o confirma um discurso de Paulo: "Pelo fim de sua carreira mortal, disse" (At 13,25). Começa seu testemunho afirmando que toda missão e função são designadas por Deus: "Ninguém pode arrogar-se" (cf. 1Cor 4,7). A relação entre ele e Jesus deve ser colocada num terreno mais grave e decisivo do que no mero assunto do batizar. Aí ressoa o último testemunho, a ser ouvido como final esclarecedor de uma série, a saber, "existia antes, está antes de mim" (1,15), as sandálias do esposo (1,27), "vem um homem que está antes de mim" (1,30), o Espírito como uma pomba (1,32), a voz do esposo presente (3,29). Conta também, por situação contextual, o episódio programático do casamento em Caná. Essa quadra travada – esposa e esposo, voz e alegria – foi tomada de Jeremias, que a repete como *leitmotiv* de tragédia e restauração: "A voz alegre e a voz gozosa, a voz do esposo e a voz da esposa" (com ritmo e rima no original hebraico: 7,34; 16,9; 25,10; 33,11; ainda ressoa em Ap 18,23). Jesus é o Messias esposo, João é o amigo que escuta. A "voz" precisa ser ilustrada com trechos do *Cântico dos Cânticos*. E a esposa? Talvez João a tenha preparado com o banho de purificação (como é costume nos casamentos). A voz da esposa talvez fique pendente até chegar "a hora" da ressurreição. Crescer e diminuir são os verbos da fecundidade e sua antítese (Jr 30,19; cf. *peru urebu* de Gn 1,28). São as últimas palavras de João Batista neste evangelho.

3,31-36 A maioria dos comentaristas pensa que esses versículos são continuação distante do colóquio de Jesus com Nicodemos; as relações temáticas e verbais são abundantes. Não se tem atinado com a explicação do lugar que agora ocupam no relato. O texto se desdobra em antíteses elementares, conforme o gosto de João: celeste/terreno, crer/não crer, vida/ira de Deus.
O discurso mostra uma visão trinitária em ação. O Pai ama o Filho, confia-lhe tudo, dá-lhe o Espírito em

terreno e fala coisas terrenas. Quem vem do céu está acima de todos. ³²Ele testemunha o que viu e ouviu, e ninguém aceita seu testemunho. ³³Quem aceita seu testemunho acredita que Deus é veraz. ³⁴O enviado de Deus fala das coisas divinas, pois Deus não dá o Espírito racionado. ³⁵O Pai ama o Filho e põe tudo em suas mãos. ³⁶Quem crê no Filho tem vida eterna. Quem não crê no Filho não verá a vida, pois nele permanece a ira de Deus.

4 Jesus e a samaritana – ¹Os fariseus ficaram sabendo que Jesus ganhava mais discípulos e batizava mais que João. ²(Se bem que fossem seus discípulos que batizavam, não ele pessoalmente.) Quando soube disso, Jesus ³abandonou a Judeia e se dirigiu novamente para a Galileia. ⁴Tinha de atravessar a Samaria. ⁵Chegou então a uma aldeia da Samaria chamada Sicar, perto do terreno que Jacó dera a seu filho José. ⁶Aí estava o poço de Jacó. Jesus, cansado da viagem, sentou-se tranquilamente junto ao poço. Era meio-dia. ⁷Chega uma mulher da Samaria para tirar água. Jesus lhe diz:

– Dá-me de beber.

---

plenitude, envia-o. O Filho cheio do Espírito dá testemunho do que viu e ouviu (3,11), coisas celestes. O homem acolhe esse testemunho pela fé, recusa-o pela incredulidade; e assim o testemunho pode dar "vida eterna" ou colocar sob a "ira (condenação) de Deus".

3,31 No contexto imediato, esse versículo poderia ser aplicado a João e a Jesus. João ensina e prega práticas válidas aqui e neste regime. Jesus procede de outra esfera. Isolado do contexto, o versículo tem alcance geral: só Jesus é mediador da revelação definitiva (1Jo 4,5). Mais ainda: pela origem e pela glorificação (cf. Fl 2,9-11).

3,32 O "ninguém" se relativiza nas palavras seguintes (como ocorre p. ex. no Salmo 14). Ou seja, ninguém, se não for por revelação (Mt 11,27).

3,33 Acredita: ou põe um selo. A aceitação pela fé é correlativa da revelação, por isso o homem pode acreditar que Deus é veraz no que revela ou fiel no que promete.

3,34 Jesus é o enviado de Deus por excelência; em função dele foram enviados os profetas. É o Espírito que permite pronunciar "as palavras (oráculos) de Deus". Assim sucedia aos profetas do AT, embora possuíssem participações medidas do Espírito (cf. Nm 11 para o governo), ao passo que Jesus possui a plenitude desse mesmo Espírito.

3,35 É o amor trinitário que permitirá definir "Deus é amor" (1Jo 4,8). Como recebe tudo em suas mãos, também pode comunicar o Espírito (6,63). Esse tema é desenvolvido ao longo do Evangelho.

3,36 Crer e não crer são atitudes que configuram a vida inteira, como vida eterna ou como fracasso definitivo.

4,4-42 Aqui temos um daqueles capítulos em que João faz brilhar seu talento de narrador e muito mais sua capacidade de entrelaçar no relato, discretamente, símbolos de perspectiva profunda. Sendo relativamente amplo o relato, convém indicar alguns pontos de referência do processo. A princípio, Jesus aparece sobre o pano de fundo patriarcal, doador de um dom tão precioso para os patriarcas como a água. Segundo: Jesus é um profeta (v. 18): porque adivinha uns fatos ou porque denuncia uma conduta? Terceiro: Jesus é o Messias que também os samaritanos esperam (v. 26). Quarto: é o Salvador do mundo, na confissão dos samaritanos (v. 42). No desenrolar do diálogo e das ações sucedem-se uns saltos temáticos que podem desconcertar numa primeira leitura. Da água ao matrimônio (concubinato), deste a uma consulta cultual; muda a cena com a saída de um personagem e a chegada de outros, e surge o tema agrário da colheita. Como se coordenam? Bebida e refeição são companheiras óbvias; do poço d'água ao matrimônio, o AT nos acostumou a transitar pela via do símbolo. Mais difícil é o salto ao culto e sobretudo à imagem agrária.

Pois bem, coloquemos como pano de fundo o capítulo matrimonial de Os 2 (com apoio em outros textos de Oseias), e se justificará a construção de Jo 4, além de uma série de detalhes. Como o texto de Oseias é concentradamente simbólico, ao sobrepor-lhe o de João, este se torna simbólico ao quadrado. A "mulher samaritana" é como a Samaria personificada de Os 2: infiel ao marido Yhwh (Os 2,4.6), entregue aos ídolos amantes (2,7.9), pervertendo o culto (2,15), ameaçada de morrer de sede (2,5); mas cortejada a sós por Yhwh (2,16), reconciliada (2,17-18.21), de modo que começa um ciclo agrário (2,23-24) e a fecundidade da mulher.

4,4 Tinha de atravessar a Samaria. A indicação geográfica exata e banal se carrega de novo sentido. Na Samaria começa quase o paganismo. Desde a conquista, deportação em massa e nova colonização por obra da Assíria, a Samaria foi vista com hostilidade e desprezo pelos judeus; e ela correspondeu com sua hostilidade (p. ex. no tempo de Esdras e Neemias). Mas Jesus tem uma missão na Samaria.

4,5-6a A primeira cena está sob o sinal da água: elemento vital para o homem, de modo especial para aquelas regiões e culturas, elemento que se presta para o uso simbólico. Dele o AT oferece abundantes testemunhos. Leia-se entre outros Gn 26 para apreciar o que significavam os poços para aqueles pastores seminômades. O Gênesis não menciona esse poço; mas se Jacó comprou um terreno (Gn 33,19; 48,22; Js 24,32), podemos deduzir que estava provido de um manancial. Os dois dados, poço e patriarca, são funcionais no relato.

4,6b A hora do calor (sexta = sesta), o cansaço da caminhada e a sede junto ao poço são elementos que a narrativa predispõe para trabalhar com eles.

4,7 O diálogo vai ser um jogo de pedir e recusar, oferecer e pedir; como degraus para subir e saltar ao plano superior do "dom de Deus". (Diz um comentarista: como na cruz, pede água para depois dá-la.)

⁸(Os discípulos tinham ido à aldeia comprar comida.) ⁹A samaritana lhe responde:
– Como é que tu, sendo judeu, pedes de beber a uma mulher samaritana? (Os judeus não se dão com os samaritanos.)
¹⁰Jesus lhe respondeu:
– Se conhecesses o dom de Deus e quem é que te pede de beber, tu pedirias a ele, e ele te daria água viva*.
¹¹A mulher lhe diz:
– Senhor, não tens balde e o poço é profundo; de onde tiras água viva? ¹²Acaso és maior que nosso pai Jacó, que nos deixou o poço do qual bebiam ele, seus filhos e rebanhos?
¹³Jesus lhe respondeu:
– Aquele que beber esta água voltará a ter sede; ¹⁴quem beber a água que eu lhe darei jamais terá sede, pois a água que lhe darei se transformará dentro dele em manancial que brota dando vida eterna.

¹⁵Diz-lhe a mulher:
– Senhor, dá-me dessa água, para que eu não tenha sede e não tenha de vir aqui para tirá-la.
¹⁶Diz-lhe:
– Vai, chama teu marido e volta aqui.
¹⁷A mulher lhe respondeu:
– Não tenho marido.
Diz-lhe Jesus:
– Tens razão em dizer que não tens marido, ¹⁸pois tiveste cinco homens, e tampouco o de agora é teu marido. Nisso disseste a verdade.
¹⁹Diz-lhe a mulher:
– Senhor, vejo que és profeta. ²⁰Nossos pais prestavam culto neste monte; vós, ao contrário, dizeis que é em Jerusalém que se deve prestar culto.
²¹Jesus lhe diz:
– Crê em mim, mulher. Chega a hora em que nem neste monte nem em Jerusalém se

---

4,8 O distanciamento dos discípulos deixa a sós a mulher e o homem. Com delicada discrição João nos faz entrever o plano simbólico do amor. Junto a poços acontecem os encontros de Rebeca, Raquel, Séfora (Gn 24; 29; Ex 2,15-22); a esposa é um poço (Pr 5,15-18).

4,9 Para essa mulher, a caridade tem fronteiras. Suas palavras expressam mais despeito que estranheza (Esd 4,3).

4,10 Soa o verbo "saber", tão importante no evangelho de João. E também em Os 2; "ela não compreendia que era eu quem lhe dava..." concretamente (2,10) diz que ela não compreendia que era dom do Senhor. Conhecer o dom e também a pessoa, "quem é"; dom que ela irá descobrindo gradualmente "e conhecerás o Senhor" (Os 2,22). * Ou: *água de manancial.*

4,11-12 Primeiro mal-entendido (no estilo de João). Ela resolve a sutil ambiguidade de "água viva" em "água de nascente, não estancada" ou recolhida em cisternas (cf. Jr 2,13; Is 48,21). Tão rico é o manancial do lugar, que desde os tempos do patriarca Jacó está manando e matando a sede de gerações. Não se crerá maior que Jacó, o judeu viajante, o pai das doze tribos (Gn 48,22).

4,13-14 Jesus revela o sentido simbólico das suas palavras, a sua interpretação da água, de acordo com a tradição bíblica: "Abandonaram-me, fonte de água viva"; "em ti está a fonte viva"; "com gozo tirareis água do manancial da salvação" (Jr 2,13; Sl 36,10; Is 12,3). A do poço mata a sede cada vez que se bebe, e se torna a beber. A sua sacia a sede definitivamente porque se torna manancial dentro da pessoa. Que brotará perpetuamente ou que comunicará uma vida imortal. A água de Jesus pode ser sua revelação ou o dom do Espírito (7,37-38).

4,15 Segundo mal-entendido ou corte do tema por enquanto. Da água do poço Jesus passa (brusca ou suavemente?) ao assunto matrimonial. Lendo Os 2,5, o salto de Jo 4,16 surpreende menos: "eu a transformarei numa terra seca, a farei morrer de sede". A mulher dos seis amantes sofre outro tipo de sede: "abre a boca... e bebe de qualquer fonte que apareça" (Eclo 26,12).

4,16 Ir buscar água na fonte pública era tarefa normal das moças (Rebeca, Raquel, Séfora) e o seria também das casadas, como função doméstica. Pela idade da mulher, pode o viajante deduzir que é casada, só que Jesus olha mais longe.

4,17 A palavra grega significa homem/varão e marido, o que permite o jogo de palavras que se segue. Ver também a sutil e grave distinção de Os 2,18.

4,18 O número exato de cinco poderia aludir ao começo da idolatria ou sincretismo na Samaria (2Rs 17,33); em cinco ermidas prestavam culto a sete divindades, além de *Yhwh*. Mais importante que o número é a alusão aos muitos "amantes" = ídolos de Os 2,7.9.12.14.15.19; é linguagem corrente chamar a idolatria de fornicação ou adultério.

4,19 O profeta que adivinha é também o profeta que denuncia: "Vieste à minha casa para recordar minhas culpas?" (cf. 1Rs 17,18; Os 6,5). A mulher o toma no primeiro sentido, e o aproveita para uma consulta nacional.

4,20 Trata-se da controvérsia já secular sobre o lugar autêntico do culto a *Yhwh*: o monte Sião em Judá (reforma de Josias) ou o monte Garizim na Samaria (memória patriarcal). O lugar do culto, a legitimidade de um templo, é assunto vital na religião de Israel e de outros povos (Dt 11,29; 12,5-14; Sl 122). Garizim pode ser um "lugar alto" como os que os profetas condenavam? (p. ex. Os 10,8; Jr 19,56). O profeta itinerante e inesperado poderá se pronunciar: "até que venha um profeta para resolver o caso cultual" (1Mc 4,46).

4,21 A resposta é radical: nem um nem outro; aproxima-se um regime novo. E inesperadamente substitui o implícito *Yhwh* ou "nosso Deus" por "o Pai", como se a revolução cultual fosse provocada pela revelação

prestará culto ao Pai. ²²Vós prestais culto ao que desconheceis, nós damos culto ao que conhecemos; pois a salvação procede dos judeus. ²³Mas chega a hora, e já chegou, em que os que prestam culto autêntico prestarão culto ao Pai em espírito e de verdade. Tal é o culto que o Pai procura. ²⁴Deus é Espírito, e os que lhe prestam culto haverão de fazê-lo em espírito e de verdade.

²⁵Diz-lhe a mulher:

— Sei que virá o Messias (isto é, Cristo). Quando ele vier, nos explicará tudo.

²⁶Diz-lhe Jesus:

— Sou eu, aquele que fala contigo.

²⁷Nisso chegaram os discípulos e se maravilharam ao vê-lo falar com uma mulher. Mas ninguém lhe perguntou o que procurava ou por que falava com ela. ²⁸A mulher deixou o cântaro, foi à aldeia e disse ao povo:

— ²⁹Vinde ver um homem que me contou o que fiz: será ele o Messias?

³⁰Eles saíram da aldeia e acorreram a ele. ³¹Entretanto, os discípulos lhe pediam:

— Rabi, come.

³²Ele lhes disse:

— Tenho um sustento que vós não conheceis.

³³Os discípulos comentavam:

— Será que alguém lhe trouxe de comer?

³⁴Jesus lhes diz:

— Meu sustento é cumprir a vontade daquele que me enviou e terminar sua obra. ³⁵Não dizeis vós que faltam quatro meses para a ceifa? Pois eu vos digo: levantai os olhos e observai os campos clareando para a colheita. ³⁶O ceifador já está recebendo sua diária e colhendo fruto para a vida eterna; assim o celebram semeador e ceifador. ³⁷Desse modo se cumpre o refrão: um semeia e outro ceifa. ³⁸Eu vos enviei para colher onde não trabalhastes. Outros trabalharam e vós entrastes para tirar proveito de suas fadigas.

---

de Deus como Pai e pelo dom do Espírito. O culto autêntico, ao Deus acessível como Pai, já não estará ligado nem circunscrito a um lugar.

4,22 "O que não conheceis" é expressão duríssima, sobretudo à luz de Dt 13,7, que define os deuses falsos. Se os samaritanos pensam conhecer o que adoram, pode-se recordar-lhes a denúncia profética (Os 8,2), "gritam: Nós te conhecemos, Deus de Israel"; e é grito falso.

A salvação vem dos judeus, como se manifestou imediatamente depois da queda da Samaria. Além do mais, quem traz a salvação é Jesus, que é da tribo de Judá, como Davi.

4,23-24 O culto é válido se é expressão de uma atitude profunda. O novo culto estará inspirado e guiado pelo Espírito a partir de dentro do homem. Os sinais externos ficam relativizados. Tal é a vontade do Pai revelada por Jesus. Deus é Espírito, ou seja, livre, dinâmico, não pode ser agarrado (3,8). Os recintos não submetem o ar de sua presença, o vento de sua ação.

4,25 A resposta da mulher parece evasiva: o pronunciamento do profeta não convence ou não é entendido; e nós nos remetemos ao veredicto definitivo do Messias, quando ele chegar. Os samaritanos o identificavam com o profeta anunciado por Moisés: "Suscitarei um profeta entre seus irmãos... porei minhas palavras em sua boca, e vos dirá o que eu quiser" (Dt 18,18).

4,26 Jesus se declara abertamente. Mas seu conceito de Messias é diferente e superior. A fórmula "Eu sou" é uma das que serão repetidas ao longo do evangelho, com ou sem predicado (6,35; 8,12.23.28), carregando de valor revelador (nela pode ressoar o "Eu sou" da revelação a Moisés, Ex 3,14).

4,27-30 Muda a cena. Os discípulos se admiram: porque fala a sós com uma mulher desconhecida, ou porque não era costume de Jesus, ou porque um rabi não conversa sobre coisas sérias com mulheres (cf. Eclo 9,3.5.8.9 no contexto). O narrador testemunha a liberdade limpa de Jesus. Ela, interiormente transformada, começa sua campanha de divulgação sobrepondo os dois títulos: o de verdadeiro profeta adivinho (cf. Os 7,1 "manifesta-se o delito"), e o de Messias duvidoso. Foi contagiada pelo desejo missionário.

4,31-34 A refeição forma díptico com a bebida. Desta vez são os discípulos a tomarem a iniciativa, e acontece outro mal-entendido, que provoca a explicação transcendente. É algo que tampouco os íntimos "sabem, conhecem". O que alimenta e dá forças a Jesus é cumprir o desígnio daquele que o enviou (variante de Dt 8,3); o alimento já não é a lei nem a sabedoria (Sl 19,11; Pr 9,5; Eclo 24,18). Cabe a Jesus terminar a tarefa que Deus suspendeu no sétimo dia da criação (Gn 2,2).

4,35-38 O que foi a ação de Jesus pregando a uma semipagã, eleva-se a princípio e exemplo de expansão missionária. Da refeição se passa suavemente ao tema agrário: semeadura, ceifa e colheita, como imagens do ministério presente de Jesus e futuro dos discípulos. Pode-se comparar com a versão breve dos sinóticos (Mt 9,37; Lc 10,20). Pertencem à linguagem corrente a frase (provérbio?) "daqui a quatro meses a ceifa", a visão oposta dos campos já dourados de espigas, o trabalho, o salário e a alegria da colheita (Is 9,1; Sl 4,8), o ceifador resignado "um semeia, e outro ceifa". O sentido transcendental é transparente. Os profetas semearam a seu modo, e Jesus está semeando. Aí já existe uma messe espigada, os samaritanos maduros para a fé (a Samaria que Yhwh semeará para si, Os 2,25). Fica pendente uma colheita maior que caberá aos discípulos recolher. A colheita escatológica: "Naquele dia o Senhor debu-

[39] Nessa aldeia muitos creram nele pelo que a mulher contara afirmando que lhe tinha dito tudo o que fizera. [40] Os samaritanos acorreram a ele e lhe pediam que ficasse com eles. Permaneceu aí dois dias, [41] e muitos outros creram por causa das palavras dele; [42] e diziam à mulher:

– Já não cremos pelo que nos contaste, pois nós mesmos escutamos e sabemos que este é realmente o salvador do mundo.

[43] Passados os dois dias, transferiu-se daí para a Galileia. [44] O próprio Jesus havia declarado que um profeta não recebe honras em sua pátria. [45] Quando chegou à Galileia, o receberam os galileus que tinham visto tudo o que fez em Jerusalém durante as festas; pois também eles tinham ido às festas.

Cura o filho do funcionário (Mt 8,5-13; Lc 7,1-10) – [46] Foi novamente a Caná da Galileia, onde havia transformado a água em vinho. Havia aí um funcionário real cujo filho estava doente em Cafarnaum. [47] Ao ouvir que Jesus tinha ido da Judeia para a Galileia, foi visitá-lo e lhe suplicava que descesse para curar seu filho que estava à morte. [48] Jesus lhe disse:

– Enquanto não virdes sinais e prodígios, não crereis.

[49] Diz-lhe o funcionário real:

– Senhor, desce antes que meu menino morra.

[50] Jesus lhe diz:

– Vai! Teu filho vive.

Ele confiou naquilo que Jesus dizia e se pôs a caminho. [51] Estava descendo, quando os servos saíram ao encontro dele para anunciar-lhe que seu menino estava bem. [52] Perguntou-lhes a que horas havia melhorado, e lhe disseram que, no dia anterior, à uma da tarde, a febre havia passado. [53] O pai comprovou que era a hora em que Jesus lhe disse que seu filho estava vivo. E acreditou nele com toda a sua família. [54] Este foi o segundo sinal que Jesus fez quando se transferiu da Judeia para a Galileia.

5 Cura o enfermo da piscina – [1] Passado algum tempo, os judeus celebravam

---

lhará as espigas desde o Grande Rio até a torrente do Egito; mas vós, israelitas, sereis respigados um por um" (Is 27,12). Todo um programa missionário.

4,39-42 Acontece uma conversão prodigiosa de samaritanos semipagãos. A mulher foi a evangelizadora (adiantando-se a Maria junto ao sepulcro, 20,11-18) e desencadeou um processo. Ao ouvi-la creram "nele"; crendo acorreram a ele; ouvindo-o creram mais e melhor. E fazem sua profissão de fé, "sabemos, conhecemos" que Jesus é o Salvador do mundo (cf. Is 45,15.21) não só de judeus e samaritanos; não só profeta ou Messias político. O Salvador é e traz a salvação, revelação e vida. O título pagão de soberanos, assumido pelos cristãos e predicado de Jesus, adquire um sentido novo, autêntico, definitivo. Título que já lemos no AT.

4,43-45 Terminada com grande êxito a missão na Samaria, Jesus retorna à Galileia, onde é bem recebido, embora superficialmente: pelos milagres presenciados em Jerusalém. O v. 44 é uma variante do que se lê nos sinóticos (Mc 4,4; Lc 4,24) mais bem situados. Para que tenha sentido aqui, não podemos referi-lo à Galileia, mas sim à Judeia, apoiando-nos em 4,22: o Messias é judeu de tribo, e entre "os judeus" encontrou hostilidade.

4,46-54 Por meio de uma inclusão, João define um ciclo de atividades de Jesus. Para tanto, transfere a cena dos sinóticos (Mt 8,5-13 e Lc 7,1-10) a Caná, com os retoques correspondentes. O primeiro sinal se insere na plenitude da vida, uma festa de casamento; o segundo está no limite da vida e da morte, um ponto que não pede muita elaboração simbólica. João não diz que o homem era pagão; apresenta-o como funcionário do rei (tetrarca) Herodes Antipas, com residência em Cafarnaum. O doente não é o criado, mas o filho. Se o milagre demonstra o poder de Jesus diante da morte iminente (cf. Sl 30), o funcionário encena o processo da fé. Começa com um ato de confiança baseada na fama de Jesus, a quem pede um milagre. Quando Jesus critica a ânsia de milagres (1Cor 1,22), ele insiste alegando a urgência. Quando Jesus pronuncia sua palavra, o homem crê nele. Quando comprova cuidadosamente o milagre, creu nele com toda a família. Jesus não desceu a Cafarnaum, foi sua palavra que alcançou eficazmente o moribundo: no *Logos* havia vida (1,4), "a Palavra de vida. A vida se manifestou: nós a vimos e damos testemunho" (1Jo 1,1-2). Que o pai arraste a família inteira é corrente, dada a estrutura familiar da época (ver p. ex. o caso de Cornélio em At 10).

5,1 Começa uma série com uma indicação temporal vaga: "uma festa". Uma tradição antiga e alguns manuscritos informam que era a Páscoa. Por esse dado e porque a multiplicação dos pães acontece na Galileia, alguns comentaristas invertem a ordem dos capítulos 5 e 6. O texto do relato só esclarece que era sábado. O capítulo 6 se coloca pouco antes da Páscoa: 7-8 pertencem à festa das Tendas; 10,22-39 à Dedicação. Dessa maneira João distribui a atividade de Jesus pelas tradicionais festas judaicas. Deixada a Galileia, o campo de operações serão Jerusalém e Judá.

O desenvolvimento da perícope é simples: após um relato de milagre (1-9) vem uma controvérsia sobre o sábado (10-18); daí, chega-se a um discurso de revelação (19-30).

uma festa, e Jesus subiu a Jerusalém. ²Havia em Jerusalém, junto à porta dos rebanhos, uma piscina chamada em hebraico Betesda, com cinco pórticos. ³Jazia neles uma multidão de enfermos, cegos, coxos e mutilados, aguardando que as águas se movessem. [⁴Periodicamente um anjo descia à piscina e agitava a água, e o primeiro que descesse logo que a água fosse agitada, ficava curado de qualquer doença que sofresse.] ⁵Havia aí um homem que estava enfermo há trinta e oito anos. ⁶Jesus o viu deitado e, sabendo que estava assim há muito tempo, lhe diz:

— Queres curar-te?

⁷O enfermo lhe respondeu:

— Senhor, não tenho ninguém que me coloque na piscina quando a água se agita. Quando chego, outro já entrou.

⁸Diz-lhe Jesus:

— Levanta-te, toma o teu leito e caminha.

⁹Imediatamente esse homem ficou curado, pegou o leito e pôs-se a andar. Mas esse dia era sábado; ¹⁰por isso os judeus disseram ao que foi curado:

— Hoje é sábado; não podes transportar o leito.

¹¹Respondeu-lhes:

— Aquele que me curou disse-me para pegar o leito e caminhar.

¹²Perguntaram-lhe:

— Quem te disse para pegar o leito e caminhar?

¹³O homem curado não sabia quem era, pois Jesus se havia retirado de lugar tão concorrido. ¹⁴Mais tarde Jesus o encontra no templo e lhe diz:

— Vê: Estás curado. Não voltes a pecar, para que não te aconteça algo pior.

5,2-9a O doente é um paralítico ou aleijado crônico, impedido fisicamente e não muito desembaraçado mentalmente, pois sofre de notável falta de iniciativa. O lugar é uma piscina dividida ao meio, de modo que se formam cinco séries de pórticos, que acolhem numerosos e variados doentes (cf. Is 35,5-6). Pela glosa do v. 4 averiguamos que dependia de uma fonte intermitente, cuja atividade o povo atribuía à intervenção sobrenatural. Foi escavada em época recente: encontra-se, de fato, perto de uma das portas de Jerusalém; literalmente "a (porta) das Ovelhas". Às suas águas se atribuía poder terapêutico variado, que atraía doentes de diversa índole. Da resposta do doente se deduz claramente que a quantidade de água de cada atividade era muito limitada e só os primeiros se aproveitavam dela.
Jesus toma a iniciativa: vê e conhece. A pergunta de Jesus, como outras semelhantes, pode soar como desafio e como repreensão: queres de fato?, fazes algo para consegui-lo? Jesus quer que o enfermo salte da desesperança resignada à esperança e à vontade de viver. A pergunta se desloca do contexto e interroga o leitor. Ao dizer "curar-te", Jesus abrange mais que a saúde corporal. Sua pergunta só obtém uma desculpa que sublinha a desgraça: está impossibilitado e "ninguém o ajuda". Expressão clássica da oração (Sl 22,12; 107,12-34), também presente na profecia (Is 63,5) e na lamentação (Lm 1,7). De modo que Jesus vai ser sua única salvação. A ordem é semelhante à que dá ao paralítico nos relatos dos sinóticos (Mt 9,6 par.). João nada diz de possessão diabólica nem de espíritos imundos; mantém-se no plano simples da doença. A palavra, mandato de Jesus, brota da compaixão e é eficaz. Curar é parte de sua missão.

5,9b-18 A segunda parte não é mera coincidência, mas sim razão da primeira. O fato da cura milagrosa se torna princípio de conduta, se converte em terreno de controvérsia dramática. O doente não agradece nem fica sabendo quem é seu insigne benfeitor; cumpre ordens muito contente e despreocupado. Os guardiães da lei e de sua observância o interpelam: o descanso sabático era um dos preceitos mais sagrados, e somente o perigo de morte suspendia sua vigência. Ele responde com lógica elementar: se a saúde obedeceu ao mandato daquele homem, por que não deverá obedecer aquele que recuperou a saúde?

5,14 De novo Jesus toma a iniciativa para encontrá-lo no templo; e aí, apoiado na tradicional vinculação da doença com o pecado, o exorta a uma emenda radical, cura mais profunda do espírito. Compare-se a presente ordem com o clássico (resumido): "Consumiam-se meus ossos quando calava... tua mão pesava sobre mim... Confessei meu pecado... e tu perdoaste meu pecado... — Eu te ensinarei o caminho que terás de seguir" (Sl 31; 38). Pela conversa, talvez pela referência ao pecado, o homem vem a saber quem é e quem o curou, e o conta ingenuamente às autoridades judaicas.
Assim se chega ao choque, que se desprende bastante do relato. Se em Mc 2,27 Jesus apela para a dignidade do homem, que não pode ser escravizada por uma instituição, aqui levanta-se uma razão teológica de grande alcance. O "alimento" de Jesus é "realizar a obra do Pai" (4,34). Segundo os precedentes da legislação, violar o sábado e blasfemar mereciam pena de morte (Nm 15,32-36; Lv 24,10-16). Por ambos os motivos as autoridades judaicas perseguem Jesus: porque cura e manda levar cargas no sábado (cf. Jr 17,19-27), e porque se iguala a Deus. É que Jesus justificou sua conduta dando uma interpretação nova de Gn 2,2a: a tarefa do Pai não terminou no sexto dia da criação, mas continua sendo feita no curso da história. E o Filho deve fazer como o Pai. Gn 2 fala de "concluir, fazer, obra". Com esses termos e com outros sinonímicos, incluído "criar", refere-se à atividade de Deus ao longo do AT. Uma escatologia anuncia uma nova criação (Is 65,17; 66,22). De maneira nova e especial age Deus com e por seu Filho.

¹⁵O homem foi e disse aos judeus que era Jesus quem o havia curado. ¹⁶Por esse motivo os judeus perseguiam Jesus por fazer tais coisas no sábado. ¹⁷Jesus, porém, lhes disse:

– Meu Pai continua trabalhando e eu também trabalho.

¹⁸Por esse motivo os judeus, com mais empenho, tentavam matá-lo, porque não só violava o sábado, mas além disso chamava a Deus de seu pai, igualando-se a Deus.

Autoridade de Jesus – ¹⁹Jesus tomou a palavra e lhes disse:

– Eu vos asseguro:
O Filho não faz nada por sua conta,
   se não vê o Pai fazer.
O que este faz
   o Filho o faz igualmente.
²⁰Porque o Pai ama o Filho
   e lhe mostra tudo o que faz;
   e lhe mostrará ações maiores,
   para que vos admireis.
²¹Assim como o Pai levanta os mortos e lhes dá vida,
   assim o Filho dá vida aos que quer.
²²O Pai não julga ninguém,
   mas entrega ao Filho a tarefa de julgar,
²³para que todos honrem o Filho
   como honram o Pai.
Quem não honra o Filho
   não honra o Pai que o enviou.
²⁴Asseguro-vos que quem ouve a minha palavra
   e crê em quem me enviou,
   tem vida eterna e não é submetido a julgamento,
   mas passou da morte à vida.
²⁵Asseguro-vos que chega a hora, e já chegou,
   em que os mortos ouvirão a voz do Filho de Deus,
   e os que a ouvirem viverão.

5,19-30 Bem articulado com os versículos precedentes, o autor propõe um discurso doutrinal em que Jesus revela sua natureza e missão. O modo de raciocinar de João é por correlação de semelhantes ou de opostos, não tanto por dedução de princípios e consequências. As partes se implicam reciprocamente, de modo que o discurso pode passar de uma à outra. Eis aqui as principais correlações: Pai/Filho, ouvir o Filho/crer no Pai, Filho de Deus/filho de homem, vida/julgamento, ouvir a palavra/ouvir a voz, os mortos/os sepultados, fé/conduta.
Embora o Pai tenha a iniciativa de ensinar, enviar e entregar, o Pai e o Filho são iguais: na ação (v. 19), no ter vida (v. 26), no dar vida (v. 21), em ser honrados (v. 23). Colocam-se em relação quando quem ouve a palavra do Filho crê naquele que o enviou (v. 24). É próprio do Filho, por ser homem, julgar ou pronunciar sentença contra os que não creram e agiram mal (vv. 22 e 24). O período que começava o Pai a findar a criação (Gn 2,2), abrange a história e terminará no juízo final.

5,19-20 Começa pelas obras, não pelos conhecimentos. Obras de Deus (Pai) foram a criação, a libertação e conservação do povo ao longo da história. O Filho presenciou tudo (cf. Pr 8,22-30), aprendeu e pode inserir suas obras no grande desígnio e processo. Talvez se aplique aqui o modelo da oficina do artesão, onde o filho aprende a profissão do pai vendo-o fazer, imitando, cooperando; modo amoroso de aprendizado. Por ora essas obras têm sido alguns milagres, mas ficam pendentes outras maiores.

5,21 Entre essas, a obra insigne de ressuscitar mortos. Porque Deus afirma: "Eu dou a morte e a vida" (Dt 32,39; 1Sm 2,6); "afunda no Abismo e levanta" (Tb 13,2 texto AB); numa poderosa imagem (Is 26,14-19). Ver-se-á em Lázaro e no que essa ressurreição simboliza, a vida nova que o Filho "quer dar".

5,22-23 O Pai a delega ao Filho a tarefa de "julgar" (talvez em sentido amplo): "confia teu julgamento ao rei, tua justiça a um filho de rei" (Sl 72,1) e com ela a honra consequente. Por isso, a honra prestada ao Filho redunda no Pai (cf. Eclo 3,11).

5,24 "Julgamento" significa aqui um discernimento, uma prova e comprovação de qualidade, antes de aceitar e acolher (como a seleção que Yhwh anuncia em Ez 20,35-38). Pois bem, os que ouvindo a palavra de Jesus creram no Pai não são submetidos a esse julgamento de comprovação, porque crendo já deram o grande passo "da morte à vida". Ou seja, a vida definitiva que Jesus comunica pela fé.

5,25-26 Há uma escatologia iminente, uma adiada, uma antecipada ou realizada. A primeira produz a

²⁶Pois como o Pai possui vida em si,
   assim faz que o Filho possua vida em si;
²⁷e, visto que é homem,
   confiou-lhe o poder de julgar.
²⁸Não estranheis isto: chega a hora
   em que todos os que estão no sepulcro ouvirão sua voz.
²⁹Os que agiram bem ressuscitarão para viver,
   os que agiram mal ressuscitarão para ser julgados.
³⁰Eu não posso fazer nada por minha conta;
   julgo pelo que ouço, e a minha sentença é justa,
 porque não pretendo fazer a minha vontade,
   mas a vontade daquele que me enviou.

O testemunho de Jesus

³¹Se eu desse testemunho em meu favor,
   meu testemunho não seria válido.
³²Outro testemunha em meu favor, e me consta
   que seu testemunho em meu favor é fidedigno.
³³Vós enviastes uma delegação a João,
   e ele deu testemunho da verdade.
³⁴E, embora eu não me apóie em testemunho humano,
   digo isso para vossa salvação.
³⁵Ele era uma lâmpada que ardia e iluminava,
   e vós quisestes desfrutar um pouco de sua luz.
³⁶Eu tenho um testemunho mais valioso que o de João:
   as obras que meu Pai me encarregou de fazer e que eu faço
 testemunham em meu favor que o Pai me enviou.

---

expectativa de comunidades primitivas, que consideravam próxima a vinda gloriosa do Senhor. A adiada se impõe quando passa uma geração sem que chegue a parusia. A antecipada diz que a escatologia já está em ato, na comunidade cristã, desde a ressurreição de Jesus.
Também se pode chamar escatologia presente: é a que João propõe. Nesse versículo com o detalhe "já chegou". Esses "mortos" são os que ainda não creem, os quais, se ouvirem e atenderem à chamada do Filho de Deus presente, dele receberão a vida autêntica e definitiva. Porque o Filho, como o Pai, possui essa vida e pode comunicá-la (Jo 1,4; 1Jo 1,1-4).

5,27-29 Passa à escatologia adiada, ou seja, ao futuro juízo final. Jesus, como homem e segundo a visão de Daniel (Dn 7,14), recebe do Pai o poder de julgar em última instância, no juízo definitivo, ao qual deverão comparecer todos (Dn 12,2): uns para a vida, outros para a condenação: essa é a alternativa. A palavra grega significa em primeiro lugar levantar-se e, daí, ressuscitar. Os que jazem "põem-se de pé" (Ez 37,10) para comparecer.

5,30 Com esse versículo retorna ao tema do começo e conclui. Sua sentença presente e futura é justa (cf. Is 11,3), não é parcial (cf. 2Cr 19,7; At 10,34; Rm 2,11) nem interesseira; ajusta-se ao desígnio daquele que o enviou.

5,31-47 O segundo discurso de Jesus trata do testemunho, tema central deste evangelho. É necessário um testemunho que garanta a missão de Jesus. Testemunho em própria causa não vale (cf. 8,14.17; Pr 27,2); é necessário o testemunho alheio de uma testemunha fidedigna (Pr 14,5.25). Jesus conta com os seguintes testemunhos: um humano de João Batista (1,19-34), as obras milagrosas que realiza por ordem do Pai (3,2; 10,25), o celeste do Pai (provavelmente alude ao batismo, embora João não o narre; mas veja-se 1Jo 5,9-10), a Escritura, em particular Moisés.
Mas seus interlocutores não se rendem ante tantos testemunhos. Aceitaram a "lâmpada" de João, mas não a luz que ela refletia e anunciava (1,8); as obras milagrosas os desqualificam (5,18); do Pai não conservam a palavra; a Escritura não a querem entender porque se negam a olhar na direção para onde ela aponta (cf. 2Cor 3,13-14); em Moisés não creem (cf. Ex 6,9 como antecedente). A razão de tanta resistência é que vivem fechados num círculo vicioso, num sistema de louvores mútuos e complacências partilhadas, como intérpretes oficiais e reconhecidos da lei. Fechados no sistema, praticamente dão testemunho em próprio benefício. Usam a lei e as observâncias como instrumentos de prestígio; só recebem a quem se apresenta aceitando o sistema. Não recebem Jesus, que se distancia e denuncia.

5,32 Fala em categorias jurídicas, processuais. Esse outro, embora não alheio, é o Pai.

5,34 Se insiste em acreditar-se, é porque nisso está a salvação dos homens, que é sua missão.

⁳⁷Também o Pai que me enviou
  dá testemunho em meu favor.
Nunca ouvistes sua voz,
  não vistes sua figura,
³⁸e sua palavra não a conservais em vós
  porque não credes naquele que ele enviou.
³⁹Estudais a Escritura pensando que encerra vida eterna:
  pois ela dá testemunho em meu favor;
⁴⁰mas vós não quereis vir a mim para terdes vida.
⁴¹Já não recebo honra dos homens;
⁴²mas de vós me consta que não possuís o amor de Deus.
⁴³Eu vim em nome de meu Pai, e não me recebeis;
  se outro viesse em nome próprio, vós o receberíeis.
⁴⁴Como podeis crer se, recebendo honras mútuas,
  não buscais a honra que vem somente de Deus?
⁴⁵Não penseis que serei eu quem vos acusará diante do Pai;
  Moisés, em quem confiais, vos acusará.
⁴⁶Pois, se crêsseis em Moisés, creríeis em mim,
  pois ele escreveu a meu respeito.
⁴⁷E se não credes no que ele escreveu,
  como ireis crer em minhas palavras?

6 Dá de comer a cinco mil (Mt 14,13-21; Mc 6,30-44; Lc 9,10-17) – ¹Algum tempo depois, passou Jesus para a outra margem do lago da Galileia (o Tiberíades). ²Seguia-o grande multidão, pois viam os sinais que fazia com os doentes. ³Jesus se

---

5,37-38 Propõe três manifestações de Deus: a voz, a figura, a palavra. Dado que junta e nega voz e figura (como Ct 2,8) e dado que no Sinai ouviram a voz de Deus, será preciso explicar de outro modo o presente versículo. Ou se toma "voz" no mesmo plano que imagem, a realidade de Deus que excede os sentidos, ou se toma o verbo "escutar" em sentido modal de aceitar e submeter-se (em hebraico sm' bqwl = obedecer). Sobre o ver imagem: Dt 4,12; Ex 33,20. Por sua vez, eles receberam a "palavra" por meio de Moisés e dos profetas. "Muitas vezes e de muitas formas, Deus falou no passado a nossos pais por meio dos profetas. Nesta etapa final nos falou por meio de um Filho" (Hb 1,1-2).

5,39 O estudo da Escritura (Sl 1,2) especificando "lei, sabedoria, profecia, parábolas, provérbios e enigmas" (Eclo 39,1-3). A Escritura transmite vida eterna se conduz a Jesus (cf. 2Cor 3).

5,41 A honra e o crédito de Jesus não dependem do que os homens dizem e propagam, tantas vezes interesseiros e maliciosos. Assim o aprendeu Paulo (1Cor 4,3).

5,42 O amor de Deus: o de Deus ao homem, que eles não conservam quando se fecham para ele. Ou o do homem a Deus, que eles não têm porque estão dominados pelo egoísmo e desejo de honrarias. Na falta dele, submetem-se a qualquer que pretenda ter autoridade, talvez a falsos profetas ou falsos messias.

5,44 A glória que só Deus dá (não outro), que dá (sem merecimentos), que é a autêntica.

5,45 De mediador da lei Moisés se converte em testemunha de acusação ou em fiscal que acusa: "Este cântico será minha testemunha contra os israelitas... Este código da lei... que fique como testemunha contra ti" (cf. Dt 31,19.21.26).

5,46 Onde na *torá*? Talvez nos oráculos de Balaão, tidos por messiânicos (Nm 23-24) ou no testamento de Jacó (Gn 49,10), ou implicitamente nas promessas a Abraão.

6,1-2 As mudanças de cenário servem, ao narrador, de peças de transição, e prestam-se para introduzir episódios novos. Por isso esses versículos se ligam com outros do capítulo (vv. 15.22-25). Geograficamente tudo acontece no lago e em torno dele. Em termos de atitude de Jesus, apreciam-se o duplo movimento de retirar-se à solidão e de voltar para a multidão. Retira-se, porque o povo busca milagres e não fé; volta, por causa da necessidade física e espiritual do povo. Na primeira parte do capítulo, acontece a sequência comum aos evangelistas de dois milagres: a refeição prodigiosa e o caminhar sobre a água do lago (1-15.16-24). Segue-se o amplo discurso sobre o pão da vida (25-50), com o qual liga-se o discurso eucarístico (51-59), e conclui com a reação de apostasia e a confissão de Pedro.

6,3-15 Esse milagre é contado pelos quatro evangelistas e duas vezes por Mt e Mc. As seis redações testemunham a veneração com que as primeiras comunidades cristãs conservaram e transmitiram o milagre. O fato, na redação final do capítulo, diz respeito ao passado, aos israelitas e ao maná no deserto (Ex 16), a Eliseu (2Rs 4,42-44); diz respeito ao futuro (presente para os evangelhos escritos), à celebração eucarística. É que o milagre se dirige a uma das necessidades básicas do homem: o alimento, que por isso é gerador de símbolos. João vai conceder mais espaço à exploração simbólica do que ao relato. Por essa razão (ou porque depende

retirou a um monte e aí sentou-se com seus discípulos. ⁴Aproximava-se a Páscoa, a festa dos judeus. ⁵Levantando os olhos e vendo a multidão que acorria a ele, Jesus diz a Filipe:

— Onde compraremos pão para que comam?

⁶(Dizia isso para pô-lo à prova, pois sabia bem o que iria fazer.) ⁷Filipe lhe respondeu:

— Duzentos denários de pão não bastariam para que cada um recebesse um pedaço.

⁸Um dos discípulos, André, irmão de Simão Pedro, lhe diz:

— ⁹Está aqui um menino que tem cinco pães de cevada e dois peixes; porém, o que é isso para tanta gente?

¹⁰Jesus disse:

— Fazei o povo sentar.

(Havia grama abundante no lugar.) Sentaram. Os homens eram cinco mil. ¹¹Então Jesus tomou os pães, deu graças e os repartiu aos que estavam sentados. Fez o mesmo com os peixes: tudo o que queriam. ¹²Quando ficaram satisfeitos, Jesus disse aos discípulos:

— Recolhei as sobras, para que nada se perca.

¹³Recolheram-nas e, com os pedaços dos cinco pães de cevada que sobraram dos que comeram, encheram doze cestos. ¹⁴Quando o povo viu o sinal que fizera, disseram:

— Este é o profeta que devia vir ao mundo.

¹⁵Jesus, sabendo que pensavam ir para levá-lo e proclamá-lo rei, retirou-se novamente sozinho ao monte.

Caminha sobre as águas — ¹⁶Ao entardecer, os discípulos desceram ao lago. ¹⁷Embarcaram e atravessaram o lago em direção a Cafarnaum. Havia escurecido e Jesus ainda não os tinha alcançado. ¹⁸Soprava um vento forte e o lago encrespava. ¹⁹Quando haviam remado uns cinco ou seis quilômetros, viram Jesus que se aproximava do barco caminhando sobre as águas, e se assustaram. ²⁰Ele lhes diz:

— Sou eu, não temais!

²¹Quiseram recolhê-lo a bordo, e imediatamente a barca chegou à terra para onde se dirigiam.

O pão da vida — ²²Na manhã seguinte, a multidão que ficara na outra margem viu que ali não havia senão um bote, sendo

---

de outra tradição), a versão de João ignora alguns detalhes significativos.

O relato presente destaca a iniciativa de Jesus: arrastou o povo a uma região distante e afastada, observa-o, provoca o discípulo, controla seu plano, dá as ordens antes e depois, ele mesmo reparte o pão. O povo o receberá como dom, de sua mão. Filipe e André representam a visão humana, de um realismo impotente, forçada a calcular sem resolver (o denário era a diária de um operário); ao mesmo tempo dão voz à necessidade humana. "Acorrer a Jesus" (v. 5) significará passar fome?

6,4 Segundo Js 5,10-12, com a primeira Páscoa em Canaã termina o maná próprio do deserto. A última páscoa de Jesus cederá passagem ao novo maná.

6,5-6 A prova supõe a ignorância do que é provado (exemplo clássico, Abraão, Gn 22). João joga com o equívoco e o mal-entendido.

6,9 O pão de cevada era pão modesto, de pobres ou gente simples. A história de Eliseu (2Rs 4,42) o menciona, e ele ocupa todo o relato de Rute (um clássico do homem e o Deus doador).

6,10 O detalhe da relva não facilita a alusão aos israelitas no deserto.

6,11a A fórmula é inconfundivelmente eucarística.

6,11b-13 Comem quanto querem, ficam saciados, sobra: Jesus representa a generosidade de Deus "que alimenta a todos", "que abre sua mão e sacia todo ser vivente" (Sl 136,25; 145,15). Não sabemos se com os doze cestos alude às doze tribos. Fica claro que não se deve desperdiçar o dom de Deus.

6,14-15 O profeta ao qual se alude é o anunciado em Dt 18,15.18, sucessor de Moisés para instruir o povo. Por seu turno, o "rei" é o Messias descendente de Davi. O segundo adquire um caráter político que Jesus quer evitar a todo custo. O povo interpretou mal e superficialmente o milagre. Jesus busca a fé, não o entusiasmo esporádico e menos ainda o fanatismo agressivo.

6,16-21 Após a tarde feliz, a noite; após a incompreensão do povo, a revelação aos discípulos. A versão do milagre no lago é muito simples e despojada; não é fácil reconstruir a cena. Não faltam os elementos simbólicos: a noite, o mar agitado, com ressonâncias mitológicas clássicas (Sl 93 par.), a ausência de Jesus. Em troca, falta a ordem soberana de Jesus que acalma o mar (nos sinóticos). Seu domínio ele o manifesta "passeando" sobre a água: "e não ficava rastro de suas pegadas"; caminha sobre o dorso do mar (cf. Sl 77,20; Jó 9,8); o que precisa aquietar são os temores dos discípulos. Ele o faz com a fórmula tradicional "não temais", e com a fórmula frequente em Jo de auto-revelação, "sou eu" (eco de Ex 3,14). Pode-se chamar esse relato de epifania ou cristofania, porque nele se manifesta sensivelmente a divindade poderosa.

6,18 É oportuno recordar o relato de Jonas e o Sl 107, sobre os perigos do mar.

6,22-25 Esses versículos servem para mudar o cenário por via marítima, da região oriental do lago à ocidental. O narrador, que transportou facilmente os discípulos e Jesus, não acerta ao transportar o povo.

que os discípulos tinham ido sozinhos e Jesus não fora com eles. ²³De Tiberíades chegaram outras barcas perto do lugar onde Jesus dera graças e eles tinham comido o pão. ²⁴Quando a multidão viu que nem Jesus nem seus discípulos estavam ali, embarcaram nos botes e se dirigiram a Cafarnaum à procura de Jesus. ²⁵Eles o encontraram na outra margem do lago e lhe perguntaram:

– Rabi, quando chegaste aqui?

²⁶Jesus lhes respondeu:

– Eu vos asseguro que me procurais, não pelos sinais que vistes, mas porque ficastes saciados de pão. ²⁷Trabalhai, não por um sustento que perece, mas por um sustento que dura e dá vida eterna; aquele que este Homem vos dará. Nele Deus Pai pôs o seu selo.

²⁸Perguntaram-lhe:

– O que devemos fazer para trabalhar nas obras de Deus?

²⁹Jesus lhes respondeu:

– A obra de Deus consiste em que creiais naquele que ele enviou.

³⁰Disseram-lhe:

– Que sinal fazes para que vejamos e creiamos? Em que trabalhas? ³¹Nossos pais comeram o maná no deserto, como está escrito: *Deu-lhes a comer pão do céu*.

³²Respondeu-lhes Jesus:

– Eu vos asseguro que não foi Moisés quem vos deu pão do céu; é meu Pai quem vos dá o verdadeiro pão do céu. ³³O pão de Deus é aquele que desce do céu e dá vida ao mundo.

³⁴Disseram-lhe:

– Senhor, dá-nos sempre deste pão.

(Quantos botes precisaram para atravessar? quanto tempo?) Mais importante é a conexão teológica, a referência ao milagre em termos de eucaristia (v. 23) e o fato de que o povo procura Jesus e acorre a ele.

6,25-26 A pergunta tem sentido depois da transição marítima, mas não tem sentido para introduzir a primeira resposta breve, nem muito menos o colossal discurso que se segue. É preciso ler obliquamente, para que vise mais alto: quando, como, de onde chegaste? A vinda de Jesus é transcendente. Nesse sentido a pergunta se enquadra. Também a resposta destoa se consideramos que acabam de presenciar o sinal do pão e por ele acorrem a Jesus. Mas, em outro plano, a resposta é justa: saciaram-se de pão, viram-no como prodígio, mas não como sinal que revela Jesus; acorrem ao milagreiro, não ao enviado de Deus. A questão do pão é perfeitamente paralela à questão da água. A samaritana se deslumbrava com o sonho de uma água material que poupasse trabalhos e solucionasse problemas indefinidamente. O povo se entusiasma com um pão, recebido milagrosamente sem trabalho e que conserve a vida – indefinidamente? Entender um milagre como sinal é remontar ao assinalado; pois bem, o milagre de um pão que prolonga a vida cotidianamente aponta para o dom de um pão que instaura uma vida nova, eterna, dom de Jesus. O versículo 26, com a antítese explicada, soa como programa de quanto se segue.

6,26-34 Diálogo em três turnos. a) Pão que perece/pão que dura: "não fome de pão nem sede de água, mas de ouvir a palavra do Senhor" (Am 8,11); b) obras/fé (cf. Is 30,15); c) o maná de Moisés/o maná de Jesus: "Os israelitas comeram maná durante quarenta anos... até atravessar a fronteira de Canaã" (Ex 16,35).

6,26 Jesus lhes responde. De certo modo, essa expressão abrange os vv. 26-58. Como orientar-se neles se os temas se entrecruzam, as citações e alusões bíblicas se acumulam, as perguntas e objeções mudam a perspectiva? Como se articula o discurso? A divisão temática desaparece, o diálogo faz girar a exposição, repetindo e avançando.

Aceitamos como hipótese comum a divisão: vv. 25-34 à maneira de introdução ao tema; vv. 35-50 homilia sobre o pão e a fé; vv. 51-58 exposição eucarística. Reduzimos o conjunto a dois temas simples: dou o pão = palavra ou ensinamento ou revelação; sou o pão = corpo. O primeiro predomina nos vv. 35-50, o segundo do v. 51 a 58.

São referentes à Escritura as passagens que falam de comer em sentido figurado.

6,27 Possível alusão a Ex 16,20 (se não o é, serve de ilustração): o maná guardado para o dia seguinte se estragava, o que guardavam para o sábado se conservava. É o mesmo esquema da água da samaritana (cap. 4). O selo dá garantia, e este Homem (por excelência) traz o selo de Deus que é o Espírito (Ef 1,13; 4,30; 2Cor 1,22).

6,28-29 A pergunta retoma o verbo "trabalhar": para ganhar o pão é preciso fazer as tarefas designadas pelo patrão. Obras de Deus são as que Deus exige na aliança; representam o regime da antiga aliança. No novo regime, a muitas obras corresponde uma obra, e ela consiste em crer no enviado de Deus. A fé é obra de Deus. Indo atrás de Jesus, receberam o pão como dom, não por seu trabalho; pois agora seu esforço deverá ser crer em Jesus e receber a salvação como dom.

6,30-31 Para crer pedem credenciais. Como se o milagre do pão não fosse sinal, e de fato não o entenderam como sinal. Moisés, mediador da aliança, podia apresentar o prodígio cotidiano e celeste do maná (Ex 16; Nm 11,7-9; Sl 78,24; Sb 16,20-21). Entra no diálogo a expressão "pão do céu".

6,32-33 A contraposição relativiza o antigo. O dom do maná ocupa um lugar importante na tradição bíblica. Narra e adorna o episódio Ex 16, registra seu final Js 5, canta-o o Sl 105,40 e ainda ressoa em Sb 16. O doador não era Moisés, e aquele pão não era realmente celeste. A realidade está aqui: o doador é o Pai, o dom é Jesus, sustento da vida nova. A mediação de Moisés fica perfeitamente superada.

6,34 Parece com o pedido da samaritana (4,15); no Pai-nosso se pede "nos dai hoje" (Mt 6,11). O pedido

³⁵Jesus lhes respondeu:

— Eu sou o pão da vida: aquele que vem a mim não sofrerá fome, aquele que crê em mim não passará sede. ³⁶Contudo, eu vos disse que, ainda que me tenhais visto, não credes. ³⁷Aqueles que o Pai me confiou virão a mim, e aquele que vier a mim, não o lançarei fora; ³⁸porque não desci do céu para fazer a minha vontade, e sim a vontade daquele que me enviou. ³⁹E esta é a vontade daquele que me enviou: que eu não perca nenhum dos que me confiou, mas os ressuscite no último dia. ⁴⁰Porque esta é a vontade de meu Pai: que todo aquele que contempla o Filho e crê nele, tenha vida eterna, e eu o ressuscitarei no último dia.

⁴¹Os judeus murmuravam porque havia dito que ele era o pão descido do céu; ⁴²e diziam:

— Este não é Jesus, o filho de José? Nós conhecemos seu pai e sua mãe. Como diz que desceu do céu?

⁴³Jesus lhes disse:

— Não murmureis entre vós. ⁴⁴Ninguém pode vir a mim, se o Pai que me enviou não o atrair; e eu o ressuscitarei no último dia. ⁴⁵Os profetas escreveram *que todos serão discípulos de Deus.* Quem escuta o Pai e aprende, virá a mim. ⁴⁶Não que alguém tenha visto o Pai. Somente aquele que está voltado para Deus é que viu o Pai. ⁴⁷Eu vos asseguro que quem crê tem vida eterna. ⁴⁸Eu sou o pão da vida. ⁴⁹Vossos pais comeram o maná no deserto e morreram. ⁵⁰Este é o pão que desce do céu, para que quem o comer não morra. ⁵¹Eu sou o pão vivo descido do céu. Quem comer deste pão viverá sempre. O pão que eu dou para a vida do mundo é a minha carne.

---

serve para introduzir a nova seção, sobre o pão da vida, que é em primeiro plano o ensinamento e no segundo plano a eucaristia.

6,35-50 O uso do pão ou do alimento em sentido figurado é conhecido na Escritura. Os profetas o aplicam à palavra de Deus: o citado Am 8,11; de modo especial Is 55,1-11, que soa quase como paralelo do texto que comentamos. Os sapienciais o aplicam à sabedoria ou sensatez: Pr 9,1-6; Eclo 15,3; 24,18.21-22. No Pentateuco, é fundamental Dt 8,3 e por contraste Gn 2-3 sobre a árvore da vida.

Do estilo homilético podemos mencionar (segundo o narrador, Jesus prega numa sinagoga): a citação da Escritura como tema (v. 31), o comentário e seus elementos, comer-pão-céu, uma citação de profetas (v. 45), conclusão repetindo o tema.

6,35 Enuncia e explica uma tese. Compare-se com o que diz a Sabedoria: "Quem me come terá mais fome, quem me bebe terá mais sede" (Eclo 24,21). Na raiz o homem tem fome e sede de vida. Comer e beber visam à vida, são necessidades vitais. Tal desejo sublima-se na ânsia de vida sem fim. Somente Jesus satisfaz essa ânsia. A articulação comida e bebida poderia indicar uma reminiscência eucarística; também pode ser devida ao paralelo tão sugestivo desta seção com o diálogo com a samaritana (no qual também havia bebida e comida). Vir a ele e crer nele são equivalentes.

6,36-37 Viram o milagre, não o penetraram como sinal, não acreditaram na pessoa de Jesus. É o olhar superficial que não penetra na realidade. A este se opõe a comunidade dos fiéis que Jesus recebe como dom do Pai. O Pai tem a iniciativa: envia seu Filho, recomenda-o aos que creem, designa-lhe uma missão salvadora. "Lançar fora" pode ser reminiscência da expulsão do paraíso (Gn 3); também poderia aludir polemicamente à prática de excomungar da sinagoga (cf. Jo 9,22).

6,39-40 O último dia é o dia do juízo final (11,24; 12,48). A vontade do Pai é a salvação de todos os homens. A salvação não está completa sem a ressurreição. É necessário contemplar com olhar penetrante, iluminado. A ressurreição que promete será dom do Filho, o único que pode comunicar a vida eterna.

6,41 Chama de "judeus", ou seja, autoridades judaicas, um grupo de galileus hostis.

6,42 Eles não sabem "contemplar", embora afirmem "conhecer". Consideram inconciliável sua descendência humana com a pretensão de descer do céu (Mt 6,3 par.).

6,44 Esse "atrair" pode recordar *Yhwh* Pai "atraindo" com o amor de seu filho (Os 11,4). A fé é dom de Deus, é como sua atração impressa no homem.

6,45 A citação (Is 54,13) pertence a um poema de reconciliação amorosa de Jerusalém com *Yhwh*. Em contexto de nova aliança (Jr 31,33-34). Não aprenderão na escola de homens, mas diretamente de Deus (cf. Sl 16,7; Is 48,17). Poderia ter uma pontinha de polêmica dirigida contra os "judeus" que protestavam.

6,46 Embora ser discípulo do Pai não seja tê-lo visto (1,18).

6,49 E morreram lá no deserto, sem chegar à terra prometida (Nm 14,21-23; Sl 95,7-9).

6,51 O versículo 51, com suas três peças concatenadas, serve de eixo para unir o discurso sobre o pão vivo com a explicação eucarística. Repetindo a frase programática, passa à nova seção, de tema eucarístico, marcada pela palavra "carne", repetida seis vezes (cf. 1,14). A relação do milagre dos pães com a eucaristia é evidente nos quatro evangelhos. A explanação presente tem importância especial porque João não narra a instituição da eucaristia; supre-a com essas palavras que esclarecem o sentido dela. "Dar a" alude à eucaristia; "dar por", ao sacrifício. Desse modo o versículo 51 sustenta-se numa síntese teológica: descida do céu, dom sacrifical na cruz, vida do ressuscitado.

⁵²Os judeus começaram a discutir:
– Como pode este dar-nos de comer sua carne?
⁵³Jesus lhes respondeu:
– Asseguro-vos que, se não comerdes a carne e não beberdes o sangue deste Homem, não tereis vida em vós. ⁵⁴Quem comer minha a carne e beber o meu sangue terá vida eterna, e eu o ressuscitarei no último dia. ⁵⁵Minha carne é verdadeira comida e meu sangue é verdadeira bebida. ⁵⁶Quem comer minha carne e beber meu sangue habitará em mim e eu nele. ⁵⁷Como o Pai que vive me enviou e eu vivo pelo Pai, assim quem me tomar como alimento viverá por mim. ⁵⁸Este é o pão descido do céu, e não é como o que vossos pais comeram e morreram. Quem come este pão viverá sempre.
⁵⁹Disse isso ensinando na sinagoga de Cafarnaum. ⁶⁰Muitos dos discípulos que o ouviram comentavam:
– Esse discurso é bem duro: quem poderá escutá-lo?
⁶¹Jesus, conhecendo por dentro que os discípulos murmuravam contra ele, disse-lhes:
– Isso vos escandaliza? ⁶²O que será quando virdes este Homem subir para onde estava antes? ⁶³É o Espírito quem dá vida, e a carne para nada serve. As palavras que eu vos disse são Espírito e vida. ⁶⁴Mas há alguns de vós que não creem.
(Desde o começo Jesus sabia quem eram os que não acreditavam e quem o iria trair.) ⁶⁵E acrescentou:
– Por isso vos tenho dito que ninguém pode vir a mim, se o Pai não o conceder.
⁶⁶A partir desse momento, muitos de seus discípulos voltaram atrás e já não andavam com ele. ⁶⁷Então Jesus disse aos doze:
– Também vós quereis ir embora?
⁶⁸Respondeu-lhe Simão Pedro:

6,52-58 O discurso sobre o pão da vida (31-50) e a prática eucarística aqui influenciam-se mutuamente. O autor, que conhece a prática eucarística, não narra em seu evangelho a instituição da eucaristia; mas a supõe. Carne e sangue equivalem à totalidade do homem (Mt 16,7; 1Cor 15,50). A articulação em dois elementos constituintes permite o simbolismo do comer e beber. Ora, semelhante doutrina se afasta violentamente do AT: porque "comer a carne" significa hostilidade destrutiva (Is 9,19; Sl 27,2), canibalismo desesperado (Jr 19,9); ser comida a carne e bebida o sangue é o final macabro dos exércitos de Gog (Ez 39,17). Por outro lado, consumir o sangue, sede da vida, era severamente proibido (Gn 9,4; Lv 17,14 etc.). Não é de estranhar que o ensinamento de Jesus tenha escandalizado aqueles que caem no conhecido equívoco de entender materialmente as palavras. O estilo é quase poético: de enunciados categóricos, de frases rítmicas, em paralelismos que vão acrescentando à unidade novos aspectos.

6,54 À objeção e mal-entendido responde Jesus afirmando a necessidade da eucaristia para conseguir a vida eterna. Afirmação e não raciocínio, que a fé capta e aceita. Jesus se entrega como alimento dessa vida participada do Pai, que agora ele comunica aos fiéis. Porém, "comer e beber" não são atos puramente mentais, mas a eucaristia é "verdadeira comida e bebida". Realismo sensível do sacramento.

6,56-57 Esta vida já está presente naquele que crê e come, mas alcançará sua plenitude na ressurreição futura. A fórmula "eu nele e ele em mim" procura expressar, com mais força do que usando a preposição "com", a união íntima e permanente. Explica-o e completa-o a fórmula seguinte "viver por". Aduzir como modelo e exemplo de dita união do Filho com o Pai é o máximo que se pode dizer. É claro que aqui se coloca a questão vital para o homem.

6,60-71 Há talvez razões para pensar que em algum momento esses versículos vinham imediatamente depois do v. 50. Sigamos a hipótese. É escandaloso dizer que desceu do céu, e ele responde que deve subir para lá outra vez. A carne inválida é a condição humana entregue às suas forças (não a carne eucarística). Pedro se refere às "palavras". Por outro lado, no texto atual esta seção entra em contato com os vv. 51-58 e reage a eles, solidamente ligados ao discurso precedente. Assim resulta que também o discurso eucarístico é "escandaloso", difícil de aceitar; só pela atração do Pai e pelo dom do Espírito será aceito e será vivificante.

6,60-61 É duro pelo que propõe e pelo que exige. Não é duro para a fé. Escutá-lo, aceitando. O escândalo é o contrário da fé; é tropeço que faz cair.

6,62 A expressão grega é uma prótase sem apódose; o que falta é suprido pela frase precedente (segundo a tradução). Alguns autores buscam uma apódose: acabaria o escândalo, se esclareceriam minhas palavras (Is 31,3; cf. 2Cor 3,6). Porém, para a incredulidade, ver esse homem, Jesus, glorificado, seria mais insuportável.

6,63-64 Age com uma semelhança de proporção. A carne, ainda que orgânica, sem o princípio vital do alento ou espírito, está morta e não percebe. De modo semelhante o homem carnal se encerra em um horizonte puramente humano, e não percebe mais além. Somente o princípio vital do Espírito eleva a uma vida superior com horizonte novo. O dom do Espírito sucede à ascensão, também em João (7,38-39; 20,22). Veja-se o paralelo no diálogo com Nicodemos (3,13).

6,66-67 Isto supõe um grupo maior de discípulos, dos quais se destacam os doze (mencionados aqui pela primeira vez). Voltar atrás pode significar a apostasia (Is 59,13; Sl 44,19). Portanto, o ministério de Jesus na Galileia encerra-se com uma deserção numerosa de discípulos e seguidores.

6,67-71 A breve cena final ocupa em João o lugar que nos sinóticos ocupa a confissão de Pedro: vem depois

— Senhor, a quem iremos? Tu dizes palavras de vida eterna. ⁶⁹Nós cremos e reconhecemos que tu és o Consagrado de Deus.

⁷⁰Jesus lhes respondeu:

— Não vos escolhi, eu, aos doze? Pois um de vós é um diabo.

⁷¹Dizia isso por causa de Judas Iscariotes, um dos doze, que o iria entregar.

7 Na festa das Cabanas —
¹Algum tempo depois, Jesus percorria a Galileia, e não queria percorrer a Judeia, porque os judeus tentavam matá-lo. ²Aproximava-se a festa judaica das Cabanas, ³e seus irmãos lhe disseram:

— Parte daqui para a Judeia, a fim de que também teus discípulos vejam as obras que realizas. ⁴Pois ninguém que procura publicidade age às escondidas. Já que fazes tais coisas, dá-te a conhecer ao mundo. ⁵(Pois nem seus parentes acreditavam nele.) ⁶Jesus lhes diz:

— Ainda não chegou minha hora, enquanto que a vossa sempre está disponível. ⁷O mundo não pode detestar-vos; a mim detesta, pois lhe jogo na cara que suas ações são más. ⁸Subi vós à festa, porque eu não subo a essa festa, pois meu prazo ainda não se cumpriu.

⁹Dito isso, ficou na Galileia. ¹⁰Quando seus parentes já tinham subido à festa, também ele subiu, não em público, mas às escondidas. ¹¹Durante a festa os judeus o procuravam e perguntavam:

— Onde andará ele?

¹²Entre a multidão murmurava-se muito a respeito dele. Uns diziam que era bom; outros que não, que enganava o povo. ¹³Mas ninguém falava sobre ele em público por medo dos judeus.

---

da multiplicação dos pães, muda a localização. Jesus pergunta, provocando a decisão explícita dos doze. Pedro faz uma profissão de fé concentrada e articulada: não há outro a quem acorrer, Jesus é único; em suas palavras vibra e se comunica essa vida superior e eterna; e pronuncia, em nome do grupo, um título de Jesus, "o Consagrado", que equivale a Ungido ou Messias. O Satã não é Pedro, e sim Judas, o traidor.

7 Esse capítulo tem sua unidade nas coordenadas de espaço (Jerusalém) e de tempo (festa das Cabanas). O conteúdo é menos unitário. Costuma-se distinguir várias unidades menores: Jesus e sua família (1-9), e a multidão (10-13); polêmica sobre o sábado (15-24); discussão sobre a messianidade (14. 25-31); tentativa agressiva contra Jesus (32); discurso de Jesus (33-39); discussão sobre a messianidade (40-44); fracasso da tentativa agressiva (45-52). Retomando a unidade: no centro Jesus e sua condição messiânica; ao redor a família interesseira, o povo dividido, os chefes hostis. Permanece a peça 15-24 que prolonga a discussão do capítulo 5.

7,1-2 A festa das Cabanas ou dos Tabernáculos caía no final da colheita e da vindima. O povo armava barracas e fazia de conta que vivia como os israelitas no deserto. Era a festa mais alegre (Lv 23,34). Quase no fim do ano civil, antes da Expiação e do ano novo (setembro/outubro). Será a colheita ou o final da carreira de Jesus?

As autoridades judaicas queriam que fosse o final. Já houve uma tentativa de acabar com ele, quando da cura do paralítico junto à piscina (5,18). A expressão "buscar a vida" ou "atentar contra a vida" ou "perseguir até a morte" (bqsh nphsh) é tópica no AT (frequente em Jr e Sl); menos frequente e equivalente é "tentar matar" (bqsh hmyt, Jr 26,21). Jesus está correndo a sorte de um profeta, de muitos orantes anônimos; mas a hostilidade até a morte nem sempre leva à execução imediata.

7,3-5 A proposta dos parentes é um pouco como as tentações narradas nos sinóticos (que João omite): fazer em Jerusalém uma manifestação espetacular que deixe todos estupefactos (como atirar-se do pináculo do templo), aproveitando a enorme afluência de peregrinos para celebrar a festa. Projetam um triunfo fácil e fulminante. É uma tentação nascida da incredulidade; não é somente o entusiasmo provinciano pelo herói local. Popularidade sim, fé não.

7,6-8 A resposta de Jesus é ambígua porque soa em dois planos: subir a Jerusalém como um peregrino a mais para celebrar uma festa anual; ou subir a Jerusalém para subir à cruz e à glória. Para o primeiro não precisa publicidade, e o fará "às ocultas" (v. 10). O segundo se fará publicamente quando chegar o "tempo" ou o momento (7,30; 8,20). Entende-se o momento marcado no desígnio do Pai, executado pelo "ódio do mundo". Aí o vexame da cruz será espetacular. Por outro lado, vós tendes sempre, anualmente, vossa festa ou tempo definido pela estação agrícola ou por vossos planos interesseiros. A vós o mundo não odeia porque pertenceis ao seu sistema; mas me odeia porque denuncio, como profeta que sou, sua má conduta (cf. Is 29,21; Ez 3,26; Pr 9,8; 15,12). Jesus submete a si o calendário, não se submete ao calendário; pois os tempos de Deus têm um ritmo próprio e soberano: "Quando escolher a ocasião, eu julgarei retamente" (Sl 75,3).

7,11-13 Embora oculto, está presente como tema de conversa e comentário. Não busca uma publicidade que assombre a todos por igual; em lugar disso, divide, porque incita a tomar partido. Uma divisão acontece entre as autoridades hostis e o povo intimidado por elas. E entre o povo mesmo, os que reconhecem sua bondade e os que o consideram falso profeta. Essa divisão, iniciada na vida de Jesus, prolonga-se e se torna aguda nas décadas seguintes, até a ruptura oficial de Jâmnia. Na sua origem é uma divisão entre grupos judeus, não acerca da esperança messiânica, e sim sobre o messianismo de Jesus.

7,11 Ouve-se novamente a pergunta "onde?", que aponta para o enigma de Jesus.

¹⁴No meio da festa Jesus subiu ao templo para ensinar. ¹⁵Os judeus comentavam surpreendidos:

– Como possui tal cultura, se não tem instrução?

¹⁶Jesus lhes respondeu:

– Meu ensinamento não é meu, mas daquele que me enviou. ¹⁷Se alguém está disposto a cumprir a vontade dele, poderá distinguir se meu ensinamento procede de Deus ou se eu o invento. ¹⁸Aquele que fala por conta própria busca a própria glória; mas o que busca a glória daquele que o enviou é veraz e não procede com injustiça. ¹⁹Não foi Moisés quem vos deu a lei? Mas ninguém de vós cumpre a lei. Por que procurais matar-me?

²⁰A multidão respondeu:

– Estás endemoninhado. Quem procura matar-te?

²¹Respondeu-lhes Jesus:

– Por uma obra que realizei, todos vos surpreendeis. ²²Como Moisés vos promulgou a circuncisão – não que proceda de Moisés, mas dos patriarcas – vós circuncidais o homem no sábado. ²³Pois se o homem recebe a circuncisão no sábado para não violar a lei de Moisés, por que vos irais comigo por ter curado completamente um homem no sábado? ²⁴Não julgueis pelas aparências, julgai com justiça.

²⁵Alguns de Jerusalém comentavam:

– Não é este aquele que tentavam matar? ²⁶Está falando em público e não lhe dizem nada. Teriam as autoridades reconhecido realmente que esse é o Messias? ²⁷Só que

---

7,14 A festa das Cabanas durava uma semana. O narrador distribui seu material, grande parte diálogo e polêmica, em dois momentos: o meio da festa e o último dia, soleníssimo. O ambiente é tenso, as atitudes divididas. Podemos recordar as atitudes diversas dos israelitas no deserto, nas suas "tendas" (tabernáculos, Ex 33,9-10; 16,26-27). Jesus aproveita a afluência para ensinar no templo, publicamente, não para fazer milagres espetaculares.

7,15 Os rabinos ou letrados aprendiam "aos pés" de um mestre (At 22,3) as opiniões de doutores ilustres, muitas vezes sobre temas de conduta (*halaká*) como interpretação da lei de Moisés. No final da formação eram reconhecidos oficialmente como tais. Jesus, o artesão plebeu de Nazaré, não recebeu tal formação, e no entanto seu ensinamento é surpreendente: "Como se tornará douto... o artesão...?" (cf. Eclo 38,25.27).

7,16-18 Jesus responde a fundo, no terreno da lei e da sua interpretação pelos doutores. Antes de tudo, ele não aprendeu de mestres humanos, e sim diretamente do Pai que o enviou. Seu ensinamento pretende que se realize a vontade de Deus, razão primeira e última da lei. Não é ensinamento teológico, mas de ação (de algum modo como a *halaká*). Quem está disposto a cumpri-la se abre e reconhece a origem divina do ensinamento (o contrário fica implícito). Um mestre formado e reconhecido ensina também em nome próprio (além de citar outros), e assim busca e consegue prestígio; mas por ânsia de prestígio pode falsificar ou deformar o ensinamento (implícito). Quem não busca seu prestígio, mas o daquele que o enviou, é desinteressado, não comete fraude, não falsifica o ensinamento (Ez 13,3; Jr 23,26). Está bem claro tudo o que ele deixou implícito.

7,19 Se os versículos 16-18 enlaçavam-se bem com o v. 15, sobre a instrução, os versículos seguintes supõem um milagre importante realizado no sábado, provavelmente a cura do paralítico na piscina de Betesda (cap. 5). Acima de todas as interpretações sobre extensão e limites do repouso sabático está a lei de Moisés, e nela há um mandamento decisivo: "não matarás". As autoridades não o cumprem, tentam matar Jesus; "por que?", que delito alegam? (Profanar o sábado, v. 23).

7,20 O povo não está a par das maquinações dos chefes, por isso se escandaliza de que Jesus os acuse de tentativa de homicídio.

7,21-24 O motivo pelo qual "julgaram" e condenaram Jesus é que ele curou no sábado (5,1-18). Responde no estilo rabínico com um argumento *a minore ad maius*: se a circuncisão (operação física tão restrita e mutiladora) suspende o preceito sabático, quanto mais a cura do homem inteiro (Lv 12,3; Gn 17,10-13). A cura do paralítico de corpo inteiro, e também de seus costumes de pecado, assinalam a chegada da nova era e prefiguram a salvação completa do homem, na alma e no corpo.

7,24 Não julgar pelas aparências (1Sm 16,7; Is 11,3; Eclo 11,1-3).

7,25-26 O narrador nos comunica a sensação de agitação, reações contraditórias, decisões improvisadas, comentários. Distribuiu o material em três grupos humanos: alguns de Jerusalém, fariseus, autoridades judaicas (vv. 25.32.35). Todos ao redor de Jesus, que vai crescendo em estatura ao revelar-se. Ele, sua origem, personalidade e missão, é a grande pergunta. De forma sintética, o narrador recria algo do que Jesus provocou entre seus concidadãos.

7,25-27 Esses moradores souberam por algum meio do escopo das autoridades. Ao verem que não o executam, se interrogam: A atividade de Jesus é valentia diante do perigo ou é provocação? Se é provocação, por que não respondem como se deve? Há outra alternativa? E então põem no centro a grande questão: esperar um Messias era atitude comum da maioria dos judeus; sobre a figura do Messias iniciavam as diferenças; sobre Jesus como Messias acendia-se a polêmica. Eles próprios respondem. Uma das crenças da época supunha que o Messias estaria oculto muito tempo antes de declarar-se. Sem querer, esses moradores acertam ao dizerem que "ninguém saberá de onde vem"; a frase soa em dois planos, com ironia dramática.

deste nós sabemos de onde vem; quando vier o Messias, ninguém saberá de onde vem.

²⁸Então Jesus, que ensinava no templo, exclamou:

– Vós me conheceis e sabeis de onde venho. Não venho por minha conta, mas me enviou aquele que é veraz. Vós não o conheceis; ²⁹eu o conheço porque procedo dele e ele me enviou.

³⁰Tentaram detê-lo, mas ninguém o prendeu, pois não havia chegado a sua hora. ³¹Muitos do povo creram nele, pois diziam:

– Quando o Messias vier, fará mais sinais do que este?

³²Os fariseus ficaram sabendo dos cochichos do povo. Então os sumos sacerdotes e os fariseus enviaram guardas para detê-lo.

³³Mas Jesus disse:

– Pouco tempo estarei ainda convosco; depois, voltarei ao que me enviou. ³⁴Vós me procurareis e não me encontrareis, e para onde eu vou vós não podereis ir.

³⁵Os judeus comentavam entre si:

– Aonde pensa ele ir, para que não o encontremos? Pensará partir para a diáspora entre os gregos? ³⁶O que significa essa frase: vós me procurareis e não me encontrareis, e para onde eu for vós não podereis ir?

³⁷No último dia, o mais solene da festa, Jesus se pôs de pé e exclamou:

– Quem tiver sede venha a mim para beber; ³⁸quem crer em mim. Assim diz a Escritura: *De suas entranhas brotarão rios de água viva.*

³⁹(Referia-se ao Espírito que haveriam de receber os que creem nele: ainda não havia Espírito, porque Jesus ainda não havia sido glorificado.) ⁴⁰Alguns da multidão, ao ouvir essas palavras, diziam:

– Este é realmente o profeta.

⁴¹Outros diziam:

– Este é o Messias.

Outros rebatiam:

– Por acaso o Messias vem da Galileia? ⁴²Não diz a Escritura que o Messias vem da linhagem de Davi e de Belém, a terra de Davi?

7,28-29 Jesus "grita" a resposta distinguindo dois planos. O homem não pode por sua conta penetrar a verdadeira personalidade de Jesus, se ele não a revelar; e ele não a pode revelar sem revelar ao mesmo tempo o Pai que o enviou. Não conhecem esse Deus porque não aceitam a revelação de Jesus. Esse Deus é veraz quando revela e é fiel cumprindo suas promessas. Temos aqui uma declaração semelhante à de dois sinóticos (Mt 11,26-27; Lc 10,22-23).

7,30 Cf. 2,4; 7,6. Não diz quem seja o autor dessa tentativa. Sua hora é a de sua morte, a hora marcada pelo Pai (16,32; 17,1).

7,31 Refere-se a uma das imagens do futuro Messias como autor de milagres.

7,32-34 Membros do Conselho enviam guardas ou policiais do templo para deterem Jesus pelo que acaba de dizer ou por tudo o que precede. Jesus conserva o domínio sobre tudo e sobre todos. Completa a revelação do círculo de sua existência: procede do Pai e a ele voltará (13,3; 16,28). Agora que está próximo, poderiam procurá-lo: "Buscai o Senhor enquanto se deixa encontrar" (Is 55,6), mas o procuram para matar. Um dia o matarão, e então, ainda que o busquem, não o encontrarão nem poderão chegar ao lugar onde estará, junto do Pai como no princípio (1,18; 17,5).

7,35-36 Outro dos mal-entendidos de João carregados de ironia. As autoridades imaginam Jesus como mestre itinerante que se dirige aos pagãos para fazer prosélitos (cf. Mt 23,15). A história posterior torna verdadeiras essas palavras (aí está a ironia), porque, quando o evangelho está sendo escrito, Jesus é mestre dos pagãos.

7,37-39 Provavelmente o sétimo dia. Recordemos alguns dados da festa das Cabanas: a) Atualizava liturgicamente a experiência do deserto. Aí Moisés obteve para o povo maná para comer (Jo 6) e água da rocha para beber (Ex 17,6; Sl 78,20). b) Na liturgia havia uma cerimônia da água, levada processionalmente da fonte Gion ao templo e se faziam pedidos para apressar a chuva do novo ciclo agrícola. c) A festa havia incorporado esperanças messiânicas, como atesta (ou provoca) o comentário à festa nos capítulos finais de Zacarias (o manancial em 14,8; a chuva em 14,17, a homenagem ao Rei e Senhor). De pé no meio do templo, gritando, Jesus se apresenta como o manancial prometido. Com muitos autores modernos, lemos um paralelismo cruzado: quem tiver sede venha a mim,

beba quem crê em mim.

As entranhas não são as do fiel (cf. 4,14), mas as do Messias. Ele é a rocha no deserto, o templo na cidade.

A que texto se refere concretamente? São tantos os candidatos, que é impossível decidir; provavelmente se refere globalmente ao dom da água: de Moisés, os citados; do templo (Ez 47; Jl 4,18; Zc 14,8); dos profetas (Is 12,3; 43,20; 44,3; 55,1); dos sapienciais (Eclo 24,24-27, em comparação, Pr 18,4); de salmos (105,40-41). Um paralelismo de água e vento, fertilidade e fecundidade, nos mostra que o Espírito (vento) é derramado (como água): "Vou derramar água sobre o deserto, vou derramar meu alento (espírito) sobre tua estirpe" (Is 44,3). A promessa começará a cumprir-se na cruz.

7,40-43 Parece-nos escutar um eco do interrogatório de João Batista (sem mencionar Elias, 1,20-21). O profeta é o anunciado em Dt 18,15-18, o Messias prometido e esperado. Mas Jesus não se deixa enquadrar: é profeta, mas não um a mais na série; é

⁴³O povo estava dividido por causa dele. ⁴⁴Alguns tentavam prendê-lo, mas ninguém lhe pôs as mãos. ⁴⁵Quando os guardas voltaram, os sumos sacerdotes e os fariseus lhes perguntaram:

— Por que não o trouxestes?

⁴⁶Eles responderam:

— Esse homem fala como jamais falou qualquer outro homem.

⁴⁷Os fariseus replicaram:

— Também vós fostes enganados? ⁴⁸Quem dos chefes ou dos fariseus acreditou nele? ⁴⁹Somente essa maldita gente que não conhece a lei.

⁵⁰Nicodemos, um deles, que tinha ido a ele em outra ocasião, lhes disse:

— ⁵¹Acaso a nossa lei condena alguém sem antes tê-lo ouvido e ter comprovado o que fez?

⁵²Responderam-lhe:

— Também tu és galileu? Estuda, e verás que da Galileia não saem profetas.

⁵³E cada qual foi para seu lado.

8 Perdoa a adúltera

— ¹E Jesus se dirigiu ao monte das Oliveiras. ²Pela manhã, voltou ao templo. Todas as pessoas iam a ele, e, sentado, as instruía. ³Os letrados e fariseus lhe apresentaram uma mulher surpreendida em adultério, a colocaram no centro, ⁴e lhe disseram:

— Mestre, esta mulher foi surpreendida em flagrante adultério. ⁵A lei de Moisés ordena que tais mulheres sejam apedrejadas; que dizes tu?

⁶Diziam isso tentando-o, para terem de que o acusar. Jesus agachou-se e com o dedo começou a escrever no chão. ⁷Como insistissem com suas perguntas, levantou-se e disse-lhes:

— Quem de vós estiver sem pecado atire a primeira pedra.

⁸Novamente se agachou e continuava escrevendo no chão. ⁹Os ouvintes foram se retirando, um a um, começando pelos mais velhos até o último. Ficou só Jesus e a mulher de pé, no centro. ¹⁰Jesus se levantou e lhe disse:

— Mulher, onde estão? Ninguém te condenou?

¹¹Respondeu:

— Ninguém, Senhor.

Messias, mas não como o imaginam os judeus. A objeção apoia-se em textos da Escritura, sem citá-los; vários sobre a linhagem davídica do Messias, e Mq 5,1 sobre seu nascimento em Belém. Se o primeiro é repetidas vezes afirmado no NT, o segundo referem-no somente Mateus e Lucas. A objeção pode refletir uma controvérsia de comunidades judeu-cristãs com o judaísmo oficial.

7,45-49 Visto que alguns do povo se declaram a favor de Jesus, também os guardas ficam impressionados ao ouvi-lo (cf. Sl 45,3) e não se atrevem a executar as ordens recebidas. De fato, ninguém fala como Jesus porque ele é a Palavra de vida eterna. A resposta dos fariseus, como vem citada pelo evangelista, é uma auto-acusação (ao mesmo tempo que refuta o caráter exclusivo total, já que alguns se converteram): as autoridades se fecharam à fé. Ao mesmo tempo, expressam todo o seu desprezo pela classe baixa, ignorante, incapaz de cumprir as observâncias (cf. Jr 5,4). Deus gosta de revelar-se aos ignorantes guardas do templo e à depreciada plebe, e não aos doutos fariseus (Mt 11,25). Mas há exceções, como prova o caso seguinte.

7,50-52 À observação judiciosa de um do grupo (3,1) respondem só com o sarcasmo. Seu desprezo pela Galileia faz eco ao inicial de Natanael (1,46).

7,53-**8**,11 É hoje opinião corrente que este relato é inserção posterior. A linguagem em parte não é de João; falta nos manuscritos antigos; alguns manuscritos o colocam depois de Lc 21,38. Contudo, o relato é canônico, ou seja, faz parte do NT inspirado, conserva a recordação de um episódio de Jesus e é uma joia literária e religiosa.

A lei decreta pena de morte para adúlteros (Lv 20,10), pena de morte por lapidação para a prometida ou desposada infiel ao homem a quem legitimamente pertence, embora ainda não conviva com ele (Dt 22,21). Ez 16,38-40 menciona a lapidação como pena normal das adúlteras. No plano simbólico, muitos textos do AT apresentam *Yhwh* esposo que perdoa e reconcilia consigo a mulher infiel: Samaria (Os 2) ou Jerusalém (Is 1,21-26; 49; 54; Ez 16).

A cena se desenrola publicamente, no templo, onde costuma ensinar. Letrados e fariseus (ou letrados do partido dos fariseus) apresentam ao "mestre" um caso legal prático, provavelmente com intenção capciosa (como a moeda de César, Mc 12,13-17). Não lhe pedem uma sentença forense (o mestre não é juiz), mas um parecer sobre a aplicação da lei mosaica (não de uma observância qualquer) a um caso particular. Isso pressupõe que os interlocutores viram Jesus distanciar-se da lei ao perdoar pecados. A pergunta pode equivaler: nós a surpreendemos em flagrante adultério; devemos levá-la ao tribunal competente ou a executamos sem mais? (cf. Gn 38; Dt 17,7).

Jesus, em lugar de responder logo, escreve no chão, responde e continua a escrever. O que escreve? Como o narrador não o diz, os comentaristas encontraram amplo campo para conjecturas: algum texto da legislação penal, o nome dos que "se afastam do Senhor" (Jr 17,13), ou simplesmente rabiscos. Na primeira vez, como que tomando tempo para refletir, na segunda como que esperando que os "impecáveis" executassem a sentença. Da sua atitude serena e majestosa se desprende uma força que desmascara ("colocaste nossos segredos ante

Disse-lhe Jesus:

— Tampouco eu te condeno. Vai, e de agora em diante não peques mais.

Jesus, luz do mundo

– ¹²De novo Jesus lhes falou:

— Eu sou a luz do mundo, quem me segue não caminhará em trevas, mas terá a luz da vida.

¹³Disseram-lhe os fariseus:

— Tu dás testemunho em teu favor: teu testemunho não é válido.

¹⁴Jesus lhes respondeu:

— Embora eu dê testemunho em meu favor, meu testemunho é válido, pois sei de onde venho e para onde vou; vós, ao contrário, não sabeis de onde venho nem para onde vou. ¹⁵Vós julgais segundo critérios humanos; eu não julgo ninguém. ¹⁶E se julgasse, meu julgamento seria válido, porque não julgo sozinho, mas com o Pai que me enviou. ¹⁷Em vossa lei está escrito que o testemunho de duas pessoas é válido. ¹⁸Eu sou testemunha em minha causa, e é testemunha também o Pai que me enviou.

¹⁹Perguntaram-lhe:

— Onde está teu pai?

Jesus respondeu:

— Não conheceis a mim nem o meu Pai. Se me conhecêsseis, conheceríeis meu Pai.

²⁰Essas palavras ele as pronunciou junto ao Tesouro, ensinando no templo. Ninguém o deteve, porque não havia chegado a sua hora.

Eu vou

– ²¹Em outra ocasião lhes disse:

— Eu vou, vós me procurareis e morrereis por causa do vosso pecado. Para onde eu vou, vós não podereis ir.

---

a luz do teu olhar", Sl 90,8), uma indignação que os faz "retroceder confusos" (Sl 70,3-4; 129,5).
Na vida de Davi há um caso judicial notável (2Sm 14): o rei teria que sentenciar se deve condenar o homicida ou perdoar seu filho culpado. A lei foi feita para o homem (e a mulher), e Jesus não veio para julgar (condenar) e sim para salvar (12,47). A salvação dessa mulher está no perdão e na emenda (Ez 16,63).
"Quem estiver sem pecado": há outro "adultério" mais grave, a infidelidade dos dirigentes a seu Deus, denunciada pelos profetas (p. ex. Ez 16; Os 2).

8,12-59 Entre declarações solenes e controvérsias incisivas, esse capítulo evolui sem ordem rigorosa. Algumas indicações do texto, mais que os temas, ajudam a dividi-lo em blocos. Toda a discussão gira em torno da identidade e missão de Jesus, definidas por sua origem, o Pai, e seu destino. Frente à origem e destino dos chefes incrédulos. Nós propomos outras divisões para facilitar o comentário.

8,12-20 Um dos ritos da festa das Cabanas consistia em acender vários candelabros num átrio do templo. Jesus se apresenta como "luz do mundo", não só de Israel. A luz descobre as formas e permite a visão (Jó 38,13-14), e por isso é símbolo de conhecimento intelectual. Além disso é vida. Embora a fórmula "luz da vida" (ou luz viva, que não é preciso alimentar periodicamente; à semelhança da água da vida/viva, que mana sempre) não seja frequente (Sl 56,14; 33,30), a ideia é comum, já que viver é ver a luz do dia e o parto é dar à luz. A luz é um dos símbolos mais ricos e frequentes para falar de Deus e do divino; indico dois textos do saltério (Sl 27,1; 36,9-10). O segundo é mais pertinente porque concentra num par de versículos os temas de João: comida, bebida, manancial, luz: "nutrem-se da gordura de tua casa, lhes dás de beber da torrente de tuas delícias, porque em ti está a fonte viva e tua luz nos faz ver a luz". Em João, o símbolo atrai seu oposto, as trevas, morte física (Jó 10) e do espírito. A luz se impõe com sua evidência, não precisa demonstrações; mas a pessoa pode fechar os olhos à luz. Seguir Jesus é caminhar atrás, deixando que marque e ilumine nosso caminho. Se corresponde ao hebraico "ir atrás de", equivale à total adesão à pessoa.

8,13-16 A argumentação é difícil. No mundo dos humanos, muitas vezes falsos e injustos, o direito quer instituir garantias; exige testemunhas externas, duas, imparciais, independentemente concordes. Jesus pertence a outra esfera, pela consciência plena de sua origem e meta, por sua união perfeita com o Pai, que é uno e duplo. Quem fica na esfera humana não pode entender semelhante testemunho. Pela evidência da luz, Jesus é testemunha de si mesmo (o contrário em 5,31), embora conte também com o testemunho do Pai (sobre as testemunhas, 5,31-39). É juiz também com a sua presença, porque faz tomar partido e assim discerne (5,22; 9,39), ainda que não tenha vindo para pronunciar sentença definitiva (3,17; 12,47 e com reservas a cena da adúltera). Por critérios humanos, por aparências: 7,24 (1Sm 16,7; Is 11,3).

8,17-18 Em Dt 17,6 e 19,15.

8,19 Eles não conhecem a verdadeira personalidade de Jesus, que é ser Filho e enviado do Pai; a condição de Filho implica a relação com o Pai. Ao fechar-se à revelação do Filho, se lhes ofusca o conhecimento do Deus verdadeiro, que é o Pai de Jesus.

8,20 Não chegou a hora: 7,30.

8,21-30 Essa seção tem um tom polêmico que convida a uma proposta simplificada e extrema. O Moisés do Deuteronômio propunha a oposição extrema e articulada "o bem e o mal, a vida e a morte, bênção e maldição" (Dt 30,1.15.19). João toma o extremo pecado e morte e deixa, subentendido e necessário, o extremo positivo. A proposta extrema transforma os interpelados em personagens típicas, que encarnam o tipo com intensidade e pureza, do qual se aproximam muitas personagens reais. Essa seção está sob o duplo signo do "eu vou" e "eu sou" (Ez

²²Os judeus comentaram:

— Será que pensa em se matar e por isso diz que não podemos ir para onde ele vai?

²³Disse-lhes:

— Vós sois cá de baixo, eu sou lá de cima; vós sois deste mundo, eu não sou deste mundo. ²⁴Eu vos disse que morrereis por causa de vossos pecados. Se não crerdes que Eu sou, morrereis por causa de vossos pecados.

²⁵Perguntaram-lhe:

— Tu, quem és?

Respondeu-lhes Jesus:

— O que vos estou dizendo desde o princípio*. ²⁶Tenho muito que dizer e julgar a vosso respeito. Mas aquele que me enviou é veraz, e eu hei de dizer ao mundo o que escutei dele.

²⁷Não compreenderam que se referia ao Pai. ²⁸Jesus acrescentou:

— Quando levantardes este Homem, compreendereis que eu sou e que não faço nada por minha conta, mas falo como o Pai me ensinou. ²⁹Aquele que me enviou está comigo e não me deixa sozinho, porque eu faço sempre o que lhe agrada.

³⁰Por essas palavras muitos creram nele.

A verdade liberta – ³¹Aos judeus que haviam crido nele Jesus disse:

— Se vos mantiverdes fiéis à minha palavra, sereis realmente meus discípulos, ³²entendereis a verdade, e a verdade vos tornará livres.

³³Responderam-lhe:

— Somos da linhagem de Abraão, e nunca fomos escravos de ninguém. Por que dizes que seremos livres?

³⁴Jesus respondeu-lhes:

22,16). O primeiro se refere à paixão e glorificação. Esse primeiro demonstrará o segundo, que é o título divino próprio de João (Ex 3,14; Is 43,11), duplicado nesta seção.

8,21 Eu vou: veja-se, no discurso de despedida (16,5-7). Morrer pelo pecado: sobre o pano de fundo de Ez 18, que é uma mensagem de esperança e responsabilidade: o justo e o arrependido salvam a vida, o pecador morre por seu pecado. João propõe como pecado a incredulidade, pela qual o homem acaba na morte, não passa à nova vida imortal. Daí decorre a urgência do momento presente, no qual é preciso tomar a decisão (com a festa das Cabanas se aproxima o fim do ano): quem rejeita Jesus incorre em culpa e por ela morrerá (Ez 3,18; 18,13.18.20.24), não receberá a vida que Jesus dá. Procurar: paralelo de 7,34.

8,22 Outro mal-entendido que ironicamente contém uma verdade. Suicidar-se é descrito como "ir para seu lugar" (At 1,25). Jesus se entregará voluntariamente à morte; por ela irá para o Pai, e os que não creram não poderão segui-lo.

8,23 A oposição do diálogo com Nicodemos (3,31). Nós falamos de dois planos ou duas esferas. Por seus próprios meios, o homem terreno não pode passar ao plano celeste; a fé, acolhida como dom, permite a passagem.

8,25 Muitas leituras têm sido propostas para a enigmática frase inicial. Alguns relacionam o "princípio" com a Sabedoria, "sou o Princípio" (Pr 8,22; Eclo 24,9), outros completam a frase por conta própria.
* Alternativas: *antes de tudo, o que vos digo*; *simplesmente o que vos tenho dito*.
Eu sou: em forma absoluta, ocupa em João o lugar do "'*ani Yhwh*" no AT. É fórmula de auto-apresentação ou reconhecimento. Veja-se, por exemplo, Is 45,18-25, que repete três vezes a fórmula; como objeto de reconhecimento é corrente em Ezequiel. Em Jesus Deus se faz definitivamente presente.

8,26 Cf. 12,49.

8,28 À exaltação da cruz se referem também 3,14 e 12,32-34.

8,29 Nem sequer na cruz o Pai abandona o Filho, que está cumprindo a vontade do Pai. A morte de Cristo na cruz é exaltação e não prova que Deus tenha rejeitado Jesus como falso messias.

8,30 A nota repete a divisão de opiniões e atitudes que as palavras de Jesus provocam. Este é um versículo de transição.

8,31a Se o unimos ao que precede, a nota é coerente: convida os que creram a manter-se fiéis. O evangelista pode estar se referindo a judeu-cristãos. Se o ligamos ao que se segue, com seu encadeamento dialogal, não se explica que fale assim a pessoas que creem. Uma solução bastante artificial é supor que creram pela metade ou que o diálogo os fez reagir contra (cf. a mudança de atitude na sinagoga de Nazaré, Lc 4). A dificuldade fica atenuada se supomos um corte no v. 36.

8,31b-38 Dois temas entrelaçados dominam a discussão: a liberdade e a descendência de Abraão. Que liberdade? A política: independência dos romanos, porque só *Yhwh* é rei de Israel. A libertação total e definitiva na nova era. A descendência física de Abraão garante a segunda? Alguns rabinos diziam que pelos méritos de Abraão o Senhor salvaria todos os israelitas; outros acrescentavam a fidelidade à *torá*. O escravo não pertence à casa e pode ser expulso (como Ismael, cf. Ex 21,2; Dt 15,12); o filho pertence à casa e nela permanece (como Isaac). Mas o escravo pode receber a liberdade, emancipar-se e ainda herdar (Pr 17,2). Embora seja filho de Abraão, livre por nascimento, pelo pecado o homem cai na escravidão. Segundo tradição repetida, por causa dos pecados Deus "submete" Israel a potências estrangeiras (episódios dos Juízes e o caso máximo da Babilônia). Jesus é o Filho. Com sua revelação, que é a verdade, Jesus vem libertar dessa escravidão; somente ele pode dá-la; o homem, por suas forças, não pode conquistá-la.

— Eu vos asseguro que quem peca é escravo; ³⁵e o escravo não permanece sempre na casa, enquanto o filho permanece sempre. ³⁶Portanto, se o Filho vos der a liberdade, sereis realmente livres. ³⁷Consta-me que sois da linhagem de Abraão; porém tentais matar-me, porque minha palavra não penetra em vós. ³⁸Eu digo o que vi junto de meu Pai; vós fazeis o que ouvistes de vosso pai.

Vosso pai – ³⁹Responderam-lhe:

— Nosso pai é Abraão.

Jesus replicou:

— Se fôsseis filhos de Abraão, faríeis as obras de Abraão. ⁴⁰Entretanto, tentais matar-me, a mim que vos disse a verdade que escutei de Deus. Isso Abraão não fazia. ⁴¹Vós fazeis as obras de vosso pai.

Respondem-lhe:

— Nós não somos filhos bastardos; temos um só pai, que é Deus.

⁴²Replicou-lhes Jesus:

— Se Deus fosse vosso pai, me amaríeis, porque vim da parte de Deus e aqui estou. Não vim por minha conta, mas foi ele que me enviou. ⁴³Por que não entendeis minha linguagem? Porque não sois capazes de escutar minha palavra. ⁴⁴Vosso pai é o diabo, e vós quereis cumprir os desejos de vosso pai. Ele era homicida desde o princípio; não se manteve na verdade, porque nele não há verdade. Quando diz mentiras, fala sua própria linguagem, porque é mentiroso e pai da mentira. ⁴⁵Quando eu digo a verdade, não me credes. ⁴⁶Quem de vós me acusa de algum pecado? Se vos digo a verdade, por que não me credes? ⁴⁷Aquele que vem de Deus escuta as palavras de Deus. Por isso vós não escutais, porque não procedeis de Deus.

Antes de Abraão – ⁴⁸Responderam-lhe os judeus:

— Não temos razão em dizer que és samaritano e estás endemoninhado?

⁴⁹Jesus respondeu:

— Não estou endemoninhado, mas honro meu Pai e vós me desonrais. ⁵⁰Eu não pro-

---

8,37 Mas tropeça na resistência e nas intenções criminosas, que não correspondem à descendência de Abraão. Em Gn 18,19 se diz que Abraão "há de instruir seus filhos, sua casa e sucessores, a manter-se no caminho do Senhor praticando o direito e a justiça".

8,38 Deixa no ar a ideia de que há outro pai na história. Ver Ez 16,3 "teu pai era amorreu e tua mãe era hitita", e o caso de Tamar (Gn 38,24).

8,39-40 O tema da descendência de Abraão se torna crítico e polêmico na controvérsia entre judaísmo e cristianismo, como mostram diversos textos de Paulo; porém já o Batista havia polemizado sobre o tema (Lc 3,7-9). O filho deve ser como o pai, não basta a descendência física; a ideia é também sapiencial (Pr 10,1; 17,25; 19,26; Eclo 16,1-4). O que Abraão fazia era ceder diante do sobrinho, resgatar prisioneiros, orar por Sodoma, hospedar o hóspede desconhecido. O que eles fazem é procurar matá-lo (5,18; 7,1.19).

8,41-47 A polêmica chega ao máximo ao contrapor-se os predicados "filhos de Deus" e "filhos do diabo". Essa é a seção mais dura do capítulo, talvez de todo o evangelho. Convém recordar que isso é escrito refletindo a polêmica entre judaísmo e cristianismo, com a consumada expulsão dos cristãos do tronco judaico. Além disso, no evangelho a tensão e a hostilidade histórica se transformam em tipo e exemplo, aplicável a diversos casos.

Filhos de Deus equivale aqui a povo de Deus, como mostram muitos textos da Escritura, no singular e no plural (p. ex. Ex 4,23 filho primogênito, Is 63,8). Os filhos nascem desleais, degenerados (Dt 32,20; Is 1,4), e Deus os rejeita ou esquece (Os 4,6). Chega a considerá-los bastardos, filhos da infiel ou da infidelidade, visto que a idolatria é adultério (Os 2,4): Deus não os reconhece como "povo meu" (Os 1,9). Pela semelhança se deduz a paternidade, argumenta Jesus, e vós vos pareceis com o ancestral da mentira e proto-homicida, o diabo. Para a mentira, alude à serpente astuta e mentirosa, que se atreve a rejeitar a verdade de Deus: "não é verdade que tereis de morrer" (Gn 3,4); como o ídolo "mestre de mentiras" (Hab 2,18). Para o homicídio, pode aludir ao relato de Caim, interpretado em Gn 4,7, como incitação de pecado espreitador (como um animal); Sb 2,24 o tematiza: "a morte entrou no mundo pela inveja do diabo e os do seu partido passarão por ela". Assim como ser filhos de Deus equivale a ser povo de Deus, assim ser filhos do diabo equivale a ser dos seus, do seu mundo e esfera; Mt 13,38 explica que o joio são "os filhos do Maligno" e 1Jo 3,10 contrapõe "os filhos de Deus" aos "do Diabo"; Paulo chama o mago Elimas "filho do Diabo" (At 13,10). Com a metáfora equivalente "estirpe" refere-se Deus à descendência hostil da serpente (Gn 3,15), e escuta-se um eco de Is 14,29, aplicado à Filisteia.

Outro critério para identificar a paternidade é a linguagem. Um filho entende o idioma paterno, compreende seus ensinamentos e acata suas ordens. Os rivais não querem escutar para aprender e compreender a linguagem celeste de Jesus.

8,48-50 À denúncia de Jesus respondem com insultos graves (Is 51,7; Sl 69,8; 89,51-52). "Samaritano", ou seja, cismático, meio pagão, infestado de sincretismo. "Endemoninhado", como que devolvendo a acusação.

Os insultos não ofuscam a honra de Jesus, porque a recebe do Pai e não busca o próprio prestígio (7,18). O julgamento do Pai reivindicará a honra do Filho (cf. Sl 4,3-4).

curo a minha glória; há quem a procura e julga. ⁵¹Asseguro-vos que quem cumprir minha palavra jamais sofrerá a morte.

⁵²Disseram-lhe os judeus:

— Agora estamos certos de que estás endemoninhado. Abraão morreu, também os profetas, e tu dizes que quem cumprir tua palavra jamais sofrerá a morte. ⁵³És, porventura, maior que nosso pai Abraão, que morreu? Os profetas também morreram. Quem pretendes ser?

⁵⁴Jesus respondeu:

— Se eu me glorio, minha glória não tem valor; é meu Pai quem me glorifica, aquele que vós chamais nosso Deus, ⁵⁵ainda que não o conheçais. Eu, ao contrário, o conheço. Se dissesse que não o conheço, seria mentiroso como vós. Mas eu o conheço e cumpro sua palavra. ⁵⁶Vosso pai Abraão se alegrava esperando ver meu dia: viu-o e se alegrou.

⁵⁷Os judeus lhe replicaram:

— Não completaste cinquenta anos e conheceste Abraão?

⁵⁸Disse-lhes Jesus:

— Asseguro-vos: antes que Abraão existisse, eu existo.

⁵⁹Recolheram pedras para apedrejá-lo; mas Jesus se escondeu e saiu do templo.

9 Cura um cego

– ¹Ao passar, viu um homem cego de nascimento. ²Os discípulos perguntaram-lhe:

8,51-55 Se o Diabo procura a morte, com sua palavra Jesus traz a vida (a ressurreição de Lázaro vai ilustrá-lo). Os judeus reagem com mais um mal-entendido: não há poder humano que vença a morte (só Deus o pode, Dt 32,39, como consequência de "Eu sou"). Jesus responde reiterando o tema da glória. Parece que se gloriou de poder conferir a imortalidade; mas a glória compete ao Pai, que lhe deu semelhante poder (5,25-26) e lhe dará a glória (12,23; 13,31; 17,1).
8,53 Com intenção polêmica, sem pretendê-lo, lançam uma pergunta certeira: "Quem pretendes ser?" Porém, não lhes interessa a resposta, pois já foi dada, e eles a rejeitam e condenam.
8,55 Por mais que repitam a fórmula tradicional *Yhwh* nosso Deus, não conhecem ou não reconhecem o verdadeiro Deus, pois rejeitam seu enviado (segundo Os 5,4, "porque trazem dentro um espírito de fornicação"). A invocação deles é uma "mentira", é invocar em vão. Chamando-o Pai, Jesus, sim, o conhece e não pode negá-lo (a comunidade cristã faz suas essas palavras).
8,56-58 Voltando a Abraão, primeiro lhes reconhece que é "vosso pai"; daí passa (segundo interpretação da época) a uma revelação messiânica que Abraão teria tido quando recebeu as promessas (Gn 15 e 17) ou no episódio misterioso de Isaac; em Hb 11,9 lemos que Abraão recuperou Isaac "como símbolo". Em espírito Abraão viu o mundo futuro, o dia escatológico, que é o presente de Jesus. E visto que esperava participar do mundo futuro, alegrou-se com a esperança.
Com outro mal-entendido os judeus o tomam em sentido empírico, claramente absurdo. E daí, nessas festas, Jesus passa à última declaração de seu título divino "Eu sou" (eu existo).
8,59 Tomando-o como blasfêmia, procuram apedrejá-lo (Lv 24,16). Jesus vai-se embora às escondidas, como tinha vindo (7,10).
9,1-41 Depois de uns dias de tensas polêmicas e de solenes declarações, o evangelista nos serve um autêntico relato, um dos melhores do seu evangelho. Também este tem muito de diálogo, mas são frases logicamente encadeadas num processo. O relato poderia facilmente transformar-se em representação dramática. O tema é um simples milagre e suas consequências. É a primeira lição: um milagre de Jesus provoca abalos ao redor.
Não é frequente nos evangelhos o estudo psicológico. Esse relato é um estudo acurado de atitudes: antes de tudo o cego, que parece ter prazer no seu papel de protagonista (quase roubando-o de Jesus), os vizinhos curiosos, os pais atemorizados, as autoridades teimosas, Jesus guiando discretamente os fatos. Destaca-se o diálogo do cego com as autoridades: sua ousadia e ironia, seu tom astuto e a lógica que desarma os contrários.
O valor narrativo, que temos de apreciar numa primeira leitura, não esgota o sentido do relato. Nele assistimos a dois processos encontrados: a progressiva iluminação do cego, cada vez mais penetrante em sua visão sobrenatural. O progresso se adverte no que vai dizendo de Jesus: um homem (v. 11), um profeta (v. 17), procede de Deus (v. 33), Senhor (v. 38). A progressiva cegueira das autoridades, que resistem em não compreender e quereriam não ver. No princípio estão divididas, depois asseguram duas vezes "consta-nos", depois recorrem ao insulto e à expulsão. Esse duplo processo com suas consequências soa como registro da polêmica entre o judaísmo e o cristianismo, depois da ruptura definitiva, na época em que se escreve o evangelho. Passado esse momento, o relato não perde seu valor revelador, que o autor no começo quis anunciar na boca de Jesus. Se recordarmos que na antiguidade o batismo se chamou "iluminação" (*photismós*), compreenderemos por que essa cena foi tema favorito da iconografia cristã antiga. Não há antecedentes de um milagre semelhante no AT (v. 32); não se considera milagrosa a cura de Tobit, embora suponha um conhecimento sobre-humano de virtudes terapêuticas (Tb 11,12-13). O único que temos é a profecia de Is 35,5 "os olhos do cego se abrirão" e 42,7 "para que abras os olhos dos cegos", o Salmo 146,8 "o Senhor dá a visão aos cegos" e o uso metafórico da "cegueira" espiritual (Is 42,18-19; 43,8; 56,10). Nos sinóticos se leem curas de cegos.
9,2 Os discípulos não se tinham livrado ainda dessa crença que ligava mecanicamente a doença com o pecado, próprio ou dos pais. Ou cometeu um pecado antes de nascer, ou seus pais o cometeram. Pensam

— Rabi, quem pecou, para que nascesse cego: ele ou seus pais?

³Respondeu Jesus:

— Nem ele pecou nem seus pais; aconteceu para que se revele nele a ação de Deus. ⁴Enquanto é dia, tendes de trabalhar nas obras daquele que me enviou. Chegará a noite, quando ninguém pode trabalhar. ⁵Enquanto estou no mundo, sou a luz do mundo.

⁶Dito isso, cuspiu no chão, fez barro com a saliva, ungiu-lhe os olhos ⁷e lhe disse:

— Vai lavar-te na piscina de Siloé (que significa Enviado).

Foi, lavou-se e voltou enxergando. ⁸Os vizinhos e os que antes o viam pedindo esmolas comentavam:

— Não é esse que ficava sentado pedindo esmolas?

⁹Uns diziam:

— É ele.

Outros diziam:

— Não é, mas se parece com ele.

Ele respondia:

— Sou eu.

¹⁰Então lhe perguntaram:

— Como se abriram teus olhos?

¹¹Respondeu:

— Esse indivíduo que se chama Jesus fez barro, ungiu-me com ele os olhos e me disse que fosse lavar-me na fonte de Siloé. Fui, lavei-me e recuperei a visão.

¹²Perguntaram-lhe:

— Onde está ele?

Responde:

— Não sei.

¹³Apresentaram aos fariseus aquele que fora cego. ¹⁴(Era sábado o dia em que Jesus fizera barro e lhe abrira os olhos.) ¹⁵Os fariseus lhe perguntaram outra vez como havia recuperado a visão. Respondeu-lhes:

— Aplicou-me barro nos olhos, lavei-me, e agora vejo.

¹⁶Alguns fariseus lhe disseram:

— Esse homem não vem da parte de Deus, pois não observa o sábado.

Outros diziam:

— Como pode um pecador fazer tais sinais?

E estavam divididos. ¹⁷Perguntaram de novo ao cego:

— Visto que te abriu os olhos, o que dizes dele?

Respondeu:

— É profeta.

---

segundo Ex 20,5; 34,7, como os amigos de Jó, sem levar em conta a correção de Jr 31,29-30 e Ez 18 "o filho não carregará a culpa do pai".

9,3 "Para que": nós antes falaríamos de ocasião, ou diríamos que vinha de Deus (cf. o papel dialético do Faraó para a revelação de *Yhwh*, Ex 9,16). De modo semelhante, na esterilidade de algumas mulheres revela-se o poder do Deus da vida. E Paulo afirmará que "a força se realiza na fraqueza" (2Cor 12,9).

9,4-5 Esses vv., de ritmo quase poético, definem a chave simbólica do relato: dar a vista é iluminar, o cego passará a noite para o dia. "Como cegos vamos apalpando a parede, caminhamos no escuro" (Is 59,10). O dia é o tempo em que se pode trabalhar: "sois todos cidadãos da luz e do dia"; a noite será o poder das trevas (cf. 1Ts 5,1-10). Como lema repete a autodefinição de 8,12.

9,6 Após enunciar o valor simbólico, o narrador se esforça por fazer-nos ver a materialidade do processo, inclusive com seu paradoxo. Terra inerte e saliva vital, trabalho das mãos e aplicação aos olhos, lavatório. Aquele que vem enviado do céu age na terra e com ela.

9,7 A água que lava e ilumina e o nome "Enviado" da piscina deram base à leitura batismal do relato. Se nascer é ver a luz, o renascido pelo batismo contempla a nova luz.

9,8-9 A divisão de opiniões sublinha o incomum ou o incrível do acontecido. O novo estado o torna irreconhecível, pois não se encaixa na rotina cotidiana. E procuram-se saídas plausíveis, às quais ele responde afirmando sua identidade, como que dissesse: agora sou mais eu.

9,10-11 O mendigo pronuncia pela primeira vez seu testemunho, identificando a si mesmo e a seu benfeitor. Soa novamente a pergunta que aponta para o enigma de Jesus: onde está? A esta pergunta ele não sabe responder.

9,13-16 Chama seus interlocutores de "fariseus", do partido mais influente, ou "judeus", ou seja, as autoridades. Vão iniciar um interrogatório formal. O dado do sábado põe em marcha o diálogo; mas não é o tema central (como em 5,1-18). O verdadeiro tema é a personalidade e a missão de Jesus: sobre ele, num primeiro momento, se dividem de novo as opiniões. Todo um esforço para enquadrar fatos desusados, estranhos, e personagens peculiares em categorias habituais: vinho novo em odres velhos. Para alguns vizinhos não é o mendigo, porque um cego de nascença é impossível que se cure. Para alguns fariseus, Jesus não é enviado de Deus, porque não observa o sábado (tal como eles o definem).

9,17 O cego não dispõe por enquanto de outra categoria senão a tradicional e genérica de "profeta": enviado de Deus com poderes extraordinários, segundo o tipo dos profetas taumaturgos, Elias e Eliseu.

[18] Os judeus não creram que fora cego e que havia recuperado a visão; então chamaram os pais do que havia recuperado a visão [19] e lhes perguntaram:

— É este o vosso filho, que dizeis ter nascido cego? Como é que agora enxerga?

[20] Seus pais responderam:

— Sabemos que este é nosso filho e que nasceu cego; [21] como é que agora enxerga, não o sabemos; quem lhe abriu os olhos, não o sabemos. Perguntai a ele, pois tem idade e pode responder por si mesmo.

[22] Seus pais diziam isso por medo dos judeus; pois os judeus já haviam decidido que quem o confessasse como Messias seria expulso da sinagoga. [23] Por isso os pais disseram que tinha idade e que perguntassem a ele. [24] Chamaram pela segunda vez o homem que fora cego e lhe disseram:

— Dá glória a Deus! Consta-nos que esse homem é um pecador.

[25] Respondeu-lhes:

— Se é pecador, não sei. De uma coisa estou certo: eu era cego e agora vejo.

[26] Perguntaram-lhe de novo:

— Como te abriu os olhos?

[27] Respondeu-lhes:

— Já vos disse e não me crestes; para que quereis ouvir de novo? Será que quereis tornar-vos discípulos dele?

[28] Insultaram-no, dizendo:

— Discípulo dele serás tu, porque nós somos discípulos de Moisés. [29] Consta-nos que Deus falou a Moisés; quanto a esse, não sabemos de onde vem.

[30] Replicou-lhes:

— Isso é estranho: Vós não sabeis de onde vem, e ele me abriu os olhos. [31] Sabemos que Deus não escuta os pecadores, mas escuta quem é religioso e cumpre sua vontade. [32] Jamais se ouviu dizer que alguém tenha aberto os olhos de um cego de nascença. [33] Se esse não viesse da parte de Deus, nada poderia fazer.

[34] Responderam-lhe:

— Nasceste todo em pecado e queres dar-nos lições?

E o expulsaram.

[35] Jesus ouviu que o haviam expulso e, quando o encontrou, disse-lhe:

— Crês nesse Homem?

[36] Respondeu:

— Quem é, Senhor, para que eu creia nele?

9,18 A mesma resistência para excluir ou eliminar o milagre: os vizinhos dizem que não é o mesmo; os judeus, que não estava cego. Tudo, menos aceitar a pessoa e missão de Jesus. O cego começa a ser uma peça que incomoda, não manipulável.

9,19-23 O interrogatório dos pais reflete um clima de intimidação que pode ser histórico. Por outro lado, a decisão de excomungar ou expulsar da sinagoga corresponde melhor à época em que se escreve o evangelho: a expulsão dos cristãos ("nazarenos") estava consumada. Por certo tempo, os judeus que confessavam Jesus como Messias formavam uma seita judaica entre outras; seu problema era intrajudaico. A partir da destruição do templo, o grupo dirigente que manteve a continuidade robustecendo-se com todo o poder, foi progressivamente endurecendo sua atitude frente ao novo grupo judeu, que reagiu com polêmica dureza. Por outro lado, os judeus que reconheciam Jesus como Messias não participavam de outros messianismos nem de movimentos de libertação. Se a excomunhão não se encaixa na vida de Jesus, o narrador acerta em descobrir a razão na controvérsia sobre o messianismo de Jesus.

9,24 Não dando resultado o interrogatório dos pais, iniciam um segundo interrogatório, agora agressivo, do cego curado. A fórmula "dá glória a Deus" é como tomar juramento (Js 7,19). O predicado "pecador" é grave: é dado a quem exerce determinadas profissões (como publicano) ou viola habitualmente a lei. Os sacerdotes diagnosticavam doença ou cura discernindo sintomas; esses fariseus se sentem autorizados a declarar alguém "pecador". Critério? – O sábado, rigidamente interpretado por eles. Grau? – Certeza. Segundo as categorias dos judeus, Jesus entra sem dúvida na classificação. Nas categorias do cego, é um benfeitor prodigioso.

9,27-28 A pergunta é zombeteira, para eles ofensiva; por isso respondem com insultos. Contrapõem Moisés (Dt 34,10) a Jesus: até que ponto têm razão? "Porém nunca mais surgiu em Israel um profeta como Moisés, com o qual o Senhor tratava cara a cara" (Dt 34,10; cf. 5,45 e 1,18); como se disséssemos, se apoiam em Moisés para resistir a Jesus. E os que se sentem tão seguros – "nos consta" – se apoiam na ignorância – "não sabemos". E não sabem porque não querem.

9,30-33 E o pobre cego ignorante dá uma lição: uma agravante para os teimosos, um consolo para os fiéis. Deus não escuta: "Se eu tivesse intenções perversas, o Senhor não me teria escutado" (Sl 66,18). O cego sabe como averiguar de onde vem Jesus: sua ação milagrosa aponta sem ambiguidade para Deus.

9,34 Por falta de razões o desqualificam radicalmente: não tanto cego de nascimento quanto pecador (Sl 51,5).

9,35-38 O último passo, consequência dos anteriores, é a plena iluminação espiritual (Jo 4,26), ou seja, a fé como reconhecimento e adesão à pessoa; ao indivíduo concreto que fez o milagre, ao que significa sua personalidade. Com enorme densidade se concentra em dois verbos: "tu o viste – creio". E o narrador põe na boca do cego a confissão cristã de Jesus como Senhor (*Kyrios*).

⁣³⁷Jesus lhe disse:

— Tu o viste: é aquele que está falando contigo.

³⁸Respondeu:

— Creio, Senhor.

E prostrou-se diante dele. ³⁹Jesus disse:

— Vim a este mundo para instaurar um processo, para que os cegos vejam e os que veem fiquem cegos.

⁴⁰Alguns fariseus que estavam com ele perguntaram:

— E nós, estamos cegos?

⁴¹Respondeu-lhes Jesus:

— Se estivésseis cegos, não teríeis pecado; porém, como dizeis que vedes, vosso pecado permanece.

10 O bom pastor

– ¹Eu vos asseguro: Aquele que não entra no redil pela porta, mas salta por outra parte, é ladrão e bandido. ²Aquele que entra pela porta é o pastor do rebanho. ³O porteiro lhe abre, as ovelhas ouvem sua voz, ele chama as suas pelo nome e as retira. ⁴Quando retirou todas as suas, caminha à frente delas e elas atrás dele; porque reconhecem sua voz. ⁵Não seguem um estranho, mas fogem dele, porque não reconhecem a voz dos estranhos.

⁶Essa é a parábola que Jesus lhes propôs, porém eles não entenderam a que se referia. ⁷Assim, pois, falou-lhes outra vez:

— Asseguro-vos que eu sou a porta do rebanho. ⁸Todos os que vieram antes de mim eram ladrões e bandidos; mas as ovelhas não os escutaram. ⁹Eu sou a porta: quem entra por mim se salvará; poderá entrar e sair, e encontrará pastagens. ¹⁰O ladrão só

9,39-41 Esses versículos arrematam o processo contrário: a cegueira teimosa das autoridades. Toda a atuação de Jesus é um grande processo porque obriga a tomar partido. Formula-o num jogo de paradoxos. Vem dar a vista aos que não veem e querem ver até o fundo; e deixar cegos os que vendo não querem ver.

10,1-18 A imagem do pastor, aplicada a chefes, ao rei, a Deus, é tradicional no AT. Tem seu antecessor ilustre na pessoa de Davi, o rei pastor (Sl 78,70-71), os profetas a empregam (Is 40,11; 44,28; Jr 23; Ez 34; Zc 11) e os salmos (23; 80). O material é tão abundante que daria um tratado cujos detalhes iluminariam por semelhança ou contraste a figura do Messias. Jesus toma o título real, messiânico, divino e o desenvolve em três variações: o pastor e os ladrões (vv. 1-6), a porta do redil (vv. 7-10), o dono e o assalariado (vv. 11-18). Essa divisão simplifica e aplaina algumas dificuldades do texto e de todo o capítulo.

10,1-6 Ao terminar, chama o discurso de "parábola", termo que inclui também a comparação. Numa descrição (significante) de tipo realista, apresentam-se detalhes próprios do significado que dão o que pensar. O primeiro é a figura do porteiro: designa alguém ou é simples recheio descritivo? O AT não fala de porteiros do palácio e do templo, responsáveis pela segurança. A parábola dá a entender que o porteiro não deixa os ladrões entrar, mas abre sem mais ao pastor. Pode conter uma explicação da futura função dos apóstolos em relação ao Pastor que é Jesus. E pode conter uma crítica aos porteiros que não se comportaram bem (cf. Is 56,10).

O segundo detalhe é que fala só de "levar para fora" as ovelhas e de guiá-las indo à frente; não fala de reconduzi-las ao redil. Provavelmente se sugere aí a primeira libertação em suas duas fases de "saída" do Egito e "caminhada" pelo deserto, guiados por Deus (Sl 80,2). Primeira libertação que prefigura a presente, na qual Jesus vai levar para fora e guiar, e não vai reconduzir ao velho redil.

O terceiro detalhe é menos chamativo: é a relação pessoal do pastor com cada ovelha: conhece-as pelo nome, elas reconhecem sua voz. Adão dava nomes aos animais (Gn 2,19-20), nome de espécie; o pastor de João dá nomes individuais, pessoais: "Chamei-te por teu nome, tu és meu" (Is 43,1; cf. 43,25). Naturalmente "ouvir sua voz" soa nas duas vertentes, de imagem e de realidade (18,37). Também nos diz que houve falsos pastores, antes e agora; e o último versículo sugere que os presentes não se sentem comprometidos, porque lhes convém não entender. Esses ladrões e bandidos podem ser falsos messias ou mestres abusivos. As ovelhas que reconhecem a voz são os fiéis que pela fé sintonizam com a voz.

10,7-10 O uso metafórico da porta é original. Sabemos como eram guardadas a porta exterior do templo e as interiores, permitindo o acesso reservado aos autorizados (cf. Sl 118,20). Também Jerusalém tem sua porta de acesso. Um texto escatológico anuncia: "Abri as portas, para que entre um povo justo" (Is 26,2). Jesus é o único acesso (como a escada de Jacó 1,51): à casa de Deus, ao reino de Deus, ao Pai (14,6).

10,8 A frase é muito dura pelo seu alcance geral. Talvez se refira às autoridades de uma época; a não ser que aluda a falsos messias, não reconhecidos pelos israelitas autênticos. Ou se dá valor hiperbólico à generalização (como p. ex. no Sl 14).

10,9-18 Ao chegar ao ponto do pastor modelo, a imagem torna-se estreita e a realidade penetra e a suplanta. Sobretudo no tema central do "dar a vida por". Lendo a história de Davi, compreendemos que o pastor do rebanho paterno arrisca a vida para lutar com feras defendendo as ovelhas (1Sm 17,35-36) e não faltaram reis que arriscaram e perderam a vida lutando. Jesus é categórico e insiste: *dá a vida a, dá a vida por* (vv. 10.11.15.17-18). O v. 18 poderia ser o enunciado de uma importante tese de soteriologia: Jesus dá a vida voluntariamente, sacrifica-se; sua morte será salvação para todos. Sua relação com as ovelhas é pessoal: tão pessoal como a sua com o Pai. Também nessa seção pode-se descobrir dupla refe-

vem para roubar, matar e destruir. Eu vim para que tenham vida, uma grande vitalidade. ¹¹Eu sou o bom pastor. O bom pastor dá sua vida pelas ovelhas. ¹²O mercenário, que não é pastor nem dono das ovelhas, quando vê o lobo vir, foge abandonando as ovelhas, e o lobo as arrebata e dispersa, ¹³pois ele é mercenário e não lhe importam as ovelhas. ¹⁴Eu sou o bom pastor: conheço as minhas e elas me conhecem, ¹⁵como o Pai me conhece e eu conheço o Pai; e dou a vida pelas ovelhas. ¹⁶Tenho outras ovelhas que não pertencem a este redil; a essas tenho que guiar, para que escutem minha voz e se forme um só rebanho com um só pastor. ¹⁷Por isso o Pai me ama, porque dou a vida, para recuperá-la depois. ¹⁸Ninguém a tira de mim; eu a dou voluntariamente. Tenho poder para dá-la e recuperá-la depois. Este é o encargo que recebi do Pai.

¹⁹Essas palavras provocaram nova divisão entre os judeus. ²⁰Muitos diziam:

– Está endemoninhado e louco. Por que o escutais?

²¹Outros diziam:

– Essas palavras não são de um endemoninhado; pode um endemoninhado abrir os olhos dos cegos?

A festa da Dedicação – ²²Celebrava-se em Jerusalém a festa da Dedicação e era inverno. ²³Jesus caminhava no templo, no pórtico de Salomão. ²⁴Os judeus o rodearam e lhe perguntaram:

– Até quando nos manterás em suspense? Se és o Messias, dize-o claramente.

²⁵Jesus lhes respondeu:

– Eu vo-lo disse e não credes. As obras que faço em nome de meu Pai dão testemunho de mim. ²⁶Porém, vós não credes, porque não sois das minhas ovelhas. ²⁷Minhas ovelhas escutam minha voz, eu as conheço e elas me seguem; ²⁸eu lhes dou vida eterna e jamais perecerão, e ninguém as arrancará de minha mão. ²⁹Aquilo que o Pai me deu é maior que tudo, e ninguém pode arrancá-lo da mão do Pai. ³⁰O Pai e eu somos um.

³¹Os judeus recolheram pedras para apedrejá-lo. ³²Jesus lhes disse:

---

rência: denúncia de lobos vorazes e pastores interessados e descuidados (Ez 34,2-6), aviso e convite aos pastores da Igreja (At 20,28-29; 1Pd 5,1-2). É evidente o sentido missionário e universalista do v. 16: sob o signo da unidade do pastor e das ovelhas sem distinções (Ez 37,22; cf. Ef 2,13-16).

10,9 Jesus assegura a suas ovelhas a liberdade de movimentos e o sustento apropriado (cf. Sl 23).

10,10 A vida que Jesus traz é vida plena e perpétua, uma participação, por meio dele, na vida divina. Para isso veio, pois o homem com suas forças não pode alcançá-la.

10,14 Trata-se do conhecimento pessoal e mútuo; inclui o tratamento confiante.

10,16 O AT anuncia repetidas vezes a reunificação dos israelitas dispersos (Is 49,22; 60,9; Mq 5,1 etc.). Além disso, alguns textos anunciam uma incorporação de pagãos (Is 66,18-20; Zc 8,21-23). Jesus assume a missão universal sem distinções, e a Igreja deve continuá-la.

10,19-21 Estão esses versículos em seu lugar ou são inserção? Pelo tema e pela referência aos cegos, dir-se-ia que são continuação do cap. 9. Pode-se transladá-los para lá ou considerá-los como peça de engate (cf. 1,15.19-20; 7,21-24) com a qual o narrador nos avisa que continuamos no mesmo contexto de doutrina e polêmica. Outra vez a distinção de pareceres sobre Jesus provoca continuamente. Convém frisar que João menciona "judeus" favoráveis a Jesus (contra o que afirmam os fariseus de 7,48); deve-se levar isso em conta quando encontramos "os judeus" neste evangelho.

10,22-23 A festa da Dedicação celebrava a purificação e nova consagração do altar no tempo de Judas Macabeu (164 a.C., 1Mc 4,59). Como cai no inverno, o povo se refugia nos pórticos do templo. Talvez para o narrador a lembrança do Macabeu atualizava a esperança messiânica de libertação, tal como o povo e as autoridades a entendiam. Nos vv. que se seguem a polêmica versará sobre dois títulos: Messias, Filho de Deus. Os dois terminam numa afirmação "trinitária" e na consequente tentativa de ação violenta contra Jesus.

10,24-31 Os chefes o rodeiam, o assediam, exigem dele uma resposta inequívoca sobre a sua condição de Messias (recorde-se o interrogatório de João Batista, 1,19-28). Como o título Messias é ambíguo, Jesus o evita e dá em troca o conteúdo da sua missão, que é dar vida eterna e proteger e agir em nome do Pai. As obras que realiza (5,36) são a garantia da sua missão. Em síntese, essas obras são o poder de Deus posto a serviço do homem necessitado. Se não se deixam convencer é porque não são "ovelhas suas" (embora ele continue sendo o Pastor, cf. Is 30,21).

10,28-30 Jesus está cumprindo o mandato do Pai e ninguém poderá frustrá-lo. É duvidosa a interpretação do v. 29: "O Pai, que o deu a mim...".

Conclui com uma afirmação que reflete um estado maduro da fé cristã. "Somos" no plural, "um" no singular neutro. Pai (depois Filho). No contexto refere-se à ação, às obras. A reflexão teológica posterior, meditando sobre esse texto e outros semelhantes, cunhará a fórmula trinitária das "pessoas" e da "natureza". Os judeus o consideram blasfêmia (Lv 24,16); o narrador dá a entender que tomam no sentido forte o que se coloca a seguir; e por isso contradiz o monoteísmo estrito da fé de Israel.

10,32-39 A objeção: já não são as obras (realizadas no sábado), mas sim as palavras, a suposta blasfêmia.

— Por encargo do Pai vos fiz ver muitas obras boas: por qual delas me apedrejais? ³³Os judeus lhe responderam:

— Por nenhuma obra boa te apedrejamos, mas pela blasfêmia, porque sendo homem te fazes Deus.

³⁴Jesus lhes respondeu:

— Na vossa lei está escrito: Eu vos digo: sois deuses. ³⁵Se chama deuses aqueles a quem foi dirigida a palavra de Deus, e a Escritura não pode falhar, ³⁶aquele que o Pai consagrou e enviou ao mundo dizeis que blasfema porque disse que é filho de Deus? ³⁷Se não faço as obras de meu Pai, não me creiais. ³⁸Se as faço, ainda que não creiais em mim, crede em minhas obras, e vos convencereis de que o Pai está em mim e eu no Pai.

³⁹Tentaram prendê-lo, mas ele escapou de suas mãos.

⁴⁰Passou de novo para a outra margem do Jordão, onde outrora João batizava, e ficou aí. ⁴¹Muitos acorreram a ele e diziam:

— Embora João não tenha feito nenhum sinal, tudo o que disse deste era verdade. ⁴²E muitos aí creram nele.

11 Ressuscita Lázaro

¹Havia um doente chamado Lázaro, de Betânia, a aldeia de Maria e sua irmã Marta. ²Maria era quem havia ungido o Senhor com mirra e lhe enxugara os pés com os próprios cabelos. Seu irmão Lázaro estava doente. ³As irmãs lhe enviaram um recado:

— Senhor, teu amigo está doente.

Pois bem, Jesus não "se faz Deus", mas a Palavra é Deus; ou melhor, "se fez" homem. Jesus responde comentando um texto bíblico segundo as técnicas de então, usando concretamente o argumento *a minore ad maius*. Chama o salmo (82,6) Lei em sentido de Escritura.

O texto original se referia às divindades inferiores chamadas a prestar contas ante o Deus supremo e condenadas por sua administração injusta. Mais tarde, abolido todo traço de politeísmo, os *'elohim* do salmo foram identificados com juízes ou governantes "pela graça de Deus". Nessa identificação se apoia a argumentação de Jesus: se eles recebem o título de "deuses" por terem recebido e transmitido a palavra de Deus (ou seja, como intérpretes de Deus), quanto mais e em que ordem superior poderá receber o título aquele que foi "consagrado" imediatamente pelo Pai (e compartilha a santidade divina, cf. 6,69; 17,19).

O recíproco "estar em" é variante da declaração precedente.

10,40-42 Essa notícia tem valor estrutural de inclusão e conclusão (Jo 1,29.34). Conclui uma etapa importante do ministério de Jesus: Páscoa, Cabanas, Dedicação. Conclui na hostilidade aberta das autoridades diante das declarações solenes de Jesus. Afasta-se de Jerusalém. A inclusão consiste na volta ao começo, aos lugares do testemunho do Batista, que foi se comprovando; aí, de novo, muitos acorrem a ele e nele creem (2,23; 7,31; 8,30).

11,1-44 Outro grande milagre contado com maestria. É o sétimo e último dos sinais, que começaram em Caná (2,11). A vitória sobre o último inimigo (1Cor 15,26) e sobre quem tem seu domínio (Hb 2,14). Num sentido cumpre-se aqui o prometido (5,28-29). Só em certo sentido. Lázaro não ressuscita glorioso para viver sempre, simplesmente volta a esta nossa vida. Mas essa ressurreição prefigura a de Jesus: três dias, sepulcro e panos. Simboliza também a vida sobrenatural que ele comunica. Por isso, o gesto é acompanhado de uma declaração do tipo "eu sou" com predicado. Paradoxalmente esse dom da vida vai provocar a morte de Jesus e por ela sua glorificação. Este capítulo se torna, portanto, a introdução narrativa da paixão.

O Antigo Testamento nos oferece dois antecedentes, os milagres de Elias e de Eliseu (1Rs 17,17-24 e 2Rs 4,29-37). Nos sinóticos lemos dois episódios: o jovem filho da viúva de Naim (Lc 7,11-17) e a filha de Jairo (Mc 5,22-24.34-43). O segundo é mais pertinente por seus manifestos pontos de contato com o relato de João. Nos três ressoa e retumba a ordem eficaz de Jesus.

O milagre servirá para a glória de Deus (vv. 4.40) e também para que o povo creia na missão de Jesus (vv. 15.42). Como no milagre do cego, aqui Jesus abre os olhos da fé para que receba a luz da revelação. Em outro plano, serve para mostrar o afeto humano a uns amigos (vv. 3.5.11.36) e a comoção humana diante da morte (vv. 33.38).

O relato emprega a técnica do *suspense* ou adiamento com função narrativa e teológica. O protagonista adia de propósito a viagem; quando está para chegar, a ação se detém em dois diálogos com as duas mulheres; diante do túmulo se detém para uma oração; o final se precipita. Contém muito diálogo carregado de sentido transcendente, com o recurso do mal-entendido que se explica e das frases de duplo sentido. As oposições simples atravessam as cenas: dia e noite, luz do dia e da fé, dormir e morrer, ressurreição final e antecipada, e logicamente vida e morte (cf. o Salmo 30 com suas polaridades).

11,1-2 Os personagens femininos são conhecidos pelo relato de Lc 10,38-42. O narrador identifica Maria por um fato que contará mais tarde (12,1-8). Essa ligação faz os dois episódios convergirem rumo à páscoa. Lázaro não tinha sido apresentado até então.

11,3 Jesus se tinha afastado, mas não escondido (10,41); o narrador supõe as irmãs informadas dos movimentos de Jesus. Enviam-lhe uma mensagem de eloquente discrição (como a indicação de Maria em Caná, 2,3). Compare-se com o pedido: "Não me abandones, Senhor... vem depressa socorrer-me" (Sl 38,22-23).

⁴Ao ouvir isso, Jesus comentou:
– Essa doença não vai acabar em morte; é para a glória de Deus, para que o filho de Deus seja glorificado por ela.
⁵Jesus era amigo de Marta, de sua irmã e de Lázaro. ⁶Quando ouviu que estava doente, prolongou por dois dias sua estadia no lugar. ⁷Depois disse aos discípulos:
– Vamos voltar à Judeia.
⁸Os discípulos lhe dizem:
– Rabi, há pouco os judeus tentavam apedrejar-te, e queres voltar para lá?
⁹Jesus lhes respondeu:
– O dia não tem doze horas? Quem caminha de dia não tropeça, pois vê a luz deste mundo; ¹⁰quem caminha de noite tropeça, pois não tem luz.
¹¹Dito isso, acrescentou:
– Nosso amigo Lázaro está dormindo. Vou despertá-lo.
¹²Os discípulos responderam:
– Senhor, se está dormindo ficará curado.
¹³Jesus porém se referia à sua morte, enquanto eles creram que se referia ao sono. ¹⁴Então Jesus lhes disse abertamente:
– Lázaro morreu. ¹⁵E por vós me alegro de não estar lá, para que creiais. Vamos vê-lo.

¹⁶Tomé (que significa Gêmeo) disse aos demais discípulos:
– Vamos também nós morrer com ele.
¹⁷Quando chegou, Jesus o encontrou há quatro dias no sepulcro. ¹⁸Betânia fica a uns três quilômetros de Jerusalém. ¹⁹Muitos judeus tinham ido visitar Marta e Maria para dar-lhes pêsames pela morte de seu irmão. ²⁰Quando Marta ouviu que Jesus chegava, saiu a seu encontro, ao passo que Maria permanecia em casa. ²¹Marta disse a Jesus:
– Se estivesses aqui, Senhor, meu irmão não teria morrido. ²²Mas sei que Deus concederá o que pedires.
²³Diz-lhe Jesus:
– Teu irmão ressuscitará.
²⁴Diz-lhe Marta:
– Sei que ressuscitará na ressurreição do último dia.
²⁵Jesus lhe respondeu:
– Eu sou a ressurreição e a vida. Quem crê em mim, ainda que morra, viverá; ²⁶e quem vive e crê em mim, não morrerá para sempre. Crês nisto?
²⁷Respondeu-lhe:

11,4 A frase é de duplo ou triplo sentido. Essa enfermidade acabará em morte, mas não acabará, porque o morto voltará à vida. Acabará em morte, a de Jesus. Não acabará em morte, porque o milagre e a morte de Jesus glorificam a Deus e ao Filho de Deus ressuscitado (cf. Sl 30,12-13). A glória é uma só: o Filho glorifica o Pai com sua vitória sobre a morte, o Pai glorifica o Filho.

11,5 O amor, em sua forma de amizade, põe em movimento o poder: "senão tua direita e teu braço e a luz de teu rosto, pois os amavas" (Sl 44,4).

11,6 Os dois dias apontam para a morte de Cristo.

11,8 Liga-se ao episódio anterior (10,31).

11,9-10 Responde com aforismos ou refrães em imagem (cf. Is 59,1 e Jr 13,16; Jó 5,14 e 12,25). O dia é o tempo de trabalho sereno (Sl 104,23). Deus controla as horas do Filho e ainda não chegou sua hora; chegará com o poder das trevas. Entretanto, ele é "a luz do mundo" (8,12, cura do cego 9,5; 12,46).

11,11 O sono como imagem da morte é tradicional: "dá luz a meus olhos, para que não durmam o sono da morte" (Sl 13,4; 76,6; Jr 51,39.57).

11,12-13 Mal-entendido e explicação, no estilo de João.

11,15 Assim empreende o caminho último para Jerusalém: para dar vida, para dar a vida. Vale a pena se o fruto for a fé.

11,16 Pode-se escutar, como que antecipando a atitude confiante e temerária de Pedro (13,37), ou em tom de resignação fatalista, com uma perspectiva limitada.

11,17 Os quatro dias indicam que a corrupção avança. "Um ou dois dias para as lágrimas", diz Ben Sirac (Eclo 38,17).

11,19 Segundo o costume: Jr 16,5.

11,20-27 Nesse diálogo, o relato sobe por degraus ao cume da revelação e da fé. Marta expressa a crença já comum sobre a ressurreição no final dos tempos: "ele, com sua misericórdia, vos devolverá o alento e a vida" (Dn 12,2; 2Mc 7,9.11.14.23.29). Reconhece a Jesus o título de Messias com seus equivalentes, Filho de Deus e "o que há de vir" (6,14). Crê em seu poder de intercessão, mas não parece incluir no seu âmbito o ressuscitar um morto. Jesus responde com uma declaração que levanta o conceito de vida, sem dividir o homem. Embora seja mortal e morra, quem crê recebe uma vida superior; e se morre a esta vida terrena, sua morte não é o fim. Penhor disso é o que ele vai realizar. Em Jesus já se encarnam a ressurreição e a vida definitiva, e pode fazer com que outros participem de sua plenitude. Não se separam a fé em sua pessoa e a esperança nessa vida superior e eterna. Só que Maria não deve ficar na esfera puramente natural. Jesus é para o homem vida já concedida e presente, e ressurreição no futuro.

11,26-27 É preciso crer nisso, por isso Jesus lhe faz a pergunta formal. E ela responde com a profissão de fé cristã, numa formulação enfática. O "sim" abraça tudo o que Jesus disse; Senhor é o título do glorificado; o eu compromete toda a pessoa; o verbo está no perfeito (grego), de ação permanente; e como predicado os três títulos.

— Sim, Senhor, eu creio que és o Messias, o Filho de Deus, aquele que devia vir ao mundo.

²⁸Dito isso, ela foi chamar em particular sua irmã Maria, dizendo-lhe:

— O Mestre está aqui e te chama.

²⁹Ao ouvir isso, ela se levantou depressa e se dirigiu a ele. ³⁰Jesus não havia ainda chegado à aldeia, mas estava no lugar em que Marta o encontrara. ³¹Os judeus que estavam com ela na casa consolando-a, ao ver Maria se levantar depressa e sair, foram atrás dela, pensando que fosse ao sepulcro chorar. ³²Quando Maria chegou onde estava Jesus, ao vê-lo caiu a seus pés, dizendo-lhe:

— Senhor, se estivesses aqui, meu irmão não teria morrido.

³³Quando Jesus viu Maria chorando e também os judeus que a acompanhavam, estremeceu por dentro ³⁴e disse muito agitado:

— Onde o colocastes?

Dizem-lhe:

— Senhor, vem ver.

³⁵Jesus começou a chorar. ³⁶Os judeus comentavam:

— Vede como o amava!

³⁷Mas alguns diziam:

— Ele, que abriu os olhos do cego, não pôde impedir que este morresse?

³⁸Jesus, estremecendo de novo, foi ao sepulcro. Era uma cova com uma pedra na frente. ³⁹Jesus diz:

— Retirai a pedra!

Diz-lhe Marta, a irmã do defunto:

— Senhor, já cheira mal, pois faz quatro dias.

⁴⁰Jesus lhe responde:

— Não te disse que se creres verás a glória de Deus?

⁴¹Retiraram a pedra. Jesus levantou os olhos ao céu e disse:

— Pai, eu te dou graças porque me ouviste. ⁴²Eu sabia que sempre me ouves, mas o digo pela multidão que me rodeia, para que creiam que tu me enviaste.

⁴³Dito isso, gritou com voz forte:

— Lázaro, vem para fora!

⁴⁴O morto saiu com os pés e as mãos atados com vendas e o rosto envolto num sudário. Jesus lhes disse:

— Desatai-o e deixai-o ir.

⁴⁵Muitos judeus que tinham ido visitar Maria e viram o que ele fez, creram nele. ⁴⁶Mas alguns foram contar aos fariseus o que Jesus havia feito. ⁴⁷Os sumos sacerdotes e os fariseus reuniram então o Conselho e disseram:

— O que fazemos? Este homem está realizando muitos sinais. ⁴⁸Se o deixarmos assim, todos crerão nele. Virão os romanos e destruirão o santuário e a nação.

11,28-32 Maria atende ao chamado pessoal do Mestre, indo aonde estava sua irmã. Mas o encontro fica pela metade do caminho. Repete a primeira frase de Marta, não a segunda, de esperança na intercessão. Não se chega a iniciar o diálogo, e Maria fica na esfera do pranto e da impotência humana (cf. Eclo 38,16-20), sem subir até a fé de sua irmã, a única que realmente pode consolar.

11,33-37 Discute-se o significado do verbo grego aqui e no v. 38. As expressões que acompanham são "agitação e pranto", com os quais o narrador quer mostrar a compaixão humana de Jesus, que é o que mobiliza seu poder (Sl 35,14). Em outras passagens costuma expressar indignação, repreensão ou zanga. Mantendo esse significado, alguns o interpretam como a indignação de Jesus diante do poder da morte e de Satanás; outros o consideram reação ante a falta de fé. Talvez seja simplesmente expressão externa e chamativa de um sentimento intenso.

A dupla reação dos presentes é significativa. Há quem aprecia a compaixão e amizade como valores autênticos; há quem se queixa por não se traduzir em remédio imediato. Estes não contam com a hipótese de uma ressurreição, e sim com a da cura de um doente *in extremis* (Sl 30,4).

11,40 A objeção de Marta é óbvia, porém diz mais. Porque o mau cheiro é sinal de corrupção: "o mau cheiro se desprende dos cadáveres" (Is 19,6; 34,3; Jl 2,20; 2Mc 9,12), como o aroma o é de vida e imortalidade. (Ver no Salmo 133 a explicação do aroma como "aroma para sempre".)

11,41-42 A oração de Jesus é de ação de graças, não diretamente de pedido, embora suponha o pedido precedente. Ao falar em voz alta, Jesus quer atribuir a glória ao Pai e fazer que creiam em sua missão (cf. 1Rs 18,37).

11,43-44 O grito de Jesus é soberano. Como uma vocação pessoal, como chamado à vida, quase como palavra criadora: "que dá vida aos mortos e chama à existência o que não existe" (Rm 4,17). Chamado para "sair" do reino opressor: "Saí da Babilônia" (Sl 48,15), comparado com "Eu vou abrir vossos sepulcros, vou tirar-vos de vossos túmulos" (Ez 37,17). "Desatá-lo" é como que romper as amarras da morte (cf. At 2,42; Sl 116,3).

11,45-54 Está se encerrando uma etapa do evangelho, e o narrador volta ao tema da divisão de opiniões; para isso emprega o nome "judeus" em sentido amplo, como membros da comunidade. Correlativamente as autoridades são aqui os sumos sacerdotes e os fariseus e a instância suprema que

⁴⁹Um deles, chamado Caifás, que era sumo sacerdote nesse ano, lhes disse:

— Não entendeis nada. ⁵⁰Não vedes que é melhor que um só morra pelo povo e não pereça a nação toda?

⁵¹Não disse isso por conta própria, mas, sendo sumo sacerdote nesse ano, profetizou que Jesus morreria pela nação. ⁵²E não só pela nação, mas para reunir os filhos de Deus dispersos. ⁵³Assim, a partir desse dia, entraram em acordo para matá-lo. ⁵⁴Por isso, Jesus já não andava publicamente entre os judeus, mas partiu para uma região próxima ao deserto, a um povoado chamado Efraim, e ficou aí com os discípulos.

⁵⁵Aproximava-se a Páscoa judaica, e muitos subiam do campo para Jerusalém a fim de purificar-se antes da festa. ⁵⁶Procuravam Jesus e, de pé no templo, comentavam entre si:

— O que vos parece? Será que não virá à festa?

⁵⁷Os sumos sacerdotes e os fariseus haviam dado ordens para que o denunciasse quem conhecesse seu paradeiro, de modo que pudessem prendê-lo.

12 Unção em Betânia (Mt 26,6-13; Mc 14,3-9) — ¹Seis dias antes da Páscoa, Jesus foi a Betânia, onde estava Lázaro, que Jesus ressuscitara da morte. ²Ofereceram-lhe um banquete. Marta servia e Lázaro era um dos comensais. ³Maria tomou uma libra de perfume de nardo puro, muito caro, ungiu com ele os pés de Jesus e os enxugou com os cabelos. A casa se encheu com o perfume. ⁴Judas Iscariotes, um dos discípulos, que o iria entregar, diz:

— ⁵Por que não venderam esse perfume por trezentos denários para reparti-los entre os pobres?

---

era o Grande Conselho (ou Sinédrio). Fariseus neste caso seriam os letrados do partido, os únicos que faziam parte do Conselho. Este se reúne em sessão extraordinária, considerando que "o caso Jesus" é grave e pode ser muito perigoso.

Nessa cena temos um exemplo clássico, e explicado, de ironia dramática: em virtude do contexto, compartilhado por autor e público, um ator diz mais do que pensa, não capta o alcance das palavras dele. (É o grande procedimento no encontro de Judite com Holofernes; mas não é normal que o narrador explique a ironia em aparte.) Caifás apresenta uma observação política sobre o supremo interesse do Estado, tendo em conta experiências ingratas e contando com a presença sempre ameaçadora dos romanos. A popularidade de Jesus, aumentada pelos milagres, pode levar a uma insurreição e provocar a repressão violenta, com a destruição do templo e da nação. É preferível sacrificar a tempo aquele que é foco do grande perigo.

O autor traduz essas palavras em profecia: em virtude do seu cargo, sem que ele o advirta, Deus o toma como intérprete do seu desígnio, que é a salvação do povo (de Israel) e a reunião (em uma igreja) dos "filhos de Deus" (1,12), sem distinção de nacionalidade. O autor escreve com a perspectiva da sua geração cristã.

Outros detalhes reforçam a ironia: quando dizem (v. 48) que "todos crerão nele" ("crer" ambíguo); ou então a frase "não entendeis nada", e a alusão involuntária a Is 53,10 (v. 49); a ambiguidade de "por/em lugar de" (v. 50).

11,54 Jesus se retira até que chegue a hora (2,12; 3,21; 7,1).

11,55-57 Desde esse momento, Jesus é um indivíduo procurado pela polícia. Sua ausência se faz sentir justamente no templo. A purificação era um rito prévio à celebração pascal (2Cr 30,17). Esses vv. servem de transição para a etapa final do evangelho. Alguns o chamam "livro da glória", porque na morte e ressurreição de Jesus se consuma a glorificação do Pai e a sua. A visão unitária é importante e é marcada no vocabulário: glória, glorificar.

12,1-50 Esse capítulo, com seu material heterogêneo, conclui a atividade de Jesus e, pulando o longo parêntese íntimo (13-17), liga-se à paixão. Após dois breves relatos vem um discurso importante. O narrador sublinha a ligação causal com o milagre de Lázaro, lança sinais em direção à paixão e glorificação, e abre uma janela à conversão dos pagãos.

12,1-8 O primeiro episódio nessa última presença em Jerusalém é a chamada unção em Betânia. Parece-se com a dos sinóticos. Comparando com Lucas se aprecia melhor a diferença radical: para Lucas se trata do gesto agradecido da pecadora perdoada; para João é expressão pura de amor.

A cena central contrapõe duas figuras olhando para Jesus: Maria e Judas (carrega um pouco a mão num parêntese acerca de Judas). Depois Jesus sentencia entre ambos. Maria quer expressar a intensidade do seu amor com um presente de qualidade e caro; Judas não entende a linguagem do amor, só entende a do interesse (disfarçado de caridade).

O perfume é tributo sepulcral antecipado, aroma de vida perante a corrupção; é símbolo de unidade fraterna (Sl 133), símbolo de amor (Ct 1,3.12-13; 4,14). O perfume difunde e dilata seu odor: frasco, corpo, casa (e mais além). Escutando a densidade das coincidências de linguagem dessa perícope com o Cântico dos Cânticos, vários Padres da Igreja contemplaram essa mulher como representando o papel da amada com respeito ao Messias esposo (como Natanael com respeito ao "rei de Israel", 1,50).

12,2-5 Reclinados (Ct 1,12); mirra (Ct 1,13; 4,6.14); nardo (Ct 1,12; 4,13.14); dinheiro (Ct 8,7.11-12); aroma (Ct 1,3).

⁶(Dizia isso, não porque lhe importassem os pobres, mas porque era ladrão; e, como carregava a bolsa, roubava o que depositavam.) ⁷Jesus respondeu:

– Deixa que ela o guarde para o dia de minha sepultura. ⁸Pobres sempre tereis entre vós, a mim não me tereis.

⁹Grande multidão de judeus soube que estava aí e acorreu não só por Jesus, mas também para ver Lázaro, o ressuscitado da morte. ¹⁰Os sumos sacerdotes haviam decidido matar também Lázaro, ¹¹pois por sua causa muitos judeus iam a Jesus e acreditavam nele.

Entrada triunfal em Jerusalém (Mt 21,1-11; Mc 11,1-11; Lc 19,28-40) – ¹²No dia seguinte, uma grande multidão que havia chegado para a festa, ao saber que Jesus se dirigia a Jerusalém, ¹³pegou ramos de palmeira e saiu ao seu encontro, gritando:

Hosana, bendito o que vem em nome do Senhor, o rei de Israel!

¹⁴Jesus encontrou um jumentinho e nele montou. Como está escrito: ¹⁵*Não temas, jovem Sião: eis que teu rei chega cavalgando um filhote de jumenta.* ¹⁶Os discípulos não entenderam isso nessa ocasião. Mas quando Jesus foi glorificado, lembraram o que estava escrito a respeito dele e de que se havia realizado. ¹⁷A multidão, que tinha visto quando ele chamou Lázaro e o ressuscitou da morte, contava o fato. ¹⁸Por isso, a multidão saiu a seu encontro, ao ouvir o sinal que havia realizado. ¹⁹Os fariseus, ao contrário, comentavam entre si:

– Vedes que nada conseguimos; ele conquista a todos.

Os gregos e Jesus – ²⁰Havia alguns gregos que tinham subido para os cultos da festa. ²¹Aproximaram-se de Filipe, de Betsaida da Galileia, e lhe pediram:

– Senhor, queremos ver Jesus.

²²Filipe vai e o diz a André; Filipe e André vão e o dizem a Jesus. ²³Jesus lhes responde:

– Chegou a hora em que este Homem será glorificado. ²⁴Asseguro-vos que, se o grão caído na terra não morrer, ficará só; se morrer, dará muito fruto. ²⁵Aquele que se agarrar à vida, a perderá; aquele que desprezar a vida neste mundo, a conservará para uma vida eterna. ²⁶Quem me serve que me siga, e onde eu estou estará meu servidor. Se alguém me servir, o Pai o honrará.

12,5 O salário de trezentos dias.

12,7-8 Sepultura: 19,40. A citação procede de Dt 15,11, em contexto de remissão de dívidas, mas não para justificar a existência de pobres.

12,9-11 Lázaro se tinha transformado numa atração e em pregador vivo do poder de Jesus, um multiplicador de fiéis. Ao difundir e afiançar a popularidade de Jesus, torna-se indivíduo perigoso e compartilha o perigo com Jesus. Essa vida está brincando com a morte.

12,12-18 A entrada de Jesus em Jerusalém é contada com mais sobriedade do que nos sinóticos. Aparece muito ligada à ressurreição de Lázaro, e com isso esse milagre se converte em representante de outros muitos, também por sua qualidade, porque manifesta o poder sobre a morte. Podia ser a recepção a um peregrino famoso, transforma-se na acolhida de um rei, o rei messiânico.

Aspecto régio lhe dão: o acréscimo "o rei de Israel" (1,50) à saudação clássica do Sl 118,25-26 (talvez lido já unindo-se "aquele que vem em nome..."); a citação de Zc 9,9 (descoberta e compreendida *a posteriori*). Esse texto frisa o caráter humilde desse rei, nada militarista nem político; o versículo seguinte afirma que o Messias destruirá as armas bélicas e "prescreverá paz às nações". Talvez seja o aspecto humilde o que os discípulos não entenderam então. Os ramos de palmeiras eram usados na festa das Cabanas (Lv 23,40; Ne 8,15). O Sl 118,27 menciona "ramos" sem especificar.

12,16 O texto atesta expressamente o trabalho de memória e reflexão sobre os fatos à luz da ressurreição. Princípio que tem alcance geral, embora as consequências variem.

12,19 Literalmente, "o mundo vai atrás dele". Outra anotação irônica do narrador? Pois a palavra "mundo" pode ter alcance universal, como o entendem os leitores do evangelho.

12,20-22 "Gregos" denota aqui pagãos, que acorreram à festa como prosélitos ou simples convertidos ao monoteísmo: até aqui o horizonte do AT (p. ex. Is 45,14; Zc 8,20-22; Sl 102,23). Através do culto judaico querem chegar a Jesus. Vê-lo é visitá-lo, e pode ser muito mais (na linguagem de João). Filipe e André são os dois apóstolos que têm nomes gregos. Não se registra o resultado porque o encontro dos pagãos com Jesus acontecerá após a sua glorificação e por mediação dos apóstolos.

12,23-36 Jesus toma a palavra para pronunciar um discurso conclusivo, reunindo e afirmando vários ensinamentos. Um par de intervenções dos ouvintes articula o discurso. Compõe-se em grande parte de frases breves, quase aforismos e paradoxos. Um paradoxo central percorre o desenvolvimento: a paixão é glorificação.

12,23-26 Jesus responde revelando-se também aos pagãos. Soou a hora (2,4; 7,30; 13,1; 17,1) da glorificação (11,41; 13,31; 16,14; 17,1). Pela paixão e morte chegará à glória, como ilustra a comparação do grão de trigo, sepultado na terra para dar fruto (cf. um

²⁷Agora meu espírito está agitado, e o que vou dizer? Que meu Pai me livre desta hora? Não, pois para isso cheguei a esta hora. ²⁸Pai, dá glória ao teu nome.

Veio uma voz do céu:

– Eu o glorifiquei e de novo o glorificarei.

²⁹A multidão que estava ouvindo dizia:

– Foi um trovão.

Outros diziam:

– Um anjo falou com ele.

³⁰Jesus respondeu:

– Essa voz não soou para mim, mas para vós. ³¹Agora começa o julgamento deste mundo, e o príncipe deste mundo será expulso. ³²Quando eu for elevado da terra, atrairei todos a mim.

³³(Dizia isso indicando de que morte iria morrer.)

³⁴A multidão respondeu:

– Ouvimos na lei que o Messias permanece para sempre. Como dizes tu que aquele Homem tem de ser levantado? Quem é esse Homem?

³⁵Jesus lhes disse:

– Ainda vos resta um breve tempo de luz. Enquanto tendes luz, caminhai para que as trevas não vos surpreendam. Quem caminha às escuras não sabe para onde vai. ³⁶Enquanto tendes luz, crede na luz, para ficardes iluminados.

Assim falou Jesus; depois se afastou deles e se escondeu. ³⁷Apesar dos muitos sinais que havia realizado na presença deles, não acreditavam nele. ³⁸Assim se cumpriu o que disse o profeta Isaías: *Senhor, quem acreditou em nosso anúncio? A quem se revelou o braço do Senhor?* ³⁹E assim não podiam crer, como diz também Isaías: ⁴⁰*Cega-lhes os olhos, embota-lhes a mente: não vejam com os olhos nem entendam com a mente nem se convertam, de modo que eu os cure.* ⁴¹Isaías disse isso porque viu sua glória e falou dele. ⁴²Todavia mui-

---

importante desenvolvimento da imagem em 1Cor 15,36-44). A mesma sorte cabe a seus seguidores, como explica um aforismo paradoxal (repetido nos sinóticos, Mc 8,35 par.): o instinto de conservação a todo custo, o egoísmo puro destrói o sentido da vida e a dimensão da vida, ao circunscrevê-la a "este mundo"; quem submete esta vida a um valor superior, enche-a de sentido e a salva mais além do seu segmento terreno, em forma de vida eterna. Portanto, o servo há de acompanhar Jesus aonde quer que ele vá: à cruz e à glória. Tal é a honra que o Pai lhe concederá, honra autêntica e suprema.

12,27 João não narra a agonia do Getsêmani. Este v. supre de certa forma a falta (com coincidências verbais nos sinóticos). Enuncia brevemente uma agitação interior (que se poderia ilustrar com textos de salmos: "Dentro de mim se contorce o coração, pavores mortais desmoronam sobre mim" (42,5.11; 55,4-6). Considera a possibilidade de que o Pai o livre ou dispense da paixão. Afirma sua vontade de enfrentá-la.

12,28 Glorificar o nome é fórmula rara (Sl 86,9.12, com sujeito humano). Pode equivaler à voz passiva (ao estilo de Ex 14,4.17; Ez 39,13) e também ao "santificar o nome" do Pai-nosso (Mt 6,9) e outros textos. Ao usar o verbo no passado e no futuro, parece distinguir abrangendo tudo desde o centro que é "esta hora".

12,29 A correspondência trovão = voz de Deus é corrente no AT. O trovão pode ser teofania sonora: exemplo clássico é o Sl 29. A rigor a voz se distingue da palavra porque não é articulada.

12,31-33 A cruz é também julgamento de separação (cf. Sl 7,8-9). Condenação do usurpador do poder no mundo (cf. Sl 82). Será despojado e expulso por Jesus, que em si já conquistou a vitória. A cruz, como testemunho de amor e revelação do amor do Pai, terá força de atração universal. É elevação ou exaltação: "Olhai, meu servo... subirá e crescerá muito" (Is 52,13). Outros textos mostram que o homem pode resistir a essa atração.

12,34 O v. é muito difícil de entender, de modo que reflete a confusão do povo (e alimenta a perplexidade dos comentaristas). O povo ouviu Jesus dizer que "o filho do homem" (= este Homem = eu) vai ser glorificado; agora o ouve dizer que "eu serei levantado". Entende a glória como a de um Messias político triunfador, segundo textos bíblicos (= Lei), como p. ex. Sl 72,5.17; 89,5.37; Is 9,6. Entende a elevação como morte violenta. São conciliáveis? Se Jesus é o Messias (= Rei de Israel em 12,13), é também "este homem" que vai ser executado? Se Jesus encarna a "figura humana" de Dn 7,14 (segundo leitura posterior que corrige Dn 7,27), seu destino será vitorioso. Quem é Jesus? Quem é esse personagem? Se esse texto reflete algo do desconcerto de então, reflete muito mais problemas da pregação apostólica acerca de Jesus: o escândalo da cruz.

12,35-36 Aborda o tema do julgamento para convertê-lo em admoestação, com o dualismo luz e trevas, para inculcar a urgência da situação (Is 59,10). Ver 8,12 e paralelos do AT. O "esconder-se" de Jesus é como um apagar a luz por antecipação.

12,37-43 O evangelista faz um balanço. É desolador: uns não creem, com agravantes, outros creem e não se atrevem a confessá-lo. É a situação do relato que perdura na época em que se escreve: também então (e sempre) há quem se fecha à fé e quem prefere o prestígio humano. Combina dois textos distantes do livro de Isaías: o famoso de Is 53 sobre o Servo paciente e justificado, e o não menos famoso de Is 6 sobre o endurecimento dos israelitas.

12,41 A afirmação é surpreendente e deve ser aproximada do dito sobre Abraão (8,56). O patriarca é

tos, inclusive dos chefes, creram nele; mas, por medo dos fariseus, não o confessavam, para que não os expulsassem da sinagoga. ⁴³Preferiram a fama dos homens à fama que vem de Deus. ⁴⁴Jesus exclamou:

– Quem crê em mim, não é em mim que crê, mas naquele que me enviou; ⁴⁵quem me vê, vê aquele que me enviou. ⁴⁶Eu vim ao mundo como luz, para que não fique no escuro quem crê em mim. ⁴⁷Eu não julgo aquele que escuta minhas palavras e não as cumpre, pois não vim julgar o mundo, mas salvá-lo. ⁴⁸Quem me despreza e não aceita minhas palavras, tem quem o julga: a palavra que eu disse o julgará no último dia. ⁴⁹Porque eu não falei por minha conta; o Pai que me enviou me encarrega do que devo dizer e falar. ⁵⁰E eu sei que seu encargo é vida eterna. O que digo, o digo como o Pai me disse.

13 Lava os pés dos discípulos –

¹Antes da festa da Páscoa, sabendo Jesus que chegava a hora de passar deste mundo ao Pai, depois de ter amado os seus do mundo, amou-os até o extremo. ²Durante a ceia, quando o Diabo tinha sugerido a Judas Iscariotes que o entregasse, ³sabendo que o Pai havia posto tudo em suas mãos, que tinha saído de Deus e voltava a Deus, ⁴se levanta da mesa, tira o manto e, tomando uma toalha, cinge-a. ⁵A seguir, põe água

---

sujeito de um relato, os dois textos citados pertencem a dois autores distintos. No relato de vocação o profeta contemplou a glória de Deus enchendo a terra. O sentido mais provável é que Isaías (em Is 53 e em outros textos afins) previu o destino do futuro Salvador: um destino glorioso através do sofrimento (42,1-4; 49,4-7; 50,5-9; 52,13-53,12).

12,43 A "fama" ou o reconhecimento, a aceitação. Não se atrevem a dar testemunho público.

12,44-50 Resumo conclusivo como recapitulação de temas, embora mal encaixado no tecido narrativo, já que Jesus "se escondeu" (v. 36). A alocução soa como se Jesus estivesse já "elevado" e definindo e discernindo com sua pessoa o destino dos homens. O critério será a fé na sua pessoa e a aceitação consequente do seu ensinamento. O que pode soar como exigência mínima é na realidade a grande abertura: a todos se oferece a vida autêntica e perpétua.

12,44-45 Fala gritando: pela terceira vez (7,28.37). Põe em paralelo crer e ver, sua pessoa e a do Pai. Ele é o mediador único (1,18), revelador do Pai (14,9).

12,46 É a luz do mundo que se recebe pela fé (1,9; 8,12; 9,5; 12,35-36).

12,47-48 Na primeira vinda, não veio para julgar, mas para salvar. Chegará o dia final em que a mensagem presente de Jesus, sua oferta e exigência, se voltarão contra quem as rejeitaram (cf. Dt 31,28).

12,49 É a função profética (Dt 18,18) elevada ao grau supremo.

12,50 Dar a vida eterna é a finalidade da mensagem (3,15; 4,14; 6,27; 10,28; 17,2).

13-17 Esses cinco capítulos formam uma unidade, como o indica o contexto da ceia, em que se desenvolve, e uma série de repetições em 13 e 17, que formam inclusão literária. Quase não têm ação: salvo o lava-pés no começo, tudo são discursos com alguns momentos de diálogo. A Páscoa judaica e a Páscoa nova de Jesus são a moldura ideal dessa unidade. Costuma-se chamá-los discurso de despedida, espécie de testamento espiritual, mais parecido ao de Moisés no Deuteronômio que ao de Jacó (Gn 49) ou ao de Davi (2Sm 23; 1Rs 2). Costuma-se dividir essa unidade em três seções: a primeira, 13-14, é indicada pelo corte no final do cap. 14; a terceira, pelo começo da oração de Jesus em 17,1. Mais difícil é conseguir uma articulação temática, já que muitos temas reaparecem. No comentário será conveniente considerar unidades menores.

13,1-20 A cena se atém ao esquema de ação simbólica com explicação, com algumas anomalias. A primeira é a solene introdução, verdadeira abertura dessa cena e do que se segue. A segunda é implicar um dos ouvintes na ação. Daí se segue a terceira, ou seja, a dupla explicação, uma em forma de diálogo, a outra em forma de discurso. A dupla explicação significa um duplo simbolismo? É preciso partir dessa possibilidade, mais ainda levando em conta que João não narra aqui, no seu lugar lógico, a instituição da eucaristia.

13,1 O começo é de uma solenidade inusitada. Os sinóticos apresentaram a consciência de Jesus em ação, ao enviar dois discípulos para conseguir o jumentinho e a sala do banquete. João o tematiza num particípio, que é o motor de tudo o que se segue. Propõe também, num versículo, os dois temas condutores da cena: a volta para o Pai e o amor aos seus (cf. Dt 7,7; 10,15). "Até o extremo" pode significar intensidade e duração. João situa a ceia no anoitecer da quinta-feira, e a Paixão durante a sexta-feira da preparação do banquete, que se celebra ao anoitecer da sexta-feira, ou seja, no começo do sábado.

13,2 A notícia dá uma cor sombria à cena. O inimigo atua e tem seu agente entre os convidados. Sob a superfície do relato se trava uma batalha: quem será o mais forte (Lc 11,22): o ódio traidor ou o amor sacrificado? A presença de Judas como agente se faz sentir de novo (11,18); cf. "Oráculo do Pecado ao perverso dentro do seu coração" (Sl 36,2).

13,3 Ou seja: Jesus age com plenos poderes (3,35). Traça o gigantesco círculo do itinerário de Jesus, cujo começo (como *Logos*) contemplamos no prólogo: "estava vindo ao mundo" (1,9).

13,4-5 Oferecer ao hóspede água para lavar os pés da poeira do caminho era gesto de cortesia (Gn 18,4); em algum caso um servo podia fazê-lo, ou um discípulo dedicado a seu mestre. Jesus, o plenipotenciário, inverte espetacularmente os papéis: sua ação simbólica é quase escandalosa. Isso provoca o diálogo subsequente.

numa bacia e começa a lavar os pés dos discípulos e a secá-los com a toalha que tinha cingido. ⁶Chegou a Simão Pedro, que lhe diz:

– Senhor, tu me lavas os pés?

⁷Respondeu Jesus:

– O que faço não entendes agora; o entenderás mais tarde.

⁸Pedro replica:

– Jamais me lavarás os pés.

Respondeu-lhe Jesus:

– Se não te lavar, não terás parte comigo.

⁹Diz-lhe Simão Pedro:

– Senhor, não só os pés, mas as mãos e a cabeça.

¹⁰Responde-lhe Jesus:

– Aquele que tomou banho não precisa lavar senão os pés, pois o resto está limpo. E vós estais limpos, mas não todos.

¹¹Conhecia aquele que iria entregá-lo, e por isso disse que nem todos estavam limpos. ¹²Depois de lhes ter lavado os pés, pôs o manto, reclinou-se e lhes disse:

– Entendeis o que vos fiz? ¹³Vós me chamais o mestre e o senhor, e dizeis bem. ¹⁴Portanto, se eu, que sou o mestre e o senhor, vos lavei os pés, também vós deveis lavar os pés uns dos outros. ¹⁵Eu vos dei o exemplo, para que façais o que eu fiz. ¹⁶Eu vos asseguro que o escravo não é mais que o senhor, nem o enviado* mais do que aquele que o envia. ¹⁷Se o sabeis e o cumpris, sereis felizes. ¹⁸Não falo de todos vós, pois sei quem escolhi. Porém, há de se cumprir o que está na Escritura: Aquele que compartilha meu pão me preparou uma armadilha. ¹⁹Eu vos digo agora, antes que aconteça, para que quando acontecer creiais que Eu sou. ²⁰Eu vos asseguro: Quem recebe aquele que eu enviar recebe a mim, e quem me recebe, recebe aquele que me enviou.

Anuncia a traição (Mt 26,20-25; Mc 14,17-21; Lc 22,21-23) – ²¹Dito isso, Jesus estremeceu por dentro e declarou:

– Eu vos asseguro que um de vós me entregará.

²²Os discípulos se olhavam uns aos outros sem saber de quem falava.

²³Um dos discípulos estava reclinado à direita de Jesus, o predileto de Jesus. ²⁴Simão Pedro lhe faz um gesto e lhe diz:

– Pergunta-lhe a quem se refere.

²⁵Ele se inclinou para o lado de Jesus e lhe disse:

13,6-10 O diálogo tem um nível realista: a reação apaixonada de Pedro diante do ato de rebaixar-se do Mestre e o não menos apaixonado desejo de não afastar-se dele. Tem um nível simbólico indicado por Jesus: ele deve realizar o gesto, é condição inevitável para ter parte na herança (celeste) com Jesus, seu sentido profundo não se entende agora. Contudo, mais importante que a humildade e o respeito é obedecer ao Mestre. Pedro o entenderá depois (e os cristãos também). Costuma-se propor o seguinte simbolismo: a humilhação presente de Jesus, voluntária, incrível, representa a morte que ele vai realizar para obter-nos a vida eterna. Colateralmente, na menção de "tomar banho" pode ressoar uma referência batismal (Ef 5,26; Tt 3,5).

13,6 O título Senhor sublinha o incrível da situação.

13,10 Ao que está sujo por dentro de nada adianta que, por fora, lhe lavem os pés.

13,12-17 Eles podem entender agora a segunda explicação: é fácil de compreender, talvez menos fácil de realizar. É o valor exemplar do gesto, o sentido de serviço humilde que deve animar a vida do cristão e que carrega consigo uma bem-aventurança.

13,13-14 Mestre e senhor podem ter na situação um significado de estima e respeito; mais tarde adquirem o valor de títulos transcendentes (cf. Mt 23,8-10). À prática nas comunidades cristãs refere-se 1Tm 5,10.

13,15 O que ele fez é no contexto imediato lavar os pés. Logo depois será dar a vida pelos outros (cf. toda a perícope de Mc 10,32-45).

13,16 O aforismo se acha com variantes em Mt 10,24-25 e Lc 6,40. * Ou: *o apóstolo.*

13,18-19 A traição de um não deve desconcertar, pois ele a anuncia de antemão e estava predita na Escritura (Sl 41,10): Jesus aplica a si a oração de um inocente perseguido. O extraordinário é que, ao cumprir-se a traição anunciada, seja motivo de fé na pessoa, Eu sou. Essa fé está na base da missão. A referência serve de transição ao anúncio que se segue.

13,21-30 O anúncio da traição se apresenta numa cena dramática que permite contrapor ao traidor o "discípulo predileto" de Jesus. É a primeira vez que a expressão aparece e se repetirá a seguir. O texto bíblico dá indícios não muito seguros para identificá-lo; uma tradição muito antiga o identificou com João evangelista. O que podemos dizer é que era uma personalidade respeitada nas comunidades onde se escreveu ou se cristalizou o evangelho.

No meio está Jesus. Estremece (Sl 42,5.11; Is 21,3) ante a presença do ódio satânico: "mas a morte entrou no mundo pela inveja do diabo" (Sb 2,24; Gn 4,7). Todavia, conserva seu domínio soberano: conhece os planos ocultos (Lc 1,17 par.), faz um gesto de afeto particular, dá a Judas a ordem de agir. Essa ordem é paradoxal: "dei-lhes preceitos que não eram bons" (Ez 20,25); é que "ninguém me tira a vida, eu a dou livremente" (10,18).

13,25 O discípulo predileto estava num lugar de honra, recostado no divã à direita de Jesus, apoiando o cotovelo esquerdo no divã. Esse inclinar a cabeça para

— Senhor, quem é? ²⁶Responde-lhe Jesus:

— Aquele a quem eu der um pedaço de pão molhado.

Molhou o pão e o deu a Judas, de Simão Iscariotes. ²⁷Atrás do bocado, entrou nele Satanás. Jesus lhe diz:

— O que tens a fazer, faze-o logo.

²⁸Nenhum dos comensais compreendeu por que o dizia. ²⁹Alguns pensaram que, como Judas tinha a bolsa, Jesus o tivesse encarregado de comprar o necessário para a festa ou que desse algo aos pobres. ³⁰Apenas tomou o bocado, saiu. Era de noite.

A glória de Jesus — ³¹Quando saiu, Jesus disse:

— Agora foi glorificado este Homem, e Deus foi glorificado por meio dele. ³²Se Deus foi glorificado por meio dele, também Deus o glorificará por si, e o glorificará logo. ³³Filhinhos, ainda estarei convosco mais um pouco. Vós me procurareis e, como disse aos judeus, aonde eu vou vós não podereis ir. Eu vo-lo digo agora. ³⁴Eu vos dou um mandamento novo: Amai-vos uns aos outros, como eu vos amei: amai-vos assim uns aos outros. ³⁵Nisso conhecerão todos que sois meus discípulos, se tiverdes amor uns pelos outros.

³⁶Diz-lhe Simão Pedro:

— Senhor, para onde vais?

Responde-lhe Jesus:

---

o peito de Jesus foi interpretado por devota tradição como um auscultar o coração, a intimidade de Jesus.

13,27 Anteriormente Satã lhe havia "sugerido", agora entra e se apodera dele: "O pecado espreita à porta. Embora ele te deseje, tu podes dominá-lo" (Gn 4,7).

13,30 É a hora das trevas; Judas se perde na escuridão (3,19; Sb 17,21: "sobre eles se estendia pesada noite, imagem das trevas que iriam surpreendê-los", ver a grande exposição simbólica de Sb 17). No meio dessa noite refulge o esplendor da glória, que se anuncia a seguir.

13,31-35 Enuncia vários temas que retornarão como temas reconhecíveis: relação de Jesus com o Pai, glorificação mútua, proximidade do fim, preceito do amor. A paixão, cumprimento do desígnio divino e sacrifício por amor, é glorificação de Deus pelo homem e do homem por Deus (contrasta com a glorificação de Ex 14,4.17-18). Os primeiros vv. formam inclusão com 17,24 e emolduram tudo com a Glória (também o quarto cântico do Servo começa anunciando o triunfo, Is 52,13; o Sl 22,24 o põe no final).

13,31 Podemos colocar neste v. o começo do grande discurso, que será interrompido por perguntas ou diálogos ocasionais. É um testamento, uma despedida, uma instrução.

O gênero *testamento* está bem arraigado nas literaturas bíblica e profana da época. Um personagem ilustre, antes de morrer, reúne os filhos e pronuncia as últimas palavras, à maneira de testamento espiritual: Jacó (Gn 49), Moisés (Dt 32-33), Samuel (1Sm 12), Davi (2Sm 23; 1Rs 2), Matatias (1Mc 2,49-70), Tobias (Tb 14). Não é inusitado o fato de João pôr na boca de Jesus um testamento espiritual.

Mais que ato puramente jurídico, o testamento é uma *despedida*, na qual se ajuntam as lembranças e se cruzam os conselhos. A despedida dá um tom cordial às palavras e um peso acrescido às instruções e conselhos. No caso de Jesus, a despedida é anômala, porque não é a última. Ele se vai, mas tornarão a vê-lo. A ida definitiva será a ascensão (que Lucas narra). É como se oferecessem a um personagem uma grande festa de despedida, em condições propícias, embora a partida vá realizar-se uns meses mais tarde. A de Jesus na ceia é uma despedida definitiva antecipada.

É uma *explicação*. Vai acontecer em breve algo terrível, dificílimo de entender, porque é duro de aceitar. Jesus explica de antemão o sentido profundo de uma execução humilhante que leva à glória, que é plena e definitiva. A explicação vale para os discípulos dentro do livro e para todos os futuros leitores do evangelho. Também os conselhos são legado permanente, perpétuo.

Acima de tudo, é uma *visão transcendente*. Como se já estivesse levantado na cruz, exaltado na glória, subindo ao céu. Seu olhar, mais que o de Moisés (Dt 34), abrange os espaços e os tempos, suas palavras se mostram, ao mesmo tempo, humanas e divinas, e oferecem e solicitam a contemplação. Esta é uma das passagens mais contemplativas do NT.

Por outro lado, a progressão e a composição nos desorientam. Exceto a divisão indicada (13-14, 15,1-16,17) e alguns blocos mais consistentes, no resto são frequentes os saltos e as repetições. Especialmente chamativas são as numerosas repetições entre 13,21-14,31 e 16,4-33. No texto atual produzem um efeito de espelho. Na gênese do texto atuaram fatores difíceis de identificar com forte probabilidade. Alguns pensam em sentenças soltas de Jesus, recolhidas, entrelaçadas e comentadas. Outros pensam em duas tradições paralelas do mesmo discurso, reunidas depois e não harmonizadas. Muitos supõem peças autônomas inseridas no discurso por associação. Tudo isso é plausível, embora impossível de demonstrar.

Pois bem, já que não podemos reconstruir um texto original, simples e coerente, temos de abordar sua leitura deixando-nos levar, em ritmo lento, com paradas para que ressoe. Também pelo estilo no qual há muitos aforismos, frases rítmicas, paralelismos quase poéticos.

13,34 O preceito do amor é novo, não pelo conteúdo (Lv 19,18.34; Dt 10,19), mas pela ex-tensão, pelo motivo, pelo exemplo. Deverá ser o distintivo dos discípulos de Jesus (1Jo 3,14).

13,36-38 O anúncio do v. 33 provoca a intervenção de Pedro e o anúncio da negação. Confessar Jesus até a morte não é obra puramente humana. É dom de Deus que será concedido depois que Jesus se tiver sacrificado por primeiro. Pedro por ora não pode segui-lo (cf. 21,18).

— Para onde eu vou não podes seguir-me agora. Tu me seguirás mais tarde.
³⁷Diz-lhe Pedro:
— Senhor, por que não posso seguir-te agora? Darei minha vida por ti.
³⁸Responde-lhe Jesus:
— Darás a vida por mim? Asseguro-te: antes que o galo cante, três vezes me negarás.

14 Jesus, caminho para o Pai

– ¹Não fiqueis perturbados. Crede em Deus e crede em mim.

²Na casa de meu Pai há muitas moradas;
se não, eu vos teria dito,
pois vou preparar-vos um lugar.
³Quando eu for e o tiver preparado,
voltarei para levar-vos comigo,
para que estejais onde eu estou.
⁴E sabeis o caminho para ir aonde eu vou.

⁵Diz-lhe Tomé:
— Senhor, não sabemos aonde vais. Como podemos conhecer o caminho?
⁶Diz-lhe Jesus:
— Eu sou o caminho, a verdade e a vida: ninguém vai ao Pai se não for por mim.
⁷Se me conhecêsseis, conheceríeis também o Pai.
Agora o conheceis e o vistes.

⁸Diz-lhe Filipe:
— Senhor, mostra-nos o Pai, e isso nos basta.
⁹Responde-lhe Jesus:
— Há tanto tempo estou convosco e não me conheces, Filipe?
Quem me viu, viu o Pai: Como pedes que te mostre o Pai?
¹⁰Não crês que estou no Pai e o Pai em mim?

As palavras que vos digo, não as digo por minha conta;
o Pai que está em mim realiza suas próprias obras.
¹¹Crede que estou no Pai e o Pai em mim;
se não, crede pelas próprias obras.
¹²Eu vos asseguro: Quem crê em mim fará as obras que eu faço,
e inclusive outras maiores, porque eu vou ao Pai;
¹³e o que pedirdes em meu nome, eu o farei,
para que pelo Filho se manifeste a glória do Pai.
¹⁴Se pedis algo em meu nome, eu o farei.

14,1 O livro de Isaías narra o pavor do rei diante da ameaça inimiga: "agitou-se seu coração como as árvores do bosque com o vento"; o profeta inculca-lhe: "se não crerdes, não subsistireis" (Is 7,1.7). Jesus inculca, agora, e comunica, uma fé confiante. O apoio é agora duplo e uno: ele e o Pai. Compare-se com o confiar em Deus e em Moisés por ter passado o mar Vermelho (Ex 14,31).

14,2-3 A ideia de casa e lar onde habitar tranquilos é comum aos homens (cf. Rt 3,1). Na história do povo, o Senhor é o anfitrião que lhe prepara moradia bem abastecida em Canaã (Sl 68,11; Dt 6,10-11); a seguir, Josué reparte a terra para que cada família tenha um lar (Js 13-18). Davi quer preparar uma morada para o Senhor (Sl 135,5). João imagina o mundo celeste como um grande palácio ou como o templo de muitos aposentos (cf. 1Rs 22,25; Jr 35-36); um texto escatológico fala de "entrar nos aposentos" (para refugiar-se, Is 26,20). Veja-se a exposição de Paulo em 2Cor 5,1-10.

14,4-6 Ao mesmo contexto do êxodo pertencem a experiência e a imagem do caminho. O Senhor indicava o caminho com o fogo ou com a nuvem, ele mesmo guiava o povo por meio do anjo ou por meio de Moisés (Ex 33,14; Sl 77,21). Jesus não é guia, mas caminho; como é escada até o céu (1,51), como é porta de entrada (10,7). Por ele vem a verdade da revelação e a vida que é seu resultado; por ele transitamos rumo ao Pai. É um caminho autêntico (verdadeiro) e vital, é verdade e vida em caminho.

14,7 Conhecer quem é ele é conhecer o Pai (8,19). Vê-lo com olhos de fé é ver o Pai.

14,8-11 Filipe formula a seu modo o pedido audaz de Moisés (Ex 33,18), ao qual o prólogo fez alusão (1,18; 1Jo 4,12). É a esperança do orante (Sl 17,15), a experiência de Jó (42,5). Filipe formula também o afã de todo homem autenticamente religioso: contemplar Deus como sentido último da existência. É que não aprofundou no conhecimento de Jesus. Conhecer é uma das palavras-chaves do evangelho de João, muito importante também nas cartas paulinas. A união íntima de Jesus com o Pai implica: a pessoa ("estar em" 10,38), as palavras (12,49), as obras; as três apontam para o Pai e convergem para ele. O Pai é o espaço vital de Jesus, Jesus é o espaço de manifestação do Pai. Somente a fé o pode descobrir e contemplar.

14,12-14 Pela fé o fiel adere a Jesus, pode cooperar com sua atividade, fazer as obras de Jesus (não só

Promessa do Espírito

¹⁵Se me amais, guardai meus mandamentos;
¹⁶e eu pedirei ao Pai que vos envie outro Valedor
que esteja convosco sempre:
¹⁷o Espírito da verdade, que o mundo não pode receber,
porque não o vê nem o conhece.
Vós o conheceis, pois permanece convosco e está em vós.
¹⁸Não vos deixo órfãos, mas voltarei a visitar-vos.
¹⁹Daqui a pouco o mundo já não me verá;
vós, ao contrário, me vereis, porque eu vivo e vós vivereis.
²⁰Nesse dia compreendereis que eu estou no Pai,
e vós em mim, e eu em vós.
²¹Quem conserva e guarda meus mandamentos,
este me ama.
E quem me ama será amado por meu Pai;
eu o amarei e me manifestarei a ele.
²²Diz-lhe Judas (não o Iscariotes):
– Por que te manifestarás a nós e não ao mundo?
²³Jesus lhe respondeu:
– Se alguém me ama cumprirá minha palavra,
meu Pai o amará, viremos a ele e nele habitaremos.
²⁴Quem não me ama não cumpre minhas palavras,
e a palavra que ouvistes de mim não é minha,
mas do Pai que me enviou.

---

milagres). Serão maiores, na sua força reveladora, uma vez que Jesus já terá sido glorificado: os *Atos dos Apóstolos* começam a ilustrar essa promessa. O tema da eficácia da oração se repete no discurso (15,7.16; 16,23-26). A condição é a fé na sua pessoa, é alegar seu nome como mediador ou intercessor. O que pedirem será cumprido por ele ou pelo Pai. É frequente no saltério dizer "pelo teu nome" ou um equivalente (25,11; 31,4; 54,3; 79,9 etc.); a novidade é que doravante se invocará o nome de Jesus. Na liturgia e na espiritualidade cristãs se impôs o orar "por Jesus Cristo nosso Senhor".

14,15-17 Na oração clássica (Dt 6,4-5) se inculca o amor de Deus com toda a alma; a seguir, se inculcam a lembrança e a observância dos mandamentos. Jesus propõe aqui o mesmo esquema. Do guardar seus mandamentos se seguirão três dons correlativos: o Espírito valedor, o amor do Pai, a presença do Pai e do Filho no fiel. A visão é trinitária em ação.
Ao partir, Jesus promete enviar em seu lugar o Espírito, cujas funções irão se esclarecendo no discurso, em parte através dos títulos. O primeiro que aparece é em grego *parákletos*, que encerra uma gama de significados: defensor, advogado, consolador, intercessor, valedor; o último designa "a pessoa que ajuda uma outra com sua influência ou poder". Jesus diz "outro", em seu lugar ao partir. Chama-o também "Espírito da verdade", provavelmente a verdade divina revelada aos homens; equivaleria a "revelador" (cf. Sb 1,5; 1Cor 2,10-12).
O "mundo" (sentido pejorativo) é incompatível com essa verdade: ele se recusa a "ver" a manifestação. Os discípulos já o têm e o terão presente pela presença de Jesus e pela experiência interior.

14,18-19 "Órfãos" como categoria social: que não podem valer-se, des-validos, desamparados (cf. Sl 68,6). Pela morte Jesus se vai, para passar a uma vida nova, de outra ordem. O mundo, que só conhece o Jesus histórico, o considera acabado com a morte (cf. Sb 3,2): ignora-o, prescinde dele. Mas a vida nova de Jesus inaugura uma relação mais íntima, uma experiência de vida comunicada, partilhada. No Ressuscitado o fiel encontra seu espaço vital, e no fiel a presença de Jesus toma alento. A "volta", a curto prazo, é a ressurreição, realidade, testemunho e comunicação de vida; vida superior já presente. Mas essa vinda próxima não exclui a volta a longo prazo. Da volta do desterro se diz "veem face a face o Senhor que volta a Sião" (Is 52,8).

14,20 O Senhor estava "no meio de, entre" seu povo, "com" ele, na peregrinação e no templo. O que Jesus diz aqui é isto e muito mais: a união dos fiéis com ele é como a sua com o Pai. Para expressar o mistério, emprega a fórmula difícil da inabitação mútua.

14,21 Forma inclusão com o v. 15 e explica o que precede em termos de amor mútuo. É como se a relação do Filho com o Pai se dilatasse para dar guarida aos fiéis.

14,22 Pode-se escutar essa pergunta em dois tons. Como reprovação, pedindo que se manifeste a todos (cf. 7,3-4); não merece resposta. Como recurso didático do narrador, para centrar o ensinamento.

14,23-24 À pergunta de Judas, Jesus responde insistindo no que acaba de dizer. O mundo não ama Jesus nem guarda seus mandamentos; por isso não pode captar a manifestação que será a morte e ressurreição. É preciso amar para entender, e não existe amor sem observância dos mandamentos. Mas o amor é relação pessoal e mútua, a máxima

²⁵Eu vos disse isso enquanto estou convosco.
²⁶O Valedor, o Espírito Santo que o Pai enviará em meu nome,
  vos ensinará tudo e vos recordará tudo o que eu vos disse.
²⁷Eu vos deixo a paz, eu vos dou a minha paz.
  Não vo-la dou como a dá o mundo.
  Não vos perturbeis nem vos acovardeis.
²⁸Ouvistes que vos disse que vou e voltarei para visitar-vos.
  Se me amásseis, vos alegraríeis de que eu vá ao Pai,
  pois o Pai é maior do que eu.
²⁹Eu vos disse isso agora, antes que aconteça,
  para que creiais quando acontecer.
³⁰Já não falarei muito convosco,
  porque está chegando o príncipe deste mundo.
  Ele não tem poder sobre mim,
³¹mas o mundo há de saber que eu amo o Pai
  e que faço o que o Pai me mandou fazer.
  Levantai-vos! Vamo-nos daqui!

A videira verdadeira

15 ¹Eu sou a videira verdadeira e meu Pai é o vinhateiro.
²Os sarmentos que em mim não dão fruto ele os arranca;
  os que dão fruto os poda para que deem mais fruto.

---

entre os homens. Como será essa relação com Jesus e com o Pai? Um orante suplicava: "Quando virás a mim?" (Sl 101,2). O Pai e o Filho respondem ao pedido de modo inesperado.

14,25-26 O Espírito se chama aqui Santo, enviado do Pai em atenção a (em nome de) Jesus. Sua função de "ensinar" corresponde à sua condição de Espírito da verdade (cf. Is 63,11; Sl 16,7; Jr 31,34). É o agente da tradição recordando o passado, todo o ensinamento de Jesus, e fará progredir na sua compreensão.

14,27 A paz era a saudação judaica corrente de chegada ou despedida (Ex 4,18; Jz 18,6), com frequência simples palavra convencional. São clássicos a saudação a Jerusalém (Sl 122) e o anúncio messiânico (Is 9). O mundo defende pazes injustas ou defende a paz com paliativos ou pronuncia desejos hipócritas. Não assim a saudação ou despedida de Jesus, que é sentida e eficaz (cf. Sl 85,9).

14,28 "O Pai é maior do que eu" é um dos textos debatidos ou defendidos na polêmica ariana. Ao longo do evangelho e neste discurso há dados para explicar a frase: o Pai o enviou, traçou o desígnio que ele deve executar, comunica-lhe o que vai dizer. A resposta se dá no plano da função; no plano ontológico, os teólogos distinguirão "como homem, como Deus".

14,29 Anunciar de antemão é próprio de quem controla o futuro. Ao pronunciá-lo, serena e conforta; ao cumprir-se, acredita e ilumina. O esquema é típico do Segundo Isaías: "Predisse o passado de antemão..., de repente o realizei e aconteceu" (48,3-5).

14,30-31 O príncipe deste mundo é o Diabo, Satanás. Não porque ele seja poderoso, mas porque o mundo o segue voluntariamente. A morte de Jesus não será uma vitória de Satanás, mas cumprimento do desígnio do Pai, prova de amor e obediência frente a esse mundo hostil. O convite final parece indicar que num tempo ou numa tradição aqui vinha o episódio do Getsêmani. Atualmente o discurso continua e se alonga.

15,1-17 O enunciado metafórico marca o começo, a menção do "fruto" (v. 16) marca o final dessa seção. Entre ambos temos o tema dominante ao qual se somam temas colaterais. O núcleo é constituído pela comparação (ou parábola) da videira e seu comentário. O estilo é o que estamos escutando: aforismos, frases rítmicas, paralelismos. São palavras-chaves "dar fruto" e "permanecer".

No AT é mais frequente falar da vinha que da videira como imagem de Israel. Na linguagem poética, a distinção tem pouca importância; o uso pode ser ditado pela conveniência do tema ou pelo gosto do autor. Entre todos os textos que se costumam citar, acho mais pertinentes: Is 5,1-7; 27,2-5.10-11 (vinha); Jr 8,13; Ez 15 e 17; Sl 80 (videira). Ao tomá-los como pano de fundo, não pretendo reduzir Jo 15,1-17 a modelos tradicionais, mas mostrar a mudança radical operada. Em vários momentos a vertente real se impõe à imaginativa.

O esquema de Is 5 é: um vinhateiro planta uma vinha seleta e dela cuida, espera que dê fruto, dá uvas azedas, ele se irrita e a destrói. O vinhateiro é *Yhwh* e a vinha é Israel, o fruto esperado é justiça e direito. João substitui: o vinhateiro é o Pai, a videira é Jesus; portanto, não uma planta humana, ainda que de qualidade (que depois falha), mas uma transplantada do céu, que não falhará; o fruto esperado é o amor a ele e o amor mútuo (que abrange e radicaliza a justiça). O desenvolvimento também é próprio de João, que o obtém concentrando-se na videira e nos sarmentos (compare-se com Sl 80,12). Toda a vitalidade destes provém da sua união com a videira, e se traduz em dar fruto; separados, os sarmentos não dão fruto (Jr 8,13), secam, são queimados (Is 27,11).

15,1 Videira verdadeira ou "genuína", aludindo a Jr 2,21: "Eu te plantei, videira seleta, de cepas legítimas".

15,2-3 O grego usa o verbo "limpar" em vez de um próprio que signifique "podar". Da imagem agrária

³Vós já estais limpos pela palavra que vos disse.
⁴Permanecei em mim e eu em vós.
Como o sarmento não pode dar fruto por si só,
   se não permanecer na videira,
   tampouco vós, se não permaneceis em mim.
⁵Eu sou a videira, vós os sarmentos:
   quem permanece em mim e eu nele, dará muito fruto;
   pois sem mim não podeis fazer nada.
⁶Se alguém não permanece em mim será lançado fora
   como o sarmento, e secará:
   são recolhidos, lançados ao fogo e queimam.
⁷Se permanecerdes em mim e minhas palavras permanecerem em vós,
   pedi o que quiserdes e acontecerá para vós.
⁸Meu Pai será glorificado se derdes fruto abundante
   e fordes meus discípulos.
⁹Como o Pai me amou, eu vos amei:
   permanecei no meu amor.
¹⁰Se cumprirdes meus mandamentos,
   permanecereis em meu amor;
   assim como eu cumpro os mandamentos de meu Pai
   e permaneço em seu amor.
¹¹Eu vos disse isso para que participeis da minha alegria
   e vossa alegria seja plena.
¹²Este é o meu mandamento:
   que vos ameis uns aos outros como eu vos amei.
¹³Ninguém tem amor maior
   do que aquele que dá a vida pelos amigos.
¹⁴Vós sois meus amigos se fazeis o que vos mando.
¹⁵Já não vos chamo servos,
   porque o servo não sabe o que o seu senhor faz.
Eu vos chamei amigos,
   porque vos comuniquei tudo o que ouvi do meu Pai.

---

salta para a realidade espiritual expressa em linguagem cultual, como em Ex 36,25.33 ou em Sl 51,4. A mensagem de Jesus recebida com fé purifica os fiéis (a mesma expressão ocorre no lava-pés, 13,10). Is 27,4 fala de "sarças e cardos" na vinha.

15,4-5 A relação entre videira e sarmentos sugere uma união vital. Os sarmentos não são extrínsecos, a videira existe com os sarmentos. Podem ser arrancados ou podados, porém são parte integrante da videira. Assim com os fiéis: brotam dele, não são acrescentados; permanecem unidos a ele e dele recebem a seiva. A mesma ideia referida a Deus: 2Cor 3,5.

15,6 Pode haver alusão ao fogo escatológico (cf. Ez 15,5-7; Is 27,11).

15,7 Pelo contexto próximo, pedidos para dar fruto. No contexto mais amplo, ver Mc 11,24; Jo 14,13; 16,23.

15,8 O fruto abundante da videira será a glória do vinhateiro.

15,9-10 Primeiro diz cumprir mandamentos (no plural) como expressão do amor. Depois os reduz a um mandamento (no singular), que consiste em amar o próximo. O precedente imaginativo de Is 5 coloca a ação no campo do amor, e o fruto esperado era a prática da justiça e o direito entre os homens. Lá se tratava do amor conjugal, aqui do amor paterno, filial, e os frutos são amor fraterno. Não é um amor simplesmente humano, porque recebe sua seiva de Jesus. Funda e engloba tudo o que abrange a justiça e o direito. Modelo e força é o amor de Jesus ao Pai e a seus "amigos". O amor filial de Jesus se traduz em cumprir o mandamento do Pai, o amor do fiel para com Jesus se traduzirá em cumprir seu mandamento.

15,11 Quando há amor, o cumprimento é gozoso, até o sacrifício pode ser alegre. O tema da alegria e seu correlativo, a festa, é frequente no AT; com *Yhwh* como sujeito: "vou alegrá-los em minha casa de oração" (Is 56,7); a seu servo (Sl 86,4); "houve uma festa, porque o Senhor os inundou de alegria" (Ne 12,43). Também At 2,46.

15,12-13 A morte de Jesus fica definida como ato supremo de amor, "até o extremo" (13,1). Um orante se dirigia a Deus: "Tua lealdade vale mais que" (Sl 63,4); Jesus diz que o amor vale mais que esta vida, porque lhe dá sentido e a transcende.

15,14-15 Em Is 41,8 Israel recebe o título de "servo" e Abraão de "amigo". Servo do Senhor pode ser título honorífico. Os discípulos conviveram em regime de amizade com o mestre. Aqui o sinal da amizade é partilhar confidências (cf. Jó 29,4; Sl 55,15).

¹⁶Não fostes vós que me escolhestes;
   eu vos escolhi
   e vos destinei a ir e dar fruto, um fruto que permaneça;
   assim, o que pedirdes ao Pai em meu nome,
   ele vo-lo concederá.
¹⁷Isto é o que vos mando: que vos ameis uns aos outros.

O ódio do mundo

¹⁸Se o mundo vos odeia, sabei que primeiro odiou a mim.
¹⁹Se fôsseis do mundo, o mundo amaria o que é seu.
   Mas, como não sois do mundo,
      e eu vos escolhi tirando-vos do mundo,
   por isso o mundo vos odeia.
²⁰Recordai o que vos disse: um servo não é mais que o seu senhor.
   Se me perseguiram, também a vós perseguirão;
   se cumpriram minha palavra, também cumprirão a vossa.
²¹Tudo isso vos farão por causa do meu nome,
   porque não conhecem aquele que me enviou.
²²Se não tivesse vindo e não lhes tivesse falado, não teriam pecado;
   mas agora não têm desculpas de seu pecado.
²³Se me odeiam, odeiam o Pai.
²⁴Se não tivesse feito diante deles obras que nenhum outro fez,
   não teriam pecado.
   Mas agora, ainda que as tenham visto,
   odeiam a mim e ao Pai.
²⁵Assim se cumpre o que está escrito sobre eles na lei.

Sem razão me odiarão

²⁶Quando vier o Valedor que vos enviarei da parte do Pai,
   o Espírito da verdade, que procede do Pai,
      ele dará testemunho de mim;
²⁷e também vós dareis testemunho,
   porque estivestes comigo desde o princípio.

15,16 A escolha é iniciativa soberana de Jesus (Mc 3,13), como o é de *Yhwh* no AT (Nm 16,7; escolha do povo Dt 7,7; de Davi 2Sm 6,2 etc.).

15,18-16,4 Essa seção aponta para o futuro, para a condição dos fiéis envoltos pelo mundo pagão e diante do judaísmo oficial. Diante do ódio, lógico, deverão dar testemunho animados pelo Espírito.

15,18-21 Diante do amor, o ódio: quem poderá mais? O mundo tem aqui (e com frequência em João) sentido pejorativo: está dominado por Satanás (14,30) e encarna a oposição radical à missão de Jesus. O ódio e o amor são incompatíveis, como a luz e as trevas, o bem e o mal (cf. Pr 29,27). A sorte de Jesus será compartilhada por seus discípulos, como o expôs a instrução aos apóstolos (Mt 10) e o discurso escatológico (Mt 24 par.). Foi a sorte dos profetas (Ez 2,6; 3,7 e o destino de Jeremias). O mundo pode amar os seus, que estão do seu lado (mais que amor é egoísmo partilhado); o mundo odeia Jesus e os que este lhe arrebata. Há uma correspondência rigorosa: não reconhecem os enviados de Jesus, porque não reconhecem nem Jesus nem aquele que o enviou.

15,20-21 Eu lhes disse: 13,16; Lc 6,40. O segundo condicional soa estranho: como se o mundo em alguma ocasião ou em algum ponto tivesse cumprido o mandato de Jesus. Deve-se tomá-lo como integrante de um paralelismo antitético que equivale a dizer: eles vos tratarão como a mim em tudo, no bem e no mal. O tema continua em 16,1-4.

15,22-24 Segue-se uma série de condicionais. Agora sobre a responsabilidade agravada do mundo. Veja-se, desenvolvido em condicionais, o esquema do profeta como atalaia do povo (Ez 33). Jesus se manifestou com palavras e obras e de nada elas valeram.

15,25 Literalmente se encontra em Sl 35,19 e 69,4. A figura do inocente perseguido é frequente.

15,26-27 O tema do Espírito parece interromper o curso do pensamento; não é assim. Pelo contrário, o Espírito é o grande acompanhante do futuro. De outra parte, antecipa a seção de 16,6-15 e esses versículos poderiam ser colocados depois de 16,5 (ou 16,4). O Espírito atesta por si e por meio dos discípulos inspirando-os (Mt 10,20) e o objeto do testemunho é a pessoa de Jesus e sua obra. Os discípulos hão de ser testemunhas históricas (Is 8,16-18), porque acompanharam Jesus em seu mi-

16 ¹Eu vos disse tudo isto para que não tropeceis.
²Sereis expulsos da sinagoga.
Chegará um tempo
   quando quem vos matar pensará oferecer culto a Deus.
³E farão isso porque não conhecem o Pai nem a mim.
⁴Digo-vos isso para que, quando chegar seu momento,
   vos lembreis de que vo-lo disse.
Não vo-lo disse no princípio, porque estava convosco.
⁵Agora volto para aquele que me enviou,
   e ninguém me pergunta aonde vou.

A obra do Espírito

⁶O que vos disse vos encheu de tristeza;
⁷mas vos digo a verdade: para vós convém que eu vá.
Se eu não for, o Valedor não virá para vós:
   se eu for, vo-lo enviarei.
⁸Quando ele vier, convencerá o mundo
   de um pecado, de uma justiça, de uma sentença*:
⁹o pecado, porque não creram em mim;
¹⁰a justiça, porque vou ao Pai e não me vereis mais;
¹¹a sentença, porque o príncipe deste mundo está sentenciado.
¹²Muitas coisas me restam para vos dizer,
   mas por enquanto não podeis com elas.

---

nistério, e testemunhas inspiradas da sua missão transcendente. Do testemunho falarão explícita ou implicitamente os *Atos* (1,8; 5,32).

16,1-4 Continua o tema da perseguição por causa de Jesus. Sobrepõem-se duas perspectivas: a próxima, da paixão e morte; a futura, da difusão do evangelho. À segunda se refere o "expulsar da sinagoga" (9,22), que era um fato consumado quando se escreveu este evangelho. Quanto a "matar", é possível que o autor esteja pensando em Estêvão e Tiago. É terrível a frase que o apresenta como uma espécie de homicídio ritual, como obra agradável a Deus. Sem querer nos vêm à memória textos como Sl 149,9 "executar a sentença prescrita é uma honra", ou o zelo fanático dos Macabeus contra seus compatriotas (como o narra 1Mc 2,46); e outras práticas da história religiosa que não escutaram ou não compreenderam essa denúncia.

16,4 Ver 13,19 sobre a função do anúncio antecipado.

16,5 Alguns o unem com a seção que se segue. Também se pode tomar como transição. Sobre a pergunta: 13,36; 14,5.

16,6-15 Em poucos versículos traça a ação futura do Espírito para fora, deixando convicto o mundo (8-11); para dentro, guiando a comunidade (12-15). Duas ações complementares.

16,6-7 À tristeza da despedida se junta a dor diante do futuro de perseguições que lhes anunciou. O fato de pô-los de sobreaviso servirá no momento da prova; no momento atual, é motivo de dor intensa. Contudo, há motivo para alegrar-se (14,28) ou para aliviar a dor, considerando o resultado da ida. Jesus tem de ser glorificado antes de enviar o Espírito (7,39); então o enviará (20,22). Aquele que escreve vive no tempo da Igreja; seu evangelho testemunha a atividade do Espírito.

16,8-11 Esses vv. são difíceis e debatidos. Proponho uma explicação baseada em usos judiciais do AT (especialmente do verbo *hwkyh*), nos quais as funções estavam menos diferenciadas. Antes de tudo, deve-se observar que Jesus está para ser submetido a julgamento e condenado. O Pai abrirá outro processo, em instância suprema, e empregará o Espírito como advogado e fiscal, como condutor do processo. Nele se inverterá o resultado. Com seu testemunho e argumentação (*elegcsos*) convencerá ou deixará convencido o mundo: em termos judiciais, de uma culpa, de uma inocência, de uma condenação. Os que condenaram são os culpados, o condenado é inocente, o sistema que o condenou sai condenado. A culpa consiste em não ter crido, apesar dos sinais; crer e negar-se a crer são atitudes que comprometem toda a existência: "Se não crerdes, não subsistireis" (Is 7,7). A inocência se comprova porque Jesus é acolhido por Deus, "pois o ímpio não comparece perante ele" (Jó 13,16). A glorificação prova que Jesus foi vítima inocente (como o servo de Is 53). A condenação do diabo é pronunciada na morte de Jesus (cf. Sl 82) e começa a executar-se nos fiéis (embora, segundo 1Jo 5,19, o diabo conserve poder sobre o mundo). O que aconteceu na morte e ressurreição de Jesus continuará acontecendo pela atividade do Espírito. É um julgamento ao longo da história.

16,8: * Ou: *de uma culpa, de uma inocência, de uma condenação*.

16,12 Parece contradizer o que foi afirmado em 15,15. Projetá-lo ao tempo entre a Ressurreição e Pentecostes seria sair de João e passar para Lucas. Pode-se pôr em relação com 2,22 e 12,16, ou seja, fatos e palavras que à luz da ressurreição falam com linguagem nova, inteligível.

¹³Quando ele vier, o Espírito da verdade,
vos guiará para a verdade plena.
Pois não falará por sua conta,
mas dirá o que ouve, e vos anunciará o futuro.
¹⁴Ele me dará glória
porque receberá do meu e o explicará.
¹⁵Tudo o que o Pai tem é meu,
por isso vos disse que receberá do meu e vo-lo explicará.

Alegria após o sofrimento – ¹⁶Daqui a pouco não me vereis, pouco depois me vereis.
¹⁷Os discípulos comentavam entre si:
– Que é isto que nos diz: Daqui a pouco não me vereis, pouco depois me vereis; e: Vou ao Pai?
¹⁸Diziam:
– A que pouco se refere? Não entendemos o que diz.
¹⁹Jesus compreendeu que queriam lhe perguntar, e lhes disse:
– Discutis entre vós sobre o que eu vos disse:

Daqui a pouco não me vereis, pouco depois me vereis.
²⁰Eu vos asseguro que chorareis e vos lamentareis,
enquanto o mundo se diverte;
estareis tristes, mas vossa tristeza se transformará em alegria.
²¹Quando uma mulher vai dar à luz está triste, pois chega a sua hora.
Porém, quando deu à luz a criatura,
não se lembra da angústia, por causa da alegria
de que um homem tenha nascido para o mundo.
²²Assim, vós agora estais tristes;
mas eu voltarei a vos visitar, e vos enchereis de alegria,
e ninguém vos tirará vossa alegria.

16,13 Não é que o Espírito traga novas revelações, mas vai conduzindo, no interior da revelação de Jesus, para a compreensão sempre mais atualizada e crescente. O futuro: com relação ao momento em que Jesus fala; "anunciar" (*anaggelein*) equivale a tomar e apresentar de novo.

16,15 Está falando da função do Espírito em favor dos homens afligidos (Jr 15,17), ou seja, na economia da revelação. Tirar as consequências para uma doutrina trinitária é tarefa posterior.

16,16-19 No contexto da ceia e da despedida, o anúncio de Jesus parece transparente: não o verão quando morrer, vê-lo-ão quando ressuscitar, tudo sucederá em breve. De fato o veem e se alegram. Num contexto mais amplo, obtido depois, não o verão quando deixar o mundo e voltar ao Pai, voltarão a vê-lo ao experimentar sua presença gloriosa; nesse contexto, "em breve" significa que sempre está próximo ao homem. O desconcerto dos discípulos reflete a ambiguidade, ou melhor, a ambivalência do enunciado. Pela boca dos discípulos, é a comunidade cristã que pergunta, ao ver que o retorno glorioso do Senhor, a parusia, demora (vejam-se, por exemplo, as cartas aos Tessalonicenses). João se coloca no contexto de uma escatologia realizada ou antecipada: apesar da ausência física de Jesus, o fiel conhece, por experiência e pelo testemunho do Espírito, que Jesus está vivo, perto, e o contempla com os olhos iluminados da fé: "tua luz nos faz ver a luz" (Sl 36,10).

16,20-22 A imagem da mulher na expectativa de dar à luz está carregada de ressonâncias históricas e proféticas: desde o grito triunfal de Eva em sua primeira maternidade (Gn 4,1) até as figuras escatológicas do livro de Isaías (26,14-19; 66,7-14), e como contraste violento Jr 4,31; no NT Ap 12. Is 66 fala do parto maravilhoso de todo um povo (em contraste com o lento e trabalhoso dos doze patriarcas), e menciona a alegria da festa. Is 26 é mais audaz, fala da terra mãe que dá à luz mortos vivificados. Na especulação judaica se falava das dores do parto que abririam a porta para a era messiânica.
No contexto imediato da ceia, a imagem fala da fecundidade da paixão e morte de Jesus, da dor partilhada dos discípulos e da próxima alegria que o ressuscitado trará. No contexto mais amplo da Igreja, enuncia uma condição permanente: o sacrifício por amor e a alegria da sua fecundidade. O mundo não arrebata com suas perseguições a alegria que o Espírito infunde (cf. Sl 4,8; Is 35,10).

16,23a "Naquele dia" é expressão corrente que introduz anúncios escatológicos, de um futuro certo e indefinido; pode identificar-se com o dia do Senhor. Como exemplo típico veja-se a série de Zc 12-14. João recolhe a fórmula para indicar o dia escatológico que chega com a glorificação de Jesus: "será um dia único, escolhido pelo Senhor" (Zc 14,7) que se prolongara na história. Acabar-se-ão as perguntas de agora, os pedidos serão escutados e reinará a claridade. Perguntar e pedir são parentes, já que perguntar é pedir uma resposta.

²³Naquele dia não me perguntareis nada.
Eu vos asseguro: o que pedirdes ao meu Pai,
ele vo-lo dará em meu nome.
²⁴Até agora nada pedistes em meu nome;
pedi e recebereis, para que vossa alegria seja completa.
²⁵Eu vos disse isso em parábolas;
vai chegar a hora em que já não vos falarei em parábolas,
mas vos falarei claramente a respeito do meu Pai.
²⁶Nesse dia pedireis em meu nome,
e não vos digo que pedirei ao Pai por vós,
²⁷pois o próprio Pai vos ama, porque vós me amastes
e crestes que vim da parte de Deus.
²⁸Saí do Pai e vim ao mundo;
agora deixo o mundo e volto ao Pai.

²⁹Dizem-lhe os discípulos:
– Agora sim falas claramente, sem usar parábolas. ³⁰Agora sabemos que sabes tudo e não tens necessidade que alguém te pergunte; por isso cremos que vens de Deus. ³¹Respondeu-lhes Jesus:

– Agora credes? ³²Vede: Chega a hora, e já chegou,
em que vos dispersareis cada qual para seu lado,
e me deixareis sozinho.
Mas eu não estou só, pois o Pai está comigo.
³³Eu vos disse isso para que tenhais paz graças a mim.
No mundo passareis tribulações;
mas tende ânimo, pois eu venci o mundo.

17

Oração sacerdotal de Jesus – ¹Assim falou Jesus. Depois, levantou os olhos ao céu e disse:

16,23b-24.26-27 Quem pede e recebe fica satisfeito e contente; que o pedir não tenha limites, para que o receber complete a alegria. Um pai que ama seu filho não lhe nega o que pede razoavelmente. Pois bem, Deus Pai ama os que amam seu Filho, e lhes concede tudo o que pedem movidos pelo Espírito (Rm 8,26-27).

16,23a.25.29-30 Ao longo do discurso e em ocasiões precedentes os discípulos interromperam ou abordaram Jesus com perguntas: pela forma e também pelo conteúdo do seu ensinamento. No sentido restrito e no contexto próximo, "parábolas" foram a da videira, a da mulher parturiente (Mt 13). Em contexto mais amplo e em sentido lato, também eram "parábolas" as ações simbólicas (lavar os pés, purificar o templo), os milagres como sinais (cura de um cego, ressurreição de um morto). Em outra ordem, as comparações e símbolos empregados no seu ensinamento. Só a experiência viva, mediada pelo Espírito, põe em contato com a realidade sem mediação de "parábolas". Tal é a promessa de Jesus para depois da ressurreição.

16,29-30 Os discípulos respondem com um mal-entendido. Detendo-se no sentido mais estreito e no contexto limitado, comparam as "parábolas" (linguagem figurada) com a linguagem própria, e imaginam ter entendido tudo. Como eles o fiel, o teólogo, podem iludir-se, pensando que entendem perfeitamente. Mas a revelação não anula o mistério: nesta vida, a pessoa sempre fica apontando para o inatingível.

16,31-32 Jesus os corrige, assinalando o futuro próximo. Não entenderam o mais elementar e próximo, a paixão. Entender não é uma operação puramente intelectual, mas visa à conduta. A dispersão dos discípulos responde à profecia (Zc 13,7, citada pelos sinóticos).

A expressão clássica de *Yhwh* confortando o homem "eu estou contigo" tem valor supremo quando se diz que o Pai "está comigo". Daí deriva sua validade para o apóstolo (2Tm 4,16-18).

16,33 Termina com um grito antecipado de vitória: pode-se dar por realizado: "eu sou tua vitória" (Sl 35,3). Com seu sacrifício por amor, Jesus vence o mundo e Satanás. Seus discípulos são chamados a participar da luta e da vitória. Sentir o ânimo que ele infunde já é ganhar uma batalha.

17,1 Costuma-se chamá-la de oração sacerdotal de Jesus. Com ela se dirige ao Pai e roga pelos fiéis presentes e futuros. Pronunciada em voz alta é ao mesmo tempo revelação da intimidade de Jesus com o Pai. Aqui Jesus se revela como Filho e assim revela Deus como seu Pai. Jesus aparece como a escada de Jacó, que une a terra ao céu (1,51; Gn 28). Jesus fala da fronteira entre céu e terra, na conjunção do divino e do humano.

Pai, chegou a hora:
dá glória ao teu Filho, para que o teu Filho te dê glória;
²pois lhe deste autoridade sobre todos os homens,
para que ele dê vida eterna aos que lhe confiaste.
³Nisto consiste a vida eterna:
em conhecer a ti, o único Deus verdadeiro,
e ao teu enviado, Jesus, o Messias.
⁴Eu te dei glória na terra,
cumprindo a tarefa que me encarregaste fazer.
⁵Agora tu, Pai, dá-me glória junto a ti,
a glória que eu tinha junto a ti, antes que houvesse mundo.
⁶Manifestei o teu nome aos homens tirados do mundo
e que me confiaste:
eram teus e os confiaste a mim, e cumpriram tuas palavras.
⁷Agora compreendem que tudo o que me confiaste procede de ti.
⁸As palavras que tu me comunicaste, eu as comuniquei;
eles as receberam e compreenderam realmente
que vim de tua parte,
e creram que me enviaste.
⁹Rogo por eles; não rogo pelo mundo,
mas pelos que me confiaste, pois são teus.

Se olhamos o final do Deuteronômio, vemos Moisés entoando um cântico de despedida e abençoando as tribos (Dt 32-33). Isso indica que uma oração se encaixa bem no final de um discurso de despedida. Dentro dessa seção do evangelho, esse capítulo repete vários temas do cap. 13, formando inclusão. Mas pela tonalidade e por alguns temas se liga idealmente com o prólogo.

Pode-se articular o capítulo de formas diversas, segundo o critério que se adote: pessoas por quem pede, partículas articulatórias, repetição em duas ondas de temas semelhantes e palavras idênticas.

17,1a A primeira frase é de ligação, mas não extrínseca; indica, antes, que o discurso desemboca na oração, nela culmina (cf. Sl 91,14-16). O gesto de olhar para o céu é conhecido (11,41; Sl 123,1).

17,1b-5 Propõe e desenvolve o tema da glória. Conceito fundamental no AT, como manifestação de esplendor e poder. Moisés pedia (Ex 33,18). A glória do Pai e a do Filho são correlativas: o Pai glorifica o Filho e essa glória reverte no Pai. O Filho glorifica o Pai, cumprindo a obra de amor que manifesta a plenitude de bondade e fidelidade (cf. 1,14). Fala como se já tivesse consumado o sacrifício. A glória que tinha "antes que houvesse mundo" alude ao prólogo (1,1). Para Deus a finalidade é glorificar, para os homens, é dar vida eterna: porque ele possui a vida (1,4).

17,3 A vida eterna consiste no conhecimento pessoal (Sb 15,3), experiência e trato do Deus verdadeiro como Pai e de Jesus como Messias enviado (15,3; cf. 1Cor 8,6). Jesus pode comunicar esse conhecimento porque possui a plenitude (1,14), porque veio explicá-la (1,18). É o revelador (Mt 11,22-23).

17,6-8 O Pai entregou ao Filho: suas palavras para que as ensinasse aos homens; um grupo de homens extraídos do mundo (como os israelitas do Egito): que eram seus, como novo povo escolhido, e mais ainda como filhos (1,12), que creem em Jesus como enviado, em suas palavras como procedentes de Deus, e as cumprem. Esses homens são agora os discípulos e serão mais tarde os cristãos.

O nome de Deus se manifestou a Moisés (Ex 3,14, Yhwh) para identificá-lo diante dos demais, para a invocação e a súplica. Jesus revela o nome de Deus, que será Pai: ao fazer dos fiéis "filhos de Deus", comunica-lhes a experiência pessoal de Deus como Pai e lhes ensina a invocá-lo com esse nome. Outros autores pensam no "Eu sou" que Jesus pronuncia várias vezes.

17,6 Recebe-os do Pai por haver realizado seu desígnio: "por meio dele triunfará o plano do Senhor" (Is 53,10); "meu salário o tinha meu Deus... faço-te luz das nações" (Is 49,4.6); "olhai, com ele vem seu salário" (Is 40,10).

17,9-19 Começando com "rogo" e até o v. 19, a seção é dominada pela palavra "mundo". Em sentido amplo, equivale aos homens na terra; em sentido restrito denota o sistema hostil a Deus e a Jesus. Como os israelitas, saídos do Egito opressor, tiveram de atravessar um deserto hostil e ameaçador, assim os fiéis, retirados do sistema opressor, devem atravessar seus perigos, antes de chegar à pátria prometida. Na etapa precedente Jesus os acompanhou, guiou e protegeu (foi tirando-os e afastando-os do mundo, cf. Tg 4,4); para o futuro, roga ao Pai que os proteja. Não os pode tirar completamente, antes os envia ao mundo que devem converter, como também Jesus foi enviado ao mundo (1,10). O mundo hostil está dominado pelo Maligno (o Diabo, Satanás): por esse mundo Jesus não roga, pois declarou guerra e venceu a ambos. Roga, sim, ao Pai que proteja os seus das ciladas do Maligno, enquanto eles atravessam o mundo (como das serpentes do deserto, Nm 21,6-9). Pelo caminho, um se perdeu (como se perderam muitos no deserto), como estava previsto na Escritura (Sl 109,4-8; outros propõem Sl 41,10).

17,9 O termo "mundo" atinge aqui seu significado radical, extremo: é aquele ou aqueles definitivamente

¹⁰Tudo o que é meu é teu, e o que é teu é meu:
   neles se revela a minha glória.
¹¹Já não estou no mundo, enquanto eles estão no mundo;
   eu vou para ti, Pai santo;
   guarda-os no teu nome, que me deste,
   para que sejam um como nós.
¹²Enquanto estava com eles, eu os guardava no teu nome,
   aquele que me deste; eu os guardei, e nenhum deles se perdeu;
   exceto o destinado à perdição,
   para cumprimento da Escritura.
¹³Agora vou para ti; e ainda no mundo digo isso,
   para que possuam minha alegria completa.
¹⁴Eu lhes comuniquei tua palavra, e o mundo os odiou,
   porque não são do mundo, como também eu não sou do mundo.
¹⁵Não peço que os tires do mundo,
   mas que os livres do Maligno.
¹⁶Não são do mundo, como também eu não sou do mundo.
¹⁷Consagra-os com a verdade: tua palavra é verdade.
¹⁸Como tu me enviaste ao mundo, eu os enviei ao mundo.
¹⁹Por eles me consagro, para que fiquem consagrados com a verdade.
²⁰Não rogo somente por eles, mas também
   pelos que crerão em mim por meio de suas palavras:
²¹Que todos sejam um, como tu, Pai, estás em mim e eu em ti;
   que também eles sejam um em nós,
   para que o mundo creia que tu me enviaste.
²²Eu lhes dei a glória que tu me deste,
   para que sejam um, como somos nós.
²³Eu neles e tu em mim, para que sejam plenamente um;
   para que o mundo conheça que tu me enviaste
   e os amaste, como me amaste.
²⁴Pai, os que me confiaste quero que estejam comigo
   onde eu estou; para que contemplem minha glória;

---

fechados ao dom da fé. Excluíram-se e condenaram-se. O Senhor ordenava a Jeremias: "Não intercedas em favor desse povo" (Jr 14,11). Contudo, o amor de Deus abraça o mundo inteiro (Jo 3,16); e mais adiante pede que o mundo conheça e creia (17,21.23).

17,10 Sua glória se manifesta no que realizou neles, que sejam filhos de Deus pela fé; também porque eles refletirão essa glória em outros (2Cor 3,18).
17,13 A alegria: Jo 15,11.
17,14 O ódio do mundo: Jo 15,18-19.
17,15 Ver o pedido do Pai-nosso (Mt 6,13).
17,16 Estar no mundo sem ser do mundo.
17,17.19 A consagração é em primeiro lugar a dedicação a Deus para participar de sua santidade, para ser santos como ele (Lv 19,2; 20,26). Em segundo lugar é capacitar para uma missão entre os homens, para funções específicas (rei, sacerdote, profeta, Ex 28,36-39). Deus "consagra" o povo (Ez 37,28) e vai consagrar os discípulos. Jesus é o Santo = consagrado por Deus (6,69; 10,36), que mostra sua santidade (sentido reflexivo como Ez 38,23) para consagrar seus discípulos. Em lugar de rito de consagração, Deus emprega a verdade, ou seja, sua palavra que há de ser recebida com fé e cumprida.
17,20-23 Roga também pelos futuros fiéis, e o núcleo do seu pedido é a unidade: entre eles, com Jesus e com Deus, como o Filho com o Pai. No AT sentiu-se a ânsia de unidade de um povo dividido pelo cisma (Ez 37,15-28); um salmo canta a alegria da "unidade fraterna", bênção de Deus, fonte ou sinal de "vida para sempre" (Sl 133). A unidade em João procede de Deus, é Jesus que a cria comunicando a glória do Pai; é comunicação de vida partilhada com Deus e numa comunidade. Ou seja, não é fruto de agregação ou "contrato social". A unidade se deve "manter" dentro do mundo, frente aos perigos internos e externos. Os Atos e algumas cartas testemunham as tensões graves entre comunidades e dentro de uma comunidade. A unidade tem que ser visível como reflexo ou irradiação da unidade transcendente. Os futuros fiéis crerão pela pregação apostólica, cujo âmbito será universal (segundo 10,16 e 11,52). A unidade dos fiéis será um sinal para que o mundo possa crer em Jesus como enviado de Deus.
17,24-26 Agora alarga a visão até a consumação final, quando será fixado o destino definitivo. De um lado estará o mundo que não o reconheceu, do outro os que creram nele. A "vontade" última de Jesus

a glória que me deste,
porque me amaste antes da criação do mundo.
²⁵Pai justo, o mundo não te conheceu; eu te conheci,
e estes conheceram que tu me enviaste.
²⁶Dei-lhes a conhecer teu nome e o darei a conhecer,
para que o amor que tiveste por mim esteja neles, e eu neles.

18

Prisão de Jesus (Mt 26,47-56; Mc 14,43-50; Lc 22,47-53) – ¹Dito isso, Jesus saiu com os discípulos para o outro lado da torrente do Cedron, onde havia um jardim. Aí ele entrou com seus discípulos. ²Judas, o traidor, conhecia o lugar, porque muitas vezes Jesus se reunira aí com seus discípulos. ³Então Judas tomou um destacamento e alguns criados dos sumos sacerdotes e dos fariseus, e se dirigiu para lá com tochas, lanternas e armas. ⁴Jesus, sabendo tudo o que lhe iria acontecer, adiantou-se e lhes disse:

– A quem procurais?

⁵Responderam-lhe:

– Jesus, o Nazareno.

Diz-lhes:

– Sou eu.

Também Judas, o traidor, estava com eles. ⁶Quando lhes disse sou eu, retrocederam e caíram por terra. ⁷Perguntou-lhes novamente:

– A quem procurais?

Responderam-lhe:

– Jesus, o Nazareno.

⁸Jesus respondeu:

– Eu vos disse que sou eu; mas, se me procurais, deixai estes ir embora.

⁹Assim se cumpriu o que havia dito: *Não perdi nenhum dos que me confiaste.* ¹⁰Si-

---

é que eles, como indivíduos e como comunidade, estejam ou vivam com ele (2Cor 5,8; Fl 1,23; Lc 23,43), contemplem sua glória (que Moisés não pôde contemplar, Ex 33,19-20).

Entretanto, Jesus, embora glorificado, ficará com eles ou neles, e o amor do Pai ao Filho lhes será comunicado.

Olhando agora o conjunto do capítulo, observamos o triângulo do Pai, Jesus e os discípulos, com uma série de relações simétricas, assimétricas ou contínuas. Primeiro, a relação de Jesus com o Pai: mútua glorificação (vv. 1-4), tudo em comum (v. 10). Segundo, o Filho recebe do Pai e transmite aos discípulos: as palavras (vv. 8.14), o nome (vv. 6.11.26), a missão (v. 18), a glória (v. 22); a relação do Filho com o Pai se reproduz na deles com Jesus ou entre eles (vv. 21.22). Terceiro, o Pai os trata como trata o Filho: amor (vv. 24.26), como o Filho os trata, guarda (vv. 11.15), santifica (vv. 17.19). Quarto, eles são como Jesus: não são do mundo (vv. 14.16); como tratam a Jesus, assim também ao Pai (conhecem, creem, v. 8). Acrescentando o que foi dito do Espírito nos capítulos precedentes, encontra-se aqui material para elaborar uma teologia trinitária.

18-19 Em dois capítulos João concentra a narrativa da paixão. A narrativa avança linearmente: prisão de Jesus (18,1-13); interrogatório diante de Anás com negação de Pedro (14-27); interrogatório diante de Pilatos e condenação à morte (18,28-19,16a); crucifixão e morte (19,16b-37); sepultamento (38-42). Nos longos interrogatórios e com discretas alusões bíblicas o narrador medita e expõe o sentido da paixão e morte do Senhor.

18,1 "Dito isso", ou seja, terminado o longo discurso, começa de novo a ação, que desta vez é a paixão. O primeiro gesto é "sair", e é a última saída pessoal daquele que "saiu do Pai" (8,42; 13,3; 16,27-28; 17,8). Sai ao encontro da morte, e da vida.

18,1-13 O primeiro episódio é a prisão no horto. Já notamos que João não conta a iniciativa de Jesus para a entrada em Jerusalém e para procurar o local da ceia; tampouco conta a oração no horto. No presente episódio, segundo a versão de João, Jesus atua como protagonista e ao mesmo tempo como diretor da cena. Escolhe o cenário ou lugar, conhece os movimentos de Judas, a quem enviou (13,21-30); conhece o roteiro do que vai acontecer; toma a iniciativa de perguntar e se identifica de modo solene; dá as ordens à tropa; repreende e reprime Pedro. Além disso, explica o sentido dos fatos apelando para um símbolo bíblico conhecido. Feito tudo isso, deixa fazer. Toda a cena é de dramaticidade contida e austera.

18,1-2 Não dá o nome do horto, que os sinóticos chamam de Getsêmani (que, conforme a etimologia, significa prensa ou lagar de óleo). Por outro lado, nos diz que era lugar frequentado pelo grupo. Isto significa um encontro marcado, calculado e não expresso, com o traidor.

18,3 É o pessoal de serviço e polícia, do templo e das autoridades. O "destacamento" é nome que se refere a soldados romanos.

18,5 Nazareno é a designação que os judeus usaram para os cristãos. Na boca do personagem (na pena do narrador), a resposta de Jesus é solenissíma, transcendente: o chamado Jesus Nazareno se chama "Eu sou". Ao ser pronunciado o nome, retrocedem (Sl 35,4; 40,15; 56,10; 129,5) e caem derrubados (Sl 9,4; 27,2).

18,9 Anunciado em 6,39; 17,12. Por ora não o podem seguir.

18,10 Pode ser uma grande faca de uso pessoal protegida num sua bainha. No contexto, espada é emblema de violência (cf. Is 2,4; Os 2,20). O cálice da ira de Deus (Jr 25,15-29; Sl 75,9 e paralelos). É o Pai quem o estende para que o beba até o fim: "a taça larga e profunda e de grande capacidade... taça de espanto..., a beberás, a sorverás" (Ez 23,32-34).

mão Pedro, que estava armado de espada, a desembainhou, feriu o servo do sumo sacerdote e lhe cortou a orelha direita. (O servo se chamava Malco.) ¹¹Jesus disse a Pedro:

– Embainha a espada: Não vou beber a taça que o Pai me ofereceu?

¹²O destacamento, o comandante e os criados dos judeus prenderam Jesus, o amarraram ¹³e o levaram primeiro a Anás (que era sogro de Caifás, o sumo sacerdote desse ano).

Diante de Caifás (Mt 26,57s.59-66; Mc 14,53-64; Lc 22,54.66-71) **Negações de Pedro** (Mt 26,69-75; Mc 14,66-72; Lc 22,55-62) – ¹⁴Caifás era aquele que havia dado seu parecer aos judeus que convinha que um só homem morresse pelo povo.

¹⁵Simão Pedro e outro discípulo seguiam Jesus. Como esse discípulo era conhecido do sumo sacerdote, entrou com Jesus no palácio do sumo sacerdote, ¹⁶ao passo que Pedro ficou fora, à porta. O outro discípulo, conhecido do sumo sacerdote, saiu, falou com a porteira e ela deixou Pedro entrar. ¹⁷A criada da portaria diz a Pedro:

– Não és tu também discípulo desse homem?

Ele responde:

– Não sou.

¹⁸Como fizesse frio, os servos e os guardas haviam aceso uma fogueira e se aqueciam. Pedro estava com eles aquecendo-se.

¹⁹O sumo sacerdote interrogou Jesus sobre seus discípulos e seu ensinamento.

²⁰Jesus lhe respondeu:

– Falei publicamente ao mundo; ensinei sempre em sinagogas ou no templo, onde se reúnem todos os judeus, e nada disse às escondidas. ²¹Por que me interrogas? Interroga os que me ouviram falar, pois sabem o que lhes disse.

²²Quando disse isso, um dos guardas presentes deu um tapa em Jesus, dizendo:

– É assim que respondes ao sumo sacerdote?

²³Jesus respondeu:

– Se falei mal, mostra-me a maldade; mas, se falei bem, por que me bates?

²⁴Anás o enviou amarrado ao sumo sacerdote Caifás.

²⁵Simão Pedro continuava aquecendo-se. Perguntam-lhe:

– Não és tu também discípulo dele?

Ele o negou:

– Não sou.

18,12 "Judeus" são as autoridades judaicas antes mencionadas.

18,13 Anás tinha sido sumo sacerdote de 6 a 15 d.C. e conservava o título honorífico e toda a influência pessoal e familiar. No andamento desses acontecimentos, o sumo sacerdote era Caifás (18-36 d.C.).

18,14-27 O segundo episódio é o interrogatório. Traz encaixada outra cena, para produzir um efeito de simultaneidade e de forte contraste. Enquanto Jesus se refere a seu ensinamento público, Pedro nega ser seu discípulo, com a fórmula significativa e repetida "não sou".

18,14.19-24 O episódio do interrogatório nos coloca diante de dois problemas principais. a) O papel de Anás. Tomando os vv. 13 e 24 como inclusão, "levaram-no primeiro a Anás", este "o enviou ao sumo sacerdote Caifás". Daí se segue que o interrogatório se realiza na casa de Anás, e é este quem o conduz. Se é assim, por que o chama "sumo sacerdote"? Respondem uns: porque conserva o título honorífico; outros transferem o v. 24 para depois do v. 13 (com levíssimo apoio documental); outros traduzem o verbo do v. 24 como mais-que-perfeito (com pouco apoio gramatical). b) Que caráter e alcance tem o interrogatório? Não parece um julgamento formal: não o conduz o sumo sacerdote em função, não se citam testemunhas, o réu não responde taxativamente mas pede provas, não se pronuncia sentença, é de noite e ele é devolvido a Caifás. Para quê? A impressão que o breve relato deixa é de um interrogatório policial antes do processo formal. E o v. 24 com a indicação do v. 28 "da casa de Caifás" parece insinuar que aí se realizou o julgamento matutino, depois do canto do galo. Os vv. 25-27 enchem narrativamente o tempo intermédio.

18,14 João gosta dessas identificações que remetem a passagens precedentes (11,49-51).

18,19-21 Não há acusações (palavras contra o templo, pretensões messiânicas), mas apenas perguntas sobre pontos que podiam ser perigosos no terreno político e no religioso, particularmente considerando fatos recentes. A resposta de Jesus apela ao caráter público do seu ensinamento: um conspirador não age à luz do dia.

18,22 Talvez haja aqui uma reminiscência de Is 50,6.

18,15-18.25-27 Acossado pelas perguntas de uma criada, dos presentes e de um servo, Pedro nega três vezes ser discípulo de Jesus. Pedro parece fiel e valente seguindo Jesus; mas é temerário por confiar mais em si mesmo do que no anúncio do Mestre.

18,15-16 O narrador não identifica o "outro discípulo". Pelo paralelismo de 20,1-10, muitos têm suposto tratar-se de João e que por isso estava bem informado. Se era o "discípulo predileto", chegará em seu seguimento até os pés da cruz (19,26). Com o canto do galo se cumpre a predição de Jesus (13,38) e se anuncia o amanhecer.

²⁶Replica-lhe um dos servos do sumo sacerdote, parente daquele a quem Pedro cortara a orelha:
– Não te vi eu com ele no jardim?
²⁷Novamente Pedro negou, e imediatamente o galo cantou.

Jesus diante de Pilatos (Mt 27,1s.11-14; Mc 15,1-5; Lc 23,1-5) – ²⁸Levam então Jesus da casa de Caifás ao palácio do governador. Era de manhã. Eles não entraram no palácio do governador para evitar contaminar-se e poderem comer a Páscoa. ²⁹Pilatos então saiu para onde estavam e lhes perguntou:
– De que acusais este homem?
³⁰Responderam-lhe:
– Se não fosse um malfeitor, não o teríamos entregue a ti.
³¹Pilatos replicou-lhes:
– Tomai-o e julgai-o segundo a vossa legislação.
Os judeus lhe disseram:
– Não nos é permitido matar ninguém. ³²(Para que se cumprisse o que Jesus havia dito, indicando de que morte iria morrer.) ³³Pilatos entrou de novo no palácio do governador, chamou Jesus e lhe perguntou:
– És tu o rei dos judeus?
³⁴Jesus respondeu:
– Dizes isso por tua conta, ou foram outros que te disseram de mim?
³⁵Respondeu Pilatos:

18,28-19,16 João dá excepcional importância ao julgamento perante Pilatos. Provas disso são a relativa extensão e o cuidado, quase cálculo, de uma composição dramática.
a) Perfil literário. A sequência é composta de sete cenas, cujo cenário vai se alternando: fora, Pilatos com as autoridades e o povo; dentro, Jesus com Pilatos ou com os soldados. Surgem correspondências em ordem inversa, entre a primeira e a última, a segunda e a penúltima, a terceira e a antepenúltima. Sobre elas discorre o progresso da ação. No centro fica a flagelação e a zombaria dos soldados. A composição é de dramaticidade intensa e concentrada, os diálogos são incisivos e transcendentais, a linguagem quase poética.
b) Os personagens se apresentam com relevo concreto, dado que representam tipos. Pilatos encarna o poder, de Roma e de qualquer governo. Indeciso, oscilante entre o desejo de ser justo, de não perder o cargo, de não comprometer os interesses do Império, de não criar atrito com as autoridades judaicas. Submetido a pressão crescente, vai perdendo pontos e afinal perde a partida. Parece-se com o indeciso Sedecias, diante do partido da resistência, no que se refere a Jeremias.
As autoridades judaicas estão decididas e, perante a resistência do Procurador, se enchem de ódio. Apresentam argumentos religioso e político. Para ganhar a última batalha, vão ceder posições importantes, graves: pedir liberdade de um delinquente (talvez um revoltoso), reconhecer César como seu único rei (esquecendo a esperança messiânica).
Jesus ocupa de maneira serena e nobre o centro do processo. É proclamado inocente três vezes. Julgado e condenado, julga (como a palavra profética ao rei Joaquim em Jr 36). Rei caluniado, mal-entendido, caçoado, afirma e impõe sua realeza transcendente. É também o profeta da verdade perseguido (como Jeremias) e o Servo sofredor açoitado e caçoado e enfim condenado à morte.
c) Quanto à *parte histórica*, o autor contou provavelmente com uma tradição que conservou recordações históricas. Um escritor do último quarto do século não poderia apresentar a situação anterior ao ano 70 tão bem refletida na cena. Adaptou e explorou essa tradição com uma intenção lateral *apologética*, a saber, para mostrar às autoridades que os cristãos não eram perigosos para o Império.
d) A intenção *teológica* toma os dados da tradição histórica e emprega os recursos literários do drama para mostrar a paixão e glória de Jesus. O tema central é a realeza do réu. Um título que se presta a interpretações discordantes: esperanças messiânico-políticas do povo, atentado ao poder imperial de Roma, realeza transcendente. O sentido autêntico do título vai se definindo em palavras e gestos: declaração (vv. 36-37), investidura (19,2), entronização e apresentação (19,13-14). Alguns desses gestos pertencem à ironia dramática: os atores lhes dão um sentido e, sem que eles o reparem, o autor lhes dá um sentido superior: coroa, manto, homenagem, sentar-se no trono.
18,28-32 Primeira cena: as autoridades judaicas e Pilatos. O "não contaminar-se" tem amarga ponta irônica. Vão fazer de Jesus o cordeiro da nova Páscoa (1,29; 19,36) enquanto eles permanecem no antigo, preferindo a pureza legal à justiça. Pilatos os recebe com a pergunta formal: um réu é apresentado com a acusação correspondente.
A resposta é um atrevimento que coloca o inocente na classe dos "malfeitores" (Sl 5,6; 6,9; 14,4 etc.) em lugar de aduzir uma acusação concreta. Pilatos responde à insolência com arrogância. Os romanos respeitavam em muitas competências a legislação local e também o direito de julgar. Reservavam a si o direito de condenar ou ratificar uma condenação à morte.
A resposta das autoridades encerra vários sentidos: o já indicado, que o narrador esclarece no parêntese (segundo 8,28), ou seja, querem uma morte vergonhosa, arremate de um processo político: no fundo, sendo Jesus inocente, soa o mandamento de "não matar"; finalmente, é ele que entrega a vida, ninguém a tira dele (10,28).
18,33-38a Segunda cena: Pilatos e Jesus. Era normal no direito romano que o juiz interrogasse primeiro o réu. A pergunta de Pilatos coloca de imediato o processo no terreno político e mostra que essa foi a

— Como se eu fosse judeu! Tua nação e os sumos sacerdotes te entregaram a mim. Que fizeste?

³⁶Jesus respondeu:

— Meu reino não é deste mundo. Se meu reino fosse deste mundo, meus servidores teriam lutado para que os judeus não me entregassem. Pois bem, meu reino não é daqui.

³⁷Disse-lhe Pilatos:

— Então tu és rei?

Respondeu Jesus:

— É o que dizes. Eu sou rei: para isso nasci, para isso vim ao mundo, para testemunhar a verdade. Quem está a favor da verdade escuta minha voz.

³⁸Diz-lhe Pilatos:

— O que é verdade?

Condenação à morte (Mt 27,15-31; Mc 15,6-20; Lc 23,13-25) — Dito isso, saiu de novo onde estavam os judeus e lhes disse:

— Não encontro nele culpa alguma. ³⁹Mas é costume vosso que vos indulte alguém pela Páscoa. Quereis que vos indulte o rei dos judeus?

⁴⁰Voltaram a gritar:

— Esse não, mas Barrabás.

(Barrabás era um bandido.)

19 ¹Então Pilatos tomou Jesus e o mandou açoitar. ²Os soldados entrelaçaram uma coroa de espinhos e a puseram na cabeça dele; revestiram-no com manto de púrpura, ³aproximavam-se dele e diziam:

— Salve, rei dos judeus!

E lhe davam um tapa. ⁴Pilatos saiu outra vez e lhes disse:

— Vede: Eu o trago aqui para que saibais que não encontro nele culpa alguma.

⁵Saiu então Jesus com a coroa de espinhos e o manto de púrpura. Pilatos lhes diz:

— Aqui tendes o homem.

⁶Quando os sumos sacerdotes e os guardas o viram, gritaram:

— Crucifica-o! Crucifica-o!

Pilatos lhes diz:

---

acusação concreta. A pretensão pode ser alarmante para o representante do Império. João, que pouco falou no seu evangelho (3,3.5) do "reino de Deus", concentra nesse diálogo uma teologia da realeza de Jesus. A fórmula "rei dos judeus" difere substancialmente da usada na entrada em Jerusalém: "rei de Israel" (12,12).

Jesus pergunta, como se fosse o juiz. O título real tem sentido diverso segundo quem o pronuncia: outros, tu, eu. Pilatos envolve no assunto também "tua nação" (1,11). Por ora, os acusadores não renunciam ao ideal messiânico (vertente religiosa), só que não admitem que Jesus seja o Messias, e o entregam como pretendente ao título real político. A resposta de Jesus se divide em duas intervenções. A primeira, negativa, o que não é; a segunda, positiva, o que é. Não é deste mundo, portanto não é perigo para Roma. Nem sequer é por direito hereditário, como descendente de Davi (do qual João não fala). Sua realeza vem de mais longe e mais alto (3,13), seu reinado se realiza por intervenção da verdade, seus súditos são os que "estão do lado da verdade". Pilatos aceitará colocar-se desse lado? Quem não está a favor está contra: não vale a neutralidade. Jesus está conduzindo um julgamento de separação. Pilatos responde com uma evasiva que implica não-aceitação.

18,38b-40 Terceira cena: Barrabás. Em lugar de pronunciar sentença de absolvição, Pilatos busca uma escapatória que ponha em apuros os judeus e os faça desistir do objetivo. Os judeus ficam presos no dilema; mas Pilatos dá um passo no declive escorregadio da injustiça: pretende indultar um inocente depois de declarar que não é culpado. Um inocente pede justiça, não clemência (cf. Sl 7; 17). Não se sai bem; não esperava que a aversão chegasse a tanto.

19,1-3 Quarta cena: Jesus e os soldados. Pilatos continua escorregando: manda açoitar o inocente e o entrega às zombarias dos soldados. Que pretende? Desprestigiá-lo aos olhos do seu povo, ou excitar a compaixão. O narrador não dissimula a injustiça do Procurador.

A zombaria versa sobre o título de rei. A coroa é de material desprezível, com espinhos como raios; é colocada, não cravada; é zombaria, não tortura. A púrpura (violeta) era cor imperial. Jesus sofre em silêncio: "ofereci o dorso aos que me batiam..., não cobri o rosto diante dos ultrajes e cuspidas" (Is 50,6-7). A flagelação se enquadraria melhor logo antes da crucifixão.

19,4-8 Quinta cena: Pilatos e as autoridades judaicas. A forma é a apresentação e aclamação do rei, segundo o modelo de Saul (1Sm 10,24-25), Salomão (1Rs 1,38-40.46-47), Jeú (2Rs 9,12-13), Joás (2Rs 11,12-14). Só que aqui Jesus aparece com outra indumentária régia e escuta como única aclamação "crucifica-o". Autores antigos viram na coroa uma alusão a Ct 3,11. Pilatos declara pela segunda vez que Jesus é inocente. Na intenção de Pilatos, "homem" poderia indicar desprezo ou pena. Na mente do narrador pode ser correlativo do título "filho de Deus" (v. 7). Alguns pensam que alude a uma profecia de Balaão na versão grega: "Surge o astro de Jacó, levanta-se um homem de Israel" (Nm 24,17). O grito "crucifica-o" é pronunciado por um grupo limitado, ao qual Pilatos, irritado, responde com um sarcasmo, repetindo pela terceira vez que Jesus é inocente.

A lei invocada é, na mente dos "judeus", a pena contra a blasfêmia (Lv 24,16). Na mente do narrador a frase vai mais longe: a figura de Jesus é inconciliável

— Tomai-o vós e crucificai-o, pois eu não encontro culpa nele.

⁷Os judeus lhe replicaram:

— Nós temos uma lei, e segundo essa lei ele deve morrer, porque se fez filho de Deus.

⁸Quando Pilatos ouviu essas palavras, ficou muito assustado. ⁹Entrou de novo no palácio do governador e disse a Jesus:

— De onde és?

Jesus não lhe deu resposta. ¹⁰Diz-lhe Pilatos:

— Não me falas? Não sabes que tenho poder para te soltar e poder para te crucificar?

¹¹Jesus lhe respondeu:

— Não terias poder contra mim, se o céu não o tivesse dado a ti. Por isso, aquele que me entrega é mais culpado.

¹²A partir daí, Pilatos procurava soltá-lo, ao passo que os judeus gritavam:

— Se o soltas, não és amigo de César. Quem se faz rei vai contra César*.

¹³Ao ouvir isso, Pilatos levou Jesus para fora e o sentou no tribunal, no lugar chamado Pavimento (em hebraico Gábata). ¹⁴Era véspera da Páscoa, ao meio-dia. Diz aos judeus:

— Aí está o vosso rei.

¹⁵Eles gritaram:

— Fora! Fora! Crucifica-o!

Diz-lhes Pilatos:

— Crucificarei vosso rei?

Responderam os sumos sacerdotes:

— Não temos outro rei além de César.

¹⁶Então o entregou para que fosse crucificado.

Crucifixão (Mt 27,32-44; Mc 15,21-32; Lc 23,26-43) – E o levaram. ¹⁷Jesus saiu carregando ele próprio a cruz para um lugar

---

com a interpretação que os judeus fazem da lei: para conservar essa "lei" é preciso eliminar Jesus: "gloria-se de ter Deus por pai" (cf. Sb 2,13.16.18). O fato de alegar a lei indica que os judeus tomam o título de filho de Deus em sentido forte. Para o pagão Pilatos, soava com um ser divino dotado de poderes extraordinários. Por isso se assusta: teme entrar num terreno para ele proibido e muito perigoso.

19,9-11 Sexta cena: Jesus e Pilatos. Complemento da segunda. A primeira pergunta de Pilatos é ambígua: de que região geográfica (Jo 1,8), ou de alguma esfera sobre-humana. Seria tão difícil e improdutivo explicar-lhe, que Jesus se cala. Pilatos insiste, irritado, mas em sua pergunta retórica se condena: se tem poder para absolver e já o declarou inocente três vezes, tem poder material, não ético, de condená-lo à cruz; não só tem poder, mas também obrigação, de soltá-lo. O narrador não dissimula nem atenua a culpa do Procurador.

O poder que Pilatos possui é recebido de Deus, e por isso ele é responsável perante Deus: "O poder vos vem do Senhor..., ele indagará vossas obras e explorará vossas intenções" (Sb 6,1-10; 2Cr 19,6-7). Quanto a Jesus, julgado julga e declara as culpas respectivas dos participantes no processo. Conhecemos por Jeremias e Ezequiel o juízo comparativo (Jr 3,11; Ez 16,46-48; 23,11). Por múltiplas razões, é mais grave a culpa dos chefes judeus, que o entregaram ao poder civil de Roma.

19,12-16 Sétima cena: Pilatos entrega Jesus. Acossado pelos judeus e pela sua insegurança interna diante de Jesus, Pilatos tenta libertar ou libertar-se desse réu tão difícil. Nesse momento os judeus atacam pessoalmente o Procurador com a ameaça ou a chantagem. Seja ou não título honorífico "amigo de César", Pilatos está colocando em jogo o cargo, ou por interferir nas leis locais, reconhecidas por Roma, ou por tolerar um indivíduo politicamente muito

perigoso. Neste ponto o narrador deixa reconhecer o tom de sua voz, acumulando alusões teológicas.

19,12 * Ou: *o imperador.*

19,13-14 Pilatos "senta-se" para pronunciar a sentença ou "senta" Jesus: a ambiguidade do verbo pode ser intencional. Senta-o ou entroniza-o (significado frequente da versão *yshb*) para apresentá-lo como "vosso rei" (compare-se com a fórmula de apresentação de Saul (1Sm 12,13). O lugar é o Lajeado (*lithóstroton*), palavra raríssima que se encontra duas vezes na versão grega do AT: Ct 3,10 a liteira do noivo; 2Cr 7,3 o pavimento onde se adora a glória de Deus. Há uma alusão? A hora é meio-dia, hora em que se imola o cordeiro pascal.

19,15 Culmina a rejeição de Jesus e com ele a da aliança. Isso pelas palavras que o narrador põe, como arremate, na boca dos judeus. Rei de Israel tinha que ser o Senhor (1Sm 8,7; Sl 93; 95; 96-99); o rei davídico tinha que ser seu representante; para o futuro se esperava o Messias ou Rei ungido. Agora reconhecem como único rei o imperador de Roma. A ironia é trágica: Pilatos exposto a perder a amizade de César, eles leais a César (em contraste com Is 26,13).

19,16 A "entrega" equivale à sentença. O Procurador romano a pronuncia; o delito imputado equivale a rebelião contra Roma, e o modo de execução é romano.

19,17-42 Podemos intitulá-lo crucifixão e morte. De novo o narrador o constrói em sete cenas com algumas correspondências cruzadas. A primeira e sétima são pô-lo na cruz e tirá-lo dela; na segunda e na sexta Pilatos trata com as autoridades judaicas. A terceira e a quinta relacionam Jesus com os soldados. Na quarta (central) está o triângulo Jesus, sua mãe e o discípulo predileto.

Cada cena concentra-se no essencial: sem descrições patéticas, sobrepondo com poucos traços realistas uma constelação de símbolos. Jesus na cruz é o rei que começa a distribuir dons: sua túnica e vestes, um filho para uma mãe e uma mãe para um filho, seu

chamado Caveira (em hebraico Gólgota). ¹⁸Aí o crucificaram com outros dois, um de cada lado, e Jesus no meio. ¹⁹Pilatos mandara escrever um letreiro e cravá-lo na cruz. O escrito dizia: Jesus, o Nazareno, Rei dos Judeus.

²⁰Muitos judeus leram o letreiro, porque o lugar onde Jesus fora crucificado ficava perto da cidade. Além disso, estava escrito em hebraico, latim e grego. ²¹Os sumos sacerdotes diziam a Pilatos:

– Não escrevas o Rei dos Judeus, e sim: Ele disse: sou o Rei dos Judeus.

²²Respondeu Pilatos:

– O escrito escrito está.

²³Quando crucificaram Jesus, os soldados pegaram sua roupa e a dividiram em quatro partes, uma para cada soldado; exceto a túnica. Era uma túnica sem costuras, tecida de cima a baixo, de uma peça só. ²⁴Então disseram:

– Não a rasguemos. Vamos sorteá-la, para ver com quem ficará.

(Assim se cumpriu o escrito: *Repartiram minhas vestes e sortearam minha túnica.*) Foi o que fizeram os soldados.

²⁵Junto à cruz de Jesus estavam sua mãe, a irmã de sua mãe, Maria de Cléofas e Maria Madalena. ²⁶Jesus, vendo a mãe e ao lado o discípulo predileto, diz à mãe:

– Mulher, aí está o teu filho.

²⁷Depois diz ao discípulo:

– Aí está a tua mãe.

Desde esse momento o discípulo a levou para sua casa.

Morte de Jesus (Mt 27,45-56; Mc 15,33-41; Lc 23,44-49) – ²⁸Depois, Jesus, sabendo que tudo estava terminado, para que se cumprisse a Escritura diz:

– Tenho sede.

²⁹Havia aí um jarro cheio de vinagre. Empaparam uma esponja em vinagre, a prenderam num hissopo e a aproximaram da sua boca. ³⁰Jesus tomou o vinagre e disse:

– Está acabado.

---

alento ou vida ou espírito, seu sangue e água. A Escritura está presente em citações, alusões e no pano de fundo simbólico. O cumprimento da Escritura tem valor apologético, frente aos judeus, e teológico, para os fiéis. Os símbolos serão vistos em cada cena.

19,17-18 Primeira cena. Jesus carrega a cruz: João não introduz Simão de Cirene, como tampouco menciona em seu evangelho o princípio de carregar a cruz para seguir Jesus (Mt 10,38 par.); "carregou nossas dores" (Is 53,4). Saiu: da cidade. Nos arredores se executavam as sentenças capitais (Nm 15,35; At 7,58; cf. Hb 13,13). Última e definitiva saída da cidade, abandonando-a. Voltará a ela ressuscitado, para dar-lhe uma função nova. Não sabemos se o topônimo Caveira tinha alcance simbólico, como presença da morte; o termo se acha na cena macabra de Jezabel morta (2Rs 9,35), mas não se percebe nenhuma conexão. Os "outros dois" aludem talvez a Sl 22,17 (salmo favorito dos relatos da paixão).

19,19-22 Segunda cena. Era normal escrever em cima do condenado o título ou delito pelo qual era executado. Pilatos lhe dá um alcance internacional: na língua do lugar e nas duas línguas francas do Império (daí uma tradição tirou a ideia de chamá-las de três línguas sagradas).

Na dinâmica do relato, o choque dos sacerdotes com Pilatos é significativo. Rejeitaram Jesus como rei (Messias), proclamaram César rei único; agora o Procurador executa aquele que ele mesmo proclama rei, ou proclama rei um condenado. Ambas são coisas ofensivas para a sensibilidade judaica. Pilatos, que representa César, mantém a proclamação.

19,23-24 Terceira cena. Era normal caber aos executores a posse das vestes do executado. A citação (Sl 22,18) desdobra a operação em veste e túnica. Sem o saber – sugere o narrador – os soldados estão cumprindo uma previsão. Que seja tecida e sem costura pode ser uma descrição realista. Tem além disso sentido simbólico? Na tradição, alguns pensaram que fosse a túnica sacerdotal; outros, que representa a unidade da Igreja. Quanto às suas vestes (no plural em grego), alguém pensa no cisma de Israel simbolizado no manto rasgado do profeta (1Rs 11,30-31), e no valor de totalidade cósmica do número quatro. O manto é símbolo de herança na transmissão de poderes de Elias a Eliseu (2Rs 2).

19,25-27 Quarta cena. As "três Marias" com o "discípulo" representam a parte de Israel fiel a Jesus até o suplício. Entre elas, seleciona a mãe. Em termos sociais, o filho único, antes de morrer, assegura um destino à mãe (viúva?); recomenda-a a um amigo leal. O relato aponta além. Jesus lhe dá o tratamento de 2,4: "mulher": chegou a hora então anunciada. A mãe do rei recebe como nova família, como irmão de Jesus, o discípulo ideal. Este poderá suscitar filhos ao irmão mais velho morto (Dt 25,5-10). Maria pode encarnar a nova Eva que "adquiriu um homem com a ajuda de Deus" (Gn 4,1). Para a tradição antiga, é figura da Igreja mãe.

19,28-30 Quinta cena. É um traço realista dar à vítima água com vinagre, como bebida refrescante. O narrador vê nisso o cumprimento de uma profecia (Sl 22,18 e 69,21), e repete três vezes que se cumpriu. A morte de Jesus encaixa-se assim perfeitamente na Escritura e é crível. O Filho cumpriu o encargo designado pelo Pai. Pela sede, a cena se liga com a da samaritana. Aquele que pede de beber, logo depois dará água. Além disso, o cumprimento da última Escritura pendente é o cumprimento de tudo. Jesus o sabe (como em 13,1, fechando um ciclo), o provoca. O último cumprimento da sua obra é morrer (3,16). Sua morte é dom: entrega seu último alento, com ele sua vida, com ela o Espírito. Seu último grito é de triunfo.

Inclinou a cabeça e entregou o espírito. ³¹Era a véspera do sábado, o mais solene de todos; os judeus, para que os cadáveres não ficassem na cruz no sábado, pediram a Pilatos que lhes quebrassem as pernas e os descessem. ³²Os soldados foram e quebraram as pernas aos dois crucificados com ele. ³³Ao chegar a Jesus, vendo que estava morto, não lhe quebraram as pernas; ³⁴mas um soldado lhe abriu o lado com um golpe de lança. Imediatamente jorrou sangue e água. ³⁵Aquele que viu dá testemunho, e seu testemunho é fidedigno. Sabe que diz a verdade, para que creiais. ³⁶Isso aconteceu para que se cumprisse a Escritura: *Não lhe quebrareis nenhum osso;* ³⁷e outra Escritura diz: *Contemplarão aquele que transpassaram.*

Enterro de Jesus (Mt 27,57-61; Mc 15, 42-47; Lc 23,50-56) – ³⁸Depois disso, José de Arimateia, que era discípulo clandestino de Jesus por medo dos judeus, pediu permissão a Pilatos para levar o cadáver de Jesus. Pilatos o concedeu. Ele foi e levou o cadáver. ³⁹Foi também Nicodemos, aquele que o visitara certa ocasião à noite, levando cem libras de uma mistura de mirra e aloés. ⁴⁰Pegaram o cadáver de Jesus e o envolveram em panos de linho com os perfumes, como é costume enterrar entre os judeus. ⁴¹No lugar onde fora crucificado havia um jardim e nele um sepulcro novo, no qual ninguém havia sido sepultado. ⁴²Como fosse véspera da festa judaica e como o sepulcro estivesse próximo, aí colocaram Jesus.

20 Ressurreição de Jesus (Mt 28,1-10; Mc 16,1-8; Lc 24,1-12) –

¹No primeiro dia da semana, muito cedo, ainda

19,31-37 Sexta cena. Quebrar as pernas tinha por finalidade acelerar a morte, isto é, abreviar a tortura: faltando o apoio, sobrevinha a asfixia. Mas, para que o golpe de lança? Para certificar-se da morte, pensam alguns. Pois, segundo Dt 21,23 o corpo do sentenciado não devia ficar pendurado durante a noite (cf. Gl 3,13). Às seis da tarde começava o sábado, nesse ano o primeiro dia da Páscoa.
O brotar sangue e água, embora clinicamente possível, é considerado de suma importância pelo narrador, quando insiste no que afirma uma testemunha ocular fidedigna (provavelmente o discípulo predileto). A testemunha viu o fato e penetrou em seu sentido. E o atesta para provocar ou corroborar a fé (1Jo 5,6-8). Que significa o fato? A morte é certa. Da morte brota a vida e cumpriu-se a Escritura. No evangelho, a água parece responder à profecia de 7,38-39; o sangue, sede da vida (Lv 17,11; Dt 12,23), pode indicar o cumprimento do dar a vida (10,11.15.17-18). A tradição descobriu outros simbolismos: os sacramentos do batismo e eucaristia, a Igreja que nasce do lado do novo Adão; o peito aberto como novo tabernáculo da presença de Deus e do acesso do homem.
A primeira citação vem de Ex 12,46 ou Nm 9,12 (embora se pareça também com Sl 34,21), e serve para mostrar que Jesus é o cordeiro da nova Páscoa. A segunda vem de Zc 12,10 e diz que o crucificado será o centro dos olhares para a conversão: "derramarei um espírito de aflição e de pedir perdão. Ao olhar-me transpassado por eles próprios farão luto como por um filho único".
19,38-42 Sétima cena: enterro de Jesus. O cadáver de Jesus não é lançado à vala comum dos executados (Is 53,9) nem abandonado ao mau tempo e às feras (1Sm 17,44), mas recebe honrosa sepultura. Cabia ao Procurador dar licença para retirar o corpo de um executado. O enterro excede as honras fúnebres normais pela quantidade e qualidade dos aromas, pela qualidade dos tecidos, pelo sepulcro novo. Pelas mãos de José e Nicodemos, a Igreja começa a honrar a morte de Jesus. O discípulo clandestino e o visitante noturno agora se manifestam e expressam sua devoção: personagens que representam outros como tipos e se apresentam como modelos.
Os aromas e os lençóis de linho não eram de uso corrente para enterrar os mortos (ver o caso do rei Asa em 2Cr 16,14); têm algo de festivo (Sl 45,9; Pr 7,17; Ct 4,14). Ou são homenagem póstuma, tentativa desesperada de reprimir o mau cheiro da corrupção. Nos funerais dos reis "se queimavam perfumes" (Jr 34,5), não serviam para ungir o cadáver. Com os lençóis "atam" ou envolvem, amarrando totalmente o corpo. Também é homenagem excepcional que o sepulcro seja novo. Localizado num jardim: cova e campo para a sepultura de Sara (Gn 23), sepulcro no jardim real (2Rs 21,18.26). O detalhe do jardim serve para localizar o episódio seguinte. O trabalho fica terminado antes que comece o solene descanso sabático. Jesus já descansa em paz.
20 Ressurreição. O momento e modo da ressurreição não é descrito: é objeto da fé e transcende a percepção humana sensível. O Ressuscitado, sim, manifesta-se corporal e gradualmente. Primeiro com sinais de ausência: sepulcro vazio, lençóis e sudário abandonados, mensagem por terceiros (vai-se aproximando). Depois, em figura e voz irreconhecíveis. Depois com sua voz e figura de sempre, e as marcas recentes da paixão. É essencial identificar o Jesus vivo com o anterior do ministério, com aquele que padeceu a morte na cruz.
Também há progresso na fé. Primeiro crê o discípulo predileto (ideal), depois Maria pela visão, pelo ouvido e pelo tato, e a seguir o grupo todo, finalmente o atrasado e teimoso. As manifestações são acompanhadas de dons e encargos. O primeiro para Maria: ser a mulher evangelista da ressurreição. A seus discípulos, o dom da sua paz, do seu Espírito e da missão. A Tomé a bem-aventurança da fé.
20,1 O primeiro dia da semana é o primeiro dia da nova criação: os cristãos o dedicarão ao Senhor

às escuras, Maria Madalena vai ao sepulcro e observa que a pedra foi retirada do sepulcro. ²Chega correndo onde estavam Simão Pedro e o outro discípulo, o predileto de Jesus, e lhes diz:

– Tiraram do sepulcro o Senhor e não sabemos onde o puseram.

³Saiu Pedro com o outro discípulo e se dirigiram ao sepulcro. ⁴Os dois corriam juntos; mas o outro discípulo corria mais que Pedro, e chegou primeiro ao sepulcro. ⁵Inclinando-se, vê os lençóis no chão, mas não entrou. ⁶Chega então Simão Pedro atrás dele, e entrou no sepulcro. Observa os panos no chão, ⁷e o sudário que lhe envolvera a cabeça, não no chão com os panos, mas enrolado à parte. ⁸Então entrou o outro discípulo que chegara primeiro ao sepulcro; viu e creu. ⁹Até então não haviam entendido o escrito, que deveria ressuscitar da morte. ¹⁰Os discípulos voltaram para casa.

Aparece a Maria Madalena (Mc 16,9-11) – ¹¹Maria estava fora, chorando diante do sepulcro. Chorando, inclinou-se para o sepulcro ¹²e vê dois anjos vestidos de branco, sentados: um à cabeceira e outro aos pés de onde estivera o cadáver de Jesus. ¹³Dizem-lhe:

– Mulher, por que choras?

Responde:

– Porque levaram meu senhor, e não sei onde o puseram.

¹⁴Dito isso, deu meia-volta e viu Jesus de pé; mas não reconheceu que era Jesus. ¹⁵Diz-lhe Jesus:

– Mulher, por que choras? A quem procuras?

Ela, tomando-o pelo jardineiro, lhe diz:

– Senhor, se tu o levaste, dize-me onde o puseste e irei buscá-lo.

¹⁶Diz-lhe Jesus:

– Maria!

(*Dominus*) glorificado, e por isso o chamarão "*dies dominica/dominicus*" (= domingo). Maria de Magdala é uma das três que estiveram junto à cruz. Esperou todo o sábado e a noite do dia seguinte, mas se levanta impaciente de madrugada: "por ti madrugo"; "antecipo-me à aurora" (Sl 63,2; 119,147-148); ainda fechada no seu mundo "obscuro"; da cruz ao sepulcro. O v. diz a metade do que Maria viu, ou melhor, não diz o que não viu: o cadáver de Jesus.

20,2 O v. seguinte o completa: é a primeira mensageira do sepulcro vazio. Curiosamente usa o plural: "não sabemos". Alguns comentaristas suspeitam que numa versão precedente Maria ia acompanhada de outras mulheres. Reduzir os destinatários a dois tem função narrativa.

20,3-10 De fato, os dois agem imediatamente. Duas devem ser as testemunhas segundo a lei (Dt 19,15). Com o realismo de uma corrida, quase competição, o autor quer dizer algo mais. Pedro é o chefe indiscutido em todo momento; mas o outro discípulo é o predileto. Esteve à direita de Jesus na ceia, ao pé da cruz na morte. Impulsionado pelo amor, correrei pelo caminho de teus mandamentos quando me dilatares o coração", Sl 119,32) e é o primeiro a crer.

O sepulcro, os lençóis e o sudário são sinais da morte que Jesus deixou para trás. Na ausência, João descobre uma realidade.

O sepulcro vazio é sinal, não prova, pois pode significar outras coisas: remoção, trasladação; os lençóis separados são sinais mais fortes.

A Escritura poderia abrir os olhos, se fosse entendida. A que texto se refere? Provavelmente a vários, numa linha de pensamento ou esperança: Is 53,11 "verá a luz"; Sl 16,9-11; 30; 49,16; 73,23-26; Is 26,19; Ez 37.

20,11-18 Os dois discípulos voltaram para casa deixando o cenário livre para Maria. Como no caso da samaritana, será um encontro a sós. O breve relato tem um encanto particular, apesar de algumas incoerências: os anjos não respondem com uma mensagem, Maria "se volta" duas vezes para Jesus. São detalhes funcionais: não faz falta a mensagem quando o encontro é iminente; volta-se dando as costas ao túmulo, volta-se ao reconhecer Jesus.

Provavelmente o relato segue com liberdade o esquema de busca e encontro da esposa do Cântico dos Cânticos (Ct 3,1-4 e 5,2-8). Impaciência do amor, levantar-se, busca vã, diálogo com os guardas (anjos), encontro, abraço, soltá-lo, a casa da mãe (do Pai). Se assim, é preciso acrescentar o lugar e o tempo: um horto ou jardim, o primeiro dia. Começo da nova era, da nova humanidade. Maria, a "mulher" junto à cruz, representaria a nova Eva no seu aspecto maternal (Gn 3,20); Maria junto ao sepulcro a representa em seu aspecto conjugal (Gn 3,23-24).

O esquema e várias palavras repetem a cena do primeiro encontro dos discípulos com Jesus (1,38-39).

20,11 É Maria de Magdala, a de antes; uma tradição oriental a confundiu com a mãe de Jesus.

20,12 São duas testemunhas celestes, como mostram suas vestes. Guardam o lugar, não o corpo; ou então, "sentados" tomam posse do lugar da morte como enviados celestes.

20,13 O título "meu senhor" soa ainda em sentido corrente (p. ex. assim chama Abigail a Davi, 1Sm 25). Supõe que os mensageiros celestes estão a par da situação; censura-os por não o terem guardado?

20,14 É frequente nas aparições que Jesus assuma uma figura desconhecida. Pertence a uma condição corpórea nova, a partir da qual pode esconder-se e manifestar-se.

20,15 Jesus a chama em primeiro lugar "mulher". Ela diz "senhor", e o título agora é ambíguo.

20,16 Jesus fala no timbre costumeiro de sua voz e a chama pelo nome (10,3.14.27; cf. Is 43,1). Ela o reconhece (cf. Ct 2,8; 5,2). É o mesmo de antes e é novo, e não precisa de aromas.

Ela se volta e lhe diz (em hebraico):
— Rabbuni (que significa mestre).
[17]Diz-lhe Jesus:
— Solta-me, pois ainda não subi ao Pai. Vai dizer aos meus irmãos: Subo ao meu Pai e vosso Pai, ao meu Deus e vosso Deus.
[18]Chega Maria Madalena anunciando aos discípulos:
— Vi o Senhor e ele me disse isto.

Aparição aos discípulos — [19]Ao entardecer desse dia, o primeiro da semana, os discípulos estavam com as portas bem fechadas, por medo dos judeus. Jesus chegou, pôs-se no meio e lhes diz:
— A paz esteja convosco!
[20]Dito isso, mostrou-lhes as mãos e o lado. Os discípulos se alegraram ao ver o Senhor. [21]Jesus repetiu:
— A paz esteja convosco! Como o Pai me enviou, eu vos envio.
[22]Dito isso, soprou sobre eles e disse-lhes:
— Recebei o Espírito Santo. [23]A quem perdoardes os pecados, ficarão perdoados; a quem os mantiverdes, ficarão mantidos.
[24]Tomé (que significa Gêmeo), um dos doze, não estava com eles quando veio Jesus. [25]Os outros discípulos lhe diziam:
— Vimos o Senhor.
Ele replicou:
— Se eu não vir em suas mãos a marca dos cravos e não colocar o dedo no lugar; se não puser a mão em seu lado, não crerei.
[26]Oito dias depois estavam de novo dentro os discípulos, e Tomé com eles. Jesus veio a portas fechadas, colocou-se no meio e disse-lhes:
— A paz esteja convosco!
[27]Depois, diz a Tomé:
— Põe aqui o dedo e vê minhas mãos. Estende a mão e coloca no meu lado, e não sejas incrédulo, mas crê.
[28]Tomé lhe respondeu:
— Meu Senhor e meu Deus.

20,17 O verbo no imperativo presente supõe que ela o abraça e de alguma forma o segura: "vou agarrá-lo e não o soltarei" (Ct 3,4). Embora Jesus já tenha sido glorificado e possa dar o Espírito, ainda lhe restam tarefas antes de encerrar o ciclo. Permanece ainda um modo de presença particular, intermédio, com respeito a essa presença e atividade: ainda não subiu ao Pai. A mensagem combina diferença com semelhança: em virtude da minha glorificação, meu Pai é agora vosso Pai (1,12), meu Deus é vosso Deus (compare-se com a fórmula de Ml 2,10). A mensagem pascal é mensagem de fraternidade com Jesus.
20,18 Maria é a primeira evangelista da ressurreição. O título Senhor agora não é ambíguo, é o título que a fé dá ao Ressuscitado.
20,19-23 É ainda o dia da nova Páscoa, e também os discípulos temem ser perseguidos por causa da sua relação com o sentenciado. As portas trancadas são também testemunho da nova condição corporal de Jesus. O medo será vencido com a saudação da paz pascal; a dúvida e o desânimo, com a identificação corporal. Jesus atravessa as barreiras externas e internas do homem.
Na cena podem-se reconhecer traços de uma celebração eucarística: dia do Senhor, presença de Jesus na comunidade, reconciliação pelo perdão, recordação da paixão, dom do Espírito.
20,19-20 A saudação com a paz não é convencional, mas cumprimento de uma promessa (14,27-28; cf. Is 52,7; 60,17; 66,12). Também a alegria é cumprimento (16,21-22; cf. Is 51,3.11; Sl 35,9).
20,21 A missão é ato soberano de Jesus, para prolongar sua própria missão. Tem como origem e modelo a missão de Jesus pelo Pai, e como instrumento e garantia o dom do Espírito.
20,22 O gesto de soprar recorda a criação do homem (Gn 2,7; Sb 15,11) e a ressurreição dos mortos (Ez 37). É como a criação do homem novo, dotado do alento do Espírito, em virtude da ressurreição de Jesus.
20,23 O poder de perdoar ou imputar pecados soa como variante de Mt 18,18 (e Mt 16,19). A expressão polar (os dois extremos) pode significar totalidade (cf. Is 22,22 o poder simbolizado pelo controle da porta); os verbos estão na voz passiva teológica, "ficam perdoados (por Deus)". É um poder que discerne e julga, que reconcilia ou exclui: que se dá em primeiro lugar aos discípulos, e que eles exercerão de formas diversas (aqui entram a interpretação e explicação posteriores): admitindo ou não ao batismo, na penitência também sacramental (embora imputar ou reter pecados não seja ato sacramental, mas sim exercício de poder).
20,24-29 O episódio gravita rumo à profissão de fé feita por Tomé (11,16) e a declaração final de Jesus. Tomé se desliga do grupo dos "doze" (denominação técnica) para representar um papel importante. É o incrédulo que pede provas palpáveis, que crê nos milagres indubitáveis; que ironicamente, pela sua teimosia, acaba sendo testemunha excepcional. Serve de aviso para todos os que no futuro terão de crer por sua palavra, pela mediação do testemunho apostólico dos que "viram", ou seja, conviveram com Jesus.
20,24 Os companheiros lhe dizem o mesmo que Maria dissera, "vimos o Senhor": título que a fé enuncia. Compare-se com "encontramos o Messias" (1,41.45).
20,25 Tomé quer identificar Jesus pelas marcas corporais da crucifixão (os outros as teriam mencionado).
20,26-27 Jesus se apresenta no meio de todos, exatamente como no domingo anterior. Não vai dedicar a Tomé uma aparição a sós: no meio da comunidade poderá ver Jesus e professar a fé. Como que desafiando, Jesus aceita submeter-se à prova exigida, mas exige fé. Tomé se contenta com ver, como os outros.
20,28 A profissão de fé em Tomé é plena. "Meu Senhor" (*adonay*) substitui em tempos posteriores o

²⁹Diz-lhe Jesus:

– Porque me viste creste. Felizes os que crerão sem ter visto.

³⁰Muitos outros sinais Jesus fez na presença de seus discípulos e que não constam neste livro. ³¹Estes ficam escritos para que creiais que Jesus é o Messias, o Filho de Deus, e para que crendo tenhais vida por meio dele.

21 Aparição junto ao lago

¹Depois, apareceu novamente aos discípulos junto ao lago de Tiberíades. Apareceu assim: ²Estavam juntos Simão Pedro, Tomé (chamado o Gêmeo), Natanael de Caná da Galileia, os Zebedeus e outros dois discípulos. ³Diz-lhes Simão Pedro:

– Vou pescar.

Respondem-lhe:

– Vamos contigo.

Saíram, pois, e subiram à barca; mas nessa noite nada pescaram. ⁴Já de manhã estava Jesus na praia; mas os discípulos não reconheceram que era Jesus. ⁵Diz-lhes Jesus:

– Jovens, tendes algo para comer?

Responderam:

– Não.

⁶Disse-lhes:

– Lançai a rede à direita da barca e encontrareis.

Lançaram-na e não podiam arrastá-la por causa da multidão de peixes. ⁷O discípulo predileto de Jesus diz a Pedro:

– É o Senhor.

Quando Pedro ouviu que era o Senhor, vestiu a roupa de baixo, pois não levava outra coisa, e se atirou à água. ⁸Os outros

---

nome não pronunciado de *Yhwh*; "meu/nosso Deus" é título clássico da aliança. Lemos os dois unidos no Sl 35,23: "Desperta, levanta-te em minha defesa, meu Deus e meu Senhor, em minha causa" (atenção aos verbos; cf. Am 5,16).

É como uma resposta final às declarações "Eu sou" do evangelho.

20,29 São as últimas palavras de Jesus na versão original do evangelho. Dirige o olhar ao futuro (como em 17,20). Os discípulos têm tido uma função especial: ser testemunhas oculares para dar testemunho dele. Os futuros terão de aceitar esse testemunho e crer. Para eles há uma bem-aventurança especial (1Pd 1,8).

20,30-31 O epílogo descreve o livro como antologia ou seleção e declara sua finalidade. O evangelho mostrou sete sinais milagrosos, em várias ocasiões falou de "sinais" no plural (ver 11,47; 12,18) feitos diante dos discípulos como testemunhas. A finalidade do escrito é suscitar a fé (não satisfazer a curiosidade). Na forma absoluta, com dativo ou acusativo, com partículas, o verbo "crer" se repete sem cessar no evangelho, sendo uma das palavras dominantes. Pela fé se alcança a vida autêntica e perdurável que Jesus dá. Também "vida" é palavra-chave do evangelho.

21,1 Esse capítulo é acréscimo evidente: provavelmente acrescentado por um membro da escola de João, e muito cedo, pois consta em todos os manuscritos. Não obstante, é canônico como o resto. É possível que tenha retomado um relato precedente da vocação de apóstolos (cf. Lc 5,1-11) e o tenha transformado à luz da Páscoa. Como se a ressurreição selasse definitivamente a vocação e a missão. Ao fato da aparição se sobrepõe o interesse teológico por temas eclesiais: apostolado como pesca, ação pastoral de Pedro, fecundidade do trabalho apostólico, Senhor como título, eucaristia. Pelos nomes dos apóstolos mencionados, pela inclusão com o começo (1,35-51), também pela localização na Galileia, que coincide com outras tradições. Pelo pão e pelos peixes se prende a 6,1-14.

A aparição acontece ao ar livre, no contexto das tarefas cotidianas (como a vida da Igreja). A relação entre Pedro e o discípulo predileto é a mesma dos capítulos precedentes. Além das imagens já usadas de pesca e pastoreio, o relato é repleto de detalhes de alcance simbólico: a noite e a manhã, a rede que não se rompe, nudez e veste de Pedro, navegação e margem. O relato se articula em duas cenas: pesca e refeição em comum (vv. 1-14), diálogo com Pedro e destino do discípulo predileto (vv. 15-23). Os dois vv. finais são um segundo colofão.

21,2 Não sabemos se o número de sete discípulos encerra aqui algum sentido especial. Talvez se deva simplesmente a outra tradição retomada.

21,3 Durante a noite, tempo favorável para pesca, não pegam nada. É a noite das trevas, na qual sentirão a ausência de Jesus, apesar de estar perto. Têm de experimentar o fracasso: sem Jesus nada podem (15,5).

21,4 A manhã é o tempo da graça: "Sacia-nos pela manhã com tua misericórdia" (Sl 90,14). É o mesmo recurso de outras manifestações: a liberdade do Ressuscitado para assumir diversas figuras, o olhar empírico sem a penetração da fé, os sinais para identificar o personagem.

21,5 Algo de comer: a saber, para acompanhar o pão; no contexto, peixe. Pede quem vem para dar, como pediu à samaritana.

21,6 Como símbolo da fecundidade do apostolado, quando se cumpre a palavra de Jesus. E como sinal milagroso, que o discípulo predileto interpreta correta e rapidamente. "À direita" é o lugar dos escolhidos, das bênçãos (Dt 27,11-13; Js 8,33-35; Mt 25).

21,7 A expressão é pouco clara. Parece indicar que não trajava senão uma roupa de trabalho e que a cinge para que não lhe estorve os movimentos. Lançar-se à água pode expressar impaciência por chegar. Se tem função simbólica, seria um esforço de purificação antes de aproximar-se de Jesus (duvidoso).

21,8 Arrastando: na rede ou traineira, sem recolher os peixes na barca. No plano simbólico é a força de Jesus "atraindo tudo a si" (12,32).

discípulos se aproximaram no bote, arrastando a rede com os peixes, pois não estavam longe da margem, apenas uns duzentos côvados. ⁹Quando saltaram em terra, veem brasas preparadas e sobre elas peixe e pão. ¹⁰Diz-lhes Jesus:

– Trazei algo do que pescastes agora.

¹¹Subiu Simão Pedro arrastando para a terra a rede repleta de peixes grandes: cento e cinquenta e três. E, embora fossem tantos, a rede não se rasgou.

¹²Jesus lhes diz:

– Vinde comer.

Nenhum dos discípulos se atrevia a perguntar-lhe quem era, pois sabiam que era o Senhor. ¹³Jesus se aproxima, toma o pão e o reparte, e faz o mesmo com o peixe. ¹⁴Essa foi a terceira aparição de Jesus, já ressuscitado, a seus discípulos.

¹⁵Quando terminaram de comer, Jesus diz a Simão Pedro:

– Simão de João, tu me amas mais que estes?

Responde-lhe:

– Sim, Senhor, tu sabes que te amo.

Diz-lhe:

– Apascenta meus cordeiros.

¹⁶Pergunta-lhe pela segunda vez:

– Simão de João, tu me amas?

Responde-lhe:

– Sim, Senhor, tu sabes que te amo.

Diz-lhe:

– Apascenta minhas ovelhas.

¹⁷Pela terceira vez lhe pergunta:

– Simão de João, tu me amas?

Pedro se entristeceu por lhe perguntar pela terceira vez se o amava, e lhe disse:

– Senhor, tu sabes tudo, tu sabes que te amo.

Diz-lhe:

– Apascenta minhas ovelhas. ¹⁸Eu te asseguro: quando eras jovem tu mesmo te cingias e ias aonde querias; quando ficares velho, estenderás as mãos, outro te cingirá e te levará aonde não queres.

¹⁹(Dizia-lhe isso indicando com que morte haveria de glorificar a Deus.) Dito isso, acrescentou:

– Segue-me!

²⁰Pedro voltou-se e vê o discípulo predileto de Jesus, aquele que se apoiara sobre seu lado durante a ceia e lhe perguntara quem era o traidor. ²¹Vendo-o, Pedro pergunta a Jesus:

– Senhor, o que será dele?

²²Responde-lhe Jesus:

21,11 Cento e cinquenta e três é o valor numérico das letras das correspondentes palavras hebraicas (*dggym gdwlym*), um exercício de gematria bem ao gosto da época. No relato, serve para exprimir a abundância. A rede não se rompe: símbolo da unidade da Igreja, segundo os antigos comentaristas. Os peixes tirados da água podem encerrar simbolismo batismal, atestado na antiguidade.

21,12 Precisamente porque sabem não se atrevem, por uma espécie de temor reverencial.

21,13 As fórmulas são eucarísticas. É Jesus quem reparte; não se diz que ele coma.

21,15-23 A cena foi escrita quando as duas personagens já morreram, na época tardia da Igreja primitiva.

21,15-19 O diálogo com Pedro desperta várias ressonâncias. Dos sinóticos e para a reconciliação, Lc 5,1-11 ("afasta-te de mim... não temas") e Mt 14,30-31 ("por que duvidaste?"); para a missão Lc 5,10 (pescador de homens) e Mt 16,16 (edificarei minha Igreja). Mais fortes e óbvias são as ressonâncias da tríplice negação, que é preciso cancelar com a tríplice declaração, humilde, de amor: "ao entardecer sereis examinados no amor" (João da Cruz). A variação nos termos "amar, querer" e "ovelhas, cordeiros, cordeirinhas" parece estilística, mais que teológica. Pedro recebe um encargo especial e único para a comunidade (1Pd 5,2), que continua sendo rebanho de Jesus (cap. 10).

A nota temporal do v. 15 quer unir essa cena com a manifestação e a refeição precedente: o individual fica enquadrado no comunitário. O destino de Pedro se expressa em imagens que apontam para o martírio, talvez para a cruz com o "estender os braços". O "cingir-se" da tarefa cotidiana transforma-se em "ser cingido" ou atado à força (cf. At 21,11-12) e conduzido a morrer.

Depois da ressurreição e reconciliado com Jesus, Pedro "o seguirá até à morte" (13,37). O martírio "glorifica" a Deus (12,33; 1Pd 4,16).

21,15 A pergunta sobre o amor pode ser relacionada com 14,21 e 15,13; a imagem do pastor com o cap. 10. Se Mateus propõe a confissão de fé como fator de sua consistência "pétrea", João propõe o amor a Jesus como condição e garantia de sua ação pastoral. Pedro amadureceu no amor, como se dirigisse ao Mestre e Senhor um "amor com todo o coração e todas as forças".

21,17 Tu sabes tudo: como demonstrou na predição (13,38) e segundo a confissão dos discípulos (16,30). Jesus lê o pensamento e não menos o sentimento.

21,20-23 É como um apêndice do apêndice. A pergunta de Pedro serve de ligação e pode soar como mistura de curiosidade e interesse pelo amigo (cf. 13,23; 19,26). A resposta de Jesus é intencionalmente ambígua, polivalente.

No condicional, Jesus reserva a si a decisão do destino. Ao dizer "até que eu venha", pode sugerir a expectativa de uma parusia iminente (cf. 14,3).

A correção acrescentada parece refletir a decepção de uma comunidade ante a morte inesperada de um

— Se quero que permaneça até que eu volte, o que te importa? Quanto a ti, segue-me.

²³Assim correu entre os discípulos o boato que esse discípulo não morreria. Jesus porém não disse que não morreria, e sim: se quero que permaneça até que eu volte, o que te importa?

²⁴Este é o discípulo que dá testemunho dessas coisas e as escreveu; e consta-nos que seu testemunho é fidedigno.

²⁵Restam muitas outras coisas feitas por Jesus. Se quiséssemos escrevê-las uma por uma, penso que os livros escritos não caberiam no mundo.

---

guia que consideravam imortal ou pouco menos. Apoiados na ambiguidade, podemos refletir. O importante para cada cristão é "seguir" Jesus, sem preocupar-se com o destino atribuído aos demais. Nunca faltarão na Igreja um discípulo predileto e uma testemunha fidedigna. É certo que Jesus há de vir.

21,24-25 Novo colofão, em estilo retórico, que fala do autor na terceira pessoa e de si no plural: "sabemos". "Testemunho" e "verdadeiro" são termos frequentes e centrais no evangelho. Pode servir como definição: do evangelista, como testemunha ocular, autorizada e reconhecida; do evangelho, como compêndio canônico de uma "plenitude" inesgotável.

ATOS DOS APÓSTOLOS

INTRODUÇÃO

Embora seja possível ler este livro como obra autônoma, é melhor ter em conta que é apenas a segunda parte de uma obra, e que somente lida como tal é que manifesta todo o seu sentido. É obra única no Novo Testamento, de grande valor histórico, embora aceite convenções da época: principalmente o gosto pelo maravilhoso e os discursos na boca dos personagens. Só que os discursos têm na obra uma função particular: são o evangelho proclamado, segundo o mandato de Jesus. Quanto aos personagens, dois protagonistas atuam sucessivamente em primeiro plano: Pedro na primeira parte (caps. 1-12), enquanto se consolida a igreja de Jerusalém e periferia; Paulo, que vai promovendo a difusão do evangelho pela Ásia, Europa e até Roma.

Lendo com mais atenção, suspeita-se que é protagonista precisamente essa palavra ou mensagem, que se difunde com estranha força de convicção. Relendo o texto, conclui-se que o verdadeiro protagonista é o Espírito prometido e enviado por Cristo à sua Igreja.

O material narrativo pode ser catalogado em relatos, discursos e sumários. Ocupam grande espaço os processos, que são relatos com discursos incluídos. Assistimos no relato à consolidação, expansão e crescimento da Igreja, em muitas igrejas ou comunidades locais que formam a grande unidade. Primeiro, tem a primazia a de Jerusalém, onde tudo começa; depois, toma a frente a de Antioquia. A expansão não é só geográfica: é principalmente ir penetrando e ganhando adeptos no território e cultura pagãos; é ao mesmo tempo um desprender-se, não pretendido, do judaísmo. Essa é uma constante do livro que culmina na última página, em Roma.

A organização das igrejas é fluida, com um corpo dirigente local de "anciãos" (em grego presbyteroi); os apóstolos têm a responsabilidade e a autoridade superior; a seu número se somam Matias, Barnabé e Paulo. Existe uma constância de vida sacramental e litúrgica: batismo e eucaristia, imposição das mãos, celebrações; e com isso a instrução catequética.

Nas cenas íntegras e em detalhes significativos, os Atos dos Apóstolos são cumprimento de um mandato ou profecia de Jesus, eco de um ensinamento, repetição ou reflexo de uma ação. Bastará citar alguns casos (vejam-se os paralelos):

batismo de Espírito e fogo	Lc 3,16/ At 2,1-4
descida do Espírito	Lc 3,21s/ At 11,16
centurião romano	Lc 7,1-10/ At 10
ressuscita uma menina	Lc 8,49-56/At 9,36-42
visão gloriosa, transfiguração	Lc 9,28-36/At 7,55s e 9,4ss
tempestade acalmada	Lc 8,22-25/At 27,13-26
subida a Jerusalém	Lc 9,31.51/ At 19,21; 21,15
processo e morte de Estêvão:	
– não podem resistir-lhe	Lc 21,15/ At 6,10
– perante o Grande Conselho	Lc 22,66/ At 6,12s
– pede perdão pelos inimigos	Lc 23,34/ At 7,60

O autor é o mesmo do evangelho; a tradição antiga o chama Lucas. Testemunha de alguns fatos (se não for citação de fontes ou recurso narrativo). Parece pertencer ao círculo de Paulo.

A data: duvida-se entre 62/63 antes da sentença contra Paulo, ou depois de 70, como indica o evangelho. Os destinatários são, principalmente, pagãos convertidos.

1 Promete o Espírito Santo —

¹Na primeira parte, querido Teófilo, contei tudo o que Jesus fez e ensinou desde o princípio, ²até que, depois de dar instruções por meio do Espírito Santo aos apóstolos que havia escolhido, foi levado ao céu. ³Apresentara-se vivo a eles, depois de padecer, durante quarenta dias, com muitas provas, mostrando-se e falando do reino de Deus. ⁴Comendo com eles, recomendou-lhes que não se afastassem de Jerusalém, mas que esperassem o prometido pelo Pai, o que ouvistes de mim: ⁵João batizou com água, vós em breve sereis batizados com o Espírito Santo.

Ascensão (Lc 24,50-52) – ⁶Estando pois reunidos, lhe perguntavam:

– Senhor, é agora que vais restaurar a soberania de Israel?

⁷Respondeu-lhes:

– Não cabe a vós saber os tempos e circunstâncias que o Pai fixou com sua exclusiva autoridade. ⁸Mas recebereis a força* do Espírito Santo que virá sobre vós, e sereis minhas testemunhas em Jerusalém, na Judeia, na Samaria e até os confins do mundo.

⁹Dito isso, em sua presença se elevou, e uma nuvem o ocultou a seus olhos. ¹⁰Continuavam com os olhos fixos no céu enquanto ele partia, quando duas personagens vestidas de branco se apresentaram ¹¹e lhes disseram:

– Homens da Galileia, que fazeis aí olhando o céu? Este Jesus que vos foi ar-

---

1,1-2 Esse breve prólogo une o presente livro ao evangelho como segunda parte de uma obra, com o que a história da Igreja nascente fica firmemente ligada ao ministério de Jesus. Esse ministério se resume em duas atividades, obras e palavras, e se define por seus limites temporais. O "princípio" parece referir-se à atividade pública de Jesus (Lc 1,2), sem incluir o que chamamos evangelho da infância. O final é original de Lucas. Em comparação com outros evangelistas, Lucas sublinha duas etapas intermédias: uma de quarenta dias (número simbólico), que pertence ainda à atividade de agir e ensinar de Jesus na terra, e outra de preparação ao dom do Espírito, dedicada à oração.
O prólogo revela a consciência de escritor. Dedica sua obra a Teófilo, não sabemos se amigo ou protetor. Muito diferente é a quase dedicatória do Salmo 45 a "um rei", e por razão oposta, o longo prólogo de 2Mc 2,19-32. Lucas teve mais êxito em "tornar memorável o nome". Entre as obras de Jesus se destaca a escolha dos apóstolos (Lc 6,12-13), e entre as palavras as instruções finais, provavelmente depois de ressuscitar. Menciona a ascensão na voz passiva do verbo levantar, elevar.
1,3 Quarenta dias é número simbólico, que recorda Moisés na montanha (Ex 24,18; 34,28; Dt 9,9) e Elias peregrino (1Rs 19,8). Com ênfase certeira junta os dados, "vivo depois de padecer" (a morte). Um fato acreditado por "provas" (Lc 24,34), manifestações visuais e palavras.
1,4 Partilhar a mesa (o sal) é uma das provas (Lc 24,36-43). Jerusalém tem importância capital no pensamento de Lucas. Traçou, a partir de Lc 9,51, a grande "subida" de Jesus para Jerusalém, a fim de padecer e ser crucificado; o último ato da subida será a ascensão. Depois, Jerusalém será o berço e o ponto de partida da Igreja.
1,5 Identifica o "prometido pelo Pai" citando e adaptando uma frase do Batista (Lc 3,16; Jo 1,33). A data fica pendente, convidando à constância.
1,6-11 Ascensão: liga-se com o final do evangelho. Para os outros evangelistas, a ressurreição é a "glorificação" ou exaltação de Jesus, para sentar-se à direita de Deus. Esse final é um acontecimento transcendente, não acessível aos sentidos. Lucas dramatiza o fato, inspirando-se em antecedentes bíblicos, em lendas apócrifas e talvez em modelos helenísticos. Do AT conhece a referência concisa a Henoc (Gn 5,24; Eclo 44,16) e o relato misterioso, quase litúrgico, do rapto de Elias na presença de Eliseu e num carro de fogo (2Rs 2,1-13; Eclo 48,9.12; 1Mc 2,58); também a "figura humana" de Dn 7 é levada ao céu numa nuvem para receber do Ancião o poder. Lucas adota o esquema vertical, que coloca a divindade na altura celeste (Sl 123,1). Usa o verbo "elevar-se" (*epairo*, raro com este fim) e o corrente "levantar, elevar" (que corresponde ao hebraico *lqh*). Convoca dois personagens masculinos celestes e prefere a nuvem ao carro de fogo ("tomando as nuvens como teu carro", cf. Sl 104,3). A cena visual se anima com diálogos e instruções. Dessa apresentação lucana procede nossa festa litúrgica da Ascensão. Na literatura apócrifa, prolifera o gênero intitulado "Ascensão de N."
1,6-7 O breve diálogo revela o horizonte mental dos discípulos, mesmo depois da ressurreição, mas antes de receber o Espírito: uma restauração política de Israel (cf. Mt 17,11; Ab 20-21; Sf 3,19-20). Jesus se nega a predizer datas (Mt 24,36-37; Mc 13,32).
1,8 O Espírito tradicionalmente comunica força física (Jz 14,6.19) ou espiritual (Is 11,2-3). Os apóstolos a receberão para uma missão particular: ser "testemunhas" de Jesus. A palavra é densa de conteúdo, por sua frequência em todo o NT, em suas variações verbais e nominais. As etapas estão marcadas: Jerusalém, centro; daí, em movimento centrífugo, a Judeia, a semipagã Samaria, os pagãos "até os confins do mundo" (Is 48,20; 49,6; 62,11). Essa consciência de universalidade se deve ao narrador inspirado; os discípulos levarão tempo para compreendê-la.
* Ou: *poder*.
1,10 Anjos em figura humana são companhia costumeira em momentos solenes: o nascimento (Lc 2,9), a ressurreição (Mc 16,5).
1,11 Como designação de origem, "Galileia" não se aplica a todos; sim, como designação dos seguidores

rebatado para o céu, virá como o vistes partir para o céu.

Escolha de Matias – ¹²Então, do monte das Oliveiras voltaram a Jerusalém; esse monte fica à distância de Jerusalém apenas uma caminhada de sábado. ¹³Quando chegaram, subiram ao piso superior onde se alojavam: Pedro e João, Tiago e André, Filipe e Tomé, Bartolomeu e Mateus, Tiago de Alfeu, Simão o zelota e Judas de Tiago. ¹⁴Todos eles, com algumas mulheres, Maria, a mãe de Jesus e seus parentes, persistiam unânimes na oração.

¹⁵Num desses dias, levantou-se Pedro no meio dos irmãos, cento e vinte pessoas reunidas, e disse:

– ¹⁶Queridos irmãos, devia cumprir-se o que o Espírito Santo profetizou por meio de Davi a respeito de Judas, aquele que guiou os que prenderam Jesus, ¹⁷que era um dos nossos e compartilhava o nosso ministério. ¹⁸Com o pagamento de sua iniquidade comprou um terreno, caiu de cabeça para baixo, arrebentou-se pelo meio e lhe saíram as entranhas.

¹⁹Todos os habitantes de Jerusalém tomaram conhecimento, de modo que o terreno se chama em sua língua Hacéldama (ou seja, campo de sangue)*. ²⁰Pois está escrito no livro dos Salmos: *Fique sua morada despovoada, que ninguém nela habite, e que seu lugar seja ocupado por outro.* ²¹Portanto, de todos os que nos acompanharam enquanto o Senhor Jesus entrava e saía entre nós, ²²desde o batismo de João até que foi arrebatado de nós, um deve ser conosco testemunha de sua ressurreição.

²³Designaram dois: José, chamado Bársabas, apelidado Justo, e Matias.

²⁴Depois rezaram assim:

– Tu, Senhor, que conheces os corações de todos, indica-nos qual dos dois escolhes ²⁵para ocupar o lugar desse ministério apostólico, que Judas abandonou para ir ao lugar que lhe correspondia.

²⁶Tiraram sortes, e a sorte caiu em Matias, que foi incorporado aos onze apóstolos.

2 Pentecostes (Jo 20,22) – ¹Quando chegou o dia de Pentecostes, estavam

---

de Jesus. O anúncio da volta é conciso, sem indicação alguma temporal. É pura afirmação do fato, garantida por duas testemunhas celestes.

1,12-14 Esse é o primeiro dos famosos sumários de Lucas. Paradas narrativas que olham para trás e para a frente, a fim de resumir, ou deixar cair chaves de interpretação. Pode ser que o aprendeu das paradas retrospectivas ou prospectivas de narradores bíblicos (p. ex. Jz 2,11-23; 2Rs 17).
A menção do monte das Oliveiras sugere que foi o lugar da ascensão; pode ser influência da lembrança da profecia de Zc 14,4 sobre a vinda (do Messias) a tal monte. A caminhada de um sábado é pouco menos que um quilômetro. A lista dos apóstolos é tradicional (Lc 6,14-16). As mulheres são das que tinham seguido Jesus (Lc 8,2-3; 10,38-42; 23,49.55; 24,10); entre elas se destaca sua mãe. Os irmãos são parentes de Jesus. A sala superior podia ser lugar de retiro ou de reunião (9,37; 20,8).
A tarefa principal é a oração em comum; imagem inicial de comunidades cristãs. A segunda tarefa será completar o grupo dos doze: também a escolha dos doze é precedida de oração (Lc 6,12).

1,15-26 Define-se o primeiro grupo que vai receber o Espírito: uma comunidade de irmãos; o número, dez por comunidade, imagem do novo Israel. É uma comunidade hierárquica, dirigida pelos apóstolos, entre os quais se destaca Pedro. O apostolado é partilhar uma sorte, um serviço, uma responsabilidade (*kleros, diakonai, episkopen*). Os apóstolos são o laço autêntico entre a vida de Jesus e a vida da Igreja: têm de ter convivido com ele durante todo o seu ministério e têm de dar testemunho de sua ressurreição. O discurso de Pedro é programático. Para o leitor posterior, o narrador retoma uma das lendas que corriam sobre a desastrada morte de Judas, aplicando-lhe dois textos da Escritura citados como profecia (Sl 69,25; 109,8). Era um do "nosso número", e o número era muito importante (ver o pranto das tribos em Jz 21,3). O dinheiro se chama "pagamento da iniquidade" ou preço do crime: o homicídio que se relaciona como nome do campo (em hebraico "sangues" pode significar homicídio); embora o sangue pudesse ser o do criminoso. O modo da morte corresponde também ao gênero literário (ver p. ex. a morte de Antíoco em 2Mc 9).

1,19 * Ou: *cemitério*.

1,22 Desde o batismo de João (Lc 3,21). Testemunha (Lc 1,2; 1Cor 15,10).

1,23-24 Deus há de decidir sem parcialidade por meio da sorte (Pr 16,33) e sua decisão é acertada (Pr 17,3; 21,2). O curioso é que lhe submetem só duas pessoas: não havia outras que reunissem as condições requeridas?

1,24 Ver Lc 16,15; Pr 16,5.

1,25 Perdido o "lugar" = posto, vai ao seu "lugar", aquele que lhe compete, a morte.

2,1-13 Liga-se com Lc 24,49. O dom do Espírito é, segundo João, consequência da glorificação de Jesus: prometido (14,17) e entregue (20,22). No relato de João, a entrega tem certa intimidade, embora com ressonâncias de criação. Lucas apresenta em cena, dramaticamente, o acontecimento transcendente. Com o seu adiamento, obtém tempo para a

todos reunidos. ²De repente veio do céu um ruído, como de vento de furacão, que encheu toda a casa onde se alojavam. ³Apareceram línguas como de fogo, repartidas e pousadas sobre cada um deles. ⁴Encheram-se todos do Espírito Santo, e começaram a falar línguas estrangeiras, conforme o Espírito lhes permitia expressar-se.

⁵Moravam então em Jerusalém judeus piedosos, vindos de todos os países do mundo. ⁶Ao ouvir-se o ruído, reuniu-se uma multidão, e estavam espantados, porque cada um ouvia os apóstolos falando no próprio idioma deles. ⁷Fora de si pelo assombro, comentavam:

— Não são todos galileus os que falam? ⁸Como então os ouvimos cada um em nossa língua nativa? ⁹Partos, medos, elamitas, habitantes da Mesopotâmia, da Judeia e Capadócia, Ponto e Ásia, ¹⁰Frígia e Panfília, Egito e distritos da Líbia junto a Cirene, romanos residentes, ¹¹judeus e prosélitos, cretenses e árabes: todos os ouvimos contar em nossas línguas as maravilhas de Deus.

¹²Fora de si e perplexos, comentavam:
— Que significa isso?
¹³Outros caçoavam, dizendo:
— Estão bêbados.
¹⁴Pedro se pôs de pé com os onze e, levantando a voz, lhes dirigiu a palavra:
— Judeus e habitantes todos de Jerusalém, sabei-o bem e prestai atenção ao que vos digo. ¹⁵Estes não estão embriagados, como suspeitais, pois não são mais que as nove

---

preparação comunitária e a reconstituição dos doze. Propõe como data a festa das Semanas, ou seja, as sete semanas depois da Páscoa, o quinquagésimo dia (em grego *pentekoste*; Ex 34,22; Nm 28,26). Anteriormente, festa da oferta de primeiras espigas, mais tarde unida à recordação da aliança no Sinai. E descreve a vinda com imagens clássicas de teofania, os efeitos à semelhança de alguns antecedentes.
Do AT temos de recordar o dom do Espírito ao rei (Saul 1Sm 10,6; Davi 1Sm 16,13), ao Messias (Is 11,2). Pelos elementos narrativos deve-se destacar a "partilha" do Espírito entre os setenta colaboradores de Moisés (Nm 11): aí Moisés expressa o desejo de uma infusão do Espírito para todo o povo; desejo que Joel converte em profecia (3,1-5). Nessa cena e no caso de Saul, o Espírito manifesta sua presença com sinais orgiásticos ou extáticos.
Entre os símbolos apresenta o vento (porque em grego Espírito é a mesma palavra que vento, cf. Jo 3,8) e o fogo, elemento da divindade. Vento teofânico: Is 30,27; Ez 1,4; 3,12; fogo: Sl 18,13; 29,7; 50,3; 97,3. "Línguas de fogo" é metáfora visual (Is 5,24) que aqui adquire valor simbólico, porque o dom do Espírito visa à proclamação do evangelho e se manifestará em fenômenos de linguagem. As línguas do Espírito se "repartem" (como em Nm 11), o Espírito "repousa" estavelmente (como em Is 11,3).
2,2 Por mais que estivessem esperando, o estrondo chegou de repente, e "enche" toda a casa; talvez signifique que é ouvido em toda a casa.
2,3 Um só Espírito pousa, e se distribui (1Cor 12,11).
2,4 A informação sobre a língua não é coerente: aqui diz que falavam "línguas estrangeiras" capacitados pelo Espírito. Mais abaixo, o povo diz que falam numa língua, a própria, mas que cada um a entende na sua (como numa milagrosa tradução simultânea).
2,5-8 A cena anterior era imaginada numa sala a serviço dos presentes. De repente os apóstolos se encontram como num cenário ante um público numeroso, formado de judeus piedosos ou devotos, procedentes de toda a diáspora e estabelecidos em Jerusalém. Uma reunião como a anunciada pelos profetas (Is 26,13; 49,22; 60,4.9; Zc 8,7-8), com caráter mais ideal que real.

Os perfis aqui se confundem, porque o narrador supõe muitas coisas ou delas se despreocupa. Se residiam em Jerusalém, não entendiam o aramaico? Por que o estrondo os congrega todos nesse lugar? Quando os discípulos começaram a falar? A primeira reação é de admiração diante do prodígio: algo sem precedentes na tradição bíblica. A língua dos apóstolos torna-se universal, como a do céu (Sl 19). A divisão e dispersão de Babel (Gn 11) inverte a direção. A diáspora judaica convertida será o primeiro círculo concêntrico da confluência para o alto do monte (Is 2,2-5); o segundo círculo serão os "prosélitos" (v. 11).
2,9-11 A lista, metida à força na pergunta dos presentes, quer dar impressão de pluralidade e totalidade. Olhada de perto é desconcertante, porque mistura povos, regiões, províncias romanas, junto com a Judeia. Cretenses e árabes poderiam abranger Ocidente e Oriente.
2,12-13 A segunda reação é divisão de opiniões entre a perplexidade e a zombaria; fácil recurso para desqualificar o que não se entende (cf. 1Sm 1,14). Do ponto de vista narrativo, a zombaria serve de transição.
2,14 O discurso de Pedro é solene e importante. É o primeiro pronunciado depois de receber o Espírito; à imagem de Jesus que, depois de receber o Espírito no batismo, pronuncia um discurso programático na sinagoga de Nazaré (Lc 4). É o primeiro de uma série de discursos semelhantes (3,12-16; 4,8-12). Embora elaborado pelo narrador, parece refletir um modelo de pregação primitiva aos judeus. Divide-se comodamente em duas partes, marcadas pela dupla introdução: vv. 15-21 e 22-36.
Pedro fala de pé, à maneira dos oradores gregos, levanta a voz como o requer o público, pede atenção como qualquer outro (Is 1,10; 28,23; Sl 49,2), para uma mensagem importante.
2,15-28 Dedica a primeira parte a explicar o que está acontecendo, negando a explicação superficial, da embriaguez, e propondo a explicação justa que, para um auditório judeu, consiste em apresentar o fato como cumprimento de um texto profético da Escritura: Jl 3,1-5. O narrador não tem escrúpulos de pôr na boca de Pedro, que fala em aramaico, a tradução grega dos Setenta (LXX).

da manhã. ¹⁶Mas está se cumprindo o que o profeta Joel anunciou: ¹⁷Nos últimos tempos, diz Deus, *derramarei meu espírito sobre todos: vossos filhos e filhas profetizarão, vossos jovens verão visões e vossos anciãos sonharão sonhos;* ¹⁸*também sobre meus servos e minhas servas derramarei meu espírito naquele dia* e profetizarão. ¹⁹*Farei prodígios em cima no céu e embaixo na terra: sangue, fogo e fumaça;* ²⁰*o sol ficará escuro, a lua ensanguentada, antes de chegar o dia do Senhor, grande e manifesto.* ²¹*Todos os que invocarem o nome do Senhor se salvarão.*

²²Israelitas, escutai minhas palavras. Jesus de Nazaré foi um homem acreditado por Deus diante de vós com os milagres, prodígios e sinais que Deus realizou por meio dele, como bem sabeis. ²³A este, entregue segundo o plano previsto por Deus, vós crucificastes pela mão de gente sem lei, e o matastes. ²⁴Mas Deus, libertando-o dos rigores da morte, o ressuscitou, pois a morte não podia retê-lo. ²⁵O próprio Davi diz dele: *Ponho sempre diante de mim o Senhor: com ele à direita não vacilarei.* ²⁶*Por isso, meu coração se alegra, minha língua exulta e minha carne descansa esperançosa:* ²⁷*porque não me deixarás na morte, nem permitirás que teu fiel conheça a corrupção.* ²⁸*Tu me ensinarás o caminho da vida, me encherás de alegria em tua presença.* ²⁹Irmãos, posso dizer-vos com toda a franqueza: o patriarca Davi morreu e foi sepultado, e o sepulcro dele se conserva até hoje entre nós.

2,17-21 O texto citado pertence à seção escatológica de Joel (texto pós-exílico). O profeta transforma em profecia de futuro aquilo que era desejo ou sonho na boca de Moisés (Nm 11,29): o dom do Espírito será para todo o povo sem discriminação de idade, sexo ou condição. Lucas transforma o "depois" de Joel em "os últimos tempos", que acabam de começar. Transforma "servos e servas" (condição social) em "meus servos e minhas servas", condição religiosa do novo povo de Deus. Os prodígios cósmicos são mantidos, embora a realidade os tenha traduzido em vento e fogo celestes, não aterradores.
O último v. de Joel adquire um peso novo no contexto: ressoa com força a extensão universal, e o nome que se há de invocar é o de Jesus (v. 36).

2,22-36 Dirigiu-se primeiro a "judeus" (v. 14), denominação restrita. Agora diz "israelitas", visando o Israel histórico e ideal. No comentário final os chama "irmãos".
A segunda parte do discurso, ainda com materiais do kerigma, tem caráter profético. Denuncia um pecado, contrapõe o desígnio de Deus, convida à conversão ou reconhecimento. Pelo que tem de denúncia diante da conversão, poderíamos fixar-nos no modelo de Jr 2-3 (termina em arrependimento e volta). Pelo que tem de apresentação de um personagem, poderíamos consultar textos sobre o Servo (Is 42,1-4; 52,13-53,12). Outro modelo pertinente é a pregação do Batista segundo Lucas (3,17-18).
A parte positiva se explica ou prova com dois textos de salmos lidos como profecia: Sl 16,8-11 e 110,1. O primeiro é um dos raros do AT em que se vislumbra a vitória da vida sobre a morte. O que é vislumbre o orador o compreende (com uma tradição judaica) como certeza. Argumenta tomando a primeira pessoa, o "eu" do salmo, e indagando quem o pronuncia. Davi? (o suposto autor). A história o desmente, porque Davi morreu e seu sepulcro é conhecido e venerado. Então o pronuncia o futuro descendente prometido a Davi (segundo 2Sm 7,12-13).
O segundo salmo canta a exaltação de um rei, como rito de adoção divina ou como imediata consequência. O orador argumenta de modo semelhante, identificando a segunda pessoa: não pode ser Davi, é seu descendente (outro uso do mesmo texto nas disputas do templo, Lc 20,42-43 par.).

2,22 Começa a apresentação de um personagem (não uma teoria), identificado com nome e procedência. Na época em que Lucas escreveu, os judeus já caracterizavam os cristãos com o apelido de "nazarenos". As credenciais desse homem, que devem ter sido válidas para vós, pois vinham de Deus, eram "milagres, prodígios e sinais". Um trio convidativo (Lc 19,37), no qual ressoam as ações de Deus no AT (Dt 4,34; 7,19; Sl 135,9). Nessa primeira frase soa uma repreensão implícita: não aceitaram as credenciais (Lc 11,29-32).

2,23 De modo conciso, contrapõe a ação humana criminosa ao desígnio divino que a engloba e dirige. Como o formulou com precisão José a seus irmãos (Gn 50,20), como resulta da ação do Faraó (Ex 9,16). Na denúncia de tipo profético figuram os ouvintes como autores e os pagãos como instrumento executor (cf. Lc 22,2 com o verbo *anairein*).

2,24 Com intervenção inesperada e soberana, Deus inverte o resultado. As "dores de parto" da morte são tradução aproximada da expressão hebraica "laços da morte" (Sl 18,5-6; 116,3). Morte, como personificação poética ou divindade infernal (Is 28,15; Jr 9,20; Sl 49,15; Jó 28,22), não tinha poder para reter Jesus em seu domínio.

2,25-28 Em At 13,35 Paulo cita o penúltimo v. do salmo. À luz da ressurreição, várias expressões adquirem nova força: "não vacilarei", a alegria plena, o descanso da carne. O grego traduziu "cova" por "corrupção", sem mudar o sentido.

2,29 Chama Davi "patriarca", à semelhança dos antepassados das doze tribos (7,8: discurso de Estêvão). E o chama "profeta", aludindo talvez a 2Sm 23,2 e segundo velha tradição que sobreviveu durante séculos. (Os Padres gregos chamam Davi "O Profeta".) Estava sepultado na chamada Cidade de Davi (1Rs 2,10).

2,30-32 Identifica o Ungido = Messias com o descendente legítimo prometido por Deus. O passo seguinte consiste em identificar o descendente

³⁰Mas, como era profeta e sabia que Deus lhe havia prometido com juramento que *um descendente carnal seu se sentaria em seu trono,* ³¹previu e predisse a ressurreição do Messias, dizendo que *não ficaria abandonado na morte, nem sua carne experimentaria a corrupção.* ³²A este Jesus, Deus ressuscitou, e todos nós somos testemunhas disso. ³³Exaltado à direita de Deus, recebeu do Pai o Espírito Santo prometido e o derramou. É o que estais vendo e ouvindo. ³⁴Pois Davi não subiu ao céu, mas diz: *Disse o Senhor ao meu Senhor: senta-te à minha direita,* ³⁵*até que faça de teus inimigos estrado de teus pés.* ³⁶Portanto, toda a Casa de Israel reconheça que a este Jesus, que crucificastes, Deus nomeou Senhor e Messias.

³⁷O que ouviram lhes tocou o coração, e disseram a Pedro e aos outros apóstolos: – O que devemos fazer, irmãos?
³⁸Pedro lhes respondeu:
– Arrependei-vos e batizai-vos, cada qual invocando o nome de Jesus Cristo, para que sejam perdoados os vossos pecados. E recebereis o dom do Espírito Santo. ³⁹Pois a promessa vale para vós e vossos filhos e para os *distantes, a quem o Senhor nosso Deus chama.*

⁴⁰Com muitas outras razões os conjurava e exortava, dizendo:
– Salvai-vos, afastando-vos desta geração pervertida.

⁴¹Os que aceitaram as palavras dele se batizaram, e nesse dia umas três mil pessoas se incorporaram. ⁴²Eram assíduos em escutar o ensinamento dos apóstolos, na solidariedade, na fração do pão e nas orações. ⁴³Diante dos prodígios e sinais que os apóstolos faziam, um sentido de reverência

---

Messias com Jesus. Isso compete às testemunhas da sua ressurreição (Lc 24,48).

2,33-35 Segue-se a nova etapa (segundo a concepção de Lucas): a exaltação (ascensão) de Jesus para sentar-se à direita de Deus, de onde envia o Espírito. Nessa etapa se encontram todos. Se os apóstolos não podem ser testemunhas da entronização celeste, é testemunha o Espírito de Deus, manifestado em sinais auditivos e visuais. O Salmo 110 é um dos mais citados no NT, pois já era lido em chave messiânica entre os judeus.

2,36 Breve conclusão. Dirige-se à "Casa de Israel", título histórico do povo (frequente em Jr e Ez; Sl 98,3; 115,12). Dirige-lhes um imperativo enérgico, "reconheça". O complemento equivale a uma profissão de fé formal dos dois títulos de Jesus: Messias e Senhor. O primeiro supõe que todas as promessas se cumpriram, que as esperanças se realizaram e que não se deve esperar outro (Lc 7,19-20). O segundo é o título divino conferido a Jesus a partir da sua glorificação. Quando o nome de *Yhwh* deixou de ser pronunciado, foi substituído por *'adonay* em hebraico, por *Kyríos* em grego.
Os cristãos o atribuíram a Jesus, especialmente na liturgia (Fl 2,11), às vezes polemizando com o uso de tal título por parte do imperador.
Pedro até agora não disse: arrependei-vos, fazei penitência, convertei-vos; não ameaçou com o castigo iminente nem pronunciou promessas maravilhosas. Pediu muito mais. Sóbrio e conciso na denúncia, porque não é preciso encarecer o crime, insistiu no aspecto positivo, no desígnio e na ação de Deus, na pessoa e no destino de Jesus.

2,37 A reação do público heterogêneo é semelhante à dos ouvintes do Batista (Lc 3, 10.14). O verbo grego, segundo a etimologia, significa sentir fisgadas (no coração); significa remorso (algo que morde) em Eclo 20,21. Chama os apóstolos de irmãos.

2,38 O Batista convidava ao arrependimento, ao batismo para o perdão dos pecados e à emenda de vida (Lc 3,3). Pedro acrescenta duas correções substanciais: o batismo deve ser recebido invocando Jesus como Messias; além do perdão se receberá o "dom do Espírito Santo". Trata-se já do batismo cristão (cf. Mt 28,19).

2,39 Os presentes simbolizam todo o resto de Israel, distante ou futuro (cf. Is 57,19; Sl 102,29). Termina com a expressão tradicional "o Senhor nosso Deus".

2,40 O narrador nos dá a entender, com essa frase, que o discurso citado é só uma amostra da pregação primitiva. A geração perversa (Dt 32,5; Sl 78,8) significa o grupo dos que resistem a crer; a definição não é temporal, mas de atitude. Pode-se comparar com os "filhos degenerados" de Is 1,4, e com o convite a "sair" de Babilônia (de Jr 50,8; 51,45).

2,41 O número quer sublinhar o efeito da pregação sob a ação do Espírito: o crescimento inesperado da comunidade fiel.

2,42-47 Esse é o segundo sumário do livro, apresentado como o efeito imediato do dom do Espírito (seguir-se-ão 4,32-35 e 5,11-16). Um ato único desemboca na vida comum e cotidiana. Ao dar-nos uma descrição do estilo de vida, o autor nos indica ao mesmo tempo os fatores que expressam e mantêm essa vida. Têm um forte sentido de comunidade a ponto de partilhar os bens, segundo o critério ideal de dar a cada um segundo sua necessidade. Os apóstolos dirigem a comunidade com seu ensinamento, que prolonga o de Jesus (Lc 4,32 com autoridade). Entre as práticas se destacam: a oração no templo de Jerusalém, como continuidade com o passado; a eucaristia "fração do pão" em casas de família, como celebração nova e específica (Lc 22,19, o mandato de Jesus). A refeição em comum pode ser o ágape que precede a eucaristia. Os apóstolos continuam realizando prodígios (como Jesus, Lc 19,37), que provocam em todos um sentido de reverência (como na cura do paralítico, Lc 5,26). Por ora vivem em paz com os de fora e são estimados. E por obra de Deus a comunidade dos que "se salvavam" continuava crescendo.

se apoderou de todos. ⁴⁴Os fiéis estavam todos unidos e possuíam tudo em comum; ⁴⁵vendiam bens e posses, e os repartiam segundo a necessidade de cada um. ⁴⁶Diariamente acorriam fielmente e unânimes ao templo; em suas casas partiam o pão, compartilhavam a comida com alegria e simplicidade sincera. ⁴⁷Louvavam a Deus e todo o mundo os estimava. O Senhor ia incorporando à comunidade todos os que iam se salvando.

3

Cura do paralítico (Lc 5,17-26) – ¹Pedro e João subiam ao templo para a oração das três da tarde. ²Um homem paralítico de nascimento costumava ser transportado diariamente e colocado à porta do templo chamada Formosa, para que pedisse esmola aos que entravam no templo. ³Ao ver Pedro e João entrando no templo, pediu-lhes esmola. ⁴Pedro, acompanhado de João, olhou-o fixamente e lhe disse:

– Olha para nós!

⁵Ele os observava, esperando receber deles alguma coisa. ⁶ Pedro porém lhe disse:

– Prata e ouro não tenho, mas o que tenho te dou: em nome de Jesus Cristo, o Nazareno, põe-te a andar.

⁷Pegou-o pela mão direita e o levantou. No mesmo instante, pés e tornozelos se robusteceram, ⁸ergueu-se de um salto, pôs-se a andar, e entrou com eles no templo, andando, saltando e louvando a Deus. ⁹Todo o povo o viu caminhando e louvando a Deus. ¹⁰E, ao reconhecer que era aquele que pedia esmola sentado à porta Formosa do templo, encheram-se de assombro e espanto diante do acontecido. ¹¹Como continuasse agarrado a Pedro e a João, todo o povo acorreu assombrado ao pórtico de Salomão.

Discurso de Pedro no pórtico – ¹²Ao vê-los, Pedro lhes dirigiu a palavra:

– Israelitas, por que ficais olhando para nós como se tivéssemos feito este homem andar com nosso próprio poder e religiosidade? ¹³*O Deus de Abraão, de Isaac e de Jacó, o Deus de nossos pais glorificou seu servo* Jesus, que vós entregastes e rejeitastes diante de Pilatos, que decretava sua libertação. ¹⁴Vós rejeitastes o santo e inocente, pedistes que vos indultassem um homicida ¹⁵e matastes o Príncipe da vida. Deus o ressuscitou da morte, e nós somos testemunhas disso.

3,1-10 Como Jesus cura um paralítico (Lc 5,17-26), assim Pedro cura um aleijado. O relato do milagre se atém a um esquema tradicional, com alguns detalhes mais descritivos. Acontece em lugar público, o templo, ao qual os apóstolos continuam espiritualmente vinculados, ao menos na oração. Outros textos do AT falam da "oferta vespertina" (Dn 9,21 e Sl 141,2). O aleijado vivia de esmola, sem outra esperança. Do templo extraía somente a caridade dos visitantes e o cenário esplêndido e ineficaz da Porta Formosa. A esmola era muito recomendada (Eclo 3,30; 7,10; Tb 4; 12), e o aleijado se valia dela para continuar sobrevivendo. Com o surgimento de uma força nova no âmbito do templo, Pedro e João rompem o esquema. O olhar mútuo exprime e provoca a rotineira expectativa do doente, a expectativa confiante de Pedro, e também a do leitor (cf. Sl 145,15).
Pedro professa uma pobreza que o torna rico (Lc 9,3; Mt 10,9): pode invocar com êxito o nome de Jesus Nazareno como Messias (como a invocação de Yhwh, Sl 20,6.8; 33,21; 124,8). A invocação é acompanhada do gesto humano, o tato comunicativo (cf. a ação de Deus em Sl 73,23). O efeito é imediato, acontece o que anuncia o Salmo 145,14; é espetacular, como que cumprindo a profecia (Is 35,6). Louvando a Deus, como se descobrisse novo sentido para o templo.
O segundo efeito, exigido pelo esquema, é o assombro do povo: é uma estranheza ou perplexidade que deseja compreender. Atitude que Pedro aproveita para novo discurso.

3,11-26 O segundo discurso repete o esquema de delito, desígnio de Deus, apelo à conversão; mas introduz outra série de elementos próprios. Por um lado é mais compreensivo, pois reconhece a atenuante da ignorância; por outro é mais incisivo, pois coloca a situação de opção definitiva diante de um juízo final. O discurso se dirige a "Israel" como povo escolhido e por isso insiste em temas conaturais: Messias, profeta, patriarca. O Israel de agora tem de realizar a promessa patriarcal e o anúncio profético, reconhecendo e aceitando o Messias. Os que se negarem serão "excluídos do povo" (Lv 23,29). O estilo do discurso demonstra expressões semíticas e soa com acento arcaico.

3,12 De novo os chama israelitas (não judeus), porque estão aí, no templo, representando o povo da aliança. O povo admira um taumaturgo; inclusive descobre nele uma religiosidade profunda, fonte de poder maravilhoso. É preciso chegar mais além: mais longe e mais perto.

3,13 Partindo do título tradicional e patriarcal de Deus (Ex 3,6.15), traça um arco que descansa na "glorificação" de Jesus (Is 52,13) e daí se precipita no delito.

3,14-15 É o paradoxo maior, o jogo trágico da morte e da vida, pelo delito do homem e pelo desígnio de Deus. Descobrindo o esquema do jogo, se poderia formular assim: pedistes a vida daquele que havia dado a morte e pedistes a morte do chefe da vida; mas Deus deu vida ao que tinha morrido. Alude às cenas narradas por Lucas (23,1-4.18-20).

¹⁶Porque creu em seu nome, este que conheceis e vedes recebeu vigor desse nome, e a fé obtida dele lhe deu saúde completa na presença de todos vós.

¹⁷Entretanto, irmãos, sei que vós e vossos chefes fizestes isso por ignorância. ¹⁸Só que Deus cumpriu assim o anunciado por todos os profetas: que seu Messias iria padecer. ¹⁹Arrependei-vos e convertei-vos, para que se apaguem vossos pecados, ²⁰e assim recebais do Senhor tempos favoráveis e vos envie Jesus, o Messias predestinado. ²¹O céu tem que retê-lo até o tempo da restauração universal, que Deus anunciou desde os tempos antigos por meio de seus santos profetas. ²²Moisés disse: *Nosso Deus vos suscitará um profeta como eu, um de vossos irmãos: escutai o que ele disser.* ²³*Aquele que não escutar o profeta será excluído de seu povo.* ²⁴Todos os profetas, desde Samuel e por turnos, falaram e anunciaram estes tempos. ²⁵Vós sois herdeiros dos profetas e da aliança que Deus outorgou a nossos pais, quando disse a Abraão: *Por tua descendência serão benditas todas as famílias do mundo.* ²⁶Deus ressuscitou seu servo e o enviou primeiramente a vós, para que vos abençoasse, fazendo que cada um se converta de suas maldades.

4 **Pedro e João diante do Conselho** – ¹Enquanto falavam ao povo, apresentaram-se os sacerdotes, o comissário do templo e os saduceus, ²irritados porque instruíam o povo, anunciando a ressurreição da morte por meio de Jesus. ³Prenderam-nos e, como era tarde, os colocaram na prisão até o dia seguinte. ⁴Muitos daqueles que ouviram o discurso abraçaram a fé, e assim a comunidade chegou a uns cinco

---

3,16 Agora essa riqueza de vida nova se comunica em forma de saúde a quem se abre para recebê-la (Lc 17,19). É o resultado final e perceptível para todos os presentes.

3,17 Recordando a oração de Jesus na cruz (Lc 23,34 "não sabem o que fazem"), Pedro alega uma atenuante. Pode ser que se refira ao tipo do pecado por "inadvertência" (*segagá* e sinônimos), de que fala a legislação em Lv 4. O Salmo 19,13-14 contrapõe o pecado "por inadvertência" ao pecado grave e consciente.

3,18 É tema frequente que, segundo os profetas, o Messias tinha que padecer. Costuma-se citar Is 53 e Sl 22 e se poderiam acrescentar muitos outros textos que falam de sofrimento do inocente, pois Pedro acaba de chamar Jesus de "santo e inocente" (v. 14, cf. Sb 11,1).

3,19 Aqui temos unidos e distintos dois verbos que às vezes os autores (e também os comentaristas) confundem ou intercambiam: arrepender-se e converter-se (*metanoein*, *epistréphein*). O verbo "apagar" implica a metáfora do pecado como dívida registrada por escrito (Sl 51,3).

3,20-21 Como Elias foi arrebatado (2Rs 2) e voltará para restaurar tudo (Ml 3,23-24; Eclo 48,9-10), assim Jesus foi chamado ao céu e voltará para realizar a restauração profetizada (Jr 31; 33; Ez 36; Is 65-66; Jl 4,9-17; Am 9,11-15; Zc 14), que será um tempo "de alívio" (Est 4,14) para o povo arrependido e perdoado.

3,22-24 Agora têm de obedecer ao profeta anunciado (Dt 18,15-19), sob pena de serem aniquilados. Aparece Samuel encabeçando a série de profetas, por sua vocação e como mediador da palavra de Deus (1Sm 3; Natã, 2Sm 7). O profeta prometido, no final da série, é Jesus, já enviado e ativo nos anos precedentes (cf. Lc 7,16).

3,25 Da parte de Deus continua de pé a aliança, ou compromisso, contraída com Abraão (Gn 12,3; 18,18; 22,18), da qual o Israel presente é legítimo herdeiro.

3,26 À maneira de epílogo, retoma temas e conclui. Pela ressurreição, Deus envia Jesus para realizar e transmitir a bênção prometida a Abraão. Cada qual que se corrija. É o esquema de Jonas, tirado do monstro ao terceiro dia e enviado a pregar.

4,1-23 O êxito do milagre, com o subsequente discurso, provoca o primeiro encontro dos apóstolos com as autoridades judaicas, que são num primeiro momento sacerdotes do partido saduceu, depois também senadores (ou representantes do poder civil) e letrados, normalmente do partido fariseico. Entre eles há pontos de convergência e de divergência. Os saduceus, seguindo a antiga tradição bíblica, não creem na ressurreição (23,8) e se sentem incomodados com a propaganda que os apóstolos fazem com o caso de Jesus. Os fariseus creem na ressurreição "no último dia", mas não podem aceitar que Jesus já se tenha beneficiado desse privilégio. Não sabemos como imaginavam a ressurreição; talvez como simples retorno à vida, como nos milagres de Elias e Eliseu (1Rs 17; 2Rs 4), só que para unir-se ao "mundo futuro", ao reino do Messias.

O ponto comum é o alarme diante do que pode acontecer, ou seja, que de novo tenham de enfrentar Jesus, quando o julgam eliminado para sempre; que seus discípulos continuem e propaguem a linha de ação do Mestre; que surjam novas provocações contra os romanos. Segundo o relato de Lucas, passou pouco tempo desde a Páscoa trágica.

4,1-4 Ver Lc 20,27. Os sacerdotes e o comissário, encarregados da ordem pública, tomam a iniciativa. No templo, diante da multidão que escuta, detêm o orador e seus acompanhantes. Como já é quase noite, não podem fazer logo o julgamento e deixam presos os prováveis réus. O narrador enche o espaço da noite com uma recordação otimista e hiperbólica: cinco mil homens.

mil. ⁵No dia seguinte, reuniram-se em Jerusalém os chefes, os senadores e os letrados, ⁶também Anás, o sumo sacerdote, e Caifás, João e Alexandre e todos os familiares do sumo sacerdote. ⁷Fizeram os apóstolos comparecer e os interrogavam:

— Com que poder ou em nome de quem fizestes isso?

⁸Então Pedro, cheio de Espírito Santo, respondeu:

— Chefes do povo e senadores: ⁹por ter feito um benefício a um enfermo, hoje nos interrogais sobre quem curou este homem. ¹⁰Pois conste a todos vós e a todo o povo de Israel que foi em nome de Jesus Cristo, o Nazareno, a quem crucificastes e Deus ressuscitou da morte. Graças a ele, este homem está curado em vossa presença. ¹¹*Ele é a pedra rejeitada por vós, os arquitetos, que se converteu em pedra angular.* ¹²Nenhum outro pode proporcionar a salvação; não há outro nome sob o céu, concedido aos homens, que possa salvar-nos.

¹³Observando a ousadia de Pedro e João e constatando que eram homens simples e iletrados, admiravam-se; ao reconhecer que haviam sido companheiros de Jesus, ¹⁴e ao verem com eles o homem curado de pé, ficaram sem réplica. ¹⁵Ordenaram, pois, que saíssem do tribunal, e se puseram a deliberar:

— ¹⁶O que fazemos com esses homens? Fizeram um milagre evidente. Todos os habitantes de Jerusalém o sabem, e não podemos negá-lo. ¹⁷Contudo, para que não se continue divulgando entre o povo, os proibiremos de voltar a falar com alguém a respeito desse homem.

¹⁸Chamaram-nos e ordenaram-lhes que absolutamente se abstivessem de falar e ensinar em nome de Jesus. ¹⁹Pedro e João lhes replicaram:

— Parece justo a Deus que obedeçamos a vós antes que a ele? Julgai-o. ²⁰Quanto a nós, não podemos calar o que sabemos e ouvimos.

²¹Repetindo suas ameaças, eles os despediram, pois não encontravam um modo de impor-lhes uma pena, por causa do povo, que dava glória a Deus pelo acontecido. ²²O homem beneficiado com o sinal da cura tinha mais de quarenta anos. ²³Ao ver-se

---

4,5-6 Na manhã seguinte, reúne-se o Grande Conselho. Assistem Anás, que conserva o título (nós diríamos ex-sumo sacerdote) e grande parte do poder, Caifás, que detém o cargo, e outros dois, para nós desconhecidos.

4,7 O interrogatório se coloca no terreno do milagre: Que sentido tem? De onde vem o poder? Segundo Dt 13,1-4, também o falso profeta, apóstata de *Yhwh*, podia fazer milagres, e por isso era necessário interrogar aquele que pregava. Em seus milagres, tanto Elias como Eliseu invocavam *Yhwh*. A quem invocam os apóstolos? (Lc 20,2).

4,8 Pedro responde "inspirado", segundo a promessa (Lc 12,11-12). Interpela os "chefes do povo" (todo o Conselho?) mencionando à parte o setor civil dos senadores.

4,9-12 Aproveita a ocasião oferecida por assembleia tão ilustre para responder à pergunta, de modo que eles e o "povo de Israel", a quem representam, escutem a declaração e um minúsculo sermão.
O primeiro ponto é a incongruência do processo: somos réus de uma obra de misericórdia. O segundo é identificar o poder com nome e título, Jesus Messias. O terceiro é uma mudança de papéis: o réu acusa os juízes, "o crucificastes", e alega a ação de Deus, "o ressuscitou". Assim Pedro chega ao tema fundamental. Finalmente, como prova, aí está o homem curado.
Pedro ilustra citando o Salmo 118,22 (Lc 20,17). E conclui com uma declaração de alcance universal, transpondo as fronteiras do povo de Israel. Jogando talvez com o significado do nome hebraico de Jesus (*Yhwh* salva), proclama-o salvador único de todos.

Veja-se o título Salvador atribuído a *Yhwh*: Is 43,3; 45,15; 49,26; 60,16.

4,13-15 A primeira reação é de justificado desconcerto. A firmeza de Pedro, o saber de homens sem estudos e a prova inegável do milagre (cf. Lc 10,21) os impressionaram. A solução é deliberar a sós.

4,16-18 Na dinâmica do relato, essa é uma ocasião oferecida às autoridades para rever sua ação precedente e aceitar Jesus como Messias. Escolhem a linha oposta. Sem castigar esses inocentes, tentam manchar o nome do condenado (Sl 9,6; 60,29; 83,5; 109,13; Jr 11,19). Assim confirmam o fato e se endurecem em sua posição.

4,19-20 Se o profeta não pode deixar de pronunciar a mensagem recebida de Deus (Jr 1,17; 26,12-15; Ez 33,6), muito menos a testemunha oficial da ressurreição pode calar-se (Lc 12,3). E Pedro lança ao tribunal outra causa para ser julgada, na qual são juízes e parte: a quem se deve obedecer? Os apóstolos não opuseram resistência à prisão e responderam ao interrogatório: reconhecem a autoridade e seu limite.

4,21 Ao mencionar a última ameaça, o narrador distingue entre autoridades e povo: o povo "dá glória" a Deus pelo acontecido. Para dar glória a Deus, as autoridades deveriam ter confessado a própria culpa (cf. Js 7,19).

4,23-31 Podemos imaginar a ânsia e a expectativa da comunidade durante a ausência, a alegria quando voltam, o interesse ao ouvir. O narrador omite tudo isso e cita a oração comunitária. O fato é uma advertência de que a paz é provisória, de que o perigo espreita. Em tal situação pronunciam uma

livres, reuniram-se com seus companheiros e contaram o que lhes haviam dito os sumos sacerdotes e os letrados. ²⁴Os que ouviram levantaram a voz unanimemente, dirigindo-se a Deus:

– Senhor, que fizeste o céu, a terra, o mar e tudo o que eles contêm; ²⁵que por boca de teu servo Davi, inspirado pelo Espírito Santo, disseste: *Por que se agitam as nações e os povos planejam em vão?* ²⁶*Os reis da terra se levantaram e os governantes se aliaram contra o Senhor e seu Ungido.* ²⁷De fato, nesta cidade aliaram-se contra teu santo servo Jesus, teu Ungido, Herodes e Pôncio Pilatos, com pagãos e gente de Israel, ²⁸para executar tudo o que tua mão e teu desígnio haviam anunciado. ²⁹Agora, Senhor, presta atenção às suas ameaças, e concede a teus servos anunciar tua mensagem com toda a ousadia. ³⁰Estende tua mão, para que aconteçam curas, sinais e prodígios pelo nome do teu santo servo Jesus.

³¹Ao terminar a súplica, o lugar onde estavam reunidos tremeu, eles se encheram do Espírito Santo e anunciavam a mensagem de Deus com ousadia.

Comunidade de bens – ³²A multidão dos fiéis tinha uma só alma e um só coração. Não chamavam de própria nenhuma de suas posses; ao contrário, tinham tudo em comum. ³³Com grande energia os apóstolos davam testemunho da ressurreição do Senhor Jesus e eram muito estimados. ³⁴Não havia indigentes entre eles, pois os que possuíam campos ou casas os vendiam, levavam o preço da venda ³⁵e o depositavam aos pés dos apóstolos. A cada um era repartido segundo sua necessidade. ³⁶Um tal José, a quem os apóstolos chamavam Barnabé (que quer dizer Consolado), levita e cipriota de nascimento, ³⁷possuía um campo: vendeu-o, levou o dinheiro e o pôs aos pés dos apóstolos.

5 Ananias e Safira – ¹Certo Ananias, com o consentimento de sua mulher Safira, vendeu uma propriedade, ²ficou com parte do dinheiro, levou o restante e o pôs aos pés dos apóstolos. ³Pedro lhe disse:

– Ananias, como é que Satanás te impulsionou a mentir ao Espírito Santo ficando com parte do preço do campo? ⁴Não poderias conservá-lo ou, se o vendesses, não poderias ficar com o dinheiro? O que te moveu a agir assim? Não mentiste aos homens, mas a Deus.

⁵Ao ouvir essas palavras, Ananias caiu morto, e os que ouviram se atemorizaram.

---

oração no estilo de muitas do saltério. O inocente perseguido recorda a Deus seus feitos na criação e na história, expõe o perigo em que se encontra e suplica proteção para si, castigo para o inimigo, ou as duas coisas. Às vezes responde um oráculo ou uma voz interior.

A presente oração é composta pensando também no leitor. Remonta à criação (citando Sl 146,6; Ex 20,11). Expõe os fatos recentes, adaptando livremente o começo de um salmo (2,1-2: terão que contar também com o resto?) e afirmando o controle soberano de Deus sobre os acontecimentos. Não pedem castigo para os perseguidores nem proteção para si, mas coragem para continuar dando testemunho, e a confirmação do testemunho com novos milagres em nome de Jesus. O contrário daquilo que as autoridades procuravam: manchar o nome de Jesus.

4,31 Numa espécie de oráculo, o Espírito responde com um sinal cósmico, um terremoto circunscrito (Jr 8,16; Am 8,8; Sl 68,9; 77,19) e lhes concede a coragem que pediram.

4,32-35 Novo sumário. Exceto a referência ao testemunho apostólico, que relembra os fatos precedentes, esse sumário visa ao que se segue e se concentra no tema da comunhão de bens.

a) Quanto ao aspecto ideal, responde a sonhos ou utopias de filósofos pagãos, bem divulgados na época. Quanto à finalidade, "que não haja pobres na comunidade", responde ao ideal da legislação deuteronomista (Dt 15,1-11). É coerente com a atitude de Lucas evangelista com respeito a riquezas e bens (Lc 6,24; 9,3; 10,4; 12,16-21; 16,19-31). Segue o exemplo de Jesus, vivido também pelos discípulos. b) Na execução real, Jesus não tinha pedido o desprendimento total a todos (Lc 19,1-10, Zaqueu); na comunidade, o desprendimento parcial ou total é livre; a venda de posses é feita ocasionalmente. Grupos limitados e de forma livre têm perpetuado na Igreja o ideal da comunhão de bens. A experiência não deu resultado e, por outros motivos, tiveram de recorrer a coletas em outras igrejas (2Cor 8-9 par.). A seguir, dois exemplos contrapostos ilustram o princípio.

4,36-37 O primeiro é Barnabé, personagem de relevo mais tarde no livro. Pôr aos pés é pôr à disposição dos apóstolos.

5,1-11 O segundo exemplo é trágico e até intimidador. Ao lê-lo nos parece reviver algumas cenas do AT: o roubo sacrílego de Acã (Js 7, que os comentaristas costumam citar), a rebelião e castigo de Coré, Datã e Abiram (Nm 16), as peloteas fulminadas pelo pedido de Elias (2Rs 1), a morte de Eli e sua nora (1Sm 4). Sem querer nos distanciamos criticamente do relato. O autor quis compor um relato intensamente dramático, mesmo a custo de parecer improvável.

⁶Uns jovens foram, o cobriram e o levaram para enterrar. ⁷Umas três horas mais tarde chegou sua esposa, sem saber o que acontecera. ⁸Pedro lhe dirigiu a palavra:

— Dize-me: vendestes o campo por este preço?

— Sim, respondeu ela.

⁹Pedro replicou:

— Por que vos pusestes de acordo para pôr à prova o Espírito do Senhor? Vê, os pés dos que enterraram teu marido estão à porta para levar-te.

¹⁰Imediatamente caiu morta a seus pés. Entraram os jovens e a encontraram morta; levaram-na e a enterraram junto de seu marido. ¹¹Toda a igreja e os que ficaram sabendo espantaram-se.

Milagres (Lc 4,38-41; 5,12-26) – ¹²Por mãos dos apóstolos aconteciam muitos sinais e milagres entre o povo. Todos de comum acordo acorriam ao pórtico de Salomão; ¹³ninguém dos estranhos se atrevia a reunir-se com eles, embora o povo os elogiasse. ¹⁴Ia juntando-se a eles um número crescente de fiéis ao Senhor, homens e mulheres, ¹⁵a ponto de levar os enfermos para a rua e os colocar em liteiras e macas, para que, ao passar Pedro, ao menos sua sombra os cobrisse. ¹⁶Também os habitantes dos arredores de Jerusalém levavam enfermos e possuídos por espíritos imundos, e todos se curavam.

Perseguição – ¹⁷Então o sumo sacerdote e os seus, ou seja, o partido saduceu, cheios de ciúmes*, ¹⁸prenderam os apóstolos e os puseram na prisão pública. ¹⁹Mas de noite o anjo do Senhor lhes abriu as portas, tirou-os da prisão e lhes recomendou:

²⁰Ide, e de pé no templo explicai ao povo a doutrina deste modo de vida.

Podemos assistir a ele como a uma representação teatral ou cinematográfica, que se concentra em momentos culminantes, saltando-se o intermédio. Primeiro ato: interrogatório conciso, morte repentina no palco, imediatamente saem dos bastidores os coveiros e o levam. Segundo ato: novo interrogatório reduzido, morte repentina, os coveiros ao voltar a levam. Estupor e espanto do público.

Que pensamento governa a gravidade do drama? Há uma comunidade cristã regida pelo Espírito em unidade, solidariedade e sinceridade. Nessa espécie de paraíso insinuou-se a serpente, Satanás (Lc 22,3, Judas), que é "pai da mentira" (Jo 8,44-45). Induzido por ele, esse casal mentiu a Deus e ao Espírito, que é o Espírito da verdade (Jo 14,17; 15,26). Semelhante conduta pode envenenar a comunidade. Quem assim age não pertence a ela. Acrescente-se a circunstância de defraudar (cf. Ml 1,14).

Que pretendiam ambos com o gesto? Colocar em si uma auréola de generosidade diante dos outros? garantir privilégios para si próprios?

O que lhes aconteceu de fato? Talvez um incidente mortal que foi interpretado como castigo. Ou, na tradição oral, da exclusão da comunidade passou-se à exclusão da vida. É muito improvável que cheguemos a sabê-lo.

De passagem aparece Pedro dotado de penetração sobre-humana. Qualquer leitor cristão fica sabendo que Satanás pode penetrar numa comunidade como um dia penetrou num dos doze.

5,9 "Pôr à prova": 1Cor 10,9.

5,11 Pela primeira vez no livro encontramos o termo igreja (*ekklesia*).

5,12-16 Novo sumário com dois temas principais. A igreja que acaba de mencionar é uma comunidade definida, diferente, e também aberta. Outras pessoas não se misturam a eles nas suas reuniões no templo; mas os que abraçam a fé no "Senhor" (Jesus) se incorporam a elas. O segundo são os milagres, conforme o pedido de uma reunião precedente (4,30).

O poder curador da sombra de Pedro não é contado como hipérbole. Basta pensar na importância da "sombra" como símbolo no AT, aplicado também ao homem (Jz 9,15; Ct 2,3; Lm 4,20); também nas línguas modernas se conserva como fóssil linguístico "boa/má sombra"). A afluência de doentes recorda a atração de Jesus (Mc 6,56; Lc 4,40) e permite cumprir seu mandamento (Lc 9,2; 10,9).

5,17-42 Quanto à estrutura, o novo ato de perseguição da parte do Conselho se parece muito com o precedente (4,1-22): prisão, interrogatório, resposta do acusado, deliberação privada, proibição. O narrador quer que sintamos a repetição e que nela apreciemos os detalhes novos, o avanço da ação para uma primeira pausa. Há concatenação lógica na insistência: as autoridades lhes haviam imposto uma proibição formal, e eles a violaram. São réus reincidentes e devem prestar contas ao tribunal pelo descumprimento.

5,17-18 Não especifica a ocasião imediata nem o modo da prisão. Os saduceus, encarregados da ordem pública, tomam a iniciativa.

5,17 * Ou: *Cheios de zelo pela manutenção da ordem* (irônico?, é o nome dos zelotes), ou de inveja pelo êxito dos seus rivais (Gn 37,11).

5,19 O narrador lança mão de uma intervenção celeste no estilo tradicional. Pode ser "um anjo" ou "o anjo" do Senhor (*ml'k Yhwh*). Pode-se recordar a libertação de presos como José (Gn 41,14), Jeremias (Jr 40,4), e a promessa aos exilados (Is 48,9; 51,14), ou para os últimos tempos (Zc 9,11).

5,20 Quando Jeremias estava preso, Baruc o substituía pregando no templo (Jr 36). Os apóstolos têm de voltar a continuar seu ministério público acerca dessa "vida" ou novo modo de vida.

²¹Ouvido isso, dirigiram-se de manhã ao templo e começaram a ensinar. Apresentou-se o sumo sacerdote com os seus, convocaram o Conselho e todo o senado dos israelitas, e enviaram gente à prisão para buscá-los. ²²Chegaram os guardas e não os encontraram na prisão, e voltaram ²³com esta informação:

– Encontramos a prisão fechada com toda a segurança, os guardas em pé à porta; abrimos e não encontramos ninguém dentro.

²⁴Ao ouvir a informação, o comissário do templo e o sumo sacerdote estavam perplexos, sem entender o que havia acontecido. ²⁵Apresentou-se alguém e anunciou:

– Os homens que prendestes estão no templo instruindo o povo.

²⁶Então o comissário do templo, com seus guardas, os levaram sem violência, pois temiam ser apedrejados pelo povo. ²⁷Levaram-nos e os apresentaram ao Conselho. O sumo sacerdote os interrogou:

– ²⁸Havíamos ordenado não ensinar mencionando esse nome, e vós enchestes Jerusalém com vossa doutrina, e quereis tornar-nos responsáveis pela morte desse homem.

²⁹Pedro com os apóstolos replicaram:

– Deve-se obedecer antes a Deus que aos homens. ³⁰O Deus de nossos pais ressuscitou Jesus, a quem vós executastes, pendurando-o num madeiro. ³¹Deus, porém, o exaltou à sua direita, nomeando-o chefe e salvador, para oferecer a Israel o arrependimento e o perdão dos pecados. ³²Desses acontecimentos nós somos testemunhas com o Espírito Santo que Deus concede aos que nele creem.

³³Exasperados ao ouvir isso, deliberavam condená-los à morte, ³⁴quando no Conselho se levantou um fariseu chamado Gamaliel, doutor da lei, muito estimado por todo o povo. Ordenou que fizessem sair os acusados ³⁵e se dirigiu à assembleia:

– Israelitas, muito cuidado com o que ides fazer a esses homens. ³⁶Faz algum tempo surgiu Teudas, que pretendia ser alguém, e o seguiram uns quatrocentos homens. Mataram-no, e todos os seus seguidores se dispersaram e acabaram em nada. ³⁷Mais tarde, durante o censo, surgiu

---

5,21-26 O episódio não é repetição. Nele ressoa o exemplo de Jesus (Lc 19,47). O narrador parece divertir-se ao contá-lo, como no relato cômico de Daniel na cova dos leões. O Conselho completo se reúne para julgar a... desapareceram os réus. Ordens, idas e vindas... reaparecem onde menos se deseja, no domínio especial dos sacerdotes, os quais, em lugar de se abrandar, se endurecem mais. Sem violência dos guardas (Lc 20,10), sem resistência dos apóstolos, outra vez frente a frente.

5,27-28 As palavras do sacerdote soam com dramática ironia. Evita pronunciar um nome que quer apagar, e tem de confessar o sucesso dos apóstolos "enchendo" a capital com o seu ensinamento. Deve-se recordar o papel central de Jerusalém para Lucas: sem querer, o sumo sacerdote se faz testemunha do progresso da pregação (segundo a recomendação de 1,8).

A última frase soa literalmente "quereis lançar sobre nós o sangue desse homem", que é fazê-los responsáveis de homicídio (Mt 27,25; Pedro o dissera no julgamento anterior, 4,10).

5,29-32 Agora o reafirma com ligeiras variantes. À ressurreição seguiu-se a exaltação (Sl 110,1); não para condenar "Israel", mas para perdoar os que se arrependem; o testemunho do Espírito Santo (Jo 15,26) soma-se ao deles (Lc 24,48).

5,33 A reação desta vez não é desconcertante, mas violenta (cf. 7,54-56). Deliberar indica a intenção, e o imperfeito descreve algo em processo; não se chegou a uma decisão nem tampouco a uma sentença judicial. Nesse momento, um homem de grande prestígio se levanta para falar e pronunciar umas palavras que são o centro de gravidade de toda a cena e uma informação valiosa para futuros leitores. Um fato histórico, talvez com a cronologia alterada, revela um componente da situação.

É um "fariseu": nem todos os fariseus foram hostis. É muito estimado de todos; portanto, deve-se pensar que guiasse uma ala do partido. Não é cristão; portanto, pode representar um modo de relações pacíficas e tolerantes do judaísmo com o cristianismo. É Gamaliel, provavelmente filho de Hillel, chefe da ala liberal do judaísmo (compare-se com a intervenção de Nicodemos, Jo 7,50-52). Lucas ostenta esse testemunho equilibrado e imparcial, frente ao judaísmo de seus dias. O que Gamaliel pronuncia é condicional, para o narrador é fato consumado.

No seu discurso se unem dois fatos e um princípio de compreensão e de ação. Os fatos são históricos: dois casos de líderes que se apresentam como messias ou libertadores contra o poder de Roma. Só que Teudas agiu depois do ano 44. Judas Galileu foi mais famoso como promotor do movimento independentista zelote.

O princípio é altamente teológico. Na simetria dos dois condicionais, o primeiro está no subjuntivo, o segundo no indicativo. Lutar contra Deus: recordem-se as bravatas de Senaquerib (Is 36,19-20; 37,12) e muitos textos que falam dos "inimigos de Deus" (do tipo do Sl 68,2). Daí brota o conselho prático: deixá-los em paz. Lucas sublinha também esse conselho.

5,37 Os galileus tinham fama de turbulentos (cf. Lc 13,1).

Judas, o Galileu, e arrastou gente do povo atrás de si. Também ele morreu, e todos os seus seguidores se espalharam. ³⁸Agora, portanto, aconselho-vos a não vos meterdes com esses homens, mas deixai-os em paz. Pois, se o projeto ou a execução for coisa de homens, fracassará; ³⁹se é coisa de Deus, não podereis destruí-los, e estareis lutando contra Deus.

Deram-lhe atenção, ⁴⁰chamaram os apóstolos, os açoitaram, os proibiram falar em nome de Jesus e os despediram. ⁴¹Eles saíram do tribunal contentes por haver sido considerados dignos de sofrer desprezos pelo nome dele. ⁴²E não cessavam, a cada dia, no templo ou em casa, de ensinar e anunciar a boa notícia do Messias Jesus.

6 Os sete diáconos
– ¹Por essa ocasião, aumentando o número dos discípulos, os de língua grega começaram a murmurar contra os de língua hebraica, pois suas viúvas eram desatendidas no serviço diário. ²Os doze convocaram todos os discípulos e lhes disseram:

– Não é justo que descuidemos a palavra de Deus para servir à mesa; ³portanto, irmãos, designai sete homens dos vossos, respeitados, dotados do Espírito e de prudência, e os encarregaremos dessa tarefa. ⁴Nós nos dedicaremos à oração e ao ministério da palavra.

⁵Todos aprovaram a proposta, e elegeram Estêvão, homem de fé e cheio de Espírito Santo, Filipe, Próscoro, Nicanor, Timão, Pármenas e Nicolau, prosélito de Antioquia. ⁶Apresentaram-nos aos apóstolos, oraram e lhes impuseram as mãos. ⁷A mensagem de Deus se difundia, em Jerusalém crescia muito o número dos discípulos, e muitos sacerdotes abraçavam a fé.

Estêvão preso – ⁸Estêvão, cheio de graça e poder, fazia grandes milagres e sinais entre

---

5,39 Ver a afirmação categórica de Is 14, 26-27.
5,40 A flagelação era às vezes aplicada como advertência ou admoestação (cf. Mc 13,9).
5,41 O final é novo: uma nova experiência, permanente, dos apóstolos. Não a superação do temor, nem a alegria da libertação, mas a alegria paradoxal de sofrer por e como Jesus (Lc 6,22-23; 1Pd 4,13), a experiência de sua bem-aventurança. Será o destino do apóstolo (cf. 2Cor 1,3-11).
6,1-7 Leia-se como lema o Sl 132,15-16. Talvez nesse capítulo comece uma segunda parte do livro, com o aparecimento de um novo grupo na comunidade de Jerusalém: os helenistas. O nome designa judeus da diáspora cuja língua era o grego: muitos ficavam no seu país de origem, uns poucos se mudavam para Jerusalém para aí passar seus últimos anos e serem sepultados na cidade santa. (Havia sinagogas especiais para eles, 6,9; 24,12.) Muitos eram fiéis às tradições dos antigos, uns poucos se convertiam ao cristianismo. Este último grupo provoca tensões novas, para dentro e para fora da comunidade.
Para dentro: a ocasião trivial, embora sentida, da partilha, talvez esconda tensões mais profundas. As viúvas, grupo social desvalido e objeto de atenção especial na tradição bíblica, vivem da caridade na comunidade cristã. Mas, pelo visto, ou segundo as queixas, as viúvas helenistas recebem um tratamento pior, ou seja, a diferença de língua é origem de discriminação e esta é agente corrosivo da unidade. Havia tensões mais profundas que afloravam nesse incidente? (Recordem-se as repetidas queixas ou protestos dos israelitas no deserto.)
Os doze (designação inusitada neste livro) convocam uma assembleia de discípulos e propõem, como solução, formar um novo comitê encarregado da partilha, já que eles têm de dedicar-se à pregação e à oração. As duas atividades, da palavra de Deus e do alimento das pessoas, se chamam "serviço". A assembleia elege e propõe os nomes; os apóstolos, impondo as mãos, lhes transmitem o encargo e a graça para cumpri-lo. O número é sete, corrente em grupos judeus e diferente dos "doze". As qualidades requeridas são "espírito e prudência": se se toma como hendíadis, pode equivaler a "dotes de prudência" (como Ex 28,3); se se toma *pneuma* em sentido transcendente, seria Espírito Santo e prudência humana (Is 11,3). A escolha e dedicação se parecem com o episódio de Moisés quando escolheu os setenta colaboradores que partilharam do seu "espírito" (Nm 11).
O estranho é que depois não veremos esses sete de nome grego "servindo à mesa", e sim pregando "a palavra". Como se fossem uma instância subordinada aos doze para dirigir os helenistas.
6,7 O incidente fica resolvido, e o narrador o indica noticiando o contínuo crescimento da comunidade. Personificando a "palavra" ou mensagem, diz que "crescia". O mais surpreendente é que das fileiras dos inimigos acérrimos, a classe sacerdotal, brotavam conversões ao cristianismo.
6,8-15 Para fora: hostilidade entre helenistas cristãos e helenistas não convertidos. Estêvão não só é protomártir, mas também protótipo do cristão possuído pelo Espírito e testemunha até a morte. Grande nos milagres, na dialética, nos discursos, nas visões. Parece entusiasta, muito ativo na sua propaganda, incisivo na sua denúncia. Aquilo que seus rivais não conseguem raciocinando e discutindo, procuram obtê-lo com uma campanha de difamação para desacreditá-lo também diante do povo e dos fariseus letrados. Assim conseguem mobilizar o povo: dado novo que muda a situação. Não param até conduzi-lo perante o Conselho.

o povo. ⁹Alguns membros da sinagoga dos Emancipados*, gente de Cirene e Alexandria, da Cilícia e da Ásia, puseram-se a discutir com Estêvão; ¹⁰mas não conseguiam resistir à sabedoria e espírito com que falava. ¹¹Então subornaram alguns que declararam tê-lo ouvido blasfemar contra Moisés e contra Deus. ¹²Amotinaram o povo, incluindo senadores e letrados, chegaram, apoderaram-se dele e o conduziram ao Conselho. ¹³Apresentaram testemunhas falsas que declararam:

– Este homem não para de falar contra este santo lugar e contra a lei. ¹⁴Ouvimo-lo afirmar que Jesus Nazareno destruirá este lugar e mudará os costumes que Moisés nos legou.

¹⁵Todos os que estavam sentados no Conselho fixaram nele o olhar e viram que seu rosto parecia o de um anjo.

7 Discurso de Estêvão – ¹O sumo sacerdote o interrogou:

– Isso é verdade?

²Ele respondeu:

– Irmãos e pais, escutai. Quando nosso pai Abraão residia na Mesopotâmia, antes de transferir-se para Harã, apareceu-lhe o Deus da glória ³e lhe disse: *Sai da tua terra e da tua parentela e vai para a terra que*

6,9 * Ou: *Libertos*. Parecem ser descendentes de judeus prisioneiros de guerra.

6,10 Ver Lc 21,15.

6,11 Mt 26,59-61.

6,13 A acusação se concentra nas duas grandes instituições judaicas: o templo (Jr 26,11) e a lei (1Mc 2,27; 3,43). É provável que as acusações tenham algum fundamento, já que Jesus se tinha distanciado do templo e havia violado a lei ou sua interpretação.

6,14 Isso se refere a uma predição do futuro escatológico que transtorna todas as esperanças. O Messias havia de vir para devolver a soberania a Israel e, por esse meio, impor a lei de Moisés a todos os povos, fazendo do templo o centro de peregrinação e culto. O que atribuem a Estêvão é exatamente o contrário.

6,15 A resposta de Estêvão é por enquanto um rosto angélico: talvez radiante como o de Moisés depois de falar com *Yhwh* (Ex 34,29-35; cf. 2Sm 14,17). Com esse versículo conecta no relato o desfecho, 7,55-60. Um longo discurso interrompe a ação.

7,1-53 Mais que declaração ou defesa, o discurso de Estêvão perante o Grande Conselho é uma resposta *ad hominem*. Na superfície soa como síntese seleta de história bíblica, com citações de textos ou frases, com algum traço midráxico, com não poucas liberdades nos detalhes. Diríamos que não responde às acusações sobre a lei e o templo e que quase não fala de Jesus. No entanto, lido com atenção, vê-se que a figura de Jesus, rejeitado pelos judeus e constituído Senhor, guia a seleção de dados e o desenvolvimento. Alguns silêncios são significativos. A história começa com a escolha de Abraão (o mais universal dos patriarcas) e com sua aliança (não a do Sinai), cujo sinal é a circuncisão (que os judeus da diáspora continuam praticando). José, o "irmão" inocente, é vendido ao estrangeiro pelos "patriarcas" e exaltado pelo Faraó. Moisés é a figura central do discurso (mencionado na acusação). Exposto pelos pais, recolhido e educado pela princesa; defensor de seus "irmãos" e rejeitado por eles; fugitivo e escolhido, é enviado por Deus como "libertador". Moisés dá aos israelitas leis, "palavras de vida" que eles não cumprem. Anuncia-lhes também profetas sucessores seus, e eles os mataram (a acusação não mencionava a profecia: tudo se reduzia à lei e ao culto).

Passemos à acusação sobre o culto. Deus "apareceu" a Abraão (v. 3) e lhe anunciou que seus descendentes celebrariam o culto em Canaã (v. 7). O Sinai é "lugar sagrado". Moisés lhes ensina o culto autêntico; eles fabricam para si um ídolo e o adoram. Dá-lhes uma tenda copiada do modelo divino; eles retêm a tenda de Moloc. Céu e terra são trono de Deus, e eles se esforçam em confiná-lo num templo.

Assim chega ao cume, o Justo anunciado, ao qual dedica um versículo depois de um discurso tão longo: por quê? Porque os tipos o precederam. Abraão foi testemunha da glória de Deus; José vendido, "Deus estava com ele"; Moisés rejeitado, "agradava a Deus". Do Justo (Jesus, não pronuncia o nome) duas palavras de acusação: vós o entregastes, o matastes. Por que não menciona a ressurreição, a exaltação? Porque a adia para um final de grande efeito: a exaltação não é a última peça de um relato; é algo que Estêvão contempla e atesta.

A realeza tem pouca importância no discurso. Davi "alcançou o favor de Deus" (nada diz da descendência davídica do Messias). Quanto ao sacerdócio, é preciso adivinhá-lo no culto (a menção de Aarão junto a Moisés não é lisonjeira). O templo fica relativizado: é "obra de suas mãos", como também o bezerro (vv. 41.48), e há outros lugares sagrados nos quais Deus se manifesta. Para os judeus da diáspora é interessante recordar que Abraão vem de fora, que José e Moisés desfrutaram por algum tempo da benevolência do Egito.

7,1 Esse começo, de interrogatório formal, parece elaboração posterior. O resultado não será uma sentença pronunciada e executada, e sim um motim violento provocado por suposta blasfêmia. O autor quis dar ao martírio de Estêvão um caráter jurídico, paralelo ao de Jesus. Estêvão começa com títulos conciliadores e respeitosos.

7,2 O "Deus da glória" é a primeira palavra a partir da qual tudo começa. Para o título: Sl 29,3. "Apareceu" (deixou-se ver): Gn 12,7; 17,1; 18,1 etc. Abraão recebe o título tradicional, tão querido dos judeus, "nosso pai". As palavras de Estêvão não garantem a exatidão dos fatos nem das suas referências bíblicas.

7,3 Citação literal de Gn 12,1. Sublinha o tema da "saída".

eu te indicar. ⁴Saindo, pois, da Caldeia, estabeleceu-se em Harã. Ao morrer seu pai, transladou-o dali para esta terra que vós agora habitais. ⁵Mas não lhe deu uma herança na qual estabelecer-se, mas lhe prometeu *dá-la em propriedade a ele e à sua descendência*. Quando ainda não tinha filhos, ⁶Deus lhe falou assim: *Teus descendentes serão imigrantes em terra estrangeira; os escravizarão e maltratarão durante quatrocentos anos.* ⁷*Eu julgarei o povo que os escravizar* – disse Deus. – *Depois sairão e me prestarão culto neste lugar.* ⁸Como sinal da aliança, lhe deu *a circuncisão*. Por isso gerou Isaac *e o circuncidou no oitavo dia*. Isaac gerou Jacó, e Jacó os doze patriarcas. ⁹Os patriarcas, *invejosos de José, venderam-no para que o levassem ao Egito;* mas Deus estava com ele ¹⁰e o livrou de todas as suas desgraças. *Fez que ganhasse*, por sua prudência, *o favor do Faraó, rei do Egito, que o nomeou governador do Egito e de toda a sua corte.* ¹¹*Sobreveio uma carestia no Egito e em Canaã* e uma grande escassez, de modo que nossos antepassados não encontravam provisões. ¹²*Quando Jacó ficou sabendo que havia trigo no Egito, enviou numa primeira expedição nossos antepassados.* ¹³Numa segunda expedição, *José se deu a conhecer a seus irmãos,* e o Faraó descobriu a linhagem de José. ¹⁴José mandou chamar seu pai e toda a família, umas *setenta pessoas*. ¹⁵Jacó desceu ao Egito, onde morreu, assim como nossos antepassados. ¹⁶Seus restos foram transladados para Siquém e depositados no sepulcro que Abraão havia comprado dos hemoritas de Siquém por dinheiro. ¹⁷Quando se aproximava a hora de cumprir-se a promessa que Deus havia feito a Abraão, o povo havia *crescido* e se havia *multiplicado* no Egito. ¹⁸*Subiu ao trono do Egito um rei que nada sabia de José,* ¹⁹e que *maltratou com astúcia* nossos pais, e os obrigou a expor os recém-nascidos *para que não sobrevivessem.*

²⁰Foi a época em que nasceu Moisés, que *agradava a Deus*. Durante três meses o criaram na casa paterna; ²¹depois o expuseram, e *a filha do Faraó o adotou* e educou *como filho seu*. ²²Moisés se formou em toda a cultura egípcia: era poderoso em palavras e obras. ²³Ao completar quarenta anos, ocorreu-lhe visitar seus *irmãos israelitas*. ²⁴Vendo que um era maltratado, saiu em sua defesa e vingou a vítima, *matando o egípcio*. ²⁵Pensava que seus irmãos compreenderiam que Deus ia salvá-los por sua mão; mas eles não o compreenderam. ²⁶No dia seguinte, apresentou-se a alguns que brigavam e tentou reconciliá-los, dizendo: Sois irmãos, por que vos maltratais? ²⁷Porém, o que estava abusando do outro o rejeitou, dizendo: *Quem te nomeou chefe e juiz nosso?* ²⁸*Pretendes matar-me como mataste ontem o egípcio?* ²⁹Ao ouvir isso, Moisés fugiu e *estabeleceu-se em Madiã,*

7,5-6 Cita duas promessas: o dom da terra e da descendência; não menciona a bênção.

7,6-7 À citação tirada da visão (Gn 15) acrescenta uma frase de Ex 3,12, conferindo assim caráter sagrado ao lugar onde se encontra o patriarca: todo o território de Canaã ou só o lugar da visão?

7,8 Estêvão menciona a circuncisão sem indício de discussão ou dúvida (Gn 21,4). Não vê que logo será um autêntico problema.

7,9 Dedica muito espaço a José, único dos doze irmãos (nisto segue Gn 37-50). Provavelmente porque é a vítima inocente, depois justificado e salvador dos irmãos. Deus estava com ele (Gn 39 o diz) precisamente quando parecia abandonado na prisão.

7,10 A benevolência do Faraó e ação de Deus ao conceder a José "atrativo e prudência" (Gn 41,39).

7,12-13 Discretamente diz que na primeira vez os irmãos não o reconheceram (quando só buscavam provisões), e na segunda se deu a conhecer (Gn 42,1; 45,16). Haverá uma referência oblíqua a Jesus?

7,14-15 É importante a descida de Jacó e família ao Egito (Gn 46,27).

7,16 Segundo Gn 23, comprou o sepulcro em Hebron. Trasladado e sepultado (Gn 49,33; 50,7-13).

7,17 O Egito se transforma em terreno nutrício e quase materno do crescimento de Israel (Ex 1,7). O helenista diz isto com segunda intenção?

7,20 A curiosa expressão "agradava a Deus" significa que o menino pareceu lindo (*asteios*) a Deus (Ex 2,2).

7,22 A formação egípcia de Moisés não se encontra na Bíblia, mas sim em outros textos. Também poderia ser intencional na boca do helenista.

7,25 Seguem-se os episódios de Ex 2,1-12. A figura de Jesus se insinua por detrás desse versículo, dando-lhe um relevo de cinzelamento: por seu intermédio ia salvá-los, esperava que seus irmãos o entendessem, mas não o compreenderam.

7,26 O efeito se prolonga nesse v. com menos força: tenta reconciliar, censura-os por se maltratarem, "sois irmãos".

7,27 Esse v. poderia referir-se ao Jesus da parusia, "chefe e juiz constituído" por Deus. Obliquamente faz eco a Lc 12,14.

onde gerou dois filhos. ³⁰Passados quarenta anos, *apareceu-lhe um anjo no deserto do monte* Sinai, *na chama de uma sarça que ardia.* ³¹Moisés ficou maravilhado diante do espetáculo, e *quando se aproximava para ver melhor,* fez-se ouvir a voz do Senhor: ³²*Eu sou o Deus de teus pais, o Deus de Abraão, de Isaac e de Jacó.* Moisés, tremendo, *não se atrevia a olhar.* ³³O Senhor lhe disse: *Tira as sandálias dos pés, porque estás em lugar sagrado.* ³⁴*Vi como sofre meu povo no Egito, escutei sua queixa e desci para libertá-los. E agora eu te envio ao Egito.* ³⁵A este Moisés, a quem haviam rejeitado dizendo: *Quem te nomeou chefe e juiz?,* Deus o enviou como libertador por meio do anjo que lhe apareceu na sarça. ³⁶Ele os tirou, realizando *milagres e sinais no Egito,* no mar Vermelho e *por quarenta anos no deserto.* ³⁷Este é o Moisés que disse aos israelitas: *Dentre vossos irmãos Deus suscitará um profeta como eu.* ³⁸Este é aquele que na *assembleia,* no deserto, tratava com o anjo que havia falado no monte Sinai a ele e a nossos pais; que recebeu palavras de vida para comunicar-vos. ³⁹Nossos pais não quiseram obedecer-lhe; pelo contrário, o rejeitaram e *desejaram voltar ao Egito,* ⁴⁰e pediram a Aarão: *fabrica-nos um deus que nos preceda, pois a esse Moisés que nos tirou do Egito não sabemos o que aconteceu.* ⁴¹*Então fizeram o bezerro,* ofereceram *sacrifícios* ao ídolo e celebraram festa em honra da obra de suas mãos. ⁴²Por isso, Deus decidiu entregá-los ao culto dos astros do céu, como está escrito nos livros proféticos: *Acaso me oferecestes vítimas e sacrifícios nestes quarenta anos de deserto, ó Casa de Israel?* ⁴³*Transportastes a tenda de Moloc e o astro do deus Refã e as imagens que fizestes para adorá-los. Por isso vos deportarei para além de Babilônia.* ⁴⁴Nossos pais no deserto tinham a tenda do testemunho, conforme as instruções daquele que mandou Moisés *fabricá-la, conforme o modelo* que lhe havia mostrado. ⁴⁵Nossos pais a receberam e, sob o comando de Josué, a introduziram na herança dos pagãos, que Deus expulsou diante deles; e durou até o tempo de Davi. ⁴⁶Este obteve o favor de Deus e solicitou permissão para *procurar uma morada para o Deus de Jacó.* ⁴⁷Mas *coube a Salomão construir-lhe o templo,* ⁴⁸embora o Altíssimo não habite construções humanas, como diz o profeta: ⁴⁹*O céu é meu trono e a terra é estrado de meus pés: que casa irás construir para mim? – diz o Senhor – que lugar para meu descanso?* ⁵⁰*Não foi minha mão que fez tudo isso?*

7,30 Segue uma tradição que divide a vida de Moisés em três etapas de quarenta anos. "Apareceu-lhe": o mesmo verbo com que começou a história de Abraão. O "anjo" é a manifestação visível da divindade. A ordem dos fatos fica alterada (Ex 3,4-10).

7,32-33 Na aparição da sarça, Estêvão não menciona a revelação do nome (que já não se pronunciava então).

7,35 Repete o esquema da primeira pregação de Pedro: os homens o rejeitam, Deus o nomeia "resgatador". Termo próprio da libertação de escravos. Por meio de ou acompanhado do anjo (Ex 23,23; 32,34; 33,2).

7,37-38 Esses dois versículos refletem uma atitude e podem ser polêmicos. Os judeus davam importância primordial à *torá* (Pentateuco), que continha a lei e da qual principalmente retiravam normas de conduta (*halaká*). Os autores do NT dão mais importância aos profetas (incluídos os salmos), e não poucas vezes leem a própria *torá* como profecia. Estêvão muda a ordem de Ex e Dt para dizer: aquele Moisés que anuncia o profeta futuro (Dt 18,15) é quem vos deu a lei (Ex 19-20). Invertendo os dados, o Moisés do Sinai é o Moisés que vos dirige ao profeta. Pode-se dizer que no conjunto a profecia é mais aberta que a lei. O discurso programático de Jesus em Nazaré (Lc 4) toma como base uma profecia (Is 61).

7,39-41 Pois bem, já no deserto os israelitas tentaram anular a libertação e abandonar o caminho para regressar ao Egito (Nm 14) e perverteram o culto fabricando um deus manipulável (Ex 32).

7,42-43 O culto à "rainha do céu" (Jr 7,8; 44,16-19; cf. Jó 31,26-28) pode ser alusão ao culto astral, proibido expressamente (Dt 4,19). A "tenda de Moloc" vem de uma falsa tradução de Am 5,26 (que menciona duas divindades estrangeiras).

7,44-48 Todo o amplo capítulo da entrada em Canaã e da sua ocupação (livro de Josué) se condensa em "introduzir" a tenda móvel, imagem autêntica do modelo celeste (Ex 27,21; 25,9.40; Js 3,14-17). Um rei se encarregou de imobilizá-la para confinar Deus. Davi o pediu (e lhe negaram). Salomão o executou (e não acertou, 2Sm 7; 1Rs 6). Estêvão podia ter citado 1Rs 8,27, frase em que Salomão relativiza seu empreendimento e não está longe do texto citado de Isaías (66,1-2).

7,49 Com esse texto categórico, Estêvão conclui a parte expositiva. O templo de Jerusalém é "obra de mãos humanas". O universo, seu verdadeiro templo, é obra da mão de Deus. O profeta o diz, "o Senhor o diz".

⁵¹Duros de cerviz, incircuncisos de coração e de ouvidos, resistindo sempre ao Espírito Santo! Sois como vossos pais. ⁵²A qual dos profetas vossos pais não perseguiram? Mataram os que profetizavam a vinda do Justo, aquele que vós agora entregastes e assassinastes. ⁵³Vós, que recebestes a lei por ministério de anjos, e não a observastes.

Morte de Estêvão — ⁵⁴Ouvindo seu discurso, eles se mordiam por dentro e rangiam os dentes contra ele. ⁵⁵Ele, cheio do Espírito Santo, fixando o olhar no céu, viu a glória de Deus e Jesus à direita de Deus, ⁵⁶e disse:

– Vejo o céu aberto e aquele Homem de pé à direita de Deus.

⁵⁷Eles deram um grande grito, taparam os ouvidos e se lançaram juntos contra ele, ⁵⁸o lançaram fora da cidade e começaram a apedrejá-lo. As testemunhas haviam deixado os mantos aos pés de um jovem chamado Saulo. ⁵⁹Enquanto o apedrejavam, Estêvão invocou:

– Senhor Jesus, acolhe o meu espírito.

⁶⁰E, ajoelhado, gritou com voz poderosa:

– Senhor, não lhes leves em conta este pecado.

E dito isso, morreu.

8

¹Saulo consentia com a execução.

Perseguição e pregação na Samaria (Lc 21,7-19) – Nesse dia, desencadeou-se grave perseguição contra a igreja de Jerusalém, de modo que todos, exceto os apóstolos, se dispersaram pelo território da Judeia e Samaria. ²Homens piedosos sepultaram Estêvão e lhe ofereceram um funeral solene. ³Saulo devastava a igreja, entrava nas casas, agarrava homens e mulheres e os punha na prisão. ⁴Os dispersos percorriam o país anunciando a boa notícia. ⁵Filipe desceu a uma cidade da Samaria e aí proclamava o Messias.

7,51-53 Com toda a força da sua exposição, o orador volta-se contra os ouvintes, seus acusadores, e suas palavras têm acento profético. "Homens de dura cerviz", teimosos, é apelo corrente (Ex 32,9 par.; Dt 9,6; Jr 7,26; Ne 9,16); também "incircuncisos de coração" (por dentro, Lv 26,41; Jr 9,25). Resistir ao Espírito (Is 63,10). Perseguir os profetas: pode-se documentar de alguns e deduzir acerca de outros (Is 8,11; 30,10-11; 50,6; Jeremias: Ez 2,6; Am 7; 2Cr 36,16). O título grego "o Justo", como semitismo, pode significar o mesmo que "o Inocente": Jesus o é por excelência. De modo que para ele convergem as numerosas perseguições de "inocentes" mencionadas no AT.

7,54 A reação dos ouvintes, interna e externa (Sl 35,16), mostra que foram entendendo a intenção do discurso e que não lhe opõem razões. Sua reação é "visceral" (*tais kardíais*).

7,55-56 Chega o momento culminante. Estêvão poderia repetir como Jó (42,5) "eu te conhecia só de ouvir, agora meus olhos te viram". O que contou, ele o sabe por tradição, porque ouviu ou leu. Agora, num rapto de inspiração, contempla o Homem (Jesus) à direita de Deus, exaltado (Lc 3,21; 20,42). Por que de pé e não sentado? (Sl 110,1). Talvez na atitude de pronunciar sentença (cf. Sl 12,6; 76,10; Is 2,19), ou então em atitude de auxiliar (Sl 3,8; 9,20; 10,12; 35,2).

7,57-58 Para os ouvintes é o cúmulo, não é preciso observar formalidades, passam à ação violenta (Sl 35,16; Jó 16,9-10). Fora da cidade (Nm 15,35; 1Rs 21,13-14; Hb 13,12). A lapidação era a pena do blasfemo (Lv 24,14-16).

7,59-60 Nas suas últimas palavras, Estêvão segue de perto o Mestre (Lc 23,46.34; cf. Sl 31,6). Com dois traços, como de passagem, o narrador faz entrar em cena um personagem secundário, que logo será o grande protagonista: por ora se chama Saulo.

8,1-3 Mais que sumário, esses três vv. são conclusão e transição. O choque dos judeus, com participação popular, com um chefe dos cristãos helenistas, é uma faísca que se alastra, até o ponto de provocar uma fuga generalizada. Não total, porque em torno dos apóstolos há uma comunidade de "discípulos" em Jerusalém. Alguns pensam que a perseguição se dirige só contra os cristãos helenistas, mais independentes e incisivos em suas atitudes; do contrário, não se explica como os apóstolos possam ficar tranquilamente na capital. Saulo aparece em primeiro plano como ativista na perseguição; mas essa notícia pode estar sendo exagerada para preparar por contraste a espetacular conversão. O sepultamento de Estêvão executado repete a seu modo o de Jesus (Lc 23,50-53). Não sabemos se esses "homens piedosos" eram judeus ou cristãos. Estêvão entrou nos anais da Igreja como protomártir, e seu nome grego se difundiu amplamente.

8,4-25 Se os apóstolos ficaram em Jerusalém, esse Filipe não é o apóstolo, e sim o segundo dos sete helenistas recentemente escolhidos. A dispersão, fuga aos olhos dos homens, aos olhos iluminados do narrador é difusão do evangelho. Uma força externa hostil desencadeia uma força interna fecunda. A abertura oficial da Igreja será celebrada por Pedro no caso de Cornélio, mas os episódios do presente capítulo significam saltar a fronteira seguindo a recomendação de Jesus (1,8): "Jerusalém, Judeia, Samaria, até os confins do mundo". A Judeia se conserva fiel à tradição; Samaria era considerada meio pagã, meio apóstata, infestada de sincretismo (cf. Jo 4). É o campo de operações dos "evangelistas" ambulantes.

⁶Ouvindo e vendo os sinais que fazia, a multidão escutava unânime o que Filipe dizia. ⁷Espíritos imundos saíam dos possessos, dando grandes gritos. Muitos paralíticos e mutilados se curavam, ⁸e a cidade transbordava de alegria.

⁹Certo Simão estivera na cidade praticando a magia. Excitava o povo de Samaria, apresentando-se como grande personagem. ¹⁰Todos, do maior ao menor, o escutavam e comentavam:

– Este é a Força de Deus, chamada a Grande.

¹¹Escutavam-no, porque durante bastante tempo os tinha encantado com sua magia. ¹²Mas, quando creram em Filipe, que lhes anunciava a boa notícia do reinado de Deus e o nome de Jesus Messias, homens e mulheres se batizavam. ¹³Também Simão creu e se batizou, e seguia assiduamente Filipe, estupefacto ao ver os grandes milagres e sinais que fazia.

¹⁴Em Jerusalém os apóstolos ficaram sabendo que a Samaria havia acolhido a palavra de Deus, e lhes enviaram Pedro e João. ¹⁵Eles desceram e rezaram para que recebessem o Espírito Santo, ¹⁶pois ainda não havia descido sobre ninguém; só estavam batizados no nome do Senhor Jesus. ¹⁷Impuseram-lhes as mãos e receberam o Espírito Santo.

¹⁸Vendo Simão mago que o Espírito era concedido quando os apóstolos impunham as mãos, ofereceu-lhes dinheiro, ¹⁹dizendo:

– Dai-me também esse poder de conferir o Espírito Santo a quem eu imuser as mãos.

²⁰Pedro lhe replicou:

– Pereça o teu dinheiro e tu com ele, se crês que o dom de Deus está à venda. ²¹Neste assunto não tens parte, porque Deus não aprova tua atitude. ²²Arrepende-te de tua maldade e pede que tua pretensão seja perdoada. ²³Vejo-te convertido em fel amargo e em fardo de iniquidade.

Filipe se estabelece por algum tempo "numa cidade da Samaria", e seu ministério provoca, em duas fases, um confronto exemplar. E em versão atualizada, é o confronto de Moisés, armado da palavra e do poder de Deus, com os magos do Egito, que remedam seus prodígios (Ex 7-8). Os personagens são três, porque Lucas gradua a ação em dois atos: Filipe, Simão, Pedro.

Filipe vem equipado com a mensagem evangélica (6,12; Lc 4,43; 8,1), acompanhada de abundantes milagres (Lc 7,22), como Jesus em seu ministério (Lc 6,18; 8,2). Os milagres assombram, atraem e alegram o povo (Jo 17,13), mas o que produz a fé é o "evangelho do reinado de Deus" inaugurado por Jesus. Ao que parece, o batismo foi desde cedo prática corrente como sinal de incorporação à Igreja.

Simão é um ser ambíguo, boa amostra de um sincretismo turvo. Judeu (ou israelita) de nome e provavelmente de religião; cultivador assíduo de práticas mágicas, de origem helenista ou oriental. Práticas proscritas também no Pentateuco que os samaritanos admitem (Dt 18,9-12). Sabe iludir o povo e se apresenta como um ser excepcional, investido do "poder máximo" da divindade (cf. Jr 10,6). Seu êxito tinha-se consolidado, porque sua atuação durava já bastante tempo. Através de Simão nos é oferecida uma visão pouco lisonjeira de um povoado samaritano.

A pregação de Filipe demonstra ser mais poderosa que o pretenso "poder máximo": "homens e mulheres" e o próprio Simão convertem-se e são batizados. É sincera e transparente sua conversão? Várias vezes no AT há notícia de abandono de divindades falsas (Gn 35,4; Js 24,23; Sl 16,4). Pelo que se segue, Simão abraçou a nova fé em regime de sincretismo. Não se afasta de Filipe, para observar suas ações (talvez para imitá-las). Nesse ponto, o narrador introduz um episódio que confirma a autoridade da Igreja de Jerusalém, na pessoa de seu chefe Pedro, e também a atividade missionária de Filipe. Não se deve minimizar a notícia que chega a Jerusalém, porque é sensacional: "A Samaria acolheu a palavra de Deus" (= o evangelho). A comunidade envia dois chefes em visita de inspeção. Deve ter sido tão rápida e o resultado tão convincente, que o narrador a salta e passa logo à intervenção positiva dos apóstolos.

Esse é um dos dois casos em At (o outro é 10,44.48), em que o dom do Espírito se separa, só cronologicamente, do batismo. É como se o rito ficasse suspenso esperando um complemento substancial. Como em tempos primitivos ou em algumas regiões, o batismo é feito invocando "o nome de Jesus" (cf. Mt 28,19). A recepção do Espírito provocou reações externas atraentes que despertaram a atenção e a cobiça de Simão: ele imagina um rito mágico que controla e dispensa forças sobrenaturais. Propõe-se comprar esse poder, talvez para acrescentá-lo a seu repertório mágico. Do seu nome deriva o termo técnico "simonia".

8,20-21.23 A reação de Pedro é irada no tom, doutrinal no conteúdo. Pronuncia uma espécie de maldição com motivação, que vai mais contra a atitude do que contra a estranha pessoa. O dom de Deus não se compra. Pretendê-lo e cultivar uma relação turva com Deus, porque é não compreender a livre generosidade de Deus, porque pensa em termos de *do ut des*. Com semelhante atitude não pode "partilhar" a vida da comunidade. Por dentro, Simão está cheio de fel (Dt 29,17-18) e preso com cadeias (Is 58,6).

8,22-24 Contudo, há lugar para o arrependimento e para pedir perdão da maldade. Pedro termina exortando. Não considera imperdoável a culpa. De fato, Simão pede a intercessão dos apóstolos (cf. Ex 8,4; 1Sm 12,19). Supomos que o fizeram, ainda que o narrador não o diga.

²⁴Simão respondeu:

— Rezai por mim ao Senhor, para que não me aconteça nada do que dissestes.

²⁵Eles, depois de dar testemunho expondo a mensagem do Senhor, voltaram a Jerusalém, anunciando pelo caminho a boa notícia em muitas aldeias da Samaria.

Filipe e o eunuco (Is 56,3-8) – ²⁶O anjo do Senhor disse a Filipe:

— De pé! Dirige-te ao sul, ao caminho que leva de Jerusalém a Gaza (um caminho deserto).

²⁷Ele se pôs a caminho. Aconteceu que um eunuco etíope, ministro da rainha Candace e administrador de seus bens, ²⁸voltava de uma peregrinação a Jerusalém, sentado em sua carruagem e lendo a profecia de Isaías. ²⁹O Espírito disse a Filipe:

— Aproxima-te e junta-te à carruagem.

³⁰Correndo, Filipe a alcançou. Ouvindo que lia a profecia de Isaías, lhe perguntou:

— Entendes o que estás lendo?

Respondeu:

— ³¹Como vou entender, se ninguém me explica?

E o convidou a subir e sentar junto dele. ³²O texto da Escritura que estava lendo era o seguinte: *Como cordeiro levado ao matadouro, como ovelha muda diante do tosquiador, da mesma forma ele não abriu a boca.* ³³*Humilharam-no, negando-lhe o direito; quem meditou em seu destino? Pois arrancaram da terra sua vida.* ³⁴O eunuco perguntou a Filipe:

— Dize-me, por favor: de quem fala o profeta? De si mesmo ou de outro?

³⁵Filipe tomou a palavra e, começando por esse texto, explicou-lhe a boa notícia de Jesus. ³⁶Prosseguindo caminho, chegaram a um lugar em que havia água, e o eunuco lhe disse:

— Aí existe água. O que impede de me batizar?*

8,25 Se o v. se refere aos apóstolos, o autor dá a entender que também eles pregaram o evangelho na Samaria, e alarga consideravelmente a missão de Filipe.

8,26-40 Segundo episódio, fundamental e sugestivo, da missão de Filipe. Com traços realistas, num cenário irreal, dois personagens se encontram e se separam. O que estão representando é outra abertura transcendental da Igreja, na qual se cumpre uma profecia (Is 56,3): "Não diga o estrangeiro: O Senhor me excluirá do seu povo. Não diga o eunuco: Eu sou uma árvore seca", abolição prática de uma lei (Dt 23,1-7). Estão expondo, em ação, como se explica e se compreende a Escritura na nova comunidade. A ação se move de fora, um pouco *ex machina*: um anjo do Senhor dá ordens, o Espírito manda, o Espírito arrebata (vv. 26.29.39). A cena central avança com rapidez até seu ponto alto. Um símbolo unitário de fecundidade governa o relato: do terreno "deserto" brota uma fonte de "água" vivificante; do livro incompreensível brota um sentido que ilumina e transforma; o estéril recupera vida nova.

8,26-29 Podemos imaginar Filipe como missionário itinerante, em busca de novas pessoas a evangelizar. Desta vez, por ordem superior, escolheu uma estrada pouco movimentada, que une a capital com a cidade costeira de Gaza (uns 100 km). Por ela um estrangeiro vai descendo numa carruagem: um eunuco núbio, ministro das finanças da rainha, cujo título real é Candace (como "Faraó" o é do rei egípcio). Homem culto, simpatizante da religião judaica, embora não circuncidado, "prosélito da porta". Retorna de uma peregrinação ao templo de Jerusalém (cf. Is 2,2-5; Zc 8,22-23). Talvez tenha adquirido aí um pergaminho copiado com o texto de Isaías. Lendo-o em voz alta, como era costume até que se inventou a leitura mental.

8,30 Filipe reconhece de ouvido o texto lido: ele o teria escutado várias vezes nos ofícios sinagogais da sua terra. A benefício do leitor, o narrador o cita na versão grega dos Setenta (LXX) com algum retoque. Embora cite apenas dois vv. (Is 53,7-8), podemos supor que o diálogo verse sobre a perícope inteira (52,13-53,12). O estrangeiro compreende o sentido material do texto, apresentado como paradoxo inaudito; mas não sabe identificar o personagem de quem se fala. Neste caso, identificá-lo é compreender o texto. A personagem é tão surpreendente que, com o que aprendeu de doutores judeus, não consegue "entender o que lê". Filipe, ou melhor, o narrador, usa aqui um jogo de palavras (*ginóskeis, anaginóskeis*).

8,31-35 Em grego "explicar" é guiar, encaminhar, para o que não bastava todo o caminho de peregrinação ao templo. Filipe, como Jesus no caminho de Emaús (Lc 24,27), oferece ao estrangeiro uma aula de exegese cristã: a páscoa de Jesus, sua morte e ressurreição, é a chave de compreensão da Escritura.

8,36 O estrangeiro não confessa que "lhe arde o coração". Mas quando descobre uma fonte pelo caminho, com uma expressão modesta pede o batismo: "o que impede de me batizar?" O fato de eu ser estrangeiro, ser eunuco, morar numa corte real, será impedimento? Na pergunta ressoam as dúvidas e incertezas das primeiras comunidades. Lucas responde que o gesto de Filipe é coisa de Deus, do seu Espírito.

Como efeito e sinal da vida nova, o homem sente "alegria". Seria tentador comparar esse homem com o sírio Naamã (2Rs 5), que, uma vez curado por Eliseu, pede para levar uma quantidade de terra palestina para poder nela prestar culto a *Yhwh*. Não conhecemos o nome do eunuco para venerá-lo na Igreja; talvez seu nome seja multidão.

* Alguns manuscritos acrescentam: ³⁷*Respondeu Filipe: Crês de todo o coração? Respondeu o eunuco: Creio que Jesus Cristo é o Filho de Deus.*

³⁸Mandou parar a carruagem, desceram os dois à água, o eunuco e Filipe, que o batizou. ³⁹Quando saíram da água, o Espírito do Senhor arrebatou Filipe, de modo que o eunuco não o viu mais; e continuou sua viagem muito contente. ⁴⁰Filipe encontrou-se em Azoto, e, percorrendo a região, ia anunciando a boa notícia em todos os povoados até Cesareia.

9 Conversão de Paulo

– ¹Saulo, respirando ameaças contra os discípulos do Senhor, apresentou-se ao sumo sacerdote ²e lhe pediu cartas para as sinagogas de Damasco, autorizando-o a levar presos para Jerusalém todos os seguidores do Caminho que encontrasse, homens e mulheres. ³Estando em viagem, já perto de Damasco, de repente uma luz celeste o ofuscou. ⁴Caiu por terra e ouviu uma voz que lhe dizia:

– Saul, Saul, por que me persegues?
⁵Respondeu:
– Quem és, Senhor?

Disse-lhe:
– Eu sou Jesus, a quem tu persegues*. ⁶Agora levanta-te, entra na cidade, e aí te dirão o que deves fazer.

⁷Os acompanhantes se detiveram mudos, pois ouviam a voz e não viam ninguém. ⁸Saulo levantou-se do chão e, ao abrir os olhos, não enxergava. ⁹Tomando-o pela mão, fizeram-no entrar em Damasco, onde esteve três dias, cego, sem comer nem beber.

¹⁰Havia em Damasco um discípulo chamado Ananias. Numa visão o Senhor lhe disse:
– Ananias!
Respondeu:
– Estou aqui, Senhor!
¹¹E o Senhor a ele:
– Dirige-te à rua Principal e procura em casa de Judas um certo Saulo de Tarso: o encontrarás orando.

¹²(Numa visão, Saulo contemplava certo Ananias que entrava e lhe impunha as mãos para que recuperasse a visão.) ¹³Ananias respondeu:

8,39 Ver a expressão de 1Rs 18,12.

9,1-3 O "caminho de Damasco" converte-se em frase proverbial e os escritos de Paulo não cessam de influir e de ser comentados. A história da sua conversão volta a ser contada com variantes, dentro de discursos autobiográficos, em 22,4-16 e 26,9-18; aludem ao fato Gl 1,11-16; 1Cor 15,8-10; Fl 3,6-8. Num instante, o perseguidor feroz se converte em servo leal do Messias, em poucos dias se faz seu grande propagador. Um dia chegará a dizer que Jesus é sua vida (Fl 1,21) e exclamará: "Ai de mim se não anunciar a boa notícia" (cf. 1Cor 9,16).
No AT há um caso espetacular de mudança, que não podemos chamar de conversão. É o mago Balaão, contratado para amaldiçoar eficazmente Israel. O Senhor se apodera dele para fazer que pronuncie bênçãos e profecias. Só o esquema é parecido: de mago hostil a profeta insigne (Nm 23-24). O resto serviria para ilustrar por contraste.
Pelo esquema observamos que a conversão de Saulo é, antes de tudo, uma vitória de Jesus ressuscitado, capaz de "atrair tudo a si" (Jo 12,32), inclusive seu grande inimigo. Pelo contrário, as semelhanças com a história de Heliodoro (2Mc 3) são numerosas nos detalhes, mas compõem um relato totalmente diferente.
No presente relato de Lucas, o momento culminante é brevíssimo. Mais espaço é concedido à incorporação de Saulo à comunidade de Damasco. Nisso é o polo oposto do eunuco de Candace.

9,1-2 Apresenta-nos Saulo "respirando" ou resfolegando ameaças de morte, como os homens violentos contra o indefeso (cf. Am 8,4; Sl 56,2-3; 57,4). O sumo sacerdote não tinha jurisdição sobre as comunidades judaicas da diáspora, mas podia dar cartas de recomendação para influir moralmente nas decisões de sinagogas locais.
A presença de judeu-cristãos em Damasco comprova a rápida difusão do evangelho (6,7). A intenção de levá-los presos a Jerusalém para serem julgados parece corresponder a uma situação posterior. No contexto pode refletir a preocupação das autoridades judaicas centrais diante do progresso da seita dos "nazarenos".

9,3 O leitor deve imaginar um Saulo movido de zelo fanático pelas tradições judaicas, ao final de uma longa viagem, quase chegando à meta. Nesse ponto ressoa o "de repente", de ascendência dramática e bíblica (Is 29,5; 48,3). Não vê figura alguma; só uma fulguração que o ofusca, derruba e cega; sem dúvida uma luz teofânica (2Rs 6,18-19; Sl 77,19; 80,3).

9,4-5 A voz se identifica com o solene "Eu sou", seguido do nome; assume pessoalmente a perseguição contra a comunidade, com a pergunta de Davi a Saul (1Sm 24,15). "Eu sou Jesus" soa curiosamente parecido com "Eu sou tua salvação" (de Sl 35,3).

9,5 * Alguns manuscritos acrescentam: *É duro para ti dar coices contra o ferrão.*

9,6 Saulo e seus planos caem por terra (Sl 27,2). A única instrução que recebe é esperar ordens concretas na cidade. Como? A voz se cala e deixa que atuem duas visões conjugadas.

9,9 Saulo entra em Damasco cego e levado pela mão de alguém. O jejum de três dias serve de preparação.

9,10-16 Aqui Lucas recorre a uma técnica narrativa audaz e difícil, para nos comunicar a simultaneidade (coisa hoje fácil no cinema: "Montagem em paralelo"). Enquanto Ananias recebe instruções numa visão, Saulo vê em outra visão o que vai acontecer muito em breve (futuro antecipado).

— Senhor, ouvi muitos falar desse homem e contar todo o mal que fez aos consagrados de Jerusalém. ¹⁴Agora está autorizado pelos sumos sacerdotes para prender os que invocam teu nome.

¹⁵O Senhor lhe respondeu:

— Vai, pois ele é meu instrumento escolhido para difundir meu nome entre pagãos, reis e israelitas. ¹⁶Eu lhe mostrarei o que deve sofrer por meu nome.

¹⁷Ananias saiu, entrou na casa e lhe impôs as mãos, dizendo:

— Irmão Saul, o Senhor Jesus me enviou, aquele que te apareceu quando vinhas, para que recuperes a visão e te enchas do Espírito Santo.

¹⁸Imediatamente caíram de seus olhos umas como escamas, recuperou a visão, levantou-se, batizou-se, ¹⁹comeu e recuperou as forças. E ficou alguns dias com os discípulos de Damasco. ²⁰Logo se pôs a proclamar nas sinagogas que Jesus é o Filho de Deus. ²¹Todos os ouvintes comentavam assombrados:

— Não é este o mesmo que devastava em Jerusalém os que invocam tal nome e veio aqui para levá-los presos aos sumos sacerdotes?

²²Mas Saulo ia ganhando força e confundia os judeus que habitavam em Damasco, afirmando que Jesus é o Messias. ²³Passados muitos dias, os judeus decidiram eliminá-lo; ²⁴mas Saulo ficou sabendo do seu plano. E, visto que vigiavam as portas da cidade dia e noite para eliminá-lo, ²⁵certa noite os discípulos o desceram num cesto muro abaixo.

Saulo em Jerusalém — ²⁶Ao chegar a Jerusalém, tentava juntar-se aos discípulos; mas eles o temiam, pois não acreditavam que fosse discípulo. ²⁷Então Barnabé o apresentou aos apóstolos, e contou como ele havia visto o Senhor no caminho, como lhe havia falado e com qual ousadia anunciara o nome de Jesus em Damasco. ²⁸Saulo permaneceu em Jerusalém, movimentando-se livremente; anunciava corajosamente o nome de Jesus, ²⁹conversava e discutia com os judeus de língua grega, que tentavam eliminá-lo. ³⁰Mas os irmãos ficaram sabendo, o acompanharam até Cesareia e o enviaram a Tarso.

9,13-14 A objeção de Ananias reflete um estado de intranquilidade e inclusive de alarme frente à primeira e crescente perseguição. Pode ser que Lucas descarregue sobre esse momento experiências posteriores. De resto, sabemos com que facilidade um alarme corre e se propaga.

9,15 A resposta é como uma definição divina da missão de Paulo.
"Escolhido" por vontade soberana e eficaz de Deus, como os antigos reis (Ne 9,7, Abraão; 2Sm 6,21; Sl 78,30, Davi; Is 43,10, o Servo). "Instrumento" à disposição de Deus e manejado por ele (cf. Jr 18; Is 49,2): "Portador" do nome de Jesus com seus títulos; como Moisés traz o de Yhwh. "Entre reis e povos pagãos", como Jeremias (1,10). E também Israel, como nome tradicional e amplo do povo escolhido, ou seja, que não foi rejeitado (Is 41,9; Lv 26,44). Paulo se dirigirá sempre aos judeus da diáspora.

9,16 Deus lhe "mostrará" por experiência que o sofrimento está entranhado na missão. Paulo o confessará uns anos mais tarde (2Cor 11).

9,17-18 A incorporação de Saulo à comunidade acontece rapidamente. Ananias se apresenta saudando o "irmão"; dá a Jesus o título de Senhor, devolve a vista ao cego, realmente e com gesto simbólico (Lc 18,35-43). E procede ao rito único em dois tempos, invertendo a ordem normal: primeiro o dom do Espírito pela imposição das mãos, depois o batismo em alguma torrente ou rio da cidade (cf. 2Rs 5,12).

9,19 O detalhe realista de oferecer refeição, depois do jejum e das fortes emoções, indica que o ritmo da vida continua (cf. Lc 8,55; cf. 1Sm 28,22-25).

9,20-21 A primeira pregação de Paulo se realiza nas sinagogas da cidade; talvez em grego e aramaico. O tema é simplesmente Jesus, a quem dá dois títulos equivalentes: "Filho de Deus" (raro em At) e "Messias". Era uma pregação para israelitas que continuavam esperando o Messias prometido. Quando o identifica com Jesus, enfrenta forte oposição. Outros, por sua vez, se assombram com a transformação ocorrida.

9,23 Bem cedo Paulo começa a experimentar a paixão de Jesus (Lc 22,2 com o mesmo verbo).

9,25 A libertação é parecida com a dos espiões de Josué (Js 2,15-16).

9,26-30 O problema desses vv. é harmonizá-los com o que o próprio Paulo conta em Gl 1,18-2,3. Em quem devemos confiar mais? Em Lucas, que escreve com informações alheias, provavelmente por tradição oral, ou em Paulo, que fala na primeira pessoa e jura que não mente? Certamente, o texto de Gálatas é muito polêmico; procura minimizar a dependência sua frente a outros apóstolos. Por sua parte, Lucas quer vinculá-lo à comunidade apostólica de Jerusalém, e o texto de At tem algo de sumário, no qual se destacam o medo da comunidade e a mediação eficaz de Barnabé. É aceito e pode mover-se livremente. Logo se lança à pregação, especialmente para os judeus helenistas, como fizera Estêvão (talvez por seu conhecimento do grego). Repete-se o esquema de perseguição e fuga até sua cidade natal. E assim se encerra o ciclo inicial de Paulo.

³¹A igreja inteira da Judeia, Galileia e Samaria vivia em paz. Ia se construindo na veneração do Senhor e crescia animada pelo Espírito Santo.

Cura e ressurreição (Lc 5,17-22; 8,49-56) – ³²Numa de suas viagens, Pedro desceu para visitar os consagrados que habitavam em Lida. ³³Encontrou certo Eneias, que fazia oito anos estava paralítico na cama. ³⁴Pedro lhe disse:

– Eneias, Jesus Cristo te cura. Levanta-te e arruma a cama!

Imediatamente se levantou. ³⁵Todos os habitantes de Lida e Saron viram isso e se converteram ao Senhor.

³⁶Em Jope vivia uma discípula chamada Tabita (que quer dizer gazela): distribuía muitas esmolas e fazia obras de caridade. ³⁷Aconteceu que nessa ocasião ficou doente e morreu. Eles a lavaram e colocaram no piso superior. ³⁸Visto que Lida está perto de Jope, os discípulos, ouvindo que Pedro se encontrava ali, enviaram dois homens para buscá-lo:

– Vem cá, sem demora!

³⁹Pedro saiu em companhia deles. Ao chegar, o levaram ao piso superior. Acorreram a ele todas as viúvas, chorando e mostrando-lhe os mantos que Gazela fazia quando vivia com elas. ⁴⁰Pedro fez todos sair, ajoelhou-se e rezou; depois, voltado para o cadáver, ordenou:

– Gazela, levanta-te!

Ela abriu os olhos e, ao ver Pedro, levantou-se. ⁴¹Ele deu-lhe a mão e a pôs de pé. Depois chamou os consagrados e as viúvas e apresentou-a viva. ⁴²O fato ficou conhecido em toda Jope, e muitos creram no Senhor. ⁴³Pedro ficou algum tempo em Jope, na casa de Simão, o curtidor.

10 Pedro e Cornélio

– ¹Vivia em Cesareia certo Cornélio, capitão da co-

9,31 A "Igreja" se estende já por todo o território do antigo Israel. É curiosa a união em grego das duas metáforas, "se construía" e "caminhava". As duas metáforas se relativizam mutuamente para oferecer dois aspectos da Igreja, reais e em tensão: estabilidade, âmbito fechado acolhedor, dinamismo, mobilidade. "Veneração do Senhor" é tradução da fórmula hebraica (*yir'at Yhwh*) e se refere a Deus. "Em paz": Sl 122; 125,5.

9,32 Nesse v. começa a atividade missionária de Pedro, fora de Jerusalém e dentro da Judeia, que vai culminar na conversão do pagão Cornélio. Pedro aparece como pregador itinerante, que vai fazendo paradas em comunidades cristãs ("consagrados"). Nos dois episódios seguintes se observa o interesse do autor em sintetizar eventos representativos e influentes. O cenário é o litoral, de Jope a Cesareia.

9,33-35 O primeiro milagre recorda o de Mc 2,1-12, só que condensado. O tempo da doença, a instantaneidade da cura e a atividade do homem curado são os elementos essenciais (nada de perdão de pecados). A fórmula de cura é anômala; um modo de afirmar que o agente não é Pedro, mas Jesus. O milagre tem força de irradiação pela região e provoca conversões em massa. Soaram o nome e os dois títulos: Jesus, Messias, Senhor.

9,36-43 O segundo milagre recorda os de Elias e Eliseu (1Rs 17,17-24 e 2Rs 4,17-38) e acompanha de perto o relato da ressurreição da filha de Jairo (Mc 5,36-43), com um detalhe interessante: em Mc 5,41 Jesus ordena: "*talitha qum*" (cordeirinha, levanta-te); aqui Pedro ordena: "*Tabitha anástethi*" (gazela, levanta-te). O traço próprio do presente relato é a atividade de beneficência da defunta (cf. Sl 41,2; Tb 4), especialmente em favor das viúvas, conforme ampla tradição bíblica (Jó 29,13; Tg 1,27).

9,38 Fica a uns quinze km, três horas de caminhada. "Não tardes", como em súplicas e promessas (Sl 40,18; 70,6; Is 46,13).

9,40 Pedro ora como os profetas (Jesus dá graças antes de ressuscitar Lázaro, Jo 11,41).

10-11 Se julgarmos esse episódio, chamado de conversão de Cornélio, pelo espaço que ocupa, trata-se de um dos mais importantes do livro. Melhor seria chamá-lo conversão de Pedro; porque Cornélio não resiste, está aberto aos judeus; Pedro está fechado aos pagãos e resiste. Além do mais, o relato aponta para o cap. 15, ou seja, o concílio de Jerusalém. Aqui Pedro, inspirado por Deus, toma uma decisão transcendental; lá a igreja-mãe, reunida em concílio, ratifica e amplia a decisão transcendental. Trata-se nada menos que da abertura da Igreja de Cristo aos pagãos: coisa óbvia para nós, não fácil de compreender nos começos.

Na tradição de Israel, muitas leis e observâncias erguiam como que um muro no qual se abriam algumas portas estreitas. Em tensão com elas, muitos textos proféticos anunciavam ou cantavam a abertura de Israel. A título de exemplo, indicaríamos o Salmo 87, "todo homem aí nasceu". Is 19,25 "bendito seja meu povo, Egito e Assíria, obra de minhas mãos"; a confluência de povos para Sião atraídos pela "lei e a palavra de Deus" (Is 2,2-5). Qual das duas tendências devia prevalecer? Como se conciliavam ambas? O cap. 56 de Isaías se atrevia a abolir a lei da exclusão dos pagãos, e proclamava o templo "casa de oração... para todos os povos".

Na prática e para a época que nos interessa, o judaísmo atraía não poucos pagãos com seu monoteísmo, sua religião muito mais pura, sua moral exigente. E havia dois graus de adesão: os que se faziam judeus completamente, aceitando a circuncisão para

orte Itálica; ²homem piedoso, que venerava Deus com toda a sua família. Dava muitas esmolas ao povo e orava assiduamente a Deus. ³Pelas três horas da tarde, viu claramente numa visão um anjo de Deus que entrava em seu quarto e lhe dizia:

– Cornélio!

⁴Ele olhou-o assustado, e disse:

– Que queres, Senhor?

– Respondeu-lhe:

– Tuas orações e esmolas subiram à presença de Deus e foram levadas em conta. ⁵Agora, pois, envia gente a Jope para buscar certo Simão, apelidado Pedro. ⁶Ele está hospedado em casa de Simão, o curtidor, junto ao mar.

⁷Quando o anjo que lhe falava partiu, chamou dois criados e um soldado piedoso que o servia, ⁸explicou-lhes o assunto e os enviou a Jope.

⁹No dia seguinte, enquanto eles caminhavam e se aproximavam da cidade, Pedro subiu ao terraço para rezar por volta do meio-dia. ¹⁰Sentiu fome e quis comer alguma coisa. Enquanto preparavam, entrou em êxtase. ¹¹Viu o céu aberto e um objeto como uma enorme toalha, descida pelas quatro pontas até o chão. ¹²Continha todo tipo de quadrúpedes, répteis e aves. ¹³E ouviu uma voz:

– Levanta-te, Pedro! Mata e come!

¹⁴Pedro respondeu:

observar toda a lei; e os que se detinham à porta sem circuncidar-se, simpatizantes.

Os pagãos, para se fazerem cristãos, tinham de incorporar-se plenamente ao judaísmo? Ou parcialmente? Ou de nenhum modo? Vimos o caso do eunuco núbio que, pela devoção ao templo de Jerusalém e pela leitura dos livros sagrados, sem saber se encaminha para o batismo. O caso de Cornélio é parecido. Centurião romano da guarnição da residência do procurador, em Cesareia, sua história se parece com a do centurião de Cafarnaum (Lc 7,1-10 par.) na vida de Jesus. Mas, pelo dinamismo do Espírito, a ultrapassa.

O relato se põe em marcha com a técnica narrativa de duas visões simultâneas, concedidas a dois homens em oração. É uma técnica muito parecida com a dupla oração de Tobias e de Sara, que converge no ângulo celeste e caminha para o encontro. Técnica que dispõe do plano celeste e que encontramos nas visões simultâneas de Ananias e de Saulo (9,10-13). Uma vez iniciado, esse relato segue seu próprio roteiro, até repousar num exame das suas consequências.

10,1-8 Cornélio toma dos judeus o mais universal: a oração (Is 56,7) e a beneficência (Pr 31,20; Eclo 3,14-15; 7,10; 17,22; 29,12-13; Tb 4 e 12). Por sua inclinação ao judaísmo, é um pagão a meio caminho. Deus o escolhe para uma função que extrapola o âmbito da sua pessoa e família.

10,1 A notícia sobre a coorte Itálica é anacrônica.

10,2 Ao povo judeu, evidentemente. Esmolas (Tb 12,8): ver em contraste Lc 3,14.

10,3 Pela menção da hora se deduz que recebe a visão enquanto está orando, no momento da oferta vespertina (Sl 141,2). Aparece-lhe o anjo do Senhor, modo corrente de expressar a manifestação do Senhor, que não pode ser visto; em sua pergunta, Cornélio o chama Senhor (ver o intercâmbio de expressões na história de Gedeão, Jz 6,12-24). Lucas, no seu evangelho da infância, nos familiarizou com intervenções angélicas, inclusive com nome próprio.

10,4 O susto é a reação humana normal na presença do sobrenatural (Lc 1,12-13; 2,9-10). Segundo a representação corrente, "as orações sobem" do chão e chegam ao céu à presença de Deus (Sl 18,7; 119,170; Eclo 7,10; 36,21). São levadas em conta, servem de recordação, são atendidas (cf. Ex 28,29; 30,16).

10,5 De novo encontramos a tática de remeter a outros para receber instruções. O Senhor não comunica uma mensagem, como fazia aos profetas, mas põe o escolhido em contato com um membro da comunidade. No caso presente também o envia, como reação que provoque uma transformação.

10,9 Também Pedro ora, e está muito preso a observâncias que são uma barreira para a difusão do evangelho. A visão se vale de uma dessas observâncias para falar-lhe em código.

O judeu controla e submete o apetite natural, refreando-o frente a alimentos artificialmente divididos entre comestíveis e tabus. A distinção não se justifica por razões higiênicas nem por razões éticas. Pode ter o valor ascético de subjugar o instinto biológico. O apetite irrompe autoritariamente na oração de Pedro. De repente, numa transmutação extática, apresentam-lhe uma toalha repleta de manjares, sem distinção; uma voz lhe ordena, lhe permite comer. Tal é o mecanismo psicológico: a experiência real, elementar, de fome e alimento, é assumida e transferida para manifestar um novo sentido complexo ou uma constelação de significados. Mais grave que a discriminação entre alimentos comestíveis e tabus é a discriminação entre judeus e pagãos. Na nova comunidade, semelhante diferenciação não terá vigor; todos são acolhidos por igual. E, como consequência, também as distinções alimentícias perderão seu valor. Os pagãos já não contaminam; o apetite social do homem já não tem de evitá-los; a Igreja pode acolhê-los e assimilá-los sem objeções.

10,11-13 A toalha ou lençol desce do céu, do Criador de todos os animais. Não sabemos por que faltam os peixes; talvez como recordação dos animais que saíram da arca. De fato, a ordem de comer poderia continuar citando (Gn 9,3): *Tudo o que se move e possui vida vos servirá de alimento, tudo isso eu vos dou, como vos dei a verdura das plantas* (Gn 8,17).

10,14 Pedro objeta, segundo os cânones do gênero (p. ex. Jr 32); pela boca de Pedro, a comunidade primitiva ou um setor importante expressa seus reparos e resistências, alegando a legislação (Lv 11) e o exemplo de um profeta (Ez 4,14). É bom que se escute a objeção.

— De modo nenhum, Senhor! Nunca provei alimento profano ou impuro.
¹⁵Pela segunda vez ressoou a voz:
— O que Deus declara puro, não o tenhas por impuro.
¹⁶Isso se repetiu três vezes, e a seguir o objeto foi levado ao céu.
¹⁷Enquanto Pedro se perguntava qual o significado da visão, os enviados de Cornélio haviam perguntado pela casa de Simão e, apresentando-se à porta, ¹⁸perguntavam se aí se hospedava Simão, apelidado Pedro. ¹⁹Pedro continuava refletindo sobre a visão, quando o Espírito lhe disse:
— Vê: três homens te procuram. ²⁰Levanta-te, desce e vai com eles sem hesitação, porque eu os enviei.
²¹Pedro desceu aonde estavam e lhes disse:
— Sou eu aquele que procurais. O que vos traz aqui?
²²Responderam:
— O capitão Cornélio, homem que venera a Deus, apreciado por todo o povo judeu, recebeu de um anjo santo o encargo de chamar-te e escutar tuas palavras.
²³Pedro os fez entrar e deu-lhes hospitalidade. No dia seguinte, pôs-se a caminho com eles, acompanhado de alguns irmãos de Jope; ²⁴no outro dia chegaram a Cesareia. Cornélio os estava esperando e havia reunido seus parentes e amigos íntimos. ²⁵Quando Pedro entrou, Cornélio saiu-lhe ao encontro, caiu a seus pés e lhe fez uma reverência.
²⁶Pedro o ergueu, dizendo:
— Também eu sou homem.
²⁷Conversando com ele, entrou e encontrou muitos reunidos, ²⁸e se dirigiu a eles:
— Sabeis que é proibido a qualquer judeu juntar-se a pessoas de outra raça ou visitá-las. Mas a mim Deus ensinou que eu não considere profano ou impuro nenhum homem. ²⁹Por isso, quando me chamastes, vim sem resistir. Desejo saber para que me chamastes.
³⁰Cornélio respondeu:
— Há três dias, por esta hora, eu estava recitando a oração da tarde em minha casa, quando um homem com traje resplandecente se colocou diante de mim ³¹e me disse: Cornélio, tua oração e tuas esmolas foram ouvidas por Deus e levadas em conta. ³²Envia gente a Jope e chama Simão, apelidado Pedro, que está hospedado em casa de Simão, o curtidor, junto ao mar. ³³Em seguida te fiz chamar e tiveste a bondade de vir. Estamos todos na presença de Deus, dispostos a ouvir o que o Senhor te ordenou.

10,15 A resposta é lapidar (cf. Mc 7,15.19).
10,16 A ação é repetida três vezes. Inculcando o ensinamento, mas sem explicá-lo. A lição é tão importante quanto obscura para Pedro (que, apesar disso, não comeu).
10,17 Como o eunuco ficava perplexo diante de um texto, assim Pedro fica perplexo diante da visão, esperando que quem a enviou a explique, como ensina a tradição (Ez 12,9-10; 24,19).
10,18 Especificam: Simão apelidado Pedro, porque também o dono da casa se chamava Simão.
10,19-20 O Espírito parece aproveitar a perplexidade de Pedro, pois adia a explicação, e em seu lugar lhe dá uma ordem que deve executar sem reservas. (Só na segunda vez Deus manda Balaão acompanhar os emissários de Balac, Nm 22,20.) Até agora o Espírito se contenta com mover os personagens ignorantes rumo ao desfecho.
10,21-22 As explicações dos visitantes não explicam nada substancial; só servem para apresentar e recomendar aquele que os enviou. Pelo nome e pelo ofício fica claro que é um romano, embora simpatizante dos judeus (Lc 7,5). Tem de escutar Pedro, quando Pedro ainda não sabe o que deve dizer (começa a suspeitá-lo).
10,23 Os irmãos de Jope, além de acompanhá-lo na viagem, garantem a dimensão comunitária e servirão de testemunhas. Cesareia fica a uns cinquenta km de Jope.
10,25-26 Cornélio saúda o hóspede com solenidade ostensiva, como a um homem de Deus, um enviado do céu, e Pedro lhe responde com uma palavra densa, que coloca ambos no mesmo plano. Como se insinuasse: tu capitão e eu apóstolo; pouco importa, os dois são homens. Terá de afirmar: tu romano e eu judeu? Os dois são homens (cf. Jó 31,15; Sb 7,1).
10,27-28 Já que Pedro veio acompanhado de "alguns irmãos", o encontro é coletivo de ambas as partes. Nessa sala ou pátio cai a primeira barreira de separação entre pagãos e judeus (Jo 18,28).
O encontro abre os olhos de Pedro e o faz compreender o sentido da visão: já não pode chamar o pagão ou qualquer homem de profano ou impuro. Agora começa realmente a conversação.
10,31-33 A informação de Cornélio inclui algumas variantes estilísticas. A veste resplandecente é sinal do mundo celeste (Lc 24,4). A presença de Pedro com os seus, a barreira dos preconceitos derrubada; no local se sente "a presença de Deus" (cf. Ex 18,12). As palavras de Pedro terão acento litúrgico ou profético. Na boca de Cornélio, "Senhor" significa Deus ou *Adonay*.

³⁴Pedro tomou a palavra:

Discurso de Pedro – Compreendo verdadeiramente que Deus não é parcial, ³⁵mas aceita quem o respeita e procede honradamente, de qualquer nação que seja.

³⁶Ele comunicou sua palavra aos israelitas e anuncia a boa notícia da paz por meio de Jesus, o Messias, que é Senhor de todos.

³⁷Vós conheceis o que aconteceu por toda a Judeia, começando pela Galileia, a partir do batismo que João pregava. ³⁸Deus ungiu com Espírito Santo e poder a Jesus de Nazaré, que passou fazendo o bem e curando todos os possuídos pelo diabo, porque Deus estava com ele. ³⁹Nós somos testemunhas de tudo o que fez na Judeia e em Jerusalém. Mataram-no, pendurando-o num madeiro. ⁴⁰Mas Deus o ressuscitou no terceiro dia e fez que aparecesse, ⁴¹não a todo o povo, mas às testemunhas designadas de antemão por Deus: a nós, que comemos e bebemos com ele depois que ressuscitou da morte. ⁴²Encarregou-nos de pregar ao povo e testemunhar que Deus o nomeou juiz dos vivos e mortos. ⁴³Todos os profetas dão este testemunho a respeito dele: que em seu nome os que nele creem recebem o perdão dos pecados.

⁴⁴Pedro não acabara de falar, quando o Espírito Santo desceu sobre todos os ouvintes. ⁴⁵Os fiéis convertidos do judaísmo que acompanhavam Pedro se assombravam ao ver que o dom do Espírito Santo era concedido aos pagãos também; ⁴⁶pois os ouviam falar em línguas e exaltar a Deus. Então Pedro interveio:

– ⁴⁷Pode alguém impedir que se batizem com água os que receberam o Espírito Santo como nós?

10,34-43 Na situação histórica, o discurso de Pedro deve ter sido longo e explícito, sendo dirigido a pagãos. A anotação que Lucas conserva ou elabora detém-se apenas nos pontos essenciais.

10,34-35 Começa com uma introdução que serve de encaixe no contexto narrativo e que apresenta a lição primária de todo o fato: Deus não faz distinções (cf. Dt 10,17) de povos ou raças, aceita qualquer homem "religioso e honrado". Quando diz "a quem respeita/venera a Deus", o autor pensa logicamente no Deus verdadeiro. Como se chega a esse Deus? Mais de um texto bíblico sugere uma resposta tolerante (as parteiras do Egito: Ex 1,17; Melquisedec: Gn 14; Sb 13,5-6).

10,36 Entrando no assunto, afirma a continuidade: Deus enviou sua palavra aos israelitas (por meio dos profetas); por meio de Jesus, Messias e Senhor, envia a boa notícia da paz (Is 52,7). Na boca de Pedro, o segundo título soará com a plenitude que os cristãos lhe reconhecem.

10,37-39a Indica o batismo de João como começo do ministério de Jesus (Lc 3,21). Ou seja, quando "é ungido" pelo Espírito (Is 61,1) e investido de poder para curar doenças, libertar do demônio e realizar todo tipo de obras de beneficência (é curioso que não menciona o ensino). Os discípulos foram "testemunhas" dessa atividade.

10,39b-42 No final do ministério vem o ápice em duas ou três fases: morte, ressurreição, exaltação. Esse núcleo do kerigma repete-se muitas vezes no livro: o narrador pode variar as fórmulas – o "madeiro" pode aludir a Dt 21,22 –, não pode tocar o esquema. Aqui trabalha com mudança de sujeito: (uns, impessoal) o mataram/Deus o ressuscitou/e o nomeou juiz dos vivos e mortos. O impessoal, na mente de Pedro, são as autoridades judaicas, coisa que não lhe interessa especificar diante dos pagãos; o fato foi comentado e pode ter-se divulgado até a sede do Procurador. O segundo é mais difícil: a ressurreição, ideia estranha para um romano, embora sua simpatia pelo judaísmo possa tê-lo aberto a tal modo de pensar. Contudo, uma ressurreição exige provas, tem de estar atestada, não por qualquer um, mas por testemunhas fidedignas. Deus se encarregou de nomeá-las e dar-lhes provas físicas de sua nova vida. Pois bem, essas "testemunhas da ressurreição" são as testemunhas do seu ministério; portanto, podem confirmar a identidade do sujeito. Como terceiro momento, na construção de Lucas, vem a ascensão, que em algumas ocasiões se expressa como "sentar-se à direita de Deus". Dando um passo rumo ao futuro, Pedro traduz a entronização pela nomeação como juiz universal.

10,43 A última frase do discurso é muito difícil por causa do tom categórico, do alcance universal e da vinculação a Jesus. Alguns profetas, efetivamente, anunciaram o perdão (Ez 36; Jr 31,34; Mq 7,18-20); Joel anuncia a salvação para todos os que invocarem o nome de Yhwh (Jl 3,5). Mais fácil seria entender que os profetas anunciaram o Messias ou futuro Salvador, e que este realiza a salvação perdoando os pecados dos que recorrem a ele. Em todo caso, este, o mais antigo, é o quarto "testemunho" alegado no breve discurso.

10,44-46 Saltando-se a resposta da fé dos ouvintes, embora a suponha, Lucas une o dom do Espírito com as palavras de Pedro. Como se seu discurso tivesse sido "inspirado" e portador do Espírito, o qual "cai sobre, se derrama sobre", provocando os fenômenos extraordinários que costumam ser seus sinais. E aqui se justifica narrativamente a presença dos acompanhantes de Pedro, testemunhas também do prodígio. Os "fiéis circuncisos" diante dos pagãos, partilhando agora o mesmo e único Espírito. Pedro tira a consequência.

10,47-48 O batismo é o sinal da dedicação ao nome de Jesus e da incorporação do grupo à comunidade: Cornélio com sua casa, parentes e amigos.

⁴⁸E ordenou que os batizassem invocando o nome de Jesus, o Messias. Eles lhe pediram que ficasse alguns dias.

11 Relato de Pedro em Jerusalém

– ¹Os apóstolos e os irmãos que estavam na Judeia ouviram que também os pagãos haviam aceitado a palavra de Deus. ²Quando Pedro subiu a Jerusalém, os judeus convertidos discutiam com ele, ³dizendo que havia entrado em casa de incircuncisos e havia comido com eles. ⁴Pedro lhes expôs o que acontecera, ponto por ponto, desde o começo:

– ⁵Eu estava orando em Jope, quando tive uma visão em êxtase: um objeto, como enorme toalha, descia do céu pelas quatro pontas e chegava até mim. ⁶Olhei atentamente e vi quadrúpedes, feras, répteis e aves. ⁷Ouvi uma voz que me dizia: Levanta-te, Pedro! Mata e come! ⁸Respondi: De nenhum modo, Senhor, pois nunca entrou por minha boca nada de profano ou impuro. ⁹Pela segunda vez me falou a voz do céu: O que Deus declara puro, não o declares impuro. ¹⁰Isso aconteceu três vezes e depois tudo foi novamente recolhido ao céu. ¹¹Nesse momento, três homens enviados de Cesareia chegaram à casa em que me encontrava. ¹²O Espírito me ordenou ir com eles sem hesitação. Estes seis irmãos me acompanharam e entramos na casa daquele homem. ¹³Ele nos explicou que vira em casa um anjo de pé que lhe dizia: Envia gente a Jope e faz vir Simão, apelidado Pedro, ¹⁴que te dirá palavras que serão salvação para ti e tua família. ¹⁵Apenas comecei a falar, desceu sobre eles o Espírito Santo, como sobre nós no princípio. ¹⁶Eu me lembrei do que o Senhor havia dito: João batizou com água, vós sereis batizados com o Espírito Santo. ¹⁷Portanto, se Deus lhes concedeu o mesmo dom que a nós, por terem crido no Senhor, Jesus o Messias, quem era eu para impedir a Deus?

¹⁸Ao ouvir o relato, se acalmaram e deram glória a Deus:

– Também aos pagãos Deus concedeu o arrependimento para a vida.

A igreja de Antioquia – ¹⁹Os que se haviam dispersado por ocasião da perseguição ocasionada por Estêvão, espalharam-se até a Fenícia, Chipre e Antioquia, anunciando a mensagem somente aos judeus. ²⁰Entre eles havia alguns cipriotas e cireneus que, ao chegar a Antioquia, puseram-se a falar aos gregos, anunciando-lhes a boa notícia do Senhor Jesus. ²¹A

11,1-18 A iniciativa de Pedro alarma um grupo influente da comunidade de Jerusalém. Ao chegar, o recebem com uma grave repreensão, embora lhe reconheçam sua função de chefe, ou talvez porque a reconhecem. Pedro comprometeu sua autoridade numa iniciativa perigosa, de possível longo alcance. Esses cristãos, fiéis à circuncisão e às leis de separação, vivem fechados em mesquinhas questões de convivência. Pedro já se move no horizonte de conviver na mesma fé (é curioso que no capítulo precedente não se tenha mencionado a celebração da eucaristia em comum, cf. 2,46).

11,4-17 Pedro responde não apelando para sua autoridade, mas para a de Deus: a dupla visão celeste, a voz do Espírito e do anjo. Conta o acontecido, com algumas mudanças estilísticas ou de intenção teológica. Seguindo a ordem do comunicado, são: o anjo anuncia a Cornélio e à sua casa a "salvação" por meio das palavras de Pedro; o Espírito Santo desde o princípio do discurso, manifestando seu caráter de "inspirado"; cita em confirmação uma frase do Batista (Lc 3,16). A conclusão de Pedro, formulada como pergunta retórica, é muito grave: fechar-se ao batismo dos pagãos seria pôr impedimentos a Deus. Basta a fé em Jesus Messias. O Espírito Santo vai instruindo e dirigindo a Igreja com fatos e situações novas; não lhe deu um programa prévio com todos os detalhes previstos.

11,18 Os ânimos se acalmam, a tensão serena num hino de louvor a Deus. Mas o problema fica dentro de muitos, como se verá no concílio de Jerusalém (cap. 15). É provável que o relato de Lucas sobre esse episódio seja resumo de uma sessão muito mais agitada.

11,19-26 A conversão do eunuco e de Cornélio são fatos individuais, embora significativos. A fundação e consolidação da igreja de Antioquia significa uma abertura e irradiação institucional. Pena que Lucas seja tão sucinto em sua informação. Supõe conhecidas muitas coisas que convém expor aqui em síntese seletiva.

Roma, Alexandria e Antioquia são as três grandes metrópoles do Mediterrâneo central e oriental. Roma representa o poder imperial e a nova cultura romana; Alexandria recolhe a herança cultural grega; Antioquia é a ligação com o mundo oriental. As três são populosas e pluralistas em raças, povos, culturas, línguas e religiões. A língua grega é o meio mais frequente de comunicação. É curioso que Lucas não tenha incluído Alexandria em sua história (só menciona a sinagoga dos alexandrinos, 6,9, e um alexandrino chamado Apolo, 18,24). Os que vivem nessas cidades estão acostumados a encontrar-se com gente diversa; ao invés, Jerusalém é uma cidade relativamente fechada. Antioquia tinha sido a capital selêucida das lutas dos

mão do Senhor os apoiava, de modo que grande número creu e se converteu ao Senhor. ²²A notícia chegou aos ouvidos da igreja de Jerusalém, que enviou Barnabé a Antioquia. ²³Ao chegar e comprovar a graça de Deus, ele se alegrou ²⁴e, como era homem bom, cheio de fé e do Espírito Santo, exortou todos a serem fiéis ao Senhor de todo o coração. Bom número de pessoas aderiu ao Senhor. ²⁵Barnabé partiu para Tarso em busca de Saulo ²⁶e, quando o encontrou, conduziu-o a Antioquia. Atuaram nessa igreja um ano inteiro, instruindo uma comunidade numerosa. Em Antioquia chamaram pela primeira vez os discípulos de "cristãos".

²⁷Por esse tempo, alguns profetas desceram de Jerusalém a Antioquia. ²⁸Um deles, chamado Ágabo, se levantou inspirado e predisse uma grande carestia universal (que sobreveio no tempo de Cláudio). ²⁹Então os discípulos decidiram enviar, cada qual segundo suas possibilidades, uma ajuda aos irmãos que habitavam na Judeia. ³⁰Fizeram isso, enviando-a aos anciãos por meio de Barnabé e Saulo.

12 Martírio de Tiago. Pedro encarcerado

– ¹Nessa ocasião, o rei Herodes iniciou uma perseguição contra alguns membros da igreja. ²Mandou degolar Tiago, o irmão de João. ³E vendo

---

Macabeus. Já então tinha favorecido os contatos e provocado tensões entre judaísmo e cultura grega. Quanto às pessoas que vão intervir (e já intervieram), vamos propor um quadro esquemático sacrificando matizes. Em ambos os extremos se encontram judeus puros e pagãos puros. Entre os judeus se destaca o grupo fechado e hostil à nova "seita dos nazarenos" (primeira etapa de Paulo, sinagogas locais) e os tolerantes (Gamaliel). Segue-se o grupo dos judeus que, sem deixar de ser judeus, abraçam a fé cristã (os apóstolos); entre eles um partido defensor da circuncisão e da lei como condição para tornar-se cristão (Tiago). Vêm depois os helenistas convertidos, judeus da diáspora de língua grega; menos ligados a práticas judaicas e mais abertos (Estêvão, Filipe). Pagãos prosélitos, simpatizantes da religião judaica, que abraçam a fé (o eunuco, Cornélio), pagãos sem relação com o judaísmo, que passam diretamente à fé cristã.

Antioquia, por seu pluralismo cultural e religioso, oferece um campo de operações mais oportuno para novas experiências. Gerada pela igreja de Jerusalém, converte-se logo no grande centro de irradiação da Igreja. Lucas menciona brevemente duas fases. A primeira, a dos helenistas, dirigida exclusivamente aos judeus. Não diz que êxito tiveram. A outra, audaz, de cipriotas e cirenaicos, dirigida aos pagãos: Deus os apoia (Lc 1,66; Mt 10,6), e o êxito é notável. Isso significa que em Antioquia começa a haver uma numerosa comunidade cristã sem vínculos precedentes com o judaísmo.

Segundo Lucas, a igreja de Jerusalém conserva a alta direção e a responsabilidade última. Ante a nova situação, tem de tomar partido, informando-se e agindo. Aqui o narrador introduz dois personagens que já apareceram no livro: Barnabé e Paulo. O primeiro, embora cipriota helenista, não pertence ao grupo de Estêvão, mas colaborou com os apóstolos. Foi um dos protagonistas na experiência da comunidade de bens (4,36-37). Parece uma pessoa apta para conduzir as relações entre Jerusalém e Antioquia. O texto o elogia sobriamente (v. 24) "homem bom, cheio de fé e do Espírito Santo", dotes que lhe permitem apreciar e discernir os fatos e planejar para o futuro.

O segundo personagem é Saulo, cujos dotes Barnabé parece conhecer ou intuir. Notemos que no começo é Barnabé quem dirige. Sua colaboração durante um ano inteiro em terreno privilegiado deve ter incluído dois aspectos: a pregação direta do evangelho a grupos diversos, e a elaboração de novas formas de pregação para os pagãos.

O grupo dos fiéis recebe dos de fora um nome que é todo um símbolo. O conteúdo judaico chamado Messias (= Ungido) é traduzido livremente para o grego com o particípio passivo *Christós*; e os romanos lhe acrescentam o morfema latino de adjetivo e resulta *christianus* = cristão.

11,27-30 A notícia sobre os profetas ambulantes é repetida no livro. A coleta de que se fala admite duas explicações: a) É a coleta mencionada em outros textos, bastante posterior, que o narrador antecipa aqui para mostrar a solidariedade entre a nova comunidade florescente e a de Jerusalém. b) Foi uma coleta menor, promovida por Barnabé (que renunciou a seus bens), como expressão de solidariedade e vínculo de união. Outrora, a carestia fez Abraão (Gn 12) e os filhos de Jacó (Gn 41) peregrinar.

12,1-2 O martírio de Tiago fica reduzido a breve notícia que faz compreender o perigo que Pedro corre. Diríamos que o fato merecia maior atenção. É o primeiro mártir dos apóstolos, personagem de relevo nos relatos evangélicos. Na sua morte violenta, Tiago está "bebendo o cálice", conforme Jesus lhe anunciara (Mc 10,38 par.). Conta a lenda que seus restos mortais foram trasladados a Compostela, na Espanha. O rei é Herodes Agripa, neto de Herodes o Grande (aquele dos inocentes); primeiro tetrarca (37-41), depois rei de quase toda a Palestina (41-44). O motivo da condenação ou execução é insinuado no v. seguinte: "agradava aos judeus". Tratar-se-ia de um partido hostil à nova seita ou de pessoas influentes. A ação mostra que a perseguição se dirige agora à alta direção da Igreja, às testemunhas imediatas de Jesus, a judeus que não romperam com o judaísmo.

12,3-19 A data insinua talvez uma correspondência com a Páscoa de Jesus (Lc 22,1). Se é assim, Pedro começa a seguir seu Mestre; e se não chega até

que agradava aos judeus, decidiu prender Pedro, durante a festa dos Ázimos. ⁴Ele o deteve e o lançou na prisão, confiando sua custódia a quatro piquetes de quatro soldados cada um. Sua intenção era apresentá-lo ao povo depois da Páscoa. ⁵Enquanto Pedro era mantido na prisão, a igreja rezava fervorosamente a Deus por ele.

⁶Chegava o momento em que Herodes o iria expor, e na noite precedente Pedro dormia entre dois soldados, preso a duas correntes, enquanto as sentinelas montavam guarda à porta. ⁷De repente, apresentou-se um anjo do Senhor e uma luz resplandeceu no recinto. Tocando Pedro no lado, o acordou e lhe disse:

– Levanta-te depressa!

As correntes lhe caíram das mãos, ⁸e o anjo lhe disse:

– Cinge-te e calça as sandálias.

Assim fez.

Acrescentou:

– Põe o manto e segue-me!

⁹Saiu atrás dele, sem saber se era verdade o que estava acontecendo por meio do anjo: parecia-lhe uma visão. ¹⁰Passaram a primeira guarda e a segunda, chegaram à porta de ferro que dava para a rua, que se abriu sozinha. Saíram e, quando haviam andado uma rua, o anjo se afastou dele. ¹¹Então Pedro, voltando a si, comentou:

– Agora entendo de fato que o Senhor enviou seu anjo para livrar-me do poder de Herodes e de toda a expectativa do povo judeu.

¹²Já lúcido, dirigiu-se à casa da mãe de João, apelidado Marcos, onde alguns estavam reunidos orando. ¹³Bateu à porta, e uma criada chamada Rosa saiu para abrir. ¹⁴Ao reconhecer a voz de Pedro, de tão contente, não abriu a porta, mas correu para anunciar que Pedro estava diante da porta. ¹⁵Disseram-lhe:

– Estás louca!

Mas ela insistia que era verdade. Replicaram:

– Será seu anjo.

¹⁶Pedro continuava batendo. Abriram e ficaram paralisados de espanto.

¹⁷Ele fez um gesto com a mão para que se calassem, e lhes contou como o Senhor o havia tirado da prisão. E acrescentou:

– Contai-o a Tiago e aos irmãos.

---

o final, não é por covardia. A libertação de Pedro se apresenta num relato de singular vivacidade (compare-se com 5,19-22), a meio caminho entre o realismo de reações humanas e o halo maravilhoso de aparições e prodígios. O prisioneiro é guardado com medidas de máxima segurança: correntes, portas, turnos de guardas. Em rápida mudança de cenário, Lucas nos mostra um simples dado de transcendência teológica: a Igreja reza por seu chefe prisioneiro; a distância e as grades não rompem a união espiritual dos fiéis. Rezar é a única coisa que podem, e podem muito. O tempo passa, a execução está marcada para o dia seguinte, já é noite. O prisioneiro inocente dorme sono tranquilo, inclusive um tanto pesado (Sl 3,6-8).
Nesse momento irrompe o mundo sobrenatural. A verossimilhança fica suspensa ou subordinada, a imaginação lança mão de sinais conhecidos. A luz celeste na escuridão da prisão (cf. Is 9,1; 49,9), o anjo do Senhor como aparição da divindade capaz de tocar e ser vista. (Essa luz não acorda os guardas?) O ritmo se faz lento para que observemos os detalhes: cinto, sandálias, manto, uma guarda, outra guarda, o portão externo, a rua. Detalhes realistas traduzem o invisível ao impalpável. O próprio Pedro se move como sonâmbulo, sua ação é inatividade. (Os guardas não viram? A porta metálica não rangeu ao abrir e fechar?) Só no final de uma rua ou beco Pedro acaba de acordar e compreende o acontecido.

12,4 O verbo grego significa levantar; como o lugar de onde sai é o cárcere, o verbo equivale a tirar; mas o dativo matiza o significado, "apresentá-lo ao povo"; combinado com o verbo do v. 6 "expor", nos dá o sentido total: apresentá-lo e oferecê-lo numa execução pública.

12,5 Veja-se o pedido de Paulo prisioneiro (Cl 4,3). A oração pelos presos encontrou espaço nas preces litúrgicas da Igreja.

12,7-8 Compare-se com a libertação não milagrosa e não menos impressionante de Jeremias (Jr 38,7-13). As correntes: Sl 107,14; 116,16; veja-se em Is 52,1-2 a sequência despertar – vestir-se – soltar-se.

12,9 Em algumas visões (p. ex. de Ezequiel), o vidente é ao mesmo tempo personagem da ação, como quando sonhamos.

12,11 Pedro começa com a fórmula clássica de reconhecimento. Também é tradicional "enviar um anjo" (p. ex. Gn 24,7.40; Ex 23,20); não menos "livrar da mão de" (Sl 18,1; 31,16; 144,11; Ez 34,27). Só a última frase é original: por ela aparecem unidos o rei Herodes e o povo judeu (como Herodes e "toda Jerusalém" por ocasião da chegada dos magos, Mt 2,3).

12,12 O segundo episódio do relato é plenamente realista, particularmente feliz ao descrever o espanto da criada Rosa. João Marcos era primo de Barnabé (Cl 4,10) e depois companheiro (12,25; 15,37-39).

12,15 A resposta expressa a crença num anjo pessoal que pode ocupar o lugar do indivíduo ausente, tomando sua figura ou voz.

12,17 Isso indica que Tiago ocupava um posto de direção na comunidade; talvez nomeado ao ser detido Pedro. Depois Pedro parte: para onde? Praticamente desaparece do livro, deixa o lugar a Tiago em Jerusalém e a Paulo na missão dos pagãos.

Depois saiu e foi para outro lugar. ¹⁸Quando amanheceu, os soldados estavam muito agitados pelo que teria acontecido com Pedro. ¹⁹Herodes o procurou e, ao não encontrá-lo, interrogou os guardas e os fez executar. Depois, desceu da Judeia e ficou em Cesareia.

Morte de Herodes (2Mc 9) – ²⁰Estava furioso contra os tírios e sidônios. Eles, de comum acordo, apresentaram-se ao rei, conquistaram Blasto, camareiro real, e pediram a paz; pois sua região recebia as provisões do território do rei. ²¹No dia combinado, vestido com as vestes reais e sentado em seu estrado, Herodes discursava ao povo, ²²enquanto o povo aclamava:

– Voz de Deus, não de homem!

²³De repente o anjo do Senhor o feriu por não ter reconhecido a glória de Deus, e morreu comido pelos vermes.

²⁴A palavra de Deus crescia e se dilatava. ²⁵Barnabé e Saulo, terminada sua missão, voltaram de Jerusalém, levando consigo João, apelidado Marcos.

13 Missão de Paulo e Barnabé – ¹Na igreja de Antioquia havia alguns profetas e doutores: Barnabé, Simão, o Negro, Lúcio, o Cireneu, Manaém, que se criara com o tetrarca Herodes, e Saulo. ²Durante uma liturgia em honra do Senhor, acompanhada de jejum, o Espírito Santo disse:

– Separai-me Barnabé e Saulo para a tarefa que eu lhes destinei.

³Jejuaram, oraram e, impondo-lhes as mãos, os despediram. ⁴Então, enviados pelo Espírito Santo, desceram a Selêucia, daí navegaram para Chipre e, ⁵chegando a Salamina, anunciavam a palavra de Deus nas sinagogas judaicas. Levavam João como assistente. ⁶Atravessando a

---

12,18-19 O desfecho é trágico, mas legal. Os guardas eram responsáveis pelo réu preso. Herodes, frustrado em seu projeto, sem execução pública a oferecer ao povo espectador, faz os guardas pagar pelo fracasso.

12,20-23 Embora estivesse distante no tempo, o narrador quer apresentar aqui a morte teatral de Herodes Agripa como epílogo da libertação de Pedro. Algo semelhante, sem traços teatrais, se diz da morte de Senaquerib depois do fracasso diante de Jerusalém (Is 37,36-38). O contraste é proposital: Pedro encarcerado, Herodes aclamado, cárcere e tribuna, o anjo do Senhor toca o lado de um e fere de morte o outro. A morte de Herodes é apresentada claramente como castigo de Deus; costuma-se compará-la com a de Antíoco (1Mc 6,8-17; 2Mc 9). O povo tributa honras divinas a Agripa (Antíoco usou o título *Epífanes*, ou seja, deus manifesto) e ele as aceita com prazer (Ez 28,2). O esquema de sua ascensão e queda pode ser lido sobre o fundo de Is 14 ou Ez 31. "Comido pelos vermes" é expressão tópica, que não combina com uma morte repentina (cf. Eclo 7,17; 10,10-11). "Dar glória" é reconhecer a exclusiva e intransferível glória de Deus (Is 42,8; 48,11).

12,24 À palavra de Deus se atribui a bênção genesíaca da fecundidade, "crescei e multiplicai-vos".

12,25 A missão, tarefa ou "serviço" pode referir-se à coleta (11,29-30).

13,1 A notícia indica uma importante presença carismática nessa igreja. Não nega, mas tampouco menciona outras autoridades, sendo que se deveriam mencionar num assunto tão importante. Tudo acontece como se a direção coubesse a esses cinco. Embora as funções de profeta e mestre sejam diversas, a lista dá a entender que as mesmas pessoas exercem dupla função, de sorte que quase se poderia traduzir "mestres inspirados". O profeta recebe luz do Espírito para resolver casos concretos, o mestre explica a doutrina do evangelho.

Pelo visto, Barnabé é o primeiro na lista e na ação; Manaém devia ser de alguma família influente. Saulo é o último dos cinco; por ora é membro de um grupo dirigente.

13,2 Com jejum e ação litúrgica, o grupo se dispõe a receber uma mensagem divina, põe-se à escuta. Efetivamente, o Espírito Santo toma a iniciativa dando uma ordem concreta. Lucas faz constar que a decisão não é ocorrência humana. Neste livro, mais de uma vez o Espírito dá ordens: escolhe as pessoas, indica as tarefas.

13,3 A imposição das mãos expressa aqui a missão. O dado é fundamental: a segunda igreja em importância, sob a direção imediata do Espírito, envia dois de seus membros em missão de evangelizar. E, sem pretendê-lo, a missão se torna ensaio e experiência que provocará e preparará o concílio de Jerusalém.

13,4 Vista no mapa, a área de irradiação não é muito extensa: só abrange uma faixa de um setor do que hoje é a Turquia, ou seja, a região ao norte de Chipre. Selêucia se encontra a poucos quilômetros a oeste de Antioquia. Pode ser que tenham escolhido Chipre por ser a pátria de Barnabé. Daí passam ao continente, sobem para o norte pela Pisídia e daí, seguindo para o oriente as vertentes montanhosas, até Derbe, de onde retomam o caminho para Antioquia. Para dois missionários a pé, a viagem é notável: mero ensaio para as futuras viagens de Paulo.

13,5 A norma de evangelização é dirigir-se primeiro aos judeus, pregar em suas sinagogas. Podemos acrescentar: dentro da sua mentalidade bíblica, como os judeus de então a entendiam e viviam.

13,6-12 Em Pafos, a cidade de Afrodite, acontece o primeiro episódio digno de menção: o choque com

ilha, chegaram a Pafos, onde encontraram um mago e falso profeta judeu, que se chamava Bar-Jesus. ⁷Pertencia à comitiva do governador Sérgio Paulo, homem inteligente que chamara Barnabé e Saulo, porque desejava escutar a palavra de Deus. ⁸Opunha-se a eles o mago Elimas (assim se traduz seu nome), procurando afastar da fé o governador. ⁹Saulo, ou seja, Paulo, cheio do Espírito Santo, olhou-o fixamente ¹⁰e lhe disse:

– Grande embusteiro e fraudador, filho do diabo e inimigo de toda justiça! Não cessarás de torcer os caminhos retos de Deus? ¹¹Pois agora a mão do Senhor está sobre ti: ficarás cego por um tempo, sem ver o sol.

Imediatamente uma névoa escura o invadiu, e às apalpadelas procurava um guia. ¹²Ao ver isso, o governador acreditou, maravilhado com o ensinamento do Senhor.

Em Antioquia da Pisídia – ¹³De Pafos, Paulo navegou com sua comitiva e chegou a Perge da Panfília. João se separou deles e voltou a Jerusalém. ¹⁴De Perge, eles continuaram até Antioquia da Pisídia, e, entrando na sinagoga num sábado, sentaram-se. ¹⁵Terminada a leitura da lei e dos profetas, os chefes da sinagoga deram-lhes este recado:

– Irmãos, se tendes algo para exortar o povo, falai.

¹⁶Levantou-se Paulo e, fazendo um gesto com a mão, disse:

– Israelitas e adoradores de Deus, escutai: ¹⁷O Deus deste povo de Israel escolheu nossos pais e exaltou o povo enquanto morava no Egito. Com braço erguido os tirou daí ¹⁸e durante quarenta anos *conduziu-os pelo deserto*.

¹⁹*Expulsou sete povos pagãos de Canaã e entregou seu território em herança*

---

um mago, que recorda o episódio de Simão Pedro com Simão o mago na Samaria (8,9-25). Esse Elimas é um expoente do sincretismo da época: mago no estilo helenista e profeta – falso – no estilo bíblico (Mq 3,5-8; Jr 23; Dt 13; 1Rs 22). Vendia saber e poder arcanos, com os quais havia conquistado uma posição junto ao procônsul romano. Lucas diz que ele era "inteligente": supomos que por seu desejo de escutar Barnabé e Saulo, não porque Lucas fizesse caso do charlatão. Elimas detecta nos recém-chegados rivais perigosos, que ameaçam sua influência, e por isso se esforça por reprimir e anular a influência deles sobre o governador. Até que se chegue ao confronto formal, na presença do governador, que terá de decidir-se pela fé ou pela magia. A fé que os missionários pregam não tolera o sincretismo.

13,9 Saulo (não Barnabé) toma a palavra e fala "inspirado" diante do governador (cf. Lc 21,15). Num estilo entre retórico e oracular, de profeta, interpela, denuncia o delito e anuncia o castigo.

13,10 "Filho do diabo" pode significar várias coisas: discípulo do diabo, ser diabólico; como se chama Bar-Jesus (filho de Jesus), o título pode soar como zombaria sarcástica. É do diabo por ser mentiroso (cf. Jo 8,44) e porque se opõe ao reto caminho de Deus (Pr 10,9; Os 14,10; Ez 33,20).

13,11 Deus mesmo, "a mão do Senhor", executará a sentença. A cegueira corporal será símbolo da espiritual (Mq 3,6); mas será temporal, dando espaço ao arrependimento.

13,12 O ensinamento sobre o Senhor (Jesus), que antes o procônsul tinha escutado, adquire ante o acontecido um caráter de grave admoestação: o governador se sente surpreendido e abraça a fé. Para Lucas, é uma autoridade romana benévola ao evangelho.

13,13 Não diz por que João Marcos volta para Jerusalém; pode ser que não estivesse plenamente de acordo com a linha de ação dos companheiros.

13,15 Na celebração do sábado lia-se primeiro uma perícope da *torá* e depois uma perícope dos profetas (*haftará*). Seguia-se o comentário ou a homilia. Qualquer judeu presente podia propor seu comentário. Como em Lc 4, os visitantes são convidados a falar. O convite fala de "exortação" dirigida "ao povo". Em princípio é o povo judeu, mas também prosélitos e simpatizantes acorriam às sinagogas.

13,16a Paulo fala de pé, no estilo grego. Usa o nome mais amplo e tradicional, "israelitas", então nome ideal. Mas se dirige também aos simpatizantes com um título que é frequente nos salmos, "veneradores de Deus".

13,16b-41 O amplo discurso de Paulo se assemelha muito aos de Pedro (2,22-36; 3,12-26); a razão óbvia é que se dirige a judeus. Contudo, a nova linha de Paulo ou a presença de não-judeus na sala induz algumas mudanças de matiz.

13,17 A primeira frase do discurso é "O Deus deste povo de Israel escolheu nossos pais": pura iniciativa de Deus, realizada numa escolha soberana. Os judeus presentes na sinagoga são continuação dessa escolha: Ela se manterá? ou se ampliará? Sem passar por José, salta o tempo do Egito e o qualifica como "exaltação" (não humilhação).

13,17b-19 A libertação é articulada nos três tempos clássicos: saída do Egito, caminhada pelo deserto, ocupação de Canaã. As pragas e a passagem do mar são sintetizadas no "braço erguido" (Ex 12,51) do Senhor. No deserto saltam-se a aliança e a lei (que mais adiante serão citadas na sua impotência); não menciona Aarão nem o culto. Os "quarenta anos" aludem claramente à rebeldia do povo (Nm 24,34). Os "sete povos" formam o número clássico completo (Dt 7,1).

a Israel. ²⁰Por quatrocentos e cinquenta anos deu-lhes juízes até o profeta Samuel. ²¹Então pediram um rei, e Deus lhes deu Saul, filho de Cis, da tribo de Benjamim, que reinou quarenta anos.

²²Tendo-o deposto, nomeou Davi como rei, de quem deu testemunho: *Encontrei Davi* de Jessé, *um homem de quem gosto, que cumprirá todos os meus desejos.*

²³De sua linhagem, segundo a promessa, Deus tirou Jesus como salvador de Israel. ²⁴Antes de sua chegada, João pregou um batismo de penitência a todo o povo de Israel. ²⁵Pelo fim de sua carreira mortal, disse: Não sou aquele que pensais; depois de mim vem alguém, ao qual não tenho o direito de tirar-lhe as sandálias dos pés.

²⁶Irmãos descendentes de Abraão e todos os que adorais a Deus: A vós é enviada esta mensagem de salvação. ²⁷Os habitantes de Jerusalém com seus chefes não o acolheram nem acolheram as palavras dos profetas que são lidos nos sábados. Mas, ao julgá-lo, as cumpriram, ²⁸ao pedir a Pilatos que o matasse, embora não encontrassem motivo para uma sentença de morte. ²⁹Quando se cumpriu tudo o que está escrito a respeito dele, desceram-no do madeiro e o sepultaram. ³⁰Mas Deus o ressuscitou da morte ³¹e apareceu durante muitos dias aos que haviam subido com ele da Galileia para Jerusalém. Eles são hoje suas testemunhas diante do povo. ³²Quanto a nós, vos anunciamos a boa notícia: A promessa feita aos antepassados ³³foi cumprida por Deus a seus descendentes, ressuscitando Jesus, como está escrito no Salmo dois: *Tu és meu filho, eu hoje te gerei.* ³⁴E que o ressuscitou para que nunca se submeta à corrupção está anunciado assim:

13,20 Quatrocentos anos correspondem ao Egito, quarenta ao deserto, dez à conquista e ocupação da terra. Os Juízes formam um bloco de transição (Jz 2,16) "até" Samuel, a quem dá o título de "profeta", por sua vocação e porque recebia oráculos de Deus.

13,21 Saul serve para marcar o começo do regime monárquico (1Sm 8-9) e como fundo de contraste para a escolha de Davi (1Sm 16,12).

13,22 De Davi (1Sm 16,12-13) retoma o aspecto positivo (segundo Sl 89,20), com traços que podem convertê-lo em tipo do futuro Messias.

13,23 "De sua linhagem" (Is 11,1): se Saul relativiza o regime, Davi relativiza a pessoa, porque sua função mais importante é receber uma promessa e gerar um descendente. Promessa ou anúncio e cumprimento são o esquema que governa o que se segue. De Davi salta a Jesus, que, fazendo jus ao nome, é enviado como Salvador de Israel (outra vez o nome do povo escolhido em sua amplidão ideal).

13,24-25 Muita importância relativa é dada a João Batista: sua atividade e seu testamento. Enviado a "todo o povo de Israel" (novo acento) como precursor e arauto de um batismo de "arrependimento". Tem alguma atualidade? (Cf. v. 38). De seu testamento cita uma frase que encontramos com leves variantes aqui e nos quatro evangelhos (dado excepcional, Lc 3,16 par.): provável alusão à lei do levirato.

13,26 Com nova introdução passa ao tema cristológico. Chama os judeus presentes de "descendentes de Abraão", distinguindo-os do resto. Mais tarde, Paulo dará outra amplitude à "linhagem de Abraão" (cf. Gl 3,29; Rm 4,16-17; 9,7-8). A "mensagem de salvação" se dirige agora a todos; a sinagoga pode ser ainda lugar de encontro e de escutar a nova mensagem.

13,27 Sem insistir na culpa, embora sem escondê-la, sublinha o fato de foram instrumento para que se cumprissem as profecias. O verbo grego vibra com certa ambiguidade: a ignorância pode ser atenuante (3,17) e pode ser culpada, "não reconhecer": não acolheram Jesus como Messias e Salvador, não o reconheceram anunciado nas profecias. Embora aos sábados se leiam "lei e profetas", o orador se detém expressamente nos profetas, que representam o fator dinâmico, projetado para o futuro. Não basta ser descendente de Abraão, é preciso abrir-se ao futuro já presente como cumprimento. Condenando cumpriram (sem querer): como os irmãos de José fizeram com que se cumprissem seus sonhos.

13,28 A culpa está mais clara nessa frase (Lc 23,4.21).

13,29 Todo o tempo da crucifixão até morrer era ir cumprindo profecias (cf. Jo 19,28). O sepultamento confirma a morte (Lc 23,53 par.).

13,30-31 De novo, quem toma a iniciativa é Deus (cf. v. 17), autor da ressurreição. A frase sucinta faz parte do kerigma e da confissão primitiva. Os apóstolos são testemunhas do fato (Barnabé e Paulo não entram no grupo).

13,32-33a Eles são "evangelistas" ou anunciadores da boa notícia, ou seja: ressuscitando Jesus, Deus cumpriu para os filhos o prometido aos pais. É notável nessa síntese todas as promessas no fato singular de ressuscitar Jesus: parece exagerado ou simplista? Quem o tiver compreendido como Paulo não julgará desse modo. Podiam entendê-lo seus ouvintes?

13,33b-37 Sim, se sabem interpretar a Escritura. Os três textos citados faziam parte, talvez, de florilégios usados na pregação e na catequese. Os três textos devem ser tomados formando unidade, no novo contexto e iluminados pela glorificação de Jesus Cristo.

O primeiro (Sl 2,7) afirma a adoção do rei como filho, em termos de geração. O segundo (Is 55,3) é promessa de "lealdade" a Davi, que se cumpre no Leal por excelência. O terceiro (Sl 16,10) afirma que este não sofrerá a corrupção. Ou seja, o Filho de Deus, descendente e herdeiro de Davi, vence a morte. Não se cumpre a profecia em Davi, e sim em Jesus, ressuscitado por Deus.

Eu vos darei fielmente o que foi prometido a Davi; ³⁵e em outro lugar diz: *Não permitirás que teu fiel sofra a corrupção.* ³⁶Ora, Davi, depois de servir ao desígnio de Deus durante sua geração, foi sepultado e *sofreu a corrupção.* ³⁷Ao contrário, aquele que Deus ressuscitou *não sofreu a corrupção.* ³⁸Sabei, irmãos, que é anunciado a vós o perdão dos pecados por meio dele, ³⁹e todo aquele que crer será absolvido de tudo o que a lei de Moisés não pôde absolver.

⁴⁰Atenção! Que não vos aconteça o que foi anunciado pelos profetas: ⁴¹*Vede, vós que desprezais, contemplai e espantai-vos: em vossos dias farei uma obra tal, que não creríeis se vo-la contassem.*

⁴²Quando saíram, pediam-lhes que continuassem expondo o tema no sábado seguinte. ⁴³Ao dissolver-se a assembleia, muitos judeus e prosélitos devotos acompanharam Paulo e Barnabé, que lhes falavam e insistiam para que se mantivessem no favor de Deus. ⁴⁴No sábado seguinte, quase toda a população se reuniu para escutar a palavra de Deus.

⁴⁵Mas os judeus, ao ver a multidão, encheram-se de inveja e contradiziam as palavras de Paulo com insultos. ⁴⁶Então Paulo e Barnabé falaram com toda a ousadia:

– A vós, por primeiro, era preciso que fosse anunciada a palavra de Deus. Porém, visto que a rejeitais e não vos julgais dignos da vida eterna, nós nos dirigiremos aos pagãos. ⁴⁷Assim nos ordenou o Senhor: *Eu faço de ti luz das nações, para que minha salvação atinja os confins da terra.*

⁴⁸Ao ouvi-lo, os pagãos se alegraram, glorificaram a palavra de Deus e creram os que estavam destinados à vida eterna. ⁴⁹E assim a palavra de Deus se espalhou por toda a região. ⁵⁰Mas os judeus incitaram mulheres piedosas da classe alta e os notáveis da cidade, provocaram uma perseguição contra Paulo e Barnabé, e os expulsaram de seus limites. ⁵¹Eles, sacudindo contra os outros o pó dos pés, partiram para Icônio; ⁵²enquanto isso os discípulos se enchiam de alegria e do Espírito Santo.

13,38-39 Segue-se a exortação conclusiva, de oferta e admoestação (como em textos proféticos ou penitenciais, Is 1,10-20; Sl 50,22-23). A lei de Moisés, com todos os seus ritos e cerimônias, não pôde garantir o perdão dos pecados; foi e se demonstra inoperante no substancial. Agora é oferecido a todo o mundo, por meio de Jesus, sem outra condição senão crer nele (aqui ressoa o puro pensamento paulino).

13,40-41 A fé em Jesus não é ato neutro: aceita-se para salvação ou se rejeita para castigo (cf. Js 24). A admoestação é feita adaptando um texto profético (Hab 1,5), como que dizendo: a obra que Deus realizou (ressuscitando Jesus) provocará espanto nos que não crerem.

13,42-43 Apesar do dito sobre a lei de Moisés, a primeira reação dos ouvintes é favorável; ao menos como curiosidade de continuar escutando. Por enquanto não lhes fecham a sinagoga como lugar de pregação (cf. Am 7,12-13). Mais ainda (como acontece em algumas conferências): um grupo misto de judeus e prosélitos continua conversando com Paulo e Barnabé. Dariam mais explicações, responderiam a perguntas. Despedem-se convidando-os a serem fiéis ao "favor" que Deus lhes está fazendo com a mensagem do evangelho.

13,44-45 O êxito dos pregadores vai ser sua fatalidade. Porque a notícia foi difundida e comentada e no sábado seguinte quase todo mundo quer escutar os novos pregadores e ouvir esse discurso tão novo "sobre o Senhor". Entre prosélitos e pagãos, deixam em minoria os judeus, que sentem inveja do sucesso dos recém-chegados, de seu novo ensinamento, de perder o privilégio de povo escolhido (cf. Rm 10,19; 11,11.14). Então enfrentam os pregadores com argumentos e insultos, e podem enquadrar-se no delito dos "habitantes de Jerusalém com suas autoridades"; não aceitam ter de partilhar com os pagãos sua condição de povo do Senhor. Fecham-se no seu particularismo e rejeitam a mensagem universalista.

13,46-47 Paulo e Barnabé tomam posição e a declaram abertamente. O que dizem aqui, como caso particular, vai converter-se num programa forçado de ação: pregar primeiro aos judeus, ser rejeitados, dirigir-se aos pagãos. Até a declaração definitiva, com a qual se encerrará o livro (28,26-28). Também para a missão universal podem alegar uma profecia (Is 49,6) dirigida pelo Senhor a seu Servo (a Jesus, segundo Lc 2,32), escutada agora como dirigida aos pregadores do evangelho. "Indignos da vida eterna" que se alcança só pela fé em Jesus.

13,48-49 "Destinados à vida eterna" é um modo de dizer escolhidos; equivale a "escritos no céu" (Lc 10,20). A boa notícia infunde alegria (cf. Lc 19,6). O evangelho é palavra do Senhor acerca do Senhor. Os convertidos se tornam difusores do evangelho entre pagãos.

13,50-51 "Mulheres piedosas" simpatizantes ou adeptas do judaísmo. São as autoridades da cidade que decretam e executam a expulsão dos visitantes, que respondem com o gesto tradicional (Lc 9,5; 10,11 par.).

13,52 Embora a cidade esteja representada pelas autoridades, ficam nela muitos "discípulos", e neles a presença ativa do Espírito Santo.

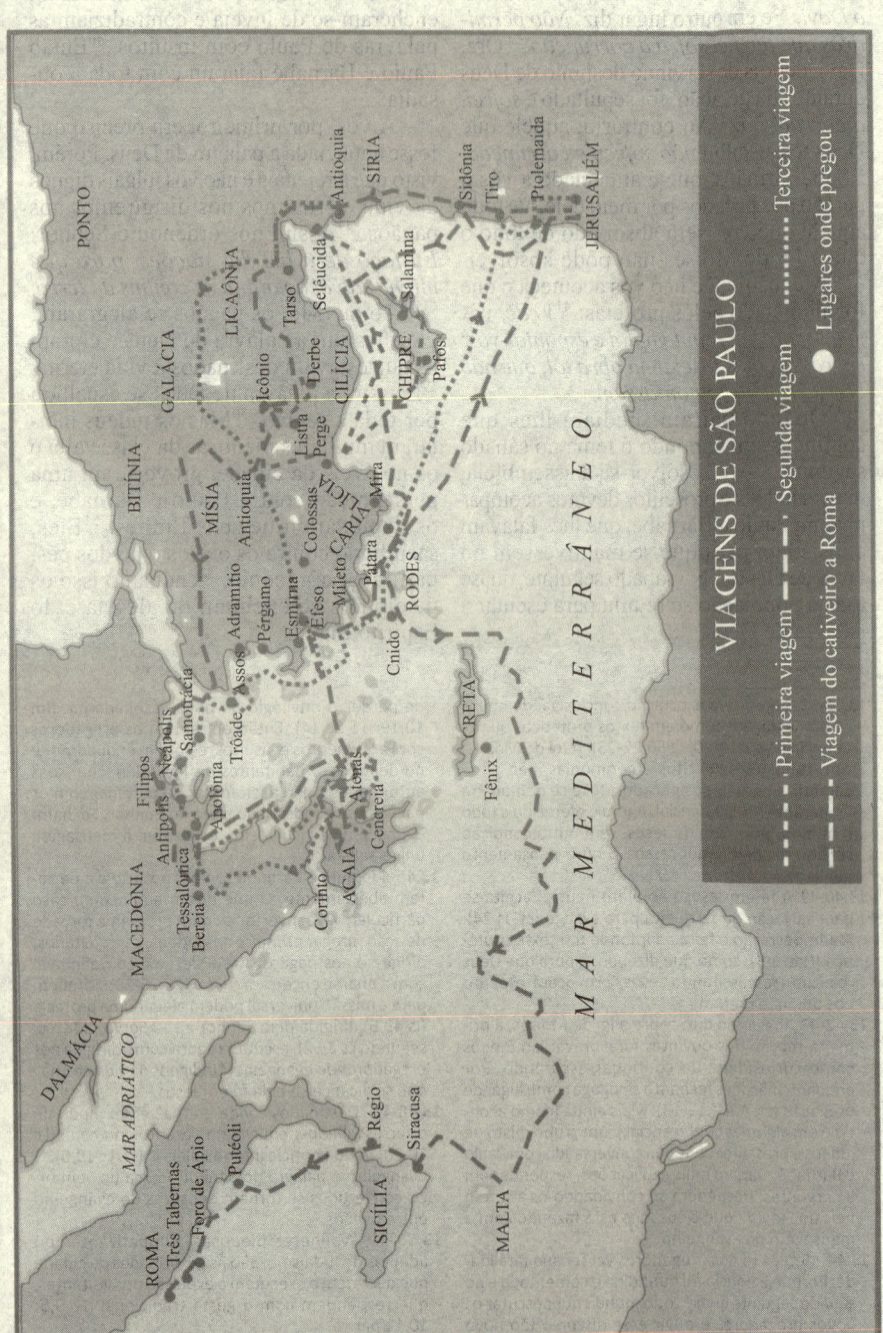

14 Em Icônio

¹Em Icônio entraram juntos na sinagoga judaica e falaram de tal modo que muitos judeus e gregos creram. ²Os judeus não convertidos incitaram e corromperam os ânimos dos pagãos contra os irmãos. ³Durante bastante tempo ficaram aí, apoiando sua ousadia no Senhor, que acreditava sua mensagem de graça realizando milagres e sinais por meio deles. ⁴A população se dividiu: Uns a favor dos judeus, outros a favor dos apóstolos. ⁵Pagãos e judeus, com o apoio dos chefes, se movimentaram para maltratá-los e apedrejá-los. ⁶Ao saber disso, os apóstolos fugiram para as cidades da Licaônia, Listra, Derbe e seu território. ⁷Aí estiveram anunciando a boa notícia.

Em Listra

⁸Em Listra havia um homem aleijado dos pés, mutilado de nascimento, que jamais caminhara. ⁹Sentado, escutava o que Paulo dizia. Este olhou para ele e, vendo que tinha fé para salvar-se, ¹⁰disse-lhe em voz alta:

— Levanta-te direito sobre teus pés!

Ele deu um salto e começou a andar. ¹¹O povo, ao ver o que Paulo havia feito, levantou a voz e disse em sua língua licaônica:

— Deuses em figura de homens desceram até nós!

¹²Chamaram Barnabé de Zeus e Paulo de Hermes, pois era o porta-voz. ¹³O sacerdote de Zeus, que era venerado junto à cidade, trouxe touros e grinaldas às portas da cidade, e tentava oferecer um sacrifício com a multidão. ¹⁴Ao ouvir isso, os apóstolos Barnabé e Paulo rasgaram as vestes e se lançaram em direção à multidão, gritando:

— ¹⁵Homens, que fazeis? Nós também somos homens de vossa mesma condição, e vos anunciamos que é necessário abandonar os ídolos para converter-se ao Deus vivo, que fez o céu, a terra, o mar e tudo quanto eles contêm. ¹⁶Nas gerações passadas ele permitiu aos pagãos seguir os próprios caminhos, ¹⁷embora não deixasse de se manifestar como benfeitor, enviando-vos do céu chuvas, colheitas a seu tempo, alimentando-vos e conservando-vos contentes.

14,1-6 O episódio de Icônio é esquematicamente igual ao precedente. Primeiro a conversão de um bom número de judeus e pagãos, que começam a formar uma comunidade mista (não se deve supor que se formassem duas comunidades). Os judeus que recusam a fé incitam os pagãos não-convertidos e influentes contra "irmãos", o que significa divisão e tensão dentro da cidade (Lc 12,51-53). Paulo e Barnabé não arredam pé, continuam no seu lugar (as autoridades não os expulsam); o Senhor realiza por eles milagres e prodígios (Lc 7,22, não mencionados na missão precedente). Chamar os pregadores de "apóstolos" não corresponde à terminologia normal de Lucas (At 1,21-22). Esses milagres beneficiam o povo necessitado, confirmam a "mensagem da graça de Deus": com outras palavras, como os milagres trazem saúde, assim a mensagem traz salvação; os pregadores são simples instrumentos.

A divisão na cidade permite à oposição aliar-se e tornar-se agressiva. Pagãos e judeus, com a participação de chefes judeus, se preparam para apedrejá-los (como a Estêvão?, 7,54-59). Mas não chegou a hora do martírio, pois resta muito para evangelizar.

14,8-20 O incidente pitoresco de Listra ilustra os primeiros encontros dos pregadores cristãos com a cultura pagã politeísta. É um caso particular de religiosidade ingênua e incrédula, de uma população que crê nas histórias ou lendas poéticas de deuses que se apresentam aos homens em figura humana; que se sentem valorizados por serem eles a receber uma dessas visitas. São dois os ingredientes pressupostos na situação: crença em muitos deuses, crença em suas incursões terrenas em figura humana. Seria bom comparar esse episódio com a visita dos três personagens a Abraão e Sara (Gn 18-19) para definir oposições e matizes.

14,8-10 Tudo começa com uma cura como aquela realizada por Pedro (3,1-10); a presente é mais esquemática, mas não esquece o fator essencial da fé (Lc 5,20; 7,50; 8,48; 17,19; 18,42). Para o efeito que produz, o narrador nos pede que tenhamos em conta que era "aleijado de nascença" e que a cura é instantânea, com uma simples ordem de Paulo.

14,11-13 Contudo, a reação do povo indica um grau extremo e muito primitivo de religiosidade. Talvez alimentado com relatos de poetas assimilados sem crítica e com o culto a Zeus num santuário local. De acordo com o panteão helenista, Barnabé, mais distante e solene, tem de ser Zeus; Paulo, o intérprete que fala, será Hermes. O sacrifício é ato de reconhecimento e gratidão aos deuses pela visita e benefício.

14,14-17 O discurso de Paulo pode ter sido um exemplo de pregação a pagãos sem contato com o judaísmo. Lucas prefere reservar tal discurso para o episódio de Atenas (17,22-31), e aqui se contenta com o essencial para impedir o sacrifício e insinuar de passagem a necessidade e a linha de uma conversão.

O essencial é abandonar os muitos deuses e suas imagens, para adorar o único Deus vivo e benéfico (cf. o esquema de 1Ts 1,9-10; Hb 6,1). Esse Deus é o criador do universo (Sl 146,6); tem sido tolerante muito tempo (Dt 32,8), mas esse tempo passou. Desfrutastes de seus benefícios cotidianos e ordinários (Sl 65; 104). Dado que no discurso falta a seção cristológica, temos de considerá-lo como exemplo de pré-evangelização.

¹⁸Com essas palavras, mal conseguiram impedir que a multidão lhes oferecesse sacrifícios. ¹⁹Mas alguns judeus, vindos de Antioquia e Icônio, convenceram a multidão para que apedrejasse Paulo; a seguir, arrastaram-no para fora da cidade, dando-o por morto. ²⁰Os discípulos o rodearam, ele se levantou e entrou na cidade. ²¹No dia seguinte partiu com Barnabé para Derbe.

Retorno a Antioquia – Depois de anunciar a boa notícia nessa cidade e ganhar muitos discípulos, voltaram a Listra, Icônio e Antioquia, ²²onde animaram os discípulos e os exortaram a perseverar na fé, recordando-lhes que tinham de passar por muitas tribulações para entrar no reino de Deus. ²³Em cada comunidade nomeavam anciãos e, com orações e jejuns, os confiavam ao Senhor, em quem haviam acreditado. ²⁴Depois, atravessaram a Pisídia, chegaram à Panfília, ²⁵pregaram a mensagem em Perge, desceram até Atalia ²⁶e daí navegaram para Antioquia, onde os haviam confiado ao favor de Deus para a tarefa designada. ²⁷Ao chegar, reuniram a comunidade e contaram o que Deus fizera por meio deles e como abrira aos pagãos a porta da fé. ²⁸E ficaram bastante tempo com os discípulos.

15 O concílio de Jerusalém – ¹Alguns que desceram da Judeia ensinavam

---

14,19-20 A ligação desse desfecho inesperado é muito artificial, e a notícia da libertação de Paulo é esquemática e estranha nesse contexto, embora na atividade de Paulo não tenham faltado casos semelhantes (2Tm 3,11; 2Cor 11,25). O narrador quer fazer-nos sentir que os inimigos de Paulo o perseguem onde quer que ele esteja.

14,21-26 Esperávamos que continuassem para o oriente e sul até chegar ao ponto de partida. Contra a lógica geográfica e esquecendo perseguições locais, o narrador os faz voltar pelo mesmo caminho: até o porto de Atalia e daí, saltando-se Chipre, a Antioquia. Alguns detalhes enriquecem o itinerário. Primeiro, a exortação a sofrer com coragem (Lc 13,24; 1Ts 3,3). Segundo, a preocupação em deixar organizadas as comunidades locais. Não é claro quanto disso é projeção de atividade posterior.

14,27 Mencionar Deus como autor principal de toda a tarefa não é só reconhecimento humilde, mas também afirmar que a pregação aos pagãos, da forma empreendida, é ação de Deus. A experiência humana é uma faceta menor do grande projeto divino. A porta aberta aos pagãos pelo próprio Deus é metáfora expressiva (11,18; 13,47-48; 1Cor 16,9; 2Cor 2,12; Cl 4,3).

14,28 A notícia indica que houve um tempo de amadurecimento antes do próximo grande evento, o concílio de Jerusalém.

15,1-35 Na metade do livro se ergue, como momento decisivo, o que costumamos chamar de concílio de Jerusalém. Lucas narrador foi nos conduzindo por etapas até dividir o olhar entre duas igrejas, Jerusalém e Antioquia. Convidou-nos a reconhecer a primazia de Jerusalém e o dinamismo de Antioquia; induziu-nos a simpatizar com movimentos de abertura, a nós que somos descendentes daquele primeiro impulso. Simplificando um pouco, podemos dizer que as duas igrejas seguem caminhos divergentes. A igreja de Jerusalém é formada ou dominada por judeu-cristãos, conservadores em certos aspectos. Consideram-se uma espécie de resto, no qual está cristalizando-se e crescendo o novo Israel, definitivo e total. São a continuidade escatológica. Garantem essa continuidade a descendência física e, espiritualmente, a circuncisão e a consequente observância da lei. De seu reduto, essa comunidade tem sido capaz de lançar expedições de difusão ou de captura, em particular os helenistas e Pedro.

A comunidade de Antioquia é heterogênea em sua composição, dinâmica em sua constante irradiação. Seu interior é convivência no pluralismo; para fora é abrir-se e assimilar. Judeu-cristãos convivem com helenistas e com pagãos convertidos. Os dois caminhos divergentes chegaram a ser opostos, inconciliáveis? Assim o julgam alguns grupos mais rigoristas (que hoje chamaríamos extrema direita). Segundo eles, sem a circuncisão e a lei se rompe a continuidade e não se pode formar o povo de Deus; a linha empreendida e seguida por Antioquia rompe a continuidade, não forma Igreja.

Tal é o sentido da ação desses opositores anônimos que, por própria iniciativa (não enviados pela autoridade de Jerusalém), vêm denunciar a linha missionária de Antioquia. Em Jerusalém, é Tiago quem dirige a comunidade e o partido extremamente conservador. Em Antioquia, Barnabé e Paulo representam o impulso e a experiência da missão. A ação desses opositores tem o mérito de provocar um esclarecimento oficial. Pois as tendências divergentes se prolongaram vários anos (se aceitamos o ano 48 como data mais provável do concílio).

Lucas é consciente da importância do momento e constrói com traços essenciais um episódio perfeitamente equilibrado. No centro se contrapõem o discurso de Pedro e o de Tiago (vv. 7-11 e 13-21); a seus lados, um comunicado e discussão ante a comunidade e a decisão comunitária (vv. 4-5 e 22), deixando à parte o texto da carta (vv. 23-29); nos extremos, a polêmica em Antioquia e a solução aí mesmo (vv. 1-2 e 30-32).

A versão divergente que um dos protagonistas dá desse episódio central (o próprio Paulo em Gl 2,1-10) complica a explicação. Se algumas divergências são explicáveis, outras o são dificilmente. Por um lado, o escrito de Paulo é polêmico frente aos gálatas, quer sublinhar sua dependência imediata do Espírito. Por outro, Lucas escreve num tempo em que diversos dados foram esquecidos ou reinterpretados. A leitura paralela de ambos os textos continua sendo instrutiva.

15,1 A "porta aberta" aos pagãos e sua entrada sem a alfândega da circuncisão provoca o ataque de uns

os irmãos que, se não se circuncidassem segundo o costume mosaico, não poderiam salvar-se. ²Isso provocou forte oposição de Paulo e Barnabé e uma discussão com eles; de modo que se decidiu que Paulo e Barnabé, com alguns outros, iriam a Jerusalém, para tratar do assunto com os apóstolos e os anciãos. ³Os enviados pela comunidade atravessaram a Fenícia e a Samaria, contando aos irmãos a conversão dos pagãos e enchendo-os de alegria. ⁴Chegando a Jerusalém e sendo recebidos pela comunidade, pelos apóstolos e pelos anciãos, contaram-lhes o que Deus havia feito por meio deles. ⁵Mas alguns convertidos da seita farisaica se levantaram e disseram que era preciso circuncidá-los e ordenar-lhes a observar a lei de Moisés. ⁶Os apóstolos e os anciãos se reuniram para examinar a questão. ⁷Tornando-se acesa a discussão, Pedro levantou-se e lhes disse:

– Irmãos, vós sabeis que desde o princípio Deus me escolheu entre vós para que por meu intermédio os pagãos ouvissem a boa notícia e cressem. ⁸Deus, que conhece os corações, deu testemunho a seu favor, dando-lhes o Espírito Santo como a nós, ⁹sem fazer distinção entre ambos e purificando-os com a fé. ¹⁰Portanto, por que tentais a Deus, impondo ao pescoço dos discípulos um jugo que nem nossos pais nem nós fomos capazes de suportar? ¹¹Pois cremos ter sido salvos, e eles também, pela graça do Senhor Jesus.

¹²Toda a assembleia, em silêncio, se dispôs a ouvir Barnabé e Paulo, que lhes contaram os milagres e sinais que Deus tinha realizado entre os pagãos por intermédio deles. ¹³Quando se calaram, Tiago respondeu:

– Escutai-me, irmãos. ¹⁴Simeão explicou como desde o começo Deus quis escolher entre os pagãos um povo que levasse seu

---

judeu-cristãos autônomos, procedentes da "Judeia" (não de Jerusalém). Sua declaração é categórica, baseada na história e na lei (Gn 17; Lv 12,3). Ao mencionar a circuncisão supõe-se a observância da lei como consequência inseparável.

15,2-3 A discussão é tão forte que se decide apelar a uma instância superior: Jerusalém. Essa igreja é regida há tempo por apóstolos e por um senado (anciãos) no estilo judaico. É lógico escolher como delegados os dois grandes e experientes protagonistas da missão.

15,3 Descendo do norte, atravessam primeiro a Fenícia, depois a Samaria, onde residem comunidades fundadas pelos helenistas (8,4-25; 11,19). Com sua alegria, essas comunidades apoiam a missão de Paulo e Barnabé.

15,4 Numa assembleia geral com as autoridades, os delegados informam, não sobre o que eles fizeram, mas sobre o que Deus fez por meio deles. Uma versão ao mesmo tempo objetiva e apologética.

15,5 Isso não convence a ala mais conservadora, de convertidos do partido farisaico (colegas de Paulo na sua formação, radicalmente opostos em seus critérios atuais). A discussão de Antioquia se renova em outro nível em Jerusalém.

15,6-7 Para resolvê-la, os dirigentes se retiram com os dois delegados, e a discussão volta a esquentar; prova de que o partido conservador era forte e decidido. Até que Pedro se levanta para falar.

15,8-11 É Pedro que fala; o comunicado de Paulo e Barnabé serve para apoiar e confirmar seu discurso. Pedro se refere à sua experiência pessoal com Cornélio, apresenta-a como fato fundacional, "desde o princípio", da nova linha da Igreja; a experiência de Antioquia passa a segundo plano. Cornélio e os seus aparecem como primícias e Pedro como pioneiro. Embora a rigor o autor primário de tudo seja Deus, que fala pela boca de Pedro e envia seu Espírito sem distinção. É o Espírito o fator que se difunde, derruba barreiras e cria a nova unidade.

As leis de "pureza" separam e excluem os pagãos; mas se instaurou um novo princípio de pureza, que é a fé, partilhada sem distinção por judeus e pagãos convertidos. Atitude total e íntima do homem é a fé que Deus conhece e reconhece (Jr 11,20; Pr 15,11). Portanto, opor-se à incorporação plena dos pagãos é opor-se a Deus. E não vale objetar que nós nos salvamos pela lei e eles pela graça, pois nem nós observamos a lei, nem ela nos salvou; era antes um "jugo" de escravidão (Jr 2,20; 5,5). Se só a graça de Jesus Cristo salva (Gl 2,16), frente a ela todos somos iguais.

15,12 O discurso de Pedro é uma síntese eficaz, que soa como muitos ensinamentos das cartas de Paulo. É acolhido com um silêncio de aceitação. Concede-se a palavra aos delegados de Antioquia, os quais alegam os milagres com que Deus foi confirmando a missão entre os pagãos.

15,13-21 Tiago confirma em substância as palavras de Pedro, inclusive citando, com mudanças, a versão grega (LXX) de uns vv. de Amós, que difere vistosamente do original hebraico. O hebraico e o grego falam de "reconstruir como nos tempos antigos". Tiago omite nesse ponto a referência ao passado. O hebraico anuncia que o futuro reino de Davi reconquistará o resto de Edom hostil e os reinos vassalos propriedade de Yhwh. O grego diz que "o resto dos homens e os pagãos todos buscarão" (sem complemento); Tiago acrescenta "o Senhor". Na última frase da citação reaparece a referência ao passado que foi omitida, mas com uma mudança substancial: não se trata de reconstruir a instituição antiga, mas de cumprir a profecia antiga.

15,14 O que fez Pedro (chamado aqui pelo nome hebraico Simeão) era nada menos que a ação de Deus começando a escolher para si um povo constituído

nome. ¹⁵Isso concorda com o que anunciaram os profetas, como está escrito: ¹⁶*Depois, eu reconstruirei a tenda caída de Davi, levantarei suas ruínas, ¹⁷para que o resto dos homens procure o Senhor, todas as nações sobre as quais foi invocado meu nome – diz o Senhor –* ¹⁸que dá a conhecer tudo isso desde antigamente. ¹⁹Portanto, penso que não se deve pôr obstáculos aos pagãos que se convertem a Deus. ²⁰Basta recomendar-lhes que se abstenham de contaminar-se com os ídolos, da fornicação e de comer carne de animais estrangulados ou sangue. ²¹Pois Moisés, em cada povoado, tem pregadores que o leem aos sábados nas sinagogas.

²²Então os apóstolos, os anciãos e a comunidade inteira decidiram escolher alguns dirigentes dos irmãos, para enviá-los com Paulo, Barnabé, Judas, apelidado Bársabas, e Silas. ²³Deram-lhes uma carta escrita de próprio punho, que dizia:

– Os irmãos apóstolos e anciãos saúdam os irmãos convertidos do paganismo em Antioquia, Síria e Cilícia. ²⁴Ficamos sabendo que alguns dos nossos, sem nossa autorização, foram perturbar-vos e angustiar-vos com seus discursos. ²⁵Por isso, decidimos unanimemente escolher alguns e enviá-los com nossos queridos Barnabé e Paulo, ²⁶homens que entregaram sua vida à causa de nosso Senhor Jesus Cristo. ²⁷Nós vos enviamos Judas e Silas, que vos explicarão isso pessoalmente. ²⁸É decisão do Espírito Santo e nossa não impor-vos outro fardo além destas coisas indispensáveis: ²⁹abstende-vos de alimentos oferecidos aos ídolos, de sangue, de animais estrangulados e da fornicação. Fareis bem em abster-vos disso. Adeus.

³⁰Eles se despediram, desceram a Antioquia, reuniram a comunidade e entregaram a carta. ³¹Quando a leram, ficaram alegres pelo ânimo que lhes dava. ³²Judas e Silas, que também eram profetas, animaram e confirmaram os irmãos. ³³Depois de algum tempo, despediram-se dos irmãos com a paz, e voltaram aos que os haviam enviado*. ³⁵Paulo e Barnabé ficaram em Antioquia, onde com muitos outros ensinavam e anunciavam a palavra de Deus.

Paulo e Barnabé se separam – ³⁶Passados uns dias, Paulo disse a Barnabé:

– Voltemos a visitar os irmãos de cada povoado em que anunciamos a palavra do Senhor, para ver como se encontram.

³⁷Barnabé queria levar consigo João, apelidado Marcos. ³⁸Paulo julgava que não deviam levar consigo alguém que os havia abandonado na Panfília e não os acompanhara na tarefa. ³⁹A dissensão ficou tão vio-

---

de pagãos. O conceito tradicional de escolha fica profundamente transtornado. Levar o nome indica que são posse de Deus: no fundo, deve-se ouvir a expressão *Yhwh* nosso Deus.

15,19 Impor aos pagãos convertidos a circuncisão e a lei seria "pôr obstáculos" à sua conversão (cf. Is 56,1-8).

15,20-21 Contudo, Tiago acrescenta uma cláusula restritiva, um trio ou quarteto de observâncias de pureza. A intenção dessas exigências parece ser assegurar a convivência pacífica de pagãos e judeus em comunidades cristãs mistas; pois os judeu-cristãos continuam ouvindo aos sábados a lei de Moisés e cumprindo-a diariamente.

Contaminar-se com ídolos é comer carne sacrificada a divindades falsas (cf. 1Cor 10,20-22); fornicação é aqui o matrimônio dentro de limites proibidos (Lv 18); comer sangue ou animais estrangulados (sem tirar-lhes o sangue) repugna à lei (Lv 3,17; 17,10) e à sensibilidade judaica. Três das cláusulas se referem a alimentos. Cabe perguntar: se essas normas se justificam pelo bem da paz, deverão ser aplicadas em comunidades formadas exclusivamente por pagãos convertidos?

15,22 Terminada a discussão privada com um acordo, passa-se à assembleia geral, que ratifica o acordo e se dispõe a comunicá-lo, por meio de seus delegados, à comunidade de Antioquia e vizinhas. Os delegados de Jerusalém são como um intercâmbio cortês e pacífico.

15,23-29 Na carta se acrescentam detalhes dignos de nota. São desautorizados os extremistas e sua ação espontânea (cf. Mt 23,4). Em contraste, são louvados Barnabé e Paulo por seu espírito de sacrifício em prol do evangelho. Apela-se ao Espírito Santo, que ratifica a decisão dos responsáveis; em termos modernos, diriam que sua decisão é carismática.

15,31-32 Os antioquenos se sentem aliviados, reanimados com a carta. Sua ação apostólica foi substancialmente confirmada e restabeleceu-se a paz. As restrições não pesam numa comunidade mista como a deles. Ao comunicado se acrescenta a voz do Espírito que anima pela boca de seus profetas.

15,33 * Alguns manuscritos acrescentam: ³⁴*Silas decidiu ficar ali, de modo que Judas voltou a Jerusalém.*

15,35 Funciona como conclusão: Enriquecidos com tantas experiências, Paulo e Barnabé podem continuar sua ação e projeto.

15,36-40 Trata-se de um incidente menor, ou sobe à superfície algo profundo? Deve-se marcar o v. 36 como começo de nova etapa, ou é continuação com mudança de pessoal? À primeira vista, trata-se de escolha de colaboradores, de recuperar João Marcos, antes fugitivo (13,13), na intenção de Barnabé;

lenta que se separaram, e Barnabé, tomando Marcos, embarcou para Chipre. ⁴⁰Paulo escolheu Silas e partiu, confiado pelos irmãos ao favor do Senhor. ⁴¹Atravessou a Síria e a Cilícia, confirmando as comunidades.

16 Timóteo – ¹Assim chegou a Derbe e Listra. Havia aí um discípulo chamado Timóteo, filho de mãe judia convertida e de pai grego, ²muito estimado pelos irmãos de Listra e Icônio. ³Paulo queria levá-lo consigo; então o circuncidou, em atenção aos judeus que habitavam por aí, pois todos sabiam que seu pai era grego.

⁴Ao atravessar os povoados, recomendavam-lhes que observassem as normas estabelecidas pelos apóstolos e anciãos de Jerusalém. ⁵As igrejas se fortaleciam na fé e cresciam numericamente a cada dia. ⁶Enquanto atravessavam a Frígia e a Galácia, o Espírito Santo não lhes permitia pregar a mensagem na Ásia. ⁷Chegando à Mísia, tentavam passar para a Bitínia, mas o Espírito de Jesus o impediu. ⁸Portanto, deixaram a Mísia e desceram a Trôade.

Visão de Paulo – ⁹Certa noite, Paulo teve uma visão: Um macedônio estava de pé e lhe suplicava: Vem à Macedônia para ajudar-nos. ¹⁰Após essa visão, procuramos ir à Macedônia, convencidos de que Deus nos chamava para anunciar-lhes a boa notícia. ¹¹Zarpando de Trôade, chegamos rapidamente a Samotrácia e, no dia seguinte, a Neápolis; ¹²daí a Filipos, a primeira cidade da província da Macedônia, colônia romana. Ficamos alguns dias nessa cidade. ¹³Num sábado, saímos pela porta da cidade em direção à margem de um rio, onde pensávamos que se fizesse oração. Sentamos e começamos a conversar com algumas mulheres. ¹⁴Escutava-nos uma mulher chamada Lídia, comerciante de púrpura de Tiatira e pessoa devota. O Senhor lhe abriu o coração para que prestasse atenção ao discurso de Paulo. ¹⁵Ela se batizou com toda a sua casa, e pedia:

– Se me tendes por fiel no Senhor, vinde hospedar-vos em minha casa. E insistia conosco.

---

de rejeitá-lo como inconstante e não fidedigno, na réplica de Paulo. Cabe perguntar por que a discussão se torna violenta: terá amadurecido em Paulo um projeto novo que Barnabé não partilha? (Cf. a separação de Abrão e Ló, Gn 13).

De fato, notamos que desta vez Paulo toma a iniciativa de uma nova expedição apostólica, escolhe um novo companheiro e parte, não enviado formalmente pela comunidade, mas sim com a despedida cordial por ela. Agora Paulo vai recomendado pelos irmãos "ao favor do Senhor". Por esses aspectos, embora as primeiras etapas sejam de repetição, Paulo empreende novo empreendimento missionário.

16,1-5 O caso de Timóteo é especial. Sendo de mãe judia, é israelita de direito; sendo de pai pagão, não foi circuncidado. Sua posição é ambígua, e os judeus podem com razão objetar que Paulo procura ofendê-los, negando publicamente um direito judaico. Paulo elimina a ambiguidade (incorrendo na própria? Cf. 1Cor 7,17-24) e consegue um excelente colaborador, seu favorito (Fl 2,19-24; 1Ts 3,2-6; 1Cor 4,17; 16,10-11) e herdeiro de sua mensagem. O último v. retorna com variantes topográficas como *leitmotiv* (2,41.47; 4,4; 5,14; 6,7; 9,31.35.43; 11,21; 12,24; 14,1).

16,6-10 Ocorre uma mudança transcendental de direção geográfica, e é o Espírito Santo ou Jesus quem impõe o caminho. Primeiro fechando a passagem a algumas tentativas, depois enviando um sonho oracular. Importa pois que Paulo tem de deixar a Ásia para passar à Europa: um fato que pertence à história da nossa cultura. De repente, o relato adota a primeira pessoa do plural, com certo sabor autobiográfico. O uso de sonhos para comunicar mensagens divinas é mais frequente em Mateus. Lucas normalmente faz intervir anjos. Um macedônio anônimo, que aparece num sonho, é a voz da Europa pedindo auxílio. Sem querer recordamos que da Macedônia partiu a grande difusão cultural que chamamos helenismo. A situação está mudando: agora o helenismo vai receber como auxílio a boa notícia de Jesus.

16,11-12 Por mar e terra chegam a Filipos, a cidade que recebe o nome de Filipe, pai de Alexandre Magno. Como colônia romana (desde o ano 31 a.C.), gozava dos privilégios e era administrada segundo a lei de Roma. Mas seu privilégio maior é ser a primeira cidade europeia a receber os mensageiros do evangelho.

16,13 A palavra grega que traduzimos por oração pode designar por metonímia um lugar de oração, seja uma sinagoga, seja um lugar ao ar livre, como se a proximidade da água favorecesse a oração ou servisse para abluções. O fato de ser sábado faz pensar num rito judaico; mas o fato de se reunirem somente mulheres depõe contra isso. Diríamos que são todas pagãs simpatizantes do judaísmo. O clima de oração partilhada favorece a comunicação da mensagem.

16,14 Não se fala do resultado de conjunto; o narrador se fixa em uma, a primeira mulher cristã na Europa. Originária da Lídia (Ásia Menor), dedicada ao lucrativo comércio de luxuosos tecidos tingidos em púrpura, adepta da religião judaica. É Deus quem a abre por dentro (o coração) para que escute, aceite e se entregue à mensagem.

16,15 O batismo com "toda a sua casa" (incluindo também servos e empregados) é normal nessa sociedade (10; 16,33; 18,8), mas não é normal que

Preso e liberto — ¹⁶Certo dia, quando nos dirigíamos para a oração, saiu-nos ao encontro uma criada que tinha poder de adivinhar e, com suas adivinhações, proporcionava grandes lucros a seus patrões. ¹⁷Indo atrás de Paulo e de nós, gritava:

— Estes homens são servos do Deus Altíssimo e nos pregam o caminho da salvação.

¹⁸Fez isso por muitos dias, até que Paulo, cansado, voltou-se e disse ao espírito:

— Em nome de Jesus Cristo, eu te ordeno que saias dela.

Imediatamente saiu dela. ¹⁹Vendo seus patrões que lhes havia escapado a esperança de negócios, agarraram Paulo e Silas, os arrastaram à praça, diante das autoridades, ²⁰e, apresentando-os aos magistrados, disseram:

— Estes homens estão perturbando nossa cidade; são judeus ²¹e pregam costumes que nós, romanos, não podemos aceitar nem praticar.

²²O povo se reuniu contra eles e os magistrados ordenaram que os desnudassem e os açoitassem. ²³Depois de uma boa surra, os colocaram na prisão e ordenaram ao carcereiro que os guardasse bem guardados. ²⁴Recebido o encargo, colocou-os no último calabouço e amarrou seus pés ao cepo. ²⁵À meia-noite Paulo e Silas recitavam um hino a Deus, enquanto os outros presos escutavam. ²⁶De repente, sobreveio um terremoto que sacudiu os alicerces da prisão. Imediatamente todas as portas se abriram e as correntes de todos se soltaram. ²⁷O carcereiro acordou e, ao ver as portas abertas, empunhou uma espada para

---

a mulher seja a chefe da casa (cf. Sl 113,9). Os missionários aceitam a hospitalidade generosamente oferecida, segundo o conselho do Senhor (Lc 10,3-10) e o exemplo do profeta (2Rs 4).

16,16-40 Após um começo agradável, desencadeia-se bem cedo a perseguição, acolhida que a Europa (Grécia e Roma) dá a Paulo, depois de ter-lhe pedido auxílio. O relato é heterogêneo pela inserção da cena noturna no cárcere. Se lermos saltando do v. 24 ao 35, o relato flui, exceto a inexplicável demora em alegar a cidadania romana: Paulo e a criada que adivinha, irritação dos patrões, denúncia, motim do povo e violência contra os pregadores, libertação e expulsão cortês. O fluxo é cortado para dar passagem a uma cena fantástica (vv. 25-34), que não se encaixa bem nesse contexto forçado.

16,16 "Poder de adivinhar" é em grego "espírito pitônico" (da serpente que vigiava o oráculo de Delfos). Lucas quer relacionar o fato com a expulsão de demônios do evangelho (Lc 4,35; 8,29-38 par.). Os patrões exploram os dotes dela, supostamente sobrenaturais, com uma religiosidade que é negócio.

16,17 Se a moça era perspicaz e se mantinha informada dos fatos correntes, não tinha que adivinhar muito para fazer sua declaração pública. Não captamos bem o tom com que grita: é louvor e recomendação, zombaria e paródia, desafio aos pretensos salvadores? "Altíssimo" podia ser dado como título a Zeus ou a *Yhwh*; não sabemos se a ambiguidade do narrador é intencional.

16,18 Seja como for, a repetição irrita Paulo, e ele recorre a seu poder numa espécie de exorcismo pela invocação do nome de Jesus Cristo. O espírito "saiu" e com ele "saiu" o lucro (como o dos porcos em Lc 8,26-39). Será preciso discutir se era o espírito que produzia o lucro, ou era este que inventava o espírito (Lucas nada mais conta).

16,19-21 A intervenção dos patrões é violenta, ilegal; pode ser que a executaram por meio de outros criados. A acusação é maliciosa, hoje diríamos que era baseada em anti-semitismo e xenofobia: opõe romanos a judeus, costumes estrangeiros aos da pátria, e provoca a animosidade popular. Sem querer dizem uma coisa certa: que a mensagem cristã perturba, sacode e agita a vida pagã da cidade.

16,22-24 Com não menor violência ilegal: cedem ao motim popular e, sem interrogatório ou processo, lhes infligem uma pena dolorosa e vergonhosa. Depois disso os colocam uma noite na prisão (cf. a sorte semelhante de Jeremias, 37,14-16). Ficam no cárcere até a manhã seguinte, da qual se ocupa o v. 35.

16,25-34 Lucas aproveita essa noite vazia e os acontecimentos para enchê-la com um relato de libertação, em que Paulo segue as pegadas de Pedro (12,1-19). Os traços realistas fazem sentir mais as incoerências. Em que calabouço estão Paulo e Silas para serem ouvidos pelos demais presos? E para ficar a par do que acontece no cárcere, para gritar do seu lugar ao carcereiro? Que terremoto é esse que abre portas e solta corpos sem produzir outros danos? Por que não escapam, como fez Pedro?
Temos de entrar no espaço fantástico do relato para escutar o que nos transmite o narrador. Antes de tudo, a serenidade e a alegria dos dois presos espancados, que transformam o cárcere em casa de oração (cf. Sl 77,7; como os três jovens na fornalha da Babilônia, Dn 3). O terremoto é teofania, manifestação da divindade em ação (cf. Ez 38,19). Abrem-se as portas como o profeta promete (Is 45,1), e saem livres (Sl 124,7).
O efeito mais maravilhoso é a conversão do carcereiro, libertado por Paulo da tentativa de suicídio: o preso acaba sendo o libertador. Aqui o relato recobra verossimilhança dentro da sua brevidade. A primeira reação do carcereiro é ainda de pagão diante do prodígio: esses homens são protegidos por algum deus, é preciso respeitá-los e escutá-los; talvez a divindade queira por meio deles comunicar-me uma mensagem. Sua pergunta se abre a maior sentido graças à ambiguidade, "para salvar-me" (Lc 3,10-14). Depois, em rápida alternância, escuta, crê,

matar-se, crendo que os presos tivessem fugido. ²⁸Mas Paulo lhe gritou bem forte:
— Não faças mal nenhum a ti mesmo, pois estamos todos aqui!
²⁹O carcereiro pediu luz, correu para dentro e se lançou aos pés de Paulo e Silas. ³⁰Conduziu-os para fora e lhes disse:
— Senhores, que devo fazer para me salvar?
³¹Responderam-lhe:
— Crê no Senhor Jesus e te salvarás com tua família.
³²Expuseram a ele e a toda a família a mensagem do Senhor. ³³Ainda de noite os levou, lavou-lhes as feridas e se batizou com toda a família. ³⁴A seguir, os levou para sua casa, ofereceu-lhes uma refeição e festejou com toda a casa o fato de haver acreditado em Deus.
³⁵Quando amanheceu, os magistrados enviaram os guardas para que soltassem aqueles homens. ³⁶O carcereiro informou Paulo sobre o assunto:
— Os magistrados ordenaram que vos solte; portanto, ide em paz.
³⁷Paulo replicou:
— Eles nos açoitaram em público e sem julgamento, a nós que somos cidadãos romanos, lançando-nos na prisão, e agora nos mandam sair às escondidas? De nenhum modo! Que venham eles e nos façam sair.
³⁸Os guardas comunicaram isso aos magistrados, que se assustaram ao ouvir que eram cidadãos romanos. ³⁹Vieram, se desculparam, os fizeram sair e lhes pediam que fossem embora da cidade. ⁴⁰Ao sair do cárcere, dirigiram-se à casa de Lídia, saudaram e animaram os irmãos, e partiram.

17 Em Tessalônica –

¹Atravessando Anfípolis e Apolônia, chegaram a Tessalônica, onde havia uma sinagoga judaica. ²Segundo o costume, Paulo foi a ela e, durante três sábados, discutia com eles, citando a Escritura, ³explicando-a e mostrando que o Messias tinha de padecer e ressuscitar dos mortos, e que esse Jesus que lhes anunciava era o Messias. ⁴Alguns deles se deixaram convencer e se associaram a Paulo e Silas; também grande número de prosélitos gregos e não poucas mulheres influentes. ⁵Cheios de inveja, os judeus recrutaram alguns vagabundos da rua, amotinaram o povo, perturbaram a ordem da cidade e se apresentaram na casa de Jasão, com intenção de fazer Paulo e Silas comparecer diante da assembleia

---

cuida dos feridos (Lc 10,34), se batiza com toda a família, festeja o acontecimento com um banquete. Com certeza, em suas repetidas estadias em prisão, com sua paciência e palavras Paulo converteu mais de um carcereiro. E esse era o prodígio importante e permanente, esse o terremoto que livrava tantos prisioneiros do paganismo.

16,35 Para que o fio narrativo continue, temos de supor coisas estranhas: que o carcereiro, depois do banquete, levou os presos outra vez para o cárcere, os prendeu com cepos, fechou as portas para dar a impressão de que não houve nada. Saltemos mentalmente a cena noturna a fim de lermos o desfecho.

16,36-38 Paulo se converte em acusador dos magistrados, demonstrando que violaram as leis romanas e que estão expostos às sanções correspondentes. Por isso exige e obtém uma discreta reparação. Com esse final, Lucas envia talvez uma mensagem indireta às autoridades romanas do seu tempo.

16,39-40 Ao partir, Paulo e Silas deixam uma mulher e um homem convertidos com suas casas. Lucas não menciona outros.

17,1-2 Tessalônica era a capital da Macedônia, a segunda etapa da missão, talvez a primeira no projeto. Cidade portuária, rica e aberta, na qual não faltava a comunidade judaica com sua sinagoga; primeiro lugar de pregação, na tática de Paulo (9,20; 13,5.14; 14,1). Três sábados consecutivos permitiam desenvolver e discutir os temas principais. Essa duração se refere ao primeiro amadurecimento de conversões; não significa que imediatamente tenha vindo a reação hostil.

17,3 A discussão é feita sobre a Escritura. O processo exposto é provavelmente um exemplo.
Primeiro, Paulo procura corrigir a visão do Messias triunfal que os judeus privilegiam; com textos da Escritura (Is 53; Sl 22 e outros) mostra que o Messias "tinha de padecer" (Lc 24,46).
Depois, já que aqueles judeus admitiam a ressurreição e a outra vida, mostrava-lhes que o Messias devia ressuscitar. Uma vez preparada como um molde essa visão bíblica do Messias, encaixava nele a figura de Jesus. Um modo de raciocinar movendo-se em terreno comum.

17,4 O êxito é muito superior ao de Filipos. A sinagoga serve como casa de pregação e ponte de acesso para os prosélitos. Não é claro por que menciona só e expressamente mulheres influentes. Talvez sejam elas as mais atraídas pelo judaísmo, ou as mais facilmente aceitas, ou as que haviam de influir sobre seus maridos.

17,5 Como outras vezes, o êxito provoca a inveja e agressão de outros judeus. A novidade deste caso é que, não encontrando Paulo e Silas, o motim se volta contra o anfitrião dos missionários, Jasão, provavelmente um prosélito influente.

do povo. ⁶Não os encontrando, arrastaram Jasão e alguns irmãos à presença dos magistrados. E gritaram:

– Estes, que revolucionaram o mundo inteiro, apresentaram-se aqui e ⁷Jasão os acolheu. Todos eles atuam contra os editos do imperador, afirmando que há outro rei, Jesus.

⁸Ao ouvir isso, a multidão e os magistrados se assustaram, ⁹exigindo de Jasão uma fiança, e os soltaram.

Em Bereia – ¹⁰A seguir, de noite, os irmãos enviaram Paulo e Silas a Bereia. Quando chegaram, foram à sinagoga dos judeus. ¹¹Estes eram mais tolerantes que os de Tessalônica; acolheram com interesse a mensagem, e todos os dias analisavam a Escritura para ver se era certo. ¹²Muitos deles abraçaram a fé, da mesma forma que algumas mulheres nobres e não poucos homens gregos. ¹³Quando os judeus de Tessalônica ficaram sabendo que Paulo havia anunciado a mensagem de Deus em Bereia, foram aí para incitar e amotinar o povo. ¹⁴Sem tardar, os irmãos fizeram Paulo descer ao litoral, enquanto Silas e Timóteo ficavam atrás. ¹⁵Os que escoltavam Paulo o conduziram a Atenas; a seguir, voltaram com instruções para Silas e Timóteo o alcançarem aí.

Em Atenas – ¹⁶Enquanto os esperava em Atenas, Paulo se indignava ao observar a idolatria da cidade. ¹⁷Na sinagoga discutia com judeus e prosélitos; na praça pública falava aos que por aí passavam.

¹⁸Alguns das escolas filosóficas de epicureus e estoicos conversavam com ele; outros comentavam:

– O que está dizendo esse charlatão?

Outros diziam:

– Parece um propagandista de divindades estrangeiras.

Pois anunciava Jesus e a ressurreição. ¹⁹Levaram-no ao Areópago e lhe perguntaram:

– Podemos saber em que consiste essa nova doutrina que expões? ²⁰Dizes coisas que nos soam estranhas, e queremos saber o que significam.

17,6 A acusação é nova nessa campanha, e nela ressoa a acusação contra Jesus (Lc 23,2; Jo 19,12). Vê-se que na sua catequese Paulo explicou a realeza ou exaltação do Ressuscitado (talvez citando Sl 110,1, como de costume). Tessalônica, embora autônoma na administração, pertencia a uma província do Império.

17,10-15 Tema com variações em Bereia. Outro dos breves episódios de penetração e difusão do evangelho, com o mesmo esquema de pregação na sinagoga, conversões, perseguição. A variação nesse episódio consiste em que os perseguidores são judeus vindos de Tessalônica. Como a distância é de uns 80 km, podemos falar de perseguição feroz, como se a capital se sentisse responsável pela província. Um detalhe nos fala do exame para discernir se aquilo que Paulo propunha era o sentido exato da Escritura. Em Bereia os companheiros se separam por um tempo, de modo que Paulo enfrenta sozinho o desafio de Atenas.

17,16 O politeísmo entrava pelos olhos em templos e estátuas, embora em boa parte se reduzisse à decoração urbana. Paulo, homem apaixonado, o leva muito a sério e se irrita (cf. Jr 10,1-16 e a Carta de Jeremias).

17,16-33 Já dissemos que Lucas parece ter-se esquecido de Alexandria. Talvez porque tenha em mira a capital intelectual da cultura grega, que continuava sendo Atenas. Lucas trata esse episódio com todo cuidado.

Ainda que em plena decadência econômica e política, Atenas conserva sua auréola cultural intacta e até idealizada. Evocava muito mais do que era. Em Atenas, Sólon tinha descido as leis do céu, secularizando o direito. Os filósofos foram reinterpretando a mitologia para transformá-la em religião purificada. As escolas filosóficas tinham florescido e estendido sua influência. Nesse momento atuavam a Academia (de Platão), os peripatéticos (de Aristóteles), os epicureus e os estoicos. Estes últimos eram a escola religiosa e ética mais sadia e difundida no mundo grego e helenista.

Os pregadores cristãos até então tinham enfrentado o judaísmo e a lei, a magia (16,16-18; 19,12-16), o politeísmo ingênuo (14,8-18). Agora é a vez de Paulo enfrentar uma religiosidade marcada pela filosofia. Esse encontro preludia de longe o que acontecerá entre a cultura cristã e a cultura grega. Lucas constrói um relato perfeitamente fluido e coerente. Dá-lhe cor local com o cenário, a linguagem, as citações, a psicologia dos personagens. Ainda que o êxito da pregação tenha sido modesto, a importância desse capítulo é imensa, porque perpetuamente se repete uma confrontação equivalente de cada época e cultura.

17,17 À costumeira visita da sinagoga aos sábados Paulo acrescenta a visita diária da ágora, centro da vida urbana e lugar de encontros, apto para iniciar conversações.

17,18 Menciona só dois grupos filosóficos e entre eles algumas reações. Uns escutam com curiosidade, outros o desdenham como falador, outros o julgam introdutor de divindades e cultos exóticos, dos que então pululavam. Pelo visto, tomam Jesus e Anástasis como divindades masculina e feminina. Com a última nota Lucas nos diz que Paulo introduz a seguir seu tema.

17,19-20 O grupo dos interessados por curiosidade o leva à parte até a colina de Ares, lugar menos

²¹(De fato, todos os atenienses e todos os estrangeiros que aí residem gastavam o tempo somente em contar e ouvir novidades.) ²²Paulo se levantou no meio do Areópago e falou assim:

– Atenienses, percebo que sois extremamente religiosos. ²³Pois andando e observando vossos lugares de culto, encontrei um altar com esta inscrição: AO DEUS DESCONHECIDO. Pois bem, eu vos anuncio aquele que venerais sem conhecer. ²⁴É o Deus que fez céu e terra e tudo o que eles contêm. Ele, que é Senhor do céu e da terra, não habita em templos construídos por homens, ²⁵nem pede que o sirvam mãos humanas, como se precisasse de algo. De fato, ele dá vida e alento a todos. ²⁶De um só, formou toda a raça humana, para que povoasse toda a superfície da terra. Ele definiu as etapas da história e as fronteiras dos países. ²⁷Fez que buscassem a Deus e o encontrassem, ainda que às apalpadelas. Pois não está longe de nenhum de nós, já que ²⁸nele vivemos, nos movemos e existimos, como disse um de vossos poetas: Pois somos de sua raça. ²⁹Portanto, se somos da raça divina, não podemos pensar que Deus seja semelhante à prata, ouro ou pedra modelados pelo engenho e artesanato do homem. ³⁰Por isso, Deus, não levando em conta a época da ignorância, exorta agora a todos os homens em todos os lugares para que se arrependam; ³¹pois marcou uma data para julgar com justiça o mundo por meio de um homem designado. Deu-lhe crédito diante de todos, ressuscitando-o da morte.

---

buliçoso do que a ágora. O que Paulo ensina não parece com nada do que ensinam seus mestres de filosofia, não se encaixa nesse mundo conceitual, e por isso é difícil entender (Is 52,12).

17,21 Num aparte, o narrador comenta a paixão dos gregos de ouvir novidades; exatamente o contrário dos conservadores judeus. Para Paulo, essa curiosidade significa abertura, e por ela tenta penetrar com sua pregação.

17,22-31 Lucas compõe o discurso de Paulo como modelo de pregação a pagãos. O esquema é parecido com o que encontramos nas cartas (1Ts 1,9-10 e Hb 6,1-2); o de Listra parou na metade (14,15-18). Começa com a afirmação monoteísta de Deus: é o criador do universo, criador e benfeitor do homem. Esse Deus exorta hoje ao arrependimento, um dia julgará por um delegado seu, que ele credencia com a ressurreição. A primeira parte é bastante extensa, porque antes Lucas não a tratou suficientemente. A parte final está reduzida a poucas frases, porque já a fez ouvir ao longo do livro. Uma economia narrativa global governa o desenvolvimento relativo das partes. Comparado com a ampla explanação da carta aos Romanos, esse breve discurso mostra divergências notáveis, devidas talvez à diversidade de público, pagãos e cristãos, ou a uma concepção diversa de Lucas.

17,22-23 A introdução, como entrada no assunto, é magistral. Como um cumprimento cortês e ambíguo, que se transforma em crítica, e sabe perceber um valor profundo. A ânsia indefinida de uma religiosidade frustrada: temos tantos deuses que não nos satisfazem, veneremos esse Deus "desconhecido", a quem chegamos através de nossa ignorância e frustração confessadas. Pois bem, diz Paulo, o Deus para vós desconhecido e procurado, eu vo-lo dou a conhecer (cf. Jo 4,22).

17,24-25 É o Deus que cria o universo (Sl 146,6); e não precisa de que lhe construam moradas (Is 66,1); o Deus que dá e não precisa que lhe deem (Sl 50); que dá o alento (Is 42,5; Gn 2,7).

17,26 Afirma a unidade do gênero humano, por sua origem do primeiro homem (não mencionado) e como criatura de Deus. Com a humanidade advém a história em suas coordenadas de tempo e espaço, também controladas por Deus (cf. Is 18,5-6; Dt 32,8). Outros referem essas coordenadas à natureza.

17,27 A expressão "buscar a Deus" é comum no AT (p. ex. Sl 27,4; Is 55,6; Zc 8,21; Os 5,6); aqui tem o sentido mais amplo e também mais matizado pelo que se segue. Apresenta-nos a busca do homem, dividido entre seu afã, sua ânsia de alcançar a Deus, e a dificuldade de transcender as mediações. Em sua busca, o homem vai como tateando (Dt 28,29; Is 59,10). Não obstante, Deus está perto de cada homem (Sl 139,5; 145,18).

17,28 A citação é do poeta Arato e se parece com um verso de um hino de Cleantes: *Deus como espaço total da vida e da existência humana* (compare-se em termos de luz, Sl 36,10). O homem como ser "da casta de Deus" (Ml 1,15). Citar para os pagãos um poeta seu é quase como citar para os judeus a Escritura.

17,29 A literatura do AT é abundante contra os ídolos materiais e sua ambiguidade ou engano. Basta recordar Is 44, a Carta de Jeremias, os acréscimos a Daniel, Sb 12-15.

17,30 Depois da exposição, vem a interpelação. Toda a história passada se encerra indulgentemente na definição de "ignorância" (Ef 4,18; 1Pd 1,14). Chegou o momento de sair dela e passar ao arrependimento, ou seja, reconhecer a maldade para corrigi-la. Todos os homens são chamados a romper com o passado.

17,31 Há um dia fixado, embora não revelado, para o julgamento de Deus (Sl 75,3; 96,13; 98,9). E um "homem" encarregado de executá-lo (10,42; Mt 25,31-32). A ressurreição de Jesus (não mencionado) chega assim quase sem fazer barulho: ou em atenção aos pagãos, para aguçar sua curiosidade, ou em atenção aos leitores que ouviram falar dela no livro.

³²Ao ouvir falar de ressurreição dos mortos, uns caçoavam, outros diziam:

– Nós te ouviremos sobre esse assunto em outra ocasião.

³³E assim Paulo abandonou a assembleia. ³⁴Alguns se juntaram a ele e abraçaram a fé; entre eles Dionísio, o areopagita, uma mulher chamada Dâmaris, e alguns outros.

18 Em Corinto – ¹Paulo saiu de Atenas e foi para Corinto. ²Aí encontrou um judeu chamado Áquila, natural do Ponto, e sua mulher Priscila, que há pouco tinham chegado da Itália, porque Cláudio havia expulsado de Roma todos os judeus. Paulo foi ter com eles e, ³como fossem da mesma profissão, alojou-se em sua casa para trabalhar: eram fabricantes de tendas. ⁴Todos os sábados discutia na sinagoga, tentando convencer judeus e pagãos. ⁵Quando Silas e Timóteo desceram da Macedônia, Paulo dedicou-se a pregar, afirmando diante dos judeus que Jesus é o Messias. ⁶Mas, como se opusessem e o injuriassem, sacudiu o pó da roupa e disse:

– Vós sois responsáveis por vosso sangue, e eu sou inocente: daqui para a frente me dirigirei aos pagãos.

⁷Saindo daí, foi à casa de um homem religioso chamado Tício Justo, que morava junto à sinagoga. ⁸Crispo, chefe da sinagoga, com toda a sua família, creu no Senhor. E também muitos coríntios que o haviam escutado creram e se batizaram. ⁹Numa visão noturna, o Senhor disse a Paulo:

– Não temas! Continua falando e não te cales, ¹⁰pois eu estou contigo e ninguém poderá fazer-te mal, porque nesta cidade tenho um povo numeroso.

¹¹Aí permaneceu por um ano e meio, ensinando-lhes a mensagem de Deus.

¹²Sendo Galião governador da Acaia, os judeus de comum acordo se levantaram contra Paulo e o levaram ao tribunal,

---

17,32 De fato, a reação ante a última frase se divide entre a caçoada explícita e o adiamento cortês e distante.

18,1 Corinto, a cidade de duas culturas, antes grega e agora romana, de "dois mares" (Horácio), de dois portos (Licaon a oeste e Cencreia a leste). Cidade comercial rica que atraía migrantes de muitas regiões. Cidade do amor e da dor de Paulo, à qual dedica muito tempo, muitos afãs e várias cartas. Lucas vai oferecer-nos um mosaico de informações sobre a chegada e primeira atuação de Paulo.

18,2 A expulsão dos judeus de Roma teve lugar no ano 49 (Suetônio) e, segundo esse historiador, foi consequência indireta da penetração do cristianismo. Áquila e Priscila (ou Prisca, Rm 16,3) eram um casal de judeu-cristãos que fabricava material para tendas de campanha.

18,4 Como em outros lugares, também gregos simpatizantes acorriam à sinagoga.

18,5 Com a chegada dos colaboradores, Paulo dispunha de mais tempo para a pregação, chamada também "testemunho". O tema central, como sempre para os judeus, consistia em demonstrar pela Escritura que Jesus era o Messias.

18,6 Bem cedo acontece a ruptura, que Paulo sublinha com uma variante do gesto conhecido (Lc 9,5). E com uma acusação grave: o sangue é a vida (Ez 33; 1Sm 25,31).

18,7-11 A outra face da moeda compensa amplamente o fracasso precedente (talvez alterando a ordem cronológica). Convertem-se nada menos que o chefe da sinagoga (1Cor 1,14.16) e muitos pagãos. Funda-se uma comunidade, que será uma das mais importantes em território europeu. Os incansáveis viajantes fazem uma parada muito longa, de um ano e meio, dedicados ao "ensinamento". Depois da evangelização, essa atividade se poderia chamar catequese.

18,9-10 Com o recurso de uma visão noturna, Lucas nos oferece o sentido da nova atuação. Vários elementos pertencem a relatos proféticos, vocação ou encargo concreto de Deus. Entre eles as fórmulas clássicas "não temas, eu estou contigo" (Is 41,10; 43,5; Jr 1,8). O encargo específico é "falar e não calar-se". A motivação é que em Corinto o Senhor escolheu e quer formar para si um povo (cf. 1Pd 2,9).

18,12-17 O novo incidente pressupõe conhecidas muitas coisas, esclarece algumas e deixa entrever outras. Ao convertido Crispo sucedeu Sóstenes como chefe da sinagoga. O governador da província romana da Acaia (Grécia) é Galião (filho do orador Sêneca e irmão do filósofo e poeta cordobês).

Passado certo tempo, os judeus contra-atacam. Conduzem Paulo ante o tribunal do governador, que se encontra na ágora. A acusação é bastante vaga: prega um culto contrário à lei. À lei romana? À lei judaica reconhecida e amparada pelos romanos? Galião o toma no segundo sentido: Paulo não violou nenhuma lei romana; e se se trata de vossa legislação e suas interpretações, desfrutais de autonomia para resolverdes entre vós vossos pleitos.

Para o romano, o que separa Paulo dos outros judeus são questões verbais sem substância. Para Paulo e os judeus, a diferença é radical. Galião pensa que Roma está acima de semelhantes distinções, e que a mensagem de Paulo não afeta o Império. Não quer empenhar a autoridade de Roma em assuntos internos ao judaísmo; quando precisamente Paulo quer atingir todo o mundo com sua mensagem universal.

Galião despreza os judeus e zomba deles, o narrador se alegra com seu fracasso. Os pagãos da cidade desafogam em Sóstenes seus sentimentos anti-judaicos, enquanto algo muito grave está acontecendo por baixo de uma superfície irrelevante.

¹³acusando-o de induzir o povo a oferecer a Deus um culto contrário à lei. ¹⁴Paulo tentava tomar a palavra, quando Galião se dirigiu aos judeus:

– Se se tratasse de algum delito ou ação perversa, eu vos atenderia, como é meu dever. ¹⁵Mas, se o que se discute são palavras e nomes e vossa lei, tratai disso vós mesmos. Não quero ser juiz desses assuntos.

¹⁶E os despediu do tribunal. ¹⁷Então [os gregos] agarraram Sóstenes, chefe da sinagoga, e lhe deram uma surra diante do tribunal, sem que Galião fizesse alguma coisa. ¹⁸Paulo permaneceu aí bastante tempo. Depois se despediu dos irmãos e embarcou para a Síria em companhia de Priscila e Áquila. Em Cencreia cortou o cabelo para cumprir um voto. ¹⁹Chegaram a Éfeso, onde Paulo se separou de seus companheiros e foi à sinagoga para discutir com os judeus. ²⁰Embora insistissem que ficasse por mais tempo, não aceitou, ²¹mas se despediu, dizendo:

– Se Deus quiser, voltarei a visitar-vos.

Zarpou de Éfeso ²²e desceu até Cesareia. Desembarcou para saudar a comunidade, e prosseguiu viagem até Antioquia. ²³Passado algum tempo, partiu e foi atravessando a Galácia e a Frígia, confirmando todos os discípulos.

Apolo em Éfeso – ²⁴Chegou a Éfeso um judeu chamado Apolo, natural de Alexandria, homem eloquente e versado na Escritura. ²⁵Tinham-no instruído no caminho do Senhor, e cheio de fervor falava e explicava o que se referia a Jesus, embora conhecesse apenas o batismo de João. ²⁶Começou a atuar abertamente na sinagoga. Priscila e Áquila o escutaram. Levaram-no à parte e lhe explicaram com maior exatidão o caminho de Deus. ²⁷Como se dispusesse a partir para a Acaia, os irmãos escreveram aos discípulos para que o acolhessem. Ao chegar, prestou grande serviço aos que haviam recebido a graça da fé, ²⁸pois refutava vigorosamente e em público os judeus, demonstrando com a Escritura que Jesus é o Messias.

19 Em Éfeso

– ¹Enquanto Apolo estava em Corinto, Paulo viajava pelo interior até chegar a Éfeso. Aí encontrou alguns discípulos ²e lhes perguntou se haviam recebido o Espírito Santo depois de abraçar a fé. Responderam-lhe:

– Nem sabíamos que existe Espírito Santo.

³Perguntou-lhes:

– Então, qual batismo recebestes?

Responderam:

– O batismo de João.

18,18 Não temos ideia nem meios para averiguar o sentido desse voto. No rito se parece com o do nazireato (Nm 6,18). Talvez Lucas queira indicar que Paulo não rompeu completamente com o judaísmo.

18,19-23 Segue-se um sumário de caráter geográfico, no qual se destaca a atenção especial que o narrador concede a Éfeso, campo importante da futura atividade de Paulo. Ao invés, de Antioquia só diz que passou aí uma temporada.

18,24-28 A figura de Apolo (bandeira de um partido em Corinto, 1Cor 1,12; cf. 3,4-6.22; 4,6; 16,12) é aqui ambígua.

Por um lado, parece um cristão conhecedor da figura de Jesus à luz da Escritura, que só deve aperfeiçoar seus conhecimentos. Por outro, não é batizado nem recebeu o Espírito Santo. Talvez Lucas queira apresentá-lo como discípulo do movimento do Batista, bem informado sobre a atividade de Jesus e que se faz discípulo cristão (como os de Jo 1,35-51). Provém do grande centro cultural de Alexandria, onde se tinha familiarizado com a Escritura e com suas técnicas de interpretação. Uma vez bem formado, põe toda a sua perícia bíblica a serviço do evangelho.

Encarregado de sua instrução é o casal judeu expulso de Roma, que frequenta regularmente a sinagoga (só como ouvintes?). O tema da instrução "com maior exatidão" é "o caminho de Deus", termo genérico que abrange muitas coisas (cf. Dt 5,33; Jr 7,23), embora Apolo já conhecesse "o caminho do Senhor" (drk Yhwh, expressão pouco frequente no AT, Jz 2,22; Jr 4,4-5).

De passagem, Lucas nos conduz a Éfeso, com sua sinagoga, sua comunidade de "irmãos" e sua relação com outras igrejas. Terreno preparado para a estável visita de Paulo.

19,1-7 Aqui temos outro encontro com membros do movimento espiritual do Batista. Este podia ser invocado como rival da Igreja, mas também podia ser preparação para a Igreja (Lc 3,5-7). Assim acontece em Éfeso: já morto, com seu convite ao arrependimento e a esperar o julgamento, com seu testemunho explícito sobre Jesus, o Batista continua conduzindo póstumos discípulos para o verdadeiro Messias. A diferença externa entre os dois batismos era pequena, de modo que os pagãos podiam confundi-los. A diferença essencial consiste no dom do Espírito (Jo 7,39) e suas manifestações (At 8,17; 10,44). Assim, de outro ponto de vista, vamos vendo o papel fundamental do Espírito na vida da Igreja. Ademais, nunca se batiza "invocando (o nome do) Batista", como se invoca o nome de Jesus.

⁴Paulo replicou:

– João pregou um batismo de arrependimento, recomendando ao povo que cresse naquele que viria depois dele, isto é, em Jesus. ⁵Ao ouvir isso, batizaram-se invocando o nome do Senhor Jesus*. ⁶Paulo lhes impôs as mãos, e veio sobre eles o Espírito Santo, e começaram a falar em línguas e a profetizar. ⁷Eram doze homens.

⁸Depois entrou na sinagoga, onde falou abertamente por três meses, discutindo de modo convincente sobre o reinado de Deus. ⁹Porém, visto que alguns se endureciam, se negavam a crer e difamavam o Caminho diante do povo, Paulo se afastou deles, levou consigo os discípulos e continuou discutindo diariamente na escola de certo Tiranos. ¹⁰Isso durou dois anos, de modo que todos os habitantes da Ásia, judeus e gregos, ouviram a palavra do Senhor.

Os exorcistas – ¹¹Deus fazia milagres extraordinários por meio de Paulo, ¹²a ponto de aplicarem aos doentes panos ou lenços que haviam tocado Paulo, e a enfermidade desaparecia e os espíritos malignos saíam. ¹³Alguns exorcistas judeus itinerantes tentaram invocar, sobre os possessos de espíritos malignos, o nome de Jesus com a fórmula: "Eu vos esconjuro pelo Jesus que Paulo prega". ¹⁴Um sumo sacerdote judeu, chamado Sceva, tinha sete filhos que faziam isso. ¹⁵Porém o espírito maligno lhes disse:

– Eu conheço Jesus, sei quem é Paulo; mas vós, quem sois?

¹⁶O homem possuído pelo espírito maligno investiu contra eles, dominou-os à força, de modo que tiveram de escapar daquela casa nus e feridos. ¹⁷Os habitantes de Éfeso souberam disso, judeus e gregos, e ficaram todos tomados de temor. O nome do Senhor Jesus ganhava prestígio. ¹⁸Muitos que abraçavam a fé vinham para confessar publicamente suas práticas. ¹⁹Não poucos que haviam praticado a magia traziam seus livros e os queimavam na presença de todos. Calculando o preço global, seu valor chegava a ser de cinquenta mil moedas de prata. ²⁰Assim, pelo poder do Senhor, a mensagem crescia e se fortalecia.

Motim em Éfeso – ²¹Terminada toda essa tarefa, Paulo se propôs ir a Jerusalém, passando pela Macedônia e Acaia, pois dizia que, depois de estar aí, tinha de visitar Roma. ²²Enviou à Macedônia dois de seus assistentes, Timóteo e Erasto, e ele permaneceu por algum tempo na Ásia.

19,5 * Ou: *consagrando-se ao Senhor Jesus*.

19,8-10 Repete-se o esquema de pregação na sinagoga e rejeição dos judeus. O elemento novo consiste em que toda a comunidade de "discípulos", por decisão de Paulo, se afasta da sinagoga e busca outro lugar de reunião. Talvez uma escola de retórica: naquele tempo as escolas eram assunto privado de indivíduos; deve-se supor que o mestre fosse cristão. É sugestivo imaginar como a retórica clássica alterna com o evangelho na catequese (a propósito, onde havia aprendido Lucas a arte de escrever?).

19,10 Dois anos é um tempo muito longo na vida apostólica de Paulo. Éfeso se converte em centro de irradiação na província da Ásia; também ponto de expedição de várias cartas: aos Gálatas e aos Coríntios. De tão longa temporada Lucas vai contar-nos dois episódios que julga característicos.

19,11-20 O tema central desse episódio é o confronto do taumaturgo Paulo com os magos; portanto, pode-se colocar em série com os episódios de Simão e de Elimas (13,4-12). Éfeso era conhecida como uma espécie de capital internacional da magia; por seu porto, era uma ligação entre Oriente e Ocidente. O mago se arrogava poderes ocultos, sobrenaturais, que controlava a seu arbítrio. Explorava a credulidade popular para seu proveito e misturava formas e ritos do momento (compare-se com as adivinhas de Ez 13,17-23). O pregador do evangelho sabe que é puro instrumento de Deus e não busca lucro, mas sim fazer o bem. Paulo aparece como taumaturgo extraordinário (faz lembrar Pedro, 5,12-16 e Jesus, Mc 5,27-29) atraindo a cobiça de charlatães que desejam aproveitar-se do seu prestígio e dos "conjuros" (cf. Lc 9,49). O ambiente da grande cidade portuária favorecia a confusão e o sincretismo religioso.

19,14 Esse sumo sacerdote judeu é suspeito tanto quanto seu nome (não figura nas listas conhecidas). Poderia ser uma invenção dos charlatães. O uso do nome de Jesus na fórmula de conjuro é pura manipulação extrínseca, não é invocação crente. Jesus não tolera que seu nome seja invocado em vão.

19,15-16 A resposta oral do espírito é de caçoada: reconhece o poder de Jesus, conhece Paulo, desdenha os charlatães. E como prova disso passa das palavras aos fatos, como se respondesse a um desafio com a força.

19,17 É o temor ante a manifestação de Deus (Lc 5,26; 8,37).

19,18-19 Esse desfecho mostra que a prática oculta ou pública da magia era bastante difundida, também entre cristãos (cf. Dt 18,10-12). Executa-se uma espécie de purificação geral, como a destruição de ídolos e amuletos (Gn 35,2-4; Js 24,23).

19,21-22 Se colocássemos esses dois vv. no final do capítulo, estariam mais bem situados, porque falta o terceiro episódio em Éfeso, antes que

²³Nessa ocasião, sobreveio grande crise a respeito do Caminho. ²⁴Um tal Demétrio, ourives, fabricava em prata nichos de Ártemis e proporcionava bons lucros aos artesãos. ²⁵Reuniu-os com todos os da associação e lhes dirigiu a palavra:

– Companheiros, sabeis que dessa atividade depende nossa prosperidade. ²⁶No entanto, estais vendo e ouvindo que esse Paulo, não somente em Éfeso, mas em toda a Ásia, está ganhando muita gente com sua propaganda, dizendo que não são deuses aqueles que foram fabricados com as mãos. ²⁷Com isso, corre perigo de descrédito não só a nossa profissão, mas também o templo da grande deusa Ártemis, venerada em toda a Ásia e no mundo inteiro, vai perder toda a sua grandeza.

²⁸Ao ouvir isso, enfureceram-se e começaram a gritar:

– Ártemis de Éfeso é grande!

²⁹A cidade inteira se agitou e se precipitaram todos juntos para o teatro, arrastando consigo Gaio e Aristarco, macedônios companheiros de Paulo. ³⁰Paulo tentava ir à assembleia, mas os discípulos não lhe permitiram. ³¹Algumas autoridades da Ásia, amigos dele, lhe enviaram um recado, aconselhando-o a não ir ao teatro. ³²Entretanto, cada um gritava uma coisa, pois a assembleia estava tumultuada; muitos que tinham ido nem sequer sabiam a causa. ³³Alguns da multidão persuadiram Alexandre, a quem os judeus haviam colocado à frente. Este, fazendo um gesto com a mão, tentava pronunciar uma defesa diante da assembleia. ³⁴Mas, ao reconhecer que era judeu, um grito unânime se levantou durante duas horas.

– Ártemis de Éfeso é grande!

³⁵O secretário conseguiu acalmar a multidão, e lhes falou:

Paulo empreenda sua última viagem. Assim como se encontram, servem como peça antecipada para enganchar a última parte do livro.

Paulo evangelizou em duas importantes cidades da Síria e da Ásia: Antioquia e Éfeso; na Grécia atuou na capital administrativa, Tessalônica, na capital intelectual, Atenas, e no empório internacional de Corinto. Resta-lhe Roma, a capital política do Império. Mas ele irá a Roma partindo de Jerusalém, num movimento geográfico que representa uma dialética teológica. Como Jesus (Lc 9,51), subirá a Jerusalém para padecer perseguição e daí, apesar das oposições e por meio delas, deve chegar até Roma. Quando tiver chegado, Paulo descansará, e o livro se encerrará, deixando aberta a história da Igreja.

19,23-40 Lucas compõe uma página magistral de sociologia de massa, de religiosidade popular embebida em nacionalismo e interesses econômicos. O objeto de culto é Ártemis, a deusa-mãe asiática, deusa da fecundidade, e seu templo, uma das maravilhas do mundo. Detonador do tumulto é o chefe do grupo dos artesãos, protagonista é a população. A religião é explorada para o negócio, e o negócio se justifica com a religião: assim age Demétrio. Aquilo que está faltando na formação religiosa e convicção pessoal dos habitantes é compensado com gritos emotivos e com o arrastão da maré humana. Buscam-se vítimas expiatórias.

Frente ao culto coletivo de Ártemis encontra-se o Caminho, um dos nomes do cristianismo (9,2; 19,9). Seu expoente, Paulo, é retirado quando tenta intervir. O povo confunde os cristãos com os judeus, cujo expoente é Alexandre. Caberá ao poder civil apaziguar o furor religioso da população.

19,24 Os gregos deram a uma divindade asiática o nome de Ártemis, sua deusa da caça (em latim Diana). Dela se conservam numerosas imagens. As estatuetas da deusa dentro de um nicho ou miniatura de templo eram vendidas como lembrança devota ou curiosa (como acontece em nossos dias).

19,25-27 O diagnóstico de Demétrio é certeiro e astuto. Certeiro, porque a história confirma que é aplicável a muitas situações semelhantes. Certeiro em sua apresentação da polêmica de Paulo contra os ídolos (17,24.29; cf. Is 44,9-20; Sb 14,18-21). Astuto em derivar o interesse econômico do começo para a nobilíssima devoção à veneralbilíssima divindade. Astuto em apresentar o negócio como serviço. O templo da deusa, Artemísion, era um conjunto de 120 metros por 70, rodeado de 128 colunas de 19 metros de altura.

19,29 A faísca violenta dos ourives vai se propagando na população, que agarra dois companheiros de Paulo e se dirige ao lugar público mais espaçoso, o teatro de 24.000 lugares.

19,31 A intervenção dessas autoridades mostra que o cristianismo tinha penetrado até nas classes influentes.

19,33 Em contraste, sentindo-se em perigo, a comunidade judaica envia um delegado para acalmar os ânimos. Mas obtém o contrário. Na oposição às imagens de deuses, os judeus não eram menos firmes que os cristãos.

19,34 Segue-se o tumulto de milhares de gargantas unidas num grito repetido sem parar. Pode-se recordar o estribilho dos judeus no tempo de Jeremias (Jr 7,4) ou da manifestação de protesto social no tempo de Neemias (Ne 5,5).

19,35-40 Quando o entusiasmo desafogou-se completamente ou se esgotou por cansaço, o chanceler consegue ser ouvido pela multidão. Seu discurso é uma hábil peça de persuasão. Começa agradando, dando razão, dirige as disputas para questões legais, faz ver que a manifestação pode voltar-se contra os habitantes.

19,35 Fazia parte da crença popular que a estátua tinha descido do céu. O culto inventa sua origem (lenda etiológica).

– Efésios, quem não sabe que Éfeso guarda o templo da grande Artemis e sua imagem caída do céu? ³⁶Como isso é indiscutível, o importante é que mantenhais a calma e nada façais precipitados. ³⁷Trouxestes esses homens, que nem são sacrílegos nem enfrentaram nossa deusa. ³⁸Se Demétrio e seus artesãos têm algo contra alguém, aí estão os juízes e prefeitos: que resolvam seu pleito. ³⁹Se se tratar de assunto mais grave, a assembleia legal poderá resolvê-lo. ⁴⁰Corremos perigo de ser acusados pelo tumulto de hoje e, como não há justificativa, não poderemos explicar a causa do motim.

Com essas palavras dissolveu a assembleia.

20 Viagens, visitas e despedidas –

¹Quando o tumulto se acalmou, Paulo mandou chamar os discípulos, animou-os, despediu-se e empreendeu viagem para a Macedônia. ²Atravessou essa região, animando os irmãos com muitos discursos, até que chegou à Grécia. ³Aí se deteve por três meses e, quando se dispunha a navegar para a Síria, os judeus conspiraram contra ele, de modo que decidiu voltar atravessando a Macedônia. ⁴Acompanharam-no [até a Ásia] Sópatro, Pirro de Bereia, Aristarco e Segundo de Tessalônica, Gaio de Derbe e Timóteo, Tíquico e Trófimo da Ásia. ⁵Estes se adiantaram e nos esperaram em Trôade. ⁶Passada a semana dos ázimos, zarpamos de Filipos e, dentro de cinco dias, os alcançamos em Trôade, onde ficamos sete dias.

⁷Num domingo nos reunimos para a fração do pão. Paulo, que devia partir no dia seguinte, pôs-se a falar e prolongou o discurso até meia-noite. ⁸Havia muitas lâmpadas no piso superior, onde estávamos reunidos. ⁹Um jovem, chamado Êutico, estava sentado no parapeito da janela. Enquanto Paulo alongava sua exposição, foi sendo vencido pelo sono, até que totalmente vencido caiu do terceiro andar no chão, de onde o recolheram morto. ¹⁰Paulo desceu, lançou-se sobre ele, o abraçou e disse:

– Não vos assusteis, pois ainda está vivo.

¹¹Depois subiu, partiu o pão e comeu, prolongou a conversa até de madrugada, e depois partiu. ¹²Levaram o jovem vivo e se consolaram muito.

¹³Nós nos dirigimos ao barco e zarpamos para Assos, onde devíamos recolher Paulo. Isso era conveniente, já que ele fazia a viagem a pé. ¹⁴Quando nos alcançou em Assos, embarcou conosco e nos dirigimos a Mitilene. ¹⁵Zarpamos daí e no dia seguinte chegamos diante de Quio, no terceiro passamos Samos e no seguinte chegamos a Mileto. ¹⁶Paulo decidira passar ao largo de Éfeso, para não perder tempo na Ásia. De fato, se fosse possível, queria chegar a Jerusalém para o dia de Pentecostes.

19,39-40 A instância superior era o procônsul em suas audiências periódicas. Com suas palavras, o chanceler consegue impor a razão sobre a paixão. Os cristãos do tempo de Lucas não imitaram essa manifestação de fanatismo religioso.

20,1-6 Nessa viagem europeia, dedica-se a visitar comunidades já fundadas. Sai de Éfeso depois do tumulto, não por causa dele. Quando planeja voltar de navio, fica sabendo que os judeus preparam um atentado contra ele e decide viajar por terra. Na viagem de volta, alguns colaboradores o acompanham, talvez portadores da coleta para Jerusalém. Passa as festas da Páscoa na comunidade de Filipos. No relato, uma celebração cristã segue-se à celebração judaica.

20,7-12 Com efeito, é o primeiro dia da semana (domingo) e se celebra a eucaristia no salão de uma casa particular. No NT, é a primeira menção de semelhante celebração no domingo, que corresponde ao dia da ressurreição (Lc 24,1.36; Jo 20,19.26; 1Cor 16,2); o adjetivo *kyriakós* (= *dominicus*) encontra-se em Ap 1,10. A eucaristia é designada com a expressão tradicional "partir o pão". Em seguida fazia-se a tradicional ceia. Já então era precedida de uma explicação bíblica: aqui logicamente cabe a Paulo. O salão está relativamente alto, no terceiro andar (contando o térreo). Está tão cheio, que um rapaz não encontra outro lugar senão o peitoril da janela. Como o discurso é de despedida, Paulo não sabe terminar, e embora o salão esteja profusamente iluminado, o rapaz não consegue vencer o sono. Cai e fica sem vida no chão do pátio. A cerimônia é tragicamente interrompida. Paulo domina a situação: a celebração da vida do Ressuscitado não vai terminar com a morte de um dos participantes; pelo contrário, o incidente servirá para mostrar "a força da ressurreição". Paulo imita os gestos de Elias e Eliseu (1Rs 17,21 e 2Rs 4,34). Com toda a serenidade sobe e conclui o rito. E ainda lhe restam forças e coisas para dizer até a hora da partida. É o único caso em que uma ressurreição acontece dentro da eucaristia, e o narrador quer que o apreciemos.

20,13-16 A lista pontual de itinerários, localidades e datas parece tirada de um diário de bordo. Aqui volta a primeira pessoa do plural, que continuará até o fim do livro.

Despedida dos efésios – ⁱ⁷De Mileto mandou um recado, convocando os anciãos da comunidade. ¹⁸Quando chegaram, disse-lhes:

– Sabeis que desde o primeiro dia em que pus os pés na Ásia passei todo o tempo convosco, ¹⁹servindo o Senhor com toda humildade, com lágrimas e em todas as provas que as intrigas dos judeus me provocaram. ²⁰Não omiti nada de útil para pregar-vos e instruir-vos, em público e em vossas casas. ²¹Inculquei em judeus e gregos o arrependimento diante de Deus e a fé em nosso Senhor Jesus.

²²Agora, acorrentado pelo Espírito, vou a Jerusalém, sem saber o que aí me acontecerá. ²³Sei apenas que em cada cidade o Espírito Santo me assegura que me esperam correntes e perseguições. ²⁴Mas de forma alguma considero minha vida preciosa, contanto que complete minha carreira e o ministério que recebi do Senhor Jesus: anunciar a boa notícia da graça de Deus. ²⁵Pois bem, sei que não voltareis a ver-me, vós todos cujo território atravessei proclamando o reino. ²⁶Por isso, declaro hoje que não sou responsável pela morte de ninguém, ²⁷pois não me abstive de anunciar o desígnio completo de Deus. ²⁸Cuidai de vós e de todo o rebanho que o Espírito Santo vos confiou como pastores da igreja de Deus, e que adquiriu pagando com seu sangue. ²⁹Sei que depois da minha partida se introduzirão entre vós lobos ferozes que não respeitarão o rebanho. ³⁰Inclusive do meio de vós sairão alguns que dirão coisas pervertidas, para arrastar atrás de si os discípulos. ³¹Portanto, vigiai e recordai que durante três anos não cessei de admoestar-vos com lágrimas, de dia e de noite. ³²Agora vos confio ao Senhor e à mensagem de sua graça, que tem poder para vos construir e para outorgar a herança a todos os consagrados. ³³Não cobicei a prata nem o ouro nem as vestes de ninguém. ³⁴Sabeis que com minhas mãos provi às necessidades minhas e de

---

20,17 Em Mileto Paulo e seus acompanhantes fazem escala. A cidade está a uns 60 km de Éfeso. Convoca os "anciãos", ou seja, um conselho de cunho palestino; mais abaixo os chama de "supervisores" (em grego *epískopous*), que é o nome do grupo de responsáveis nas comunidades paulinas.

20,18-35 Embora Paulo não esteja às portas da morte, despede-se definitivamente de uma comunidade querida, à qual dedicou dois anos de sua atividade. Por isso seu discurso é testamentário e se inscreve na rica série do gênero: Jacó (Gn 47,29-49,28), Josué (Js 22,1-8; 23), Samuel (1Sm 12), Davi (1Rs 2,1-10), Tobias (Tb 14,3-11), Matatias (1Mc 2,49-68). Ao partir definitivamente, a figura de Paulo fica como que erguida no pedestal literário desse discurso e sua voz continua vibrando com a emoção da despedida. Seu discurso é recordação de uma missão pessoal cumprida e legado de uma missão por cumprir, história e profecia, exemplo e admoestação. Acumulam-se nele temas e expressões típicas de Paulo em suas cartas; mas o alvo está afastado no tempo; é, antes, o tempo de Lucas.
O desenrolar do discurso é repetitivo, como se Paulo não soubesse terminar. Podemos resumir seus temas: é uma missão recebida do Senhor Jesus, guiada pelo Espírito. Consiste em servir, anunciar, ensinar, testemunhar, em meio a provas e tribulações, a judeus e gregos.

20,19 Servir: "servo" é o título que Paulo adota (Rm 1,1; Fl 1,1; Tt 1,1; Gl 1,10). Humildade: Fl 2,3; Cl 2,18.23. Lágrimas: 2Cor 2,4. Intrigas: At 9,24.

20,21 A judeus e gregos: Rm 1,16; 10,12; 1Cor 1,24; Gl 3,28.

20,22 Acorrentado (prisioneiro): Cl 4,3; 2Tm 2,9.

20,23 Correntes: Fl 1,7.13; Cl 4,18. Perseguições: Rm 5,3; 2Cor 1,4.

20,24 Terminar a carreira é clara alusão à morte (2Tm 4,7). Serviço é termo corrente, como também evangelho. A graça ou favor de Deus: Rm 5,2.15; 1Cor 1,4.

20,25 Reino ou reinado (de Deus): frequente nos evangelhos, menos frequente em At.

20,26 A "morte" equivale aqui à perda da vida eterna. A responsabilidade do pregador: Ez 33.

20,27 O desígnio de Deus: Ef 1,11; Rm 9,19. A integridade: cf. Dt 4,2.

20,28 Encargo aos dirigentes em imagem pastoral: ver descrição do chefe ideal (1Tm 3,1-7). O verso é um resumo de eclesiologia: a Igreja é de Deus (1Cor 1,2; 2Cor 1,1; 11,16; 15,9). Adquiriu-a "com o próprio sangue": tem de referir-se a Cristo, embora gramaticalmente pareça o contrário (Rm 3,25; 5,9; Cl 1,20; 1Pd 1,19). Os chefes são pastores nomeados pelo Espírito (1Cor 12).

20,29-30 Em forma de profecia se refletem os perigos internos e externos de desvio, que textos posteriores atestam (cf. Jo 10,12; Dt 13,2-6). Por outro lado, no momento do relato, Paulo já havia experimentado problemas semelhantes na Galácia e em Corinto (cf. Gl 4,17; 2Cor 11,8-9; 1Ts 2,3-4). O autor põe uma previsão semelhante na boca de Moisés antes de morrer (Dt 31,16-21).

20,31 O verbo admoestar (*noutheteo*) é exclusivo de Paulo (Rm 15,14; 1Cor 4,14; 1Ts 5,12.14).

20,32 Versículo importante para uma teologia da palavra. Aparece personificado, como alguém a cuja custódia e proteção são confiados objetos e pessoas. A palavra é um dinamismo que constrói e mantém o edifício da Igreja, é um depositário que entrega a herança (celeste) aos consagrados a Deus (cf. Sb 5,5).

20,33-34 Em suas cartas Paulo se mostra muito cuidadoso em não agir por cobiça ou interesse e em

meus companheiros. ³⁵Ensinei-vos sempre que, trabalhando assim, deve-se acolher os fracos, recordando o dito do Senhor Jesus: Mais vale dar que receber.

³⁶Dito isso, caiu de joelhos com todos e orou. ³⁷Aconteceu um soluço geral. Lançando-se ao pescoço de Paulo, o abraçavam, ³⁸tristes sobretudo pelo que havia dito, que não voltariam a vê-lo. Depois o acompanharam até o barco.

21 **Viagem para Jerusalém** – ¹Arrancando-nos deles, zarpamos e navegamos direto até Cós, no dia seguinte até Rodes e daí para Pátara. ²Encontrando um barco que cruzava para a Fenícia, embarcamos e zarpamos. ³Avistando Chipre e a deixando à esquerda, navegamos para a Síria e chegamos a Tiro, onde o navio tinha de descarregar. ⁴Encontramos os discípulos e nos detivemos aí sete dias. Alguns, movidos pelo Espírito, aconselhavam Paulo que não fosse a Jerusalém. ⁵Quando se cumpriu nosso prazo, saímos para continuar viagem. Todos, com suas mulheres e filhos, nos acompanharam até fora da cidade. Ajoelhamo-nos na praia e oramos. ⁶Depois nos despedimos, embarcamos, e eles voltaram para casa. ⁷De Tiro descemos até chegar a Ptolemaida. Saudamos os irmãos e ficamos com eles um dia. ⁸No dia seguinte partimos e chegamos a Cesareia. Entramos na casa de Filipe, um dos sete evangelistas, e nos hospedamos com ele. ⁹Ele tinha quatro filhas solteiras profetisas. ¹⁰Depois de vários dias de estadia, desceu da Judeia um profeta chamado Ágabo. ¹¹Aproximou-se de nós, pegou o cinto de Paulo, atou-se com ele de mãos e pés, e disse:

– Isto diz o Espírito Santo: o dono deste cinto será amarrado em Jerusalém pelos judeus, que o entregarão aos pagãos.

¹²Ao ouvir isso, nós e os habitantes do lugar lhe suplicávamos que não subisse a Jerusalém. ¹³Mas Paulo respondeu:

– O que fazeis chorando e comovendo meu coração? Pelo nome do Senhor Jesus, estou disposto a ser acorrentado e a morrer em Jerusalém.

¹⁴Como não conseguíssemos fazê-lo mudar de ideia, tranquilizamo-nos, dizendo:

– Que se cumpra a vontade do Senhor.

¹⁵Passados esses dias, fizemos os preparativos e empreendemos a subida para Jerusalém. ¹⁶Alguns discípulos de Cesareia nos acompanharam até a casa de um velho discípulo, Mnason de Chipre, que nos hospedou.

Em Jerusalém – ¹⁷Ao chegar a Jerusalém, os irmãos nos receberam contentes.

¹⁸No dia seguinte, fomos com Paulo visitar Tiago; apresentaram-se todos os

---

evitar até mesmo a aparência disso. Lucas o apoia com sua atitude crítica frente à riqueza.
20,35 O provérbio citado não se encontra literalmente em nenhum evangelho, mas retoma o espírito das bem-aventuranças.
21,1-10 Quando Jesus se dispõe a subir a Jerusalém para padecer (Lc 9,51), está plenamente consciente do seu destino e pode anunciá-lo mais de uma vez aos discípulos. Paulo se dispõe a seguir Jesus (cf. Lc 9,52-62), sem conhecer o destino. É o Espírito quem deve dizer-lhe, diretamente ou por meio de outros: 20,25; 21,4.10. Não lhe é dito para detê-lo na viagem, mas para que aceite com plena consciência seu destino; como Jesus o anunciou a Pedro (Jo 21,18-19). Não será uma Páscoa, que celebrou em pleno território de missão, e sim um Pentecostes (na intenção de Paulo), que é o dia do Espírito no presente livro.

As notas da viagem não nos permitem mais que percorrer os portos e descobrir que as costas do Egeu, por volta do ano 54, estavam semeadas de comunidades cristãs e que Paulo era um grande personagem bem recebido em qualquer igreja local.
21,3-4 Tiro havia sido antigamente o grande centro comercial do Mediterrâneo (Ez 27-28). Jesus visitou sua região (Mc 7,24) como ponto extremo da sua atividade. Seu porto, outrora famoso, contempla agora uma comunidade cristã em oração.
21,8-9 Filipe, um dos sete helenistas, missionário itinerante que converteu o eunuco (At 8), parece ter-se tornado sedentário e pai de uma família de carismáticas (cf. Is 40,9; Sl 68,12). Mas as profetisas não têm nenhuma mensagem específica para Paulo.
21,10 Isso compete, antes, a um profeta vindo de Jerusalém, que nós ouvimos predizer uma carestia (11,28). Além de ser profeta, conheceria de primeira mão a situação política de Jerusalém.
21,11 Com uma ação simbólica, no estilo dos antigos profetas, anuncia a Paulo sua prisão. As fórmulas são calcadas nas de Jesus (Lc 9,44; 21,16). O judeu apóstolo dos pagãos será entregue pelos judeus aos pagãos.
21,13 A resposta de Paulo é muito parecida com a declaração confiante de Pedro (Lc 22,33). As lágrimas dos habitantes são como as das piedosas mulheres por Jesus (Lc 23,28).
21,14 Ante a decisão de Paulo, todos aceitam "a vontade de Deus"; como Jesus em Getsêmani (Lc 22,42).
21,16 Trata-se provavelmente de uma parada na viagem de Cesareia a Jerusalém (uns 100 km).
21,17-20a A recepção dos novos peregrinos em Jerusalém não foi triunfal, porém cordial. Primeiro a

anciãos. ¹⁹Depois de os saudar, lhes expôs detalhadamente quanto Deus realizara por seu intermédio entre os pagãos. ²⁰Ao ouvir isso, deram glória a Deus e disseram a Paulo:

– Verás, irmão, quantos milhares de judeus se converteram à fé, todos praticantes da lei. ²¹Corre o boato de que aos judeus que vivem entre pagãos ensinas a abandonar a lei de Moisés e lhes dizes que não circuncidem seus filhos nem sigam nossos costumes. ²²O que fazer? Certamente ficarão sabendo que chegaste. ²³Pois bem, segue nosso conselho: há entre nós quatro homens que fizeram um voto. ²⁴Vai purificar-te com eles, e paga os gastos para que rapem a cabeça; assim todos saberão que os boatos que correm a teu respeito não têm fundamento e que és judeu praticante da lei. ²⁵Aos pagãos convertidos à fé comunicamos nossos decretos sobre as vítimas idolátricas, o sangue, os animais estrangulados e a fornicação.

²⁶No dia seguinte, Paulo tomou aqueles homens, purificou-se com eles e foi ao templo para avisar a data em que terminaria a purificação e levaria a oferta para cada um deles.

Preso no templo – ²⁷Quando estavam para se cumprir os sete dias, os judeus da Ásia, vendo-o no templo, incitaram a multidão e o agarraram, ²⁸gritando:

– Socorro, israelitas! Este é o homem que ensina a todos em todos os lugares uma doutrina contrária ao povo, à lei e ao lugar sagrado. Acaba de introduzir alguns gregos no templo, profanando este santo lugar.

---

comunidade de "irmãos" os recebeu. No dia seguinte, fez-se a visita oficial às autoridades: o senado de "anciãos" presidido por Tiago. Paulo lhes conta com detalhes suas viagens missionárias.
O comunicado é calculado no que diz e no que não diz. Diz "o que Deus realizara por seu ministério entre os pagãos". O autor foi Deus, Paulo foi simples instrumento; ao agir em favor dos pagãos, Deus ratificou a linha missionária da Igreja. O que não diz: a conversão de muitos judeus, pela pregação de Paulo e pela discussão baseada na Escritura. O mais surpreendente é que não diz nada da coleta, finalidade imediata da viagem. Esse silêncio de Lucas tem dado o que pensar e conjecturar a muitos comentaristas.
Os assistentes respondem às "ações de Deus" relatadas "dando glória a Deus", em ato quase litúrgico, talvez recitando algum hino do saltério.
21,20b-22 E passam à resposta: "eles" no plural. Imaginamos que Tiago toma a palavra; dirige-se a Paulo no singular, "irmão". E se coloca a tensão existente para sugerir uma solução. Desde o começo a resposta soa como contraposição: Paulo mencionou os pagãos, eles falam dos judeus; Paulo teria mencionado o grande número (17,4); eles falam de dezenas de milhares. Os judeus convertidos são rigorosos observantes da lei; de Paulo se diz que induz a apostatar de Moisés. Notemos a mudança radical: anos atrás se maravilhavam de que "aquele que perseguia a Igreja tinha-se convertido em seu propagador". Agora se afirma que aquele que mais observava a lei, tornou-se inimigo dela.
O boato, referido às comunidades mistas, não é objetivo, pois Paulo continuava fiel às práticas judaicas e deixava os outros em liberdade. Teve até a consideração de circuncidar Timóteo (16,3).
21,23-24 Assim, pois, lhe propõem um gesto público, significativo, de uma prática de devoção. Valerá como argumento *a minore ad maius*. O gesto tem a ver com o voto de nazireato (Nm 6,1-18). Supõe-se que os quatro pagadores de promessa fossem judeu-cristãos. A purificação era rito prévio para quem esteve contaminado por contatos profanos; com o voto se oferecia uma oferta. Arcando com as despesas, Paulo mostra amplamente seu zelo pelas observâncias tradicionais, com o que fará cessar os boatos.
21,25 De passagem, os anciãos ratificam as cláusulas do concílio (At 15), como mínimo exigido dos pagãos convertidos, membros de comunidades mistas.
21,27-36 O plano sensato de Tiago fracassa no momento em que ia realizar-se, e nesse ponto tem início o novo curso dos acontecimentos. Podemos dizer que com a "subida a Jerusalém" começa a paixão de Paulo. O começo é paradoxal: os concidadãos judeus e a sua cidade adotiva o rejeitam, os romanos hostis o salvam prendendo-o, o prisioneiro conduzido parece controlar os acontecimentos e a palavra. Tudo começa com um pretexto malicioso. Era proibido aos pagãos, sob pena de morte, transpor a barreira do átrio externo do templo, porque sua presença podia contaminar o lugar sagrado. Soa o alarme, corre o boato e se tomam medidas urgentes: fecham as portas do templo para que Paulo não possa apelar para o direito de asilo (1Rs 2,28-31); tiram-no para fora para não matá-lo no lugar sagrado (2Rs 11,15; 2Cr 24,20-22) e se dispõem a linchá-lo.
Lucas compõe uma cena dramática eficaz, na qual se representa outro drama de maior alcance: Jerusalém rejeita a última oferta do evangelho. Paulo, como Jesus, lhe trazia a paz (Lc 19,42) e lhe respondem com a guerra (Sl 120,7). Quando levarem Paulo, Jerusalém ficará para trás, e o narrador não se voltará para olhá-la no resto do livro.
21,27 Os judeus da Ásia podiam vir de Éfeso, onde teriam conhecido Paulo.
21,28 Contrária ao povo: talvez por sua dedicação aos pagãos; porque rompe a unidade dos judeus (cf. 15,14). Contra a lei e o templo: a mesma acusação movida contra Estêvão (6,13-14). "Profanais meu templo colocando em meu santuário estrangeiros" (Ez 44,7).

²⁹Tinham visto antes com ele Trófimo, o efésio, e pensavam que Paulo o houvesse introduzido no templo. ³⁰A cidade inteira se agitou e todo o povo veio correndo. Agarraram Paulo, o arrastaram para fora do templo e fecharam as portas. ³¹Quando tentavam matá-lo, chegou ao comandante da coorte o aviso de que a cidade inteira estava amotinada. ³²Reuniu soldados e centuriões e veio depressa. Eles, ao ver o comandante com os soldados, pararam de bater em Paulo. ³³Então o comandante deteve Paulo, mandou prendê-lo com duas correntes e procurou informar-se quem era e o que havia feito.

³⁴Da multidão cada um dizia uma coisa. Não podendo averiguar a verdade por causa do tumulto, mandou que o conduzissem à fortaleza.

³⁵Quando chegaram à escada, o subiram carregado pelos soldados, a fim de evitar a violência da multidão. ³⁶Pois todo o povo os seguia gritando:

– Mata!

³⁷Quando iam introduzi-lo na fortaleza, Paulo disse ao comandante:

– Posso dizer-te uma palavra?

Respondeu-lhe:

– Sabes falar grego?! ³⁸Não és tu o egípcio que há uns dias sublevou quatro mil sicários e os levou ao deserto?

³⁹Paulo respondeu:

– Sou judeu de Tarso, cidadão de uma cidade nada desprezível. Peço-te licença para falar ao povo.

⁴⁰Ele o permitiu, e Paulo, de pé sobre a escada, ergueu a mão para o povo. Fez-se um silêncio profundo e Paulo lhes falou em hebraico:

22 Discurso de Paulo – ¹Irmãos e pais, escutai minha defesa.

²Ao ouvir que lhes falava em hebraico, ficaram mais quietos. Ele disse:

– ³Sou judeu, natural de Tarso da Cilícia, embora educado nesta cidade e instruído com toda a exatidão na lei de nossos antepassados aos pés de Gamaliel, entusiasta de Deus, como sois atualmente todos vós. ⁴Eu persegui de morte esse Caminho, prendendo e colocando na cadeia homens e mulheres, ⁵como podem testemunhá-lo o sumo sacerdote e todo o senado. Deles recebi uma carta para os irmãos e me pus a caminho de Damasco para prender os que aí estavam e conduzi-los a Jerusalém para serem castigados. ⁶Caminhando, já perto de Damasco, pelo meio-dia, de repente uma intensa luz celeste resplandeceu ao meu redor. ⁷Caí por terra e escutei uma voz

---

21,29 Se esses judeus vinham de Éfeso, é possível que conhecessem de vista Trófimo (20,4).

21,30 "A cidade inteira", diz Lucas com ênfase; compare-se com o episódio de Herodes ao chegarem os magos estrangeiros (Mt 2,3).

21,31 O comandante tinha seu quartel na fortaleza Antônia, que dominava a esplanada do templo. Se habitualmente os romanos estavam de guarda prevenindo motins e levantes, desde que Nero subiu ao trono (54 d.C.) parece que foi aumentando a impaciência dos judeus.

21,33 O comandante romano salva Paulo da morte prendendo-o: cumpre-se a profecia de Ágabo (21,10), e até o final do livro Paulo é um prisioneiro errante e interrogado. Primeiro o romano pergunta ao povo o que aconteceu: em vão.

21,36 Enquanto é levado escada acima, a multidão grita pedindo sua morte (Lc 23,18; Jo 19,15).

21,37-40 Com um detalhe pitoresco, fica bem claro que Paulo não é um chefe anti-romano de revoltosos. Contra toda verossimilhança, Lucas aproveita o momento para que Paulo pronuncie um discurso. Não de circunstância, pois não alude ao que acaba de acontecer, e sim recordando, vagueando sobre "a cidade eterna". Sua palavra "não está algemada" (2Tm 2,9); é, antes, dominadora. Os romanos lhe oferecem uma tribuna excepcional, e ele fala de pé, à moda grega.

21,38 Sicários eram em sentido próprio gente armada de punhal; mais tarde equivalerá a bandido.

22,1-21 O discurso de Paulo é como uma despedida de Jerusalém e do templo. Não rebate a acusação específica recente, mas pronuncia uma "apologia" da sua vida; como judeu e como testemunha do Justo (Lc 23,47; At 3,14; 7,52). Os dados da sua autobiografia são em boa parte os do cap. 9, só que com marcado acento judaico. Judeu de nascimento e educação, judeu em seu zelo pelo "Deus de nossos pais" (Dt 26,7; Esd 7,27) e em seu zelo anticristão; judeu observante e respeitado pelos judeus é Ananias. Exceto na citação do v. 8, evita pronunciar o nome de Jesus. A visão no templo é um dado novo e muda a direção do discurso.
Aos membros do Conselho dá o título de "pais", como Estêvão (7,2).

22,2 Fala à multidão em aramaico.

22,3 Discípulo de Gamaliel, filho do famoso Hillel (5,34-36). Pode-se comparar esse começo com Fl 3,2-7. Em sua devoção religiosa, identifica-se com seus ouvintes (não lhes reprova a violência).

22,4 Em oposição à "lei dos antepassados", chama o cristianismo de Caminho (9,2).

22,5 Chama os judeus de Damasco de "irmãos", nome clássico do Deuteronômio.

22,6 A luz celeste eclipsa a luz do meio-dia.

que me dizia: Saul, Saul, por que me persegues? ⁸Respondi: Quem és, Senhor? Respondeu: Eu sou Jesus Nazareno, a quem persegues. ⁹Os acompanhantes viam a luz, mas não ouviam a voz daquele que falava comigo. ¹⁰Eu lhe disse: Que devo fazer, Senhor? O Senhor respondeu: Levanta-te e vai a Damasco; aí te dirão tudo o que te é ordenado fazer. ¹¹Como não enxergasse, ofuscado pelo brilho daquela luz, os acompanhantes me levaram pela mão, e assim cheguei a Damasco. ¹²Certo Ananias, homem piedoso e praticante da lei, de boa reputação entre todos os judeus da cidade, ¹³veio visitar-me, apresentou-se e me disse: Irmão Saul, recupera a visão. Nesse momento pude vê-lo. ¹⁴Ele me disse: O Deus de nossos pais te destinou a conhecer seu desígnio, a ver o Justo e a escutar diretamente sua voz; ¹⁵pois serás, diante de todo o mundo, testemunha do que viste e ouviste. ¹⁶Portanto, não tardes: Batiza-te e lava-te dos pecados, invocando seu nome. ¹⁷Quando voltei a Jerusalém, estando em oração no templo, entrei em êxtase ¹⁸e vi aquele que me dizia: Sai depressa de Jerusalém, pois não aceitarão teu testemunho a meu respeito. ¹⁹Repliquei: Senhor, eles sabem que eu prendia os que creem em ti e os açoitava nas sinagogas. ²⁰Sabem também que, quando se derramava o sangue de Estêvão, tua testemunha, aí estava eu aprovando e guardando a roupa dos que o matavam. ²¹Ele me disse: Vai, pois eu te envio a povos distantes.

²²Escutaram-no até esse ponto. Depois levantaram a voz, dizendo:

– Elimina do mundo esse homem! Não pode continuar vivendo!

²³Como continuassem gritando, rasgando as vestes e jogando pó pelo ar, ²⁴o comandante mandou que o fizessem entrar na fortaleza e o interrogassem sob os açoites, para averiguar por qual motivo clamavam contra ele. ²⁵Quando o amarravam com correias, Paulo disse ao centurião aí presente:

22,8 Acrescenta o adjetivo Nazareno, título com que os judeus distinguiam os cristãos. "A quem persegues": dito a um auditório judeu na sua cidade, pode insinuar que continuam agredindo Jesus, depois de havê-lo eliminado, e que ele está vivo. No contexto soa como censura e acusação, já que Paulo ia para Damasco respaldado pelas autoridades judaicas.

22,10 "Senhor" na boca de Paulo, embora seja apenas citado, tem todo o seu sentido de profissão cristã; não assim para o auditório. "É ordenado" por desígnio divino, transmitido por um homem.

22,13 Também é ambíguo o título de "irmão": para Paulo, em sua lembrança, é saudação cristã; para os ouvintes é saudação judaica. A cura é milagrosa (Lc 18,42).

22,14-15 Esses vv. são muito importantes. A escolha de Paulo é como a de um profeta antigo e muito mais. Pode conhecer o desígnio concreto de Deus, ver e escutar diretamente o Justo (ou Inocente) por excelência e ser testemunha ocular de tudo. Ou seja, a instrução de Ananias é só complementar. Paulo se encontra ao nível dos apóstolos. Chamá-lo Justo/Inocente, se por um lado evita pronunciar o nome de Jesus, por outro encerra a acusação de terem condenado o inocente: assim é como os ouvintes o podem escutar.

22,16 Ananias (ou Paulo) menciona o novo rito de perdão, que substitui a lei com todos os seus mecanismos: o batismo com a invocação do nome de Jesus). Paulo supõe que os ouvintes captam todas as alusões. Mas não menciona o dom do Espírito.

22,17-21 Esse episódio é novo e só é contado aqui. Lucas reservou-o para esse momento transcendental, acrescentando-lhe valor contextual. Segundo o relato, Paulo fala diante do templo, de onde acaba de ser expulso, acusado de profaná-lo. Pois bem, anos atrás, nesse templo onde orava como judeu devoto, "ele" (Jesus) lhe apareceu e falou.
a) Tomemos o ponto de vista dos ouvintes no relato: a aparição de um personagem ilustre do passado não é impensável, como mostra a lenda de 2Mc 15,11-16, segundo a qual o sumo sacerdote Onias e o profeta Jeremias aparecerem numa visão. O impensável é que seja "ele" (o Crucificado) quem apareça para dar ordens.
b) Tomemos o ponto de vista de Paulo: Jesus, já glorificado, volta e toma posse do templo onde ensinou e do qual profetizou. É uma última presença soberana. Vem dar uma ordem a Paulo: que abandone a cidade com seu templo. Deve sair, como Abrão de Ur, como os israelitas do Egito, os judeus da Babilônia. E quando Paulo objeta com seu passado judaico, Jesus o envia a "povos distantes" (povos pode equivaler a pagãos). Se a visão de Damasco era como uma vocação, esta de Jerusalém é a missão (segundo os dois tempos do profeta, p. ex. Jr 1,4-10). Como na sinagoga de Nazaré, "nenhum profeta é aceito em sua pátria" (Lc 4,24). Realmente, Jesus glorificado com sua "palavra" está construindo para si um novo templo (Jo 2,19-21; At 20,32).

22,22-23 Os ouvintes, irritados pela última parte do relato, confirmam com sua reação o que Jesus disse na visão: "não aceitarão teu testemunho a meu respeito". Com gritos e gestos (cf. Jó 2,12) pedem a morte de Paulo, e que os executores sejam os romanos (Lc 23,18.21).

22,24-29 Rejeitado por seus irmãos judeus, Paulo agora alega a sua cidadania romana, e os representantes de Roma a reconhecem e respeitam. Paulo é "de nascença" judeu e romano. O procedimento de

– Podeis açoitar sem processo um cidadão romano?

²⁶Ao ouvir isso, o centurião foi avisar o comandante:

– O que fazes? Esse homem é romano.

²⁷O comandante se aproximou e lhe perguntou:

– Dize-me: és romano? Respondeu:

– Sim.

²⁸Respondeu o comandante:

– Comprei a cidadania por uma boa soma.

Paulo disse:

– Eu a possuo de nascença.

²⁹Imediatamente os que o iriam interrogar se afastaram dele. O comandante se assustou ao saber que o tinha preso sendo romano. ³⁰No dia seguinte, querendo apurar com certeza as acusações que os judeus lhe faziam, o soltou e mandou reunir os sumos sacerdotes e todo o Conselho. A seguir, fez Paulo descer e o apresentou.

23 Diante do Conselho – ¹Paulo fixou o olhar no Conselho e disse:

– Irmãos, procedi diante de Deus com consciência limpa e íntegra.

²O sumo sacerdote Ananias ordenou aos presentes que lhe batessem na boca. ³Paulo então lhe disse:

– Deus te baterá, parede caiada. Estás sentado para julgar-me segundo a lei, e contra a lei mandas bater-me.

⁴Os que estavam a seu lado lhe disseram:

– Insultas o sumo sacerdote de Deus?

⁵Paulo respondeu:

– Não sabia, irmãos, que é o sumo sacerdote, pois está escrito que não falarás mal do chefe do povo.

⁶Percebendo Paulo que uma parte era de saduceus e outra de fariseus, exclamou no Conselho:

– Irmãos, eu sou fariseu e filho de fariseus, e estou sendo julgado pela esperança na ressurreição dos mortos.

⁷Apenas disse isso, surgiu uma dissensão entre fariseus e saduceus, e a assembleia se dividiu. ⁸(Pois os saduceus negam a ressurreição, os anjos e o espírito, ao passo que os fariseus professam tudo isso.)

---

interrogatório com tortura era normal então; mas duas leis romanas proibiam açoitar um cidadão romano no interrogatório ou algemá-lo sem sentença. Por ora não se chega ao interrogatório civil.

22,30-23,10 Depois da tensão precedente, o narrador nos oferece uma cena bastante inverossímil, como drama que termina em comédia para o leitor.
Um Conselho judeu, submisso ao comandante romano, que dá a ordem de comparecimento, apresenta o suposto réu, assiste vigiando ao processo. Um sumo sacerdote que age contra a lei, sem averiguar nada. Um Conselho dividido por dissensões doutrinais graves, que se deixa empurrar por elas. Na frente, um Paulo profético diante de seu juiz, astuto com os membros, que se diverte em incitá-los mutuamente. Diverte-se também o narrador olhando de fora as claras divisões judaicas?
No tempo dos acontecimentos, o Grande Conselho se compunha de sacerdotes, em sua maioria do conservador partido saduceu, de letrados, na maioria do partido farisaico, e de membros da aristocracia civil. Quando Lucas escreve, só o grupo farisaico ainda sobrevivia e conseguia organizar-se para garantir a continuidade. Lucas pode recordar neste ponto as discussões de Jesus no templo, pouco antes da paixão: com os fariseus sobre sua autoridade, com os saduceus sobre a ressurreição (Lc 20,27-40).
O desenvolvimento é muito esquemático e um tanto confuso. Não está claro se se trata de um interrogatório conduzido pelo comandante ou de um processo conduzido pelo Conselho. Não há verdadeiro diálogo, nem testemunhas, nem sentença. Diríamos que também a autoridade romana olha de fora, atenta apenas a manter a ordem num povo dominado.

23,1 Paulo declara-se inocente (cf. Sl 17,4-6), apelando implicitamente ao julgamento de Deus.

23,2 Como se tivesse dito algo grave e inconveniente: uma mentira invocando em falso o nome de Deus (cf. Jó 15,5).

23,3 Não sabemos se o narrador conhecia o assassinato posterior de Ananias. A expressão de Paulo equivale a uma maldição. A imagem é tomada de um discurso de Ezequiel contra os falsos profetas (13,10-15), rebocadores de paredes inconsistentes para criar falsas ilusões que o temporal abaterá. Como se dissesse que o sumo sacerdote e sua instituição são uma construção de falsas aparências, fraca, condenada à ruína. Sobre o abuso da lei, pode-se ver Sl 94.

23,5 Citação de Ex 22,28. Além do sentido óbvio, a frase poderia ser ouvida em tom irônico: eu não sabia, porque ele não se comportou como sumo sacerdote.

23,6-8 A descrição das crenças dos saduceus está simplificada. É certo que não admitiam a ressurreição, porque não a encontravam nos livros da lei. Nisso eram mais tradicionais que os fariseus. Na ótica de Paulo, a ressurreição dos mortos e a de Jesus estão vinculadas inseparavelmente (1Cor 15). Os saduceus não admitem nenhuma, os fariseus não admitem a de Jesus. Colocada a questão com essa amplitude, a afirmação de Paulo é verdadeira e profunda: seu juízo versa sobre a ressurreição, e ele é uma

⁹Armou-se uma gritaria, e alguns letrados do partido fariseu se levantaram e afirmaram polemicamente:

– Não encontramos culpa alguma nesse homem; talvez um espírito ou anjo lhe tenha falado.

¹⁰Visto que o conflito se intensificava, o comandante temeu que despedaçassem Paulo. Mandou a tropa descer, tirá-lo do meio e levá-lo à fortaleza. ¹¹Na noite seguinte o Senhor lhe apareceu e disse:

– Coragem! Assim como deste testemunho de mim em Jerusalém, tens de dá-lo em Roma.

Complô contra Paulo – ¹²De manhã reuniram-se os judeus e juraram não comer nem beber até matar Paulo. ¹³Os conspiradores eram mais de quarenta. ¹⁴Apresentaram-se aos sumos sacerdotes e senadores e lhes disseram:

– Juramos não provar nada até matar Paulo. ¹⁵Agora cabe a vós propor ao comandante e ao Conselho que o tragam aqui, com pretexto de investigar mais atentamente seu caso. Antes que se aproxime, estaremos prontos para eliminá-lo.

¹⁶O filho da irmã de Paulo ficou sabendo da trama, foi à fortaleza, entrou e contou a Paulo. ¹⁷Este chamou um dos centuriões e lhe disse:

– Leva este jovem ao comandante, pois tem uma informação para ele.

¹⁸Cuidou dele, o conduziu ao comandante e disse:

– O prisioneiro Paulo me chamou e pediu que te trouxesse este jovem, que tem algo para dizer-te.

¹⁹O comandante o pegou pela mão, levou-o à parte e lhe perguntou:

– O que tens para me contar?

²⁰Respondeu:

– Os judeus combinaram pedir-te que amanhã faças descer Paulo ao Conselho, com pretexto de examinar mais atentamente seu caso. ²¹Não lhes dês atenção, pois um grupo de mais de quarenta trama contra ele. Juraram não comer nem beber até eliminá-lo. Agora estão preparados, esperando teu consentimento.

²²O comandante despediu o jovem, recomendando-lhe que não dissesse a ninguém que o havia informado disso.

Enviado a Félix – ²³Chamou dois centuriões e lhes disse:

– Após as nove da noite, deixai preparados para viajar a Cesareia duzentos

---

testemunha da vida. Ao rejeitar Jesus glorificado, a questão vital se reduz a discussão de partidos. Que discutam: Paulo não entra na discussão, embora alguns fariseus pretendam usar seu testemunho como argumento para discutir, não para crer.

23,9 Declaração de inocência, como a de Jesus (Lc 23,4.14).

23,10 Outra vez é o romano quem salva a vida de Paulo.

23,11 A palavra do Senhor dá certeza e força a Paulo, pela "necessidade" do desígnio divino (Lc 2,49; 4,43; 19,5; At 1,21). Esse desígnio abrange Jerusalém e Roma num magnífico arco.

23,12-22 Vendo Paulo protegido pelos romanos, alguns voluntários planejam um atentado contra ele. Parece tratar-se de partidários do movimento zelote, fanáticos da lei, que para defendê-la estão dispostos a eliminar os infratores. Seu modelo podia ser Matatias (1Mc 2,24-27.45-47), seu patrono Fineias (Nm 25,7-9). Buscam a cumplicidade camuflada do Conselho e a colaboração da guarnição romana que ignora as intenções.

23,12-13 Veja-se um voto semelhante, por tempo limitado, em tempo de guerra (1Sm 14,24), que quase custou a vida de Jônatas. Os conjurados não se comprometem a um jejum demorado, pois esperam resolver o assunto bem rápido. O número elevado de quarenta tinha em conta que Paulo iria conduzido sob guarda romana.

23,15 Membros sacerdotais e civis do Conselho. O importante é tirá-lo da custódia romana na fortaleza; do resto se ocupam eles, sem comprometer publicamente o Conselho (cf. Sl 11,2; 64,5).

23,16 É possível que o cunhado de Paulo não fosse convertido e que o sobrinho conhecesse o plano por contatos da família. O relato dá a impressão de que o rapaz age por conta própria, talvez por afeto ao tio famoso.

A libertação vai chegar pela conjunção da lealdade da família e com a honradez do romano. Observa-se que Paulo podia receber visitas e que o jovem não era suspeito.

23,17 Em tempos turbulentos, qualquer informação é preciosa, por isso o centurião não pôde deixar de atender ao pedido de Paulo, sem saber do que se tratava.

23,21 O comandante confia no rapaz, talvez em virtude dos fatos recentes, e sente que o preso corre grave perigo (cf. Sl 35,4; 37,32; 40,15).

23,22 A recomendação dá a entender que a família não está ciente da ação do rapaz. Entretanto, o comandante decide agir sem demora.

23,23-25 A cena é sóbria e sugestiva. De noite, escoltado por um forte destacamento romano, a cavalo, Paulo se afasta depressa e definitivamente de Jerusalém. Pode-se recordar a fuga do rei Davi ante o usurpador? (2Sm 15). Talvez Paulo não repare que está cumprindo a ordem de Jesus na

soldados da infantaria, setenta da cavalaria e duzentos auxiliares. ²⁴Preparai cavalgaduras para Paulo e conduzi-o são e salvo ao governador Félix.

²⁵E lhe escreveu uma carta nos seguintes termos:

— ²⁶"Cláudio Lísias saúda o ilustríssimo Félix. ²⁷Este homem havia sido sequestrado pelos judeus para ser morto. Quando soube que era romano, intervim com a tropa e o libertei. ²⁸Querendo averiguar as acusações que tinham contra ele, o levei a seu Conselho. ²⁹Mas constatou-se que as acusações versam sobre controvérsias de sua lei, e não havia nenhuma acusação digna de morte ou de prisão. ³⁰Ao tomar conhecimento de um atentado planejado contra esse homem, eu o envio a ti, e aviso os acusadores que apresentem a ti suas acusações".

³¹Os soldados, cumprindo as ordens, conduziram Paulo de noite até Antipátrida. ³²No dia seguinte, deixaram a cavalaria continuar com ele, e voltaram à fortaleza. ³³Os outros chegaram a Cesareia, entregaram a carta ao governador e lhe apresentaram Paulo. ³⁴Leu a carta e perguntou de que jurisdição era. Sabendo que era da Cilícia, ³⁵disse-lhe:

— Ouvirei tua causa quando teus acusadores se apresentarem.

E mandou que ficasse detido no pretório de Herodes.

24 Processo diante de Félix

– ¹Cinco dias depois, apresentou-se o sumo sacerdote Ananias, com alguns senadores e o advogado Tertulo, para apresentar suas acusações contra Paulo. ²Fizeram-no comparecer, e Tertulo começou sua acusação:

— ³Ilustríssimo Félix: Graças a ti gozamos de paz estável e graças à tua providência esta nação consegue melhoras; em tudo e por todo lugar o recebemos com profundo agradecimento. ⁴Para não cansar-te, solicito de tua clemência que escutes minha exposição resumida. ⁵Descobrimos que este homem é uma peste, que promove discórdias entre os judeus do mundo inteiro e que é um líder da seita dos nazarenos. ⁶Quando tentava profanar o templo, nós o prendemos e quisemos julgá-lo segundo a nossa lei, ⁷mas o tribuno Lísias, com grande violência, o arrancou de nossas mãos, mandando que seus acusadores viessem a ti. ⁸Tu próprio, examinando-o, poderás comprovar a verdade de nossas acusações.

---

visão: "sai depressa de Jerusalém... eu te envio a povos distantes" (22,18.21). Quanto ao número da escolta, provavelmente o comandante não foi tão generoso como o narrador: diríamos a escolta de um rei. É duvidoso o significado da palavra que traduzimos como "auxiliares".

23,26-30 A operação equivale a trasladar o preso a um tribunal superior, o supremo tribunal romano daquela província. A carta é redigida no estilo epistolar da época. Em substância é fiel aos fatos, com algumas mudanças que não parecem puramente estilísticas. Podem ficar por conta do narrador.

O comandante se apresenta como libertador de um cidadão romano injustamente sequestrado e ameaçado de morte por seus correligionários. Ele mesmo o conduziu ao Conselho para esclarecer por via legal as acusações. Tudo não passava de polêmicas internas (18,14-15) que puseram às claras sua inocência. Querem executar pela violência num atentado aquilo que não conseguiram por via legal. Pela segunda vez eu o livrei do atentado mortal e o transferi à tua jurisdição. O comandante fica muito bem perante seu superior e se livra do assunto. Paulo terá nova ocasião de dar testemunho, cada vez mais acima (Lc 21,13).

23,31 O narrador não conta que Paulo estava a muitas horas de distância quando os do Conselho começaram a movimentar-se de manhã. Antipátrida estava a uns 60 km de Jerusalém.

23,34 O governador faz ao preso uma pergunta preliminar e decide convocar os acusadores. O pretório de Herodes era a residência oficial do governador na capital Cesareia.

24,1 Mudou a situação. Agora os chefes judeus têm de deslocar-se até a capital do poder romano local, comparecer e submeter-se a um tribunal estrangeiro e servir-se de um advogado perito em direito romano; e têm de alegar acusações claras contra as leis romanas.

Entre idas e vindas e contando com a distância de 100 km, cinco dias denotam a pressa que o Conselho tem para desfazer-se de Paulo (Is 59,7; Pr 1,16). Lucas, que vem demonstrando seu talento de narrador dramático, agora vai firmar-se no gênero retórico "judicial". Embora muito resumidos, oferece-nos dois discursos de um processo romano. Tertulo, nome romano, tem o título grego de "reitor" (orador). Era provavelmente judeu, empregado habitual ou ocasional dos sumos sacerdotes. Respeitando a terminologia, o discurso de Tertulo se chama "acusação" e o de Paulo "defesa".

24,2-8 O advogado começa seu discurso, segundo o costume, com a *captatio benevolentiae*, louvando profusamente o juiz. Louvar é de praxe, pode-se variar o grau. A história que conhecemos por outros caminhos desmente tais louvores. Também pode ser judicial o apelo à "clemência" ou epiqueia, que neste caso é solicitada a favor dos acusadores.

⁹Os judeus o apoiavam, afirmando que era certo. ¹⁰O governador fez um sinal para Paulo, e este tomou a palavra:

– Como sei que há anos administras a justiça para esta nação, confiadamente pronuncio minha defesa. ¹¹Tu próprio podes comprovar que não se passaram mais de doze dias desde que subi a Jerusalém em peregrinação. ¹²Nem no templo nem nas sinagogas nem pela cidade me encontraram discutindo com alguém ou sublevando o povo. ¹³Não podem provar nenhuma das acusações contra mim. ¹⁴Isto sim: confesso-te que venero a Deus seguindo esse Caminho que eles chamam de seita; creio em tudo o que está escrito na lei e nos profetas, ¹⁵e confiado em Deus, espero como eles que haverá ressurreição de justos e injustos. ¹⁶Eis porque também eu procuro manter em tudo uma consciência irrepreensível diante de Deus e dos homens. ¹⁷Após uma ausência de anos, fui em peregrinação ao templo, levando esmolas para meu povo e oferendas. ¹⁸Aí me encontraram, num rito de purificação, e não com uma multidão nem num tumulto. ¹⁹Mas alguns judeus da Ásia, esses teriam de comparecer e acusar-me do que tiverem contra mim. ²⁰Ou então, que os presentes digam qual delito encontraram quando compareci diante do Conselho, ²¹a não ser o de ter declarado em voz alta diante deles que me julgavam por causa da ressurreição dos mortos.

²²Félix, que estava bem informado sobre o Caminho, remeteu-os para outra ocasião, dizendo-lhes:

– Quando vier o comandante Lísias, eu resolverei vosso pleito.

²³A seguir, deu ordens ao centurião para que mantivesse Paulo detido, com certa liberdade, e que não impedisse aos seus de lhe prestarem seus serviços. ²⁴Passados alguns dias, Félix mandou chamar Paulo; com sua mulher Drusila, que era judia, ouviu-o dissertar sobre a fé em Jesus Messias. ²⁵Porém, quando Paulo começou a falar de honradez, de autodomínio e de julgamento futuro, Félix se assustou e disse:

– Por ora podes retirar-te; eu te chamarei em outra ocasião.

²⁶Esperava receber dinheiro de Paulo, e por isso o chamou com frequência para conversar com ele. ²⁷Passados dois anos, Pórcio Festo sucedeu a Félix, o qual, querendo agradar aos judeus, manteve Paulo preso.

Segue-se a exposição das acusações, que são três: a) Provocar entre os judeus, por todas as partes da diáspora (do Império), agitações e "sedições" (cf. o paralelo de Lc 23,2). b) Ser chefe da seita dos "nazarenos" (2,22; 6,15), que reconhecem Jesus como Messias Rei (17,7), rival do Imperador. c) Ter procurado profanar o templo (Ez 44,7), que os romanos se comprometem a proteger (21,28-29). Na conclusão, remete-se à sagacidade e objetividade do juiz.

24,10-21 Paulo é mais breve nos elogios de praxe: reconhece a autoridade e a justiça do juiz (cf. Sl 7,12; 31,2). Em seguida passa a refutar as acusações.

24,11-13 a) Circunscreve o atentado a Jerusalém, território da jurisdição do Procurador. Não teve tempo nem deu mostras de ser agitador, nem o podem provar.

24,14-16 b) Confessa pertencer àquela que os inimigos chamam "seita" e ele chama "O Caminho". Supondo-o menos conhecido, aproveita o momento para substanciosa explicação.

Esse caminho é continuação e ápice. O Deus que adoro é o dos antepassados; admito e venero todas as suas escrituras, leis e profetas. Compartilho com meus acusadores a esperança, garantida por Deus, numa ressurreição de bons e maus (Dn 12,2) para comparecer a julgamento. E segundo isso, regulo toda a minha conduta em minhas relações com Deus e com os homens. Poderia dizer, com outras palavras, que esse é o caminho indicado hoje por Deus (para ampliar esses vv. deveriam ser citados muitos textos das cartas paulinas).

24,17-20 c) Quanto à profanação do templo, é invenção de uns oriundos da província da Ásia: que se apresentem e provem as acusações. Inesperadamente, Paulo menciona aqui a coleta em favor do templo e de seus "concidadãos" (judeus, cristãos). O dado é histórico; dito aqui, pode servir, como recurso narrativo, para excitar a cobiça do Procurador.

24,21 Em lugar de conclusão própria, o orador desafia os rivais e conclui reafirmando sua fé na ressurreição. Para os acusadores, uma recordação desagradável, para Paulo, uma esperança inamovível.

24,22-23 A notícia nos pega de surpresa, mas não é inverossímil. Por esse tempo, o cristianismo se tinha difundido e, não sendo doutrina esotérica, as pessoas cultas, e também os responsáveis, podiam conhecê-lo. Seria lógico deixar livre o acusado. Félix prefere contemporizar, deixando Paulo em prisão menos severa.

24,24-26 A imagem de Félix não é lisonjeira. Escuta com curiosidade, mas sem comprometer-se. Nisso se parece com os atenienses ávidos de novidades (cap. 17). É venal: quer dinheiro para libertar um inocente (cf. Is 1,23).

A presença de sua mulher, uma judia divorciada, traz à memória o episódio do Batista e Herodes (Lc 3,19).

24,27 Teria sido normal libertar os presos menos perigosos, sem deixá-los como herança ao sucessor. Félix prefere deixar boa lembrança sua entre os judeus. Na perspectiva de Lucas, Félix está colaborando com o desígnio de Deus, que quer conduzir Paulo até Roma.

25 Apelação a César

¹Três dias após tomar posse do cargo, Festo subiu de Cesareia a Jerusalém. ²Os sumos sacerdotes e os chefes dos judeus lhe apresentaram suas acusações contra Paulo, ³e lhe pediram por favor que o remetesse a Jerusalém (pois tentavam matá-lo numa emboscada pelo caminho). ⁴Festo respondeu que Paulo continuaria detido em Cesareia, pois ele voltaria logo para lá. ⁵E acrescentou:

– Desçam comigo vossos responsáveis e, se esse homem é réu de alguma coisa, apresentem aí sua acusação.

⁶Deteve-se com eles não mais de oito ou dez dias. Depois desceu a Cesareia e, no dia seguinte, mandou Paulo comparecer. ⁷Quando se apresentou, os que desceram de Jerusalém o rodearam e o acusavam de muitas e graves acusações, que não conseguiam provar, ⁸enquanto Paulo se defendia, afirmando que não cometera nenhum crime contra a lei, contra o templo ou contra o imperador. ⁹Festo, querendo ganhar os judeus, interveio e perguntou a Paulo:

– Queres subir a Jerusalém para lá te submeteres ao meu julgamento?

¹⁰Paulo replicou:

– Estou diante do tribunal imperial, onde devo ser julgado. Sabes muito bem que não prejudiquei os judeus. ¹¹Se cometi um crime capital, não recuso morrer; mas, se não há nada do que esses me acusam, ninguém pode entregar-me ao poder deles. Apelo ao imperador.

¹²Então Festo, depois de ter conferenciado com seus conselheiros, disse:

– Apelaste ao imperador, irás ao imperador.

Diante de Agripa

¹³Passados alguns dias, o rei Agripa, acompanhado de Berenice, se apresentou em Cesareia para saudar Festo. ¹⁴Visto que se deteve aí vários dias, Festo lhe expôs o caso de Paulo:

– Está aqui um prisioneiro que Félix deixou. ¹⁵Estando eu em Jerusalém, esse

---

25,1-12 A relação de Paulo com Festo é um jogo de competências e jurisdições com um final espetacular. Em grande parte por causa das autoridades judaicas, Paulo está sendo julgado sob a jurisdição de Roma. Agora os judeus procuram subtraí-lo dessa competência para eliminá-lo pelo caminho: a violência interferindo com a legalidade. Festo, embora desejoso de agradar aos judeus no princípio do seu mandato, não cede ao pedido; antes, os convoca a seu tribunal romano de Cesareia, onde se repete o processo não frustrado por Félix. O novo processo não resolve nada, porque tudo estava claro e a única solução lógica seria libertar o acusado. Mas Festo propõe transferir o julgamento para Jerusalém. A proposta é ambígua: trata-se de simples mudança de sede ou mudança de competência? Nada resolve uma mudança de sede, e Paulo se despediu para sempre de Jerusalém. Uma mudança de competência seria contra a lei romana, deixaria o inocente à mercê de seus inimigos. Paulo se torna acusador do juiz: acima dele está a lei, e se não a respeita, acima dele está o Imperador. Festo se enredou num jogo sem saída, ao passo que Paulo encontra a saída prevista no plano de Deus: chegar até Roma.

25,1-3 Depois de dois anos parado (segundo o narrador), tudo se move rapidamente. A visita do novo Procurador à cidade santa é obrigatória, e nela as audiências para as autoridades judaicas locais. Estas também têm pressa e querem aproveitar a benevolência inicial e o relativo desconhecimento do recém-chegado Procurador. A proposta pretende consertar o fracasso do precedente atentado.

25,4-5 Festo tem a prudência suficiente de não se deixar envolver num assunto complicado. Sem ofender os judeus, pode oferecer-lhes a possibilidade de intervir numa revisão do processo.

25,6-8 Lucas não repete detalhes, mas resume o já contado. Da parte dos judeus, muitas acusações e nenhuma prova. Da parte de Paulo, três pontos que resumem tudo, as leis judaicas e as romanas: a lei, o templo, o Imperador.

25,9 O que parece proposta diferente não é tal e soa com ressonâncias agourentas: "subir a Jerusalém". Já subiu e não está disposto a repeti-lo.

25,10 Paulo responde repisando o "tenho de". No contexto imediato, uma alusão ao direito processual; no contexto amplo, uma referência ao desígnio de Deus.

25,11 A atitude de Paulo é como a de Jeremias perante seus juízes (Jr 26,14-15). Ele, disposto a morrer inocente por amor a Jesus, em caso de culpa estaria disposto a morrer por respeito à lei. Talvez ressoe aqui, em forma de premonição narrativa, uma alusão à morte de Paulo, que o narrador conhecia. Como cidadão romano, apela ao Imperador: como pedido de justiça? ou para cumprir o desígnio de Deus?

25,12 O Procurador pronuncia a fórmula jurídica. Como o livro não conta o comparecimento de Paulo perante o Imperador romano, a frase do Procurador cumpre antecipadamente essa função. O leitor pensa que Deus fala pela boca do pregador.

25,13 Agripa II, filho de Agripa (cuja morte repentina é contada em 12,20-23), de dinastia herodiana, convivia com sua irmã Berenice. Favoreceu o judaísmo mas se manteve leal a Roma, e foi o último rei dos judeus.

25,14-21 Numa conversa com o ilustre visitante, Festo quer mostrar a correção legal com que agiu, e de passagem confirma a inocência de Paulo. Não há delito nem acusação fundada contra as leis do Império, existem apenas polêmicas religiosas que as autoridades judaicas devem resolver.

tal foi acusado pelos sumos sacerdotes e senadores judeus, que pediram sua condenação. ¹⁶Eu lhes respondi que não é costume romano entregar um homem antes que possa confrontar-se com seus acusadores e tenha ocasião de defender-se das acusações. ¹⁷Quando eles se reuniram aqui, eu sem demora, no dia seguinte, sentei no tribunal e mandei comparecer aquele homem. ¹⁸Levantaram-se para depor, mas não apresentaram nenhum delito dos que eu suspeitava. ¹⁹Somente traziam contra ele controvérsias sobre sua religião e sobre um tal Jesus, morto, que Paulo afirma estar vivo. ²⁰E, como me sentisse perplexo sobre a questão, perguntei-lhe se queria ir a Jerusalém para aí ser julgado. ²¹Paulo apelou para ser reservado à jurisdição de Augusto. Então mandei detê-lo até que possa enviá-lo ao imperador.

²²Agripa respondeu:

– Eu também gostaria de escutar esse homem.

Respondeu-lhe:

– Amanhã o escutarás.

²³No dia seguinte, com toda a pompa apresentou-se Agripa com Berenice, e entrou na audiência acompanhado de comandantes e personalidades importantes da cidade. Festo mandou Paulo comparecer ²⁴e falou:

– Rei Agripa e todos os presentes, aqui está o homem pelo qual todos os judeus, em Jerusalém e aqui, vieram a mim clamando que não deve ficar vivo. ²⁵Eu pude comprovar que não havia cometido nada digno de morte. Então, quando ele apelou a Augusto, decidi enviá-lo. ²⁶Mas não tenho nada certo para escrever. Por isso o apresentei a vós e especialmente a ti, rei Agripa, para que se faça uma investigação e eu possa escrever um relatório. ²⁷Pois não parece razoável enviar um preso sem explicar as acusações contra ele.

26 Discurso de Paulo – ¹Agripa disse a Paulo:

– Podes fazer tua defesa.

Paulo, estendendo a mão, pronunciou sua defesa:

– ²De tudo o que me acusam os judeus, tenho hoje a satisfação de me defender em tua presença, rei Agripa, ³especialmente porque és perito em costumes e controvérsias judaicas. Por isso te peço que me escutes com paciência. ⁴Toda a

---

Do ponto de vista romano, deixa cair uma observação que, contada pelo narrador, soa com ironia dramática: a morte de um tal Jesus e sua pretensa ressurreição, um detalhe a mais nas disputas entre judeus. É brutal o contraste com a atitude de Paulo, que considera a ressurreição de Jesus o ponto substancial do seu testemunho. O comunicado de Festo excita a curiosidade do rei Agripa.

25,20 De novo a ambiguidade de antes: que alcance tem "ser julgado em Jerusalém"? questão de sede ou de competência?

25,23-27 O próximo episódio vai oscilar entre espetáculo divertido, oferecido ao rei visitante, e "interrogatório" perante alguém entendido em assuntos judaicos. Dará ocasião a Paulo para oferecer renovado testemunho ante "governadores e reis" (Lc 21,12), e ao autor para cumular novos testemunhos sobre a inocência de Paulo.

25,23 A entrada régia e a afluência distinta e numerosa para escutar um preso produzem certo efeito irônico: ele ou seu ensinamento é tão importante? o orador é tão notável? Ele não convocou o auditório: veio a Jerusalém trazer uma coleta, foi ao templo para purificar-se, passou dois anos preso. Não é a força da palavra, que quer atrair o povo para ser ouvida?

25,24 O governador em pessoa apresenta o orador. Soa enfática a afirmação "todos os judeus"; é a ênfase do narrador nas vésperas de Paulo levantar âncora.

Na boca de Festo pode incluir uma sutil justificação: embora não encontrasse delitos contra a lei romana, não podia ignorar o clamor de toda a comunidade judaica.

25,26-27 A passagem para a intervenção do rei é trivial e significativa: é preciso escrever algo no comunicado para expedir um homem como réu (e eu não tenho nada para alegar contra ele; cf. Sl 35,11).

26,1 Quando o rei Agripa concede a Paulo a palavra para que se defenda, o autor a está concedendo para que pronuncie seu último discurso formal. Poderíamos juntá-lo num díptico com o discurso de despedida em Mileto (20,18-35), embora pelo conteúdo se pareça com os precedentes relatos de sua conversão (9,1-22 e 22,6-16). À primeira vista se diria uma repetição; lido atentamente, pesam mais as diferenças que as semelhanças. Em primeiro plano, no princípio e no fim, expõe o tema da esperança. No centro, conta sua transformação radical como vocação: da "loucura" de perseguidor (v. 11) passa à aparente "loucura" de testemunha da ressurreição (v. 23). Resume sua missão no símbolo da luz: a vida é luz, que Jesus glorificado possui e mostra a Paulo (v. 13), que a anuncia ao mundo todo (v. 23) e converte Paulo em mensageiro seu (v. 18).

26,2-3 Começa com a *captatio benevolentiae*, sóbria e objetiva. O réu pode contar com a perícia do juiz.

26,4-5 O ponto de partida é sua vida passada, como membro do povo judeu e do rígido partido farisaico;

minha vida, desde a adolescência, passada desde o princípio no meio do meu povo, todos os judeus de Jerusalém a conhecem. ⁵E, como me conhecem há tanto tempo, podem testemunhar que eu pertencia à seita mais estrita de nossa religião: era fariseu. ⁶Agora estão me julgando porque espero a promessa que Deus fez a nossos pais. ⁷E nossas doze tribos, em seu culto noite e dia, aguardam impacientes que essa promessa se cumpra. Majestade, os judeus nos acusam dessa esperança. ⁸Por que vos há de parecer incrível que Deus ressuscite os mortos?

⁹Durante certo tempo eu pensava que meu dever fosse combater com todos os meios o nome de Jesus Nazareno. ¹⁰Foi o que fiz em Jerusalém, com autoridade recebida dos sumos sacerdotes, pondo na prisão muitos consagrados. E quando os condenavam à morte, eu dava meu voto. ¹¹Muitas vezes nas sinagogas eu os maltratava para fazê-los blasfemar; e meu furor cresceu a ponto de persegui-los em cidades estrangeiras. ¹²Viajando com esse intuito para Damasco, com autoridade e recomendação dos sumos sacerdotes, ¹³ao meio-dia envolveu-nos a mim e a meus companheiros uma luz celeste mais brilhante que o sol. ¹⁴Caímos todos por terra e eu escutei uma voz que me dizia em hebraico: Saul, Saul, por que me persegues? É inútil dar coices contra o aguilhão. ¹⁵Perguntei: Quem és, Senhor? E o Senhor respondeu: Sou Jesus, a quem tu persegues. ¹⁶Fica de pé, pois para isto te apareci, para nomear-te servidor e testemunha do que viste e do que te farei ver. ¹⁷Eu te defenderei do teu povo

---

todos os que o conheceram podem atestá-lo. Rompeu com suas raízes judaicas? Podem acusá-lo justamente de apostasia? De modo algum; vai mostrar que sua vida presente é a consequência lógica e extrema de seu ser judeu. Rompeu com o farisaísmo rigoroso? O discurso não o afirma, as cartas nos dizem que sim.

26,6-8.22b-23 Ainda que o discurso separe destramente os dois trechos, vamos olhá-los um após o outro. O tema é a esperança: para Paulo, é o fator constitutivo e mantenedor do povo judeu, e por isso põe os profetas à frente de Moisés (v. 22), embora também Moisés seja profeta (Dt 18,15). Para os fariseus a aliança era constitutiva, e a norma suprema era Moisés, transmissor da lei. Sabemos, pela carta aos Romanos, da importância que Paulo dava à tensão entre promessa e lei (aliança).

Pois bem, os patriarcas, "nossos pais", a princípio receberam a promessa de Deus; as "doze tribos descendentes de Jacó", o Israel inteiro e não só os judeus, viveram de esperança, o culto foi exercício de esperança. Paulo, descendente legítimo deles (da tribo de Benjamim, como Saul), prega hoje o cumprimento da promessa, e por isso seus irmãos o acusam. Note-se que diz "promessa" no singular (13,32-33), quando os patriarcas receberam "promessas" (veja-se a importante exposição de Rm 4,13-20; 9,4-9). Promessa é um dado formal; qual é seu conteúdo? Vida: vida contínua do povo pela geração, vida perpétua com Deus, vida que supera a morte. Ou seja, ressurreição dos mortos, pela ação de Deus: isso vai ser impossível para Deus? (Cf. Lc 1,37; 18,27; Gn 18,14; Zc 8,6). Não seria fácil provar a afirmação quanto aos adjetivos (cf. Ez 37; Is 26,14-19); mas Paulo os considera implícitos, segundo a interpretação posterior. Nós o formularíamos assim: o desejo humano radical de viver é, no mais fundo, ânsia de ressurreição. Deus cumpre agora o que tinha prometido, ressuscitando o Messias Jesus. E a Escritura anunciava que o Messias tinha de padecer e ressuscitar (Lc 24,46-47). Portanto, Paulo não prega nada contra a Escritura; são seus acusadores que não querem reconhecer o cumprimento; com isso rompem com sua tradição autêntica, a "esperança na promessa". Com razão o réu pode dizer (vv. 6-7) que o que se julga aqui é a esperança.

26,9-11 Recorda sua vida de perseguidor, que servirá de contraste para mostrar o poder soberano de Jesus; mas também é uma confissão de pecados (1Cor 15,9). Em nenhum outro texto descreve assim seu ensinamento fanático. À força de chicotadas queria fazer os cristãos negar a fé em Jesus, queria "extirpar" seu nome; como que cumprindo o preceito deuteronomista de "extirpar a maldade" (Dt 13,6; 17,7.12; 19,13.19; 21,21-22 etc.), ou entendendo a seu modo o objetivo de um governante (Sl 101,8). "Dar o voto" cabia só aos membros do tribunal, em concreto do Grande Conselho. Não parece que Paulo tenha pertencido a ele, na qualidade de letrado. Segundo esse resumo, a perseguição parte de Jerusalém.

26,12-18 O relato de sua experiência a caminho de Damasco difere notavelmente dos outros. Não menciona a cegueira, nem a cura, nem a intervenção de Ananias, nem a fuga de Damasco. A conversão se transforma em relato de vocação no estilo das proféticas (Is 42,7; 61,1). Exalta-se a soberania de Jesus glorificado, que ocupa o lugar de Yhwh, e predomina o símbolo da luz.

26,13 A primeira percepção é uma luz celeste envolvente, mais brilhante que o sol (cf. Mt 17,2 "como o sol"; Is 30,26; Sl 104,2).

26,14 Assim chamavam o aramaico. O provérbio citado de Eurípides faz de Paulo um animal indócil que se debate e se esgota em vão. Alguém vai reduzi-lo à obediência: o amo.

26,16 "Fica de pé" como Ezequiel em sua vocação (Ez 2,1). "Apareceu-me" é o verbo das aparições do ressuscitado (Lc 24,3.34). Os dois encargos, "servidor e testemunha", são atribuídos aos doze (Lc 1,2; 24,48).

26,17 "Eu te defenderei": como os profetas (Jr 1,8.19; 15,20) ou o orante (Sl 40,14 etc.). É enviado aos judeus e depois aos pagãos.

e dos pagãos aos quais te envio. ¹⁸Tu lhes abrirás os olhos para que se convertam das trevas para a luz, do domínio de Satanás para Deus, para que recebam o perdão dos pecados e uma porção entre os consagrados por crer em mim.

¹⁹Não resisti, rei Agripa, à visão celeste, pelo contrário, comecei a pregar: ²⁰primeiramente aos de Damasco, depois aos de Jerusalém, na Judeia, e aos pagãos, para que se arrependessem e se convertessem a Deus, com práticas válidas de penitência. ²¹Por esse motivo os judeus se apoderaram de mim e tentaram acabar comigo. ²²Mas, protegido por Deus até hoje, pude testemunhar a pequenos e grandes, sem ensinar outra coisa senão o que predisseram os profetas e Moisés, ou seja, ²³que o Messias haveria de padecer, ressuscitar por primeiro da morte e anunciar a luz a seu povo e aos pagãos.

²⁴Quando Paulo terminou sua defesa, Festo disse com voz firme:

— Estás louco, Paulo. O excesso de estudo te fez louco.

²⁵Paulo replicou:

— Não estou louco, ilustre Festo. Pelo contrário, pronuncio palavras verdadeiras e sensatas. ²⁶O rei entende de tudo isso e dirijo-me a ele com franqueza; pois penso que nada disso lhe seja oculto, já que não são coisas ditas em lugares remotos. ²⁷Crês nos profetas, rei Agripa? Sei que crês.

²⁸Agripa respondeu a Paulo:

— Por pouco não me convences a fazer-me cristão.

²⁹Paulo respondeu:

— Por pouco ou por muito, quisera Deus que não somente tu, mas todos os ouvintes fossem hoje o que eu sou, menos nas correntes.

³⁰O rei se levantou, o governador, Berenice e os assistentes, ³¹e ao se retirar comentavam:

— Esse homem nada fez que mereça a morte ou a prisão.

³²Agripa disse a Festo:

— Poderia ser solto, se não tivesse apelado ao imperador.

27 Navegando para Roma – ¹Quando se decidiu que navegaríamos para a

---

26,18 A conversão prolonga o símbolo da luz, frequente na profecia (Is 42,7; 58,10; 60,2-3; 62,1-2; Br 5,3); reaparece em fórmulas batismais (Cl 1,12-14). Satanás é o chefe das trevas (cf. Ef 6,12). O "perdão dos pecados": Lc 1,77; At 10,43; 13,38; prometido em Jr 31,34. A fé em Jesus consagra.

26,19-20 A missão de Paulo é ato de obediência a Deus, a quem não se podia desobedecer. Sua execução se divide em etapas crescentes: Damasco, Jerusalém, Judeia, os pagãos. Encontramos outra vez diferenciados os dois verbos "arrepender-se e converter-se" (também diferentes em hebraico), como em 3,19 (cf. Lc 17,4). "Práticas válidas de penitência": semelhante à pregação do Batista (Lc 3,8). Não menciona o batismo.

26,23 Jesus, ressuscitado por primeiro (será chamado "primogênito dos mortos", Cl 1,18; Ap 1,5), anuncia a luz do novo dia, como a sentinela (Jr 31,6; Sl 130,6-7), luz universal sem distinção para judeus e pagãos (Is 49,6).

26,24-25 Para o romano, fechado em sua mentalidade, o testemunho de Paulo sobre a ressurreição não é crime, mas demência; o estudo o transtornou (cf. Ecl 12,12). Também os que pronunciam o quarto cântico do Servo reconhecem que seu anúncio é "inaudito" e que não será crido (Is 52,15-53,1). Mas Paulo não falou de coisas que estudou, e sim do que viu. Aquilo que aos homens parece loucura, para o crente é "verdade e sensatez" (e vice-versa, cf. 1Cor 1,18-25).

26,26-27 Ante o ceticismo do romano, Paulo apela aos conhecimentos do judeu Agripa e aduz "os profetas" como autoridade reconhecida por ambos.

26,28-29 O rei se evade com uma saída cortês: louva o orador, sem vestir a carapuça; como os ouvintes do "músico" Ezequiel (33,31-33). Com igual cortesia, mas vibrando de paixão missionária, Paulo responde; e desta vez se dirige a todos os presentes. Gostaria de vê-los todos cristãos e sem correntes, livres de verdade.

26,30-32 O veredicto final não é pronunciado no tribunal, e sim em conversa privada. O narrador quer que o leitor o escute antes de Paulo embarcar. Agripa não compreende que, no desígnio de Deus, a passagem para Roma é paga com a prisão.

27,1-44 A travessia marítima, com a tempestade e o naufrágio, são uma brilhante peça do narrador. Num relatório rico de dados exatos, dignos de um conhecedor da navegação da época (de primeira ou de segunda mão), monta-se a aventura teológica do grande apóstolo dos pagãos. Como Jonas era o antiprofeta, assim Paulo parece um antijonas. Os dois vão pregar num país pagão: Jonas à força, Paulo prisioneiro sem coação. Jonas põe em perigo seus companheiros de navegação, Paulo os salva; Jonas dorme, Paulo vigia. O oceano que corta a fuga de Jonas impulsiona a viagem de Paulo.
Em ambos os casos, o velho elemento, o hostil oceano de tantas tradições, se desencadeia contra os homens (Sl 18,5-6.16; 42,8; 69,2-3.16; 77,20; 93,2-4; 107,25-27). Desta vez os elementos parecem opor-se à viagem de Paulo, ao desígnio de Deus, como se o Xeol quisesse devorá-lo; mas o Senhor domina o oceano (Eclo 43,23) e o submete a seus planos. Também os apóstolos passaram, em escala

Itália, confiaram Paulo e outros presos a um centurião chamado Júlio, da coorte Augusta. ²Embarcamos num navio de Adramítio, que estava partindo para os portos da Ásia, e zarpamos. Acompanha-nos Aristarco, macedônio de Tessalônica. ³No dia seguinte, chegamos a Sidônia, e Júlio, por consideração a Paulo, permitiu-lhe que se dirigisse a seus amigos para que cuidassem dele. ⁴Zarpando de Sidônia, costeamos Chipre, porque o vento era contrário. ⁵A seguir, tendo atravessado o mar ao longo da Cilícia e Panfília, desembarcamos em Mira da Lícia. ⁶Aí o centurião encontrou um navio de Alexandria que navegava para a Itália, e nos embarcou nele. ⁷Por vários dias avançamos pouco e custamos para chegar a Cnido. Como o vento não fosse favorável, costeamos Creta ao longo de Salmone, ⁸e margeando alcançamos com dificuldade um lugar chamado Bons Portos, próximo à cidade de Lasaia. ⁹Aí transcorreu bastante tempo e, passada a época do jejum, a navegação se tornava perigosa. Então Paulo aconselhou:

– ¹⁰Senhores, observo que a navegação irá acarretar perigos e perdas, não somente à carga e à embarcação, mas também a nossas vidas.

¹¹Porém o centurião confiou mais no timoneiro e no sobrecarga do que em Paulo. ¹²Visto que o porto não era apto para invernar, a maioria preferia partir, com a esperança de ir invernar em Fênix, um porto de Creta voltado para o noroeste e sudoeste.

Tempestade – ¹³Levantou-se um vento sul, e pensando que o plano fosse realizável, levantaram âncoras e costearam Creta de perto. ¹⁴Imediatamente, do lado da ilha, desencadeou-se um vento de furacão, chamado aquilão. ¹⁵Abateu-se contra o navio e, como não pudéssemos navegar contra o vento, nos deixamos levar por ele. ¹⁶Passando velozes e com dificuldade por uma ilhota chamada Cauda, conseguimos controlar o bote. ¹⁷Içaram-no a bordo e firmaram a embarcação com cordas. Com medo de encalhar na Sirte, soltamos os flutuadores e navegamos à deriva. ¹⁸No dia seguinte, visto que a tempestade aumentava, começaram a aliviar o navio; ¹⁹no terceiro dia, com as próprias mãos, desfizeram-se dos apetrechos do barco.

²⁰Durante vários dias não se viam nem sol nem estrelas, e como a tempestade não se acalmasse, esgotava-se qualquer esperança de salvação.

²¹Estávamos há dias sem comer, quando Paulo se pôs no meio e disse:

– Amigos, devíeis ter-me escutado e não sair de Creta, poupando-vos tais perigos

---

pequena, por uma experiência semelhante e experimentaram o poder de Jesus (Mc 6,47-52 par.).
Num contexto realista, de dimensões humanas, diminuídas pelo vasto mar, Paulo é uma figura sobre-humana: sabe e aconselha, prevê e prediz, não desanima e reanima, é ele que comanda a navegação. Lucas dedica essa homenagem marítima ao grande viajante, ao náufrago salvo (2Cor 11,25). Os peritos poderão explicar e apurar a exatidão da sua descrição.

27,2 O barco era matriculado em Adramítio, porto do mar Egeu perto dos Dardanelos. Os barcos costumavam transportar mercadorias e passageiros, e as autoridades romanas podiam alugar ou requisitar lugares para alguns passageiros. Paulo faz parte de um grupo de presos, confiados a um centurião (vv. 31.32.42), que era ajudado por alguns soldados. Aristarco tinha acompanhado Paulo na sua viagem para a coleta (19,29; 20,4).

27,3 Desde o princípio, Paulo desfruta de tratamento especial por parte do centurião, romano de bons sentimentos (*philanthropos*). Os "amigos" são a comunidade cristã do lugar (Lc 12,4).

27,4-5 O porto de Mira ficava a noroeste de Chipre, na costa meridional da Ásia Menor. Aí se faz a primeira baldeação.

27,6 O navio proveniente de Alexandria levava um carregamento de trigo para a Itália.

27,7-9 Aproximava-se o outono, quando os ventos ocidentais tornavam a navegação no Mediterrâneo difícil e perigosa; o jejum mencionado é o que precede a festa da Expiação (fins de setembro). Aqui ocorre a primeira intervenção de Paulo, ainda como conselheiro sem pretensões proféticas.

27,10 O narrador apresenta Paulo como que fazendo um discurso; no máximo conseguiria falar ao centurião que o tratava com certa deferência.

27,11 Não cabia ao centurião escutar conselhos e tomar decisões naquilo que era competência do capitão ou dono do navio. Invernar significava passar e perder vários meses numa pequena cidade portuária.

27,14 Esse vento levanta-se na ilha, canaliza-se entre montanhas e irrompe sobre o navio indefeso (o grego o qualifica de *tyfonikós*).

27,16 É o escaler usado para atracar e chegar à terra; dele se voltará a falar.

27,17-18 A Sirte fica tão longe, que o temor é antes um pânico exagerado, pela velocidade com que o vento os empurra.

27,20 Na falta de bússola, os navegantes se orientavam pelas estrelas. Com céu encoberto não havia como orientar-se.

27,21-26 "Sem comer" provavelmente por causa do enjoo. Aqui ocorre a segunda intervenção de Paulo.

e perdas. ²²Porém agora vos exorto a ter coragem, pois nenhuma vida se perderá, somente a embarcação. ²³Nesta noite apareceu-me um anjo do Deus ao qual pertenço e a quem venero, ²⁴e me disse: Não temas, Paulo; tens de comparecer diante do imperador; Deus te concede a vida dos que viajam contigo. ²⁵Portanto, coragem, amigos! Confio em Deus que acontecerá o que me disseram. ²⁶Encalharemos numa ilha.

²⁷Era já a décima quarta noite e continuávamos à deriva pelo Adriático. À meia-noite os marinheiros pressentiram que nos aproximávamos da terra. ²⁸Desceram a sonda e mediram vinte braças; logo em seguida a desceram novamente e mediram quinze braças. ²⁹Temendo bater contra os recifes, soltaram quatro âncoras da popa, e rezavam para que amanhecesse. ³⁰Os marinheiros tentavam abandonar o barco. Já estavam descendo o bote sob pretexto de soltar âncoras da proa, ³¹quando Paulo disse ao centurião e aos soldados:

— Se não permanecerem no barco, vós não vos salvareis.

³²Por isso, os soldados cortaram as cordas do bote e o deixaram cair no mar. ³³Quando raiava a aurora, Paulo convidou todos a comer:

— Estais na expectativa há catorze dias, sem provar nada. ³⁴Eu vos aconselho a comer, pois é necessário para a vossa saúde. Não perdereis sequer um cabelo da cabeça.

³⁵Dito isso, tomou pão, deu graças a Deus na presença de todos, o partiu e começou a comer. ³⁶Todos se animaram e se alimentaram. ³⁷Éramos no navio duzentos e setenta e seis. ³⁸Comeram até saciar-se, e depois esvaziaram o barco, jogando o trigo no mar.

³⁹Fez-se dia. Os marinheiros não reconheciam a terra, mas divisaram uma enseada com uma praia, e decidiram, de qualquer forma, encalhar aí o navio. ⁴⁰Soltaram as âncoras, deixando-as cair no mar, enquanto afrouxavam as amarras do timão. Içaram a vela da popa a favor do vento e dirigiram-se para a praia.

⁴¹Mas, ao passar entre duas correntes, o navio encalhou, a proa se encravou e ficou imóvel. ⁴²Os soldados decidiram matar os presos para que ninguém escapasse nadando. ⁴³Mas o capitão, querendo salvar a vida de Paulo, o impediu e ordenou que saltassem por primeiro os que sabiam nadar e chegassem à terra. ⁴⁴Os outros iriam em pranchas ou em outras peças do navio. Desse modo todos chegaram à terra com vida.

28 Malta e Roma

¹Já a salvo, pudemos identificar a ilha de Malta. ²Os nativos nos trataram com inusitada ama-

---

Desta vez como profeta que recebe mensagens celestes.
Em benefício dos pagãos, fala de um sonho, de um anjo, do Deus a quem venera (cf. Jn 1,6). Esse Deus lhe salvará a vida e, em atenção a ele, a de seus companheiros de navegação. Pode-se recordar o raciocínio de Abraão (Gn 18,23-33).

27,30-32 A solução dos militares, depois do aviso de Paulo, era incorreta, pois se os marinheiros eram necessários para as difíceis manobras de aproximação a uma terra desconhecida, o bote era igualmente necessário para o acesso oportuno e para a operação de desembarque.

27,36-37 Quarta intervenção de Paulo. O profeta parece quase um liturgo. Embora não presida a uma eucaristia (entre pagãos), a linguagem do narrador se deixa influenciar por ela (Lc 22,19). Com suas palavras os reconforta (Lc 12,7), com seu exemplo convence e arrasta todos. Já saciados, descarregam completamente o navio para que a linha de flutuação fique alta.

27,42 Os soldados pagavam com a vida se os presos escapassem. O centurião, fiel à sua atitude benévola do princípio, quer "salvar" a vida de Paulo. Este é quem salvará a vida do centurião, de seus comandados e companheiros.

27,44 Cumpre-se a predição de Paulo e a promessa do seu Deus.

28,1 O episódio exalta e engrandece a figura de Paulo. Em Malta não é pregador, e sim taumaturgo benfeitor. Ninguém diria que é um prisioneiro entre outros, pois age como protagonista absoluto. Os nativos são chamados em grego "bárbaros", ou seja, que não falam grego (falam um dialeto púnico). Aquilo que os caracteriza aqui é sua "extraordinária amabilidade" (*philanthropia*), o mesmo que se disse do centurião. Acolhem generosamente os náufragos e se tornam credores dos milagres de Paulo. Deste oito contadas brevemente duas historietas. A primeira é a da víbora (perfeitamente verossímil naquelas condições), que os nativos interpretam segundo critérios religiosos em linha dupla. O leitor deve lê-la contemplando ao fundo o episódio das serpentes no deserto (Nm 21,4-9), a promessa escatológica do profeta (Is 11,8) e a de Jesus (Lc 10,19; Mc 16,18). Depois de ter vencido a perseguição dos homens e dos elementos, faltava a Paulo vencer a fera mais perigosa. O segundo episódio é uma cura que, pela linguagem, recorda a cura da sogra de Pedro, a primeira realizada por Jesus (Lc 4,38-39).

28,2 Ver Lc 22,56.

bilidade. Como chovesse e fizesse frio, acenderam uma fogueira e nos acolheram. ³Enquanto Paulo recolhia um feixe de lenha e o aproximava da fogueira, uma víbora, fugindo ao calor, prendeu-se na mão de Paulo. ⁴Quando os nativos viram o animal pendurado em sua mão, comentavam:

— Certamente esse homem é assassino, pois se salvou do mar, mas a justiça divina não o deixa viver.

⁵Mas ele sacudiu o animal no fogo e não sofreu nenhum dano. ⁶Eles esperavam que inchasse ou caísse morto de repente. Após esperar longo tempo, e vendo que não lhe acontecia nada de anormal, mudaram de opinião e diziam que era um deus.

⁷Nessa região havia uma propriedade do governador da ilha, chamado Públio. Hospedou-nos amavelmente por três dias. ⁸O pai de Públio estava de cama com febre e disenteria. Paulo se aproximou dele, orou, impôs-lhe as mãos e o curou. ⁹Diante disso, os outros doentes da ilha acorriam e se curavam. ¹⁰Encheram-nos de honrarias e, quando partimos, providenciaram para nós o necessário.

¹¹Ao fim de três meses, zarpamos num navio alexandrino, que passara o inverno na ilha, dedicado aos Dióscuros. ¹²Chegamos a Siracusa, onde nos detivemos por três dias. ¹³Daí, dando uma volta, alcançamos Régio. Um dia depois, levantou-se um vento do sul, e em dois dias chegamos a Putéoli. ¹⁴Encontramos alguns irmãos que nos convidaram a ficar com eles uma semana. Assim chegamos a Roma.

¹⁵Os irmãos daí, ao ouvir notícias nossas, saíram para nos receber no Foro de Ápio e Três Tabernas. Ao vê-los, Paulo agradeceu a Deus e animou-se. ¹⁶Chegados a Roma, permitiram que Paulo se alojasse por sua conta com o soldado vigia.

¹⁷Passados três dias, convocou os judeus mais importantes e, quando se reuniram, falou-lhes:

— Irmãos, embora não tenha feito nada contra o povo e os costumes paternos, os de Jerusalém me entregaram preso aos romanos. ¹⁸Estes me examinaram e, não encontrando em mim nenhum delito capital, decidiram deixar-me livre. ¹⁹Os judeus se opuseram e eu me vi obrigado a apelar ao imperador, sem intenção de acusar minha nação. ²⁰Por esse motivo vos chamei, para vos ver e falar. Pois pela esperança de Israel me encontro acorrentado.

28,4-6 Os nativos raciocinam com lógica religiosa elementar: cedo ou tarde o malfeitor paga; se os homens não o castigam, a divindade se encarrega disso (cf. o esquema de Am 5,19). Com a mesma lógica, ao ver que o veneno não lhe faz efeito, o consideram uma divindade (como em Listra, 14,15). Cumpre-se rigorosamente o anúncio de Mc 16,18.

28,7 Também o governador, de nome latino, mostra sua benevolência e generosidade, hospedando em sua propriedade esse numeroso grupo de náufragos.

28,9 O mesmo efeito que o milagre de Jesus produz (Lc 4,40), só que sem possessos do demônio.

28,10 As honras são tributadas em atenção a Paulo, sem que se repita o equívoco de Listra.

28,11 O navio é dedicado aos Dióscuros Castor e Pólux (ou leva suas insígnias), como patronos de navegantes. Não sabemos se com esse detalhe o autor quer sublinhar o ambiente pagão da nova situação.

28,14-15 No relato atual, a última frase é proléptica, como título do que se segue imediatamente, pois Paulo não parece entrar em Roma como prisioneiro, e sim numa recepção da comunidade. Ao vê-los e ao compreender o que significa, Paulo dá graças por tudo: enfim, em Roma.

28,16 O v. nos devolve à realidade de Paulo em sua condição de preso à espera de julgamento. Por ora é tratado com consideração.

28,17-31 A última página do livro retoma e resume ideias já propostas e conclui coerentemente toda a série narrativa que começa em 1,8: "sereis minhas testemunhas em Jerusalém, na Judeia, na Samaria e até os confins do mundo". O movimento de Paulo de Jerusalém até Roma materializa o movimento espiritual da Igreja, que se desprende definitivamente do judaísmo e se abre inteiramente aos pagãos. É um processo anunciado pelos profetas: a resistência de Israel por Is 6,9-10; 65,2; o destino dos pagãos em muitos textos (p. ex. Sl 67,2; 87; 98,3; Is 40,5). Roma será o novo centro de irradiação universal: tema que fica fora do livro.

28,17a É como a última tentativa de dirigir-se aos judeus. Como o preso está confinado, convoca os chefes da comunidade judaica de Roma, que podiam ser os chefes das diversas sinagogas da cidade. Gente importante e influente no mundo político da capital.

28,17b-20 Paulo começa dando explicações numa apologia pessoal, resumo de coisas ditas (22,1-16 e 26,2-23). Os judeus de Jerusalém "o entregaram aos romanos", como fizeram com Jesus (Lc 18,32; 20,20; 24,7), e se opuseram à sua libertação. Contudo, Paulo não pretende pagar mal com mal, acusando seus acusadores.

A última frase do discurso tem muito relevo: não os judeus, e sim Israel na sua amplitude de povo escolhido; não a lei, mas a esperança (24,15; 26,6-7; Lc 2,34). Para Paulo, "a esperança" é o Esperado (Lc 7,19-20).

²¹Responderam-lhe:
— Não recebemos da Judeia cartas a teu respeito. E nenhum dos irmãos vindos de lá falou mal de ti. ²²Contudo, gostaríamos de escutar o que pensas, pois estamos informados de que por toda a parte se fala dessa seita.

²³Marcaram uma data e muitos foram ao seu alojamento. Desde a manhã até o entardecer lhes manifestava e explicava o reinado de Deus e, apelando à lei de Moisés e aos profetas, tentava persuadi--los a respeito de Jesus. ²⁴Alguns se deixavam convencer, outros resistiam em crer. ²⁵Quando se despediam sem pôr-se de acordo, Paulo pronunciou sua última palavra:

— Bem falou o Espírito Santo aos vossos pais por meio do profeta Isaías! ²⁶*Vai a este povo e dize-lhe: Certamente ouvireis, porém sem entender; certamente olhareis, porém sem ver. ²⁷Embotou-se a mente desse povo, com os ouvidos simplesmente ouvem, taparam os olhos, para não ver com os olhos nem ouvir com os ouvidos nem entender com a mente, para se converterem, de modo que eu os cure.* ²⁸Pois sabei que esta salvação de Deus é enviada aos pagãos, e eles escutarão*.

³⁰Dois anos inteiros viveu por conta própria. Recebia os que iam a ele ³¹e proclamava o reinado de Deus e ensinava o que diz respeito ao Senhor Jesus Cristo, com toda a liberdade e sem impedimento.

28,21-22 A resposta é estranha, dado que em Roma havia uma sólida comunidade cristã, as comunicações com Jerusalém eram frequentes, e o cristianismo já se tinha difundido por todo o Mediterrâneo central e oriental. Consideram os cristãos uma seita dentro do judaísmo, combatida por outros judeus, mas não excomungada (isso acontecerá durante a década 80-90 d.C.). Despedem-se mostrando seu interesse em conhecer diretamente o que Paulo pensa.

28,23 Boa representação judaica acorre à reunião aberta. A casa onde Paulo vive confinado toma certo ar de sinagoga, na qual todos são judeus (não menciona adeptos). A reunião, exposição e discussão foram bastante longas, um dia inteiro; Lucas não nos dá senão o índice dos pontos tratados (que já expôs ao longo do livro). São três pontos: o reinado de Deus (Lc 4,43; 9,2; At 1,3; 14,22), a pessoa e mensagem de Jesus (At 1,1; 8,35; 9,20), o fundamento bíblico de tudo isso (Lc 24,26-28; At 3,21-23).

28,24-28 Na reação, deve-se distinguir (como em casos precedentes) a atitude de indivíduos e a da comunidade como tal. Alguns "se deixavam convencer": é o correlativo do precedente "persuadir" (cf. 17,4), não usa o verbo "crer"; outros resistem a "crer". Quando se trata da comunidade, tudo termina em discussões, sem concluir nada; o que equivale a não responder. Como a mensagem de Paulo exige resposta e não admite neutralidade, Paulo pronuncia a conclusão, que no contexto se dirige ao grupo; no livro é programática. Despede-os com uma citação contundente de Isaías e anuncia--lhes a nova orientação da Igreja. Aqui poderia terminar o livro, num final aberto ao futuro.

28,28 * Alguns manuscritos acrescentam outro versículo: ²⁹*Quando acabou de falar, os judeus partiram discutindo acaloradamente entre si.*

28,30-31 Lucas quer fazer-nos palpar os começos da nova orientação. Embora preso, continua expondo sua mensagem a quantos o procuram, com toda a liberdade apostólica, sem impedimento das autoridades romanas.

Ponto final. Lucas não julgou oportuno narrar a perseguição e o martírio de Paulo. O último nome no livro é o Senhor Jesus Cristo.

CARTA AOS ROMANOS

INTRODUÇÃO

É fartamente conhecido por documentos, monumentos e reproduções artísticas aquilo que a Roma imperial era na metade do séc. I d.C. Mais de um milhão de habitantes (mais da metade eram escravos), com uma classe alta rica e culta. O luxo apoiado na miséria. Palácios, templos, colunatas, termas, e o fórum como centro da vida urbana.

Roma, capital de um império sem precedentes, centro de um mundo que se considerava "o mundo". Centro de irradiação e atração. De Roma partiam exércitos para conquistar, procônsules para governar províncias, leis e correios que percorriam a rede vital de estradas e rotas. Para Roma afluíam estrangeiros de todo tipo: embaixadores, vassalos, comerciantes, fugitivos, mestres, pregadores de muitos cultos. Entre seus habitantes havia uma comunidade de judeus compacta, diferenciada e numerosa: contaram-se treze sinagogas (ou comunidades). Flávio Josefo fala de oito mil judeus adidos de uma embaixada.

Não obstante tal riqueza de informações, a origem da igreja cristã em Roma ficou às escuras. É certo que Pedro foi a Roma e aí sofreu o martírio; não tem fundamento histórico que tenha estado antes ou tenha fundado essa igreja. Então, quem foi o missionário anônimo que levou a semente cristã a Roma? A que grupo pertencia? Dado o vai-e-vem humano da capital, perderam-se seus traços.

Teria sido um judeu convertido? Lucas, com sua mente universalista, diz que entre os ouvintes de Pentecostes havia peregrinos romanos (At 2,10); o mesmo Lucas menciona um casal judeu, Áquila e Priscila (At 18,2), que se mudou para Corinto quando o edito de Cláudio expulsou os judeus (ano 49); Suetônio registra laconicamente o fato: "expulsou os judeus que, incitados por Cresto, multiplicavam seus motins". É uma conjetura apenas plausível que surgissem contendas entre judeus agarrados às suas tradições e judeus convertidos ao cristianismo. Pode-se citar a analogia de At 17,1-8.

Podemos contar com prosélitos, ou seja, pagãos atraídos à religião e ética judaicas; também entre os prosélitos se davam conversões ao evangelho; a etapa judaica lhes servia de ponte (At 13,43). Finalmente, temos de contar com pagãos convertidos. A comunidade cristã de Roma, como indica a carta, era em sua maioria de origem pagã e em parte de origem judaica. Para o judeu apóstolo dos pagãos, esse dado era muito importante.

Finalidade

Ora, por que Paulo tinha de escrever uma carta a uma igreja que não tinha fundado nem conhecia pessoalmente? Não uma carta qualquer, de cortesia ou de ocasião, mas uma carta doutrinal de envergadura, talvez a mais importante do apóstolo. A própria carta sugere algo, não porém o bastante para satisfazer a curiosidade dos exegetas. A discrição da carta deixa amplo espaço para deduzir ou conjecturar. Vamos abrir o leque das propostas, que não se excluem mutuamente.

a) Paulo olha com desconfiança para Jerusalém. Quando vai com o produto da coleta, seu compromisso acalentado, quer ter esclarecido seu pensamento sobre as relações entre judeus e pagãos convertidos; grave problema, quase um pesadelo de seu ministério.

b) Paulo olha de frente as tensões da igreja romana: o conflito entre "fracos" e "fortes", ou seja, entre judeu-cristãos e pagão-cristãos (Rm 14).

c) Paulo olha longe: quer preparar sua próxima viagem à Espanha (1,8-15; 15,28s). Para isso era necessário escrever uma carta tão extensa?

d) Paulo olha para dentro, se recolhe para dar forma a um pensamento que sente já maduro. Emprega a carta como forma acreditada para fazê-lo. Mas por que remetê-la a Roma?

e) Paulo olha ao redor. Uma opinião minoritária afirma que na sua origem era uma carta circular, e que a destinação a Roma foi acrescentada depois, prevalecendo na tradição. Essa opinião está vinculada ao problema da integridade da carta (ver abaixo).

f) Talvez a melhor proposta seja a mais óbvia e simples, a sugerida pela carta. Paulo foi enviado e tem de missionar, não lhe resta outra coisa senão evangelizar. É verdade que sua norma tem sido não sair dos limites, não construir onde outro tenha edificado (2Cor 10,13-17). É apóstolo dos pagãos, e Roma é centro e cabeça do mundo pagão. Dedicará sua carta capital à capital do império. Por via das dúvidas, anuncia que pretende "dar e partilhar" (1,11s). Além disso, Roma, como antes Antioquia e Éfeso, se converteria na grande base para ampliar a difusão do evangelho.

g) Recordemos finalmente os que definem esse escrito como o testamento do apóstolo, que sente sua vida ameaçada. Ou como carta-ensaio que expõe e esclarece seu pensamento.

Integridade da carta

O problema surge da análise dos caps. 15 e 16 junto com algumas anomalias na transmissão do texto. a) Análise interna. Se Paulo não tinha estado em Roma, como pode saudar nominalmente tantas pessoas como velhos amigos? (16,7s.11-13). Mais lógico seria encontrá-las reunidas, p. ex., em Éfeso. As frases contra os judaizantes em 16,17s destoam numa carta enviada a ilustres desconhecidos. b) Evidência externa. Num manuscrito antigo se salta do cap. 15 à doxologia final (16,25); alguns sumários latinos (capitula) saltam do cap. 14 para 16,25.

Combinando os dois grupos de argumentos, alguém propôs a seguinte explicação ou reconstrução. Paulo compôs seu tratado como carta circular para as igrejas; ao exemplar destinado a Éfeso acrescentou o cap. 16. Portanto, o texto que hoje possuímos seria a versão efesina; o manuscrito citado seria a versão romana.

Desde os tempos antigos tem-se observado o parentesco, no tema senão no tom, desta carta com a carta aos Gálatas. O esquema global coincide: acesso à justiça/salvação pela fé e não pelas obras, consequência de vida cristã para permanecer e completar a salvação: Rm 1-11 e 12-15 = Gl 3-4 e 5-6. Gl 2,15-21 é quase a pauta para a explanação de Rm 1-8. Acrescentam-se outras dependências particulares: a citação de Hab 2,4 em Gl 3,11 e Rm 1,17; o exemplo de Abraão em Gl 3,6-14 e Rm 4; a descendência pela linha de Sara e Isaac em Gl 4,27-31 e Rm 9,6-11; as citações de Lv 18,5 em Gl 3,12 e Rm 10,5; de Lv 19,18 em Gl 4,28 e Rm 13,9. A diferença de tom consiste em que Gálatas é um escrito polêmico, Romanos uma exposição doutrinal. O que em Rm pode soar como polêmica, pertence realmente ao gênero da diatribe, procedimento retórico bastante usado.

Essas discussões, que aos não-iniciados podem parecer excessivas, são provocadas pelo texto, pois de um escrito tão importante os eruditos desejam saber muitas coisas. Porque o valor excepcional da carta está acima de toda discussão. Surpreende que, a menos de trinta anos depois da morte de Jesus Cristo, a compreensão do mistério tenha amadurecido tanto. Na literatura religiosa universal, este é um dos escritos mais profundos e originais. Na história do cristianismo tem sido fermento e inspiração. Na Reforma protestante, texto fundamental. A liturgia se encarregou de manter sua presença. Temo que não possamos dizer o mesmo da catequese e da pregação: por sua elevação doutrinal, seu modo de argumentar e explicar ou aplicar o AT, pelos conhecimentos que supõe assimilados, a carta é difícil: o leitor não treinado fica desconcertado, o pregador prefere textos mais acessíveis. Acrescentem-se a isso

traduções literalistas e rotineiras do latim que aumentaram as dificuldades. Porém, mesmo bem traduzido, o texto continua sendo difícil: exige estudo e meditação, pagos com juros.

Tema central

Tema central da carta é a salvação de todos pela fé em Jesus Cristo. É o primeiro e mais autorizado tratado de soteriologia. A carta se apresenta como uma construção estável e tensa entre dois polos: a fidelidade ao judaísmo e a vocação universal. Fidelidade ao judaísmo é reconhecer toda a história precedente como plano de Deus, e com isso a coleção de seus escritos canônicos. Paulo vive essa fidelidade em sua carne e em seu coração; por isso algumas páginas da carta vibram moderadamente. A fidelidade à vocação universal brota da adesão incondicional a Jesus como Messias e Salvador, que, cumprindo além da expectativa o anunciado e prometido, põe fim ao que é passageiro e inaugura a nova era definitiva.

Lugar e data

Provavelmente em Corinto, no final da sua terceira viagem, por volta de 57-58. Paulo tem pendente uma viagem a Jerusalém para levar o dinheiro da coleta. Considera terminada sua tarefa missionária na Ásia e Europa oriental, e projeta nova expansão para o Ocidente. Uma escala em Roma, coração do Império, e depois a Espanha, extremo da terra. Já escreveu suas cartas a Tessalônica, a Corinto, à Galácia, talvez a Filipos. Quer encerrar a série com outra carta de grande envergadura.

Sinopse

Diversos esquemas foram propostos, todos baseados em dados seletos do texto. Uma sinopse não é uma demonstração científica, mas um instrumento que ajuda, como visão panorâmica, a percorrer o texto sem extraviar-se.

1,1-15 Saudação: desejo de visitar Roma.
1,16-18 Declaração programática: revelação da justiça que liberta e da ira que condena.

I. a) A ira: 1,19-3,20

1,19-32 A humanidade culpada; 2,1-11 o julgamento de Deus.
2,17-3,8 Os judeus e a lei; 3,9-20 todos são pecadores.

b) A salvação pela fé: 3,21-4,25

3,21-31 Exclusivamente pela fé.
4,1-12 O exemplo de Abraão.
4,13-25 A promessa de descendência.

c) Conteúdo positivo da salvação: 5,1-8,39

5,1-11 Consequências da nova justiça.
5,12-21 Adão e Cristo.
6,1-11 Mortos ao pecado, vivos com Cristo.
6,12-23 Emancipados do pecado, servos de Deus.
7,1-6 Comparação com o matrimônio.
7,7-25 A condição humana pecadora.
8,1-17 Vida pelo Espírito.
8,18-27 Esperança de glória.
8,28-39 O amor de Deus.

II. O enigma de Israel: 9-11

9,1-33 A escolha de Israel.
10,1-21 A salvação universal.
11,1-12 O resto de Israel.
11,13-24 Salvação dos pagãos.
11,25-36 Conversão de Israel.

III. Parte parenética: 12-15

12,1-21 Normas de vida cristã.
13,1-10 Obediência às autoridades.
13,11-14 A vinda de Cristo.
14,1-12 Liberdade e caridade.
14,13-15,6 Não escandalizar.
15,7-13 Judeus e pagãos.
16,1-24 Saudações pessoais.
16,25-27 Doxologia final.

1

Saudação – ¹De Paulo, servo de Jesus Messias, chamado a ser apóstolo, reservado para anunciar a boa notícia de Deus, ²prometida por seus profetas nas Escrituras sagradas: ³a respeito do seu Filho, nascido fisicamente da linhagem de Davi, ⁴a partir da ressurreição, estabelecido Filho de Deus com poder pelo Espírito Santo. ⁵Por meio dele recebemos a graça do apostolado, para que todos os povos respondam com a fé em seu nome; ⁶entre os quais sois também contados, chamados por Jesus Messias.

⁷A todos os que Deus amou e chamou a ser consagrados, que se encontram em Roma: Paz e graça a vós da parte de Deus nosso Pai e de Jesus Messias e Senhor.

Desejos de visitar a comunidade de Roma – ⁸Antes de tudo, por meio de Jesus Cristo, dou graças a meu Deus por vós, porque vossa fé é anunciada em todo o mundo. ⁹Tomo Deus como testemunha, a quem presto culto espiritual anunciando a boa notícia de seu Filho, de que sem cessar vos recordo ¹⁰sempre em minhas orações; peço que, finalmente, se Deus quiser, possa realizar minha viagem para visitar-vos. ¹¹Pois tenho vontade de vos ver para comunicar-vos algum dom espiritual que vos fortaleça, ¹²ou melhor, para partilhar convosco o mútuo consolo de nossa fé comum. ¹³Pois deveis saber que muitas vezes me propus ir visitar-vos a fim de colher entre vós algum fruto, como entre os demais povos; mas até agora me impediram. ¹⁴Sinto-me devedor de gregos e bárbaros, de sábios e ignorantes; ¹⁵daí meu propósito de anunciar a boa notícia a vós, de Roma.

1,1-7 A saudação, cujos componentes básicos – remetente, destinatários e votos – cabem em uma ou duas frases, cresce aqui pela pressão interna do conteúdo e pela solenidade da entoação. Mais que saudação, parece a abertura de uma assembleia. O leitor leria com vigor essa espécie de introdução à assembleia religiosa. Pode-se comparar com exórdios ou introduções como a do cântico de Moisés (Dt 32,1-3), a do profeta Isaías falando em nome de Deus (Is 1,2), a do salmista (Sl 49,2-5).
Paulo se apresenta com nome e títulos. Deixou o velho nome, Saulo (At 13,9). Servo ou escravo: não do Senhor = Yhwh, como era corrente no AT (p. ex. Is 24,29; 2Rs 18,12; Is 42,19), mas do Messias Jesus. Chamado: o que costumamos denominar a conversão de Paulo, é também com propriedade sua vocação: como a dos profetas (Is 6; Jr 1; Is 42,6 etc.), só que ao apostolado, ao ofício de legado ou embaixador. No AT os profetas são os "enviados" por excelência (Jr 25,4). O legado exibe nome e títulos de quem o envia e a finalidade da sua missão, que é anunciar a "boa notícia" = *euangélion* da parte de Deus: nova no cumprimento, antiga na promessa. É o ofício do arauto, inaugurado pelo profeta do exílio (Is 40,9). Note-se o jogo de palavras, a consonância em grego entre *euangélion* e *epangelia* = anúncio e promessa.
Quem o envia é Jesus, o Messias esperado, descendente de Davi (Jr 23,5; Am 9,11; Mt 1,1-17), que não subiu ao trono de um reino judaico independente, como não poucos esperavam (cf. At 1,6), mas que, em virtude da sua ressurreição e pela ação do Espírito Santo, foi nomeado ou estabelecido no trono de Filho de Deus com plenos poderes (cf. Sl 110,1 com 2Sm 7,9; como ilustração narrativa, ver 1Rs 1). A novidade consiste nos plenos poderes, posto que Filho já era antes, como afirma 8,3.
A missão de Paulo se estende a todos os povos (pagãos), entre os quais se conta Roma, capital de um império. "Responder com fé" é também "obediência à fé", que ocupa o lugar da obediência à lei do AT. A comunidade de Roma já respondeu, e seus membros podem receber o título honorífico de "amados de Deus" (cf. Is 41,8 e Dt 7,7s) e "chamados à santidade", ou santos em virtude do chamado; cumprindo o mandamento repetido no Levítico (11,44s; 19,2; 20,26 etc.).
A saudação é amparada por Deus Pai, Jesus Cristo Senhor e o Espírito Santo. Contém uma profissão de fé concentrada.

1,8-15 A costumeira ação de graças a Deus ao começar uma carta serve a Paulo para declarar sua relação pessoal, não propriamente oficial, com a igreja de Roma: os esforços para visitá-la, embora não a tivesse fundado, a esperança de realizá-lo, os resultados que espera da visita.
Se a expressão "meu Deus" é comum no saltério, a ação de graças cristã se dirige a Deus por meio de Jesus Cristo. Do centro do mundo que é Roma, a fé de uma comunidade pequena é anunciada (*katangélletai*) em todo o mundo: uma irradiação poderosa, não de caráter político, que atrai Paulo; compare-se com a irradiação e atração prometidas ao monte Sião em Is 2,2-5. Anunciar o evangelho é prestar "culto espiritual"; o liturgo pode invocar Deus como testemunha do seu objetivo, que é partilhar com os romanos seu carisma pessoal para robustecê-los, e também partilhar com eles, como fruto (Jo 15,16), o consolo da fé comum. Não tem outras pretensões, não exibe uma autoridade, como ocorre no caso da igreja de Corinto que ele fundou. Seu projeto tem sido impedido, embora dentro da vontade de Deus (ver o impedimento do diabo em 1Ts 2,18). Sobre o "fruto", ver Fl 1,22.

1,14 Eleva-se a um princípio geral de conduta: tendo recebido um dom de Deus, converteu-se em devedor, não tanto de Deus, mas dos homens sem distinção, pois para Deus as distinções não valem (At 10,34; cf. Dt 10,17). Os pares se carregam de importância na boca dos gregos, não assim na boca de Paulo. Em Roma ainda há bárbaros ignorantes e judeus sensatos a quem evangelizar.

Perdão e castigo (programa) – ¹⁶Eu não me envergonho da boa notícia, que é uma força divina de salvação para todo aquele que crê – primeiro o judeu, depois o grego. – ¹⁷Nela se manifesta essa justiça de Deus*, que liberta* exclusivamente pela fé. Segundo aquele texto: *quem é justo por crer salvará a vida.*

¹⁸Do céu se revela* a ira de Deus contra todo tipo de homens ímpios e injustos, que coíbem a verdade com injustiça.

A humanidade culpada – ¹⁹Pois o que se pode conhecer de Deus lhes é manifesto, já que Deus se manifestou a eles. ²⁰Desde a criação do mundo, sua condição invisível, seu poder e divindade eternos, se tornam acessíveis à razão para as criaturas. Por isso, não têm desculpa. ²¹Pois, embora conhecessem a Deus, não lhe deram glória nem graças, mas se perderam em vãos raciocínios, e sua mente ignorante ficou às escuras. ²²Alardeavam de sábios, resultaram néscios, ²³*trocaram a glória do Deus incorruptível por imagens de homens corruptíveis, de aves, quadrúpedes e répteis.* ²⁴Por isso, Deus os entregou a seus desejos imundos, que degradam seus próprios corpos. ²⁵Visto que mudaram a verdade de Deus pela mentira, veneraram e adoraram a criatura em lugar do Criador – bendito seja ele para sempre, amém! – ²⁶por isso Deus os entregou a paixões vergonhosas. Suas mulheres substituíram as relações

---

1,16-18 Esses três vv. devem ser entendidos juntos, como correlativos e opostos, como programa da carta. Há duas revelações, que poderíamos chamar também promulgações: de justiça/de ira = *dikaiosyne/orgē*. São conceitos jurídicos com matiz forense, com ampla e estabelecida tradição no AT. Ira é o ato judicial de condenar um culpado (o fator emocional se retira a segundo plano). Justiça é o contrário, em parte: não muda seu destinatário, que é também culpado; muda a atitude de Deus. Numa relação bilateral – julgamento contraditório – a parte inocente pode com justiça condenar (ira). Com não menor justiça (que é sua inocência) pode renunciar a seu direito e oferecer ao culpado o perdão, restabelecendo assim uma relação "justa". Quanto à outra parte, ao ser perdoada, já não é considerada devedora nem ofensora. Deus se apoia em sua justiça/inocência para, pelo perdão, tornar justo o homem. Se do âmbito privado passamos ao público, podemos chamá-lo indulto, graça ou anistia. Muitos textos do AT, especialmente liturgias penitenciais, comprovam essa explicação: p. ex. Esd 9,6-8; Ne 9,32-33; Dn 9,7.16 "na medida da tua justiça afasta a ira" (ver Sl 50-51). Pois bem, o evangelho "revela", promulga esse indulto oferecido por Deus e, ao promulgá-lo, o põe em vigor e o aplica. Essa é a "força" ou validade jurídica do evangelho. A única condição exigida para acolher o indulto é a fé: o culpado não pode obviamente aduzir méritos, mas pode confiar em Deus e dar sua adesão a Jesus como Messias. O evangelho oferece assim "salvação" e vida. Os profetas o anunciaram (Jr 31,33s; Ez 36,22-28), e Paulo não se envergonha nem se acovarda de proclamá-lo.

Ao citar Hab 2,4 Paulo une "por crer" ao sujeito, especificando o adjetivo "justo": aquele cuja justiça consiste em confiar, cujo mérito é crer. As duas revelações, contrapostas, formam o programa da carta: o autor começa desenvolvendo a segunda. Em toda a carta, há numerosos símbolos da área jurídica.

1,17 * Ou: *se promulga*. * Ou: *o indulto de Deus*.

1,18 * Ou: *se promulga*.

1,19-32 A perícope é definida em seu caráter forense pelo começo, "ira-condenação", e pelo final "réus de morte". A ira é tema frequentíssimo no AT (ver entre outros Sf 1,15; Sb 13,1-9). O delito é enunciado, primeiro de modo genérico: todo tipo de impiedade (contra Deus) e injustiça (contra o homem). Por serem genéricos, abrangem tudo, e mostram um Deus ativamente inconciliável com o pecado (Sl 11,5).

Depois desenvolve um processo. Primeira fase: o homem conhece (naturalmente, sem revelação) a Deus, e não o "reconhece" como é devido. Como castigo – segunda fase – Deus abandona o homem a suas paixões; repete-o três vezes (vv. 24.26.28). Consequências – terceira fase – um catálogo de vícios, tirados em parte da cultura grega. Resultado: como não podem alegar a rejeição nem a atenuante da ignorância (v. 32), são réus de morte.

No AT, como castigo, o Senhor "entrega" o povo ao inimigo (Jz 2), aqui o entrega "a seus desejos, a suas paixões, à sua mente depravada": levam dentro o inimigo; e o castigo abrange "o corpo e a mente". Paulo condena as práticas homossexuais como contrárias à natureza e degradantes. Em Sb 14,22-31 consta que os vícios são consequência da impiedade ou idolatria. Sb 14,30 reúne "condenação, verdade e justiça". Ver a polêmica contra a idolatria em Is 44,18s e na carta de Jeremias.

1,19-22 Desenvolvem com certa amplidão a inconsequência de conhecer e não reconhecer a Deus. Paulo sai do âmbito da revelação judaica para explicar aos pagãos que é possível conhecer Deus por via intelectual (sem especificar as "vias"): o Deus invisível é conhecível, o Criador é acessível pelas criaturas: compare-se com Sb 13,1-9 "não reconheceram o artífice, detendo-se em suas obras"; com menos exatidão Eclo 17,7-10.

Embora o contexto seja universal, de preferência pagão, se entreveem ou se entreouvem temas do AT: oculto/revelado (Dt 29,28); visível/invisível (Ex 33–34); vazio da idolatria (Jr 2,5), da injustiça (Sl 94,11), trocar a glória (Jr 2,9; Sl 106,20), a oposição clássica glória/imagem; a metáfora da escuridão mental (Is 59,10). Veja-se a união da piedade e da justiça no significativo nome de Jerusalém "Paz na justiça, Glória na piedade" (Br 5,4).

naturais por outras antinaturais. ²⁷O mesmo aconteceu com os homens: deixando a relação natural com a mulher, arderam em desejo mútuo, cometendo infâmias homens com homens e recebendo em sua pessoa a recompensa merecida por seu extravio. ²⁸E visto que não aprovaram reconhecer a Deus, Deus os entregou a uma mente reprovada, para que fizessem o que não é devido. ²⁹Estão cheios de injustiça, maldade, cobiça, malignidade; estão cheios de inveja, homicídios, discórdias, fraudes, perversão; são difamadores, ³⁰caluniadores, inimigos de Deus, soberbos, arrogantes, fanfarrões, criativos para o mal, rebeldes a seus pais, ³¹sem juízo, desleais, cruéis, sem piedade. ³²E, embora conheçam a sentença de Deus, que os que assim agem são réus de morte, não somente o praticam, mas aprovam os que agem assim.

2 O julgamento de Deus
— ¹Portanto, não tens desculpa, tu que julgas, sejas quem fores; pois, ao julgar o outro, te condenas, porque tu, que julgas, cometes as mesmas coisas. ²Sabemos que é justa a sentença de Deus contra os que cometem tais coisas. ³E tu, que julgas os que agem assim e fazes as mesmas coisas, pensas evitar a sentença de Deus? ⁴Ou desprezas seu tesouro de bondade, sua paciência e longanimidade, esquecendo que sua bondade quer conduzir-te ao arrependimento? ⁵Com tua teimosia e teu coração impenitente, acumulas para ti cólera para o dia da cólera, quando se pronunciará a justa sentença de Deus, ⁶*que pagará a cada um segundo suas obras.* ⁷Aos que buscam glória, honra e imortalidade perseverando nas boas obras, vida eterna. ⁸Aos que por egoísmo desobedecem à verdade e obedecem à injustiça, ira e cólera. ⁹Haverá angústia e tribulação para todo aquele que age mal – primeiro para o judeu, depois para o grego. ¹⁰Haverá glória, honra e paz para todo aquele que age bem – primeiro para o judeu, depois para o grego. ¹¹Deus não é parcial.

¹²Os que pecaram sem ter lei, sem lei perecerão; os que pecaram sob a lei, segundo a lei serão julgados. ¹³Pois Deus não absolve os que escutam a lei, e sim

2,1-11 Até aqui falou dos pagãos na terceira pessoa, inclusive aceitando alguns dos seus ensinamentos. Agora se dirige a seus irmãos judeus na segunda pessoa, em forma de controvérsia ou no estilo da diatribe, fingindo um rival cujas objeções são citadas e refutadas. O estilo da diatribe, cultivado como recurso retórico pelos gregos, tem antecedentes também na pregação profética (p. ex. Jr 2-3). Se os pagãos "não têm desculpa", menos ainda os judeus (2,1). Ele vai expor isso em dois passos: vv. 1-3 ao julgar estás julgando a ti; vv. 4-11 ao abusares da paciência de Deus, agravas a sentença final.

2,1-3 O juiz julgado é tema bem conhecido no AT: Natã e Davi (2Sm 12), a canção da vinha (Is 5,1-7). No NT pode-se ver Mt 7,2-5 e Jo 8,7, os juízes da adúltera. A sentença de Deus é justa: corresponde à verdade dos fatos (Sl 7,12; 10,8). Eclo 16,17-23 mostra que é insensato pensar que o homem possa evitar o julgamento de Deus.

2,4 O tema da paciência de Deus com os judeus e também com os pagãos é sugerido em Gn 15,16, visão de Abraão, e desenvolvido com maturidade em Sb 11,23-12,21. "Paciente" é um dos títulos clássicos de *Yhwh* (Ex 34,6), retomado em fórmulas litúrgicas (Sl 86,15 par.).

2,5 Eclo 5,4-7 adverte contra o abuso da paciência de Deus. O dia da cólera, *dies irae*, é o dia do julgamento definitivo (Sf 1,14-18), quando já não sobra espaço para o arrependimento e o perdão. A pregação profética anuncia julgamentos finais de época ou de império no curso da história: exemplos clássicos são a destruição de Jerusalém e o exílio. A frase grega joga com a repetição de "cólera"; poderíamos substituir por "acumulas condenação para o dia da sentença". Coração impenitente: Is 46,12; Ez 2,4; 3,7.

2,6 Segundo Sl 62,12 e outros.

2,7-8 Sobre a retribuição, a pontuação correta das frases opõe "vida eterna" a "ira e cólera", um substantivo adjetivado e uma geminação sem adjetivo. A vida perdurável é para os que buscaram a imortalidade fazendo o bem; eles a procuram, não a possuem; segundo Sb 1,23, a imortalidade é destino, mais que condição (compare-se com a contraposição de Is 66,14-16). A segunda parte opõe "verdade" a "injustiça".

2,9-11 Angústia e tribulação, como em 8,35 e 2Cor 6,4; em oposição à paz (cf. Sb 3,3). Deus não é parcial (Dt 10,17; 2Cr 19,7; Ef 6,9). Com o binômio judeu/grego retorna a colocação central: os gregos representam os pagãos. Os judeus são o tema da explanação seguinte, na qual se discutem dois supostos privilégios: a lei e a circuncisão.

2,12-16 O critério decisivo é o pecado, não que o ato seja legal ou seja delito. Pelo pecado "perecem" (Ez 18,4.13.18.20.24), pelo delito são julgados. Antes da lei não há delito; a lei estabelece e define a figura do delito e acrescenta a cláusula penal. Como antes afirmou o conhecimento natural de Deus, assim agora afirma o conhecimento natural de valores éticos ditados pela consciência. A consciência moral funciona como lei. Compare-se Pr 20,27 "o espírito humano o! seja delito. Pelo pecado "perecem" (Ez 18,4.13.18.20.24), pelo delito são julgados. Antes lho é lâmpada e a instrução (*torá*) é luz". Depois a consciência psicológica, assistida pelo sentido ético, emite uma espécie de julgamento interior como fiscal e defensor.

os que a cumprem. ¹⁴Quando pagãos, que não têm lei, cumprem espontaneamente o que a lei exige, não tendo lei, eles são sua lei, ¹⁵já que demonstram levar a exigência da lei gravada no coração. A consciência proporciona seu testemunho e os raciocínios dialogam acusando ou defendendo, ¹⁶em vista do dia em que, de acordo com o meu evangelho e por meio de Jesus Cristo, Deus julgará o que está oculto no homem.

Os judeus e a lei – ¹⁷Tu, que te chamas judeu, te apoias na lei, te glorias de Deus, ¹⁸conheces a vontade dele, instruído pela lei aprecias o que é melhor, ¹⁹estás convencido de ser guia de cegos, luz dos que estão nas trevas, ²⁰mestre de néscios, instrutor de ignorantes, e que possuis na lei a síntese do conhecimento da verdade, ²¹tu, que ensinas outros, não ensinas a ti? Tu, que pregas que não se roube, roubas? ²²Tu, que proíbes o adultério, o cometes? Tu, que detestas os ídolos, saqueias seus templos? ²³Pões teu orgulho na lei, e desonras Deus violando a lei? ²⁴Pois está escrito: *Por vossa culpa, os pagãos blasfemam o nome de Deus.*

²⁵A circuncisão é vantajosa, se cumpres a lei; se a violas, tua circuncisão te deixa incircunciso. ²⁶Ao contrário, se os incircuncisos guardam os preceitos da lei, não serão considerados como circuncisos, ainda que não o sejam? ²⁷Alguém fisicamente incircunciso que cumpra a lei julgará a ti que, com teu código e tua circuncisão, violas a lei. ²⁸Ser judeu não consiste em sinais visíveis; a circuncisão não consiste num sinal na carne. ²⁹Ser judeu é condição interna: a circuncisão é do coração, do espírito, e não de letra. Este é o que recebe o louvor de Deus, e não dos homens.

3 ¹Então, que vantagem leva o judeu, ou para que serve a circuncisão? ²Muito grande em todos os aspectos. Primeiro, porque lhe confiaram os oráculos de Deus. ³Então, o que acontece se alguns foram infiéis? A infidelidade deles é anulada pela fidelidade de Deus? ⁴De nenhum modo! Deus se mostrará fiel, ainda que todos os homens sejam falsos. Como está escrito: *Na sentença terás razão, do julgamento*

No final, no julgamento que terá como norma "o meu evangelho" e como juiz Jesus Cristo, virá à luz o mundo da consciência (cf. Sl 90,8) e será ratificado definitivamente (cf. Mt 25,31 referido a "todas as nações", ou seja, pagãs).
Não faltam no AT exemplos de pagãos honrados: as parteiras do Egito (Ex 1), o núbio Ebed-Melec (Jr 38,7-13), em chave polêmica os marinheiros do livro de Jonas, e o grande personagem estrangeiro Jó. Paulo pensa talvez em estoicos e outros pagãos; no final do At, o autor comenta a amabilidade, *philanthropia*, do centurião e dos malteses (At 27-28).

2,17-24 O estilo se torna mais polêmico, quase agressivo. Acumula cinco privilégios mais cinco, reais ou pretensos, como plataforma de onde lançar suas cinco perguntas retóricas acusadoras. O parágrafo pode ser ilustrado com citações do AT: "apoiar-se" (Mq 3,11); "gloriar-se" (Jr 9,23); "conhecer a vontade" (Br 4,4); "distinguir apreciando" (Is 7,15; Eclo 39,4); "luz dos pagãos" (Is 49,6; Sb 18,4); "mestre e instrutor" (Eclo 24,23-24, onde o legal se torna sapiencial); o conhecimento mediante a lei (Br 4,1). Pode-se acrescentar do NT: judeu como título (Ap 2,9; 3,9); guia de cegos (Mt 15,14).

2,21-22 Menciona dois preceitos do decálogo (cf. Sl 50,18). Sobre as riquezas cobiçáveis dos ídolos, ver Dt 7,25; sobre o saque dos templos, 2Mc 3; Carta de Jeremias (Br 6,57).

2,24 Dirige contra os doutores judeus o texto de Is 52,5; cf. Ez 36,20.

2,25-29 A circuncisão chegou a ser sinal distintivo. Honra para os judeus, como selo corporal da aliança (Gn 17), zombaria dos pagãos (cf. 1Mc 1,14s). Na boca dos judeus, "incircunciso" era insulto: Jz 14,3; 1Sm 17,26; 31,4; 2Sm 1,20; Ez 32. No entanto, já a lei e os profetas tinham pregado a circuncisão do coração (Lv 26,4; Dt 10,16; 30,6; Jr 4,4; 9,25; Ez 44,7.9). Portanto, o valor da circuncisão física fica relativizado (1Cor 7,19; Gl 5,3.6).

2,27 O pagão julgará o judeu numa espécie de acareação perante o juiz, num julgamento por comparação de culpas: ver Ez 16,52; Mt 12,41s.

2,28 O sinal externo vale quando corresponde a algo interno; do contrário, é máscara ou disfarce.

2,29 Louvor = *epainos*, pode ocultar uma paronomásia hebraica: *yehudi -hwdh* = judeu-louvar (Gn 29,35; 49,8). O louvor que Deus pronuncia é a máxima aprovação. Exceto no sarcasmo dirigido a Jó (Jó 40,14), não se diz expressamente que Deus elogie um homem.

3,1-8 Continua a diatribe. Paulo antecipa e encadeia objeções dos adversários e vai respondendo *ad hominem, ad absurdum*, apelando a princípios. Objetam: da doutrina de Paulo se seguiria que, na sua relação ou julgamento bilateral com o homem, Deus é injusto, ou que pecando se promove a honra de Deus. É central o tema da fidelidade, articulado sobre formas da raiz grega *pist-* = confiar, ser fiel/infiel. Deus confiou aos judeus seus oráculos, sua revelação (cf. Hb 5,12; 1Pd 4,11). Quem confia algo a outrem confia nele, se fia nele (Moisés, Nm 12,7). Se este é infiel e trai a confiança, nem por isso quem lhe demostrou confiança é infiel. Pois bem, Deus é fiel (Ex 34,6; Dt 7,9); é o homem que não merece confiança: citando Sl 116,11.

sairás inocente. ⁵Mas, se nossa culpa comprova a inocência de Deus, o que diremos? (Falo segundo a lógica humana:) Que Deus é injusto ao aplicar a pena?* ⁶De nenhum modo! Pois, se não, como poderá Deus julgar o mundo? ⁷Porém, se minha falsidade exalta a fidelidade de Deus para sua glória, por que além disso me condena como pecador? ⁸Façamos o mal para que redunde em bem – é o que alguns me atribuem caluniosamente; eles carregarão sua justa condenação.

Todos são pecadores – ⁹Em síntese, nós judeus levamos vantagem? De modo algum! Já demonstramos que todos, judeus e gregos, estão submetidos ao Pecado. ¹⁰Como está escrito:

> *"Não há um honrado,* ¹¹*nenhum sensato,*
> *não há quem procure a Deus.*
> ¹²*Todos se extraviaram e se perverteram,*
> *não há quem faça o bem, nem sequer um.*
> ¹³*Sua garganta é um túmulo aberto:*
> *mentem com suas línguas,*
> *seus lábios escondem veneno de áspides,*
> ¹⁴*sua boca está cheia de malícia.*
> ¹⁵*Seus pés correm para derramar sangue,*
> ¹⁶*seus caminhos estão semeados de ruína e destruição.*
> ¹⁷*Não conhecem o caminho da paz*
> ¹⁸*nem têm o temor de Deus.*

¹⁹Ora, as cláusulas da lei se destinam aos súditos da lei; e assim a todos tapa-se a boca, e o mundo todo fica sob o julgamento de Deus. ²⁰Por isso *ninguém resultará honrado diante de Deus* por ter cumprido a lei, pois a lei dá somente consciência do pecado.

Absolvição pela fé – ²¹Contudo, agora, prescindindo da lei, apesar de testemunha-

---

Segundo ponto: a justiça/inocência de Deus. No pleito bilateral, se uma parte reconhece a própria culpa, reconhece a inocência da outra: ver Sl 51,6 e a posição de Jó, especialmente 40,7-14. – Mas não é o meu pecado que glorifica a Deus, e sim minha confissão = *todá* (Js 7,19). – Mas a confissão supõe o fato e, assim, mediatamente, o meu pecado justifica Deus; então – lógica humana – que Deus não condene. – Alto lá! Deus é juiz supremo e ninguém pode discutir suas decisões (Gn 18,24s; Sb 12,13-15). Terceiro ponto: uma coisa é Deus tirar o bem, mesmo do mal (Gn 50,20; Ex 9,16), outra coisa é fazer o mal para que resulte o bem (cf. 5,20).
3,5 * Ou: *ao descarregar a ira*.
3,9-20 Recapitula e tira a conclusão. Judeus e gregos (pagãos), cada um a seu modo, com lei ou sem lei, todos estão "sob" o império do Pecado. Prova-o com uma citação combinada de salmos e profecia: Sl 14,1-3 visão pessimista da humanidade; Sl 5,10 se refere aos perseguidores do justo; Sl 140,3 contra o malvado violento; Sl 10,7 salmo alfabético com elementos judiciais; Is 59,7s; Sl 36,2 é um "oráculo do Delito"; Sl 143,2, o v. precedente ao citado, soa assim: "Não entres em pleito com teu servo".
3,19-20 Os textos são adaptados e se englobam sob a epígrafe "lei", que aqui equivale a Escritura. Para os judeus, é palavra autorizada que "tapa a boca" a qualquer objeção (1Mc 9,55; Sl 107,42; Jó 4,17). E não só os judeus, mas todos os homens (cf. Sl 65,4) caem sob a jurisdição de Deus, que é juiz supremo e universal (Sl 7,9; 82,8).

O final lapidar reaparece em 5,20 e 7,7; contrasta com Eclo 17,11 e 45,5.
3,21-31 Texto capital e denso, que descreve a justiça de Deus revelada na ação de Jesus Cristo. Todos são pecadores, dizia a conclusão precedente. Agora afirma que pela fé em Jesus Cristo como Messias, todos podem receber de Deus sua justiça. Um conjunto de conceitos e símbolos soteriológicos sobre a salvação oferece a sua riqueza e dificulta a compreensão; é conveniente aduzir as fórmulas originais.
Dikaioúmenoi pode significar: absolvidos – se são inocentes –, ou indultados – pois são culpados – e tornados justos; nesse contexto, ser justo é não ser delinquente nem réu, não ser devedor nem ofensor. *Apolytrosis* significa o resgate: de uma propriedade alienada, que deve voltar ao dono, ou de um escravo que deve recuperar sua liberdade; é ato de solidariedade da família, do clã e, em sua falta, do soberano. *Hylastérion* era a placa de ouro (*kipporet*) que recobria a arca, sobre a qual se derramava o sangue da expiação (Ex 25; Lv 16). Paulo concentra esses símbolos na atitude radical da fé ou adesão: raiz *pist*- (vv. 22.25.27.28.30.30.31). Podemos resumir: Pelo pecado, o homem é devedor e caiu na escravidão; Cristo, "expiando com seu sangue o pecado, resgata" o escravo que nele crê.
A fé exclui a lei como condição para se salvar, mas está atestada nos escritos "da lei e dos profetas", fórmula que equivale à Escritura inteira. Pode-se pensar, sem citá-los agora, em textos clássicos como Is 7,9; 28,16. A fé exclui o "orgulho", ou seja,

da pela lei e pelos profetas, revela-se essa justiça de Deus que salva* ²²pela fé em Jesus como Messias; válida sem distinção para todos os que creem. ²³Todos pecaram e estão privados da presença de Deus. ²⁴Mas são absolvidos sem merecê-lo, generosamente, pelo resgate que Jesus Cristo entregou. ²⁵Deus o destinou a ser com seu sangue* instrumento de expiação para os que creem. Deus mostrava assim sua justiça, quando pacientemente não levava em conta os pecados de outrora, ²⁶e demonstra sua justiça no presente, sendo justo e tornando justos* os que creem em Jesus.

²⁷Onde, pois, fica o orgulho? Fica excluído. Por qual lei? Das obras? Nada disso; pela lei da fé. ²⁸Pois sustentamos que o homem recebe a justiça* pela fé, independentemente das obras da lei. ²⁹Deus o é somente dos judeus? Não o é também dos pagãos? Certo, também dos pagãos; ³⁰já que Deus é único e concede a justiça* aos circuncisos pela fé e aos incircuncisos pela fé. ³¹Significa isso que com a fé invalidamos a lei? De nenhum modo! Pelo contrário, a confirmamos.

4 O exemplo de Abraão

– ¹Portanto, o que dizer de Abraão, nosso antepassado segundo a carne? ²Se Abraão foi justo pelas obras, podia orgulhar-se; mas não diante de Deus. ³O que diz a Escritura? *Abraão creu em Deus, e isso lhe foi anotado como crédito.* ⁴Ao que executa uma tarefa lhe dão o salário como pagamento, não como cortesia. ⁵Ao que não a executa, mas que se fia naquele que torna justo o malvado*, a fé lhe é anotada como crédito. ⁶Nesse sentido, Davi pronuncia a bem-aventurança daquele que recebe de Deus a justiça sem mérito de obras: ⁷*Feliz aquele a quem foi perdoado o delito e cujos pecados foram sepultados;* ⁸*feliz aquele a quem o Senhor não leva em conta o pecado.* ⁹Portanto,

---

3,31 Como no evangelho: Mt 5,17.

4,1-25 Com o exemplo de Abraão e segundo o texto bíblico, comprova o dito em seus dois pontos: a lei e a circuncisão.

a) vv. 1-8 As obras da lei. Segundo textos tardios e a tradição rabínica, Abraão cumpriu toda a lei de antemão, séculos antes de ser promulgada: "porque guardou a lei do Altíssimo" (Eclo 44,20); o autor de 1Mc 2,52 faz o mérito de Abraão depender do sacrifício de seu filho. Veja-se o que diz Gn 18,19 condicionando o cumprimento da promessa à prática "da justiça e do direito". Paulo é categórico: apoia-se em Gn 15,6, que se expressa em termos comerciais, "lançar algo no haver"; e continua no mesmo campo comercial falando de "salário" devido na justiça (Dt 24,15; Mt 20,7; Lc 10,7; Tg 5,4); mas veja-se Gn 15,1 em seu contexto próximo.

4,5 * Ou: *indulta o culpado*.

4,6-8 Os salmos confirmam o que Gn ensina. Sl 32,1-2 se refere ao perdão não merecido do culpado. "Não levar em conta" (= não imputar) é termo forense que corresponde ao termo comercial "lançar". Ser perdoado por Deus sem merecê-lo é para qualquer um bem-aventurança (não inferior à do Sl 1). Por sua composição, a palavra "perdão" é um intensivo ou superlativo de "dom".

4,9-12 b) A circuncisão. De novo o Gênesis fornece a prova, já que 17,11 vem depois de 15,6. A circuncisão é uma marca corporal que sela o já realizado. Paulo muda "sinal do meu pacto" em "sinal da justiça...". Depois introduz outro tema do Gênesis, a promessa de descendência, alargando-a a uma dimensão nova. A promessa de Gn 17,5 muda o nome do patriarca para que seja e se chame "pai de uma multidão". Paulo interpreta: "pai de circuncisos e incircuncisos", em virtude da sua fé. "Nosso pai" é título que os judeus dão a Abraão.

---

a autocomplacência, o alegar méritos e direitos para obter de Deus a justiça. A ação de Jesus Cristo "se revela" a justiça de Deus: a que atuava antes, adiando com paciência a execução da pena, até que chegasse o Messias; agora dando grátis a justiça a quem crer no Messias.

3,21 Sem a lei: porque o Messias é o fim da lei (10,4; cf. 2Cor 3,14). Onde lemos esse testemunho? Em muitos lugares, p. ex. Lv 26,44s; Dt 30,1-6; Jr 31,31-34; Ez 20,40-44. * Ou: *o indulto outorgado de Deus*.

3,22 A circuncisão e a lei distinguem; a fé não distingue, ou seja, não exclui ninguém.

3,23 A "presença" é em grego a glória, que reside no templo em meio ao povo e se afasta por causa da infidelidade (Ez 10 e 43). O templo, embora esteja de pé quando Paulo escreve esta carta, não garante mecanicamente a presença do Senhor (cf. Jr 7 e 26).

3,24 "Sem merecê-lo", de graça (cf. Ex 21,2.11; Is 52,3).

3,25 O substantivo *hylasmós* está também em 1Jo 2,2 e 4,10. "Destinou": atribuindo valor temporal ao morfema *pro*-. Se lhe atribuirmos valor espacial, significa "pôr diante", tornar público; o contrário da expiação, executada no segredo do camarim ou "*sancta sanctorum*" (Lv 16). * Ou: *sua morte*.

3,26 * Ou: *e absolvendo*.

3,27 Em virtude da fé ou "pela lei da fé": expressão árdua e audaz, que une fé com lei. Como se dissesse: lei sim, contanto que seja a lei da fé; compare-se com 8,2 e com "a lei dos homens livres" de Tg 1,25 e 2,12.

3,28 Em forte contraste com a religiosidade de Dt 6,25: "ficaremos justificados diante do Senhor nosso Deus se pusermos em prática todos os mandamentos que nos ordenou". * Ou: *sai absolvido*.

3,29-30 Tenha-se em conta o título corrente "Deus nosso", que parece fazer de *Yhwh* um Deus nacional (Mq 4,5); mas Dt 6,4 afirma que é único (Mc 12,29), portanto, de todos.

3,30 * Ou: *absolve*.

essa bem-aventurança vale somente para o circunciso, ou também para o incircunciso? Afirmamos que para Abraão *a fé lhe foi anotada como crédito*. ¹⁰Em que situação? Antes ou depois de circuncidado? Não circuncidado, mas incircunciso. ¹¹E como sinal da justiça que, sem estar circuncidado, recebera por crer, *recebeu a circuncisão*. Desse modo, ficou constituído pai de ambos: dos incircuncisos que creram e lhes foi anotado como crédito, ¹²e dos circuncisos que, não contentes em sê-lo, seguem as pegadas de nosso pai Abraão, que acreditou sem estar circuncidado.

A promessa de descendência – ¹³Não foi pela lei que prometeram a Abraão ou à sua linhagem herdar o mundo, mas pelo mérito da fé. ¹⁴Pois, se os herdeiros o são em virtude da lei, a fé é vã e a promessa é nula. ¹⁵Porque a lei provoca a condenação: onde não há lei, não há transgressão. ¹⁶Por isso, há de basear-se na fé como dom. E assim a promessa será válida para toda a linhagem, não somente para os súditos da lei, mas também para os que creem como Abraão, que é pai de todos nós. ¹⁷Como está escrito: Farei de ti pai de muitas nações; a juízo de Deus, de quem se fiou, que dá vida aos mortos e chama à existência o que não existe. ¹⁸Esperou fiando-se contra toda esperança, e assim se converteu em pai de muitos povos, segundo o que foi dito: *assim será tua descendência*. ¹⁹Sua fé não vacilou, apesar de considerar seu corpo envelhecido – tinha cem anos – e o seio envelhecido de Sara. ²⁰Não duvidou com desconfiança da promessa de Deus, mas, fortalecido pela fé, glorificou a Deus, ²¹convencido de que podia cumprir o prometido. ²²Por isso lhe anotou como crédito. ²³E esse *lhe foi anotado como crédito* não foi escrito somente para ele, ²⁴mas também para nós, a quem nos creditarão o crer naquele que ressuscitou da morte Jesus, Senhor nosso, ²⁵que *se entregou por nossos pecados* e ressuscitou para nos tornar justos.

5

Consequências da nova justiça – ¹Portanto, agora que recebemos a justiça pela fé, estamos em paz com Deus, por meio de Jesus Cristo Senhor nosso. ²Também por ele (pela fé)* obtivemos acesso a essa condição de graça na qual nos encontramos, e podemos orgulhar-nos esperando a glória de Deus. ³Não só isso,

---

4,13-16 O tema da paternidade se prolonga no da herança, com sentido polivalente: o herdeiro de Abraão (Gn 15; 21,10) e Abraão o herdeiro. Herdeiro da terra e, segundo a tradição rabínica, de todas as famílias do mundo. A Abraão sucedem seus herdeiros ou descendentes na herança ou posse da terra prometida (Gn 22,17). Ora, se fossem herdeiros legais, teriam direito à herança, sem depender de promessas. Mas, passar ao terreno da legalidade é perigoso, fatal, porque legalmente se provarão transgressões que invalidam os direitos. Delito supõe lei: transgressão supõe fronteira ou limite.

4,17-22 Da fé, pela confiança, chegamos à esperança (cf. Hb 11). Abraão creu em três coisas crendo numa pessoa: que Deus, perdoando, pode tornar justo um culpado (ver, em termos de pureza e impureza, Jó 14,4); que pode tornar fecundos dois anciãos já estéreis; que dá vida aos mortos (Dt 32,39) como deu existência do nada (Gn 1). Os termos "criar" e "perdoar" se cruzam no Sl 51,12 e em 2Cor 5,17-21. Isso equivale a associar a morte com o não-ser e a ressurreição com a criação. Paulo, desta vez, ignora o riso incrédulo de Abraão e Sara (Gn 17,17; 18,12).

4,23-24 A figura de Abraão é exemplar, válida para quantos o imitam crendo em Deus e em Jesus Cristo. Ao concluir essa seção, o tema da ressurreição de Jesus Cristo, anunciado em 1,4, se afirma com força.

4,25 O final é lapidar. Pela lei do paralelismo, o sentido é cumulativo: para livrar-nos do pecado e alcançar-nos a justiça, Jesus Cristo morreu e ressuscitou (Is 53,5-6).

5,1-11 Começa outra seção. A linguagem jurídica se retira a segundo plano, cedendo lugar a uma mais ética; o predomínio do amor sucede ao predomínio da justiça de Deus. Já não se diferenciam judeus e gregos, e da justiça recebida se fala no passado. Reconciliados com Deus pela fé, entramos numa situação de paz e esperança: paz que supera a tribulação, esperança que transforma o presente. Desfrutamos da "graça" ou favor de Deus e de seu "amor" revelado no sacrifício de seu Filho. Agora pomos "nosso orgulho" não em méritos de obras, mas na esperança (v. 2), nas tribulações que a robustecem (v. 3), em Deus mesmo (v. 11). Tudo por meio de Jesus Cristo (5,2.9.11.17.21). O tema desse fragmento é desenvolvido no cap. 8.

5,1 Quem já não é devedor nem ofensor está reconciliado e em paz: Is 52,7; Ez 2,14-17; Cl 1,20.

5,2 O acesso é agora sob uma condição. No AT mencionavam-se as condições éticas de acesso ao templo (Sl 15 e 24), da porta reservada aos vencedores (Sl 118,19s; ver Ef 2,18; 3,12). Esperamos a glória ou "o destino glorioso" (Sl 73,24). * Alguns manuscritos o omitem.

5,3-5 Por meio de Os 2,23 conhecemos o recurso retórico do encadeamento – sorites no sentido amplo –, e o encontramos em Tg 1,14s; 2Pd 1,5-8. A esperança brota e se sustenta do amor que Deus nos tem e o Espírito Santo nos faz experimentar em nossa consciência. Ao reconhecermos internamente, pelo toque do Espírito, que Deus nos ama, nossa

mas além disso nos gloriamos de nossas tribulações; pois sabemos que sofrendo adquirimos resistência, ⁴resistindo nos aprovam, aprovados esperamos. ⁵E a esperança não engana, porque o amor de Deus se infunde em nosso coração pelo dom do Espírito Santo. ⁶Quando ainda éramos inválidos, a seu tempo Cristo morreu pelos malvados. ⁷Por um inocente talvez alguém morresse; por uma pessoa boa talvez alguém se arriscasse a morrer. ⁸Pois bem, Deus nos demonstrou seu amor no fato de que, sendo ainda pecadores, Cristo morreu por nós. ⁹Com maior razão, agora que seu sangue nos tornou justos, por ele nos livraremos da condenação. ¹⁰Pois, se sendo inimigos, a morte de seu Filho nos reconciliou com Deus, com maior razão, já reconciliados, sua vida nos salvará. ¹¹Não somente isso: Por meio de Jesus Cristo, que nos trouxe a reconciliação, colocamos nosso orgulho em Deus.

Adão e Cristo (Gn 3) – ¹²Pois bem, por um homem *penetrou o pecado no mundo* e pelo pecado a morte, e assim a morte se estendeu a toda a humanidade, já que todos pecaram. ¹³Antes de chegar a lei, o pecado já estava no mundo; mas, como não houvesse lei, o pecado não era levado em

---

esperança se sente segura: aquele que nos ama não pode frustrar-nos (cf. Sl 22,6; Eclo 2,10).
5,3 Tribulações: 8,35; 2Cor 12,9-10; Tg 1,2-4; 1Pd 1,6.
5,6-10 Exalta o amor desinteressado de Jesus Cristo com um sistema de quatro oposições que produzem efeito cumulativo. Malvados perdoados, culpados indultados, inimigos reconciliados, reconciliados legitimamente orgulhosos (Is 45,25; Sl 64,11). A morte de Cristo é antes de tudo revelação do amor incondicional de Deus: um amor não suscitado por nossa boa conduta, pelo contrário. Não podemos estar orgulhosos de nós: todo o nosso orgulho reside em Deus. Já não orgulhosos de seu poder (Sl 115,3), mas do seu amor. No fundo escutamos o texto de Is 53 (cf. 1Jo 4,10).
5,9-10 O sangue = morte nos traz vida e salvação.
5,12-21 Paulo expõe a libertação do pecado e da morte, na grande comparação entre Adão e Cristo. É um texto árduo e difícil, como se Paulo estivesse lutando para compreender e formular um mistério. Por isso, esses vv. suscitaram e continuam suscitando tantos esforços de interpretação.
Entre todas as interpretações, há uma para nós autorizada, formulada no *Decretum de peccato originali*, do Concílio Tridentino (1546, DS 1510-1516), que responde a "como a Igreja católica o tem entendido sempre e em toda parte". Em resumo afirma: que o pecado de Adão não afetou a ele apenas, mas a toda a sua descendência; e não só nas consequências de penas e morte, mas também no próprio pecado; que se transmite por propagação e não por imitação; que o único remédio é Jesus Cristo.
Ainda que a fórmula "pecado original" não se encontre na carta de Paulo, é tentativa válida de reformular conceitualmente um conteúdo central da perícope. Pelo que encaminha e orienta a leitura. Não podemos entrar aqui numa discussão teológica, particularmente árdua. Para interpretar o texto paulino convém levar também em conta algumas observações.
a) A correlação Adão/Cristo é central: não se pode entender o texto prescindindo de um dos correlatos; não se pode explicar o enigma do pecado fundacional e universal sem incluir na explicação Cristo como libertador. Não é explicação teórica, mas de fatos, de pessoas. Não é explicação mítica nem gnóstica; partindo do coração da história, Paulo quer abranger até sua origem.
b) O Adão da história corresponde à figura literária de Gn 2-3. Paulo não muda o gênero literário do relato, que é etiologia. Ou seja, tenta dar razão de um fato universal voltando à sua origem pontual.
c) No texto, Pecado e Morte são personificações literárias. Delas se predicam verbos: "entrou, difundiu-se, estava em, reinou". Pode-se comparar com outras imagens, como a serpente de Gn 3 – não citada por Paulo –; veja-se a versão desmitizada de Eclo 21,2, onde a "cobra" é simples comparação; o animal acuado que espreita Caim de Gn 4,7; o autor dos oráculos do Sl 36,2; a Morte como Pastora no Sl 49,15 etc. Não se deve confundir Pecado, como potência personificada, *hamartia*, com transgressão singular, *parábasis*, *paráptoma*.
d) Deve-se entender Pecado e Morte em sentido forte. Pecado que escraviza (6,12) e faz romper com Deus. Morte total, não só física, mas a primeira e segunda (1Cor 15,56; Ap 2,11). E deve-se entender também à luz de seus contrários, Justiça e Vida, no seu sentido forte de relação positiva com Deus e vida duradoura.
e) É central a relação numérica *um/todos* junto à desproporção qualitativa ou de intensidade.
f) A lei (de Moisés) chega mais tarde. Transforma uma falta de ética em delito jurídico e pode conter cláusula penal. De fato, provoca a multiplicação das transgressões: "a água roubada é mais doce" (Pr 9,17).
5,12 O original começa com um "como" que termina em anacoluto, sem o membro correspondente. Como se Paulo se detivesse para limpar o terreno antes de chegar à sua afirmação central. Contudo, já no primeiro v. deixa estabelecido um fato, "por um homem entrou", sem tentar explicá-lo; também afirma sem mais a vinculação entre pecado e morte (cf. 1Jo 4,10). Todos pecaram, também pessoalmente: 2,12; 3,9.23; 1Cor 6,18; Ef 4,26. Ainda que se difunda como um contágio, não é uma fatalidade, e sim uma responsabilidade (cf. Tg 1,13-15).
5,13 Segundo Gn 3, Adão recebeu e violou um preceito positivo, "não comas"; isso porém não é a lei a que Paulo se refere. A imputação de um reato supõe uma lei promulgada. * Ou: *não era reato.*

conta*. ¹⁴Contudo, a morte reinou desde Adão até Moisés, inclusive sobre os que não haviam pecado imitando a desobediência de Adão – que é figura daquele que havia de vir. – ¹⁵Mas o dom não é como o delito. Pois, se pelo delito de um morreram todos, muito mais abundantemente serão oferecidos a todos o favor e o dom de Deus, pelo favor de um só homem, Jesus Cristo. ¹⁶O dom não é equivalente ao pecado de alguém. Pois o julgamento de um só pecado terminou em condenação, o perdão de muitos pecados termina em absolvição. ¹⁷Pois, se pelo delito de um só reinou a morte através somente dele, com maior razão, por meio de um só, Jesus Cristo, reinarão vivos os que recebem o favor abundante de uma justiça gratuita. ¹⁸Assim, pois, como pelo delito de um a condenação se estende a toda a humanidade, assim por uma ação reta se estende a todos os homens a sentença que concede a vida. ¹⁹Como pela desobediência de um todos se tornaram pecadores, assim pela obediência de um todos se tornarão justos. ²⁰A lei se intrometeu para que proliferasse o delito; mas onde proliferou o delito, a graça transbordou. ²¹Assim como o pecado reinou pela morte, também a graça, por meio de Jesus Cristo Senhor nosso, reinará pela justiça para uma vida eterna.

6 Mortos para o pecado, vivos com Cristo –

¹Portanto, o que dizer? Que continuemos no pecado para que seja abundante a graça? ²Nem pensar! Nós que morremos para o pecado, como iremos continuar vivendo nele? ³Não sabeis que todos nós que fomos batizados, consagrando-nos ao Messias Jesus, submergimos em sua morte? ⁴Pelo batismo nos sepultamos com ele na morte, para vivermos uma vida nova, assim como Cristo ressuscitou da morte pela ação gloriosa do Pai. ⁵Pois, se fomos enxertados por uma morte como a sua, o mesmo acontecerá por sua ressurreição. ⁶Sabemos que nossa velha condição humana foi crucificada com ele, para que

---

5,14 Moisés define temporalmente a promulgação da lei.

5,15 Traduzo por "delito" o grego *paráptoma*, cuja etimologia é "queda mais além" e se assemelha a trans-gressão. Seu oposto não é manter-se de pé, e sim receber um favor, que, por vir de Deus e ser concedido por meio de Cristo, supera imensamente a "queda" humana.

5,16 É o julgamento de Gn 3,14-19. A oposição é aqui julgamento/perdão.

5,17 Os sujeitos do verbo "reinar" se opõem assimetricamente: de um lado "a Morte", do outro lado "os vivos" que receberam "uma justiça gratuita".

5,18 Nesse v. chega a formulação definitiva. O grego sublinha uma oposição com a rima, *paraptómatos/dikaiómatos*, equivalente a transgressão/cumprimento; ao contrário, evita a consonância da outra oposição, que equivale a condenação/sentença de vida.

5,19 Repete a mesma ideia nas categorias de desobediência/obediência (cf. Fl 2,8 na dimensão cristológica).

5,20 Os rabinos diziam que a lei oferece ensinamento, vida e luz. Paulo propõe a sequência: lei – pecado – morte.

5,21 A última palavra da perícope é "vida eterna".

6,1-23 A ligação com o que precede é dialética, por meio de uma objeção lógica e fictícia, já apresentada em 3,5-8, que agora serve de pretexto para expor a doutrina da nova vida do cristão. A exposição se apoia numa ação simbólica que, ao representar o mistério, realiza-o, ou seja, a incorporação do cristão pelo batismo a Cristo em seu mistério pascal, em morrer para reviver. No batismo, o cristão submerge para emergir (para a imagem, ver Sl 69,2-3.16.24).

Retornam as categorias de Pecado como potência e de Lei. Com elas, a série de oposições e correlações: escravidão/emancipação, lei/graça, pecado/obediência, injustiça/justiça, iniquidade/consagração. Nessa série de binômios paralelos destaca-se o membro final "consagração". No centro de tudo está Cristo, e acima o Pai (ainda não introduz o Espírito Santo).

6,1 Aqui a graça do perdão se opõe ao pecado. A objeção parece lógica: quanto mais pecado houver, maior será o perdão; se perdoar é glória de Deus, ofereçamos-lhe muita matéria a perdoar.

6,2 A expressão imagina o pecado como um espaço onde se vive, um domicílio onde se mora. A "viver em" se opõe "morrer para" como componente da nossa experiência pascal.

6,3 Ver Gl 3,27. O grego emprega a preposição *eis*, de direção. A dedicação é feita à pessoa do Messias, a imersão se realiza num ponto, que é a sua morte. A água representa aqui o reino inferior da morte; ver Jn 2,6-7, as "torrentes mortais" do Sl 18,5, as águas do Sl 124,4 etc.

6,4 A "glória do Pai" é esplendor que comunica a luz da vida (cf. Is 26,19). Não fala de um perdão reiterado de pecados repetidos, mas de uma nova condição (cf. Sl 51,12; 2Cor 5,17).

6,5 Paradoxo audaz: uma imagem vital, "enxertar", se aplica a uma morte; e não é o trigo semeado de Jo 12,24.

6,6-7 A condição pecadora nos faz escravos (Jo 8,34) e devedores. Essa velha condição (Ef 4,22; Cl 3,9) é anulada ao ser crucificada com Cristo (Gl 2,20). A escravidão era às vezes consequência de dívidas impagáveis (Gn 47,25; Dt 15,12).

se anule a condição pecadora e não continuemos sendo escravos do pecado. [7]Pois, o que morreu já não é devedor do pecado. [8]Se morremos com Cristo, cremos que também viveremos com ele. [9]Sabemos que Cristo, ressuscitado da morte, não torna a morrer, a morte não tem poder sobre ele. [10]Morrendo, morreu para o pecado definitivamente; vivendo, vive para Deus. [11]Da mesma forma vós, considerai-vos mortos para o pecado e vivos para Deus em Cristo Jesus.

Emancipados do pecado, servos de Deus – [12]Que o pecado não reine em vosso corpo mortal, fazendo com que vos submetais a seus desejos. [13]Não tenhais vossos membros a serviço do pecado como instrumentos de injustiça, mas ponde-vos a serviço de Deus, como ressuscitados da morte, e vossos membros a serviço de Deus como instrumentos de justiça. [14]O pecado não terá domínio sobre vós, pois não viveis sob a lei, mas sob a graça. [15]E daí? Visto que não estamos sob a lei, mas sob a graça, vamos pecar? De modo algum! [16]Não sabeis que se vos entregais para obedecer como escravos, sois escravos daquele a quem obedeceis? Se é ao pecado, destinados a morrer; se é à obediência, para ser inocentes. [17]Éreis escravos do pecado; mas, graças a Deus, vos submetestes de coração ao modelo de ensinamento que vos propuseram; [18]e emancipados do pecado, sois servos da justiça. [19](Eu vos falo em termos humanos por causa de vossa fraqueza.) Visto que oferecestes vossos membros, como escravos da impureza e da libertinagem, para a iniquidade, da mesma forma oferecei agora vossos membros como escravos da justiça, para que sejam consagrados. [20]Enquanto éreis escravos do pecado, estáveis livres da justiça. [21]E que vantagem tivestes? Resultados que agora vos confundem, porque terminam na morte. [22]Mas agora, emancipados do pecado e escravos de Deus, vosso fruto é uma consagração que desemboca em vida eterna. [23]Pois o salário do pecado é a morte; o dom de Deus, por Jesus Cristo Senhor nosso, é vida eterna.

7 Comparação com o matrimônio –
[1]Eu vos falo, irmãos, como a pessoas entendidas em leis: Não sabeis que a lei obriga o homem só enquanto vive? [2]A mulher casada está legalmente ligada ao marido enquanto ele vive. Se morre o ma-

---

6,9 Cristo desbanca e destrona o senhorio da morte: ver 1Cor 15,54 que cita a versão grega de Os 13,14. Sua morte não é cíclica, como a de deuses da vegetação (cf. Ez 8,14), mas definitiva, como o dia inaugurado em Is 60,19-20.

6,10 Ou seja, morre a uma situação na qual reina o pecado com suas consequências.

6,11 Ver 14,8-9.

6,12 Por viver em "corpo mortal", o cristão continua exposto ao pecado, solicitado pelo desejo (Tg 1,14). Deve dominá-lo e submetê-lo, como diz Deus a Caim (Gn 4,7).

6,13-14 Frente a concepções gregas que consideram maus o corpo e o mundo material, Paulo afirma que o corpo pode e deve ser instrumento do bem: concepção realista da condição do homem e da sua responsabilidade. O que é possível em regime de graça, não de lei.

6,15 Nova objeção, em estilo de diatribe. A alternativa "lei ou libertinagem" é falsa: a graça não dá licença para pecar; ao contrário, capacita para submeter o pecado.

6,16 Ver Dt 15,16s; Gl 5,13; Sb 2,24. Trata-se de uma escravidão voluntária a um poder tirânico. O pecado conduz seus súditos à morte; a obediência conduz à justiça, e por ela à vida.

6,17 Modelo ou compêndio. Porque a nova vida cristã é um programa exigente de conduta, ao qual o homem se submete voluntariamente.

6,18-19 Continua explorando a imagem como concessão, consciente de seus limites. Em linguagem jurídica se trataria de uma mudança de senhor.

6,21 A morte é o fracasso definitivo do homem, e arrasta ao fracasso todos os seus bens (Sl 49; Dt 30,15).

6,22 À "morte" (sem adjetivo) se opõe "vida eterna". A morte é um fato definitivo; a vida só é definitiva se perdura.

6,23 A "salário" (Is 59,18; 66,6) opõe "dom" (Pr 18,16; 19,6), pois não considera a vida eterna exigência natural.

7,1-6 Libertação da lei. O tema da lei já apareceu várias vezes, porque é uma preocupação de Paulo. A lei, uma vez promulgada (por Moisés), obrigou o israelita, introduziu a figura do delito e, de fato, multiplicou os pecados. Essa lei continua obrigando os cristãos? Não, porque interveio uma morte, e os mortos não estão submetidos à lei. Paulo introduz uma comparação jurídica, aplicada de modo assimétrico: no exemplo, é a viúva que fica livre, na aplicação é o morto.
Em compensação, indica uma imagem matrimonial, na qual Cristo ressuscitado é o marido, o cristão, destinado à vida (Ez 20,11), é a esposa, e a união é fecunda em frutos para Deus (Jo 15,8). É o contrário da fecundidade fatal das paixões, ativadas pela lei, que dão frutos destinados a morrer (Tg 1,15).

rido, fica livre da autoridade do marido. ³Se ela se une a outro enquanto o marido está vivo, é considerada adúltera. Quando o marido morre, fica livre do vínculo legal e não é adúltera se se une com outro. ⁴Da mesma forma vós, irmãos, pelo corpo de Cristo morrestes para a lei e podeis pertencer a outro: ao que ressuscitou da morte, para que déssemos frutos para Deus. ⁵Enquanto vivíamos sob o instinto, as paixões pecaminosas, incitadas pela lei, agiam em nossos membros e dávamos fruto para a morte. ⁶Mas agora, emancipados da lei, morrendo ao que nos mantinha presos, servimos com um espírito novo, não segundo um código caduco.

A condição pecadora – ⁷Que concluímos? Que a lei é pecado? De modo nenhum! Mas o pecado, eu o conheci somente pela lei. Não conheceria a cobiça se a lei não dissesse: Não cobiçarás. ⁸Então o pecado, aproveitando-se do preceito, provocou em mim todo tipo de cobiça. Pois onde não há lei, o pecado está morto. ⁹Antigamente eu vivia sem lei; chegou o preceito, o pecado reviveu ¹⁰e eu morri; e o preceito destinado à vida tornou-se mortal para mim. ¹¹De fato, o pecado, aproveitando-se do preceito, me seduziu e por ele me matou. ¹²De modo que a lei é santa, o preceito é santo, justo e bom. ¹³Então o bom foi mortal para mim? De nenhum modo! Pelo contrário, o pecado, para manifestar sua natureza, usando o bem, me provocou a morte: assim o pecado, por meio do preceito, se torna superpecado. ¹⁴Consta-nos que a lei é espiritual, mas eu sou carnal e

---

7,6 A Lei, registrada num código externo, não personalizado (comparar com Jr 31,31 e a espiritualidade de Sl 40,9), mantinha-nos presos. Conclui introduzindo uma nova oposição: Espírito/letra (código) e novidade/velhice; ver o pedido de Sl 51,12.

7,7-25 É o trecho mais patético da carta. A luta já não é externa (diatribe contra os objetores fingidos), mas interna, num desdobramento e dilaceração da consciência, que acaba num grito de socorro. Pelo que tem de introspecção lúcida e apaixonada, esta página é magistral. Como se na porta de entrada e saída da consciência estivesse à espreita uma fera, o Pecado, que "ameaça" o homem, e que o homem "deve dominar" (ver a história de Caim, Gn 4,1-8). Por outro lado, o fragmento é emoldurado por duas afirmações sobre a vida segundo o Espírito, 7,6 e 8,2. O contexto situa a perícope na experiência de salvação. No fundo do seu pensamento está o relato de Gn 2-3, que aparece por alguns detalhes da exposição.

Quem fala na primeira pessoa? Não é a pessoa de Paulo em confissão autobiográfica; ao menos, não descreve o que Paulo sentia quando vivia como judeu fervoroso, de estrita observância farisaica. Paulo fala como personagem dramático, porta-voz da humanidade, expressando uma experiência comum. Ou então fala um personagem literário no qual Paulo projeta a experiência sob a lei, tal como agora, na margem da libertação, a contempla.

De que lei fala? Da lei natural? Não é provável. Da *torá* antecipada até Adão ou até Noé? (Eclo 17,7; 45,5). Não é esse o modo de pensar de Paulo (cf. 4,13-15; Gl 3,17-19). Refere-se à lei de Moisés, como provam o texto e o contexto: antes da lei (7,9a), sob a lei (7,9b-24), depois da lei (7,25-8,29). O horizonte de Paulo é a lei judaica; o horizonte do leitor pode ser deslocado para atualizar o texto. O importante é que o leitor se reconheça nessa página.

7,7 "Eu o conheci": ao proibir, a lei dá nome, abre os olhos, chama a atenção para o objeto proibido (como fez a serpente com Eva); incita, apresenta-o no seu aspecto valioso que provocou a proibição, exibe-o como desafio (os rabinos diziam que a lei reprime os maus desejos). Cobiçar é termo do decálogo: Ex 20,17 e Dt 5,21.

7,8 *Entolé* é o preceito singular, *hamartia* é a potência dominadora. Sem preceito não está constituído o delito, e o Pecado está inerte, porque não tem onde exercer seu poder. O preceito é sua grande oportunidade: o que estava amortecido revive.

7,9 Eu vivia (tranquilo, despreocupado) sem a lei. Quando ela chegou à minha consciência, eu a violei formalmente, advertidamente (Sl 19,14), e fui réu de morte (Ez 18,4).

7,10-11 A lei prometia condicionalmente vida (Lv 18,5; Dt 6,21 etc.). Então, o pecado se aproveita do preceito para enganar ou seduzir e matar (Gn 3). Sem cláusula penal promulgada, não se pronuncia sentença capital. A Morte aguarda sua oportunidade.

7,12-13 A lei não manda pecar, seu conteúdo é bom (Eclo 15,20). O bem não é causa do pecado, mas ocasião; e assim não se revela a maldade intrínseca do Pecado: fica disfarçado. Através dos verbos, é possível seguir o processo de *hamartia* personificada: está inerte, revive, se aproveita, engana, mata, converte o bem em mal.

7,14-25 Continua a análise psicológica em forma de monólogo dramático, todo tecido de oposições e tensões que só uma pergunta e uma exclamação conseguirão resolver. No campo dos objetos, a oposição ética clássica do bem e do mal (Dt 30,15; Is 5,20; Mq 3,1); a lei da razão diante da lei do pecado. No campo psicológico do conhecimento opõe: nos consta, não entendo, estou de acordo; no campo do afeto, amar e detestar. Na constituição do homem, interior e membros, espiritual e carnal ou instintivo. Na ordem da ação, querer e executar.

7,14 É espiritual porque seus conteúdos procedem de Deus, porque apela ao espírito ou razão do homem, ao passo que este, pela força do instinto, se vende ao domínio do Pecado (Sl 51,1).

vendido ao pecado. ¹⁵Não entendo o que realizo, pois não executo o que quero, mas faço o que detesto. ¹⁶Mas, se faço o que não quero, estou de acordo com o fato de a lei ser excelente. ¹⁷Portanto, não sou eu quem o executa, mas o pecado que habita em mim. ¹⁸Sei que em mim, isto é, em minha vida instintiva, não habita o bem. O querer está a meu alcance, mas não o executar o bem. ¹⁹Não faço o bem que quero, mas pratico o mal que não quero. ²⁰No entanto, se faço o que não quero, já não sou eu quem o executa, mas o pecado que habita em mim. ²¹E me encontro com esta fatalidade: desejando fazer o bem, põe-se ao meu alcance o mal. ²²Em meu interior, agrada-me a lei de Deus; ²³em meus membros descubro outra lei que guerreia contra a lei da razão e me torna prisioneiro da lei do pecado que habita em meus membros. ²⁴Infeliz de mim! Quem me libertará dessa condição mortal? ²⁵Graças a Deus, por Jesus Cristo Senhor nosso! Em resumo, com a razão eu sirvo à lei de Deus, com o instinto à lei do pecado.

8 Vida pelo Espírito

– ¹Em conclusão, não há condenação para os que pertencem ao Messias Jesus. ²Porque a lei do Espírito vivificante, por meio do Messias Jesus, me emancipou da lei do pecado e da morte. ³O que a lei não podia, por causa da debilidade da condição carnal, Deus o realizou enviando seu Filho, assemelhado à nossa condição pecadora, para acertar contas com o pecado; em sua carne condenou o Pecado, ⁴para que cumpríssemos a justa exigência da lei, nós que não procedemos por instinto, mas pelo Espírito. ⁵De fato, os que vivem segundo o instinto se inspiram no instinto; os que vivem segundo o Espírito se inspiram no Espírito. ⁶O instinto tende à morte, o Espírito tende à vida e à paz. ⁷Porque a tendência do instinto é hostil a Deus, pois não se submete à lei de Deus nem pode fazê-lo; ⁸e os que seguem

---

7,15-16 O que quero são aspirações morais que coincidam com os conteúdos da lei. Essas minhas aspirações, embora sejam ineficazes, atestam o valor da lei.

7,17-18 Habita, se alojou e se instalou em mim (cf. Sl 55,16), age apesar de mim.

7,22 Um impulso natural, nobre, *nous*, o leva a deleitar-se internamente na lei (Sl 19,8-12; 119; 2Cor 4,6; Ef 3,16).

7,23 Dentro do homem se trava a batalha, com caídos e prisioneiros de guerra (cf. Is 10,4; 42,7).

7,24-25 O grito agradecido da vitória responde ao grito desesperado da derrota. Com mais força do que no esquema tradicional de perigo – libertação – ação de graças (Sl 40,2).

8 Chegamos ao ápice da carta, uma das páginas mais ricas e belas de Paulo, uma excelsa página da literatura religiosa da humanidade. O cap. é dominado pelo Espírito/espírito, palavra repetida 29 vezes. Quem me livrará? gritava no final do parágrafo precedente. Agora responde: o Messias, infundindo-me um novo princípio mais poderoso, o Espírito Santo que, sem aniquilar o instinto, o submete e supera. Essa posição induz uma explanação por oposição dos dois poderes: Espírito e instinto (ou sensualidade), *pneuma/sarx*. O Espírito capacita para cumprir a lei e assegurar a vida (cf. Sl 51,12-14; Ez 36,27).

8,1-13 A palavra grega *sarx* corresponde ao hebraico *basar*, que designa qualquer ser vivo, em especial o homem, particularmente como ser fraco e caduco. Paulo emprega a palavra polarizada, oposta a *pneuma* = espírito; *pneuma* pode designar o espírito humano (com letra minúscula) ou o divino (com letra maiúscula). Das diversas traduções propostas, "carne" desfoca o significado, devido a nossos hábitos linguísticos; "baixos instintos" se aproxima bastante. Preferi simplesmente "instinto", polarizado por Espírito. Pois bem, o instinto é um dinamismo no homem que inspira e promove ações; mas, deixado a si, se opõe a Deus e conduz à morte definitiva (cf. Gn 6,3.5). O Espírito de Deus ou do Messias se instala em nosso espírito como princípio de vida nova. Primeiro, inspira ações concordes com ele; depois estende seu poder até vivificar o corpo mortal. Vence a fragilidade ética e a caducidade orgânica do homem. Salva o homem inteiro.

8,1 Condenação: em virtude das cláusulas penais da lei (Dt 27-28).

8,2 Lei significa aqui um regime particular: poder, jurisdição e também o modo de exercê-los. Morte aliada com Pecado impõe uma lei tirânica que escraviza o homem. O Espírito, pela mediação do Messias, impõe uma lei mais forte, que liberta todos os escravos e os destina à vida.

8,3-4 A lei era impotente: primeiro, porque mandava e proibia de fora sem comunicar o vigor; segundo, pela resistência ou fragilidade do homem instintivo. Paulo enuncia claramente a preexistência de Cristo, enquanto Filho de Deus. A "carne" é a condição humana mortal, é o terreno onde o Messias enfrenta *hamartia*, provocando-a para derrotá-la (cf. Is 8,9s; 14,25), sem contaminar-se e cumprindo cabalmente o conteúdo válido da lei. A "carne" humana é impotente; a carne humana de Jesus Cristo se expõe à agressão mortal do Pecado, para vencer o Pecado morrendo, e a Morte ressuscitando.

8,5-7 O instinto é de conservação e desenvolvimento, é também egoísmo e egocentrismo. Mas o homem não se realiza pelo egoísmo, antes se consome e fracassa: tende à morte. Não aceita os mandamentos restritivos de Deus (cf. Gn 2,17), considera Deus como rival (cf. Is 30,9-11).

o instinto não podem agradar a Deus. ⁹Mas vós não seguis o instinto, e sim o Espírito, se é verdade que o Espírito de Deus habita em vós. E se alguém não tem o Espírito do Messias, não lhe pertence. ¹⁰Mas, se o Messias está em vós, ainda que o corpo morra pelo pecado, o Espírito viverá pela justiça. ¹¹E se o Espírito daquele que ressuscitou Jesus da morte habita em vós, aquele que ressuscitou Jesus Cristo da morte dará vida a vossos corpos mortais, pelo seu Espírito que habita em vós.

¹²Portanto, irmãos, não somos devedores do instinto para viver de acordo com ele. ¹³Pois, se viveis conforme o instinto, morrereis; mas, se com o Espírito mortificais as ações do corpo, vivereis. ¹⁴Todos os que se deixam levar pelo Espírito de Deus são filhos de Deus. ¹⁵E não recebestes um espírito de escravos, para recair no temor, mas um espírito de filhos, que nos permite clamar: *Abba! Pai!* ¹⁶O Espírito testemunha a nosso espírito que somos filhos de Deus. ¹⁷E se somos filhos, também somos herdeiros: herdeiros de Deus, co-herdeiros com Cristo; se compartilhamos sua paixão, compartilharemos sua glória.

Esperança de glória – ¹⁸Penso que os sofrimentos do tempo presente não têm proporção com a glória que será revelada em nós. ¹⁹A humanidade* aguarda na expectativa de que se revelem os filhos de Deus. ²⁰A humanidade foi submetida ao fracasso, não por sua vontade, mas por imposição de outro; mas com a esperança ²¹de que essa humanidade se emancipará da escravidão da corrupção, para obter

---

8,9 O Espírito do Messias é o Espírito de Deus. É dom de Cristo aos que creem nele; portanto, se alguém não o possui, é sinal de que não é cristão, não pertence a Cristo. É o pedido do Sl 51,12-14 no novo contexto cristão.

8,10-11 O corpo é mortal (Sl 39; 49; 90), frustra o destino à imortalidade. Mas o Espírito o supera com sua força vivificante, que abrange também o corpo mortal (Ez 37), como se demonstrou na ressurreição de Jesus Cristo (1Cor 4,14; Fl 3,21).

8,12-13 Mortificar significa dar morte; seu objeto devem ser as ações hostis a Deus e contrárias à vida cristã. O Espírito dá forças para isso.

8,14-17 O Espírito nos faz filhos de Deus e herdeiros. No AT Deus se mostra como pai do povo: libertador (Ex 4,23), educador (Dt 8,5), defraudado (Dt 32,6; Is 1,2; 63,8.16), afetuoso (Jr 31,20; Os 11,1), compreensivo (Sl 103,13); pai do rei (Sl 2 e 89,27s; 2Sm 7). Duas vezes, num texto tardio, um indivíduo chama Deus de Pai (Eclo 23,4; 51,10). No NT a revelação de Deus como Pai é central.

8,15-16 Duas testemunhas confirmam nossa filiação: nosso instinto filial ou "espírito de filhos", que nos sugere o apelo afetuoso *"Abba"*, e o Espírito (cf. 1Jo 4,18).

8,17-18 Herdeiro: Gl 4,7; 1Pd 1,4. É consequência de sermos filhos, sem problemas de exclusão ou preferência: comparar com os problemas de sucessão de Gn 21,10; 27,36-38; Jz 11,2, e a sucessão dinástica (1Rs 1; Sl 45). Para terminar, introduz outra oposição que exporá no parágrafo seguinte: sofrimentos presentes/glória futura. A demora se explica porque o herdeiro não entra imediatamente na posse da herança. Compartilhar com Cristo não exige repartir a herança; exige, sim, partilhar a paixão (Fl 3,10-11).

8,18 A oposição é curiosa. Não opõe alegrias a sofrimentos, como se poderia esperar da filosofia corrente. Opõe glória, uma qualidade divina que irradia e nos atinge. Comparar com 3,23.

8,19-23 A interpretação desses vv. depende do significado atribuído a *ktísis*: criação ou humanidade. A tradição exegética tem optado pelo primeiro. O correlativo "nós" e o contexto sobre escravidão e liberdade, corrupção e glória, fracasso e esperança, favorecem o segundo. Com outras palavras: a "nós", os cristãos, se opõe o resto da humanidade; e não a "nós", os homens, se opõe o resto da criação.

a) Se o sujeito é a criação inteira, Paulo dá dimensão cósmica à redenção. Isso supõe que, com a queda do homem, a criação inteira (também a sideral?) ficou submetida à desordem e dela participa (o contrário da distinção proposta pelo Salmo 104); ou então supõe que a caducidade da criação (Sl 102,27) vem do pecado de Adão (seria ampliar a sugestão dos cardos de Gn 3). A libertação dessa criação escravizada estaria vinculada à doutrina do céu e terra novos (Is 65,17; 66,22; 2Pd 3,13).

b) Se o sujeito é a humanidade inteira, fora os cristãos, Paulo formula o anseio de vida e vida plena que todo homem acalenta no íntimo.

Em ambas as hipóteses deve-se manter que os cristãos formam um grupo à parte: sua redenção está realizada, mas não consumada. Falta algo substancial à sua filiação divina: a glorificação também do corpo. Por isso, também os cristãos gemem e esperam. Em ambas as hipóteses, a criação/humanidade aparece com "a cabeça voltada e à espera" (etimologia de *apo-kara-dokia*); com as dores de um parto que, apenas com suas forças, não teria êxito (cf. Is 26,17s; 37,3). Será necessária uma nova ação de Deus (cf. Jo 16,21; Ap 12). É possível que Paulo pense nas clássicas "dores de parto" que anunciam a era messiânica. Nos Salmos 96 e 98, em Is 35; 55,12s etc. podemos encontrar alguma participação da natureza na libertação do povo.

8,19 A relação que propomos, entre humanidade e cristãos filhos de Deus, é semelhante à de Jr 31,9s, entre pagãos e Israel filho do Senhor; ver também 1Jo 3,2. * Ou: *a criação*.

8,20-21 Segundo essa explicação, a corrupção ou condição mortal é a última escravidão do homem (cf. 1Cor 15,26). Pois bem, os filhos de Deus são livres por natureza; enquanto tais, não nasceram na escravidão. É o argumento de Deus em Ex 4,23 e Jr 2,14. Sua liberdade é gloriosa porque quem os adota lhes comunica sua glória.

a liberdade gloriosa dos filhos de Deus. ²²Sabemos que até agora a humanidade inteira geme com dores de parto. ²³E não somente ela; também nós, que possuímos as primícias do Espírito, gememos por dentro aguardando a condição filial, o resgate de nosso corpo. ²⁴Com essa esperança nos salvaram. Uma esperança que já se vê não é esperança; pois se alguém já o vê, para que esperá-lo? ²⁵Contudo, se esperamos o que não vemos, aguardamos com paciência. ²⁶Desse modo, o Espírito socorre nossa fraqueza. Ainda que não saibamos pedir como é devido, o próprio Espírito intercede por nós com gemidos inarticulados*. ²⁷E aquele que sonda os corações sabe o que o Espírito pretende quando suplica pelos consagrados de acordo com Deus.

O amor de Deus – ²⁸Sabemos que tudo concorre para o bem dos que amam a Deus, dos chamados segundo seu desígnio. ²⁹Aos que escolheu de antemão destinou-os a reproduzir a imagem de seu Filho, de modo que fosse ele o primogênito de muitos irmãos. ³⁰Aos que havia destinado chamou, aos que chamou os fez justos, aos que fez justos os glorificou. ³¹Levando isso em conta, que podemos dizer? Se Deus está do nosso lado, quem estará contra? ³²Aquele que não poupou seu próprio Filho, mas o entregou para todos nós, como não nos vai dar de presente todo o resto com ele? ³³Quem será fiscal dos que Deus escolheu? *Se Deus absolve,* ³⁴*quem condenará?* Acaso Jesus Cristo, aquele que morreu e depois ressuscitou e está à direita de Deus e suplica por nós? ³⁵Quem nos afastará do amor de Cristo: tribulação, angústia, perseguição, fome, nudez, perigo, espada? ³⁶Como diz o texto: *Por tua causa somos postos à morte o dia inteiro, tratam-nos como ovelhas de matança.* ³⁷Em todas essas circunstâncias, somos mais que vencedores, graças àquele que nos amou. ³⁸Estou convencido de que nem morte nem vida, nem anjos nem potestades, nem presente nem futuro, nem poderes ³⁹nem altura nem profundidade, nem criatura alguma nos poderá separar do amor de Deus manifestado em Cristo Jesus Senhor nosso.

9 A escolha de Israel – ¹Vou falar-vos sinceramente como cristão, sem men-

---

8,22 "Dores de parto" indica às vezes a intensidade da dor e da angústia, outras vezes exprime a dor fecunda: comparar Jr 4,31 com 1Sm 4,19-22.

8,23 Se a corrupção é escravidão, o escravo é "resgatado" para a imortalidade, que é liberdade. Também o corpo pertence à condição filial de filhos de Deus.

8,24-25 Expressam a tensão escatológica entre a salvação realizada e a pendente. "Ver" no sentido de ter diante e desfrutar. O texto chama "esperança" o que Hb, com outro matiz, chamará "fé".

8,26-27 Segundo uma interpretação, não conseguimos (como crianças) articular devidamente nossos desejos e necessidades, e o Espírito se encarrega de formulá-los; como o Espírito é dinamismo de ação, também é dinamismo de oração. Segundo outra interpretação, o Espírito acrescenta sua intercessão "inefável" a nossas súplicas. Em ambas as interpretações, o Espírito age como mediador eficaz: na primeira parece mais interior ao homem, na segunda aparece fora. Poderíamos distinguir entre intérprete e intercessor (os dois compostos de *inter-*). Aquele que sonda é Deus (Jr 11,10; Pr 15,11).

8,26 * Ou: *com gemidos inefáveis*.

8,28-39 O capítulo se encerra com essa espécie de canto triunfal ao amor que Deus e Cristo nos têm. Por ele podemos vencer em qualquer processo a que nos submetam, podemos derrotar os mais fortes inimigos coligados. Embora o parágrafo comece com o amor do homem a Deus, a iniciativa não é do homem, pois foi Deus que começou destinando e chamando (cf. Dt 7,7-8; Jr 31,2).

8,28 "Tudo concorre". Alguns manuscritos põem Deus como sujeito: o sentido não muda. Ver em Gn 50,20 como Deus converte o mal em bem.

8,29 A imagem de Deus (Gn 1,27), deformada pelo pecado, se refaz como imagem ou semelhança do irmão mais velho. O unigênito do Pai e primogênito de Maria (Lc 2,7) será o primogênito da humanidade. A filiação é correlativa da fraternidade.

8,30 O final de um processo de cinco fases é "glorificar", ou seja, comunicar do homem sua glória, vinculada agora à sua imagem (que é o homem) e que não pode ser comunicada à falsa imagem, que é o ídolo (cf. Is 42,8; 48,11).

8,31 "Estar contra" e "acusar" ou ser fiscal em hebraico o verbo *satan*: ver o começo do livro de Jó e Zc 3.

8,32 Alude ao episódio de Isaac: Gn 22,12.16; com sua atitude, o patriarca demonstrou seu "respeito a Deus".

8,34 É como um credo sintetizado. Cita Sl 110,1 para expressar a exaltação de Jesus.

8,36 A citação pertence a uma súplica coletiva (Sl 44,11). O mesmo salmo (44,4) explica a vitória pela ação exclusiva de Deus.

8,37-39 A vitória de Jesus Cristo em Jo 16,33 é aqui vitória nossa, pelo amor que Deus nos demonstrou na obra de Jesus Cristo. Diz o *Cântico dos Cânticos* (8,6) que "o amor é forte como a morte"; Paulo está dizendo que o amor é mais forte que a morte, que Deus nos ama para além da morte; concluímos que esse amor é penhor de ressurreição.

9-11 Numa carta que aborda um tema fundamental, Paulo dedica três capítulos ao destino de Israel: é

tir; e o Espírito Santo confirma o testemunho de minha consciência. ²Sinto uma tristeza muito grande, uma dor incessante na alma: eu por meus irmãos, os de minha linhagem, ³desejaria estar excluído da companhia do Messias. ⁴São israelitas, adotados como filhos de Deus, têm sua presença, as alianças, as leis, o culto, as promessas, ⁵os patriarcas; de sua linhagem segundo a carne desce o Messias. Seja para sempre bendito o Deus que está acima de tudo. Amém.

⁶Não é que a promessa de Deus tenha falhado. Pois nem todos os que procedem de Israel constituem Israel; ⁷nem por serem descendentes de Abraão, são todos filhos; mas é em Isaac que continua tua linhagem. ⁸Isto é, os filhos carnais não são os filhos de Deus, mas são considerados sua linhagem os filhos da promessa. ⁹A promessa soa assim: *Por esse tempo voltarei e Sara terá um filho*. ¹⁰Ainda mais: Também Rebeca concebeu de um só, de Isaac, nosso patriarca. ¹¹Portanto, antes que nascessem, antes que fizessem algo bom ou mau – para que o desígnio escolhido por Deus se cumprisse, ¹²não pelas obras, mas pela vocação –, Rebeca recebeu um oráculo: o maior servirá ao menor. ¹³E assim está escrito: *Amei Jacó, rejeitei Esaú*. ¹⁴O que diremos? Que Deus

uma digressão injustificada? integra-se na totalidade da carta? À primeira vista, esse bloco se insere sem transição: depois de um final entusiasta e vibrante (8,38), vem um juramento solene. É verdade que não há transição explícita; mas o tema de Israel tem preocupado o autor desde o começo, e vem repetido binômio "judeus e gregos", na ampla seção dedicada aos judeus (2-3). Seria universal uma salvação por Jesus Cristo que excluísse o povo judeu? Aqui surge o enigma: os judeus, depois de esperar o Messias durante séculos, não o acolheram à sua chegada. Podemos pensar que a presente seção pretende resolver o problema. Podemos tomá-la como ilustração da doutrina e ao mesmo tempo resposta a objeções contra ela. Também podemos pensar que Paulo interpela os cristãos de Roma convertidos do paganismo. Isso implica uma resposta sobre os destinatários. O fato de Paulo se dirigir polemicamente a judeus fechados ao evangelho e começar captando-lhes a benevolência (9,1-5), não explica a colocação, nem muitos dados do texto. Mais provável é pensar que Paulo se dirige aos cristãos de Roma, em sua maioria procedentes do paganismo, para corrigir sua atitude frente aos judeus que recusam o evangelho.

Segundo essa opinião, Paulo descobre naqueles cristãos o perigo da auto-suficiência, a preocupação de justificar-se num julgamento comparativo com Israel, segundo o esquema de Ez 16,52 em seu contexto. A Igreja não pode por comparação justificar-se frente à graça de Deus. Ela não pode romper com a história de Israel, que é sua história. A misericórdia de Deus é o grande arco que abrange a história.

9,1 Começa com um testemunho solene, ao qual acrescenta o testemunho do Espírito: duas testemunhas, como pede a lei judaica (Dt 19,15). A fórmula poderia ser interpretada como juramento: "juro por Cristo" que digo a verdade, acima de nacionalismos ou partidarismos. Essa introdução vale para os três capítulos; o final (11,33-36) terá tom de hino.

9,2-3 A introdução é intensamente pessoal. Se é apóstolo dos pagãos, é também irmão dos judeus; se fala como cristão, em suas palavras vibra um afeto intenso de família. Não existe vontade de desforra (At 28,19), embora o tenham perseguido; há sentimento de pena e um gesto de solidariedade.

Sente-se como Moisés no monte quando tratava com Deus (Ex 32,32): "cancela-me do teu registro", tal é o alcance do *"anáthema apó"*, a exclusão da pertença ao Messias.

9,4-5 Privilégios dos judeus. "Israelitas" é nome genérico, tradicional, que se prende a Jacó-Israel (Gn 32,29); filhos de Deus (Ex 4,23); possuem sua glória ou presença (Ex 40,34s); alianças, no plural, talvez englobando as patriarcais e a de Moisés; o culto (Ex e Lv); promessas, patriarcais e davídicas; último e máximo privilégio é que da sua estirpe descende o Messias. O filho dá brilho a toda a árvore genealógica (Lc 3,23-38).

9,6-18 O começo é uma objeção tácita: Deus não cumpriu a Israel sua promessa; talvez aludindo a um oráculo de Balaão (Nm 23,19). A fórmula, literalmente "cair a palavra", é semítica (cf. 1Sm 3,19), antítese de "estar de pé" = cumprir a palavra (comparar Js 23,14 com Is 40,8). Não é possível imaginar que falhe uma palavra que Deus deu, e demonstra-o com três casos da história de Israel, em que se aplica a distinção ou a oposição: os dois filhos de Abraão, Ismael e Isaac (Gn 21,12); os dois filhos de Isaac, Esaú e Jacó (Gn 25,23); Moisés diante do Faraó. No primeiro caso, a mãe é diferente, mas não no segundo. O primeiro é importante porque Abraão é cabeça da escolha e primeiro destinatário da promessa. O segundo é importante porque Jacó é o pai das doze tribos e dá nome a Israel. O terceiro opõe um israelita a um pagão. Os três provam a liberdade de Deus em escolher: os dois primeiros mostram um estreitamento sem ruptura da escolha.

9,6 Ver Nm 23,19. Aparece a ideia do "resto": veja-se como ilustração a palavra de Deus a Elias em 1Rs 19,18.

9,8 Ver Gl 4,23.

9,9 Segundo Gn 18,10.

9,11-12 Quer dizer que a escolha não depende das obras (Gn 25,2). Comparar com a crítica do patriarca em Os 12,45.

9,13-14 Citação de Ml 1,2s. Positivo e negativo em hebraico podem significar comparação; assim amar/odiar pode significar simplesmente preferência (cf. Dt 21,15): escolhendo um, o outro não é escolhido e eliminado. Isso não é injustiça quando não depende de méritos comparativos, quando a escolha é anterior às obras.

é injusto? De nenhum modo! ¹⁵Ele diz a Moisés: *Eu me compadeço de quem quero, tenho piedade de quem quero.* ¹⁶Ou seja, não depende de querer nem de correr, mas de que Deus tenha piedade. ¹⁷O texto da Escritura diz ao Faraó: *Com este objetivo te exaltei, para mostrar em ti minha força e para que minha fama se difunda por toda a terra.* ¹⁸Ou seja, daquele que ele quer tem piedade, àquele que quer endurece. ¹⁹Objetarás: Por que ele se queixa, se ninguém pode opor-se à sua decisão? ²⁰E tu, homem, quem és para replicar a Deus? *Pode a obra reclamar contra o artesão porque a faz assim?* ²¹Não tem o oleiro liberdade para fazer da mesma massa um objeto precioso e outro sem valor? ²²Suponhamos que Deus quisesse mostrar sua cólera e manifestar seu poder aguentando com muita paciência objetos odiosos, destinados à destruição, ²³para manifestar também a riqueza de sua glória nos objetos de sua compaixão, predispostos à glória. ²⁴Pois estes somos nós, aos quais chamou, não só dentre os judeus, mas também dentre os pagãos. ²⁵Como diz Oseias: *Chamarei o Não-povo de Povo-meu, e de Amada a Desamada;* ²⁶*e onde antes lhes dizia: não sois meu povo, aí se chamarão filhos do Deus vivo.* ²⁷Sobre Israel, Isaías proclama: *Ainda que os israelitas sejam numerosos como a areia do mar, somente um resto se salvará.* ²⁸*O Senhor vai executar no país a destruição decretada.* ²⁹O próprio Isaías prediz: *Se o Senhor dos exércitos não nos tivesse deixado um resto, seríamos como Sodoma, semelhantes a Gomorra.* ³⁰Que diremos, então? Que os pagãos, que não procuravam a justiça, a alcançaram; entenda-se a justiça pela fé. ³¹Ao contrário, Israel, que procurava uma lei de justiça, não a alcançou. ³²Por quê? Porque a procuravam pelas obras e não pela fé. E assim tropeçaram na *pedra de tropeço*, ³³segundo o escrito: *Porei em Sião uma pedra de tropeço, uma rocha de precipício;* e também: *Quem se apoiar nela não fracassará.*

10 Salvação universal

¹Irmãos, o que desejo de coração, o que peço

9,15-16 A citação vem de Ex 33,19: a revelação da glória é iniciativa gratuita de Deus, e Moisés não pode reclamá-la como direito ou pagamento por méritos adquiridos.

9,17-18 A citação vem de Ex 9,16: no processo global de libertar o povo, concedem ao Faraó um papel de antagonista. Sua resistência estava em função da liberdade dos israelitas, na qual o Senhor queria revelar-se como libertador de oprimidos.

9,19-23 A segunda parte começa com uma objeção explícita, à qual responde argumentando com textos de profetas e descrevendo a imagem do oleiro.

9,19 Objeção: queixa-se da conduta do povo, da resistência humana. Imediatamente, é o papel do Faraó que provoca a objeção; mediatamente, o objetor resume muitos textos da pregação profética.

9,20-21 A primeira resposta é *ad hominem*: pois muito menos podes tu queixar-te, não podes pedir contas a Deus (Sb 12,12). A comparação do oleiro é de tradição bíblica: Is 29,16; 45,9; Jr 18,6. Além disso, por conotação recorda textos que apresentam Deus que "modela" a mente humana. Da qualidade física do vaso se passa à atividade ética do homem. Não se trata do "poder" ou soberania genérica de Deus, e sim do seu "desígnio" concreto de salvação: o tratamento dado aos opressores está em função dos oprimidos.

9,22 Alguns leem no modo concessivo: "ainda que quisesse... tolerou..." (o caso do Faraó). Ainda que no momento esses objetos mereçam a ira ou rejeição de Deus e no futuro acabem na destruição, Deus os tolera por um tempo, porque controla o processo inteiro (cf. Sb 11,21.23 e a queixa de Jeremias 15,15). Quando esses objetos tiverem cumprido sua função no processo, podem desaparecer.

9,23 À cólera opõe "compaixão", porque não se trata de méritos (vale o que foi dito a Moisés, v. 15). É Deus quem dá valor aos objetos ao fazê-los participar da sua glória.

9,24-33 A escolha divina não é de todos os judeus, nem dos judeus somente. Prova-o com citações proféticas.

9,25-26 O texto de Os 2,25-26 é o resultado feliz do grande poema da reconciliação amorosa, e tem por objeto o Israel temporariamente rejeitado e de novo acolhido. Paulo amplia a aplicação a um povo que não era povo de Deus e que é escolhido por graça.

9,27-28 O primeiro texto de Isaías pertence à teologia do "resto", ou seja, a porção de povo reduzida, portadora da continuidade histórica e que se salvará quando se executar "a destruição decretada" (Is 10,22). A Igreja de pagãos e judeus é um resto da humanidade que se salva.

9,29 A mesma doutrina do resto pertence à próxima citação (Is 1,9), que acrescenta um componente afetivo da terrível experiência.

9,30-32 A justiça de que fala é a vertente positiva de já não ser culpado, de estar em relação de amizade com Deus. Os judeus quiseram consegui-lo por seu esforço, como devido em justiça a seu desempenho, e falharam; não quiseram recebê-lo como dom, e ficaram sem ele. Os pagãos não ofereceram nada mais além da sua fé para aceitarem o dom.

9,32-33 A imagem da pedra, composta de duas citações (Is 8,14 e 28,16), corrobora a importância da fé. A pedra é o Messias Jesus: de tropeço para uns, de apoio para outros; a diferença está na fé.

10 O tom pessoal e sentido no começo do capítulo precedente dá lugar aqui a um tom de polêmica

a Deus por eles é a salvação. ²Dou testemunho em seu favor de que sentem zelo por Deus, embora mal-entendido. ³Pois não reconhecendo a justiça de Deus e querendo afirmar a própria, não se submeteram à justiça de Deus*. ⁴Porque o Messias é o fim da lei, para a justiça de todos os que creem. ⁵Referindo-se à justiça da lei, Moisés escreve: *Aquele que a cumprir viverá por ela.* ⁶Ao contrário, a justiça que procede da fé soa assim: *Não digas em teu íntimo: quem subirá ao céu* (ou seja, para fazer o Messias descer?) ⁷*ou quem descerá ao Abismo?* (Ou seja, para fazer o Messias subir.) ⁸O que acrescenta? *A palavra está ao teu alcance, na boca e no coração.* Refere-se à palavra da fé que proclamamos; ⁹se confessas com a boca que Jesus é Senhor, se crês de coração que Deus o ressuscitou da morte, tu te salvarás. ¹⁰Com o coração cremos para ser justos, com a boca confessamos para ser salvos, ¹¹pois a Escritura diz: *Quem nele confia não fracassará.* ¹²E não há diferença entre judeus e gregos; pois é o mesmo Senhor de todos, generoso com todos os que o invocam. ¹³*Todo aquele que invocar o nome do Senhor se salvará.* ¹⁴Contudo, como invocarão, se nele não creram? Como crerão, se não ouviram falar dele? Como ouvirão, se ninguém lhes anuncia? ¹⁵Como anunciarão, se não os enviam? Como está escrito: *Que belos os pés dos mensageiros de boas notícias!* ¹⁶Só que nem todos respondem à boa notícia. Isaías diz: *Senhor, quem acreditou em nosso anúncio?* ¹⁷A fé entra pelo ouvido, ouvindo a mensagem do Messias. ¹⁸Mas eu pergunto: Acaso não ouviram? Claro que sim: *sua pregação atinge a terra inteira, até os confins do*

---

ou debate. Paulo argumenta com citações bíblicas, interpretadas e aplicadas no estilo rabínico.
O zelo religioso dos judeus por Deus e pela observância era louvável, só que desmedido e extraviado. O que era prometido ao cumprimento falhou por descumprimento. A observância tinha algo de esforço sobre-humano para trazer o Messias; mas não era esse o caminho. O Messias veio, sua mensagem foi pregada e está ao alcance do ouvido; a resposta é simplesmente a fé, acessível ao coração e à boca. Tal é o desígnio de Deus, válido para judeus e pagãos, que deve ser levado em conta pelos cristãos. Porque a conversão não é uma obra que por justiça mereça a salvação.

10,1 Paulo pode rezar pela salvação dos judeus, porque não foram rejeitados por Deus. Compare-se com Jeremias, a quem Deus proíbe interceder (Jr 14-15); na última ceia Jesus disse que não orava pelo mundo (Jo 17,9).

10,2 "Zelo": bom exemplo é o próprio Paulo (At 22,3; Gl 1,13) e os que responderam ao grito de Matatias (1Mc 2,26s). Mais tarde deu o nome a um movimento e a um partido político: os "zelotes" (fundamentalistas, integristas).

10,3 Deve-se entender isso à luz do posicionamento bilateral, a relação de duas partes em termos jurídicos. A parte culpada não tem justiça/direito nem pode alegar méritos; a parte inocente pode ceder sua justiça e restabelecer relações pacíficas. * Ou: *não caíram sob o indulto de Deus.*

10,4 Como *telos* em grego, "fim" pode significar final e finalidade. É possível que Paulo tenha querido jogar com a polissemia. A lei antiga visava ao Messias; chegado este, a lei cumpriu sua missão e é abolida (cf. 2Cor 3,14). O Messias não vem como agente da lei, para impô-la universalmente.

10,5 Lv 18,5 o enuncia, Ez 18 o comenta em estilo casuístico. O correlativo tácito é que quem não a cumprir morrerá.

10,6-8 A citação (Dt 30,12-14) pertence ao discurso final de Moisés em Moab, no qual inculca a observância da lei, já acessível pela revelação de Deus. No lugar da lei, Paulo coloca o Messias, e substitui a observância pela fé. A revelação é agora o grande arco de descida e subida: encarnação – morte e ressurreição – exaltação (cf. Fl 2,6-11).

10,9-10 O paralelismo é cumulativo: o acordo do coração e da boca (o contrário de Is 29,13) pode condensar uma profissão de fé: que Jesus é o Messias, que Deus o ressuscitou. Se não brota da fé interior, o que os lábios pronunciam não é profissão de fé.

10,11 A citação de Is 28,16 se refere a uma pedra de fundação que traz esta inscrição: "quem nela se apoia não vacila". O verbo crer em hebraico é derivação metafórica de apoiar-se (veja-se em outra terminologia o Salmo 62).

10,12-13 "Generoso" ou enriquecedor. O texto de Jl 3,5 se refere a um resto de Israel em Jerusalém. Paulo amplia seu alcance a todos sem distinção.

10,14-20 Com uma série de perguntas retóricas, conduz um diálogo de objeções e réplicas, apoiado em textos da lei, dos profetas e dos salmos. Lidas em sentido contrário, oferecem-nos um esquema de evangelização: ser enviado, pregar, escutar, crer.

10,14-15 Além dos pagãos, há judeus na diáspora que não conheceram nem ouviram Jesus de Nazaré. Dependem de uma pregação autorizada, respaldada por uma missão oficial. Paulo adapta o texto de Is 52,7, dirigido aos desterrados em Babilônia. O desterro pode servir de modelo à diáspora, e o profeta do exílio tinha o título de "evangelista" ou arauto.

10,16-17 O que acontece é que nem todos aceitam o que ouvem (como diz Is 53,1); é o destino de vários profetas (p. ex. Is 30,9; Ez 2,5.7; 3,7).

10,18-21 Não podem alegar que não ouviram, porque a pregação se estendeu a todo o mundo: adapta Sl 19,4, que fala da manifestação cósmica. Tampouco podem alegar que não entenderam, porque Deus se pôs a seu alcance (Is 65,1), os incitou (Dt 32,21) mas eles resistiram (Is 65,2).

universo suas palavras. ¹⁹Insisto: E Israel não entendeu? Primeiramente fala Moisés: *Eu os enciumarei com um povo ilusório, os provocarei com uma nação insensata.* ²⁰Isaías se atreve a dizer: *Fiz-me encontrar pelos que não me procuravam, apresentei-me aos que não perguntavam por mim.* ²¹Referindo-se a Israel, diz: O dia inteiro tinha as mãos estendidas para um povo rebelde e desafiador.

11 O resto de Israel

¹Pergunto: *Deus rejeitou seu povo?* De modo nenhum! Pois eu também sou israelita, da linhagem de Abraão, da tribo de Benjamim. ²Deus *não rejeitou o povo* que escolhera. Sabeis o que a Escritura conta de Elias, como ele ora a Deus contra Israel: ³*Senhor, mataram teus profetas, demoliram teus altares; sobrei somente eu, e me procuram para matar-me.* ⁴Que lhe responde o oráculo? – *Reservei-me sete mil homens que não dobraram o joelho diante de Baal.* ⁵Do mesmo modo, hoje fica um resto por eleição gratuita. ⁶Portanto, se é gratuita, não se deve às obras, porque então não seria gratuita. ⁷Qual a consequência? Israel não obteve o que procurava, embora os escolhidos o tenham obtido. Os outros se endureceram, ⁸como está escrito: *Deus lhes deu um espírito de torpor, olhos que não veem, ouvidos que não ouvem, até o dia de hoje.* ⁹E Davi diz: *Que sua mesa se torne uma armadilha, uma rede, um tropeço, um castigo;* ¹⁰*que seus olhos fiquem escuros e não vejam, que suas costas sempre se encurvem.* ¹¹Pergunto: Tropeçaram até sucumbir? De modo nenhum! Só que o tropeço deles provocou a salvação dos pagãos, provocando por sua vez os ciúmes daqueles. ¹²Pois se seu tropeço representa uma riqueza para o mundo, se sua ruína representa a riqueza dos pagãos, quanto mais será sua conversão em massa.

Salvação dos pagãos – ¹³Agora me dirijo a vós, pagãos: Já que sou apóstolo dos pagãos, honro meu ministério, ¹⁴para provocar ciúmes nos de minha raça e salvar assim alguns. ¹⁵Pois, se a rejeição deles

---

11 Nesse amplo capítulo Paulo conclui sua exposição sobre o destino dos judeus em sua relação com os cristãos. Sobre os judeus diz: nem todos rejeitaram Jesus como Messias, essa atitude não é definitiva e indiretamente favoreceu a conversão dos pagãos. A estes convida à humildade em relação aos judeus, à cautela em sua vida cristã. A complexa relação mútua de Deus com Israel continua sendo revelação para os pagãos; a Igreja dos pagãos continua recebendo seiva de Israel e não pode prescindir de suas raízes históricas e espirituais.

11,1-4 Paulo faz a pergunta (Sl 94,14) para rejeitá-la categoricamente. Terá sido sugerida a ele por alguns pagãos convertidos? Sente que ela flui de quanto está explicando? Paulo é uma exceção viva; o que não basta, porque confirmaria a regra (cf. o arrazoado de Deus com Moisés em Ex 32,14-19). Não basta um caso único, como não bastava o caso de Elias – "só eu fiquei" (1Rs 19,10). Deus lhe assegura que em Israel (reino do Norte) resta um grupo numeroso de "sete mil" fiéis (1Rs 19). O que aconteceu então se repete agora: os *Atos* dão testemunho de muitas conversões de judeus (At 14,1), e Tiago fala hiperbolicamente de dezenas de milhares (At 21,20). A igreja de Roma contava certamente com judeu-cristãos.

11,5-6 Mas Paulo aproveita o exemplo bíblico de Elias para observar que a escolha foi iniciativa gratuita de Deus, "reservei-me...", não consequência da fidelidade dos javistas. Assim conduz o raciocínio ao tema repetido da graça: grátis, gratuito.

11,8-10 Restam os outros, os que resistem: Paulo os encontra em suas viagens. Também isso estava previsto, como prova uma combinação de citações da lei, profetas e salmos, devidamente aplicadas ao caso precedente. Dt 29,3 pertence aos discursos finais de Moisés, depois das experiências do êxodo e do deserto; coincide com a fórmula de Is 29,10; o Salmo 69 é uma súplica de um perseguido, que inclui um ataque a seus perseguidores. Essa última citação tem intenção polêmica? Paulo estaria recordando o que sofreu da parte de seus irmãos? (2Cor 11,26). Não parece, a julgar pelo que se segue.

11,9 Citação de Sl 69,22-23.

11,11-12 A atitude dos judeus tem sido benéfica para os pagãos e não é definitiva. Paulo matiza o vocabulário, distinguindo tropeçar, cair e sucumbir, opondo diminuição e plenitude (aliterados em grego). Esta última antítese pode referir-se ao número, alguns/todos, ou à qualidade, fracasso/êxito. O contexto próximo fala de número e também de situação. "Provocar ciúmes": tomado do cântico de Moisés, Dt 32,21.

11,13-24 É a explanação do paradoxo que acaba de enunciar, mudando o alvo. Do que Paulo disse, os cristãos procedentes do paganismo não devem tirar consequências abusivas, como seria desprezar os judeus ou prescindir deles, cultivar um sentimento de superioridade com diminuição da fé (v. 20); isso implicaria esquecer a graça e cair em outra forma de religiosidade de obras. Explica isso com duas imagens breves e outra mais elaborada.

11,13-14 Parece retomar nessas linhas a intenção da visita anunciada no começo da carta: "comunicar-vos algum dom espiritual que vos fortaleça... partilhar o consolo da fé" (1,11s). O "enviado aos pagãos" continua sendo e sentindo-se judeu, pode falar com autoridade e experiência. Ao falar aos pagãos, obliquamente se dirige a seus compatriotas.

significou a reconciliação do mundo, o que será sua aceitação, senão uma espécie de ressurreição? [16]Se a primícia está consagrada, também o está toda a massa; se a raiz é santa, também os ramos o são. [17]Se alguns ramos foram cortados e tu, ramo de oliveira silvestre, foste enxertado em seu lugar e participaste da raiz e da seiva da oliveira, [18]não te consideres superior aos outros ramos. Se o fazes, recorda que não és tu que sustentas a raiz, mas é ela que te sustenta. [19]Objetas: Cortaram uns ramos para enxertar-me. [20]De acordo: por não crer foram cortados, pela fé tu te manténs. Porém, ao invés de orgulhar-te, teme. [21]Pois, se Deus não perdoou os ramos naturais, tampouco te perdoará. [22]Observa antes a bondade e a severidade de Deus: com os que caíram, severidade; contigo, bondade, se te conservas no âmbito da bondade; pois também te podem cortar. [23]Aqueles, por sua vez, se não persistirem na incredulidade, serão enxertados. Pois Deus tem poder para voltar a enxertá-los. [24]Se tu, oliveira silvestre por natureza, foste cortada e, contra tua natureza, foste enxertada, quanto mais os ramos naturais serão enxertados na própria oliveira.

A conversão de Israel – [25]Irmãos, quero que não ignoreis esse segredo, para que não vos considereis sábios: o endurecimento de Israel durará até que a totalidade dos pagãos seja incorporada. [26]Assim, todo o Israel se salvará, conforme o escrito: *De Sião sairá o libertador para julgar os crimes de Jacó.* [27]*Este será o meu pacto com eles, quando eu perdoar seus pecados.* [28]Com o critério do evangelho, são inimigos para o nosso bem; pelo critério da escolha, são amados, em atenção aos patriarcas. [29]Pois os dons e o chamado de Deus são irrevogáveis. [30]Como vós no passado não obedecíeis a Deus, e agora, pela desobediência deles fostes tratados com piedade, [31]da mesma forma eles no momento desobedecem, ao passo que de vós se compadecem, e um dia se compadecerão também deles. [32]Pois Deus encerrou a todos na desobediência, para compadecer-se de todos. [33]Que abismo de riqueza, sabedoria e prudência de Deus! Quão insondáveis

---

11,15 "Rejeição": o sujeito não é Deus – negou-o em 11,1 –, e sim os judeus que não aceitaram Jesus como seu Messias. Daí seguiu-se a paixão que "reconciliou o mundo" com Deus. Quando o aceitarem, promoverão para si e para outros os frutos da ressurreição, ou seja, "vida a partir da morte".

11,16 Duas comparações paralelas ilustram a relação de uma parte privilegiada com o resto. Consagrar as primícias (Dt 26; Ne 10,36s) era um rito que consagrava a totalidade, era reconhecer a fecundidade da terra como dom de Deus. A raiz é o "radical" que define a natureza da árvore (cf. Sl 92,13s). A aplicação é duvidosa; talvez os judeus convertidos sejam as primícias, e os patriarcas a raiz. Historicamente poderíamos considerar primícias o povo primo-gênito (Ex 4,23).

11,17 A terceira imagem é tirada da horticultura, e sua explanação e posicionamento não são correntes. Será intencional a incoerência, para mostrar a ação livre e paradoxal de Deus? ou o autor explora a imagem básica tirando dela traços divergentes? A segunda hipótese corresponde melhor ao estilo de Paulo. Não é raro no AT comparar o povo escolhido com uma planta: um álamo (Os 14,6), uma figueira (Jr 8,13), carvalho (Is 61,3), uma oliveira (Jr 11,16; Os 14,17); é importante notar que é Deus quem planta e fornece a seiva (Is 60,21; Sl 80,9).

11,18 Não se enxerta oliveira silvestre em oliveira boa, e sim o contrário. Paulo contrapõe a doméstica à silvestre. A economia do AT de algum modo sustenta a do novo.

11,19-20 É a fé que decide, não as obras, e no regime de fé não há distinção; a falha de alguns sirva de advertência (cf. Jr 49,12), para não se envaidecer.

11,21-22 A fé é resposta à "bondade" de Deus, que aqui substitui a graça; a fé deve manter-se sob o regime dessa mesma bondade; pois quem sai da fé cai no regime de severidade (cf. Jr 49,12).

11,23-24 A severidade não é o definitivo: a bondade pode mais; por ela, e não por méritos, há esperança para os ramos separados.

11,25 Quem descobre algo investigando pode gloriar-se do seu saber; quem recebe a solução secreta não pode gloriar-se de penetração. Paulo vai comunicar um segredo que convida à humildade e à esperança.

11,26-32 O segredo é a futura conversão corporativa dos judeus. Quando e como ele não revela.

11,26-27 Cita Is 59,20s, retocando a versão grega e acrescentando uma variante de Jr 31,34.

11,28-29 Se olharmos a partir da nossa perspectiva de pregadores do evangelho, os judeus se têm mostrado hostis (os *Atos* o documentam); se olharmos a partir das perspectivas de Deus que escolhe, os vemos como escolhidos, pela promessa feita a Abraão: ver a argumentação de Moisés apelando aos patriarcas (Ex 32,13). "Irrevogável": como diz um oráculo de Balaão (Nm 23,19) e um profeta promete (Is 54,10).

11,30-31 Segundo um processo alternativo semelhante ao de Ez 18.

11,32 Princípio audaz, paralelo ao de Gl 3,22.

11,33-36 Encerra a exposição com uma doxologia ampla ou com um hino minúsculo, exaltando a sabedoria do desígnio salvador de Deus (Is 40,13; Jó 11,6; 15,8). Pela revelação o homem descobre um abismo, cuja profundidade pressente, mas que não pode medir nem sondar. O mistério sempre será maior que a capacidade humana (Sl 139,6).

suas decisões, quão impenetráveis seus caminhos! ³⁴*Quem conhece a mente de Deus? Quem foi seu conselheiro?* ³⁵*Quem lhe deu primeiro para receber em troca?* ³⁶A partir dele, por ele, para ele tudo existe. A ele a glória pelos séculos. Amém!

12 Normas de vida cristã

¹Agora, irmãos, pela misericórdia de Deus, eu vos exorto a vos oferecerdes como sacrifício vivo, santo e aceitável: seja esse o vosso culto espiritual. ²Não vos ajusteis a este mundo, e sim transformai-vos com uma mentalidade nova, para discernir a vontade de Deus, o que é bom, aceitável e perfeito. ³Apelando ao dom que me fizeram, dirijo-me a cada um de vossa comunidade: não tenhais pretensões desmedidas, mas tendei à medida, cada um segundo o grau de fé que Deus lhe designou.

⁴É como num corpo: temos muitos membros, nem todos com a mesma função; ⁵assim, embora sejamos muitos, formamos com Cristo um só corpo, e em relação aos outros somos membros. ⁶Usemos os diferentes dons que possuímos segundo a graça que nos foi concedida: por exemplo, a profecia regulada pela fé; ⁷o serviço para administrar; o ensinamento, para ensinar; ⁸o que exorta, exortando; o que reparte, com generosidade; o que preside, com diligência; o que alivia a dor, com bom humor. ⁹O amor seja sem fingimento: detestando o mal e apegados ao bem. ¹⁰O amor fraterno seja afetuoso, estimando os outros mais que a si mesmo. ¹¹Com zelo incansável e fervor de espírito servi ao Senhor. ¹²Alegrai-vos com a esperança, sede pacientes no sofrimento, persistentes na oração; ¹³solidários para com os consagrados em suas necessidades, praticando a hospitalidade. ¹⁴Bendizei os que vos perseguem, bendizei e não amaldiçoeis. ¹⁵Com os alegres alegrai-vos, com os que choram chorai. ¹⁶Vivei em mútua concórdia. Não aspireis grandezas, mas igualai-vos aos humildes. *Não vos considereis sábios.* ¹⁷A ninguém pagueis mal com mal, *proponde-vos fazer o bem que todos aprovam.* ¹⁸Na medida do possível, de vossa parte, vivei em paz com todos. ¹⁹Não vos vingueis, queridos, dai lugar ao castigo de Deus. Pois está escrito: *Minha é a vingança, eu retribuirei, diz o Senhor.* ²⁰Porém, *se teu inimigo tem fome, dá-lhe de comer, se tem sede, dá-lhe de beber; assim o farás corar de vergonha**. ²¹Não te deixes vencer pelo mal, mas vence o mal com o bem.

11,36 A fórmula nos diz o sentido último de tudo (sentido = direção). Poderíamos traduzi-la em categorias temporais: começo, meio e fim, que correspondem ao "era, é e será" de Ap 1,4.

12-13 À parte doutrinal da carta, acrescenta uma exortação sobre a conduta cristã. Exortação, não mandamento nem simples instrução. Paulo não propõe um código articulado de preceitos. Tampouco se entretém numa série de conselhos sapienciais, no estilo de Tb 4. Atreve-se a propor seus conselhos como ajuda para encontrar a vontade de Deus. Dois pontos se destacam: a norma da fé e a primazia da caridade.

12,1 Uma conduta cristã tem sentido cultual, valor de sacrifício que Deus aceita. Ver Eclo 35,1-3 sobre equivalências e Jo 4,23 sobre o culto espiritual.

12,2 Para conhecer a vontade de Deus não basta a lei, que é genérica, nem as interpretações de tipo casuístico; é preciso o discernimento entre coisas boas e melhores; e o discernimento correto exige mudança de mentalidade e distanciamento dos critérios do mundo (Tg 4,4).

12,3 Paulo joga com a raiz de *phronein*, que é componente de *sophrosyne* = temperança, uma das quatro virtudes cardeais. A "medida" pede uma norma ou parâmetro: para o cristão, o grau ou proporção de fé. O homem pode ser des-medido, des-mesurado, não só elevando-se frente a Deus, mas também invadindo terreno alheio.

12,4-5 O tema da proporção é ilustrado com a comparação do organismo (desenvolvida em 1Cor 12): a medida do órgão é sua função no conjunto. O organismo é uno e plural: o princípio de unidade é Cristo. Daí a dupla relação de cada membro: com seu princípio e com os demais membros. As funções são os dons recebidos.

12,6-8 Começa uma série que não pretende ser exaustiva, nem deve desintegrar a unidade. A profecia se destina à fé, não a satisfazer a curiosidade. Parece que a "partilha" não pede medida, e sim generosidade; ao passo que o "bom humor" é medida da compaixão.

12,9 Sem fingir: 1Tm 1,5; 1Pd 4,10s.

12,11 "O Senhor" designa provavelmente Cristo.

12,14 Ver Mt 5,44; 1Cor 4,12. Pode excluir também a súplica e ainda o apelo à justiça vindicativa; ou seja, supera a espiritualidade de alguns salmos.

12,15 Ver Pr 25,20 e Eclo 7,34.

12,16 Embora não o diga expressamente, implica que a humildade favorece a caridade (Pr 3,7; Is 5,21).

12,17 Mal com mal: Sl 37; Pr 20,22; 24,29.

12,18 Paz: Hb 12,14 e a sétima bem-aventurança (Mt 5,9).

12,19 Vingança: Lv 19,18; Dt 32,35.

12,20 Tirado de Pr 25,21s, com o enigmático modismo "amontoar brasas sobre a cabeça", que traduzo conjecturalmente, guiado pelo sentido. Outros, com menos coerência, o atribuem ao castigo, segundo Sl 11,6.

* Literalmente: *amontoarás brasas sobre sua cabeça.*

13 **Obediência às autoridades** – ¹Que cada um se submeta às autoridades constituídas, pois toda autoridade procede de Deus; ele estabeleceu as que existem. ²Por isso, quem resiste à autoridade resiste à disposição de Deus. E os que resistem arcarão com a própria pena. ³Os governantes não infundem medo aos que agem bem, mas aos malfeitores. Queres não ter medo da autoridade? Faze o bem e terás sua aprovação, ⁴visto que é ministro de Deus para teu bem. Mas, se ages mal, teme, pois não é à-toa que empunha a espada. É ministro de Deus para aplicar o castigo ao malfeitor. ⁵Portanto, é preciso submeter-se, e não somente por medo do castigo, mas em consciência. ⁶Pela mesma razão pagais impostos: as autoridades são funcionários de Deus, dedicados a seu ofício. ⁷Dai a cada um o devido: imposto, contribuição, respeito, honra; o que couber a cada um. ⁸Não tenhais dívidas com ninguém a não ser a do amor mútuo. Pois quem ama o próximo cumpriu a lei. ⁹De fato: *não cometerás adultério, não matarás, não roubarás, não cobiçarás* e qualquer outro preceito se resumem neste: *Amarás o próximo como a ti mesmo*. ¹⁰Quem ama não faz mal ao próximo. Por isso, o amor é o cumprimento pleno da lei.

A vinda de Cristo – ¹¹Reconhecei o momento em que viveis, pois já é hora de despertar do sono: agora a salvação está mais próxima do que quando abraçamos a fé. ¹²A noite está avançada, o dia se aproxima: despojemo-nos, pois, das ações tenebrosas e revistamos a armadura luminosa. ¹³Procedamos com decência, como de dia: não em comilanças e bebedeiras, não em orgias e libertinagem, não em brigas e contendas. ¹⁴Revesti-vos do Senhor Jesus Cristo e não satisfaçais os desejos do instinto.

14 **Liberdade e caridade** – ¹Acolhei quem fraqueja na fé, sem discutir

---

13,1-6 Sobre a obediência devida às autoridades civis. No ano da carta (57/58) já reinava Nero (54-68), mas ainda não havia estourado a perseguição violenta contra os cristãos. O autor supõe que as autoridades são legítimas e honestas; escreve a uma comunidade minúscula que vive na grande capital do grande Império. Pr 8,16 atribui à Sensatez personificada a capacitação para o governo; Sb 6,1-11 insiste na responsabilidade das autoridades diante de Deus; segundo Jr 27,6, é o Senhor quem confere autoridade a Nabucodonosor. O governante é ministro de Deus "para o bem" do honrado e o "castigo" do perverso. Ver a descrição do rei ideal no Sl 72.
13,7-8 A formulação é aguda e paradoxal pelo contraste que o uso do próprio termo provoca. Pois, se a obrigação é dívida que se deve pagar, o amor deixa de ser amor se é pagamento de dívida. Dever sim, dívida não; o amor vai mais longe que o agradecimento.
13,9-10 O que o decálogo articula (Ex 20 e Dt 5) é resumido num versículo: Lv 19,18. Ver a citação em Mt 5,43 par. Acrescenta a citação complementar de Lv 19,18; ver 1Cor 13,4-7.
13,11-14 Conclui sua exortação sobre a conduta cristã com uma recomendação que podemos chamar escatológica. A conduta cristã não é mera consequência da fé, mas também dinamismo rumo à consumação. Costuma-se chamar a parusia "dia do Senhor". Pois bem, esse dia desponta: é hora de despertar, de despojar-se de hábitos noturnos e vestir-se para o dia e a luz (Is 52,1), ou para uma batalha iminente. Veste e armadura será o próprio Jesus Cristo Senhor. A imagem se quebra, indicando o inexprimível.
14,1-15,6 Não esperávamos numa carta tão maciça, ou depois de uma exortação tão dispersa, a discussão de um problema particular, aparentemente secundário. Realmente, diríamos que para um cristão o que se come ou as distinções de calendário não são transcendentais. Mas acontece que numa questão corriqueira se debate o problema sério da consciência ética pessoal, norma última e imediata da ação. E nesse problema sério está implicada a caridade de membros com diversas opiniões. Não que todas as opiniões tenham o mesmo valor ou sejam certas; quem tem o mesmo valor são as pessoas, e os fracos merecem atenção especial. Além do mais, a liberdade sob a graça pode erguer obstáculos à caridade. Como se fosse pouco, servindo-se do tema como de um trampolim, Paulo salta a princípios altíssimos e magníficas formulações doutrinais. De passagem nos ensina a discernir valores concretos a partir de uma perspectiva superior.
Alimentos: a indiferença dos alimentos foi promulgada por Jesus (Mt 15,11), corrigindo os tabus de Lv 11. Paulo formula isso de novo, referindo-se ao "reinado de Deus" (v. 17). Várias vezes Jesus declarou a indiferença dos dias da semana em relação ao sábado. Sobre a distinção, veja-se Eclo 33,7-9.
Ética e caridade. Em 2,14 indicava que a consciência ética do pagão servia de lei; agora reconhece que o julgamento último da consciência, mesmo errôneo, serve de preceito e pode induzir a culpa. Paulo coloca a consciência pessoal em lugar nobre. Mas a caridade impõe suas exigências. A primeira é reconhecer o outro como irmão e valorizá-lo como Jesus Cristo o valorizou, dando a vida por ele. A aplicação tem uma parte negativa, não julgar o outro, porque o julgamento cabe exclusivamente a Deus; não escandalizar o outro, por respeito à sua fraqueza; e tem outra parte positiva: ajudar a levar os fardos e procurar a paz. Pois bem, com toda a sua compreensão e bondade, Paulo não deixa de afirmar que o escrupuloso está

suas opiniões. ²Um tem fé, e come de tudo; outro fraqueja, e come verduras. ³Quem come não despreze quem não come; quem não come não critique quem come, pois Deus o acolheu. ⁴E tu, quem és para criticar um empregado alheio? Que esteja de pé ou caído, é problema do seu patrão. E ficará de pé, porque o Senhor o sustentará. ⁵Um distingue dias de dias, outro aceita qualquer dia: cada qual siga sua convicção. ⁶Aquele que observa os dias, o faz pelo Senhor; aquele que come, o faz pelo Senhor, pois dá graças a Deus. E aquele que não come, o faz pelo Senhor, pois dá Graças a Deus.

> ⁷*Ninguém vive para si, ninguém morre para si.*
> ⁸*Se vivemos, vivemos para o Senhor;*
>   *se morremos, morremos para o Senhor;*
>   *na vida e na morte somos do Senhor.*
> ⁹*Para isso morreu o Messias e ressuscitou:*
>   *para ser Senhor de mortos e de vivos.*

¹⁰Tu, por que julgas o teu irmão? Tu, por que desprezas teu irmão? Todos deveremos comparecer diante do tribunal de Deus, ¹¹como está escrito: *Por minha vida* – diz o Senhor –, *diante de mim se dobrará todo joelho, toda boca confessará Deus.* ¹²Assim, pois, cada um de nós prestará contas de si a Deus.

Não escandalizar – ¹³Deixemos de julgar-nos mutuamente. Procurai antes não provocar o tropeço ou a queda do irmão. ¹⁴Pelo ensinamento do Senhor Jesus, eu sei e estou convencido disto: nada é impuro em si, mas o é para quem o tem como tal. ¹⁵Contudo, se o que tu comes faz sofrer teu irmão, não ages com amor. Não destruas, com o que comes, alguém por quem o Messias morreu. ¹⁶Vossa vantagem não deve ser exposta ao descrédito. ¹⁷O reinado de Deus não consiste em comidas e bebidas, mas na justiça, na paz e na alegria do Espírito Santo. ¹⁸Quem serve assim o Messias, agrada a Deus e é estimado pelos homens. ¹⁹Assim, pois, procuremos o que favorece a paz mútua e é construtivo. ²⁰Por um alimento não destruas a obra de Deus. Tudo é puro, mas é mau comer provocando a queda de outro. ²¹Bom é abster-se de carne, de vinho ou de qualquer coisa que provoque a queda do irmão. ²²A fé que tens guarda-a diante de Deus. Feliz quem discerne sem sentir-se culpado; ²³mas quem come duvidando, é culpado, porque não age pela fé. E o que não brota da fé é pecado.

15 ¹Nós, os fortes, temos de arcar com as fraquezas dos fracos, e não procurar nossa satisfação. ²Procure cada qual a satisfação do próximo para o que é bom e construtivo. ³Tampouco o Mes-

---

enganado, é fraco na fé, e lhe sugere dados para que mude de mentalidade. Paulo não justifica a consciência meticulosa, mas admoesta a consciência madura, tentada de soberba. Em última instância, é Deus quem "acolhe, sustenta e julga".
Os vv. 7-9 dominam a perícope e nela se destacam como programa de existência cristã.

14,1 "Fraqueja na fé": porque necessitam apoiá-la em observâncias. E as observâncias se apoiam em raciocínios equivocados. Para o momento, é melhor "acolhê-lo" sem entrar em discussões com ele, deixando o desacordo para outra esfera ou momento.
14,2 Mais forte não é quem se atém a observâncias dietéticas, mas quem aceita a liberdade promulgada por Cristo. Isso em nada diminui o heroísmo dos mártires no regime do AT (2Mc 7).
14,3-4 São as duas tentações sutis, que superamos contemplando a bondade do Deus que acolhe a todos; e como Senhor de cada um, o julga e o sustenta. Ver a distinção segundo Eclo 33,7-9.
14,6 Dar graças pelo que se come, seja o que for, é reconhecer que é bom e que é dom de Deus (cf. Is 62,9).
14,7-9 Senhor é aqui título de Cristo, segundo a confissão cristã primitiva; está ligado à ressurreição (Fl 2,6-11). Só Senhor dos vivos? (Mt 22,32); também Senhor dos mortos, para a vida. A morte é assumida na experiência cristã, graças ao fato de Jesus ter experimentado a morte e tê-la vencido ressuscitando.
14,10 Comparecer depois da morte (Hb 9,27; At 17,31).
14,11 Citação de Is 45,23.
14,14 Ou seja, a impureza legal é uma qualidade que o homem projeta no objeto. Recorde-se a visão de Pedro no episódio de Cornélio (At 10-11).
14,17 A "justiça" de nossa relação com Deus, a "paz" com Deus e com o próximo, a "alegria" que o Espírito infunde na consciência.
14,20 Obra de Deus é a comunidade e cada membro dela.
14,22-23 A consciência pessoal se confronta a sós com Deus; mas não pode prescindir das exigências sociais. Comparar a bem-aventurança com Sl 32,2. A fé é a convicção da consciência iluminada.
15,1 Ver Gl 6,2.
15,3 Ver Sl 69,9 aplicado a Cristo.

sias procurou a própria satisfação, mas, como está escrito, *as afrontas com que te afrontam caíram sobre mim.* ⁴O que se escreveu então foi para a nossa instrução, para que pela paciência e consolação da Escritura tenhamos esperança. ⁵O Deus da paciência e da consolação vos conceda concórdia mútua, seguindo Cristo Jesus, ⁶de modo que, num só coração e numa só voz, glorifiqueis a Deus, Pai de nosso Senhor Jesus Cristo.

A boa notícia para judeus e pagãos –

⁷Portanto, acolhei-vos mutuamente, como o Messias vos acolheu, para a glória de Deus. ⁸Quero dizer: Cristo se fez ministro dos circuncidados em atenção à fidelidade de Deus, cumprindo as promessas dos patriarcas; ⁹ao passo que os pagãos glorificam a Deus por sua misericórdia, como está escrito: *Vou te confessar diante dos pagãos, e cantarei em tua honra.* ¹⁰E em outro lugar: *Louvai, nações todas, junto com seu povo.* ¹¹E de novo: *Louvai ao Senhor todas as gentes, que todos os povos o exaltem.* ¹²Isaías, por sua vez, diz: *Levantar-se-á o broto de Jessé, se levantará para governar as nações: nele esperarão os povos.* ¹³O Deus da esperança vos cumule de alegria e paz na fé, para que transbordeis de esperança pela força do Espírito Santo.

Missão de Paulo para os pagãos –

¹⁴Quanto a vós, queridos irmãos, estou convencido de que estais cheios de bondade e repletos de todo conhecimento e que podeis admoestar-vos mutuamente. ¹⁵Contudo, pela graça recebida de Deus ¹⁶de ser ministro de Jesus Cristo para os pagãos e oficiante da boa notícia de Deus, tive a audácia de vos escrever e refrescar vossa memória, para que a oferta dos pagãos seja aceita e consagrada pelo Espírito Santo. ¹⁷Por Cristo Jesus, posso sentir-me orgulhoso diante de Deus. ¹⁸Mas não ousarei falar, se não for do que Cristo realizou por meu intermédio para a conversão dos pagãos: por palavras e obras, ¹⁹com sinais e prodígios, com a força do Espírito de Deus. Partindo de Jerusalém e seus arredores até a Ilíria, completei o anúncio da boa notícia do Messias. ²⁰E tive como ponto de honra dar a boa notícia onde ainda não fora anunciado o Messias, a fim de não construir sobre alicerce alheio; e sim ²¹como está

15,4 Ver 1Mc 12,9. Consolar era ofício do arauto ou "evangelista" (Is 40,1); a Escritura, como palavra inspirada, pode consolar eficazmente. Parecem opostos e são complementares: paciência (sofrer) e consolo.

15,7-12 Parece recapitulação ou conclusão dos caps. 9-11. A chave do sentido está na distinção entre fidelidade e misericórdia. Com toda probabilidade, as duas palavras gregas, *alétheia éleos*, correspondem ao binômio hebraico *hésed w'émet* que Yhwh pronuncia na sua auto-apresentação (Ex 34,6); repete-se como fórmula litúrgica e em múltiplos contextos. Paulo interpreta a primeira como fidelidade ou lealdade ao compromisso contraído por própria iniciativa; em outros termos, fidelidade às promessas feitas aos patriarcas. Deus deve a si mesmo essa fidelidade à palavra dada. A segunda é iniciativa pura, ato livre de misericórdia em favor dos pagãos, que não eram beneficiários de uma promessa. Logicamente, prometer é ato de misericórdia, cumpri-lo é ato de fidelidade. A iniciativa de Deus é única, bifurca-se na realização histórica e volta a unir-se na realidade da Igreja. Comenta a vocação dos pagãos com várias citações. A primeira (Sl 18,50), posta na boca de Davi, é um grande salmo de ação de graças; a segunda pertence ao chamado cântico de Moisés (Dt 32,43); a terceira faz parte do brevíssimo Salmo 117; a quarta pertence a um acréscimo tardio ao poema de Isaías, vinculado ao Messias (11,10).

15,13 Nesse v. que poderia ser a saudação final, a conclusão de toda a carta, ressoa o tema da esperança. Mas antes retoma o tema da projetada viagem a Roma. Depois de mencionar o ministério de Cristo, na conclusão apela a Deus (Pai) e ao Espírito Santo, junta a fé e a esperança.

15,14-33 Essas linhas soam como se Paulo quisesse desculpar sua intromissão numa igreja alheia e justificar sua projetada visita (ver a Introdução). A linguagem é cortês e moderada. A presente carta não pretende evangelizar bons cristãos, mas recordar coisas sabidas.

A visita a Roma será etapa de uma viagem mais longa, para uma região ainda não evangelizada, e uma espécie de férias espirituais (vv. 24.32). A viagem será adiada um pouco porque está pendente a viagem a Jerusalém para entregar o produto da coleta. Notemos que tudo, menos a carta, é projeto humano. A viagem à Espanha provavelmente não se realizou; a viagem a Roma terá outro caráter e itinerário; e a alegria da companhia será limitada pela prisão. Apenas a carta chegará a Roma, à Espanha e a todos os países do mundo.

15,16 Oficiante é termo cultual, oportuno para o guia de uma vida cristã que é culto a Deus (12,1). A oferta dos pagãos são suas pessoas como oferta apresentada a Deus.

15,17-18 Paulo pode estar orgulhoso do que recebeu, de ser instrumento de Jesus Cristo e do Espírito como evangelizador de pagãos.

15,20 Desenvolve a ideia em 2Cor 10,15s.

15,21 Citação de Is 52,15, segundo a versão grega.

escrito: *Aquelas que não tinham notícia dele o verão, compreenderão os que não tinham ouvido.* ²²Esse motivo me impediu repetidas vezes de ir visitar-vos.

²³Agora que já não me resta tarefa por estas regiões, e com a vontade que tenho há tempo de visitar-vos, ²⁴em minha viagem para a Espanha espero ver-vos de passagem e, depois de desfrutar um pouco de vossa companhia, que providencieis a minha viagem. ²⁵Neste momento me dirijo a Jerusalém a serviço dos consagrados. ²⁶Pois os da Macedônia e Acaia decidiram solidarizar-se com os cristãos pobres de Jerusalém. ²⁷Eles o decidiram, como era sua obrigação: pois se os pagãos se beneficiaram com seus bens espirituais, é justo que eles os socorram nos materiais. ²⁸Quando tiver concluído esse encargo, garantindo a entrega da coleta, irei à Espanha, passando por vossa terra. ²⁹E sei que, quando for visitar-vos, o farei com a plena bênção de Cristo. ³⁰Pelo Senhor nosso Jesus Cristo, (irmãos), e pelo amor que o Espírito infunde, recomendo-vos que luteis a meu lado rezando a Deus por mim, ³¹para que na Judeia me livre dos que não creem e para que minha missão entre os consagrados seja bem recebida. ³²Assim, se Deus quiser, poderei visitar-vos com alegria para descansar um pouco junto de vós. ³³O Deus da paz esteja com todos vós. Amém.

16 Saudações pessoais –

¹Recomendo-vos nossa irmã Febe, diaconisa da igreja de Cencreia, ²para que a recebais, em atenção ao Senhor, como merece uma pessoa consagrada, e a assistais nos assuntos em que precisa de vós. Ela foi advogada de muitos, começando por mim. ³Saudações a Prisca e Áquila, meus colaboradores na obra de Cristo Jesus, ⁴que para salvar minha vida arriscaram a própria; não somente eu lhes sou agradecido, mas toda a igreja dos pagãos. ⁵Saudações à comunidade que se reúne em sua casa. Saudações ao meu querido Epêneto, primícia da Ásia para Cristo. ⁶Saudações a Maria, que tanto trabalhou por vós. ⁷Saudações a Andrônico e Júnia, meus patrícios e companheiros de prisão, que sobressaem entre os apóstolos e foram cristãos antes de mim. ⁸Saudações a Amplíato, meu amigo no Senhor. ⁹Saudações a Urbano, meu colaborador na obra de Cristo, e a meu querido Estáquis. ¹⁰Saudações a Apeles, homem provado em Cristo. Saudações à família de Aristóbulo. ¹¹Saudações a meu patrício Herodião. Saudações aos fiéis da família de Narciso. ¹²Saudações a Trifena e Trifosa, que trabalharam pelo Senhor. Saudações à querida Pérside que trabalhou muito pelo Senhor. ¹³Saudações a Rufo, eleito do Senhor, e à sua mãe e minha. ¹⁴Saudações a Asíncrito, Flegonte, Hermes, Pátrobas, Hermas e os de sua comunidade. ¹⁵Saudações a Filólogo, Júlia, Nereu, sua irmã, Olimpas e a todos os consagrados de sua comunidade. ¹⁶Saudai-vos com o beijo sagrado. Todas as igrejas cristãs vos saúdam.

¹⁷Irmãos, eu vos recomendo que vigieis os que semeiam discórdias e tropeços contra a doutrina que aprendestes; evitai-os. ¹⁸Esses tais não servem a Cristo Senhor nosso, e sim ao próprio ventre, e com discursos suaves e atraentes seduzem as pessoas que não têm malícia*. ¹⁹A fama de vossa fé se difunde por todos os lugares, e me alegro por vós, pois vos quero sensatos para o bem e sem contágio para o mal. ²⁰Muito em breve o Deus da paz triturará Satanás sob os vossos pés. A graça do Senhor nosso Jesus Cristo esteja convosco.

²¹Saúda-vos Timóteo, meu colaborador, Lúcio, Jasão e Sosípatro, meus patrícios. ²²E eu, Tércio, que escrevi esta carta, vos

---

15,25 Sobre a coleta, ver 1Cor 16,1-4 e 2Cor 8-9.

15,31 Duplo temor: da hostilidade dos judeus e da indiferença dos cristãos de Jerusalém: ver At 23.

15,33 Nova saudação conclusiva.

16 Sobre saudações tão amplas e detalhadas, ver a Introdução.

16,3-5 Isso supõe que os exilados tinham voltado a Roma e que aí dispunham de meios para oferecer sua casa a uma comunidade.

16,17-18 Essa última recomendação parece um pós-escrito.

16,18 * Ou: *simples*.

16,19 Recolhe o dito em 1,5.

16,20 Satã personifica ou encarna tudo o que se opõe ao desígnio de Deus por meio do evangelho. O Deus da paz destruirá o semeador de discórdias (cf. Gn 3,15; Mc 1,13; Lc 10,18).

saúdo em nome do Senhor. ²³Saúdam-vos Gaio, que me hospeda, com toda a sua comunidade, Erasto, tesoureiro da cidade, e o irmão Quarto*.

²⁵Àquele que pode confirmar-vos segundo minha boa notícia e a proclamação de Jesus como Messias, conforme o segredo calado durante séculos ²⁶e revelado hoje e, por disposição do Deus eterno, manifestado a todos os pagãos por meio de escritos proféticos para que abracem a fé, ²⁷a Deus, o único sábio, por meio de Jesus Cristo, seja dada a glória pelos séculos dos séculos. Amém.

16,23 * Alguns manuscritos acrescentam: ²⁴*Que a graça de nosso Senhor Jesus Cristo esteja com todos vós.*

16,25-27 A doxologia recapitula temas da carta e de outros escritos. O "único sábio" (segundo Eclo 1,8).

PRIMEIRA CARTA AOS CORÍNTIOS

INTRODUÇÃO

Corinto era na antiguidade uma cidade privilegiada pela posição geográfica: seus dois portos, abertos a dois mares, abriam-se ao nascente e ao poente, convertiam-se em encruzilhada ou ponte comercial e cultural entre Ásia e Europa. Arrasada pelos romanos (147-146 a.C.), foi reconstruída com grande esplendor (45 a.C.), dotada de edifícios suntuosos e facilidades portuárias. Foi repovoada em grande parte por colonos da Itália, aos quais se somavam rapidamente cidadãos de muitas nações. Tanto assim que os gregos eram minoria. Era uma cidade cosmopolita, com número muito elevado de escravos, e com presença considerável de judeus. Em 27 a.C. foi nomeada capital da província romana da Acaia (Grécia). A prosperidade econômica se unia a vida licenciosa: seu principal templo era dedicado a Afrodite, e nele se praticava a prostituição sagrada (a isso alude 6,15-20); Corinto era a cidade do prazer. Aí se celebravam periodicamente os jogos ístmicos. Era também confluência de religiões e cultos díspares, levados por moradores heterogêneos e por pregadores itinerantes.

Paulo chegou a Corinto depois do fracasso em Atenas (At 18,1), para entrar fraco, tendo apenas seu evangelho, naquele fervedouro de homens e culturas: um pregador de mais um culto oriental ainda mais estranho. Acolheram-no Áquila e Priscila, um casal de judeus convertidos ao cristianismo, expulsos de Roma pelo edito do imperador Cláudio (49 d.C.). Aí o apóstolo ficou um ano e meio. Rejeitado pelos judeus (segundo o esquema de Lucas), recrutou convertidos sobretudo entre os plebeus e escravos da cidade, e os preparou para formar com eles uma comunidade cristã. A mensagem de Paulo era boa notícia para eles, pois lhes devolvia a dignidade humana e lhes infundia esperança.

A julgar pelos documentos, a nenhuma comunidade Paulo dedicou tanta atenção e tantos cuidados. Em certo sentido, Corinto foi a igreja paulina por excelência. Evangelizar Corinto era anunciar a boa nova a todas as nações, congregadas e irrequietas. Era experimentar o encontro ou choque entre evangelho e paganismo; depois disso, o rápido e bem-sucedido crescimento de uma comunidade de recém-batizados. Plantas tenras expostas ao paganismo envolvente, com suas doutrinas e maus costumes, impedidas pelo peso de sua vida passada tão próxima.

Conhecemos a ocasião da carta pela própria carta. Paulo se encontrava em Éfeso (54-57), evangelizando a grande capital marítima da Ásia e as cidades vizinhas, quando lhe chegaram más notícias de Corinto. Escreveu-lhes uma primeira carta, hoje perdida (1Cor 5,9); surgiram outras notícias alarmantes, de divisões internas e escândalos na comunidade. As notícias chegaram acompanhadas de consultas sobre pontos de doutrina e costumes. Paulo respondeu com a que hoje chamamos primeira carta aos Coríntios. Ninguém duvida de sua autenticidade paulina; alguns admitem ou concedem apenas alguma moderada elaboração posterior.

A ocasião diz algo da composição da carta, como se pode deduzir no texto, mas diz muito pouco sobre o conteúdo. Porque Paulo, atacando abusos e resolvendo dúvidas, sobe a alturas vertiginosas e desce a profundidades misteriosas de doutrina. Sem pretender, sem ostentar, compõe um texto de

qualidade literária excepcional. Pouco valeria elencar aqui seus ensinamentos mais importantes. É mais útil antecipar uma sinopse da carta.

1,1-9   Introdução clássica, ampla.

I. Problemas na igreja de Corinto

1,10-17   Divisões em Corinto; vv. 18-31 a mensagem da cruz; **2**,1-16 e a sabedoria superior; **3**,1-23 imaturidade dos coríntios; **4**,1-21 ministros de Cristo.
5,1-13   Um caso de incesto.
6,1-11   Pleitos entre cristãos.
6,12-20   Liberdade cristã e fornicação.

II. Resposta a consultas

7,1-40   Matrimônio e celibato; não mudar de condição, matrimônio e virgindade.
8,13-**11**,1   Vítimas sacrificadas aos ídolos: o exemplo de Paulo, perigo de idolatria e liberdade cristã.
11,2-16   O véu das mulheres.
11,17-34   Ágape e eucaristia.
12,1-31   Carismas, **13**,1-13 e amor cristão; **14**,1-40 profecia e línguas misteriosas.
15,1-58   Ressurreição dos mortos.

III. 16,1-24 Coleta para Jerusalém e saudações

Podemos destacar alguns dados. Apresenta-nos Jesus Cristo como a Sabedoria (sophia) de Deus, personificada e humanizada, e realizada na cruz. De uma só vez retoma a grande tradição sapiencial do AT e se opõe à sedução da filosofia pagã, tão inclinada a ramificar-se em escolas e a enfrentar-se em discussões. Se a comunidade se divide em facções, deve saber que as divisões cristãs legítimas nascem do pluralismo dos carismas, em função do serviço à comunidade; sobre os carismas reina soberano o amor. O amor autêntico ensina a ceder, submetendo a liberdade cristã ao bem do próximo e tornando-se assim perfeita. A caridade cristã vai acompanhada de esperança, que nasce da fé na ressurreição, e esta não é a sobrevivência da alma que a filosofia grega defende. Quanto aos costumes, Paulo propõe uma ética sexual entre os extremismos da permissão e da continência total; propõe um culto sóbrio e transcendente, distante da religiosidade orgíaca e dos banquetes pagãos.

1

¹Paulo, chamado por vontade de Deus a ser apóstolo de Jesus, o Messias, e o irmão Sóstenes, ²à igreja de Deus em Corinto, aos consagrados a Cristo Jesus com uma vocação santa, e a todos os que invocam, seja onde for, o nome de Jesus Cristo, Senhor deles e nosso: ³graça e paz da parte de Deus nosso Pai e do Senhor Jesus Cristo.

⁴Dou graças sem cessar ao meu Deus por vós, pela graça que Deus vos deu por meio de Cristo Jesus, ⁵pois por meio dele vos enriquecestes em tudo, com todo tipo de palavras e conhecimento.

⁶O testemunho sobre o Messias se confirmou em vós, a ponto de ⁷não vos faltar nenhum dom, vós que esperais a manifestação de nosso Senhor Jesus Cristo. ⁸Ele vos confirmará até o fim, para que no dia de nosso Senhor Jesus Cristo sejais irrepreensíveis. ⁹Fiel é Deus, que vos chamou à comunhão com seu Filho, Jesus Cristo Senhor nosso.

Discórdias em Corinto – ¹⁰Irmãos, em nome do Senhor nosso Jesus Cristo rogo que estejais de acordo e que não haja divisões entre vós, mas uma perfeita concórdia de pensamento e de opinião. ¹¹Pois fiquei sabendo, irmãos meus, pelos de Cloé, que existem discórdias entre vós. ¹²Refiro-me ao que cada um anda dizendo: *Eu sou de*

1,1-9 A introdução à carta contém, como de costume, saudação e ação de graças. Na saudação mencionam-se remetente e destinatários; a ação de graças é específica nesta carta. Pode-se notar no grego o jogo com a raiz *kal-* à qual pertencem chamar (vv. 1.2.9), invocar (v. 2), igreja (= convocação, v. 2). À raiz *kar-* pertencem graça (vv. 3.4), dar graças (v. 4) e dom ou carisma (v. 7). Nota-se também a presença dominadora de Jesus Cristo, mencionado nove vezes em nove versículos mais um pronome: todo o sentido do evangelho é orientar para a pessoa de Jesus Cristo. Começa na "consagração" (batismal), terminará na "manifestação". O nome de Deus, que se pronuncia assim quatro vezes, identifica-se como "Deus, nosso Pai e do Senhor Jesus Cristo" (v. 3); correlativamente Jesus Cristo é seu Filho (v. 9).

1,1-3 A saudação se dirige a uma igreja local, aludindo a outras igrejas. Paulo se apresenta com seu título de apóstolo ou enviado; como embaixador, menciona o nome e título de quem o envia, "Jesus Messias". O encargo vem da decisão de Deus, que o chama; é sua "vocação" (como a dos profetas no AT). A ela corresponde a "vocação" à "santidade" dos cristãos de Corinto (que atualiza o chamado à santidade de todo o povo, no Levítico). Pelo batismo ficaram consagrados a Cristo Jesus (cf. Jo 17,17.19; ver a fórmula "consagrou os seus chamados", Sf 1,7; outras consagrações Dt 15,19; Jr 1,5). A saudação se estende a todos os cristãos de outras igrejas, cuja identificação comum consiste em invocar Jesus Cristo como Senhor (*Kyrios*, cf. Jl 3,5; Fl 2,11). "Graça e paz", une a saudação grega com a hebraica numa dimensão nova. Sóstenes é provavelmente o mencionado em At 18,17.

1,4-8 A costumeira ação de graças se concentra em dons particulares com que foram enriquecidos, carismas de falar e de entender, dos quais se ocupará na carta (caps. 12 e 14). Esses carismas têm uma função no presente, mas ficam orientados e submetidos à "manifestação" última de Jesus Cristo, quando chegar "seu dia" (cf. Am 5,18; Jl 3,4). O "testemunho de Cristo" equivale ao evangelho proclamado, que recebeu confirmação com os carismas e que por sua vez confirmará os que creem.

1,9 Deus é fiel (título divino em Dt 7,9; Is 49,7), para dar arremate ao que foi começado (Sl 138,8). O cristão entra em comunhão com o Filho de Deus e por ele com o Pai (1Jo 1,3). O posicionamento cristológico e eclesiológico dessa introdução marca e orienta toda a carta.

1,10-17 O primeiro assunto que Paulo trata são as divisões e rivalidades na igreja de Corinto. Um judeu que esperasse um Messias segundo a Escritura podia sentir o problema da unidade. Pois uma das tarefas do descendente de Davi seria refazer a unidade das tribos rompida no trágico cisma (cf. Is 7,17; cf. as promessas de Is 11,13s; Jr 23,5s; Ez 37,15-28). Pois bem, quando o Messias chega e chama também os pagãos junto aos judeus, parece complicar a situação (como se viu no Concílio de Jerusalém, At 15). Dentro do judaísmo, Paulo conheceu seitas bem diferentes e mesmo rivais: poderíamos aceitar o mesmo na Igreja?
Todos os fiéis reconheciam Jesus como Messias e o "invocavam" como Senhor (1,2): podia-se tolerar a divisão? Os cristãos de Corinto eram de procedência heterogênea: devia pesar mais a origem que a "consagração"?
Peça essencial da mensagem/evangelho de Paulo é que o Messias prometido aos judeus é enviado a todos os homens. É absurdo fazer dele a bandeira de um bando contra outros, criando facções em Corinto. O Messias não está dividido nem é monopólio de um grupo. Pelo visto, haviam-se formado em Corinto vários partidos: o de Paulo, fundador dessa igreja; o de Pedro, por um tempo líder da igreja de Jerusalém, dedicado mais aos judeus, porém pioneiro da abertura aos pagãos (At 10-11); o de Apolo, judeu helenista de Alexandria, muito versado na Escritura e relacionado com o movimento do Batista (At 18,25); e o do Messias, legítimo em si, mas deformado por atitudes polêmicas, intransigentes.

1,10 A exortação de Paulo é solene e enérgica. "Rogo" é em grego *parakalô*, da mesma raiz que "chamar". Em nome de Jesus e apelando a seus títulos de Messias e Senhor. Contra as divisões que rompem a unidade e a favor da concórdia (Sl 133); Paulo não pensa aqui em escolas de pensamento teológico, e sim em questões e atitudes substanciais.

Paulo, eu sou de Apolo, eu sou de Cefas, eu sou de Cristo. [13]O Messias está dividido? Foi Paulo crucificado por vós, ou fostes batizados invocando o nome de Paulo*? [14]Graças a Deus, batizei somente Crispo e Caio; [15]dessa forma ninguém pode dizer que foi batizado invocando meu nome. [16]Bem, batizei também a família de Estéfanas; porém, que eu saiba, não batizei mais ninguém. [17]De fato, o Messias não me enviou para batizar, mas para anunciar a boa notícia, sem qualquer eloquência, para que não se invalide a cruz do Messias.

A mensagem da cruz – [18]Pois a mensagem da cruz é loucura* para os que se perdem; para os que se salvam é força* de Deus. [19]Como está escrito: *Acabarei com a sabedoria dos sábios e confundirei a inteligência dos inteligentes.* [20]Onde há um sábio? Onde um letrado? Onde um investigador deste mundo? Deus não converteu em loucura a sabedoria mundana? [21]Como, pela sábia disposição de Deus, o mundo com sua sabedoria não reconheceu a Deus, Deus dispôs salvar os fiéis pela loucura* da cruz. [22]Porque os judeus pedem sinais, os gregos procuram sabedoria, [23]ao passo que nós anunciamos o Messias crucificado, escândalo para os judeus, loucura para os pagãos; [24]mas para os chamados, judeus e gregos, um Messias que é força de Deus e sabedoria de Deus. [25]Pois a loucura de Deus é mais sábia que os homens, a fraqueza de Deus é mais forte que os homens.

[26]Observai, irmãos, vós que fostes chamados: não muitos sábios humanamente, não muitos poderosos, não muitos nobres;

1,13 Havia entre os judeus quem esperava um Messias rei ou um Messias sacerdote, ou os dois; inspirados talvez em Zc 3-4. Paulo não admite mais que um, o da cruz, ao qual o batizado se consagra. No rito batismal se invocava o nome daquele a quem seria consagrado o batizando (At 2,38; 8,16). Diante da dedicação, pouco importa quem administra o rito. * Ou: *dedicando-vos a...*

1,17 Não se trata de valor comparativo, e sim de divisão de trabalho; não se rebaixa o sacramento em favor da palavra. O que Paulo pensa sobre o batismo está explicado em Rm 5 e outros lugares. Ademais, o evangelho tem por tema a pessoa e a obra de Jesus Cristo, e o batismo expressa a dedicação total a essa pessoa: ver, a título de exemplo, o episódio de Filipe e o eunuco (At 8).
A segunda parte do v. serve de transição, para anunciar o próximo tema. À cruz do Messias contrapõe "a sabedoria (ou destreza) da palavra (ou razão)". A eloquência convence pela habilidade do orador, não extrai sua força da cruz do Messias; Paulo podia recordar seu fracasso em Atenas antes de chegar sem forças a Corinto.

1,18-25 Judeus e gregos, cada um a seu modo, enfrentam o problema do saber. O AT inclui um grupo de livros que chamamos "sapienciais", cujo tema é a *hokmá* (sabedoria, prudência, habilidade): os gregos cultivam o "amor ao saber" ou *philo-sophia*. Em ambos os casos busca-se um saber também prático, não puramente intelectual: conhecer o sentido da vida e dar sentido à vida. Vários textos tardios do AT identificam *hokmá* com *torá*, sabedoria com lei (p. ex. Eclo 24; Br 3); sábio ou doutor é o estudioso e intérprete da lei (Eclo 39,1-11). Paulo identifica a sabedoria com o projeto paradoxal do Pai e sua realização por meio Jesus Cristo.
Os judeus esperam um Messias triunfador (não o Servo de Is 53): para eles, um Messias executado é mensagem escandalosa. Para os gregos (que cultivam o saber, filo-sofia) um salvador sentenciado é absurdo: quem não se salvou a si, mal poderá salvar outros. A cruz denuncia a mal-empregada sabedoria humana e demonstra um poder e saber de Deus paradoxais, que o homem descobre pela fé. A frase "só um é sábio" (Eclo 1,8) adquire ressonância nova. O parágrafo distingue dois campos, judeus e gregos (pagãos), e trabalha com antíteses elementares. A primeira é sabedoria/loucura (ou razão e absurdo): é típica dos pagãos (cf. Br 3,22-23) e dos gregos que investigam e discutem; mas também entram nessa categoria os "letrados" que se ocupam da lei (Jo 5,39). A segunda é poder/fraqueza: poder de Deus que se manifesta nos sinais ou milagres, do qual o futuro Messias participará (Mt 12,38). Como desfecho, entra a terceira antítese: perdição/salvação. A cruz de Cristo quebra os sistemas em que se encastelam judeus e pagãos e revela, de modo inesperado e difícil, a sabedoria e o poder de Deus.
1,18 * Ou: *absurdo*. * Ou: *um milagre*.
1,19 A citação une uma frase polêmica do profeta contra a falsa prudência de conselheiros políticos (Is 29,14) e uma frase sobre o fracasso dos planos políticos (Sl 33,10).
1,21 Paulo se compraz num jogo apertado de correspondências. Pode dar ideia um decalque do grego: "já que pela sabedoria de Deus o mundo não conheceu a Deus pela sabedoria, Deus dispôs...". * Ou: *o absurdo*.
1,22 Ver Mt 12,38 par.
1,24 "Os chamados": retorna a designação do prólogo (1,2).
1,26-31 Esse paradoxo, força do fraco, se prolonga e se manifesta na comunidade de Corinto, composta de gente socialmente sem importância (Tg 2,5; Mt 11,25); não são muitos os intelectuais, os poderosos, a nobreza. Como outrora uns escravos no Egito (Dt 7,7-8; Is 49,7), assim agora escolhe os contrários: gente iletrada, sem influência, sem títulos. A antítese dos filósofos, "o ser e o não ser" adquire outro sentido na ordem da salvação: ser cristão é ser nova criação (2Cor 4,17). Continua a antítese confundir/gloriar-se: com o fraco Deus

²⁷ao contrário, Deus escolheu os loucos do mundo para humilhar os sábios, Deus escolheu os fracos do mundo para humilhar os fortes, ²⁸Deus escolheu os plebeus e desprezados do mundo, os que nada são, para anular os que são alguma coisa. ²⁹E assim ninguém poderá orgulhar-se diante de Deus. ³⁰Graças a ele, vós sois de Jesus, o Messias, que se tornou para vós sabedoria de Deus, justiça, consagração e resgate. ³¹Assim se cumpre o que está escrito: *Quem se gloria glorie-se do Senhor.*

2 **Sabedoria superior** – ¹Quando fui até vós, irmãos, não me apresentei com grande eloquência e sabedoria para anunciar-vos o mistério* de Deus; ²pois entre vós não decidi saber outra coisa a não ser Jesus Messias, e este, crucificado. ³Fraco e tremendo de medo, apresentei-me a vós; ⁴minha mensagem e minha proclamação não se apoiavam em palavras sábias e persuasivas, mas na demonstração de poder do Espírito, ⁵de modo que vossa fé não se fundasse na sabedora humana, mas no poder divino. ⁶Aos maduros* propusemos uma sabedoria: não a sabedoria deste mundo ou dos chefes deste mundo que vão decaindo. ⁷Propusemos a sabedoria de Deus, mistério oculto, por decisão divina, desde o passado para vossa glória. ⁸Nenhum príncipe deste mundo a conheceu: pois se a tivessem conhecido, não teriam crucificado o Senhor da glória. ⁹Porém, como está escrito: *Aquilo que olho não viu nem ouvido ouviu nem mente humana concebeu, isso Deus preparou para os que o amam.*

Revelada pelo Espírito – ¹⁰A nós Deus o revelou por meio do Espírito. Pois o Espírito explora tudo, inclusive as profundidades de Deus. ¹¹Qual homem conhece o próprio do homem, senão o espírito* humano dentro dele? Do mesmo modo, ninguém conhece o próprio de Deus, a não ser o Espírito de Deus. ¹²Portanto, nós

---

confunde ou faz fracassar o forte e assim ninguém pode gloriar-se diante de Deus (Jr 9,22-23 sobre a falsa glória e a autêntica; cf. Dt 8,17-18). Por meio de Jesus Messias comunicam-se aos fiéis qualidades e ações de Deus: a sabedoria como sentido da vida (cf. Eclo 1,10), a justiça que nos faz justos numa nova relação com Deus (tema da carta aos Romanos, cf. Jr 23,5s), a consagração (cf. Jo 17,19), o resgate como libertação da escravidão (cf. Dt 4,6.8; Sl 130,7).
1,27 Comparar com Eclo 11,1-6; Jz 7,2.
2,1-9 Continua o tema da sabedoria, como o mostram as seis repetições da palavra *sophia*. O termo repetido serve para unificar variações e oposições. Pode ser sabedoria de Paulo, retórica, humana, mundana, divina; pode opor-se a segredo e a poder.
2,1-5 A falta de eloquência e o temor recordam a experiência de Moisés (Ex 4,10-16) e a de Jeremias (Jr 1). Paulo não baseou seu ministério em valores da cultura grega: filosofia como atividade simplesmente humana (cf. Jó 28), retórica como recurso para persuadir. Seu tema não é descoberta humana, mas segredo revelado, e se condensa numa pessoa, Jesus. Sua força persuasiva vem do Espírito.
O mistério ou segredo de Deus costuma referir-se ao plano de Deus para a salvação universal por meio de Jesus Cristo: ao se proclamar o evangelho aos pagãos, o plano de Deus está se cumprindo.
O temor de Paulo se explica pelo descomunal empreendimento: uma mensagem estranha (Is 53,1 a chama inaudita), à margem da sabedoria humana reconhecida e contra ela.
2,1 * Ou: *segredo.*
2,6-8 Também Paulo tem sua sabedoria, e a apresenta diante das outras: é o mistério de Deus antes mencionado, um projeto antiquíssimo que hoje se realiza e se manifesta, e cuja finalidade é comunicar aos homens a glória de Deus. Os chefes deste mundo são as pessoas que contam na sociedade (não os demônios). A ignorância os desculpa em parte. Os "maduros": parece qualificativo irônico dos coríntios; deveriam sê-lo e não o são (3,1). O título Senhor da glória é título divino, tomado de Sl 24,8 que o atribui à entrada triunfal de *Yhwh* Rei no templo; Paulo o aplica a Jesus Cristo e o relaciona com a crucifixão.
* Ou: *perfeitos.*
2,9 A citação é tirada de Is 64,3, completada por um par de versículos; Isaías menciona "os que esperam", Paulo diz "os que amam".
2,10-16 Emprega uma comparação tirada da hermenêutica humana, coordenando os fatores: emitente, receptor, tema e linguagem. A intimidade secreta de um homem é sua consciência e só ela pode comunicá-la. Deve fazê-lo com palavras apropriadas ao tema e à capacidade dos ouvintes. A mensagem é condicionada, muitas vezes limitada, pela invalidez da linguagem em relação ao tema, pela disposição dos ouvintes. Estes devem sintonizar com o tema e a linguagem, devem ajustar seu horizonte ao do autor.
De modo semelhante, só o Espírito conhece a intimidade de Deus, a ele compete revelá-lo e torná-lo compreensível: "à tua luz vemos a luz" (Sl 36,10). Compete a Paulo enquanto intermediário comunicar oportunamente a outros o que recebeu por revelação. Os destinatários têm que sintonizar com o Espírito, adotando a "mentalidade cristã".
2,10 O "profundo" é, na mentalidade semítica, o incompreensível ou insondável.
2,11 * Ou: *consciência.*
2,12 * Tradução alternativa desse versículo: "*E, como explicamos coisas espirituais a gente de espírito,*

recebemos não o espírito do mundo, mas o Espírito de Deus que nos faz compreender os dons que Deus nos fez*. ¹³Expomos isso não com palavras ensinadas pela sabedoria humana, mas ensinadas pelo Espírito, explicando as coisas espirituais em termos espirituais. ¹⁴Um simples homem não aceita o que procede do Espírito de Deus, pois isso lhe parece loucura; e não pode entendê-lo, porque só se discerne espiritualmente. ¹⁵Ao contrário, o homem espiritual o discerne inteiramente e não se submete a discernimento alheio. ¹⁶*Quem conhece a mente do Senhor para dar-lhe lições?* Nós, porém, possuímos a mentalidade de Cristo.

3 Imaturidade dos coríntios – ¹Eu, irmãos, não pude falar-vos como a homens espirituais, mas como a simples homens, como a crianças na vida cristã. ²Eu vos dei leite para beber, e não alimento sólido, pois ainda não podíeis com ele; nem agora podeis, ³visto que ainda sois guiados pelo instinto*. Pois, se há entre vós invejas e discórdias, não vos deixais guiar pelo instinto e por critérios humanos em vossa conduta? ⁴Quando alguém diz *eu sou de Paulo*, e outro *eu sou de Apolo*, não vos comportais de modo meramente humano? ⁵Quem é Apolo? Quem é Paulo? Ministros de vossa fé, cada qual segundo o dom de Deus. ⁶Eu plantei, Apolo regou, mas era Deus quem fazia crescer. ⁷De modo que nem aquele que planta conta, nem aquele que rega, mas é Deus quem faz crescer. ⁸Aquele que planta e aquele que rega trabalham na mesma obra; cada qual receberá seu salário conforme seu trabalho. ⁹Nós somos colaboradores de Deus, vós sois lavoura de Deus e construção de Deus. ¹⁰Segundo o dom que Deus me deu, como arquiteto experiente coloquei o alicerce; outro continua construindo. Que cada qual veja como constrói. ¹¹Ninguém pode pôr outro alicerce além do que já foi posto, que é Jesus Messias. ¹²Sobre esse alicerce um põe ouro, outro prata, pedras preciosas, madeira, capim, palha.

¹³A obra de cada um ficará evidente, pois aquele dia a mostrará: aparecerá com fogo, e o fogo comprovará a qualidade da obra de cada um. ¹⁴Se a obra que construiu resiste, ele receberá seu salário. ¹⁵Se a obra se queima, será castigado, embora se salve como quem escapa do fogo.

¹⁶Não sabeis que sois templo de Deus e que o Espírito de Deus habita em vós? ¹⁷Se alguém destrói o templo de Deus,

---

não usamos doutas palavras de sabedoria humana, e sim palavras ensinadas pelo Espírito". O objeto são os "dons de Deus", que ultrapassam a simples compreensão humana (como um presente que tem de ser explicado a uma criança).

2,13-14 Contudo, não se trata de uma mensagem esotérica, só para iniciados, ou de mistérios, já que a pregação se dirige a todos, e o Espírito se comunica a todos.

2,15-16 "Discernimento alheio", ou seja, num plano que não corresponde à revelação. A citação de Isaías (40,13) refere-se imediatamente à volta dos exilados, no plano histórico de Deus; mais tarde é lida em chave escatológica. "Messias" está no grego sem artigo; talvez tenha valor de adjetivo semítico.

3,1-4 As facções e discórdias mostram que os coríntios não possuem essa mentalidade, não se guiam pelo Espírito, não são maduros na fé (2,6). À oposição crianças/adultos se sobrepõe uma favorita de Paulo, instinto (*sarx*) (poderíamos traduzir também por sensualidade)/espírito; é extrema sem matizes. A discórdia é sinal evidente de semelhante mentalidade; embora, sendo infantil, se possa corrigir.

3,3 * Ou: *sois sensuais*.

3,5-15 A mediação humana. Em duas imagens clássicas, lavoura e construção (Jr 1,10 e paralelos), ilustra a função dos homens. Paulo e Apolo trabalharam em tarefas complementares, evangelista e catequista, a serviço da fé e por dom de Deus; não podem ser causa de divisão. Ambos são simples colaboradores de Deus, que dá a eficácia e continua agindo. De acordo com a qualidade do seu trabalho, os colaboradores receberão seu salário, quando no último dia sua obre sofrer a prova final do fogo (Is 26,11; 30,33; 66,15; Ml 4,1).

3,6-7 Para a imagem, ver Sl 65,10-14.

3,9 As mesmas imagens tradicionais em Ef 2,20-22.

3,10-11 Segundo a tradição do AT (Is 28,16), Deus põe o alicerce da terra (Sl 24,3), de Jerusalém (Sl 87,1). O alicerce da Igreja é Jesus Cristo.

3,11 Ver Is 28,16. Convém recordar que Deus "fundou" o orbe (Sl 24,2; 78,69; 102,26; Pr 3,19).

3,12 Comparar com a construção fantástica de Is 54,11-12; Tb 13,17.

3,15 Cf. Zc 3,2.

3,16-17 No templo antigo residia a Glória de Deus (Ex 40,34); Salomão considera o fato maravilhoso (1Rs 8,27). O templo era uma instituição venerada e respeitada, como mostram vários episódios: Jr 7 e 26; Mt 21,12-16; Jo 2,13-22; At 21,28-40. O novo templo não é um recinto, e sim a comunidade cristã; é consagrado, porque nele reside o Espírito (6,19; 2Cor 6,16). "Destruirá": aplicação da lei do talião (cf. Is 33,1).

Deus o destruirá, porque o templo de Deus, que sois vós, é sagrado. [18]Que ninguém se engane: se alguém se considera sábio nas coisas deste mundo, torne-se louco para chegar a ser sábio; [19]pois a sabedoria deste mundo é loucura para Deus, como está escrito: *Aquele que enreda os sábios com sua própria astúcia*, [20]e também: *O Senhor sabe que os pensamentos dos sábios são vazios*. [21]Portanto, ninguém se glorie dos homens. Tudo é vosso: [22]Paulo, Apolo, Cefas, o mundo, a vida e a morte, o presente e o futuro. Tudo é vosso, [23]vós sois de Cristo, Cristo é de Deus.

4 **Ministros de Cristo** – [1]Que as pessoas nos considerem como servidores do Messias e administradores dos segredos de Deus. [2]Ora, de um administrador se exige que seja fiel. [3]A mim pouco importa ser julgado por vós ou por tribunal humano; nem eu mesmo me julgo. [4]A consciência de nada me reprova, mas nem por isso estou absolvido. Quem me julga é o Senhor. [5]Portanto, não julgueis antes do tempo; esperai que venha o Senhor, que iluminará o oculto nas trevas e revelará as intenções do coração. Então cada um receberá de Deus sua qualificação.

[6]Irmãos, em atenção a vós apliquei o dito a Apolo e a mim, para que aprendais de nós isto: *não ir além do que está escrito**, para que ninguém se inche de orgulho a favor de um e contra outro. [7]Quem te declara superior? O que tens que não recebeste? E se o recebeste, por que te glorias como se não o tivesses recebido? [8]Já estais saciados! Já vos enriquecestes! Sem nós já reinais! Oxalá já reinásseis, para que nós reinássemos convosco. [9]Contudo, penso que Deus expôs a nós, os apóstolos, como últimos, como condenados à morte; pois nos tornamos espetáculo do mundo, de anjos e de homens. [10]Nós

---

3,18-20 Volta o tema das facções e da sabedoria autêntica, que os coríntios conseguirão sacrificando uma prudência simplesmente humana. A primeira citação é tirada do discurso de Elifaz em réplica a Jó (Jó 5,13). A segunda, um salmo que exalta Deus como juiz justiceiro (Sl 94,11).

3,21-23 Quanto aos nomes que erguiam como bandeiras opostas, pertencem a todos, porque todos pertencem ao único Messias, e este ao único Deus. Paulo abre o horizonte espiritual dos coríntios retorcendo as palavras deles: "eu sou de Paulo" diziam uns; responde: Paulo e os outros são de todos. Não só, mas também as polaridades da existência humana são vossas; é muito forte dizer que também a morte lhes pertence, se se pensa no contexto do AT e da filosofia. Mas não são árbitros absolutos, porque não são a última instância, mas pertencem a Cristo. Justamente essa pertença é que os fez superiores.

4,1-5 Estando a serviço imediato de Deus, Paulo e seus colaboradores não estão submetidos ao julgamento meramente humano. Embora o julgamento da consciência seja favorável, Paulo se submete ao julgamento supremo e final de Deus (Sl 7,10; 17,3; Pr 15,11; 16,2; 21,2). O critério será a fidelidade no exercício do encargo (cf. de Moisés, criticado por Maria e Aarão em Nm 12,7).
Talvez insinue que a comunidade ou uma facção dela tentava submeter Paulo a julgamento. Sobre julgar por aparências ou antes do tempo, ver Eclo 11,1-7.

4,6 O que acaba de dizer sobre si mesmo e Apolo deve valer como exemplo, aplicável a outros nomes e situações (princípio hermenêutico que o leitor deve ter em conta). A frase que se segue é duvidosa: alguns pensam que é inserção de um copista: "o *me* está escrito em cima do *a*"; outros pensam que é exceder-se na interpretação da Escritura: abolindo a lei como Paulo, ou interpretando alegoricamente como Apolo. Pôr o próprio orgulho nos méritos do chefe adotado. * Ou: *não passar do limite*.

4,8-21 Retomando em ferino tom satírico a ideia precedente, o paradoxo da cruz, propõe o contraste entre as fraquezas e sofrimentos dos apóstolos e a glória que os coríntios já pensam possuir.
Recorde-se o pedido da mãe dos Zebedeus (Mt 20,21-23): Jesus glorificado já reina; e os apóstolos, se já tivesse chegado a consumação, se creem já participantes do reinado definitivo de Cristo. Mas o cristão, e em grau especial o apóstolo, vive ainda na etapa da cruz, participando dos sofrimentos do Messias.
Paulo rebate as pretensões dos coríntios quase com sarcasmo: oxalá fôsseis reis para que coubesse a mesma sorte a mim! Desenvolve a ideia de um apaixonado e retórico jogo de contrastes.

4,8 Retoma dois temas das bem-aventuranças: a "riqueza" dos pobres que possuem o reino e a "saciedade" de quem tem fome de justiça (Mt 5,3.6); podem-se escutar ressonâncias escatológicas (Ap 3,17; 5,10).
Já disse que os fiéis de Corinto não vêm da classe alta e endinheirada (1,26).

4,9 Alusão aos jogos do circo, em que escravos e condenados à morte eram exibidos em espetáculos cruéis. Diríamos que Deus é o imperador que oferece seus servos em espetáculo; tal é a ideia do apóstolo. Os últimos: em categoria social ou como o final refinado do espetáculo. Comparar com a sorte de Sansão (Jz 16,25).

4,10 Parece que a referência a Cristo afeta as três antíteses. Até se poderia parafrasear: nós, por Cristo escolhemos sua loucura, sua fraqueza, seu desprestigio; vós, em Cristo buscais o saber, a força e a honra. Ou seja, quereis Cristo glorificado, não crucificado.

por Cristo somos loucos; vós por Cristo, prudentes; nós, fracos; vós, fortes; vós, estimados; nós, desprezados. ¹¹Até agora passamos fome e sede, andamos seminus, tratam-nos a golpes, vagamos a esmo, ¹²cansamo-nos trabalhando com nossas mãos. Insultados, bendizemos; perseguidos, resistimos; ¹³caluniados, suplicamos. Somos o lixo do mundo, a escória de todos até o presente. ¹⁴Não vos escrevo isso para vos envergonhar, mas para admoestar-vos como a filhos queridos. ¹⁵Pois, embora tenhais como cristãos dez mil instrutores*, não tendes muitos pais. Anunciando a boa notícia, eu vos gerei para Cristo. ¹⁶Eu vos recomendo, pois, que imiteis a mim. ¹⁷Para isso eu vos enviei Timóteo, meu filho querido e fiel ao Senhor, para que vos recorde minhas normas cristãs, tal como as ensino por toda a igreja. ¹⁸Alguns, pensando que não vos irei ver, andam inflados de orgulho; ¹⁹mas eu os visitarei logo, se Deus quiser, e então medirei, não as palavras dos orgulhosos, e sim suas forças. ²⁰O reinado de Deus não consiste em palavras, mas em força. ²¹O que escolheis: que eu vá com a vara, ou com amor e mansidão?

5 O incestuoso (Dt 27,20; Lv 18,8; 20,11) – ¹Ouve-se realmente que entre vós há um caso de imoralidade que não acontece nem mesmo entre os pagãos: alguém convive com a mulher de seu pai. ²E vós, tão orgulhosos, nem sequer vos entristeceis, de modo que seja expulso da comunidade aquele que comete tal ação. ³Eu, de minha parte, ausente de corpo mas presente em espírito, já dei a sentença contra aquele que comete tal delito, como se eu estivesse presente: ⁴reunidos em nome do Senhor nosso Jesus Cristo, vós com meu espírito, com o poder do Senhor nosso Jesus, ⁵entregai esse indivíduo a Satanás para mortificar sua sensualidade*, de modo que o espírito se salve no dia do Senhor Jesus. ⁶Vosso orgulho não tem razão de ser. Não sabeis que com uma pitada de fermento toda a massa fermenta? ⁷Extirpai o fermento velho para serdes massa nova, uma vez que sois ázimos, já que nossa vítima pascal, Cristo, foi imolado. ⁸Por conseguinte, celebremos a festa, não com fermento velho, fermento de maldade e perversidade, mas com ázimos de sinceridade e verdade.

⁹Já vos escrevi em minha carta que não vos mistureis com gente imoral. ¹⁰Não me

---

4,11 Enquanto isso, nós vivemos a dor das bem-aventuranças e do seguimento (cf. Lc 9,58).
4,12 Alusão ao trabalho para sustentar-se (At 18,3; 20,34; 1Ts 2,9).
4,14-16 Era frequente na atividade sapiencial que o mestre chamasse os discípulos de "filhos" (Pr 4,1-6; Eclo 39,13 etc.). Da metáfora Paulo toma dois momentos. Primeiro, a geração: o apóstolo evangelizador gera filhos, não para si, mas para Cristo (Gl 4,19). Segundo, a educação pode ser branda ou exigente (cf. Dt 8,5), inclusive áspera (Eclo 30,1-13), com a vara (Pr 13,24; 23,13s).
4,15 * Ou: *pedagogos*.
4,17 Timóteo e Corinto: 1Ts 3,2.
4,18 Se por ocasião da primeira evangelização chegou acovardado, agora pode apresentar-se com autoridade.
5,1-13 Em flagrante oposição à suficiência dos coríntios se encontram duas condutas que Paulo vai denunciar. O incesto, condenado por judeus e pagãos, não é sinal da nossa liberdade cristã, da qual os coríntios podem gabar-se, e sim vergonha que fomenta a fermentação do mal na comunidade inteira, como o fermento na massa. Por isso, é preciso extirpar o culpado (Dt 17,7.12 e outras dez vezes). A exclusão da comunidade ou excomunhão – afastá-lo de Cristo, entregá-lo a Satanás – deve ser medicinal para o culpado, para que extirpe sua conduta "instintiva", imoral.
5,1 Em seu catálogo de incestos, o Levítico registra as relações com a concubina do pai (18,8), e indica para o delito a pena de morte para ambos (20,11). De maneira geral, abrangendo todos os casos de incesto, diz que o culpado "será excluído do seu povo" (18,29), que é o povo de Deus. A lei romana era mais benigna no castigo. É clássico no AT o relato do incesto das filhas de Ló (Gn 19,30-38). Talvez a mulher fosse pagã, pois nada se diz dela.
5,3-4 Propõe uma assembleia da comunidade à qual assistirá representado por sua carta, que leva o voto de condenação (segundo o uso antigo). O ato será celebrado invocando Jesus como Senhor e com sua autoridade.
5,5 A pena é a exclusão da comunidade (não castigos físicos), na qual Jesus é Senhor; com isso passa ao domínio dos poderes contrários (que podem causar doença e possessão). A finalidade, no que se refere ao culpado, é sua salvação no dia do julgamento definitivo. É duvidoso se a frase significa mortificar a sensualidade (instinto) ou destruir a vida corporal.
* Ou: *para destruir sua carne*.
5,6-7 Considerando alguns efeitos do fermento, existia uma legislação rígida sobre sua exclusão durante a semana dos Ázimos (Ex 12,15.19-20), sob pena de ser excluído da assembleia de Israel.
5,8 Fermentado é o velho, submetido à corrupção; ázimo é o novo (Ez 12,19), destinado à incorruptibilidade.
5,9 Essa carta não se conservou. Vê-se que tinha sido mal interpretada. Por isso explica aqui as normas do tratamento com os pagãos. A comunidade cristã

referia em geral a uma gente imoral deste mundo, aos avaros, exploradores e idólatras. Se assim fosse, deveríeis ter saído do mundo. ¹¹Concretamente vos escrevi que não vos misturásseis com alguém que leva o nome de irmão e é imoral, avaro, explorador, idólatra, difamador ou beberrão. Com esse, nem comer! ¹²Será que toca a mim julgar os de fora? Vós não julgais os de dentro? ¹³Os de fora Deus julgará. *Expulsai o malvado do vosso meio.*

6 Pleitos entre cristãos

– ¹Quando um de vós tem um pleito com outro, como se atreve a ser julgado pelos injustos e não pelos consagrados? ²Não sabeis que os consagrados julgarão o mundo? E se vós julgareis o mundo, não sois competentes em questões de pouca importância? ³Não sabeis que julgaremos os anjos? Quanto mais os assuntos da vida ordinária. ⁴Se tendes litígios ordinários, como nomeais como juízes aqueles que a igreja menospreza? ⁵Digo-o para que vos envergonheis. Será que não há entre vós nenhum sábio para resolver pleitos entre irmãos? ⁶Ao contrário, um irmão pleiteia com outro, e isso em tribunais de infiéis. ⁷Pois bem, já é lastimável que tenhais pleitos entre vós. Por que não vos deixais, antes, prejudicar? Por que não vos deixais despojar? ⁸No entanto, sois vós os que prejudicam e despojam irmãos vossos. ⁹Não sabeis que os injustos não herdarão o reino de Deus? Não vos iludais: nem fornicadores nem idólatras nem adúlteros nem efeminados nem homossexuais ¹⁰nem ladrões nem avarentos nem beberrões nem caluniadores nem exploradores herdarão o reino de Deus. ¹¹Alguns de vós no passado eram desses; mas fostes lavados, consagrados e absolvidos pela invocação do Senhor nosso Jesus e pelo Espírito do nosso Deus.

Liberdade cristã e fornicação

– ¹²Tudo me é permitido, dizeis. Mas nem tudo convém. Tudo me é permitido, mas não me deixarei submeter a nada. ¹³Os alimentos para o ventre e o ventre para os alimentos, dizeis, e Deus acabará com ambos. Mas o

---

era minoria na populosa cidade. O autor toma a lista de imoralidades dos repertórios então conhecidos, normalmente de origem estoica; trata-se de conduta habitual, não de transgressões singulares.

5,11 Citando na série o idólatra, dá a entender que algum cristão não se tinha desligado totalmente de suas práticas precedentes, e praticava uma forma de sincretismo.

5,13 Juiz universal: Sl 7,9; Dn 7. Cita a norma de Dt 13,6.

6,1-8 Mesmo sob o domínio persa, selêucida e romano, os judeus gozavam de relativa autonomia judicial (Jo 18,31); não menos os cristãos em assuntos internos. Sobre tribunais internos, ver o antecedente de Ez 18 e Dt 17,8-13. A diferença é que os cristãos não viviam numa sociedade teocrática como os judeus. Às facções (cap. 1) se acrescenta a desgraça dos processos, com a agravante de que assuntos de família acabam expostos e submetidos aos de fora. A estes chama de "injustos" e "infiéis", que é o contrário de "consagrados" e "fiéis". Para o caso de processos entre cristãos, Paulo propõe um mandamento e um conselho: o mandamento é resolvê-los dentro, submetendo-o a árbitros qualificados, capazes de julgar com sentido cristão. O conselho é renunciar aos próprios direitos pelo bem da paz, que é um triunfo da caridade sobre a pura justiça. Esse conselho atualiza o de Jesus no sermão da montanha (Mt 5,38-40).

6,2-3 A ideia de que no julgamento final os "Santos" sentarão no tribunal para julgar o mundo e os anjos rebeldes acorrentados à espera do julgamento é tomada da apocalíptica. Antecedentes dessa ideia podem ser encontrados em Is 24,21-22: exércitos do céu (astros, anjos) e reis da terra, depois de longa prisão, "comparecerão a julgamento" (retomado em 2Pd 2,4). Em Dn 7,9 se fala de "tronos" ou assentos (plural) no tribunal do Ancião, e em 7,18 se diz que "os Santos do Altíssimo possuirão o reino".

6,9-10 Esse fragmento se une melhor com o capítulo precedente. Acrescenta outras categorias à lista de 5,11, até compor uma espécie de decálogo negativo, no qual delitos sexuais ou contra a propriedade ocupam sete lugares, e a idolatria não ocupa o primeiro lugar. Todos são impedimento para participar da herança do reino de Deus (Gl 5,19-21; Ef 5,5; Ap 22,15).

6,11 Se os coríntios pagãos antes cometeram esses vícios, o batismo lavou tudo e exige vida nova. Por causa do contexto, apresenta o batismo primeiro como purificação, seguem-se a consagração a Deus e o estado de justiça. Ouve-se o eco ou a antecipação de uma fórmula trinitária na invocação batismal.

6,12-14 Adota o estilo da diatribe, repetindo e rebatendo objeções dos coríntios, nos vv. 12-13 e talvez em 18a. Os coríntios podiam apelar para o ensinamento de Jesus presente em Mc 7,19 (ver o contexto). Para estendê-lo *a pari* à sexualidade, Paulo rejeita a mera interpretação mecânica do primeiro e sua simples aplicação à esfera sexual.

6,12 Trata-se da liberdade, dedutível talvez do "tudo é vosso" (3,22). Pois bem, a liberdade tem limite: o que convém ao indivíduo e à sociedade. Do contrário, quem pretendia ser livre se submete a outro poder. O cristão todo está consagrado a Cristo, também na sua dimensão corporal, por meio da qual o seu espírito se relaciona e que é destinada à ressurreição. O ensinamento de Paulo se opõe frontalmente a uma dicotomia do homem e a um espiritualismo que rebaixa ou desdenha o corpo. O homem inteiro,

corpo não é para a fornicação, e sim para o Senhor, e o Senhor para o corpo. ¹⁴E Deus, que ressuscitou o Senhor, vos ressuscitará com seu poder. ¹⁵Não sabeis que vossos corpos são membros de Cristo? Vou, pois, tomar os membros de Cristo para torná-los membros de uma prostituta? De modo nenhum! ¹⁶Ou não sabeis que quem se une a uma prostituta se torna um corpo com ela? Pois é dito *que formarão os dois uma só carne*. ¹⁷Porém, quem se une ao Senhor se torna um só espírito com ele. ¹⁸Fugi da fornicação. Qualquer pecado que o homem comete fica fora do corpo, mas o fornicador peca contra seu próprio corpo. ¹⁹Não sabeis que vosso corpo é templo do Espírito Santo, que recebeis de Deus e reside em vós? De modo que não vos pertenceis. ²⁰Ele vos comprou pagando um preço. Portanto, glorificai a Deus com vosso corpo.

7 Matrimônio e celibato

– ¹Quanto ao que escrevestes – que é melhor o homem não tocar em mulher –, ²digo-vos que para evitar a imoralidade, cada homem tenha a sua mulher e cada mulher o seu marido. ³Cumpra o marido seu dever com a mulher, e o mesmo faça a mulher com seu marido. ⁴A mulher não é dona do seu corpo, e sim o marido; igualmente o marido não é dono do seu corpo, e sim a mulher. ⁵Não vos priveis um do outro, se não for de mútuo acordo e por um tempo, para dedicar-vos à oração. Depois uni-vos de novo, para que Satanás não vos tente, aproveitando-se de vossa continência. ⁶Digo isso como concessão, não como obrigação, ⁷pois desejaria que todos fossem como eu; só que cada um recebe de Deus o seu carisma, alguns este, e outros aquele.

⁸Aos solteiros e às viúvas digo-lhes que é melhor ficar como eu. ⁹Porém, se não podem conter-se, casem-se: é melhor casar do que abrasar-se. ¹⁰Aos casados ordeno, não eu, mas o Senhor: a mulher não se separe do marido; ¹¹se, porém, se separar, não case com outro, ou então reconcilie-se com o marido, e o marido não se divorcie de sua mulher.

¹²Aos outros digo eu, não o Senhor: Se um irmão tem uma mulher não cristã e ela consente em viver com ele, não deve divorciar-se dela; ¹³se uma mulher tem um marido não cristão e este consente em viver com ela, não deve divorciar-se

---

com seu corpo, pertence à esfera da salvação: por ele morreu corporalmente Jesus, "o Senhor é para o corpo", e o corpo deve compartilhar da glória do Ressuscitado, "o corpo é para o Senhor". A sexualidade é parte importante do corpo (insinuado na criação do "homem e mulher", Gn 1) e ascende também à esfera da salvação.

6,15-18 Nessa dimensão, o cristão é membro de Cristo, que pagou um preço alto por ele (1Cor 12; cf. Is 43,24). A citação de Gn 2,24 recebe aqui uma aplicação inesperada: supõe a força maior da prostituta nesse ato imoral (não é ela que se faz membro dele, mas é ele que "se apega".

6,19-20 O corpo do cristão (não só a comunidade) é templo visível do Espírito que Deus comunica. Por isso, o uso do corpo é submetido a regras superiores. No templo se celebra a liturgia proclamando a glória de Deus; o corpo do cristão, como templo do Espírito, dará glória a Deus.

7,1 Aqui Paulo começa a responder a consultas dos coríntios. Nesse capítulo, sobre o matrimônio, com um aparte sobre circuncisão e escravidão. A frase citada dos coríntios parece opor-se à instituição de Gn 2. Poderia responder à solicitação de correntes ascéticas no judaísmo e no helenismo.

7,2-7 Toda essa seção se refere a casados. No extremo oposto dos que proclamavam "o amor livre" encontram-se os que excluem o matrimônio (talvez v. 1) ou relações sexuais dentro dele. Paulo afirma a doutrina de Gn 2,18. Sobre a entrega mútua, recorde-se Ct 4,16: "entra, meu amor, em teu jardim"; 6,3: "eu sou de meu amado e meu amado é meu"; 7,11 "eu sou do meu amado e ele me busca com paixão".
No AT cita-se como caso excepcional o celibato de Jeremias, imposto ao profeta como ação simbólica (Jr 16). A continência periódica para a oração é paralela ao jejum. Já que nessa primeira seção se valoriza a igualdade que Paulo defende entre marido e mulher, o dever é mútuo, o acordo é mútuo. Paulo propõe o celibato como carisma, não como lei; e carisma significa dom gratuito de Deus. Paulo não concebe o celibato como proeza do esforço e do controle humano.

7,8-9 Abrasar-se: a imagem se encontra em Eclo 23,17 e Pr 6,27-28: um se refere ao luxurioso, o outro ao adúltero. Comparar o amor com o fogo é corrente em muitas culturas; Ct 8,7 o chama "labareda divina" que "as águas torrenciais" não apagam.

7,10-11 A lei judaica e seus comentários rabínicos admitiam o divórcio (cf. Dt 24,1-4); Jesus, chamado aqui "o Senhor", reafirmou a lei fundamental do matrimônio indissolúvel (Mc 10,1-12 par.). Os casos em que a mulher podia tomar a iniciativa de separação eram muito raros.

7,12-16 Casamento de cristão com infiel: sobre esse assunto Paulo não pode apresentar nenhum mandamento de Jesus. Nesse caso podem entrar em jogo duas forças: por uma parte, a fidelidade ao cônjuge, com o qual se uniu até formar "uma só carne"; por outra parte, a fidelidade a Jesus acima de todos os

dele. ¹⁴Pois o marido não cristão fica consagrado pela mulher, e a mulher não cristã fica consagrada pelo irmão; do contrário, vossos filhos seriam impuros, ao passo que agora estão consagrados. ¹⁵Mas, se o não cristão quiser separar-se, separe-se: neste caso, nem o irmão nem a irmã estão vinculados. O Deus nos chamou para viver em paz. ¹⁶Tu, mulher, talvez salves teu marido; tu, homem, talvez salves tua mulher.

Não mudar de condição – ¹⁷Em qualquer caso, cada um proceda como lhe designou o Senhor, como Deus o chamou. Esta é minha norma em todas as igrejas. ¹⁸Foste chamado já circuncidado? Não o dissimules. Foste chamado estando sem circuncidar? Não te circuncides. ¹⁹Ser circuncidado ou incircuncidado não conta; o que conta é cumprir os mandamentos de Deus. ²⁰Cada qual permaneça na condição em que foi chamado. ²¹Foste chamado sendo escravo? Não te importes; mas, se puderes emancipar-te, aproveita. ²²O que foi chamado sendo escravo, é liberto do Senhor; o que foi chamado sendo livre, é escravo de Cristo. ²³Fostes comprados por alto preço: não sejais escravos de homens. ²⁴Cada um, irmãos, permaneça diante de Deus na condição em que foi chamado.

Matrimônio e virgindade – ²⁵Para os solteiros não tenho ordens do Senhor; porém vos dou minha opinião como pessoa de confiança pela misericórdia do Senhor. ²⁶Penso que, levando em conta a iminente tribulação, o melhor é isto: que o homem fique como está. ²⁷Estás vinculado a uma mulher? Não procures desligar-te. Não estás vinculado a uma mulher? Não procures mulher. ²⁸Apesar de tudo, se casas não pecas, e a solteira, se casa, não peca; contudo, terão de arcar com penalidades corporais, e eu vos quero poupá-las. ²⁹Numa palavra, irmãos, o tempo se faz curto; para o futuro, os que têm mulher vivam como se não a tivessem, ³⁰os que choram, como se não chorassem, os que se alegram como se não se alegrassem, os que compram como se não possuíssem, ³¹os que usam o mundo como se não desfrutassem. Pois a representação deste mundo está acabando.

---

vínculos de família (incluída a mulher e os filhos, Lc 14,26 par.). Supostos o amor e a vontade de paz do cônjuge não-cristão, o cônjuge cristão é capaz de transmitir a ele e aos filhos a própria consagração. Era normal que, ao converter-se o pai de família, toda a casa se convertesse, também os criados. Aqui é notável que a mulher possa transmitir a consagração, talvez em virtude da união estreita, "uma só carne". Se a paz é impossível, se o não-cristão toma a iniciativa de separação, a outra parte não fica ligada, "escravizada" (em grego).

7,16 A interpretação desse argumento é duvidosa. Paulo não quer afirmar, e sim abrir a porta a uma solução possível ou provável. a) Se damos uma resposta afirmativa, temos: Talvez a parte cristã consiga conduzir à salvação (conversão) a outra parte; por isso convém manter a união com paciência. b) Não há suficiente probabilidade de que a parte cristã consiga salvar a outra parte; por isso, não deve hesitar em deixá-la, livrando-se assim de uma "escravidão".

7,17 Esse versículo não nos livra das dúvidas. Na teoria e na prática, Paulo prefere a estabilidade, salvar o matrimônio se é possível; mas não retira essa concessão, porque não quer impor uma escravidão injustificada. Algo parecido pode-se dizer de outro vínculo social e religioso. O versículo serve de transição.

7,18-24 A vocação cristã não exige como condição prévia a circuncisão judaica nem o estado social de cidadão livre. Se assim fosse, o convertido ou a comunidade teria de pagar os gastos da alforria, ou se criariam problemas legais. O chamado de Cristo não está vinculado a uma classe social. É provável que muitos escravos tenham respondido à bem-aventurança brindada à sua condição. O caso da circuncisão é somente análogo, porque a marca é de per si permanente. Coincidem no essencial: incircuncisos e escravos são chamados sem distinção. Num plano superior, a distinção entre escravo e livre fica invertida com vantagem de ambos; ser cristão é uma emancipação (Gl 5,1), ser servo de Cristo é uma honra.

7,18 O procedimento é ilustrado em 1Mc 1,15, onde o motivo era adaptar-se ao costume grego do ginásio.

7,20 "Na condição em que foi chamado" é uma tradução que concretiza, como consequência lógica, o substantivo grego que significa "chamado". Apoiados na expressão grega, também poderíamos interpretar assim: seja cada um fiel à sua vocação (cristã).

7,21 Paulo não está pedindo ao escravo que recuse a alforria quando lhe oferecem ou impõem (Dt 15,16-17). Sobre alforria de escravos, ver o importante episódio de Jr 34.

7,23 Ver Rm 3,24.

7,25-31 Dirige-se por igual a solteiros de ambos os sexos. Tampouco nesse ponto pode apresentar um mandamento do Senhor. Embora Jesus louve os que se fazem eunucos pelo reino de Deus (Mt 19,12), não o impõe como preceito. Por puro favor e confiando em sua lealdade, à maneira de uma missão: apoiado nela, pode dar um conselho. Trata-se, portanto, de um conselho apostólico.

Suposto o carisma (7,7), entre dois bens Paulo considera preferível o celibato, porque o matrimônio, junto com suas alegrias, traz muitas preocupações:

³²Quero que estejais livres de preocupações: o solteiro se preocupa dos assuntos do Senhor e procura agradar ao Senhor. ³³O casado se preocupa com os assuntos do mundo e procura agradar a sua mulher, ³⁴e está dividido. A mulher solteira e a virgem se preocupam com os assuntos do Senhor para estarem consagradas de corpo e espírito. A casada se preocupa com os assuntos do mundo e procura agradar ao marido. ³⁵Digo-vos isso para o vosso bem: não para vos pôr uma armadilha, mas para que vossa dedicação ao Senhor seja digna e assídua, sem distrações.

³⁶Se alguém sente que se comporta incorretamente com sua companheira virgem, que está em idade de casar*, de modo que deve tomar uma decisão, faça o que quiser e casem-se, pois não pecam. ³⁷Todavia, quem está firme em sua decisão, sem sucumbir à necessidade, pelo contrário domina sua vontade, fará bem mantendo intacta sua companheira. ³⁸Concluindo, quem casa com sua companheira virgem faz bem; quem não casa faz melhor. ³⁹Uma mulher está vinculada enquanto viver o marido; se o marido morrer, ela fica livre para casar com quem quiser, desde que seja cristão. ⁴⁰Porém, na minha opinião, será mais feliz se não casar. E penso que também eu possuo o Espírito de Deus.

8 Vítimas sacrificadas aos ídolos (Rm 14) —

¹A respeito da carne imolada aos ídolos: É sabido que todos temos conhecimento. Porém o conhecimento infla, ao passo que o amor edifica. ²Se alguém pensa que já tem conhecida alguma coisa, ainda

---

talvez pense nas palavras de Deus a Eva (Gn 3,16), na experiência de Rebeca (Gn 25,22) ou em provérbios (Pr 17,25; 19,13); ver as preocupações de um pai por sua filha (Eclo 42,9-14). Há outra razão mais forte, que é a volta do Senhor: sua proximidade iminente relativiza todos os valores e atividades do cristão. Sobre iminência ou demora da parusia, ver comparativamente as duas cartas aos Tessalonicenses. Aquilo que Lc 14,26s diz em termos de preferência, aqui é traduzido em termos temporais.

7,29-30 Não prega um desprezo desdenhoso do mundo e desta vida com seus sofrimentos e alegrias; não é um programa estoico. É a consciência de que a temporalidade humana impõe à qualidade e intensidade o limite da duração; só que a temporalidade humana é vista aqui à luz da iminência escatológica. Comparar com a escatologia de Is 24,1-2.

7,31 Termina "a representação" do grande teatro do mundo. Ou então a figura e aspecto presentes; para dar lugar a outro? Sl 102,27 diz "como roupa que se muda".

7,32-33 A julgar pela primeira frase, se diria que Paulo critica também a "preocupação" pelos assuntos do Senhor (cf. Lc 10,41, censura de Jesus a Marta). O contexto parece, antes, aprovar a concentração da solicitude no Senhor. Não pensa no estado de solteiro simplesmente, e sim na virgindade, ou também viuvez, "consagrada ao Senhor em corpo e alma". Só se fala da consagração da mulher, não do homem: daí a estima e a prática eclesiástica das "virgens consagradas".

7,36-38 É muito discutido o significado de "sua virgem". Apresento três explicações: a) É a filha casadoura, para a qual o pai tem de encontrar a tempo um marido. É uma opinião tradicional, hoje praticamente abandonada. b) É a noiva, talvez não batizada, unida juridicamente pelos esponsais, antes do casamento e da coabitação: devem continuar nesse estado intermédio? A iniciativa cabe a ele. c) É uma companheira à qual se uniu com vínculos espirituais, excluída a relação sexual. Em que condições essa relação pode continuar?

Também se discute o significado e a atribuição do adjetivo *hyperakmos*. Se se aplica a ela, seria casadoura, núbil; se se aplica a ele, seria "apaixonado". Paulo aceita as duas soluções do conflito, casamento ou continência; mas pede uma decisão em consciência e dá sua preferência ao celibato.

7,36 * Ou: *e o incita à paixão*.

7,39-40 A última palavra é para a viúva (Rm 7,2-3). Ver os exemplos de Judite (Jt 16,11) e Ana (Lc 2,36s). Não parece ter em conta a lei do levirato (Dt 25,5-10), ou, se a recorda, a invalida.

8,1-13 A carne que sobrava de banquetes cultuais em honra de deuses pagãos era vendida no mercado ou consumida em contexto profano. A carne não era alimento comum, por causa do preço, e os sacrifícios por diversas celebrações tinham o atrativo da sua dieta. Naturalmente, o cristão não participava do culto aos ídolos, com sacrifício e banquete. Podia participar das sobras consumidas em contexto profano? Em outras palavras, a consagração ao ídolo ficava aderida à carne como condição inseparável? Em caso afirmativo, comer dela era contaminar-se de idolatria. Assim pensavam as pessoas escrupulosas, talvez pagãos com fervor de recém-convertidos.

Paulo, sem apelar para a decisão do Concílio de Jerusalém (At 15), responde em dois planos: o do "conhecimento" ou consciência esclarecida, e o da caridade. Diz do "conhecimento": se os ídolos são nada, pois não existem divindades a não ser o Deus único, o alimento que se lhes oferece não fica consagrado, continua tão profano quanto antes. Diz a caridade: não se pode escandalizar o irmão que tem a consciência menos formada ou escrupulosa.

8,1 "Inflar" ou inchar é encher de ar, envaidecer-se sem substância; "edificar" é fazer obra sólida, em favor da comunidade (1,9-15). O "conhecimento", apenas, não basta.

8,2 Joga com duas formas verbais do verbo "conhecer": um perfeito, que significa completeza e permanência, e que poderíamos parafrasear "sabê-lo

não conhece como se deve. ³Ao contrário, se alguém ama a Deus, é conhecido por Deus. ⁴Quanto a comer carne sacrificada aos ídolos, sabemos que não existem os ídolos do mundo, e que Deus é um só. ⁵Embora existissem no céu e na terra os chamados deuses, e há muitos deuses e senhores, ⁶para nós existe um só Deus, o Pai, que é princípio de tudo e fim nosso, e existe um só Senhor, Jesus Cristo, por quem tudo existe, também nós. ⁷Mas nem todos possuem esse conhecimento. Alguns, acostumados à idolatria, comem a carne como realmente sacrificada aos ídolos, e sua consciência fraca fica contaminada. ⁸Não é o alimento que nos aproxima de Deus: nada perdemos se não comemos, nada ganhamos se comemos. ⁹Apesar de tudo, tende cuidado para que essa vossa liberdade não seja tropeço para os fracos. ¹⁰Pois, se alguém vê a ti, que tens conhecimento, à mesa num templo idolátrico, não se animará sua consciência fraca a comer carne sacrificada aos ídolos? ¹¹E por teu conhecimento se perde o fraco, um irmão por quem Cristo morreu. ¹²Desse modo, pecando contra os irmãos e abalando sua consciência fraca, pecais contra Cristo. ¹³Concluindo, se um alimento escandalizar meu irmão, jamais comerei carne, para não escandalizar o irmão.

9 O exemplo de Paulo – ¹No entanto, não sou livre? Não sou apóstolo? Não vi Jesus, Senhor nosso? Não sois vós obra minha a serviço do Senhor? ²Se para outros não sou apóstolo, para vós eu sou. O selo do meu apostolado para o Senhor sois vós. ³Minha defesa diante dos que me julgam é esta: ⁴Não temos direito de comer e beber? ⁵Não temos direito de nos fazer acompanhar por uma esposa cristã, como os demais apóstolos, os irmãos do Senhor e Cefas? ⁶Somos Barnabé e eu os

---

perfeitamente", e um aoristo de significado simples. Essa pretensão de suficiência está demonstrando que ainda não compreenderam o sentido dinâmico do conhecer, que nunca atinge seu termo.

8,3 "É conhecido" ou reconhecido por Deus. Comparar com a resposta "não vos conheço" de Mt 25,12. Em hebraico, o verbo correspondente chega a significar "escolher" (Jr 1,5).

8,4-6 No AT se progride do henoteísmo ao monoteísmo. O primeiro admite a existência de outros deuses para outros povos (cf. Dt 32,8); os israelitas veneravam um só Deus, *Yhwh* (Dt 6,4), superior a todos os deuses estrangeiros (Sl 29,1-2; 95,3; 96,4). O monoteísmo reconhece um Deus único de todos os povos. Paulo reafirma a fé monoteísta, numa espécie de doxologia litúrgica: o Deus que Paulo reconhece é Deus Pai, princípio de tudo e finalidade de "nossa"; e junto a ele, reconhece Jesus Cristo como Senhor, mediador na criação do universo, e de "nossa" existência cristã (Rm 11,36; Hb 1,2). A expressão "um só Senhor", *heis Kyrios*, é muito forte, pois é o equivalente de *Yhwh 'ehad* (Dt 6,4). Ao mesmo tempo admite a existência de outros seres superiores, que os pagãos chamam de deuses ou senhores.

8,7 "Consciência" é termo tirado da filosofia grega. A "contaminação" de que fala é ética, não legal. Paulo não louva essa consciência que chama de "fraca": tem compaixão dela. Também procura corrigi-la e formá-la com seu ensinamento. Quer que se superem os resquícios da idolatria anterior.

8,8 Em nossa relação com Deus, nem a abstinência é perda, nem o desfrute é vantagem. Poderíamos inverter os termos, porque nossa relação com Deus não se decide no plano da dieta.

8,11-12 Provocar a queda do irmão é fazer grande ofensa a Cristo. Mantém-se o direito preferencial que o fraco tem de ser respeitado e auxiliado (comparar com Eclo 13,21). "Escandalizar" é provocar a queda. Ver Rm 14,15-20.

9 O último versículo formulou o princípio ou o propósito de condicionar a liberdade a serviço da caridade. Nesse capítulo, Paulo desenvolve o princípio com seu exemplo: os direitos de um apóstolo e a renúncia a eles pelo bem da comunidade. Esses direitos são provados com vários argumentos: da razão, da Escritura, de semelhança.

a) Da razão: o soldado recebe o soldo (Nabucodonosor da parte de Deus, Ez 29,18-20); o lavrador se alimenta da sua colheita (Is 62,8-9; 65,21); o mesmo vale para o pastor (Pr 27,26-27).

b) Da Escritura: a lei que protege o animal que trabalha (Dt 25,4), interpretada em função do homem. Uma alusão ao que diz um doutor (Eclo 6,19).

c) De semelhança: como fazem os outros apóstolos, ou os ministros do culto. Mas o orgulho de Paulo não é a liberdade, e sim a renúncia por amor e zelo apostólico. Comparar com 2Cor 11,7-9.

9,1 "Livre" de nascimento, "apóstolo" de vocação (1,1). "Eu vi Jesus Senhor": apresenta-se como testemunha da ressurreição (*Kyrios* At 9,17; 26,15). É o que fundamenta sua missão (cf. At 1,22).

9,2 Pode significar que os outros não o reconhecem como apóstolo (por não ter convivido com Jesus) ou que não estenda seu apostolado evangelizador a eles. O que se segue favorece a primeira interpretação, pois o selo serve para autenticar um título: a comunidade que fundou em Corinto comprova sua missão apostólica.

9,3 Defesa e julgamento expressos em terminologia forense.

9,4 Ver a instrução de Jesus aos discípulos (Lc 10,8).

9,5-6 "Irmãos do Senhor" (Mc 3,31). Barnabé (At 4,36-37; 13-14; Gl 2,1). Pode-se recordar as "mulheres" que acompanhavam Jesus em seu ministério (Lc 8,2-3; 24,22).

únicos que não têm direito de ficar sem trabalhar? ⁷Quem serviu como soldado às próprias custas? Quem planta uma vinha e não come seus frutos? Quem cuida de um rebanho e não se alimenta do seu leite? ⁸Meu argumento não é puramente humano, pois também a lei o diz. ⁹Na lei de Moisés está escrito: *Não porás focinheira no boi que trilha.* Por acaso Deus se preocupa com os bois? ¹⁰Não o diz, antes, para nós? Claro, está escrito para nós: com esperança lavra o lavrador e trilha o trilhador, com a esperança de colher. ¹¹Se nós semeamos em vós o espiritual, será excessivo que colhamos o corporal? ¹²Se outros desfrutam desse direito sobre vós, por que não nós? Todavia, não fizemos uso de tal direito; pelo contrário, tudo suportamos para não pôr obstáculos à boa notícia do Messias. ¹³Não sabeis que os ministros do culto comem das ofertas do templo, e os que servem ao altar participam das ofertas do altar?

¹⁴Do mesmo modo, o Senhor dispôs que os anunciadores da boa notícia vivam do seu anúncio. ¹⁵Eu, porém, não fiz uso de nenhum desses direitos. Não escrevo para que agora os reconheçais (prefiro morrer!). Ninguém me tirará essa glória. ¹⁶Anunciar a boa notícia não é para mim motivo de orgulho, mas obrigação que me incumbe. Ai de mim se eu não a anunciar! ¹⁷Se o fizesse por iniciativa própria, receberia meu salário; se não é por minha vontade, é porque me confiaram um encargo. ¹⁸Qual será, então, meu salário? Anunciar gratuitamente a boa notícia, sem fazer uso do direito que seu anúncio me confere. ¹⁹Sendo inteiramente livre, me fiz escravo de todos para ganhar o maior número possível. ²⁰Com os judeus me fiz judeu para ganhar os judeus; com os submetidos à lei como se eu estivesse, embora não o esteja, para ganhar os submetidos à lei. ²¹Com os que não têm lei, como se eu não a tivesse – embora não rejeite a lei de Deus, pois estou submetido à do Messias –, para ganhar os que não têm lei. ²²Tornei-me fraco com os fracos, para ganhar os fracos. Fiz-me tudo para todos, para salvar alguns de qualquer forma. ²³E tudo faço pela boa notícia, para participar dela. ²⁴Não sabeis que no estádio correm todos os corredores, mas um só ganha o prêmio? Correi, portanto, para consegui-lo. ²⁵Os que competem se abstêm de tudo; e o fazem para ganhar uma coroa corruptível, nós uma incorruptível.

9,7 Soldado, lavrador e pastor, três categorias de uma economia simples. Pensa nos soldados mercenários da época ("soldado" se relaciona com "soldo", salário).

9,9 Dt 25,9; mas cf. Sl 36,10; 104,27-28; 145,15-16. Paulo se refere a uma lei promulgada, não à providência geral.

9,11 Nas instruções aos apóstolos conta-se com a hospitalidade gratuita dos destinatários (Mt 10,11-13 par.).

9,12 Obstáculo poderia ser que os pobres ficariam sem evangelho por não poderem pagar o pregador. Também a impressão de que o pregador agia por cobiça ou buscaria para vantagem própria.

9,13 É norma da legislação: Lv 7,7-10; Dt 18,1-3.

9,14 É o que lemos em Gl 6,6, fazendo eco ao princípio enunciado por Jesus (Lc 10,7).

9,15 A partir desse versículo, passa à descoberta da origem e sentido da sua missão, o estilo na sua execução. E o faz com um estilo retórico de grande efeito e clara maestria. Deve-se escutá-lo declamado em voz alta, observando o ritmo, os paralelismos, os paradoxos.

9,16 Sente-se como um profeta, forçado a pregar; ver de modo especial o exemplo de Jeremias, "forçado por tua mão" (15,17), embalado por um fogo interior da mensagem, "fazia esforços para contê-la e não podia" (20,9). Ai de mim, por minha pregação! dizia Jeremias; ai de mim, se não anuncio!, diz Paulo.

9,17-18 Refere-se a um escravo administrador, que não recebe salário, e se opõe ao cidadão livre, contratado por dinheiro. A generosidade desinteressada é seu melhor salário.

9,19-23 Livre: como judeu, como cidadão romano, como cristão; escravo de todos, a exemplo de Cristo (Jo 13,13-17).

9,20 Refere-se à lei judaica com suas observâncias. Nos Atos Paulo aparece como cumpridor da lei, inclusive circuncidando Timóteo (16,3) ou cumprindo um voto (21,26).

9,21 Diante dos pagãos, que não seguem a lei judaica, Paulo prescinde dessa lei, embora submetido à lei de Cristo.

9,22 Ele tem de educar os "fracos", dos quais falou antes (8,7-12), não os deixando em sua "fraqueza" ignorante.

9,23 De modo que seja boa notícia também para mim. E essa é a paga daquele que trabalhou de graça.

9,24-27 Recorre a uma imagem esportiva, sugerida pelos jogos ístmicos, celebrados em Corinto, e também pelo uso da imagem por parte da filosofia popular. A liberdade fica também limitada pela necessidade de treinamento e de competir até o final. No estádio, só um é coroado; no terreno cristão todos, contanto que corram segundo o regulamento e sem desanimar. O horizonte é escatológico (Sb 5,16). Paulo, que agora faz as vezes de árbitro ou anunciador dos vencedores, é ao mesmo tempo lutador e corredor rumo à meta (comparar com 2Tm 4,6-8).

²⁶De minha parte, eu corro, mas não à-toa; luto, mas não dando golpes ao vento. ²⁷Ao contrário, treino meu corpo e o submeto, para que não aconteça que, depois de proclamar aos outros, eu seja desclassificado.

10 Perigo de idolatria

¹Não quero que ignoreis, irmãos, que nossos pais estiveram sob a nuvem e atravessaram o mar. ²Todos foram batizados na nuvem e no mar, vinculando-se a Moisés. ³Todos comeram o mesmo alimento espiritual ⁴e todos beberam a mesma bebida espiritual; pois bebiam da rocha espiritual que os seguia, rocha que é o Messias. ⁵Mas a maioria não agradou a Deus e acabaram estendidos no deserto. ⁶Esses fatos nos servem de exortação, para que não desejemos o mal, como eles o desejaram. ⁷Não sejais idólatras como alguns deles, dos quais está escrito: *O povo sentou-se para comer e beber e se levantou para dançar.* ⁸Não forniquemos como fizeram alguns deles, e num só dia caíram vinte e três mil. ⁹Não ponhamos o Senhor à prova, como fizeram alguns deles, e pereceram mordidos por serpentes. ¹⁰Não protesteis como alguns protestaram, e pereceram nas mãos do exterminador. ¹¹Tudo isso lhes acontecia como figura, e foi escrito para advertir a nós que alcançamos a etapa final. ¹²Por conseguinte, quem crê estar firme, tenha cuidado para não cair. ¹³Nenhuma prova sobre-humana vos atingiu. Deus é fiel, e não permitirá que sejais provados acima de vossas forças. Com a prova vos abrirá uma saída, para que possais suportá-la.

Alimentos idolátricos e liberdade cristã

¹⁴Portanto, meus queridos, fugi da idolatria. ¹⁵Falo a gente entendida; julgai por vós mesmos. ¹⁶A taça de bênção que abençoamos, não é comunhão com o sangue de Cristo? O pão que partimos, não é

10,1-10 Ilustra a necessidade de perseverar até o final fazendo desfilar, em estilo midráxico, vários episódios escalonados dos israelitas no deserto. O procedimento das séries é conhecido e praticado no AT: os Salmos 78, 105 e 106, o cap. 10 de Sabedoria, a memória penitencial de Ne 9. O tema do êxodo era um dos mais explorados na tradição rabínica. Os episódios exemplares retomados são: a travessia do mar (Ex 14), o maná (Ex 16), a água da rocha (Nm 20), a covardia diante do perigo (Nm 14), o bezerro de ouro (Ex 32), a prostituição sagrada (Nm 25), as serpentes (Nm 21), a revolta (Nm 17).
O modo de tratar os episódios é esquemático, seguindo um padrão bastante livre. O princípio hermenêutico é ver os fatos e sua versão escrita como tipos ou prefigurações do futuro, que é a era final do evangelho. Ou seja, o ponto de vista é o momento presente com seus problemas e exigências.
Na exortação vai misturando o "vós" e o "nós": todos, também os pagãos convertidos, devem sentir-se em continuidade com o Israel do êxodo, "nossos pais" ou antepassados.

10,1-2 A passagem através de elementos aquáticos – entre duas muralhas de água no mar Vermelho, sob a nuvem no deserto – era uma espécie de batismo que os incorporava a Moisés. Ex 14,31 conclui: "creram no Senhor e em Moisés, seu servo", que assim se torna tipo de Cristo.

10,3-4 Comida e bebida se unem, como na eucaristia. Eram materiais na sua essência, eram "espirituais" por sua origem milagrosa e por seu sentido profético (cf. Jo 6,22 e 7,37s).
Alude à lenda da rocha que seguia o povo em seus deslocamentos como manancial itinerante: os rabinos a identificaram com a lei, que acompanhava o povo em sua história.

10,5-6 Desejar o mal: cf. Am 5,14; Sl 52,5. "Estendidos": Nm 14.

10,7 Tacha de idolatria venerar uma imagem de *Yhwh* (Ex 32).

10,8 Vinte e quatro mil, diz Nm 25,9; talvez esteja confundindo com Nm 26,62.

10,9 Ver Nm 21,5-6.

10,10 O título "exterminador" pertence a outros contextos (contra o Egito, Ex 12,13; o assédio, Is 54,16 etc.).

10,11 A "etapa final": 1Pd 4,7; 1Jo 2,18. O princípio hermenêutico pode ser estendido a muitos outros fatos do AT: o que o povo vive é como uma representação sagrada, uma espécie de auto sacramental, exibido diante dos futuros leitores/público, que deverão sentir-se interpelados pelo drama representado.

10,12-13 O deserto é a etapa tradicional da "prova": Ex 16,4; 20,20; Dt 8,2.16. A prova pertence à existência humana e à vida cristã: no Pai-nosso pedimos para superá-la (Eclo 2,1-6), não eliminá-la.
Já apareceram na carta as tentações concretas dos coríntios e algumas quedas. A seguir, vai deter-se num caso particular.

10,14-22 Sobre a participação em banquetes cultuais pagãos. No banquete cultual o homem se torna comensal da divindade, "partilha" sua mesa (Sl 36,9; 63,6; 65,5; 116,13). Porém, conforme foi dito antes (8,4), poderiam objetar: se os ídolos são nada, seu banquete é neutro. Paulo responde com outra versão (que a apologética explorará): as divindades pagãs são demônios. E esses demônios são hoje os "rivais" do nosso único Deus, que é um "Deus ciumento" (Ex 20,5; 34,14; Dt 4,24; 5,9; 6,15). Ver especialmente Dt 32,16-17 (provável inspiração de Paulo), que enumera em paralelismo sinonímico "deuses estranhos, abominações, demônios que não são deus, deuses desconhecidos".

10,16-17 De passagem nos oferece um denso ensinamento sobre a eucaristia como comunhão com Cristo e com os irmãos. Expressa-se e afiança-se

comunhão com o corpo de Cristo? [17]Um é o pão e um é o corpo que formamos, apesar de muitos; pois todos partilhamos o único pão. [18]Considerai os israelitas de raça: Os que comem as vítimas sacrificadas não estão em comunhão com o altar? [19]O que pretendo dizer? Que as vítimas idolátricas são alguma coisa ou que os ídolos são alguma coisa? [20]Absolutamente não. Contudo, visto que os sacrifícios dos pagãos são oferecidos a demônios e não a Deus, não quero que entreis em comunhão com os demônios. [21]Não podeis beber a taça do Senhor e a taça dos demônios; não podeis compartilhar a mesa do Senhor e a mesa dos demônios. [22]Queremos provocar ciúmes no Senhor? Somos mais fortes do que ele?

[23]Tudo é permitido, dizeis. Mas nem tudo convém. Tudo é permitido. Porém, nem tudo edifica. [24]Ninguém procure seu interesse, mas o do próximo. [25]Comei tudo o que se vende no açougue, sem criar problema de consciência, pois [26]*do Senhor é a terra e tudo quanto ela contém.* [27]Se um pagão vos convida e aceitais, comei de tudo o que vos servir, sem criar problema de consciência. [28]Mas se alguém vos avisar: *É carne sacrificada,* não comais: em atenção a quem vos avisou e à consciência. [29]Não me refiro à própria consciência, mas à do outro. Como assim?! Minha liberdade vai ser julgada pela consciência alheia? [30]Se eu participo dando graças, por que irão me censurar por aquilo pelo qual dou graças? [31]Portanto, quer comais ou bebais ou façais qualquer outra coisa, fazei tudo para a glória de Deus. [32]Não deis motivo de escândalo, nem a judeus nem a gregos nem à igreja de Deus. [33]Como eu, que tento agradar a todos, não procurando minha vantagem, mas a de todos, para que se salvem.

11

[1]Imitai-me, como eu imito Cristo.

O véu das mulheres – [2]Eu vos louvo, porque sempre vos lembrais de mim e conservais meus ensinamentos do modo como os transmiti. [3]Contudo, desejo que

---

uma espécie de parentesco "carnal", de "consanguinidade" misteriosa com o Senhor. O cálice de bênção procede do ritual judaico e é transformado por Jesus (Lc 22,19-20 par.). Frisa o paralelismo: corpo eucarístico de Cristo/corpo eclesial de Cristo. O pão único o simboliza, a refeição o realiza.

10,18 Ver Lv 3.

10,19 Ver Dt 32,17.

10,20 Entre tantas referências a demônios nos evangelhos, podemos destacar a figura de Satã frente a frente com Jesus no deserto; a última exigência de Satã é ser adorado (Mt 4,1-12 par.).

10,21 Ver Dt 4,24.

10,23-30 Retorna ao tema da liberdade (6,12) e seu limite imposto pela caridade. Acrescenta algum aspecto novo, tanto na casuística como na motivação. Casos do cristão que vive em ambiente pagão e precisa relacionar-se com ele. Pode-se comparar com a casuística entre judeus proposta por Ag 2,10-13.

10,23-24 O uso da liberdade deve ser "construtivo"; e só o será se for dada preferência ao próximo, especialmente o próximo necessitado.

10,25 A condição da pessoa e do objeto é diferente. O objeto submetido a um rito não muda sua natureza; a pessoa que participa de um rito se torna responsável.

10,26 Cita o começo de um salmo (24,1) que elenca condições éticas para entrar no templo.

10,28 O aviso dado em público muda a situação: faz da refeição um ato confessional, induz a alternativa de dar bom ou mau exemplo.

10,30 O cristão se torna responsável também pela consciência alheia, que deve respeitar e tratar com compreensão e indulgência.

10,31-32 Resume o duplo critério que rege o caso presente e qualquer outro da vida cristã. O primeiro é positivo: mesmo as atividades neutras devem ser realizadas em honra de Deus, para glória de Deus (Sl 115,1); o segundo é negativo: não dar ocasião de escândalo a pessoas próximas ou desconhecidos.

10,33-11,1 Paulo pode apresentar-se como modelo por causa de sua origem judaica e de sua dedicação aos pagãos; mas, acima de tudo, porque imita Cristo. Cristo é o modelo primário (Rm 8,29) que o cristão imita mediata ou imediatamente (Fl 3,17; 2Ts 3,7-9). Daí brota uma espiritualidade definida como imitação de Cristo.

11,2-16 Pelo tema, a meu ver secundário, e pela maneira de argumentar, essa instrução parece desconcertante. Que diferença dos outros temas tratados na carta! Se era uma das consultas dos coríntios, Paulo não tem instruções do Senhor sobre o tema. Paulo tenta justificar aquilo que é prática condicionada por usos sociais, limitada no tempo e no espaço; e o faz com argumentos da antropologia, "ensina a natureza" (v. 14) e da Escritura, nada menos que do primeiro capítulo do Gênesis (vv. 8-9). Joga com o sentido próprio e metafórico de "cabeça" e com a analogia do véu e da cabeleira. É possível que se refira às mulheres casadas, supondo que descobrir-se em público fosse falta de respeito (cf. Gn 24,65; Dn 13,32).

11,2 Comparar essas "minhas tradições" com a grande tradição de 11,23. Como exemplo de fidelidade às tradições paternas, pode-se recordar o episódio dos recabitas de Jr 35.

11,3 A "imagem e semelhança" de Gn 1,27, que coloca no mesmo plano o homem e a mulher, é substituída

compreendais que o Messias é cabeça de todo homem, o homem é cabeça da mulher e Deus é cabeça do Messias. ⁴O homem que reza ou profetiza com a cabeça coberta, desonra sua cabeça; ⁵ao contrário, a mulher que reza ou profetiza com a cabeça descoberta, desonra sua cabeça: é como se tivesse a cabeça rapada. ⁶De modo que, se uma mulher não se cobrir, que rape a cabeça; e se é vergonhoso rapar o cabelo, então que se cubra. ⁷O homem não precisa cobrir a cabeça, pois é imagem da glória de Deus, ao passo que a mulher é glória do homem. ⁸Pois não é o homem que procede da mulher, e sim a mulher do homem. ⁹E o homem não foi criado para a mulher, e sim a mulher para o homem. ¹⁰Por isso, a mulher deve levar na cabeça o sinal da autoridade*, em atenção aos anjos. ¹¹Embora para o Senhor não haja mulher sem homem, nem homem sem mulher. ¹²Pois, se a mulher procede do homem, também o homem nasce da mulher, e ambos procedem de Deus. ¹³Julgai vós mesmos: é conveniente que uma mulher reze a Deus com a cabeça descoberta? ¹⁴Não vos ensina a natureza que é uma desonra para o homem ter cabelos longos, ¹⁵ao passo que é honra para a mulher tê-los? Pois os cabelos longos são dados à mulher como véu. ¹⁶E se alguém quiser discutir, nós não temos esse costume, nem as igrejas de Deus.

Ágape e eucaristia – ¹⁷Ao recomendar-vos essas coisas, existe algo que não louvo: vossas reuniões trazem mais prejuízo que benefício. ¹⁸Em primeiro lugar, ouvi que quando vos reunis em assembleia, há divisões entre vós, e em parte acredito; ¹⁹pois é inevitável que haja divisões entre vós, a fim de que se mostre quais os que entre vós são autênticos. ²⁰E assim acontece que, quando vos reunis, não comeis a ceia do Senhor. ²¹Pois uns se antecipam para consumir a própria ceia e, enquanto um passa fome, o outro se embeda. ²²Não tendes casas para

---

por uma disposição hierárquica, com o Messias como peça intermédia: Deus é cabeça de Cristo, que é cabeça do homem, que é cabeça da mulher.

11,4-5 Há uma esfera de igualdade que convém destacar: o mesmo se diz, sem distinção, do homem e da mulher no culto: "reza e profetiza"; é o substancial. Há outra esfera que distingue gesto e aspecto; é o acidental. A segunda ilustra a participação dos dois sexos no culto, não confundidos (cf. Dt 22,5). Segundo Jr 14,3-4, o homem cobre a cabeça em sinal de luto, "decepcionado".

11,7-10 O modo de argumentar pela Escritura é curioso. Gn 1,27 fala de "imagem e semelhança", aqui se diz "imagem e glória". A imagem é atribuída ao homem, à mulher cabe a glória por mediação do homem. A "correspondência" (*kenegdô*, Gn 2,21-22) é substituída por finalidade. Assim temos que a mulher vem do homem e é para o homem: isso deve se mostrar no culto, e o sinal social é cobrir a cabeça. Por causa dos "anjos": a interpretação é duvidosa e discutida. Alguns os tomam por seres celestiais, representantes do mundo celeste na liturgia terrestre. Outros pensam em oficiantes do culto, aos quais as mulheres não cobertas poderiam provocar. Outros tomam o termo em seu sentido simples de mensageiros, ou seja, visitantes de outras igrejas. Ver o costume antigo em Gn 24,65.

11,10 * Ou: *estão sob*.

11,11-12 Se a explicação precedente não é muito lisonjeira, acrescentamos à contrapartida: primeiro, que os dois sexos devem apresentar-se unidos diante do Senhor; segundo, que todo homem (exceto Adão) é "nascido de mulher" (Jó 14,1).

11,13-15 Mas se os argumentos de autoridade não convencem, que os destinatários julguem por sua conta, consultando a natureza, que não faz o homem cabeludo.

11,16 E se ainda não se convencem (pois Paulo tampouco parece estar convencido), se apela ao costume das igrejas (costume sem dúvida condicionado).

11,17-34 Essa é uma das mais antigas versões escritas sobre a instituição e celebração da eucaristia que possuímos. Parece mista com a versão de Lc 22,15-20 e vem de uma tradição autêntica (v. 23). Paulo enfrenta primeiro dois abusos dos coríntios (vv. 18-20.21-22) e oferece depois uma síntese densa do seu ensinamento (vv. 23-29).

11,17-22 Muitas vezes no AT se denuncia um culto invalidado pela situação de injustiça dos ofertantes e participantes. Is 1,10-20 o declara "detestável"; Is 58 denuncia o jejum; Jr 7 a transformação do templo em "covil de ladrões"; Sl 50 propõe um discurso apaixonado do Senhor; Eclo 34,18-35,9 emprega expressões violentas. De modo semelhante, a falta de caridade invalida a eucaristia cristã.

11,18-19 O primeiro pecado são as divisões (das quais falou no começo da carta). É verdade que as divisões são inevitáveis, especialmente numa comunidade heterogênea como a de Corinto; mas os "autênticos" devem fazer todo o possível para manter a unidade, expressa e robustecida na celebração eucarística.

11,20 A afirmação é categórica e vigorosa: há, sim, uma reunião comunitária, mas não há "banquete do Senhor". Vale para o que precede e o que se segue.

11,21-22 O segundo é a relação entre refeição profana e celebração litúrgica. A "ceia do Senhor", celebrada em casas particulares e apropriadas, costumava ser precedida de uma ceia em comum, à qual os abastados levavam suas provisões. Sem esperar que chegassem os mais necessitados e atrasados, comiam e bebiam, de modo que aos pobres restavam as sobras. Nesse ponto, com uns satisfeitos e até ébrios e outros famintos, procedia-se à celebração da eucaristia. E esta era ocasião de discriminação

comer e beber? Desprezais a assembleia de Deus e envergonhais os que nada têm? Que posso dizer-vos? Vou louvar-vos? Nisto não vos louvo. ²³Pois eu recebi do Senhor o que vos transmiti: O Senhor, na noite em que era entregue, tomou pão, ²⁴dando graças o partiu, e disse: Isto é o meu corpo que se entrega por vós. Fazei isto em memória de mim. ²⁵Da mesma forma, depois de cear, tomou a taça e disse: Esta taça é a nova aliança selada com o meu sangue. Fazei isto cada vez que a bebeis, em memória de mim. ²⁶De fato, sempre que comeis este pão e bebeis esta taça, anunciais a morte do Senhor, até que volte. ²⁷Portanto, quem comer o pão e beber a taça do Senhor indignamente, é réu do corpo e do sangue do Senhor. ²⁸Por conseguinte, que cada um se examine antes de comer o pão e beber a taça. ²⁹Pois, quem não reconhece o corpo (do Senhor), come e bebe a própria condenação.

³⁰Esta é a causa de haver entre vós muitos doentes, enfermos e que muitos morreram. ³¹Se nos examinarmos, não seremos julgados. ³²E se o Senhor nos julga, é porque nos exorta para não nos condenar com o mundo. ³³Portanto, irmãos meus, quando vos reunis para comer, esperai uns pelos outros. ³⁴Se alguém tiver fome, coma em sua casa; assim não vos reunireis para ser condenados. Os demais assuntos, eu os resolverei quando aí chegar.

12 Carismas
– ¹Irmãos, a respeito dos dons espirituais, não quero que estejais na ignorância. ²Sabeis que, quando pagãos, seguíeis um impulso para ídolos mudos. ³Por isso vos faço saber que ninguém, movido pelo Espírito de Deus, pode dizer: Maldito seja Jesus! E ninguém pode dizer: Senhor Jesus! se não é movido pelo Espírito Santo.

---

entre pobres e abastados, com fome e humilhação dos necessitados. Uma divisão grave, na qual culminavam as facções e processos antes mencionados (1,10-17; 6,1-11). Seria melhor cada um comer em sua casa e depois reunir-se para a liturgia (melhor ainda esperar e partilhar, v. 33).

11,23-28 Paulo aproveita a ocasião para expor seu ensinamento positivo. As fórmulas empregadas são de grande riqueza teológica, que a reflexão posterior se encarregou de desenvolver.

11,23 "Na noite em que era entregue": o ato litúrgico fica vinculado a um fato fundacional; com mais rigor que o da Páscoa vinculada à saída do Egito (Ex 12,26s); além disso, "essa noite" é expressão que perdura na liturgia judaica e que repetimos no anúncio pascal.

11,24 É a clássica "ação de graças", que corresponde à *beraká* judaica; com sua raiz grega dá nome à nossa *eu-charis-tia*; também chamada de "a fração do pão" pelos antigos. "Em memória": em grego *anámnesis*, conservado também como termo técnico em nossos tratados; é memória que atualiza o fato, é comemoração festiva. "Por vós" significa o valor redentor da sua morte. "Fazei": é um preceito que a Igreja deve cumprir e cumpre ao longo dos séculos (cf. Hb 9,16-22).

11,26 "Até que volte": o que é memória é também esperança, projetada para a parusia ou retorno do Senhor. "Comeis e bebeis": é a comunhão na sua forma primitiva (bastante limitada em nossos dias).

11,27 O indivíduo indigno não invalida o ato comunitário, mas se torna réu de profanação grave.

11,28 É a exigência prévia de um exame de consciência para a purificação, para não comer "indignamente". Logicamente, nesse exame deve-se incluir o que Paulo denunciou antes. Conservamos essa ação na nossa liturgia penitencial.

11,29 O "corpo" é o eucarístico do Senhor e também a comunidade: ambos devem ser reconhecidos em sua diversidade única.

11,30-32 Uma epidemia ou mortandade anômala em Corinto é interpretada, no estilo do AT, como castigo ou aviso divino à comunidade, com finalidade salutar.

11,33-34 O último conselho prático: esperar até que estejam todos para cear juntos. Em caso excepcional, de alguém que não possa resistir tanto, que coma em casa antes de comparecer à reunião.

12,1-31 Em Corinto, ao que parece, os dons espirituais ou "carismas" davam origem a divisões por inveja ou competição, por vaidade comparativa. Paulo responde desenvolvendo duplo argumento: origem e função. A origem é única e mantém um controle unificado: o Espírito. A função é plural, mas de forma orgânica, ou seja, existe uma diferenciação a serviço da unidade do organismo.

12,2-3 O impulso podia ser a profunda ânsia religiosa do homem, dirigida por engano às falsas divindades. Chama os ídolos de "mudos", seguindo uma velha e tradicional polêmica, "têm boca e não falam" (Sl 115,5; 135,16; Carta de Jeremias, Br 6) e entre suas impotências selecionando a falta de comunicação. A reiterada confissão batismal de Jesus como "Senhor" só é possível por inspiração do Espírito, e é portanto um critério básico para julgar os carismas. Quanto à anticonfissão "maldito seja Jesus!" tenta-se explicá-la de modos diversos: serve de contraste para realçar a confissão positiva; distingue em Jesus o humano ou corpóreo (maldito) e o divino ou espiritual (Senhor); fórmula de abjuração ou apostasia que as autoridades locais, judaicas ou pagãs, exigiam dos cristãos; temor de alguns carismáticos de que, durante o êxtase, se lhes escape alguma blasfêmia involuntária (coisa impossível). Em qualquer caso, um critério, por sua natureza, se abre em duas direções.

⁴Existem carismas diferentes, mas um único Espírito; ⁵existem ministérios diferentes, mas um único Senhor; ⁶existem atividades diferentes, mas um único Deus que realiza tudo em todos. ⁷A cada um é dada uma manifestação do Espírito para o bem comum.

⁸Um, pelo Espírito, tem o dom de falar com sabedoria; outro, segundo o mesmo Espírito, o de falar com penetração; ⁹outro, pelo mesmo Espírito, a fé; outro, pelo único Espírito, carismas de curas; ¹⁰outro, realizar milagres; outro, profecia; outro, o discernimento de espíritos; outro, falar línguas diferentes; outro, interpretar línguas misteriosas. ¹¹Mas tudo é realizado pelo mesmo e único Espírito, repartindo a cada um como ele quer. ¹²Como o corpo, sendo um, tem muitos membros, e os membros, sendo muitos, formam um só corpo, assim é Cristo*. ¹³Todos nós, judeus ou gregos, escravos ou livres, nos batizamos* num só Espírito para formarmos um só corpo, e absorvemos um só Espírito. ¹⁴O corpo não consta de um membro, mas de muitos. ¹⁵Se o pé dissesse: Visto que não sou mão, não pertenço ao corpo, nem por isso deixaria de pertencer ao corpo. ¹⁶Se o ouvido dissesse: Visto que não sou olho, não pertenço ao corpo, nem por isso deixaria de pertencer ao corpo. ¹⁷Se todo o corpo fosse olho, como ouviria? Se fosse todo ouvido, como cheiraria? ¹⁸Deus dispôs os membros no corpo, cada um como quis. ¹⁹Se tudo fosse um só membro, onde estaria o corpo? ²⁰Portanto, os membros são muitos, o corpo é um. ²¹Não pode o olho dizer à mão: Não preciso de ti. Nem a cabeça aos pés: Não preciso de vós. ²²Mais ainda: Os membros do corpo considerados mais fracos são indispensáveis, ²³e os que consideramos menos nobres rodeamos de maior honra. Tratamos com maior decência as partes indecentes; ²⁴as decentes não precisam disso. Deus organizou o corpo, dando maior honra ao que carece dela, ²⁵de modo que não houvesse divisão no corpo, e todos os membros se interessassem igualmente uns pelos outros. ²⁶Se um membro sofre, sofrem com ele todos os membros; se um membro é honrado, alegram-se com ele todos os membros. ²⁷Vós sois corpo de Cristo e membros singulares seus. ²⁸Deus os dispôs na igreja: primeiro apóstolos, segundo profetas, terceiro mestres, depois milagres,

---

12,4-6 O primeiro é afirmar a unidade de origem e a variedade de manifestação. Sem usar a terminologia trinitária evoluída, é claro o pensamento trinitário: Espírito (Santo), Senhor (Jesus), Deus (Pai). O trio correlativo não se deve atribuir membro a membro, mas é cumulativo: carismas, ministérios e atividades têm sua origem comum em Deus (cf. Os 14,9). Não são qualidades naturais, nem fruto do esforço humano; não são mérito nem privilégio; uma vez recebidos, não ficam à disposição autônoma do homem.

12,7 Todo carisma individual visa ao bem da comunidade. Aos colaboradores de Moisés foi dada uma parte igual de "espírito" para alívio do chefe, a serviço da comunidade (Nm 11).

12,8-10 Elenca a seguir nove dons, sem preocupação de ser completo ou exato. Pertencem à ordem da doutrina (em sentido amplo) e dos milagres. Faltam por ora os carismas de organização e beneficência. Como antecedente, é obrigatório citar os quatro "ventos = espíritos" do Messias futuro (Is 11,2): "sensatez e inteligência, força e prudência, conhecimento e respeito de Yhwh"; e para as manifestações orgíacas ou extáticas, a história de Saul (1Sm 10,11; 12,19.24) e várias experiências de Ezequiel. "Sabedoria e conhecimento" transferidos ao contexto cristão (cf. 2Sm 23,2, de Davi; Jó 32,8). "Fé" em seu caráter particular: para fazer milagres (Mc 9,23) ou para o testemunho. Junto a "curas", os "poderes" poderiam referir-se a exorcismos. A "profecia" complementa-se com a discrição (cf. 1Rs 22,24), e serve para comunicar instruções particulares; as "línguas misteriosas" (*glossolalia*) se complementam com sua interpretação.

12,11 Dinamismo e soberania do Espírito: decide, distribui, ativa.

12,12 * Ou: *o Messias*.

12,12-30 Propõe o segundo argumento, desenvolvendo a imagem (não alegoria estrita) de um organismo. É óbvio o aspecto da diversidade funcional, e é essencial o aspecto da correlação e interdependência. A pluralidade e variedade a serviço da unidade. Unida ao Messias, a Igreja é como um corpo. Não é legítimo identificar cada membro mencionado com uma função específica na Igreja; é legítimo, sim, observar o interesse do autor pelos membros mais fracos, mais escondidos, menos vistosos.

12,13 Comparado com Gl 3,28, falta aqui o binômio homem e mulher; "gregos" equivale a pagãos. O Espírito = vento, toma no batismo figura líquida: o homem se submerge nele e o absorve. Ou melhor, o beber/absorver alude à eucaristia. Todos no único Espírito (Ef 4,4-6). * Ou: *submergimos*.

12,16 "Ouvido que escuta, olho que vê: ambas as coisas foi o Senhor quem as fez" (Pr 20,12; cf. Sl 94,9).

12,26 Provável alusão à paixão e glória: sofrimento e honra.

12,28-30 Outros dois elencos que não coincidem com o precedente em número ou em todos os elementos; há alguns novos, "de governo e assistência". Dentro da série e destacando-se, figuram os que podemos chamar "cargos"; participam do dinamismo dos carismas, mas têm função de direção. São o trio apóstolos, profetas e mestres. Comparar com Rm 12,6-8.

depois carismas de cura, de assistência, de governo, de línguas diversas. ²⁹São todos apóstolos? São todos profetas? São todos mestres? São todos taumaturgos? ³⁰Todos têm carismas de cura? Falam todos línguas misteriosas? São todos intérpretes? ³¹Aspirai aos carismas mais valiosos. E agora vos indicarei um caminho muito melhor.

13
Hino ao amor cristão – ¹Ainda que eu fale todas as línguas humanas e angélicas, se não tenho amor, sou um metal estridente e um címbalo que tine.

²Ainda que eu possua o dom de profecia e conheça todos os mistérios e a ciência inteira, ainda que tenha uma fé capaz de mover montanhas, se não tenho amor, não sou nada. ³Ainda que eu reparta todos os meus bens e entregue meu corpo às chamas, se não tenho amor, de nada me serve.

⁴O amor é paciente, é amável; o amor não é invejoso nem fanfarrão, não é orgulhoso ⁵nem faz coisas inconvenientes, não procura o próprio interesse, não se irrita, não guarda rancor, ⁶não se alegra com a injustiça, mas se alegra com a verdade. ⁷Tudo desculpa, tudo crê, tudo espera, tudo suporta. ⁸O amor jamais acabará. As profecias serão eliminadas, as línguas cessarão, o conhecimento será eliminado. ⁹Porque conhecemos imperfeitamente, profetizamos imperfeitamente; ¹⁰quando chegar o perfeito, o parcial será eliminado. ¹¹Quando eu era criança falava como criança, pensava como criança, raciocinava como criança; ao tornar-me adulto, abandonei as coisas de criança. ¹²Agora, vemos como enigmas num espelho; depois, veremos face a face. Agora, conheço imperfeitamente; depois, conhecerei tão bem quanto sou conhecido. ¹³Agora nos restam a fé, a esperança, o amor: estas três coisas. Mas a maior de todas é o amor.

13,1-13 Aquilo que a funcionalidade orgânica realiza num corpo, na Igreja é realizado pelo supercarisma, o amor cristão. Ao chegar aqui, a retórica de Paulo se torna lírica para cantar o amor. Pode-se comparar com os ensinamentos do sermão da última ceia (especialmente Jo 15,12-17) e a primeira carta de João. Aos termos gregos correspondentes, *eros*, *philia*, Paulo preferiu um menos frequente e mais neutro, *agápe*. Não canta o amor conjugal, como no Cântico dos Cânticos, nem o amor de companheiros que Davi cantou (2Sm 1,19-27), nem outros amores humanos, ainda que nobilíssimos. Canta o amor que o Espírito de Deus e de Cristo infunde no cristão. Ainda que em algumas de suas manifestações coincida com as de outros amores, a origem e finalidade os transcendem. Como gênero literário, parece-se com o louvor grego. Do AT, para a comparação, convém citar, antes de tudo, o poema de Ben Sirac, "Melhor que os dois" (Eclo 40,18-27): o poeta vai elencando duplas de valores e acrescenta um terceiro elemento "melhor que os dois"; até chegar ao décimo, melhor que os dois e que os vinte e nove, o "respeito de *Yhwh*". Mais frequente é o elogio da Sabedoria por parte de autores sapienciais: a busca fracassada e resolvida (Jó 28), grande parte do livro da Sabedoria, os vinte e um atributos (Sb 7,22-23). Também o amor desse capítulo parece personificado.
Podemos dividir o canto em três partes: valor superior do amor (vv. 1-3), por suas qualidades (vv. 4-7), por sua duração (vv. 8-13).
13,1-3 Carismas de falar (12,28), de conhecer (12,8), de fazer milagres (12,9), de entrega.
13,1 Pensa em sua experiência de viajante que o pôs em contato com diversas línguas. Imagina os anjos falando mutuamente uma língua celeste, não na qual usam para comunicar-se com os homens. Os instrumentos musicais citados são talvez de percussão; de qualquer modo, não produzem uma linguagem articulada.
13,2 Mistérios são revelados ou explicados ao profeta, como afirma Amós (3,7). Ezequiel e Zacarias contam suas visões; Daniel acrescenta explicações de um anjo. Depois o texto menciona a fé taumatúrgica anunciada por Jesus (Mc 11,23 par.).
13,3 A terceira é paradoxal (alguns manuscritos leem "para gloriar-me" = por vaidade): é possível semelhante entrega sem amor? Por convicção estoica, niilismo, louca ostentação? Pensa-se nos jovens na fornalha (Dn 3) ou nos sete irmãos (2Mc 7), não para negar-lhes o amor; Paulo imagina uma hipótese em que o paradoxo acrescenta ênfase à afirmação. Nós podemos pensar em movimentos que por cansaço ou desprezo renunciam aos bens, nos quais se queimam como gesto de protesto; não seria semelhante entrega a grande prova de amor? Paulo passa do ato em si ao espírito que o anima.
13,4-7 Quinze características do amor, nas quais a abundância conta mais que a exatidão. Oito são enunciados negativos, o que se deve evitar; há um quarteto positivo final. Dado o caráter de série, poderíamos encontrar breves paralelos ou ilustrações em conselhos sapienciais e em relatos; p. ex. "o amor dissimula as ofensas" (Pr 10,12); "lábios honrados conhecem de afabilidade" (Pr 10,32); "o reflexivo sabe aguentar" (Pr 14,17) etc.
13,8 Os carismas válidos em si ficam relativizados ao ser comparados com a plenitude e a perfeição do amor; são expedientes provisórios.
13,12 Os espelhos antigos, de metal polido, não eram tão perfeitos como os nossos de mercúrio. Ver frente a frente significa o contato pessoal de Moisés com o Senhor (Nm 12,6-8); era o resultado da luta de Jacó (Gn 32,31) e era a esperança do salmista (17,15).
13,13 O trio final (Gl 5,3-4; 1Ts 1,3; 5,8) não corresponde ao nosso trio de "virtudes teologais", já que nesse capítulo a caridade significa o amor fraterno.

14 Profecia e línguas misteriosas –

¹Procurai o amor; aspirai também aos dons espirituais, sobretudo à profecia. ²Quem fala uma língua misteriosa não fala a homens, mas para Deus: ninguém o compreende, porque, movido pelo Espírito, fala de mistérios. ³Ao contrário, quem profetiza fala para homens, edificando, exortando e animando. ⁴Quem fala uma língua misteriosa edifica a si mesmo; quem profetiza edifica a igreja. ⁵Eu gostaria que todos falásseis línguas misteriosas, mas prefiro que profetizeis. Quem profetiza é superior ao que fala uma língua misteriosa, a não ser que a interprete para edificação da igreja. ⁶Suponde, irmãos, que eu me apresente diante de vós falando línguas misteriosas: se não proponho alguma revelação ou conhecimento ou profecia ou ensinamento, que proveito tendes?

⁷Acontece o mesmo que com os instrumentos musicais inanimados, a flauta ou a cítara: se não distingo as diferenças de tons, como se reconhece a quem toca a flauta ou a cítara? ⁸Se a trombeta não dá um toque definido, quem se preparará para o combate? ⁹O mesmo acontece convosco a respeito das línguas: se não pronunciais palavras inteligíveis, como se entenderá o que dizeis? Estaríeis falando ao vento. ¹⁰Com tantas línguas existentes no mundo, nenhuma carece de significado. ¹¹Se não entendo o significado de uma língua, sou um estrangeiro para aquele que me fala, e ele o é para mim. ¹²O mesmo acontece convosco: Já que aspirais a dons espirituais, procurai-os abundantemente para a edificação da igreja. ¹³Portanto, quem fala uma língua misteriosa peça o dom de interpretá-la. ¹⁴Pois, se rezo em língua misteriosa, enquanto meu espírito reza, minha mente fica estéril. ¹⁵O que posso fazer? Rezarei com meu espírito e minha mente, cantarei hinos com meu espírito e

---

14,1-40 A julgar pela relativa extensão do capítulo, Paulo julgava necessário deixar as coisas bem claras, ou os coríntios eram entusiastas e não fáceis de se convencer. A conclusão (v. 37) denota um tom ligeiramente irritado. Dado que o vocábulo grego *glossolalia* não se aclimatou em português, traduzo *lalein glossei/glossais* por "falar línguas misteriosas". Parece ter sido comum nas primitivas comunidades e ganhou vigência em alguns grupos nos últimos decênios.

Parece consistir em pronunciar uma série de fonemas ou sons sem sentido articulado na própria língua ou em outras estrangeiras. É sintoma de um estado espiritual, expressão de sentimentos, sem informação articulada. Está mais perto do gesto que da palavra; está antes da interjeição.

Às vezes é traduzível em linguagem articulada e significativa. O "espírito" humano sente e experimenta, a "mente" compreende e articula o que ainda não estava articulado.

Pode-se comparar com manifestações extáticas das antigas comunidades proféticas (*benê nebi'im*, 1Sm 10,1-12; 19,18-24). Para a pessoa, o dom é desafogo, confirmação; para a comunidade crente, pode ser testemunho da ação misteriosa do Espírito; para os não-crentes, pode ser um fenômeno desconcertante, até ridículo.

Opõe-se a profecia, que significa aqui falar movido pelo Espírito, em nome de Deus, dirigindo-se à comunidade ou a um membro (como Ágabo, At 11,28; 21,10-11); não é necessário que contenha uma nova revelação, nem que seja predição.

14,1 Acaba de falar do "amor"; no cap. 12 falou dos carismas ou dons espirituais. Entre eles concede o primado à profecia, que vai contrapor sistematicamente à glossolalia. Sua preocupação apostólica é a "edificação" da Igreja, anteposta ao proveito individual.

14,2 Dirige-se a Deus sem necessidade de redigir um texto, contente em "derramar seu coração" (expressão do AT), borbulhando sons (como o dia no Sl 19,3): Deus entende. "Mistérios" ou coisas escondidas.

14,3 Encontramo-nos numa liturgia da palavra, onde se distinguem ou elencam diversas atividades: "exortar, animar, revelação, conhecimento, profecia, ensinamento, instrução". Não é fácil defini-las e diferenciá-las.

14,4-5 Na glossolalia a pessoa se expressa privadamente; com a profecia comunica uma mensagem da parte de Deus. Mas, se há algum componente de informação misturado com a simples expressão, é necessário traduzi-lo a uma língua corrente inteligível.

14,6 O "ensinamento" é proposto em nome próprio, ainda que a pessoa tenha o carisma de ensinar.

14,7-8 Também os instrumentos musicais inertes, que não transmitem informação articulada, devem estar de algum modo afinados para emitir uma melodia reconhecível. Escolhe como representação um instrumento de sopro e outro de corda. À parte a trombeta, que segundo as convenções produz sinais significativos (como nossos toques de alvorada, silêncio, retirada, incêndio). Pode-se ver: a prática em Nm 10; como imagem, Am 3,6; Is 58,1.

14,10-11 Segunda comparação, de uma língua estrangeira e desconhecida: como sofrimento segundo Sl 114,1; Dt 28,50; como castigo em Gn 11, a experiência de Ezequiel 3,5s.

14,13-14 Outra atividade litúrgica são a súplica e o hino. A glossolalia reza como simples efusão, sem articular um sentido inteligível para a pessoa que reza. As súplicas do saltério são oração articulada em seu sentido. É possível, ao menos em parte, traduzir em palavras a simples efusão, dar linguagem ao sentimento.

14,15-16 Ao mesmo campo pertence a bênção ou ação de graças. Alguém a pronunciava e a comunidade, grega, respondia com a fórmula semítica *amém*.

minha mente. ¹⁶Se deres graças com teu espírito, como responderá amém à tua ação de graças aquele que ocupa um lugar particular, se não sabe o que dizes? ¹⁷Dás graças de modo belo, mas o outro não se edifica. ¹⁸Eu, graças a Deus, falo línguas misteriosas mais que todos vós. ¹⁹Mas numa assembleia, para instruir os outros, prefiro dizer cinco palavras inteligíveis do que pronunciar dez mil misteriosas. ²⁰Irmãos, não sejais crianças quanto à mentalidade; sede crianças quanto à malícia e adultos quanto à mentalidade. ²¹Na lei está escrito: *Por meio de homens de línguas e lábios estrangeiros falarei a este povo, e nem assim me obedecerá, diz o Senhor.* ²²De sorte que as línguas misteriosas são sinal para os que não creem, não para os que creem. A profecia não o é para os que não creem, mas para os que creem. ²³Suponhamos que se reúna a igreja inteira e todos vós comeceis a falar línguas misteriosas: se entram alguns estranhos ou que não creem, não dirão que estais loucos? ²⁴Ao contrário, se todos profetizam quando entra alguém que não crê ou um estranho, sente-se interpelado por todos, julgado por todos, ²⁵revelam-se os segredos de seu coração, cai de bruços adorando a Deus e declara: *Realmente Deus está convosco.*

²⁶Que concluímos, irmãos? Quando vos reunis, que um traga um hino, outro um ensinamento, outro uma revelação, outro uma mensagem misteriosa, outro sua interpretação: tudo para edificação comum. ²⁷Se se fala em línguas misteriosas, falem dois, no máximo três, um depois do outro, e que outro o interprete. ²⁸Se não há intérprete, cale-se na assembleia ou fale para si e para Deus. ²⁹Tratando-se de profetas, falem dois ou três, e os outros devem discernir. ³⁰Se um dos que estão sentados recebe uma revelação, o de antes cale-se. ³¹Todos podeis profetizar, cada um por sua vez, para que todos aprendam e se animem. ³²Mas a inspiração profética está vinculada aos profetas; ³³porque Deus não quer a anarquia, mas a paz.

(Como em todas as assembleias de consagrados, ³⁴as mulheres devem calar na assembleia, pois não lhes é permitido falar, mas devem submeter-se como prescreve a lei; ³⁵se querem aprender algo, perguntem a seus maridos em casa. É vergonhoso que uma mulher fale na assembleia.)

³⁶Partiu de vós a palavra de Deus? Chegou somente a vós? ³⁷Se alguém se considera profeta ou inspirado, reconheça que o que escrevo é preceito do Senhor. ³⁸E quem não o reconhecer, não será reconhecido. ³⁹Em síntese, irmãos, aspirai a profetizar e não impeçais falar em línguas misteriosas. ⁴⁰E que tudo se faça com ordem e harmonia.

15 Ressurreição dos mortos – ¹Agora, irmãos, quero comunicar-vos a boa

---

14,19 "Instruir" ou catequizar.

14,20 Ef 4,14; Fl 3,15.

14,21 "Lei" equivale aqui a Escritura. A citação de Is 28,11-12 não coincide com a versão dos Setenta. Uns ouvintes zombavam do profeta arremedando seus oráculos, como se fossem lições de um professor na escola; o profeta retorce a zombaria, ameaçando com a opressão de estrangeiros de língua ininteligível. Por sua conta, Paulo acrescenta que é puro castigo, não salutar, porque não induz à conversão.

14,22 A ligação desse versículo com o contexto é obscura: depende da função atribuída ao "sinal", revelação, denúncia ou prova. Alguns o leem como objeção daqueles que defendem a glossolalia como testemunho para os infiéis; a tal objeção responderia Paulo nos versículos seguintes.

14,23 Todos falando ao mesmo tempo em pseudolínguas darão a impressão de uma reunião de loucos ou de um culto orgíaco pagão.

14,24-25 O profeta inspirado pode ler os pensamentos, denunciar seus pecados ao recém-chegado, fazer que os reconheça e que por isso reconheça Deus presente (Zc 8,23).

14,26-33a Com toda a ordem exigida, as assembleias descritas dão a impressão de variedade e animação; bastante espontâneas, sem seguir um programa predeterminado, com ampla margem para a participação dos presentes. E isso não se considera contrário à paz nem à vontade de Deus.

14,33b-35 A instrução interrompe o discurso, contradiz o que foi dito em 11,5, apela à "lei" contra o costume de Paulo em casos semelhantes. É com toda a probabilidade uma interpolação posterior (que entra no cânon fortemente condicionada). Alguém da geração seguinte, de um grupo conservador, pode ter acrescentado essa norma restritiva, repetindo nela algumas palavras para adaptá-la ao contexto (vv. 28.30.34 calar-se, vv. 32.34 submeter-se, vv. 31.35 aprender).

14,36-38 Essas frases revelam que Paulo encontrava resistências na comunidade de Corinto, talvez por excesso de fervor ou pelo gosto e satisfação dos carismas.

15,1-58 Exposição fundamental sobre a ressurreição. A ressurreição de Cristo, objeto da profissão de fé das testemunhas (vv. 1-11); a ressurreição dos cristãos correlativa à de Cristo (vv. 12-34); o modo da ressurreição (vv. 35-58).

notícia que vos anunciei, que aceitastes e conservastes, ²que vos salva, desde que conserveis a mensagem que vos anunciei; do contrário, teríeis aceito em vão a fé. ³Antes de tudo, eu vos transmiti o que havia recebido: que Cristo morreu por nossos pecados segundo as Escrituras, ⁴e foi sepultado e ressuscitou ao terceiro dia segundo as Escrituras, ⁵apareceu a Cefas e depois aos doze; ⁶a seguir, apareceu a mais de quinhentos irmãos de uma só vez: a maioria ainda vive, alguns já morreram; ⁷em seguida, apareceu a Tiago e depois a todos os apóstolos. ⁸Por último, apareceu a mim, que sou como um aborto. ⁹Pois sou o último entre os apóstolos e não mereço o título de apóstolo, pois persegui a igreja de Deus. ¹⁰Graças a Deus, sou o que sou, e sua graça em mim não foi vã, já que trabalhei mais que todos eles; não eu, mas a graça de Deus comigo. ¹¹Tanto eu quanto eles, eis o que proclamamos e o que acreditastes.

¹²Ora, se se proclama que Cristo ressuscitou da morte, como dizem alguns de vós que não há ressurreição dos mortos? ¹³Se não há ressurreição dos mortos, tampouco Cristo ressuscitou; ¹⁴e se Cristo não ressuscitou, é vã a nossa proclamação, é vã a nossa fé. ¹⁵E nós passamos por falsas testemunhas de Deus, pois testemunhamos contra Deus, dizendo que ressuscitou a Cristo, sendo que não o ressuscitou, já que os mortos não ressuscitam. ¹⁶Pois, se os mortos não ressuscitam, tampouco Cristo ressuscitou. ¹⁷E se Cristo não ressuscitou, vossa fé é ilusória, ainda viveis em vossos pecados, ¹⁸e os que morreram como cristãos pereceram para sempre. ¹⁹Se pusemos nossa esperança em Cristo somente para esta vida, somos os homens mais dignos de compaixão.

15,1-3a A introdução é solene porque dá lugar ao fundamental e funcional: é a "boa notícia" que o apóstolo lhes anunciou (seu *kerigma*), que eles "aceitaram" com a "fé", tornando-se "fiéis"; é "boa" porque "salva" quem a aceita e mantém. Não é um talismã que age magicamente, exige a colaboração humana (aviso aos coríntios antes de entrar na matéria). Paulo "recebeu" isso: do próprio Jesus como revelação, de outros como fórmula; e "transmitiu" fielmente. Receber-transmitir é o esquema de uma cadeia de tradição.

15,3b-5 Fórmula de proclamação (*kerigma*) e de profissão de fé (cf. At 13,29-31). É o germe de elaborações ulteriores. É um resumo de muitos ensinamentos? (Faz-nos lembrar a profissão de Dt 26,5-10, que outrora se acreditou ser o credo primitivo e germinal dos israelitas e mais tarde se viu que era uma síntese muito madura e decantada.) É composto de frases breves, bem tratadas em unidade (não mera sucessão). Dois fatos correlativos: morte-ressurreição, ambos segundo a Escritura; morte que expia os pecados (e substitui as precedentes expiações). A sepultura rubrica a morte, as aparições atestam a vida. A morte é redentora, livra dos pecados, porque desemboca na ressurreição; do contrário, seria um fracasso incapaz de livrar do pecado (v. 17). O "terceiro dia" é o tempo da graça (Os 6,2). Pedro tem a primazia; "os doze" é a denominação do colégio (embora falte um). É um texto fácil de guardar e recitar em comum.

15,6-9 Acrescentam-se outras testemunhas: os quinhentos da Galileia, não mencionados em outros relatos da ressurreição; parece ligar-se ao ministério inicial de Jesus na região da Galileia, e pode relacionar-se com a tradição atestada em Mt 26,32. Tiago, "irmão do Senhor" (cf. Mc 6,3), que sucede a Pedro em Jerusalém. "Todos os apóstolos", exceto os doze: são os primeiros missionários oficiais. Na série não aparecem as mulheres dos relatos evangélicos. E "a mim": Paulo se põe em pé de igualdade com as demais testemunhas, embora no último lugar da fila (Ef 3,8) e encerrando a série (sua conduta precedente reforça seu testemunho).

15,10-11 Paulo sabe por experiência que o dom de Deus é gratuito e que o homem colabora com ele (2Cor 11). Não se coloca o problema de coordenar a ação divina com a humana: isso caberá a teólogos posteriores.

15,12-28 A ressurreição de Cristo é um caso particular de uma série (vv. 12-19); é as primícias e será a consumação (vv. 20-28). Frente a Lucas, que encerra essa etapa com a ascensão, Paulo a alonga até a visão de Damasco. "Aborto": não porque prematuro, e sim pela falta de vida. Em contraste, a vitalidade do seu apostolado, pela graça de Deus.

15,12 Com essa categórica profissão de fé, como se pode conciliar a opinião de alguns coríntios? Se negavam a ressurreição dos mortos, não seria por influência saduceia (improvável nessa região), e sim por uma concepção dicotômica grega: se na morte a "alma" se liberta do "corpo", que sentido tem recuperá-lo, encerrar-se ou enterrar-se outra vez nele? (*soma* = *sema*, corpo = tumba).

15,13-19 O argumento se baseia na correlação: a ressurreição de Cristo visa à nossa; se não acontece a nossa, a de Cristo não aconteceu. Se não aconteceu, nossa pregação é falso testemunho (Ex 20,16; Dt 19,18; Pr 6,19), nossa fé carece de objeto e fundamento, nossa esperança é ilusória e trágica. "Os mais dignos de compaixão": porque nos sacrificamos e renunciamos. Aqui fala só dos cristãos, e não propõe nem supõe a doutrina grega da sobrevivência da alma separada = libertada do corpo (pode-se comparar com a ideia de imortalidade, sugerida por Sb 8,13.17).

15,18 O verbo empregado é "perecer", que é deixar de existir; corresponde à raiz hebraica 'bd, da qual se forma Abadon, nome do reino da morte. Sl 39,14 diz simplesmente "não ser".

²⁰Mas não! Cristo ressuscitou como primícias dos que morreram, ²¹visto que, se por um homem veio a morte, por um homem vem a ressurreição dos mortos. ²²Visto que todos morrem por Adão, todos recuperarão a vida por Cristo. ²³Cada um por sua vez: as primícias é Cristo; depois, quando ele voltar, os cristãos; ²⁴a seguir virá o fim, quando ele entregar o reino a Deus Pai e acabar com todo principado, autoridade e poder. ²⁵Com efeito, ele deve reinar *até pôr todos os seus inimigos sob seus pés;* ²⁶o último inimigo a ser destruído é a morte. ²⁷*Tudo submeteu sob seus pés:* ao dizer que tudo lhe está submetido, é evidente que se exclui aquele que tudo lhe submeteu. ²⁸Quando tudo lhe for submetido, também o Filho se submeterá àquele que lhe submeteu tudo, e assim Deus será tudo em todos. ²⁹Se não fosse assim, o que fazem os que se batizam pelos mortos? Se os mortos não ressuscitam, por que se batizam por eles? ³⁰Por que nós nos expomos continuamente ao perigo? ³¹Dia após dia estou morrendo. Juro, irmãos, pelo orgulho que sinto de vós diante de Cristo Jesus Senhor nosso. ³²Se por motivos humanos lutei com as feras em Éfeso, de que me serviu? *Se os mortos não ressuscitam, comamos e bebamos, pois amanhã morreremos.* ³³Não vos enganeis: *As más companhias corrompem os costumes.* ³⁴Sede sóbrios como convém, e deixai de pecar, pois alguns ignoram a Deus – digo-o para vergonha vossa.

³⁵Mas alguém perguntará: Como ressuscitam os mortos? Com que corpo retornam? ³⁶Néscio! O que semeias não volta à vida se antes não morrer. ³⁷O que semeias não é o organismo que surgirá, mas um grão nu, de trigo ou de qualquer outra coisa. ³⁸E Deus lhe dá o corpo que quer, a cada semente o

---

15,20 As primícias eram oferecidas no primeiro dia (domingo) depois do sábado da Páscoa. Chama os mortos "os que dormem"; correlativamente, ressuscitar é despertar (Cl 1,18). O texto baralha os termos "despertar" e "levantar-se" (cf. Is 51,17).

15,21-22 É a maneira de argumentar de Rm 5,12-21. "Ser vivificado": o mesmo verbo em Rm 4,17; 8,11; 1Pd 3,18. Pode-se comparar com o uso de "viver" em Ez 37; Is 26,14-19.

15,23-28 Depois da ressurreição de Cristo, vem sua exaltação ou entronização com plenos poderes (Rm 1,4). Começa o reinado, que se prolonga até o estabelecimento definitivo da soberania. Paulo sabe que alguns cristãos já morreram; pensa que a parusia ou retorno do Senhor está próxima. O que será dos cristãos mortos? Ficarão excluídos da parusia, e portanto da vida duradoura? A mãe dos Zebedeus pedia para seus filhos a participação num reinado futuro do Senhor (Mc 10,35-40 par.), o bom ladrão espera que Jesus reine, e ouve dele que será seu companheiro (Lc 23,42s); são testemunhos de crenças difusas, não bem compreendidas.
Paulo segue e amplia o esquema oferecido por Sl 110,1 (texto citado aqui e em outras passagens do AT); entronização atual, duração "até que", expansão do reinado, com a vitória sobre os inimigos. Paulo distingue as etapas. Primeira, a ressurreição de Cristo já aconteceu. Segunda, a expansão a todos os cristãos na parusia. Terceira, a submissão de tudo com a vitória sobre os inimigos, até o último. O teor do citado salmo poderia servir de contraste; mas a dificuldade da sua interpretação limitaria o valor da comparação. Não menciona os mil anos interpostos (Ap 20,4s).
Perguntemos: segundo o dito, ressuscitarão todos os mortos para comparecerem a julgamento? (Jo 5,29; cf. Sb 4,20-5,1), ou só os bons? É claro que aqui se fala dos que participarão da ressurreição gloriosa de Cristo, e não se fala de julgamento.

15,24-28 Vencido o pecado com a morte de Cristo, fica pendente a vitória sobre o resto dos poderes hostis a Deus, e sobre o poder último da morte. Ver Is 25,8 "aniquilará a morte para sempre" e Ap 20,14 "Morte e Hades foram arremessados no fosso de fogo"; em Ap 1,18 Jesus Cristo anuncia: "eu tenho as chaves da Morte e do Abismo".
O não destruído será gloriosamente submetido (Sl 8,7 e 110,1). Será a consumação do "reinado de Deus", que Jesus começou a proclamar: "está próximo o reinado de Deus" (Mt 4,17).

15,29 Acrescenta uma argumentação complementar. Não conhecemos exatamente o sentido dessa prática; alguns conjeturam que pagãos convertidos recebiam outro batismo em favor de parentes ou amigos não-cristãos mortos. O rito se parece com nossas intercessões e sufrágios (cf. 2Mc 12,39-42). "Ressuscitam": aqui usa o verbo despertar (cf. Is 26,19).

15,30-31 Outro argumento, pelo testemunho da sua conduta. "Estou morrendo" ou estou à morte: pelos perigos e trabalhos de que fala em 2Cor 4,10s.

15,32 Feras: em sentido metafórico, corrente nos salmos. A citação de Isaías (22,13) corresponde a um oráculo contra Jerusalém, muito atenta a medidas de defesa militar e despreocupada com a ação de Deus.

15,33 Citação de Menandro.

15,35-58 Sobre o modo da ressurreição, só pode oferecer comparações; sobre o tempo, tem um segredo a comunicar. As comparações se movem no terreno sapiencial; por isso chama néscio quem não compreende. As comparações ilustram duas coisas: a mudança radical do estado do corpo e a variedade individual.

15,36-38 As comparações vegetais são correntes no AT, e geralmente servem para exaltar a vitalidade permanente, crescente e renovada. Bastem os exemplos de Sl 1; 92 e Jó 14,7-9. A comparação presente se fixa na incrível diferença entre uma semente e uma

próprio corpo. ³⁹As carnes não são todas iguais. São diferentes a carne do homem, do gado, das aves, dos peixes. ⁴⁰Há corpos celestes e corpos terrestres. Um é o brilho dos celestes, e outro o dos terrestres. ⁴¹Um é o brilho do sol, outro o da lua, outro o dos astros; um astro se diferencia de outro em brilho. ⁴²Assim acontece com a ressurreição dos mortos: ⁴³semeia-se corruptível, ressuscita incorruptível; semeia-se sem honra, ressuscita glorioso; semeia-se fraco, ressuscita poderoso; ⁴⁴semeia-se um corpo animal, ressuscita um corpo espiritual. Se existe um corpo animal, existe também um corpo espiritual. ⁴⁵Assim está escrito: *O primeiro homem, Adão, tornou-se um ser vivo*, o último Adão tornou-se espírito que dá vida. ⁴⁶Não foi primeiro o espiritual, mas o animal, e depois o espiritual. ⁴⁷O primeiro homem vem da terra e é terreno, o segundo homem vem do céu. ⁴⁸Assim como foi o terrestre, são os terrestres; como é o celeste, serão os celestes. ⁴⁹Da mesma forma que trazemos a imagem do terrestre, traremos também a imagem do celeste. ⁵⁰Irmãos, eu vos digo que a carne e o sangue não podem herdar o reino de Deus, nem a corrupção herdará a incorruptibilidade. ⁵¹Eu vos comunico um segredo: nem todos morreremos, mas todos nos transformaremos. ⁵²Num instante, num abrir e fechar de olhos, ao último toque de trombeta (que tocará), os mortos ressuscitarão incorruptíveis, e nós nos transformaremos. ⁵³Este ser corruptível deve revestir-se de incorruptibilidade, e o mortal deve revestir-se de imortalidade. ⁵⁴Quando o corruptível se revestir de incorruptibilidade e o mortal de imortalidade, se cumprirá o escrito: *A morte foi aniquilada*

---

planta crescida e adulta (cf. Mt 13,31s), e supõe a continuidade ou identidade do sujeito. Os judeus não tinham ideias claras sobre a vida vegetal e atribuíam à ação direta de Deus a transformação prodigiosa, da simples e madura semente em talo robusto e em espiga cheia de grãos. (Nós, que sabemos até de códigos genéticos, deveríamos recuperar nossa capacidade de assombro para refletir sobre a comparação.) Solicitado pelo contexto, Paulo chama a planta madura de "corpo" (cf. Jo 12,24).

15,39 A comparação de animais ilustra a variedade. A categoria dos homens se diferencia dos três reinos animais (cf. Sl 8,8-9).

15,40-41 Os astros, comparados com os corpos terrestres, ilustram a transformação dos corpos ressuscitados; comparados entre si, ilustram a variedade. Acreditava-se que os astros tivessem um "corpo" luminoso, que fossem seres animados, e que a substância sideral fosse diferente e incorruptível. Assim, os astros deveriam perecer na catástrofe final (Is 34,4). Deve-se notar a concentração no aspecto luminoso, no "esplendor", que em grego se diz *doxa*. Nós falaríamos de energia eletromagnética, os antigos escutavam no termo a ressonância da glória do Senhor.

15,42-44 Tira a conclusão em três oposições que servem de pedestal à quarta (quase como um provérbio do tipo "três coisas... uma quarta"). A metáfora "semeia-se" retoma a comparação vegetal e olha de relance para o ato de enterrar o morto como uma espécie de semeadura (Jo 12,24). A incorruptibilidade é destino, não condição (cf. Sb 2,23). A participação do corpo fica vigorosamente afirmada, mas pertence à nova ordem futura. "Sem honra": o que chamamos "honras fúnebres" quer suprir com ritos a indignidade física do cadáver. "Fraco": a inércia total do morto, que é conduzido. Corpo animal (*psychikon*), animado por um alento vital caduco (*psyche*) que não livra da corrupção; corpo espiritual (*pneumatikon*), animado por um novo princípio celeste (*pneuma*) que lhe comunica a incorruptibilidade.

15,45-49 Continua desenvolvendo o que precede com a comparação entre Adão e Cristo. Não é pensamento mítico e sim histórico. Adão é criatura mortal, ao que parece prescindindo do pecado (como em Eclo 17,1-2); Cristo é aqui provavelmente o glorificado (não o preexistente). Ao consultar Gn 2,7 segundo os Setenta, encontra o termo *psyche* (em hebraico *nphsh*), que lhe permite confirmar seu argumento. "Da terra": segundo Gn 2,7 e sua tradição. A "imagem": que o pai transmite ao filho (Gn 5,3); a do celeste (Rm 8,29). Para a antítese, ver Jo 3,31-32.

15,50 "Carne e sangue" é um modo de significar o corpo humano corruptível (cf. Eclo 14,18) ou a mentalidade puramente humana (Mt 16,17s). "Herdar" é termo corrente do AT referido à posse da terra; retoma-o e o transforma em uma bem-aventurança (Mt 5,5 citando Sl 37,11). Pois bem, o corpo humano corruptível é incapaz de receber em herança o "reino", não tem nor si direito a ele; primeiro tem de se transformar. Em Rm 8 a corrupção é concebida como escravidão do corpo.

15,51-52 Considera próxima a parusia (1Ts 4,13-18), que chegará para todos, mortos e vivos; e ele estará ainda vivo na ocasião. Emprega a metáfora do dormir e despertar. A imagem da trombeta é tirada das escatologias (Is 27,13).

15,53 A metáfora do vestir a nova condição indica de passagem a identidade do sujeito que se transforma. A pluralidade de imagens oferece aspectos diversos e os relativiza.

15,54-55 Combina Is 25,8 com uma leitura adaptada de Os 13,14, tornando afirmação o que em hebraico é pergunta retórica, salvação o que em hebraico é condenação. O fato da ressurreição de Cristo transforma o sentido do texto, entrando dentro dele, ou seja, quando Deus pergunta para recusar, é sinal de que poderia conceder; e agora, em Jesus Cristo e por ele, concede.

definitivamente. ⁵⁵Onde está, ó morte, tua vitória? Onde está, ó morte, teu aguilhão? ⁵⁶O aguilhão da morte é o pecado, o poder do pecado é a lei. ⁵⁷Graças sejam dadas a Deus, que nos dá a vitória por meio do Senhor nosso Jesus Cristo. ⁵⁸Concluindo, queridos irmãos, ficai firmes, inabaláveis, progredindo sempre na obra do Senhor, convencidos de que vossa fadiga pelo Senhor não será inútil.

16 Coleta pelos fiéis de Jerusalém

– ¹Para a coleta em favor dos consagrados, fazei o que estabeleci nas comunidades da Galácia. ²Todos os domingos, cada um separe e deposite o que tiver conseguido poupar; assim, quando eu chegar, não será necessário fazer a coleta. ³Quando chegar, enviarei com cartas os que tiverdes escolhido, para que levem vossas ofertas a Jerusalém. ⁴Se convém que também eu vá, eles me acompanharão. ⁵Eu vos farei uma visita quando atravessar a Macedônia, pois deverei passar por ali. ⁶É possível que permaneça algum tempo ou inclusive passe o inverno convosco, para que me ajudeis a continuar a viagem. ⁷Nessa ocasião, não vos quero ver de passagem, mas espero passar uma temporada convosco, se o Senhor o permitir. ⁸Estarei em Éfeso até Pentecostes, ⁹pois me foi aberta uma porta grande e favorável, embora os adversários sejam muitos. ¹⁰Quando Timóteo chegar, fazei com que não se sinta assustado entre vós, pois trabalha na obra do Senhor como eu. ¹¹Ninguém o despreze. Despedi-o e fazei-o prosseguir seu caminho, para que se junte a mim, pois o espero com os irmãos. ¹²Insisti com o irmão Apolo para que vá ver-vos com os irmãos; mas ele se recusa decididamente; irá quando for oportuno. ¹³Vigiai, permanecei firmes na fé, sede valentes e corajosos. ¹⁴Tudo o que fizerdes, fazei-o com amor. ¹⁵Tenho que fazer-vos uma recomendação: Conheceis a família de Estéfanas: são as primícias da Acaia e se aplicaram ao serviço dos consagrados. ¹⁶Peço-vos que estejais à disposição de gente como essa e de quantos colaboram com suas fadigas. ¹⁷Estou muito contente com a chegada de Estéfanas, Fortunato e Acaico: eles compensaram vossa ausência, ¹⁸acalmaram meu espírito e o vosso.

¹⁹As igrejas da Ásia vos saúdam. Muitas saudações vos enviam como cristãos Áquila, Priscila e toda a comunidade que se reúne em sua casa. ²⁰Todos os irmãos vos saúdam. Saudai-vos mutuamente com o beijo sagrado. ²¹A saudação de Paulo é de meu punho e letra.

²²Quem não amar o Senhor seja maldito. Vem, Senhor!* ²³A graça do Senhor Jesus esteja convosco. ²⁴Tendes todos o meu amor por Cristo Jesus.

15,56 O pecado é a arma ofensiva que a morte empunha; e a lei dá sua força a essa arma. Antecipação de Rm 6,14.

15,57 Pela força da sequência do contexto precedente, temos de entender "vitória" sobre a lei, o pecado, a morte. Ver Jo 16,33; Sl 35,3.

15,58 Como na segunda carta aos Tessalonicenses, a espera da parusia não convida à inatividade, mas ao progresso na tarefa confiada.

16,1-4 A coleta em favor da igreja de Jerusalém expressa a solidariedade de todos os cristãos e reforça a união de cristãos provenientes do judaísmo e do paganismo. É feita na reunião litúrgica dominical (Rm 15,26-28; 2Cor 8-9; Gl 2,10. Cf. 1Tm 4,12).

16,5-7 Planos de viagem. Pela Macedônia: At 18,21; 19,21.

16,8-9 Em Éfeso: At 19,1.10. A "porta aberta" à evangelização: At 19,8-10; 2Cor 2,12.

16,10-11 Timóteo: At 16,1; 18,5.

16,12 Apolo: At 18,24-19,1.

16,13-14 A exortação tem muitos antecedentes. Convém destacar a fórmula de nomeação de Js 1,7 e o eco em Sl 27,14.

16,19 Áquila e Priscila: At 18,2.18.26.

16,21 As cartas eram ditadas a um copista, e o remetente assinava (cf. Cl 4,18; 2Ts 3,17).

16,22 Acrescenta em aramaico a saudação litúrgica, invocação à parusia, final do Apocalipse e da Bíblia.

* Ou: *Maranatha!*

SEGUNDA CARTA AOS CORÍNTIOS

INTRODUÇÃO

De Corinto e sua comunidade já lemos bastante e coisas importantes. Por ter provocado a carta precedente (1Cor), essa comunidade teria muitos méritos históricos. Mas deparamos com outra carta, a que chamamos 2Cor. Sobre as circunstâncias que motivaram a "segunda" carta, temos mais dúvidas que certezas. Primeiro, porque Lucas deixou uma lacuna narrativa; segundo, porque a carta brinca de esconde-esconde com suas alusões a coisas conhecidas de ambas as partes, desconhecidas para nós. A carta nos intriga e suscita nossa pesquisa.

Comecemos ordenando alguns dados. a) As visitas de Paulo a Corinto: anuncia-se, quase como ameaça, uma "terceira visita", 12,14; 13,1-2; e uma missão de Tito (em lugar de Paulo), 7,5-7.13-16; 12,18. b) Escritos: menciona-se uma carta precedente, escrita "com lágrimas", 2,3-4; 7,8. c) O ofensor castigado e perdoado, 2,5-11; 7,12. Em resumo: Paulo fez uma segunda visita a Corinto, provavelmente para resolver problemas; então, ou depois de sair, foi gravemente injuriado por um membro da comunidade. Em Corinto foi-se consolidando um grupo de rivais, que discutiam a autoridade do apóstolo e estabeleciam a própria. Paulo envia uma carta muito dura e ameaça com uma terceira visita. Entrementes encontra Tito, que volta com boas notícias da sua missão pacificadora. Paulo escreve outra carta conciliadora e renuncia à terceira visita.

Agora se trata de: a) identificar a carta "com lágrimas"; b) definir a unidade ou pluralidade de 2Cor. Sendo tão poucos os dados, não é estranha a divergência de opiniões. Bem poucos defendem ainda que a citada carta seja 1Cor e que o ofensor seja o incestuoso de 1Cor 5. No extremo oposto se encontram os que consideram 2Cor como compilação posterior de seis fragmentos ou escritos de Paulo. Com a maioria nos inclinamos a pensar que a enigmática carta se encontra nos caps. 10-13. Apoiam a hipótese a súbita mudança de tema e consequentemente de estilo: Paulo se torna polêmico, apaixonado, recorre à ironia e ao sarcasmo, desmascara os rivais como falsos e interesseiros, reivindica sua linha de conduta, compara-se com eles. Assim, com traços nervosos, sacudidos pela cólera, vai traçando seu retrato apostólico.

Um detalhe significativo é que em 1-2 se apresentam como passados os verbos que em 10-13 indicam propósito, segundo a correspondência: 2,9 e 10,6; 1,23 e 13,2; 2,3 e 13,10. Os coríntios se queixam de que Paulo tenha cancelado a prometida visita, de que tenha faltado à palavra; o apóstolo responde em tom pessoal.

Quanto ao resto da carta, 8-9 poderia ser um ou dois bilhetes, nos quais se promove a coleta para a igreja pobre de Jerusalém, assunto muito caro a Paulo como expressão de unidade e solidariedade entre as igrejas. Os vv. 6,14-7,1, por sua posição violenta, pelo tema e estilo, dificilmente se podem atribuir a Paulo. Surpreende na carta a falta de nomes na saudação final.

De tão complicadas circunstâncias, e pelo talento e desejo de Paulo, brotou um escrito muito pessoal e intenso. A comunicação da pessoa pesa quase tanto como o valor da doutrina. A carta é um tratado vital da missão apostólica; inclusive coloca o apóstolo acima de Moisés, num inspirado comentário midráxico (3,1-4,6). O Apóstolo é ministro da reconciliação realizada por Jesus Cristo (5,17-6,10). Jesus Cristo é o Sim categórico e definitivo, o cumprimento das promessas (1,19-20). O

castigo que a comunidade impõe equilibra-se com o perdão que o ofendido oferece (2,5-11). A Igreja esposa do Messias e o ciúme de Paulo por ela (11,1-4). A força da fraqueza (12,1-10).

Não é tão fácil reduzir a carta a uma sinopse, mas podemos tentar.

	1,1-2	Saudação.
	1,3-11	Consolo na tribulação.
	1,12-22	Mudança de planos, 1,23-2,4 e sua motivação.
	2,5-13	Castigo e perdão para o ofensor.
I.	2,14-4,6	Ministério apostólico e comparação com Moisés
	4,7-5,16	Confiança em Deus e esperança da glória.
	5,17-6,13	O ministério da reconciliação e o paradoxo do Apóstolo.
	6,14-7,1	Inserção: templos de Deus.
II.	8 e 9	**A coleta para a igreja de Jerusalém**
III.	10-13	**Defesa polêmica de Paulo**
	11	Ostentação de um néscio fingido.
	12,1-13,10	Revelações e fraquezas; o ministério em Corinto.
	13,11-13	Saudações.

¹De Paulo, apóstolo de Cristo Jesus por vontade de Deus, e do irmão Timóteo, à igreja de Deus em Corinto e a todos os consagrados de toda a província da Acaia: ²graça e paz da parte de Deus nosso Pai e do Senhor Jesus Cristo.

Consolo na tribulação – ³Bendito seja Deus, Pai de nosso Senhor Jesus Cristo, Pai compassivo e Deus de todo consolo, ⁴que nos consola em qualquer tribulação, para que nós, por força do consolo que recebemos de Deus, possamos consolar os que sofrem qualquer tribulação. ⁵Pois, como abundantes são nossos sofrimentos por Cristo, assim por Cristo é abundante nosso consolo. ⁶Pois, se sofremos tribulações, é para vosso consolo e salvação; se recebemos consolos, é para vosso consolo, que vos dá forças para suportar o que nós suportamos. ⁷Nossa esperança em relação a vós é firme, pois sabemos que da mesma forma que partilhais nossos sofrimentos, também partilhareis nosso consolo.

⁸Não gostaria, irmãos, que ignorásseis o que tivemos de aguentar na província da Ásia: algo que nos abateu tão acima de nossas forças, que não esperávamos sair com vida. ⁹Dentro de nós trazíamos a sentença de morte, para que não confiássemos em nós, mas em Deus que ressuscita os mortos. ¹⁰Ele nos livrou de tão grave perigo de morte, e continuará nos libertando. Estou seguro de que nos livrará de novo, ¹¹se colaborais rezando por nós. Assim, sendo muitos os que me alcançam esse favor, serão muitos os que o agradecerão.

Mudança de planos – ¹²Nosso orgulho consiste no testemunho da consciência. Ou seja, que pela graça de Deus, e não por prudência humana, me comportei com todos, e em particular convosco, com a simplicidade e sinceridade que Deus pede. ¹³Não vos escrevi outra coisa, a não ser o que ledes e compreendeis. ¹⁴E como em parte o compreendestes, espero que o compreendais inteiramente: que no dia de nos-

---

1,1-2 Saudação costumeira, que inclui os remetentes com nome e título, os destinatários, a saudação. Ao "apóstolo" se associa um irmão, o mais fiel colaborador de Paulo. A comunidade de Corinto se abre a toda a província romana da Acaia.
"Consagrados" (a Deus), participam da sua santidade, como povo de Deus (cf. Ex 19,6). "Graça", saudação grega, e "paz", saudação hebraica, se transferem unidas ao contexto cristão.

1,3-11 O profeta do exílio, que costumamos chamar de Segundo Isaías e que se apresenta como "evangelista" ou arauto de boas notícias, começa sua mensagem aos atribulados judeus desterrados em Babilônia com um imperativo repetido: "consolai, consolai meu povo" (Is 40,1).
Sua pregação é mensagem de alento e consolo (ver também Sl 94,19). Paulo, pregador de seu "evangelho", cuja atividade descreve nesta carta, começa com uma mensagem de "consolo na tribulação"; melhor que mensagem, poderíamos chamá-la testemunho. Dez vezes em nove versículos soa o termo consolo ou consolar. Com tal consolo a esperança e a confiança se fortalecem.

1,3-7 A tensão de opostos, "tribulação" e "consolo", é superada de modo paradoxal pela ação de um Deus Pai, fonte de todo consolo autêntico (Sl 94,19; Is 57,18), e pela causa que os inspira: Cristo (cf. Mt 5,11-12 par.).
"Compassivo" é um dos títulos básicos da revelação do Senhor (Ex 34,6), repetido na liturgia, ligado à sua paternidade (Sl 103), corrente na piedade islâmica. O consolo que o apóstolo recebe redunda em favor de seus fiéis, pela solidariedade ou comunhão em sofrimento e alegria. Desde o começo a carta estabelece um tom dramático.

1,3 "Bendito seja Deus" é fórmula corrente na piedade de Israel. Paulo acrescenta um título que serve de identificação definitiva: "Pai de nosso Senhor Jesus Cristo". Assim o será sempre para os cristãos.

1,8-10 Há outro vínculo mútuo: a oração pelo que sofre ou está em perigo, e a ação de graças por sua libertação; recorde-se, a esse respeito, a "oração insistente" da comunidade por Pedro preso e condenado à morte (At 12,5).
Vários salmos dão testemunho desse espírito de solidariedade na súplica ou na ação de graças (Sl 35,27; 40,17).
O perigo de morte foi, na consciência de Paulo, como morte antecipada, "sentença suspensa"; a "esperança" em Deus foi como ressurreição antecipada (cf. Sl 30,4 "fizeste-me reviver quando eu descia para a cova"). Deus ressuscita os mortos: cf. Dt 32,39; Rm 4,17.
A vida continua para prosseguir cumprindo a missão (cf. Sl 118,18-19). Esse tipo de ação de graças é tradicional em salmos de súplica (Fl 1,19). "Ásia": parece referir-se à estada em Éfeso (At 19).

1,12-14 "Orgulho" é o que alguém pode aduzir em seu favor perante outrem. É termo favorito desta carta. Há um orgulho legítimo, pessoal e presente: "o testemunho da consciência" (At 13,18; 23,1; cf. o juramento de inocência em Jó 31). Há outro, futuro, que entrará em vigor "no dia" da parusia (Fl 2,16), e será mútuo: seus fiéis para Paulo, o apóstolo para seus convertidos.
Também nas cartas agiu com sinceridade: não devem suspeitar reticências nem segundas intenções.

so Senhor seremos vosso orgulho, assim como vós o nosso. ¹⁵Com essa confiança eu me propus ir primeiramente visitar-vos, como novo obséquio, ¹⁶seguir depois para a Macedônia e daí retornar a vós, para que preparásseis minha viagem à Judeia. ¹⁷Seria tal propósito um ato de leviandade? Decidi-o por motivos humanos, vacilando entre o sim e o não? ¹⁸Deus me é testemunha de que, quando me dirijo a vós, não confundo o sim e o não. ¹⁹Pois o Filho de Deus, Cristo Jesus, aquele que nós, com Silvano e Timóteo, vos pregamos, não foi um sim e um não, já que nele se cumpriu o sim; ²⁰porque todas as promessas de Deus nele cumpriram o sim, e dessa forma nós por ele respondemos amém, para a glória de Deus, ²¹É Deus quem nos mantém, a nós e a vós, fiéis a Cristo; ungiu-nos, ²²selou-nos e pôs em nosso coração o Espírito como penhor.

Motivos da mudança de planos — ²³Juro por minha vida e tomo Deus por testemunha que, se não fui a Corinto, foi em consideração a vós. ²⁴Não somos donos de vossa fé, mas cooperadores de vossa alegria, já que vos mantendes firmes na fé.

2 ¹Decidi por conta própria não visitar-vos, para não vos afligir. ²Pois, se vos aflijo, como posso esperar que me alegre aquele que afligi? ³Eu vos escrevi aquilo, para que ao chegar não me afligissem os que deveriam alegrar-me, persuadido como estava de que minha alegria era também a vossa. ⁴Com grande abatimento e ansiedade vos escrevi, derramando lágrimas, não para vos afligir, mas para que conhecêsseis o grande amor que vos tenho.

Perdão para o ofensor — ⁵Se alguém me causou sofrimento, não foi só para mim, mas em parte – não exagerando – para todos vós. ⁶É suficiente o castigo que a maioria lhe impôs. ⁷Agora, ao contrário, deve-se perdoá-lo e animá-lo, para que não aconteça que a pena excessiva acabe com ele. ⁸Por isso vos exorto a garantir-lhe vosso amor. ⁹Ao vos escrever, queria pôr-vos à prova, para ver se obedecíeis em tudo. ¹⁰A quem perdoais, eu também perdoo; pois meu perdão, se tive algo a perdoar, foi por vós e em atenção a Cristo, ¹¹para

1,15-16 O itinerário projetado incluía a segunda e a terceira visitas a Corinto. A segunda talvez para resolver pessoalmente os problemas locais (13,1-2). Em lugar de visitá-los, escreveu-lhes uma carta, e os coríntios estão queixosos por essa mudança de planos: Paulo promete e não cumpre. Ver a Introdução.

1,17-20 O "sim" de uma promessa é o seu cumprimento, e o "amém" é o reconhecimento disso. Paulo traduz em fórmulas originais e eficazes o atributo clássico do Deus "fiel" (Dt 7,9; Is 49,7; 55,3). Em Cristo, Deus cumpre todas as suas promessas (na ressurreição, segundo At 23,6; 24,15; 26,6-7), por isso ele é o "sim" puro e total; e Paulo o reconhece com seu "amém" (Ap 3,14). É também exemplo de conduta para o Apóstolo (Mt 5,37). Mas os planos humanos podem sofrer mudanças justificadas: Paulo se dispõe a explicar os motivos.

1,21-22 As imagens são tomadas da linguagem comercial: "garantir" a validade (= manter-se fiel), selo ou certificado de garantia (Ef 1,13; cf. Jr 32,10s), "penhor" ou sinal dado como entrada. O Espírito é a "unção" que faz de um homem um cristão, dedicado a Cristo, e é penhor do dom futuro e definitivo. Ungidos é o título que o salmista dá aos hebreus que desceram ao Egito: a unção os tornava intocáveis (Sl 105,15).

1,23-2,4 Justifica a mudança de planos e o cancelamento da visita. Dada a situação em Corinto, deveria ter-se apresentado e agido com severidade, causando profunda tristeza, provocando talvez um clima de tensão excessiva, quando era necessária a alegria partilhada. Por isso, preferiu afligir por carta, curar à distância. Desse modo, a próxima visita (13,1-2) será serena e prazerosa. A alegria tem de ser um sentimento partilhado. Escrever a carta severa custou "lágrimas" a Paulo (At 20,31), porque ama os coríntios. Dominam essa seção e os versículos seguintes as palavras "afligir, aflição", repetidas oito vezes, como que explicando uma "tribulação", em contraste com o "consolo".

1,24 "Ser dono" é da raiz de "senhor". Já que o único Senhor é Jesus Cristo, nenhum outro pode apoderar-se da fé que outros cristãos têm (1Pd 5,3). Paulo não é senhor/amo, mas colaborador. A pessoa se mantém na fé e pela fé (cf. Is 7,9).

2,3 A alegria é partilhada (Rm 12,15; o contrário de Pr 14,10).

2,4 Ver At 20,31.

2,5-11 Ofensa, castigo salutar e perdão têm alcance comunitário, embora o ofendido pareça um só. "Alguém" influente em Corinto tinha atiçado outros contra Paulo, e todos deveriam considerar-se ofendidos. Em assembleia comunitária e movidos pela carta severa do apóstolo, "a maioria" impôs um castigo ao culpado; talvez a exclusão temporária da comunidade. Este se arrependeu e sofre profundamente: é hora de suspender o castigo para que não acabe destruindo-o, é hora de reconciliá-lo com carinho.

Paulo, que com sua carta quis pôr os coríntios à prova, agora sente-se satisfeito, tanto que sente

não dar ocasião a Satanás, cuja astúcia não desconhecemos.

¹²Ao chegar a Trôade para anunciar a boa notícia de Cristo, pois o Senhor me abria as portas, e não encontrando aí Tito, meu irmão, ¹³não tive sossego; por isso me despedi deles e parti para a Macedônia.

O ministério da nova aliança (Ex 33,7-11; 34,29-35) – ¹⁴Dou graças a Deus que me associa sempre ao cortejo triunfal de Cristo, e por nosso meio difunde em todos os lugares o aroma do seu conhecimento. ¹⁵De fato, somos o aroma de Cristo oferecido a Deus, para os que se salvam e para os que se perdem. ¹⁶Para estes, cheiro de morte que mata; para aqueles, fragrância de vida que vivifica. E quem é digno disso? ¹⁷Porque não vamos, como muitos, traficando com a palavra de Deus, mas falamos com sinceridade, como da parte de Deus, diante de Deus, e como membros de Cristo.

3 ¹Começamos outra vez a recomendar-nos? Acaso precisamos de cartas de recomendação vossas ou para vós? ²Vós sois nossa carta, escrita em nosso coração, reconhecida e lida por todos. ³Demonstrais ser carta de Cristo, despachada por nós, escrita não com tinta, mas com o Espírito do Deus vivo, não em tábuas de pedra, mas em corações de carne.

⁴Temos essa confiança em Deus, graças a Cristo. ⁵Não é que por nossa parte sejamos capazes de atribuir a nós alguma coisa, mas nossa capacidade vem de Deus, ⁶que nos capacitou para administrar uma aliança nova: não de simples letras, mas de Espírito; porque a letra mata, o Espírito dá vida. ⁷Pois, se o ministério de morte, com suas letras gravadas em pedra, se realizou com glória, a ponto de os israelitas não poderem fixar o olhar no rosto de Moisés por causa do brilho transitório de seu rosto, ⁸como não será mais glorioso o ministério

---

como se não o tivessem ofendido (Cl 3,13; Mt 10,40). Que se reúna de novo a assembleia para formalizar o perdão, e o voto de Paulo vai com a carta; e que Cristo inspire a decisão. Do contrário, seu rival, Satanás, se aproveitará para atiçar as discórdias e minar a comunidade.

2,12-13 Continua o tema da viagem e de repente se interrompe. O fio continua em 7,5-16, retomando em ordem inversa os temas de Tito e da carta severa (é útil ler a seguir o citado texto). "Abria as portas" para a pregação aos pagãos (At 14,27). A viagem à Macedônia: At 20,1.

2,14 Aqui começa a grande seção sobre seu ministério apostólico, que se estende até 7,4, interrompida por uma inserção heterogênea em 6,14-7,l.
O vencedor de uma batalha importante desfilava em "triunfo", acompanhado de um séquito de prisioneiros e entre nuvens de incenso e aromas (cf. Sl 68,19). Paulo se alegra de desfilar no triunfo de Cristo como prisioneiro, difundindo-lhe o aroma, que é o conhecimento dele.

2,15-16a A imagem se transfere ao campo cultual dos sacrifícios, que iam acompanhados de incenso e defumadouros e "aroma que aplaca" (Ex 30,34; Lv 2,1-2.15-16; 16,12; Nm 15 e 28). O aroma da pregação evangélica é ambíguo, conforme é recebido: mortífero para uns, vivificante para outros.

2,16b-17 Soa como enunciado de um princípio. Ninguém é por si apto para o empreendimento. O apóstolo é mediador da "palavra de Deus", que é o evangelho, é responsável perante Deus e age vinculado ao ministério de Cristo. Não pode ser um comerciante que, negociando com a mensagem, a torna inofensiva, como faziam os falsos profetas: o evangelho não é mercadoria. A frase tem uma ponta de polêmica contra "muitos" não mencionados. Ver 1Pd 4,11.

3,1-3 Na vida civil e na cristã eram comuns as cartas de recomendação (At 18,27; Rm 16,1-2; 1Cor 4,10). Combina e opõe duas citações do AT: o decálogo gravado em tábuas de pedra (Ex 24,12) e a lei impressa no coração (Jr 31,33). Cristo é o autor dessa carta viva, e Paulo o copista ou carteiro. Acrescenta uma oposição que prepara o v. 6: a tinta que molha e marca o pergaminho. O Espírito-vento que se infunde no íntimo.

3,4 Daqui até 4,6 (ou ao menos até 3,18), o autor propõe uma reflexão sobre o ministério do apóstolo comparado com o de Moisés. O estilo é midráxico, conduzido principalmente pela lógica dos símbolos e apoiado numa série de contrastes. Não se deve buscar nessas linhas uma exegese científica do êxodo. Os textos de base são tomados das tradições (ou lendas) sobre Moisés: Ex 33,7-11 e 34,29-35. Moisés voltara "radiante" após ter estado pessoalmente com o Senhor glorioso. A "glória" de *Yhwh* é luminosidade impressa e refletida no rosto de Moisés. Com temor reverencial, os israelitas o reconhecem como mediador da palavra de Deus, que ele comunica, e da glória de Deus, que reflete. Para não intimidá-los, Moisés cobria o rosto com um véu até "voltar" à tenda do encontro com o Senhor. Com esses símbolos, Paulo tece sua exposição.

3,6-9 Começa a contraposição em termos audazes, radicais (não procura matizes). A lei da antiga aliança era boa em seu conteúdo e trazia como acréscimo cláusulas penais em caso de não cumprimento. Como era externa ao homem e não lhe dava forças para cumpri-la, de fato fazia incorrer nas penas consequentes, a "condenação", e não permitia a desculpa da ignorância. Por isso, a chama de "ministério de morte": a morte não é finalidade, mas consequência (como explica Ez 18). O Espírito, pelo contrário, personaliza a lei, a interioriza, e se converte em

do Espírito? ⁹Pois, se o ministério da condenação era glorioso, quanto mais o será o ministério da absolvição? ¹⁰Ainda mais: o que então brilhava já não brilha mais, ofuscado por um brilho incomparável. ¹¹Se o transitório foi glorioso, quanto mais o será o permanente?

¹²Animados com essa esperança, agimos com toda a ousadia. ¹³Não como Moisés, que punha um véu no rosto para que os israelitas não notassem o fim do transitório. ¹⁴Contudo, a inteligência deles se embotou; pois até hoje, quando leem o Antigo Testamento, o véu permanece e não é descoberto, porque somente com Cristo caduca*. ¹⁵Até o dia de hoje, quando leem Moisés, um véu lhes cobre a mente. ¹⁶Porém, "quando voltar ao Senhor, o véu será removido". ¹⁷Esse Senhor é o Espírito, e onde está o Espírito do Senhor existe liberdade. ¹⁸E nós todos, refletindo com o rosto descoberto a glória do Senhor, vamos nos transformando em sua imagem com brilho crescente, como sob a ação do Espírito do Senhor.

4 Pregação sincera

– ¹Por isso, tendo recebido esse ministério por pura misericórdia, não nos acovardamos; ²ao contrário, renunciamos à vergonhosa clandestinidade. Não agimos com astúcia, falsificando a palavra de Deus, mas, declarando a verdade, nos recomendamos diante de Deus à consciência de quem quer que seja. ³E se nosso evangelho está velado, o está para os que se perdem: ⁴os que por sua incredulidade o deus deste mundo cegou-lhes a mente, para que não brilhe sobre eles a claridade do glorioso evangelho de Cristo, que é imagem de Deus. ⁵Não anunciamos a nós próprios, mas a Cristo Jesus como Senhor, e a nós como a servos vossos por Jesus. ⁶O mesmo Deus, que mandou a luz brilhar na treva, iluminou as vossas mentes, para que brilhe no rosto de Cristo a manifestação da glória de Deus.

---

dinamismo do seu cumprimento (cf. Ez 36,27; Jr 31,31; e a tríplice invocação ao espírito, "firme, santo, generoso" de Sl 51,12-14). Assim garante a "absolvição", dá a vida. A "letra" é a escrita, e em particular a cláusula penal (cf. Ez 18).

3,10-11 Outros dois pontos de comparação. A intensidade do resplendor: continua imaginando a glória em termos de luminosidade (um fósforo aceso não brilha à luz do sol do meio-dia). A duração das duas alianças (como indica o texto clássico de Jr 31,31).

3,12-13 O "véu" camuflava o resplendor, ao passo que o apóstolo o exibe sem disfarces (cf. Is 49,6; Mt 5,14-16). Além disso, o véu ocultava aos israelitas que toda aquela instituição tinha um "fim" e uma "finalidade" (duplo valor do grego *telos*), que estava em função do futuro, e por isso era provisória.
O "véu", a seguir, não é o de Moisés, e sim o que os judeus põem ao ler a Escritura (At 15,21): impedidos por esse obstáculo voluntário, não compreendem o sentido profundo do que leem (ver o final de At 28,27). Encerra um princípio hermenêutico: com a vinda de Cristo ou sua ressurreição, removeu-se o véu e aparecem as novas dimensões de profundidade, altura e plenitude de significado que estavam aí veladas.

3,14 * Ou: *não se descobre que com Cristo caduca.*

3,16-17 Citação segundo os Setenta, com o verbo no futuro, em lugar do imperfeito do original hebraico (Ex 34,34): quando se converterem, "voltarem" para o Senhor (= espírito), será removido o véu, compreenderão a Escritura e alcançarão a liberdade (Rm 8,2).

3,18 Do "esplendor" (glória) passa à "imagem" (unidos em 1Cor 11,7), aludindo a Gn 1,27. Ao nos expormos e recebermos o impacto da glória luminosa do Senhor, e pela eficácia do Espírito, nossa imagem deformada vai se transformando pouco a pouco até adquirir a imagem de Deus (que é Cristo, 4,4). Ideal apostólico e de vida cristã, que alicerça o valor da contemplação de Jesus Cristo, transformadora do fiel. Numa espécie de transfiguração espiritual (Mt 17,2).

4,1-2 Continua desenvolvendo o tema do ministério, que é puro dom, e por isso impõe uma responsabilidade (1Tm 2,5). Duas táticas se opõem, a franqueza e a sinceridade de que falou antes: esconder por vergonha (cf. Eclo 41,15-16) e deformar por astúcia. Aquele que antes apelava ao testemunho da própria consciência, agora se expõe ao julgamento da consciência dos outros (1,12), mas "na presença de Deus".

4,3 Poderíamos objetar: se a mensagem é tão valiosa e aquele que a transmite é tão sincero, como se explica que muitos a rejeitem? Não só judeus, mas também pagãos. Responde: a mensagem não está encoberta, mas o fato é que muitos, por cegueira voluntária, se negam a crer (cf. Is 6,9; 56,10).

4,4-5 Expressão audaz: o "deus deste mundo", aquele que este mundo reconhece e venera como seu deus, a divindade rival do Deus verdadeiro (cf. Mt 4,8-10 "todos os reinos do mundo"; 1Jo 2,11). Comparar com a identificação de Ef 2,2.
Cristo é "imagem" gloriosa (resplandecente) de Deus: quem o vê, vê o Pai (Jo 14,8-9; cf. Cl 1,15), luz que se difunde e ilumina (cf. Sl 57; Is 60). Mas o cego voluntário não vê essa luz. O apóstolo não deve interpor-se em proveito próprio, é apenas um servidor.

4,6 Recorda e conclui. Como na criação a primeira criatura foi a luz (Gn 1,3), assim agora Deus ilumina os cristãos para que contemplem em Cristo a imagem gloriosa de Deus: "à tua luz vemos a luz" (Sl 36,10).

Confiança em Deus – ⁷Levamos este tesouro em vasos de barro, para que se manifeste que sua força superior vem de Deus e não de nós. ⁸De todos os lados nos apertam, mas não nos afogam; estamos em apuros, mas não desesperados; ⁹somos perseguidos, mas não desamparados; derrubados, mas não aniquilados; ¹⁰sempre carregando no corpo a morte de Jesus, para que se manifeste em nosso corpo a vida de Jesus. ¹¹Continuamente nós, que vivemos, estamos expostos à morte por causa de Jesus, de modo que também a vida de Jesus se manifeste em nossa carne mortal. ¹²Assim a morte atua em nós, a vida em vós. ¹³Porém, visto que possuímos o mesmo espírito de fé, do qual está escrito "acreditei e por isso falei", também nós cremos e por isso falamos, ¹⁴convencidos de que aquele que ressuscitou o Senhor Jesus ressuscitará a nós com Jesus e nos levará convosco à sua presença. ¹⁵Tudo é em vosso favor, de modo que, ao multiplicar-se a graça entre muitos, seja abundante a ação de graças para a glória de Deus.

Esperança da glória – ¹⁶Portanto, não nos acovardamos: se nosso exterior vai se desfazendo, nosso interior vai se renovando dia após dia. ¹⁷⁻¹⁸A nós, que temos o olhar fixo no invisível e não no visível, a leve tribulação presente nos produz uma carga incalculável de glória. Pois o visível é transitório, o invisível é eterno.

5 ¹Sabemos que, se a tenda terrestre em que vivemos se desfaz, receberemos de Deus a hospedagem de uma eterna moradia no céu, não construída por mãos humanas. ²Enquanto isso, suspiramos com o desejo de revestirmos a habitação celeste, ³caso cheguemos vestidos e não nus. ⁴Pois

---

4,7-15 Nova seção sobre a vida e a missão do apóstolo como prolongamento do mistério da paixão e ressurreição de Cristo. A glória de Cristo que ele proclama é seu tesouro, é presença da ressurreição. Mas a paixão se baseia na fraqueza humana e se intensifica com o ministério. Contudo, a paixão não o aniquila, graças à força da ressurreição. A paixão do apóstolo é participação, prolongamento e manifestação contínua da paixão de Cristo. Por isso, os sofrimentos do apóstolo redundam em vida para seus fiéis. E essa eficácia presente confirma a esperança da ressurreição futura. Tal "convicção" gera confiança e impulsiona a pregar.

4,7 Os "vasos de barro" recordam a criação do homem do barro da terra (Gn 2,7; Sl 103,14); também podem recordar Jeremias na oficina do oleiro (Jr 18,1-17). A "força de Deus" excede a capacidade da vasilha e transborda demonstrando sua ação.

4,8-10 Quatro oposições muito rítmicas e aliteradas, compostas de oito particípios passivos (o sujeito é paciente, não agente), mostram o paradoxo de um sofrimento confinado a um limite. Esse paradoxo humano é explicado pelo outro paradoxo superior, a morte e a vida de Jesus. Não cede ao temor de ver-se esmagado (Ez 2,6), nem pede o milagre de ver-se isento (Jr 45): seria negar a parte essencial do mistério pascal de Jesus.

4,11 Pode-se ver Sl 44,23 no contexto da súplica.

4,12 Estranha fecundidade da dor mortal que gera vida (como Raquel parturiente ao dar vida e dar a vida, Gn 35,16-20).

4,13-14 Cita Sl 116,10, desligado do contexto e segundo a versão grega. Com a fé batismal se recebia o Espírito, e uma de suas manifestações clássicas era falar línguas misteriosas (p. ex. At 10,44-46); nesse v. o "Espírito" presente pela "fé" impulsiona a falar e proclamar em língua articulada, inteligível. É a proclamação de uma esperança: que a ressurreição de Jesus se comunicará a nós.

4,15 Como de costume, tudo se concluirá no louvor a Deus.

4,16-5,10 Recorda e desenvolve o tema da tribulação presente e da glória futura, entretecendo sem ordem rigorosa três imagens. A tenda, que se arma e desarma, comparada com o edifício permanente; o desterrado ou peregrino comparado com o cidadão; o nu comparado com o vestido ou revestido. As imagens guiam um séquito de oposições elementares: exterior e interior, visível e invisível, leve e pesado, transitório e eterno, morte e vida, fé e visão. O resultado é uma exposição vigorosa, não uma análise matizada.

4,16 O apóstolo se sente submetido a movimento duplo e oposto: de decadência física e até mental, de crescimento espiritual diário. Atuam a força da "corrupção" e da "renovação".

4,17-18 A raiz hebraica *kbd* é ambígua, significa peso e glória (também riqueza e honra). O texto o desdobra em "um peso de glória" "excessivo", que desequilibra todas as balanças (no Sl 62,10 todos os homens são leves). Para os judeus, o futuro está atrás deles: é invisível porque não o temos à frente, como o passado (Rm 8,24).

5,1 A vida em tendas recorda aos israelitas a vida patriarcal e a caminhada pelo deserto (encenada na festa das Tendas); também aos recabitas de costumes beduínos (Jr 35). A imagem se aplica ainda ao indivíduo (Is 38, 12; Jó 4,19-21). O oposto são as casas que eles encontram já construídas na terra prometida (Dt 6,11; Js 24,13). A casa celeste, sendo construída por Deus, é perpétua.

5,3-4 Os judeus consideravam a nudez ofensiva, recordação permanente do pecado (Noé, Gn 9,18-24; os embaixadores de Davi, 2Sm 10,4; Isaías 20 numa ação simbólica etc.). "Nu" equivale aqui a morto. Por isso, o "nu se veste", o vestido (= vivo) "se reveste". "Absorvido" corresponde talvez ao hebraico *bl'*, que significa também aniquilar (cf. Is 25,8 "aniquila a morte").

nós que habitamos em tendas suspiramos acabrunhados, porque não desejaríamos desvestir-nos, mas revestir-nos, de modo que o mortal fosse absorvido pela vida. ⁵Quem nos preparou precisamente para isso é Deus, que nos deu o Espírito como penhor.

⁶Por isso, estamos sempre confiantes e sabemos que, enquanto o corpo for nossa pátria, estamos exilados do Senhor. ⁷Pois caminhamos pela fé, não pela visão. ⁸Mas, com ânimo, preferiríamos exilar-nos do corpo para morar com o Senhor. ⁹De qualquer forma, na pátria ou exilados, aspiramos ser-lhe agradáveis. ¹⁰Todos deveremos comparecer diante do tribunal de Cristo, para receber o pagamento do que fizemos com o corpo, o bem ou o mal*.

O critério da fé – ¹¹Conscientes do respeito devido ao Senhor, procuramos persuadir os homens. Diante de Deus, lhe somos manifestos. E espero que o sejamos também diante de vossas consciências. ¹²E não procuramos outra vez recomendar-nos a vós; desejamos, antes, dar-vos ocasião de vos orgulhardes de nós diante dos que presumem aparências e não o interior. ¹³Se nos excedemos, é por Deus; se nos controlamos, é por vós. ¹⁴Porque o amor de Cristo nos pressiona, ao pensarmos que, se um morreu por todos, todos morreram. ¹⁵E morreu por todos, para que os que vivem não vivam para si, mas para quem por eles morreu e ressuscitou. ¹⁶De modo que nós, daqui para a frente, a ninguém consideramos com critérios humanos; e se outrora consideramos Cristo com critérios humanos, agora já não o fazemos.

A mensagem da reconciliação – ¹⁷Se alguém é cristão, é criatura nova*. O que era

---

5,6 Talvez seja lembrança do exílio babilônico, "com saudades de Sião" (Sl 137), experiência histórica exemplar (Hb 11,13) e experiência individual dolorosa (Sl 120,5).

5,8 O "corpo" representa aqui a situação presente. "Morar com o Senhor": como os sacerdotes no templo (Sl 65,5; 84,2-3), como deseja e espera o orante iluminado (Sl 73,23ss).

5,10 Imagem do julgamento definitivo e de Cristo juiz remunerador (At 17,31; Ap 14,10); à imagem pertencem o "tribunal", o "comparecer". "Bem e mal" são ambíguos: as boas ou más ações, o prêmio ou o castigo. Diz "nós", que geralmente se refere aos cristãos. Ver Jo 5,22-27. * Ou: *prêmio ou castigo*.

5,11-16 Esse parágrafo ou duplo parágrafo é difícil. Temos de interpretá-lo no contexto do seu ministério apostólico, que Paulo defende diante de ataques ou reticências. Parece predominar nele o tema dos correlativos, manifestação e apreciação; com uma alusão polêmica aos correlativos aparentar e julgar pelas aparências. Diante de Deus, Paulo deseja estar evidente (Pr 15,11; Eclo 42,18; Jr 17,10), e não hesita em reconhecer os dons sublimes que recebeu. Ante a consciência bem formada dos coríntios também está evidente, embora se reserve algo, "nos controlamos" (v. 13). Por sua parte, está decidido a não julgar os outros pelas aparências (amplo desenvolvimento em Eclo 11) ou por critérios humanos – como fizera outrora com Jesus.
Pelo que vale e porque o manifesta com sinceridade e modéstia, os coríntios podem estar orgulhosos do seu apóstolo e podem confrontar-se com os que aparentam sem ter substância. Devemos entender essas frases em seu contexto polêmico. Havia em Corinto gente que negava méritos a Paulo, afirmando assim seu próprio valor e autoridade. Diante dessa gente, o que os coríntios devem fazer? Cerrar fileiras e afirmar o valor e autoridade do seu apóstolo.
De resto, em tudo Paulo age por "respeito" a Deus e "amor" a Cristo; um amor que corresponde ao amor sacrificado do Senhor.

5,11 Se o "respeito do Senhor" corresponde ao hebraico *yir'at Yhwh*, refere-se a Deus. Mas poderia referir-se ao Senhor = Cristo, que Paulo acaba de apresentar como juiz.

5,13 O "excesso" se dá em sua relação pessoal com Deus. Em grego *exéstemen* = sair de si, que pode referir-se ao "êxtase", à oração mística. Seu antônimo é *sophronoumen* = ter temperança, controlar-se. Paulo oculta suas experiências íntimas, que não divulga nem à sua comunidade (ver o cap. 12).

5,14-15 Pela morte de Cristo morremos ao pecado e ao egoísmo. Vivendo para ele, saímos do fechamento e vivemos de verdade: Cristo morto e ressuscitado por nós (por amor) nos oferece sua transcendência (anti-egoísmo) salvadora. Comparar com Rm 14,7-9.

5,16 Na sua primeira fase, Saulo julgava Jesus com critérios humanos, inadequados, e o perseguia. Até que, respondendo à pergunta "quem és?", a ele foi revelada a personalidade do Senhor. Desde esse momento, Paulo começou a julgar de outra maneira.

5,17-21 Alguns ajuntam o v. 17 à perícope precedente. Penso que pertence ao novo tema, a reconciliação. O homem em relação a Deus é ofensor, devedor, culpado. Como por si mesmo não pode reconciliar-se, compete a Deus reconciliá-lo consigo; ele o faz por meio de Cristo, que carrega as culpas dos outros (Is 53) para que sejam perdoadas. Só assim o homem perdoado volta a ser "inocente". A reconciliação é radical, equivale a nova "criação" (cf. Sl 51,12); é oferecida e comunicada pela mensagem apostólica, "ministério da reconciliação". O homem simplesmente "se deixa" reconciliar, responde à oferta removendo obstáculos e aceitando.

5,17 A palavra grega *ktísis* pode significar criação/criatura ou humanidade (cf. Rm 8,19-22). O cristão é criatura/humanidade nova. O "antigo" é a conduta precedente, no caso individual, ou o regime do AT,

antigo passou, chegou o novo. ¹⁸E tudo é obra de Deus, que nos reconciliou consigo por meio de Cristo e nos confiou o ministério da reconciliação. ¹⁹Isto é, Deus estava, por meio de Cristo, reconciliando o mundo consigo, não lhe apontando os delitos, e nos confiou a mensagem da reconciliação. ²⁰Somos embaixadores de Cristo, e é como se Deus falasse por meio de nós. Por Cristo vos suplicamos: Deixai-vos reconciliar com Deus. ²¹Aquele que não conheceu pecado, por nós Deus o tratou como pecador, para que nós, por seu intermédio, fôssemos inocentes* diante de Deus.

6 O ministério apostólico

¹Como colaboradores vos exortamos a não receber em vão a graça de Deus. ²Pois ele diz: *Em tempo favorável te escutei, em dia de salvação te auxiliei*. Vede, este é o tempo favorável, este o dia da salvação.

³Procuramos não dar a ninguém ocasião alguma para desacreditar nosso ministério. ⁴Em tudo nos recomendamos como ministros de Deus: com muita paciência, em meio a tribulações, penúrias, angústias, ⁵açoites, prisões, motins, fadigas, vigílias e jejuns; ⁶com integridade, conhecimento, paciência e bondade; com Espírito Santo, amor não fingido, ⁷mensagem autêntica e força de Deus. Usando as armas da justiça à direita e à esquerda, ⁸na honra e na desonra, na boa e na má fama. ⁹Como impostores que dizem a verdade, como desconhecidos que são bem conhecidos, como mortos e estamos vivos, como punidos mas não executados, ¹⁰como tristes mas sempre alegres, como pobres que enriquecem muitos, como necessitados que possuem tudo.

¹¹Para vós, coríntios, minha boca se abre com franqueza, meu coração está dilatado. ¹²Dentro de mim não estais apertados, embora em vossas entranhas sejais apertados. ¹³Como a filhos vos peço o pagamento correspondente: procurai dilatar-vos.

---

em termos de história da salvação. A novidade: a volta do exílio (Is 43,18), a escatologia (Is 65,17). * Ou: *humanidade nova*.

5,19 Deus realiza a reconciliação "não apontando" ou não imputando os delitos (cf. Sl 32,1-2).

5,21 Essa é uma daquelas frases em que Paulo apura a expressão até os limites da linguagem: o uso do abstrato pelo concreto enriqece a frase (comparar com Gl 3,13). Literalmente: "aquele que não conhecia pecado, ele o fez pecado", e seu correlativo "para que fôssemos justiça de Deus". Não há outra solução senão parafrasear; para isso nos apoiamos em liturgias penitenciais do AT. Na relação bilateral de julgamento contraditório (Sl 50-51; Is 1,10-20; Dn 9,7), um tem a justiça, a razão, e o outro a culpa, o pecado. Deus colocou Cristo, embora inocente, na parte do pecado; de suas consequências, como vítima expiatória. Desse modo nos colocou na parte da sua justiça. Pelo perdão que Cristo nos conseguiu, já não somos injustos. * Ou: *justos*.

6,1-2 Liga-se com o que precede. O perdão, que remove o pecado, completa-se com a "graça", que é a nova situação favorável. Chegou o dia do grande jubileu do perdão de dívidas (Lv 25; Dt 15,1-11; Is 61,1); é preciso aproveitá-lo beneficiando-se dele. O texto bíblico (Is 49,8) é tirado do segundo cântico do Servo: contém uma mensagem de reconciliação e um anúncio de repatriação: isso se cumpre plenamente na obra de Cristo. O segundo êxodo aponta para o terceiro e definitivo.

6,3-10 Deus "capacita" o apóstolo (3,5) e este "dá crédito" a seu ministério. Ele o expõe numa magnífica explanação retórica, usando a enumeração, as polaridades, o paradoxo. O parágrafo respira um ar triunfal.

6,4-7a Enumeração: o orador se deixa levar pelo entusiasmo. No seu fluxo, é difícil descobrir uma ordem ou detalhar cada conceito. Talvez valha o seguinte: Da "paciência" como conceito genérico pendem três trios. O primeiro parece mais psicológico, mais interior; o segundo refere-se a perseguições de fora; o terceiro fala de sacrifícios impostos pelo ministério (o jejum não é ritual nem ascético). Segue-se um quarteto de atitudes que informam toda a conduta. Conclui um quarteto de substantivos com adjetivos, dos quais o primeiro e o último poderiam ser sinônimos. Se a série pode soar como simplesmente ética, o final a conduz a seu contexto religioso e cristão, pela ação do Espírito.

6,7b-8a Polaridades: abrangem em binômios qualquer circunstância da vida (ver o modelo do Sl 30). Sublinha especialmente o que se refere ao prestígio.

6,8b-10 Paradoxos. São sete, e parecem derivados do mistério pascal com algo do espírito das bem-aventuranças. O que os homens julgam desprezível é o valor autêntico. Ver Sl 118,18.

Pensam que a mensagem evangélica é mentira, sendo a pura verdade. Ressoa a polêmica entre profetas autênticos e falsos (Jr 23; Ez 13). "Desconhecidos", ou seja, ignorados de propósito; e no entanto presentes como cidade sobre um monte. "Morrendo", ou seja, em perigo constante de morte, por causas humanas ou naturais; mas vivos de uma vida superior. "Punidos...": Sl 118,18; At 5,40. "Tristes": "Felizes os que agora chorais, porque rireis" (Lc 6,21b). "Pobres": "Felizes os pobres, porque o reinado de Deus lhes pertence" (Lc 6,20). "Necessitados": Lc 18,29s.

6,11-13 Das considerações gerais sobre o apostolado passa à relação concreta com os coríntios. Ressoa o tema do consolo (1,3-7) e da alegria partilhada (2,1-4). Utiliza o símbolo polar largo/estreito (Sl 4,2 "tu que na angústia me deste alívio"). A "largueza"

Templos de Deus – ¹⁴Não vos deixeis prender a um jugo desigual com os infiéis. Que têm em comum justiça e injustiça*? Que acordo entre a luz e as trevas? ¹⁵Que concórdia entre Cristo e Belial? Que partilha o que crê com o infiel? ¹⁶É compatível o templo de Deus com os ídolos? Pois nós somos templo do Deus vivo. Como ele disse: *Habitarei entre eles e me deslocarei com eles. Serei seu Deus e eles serão meu povo.* ¹⁷*Portanto, saí do meio e apartai-vos deles, diz o Senhor. Não toqueis o impuro, e eu vos acolherei.* ¹⁸*Serei vosso pai e vós sereis meus filhos e filhas, diz o Senhor Todo-poderoso.*

7 ¹Assim, portanto, dispondo de tais promessas, meus queridos, purifiquemo-nos de toda impureza de corpo e espírito, completando nossa consagração e respeitando a Deus.

Reação dos coríntios e de Paulo – ²Dai-nos lugar: não prejudicamos ninguém, não arruinamos ninguém, não exploramos ninguém. ³Não o digo em tom de condenação, pois vos disse que na morte ou na vida vos levo no coração. ⁴Posso falar-vos com plena ousadia e sentir plena satisfação por vós. Estou cheio de consolo, transbordo de alegria em toda espécie de tribulação. ⁵Nem sequer ao chegar à Macedônia encontrei alívio corporal, mas todo tipo de adversidade: por fora contendas, por dentro temores. ⁶Mas Deus, que conforta os abatidos, nos confortou com a chegada de Tito. ⁷Não só com sua chegada, mas também com o consolo que havia recebido de vós: ele me contou sobre vossa saudade, vossa angústia, vosso afã por nós; e isso me alegrou ainda mais.

⁸Se vos entristeci com minha carta, não o lamento; lamentei-o, sim, ao compro-

---

não é aqui intelectual, como a de Salomão (1Rs 5,9), mas cordial, de afeto e compreensão, à qual os coríntios devem corresponder, "dilatando" sua mesquinhez e estreiteza (à maneira de ilustração da imagem, ver Is 49,19-20 e 54,2-3).
O texto se interrompe bruscamente e continua com perfeita coerência em 7,2-4 (faça-se a prova).

6,14-7,1 Inserção clara pela mudança de tema e porque interrompe um discurso coerente. Alguns suspeitam que essa recomendação pertença à carta mencionada (1Cor 5,9) e perdida. É uma exortação breve e veemente para distanciar-se, separar-se, diferenciar-se do mundo pagão em que vivem (como os hebreus no Egito ou em Babilônia). Corresponde a múltiplas recomendações do AT, à ideia de um "povo separado" (Nm 23,9, oráculo de Balaão).

6,14 O "jugo" desigual alude à lei (Dt 22,10) que proíbe unir "asno com boi". * Ou: *honradez e crime*.

6,15-16a O estilo de perguntas em série recorda de perto o procedimento de Am 3,3-6. "Justiça e injustiça": cf. Pr 29,27 e o começo do Sl 1. "Luz e trevas": cf. Jó 3,5-6. Belial (ou Beliar) é outra designação de Satanás, corrente em meios judaicos (deformação de *beli ya'al* sem proveito, cf. Jr 2,8). A situação dos cristãos novos em Corinto explica essa preocupação e o tom categórico e radical das recomendações. Como se o mundo pagão fosse todo maldade (cf. Sl 14). De toda a cadeia de perguntas retóricas emerge a grande afirmação da comunidade como templo de Deus (1Cor 3,16; 6,19).

6,16b-19 As citações provêm da lei e dos profetas. A primeira é tirada das bênçãos do Levítico (Lv 26,12): emprega um raro verbo composto grego, que corresponde a uma forma hebraica também rara. Significa um vaivém que recorda as andanças do povo pelo deserto; junta estabilidade com movimento. A segunda é do profeta do desterro (Is 52,11), convidando os desterrados a sair de Babilônia num novo êxodo. A terceira vem da promessa dinástica a Davi (2Sm 7,14), que agora se estende a todos os cristãos; a especificação "filhos e filhas" vem de Is 43,6.

7,1 Paulo afirma que esses anúncios do AT são promessas dirigidas aos cristãos, para além do contexto histórico original.

7,2-4 Continuação de 6,13. Os problemas e tensões com os coríntios parecem resolvidos. Triunfam o consolo e a alegria. Restabeleceu-se um clima de mútua confiança, a partir do qual pode olhar serenamente o passado, transfigurado por seus resultados positivos: a chegada de Tito com boas notícias, o efeito saudável da carta severa. Ver At 20,33.

7,3 "Nem vida nem morte os puderam separar" (2Sm 1,23; cf. Rt 1,16-17).

7,5-7 Resultado do que ficou pendente em 2,13. "Por fora e por dentro": ver a descrição intensa de Sl 55,2-6. O Deus que consola os aflitos: Is 51,12; 61,2; Sl 86,17.

7,8-16 Efeito positivo da carta severa. Predominam no parágrafo as palavras "tristeza, entristecer", repetidas oito vezes, contrastadas com "alegria e consolo": temas da carta.
Aproveita o caso particular para propor um princípio tradicional de amplo alcance: a diferença entre tristeza segundo Deus e segundo o mundo. A primeira produz vantagem, a segunda nasce de uma perda e a consuma.
Na literatura profética e sapiencial encontramos muitos precedentes desse princípio. Às vezes a desgraça é prova do inocente (Jó), outras vezes é castigo do culpado (teoria de Eliú, Jó 33). Às vezes o sofrimento descobre e denuncia um pecado; outras vezes a denúncia produz sofrimento. Nesse parágrafo, Paulo renuncia à reserva (5,13) e se acusa sem desculpas. O corpo da carta poderia terminar aqui.

var que aquela carta, no momento, vos entristeceu; ⁹agora me alegro: não por vossa tristeza, mas pelo arrependimento que provocou. Vossa tristeza foi como Deus quer: de nossa parte, não recebestes nenhum dano. ¹⁰Uma tristeza pela vontade de Deus produz um arrependimento saudável e irreversível; uma tristeza por razões mundanas produz a morte. ¹¹Prestem atenção em quantas coisas suscitou em vós essa tristeza segundo Deus: quanta diligência, quantas desculpas, quanta indignação, quanto temor, quanta saudade, quanto afã, quanta punição. Demonstrastes plenamente que nesse assunto não sois culpados. ¹²Portanto, se vos escrevi, não foi pelo ofensor nem pelo ofendido*, mas para que descobrísseis por vós próprios e diante de Deus vossa solicitude por nós. Isso me encheu de consolo. ¹³Ao nosso consolo acrescentou-se a alegria imensa pela alegria de Tito, que ficara satisfeito convosco. ¹⁴Pois, se eu me gloriara de vós diante dele, não fiquei mal; pelo contrário, como anteriormente vos disséramos as verdades, assim nosso orgulho diante de Tito se justificou. ¹⁵E seu afeto por vós cresce quando recorda vossa docilidade e a meticulosa atenção com que o recebestes. ¹⁶Quanto me alegro de poder confiar plenamente em vós!

8 A coleta para Jerusalém (Rm 15,26; 12,8) –
¹Quero informar-vos, irmãos, a respeito da graça que Deus concedeu às igrejas da Macedônia. ²Em meio a uma grave provação, transbordaram de alegria; em sua extrema pobreza, esbanjaram generosidade. ³Na medida de suas forças deram, eu o testemunho, e acima delas. ⁴Espontaneamente e com insistência nos pediam o favor de participar nesse serviço aos consagrados. ⁵Superando minhas expectativas, ofereceram suas pessoas, primeiro a Deus e depois a nós, segundo a vontade de Deus. ⁶Por isso, pedimos a Tito, já que começou, que leve a termo entre vós essa generosa tarefa. ⁷E visto

---

7,9 O arrependimento é outra forma de tristeza e pesar pelo feito; com o perdão, o pecador arrependido do Sl 51 pede "a alegria da salvação".

7,10 Ver Eclo 38,18.

7,11 No caso presente, além do arrependimento, Paulo cita uma série de sete consequências felizes da amarga carta.

7,12 Distingue um culpado, "ofensor", da comunidade, que ele agora declara inocente. O "ofendido" era ele. O assunto, porém, não era questão pessoal, mas estava em jogo o bem da comunidade. * Ou: *como ofensor*.

8-9 Paulo tomou muito a peito o assunto da coleta a favor dos cristãos pobres de Jerusalém (Gl 2,10). Podemos considerar como antecedentes o tributo do templo e outras ofertas voluntárias com as quais os judeus da Judeia e da diáspora contribuíam periodicamente para a manutenção do templo e para o culto. Além do valor material, semelhante contribuição expressava a identidade e a unidade do povo disperso (Sl 133), sua união em torno do templo amado (Ez 24,21 "o encanto de vossos olhos, o tesouro de vossas almas"). Lida nessa luz, a coleta poderia sugerir que os cristãos reconheciam nos pobres de Jerusalém uma presença especial de Deus, como num novo templo.
Acrescente-se a importância que a esmola foi adquirindo depois do desterro, como provam numerosos textos: vejam-se a título de exemplo Eclo 29,1-13 e os conselhos de Tobit a seu filho (Tb 4,7-11: "quem dá esmola apresenta ao Altíssimo uma boa oferenda"); esses textos prolongam e intensificam o que já se encontra na lei (p. ex. Dt 15,1-11) e em numerosos provérbios (Pr 19,17 "quem se compadece do pobre empresta ao Senhor"). No caso presente, além de aliviar uma situação local, a coleta expressava a unidade das igrejas cristãs em uma Igreja, a estima especial pela igreja-mãe de Jerusalém, a harmonia de pagãos e judeus convertidos, a solicitude de um membro mais forte por outro mais fraco (1Cor 12). Por outra parte, a situação em Jerusalém prova que a experiência de possuir os bens em comum (At 5,1-11), aliada a outros fatores, não tinha resolvido os problemas econômicos.

8,1 Poder dar, e dar generosamente, é "graça de Deus". Deus é o grande "doador", que ao homem dá dons, exemplo de dar e aquilo que deve ser dado (Sl 136,25; 145,16 e o livro de Rute). A Macedônia foi a primeira região europeia evangelizada por Paulo; aí se encontravam os primeiros núcleos cristãos. Paulo os apresenta como exemplo: algumas cidades da Macedônia eram ricas, mas os cristãos não eram ricos.

8,2 É o paradoxo renovado, mencionado mais acima (6,9-10): pobres de recursos, ricos de generosidade; como a viúva em sua doação (Lc 21,1-4).

8,3-4 Boa descrição do voluntariado: toma a iniciativa, pede, insiste, considera um favor poder contribuir (cf. At 11,29).

8,5 Também com suas pessoas: ou seja, servem pessoalmente, além de dar; é um tipo mais valioso de prestação. O serviço ao próximo necessitado coincide com o serviço a Deus. Pode-se comparar com a colaboração da população para reconstruir a muralha, sob as ordens de Neemias (Ne 3).

8,7-8 Tinha descrito os carismas e colocado acima deles o amor (1Cor 12-13). Agora aplica o dito: reconhece os carismas dos coríntios e os põe à prova na generosidade.

que tendes abundância de tudo, fé, eloquência, conhecimento, fervor para tudo, afeto por nós, tende também abundância dessa generosidade. ⁸Não o digo como uma ordem, mas, vendo o entusiasmo de outros, quero comprovar se vosso amor é genuíno. ⁹Pois conheceis a generosidade de nosso Senhor Jesus Cristo que, sendo rico, por vós se tornou pobre para vos enriquecer com sua pobreza.

¹⁰Dou-vos minha opinião nesse assunto: Já que no ano passado tomastes a iniciativa do projeto e sua execução, ¹¹agora vos convém levá-lo a termo. Dessa forma, ao entusiasmo por projetá-lo corresponderá o realizá-lo segundo vossas possibilidades. ¹²Pois onde há entusiasmo aceita-se o que for, sem pedir o impossível. ¹³Não se trata de aliviar outros passando vós apuros, mas de obter a igualdade. ¹⁴Que vossa abundância remedeie por agora sua escassez, de forma que um dia a abundância deles remedeie vossa escassez. Assim haverá igualdade. ¹⁵Como está escrito: *A quem recolhia muito, nada lhe sobrava; a quem recolhia pouco, nada lhe faltava.*

¹⁶Dou graças a Deus que inspirou em Tito a mesma solicitude por vós, ¹⁷e ao aceitar meu pedido, de boa vontade e com toda a diligência foi ter convosco. ¹⁸Enviamos com ele o irmão que se tornou famoso em todas as igrejas como pregador do evangelho. ¹⁹Mais ainda, foi nomeado pelas igrejas como companheiro de nossa viagem nessa coleta, que administramos para a glória do Senhor e com nosso melhor desejo. ²⁰Queremos evitar qualquer crítica sobre nossa gestão de soma tão grande. ²¹*Procuramos agradar não só a Deus, mas também aos homens.*

²²Enviamos com eles outro irmão, cuja diligência temos comprovado em muitas ocasiões, e muito mais agora, pela confiança dele em vós. ²³Quer se trate de Tito, companheiro e colaborador nosso a vosso serviço, quer de nossos irmãos, delegados das igrejas e glória de Cristo, ²⁴dai-lhes provas de vosso amor e creditai a eles e às igrejas o orgulho que sinto por vós.

9 ¹A respeito desse serviço a favor dos consagrados, não preciso mais escrever-vos. ²Consta-nos vossa boa disposição, e me orgulho disso diante dos macedônios, dizendo-lhes que a Acaia está preparada desde o ano passado, e que vosso fervor estimulou muitos outros. ³Eu vos envio os irmãos, para que nosso orgulho por vós nesse ponto não acabe infundado. Portanto, como vos dizia, estai preparados. ⁴Pois, se chegam comigo os macedônios e vos encontram despreparados, nós, para não dizer vós, ficaremos decepcionados em nossas esperanças. ⁵Por isso, julguei necessário pedir aos irmãos que se antecipem e preparem vossa doação prometida: assim preparada, parecerá ato de generosidade e não de extorsão*. ⁶De fato: *Semeadura mesquinha, colheita mesquinha; semeadura generosa, colheita generosa.*

8,9 O exemplo de Cristo é o ponto culminante: fundamenta e exalta a caridade cristã. Esse v. é um momento de cristologia "descendente", como Fl 2,6-11: da riqueza divina (Cl 2,9) desce à pobreza humana para enriquecer com sua plenitude (Jo 1,16). Convém ler este v. junto com o hino ao amor de 1Cor 13.

8,12-14 É o ideal de igualdade relativa: a cada um segundo sua necessidade; como na partilha – ideal e aproximada – da terra prometida segundo o tamanho das tribos e clãs (Js 13-19). Mas é uma igualdade instável, que se deve restabelecer periodicamente (era a função do jubileu). Alguns comentaristas restringem a "abundância" de Jerusalém a bens espirituais. Ver Pr 3,27; Tb 4,9.

8,15 A citação pertence a uma das tradições sobre o maná (Ex 16,18): partilha igualitária de Deus, a despeito da avidez ou mesquinhez humanas.

8,18-19 Não sabemos de quem se trata, e é estranho que não figure com seu nome (At 6,6).

8,20-21 Em todo o assunto, Paulo agiu com cautela para evitar não só abusos, mas até a aparência deles. Nesse ponto quer estar de bem com Deus e também com os homens (citando Pr 3,4).

8,23 Os delegados das igrejas nessa obra de caridade transportam e refletem a "glória de Cristo", como o homem caritativo a glória de Yhwh (segundo Is 58,8).

9,1 O que se segue, se não é outra carta sobre o mesmo assunto, inserida aqui devido ao tema, equivale a uma insistência temperada pela discrição. Paulo quer estimular sem forçar; acumula argumentos e os repete. Com toda a exposição recompõe o grande círculo do dar. a) Deus é "o doador" por excelência: dá o bom desejo (cf. Ex 35,29; 36,3-7) e os meios de onde dar; no AT a terra é o dom primário de Deus. b) O homem que possui dá ao necessitado (Dt 15,1-11; Sl 112; Eclo 14,3-6). c) Uns e outros dão graças a Deus. Ao chamar os pobres de Jerusalém de "consagrados", eleva todo o assunto a um plano superior; também a tarefa fica consagrada.

9,5 * Ou: *mesquinhez*.

9,6-7 Citações livres, segundo a versão grega, de alguns provérbios. O texto original diz: "Há quem

⁷Cada qual contribua com o que se propôs em consciência, não por má vontade nem constrangimento, pois Deus ama a quem dá com alegria. ⁸E Deus pode cumular-vos de dons, de modo que, tendo sempre o necessário, vos sobre para todo tipo de boas obras. ⁹Como está escrito: *Dá esmola aos pobres, sua esmola é constante, sem falta.* ¹⁰*Aquele que provê a semente ao semeador e o pão para comer*, proverá e multiplicará vossa semente e fará crescer *a colheita de vossa esmola*. ¹¹Assim enriquecidos, vossa generosidade redundará, por vosso intermédio, em ação de graças a Deus. ¹²Pois esse ato de serviço não só remedeia as necessidades dos consagrados, mas induzirá muitos a dar graças a Deus. ¹³Apreciando esse serviço, darão glória a Deus por vossa confissão humilde do evangelho de Cristo e por vossa solidariedade generosa para com eles e com todos. ¹⁴Rezarão por vós com todo o seu afeto, ao ver a graça extraordinária que Deus vos concedeu. ¹⁵Demos graças a Deus por seu dom inefável.

10 Defesa polêmica de Paulo –

¹Pela bondade e indulgência de Cristo vos rogo eu, Paulo, o covarde de perto e valente de longe*. ²Peço-vos que não me façais mostrar-me valente de perto, pois me sinto seguro para me atrever diante desses que me acusam de agir segundo critérios humanos. ³Ainda que aja como homem que sou, não milito pelas ordens do instinto; ⁴pois as armas de minha milícia não são humanas, mas dotadas de poder divino: para demolir baluartes, debelando sofismas, ⁵qualquer torreão que se subleve contra o conhecimento de Deus. Tornamos prisioneiro todo raciocínio, submetendo-o a Cristo, ⁶e estamos dispostos a castigar qualquer rebeldia, até que se complete vossa submissão.

⁷Prestais atenção às aparências. Quem estiver convencido de ser cristão, deve

---

presenteia e aumenta seus bens, que retêm o que deve e empobrece" (Pr 11,24); "quem se compadece do pobre empresta ao Senhor" (19,17); "quem semeia maldade colhe desgraça" (22,8). Não só inculca o dar, mas ainda o espírito com que se dá (cf. Eclo 18,15-18).

9,8 Na instrução sobre remissão de dívidas (Dt 15,1-11) há uma promessa para a generosidade em cumprir a lei: "Dá-lhe, e não de má vontade, pois por esta ação o Senhor teu Deus abençoará todas as tuas obras e todos os teus empreendimentos".

9,9 Citação de Sl 112,9. Esse salmo aplica ao homem qualidades que o salmo precedente atribuiu a Deus.

9,10 Recorda o final da mensagem do Segundo Isaías aos exilados, que exprime em imagem agrária a fecundidade da palavra de Deus (Is 55,10). A generosidade humana participa de fecundidade semelhante. "Esmola": essa tradução supõe que o termo grego *dikaiosyne* corresponda a um tardio do hebraico *cedaqá*. Se não se aceita, se deveria traduzir "frutos de vossa justiça", que não se enquadra bem no contexto.

9,13 A "submissão" ao evangelho de Cristo traz consigo a solidariedade com os necessitados.

10-13 Mudança brusca de tema e de tom em relação a 8-9 e mais ainda em relação a 1,8-7,16. Não poucos exegetas pensam que esses capítulos são a carta precedente, "escrita com lágrimas" (2,9) e de efeitos saudáveis.

É um texto apaixonado, que flui sem aparente arquitetura. A cólera de Paulo se derrama em frases irônicas, inclusive sarcásticas (ver o sarcasmo de Deus na pregação profética, Jr 2,28), lança ataques *ad hominem*, finge fazer teatro para falar de si mais livremente. Como sempre, entremeia princípios doutrinais, planta joias teológicas. Nas entrelinhas de sua apologia podemos encontrar as palavras e entrever as atitudes de seus rivais em Corinto. Se esse texto "custou lágrimas" a Paulo, temos de entreouvir o pranto através das caçoadas (como o palhaço, que chora enquanto faz rir); têm outra tonalidade os ciúmes, a insensatez, as confissões. É bom ler o primeiro o texto todo e relê-lo depois com oportunas paradas. Se dividimos em blocos temáticos, é como orientação aproximada.

10,1-2 Primeiro tema: a covardia. Acusaram-no de covardia, de ameaçar e não bater, quando tem pela frente o inimigo. Ver o conselho sapiencial: "Não sejas arrogante de boca, tímido e covarde nos atos" (Eclo 4,29). Uma resposta, posterior em nossa hipótese de composição, se encontra em 2,1-4: conteve-se por consideração. Ao invés, a resposta deste texto é uma ameaça formal (vv. 10-11). Ao invocar Cristo, menciona "bondade e indulgência", que ninguém poderá tachar de covardia e que são a inspiração e modelo de Paulo.

10,1 * Ou: *na presença... na ausência*.

10,3-6 Com uma imagem militar coerente, Paulo responde à acusação de seguir critérios e usar procedimentos humanos. O alto comando da batalha não é "o instinto" humano egoísta; as armas que empunha recebem sua força do poder divino; o objetivo é abater as fortalezas que opõem resistência a Deus; o final será fazer prisioneiros para Cristo e castigar os rebeldes. A imagem militar é outra resposta à acusação de covardia; comparar com Is 2,11-18.

10,7-8 Poderiam objetar que eles já são cristãos e que Paulo não é ninguém para "submetê-los". Ao que Paulo responde concedendo a condição comum de ser cristão e apelando a uma autoridade superior recebida diretamente do Senhor. Essa autoridade tem uma função positiva, como mostra o contraste

convencer-se de que também nós o somos. ⁸E ainda que me excedesse alardeando a autoridade que o Senhor me conferiu sobre vós, para construir e não para destruir, eu não sentiria vergonha. ⁹Não quero dar a impressão de que vos amedronto por carta. ¹⁰As cartas sim – dizem alguns – são duras e enérgicas, a presença física é fraca e o falar é desprezível. ¹¹Quem diz isso saiba que, tais como foram minhas palavras escritas na ausência, serão minhas ações na presença.

¹²Não nos atrevemos a igualar-nos nem a comparar-nos a alguns dos que fazem a própria recomendação. Eles, ao contrário, ao se tomarem como medida de si próprios, acabam sem perceber. ¹³Do que somos, não nos orgulhamos sem medida, mas chegamos até vós aceitando a medida do lugar que Deus nos assinalou. ¹⁴Não ultrapassamos os limites, como se nossa competência não chegasse até vós. Chegamos até vós por primeiro, anunciando a boa notícia de Cristo. ¹⁵Não nos excedemos, gloriando-nos de trabalhos alheios, mas esperamos que, ao aumentarem entre vós os fiéis, possamos ampliar muito entre vós nosso campo de ação ¹⁶e pregar a boa notícia mais além, sem nos gloriarmos de campos alheios já cultivados. ¹⁷*Quem se gloria, glorie-se do Senhor,* ¹⁸já que é aprovado não aquele que se recomenda, mas aquele a quem o Senhor recomenda.

11 Finge-se néscio polemizando –

¹Oxalá aguentásseis uma pequena loucura minha. Sei que me aguentais. ²Tenho ciúmes de vós, ciúmes de Deus, pois vos prometi a um único marido, para apresentar-vos a Cristo como virgem intacta. ³Eu receio que, assim como a serpente seduziu Eva com astúcia, vosso modo de pensar se vicie abandonando a sinceridade e a fidelidade a Cristo. ⁴Pois, se alguém se apresenta anunciando um Jesus que eu não anunciei, ou recebeis um espírito diferente do que tínheis recebido, ou um evangelho diferente do que havíeis aceito, o suportais tranquilamente.

---

com a vocação profética. Jeremias recebia poder para "destruir e edificar" (Jr 1,10); Paulo menciona só a segunda parte (a primeira soava implícita no v. 4).

10,12-16 Segundo tema: o campo de atividades. A política de Paulo tem sido a de um pioneiro: pregar o evangelho onde ainda não tinha sido pregado (Rm 15,20-24). Uma igreja estabelecida lhe servia de base para uma nova expansão. A partir de certo ponto, ele tomava a iniciativa. Assim respeitava os limites (ou medida) sem entrar em campo alheio, já lavrado. A norma agrária inculcada na lei e nos Provérbios (Dt 19,14; 27,17; Pr 22,28) ultrapassa seu ministério. Isto define seu apostolado: não se excede, mas sempre vai "mais além". Disso pode se orgulhar sem reservas. De resto, não abandona o cuidado pelas igrejas que estabeleceu.

10,12 A comparação com outro, em importância ou atividade, era recurso da retórica clássica. Pois bem, se o termo de comparação de uma pessoa é sua própria pessoa, nada ganhará. Se o homem é a medida de tudo, não o é de si; a medida deve ser externa. Se o sábio recomenda "conhece-te a ti mesmo", é preciso sair de si para consegui-lo.

10,13 Ver a preocupação com as medidas em Zc 2,59 e nos últimos capítulos de Ezequiel.

10,14 Ver At 18.

10,15-16 Coloca-se o problema quando escreve aos romanos, igreja que não tinha fundado (Rm 15,20). Recorde-se o dito de Jesus aos discípulos: "um semeia e outro colhe" (Jo 4,37-38).

10,17-18 É o grande princípio enunciado por Jeremias (Jr 9,23), que se opõe ao fato de o sábio gloriar-se do saber, o soldado de sua coragem, o rico de sua riqueza.

Gloriar-se é atribuir a si os resultados e reivindicar méritos (cf. Dt 8,17s; Is 10,14s etc.) Gloriar-se no Senhor é gloriar-se por ter como Deus o Senhor e por haver recebido tudo dele: é um orgulho paradoxal.

11,1 O que vai dizer a seguir pode soar como desatino próprio de um néscio. Pode-se comentar com abundantes textos sapienciais sobre a conduta do néscio: "é fardo na viagem, o néscio ri sonoramente, se precipita na casa, fica na porta zombando, tem a mente nos lábios..." Ao assumi-lo e declará-lo insensatez, Paulo o exorciza e purifica. Bancar o idiota no palco pode demonstrar grande talento. Alguns comentaristas pensam que Paulo alude a um tipo da comédia grega, como o bobo ou o cômico do teatro clássico.

11,2-4 Esses vv. utilizam a ideia tradicional do Deus ciumento (Ex 20,5; 34,14; Dt 4,27; por Jerusalém Zc 1,14; 8,2) na imagem conjugal. Uma jovem já desposada (com vínculo jurídico) deve conservar-se casta para seu marido (cf. Eclo 42,9-10 "na casa paterna não fique grávida"). Um homem encarregado de guardá-la vive solícito e vigilante; carrega, por assim dizer, os ciúmes do futuro marido (cf. Ef 5,26). A desposada é a igreja de Corinto. Cristo é o esposo, Paulo o guardião. O perigo de sedução lhe permite recordar o "tipo" de Eva (Gn 3,4; Ap 14,4; inclusive segundo a tradição rabínica, que imaginava relações de Eva com um demônio). Apoia-se na equação corrente no AT de idolatria e prostituição. Em lugar de outros deuses, entram aqui um Jesus, um espírito e um evangelho estranhos. Diríamos que esses "ciúmes" substitutivos fizeram Paulo desatinar.

11,4 Ver Gl 1,6-9.

⁵Penso não ser inferior em nada a esses superapóstolos*. ⁶Se sou profano na eloquência, não o sou no conhecimento, como vos demonstrei sempre e em tudo. ⁷Fiz mal em humilhar-me para vos engrandecer, pregando gratuitamente a boa notícia de Deus? ⁸Saqueei outras igrejas, aceitando salário delas para vos servir. ⁹Enquanto vivi convosco, embora passasse apuros, não fui pesado a ninguém. Os irmãos vindos da Macedônia proviam às minhas necessidades. Sempre me mantive e me manterei sem vos ser pesado. ¹⁰Eu vos garanto por Cristo que ninguém na Acaia me privará dessa honra. ¹¹Por quê? Porque não vos amo? Deus o sabe! ¹²E o que faço, continuarei fazendo, para tirar todo pretexto aos que o procuram para se orgulharem de ser como eu. ¹³Esses tais são falsos apóstolos, operários fingidos, disfarçados de apóstolos de Cristo. ¹⁴E não é de estranhar: se o próprio Satanás se disfarça de mensageiro da luz, ¹⁵não é surpreendente que seus ministros se disfarcem de agentes da justiça. O fim deles corresponderá às suas obras.

Ostentação de um insensato fingido (At 15-28) –

¹⁶Repito: que ninguém me tome por insensato; ou então, aceitai-me como insensato, para que também eu possa me orgulhar um pouco. ¹⁷O que vou dizer, em apoio de minha presunção, não é ordem do Senhor, mas minha insensatez. ¹⁸Já que muitos se orgulham de méritos humanos, eu também me orgulharei. ¹⁹Pois vós, tão sensatos, suportais de boa vontade os insensatos. ²⁰Suportais que alguém vos tiranize, devore, despoje, despreze, esbofeteie. ²¹Confesso envergonhado que fui brando convosco. Pois bem, ao que os outros se atrevem – digo como insensato – eu também me atrevo. ²²São hebreus? Eu também. São israelitas? Eu também.

11,5-15 Volta depois (ainda na imagem de néscio?) a retorcer argumentos e pretensões dos rivais, que pregam um "evangelho diferente", alegando ser superiores a Paulo. Designa-os primeiro com uma expressão irônica (v. 5), desmascara-os com frases duríssimas (vv. 13-14), finalmente pronuncia terrível ameaça (v. 15).
Essa polêmica pode recordar as dos profetas autênticos frente aos falsos, nas quais não se poupam denúncias nem ameaças. Por ex. a disputa de Jeremias com Hananias (Jr 28): "este ano morrerás por teres pregado rebelião contra o Senhor"; a análise e denúncia de Ezequiel contra falsos profetas e profetisas (Ez 13): "visionários falsos, adivinhos de mentiras, extraviasteis meu povo... caçais meus patrícios para assegurar vossas vidas"; o estilo incisivo do profeta Miqueias (Mq 2-3).
11,5 Se a função dos apóstolos na Igreja é a suprema, não pode haver superapóstolos. Recorde-se a pretensão da mãe dos Zebedeus (Mc 10,35-45). * Ou: *apóstolos superlativos*.
11,6 A eloquência era muito estimada entre os gregos, tanto como o saber. Em diversas ocasiões, Paulo mostra que conhece os recursos do ofício (sem desdizer do que afirma em 1Cor 2,1).
11,7-12 Terceiro tema: sobre gratuidade e honorários do ministério (Fl 4,11). Parece que os rivais argumentavam que um apóstolo que se preza exige digno pagamento pelos serviços, e poderiam apoiar-se no exemplo de sacerdotes e também de profetas no AT (p. ex. 1Sm 9,7s; Nm 22,7). Paulo, ao contrário, prega de graça: é um pobretão que não estima seus ouvintes nem seu ministério. Paulo se gloria justamente do contrário, do seu desinteresse, que não é de desprezo, e sim amor; isso a longo prazo confirmará a autenticidade da sua missão.
11,8 Ver Fl 4,10.15.
11,10 Literalmente: "está em mim a verdade de Cristo, que...": equivale a tomar Cristo como testemunha do que diz.
11,13 Em nenhuma outra ocasião o NT usa o termo "pseudo-apóstolos".
11,14 "Mensageiro da luz" ou anjo luminoso: em ambos os casos a luz representava o mundo celeste (Ap 2,9) da divindade. Pode-se recordar o "esplendor" que Moisés irradiava por reflexo (cap. 4).
11,16-17 Paulo utiliza um recurso literário refinado: introduz um personagem que fala, para distanciar-se do que diz, assumindo-o assim em outro âmbito mais amplo. Retorna ou insiste na ficção teatral do néscio, para recitar alegrias e sofrimentos, méritos e fraquezas do seu ministério. A fingida insensatez nos permite assistir a uma descrição quase impressionista, e deveras impressionante, de um modelo perene de apóstolos. (Para maior efeito, declame-se em voz alta, como então se fazia.) Mas, se é a insensatez quem dita o que fala (recurso literário), é Deus quem inspira a insensatez fingida. Também o procedimento é significativo.
11,19-21a Se os coríntios aguentam os maus tratos (dos rivais), quanto mais devem suportar o breve desatino de Paulo. Pelo visto, pensa ele, teria sido melhor tratá-los com dureza.
11,21b-29 Até o v. 26 o elenco parece submeter-se a um esquema formal quaternário, que se desfaz no v. 27 e retorna talvez nos vv. 28-29. Para maior clareza seguirei o esquema, embora não encontre nele significado apreciável.
11,22-23a Primeiro quarteto. Parece-se com o recurso sapiencial "por três... por um quarto; há três coisas... e uma quarta" (p. ex. Pr 30; Eclo 25,1s). As comparações de igualdade, "também eu", rompem seu discurso na superação do quarto membro, "eu mais". A tríplice referência à linhagem dá a entender

São da linhagem de Abraão? Eu também. [23]São ministros de Cristo? – Falo como louco: – eu mais ainda. Ganho deles em fadigas, ganho deles em prisões, ainda mais em açoites, em perigos frequentes de morte. [24]Cinco vezes os judeus me deram os quarenta açoites menos um, [25]três vezes me açoitaram com varas, uma vez me apedrejaram; três vezes naufraguei, e passei um dia e uma noite em alto mar. [26]Quantas viagens, com perigos de rios, perigos de bandidos, perigos de meus patrícios, perigos por causa dos pagãos, perigos em cidades, perigos em campo aberto, perigos no mar, perigos por causa de falsos irmãos. [27]Com fadiga e duros trabalhos, muitas noites sem dormir, com fome e sede, com frequentes jejuns, com frio e sem agasalho. [28]E além de tudo isso, o fardo cotidiano, a preocupação por todas as igrejas. [29]Alguém cai doente sem que eu adoeça? Alguém tropeça sem que eu fique impaciente? [30]Se é preciso orgulhar-se, me orgulharei de minha fraqueza. [31]Deus, Pai do Senhor Jesus – seja bendito para sempre! – sabe que não minto. [32]Em Damasco o governador do rei Aretas vigiava a cidade para me prender. [33]Por uma janela e num cesto de junco me desceram muralha abaixo, e assim escapei de suas mãos.

12 Revelações e fraquezas

[1]Se é questão de se orgulhar, embora tenha pouca utilidade, passo às visões e revelações do Senhor. [2]Sei de um cristão que há catorze anos – não sei se com o

---

que os rivais são judeus convertidos que aspiram a cargos de direção.

11,23b Segundo quarteto, com traços paradoxais. É superior, não em privilégios, mas em sofrimentos (cf. At 5,41).

11,24-25 Terceiro quarteto: que prolonga a cadeia de sofrimentos. Três vezes por mãos de homens: judeus (açoites e lapidação Dt 25,3) e romanos (varas); a quarta por ação dos elementos. Talvez ressoe na última a concepção do oceano hostil mitológico: Jonas, Sl 18; 107,23-28 etc.

11,26 A lista de perigos abrange dois quartetos, com oposições, polaridades e equivalências. Retorna a distinção entre compatriotas e pagãos. Vão separados rios e mar, como se pertencessem a categorias diferentes; os rios normalmente não tinham pontes, eram atravessados por vaus nem sempre fáceis e seguros. "Bandidos" ou salteadores de pedestres ou caravanas: Jz 9,25; 11,3; Lc 10,30. Os "falsos irmãos" são membros da comunidade cristã.

11,27 A nova série, de quatro ou cinco membros ("fadiga e duros trabalhos" como gênero que logo se especifica): sublinha as necessidades naturais não satisfeitas. Pode-se ver a descrição de Jó 23,4.7.8.10.11.

11,28-29 Juntando os dois vv., obtém-se outro quarteto coerente: todos os dias e todas as igrejas (por ele fundadas), em particular indivíduos doentes ou vacilantes.

11,30-33 Depois da série genérica, seleciona um fato concreto. Apenas batizado e iniciada sua atividade de pregar, é mortalmente perseguido (At 9,23-25). Chama aquele momento de "fraqueza", porque teve de fugir em lugar de enfrentar o risco. Pode-se comparar com a fuga de Elias para o Horeb (1Rs 19).

11,31 Soa como assinatura final, que interpreta o monólogo dramático do "néscio". A ficção não foi mentira, nem o disfarce enganoso, antes, manifestaram a verdade: tomo Deus por testemunha.

11,32 At 9,24.

12,1-10 É importante fixar a atenção sobre o contraste proposital de visões e fraquezas. Das visões pode afirmar o fato e dizer algo sobre a experiência anormal ou supranormal; nada pode dizer de exato sobre o conteúdo, que considera inefável. Podemos chamar essas experiências de êxtases, fenômenos místicos em sentido próprio. Se é assim, Paulo encabeça uma longa série de místicas e místicos cristãos. Então o silêncio de Paulo contrasta por um lado com a torrencial série precedente, por outro lado com a abundância de escritores místicos reconhecidos em nossa tradição (é notável o alto número de mulheres nessa ilustre série). Por que Paulo é mais explícito? Não terá passado para suas cartas algo ou muito das visões, traduzido em símbolos? Se é assim, teremos de consultar nossos místicos para compreender Paulo. Quanto à linguagem, utiliza as concepções da época. Imagina três céus sobrepostos: a atmosfera ou céu das aves (Dt 4,19), o céu onde se movem os astros (Dt 4,19), o céu sede da divindade (Sl 115). Outros autores falam de sete céus. O "arrebatamento" é, com outro verbo, apenas semelhante ao de Henoc e Elias (Gn 5,24; 2Rs 1; comparar com At 8,39; 1Ts 4,17; Ap 12,5); o de Paulo é um "arrebatamento" em vida, que parece antecipação do traslado final (cf. Sl 49,16). "Paraíso" é outra representação do céu como lugar primordial de felicidade e companhia com Deus (Gn 2-3; Ez 28,13-15). A escatologia é simétrica da protologia. Quanto ao corpo, diz que "ouviu palavras" (em que idioma?); não sabe se foi com os sentidos corporais ou com outros sentidos. Como existe o rico antecedente das visões explicadas e comunicadas de Ezequiel e Daniel, a reticência de Paulo significa um distanciamento, um contraste quase polêmico. Ele não vai escrever um livro como Daniel (alguém escreverá um livro de visões que chamamos Apocalipse). O resultado, sim, conhecemos: as visões marcam Paulo definitivamente, lhe conferem uma visão e um dinamismo superiores e permanentes. Aqui se contenta em mencionar o fato; em outra ocasião, dizia que preferia poucas palavras com sentido articulado a línguas misteriosas (1Cor 14).

12,2 Outra vez Paulo se distancia de sua experiência, ao atribuí-la a um terceiro anônimo a quem chama "homem em Cristo" (que traduzo por cristão). Ao invés, identifica-se na primeira pessoa com o fraco que padece: o v. 6 serve de transição.

corpo ou sem o corpo, Deus o sabe – foi arrebatado até o terceiro céu; ³e sei que essa pessoa – com o corpo ou sem o corpo, Deus o sabe – ⁴foi arrebatada ao paraíso e ouviu palavras inefáveis, que nenhum homem pode pronunciar. ⁵Disso me orgulharei, mas, no que me toca, somente me orgulharei de minhas fraquezas. ⁶Mesmo assim, se quisesse me orgulhar, não seria insensato, estaria dizendo a verdade. Mas me abstenho para que, em vista de tão extraordinárias revelações, não vá alguém julgar-me além do que vê em mim ou escuta de mim. ⁷Pois bem, para que eu não me envaideça, me cravaram nas carnes um aguilhão, um emissário de Satanás que me esbofeteia. ⁸Por causa disso, por três vezes roguei ao Senhor que o afastasse de mim. ⁹Ele me respondeu: basta-te minha graça; a força se realiza na fraqueza. Portanto, com muito gosto me orgulharei de minhas fraquezas, para que se aloje em mim o poder de Cristo. ¹⁰Por isso, estou contente com as fraquezas, insolências, necessidades, perseguições e angústias por Cristo. Pois, quando sou fraco, então sou forte.

O ministério em Corinto – ¹¹Comportei-me como insensato: vós me obrigastes. Tocava a vós recomendar-me. Pois embora eu não seja nada, em nada sou inferior aos superapóstolos. ¹²A marca do meu apostolado se definiu entre vós: na constância, sinais, prodígios e milagres. ¹³Em que fostes menos que outras igrejas, exceto no fato de eu não vos ter sido pesado? Perdoai-me essa ofensa. ¹⁴Vede, penso em visitar-vos pela terceira vez; e não serei um peso, pois não procuro o que é vosso, mas a vós. Não cabe aos filhos economizar para os pais, mas aos pais para os filhos. ¹⁵Com todo o prazer eu me gastarei e desgastarei por vós. E se vos amo mais, por que vós me amais menos?

– ¹⁶Que seja, direis, eu não vos fui pesado; porém, astuto como sou, vos peguei numa armadilha. – ¹⁷Acaso vos explorei por meio de algum dos meus enviados? ¹⁸Pedi a Tito, e com ele enviei o irmão. Tito vos explorou? Não nos guia o mesmo espírito? Não pisamos as mesmas pegadas?

¹⁹Pensais que volto a justificar-me diante de vós? Falamos na presença de Deus e como cristãos: Meus queridos, fiz de tudo para construir vossa comunidade. ²⁰Mas receio que ao chegar não vos encontre como desejaria, nem vós a mim como desejaríeis. Temo encontrar rivalidades, invejas, paixões, ambições, maledicência, murmurações, arrogâncias, alvoroços. ²¹Temo que,

---

12,4 "Palavras inefáveis" é em grego um oxímoro montado sobre a raiz comum: *árreta rémata*.

12,6 Paulo expressa aqui um pudor de sua intimidade espiritual em forte contraste com suas declarações sobre sua atividade apostólica. Um diário espiritual, espécie de autobiografia íntima, é um gênero que nem Paulo nem outros autores do NT cultivaram; para eles, "viver é Cristo".

12,7 Não se conseguiu averiguar se esse ferrão constante foi uma doença ou os sofrimentos e fadigas da missão; pode-se comparar com os "espinhos e escorpiões" de Ezequiel (Ez 2,6). Atribuem-se a Satanás, como em Jó 1-2; em outra interpretação, seriam os obstáculos que Satanás opõe à pregação do evangelho (1Ts 2,18).

12,8-10 Belo exemplo de pedido não atendido, ou seja, atendido obliquamente. Pedi e recebereis: o que pedimos, ou o que deveríamos pedir? Ou o desejo profundo que se desfigura na pretensão superficial? Não sabemos pedir como convém (cf. Rm 8,26). Deus não reduz a carga, mas duplica as forças para levá-la: ver a súplica de Jeremias e a resposta de Deus (Jr 15,20s). Assim Paulo passa a um princípio de grande transcendência: Deus demonstra seu poder usando instrumentos fracos; a fraqueza é o terreno em que a força de Deus age e se manifesta: ver o exemplo de Gedeão (Jz 6,14-16 e 7,2-7). A ideia, senão a fórmula, é corrente nos salmos de súplica. Paulo reforça o ensinamento com um paradoxo lapidar.

12,12 O trio "sinais, prodígios e milagres" mostra que Paulo também foi taumaturgo em Corinto: esses milagres eram "sinais" do poder de Deus, que acreditavam o evangelho, segundo a promessa de Jesus: Mc 16,7; Jo 14,12.

12,13 "Ofensa" ou falta de delicadeza em mencionar a questão econômica.

12,14 Comparar com o protesto que Moisés faz a Deus, alegando que não é a mãe nem a ama do povo (Nm 11,11-15).

12,15 Fl 2,17.

12,16-18 Antecipa uma objeção (*praeoccupatio retorica*): que Paulo não tirou proveito pessoalmente, mas sim por intermediários. A resposta, em forma de perguntas retóricas, expressa indignação diante de semelhantes insinuações.

12,20-21 Expressar o temor é uma maneira oblíqua de denunciar uma situação presente e, ao mesmo tempo, uma exortação a remediar quanto antes. Oito produtos ingratos brotam nessa comunidade e ameaçam destruí-la. Se para quando ele chegar não tiverem remediado, ele sofrerá a "humilhação" correlativa do "orgulho" que sentia antes pelos coríntios. Será como "luto" por pessoas mortas.

ao chegar, Deus torne a humilhar-me diante de vós, e tenha de ficar de luto por tantos que persistem em seus pecados, sem se arrependerem da impureza, fornicação e dissolução em que vivem.

13

¹É a terceira vez que vou visitar-vos, *e toda questão será decidida* pelo depoimento de duas ou três testemunhas. ²Aos que continuam em seus pecados e a todos os outros, eu já o disse em minha segunda visita, e aviso agora ainda ausente: Quando voltar, não terei considerações, ³visto que desejais uma prova de que Cristo fala por meu intermédio, ele que para vós não é fraco, mas poderoso. ⁴Pois, embora por sua fraqueza tenha sido crucificado, pelo poder de Deus está vivo. Da mesma forma nós, se partilhamos sua fraqueza, partilharemos diante de vós sua vida pelo poder de Deus. ⁵Examinai-vos e comprovai se vos conservais na fé. Não consegues descobrir Jesus Cristo em vós? Sinal de que não superastes a prova. ⁶Mas espero que reconheçais que eu, sim, a superei. ⁷Peço a Deus que não façais nada de mal: não para ostentar minha qualificação, mas para que vós ajais bem, mesmo que eu seja desqualificado. ⁸Nada podemos contra a verdade, e sim a favor da verdade. ⁹Alegramo-nos de ser fracos, contanto que vós sejais poderosos. É o que pedimos: que vos restabeleçais. ¹⁰Com esse fim vos escrevo em minha ausência, para que, quando estiver presente, não tenha de usar com severidade o poder que o Senhor me concedeu para construir e não para destruir.

Saudações — ¹¹De resto, irmãos, ficai alegres, restabelecei-vos, consolai-vos, estai de acordo e em paz; e o Deus do amor e da paz estará convosco. ¹²Saudai-vos mutuamente com o beijo sagrado. Todos os consagrados vos saúdam. ¹³A graça do Senhor Jesus Cristo, o amor de Deus e a comunhão do Espírito Santo estejam com todos vós.

13,1-10 No anúncio, um tanto ameaçador, da terceira viagem, retorna uma constante da teologia e espiritualidade paulinas: o mistério pascal de morte e ressurreição, consumado por Cristo e do qual o apóstolo participa. Cristo pôde sofrer enquanto homem "fraco" (Fl 2,6-8), ressuscitou pelo poder de Deus (Rm 1,4; 1Cor 6,14).
Os coríntios reconhecem o poder de Cristo, provavelmente nos sinais e prodígios realizados em seu nome. Em Paulo só veem a fraqueza: porque sentem falta de um chefe dominador ou porque zombam de sua ineficácia. O apóstolo se verá forçado a fazer uma demonstração do poder de governo que recebeu, que age nele e por sua aparente fraqueza. Paulo irá disposto a iniciar um julgamento segundo a lei judaica (Dt 19,15; ver o exemplo de Samuel em 1Sm 12); mas antes lhes oferece a possibilidade de evitá-lo: que façam um exame de consciência e iniciem a conversão. Desse modo serão seus próprios juízes, e o critério será a presença ativa, experimentada, de Cristo em suas vidas (ver Rm 2,15-16). Em todo caso, o poder de Paulo é para construir, não como o duplo de Jeremias, para destruir e construir (Jr 1,10).
13,1-2 É uma aplicação livre da lei das testemunhas (Dt 19,15) às visitas sucessivas; como se dissesse: na terceira vence o prazo. Na terceira não perdoará: ver as visões sucessivas de Amós (Am 7,1-9; 8-9).
13,3 Se sentis em vós o poder ou o senhorio de Cristo, tendes de reconhecer sua palavra eficaz na minha.
13,5 Isso implica que o cristão pode de algum modo experimentar e "reconhecer" que Jesus Cristo vive nele e na comunidade. A doutrina pode elevar-se a princípio de vida espiritual.
13,8 Trata-se da verdade do evangelho, e quer dizer que todo o poder do apóstolo está submetido ao serviço do evangelho.
13,11-13 A despedida é excepcionalmente breve, sem menções nominais. Contém uma das fórmulas trinitárias mais claras do NT, e que entrou como saudação na liturgia eucarística.

CARTA AOS GÁLATAS

INTRODUÇÃO

Galácia

Durante o séc. III a.C., tribos indo-árias se estabeleceram na região da Frígia, na Ásia Menor central. Povo guerreiro e de salteadores: em outras palavras, controlavam a rota que ia do Eufrates ao Mediterrâneo e cobravam tributo das caravanas. Na Antiguidade eram chamados celtas, galloi, galos. A moderna capital Ancara conserva o antigo nome Ankyra. Derrotados pelos romanos (189 a.C.), os galos perderam a independência. No ano 25 a.C., agregaram-lhes a região sul e declararam todo o território província romana. Temos assim duas entidades: uma étnica, dos habitantes tradicionais do norte, e outra mista, definida juridicamente por Roma. A que grupo se dirige a carta? Paulo costuma usar a denominação romana. Essa questão, debatida por eruditos, talvez não seja decisiva para compreender a carta.

Paulo na Galácia

Segundo os Atos dos Apóstolos, Paulo esteve na "região gálata" e atravessou-a em três ocasiões: 13,13-14,27; 16,1-5; 18,23. Na região sul parece que fundou algumas igrejas, nas quais os pagãos convertidos predominavam; pois, segundo o esquema repetido por Lucas, os judeus rejeitaram Paulo e Barnabé.

Mais importante é o problema da datação: antes ou depois do concílio de Jerusalém (At 15). Os que datam a carta antes, aduzem seu silêncio sobre o decreto e o episódio do confronto com Pedro. O argumento do silêncio é fraco em si, pelo alcance limitado de tal decreto, e pode voltar-se contra, já que não favorecia a Paulo em sua dialética. Em conclusão, é mais razoável escutar em 2,1-10 uma referência implícita ao concílio de Jerusalém.

Outro problema sério é harmonizar os relatos de Gl e At, ou de dar preferência a um. É muito difícil reconciliá-los, ao menos num ponto: Gl 1,18-24 e At 9,26-29. Em outros pontos, concordam ou não se opõem. P. ex. Saul perseguidor Gl 1,13 e At 8,3; 9,1s; "vocação" Gl 1,15-17 e conversão At 9; viagem a Jerusalém Gl 2,1-10, talvez At 11,30 e 12,25. At não menciona a viagem à Arábia (1,17). Que versão corresponde melhor aos fatos? Por um lado, sabemos que Lucas esquematiza com critérios teológicos; por outro, Gálatas é um escrito apologético e polêmico. Fora de ambos, não temos outras fontes, razão por que a questão continua disputada.

Sobre as circunstâncias da carta, tiramos toda a nossa informação da própria carta. Nas comunidades da Galácia, em sua maioria de matriz pagã, apresentaram-se uns judaizantes pregando que os cristãos, para salvar-se, tinham de circuncidar-se e observar certas prescrições mosaicas. Correlativamente, tentavam desacreditar Paulo, sua condição de apóstolo e sua doutrina. Semelhantes ensinamentos provocaram grave crise nessas igrejas jovens, nas quais não poucos se deixavam convencer pelas razões dos intrusos. É possível que entre os convertidos houvesse alguns judeus e prosélitos do judaísmo. Podemos suspeitar que surgissem discórdias no seio da comunidade. A teoria que identifica os intrusos com gnósticos ou com libertinos é fruto de isolar e extrapolar certos dados da carta.

É a primeira vez que essa questão é colocada nas cartas. A palavra lei = nomos não se encontra em 1-2Ts nem em 1Cor. Nas cartas aos Tessalonicenses o problema era a parusia, na primeira aos Coríntios (anterior a Gálatas?) os problemas eram de conduta ética e de unidade. Paulo se

encontrava provavelmente em *Éfeso*. Ao receber as notícias da Galácia, se alarma e se indigna, porque isso vai frontalmente contra a essência da sua mensagem e missão. Os judaizantes não pretendiam que os judeus convertidos continuassem observando a lei, e sim que os pagãos convertidos a adotassem como requisito de salvação. Com outras palavras, os pagãos tinham de passar pelo judaísmo para serem cristãos. Sem demora ele escreve-lhes uma carta enérgica, com a dureza e a ternura de quem ama e sofre: *"insensatos!" (3,1); "meus filhos" (4,19), "irmãos" (4,12.28.39; 5,11)*.

A carta é uma argumentação vibrante em prol da liberdade cristã. Antes de tudo, vai reivindicar seu título e missão de apóstolo. Faz isso *ad hominem*, recorrendo a dados e histórias autobiográficas: formação, vocação, visita aos chefes de Jerusalém, incidente com Pedro. Se se trata de judaísmo, ele é mais judeu que todos. Se se trata da lei e da Escritura, ele sabe argumentar com não menos força.

Os eixos doutrinários da carta são lei ou fé, lei ou Espírito, lei ou promessa, liberdade e filiação, instinto ou Espírito. Esses eixos se entrecruzam sem confundir-se. Prestando atenção à oposição, podemos assinalar: à lei não se opõe libertinagem, e sim Espírito; não é a lei e sim o Espírito que vence o instinto (sarx); a promessa fundamenta a lei, a lei não anula a promessa; a lei escraviza, a fé emancipa... (poderíamos continuar). Em relação ao processo, podemos resumir: para obter no princípio o dom da justiça, não valem as obras (cumprimento) da lei, mas só a fé em Jesus Cristo; uma vez obtida a justiça e com ela a filiação de Deus e o dom do Espírito, o cristão deve ordenar sua conduta para alcançar a salvação plena. Em forma mais breve: as boas obras não são requisito para a justiça inicial, as boas obras são efeito do dinamismo do Espírito.

Pelo conteúdo principal, não pela situação pressuposta nem pelo tom, a carta se aparenta estreitamente com Romanos. Pensa-se que foi escrita em Éfeso por volta do ano 57. A carta, embora apaixonada no tom, apresenta uma composição clara e coerente. Eis aqui a sinopse.

1,1-10 Saudação e apresentação do tema: o evangelho único.

I. Parte autobiográfica 1,11-2,21

1,11-24 Formação e vocação de Paulo.
2,1-10 Paulo e os outros apóstolos: é reconhecido em sua missão.
2,11-21 Incidente com Pedro em Antioquia.

II. Parte doutrinal 3,1-4,31

3,1-14 Lei e fé: experiência do Espírito, exemplo de Abraão.
3,15-22 Lei e promessa.
3,23-**4**,31 Escravidão, filiação e liberdade.
4,12-20 Paulo e os gálatas.
4,21-31 Agar e Sara.

III. Parte parenética 5,1-6,10

5,1-12 Liberdade cristã.
5,13-26 Guiados pelo Espírito.
6,1-10 Ajuda mútua.

Conclusão e despedida (autógrafo de Paulo) 6,11-18

GÁLATAS 1

1 ¹De Paulo, apóstolo, não enviado por homens nem nomeado por um homem, mas por Jesus Cristo e por Deus Pai, que o ressuscitou da morte, ²e dos irmãos que estão comigo, às igrejas da Galácia: ³graça e paz da parte de Deus nosso Pai e do Senhor Jesus Cristo, ⁴que se entregou por nossos pecados, para tirar-nos da perversa situação presente, segundo o desejo de Deus nosso Pai, ⁵a quem seja dada glória pelos séculos dos séculos. Amém.

Há somente um evangelho – ⁶Maravilho-me de que tão depressa tenhais deixado aquele que vos chamou por puro favor, para passardes a um evangelho diferente; ⁷não é que seja outro, mas alguns vos estão perturbando para deformar o evangelho do Messias. ⁸Mas, se nós ou algum anjo do céu* vos anunciar um evangelho diferente daquele que vos anunciamos, seja maldito. ⁹Como vos tenho dito e agora repito, se alguém vos anuncia um evangelho diferente do que recebestes, seja maldito. ¹⁰Porventura procuro agradar aos homens, ou antes a Deus? Pretendo agradar aos homens? Mas, se eu quisesse agradar aos homens, não seria servo do Messias.

A vocação de Paulo – ¹¹Eu vos faço saber, irmãos, que o evangelho que vos anunciei não é de origem humana; ¹²pois eu não o recebi nem aprendi de um homem, mas Jesus Cristo o revelou a mim. ¹³Ouvistes falar de minha precedente conduta no judaísmo: eu perseguia violentamente a igreja de Deus, tentando destruí-la; ¹⁴no judaísmo eu superava todos os meus patrícios de minha geração, em meu fervoroso zelo pelas tradições de

---

1,1-5 Nessa saudação chamam a atenção a amplitude e a ênfase com que Paulo defende sua vocação e missão divina, como se tivesse que legitimá-la perante outros. Em breve espaço, Deus Pai é mencionado três vezes: é ele quem ressuscita seu Filho, quem tem um desígnio libertador para nós. De Jesus se menciona o título de Messias e seu sacrifício, "entregou-se", expiatório, "por nossos pecados" (Rm 4,25; 1Tm 2,6; Tt 2,14; 1Jo 5,19; cf. Is 53,6.12).
Como apóstolo, de uma comunidade Paulo escreve a outras comunidades de outra região. Como em outras cartas, a saudação grega, "graça", e a hebraica, "paz" (Rm 1,7; 1Cor 1,3; 2Cor 1,2; cf. Ef 4,17).
Numa espécie de novo êxodo, "nos tira": não Moisés, e sim Jesus Cristo, não a um só povo ("meu primogênito" Ex 4,23), e sim a muitos, não do Egito, mas de um "mundo" dominado pela maldade ou pelo Mau (cf. o Pai-nosso, Mt 6,13). O tema da libertação é central na carta.

1,6-10 Sem demora, saltando a costumeira ação de graças, ataca o assunto, que considera capital. Tentam falsificar o evangelho autêntico. Não é "outro", porque não eliminam a Cristo; mas ao deformar substancialmente sua mensagem libertadora, "passam" a outro (At 15,24). É quase uma apostasia a favor de uma suposta "boa notícia" que não é boa. Compare-se com os israelitas da aliança: prestando culto a Yhwh do êxodo, só que em imagem de touro. O evangelho que Paulo prega não admite alternativa; quem tenta suplantá-lo merece a condenação sagrada do anátema, é execrável. O termo corresponde ao *hérem* hebraico, que sugere excomunhão.

1,8 O condicional irreal reforça a afirmação. "Anjo do céu" ou enviado de Deus: recorde-se o episódio de Miqueias ben Yimla e o falso profeta (1Rs 22). * Ou: *enviado celeste*.

1,10 Agradar o auditório (*captatio benevolentiæ*) era axioma da retórica clássica; Paulo renuncia a isso para manter sua liberdade de denúncia. Para agradar ao ouvinte escraviza-se ao gosto alheio e trai a mensagem: "eu o odeio porque não me profetiza o bem", dizia o rei de Israel acerca do profeta Miqueias ben Yimla (1Rs 22); ver também o chamado testamento de Isaías (Is 30,10). Parece-se mais com os profetas do AT (Jr 15,19; Mq 3,8).

1,11-12 Dão-nos aproximadamente e em ordem inversa a composição da carta. O evangelho de Paulo não procede de homens (*pará anthrópou* 1,13-2,21), não é segundo os homens (*katá anthrópon* 3,1-6,10); irá comprová-lo com dois argumentos da Escritura tomados do ciclo de Abraão (*katá graphen* 3,6-9 e 4,21-31).
Não é de caráter humano, não é um humanismo nem uma doutrina ou escola filosófica entre outras da época. Tampouco é de tradição rabínica, diz o discípulo de Gamaliel (At 5,34-39; 22,3). Tampouco é da tradição sapiencial, mas de estirpe profética, por revelação (cf. Is 50,4).

1,13-21 Como o fariseu perseguidor se transformou em cristão? Que postura as autoridades cristãs de Jerusalém adotaram diante dele? Sua polêmica com Pedro: 1,13-24; 2,1-10; 2,11-21; At 8-9.

1,13-14 "Judaísmo" designa a concepção doutrinal, a espiritualidade e o modo oficial de agir dos judeus de então. É uma forma posterior, cristalizada, da religião e religiosidade de Israel. De algum modo se opõe à "comunidade de Deus" ou Igreja; Paulo sublinha a distinção e oposição (At 22,3-5). As "tradições paternas" abrangem o AT e de modo especial suas interpretações oficiais, dos doutores letrados, rabinos (cf. Mt 15,2-6; Fl 3,5-6). Seu chamado foi repentino e radical, muito mais que o de Amós (Am 7,14-15). O "zelo" corresponde ao Deus "zeloso" (Dt 4,24 par.) e podia inspirar-se em modelos como Fineias ou Elias (Nm 25; 1Rs 18), invocado por Matatias (1Mc 2,24-27).

1,15-17 Escolhido como Jeremias (Jr 1,5) antes de nascer, embora chamado tarde. Isso significa que toda a etapa anterior tem sentido e fica englobada

meus antepassados. ¹⁵Mas, quando aquele que me separou ainda no ventre materno e me chamou por puro favor, teve por bem ¹⁶revelar-me seu Filho, para que eu o anunciasse aos pagãos, imediatamente, ao invés de consultar homem algum ¹⁷ou de subir a Jerusalém para visitar os apóstolos mais antigos que eu, retirei-me para a Arábia e depois voltei a Damasco. ¹⁸Passados três anos, subi a Jerusalém para conhecer Cefas, e fiquei quinze dias com ele. ¹⁹Dos outros apóstolos não vi senão Tiago, o parente do Senhor. ²⁰Isso que vos escrevo conste diante de Deus que não minto. ²¹Mais tarde me dirigi à região da Síria e da Cilícia. ²²As igrejas cristãs da Judeia não me conheciam pessoalmente; ²³só tinham ouvido contar: aquele que antes nos perseguia, agora anuncia a boa notícia da fé que antes tentava destruir; ²⁴e por minha causa davam glória a Deus.

2 Paulo e os outros apóstolos

– ¹Passados catorze anos, subi de novo a Jerusalém com Barnabé e levando comigo Tito. ²Subi seguindo uma revelação. Em particular, expus aos mais autorizados o evangelho que pregava aos pagãos, para que não se tornasse inválido o curso que haviam seguido e que eu seguia. ³Nem sequer meu companheiro Tito, que era grego, foi obrigado a circuncidar-se. ⁴A questão se deveu a falsos irmãos, intrusos, que se infiltraram para espiar a liberdade que eu gozava graças a Cristo Jesus, e pretendiam escravizar-nos. ⁵Eu não cedi um momento nem me submeti, pois tinha que manter por vós a verdade da boa notícia. ⁶Quanto aos "respeitáveis" – até que ponto o fossem não me importa, pois Deus não é parcial com os homens – esses respeitáveis não me impuseram nada. ⁷Ao contrário, reconheceram que me haviam confiado anunciar a boa notícia aos pagãos, assim como Pedro aos judeus; ⁸pois aquele que assistia a Pedro em seu apostolado com os judeus, assistia a mim no meu com os pagãos. ⁹Então Tiago, Cefas e João, considerados os pilares, reconhecendo o dom que me

num projeto divino, e que sua vocação deve ser uma ruptura significativa e exemplar: o começo da etapa decisiva e prevista. Essa mudança é realizada por uma revelação da pessoa de Cristo: uma cristofania. Jesus de Nazaré não é um proscrito, e sim o Filho de Deus. Essa revelação é ao mesmo tempo sua vocação como mensageiro para os pagãos.
Paulo quer sublinhar aqui sua independência de fontes humanas, sua dependência direta de Jesus. Deve-se confrontar esses parágrafos com a versão de Lucas em At 9 e 15. Nada sabemos de sua estada na Arábia: dedicado à meditação e à ascese? (como Elias junto à torrente de Carit, 1Rs 17). Diríamos que os três anos na Arábia equivalem ao tempo dos apóstolos na companhia de Jesus.

1,18 "Conhecer Pedro": por interesse e consideração, não para aprender dele o que o próprio Cristo lhe ensinou. Tiago é o personagem importante e influente de At 12,17; 15,13; 21,18.
1,23 A "fé" será conceito central na carta.
1,24 É uma constante concluir reduzindo tudo à glória e louvor de Deus.

2,1-10 O evangelho de Paulo, recebido por revelação imediata e pessoal, foi reconhecido pelas autoridades apostólicas de Jerusalém (At 15,2).
2,1 Barnabé era de ascendência levítica, Tito representava o convertido puro do paganismo grego: uma dupla paradigmática; e até provocadora para os leitores da carta.
2,2 Paulo se apresenta, não porque o tenham convocado a prestar contas, mas "seguindo uma revelação". Quer provocar as autoridades a um reconhecimento oficial, não porque duvide, mas porque não duvida do seu evangelho. A "revelação" o fez compreender a conveniência da aceitação eclesial, como garantia para ele e também para seus convertidos. Busca-o por causa da situação criada pelos "falsos irmãos" com suas acusações e insinuações. Não pode aceitar que essas intrigas vão frustrar o realizado e o pendente. Ademais, era preciso evitar uma divisão da Igreja nascente em judeus cristãos e pagãos cristãos.
2,4 Com Tito e diante dos falsos irmãos, a grande oposição da carta entra em cena: a liberdade cristã frente à escravidão sob a lei (3,23; 4,5; 5,1-3). A liberdade cristã é parte essencial de um "evangelho autêntico". Tito se apresenta como prova viva da liberdade cristã, contra as exigências dos que tentam impor a circuncisão e suas consequências como caminho necessário para a salvação. É bom recordar a importância da circuncisão na lei, que a faz remontar a Abraão (Gn 17; não é mencionada no texto de Is 56, que a anula).
2,5 Compare-se com a atitude firme do profeta: Mq 3,8.
2,6 "Respeitáveis": não por critérios humanos, pois é assunto que cabe a Deus (cf. Dt 10,17; Eclo 35,15-16). As recomendações de At 15,19.20.29 valiam para comunidades mistas, formadas por cristãos procedentes do judaísmo e do paganismo.
2,7-8 A divisão não é rígida: Pedro havia batizado Cornélio, Paulo pregava nas sinagogas judaicas.
2,9 Fica sancionada a validade do apostolado entre os pagãos e se afirma a vocação universal cristã. Nesse momento, a "solidariedade", expressa no gesto de apertar a mão, tem mais força que a autoridade. O episódio pessoal fica superado.

fora feito, apertaram a mão a mim e a Barnabé em sinal de solidariedade, para que nós nos ocupássemos dos pagãos e eles dos judeus. [10]Somente pediram que nos lembrássemos dos pobres, questão que me esforcei por cumprir.

Paulo enfrenta Pedro – [11]Quando Cefas chegou a Antioquia, eu o enfrentei abertamente, pois era censurável. [12]Antes que viessem alguns da parte de Tiago, ele costumava comer com os pagãos; quando chegaram, ele se retraía e se afastava por medo dos judeus. [13]Os outros judeu-cristãos começaram a fingir como ele, a tal ponto que também Barnabé se deixou arrastar ao fingimento. [14]Quando vi que não agiam retamente segundo a verdade do evangelho, disse a Pedro na presença de todos: Se tu, que és judeu, vives de modo pagão e não judeu, como obrigas os pagãos a viver como judeus?

Judeus e pagãos se salvam pela fé – [15]Nós, judeus de nascimento, não pagãos pecadores, [16]sabemos que o homem não obtém a justiça pela observância da lei, mas por crer em Jesus Cristo; nós cremos em Cristo Jesus para obter a justiça pela fé em Cristo, e não por cumprir a lei, pois pelo cumprimento da lei ninguém obtém a justiça. [17]Ora, se nós que procuramos em Cristo nossa justiça, nos revelamos também pecadores, Cristo é um agente do pecado? De modo nenhum. [18]Pois, se começo a reconstruir o que havia derrubado, mostro que sou transgressor. [19]Por meio da lei morri para a lei, a fim de viver para Deus. Fui crucificado com Cristo, [20]e já não sou eu que vivo, mas é Cristo que vive em mim. Enquanto vivo na carne mortal, vivo de fé no Filho de Deus, que me amou e se entregou por mim. [21]Não anulo a graça de Deus, pois se a justiça fosse obtida pela lei, Cristo teria morrido em vão.

2,10 A grande coleta responde a essa recomendação (At 11,29; 24,17; Rm 15,15-18; 1Cor 16,1; 2Cor 8-9).

2,11-21 O episódio de Antioquia complementa e confirma a conclusão anterior. Antioquia foi importante como base de expansão do evangelho; aí se cunhou o adjetivo "cristão". Evocando uma polêmica pública com Pedro, Paulo introduz uma síntese de seu pensamento sobre a salvação do homem pela fé e não pelas obras. Aquele que era pecador e culpado, sem méritos próprios é restabelecido numa situação de filiação divina e amizade com Deus. Não se justifica, porque o pecado não tem justificação; não se reivindica, porque não há uma inocência caluniada para reivindicar. Pelo perdão, graça ou anistia, deixa de ser culpado, fica reabilitado, cancela-se a dívida, anula-se a condenação. A única condição é a adesão ou fé no Messias, que com sua morte salva o homem. Empenhar-se por conseguir a salvação por méritos próprios é tornar inútil e inválida a morte de Cristo.
Tudo isso acontecia na conduta hipócrita de Pedro e outros. Pela morte substitutiva de Cristo, o fiel morre com Cristo ao pecado e à lei, e começa a viver com a vida recebida de Cristo; por isso Cristo vive nele.

2,11-14 A lei e as tradições separavam os judeus com uma barreira de prescrições de pureza legal, para que não "se contaminassem". Pedro, esquecendo ou descuidando sua experiência fundamental (At 10-11), por medo de judaizantes intrusos (ou pelo bem da paz), evitava comer com os pagãos (também a eucaristia?). Paulo denuncia publicamente semelhante conduta.

2,15-21 Explica sua tese com três oposições básicas e complementares: pecado ou estado de inimizade com Deus, e "justiça" ou estado de amizade; morte e vida como consequência do anterior; lei e fé como meio de obter a "justiça". Como fundo de contraste, seria bom citar numerosos textos do AT que apresentam a lei como meio de obter a justiça e por ela assegurar a vida (ver especialmente Dt).

2,16 A frase final, que soa como citação, não se acha literalmente no AT; aproximam-se dela Sl 143,2 e textos semelhantes de Jó. O fracasso da lei está indicado no Salmo 19, depois de cantar suas excelências; note-se a forma concessiva: "ainda que teu servo se esclareça e observá-la traga grande proveito..."

2,18-19 A argumentação está comprimida. "Derrubei" a lei para salvar-me por Cristo apenas; se agora declaro que necessito da lei para salvar-me, reconstruo o que derrubei e confesso que Cristo não me valeu, pois me deixou em estado de pecado. "Um constrói e outro derruba: que proveito tira, além de mais trabalho?" (Eclo 34,23).

2,19 O eu de quem fala é pessoal e exemplar: Rm 7,6.

2,20 Texto discutido. Segundo as cláusulas penais da lei, merece a morte; instruído pelo fracasso, em lugar de voltar a ela, a abandona, "morre para ela", e busca a salvação em outro lugar, em Deus e na cruz de Cristo. Ver Jo 13,1; Tt 2,14.

2,21 O sacrifício de Cristo foi "entrega por amor" e gerou vida imortal para si e para os demais. Paulo se une, se identifica com esse sacrifício, e assim experimenta em si a vida do glorificado, embora ainda viva pela "fé" e esperança.
Vamos resumir a linha do que vem a seguir. O evangelho de Paulo não é "segundo a medida dos homens", ao gosto dos homens, e sim segundo a Escritura. A experiência dos Gálatas (3,1-5) e o exemplo de Abraão (3,6-18 e 4,21-31) o comprovam. Então, que valor tem a lei? Explica-se em 3,19-4,7. Ao passo que 4,8-20 é um convite a refletir. Por conseguinte, não cabe compromisso entre liberdade e escravidão sob a lei (5,1-12), só que a liberdade se realiza no serviço do amor (5,13-26).

3 A lei e a fé –

¹Gálatas insensatos! Quem vos enfeitiçou? Vós, ante cujos olhos descreveram Cristo crucificado. ²Quero que me expliqueis uma coisa: recebestes o Espírito pelo cumprimento da lei, ou por ter escutado com fé? ³Sois tão insensatos? Começastes com o Espírito e terminais no instinto*? ⁴Experimentastes em vão* coisas tão grandes? Se é que foi em vão. ⁵Pois bem, aquele que vos concede o Espírito e faz milagres por vosso intermédio, o faz porque cumpris a lei ou porque escutais com fé? ⁶Por exemplo, Abraão *confiou em Deus e isso lhe foi anotado como crédito*. ⁷Compreendei que filhos de Abraão são os que têm fé. ⁸A Escritura previa que os pagãos obteriam a justiça pela fé, e assim Deus antecipa para Abraão a boa notícia: *por ti todas as nações serão abençoadas*. ⁹Assim, os que creem são abençoados com Abraão, que teve fé. ¹⁰Os que dependem do cumprimento da lei caem sob uma maldição. Pois está escrito: *Maldito quem não mantiver o que está escrito no código da lei, pondo-o em prática*. ¹¹E que ninguém é justo diante de Deus por cumprir a lei comprova-se; porque *o justo viverá por crer*. ¹²Ao contrário, a lei não depende da fé, antes, quem a cumprir por ela viverá. ¹³Cristo, submetendo-se à maldição, nos resgatou da maldição da lei, como está escrito: *Maldito quem é suspenso a um madeiro*. ¹⁴Assim, a bênção de Abraão por meio de Jesus se estende aos pagãos, para que possamos receber pela fé o Espírito prometido.

A lei e a promessa – ¹⁵Irmãos, usarei uma linguagem corrente: um testamento devidamente outorgado, ainda que seja por um homem, ninguém pode anulá-lo nem acrescentar-lhe nada. ¹⁶Ora, as promes-

---

3-4 Nesses capítulos, Paulo prova sua tese com argumentos da Escritura, que servem para rebater as pretensões dos judaizantes. O modo de argumentar não é o moderno, de uma exegese crítica, e sim o rabínico da época. Supõe bom conhecimento da Escritura no autor e nos destinatários. É terreno comum de encontro para dialogar ou discutir. Paulo não considera caduco o AT enquanto Escritura inspirada; só que o interpreta sob nova luz (cf. 2Cor 3,15-16). Também os judaizantes reconhecem Cristo, também Paulo reconhece as Escrituras.

3,1-5 Servem de introdução, estranhamente agressiva e apelando à experiência dos gálatas, pagãos convertidos. Receberam o Espírito e os carismas que o manifestavam. Aceitaram a mensagem da cruz (insensatez para os pagãos, 1Cor 1,23). A "insensatez" consiste em descer da esfera do Espírito, dom divino, à do instinto ou carne. Aqui parece abranger também o instinto de conservação egoísta, traduzido em apegar-se à segurança por meio de obras, observâncias e ritos corporais. Se retornam a uma religiosidade de obras, podem perder o Espírito e ficar na invalidez mortal da "carne", da condição humana não vitalizada pelo Espírito de Deus. Tampouco o dom do "espírito" depende no AT de obras ou méritos precedentes, antes pelo contrário: pede-o um orante numa oração penitencial (Sl 51,12-14), promete-o um profeta, assegurando "não o faço por vós, mas por meu santo nome" (Ez 36,22-28).

3,3 * Ou: *em sensualidade.*
3,4 * Ou: *tão grave padecer em vão!*
3,6-14 Argumenta combinando textos em torno de um tema, para criar ou recriar um contexto de significado, iluminado pela ressurreição de Cristo e pela experiência cristã, e colocado em novo horizonte de compreensão.
A lei acarreta bênção para o cumprimento, maldição para a transgressão (Dt 27-28). Cristo, embora inocente, submete-se a uma "maldição" específica da lei (Dt 21,23), ser suspenso a um madeiro, para invalidar o regime da lei. Uma lei, segundo a qual um inocente é condenado (Jo 19,7), não ficará em vigor. Cristo morre para restaurar o regime... Para restaurar o regime de bênção e promessa, que só exige aceitação e acolhida com fé (Is 7,7; 28,16; 30,15). Regime inaugurado antes da lei em Abraão (Gn 15,6) e é confirmado em Hab 2,4 (texto favorito de Paulo).
A promessa feita a Abraão tem outra cláusula de alcance universal (Gn 12,3; 18,18). Quem repete a atitude de Abraão liga-se com ele, é seu descendente, ainda que seja de outra raça ou povo. O mérito (*dikaiosyne*) de Abraão consistiu em crer em Deus, crendo naquilo que lhe prometia; por isso foi-lhe antecipada uma espécie de "evangelho" ou promessa de paternidade universal. Cristo, carregando a maldição, livra-nos dela e aplica e estende a todos a "bênção" prometida a Abraão, a qual se condensa no dom do Espírito.

3,15-18 Segundo argumento. Apoia-se no duplo valor da palavra grega *diathéke*, aliança ou testamento. Paulo toma o segundo como equivalente de "promessa" que dá direito de herdar. No AT se distinguem: uma aliança que equivale a um compromisso unilateral que Deus assume (construção *heqim berit*, própria da escola sacerdotal) e outra que significa um pacto bilateral, embora proposto por iniciativa de Deus (construção *karat berit*). A primeira não se distingue apenas da promessa ou juramento. Ora, uma herança devidamente concedida não é anulada por uma legislação posterior. A aliança do Sinai chega séculos depois da promessa feita a Abraão, e não pode anulá-la (Ex 12,40; Rm 4,14).
Lendo o coletivo "linhagem" como singular (Gn 12,7), afirma que o herdeiro da promessa patriarcal é Cristo.
3,16 * Ou: *descendente.*

sas foram feitas a Abraão e à sua descendência*: não diz descendentes, no plural, mas no singular *e a teu descendente*, que é Cristo. ¹⁷Pois eu digo: um testamento já outorgado por Deus não pode anulá-lo uma lei que chega quatrocentos e trinta anos depois, invalidando a promessa. ¹⁸Portanto, se a herança vale em virtude da lei, já não o é em virtude da promessa. Deus a deu de presente a Abraão em virtude da promessa. ¹⁹Então, para que serve a lei? Foi acrescentada para delatar as transgressões, até que chegasse o descendente beneficiário da promessa; e foi promulgada por anjos, por um mediador. ²⁰Portanto, se a parte é um somente, não há mediador; e Deus é único. ²¹Então a lei vai contra as promessas? De modo nenhum. Se fosse dada uma lei capaz de dar vida, certamente pela lei se obteria a justiça. ²²Mas a Escritura inclui todos sob o pecado, de modo que o prometido seja entregue aos que creem pela fé em Jesus Cristo.

Escravos e filhos – ²³Antes que chegasse a fé, éramos prisioneiros, guardados pela lei até que se revelasse a fé futura. ²⁴De modo que a lei era nosso pedagogo, até que viesse Cristo e recebêssemos a justiça pela fé; ²⁵mas, ao chegar a fé, já não dependemos do pedagogo.

²⁶Pela fé em Cristo Jesus, sois todos filhos de Deus. ²⁷Vós que fostes batizados, consagrando-vos a Cristo, vos revestistes de Cristo. ²⁸Já não se distinguem judeu e grego, escravo e livre, homem e mulher, pois com Cristo Jesus sois todos um só. ²⁹E se pertenceis a Cristo, sois descendência de Abraão, herdeiros da promessa.

4 ¹Digo o seguinte: enquanto o herdeiro é menor de idade, ainda que seja dono de tudo, não se distingue do escravo, ²mas está submetido a tutores e administradores até a data fixada por seu pai. ³Da mesma forma nós, enquanto éramos menores de idade, éramos escravos dos elementos cósmicos. ⁴Mas quando se cumpriu o prazo, Deus enviou seu Filho, nascido de mulher, nascido sob a lei, ⁵para resgatar os súditos da lei, e nós recebêssemos a condição de filhos*. ⁶E como sois filhos, Deus derramou em vosso coração o Espírito de seu Filho, que clama: Abba, Pai. ⁷De modo que não és escravo, mas filho; e se és filho, és herdeiro por disposição de Deus.

⁸Antes, quando não conhecíeis a Deus, veneráveis os que realmente não são deu-

---

3,19-22 Então, a que veio a lei? Que sentido teve e tem? A lei tem valor: é dom de Deus, concedido pelo mediador Moisés (cf. At 7,38). Com suas cláusulas, delimita e permite reconhecer os pecados (1Rs 8,46). Com seus conteúdos, vai educando uma humanidade criança. Ao mesmo tempo, ao não ser cumprida inteiramente, por um lado agravava a culpa, pois não se podia alegar ignorância; por outro lado marcava a necessidade de uma salvação radical. A lei não anula a promessa nem vai contra ela.
3,22 Conclusão categórica sobre o desígnio universal de Deus: Rm 3,11-19.
3,23-4,7 Terceiro argumento. Usa duas imagens: o cárcere e o tutor (Rm 10,4). O cárcere é ambíguo: tira a liberdade, mas, não sendo perpétuo, protege a vida. Ver Paulo, prisioneiro e protegido por uma escolta romana, a caminho de Cesareia.
O tutor. Na família grega, o menino pequeno era confiado a escravos, que podiam ser cultos e amáveis, e também incultos e cruéis. Quando chegava a data da maioridade, decidida pelo pai, o filho se emancipava e adquiria todos os direitos, como filho e como herdeiro. A lei foi um tutor durante a menoridade do povo. Deus marca uma data na história e envia seu Filho; e nós, unidos a ele (o singular se torna coletivo), somos filhos e herdeiros (Jo 1,12; Rm 13,14). O Espírito no-lo faz sentir e nos ensina a invocação filial primeira "Abba" (= papai), que contém tudo em germe; maturidade depois da infância, consciência depois da ignorância, liberdade depois da escravidão, esperança de uma herança transcendente.
3,28 O enunciado tem um sentido básico: todos iguais perante Deus, sem distinção. Tem ademais uma realização social, comunitária: em virtude da fé, judeus e gregos (pagãos) partilham uma mesa (At 10); escravos e senhores são irmãos (Fm), homens e mulheres falam e profetizam (2Cor 11,11-12; cf. Fl 4,2-3). Comparar com a profecia de Jl 3,1-2: o dom do Espírito não faz distinção de sexo, idade ou condição social.
4,3 Segundo alguns, os "elementos cósmicos" são criaturas divinizadas pelo homem. Como se Paulo sugerisse que praticavam uma espécie de idolatria da lei (Cl 2,20).
4,4 "Nascido de mulher" segundo Jó 14,1 (ver contexto). O Filho veio "resgatar" escravos da lei, para torná-los filhos e herdeiros de Deus (Rm 8,15).
4,5 * Ou: *fôssemos adotados como filhos.*
4,6 Rm 8,15-16.
4,8-11 O paganismo era uma escravidão a deuses que não o são, a criaturas divinizadas ou a fabricações humanas. A conversão ao cristianismo foi uma libertação (Jr 2,11) que instaurava uma relação real e mútua com o Deus verdadeiro: conhecer e ser conhecidos. Passar agora para o regime da lei é nova escravidão, com agravante.

ses. ⁹Agora que reconheceis a Deus, ou melhor, que ele vos reconhece, por que voltais outra vez a esses elementos fracos e miseráveis? Por que desejais voltar outra vez a venerá-los? ¹⁰Observais certos dias, meses, estações e anos. ¹¹Temo que o meu trabalho por vós acabe em vão.

Paulo e os gálatas – ¹²Por favor, colocai-vos em meu lugar, como eu me ponho no vosso: em nada me ofendestes. ¹³Sabeis que, quando vos anunciei pela primeira vez a boa notícia, foi por ocasião de uma doença corporal. ¹⁴E vós vencestes a tentação de me desprezar ou evitar meu contágio, ao contrário, me acolhestes como um mensageiro de Deus, como a Cristo Jesus. ¹⁵Onde foi parar vossa felicitação? Estou seguro que, se fosse possível, teríeis arrancado os olhos para dá-los a mim. ¹⁶Por acaso me tornei vosso inimigo porque vos disse a verdade? ¹⁷Alguns vos cortejam*, não com boas intenções, mas para que vos afasteis, a fim de cortejá-los. ¹⁸É sempre gratificante receber atenções sinceras e não somente quando estou convosco. ¹⁹Meus filhinhos, aos quais dou novamente à luz, até que adquirais a figura de Cristo, ²⁰quisera estar agora convosco, para mudar o tom de voz, pois não sei o que fazer convosco.

Agar e Sara – ²¹Dizei-me, vós que quereis submeter-vos à lei: não ouvis o que diz a lei? ²²Está escrito que Abraão teve dois filhos: um da escrava e outro da livre. ²³O da escrava nasceu naturalmente, o da livre em virtude de uma promessa. ²⁴Trata-se de uma alegoria que representa duas alianças. Uma procede do monte Sinai e gera escravos: é Agar. ²⁵Sinai é uma montanha da Arábia que corresponde à Jerusalém atual, que vive com seus filhos em escravidão. ²⁶Ao contrário, a Jerusalém de cima é livre e é nossa mãe. ²⁷Está escrito:

> Alegra-te, estéril, que não davas à luz,
> rompe a cantar de júbilo aquela que não tinha dores,
> porque a abandonada terá mais filhos que a casada.

²⁸Vós, irmãos, como Isaac, sois filhos de uma promessa.

²⁹Porém, como naquele tempo o nascido normalmente perseguia o da profecia, assim acontece hoje. ³⁰Mas o que diz a Escritura? *Expulsa essa criada e seu filho; o filho dessa escrava não repartirá a herança com o filho da livre.* ³¹Portanto, irmãos, não somos filhos da escrava, mas da livre.

5 ¹Para ser livres, Cristo nos libertou: mantende-vos, pois, firmes, e não vos deixeis prender de novo ao jugo da escravidão.

4,12-20 De repente, Paulo muda de tom e se torna terno, recordando os dias felizes do primeiro amor (ver em outra chave Jr 2,1). O doente era visto como "tocado ou ferido" por Deus, por isso contagioso, e todos deviam evitá-lo. Os gálatas, vencendo preconceitos humanos e religiosos, acolheram Paulo fraco como a Cristo (Mt 10,40). Se lhes disse verdades amargas, é por amor; ao passo que outros os cortejam (Pr 7,5; 28,23; 29,5; Sl 5,10) por interesse.
4,17 * Ou: *cumulam-vos de atenções.*
4,19 Não é comum para um apóstolo a imagem materna: compare-se com a queixa de Moisés (Nm 11,12). O apóstolo dá à luz com dor e amor e assiste ao crescimento e "formação" do cristão à imagem de Cristo.
4,21-31 O quarto argumento, montado sobre uma transposição "alegórica" de textos bíblicos, é quase desconcertante para nós, embora fosse válido para intérpretes da lei da sua época. Ponto de partida é o relato sobre os filhos de Abraão (segundo Gn 16 e 21). O comentarista explora as oposições e relações. Sara, esposa legítima e livre, estéril, milagrosamente dá à luz um filho livre, Isaac. Agar, concubina escrava, dá à luz um filho escravo, Ismael, que é excluído da herança e expulso. Paulo sobrepõe às figuras femininas de Agar e Sara a personificação clássica de Jerusalém como matriarca e esposa de Deus. Só que distingue uma Jerusalém empírica, submetida à escravidão (ou vassalagem política?) e uma Jerusalém transcendente, celeste, destinatária da promessa de Is 54,1-3.
Enquanto montanha sagrada, Jerusalém equivale ao Sinai, montanha da lei; enquanto morada dos descendentes de Agar, é lugar de escravidão.
4,21 Argumenta *ad hominem*, passando de lei (= instituição) a lei (= Escritura).
4,26 Longa e rica tradição cristã proclama e canta a Mãe Igreja.
4,29 A Bíblia não fala de tal perseguição, e sim a tradição rabínica; o texto bíblico diz que Ismael brincava com seu irmãozinho Isaac (Gn 21).
5,1 Como conclusão do que precede e introdução ao que se segue, ressoa essa frase lapidar, um dos grandes aforismos cristãos de Paulo (Jo 8,32.36). O escravo de alguém pode ser comprado por outro para ser guardado – mudança de amo, não de

Liberdade cristã – ²Vede: eu, Paulo, vos digo que se vos circuncidais, Cristo de nada vos servirá. ³Eu vos asseguro de novo que quem se circuncidar estará obrigado a cumprir integralmente a lei. ⁴Vós que procurais a justiça pela lei rompestes com Cristo e caístes na desgraça. ⁵Quanto a nós, pelo Espírito e pela fé, esperamos a justiça desejada. ⁶Sendo de Cristo Jesus, não importa estar ou não circuncidados; o que conta é uma fé ativada pelo amor.

⁷Corríeis muito bem: quem se interpôs para que não seguísseis a verdade? ⁸Aquele que vos convenceu não vem daquele que vos chamou. ⁹Uma pitada de fermento fermenta toda a massa. ¹⁰Confio no Senhor, que não mudareis de atitude. Mas, aquele que vos inquieta, seja quem for, arcará com a própria sentença. ¹¹Quanto a mim, irmãos, se ainda prego a circuncisão, por que me perseguem? Acabou-se o escândalo da cruz! ¹²Mas esses que vos sublevam, que se mutilem* completamente.

Guiados pelo Espírito – ¹³Vós, irmãos, fostes chamados para a liberdade; mas não tomeis a liberdade como estímulo do instinto; antes, servi uns aos outros por amor. ¹⁴Pois toda a lei se cumpre com um preceito: *Amarás teu próximo como a ti mesmo*. ¹⁵Mas atenção: Se vos mordeis e devorais mutuamente, acabareis consumindo-vos todos.

¹⁶Eu vos recomendo que ajais segundo o Espírito e não executeis os desejos do instinto. ¹⁷Pois o instinto tem desejos contrários aos do Espírito, e o Espírito tem desejos contrários aos do instinto; e tão opostos são que não fazeis o que quereis. ¹⁸Mas, se o Espírito vos guia, não estais sujeitos à lei. ¹⁹As ações do instinto são manifestas: fornicação, indecência, devassidão, ²⁰idolatria, feitiçaria, inimizades, rixas, inveja, cólera, ambição, discórdias, facções, ²¹ciúmes, bebedeiras, comilanças e coisas semelhantes. Eu vos previno, como já vos preveni, que quem pratica isso não herdará o reino de Deus.

²²Pelo contrário, o fruto do Espírito é amor, alegria, paz, paciência, amabilidade, bondade, fidelidade, ²³modéstia, autodomínio. Contra isso não há lei. ²⁴Os que são de Cristo crucificaram o instinto com suas paixões e desejos. ²⁵Se vivemos pelo Espírito, sigamos o Espírito; ²⁶não sejamos vaidosos, provocadores, invejosos.

6

Ajuda mútua – ¹Irmãos, se alguém é surpreendido num delito, vós, os espirituais, corrigi-o com modéstia. No entanto,

---

- condição –, ou pode ser resgatado e posto em liberdade. Tal é a ação de Cristo.
- 5,2-6 A consequência é uma opção entre dois sistemas inconciliáveis: circuncisão + lei, ou Cristo + Espírito, obras ou fé (1Cor 7,19). Mas a fé é um dinamismo que põe em marcha o amor. A vida cristã não exclui as obras: ela as concentra no amor fraterno e as olha como frutos que brotam da fé; não como méritos, em virtude dos quais o homem se salva por suas forças. A fé ativa a caridade, é ativa pela caridade (ver vv. 12-15 e 22-23).
- 5,7 Imagem desportiva (como 1Cor 9,24).
- 5,9 Refrão judaico (1Cor 5,6). Aplicado ao caso presente, pode mostrar que os agitadores são uma minoria; ou avisa que, se derem chance a uma pitada, podem corromper-se totalmente.
- 5,11 Condicional irreal. O fato de ser perseguido pelos judeus demonstra que não prega a circuncisão (1Cor 1,23).
- 5,12 Reflexão sarcástica, porque os "castrados" eram excluídos da assembleia cultual (Dt 23,2). Também poderia aludir à castração ritual dos sacerdotes de Átis ou Cibele na região. * Ou: *castrem*.
- 5,13-15 Não é preciso supor que os judaizantes ou outros grupos pregassem a libertinagem (1Pd 2,16). Pregando a liberdade, é lógico precaver contra sua aplicação abusiva. A liberdade não é ilimitada, nem é o valor supremo: é limitada pelo amor mútuo, síntese de toda a lei (Mt 7,12; Lv 19,18).
- 5,16-18 Paulo não diz: ou lei ou libertinagem; e sim: ou lei ou Espírito. E também: ou Espírito ou instinto. A lei se encontra na esfera do instinto: tenta dominá-lo e não consegue. O espírito é um dinamismo interno (Rm 8,14; a lei é externa) e é mais exigente que a lei. Ver a exposição em Rm 7,15-23.
- 5,19-21 Catálogos de vícios se encontram em outras passagens de Paulo (Rm 1,29-31; 1Cor 6,9-10) e na cultura da época. Nem o número é significativo, nem cada conceito é preciso; destacam-se os itens concernentes à sexualidade e à concórdia. No AT lemos algo semelhante nas chamadas "liturgias de entrada" ou acesso ao templo (Sl 15; 24). Em lugar de templo, Paulo fala do "reino de Deus", com a linguagem dos evangelhos.
- 5,22-23 O catálogo das virtudes de uma comunidade cristã parece mais cuidado, por sua insistência no que se refere ao amor. A lei nada tem a objetar contra essas atitudes, e não poderá acusar quem as cultiva (1Tm 1,9).
- 5,24 A "mortificação" de que fala tem como objeto "o instinto com suas paixões e desejos"; podemos chamá-la mortificação interior, radical. Não se refere diretamente a penitências corporais. Tal mortificação ganha sentido cristão como imitação e participação na paixão de Cristo. Cf. Rm 6,7; 8,13; Cl 3,5.
- 6,1-10 Como em outras cartas, acrescenta uma seção parenética, repetindo e tirando conclusões.

vigia a ti mesmo, para que também não sejas tentado. ²Carregai os fardos dos outros, e assim cumprireis a lei de Cristo. ³Pois quem julga ser alguma coisa, não sendo nada, engana a si mesmo. ⁴Cada um examine sua conduta, e então a satisfação será sua, sem depender de outros. ⁵Pois cada um carrega seu próprio fardo. ⁶O catecúmeno deve repartir seus bens com seu catequista. ⁷Não vos iludais: de Deus não se zomba. O que alguém semeia, isso mesmo colherá. ⁸Quem semeia para o instinto, do instinto colherá corrupção; quem semeia para o Espírito, do Espírito colherá vida eterna. ⁹Não nos cansemos de fazer o bem, pois a seu devido tempo colheremos sem fadiga. ¹⁰Portanto, enquanto se oferece ocasião, façamos o bem a todos, especialmente à família dos fiéis.

Conclusão e despedida – ¹¹Vede que letras grandes, escritas com minha própria mão. ¹²Os que querem fazer boa figura externamente, são os que vos obrigam a vos circuncidar; e o fazem unicamente para não serem perseguidos por causa da cruz de Cristo. ¹³Pois nem os próprios circuncidados observam a lei; mas querem circuncidar-vos para se gloriarem de submeter-vos ao rito corporal. ¹⁴Quanto a mim, Deus me livre de gloriar-me, a não ser da cruz de nosso Senhor Jesus Cristo, por quem o mundo está crucificado para mim e eu para o mundo. ¹⁵Nada importa estar ou não circuncidado; o que conta é uma nova criatura*. ¹⁶Paz e misericórdia para todos os que seguem essa norma, o Israel de Deus. ¹⁷Daqui para a frente, que ninguém me acrescente fadigas, pois trago em meu corpo as marcas de Jesus. ¹⁸Irmãos, a graça de nosso Senhor Jesus Cristo acompanhe vosso espírito. Amém.

6,1 A correção fraterna pode ser ato de amor se for humilde, acompanhada do exame da própria consciência e evitando o orgulho pelos bens recebidos (Tg 5,19).

6,2 Há uma "lei de Cristo" (1Cor 9,19-21) que consiste no amor mútuo. Levar os fardos é imagem tirada do mundo da escravidão ou do trabalho (cf. Mt 23,4, os fardos dos fariseus; Rm 15,1).

6,3 É uma nota psicológica penetrante sobre a capacidade do homem de enganar a si mesmo.

6,4-5 Como a responsabilidade é assunto pessoal, cada um deve examinar sua conduta. Esse é o fardo do homem, responder por suas ações, no que ninguém pode substituí-lo.

6,6 Espécie de remuneração pelo tempo e trabalho dedicados (1Cor 9,11.14).

6,7-9 Com provérbios do mundo agrícola (cf. Pr 22,8; Os 8,7) apresenta a projeção escatológica do exposto. No terreno do instinto brota a corrupção, porque o Espírito não o vivifica; no terreno do Espírito brota vida perpétua, definitiva. As obras inspiradas pelo espírito de fé e amor não são inúteis nem se frustrarão.

6,11-18 Conclui resumindo ideias principais e despedindo-se. Paulo assina a carta, de seu punho e letra, como garantia, com letras grandes que sublinham a importância. Na polêmica com os judaizantes os acusa de duas culpas entrelaçadas: por um lado, não cumprem inteiramente a lei; por outro, querem alcançar triunfos em seu proselitismo, à custa da liberdade alheia (cf. Mt 23,15).

6,14-15 Todo o orgulho de Paulo está na cruz de Cristo, em sua morte e sacrifício por amor, em participar dela e pregá-la como único meio de salvação. À circuncisão carnal, que já não conta, antepõe as marcas de seus sofrimentos pelo apostolado (1Cor 1,31).

6,15 * Ou: *humanidade*.

6,16 Aos judaizantes se opõe o "Israel de Deus", o autêntico, que reconhece Jesus como Messias com todas as consequências; os judeus convertidos de verdade (cf. o "israelita autêntico" de Jo 1,41). Outros pensam que o Israel de Deus é título novo da Igreja.

CARTA AOS EFÉSIOS

INTRODUÇÃO

Éfeso

Desde tempos antigos Éfeso foi uma cidade importante por sua posição geográfica. Porto de mar para onde confluía o comércio do interior e chegava o do Mediterrâneo. No ano 133 a.C. foi declarada capital da província romana da Ásia. Entre seus muitos edifícios suntuosos sobressaía o templo dedicado a Ártemis, deusa asiática da fecundidade (At 19). Como cidade romana no Mediterrâneo oriental, formava um trio com Antioquia e Alexandria.

Quando Paulo visitou Éfeso (At 19,1), encontrou aí alguns cristãos não bem informados. Instruiu-os e formou com eles uma florescente comunidade cristã de pagãos convertidos, base de operações para a expansão missionária. O apóstolo residiu aí três anos (54-57), entre êxitos e dificuldades. Referem-se a Éfeso 1Cor 15,32; 16,8s e talvez 2Cor 1,8.

No uso corrente, este documento aparece como carta de Paulo aos Efésios. Os três dados são discutidos por uma crítica competente.

a) Aos efésios? O nome da cidade falta em códices importantes. Foi cancelado do texto original para deixar o espaço em branco, disponível para outras localidades? Não há antecedentes nem casos parecidos de semelhante prática; as cartas circulavam conservando o nome dos destinatários originais. Foi acrescentado a um texto não especificado? Dado o caráter do escrito e levando em conta a notícia de Cl 4,16, alguns pensam que era dirigida originalmente a Laodiceia; outros creem que desde o começo fosse um texto circular.

b) Carta? Parece, antes, um tratado, uma exposição homilética vertida no molde epistolar como recurso retórico. Deveria ser catalogada no gênero de celebração ou panegírico. Falta no texto o tom pessoal, remetente e destinatários se conhecem por ouvir falar (1,15; 3,2), faltam referências a uma situação concreta.

c) De Paulo? São cada vez mais numerosos os autores que a consideram obra de um discípulo de Paulo escrevendo a pagãos convertidos da segunda geração. Aduzem-se argumentos de vários campos. O vocabulário contém muitas palavras exclusivas e outras usadas com significado novo. O estilo não é simplesmente diferente, mas notavelmente inferior: usa parágrafos longos e monótonos, carregados de substantivos com preposição (na tradução suavizei o estilo para torná-lo legível e inteligível), é redundante no uso de sinônimos, falta-lhe o movimento das perguntas. Também a doutrina é diferente: professa uma escatologia adiada, pois a salvação já ocorreu; a muitas igrejas locais sucede uma Igreja única e universal; a polêmica de judeus e pagãos parece superada. Esses argumentos não são decisivos e deixam a solução pendente.

Alguns consideram de mais peso sua dependência literal da carta aos Colossenses. Comparar 4,1-2 com Cl 3,12-13; 5,19-20 com 3,16-17; 6,21-22 com 4,7-8. A metade dos vv. de Ef têm paralelos em Cl. Por isso, muitos pensam que Ef imita conscientemente Cl, embora mude o enfoque doutrinal.

O mais importante desta carta é sua riqueza temática. Se a carta aos Colossenses é cristológica, esta é eclesiológica. Ambas as coisas se implicam, mas muda o peso relativo. Deus tinha um plano, escondido durante séculos e revelado

agora, executado em Jesus Cristo e por ele, desenvolvido na Igreja e por ela. Uma Igreja universal, nova criação e humanidade unificadas, edifício compacto e corpo em crescimento. Mais que pela soma de igrejas locais, ou pela coexistência de judeus penitentes e pagãos convertidos, a unidade se realiza derrubando muros, abolindo diferenças, infundindo o Espírito único. A Igreja é povo de Deus e esposa do Messias. Já não espera uma parusia iminente, mas se empenha no constante crescimento. As categorias jurídicas cedem lugar às místicas.

O pensamento da carta é coerente e está exposto com vigor, mas o desenvolvimento não é tão claro. Proponho uma sinopse.

I. Introdução

1,1-2	Saudação.
1,3-14	Bênçãos.
1,15-23	Súplica.

II. Parte doutrinal 2,1-3,21

2,1-10	Da morte à vida.
2,11-23	Unidade por Cristo.
3,1-13	O mistério revelado.
3,14-21	O amor de Cristo.

III. Parte parenética 4,1-6,20

4,1-16	Unidade do corpo.
4,17-5,5	Conduta cristã.
5,6-21	No reino da luz.
5,22-33	Marido e mulher.
6,1-9	Filhos e escravos.
6,10-20	Luta contra o mal.

Despedida 6,21-24

1 ¹De Paulo, apóstolo de Cristo Jesus por vontade de Deus, aos consagrados de Éfeso, fiéis ao Messias Jesus: ²graça e paz a vós da parte de Deus nosso Pai e do Senhor Jesus Cristo.

Bênçãos

³Bendito seja Deus, Pai de nosso Senhor Jesus Cristo,
    o qual, por meio de Cristo,
    nos abençoou com todo tipo de bênçãos espirituais do céu.
⁴Por meio dele, antes da criação do mundo,
    nos escolheu para que pelo amor fôssemos santos
    e irrepreensíveis em sua presença.
⁵Por Jesus Cristo, segundo o desígnio de sua vontade,
    nos predestinou a sermos seus filhos adotivos,
⁶de modo que redunde em *louvor* da gloriosa graça
    que *nos outorgou* por meio do Predileto.
⁷Por ele, por meio do seu sangue,
    obtemos o resgate, o perdão dos pecados.
Segundo a riqueza de sua graça,
⁸*nos fez transbordar* em toda espécie de sabedoria e prudência,
⁹*dando-nos a conhecer* seu desígnio secreto,
    estabelecido de antemão por sua decisão,
¹⁰que haveria de se realizar em Cristo ao cumprir-se o tempo:
Que o universo, o celeste e o terrestre,
    alcançassem sua unidade
    em Cristo.
¹¹Por meio dele, e tal como o havia estabelecido
    aquele que tudo executa segundo sua livre decisão,
    nos havia predestinado a sermos herdeiros,

1,1-2 Por faltar em alguns manuscritos a especificação "em Éfeso", alguns pensam que era uma carta circular, lida em várias igrejas. Embora sejam habituais nas cartas e passem facilmente despercebidos, observemos os títulos: Deus Pai nosso (ponhamo-nos em relação com a oração dominical), Jesus Cristo "Senhor", a grande proclamação cristã, que costumamos incluir no final de nossas súplicas.

1,3-14 Parágrafo dificílimo, provavelmente o mais difícil do NT. Tem apenas seis verbos em forma finita; o resto são particípios (adjetivos verbais) ou gerúndios (advérbios verbais). Quinze frases circunstanciais se ligam com a preposição grega *en* (multifuncional), nove com *eis*, às quais se somam outras com *katá* ou *diá*. É como se o autor respirasse fundo para pronunciar sua complexa bênção num só fôlego, numa única frase gramatical.
Para orientar-nos nessa demonstração (ou emaranhado) gramatical, observamos três ondas que concluem em três menções de "louvor" (vv. 6.12.14). Depois marcamos as séries que reduzem algo a Cristo (na versão portuguesa "por"/"em"): quatro na primeira onda, duas na segunda, uma na terceira. Levamos em conta também os benefícios de Deus, na voz ativa e passiva. Na tradução e na disposição gráfica procurei facilitar a leitura.
O texto pertence ao gênero das bênçãos, frequente na liturgia judaica: o homem "bendiz" a Deus agradecendo as "bênçãos" recebidas. O texto é trinitário. No princípio Deus, identificado com o "Pai de Jesus Cristo" (v. 3) e nosso pela adoção (v. 5); ele é o agente de tudo "segundo seu desígnio e decisão" (vv. 5.9.11). Realiza tudo "por meio de Cristo" (mencionado nos vv. 3.5.10.12). Termina o parágrafo com a referência ao Espírito, "selo e garantia" (vv. 13.14). Vários temas são transposição de "tipos" do AT: escolha, filiação, resgate, sabedoria, herança. A razão é que a consumação ou plenitude presente estava prevista e decidida de antemão (vv. 4.5.9.11).

1,3-6 Primeira onda. Começa com o título de Cristo = Messias = Ungido, o esperado. Termina com o título "o Predileto": outrora título de Israel (Dt 32,15; Is 44,2); agora título de Jesus Cristo, pronunciado no batismo e na transfiguração (Mt 3,17 par.; 17,5 par.).
"Abençoou-nos" retoma a grande tradição do AT: a de Isaac, paterna, testamentária e limitada (Gn 27); a de Jacó, paterna e distribuída às doze tribos (Gn 49); a de Moisés, profética, para as tribos (Dt 33). Isaac abençoou Jacó e não lhe restou outra bênção; o Pai celeste em Cristo abençoa todos.
"Antes da criação": ou seja, da primeira palavra do Gênesis "no princípio, Deus criou". Jeremias foi escolhido pelo Senhor "antes de te formar no ventre" (Jr 1,5); os cristãos, antes da criação do mundo (cf. Rm 8,28s); o projeto de Deus abrange o tempo inteiro (Is 43,13).
"Santos" ou consagrados: como Israel, "um povo santo" (Ex 19,6), "os santos do Altíssimo" (Dn 7,22.27); "pelo amor" (infundido), não por mero rito. "Filhos": título coletivo de Israel (Ex 4,23; Is 1,2; Os 11,1 etc.), agora dos cristãos (Jo 1,12; 1Jo 3,1-10). A "gloriosa graça" é o favor que revela sua glória.

¹²de modo que nós, os que já esperávamos em Cristo,
    fôssemos o louvor de sua glória.
¹³Por meio dele, também vós, ao escutar a mensagem da verdade,
    a boa notícia de vossa salvação,
    nele crestes,
    e *fostes selados* com o Espírito Santo prometido,
¹⁴que é garantia de nossa herança, do resgate de sua posse:
    para louvor de sua glória.

Súplica — ¹⁵Por isso, também eu, ao ficar sabendo de como credes no Senhor Jesus e amais a todos os consagrados, ¹⁶não cesso de dar graças por vós, e, recordando-vos em minhas orações, peço:

¹⁷Que o Deus de nosso Senhor Jesus Cristo, Pai da glória, vos conceda
    um espírito de sabedoria e revelação que vos faça conhecê-lo
¹⁸e vos ilumine os olhos da mente, para apreciardes
    a esperança a que vos chama,
    a esplêndida riqueza da herança que promete aos consagrados
¹⁹e a grandeza extraordinária de seu poder em favor de nós que cremos,
    segundo a eficácia de sua força poderosa;
²⁰poder que exerceu em Cristo,
    ressuscitando-o da morte e sentando-o à sua direita no céu,
²¹acima de toda autoridade e potestade e poder e soberania,
    e de qualquer título que se pronuncie neste mundo ou no que virá.
²²*Tudo submeteu sob seus pés*,
    nomeou-o cabeça suprema da Igreja,
²³que é seu corpo e se preenche daquele que preenche tudo em todos.

1,7-12 Segunda onda: Cl 1,14-20. O antigo resgate começou no Egito com o sangue pascal (Ex 12) e se perpetua no culto, especialmente pelos sacrifícios de expiação (Lv 4 e 16). Era um resgate de escravos para a liberdade: o nosso é um resgate de pecadores para o perdão, também com sangue, o da cruz (Hb 9,22). A "sabedoria" ou sensatez não é aqui qualidade ou aquisição humana (Pr 3,13), e sim dom, revelação (Eclo 24; Sb 9) que nos capacita para compreendermos o "desígnio secreto" de Deus, o que vai explicar na carta (Rm 16,25).
O "cumprimento dos tempos" ou dos prazos pode referir-se à encarnação (Gl 4,4) ou à glorificação (cf. Cl 1,15s). Céu e terra podem representar as duas partes que compõem o universo criado (Dt 32,1; Is 1,2). Também podem distinguir-se e opor-se como mundo humano e mundo divino, separados (Sl 135,16; Is 55,9). Em Cristo se realiza sua união definitiva, indissolúvel, e por ele começa um longo processo de reunificação: é a unidade primordial que fundamenta a unidade humana, da qual falará a carta.
Ser "herdeiros" ou ser herança. Ambos os sentidos se encontram no AT: Israel herda a terra (Ex 23,30; Dt 19,3; Js 14,1) e é herança de Deus (Dt 9,29; 32,9; Sl 78,71). Agora nós cristãos somos herdeiros (Rm 8,17.28-29).
1,12 Aqui começa a distinção "nós" = os judeus, que "esperávamos um Messias", e "vós" = os pagãos, do v. seguinte.
1,13-14 Terceira onda. No começo se refere aos pagãos, que, embora não esperassem um messias prometido, acolheram o evangelho como mensagem autêntica. O que depois diz do Espírito vale para todos os crentes sem distinção. O Espírito Santo "prometido" concentra todas as promessas e é comunicado no batismo (At 13,26 par.). É um "selo": sinal de autoridade e posse (Gn 38,18; 1Rs 21,8), garantia (Jr 32,10-14); quem o traz gravado mostra a quem pertence e quem o protege (2Cor 1,22). É "garantia" ou penhor, antecipação de uma entrega: de que um dia herdaremos o reino; de que, como posse divina, um dia seremos resgatados (Rm 8,23).
1,15-16 A ação de graças é breve. Resume toda a conduta cristã na fé em Jesus como Senhor e no amor fraterno. Tudo como dom de Deus, pelo que se lhe devem graças.
1,17-23 O texto é difícil pela duvidosa atribuição das orações finais e do relativo. Com base no tema, é fácil distinguir uma parte de pedido (vv. 17-19) e outra cristológica (vv. 20-23). Olhando a forma, creio distinguir três pedidos, com a cristologia englobada no terceiro.
Primeiro pedido (v. 17): um carisma de sabedoria revelada (cf. Is 11,2-3). Dom do Espírito, não aquisição humana; revelação ou sensibilidade para perceber o mistério. "Para conhecê-lo": a Deus Pai ou a Jesus Cristo? Pelos vv. que se seguem, pelo teor da carta e textos semelhantes (2Cor 5,16; Fl 3,10), inclino-me ao segundo: conhecer e reconhecer Jesus como Messias, como Filho de Deus Pai (Lc 10,21-22 par.).
Segundo pedido (v. 18): iluminação (Cl 1,12). A herança só a temos em esperança; sendo futura, não a

2 Da morte à vida

¹Também vós outrora estáveis mortos por vossos pecados e transgressões. ²Seguíeis a conduta deste mundo e as ordens do chefe que manda no ar, o espírito que age nos rebeldes. ³Como eles, também nós seguíamos os impulsos do instinto, cumpríamos os desejos e pensamentos do instinto, éramos objeto da ira como os outros.

⁴Mas Deus, rico em misericórdia, pelo grande amor que teve por nós, ⁵estando nós mortos por causa dos delitos, nos fez reviver com Cristo – gratuitamente fostes salvos; – ⁶com Cristo Jesus nos ressuscitou e nos fez sentar no céu, ⁷para que se revele aos séculos futuros a extraordinária riqueza de sua graça e a bondade com que nos tratou por meio de Cristo Jesus.

⁸Gratuitamente fostes salvos pela fé, não por mérito vosso, mas por dom de Deus; ⁹não pelas obras, para que ninguém se orgulhe. ¹⁰Somos criaturas dele, criados por meio de Cristo Jesus para realizarmos as boas ações que Deus nos confiara como tarefa.

Unidade por Cristo

¹¹Por isso vós, que antes éreis pagãos de corpo, chamados incircuncisos por aqueles que se chamavam circuncidados de corpo, recordai ¹²que naquele tempo vivíeis sem Messias, excluídos da cidadania de Israel, alheios à aliança e suas promessas, sem esperança e sem Deus no mundo. ¹³Agora, graças a Cristo Jesus e em virtude do seu sangue, vós, que antes estáveis longe, agora estais perto.

¹⁴Ele é a nossa paz, ele que de dois fez um, derrubando com seu corpo o muro divisório, a hostilidade; ¹⁵anulando a lei com seus preceitos e cláusulas, criando assim,

---

vemos. Mas uma luz celeste nos permite contemplá-la à distância (cf. Hb 11,9-13): "na tua luz vemos a luz" (Sl 36,10).

Terceiro pedido (vv. 19-21): faz a transição para a cristologia. Compreender o "poder" extraordinário de Deus, com o qual realiza em Cristo seu projeto admirável: a ressurreição como vitória definitiva sobre a morte (1Cor 15,14); a exaltação à sua direita (Sl 110,1) como instauração do reinado de Deus. "Acima de": as quatro categorias representam a totalidade cósmica, que pode incluir anjos e exércitos celestes.

Seu "título" supremo é *Kyrios*, como equivalente de *Yhwh* (cf. Fl 2,9).

1,22 Sl 8,6 o atribui simplesmente ao homem, ao ser humano. Esse texto e Hb 2,6-8 estreitam a aplicação ao Homem por excelência, Jesus Cristo. "Cabeça da Igreja": Cl 1,18.

1,23 A frase é densa e ambígua, por isso as interpretações diferem: a) A Igreja sujeito plenifica, completa Cristo, como o corpo completa a cabeça; Cristo plenifica tudo. b) A Igreja está cheia de Cristo, o qual... c) A Igreja está cheia daquele que Deus plenificou com sua plenitude (Jo 1,14.16; Cl 1,18-19).

2,1-3 Situação anterior de desgraça. É articulada nos grupos "vós" e "nós". "Vós" seriam os pagãos, súditos do Maligno, rei do mundo e chefe dos rebeldes a Deus. "Nós" seriam os judeus, que, apesar da lei, cedem ao instinto (Tt 3,3) ou se agarram a ritos corporais externos. Uma conduta guiada pelos poderes malignos deste mundo, pelos desejos perversos próprios, equivale a "estar mortos pelo pecado" (Ez 18,13.20; 33,8-10; cf. Dt 30,15-19). Pelo que "naturalmente", logicamente, incorre-se na "ira" ou condenação (Rm 1,18; Cl 3,6).

2,4-10 Deus nos livrou de semelhante estado e livrou também a eles por pura iniciativa: por misericórdia e por amor, não por mérito de obras.

Primeiro passo da salvação foi a passagem da morte (pecado) à vida (graça). Depois, enquanto membros de Cristo, nos faz participar, de antemão ou em esperança, da ressurreição e reinado de Cristo.

Em conclusão, somos nova criação de Deus por meio de Cristo e nos cabem tarefas (obras) que não são condição, e sim consequência da salvação.

2,4-7 Variação e aplicação livre da definição clássica de Deus no AT (Ex 33,19; 34,6; Jl 2,13; Jn 4,2; Sl 86,15; 103,8). Rico em misericórdia (*rab hésed*), amor (*rahum*), favor (*hanun*), bondade (*tub*). O corpo segue em tudo a cabeça. "Gratuitamente": ver At 15,11.

2,10 "Criaturas dele" (cf. Sl 138,8; Jó 10,8). Criado: 2Cor 5,17. Para as boas obras: Tt 2,14.

2,11-20 Se antes vós e nós éramos iguais no pecado, agora o somos na salvação e podemos formar uma unidade: pela proximidade, a paz, a reconciliação, a comum cidadania e família, a estrutura única.

2,11-13 O antes e o agora dos pagãos convertidos. Estavam privados dos privilégios do povo escolhido; sobretudo, não esperavam um Messias e viviam sem Deus, porque seus deuses eram falsos (Dt 32,21 e a pregação do Isaías do desterro). A circuncisão como sinal corporal de pertencer ao povo; "incircuncisos" era insulto em Israel (1Sm 14,6; 17,36; 31,4; Rm 9,4). Aliança e promessas: literalmente, a expressão estranha "alianças da promessa" (pensa em Is 55,3?); talvez tente sintetizar a "promessa" (coletivo) patriarcal e as alianças com o povo e com a casa de Davi.

"Perto e longe" segundo a distinção de Is 57,19 (cf. At 2,39). "Pelo sangue": da aliança (Ex 24,6) ou da libertação de presos (Zc 9,11).

2,14-20 Cristo derrubou com seu corpo glorificado a barreira que antes separava os judeus dos pagãos. De membros dispersos fez "um corpo", de estrangeiros e nativos fez uma cidade e família, de pedras heterogêneas fez um "edifício". Realizou a grande pacificação: dos homens com Deus, abrindo-lhes "acesso ao Pai"; dos homens entre si, "criando uma nova humanidade". Não se lhe pode comparar a

em sua pessoa, de duas uma só e nova humanidade, fazendo as pazes. ¹⁶Por meio da cruz, matando em sua pessoa a hostilidade, reconciliou os dois com Deus, tornando-os um só corpo. ¹⁷Veio e anunciou *a paz a vós, os que estão longe, a paz aos que estão perto*. ¹⁸Ambos, com o mesmo Espírito e por meio dele, temos acesso ao Pai. ¹⁹De modo que já não sois estrangeiros nem adventícios, mas concidadãos dos consagrados e da família de Deus; ²⁰edificados sobre o alicerce dos apóstolos e profetas, com Cristo Jesus como pedra angular. ²¹Por ele todo o edifício bem coeso cresce até ser templo consagrado ao Senhor, ²²por ele vós entrais com os outros na construção, para serdes morada espiritual de Deus.

3 Missão de Paulo –

¹Com essa finalidade eu, Paulo, sou por causa de vós o prisioneiro de Cristo Jesus. ²Pois estais a par do que a graça de Deus dispôs de mim para vosso proveito, ou seja, ³que me foi dado conhecer o segredo, como vos escrevi há pouco. ⁴Lede minha carta e podereis avaliar como entendo o mistério de Cristo: ⁵nas gerações passadas não foi dado a conhecer aos homens; agora, ao contrário, revelou-se a seus santos apóstolos e profetas inspirados. ⁶Consiste nisto: por meio da boa notícia os pagãos compartilham a herança e as promessas de Jesus Cristo, e são membros do mesmo corpo. ⁷E eu sou seu ministro por dom da graça de Deus, outorgada segundo a eficácia do seu poder. ⁸A mim, o último dos consagrados, foi concedida esta graça: anunciar aos pagãos a boa notícia, a riqueza insondável do Messias, ⁹e iluminar o segredo que Deus, criador do universo, guardava há séculos. ¹⁰Desse modo, agora na igreja se manifestará às autoridades e potestades celestes a multiforme sabedoria de Deus, ¹¹segundo o antigo projeto realizado em Cristo Jesus Senhor nosso. ¹²Por ele e com a confiança que a fé nele nos dá, temos livre acesso.

---

reunião de Judá e Israel prometida por Ezequiel (37,15-19), mas pode-se cantar o Sl 133.

2,14-15 Destrói a barreira interior, que é a hostilidade (cf. Ez 25,15) e a barreira exterior, que é a lei. Talvez se imagine a barreira do templo que obstruía o acesso aos pagãos (sob pena de morte). A barreira já não é necessária (cf. Sl 80,15; 89,41; Is 60,10.18). A criação do homem novo pode corresponder à nova criação (de Is 65,17 e 66,22; 2Cor 5,17).

2,16 Como novo Sansão, Cristo morre matando: por amor a todos sem distinção.

2,18 O acesso ao templo era rigorosamente regulamentado e vigiado. Agora que em lugar de templo temos o Espírito (cf. Jo 4,23), todos têm acesso ao Pai. O v. contém uma referência trinitária.

2,19 Não é a situação média do migrante, não cidadão, ainda que protegido pela lei. Agora temos plena cidadania. Israel se chamava também "a Casa de Israel", e no meio dela habitava *Yhwh* no templo: agora somos membros da Casa de Deus, que é também um templo espiritual (Hb 12,22-23).

2,20 O alicerce: Is 28,16; Ap 21,14. A pedra angular: Sl 118,22.

2,21-22 Estranho edifício, que se transforma em templo, feito de pedras vivas e capaz de crescer.

3,1-13 Quando Paulo (o eu da carta) se declara apóstolo dos pagãos, não pensa só numa divisão territorial, mas implica uma descoberta: que o Messias esperado pelos judeus veio também para os pagãos, não é monopólio de Israel. Esse é um grande segredo que Deus manteve guardado por muitos séculos. Abraão se afasta de sua família, de seu país, Ismael fica de fora, como também Esaú. Se alguns textos do AT se abriam aos pagãos, algumas cláusulas do texto ou os leitores lhes punham limites, reduzindo-os aos pagãos submetidos a Israel ou convertidos plenamente. Citemos alguns textos: "as nações, os confins da terra", submetidos (Sl 2); Jerusalém mãe de povos "nascidos aí" (Sl 87); culto ao Senhor (Sl 102,16.23); Egito e Assíria (Is 56; 19,19-25) etc. Mas os pagãos não podiam partilhar a herança com Israel (cf. Gn 21,10; Jz 11,2) nem formar um corpo com ele. Pois bem, a riqueza do Messias transborda e agora é dividida entre todos. Essa é a grande revelação que estimula Paulo em seu ministério e da qual ele se orgulha.

3,1 Em grego a frase fica em suspenso. "Prisioneiro": ver a Introdução (Fm 1.9).

3,2 Sobre o ministério de Paulo em Éfeso, ver At 19.

3,3-4 Refere-se à carta aos Colossenses, difundida como carta circular?

3,5 Profetas inspirados da nova economia, ativos na Igreja (p. ex. At 11,27; 13,1; 15,32; 21,10; 1Cor 12,28).

3,6 O evangelho é como a promulgação que torna efetivo o cumprimento para quem queira aceitá-lo.

3,7 1Cor 15,9-10.

3,8 O "último" (cf. Eclo 33,16-18): porque foi perseguidor, porque chegou mais tarde (1Cor 15,9-10). A "riqueza": alusão à Sabedoria. "Insondável": Is 40,28; Sl 145,3; Jó 5,9; 9,10; 11,7.

3,10 Se unimos esse v. ao 18, eles nos remetem ao começo do Eclesiástico (1,1-3.8). Nessa seção predomina a linguagem sapiencial: "manifestar, sabedoria, projeto" (1Pd 1,12). Destinatários: talvez se refira aos poderes que governam o mundo judaico e o mundo pagão, os quais descobrem agora, numa Igreja única de judeus e pagãos, a sabedoria impensada e transcendente de Deus. Em outra interpretação, são anjos ou santos (cf. Zc 14,5; Dt 33,33; Jó 5,1; 15,15).

3,12 Ver Hb 4,16.

¹³Portanto, peço-vos que não desanimeis diante do que sofro por vós, pois redunda em vossa glória.

O amor de Cristo – ¹⁴Por isso, dobro os joelhos diante do Pai, ¹⁵de quem recebe nome toda família no céu e na terra, ¹⁶para que vos conceda pela riqueza de sua glória: fortalecer-vos internamente com o Espírito, ¹⁷que pela fé Cristo habite em vosso coração, que estejais enraizados e alicerçados no amor, ¹⁸de modo que consigais compreender, junto com todos os consagrados, a largura, o comprimento, a altura e a profundidade, ¹⁹e conhecer o amor de Cristo, que supera todo conhecimento. Assim estareis totalmente repletos da plenitude de Deus.

²⁰Aquele que, agindo eficazmente em nós, pode realizar muitíssimo mais do que pedimos ou pensamos, ²¹receba da Igreja e de Cristo Jesus a glória em todas as gerações, pelos séculos dos séculos. Amém.

4 Unidade do corpo – ¹Portanto, eu, o prisioneiro por causa do Senhor, vos exorto a agir como pede vossa vocação: ²com toda a humildade e modéstia, com paciência, suportando-vos mutuamente com amor, ³esforçando-vos por manter a unidade do espírito com o vínculo da paz. ⁴Um é o corpo, um o Espírito, assim como é uma a esperança a que fostes chamados; ⁵um é o Senhor, uma a fé, um o batismo, ⁶um Deus, Pai de todos, que está acima de todos, entre todos, em todos.

3,13 As tribulações são companhia e honra da missão apostólica (Rm 5,3; 2Cor 1,4.8; 2,4; 6,4).

3,14-19 De novo encontramos o esquema trinitário, sem usar o termo técnico Filho: o Pai (vv. 14.19), seu Espírito (v. 16), Cristo (vv. 17.19). O Espírito é o novo dinamismo interior; a fé nos abre e transforma em morada estável de Cristo, o amor nos dá raiz e alicerce, de onde brota uma nova capacidade de conhecer e compreender o mistério.

3,14 De joelhos, em gesto humilde de súplica (1Rs 8,54; Esd 9,5).

3,15 Do Pai procede toda paternidade humana e seu equivalente celeste (que não se esclarece). Em lugar de paternidade pode-se entender sobrenome, frequente em Nm e Cr, para apresentar genealogias. Agora todos têm um último Pai comum (Lc 3,38 faz a genealogia de Jesus ascender até Adão e Deus).

3,16-19 Continua a súplica, numa frase difícil e densa. Pedindo: robustecer e habitar para compreender e entender. "Internamente", ou no homem interior da antropologia grega; na intimidade onde reside o Espírito. Pode-se comparar com expressões equivalentes dos salmos (39,4; 55,5; 94,19; 109, 22). "Fortalecer-vos": cf. Sl 51,12 "espírito firme". Pela fé "habita" (Jo 14,23). "Enraizados e alicerçados": são as duas imagens clássicas, da vida agrária e urbana (Jr 1,10; Sl 144,12; aplicadas à sabedoria em Eclo 1,15-20).

3,18 Nós reconhecemos em nosso espaço três dimensões. Os hebreus concebiam quatro dimensões (Jó 11,5-8). Porque não concebiam que a linha de profundidade, subterrânea, continuasse para cima. A superfície da terra, onde o homem vivo pisava, era um corte total. Como se podia imaginar que do Xeol partisse uma linha contínua até o céu? Segundo uma especulação posterior, a cruz simbolizava as quatro dimensões, era o vértice do universo.

3,19 O simples conhecimento, a gnose, não pode plenificar o homem; só o amor que Cristo nos tem (genitivo subjetivo), experimentado, pode plenificar o homem, porque seu amor revela o amor de Deus (Jo 1,15). Grande paradoxo: encher-se do que tudo enche, abrange e transborda (cf. a oração de Salomão conforme 1Rs 8,27).

3,20-21 A primeira parte da carta conclui com uma doxologia ou fórmula de louvor, que a Igreja tributa e que Cristo encabeça.

4,1-16 Como consequência do que foi dito, o autor exorta à unidade com seus requisitos ou consequências. Sem o rigor ou a coerência de 1Cor 12, utiliza a imagem do corpo (vv. 3.12.16). Há alguns aspectos claros ou não muito obscuros na explanação da imagem: a unidade na pluralidade, a relação com a cabeça (v. 15), a junção dos membros (v. 16), o crescimento para a maturidade (v. 13). Outros elementos turvam o perfil da imagem: mistura o conceito de "construção", fala de crescer até alcançar a cabeça, introduz uma imagem marinha, e não reprime seu costume de trabalhar com preposições e substantivos acumulados.

Dado curioso é que elenca sete fatores como princípio de unidade (vv. 4-6); como pluralidade de órgãos ou funções, só cinco (v. 11). A fé, que é princípio de unidade (v. 5), se converte em meta (v. 13). O amor com a preposição *en* soa três vezes (vv. 2.15.16), no princípio e no fim, mostrando sua importância no projeto de unidade eclesial.

4,1 O "chamado" ou vocação é o início de tudo (Is 42,6; 43,1; 49,1; Cl 3,12). Em grego os verbos "chamar" e "exortar" utilizam a mesma raiz. O "agir" equivale à tarefa de 2,10. O prisioneiro: Fm 9.

4,2 Virtudes que acompanham e favorecem o amor (Pr 19,11; 2,23; Sl 131,2; Eclo 3,17; 4,8; 1Cor 13).

4,3 Unidade espiritual ou bem da unidade que o Espírito produz (Cl 3,14-15).

4,4-6 A série tem sua lógica, embora não siga uma ordem rigorosa. Embaixo temos a "fé", selada no "batismo", que in-corpor-a o "corpo" e sustenta a "esperança" da consumação; em cima a Trindade: Espírito, Senhor e Pai.

A fórmula tem sabor litúrgico e é bom compará-la com a confissão cotidiana de Israel "o Senhor nosso Deus é somente um" (Dt 6,4). Comparar também com "um só pai e um mesmo Deus" (Ml 2,10); na imagem de pastor (Jo 10,16).

⁷Cada um de nós recebeu a graça na medida do dom de Cristo. ⁸Por isso se diz: *Subindo ao alto levava cativos e repartiu dons aos homens.* ⁹(Que significa "subiu", senão que desceu às profundezas da terra?) ¹⁰Aquele que desceu é o mesmo que subiu acima dos céus para plenificar o universo. ¹¹A uns ele nomeou apóstolos, a outros profetas, evangelistas, pastores e mestres, ¹²para a formação dos consagrados na obra confiada, para construir o corpo de Cristo; ¹³até que todos alcancemos a unidade da fé e do conhecimento do Filho de Deus, e sejamos homens perfeitos, e alcancemos a idade de uma maturidade* cristã. ¹⁴Assim, não seremos crianças, joguete das ondas, sacudidos por qualquer vento de doutrina, pelo engano da astúcia humana, pelos truques do erro. ¹⁵Ao contrário, com a sinceridade do amor, cresçamos até alcançar inteiramente aquele que é a cabeça, Cristo. ¹⁶Graças a ele, o corpo inteiro, coeso e unido pela contribuição das junturas e pelo exercício próprio da função de cada membro, vai crescendo e construindo-se com o amor.

Conduta cristã – ¹⁷Portanto, em nome do Senhor vos digo que não vos comporteis como os pagãos: com suas ideias vãs, ¹⁸com a razão obscurecida, afastados da vida de Deus, por sua ignorância e dureza de coração. ¹⁹Pois, insensíveis, entregaram-se à dissolução e praticam avidamente toda espécie de indecências. ²⁰Vós, ao contrário, não é isso que aprendestes de Cristo, ²¹se é que ouvistes falar dele e aprendestes a verdade de Jesus. ²²Vós, despojai-vos da conduta passada, da velha humanidade que se corrompe com desejos enganosos; ²³renovai-vos em espírito e mentalidade; ²⁴revesti-vos da nova humanidade, criada à imagem de Deus com justiça e santidade autênticas.

²⁵Portanto, eliminando a mentira, *dizei a verdade uns aos outros, pois somos membros uns dos outros.* ²⁶*Se vos irritais, não pequeis.* Não se ponha o sol sobre a vossa

---

4,7-11 Da unidade brota a pluralidade, e esta se unifica pela organicidade. Vem de Cristo glorificado, que distribui seus dons, como faz um vencedor esplêndido. Dois motivos literários que encontra no Sl 68,19, adaptado ao caso sem esforço, graças à versão grega. Para a descida e subida, ver Jo 3,13; para a série de funções, 1Cor 12,27-29. As "profundezas" podem referir-se à terra dos vivos, em comparação com o céu (Is 44,23; cf. "debaixo do sol" Ecl 4,7.15 etc.); neste caso se refere à encarnação. Também pode designar o mundo subterrâneo, abissal, dos mortos (Dt 32,22; Ez 31,14; Sl 63,10), em cujo caso se refere à morte e sepultura. Ver a viagem cósmica da Sabedoria em Eclo 24,5 e contexto. "Todos os céus" (plural): os três ou os sete, segundo diversas representações.

4,11-12 1Cor 12,28. Apóstolo é título próprio do NT; os outros quatro têm antecedentes no AT (evangelista de Is 40,9). Os cinco se distinguem do grupo dos fiéis pelo ministério específico: construir ou estruturar o corpo que é a Igreja (pode-se recordar o verbo "construir", dito da modelagem da esposa Eva, Gn 2).

4,13-14 Continua o crescimento: em idade ou estatura e em maturidade (cf. Lc 2,40.52). De passagem, em linguagem sapiencial e conjurando uma imagem de mar agitado, adverte contra as falsas doutrinas. Ver Cl 1,28. "Crianças": 1Cor 14,20.

4,13 * Ou: *plenitude*.

4,15 A medida do crescimento é "até Cristo" que é a "cabeça" (a imagem não é muito coerente).

4,16 Para dar uma ideia do estilo do autor, ofereço uma versão literal do v.: "do qual todo o corpo, travado e unido por toda espécie de juntura da subministração, segundo a atividade na medida de cada um dos membros, realiza o crescimento do corpo para construção dele no amor". Embora a expressão seja arrevesada, fica clara a mensagem de unidade e a primazia do amor.

4,17-5,5 Segue-se uma exortação, que vai entrelaçando os avisos particulares com motivações de princípio e esclarecimento por contraste. Muitas dessas recomendações podem ser encontradas no AT, no judaísmo e na cultura grega. O específico cristão costuma ser a motivação e o modelo.

4,17-24 O primeiro é uma ruptura com o passado pagão (Rm 1,21). Por afã de contraste, carrega as tintas ao traçar o perfil do paganismo. Pode-se comparar com a descrição truculenta de Sb 14,22-30 sobre as consequências da idolatria. Os qualificativos são duros e cortantes: obscuridade, ignorância, dureza, impureza, engano. Várias palavras soam como termos de filósofos gregos: *nous, dianoia, ágnoia, epithymia*.

4,17 "Vaidade" é no AT a idolatria (Jr 2,5; 8,19; 10,3.8) ou o sentido da existência humana (Eclesiastes).

4,18 "Obscurecida" (Is 44,18); "dureza" (Ex 6,9; Ez 3,7).

4,19 "Entregaram-se à dissolução": proclamando-o às vezes (como no programa de Sb 2).

4,20-21 Refere-se à catequese cristã, que tem por objeto a "verdade" de Jesus, sua pessoa, seu título messiânico (Cristo), sua vida exemplar.

4,22-24 Oposição de velha e nova humanidade, com a imagem do despojamento e revestimento (Gl 6,8). A velha deixa-se levar pela concupiscência e acaba na corrupção. A nova é criação "à imagem de Deus" (Gn 1,27; Eclo 17,3; cf. Sb 2,23).

4,25 O aviso se encontra em Zc 8,16, no contexto de restauração; a motivação é cristã.

4,26 Citação do Sl 4,7 segundo a versão grega (o original diz "tremei e deixai de pecar").

ira, ²⁷não cedais ao diabo. ²⁸Quem roubava não roube mais; ao contrário, trabalhe e se afadigue com as próprias mãos para ganhar alguma coisa e estar em condição de socorrer a quem tem necessidade. ²⁹Não saia de vossa boca nenhuma palavra ofensiva, mas uma palavra boa que edifique quem precisa e agrade a quem a escuta. ³⁰Não aflijais o Espírito de Deus que vos selou para o dia do resgate. ³¹Afastai de vós toda amargura, paixão, cólera, gritos, insultos e qualquer tipo de maldade. ³²Sede amáveis e compassivos uns para com os outros. Perdoai-vos, como Deus vos perdoou em atenção a Cristo.

5 ¹Imitai a Deus como filhos queridos; ²agi com amor, como Cristo vos amou até entregar-se por vós a Deus *como oferenda e sacrifício de aroma agradável.* ³Fornicação, impureza de qualquer tipo, cobiça, nem sequer se nomeiem no meio de vós, como convém a consagrados; ⁴da mesma forma, coisas obscenas, estúpidas, grosseiras, inconvenientes; pelo contrário, a ação de graças. ⁵Pois deveis saber que nenhum fornicador ou impuro ou avarento – que é uma forma de idolatria – receberá herança no reino de Cristo e de Deus.

O reino da luz – ⁶Ninguém vos engane com discursos vazios, pois por causa disso sobrevém a ira de Deus sobre os rebeldes. ⁷Não vos torneis cúmplices deles. ⁸Pois, se no passado fostes trevas, agora pelo Senhor sois luz: comportai-vos como filhos* da luz. – ⁹ Fruto da luz é toda bondade, justiça e verdade. – ¹⁰Procurai discernir o que agrada ao Senhor. ¹¹Não participeis das obras estéreis das trevas, pelo contrário, denunciai-as. ¹²O que eles fazem às escondidas dá vergonha dizê-lo. ¹³Tudo o que é exposto à luz fica evidente, ¹⁴e o que é evidente é luz. Por isso diz: Desperta, tu que dormes, levanta-te da morte, e Cristo te iluminará! ¹⁵Observai atentamente como agis, não como insensatos, mas como sensatos. ¹⁶Aproveitai a ocasião, pois os tempos são maus. ¹⁷Por isso, não sejais imprudentes, mas compreendei o que o Senhor deseja. ¹⁸*Não vos embriagueis com vinho,* que gera luxúria, mas enchei-vos de Espírito. ¹⁹Entre vós entoai salmos, hinos e cantos inspirados, cantando e tocando de coração em honra do Senhor, ²⁰dando graças sempre e por tudo a Deus Pai, em nome do Senhor nosso Jesus Cristo. ²¹Submetei-vos uns aos outros em atenção a Cristo.

4,27 A designação "diabo" é própria desse texto e das cartas pastorais (1Tm 4,11); Tg 4,7 diz o mesmo em forma positiva.

4,28 Não basta o preceito negativo do decálogo. Do "roubar" se passa ao extremo oposto do "socorrer": abster-se do mal e fazer o bem.

4,29 "Ofensiva": segundo a etimologia, podre, repugnante; opõe-se a "agradável".

4,30 Segundo Is 63,10; "irritar" a Deus é expressão frequente no AT (Dt 9,16; Jr 7,18 etc.) O Espírito é no fiel um selo que prova a propriedade e garante a ressurreição.

4,32 Segundo o Pai-nosso e o exemplo de Cristo na cruz (Mt 6,14; Lc 23,34; cf. Eclo 28,1-4).

5,1-2 Imitação de Deus e de Cristo. O Levítico diz "sede santos como eu sou santo" (11,44.45; 19,2; 20,26); no Sl 112 o homem deve assemelhar-se ao Deus do Sl 111; Jesus propõe o Pai como exemplo (Mt 5,44-45). 1Pd 2,21 propõe a imitação de Cristo, que corresponde de algum modo ao seguimento (Lc 9,57-62). Sua entrega por amor (cf. Mt 17,22; 26,2 par.) é o culto sacrifical que Deus aceita, "de agradável odor", segundo a expressão bíblica.

5,5 Ver 1Cor 6,9-10. A avareza como idolatria se baseia na visão dos profetas, que denunciam a cobiça com os mesmos termos que a idolatria.

5,6-7 "Sobrevém ira de Deus sobre os rebeldes", como ilustram diversos episódios dos israelitas no deserto: o negar-se a entrar na terra (Nm 13-14), Coré, Datã e Abiram e seus sequazes (Nm 16); ver também o Sl 106. O tema da ira é frequente em Ezequiel. Luz e trevas: Jo 12,36.

5,8-14 Desenvolve o símbolo tradicional da luz e das trevas, culminando em Cristo como luz do amanhecer (cf. Sl 57; Is 60); é também símbolo batismal. O viciado se esconde na escuridão (Eclo 23,18 "as trevas me envolvem... ninguém me vê"; Jó 24,13-17); mas a luz revela o delito (Sl 90,8 "puseste nossas culpas à luz do teu olhar"). O mundo da luz se opõe ao mundo das trevas. Tem seus afeiçoados, produz fruto, recebe luz de Cristo glorificado. Pelo contrário, as obras das trevas são estéreis e vergonhosas.

5,8 * Ou: *criaturas*.

5,14 Parece citação de um hino cristão. Quem dorme na morte, que se levante (cf. o convite a Jerusalém em Is 51,17; 52,1) para contemplar a luz de Cristo ressuscitado que amanhece (cf. Is 60,1-3; 62,1; Sl 57).

5,16 "Tempos maus" são os da Igreja até a parusia, que será a luz definitiva (Cl 4,5).

5,18 A precaução diante do vinho é conselho sapiencial corrente (uma irônica explanação em Pr 23,29-33); a alternativa oposta é original e cristã, como ilustra o episódio de Pentecostes (At 2,13-16).

5,19-20 Não propõe uma distinção rigorosa. São reconhecíveis os "hinos" de louvor e a ação de graças; os "salmos" eram cantados com acompanhamento; para os cantos "inspirados", ver 1Cr 25,1-3.

5,21 Versículo programático do que se segue.

Marido e mulher – ²²As mulheres sejam submissas aos maridos como ao Senhor; ²³pois o marido é cabeça da mulher, como Cristo é cabeça da Igreja, ele que é o salvador do corpo. ²⁴Pois, como a Igreja se submete a Cristo, assim as mulheres aos maridos em tudo. ²⁵Homens, amai vossas mulheres, como Cristo amou a Igreja e se entregou por ela, ²⁶para limpá-la com o banho de água e com a palavra, e consagrá-la, ²⁷para apresentar uma Igreja gloriosa, sem mancha nem ruga nem coisa semelhante, mas santa e irrepreensível. ²⁸Os maridos devem amar suas mulheres, como a seu próprio corpo. Quem ama sua mulher ama a si mesmo; ²⁹ninguém jamais odiou o próprio corpo, mas o alimenta e dele cuida, como Cristo faz com a Igreja, ³⁰já que somos membros do seu corpo. ³¹Por isso, *o homem abandonará seu pai e sua mãe, se unirá à sua mulher, e os dois serão uma só carne.* ³²Esse símbolo é magnífico, e eu o aplico a Cristo e à Igreja. ³³Assim vós: cada um ame sua mulher como a si mesmo, e a mulher respeite o marido.

6 Filhos e escravos – ¹Filhos, obedecei a vossos pais em atenção ao Senhor, pois é justo que o façais. ²*Honra teu pai e tua mãe:* é o primeiro mandamento, que inclui uma promessa: ³*para que tudo te corra bem e vivas muito tempo na terra.* ⁴Pais, não irriteis vossos filhos, mas educai-os na disciplina e com a exortação de Deus.

⁵Escravos, obedecei a vossos senhores corporais, escrupulosa e sinceramente, como a Cristo; ⁶não por servilismo ou para os adular, mas como servos de Cristo que cumprem com toda a alma a vontade de Deus. ⁷Servi de boa vontade como a Cristo, não como a homens; ⁸conscientes de que o Senhor pagará a cada um o bem que fizer, seja escravo, seja livre. ⁹Senhores, tratai-os da mesma forma, não os ameaçando, conscientes de que no céu está o Senhor deles e vosso, que não cede a favoritismos.

Luta contra o mal – ¹⁰Finalmente, fortalecei-vos no Senhor e na sua força poderosa. ¹¹Vesti a armadura de Deus para poderdes

---

5,22-33 Texto extraordinário que a uma visão do matrimônio condicionada culturalmente sobrepõe uma simbologia que a transcende e sublima. A concepção cultural estabelece a desigualdade: o marido ama, a mulher se submete. O símbolo consiste em extrair do Gênesis Adão e Eva como casal fundacional e exemplar, para ascender ao antítipo, o Messias e a Igreja. Além disso, o símbolo estabelece um exemplo ou modelo: não são Cristo e a Igreja que reproduzem a experiência conjugal, mas é o contrário. O AT preparou generosamente esse símbolo com a imagem de Yhwh esposo e a comunidade ou a capital esposa (Os 2; Is 1,21-25; 5,1-7; Jr 2,1; 3,1-5; 31,21-22; Ez 16; Is 49; 54; Br 4-5); temos de destacar a comparação audaz de Is 62,5. Os últimos capítulos do Apocalipse utilizam esse símbolo para concluir a Bíblia.
"Sem mancha nem ruga" pertence ao casamento. "Apresentar" é a função do ninfagogo (o próprio Deus apresenta Eva a Adão); Cristo faz o papel de ninfagogo seu. Alimentar e cuidar, com relação afetuosa e terna (*thalpo*), correspondem à vida conjugal (ver as exigências em Ex 21,10).
A imagem passa à equação: cabeça-corpo = marido-mulher = Cristo-Igreja. Contudo, deve-se ter presente que a proporção não é idêntica, por causa da soberania única do Cristo "Senhor" (quando 2Jo 1 chama *kyria* a uma Igreja local, o título tem outro alcance), e por seu título de "Salvador" (v. 23).
5,24-25 Que não se deixe passar em branco a afirmação: a Igreja está submetida a Cristo. O amor conjugal de Cristo o leva ao sacrifício de si mesmo.
5,26 O contexto condiciona a interpretação do batismo como purificação; mas é também consagração.

5,31 Segundo Gn 2,24. Sem que Paulo o diga, alguns Padres comentam que o Filho de Deus abandona o Pai para unir-se à sua Igreja.
6,1-4 Continua no âmbito da família. Apoia-se no decálogo com sua motivação (Ex 20,12): ver o comentário de Eclo 3,1-16. Também os pais têm deveres correlativos, que o decálogo não menciona. A educação dos filhos é tema corrente do mundo sapiencial, tanto que acabam chamando aos discípulos de "filhos": ver o estilo rigoroso de educação de Ben Sirac (Eclo 30,1-13). Ver a recomendação de Pr 19,18.
6,5-9 Também os escravos pertencem ao âmbito da família. O notável é a reciprocidade de deveres e trato e a igualdade radical sob o senhor único, que é Deus. Contudo, nem a visão teológica, nem a motivação "como a Cristo" levaram Paulo a tirar consequências para uma mudança da ordem social naquele momento.
6,10-17 A vida cristã é uma milícia, com seus inimigos, armas e aliado (2Cor 10,4). A imagem é uma batalha contra inimigos aguerridos e perigosos, em guerra defensiva. Chefe inimigo é o "diabo" ou o "maligno"; tem às suas ordens um exército de poderes subalternos, de "espíritos" que agem na atmosfera sublunar. A armadura descrita não é um sucesso de criatividade. Várias correspondências entre conceito e imagem são gratuitas, e é difícil descobrir a coerência da série: justiça, verdade e disposição, fé, salvação e palavra de Deus. Contudo, autores espirituais podem tirar bons conselhos dessa armadura. O AT fala metaforicamente das armas de Deus (p. ex. Sl 7; 18); o desenvolvimento mais notável se encontra em Sb 5,17-23, ampliação de Is 59,17. Nosso autor fala da armadura do cristão.

resistir aos estratagemas do diabo. ¹²Pois não lutais contra seres de carne e osso*, mas contra as autoridades, contra as potestades, contra os soberanos destas trevas, contra espíritos malignos do ar. ¹³Portanto, tomai as armas de Deus para poderdes resistir no dia mau e sair firmes de todo o combate. ¹⁴*Cingi os rins com a verdade, revesti a couraça da justiça,* ¹⁵calçai as sandálias da *prontidão para o evangelho da paz.* ¹⁶Para tudo empunhai o escudo da fé, no qual se apagarão as lanças incendiárias do maligno. ¹⁷*Colocai o capacete da salvação,* empunhai a espada do Espírito, que é a palavra de Deus.

¹⁸Constantes na oração e na súplica, rezai constantemente com espírito; para isso velai com perseverança, rezando por todos os consagrados; ¹⁹também por mim, para que quando eu abrir a boca me seja concedido o dom da palavra e possa expor livremente o segredo da boa notícia. ²⁰Eu sou mensageiro dela na prisão: que eu possa anunciá-la livremente, como é devido.

Saudações – ²¹Tíquico, o irmão querido e ministro fiel do Senhor, vos informará para que saibais como estou e o que faço. ²²Para isso eu o envio a vós, a fim de que tenhais notícias minhas e vos anime.

²³Aos irmãos, paz, amor e fé que vem de Deus Pai e do Senhor Jesus Cristo. ²⁴Graça e imortalidade para todos os que amam o Senhor nosso Jesus Cristo.

O auxílio do aliado é conseguido pela oração (Sl 35,1-4). Cingidos: Is 11,5.
6,12 * Ou: *carne e sangue.*
6,15-17 As "sandálias" são o calçado de um evangelista itinerante (cf. Is 52,7). Na fé as tentações se estilhaçam (cf. Mt 4 par.). A palavra é uma espada (cf. Is 49,2; em Hb 4,12 se trata da espada de execução do culpado). O capacete: Is 59,17.
6,19-20 Um mensageiro preso é um paradoxo. O que pede é "liberdade" de espírito para pregar o evangelho. O homem pode abrir a boca, encontrar a palavra certa é dom de Deus (At 4,29).
6,24 Imortalidade é um conceito forte (cf. Sb 2,23); alguns o tomam como adjetivo de graça, em sentido de perdurável.

CARTA AOS FILIPENSES

INTRODUÇÃO

Filippoi

Por volta do ano 356 a.C., Felipe II da Macedônia conquistou a vila de Krenides, limítrofe entre a Macedônia e a Trácia, deu-lhe seu nome e a fortificou frente aos trácios. No ano 42, depois da famosa batalha que tem seu nome, Antônio estabeleceu nela veteranos romanos, nomeando-a colônia romana, com direito de cidadania. A população era em parte romana, como indicam as moedas com inscrições latinas. Por ela passa a via Egnácia, que unia a Itália à Ásia.

Segundo At 16, Filipos foi a primeira cidade "europeia" visitada e evangelizada por Paulo e Silas (pelo ano 49). Uma mulher de boa posição social foi a primeira "europeia" convertida ao evangelho pela palavra de Paulo. Açoites, prisão e uma libertação prodigiosa foram seu treinamento no novo território. Aí se formou uma comunidade cordial e generosa, à qual Paulo se sentiu estreitamente vinculado (1,8; 4,1). Somente deles Paulo aceitou ajuda econômica (4,14-15).

Foi da prisão que Paulo escreveu a carta (1,7.13.17). Onde? Alguns, seguindo a tradição, pensam que se encontrava já em Roma (depois de 60); citam em seu apoio as expressões "pessoal do palácio do governador" (pretório, 1,13) e "os servidores do imperador" (4,22); como também sua perplexidade ante uma possível morte próxima. Mas as expressões abrangem mais, valem também para Éfeso, e Paulo sabia muito de perigos de morte. Outros opinam que estava preso em Cesareia (At 23-26). A maioria hoje se inclina por uma prisão em Éfeso, não mencionada por Lucas (1Cor 15,32; 2Cor 6,5; 11,23; sobre o perigo de morte, 2Cor 1,8-9). Essa teoria explica melhor a viagem breve de Epafrodito, o intercâmbio de notícias, sua intenção de fazer-lhes uma visita logo (2,24). Nessa hipótese, a data seria o ano 54.

A própria carta nos informa sobre as circunstâncias. Um assunto aparentemente trivial, a viagem e a doença de Epafrodito; um motivo simples e grave, a necessidade de desafogar seu agradecimento, sem renunciar a seu dever de exortar e animar.

Tem-se discutido muito sobre a unidade da carta, com variedade de argumentos de crítica interna: mudanças de tema, de tom, de situação. Tem sido dividida em duas ou três cartas, todas de Paulo, artificialmente reunidas sob uma epígrafe. Num texto tipicamente do gênero carta pessoal, os saltos, mudanças e prolongamentos não estranham. Contudo, uma vez que a questão foi aberta, é quase impossível fechá-la.

É indiscutível o atrativo particular dessa carta, como expressão dos sentimentos do apóstolo. Sua joia teológica é o hino cristológico (2,6-11), síntese audaz e madura, que alguns consideram um hino cristão incorporado à carta. Em termos de apostolado, é importante o valor do "testemunho" (1,12-14) e a prioridade de que Cristo seja pregado, seja como for (1,15-19). A participação do apóstolo na morte e na ressurreição de Cristo (3,10-11.20-21). Alguns assuntos particulares da comunidade afloram: o perigo dos judaizantes (3,1-7), a necessidade de concórdia (4,2).

Não é fácil traçar uma sinopse de uma carta que evolui sem um plano predeterminado.

1,1-11	Saudação, ação de graças e súplica.
1,12-26	Prisioneiro por Cristo.
1,27-30	Resistência cristã.
2,1-11	Humildade de Cristo e amor cristão.

2,12-18 Conduta cristã.
2,19-30 Timóteo e Epafrodito.
3,1-16   Judaizantes e crentes em Cristo.
3,17-4,1 O exemplo de Paulo.
4,2-9   Conselhos à comunidade.
4,10-22 Agradecimentos e saudações.

FILIPENSES 1

1 ¹Paulo e Timóteo, servos de Cristo Jesus, a todos os consagrados a Cristo Jesus que residem em Filipos, incluídos seus bispos e diáconos: ²graça e paz da parte de Deus nosso Pai e do Senhor Jesus Cristo.

Ação de graças – ³Dou graças a meu Deus sempre que me recordo de vós, ⁴e sempre que peço qualquer coisa por todos vós, faço-o com alegria, ⁵por causa de vossa participação no anúncio da boa notícia, desde o primeiro dia até hoje. ⁶Disto estou seguro: aquele que começou em vós uma obra boa, a levará a termo até o dia de Cristo Jesus. ⁷É justo que eu sinta isso de todos vós, já que vos trago no coração, enquanto vós sois solidários de minha graça na prisão e na defesa e confirmação da boa notícia. ⁸Deus me é testemunha de quanta saudade tenho de vós com o afeto entranhável de Cristo Jesus. ⁹Isto é o que peço: que vosso amor cresça sempre mais em conhecimento e em toda espécie de percepção, ¹⁰para que saibais apreciar o que tem maior valor. Assim chegareis limpos e sem tropeço ao dia de Cristo, ¹¹carregados com o fruto da honradez que Cristo Jesus proporciona, para a glória e louvor de Deus.

Prisioneiro por Cristo – ¹²Quero que saibais, irmãos, que minha situação redundou na difusão da boa notícia; ¹³pois o pessoal do palácio do governador e as outras pessoas descobriram que estou preso por causa de Cristo, ¹⁴e a maioria dos irmãos que confiam no Senhor, com minha prisão se animam para anunciar sem temor a mensagem. ¹⁵Uns proclamam Cristo por inveja e por polêmica, outros com boa vontade. ¹⁶Uns por amor, sabendo que me encontro assim para defender a boa notícia; ¹⁷outros anunciam Cristo por ambição e má intenção, pensando acrescentar sofrimentos à minha prisão. ¹⁸Que importa? Em qualquer caso, seja como pretexto ou sinceramente, Cristo é anunciado, e disso me alegro e

---

1,1-2 "Paulo", sem o título corrente de apóstolo, que supõe indiscutido. "Servo" é título tradicional em ambos os Testamentos. Timóteo é um dos seus melhores colaboradores; talvez também na evangelização de Filipos (cf. At 16,12-40). O povo santo, consagrado a Jesus como Messias, corresponde ao povo do AT, "santo" ou consagrado a *Yhwh* (Ex 19,6). "Bispos e diáconos": vigilantes (ou supervisores) e auxiliares (ou empregados). Esses títulos eram comuns no mundo grego e judaico, e não tinham o significado e alcance que têm entre nós. Note-se o plural "bispos".

1,3-11 A costumeira ação de graças se entremeia com a súplica, num tom afetuoso e cordial, expressão de sentimentos. Alegria, carinho, saudade e confiança dominam as relações de Paulo com os filipenses. A carta é desde o princípio muito pessoal e nos ilustra um aspecto humano importante do apóstolo, que segue de fato o exemplo de Jesus: "eu vos chamei amigos" (Jo 15,15).

Os filipenses não só aceitaram o evangelho, mas também colaboraram com Paulo na sua difusão (v. 5); falta que Deus complete neles a obra começada (v. 6), até a parusia.

1,6-8 "Não abandones a obra de tuas mãos" é a conclusão de um salmo (138,8): o pedido se enriquece aqui com a projeção escatológica do "dia" de Cristo Jesus. Será um dia de plenitude e alegria: não como o que anunciam Amós e Sofonias (Am 5,18; Sf 1,15-18), e sim como o que o discurso escatológico anuncia (Lc 21,28). "Solidários da graça", ou seja, da missão apostólica de Paulo, com suas consequências de sofrimentos. Na solidão ou na hostilidade da prisão, brota com força a "saudade": sentimento humano transfigurado pela união com Cristo.

1,9-10a Dizem que o amor cega: a caridade cristã também? O impulso radical pode desencaminhar ou extrapolar seu dinamismo. É preciso colocar a caridade à luz do "conhecimento e percepção", para poder "discernir". Eis aqui a "discreta caridade" (de Santo Inácio). Discernir: não entre o bem e o mal, mas entre o bom e o melhor (o autor se dispõe a um ato de discernimento transcendental, 1,21-25). A mesma caridade estimula a afinar a percepção.

1,10b-11 A súplica estende de novo o olhar para a parusia (1Cor 1,8) e conclui com breve doxologia. "O fruto da honradez" ou justiça é metáfora corrente, até lexicalizada, na literatura sapiencial (Pr 1,31; 12,14; 13,2 etc.) Examinando bem a imagem, podemos concluir que as obras são "fruto", não condição, e que a fertilidade é o que Jesus Cristo procura (cf. Os 14,9 "de mim procedem teus frutos"; Jo 15,16).

1,12-14 Paradoxo da prisão (Ef 3,1). Prendendo o apóstolo numa instituição romana, o presentearam com uma inesperada plataforma de apostolado. Seriam as conversações particulares e as declarações oficiais. Os Atos documentam essa tática paulina de aproveitar qualquer ocasião, diante de qualquer auditório (cf. o conselho de 2Tm 4,2). Por ora foi-se aclarando que a causa da sua prisão não são crimes contra a lei romana, mas simplesmente sua pregação sobre o Messias. Esse resultado imprevisto dá ânimo a todos os outros, "que confiam no Senhor", e por isso são capazes de compreender sob outra luz a aparente desgraça.

1,13 Chama "palácio do governador" (pretório) uma residência do governador ou do representante de Roma.

1,15-19 De repente, uma sombra turva seus pensamentos. Alguns da comunidade ou nela se aproveitam

me alegrarei; ¹⁹pois sei que isso acabará em minha libertação, por vossas orações e pelo auxílio do Espírito de Jesus Cristo. ²⁰Espero e aguardo não me intimidar por coisa alguma; ao contrário, com minha valentia, agora como sempre, Cristo será engrandecido com minha vida corporal ou com minha morte. ²¹Pois minha vida é Cristo, e morrer é lucro. ²²Mas, se minha vida corporal vai produzir fruto, não sei o que escolher. ²³As duas coisas me atraem: meu desejo é morrer para estar com Cristo, e isso é muito melhor; ²⁴mas para vós é mais necessário que eu continue vivendo. ²⁵Ora, estou convencido de que ficarei e continuarei convosco para vosso proveito e alegria de vossa fé; ²⁶e assim, por minha causa, quando eu voltar a visitar-vos, vos sentireis mais orgulhosos de Cristo Jesus. ²⁷Uma coisa importa: que vossa conduta seja digna da boa notícia de Cristo e, assim, quer eu vá ver-vos, quer continue ausente, terei notícias de que vos conservais unidos em espírito e coração, lutando juntos pela fé na boa notícia, ²⁸sem assustar-vos por nada diante de vossos adversários. Isso, por desígnio de Deus*, será para eles um sinal de perdição, e de salvação para vós. ²⁹Pois a vós foi concedida a graça, não só de crer em Cristo, mas de padecer por ele, ³⁰suportando a mesma luta que vistes em mim e agora ouvis de mim.

2 Amor cristão e humildade de Cristo

— ¹Se algum poder tem uma exortação em nome de Cristo, ou um consolo afetuoso, ou um espírito solidário, ou a ternura do carinho, ²levai à plenitude minha alegria, sentindo as mesmas coisas, com amor mútuo, concórdia e procurando as mesmas coisas.

³Nada façais por ambição ou vanglória, mas com humildade tende os outros como melhores. ⁴Ninguém procure o próprio interesse, e sim o dos outros. ⁵Tende os mesmos sentimentos de Cristo Jesus.

⁶Ele, apesar de sua condição divina,
não fez alarde de ser igual a Deus,

---

da prisão de Paulo com segundas intenções, mesmo que não fosse para pregar um evangelho diferente ou contrário (cf. Gl 1,6-9). Por ambição, cobiça ou inveja: ou seja, para ocupar o lugar do ausente, para rivalizar seus êxitos. Paulo denuncia com brevidade rigorosa, mas reage com generosidade: o que importa não é sua pessoa, e sim a mensagem de Cristo. Esta é uma lição permanente de apostolado.

1,19 "Acabará em salvação": citação livre de Jó 13,16, em contexto muito diferente. Aqui a "salvação" é sair da prisão; fato particular que se inscreve no contexto amplo da "salvação" total, como dá a entender a seguir.

1,20 "Com a vida ou com a morte" é abrir-se a qualquer eventualidade. Ver a fórmula lapidar de Rm 14,8.

1,21-26 Discernimento entre dois bens, o seu pessoal e o proveito de seus fiéis (2Cor 5,8). À vida e morte corporais, da pessoa em seu estado corpóreo presente, corruptível, se opõe a vida transformada ou salva pela presença e ação do Senhor glorificado. Vida que já começou no batismo e que continua em plenitude para além da morte corporal ou biológica. Paulo não está avalizando aqui uma concepção filosófica grega de alma separada, mas pensa em sua pessoa concreta, como na promessa ao bom ladrão (Lc 23,43). Esse "estar com" é vislumbrado por alguns orantes do AT (Sl 16,11; 73,23-25).
É curioso Paulo pensar que a escolha dependa dele e não dos romanos, e que a escolha desemboque em convicção sobre o resultado. Paulo oferece sua disponibilidade ao ato de discernimento; então recebe uma luz especial que equivale a uma resposta; daí sua convicção, que não é resultado de previsão humana. Os filipenses e muitos outros saem ganhando; ele sai perdendo por ora, para sair ganhando no final.

1,26 O orgulho de serem cristãos, de pertencerem com Paulo a Cristo Jesus.

1,27-28 "Conduta": em grego *politeuesthai*: comportar-se como cidadãos, na vida civil e civilizada; só que a norma não é dada pela *pólis* grega, mas pelo evangelho (Ef 4,1). Uma vida que supõe luta. A têmpera e inteireza dos combatentes serão como antecipação do julgamento escatológico, "perdição ou salvação".

1,28 * Ou: *pela ação de Deus*.

1,29 Não conta o padecer simplesmente, e sim a causa e a pessoa pelas quais se padece (At 5,11-12 par.).

1,30 Ver At 16,22; Cl 2,1; de modo genérico 2Cor 11,24-12,10.

2,1-4 Com um desenrolar avassalador de motivações, Paulo introduz sua exortação à caridade e à humildade. Ambos os temas são conhecidos de sobra; o acerto e a importância desses vv. estão na conexão: a humildade, resultado e condição de uma caridade autêntica e duradoura. Se o egoísmo é o contrário do amor (1Cor 10,24), o orgulho é seu inimigo capital. Deve-se colocar essas linhas entre a simples proposta do amor como resumo de todos os mandamentos (Mt 22,37-40 par.) e a grande explanação de 1Cor 13.

2,5 A frase é gramaticalmente ambígua. Na tradução proposta, tradicional e frequente, recomenda-se imitar os sentimentos de Cristo. Outros interpretam: cultivai entre vós os sentimentos próprios do cristão, de quem vive em Cristo.

2,6-11 Hino a Jesus Cristo Senhor e por ele ao Pai. Dado que nos vv. precedentes Paulo falava de humildade

⁷mas se esvaziou de si
e tomou a condição de escravo,
fazendo-se semelhante aos homens.
E mostrando-se em figura humana,
⁸humilhou-se,
tornou-se obediente até à morte,
morte de cruz.
⁹Por isso, Deus o exaltou e lhe concedeu
um título superior a todo título,
¹⁰para que, diante do título de Jesus,
todo joelho se dobre,
no céu, na terra e no abismo;
¹¹*e toda língua confesse*
para glória de Deus Pai:
Jesus Cristo é o Senhor!

¹²Portanto, meus queridos, sede obedientes como sempre: não só em minha presença, mas ainda mais em minha ausência, trabalhando escrupulosamente em vossa salvação. ¹³Pois é Deus quem, segundo seu desígnio, produz em vós o desejo e sua execução. ¹⁴Fazei tudo sem protestar nem discutir; ¹⁵assim sereis íntegros e irrepreensíveis, filhos de Deus sem defeito, em meio a uma geração perversa e depravada,

e não de exaltação, e considerando a forma, é opinião comum de exegetas que o apóstolo retoma (e talvez retoque) um hino (aramaico ou grego) do culto cristão. É útil compará-lo com os três hinos ou aclamações celestes de Ap 5, que parecem pressupor e projetar no céu práticas litúrgicas das igrejas. Seriam testemunho, ao menos indireto, de um culto cristão primitivo a Jesus Messias como Senhor.
Quanto ao conteúdo e forma interna, rege-se pelo esquema humilhação/exaltação. Pode-se detectar a presença de tal esquema em textos variados, p. ex.: "à frente da glória caminha a humildade" (Pr 15,33; 18,12); "levanta do pó o desvalido... para sentá-lo com os nobres" (Sl 113,7-8; cf. 1Sm 2, cântico de Ana; Sl 22; 118; e o exemplo extremo de Is 53).
Quanto ao desenvolvimento, traça uma gigantesca parábola de descida e subida, em dois ou quatro tempos: vv. 6-8+9-11, ou 6-7a+7b-8+9+10-11. A primeira parte parece conter alusões a Adão: a "forma" ou imagem de Deus, pretensão de ser Deus, rebeldia em lugar de obediência. A segunda parte imita um rito de entronização seguido de homenagem e aclamação.
2,6 O termo grego *morphê* admite várias interpretações: forma externa, aspecto (alguns traduzem "traços"), forma interna ou condição; imagem ou natureza. Também é duvidoso e discutido o sentido de *harpagmon*: ostentação do que se possui ou rapto de algo alheio; a frase nega, "não julgou". Como ilustração por contraste podem-se ver as pretensões divinas do príncipe de Tiro (Ez 28,6.9), do rei de Babilônia (Is 14,13-14) e o convite irônico de Deus a Jó (Jó 40,7-14).
2,7 "Se esvaziou" (*ekénosen*; curiosa assonância com *eskénosen* de Jo 1,14), expressão audaz e vigorosa, que nos faz pensar por contraste na "plenitude"; "humilhou-se" (v. 8) é equivalente mais suave. A condição de escravo é simplesmente a condição humana submetida a Deus. Faz-se "à imagem e semelhança" (*homoiómati*) do homem, dos homens.
2,8 A obediência ao Pai define toda a sua existência humana até o extremo da cruz. Ao tocar o ponto mais baixo, acontece a exaltação por ação soberana de Deus.
2,9 "Exaltou": o verbo grego é enfático. "Título": traduz o grego *ónoma*, que corresponde a um dos significados correntes do hebraico *shem*. O nome é Jesus (que compartilha com Josué, Oseias e outros do AT), o título é Senhor *Kyrios*, que corresponde a *Yhwh 'adonay*.
2,10 O gesto significa a homenagem de adoração (cf. Mt 28,9.17; Lc 24,51-52: homenagem ao ressuscitado; cf. Rm 1,4). A extensão aqui a todo o universo e textos como 1Cor 15,24-28 colocariam a homenagem do hino no final dos tempos. Os três planos de adoradores são como os de Ap 5,13. Preste-se atenção na homenagem do Abismo ou reino dos mortos, pois no AT era opinião comum que os mortos não louvam a Deus (p. ex. Is 38,18s; Sl 30,10; 88,11-13); está mais em sintonia com Sl 22,30 "diante dele se prostrarão as cinzas da tumba, em sua presença se curvarão os que descem ao pó".
2,11 A conclusão de todo o movimento é a "glória do Pai".
2,12-13 Começa a tirar as consequências. Uma imediata, a obediência a Paulo, ainda que ausente. Outra geral, que enuncia e resume o mistério da relação entre a ação do homem e a de Deus. A salvação começada não está consumada: por isso, os fiéis deverão trabalhá-la "escrupulosamente" (1Cor 2,3; 2Cor 7,15; Ef 6,5): com atenção e cautela para não falhar. Contudo, é Deus quem atua no e pelo homem ("todos os nossos empreendimentos tu os realizas para nós", Is 26,12; "consolida a obra de nossas mãos", Sl 90,17).
2,13 Veja-se o princípio formulado em Jo 15,5.
2,14 Ver 1Pd 4,9.
2,15 Combina ideias, expressões ou reminiscências de Dt 32,5; Mt 12,39; Dn 12,3.

diante da qual brilhais como estrelas no mundo, [16]ostentando a mensagem da vida. Esta será minha glória no dia de Cristo: a prova de que não corri em vão, nem me cansei inutilmente. [17]E se agora devo ser derramado como libação sobre o sacrifício e a liturgia de vossa fé, eu me alegro e celebro convosco; [18]vós também alegrai-vos e celebrai comigo.

Timóteo e Epafrodito – [19]Confiando no Senhor Jesus, espero enviar-vos logo Timóteo, para que eu me anime ao receber notícias vossas. [20]Não tenho ninguém que se iguale a ele em sua genuína preocupação por vós; [21]pois todos procuram o próprio interesse, e não o de Jesus Cristo. [22]Conheceis os méritos dele. No anúncio da boa notícia esteve a meu serviço como um filho para seu pai. [23]Este é quem espero enviar até vós, para ver como andam as coisas. [24]E confio no Senhor que também eu irei aí logo. [25]Julgo necessário enviar-vos Epafrodito, irmão colaborador e companheiro, vosso enviado para atender às minhas necessidades; [26]pois ele vos faz falta e está intranquilo porque ficastes sabendo que ele estava doente. [27]É verdade que esteve doente e à morte. Mas Deus teve piedade dele; não só dele, mas também de mim, para não acrescentar sofrimento aos meus sofrimentos. [28]Portanto, o enviarei rapidamente, para que ao vê-lo vos alegreis, e eu me veja livre desse sofrimento. [29]Em nome do Senhor, recebei-o com toda a alegria. Deveis estimar pessoas como ele, [30]pois pelo serviço de Cristo esteve às portas da morte e expôs a vida para suprir a vossa ausência no serviço a mim.

3 Méritos do cristão
– [1]Quanto ao resto, meus irmãos, ficai alegres no Senhor. Repetir-vos por carta as mesmas coisas, não é pesado para mim e é seguro para vós. [2]Cuidado com os cães, cuidado com os maus trabalhadores, cuidado com os mutilados! [3]Somos nós os circuncisos, os que servimos a Deus em espírito, pomos em Cristo nossa glória e não nos apoiamos em méritos corporais, [4]embora eu pudesse me apoiar neles. E se alguém recorre a méritos semelhantes, com maior razão eu: [5]circuncidado ao oitavo dia, israelita de raça, da tribo de Benjamim, hebreu filho de hebreus; em relação à lei, fariseu, [6]zeloso perseguidor da igreja; no que se refere à justiça legal, irrepreensível. [7]Porém, o que para mim era ganho, por causa de Cristo considerei perda. [8]Mais ainda: considero tudo perda em comparação com o superior conhecimento de Cristo Jesus, meu Senhor; por ele dou tudo como perdido e o con-

---

2,16 Metáfora esportiva (1Cor 9,24; 2Tm 4,7).

2,17 Transpõe a linguagem do culto à vida cristã e à missão apostólica. "Libação" seria derramar o sangue por Cristo (2Tm 4,6).

2,18-30 Essas linhas mostram as relações afetivas e efetivas entre a comunidade e Paulo preso. Talvez para que ressalte a fidelidade de Timóteo, exprime um desabafo (v. 21), generalizando a própria desilusão. À consciência de uma possível condenação à morte (v. 17) sobrepõe a esperança certa da libertação (v. 24).

3,1a A expressão semítica subjacente significa festejar, partilhando a alegria. A frase poderia ser o começo de uma saudação final (4,10).

3,1b-2 De repente se interrompe e dá uma guinada violenta, como se Paulo continuasse ditando em outro momento, depois de receber outras notícias, ao descobrir uma ameaça ou perigo da comunidade de Filipos. Parece referir-se a pregadores judaizantes que tentavam impor a circuncisão aos pagãos convertidos ao cristianismo. Não é fácil definir se os judaizantes já atuavam em Filipos ou se Paulo quer só precaver contra a difusão da doutrina deles. Certo é que os apelidos usados são duros e ofensivos (Ap 22,15); fazem eco a insultos semelhantes dos pagãos contra os judeus, chamando "mutilação" a circuncisão. Pode-se recordar a prática de alguns judeus para exercitar-se no ginásio à moda grega (1Mc 1,14s). Paulo aproveita a situação, seja qual for, para propor uma síntese do seu ensinamento, que coincide com sua vida e se pode apresentar como doutrina e exemplo.

3,3 Os judaizantes insistiam na circuncisão e suas consequências como caminho necessário de salvação. Gloriavam-se de um rito corporal que atestava a escolha e a aliança, e exerciam sua religiosidade no serviço de um culto material. Paulo retorce a pretensão, opondo-lhe uma circuncisão espiritual (cf. Jr 4,4; Rm 2,29), um serviço ou culto em espírito (cf. Jo 4,23-24; Rm 12,1), um gloriar-se só em Cristo (2Cor 11,18).

3,4-6 Quanto a méritos de raça, educação e conduta, pode competir com qualquer deles. Elenca sete títulos, que lhe servem de contraste para uma valorização comparativa. O primeiro é a circuncisão (2Cor 11,20-22), o último a justiça legal: é irônico reivindicar como mérito ter perseguido a igreja (at 8,3).

3,7-8 Os méritos mencionados e outros que se poderiam mencionar são "perda" comparados com o "lucro" de Cristo (cf. Mt 13,44-46; 16,26). Recorda as reflexões de textos sapienciais sobre o valor comparativo da sabedoria (Pr 8; Jó 28; Sb 7).

sidero lixo, contanto que eu ganhe Cristo [9]e esteja unido a ele, não contando com uma justiça minha baseada na lei, mas na fé em Cristo, a justiça que Deus concede a quem crê. [10]Oh! conhecê-lo e conhecer o poder de sua ressurreição e a participação em seus sofrimentos; configurar-me com sua morte, [11]para ver se alcanço a ressurreição da morte. [12]Não que eu já a tenha conseguido nem que já seja perfeito; eu continuo para alcançá-lo, como Cristo me alcançou. [13]Irmãos, não penso tê-lo já conseguido. Mas, esquecendo o que fica para trás, esforço-me pelo que está à frente [14]e corro para a meta, para o prêmio ao qual Deus me chamou do alto por meio de Cristo Jesus. [15]Portanto, nós que somos maduros, devemos pensar assim; se alguém pensa de outro modo, Deus vo-lo revelará. [16]Portanto, o ponto a que chegamos marcará para nós a direção.

O exemplo de Paulo — [17]Irmãos, procurai todos imitar-me, e prestai atenção aos que se comportam segundo o exemplo que tendes em mim. [18]Já vos disse muitas vezes e agora vo-lo digo chorando, muitos se comportam como inimigos da cruz de Cristo: [19]seu destino é a perdição, seu Deus é o ventre, o que é vergonhoso é sua honra, sua mentalidade é terrena. [20]Nós, ao contrário, somos cidadãos do céu, de onde esperamos receber o Senhor Jesus Cristo, [21]que transformará nosso corpo humilde na forma do seu corpo glorioso, com a eficácia com que ele pode submeter a si todas as coisas.

4 [1]Assim, amados e saudosos irmãos, alegria e coroa minha, conservai-vos assim fiéis ao Senhor, meus queridos.

Recomendações — [2]Exorto a Evódia, exorto a Síntique, para que estejam de acordo em nome do Senhor. [3]A ti, meu fiel colega, peço que ajudes a essas que, pela boa notícia, lutaram comigo, com Clemente e outros colaboradores meus; seus nomes estão escritos no livro da vida. [4]Tende sempre a alegria do Senhor; repito: estai alegres. [5]Que todos reconheçam vossa clemência. O Senhor está perto. [6]Nada vos preocupe. Pelo contrário, em vossas orações e súplicas, com ação de graças, apresentai a Deus vossos pedidos. [7]E a paz de Deus, que supera a inteligência humana,

---

3,9 Síntese brevíssima de uma doutrina central de Paulo, que desenvolve em Gl e Rm.

3,10-11 Frase culminante, das que se destacam em todo o corpo paulino: conhecimento íntimo da pessoa de Cristo, experiência pessoal da eficácia da sua ressurreição, comunhão com sua paixão e esperança segura de ressuscitar. Muitos paralelos poderiam servir de moldura a essas frases; indiquemos ao menos Rm 8.

3,12-14 Mas se trata de um programa que vai se realizando ao longo da vida, como uma prova de atletismo (2,16), desde o chamado, que é a largada, até a premiação (1Tm 6,12). Cristo alcançou Paulo no caminho de Damasco, agora compete a Paulo correr para alcançar a Cristo (1Cor 9,24).

3,15 Com suas palavras e autoridade, procura persuadir os destinatários; se suas palavras não o conseguem, que o próprio Deus supra.

3,16 Frase duvidosa. Outros traduzem: *devemos manter o que temos alcançado.*

3,17 Pode propor-se como exemplo porque segue o de Cristo (1Cor 11,1; cf. Jo 13,15). Não exemplo de algo acabado, mas de um esforço constante.

3,18-19 Pode referir-se aos judaizantes (3,2) ou a outros em geral. São inimigos da cruz de Cristo (1Cor 1,23) porque buscam sua segurança em ritos e desempenhos puramente humanos. Em observâncias alimentares (ventre, Rm 16,18), na circuncisão (vergonha), no terreno, ou então o culto material, segundo 3,3, onde colocam a salvação futura.

Notem-se também os termos "Deus" e "honra". Outros comentaristas pensam que se refere a libertinos, talvez como os descritos em Sb 2.

3,20-21 "Céu" substitui com frequência o nome de Deus e representa imaginativamente a morada divina. Somos "cidadãos" de uma cidade onde o próprio Deus governa (Hb 12,22), o qual do alto (3,14) enviará Jesus Cristo para que leve a bom termo a salvação começada, transformando gloriosamente todo o nosso ser, à imagem de sua glória consumada (Rm 8,29). A representação espacial importa pouco; o que importa é nossa glorificação à imagem do Ressuscitado e por sua "eficácia".

4,1 Ver 1Ts 2,19-20.

4,2-3 Nomes para nós desconhecidos, que Paulo parece explorar para engenhosas paronomásias no estilo hebraico. *Eu-odia* = Bom caminho, *Syn-tike* = Encontro, *Syzygos* = parelha de jugo. Insiste no morfema *syn* = com- col- de *com*panhia ou *co*laboração. Já Orígenes identificou esse Clemente com o quarto papa, autor de uma famosíssima carta enviada aos coríntios. No livro da vida são registrados os que estão vivos (Ex 32,32; Sl 69,28-29; Dn 12,1; Ap 3,5).

4,5 Perto: alude à parusia como acontecimento alegre (cf. Lc 21,28).

4,6-7 Vejam-se os conselhos de Jesus em Mt 6,25. Paz: Is 26,3.

4,7-9 Reconhece os valores do paganismo, mas os submete ao ensinamento tradicional cristão. Note-se a inclusão menor: "a paz de Deus... o Deus da paz".

guarde vossos corações e mentes por meio de Cristo Jesus. ⁸Quanto ao resto, irmãos, ocupai-vos de tudo o que é verdadeiro, nobre, justo, puro, amável e louvável, de toda virtude e de todo valor. ⁹O que aprendestes, recebestes, escutastes e vistes em mim, isso praticai. E o Deus da paz estará convosco.

Agradecimentos e saudações – ¹⁰O Senhor me encheu de alegria, porque vossa solicitude por mim floresceu outra vez; sempre a tínheis, porém vos faltava ocasião. ¹¹Não falo de indigência, pois aprendi a adaptar-me às necessidades. ¹²Sei o que é sentir falta e sei o que é ter de sobra. Estou plenamente iniciado na saciedade e no jejum, na abundância e na escassez. ¹³Posso tudo com aquele que me fortalece. ¹⁴Contudo, fizestes bem ao mostrar-vos solidários com meus sofrimentos.

¹⁵Vós, filipenses, sabeis que no início de minha pregação, quando saí da Macedônia, nenhuma igreja, além de vós, associou-se a minhas contas de saídas e entradas. ¹⁶Quando estava em Tessalônica, mais de uma vez me enviastes algo para suprir às minhas necessidades. ¹⁷Não estou buscando presentes; busco, antes, os benefícios que crescem para vós. ¹⁸Estou pago, mais do que é devido; agora estou completo, ao receber de Epafrodito o que enviastes: um aroma agradável, um sacrifício aceito e agradável a Deus. ¹⁹Pois meu Deus, segundo sua riqueza e esplendor, plenificará vossas necessidades por meio de Cristo Jesus. ²⁰Ao Deus e Pai nosso seja a glória pelos séculos dos séculos. Amém. ²¹Saudai, em nome de Cristo Jesus, todos os consagrados. Os irmãos que estão comigo vos saúdam. ²²Todos os consagrados vos saúdam, em especial os servidores do imperador. ²³A graça do Senhor Jesus Cristo esteja com vosso espírito.

4,10-19 Antes de terminar a carta, quer agradecer o envio a que se referia antes (2,25-30). Ao mesmo tempo, quer fazer profissão de independência e liberdade para sua missão apostólica. Embora seja fraco, do Senhor recebe forças para suportar qualquer coisa (2Cor 12,9-10); antes falava de vida ou morte. A liberdade que Paulo busca não é simplesmente a dos estoicos, "autarquia", embora tenha pontos de contato com ela.

4,15-16 Como princípio geral, Paulo preferiu não receber para si, para não ser um peso e para conservar a independência. Mas seria outra dependência atar-se rigidamente a esse princípio. Ao contrário, sabe recusar e sabe receber, segundo as circunstâncias. Como seus precedentes do AT: p. ex. Abraão recebe do Faraó, recusa de Melquisedec (Gn 12,16 e 14,22-24); Eliseu aceita da sunamita e recusa de Naamã (2Rs 4,9-10 e 5,16).

4,17-19 Depois, passa à linguagem comercial para retorcer seu sentido: sai ganhando quem dá (At 20,35, citado por Paulo como frase de Jesus). Quem dá receberá de Deus a paga com juros acrescidos (cf. Dt 15,1-11; Eclo 29,11-13). Numa cunha (v. 18) introduz a linguagem cultual: um ato de caridade cristã é sacrifício oferecido a Deus: "quem dá esmola oferece sacrifício de louvor" (Eclo 35,2).

4,20-23 Conclui a carta com a doxologia e saudações sem nomes próprios.

CARTA AOS COLOSSENSES

INTRODUÇÃO

Colossas, Hierápolis e Laodiceia eram três cidades menores da Frígia, na província romana da Ásia, situadas a certa distância a leste de Éfeso; habitadas por populações autóctones, colonos gregos e uma comunidade judaica. Segundo fontes profanas, uma delas ou as três foram arrasadas por um terremoto entre os anos 60 e 64 d.C.

Pelo que diz a carta, Colossas foi evangelizada por Epafras, discípulo de Paulo (1,7; 4,12s). Quem escreve a carta diz não conhecer pessoalmente os destinatários (1,4.9; 2,1). Diz também que se encontra preso: se o autor é Paulo, deveríamos pensar na prisão de Roma, depois de 60, ou em Éfeso, por volta de 56-57. A ocasião é um perigo grave de desvio doutrinal naquela igreja. Vários nomes das saudações finais coincidem com os da carta a Filemon.

A carta coloca dois problemas sérios e bastante discutidos: Quem a escreveu? Quem são os mestres de erros? Quanto à primeira pergunta, há equilíbrio entre os que afirmam a autoria de Paulo e os que a negam. Quanto à segunda pergunta, os candidatos são gnósticos, devotos de mistérios, sincretistas.

Autenticidade

Contra a autenticidade alegam-se os seguintes dados do texto: o vocabulário contém numerosas palavras peculiares, muitas para a extensão da carta; o estilo é monótono quanto à sintaxe, carregado de substantivos e sinônimos; faltam conceitos paulinos fundamentais, como fé, lei, justiça, salvação, revelação, e uma só vez se menciona o Espírito; a cristologia é mais avançada, de tipo cósmico; a eclesiologia aponta formas institucionais que se afirmarão nas cartas pastorais.

Essas observações se concentram depois em discrepâncias de detalhe analisadas pelos autores. Comparar Cl 2,11 com Rm 6,3-11 e 2,25-29 sobre batismo e circuncisão; 1,19s com 2Cor 5,19 sobre reconciliação; 1,16 com 1Cor 8,6 sobre o fim da criação; 1,7.23.25 com Rm 13,4s e Fl 1,1 sobre o conceito de ministro; 2,6 com 1Cor 7,10 e 11,23-26 sobre o objeto da tradição.

A favor da autenticidade aduzem-se os seguintes dados do texto: a coincidência de nomes (exceto o companheiro de prisão, que em Fm é Epafras e em Cl é Aristarco); a coerência com muitos ensinamentos autênticos de Paulo. Outros argumentos consistem em rebater as razões dos que negam a autenticidade: as mudanças de vocabulário e a omissão de conceitos se devem ao tema diferente; a doutrina mais madura em alguns pontos se deve a um progresso do pensamento de Paulo e a uma situação nova que exigia nova reflexão; as discrepâncias são de aspecto ou enfoque mais que de substância.

Concluindo, os dados do texto são apreciados e avaliados de modo diferente pelos exegetas. Uns continuam sustentando que Paulo é o autor de Cl; outros imaginam um discípulo da geração seguinte, que imita habilmente a impostação epistolar para abordar um problema novo com autoridade emprestada.

Não menos difícil é traçar o perfil dos mestres perigosos, porque reúnem traços heterogêneos. Não são judaizantes, embora se mencionem algumas observâncias judaicas (2,16). Veneram criaturas angélicas e se submetem a poderes cósmicos, praticam uma ascética por si mesma e observam múltiplos tabus. Dos ensinamentos da carta alguns tentam extrair em negativo a doutrina daqueles mestres: con-

templação cósmica, mediadores celestes, visão ou iniciação, depreciação do corpo, consciência de superioridade...

Com esses dados e apoiados em termos como "plenitude, mistério", pensam num pregnosticismo ou gnosticismo incipiente. Outros pensam em religiões mistéricas, então muito atraentes. A explicação de sincretismo é por definição a mais fácil, pois não precisa reduzir a unidade coerente. Resta ainda uma solução: que circularam vários mestres, cada qual com sua doutrina. O autor dá três avisos: "que ninguém vos seduza, que ninguém vos julgue, que ninguém vos desqualifique" (2,4.8.16.18).

Diante de todas essas tentativas, o autor afirma e desenvolve a centralidade de Jesus Cristo: já não em categorias jurídicas de justiça e libertação, lei e fé, e sim na visão de um Senhor cósmico, cabeça da Igreja, que é seu corpo. Ele incorpora os homens à sua morte e ressurreição. É vencedor de todos os poderes, cósmicos ou históricos, que pretendem dominar o mundo.

É difícil reduzir a carta a esquema ou sinopse, porque os temas se sobrepõem parcialmente. Assim, o começo clássico "saudação – ação de graças – súplica" toma o terceiro membro (1,9-14) para incorporá-lo ao hino em honra de Cristo. A "reconciliação" dos destinatários pagãos (2,21-23) flui como consequência do hino e serve de correlativo ao ministério de Paulo acerca de Cristo (1,24-2,4). Nessa seção anuncia o perigo das falsas doutrinas, que expõe a seguir (2,6-19.20-23). O último membro (vv. 20-23) serve para a exposição por correlativos de morte e vida nova (2,20-3,17). No final dessa seção começam os conselhos genéricos (3,12-17), que se especificam por classes em 3,18-4,6. Com essas observações, relativizo o valor da seguinte sinopse:

I. Introdução 1,1-14

- **1**,1-2   Saudação.
- **1**,3-8   Ação de graças.
- **1**,9-14   Súplica.

II. Parte doutrinal 1,15-3,11

- **1**,15-20   Hino a Cristo.
- **1**,21-23   Os pagãos reconciliados.
- **1**,24-**2**,5   Ministério de Paulo, apóstolo de Cristo.
- **2**,6-15.16-19.20-23   Vida cristã frente a doutrinas perigosas.
- **2**,20-**3**,11   Morte espiritual e vida com Cristo.

III. Exortação e despedida 3,12-4,18

- **3**,12-17   Conselhos genéricos.
- **3**,18-**4**,6   Conselhos particulares.
- **4**,7-18   Saudações e despedida.

COLOSSENSES 1

1 ¹De Paulo, apóstolo de Cristo Jesus por vontade de Deus, e do irmão Timóteo, ²aos consagrados de Colossas, fiéis e irmãos em Cristo: graça e paz a vós da parte de Deus, nosso Pai.

Ação de graças – ³Sempre que rezamos por vós, damos graças ao Deus Pai do Senhor nosso Jesus Cristo, ⁴porque estamos a par de vossa fé em Cristo Jesus e do amor que tendes por todos os consagrados, ⁵fruto da esperança que vos está reservada no céu, da qual ouvistes falar quando vos chegou a mensagem verdadeira da boa notícia. ⁶Ela está frutificando e crescendo em todo o mundo, assim como entre vós, desde o dia em que ouvistes falar e conhecestes de fato o favor de Deus. ⁷Vós o aprendestes de Epafras, meu querido companheiro de serviço, fiel ministro de Cristo a vosso serviço. ⁸Ele me pôs a par do amor que o Espírito vos inspira.

A pessoa e a obra de Cristo – ⁹Por isso nós, desde que ficamos sabendo, não cessamos de orar por vós, pedindo:

Que sejais cumulados do conhecimento de sua vontade,
　　com toda a sabedoria e inteligência espiritual;
¹⁰que vos comporteis como o Senhor merece, agradando-lhe em tudo,
　　dando fruto de boas obras e crescendo no conhecimento de Deus;
¹¹que vos fortaleçais inteiramente segundo a força de sua glória,
　　de modo que suporteis tudo com magnanimidade;
¹²que com alegria deis graças ao Pai que vos capacitou
　　a partilhar a sorte dos consagrados no reino da luz;

1,1-2 A primeira seção da carta tem muitos pontos de contato com Efésios. O começo clássico epistolar: saudação – ação de graças – pedido, cede lugar a uma explanação inesperada, transbordante de ensinamentos. Sendo "graça e paz" as saudações grega e hebraica combinadas, podemos ouvir que, por meio de Paulo, o Pai saúda os cristãos de Colossas, e sua saudação é eficaz.

1,3-8 Já na ação de graças aparece o estilo um tanto monótono, de incisos e orações ligados sucessivamente por meio de relativos, particípios e partículas. O sentido pode ser percebido, apesar de alguma dúvida menor. Menciona a fé, o amor e a esperança. A segunda não como virtude teologal, mas sim dirigida ao próximo. A terceira se refere ao objeto da esperança e por implicação à virtude.
A mensagem evangélica chegou a Colossas não diretamente por Paulo, e sim por um delegado seu com autoridade apostólica. Essa mensagem "cresce e se multiplica", em frutos e difusão, com bênção genesíaca (Gn 1,27; 9,1.7; na restauração, Jr 23,3). A Igreja local não deve perder de vista a Igreja universal, "todo o mundo" (cf. Mt 28,19 par.).

1,5 Ver 1Pd 1,4.

1,9-20 Esse imenso parágrafo utiliza a mesma técnica gramatical antes indicada, que dificulta a leitura e a compreensão. Em parte se deve ao desejo de unificar muitos dados, em parte à monotonia do autor na arte de estruturá-los. Distinguem-se uma seção de súplica com ação de graças (vv. 9-14) e outra cristológica (vv. 15-20). Por baixo da série pode-se descobrir alguns esquemas ou padrões conhecidos: os carismas messiânicos, a libertação em dois tempos, a sabedoria personificada. Os temas e o vocabulário sapienciais são abundantes. A tradução suaviza um pouco, não totalmente, as asperezas do original. A disposição gráfica leva em conta hábitos hebraicos de paralelismo com o fim de articular o texto. A explicação avança por partes.

1,9-11 Pedido de carismas. No cântico de Is 11,1-9, messiânico por origem e por leitura, mencionam-se os carismas ou "espíritos" do rebento de Jessé (o novo e futuro Davi): sensatez e inteligência, prudência e fortaleza, conhecimento e respeito de Yhwh. No presente pedido reaparecem os dois primeiros, o quarto e o quinto, e se estendem a todos os cristãos. Isaías dizia "espírito de inteligência", esta carta diz "inteligência espiritual": o adjetivo o identifica como carisma ou dom do Espírito. Isaías sugeria a plenitude de com o "pousar" dos quatro "ventos" (espíritos, alentos) e a enunciava comparando-a a uma maré alta; esta carta usa o verbo "encher-se" reforçado por cinco menções "tudo, em tudo, de tudo".
O "conhecimento" tem por objeto a vontade de Deus e o próprio Deus: conhecimento pessoal, não puramente intelectual; de uma vontade genérica e concreta, que abrange toda a vida (cf. Br 4,4; Lc 12,47). "Dar fruto e crescer" corresponde ao binômio clássico "crescei e multiplicai-vos"; a imagem de frutificar é frequente nos Provérbios. "Agradar a Deus": de modo que Deus aceite o homem ou seu dom: referindo-se a Levi, Dt 33,11 diz: "aceita a obra de suas mãos"; aplica-se ao Servo (Is 42,1), ao povo (Sl 149,4), aos dons na restauração futura (Ez 20,40s), também um poema (Sl 104,34).
"Fortaleza" para "suportar": porque a paciência pertence à virtude cardeal da fortaleza. Aquilo que era militar em Is 11 muda de sentido: não lutar, e sim suportar. A força vem de Deus.

1,9-10 Ef 1,15-16. A "vontade de Deus": Br 4,4; Lc 12,47. Para a imagem de "frutificar", Is 5,17; Jo 15,15 e textos dos Provérbios (Ef 2,10; 4,1). "Agradar" a Deus: "aceita a obra de suas mãos" Dt 33,11, o Servo (Is 42,1), na restauração e com referência cultual Ez 20,40-41, seu povo Sl 149,4.

1,12-14 Ef 1,18. O esquema básico do êxodo, repetido inúmeras vezes no AT, se articula em duas fases: tirar de, levar ou introduzir em. Do Egito a Canaã,

¹³que vos arrancou do poder das trevas
e vos transportou ao reino do seu Filho querido.
¹⁴Por ele obtemos o resgate, o perdão dos pecados.
¹⁵Ele é a imagem do Deus invisível,
primogênito de toda criação,
¹⁶pois tudo foi por ele criado, no céu e na terra:
o visível e o invisível,
majestades, dominações, autoridades e potestades.
¹⁷Tudo foi criado por ele e para ele, ele é anterior a tudo,
e nele tudo tem a própria consistência.
¹⁸Ele é a cabeça do corpo, da Igreja.
É o princípio, primogênito dos mortos,
para ser o primeiro de todos.
¹⁹Nele Deus decidiu que residisse a plenitude;
²⁰que por meio dele tudo fosse reconciliado consigo,
fazendo as pazes pelo sangue da cruz
entre as criaturas da terra e as do céu.

---

de Babilônia à pátria etc. Cristo nos tira ou "arranca" do pecado, das trevas (Ef 1,7). Trevas para o judeu não é simples ignorância, escuridão mental, e sim significa a morte, inclusive o não ser (cf. Jó 3). Seu oposto, a luz, é a vida; ver a luz é viver (Jo 3,21). O reino de Cristo é reino de luz. Ao esquema binário básico acrescentam-se dois elementos tradicionais: o resgate de escravos (Ex ,6,6; 15,13) e a partilha da terra. O resgate é agora o perdão, e partilhar a terra é "partilhar a sorte" (terminologia do livro de Josué). A visão é inteiramente comunitária, não individualista. "Por ele" (v. 14) serve de transição.

1,15-20 No hino cristológico, podemos distinguir a seção transcendente (vv. 15-17) e a seção eclesial (vv. 18-19). Quanto à forma, articula-se em três relativos que unem ou prolongam vv. 15.16.19) e onze ou doze pronomes "ele" em diversos casos gramaticais. Indício de série sem construção calculada. Quanto ao conteúdo, combina os atributos cósmicos (vv. 15.16.19) com os de redenção (vv. 14.18.20). Quanto à origem, não é improvável que se trate de um hino litúrgico retomado ou adaptado pelo autor. Em tal caso, seria outro testemunho do culto cristão primitivo. E onde se inspira o suposto hino?

1,15-17 Esses vv. adquirem mais sentido se forem considerados como releitura cristológica de textos sapienciais dedicados à Sabedoria personificada. A personificação de qualidades é prática comum dos poetas bíblicos, normalmente em forma breve e sem explanação. Os sapienciais, além das referências breves, cultivaram o que podemos chamar um gênero especial: o elogio da Sabedoria como personagem poética feminina. Da personificação o NT salta para a pessoa, do feminino ao masculino. Creio útil citar alguns textos.

Pr 8,22-26 fala da Sabedoria (*hokmá, sophia*): de sua preexistência e colaboração na tarefa criadora: "desde sempre, desde o princípio fui formada, antes da origem da terra... eu estava junto a ele como artesão". Jó 28,12-23 canta o caráter transcendente e inacessível de *hokmá*: "A Sabedoria, de onde provém ela? Onde está o lugar da prudência?... Só Deus sabe seu caminho, só ele conhece seu lugar". Eclo 24: ela mesma descreve sua viagem cósmica e sua atividade: "Eu saí da boca do Altíssimo... habitei o céu... Desde o princípio, antes dos séculos me criou... Regi as ondas do mar e os continentes e todos os povos e nações". Sb 7-8 elenca e descreve atributos de *sophia*: "É reflexo da luz eterna... imagem de sua bondade..."; "a sabedoria, artífice do cosmo, me ensinou isto... em virtude da sua pureza tudo atravessa e penetra". Br 3,31-32: "Ninguém conhece o seu caminho nem pode rastrear suas sendas. Aquele que tudo sabe a conhece, e a examina, e a penetra".

1,15 "Imagem": transpondo Gn 1,27 segundo 2Cor 4,4; e o citado Sb 7,26. "Primogênito": imagem tomada da geração, que afirma a precedência: Sl 90,2 aplica a imagem à terra e às montanhas; ver o título divino "Pai dos astros" em Tg 1,17. E os textos citados Pr 8,23 e Eclo 24,9.

1,16 "Tudo foi por ele criado": a citação de Sb 7,21; Jo 1,3 o atribui ao Logos. "O visível e o invisível": é expressão polar que abrange a totalidade; "tudo sei, oculto ou manifesto" (Sb 7,21).

1,17 "Consistência": "Alcança com força de extremo a extremo e governa o universo com acerto" (Sb 8,1). Anterior a tudo: Jo 8,58.

1,18 Ef 1,22-23. Em vários textos sapienciais citados, a Sabedoria transcendente e criadora desce depois para residir entre os homens. Pr 8,31 "desfrutando com os homens". Eclo 24,8.11 "aquele que me criou estabeleceu minha residência... na cidade escolhida me fez descansar, em Jerusalém reside meu poder". Sb 7,27 "entra nas almas boas de cada geração...". Sb 9,10 "do céu sagrado envia-a". A versão cristológica o aplica à Igreja, da qual Cristo é a "cabeça": Ef 4,15; 5,23. Como é primogênito da criação, também o é dos mortos, ao ressuscitar como nova criação para a glória definitiva (Ap 1,5). A imagem supõe o sepulcro como um seio materno, inviolado, que dá à luz pela virtude do Espírito (cf. Is 26,19).

1,19 "Plenitude": sem artigo (Jo 1,16); deve-se entender segundo 2,9 (cf. Ef 4,10). Muitos textos mencionam a presença de Deus ou da sua glória no templo, mas Is 6,3 canta que sua glória enche a terra.

1,20 A reconciliação é explicada em 2Cor 5,18-20; "fazer as pazes": Ef 2,14-17 o explica.

²¹Vós outrora estáveis longe, com sentimentos hostis e ações perversas; ²²agora, ao contrário, por meio da morte de seu corpo de carne, vos reconciliaram e apresentaram diante dele: santos, imaculados e irrepreensíveis, ²³contanto que permaneçais alicerçados e fundados na fé, sem vos desviardes da esperança que conhecestes pela boa notícia, proclamada em toda a criação debaixo do céu. Eu, Paulo, sou ministro dela.

Ministério de Paulo — ²⁴Agora me alegro de padecer por vós, de completar, a favor de seu corpo que é a Igreja, o que falta aos sofrimentos de Cristo. ²⁵Por disposição de Deus, fui nomeado ministro dela a vosso serviço, para cumprir o projeto de Deus: ²⁶o segredo escondido por séculos e gerações, e agora revelado a seus consagrados, ²⁷aos quais quis Deus dar a conhecer a esplêndida riqueza que significa esse segredo para os pagãos: Cristo para vós, esperança de glória. ²⁸Ele é o que nós anunciamos, admoestando a cada um e ensinando com toda a destreza a cada um, para apresentar cada um como cristão perfeito. ²⁹Para isso trabalho e luto, com a energia dele que age eficazmente em mim.

2 ¹Quero que saibais o que tive de lutar por vós e pelos de Laodiceia e por todos os que não me conhecem pessoalmente, ²para que se sintam animados e concordes no amor; para que sejam cumulados com todo tipo de riquezas de conhecimento, e compreendam o segredo de Deus, que é Cristo. ³Nele se encerram todos os tesouros do saber e do conhe-

---

1,21-23 Começa a tirar as consequências do exposto. O "afastamento" de Deus que era o paganismo (Ef 2,12s) foi cortado por um ato de reconciliação que é iniciativa de Deus. Em lugar dos sacrifícios de animais com que os judeus expiavam periodicamente seus pecados, Jesus Cristo tomou "um corpo de carne" fraco e mortal, com sua morte expiou, num ato que inaugura a nova situação. Agora importa manter-se nela, porque começou a era da "esperança", fundada na promessa do "evangelho" e cujo final demora. É o paradoxo de estar "alicerçados e firmes" num movimento rumo ao futuro. "Toda a criação debaixo do céu" é toda a terra habitada: reflete o horizonte geográfico da época; leia-se o mandato final de Jesus (Mc 16,15).

1,24 Como a Igreja-corpo completa Cristo-cabeça, assim os sofrimentos de Paulo prolongam e vão completando os de Cristo. Corresponde aos anúncios de Jesus (Jo 15,20), sem valor de expiação.

1,24-2,4 Passa a falar de seu ministério em favor dos cristãos. Antes de descer a detalhes, convém destacar dois polos que unificam a perícope: o mistério acerca de Cristo e o mistério que é Cristo (1,26 e 2,2). O primeiro é um segredo que, ao ser agora divulgado, deixa de ser segredo; o segundo é um mistério que, ao ir manifestando-se, continua sendo mistério. Já num dos discursos finais em Moab, o Moisés do Deuteronômio joga com a antítese do oculto e do manifesto. Como testemunhas oculares, os israelitas tinham assistido a todos os prodígios, desde o Egito até Canaã, "mas o Senhor não vos deu inteligência para entender nem olhos para ver nem ouvidos para escutar até hoje" (29,3); "o oculto é do Senhor, o revelado é nosso e de nossos filhos para sempre" (29,28).
O autor explica o novo segredo. Deus havia formalmente prometido um Messias aos judeus, e eles o esperavam para si. Mas, no projeto de Deus, o Messias estava destinado também para os pagãos; mas o segredo foi guardado até o momento oportuno. Agora Paulo é o confidente, ao qual se comunicou o segredo, e a ele cabe divulgá-lo formalmente e em ação. Pois bem, acontece que o Messias enviado supera toda expectativa e imaginação. Leva "escondida" dentro tão inesgotável riqueza, que sempre será mistério; cada manifestação sua tem tal profundidade, que sempre será mistério. Por dom de Deus, o cristão poderá enriquecer-se mais e mais com o conhecimento do mistério de Cristo.

1,24-29 Cantou a exaltação de Cristo (vv. 14-20) e a ação de Deus. Mas Deus age por meio do homem. Por isso Paulo, ativado por Deus (v. 29), tem de trabalhar e lutar (v. 29) e sofrer (v. 24), para dar cumprimento ao plano de Deus (v. 25). Várias relações verbais e temáticas ligam essa seção ao que precede: o corpo mortal de Cristo, o corpo da Igreja (vv. 22.24), a plenitude e o dar cumprimento (vv. 19.24.25), o apresentar (vv. 22.28).

1,26-27 O segredo escondido é o destino do Messias também para os pagãos (cf. Ef 3,4-7). Sua revelação não é simples informação, e sim riqueza concedida partilhada. "Esperança de glória", de salvação completa ou de participação na glória de Deus. Ver Sl 73,24: "tu me guias segundo teus planos, e me levas a um destino glorioso".

1,28 Com ênfase repete três vezes "cada um" ou "a toda classe de pessoas". "Perfeito": pensa numa maturidade de vida cristã, não na primeira apresentação do batismo.

2,1 Caso particular daquilo que 2Cor 11,16-33 enumera.

2,2 Como no capítulo precedente, insiste no conhecimento (cf. Eclo 39,6), um conhecimento infundido por Deus e de um objeto transcendente, um "mistério". Ver a admoestação ao profeta (Am 3,7) ou ao orante "até que entrei no mistério de Deus" (Sl 73,17).

2,3 São em chave cristológica as riquezas da Sabedoria personificada, segundo os textos antes citados; p. ex. "para dar riquezas a meus amigos e encher seus

cimento. ⁴Digo-o para que ninguém vos engane com argumentos capciosos. ⁵Pois, se com o corpo estou ausente, em espírito estou convosco, contente em ver-vos formados e firmes na vossa fé em Cristo.

Vida cristã – ⁶Assim, pois, já que recebestes Cristo Jesus como Senhor, andai unidos a ele, ⁷enraizados e alicerçados nele, confirmados na fé que vos ensinaram, transbordando em ação de graças. ⁸Atenção! Que ninguém vos escravize com especulações, com argumentos chochos de tradição humana, seguindo os elementos do cosmo e não Jesus Cristo. ⁹Pois nele reside corporalmente a plenitude da divindade, ¹⁰e dele recebeis vossa plenitude. Ele é a cabeça de todo comando e poder. ¹¹Por meio dele fostes circuncidados: não com a circuncisão que os homens praticam, descobrindo a carne do corpo, mas com a circuncisão de Cristo, ¹²que consiste em ser sepultados com ele no batismo e em ressuscitar com ele pela fé no poder de Deus, que o ressuscitou da morte. ¹³Vós estáveis mortos por vossos pecados e pela incircuncisão carnal; ele, porém, vos vivificou com ele, perdoando-vos todos os pecados. ¹⁴Cancelou o documento de nossa dívida, com suas cláusulas contra nós, e o anulou, pregando-o consigo na cruz. ¹⁵Despojando autoridades e potestades, as fez desfilar publicamente em sua marcha triunfal.

¹⁶Portanto, que ninguém vos julgue por questões de comida ou bebida, solenidades, festas mensais ou semanais. ¹⁷Tudo isso é sombra do que virá; a realidade pertence a Cristo. ¹⁸Que ninguém vos desqualifique: ninguém dedicado a mortificações e ao culto de anjos, envolvido em visões, inchado sem razão por sua mente carnal; ¹⁹ao invés de agarrar-se à cabeça, da qual todo o corpo, mediante juntas e ligamentos, recebe sustento e coesão e cresce como Deus o faz crescer.

---

tesouros" (Pr 8,21); "o primeiro não acabará de compreendê-la e o último não poderá rastreá-la" (Eclo 24,28); "ela o sabe e o compreende" (Sb 9,11). Ver 1Cor 1,24; Ef 3,4.

2,4 Assim previne o mestre espiritual (Pr 1,10.15).

2,5 "Ausente": 1Cor 5,3. "Formados e firmes": com ressonâncias militares (cf. Js 10,8; Jz 7,21).

2,6 Literalmente "caminhai nele", na imagem implícita de Cristo como caminho.

2,7 "Enraizados e alicerçados": nas imagens rural e urbana (como Ef 3,17).

2,8 Segunda chamada de atenção (2,4). Está anunciando a admoestação concreta, mas antes recordará de novo a ação redentora de Cristo, como contraste exemplar. Não conhecemos o conteúdo das referidas doutrinas, pois nossa única fonte de informação é a carta. O que expõe não coincide com a doutrina dos judaizantes nem com alguma escola filosófica conhecida. O v. só nos oferece dois qualificativos negativos e uma vaga referência ao conceito de "elementos" (Gl 4,3). Talvez o autor pense em duas forças funestas combinadas: por um lado a especulação e tradição da mente humana; por outro lado, os poderes cósmicos incontroláveis (destino, astros...).

2,9-15 Soa como eco de alguns atributos mencionados no hino (vv. 1.14.18-20; Jo 1,14-16). Cristo os libertou da morte, perdoando seus pecados e tornando desnecessária a circuncisão, que era exigida como condição indispensável para participar no banquete da Páscoa libertadora (Ex 12,44.48s; Js 5). Insiste no batismo, que nos incorpora à morte e ressurreição de Jesus Cristo (Rm 6,1-11). O rito corporal da circuncisão (no órgão corporal da transmissão da vida) incorporava o judeu à descendência de Abraão e à vida generativa do povo (Rm 2,29). O batismo como selo da fé nos incorpora à vida do Ressuscitado: é a nova circuncisão (Rm 6,4).

As imagens se sobrepõem: sepultura, documento de dívida cancelado e posto no pelourinho (levado ao lugar de execução), marcha triunfal do vencedor com seu cortejo de prisioneiros subjugados (cf. 1Pd 2,24; 2Cor 2,14). Em resumo, ninguém pode competir com Cristo, nenhum complemento falta à sua ação.

2,9-10 Sobre a plenitude, comparar com Jo 1,14.16.

2,13 Ver Ef 2,1.

2,16-23 (Faço essa divisão interna para reunir os diversos tipos de erros.) Nos vv. 16-17 ainda nos encontramos no mundo judaico, com suas observâncias, válidas como sombra que antecipa o perfil de algo que se aproxima. A metáfora sombra/realidade será um dos princípios hermenêuticos da tradição ao comentar o AT (Hb 8,3). A seguir (v. 18) denuncia um estilo de vida que junta mortificações corporais e visões: talvez iniciação em experiências esotéricas, que satisfazem enganosamente: incham sem encher (oposto à "plenitude", 2,10). "Anjos" rivais de Cristo Senhor. O quadro se enriquece ou se define nos vv. 21-23: as "mortificações" consistem em abster-se sistematicamente de coisas que Deus criou para uso e consumo do homem, apelando a instituições puramente humanas. Externamente, a piedade e a austeridade atraem a admiração dos homens; internamente, alimentam o orgulho e oferecem uma satisfação enganosa. A condenação é dura e enérgica. Se não conseguimos identificar historicamente quem ensinava tais doutrinas e práticas, podemos, sim, identificar o tipo humano e religioso: é um asceta que exibe seu ascetismo para ganhar prestígio e cultivar a própria vaidade.

2,16 Explanação ampla em Rm 14.

2,18-19 À inflação mental e vã se opõe o crescimento do corpo, dirigido pela "cabeça" que é Cristo (Ef 4,15-16).

Vida nova com Cristo — ²⁰Se com Cristo morrestes para os elementos do cosmo, por que seguis as normas dos que vivem no mundo? ²¹Não pegues, não proves, não toques, ²²coisas destinadas a gastar-se com o uso, seguindo preceitos e ensinamentos humanos. ²³Eles têm a aparência de sensatez, com sua piedade afetada, mortificação e austeridade corporal; mas nada valem, a não ser para satisfazer à sensualidade.

3 ¹Portanto, se ressuscitastes com Cristo, procurai as coisas do alto, onde Cristo está sentado à direita de Deus; ²aspirai às coisas do alto, não às terrenas. ³Pois morrestes, e vossa vida está escondida em Cristo com Deus. ⁴Quando Cristo, vossa vida, se manifestar, então vós apareceireis gloriosos junto com ele.

⁵Portanto, mortificai tudo o que em vós pertence à terra: fornicação, impureza, paixão, concupiscência e avareza, que é uma espécie de idolatria. ⁶Por tudo isso sobreveio a ira de Deus (para os rebeldes). ⁷Assim agíeis também vós quando vivíeis desse modo. ⁸Mas agora, também vós, afastai da boca tudo isto: cólera, ira, malícia, maledicência, obscenidades. ⁹Não mintais uns aos outros, porque vos despojastes da velha condição com suas práticas ¹⁰e vos revestistes da nova, que pelo conhecimento vai se renovando à imagem do seu Criador. ¹¹Nela não se diferenciam grego e judeu, circunciso e incircunciso, bárbaro e cita, escravo e livre, mas Cristo é tudo para todos.

¹²Portanto, como eleitos de Deus, consagrados e amados, revesti-vos de compaixão entranhável, amabilidade, humildade, modéstia, paciência; ¹³suportai-vos mutuamente; perdoai-vos, se alguém tem queixa do outro; como o Senhor vos perdoou, fazei assim também vós. ¹⁴E acima de tudo, o amor, que é o laço da perfeição. ¹⁵Reine em vossa mente a paz de Cristo, para a qual fostes chamados a fim de formar um corpo. Sede agradecidos. ¹⁶A palavra de Cristo habite entre vós com toda a sua riqueza; com toda a destreza ensinai-vos mutuamente. De coração agradecido cantai a Deus salmos, hinos e cânticos inspirados. ¹⁷Tudo o que fizerdes com palavras ou obras, fazei-o invocando o Senhor Jesus, dando graças a Deus Pai por meio dele.

Deveres familiares e sociais — ¹⁸Mulheres, submetei-vos aos maridos, como

---

2,20-3,17 Passamos a outra divisão, que com lógica temática e sinais formais se sobrepõe à anterior. Em esquema:
Se morrestes (2,20) – *Se ressuscitastes* (3,1-4) *mortificai o que é terreno* (3,5-11) – *conduta positiva* (3,12-17).
Assim se prolonga, em suas consequências, a doutrina do batismo esboçada em 2,12-13.

2,20 Já não estais submetidos a seu poder fatal. O mistério da união com Cristo glorificado se projeta nas coordenadas imaginativas de espaço e tempo: terrestre e celeste, presente e futuro. Cristo glorificado vive com Deus, "sentado à direita" (Sl 110,1); vive em nós, "vossa vida", e nós por ele. Como Cristo está agora "escondido", invisível, embora experimentado (2Cor 13,5), também nossa vida com ele está escondida. Quando ele se manifestar na parusia, também se manifestará nossa vida, glorificada.

2,22 Citação de Is 29,13.

3,1 Citação clássica do Sl 110,1. Ver Mt 22,41-45 e paralelos.

3,3 Ver Rm 6,3.

3,4 Exposição ampla em 1Cor 15.

3,5-11 Embora não se deva submeter a tabus (2,21-22), é preciso, sim, "fazer morrer" as ações imorais, "terrenas", que provocam a ira de Deus (cf. Ef 5,6). A metáfora da roupa velha e nova quer expressar uma transformação radical (cf. Ef 4,24): renovação sucessiva da "imagem" (2Cor 4,16). Na nova humanidade desaparecem ou não contam as distinções religiosas, étnicas, sociais. "Tudo para todos": esse v. aplica a Cristo glorificado aquilo que 1Cor 15,28 atribui a Deus.

3,9-10 A imagem também em Ef 4,22. À imagem: Gn 1,26-27; 2Cor 3,18.

3,11 É o programa de Gl 3,28.

3,12-17 Parte positiva do díptico. É um programa pouco articulado, que toca pontos essenciais.

3,12 Títulos do povo escolhido no AT, retomados por 1Pd 2,9.

3,13 Eco do Pai-nosso (Mt 6,12-15).

3,14 Ver o hino ao amor de 1Cor 13.

3,15 O critério para superar litígios deve ser construir ou restabelecer a paz de Cristo: Fl 4,7.

3,16 Parece referir-se a reuniões litúrgicas: com ensinamentos partilhados ao mesmo nível e cânticos inspirados pelo Espírito. Seriam hinos ou súplicas cristãs, compostos à imitação dos salmos; alguns deles passaram ao NT.

3,17 Da liturgia se passa ao resto da existência sob o signo de Jesus como Senhor e de Deus como Pai (1Cor 10,31).

3,18-4,1 Como na carta aos Efésios e na primeira carta de Pedro, acrescentam-se alguns conselhos práticos para a situação em que se encontram. Se por um lado aceita a desigualdade de grau, por outro insiste

pede o Senhor. ¹⁹Maridos, amai vossas mulheres e não as irriteis. ²⁰Filhos, obedecei aos pais em tudo, como agrada ao Senhor. ²¹Pais, não irriteis vossos filhos, para que não desanimem. ²²Escravos, obedecei em tudo a vossos patrões terrenos, não por servilismo ou respeito humano, mas com simplicidade e por respeito ao Senhor. ²³O que tiverdes de fazer, fazei-o de coração, como se estivésseis servindo ao Senhor e não a homens, ²⁴convencidos que do Senhor recebereis a herança como recompensa. ²⁵Quem cometer injustiça pagará, pois não há favoritismos.

4 ¹Patrões, tratai os escravos com justiça e equidade, sabendo que também vós tendes um Senhor no céu.

²Perseverai na oração, vigiando nela e dando graças. ³Rezai também por mim, para que Deus abra a porta à boa notícia e me permita expor o mistério de Cristo, pelo qual estou encarcerado, ⁴para que consiga explicá-lo como se deve. ⁵Tratai os de fora com sensatez, aproveitando a ocasião. ⁶Que vossa conversa seja agradável, com sua pitada de sal, sabendo responder a cada um como convém.

Saudações – ⁷Tíquico, irmão querido, fiel ministro e companheiro no serviço ao Senhor, vos informará de tudo sobre mim; ⁸para isso eu vo-lo envio, a fim de que tenhais notícias minhas, para que vos animeis. ⁹Onésimo, irmão fiel e querido, e um dos vossos, o acompanha. Eles vos informarão de tudo o que se passa por aqui.

¹⁰Saúda-vos Aristarco, meu companheiro de prisão, e Marcos, primo de Barnabé. (Recebestes instruções sobre ele; acolhei-o se for aí.) ¹¹Também Jesus, apelidado Justo. Dos judeus convertidos, somente eles trabalharam comigo pelo reinado de Deus e me serviram de alívio. ¹²Saúda-vos Epafras, um dos vossos, servo de Cristo, que em suas orações luta sempre por vós, para que sejais decididos e perfeitos em cumprir tudo o que Deus quer. ¹³Garanto-vos que ele trabalha com muito empenho por vós e pelos de Laodiceia e Hierápolis. ¹⁴Saúdam-vos Lucas, o médico querido, e Demas. ¹⁵Saudai os irmãos de Laodiceia e Ninfas, e a comunidade que se reúne em sua casa. ¹⁶Quando tiverdes lido esta carta, fazei que seja lida na comunidade de Laodiceia, e vós lede a deles. ¹⁷Dizei a Arquipo que procure cumprir o ministério que recebeu do Senhor.

¹⁸A assinatura é de meu punho e letra: Paulo. Lembrai-vos de minha prisão. A graça esteja convosco.

---

em deveres correlativos, entre marido e mulher, pai e filho, patrão e escravo. Tudo deve acontecer com sentido religioso: "como agrada ao Senhor, por respeito ao Senhor, servindo ao Senhor, um Senhor no céu". Os conselhos práticos são culturalmente condicionados. Mas o fato de passar da doutrina à prática é um ensinamento ou exemplo permanente.

3,18-21 Ver 1Pd 3,1; Ef 5,25; 6,1-8.
4,3 Rezai por mim: Ef 6,19.
4,5-6 Os de fora são os não cristãos, que devem ser atraídos com cordialidade (não pela força), oportunamente.
4,7-17 Saudações: Tíquico: At 20,4; Onésimo: o escravo de Filemon; Marcos: At 12,12; Aristarco: At 19,29; Epafras: Cl 1,7; Lucas: o evangelista; Demas: 2Tm 4,9; Arquipo: Fm 2.
4,16 As cartas de Paulo circulavam pelas igrejas.
4,18 O autor costumava ditar a carta a um copista e depois assinava.

PRIMEIRA E SEGUNDA CARTAS AOS TESSALONICENSES

INTRODUÇÃO

Tessalônica

Tessalônica, a atual Saloniki, era capital da província romana da Macedônia desde 146 a.C. Na organização jurídica do império, cidade livre desde 44 a.C. Cidade portuária, comercial, rainha do Egeu; próxima da Via Egnácia, que unia o sul da Itália e a Ásia. Cidade cosmopolita, próspera e, como tantas cidades importantes, aberta ao sincretismo religioso: cultos orientais, egípcios, gregos e também o culto imperial.

Circunstâncias das cartas

As circunstâncias das cartas podem ser reconstruídas combinando o relato, bastante esquematizado, de At 17-18, com dados diretos ou implicados das cartas. Expulso de Filipos, Paulo dirigiu-se a Tessalônica, onde fundou uma comunidade. Tendo fugido logo daí, partiu para Bereia; até aí o perseguiram, e foi para Atenas. Tendo fracassado na capital cultural, fixou-se com relativa estabilidade em Corinto. Assaltou-lhe a lembrança dos tessalonicenses e a preocupação por essa comunidade jovem e ameaçada. Enviou-lhes seu fiel colaborador Timóteo, para que os confortasse e voltasse com notícias. Timóteo trouxe muito boas notícias e também um problema teológico.

As boas notícias eram motivo para dar graças a Deus e avivar as recordações felizes: ele o faz na primeira parte da primeira carta, 1,2-3,13. Depois de alguns conselhos de vida cristã, 4,1-12, passa a resolver o problema proposto, 4,13-5,11. Termina, como de costume, com conselhos e saudações, 5,12-28.

Problema teológico

O problema teológico trata da parusia ou vinda/retorno do Senhor. O termo grego parousia designa a visita que o imperador ou um legado faz a uma província ou cidade. Chega acompanhado de seu cortejo e ostentando sua magnificência, e é recebido pelas autoridades e pelo povo com festejos e pompa solene. Esse conceito e imagem conhecidos servem para traduzir para a língua e cultura gregas o tema bíblico da "vinda do Senhor" para julgar ou governar o mundo. Ver a versão de Sl 96 e 98; Is 62,10s e muitos outros. No contexto histórico do desterro e da repatriação, a "vinda" do Senhor é um "retorno". Onde o AT diz Yhwh, Paulo põe Kyrios = Senhor Jesus: aquele que veio pela encarnação voltará na parusia.

Seu cortejo serão anjos ou santos; sua magnificência, a glória do Pai; sua função, julgar e reger. Ao seu encontro sairão os seus, os cristãos, para quem seu retorno será um dia de alegria e triunfo.

Quando acontecerá isso? Quando chegará o dia feliz? Aqui entra outro conceito teológico importante do AT: "o dia do Senhor". Pode ser qualquer dia ao longo da história em que Deus intervém de modo especial, julgando ou libertando. Será por excelência "aquele dia" em que o Senhor, vencidos e julgados os inimigos, estabelecer seu reinado. Entre os abundantes textos se destacam Jl 3-4; Sf 1,7-18; Is 34 etc.; também se usam fórmulas como "naquele dia, virão dias, no final dos dias" e semelhantes (p. ex. Zc 13-14). Os autores do NT tomam o conceito, põem "Senhor Jesus" em lugar de Yhwh e o aplicam à sua vinda ou volta triunfal. Será o dia do Senhor, ou aquele dia. Mas quando, em que data se cumprirá? Impossível sabê-lo. Está próximo e será repentino, diz a primeira carta (4,5; 5,1-6); ele demora e se anunciará com sinais prévios, diz a segunda carta. O que provocou a mudan-

ça? Alguns pensam que o pensamento de Paulo evoluiu; outros sustentam que são dois aspectos complementares. A primeira versão transforma a esperança em espera, mantendo tensa a vida cristã; a segunda traduz a expectativa em esperança serena e perseverança. Jamais o NT dá margem a uma especulação sobre datas exatas.

O problema continua se olharmos os que saem para receber o Senhor. Os cristãos que já morreram não participarão do acontecimento? A preocupação denota solidariedade com os irmãos defuntos e uma concepção bastante primitiva. Pois para eles haverá ressurreição e serão arrebatados ao encontro do Senhor (4,16-17). É uma mensagem de esperança e consolo.

A primeira carta foi escrita no ano 51. E aconteceu que alguns fiéis tiraram consequências abusivas da recomendada expectativa: não valia a pena trabalhar nem ocupar-se de assuntos da vida terrena. Estejamos calmos e à espera (como recomendavam Ex 14,13; Is 30,15 e outros). Paulo escreve outra carta explicando sua doutrina sobre a parusia. Chegará por etapas: agora já está atuando o rival, Satã, provocando perseguições e difundindo a impiedade; chegarão depois o Anticristo e uma apostasia; finalmente acontecerá a vinda triunfal de Jesus Cristo. Portanto, o cristão deve trabalhar e esperar.

A primeira carta deixa entrever o que era uma igreja jovem e fervorosa, firme no meio dos sofrimentos. Ela nos diz algo sobre as crenças dos cristãos uns vinte anos depois da ascensão: a Trindade, Deus como Pai, a missão de Jesus Messias, sua morte, ressurreição e futuro retorno; as três virtudes, fé, esperança e caridade.

Ninguém duvida da autenticidade paulina da primeira carta. É com certeza o primeiro escrito do NT. A maioria dos comentaristas considera autêntica também a segunda. Pensa-se que foram escritas em Corinto.

PRIMEIRA CARTA AOS TESSALONICENSES

1 ¹De Paulo, Silvano e Timóteo à igreja de Deus Pai e do Senhor Jesus Cristo em Tessalônica: paz e graça a vós.

Ação de graças — ²Damos sempre graças a Deus por todos vós, ³mencionando-vos em nossas súplicas a Deus nosso Pai, recordando vossa fé ativa, vosso amor solícito e vossa esperança perseverante no Senhor nosso Jesus Cristo. ⁴Sabemos, irmãos queridos de Deus, que fostes escolhidos; ⁵porque, quando vos anunciamos a boa notícia, não foi só com palavras, mas com a eficácia do Espírito Santo e com fruto abundante. Conheceis nosso estilo de vida entre vós a vosso serviço, ⁶e vós seguistes nosso exemplo e do Senhor, recebendo a mensagem com a alegria do Espírito Santo em meio a uma grave tribulação, ⁷a ponto de converter-vos em modelo para todos os fiéis da Macedônia e da Acaia. ⁸A partir de vós ressoou a palavra de Deus, não somente na Macedônia e Acaia, mas em todos os lugares chegou a fama de vossa fé em Deus, de modo que não precisamos falar a respeito. ⁹Eles próprios, referindo-se a nós, contam a acolhida que nos destes: como, deixando os ídolos, vos convertestes a Deus para servir ao Deus vivo e verdadeiro, ¹⁰esperando, do céu, a vinda do seu Filho, que ele ressuscitou da morte: Jesus, que nos livra da condenação futura.

1,1 Saudação. Sendo a primeira carta de Paulo, vale a pena deter-nos na saudação. Na forma segue os cânones da época: N a N' deseja X; depois acrescentam uma oração, ação de graças ou súplica. O esquema convencional se enche de conteúdo novo, cristão. Embora os remetentes sejam três, um é o autor da carta, Paulo, que se apresenta sem mencionar o título de apóstolo.
Destinatário é a "igreja de Deus Pai e do Senhor Jesus Cristo". Igreja é palavra grega que designa o grupo dirigente da cidade grega. Mas corresponde ao hebraico "assembleia de Deus/*Yhwh*", que é o povo (Nm 16,3 contraposto à autoridade; Dt 23,4; Mq 2,5; 1Cr 28,8 título de Israel). Só que nesta carta o lugar de Deus ou *Yhwh* é ocupado igualmente por Deus e Senhor, o Pai, e Jesus Cristo (Jo 10,30).
Sobre a atividade de Paulo em Tessalônica, ver At 17,1-5, onde se fala da hostilidade dos judeus; esta carta fala da hostilidade dos pagãos (2,14).
"Graça" é a saudação grega; em chave cristã é o favor de Deus, agora concedido por meio do seu Filho. "Paz" é a saudação hebraica; em concreto, com a paz os peregrinos saúdam Jerusalém; o contexto cristão enriquece o conteúdo da palavra (cf. Jo 14,27).
1,2 Ação de graças pela evangelização em Tessalônica.
1,3 Encontramos reunidos "fé, amor, esperança", e voltarão a mostrar-se unidos (1Cor 13,13; Rm 5,2-5; Gl 5,5-6; Cl 1,4-5; 1Ts 5,8; Hb 6,10-12; 1Pd 1,21-22). A "fé" deve ser ativa, traduzindo-se em obras (Gl 5,6); o "amor" é o fraterno que implica esforço; a "esperança" seja paciente, com persistência (nada de entusiasmo visível).
1,4 O judeu Paulo chama os pagãos convertidos de "irmãos", título cristão. A escolha é um dos termos básicos do AT (às vezes substituído por sinônimos). A escolha é ato do amor de Deus (cf. Dt 7,7-8).
1,5a Doutrina sobre o anúncio evangélico, que se estende depois aos escritos. A pregação não é simples palavra humana, mas vai carregada ou vitalizada com a energia e eficácia do Espírito Santo; por isso é fecunda e produz fruto (cf. Is 55,10-11 sem menção do Espírito; Rm 15,19; 1Cor 2,4). Essa doutrina se prolonga em 2,13.
1,5b-6 Propõe a corrente da imitação: Paulo imita Jesus, os tessalonicenses imitam Paulo (1Cor 4,16) e se tornam "modelo" de outros (v. 7); em geral e concretamente no sofrer com alegria pelo evangelho. O paradoxo da alegria no sofrimento consta no AT (cf. Sl 4,8) e é tema central da mensagem evangélica (Lc 6,22-23; At 5,41; 2Cor 3,7). É alegria humanamente não justificada, infundida pelo Espírito.
1,7-8 Macedônia e Acaia eram as duas províncias romanas da Grécia, às quais se somam outras da Ásia. O fato de Tessalônica ser um centro de comunicações foi um fator de progresso; mas a grande difusão da fama e seu efeito positivo são obra de Deus (desde o v. 2 Paulo está dando graças).
1,9-10 Soa como síntese concisa da primeira pregação (*kerigma*) e da conversão. Esta é um movimento espiritual de-para (como o indica a etimologia de con-verter-se). Aos ídolos "mortos" e inertes (Sl 115 e 135; carta de Jeremias) se opõe o Deus "vivo" (Dt 5,26; 1Sm 17,26, Davi a Golias; 2Rs 19,4, Senaquerib o insulta; Sl 42,3); aos deuses "falsos" e vazios (Jn 2,9; Sl 31,7; Jr 51,18) se opõe o Deus "verdadeiro e autêntico". O caminho dessa conversão foi a adesão a Jesus. É significativa a ordem e disposição das peças da mensagem e suas consequências. Coloca em lugar de destaque a esperança escatológica do Filho de Deus que se encontra no céu (portanto, glorificado), a quem seu Pai "ressuscitou" (logo, tinha morrido), que se identifica com Jesus (nome histórico), que nos livra da "condenação" ou ira futura, ou seja, no julgamento definitivo. A "ira" (de Deus) expressa em termo de sentimento a condição de Deus inconciliável com o pecado, e objetivamente a sentença de condenação que deve ser executada. Consequência para os fiéis: a vinda de Jesus será libertadora.

2 Ministério de Paulo em Tessalônica

—¹Vós sabeis, irmãos, que não vos visitamos em vão. ²Após sofrer maus tratos em Filipos, como sabeis, nosso Deus nos deu ousadia para vos expor a boa notícia de Deus em meio a forte oposição. ³É que nossa pregação não vem do engano nem de motivos sujos nem usa de fraude; ⁴mas, creditados por Deus, expomos a boa notícia que nos recomendaram, procurando agradar não a homens mas a Deus, como prova a nossa consciência. ⁵Nunca usamos linguagem lisonjeira, como sabeis, nem pretextos para ganhar dinheiro, Deus é testemunha; ⁶não pretendemos honras humanas, nem de vós nem de outros, ⁷embora pudéssemos, como apóstolos, ser pesados para vós. Ao contrário, agimos convosco com toda a bondade, qual mãe que acaricia suas criaturas. ⁸Tínhamos por vós tanto afeto, que estávamos dispostos a dar-vos não só a boa notícia de Deus, mas a nossa vida, tanto vos amávamos. ⁹Lembrais, irmãos, nosso esforço e fadiga: trabalhamos de noite e de dia para não vos sermos pesados, enquanto vos proclamávamos a boa notícia de Deus. ¹⁰Vós sois testemunhas, e também Deus, de como foi o nosso proceder em relação a vós, os fiéis: santo, justo e irrepreensível; ¹¹sabeis que tratamos a cada um como um pai a seu filho, ¹²exortando-vos, animando-vos, urgindo que agísseis de modo digno de Deus, que vos chamou para o seu reino e glória. ¹³Por isso, também nós damos incessantes graças a Deus porque, quando ouvistes de nós a palavra de Deus, vós a acolhestes, não como palavra humana, mas como realmente é, palavra de Deus, ativa em vós, os fiéis. ¹⁴Vós, irmãos, imitastes o exemplo das igrejas da Judeia, fiéis a Cristo Jesus, pois sofrestes de vossos conterrâneos o que eles sofreram dos judeus; ¹⁵eles mataram o Senhor Jesus, nos perseguiram, não agradam a Deus e são inimigos de todos; ¹⁶impedem-nos de falar aos pagãos, a fim de que se salvem; e assim estão enchendo a medida de seus

---

2,1-12 Recordação da sua atividade entre os tessalonicenses. Tem algo de protesto de inocência (como Samuel em 1Sm 12,1-5) e muito de expressão de afeto, ilustrado com comparações sugestivas: como mãe, como pai. Sublinha as expressões "sabeis, conheceis, sois testemunhas", numa espécie de amável cumplicidade: embora já o saibais, vo-lo digo.

2,1-2 Os fatos são narrados em At 16,19-40.

2,3-9 Contém a confissão negativa e positiva, do evitado e do feito. "Engano" seria anunciar fatos falsos ou pronunciar como mensagem de Deus o que não é. Como os falsos profetas: "profetas insensatos, que inventam profecias... visionários falsos, adivinhos de mentiras, que diziam *oráculo do Senhor*, quando o Senhor não os enviava" (Ez 13,3.6). A fraude pode ser prodígios falsos. "Motivos sujos" coincidem com a "cobiça"; também como os falsos profetas: "quando eles têm algo para morder, anunciam paz, e declaram uma guerra santa a quem não lhes enche a boca" (Mq 3,5; Lc 20,47). As "honras humanas": como nas denúncias de Mt 23,5-7 e paralelos e Jo 5,41. As "lisonjas"; também como os falsos profetas: "enquanto eles construíam a parede, vós a feis rebocando com argamassa" (Ez 13,10); "dizei-nos coisas lisonjeiras, profetizai-nos ilusões" (Is 30,10). Parte positiva: fomos provados e comprovados por Deus (Jr 11,20; Zc 13,9; Sl 139,23); confiou-nos o evangelho e nós o pregamos. Renunciamos ao direito ao sustento para não sermos pesados (At 20,34; 1Cor 9,12-18). Outros, em lugar de "pesados", interpretam "com autoridade".

2,7 e 11 Descreve seu estilo apostólico com duas comparações complementares, como mãe, como pai: "eu também fui filho de meu pai, terno e preferido de minha mãe" (Pr 4,3). Pai e mãe ocupam lugar privilegiado na educação sapiencial, até o ponto de o mestre se apresentar com o título de pai e chamar os discípulos de filhos. Da mãe, Paulo toma o tratamento terno e afetuoso (cf. Sl 131 e a queixa de Moisés em Nm 11); do pai, a educação exigente e solícita (imagem que Dt 8,3 aplica a Deus em relação ao povo no deserto).

2,8 Dar a vida por amor: o texto é anterior à declaração por escrito de Jo 15,13.

2,12 O chamado ou vocação complementa a escolha (1,4; cf. 1Pd 5,10). O reino onde Deus reina com glória.

2,13 Retoma a ação de graças (1,5-6) para expor em concreto a tribulação sofrida. Antes completa ou enriquece a doutrina sobre a palavra do evangelho (1,5). A palavra do pregador do evangelho é palavra humana, pronunciada por Paulo; mas é também "palavra de Deus" e, como tal, ativa por si, e não só pelos recursos humanos de persuasão. A denominação "palavra de Deus" aplica-se no AT sobretudo à palavra profética, normalmente como "palavra de *Yhwh*". O texto se refere ao evangelho anunciado oralmente; não exclui a aplicação à sua versão escrita.

2,14-16 O primeiro v. mostra que também os pagãos punham entraves e perseguiam seus concidadãos convertidos. Parece que a hostilidade dos judeus dói mais para Paulo (cf. Sl 55,14-15). As expressões duras devem ser entendidas à luz dos acontecimentos narrados em At 17 e casos semelhantes. Refere-se àqueles judeus que se recusam a aceitar o evangelho e lutam contra sua difusão (Paulo tinha sido um deles). Contudo, o apóstolo se dirigirá em primeiro lugar aos judeus em suas sinagogas. As críticas são feitas por um homem que se sente judeu de carne

pecados. Mas finalmente o castigo os alcança. [17]Nós, irmãos, órfãos temporários de vós, no corpo e não no coração, pela força do desejo redobramos os esforços para visitar-vos. [18]Eu, Paulo, mais de uma vez quis ir ver-vos, mas Satanás me impediu. [19]Pois, quando vier o Senhor nosso, Jesus, quem, a não ser vós, será nossa esperança e alegria e a coroa da qual nos orgulhamos diante dele? [20]Vós sois minha glória e minha alegria.

3 [1]Por isso, não podendo mais aguentar, decidimos ficar sozinhos em Atenas [2]e enviar-vos Timóteo, irmão nosso e ministro de Deus para a boa notícia de Cristo, para que vos fortalecesse apelando à vossa fé, [3]exortando-vos a não fraquejar nessas tribulações; pois sabeis que esse é o nosso destino. [4]Assim, quando estávamos entre vós, vos predissemos que sofreríamos tribulações; e assim aconteceu, como bem sabeis. [5]Por isso, não podendo mais aguentar, mandei pedir informações sobre vossa fé, temendo que o tentador vos tivesse tentado e meu trabalho tivesse ficado inútil. [6]Agora Timóteo acaba de voltar da visita a vós, e nos informou a respeito de vossa fé e amor, da boa recordação que sempre guardais de nós, da vontade que tendes de ver-nos, como nós a vós. [7]E assim, irmãos, em meio a necessidades e tribulações, vossa fé nos consola, [8]e nos sentimos reviver por causa de vossa fidelidade ao Senhor. [9]Que graças podemos dar a Deus por vós, pela alegria que nos proporcionais diante de nosso Deus? [10]Dia e noite pedimos insistentemente para estarmos aí presentes, a fim de completar o que falta na vossa fé. [11]Queira Deus, Pai nosso, e o Senhor nosso Jesus, dar êxito à nossa viagem até vós. [12]E a vós o Senhor conceda crescer e transbordar de amor mútuo e universal, como nós vos amamos; [13]fortaleça vossos corações, para que possais apresentar-vos santos e imaculados a Deus, Pai nosso, quando o Senhor nosso Jesus vier com todos os seus santos.

4 **Vida cristã** – [1]De resto, irmãos, vos pedimos que o modo de agir agradando a Deus, que aprendestes de nós e já praticais, continue fazendo progressos. [2]Conheceis as instruções que vos demos em nome do

---

e de coração. "Encher a medida" implica a paciência de Deus, dando tempo para converter-se, até não tolerar mais (Gn 15,16; "castigando-os pouco a pouco, lhes deste ocasião para se converterem" Sb 12,10; cf. Mt 23,32-33). O castigo é a ira, da qual só Jesus Cristo nos livra (1,10).

2,18 Chama de Satanás (rival) o poder que impede sua viagem apostólica. Ver o "Satã" que impede a viagem de Balaão (Nm 22,22.32). Provavelmente, Paulo queria fortalecer a comunidade em suas dificuldades.

2,19 Na parusia, os tessalonicenses, agrupados em torno de Paulo, serão a coroa que o vencedor exibe orgulhoso. Para a metáfora, ver Pr 12,4, a esposa do marido; 17,6, os netos do ancião. Comparar também com 2Tm 4,8: a parusia será o dia feliz da premiação.

3,1 At 17,16-34 informa sobre sua estada em Atenas e o famoso discurso no Areópago. "Sozinho" teve de enfrentar os intelectuais gregos, e parece que seu esforço não teve muito êxito. Naquele ambiente sentiu mais a solidão.

3,2-13 O capítulo se desenvolve em três movimentos: o primeiro é a missão de Timóteo a Tessalônica, para agir e trazer informações (vv. 2-5); segundo, as informações favoráveis e tranquilizadoras (vv. 6-9); terceiro, nova oração de Paulo com ação de graças e súplica (vv. 10-13). Em toda a perícope, a grande preocupação é a fé (3,5.6.7.10); no final se acrescenta o amor universal e, por implicação, a esperança na parusia.

3,2 Depois da conversão, é preciso fortalecer ou confirmar a fé.

3,3-4 Também Jesus o predisse repetidas vezes (Mt 16,24 par.); do AT baste recordar o exemplo do Servo (Is 49 e 53).

3,5 O tentador é o diabo, que tenta desfazer todo o realizado (cf. 1Pd 5,8; 1Cor 7,5), como impediu já uma viagem de Paulo (2,18).

3,6 "Informar": o verbo grego "evangelizar" é usado aqui em sentido profano, trazer boas notícias.

3,10 O que falta à fé é seu desenvolvimento sempre em ato.

3,11 Notem-se os possessivos de pertença pessoal e comunitária.

3,12 O amor é mútuo dentro da comunidade; igualmente capaz de comunicar-se a todos. Semelhante amor, não por interesse egoísta, é dom de Deus.

3,13 A parusia. "Com todos os seus santos": sua corte celeste (Zc 14,5; Dt 33,3; Jó 5,1).

4,1-3a Podemos chamá-lo programa genérico de vida espiritual ou conduta cristã. Um princípio é o "progresso": o que dirá de si aos filipenses (Fl 3,13). Agradar a Deus nunca é um fato acabado. O outro princípio é a "santificação", substantivo de ação. Embora já sejam santos = consagrados pelo batismo, sua santificação deve continuar. A exortação clássica do Levítico (20,7) passa ao NT relacionada com o Espírito Santo (nesta carta 1,5.6; 4,8).
O chamado Código de Santidade dedicava uma seção a relações sexuais, com particular ênfase sobre o incesto, e uma seção dominada pelos deveres para com o próximo (Lv 18-19). Dois temas que Paulo toca brevemente a seguir.

Senhor Jesus. ³Esta é a vontade de Deus: que sejais santos. Que vos abstenhais da fornicação; ⁴que cada um saiba usar seu corpo* com respeito sagrado, ⁵não por pura paixão, como os pagãos que não conhecem Deus. ⁶Que nesse assunto ninguém ofenda ou prejudique seu irmão, porque o Senhor castiga tais ofensas, como vos temos dito e inculcado. ⁷Deus não vos chamou para a impureza, mas para a santificação. ⁸Portanto, quem despreza isso, não despreza um homem, mas a Deus, que além disso vos deu o seu Espírito.

⁹A respeito do amor fraterno, não é necessário escrever-vos, pois aprendestes de Deus a amar-vos mutuamente, ¹⁰e o praticais com todos os irmãos da Macedônia inteira. Contudo, vos recomendamos que continueis progredindo. ¹¹Esmerai-vos em manter a calma, em ocupar-vos dos vossos assuntos e trabalhar com vossas mãos, como vos recomendamos. ¹²Assim vos comportareis dignamente diante dos estranhos, e não tereis necessidade de nada.

A vinda do Senhor (1Cor 15) – ¹³Em relação aos defuntos, quero que não continueis na ignorância, para que não vos aflijais como os outros que não têm esperança. ¹⁴Pois, se cremos que Jesus morreu e ressuscitou, o mesmo Deus, por meio de Jesus, levará os defuntos para estar consigo. ¹⁵Isto vo-lo dissemos apoiados na palavra do Senhor: nós, que ficarmos vivos até a vinda do Senhor, não precederemos os mortos; ¹⁶pois o próprio Senhor, ao soar uma ordem, à voz do arcanjo e ao toque da trombeta divina, descerá do céu; então ressuscitarão primeiro os cristãos mortos; ¹⁷depois nós, que estivermos vivos, seremos arrebatados com eles entre as nuvens no ar, ao encontro do Senhor; e assim estaremos sempre com o Senhor. ¹⁸Portanto, consolai-vos mutuamente com essas palavras.

4,3b-8 Relações sexuais. "Fornicação" aqui é termo genérico. Discute-se o sentido de (literalmente) "possuir/adquirir seu instrumento". Várias interpretações foram propostas: a mulher ou esposa (o grego "instrumento" significa também recipiente); órgão sexual (suposto eufemismo não atestado); o próprio corpo com seu apetite sexual (o termo "adquirir" se enquadra menos bem; deveríamos traduzir por "controlar"). O que está claro é que a vida sexual não está isenta de regras, antes fica submetida à "santificação"; com outras palavras, entra numa esfera nobre e exigente; está relacionada com o "conhecimento" do verdadeiro Deus. "Como os pagãos": a parênese de Lv 18 insiste em que os israelitas não devem ser como os cananeus (18,3.24-29; cf. Jr 10,1-10.25).
"Ofender o irmão": parece referir-se ao adultério (cf. Pr 6,20-35). "Castiga tais ofensas": também o citado capítulo do Lv menciona o castigo (18,28-29). O desregramento sexual é inconciliável com a presença ativa do Espírito Santo no cristão.

4,4 * Ou: *sua esposa*.

4,9 Em lugar do comum *ágape*, emprega o raro *philadelphia* = amor fraterno. Mas não em sentido filosófico, e sim como virtude "ensinada por Deus" (ver a expressão em Is 50,4; 54,13; com outra construção, a ideia é frequente: Jr 31,34; Sl 71,17 etc.).

4,11-12 Parece ser, como indica a carta seguinte, que a expectativa da parusia induzia alguns a omitir-se dos assuntos ordinários, e mesmo do trabalho. Isso desacreditava o pequeno grupo cristão diante dos pagãos e os fazia passar necessidade sem razão.

4,13-5,11 Aqui aborda o problema fundamental da carta. Quando a escreve, ainda não se escreveu o primeiro evangelho; mas já se cristalizaram muitas tradições orais que os evangelhos vão retomar e elaborar. É, portanto, legítimo ilustrar a presente passagem com os textos apocalípticos ou escatológicos, em particular Mc 13; Mt 24-25.

4,13-18 Jesus anunciou sua vinda gloriosa e triunfal (Mt 26,64; Mc 14,62; At 1,11). Os cristãos eram convidados a receber o triunfador para associar-se à sua glória e alegria. Cerca de vinte anos depois da ressurreição de Jesus, os cristãos vivem aguardando o "dia do Senhor". Mas o que será dos cristãos que morreram nessas duas décadas? Segundo a doutrina do AT, "os mortos não vivem" (Is 26,14), não participam das festas da comunidade (p. ex. Sl 30; 88,11). "As sombras se levantarão para te louvar?" Paulo responde que esses mortos "se levantarão", ressuscitarão (Is 26,19; Dn 12,1) para participar do triunfo de Cristo. Depois dá conselhos para os vivos. Paulo esperava fazer parte dos que veriam a parusia em vida? Assim parece, embora alguns pensem que o "nós" tenha alcance potencial, "seja quem for". Há os que "não têm esperança" (v. 13) em outra vida, como os saduceus e muitos pagãos. Não sabemos a que "palavra do Senhor" se refere (v. 15); poderia ser uma palavra não escrita no AT (cf. At 20,35).
O objeto da esperança é em substância "estar com Deus" (v. 14) e com "o Senhor" (v. 17). Ideia sugerida no AT: "tu me encherás de gozo em tua presença, de delícias perpétuas à tua direita" (Sl 16,11); "mas eu sempre estarei contigo" (Sl 73,23).
O sujeito são as pessoas: não entra em jogo a sobrevivência de almas separadas, no estilo da dicotomia grega; é antes a concepção que lemos na promessa ao bom ladrão (Lc 23,34 "estarás comigo"; Jo 12,26; 17,24).
Os dados descritivos são tomados do repertório imaginativo dos apocalipses: anjo e trombeta (Mt 24,31; Is 27,13), descida do céu e arrebatamento nas nuvens (Dt 7,13). O parágrafo pode ser comparado com um texto posterior, 1Cor 15.

5 ¹Em relação a datas e momentos, não é necessário que vos escreva; ²pois vós sabeis perfeitamente que o dia do Senhor chegará como ladrão noturno: ³quando estiverem dizendo "que paz, que tranquilidade", então, de repente, como as dores de parto para a grávida, cairá sobre eles a calamidade, e não poderão escapar. ⁴A vós, irmãos, visto que não viveis na escuridão, esse dia não vos surpreenderá como um ladrão. ⁵Sois todos cidadãos da luz e do dia; não pertencemos à noite nem às trevas. ⁶Portanto, não durmamos como os outros, mas vigiemos e sejamos sóbrios. Os que dormem o fazem de noite; ⁷os que se embriagam o fazem de noite. ⁸Nós, ao contrário, como seres diurnos, permaneçamos sóbrios, revestidos com a couraça da fé e do amor, com o capacete da esperança de salvação. ⁹Deus não nos destinou ao castigo, mas a possuir a salvação por meio do Senhor nosso Jesus Cristo, ¹⁰que morreu por nós, de modo que, acordados ou dormindo, vivamos sempre com ele. ¹¹Portanto, animai-vos e edificai-vos mutuamente, como já o fazeis.

Conselhos e saudações – ¹²Nós vos pedimos, irmãos, que tenhais consideração para com os que trabalham e vos governam e admoestam em nome do Senhor; ¹³mostrai-lhes um afeto particularíssimo por seu trabalho. Conservai a paz. ¹⁴Isto vos recomendamos, irmãos: admoestai os insubmissos, animai os deprimidos, socorrei os fracos, sede pacientes com todos. ¹⁵Cuidado: que ninguém pague o mal com o mal; procurai sempre o bem entre vós e para todos. ¹⁶Ficai sempre alegres, ¹⁷orai sem cessar, ¹⁸dai graças por tudo. É isso que Deus quer de vós como cristãos. ¹⁹Não apagueis o Espírito, ²⁰não desprezeis a profecia, ²¹examinai tudo e ficai com o que é bom, ²²evitai toda espécie de mal.

²³O Deus da paz vos santifique completamente, vos conserve íntegros em espírito, alma e corpo, e irrepreensíveis para quando vier o Senhor nosso Jesus Cristo. ²⁴Aquele que vos chamou é fiel e o cumprirá. ²⁵Rezai também por nós, irmãos. ²⁶Saudai todos os irmãos com o beijo sagrado. ²⁷Eu vos conjuro pelo Senhor que leiais esta carta a todos os irmãos. ²⁸A graça do Senhor nosso Jesus Cristo esteja convosco.

5,1-11 Seguem-se normas para os vivos, baseadas numa certeza e num desconhecimento. A vinda do Senhor será repentina, "vós sabeis perfeitamente", mas desconhecemos a data. É preciso, pois, vigiar. É o ensinamento dos evangelhos (Mt 24,43 par.). Desenvolve o tema combinando imagens de atividades noturnas: a do ladrão e a do libertino e o sono honrado. O ladrão age nas trevas, que são seu reino, chega de repente e procura não avisar; "de noite ronda o ladrão, às escuras penetra nas casas" (Jó 24,14.16a). O patrão deve vigiar de noite, inclusive mais que de dia. De noite se celebram as orgias: é preciso ser sóbrios, como de dia. De noite se dorme: é mister viver vigiando (cf. Jr 6,14; Am 2,14-15; Jo 8,12). Sobrepõe-se uma imagem militar, a armadura, que sugere um assalto bélico repentino. Amós tinha dito: "o dia do Senhor é tenebroso e sem luz" (5,18) e Sofonias o descrevia como "dia de escuridão e trevas" (1,15). Paulo o representa como dia luminoso para os cristãos, que devem responder às exigências da luz.
5,3 "Paz": Jr 6,14-15; "não escapa": Am 2,14-15.
5,4-5 Noite e trevas: Jo 8,12; 9,4-5.
5,6 A parábola das dez virgens (Mt 25,1-13) se desenvolve de noite e conclui convidando a vigiar.
5,8 Nova menção das três virtudes básicas como armas defensivas.
5,10 "Acordados" são os que estiverem vivos quando chegar o Senhor; "dormindo" os que então estiverem mortos. Todos sem distinção "viverão sempre com ele", já que viver com ele não tem fim.
5,12-22 Conselhos gerais e particulares.
5,12-13 Com os superiores, que "trabalham" "em nome do Senhor": Hb 13,7.17.
5,14 "Irmãos" parece abranger toda a comunidade. Pode-se comparar com os cuidados de *Yhwh* pastor por suas ovelhas: "procurarei as perdidas, recolherei as desgarradas, curarei as doentes, guardarei as gordas e fortes, e as apascentarei como é devido" (Ez 34,16; cf. Is 35,4; 61,1).
5,15 "Mal com o mal": Pr 20,22; Ecl 28,1; Rm 12,17; 1Pd 3,9.
5,16 Alegria: em contexto escatológico, Is 25,9; 65,13; 66,10; Sf 3,14; em contexto cultual, Sl 118,24; Jl 2,23. Se tomamos o verbo no sentido cultual de "festejar", poderíamos colocar na mesma esfera o orar, o dar graças, o profetizar.
5,23 "Corpo, alma e espírito": divisão tripartida do homem, no estilo grego, que serve para afirmar a extensão total da consagração.
5,24 "É fiel": Dt 7,9; 1Rs 8,26; Is 49,7. "O Senhor me completará seus favores... não abandones a obra de tuas mãos" (Sl 138,8).
5,27 Todos os irmãos daquela comunidade e provavelmente das vizinhas (cf. Cl 4,16).

SEGUNDA CARTA AOS TESSALONICENSES

1 ¹De Paulo, Silvano e Timóteo à igreja de Deus nosso Pai e do Senhor Jesus Cristo em Tessalônica: ²graça e paz a vós da parte de Deus Pai e do Senhor Jesus Cristo.

Ação de graças — ³Temos de dar sempre graças a Deus por vós, irmãos, como é justo, porque vai crescendo vossa fé e aumentando vosso amor mútuo, ⁴a ponto de estarmos orgulhosos de vós diante das igrejas de Deus, por vossa fé e paciência nas perseguições e tribulações que suportais, ⁵que são prova do justo julgamento de Deus e servirão para vos tornar dignos do reino de Deus, pelo qual padeceis. ⁶É justo que Deus pague com tribulação os que vos atribulam, ⁷e a vós, os atribulados, vos alivie, bem como a nós, quando se revelar do céu o Senhor Jesus com os anjos de seu domínio ⁸e com fogo ardente, para castigar os que não reconhecem a Deus nem obedecem à boa notícia do Senhor nosso Jesus. ⁹Esses sofrerão condenação perpétua, longe da presença do Senhor e de sua majestade poderosa, ¹⁰quando vier naquele dia revelar sua glória aos consagrados e suas maravilhas aos que creem. ¹¹Por isso, rezamos continuamente por vós, para que nosso Deus vos faça dignos da vocação e vos permita cumprir eficazmente todo bom propósito e toda ação da fé. ¹²Assim o nome do Senhor nosso Jesus será glorificado por vós, e vós por ele pela graça do nosso Deus e do Senhor Jesus Cristo.

2 **A parusia** (Mt 24; Mc 13; Lc 21) — ¹Irmãos, pela vinda do Senhor nos-

---

1,1-2 A saudação é como a da carta precedente, com ligeiro acréscimo.
1,3 A ação de graças, que na primeira carta recordava o passado, fixa-se agora no presente. Na primeira mencionava a conversão, nesta o crescimento. Menciona a fé e o amor, não porém a esperança. Ver Jo 15,12.
1,4 Não menciona a alegria nas tribulações, mas sim a paciência animada pela fé.
1,5-10 Começa a interpretação das perseguições em chave de julgamento escatológico. Na primeira carta, imaginava a parusia como vinda triunfal e gloriosa, que satisfaria a esperança e a expectativa dos fiéis. Aqui se apresenta como julgamento de prêmio e castigo, no estilo das escatologias e dos apocalipses (em geral Is 65-66 e fragmentos de Is 24-27).
Duas afirmações produzem espanto ou perplexidade nos comentaristas. A primeira, que as "perseguições" sejam "prova" ou sinal do "justo julgamento de Deus"; a segunda, o tom de vingança com que soa o castigo. Quanto à primeira, não parece "julgamento justo" de Deus que os inocentes sofram. Quanto à segunda, parece ignorar a misericórdia e o perdão. Para explicar a primeira, recorremos ao AT e ao evangelho. Jr 30 anuncia um "dia grande e sem igual, hora de angústia para Jacó" e acrescenta, "mas sairá dela". Será um dia de libertação; mas as turbulências históricas afetarão em parte também os israelitas e servirão para purificá-los de alguns pecados: "destruirei todas as nações por onde os dispersei; a ti não destruirei, te corrigirei com medida e não te deixarei impune" (Jr 30,7.11 e todo o capítulo). Tampouco os tessalonicenses poderão subtrair-se à tribulação geral, na qual serão purificados para "serem dignos do reino de Deus", que vai se estabelecer. Do NT podemos escolher Mc 13: quando se aproximar a parusia, haverá angústia e os fiéis padecerão para dar testemunho (ver os paralelos de Mt 24 e Lc 21).
Pois bem, esse dia será o das contas finais: terá passado o tempo da misericórdia e do perdão. A formulação nos termos da lei do talião, repetindo as mesmas palavras, expressa uma justiça que não deixa impune. Entre os numerosos textos do AT que poderiam ser aduzidos, seleciono o Sl 94: "Deus justiceiro, resplandece", e o cap. 5 de Sb.
1,6 Muitos salmos, que alguns consideram vingativos, são na realidade um apelo a Deus como juiz, invocando a lei vigente do talião e renunciando a fazer justiça pelas próprias mãos. Jesus na cruz pede perdão, enquanto durar o tempo do perdão. Mas a conduta humana descobre algo de definitivo em relação a Deus. Pensar o contrário é discorrer como aqueles de quem sentencia Ben Sirac: "gente de pouco senso pensa assim" (ver Eclo 16,1-23). Daqui até o v. 10 predomina o estilo hebraico de paralelismos.
1,7 O dia final de prestar contas será o dia da parusia, chamada aqui "manifestação com os anjos do seu domínio"; a corte que em outras passagens se chama "os santos" (Zc 14,5; Mt 25,31; 1Ts 3,13; 4,16).
1,8 Citação combinada de Is 66,15; Jr 10,25 e Sl 79,6. O fogo é elemento da divindade e pode ser instrumento de castigo, em particular de castigo escatológico (Is 30,27; 66,15; Sf 1,18; Sl 97,3). A causa da condenação é dupla, no estilo do paralelismo: os que não reconhecem a Deus (cf. Ex 5,2; Jr 9,2) nem se submetem ao evangelho. Alguns comentaristas querem dividir o paralelismo entre dois grupos, pagãos e judeus.
1,9 A majestade poderosa: ver Is 2,10-21.
1,11-12 Breve súplica, como é costume no estilo epistolar. Destino do cristão é contemplar e refletir a glória de Deus (Jo 17,10).
2,1-12 Aborda um ponto central da carta, esclarecendo o anterior ou corrigindo uma interpretação equivocada. Tinha dito que o Senhor chegaria de repente e aceitava a ideia de que sua vinda estaria

so Jesus Cristo e nossa reunião com ele, vos pedimos ²que não percais facilmente a cabeça nem vos alarmeis por causa de profecias ou discursos ou cartas falsamente atribuídas a nós, como se o dia do Senhor fosse iminente. ³Que ninguém vos engane de nenhum modo: primeiro deve acontecer a apostasia e deve manifestar-se o Homem sem lei*, o destinado à perdição, ⁴o Rival que se ergue contra tudo o que se chama Deus ou é objeto de culto, até sentar-se no templo de Deus, proclamando-se Deus. ⁵Não lembrais o que vos dizia quando ainda estava convosco? ⁶E agora sabeis o que o retém, para que não se manifeste antes do tempo. ⁷A força oculta da iniquidade já está agindo; falta apenas que seja afastado aquele que a retém. ⁸Então se revelará o Iníquo, que será destruído pelo Senhor Jesus com o sopro de sua boca e anulará com a manifestação de sua vinda. ⁹O Iníquo se apresentará, por força de Satanás, com todo tipo de milagres, sinais e falsos prodígios; ¹⁰com todo tipo de fraudes iníquas para os que se perdem, porque não aceitaram o amor à verdade para salvar-se. ¹¹Por isso, Deus lhes enviará um poder sedutor que os faça crer na mentira; ¹²assim serão julgados os que preferiram a injustiça ao invés de crer na verdade.

Orações mútuas – ¹³Temos de dar contínuas graças a Deus por vós, irmãos amados do Senhor, porque Deus vos tomou como primícias de salvação pela consagração do Espírito e pela fé verdadeira; ¹⁴e por meio de nossa pregação da boa notícia vos chamou a possuir a glória do Senhor nosso Jesus Cristo. ¹⁵Portanto, irmãos, permanecei firmes, conservai o ensinamento que aprendestes de mim, oralmente ou por carta. ¹⁶O próprio Senhor nosso Jesus

---

próxima, embora se recusasse a datá-la. Agora avisa que antes da parusia devem acontecer várias coisas. Antes de tudo, não devem crer em rumores alarmantes, em falsas notícias, nem acreditar em supostas cartas de Paulo.
Primeiro acontecerá uma "apostasia" ou abandono amplo, em cujo contexto surgirá um personagem misterioso, descrito com vários títulos e traços, não identificado em particular. O primeiro título equivale a "Homem sem lei", "Malvado por excelência" ou "a Maldade em pessoa". O segundo significa "destinado à perdição" ou com o apelido "filho de Abadon", que é sinônimo de Xeol. É o Rival (cf. Lc 13,17; 21,15), que pretende honras divinas (como o rei babilônico em Is 14, ou o de Tiro em Ez 28, ou o selêucida de Dn 11,36). Na série das oito visões de Zacarias, a sétima (5,1-11) descreve a Maldade personificada, expulsa do país (para que não cause dano), levada pelos ares a Senaar (Babilônia) e colocada num nicho sobre um pedestal (para ser venerada). Não é um personagem, e sim uma personificação; contudo, alguns de seus elementos podem ilustrar o enigma da presente carta. O personagem misterioso, ou potência maligna, já está atuando de fato: antecipou sua ação. Mas não está manifesto, não mostra a cara, porque algo ou alguém (neutro e masculino, vv. 6.7) por ora o impede. No final o impedimento será removido, o antagonista se declarará, se travará a luta e o Senhor o vencerá "com o sopro da sua boca" (Is 11,4, equivalente da palavra, sentença ou imagem da execução), com sua presença aterradora (Is 2,19). Os tessalonicenses sabiam identificar esse alguém ou algo, nós não. Por isso, na falta de informação, as hipóteses se multiplicaram: um personagem, uma instituição, um sistema ou doutrina. Talvez isso tenha a ver com os mil anos do cárcere do dragão (Ap 20,2), ou com seu antecedente escatológico de Is 24,22: "ficam encerrados; depois de muitos dias, comparecerão em juízo".

O Iníquo agirá como emissário de Satanás. Empregará o engano, confirmando-o com milagres, como um falso profeta (cf. 1Rs 22,19-23; Dt 13,2-6). Mas só conseguirá enganar os que não amaram a verdade salvadora do evangelho, mas preferiram a injustiça (para a antítese verdade/injustiça, ver Rm 1,18; 2,8). Mesmo explicado, o texto nos parece enigmático, num tema que suscita curiosidade renovada. Será melhor tomar sua substância e tirar consequências do que envolvê-lo em explicações e identificações conjeturais. Não é uma resposta à nossa curiosidade, mas uma admoestação à vigilância.

2,1 Sua vinda é nossa "reunião" com ele: encontro desejável e libertador.

2,2 "Iminente": outros traduzem o perfeito grego com valor de presente, "já chegou, já está aqui".

2,3 * Ou: *o Pecado em figura humana*. Ou: *a iniquidade personificada*.

2,7 A "iniquidade" (abstrato ou encarnação do mal) tem algo de misterioso, como presença oculta, ação clandestina.

2,11 "Um poder sedutor": veja-se a visão de Miqueias, filho de Jemla (1Rs 22,19-23: "O Senhor lhe disse: Conseguirás enganá-lo. Vai e faze assim").

2,13-3,5 A visão sombria se serena numa série de orações mútuas, ação de graças e pedido.

2,13 "Primícias": com Filipos, primícias de convertidos na Grécia (na Europa: cf. as primícias da Ásia em Rm 16,5; da Acaia, 1Cor 16,15); recorde-se o sonho do macedônio (At 16,9). Também pode ser título genérico dos cristãos (da criação, Tg 1,18).

2,15 Atendo-nos estritamente ao termo, fala de "tradições" orais ou epistolares; significado da palavra "tradição" menos preciso que o nosso técnico.

2,16 "Consolo perdurável" é expressão estranha. Se é eficaz, um consolo cessa. Deve referir-se ao efeito, "consolo definitivo" (um dos significados do adjetivo grego e semítico), vinculado à esperança.

Cristo e Deus nosso Pai, que vos amou e vos favoreceu com um consolo perdurável e uma esperança magnífica, ¹⁷vos dê ânimo e vos fortaleça para todo tipo de palavras e boas obras.

3 ¹De resto, irmãos, rezai por nós, para que a palavra do Senhor se difunda e receba honra, como aconteceu em vosso caso, ²e para que nos vejamos livres de gente malvada e perversa. A fé não é coisa de todos. ³O Senhor, que é fiel, vos fortalecerá e protegerá do Maligno. ⁴No Senhor temos confiança em vós: fazeis o que vos mandamos e continuareis fazendo. ⁵O Senhor dirija vossas consciências para o amor de Deus e a paciência de Cristo.

Contra a ociosidade – ⁶Irmãos, em nome do Senhor nosso Jesus Cristo vos recomendamos que vos afasteis de todo irmão de conduta desordenada e em desacordo com as instruções de nós recebidas. ⁷Vós sabeis como deveis imitar-nos: não agimos desordenadamente entre vós; ⁸não pedimos o pão de graça a ninguém, mas trabalhamos e nos afadigamos de dia e de noite para não ser pesados a nenhum de vós. ⁹E não é que não tivéssemos direito; mas quisemos dar-vos um exemplo a ser imitado. ¹⁰Quando estávamos convosco, vos recomendamos isto: quem se nega a trabalhar, não coma. ¹¹Pois ficamos sabendo que alguns de vós se comportam desordenadamente, muito atarefados e sem fazer nada. ¹²A esses recomendamos e aconselhamos, no Senhor Jesus Cristo, que trabalhem tranquilamente e ganhem o pão que comem. ¹³Vós, irmãos, não vos canseis de fazer o bem. ¹⁴Se alguém não obedecer às instruções de minha carta, tomai nota, e não vos junteis com ele, para que reflita. ¹⁵Mas não o trateis como inimigo; ao contrário, admoestai-o como irmão.

¹⁶Que o Senhor da paz vos dê a paz sempre e em tudo. O Senhor esteja com todos vós.

¹⁷A saudação Paulo é de meu punho: é minha letra e é o sinal em todas as minhas cartas. ¹⁸A graça do Senhor nosso Jesus Cristo esteja com todos vós.

3,1 "Palavra do Senhor" é a mensagem evangélica, como ser vivo que "corre" (cf. Sl 147,15: "envia sua mensagem à terra e sua palavra corre velozmente").

3,2 A fé não é de todos: expressa a experiência complementar: embora a mensagem evangélica seja eficaz, nem todos a acolhem com fé.

3,3 O Maligno: eco do Pai-nosso (Mt 6,13).

3,5 A paciência ou persistência com que esperamos a vinda de Cristo (cf. Rm 8,25; 15,4).

3,6-15 Uma consequência ilegítima e perigosa, já indicada em 1Ts 4,11, de pensar que a parusia era iminente, consistia na ociosidade, desinteresse e desordem na vida civil. Jeremias exortava os desterrados de Babilônia a trabalhar e a se ocupar aí, até que chegasse a hora do retorno (Jr 29,1-23), sem dar atenção aos falsos profetas. Paulo aconselha algo semelhante. Quem diz trabalho para subsistir, diz, por ampliação, compromisso com a conjuntura histórica. A parusia sempre próxima relativiza os valores terrenos, não suspende a condição terrena do homem.

3,6 A exortação se abre com grande solenidade, como assunto grave, apelando a instruções precedentes.

3,7-10 Sobre os direitos do missionário e a prática de Paulo, os testemunhos se multiplicarão; este deve ser o primeiro escrito (cf. 1Cor 9,4.6 par.). O trabalho é maldição (Gn 3,30-34) e destino sereno (Sl 104,15.23). Contra a ociosidade há numerosos provérbios (p. ex. Pr 26,13-16). Se a parusia nos exime do trabalho, também nos exime do comer.

3,14-15 Compare-se com a instrução de Mt 18,15-18. A caridade seja sempre a norma suprema.

3,17 Era costume ditar as cartas e autenticá-las com a assinatura.

PRIMEIRA E SEGUNDA CARTAS A TIMÓTEO
CARTA A TITO

INTRODUÇÃO

Seguindo uma velha tradição, chamamos "pastorais" essas três cartas. Do cuidado "pastoril" dos rebanhos se salta por metáfora ao cuidado "pastoral" da comunidade cristã. A passagem prolonga sem ruptura a tradição do AT (Davi) e do NT (Jesus).

As três cartas formam um bloco homogêneo e se apresentam como instruções escritas por Paulo a dois íntimos colaboradores seus. Timóteo esteve estreitamente ligado ao apóstolo: "meu filho querido e fiel ao Senhor" *(1Cor 4,17)*; companheiro de viagem e missão, homem de confiança em missões importantes e delicadas: ver At 16,1-3; 17,14-15; 18,5; 1Cor 16,10; 2Cor 1,19. Esteve à frente da igreja de Éfeso. Tito era de família pagã, convertido por Paulo (Gl 1,1-3), legado seu em Corinto e muito estimado: ver 2Cor 7,6-7.13-14; 8,16-24; 12,18. Regeu a igreja de Creta. Não é improvavel que esses dois ilustres personagens tiveram a honra de receber cartas pessoais de seu mestre; logicamente as conservariam e transmitiriam à posteridade.

Supôs-se que as cartas fossem de Paulo, e acreditou-se nisso durante séculos. Porém surgiu a crítica dos estudiosos e, com ela, a dúvida, como indicam as passagens em que Paulo fala de si na primeira pessoa (p. ex. 1Tm 1,11.12-16; 2Tm 4,6-8.16-18 etc.).

Autenticidade

As razões contra a autenticidade são fortes; referem-se à linguagem, à mentalidade, à situação proposta, e afetam as três cartas como corpo.

a) *O* vocabulário. Segundo um cálculo cuidadoso, de 848 palavras que as três cartas usam, 306 não aparecem no resto do chamado corpo paulino, 175 não constam no resto do NT; faltam palavras típicas do vocabulário paulino, outras frequentes escasseiam, algumas mudam de significado; díkaios significa honrado, pístis é um corpo de doutrina. Estilo: apagaram-se a vivacidade, a paixão e o movimento; não argumenta para provar seu ensinamento; predomina uma tonalidade pacata e suave. A língua grega é mais depurada, mais próxima do grego helenístico.

b) Mentalidade. A preocupação central das três cartas é garantir as igrejas como instituição, conservar o ensinamento tradicional e defender-se das ameaças de desvio doutrinal. Para isso é preciso nomear chefes competentes e confiáveis, manter a ordem e a concórdia, regular o culto. O autor repete o adjetivo "são/sã" para referir-se à ortodoxia, fala da "verdade", repete que "alguns se afastaram de..." Ao ímpeto de evangelizar sucede aqui o esforço por manter.

c) *O* quadro em que as cartas se inserem não combina com o que sabemos por outras informações de Paulo. Se o apóstolo vai morrer em breve (2Tm 4,5-8), como pode chamar Timóteo de jovem (1Tm 4,11)? O ancião deverá ter saído da sua prisão romana para retomar sua atividade no Mediterrâneo oriental.

Essas razões somadas são muito fortes, mas não determinantes. Os defensores da autenticidade as rebatem, principalmente com evasivas: que com os anos o vigor e a combatividade de Paulo amainaram; que um tema diferente exigia uma linguagem nova; que se valia de um secretário redator; que seu pensamento tinha evoluído. E que em nossa informação sobre a atividade de Paulo há importantes lacunas, e aí as cartas poderiam encaixar-se. As réplicas são fracas: um ancião muda radicalmen-

te de vocabulário? Esquece seus temas preferidos?

Teorias sobre o autor

Aceitando como mais provável a não autenticidade das três cartas, pensa-se que é um discípulo imediato ou mediato, da geração seguinte. Recorre à pseudonímia, procedimento corrente naquela época. Dá às suas instruções a forma de carta, escolhendo como destinatários dois insignes personagens do círculo paulino. Aceitamos que pôde utilizar material original do apóstolo. Provavelmente sentia-se herdeiro legítimo de Paulo; talvez os rivais citassem Paulo, deformando seu ensinamento.

Não faltou a teoria de um compilador que teria composto e dado forma às três cartas com fragmentos autênticos do apóstolo.

Nada do que foi dito diminui o valor canônico das Pastorais. São parte integrante do NT, reconhecida sempre por todas as confissões cristãs. Resta por esclarecer a identificação das heresias ou das doutrinas desviadas e perigosas. Os judaizantes são uma força menor ainda ativa, como mostram 1Tm 4,3 sobre tabus alimentares, Tt 1,10 sobre o partido da circuncisão ou judeus convertidos, Tt 1,14 sobre "fábulas judaicas", Tt 3,9, "controvérsias sobre a lei".

Mais poderoso, segundo alguns exegetas, era o impacto do gnosticismo: creem descobri-lo em negativo, lendo como refutação polêmica alguns enunciados do texto: Toda criatura é boa (1Tm 4,4); o mundo material é mau (gnóstico); há um só Deus, criador e salvador (1Tm 1,1; 4,3-4); há dois, um criador e outro salvador (gnóstico); o AT é palavra de Deus (2Tm 3,15ss): não o é (gnóstico); Cristo homem, manifestado corporalmente (1Tm 2,5; 3,16); negam a humanidade de Cristo (gnóstico).

Alguns acrescentam outra heresia, também obtida em negativo: o culto imperial. A ele pertence o título frequente de Salvador, atribuído ao imperador: as Pastorais o aplicam a Deus e a Cristo: 1Tm 1,1; 2,3; 2Tm 1,10; Tt 1,3s; 2,10.13; 3,6. Do imperador se costuma dizer que "aparece" = epiphano; as Pastorais o aplicam a Cristo na sua primeira e segunda vinda: 1Tm 6,14; 2Tm 1,10; 4,1.8; Tt 2,13.

As Pastorais são menos importantes que outras do corpo paulino, mas fornecem abundante informação sobre as igrejas da segunda e terceira gerações. A data de composição seria o final do séc. I ou começo do séc. II.

Primeira carta a Timóteo

Sinopse

1,1-2	Saudação.
1,3-11	Falsos mestres.
1,12-20	Paulo e Timóteo.
2,1-7	Sobre a oração.
2,8-15	Homens e mulheres.
3,1-13	Bispo e diáconos.
3,14-4,16	Mistério cristão e falsos mestres.
5,1-16	Viúvas.
5,17-25	Anciãos e responsáveis.
6,1-10	Escravos e patrões.
6,11-21	Recomendações a Timóteo; ricos.

A sinopse nos faz ver o propósito de dar normas e conselhos para tratar com diversas categorias da comunidade. A precaução frente aos falsos mestres, difundida pela carta, concentra-se no começo e pela metade; ambas as vezes contrasta com a função do apóstolo e de seu sucessor ou destinatário. No centro cita uma breve profissão de fé ou fragmento de hino litúrgico.

Segunda carta a Timóteo

Sinopse

1,1-5	Saudação e ação de graças.
1,6-14	Fiel à vocação e ao evangelho.
1,15-18	Paulo e seus amigos.
2,1-7	Soldado e lavrador.
2,8-13	Fiéis até no sofrimento.
2,14-26	Falsos mestres e servo responsável.
3,1-9	A crise dos últimos tempos.
3,10-17	O mestre instruído na Escritura.

4,1-5 Vigilância e predição.
4,6-8 Paulo na iminência de morrer.
4,9-22 Recomendações e saudações.

Na segunda carta, a exortação se torna mais pessoal e vivaz. Paulo oferece o próprio exemplo, recorda seu ministério, prepara-se para morrer. Diante dos falsos mestres, que aumentarão e se fortalecerão nos últimos dias, o mestre responsável deve ser como soldado, lavrador, operário, empregado fiel, peça da mobília doméstica, testemunha corajosa.

Carta a Tito

Sinopse

1,1-4 Saudação.
1,5-9 Missão em Creta.
1,10-16 Perante os indisciplinados.
2,1-10 Conselhos para diversas classes.
2,11-15 Manifestação de Deus em Jesus Cristo.
3,1-3.8-14 Encargos particulares.
3,4-7 Libertados por Cristo.
3,15 Saudações.

O mais substancioso da carta é a doutrina cristológica de 2,11-15 e 3,4-7.

PRIMEIRA CARTA A TIMÓTEO

1 ¹De Paulo, apóstolo do Messias Jesus por disposição de Deus, nosso salvador, e de Jesus Cristo, nossa esperança, ²a Timóteo, seu filho gerado pela fé: graça, misericórdia e paz da parte de Deus Pai e de Cristo Jesus, nosso Senhor.

Falsos mestres – ³Como te recomendei quando partia para a Macedônia, fica em Éfeso para avisar alguns que não ensinem doutrinas estranhas, ⁴nem se dediquem a fábulas e genealogias intermináveis, que favoreçam as controvérsias e não o plano de Deus, que se baseia na fé. ⁵O objetivo dessa exortação é um amor que brote de um coração limpo, de uma boa consciência e de uma fé não fingida. ⁶Ao desviar-se dele, alguns se perderam em vãos discursos, ⁷pretendendo ser doutores da lei, sem saber o que dizem nem entender o que dogmatizam. ⁸Consta-nos que a lei é boa, desde que seja tomada como lei; ⁹reconhecendo que a lei não se destina aos honrados, mas aos rebeldes e insubmissos, ímpios e pecadores, irreligiosos e profanadores, parricidas e matricidas, assassinos, ¹⁰fornicadores e pederastas, traficantes de escravos, fraudadores, perjuros e tudo o que se opõe a um sadio ensinamento, ¹¹em harmonia com a boa notícia do Deus glorioso e bem-aventurado que me foi confiada.

Paulo e Timóteo – ¹²Dou graças a Cristo Jesus, nosso Senhor, que, apesar de eu

---

1,1-2 A saudação contém vários elementos costumeiros e outros peculiares. Apresenta-se com o título de "apóstolo", igual aos outros, com plena autoridade. Em lugar do comum "por vontade", diz "por disposição" ou por ordem, termo com ressonância militar. Em lugar de Deus Pai, diz Deus salvador, que, fora das cartas Pastorais, Paulo atribui só a Cristo. Era título que reis e imperadores ostentavam; mas também o AT atribui o equivalente a *Yhwh* (Is 43,7; 45,15.21; 60,16; Sl 106,21). Qualifica Jesus como Messias (objeto) de "nossa esperança". A salvação pode referir-se ao começo, a esperança ao futuro. O destinatário é o colaborador mais íntimo de Paulo, tratado com o título carinhoso de "filho legítimo pela fé". O título paterno é comum na relação mestre-discípulo; aqui tem um tom de sentimento pessoal (cf. Fl 2,22).
Ao binômio costumeiro, a "graça" da saudação grega e a "paz" da saudação hebraica, acrescenta a "misericórdia", de grande tradição bíblica.

1,3a Refere-se à viagem mencionada em At 20,1. A missão de Timóteo será "avisar", ordenar (com ressonância militar).

1,3b-11 A primeira tarefa do destinatário será enfrentar os falsos doutores que difundem doutrinas heréticas, opostas à "sã doutrina" tradicional. Reunindo dados das três cartas Pastorais, alguns comentaristas pensam que o perigo fosse o gnosticismo, com sua mistura de ascetismo e entusiasmo e sua pretensão de alcançar a salvação pelo simples conhecimento; daí brotavam as especulações estéreis. Contudo, os dados das cartas estão desagregados e são bem mais vagos; é possível que as heresias e desvios estivessem menos definidos.

1,4 "Fábulas" ou relatos fantásticos (4,7; 2Tm 4,4; Tt 1,14), cultivados por gregos e judeus. "Genealogias intermináveis" não devem ser as registradas em Gn, Nm e Cr, e sim outras *toledot* (Gn 6,9; 10,1; 11,10 etc.) apócrifas. Quando se entra no mundo de tais especulações, brotam controvérsias opostas ao plano ou administração de Deus, que pela fé conduz ao amor.

1,5 É doutrina corrente que o amor brota da fé. O autor busca uma companhia para a fé, a fim de conseguir um trio de valores, cada qual com sua qualificação. O "coração" ou mente pura pode proceder das bem-aventuranças (Mt 5,8), a "boa consciência" tem sabor grego, a fé "não fingida" como examinada com cautela.

1,6 É recurso repetido nessas cartas mencionar genericamente pessoas que se desviam, indicando as conseqüências. "Vãos discursos": vazios de sentido ou ineficazes; como os do diálogo de Jó (27,12; 35,16).

1,7 Caracteriza-os como "doutores da lei", título próprio de rabinos judeus (Lc 5,17; At 5,34). Mas a caracterização que faz da lei não corresponde à *torá* nem coincide com a função que Paulo lhe atribui em Rm 7,12-16. Os rabinos citavam a tradição como autoridade, mas não costumavam "dogmatizar".

1,8-9a A lei é vista como valor relativo: para prevenir desmandos proibindo, para reprimi-los castigando. Uma função sobretudo negativa. O Êxodo, por seu lado, contém legislação criminal, mas não só.

1,9b-10 As listas de virtudes e vícios eram correntes no ensinamento estoico. O autor cita aqui catorze categorias, sem especificar. Ex 21,15-17 junta delitos contra o pai ou a mãe e o sequestro de um homem "para vendê-lo ou detê-lo" como escravo. No mesmo contexto fala do homicida. A "sã doutrina" (metáfora médica) é especialidade dessas cartas (2Tm 4,3; Tt 1,9; 2,1; variantes: 1Tm 6,3; 2Tm 1,13; Tt 1,13; 2,2). Na linguagem da época, qualificava-se de "sã" uma doutrina razoável, plausível; bem distante da loucura da cruz que pregava Paulo (1Cor 1).

1,11 Ora, a "sã doutrina" deve ajustar-se ao evangelho, e não ao contrário; e as cartas darão breves e substanciosos resumos do evangelho.

1,12-17 Dá graças a Deus por sua conversão e vocação (At 9). Os contrastes definem o parágrafo: de perseguidor a servidor, de pecador a homem de

anteriormente ser blasfemo, perseguidor e insolente, me fortaleceu, confiou em mim e me tomou para seu serviço. ¹³Teve compaixão de mim porque eu o fazia por ignorância e falta de fé. ¹⁴O Senhor nosso deu-me graça abundante, com a fé e o amor de Cristo Jesus. ¹⁵Esta mensagem merece confiança e é digna de ser aceita sem reservas: Cristo Jesus veio ao mundo para salvar os pecadores, dos quais eu sou o primeiro. ¹⁶Mas Cristo Jesus teve compaixão de mim, para começar comigo a mostrar toda a sua paciência, dando um exemplo aos que haveriam de crer e conseguir vida eterna. ¹⁷Ao Rei dos séculos, ao Deus único, imortal e invisível, honra e glória pelos séculos dos séculos. Amém.

¹⁸Eu te confio essa instrução, Timóteo, filho meu, de acordo com o que predisseram de ti algumas profecias, para que, apoiado nelas, combatas o nobre combate, ¹⁹com fé e boa consciência. Ao abandoná-las, alguns naufragaram na fé. ²⁰Entre eles se encontram Himeneu e Alexandre. Eu os entreguei a Satanás para que aprendam a não blasfemar.

2 **Sobre a oração** – ¹Em primeiro lugar, recomendo que se ofereçam súplicas, pedidos, intercessões e ações de graças por todas as pessoas, ²especialmente pelos reis e autoridades, para que possamos viver tranquilos e serenos com toda a piedade e dignidade. ³Isso é bom e agradável a Deus, nosso salvador, ⁴que quer que todos os homens se salvem e cheguem a conhecer a verdade. ⁵Há um Deus somente, há somente um mediador, o homem Cristo Jesus, ⁶que se entregou em resgate por todos e como testemunho no momento oportuno;

---

confiança. Pelo contraste, ressaltam as qualidades de Deus: paciência, compreensão, compaixão, favor (podemos escutar um eco dos predicados divinos de Ex 34,6, que reaparecem com fórmula litúrgica em outras passagens). Com o tratamento dispensado ao "primeiro" ou mais insigne dos pecadores, Deus dá exemplo e esperança a futuros convertidos (cf. Sb 12,19). Ainda costumamos dizer de um convertido que ele encontrou "seu caminho de Damasco". O relato se encontra em At 9 e paralelos, e em Gl 1,13-15.

1,12 "Fortaleceu": At 9,22; Fl 4,13.

1,13 A "ignorância" consiste na falta de fé ou brota dela (cf. At 3,17; 13,27; 17,30).

1,15 "Merece confiança": fórmula típica dessas cartas; com ela se garante enfaticamente o valor do que se afirma ou cita. A frase se encontra quase literalmente em Lc 15,2; 19,10; Mt 9,13.

1,16 Os atributos clássicos de Deus, compaixão e paciência, são atribuídos a Cristo com toda a naturalidade. A salvação se obtém pela fé em Jesus Cristo. Paulo é apresentado como exemplo esperançoso para outros, enquanto que Paulo propunha como exemplo Abraão.

1,17 O primeiro título dessa doxologia se encontra em Tb 13,1.7.11. Os "séculos" podem ser as eras da história.

1,18 O grande convertido passa a tarefa a "seu filho" numa espécie de sucessão legítima; pode-se recordar a passagem de Elias a Eliseu. Alude a "profetas" das comunidades cristãs, como os que At 21 menciona, ou os que aparecem em listas de carismas ou funções. As metáforas militar e náutica têm pouco relevo.

1,20 Entregar a Satanás equivale a excomungar temporariamente para provocar a correção.

2,1-15 A segunda preocupação dessas cartas é dar normas concretas para a ordem de comunidades locais. É significativo que conceda o primeiro lugar às reuniões de oração, talvez por considerá-las centro da vida comunitária. Por isso, é mais notável que nenhuma das cartas mencione a eucaristia (comparar com 1Cor 11). A instrução parece dominada pelo desejo de corrigir abusos internos e externos. De passagem, oferece também alguns conselhos ou ordens positivas. O tom é de autoridade, recomendação que equivale a mandato.

2,1 Nas quatro categorias, é fácil distinguir súplicas, intercessões e ações de graças; pedido se confunde com a primeira. Pelas autoridades: Rm 13,1-7.

2,2 Entre elas seleciona primeiro a intercessão pelas autoridades imperiais e regionais. Há antecedentes notáveis no AT: Moisés intercede várias vezes pelo Faraó (Ex 8,4-9.24-27; 10,17-19); Jeremias manda rezar por Babilônia: "rezai por ela, porque sua prosperidade é a vossa" (Jr 29,7). Supõe-se que as autoridades podem e devem contribuir para o bem de seus súditos: no civil, "tranquilidade", e no religioso, "piedade". Os cristãos, embora espalhados em comunidades sólidas através do império, eram minoria entre a maioria pagã; haviam suportado já algumas perseguições e continuavam dependendo da honradez e boa vontade de seus senhores civis, pois não parece que eles tenham tido acesso a cargos de governo. Pelo bem do povo deve-se rezar por eles, ainda que sejam pagãos.

2,3-4 Também eles são chamados à salvação (cf. Ez 18,23), que é o conhecimento e o reconhecimento da verdade do evangelho (Mt 20,28). Em outras palavras, não se pede o castigo, mas a conversão; o primeiro passo é que sejam agentes da paz.

2,5-6 Parecem citação de um hino litúrgico ou profissão de fé. O Deus único corresponde ao monoteísmo definido no judaísmo (de modo enfático a partir do Segundo Isaías, apoiado em ensinamentos precedentes). O mediador único entre Deus e os homens (1Cor 8,6; Hb 9,15) é um "homem" chamado Jesus, cujo título é Messias; com ele ficam abolidas as mediações de outras religiões e cultos. Em sua vida

⁷e eu fui nomeado seu mensageiro e apóstolo (digo a verdade sem engano), mestre dos pagãos na fé e na verdade. ⁸Quero que os homens, em qualquer lugar, orem elevando as mãos puras, livres de cólera e discórdia. ⁹Da mesma forma, as mulheres vistam-se decentemente, se enfeitem com modéstia e sobriedade: não com tranças, com ouro e pérolas, com vestes luxuosas, mas com boas obras, ¹⁰como convém a mulheres que se professam religiosas. ¹¹A mulher deve aprender em silêncio e submissa. ¹²Não admito que a mulher dê lições ou ordens ao homem. Esteja calada, ¹³pois Adão foi criado primeiro e Eva depois. ¹⁴Adão não foi seduzido; a mulher foi seduzida e cometeu a transgressão. ¹⁵Mas se salvará pela maternidade, se conservar com modéstia a fé, o amor e a consagração.

3 Diferentes categorias – ¹Aqui está uma norma que merece crédito: se alguém aspira ao episcopado, deseja uma obra importante. ²Por isso, o bispo deve ser irrepreensível, fiel à sua mulher*, sóbrio, modesto, cortês, hospitaleiro, bom mestre, ³não beberrão nem briguento, mas amável, pacífico, desinteressado; ⁴deve governar sua família com acerto, mantendo os filhos submissos, com toda a dignidade. ⁵Pois, se alguém não sabe governar a própria família, como se ocupará da Igreja de Deus? ⁶Não seja recém-convertido, para que não se envaideça e incorra na condenação do Diabo. ⁷É conveniente ter boa fama entre os de fora, para que não caia no descrédito e o Diabo não o engane.

⁸Igualmente os diáconos sejam dignos, não de duplas palavras, não dados à bebida

---

humana entregou-se (à morte) como "resgate" (Mt 20,28; cf. Sl 49,8) de escravos do pecado, com alcance universal. Com sua morte, deu o testemunho supremo de amor (Ap 1,5 o chama "a testemunha fidedigna").

2,7 Timóteo não necessitava de tal declaração de seu mestre e "pai". A frase tem outra função garantindo uma carta emanada da sua escola. Os três títulos, "mensageiro, apóstolo e mestre", reaparecem unidos em 2Tm 1,11. O mensageiro anuncia boas notícias, evangelho; "mestre" é uma das funções (diferente da apostólica) de 1Cor 12 e paralelos.

2,8 Em todo lugar, não só em lugares especiais; o extremo oposto da centralização do culto promovida por Josias; outros interpretam "os homens de qualquer lugar". As mãos levantadas são um gesto comum de oração (p. ex. Is 1,15; Sl 141,2).

2,9-15 O que diz das mulheres limita-se em primeiro lugar às reuniões religiosas; depois se estende a considerações mais gerais. A norma significa uma restrição da igualdade concedida por Paulo em 1Cor 11,4-5, e se aparenta com a inserção de 1Cor 14,34-35. É possível que o autor pense em abusos ou infiltrações por meio de mulheres, mas não podemos prová-lo. Reforça o que era costume social com um argumento da Escritura. Eva foi seduzida (Eclo 25,24); como "Mãe de viventes" (Gn 3,20) se salvou, pois o castigo não anulou a bênção da fecundidade (3,16). A mulher seguirá o destino de Eva e se salvará, se for fiel à sua vocação cristã de fé e amor, e nisso não se distingue do homem.

3,1-13 Encontramos aqui duas categorias que possuem a autoridade e exercem a administração na comunidade. Os termos gregos passaram ao português eclesiástico: bispo (*epískopos*) e diácono. Originariamente o primeiro significa vigilante, o segundo, servente: um encarregado responsável e alguns assistentes. Comparada com o que sabemos de Paulo em outros documentos, a carta indica um grau mais desenvolvido de organização interna da comunidade (At 20,28 e Fl 1,1 falam de "bispos" ou encarregados no plural, o segundo acrescenta "diáconos"). Era lógico que, com o passar do tempo e consolidando-se as comunidades, buscassem uma organização mais diferenciada. Contudo, se os termos são os mesmos que os nossos de hoje, não é legítimo deduzir que as funções fossem idênticas. A carta oferece orientações sobre a aptidão de candidatos para cargos estáveis de responsabilidade. As cartas mostram que as comunidades já possuíam sua organização, mas permitem reconstruir um quadro coerente e único.

3,1 A primeira coisa que diz é que a função de "bispo" ou responsável é uma tarefa nobre, à qual alguém capaz pode aspirar.

3,2-6 Vêm depois as condições positivas e negativas. "Marido de uma só mulher" interpreta-se de duas maneiras: a) se é viúvo, que não se tenha casado de novo. b) Que seja fiel à esposa legítima. Daí não se segue que todos fossem casados; parece que Timóteo e Tito não o eram.

"Hospitaleiro": sobretudo em relação a membros itinerantes de outras igrejas. "Bom mestre": logo, sua tarefa não é só vigiar, mas também ensinar (pregação, catequese etc.).

3,2 * Ou: *marido de uma só mulher.*

3,3 "Desinteressado": literalmente, não amante do dinheiro; pode-se supor que o encargo fosse remunerado.

3,4-6 Que tenha demonstrado sua capacidade e acerto como bom pai de família; a atuação doméstica será treinamento e garantia para reger a nova família que é a comunidade (cf. Mt 12,48-50 par.). A "condenação do Diabo" é a que ele sofreu, ou a que provoca por meio da vaidade.

3,7 Os de "fora" eram os não cristãos, a maioria da população.

3,8-13 Sobre os diáconos, com uma digressão sobre as mulheres. Do bispo falava no singular, dos diáconos no plural. Algumas condições se repetem. É próprio "conservar o mistério da fé". Costuma-se entender o corpo de doutrina ou a mensagem evangélica; alguns

nem ao lucro vergonhoso; ⁹devem conservar com consciência limpa o mistério da fé. ¹⁰Também eles devem ser provados primeiro, e, se forem achados irrepreensíveis, exercerão seu ministério. ¹¹Igualmente as mulheres sejam dignas, não murmuradoras, sejam sóbrias, confiáveis em tudo. ¹²Os diáconos sejam fiéis às suas mulheres*, bons chefes de seus filhos e de sua casa. ¹³Pois os que exercem bem o diaconato* obtêm um posto elevado e autoridade em questões de fé cristã.

Mistério cristão e falsos mestres – ¹⁴Isso eu te escrevo, embora espere visitar-te logo; ¹⁵e se me atrasar, que saibas como comportar-te na casa de Deus, que é a Igreja do Deus vivo, coluna e base da verdade. ¹⁶Grande é sem dúvida o mistério de nossa religião:

>Manifestou-se corporalmente,
>   justificado no Espírito,
>   apareceu aos anjos,
>   foi proclamado aos pagãos,
>   foi acreditado no mundo
>   e exaltado na glória.

4 ¹O Espírito diz expressamente que no futuro alguns renegarão a fé e se entregarão a espíritos enganadores e doutrinas demoníacas, ²pela hipocrisia de impostores que têm a consciência marcada a fogo. ³Proibirão o matrimônio e o consumo de certos alimentos, coisas que Deus criou para que os que creem e conhecem a ver-

---

têm pensado na eucaristia como mistério proibido aos pagãos. O v. 13 lhes atribui "autoridade" ou capacidade de expor com franqueza temas da fé cristã, o que indicaria também uma função catequética.

3,11 Pela colocação no texto, suspeitamos que essas mulheres eram as esposas dos diáconos ou talvez do bispo. Sua conduta não devia desacreditar os maridos. Ademais, a exigência de que sejam "fiéis" sugere também alguma função na comunidade. A carta menciona duas categorias de mulheres: as casadas e as viúvas; não fala de virgens consagradas (comparar com 1Cor 7).

3,12 * Ou: *maridos de uma só mulher.*

3,13 * Ou: *seu serviço.*

3,14-15 Na hipótese de que a carta seja autêntica, deve-se tomar essas palavras literalmente: Timóteo fica como delegado interino de Paulo, que espera voltar logo ou com pequeno atraso (não é o que espera na segunda carta, 4,6-8). Na hipótese de que a carta seja posterior, com nomes simplesmente representativos, as palavras sugerem a transferência da autoridade única de um apóstolo à geração seguinte de encarregados (em 6,14 o encargo dura até a parusia). Para ambos os casos valem as normas de conduta inculcadas.

3,15 Em 3,5 a casa-família do responsável se assemelhava à "igreja": implicitamente como casa a governar. Agora chama a Igreja "casa de Deus" ou templo: não um edifício material, e sim a comunidade, com seus responsáveis, sustenta e mantém a verdade do evangelho. Na imagem da "coluna" poderia esconder-se uma reminiscência das colunas do templo salomônico, que se chamavam Firme e Forte (1Rs 7,15-22).

3,16 O "mistério" é aqui uma síntese rítmica de nossa fé, tomada talvez de algum hino litúrgico cristão. Em três duplas de membros correlativos, professa as dimensões empíricas e transcendentes de Jesus (não mencionado, suposto). Sua condição corporal (Jo 1,14; 1Jo 1,1-2) e espiritual; confirmada provavelmente na ressurreição (veja Rm 1,3-4 para uma dupla equivalente; mas veja também Lc 1,35, na anunciação). Segunda dupla: a "aparição" aos anjos deve ser celeste (cf. Hb 1,6); "proclamado" como por arautos, "aos pagãos", pelo ministério apostólico de Pedro (At 10-11), Paulo e outros (não menciona expressamente os judeus). Terceira dupla: o "mundo" e a "glória" são o terrestre e o celeste (sem menção do mundo inferior, dos mortos, coisa que faz Fl 2,5-11). O verbo "exaltado" ou arrebatado alude à ascensão e glorificação (Mc 16,19).

4,1-5 O que o Espírito diz deve ser uma profecia na comunidade cristã; poderia referir-se a 2Ts 2,3, que anuncia uma "apostasia". O autor aplica qualificativos muito fortes a esses renegados da fé. A razão é que denigrem a ação criadora de Deus, que fez tudo bem (Gn 1,31); em si e em sua função: "as obras de Deus são todas boas e cumprem sua função a seu tempo" (ver Eclo 39,16 em seu contexto; Sb 1,14); em concreto o matrimônio (Gn 1,27; 2,18) e os alimentos (Gn 1,29; 9,3). Ao uso e consumo naturais o cristão acrescenta a ação de graças, reconhecendo assim o valor transcendente, o caráter de "dom" (Cl 2,20-23); acrescenta ainda uma "consagração" que os eleva à esfera do sagrado. Não podemos identificar esses inimigos do matrimônio e defensores de tabus alimentares, embora alguns comentaristas creiam descobrir nessas alusões o espírito dualista e o desprezo à matéria, típicos do gnosticismo.

4,1-2 "Espíritos enganadores": ver o relato clássico de 1Rs 22; aí Deus o envia, aqui o demônio o inspira (comparar 2Sm 24,1 com 1Cr 21,1). "Marcada a fogo": como delinquente ou escravo fugitivo; contrapõe-se à "boa consciência" de 1,5.

dade as tomem dando graças. ⁴Pois todas as criaturas de Deus são boas, e nada é desprezível se é tomado com ação de graças, ⁵já que é consagrado com a palavra de Deus e a oração.

⁶Se ensinas isso aos irmãos, serás bom ministro de Cristo Jesus, nutrido com a mensagem da fé e a boa doutrina que segues.
⁷Rejeita superstições e fábulas; exercita-te na piedade. ⁸Se exercício corporal traz proveito limitado, a piedade traz proveito para tudo, pois lhe prometeram a vida presente e a futura. ⁹Esta é uma norma que merece crédito e digna de total aceitação. ¹⁰Por isso nos afadigamos e lutamos, com a esperança no Deus vivo, salvador de todos os homens e em especial de todos os fiéis. ¹¹Recomenda e ensina isto: ¹²Ninguém te despreze por seres jovem; procura ser modelo dos fiéis na palavra, na conduta, no amor, na fé, na pureza. ¹³Até a minha chegada, dedica-te a ler, exortar e ensinar. ¹⁴Não descuides teu carisma pessoal, que te foi concedido por indicação profética, quando os anciãos te impunham as mãos. ¹⁵Cuida disso, ocupa-te disso, de modo que todos possam ver teus progressos; ¹⁶vigia tua pessoa e teu ensinamento e sê constante. Fazendo isso vos salvareis, tu e teus ouvintes.

5 Viúvas

– ¹Não trates com dureza um ancião, mas exorta-o como a um pai; os jovens como a irmãos, ²as anciãs como a mães, as jovens como a irmãs, com toda delicadeza. ³Socorre as viúvas que vivem como viúvas. ⁴Pois, se uma viúva tem filhos ou netos, estes devem aprender primeiro a praticar a piedade familiar e a pagar a seus pais o que lhes devem. Isso é o que agrada a Deus. ⁵Ao contrário, a viúva de verdade, que vive sozinha, tem sua esperança em Deus e persevera rezando e suplicando dia e noite. ⁶A licenciosa está morta em vida. ⁷Recomenda isso, para que sejam irrepreensíveis. ⁸Se alguém não cuida dos seus, especialmente dos que vivem em sua casa, renegou a fé e é pior que um incrédulo. ⁹Escolhe uma viúva que tenha completado sessenta anos e foi fiel a seu marido, ¹⁰que seja conhecida por suas boas obras: por ter criado seus filhos, por ter sido hospitaleira, lavado os pés dos consagrados, socorrido

---

4,6 "Ministro": quer dizer, "diácono" em sentido lato. "Nutrido": como em 2Tm 1,5; de "doutrina" (sem mencionar a eucaristia).

4,7-8 "Exercitar-se" refere-se em grego aos exercícios na academia ou "ginásio". Atividade que o autor aprova e utiliza como termo válido de comparação (comparar com a rejeição de 1Mc 1,14-15). Não contrapõe simplesmente a vida presente e a futura, pois inclui ambas como promessas por causa da piedade.

4,10 "Lutamos" é em grego o verbo próprio das competições atléticas. "Salvador": título de Deus nas Pastorais (1Tm 1,1; Tt 1,3; 2,10; 3,4). "De todos": 2,3; Tt 2,11.

4,12 Se Paulo fosse realmente o autor da carta, escrevendo de sua prisão em Roma, só relativamente Timóteo seria jovem.

4,13 "Ler": entende-se a Escritura, que os judeus chamam Leitura (em voz alta). Pela ordem, sugere que essa leitura é a base da exortação e ensino.

4,14 É o único carisma que menciona, como se fosse síntese dos demais; a não ser que pretenda sublinhar seu caráter individual (comparar com 1Cor 12). Introduz outra categoria tradicional: os "anciãos" como senado local com função decisória.

4,16 A salvação do responsável está vinculada à das pessoas a ele confiadas, no que lhe toca (cf. Ez 33,1-9; At 20,28).

5,1-2 Ancião, anciã têm nesses vv. o significado de idade, não de função. Sobre o tema: Lv 19,12; Lm 4,16. O modelo familiar se apresenta como ideal nas relações entre superiores e súditos.

5,3-16 O autor dedica muito espaço à situação das viúvas na comunidade cristã. Elas, junto com os órfãos, como categoria social necessitada, recebem muita atenção no AT: na legislação (p. ex. Lv 19,32), nos profetas (p. ex. Is 1,17.23), na oração (p. ex. Sl 68,6), nos sapienciais (Jó 29,12-13); ainda se escuta um eco em Tg 1,27. Agora se apresenta uma situação nova, mais complexa (recorde-se o conflito por causa das viúvas helenistas, At 6,1ss).

O autor distingue vários grupos. As viúvas jovens e levianas que, livres do vínculo conjugal (cf. Rm 7,2), vivem licenciosamente. A estas o autor recomenda que se casem (não são capazes de imitar Judite, Jt 8,4-8 e 16,22). Outras vivem com familiares que cuidam delas: na linha do quarto mandamento (Ex 20,12); ou vivem entregues à caridade de algum cristão. Essas não receberão subsídio da comunidade. Restam as outras, as desamparadas, que serão socorridas por um fundo comum, produto provavelmente de esmolas e doações.

Entre essas, algumas mais anciãs (sessenta anos naqueles tempos era idade muito avançada), que deram provas duradouras de virtude, desempenharão algumas funções na comunidade: certamente, rezar (como Ana, Lc 2,36-37) e provavelmente outras tarefas compatíveis com a idade.

5,5 Ainda que contem com a ajuda da comunidade, sua esperança se apoia em Deus.

5,8 A fé é incompatível com algumas condutas éticas.

5,10 "Lavar os pés": a exemplo de Cristo (Jo 13,14).

os necessitados, por ter praticado todo tipo de boas obras. ¹¹Exclui as viúvas jovens, pois, quando a sensualidade as afasta de Cristo, ¹²tornam-se condenáveis por terem faltado à primeira fidelidade. ¹³Mais ainda: visto que estão ociosas, costumam ir de casa em casa; e não só estão ociosas, mas murmuram, se intrometem, falando o que não se deve. ¹⁴Quero que as viúvas jovens se casem, tenham filhos e administrem a casa; assim não darão ao inimigo ocasião de escândalo. ¹⁵Pois algumas já se extraviaram, seguindo Satanás. ¹⁶Se uma cristã tem viúvas em sua casa, deve mantê-las sem causar peso à Igreja, que deve sustentar as viúvas de verdade.

Anciãos e escravos – ¹⁷Os anciãos que presidem bem merecem duplo salário, sobretudo se trabalham pregando e ensinando. ¹⁸Diz a Escritura: Não porás focinheira no boi que trilha; o operário tem direito a seu salário. ¹⁹Contra um ancião não aceites acusação que não seja confirmada por duas ou três testemunhas. ²⁰Repreende em público os pecadores, para que os outros aprendam a lição.

²¹Conjuro-te diante de Deus, de Cristo Jesus e dos anjos eleitos, que observes essas normas sem preconceitos nem partidarismos. ²²A ninguém imponhas apressadamente as mãos, não te tornes cúmplice de culpas alheias. Conserva-te puro. ²³Deixa de beber somente água; toma um pouco de vinho para a digestão e por causa de tuas frequentes doenças.

²⁴Os pecados de alguns são evidentes, antes mesmo de serem julgados; os de outros demoram para se manifestar. ²⁵De modo semelhante, as obras boas são evidentes, as que não o são não podem ficar ocultas.

6 ¹Os que estão sob o jugo da escravidão devem considerar seus senhores dignos de todo o respeito, para que o nome de Deus e seu ensinamento não fiquem expostos ao descrédito. ²Os que têm senhores que creem, não devem desprezá-los por serem irmãos; antes, devem servi-los, pois os que gozam de seus serviços creem e são dignos de amor. Isso é o que deves ensinar e recomendar. ³Quem ensina outra coisa e não se atém às palavras sadias de nosso Senhor

---

5,12 "A primeira fidelidade": ao marido defunto ou ao caráter sagrado de seus compromissos.
5,14 Comparar com os conselhos de Paulo (1Cor 7,8.40). O "inimigo" é o pagão hostil ao cristianismo.
5,15 A vida licenciosa é seguimento de Satanás.
5,17-25 Esses "anciãos" se caracterizam não tanto pela idade, que não se exclui, quanto pela função comunitária, como acontece no AT e em outras culturas. Formam o conselho nas cidades e o senado na nação (*senatus* vem de *senex* = velho). Formam um grupo, e sua responsabilidade é colegial. Aparecem em Éfeso, como encarregados da comunidade local, sob a autoridade de Paulo (At 20,17). Dá a impressão de que também Timóteo estava acima do colégio local de "anciãos". Refere-se a eles a imposição de mãos do v. 22?; o contexto poderia confirmá-lo. Em todo caso, é claro que Timóteo tem autoridade para nomear e consagrar ritualmente, transmitindo assim o carisma recebido (4,14).
Os anciãos em função não recebem subsídio, e sim salário, como prescreve a legislação do AT aplicada por comparação (Dt 25,4). Exigem tratamento especial, para o bem ou para o mal, segundo a norma bíblica (Dt 19,15; princípio que não se aplica só aos anciãos). Quando se trata de consagrar, Timóteo não deve precipitar-se. Pois, se as virtudes facilmente se manifestam, muitos pecados se mantêm ocultos até que saiam à luz, quando é tarde demais. Então aquele que os nomeou acaba sendo o responsável pelas consequências, que não previu por ser imprudente.

5,17 Distingue entre a simples presidência, que seria função administrativa, e a pregação e ensino, como tarefa acrescentada.
5,18 O princípio está no evangelho: Mt 10,10; Lc 10,17.
5,20 Aqueles cujos pecados tenham sido comprovados ou sejam evidentes. A repreensão pública corresponde ao cargo público que exercem.
5,21 A parcialidade é particularmente prejudicial quando são as autoridades que a praticam. Sobre o tema, Pr 24,23; 28,21; Jó 32,21.
5,23 Por ação do escriba ou de quem ditava, inseriu-se aqui essa cunha, como que explicando o que foi dito sobre o vinho (3,3). Não se deve exagerar!
6,1-2 Sobre a escravidão. A condição fraterna dos cristãos introduz uma relação superior entre classes sociais (pois a relação patrão-servo era um fato social como o são outras relações de dependência em nossa sociedade; sem dúvida, prestavam-se mais ao abuso). O escravo cristão não deve abusar da sua relação fraterna; antes, deve animar de espírito fraterno também a submissão ao patrão (mas o autor não acrescenta a obrigação correspondente do patrão, como fazem outros textos: cf. 1Cor 7,21-24; Ef 6,5-9; Cl 3,22-25 e Fm).
6,3 A recomendação abrange toda a doutrina precedente. Seu critério decisivo é o ensinamento de Jesus Cristo, o evangelho, e a resposta de "piedade" ou religiosidade, que aqui vem ocupar o lugar tradicional da fé. Desenvolve o tema outra vez por oposição aos que se desviam.

Jesus Cristo e a um ensinamento religioso, [4]é um vaidoso que nada entende, um doente de disputas e controvérsias de palavras. Daí brotam invejas, discórdias, maledicência, suspeitas malignas, [5]discussões intermináveis, próprias de pessoas mentalmente corrompidas, alheias à verdade, que pensam que a religião é um negócio. [6]Grande negócio é a religião para quem sabe contentar-se, [7]já que nada trouxemos ao mundo e nada poderemos levar. [8]Tendo roupa e alimento nos contentaremos. [9]Os que se afadigam para enriquecer caem nas tentações e armadilhas e múltiplos desejos insensatos e profanos, que precipitam as pessoas na ruína e na perdição. [10]A cobiça é a raiz de todos os males: por entregar-se a ela, alguns se distanciaram da fé e se atormentaram com muitos sofrimentos.

Recomendações a Timóteo — [11]Tu, ao contrário, homem de Deus, foge de tudo isso; procura a justiça, a piedade, a fé, o amor, a paciência, a bondade. [12]Combate o nobre combate da fé. Apega-te à vida eterna, para a qual foste chamado quando fizeste tua nobre profissão diante de muitas testemunhas. [13]Na presença de Deus, que dá vida a tudo, e de Cristo Jesus, que prestou testemunho diante de Pôncio Pilatos com sua nobre confissão, [14]eu te recomendo que conserves o mandamento sem mancha nem repreensão, até que apareça o Senhor nosso Jesus Cristo, [15]que mostrará a seu tempo o bem-aventurado e único Soberano, o Rei dos reis e Senhor dos senhores, [16]o único imortal que habita na luz inacessível, que ninguém viu nem pode ver. A ele a honra e o poder para sempre. Amém.

[17]Aos ricos deste mundo recomenda-lhes que não se envaideçam; que ponham sua esperança não em riquezas incertas, mas em Deus, que nos permite desfrutar abundantemente de tudo. [18]Que sejam ricos de boas obras, generosos e solidários. [19]Assim acumularão um bom capital para o futuro e alcançarão a vida autêntica. [20]Querido Timóteo, conserva o depósito, evita a charlatanice profana e as objeções de uma ciência falsa. [21]Alguns, professando-a, se afastaram da fé. A graça esteja convosco.

6,4-6 O autor os caracteriza duramente em sua atitude de vaidade, nas consequências lamentáveis, na raiz de tudo, que é a cobiça. Trata-se de uma generalização convencional, pois outros dirão que a raiz de todos os males é a soberba. Contudo, a análise é correta: o afã de lucro vicia também o ensinamento, como acontece com os falsos profetas denunciados por Miqueias (Mq 3,1-3). O afã de enriquecer-se desacredita o ensinamento: Paulo quis demonstrar explicitamente seu desinteresse por alguma coisa. A "autarquia" era virtude recomendada por filósofos gregos; o autor corrobora seu valor, aludindo provavelmente a textos bíblicos (cf. Jó 1,21; Ecl 5,14; Sl 49,17). Pelo tema, aqui encaixaria o texto de Mt 6,17-19 sobre a riqueza.

6,7-8 Muito expressivas são as declarações de Ecl 5,15 e Jó 1,21. Lê-se em Pr 30,8: "não me dês riqueza nem pobreza, concede-me minha porção de pão".

6,11-16 Encargos a Timóteo com doxologia. "Homem de Deus" é título que alguns profetas têm (1Sm 2,27; 1Rs 13,1).

6,12 Sobre o combate da fé: 1Cor 9,25-26. Refere-se à profissão de fé batismal ou à da sua nomeação ou consagração.

6,13 Para o testemunho de Jesus, ver especialmente Jo 18,36-37; 19,11.

6,14 O horizonte temporal se alarga até a parusia.

6,15-16 Doxologia solene, por acumulação de títulos e atributos divinos. "Soberano": 2Mc 12,15. "Rei dos reis e Senhor dos senhores": Sl 136,3; Ap 17,14 (atribuído a Cristo). "Morada de luz": vestido em Sl 104,2. "Ninguém o viu": Ex 33,20 e Jo 1,18. Com o v. 16 e a frase final do v. 21, terminaria perfeitamente a carta. Como se ao ditar ou ao revisar tivesse esquecido algo, acrescenta vários versículos.

6,17-19 Para quem de fato é rico. Segundo o ensino tradicional, não devem apoiar sua confiança nas riquezas, tornando-as rivais de Deus: ver todo o Sl 49; "se vossa fortuna prospera, não lhe deis o coração" (Sl 62,11); "não pus no ouro minha confiança" (Jó 31,24); "quem confia em suas riquezas murcha" (Pr 11,28). O ideal do rico deve ser partilhar generosamente (cf. Eclo 29,8-13).

6,20-21 Recomendação repetida antes da breve saudação final.

SEGUNDA CARTA A TIMÓTEO

1 ¹De Paulo, apóstolo de Cristo Jesus, por vontade de Deus, segundo a promessa de vida cumprida em Cristo Jesus, ²ao querido filho Timóteo: graça, misericórdia e paz da parte de Deus Pai e de Cristo Jesus, nosso Senhor.

³Dou graças ao Deus de meus antepassados, a quem venero de consciência limpa, sempre que te menciono em minhas orações, de noite e de dia. ⁴Ao recordar as lágrimas que derramaste, tenho vontade de ver-te para coroar minha alegria. ⁵Recordo tua fé sincera, que estava presente antes de tudo em tua avó Lóide, depois em tua mãe Eunice, e agora tenho certeza de que está presente em ti.

Fiel ao evangelho – ⁶Por isso te exorto a reavivar o carisma de Deus que recebeste por imposição das minhas mãos. ⁷Pois o espírito que Deus nos deu não é de covardia, mas de força, amor e sobriedade. ⁸Não te envergonhes de dar testemunho de Deus, nem deste seu prisioneiro; ao contrário, com a força de Deus, compartilha os sofrimentos em prol da boa notícia. ⁹Ele nos salvou e chamou com uma vocação santa, não por mérito de nossas obras, mas por seu desígnio e graça a nós concedida desde a eternidade em nome de Cristo Jesus ¹⁰e que se manifesta agora pela aparição de nosso Salvador, Cristo Jesus. Ele destruiu a morte e iluminou a vida imortal por meio da boa notícia. ¹¹Dela fui nomeado mensageiro, apóstolo e mestre. ¹²Por causa disso é que sofro essas coisas, mas não me sinto fracassado, pois sei em quem confiei e estou convencido de que ele pode guardar meu depósito até aquele dia. ¹³Presta atenção ao compêndio da sã doutrina que escutaste com a fé e o amor de Cristo Jesus. ¹⁴E com a ajuda do Espírito Santo que habita em nós, guarda o precioso depósito.

1,1-2 A saudação tem um elemento não comum, "a promessa de vida". É uma constante na pregação do Deuteronômio e é condicionada ao cumprimento da lei (4,1; 8,1). Cumpre-se de modo insuspeito na ressurreição de Cristo (At 26,6).
Ao passar da primeira à segunda carta a Timóteo, escutamos um tom diferente: mais pessoal nas recordações, mais cordial nos conselhos e avisos. Talvez se deva ao caráter de testamento que o autor quis imprimir ao escrito. Seu personagem contempla seu fim próximo e o futuro distante do seu destinatário, discípulo e sucessor, e se emociona.

1,3-5 O remetente remonta a seus antepassados, o destinatário ascende pelo tronco feminino. A razão é simples: o judeu Paulo, feito cristão, continua venerando o Deus de seus pais, porque é o mesmo, o único Deus verdadeiro. Ao invés, Timóteo nasceu de pai pagão e de mãe judia convertida (At 16,1). De passagem, o autor nos deixa um valioso testemunho sobre a educação cristã transmitida por uma mãe e uma avó. Refere-se às lágrimas de despedida (1Tm 1,3).

1,6 Impor as mãos é o rito de nomeação ou consagração (1Tm 4,14; At 6,6), conferindo o carisma do encargo. "Reavivar": o verbo grego significa avivar um fogo. O Espírito Santo veio como em línguas de fogo (At 2,3); pode-se recordar o fogo do santuário (Ex 30,7-8). É interessante que caiba ao homem avivar o fogo aceso nele pelo Espírito (cf. Lc 12,49).

1,7-8 O carisma comunica uma força superior para dar testemunho e suportar por ele padecimentos: "eu, porém, estou cheio de coragem, de Espírito do Senhor... para denunciar..." (Mq 3,8); ou para enfrentar qualquer autoridade (Jr 1,18; cf. Ez 3,8; Is 50,5-9). "Não te envergonhes" ou acovardes (Rm 1,16). O "prisioneiro": na composição da carta como testamento (gênero literário comum), refere-se à prisão em Roma, pouco antes do martírio, que é seu "testamento" final (cf. para a equivalência Ap 2,13).

1,9-10 Breve síntese cristológica, talvez citação de um hino litúrgico. Cada vocação se inscreve no amplo desígnio de Deus, definido antes de tudo (Cl 1,17-18) e manifestado recentemente (Cl 1,26-27). A "aparição" ou epifania do Salvador é sua vinda como homem (Tt 2,11). Destrói a morte em si pela ressurreição (1Cor 15,54) e revela ou "ilumina" a vida pelo anúncio do evangelho. É anúncio de futuro, contra o que pretendem os impostores (2,18).

1,11 Três títulos (como em 1Tm 2,7). O "mensageiro" anuncia as notícias (Is 33,7); no caso de Paulo é "a boa notícia" (Is 40,9). "Apóstolo" é o enviado (Is 63,9) como embaixador credenciado (2Cor 4,2). "Mestre" é título clássico sapiencial, e se encontra na série de 1Cor 12,28.

1,12 O "depósito" de sua vida e destino, deixados como garantia nas mãos de Deus: "em tuas mãos eu confiava minha vida" (Sl 31,6). Outros o interpretam em relação ao encargo recebido (como no v. 14).

1,13 "Compêndio": a palavra grega é tirada da retórica e significa algo que se põe diante dos ouvintes, uma descrição viva e plástica. Essa mensagem é o "depósito precioso" do v. seguinte.

1,14 Pela presença do Espírito, o depósito não é um repertório de recordações que se transmitem, mas tem o caráter da vida, que transmitindo-se permanece. Ver Rm 5,5.

¹⁵Estás sabendo que todos os da Ásia me abandonaram, inclusive Fígelo e Hermógenes. ¹⁶O Senhor tenha piedade da família de Onesíforo, que muitas vezes me aliviou, e não se envergonhou de visitar um preso. ¹⁷Estando em Roma, procurou-me até me encontrar. ¹⁸O Senhor lhe conceda alcançar a misericórdia do Senhor naquele dia. Os serviços que me prestou em Éfeso, tu os conheces mais do que eu.

2 Soldado de Cristo –

¹Quanto a ti, meu filho, recobra ânimo com o favor de Cristo Jesus. ²O que escutaste de mim diante de muitas testemunhas, transmite-o a pessoas de confiança, que sejam capazes de ensiná-lo a outros. ³Compartilha os sofrimentos como bom soldado de Cristo Jesus. ⁴Um soldado na ativa não se envolve em assuntos civis, se quer satisfazer a quem o recrutou. ⁵Da mesma forma um atleta: não ganha a coroa, se não compete segundo o regulamento. ⁶O lavrador que trabalha é o primeiro a usufruir dos frutos. ⁷Reflete sobre o que te digo, e o Senhor te fará entender tudo.

⁸Seguindo minha boa notícia, lembra-te de Jesus Cristo, ressuscitado da morte, da linhagem de Davi. ⁹Por ela sofro a ponto de estar encarcerado como malfeitor. Mas a palavra de Deus não está algemada. ¹⁰Tudo sofro pelos escolhidos de Deus, para que, também eles, por meio de Jesus Cristo, alcancem a salvação e a glória eterna.

¹¹Esta palavra merece crédito:

Se morremos com ele, com ele viveremos:
¹²se aguentamos, reinaremos com ele;
se o renegamos, ele nos renegará;
¹³se lhe formos infiéis, ele se mantém fiel,
pois não pode negar a si mesmo.

¹⁴Recorda-lhes isso, exortando-os diante de Deus a deixarem de discutir com palavras, coisa que não traz proveito, mas só perdição para os que escutam. ¹⁵Esforça-te por merecer a aprovação de Deus, como operário irrepreensível que dispensa com retidão a palavra da verdade. ¹⁶Evita palavreados profanos, que fomentam cada vez mais a impiedade; ¹⁷são discursos que se propagam como gangrena. É o caso de Himeneu e Fileto: ¹⁸quando afirmam que nossa ressurreição já aconteceu, apartam-se da verdade e minam a fé em alguns. ¹⁹Mas o firme alicerce de Deus resiste, e leva a

---

1,15-18 Sobre esses incidentes, ver 4,16.19. Não são fáceis de encaixar no relato do final de At 28; mas o relato é muito sucinto. "Aquele dia" é o dia final de prestação de contas, quando valerá o ter visitado o prisioneiro (Mt 25,36).

2,2 Está aqui descrito o princípio e processo de difusão e tradição, controlado ou garantido por testemunhas. Comparar com o mesmo princípio em Sl 78, que menciona "pais, filhos, geração vindoura, seus filhos, descendentes, seus filhos".

2,3-6 Os soldados eram mercenários e se reembolsavam com o saque; mas o soldado de Cristo é chamado apenas a sofrer por ele (comparar com 2,24).

2,7 Síntese do trabalho humano e do dom divino, como o descreve Eclo 39,6-8. Sobre a necessidade da iluminação divina, leiam-se as palavras que Dt 29,3-4 atribui a Moisés: "não lhes deu inteligência para entender... até hoje".

2,8 Síntese mínima, em dois tempos, eco de Rm 1,3-4. A "linhagem de Davi" alude ao título messiânico. "Lembra-te" ou conserva na lembrança: se a ressurreição é um fato do passado, a vida gloriosa é sempre atual; Jesus Cristo continua sendo mediador da salvação.

2,9 Inclusive a prisão serviu mais de uma vez à difusão do evangelho, como ilustram vários episódios dos Atos ou o que diz em Fl 1,12ss.

2,10 A glória eterna coroa a salvação (cf. Sl 73,24).

2,11-13 O minúsculo poema se compõe de quatro frases simétricas e uma final assimétrica; a mudança é significativa. Nas quatro, a apódose corresponde à prótase e se dispõem num eixo de passado – presente – futuro. Passado é a morte pelo batismo (Rm 6,8); presente é a constância nas tribulações (Mt 10,22); futuro é a ressurreição e glorificação com Cristo. No final se rompe a simetria pela parte forte, dela bondade e misericórdia de Deus (cf. Os 11,8-9; Ez 36,22; Rm 10,11). O dom e a oferta de Deus são irrevogáveis; se o homem os rejeita, ele o reconhece e o sanciona.

2,14-17 Contrapõe ao palavrório profano e perigoso a palavra da verdade, que é o evangelho.

2,18 Se se afirma que a ressurreição já teve lugar (não no sentido paulino, pela participação batismal), seguem-se consequências graves: não se deve continuar esperando. Nega-se também o matrimônio? (1Tm 4,3 apoiado em Mc 12,25).

2,19 Um alicerce ou pedra de fundação com uma inscrição está em Is 28,16, apelando à fé: "Quem

seguinte inscrição: o Senhor conhece os seus, e quem invocar o nome do Senhor afaste-se da injustiça.

²⁰Numa casa grande não há só utensílios de ouro e prata, mas também de madeira e louça, uns para usos nobres, outros para usos humildes. ²¹Quem se mantiver limpo de tudo o que foi dito será utensílio nobre, consagrado, útil para o dono, disponível para qualquer boa tarefa. ²²Foge das paixões juvenis, procura a justiça, a fé, o amor, a paz com todos os que invocam sinceramente o Senhor. ²³Evita as discussões insensatas e indisciplinadas, levando em conta que elas geram brigas. ²⁴E um servo do Senhor não deve brigar; antes, deve mostrar-se a todos modesto, bom mestre, tolerante, ²⁵capaz de admoestar com suavidade os adversários, para que Deus lhes conceda o arrependimento e o conhecimento da verdade. ²⁶Assim poderão retornar à sensatez e livrar-se da rede do Diabo, que os mantinha prisioneiros de sua vontade.

3 Os últimos tempos – ¹Tu deves saber que nos últimos tempos se apresentarão situações difíceis. ²Os homens serão ego-

ístas e cobiçosos, fanfarrões, arrogantes, injuriosos, desobedientes aos pais, ingratos, ímpios, ³sem piedade, implacáveis, difamadores, descontrolados, desumanos, hostis ao que é bom, ⁴pérfidos, temerários, vaidosos, mais amigos do prazer do que de Deus; ⁵embora preservem as formas da religiosidade, renegam seus efeitos. Evita esses tais. ⁶A esse grupo pertencem os que entram sorrateiramente nas casas e seduzem mulherzinhas carregadas de pecados, arrastadas por diversas paixões, ⁷sempre aprendendo, mas incapazes de compreender a verdade. ⁸Da mesma forma que Janes e Jambres se confrontaram com Moisés, esses tais se enfrentam com a verdade. São gente de mentalidade corrompida, reprovados na fé. ⁹Mas não irão muito longe: como no caso dos rivais de Moisés, a insensatez deles se tornará evidente a todos.

¹⁰Tu, ao contrário, seguiste meu ensinamento, meu modo de proceder, minha resolução, fé, paciência e perseverança; ¹¹minhas perseguições e sofrimentos, como os que passei em Antioquia, Icônio e Listra. Que perseguições tive de suportar, mas de todas o Senhor me livrou. ¹²E todos os

---

se apoia não vacila". O texto dessa carta se compõe de citações literais ou aproximadas (Nm 16,5; Eclo 17,26; 35,3).

2,20-21 A "casa grande" é a Igreja. O templo de Jerusalém tinha utensílios materiais preciosos. A Igreja tem seus utensílios humanos, para diversas tarefas, mais ou menos honoríficas. Alguns pensam que os "humildes" ou sem honra representam os membros indignos da comunidade, como fato lamentável e inevitável. Mas o texto não acrescenta uma cláusula negativa contra um utensílio que deveria ser excluído. Para a comparação, ver Rm 9,21, inspirado em Jr 18.

2,23-24 Discussões e debates eram uma das satisfações dos gregos; mas deviam ser conduzidos segundo regras aceitas, devidamente codificadas numa doutrina prática, a *dialektike téxne* ou dialética.

2,25 O "arrependimento" das culpas passadas no paganismo e o "conhecimento da verdade", ou seja, a aceitação do evangelho.

2,26 O Diabo, visto como caçador com rede (Sl 35,7; 57,7; 140,6), que domina suas presas. Seu "arbítrio" se opõe à "vontade" de Deus (a mesma palavra em grego).

3,1-7 A maldade dos tempos se apresenta numa série retórica de tipos malvados. Pode estar inspirada, ao menos parcialmente, em listas estoicas de vícios. É duvidoso que o autor busque a precisão conceitual de cada tipo. Oito se compõem de *alfa* privativo, que significa carência, e contêm por negação virtudes opostas. Entre eles se pode notar os que afetam o sujeito, como "incontroláveis", as relações com Deus, como "ímpios", com os pais, "desobedientes", com o próximo em formas diversas. Também se notam os quatro compostos de *fil-* (amantes) de si, do dinheiro, do prazer.

3,1 Começa aqui uma exortação para os tempos finais que se avizinham. Podemos alongar a seção até 4,8, de acordo com a hipótese que considera essa carta composta na forma de um "testamento". Paulo prevê seu final próximo (que o autor conhece como fato passado), de modo que não poderá prestar sua ajuda nos tempos difíceis que se aproximam. Antes de partir (vítima da perseguição), dá conselhos a seu sucessor e o previne do que vai acontecer. É o que fazia Jesus nos discursos escatológicos (Mt 24; Mc 13), e o dizia expressamente: "eu vos disse isso agora, antes que aconteça, para que creiais quando acontecer" (Jo 14,29). O discípulo e sucessor de Paulo terá de valer-se dos ensinamentos e exemplos do mestre e do que aprendeu pela Escritura.

3,8-9 São nomes que a tradição judaica dá a dois magos do Egito, que procuraram contestar os prodígios de Moisés com artes mágicas.

3,10-12 As perseguições fazem parte da missão apostólica, como anunciou Jesus: "o discípulo não está acima do mestre" (Mt 10,24 no contexto de 16-24); também na vocação de Paulo (At 9,16). Não só dos apóstolos, mas de todo cristão autêntico.

que desejam viver religiosamente, como cristãos, sofrerão perseguições. ¹³Enquanto isso, malfeitores e impostores vão de mal a pior, enganando e enganados. ¹⁴Presta atenção ao que aprendeste e aceitaste com fé: sabes de quem o aprendeste, ¹⁵e que desde criança conheces a Sagrada Escritura, que pode te dar sabedoria, para que te salves pela fé em Cristo Jesus. ¹⁶Toda Escritura é inspirada e útil para ensinar, repreender, encaminhar e instruir na justiça. ¹⁷Com isso o homem de Deus estará formado e capacitado para todo tipo de boas obras.

4 ¹Diante de Deus e de Jesus Cristo, que há de julgar vivos e mortos, eu te conjuro por sua manifestação como rei: ²proclama a palavra, insiste oportuna e inoportunamente, repreende, admoesta, exorta com toda a paciência e pedagogia. ³Pois chegará o tempo em que não suportarão a sã doutrina, mas, seguindo suas paixões, se rodearão de mestres que lhes afaguem os ouvidos. ⁴Não dando ouvidos à verdade, se voltarão para as fábulas. ⁵Quanto a ti, vigia continuamente, suporta os sofrimentos, executa a obra de anunciar a boa notícia, cumpre teu ministério.

Recomendações e saudações – ⁶Quanto a mim, já fazem de mim uma libação, e a hora da partida é iminente. ⁷Combati o bom combate, terminei a corrida, mantive a fé. ⁸Só me espera a coroa da justiça, que o Senhor como justo juiz me entregará naquele dia. E não só a mim, mas a todos os que desejam sua manifestação.

⁹Procura vir me ver o quanto antes, ¹⁰pois Demas, enamorado deste mundo, me abandonou e foi para Tessalônica. Crescente foi para a Galácia, Tito para a Dalmácia. ¹¹Somente Lucas ficou comigo. Toma contigo Marcos e traze-o, pois acho que ele me é muito útil no ministério. ¹²Enviei Tíquico a Éfeso. ¹³Quando vieres, traze-me a capa que deixei na casa de Carpo, junto com os livros e, sobretudo, os pergaminhos todos. ¹⁴Alexandre, o bronzista, tratou-me muito mal: o Senhor lhe pagará como merece. ¹⁵Tu também, toma cuidado com ele, porque se opôs duramente ao meu discurso. ¹⁶Em minha primeira defesa, ninguém me assistiu; todos me abandonaram; não lhes seja levado em conta. ¹⁷O Senhor, sim, me assistiu e me deu forças para que por meu intermédio se levasse a cabo a proclamação, de modo que o mundo todo a ouvisse; e me arrancou da boca do leão. ¹⁸O Senhor me livrará de toda obra maligna e me salvará em seu reino celeste. A ele a glória pelos séculos dos séculos. Amém.

3,14-17 É um dos textos em que a Escritura dá testemunho de si mesma; o outro é 2Pd 1,19-21. É "inspirada por Deus": soprada pelo alento divino. São muitos os textos do AT que relacionam o oráculo profético com a moção do Espírito = vento de Deus. Uma versão bem material se acha no famoso episódio do falso profeta (1Rs 22,24): "por onde me escapou o espírito do Senhor para te falar?" As últimas palavras de Davi trazem esta introdução: "O espírito do Senhor fala por mim, sua palavra está em minha língua" (2Sm 23,2). A tradição cristã a retomou e estendeu aos escritos "canônicos" do NT. Da inspiração se segue o valor da Escritura para ensinar e agir. "Homem de Deus" é no AT título do profeta; aqui se aplica ao cristão que tem missão especial.

4,1-5 Do que foi dito e dos tempos que se aproximam, segue-se outra recomendação solene e urgente. "Conjurar" é tomar juramento na presença de testemunhas qualificadas, invocando motivos sagrados (cf. Js 24,22). A testemunha pode ser Deus, a pessoa que jura ou um documento jurídico (cf. Dt 31,26). Invocar a parusia e o juízo universal confere garantia máxima ao juramento: o definitivo se faz presente (1Pd 4,5). Os imperativos se sucedem em cascata. A "palavra" é a mensagem evangélica. "Afagos": como no chamado testamento de Isaías (30,10) e falando de falsos profetas (1Rs 22,8).

4,6-8 A morte próxima e violenta do apóstolo será uma "libação": não de vinho, mas de sangue; não alheia, mas própria. É morte com valor quase litúrgico. A partida será um levantar âncoras. É um atleta que competiu até o final e agora se dispõe a receber a coroa do prêmio (1Cor 9,25). Mas nessa competição não é coroado apenas um, e sim todos os que correm com esperança invencível. O "justo juiz" é o árbitro da competição: é o Senhor no dia da sua vinda gloriosa.

4,9-17 O prisioneiro sente a solidão pelo abandono ou desvio de alguns colaboradores e a hostilidade de um conhecido. Nessa mistura de nomes, alguns conhecidos (quatro constam em Cl), e nos dados sobre o processo não sabemos quanto é reflexo de atos que o autor conhecia e quanto é contribuição sua. É estranho, se está para morrer, que peça o manto e material para escrever.

4,14 Lê-se em Sl 62,12 e é doutrina comum.

4,17 "O mundo todo" pode-se traduzir também por "todos os pagãos" (concentrados em Roma). O "leão" é o perseguidor (Sl 22,2).

4,18 Remete a salvação ao reino celeste. O autor conhecia o martírio e seu sentido glorioso (cf. Lc 23,42s).

¹⁹Saúda Prisca e Áquila e a família de Onesíforo. ²⁰Erasto ficou em Corinto. Deixei Trófimo doente em Mileto. ²¹Procura vir antes do inverno. Êubulo, Pudente, Lino, Cláudia e todos os irmãos te saúdam. ²²O Senhor esteja com teu espírito*. A graça esteja com todos vós.

4,22 * Ou: *o Senhor te acompanhe espiritualmente.*

CARTA A TITO

1 Saudações – ¹De Paulo, servo de Deus e apóstolo de Jesus Cristo, para conduzir à fé dos escolhidos de Deus e ao conhecimento da verdade religiosa, ²com a esperança de uma vida eterna, que o Deus infalível prometeu desde outrora ³e agora manifesta de palavra com a proclamação que me foi confiada, por disposição de nosso Deus e Salvador, ⁴a Tito, meu filho legítimo na fé comum: graça e paz da parte de Deus Pai e de Cristo Jesus, nosso Salvador.

Missão em Creta – ⁵Se te deixei em Creta, foi para que resolvesses os assuntos pendentes e para que nomeasses anciãos em cada cidade, segundo minhas instruções. ⁶Examina se há alguém irreprovável, fiel à sua mulher, com filhos que creem, não desacreditados por sua licenciosidade e indisciplina. ⁷Pois o bispo, como administrador de Deus, deve ser irreprovável: nem egoísta nem colérico nem beberrão nem briguento nem metido em negócios sujos; ⁸pelo contrário, hospitaleiro, amante do bem, moderado, justo, devoto, controlado; ⁹que se mantenha na doutrina autêntica, de modo que possa exortar com uma doutrina sadia e refutar os que afirmam o contrário.

¹⁰Especialmente entre os judeus convertidos há muitos insubmissos, charlatães, enganadores. ¹¹A esses é preciso amordaçar, pois destroem famílias inteiras, ensinando o que não devem por uma ganância sórdida. ¹²Deles disse um de seus profetas: Cretenses, sempre embusteiros, animais ferozes, glutões ociosos. ¹³Tal descrição é correta. Por isso, repreende-os severamente, para ver se recuperam a saúde da fé ¹⁴e abandonam as fábulas judaicas e os preceitos de homens afastados da verdade. ¹⁵Para os puros, tudo é puro; para os incrédulos contaminados, nada é puro. Pois têm contaminadas a mente e a consciência.

1,1-4 Para uma carta muito breve, uma saudação muito longa, com algumas novidades (e uso abundante de preposições). "Servo de Deus" ou de *Yhwh* é título honorífico frequente no AT. Em outros textos, Paulo prefere dizer "servo de Jesus Cristo" (Rm 1,1; Fl 1,1). A serviço dos "escolhidos", ou seja, o novo povo de Deus. A "fé", como resposta inicial e adesão total, amadurece com o "conhecimento", não é cega. À fé segue-se a "esperança", que se apoia na "promessa" de um Deus "infalível", fiel à sua palavra, e cujo conteúdo é "vida eterna". Não fica claro que a "vida eterna" esteja prometida no AT, por causa da ambiguidade do termo hebraico, que significa perpétuo, duradouro ou vitalício (os textos mais claros são Sl 16,11; 49,16; 73,23-24; Dn 12,2-3). Ora, o que é anunciado entre véus no AT, é agora proclamado no evangelho. "Salvador": título de Deus nas cartas Pastorais (1Tm 1,1; 4,10; Tt 2,10; 3,4). "Filho legítimo": título dado também a Timóteo (1Tm 1,2). A "fé comum" define a semelhança de pai e filho numa nova natureza (cf. Gn 5,3); a transmissão da vida nova da fé é uma espécie de paternidade.

1,5-9 A primeira tarefa de Tito em Creta será nomear responsáveis para organizar a comunidade: é a preocupação da segunda e terceira gerações cristãs. É uma espécie de senado ou conselho, os "anciãos" que conhecemos por At 14,23 e 1Tm 5,17. A partícula "pois" (v. 7) parece sugerir que o encarregado ou responsável supremo (*epískopos*) é um dos anciãos. Confirmam-no a instrução de 1Tm 3,1-7 e o fato de que tal contexto distingue só entre "bispo" e "diáconos".

1,6 "Fiel à sua mulher" ou não casado em segundas núpcias.

1,7-9 Os filhos acreditam ou desacreditam o pai (cf. 1Sm 2,12-17; Pr 19,26; 29,15; Sl 127,5). Começam as listas de vícios e virtudes que ocuparão boa parte da carta e que parecem tiradas de repertórios. Dois dados coincidem com duas virtudes cardeais gregas: justo e controlado. Os que "contradizem" podem ser pagãos ou cristãos equivocados. É notável a atenção prestada aos aspectos negativos que devem ser evitados, alguns genéricos, outros talvez específicos e reais. O mesmo na doutrina, cuidadosamente delimitada como autêntica, fidedigna e sã (adjetivo repetido na carta); olhando obliquamente para pessoas que de fora ou de dentro a ameaçam. Um discreto temor soa nessas linhas.

1,10-16 Do temor passa à denúncia indignada. Alguns pensam que se refere a judeus não convertidos, hostis aos cristãos. Mas o texto oferece indícios de que se trata de judeu-cristãos: limita "especialmente", chama-os "insubmissos" (à autoridade comunitária), são objeto de "repreensão", espera que "recuperem a saúde" (v. 13).

A descrição do grupo é violenta, agravada pela citação de um autor pagão (talvez Epimênides, século VI a.C.). As "fábulas e preceitos humanos" poderiam aludir à *hagadá* e à *halaká*: lendas fantásticas tecidas sobre relatos bíblicos e normas de conduta deduzidas deles; talvez extraídas da *hagadá* e da *halaká*, e contrárias à fé.

1,15 A oposição clássica de pureza e contaminação recebe aqui uma precisão, já que a contaminação é a "incredulidade" e não depende de práticas externas (cf. Mt 15,11). Um recipiente contaminado contamina o que recebe (Lv 11,32-36).

¹⁶Afirmam conhecer a Deus e o negam com as ações; são detestáveis e rebeldes, desqualificados para qualquer boa obra.

2 **Classes diferentes** – ¹Tu, ao contrário, explica o que corresponde à sã doutrina: ²os anciãos sejam sóbrios, dignos, moderados, sadios na fé, no amor e na paciência.

³Da mesma forma, as anciãs tenham postura digna da religiosidade; não sejam escravas da maledicência nem da bebida; sejam boas mestras, ⁴capazes de ensinar as jovens a amar os maridos e os filhos, ⁵a ser moderadas, castas, laboriosas*, bondosas, submissas ao marido; de modo que a palavra de Deus não fique desprestigiada. ⁶Exorta também os jovens a ser moderados. ⁷Em tudo apresenta-te como modelo de boa conduta: íntegro e grave no ensinamento, ⁸propondo uma mensagem sã e irreprovável, de modo que o adversário fique confundido por não encontrar nada de que nos acusar. ⁹Os escravos sejam submissos a seus senhores em tudo, complacentes, não respondões, ¹⁰jamais furtando, mas dignos de toda a confiança, para que o ensinamento de nosso Deus e Salvador recupere prestígio diante de todos.

¹¹Manifestou-se a graça de Deus que salva todos os homens, ¹²ensinando-nos a renunciar à impiedade e aos desejos mundanos e a viver neste tempo com humildade, justiça e piedade, ¹³esperando a promessa feliz e a manifestação da glória do nosso grande Deus e do nosso Salvador Jesus Cristo. ¹⁴Ele se entregou por nós, para resgatar-nos de toda iniquidade, para adquirir um povo purificado, dedicado às boas obras. ¹⁵Fala disso, exorta, repreende, com plena autoridade. Que ninguém te despreze.

3 **Conduta exemplar** – ¹Recomenda-lhes que se submetam e obedeçam a governantes e autoridades, estando dispostos a qualquer obra honrada. ²Que não difamem nem sejam briguentos; pelo contrário, amáveis, e que se mostrem bondosos com todos. ³Também nós antes éramos insensatos, desobedientes, extraviados, escravos de paixões e prazeres diversos, maliciosos, invejosos, odiosos e odiando-nos mutuamente. ⁴Mas, quando apareceu

---

1,16 É a fé sem obras, que Tiago condena (Tg 2,17-26). A preocupação de Paulo era antes de tudo a salvação pela fé, independente das obras da lei; a preocupação da nova geração cristã são as obras que brotam da fé.

2,1-10 Agora resulta que a "sã doutrina" consiste em normas de conduta para várias categorias: anciãos e jovens de ambos os sexos, escravos. Anciãos se refere aqui à idade, opostos aos homens jovens (1Tm 5,1-2; cf. Sl 148,12; Jl 3,1). É curioso que chegue diretamente aos jovens e às jovens só através das anciãs. As jovens devem ser submissas e "amar" os maridos e filhos; Ef 5,25 reserva o amor aos maridos. Os conselhos são sérios mais ou menos conhecidos. Comparar com o ideal da "mulher laboriosa" de Pr 31. Há conselhos para os escravos, mas falta o correspondente para os patrões (Ef 6,5). O autor atribui valor apologético à boa conduta diante de pagãos hostis ou benévolos, de modo particular os escravos, que se enobrecem com uma importante função eclesial. A "temperança", virtude grega cardeal, é mencionada quatro vezes na seção.

2,2 A "paciência" é estreitamente aparentada com a esperança.

2,3 Pede às anciãs que sejam "boas mestras"; 1Tm 2,12 proíba às mulheres ensinar (nas reuniões litúrgicas); mas recorde-se o precedente da avó e da mãe de Timóteo (2Tm 1,5). Pela terceira vez previne contra o perigo da bebida, que pelo visto ameaçava anciãos, anciãs e também candidatos a postos de governo.

2,5 * Ou: *boas donas de casa*.

2,11-14 Primeira síntese doutrinal da carta. Um dos títulos clássicos de *Yhwh* no AT é *hanun* (clemente), que dá seu favor, que concede graça (Ex 34,6; Jl 2,13; Jn 4,2; Sl 86,15; 103,8; Ne 9,17). Agora a "graça" ou favor de Deus se manifestou na encarnação para a salvação de todos (1Tm 2,4), na morte de Cristo como "resgate" (cf. Sl 130,8; 1Pd 1,18-19), no anúncio da parusia, que funda a esperança e será "manifestação da glória". Assim as duas "epifanias" delimitam todo o arco da salvação. Não fala da resposta humana da fé, que está implicada ao enunciar o texto, mas se detém nas consequências para a conduta: afastar-se do mal, praticar o bem. As boas obras são consequência necessária do ser povo escolhido. Duas das três qualidades recomendadas fazem parte do quarteto das virtudes cardeais: justiça e temperança.

3,1-3 O "lhes" do "recomenda" tem de ser a comunidade cretense. Assim como antes qualificou duramente os membros dessa comunidade, agora, usando a primeira pessoa, recorda seu passado, não menos repreensível, "também nós antes éramos".
O primeiro conselho dirigido aos turbulentos cretenses é a submissão à autoridade civil (de Roma; cf. Rm 13,1-7). O que se segue são novas séries. Tito era um convertido do paganismo.

3,4-7 Segunda síntese doutrinal, com algo de hino. Vários salmos falam da "bondade" de Deus (25,7; 27,13; 31,20; 145,7); mas Deus já revelou sua bondade a Moisés (Ex 33,19). Agora essa bondade se manifestou definitivamente em Cristo. "O amor pelo homem", em grego *philanthropia*, é atributo

a bondade do nosso Deus e Salvador e seu amor pelo homem, ⁵não por méritos que tivéssemos adquirido*, mas tão-somente por sua misericórdia, nos salvou com o banho do novo nascimento e a renovação pelo Espírito Santo, ⁶que ele nos infundiu com abundância por meio de Jesus Cristo, nosso Salvador; ⁷de modo que, absolvidos* por seu favor, fôssemos na esperança herdeiros da vida eterna. ⁸É uma mensagem fidedigna, na qual quero que insistas, de modo que os que creram em Deus se dediquem a cultivar boa conduta. ⁹Evita, ao contrário, discussões insensatas, genealogias, contendas, controvérsias sobre a lei: são inúteis e vãs. ¹⁰O sectário, depois de dois avisos, evita-o; ¹¹sabes que tal indivíduo está pervertido, continua pecando, e ele próprio se condena.

¹²Quando te houver enviado Ártemas ou Tíquico, vem depressa ao meu encontro em Nicópolis, onde decidi passar o inverno. ¹³Zela pela viagem de Zenas, o jurista, e de Apolo, para que nada lhes falte. ¹⁴Nossa gente deve aprender a dedicar-se às boas obras, segundo as necessidades, para que não se tornem estéreis. ¹⁵Todos os que estão comigo te saúdam. Saúda nossos amigos na fé. A graça esteja com todos vós.

---

divino único no NT. Dt 7,7-8 fala do amor de Deus a um povo entre muitos; Sb 11,24 fala do amor de Deus a todas as criaturas. Agora Cristo vem revelar o amor universal de Deus.

3,5 Sem méritos nossos: é a doutrina básica de Paulo (Gl e Rm). Em duas palavras se condensam as duas características do batismo: banho de purificação (Ef 5,26) que nos perdoa o pecado, e novo nascimento (Jo 3,5; 1Pd 1,3), cujo equivalente é a renovação pelo Espírito (cf. Sl 51,12). * Ou: *não por obras de justiça*.

3,6 O dom do Espírito: anunciado por Jl 3,1, cumprido em Pentecostes (At 2,4.17).

3,7 Absolvidos ou tornados justos pelo indulto ou graça de Deus (Rm 3,24); e assim herdeiros em esperança (Mt 19,29). * Ou: *tornados justos*.

3,8 Acaba de pronunciar mensagem ou palavra fidedigna, que deve ser tema de ensinamento. Mas não basta crer nela: é preciso agir em consequência.

3,10-11 O sectário forma seitas ou sedições, rompe a unidade (1Cor 1,11-12). Se continua pecando após dois avisos, demonstra teimosia.

3,12-13 Sobre Tíquico: At 20,4; 2Tm 4,12. Apolo: talvez seja o de At 18,24; 19,1. A comunidade deve apoiar os missionários itinerantes.

CARTA A FILEMON

INTRODUÇÃO

Pelo tema, tom e estilo, esta breve carta é aclamada como pequena joia de Paulo.

Filemon era um cristão de boa posição, talvez convertido por Paulo. Seu escravo Onésimo havia fugido, por algum motivo, e tinha ido parar junto a Paulo (talvez em Roma), onde o apóstolo lhe ofereceu refúgio e o converteu. A fuga de Onésimo era delito punido com penas graves, e Paulo podia tornar-se cúmplice. Paulo não quer resolver a questão por via legal, embora sugira que está disposto a pagar Filemon. Tampouco tenta mudar a estrutura jurídica daquela época e cultura. Mas transfere o problema e sua resolução ao grande princípio cristão do amor e da fraternidade, mais fortes que a relação jurídica de patrão e escravo. Se Filemon perdeu um escravo, pode ganhar um irmão, e Paulo será o delicado agente da permuta.

Supõe-se que a carta foi escrita da prisão de Roma entre os anos 61 e 63.

¹De Paulo, prisioneiro por causa de Cristo Jesus, e de Timóteo, a nosso querido colaborador Filemon, ²juntamente com a irmã Ápia e nosso companheiro Arquipo, e a comunidade de tua casa: ³graça e paz da parte de Deus, nosso Pai, e do Senhor Jesus Cristo.

⁴Sempre que me recordo de ti em minhas orações dou graças a Deus, ⁵porque ouço falar de tua fé e amor ao Senhor Jesus e a todos os consagrados. ⁶Que tua fé compartilhada seja eficaz para reconhecer os bens de todo tipo que temos no Messias. ⁷Tua caridade me proporcionou grande alegria e consolo, porque graças a ti os consagrados serenam seus sentimentos.

⁸Por isso, embora tenha plena liberdade cristã para te ordenar o que é devido, ⁹prefiro apelar ao teu amor. Eu, este ancião Paulo, e agora prisioneiro por causa de Cristo Jesus, ¹⁰apelo a ti em favor de um filho meu que gerei na prisão: Onésimo, ¹¹outrora sem proveito para ti, agora de grande proveito para ti e para mim. ¹²Agora eu o envio a ti, e com ele o meu coração. ¹³Eu teria desejado mantê-lo comigo, para que, em teu lugar, me servisse nesta prisão que sofro pela boa notícia. ¹⁴Mas, sem o teu consentimento, eu não quis fazer nada, para que tua boa ação não seja forçada, mas voluntária. ¹⁵Talvez ele se tenha distanciado de ti por breve tempo, para que possas recuperá-lo definitivamente; ¹⁶e já não como escravo, mas melhor que escravo: como irmão muito querido para mim e mais ainda para ti, como homem e como cristão. ¹⁷Se te consideras companheiro meu, recebe-o como a mim; ¹⁸se te ofendeu ou te deve alguma coisa, coloque na minha conta. ¹⁹Assino com meu punho e letra: eu, Paulo, te pagarei, para não te dizer que me deves tua pessoa. ²⁰Sim, irmão, eu te suplico pelo Senhor: serena meus sentimentos cristãos.

²¹Escrevo-te confiando em tua disponibilidade: sei que farás mais do que peço. ²²Outra coisa: prepara-me hospedagem, pois, graças a vossas orações, espero poder saudar-vos.

²³Saúdam-te Epafras, companheiro de prisão por causa de Cristo Jesus, ²⁴Marcos, Aristarco, Demas e Lucas. ²⁵A graça de nosso Senhor Jesus Cristo esteja com vosso espírito. Amém.

1-3 A breve carta começa segundo o esquema clássico, com saudação, ação de graças e súplica. Se à saudação acrescentamos a despedida, aparece o contraste com o conteúdo. A carta aborda um assunto limitado, triangular, entre Filemon, Onésimo e Paulo. Entre os remetentes da saudação e despedida aparecem sete nomes, entre os destinatários três nomes e uma comunidade. Como que insinuando que o assunto se trata à vista de todos os cristãos, como caso exemplar e normativo.

4-6 A costumeira ação de graças e o pedido preparam decididamente o assunto ao concentrar-se na fé, no amor e na solidariedade. Porque o assunto vai ser tratado à luz da fé (não por interesses humanos), e a norma suprema será o amor ao Senhor e aos irmãos. É desse modo que Filemon deverá decidir; e Paulo está certo da boa disposição do seu interlocutor.

8-9 Paulo está consciente da sua autoridade apostólica para impor uma ação concreta, especialmente a um convertido seu (v. 19). Mas sabe renunciar a seus direitos em favor de outros (1Cor 9), e agora considera mais eficaz o caminho do amor que o da imposição. O preso é semelhante ao escravo, pois lhe falta a liberdade; mas, sendo por Cristo, o preso deve sentir-se livre. Ancião: a partir dos cinquenta anos.

10-12 O escravo fugitivo, acolhido por Paulo, pela conversão é filho seu. Como filho de Paulo, deve ser livre e tem o carinho paterno. Mas Paulo renuncia ao segundo direito e devolve o fugitivo, embora com ele vão as "entranhas" do apóstolo: sua caridade não é fria nem distante.

15-16 Paulo não visa à abolição da escravatura, tampouco a condena como imoral. Mas introduz um novo sistema de relação cristã capaz de mudar a relação humana. Ao vínculo de posse sobrepõe-se o de irmandade, que é definitivo. Em termos econômicos, talvez Filemon saia perdendo; num sistema econômico paradoxal, sai ganhando.

18-19 Usando de fato a linguagem comercial ou fingindo usá-la, Paulo está disposto a pagar os prejuízos causados pelo escravo fugitivo, já que na prisão desfrutou de seus serviços. Embora, como convertido de Paulo, a rigor Filemon seja mais devedor.

21 Talvez insinue a alforria, declarando liberto o escravo. Isso seria fazer "mais do que peço". A propósito do tema, ver 1Cor 12,13; Gl 3,28; Cl 3,11.

23 Os cinco nomes constam também em Colossenses.

CARTA AOS HEBREUS

INTRODUÇÃO

Costumamos chamá-la "carta de Paulo aos Hebreus": os três componentes têm de ser revisados e corrigidos.

Carta

Mais que carta, no estilo das outras, parece uma homilia pronunciada diante de ouvintes ou um escrito doutrinal que interpela os leitores. Falta a introdução clássica composta de saudação, ação de graças e súplica; o autor entra no assunto na primeira frase. A saudação final é concisa e sem nomes próprios. O tom e estilo são elevados e solenes. Emprega recursos da oratória, como as chamadas de atenção (p. ex. 3,1.12), a antecipação do tema de cada seção (ver o comentário), a alternância entre singular e plural na exortação, trechos que parecem pedir uma declamação entoada. Dada a difusão da retórica na época, esses traços combinam também com um escrito que está falando aos leitores.

De Paulo

Já na Antiguidade se duvidou da autenticidade paulina, incluindo-a ou não na série (listas e comentários). Diante do estilo tão diferente e para salvar a autoria de Paulo, recorreram a vários expedientes: Clemente Alexandrino disse que Lucas tinha traduzido o original hebraico para o grego; Orígenes disse que as ideias eram de Paulo, a redação de um secretário versado na língua e retórica gregas; Tertuliano diz que o autor era Barnabé (por ser levita). Em resumo, a carta demorou a impor-se como paulina, e as dúvidas ressurgiram no Renascimento e acabaram em negação pela maioria dos críticos modernos.

Os argumentos são internos. Faltam as referências pessoais. A notícia sobre Timóteo, depois da doxologia (13,23), é um pós-escrito ambíguo; por sua vez, 2,3 indica que o autor recebeu o evangelho por mediadores, contra o que Paulo afirma (Gl 1,1-11).

Vocabulário

A carta contém 168 termos que aparecem só uma vez no NT (hapax legomena), 292 palavras que não constam nas cartas paulinas, tem usos peculiares das conjunções; o autor gosta dos verbos em -izein, não usa as transições típicas de Paulo. A língua grega é mais pura e elegante que a de Paulo, como se fosse a língua-mãe do autor. O estilo é sereno, expositivo, não tem a paixão, movimentação e espontaneidade dos escritos de Paulo. Alguns recursos de estilo, como paronomásia e jogos de palavras, só funcionam em grego.

O uso da Escritura não é tão diferente do paulino: procedimentos rabínicos, argumentos da Escritura, desenvolvimento midráxico, a relação entre os dois testamentos etc. Mas sua maneira de introduzir e conceber a Escritura é diferente: não menciona os autores humanos, coisa que Paulo faz com frequência; atribui diretamente a Deus ou ao Espírito qualquer palavra da Escritura, ao passo que Paulo o faz só com as palavras que ele pronuncia no texto.

Doutrina

Muitos ensinamentos de Paulo são enunciados ou estão implícitos na carta, tanto que o autor anônimo é colocado entre os discípulos de Paulo. Mas há pontos em que diferem. A concepção da fé

(cap. 11). A atitude perante a lei, muito mais dura em Paulo (Rm 4,15; 7,7-13). Cristologia: detém-se mais na condição de Cristo enquanto filho; Paulo frisa a ressurreição. Hebreus o apresenta como pioneiro da salvação dos seus irmãos; Paulo o mostra como cabeça da Igreja. Segundo Hebreus, está no céu intercedendo; segundo Paulo, está presente na sua Igreja. Falta em Hebreus o característico dualismo de Paulo: instinto (sarx)/ Espírito. Não podemos exagerar essas diferenças doutrinais nem extrapolar seu valor: não há contradição, são aspectos complementares, o tema tão unitário admite mudanças de perspectiva.

Concluindo, quem escreveu esta carta-tratado? Paulo não; um discípulo anônimo. Atribuí-la a Barnabé é uma suposição precipitada; atribuí-la a Apolo, tirando argumentos de At 18,24s, é demonstração de engenho.

Destinatários

A tradição disse "hebreus", ou seja, judeus convertidos ao cristianismo. E essa continua sendo a posição mais plausível, apesar dos esforços de alguns críticos para demonstrar que eram pagãos convertidos. É verdade que há na carta alusões a pagãos: 3,12 "desertor do Deus vivo", o judeu não o seria; 6,1 "obras mortas" parece designar os ídolos. Esses dados não pesam frente à quantidade de indícios contrários. A carta cita e comenta continuamente o AT; às vezes alude a textos que supõe conhecidos, e o perigo que tenta afastar é a volta ao judaísmo; chama os homens do AT de "pais" (1,1); judeu é o "povo" cujos pecados são expiados (2,17; 5,3; 7,27). Pondo como destinatários os judeus convertidos, o texto tem perfeito sentido. Para que não faltem as alternativas, algum comentarista propôs como destinatários os judeus desejosos de converter-se, mas indecisos.

O discurso é construído doutrinalmente e se desenvolve com singular conexão, alternando exposição com exortação. Da sua posição intelectual, o autor contempla admiráveis e grandiosas correspondências. A primeira, entre instituições do AT e a nova economia cristã. A segunda situa-se entre a realidade terrestre e a celeste, soldadas e harmonizadas pela ressurreição e glorificação de Cristo.

O objetivo é cristológico, e o tema central, provocado pela situação dos destinatários, é o sacerdócio de Jesus Cristo e o consequente culto cristão. À nostalgia de uma complexa instituição e prática, o autor opõe, não uma doutrina e outra prática, mas uma pessoa: Jesus Cristo, Filho de Deus, irmão dos homens. É o grande mediador, superior a Moisés (3,1-6). É o sumo sacerdote, só comparável à figura excepcional e misteriosa de Melquisedec; explica-o comentando o Sl 110 e seu pano de fundo, Gn 14. Jesus não era da tribo levítica nem agiu como sacerdote; sua morte não teve nada de litúrgico. O autor rompe os esquemas e dá à instituição sacerdotal um sentido novo, profundo e alto. Jesus Cristo é mediador de uma aliança nova e melhor, anunciada em Jr 31. Seu sacrifício é diferente: insinuado no Sl 40. O novo culto reflete o modelo celeste.

Quando o fiel, a exemplo de Cristo, se une a Deus e aos irmãos, a consequência é esta: a vida cristã adquire dimensão litúrgica. A exortação final insiste na fé e na constância; a favor dessa fé, que equivale a esperança, aduz como modelos uma série de personagens.

Data

A carta é anterior à destruição do templo no ano 70 (cf. 10,1-3); Clemente, pelo ano 95, a cita.

Sinopse

Dou aqui uma sinopse bastante esquemática, que se irá particularizando no comentário. O autor vai adiantando o tema, simples ou duplo, de cada nova seção.

1,1-4	À guisa de introdução.
1,5-2,16	O Filho e os anjos:
1,5-14	sua glória,
2,1-4	exortação,
2,5-16	sua humanidade.
2,17-5,10	Sumo sacerdote acreditado e compassivo:
3,2-6	acreditado mais que Moisés,
3,4-4,14	exortação, sobre Sl 95,

4,15-5,10	compassivo: por comparação com o sumo sacerdote do AT.	9,1-22	a tenda ou santuário e seus ritos,
5,11-6,20	Necessidade de perseverar.	9,23-10,18	o sacrifício de Cristo.
6,13-20	A promessa.	10,19-38	Exortação.
7,1-28	Melquisedec e Jesus Cristo.	11,1-40	A fé e seus modelos.
8,1-10,18	O novo sumo sacerdote:	12-13	Parte parenética: conselhos diversos, com exemplos e citações da Escritura.
8,1-5	no céu,		
8,13	da nova aliança,		

1 O Filho

¹Muitas vezes e de muitas formas, Deus falou no passado a nossos pais por meio dos profetas. ²Nesta etapa final nos falou por meio de um Filho, a quem nomeou herdeiro de tudo, por quem criou o universo. ³Ele é reflexo de sua glória, expressão do seu ser, e tudo sustenta com sua palavra poderosa. Realizada a purificação dos pecados, sentou-se no céu à direita da Majestade; ⁴tão superior aos anjos, quanto é mais excelente o título que herdou. ⁵Pois, a qual dos anjos disse alguma vez: *Tu és o meu filho, eu hoje te gerei*? E em outro lugar: *Eu serei para ele um pai, ele será para mim um filho?* ⁶Da mesma forma, quando introduz no mundo o primogênito, diz: *Que todos os anjos o adorem.* ⁷Aos anjos diz: *Ele faz dos ventos seus anjos, das chamas de fogo seus ministros**. ⁸Ao Filho, ao contrário, lhe diz: *Teu trono, ó Deus, permanece para sempre, cetro de retidão é teu cetro real.* ⁹*Amaste a justiça, odiaste a iniquidade; por isso Deus, o teu Deus, te ungiu com perfume de festa entre todos os teus companheiros.* ¹⁰*Também: No princípio, tu, Senhor, alicerçaste a terra, e os céus são obras de tuas mãos;* ¹¹*eles perecerão, tu permaneces; todos se gastarão como roupa,* ¹²*tu os enrolarás como manto, serão trocados como roupa. Tu, ao contrário, és o mesmo, e teus anos não se acabam.* ¹³A qual dos anjos disse alguma vez: *Senta-te à minha direita, até que eu faça de teus inimigos estrado de teus pés?* ¹⁴Não são todos espíritos servidores, enviados a serviço dos que herdarão a salvação?

1,1-4 Breve introdução, solene, para introduzir a figura do Filho de Deus (sem por enquanto mencionar Jesus): sua ação na criação e na redenção, sua glorificação. O parágrafo é amplo, bem construído e redigido com arte.

1,1 Do AT escolhe, como mais representativos, "os profetas" (2Cr 36,15; Zc 1,4-5): preferindo-os intencionalmente à *torá*? Dado o enfoque da carta, é fácil entender que prefira a profecia à lei; mas dado o uso que faz do Levítico, poderíamos supor que pensa em tudo o que é profético no AT. A quíntupla aliteração em *p-* acrescenta sonoridade e cadência ao começo, que prepara por contraste o que se segue.

1,2 Sabe que vivemos na etapa definitiva, aquela que os judeus esperavam como "o mundo vindouro". Deus fala por meio de "um Filho" (sem artigo definido), de alguém que é Filho (recorde-se a parábola dos vinhateiros: o senhor envia servos, depois o filho, o herdeiro, Mt 21,33-42).
Invertendo a ordem, apresenta-o como mediador da criação e como herdeiro. Tudo foi "criado" pela palavra/Palavra, segundo Gn 1; Sl 33,6 e Jo 1,3; pela Sabedoria, exprime outra concepção complementar (Sb 8,22-31 e paralelos). "Herdeiro" universal, para tomar posse (cf. Sl 2,8 e toda a concepção de Josué).

1,3 Vários momentos desde sua origem e percorrendo o itinerário histórico. Para falar do mistério da sua origem e natureza, emprega uma imagem do mundo da luz e outra do artesanato que dá forma (Cl 1,15). Comparar com as imagens de Sb 7,25-26: "eflúvio do poder... emanação puríssima... reflexo da luz... espelho nítido": todas tentativas de expressar o inefável.
"Tudo sustenta" (Cl 1,17): como continuação da obra criadora. "Dá consistência ao universo", diz Sb 1,7 acerca da Sabedoria como espírito; "deu-lhes consistência perpétua" (Sl 148,6). "Purificação dos pecados": no Lv se fala de purificação material (Lv 13) e do povo pecador (16,30); Ezequiel promete a segunda (Ez 36). A nova purificação se realiza pela morte (não mencionada). "Sentou-se": citando palavras do Sl 110,1, enuncia a glorificação ou exaltação.

1,4 "Título": é o valor do termo grego, decalque do semítico: o que se segue o mostra. Um título expressa a condição ou o cargo. Esse v. (recurso repetido na carta) anuncia o próximo tema, a comparação com os anjos.

1,5-2,16 Primeira parte: o Filho e os anjos. Sua glória (1,5-14), sua humanidade (2,5-16), com uma exortação no centro (2,1-4).

1,5-14 Desenvolve o tema apresentando provas da Escritura, tomadas da versão grega e lidas em chave messiânica (sem ainda mencionar Jesus ou Cristo).

1,5 "Filho": Sl 2,7, messiânico em sua origem ou na leitura posterior, bastante citado no NT. Pai-Filho: 2Sm 7,7.14; da profecia dinástica de Natã a Davi, fundamental na teologia da monarquia e do messianismo posterior (Sl 89,27-28; 1Cr 17,13).

1,6 "Quando...": discute-se a identificação. a) Como fala do mundo "habitado", parece referir-se à morada dos homens, e o "quando" se referiria à encarnação (cf. Sl 40,9, citado em Hb 10,7). b) Outros, devido à homenagem angélica, pensam na morada celeste (mas recordem-se os anjos no Natal, Lc 2,8-15). "Adorem": rendendo homenagem ao soberano; Dt 32,43 segundo a versão grega; Sl 96,7 e 97,7, referidos a Deus.

1,7 "Ventos": citação do Sl 104,4 segundo a versão grega, ou seja, mudando as funções de sujeito e predicado (o original hebraico fala do poder cosmológico de *Yhwh*). * Ou: *usa seus anjos como ventos, seus ministros como chamas de fogo*.

1,8-9 "Trono": segundo a leitura grega do discutido v. hebraico (o original é um poema nupcial dirigido a um monarca davídico no dia de seu matrimônio, Sl 45,6).

1,10-12 Tomado do Sl 102, súplica na qual o orante contrapõe à caducidade humana a perduração divina.

1,13 Do Sl 110, texto favorito do NT e da carta.

1,14 Anjos destinados por Deus ao serviço dos homens. Ver Sl 91,11 (citado abusivamente por Satanás, Mt 4,6, implicado em Mt 4,11 par.); recorde-se a história de Tobias e os anjos dos apocalipses.

2 A salvação e seu chefe

¹Portanto, para não ir à deriva, devemos prestar mais atenção ao que ouvimos. ²Pois, se uma palavra pronunciada por anjos teve vigência, de modo que qualquer transgressão ou desobediência recebeu o castigo merecido, ³como nos livraremos se descuidarmos semelhante salvação? Foi anunciada primeiro pelo Senhor, os que a ouviram no-la confirmaram, ⁴e Deus acrescentou seu testemunho com sinais e portentos, diferentes milagres e dons do Espírito repartidos segundo sua vontade. ⁵Não submeteu a anjos o mundo futuro de que falamos, ⁶como testemunha alguém quando diz: *O que é o homem para que te lembres dele, ou o ser humano para que dele te ocupes?* ⁷*Tu o fizeste pouco inferior aos anjos, o coroaste de glória e honra,* ⁸*tudo submeteste a seus pés.* Ao submeter-lhe tudo, não deixa nada sem submeter. Agora, porém, ainda não vemos que tudo lhe esteja submetido. ⁹Ao contrário, vemos Jesus, que pela paixão e morte foi um pouco inferior aos anjos, coroado de glória e honra. Assim, pela graça de Deus padeceu a morte por todos. ¹⁰De fato, convinha que Deus, por quem e para quem tudo existe, querendo conduzir muitos filhos à glória, levasse à perfeição pelo sofrimento o pioneiro da sua salvação. ¹¹Aquele que consagra e os consagrados pertencem à mesma linhagem, e por isso não se envergonha de chamá-los irmãos: ¹²*Anunciarei teu nome a meus irmãos, no meio da assembleia te louvarei.* ¹³E também: *Pus nele minha confiança, eu e os filhos que Deus me deu.* ¹⁴Como os filhos compartilham carne e sangue, da mesma forma ele compartilhou, para anular, com sua morte, aquele que controlava a morte, isto é, o Diabo, ¹⁵e para libertar os que passam a vida como escravos por medo da morte. ¹⁶Está claro que não veio em auxílio dos anjos, mas da linhagem de Abraão. ¹⁷Por isso devia ser em tudo semelhante a seus irmãos, para que pudesse ser um sumo sacerdote compassivo e acreditado diante de Deus, para expiar os pecados do povo. ¹⁸Como ele próprio sofreu a prova, pode ajudar os que são provados.

3 Jesus e Moisés

¹Portanto, irmãos consagrados, participantes de uma

Em resumo: aplicou a Jesus Cristo privilégios que no AT são atribuídos a Yhwh, referiu a ele textos lidos em chave messiânica. Nada disso se pode dizer dos anjos, ou seja, dos seres celestes que formam a corte a serviço de Deus.

2,1-4 Breve exortação sob a forma de consequência. O pregador convida à atenção e mais ainda ao cumprimento. Uma tradição rabínica dizia que Moisés tinha recebido a lei por meio de anjos (Gl 3,19), e a lei continha numerosas cláusulas penais. A essa lei contrapõe a salvação que nós recebemos. O "Senhor" que começa a anunciá-la é Jesus (Mc 1,15; Mt 4,17), os que "ouviram" são os apóstolos e discípulos; Deus confirma a mensagem com milagres (Mc 16,20; At 14,3; 15,8) e com os dons do Espírito. Sem formular expressamente, apresenta a ação de Deus Pai, do Filho e Senhor, do Espírito (Santo).

2,5-16 Primeira menção do nome de Jesus, quando passa a expor sua condição humana. Se os anjos estão a serviço dos homens, um homem está acima deles: Jesus, feito semelhante aos homens para salvá-los (por sua morte) e para ser glorificado.

2,5-9 O Sl 8 diz que Deus fez o homem pouco inferior aos anjos (em hebraico, pouco inferior a um deus) e lhe submeteu tudo (no hebraico especifica o mundo animal). Tudo isso não se cumpre em nenhum homem, senão em Jesus: algo inferior aos anjos pela sua paixão, tudo lhe é submetido pela glorificação (Ef 1,20-22). "Pela graça de Deus": em favor dos homens.

2,10-15 Aspectos da "salvação" ou redenção. Predomina o tema da solidariedade, que toma a forma da irmandade, pela qual nos torna filhos. O esquema do pensamento pode ser formulado assim: fazendo-se homem, nos torna irmãos seus; e como é o Filho, seus irmãos também são filhos. À condição de filhos se opõe a morte, controlada pelo Diabo. Aceitando a morte, a nossa, vence o Diabo (Jo 12,31) e a morte (1Cor 15,55), e assim nos livra do medo que escraviza. Pois a morte se adianta na consciência do homem e toma a forma do medo que escraviza. Vence a morte, vence o medo, liberta o escravo (Sl 27).

2,10 "Conduzir à glória" (Sl 73,2). A paixão "torna perfeito" ou consumado o que padeceu livremente (cf. Jo 17,19).

2,12-13 A primeira citação é tirada de Sl 22,22, ação de graças final do salmo. As outras o profeta Isaías as pronuncia em momentos difíceis da sua missão (8,17-18 segundo o grego).

2,14 Lc 11,21-22 par. sobre o forte e o mais forte.

2,16 Forma inclusão com o v. 5. Citação de Is 41,8-9.

2,17 Anuncia o tema da seção seguinte: o título novo de sumo sacerdote e seus dois atributos, acreditado (diante de Deus) e compassivo (com os homens). O título anuncia também o tema central do sermão.

2,18 "A prova" inicial (Mt 4,1 par.) e a final (paixão).

3,1-4,14 A inclusão por repetição de "sumo sacerdote" e "confissão" define os limites dessa parte. Consta de breve exposição (3,1-6) e ampla exortação (3,7-4,14).

3,1 É o único caso em que se atribui a Cristo o título de "apóstolo"; mas outras vezes se diz em forma verbal que o Pai o enviou (Jo 10,36; 17,8). "Nossa confissão": de fé e esperança (4,14; 10,23).

vocação celeste, considerai o apóstolo e sumo sacerdote de nossa confissão, Jesus: ²fiel é quem o nomeou, como *Moisés entre todos os de sua casa*. ³Mais digno de glória que Moisés, assim como é mais estimado o construtor da casa. ⁴Toda casa é construída por alguém, mas o construtor de tudo é Deus. ⁵Entre todos os de sua casa, Moisés era um servidor fiel para garantir o que Deus iria dizer. ⁶Cristo, ao contrário, como Filho, é o chefe da casa; e essa casa somos nós, se mantivermos a confiança e nos gloriarmos da esperança.

O dia e o descanso (Sl 95,7-11) – ⁷Consequentemente, como diz o Espírito Santo: *Se hoje escutais a voz dele,* ⁸*não endureçais o coração como quando o irritaram, no dia da prova no deserto,* ⁹*quando vossos pais me puseram à prova e me tentaram, embora tivessem visto minhas ações* ¹⁰*durante quarenta anos. Por isso me indignei contra aquela geração, e disse: Sua mente sempre se extravia e não reconhecem meus caminhos.* ¹¹*Por isso, irado, jurei: Não entrarão em meu descanso.* ¹²Cuidado, irmãos: Nenhum de vós tenha coração perverso e incrédulo, desertor do Deus vivo. ¹³Ao contrário, animai-vos uns aos outros cada dia, enquanto soa este hoje, para que ninguém se endureça, seduzido pelo pecado. ¹⁴Porque, se mantemos firme até o fim nossa posição inicial, somos companheiros do Messias. ¹⁵Quando diz: *Se hoje escutais sua voz, não endureçais o coração como quando o irritaram,* ¹⁶quem, apesar de o ter ouvido, o irritou? Claro, todos os que saíram do Egito guiados por Moisés. ¹⁷Com quem se indignou durante quarenta anos? Claro, com os pecadores, cujos cadáveres caíram no deserto. ¹⁸A quem jurou que não entrariam no seu descanso? Aos rebeldes; ¹⁹e assim vemos que por sua incredulidade não puderam entrar.

4 ¹Enquanto vigora a promessa de entrar em seu descanso, sejamos prudentes para que ninguém de vós se atrase; ²pois nos anunciaram a boa notícia, como a eles. Mas a mensagem que ouviram não lhes aproveitou, porque não se compenetraram

---

3,2-6 Desenvolve o tema "acreditado", fidedigno, por comparação com Moisés; segundo a polêmica com Aarão e Maria (Nm 12,6-8). "Casa" pode significar também uma comunidade, p. ex. casa de José, casa de Israel; na nova economia a casa é a Igreja, "somos nós". Ora, Moisés não fundou a casa de Israel; foi membro dela, "servo" e administrador fiel, capaz de garantir a autenticidade da mensagem de Deus que ele transmitia. Poderíamos acrescentar que sua tarefa primária como administrador da casa era transmitir desse modo a palavra de Deus. Jesus, porém, é "Filho", fundador com Deus da nova casa e seu direto administrador. Como uma casa, graças aos materiais e sua disposição, mantém sua consistência, assim nossa casa, se se apoia na confiança (em Deus) e na esperança (do prêmio).

3,4-4,13 A exortação se desenvolve como comentário livre do Sl 95,7-11, que se refere ao episódio narrado em Nm 13-15. Os israelitas, convidados por Deus a entrar na terra e tomar posse, se acovardam, recusam e se rebelam; por isso são condenados a vagar pelo deserto até morrer, de modo que só seus filhos entrarão na terra prometida. O tema do "repouso" atrai uma referência ao repouso de Deus depois da criação (Gn 2,2), o que sublinha a dimensão transcendente do fato narrado.
A visão se articula em três ou quatro tempos: o histórico de Nm 14, o litúrgico do Sl 95 quando os israelitas já habitam a terra, a entrada presente dos cristãos no Reino e – segundo alguns comentaristas – a entrada final no reino celeste. O "hoje" é uma data móvel, um conceito aberto. A experiência dos israelitas se torna exemplar (1Cor 10,11), o convite

do salmo se torna atual ao ser pronunciado pelo pregador e dirigido aos cristãos. Para além do seu conteúdo específico, o texto ilustra um modo vital de ler e meditar o AT em chave cristã.

3,7 Essa carta prefere citar com "diz" e não com "está escrito". Pela inspiração, o salmo pode ser atribuído ao Espírito Santo; ademais, o fragmento do salmo citado não é súplica do homem, e sim interpelação do Espírito; possui carga profética.

3,11 O "descanso" é no salmo a terra prometida (Js 22,4; 23,1). Chama-se também "meu" descanso, porque o Senhor acompanhou o povo em suas caminhadas (Ex 33,14). Na concepção do Cronista, o Senhor descansa quando o templo é construído (1Cr 28,2).

3,12 Parece-nos escutar Jeremias (p. ex. 18,12). O título "Deus vivo" com frequência implica o oposto, os ídolos, deuses inertes.

3,13 Olhar para o futuro. Implica que para os cristãos o "hoje" continuará soando, com urgência sempre atual, sem degenerar na rotina cotidiana.

3,17 Os "cadáveres": caíram e não foram sepultados (Nm 14,29.32, castigo duplo; ver por contraste Js 24,32 sobre os restos mortais de José).

4,1-2 "A promessa", segundo Ex 33,14, aplicada ao momento presente. Chama de evangelho também a palavra dirigida aos israelitas (tomando como base o equivalente hebraico, seria a promessa dirigida pelo profeta aos desterrados na Babilônia, Is 40,9 par.). "Se compenetraram": a metáfora é tirada de uma mistura de líquidos: a atitude da pessoa funde-se com aquilo que escuta, a mensagem é assimilada. Interessante princípio hermenêutico.

pela fé para com os que tinham ouvido. ³No descanso entramos todos nós que cremos, como está dito: *Jurei, irado, que não entrarão em meu descanso.*

As obras, sem dúvida, foram concluídas com a criação do mundo, ⁴como se diz num texto sobre o sétimo dia: *No sétimo dia Deus descansou de todas as suas obras;* ⁵e neste outro: *Não entrarão no meu descanso.* ⁶Ora, visto que alguns ficam sem entrar nele, e os que receberam por primeiro a boa notícia não entraram por sua rebeldia, ⁷indica outro dia, outro hoje, pronunciando muito depois, por meio de Davi, o texto anteriormente citado: *Se hoje escutais sua voz, não endureçais o coração.* ⁸Se Josué lhes tivesse dado o descanso, depois não se falaria de outro dia. ⁹Portanto, resta um descanso sabático para o povo de Deus. ¹⁰Alguém que entrou em seu descanso, descansa de suas obras, da mesma forma que Deus das suas. ¹¹Portanto, esforcemo-nos por entrar naquele descanso, para que ninguém caia, conforme o exemplo daquela rebeldia.

¹²Pois a palavra de Deus é viva e eficaz e mais cortante que espada de dois gumes; penetra até a separação de alma e espírito, articulações e medula, e discerne sentimentos e pensamentos do coração. ¹³Não há criatura oculta à vista dela, tudo está nu e exposto a seus olhos. A ela prestaremos contas.

Jesus, sumo sacerdote – ¹⁴Visto que temos um sumo sacerdote excelente, que penetrou no céu, Jesus, o Filho de Deus, mantenhamos nossa confissão. ¹⁵O sumo sacerdote que temos não é insensível à nossa fraqueza, já que foi provado como nós em tudo, exceto no pecado. ¹⁶Portanto, compareçamos com confiança diante do tribunal da graça, para obter misericórdia e alcançar a graça de um auxílio oportuno.

5 ¹Todo sumo sacerdote é escolhido entre os homens e nomeado representante deles diante de Deus, para oferecer dons e sacrifícios pelos pecados. ²Pode ser indulgente com ignorantes e extraviados, porque também ele está sujeito à fraqueza, ³e por causa dela tem de oferecer por seus próprios pecados, da mesma forma que pelos do povo. ⁴E ninguém se arroga tal dignidade se não é chamado por Deus, como Aarão. ⁵Do mesmo modo, o Messias

---

4,3-6 Com a citação de Gênesis (Gn 2,2), o pensamento configura-se assim: fica pendente um descanso (o de Deus; cf. Sl 68,6; 132,14) e restam outros para entrar. Se transfere a situação da terra, não parece pensar no desterro. Talvez pense na polêmica de Josué com as tribos da Transjordânia, que alcançaram o descanso antes das outras (Js 1,12-18).

4,8 Josué tem o nome grego de Jesus. Sua tarefa: Dt 31,7; Js 22,4.

4,9 "Sabático": porque corresponde ao de Deus, que descansou no sétimo dia (Gn 2,2).

4,10 Ap 14,13 coloca o repouso das tarefas depois da morte.

4,12-13 A imagem da espada (Is 49,2) é a de uma execução capital, após o justo julgamento de Deus, com dados de uma antropologia inspirada no platonismo. Pode-se comparar com a imagem de Sb 18,15-16; Ap 1,15; 2,12. "Prestaremos contas" à palavra, como a um juiz: é um juiz que conhece tudo (Pr 15,11; Sl 139). Do cântico que Moisés compõe e ensina aos israelitas se diz "este cântico dará testemunho contra ele" (Dt 31,21).

4,14 Termina esta parte com inclusão (3,1). "Atravessou os céus": é a glorificação representada em termos espaciais de ascensão, até o repouso com Deus.

4,15-**5**,10 Após a ampla exortação, segue-se a exposição breve do segundo atributo: compassivo, *rahum*.

4,15 No AT, desde a teofania de Ex 34,6, é um dos atributos clássicos de Deus: ver especialmente o Sl 103 e, em chave paterna, Jr 31,20. Em Jesus, a compaixão não é antropomorfismo, mas parte da sua natureza humana e consequência de seus sofrimentos; em outras palavras, em Jesus encarna a compaixão divina. "Exceto no pecado": Jo 8,46 em contraste com 1Rs 8,46 "porque não há homem livre de pecado".

4,16 O "tribunal da graça" é um que não condena, mas absolve e indulta.

5,1-10 Desenvolve o tema do sacerdócio de Jesus por comparação com o sumo sacerdote do AT, numa série de aspectos semelhantes e opostos. Sigo a ordem do texto da carta.
Escolha e função (v. 1): Lv 8-9 descreve a unção de Aarão e seus filhos e os primeiros sacrifícios que oferecem; Lv 16 é dedicado ao dia da expiação.
Sacrifício que oferece por seus próprios pecados (vv. 2-3): Lv 4,3-12 apresenta o caso "se é o sumo sacerdote quem cometeu a transgressão".
Vocação (v. 4): "Dentre os israelitas, escolhe teu irmão Aarão e seus filhos... para que sejam meus sacerdotes" (Ex 28,1), e comparar com a rebelião de Coré e seus sequazes (Nm 16).
A primeira diferença radical de Jesus é não ter pecado. A segunda é ser escolhido e nomeado sumo sacerdote de uma linha não levítica. Assim o autor introduz a citação de Sl 110,4 (Mt 26,36-42), que servirá para amplo desenvolvimento posterior.

não atribuiu a si a honra de ser sumo sacerdote, mas a recebeu daquele que lhe disse: *Tu és o meu filho, eu hoje te gerei;* ⁶e em outra passagem: *Tu és sacerdote perpétuo na linha de Melquisedec.* ⁷Durante sua vida mortal dirigiu pedidos e súplicas, com clamores e lágrimas, àquele que podia livrá-lo da morte, e por essa precaução* foi ouvido. ⁸Embora sendo filho, aprendeu sofrendo o que é obedecer, ⁹e já consumado* chegou a ser causa de salvação eterna para todos os que lhe obedecem, ¹⁰e Deus o proclamou sumo sacerdote na linha de Melquisedec.

Perseverança para alcançar a promessa — ¹¹Sobre este tema temos muito a dizer, e é difícil explicá-lo, porque vos tornastes preguiçosos em escutar. ¹²Pois, quando devíeis com o tempo ser mestres, é necessário que vos ensinem os rudimentos da mensagem de Deus; estais precisando de leite, e não de alimento sólido. ¹³Quem vive de leite é criança e não entende de retidão. ¹⁴O alimento sólido é para os maduros, que com a prática e o treinamento dos sentidos sabem distinguir o bem do mal.

6 ¹Por isso, deixaremos o elementar da doutrina cristã e nos ocuparemos do que é maduro. Não vamos outra vez lançar os alicerces, isto é, o arrependimento das obras mortas, a fé em Deus, ²a doutrina das abluções e da imposição das mãos, ressurreição de mortos e julgamento definitivo. ³(Faremos isso, se Deus no-lo conceder.)

⁴Pois os que foram uma vez iluminados saborearam o dom celeste, e participaram do Espírito Santo, ⁵Saborearam a boa palavra de Deus e o dinamismo da era futura. ⁶Se depois renegam a fé, já não podem contar com outra renovação, crucificando de novo e expondo ao escárnio, para seu arrependimento, o Filho de Deus. ⁷Um terreno que recebe frequentemente a chuva e produz plantas úteis para os que o cultivam, recebe uma bênção de Deus; ⁸mas, se produz cardos e espinhos, é inútil e pouco menos que maldito, e acabará queimado.

5,7 As "súplicas com lágrimas" podem referir-se à oração no horto (Mt 26,36-42 par.) ou ter alcance geral (ver p. ex. a ressurreição de Lázaro em Jo 11 e Sl 56,9). Continua-se discutindo o significado de *eulábeia*; as opiniões mais plausíveis são: a) cautela, que é na doutrina estoica a versão legítima do medo; b) reverência, que é a tradução mais tradicional. "Foi ouvido": como no salmo da paixão (Sl 22,25), mas com uma mudança substancial: a libertação acontece além da morte. * Ou: *atitude reverente.*

5,8 Sobre a obediência, Fl 2,8. O grego se permite um jogo de palavras conhecido, pela semelhança fonética de "sofreu" e "aprendeu".

5,9 Consumado ou perfeito (2,10). A "salvação eterna" é ação de Deus (segundo Is 45,17), que também se poderia traduzir por "definitiva" e enquadraria no presente contexto. * Ou: *perfeito.*

5,9-10 Anuncia o tríplice tema da seção central (5,11-10,39), a mais ampla e importante do sermão: sumo sacerdócio, perfeição, salvação.

5,11-6,20 Antes de abordar a exposição dos três temas, dá início a uma ampla exortação, que poderia ligar-se com a precedente (3,7-4,14): ou seja, a necessidade de "entrar" se completa com a necessidade de perseverar.

5,11-14 É uma espécie de introdução, mais severa que conciliadora. Pensa que a doutrina a ser exposta sobre o sacerdócio de Jesus é para cristãos maduros, formados e atentos, não para preguiçosos (Tg 1,19). A imagem de provar e saborear a comida, enquanto símbolo de discernimento, é tradicional. Is 7,15 diz que o menino anunciado "comerá coalhada com mel até que aprenda a rejeitar o mal e escolher o bem"; ou seja, a distinguir pelo sabor os bons alimentos, e, pela idade, os valores éticos. Falando de escolhas judiciosas, Ben Sirac afirma que "o paladar distingue os manjares" (Eclo 36,24). O autor apela para um "gosto" cristão treinado para discernir e apreciar valores.

6,1 Os rudimentos abrangem desde o começo batismal até a consumação, aludindo a etapas intermédias. Opostas a Deus vivo, as "obras mortas" costumam designar os ídolos ("obras de mãos humanas") inertes. Como aqui falta o adjetivo "vivo", as obras mortas poderiam designar a conduta perversa do paganismo, obras que conduzem à morte.

6,4-8 Tem-se abusado desse texto para dizer que o pecador torna a crucificar Cristo. Não existe isso nem com ressalvas. O autor afirma que a economia da paixão redentora acontece uma vez para sempre e não se repetirá em benefício dos que, uma vez aproveitada, a abandonarem.

6,4-5 Os privilégios experimentados são quatro. A "iluminação" batismal (cf. Jo 10,32), o "gosto" ou experiência do "dom celeste", que pode ser o Espírito (dom batismal segundo várias passagens de At), "saborear" por experiência pessoal a palavra de Deus e seu dinamismo. O Sl 34 menciona a iluminação e o gosto (Sl 34,6.9).

6,6 "Expor ao escárnio": ver especialmente Nm 25,4, referido a uma execução capital pública e aplicado pelo autor à crucifixão.

6,7-8 O exemplo da terra tem sabor sapiencial na apresentação. O tema é frequente (p. ex. Gn 3,8; Is 7,23; 10,17; 27,4.11).

⁹Embora vos falemos assim, queridos, cremos de vós o melhor, o que conduz à salvação; ¹⁰já que Deus não é injusto e não esquece vossas obras nem o amor que mostrastes em seu nome, servindo antes e agora aos consagrados. ¹¹Mas desejamos que cada um de vós mostre até o fim a mesma diligência, até que se cumpra o que esperais; ¹²que não sejais preguiçosos, mas imitadores daqueles que, pela fé e paciência, recebem como herança o prometido.

¹³Quando Deus fez uma promessa a Abraão, como não tivesse ninguém maior pelo qual jurar, jurou por si mesmo, ¹⁴dizendo: *Eu te abençoarei, multiplicarei tua descendência*. ¹⁵Abraão teve paciência e alcançou o prometido. ¹⁶Os homens juram por alguém maior, e o juramento confirma e resolve qualquer discussão. ¹⁷Da mesma forma Deus, querendo provar abundantemente aos herdeiros da promessa que sua decisão era irrevogável, interpôs um juramento. ¹⁸Assim, com dois atos irrevogáveis, nos quais Deus não pode mentir, temos um consolo válido, nós que buscamos refúgio apegando-nos à esperança proposta. ¹⁹Ela é como âncora firme e segura da alma, e penetra para além da cortina, ²⁰onde nosso Jesus entrou como precursor, nomeado sumo sacerdote perpétuo na linha de Melquisedec.

7 Melquisedec e Jesus Cristo (Gn 14; Sl 110,4) –

¹Esse Melquisedec é o rei de Salém, sacerdote do Deus Altíssimo, que saiu ao encontro de Abraão, quando voltava após a derrota dos reis, e o abençoou; ²Abraão lhe deu um décimo de to-

---

6,9-12 Exortação à perseverança até o fim. A salvação de que fala é a última e consumada, pois supõe as obras de caridade praticadas até a data. As do passado não serão esquecidas, mas não justificam a preguiça, porque as futuras estão pendentes e a herança não está garantida automaticamente. A confiança e o empenho se apoiam parcialmente na conduta passada. Mas não é este seu ponto de apoio fundamental.

6,13-20 O ponto de apoio fundamental é a "promessa", como ilustra o exemplo de Abraão. Promete-se ao patriarca numerosa descendência e posse da terra: ele sozinho não é suficiente para ocupá-la. A promessa de descendência começa a cumprir-se num filho (Gn 22,16-17); os herdeiros, que podem ser chamados de "herdeiros da promessa/do prometido", realizarão a promessa de possuir a terra. Promessa é a palavra dada com a qual alguém se compromete; um juramento acrescentado é outra palavra que corrobora a primeira. (Ver o caso de promessa + juramento em 2Sm 14,8-11.) Abraão contava com a promessa e com o juramento de Deus. Muito mais nós, que, pela esperança, nos agarramos à promessa. Antigamente havia âncoras que não se arriavam para fundear, mas se agarravam com ganchos a alguma cavidade da costa: "penetravam" na terra, uniam o navio com a terra firme. Assim é nossa esperança, que "penetra" no santuário celeste e tem aí seu gancho. A palavra de Deus é irrevogável (Nm 23,19).

6,20 Anuncia o tema da próxima seção, sobre o tipo de sacerdócio já sugerido (5,6).

7,1-28 Quando o NT diz que Jesus era rei, nada na tradição se opõe a isso, pois era descendente de Davi. Quando nosso pregador diz que Jesus é sacerdote, surge espontânea a objeção: ele é da tribo de Judá, não de Levi! O autor responde a essa objeção apelando para outra figura sacerdotal do AT, à qual corresponde o sacerdócio de Cristo que o autor defende e explica. Encontra-a no relato patriarcal de Gn unido a Sl 110,4. Uma vez achado o modelo, explora-o numa série de correspondências baseadas no texto bíblico: no que diz e no que omite.

a) A descendência (ou genealogia) é decisiva, as fontes bíblicas costumam mencioná-la em cada caso, "filho de N" (p. ex. Ezequiel Ben Buzi). Os sacerdotes eram descendentes de Aarão, de Fineias, de Sadoc e outros. No entanto, estranhamente omite-se a genealogia de Melquisedec, embora seja claro que não era da tribo de Levi, nem sequer israelita. Assim é tipo sacerdotal de Jesus.

b) A superioridade. Os sacerdotes levíticos cobram dízimos de seus irmãos israelitas (Dt 14,22); mas em seu antepassado Abraão eles pagam dízimos a Melquisedec. Portanto, o sacerdócio deste é superior ao levítico. O sacerdócio de Cristo corresponde a esse sacerdócio superior.

c) A eficácia (é o ponto mais duro). O sacerdócio levítico, com toda a sua legislação cultual, não conseguia "consumar" ou levar à perfeição, ou relacionar plenamente com Deus, dando "acesso" livre a Deus; era uma lei inútil e ineficaz. O AT o confirma ao anunciar e prometer "com juramento" um sacerdote de outra ordem que assegurará o livre acesso a Deus.

d) Número e duração. Os sacerdotes levíticos eram muitos, dividiam entre si o trabalho em turnos, morriam e outros os sucediam. Nosso sumo sacerdote é único e vive perpetuamente, como garante o juramento.

e) Finalmente, os sacerdotes levíticos eram pecadores, enquanto que o nosso se oferece a si mesmo como vítima imaculada.

Assim o autor avança, desenvolvendo e provando sua tese com textos da Escritura, sem necessidade de recorrer ao sacerdócio dos pagãos. A exposição é lúcida e basta acrescentar-lhe alguns paralelos.

7,1-2 *Melqui-sedec* = rei de justiça (ou Meu rei é Sedec). Outros textos atestam a relação de Sedec com Jerusalém (Jz 1,6; Is 1,21-26); o autor não explora o dado. "Paz": segundo etimologia popular, amplamente explorada no AT.

dos os despojos. Primeiro, ele se chama Rei da Justiça, a seguir Rei de Salém (que significa Rei da Paz). ³Sem pai, sem mãe, sem genealogia, sem princípio nem fim de vida. À semelhança do Filho de Deus, continua sendo sacerdote para sempre. ⁴Observai como devia ser grande, visto que o patriarca Abraão lhe deu um décimo dos despojos. ⁵Os descendentes de Levi que recebem o sacerdócio têm ordem de cobrar legalmente dízimos do povo, isto é, de seus irmãos, que também descendem de Abraão. ⁶Ao contrário, aquele que não está incluído em sua genealogia cobra dízimos de Abraão e abençoa o titular da promessa. ⁷Sem discussão, o menor é abençoado pelo maior. ⁸Num caso recebem dízimos homens que morrerão, em outro caso alguém de quem se declara que vive. ⁹Por assim dizer, Levi, aquele que cobra dízimos, os pagava na pessoa de Abraão; ¹⁰pois já estava nas entranhas do antepassado quando *Melquisedec lhe foi ao encontro.*

¹¹Ora, se pelo sacerdócio levítico se conseguia a consumação (já que por meio dele o povo recebia a legislação), que necessidade havia de nomear outro sacerdote na linha de Melquisedec e não na linha de Aarão? ¹²Pois uma mudança de sacerdócio significa necessariamente mudança de legislação. ¹³Esse de quem se fala aqui pertence a outra tribo, da qual ninguém oficiou no altar. ¹⁴É sabido que o nosso Senhor procede de Judá, uma tribo que Moisés não menciona quando fala de sacerdotes. ¹⁵E fica ainda mais claro, já que o outro sacerdote, nomeado à semelhança de Melquisedec, ¹⁶recebe o título, não em virtude de uma lei de sucessão carnal, mas pela força de uma vida indestrutível. ¹⁷Pois lhe declararam: *Tu és sacerdote perpétuo, na linha de Melquisedec.* ¹⁸O preceito precedente é abolido como inútil e ineficaz, ¹⁹pois a lei não levou nada a cumprimento. Agora se introduz uma esperança mais valiosa, pela qual nos aproximamos de Deus. ²⁰E como se faz sem que falte um juramento, aqueles recebiam o sacerdócio sem juramento, ²¹este, com o juramento daquele que disse: *O Senhor jurou e não volta atrás: tu és sacerdote perpétuo,* ²²assim é mais valiosa a aliança que Jesus garante. ²³Aqueles sacerdotes eram numerosos, porque a morte os impedia de continuar. ²⁴Este, ao contrário, visto que permanece sempre, tem um sacerdócio que não passa. ²⁵Assim pode salvar plenamente os que por seu meio acorrem a Deus, pois vive sempre a interceder por eles. ²⁶Tal é o sumo sacerdote que necessitávamos: santo, irrepreensível e sem mancha, separado dos pecadores, exaltado acima do céu. ²⁷Ele não necessita, como os outros sumos sacerdotes, oferecer sacrifícios a cada dia, primeiro por seus pecados e depois pelos do povo; pois isso ele o fez de uma vez para sempre, oferecendo-se a si mesmo. ²⁸A lei nomeia sumos sacerdotes a homens fracos; o juramento que substitui a lei nomeia para sempre um Filho perfeito.

8 **A nova aliança** (Jr 31,31-34) – ¹Estou chegando ao ponto central de minha exposição. Temos um Sumo Sacerdote que sentou no céu à direita do trono da Majestade, ²oficiante do santuário e da tenda

---

7,3 Vejam-se algumas ideias sobre o Messias em Jo 7,27.

7,5 Cf. a lei de Dt 14,22-27.

7,7 "O menor pelo maior": como o Faraó pelo ancião Jacó (Gn 47,7.10).

7,10 Segundo as ideias fisiológicas da época, o descendente "sai das entranhas" do pai e, por ele, do antepassado.

7,13-14 1Cr 23-26 informa sobre as famílias levíticas. Sobre a tribo de Judá, ver Dt 33,10. Em 2Cr 26, um ato cultual do rei é considerado abuso.

7,16 A vida indestrutível começa com a ressurreição; por ela, seu sacerdócio é perpétuo.

7,17 Sobre o fracasso da lei, ver Rm 7,7.

7,20 Segundo a descrição de Ex 29.

7,25 A intercessão é função sacerdotal. Jesus intercede pelos que apelam a ele ao dirigir-se a Deus:
Jo 14,13-14; 16,23; e a chamada oração sacerdotal (Jo 17); também Rm 8,34.

7,26 Exaltado: Ef 4,10.

7,27 Assim o dispõe o rito da expiação (Lv 16,6.11). Jesus não ofereceu uma vítima animal, externa; ofereceu a si mesmo como vítima (o tema retornará em 9,12).

7,28 O juramento do Sl 110 é posterior à lei do Sinai. Anuncia o tema da próxima seção: a consagração.

8,1-3 Embora o tema de conjunto seja a consagração do novo sumo sacerdote, a explanação vai incluir quatro elementos: a) o lugar de onde se oficia, céu ou terra; b) a tenda ou santuário; c) o sacrifício ou vítima oferecida; d) a aliança à qual o sacerdócio pertence (isto no v. 6).

8,1 Nova referência ao Sl 110.

8,2 Comparar com a função da Sabedoria, conforme Eclo 24,10.

autêntica, armada pelo Senhor e não por homens. ³Todo sumo sacerdote é nomeado para oferecer dons e sacrifícios; portanto, também este necessitava de algo para oferecer. ⁴Se estivesse na terra, não seria sacerdote, já que há outros que oferecem dons legalmente. ⁵Estes oficiam numa figura e sombra do celeste, como diz o oráculo que Moisés recebeu para fabricar a tenda: *Atenção, faze tudo conforme o modelo que te mostraram neste monte.* ⁶Ora, a ele cabe um ministério superior, já que é mediador de uma aliança melhor, instituída sobre promessas melhores. ⁷Pois, se a primeira tivesse sido irrepreensível, não haveria lugar para a segunda. ⁸Mas ele pronuncia uma repreensão: *Vede, chegarão dias – oráculo do Senhor – em que farei uma aliança nova com Israel e com Judá;* ⁹*não será como a aliança que fiz com seus pais, quando os tomei pela mão para tirá-los do Egito; pois eles não se mantiveram em minha aliança, e eu não me interessei por eles – diz o Senhor. –* ¹⁰*Assim será a aliança que farei com a Casa de Israel no futuro – oráculo do Senhor: – Colocarei minha lei em seu peito, a escreverei em seu coração; eu serei seu Deus e eles serão meu povo.* ¹¹*Ninguém terá que instruir o seu próximo, ou o seu irmão, dizendo: deves conhecer o Senhor; porque todos, grandes e pequenos, me conhecerão.* ¹²*Pois eu perdoo suas culpas e esqueço seus pecados.* ¹³Ao dizer nova, declara velha a primeira. E o que envelhece e fica antiquado está a ponto de desaparecer.

9 O santuário – ¹A primeira aliança continha disposições sobre o culto e o santuário terrestre. ²Foi instalada uma primeira tenda chamada O Santo, na qual estavam o candelabro e a mesa dos pães apresentados. ³Atrás da segunda cortina estava a tenda chamada O Santíssimo, ⁴que continha o altar de ouro e a arca da aliança, toda revestida de ouro, que guardava uma jarra de ouro com maná, a vara florescida de Aarão e as tábuas da aliança. ⁵Sobre ela estavam os querubins da Glória, fazendo sombra para a placa expiatória. Não é necessário explicar agora com detalhes. ⁶Uma vez instalado tudo, os sacerdotes entram frequentemente na primeira tenda para aí oficiar. ⁷Na segunda entra somente o sumo sacerdote, uma vez por ano, com o sangue que oferece por si e pelas inadvertências do povo. ⁸Com isso, o Espírito Santo dá a entender que, enquanto estiver em pé a primeira tenda, não estará aberto o acesso ao santuário. ⁹Estes são símbolos do tempo presente: são oferecidos dons e sacrifícios que o oficiante não pode consumir; ¹⁰pois consistem em comida, bebida e abluções diversas; disposições humanas vigentes até o momento da nova ordem.

¹¹Ao contrário, Cristo, vindo como Sumo Sacerdote dos bens futuros, usando uma

---

8,3 Desenvolvido em detalhe em Lv 1-7.
8,4-5 a) Na terra já existe um sacerdócio, não é necessário outro; mas é apenas "sombra" do celeste. A sombra pode reproduzir o perfil, mas carece de substância. Cl 2,17 usa a imagem da sombra para distinguir o presente do futuro. b) A tenda é só "imagem", como mostra o v. citado de Ex 25,40 (sobre a tenda, 9,2-8).
8,6-13 c) A nova aliança é anunciada no texto clássico de Jr 31,31-34. Diante do pacto bilateral do Sinai, que não foi observado pelo povo, a nova aliança se baseia em "promessas" unilaterais. O perdão dos pecados será completo, a lei estará interiorizada, a relação, "conhecimento de Deus", estará assegurada para todos. ("Eu me desinteressei", segundo a tradução grega.)
8,13 2Cor 3,14 menciona a "velha aliança" (Antigo Testamento) como livro que se lê.
9,1 Como livro, servirá ao autor para, por contraste, expor seu ensinamento. Os dados são tirados de Ex 25-26. Usa-se a palavra "tenda" para o santuário seguindo a ficção do Êxodo, que projeta a disposição do templo de Jerusalém sobre um acampamento de nômades. Mesmo em tempos posteriores, pode-se chamar o templo de Jerusalém de "tenda" (p. ex. Sl 15,1; 27,5; 61,5). Pela mesma razão, fala de duas tendas sucessivas, que correspondem ao átrio e ao camarim. O importante é o estatuto da tenda = santuário: não é acessível ao povo, é acessível aos sacerdotes, serve de passagem ao sumo sacerdote para ter acesso ao camarim ou "santíssimo", com graves limitações. Oficia um dia por ano, no dia da "expiação", e tem de repeti-lo a cada ano; expia pelos pecados do povo e também pelos seus. A tenda, mais que um acesso evidente, era uma barreira.
9,6 A conclusão das tarefas em Ex 40.
9,9-10 Os ritos materiais do velho culto não podem consagrar eficazmente: o homem continua sendo pecador, não tem acesso livre nem o procura. Tudo é ineficaz e provisório (cf. Cl 2,16-17). Ver algumas prescrições sobre contaminação e pureza em Lv 11 e 15; Nm 19,1-22.
9,11-14 Contrapõe o sacerdócio de Cristo: os "bens futuros" são os definitivos, a tenda "não feita à mão" é seu corpo (cf. Jo 2,19-21). A vítima é ele com seu sangue (Mt 26,28 par.), o santuário (ou o Santíssimo, segundo outra leitura) é o céu, onde entrou uma só vez para sempre.

tenda melhor e mais perfeita, não feita por mão humana, isto é, não deste mundo criado, [12]levando não sangue de bodes e bezerros, mas seu próprio sangue, entrou uma vez para sempre no santuário e obteve o resgate definitivo. [13]Pois, se o sangue de bodes e de touros e a cinza de novilha aspergida sobre os profanos os consagra com uma pureza corporal, [14]quanto mais o sangue de Cristo, que pelo Espírito eterno se ofereceu sem mancha a Deus, purificará nossas consciências de obras mortas, para que demos culto ao Deus vivo. [15]Por isso, é mediador de uma aliança nova, para que, intervindo uma morte que livra das transgressões cometidas durante a primeira aliança, os chamados possam receber a herança eterna prometida.

[16]Onde há testamento deve acontecer a morte do testamenteiro, [17]já que o testamento entra em vigor com a morte, e não tem vigência enquanto vive o testamenteiro. [18]Por isso, tampouco a primeira foi instituída sem sangue. [19]Quando Moisés terminou de recitar diante do povo toda a lei, tomou sangue dos bezerros e dos bodes, com água, lã purpúrea e um hissopo, e aspergiu o livro e todo o povo, [20]dizendo: Este é o sangue da aliança que o Senhor estabelece convosco. [21]Com o mesmo sangue aspergiu a tenda e todos os utensílios do culto. [22]Segundo a lei, quase tudo é purificado com sangue, e sem derramamento de sangue não há perdão.

O sacrifício de Cristo – [23]Portanto, se as figuras do celeste são purificadas com tais ritos, o celeste usará sacrifícios superiores. [24]Pois bem, Cristo entrou, não num santuário feito por mãos humanas, cópia do autêntico, mas no próprio céu; e agora se apresenta diante de Deus em nosso favor. [25]Não que tenha de se oferecer repetidas vezes, como o sumo sacerdote que entra todos os anos no santuário com sangue alheio; [26]em tal caso deveria ter padecido várias vezes desde a criação do mundo. Agora, ao contrário, no final dos tempos, apareceu para destruir com seu sacrifício os pecados. [27]Como é destino humano morrer uma vez e depois ser julgado, [28]assim Cristo se ofereceu uma vez para tirar os pecados de todos, e aparecerá uma segunda vez, sem relação com o pecado, para salvar os que o esperam.

10 [1]A lei é sombra dos bens futuros, não a cópia da realidade. Com os mesmos sacrifícios oferecidos periodicamente a cada ano, ela nunca pode tornar perfeitos os que se aproximam. [2]Pois, se os tivesse purificado definitivamente, os que prestam culto, ao não ter consciência de pecado, teriam cessado de oferecê-los.

9,13 A "novilha": segundo Nm 19,2-10.

9,14 O Espírito é como o fogo que transforma e consagra (cf. Lv 9,24; 1Rs 18,38; 2Cr 7,1; 2Mc 1,22; 2,1). As "obras mortas", como em 6,1.

9,15-22 Retoma o tema da aliança, sobrepondo o outro sentido da palavra grega *diatheke*, "testamento" (ambas são uma disposição jurídica). Assim entra o tema da "herança" condicionada à "morte do testamenteiro" (também a aliança do Sinai prometia a terra em herança). A lógica do v. 18 parece estranha, pois o sangue (= morte do animal sacrificado) não era a morte do testamenteiro. Fica de pé a correspondência do "sangue". Sobre o rito da aliança, o autor pensa em Ex 24,6-8.

9,23 O v. funciona como ligação para introduzir o tema do acesso ao mundo celeste.

9,24-28 Recapitula vários temas e acrescenta o da parusia. Cristo, por sua glorificação ou ascensão, entra no santuário celeste (At 1,11), não na cópia terrestre; uma vez para sempre, não a cada ano; oferecendo sua vida, não sangue alheio; no "final dos tempos", não na etapa preparatória; para destruir o pecado (cf. Is 53,12; Rm 8,3). Já apareceu na sua encarnação e vida terrena; aparecerá de novo, mas não para voltar a destruir o pecado, e sim para salvar os seus, que o estão esperando (tema da seção seguinte). Parece indicar que o julgamento de separação já aconteceu, e que para os fiéis Cristo não vem como juiz, mas apenas para consumar a salvação. A comparação de Cristo com o homem se limita ao fato de morrer uma só vez.

10,1-18 O sacrifício de Cristo é eficaz em favor dos cristãos. O sacrifício que o "consagra" (5,9; Jo 17,19) pode consagrar os seus (10,14), "os que se aproximam". Os sacrifícios antigos não podiam fazê-lo, porque usavam vítimas animais, sem consciência, externas ao homem, sem relação pessoal com Deus. Cristo, porém, assume com plena consciência e liberdade o sacrifício de toda a sua pessoa (segundo Sl 40,6-8 na versão grega). Cristo personaliza a vontade de Deus: "levo tua lei nas minhas entranhas" (diz o texto hebraico) e personaliza a oferenda: "aqui estou". Por ter-se identificado com os homens (Hb 10,11-17), especialmente no ato do sacrifício que consuma, pode comunicar sua eficácia aos seus: perdoa-lhes os pecados, imprime a lei em seus corações (Jr 31,31).

10,1 "Sombra": 8,5; Cl 2,17. "Os que se aproximam": do santuário e de Deus; o acesso estava rigidamente regulado, por graus de separação e proximidade (cf. Lv 16,1).

³Ao contrário, com eles renova-se a cada ano a lembrança dos pecados, ⁴já que o sangue de touros e de bodes não pode perdoar pecados. ⁵Por isso diz ao entrar no mundo: *Não quiseste sacrifícios nem oferendas, mas me formaste um corpo.* ⁶*Não te agradaram holocaustos nem sacrifícios expiatórios.* ⁷*Então eu disse: Aqui estou, vim para cumprir, ó Deus, tua vontade – como está escrito de mim no livro.* ⁸Primeiro afirma que não quis nem lhe agradaram oferendas, sacrifícios, holocaustos nem sacrifícios expiatórios (que são oferecidos legalmente); ⁹depois acrescenta: *aqui estou para cumprir tua vontade.* Exclui o primeiro para estabelecer o segundo. ¹⁰Pois, segundo essa vontade, ficamos consagrados pela oferta do corpo de Jesus Cristo, feita uma vez para sempre.

¹¹Todo sacerdote se apresenta para oficiar cada dia e oferece muitas vezes os mesmos sacrifícios, que nunca podem eliminar pecados. ¹²Este, ao contrário, depois de oferecer um único sacrifício, *sentou-se* para sempre *à direita de Deus* ¹³e aguarda que *ponham seus inimigos como estrado de seus pés.* ¹⁴Pois, com um único sacrifício levou os consagrados à perfeição definitiva. ¹⁵Também o Espírito Santo no-lo testemunha, pois diz primeiro: ¹⁶*Esta é a aliança que farei com eles no futuro – oráculo do Senhor: – colocarei minhas leis em seu peito e as escreverei em seu coração.* ¹⁷*Esquecerei seus pecados e delitos.* ¹⁸Portanto, se são perdoados, já não é necessária a oferta pelo pecado.

Exortação – ¹⁹Pelo sangue de Jesus, irmãos, temos livre acesso ao santuário, ²⁰pelo caminho novo e vivo que inaugurou para nós através da cortina, ou seja, de seu corpo. ²¹Temos um sacerdote ilustre encarregado da casa de Deus. ²²Portanto, aproximemo-nos de coração sincero e cheios de fé, purificados por dentro da má consciência e lavados por fora com água pura. ²³Mantenhamos sem desvios a confissão de nossa esperança, pois aquele que prometeu é fiel. ²⁴Velemos uns pelos outros, para nos estimular ao amor e às boas obras. ²⁵Não faltemos às reuniões, como fazem alguns; pelo contrário, tomemos tanto ânimo quanto mais próximo vedes o dia. ²⁶De fato, se pecarmos deliberadamente, depois de receber o conhecimento da verdade, já não resta outro sacrifício pelo pecado, ²⁷e sim a espera angustiante de um julgamento e o fogo devorador que consumirá os rebeldes. ²⁸Quem transgredia a lei de Moisés, pelo testemunho de duas ou três testemunhas era executado sem compaixão. ²⁹Que castigo mais severo merecerá quem pisotear o Filho de Deus, profanar o sangue da aliança que o consagra e ultrajar o Espírito da graça! ³⁰Conhecemos aquele que disse: *Minha é a*

10,3 A "lembrança" dos pecados é o contrário do esquecimento ou anistia (Jr 31,34; cf. Nm 5,15).
10,4 Já denunciado por Is 1,11 e Sl 50.
10,5 Aplica o texto à encarnação (venho, vim) e o põe na boca de Cristo, adotando a leitura messiânica.
10,10 Recorda a fórmula eucarística (Mt 26,28 par.).
10,12-13 Nova referência ao Sl 110.
10,15-17 Conforme Jr 31,31.
10,19-38 Terceira grande exortação: tira consequências da seção precedente e deve unir-se às duas exortações anteriores (3,7-4,14 e 5,11-6,2). Ressoam os temas do "acesso" e o sacerdote acreditado (3,6), a "casa" (3,2-6), a purificação, a "confissão" (4,14), a "esperança" (3,6), a "constância" (6,11), "o amor e as boas obras" (6,10), a parusia. A exortação positiva, com a lembrança de tempos exemplares, prolonga as frases breves de 6,9-11.
10,19-25 Parte positiva: consequências para a conduta cristã. Se nos abriram um caminho e um acesso, devemos percorrê-lo. Casa de Deus é agora a comunidade cristã.
10,19 "Assim entrará Aarão no santuário: com um bezerro para o sacrifício expiatório... Levará seu sangue para trás da cortina" (Lv 16,3.15).
10,20 "A cortina separará o Santo do Santíssimo" (Ex 26,33).
10,22 Alusão batismal, no aspecto de purificação (1Pd 3,21). O banho de purificação era um dos ritos prescritos aos sacerdotes (Ex 30,18-21).
10,26 A grave admoestação sobre as consequências graves de não corresponder faz eco à de 6,4-8. "Deliberadamente", não por inadvertência (cf. Sl 19,12-13). "Pecar" está no particípio presente, indicando continuidade, persistência voluntária.
10,27 O julgamento do fogo: Is 66,24; "os rebeldes": Nm 16,35.
10,28 As testemunhas: Dt 17,6.
10,29 "Pisotear", gesto de máximo desprezo, "teus verdugos, que te diziam: dobra o pescoço, para que fossemos por cima. E apresentastes o dorso como solo, como estrada para os transeuntes." (Is 51,23); também significa a perseguição extrema (Sl 7,6; 36,12). "Profanar o sagrado" é delito grave: para o sábado, a pena é de excomunhão (Ex 31,14); a aliança (Ml 2,10); outros textos em Lv 21. "Ultrajar": provável adaptação de Is 63,10.
10,30 Citação de Dt 32,35 (segundo o grego). A primeira parte diz duas coisas: ele reserva para si a vingança

vingança, a mim cabe retribuir; e também: *O Senhor julgará seu povo*. ³¹Quão terrível é cair nas mãos do Deus vivo!

³²Recordai os primeiros dias, quando, recém-iluminados, suportastes o duro combate dos sofrimentos: ³³uns expostos publicamente a injúrias e maus tratos; outros, solidários dos que assim eram tratados. ³⁴Partilhastes as penas dos encarcerados, aceitastes alegremente que vos privassem de vossos bens, sabendo que tínheis bens maiores e permanentes. ³⁵Portanto, não renuncieis à vossa confiança, que conta com uma grande recompensa. ³⁶Precisais de paciência para cumprir a vontade de Deus e alcançar o prometido. ³⁷*Ainda um pouco, muito pouco, e aquele que há de vir virá sem tardar*. ³⁸*Meu justo viverá por crer; mas, se voltar atrás, não me agradará*. ³⁹Nós não pereceremos por voltar atrás, mas salvaremos a vida pela fé.

11 Fé-esperança

¹Fé é a consistência do que se espera, a prova do que não se vê. ²Por ela os antigos receberam a aprovação. ³Pela fé, compreendemos que o mundo foi formado pela palavra de Deus, o visível a partir do invisível. ⁴Pela fé, Abel ofereceu a Deus um sacrifício melhor que o de Caim, por ela o declararam justo e Deus aprovou seus dons; por ela, embora morto, continua falando. ⁵Pela fé, Enoc foi transladado sem passar pela morte, e não o encontraram porque Deus o havia levado; mas antes de seu translado, declararam que havia agradado a Deus. ⁶Sem fé é impossível agradar. Quem se aproxima de Deus deve crer que ele existe e recompensa os que o procuram. ⁷Pela fé, Noé recebeu aviso do que ainda não se via, e cauteloso construiu uma arca para que sua família se salvasse. Por ela convenceu o mundo e

---

(justiça vindicativa), e a executará (o hebraico se refere aos inimigos). A segunda parte toma o verbo "julgar" no sentido estrito de julgar e condenar (o hebraico se refere à defesa).

10,32-38 A exortação positiva apela para a conduta exemplar e heroica dos primeiros tempos. O passado é invocado como exemplo e estímulo do presente. "Iluminados" pelo batismo e animados com a esperança do futuro. A citação do AT compõe-se de Is 26,20 e Hab 2,3-4. O primeiro é um texto escatológico que recomenda refugiar-se até que passe o castigo, esperando a libertação próxima. O autor aplica o segundo à constância, ao passo que Paulo o aplica várias vezes à fé (Rm 1,17; Gl 3,11).

11,1-40 Esse amplo capítulo sobre a fé contém uma definição da fé, uma série de personagens exemplares, com ou sem comentário, e uma série de situações genéricas ou concretas. O sistema é do denominador comum: a fé, entendida à maneira do autor, assemelha e reúne a todos. Logicamente, o procedimento é um tanto reducionista; embora os casos se enriqueçam na mente do leitor, supondo que conheça os relatos bíblicos correspondentes. É provável que os ouvintes não os conhecessem com a perspectiva da fé. O procedimento tem antecedentes no AT. Sb 10, em versão reduzida, emprega como denominador comum a "sabedoria", omitindo os nomes como que desafiando o leitor. Em versão mais ampla, o elogio dos antepassados, para glória de Deus (Eclo 44-50). Também o leitor moderno tem de enriquecer a série de Hb 11 com a recordação ou o repasse dos relatos bíblicos. Todos recebem um "testemunho" de aprovação.

11,1 A definição da fé não é tão clara quanto se poderia esperar. Contém dois substantivos que admitem interpretação objetiva ou subjetiva. *Hypóstasis* é a garantia oferecida ou a confiança experimentada; *élegchos* é a prova da promessa ou a esperança suscitada. Por todo o contexto, parece preferível a interpretação subjetiva, pois se trata de atitudes fundamentais, provocadas e sustentadas por algo objetivo, isto é, a promessa de Deus. Dessa forma, a fé da qual o autor fala, exceto no primeiro artigo, se parece mais com a esperança.

O processo é lógico: precede uma promessa de Deus, o homem confia nela (fé) e espera. Uma tradução um tanto livre da definição pode ser: a posse do que se espera, a percepção do que não se vê. Não se vê, porque é futuro; e segundo os judeus, o futuro fica às costas (cf. 2Cor 4,18). O "invisível", não manifesto, é aqui o que não existe ou o caos informe que não tem forma evidente.

11,3 Ao começar pela criação, não pode apresentar nenhum personagem protagonista: o sujeito somos nós. Junto à afirmação de Paulo, a respeito do conhecimento do Criador pelas criaturas (Rm 1,20; cf. Sb 13,1-5), o autor fala de um conhecimento pela fé, não tanto do Criador, mas do fato da criação pela palavra (Sl 33,6). Refere-se a Gn 1, recebido e aceito com fé.

11,4 Sobre Abel segue mais a tradição rabínica do que o texto de Gn 4. Abel morto "fala" com seu sangue, que "clama ao céu" (cf. Hb 12,24; Jó 16,18). Deus mesmo é "testemunha" da inocência ou justiça de Abel.

11,5-6 Segundo Gn 5,24; mas substituindo o verbo "arrebatar, assumir", por "transladar" a outro lugar ou situação. A ele se referem Eclo 44,16 e 49,14; a ele alude Sb 4,10 com "agradou". O autor tira a fé por dedução. Aquele que "se aproxima" ou, formalmente, deseja aproximar-se. Propõe a existência de Deus como objeto da fé.

11,7 Gn 6 nada diz da fé que Noé tem, e muito menos que por ela alcançou a justiça (a grande doutrina de Paulo). O autor deduz isso do fato que Noé confiou no anúncio de Deus, obedeceu-lhe e tomou suas "precauções". "Convenceu" ou condenou o mundo, que pereceu por não confiar no anúncio.

obteve a justiça que a fé proporciona. ⁸Pela fé, Abraão obedeceu ao chamado de partir para o país que haveria de receber como herança; e partiu sem saber para onde ia. ⁹Pela fé, mudou-se como forasteiro para o país que lhe haviam prometido e habitou em tendas com Isaac e Jacó, herdeiros da mesma promessa. ¹⁰Pois esperava a cidade construída sobre alicerces, cujo arquiteto e construtor é Deus. ¹¹Pela fé, também Sara, embora de idade avançada, recebeu vigor para conceber, pois pensou que era fiel aquele que o prometia. ¹²Assim, de um só, já morto para todos os efeitos, foi gerada uma multidão como as estrelas do céu e como a areia incontável das praias. ¹³Com essa fé, todos eles morreram sem receber o prometido, embora o vendo e o saudando de longe, e confessando-se peregrinos e forasteiros na terra. ¹⁴Os que assim pensam demonstram que procuram uma pátria. ¹⁵Pois, se tivessem sentido saudade da que abandonaram, poderiam ter voltado para lá. ¹⁶Pelo contrário, aspiram a uma melhor, isto é, a uma celeste. Por isso, Deus não se envergonha de se chamar seu Deus, pois lhes havia preparado uma cidade. ¹⁷Pela fé, Abraão, submetido à prova, ofereceu Isaac, seu filho único, ¹⁸aquele do qual lhe haviam feito esta promessa: *Isaac continuará tua descendência;* ¹⁹pois pensou que Deus tem poder para ressuscitar da morte. E assim o recuperou como um símbolo. ²⁰Pela fé, Isaac abençoou o futuro de Jacó e Esaú. Pela fé, Jacó moribundo abençoou os filhos de José ²¹e se prostrou, apoiando-se na ponta do bastão. ²²Pela fé, José, no fim da vida, evocou o êxodo dos israelitas e deu instruções a respeito de seus ossos.

²³Pela fé, quando nasceu Moisés, seus pais o ocultaram por três meses, vendo que era um menino bonito, e sem temer o decreto real. ²⁴Pela fé, Moisés, já crescido, renunciou ao título de filho da filha do Faraó, ²⁵e ao invés do desfrute efêmero do pecado, preferiu ser maltratado com o povo de Deus, ²⁶pensando que a ofensa do Ungido valia mais que os tesouros do Egito, e com os olhos fixos na recompensa. ²⁷Pela fé, abandonou o Egito sem temer a cólera do rei, pois se agarrava ao invisível como se fosse visível. ²⁸Pela fé, celebrou a Páscoa e aspergiu com sangue, para que o exterminador não tocasse seus primogênitos. ²⁹Pela fé, atravessaram o mar Vermelho como por terra firme, enquanto os

---

11,8-17 Ao chegar a Abraão, o autor se detém e escolhe vários episódios (é personagem favorito também de Paulo, cf. Rm 4). O chamado para um destino desconhecido, abandonando a pátria (Gn 12). A confiança em Deus, que lhe prometia descendência numerosa (Gn 15 e 17). A grande prova do sacrifício de Isaac, que consistiu em obedecer sem perder a esperança (Gn 22). Aos episódios acrescenta uma reflexão teológica, centrada na vitória sobre a morte. A fé (= esperança) de Abraão atinge mais além da morte. Sua capacidade generativa e a de Sara estão mortas, o herdeiro legítimo está destinado a morte, morrem todos antes de alcançar o destino. A razão é que o destino é celeste e futuro, e todos eles caminham como "peregrinos e forasteiros" rumo à pátria, que é uma cidade construída por Deus (não é Jerusalém, cf. Is 54,11-12; Tb 13,17-18).

11,12 A multidão prometida em Gn 15 (cf. Is 51,1-2).

11,13 A fé (= esperança) permite "divisar e saudar" de longe, como a uma cidade altaneira. Pode ressoar aqui a experiência de uma peregrinação a Jerusalém, projetada sobre a celeste.

11,15 Para Isaac, ver Gn 24,6.8; para Jacó, todo o ciclo de sua peregrinação à casa de Labão e a volta.

11,19 "Como um símbolo": Isaac se converte em símbolo de todos os que serão ressuscitados pelo poder de Deus, especialmente símbolo de Jesus Cristo.

11,20 Trata-se da benção testamentária de Isaac, que anuncia o futuro dos dois irmãos (cf. Gn 27). Todo o drama do relato original desaparece da rápida menção.

11,21 Da acidentada vida de Jacó, escolhe somente a benção patriarcal dos netos (Gn 48). O tema da sucessão ou descendência preocupa o autor, que nela contempla o movimento da história rumo ao futuro. O detalhe pitoresco do bastão segue a versão grega (Gn 47,31).

11,22 Trata brevemente também de José, de quem haveria tanto a recordar. Mas é muito importante sua predição do êxodo futuro, ao qual se somarão seus ossos em retorno póstumo (Gn 50,24-25).

11,23-29 De Moisés comenta primeiro os pais, que salvaram a vida do recém-nascido enfrentando a lei do extermínio (Ex 1-2). Já adulto, manifesta sua fé na generosidade com que segue sua vocação, sacrificando vantagens ligadas ao "pecado".

A Páscoa e a passagem do mar Vermelho são episódios obrigatórios (Ex 12-15). Nada ouvimos das suas fadigas pelo deserto.

11,26 A "ofensa do Ungido": o título é próprio do rei davídico, a frase é tirada de Sl 89,50. Só que o Ungido é também Jesus, e a ofensa sugere a paixão. Moisés se apresenta assim como tipo do Messias.

11,27 O "invisível" é aqui o destino que o espera à saída do Egito e pode abranger até o país de Canaã. Invisível para ele no momento da saída, visto da montanha antes de morrer (Dt 34).

11,28 Nesse episódio (Ex 12,11), a fé consiste em crer no valor apotropaico do rito do sangue (também tipo de Jesus, cordeiro pascal).

egípcios, ao tentá-lo, se afogaram. ³⁰Pela fé, a muralha de Jericó, após ser rodeada durante sete dias, desmoronou. ³¹Pela fé, a prostituta Raab acolheu amistosamente os espiões, e não morreu com os rebeldes.

³²O que resta dizer? Falta-me tempo para contar a história de Gedeão, Barac, Sansão, Jefté, Davi, Samuel e os profetas, ³³os quais pela fé conquistaram reinos, administraram a justiça, viram cumpridas as promessas, fecharam a boca de leões, ³⁴extinguiram o ardor do fogo, evitaram o fio da espada, restabeleceram-se da enfermidade, foram valorosos na guerra, rechaçaram exércitos estrangeiros. ³⁵Algumas mulheres recuperaram ressuscitados os próprios maridos. Outros, torturados, recusaram livrar-se, preferindo uma ressurreição de maior valor. ³⁶Outros sofreram a prova de caçoadas e açoites, de correntes e prisão. ³⁷Foram apedrejados, serrados, mortos ao fio da espada; vagavam cobertos com peles de cabras e ovelhas, necessitados, atribulados, maltratados. ³⁸O mundo não era digno deles. Vagavam por desertos, montanhas, grutas e cavernas. ³⁹Nenhum deles, apesar de acreditado pela fé, alcançou o prometido, ⁴⁰porque Deus nos reservava um plano melhor, para que sem nós não chegassem à plena realização.

12 ¹Nós, portanto, rodeados de uma nuvem tão densa de testemunhas, desprendamo-nos de toda carga e do pecado que nos encurrala, corramos com constância a corrida que nos espera, ²com os olhos fixos naquele que iniciou e realizou a fé, em Jesus, o qual, pela alegria que lhe foi proposta, sofreu a cruz, desprezou a humilhação e sentou-se à direita do trono de Deus. ³Refleti sobre aquele que suportou tal oposição dos pecadores, e não sucumbireis ao desânimo. ⁴Ainda não resististes até o sangue em vossa luta contra o pecado.

Deus, educador paterno – ⁵Esquecestes a exortação que vos dirigem como a filhos? *Meu filho, não desprezes o castigo do Senhor, nem desanimes se te repreende;* ⁶*pois o Senhor castiga a quem ama e açoita os filhos que reconhece.* ⁷Aguentai por vossa educação, pois Deus vos trata como filhos. Existe algum filho a quem o pai não castigue? ⁸Se não vos castigam como aos outros, é porque sois bastardos

---

11,30 Os muros de Jericó fazem com que o autor não mencione o nome de Josué, apesar de coincidir com o de Jesus. Vitória sem armas, por pura fé expressa em ato quase litúrgico (Js 6).

11,31 Não é preciso pôr ênfase na menção do ofício pouco honroso de Raab, contrastado com a acolhida "pacífica" que dá aos exploradores (Js 2).

11,32 Conquistada Jericó, que é a chave para entrar na terra prometida, o autor se sente cansado ou sente que está alongando seu elenco, e o conclui com seis menções breves. Quatro "juízes" ilustres (não menciona Débora), Samuel, que serve de ponte, e Davi, cabeça de dinastia (salta-se Saul).

11,33-38 A lista que vem a seguir compõe-se de façanhas heroicas ou sofrimentos suportados com inteireza, tudo animado pela fé e esperança. Alguns podem ser identificados com passagens do AT, outros podem ser ilustrados, outros ficam abertos. Aponto alguns mais notáveis.

11,33 Leões: Sansão (Jz 14,18), Davi (1Sm 17,34-35), Banaías (2Sm 23,20), Daniel (Dn 6,23).

11,34 "Fogo": os três jovens (Dn 3,23-25). "Restabeleceram-se": Ezequias (Is 37).

11,35 "Ressuscitados": a fé é dos taumaturgos Elias e Eliseu (1Rs 17,17-24; 2Rs 4,36). "Torturados": os sete irmãos (2Mc 7) com a esperança explícita de ressuscitar.

11,36 "Açoites e prisão": Jeremias (Jr 37,15-16).

11,37 "Serrados": Isaías, segundo a lenda.

11,39-40 Inclusão com o v. 2. Deus adiava o cumprimento de tantas esperanças para que fossem realizadas incluindo também os cristãos numa grande unidade. O autor quer dizer, contra crenças antigas, que a retribuição não se dava plenamente nesta vida.

12,1-4 Tira as consequências para a conduta cristã, em metáfora desportiva: é preciso despojar-se de cargas e desfazer-se de impedimentos para "correr a corrida" com suas provas; é preciso armar-se de "constância" para chegar à meta. À "nuvem" variada de testemunhas contrapõe-se o exemplo supremo de Jesus, que iniciou e consumou sua carreira, superando todas as provas. Comparar essa síntese de paixão e glória com o hino de Fl 2,6-11.

12,5-13 Explicou os sofrimentos como esforço esportivo para alcançar a meta. Como imitação de Jesus que começa e termina, sofre e triunfa. Agora aplica o modelo da educação paterna, severa e afetuosa. O ponto de partida da comparação é sapiencial: *musar* é termo frequente, que pode significar educação em geral, e em particular castigo, advertência, correção: "Filho sensato aceita a correção paterna" (Pr 13,1; 22,15 menciona a "vara da correção"). Ver o programa severo que Eclo 30,1-13 propõe. Daí passa à descrição de Deus como Pai que educa austeramente: segundo o texto citado (Pr 3,11-12); no deserto Deus como pai educava o povo submetendo-o à prova (Dt 8,1-5).

12,7 "Quem ama o filho, o açoita com frequência" (Eclo 30,1).

e não filhos. ⁹Mais ainda: respeitávamos nossos pais corporais que nos castigavam; não devemos submeter-nos ainda mais ao Pai dos espíritos para termos vida? ¹⁰Aqueles nos educavam por breve tempo, como julgavam conveniente; este, para o nosso bem, para que participemos de sua santidade. ¹¹Nenhuma correção, quando aplicada, é agradável, mas dói; porém, mais tarde produz frutos de paz e de justiça para os que nela se exercitaram. ¹²Portanto, *fortalecei os braços enfraquecidos, robustecei os joelhos vacilantes,* ¹³*aplainai os caminhos para vossos pés,* de modo que a perna coxa não se desconjunte, mas se cure.

A graça de Deus – ¹⁴Procurai a paz com todos e a santificação, sem a qual ninguém pode ver Deus. ¹⁵Vigiai para que ninguém se prive da graça de Deus, para que *nenhuma raiz amarga cresça e prejudique e contagie os outros.* ¹⁶Não haja dissolutos e profanadores como Esaú, que por uma refeição vendeu seus direitos de primogênito. ¹⁷Sabeis que mais tarde, quando tentou recuperar a bênção testamentária, foi desqualificado, e, embora o pedisse com lágrimas, não conseguiu mudar a decisão.

¹⁸Vós não vos aproximastes de um fogo ardente e palpável, da escuridão, treva e tempestade, ¹⁹do toque de trombetas e de uma voz falando que, ao ouvi-la, pediam que não continuasse. ²⁰Não podiam suportar aquela ordem: *Aquele que tocar o monte, ainda que seja um animal, será apedrejado.* ²¹Tão terrível era o espetáculo, que Moisés comentou: *Estou tremendo de medo.* ²²Vós, ao contrário, vos aproximastes de Sião, monte e cidade do Deus vivo, da Jerusalém celeste com seus milhares de anjos, da congregação ²³e assembleia dos primogênitos inscritos no céu, de Deus, juiz de todos, dos espíritos dos justos que chegaram à perfeição; ²⁴de Jesus, mediador da nova aliança; de um sangue aspergido que grita mais forte que o de Abel. ²⁵Atenção: não rejeiteis aquele que fala. Pois se aqueles, rejeitando a quem pronunciava oráculos na terra, não escaparam, muito menos nós, se nos afastarmos daquele que fala a partir do céu. ²⁶Se naquela ocasião sua voz fez tremer a terra, agora proclama o seguinte: *Outra vez farei tremer a terra e o céu.* ²⁷Ao dizer outra vez, mostra que se mudará aquele que treme como criatura, para que permaneça aquele que é inabalável. ²⁸Assim, ao receber um reino inabalável, sejamos agradecidos, servindo a Deus como lhe agrada, com respeito e reverência, ²⁹pois nosso *Deus é um fogo devorador.*

12,9 "Meu filho... a repreensão que corrige é caminho de vida" (cf. Pr 6,23).

12,10 Conforme o convite repetido em Lv 19-20.

12,11 "Dobra-lhe a cerviz enquanto é jovem e bate-lhe nos lombos quando ainda é pequeno" (Eclo 30,12).

12,12-13 A citação de Is 35,3 refere-se ao retorno dos desterrados da Babilônia, numa espécie de peregrinação festiva e alegre. A citação de Pr 4,26 (segundo a versão grega) serve para anunciar o tema da próxima seção. O texto hebraico fala de "aplainar", pois num caminho curvo, se é plano, o pé não tropeça.

12,14-17 Conselhos positivos e admoestação. Buscar a paz visa a outros homens, também pagãos (cf. Sl 34,15; 120,7; Mt 5,9, bem-aventurança); buscar a santificação visa a Deus. O segundo é condição para o mais desejável, "ver a Deus" (cf. Sl 17,15; 34,15). "Raiz amarga": Dt 29,17. Esaú: Gn 25,33; 27,30-40; deve-se relacioná-lo, como resposta negativa, com 11,20.

12,18-29 A nova exortação ou admoestação se desenvolve na oposição entre a experiência do povo no Sinai e a experiência cristã. Está enquadrada por uma inclusão no tema ou símbolo do fogo: fogo de Deus/ Deus é fogo. A técnica de exposição é por elenco de correspondências, semelhanças e dessemelhanças. A ordem dos temas paralelos não é rigorosa.

12,18 O fogo é elemento clássico da divindade e aparece com frequência na teofania. Obviamente no Sinai e em outras semelhantes (Is 30,27.33; Sl 18,9; Dn 7,9-10). Com o fogo se juntam estranhamente as trevas (Jl 2,2; Sf 1,15; Sl 18,10).

12,29 Citação de Dt 4,24, paralelo do ciúme: não admite rivais. No plano oposto não há correspondência para o fogo.

O tremor. Há uma equivalência clássica, expressa também no vocabulário, entre o tremor psicológico, provocado pelo medo, e o tremor da terra (terremoto) ante a presença de Deus, como parte da teofania (Sl 68,8). O autor reúne o tremor (= medo) de Moisés (Dt 9,19) e o tremor escatológico da terra e do céu, anunciado por Ageu (2,6). A ele se contrapõe o "inabalável" mundo celeste.

O monte, por um lado, é o Sinai, terrível, que afasta ameaçador qualquer ser vivo (Ex 19,12-13). Contrapõe-se o monte onde se senta a cidade de Deus, a Jerusalém celeste. Cita Sl 48,2-3 "a cidade do nosso Deus, seu monte santo... o monte Sião, vértice do céu, capital do imperador". Capital do "reino inabalável".

A voz de Deus se fazia intolerável para o povo (Ex 20,18-19). Aqui a voz se restringe à proibição sob pena de morte. Dt 4,10 fala de impor o temor de Deus. No outro extremo está o acesso sereno, o

13

Exortação – ¹Que o amor fraterno seja duradouro. ²Não esqueçais a hospitalidade, pela qual alguns, sem o saber, hospedaram anjos. ³Lembrai-vos dos presos, como se estivésseis presos com eles; dos maltratados, pois vós também tendes um corpo. ⁴O matrimônio seja respeitado por todos, e o leito matrimonial esteja sem mancha, pois Deus julgará fornicadores e adúlteros. ⁵Sede desinteressados em vossa conduta e contentai-vos com o que tendes; pois ele disse: *Não te deixarei nem te abandonarei.* ⁶Por isso, podemos dizer confiantes: *O Senhor me auxilia e não temo: que poderá fazer-me um homem?*

⁷Recordai vossos guias, que vos transmitiram a palavra de Deus; observando o desenlace de sua vida, imitai sua fé. ⁸Jesus Cristo é o mesmo ontem, hoje e sempre. ⁹Não vos deixeis levar por doutrinas diferentes e estranhas.

Convém fortalecer o coração com a graça, não com dietas que não trouxeram proveito aos que as observavam. ¹⁰Temos um altar, do qual não estão autorizados a comer os que oficiam na tenda. ¹¹Dos animais, o sumo sacerdote introduz o sangue no *santuário para expiar pecados, e os corpos são queimados fora do acampamento.* ¹²Por isso Jesus, para consagrar o povo com seu sangue, padeceu fora das portas. ¹³Saiamos, pois, ao encontro dele, fora do acampamento, carregando as suas ofensas; ¹⁴pois não temos aqui cidade permanente, mas buscamos a futura. ¹⁵Por meio dele *ofereçamos* continuamente *a Deus um sacrifício de louvor*, isto é, *o fruto de lábios* que confessam seu nome. ¹⁶Não descuideis a beneficência e a solidariedade: tais são os sacrifícios que agradam a Deus. ¹⁷Obedecei e submetei-vos a vossos guias, pois zelam como responsáveis por vossas vidas; assim eles o farão contentes e sem lamentar-se, coisa que não vos traria proveito.

¹⁸Rezai por nós. Cremos ter a consciência limpa e desejos de agir em tudo honradamente. ¹⁹Mas insisto em pedir-vos que o façais, para que me devolvam a vós o quanto antes. ²⁰O Deus da paz, que *tirou da morte o grande pastor do rebanho*, o Senhor nosso Jesus, pelo sangue de uma aliança eterna, ²¹vos proveja de todo tipo de bens, para que cumprais sua vontade. Realize em vós o que lhe agrada, por meio de Jesus Cristo. A ele a glória pelos séculos dos séculos. Amém.

"aproximar-se". Talvez também o "clamor" do sangue: o de Abel pedia que o céu fizesse justiça; o de Jesus pede perdão e é mais forte e se faz ouvir. Outra oposição se dá entre os "oráculos" terrenos (Moisés) e a voz do céu (acerca de Jesus, no batismo e transfiguração, e por meio de Jesus).
Concretamente nada se diz da comunidade do povo de Israel (só verbos na terceira pessoa). Muito no outro extremo: anjos (Dt 33,3; Dn 7,10), primogênitos, espíritos, Deus juiz e Jesus mediador. Parece contradição "primogênitos" no plural, pois o primogênito é único. Mas podemos recordar que é o povo inteiro que Deus chama de "meu primogênito" (Ex 4,23; cf. Ex 13,2; Nm 3,12-13); "inscritos" como cidadãos no registro celeste (Lc 10,20; cf. Sl 87). A corte divina completa, formada de seres celestes (anjos) e de cristãos "consumados", à qual temos acesso já daqui.
Deus tem o título de "juiz universal": terá o alcance do termo *shophet* no AT? Em tal caso seria juiz e governante (Sl 96 e 98). Se o significado é estrito, trata-se do juiz da retribuição definitiva.

13,1-6 Conselhos vários confirmados com citações da Escritura. O primeiro é o "amor fraterno", que inclui hospitalidade, solidariedade, desinteresse. Sobre a "hospitalidade", pensa em Abraão (Gn 18). Os "presos": ver o juízo final segundo Mateus (Mt 25,36). Sobre fornicadores e adúlteros: Pr 5-7; Eclo 23. "Contentar-se": Lc 3,14; 1Tm 6,8. "Não te abandonarei: Dt 31,6 em outro contexto, mas com valor geral.

13,6 Citação de Sl 27,1-3.

13,7-9 Nova série de conselhos que recapitula temas da carta. "Recordai": fala a uma segunda geração cristã e pensa nos apóstolos que pregaram a fé e que já morreram (cf. Tt 1,5). Acima daqueles que passaram e de nós que passaremos, Jesus Cristo (v. 8) abraça todas as idades, é contemporâneo de todos, não muda. Em consequência (v. 9), não se deve mudar a doutrina sobre ele (cf. Gl 1,6-9). "O coração com a graça" (v. 9) frente ao corpo com dietas (ver o relato pitoresco de Dn 1 e 1Cor 8,8).

13,10-15 Outra comparação do novo com o antigo, para tirar uma consequência de conduta cristã. "Não podem comer": Ez 44,10-14 como castigo de levitas infiéis. "Fora do acampamento": Lv 16,27 e Nm 19,3; também a execução do culpado: Lv 24,24; Nm 19,3. Mas há uma oposição: o sangue da expiação é introduzido, o de Jesus é derramado fora, expia e "consagra". "A ofensa": o mesmo termo de 10,33; 11,26; o verbo correspondente está em Mt 5,11. "Cidade permanente": 2,5; 11,14. "Sacrifício de louvor": Os 14,3.

13,16 Novo exemplo de linguagem litúrgica aplicada à conduta cristã (cf. Eclo 35,2).

13,18-21 Orações mútuas e doxologia. Dos fiéis pelo autor (ou por Paulo?), deste pelos fiéis. Sobre o "grande pastor": Zc 9,11; Is 63,11.

²²Eu vos recomendo, irmãos, que suporteis minha exortação; para isso vos escrevi brevemente. ²³Sabei que nosso irmão Timóteo foi libertado. Se chegar logo, me acompanhará quando eu vos visitar. ²⁴Saudai todos os vossos chefes e todos os consagrados. Os da Itália vos saúdam. ²⁵A graça esteja com todos vós.

13,22-25 Despedida que poderia ter sido acrescentada por Paulo. Chama o escrito de "exortação". Sobre a prisão de Timóteo, esta é a única notícia que temos. Faltam outros nomes próprios.

CARTA DE TIAGO

INTRODUÇÃO

Autor e destinatários

O cabeçalho da carta (ou escrito) menciona o remetente e os destinatários. O nome Tiago pode corresponder a três personagens conhecidas no NT: os dois apóstolos com esse nome, o maior e o menor, e o "irmão do Senhor". Embora acrescente o ilustre título "servo de Deus e do Senhor Jesus Cristo", os dois primeiros são totalmente improváveis. De Tiago, o irmão do Senhor, falam Gl 1,19; 2,9.12; At 12,7; 15,13; 21,18; 1Cor 15,7 (?); um irmão de Jesus, Mc 6,3; Mt 13,55. Personalidade destacada, chefe de judeu-cristãos, que regeu a igreja de Jerusalém e defendeu uma linha conservadora no que se refere a observâncias legais.

Pelo tema e modo de ensinar, a carta bem que conviria a personagem tão autorizada. Opõem-se a linguagem e o estilo helenístico – exceto alguns semitismos: com suas aliterações, paronomásias, diatribe. A isso se responde que pode ter tido uma formação especial ou ter-se valido de um secretário, ou que interveio um compilador redator. Muitos comentaristas pensam hoje que a obra é pseudônima.

As doze tribos na dispersão parecem à primeira vista a diáspora judaica do AT; mas a referência natural ao Senhor Jesus Cristo obriga a identificá-las com as igrejas difundidas pela Ásia e pela Europa. O número doze indica totalidade, a palavra "tribos" é a sucessão do novo Israel, a "dispersão" é a expansão crescente. Objetou-se que o escrito tem pouco de cristão e até existe uma hipótese de que se trate de uma composição judaica superficialmente adaptada para uso cristão. O texto menciona Jesus Cristo três vezes (1,1; 2,1 e 5,7); mas contém assuntos bem cristãos como a debatida questão da relação fé e obras (2,14-26; cf. Gl 3 e Rm 4), a regeneração pela palavra/mensagem (1,18), a lei da liberdade (1,25; 2,12).

Gênero

Costumamos chamá-la carta, ainda que de carta tenha bem pouco: uma breve saudação muito pouco convencional. Tampouco é uma homilia ou tratado. Parece mais um escrito sapiencial do AT: assemelha-se mais às breves instruções temáticas do Eclesiástico do que à série de refrãos e aforismos de Pr 10-29.

O texto é pródigo em imperativos: 54 em 108 versículos. São imperativos sapienciais, de conselho e não de mandato; por isso bem diversos p. ex. do sermão da montanha, "pois eu vos digo". As frequentes perguntas animam e personalizam a exposição, mantêm a atenção, aproximam o leitor do mestre. As instruções são de tipo ético. Um parágrafo breve e substancioso (3,13-18) é dedicado à identificação e exaltação da autêntica sabedoria ou sensatez (sophia). Como é frequente no gênero sapiencial, o autor multiplica suas imagens; às vezes as acumula sem desenvolver.

Temas e fórmulas foram comparados com diversos escritos: com os evangelhos, as cartas do NT, textos helenísticos, judaicos, intertestamentários, escritos de Qumrã; traçaram-se listas de correspondências e coincidências. Tal volume de paralelos prova a existência de um substrato doutrinal comum, ao qual toda pessoa tinha acesso. Contudo, a relação com a primeira carta de Pedro é evidente:

a dispersão (1,1 e 1Pd 1,1); as provações pela fé (1,2s e 1Pd 1,6); a regeneração pela palavra (1,18 e 1Pd 1,23); a guerra das paixões (4,1 e 1Pd 2,11); a citação de Pr 3,34 (4,6 e 1Pd 5,5); o convite a resistir (4,10 e 1Pd 5,9).

Unidade? Não se deve buscar unidade numa série livre de instruções; embora alguns tenham tentado reduzir o texto ao esquema do Sl 12. O mais que podemos observar é a preferência por alguns temas: ricos e pobres, o uso da língua. Vários temas são reduzidos ao segundo, como veremos na sinopse.

Data

A maioria dos autores a datam no final do séc. I; mas houve alguns que a dataram antes do concílio de Jerusalém (49) e consideraram pré-paulina a discussão sobre fé e obras. Essa datação tem pouco crédito.

Sinopse

Mais que "vista de conjunto", será preciso chamá-la simples lista de temas (alguns quiseram contar doze unidades, segundo o número das tribos).

1,1	Saudação.
1,2-8 + 12-18	Provações, paciência e sensatez.
1,19-27	Falar e escutar, escutar e executar, rezar menos e praticar a beneficência.
2,1-13	Parcialidade entre ricos e pobres.
2,14-26	Fé e boas obras.
3,1-12	Domínio da língua.
3,13-18	Sabedoria autêntica.
4,1-10	Raízes das discórdias: cobiça, inveja.
4,11-12	Maledicência e julgar o próximo.
4,13-5,6	Ricos satisfeitos e exploradores.
5,7-20	Paciência e oração.

1

¹Tiago, servo de Deus e do Senhor Jesus Cristo, saúda as doze tribos na dispersão.

Paciência e sensatez – ²Meus irmãos, tende por motivo de grande alegria o serdes submetidos a múltiplas provas, ³pois sabeis que, ao ser provada, a fé produz paciência, ⁴a paciência torna a obra perfeita, e assim sereis perfeitos e íntegros, sem nenhuma deficiência. ⁵Se alguém de vós não tem sensatez, peça a Deus, que dá a todos generosamente sem recriminação, e lhe será concedida. ⁶Mas, que peça confiante e sem duvidar. Quem duvida é semelhante às ondas do mar sacudidas pelo vento. ⁷Não espere esse homem obter nada do Senhor: ⁸homem dividido, instável em todos os seus caminhos.

Pobres e ricos – ⁹O irmão humilde se glorie de sua exaltação, ¹⁰e o rico glorie-se de sua humildade, pois passará como flor do campo. ¹¹Ao sair o sol abrasador, a relva seca, a flor murcha e seu aspecto atraente perece. Assim murchará o rico em seus negócios.

A prova – ¹²Feliz o homem que suporta a prova, porque, ao superá-la, receberá

1,1 Seja autêntico, seja recurso literário (pseudepigrafia), o Tiago da saudação é com toda a probabilidade o "irmão do Senhor", personagem de grande relevo na primeira geração cristã (Flávio Josefo situa sua morte no ano 62). Ainda que vários temas e o estilo sapiencial da carta sejam de cunho judaico, declara-se "servo de Jesus Cristo", ao qual com toda a naturalidade junta Deus. Servo de Deus é título honorífico de grandes personagens no AT: Moisés, Josué, Davi, profetas e também pagãos escolhidos. As doze tribos de Israel constituem um toque de sabor judaico. Doze era o número da instituição (ou ficção) jurídica da nação, ou seja, de Israel na sua plenitude. O título passa agora à comunidade cristã plural e estendida pelo mundo. Dispersão ou diáspora era o nome dos judeus que moravam fora da Palestina. A Igreja não se dispersou a partir de um centro (Jerusalém), mas se difundiu e se estendeu. O efeito é que a carta se dirige a todas as comunidades cristãs.

1,2-4 Começa aqui um modo curioso de expor. Propõe um tema, deixa-o anotado, abandona-o para passar a outro ou a outros, volta a eles. É semelhante à forma sapiencial, que combina provérbios soltos com instruções breves. No primeiro capítulo fala da provação, da sensatez e do dom divino, de pobres e ricos, do falar. Embora vários temas retornem na carta, o começo não é uma abertura temática, mas uma série.

O tema da provação se coloca aqui e continua nos vv. 12-15. É um tema da história de Israel, que encontra seu contexto ideal no deserto, tempo de prova e de provações (Dt 8,1-5). Começa com enorme força na história patriarcal (Gn 22) e se aclimata na literatura sapiencial, que oferece a vertente humana mais simples do tema: sem paciência, a tarefa fica pela metade (como mostraram as rebeliões do povo, Nm 13-14); antes de superar a prova, o homem não está acabado, cabal. Autores sapienciais transferem o tema humano para o contexto religioso: *"Quando te aproximares para servir ao Senhor, prepara-te para a prova"* (Eclo 2,1); *"Deus os pôs à prova e os encontrou dignos de si"* (Sb 3,5).

Como a carta aos Hebreus, o v. 2 começa com quádrupla aliteração em *p-*. Apresenta-se desde o começo o recurso estilístico dos efeitos concatenados: fé – prova – paciência – tarefa perfeita – homem cabal.

1,5-8 O tema da sensatez como dom divino começa aqui e se completa nos vv. 16-18. Sensatez ou sabedoria é essencialmente conhecer o sentido da vida e a arte de dar sentido à vida. É ao mesmo tempo intelectual e prática. Aqui inclui o sentido religioso da vida.

Dissera (v. 4) "sem deficiência", sem que nada lhe falte; e aqui acrescenta "se lhe falta sensatez". Embora seja fruto de observação e reflexão, e seja mercadoria internacional, alguns textos tardios a consideram dom de Deus, que se deve pedir na oração: p. ex. Eclo 39,1-8 combina os dois caminhos de aquisição; Sb 8,21-9,18 insiste no pedido (já Salomão teve de pedir "prudência" para governar, 1Rs 3). Deus dá generosamente, é o doador por excelência. Sobre as condições da oração voltará a falar no final da carta (5,16-18). Para a comparação marinha, ver Is 57,20. "Dividido": em grego "de alma dupla"; o hebraico diria "coração e coração". Muitos salmos de súplica, expressão da piedade de Israel, dão prova da confiança do orante: ou mencionando-a expressamente, ou adiantando a ação de graças pelo dom que certamente receberá.

1,9-11 O tema dos pobres e ricos se prolonga em 2,1-9 e retorna em 5,1-6. Opõe a exaltação (sem conotação celeste) de ser cristão (1Pd 2,9-10) à humildade de reconhecer-se homem caduco em si e em seus empreendimentos (cf. Jr 9,24-25; Is 40,6-7; Eclo 43,4). Note-se a assimetria dos opostos: o pobre se sublima no plano sobrenatural, o rico permanece no plano natural. Não é exatamente a oposição simétrica das bem-aventuranças de Lucas (Lc 6,20-26). A imagem vegetal é corrente.

1,12-15 Em grego, a mesma palavra significa provação e tentação, segundo a intenção positiva ou negativa. Deus não se deixa tentar pelo mal ou pelos maus, como se mostrou no deserto (p. ex. Sl 78,18.41.56; 106,14). Tampouco tenta, pois não induz ao mal (casos como 2Sm 24,1 ou 1Rs 22,19-23 devem ser tratados à parte). Eclo 15,11-20 disserta sobre a origem do pecado: o pecado não vem de Deus, e sim da liberdade do homem frente ao bem e ao mal.

1,12 A provação visa ao prêmio ou "coroa" (Ap 2,10), por isso é uma bem-aventurança. Mas suportar a provação é um ato ou uma prova de que o homem "ama" a Deus.

a coroa da vida que o Senhor prometeu aos que o amam. [13]Ninguém na tentação diga que Deus o tenta, pois Deus não é tentado pelo mal, e ele não tenta ninguém. [14]Cada um é tentado pelo próprio desejo que o arrasta e seduz. [15]Depois, o desejo concebe e dá à luz um pecado, o pecado amadurece e gera morte. [16]Não vos enganeis, meus queridos irmãos: [17]toda dádiva boa e todo dom perfeito descem do céu, do Pai dos astros, não sujeito a fases nem períodos obscuros. [18]Porque quis, ele nos gerou com a mensagem da verdade, para que fôssemos como primícias da criação.

Ouvir, falar e cumprir – [19]Meus queridos irmãos, já estais instruídos. Contudo, que cada um seja rápido para escutar, lento para falar, lento para irar-se. [20]Pois a ira do homem não promove a justiça de Deus. [21]Portanto, despojados de qualquer mancha e de qualquer vestígio de maldade, recebei com mansidão a mensagem plantada em vós, que é capaz de vos salvar a vida. [22]Sede executores da mensagem e não somente ouvintes que se iludem. [23]Pois, se alguém é ouvinte e não executor, se parece com quem olhava o rosto no espelho; [24]observou, foi embora e logo se esqueceu de como era. [25]Aquele que considera atentamente a lei perfeita, a de homens livres, e se mantém, não como ouvinte que esquece, mas como executor da obra, será feliz em sua atividade.

[26]Se alguém se considera religioso porque não controla a língua, engana a si mesmo, e sua religiosidade é vazia. [27]Religião pura e irrepreensível aos olhos de Deus Pai consiste em cuidar de órfãos e viúvas em suas necessidades e em não deixar-se contaminar pelo mundo.

2 Parcialidade – [1]Meus irmãos, que vossa fé em nosso glorioso Senhor Jesus

---

1,14-15 Nova série de efeitos concatenados, desta vez na imagem, quase alegoria, da geração. A imagem procura expressar uma espécie de dialética vital e fatal. Emprega o "desejo", que em grego é feminino, como mulher que "seduz e arrasta". Quando o homem cede ao desejo, concebe e dá à luz ao pecado como execução. O pecado (feminino em grego) amadurece e gera fatalmente a morte. Comparar com os esquemas de Sl 7,15 e Jó 15,35. É doutrina tradicional que o pecado acarreta a morte: Ez 18 o expõe em termos individuais.

1,16-18 O título "Pai dos astros" é surpreendente. É normal: Senhor dos Exércitos (siderais); Sl 90,2 diz que o universo foi "gerado". Pai tem aqui um sentido fraco, de autor ou causa. Os astros têm fases de escuridão. "O que há de mais brilhante que o sol? Pois também ele tem eclipses" (Eclo 17,31). Deus não tem fases de escuridão, por isso pode enviar sempre sua luz benéfica. À imagem do "nascimento" do pecado e da morte se contrapõe o símbolo positivo, em que é Deus quem gera filhos, ou quem os adota (cf. Sl 2,7), pela pregação do evangelho (1Jo 3,1). "Primícias da criação" faz lembrar Pr 8,22 em grego. Pois bem, se somos seus filhos, ele nos concederá "coisas boas", como diz Mt 7,11 par. Soou a palavra "mensagem" e retornará para ser completada.

1,19 O tema do falar é enunciado aqui, se prolonga nos vv. 26-27 e retornará em 3,1-12. É muito frequente na literatura sapiencial. A citação é tirada do Eclesiástico e pertence à primeira instrução sobre o falar (Eclo 5,9-15); pode-se comparar com Pr 10,19; 13,3. Pela proximidade material, poderíamos referi-lo também à "mensagem" que deve ser ouvida (Rm 10,17). A cláusula acrescentada sobre a ira pode ser recordação de Ecl 7,9.

1,20 A ira de Deus é sua reação ao mal e sua condenação, e é justa. A ira do homem leva à vingança, que não realiza a justiça querida por Deus, mas acrescenta injustiça (cf. Am 1,11).

1,21-25 Retorna o tema da "mensagem": é preciso preparar-lhe o terreno, recebê-la escutando e pô-la em prática. A primeira tarefa é limpar a "mancha", um dos símbolos básicos do pecado (cf. Sl 51 e Ez 36). Depois, deve-se acolhê-la suavemente, sem resistência nem violência, para que seja plantada (semeada, diz Mt 13). Dá fruto quando é posta em prática (Tt 3,14). Ao "gerar" (v. 18) corresponde o "salvar".
A comparação do espelho é original e é pouco desenvolvida. Talvez se imagine um personagem que se olha no espelho para ver "como está", sujo ou despenteado; e quando sai se esquece de arrumar-se. Pouco lhe valeu olhar-se no espelho.
O evangelho pode, em certo sentido, ser chamado "lei", enquanto manda ou dá instruções. Só que é uma lei especial: não escraviza, mas liberta; lei de um reino (2,8) em que todos são livres (2,12) e não há escravos; é a lei de Cristo, implantada pela pregação do evangelho. Aceitar a mensagem e não cumpri-la é iludir-se, como explicará depois (2,14-26). Bom exemplo de ouvir sem cumprir é o que lemos em Ez 33,30-33.

1,26-27 Refere-se ao que multiplica rezas "sem freio" e pensa que nisso consiste a religiosidade (cf. Mt 6,7); é a *polylogia* que os antigos condenavam. Corresponde à condenação profética do ritualismo (cf. Is 1,10-20; Jr 7; Is 58). A isso se opõem as obras de misericórdia para com os necessitados, resumidos na dupla "viúvas e órfãos", de matriz bíblica (p. ex. Sl 68,6; Jó 29,12s). "Mundo" tem o mesmo sentido que em 4,4; seu critério ou princípio é o egoísmo (cf. 1Jo 2,15-17), sua ação é "contaminar".

2,1-13 Se o AT admite parcialidade, é a favor do desvalido em qualquer situação. A inclinação para o

Cristo não esteja unida a favoritismos. ²Suponhamos que em vossa assembleia entre alguém com anéis de ouro e traje elegante, e entre também um pobre esfarrapado; ³prestais atenção ao de traje elegante, e dizeis: senta-te aqui num bom lugar; e ao pobre dizeis: fica de pé ou senta-te abaixo do estrado de meus pés. ⁴Não estais discriminando e sendo juízes de critérios perversos? ⁵Escutai, meus queridos irmãos: não escolheu Deus os pobres de bens mundanos e ricos de fé como herdeiros do reino que prometeu aos que o amam? ⁶Vós, ao contrário, ultrajastes o pobre. Não são os ricos que vos oprimem e arrastam aos tribunais? ⁷Não são eles que blasfemam o nome ilustre que vos foi imposto? ⁸Se ao invés observais a lei do reino, segundo está escrito: amarás teu próximo como a ti mesmo, agireis bem. ⁹Mas, se sois parciais, cometeis pecado, e a lei vos convence de transgressores. ¹⁰Quem, cumprindo toda a lei, transgride um preceito, é réu de todos. ¹¹Aquele que disse: não cometerás adultério, disse também: não matarás. Se tu não cometes adultério, porém matas, violaste a lei. ¹²Falai e agi como quem vai ser julgado pela lei de homens livres. ¹³O julgamento de quem não teve piedade será sem piedade. A piedade triunfa sobre o julgamento.

Fé e obras – ¹⁴Meus irmãos, de que serve para alguém alegar que tem fé, se não tem obras? A fé poderá salvá-lo? ¹⁵Suponhamos que um irmão ou irmã andam seminus, sem o sustento diário, ¹⁶e um de vós lhes diz: ide em paz, aquecidos e saciados; mas não lhes dá para as necessidades corporais, de que serve? ¹⁷Igualmente a fé que não vem acompanhada de obras: está totalmente morta. ¹⁸Alguém dirá: tu tens fé, eu tenho obras. Mostra-me tua fé sem obras, e eu te mostrarei pelas obras a minha fé. ¹⁹Crês que Deus existe? Muito bem! Também os demônios creem e tremem de medo. ²⁰Ho-

---

necessitado é um ato de piedade que tempera uma justiça rigorosa, impiedosa; uma justiça abstrata, que impõe uma igualdade mecânica, ignorando as desigualdades humanas; uma justiça que se torna injustiça: *summum ius summa iniuria*. Assim é a lei "do reino, de homens livres", não fundada na escravidão (v. 12); faz com que a piedade acompanhe a justiça, como no programa de governo do Sl 101. O autor menciona ricos e pobres como caso típico: ver o agudo e irônico comentário de Eclo 13,1-8. Discriminar, embora não seja feito em contexto de tribunal, tem algo de julgamento, porque se traduz em decisões.

2,1 É a única menção explícita de Jesus Cristo na carta; por isso tem valor particular. A partir desse v. poderíamos identificar com Cristo outras menções de "o Senhor". Jesus Cristo é definido como objeto da fé dos destinatários, e assim nos orienta para o reino e a lei de homens livres.

2,4 Ver o princípio enunciado pelo rei Josafá na sua reforma da magistratura: "Nosso Deus não admite injustiças, favoritismos, nem subornos" (2Cr 19,7).

2,5 Conforme a versão das bem-aventuranças em Mateus (Mt 5,3); ver o caso da comunidade de Corinto (1Cor 1,26).

2,6 Indica uma distinção: não são os ricos simplesmente, mas os ricos injustos (Mq 3,1-3).

2,7 O "nome ilustre" é o título de cristãos, sinal de pertença a Cristo, cidadãos do seu reino.

2,8 Citação de Lv 19,18, citado em Mt 22,39 e paralelos.

2,9 Dt 1,17; Pr 24,23.

2,11 Referência ao Decálogo: Ex 20; Dt 5.

2,13 Cf. Lc 6,36-38. A última frase pode ser entendida de duas maneiras: no juiz, a piedade se impõe à condenação. Ver o caso de Davi com a mulher de Técua: a tensão entre a exigência de uma lei rigorosa e a piedade do pai para com o filho, do rei para com o povo (2Sm 14). No réu, a piedade que ele exerceu pesará quando for julgado. Pelo v. precedente, parece mais provável o segundo.

2,14-26 O autor provavelmente conhece a doutrina de Paulo sobre a fé e as obras, e parece reagir contra as consequências abusivas de tal doutrina. Antes de tudo, deve-se notar que Paulo se refere às "obras da lei" mosaica ou judaica, não às obras simplesmente; não admite que tais obras sejam condição para a salvação e menos ainda que estabeleçam um direito a ela. Tiago, por seu turno, pensa em obras que um cristão realiza já no contexto da fé. Ou seja, que a chave está na distinção: as obras (da lei) como meio para assegurar para si a justiça perante Deus, ou as obras (de homens livres) como consequência da fé. Mas, preocupado em precaver contra interpretações perigosas, toma a citação bíblica de Paulo (Gn 15,6) e a retorce, destacando outro aspecto do texto bíblico, sem respeitar a sequência cronológica, ou seja, pondo Gn 22 antes de Gn 15.
O exemplo do sacrifício de Isaac (muito estimado na tradição judaica) é válido, porque foi uma "obra" baseada numa "fé" heroica. Por isso, o autor pode dizer que a fé "alcança sua perfeição", é consumada. O exemplo de Raab também é válido, pois ela faz uma profissão de fé (Js 2,9-13) como razão de sua obra. O argumento dos demônios é mais fraco, já que toma "fé" em sentido de simples assentimento intelectual, não como adesão à pessoa. É argumento *ad hominem*: uma fé que não se traduz em obras não é autêntica (como a dos demônios), "está morta".

2,15 Ver a instrução de Pr 3,27-28 em seu contexto.

2,18 Comparar com Gl 5,6.

2,19 Sobre a confissão dos demônios, ver Mt 8,29 e paralelos.

mem insensato, queres compreender que a fé sem obras é inerte? ²¹Não foi nosso pai Abraão justificado pelas obras, oferecendo seu filho Isaac sobre o altar? ²²Vês que a fé agia com as obras, e pelas obras a fé chegou à sua perfeição. ²³E cumpriu-se o que diz a Escritura: Abraão confiou em Deus, e isso lhe foi anotado como crédito, e foi chamado amigo de Deus. ²⁴Vedes que o homem é justificado com as obras e não só com a fé. ²⁵Igualmente Raab, a prostituta, não foi justificada com as obras, acolhendo os mensageiros e despedindo-os por outro caminho? ²⁶Da mesma forma que o corpo sem o alento está morto, assim a fé sem as obras está morta.

3 A língua – ¹Meus irmãos, não queirais todos ser mestres, pois sabeis que seremos submetidos a um julgamento. ²Todos falhamos muitas vezes: aquele que não falha com a língua é homem íntegro, capaz de frear o corpo inteiro. ³Pomos freio nos cavalos para que nos obedeçam, e assim guiamos todo o seu corpo. ⁴Observai os navios, tão grandes e arrastados por ventos impetuosos: com um leme minúsculo o piloto os guia para onde quer. ⁵Da mesma forma a língua: é um membro pequeno e se gaba de grandes ações. Observai como uma faísca incendeia uma floresta inteira. ⁶A língua, também, é um fogo. Como um mundo de injustiça, a língua, instalada entre nossos membros, contamina o corpo inteiro e, alimentada pelo fogo do inferno, inflama o curso da existência. ⁷A raça humana é capaz de domar e domesticar todo tipo de feras: aves, répteis e peixes. ⁸A língua ninguém consegue domar: mal incansável, cheio de veneno mortífero. ⁹Com ela bendizemos o Senhor e Pai, e com ela amaldiçoamos os homens criados à imagem de Deus. ¹⁰Da mesma boca saem bênção e maldição. Meus irmãos, não deve ser assim. ¹¹Brota de uma fonte, do mesmo olheiro, água doce e salgada? ¹²Pode, irmãos meus, a figueira dar azeitonas e a videira dar figos? Ou uma fonte salgada dar água doce?

Sabedoria autêntica – ¹³Há entre vós alguém sensato e prudente? Demonstre

---

2,23 "Amigo de Deus": conforme a expressão de Is 41,8; 2Cr 20,7; título estendido a outros em Sb 7,27.
2,26 O alento é do corpo e a manifesta. As obras do cristão manifestam sua fé e a mantêm viva.

3,1-12 A instrução sobre o uso correto da língua começa pelo tema do ensinamento, que é um caso particular, especialmente comprometido. O autor sapiencial do NT prolonga uma tradição do AT. Entre os sapienciais, ninguém como Ben Sirac se mostra tão consciente de sua nobre e exigente função de mestre, ninguém dedica tanto espaço a tratar sobre o uso da língua (Eclo 19,4-17; 23,7-15; 28,13-23; também Pr 13,3; 15 etc.). Pois bem, o mestre Tiago exorta seus ouvintes ou leitores a não darem ares de mestres, sem mais nem menos. Se o uso da língua é tão ambíguo e perigoso, no mestre o dano é mais grave.
3,1 Entende-se o ofício de mestre na respectiva comunidade. Entre os carismas Paulo registra o de falar (1Cor 12,8) e entre os ofícios indica também o de mestres.
3,2 Diz o Eclesiástico: "Feliz o homem a quem suas próprias palavras não afligem" (Eclo 14,1); e também: "quem não pecou com a língua?" (Eclo 19,16).
3,5 Pode ser reminiscência do Sl 12,5: "A língua é a nossa força, nossos lábios nos defendem, quem será o nosso dono?"
3,6 A imagem da faísca o leva a uma visão mais trágica do fogo. Na teoria dos quatro elementos, os antigos diziam que o fogo é ascendente, porque sua esfera é o em-*píreo* (*pyr* = fogo).
Tiago imagina, antes, um fogo subterrâneo, abissal, do mundo dos mortos. Talvez pense no castigo de Coré, misturando os dados (Nm 16,31-35); ou no final de Isaías (66,24). O tema "infernal" se prolonga na menção do Diabo em 3,15 e 4,7.
Lemos em Pr 16,27: "Homem depravado cava valas, leva nos lábios fogo abrasador" (as valas têm conotação de túmulo). Com sua imagem, o autor insinua ou supõe que o fogo do inferno é a geena, que instala e difunde seu fogo através da língua do homem. Com outras palavras, a língua pode contagiar-se com um poder infernal aniquilador.
3,7 Segundo Gn 1,26 e Sl 8.
3,8 Por seu poder mortífero, o veneno é afim do fogo. A imaginação bíblica popular põe o veneno na língua da serpente, e os poetas não buscam a exatidão científica em suas imagens. "Afiam a língua como serpentes, com veneno de víboras atrás dos lábios" (Sl 140,4).
3,9-10 A rigor, bênção e maldição são duas formas literárias comuns, dois atos correlativos legítimos. O autor coloca a maldição entre os delitos por seu objeto. Pouco diferente é o Sl 62,5: "com a boca bendizem, por dentro amaldiçoam".
3,11-12 Para o estilo de perguntas retóricas em série, ver Am 3,3-6. Três exemplos de causas: a que produz os dois efeitos, a que produz um fruto não natural, e a que produz o contrário.
3,13-18 Retorna o tema da sensatez enunciado em 1,5. Como a sensatez é prática, é arte ou habilidade, pode aplicar-se também ao mal: "são hábeis para o mal" (Jr 4,22); "há uma astúcia exata e ao mesmo tempo injusta" (Eclo 19,25). Distinguem-se por seus frutos, especialmente concórdia ou rivalidade

com sua boa conduta que age guiado pela modéstia da sensatez. ¹⁴Porém, se levais dentro de vós uma inveja ressentida e rivalidade, não vos glorieis, enganando-vos contra a verdade. ¹⁵Essa não é sensatez que desce do céu, mas terrena, animal, demoníaca. ¹⁶Onde há inveja e rivalidade, aí há desordem e toda espécie de maldade. ¹⁷A sensatez que procede do céu é antes de tudo limpa; além disso é pacífica, compreensiva, dócil, cheia de piedade e bons resultados, sem discriminação nem fingimento. ¹⁸O fruto da honradez é semeado na paz para os que trabalham pela paz.

4 Discórdias – ¹De onde nascem as brigas e contendas, senão de vosso afã de prazeres que batalha em vossos membros? ²Cobiçais, e não tendes; assassinais e invejais, e não o conseguis; brigais e lutais, e não obtendes, porque não pedis. ³Ou, se pedis, não o conseguis porque pedis mal, para gastar em vossos prazeres. ⁴Adúlteros! Não sabeis que ser amigo do mundo é ser inimigo de Deus? ⁵Ou pensais que é em vão que a Escritura diz: Com inveja ambiciona o espírito que depositou em nós; ⁶mas dá uma graça maior. Por isso diz: Deus resiste aos soberbos e dá sua graça aos humildes. ⁷Submetei-vos, pois, a Deus. Resisti ao Diabo, e ele fugirá de vós; ⁸aproximai-vos de Deus, e ele se aproximará de vós. Lavai as mãos, pecadores, e purificai as consciências, indecisos.

⁹Afligi-vos, ficai de luto e chorai. Que vosso riso se converta em luto e vossa ale-

---

(cf. 1Cor 3,3; Ef 4,3). Ademais, caracteriza as duas sabedorias com vários qualificativos. A oposição é extrema, sem matizes.

3,15-16 Uma é "terrena", ou seja, ao rés do chão, sem abertura a uma inspiração transcendente. É "animal", isto é, de tipo biológico ou instintivo. É "demoníaca", porque não é controlada pela razão superior e fica exposta ao manejo de poderes inferiores; como a "astúcia" da serpente, que seduz Eva, quando esta prescinde da palavra de Deus e cede ao "desejo".

3,17 A outra recebe vários predicados, alguns dos quais se encontram em Sb 7,22.

3,18 O autor tentou compor um aforismo agudo que (a nosso ver) não conseguiu. Tomando o dativo com valor de agente da passiva e vertendo-os na ativa, podemos traduzir: os que trabalham pela paz (Mt 5,9) semeiam na paz o fruto (efeitos) da honradez (justiça). Ou seja, a justiça é o último resultado de trabalhar pela paz. A doutrina tradicional é, antes, a de Is 32,17: "o fruto da justiça será a paz".

4,1-9 É o parágrafo mais difícil da carta, por causa de sua construção artificial e citação enigmática dos vv. 5-6. É importante observar a pontuação dos vv. 2-3 para seguir a concatenação das breves frases, e nelas o processo de ações, resultados negativos e causas. Observe-se o esquema: "fazeis – não conseguis – porque". O esquema básico da seção assemelha-se ao conhecido da denúncia profética (p. ex. Is 1,10-20; Jr 2-4), presente também na liturgia (p. ex. Sl 50). A análise psicológica das causas é contribuição do autor, talvez influenciado pela filosofia estoica popularizada. O esquema é o seguinte: denúncia do pecado e análise de causas – ameaça – exortação a converter-se – promessa. No começo está a cobiça, como em 1,4, seu objeto imediato são os prazeres; espécie de força militar, cujo campo de batalha é o homem. Do interior brota ao exterior social com efeitos desastrosos: a cobiça pode levar até ao homicídio. Dirige semelhante acusação aos cristãos?

4,3 Se há má intenção, o Senhor não escuta; não vale para tal caso o "pedi e recebereis" (cf. Sl 68,18-19). Semelhante pedido profana a oração. Já falou da oração de súplica em 1,5-8, e voltará a falar dela no fim da carta.

4,4 "Adúltero" é termo tradicional no AT para designar a idolatria; em imagem conjugal, infidelidade do povo a seu Deus (p. ex. Is 1,21). Pois bem, sendo o mundo rival de Deus, o amor a ele é uma forma de idolatria.

4,5 Não se conseguiu identificar essa citação em todo o AT, nem sequer quanto ao sentido. Por isso, a interpretação é duvidosa e discutida.
a) O sujeito do verbo "ambicionar" é Deus? Em tal caso, o complemento é "o espírito humano", que Deus quer de modo ciumento para si (inveja variante de ciúme, como em hebraico).
b) Se o sujeito é o espírito, refere-se ao espírito ou alento vital do homem, infundido por Deus? Em tal caso, o texto se refere à depravação da consciência humana, que o favor de Deus deve reprimir.
c) O sujeito é o espírito divino infundido no batismo? Em tal caso, descreveria uma ação profunda do Espírito corrigindo e endereçando a "inveja". Inclino-me à segunda hipótese.

4,6 A graça "maior" está sem termo de comparação: maior que a inveja, que o desejo? A segunda citação é identificável, Pr 3,34, e deve ser lida em seu contexto. De suas duas partes, a segunda e principal se aplica a seguir; a primeira fica pendente até sua resolução em 5,6.

4,7-10 Segue-se uma série de imperativos urgentes (no estilo de Is 1,16-17 ou de Sl 4, 4-6) acompanhados de promessas correspondentes. O primeiro, "submetei-vos", pode ser programático. Segue-se uma antítese assimétrica: o Diabo foge diante da resistência (1Pd 5,8), Deus se aproxima de quem dele se aproxima (Jr 3,22; 4,1; 30,21; Zc 1,3). A dupla seguinte combina o gesto com seu significado (cf. Is 1,16). "Indecisos" ou divididos entre duas lealdades (como os israelitas no tempo de Elias, 1Rs 18). Segue-se um grupo de sentimento penitencial: pode recordar-nos textos como 1Mc 1,39s ou Tb 2,6. Conclui com a promessa evangélica de Mt 23,12 (cf. 1Rs 21,29), que estrutura o hino de Fl 2,6-11.

gria em aflição. ¹⁰Humilhai-vos diante do Senhor, e ele vos exaltará.

¹¹Irmãos, não faleis mal uns dos outros. Quem fala mal do irmão ou o julga, fala mal da lei e a julga. E se julgas a lei, não és executor da lei, mas seu juiz. ¹²Um só é o legislador e juiz, com autoridade para salvar e condenar. Quem és tu para julgar o próximo?

Ricos e satisfeitos – ¹³Passemos agora aos que dizem assim: Amanhã ou depois iremos a tal cidade, passaremos aí um ano, faremos negócios e ganharemos dinheiro. ¹⁴O que sabeis do amanhã? O que é vossa vida? Sois uma névoa que aparece por um instante e logo desaparece. ¹⁵Deveríeis, antes, dizer: Se o Senhor quiser, viveremos e faremos isto ou aquilo. ¹⁶Ao contrário, agora vos gloriais alardeando. E toda jactância dessa espécie é má. ¹⁷Quem sabe fazer o bem e não o faz é culpado.

5 ¹E agora cabe aos ricos: Chorai e gemei por causa das penas que se aproximam de vós. ²Vossa riqueza está podre, vossas vestes estão comidas pela traça, ³vossa prata e ouro estão corroídos; sua ferrugem testemunha contra vós, consumirá vossas carnes como fogo. Entesourastes para o fim do mundo. ⁴A diária dos trabalhadores, que não pagastes aos que ceifaram vossos campos, ergue o grito; o clamor dos ceifadores chegou aos ouvidos do Senhor dos Exércitos. ⁵Vivestes na terra com luxo refinado; cevastes vossos corpos para o dia da matança. ⁶Oprimistes e matastes o inocente. Não resistirá Deus contra vós?

Paciência e oração – ⁷Irmãos, tende paciência até que venha o Senhor. Prestai atenção no lavrador, como espera com paciência até receber as primeiras chuvas e as tardias, com a esperança do valioso fruto da terra. ⁸Tende, também vós, paciência, fortalecei o ânimo, pois a chegada do Senhor está próxima. ⁹Irmãos, não vos queixeis uns dos outros, e não sereis julgados: vede, o Juiz está à porta.

4,11-12 Como em português, a palavra julgar procede do âmbito forense e se estende ao campo ético do pensamento e da palavra. O autor retém a conotação judicial e por isso menciona a lei, segundo a qual se julga. Quem se arroga o direito de julgar coloca-se acima da lei e a submete a julgamento.
Sobre a murmuração e difamação: Sl 101,5; Sb 1,11. Só Deus tem autoridade para absolver e condenar (não menciona o julgamento de Cristo na sua parusia).

4,13-5,6 Em dois trechos trata da ânsia de enriquecer-se e das riquezas injustamente adquiridas. O mestre sapiencial prolonga ensinamentos do AT que nos convidam a distinguir e precisar. Há riquezas que são bênçãos de Deus, como as de Abraão ao voltar do Egito (Gn 13). Há ricos, talvez ilegitimamente enriquecidos, que põem sua confiança ou arrogância nas riquezas. Arrogância é declarar que são criação exclusiva do rico, excluindo a intervenção de Deus (Ez 28); confiança é tratá-las como apoio da existência, fazendo-as rivais de Deus (Sl 49; 62). Tiago detecta na ânsia de enriquecer-se um esquecimento prático de Deus e da condição humana mortal.
Há ricos que são ricos às custas de outros: são os que os profetas denunciam com frequência e veemência: "Ai dos que acrescentam casas a casas e juntam campos a campos, até não deixarem espaço e viverem só eles no país" (Is 5,8) e também os sapienciais (Eclo 34,18-22). Tiago se dirige também a estes.

4,13-16 Enriquecer-se em um ano é considerado precipitado, suspeito: "fortuna feita do nada encolhe" (Pr 13,11). O homem não controla o amanhã: "Não te glories do amanhã, não sabes o que o dia vai gerar" (Pr 27,1; cf. Lc 12,19-20). Os comerciantes eram mal-vistos na literatura sapiencial (cf. também Os 12,8; Zc 14,21).

4,14 O homem é como névoa: Os 13,3; Sb 2,4; Sl 39,6.12.

4,15 Daqui vem a expressão portuguesa "se Deus quiser". Entre os protestantes pode-se dizer "com a cláusula de Tiago" para indicar a condição teológica de uma promessa ou projeto.

4,16 Contra a jactância: Jr 9,22; Lc 12,47.

5,1-6 Trata das riquezas injustas: fruto de extorsão ou exploração, de mandar trabalhar sem pagar a diária. Tema frequente no AT: na legislação (Lv 19,3; Dt 24,14-15), no governo (Jr 22,3.13-17), num juramento de inocência (Jó 31,38-39). A ameaça é apaixonada e o tom sarcástico: as riquezas se voltam contra seus possuidores numa espécie de vingança imanente. A riqueza gera um fogo que consumirá: os corpos que engordam cevam-se para a matança.

5,2 Eclo 29,10 é uma exortação a emprestar mesmo a fundo perdido. Eclo 31,1-11 contrapõe o rico cobiçoso ao que não se perverte pela riqueza; duríssima é a denúncia de Eclo 34,20-22.

5,5 Ver a parábola do rico e Lázaro (Lc 16,19-31).

5,6 O v. deve ser lido em inclusão com 4,6, que tinha função programática. Desse modo, fica claro que o sujeito (implícito) do verbo resistir é Deus, e o sentido é coerente: 4,6 "Deus resiste aos soberbos"; 5,6 "Não resistirá Deus contra vós?"

5,7-10 Exortando à paciência e à perseverança, supõe que a parusia esteja próxima e que será o tempo do julgamento final e definitivo. Era a crença das comunidades primitivas. Em parte apoiada nas

¹⁰Como exemplo de sofrimentos suportados com paciência, tomai os profetas que falaram em nome do Senhor. ¹¹Vede, declaramos felizes os que resistiram. Ouvistes falar como Jó resistiu, e conheceis o desfecho que Deus lhe proporcionou, pois o Senhor é compassivo e piedoso.

¹²Sobretudo, irmãos, não jureis: nem pelo céu nem pela terra nem de outro modo. Vosso sim seja sim, vosso não seja não, e assim não sereis submetidos a julgamento. ¹³Alguém de vós sofre? Ore. Alguém está feliz? Cante. ¹⁴Um de vós está doente? Chame os anciãos da comunidade para que rezem por ele e o unjam com azeite, invocando o nome do Senhor. ¹⁵A oração feita com fé curará o doente, e o Senhor o fará levantar-se. E se cometeu pecados, serão perdoados. ¹⁶Confessai uns aos outros os pecados, rezai uns pelos outros, e vos curareis. Muito pode a oração solícita do justo. ¹⁷Elias era homem frágil como nós; porém, rezou pedindo que não chovesse, e na terra não choveu por três anos e seis meses. ¹⁸Rezou novamente, e o céu soltou a chuva e a terra deu seus frutos. ¹⁹Meus irmãos, se alguém de vós se afasta da verdade e outro o reconduz, ²⁰aquele que converte o pecador do mau caminho salvará sua vida da morte e cobrirá uma multidão de pecados.

---

escatologias evangélicas (cf. Mt 24,33 par. em seus respectivos contextos). A comparação das primeiras chuvas e as tardias corresponde ao regime agrícola da Palestina (Dt 11,14; Os 6,3).

5,11 O exemplo de Jó, como acontece numa tradição, limita-se aos primeiros capítulos do livro e ao último. "Compassivo e piedoso" são atributos litúrgicos de Deus (Ex 34,6; Sl 86,15; Jl 2,13).

5,12 Sobre o juramento: Mt 5,34-37; Eclo 23,9-11. O sim e o não: 2Cor 1,17s.

5,13-18 Para orientar-nos nesse texto breve e elíptico, será útil recordar o esquema de alguns salmos de súplica, especialmente da parte de doentes. Parte-se da experiência dolorosa da doença, que é interpretada como castigo de Deus por algum pecado; o doente se arrepende, pede perdão e cura; às vezes antecipa a ação de graças. Ver todo o Sl 38.

Exorta a orar em diversas ocasiões: em sofrimentos e alegrias, numa doença supostamente grave. Em dois casos, o interessado suplica ou canta hinos. No terceiro caso o autor introduz um rito público, oficiado por "anciãos" ou responsáveis da comunidade. O paciente só chama e se submete à cerimônia, que se compõe de rito e palavra. O rito é uma unção com óleo (cf. Is 1,6; Mc 6,13) elevada à categoria sagrada pelos oficiantes e pela oração. Esta é precedida ou acompanhada da invocação ao Senhor. A fé dos oficiantes obtém a saúde do doente, que pelo contexto deve ser a saúde corporal. Pode acontecer que a doença seja efeito de algum pecado, segundo a crença antiga (p. ex. Sl 38,4-6); em tal caso, pelo rito os pecados lhe serão perdoados.

No caso de Ezequias (Is 38), o doente ora sem confessar pecados, e o profeta aplica o remédio. É tradicional dar a Deus o título de "médico" (Dt 32,39). Eclo 38 recomenda ao doente purificar-se dos pecados, rezar e chamar o médico. Tiago fala de um ato sagrado oficial. A doutrina e a prática da unção dos enfermos (outrora chamada extrema-unção) se apoia nesse texto.

Tiago fala de um ato sagrado, oficial; não se ocupa de outros remédios humanos.

5,16 No AT e no judaísmo, há vários tipos de confissão de pecados: do doente a Deus (Sl 32,5), do pecador a um profeta (2Sm 12), litúrgica (Sl 51), o dia da expiação (Lv 16), coletiva (Ne 9; Br 1-3). Tiago fala de uma confissão mútua, ao que parece de pecados concretos, com oração mútua pela saúde corporal ou espiritual (cf. Pr 28,13).

5,17-18 Elias pode representar todo o profetismo (1Rs 17-18).

5,19-20 A frase grega não resolve a atribuição de funções sintáticas. Quem é o beneficiário? O mais lógico é que se salve o extraviado, quando outro o encaminha e faz com que os pecados sejam perdoados (cobertos, Sl 32,1). Outros pensam que o beneficiário é quem encaminha (o que não se exclui); conseguir uma conversão já é honra e privilégio. A citação de Pr 10,12 é segundo o grego e não corresponde ao sentido original.

PRIMEIRA CARTA DE PEDRO

INTRODUÇÃO

Autor

Na saudação, o autor se apresenta como "Pedro, apóstolo de Jesus Cristo"; no final diz que escreve da Babilônia, denominação intencional de Roma. Ao longo da carta se apresenta como ancião, testemunha ocular da paixão e glória de Cristo (5,1); cita, embora não verbalmente, ensinamentos de Cristo. A tradição antiga aceitou o dado desde muito cedo: 2Pd 3,1, Policarpo, Clemente.

Essa segurança diminuiu ante as objeções da crítica. Vamos repassá-las com as correspondentes respostas. Antes de tudo, a linguagem e estilo gregos impróprios do pescador galileu. Responde-se que Silvano (5,12) redigiu o texto e não escreveu só o que era ditado. A carta cita o AT na versão dos Setenta, não em hebraico, e o tece suavemente com seu pensamento. Responde-se que os destinatários falavam ou conheciam o grego. Faltam as lembranças pessoais de um companheiro íntimo de Jesus. Responde-se que a pessoa de Jesus Cristo está presente e domina a carta, seus ensinamentos ressoam já assimilados: comparar 1,13 com Lc 12,35; 2,12 com Mt 5,16; 3,9 com Mt 5,44; 3,14 com Mt 5,10; 4,14 com Lc 6,22. O autor conheceu cartas de Paulo, inclusive Efésios (que é posterior). Responde-se que uns paralelos são pouco convincentes, outros são tirados de um fundo litúrgico ou da pregação oral. O nome de "Babilônia" não foi aplicado a Roma antes do ano 70. Responde-se que o AT conhece o uso emblemático de Babel como poder hostil, e a hostilidade romana não começou, mas culminou em 70. A perseguição referida (cf. 4,12) e a declaração "ser cristão é crime" começaram no tempo de Domiciano (81-96). Responde-se que já Nero perseguiu os cristãos e houve outras perseguições locais. A função de "anciãos" na comunidade é posterior. Responde-se que Atos documenta o fato como mais antigo e é uma simples transposição do uso judaico. É irrazoável que escreva a igrejas da Ásia que não havia fundado nem visitado, e onde a perseguição não chegava. Responde-se que os cristãos tiveram de sofrer em toda parte.

O balanço da argumentação deixa a solução indefinida, e os comentaristas se dividem em dois grupos: a) O autor é Pedro, ancião e talvez prisioneiro, próximo da morte; escreve uma espécie de testamento, cordial, muito sentido. Seu tema principal é a necessidade e o valor da paixão do cristão, a exemplo de Cristo e em união com ele. Confia a redação a Silvano. b) A carta é pseudônima. O autor é um desconhecido do círculo de Pedro, que em tempos difíceis quer animar outros fiéis, e para isso se vale do nome de Pedro. Alguns traços hábeis lhe servem para tornar verossímil a ficção.

Os destinatários eram pagãos convertidos, como mostram as referências de 1,14.18 e 4,3.

Data

Se é Pedro, teve de ser antes de 67, data limite do seu martírio. Se é um discípulo de outra geração, seria durante a perseguição de Domiciano (95-96).

Sinopse

A carta não parece seguir um plano ordenado, pois vai mudando de tema sem avisar.

1,1-2	Saudação.	3,8-17	Paciência a exemplo de Cristo.
1,3-12	Esperança cristã.		
1,13-25	Conduta cristã: como filhos.	3,18-22	Morte e ressurreição de Cristo e batismo.
2,1-10	Cristo pedra viva, de fundação.	4,1-19	Hostilidade do mundo e julgamento de Deus.
2,11-25	Vida cristã a exemplo de Cristo.	5,1-4	Aos anciãos/responsáveis.
		5,5-11	Aos jovens.
3,1-7	Casais.	5,12-14	Saudações.

1 Saudações – ¹De Pedro, apóstolo de Jesus Cristo, aos escolhidos que residem na dispersão do Ponto, Galácia, Capadócia, Ásia, Bitínia, ²eleitos pelo desígnio de Deus Pai, pela consagração do Espírito, para se submeterem a Jesus Cristo e serem aspergidos com seu sangue: a vós graça e paz abundante.

Esperança cristã – ³Bendito seja Deus, Pai de nosso Senhor Jesus Cristo, que, segundo sua grande misericórdia e pela ressurreição de Jesus Cristo da morte, vos regenerou para uma esperança viva, ⁴uma herança incorruptível, incontaminável e que não murcha, reservada para vós no céu. ⁵Pela fé, o poder de Deus vos guarda para uma salvação disposta a revelar-se no último dia. ⁶Por isso estais alegres, embora por pouco tempo tenhais de suportar diversas provas. ⁷Se o ouro, que perece, é aquilatado no fogo, vossa fé, que é mais preciosa, será aquilatada para receber louvor, honra e glória, quando Jesus Cristo se revelar. ⁸Não o vistes, e o amais; sem vê-lo, credes nele e vos alegrais com alegria indizível e gloriosa, ⁹pois recebereis, como termo de vossa fé, a salvação pessoal.

¹⁰A respeito dessa salvação, indagaram e estudaram os profetas que profetizaram a graça que iríeis receber. ¹¹Indagavam para averiguar o tempo e as circunstâncias indi-

---

1,1 Pedro se apresenta com o mesmo título das cartas de Paulo. Os escolhidos são os cristãos, já "dispersos" ou difundidos pelas províncias romanas da Ásia. Se a diáspora é para os judeus um fenômeno posterior, para a Igreja é seu primeiro crescimento.

1,2 Ser cristão é resultado de uma ação trinitária (embora Jesus Cristo não receba aqui a designação de Filho). A escolha é de um povo novo, internacional; a consagração é de todo o povo, não se limita a um grupo. Submeter-se é o ato da fé como adesão. Pelo rito do sangue, aplica à Igreja a imagem da aliança, ou seja, submissão a Yhwh como soberano, selada com o sacrifício (Ex 24,3-8; cf. Hb 9,12-14). Se o autor da carta é Pedro apóstolo, recordaremos quando nos falar da provação em que ele um dia falhou e chorou amargamente. Se o autor não é o apóstolo, então quem pronuncia o texto é um personagem que falhou e chorou. É um recurso hermenêutico que pode animar a compreensão do texto.

1,3-12 (As divisões propostas para esta carta são bastante artificiais.) Bendizer a Deus equivale a dar-lhe graças; o motivo de conjunto é a "salvação" (Pedro poderia ter recordado que o nome de Jesus contém a raiz de "salvar"). Jesus traz do título de Senhor, talvez o de Messias (*christós*), implicitamente o de Filho de Deus Pai.
Toda a salvação, desde o começo do batismo, ao longo da existência, até a consumação, é obra de Deus Pai por meio de Jesus Cristo. Inclusive antes precede o "desígnio de Deus (v. 2). De Jesus Cristo recorda a "ressurreição" (v. 3) e a parusia (vv. 5.7). O cristão responde com a fé (vv. 5.9), a esperança (v. 3), a constância (vv. 6-7), o amor a Cristo (v. 8). Vejamos as etapas.
a) A regeneração ou novo nascimento (vv. 3.23), em virtude do mistério pascal. A morte de Cristo fica implícita; menciona só a ressurreição. Porque ambas, ressurreição de Cristo e regeneração do cristão, são a seu modo começo de vida nova. A fé inicial é crer e amar sem ter visto nem conhecido pessoalmente Jesus – como o conheceu Pedro, que conviveu com ele. É também o começo de uma esperança sem ter visto.
b) A vida do cristão está animada pela fé, "custodiada" por Deus, alegrada pela esperança. Inclui sofrimentos (tema dominante da carta), que são provação e purificam a fé. Em meio ao sofrimento, a esperança enche de alegria (cf. 2Cor 7,4). Cada família recebeu sua parcela, quando a terra prometida foi repartida entre as tribos; era sua herança. Era uma terra alheia, exposta, ameaçada, perdida. O cristão conta com uma "herança" guardada ou reservada no céu. É segura, não terá fim; o paradoxo é que o herdeiro toma posse da herança quando morre, não quando morre o testamenteiro. E a receberá no "último dia", o dia da parusia, quando Jesus Cristo se revelar (1Cor 1,7).

1,4 "Reservada": ver Sl 31,20; Cl 1,5.12.

1,7 "Ó Deus, puseste-nos à prova, tu nos refinaste como se refina a prata" (Sl 66,10); "Deus os pôs à prova e os encontrou dignos de si, provou-os como o ouro no crisol" (Sb 3,5s; mais exemplos em Is 48,10; Zc 13,9; Ml 3,3).

1,8 "Felizes os que crerão sem ter visto" (Jo 20,29; cf. 2Cor 5,7).

1,9 "Salvação pessoal": no AT o sintagma significa simplesmente salvar a vida; aqui significa a salvação total e definitiva. A salvação fica completa no final, no último dia.

1,10-12 O problema desses vv. consiste em identificar esses profetas: são os do AT, os do NT, todos? Se são os do NT, distinguem-se dois tempos, eles/nós, e fica óbvio o título "Espírito de Cristo"; mas não se explica o "predizer" e soa mais tradicional o "profetizar", como também a indagação sobre o tempo e as circunstâncias; com isso se afirma a continuidade AT-NT na linha de profecia e cumprimento. Nessa segunda interpretação se entende que o Espírito de Cristo se adiantou para anunciar sua vinda e cultivar a esperança. Parece-me mais provável a segunda identificação, que está em harmonia com as palavras de Jesus: "Eu vos asseguro que muitos profetas e justos ansiaram ver o que vós vedes, e não viram..." (Mt 13,17 par.).

1,10 "Indagaram", especialmente em textos apocalípticos: "Eu, Daniel, lia atentamente no livro das profecias de Jeremias o número de anos que Jerusalém havia de ficar em ruínas" (Dn 8,15; 9,2).

1,11 Paixão e glória são cantadas em Is 53, que foi lido em chave messiânica: o Sl 22 as canta referindo-as a um inocente perseguido e libertado; cf. Lc 24,26s.

cadas pelo Espírito de Cristo que habitava neles, quando predizia a paixão de Cristo e a glorificação que viria depois. [12]Foi-lhes revelado que não era para eles, mas para servir a vós, isso que agora têm anunciado os que trazem a boa notícia, inspirados pelo Espírito Santo enviado do céu: coisas que os anjos desejariam presenciar.

Conduta cristã – [13]Por isso, cingidos mentalmente e sóbrios, colocai toda a vossa esperança nessa graça que vos será concedida quando Jesus Cristo se revelar. [14]Como filhos obedientes, não vos deixeis modelar pelos desejos de antes, quando vivíeis na ignorância; [15]pelo contrário, visto que é santo aquele que vos chamou, sede vós também santos em todo o vosso agir; [16]pois assim está escrito: Sede santos, porque eu sou santo. [17]E se chamais Pai àquele que julga imparcialmente as ações de cada um, agi com cautela durante vossa permanência na terra. [18]Sabei que vos resgataram de vossa vã conduta recebida em herança, não com prata e ouro corruptíveis, [19]mas com o precioso sangue de Cristo, cordeiro sem mancha nem defeito, [20]predestinado antes da criação do mundo e revelado no final dos tempos, em vosso favor. [21]Por meio dele credes em Deus, que o ressuscitou da morte e o glorificou; dessa forma, vossa fé e esperança se dirigem a Deus. [22]Purificai vossas consciências, submetendo-vos à verdade, e amai os irmãos sem fingimento, de coração; amai-vos intensamente uns aos outros, [23]pois fostes regenerados, não de uma semente corruptível, mas pela palavra incorruptível e permanente do Deus vivo. [24]Pois toda carne é erva e sua beleza como flor do campo; a erva resseca, murcha a flor, [25]mas a palavra do Senhor permanece sempre. Essa palavra é a boa notícia que vos foi anunciada.

2 A pedra viva – [1]Portanto, despojai-vos de toda maldade, fraude e hipocrisia, toda inveja e difamação; [2]desejai, como crianças recém-nascidas, o leite espiritual,

---

1,12 À "revelação" antecipada do AT corresponde a proclamação apostólica, também "inspirada". O Espírito enviado em Pentecostes e repetidas vezes. No céu despontam os anjos para contemplar o progresso da evangelização.

1,13 Começa aqui uma série que se articula em conselho e motivação ou princípio e consequência. Utiliza o recurso explicativo ou ponderativo da fórmula "não isto/mas aquilo" e contrapõe a situação passada à presente, ou vice-versa. A primeira sentença brota como consequência do que precede. Exorta à esperança, que se justifica pelo cumprimento futuro (Ef 3,10). "Cingir-se" é o gesto de quem empreende uma viagem ou tarefa, como os israelitas quando se dispõem a sair do Egito (Ex 12,11); a "sobriedade" é condição para ser consciente e não tropeçar no caminho.

1,14-16 O segundo conselho é mais complexo. Tem uma motivação por analogia humana: a conduta própria de um filho obediente (cf. Is 63,8; Eclo 3,1-16). E uma motivação de cima, que é o chamado a assemelhar-se a Deus, segundo o mandato de Lv 11,43-44 e do código de santidade Lv 17-19. Unindo as duas peças temos: é preciso obedecer como filhos a um Pai (Is 63,8) que é Santo e chama à santidade.

1,17 O tema da paternidade serve de ligação para o terceiro conselho motivado. Esse Pai se apresentará um dia como juiz, e por isso é necessário agir com cautela o tempo todo (cf. Sl 28,4; 62,13). Assim a "cautela" complementa a "esperança".
Para o autor, os títulos de Pai e Juiz não se excluem (cf. Jr 3,19). Na lei romana antiga, o poder pátrio se estendia a assuntos judiciais no âmbito doméstico.

1,18-21 Começa unido por um particípio ao que precede, como se fosse outra motivação. Mas o conteúdo ultrapassa o esquema e toma a forma de confissão ou profissão. Do resgate-redenção passa ao resgatador-redentor. Resgatar é o ato pelo qual se recupera uma propriedade familiar alienada ou se devolve a liberdade ao escravo indevidamente retido. Costuma incluir um pagamento ou compensação pecuniária: Lv 25,23-28.47-48; Jr 32; Rt 3-4. Com seu sangue (ou sua vida) Cristo paga a liberdade do escravo. Seu sangue é sacrifical, do "cordeiro" (cf. Is 53), e por isso o resgate é também expiação. A confissão sobre Jesus Cristo sintetiza-se em três tempos: predestinado desde sempre, manifestado nesta última etapa, morto e ressuscitado (antes falou da sua vinda final).

1,22-25 Novo conselho com motivação solene. A purificação se realiza aceitando ou submetendo-se à "verdade" do evangelho: "estais limpos pela palavra que vos disse" (Jo 15,3). No plano teológico, o evangelho aceito com fé e selado com o batismo traz o perdão dos pecados, a purificação radical (3,21); no plano psicológico, a verdade do evangelho descobre nossas impurezas e permite eliminá-las. Sobre o amor fraterno, Jo 13,34. O motivo é a regeneração ou novo nascimento. Há um nascimento para a corrupção, que dá vida a um homem caduco (de carne), como erva (Is 40,6-7). E há um nascimento produzido pela "palavra perdurável de Deus". Essa palavra é o evangelho anunciado. O novo nascimento gera irmãos e fundamenta o amor fraterno.

2,1-3 Pode-se considerar a criança na sua imaturidade (Hb 5,12) ou na sua inocência primeira (cf. Sl 8,2). Os que nasceram de novo devem alimentar-se com leite para crescerem sãos e para apreciar o sabor de Deus (Sl 34,9; cf. Is 7,15). O que adultera o leite são os vícios citados.

não adulterado, para crescerdes sadios, ³se é que provastes como o Senhor é bom. ⁴Ele é a pedra viva, rejeitada pelos homens, escolhida e estimada por Deus; por isso, aproximando-vos dele, ⁵também vós, como pedras vivas, entrais na construção de um templo espiritual e formais um sacerdócio santo, que oferece sacrifícios espirituais, agradáveis a Deus por meio de Jesus Cristo. ⁶Pois na Escritura se lê: Vede, ponho em Sião uma pedra angular, escolhida, preciosa; quem se apoiar nela não fracassará. ⁷É preciosa para vós que credes; ao contrário, para os que não creem, a pedra que desprezaram os arquitetos é agora a pedra angular ⁸e pedra de tropeço, rocha de precipício. Nela tropeçam os que não creem na palavra: tal era o destino deles. ⁹Mas vós sois raça escolhida, sacerdócio real, nação santa e povo adquirido, para proclamar as proezas daquele que vos chamou das trevas à sua luz maravilhosa. ¹⁰Vós que outrora éreis Não-povo, agora sois Povo de Deus; éreis os Não-compadecidos, agora sois Compadecidos.

Vocação cristã e exemplo de Cristo – ¹¹Queridos, eu vos exorto como a hóspedes e forasteiros a vos absterdes dos desejos sensuais, que fazem guerra ao espírito. ¹²Agi honradamente em meio aos pagãos, e assim os que vos difamam como malfeitores, ao verem vossas boas obras, glorificarão a Deus no dia das contas. ¹³Em atenção ao Senhor, submetei-vos a qualquer instituição humana: ao rei como soberano, ¹⁴aos chefes como enviados por ele para castigar os malvados e premiar os honrados. ¹⁵Tal é a vontade de Deus, que, fazendo o bem, tapeis a boca dos insensatos e ignorantes. ¹⁶Como homens livres, que não usam a liberdade para encobrir a maldade; antes, como servos de Deus, ¹⁷honrai a todos, amai os irmãos, respeitai a Deus, honrai o rei. ¹⁸Criados, submetei-vos a vossos patrões com todo o

---

2,4-8 Desenvolve a imagem da pedra em vários aspectos, combinando textos bíblicos. Pedra de fundação (Is 28,16) na qual se apoia o homem pela fé. Pedra angular (Sl 118,22) que é chave ou remate do edifício (cf. Zc 4,7). Pedras vivas são os cristãos; com elas se constrói o templo "espiritual" de Deus. Nesse templo oficia um sacerdote santo ou consagrado (pelo batismo, de todos os cristãos); oferece sacrifícios espirituais (cf. Jo 4,23-24), que Deus aceita por mediação de Jesus Cristo. Mas a pedra de fundação e angular, se é rejeitada, pode converter-se em pedra de tropeço (Is 8,14; cf. Lc 2,34).

2,9-10 As palavras "sacerdócio" e "santo" sugerem a Pedro essa exclamação entusiasta, composta de citações e títulos que o AT aplica ao povo de Israel. "Raça escolhida... para que proclame meu louvor" (Is 43,20): era o Israel ideal que devia voltar à pátria por uma ação nova e original de Deus. É agora o povo cristão. "Sacerdócio real" (Ez 19,6): eram sacerdotes a serviço do Senhor rei (explicação improvável); ou linhagem real que exerce o sacerdócio (como Ap 1,6; 5,10); ou palácio real do Senhor (menos provável). "Povo adquirido" (Ex 15,16 par.): o povo era "propriedade" de Deus (Ex 19,5; Dt 7,6); agora é o povo cristão. "Das trevas à luz" (Is 9,2; 42,7; 49,9). O último v. é combinação livre de Os 1,6.9 e 2,1.25. Os pagãos, que não eram povo de Deus, pela escolha são agora o verdadeiro povo de Deus.

2,11-18 Em 1,14 dizia "como filhos obedientes", aqui continua "como hóspedes e forasteiros", depois dirá "como homens livres". Preocupa o autor uma comunidade cristã pequena em meio a uma multidão pagã que observa criticamente os adeptos da nova religião. O exemplo que derem na vida social é capital. Ora, a maioria dos cristãos era de classe baixa; alguns eram escravos. Tinham de impor-se e dar crédito à sua fé com a "conduta", por um lado sendo fiéis às suas convicções, por outro lado levando em conta o julgamento dos de fora. Eram também hóspedes e forasteiros em relação à pátria celeste, ainda que fossem cidadãos do império (Hb 13,14; Fl 3,20). Diz o mesmo partindo de outro ponto de reflexão. As pequenas comunidades cristãs eram súditas do império no meio de uma sociedade pagã: como deviam comportar-se? Por serem "hóspedes e forasteiros", estavam isentos da lei romana? Como servos de Deus, não estavam submetidos às autoridades civis? Como cristãos, podiam despreocupar-se da opinião da sociedade? Pedro dá normas claras e apela para a consciência cristã, "em atenção ao Senhor... é a vontade de Deus... em consciência diante de Deus". Mas se as autoridades se tornam injustamente hostis aos cristãos, como devem comportar-se? A isso responde nos vv. seguintes.

2,11 Hóspedes: Sl 39,12. Sobre a luta interior, Rm 7.

2,12 Conforme o conselho de Jesus (Mt 5,16). Na conduta do seu povo, está em jogo a glória de Deus. O dia das contas pode ser um final relativo ou o final absoluto (cf. Is 10,3; Sb 4,20-5,1).

2,13-14 Note-se o motivo, "em atenção ao Senhor", que é soberano de reis e governantes e respalda a autoridade dos que administram a justiça na sociedade (Rm 13,1-7). De fato, mais de uma vez a autoridade romana protegeu os cristãos, como Lucas dá a entender nos Atos.

2,16-18 O cristão é ao mesmo tempo livre e servo de Deus; mais ainda, sua liberdade consiste em servir a Deus, e não é anulada pela condição social de escravo. Este pode dar impressionante testemunho cristão.

2,17 "Meu filho, respeita o Senhor e o rei" (cf. 1Rs 21,10; Pr 24,21).

respeito, não só aos bondosos e amáveis, mas também aos perversos. ¹⁹Se alguém, em consciência diante de Deus, suporta penas e sofre sem motivo, recebe uma graça. ²⁰Que mérito há em aguentar golpes, quando alguém é culpado? Mas se, fazendo o bem, tendes de aguentar punições, isso é uma graça de Deus*. ²¹Essa é a vossa vocação, pois também Cristo padeceu por vós, deixando-vos um exemplo, para que sigais suas pegadas. ²²Não havia pecado nem foi encontrado engano em sua boca; ²³injuriado não respondia com injúrias, padecendo não ameaçava, pelo contrário, submetia-se àquele que julga com justiça. ²⁴Nossos pecados ele os carregou em seu corpo no madeiro, a fim de que, mortos para o pecado, vivamos para a justiça. Suas cicatrizes nos curaram. ²⁵Éreis como ovelhas extraviadas, mas agora voltastes ao pastor e guardião de vossas almas.

3 Matrimônios –
¹Da mesma forma vós, mulheres, submetei-vos a vossos maridos, de modo que, embora alguns não creiam na mensagem, pela conduta de suas mulheres, mesmo sem palavras, acabem conquistados, ²ao observarem vosso proceder casto e respeitoso. ³Vosso adorno não seja externo: cabelos trançados, joias de ouro, trajes elegantes; ⁴mas esteja no íntimo e oculto: na modéstia e serenidade de um ânimo incorruptível. Isso Deus aprecia grandemente. ⁵Assim se adornavam no passado as santas mulheres que esperavam em Deus e se submetiam a seus maridos: ⁶Como Sara, que obedecia a Abraão, chamando-o senhor. Agindo bem e não cedendo a nenhuma intimidação, vos tornareis filhas dela.

⁷Igualmente vós, maridos, que conviveis com elas, tende consideração em consciência com a condição mais delicada das mulheres, e estimai-as como co-herdeiras da graça da vida. Assim não atrapalhareis vossas orações.

Paciência a exemplo de Cristo – ⁸Finalmente, sede todos concordes, compassivos, fraternos, misericordiosos, humildes; ⁹não pagueis mal com mal nem injúria com injúria; ao contrário, bendizei, pois isto fostes chamados: para herdar uma bênção. ¹⁰Se alguém quer viver e passar

---

2,19-25 Até aqui pensou em cristãos que vivem em paz entre pagãos. Agora pensa em outra situação, de hostilidade, perseguição e injustiça. Para tais circunstâncias vale o ensinamento de Jesus (Mt 5,11-12 par.) e seu exemplo (Jo 13,15; Mt 16,24), evocado por Pedro e corroborado com citações e alusões do AT. Cita uns vv. do quarto cântico do Servo (Is 53,9.3-4.6), alude ao Sl 7,9 e dá a Cristo o título de pastor (segundo Ez 34,5-6).

2,19 "Recebe uma graça" ou é uma honra. "Sem motivo": cf. Sl 35,7.19.

2,20 "Fazendo o bem": cf. Jo 10,32. * Ou: *merece o favor de Deus*.

2,22 Citação do quarto cântico do Servo (Is 53,9).

2,23 "Aquele que julga com justiça" é Deus (não Pilatos). Consciente da sua inocência, Jesus põe sua causa nas mãos do Pai. Como faz o inocente acusado, em vários salmos (7; 17; 43 etc.).

2,24 Continua citando Is 53,3-6. A morte ao pecado é um fato pontual que deve encerrar uma etapa; a vida para a justiça é um estado que deve permanecer (cf. Rm 6,2.11).

2,25 "Ovelhas extraviadas": Ez 34,5-6; Mt 9,36.

3,1 Começa uma exortação particular e geral: às esposas (vv. 1-6), aos maridos (v. 7), a todos (v. 8). Precedeu uma exortação geral a obedecer às autoridades, e outra particular aos escravos.

3,1-6 Reconhecendo a posição da mulher na sociedade da sua época e contando com casamentos mistos, propõe algumas normas de conduta cristã. A castidade (conjugal) e o respeito (ao marido) podem ter força de captação; a modéstia e serenidade interiores, por seu valor diante de Deus; não ceder à intimidação: de quem? Ou pensa nos perigos de Sara nas cortes pagãs, ou tem pela frente ameaças sociais concretas.

3,3 Isaías pronuncia uma sátira divertida sobre o exagerado adorno das mulheres (Is 3,18-23). O AT nada diz do adorno de Sara. No entanto, várias passagens do Cântico dos Cânticos e outras comparações poéticas aprovam e apreciam as joias (2Sm 2,24; Ct 1,10-11).

3,6 Conforme Gn 18,12. Como os homens são filhos de Abraão, assim as mulheres são filhas de Sara.

3,7 Na exortação aos maridos, afirma a maior fragilidade corporal da mulher e a igualdade espiritual na partilha da herança do céu. Nm 35 legisla sobre a herança das mulheres, para assegurar que as propriedades fiquem dentro do clã ou da tribo. Pedro supõe que os cristãos estejam casados com mulheres cristãs.

3,8-9 O ideal de concórdia familiar se estende a toda a comunidade cristã, cujos membros, como irmãos de uma família, partilham uma herança comum, uma bênção. Comparar as bênçãos familiares de Isaac (Gn 27) com as de Jacó para cada filho (Gn 49) ou as de Moisés para cada tribo (Dt 33). Não devolver mal por mal é conselho do AT e do NT (1Sm 24,18; Rm 12,14-18).

3,10-12 A citação é tirada do Salmo 34,12-16 (alfabético); essa citação ampla, numa carta breve, mostra que os salmos foram incorporados à piedade cristã e podiam inspirar a conduta.

anos prósperos, guarde sua língua do mal e seus lábios da falsidade; ¹¹afaste-se do mal e faça o bem, procure a paz e corra atrás dela. ¹²Porque os olhos do Senhor estão fixos no honrado, seus ouvidos escutam suas súplicas; mas o Senhor enfrenta os malfeitores. ¹³Quem vos poderá fazer o mal, se sois solícitos no bem? ¹⁴E se sofreis pela justiça, sois felizes. Não os temais, nem vos perturbeis. ¹⁵Reconhecei internamente a santidade de Cristo como Senhor. Se alguém vos pede explicações de vossa fé, estai dispostos a defendê-la, ¹⁶porém com modéstia e respeito, com boa consciência; de modo que aqueles que difamam vossa boa conduta cristã fiquem confundidos de vos ter difamado. ¹⁷Se for vontade de Deus, melhor é sofrer por fazer o bem do que sofrer por fazer o mal. ¹⁸Porque Cristo morreu uma vez por vossos pecados, o justo pelos injustos*, para vos conduzir a Deus: sofreu a morte no corpo, ressuscitou pelo Espírito ¹⁹e assim foi proclamar também para as almas encarceradas: ²⁰para aqueles que outrora não acreditavam, quando a paciência de Deus contemporizava e Noé fabricava a arca, na qual poucos – oito pessoas – se salvaram atravessando a água. ²¹Para vós é símbolo do batismo que agora vos salva, o qual não consiste em lavar a sujeira do corpo, mas em comprometer-se diante de Deus com uma consciência limpa; pela ressurreição de Jesus Cristo ²²que subiu ao céu e está sentado à direita de Deus, e lhe foram submetidos os anjos, potestades e dominações.

4 Hostilidade do mundo – ¹Como Cristo padeceu corporalmente, vós também

---

3,13-14 Retoma um dos temas dominantes da carta: pode-se ver Rm 8,28.34; Mt 5,10 e a citação tirada de Is 8,12-13.

3,15-16 Combina aqui uma atitude interior com uma conduta externa. A primeira é um ato da consciência que equivale a uma profissão de fé cristológica: reconhecer a "santidade" do Messias com o título de Senhor (Fl 2,11). A segunda é uma atividade apologética para fora: para os que pedirem explicações, judiciais ou sociais, sobre essa curiosa e estranha "esperança" que os cristãos costumam alegar. Pedro não recomenda uma dialética destinada a derrotar e humilhar o adversário (cf. Sl 63,12), mas a defesa sensata e "modesta" que "respeita" o interlocutor e procura convencê-lo. O contexto da época era de pluralismo religioso e filosófico. É interessante o fato de a esperança ser o aspecto chamativo dos cristãos.

3,17-22 Voltando ao tema favorito da carta, o sofrimento inocente, introduz uma profissão ou instrução batismal, que contém um dos textos mais enigmáticos do NT. Vejamos o que está claro no texto. Primeiro: a morte redentora de Cristo, de alcance universal e definitivo, irrepetível (cf. Hb 6,6; 9,26), que conduz o homem para Deus, consumando a reconciliação (2Cor 5,20). Segundo: a morte de Jesus por sua condição humana (de carne) e a ressurreição pela ação do Espírito vivificante (Jo 6,63; Rm 8,10-11; 1Cor 15,44). Terceiro: a ascensão e senhorio universal ou glorificação (At 1,10; Ef 1,20-21). Quarto: a virtude "salvadora" do batismo em função da ressurreição de Jesus Cristo, e que inclui: uma "boa consciência", não mais turbada (Sl 32,2), e um compromisso pessoal com Deus. Isso é claro e representa uma síntese doutrinal, que bem pode proceder de ritos batismais primitivos.

3,18 * Ou: *o inocente pelos culpados.*

3,19-20 O enigmático está nos vv. 19-20, ou seja, a pregação de Jesus às "almas encarceradas" de antepassados. O enigma não foi resolvido até agora, antes, tem provocado múltiplas explicações conjecturais. Entre todas, proponho uma leitura baseada na mentalidade do AT sobre a existência no além-túmulo.

Quando morre, o homem "desce" pelo sepulcro ao *Xeol*, mundo subterrâneo e tenebroso dos mortos, que possuem uma existência umbrática (como "os fantasmas" do nosso folclore). Cf. Is 14; Ez 32 etc. (Não tem sentido no AT dizer que o corpo inerte fica no sepulcro e a alma separada "desce ao inferno".) Nesse mundo dos mortos encontram-se, como grupo representativo, homens contemporâneos de Noé, a quem o patriarca anunciava o dilúvio e não lhe deram atenção. Por não darem atenção morreram (cf. Ez 33), enquanto que a família de Noé, por crer em Deus, se salvou. Jesus Cristo, partilhando a sorte de todos os homens, desce ao mundo dos mortos, não para permanecer, mas para "proclamar" a libertação (cf. Is 61,1).

Pois bem, a salvação na arca, através das águas, é tipo ou imagem da realidade correspondente (antítipo), que é a imersão batismal na água. Não é mero banho físico, mas transformação da consciência orientada para Deus.

Com o que foi dito não respondemos às perguntas: a) O "cárcere" é um tempo de espera dos condenados até comparecer a julgamento? (Cf. Is 24,21-22 em contexto escatológico.) b) Proclama-lhes a liberdade ou a condenação definitiva por sua culpa ancestral? c) Refere-se aos "espíritos" humanos, aos angélicos, a todos? (cf. Is 24,21 "exércitos do céu e reis da terra".) d) Realiza-se a visita entre a morte e a ressurreição ou o "proclama" já glorificado? e) Respondem os espíritos reconhecendo Jesus Cristo como Senhor? Conforme Fl 2,10-11 e cf. Sl 22,30. f) A paciência de Deus durava só enquanto a arca era construída, ou se prolonga até a vinda do Messias? Conforme Rm 2,4. Finalmente, leia-se aqui 4,6.

4,1-5 Retorna o tema do sofrimento, mas em seu aspecto medicinal ou curativo (Jó 33,16-18; Pr 20,30; Jo 5,14; 8,11; Rm 6,2.7).

armai-vos da mesma atitude. Quem padeceu corporalmente deixa de pecar ²e, no que lhe resta de vida corporal, já não segue os desejos humanos, mas a vontade de Deus. ³Por longo tempo no passado cumpristes os desígnios dos pagãos, praticando libertinagem, vícios, bebedeiras, orgias, comilanças e idolatrias intoleráveis. ⁴Agora que vós não colaborais com sua dissolução moral, eles vos insultam. ⁵Mas prestarão contas àquele que está prestes a julgar vivos e mortos. ⁶Eis por que se levou também aos mortos a boa notícia: para que, condenados como homens a morrer corporalmente, vivessem espiritualmente como Deus.

⁷Aproxima-se o fim do universo: sede, portanto, sóbrios e moderados para poderdes orar. ⁸Sobretudo, conservai vivo o amor mútuo, pois o amor cobre uma multidão de pecados. ⁹Praticai a hospitalidade recíproca, sem murmurar. ¹⁰Cada um, como bom administrador da multiforme graça de Deus, ponha a serviço dos outros o carisma que tiver recebido. ¹¹Se fala, como se pronunciasse oráculos de Deus; se serve, como se o fizesse com a força que Deus concede; de modo que em tudo Deus seja glorificado por meio de Jesus Cristo, a quem corresponde a glória e o poder pelos séculos dos séculos. Amém.

¹²Queridos, não vos espanteis com o incêndio que começou contra vós, como se fosse algo estranho; ¹³alegrai-vos, antes, em partilhar os sofrimentos de Cristo, e assim, quando se revelar sua glória, vossa alegria será plenificada. ¹⁴Se vos insultam por serdes cristãos, felizes de vós, porque o Espírito de Deus e sua glória repousam em vós. ¹⁵Que ninguém de vós tenha de padecer por ser ladrão, assassino ou criminoso, ou por intrometer-se em assuntos alheios. ¹⁶Mas, se padece por ser cristão, não se envergonhe, ao contrário, dê glória a Deus por esse título.

¹⁷Chega o momento de começar o julgamento a partir da casa de Deus. E, se começa por vós, como terminará quando chegar a vez dos que rejeitam a boa notícia de Deus? ¹⁸Se o justo mal se salva, o que será do ímpio e pecador? ¹⁹Portanto, os que padecem por vontade de Deus, continuem fazendo o bem e confiem suas vidas ao Criador, que é fiel.

4,2-3 Note-se o trio "desejos humanos, desígnios pagãos, vontade de Deus". A vontade de Deus deve sobrepor-se às tendências puramente humanas, consolidadas no regime pagão. Pode-se ver também a tremenda série de Sb 14,23-26 sobre as consequências da idolatria (cf. Rm 2,1; Tt 3,3).

4,4 "Cerquemos o justo, porque nos incomoda, sua vida se distingue da dos demais e seus caminhos são todos diferentes... de nossas vias se afasta, como se contaminassem" (ver todo o fragmento, Sb 2,12-16 no contexto do capítulo).

4,5 O julgamento final: At 10,42.

4,6 As opiniões se bifurcam a propósito desse v. Para alguns é prolongamento da "proclamação" precedente aos "espíritos". Para outros, refere-se a cristãos mortos antes da parusia, que nem por isso se verão privados da vida perpétua, mas ressuscitarão ao encontro do Senhor (1Ts 4,13).

4,7-11 O fim do universo é o momento do julgamento definitivo, de prestar contas. Sua proximidade impõe a prática das virtudes cristãs e o desempenho das tarefas específicas ou individuais a serviço da comunidade. Entre as virtudes se destaca o amor mútuo; as tarefas são distribuídas entre falar e servir (cf. At 6,1-4; Rm 12). Uma citação de Pr 10,12, segundo a versão grega, dá a entender que no dia das contas a prática da caridade obterá o perdão dos pecados. O texto original diz que quando alguém ama passa por cima das ofensas do outro.

4,7 Sobre a proximidade do fim, ver Ez 7, que proclama o anúncio.

4,9 A hospitalidade era virtude apreciada entre os pagãos, não menos que entre os judeus (cf. Is 58,7; Sb 19,14-16).

4,11 São oráculos de Deus enquanto frutos do carisma (cf. 2Sm 23,1-2). Termina a seção com uma doxologia que poderia ser o final da carta.

4,12 Não poucos comentaristas estranham aqui essa reviravolta. Como se os sofrimentos imerecidos e previstos das páginas precedentes se materializassem agora numa perseguição violenta, num "incêndio que começa". Também se pode pensar que as indicações precedentes preparam e culminam nessa exposição final. Trata-se de uma provação (Tg 1,2). É um modo de partilhar os sofrimentos de Jesus Cristo (Cl 1,24; Fl 3,10), que conduzirá à partilha de sua alegria (Jo 15,11), inclusive de antemão (2Cor 7,4). Jesus tinha pronunciado uma bem-aventurança para os que padecessem por sua causa (Mt 5,11), em atenção à "grande recompensa". A presença especial do Espírito poderia aludir à promessa de Mt 10,22. Não envergonhar-se pode aludir a Mc 8,38.

4,17 Pela Igreja ou casa de Deus, começa um julgamento de purificação ou separação (como em Jr 25,29); continuará como julgamento de condenação para quem rejeitou o evangelho.

4,18 Pr 11,31, conforme a versão grega.

4,19 Cf. Sl 31,6 "Em tuas mãos ponho a minha vida"; Sl 31,16 "em tua mão estão minhas sortes".

5 Aos responsáveis

¹Aos anciãos de vossa comunidade exorto como cole- ga, testemunha da paixão de Cristo e participante da glória que será revelada: ²Apascentai o rebanho de Deus que vos foi confiado, cuidando dele não forçadamente, mas de boa vontade, como Deus quer; não por lucro sórdido, mas generosamente; ³não como tiranos daqueles que vos foram confiados, mas como modelos do rebanho. ⁴Assim, quando se revelar o Pastor supremo, recebereis a coroa de glória que não murcha.

⁵Igualmente vós, jovens, submetei-vos aos anciãos. E todos, no trato mútuo, vesti como avental a humildade, pois Deus resiste aos soberbos e concede seu favor aos humildes. ⁶Humilhai-vos, pois, sob a mão poderosa de Deus, e a seu tempo ele vos exaltará. ⁷Confiai a Deus vossas preocupações, pois ele se ocupará de vós.

⁸Sede sóbrios, vigiai, pois vosso adversário, o Diabo, como leão rugindo, dá voltas buscando a quem devorar. ⁹Resisti-lhe firmes na fé, sabendo que vossos irmãos no mundo sofrem as mesmas penas. ¹⁰O Deus de toda graça, que por Cristo vos chamou à sua glória eterna, após breve sofrimento vos restaurará, fortalecerá, robustecerá, tornará inabaláveis. ¹¹A ele o poder pelos séculos. Amém.

Saudações

¹²Eu vos escrevo estas breves palavras por meio de Silvano, a quem considero um irmão fiel, para vos exortar e assegurar que essa é a verdadeira graça de Deus: conservai-vos nela. ¹³Saúda-vos a comunidade dos escolhidos de Babilônia e também meu filho Marcos. ¹⁴Saudai-vos mutuamente com o beijo fraterno. Paz a todos vós, cristãos.

5,1-6 A exortação por categorias de 3,1-9 continua aqui, seguindo um esquema semelhante: anciãos, jovens, todos. "Anciãos", em lugar de significar idade (correlativo de jovens), passa a significar a função. Antes de despedir-se, Pedro, o ancião e responsável, aconselha seus colegas anciãos e responsáveis. Podem-se ler esses vv. como testamento espiritual de Pedro. Exibe primeiro seus títulos: testemunha da Paixão (que assimilou em sua espiritualidade, ainda que lhe tenha custado tanto compreendê-la) e participante na esperança da glória.
Depois propõe seus conselhos com seu procedimento favorito de antíteses: "não isso, mas aquilo". Três antíteses que sintetizam o programa de um pastor. O aspecto negativo serve para sublinhar o oposto positivo; mas também poderia aludir a abusos reais ou possíveis entre os responsáveis. A imagem do pastor era e se tornou tradicional; Jesus Cristo é o "Arquipastor" (pastor supremo ou chefe dos pastores). Ez 34 e Jo 10 são os textos clássicos.

5,5a Soa com ambiguidade: é questão de idade ou de autoridade? Ver Lv 19,32; Jó 32,4.
5,5b A citação vem de Pr 3,34 (cf. Tg 4,6; 5,6). O grego fala concretamente de uma peça equivalente a um avental. Por que o autor a escolheu? Talvez por seu significado de serviço; talvez lembrando-se de Jesus lavando os pés.
5,6 Sl 75,8; 1Sm 2,7; Lc 1,52; 14,11; 18,14.
5,7 Sl 55,23; Mt 7,25-30.
5,8-9 O termo hebraico *satan*, que significa o rival ou o fiscal (Zc 3,1-2), desdobra-se em dois termos gregos que significam rival num julgamento e acusador ou caluniador; voltam a unir-se fundidos na designação do adversário por excelência, Satanás. Compara-se a um leão segundo abundante tradição bíblica. O sofrimento é suportado em união com Cristo e com a Igreja (Fl 1,29-30).
5,10 O final é de entoação retórica, com acúmulo de verbos rimados.
5,13 Babilônia é nome codificado de Roma; lugar de desterro, de paganismo, hostil a Deus.

SEGUNDA CARTA DE PEDRO

INTRODUÇÃO

Autor e destinatários

A carta começa com ênfase e solenidade: duplo nome do remetente, hebraico e grego, duplo título, "servo e apóstolo". Ao longo da carta, refere-se a outra precedente (3,1), recorda sua presença na transfiguração (1,18), chama Paulo de irmão (3,15), sente-se na iminência de morrer (1,14). Não está claro o autor? Está muito clara a ficção da sinonímia, então comumente praticada. O autor quer apresentar o escrito como se fosse do apóstolo Pedro.

Na Antiguidade discutiu-se bastante sobre a autenticidade e até mesmo a canonicidade deste escrito. Hoje são raros os que defendem a autenticidade. As razões contra são muito fortes. O autor se trai repetidas vezes: quando se inclui na geração seguinte (3,4), quando se distingue dos apóstolos (3,2), ao aludir a um corpo paulino (3,16), ao discutir o atraso da parusia (3,8).

A isso soma-se a grande diferença de língua e estilo: vocabulário diferente, expressões de sabor helenístico, como "participantes da natureza divina" (1, 4), os termos eusebeia e aretê = piedade e virtude. O estilo é pomposo, as imagens rebuscadas, o tom polêmico para fora e para dentro; são abundantes os adjetivos, nem sempre felizes; prefere a hipérbole ao matiz; introduz um polissilogismo artificioso (de oito membros, 1,5-7). No grego infiltram-se semitismos de construção sintática. Acrescente-se a dependência de Judas, da qual falarei adiante.

Se o autor não é Pedro, mostra-nos contudo como um cristão de outra geração imaginava Pedro: testemunha da transfiguração (1,18) como episódio saliente (por que não a ressurreição?); combativo com paixão – como em sua intervenção no Getsêmani (Jo 18,10 par.); particularizando Paulo (resposta ao incidente de Gl 2,11-14?); zeloso da doutrina autêntica (em lugar de disposto a sofrer, como 1Pd).

Os destinatários são fiéis (1,1) convertidos do paganismo. Sugerem-no o estilo, as influências estoicas, o tipo de heresias que combate.

Gênero e finalidade

Embora se apresente e comece como carta, o texto é antes uma exortação. Levando em conta que se declara próximo à morte (1,13-15), poderíamos classificar a carta como um desses testamentos espirituais tão correntes naquele tempo e de ilustre ascendência bíblica.

O autor enfrenta dois problemas principais: o atraso da parusia (cap. 3) e as heresias (cap. 2). Apresenta o primeiro como objeção, em estilo de diatribe, e o projeta no futuro, de acordo com sua personalidade fictícia. Responde com argumentos da Escritura e filosóficos, e exortando à esperança e à paciência.

Por uma constelação de indícios alguns pensam que a heresia fosse uma forma de gnosticismo: o uso de mitos, a insistência no conhecimento. Os indícios são leves; o autor insiste na libertinagem dos hereges.

Relação com a carta de Judas. A semelhança de ambas as cartas é evidente. Para constatar isso, bastaria colocar em colunas paralelas 2Pd 2,1-18/Jd 4-16; 3,1-3/17-18; os paralelos de detalhe foram devidamente reunidos. Quem depende de quem? Do exame compara-

tivo resulta mais provável que o modelo seja Judas; o autor de 2Pd suprimiu referências inoportunas, de apócrifos e do AT, elaborou e esclareceu outros pontos.

Data

Final do séc. I ou começo do II. Alguns pensam que seja o último escrito do NT.

Sinopse

1,1-2	Saudação.
1,3-15	Vocação e conduta cristã. Legado de Pedro.
1,16-21	Glória de Cristo e luz da profecia.
2,1-22	Falsos doutores.
2,1-9	Castigo e julgamento.
2,10-22	Descrição.
3,1-18	Sobre a parusia. Exortação e doxologia.

¹Simão Pedro, servo e apóstolo de Jesus Cristo, aos que partilham conosco o privilégio da fé, pela justiça de nosso Deus e Salvador Jesus Cristo: ²que a graça e a paz sejam abundantes em vós pelo conhecimento de Deus e de Jesus, nosso Senhor.

Vocação cristã – ³O poder divino deu-nos tudo o que conduz à vida e à piedade, por meio do conhecimento daquele que nos chamou com sua própria glória e mérito. ⁴Com elas nos deu as maiores e mais valiosas promessas, para que por elas participeis da natureza divina e escapeis da corrupção que habita no mundo pela concupiscência. ⁵Portanto, não poupeis esforços para acrescentar à vossa fé a virtude, à virtude o conhecimento, ⁶ao conhecimento o autodomínio, ao autodomínio a paciência, à paciência a piedade, ⁷à piedade o afeto fraterno, ao afeto fraterno o amor. ⁸Se possuirdes esses dons em abundância, não ficareis inertes nem estéreis para conhecer o Senhor nosso Jesus Cristo. ⁹E quem não os possui está cego e caminha às apalpadelas, esquecido de que o purificaram de seus velhos pecados. ¹⁰Por isso, irmãos, esforçai-vos por consolidar vossa vocação e eleição. Se agirdes assim, não tropeçareis; ¹¹pelo contrário, generosamente vos farão entrar no reino eterno do Senhor nosso e Salvador Jesus Cristo. ¹²Por isso, embora o saibais e estejais firmes na verdade possuída, penso em recordar-vos isso sempre; ¹³e enquanto vivo nesta morada, julgo oportuno manter-vos vigilantes com essa recordação. ¹⁴Pois sei que logo deixarei esta morada, como me informou o Senhor nosso Jesus Cristo. ¹⁵E me esforçarei para que, após minha partida, preserveis esta lembrança.

A glória de Cristo – ¹⁶De fato, quando vos anunciamos o poder e a vinda* do Senhor

---

1,1-2 O grego traz a forma anormal de Simeão, própria do AT. Os destinatários são "iguais em valor" ou mérito, sejam pagãos convertidos em relação a judeu-cristãos, sejam a segunda geração em relação à primeira. Igualdade outorgada pela "justiça" de quem não faz distinções. Jesus Cristo traz em grego o duplo título de Deus e Salvador com artigo único (cf. Jo 20,28; Rm 9,5). A carta insistirá no "conhecimento" ou penetração, aqui de Deus (Pai) e de Jesus Senhor (Jo 17,3).

1,3-4 "Aquele que chamou" parece ser aqui Jesus Cristo (cf. Mt 9,13), embora outras vezes costume ser Deus Pai (1Pd 1,15; 2,9). Chamou com sua "glória" (a da transfiguração?, vv. 16-18) e seu mérito ou virtude milagrosa. Seu "conhecimento" pessoal é o meio para receber os dons. A "vida" é a nova que ele concede (Jo 17,2). A "piedade" é a correspondente cristã àquela que os gregos preconizam.
A participação na vida divina corresponde à filiação (Jo 1,13; 3,5; 1Pd 1,3). Por ela o homem consegue superar a "corrupção" ou mortalidade, que pela "concupiscência" domina o mundo (Sb 2,23).

1,5-7 O cristão deve corresponder ao dom divino com sua colaboração intensa e graduada. A graduação escalonada é recurso retórico do autor, já que listas de virtudes são coisa conhecida (p. ex. 2Cor 6,4-5; Gl 5,22-23). A fé inicia e o amor conclui, ocupando o conhecimento o terceiro lugar. Não é fácil especificar o valor de cada termo nem suas relações exatas.

1,8-9 Por ser dinâmico, em processo, o "conhecimento", que antes era meio (v. 2), agora é resultado; não é autêntico se lhe faltam as obras. Sobre a cegueira, ver Is 59,9-10.

1,11 Entra-se no reino, segundo Mt 7,21 (cf. Js 23,2-6). "Reino eterno" é expressão única no NT, mas o conteúdo é frequente, entroncado na promessa dinástica (2Sm 7; Sl 89).

1,12-15 Com esses vv. o autor quer apresentar a carta como testamento de Pedro, seguindo uma velha convenção: ver o de Moisés (Dt 31), com o anúncio da morte próxima, as instruções, o memorial para o futuro; também o de Josué (Js 22), o de Davi (2Sm 23) e os Testamentos dos Doze Patriarcas (apócrifos). É fácil reconhecer nesse texto vários elementos da tradição literária. A "morada" é uma tenda (como em Is 38,12; cf. 2Cor 5,1).

1,12 Comparar o tom positivo e conciliador de Pedro com a austeridade de Moisés em Dt 31,16.

1,13 A vigilância aponta para a vinda do Senhor (Mt 24 par.).

1,14 A revelação pessoal pertence também à convenção literária; mas ver o caso de Simeão (Lc 2,25-26).

1,15 Ver Dt 32,46, que apela também para o valor da palavra.

1,16-19 Como confirmação do seu ensinamento e da esperança na parusia aduz o fato – não fábula – da transfiguração, da qual se apresenta como testemunha ocular. Segue mais a versão de Mt 17. A "sublime Majestade" é título ou equivalente de Deus. A montanha santa é a da revelação da sua glória (o Tabor, segundo tradição não comprovada), não o Sinai nem Sião. Essa revelação, enquanto cumprimento, corrobora a validade das profecias, incluída a da futura vinda (3,4). Assim confirmadas, as profecias e toda a Escritura são lâmpada que ilumina nossa noite, até que amanheça o sol (chamado aqui de luzeiro matutino); ou seja, até sua vinda com glória (cf. Sl 57; Is 60 e o Anúncio Pascal). Ora, as profecias e toda a Escritura devem ser interpretadas corretamente, não ao arbítrio pessoal, já que sua origem não é humana, mas divina. Esse texto, junto com 2Tm 3,16, é a prova clássica para a inspiração da Escritura. E é também princípio geral de interpretação.

1,16 * Ou: *a vinda com poder*.

nosso Jesus Cristo, não nos guiávamos por fábulas engenhosas, mas tínhamos sido testemunhas de sua grandeza: ¹⁷quando ele recebeu de Deus Pai honra e glória, por uma voz que lhe chegou da sublime Majestade: Este é o meu Filho querido, o meu predileto. ¹⁸Essa voz vinda do céu, nós a ouvimos quando estávamos com ele na montanha santa. ¹⁹Com isso confirma-se para nós a mensagem profética, e vós fareis bem em dar-lhe atenção, como uma lâmpada que brilha na escuridão, até que amanheça o dia, e o astro matutino amanheça em vossas mentes. ²⁰Pois deveis sobretudo saber que nenhuma profecia é confiada à interpretação privada, ²¹pois a profecia nunca aconteceu por iniciativa humana, mas os homens de Deus falaram movidos pelo Espírito Santo.

2 Contra os falsos profetas e mestres

– ¹Houve também falsos profetas no meio do povo, como haverá entre vós falsos mestres, que introduzirão seitas perniciosas, e, renegando o patrão que os comprou, trarão sobre si rápida destruição. ²Muitos seguirão a dissolução deles, o caminho da verdade será difamado, ³e por cobiça abusarão de vós com discursos fingidos. Faz tempo que sua sentença não repousa, sua condenação não dorme. ⁴Se Deus não perdoou os anjos pecadores, ao contrário os sepultou em abismos escuros, reservando-os para o julgamento; ⁵se não perdoou a humanidade de outrora, mas, reservando com outros sete a Noé, pregador da justiça, enviou o dilúvio ao mundo dos malvados; ⁶se condenou Sodoma e Gomorra, reduzindo-as a cinzas e deixando-as como advertência de futuros malvados; ⁷– embora tenha libertado Ló, o justo, que sofria com a conduta dos libertinos, o justo que morava entre eles, ⁸que torturava cada dia seu espírito, ao ver e ouvir as iniquidades deles: ⁹o Senhor sabe livrar os homens religiosos e reservar os malvados para castigá-los no dia do julgamento; ¹⁰especialmente os que seguem o instinto e seus imundos apetites e desprezam a Soberania. Audazes e insolentes, insultam os Gloriosos, ¹¹ao passo que os anjos, superiores em força e poder, não os acusam com insultos diante de Deus. ¹²Esses, como animais irracionais destinados por natureza a ser caçados e consumidos, insultam o que não entendem; mas se corromperão como eles ¹³e receberão assim o pagamento de sua injustiça. Sua ideia de prazer é a orgia em pleno dia; sujos e nojentos, deleitam-se em seus embustes quando banqueteiam convosco. ¹⁴Têm os olhos cheios de adultérios, jamais saciados

---

2,1 A menção das profecias suscita uma grave chamada de atenção. Como no AT, a realidade do profeta autêntico provocava, por inveja ou interesse, a aparição do falso profeta (Dt 13,2-6; Jr 23; Ez 13 etc.), assim agora a atividade de mestres autênticos, oficiais (At 13,1; 1Cor 12,28) suscita o afã de outros (Tg 3,1) e o surgimento de "falsos doutores". O autor vai apresentá-los, descrevê-los e anunciar seu castigo. Para tanto, segue de perto a carta de Judas com algumas correções: restabelece a ordem cronológica, elimina citações de apócrifos, suaviza a linguagem. É uma exposição retórica, inchada pela acumulação de traços, mais enfática que exata. O autor põe no futuro o que Judas punha no presente, dando-lhe assim o caráter de profecia.
O "povo" é Israel (cf. Dt 13,2-6). Deus os comprou para tê-los a seu serviço e dar-lhes a liberdade.

2,2 O "caminho da verdade" é a vida cristã segundo o evangelho.

2,3 A cobiça revela a falsidade (Mq 3; 1Ts 2,5). A sentença de condenação, personificada, não espera que eles cheguem, mas se antecipa para surpreendê-los.

2,4-8 Apresenta três exemplos de castigo, mudando a ordem de Judas e substituindo o castigo dos israelitas no deserto pelo dilúvio. Acrescenta ao texto bíblico detalhes da tradição rabínica. O primeiro afeta os seres celestes de Gn 6,2; o abismo escuro pode vir de Is 24,22. O segundo castigo faz uma exceção: um Noé visto como "pregador" (1Pd 3,20). Também o terceiro castigo faz uma exceção: um Ló melhorado em relação à tradição bíblica (Gn 19).
Com os três castigos temos prisão, água e fogo (cf. Eclo 39,28-29). Esperamos a apódose dos três condicionais, e não vem.

2,9-10a Em seu lugar, resume o ensinamento numa antítese. "Soberania" substitui o nome de Deus (cf. Sl 36,2-4).

2,10b-11 Aqui começa a descrever a conduta dos falsos doutores. Os "Gloriosos": parece ser outra denominação dos anjos ou santos. O "não acusar" se explica pelo modelo de Jd 9, onde Miguel não se atreve a dar sentença (cf. Zc 3,1-2).

2,12 O destino desses homens é o dos animais, ou seja, a corrupção como morte definitiva: "O homem na opulência não permanece: é como os animais que emudecem" (Sl 49,13).

2,13 Sb 15,7-19 nos dá uma descrição ampla dessas perversões, explicadas como consequência da idolatria.

2,14 Adultério e cobiça correspondem a dois mandamentos do decálogo (Ex 20). Não cumpri-los acarreta maldição. Sobre a cobiça: Jr 22,13-17.

do pecado, sedutores de ânimos vacilantes, com a mente treinada na cobiça: dignos de maldição. ¹⁵Deixando o caminho reto, extraviaram-se. Seguiram o caminho de Balaão de Bosor, que cobiçou o pagamento de sua própria iniquidade. ¹⁶No entanto mereceu uma repreeensão por seu delito, pois sua muda cavalgadura, falando com voz humana, freou a loucura do profeta. ¹⁷Esses são fontes sem água, nuvens arrastadas pela tempestade, destinados a densas trevas. ¹⁸Pronunciando altissonantes coisas vãs e com a isca sensual da libertinagem, seduzem os que mal se afastaram dos que vivem no erro. ¹⁹Prometem-lhes liberdade, sendo escravos da corrupção. Pois a pessoa se torna escrava daquele a quem se rende. ²⁰Portanto, se alguém se afastou da imundície do mundo, pelo conhecimento do Senhor e Salvador Jesus Cristo, e novamente se deixa enredar e se rende, seu fim é pior que o princípio. ²¹Melhor seria que não tivessem conhecido o caminho da justiça do que, tendo-o conhecido, afastar-se do santo preceito que lhes haviam transmitido. ²²Cumpre-se neles a verdade do provérbio: cão que volta ao próprio vômito, ou porco lavado que se revolve na lama.

3 Atraso da parusia
– ¹Queridos, esta é a segunda carta que vos escrevo, para, relembrando, despertar as vossas mentes sinceras. ²Recordai o que anunciaram os santos profetas e o mandamento do Senhor e Salvador transmitido pelos apóstolos. ³Antes de tudo, deveis saber que no fim dos tempos virão homens cínicos e caçoadores, entregues a seus apetites, ⁴que dirão: O que aconteceu com a prometida vinda dele? Desde que morreram nossos pais, tudo continua o mesmo desde o início do mundo. ⁵Está oculto a eles, porque querem, pois desde outrora existia um céu e uma terra emergindo da água e que no meio da água estava firme por meio da palavra de Deus. ⁶E assim o mundo de então pereceu afogado. ⁷O céu e a terra atuais pela mesma palavra estão conservados para o fogo, reservados para o dia do julgamento e da condenação dos homens perversos. ⁸Somente isto, queridos, não fique oculto para vós: Para o Senhor, um dia é como mil anos, e mil anos como um dia. ⁹O Senhor não tarda a cumprir sua promessa, como alguns pensam, mas tem paciência convosco, pois não quer que ninguém se perca, mas que todos se

---

2,15-16 Suprimindo dois exemplos de Caim e Coré, apresentados por Judas, amplia o caso de Balaão (Nm 22-24), destacando dois aspectos negativos (como faz Js 24,9-10). O salário da iniquidade é o que lhe ofereceu Balac, rei de Moab, para amaldiçoar Israel. Por sua atuação final, chama-o de "profeta".
2,17 "Trevas": do reino dos mortos. Ver Jó 10,21-22 e a magnífica descrição de Sb 17.
2,18 Paulo já preveniu contra o abuso da liberdade para a libertinagem (Gl 5,13). A libertinagem torna escravo do pecado (Jo 8,34; Rm 6,16), e por ele torna escravo da corrupção, ou seja, a morte definitiva (Sb 1,12.16).
2,20 É o princípio ilustrado por Jesus com uma imagem (Mt 12,45).
2,22 O primeiro refrão se inspira em Pr 26,11; o segundo parece popular.
3,1 Com esse recurso, o autor se coloca por detrás da carta de Pedro e justifica seu escrito. Imita também Paulo, com suas várias cartas aos coríntios e as duas aos tessalonicenses.
3,2 Os apóstolos são vistos como bloco compacto, transmissor da tradição. Ou seja, são vistos à distância, é preciso refrescar a lembrança deles (comparar com Zc 1,4).
3,3-4 Sobre as profecias aludidas, pode-se consultar em especial 2Tm 3,1-9; também as escatologias de Mt 24 e Mc 13. Um antecedente importante está em Ez 12,22-27: do atraso do cumprimento deduzem de maneira errônea a falsidade da predição.

3,5-10 O autor responde rebatendo primeiro a objeção dos adversários, depois afirmando o fato futuro e tratando por extenso o tema do atraso.
Afirmaram que o universo continua como no princípio da criação (Sl 24,2), e é falso, pois aconteceu uma catástrofe: o dilúvio, que foi como volta ao caos, como vitória das águas sobre a terra firme (vv. 5-6). Da catástrofe surgiu uma nova ordem (Gn 8,22-9,7), na qual vivemos agora.
A ordem atual acabará na nova catástrofe, pelo fogo (vv. 7.10-12), executor da sentença: Sodoma e Gomorra (2,6) foram uma espécie de ensaio exemplar. Desse modo, os dois elementos destrutivos se põem a serviço de Deus: "o universo lutará a seu lado contra os insensatos" (Sb 5,21-23). A segunda catástrofe, futura, abrirá espaço para uma nova criação (v. 13) ou renovada (Is 65,17-19; 66,22).
Quanto ao tempo de tais eventos, a resposta será diferenciada (vv. 8-10): a) para Deus, o tempo tem outra medida (Sl 90,4); b) o atraso se deve à paciência de Deus, que dá tempo para a conversão (Sl 11,23; 12,2.10) e deseja a salvação de todos (Ez 18,23; 1Tm 2,4); c) a chegada será repentina, segundo a tradição mais comum (Mt 24,43-44; 1Ts 5,2; Ap 3,3); d) o cristão com sua conduta pode apressar o momento da transformação final (cf. Eclo 35,21-22; 36,10).
Quanto ao modo do fim, das escatologias o autor escolhe o fogo como agente de destruição (vv. 10.12), que alcançará os (quatro) elementos que constituem

arrependam. ¹⁰O dia do Senhor chegará como um ladrão. Então o céu desaparecerá com estrondo, os elementos se desfarão em chamas, a terra com suas obras ficará evidente. ¹¹E se tudo vai se desfazer desse modo, como deveis ser vós? Na conduta santos e religiosos, ¹²esperando e apressando a vinda do dia de Deus, quando o céu se desfará em fogo e os elementos se derreterão abrasados. ¹³Segundo sua promessa, esperamos um céu novo e uma terra nova onde habitará a justiça. ¹⁴Por isso, queridos, esforçai-vos com essa esperança para vos mostrardes na paz, sem mancha nem defeito. ¹⁵Pensai que a paciência de Deus para convosco é para vossa salvação, como vos escreveu nosso querido irmão Paulo, com a sabedoria que lhe foi concedida. ¹⁶Em todas as suas cartas ele trata desses temas, se bem que nelas há coisas difíceis de entender, que os ignorantes e vacilantes deformam, como fazem com o resto da Escritura, para sua própria perdição. ¹⁷Vós, portanto, queridos, ficai prevenidos e precavidos, para que não vos arraste o erro de homens sem princípios, e percais vossa estabilidade. ¹⁸Crescei, antes, na graça e no conhecimento do Senhor nosso e Salvador Jesus Cristo. A ele a glória agora e até a eternidade. Amém.

---

a substância do universo. O fogo é, aliás, símbolo e expressão da ira divina. Portanto, esse dia do Senhor coincide com o anunciado por Sofonias (Sf 1,14-18; ver também Is 66,15-16, o julgamento pelo fogo).

3,14 Foram amplamente refutados os zombadores sarcásticos; é preciso tirar consequências para os bons cristãos. Pelo que esse dia terá de julgamento, devem conservar-se "sem mancha nem defeito". Pelo que tem de salvação, vivam com esperança. Naquele mundo futuro reinará a justiça (Is 32,16-17; Sb 1,15).

3,15-16 Isso supõe que já existisse um corpo paulino reconhecido, que Paulo tratava de temas semelhantes (p. ex. Rm 2,4-10; Fl 1,10-11; 1Ts 3,13), que seus escritos tinham sido mal interpretados por alguns. Tudo isso se enquadra melhor na segunda geração cristã. Mas a sorte adversa de escritos paulinos é partilhada em grau diferente pelo resto da Escritura, ou seja, pelo AT (cf. 1,21).

3,18 Pela última vez menciona o "conhecimento" de Jesus Cristo, com seus títulos Senhor e Salvador.

PRIMEIRA CARTA DE JOÃO

INTRODUÇÃO

Autor

Desde o início, a tradição considerou este escrito como obra de João, o apóstolo e evangelista. Hoje continuamos a chamá-la carta de João, e muitos comentaristas críticos continuam mantendo a opinião tradicional. Seja carta ou tratado, seu autor é João. Mas há muitos exegetas que a atribuem a outro João, ou a outro autor, diferente do evangelista. Como em casos sérios de dúvida, a decisão depende do peso que se atribui aos indícios. Vamos repassá-los brevemente, tirando conclusões de trabalhos comparativos.

Vocabulário

Mais de cinquenta palavras ou expressões são exclusivas do evangelho e da carta (cito primeiro Jo depois 1Jo; dou uma tradução muito literal): algumas centrais como parákletos (14,16.26/2,1) e lógos (1,1/1,1); outras peculiares como: "fazer a verdade" = agir com sinceridade (3,21/1,6); "ter vida" (3,36/5,12) e "ter pecado" (9,41/1,8); "o mundo não o conheceu" (1,10/3,1), "o mundo vos odeia" (15,18/3,13), "vencer o mundo" (16,33/5,5); "crer no nome" (1,12/5,13), "um mandamento novo" (13,34/2,7).

Às semelhanças outros opõem as discrepâncias, alegando uma comparação minuciosa, com estatísticas. Sobre essas análises deve-se fazer uma ressalva importante. Metodologicamente não é legítimo tomar o evangelho em bloco, sem distinguir entre narração e doutrina; deve-se distinguir o que Jesus pronuncia no evangelho e o que o autor diz na carta: p. ex. o verbo doxazo, que aparece 39 vezes no evangelho, não consta na carta. Alega-se que na carta faltam 39 (ou 38) palavras do evangelho; algumas estão na boca de Jesus, outras são substituídas por sinônimos, e é preciso contar com a extensão maior do evangelho. Como tais distinções não afetam a construção gramatical e o uso de partículas, as análises se concentraram nisso; o resultado não parece concludente.

Estilo

Os procedimentos de estilo, muitos de ascendência bíblica, são semelhantes: o paralelismo, a antítese, as fórmulas binárias e ternárias, inclusão e concatenação, anáfora, a explanação em torno de uma ideia ou palavra.

Doutrina

As semelhanças de pensamento são evidentes. Mais sutis são as divergências, que convém observar. Repetidas vezes, onde o evangelho diz Cristo, a carta diz Deus (cito evangelho e/carta): Cristo/Deus é luz (1,4; 8,12/1,5); Cristo/Deus é vida (11,25; 14,6/5,20); a palavra de Cristo/de Deus (5,24; 8,31/1,10; 2,14); mandamento de Cristo/de Deus (13,34; 14,15.21; 15,10. 12.14.17/2,3s; 3,22-24; 4,21; 5,2s); permanece em Cristo/em Deus (6,56; 4,15s/3,24; 4,12s); Cristo/Deus permanece no fiel (6,56; 14,4s/ 3,24; 4,12s); relação com Deus por meio de Cristo/diretamente (1,12; 14,6. 20s; 17,21.23.25s/1,6; 3,1.9s; 4,4.6s; 5,18s).

O evangelho reserva o título parákletos para o Espírito (14,17.26; 15,26), a carta o atribui a Jesus Cristo (2,1). O evangelho cita com frequência o AT, a carta alude sem citar. Os inimigos ou rivais no evangelho são as autoridades judaicas, na carta são membros apóstatas ou cismáticos (2,18-19).

A mudança de época e circunstâncias de um mesmo autor explicam suficientemente esses dados? Ou se trata de dois autores diferentes? Muitos se inclinam pela identidade. Os que diferenciam assinalam como autor um discípulo ou membro da sua escola, ou um porta-voz da comunidade que se inspirava no apóstolo João. Em ambas as hipóteses, a carta representa um estágio posterior, com problemas internos numa comunidade já constituída; "permanecer" é um de seus temas.

Destinatários

O autor os trata com afeto, como se os conhecesse pessoalmente ou fosse encarregado deles (2,1.12.28; 3,2.21). Tendo em conta o final (5,21), poderiam ser pagão-cristãos. Mais numerosos e fortes são os indícios que apontam para judeu-cristãos: a alusão a Caim e ao paraíso (3,12), aos falsos profetas (4,1), os traços apocalípticos (2,18.28; 4,17). A alternativa parece gratuita, dado que, naquele tempo, as comunidades eram mistas em algum grau.

Circunstâncias ou erros combatidos

O perfil dos cismáticos ou apóstatas pode ser recomposto com os traços que o autor espalha em negativo. Pensam conhecer e ver a Deus, estar na luz e em comunhão com ele; mas não reconhecem Jesus como Messias e Filho de Deus, negam a encarnação. Consideram-se sem pecado, embora não guardem os mandamentos. Ora, é impossível reconhecer a Deus como Pai, se não se reconhece Jesus Cristo como seu Filho; é impossível amar a Deus sem amar o próximo. O autor os qualifica com adjetivos duros: mentirosos, sedutores, pertencentes ao mundo e alheios à comunidade.

É possível que a atuação de alguns seja ambígua, camuflada, que não tenham desertado publicamente. Ao autor preocupam os critérios para discernir: nisto conhecemos, sabemos que, consta-nos etc. O cristão autêntico é reconhecido, pois cumpre os mandamentos (2,3.5; 3,24), não peca e pratica a justiça (3,10), não escuta o mundo, mas sim a nós (4,6), confessa Jesus como Messias (4,2), possui o Espírito (4,13), e ama o irmão (3,10.19; 4,6.7.9.12).

Entre os ensinamentos da carta destaco alguns. Deus é luz, é amor (4,8), é Pai de Jesus e nosso. Jesus é seu Filho, feito homem, é o Messias que expiou e desfaz o pecado (1,7-9; 2,2; 3,8; 4,10). O Espírito nos unge (2,20), habita em nós (3,24), faz confessar (4,2), dá testemunho (5,8).

Forma

Aquilo que chamamos de carta, poderia ser homilia registrada ou instrução escrita. O desenvolvimento é peculiar. Alguém o comparou a uma escada em caracol, que gira em torno de um eixo fixo, subindo a andares superiores. Parece uma sucessão de aforismos trançados em dois fios: a fé na encarnação do Filho de Deus e o amor ao próximo como síntese e primeiro mandamento. É fácil isolar muitos aforismos felizes, memoráveis; alguns têm preferido isolar um texto conciso, ao qual se acrescentaram comentários. O passo é bastante rítmico. Pede uma leitura compassada, com pausas para a ressonância mental e cordial.

Sinopse

O que foi dito mostra como é perigoso propor uma estrutura lógica. Alguns recorrem a esquemas numéricos: sete perícopes, ou seja, entre prólogo e epílogo, revelação, fiéis e Anticristo, caridade e fé. Outro propõe sete membros, alternando proclamação e parênese. Minha proposta é uma pista entre outras.

1,1-4	Introdução solene.
1,5-7	Deus é luz.
1,8-2,6	Pecado e obediência.
2,7-11	O mandamento do amor e a luz.
2,12-17	Os cristãos e o mundo.
2,18-29	O Anticristo e a unção do Espírito.
3,1-10	Somos filhos de Deus.
3,11-24	O mandamento do amor.
4,1-6	Discernimento de espíritos.

4,7-21 Deus é amor: fonte e termo do amor.
5,1-13 Vitória da fé.
5,14-21 Nossas certezas.

Uma válida alternativa à sinopse é ler reconhecendo e seguindo alguns fios condutores, vários ao mesmo tempo ou um em cada leitura.

¹O que existia desde o princípio, o que ouvimos, o que vimos com nossos olhos, o que contemplamos e nossas mãos apalparam, é nosso tema: a Palavra da vida. ²A vida se manifestou: nós a vimos, damos testemunho e vos anunciamos a Vida que estava junto do Pai e se manifestou a nós. ³O que vimos e ouvimos vo-lo anunciamos também a vós, para que partilheis nossa vida, como nós a partilhamos com o Pai e com seu Filho Jesus Cristo. ⁴Escrevemos isto a vós para que vossa alegria seja plena.

Deus é luz – ⁵Esta é a mensagem que ouvimos dele e vos anunciamos: Deus é luz sem mistura de trevas. ⁶Se dizemos que partilhamos sua vida e no entanto caminhamos na escuridão, mentimos e não agimos com sinceridade. ⁷Mas, se caminhamos na luz, como ele está na luz, partilhamos

1-2 João tem uma maneira particular de expor: abrange um panorama de dados e conexões, e nele se move com mais liberdade que rigor. Nem sempre é fácil seguir-lhe o fio, descobrir sua coerência. Por isso me parece útil antecipar algumas visões de conjunto. Quando falamos da "vida", nós usamos um abstrato, extraído dos seres vivos, ao qual podemos atribuir consistência imaginativa, inclusive mítica; como se fosse uma entidade autônoma, um ser, uma pessoa. A visão poética, mítica, corresponde à nossa experiência impressionante do que vive, em sua variedade e energia. João contempla a Vida como realidade transcendente, divina, pessoal (1,2), que num dado momento, o seu, se manifesta soberanamente. Para os homens, escolhe um modo de manifestação humana: através dos sentidos, revelar a transcendência.
Essa Vida é ser ou é "luz", sem mistura de não-ser ou não-luz – contingência –, como acontece em seu (1,5-6). "Trevas" são para os judeus outro símbolo mítico do informe ou caótico, do não-ser (cf. Jó 3), que no homem é a caducidade, a contingência; no ser livre se atualiza como pecado. Pelo afã de salvar seu ser, o homem se entrega ao não-ser, por agarrar-se à vida, se desvive, e fica com uma vida que se realiza consumindo-se.
Agora o horizonte simbólico gigantesco se estreita e se concentra num ponto: essa Vida morre (1,7) e sua morte gera vida, porque destrói o mal tenebroso do pecado. Só pede ao homem que aceite um raio de luz, verdade ou sinceridade, para descobrir e reconhecer suas trevas (2,8-10). A Vida autêntica, divina, ganha essa vitória prévia, pode comunicar-se (1,7) e ser partilhada por pessoas numa comunidade. Isso, que se apresentou como fato pontual fundacional, inaugura uma situação: o homem perdoado recai no pecado (5,16); o morto ressuscitado intercede por ele (2,1-2). Pois bem, já perdoado, o homem tem de voltar ao amor de Deus e ao cumprimento consequente de seus mandamentos. Isso equivale a imitá-lo ou seguir seu caminho (2,3-6; 4,17). Assim, dos "preceitos" no plural passa ao "preceito" singular, antigo e novo, reino da luz no mundo: o amor fraterno (2,7-8).
Essa visão de conjunto, na qual introduzi conceitos e categorias nossos, se matiza e se enriquece em muitos detalhes.

1,1-4 Diríamos um esboço para o prólogo do evangelho: pelos temas e termos da Palavra, a Vida, o existir desde o princípio, o estar junto ao Pai, o ver, o calar o nome de Jesus (supondo-o conhecido). Por outro lado, falta qualquer referência à criação e ao termo Glória. O evangelho apresenta como sujeito a Palavra (cf. Ap 19,13) e lhe atribui vida. A carta faz da Vida um sujeito (três vezes). É a Vida que estava junto ao Pai e se manifestou e é anunciada. É estranho e surpreendente esse modo de começar por um complemento "o que" quadruplicado que se estende até ser identificado com ênfase. Quão diferente seria começar propondo o tema como título. E toda essa série de verbos na primeira pessoa que se comprimem, arrastando o autor: dominado e consciente.
Com grande ênfase nos diz que a manifestação ou revelação foi visível, audível e palpável, por isso quem escreve o faz como testemunha ocular com três sentidos (cf. a visão e o paladar do Sl 34,6.9). Compare-se com a revelação esquiva a Moisés e Elias, "não podes ver o meu rosto, porque ninguém pode vê-lo e continuar vivendo" (Ex 33,20); "o Senhor não estava no vento... não estava no fogo..." (1Rs 19,11s). Dois aoristos gregos registram o fato passado, dois perfeitos registram seu resultado permanente (ouvimos e vimos). O apalpar, como alusão provável a Tomé (Jo 20,27), sugere a ressurreição, não explícita na carta.
Manifestação e anúncio não se esgotam em informação e conhecimento intelectual, mas desembocam na participação nessa vida transcendente. (Como pelo conhecimento interpessoal participamos na vida do outro, mas em plano superior.) Isso extravasa de forma inimaginável a promessa do AT: "ele é tua vida... na terra" (Dt 30,20). Semelhante conhecimento pode produzir já uma alegria completa (Jo 15,11). A mensagem do apóstolo é toda positiva e expansiva.

1,5-7 Aqui começa a desenvolver seu pensamento por oposições radicais, com o símbolo clássico de luz e trevas. Corrente em muitas culturas, no AT, no NT, e concretamente referido a Jesus, no evangelho de João (Jo 1,4-5; 3,19.21; 8,12 etc.). O símbolo se aplica à conduta humana com suas consequências (cf. Is 59,10). Também começa aqui o procedimento estilístico da oração condicional, frequente na carta (p. ex. 1,6.8.9.10; 2,1.4 etc.). Nem sempre significa uma condição para obter algo, mas serve para um enunciado hipotético que de algum modo se qualifica: "Se dizemos..." pode indicar consequência, mais que condição.

1,5 "Sem trevas": Tg 1,17 (cf. Sl 36,10, e por contraste Eclo 17,30-32).

1,7 Note-se o paralelismo "partilhamos sua vida/partilhamos nossa vida". "Nos limpa": Hb 7,14.22. O "sangue" retorna no final da carta, 5,8.

nossa vida, e o sangue de seu Filho Jesus nos limpa de todo pecado.

Pecado e obediência – ⁸Se dizemos que não pecamos, nos enganamos e não somos sinceros. ⁹Se confessamos nossos pecados, ele é fiel e justo para nos perdoar os pecados e lavar-nos de todo delito. ¹⁰Se dizemos que não pecamos, fazemos dele um mentiroso e não conservamos sua mensagem.

2 ¹Meus filhos, eu vos escrevo isso para que não pequeis. No entanto, se alguém peca, temos um advogado diante do Pai, Jesus Cristo, o Justo. ²Ele expia nossos pecados, e não só os nossos, mas os do mundo todo. ³Sabemos que o conhecemos se cumprimos seus mandamentos. ⁴Quem diz que o conhece e não cumpre seus preceitos, mente e não é sincero. ⁵Mas quem cumpre sua palavra tem de fato o amor de Deus plenamente. Nisso conhecemos que estamos com ele. ⁶Quem diz que permanece com ele deve agir como ele agiu.

O mandamento do amor e a luz – ⁷Queridos, não vos escrevo um preceito novo, mas o preceito antigo que recebestes no princípio. O preceito antigo é a mensagem que escutastes. ⁸De certo modo, porém, vos escrevo um preceito novo, que se torna realidade nele e em vós; porque se afastam as trevas e já brilha a luz verdadeira.

⁹Quem diz que está na luz mas odeia seu irmão continua em trevas. ¹⁰Quem ama seu irmão permanece na luz e não tropeça. ¹¹Quem odeia seu irmão está em trevas, caminha em trevas e não sabe aonde vai, pois a escuridão lhe cega os olhos.

Os cristãos e o mundo – ¹²Meus filhos, eu vos escrevo, pois em nome dele vossos pecados estão perdoados.

1,8-10 Unidos ao v. 6, são um apelo à sinceridade radical, diante do auto-engano e do "fazer dele um mentiroso" (ver 5,10). Pois quem nega seu pecado não pode receber a purificação pelo sangue de Jesus; quem o confessa, a recebe. Sendo tão importante a confissão do pecado, baste recordar textos como Pr 20,9: "Quem se atreverá a dizer... estou limpo de pecado?" (Sl 32,3-5; 1Rs 8,46). É "fiel e justo": como parte justa/inocente, pode perdoar a parte culpada; como fiel, cumprirá a promessa.

2,1-6 O eixo dessa seção é a oposição pedir/cumprir seus mandamentos. Em torno do eixo situam-se duas realidades em posição assimétrica. Ao cumprimento se associam o "conhecimento" e o "amor" de Deus. Ao pecado são concedidos perdão e expiação pela mediação de Jesus Cristo.

2,1 É "advogado" (Lc 23,34); em Jo 14,18 esse título é dado ao Espírito Santo. Ao dizer "o Pai" sem possessivo, considera-o de Jesus e nosso.

2,2 "Expia": Jo 1,29; Rm 3,25.

2,3 Começam aqui outros dois procedimentos de estilo frequentes na carta. a) "Quem... aquele que..." serve para determinar e qualificar uma atitude, a eleva quase a aforismo (2,4.6.9.10.11.15.22.23 etc.). b) A explicação "nisso conhecemos..., sabemos..." expressa a preocupação do autor em dissipar mal-entendidos, de dar sinais e critérios reconhecíveis (2,3.5.29; 3,2.10.14.16.19.24 etc.). As séries não discorrem com rigor, e mais de uma vez sujeitos e predicados se cruzam. Nesse parágrafo, o critério é cumprir os mandamentos (como em Jo 14,21; 15,10).

2,5 Com frequência o autor usa a construção grega *einai en* na 1ª pessoa. Tratando-se de pessoa nós dizemos "estar com N." O autor imagina Deus ou Jesus Cristo como ponto de apoio ou espaço vital.

2,6 É o princípio da imitação como norma de vida espiritual.

2,7-11 No parágrafo anterior falou de "mandamentos", identificados com a "mensagem" (*lógos*). Agora concentra o plural num singular, identificado também com a "mensagem". É o mandamento antigo, relacionado com o eixo luz/trevas do parágrafo anterior. É antigo, porque já estava em Lv 19,18 (citado em Mt 5,43 par.). É novo, pois o que era puro mandamento, em Jesus se torna realidade (cf. Jo 1,17) e, por ele, por seu exemplo e dinamismo, também "em vós", os cristãos (Jo 13,34).
Explica-o com três particípios gregos contrapostos: "quem odeia, quem ama, quem odeia" colocados nos reinos opostos da luz e das trevas. Temos em português uma palavra metafórica, "obscurantismo". Para João, o obscurantismo é o ódio, que cega, desorienta e faz tropeçar (cf. Jo 8,12; Pr 4,19).

2,8 Com certa frequência o autor menciona "ele (nele), aquele", e se refere a Jesus ou a Jesus Cristo; os dois nomes que usa e mistura com moderação.

2,12-29 Essa nova seção está unida dialeticamente à anterior. O mundo das trevas ou do pecado se apresenta com uma concreção simbólica em três figuras: o Maligno, o Mundo, o Anticristo. Todo o sistema de valores falsos ou antivalores (2,16), que a sociedade partilha e impõe, que a tradição transmite e mantém, se coagulam numa potência que, em linguagem mítica ou simbólica, se chama o Mundo (2,15-17). É rival e hostil ao Pai; é transitório. Essa potência é regida por um chefe, personificação ou pessoa, que se chama o Maligno (2,13s; 5,19); figura hostil e agressiva (João parece considerá-la como pessoa). Anticristo é o rival do Messias autêntico: nega que Jesus seja o Messias e afirma seu próprio messianismo (2,22; 4,3). Ao mesmo tempo e logicamente lhe nega o título de Filho de Deus, com o que correlativamente nega a Deus o título de Pai (2,23). A presença ativa do Anticristo, em suas diversas manifestações, prova que vivemos já

¹³Eu vos escrevo, pais, porque conheceis aquele que existe desde o princípio.

Eu vos escrevo, jovens, porque vencestes o Maligno.

¹⁴Eu vos escrevo, rapazes, porque conheceis o Pai.

Eu vos escrevo, jovens, porque sois fortes, conservais a mensagem de Deus e vencestes o Maligno.

¹⁵Não ameis o mundo e o que há nele: quem ama o mundo não possui o amor do Pai. ¹⁶Tudo o que há no mundo, a cobiça sensual, a cobiça do que se vê, o gabar-se da boa vida, não procede do Pai, mas do mundo. ¹⁷E o mundo passa com suas cobiças; mas quem cumpre a vontade de Deus permanece para sempre.

O Anticristo e a unção do Espírito –
¹⁸Jovens, estamos na última hora. Ouvistes que deve vir o Anticristo. Pois bem, vieram muitos anticristos, e isso nos mostra que é a última hora. ¹⁹Saíram do nosso meio, mas não eram dos nossos. Se fossem dos nossos, teriam permanecido conosco. Assim mostraram que não eram dos nossos.

²⁰Vós recebestes do Espírito a unção, e todos sois expertos.

²¹Não vos escrevo porque desconheceis a verdade, mas porque a conheceis e porque nada de falso procede da verdade. ²²Quem é o mentiroso a não ser quem nega que Jesus é o Messias? O Anticristo é este: quem nega o Pai e o Filho. ²³Quem nega o Filho não aceita o Pai; quem confessa o Filho aceita o Pai. ²⁴Vós conservais o que ouvistes desde o princípio. Se conservardes o que ouvistes desde o princípio, também vós permanecereis com o Filho e com o Pai. ²⁵Pois tal é a promessa que ele nos fez: a vida eterna.

---

na etapa definitiva (2,18), que cada hora é decisiva porque exige a decisão por Cristo perante qualquer messianismo rival (cf. Lc 2,34).
Para a luta contra esses poderes, força e engano, nos é dado o Espírito em forma de unção (2,20.27). Costumamos imaginar a unção como algo suave e penetrante ou envolvente; a cultura grega conhecia o óleo também como tonificante dos músculos dos atletas. João parece pensar numa espécie de consagração que torna o cristão "experiente, instruído", capaz de discernir entre verdade e falsidade (2,27).
2,12-14 Vitória sobre o Maligno e sobre o Mundo, que é o reino daquele. Primeiro propõe uma série de cinco enunciados simétricos, de construção ambígua. O *hóti* grego pode introduzir oração completiva ou causal: "eu vos escrevo que... eu vos escrevo porque..." Conforme a primeira leitura, o autor quer assegurar e dar confiança a seus destinatários. Conforme a segunda, justifica o envio da carta.
São cinco enunciados encadeados. O primeiro, o terceiro e o quinto se referem à vitória sobre o pecado pelo perdão e sobre o Maligno pela luta. O segundo e o quarto são duplamente correlativos: os pais, que entendem de filhos, reconhecem o Filho primordial; os jovens, que sabem de pais, reconhecem o Pai celeste. Pais e jovens ou rapazes podem designar idades diversas para englobar todos (cf. Ml 3,23-24, retocado em Lc 1,17). Os cinco enunciados devem ser lidos formando unidade de sentido. A fase de libertação inclui o perdão dos pecados e a vitória sobre o Maligno (cf. Sl 91,13; Jo 16,11; Mt 6,13 par.). A fase de elevação é o conhecimento do Cristo preexistente e do Pai (cf. Mt 11,27; Lc 10,22).
2,15-17 Rejeição do mundo. Mundo tem aqui o valor negativo corrente em João (p. ex. 12,31, também Tg 4,4); segundo 5,19 "...inteiro pertence ao Maligno". Opõe-se ao Pai. A caracterização do mundo não pretende ser uma síntese completa, tripartida, mas sim uma seleção que destaca a "cobiça": talvez com recordação da vista e desejo de Gn 3,8. Sobre o gabar-se, ver Sl 49,19. Mas o mundo passa (1Cor 7,31). "Cumprir a vontade": Mt 6,10 par.
2,18-29 A nova oposição é Anticristo/unção do Espírito. Se o conceito pode vir de 2Ts 2,4, o nome "Anticristo" parece cunhado por João. Equivale a antimessias, pseudomessias (Mt 24,23; Mc 13,21), com atitude de rivalidade e hostilidade. Preocupa a João a atividade de propagandistas que semeiam confusão com seus enganos. Por um lado, propõe critérios claros e simples de discernimento; junto com isso, apela para a presença e ação do Espírito nos fiéis e para a tradição doutrinal que receberam. A tradição remonta ao começo (cf. Gl 1,6-7), a unção é "infalível". O Anticristo não é um indivíduo único, mas um coletivo ou uma pluralidade. E isso pode torná-los mais perigosos ou mais difíceis de identificar. Brotam do seio da comunidade, como os falsos profetas de Israel (Dt 13,2-6; Jr 23; Ez 13). O Espírito se comunica pela "unção" que consagra, transforma e capacita (ver os exemplos de Saul e Davi, 1Sm 10,6-7; 16,13). Sua função nesse parágrafo é iluminar e ensinar internamente (cf. Is 11,2; Jr 31,34; Sl 16,7). Comparar com sua função em Jo 14,26; 15,26-27.
O critério é simples: aceitar Jesus como Messias, com todas as suas consequências, ou seja, glorificado; isso implica reconhecê-lo como Filho de Deus em sentido forte. As repetidas declarações do evangelho aclaram esses enunciados (Jo 5,23; 15,23; 16,3). A presença dos anticristos mostra que chegou "a última hora" (Jo 4,23; 5,25). Os cristãos devem conservar o aprendido (v. 24) e a unção (v. 27) e permanecer constantes até a "vinda" de Cristo.
2,20 Expertos nos assuntos da vida cristã.
2,21 A "verdade" é a mensagem do evangelho, do qual não se segue falsidade alguma, a não ser que o falsifiquem antes.
2,22 Pai e Filho são conceitos correlativos, implicam-se mutuamente. O Deus verdadeiro é o Pai de Jesus Cristo.
2,25 A promessa: Jo 17,2.

²⁶Eu vos escrevi isso a respeito dos que vos enganam. ²⁷Vós conservais a unção que recebestes dele, e não tendes necessidade de que alguém vos ensine; pois a unção dele, que é verdadeira e infalível, vos instruirá a respeito de tudo. Aquilo que vos ensinar, conservai-o. ²⁸Agora, pois, filhinhos, permanecei com ele e, assim, quando aparecer, teremos confiança e não nos envergonharemos dele quando vier. ²⁹Se sabeis que ele é justo, sabereis que filho dele é quem pratica a justiça.

3 Filhos de Deus –
¹Vede que grande amor o Pai nos mostrou: sermos chamados filhos de Deus e o somos. Por isso o mundo não nos reconhece, porque não o reconhece. ²Queridos, já somos filhos de Deus, mas ainda não se manifestou o que seremos. Sabemos que, quando ele aparecer, seremos semelhantes a ele e o veremos como ele é. ³Quem espera nele desse modo purifica-se, como ele é puro.

⁴Quem comete pecado viola a lei: o pecado é a rebeldia contra a lei. ⁵E sabeis que ele apareceu para tirar os pecados, e ele próprio não teve pecado. ⁶Quem permanece com ele não peca; quem peca não o viu nem conheceu. ⁷Filhinhos, que ninguém

---

2,28 O autor joga com a consonância em grego de "confiança" e "vinda".

2,29 O v., com 3,10 e 3,24, serve de ligação. O v. 29 acrescenta um elemento novo, "filho seu", que se desenvolve a seguir. 3,10 repete 2,29 acrescentando um dado, "ama seu irmão", que é explicado a seguir. Por sua vez, 3,24 introduz o tema do Espírito, que ocupa a seção seguinte.

3,1-10 À guisa de introdução. Tema capital da revelação é nossa filiação divina; não por mero título extrínseco, mas por transformação da pessoa (3,1). Essa filiação se manifesta em seus efeitos e se contrapõe a outra filiação, não simétrica, "filhos do Diabo" (3,6-10). Contraposição é um dos princípios que governam a carta: não é estranho encontrá-la nesse momento tão importante. Mas, além de tudo, tem outra função. O autor não propõe aqui personagens concretos, históricos ou atuais, e sim tipos (também Caim é visto como tipo). Os tipos são estilizações que simplificam a complexidade, em busca de uma pureza ideal, exemplar. Ora, o tipo "Filho de Deus" por natureza, enquanto tal (perfeito *gegénnetai*), não peca nem pode pecar. Quem peca mostra ser de outra natureza, filho daquele que desde a sua origem é pecador, o Diabo (igual ao Maligno de antes). Então, como se explica que os cristãos, filhos de Deus, pequem de fato? Porque ainda não está consumada sua natureza (3,2) nem acabada a "semelhança"; o Diabo ainda pode agir neles.

"Pecador desde o princípio": refere-se à tentação do paraíso ou ao caso aduzido, a aparição da morte na humanidade, Abel e Caim (3,11). Para um semita, o começo define a natureza (*natura a natu*).

O novo tema se ordena em torno do eixo de oposições: filhos de Deus/filhos do Diabo, não pecado/pecado, justiça/iniquidade. Os extremos se apuram para expressar o inconciliável, e isso explica algumas formulações paradoxais. A esse eixo se acrescenta no parágrafo a "tensão escatológica", ou seja, entre o que já é e o que será.

"Filhos de Deus". No AT, Deus é pai do povo inteiro e do rei que o representa (p. ex. Ex 4,23 e Sl 2,7); só textos tardios o aplicam a um indivíduo particular (Eclo 51,10). No AT, a paternidade/filiação é uma revelação central (Jo 1,12; Rm 8,23). É paradoxal a expressão "sua semente". Só Malaquias fala de "descendência divina" (2,15) referindo-se ao matrimônio legítimo e aludindo a Gn 1,27. Outros textos falam de "derramar espírito" sobre a estirpe = semente (Is 32,15; 44,3). João diz mais: "ele" deve referir-se ao Pai; a "semente" é o próprio Jesus Cristo, ou é a palavra vital e fecunda da parábola? (Mt 13,38).

"Filhos do Diabo": Jo 8,44 o explica. O Diabo é "pecador desde o princípio" ao seduzir Eva (Gn 3; Sb 2,24). Cristo veio destruir a ação do Diabo (Lc 11,21 par.).

O pecado (= iniquidade) é inconciliável com Deus e com Cristo (Jo 8,46), que veio tirá-lo (Jo 1,29). E é inconciliável com quem vive a filiação divina: o grego usa aqui um verbo de resultado permanente (no perfeito; comparar com o modismo português "está feito um campeão, um artista etc."). "Iniquidade" é, segundo a etimologia grega, vida "sem lei", rebeldia à lei (de Deus). Com ela Paulo caracteriza o Diabo ativo no mundo (2Ts 3,7). A "justiça" é o contrário do pecado e da iniquidade; é uma marca de pertença.

A semelhança. Um filho se assemelha naturalmente a seu pai (Gn 5,3). Pode também parecer quando imita sua conduta. Por sua filiação batismal, o cristão já se parece com Deus, seu Pai; mas deve esforçar-se por afinar a semelhança. Deve ser "puro" e "justo" como ele (o Pai ou Cristo). A semelhança já existe e pode ir crescendo (2Cor 3,18). Só será completa e se manifestará totalmente quando Cristo glorioso se manifestar na parusia. Então nós que agora vemos "no espelho", o veremos como é (1Cor 13,12). O grego *hóti* pode ser completivo ou causal, "que" ou "porque". O mundo não reconhece como seus os que parecem com Deus, pois o mundo "pertence ao Diabo".

Nesse parágrafo, o autor propõe dois sinais de identificação (2,10) e prodigaliza os enunciados quase aforísticos com particípio "quem...". O v. 10 introduz o tema seguinte, já tratado (1,7-11).

3,1 No projeto inicial a fecundidade é fruto do amor conjugal; assim nossa filiação brota do amor de Deus.

3,2 O olhar (a visão) transforma (cf. Sl 34,6).

3,5 Há duas "aparições" de Jesus: a histórica (nesse v.), a parusia (v. 2).

3,6 O grego usa dois perfeitos, algo como "não o viu nem o conheceu".

vos engane: quem pratica a justiça é justo como ele. ⁸Quem comete pecado procede do Diabo, porque o Diabo é pecador desde o princípio. E o Filho de Deus apareceu para destruir as obras do Diabo. ⁹Ninguém que seja filho de Deus comete pecado, pois conserva sua semente; e não pode pecar, porque foi gerado por Deus. ¹⁰Assim se demonstra quem é filho de Deus e quem do Diabo: quem não pratica a justiça nem ama seu irmão não vem de Deus.

O preceito do amor – ¹¹Porque a mensagem que ouvistes desde o princípio é que vos ameis uns aos outros. ¹²Não como Caim, que vinha do Maligno e assassinou seu irmão. E por que o assassinou? Porque suas ações eram más e as de seu irmão eram boas. ¹³Não vos espanteis, irmãos, se o mundo vos odeia. ¹⁴Sabemos que passamos da morte para a vida, porque amamos os irmãos. Quem não ama permanece na morte. ¹⁵Quem odeia seu irmão é homicida, e sabeis que nenhum homicida conserva dentro de si vida eterna. ¹⁶Conhecemos o que é o amor naquele que deu a vida por nós. E também nós devemos dar a vida pelos irmãos. ¹⁷Se alguém possui bens do mundo e vê seu irmão necessitado e lhe fecha as entranhas e não se compadece dele, como pode conservar o amor de Deus? ¹⁸Filhinhos, não amemos de palavra e com a boca, mas com obras e de verdade. ¹⁹Assim conheceremos que procedemos da verdade, e diante dele teremos a consciência tranquila. ²⁰Pois, embora a consciência nos acuse, Deus é maior que nossa consciência e sabe tudo. ²¹Queridos, se a consciência não nos acusa, podemos confiar em Deus, ²²e receberemos dele o que pedirmos, porque cumprimos seus mandamentos e fazemos o que lhe agrada. ²³E este é o seu mandamento: que creiamos na pessoa de seu Filho Jesus Cristo e nos amemos uns aos outros, como ele nos ordenou. ²⁴Quem cumpre seus mandamentos permanece com Deus, e Deus com ele. E sabemos que ele permanece conosco pelo Espírito que nos deu.

4 Discernimento de espíritos – ¹Queridos, não vos fieis de qualquer espírito; ao contrário, comprovai se os espíritos vêm de Deus; pois muitos falsos profetas vieram ao mundo. ²Nisto reconhecereis o Espírito de Deus: todo espírito que confessa que Jesus Cristo veio em carne mortal, vem de Deus; ³todo espírito que não confessa Jesus não vem de Deus, mas do Anticristo. Ouvistes que viria, agora já está no mundo.

3,8 Ver a expressão polêmica de Jo 8,44.
3,11-24 A perícope se abre e se encerra com o tema do amor fraterno (vv. 11 e 23-24a; 24b introduz a seguinte). O tema está indissoluvelmente unido à fé em "seu Filho Jesus Cristo". Como opostos a esse amor, propõe o caso extremo do homicídio e o mais frequente, a negação de ajuda. No meio da perícope insere outro item, o da consciência (*kardia*).
O eixo desse parágrafo é o amor/ódio ao próximo, que está unido de forma assimétrica a vida/morte. O amor leva vida, é sinal de vida e comunica vida. O ódio leva morte e produz morte. Mas o amor, este é o paradoxo, pode enfrentar a morte para salvar a vida de outro. Cristo morrendo deu vida e deixou exemplo de sacrifício por amor (Jo 13,34-35; 15,12-13).
O parágrafo usa uma vez o esquema condicional para dissipar confusões (v. 17), três vezes o esquema do sinal para discernir (vv. 16.19.24), duas vezes o esquema do particípio "quem..." (vv. 14.15).
3,12 A figura de Caim é tirada de Gn 4 através de tradições rabínicas, que acrescentam dados ao relato bíblico original. O amor se manifesta nas obras (Is 58,7; Pr 3,27-28; Dt 15,7), se reconhece nelas e tranquiliza a consciência (v. 19).
3,13 Veja-se a bem-aventurança de Mt 5,11; também Jo 15,18; 17,14.
3,14 Sobre o passar da morte para a vida, ver Jo 5,24.
3,15 O ódio é uma forma de homicídio incipiente e pode conduzir ao homicídio consumado. Ao ser inimigo da vida alheia, confina a este mundo a própria. Ver Mt 5,21s; Jo 8,44.
3,16 Ver Jo 10,11; 13,1.14; 15,13.
3,17 O amor a Deus, ou o amor ao próximo que Deus infunde.
3,20 "Maior": porque conhece e compreende "nossa argila" (Sl 103,14).
3,22 Ver Mt 7,7; Mc 11,24; Jo 14,13.
4,1-6 O AT opõe ao "espírito do Senhor", dinâmico e benigno, um "espírito maligno": como na história de Saul (1Sm 16,14). Como a profecia é dom do espírito (2Rs 2,9.15), distinguem-se o espírito verdadeiro e o falso: ver o exemplo clássico de 1Rs 22; Habacuc o chama "mestre de mentiras" (2,1.18). João se preocupa sobretudo com o espírito enganoso (Mt 7,15) e quer oferecer um critério simples para discerni-lo (como Paulo em 1Cor 12,3). A pedra de toque é a encarnação de Jesus Cristo, e sua morte redentora é condição. É o que "vimos e apalpamos" diante de um docetismo incipiente.
Em lugar de "não confessa", alguns manuscritos gregos e versões leem "todo espírito que dissolve Jesus", ou seja, que dissolve sua realidade humana

⁴Meus filhinhos, vós procedeis de Deus e os derrotastes, pois aquele que está em vós é mais poderoso do que aquele que está no mundo. ⁵Eles são do mundo; por isso falam de coisas mundanas e o mundo os escuta. ⁶Nós somos de Deus, e quem conhece a Deus nos escuta, e quem não é de Deus não nos escuta. Assim o espírito da verdade nós o distinguimos do espírito da mentira.

Deus é amor – ⁷Queridos, amemos uns aos outros, pois o amor vem de Deus; todo aquele que ama é filho de Deus e conhece a Deus. ⁸Quem não ama não conheceu a Deus, já que Deus é amor. ⁹Deus demonstrou o amor que tem por nós enviando ao mundo seu Filho único, para que vivamos graças a ele. ¹⁰Nisto consiste o amor: não fomos nós que amamos a Deus, mas ele nos amou e enviou seu Filho para expiar nossos pecados. ¹¹Queridos, se Deus nos amou tanto, também nós devemos amar-nos uns aos outros. ¹²Ninguém jamais viu a Deus: se nos amarmos uns aos outros, Deus permanece em nós, e o amor de Deus está consumado em nós. ¹³Reconhecemos que está conosco, e nós com ele, porque nos fez participar do seu Espírito. ¹⁴Nós o contemplamos e testemunhamos que o Pai enviou seu Filho como salvador do mundo. ¹⁵Se alguém confessar que Jesus é o Filho de Deus, Deus permanece com ele e ele com Deus. ¹⁶Nós conhecemos e cremos no amor que Deus teve por nós. Deus é amor: quem conserva o amor permanece com Deus e Deus com ele. ¹⁷O amor chegará em nós à sua perfeição se formos no mundo o que ele foi e esperarmos confiantes o dia do julgamento. ¹⁸No amor não há lugar para o temor; ao contrário, o amor desaloja o temor. Pois o temor se refere ao castigo, e quem teme não alcançou um amor perfeito. ¹⁹Nós amamos porque ele nos amou primeiro. ²⁰Se alguém diz que ama a Deus mas odeia o próprio irmão, mente; pois se não ama o irmão seu a quem vê, não pode amar a Deus a quem não vê. ²¹E o mandamento que nos deu é que quem ama a Deus ame também o próprio irmão.

5 Vitória da fé – ¹Todo aquele que crê que Jesus é o Messias é filho de Deus,

---

em aparência, ou separa a realidade humana da sua função messiânica. Esses espíritos vêm do Anticristo (cf. 2Ts 2,4), pertencem ao mundo (2,15-17). Têm algum poder, porém aquele que os venceu é mais poderoso (Jo 16,33; Mt 12,29 par.).

4,7-12 Depois do parênteses sobre os espíritos, continua o discurso sobre o amor, agora elevando-se ao mais alto. João não descreve nessas linhas um itinerário cronológico; situa-se antes num ponto de percepção unitário que abrange todo o horizonte. Como contemplador onisciente, pode mover-se em qualquer direção. Se quiséssemos extrair um itinerário, teríamos o seguinte: A origem do amor é Deus, que é amor (vv. 8.16), manifesta-se no dom do seu Filho, como iniciativa gratuita (vv. 10.14.19). Nós o percebemos e acolhemos com a fé. Nós o vivemos no amor a ele e ao próximo (vv. 7.11s.20s). Nós o conservamos com esperança e sem temor (vv. 16.18). Entre amar a Deus e amar o próximo, qual é o primeiro? Poderíamos opor 4,20 e 5,2; para João, são correlativos e inseparáveis.
Nesses vv. se repete 29 vezes a raiz *agap*; mais outras cinco em 5,1-3. Menciona-se o Espírito (v. 11) da seção precedente, e a fé (v. 16) da seguinte.
Nesse amplo parágrafo, monotemático, a carta alcança seu ápice, quando tenta e ousa definir Deus. *Ens a se* ou "infinito", sentença a metafísica. "Deus é amor", afirma João. "O amor é uma divindade", dizem algumas religiões; "Deus é amor", afirma João. O horizonte de Sb 11,24 é o universo: "amas todos os seres e não detestas nada do que fizeste"; o de João é a salvação (v. 14). Numa definição, é preciso entender o predicado. Ora, o amor não se entende teoricamente, mas sim por experiência inter-humana (vv. 7-8). Não que preceda ontologicamente o amor do homem (vv. 10.19), pois todo amor autêntico "procede de Deus" (v. 7) e se comunica por seu Espírito (v. 13). Deus demonstra seu amor, enviando seu Filho como Salvador, para dar vida (vv. 9.14), e o homem pode reconhecer o amor de Deus (v. 16). O amor de Deus é comunicativo: transforma o homem em sua imagem (v. 17), permite e exige que o homem ame a Deus e ao próximo (vv. 12.20). Os dois amores se implicam mutuamente, de modo que um sem o outro não é real. Só que o amor ao próximo é mais fácil de comprovar. O amor perfeito exclui o temor do julgamento e do castigo (vv. 17-18). Pelo amor ao próximo, ainda que não vejamos a Deus (vv. 12.20; Jo 1,18), sabemos que Deus permanece em nós e conosco (vv. 12-13). Ver como paralelos Jo 13,34; 3,16; 17,26.
4,9 Ver a declaração a Nicodemos em Jo 3,16; Rm 5,7-8.
4,12 Ver Jo 1,18.
4,13 Ver Rm 5,5.
4,14 Ver a confissão dos samaritanos em Jo 4,42.
4,18 Ver Rm 8,15.
4,21 Ver Mt 22,37-40.
5,1-13 Podemos de antemão isolar algumas linhas nesse complexo parágrafo. A linha do crer, amar, cumprir (vv. 1-3). A linha do amor: ao Pai, ao Filho de Deus, aos filhos de Deus (vv. 1-2). O processo: o mundo se vence com a fé, a fé se apoia no testemunho, o testemunho promete vida.
No parágrafo anterior, o tema da fé (vv. 13.15) estava entremeado com o tema dominante do amor. No

e todo aquele que ama o Pai ama também o Filho. ²Se amamos a Deus e cumprimos seus mandamentos, é sinal de que amamos os filhos de Deus. ³Pois o amor de Deus consiste em cumprir seus mandamentos, que não são pesados. ⁴Todo aquele que é filho de Deus vence o mundo; e esta é a vitória que vence o mundo: a nossa fé. ⁵Quem vence o mundo, senão quem crê que Jesus é o Filho de Deus? ⁶É aquele que veio com água e sangue: não só com água, mas com água e sangue. E o Espírito, que é a verdade, dá testemunho. ⁷Três são as testemunhas: ⁸o Espírito, a água e o sangue, e os três concordam. ⁹Se aceitamos o testemunho humano, mais convincente é o testemunho de Deus. ¹⁰Quem crê no Filho de Deus possui o testemunho; quem não crê em Deus o torna mentiroso, por não crer no testemunho que Deus deixou a respeito do seu Filho. ¹¹O testemunho declara que Deus nos deu vida eterna e que essa vida está no seu Filho. ¹²Quem aceita o Filho possui a vida; quem não aceita o Filho de Deus não possui a vida. ¹³Escrevo isso a vós, que credes na pessoa do Filho de Deus, para que saibais que tendes vida eterna.

Nossas certezas – ¹⁴Dirigimo-nos a Deus com a confiança de que, se pedirmos alguma coisa segundo a sua vontade, ele nos escutará. ¹⁵E se sabemos que nos escuta quando lhe pedimos, sabemos que contamos com o que pedimos. ¹⁶Se alguém vê seu irmão cometendo um pecado que não é mortal, reze, e Deus lhe dará vida. Refiro-me aos que pecam não mortalmente: pois há pecados que são mortais*; por esses não digo que reze. ¹⁷Toda iniquidade é pecado, mas há pecados que não acarretam a morte.

¹⁸Sabemos que quem é filho de Deus não peca, pois o Gerado por Deus o protege, para que o Maligno não toque nele.

¹⁹Sabemos que procedemos de Deus, ao passo que o mundo inteiro pertence ao Maligno.

---

presente, o tema do amor introduz o tema dominante da fé. Os particípios gregos no-lo indicam: "todo aquele que crê... quem crê... quem aceita..." (vv. 1.5.12); e se exalta nossa fé vitoriosa (v. 4). A fé se apoia no testemunho, que é o tema correlativo dominante. À nossa fé se opõe o mundo com seus critérios; mas o mundo já está vencido (Jo 16,33). A fé, mais do que simples assentimento intelectual, é adesão vital, "aceitação" alegre, pela qual nos unimos a Jesus Cristo e dele recebemos vida eterna (Jo 20,31).
Objeto da fé é Jesus Cristo: que é o Messias (v. 1), o Filho de Deus (v. 5), que possui e comunica vida (v. 11).
5,1 Utiliza o verbo *gennao*, "gerar": aquele que crê, foi gerado... quem ama aquele que gerou, ama aquele que foi gerado (o último pode-se entender do Filho ou de qualquer cristão, cf. 1Pd 1,22s).
5,3 Cf. Mt 11,30; Dt 30,11.
5,4 "É filho": em grego "foi gerado" no perfeito de resultado; ou seja, quem mantém realizada a filiação, quem a vive.
5,6-9 A fé se apoia num testemunho plural. A lei exigia duas ou três testemunhas (Dt 17,6 e 19,15). Jesus exibe três testemunhas: a água do batismo e da cruz (1,31; Jo 19,34); o sangue do sacrifício (Jo 19,34); o Espírito manifestado no batismo (Jo 1,32-34) e operante na Igreja (Jo 14,16.26; 16,13-14). Tal é o "testemunho de Deus acerca do seu Filho" (cf. Jo 8,14-18). Cabe ao homem aceitar testemunho tão solene e fidedigno.
A partir do final do séc. IV, faz sua aparição uma interpolação, que lentamente penetrou em manuscritos da Vulgata latina (a partir do ano 800). Diz assim: *"Três são os que dão testemunho no céu: o Pai, a Palavra e o Espírito, e os três estão de acordo."*
5,9 Sobre o testemunho, pode-se ver Jo 5,32.36; 8,18; 10,37s.
5,11-12 O testemunho do Pai a favor do seu Filho é também a nosso favor, porque afirma que no Filho temos a vida eterna.
5,13-21 O final da carta está pontuado por quatro certezas e serve para recapitular vários temas: vida, Espírito, mundo, Maligno, pecado, confiança, Filho de Deus, filhos de Deus.
5,14-15 A primeira certeza se refere à oração e se chama confiança. Há salmos que chamamos "de confiança", que a expressam ou a fomentam. João formula uma condição clássica: "segundo a sua vontade" (cf. Mt 7,7; Jo 16,24; para o exemplo de Cristo, Jo 11,42).
5,16-17 Pelo termo "vida" une-se aos vv. 11-13; pela súplica liga-se à intercessão de 2,1. Um caso de pedido é orar pelo irmão pecador. É segundo a vontade de Deus que "quer que se converta e viva" (Ez 18,23.32). Contudo, há casos em que Deus rejeita a intercessão, porque já deu a sentença irrevogável de morte (Jr 14,11-15,2). Esse texto começa e termina assim: "Não intercedas em favor desse povo... O destinado à morte, à morte" (cf. Mt 12,31 par.; Hb 10,26-31).
5,16 * Ou: *que acarretam a morte.*
5,18 Segunda certeza, sobre a incompatibilidade entre pecado e filiação divina. O grego joga com dois particípios do verbo gerar: perfeito para o cristão, aoristo para o Filho. Aquele que foi gerado protege aquele que tem sido gerado (Jo 17,13). Alguns manuscritos leem de outro modo: o Gerado por Deus se protege por si mesmo.
5,19 Terceira certeza: procedemos de Deus (cf. Jo 8,47) e não temos nada em comum com o mundo e o Maligno.

²⁰Sabemos que o Filho de Deus veio e nos deu inteligência para conhecer o Verdadeiro. Estamos com o Verdadeiro e com o seu Filho Jesus Cristo. Ele é o Deus verdadeiro e vida eterna. ²¹Filhinhos, guardai-vos dos ídolos.

5,20 Quarta certeza: a encarnação do Filho e sua revelação do Deus verdadeiro (Mt 11,27 par.; Jo 7,28; 1Ts 1,9). Nossa união com o Pai e o Filho nos comunica vida eterna. E nos afasta de qualquer idolatria.

SEGUNDA E TERCEIRA CARTAS DE JOÃO

INTRODUÇÃO

Tem-se discutido a autenticidade destas duas breves cartas. Na Antiguidade duvidou-se por algum tempo da sua canonicidade. Hoje em dia os críticos vacilam diante da questão. É indubitável que as três cartas ou duas delas têm elementos comuns. A brevidade de ambas e a economia alusiva da mensagem deixam amplo campo à especulação, e a desqualificam. É importante que sejam ou não de João evangelista? O autor se apresenta com o título "o Ancião": por causa da idade ou da função? Os antigos falaram da longevidade do apóstolo; o autor fala com autoridade, como responsável por outra comunidade, que chama de Senhora e mãe de filhos, segundo imagem conhecida do AT (p. ex. Br 4,9-5,8). Também a comunidade própria é mãe de filhos e irmã, da mesma categoria, da anterior, em comunhão com ela. O problema da segunda é doutrinal, cristológico, o mesmo da primeira carta. O problema da terceira é de organização, pela ambição de um rival; recomenda os missionários itinerantes. Supõe-se que as duas cartas foram escritas no final do séc. I.

SEGUNDA CARTA DE JOÃO

¹Do Ancião para a Senhora escolhida e seus filhos a quem amo de verdade; e não só eu, mas todos os que conheceram a verdade; ²pela verdade que permanece em nós e permanecerá sempre: ³conosco estará a graça, misericórdia e paz da parte de Deus Pai e de Jesus Cristo, Filho do Pai, junto com a verdade e o amor.

⁴Foi para mim uma grande alegria encontrar entre teus filhos alguns que caminham segundo a verdade, segundo o mandamento recebido do Pai. ⁵Agora, Senhora, não te escrevo um preceito novo, mas o que tínhamos desde o princípio: que nos amemos uns aos outros. ⁶O amor consiste em caminhar segundo os seus mandamentos; e esse é o mandamento que ouvistes no princípio, para que caminheis de acordo com ele.

⁷Muitos impostores vieram ao mundo dizendo que Jesus Cristo não veio em carne mortal: eles são o impostor e o Anticristo. ⁸Ficai atentos para não perder o fruto do vosso trabalho; ao contrário, para receber o pagamento pleno. ⁹Quem se excede e não se conserva no ensinamento de Cristo não conta com Deus. Quem se conserva em tal ensinamento conta com o Pai e com o Filho.

¹⁰Se alguém se apresenta a vós e não leva esse ensinamento, não o recebais em casa nem o saudeis. ¹¹Pois quem o saúda se torna cúmplice de suas más ações.

¹²Embora tenha muitas coisas para escrever, não quis fazê-lo com papel e tinta, pois espero visitar-vos e falar convosco frente a frente, para que vossa alegria seja plena. ¹³Os filhos de tua irmã eleita te saúdam.

---

1 Ancião pode significar a idade e a função (1Pd 5,1). A "Senhora escolhida" é o título que dá a uma igreja particular; não é certo que o título tenha conotação de símbolo matrimonial. Ou seja, a igreja local realizando o "mistério" atribuído à Igreja universal como esposa do Messias (Ef 5). Seguindo a tradição do AT, os filhos são os membros da comunidade (cf. Ap 12,17). A verdade é a mensagem evangélica (Jo 8,32; 11,5).
3 A saudação é como a de 1Tm e 2Tm, com três dons.
4 A alegria é como em Fl 1,3-4.
5 O preceito não é novo, como em 1Jo 2,7-11; Jo 13,34.
6 Amor e obediência aos mandamentos, como em 1Jo 5,3; Jo 14,15.
7 Os impostores e o Anticristo: 1Jo 2,18-29.
9 Uma coisa é avançar no conhecimento e penetração do mistério e da doutrina de Cristo (cf. Jo 16,13), outra coisa é "ultrapassar", afastando-se e apartando-se do ensinamento autêntico.
10 Rm 16,17; Ef 5,11; 2Ts 3,6.
13 A fórmula revela o sentido comunitário e a relação entre comunidades.

TERCEIRA CARTA DE JOÃO

¹Do Ancião ao querido Gaio, a quem amo de verdade. ²Querido, visto que espiritualmente estás bem, peço que tudo corra bem para ti e tenhas saúde. ³Alegrei-me muito quando vieram alguns irmãos e deram testemunho de tua conduta fiel à verdade. ⁴Para mim não há maior alegria do que ouvir que meus filhos são fiéis à verdade.

⁵Querido, o que fazes pelos irmãos é prova de lealdade, apesar de serem estrangeiros. ⁶Diante da comunidade, deram testemunho do teu amor. Por isso é justo que providencies o necessário para a missão deles, como Deus merece, ⁷visto que se puseram a caminho em nome de Cristo, sem receber nada dos pagãos. ⁸De nossa parte, devemos acolher gente assim, para colaborar com a verdade. ⁹Escrevi alguma coisa para a comunidade; mas Diótrefes, que gosta de mandar, não nos recebe. ¹⁰Por isso, quando for, denunciarei as ações dele, pois com sua maledicência nos desprestigia. Não contente com isso, não recebe os irmãos nem permite que o façam os que o desejam, ao contrário, expulsa-os da comunidade.

¹¹Querido, não imites o mal, mas o bem. Quem faz o bem provém de Deus; quem faz o mal não viu a Deus. ¹²Demétrio goza da estima de todos e também da verdade; nós acrescentamos nosso testemunho, e sabes que é verdadeiro. ¹³Embora tenha muitas coisas para te escrever, não quero fazê-lo com a pena e a tinta. ¹⁴Espero ver-te logo e falar contigo frente a frente. ¹⁵A paz esteja contigo. Os amigos te saúdam. Saúda nominalmente os amigos.

---

1 Pelo título usado no v. 4, podemos deduzir que Gaio era convertido ou discípulo de João.

3-4 A "verdade" é a mensagem evangélica.

5-8 Parece referir-se a missionários itinerantes, do tipo que Paulo tinha sido outrora (1Cor 4,12).

9 Ele gosta de mandar, ou de ser o primeiro: cf. Mt 20,27 comparado com Mt 23,6. Parece que esse tal Diótrefes não confiava nos itinerantes ou se sentia ameaçado, a ponto de excomungá-los.

12 Parece aludir a cartas testemunhais que os itinerantes levavam e exibiam.

CARTA DE JUDAS

INTRODUÇÃO

Autor

O autor se apresenta como Judas, irmão de Tiago. Não pode ser Judas Tadeu, já que o autor se distingue dos apóstolos (v. 17). Entre os "irmãos" de Jesus, Mc 6,3 e Mt 13,55 citam um Judas: tampouco pode ser este o autor da carta. Já passou algum tempo desde a era apostólica (vv. 3-4). Na Antiguidade duvidou-se da canonicidade da carta; aparece citada como canônica pela primeira vez pelo ano 180. Hoje é opinião comum que se trata de um escrito pseudônimo. A qualidade da linguagem grega, com sua riqueza de vocabulário e composições tipicamente gregas, junto às citações dos apócrifos Assunção de Moisés e Henoc, fazem pensar que o autor fosse um judeu helenista convertido.

A carta é um escrito contra falsos doutores: mais violento no tom que na substância. Recrimina, em lugar de rebater com argumentos; lança ataques genéricos, sem determinar; ameaça com exemplos terríveis. Contudo, procura temperar seu rigor com a compreensão e compaixão (vv. 22-23). A carta não é atraente. Talvez nos ensine que, diante de certos erros doutrinais e morais, é preciso tomar posição clara e firme.

É muito difícil, com os traços da carta, completar o perfil dos falsos mestres. Se soubéssemos de antemão que professavam um gnosticismo incipiente, poderíamos identificar detalhes e rastrear indícios. Seus métodos parecem ser não-violentos: "insinuam-se" (v. 4), participam em banquetes (v. 12), bajulam (v. 16).

Conjectura-se que a carta foi escrita em fins do séc. I ou começo do II.

Sinopse

A carta consta de um só capítulo (25 vv.). Depois da saudação, descreve os falsos mestres, oferece recomendações aos fiéis e conclui com a doxologia.

¹De Judas, servo de Jesus Cristo, irmão de Tiago, aos eleitos que Deus Pai ama e Jesus Cristo protege: ²misericórdia, paz e amor abundantes.

Falsos mestres – ³Queridos, no meu empenho em vos escrever a respeito de nossa salvação partilhada, julguei necessário escrever-vos para vos exortar a lutar pela fé que os santos receberam de uma vez para sempre. ⁴Porque alguns indivíduos se insinuaram, há tempo fichados para esta sentença: homens sem religião, que traduzem o favor de Deus em dissolução e renegam o único patrão, o Senhor nosso Jesus Cristo. ⁵Quero recordar-vos o que aprendestes de uma vez para sempre: o Salvador* tirou o povo do Egito, mas depois acabou com os incrédulos. ⁶Os anjos que não conservaram seu posto e abandonaram sua morada, ele os mantém guardados nas trevas, com cadeias perpétuas, para o julgamento do grande dia. ⁷De modo semelhante, Sodoma e Gomorra e as cidades vizinhas: fornicaram, deram-se a vícios contra a natureza, e agora sofrem a pena de um fogo eterno para exemplo de outros. ⁸E assim, também estes, perdidos em seus sonhos, desonram o corpo, desprezam a autoridade, insultam os Gloriosos. ⁹Quando o arcanjo Miguel disputava com o Diabo o corpo de Moisés, não se atreveu a condená-lo com insultos*, mas disse: O Senhor te repreenda. ¹⁰Estes, ao contrário, amaldiçoam o que não conhecem e, como animais irracionais, se corrompem com o que percebem pelos sentidos. ¹¹Ai deles! Seguiram o caminho de Caim, pelo paga-

---

1-2 Sendo os nomes de Judas e Tiago tão correntes na época, não é fácil identificar o autor real ou suposto. A frase faz supor que Tiago fosse um personagem conhecido, talvez o personagem proeminente na igreja de Jerusalém segundo At 15 par. O título "servo de Jesus Cristo", imitação do tradicional servo de Deus ou de *Yhwh*, é frequente nas cartas de Paulo e nas católicas: é título tradicional. Seu conteúdo é claro: alguém que está plenamente a serviço de Jesus Cristo. Os destinatários são "eleitos" ou chamados; protegidos (Jo 17,11-12). O trio que inclui "amor" é único no NT.

3 A "salvação partilhada": não é um fato individual; é algo possuído em comum, porque criou comunidade. Está vinculada à fé recebida de uma vez para sempre. Nessa frase densa, apreciamos como o indivíduo fica englobado e superado pela comunidade e pela tradição: duas coordenadas substanciais da Igreja. Quem ameaça essa fé tradicional atenta contra a substância e deve encontrar firme resistência. No desenrolar do seu escrito podemos reparar em alguns aspectos salientes. Em relação à Escritura do AT procede por alusão, ou cita segundo o sentido (v. 18); por outro lado, cita palavras textuais de tradições não canônicas. Pode-se interpretar de duas maneiras essa atitude: a) que citava o AT de memória, sem ter à mão um texto ou dispondo dos textos não canônicos; b) que supunha conhecidos os episódios do AT, e desconhecidos os outros. Vejamos o material bíblico. Três grupos coletivos: os israelitas do êxodo (Ex 14-15 e Nm 13-14), exemplo de salvação frustrada; os anjos (talvez de Gn 6), exemplo de queda do céu; Sodoma e Gomorra (Gn 18-19), exemplo de perversão castigada. Um trio de nomes próprios: Caim (Gn 4), exemplo de ódio homicida; Balaão (Nm 22), exemplo de cobiça e profecia venal; Coré (Nm 16), exemplo de ambição. Os falsos e perigosos mestres são descritos com abundância retórica de perversões e fracassos. Destacam-se entre seus vícios a libertinagem e a rebeldia arrogante. Grande parte da breve carta se ocupa em denunciá-los verbalmente; um espaço menor é dedicado à exortação positiva para os fiéis.

4 Paulo tinha dito que não estamos sob a lei, mas sob a graça ou favor de Deus (cf. Rm 6,14); e alguns interpretavam esse favor como "sem lei". Mais ainda, como "sem lei nem senhor" (cf. Sl 12,5), e com isso renegavam o senhorio de Jesus Cristo. "Há tempo fichados" por seus delitos já registrados, dos quais terão de prestar contas (cf. Dn 7,10).

5 Tirados do Egito, atravessado o deserto e às portas da terra prometida, recusaram entrar e morreram no deserto, sem consumar a salvação. Sua recordação admoesta (como em Hb 4). * Ou: *Jesus*.

6 Os anjos tinham "hierarquia" para governar reinos (Dt 32,8 grego) e sua morada era um dos céus. Por terem faltado à sua missão e posto, estão agora presos esperando o julgamento e a sentença (como um delinquente cujo delito está provado, mas tem de ser legitimamente julgado e condenado). A imagem já se encontrava numa escatologia bíblica (Is 24,21-23). O exemplo é um grande alerta, já que nem os anjos podem alegar direitos ou ficar impunes (cf. Sl 82).

7 A Pentápole foi submetida ao castigo aniquilador de um fogo perdurável (que não se apaga antes de consumir, Is 66,24; Jr 7,20).
Is 34,9-10 o aplica ao reino emblemático de Edom: "seu território se torna piche ardente, que não se apaga de dia nem de noite e sua fumaça sobe perpetuamente".

8 "Sonhos": os clássicos dos falsos profetas (Dt 13,2.4; Jr 23,27.32; 27,9). Os "Gloriosos" ou as Glórias são os anjos ou os santos. É preciso escutar as rimas da série retórica.

9 Partindo da notícia sobre a morte de Moisés (Dt 34,6) forma-se a lenda conservada no apócrifo "Assunção de Moisés" e hoje perdida. A frase citada vem de Zc 3,2. * Ou: *a impor-lhe uma condenação vergonhosa*.

10 "Animais irracionais": citação ou recordação de Sl 32,9, que convida à correção; "se corrompem": na morte, também como os animais.

11 O "caminho" de Caim pode ser seu rancor fratricida ou a condenação à vida errante. O "extravio": o que procura e o que sofre. A "rebeldia" ou contestação: a que opõe ou a que recebe.

mento se entregaram ao extravio de Balaão, pereceram por rebeldia como Coré. ¹²Estes são os que contaminam vossos banquetes, cevando-se e apascentando-se irreverentemente; nuvens arrastadas pelos ventos sem dar água, árvores sem frutos no outono, duas vezes mortas e desenraizadas; ¹³ondas encrespadas do mar com a espuma de sua descaradez, estrelas fugazes cujo destino perpétuo são densas trevas. ¹⁴Deles profetizou Henoc, o sétimo descendente de Adão: Vede que está chegando o Senhor com suas miríades de santos, ¹⁵para julgar a todos: para provar a culpa de todos os ímpios, por todas as impiedades que cometeram, por todas as insolências que os ímpios pecadores pronunciaram contra ele. ¹⁶São estes os que protestam, queixando-se de sua sorte e deixando-se levar por suas paixões. Sua boca profere insolências e, se louvam as pessoas, é por interesse.

Recomendações — ¹⁷Vós, queridos, recordai o que anunciaram os apóstolos do Senhor nosso Jesus Cristo: ¹⁸Nos últimos tempos haverá homens cínicos que seguirão suas ímpias paixões. ¹⁹São esses os que provocam discórdias, são sensuais, sem espírito. ²⁰Vós, ao contrário, queridos, edificai vossa existência sobre a fé santíssima, orai movidos pelo Espírito Santo, ²¹mantende-vos no amor de Deus, esperai a vida eterna da misericórdia de nosso Senhor Jesus Cristo. ²²Tende compaixão dos que duvidam; ²³salvai alguns, arrancando-os do fogo, compadecei-vos de outros com cautela; detestai a túnica contaminada pelo contato destes.

²⁴Àquele que vos pode guardar sem tropeços e apresentar-vos diante de sua glória sem mancha e alegres, ²⁵ao Deus único, que nos salvou por nosso Senhor Jesus Cristo, glória, majestade, poder e autoridade desde a eternidade, agora e pelos séculos. Amém.

12-13 Nessa série retórica, junta a glutonaria ansiosa com o vazio de seus empreendimentos. Até o extremo de, sendo astros luminosos, acabarem em densas trevas (cf. Jó 10,21-22).

14 Henoc, segundo Gn 5,18. A vinda do Senhor: Dt 32,2; Zc 14,5; Mt 25,31.

16 "Protestam": como os israelitas no deserto (Ex 16,2; Nm 16,11; 1Cor 10,10).

17-18 É uma citação do tema, não literal, que pode recordar vários textos (At 20,29-30; 1Tm 4,1-3; 2Tm 3,1-5; 4,3). Os "apóstolos" são vistos à distância, como grupo temporal, ponto de referência dos sucessores.

19 "Sensuais, sem espírito": supõe a distinção tripartida de corpo (v. 8), alma animal dos sentidos, espírito aberto à realidade transcendente.

20-21 A exortação positiva se articula em quatro recomendações. A fé é o fundamento, que se apoia imediatamente na rocha e sustenta o edifício inteiro (recorde-se Is 7,9; 28,16). A oração deve ser dirigida a Deus no âmbito do Espírito, a favor dele, sintonizando com ele. O "amor" parece ser o que Deus nos tem (Rm 8,39). A esperança aponta para a vida perdurável como dom da "misericórdia" de Jesus Cristo, não como exigência nossa.

22-23 Esse conselho concreto supre a falta do amor ao próximo, na síntese precedente. "Do fogo": cf. Am 4,11; Zc 3,2.

24-25 A doxologia é composta em boa parte de lembranças e entoada com grande solenidade, como no Apocalipse.

APOCALIPSE

INTRODUÇÃO

Autor

Quem escreve se autodenomina João (1,1.4.9; 22,8), e diz estar confinado numa ilha por confessar Jesus Cristo. Sendo João um nome tão frequente, presta-se a múltiplas identificações. Na Antiguidade se apresentou o apóstolo e evangelista, por sua autoridade apostólica, garantia de canonicidade, e por ser escritor. As dúvidas e negações surgiram quando se começou a desviar a interpretação do milênio (Dionísio de Alexandria, morto em 264, e Eusébio de Cesareia). Hoje continuamos a unir esse livro às cartas e ao evangelho num "corpo joanino"; mas são poucos os que atribuem esse livro ao apóstolo João, embora conservem como válido o nome de outro João. O autor se diferencia dos apóstolos (18,20; 21,14). As coincidências de linguagem com o evangelho de João não são numerosas – a mais notável é o título de Cordeiro para designar Jesus Cristo – e se explicam facilmente se o autor pertenceu ao círculo de João.

Da leitura, mesmo superficial, deduzimos que o autor é de origem judaica, mediano conhecedor do grego (a tradução emenda os deslizes gramaticais), muito versado no AT, especialmente nos profetas, e conhecedor de gêneros literários então em voga. Do gênero apocalíptico, além do nome, tomou muitos recursos, mas distanciou-se em pontos fundamentais. Enquanto outros autores se escondem atrás de nomes ilustres do passado – Henoc, Abraão, Moisés, Isaías, Baruc –, e transformam o passado em predição, esse autor se apresenta com seu próprio nome e se diz contemporâneo dos destinatários, ocupando-se também e declaradamente do presente (1,19).

Não vale objetar que o autor se ampara sob o nome do apóstolo, porque o teria dito.

Destinatários

Os destinatários imediatos são sete igrejas da província romana da Ásia, às quais se sente particularmente ligado por partilhar seus sofrimentos e pela missão "profética" recebida. Paulo escrevia da prisão, e esse João escreve do desterro ou confinamento. Os destinatários já conhecem a hostilidade e acossamento; agora se avizinha a grande perseguição. O autor quer prevenir e antecipar.

Gênero

A primeira palavra do texto é apocalipse, o que equivale à definição do livro para sua classificação, porque o apocalipse é um gênero bem definido. No AT tem só um representante, Daniel, o resto são apócrifos. O apocalíptico se coloca numa conjuntura de mudança ou sobressalto decisivo. Olha para o passado e o divide em etapas sucessivas; contempla um presente de perigo e angústia crescentes, e abre a cortina do futuro próximo: o julgamento divino solene e a instauração do reinado do Senhor. Agora entra a ficção: o autor se finge um personagem antigo, o passado reduzido a períodos se apresenta como predição, o futuro próximo é predição. Até aqui o trabalho é intelectual; agora começa, com variável êxito, o trabalho da fantasia. Os períodos são traduzidos em imagens coerentes e articuladas; o futuro próximo, por ser desconhecido, é descrito com imagens convencionais.

Esse autor aceita a pauta do gênero, a aplica e a modifica. Não resume o passado de Israel nem o da Igreja: supõe que seja

conhecido? Seus períodos abrangem o futuro e parecem evoluir em ciclos repetidos ou semelhantes. O futuro final e definitivo não é iminente, embora seja certo. Muitas coisas vão acontecer até lá.

Além do mais, o autor incorpora à sua obra outros gêneros. Em primeiro lugar, as cartas, muito formalizadas, que têm um antecedente remoto em Jeremias e próximo em Paulo e sua escola. Mais ainda, o escrito inteiro, situado entre as saudações do começo e o final, é como uma gigantesca carta, com remetente, para ser lida – publicamente? – pelos destinatários. Hinos minúsculos, pouco mais que simples confissões, se encontram já no original hebraico de Daniel; um, que o desenvolve, é acrescentado pelo texto grego. Esse autor dá outro passo: além dos hinos espalhados, compõe e descreve uma grande liturgia celeste, com cenário, cânticos e cerimônias.

Embora a primeira palavra seja apocalipse, *o autor se sente profeta, investido de missão profética, e chama sua obra de profecia: palavra de Deus (1,9), espírito profético (19,10), palavras proféticas (1,3; 22,18; 22,7.19), deve comer o rolo (10,8-11, como Ez 2-3). Considera-se profeta enquanto enviado e portador de mensagens divinas; sabe também que a apocalíptica é sucessora da profecia.*

Tudo isso mostra a liberdade criativa do autor.

Procedimentos

O livro é um paradigma de procedimentos típicos do gênero. Consideremos alguns.

a) Números: *explícitos ou implícitos na estrutura. Segundo a velha tradição bíblica, alguns números, além de quantidade, significam alguma qualidade; assim os usa o autor. Três é o número da divindade: onze vezes; quatro, a totalidade cósmica: dezenove vezes; dez, de totalidade: nove vezes; doze, das tribos ou povo de Deus: vinte e três vezes; e sete, número de perfeição: cinquenta e cinco vezes mais outras implícitas, p. ex. "seduzir" e "paciência" sete vezes no livro; a metade de sete anos designa uma etapa incompleta (11,3; 12,6; 13,5). O misterioso número 666 é um caso à parte (13,18, ver abaixo).*

b) Cores: *simples, sem matizes. Branco ou cândido significa vitória (3,4; 6,11; 7,9; 19,14); o vermelho significa o sangue (6,12). O preto, epidemia e morte (6,5.12).*

c) Imagens: *alegorias e símbolos. O repertório é enorme, em grande parte tomado do AT e tratado com liberdade criativa. Predominam imagens cósmicas: astros, montanha, oceano, ilhas, abismo; elementos e meteoros: ar, água e fogo; os animais: cavalos, escorpiões, sapos, dragão, com chifres, polimorfos (13,2). E muitas figuras humanas. Algumas cenas se projetam no céu, como num painel, sugerindo que no céu já aconteceu exemplarmente o que está para acontecer na terra.*

Muitas imagens e cenas do livro são de ascendência mítica: luta primordial, nascimento de um salvador, rebelião celeste etc. É incerto se o autor chegou a elas diretamente ou por mediação de profetas e outros escritos. O certo é que não perderam seu primeiro vigor.

É importante observar a técnica do autor no manejo de suas imagens. Em alguns casos, predominam o esforço e cálculo intelectual, a imagem se torna incoerente ou esmiuçada, descobre-se a trama alegórica. Isso se percebe quando pintores tentaram traduzir as palavras em imagens plásticas. Muitas outras vezes triunfa a imaginação: na riqueza de elementos, em visões grandiosas – a terra que abre a boca para beber um rio (12,16) –, em traços certeiros – a fumaça do poço que escurece o sol (9,2).

Por sua riqueza imaginativa, sua estranheza fantástica, sua obscuridade enigmática, esse livro tem fascinado leitores, pensadores e artistas, que nem sempre acertaram com a correta perspectiva para interpretá-lo.

d) O intérprete no texto. *Ora, o autor, que propõe seus enigmas em chave de visões, introduz no livro mediadores que mostram e interpretam muitas visões, não todas. Deus o revela a Jesus Cristo, que envia seu anjo/mensageiro, que guia João, e este o escreve e envia às igrejas, através das quais se comunica a mensagem a todos os cristãos para sempre. Apesar de tudo, a interpretação interior ao texto, se foi*

inteligível para muitos contemporâneos, pode nos desconcertar ou parecer incompreensível a nós, seus sucessores; então lançaremos mão de outros instrumentos de interpretação.

e) Um deles, baseado no texto, é o recurso ao AT. O autor não cita expressamente suas fontes de inspiração; mas, para quem está familiarizado com o AT, esse apocalipse é quase um arranjo de citações, imitações, alusões, reminiscências; mais de 400 nos caps. 4-22. É uma obra muitas vezes inspirada em modelos alheios e profundamente original. Tudo nos soa como conhecido e nos fascina com sua novidade. Não é colcha de retalhos, não é midraxe; com materiais usados, é a criação poética de um céu novo e uma terra nova (21,1).

f) Construção. É evidente que o autor quer levantar um edifício compacto e bem distribuído; ordem e não labirinto, razão sobre a fantasia. Ao mesmo tempo se vê obrigado a interromper e inserir (9,21), a adiar (20,1-10), a encaixar um ciclo dentro do outro. Como consequência, sua obra não é geometria pura. (Ver a sinopse.)

Tema

Passadas as sete cartas, o tema de conjunto de 4-22 é a luta da Igreja com os poderes hostis. Isso obriga a delimitar claramente os campos, num dualismo simplificado – assim acontece nas guerras. O chefe da Igreja é Jesus Cristo, tem suas testemunhas, seus seguidores "servos do nosso Deus" (7,3). Na frente está Satã, que tem sua capital em Babilônia, tem seus agentes e um poder limitado. A vitória de Cristo e dos seus é segura, mas passa pela paixão e morte. O chefe, o Cordeiro, foi degolado, suas testemunhas são assassinadas (11,1-12), seus servos devem superar a grande tribulação (7, 14). Chegará o julgamento da capital inimiga e sua queda (17-18), a batalha final (19,11-21) e o julgamento universal (20,11-14). Depois virá o final glorioso e alegre, para o qual tendem o curso e as vicissitudes da história. O final tem a forma de casamento, do Messias-Cordeiro com a Igreja como ao princípio no paraíso (21-22).

A luta, como de costume, é acompanhada de impressionantes perturbações no céu e na terra. A concepção impõe o dualismo, as antíteses, as oposições simétricas de personagens, figuras e cenas. As correspondências cruzam obliquamente a obra. É um dualismo dentro do mundo e da história; não o dualismo de instinto e Espírito em Paulo, e menos ainda o dualismo de espírito e matéria nos gnósticos.

Circunstâncias e data

O autor quer avisar e animar seus irmãos cristãos para a grave prova que se avizinha. Já houve perseguições e mártires (2,13; 6,9); sobrevém a grande prova dos fiéis (3,10), quando o imperador exige adoração e entrega (13,4.16-17; 19,20). A quem se refere em concreto? Os candidatos mais válidos são Nero (54-68) e Domiciano (81-96). Os dados do livro, para averiguar, são três não seguros. Em 13,1 mencionam-se "dez diademas": se representam imperadores, o décimo é Tito (79-81). Em 17,10 mencionam-se sete reis: o quinto é Nero, o sexto Galba, o sétimo? Em 13,18 se lê a famosa transposição numérica do nome: 666 corresponde às consoantes de neron kaisar. Pois bem, Nero não perseguiu os cristãos enquanto tais, mas como vítimas expiatórias do incêndio de Roma. Domiciano, porém, exigiu honras divinas, "nosso Deus e Senhor", em todo o seu império, e declarou delito capital a recusa da adoração. A lenda o considerou como um Nero redivivo (13,3). A maioria dos comentaristas se inclina por essa data.

Mas seu sentido não se esgota na referência à conjuntura histórica concreta. Contanto que não seja tomado à letra nem como trampolim para especulações, o livro continua transmitindo uma mensagem exemplar a todas as gerações da Igreja. As hostilidades começadas no paraíso (Gn 3) não acabarão até que se cumpra o final do Apocalipse: "Sim, venho logo. Amém" (22,20).

Sinopse

Uma distribuição numérica articula assim o escrito:

I. 1		**Prólogo**
II. 2-3		**Sete cartas às igrejas**
III. 4,1-22,5		
	4-5	Visão introdutória.
	6,1-8,1	Os sete selos.
	8,2-11,19	As sete trombetas.
	12,1-13,18	Sete visões da mulher, do dragão e das feras.
	14,1-20	Sete visões do Cordeiro e dos anjos.
	15,1-16,21	As sete taças.
	17,1-19,10	Sete visões da queda de Babilônia.
	19,1-22,5	Sete visões da batalha e da vitória final.
IV. 22,6-21		Epílogo.

Outra proposta é a estrutura concêntrica de esquema ABCDCBA que se desenvolve assim (em resumo): A *1,1-8 Introdução epistolar;* B *1,9-3,22 A comunidade julgada;* C *4,1-9,21 Julgamento do cosmo; sete selos e sete trombetas;* D *10,1-15,4 Perseguição e perseverança;* C *15,5-19,10 As sete taças e Babilônia;* B *19,11-22,9 Julgamento, salvação e nova criação;* A *22,10-21 Conclusão epistolar. As seções CDC terminam cada qual com um hino.*

Outra proposta, menos numérica ou geométrica:

1,1-3	Introdução.
1,4-3,22	Mensagem às sete igrejas.
4,1-11	Liturgia celeste.
5,1-14	O Cordeiro e o rolo.
6,1-8,5	Os sete selos.
6	Seis selos.
7	Os salvos.
8,1-5	O sétimo selo.
8,6-11,18	As sete trombetas.
8,6-9,21	Seis trombetas.
10	O rolo pequeno.
11,1-14	As duas testemunhas.
11,15-18	A sétima trombeta.
11,19-12,18	A mulher e o dragão.
13,1-18	As duas feras e a estátua.
14,1-5	Os salvos.
14,6-20	A hora do julgamento.
15	Sete pragas.
16	Sete taças da ira.
17	Julgamento da Grande Prostituta.
18	Queda da Babilônia.
19,1-4	Hino.
19,5-10	O casamento do Cordeiro.
19,11-21	O cavaleiro vitorioso.
20,1-10	O milênio.
20,11-15	Julgamento universal.
21,1-8	Nova criação.
21,9-22,5	A nova Jerusalém.
22,6-21	Vinda de Cristo e conclusão.

1 ¹Revelação que Deus confiou a Jesus Cristo, para que mostrasse a seus servos *o que deve acontecer* logo; e ele a manifestou enviando seu anjo* a João, ²o qual testemunha que tudo o que viu é palavra de Deus e testemunho de Jesus Cristo. ³Feliz quem lê e os que escutam as palavras desta profecia, se observam o que está escrito nela. Pois o tempo está próximo.

Mensagem às sete igrejas – ⁴De João às sete igrejas da Ásia: desejo-vos o favor e a paz da parte daquele que é e era e será, da parte dos sete Espíritos que estão diante do seu trono ⁵e da parte de Jesus Cristo, *a testemunha fidedigna, o primogênito* dos mortos, *o Senhor dos reis do mundo.* Aquele que nos amou e nos livrou de nossos pecados com seu sangue, ⁶e fez de nós *um reino, sacerdotes* de Deus seu Pai, a ele a glória e o poder pelos séculos [dos séculos], amém.

⁷Eis que *chega entre nuvens:*
todos os olhos o verão,
também *os que o transpassaram;*
e todas as raças do mundo
baterão no peito por ele.
Assim é, amém.

⁸Eu sou o alfa e o ômega, diz o Senhor Deus, aquele que é e era e será, o Todo-poderoso.

1,1 Revelação é o significado etimológico da palavra grega *apokálypsis*. No uso corrente, passou a designar um gênero literário frequente em tempos tardios e presente no AT no livro de Daniel (por volta de 165 a.C.). Caracteriza-se por dividir o passado em períodos, conduzindo-o a um desfecho iminente: através de uma colossal perturbação cósmica ou histórica, o definitivo futuro feliz abre passagem. Nesse livro, a palavra deve conservar seus dois significados. "Confiou": só Deus conhece o segredo (nem o Filho conhece o dia e a hora, Mc 13,32). Em outros textos apocalípticos (Zc, Dn), quem anuncia ou explica é um anjo; aqui o mediador é Jesus Cristo, e por isso recebe o título de "testemunha fidedigna" (1,5; 3,14). "Servos" eram no AT sobretudo os profetas (Zc 1,6); agora são os cristãos. "Logo" é uma palavra que se define pelo contexto. Para os destinatários, prediz fatos políticos próximos (a grande perseguição de Roma e sua queda posterior). Para as gerações seguintes, o "logo" relativiza a duração e mostra a constante proximidade do fim. "Seu anjo": Embora o mediador decisivo seja Jesus Cristo, este pode valer-se de um "mensageiro", seu anjo, como sugere a tradição bíblica.
"João": uma tradição primitiva o identificou com o apóstolo João. Mas já na Antiguidade, por razões de crítica interna, começou-se a duvidar de tal identificação, e ainda não se chegou a uma solução definitiva. Hoje muitos críticos pensam que se trata de outro João ou do conhecido recurso à pseudepigrafia, normal no gênero apocalíptico. * Ou: *mensageiro*.

1,2 Esse João, por sua paixão e no desterro, é constituído testemunha de tudo o que viu e ouviu: visões e anúncios. Não fatos já acontecidos, como os apóstolos deviam testemunhar. Desde o princípio afirma solenemente que seu escrito é "palavra de Deus", ou seja, profecia e testemunho de Jesus Cristo. Com o mesmo tema concluirá o livro (22,20; com o tema da palavra se abre e se encerra o conjunto Is 40-55).

1,3 Refere-se provavelmente a uma leitura litúrgica, em voz alta, partilhada por uma comunidade. Sua finalidade não é satisfazer a curiosidade, mas mover ao "cumprimento", pois se avizinha uma conjuntura na qual os cristãos terão de optar, mesmo com risco de vida.

1,4-5 Temos aqui uma fórmula quase trinitária, sem chamar Jesus Cristo de Filho. Deus (Pai) traz como título o nome de *Yhwh* (Ex 3,14), interpretado e articulado em passado, presente e futuro (cf. Is 41,4 "o primeiro e o último"; Sl 102,28). Vindouro (*erchómenos*) é tradução literal da fórmula hebraica que significa simplesmente futuro. Jesus Cristo está presente em seu mistério pascal de morte e glorificação. "Primeiro ressuscitado" ou primogênito dos mortos (Cl 1,18), não o único (1Cor 15).
Como príncipe de reis (cf. Sl 136,3; 76,13) domina a história de todos os povos (ver a confissão de Nabucodonosor, Dn 2,47; 4,32). O Espírito é apresentado em seu caráter e ação multiforme, como agente de Deus: é o que significa o número sete (os espíritos = ventos cósmicos são quatro).

1,4 As igrejas com seus nomes são comunidades concretas. O número sete indica que representam uma totalidade articulada. Todas são cidades da Ásia Menor (que estavam no âmbito da influência joanina).

1,5b-6 A redenção tem início com um ato de amor (cf. Jr 31,3), consuma-se pelo sacrifício expiatório (cf. Lv 16) e desemboca na formação do novo povo escolhido (Ex 19,6, citado em 1Pd 2,9).

1,7 O texto original de Dn 7,13 mostra a "figura humana" subindo na nuvem para receber do Ancião a investidura suprema, universal e perpétua. A tradição deduziu que depois desceria na mesma nuvem (fato anunciado em At 1,9-11) e o atribuiu à parusia (Mt 26,64 par.). "Baterão no peito": provavelmente por arrependimento, conforme Zc 12,10.

1,8 Como em teofanias e revelações, precede uma auto-apresentação de Deus. Pelas duas letras extremas do alfabeto abrange-se a totalidade; como se

Visão de Jesus Cristo – ⁹Eu, João, vosso irmão, companheiro vosso na tribulação e no reinado e na perseverança por Jesus, encontrava-me na ilha de Patmos por causa da palavra de Deus e do testemunho de Jesus. ¹⁰Num domingo, movido pelo Espírito, ouvi atrás de mim uma voz poderosa, como de trombeta, ¹¹que dizia: Escreve num livro o que vês, e o envia às sete igrejas: Éfeso, Esmirna, Pérgamo, Tiatira, Sardes, Filadélfia e Laodiceia. ¹²Voltei-me para ver de quem era a voz que me falava, e ao voltar-me vi sete candelabros de ouro ¹³e no meio dos candelabros *uma figura humana*, vestida de túnica talar, o peito cingido com um cinto de ouro; ¹⁴*cabeça e cabelos brancos como lã branca* ou como neve, *os olhos como* chama *de fogo,* ¹⁵*seus pés como de bronze* polido e acrisolado, sua voz *como o estrondo de águas torrenciais.* ¹⁶Na direita segurava sete estrelas, de sua boca saía uma espada afiada de dois gumes; seu aspecto era como o sol brilhando com toda a sua força.

¹⁷Logo que o vi, caí a seus pés como morto; mas ele, pondo sobre mim a mão, me disse: – Não temas. *Eu sou o primeiro e o último,* ¹⁸aquele que vive; estive morto e agora vês que estou vivo pelos séculos dos séculos, e tenho as chaves da Morte e do Abismo. ¹⁹Escreve o que viste: *as coisas de agora e o que acontecerá depois.* ²⁰Este é o símbolo das sete estrelas que viste em minha direita e dos sete candelabros de ouro: as sete estrelas são os anjos das sete igrejas, os sete candelabros são as sete igrejas.

2 Mensagem às sete igrejas
– ¹Ao anjo da igreja de *Éfeso* escreve: Isto diz aquele que segura na direita as sete estrelas, aquele que caminha entre os sete candelabros de ouro: ²Conheço tuas obras, tuas fadigas, tua perseverança; tu não toleras

---

disséssemos do A ao Z, como em 21,6 (a primeira e a última palavra do Sl 1 começam pela primeira e última letras do alfabeto hebraico). "Todo-poderoso", *pantokrátor*, converteu-se em termo da iconografia religiosa oriental.

1,9-11 Aquele que fala se apresenta sem categoria nem privilégio, em sua pura irmandade e igualdade. Pelo sofrimento mereceu entrar no "reinado" de Jesus. Padeceu a serviço da palavra ou mensagem de Deus e do testemunho que Jesus Cristo deu, ou seja, do evangelho. Recebe e vai comunicar, por escrito (cf. Is 8,16; Jr 29,1), uma mensagem profética.
O primeiro dia da semana, após o sábado, recebe já seu nome pelo adjetivo derivado de Senhor: *kyriakós*, *dominicus*, domingo (cf. At 20,7). A voz da trombeta não é a sua (Is 58,1), mas a de quem lhe manda escrever (Jr 36,28).

1,12-16 A descrição de Jesus Cristo é mais intelectual que visual, obtida pela soma de traços heterogêneos, que não compõem uma figura fácil de visualizar. Deve predominar uma impressão geral de poder e majestade. Tem figura humana, como a de Dn 7,13. A túnica poderia ser sacerdotal e o cinto real (cf. Is 11,5); os cabelos brancos são como os do Ancião (Dn 7,9). Os pés de bronze revelam firmeza e estabilidade. Sua voz como a que Ezequiel ouviu (Ez 1,24). Move-se entre candelabros, as igrejas que iluminam o templo de Deus. Traz nas mãos o domínio dos exércitos siderais, na boca a sentença afiada da justiça (cf. Is 11,4). O conjunto parece com a figura de Dn 10,5-6: "Como o sol": cf. Jz 5,31; Eclo 43,2-4.

1,17-18 Auto-apresentação de Jesus, "Primeiro e último", abrangendo a totalidade sem termos; repete-se em 22,13 (Is 41,4; 44,6; 48,12). Sua vida depois da ressurreição é perpétua (Rm 11,34; Hb 7,25). O Abismo (*Xeol*) é o reino, e Morte é seu senhor: dupla paralela frequente no AT (p. ex. Sl 49,15: "a morte é seu pastor... o Abismo é sua casa"). O Ressuscitado, com as chaves, controla agora esse poder antes ilimitado (cf. Os 13,14 interpretado como afirmação em 1Cor 15,54).

1,19 Alguns dividem o livro em duas partes: separação da Igreja do judaísmo (as coisas de agora), perseguição e fracasso de Roma (o que vem depois). Outros o dividem entre as cartas e o resto.

1,20 Os anjos ou mensageiros são os respectivos bispos ou responsáveis de cada comunidade. Outros autores, apoiados em Dn 10,13.20 (anjos de nações) e Mt 18,10 (anjos de indivíduos), pensam em representantes angélicos de cada igreja particular: em suas faltas e pecados?

2,1 As sete cartas seguem um padrão comum e se distinguem por traços específicos. Nelas vão atuando as qualidades antes descritas de Jesus Cristo, que conhece e reconhece, repreende e admoesta, promete e cumpre, pede atenção e interpela. Os detalhes individuais podem ser alusivos à cidade ou ao território. Ao mesmo tempo têm valor exemplar, porque as sete igrejas são todas (ver p. ex. Sl 106, o salmo dos sete pecados capitais históricos).

2,2-7 Os falsos apóstolos do NT sucedem aos falsos profetas do AT, e voltam a ser preocupação constante (1Tm 1,3; 2Cor 11). Propalam doutrinas falsas, um evangelho diferente (Gl 1,6-9); é preciso submetê-los à prova (1Jo 4,1). Os nicolaítas se pervertem sobretudo na conduta, "obras". O encarregado fiel detesta o que Deus detesta (Sl 139,21). Decaíram do primeiro amor, embora sem chegar à infidelidade (cf. Jr 2,1); por isso pode perder seu cargo (como Sobna, Is 22,19). A árvore da vida dá frutos que vencem a morte (Gn 2,8; 3,22-24; Ez 28,13). Éfeso era uma das principais igrejas paulinas (At 19; 1Tm 1,4-7); a tradição a considera vinculada ao apóstolo João.

2,2 "Conheço": a expressão aparece em cinco das cartas e emprega um verbo forte (cf. Jo 21,17; Sl 139).

os malvados, submeteste à prova os que se dizem apóstolos sem o ser, e provaste que são falsos; ³suportaste e aguentaste por minha causa sem desfalecer. ⁴Mas tenho algo contra ti: abandonaste teu amor primeiro. ⁵Presta atenção onde caíste, arrepende-te e faze as obras do princípio. Do contrário, se não te arrependeres, virei e removerei teu candelabro de seu lugar.

⁶No entanto, contas com isto: detestas a conduta dos nicolaítas, como eu detesto. ⁷Quem tem ouvidos, escute o que diz o Espírito às igrejas. Ao vencedor permitirei comer da *árvore da vida que está no paraíso de Deus.*

⁸Ao anjo da igreja de *Esmirna* escreve: Isto diz *o primeiro e o último*, aquele que estava morto e reviveu. ⁹Conheço tua tribulação e tua pobreza, mas és rico; os que se dizem judeus te injuriam, porém são uma sinagoga de Satanás. ¹⁰Não temas o que deverás padecer, pois o diabo vai pôr na prisão alguns de vós e sofrereis durante *dez dias.* Sê fiel até à morte, e te darei a coroa da vida. ¹¹Quem tem ouvidos, escute o que diz o Espírito às igrejas. O vencedor não sofrerá a segunda morte.

¹²Ao anjo da igreja de *Pérgamo* escreve: Isto diz aquele que tem a espada afiada de dois gumes. ¹³Sei onde moras, onde Satanás tem seu trono.

Conservas meu nome sem me renegar, nem mesmo quando Antipas, minha testemunha fidedigna, foi assassinado em vossa cidade, onde mora Satanás. ¹⁴No entanto, tenho algo contra ti: toleras aí os que professam a doutrina de Balaão, que induziu Balac a pôr um tropeço diante dos israelitas, fazendo-os comer vítimas idolátricas e fornicar. ¹⁵Igualmente tu toleras os que professam a doutrina dos nicolaítas. ¹⁶Arrepende-te; caso contrário, irei logo aí para lutar contra eles com *a espada da minha boca.* ¹⁷Quem tem ouvidos, ouça o que diz o Espírito às igrejas: Darei ao vencedor o maná escondido, eu lhe darei uma pedra branca, e gravado nela *um nome novo* que somente conhece quem o recebe.

¹⁸Ao anjo da igreja de *Tiatira* escreve: Isto diz o Filho de Deus, que tem os olhos

---

"Fadigas" do empenho cristão e também apostólico (1Cor 3,3; 15,38; 2Cor 6,5; 11,23) e "perseverança" nas adversidades (Rm 5,3; 2Cor 1,6 etc.).

2,6 Cf. Sl 139,21.

2,8-11 Para o título de perpetuidade, cf. 1,17; Is 44,6. Paradoxo do pobre rico: 2Cor 6,10. "Sinagoga" significa aqui congregação. "Satanás" é o rival que se opõe ativamente ao plano de Deus. Por outro nome se chama "Diabo", que significa acusador ou caluniador. Declarou guerra e por um tempo conseguirá vitórias aparentes: a primeira morte. Mas não a segunda, que é a perda definitiva do destino à imortalidade (Ap 20,14; 21,8). A "coroa da vida": pode ser imagem esportiva (cf. Tg 1,12; 1Cor 9,25).

2,12-17 A espada de dois gumes, 1,16, serve para executar sentença (Sl 149,6; Hb 4,12). Pérgamo, cidade florescente, famosa pelo culto a Esculápio, deus da medicina, e conhecida pelo culto a Roma e ao imperador. Culto "satânico", inconciliável com a fé cristã, pela qual morreu a testemunha (= mártir) Antipas (título de Cristo, 1,5). Em lugar do Balaão da Bíblia (Nm 22-24), o autor segue uma tradição rabínica que o considera instigador da idolatria (Nm 25,1-5). Ao que parece, os hereges admitiam a participação em banquetes idolátricos, e por isso deviam ser excomungados: 1Cor 8; 2Cor 6, 16. Se o responsável local não o faz, Jesus o fará com sua palavra cortante de execução (Is 49,2). O maná escondido (no céu) é comida milagrosa da imortalidade, antecipada na eucaristia (Jo 6,48-58). A pedra branca era um instrumento jurídico de valor positivo. O nome novo (Is 62,2) define uma criatura nova: deve ser o de Cristo (comparar 3,12 e 14,1 com 19,12-13).

2,18-29 Toma o título de Filho de Deus, ao qual corresponde a invocação "meu Pai" em 2,28; 3,5.21; típico do evangelho de João. Como Balaão na carta anterior, Jezabel é figura emblemática, de acordo com a tradição bíblica. Ela promoveu o culto a Baal na corte e no povo de Israel (1Rs 18-19; 21; 2Rs 9). Em Tiatira poderia referir-se a uma profetisa que induzia a participar de banquetes idolátricos (como em 2,14). Entretanto, uma figura feminina com seus amantes e filhos poderia representar todo um grupo da igreja local (cf. Is 57,2-13). Segundo longa tradição bíblica (Os 2; Jr 2; Ez 16), os amantes são os ídolos ou falsos deuses, fornicar é praticar o culto idolátrico, do qual o banquete sacrifical faz parte. A missão profética não era negada às mulheres (Débora, Jz 4-5; Hulda, 2Rs 22; Lc 2,36; At 21,9), pelo que uma mulher podia apresentar-se em falso como tal. Sobre o profeta que induz à idolatria, ver Dt 13.

A carta convida à conversão, ameaçando com o castigo (Sl 7,13). O "leito" sugere uma enfermidade grave; seu grupo, "seus filhos", serão aniquilados. Fala o juiz que penetra até o interior do homem (Pr 24,12; Sl 62,12): o castigo servirá de alerta para o resto das igrejas. Os "arcanos" ou profundidades de Satanás seriam doutrinas esotéricas, talvez mistérios, então em voga. Os vencedores até o final, ou seja, sem excluir o martírio, os fará participar no reinado do Messias (Sl 2,8-9). A "estrela da manhã" é o sol nascente (como em 2Pd 1,19), o próprio Cristo ressuscitado (cf. Sl 57; 1Jo 5,12).

A carta insiste na conduta mais que na doutrina: obras, amor e fé. As "instruções" são em grego "minhas obras", o conteúdo de seus mandamentos (Jo 15,10).

como chamas de fogo e os pés como bronze polido: ¹⁹Conheço tuas obras: teu amor e tua fé, tua perseverança e tua honradez, tuas obras recentes, melhores que as precedentes. ²⁰Reprovo-te, contudo, pois toleras Jezabel, que se declara profetisa e engana meus servos, ensinando-lhes a fornicar e a comer vítimas idolátricas. ²¹Dei-lhe um tempo para que se arrependa, mas não quer se arrepender de sua fornicação. ²²Vê, vou lançá-la num leito junto com os que com ela fornicaram, e se não se arrependerem de sua conduta, lhes enviarei sofrimentos terríveis. ²³Matarei seus filhos, e saberão todas as igrejas que sou eu *quem examina entranhas e corações, para pagar a cada um segundo as próprias obras.* ²⁴Aos outros de Tiatira, declaro-vos que, se não aceitastes essa doutrina nem aprendestes os supostos arcanos de Satanás, não vos imporei outro peso. ²⁵Basta que conserveis o que tendes até que eu volte. ²⁶Ao que vencer e cumprir minhas instruções até o fim darei poder sobre as nações: ²⁷ele as *apascentará com vara de ferro, as quebrará como vasos de argila* ²⁸– é o poder que recebi do meu Pai; – e lhe darei a estrela da manhã. ²⁹Quem tem ouvidos, escute o que diz o Espírito às igrejas.

3 ¹Ao anjo da igreja de *Sardes* escreve: Assim diz aquele que tem os sete espíritos de Deus e as sete estrelas: Conheço tuas obras: passas por vivo e estás morto. ²Vigia e robustece o resto que está para morrer; pois não encontro perfeitas as tuas obras diante do meu Deus. ³Recorda o que recebeste e ouviste: observa-o e arrepende-te. Se não vigiares, virei como ladrão, sem que saibas a que horas chegarei. ⁴Contudo, tens em Sardes alguns que não contaminaram suas vestes. Vestidos de branco andarão comigo, pois são dignos. ⁵Também o vencedor se vestirá de branco, e não apagarei seu nome do livro da vida; eu o confessarei diante do meu Pai e diante de seus anjos. ⁶Quem tem ouvidos, escute o que diz o Espírito às igrejas.

⁷Ao anjo da igreja de *Filadélfia* escreve: Isto diz o Santo, o veraz, que tem a chave de Davi, *aquele que abre e ninguém fecha, fecha e ninguém abre:* ⁸Conheço tuas obras. Eis que pus diante de ti uma porta aberta que ninguém pode fechar. Embora tenhas pouca força, guardaste minha palavra e não me renegaste. ⁹Vê o que farei à sinagoga de Satanás, aos que se dizem judeus sem o ser, pois mentem: farei que *venham prostrar-se a teus pés,* reconhecendo *que eu te amo.* ¹⁰Visto que guardaste minha recomendação de perseverar, eu te guardarei na hora da prova, que virá sobre o mundo inteiro, para provar os habitantes da terra. ¹¹Vou chegar logo: conserva o que tens, para que ninguém te arrebate a coroa. ¹²Farei do vencedor uma coluna no templo do meu Deus; e não sairá mais; nela gravarei o nome do meu Deus e o nome

---

3,1-6 Os atributos como em 1,16. O sono é parente e imagem da morte (Jo 11,13; Sl 13,4; Jr 51,57). O responsável parece acordado e está adormecido, parece vivo e está morto (ou moribundo). Os que dormem devem vigiar (cf. Is 46,10); os moribundos devem reviver. Isaías (51,9-52,6) compõe um grande diálogo: é Jerusalém, não o Senhor, que deve despertar, pôr-se de pé, vestir-se de gala. O Sl 130 canta a vigilância da sentinela. A comunidade de Sardes está morta, talvez pela fé sem obras (Tg 2,17). A vinda como ladrão (Mt 24,43-44) pode referir-se à parusia geral ou à limitada a indivíduos.
Veste contaminada expressa a culpa, como o caso do sumo sacerdote Josué (Zc 3,4-5); sua impureza pode contagiar (Lm 4,14-15; Jd 23). Pelo contrário, a veste branca ou reluzente é sinal de glória (Ap 6,11; 7,14) e até pode recordar a transfiguração (Lc 9,29 par.). A exortação remete à tradição evangélica como mensagem de conduta ou de arrependimento. O livro da vida: onde estão registrados os destinados à vida eterna (cf. Ex 32,32-33; Sl 69,29; Dn 12,1). A "confissão" prometida por Jesus (Mt 10,32).

3,7-13 A imagem dominante dessa carta é a de um templo com suas portas, colunas e chaves. Sl 118,19 refere-se a uma porta do vencedor; Ez 44,2 e 46,1 fala de outras portas; há uma para o Rei da Glória (Sl 24,7). Ter a chave é controlar o recinto (Is 22,22; cf. Ap 1,18, as portas do Abismo). O templo de Jerusalém tinha duas grandes colunas, cada uma com seu nome próprio (1Rs 7,15-21). Metaforicamente Paulo chama os apóstolos "colunas" da Igreja (Gl 2,9). O vencedor da prova iminente terá honra semelhante. Trará gravados três nomes: o de "meu Deus", o da sua cidade capital (cf. Sl 48,2-3), que dá nome aos cidadãos (Is 48,2), e é "o Senhor está ali" (Ez 48,35); o "novo", de Jesus Cristo, corresponde à sua glorificação (talvez *Kyrios*).
O título "Santo" é típico, embora não exclusivo, de Isaías (p. ex. 1,4; 37,23; Os 11,9). O título "veraz" pode equivaler a autêntico ou fiel; repetem-se em 6,10. O terceiro título adapta um texto de Is 22,22. A comunidade, embora fraca de forças (cf. 2Cor 12,9-10), resistiu até agora aos embates dos falsos judeus, agentes de Satanás (2,9; cf. 2Cor 11,14-15). Agora

da cidade do meu Deus, a nova Jerusalém que desce do céu, de junto do meu Deus, e *meu nome novo*. [13]Quem tem ouvidos, escute o que diz o Espírito às igrejas.

[14]Ao anjo da igreja de *Laodiceia* escreve: Assim diz o Amém, a testemunha fidedigna e veraz, o princípio da criação de Deus. [15]Conheço tuas obras: não és nem frio nem quente. Oxalá fosses frio ou quente; [16]mas, visto que és morno, nem frio nem quente, vou te vomitar da minha boca. [17]Dizes que és rico, tens abundância e nada te falta; e não te dás conta de que és desgraçado, miserável e pobre, cego e nu. [18]Aconselho-te a comprares de mim ouro purificado para que enriqueças, vestes brancas para que te cubras e não apareçam as vergonhas de tua nudez, e colírio para ungir teus olhos e poderes enxergar. [19]*Corrijo e repreendo os que amo*. Sê fervoroso e arrepende-te. [20]Vê: Estou batendo à porta. Se alguém escuta meu chamado e abre a porta, entrarei em sua casa e cearei com ele, e ele comigo. [21]Farei o vencedor sentar-se em meu trono junto a mim, da mesma forma que eu venci e sentei junto ao meu Pai em seu trono. [22]Quem tem ouvidos, escute o que o Espírito diz às igrejas.

4 Liturgia celeste (Ez 1,26-28; 1,5-13) – [1]Contemplei depois uma porta aberta no céu e ouvi a voz de trombeta

---

devem preparar-se para uma tribulação geral (cf. Jr 30). Os inimigos de antes reconhecerão humilhados a vitória dos cristãos fiéis (Sl 18,44-45; cf. Is 45,14; 60,14) e o amor que Deus lhes professa (cf. Sb 5,2-7).
3,14-22 Igreja fundada por Epafras, discípulo de Paulo (Cl 1,7; 2,1). Os títulos: testemunha fidedigna (1,5). Amém: inspirado em Is 65,16 e talvez em 2Cor 1,20 em seu contexto: diz o categórico e definitivo, sem mescla ambígua de sim e não. "Princípio da criação": vem de Pr 8,22-23, que é comentário de Gn 1,1; o "princípio" é correlativo do "amém", que tem algo de final. Comparar com Cl 1,15.18.
Ao Amém categórico se opõe frontalmente a mistura e confusão de quente e frio, os compromissos entre paganismo e cristianismo (cf. 2Cor 6,14-16), que provocam a náusea de Deus (cf. Jr 14,19). Pode-se recordar a opção radical que Josué exigia (Js 24,25) ou Elias (1Rs 18,21). Contudo, é possível a conversão, para a qual Deus admoesta e repreende, em ato de benevolência (Tb 11,12-13; Pr 3,12). O primeiro passo para converter-se é descobrir e reconhecer a verdadeira situação, sem adular a si próprio. Isto é julgar-se rico (Os 12,9). A realidade se expressa em três metáforas aparentadas: pobre, cego, nu (Is 20,2-4; 43,8). O verbo "comprar" parece incongruente, se realmente é pobre; a não ser que entendamos antes "adquirir", ou que contemos com um vendedor que o dê de graça (conforme Is 55,1-2).
Para a conversão há magníficas promessas: banquete e trono. "Bate à porta" como no Cântico dos Cânticos (5,2), convida a cear (Mt 25,1-10), oferece um trono junto ao seu (Sl 110,1; cf. o pedido da mãe dos Zebedeus, Mt 20,2 par.).
4-5 Descreve amplamente uma liturgia celeste, como prólogo a quanto se segue. Enquanto as liturgias tradicionais comemoravam fatos pretéritos, saída do Egito, aliança, Páscoa, esta vai introduzir eventos futuros e próximos. Incluirá hinos e gestos, mas não sacrifícios, porque o sacrifício definitivo se consumou e está presente. É liturgia celeste, modelo da terrestre. Sua cerimônia principal será a leitura de um texto, espécie de libreto ou roteiro das visões que vão ser apresentadas dramaticamente.
Personagens. Dois são protagonistas: o primeiro é o eterno (1,8; Ex 3,14), soberano entronizado (v. 9), senhor dos meteoros (v. 5; cf. Sl 18), criador do universo (v. 11; cf. Sl 33,6; 115,3 par.; 148,5). O segundo protagonista é o Cordeiro, título emblemático. Renunciando à sua força, "leão de Judá" (5,5), ofereceu-se voluntário ao sacrifício (Is 53,7), como vítima pascal (Ex 12,3-4) e expiatória dos pecados (Jo 1,29.36). Cordeiro será o nome de Jesus mais frequente no livro.
Na assembleia distinguem-se três grupos. Um "senado" de vinte e quatro anciãos ou senadores, espécie de corte que não delibera, mas adora e canta hinos. São provavelmente doze do AT e doze do NT, representando os dois povos unidos e pacificados. Sua figura é humana, corpórea. É notável que esses representantes da humanidade tenham um papel preponderante no céu. O segundo grupo são quatro seres vivos. Quatro é número de totalidade cósmica; outros comentaristas pensam em antepassados ilustres do AT (patriarcas, reis, profetas, doutores); outros os identificam com os quatro elementos (muito problemático), ou tudo quanto vive na terra e no ar (faltam os aquáticos, cf. Sl 8; 96,11; 98,7). Uma tradição de boa aceitação os identificou com os quatro evangelistas, atribuindo uma figura emblemática a cada um. Sua função é suportar a plataforma ou estrado do trono e cantar hinos. Um terceiro grupo são os milhares e milhões de anjos que completam a corte celeste e prestam serviço permanente. Os sete espíritos são o Espírito multiforme em sua atividade (como em 1,4).
Gestos da liturgia. Reduzem-se à prostração de homenagem ou adoração, depondo as coroas, e a oferta do incenso ou perfumes, que são (segundo Sl 141,2) as orações dos fiéis, que as oferecem como mediadores. Não há outro sacrifício (Hb 13,15), porque basta o sacrifício do Cordeiro degolado.
Hinos e aclamações. São quatro nessa seção e estão inspirados em modelos do AT: dos seres vivos (Is 6,2), dos anciãos (cf. Sl 29,1-2) e o canto novo (Sl 96,1; 98,1); dos anjos (cf. Sl 103,20-21); de todas as criaturas (Sl 103,22; 148). Cantam a santidade de Deus, sua ação criadora, redentora, seu poder e majestade.
A visão se inspira de perto em Ez 1 e 10 com mudanças importantes. Descreve sem descrever, por aproximações, insistindo em efeitos luminosos e

que me falara no princípio: Sobe aqui e te mostrarei *o que vai acontecer* depois. ²Imediatamente apoderou-se de mim o Espírito. Vi um trono colocado no céu ³e *nele sentado* alguém cujo aspecto era de jaspe e cornalina; rodeando o trono brilhava um arco-íris como de esmeralda. ⁴Ao redor do trono havia vinte e quatro tronos, e sentados neles vinte e quatro anciãos, com vestes brancas e coroas de ouro na cabeça. ⁵Do trono saíam relâmpagos e ouviam-se trovões. Sete tochas de fogo ardiam diante do trono, os sete espíritos de Deus. ⁶Diante do trono havia como um mar transparente, semelhante a cristal. No centro, rodeando o trono, estavam *quatro seres vivos cobertos de olhos pela frente e por trás*. ⁷*O primeiro ser vivo tinha aspecto de leão, o segundo de touro, o terceiro tinha rosto humano, o quarto tinha aspecto de águia voando.* ⁸Cada um dos seres vivos *tinha seis asas, cobertas de olhos por dentro e em volta.* Nem de dia nem de noite descansam, dizendo: *Santo, santo, santo, Senhor Deus Todo-poderoso,* aquele que era e é e será. ⁹Cada vez que os seres vivos davam glória, honra e ação de graças àquele que estava sentado no trono, àquele que *vive pelos séculos dos séculos,* ¹⁰os vinte e quatro anciãos se prostravam diante daquele que estava sentado no trono, adoravam aquele que *vive pelos séculos dos séculos* e depunham suas coroas diante do trono, dizendo: ¹¹Tu és digno, Senhor Deus nosso, de receber a glória, a honra e o poder, pois criaste o universo e por tua vontade foi criado e existiu.

5 **O Cordeiro e o rolo** – ¹À direita daquele que estava sentado no trono vi um *rolo escrito pela frente e por trás* e selado com sete selos. ²Vi um anjo poderoso que anunciava com voz potente: Quem é digno de abrir o rolo, soltando seus selos? ³Ninguém no céu nem na terra nem debaixo da terra podia abrir o rolo nem examiná-lo. ⁴Eu chorava copiosamente, porque ninguém era digno de abrir o rolo e examiná-lo. ⁵Mas um dos anciãos me disse: Não chores, pois venceu *o Leão* da tribo *de Judá, rebento* de Davi: ele pode abrir o rolo de sete selos.

⁶Entre o trono e os quatro seres vivos e os vinte e quatro anciãos, vi que havia um Cordeiro de pé como que sacrificado, com sete chifres e *sete olhos* (os sete espíritos de Deus *enviados para todo o mundo*). ⁷Aproximou-se para receber o rolo da direita daquele que estava sentado no trono. ⁸Quando o recebeu, os quatro seres vivos e os vinte e quatro anciãos se prostraram diante do Cordeiro. Cada um tinha uma cítara e uma taça de ouro cheia de perfumes (as orações dos santos). ⁹Cantavam

---

na tempestade teofânica. Cada ser vivo tem um só aspecto, os de Ezequiel eram polimorfos. Os de Ezequiel eram querubins, tinham quatro asas, moviam-se, puxavam um carro e sustentavam uma plataforma; os do Apocalipse são serafins (segundo Is 6), têm seis asas, estão quietos, porque a Glória já não se afasta, mas preside a liturgia perpétua.

4,1-2 O começo toma dados de Dn 2,28-20 e Ez 2,2. O vidente tem que subir ao céu, porque aí se revela a história próxima da terra (1,1). O "trono" celeste: Is 66,1; Sl 11,4, é sinal de majestade real (Sl 45,7). Deus aparecerá sentado, entronizado (Sl 93,2; 97,2 etc.).

4,3 As pedras preciosas, conhecidas no AT, sugerem uma beleza luminosa; não parecem ter outro significado individual.

4,5 O fogo como elemento da divindade (Gn 15,17).

4,6 O mar cristalino pode vir de Ez 1,22; na comparação prevalece a luminosidade sobre o elemento aquático. É provavelmente o oceano situado por cima do firmamento (Gn 1,6-8).

4,8 "Olhos" ou clarões (não parece imaginar pavões).

4,11 Ver Sl 33,6; 115,3.

5,1 Entronizado: Sl 47,9. O rolo misterioso vem de Ez 2,9-10, com o acréscimo dos selos com função narrativa (cf. Is 8,16; 29,11; Dn 12,4-9). Os sete selos garantem totalmente o segredo. Logicamente teria de romper os selos antes de começar a desenrolar; enquanto está enrolado e selado, não pode ser lido por nenhum dos lados. O autor submete a lógica visual à lógica narrativa e os vai escalonando.

5,2 "Digno": talvez com o matiz jurídico de estar autorizado. Nenhuma simples criatura pode desvelar os segredos de Deus.

5,5 O primeiro título, Leão, é tomado das bênçãos de Jacó (Gn 49,9-10). O segundo é messiânico (Is 11,1).

5,6 A descrição do Cordeiro sacrificado é intelectual. Os sete chifres denotam a plenitude da autoridade (Sl 75). Os sete olhos são adaptação de Zc 4,1; os olhos observam inquisitorialmente.

5,8 A cítara é o instrumento de acompanhamento mais comum no AT.

5,9 A novidade desse cântico consiste em exaltar a obra redentora (conforme Ex 19,6), seu alcance universal (cf. Is 66,18; Zc 8,22), a participação de todos no reinado de Deus sobre o mundo. É ou se escreve para cristãos que são minoria desprezada ou perseguida.

um cântico novo: Tu és digno de receber o rolo e soltar seus selos, porque foste degolado e com teu sangue compraste para Deus homens de toda raça, língua, povo e nação; [10]*fizeste deles o reino de nosso Deus e seus sacerdotes,* e reinarão na terra. [11]Prestei atenção e ouvi a voz de muitos anjos que estavam ao redor do trono, dos seres vivos e dos anciãos: eram *milhares de milhares, miríades de miríades,* [12]e diziam com voz potente: O Cordeiro degolado é digno de receber o poder, a riqueza, o saber, a força, a honra, a glória e o louvor. [13]E escutei todas as criaturas, o que há no céu e na terra, sob a terra e no mar, que diziam: Àquele que está sentado no trono e ao Cordeiro, o louvor, a honra, a glória e o poder pelos séculos dos séculos. [14]Os quatro seres vivos respondiam: Amém. E os anciãos se prostravam adorando.

6 Os selos
– [1]Vi o Cordeiro que abria o *primeiro* dos sete selos, e ouvi um dos quatro seres vivos que dizia com a voz de trovão: Vem! [2]Vi um cavalo branco e seu cavaleiro com um arco; puseram-lhe uma coroa, e ele partiu vencedor e para continuar vencendo.
[3]Quando abriu o *segundo* selo, ouvi o segundo ser vivo que dizia: Vem! [4]Saiu um cavalo vermelho; ao cavaleiro recomendaram que tirasse a paz da terra, de modo que os homens se matassem. Entregaram-lhe uma *enorme espada.*
[5]Quando abriu o *terceiro* selo, ouvi o terceiro ser vivo que dizia: Vem! Vi sair um cavalo preto, e seu cavaleiro trazia uma balança na mão. [6]Ouvi uma voz que saía do meio dos quatro seres vivos: Por um denário um quilo de trigo, por um denário três quilos de cevada; mas não causes prejuízo ao óleo e ao vinho.
[7]Quando abriu o *quarto* selo, ouvi a voz do quarto ser vivo que dizia: Vem! [8]Vi aparecer um cavalo esverdeado; seu cavaleiro se chama Morte, e o Hades o acompanha. Deram-lhes poder para matar a quarta parte dos habitantes do mundo, *com a espada e a fome e a peste e as feras da terra.*
[9]Quando abriu o *quinto* selo, vi sob o altar as almas dos que haviam sido assassinados por causa da palavra de Deus e do testemunho que haviam dado. [10]Gritavam

---

5,11 A visão se inspira em 1Rs 22,19; Dn 7,10 e textos semelhantes.
5,13 Toda criatura, dotada de voz: numa divisão quadripartida inusitada. Sob a terra se encontra o mundo dos mortos (Fl 2,10 oferece uma visão tripartida; ver também Sl 22,30 sobre a homenagem dos mortos). Sobre o mar ou nele estão os peixes e os navios (Sl 104,25-26).
6,1-8 A visão dos quatro cavalos vem de Zc 1,7-8 e 6,1-8: três cores de cavalos na primeira e quatro na segunda. A função dos cavaleiros é inspecionar primeiro e depois executar o castigo (Zc 1,10 e 6,8). A partir desses elementos, Ap compõe uma visão nova. A expedição não é de inspeção, mas de castigo (como explicam o quinto e o sexto selos), controlado em seus limites. Vai ser feita justiça vindicativa castigando os homicidas (*"a vingança do sangue de teus servos derramado"*, Sl 79,10).
Encabeça a expedição o cavalo branco, cor própria do mundo celeste. O cavaleiro é provavelmente Jesus Cristo. Vem armado de arco: *"dispararei contra vós as flechas fatídicas da fome"* (Ez 5,16s; também Sl 7,13; 64,8); coroado e vencedor: termo característico de Jo, 1Jo e Ap (cf. Is 63,5).
Os executores do castigo seguem: a "espada", que é emblema de guerra (Is 27,1; cf. "fome, guerra e peste" em 2Sm 24,13). Fome que obriga a racionar os alimentos e multiplicar seu preço (cf. 2Rs 6,25-26; Ez 4,10-11); os quatro produtos constam no quadro desolador de Jl 1,10s; um denário era a diária do trabalhador.
Encerra a expedição a "mortandade" da peste, agente do Xeol ou Hades (cf. Jó 18,13 "a primogênita da Morte"). Embora não se enquadrem, o autor recapitula enumerando as quatro pragas clássicas de Ezequiel (p. ex. Ez 14,21; 5,17). Mas o castigo será limitado: resta trigo, ainda que caro, salvam-se o vinho e o óleo, morre só uma quarta parte.
6,1 A visão que corresponde aos sete selos está articulada numa primeira série de cavaleiros, mais duas cenas contrastadas. A visão correspondente ao sétimo selo é adiada, dando lugar a uma pausa de proteção (cap. 7).
A quem se dirige o "Vem"? Alguns pensam que ao vidente; outros conjeturam que invoca a vinda gloriosa de Jesus Cristo (cf. 22,20) para julgar; e de fato se apresenta na visão como primeiro cavaleiro.
6,9-17 O quinto e o sexto selos fornecem um díptico de correlativos para o grande julgamento. As vítimas inocentes clamam ao céu (cf. Gn 4,10) pedindo vingança, que lhes é prometida para mais tarde. Os culpados enfrentam o "dia da ira" (Sf 1,14-15).
6,9 As "almas" não são as almas separadas da dicotomia grega, mas o que nossa linguagem popular chama de "espíritos". Em lugar de encontrar-se no Xeol, Deus lhes deu asilo no seu templo (Sl 27,5), sob seu altar (tradição rabínica; comparar com Jó 14,13). Talvez o altar sugira a ideia do martírio como sacrifício. "Por causa da palavra..." (ver Ap 1,9).
6,10-11 Dali clamam: não opuseram resistência, não fizeram vingança com as próprias mãos; agora pedem que se lhes faça justiça, como tantos orantes

com voz potente: Senhor santo e veraz, quando julgarás os habitantes da terra e vingarás nosso sangue? ¹¹A cada um deram uma veste branca e lhes disseram que repousassem um pouco, até que se completasse o número de seus companheiros de serviço e dos irmãos que iriam ser assassinados como eles.

¹²Quando abriu o *sexto* selo, vi que sobreveio um violento terremoto, o sol se tornou preto como lona de crina, a lua inteira como cor de sangue, ¹³*caíram as estrelas do céu* na terra, como solta figos *uma figueira* sacudida pelo furacão. ¹⁴O céu se retirou *como um rolo que se enrola*, montanhas e ilhas se deslocaram de seus lugares. ¹⁵Os reis do mundo, os nobres e os generais, os ricos e os poderosos, todos os escravos e livres *esconderam-se em grutas e cavernas de montes*, ¹⁶e *diziam aos montes e penhascos: Caí sobre nós* e escondei-nos daquele que senta no trono e da ira do Cordeiro. ¹⁷Porque chegou o *dia solene de sua ira*, e quem poderá ficar de pé?

7 Os que se salvam

– ¹Depois, vi quatro anjos de pé *nos quatro ângulos da terra*, segurando os quatro ventos da terra para que não soprassem sobre a terra, nem sobre o mar nem sobre as árvores. ²Vi outro anjo que subia do oriente, com o selo do Deus vivo, e gritava com voz potente aos quatro anjos encarregados de causar dano à terra e ao mar: ³Não causeis dano à terra nem ao mar nem às árvores, até que *selemos a fronte* dos servos do nosso Deus. ⁴Ouvi o número dos marcados com o selo: cento e quarenta e quatro mil de todas as tribos de Israel. ⁵Da tribo de Judá doze mil, da tribo de Rúben doze mil, da tribo de Gad doze mil, ⁶da tribo de Aser doze mil, da tribo de Neftali doze mil, da tribo de Manassés doze mil, ⁷da tribo de Simeão doze mil, da tribo de Levi doze mil, da tribo de Issacar doze mil, ⁸da tribo de Zabulon doze mil, da tribo de José doze mil, da tribo de Benjamim doze mil marcados com o selo. ⁹Depois vi uma multidão enorme, que ninguém podia contar, de toda nação, raça,

---

de salmos. Já no citado Zc 1,12 (visão dos cavalos) escutava-se o grito de impaciência e a resposta de consolo (cf. Sl 79,10; Dt 32,43).
A "veste branca" simboliza a salvação já concedida a eles; mas a era dos mártires não terminou (cf. Mt 23,32).

6,12-17 Segue-se uma breve escatologia composta com peças de Is 34,4; Ez 32,7; Is 2,10.19; Os 10,8 e Sf 1,14-15. Sintetiza a perturbação cósmica e o terror dos homens. É uma catástrofe cósmica de proporções inauditas: muda a orografia da terra e o mundo sideral.
A comparação da figueira é impressionante por sua desproporção – embora os antigos não tivessem ideia do tamanho dos astros. São dados das escatologias, que também se encontram com variantes nos evangelhos sinóticos (Mt 24 par.). A "ira" é a sentença de condenação dos malvados.

6,15 Sete categorias que representam uma totalidade. "Esconderam-se": cf. Gn 3,8; como na grande teofania de Is 2,10-19 com suas dez categorias.

6,16 Grito desesperado de quem prefere a morte (Os 10,8).

6,17 O clássico *dies irae* de Sf 1,14.

7,1-13 O capítulo precedente concluía perguntando: quem poderá ficar de pé? (Sl 76,8; 13,3). Este capítulo dá a resposta. Antes do sétimo selo, da grande conflagração, há um episódio de seleção e preservação, exatamente segundo o esquema de Ez 9, ou seja, a marca dos inocentes. Repete-se o esquema de Ex 12, a marca das moradias protegidas do extermínio; o esquema de Noé salvo na arca (Gn 6-8); o esquema da escatologia (Is 26,20-21). Ora, se em tais textos se tratava de uma proteção interna, o Apocalipse liga a proteção ao destino glorioso definitivo, contemplado em visão.

7,1 Anjos como ministros de fenômenos cósmicos: ver 14,18 e 16,5. A terra imaginada como quadrilátero. Os ventos como instrumento de castigo: "há ventos criados para o castigo que com sua fúria desenraízam as montanhas" (Eclo 39,28).

7,2-3 Em Ez 9 são seis os executores ou carrascos às ordens de um sétimo encarregado de selar ou marcar os inocentes. Em Ap são quatro anjos que controlam os quatro ventos (Jr 4,11-12; 49,36; 51,1-2; Eclo 39,28), e um quinto anjo que dá ordens e é encarregado de selar. O selo é instrumento ou garantia de autoridade (1Rs 21,8, selo real; Jr 22,24, selo do Senhor; Est 8,2). O selo de Deus pode ser o nome trinitário recebido no batismo ou o próprio Espírito que se imprime (cf. 2Cor 1,22).

7,4 Quem são os 144 mil? Alguns pensam que são judeus fiéis do AT, apelando aos sete mil de 1Rs 19,18 no ciclo de Elias. Ou então judeus convertidos: Tiago falava de dezenas de milhares (At 21,20). Outros pensam que são cristãos, como em 9,4 e 14,1; mas no texto os 144 mil se contrapõem à "multidão inumerável" de toda nação e língua, que pode recordar a promessa feita a Abraão (Ex 22,17). O número 12 x 12 sugere uma multidão diferenciada e ordenada. A menção nominal das tribos descreve o novo Israel (cf. Jo 1,47.49 e Tg 1,1), o novo povo de Deus. Seguindo uma tradição rabínica, omite o nome de Dã.

7,9 Vestem uma roupa e empunham um emblema. Ou se prepararam para a grande liturgia, segundo os "ramos" mencionados em Sl 118,27, e os da entrada real de Jesus em Jerusalém (Mc 11,9 par.). Alguns suspeitam uma alusão à festa das Tendas (Lv 23,40).

povo e língua: estavam de pé diante do trono e do Cordeiro, vestidos com vestes brancas e com palmas na mão. ¹⁰Gritavam com voz potente: A vitória ao nosso Deus, sentado no trono, e ao Cordeiro. ¹¹Todos os anjos se haviam posto de pé ao redor do trono, dos anciãos e dos quatro seres vivos. Caíram de bruços diante do trono e adoraram, ¹²dizendo: Amém. Louvor e glória, saber e ação de graças, honra e força e poder ao nosso Deus pelos séculos dos séculos. Amém.

¹³Um dos anciãos se dirigiu a mim e me perguntou: Esses que têm vestes brancas, quem são e de onde vêm? Respondi: Tu sabes, senhor. ¹⁴Ele me disse: Esses são os que saíram de uma grande tribulação, lavaram e alvejaram suas vestes no sangue do Cordeiro. ¹⁵Por isso estão diante do trono de Deus, prestam-lhe culto dia e noite em seu templo, e aquele que senta no trono habita entre eles. ¹⁶*Não passarão fome nem sede, o sol não os prejudicará nem o mormaço,* ¹⁷porque o Cordeiro que está no trono *os apascentará e os guiará a fontes* de água viva. E Deus *enxugará as lágrimas de seus olhos.*

8 O sétimo selo e o turíbulo – ¹Quando abriu o *sétimo* selo, no céu se fez um silêncio de meia hora. ²Vi os sete anjos que estavam diante de Deus: a eles foram entregues sete trombetas. ³Outro anjo veio e se pôs junto ao altar com um turíbulo de ouro; deram-lhe incenso abundante para que o acrescentasse às orações de todos os santos, sobre o altar de ouro, diante do trono. ⁴Da mão do anjo subiu a fumaça do incenso com as orações de todos os santos até à presença de Deus. ⁵Depois o anjo tomou o turíbulo, *encheu-o com brasas* do altar e o *arremessou* à terra. Houve trovões e estampidos, relâmpagos e um terremoto.

As sete trombetas – ⁶Os sete anjos com as sete trombetas se prepararam para tocá-las.

7,10 Cantam a vitória ou "salvação" (Ex 15,2; Sl 74,12; 118,15; Is 56,1 etc.) do entronizado (Sl 47,9; cf. Sl 118,25). Os restantes acrescentam um novo setenário de aclamações (cf. Sl 29,1-2).

7,13 A pergunta de um dos anciãos é recurso do gênero (p. ex. Ez 37,3); nós a chamamos pergunta didática, destinada a chamar a atenção, concentrando-a num ponto concreto.

7,14 A tribulação é uma perseguição violenta, até o martírio (Mt 24,21), é uma participação na paixão de Cristo. O paradoxo de "alvejar no sangue" (limpar em 1Jo 1,7) revela o caráter intelectual da imagem. Is 1,18 contrapõe púrpura e neve; Is 63,3 diz que o sangue (do inimigo) mancha a roupa. O autor parece adaptar a bênção de Judá: "Lava sua roupa em vinho e sua túnica no sangue de uvas" (Gn 49,11).

7,15-17 Alcançaram a salvação definitiva e se juntam à liturgia celeste (Ap 4-5). "Habita" ou "acampa", segundo o verbo grego (também em Jo 1,14). Sobre eles se acumulam os bens prometidos em Is 49,10 (volta do exílio); Sl 23; Is 25,8 (escatologia). Até o paradoxo do Cordeiro que faz o papel de Pastor (Jo 10).

8,1-5 O sétimo selo cumpre três funções. Completa a liturgia celeste com o perfume das orações (5,8), desencadeia a conflagração à semelhança do incêndio de Jerusalém (Ez 10,2) e serve para ligar ao setenário dos selos o setenário das trombetas. Este será como um paralelo terrestre da visão celeste (porque a ordem cronológica não governa esses capítulos). Notamos a polaridade clássica de fogo, inclusive litúrgico: gerador de aroma e causa de incêndio, como em Ez 9-10, onde o fogo destruidor é tomado do lugar sagrado; ou como no antecedente de Nm 17. Meia hora é o tempo que dura a crise: o céu (Deus) se cala, não intervém, deixa fazer. É um silêncio agourento, um compasso de espera que cria expectativa para o que se segue (recorde-se o longo silêncio de expectativa dos amigos de Jó, Jó 2,13). Grupos de sete anjos ou arcanjos são conhecidos em textos antigos, p. ex. os de Tb 12,15. As trombetas podem estar inspiradas por Nm 10,1-10 ou textos semelhantes, como Js 6, contra Jericó; em contexto de dia do Senhor, Jl 2,1 e Sf 1,16. Além dos sete anjos, há outro que desempenha na liturgia celeste o ofício de mediador. O "altar" deve ser o do incenso (Ex 30,1). Acrescenta-se às orações o incenso que outrora era acrescentado às oblações de farinha (Lv 2,1.15). O ato litúrgico provoca a entrada dos fenômenos teofânicos do julgamento por meio do fogo (Is 55,15s).

8,4 Fumaça litúrgica: Ex 30,1-3; Sl 141,2.

8,6 A série das trombetas tem uma articulação semelhante à dos selos. Passa primeiro um rápido quarteto de pragas, *in crescendo*. Seguem-se outras duas amplas, paralelas (cap. 9). Uma larga cunha, acerca de duas testemunhas, interrompe o processo (10,1-11,14). Finalmente soa a sétima e última trombeta: a hora do julgamento e do reinado definitivo de Deus. Com isso se conclui uma parte ampla do livro (em 11,18).

O material é tomado das pragas do Egito e de outros textos proféticos ou escatológicos, e é submetido a uma elaboração fantástica, por vezes mais intelectual que realmente imaginativa. A não ser que as leiamos como visões oníricas, quase surrealistas. O autor busca o efeito tremendo, arrepiante, com meios enfáticos, bizarros. Não tem medo de sobrepor ordens heterogêneas, tolerando certa confusão.

8,6-13 Primeiro quarteto: atinge a terra, o mar, os rios e os astros. Jl 3,3-4 reúne sangue, fogo, fumaça e portentos no sol e na lua "antes que chegue o dia do Senhor". Em Ap esse dia chegará quando soar a

⁷O *primeiro* deu um toque de trombeta: houve granizo e fogo, misturados com sangue, que foi arremessado na terra. Um terço da terra se queimou, um terço das árvores se queimou, toda a erva verde se queimou.

⁸O *segundo* anjo deu um toque de trombeta: uma montanha enorme caiu em chamas no mar. Um terço do mar se transformou em sangue, ⁹um terço dos seres vivos marinhos pereceu, um terço dos navios naufragou.

¹⁰O *terceiro* anjo deu um toque de trombeta: caiu do céu uma estrela gigantesca, ardendo como tocha; caiu sobre um terço dos rios e sobre os mananciais de água. ¹¹A estrela se chama Absinto. Um terço da água se transformou em absinto, e muitos homens que a beberam morreram, pois se tornara amarga.

¹²O *quarto* anjo deu um toque de trombeta: um terço do sol foi atingido, um terço da lua, um terço das estrelas, de modo que um terço de todos se escureceu*: faltou um terço da luz do dia e também da noite. ¹³Vi uma águia voando no meio do céu e ouvi que gritava muito forte: Ai, ai, ai dos habitantes da terra, por causa dos três toques restantes que os anjos irão dar com suas trombetas.

9 ¹O *quinto* anjo deu um toque de trombeta: vi um astro caído do céu na terra e que recebeu a chave do poço do Abismo. ²Abriu o poço do Abismo e *subiu uma fumaça do poço, como fumaça de um forno gigante*; o sol e o ar se escureceram com a fumaça do poço. ³Da fumaça saíram gafanhotos que se espalharam pela terra. Foi-lhes dado um poder como o que têm os escorpiões da terra. ⁴Mas proibiram-lhes de causar danos à erva da terra ou ao verde ou às árvores. Permitiram somente causar dano aos homens que não traziam na fronte o selo de Deus; ⁵não para matá-los, mas para atormentá-los por cinco meses. O tormento é como o de um homem picado por escorpião. ⁶Naquele tempo os homens *procurarão inutilmente a morte*, desejarão morrer, mas a morte fugirá deles. ⁷Os gafanhotos se *parecem com cavalos* aparelhados para a batalha; têm na cabeça coroas como de ouro, rosto como de homens, ⁸cabelo como de mulher, *seus dentes como de leão*. ⁹Têm couraças como de ferro. O barulho de suas asas é como *o fragor de muitos carros de cavalos correndo para a batalha*. ¹⁰Têm caudas como de escorpião, como ferrões, e na cauda poder para causar dano aos homens por

---

sétima trombeta. A insistência nas pragas do Egito faz do Êxodo um tipo da saída da Igreja para a liberdade.

8,7 Alguns costumam dizer "a sangue e fogo"; o autor os une na sua imaginação. Fogo de raios entre o granizo (Ez 9,23-25; Sl 18,12-13); a tempestade teofânica é a sétima praga do Egito, a que provoca a confissão do Faraó. Fogo misturado com sangue, que abrasa parte da vegetação (destruindo parte da criação, Gn 1,12).

8,8-9 Vem depois um fogo de montanha; um vulcão? As montanhas são o mais estável da terra. Lança-se ao mar (cf. Jr 51,25; Sl 46,3) e converte em sangue parte da água (Ex 7,20-21).

8,10-11 Vem depois um fogo sideral; meteorito? Todas as estrelas têm nome; esta se chama Absinto, denotando seu destino. A água potável se torna salobra, não potável nem apta para regar: o contrário de Ex 15,22-25 ou 2Rs 2,19-22 (milagre de Eliseu). "Absinto": associado com veneno pelo sabor: Jr 9,14; 23,15.

8,12 Notemos o processo crescente: primeiro cai granizo (pedrinhas, Eclo 43,15), depois desmorona uma montanha, a seguir precipita-se um astro (Jr 14,12); depois amortecem-se o sol, a lua e as estrelas. As trevas são a penúltima praga do Egito (Ex 10,21; cf. Sb 17) e são comuns em textos escatológicos (Is 13,10; Ez 32,7 etc.). * Ou: *sua luz diminuiu em um terço.*

8,13 A águia que fala não tem antecedentes no AT. Talvez o autor a tenha escolhido para que o aviso venha do alto.

9,1 Joel nos oferece duas versões de uma terrível praga de gafanhotos: uma mais realista, outra que imagina o avanço dos insetos como um assalto de esquadrões de cavalaria (Jl 1-2). Os dois quadros são coerentes, cada qual em seu estilo. O autor de Ap se entrega à metamorfose incontrolada. Do poço sai fumaça, da fumaça saem gafanhotos, os gafanhotos se assemelham a cavalos, os cavalos são disformes com caudas como escorpiões. Outros cavalos são de fogo, suas caudas são serpentes.

O autor se compraz no disforme aterrador, deixando-se levar por reminiscências imaginativas. O astro caído é um anjo caído do céu (cf. Is 14,12 e Lc 10,18) que desce para abrir os antros infernais. A fumaça é como a de Sodoma (Gn 19,28; Is 34,9-10). Os gafanhotos exercem uma ação seletiva (Ex 10,12-15) e limitada no tempo. O tormento que produzem é mais grave que a morte (cf. Jó 3,21). O escorpião se associa à serpente em Eclo 39,30s. A Morte com seu título "Destruição" ou Perdição dirige o exército fatídico (em Is 13 e Jl 2 é *Yhwh* quem chefia o exército).

9,6 O contrário do pacto com a Morte para livrar-se (Is 28,15; Sb 1,26). Em tal situação, a morte é mais desejável que a vida: ver Jó 3,21; Jr 8,3.

9,7-8 A figura humana sugere que são seres inteligentes; a coroa denota autoridade, a cabeleira, excelência (cf. 2Sm 14,26, de Absalão); tudo é aproximado, "como".

cinco meses. ¹¹Seu rei é o anjo do Abismo, que em hebraico se chama Abaddon e em grego Apollyon. ¹²O primeiro ai passou; atenção, pois a seguir chega o segundo.

¹³O *sexto* anjo deu um toque de trombeta: escutei uma voz que saía dos quatro chifres do altar de ouro que está diante de Deus ¹⁴e dizia ao sexto anjo que tinha a trombeta: Solta os quatro anjos acorrentados junto ao Grande Rio (o Eufrates). ¹⁵Soltaram os quatro anjos, que estavam preparados para uma hora de um dia de um mês de um ano, para matar um terço da humanidade. ¹⁶Ouvi o número dos esquadrões da cavalaria: duzentos milhões. ¹⁷Este é o aspecto que vi dos cavalos e seus cavaleiros: tinham couraças de fogo, cor de jacinto e enxofre. As cabeças dos cavalos eram como de leões; das bocas saíam fogo, fumaça e enxofre. ¹⁸Por essas três pragas que saíam de sua boca: fogo, fumaça e enxofre, um terço da humanidade pereceu.

¹⁹Os cavalos têm sua força na boca e na cauda. Suas caudas parecem serpentes com cabeças, e com elas ferem. ²⁰O resto dos homens que não morreram por essas pragas, não se arrependeram *das obras de suas mãos*: não deixaram de adorar os demônios e todos os *ídolos de ouro, prata e bronze, pedra e madeira*, que não veem nem ouvem nem andam. ²¹Não se arrependeram de seus homicídios, de suas feitiçarias, de sua fornicação, de seus roubos.

10 O pequeno rolo

– ¹Vi outro anjo poderoso descendo do céu, envolto numa nuvem, com o arco-íris sobre a cabeça; seu rosto como o sol, suas pernas como colunas de fogo. ²Tinha na mão um livrinho aberto. Apoiou o pé direito no mar e o esquerdo em terra firme, ³e gritou com voz potente, como ruge um leão. Quando gritou, falaram com sua voz os sete trovões. ⁴Quando os sete trovões falaram, eu me dispus a escrever. Mas ouvi uma voz do céu que me dizia: Conserva em segredo o que disseram os sete trovões, e não o escrevas. ⁵O anjo que vi postado sobre o mar e a terra ergueu a direita para o céu ⁶e jurou por aquele que vive pelos séculos dos séculos, que criou o céu e tudo o que ele contém, a terra e tudo o que ela contém, o mar e tudo o que ele contém: não há mais tempo; ⁷quando soar o toque de trombeta do sétimo anjo, se cumprirá o plano secreto de Deus, como anunciou a seus servos, os profetas.

9,11 Contra Pr 30,27, esses gafanhotos têm um rei. "Perdição" é sinônimo de Xeol em textos sapienciais (Pr 15,11; 27,20); aparece personificada em Jó 28,22.
9,13 O altar de Ex 30,1-3. Como se o altar, ou alguém em cima dele, falasse.
9,14 O Eufrates é a última fronteira da terra santa: Gn 15,18; Dt 1,7 etc.
9,15 No momento exato determinado por Deus (Sl 75,3), mobilizarão um exército fabuloso, como em Ez 38-39. São cavalos que abrasam pela boca (cf. Sl 11,6; Is 34,9-10; ou o Leviatã de Jó 41,11-13) e envenenam com a cauda. Apesar da matança, os homens não se corrigem (Am 4,6-11) de sua idolatria insensata (Sl 115,4-7; 135,15-17).
9,20 Segundo a descrição de Sl 115,4-7 e 135,15.
9,21 Alusão a preceitos do decálogo.
10,1-11 Interrompendo o ritmo das trombetas, um "livrinho" é introduzido com grande aparato dramático. Se o livro ou rolo dos sete selos era o AT interpretado por Cristo glorificado, o presente livrinho fala da etapa que precederá o julgamento final; não está selado. A imagem do livro vem de Ez 2,8-9 e 3,1-3. É preciso comê-lo e assimilá-lo; tem sabor doce, como palavra de Deus (cf. Jr 15,16), é amargo pelas ameaças que contém. O livro ingerido confere a missão de profetizar (Ez 3,1-11) e dá autoridade sobre povos e reis (Jr 1,10). Profetizar é dar testemunho da parte de Deus: o autor profeta se desdobrará em duas testemunhas coletivas, para a etapa anterior ao julgamento. A função do livrinho é provocar e garantir o testemunho cristão, que é a nova profecia (cf. Mc 13,11).
Visto que o sétimo toque de trombeta é adiado até 11,15, essa seção reclama um espaço notável para apresentar algo muito importante que deve acontecer antes do fim.
Antes de receber e devorar o livrinho, escutou os sete trovões (Sl 29), que agora têm voz articulada (cf. Ex 20,18-19; Jo 12,29) para responder ao grito do anjo e explicar como será o final. João o escuta e compreende, mas não pode escrevê-lo nem revelá-lo antes que chegue o momento do cumprimento (Dn 8,26). Como mediador intervém um anjo magnífico: radiante, solar, de fogo, de voz possante, capaz de abranger mar e terra detendo-se em ambos. Pronuncia o juramento mais solene (cf. Dt 32,40; Gn 14,22), anunciando que o fim é iminente.
10,1 Esse anjo é extraordinário por seus atributos visuais: a nuvem e as colunas de fogo como no caminho pelo deserto, o arco-íris, que Deus estende (Eclo 43,11s).
10,2 Apoiar um pé sobre o mar significa domínio também sobre o elemento líquido.
10,3 Como leão: em relação com a atividade profética (Am 3,8).
10,4 Se não escreve, terá de selá-lo na memória.
10,5 O gesto de jurar como em Dn 12,7; Dt 32,40.
10,6 Ou seja, o prazo já não demora (cf. Ez 7).

⁸A voz celeste que eu tinha ouvido me dirigiu novamente a palavra: Vai, pega o livrinho aberto da mão do anjo postado sobre o mar e a terra firme. ⁹Dirigi-me ao anjo e lhe pedi que me entregasse o livrinho. Ele me disse: Toma e come-o, pois na boca te será doce como mel e amargo no estômago. ¹⁰Tomei o livrinho da mão do anjo e o comi: na boca era doce como mel; mas quando o engoli senti o estômago amargo. ¹¹E me dizem: Tens de profetizar novamente contra povos, nações, línguas e reis.

11
As duas testemunhas – ¹Entregaram-me um caniço semelhante a uma vara e me ordenaram: Levanta-te e mede o templo de Deus, o altar e os que nele adoram. ²Exclui da medida o átrio externo do templo, porque é entregue aos pagãos, que pisotearão a cidade santa por quarenta e dois meses. ³Enviarei minhas duas testemunhas que, vestidas de pano de saco, profetizarão por mil, duzentos e sessenta dias. ⁴São as duas oliveiras e os dois candelabros que estão diante do Senhor do mundo. ⁵Se alguém procura causar-lhes dano, lançarão pela boca um fogo que consumirá seus inimigos. Assim deverá morrer quem tentar fazer-lhes mal. ⁶Elas têm poder para fechar o céu, de modo que não chova enquanto estiverem profetizando, e poder sobre as águas para transformá-las em sangue, e poder sobre a terra para feri-la com pragas quando quiserem. ⁷Quando terminarem seu testemunho, a fera que sobe do Abismo lhes declarará guerra, as derrotará e as matará. ⁸Seus cadáveres ficarão estendidos na praça da grande cidade que traz o nome simbólico de Sodoma e Egito (onde o seu Senhor foi crucificado). ⁹Durante três dias e meio, gente de diversos povos, raças, línguas e nações vigiarão seus cadáveres e não permitirão que as sepultem. ¹⁰Os habitantes da terra se alegrarão por sua derrota, e o festejarão enviando presentes uns aos outros, pois aqueles dois profetas atormentavam os habitantes da terra. ¹¹Passados três dias e meio, o sopro de vida

---

10,11 Comparar com a vocação de Jeremias (Jr 1,4-10).

11,1-14 Mas resta a etapa crítica do testemunho profético. A atividade profética deve continuar até que chegue o fim, durante esta etapa na qual as realidades são bivalentes ou ambíguas, porque os cristãos vivem no meio de pagãos. O recinto sagrado é contíguo ao profano ou profanado; a cidade onde morreu o Senhor se chama Sodoma. O autor afirma a ambiguidade e tenta a distinção.
Crise é confrontação e separação: os campos se delimitam cada vez mais. A luta é aberta: de um lado, a denúncia que prega a conversão: tal é o testemunho. De outro lado, a perseguição até a morte (Jr 11,21; Sl 35,4). Há um espaço de asilo seguro (v. 1) para os adoradores de Deus (1Rs 19,18; Sl 27,5; 61,5); outro espaço fica à mercê dos pagãos (Sl 79; Lm 1,10).

11,1-2 O vidente, que já assimilou o livrinho, deve tomar parte ativa na visão: não como o modelo imediato de Ez 40,3, onde o profeta é mero espectador, mas segundo outros textos em que o profeta é protagonista (Ez 37 e 43). Templo, altar e átrios representam comunidades humanas, cristãos (cf. 1Cor 3,16; Ef 2,21) e pagãos (não-judeus convertidos e penitentes). A duração equivale a três anos e meio, a metade de um setenário; como o espaço, também o tempo é medido. "Exclui da medida": o grego quebra a coerência da medição e emprega a expressão forte "lança-o fora" (frequente em Jeremias para designar o desterro). "Pisoteada": Lc 21,24; Is 63,18.

11,3-6 Em suas atividades, as duas testemunhas assumem traços de Moisés e Elias (Ex 7,17; 1Rs 17,1). Duas testemunhas é o mínimo que a legislação exige (Dt 19,15): mas os dois representam a comunidade em sua função profética e martirial; "o espírito de profecia" é o testemunho de Jesus (Ap 19,10); não se identificam com personagens individuais. O tempo do ministério está truncado: só a metade de sete anos (Dn 7,25; 12,7). Embora sejam profetas, acumulam as funções real e sacerdotal, como as duas oliveiras e os dois candelabros (Zc 4,3.11-14, um só candelabro). Enquanto durar seu ministério, sua palavra será fogo que consumirá os rebeldes (Jr 23,29; Eclo 48,1; Lc 9,54).
"Vestidas de pano de saco": em gesto de luto e penitência (Jn 3,6-8). "Quando quiserem": inclusive com maior poder que Elias e Moisés.

11,7 Quando tiverem concluído seu ministério, a "fera", agente do poder da Morte, as derrotará; aparentemente. Por quê? Matando-as por causa do testemunho, as incorpora à paixão do Senhor, e por isso obterão a ressurreição e ascensão (v. 11). A fera parece inspirada em Dn 7.

11,8 A cidade que as matou e matou Cristo merece o nome de Sodoma, a depravada (cf. Is 1,10), ou Egito, o opressor.

11,9-10 Só meia semana, e jazerão seus cadáveres insepultos, expostos à caçoada (cf. Is 14,19; Tb 2,18-19), enquanto a população e o mundo festejarão sua aparente derrota.

11,11-12 A ressurreição segue o esquema de Ez 37,10 na visão dos ossos, até pôr-se de pé. Sua ascensão assemelha-se à de Elias (2Rs 2,11), com um toque de At 1 adaptado. A inesperada glorificação dos mártires provoca o terror dos culpados, o reconhecimento a contragosto da glória de Deus (cf. Ez 39,21; Sl 102,16; 2Mc 9,12). A ascensão se assemelha à de Jesus (At 1) e à do personagem humano de Dn 7,13, ou à de Elias (2Rs 2,11).

de Deus penetrou neles, e se puseram de pé. Os que viram isso ficaram tomados de terror ¹²e ouviram uma potente voz celeste, que lhes dizia: Subi para cá. Subiram ao céu numa nuvem, enquanto seus inimigos olhavam para eles.

¹³Nesse momento sobreveio um grande terremoto, e a décima parte da cidade desmoronou, e sete mil pessoas morreram no terremoto. Os restantes se aterrorizaram e confessaram a glória do Deus do céu. ¹⁴O segundo ai passou; eis que chega logo o terceiro.

A sétima trombeta – ¹⁵O *sétimo* anjo deu um toque de trombeta: vozes potentes ressoaram no céu: Chegou ao mundo o reinado de nosso Senhor e de seu Messias, e reinará pelos séculos dos séculos. ¹⁶Os vinte e quatro anciãos sentados em seus tronos diante de Deus caíram de bruços e adoraram a Deus, ¹⁷dizendo: Nós te damos graças, Senhor, Deus Todo-poderoso, aquele que é e era, porque assumiste o poder supremo e o reinado. ¹⁸Os pagãos se enfureceram, mas sobreveio tua cólera, a hora de julgares os mortos e dares o prêmio aos teus servos, aos profetas, aos santos, aos que respeitam teu nome, pequenos e grandes; a hora de destruíres os que destroem a terra.

A mulher e o dragão – ¹⁹Abriu-se no céu o templo de Deus e apareceu no templo a arca de sua aliança. Houve relâmpagos, estampidos, trovões, um terremoto e forte chuva de pedras.

12 ¹Um grande sinal apareceu no céu: uma mulher vestida do sol, a lua

---

11,13 Também a terra se contagia de terror e estremece num terremoto clássico (Ez 38, 19; Is 24,18-20). "Confessar a glória" não significa necessariamente conversão; pode ser o reconhecimento do réu confesso (cf. Js 7,19).

11,15-18 Por fim, depois da etapa das testemunhas, soa a sétima trombeta e chega o fim: reinado de Deus e julgamento final. É um ato unitário cuja articulação cronológica pode variar. A lógica ordenaria assim: assalto presunçoso de uma coalizão internacional (Sl 2,2; Ez 38; cf. Is 8,9-10), derrota (Sl 48,5-6; 76,6-7), o julgamento de prêmio e castigo (Is 65,8-16) segundo a lei do talião; o reinado. Na escatologia de Is 24-27 descobrimos a seguinte ordem: terremoto (24,18-20), julgamento e reinado (24,21-23).

Santos ou consagrados é designação comum dos cristãos; eles mesmos são "teus servos, os profetas" (Zc 1,6) pela função profética partilhada de dar testemunho; eles mesmos ainda são os que "respeitam teu nome", fórmula menos frequente (Sl 61,6). "Pequenos e grandes" inclui a totalidade (Sl 115,13).

11,18 A cólera dos pagãos pode ser tomada de Sl 2,2 ou de Sl 98,1 (grego); é cólera ativa, agressiva. Os inimigos de Deus são os destruidores da terra, que é criação de Deus; ou, segundo o equivalente hebraico, os que corrompem ou pervertem o mundo. Combina uma fórmula frequente sobre os profetas e outra do Sl 115,13.

11,19 Discute-se a colocação do versículo. a) Como encerramento da seção precedente: com o reinado de Deus se inaugura a aliança com seu povo. b) Como abertura: o novo ciclo de eventos se abre com a revelação da nova aliança. O templo celeste é o próprio céu (21,22).

Para entender o versículo, devem-se recordar dois dados: a presença da arca da aliança no templo de Salomão (1Rs 8,1.6) e a lenda contada em 2Mc 2,7-8. Segundo esta, Jeremias escondeu a arca numa gruta do monte Nebo, e anunciou: *"Esse lugar ficará desconhecido, até que Deus se torne propício e reúna a comunidade do povo; então o Senhor mostrará de novo esses objetos, e será vista a glória do Senhor"*. Se o autor de Ap conheceu e explorou essa lenda, o v. torna-se inteligível como começo solene: a teofania ilumina o cenário.

12,1-18 *Personagens*. Primeiro a mulher em dores de parto. Os antecedentes bíblicos são muitos, porque é a comunidade de Israel em seu aspecto fecundo, a matriarca ideal em confronto com os patriarcas. O texto básico se encontra em Is 66,7-14, porque dá à luz "um filho homem" e um "povo": o Messias e a nova comunidade. O aspecto crítico do parto é proposto por Os 13,13, ao passo que a dor e a alegria da maternidade são mencionadas em Jo 16,20-22. A mulher é celeste por seus atributos astrais: mais que a Jerusalém de 60, melhor que a noiva de Ct 6,10. Revestida de luz solar, como o Senhor (Sl 104,2); a lua como base semelhante a uma gôndola, pisada ou sustentando; uma nova constelação a coroa, talvez a dos astros que correspondem às doze tribos. Os autores a identificam em três planos: a Sinagoga ou comunidade de Israel da qual nasce o Messias, a Igreja que gera o Messias em cada cristão (cf. Gl 4,19), e Maria. Esta última é chamada "mulher" em Jo 2,4, é mulher e mãe junto à cruz (Jo 19,26).

A ela se opõe a mulher que cavalga a fera, vestida de púrpura e ornada de joias, prostituta adornada que embriaga seus seguidores (cap. 17).

Antagonista é o dragão. Dn 7-8 proporciona a pauta para esse capítulo e o seguinte. O dragão é no AT o império agressor, Egito, Babilônia (Jr 51,34; Is 51,9-10; Ez 29 e 32), que encarna na história o poder mítico hostil (cf. Is 14,29). Gn 3,10 o apresenta como serpente sedutora, em hostilidade perpétua com a mulher e sua descendência. Por ora aparece no painel celeste acusando seu poder nefasto contra os escolhidos, "os astros do céu" (Dn 8,10). Não casam bem as sete cabeças da ameaça com os dez chifres do poderio; são coisas de Dn 7,7.

sob os pés e na cabeça uma coroa de doze estrelas. ²Estava grávida e gritava de dor no momento do parto. ³Apareceu outro sinal no céu: um enorme dragão vermelho, com sete cabeças e dez chifres e sete diademas nas cabeças. ⁴Com a cauda arrastava um terço dos astros do céu e os arremessava à terra. O dragão estava diante da mulher que dava à luz, disposto a devorar a criança assim que nascesse. ⁵Ela deu à luz um filho homem, que apascentará todas as nações com vara de ferro. O filho foi arrebatado para Deus e para o seu trono. ⁶A mulher fugiu para o deserto, onde tinha um lugar preparado por Deus para sustentá-la por mil, duzentos e sessenta dias.

⁷Foi declarada guerra no céu: Miguel com seus anjos lutavam com o dragão; o dragão lutava ajudado por seus anjos; ⁸mas não vencia, e perderam seu lugar no céu. ⁹O dragão gigante, a serpente primitiva, chamado Diabo e Satanás, que enganava o mundo inteiro, foi arremessado na terra com todos os seus anjos. ¹⁰Escutei no céu uma voz potente que dizia: Chegou a vitória, o poder e o reinado do nosso Deus e a autoridade de seu Messias; pois foi expulso aquele que acusava nossos irmãos, aquele que os acusava dia e noite diante do nosso Deus. ¹¹Eles o derrotaram com o sangue do Cordeiro e com o próprio testemunho, pois desprezaram a vida até morrer. ¹²Por isso festejai, céus, e os que neles habitais. Ai da terra e do mar! Porque desceu até vós o Diabo, enfurecido por saber que lhe sobra pouco tempo.

¹³Quando o dragão viu que fora arremessado na terra, perseguiu a mulher que havia dado à luz o menino. ¹⁴À mulher foram dadas as duas asas da águia gigante, para que voasse ao seu lugar no deserto, onde será sustentada um ano, dois anos e meio ano, longe da serpente. ¹⁵A serpente lançou da boca água como um rio atrás da mulher, para arrastá-la na correnteza. ¹⁶Mas a terra ajudou a mulher, abrindo a boca e bebendo o rio que o dragão lançara pela boca. ¹⁷O dragão, enfurecido com a mulher, partiu para guerrear contra o resto de seus descendentes, os que cumprem o preceito de Deus e conservam o testemunho de Jesus. ¹⁸E se deteve à beira-mar.

13 As duas feras (Dn 7) – ¹Vi sair do mar uma fera com dez chifres e sete

---

Vencedor na luta é o filho. É o Messias, como prova a citação de Sl 2,9. A citação de Sl 2,7 em At 13,33 mostra que o nascimento coincide com a ressurreição (e ascensão, Sl 110,1), para receber de fato o poder real. O dragão-Xeol tentou devorá-lo na paixão, mas Deus o "arrebatou", como a Henoc ou Elias (Gn 5,24; 2Rs 2). Tratando-se de uma projeção celeste esquemática, o processo se concentra em dois momentos.

12,1 Vejamos como se realiza e se desenrola a aliança. O céu é aqui, antes de tudo, um gigantesco painel onde se projeta uma cena, que é parábola-resumo do que há de acontecer na terra e explicação de seu sentido transcendente. O céu é além disso o suposto lugar da divindade. "Sinais" são as cenas que têm significado codificado. Ver o convite de Isaías a Acaz (Is 7,11), oferecendo um sinal "no céu ou no abismo".
12,4 Conforme Dn 8,10.
12,6 A fuga pode recordar a Sl 55,7-9; é como a saída dos israelitas do Egito (Ex 12,40-42), e por isso pode significar a saída da Igreja do judaísmo ou do paganismo. O relato continua no v. 13, após um interlúdio complementar.
12,7-12 O dragão e seu exército tiveram um "lugar no céu". Eram poderes cósmicos ou políticos adorados como divindades e por esse artifício regedores da história. A confissão do único Deus verdadeiro, *mi ka-'el* = Quem-como-Deus, os desmascarou e privou de seus privilégios (cf. Sl 82; Is 14).
Em sua audácia insensata o dragão-diabo chegou a arvorar-se em fiscal acusador perante Deus (cf. Jó 1-2; Zc 3,1). Mas o Messias o derrotou, viu-o cair do céu (Lc 10,18). A morte de Cristo e dos mártires foi na realidade a vitória sobre Satanás, que é celebrada com aclamações no céu. Mas Satanás trasladou seu poder à terra, contra os que ficam, enfurecido e com pressa. Este é o tempo da Igreja. A "mulher" é agora a Igreja, que torna a dar à luz o Cristo nos cristãos (cf. Gl 4,19).
12,9 Quatro nomes e um qualificativo para o poder hostil: Dragão gigante = Serpente primitiva (Gn 3) = Satanás (rival) = Diabo (acusador); sua tática e sua força consistem em "enganar", porque é inimigo da verdade (Jo 8,44).
12,11 É significativo o paralelismo do "testemunho" e do "sangue do Cordeiro".
12,13-18 Continua a hostilidade do dragão contra a mulher na terra (Gn 3,15). Com "asas de águia" (Ex 19,4) a mulher se refugia no deserto: como Moisés, Davi, Elias, um salmista (Sl 55,7-9), durante a metade de sete anos, alimentada com um novo maná (cf. Jo 6). O dragão envia, como agente seu, as "águas torrenciais" (Sl 18,5; 32,6; Jn 2,4), que a terra engole (cf. Nm 16,30-32). Doravante o dragão lutará contra o "resto da descendência" da mulher (Gn 3,15).
12,18 O dragão se detém na fronteira da terra e do mar. O anjo poderoso pisava ao mesmo tempo a terra e o mar (10,2).
13,1-18 Entram em cena dois novos personagens, que agirão até o cap. 20. Por serem dois, poderiam ser colocados diante das duas testemunhas. A pauta de Dn 7 se deixa ver com mais detalhe. O dragão começa

cabeças; nos chifres dez diademas, e nas cabeças títulos blasfemos. ²A fera da visão parecia um leopardo, com patas como de urso e boca como de leão. O dragão lhe delegou seu poder, seu trono e grande autoridade. ³Uma de suas cabeças parecia ferida mortalmente, porém a ferida mortal foi curada. O mundo inteiro seguia admirado a fera e adorava o dragão que deu autoridade à fera; ⁴e adoravam a fera, dizendo: Quem se compara à fera, quem poderá lutar contra ela? ⁵Foi-lhe dada uma boca insolente e blasfema, deram-lhe autoridade para agir durante quarenta e dois meses. ⁶Abriu a boca blasfemando contra Deus, blasfemando o nome dele, sua morada e os que habitam no céu. ⁷Permitiram-lhe fazer guerra contra os santos e vencê-los; foi-lhe dada autoridade sobre toda raça, povo, língua e nação. ⁸Vão adorá-la todos os habitantes da terra, cujos nomes não estão registrados desde o princípio do mundo no livro da vida do Cordeiro degolado. ⁹Quem tem ouvidos, escute; ¹⁰O destinado ao cativeiro irá cativo; o destinado à espada, pela espada morrerá. Aqui estão a perseverança e a fé dos santos.

¹¹Vi subir da terra outra fera, com dois chifres como cordeiro, e que falava como um dragão. ¹²Ela exercia toda a autoridade da primeira fera na presença dela, e obrigava todos os habitantes da terra a adorar a primeira fera, cuja ferida mortal fora curada. ¹³Ela realiza grandes sinais: faz cair raios do céu na terra em presença dos homens. ¹⁴Engana os habitantes da terra com os sinais que lhe permitem fazer na presença da fera.

---

a agir por seus agentes delegados: uma fera marinha e outra terrestre subdelegada, uma estátua animada que tem de ser adorada e uma marca de dedicação e reconhecimento. São poderes políticos absolutos, com suas ideologias, divinizados, empenhados em impor sua soberania como rivais de Deus. São figuras emblemáticas. No passado tinham sido Babilônia (Is 14) com seu imperador e sua estátua (Dn 2-3), depois os "ferozes" impérios sucessivos (Dn 7-8). No tempo do autor, é a Roma imperial, com o culto ao imperador divinizado, perseguidora violenta dos cristãos. No decurso da história, irá tomando nomes novos, com suas novas estátuas e marcas. Em resumo, a fera parodia a figura de Deus e do Cordeiro: recebe poder do dragão, tem um trono, sara de uma ferida, exige adoração, grita "quem como...?" Alguns agentes exibem feridas misteriosamente curadas, ou seja, derrotas amplamente ressarcidas; outros realizam obras portentosas, convincentes (Dt 13,2); ostentam infundir a vida ao inerte, como demiurgos que remedam a Deus (Gn 2,7). Sua blasfêmia consiste em apresentar-se como deuses (Ez 28,9; Is 48,8.10). Com bajulações, enganos e ameaças pretendem submeter todos, e negam os direitos civis a quem não se curva. Mas os cristãos, "registrados no livro da vida" especial, o de um morto que está vivo, resistirão com sua fé "perseverante". Os que se submetem são destinados ao "cativeiro e à morte" (Jr 15,2).

13,1 Sai do "mar" (Dn 7,3), que é o elemento rebelde e hostil onde se tinha detido o dragão (12,18). Os dez chifres podem representar uma totalidade de poder ou uma série de poderes; algo semelhante às sete cabeças; é uma réplica do dragão (12,3). "Títulos blasfemos" é o título divino que se arrogam: ver 17,3. Algum comentarista percebeu uma alusão velada: da fera a Roma, do mar ao Mediterrâneo, *Mare nostrum*.

13,2 A fera sintetiza as quatro de Daniel (Dn 7,4-6). O dragão é o de 12,9, poder supremo do reino hostil transcendente. Nomeia-a plenipotenciária: inclusive cede-lhe o trono (que o Faraó não cede a José, Gn 41,40). Comparar com Ap 2,28; 3,21.

13,3 Paródia diabólica de Jesus Cristo, com pretensões de suplantá-lo. Levando em conta lendas correntes da época, é provável que se refira a Nero.

13,4 "Quem como a fera?" remeda a expressão "Quem como Deus?" (= *Mi-ka-'el*, Ex 15,11; Sl 88,6; cf. Is 46,9). Ver 2Ts 2,4.

13,5 "Insolente": Sl 12,5. Um tempo limitado, a metade de sete anos; igual ao dragão (12,6-14).

13,6 A "morada" é a tenda, o templo celeste; os que o habitam são a corte de Deus.

13,7 "Foi-lhe dada" (por Deus, passivo teológico) equivale a permitir; porque Deus, e não o dragão, tem o controle supremo. Faz guerra, como o dragão (12,17).

13,8 À expressão tradicional "o livro da vida" (Ex 32,32; Sl 69,28) acrescenta-se "do Cordeiro", como se fosse ele quem leva o registro. "Desde o princípio do mundo": ou previstos todos de antemão, ou começando pelos primeiros homens e continuando ao longo da história.

13,10 O texto citado de Jeremias 15,2 diz que a sentença passa a ser executada, porque já não é tempo de intercessão.

13,11-12 A segunda fera é de categoria inferior: em cabeça, chifres e aspecto; só sobressai em falar como um dragão. Age "na presença" ou como representante da outra; e sua função é a de um falso profeta, como o descrito em Dt 13. Sua finalidade é promover o culto da outra fera; provável alusão ao culto imperial, que primeiro foi de Roma e mais tarde do imperador. No detalhe da ferida mortal curada alguns veem uma alusão à lenda de um "Nero redivivo" que retornaria como imperador.

13,13 Como se controlasse os meteoros: assim fizeram Elias e Eliseu (1Rs 18,24-39; 2Rs 1,10-12); porque eram profetas autênticos do Senhor a quem os raios obedecem (Jó 38,35). Sinais enganosos: anunciados em Dt 13,2; Mt 24,24.

13,14 O pormenor da estátua, inspirado em Dn 2-3, aludiria também ao culto do imperador com suas múltiplas estátuas: Sb 14,16-21 analisa o tema.

Manda os habitantes da terra fabricar uma imagem da fera ferida pela espada e ainda viva. ¹⁵Permitiram-lhe infundir alento na imagem da fera, de modo que a imagem da fera falasse e fizesse morrer os que não adorassem a imagem da fera. ¹⁶A todos, pequenos e grandes, ricos e pobres, livres e escravos, faz que recebam uma marca na mão direita ou na fronte. ¹⁷Assim, aquele que não levar a marca com o nome da fera ou com o número de seu nome, não pode comprar nem vender. ¹⁸Aqui é preciso talento! O perspicaz calcule o número da fera; é o número de uma pessoa e equivale a 666.

14 Os salvos – ¹Vi o Cordeiro que estava de pé no monte Sião e com ele cento e quarenta e quatro mil que traziam seu nome e o nome do Pai gravado na fronte. ²Ouvi um barulho no céu: era como barulho de águas torrenciais, como barulho de trovoada, o barulho que ouvi era como de citaristas que tocavam suas cítaras. ³Cantam um cântico novo diante do trono, diante dos quatro seres vivos e dos anciãos. Ninguém podia aprender o cântico, exceto os cento e quarenta e quatro mil resgatados da terra. ⁴São os que não se contaminaram com mulheres e se conservam virgens. Eles acompanham o Cordeiro aonde for. Foram resgatados da humanidade como primícias para Deus e para o Cordeiro. ⁵Em sua boca não houve mentira: são íntegros.

A hora do julgamento – ⁶Vi outro anjo voando no zênite do céu levando o evangelho eterno, para anunciá-lo aos que habitam na terra, a toda nação, raça, língua e povo. ⁷Dizia com voz potente: Respeitai a Deus e dai-lhe glória, porque chegou a hora do seu julgamento. Adorai aquele que fez o céu e a terra, o mar e os mananciais.

⁸Um segundo anjo o acompanhava, dizendo: Caiu, caiu a grande Babilônia, aquela que embriagava todas as nações com o vinho furioso de sua fornicação.

13,15 Comparar com Sl 115 sobre a mudez das estátuas idolátricas, e com a Carta de Jeremias. O dado encaixa nas práticas mágicas e também em mentiras da época.

13,16 É uma espécie de tatuagem de identificação, como as que se praticavam então com função social ou religiosa. Como o oposto do cap. 7 e de Ez 9; Is 44,5. A palavra grega escolhida costumava designar o selo imperial. Retorna no livro até o cap. 20.

13,18 O "talento" dos comentaristas tem sido posto à prova nesse número enigmático. É sabido que em hebraico e grego as letras servem de algarismos, e por isso um nome pode ser transposto numa cifra. Mas também é sabido que com os números podemos fazer múltiplas operações a serviço da fantasia. A opinião mais corrente por ora o identifica com o imperador Domiciano (81-96) ou com Nero (54-68), ou com Domiciano no papel de "Nero redivivo".

14,1-5 Os salvos, companheiros de destino do Cordeiro, formam grupo à parte. Eles trazem um sinal (Ez 9,4), diferente da marca da fera, que é o nome de Cristo e de seu Pai (3,12; 22,4) recebido no batismo. Seu número é de totalidade (7,3-4). São os "resgatados da terra", porque já pertencem ao céu e, cantando, participam ativamente da sua liturgia (Sl 144,9).
Não se contaminaram com idolatria (cf. 2Cor 11,1-4 para o sentido de "virgem"). Ou então guardaram continência preparando-se para a batalha (1Sm 21,6). São primícias escolhidas (Tg 1,18), são a comunidade que Sf 3,13 anunciou.

14,1 O "monte Sião" é a capital do rei (Sl 48,2-3) ou o monte da confluência universal (Is 2,1-5).

14,2 É interessante que o rumor ou estrondo das águas lhe soe como música de cordas.

14,4 "Acompanham" ou seguem: cf. Jo 12,26. A "mentira" seria em concreto a idolatria (Jr 3,23; 13,25).

14,6 Do zênite, centro supremo do céu, sua mensagem atinge toda a superfície terrestre. Antes do julgamento, o evangelho faz um último apelo a todos os povos para que se convertam ao Deus verdadeiro (Ap 11,18; cf. Ecl 12,13). É boa notícia, consoladora e exigente. O evangelho se chama eterno porque é o mesmo para todas as gerações até a última: outros pensam que é "eterno" por pertencer à esfera da consumação celeste.

14,6-20 Numa sequência apertada, o autor sintetiza várias cenas do julgamento escatológico, simultâneas ou sucessivas, algumas das quais desenvolverá mais adiante. Intervêm três anjos, uma figura humana e outros três anjos. Segundo o seguinte esquema:
– Um anjo proclama um evangelho que exorta à conversão
outro anjo anuncia a queda da Babilônia
outro anjo ameaça com o castigo
Intermédio de chamado e escuta.
– Uma figura humana, coroada, aparece com uma foice.
– Um anjo lhe ordena ceifar, e ele o executa
outro anjo se apresenta com uma foice
outro anjo lhe ordena vindimar, e ele o executa.
O esquema é coerente.

14,7 O universo, normalmente "céu e terra", divide-se aqui em quatro esferas: céu, terra, mar-oceano, mar subterrâneo de água doce que aflora nos mananciais (os tradicionais Apsu e Tiamat). Essa adoração se contrapõe à idolatria e ao culto imperial.

14,8 Babilônia é a capital emblemática do dragão, cuja queda será descrita ou cantada mais adiante (17-18), oposta à Jerusalém celeste. O presente anúncio

⁹Um terceiro anjo os acompanhava, dizendo em alta voz: Aquele que adorar a fera ou sua imagem, aquele que aceitar sua marca na fronte ou na mão, ¹⁰beberá o vinho da cólera de Deus derramado sem mistura na taça de sua ira; será atormentado com fogo e enxofre em presença dos santos anjos e do Cordeiro. ¹¹A fumaça do tormento se eleva pelos séculos dos séculos. Não têm descanso nem de dia nem de noite os que adoram a fera e sua imagem, os que recebem a marca do seu nome. ¹²Aqui está a constância dos santos, que observam os mandamentos de Deus e se mantêm fiéis a Jesus! ¹³Ouvi uma voz celeste que dizia: Felizes os que morrem fiéis ao Senhor. Sim – diz o Espírito – descansarão de suas fadigas, pois suas obras os acompanham.

¹⁴Vi uma nuvem branca, e sentada na nuvem uma figura humana, com uma coroa de ouro na cabeça e uma foice afiada na mão. ¹⁵Saiu outro anjo do templo e gritou em alta voz para aquele que estava sentado na nuvem: Lança a foice e ceifa, pois chegou a hora da ceifa, quando a messe da terra está bem madura. ¹⁶Aquele que estava sentado na nuvem lançou a foice na terra e a terra foi ceifada. ¹⁷Saiu outro anjo do templo do céu, também ele com uma foice afiada. ¹⁸Saiu outro anjo de junto do altar, aquele que controla o fogo, e disse em alta voz para aquele que tinha a foice afiada: Lança a foice afiada e colhe as uvas da videira da terra, pois os cachos estão maduros. ¹⁹O anjo lançou a foice na terra e colheu a videira da terra e jogou as uvas no grande lagar da ira de Deus. ²⁰Pisaram o lagar fora da cidade, e o sangue transbordou do lagar, e num raio de trezentos quilômetros* atingiu a altura do freio dos cavalos.

15 As sete últimas pragas

– ¹Vi outro sinal no céu, grande e admirável: sete anjos que levam as sete últimas pragas, nas quais se esgota a ira de Deus. ²Vi uma espécie de mar transparente misturado com fogo. Os que venceram a fera, sua imagem e o número de seu nome estavam junto ao mar transparente com as cítaras de Deus. ³Eles cantam o cântico de Moisés, o servo de Deus, e o cântico do Cordeiro: Grandes e admiráveis são tuas obras, Senhor Deus Todo-poderoso; justos e certos teus caminhos, Rei das nações. ⁴Quem não te respeitará, Senhor, quem não dará glória

---

é tirado de Is 21,9, que se pode completar com a cena de Jr 51,63-64, arremate dos caps. 50-51; para a embriaguez, ver Jr 51,7 e Hab 2,15-16. Babilônia podia então designar Roma (1Pd 5,13).

14,9-11 Interpela cada membro da comunidade no tempo da crise. O castigo retoma vários temas literários: o cálice (Jr 25,15, lugar clássico; Ez 23,31-34; Sl 75,9), o fogo e enxofre (Sl 11,6), a fumaça perpétua (Is 34,10). O "vinho da cólera de Deus" corresponde ao vinho com que Babilônia embriagava e seduzia os povos. "Na presença dos santos anjos e do Cordeiro", cuja felicidade é para eles inacessível (cf. Lc 16,23 e Sb 5,2).

14,12 O versículo recorda mais uma vez que as visões têm a função de interpelar os ouvintes.

14,13 Em contraste, uma voz celeste anuncia a bem-aventurança dos que se mantêm "fiéis ao Senhor" (Jesus Cristo) até morrer. Enquanto os "fiéis" à fera não têm descanso (v. 11), estes "descansam" definitivamente (Sb 3,2-3; Hb 4,10; ver a oposição entre Is 57,21 "não há paz para os perversos" e 57,2 "para que entre em paz"). As obras que como cristãos realizaram não passam, mas se incorporam à pessoa em seu bem-aventurado destino final (comparar com Sl 49,18).

14,14-20 Ceifa e vindima são atividades paralelas (Jl 4,13-14). Também contrapostas? Ceifa de bons e vindima de maus? Ou seja, a execução do julgamento final. A vindima é clara: é uma versão fantástica de Is 63,3.6. A ceifa se apoia numa irregularidade do esquema: em lugar de um anjo, é executada por uma "figura humana", sobre "uma nuvem branca" (Dn 7,13) com "coroa de ouro": não será Jesus Cristo colhendo os seus? Ver Mc 4,29 e Mt 13,24-30. Uma dificuldade séria contra essa interpretação é que um anjo dá a ordem a tal "figura humana". * Ou: *mil e seiscentos estádios,* número múltiplo de quatro, com valor de totalidade.

15-16 Surge novo setenário, de pragas, que de certa forma repete ou renova os sete selos e as sete trombetas. Só que é o último setenário, no qual se está consumando o julgamento. Repetem-se as pragas na terra, no mar, nos rios e nos astros; mencionam-se as trevas, o Eufrates e a tempestade teofânica; o alcance desta vez não é limitado, mas universal. A introdução é solene, o sinal se projeta no mundo celeste, como antes os da mulher e do dragão. Antes de começar o castigo, uns versículos apresentam os vencedores agindo na liturgia celeste.

15,1 Ver no capítulo de maldições a ameaça de Lv 26,21 "multiplicarei por sete meus golpes". "Se esgota": expressão corrente em Ezequiel: 5,13; 6,12; 20,21 etc.

15,2-4 O mar misturado com fogo representa a prova que os vencedores atravessaram: *"Quando cruzares as águas, eu estarei contigo, a correnteza não te afogará; quando passares pelo fogo, a chama não te abrasará"* (Is 43,2). Pode haver uma recordação da passagem do mar Vermelho: os salvos se encontram na outra margem. O cântico de Moisés (Ex 15) preludia o do Cordeiro, o qual se povoa de recordações (Sl 11,2; 99; 102; Tb 13,7).

ao teu nome? Só tu és santo, e todas as nações virão adorar-te em tua presença, porque tuas decisões foram reveladas. ⁵Depois vi como se abria o templo, a tenda do testemunho no céu. ⁶Do templo saíram os sete anjos das sete pragas, vestidos de linho puro resplandecente, a cintura cingida com cintos de ouro. ⁷Um dos quatro seres vivos entregou aos sete anjos sete taças de ouro cheias da ira do Deus que vive pelos séculos dos séculos.

⁸O templo se encheu de fumaça por causa da glória e poder de Deus, e ninguém podia entrar no templo até que se completassem as sete pragas dos sete anjos.

16
As taças da ira – ¹Ouvi uma voz potente que saía do templo e dizia aos sete anjos: Ide derramar pela terra as sete taças da ira de Deus. ²Saiu o *primeiro* e derramou sua taça na terra: chagas malignas e graves acometeram os que levavam a marca da fera. ³O *segundo* derramou sua taça no mar: transformou-se em sangue como de um morto, e morreram todos os seres vivos do mar. ⁴O *terceiro* derramou sua taça sobre os rios e mananciais, e se transformaram em sangue. ⁵Ouvi o anjo das águas dizer: Justa é tua sentença, ó Santo, que és e eras, ⁶porque derramaram o sangue de santos e profetas: tu lhes darás sangue para beber, pois o merecem. ⁷E ouvi o altar dizendo: Sim, Senhor, Deus Todo-poderoso, tuas sentenças são justas e certas. ⁸O *quarto* derramou sua taça no sol, e lhe permitiram abrasar os homens com fogo. ⁹Os homens se abrasaram terrivelmente e blasfemaram o nome de Deus, que controla essas pragas; mas não se arrependeram dando glória a Deus. ¹⁰O *quinto* derramou sua taça sobre o trono da fera: seu reino ficou em trevas, e mordiam a língua de dor. ¹¹Blasfemaram o Deus do céu por suas chagas e dores; mas não se arrependeram de suas ações. ¹²O *sexto* derramou sua taça sobre o Grande Rio (o Eufrates): sua água secou para abrir passagem aos reis do oriente. ¹³Vi sair da boca do dragão, da boca da fera e da boca do falso profeta, três espíritos imundos como sapos. ¹⁴São os espíritos de demônios que operam sinais e se dirigem aos reis do mundo e os reúnem para a batalha do grande dia do Deus Todo-poderoso. ¹⁵Atenção, pois eu chego como ladrão! Feliz aquele que vigia e guarda suas vestes; assim não terá de andar nu, mostrando suas vergonhas. ¹⁶Ele os reuniu num lugar chamado em

---

15,5 Continua a introdução. O vidente identifica o templo com a tenda "do testemunho", que na tradição hebraica é a "tenda do encontro", onde Deus marca encontro com Moisés e com o povo (Ex 33,7-11). Faz eco à arca da aliança (11,18).

15,6-8 Os sete anjos saem como os sete personagens de Ez 9, só que todos vestidos de linho sacerdotal, com cinturões régios. As taças: cf. Is 51,17.22; a fumaça: 1Rs 8,10; a fumaça da cólera: Sl 74,1; 80,5.

16,1-20 O ato de derramar as taças acontece com relativa rapidez. Repetem-se alguns temas dos setenários precedentes: sangue e fogo e não conversão (cf. Am 4,6-12); amplia-se a descrição do terremoto e anuncia-se uma batalha decisiva.
O texto vai despertando recordações e ecos do AT. Pragas do Egito: como chagas (Ex 9,10), sangue (Ex 7,17-21), trevas (Ex 10,21), tempestade (Ex 9), granizo (Ex 9,24). Ou então de textos proféticos: a voz possante (Is 66,6), a ira derramada (Jr 10,25; Ez 7,8 par.), beber sangue (Is 49,26), nudez (Is 20). Destacam-se dois temas: a mobilização geral e o grande terremoto. Ao unir essas pragas com as do Egito, dá a entender que são atos libertadores de Deus.

16,5-6 Neste livro, há anjos que controlam elementos e meteoros: 7,1; 14,18. O castigo aplica uma espécie de lei do talião. Derramaram sangue: Sl 79,3, beberão sangue. A sentença é justa e responde ao pedido dos assassinados, 6,10.

16,8-9 O fogo do sol abrasador: Eclo 43,4; Deus retira sua proteção (Sl 121,6). "Dar glória a Deus" nesse contexto equivale a reconhecer a própria culpa (cf. Js 7,19).

16,10 Sb 17 desenvolve com grande fantasia a praga aterradora das trevas. Duas vezes a resposta humana é blasfemar em vez de reconhecer e arrepender-se: assim agrava-se a culpa.

16,12-14 A mobilização geral se inspira na visão de Gog, Ez 38-39, e em Zc 14,13: "*Mobilizarei todas as nações... sairei para lutar contra essas nações*". Só que aqui são as forças do mal que a provocam, remedando a ação de Deus. Em Ez 38, Deus diz a Gog: "*eu os tirarei para a batalha, tu te despertarás, te virão pensamentos*"; em Ez 39,2: "*eu te levantarei no norte remoto e te levarei...*" Em Ap o processo é assim: o trio dragão-fera-falso profeta = segunda fera, 13,11-18) vomita um trio de espíritos demoníacos em figura de rãs ou sapos (cf. Ex 8,1-11), que incitam a uma coalizão de reis. Eles pensam que é sua batalha e sua vitória, mas é "a batalha do Deus Todo-poderoso". O lugar da batalha final é um emblemático Harmagedon ou monte de Meguido (cf. Jz 5,19; 2Rs 23,29); ou se imagina o desfiladeiro que conduz à cidade, ou o monte é uma criação fantástica, que fez sucesso na literatura.

16,15 É um dos apartes que o autor dirige a seus leitores (Mt 24,43). Lido depois do v. 16, teria mais sentido. Andar nu é grave humilhação (Is 20).

hebraico Harmagedon. ¹⁷O *sétimo* derramou sua taça pelo ar. Do templo e do trono saiu uma voz potente que dizia: Acabou! ¹⁸Houve relâmpagos, estampidos e trovões; houve um grande terremoto, como jamais houve desde que há homens na terra, tão violento era o terremoto. ¹⁹A Grande Cidade partiu-se em três e desmoronaram as cidades das nações. Deus se lembrou de Babilônia e a fez beber a taça da ira da sua cólera. ²⁰Fugiram todas as ilhas, e não sobraram montanhas. ²¹Granizo gigantesco como talentos caiu do céu sobre os homens. Os homens blasfemaram contra Deus pela praga de granizo, que era uma praga terrível.

17 O julgamento da grande prostituta –

¹Um dos sete anjos que tinham as sete taças aproximou-se de mim e me dirigiu a palavra: Vem, vou te mostrar a sentença contra a grande prostituta, entronizada entre múltiplos canais*, ²com quem fornicaram os reis do mundo, e com o vinho de sua fornicação se embriagaram os habitantes do mundo. ³Transportou-me em espírito a um deserto. Aí vi uma mulher cavalgando uma fera de cor escarlate, coberta de títulos blasfemos, com sete cabeças e dez chifres. ⁴A mulher vestia púrpura e escarlate, adornada de ouro, pedras preciosas e pérolas. Na mão erguia uma taça de ouro cheia das obscenidades e impurezas de sua fornicação. ⁵Na fronte levava um título secreto: Babilônia, a Grande, mãe das prostitutas e das obscenidades da terra. ⁶Vi a mulher embriagada com o sangue dos santos e o sangue das testemunhas de Jesus. À vista dela me enchi de estupor.

⁷O anjo me disse: Do que te admiras? Vou te explicar o segredo da mulher e da fera que a sustenta, daquela que tem sete cabeças e dez chifres. ⁸A fera que viste existiu e já não existe, porém subirá do Abismo para ser aniquilada. Os habitantes da terra, cujos nomes não estão escritos desde o princípio do mundo no livro da vida, ficarão assombrados ao ver que a fera existiu e já não existe e irá se apresentar. ⁹Aqui é preciso talento do perspicaz! As sete cabeças são sete colinas sobre as quais está entronizada a mulher. São também sete reis: ¹⁰cinco caíram, um está reinando, outro ainda não chegou; quando vier,

---

16,17-21 A sétima taça antecipa em resumo a condenação da capital imperial satânica e seus satélites. Pelo efeito combinado de um colossal terremoto embaixo (Is 24,18-20) e um granizo devastador em cima. "Ilhas e montanhas" são pilares do mundo (cf. Sl 65,7 e Eclo 43,23). Um talento pesa mais de trinta quilos.

17-18 O processo regular que os três personagens hostis seguem, por vontade do autor, é curioso e significativo: uma etapa de poder, uma derrota ou revés, se refazem por um momento, até a derrota definitiva. Isso vale para o dragão, a primeira fera e o novo personagem desses dois capítulos dedicados ao julgamento, condenação, execução e lamentação da Grande Prostituta. É a Babilônia histórica que arrasou Jerusalém, é a Roma do culto imperial e feroz perseguidora dos cristãos. É emblema de qualquer cidade ou poder, de qualquer época, que se opõe ao plano divino de salvação por Jesus Cristo. O nome de Babilônia atrai textos de Jr 50-51; o canto fúnebre inspira-se mais em Ez 26-27. Quando o autor procura descrever em código a figura de Roma, quando salta da fera aos chifres, sucede-lhe o que aconteceu a Daniel, que se perdeu em alegorias intelectuais pouco convincentes.

17,1-2 "Prostituta": para o título pode-se ver Is 23,16s e Na 3,4: em ambos os casos se refere à sedução do comércio ou do poder. A prostituição consiste aqui em induzir à idolatria com agrados: "de seu vinho as nações bebiam e se perturbavam" (Jr 51,7); ver também Hab 2,15; o poder imperial seduz e corrompe vassalos e súditos. Cidade de canais: Jr 51,13; Sl 137,1. Essa prostituta se contrapõe à esposa do Cordeiro, 21,9s.

17,1 * Ou: *correntes caudalosas*.

17,3 O deserto como lugar desabitado, morada de feras (Is 13,19-22; Jr 51,29.43). A fera de Dn 7,8; Ap 13,1. Os títulos blasfemos: Dn 7,25.

17,4 Figura de luxo suntuoso (Jr 4,30), com as cores imperiais, com as quais o branco do cavalo e do cavaleiro vencedores contrastará. As pedras preciosas: Ez 28,13; a taça de ouro: Jr 51,7.

17,5 O nome é misterioso ou simbólico, porque Babilônia é Roma; a Grande: Dn 4,27. Mãe ou chefe, matriarca; para a expressão, ver Gn 4,21-22.

17,6 Embriagar-se de sangue: descreve energicamente a perseguição sádica e impiedosa.

17,7 O anjo intérprete de visões é recurso do gênero.

17,8-9 Babilônia existiu e deixou de existir (Jr 51,64) e volta a existir com o nome de Roma. E repetirá esse ciclo na história, saindo cada vez do abismo da perversão. As "sete colinas" identificam Roma. Alguns veem nessa expressão codificada uma alusão à lenda de um Nero redivivo que voltaria a reger o império de Roma. Por outro lado, a expressão ternária "existiu-não existe-voltará" soa como paródia do título divino de 1,4 e pode recordar o esquema pascal de Jo 16,16: a fera, triste arremedo de Deus e de Cristo.

17,10-11 Também nesses vv. "o talento" dos comentaristas se exercitou. São estas as suas perguntas: o número sete significa totalidade coletiva ou indica figuras individuais? No segundo caso, com que reis

durará pouco. ¹¹A fera que existia e já não existe ocupa o oitavo lugar, embora seja um dos sete, e será destruído. ¹²Os dez chifres que viste são dez reis que ainda não reinam; mas durante uma hora partilharão a autoridade com a fera. ¹³Têm um único propósito e submetem sua autoridade à fera. ¹⁴Lutarão contra o Cordeiro, porém o Cordeiro os derrotará, porque é Senhor dos senhores e Rei dos reis, e os que ele chamou são escolhidos e leais. ¹⁵Acrescentou: Os canais que viste, onde está entronizada a prostituta, são povos, multidões, nações e línguas. ¹⁶Os dez chifres que viste e a fera detestarão a prostituta, irão deixá-la arrasada e nua, comerão sua carne e a queimarão. ¹⁷Porque Deus, para executar seu desígnio, os moveu, harmonizando propósitos e submetendo os reinos deles à fera, até que se cumpram os planos de Deus. ¹⁸A mulher que viste é a grande capital, soberana dos reis do mundo.

18 Queda de Babilônia

– ¹Depois vi descer do céu outro anjo, com grande autoridade, e a terra ficou iluminada com seu resplendor. ²Gritou com voz potente: Caiu, caiu a Grande Babilônia! Tornou-se moradia de demônios, abrigo de toda espécie de espíritos imundos, abrigo de toda espécie de aves impuras e nojentas, ³porque do vinho furioso de sua fornicação beberam todas as nações, e os reis do mundo fornicaram com ela, e os comerciantes do mundo se enriqueceram com seu luxo faustoso. ⁴Ouvi outra voz celeste que dizia: Povo meu, saí dela, para não serdes cúmplices de seus pecados e não sofrerdes seus castigos. ⁵Porque seus pecados se amontoaram até o céu, e o Senhor tem presentes seus crimes. ⁶Pagai-lhe com a mesma moeda, dai-lhe o dobro por suas ações; a taça em que preparou suas misturas, enchei-a o dobro para ela; ⁷quanto foi seu fausto e seu luxo, dai-lhe em castigo e tormento. Dizia a si mesma: Tenho um trono de rainha; não ficarei viúva nem sofrerei punições. ⁸Por isso, num dia lhe chegarão suas pragas: matança, luto e fome, e a incendiarão; porque o Senhor Deus que a condena é poderoso.

⁹Por ela os reis da terra que com ela fornicaram e se deram ao luxo chorarão e farão luto, quando virem a fumaça do seu incêndio, ¹⁰e de longe, por medo do seu tormento, dirão: Ai, ai da grande cidade, Babilônia, a poderosa, pois numa hora se cumpriu tua sentença!

¹¹Os comerciantes da terra chorarão e farão luto por ela, porque ninguém mais

---

romanos os sete devem ser identificados? Quem é o sexto reinante? Quem é o oitavo? Não se encontrou resposta satisfatória. O oitavo é como uma encarnação da maldade, o grande agente de Satanás. O importante e claro, nesse artifício alusivo, é que todos se põem de acordo em lutar contra o Cordeiro. Os cristãos da época e de todos os tempos não devem espantar-se; antes, devem estar convencidos de que o Cordeiro é o verdadeiro senhor da história.

17,12 Os dez reis não representam personagens históricos, mas a grande coalizão internacional que se prepara para o assalto final e a derrota (cf. Ez 38-39). Porque serão derrotados pelo "Rei dos reis".

17,14 Para o título: Dt 10,17; Dn 2,47; Sl 136,3.

17,16-17 Os antigos aliados se tornarão hostis, os servidores se transformarão em executores. Vão deixá-la nua, na vergonha pública: Ez 16,37; Is 47.

18 Inspirado em Ez 27-28 e com reminiscências de outros profetas, o capítulo anuncia e canta a queda de Babilônia. Começa com o anúncio e continua com a sentença, vv. 1-8; seguem-se três lamentações: dos reis, vv. 9-10, dos comerciantes, vv. 11-17a, dos marinheiros, vv. 17b-19; conclui com uma ação simbólica e sua explicação.

18,1-2 Um anjo de esplendor celestial (Ez 43,2) dá a notícia a todo o mundo, antecipando o que Is 21 reservava para o final. A capital orgulhosa era abrigo de demônios (Is 13,21; 34,11-14; Jr 50,39); pode referir-se aos ídolos.

18,3 A fornicadora do capítulo precedente, cf. Is 23,17. Detém-se nos aspectos negativos do comércio imperial: luxo ostensivo e enriquecimento de alguns. O AT em geral não olha com bons olhos a profissão de comerciante, mas ver a avaliação de Pr 31.

18,4 Convite para sair: em sentido próprio (Jr 51,6-9) e em sentido metafórico para os cristãos (2Cor 6,17). Assim se livrarão da cumplicidade e do castigo.

18,5 Os pecados acumulados atingem o limite do tolerável: cf. Gn 15,16.

18,6 Devolvei-lhe: conforme a lei do talião, e até mesmo o dobro: Sl 137,8; cf. Jr 16,18; Is 40,2; porque se excedeu na crueldade. Segundo 2Sm 12,4, o culpado deve pagar o quádruplo.

18,7 Inspirado diretamente em Is 47, que apresenta Babilônia como matrona soberba e humilhada.

18,8 Correspondem à destruição histórica de Jerusalém (2Rs 25).

18,9 Começa a lamentação dos reis, comerciantes e marinheiros, inspirada em Is 23,1-2; Ez 26,16-18; 27,12-24.30-36.

18,10 Babilônia incendiada é como outra Sodoma, ao passo que Jeremias a descrevia submersa pelas águas.

compra sua mercadoria: ¹²ouro e prata, pedras preciosas e pérolas, linho e púrpura, seda e escarlate, madeiras aromáticas, objetos de marfim, objetos de madeiras preciosas, de bronze, ferro e mármore, ¹³canela e especiarias, perfumes, mirra e incenso, vinho e óleo, flor de farinha e trigo, vacas e ovelhas, cavalos, carros, escravas e escravos. ¹⁴O lucro que cobiçavas fugiu de ti, perdeste teu refinamento e esplendor, e não voltarás a encontrá-los. ¹⁵Os comerciantes desses produtos, que se enriqueciam com ela, se manterão ao longe por medo de seus tormentos, chorarão e ficarão de luto, ¹⁶dizendo: Ai, ai da grande cidade, que se vestia de linho, púrpura e escarlate, que se adornava com ouro, pedras preciosas e pérolas! ¹⁷Tanta riqueza arrasada numa hora.

Todos os pilotos e navegadores, marinheiros e trabalhadores do mar ficarão longe e, ao verem a fumaça do seu incêndio, ¹⁸gritarão: Quem era como a grande cidade? ¹⁹Jogarão pó na cabeça, chorarão e ficarão de luto, gritando: Ai, ai da grande cidade, de cuja abundância se enriqueciam todos os que navegam pelo mar, pois numa hora foi arrasada! ²⁰Alegrai-vos por ela, céus, santos, apóstolos e profetas, porque, ao condená-la, Deus fez justiça para vós.

²¹Depois, um anjo poderoso levantou uma pedra como uma roda de moinho e a arremessou ao mar, dizendo: Assim será arremessada com ímpeto Babilônia, a grande cidade, e não será mais encontrada. ²²Não se ouvirá nela som de cítaras, cantores, flautistas e trombetas; não haverá aí artesãos de nenhuma espécie; não se ouvirá em ti o barulho do moinho, ²³nem brilhará em ti a luz da lâmpada, nem se ouvirá em ti a voz do noivo e da noiva. Teus mercadores eram os grandes da terra, com tuas feitiçarias se extraviaram todas as nações, ²⁴nela foi descoberto o sangue de profetas e santos e de todos os assassinados no mundo.

19 ¹Depois, escutei no céu um barulho como de uma grande multidão que dizia: Aleluia! Ao nosso Deus cabem a vitória, a glória e o poder, ²porque são justas e certas suas sentenças. Porque sentenciou a grande prostituta que corrompeu o mundo com suas fornicações, e pediu-lhe contas do sangue dos servos dele. ³E repetiram: Aleluia! A fumaça dela sobe pelos séculos dos séculos. ⁴Os vinte e quatro anciãos e os quatro seres vivos se prostraram e adoraram o Deus sentado no trono, e disseram: Amém, aleluia!

O casamento do Cordeiro – ⁵Do trono saiu uma voz que dizia: Louvai o nosso Deus, todos os seus servos e fiéis, pequenos e grandes. ⁶E escutei um rumor como de uma grande multidão, como barulho de águas torrenciais, como fragor de trovões

---

18,12-13 Comparar o grande elenco de Tiro (Ez 27,12-24). Encerrando a lista, o comércio brutal de escravos, base desumana do luxo imperial.

18,14 Pode-se comparar com os ais de Hab 2,6-13. O "lucro" da colheita completa, referida pelo termo grego.

18,20 O castigo do tirano opressor e impenitente é libertação de suas vítimas. E vice-versa, a libertação do inocente exige o castigo do culpado impenitente. Condenar é fazer justiça, é livrar. Uma ação digna de ser aclamada (Is 44,23; 49,13). Essa alegria contrasta com o pranto das lamentações precedentes.

18,21 Repete-se o rito simbólico de Jr 51,63-64; depois do qual tudo emudece (Is 24,8), em particular "a voz dos noivos" que expressa a alegria do amor e a fecundidade (Jr 16,9; 25,1); lâmpada e moinho evocam a alegria e a paz da vida doméstica.

18,24 O sangue derramado clama ao céu (Gn 4,10; Ez 24,7).

19,1-4 À lamentação fúnebre faz eco, numa liturgia celeste, a aclamação dos salvos. Com traços de Sl 29,1-2; 79,10; Is 34,10; Dt 32,43; Sl 47,9. "Contas do sangue": responde ao próximo 18,24 e ao clamor dos assassinados de 6,10; ver Sl 79,10.

19,5 Babilônia foi aniquilada por suas culpas. Mas, quem foi o vencedor? Quando se deu a batalha? O que aconteceu com os guerreiros e os mortos? O que acontecerá depois?
Sem seguir a ordem cronológica, repetindo e sobrepondo dados, o autor vai completar suas visões em chave gloriosa. A ordem aproximada da disposição do material é a seguinte: 19,5-22,5: sete visões da batalha e da vitória final; 19,5-10: anuncia-se o casamento do Cordeiro (com a nova Jerusalém); 19,11-19: o Cordeiro cavaleiro e seu exército. A batalha; 19,20-21: derrota dos inimigos e suas consequências; 20,1-10: o Cordeiro reina com os seus mil anos; 20,11-15: julgamento dos mortos, 21,1-8: a nova criação; 21,9-22,5: a nova Jerusalém, cidade e noiva.

19,5-9 O símbolo matrimonial do Senhor (*Yhwh*) com Jerusalém (= comunidade) é frequente no AT. Dois textos nos interessam especialmente, porque cantam o casamento de um rei vencedor por amor: Is 62,1-9 e Sl 45: é o esquema que o autor segue. Mt 22,1 propõe a parábola de um "rei que celebrava o casamento de seu filho"; Lc 14,15 chama bem-aventurados os convidados ao banquete do Reino.

muito fortes: Já reina o Senhor, Deus nosso Todo-poderoso. ⁷Vamos fazer-lhe festa alegre, dando-lhe glória, porque chegou o casamento do Cordeiro, e a noiva está pronta. ⁸E a vestiram de linho puro resplandecente (o linho são os atos de justiça dos santos).

⁹Ele me disse: Escreve: Felizes os convidados para o casamento do Cordeiro. E acrescentou: São palavras autênticas de Deus. ¹⁰Eu caí a seus pés em adoração. Mas ele me disse: Não o faças! Sou servo como tu e como teus irmãos que mantêm o testemunho de Jesus. A Deus deves adorar. (O testemunho de Jesus é o espírito profético.)

O cavaleiro vitorioso (1,14-16; 6,2) – ¹¹Vi o céu aberto, e aí um cavalo branco. Seu cavaleiro se chama Fiel e Veraz, Justo no governo e na guerra. ¹²Seus olhos são chamas de fogo, na cabeça tem muitos diademas. Tem gravado um nome que ninguém conhece, exceto ele. ¹³Envolve-se num manto empapado de sangue. Seu nome é: Palavra de Deus. ¹⁴As tropas celestes o seguem cavalgando cavalos brancos, vestidas de linho de brancura resplandecente. ¹⁵De sua boca sai uma espada afiada para ferir as nações. Ele as apascentará com vara de ferro e pisará o lagar do vinho da cólera da ira do Deus Todo-poderoso. ¹⁶No manto e sobre a coxa traz escrito um título: Rei dos reis e Senhor dos senhores.

¹⁷Vi um anjo de pé sobre o sol, que gritava a todas as aves que voam pelo céu: Vinde, reuni-vos para o grande banquete de Deus. ¹⁸Comereis carne de reis, carne de generais, carne de poderosos, carne de cavalos com seus cavaleiros, carne de livres e escravos, de pequenos e grandes. ¹⁹Vi que a fera e os reis da terra com suas tropas se reuniam para lutar contra o cavaleiro e sua tropa. ²⁰A fera caiu prisioneira, e com ela o falso profeta que, realizando sinais na

---

Soa uma voz anônima que pronuncia em nome de Deus o invitatório de um hino. A introdução (vv. 5-6) volta a tomar dados de Ez 1,24 e Sl 115,13. Depois que o rei, o Senhor Deus Todo-poderoso, sentou-se no trono, anuncia-se concisamente o casamento (do Filho). Embora a noiva "esteja preparada" e vestida (cf. Is 61,10), a cerimônia fica em suspenso até o cap. 21. Em substituição, escutamos uma das sete bem-aventuranças do livro, esta última dirigida aos convidados para o clássico banquete. As sete bem-aventuranças se encontram em 1,3; 14,13; 19,9; 20,6; 22,7; 22,14 (adensam-se no final).

19,10 O breve episódio transforma significativamente um detalhe de Dn 8,17. O vidente caiu "espantado de bruços" diante do anjo. O autor de Ap acrescenta o gesto de "adoração", que lhe serve para sublinhar que a visão inteira procede de Deus e é "autêntica" (diz Dn 8,26); não parece conter uma ponta polêmica contra a veneração dos anjos (Cl 2,18).

19,11-21 Deixando pendente o casamento, passa a descrever a guerra, da qual só nos apresenta o exército vencedor e as consequências da derrota.

19,11-16 A apresentação do general é quase um florilégio de frases do AT. O "céu aberto" (Ez 1,1) vai mostrar uma visão. O cavaleiro "Fiel, Veraz e Justo": Sl 45,5 diz "cavalga vitorioso pela verdade e pela justiça". "Justo no governo": como o descreve Sl 72 e o anuncia Sl 98,9 "governará o orbe com justiça". Os "olhos como chamas de fogo" vêm do personagem magnífico e impressionante de Dn 10,6. O "manto empapado de sangue" (Is 63,3) é o do vencedor que volta da guerra e diz "eu que sentencio com justiça e sou poderoso para salvar". Um séquito de seus fiéis o segue (comparar com Is 13). O cavaleiro é a mesma pessoa que o personagem do começo, como mostram seus atributos partilhados: comparar 3,14 com 19,11; 1,14 com 19,12; 1,16 com 19,15; 17,14 com 19,16 e também 12,5 com 19,15. "Palavra" é o nome que Jo 1,1.14 lhe dá. A "espada afiada" (Is 49,2; Ez 21,14-21 num cântico à espada) é a sentença que pronuncia e que é eficaz; espada de execução. Em Sb 18,15-16 se diz: "*Tua palavra todo-poderosa se lançou, como guerreiro inexorável... trazendo a espada afiada de tua ordem terminante*". A "vara" (ou cetro) de ferro é a do Ungido do Senhor (Sl 2,9). "Pisar o lagar" (Is 63,3) toma a mosto como imagem de sangue numa descrição violenta: "seu sangue salpicou minhas vestes". O título se encontra em Dn 2,47.

A guerra desse parágrafo é transposição metafórica com a qual o autor quer evocar a violência da perseguição e a segurança da vitória: o capitão já não cavalga um humilde jumento (Mt 21,1-11). Essa colossal batalha de valores e projetos, travada no mais profundo dos homens e das sociedades, no cenário da história, toma na superfície poética a figura de uma vitória militar.

19,12 O nome que ninguém conhece alude ao mistério transcendente da sua pessoa.

19,17-21 A ordem não é rigorosa, pois a mobilização (Sl 2,2; Zc 14,2) está posposta. O anjo está "sobre o sol", e daí convoca as aves que voam pelo céu (= ar), debaixo do sol. Diante do banquete "ditoso" do casamento, oferece-se outro festim macabro, tomado de Ez 39,17-20 (cf. Sf 1,7-8). Os mortos nessa batalha não recebem sepultura honrosa, mas servem de pasto às aves necrófagas.

Outro resultado da vitória é a captura dos principais responsáveis (falta por ora o supremo): a fera (marinha) e o falso profeta (ou fera terrestre, cap. 13). São condenados à morte (cf. Js 10,22-27) e executados no suplício, uma variante da Geena. Ver Dn 7,11: "*Mataram a fera, a despedaçaram e jogaram no fogo*"; e a grande pira de Is 30,33.

presença dela, enganava os que aceitavam a marca da fera e os que adoravam sua imagem. Os dois foram lançados vivos no fosso de fogo e enxofre ardente. ²¹Os outros foram executados com a espada que sai da boca do cavaleiro. E todas as aves se fartaram com as carnes dela.

20 **O milênio** – ¹Vi um anjo que descia do céu com a chave do Abismo e uma enorme corrente na mão. ²Agarrou o dragão, a serpente primitiva, que é o Diabo e Satanás, o acorrentou por mil anos ³e o arremessou no Abismo. Fechou e selou por fora, para que não extravie as nações, até que se cumpram os mil anos. Depois, será solto por breve tempo.

⁴Vi uns tronos, e sentados neles os encarregados de julgar; e as almas dos que haviam sido decapitados por causa do testemunho de Jesus e da palavra de Deus, os que não adoraram a fera nem sua imagem, os que não aceitaram sua marca nem na fronte nem na mão. Viveram e reinaram com o Messias por mil anos. ⁵Os outros mortos não reviveram, até que passassem os mil anos. Esta é a ressurreição primeira. ⁶Feliz e santo quem participa da ressurreição primeira. A morte segunda não terá poder sobre eles, mas serão sacerdotes de Deus e do Messias, e reinarão com ele mil anos. ⁷Passados os mil anos, soltarão Satanás da prisão, ⁸e sairá para extraviar as nações nas quatro partes do mundo, Gog e Magog. Irá reuni-los para a batalha, inumeráveis como a areia do mar. ⁹Avançarão sobre a superfície da terra e cercarão a fortaleza dos santos e a cidade amada. Caiu um raio do céu e os consumiu. ¹⁰O Diabo que os enganava foi arremessado ao fosso de fogo e enxofre, com a fera e o falso profeta: serão atormentados dia e noite pelos séculos dos séculos.

O julgamento (14,14-20) – ¹¹Vi um trono grande e branco, e nele alguém sentado. De

---

20,1-10 Agora é a vez do principal responsável, o dragão com seus diversos nomes ou títulos: a serpente sedutora e venenosa, o Diabo caluniador, o Satã antagonista. Mas aqui o autor realiza uma difícil operação, separando em segmentos temporais o que nós separaríamos em planos espaciais ou em "dimensões". Nós dizemos que o homem "no fundo, na raiz" é egoísta e por isso mau (símbolo espacial); o hebraico diz que é mau "de nascença" (símbolo temporal). O autor diz que durante mil anos o dragão estará acorrentado e que depois terá liberdade de ação por um tempo (segmentos temporais simbólicos); nós diríamos que num plano é impotente e em outro plano é poderoso. Qualquer tentativa de milenarismo fica sem apoio de antemão (ver o jogo temporal de Dn 7,25-26). De resto, tudo se contempla numa visão celeste, de caráter parabólico. Autores antigos tomaram o milênio ao pé da letra, e em tempos posteriores a ideia fez esporádicas aparições. Alguns modernos o tomam como profecia em linguagem imaginativa, no estilo dos velhos profetas. Outros pensam que se refere a uma era de paz depois da era das perseguições cruentas; os mártires se associam agora ao reinado do Messias. Com sua morte e ressurreição, Jesus Cristo, que é o mais forte (Mt 12,29 par.), derrotou Satanás (Lc 10,18; 11,21 par.). Os que são fiéis a Cristo reduzem o Diabo à impotência. Os mártires inclusive participam do julgamento ou o condena. Os fiéis a Cristo já participam da nova vida do Senhor, já gozam da "primeira ressurreição", já reinam e oficiam como sacerdotes com o Messias. Mil anos é o tempo da Igreja (Adão viveu só 930 anos, Gn 5,5), que é um dia de Deus (Sl 90,4).
Ao mesmo tempo, o Diabo tem poder sobre os que se deixam seduzir (Gn 3; 2Cor 11,3) e prossegue sua batalha (Ap 12,17). Mas também para o dragão chegará a sua hora final, sua derrota definitiva, seu castigo com seus agentes.
20,1-2 A "chave" com que se abriu para dar saída aos monstros (9,1s), agora os encarcera. "Serpente primitiva" porque esteve presente já no paraíso (Gn 3,1-2). Acorrentou-o: 2Pd 2,4.
20,3 Fechou e selou: em chave histórica, Js 10,18-19; em chave escatológica, Is 24,22.
20,4 Os "tronos" ou assentos do tribunal (Dn 7,9.22). As "almas" é um modo de dizer que estão vivos ("as vidas dos mártires" = os mártires vivos).
20,5 Sobre a ressurreição consulte-se Jo 5,25 em seu contexto. O livro fala da segunda morte, não de segunda ressurreição.
20,6 A segunda morte é a que frustra definitivamente o destino à imortalidade. "Sacerdotes", como Ex 19,6 enuncia e Is 61,6 anuncia. Esta é a quinta bem-aventurança do livro.
20,8 No original (Ez 38), Gog é o rei e Magog seu território; ver porém Gn 10,2; 1Cr 5,4.
20,9 "Percorrerá a extensão da terra conquistando povoações alheias" (Hab 1,6). "Os Santos ou consagrados ao Altíssimo" é o título que Daniel dá ao povo (Dn 7,23-27), no contexto do julgamento e da aniquilação da quarta fera.
Chama a cidade "a Amada" ou "a Predileta" (Jr 11,15; 12,7; Sl 87). No título reaparece o símbolo matrimonial já anunciado.
É especialmente significativo Sf 3,17 porque junta vitória, reinado e amor: "*O Senhor é dentro de ti um soldado vitorioso que exulta e se alegra contigo, renovando seu amor*". O raio: 2Rs 1,10.
20,11-15 Chega ao julgamento final dos mortos: inspirado em Dn 7,10 para os livros do julgamento, em Dn 12,2 para o comparecimento dos mortos.

sua presença fugiram a terra e o céu sem deixar rastro. ¹²Vi os mortos, grandes e pequenos, de pé diante do trono. Abriram-se os livros, e abriu-se também o livro da vida. Os mortos foram julgados por suas obras, segundo o que estava escrito nos livros. ¹³O mar devolveu seus mortos. Morte e Hades devolveram seus mortos, e cada um foi julgado segundo suas obras. ¹⁴Morte e Hades foram arremessados ao fosso de fogo (esta é a morte segunda, o fosso de fogo). ¹⁵Quem não estiver inscrito no livro da vida será arremessado ao fosso de fogo.

21 Novo céu e nova terra –

¹Vi um céu novo e uma terra nova. O primeiro céu e a primeira terra desapareceram, o mar já não existe. ²Vi a cidade santa, a nova Jerusalém, descendo do céu, de junto de Deus, preparada como noiva que se apronta para o noivo. ³Ouvi uma voz potente que saía do trono: Eis a morada de Deus entre os homens: habitará com eles; eles serão seus povos, e o próprio Deus estará com eles. ⁴Enxugará as lágrimas de seus olhos. Já não haverá morte nem luto nem clamor nem dor. Tudo o que é antigo passou. ⁵Aquele que estava sentado no trono disse: Eis que renovo o universo. E acrescentou: Escreve, estas minhas palavras são verdadeiras e fidedignas. ⁶E me disse: Acabou. Eu sou o alfa e o ômega, o princípio e o fim. Ao sedento darei de beber gratuitamente do manancial da vida. ⁷O vencedor terá tudo isso em herança. Eu serei o seu Deus e ele será meu filho. ⁸Ao contrário, os covardes e infiéis, os depravados e assassinos, os fornicadores e feiticeiros, os idólatras e mentirosos de toda espécie terão sua parte no fosso de fogo e enxofre ardente (que é a morte segunda).

A nova Jerusalém (Is 54,11s; 60,10-18; Ez 40-48; Tb 13,17s) – ⁹Aproximou-se um dos sete anjos que tinham as sete taças cheias

---

O autor acrescenta, por sua conta, outros detalhes interessantes ou enigmáticos.

20,11 "Alguém sentado": poderia ser o Messias, segundo At 10,42; 17,31; 2Cor 5,10 etc.; é mais provável que seja Deus, segundo Mt 18,35; Rm 14,10; a não ser que prefiramos a fórmula de Rm 2,16 "por meio de Jesus Cristo, Deus julgará". "Céu e terra" são as clássicas testemunhas notariais de Deus (Dt 32,1; Is 1,2; Sl 50,4): aqui se retiram e deixam só o juiz, que criará outros novos (21,1).

20,12 Há uns livros nos quais se registra a conduta, boa ou má, e há um livro da vida (Ex 32,32; Ap 3,5) que registra os que alcançarão seu destino à imortalidade. O julgamento se faz segundo as obras (Pr 24,12; Jo 5,28-29).

20,13 O mar devolve seus mortos: são os náufragos e afogados, não sepultados em terra; ou então segue a representação de um mar subterrâneo confinante com o Xeol (cf. Jn 2,3.7).

20,14 O Hades é o reino ou lugar dos mortos, a Morte é seu senhor supremo (cf. Sl 49,15-16). A Morte é, segundo Paulo, "o último inimigo" (1Cor 15,26). Será condenado ao fogo. Segundo Hb 2,14, "o Diabo tinha controle sobre a morte".

21,1 O espaço ficou livre para o novo universo, a nova criação, e para celebrar o casamento do Cordeiro. O universo é descrito com traços conjugados: ausência de males, presença de bens. A noiva é Jerusalém, ou seja, mulher e cidade, formosa e feliz. O autor dedica mais espaço para descrevê-la como cidade, mas o leitor não deve perder de vista o contexto conjugal do amor (que ressoará com força no final). O antecedente de Is 40-66 é significativo, porque o texto combina e sintetiza sem dificuldade ambos os aspectos: p. ex. em 49,14-26 se fala de esposa, mãe e escombros; em 54,1-10 o diálogo amoroso menciona "o espaço da tenda"; no capítulo 60, Jerusalém é matrona e cidade, e assim por diante. O novo universo anunciado: ver Is 65,17 e 66,22 com seus contextos: o humano predomina sobre o cósmico; com outras palavras, o centro é a nova humanidade. O mar que desaparece é o oceano primordial, caótico e rebelde (Sl 74,13-14; 93,3-4 par.).

21,2 A cidade é a noiva ornada anunciada em 19,7 (cf. Is 52,1; 61,10). "Desce", porque a noiva é tradicionalmente conduzida ao noivo que a espera (cf. Sl 45).

21,3 Pelo amor do Cordeiro à nova Jerusalém, Deus habita entre os homens, e os homens com ele (Lv 26,11-12 par.).

21,4 Nem morte nem lágrimas: como se anuncia na escatologia de Is 25,8 (também Is 65,19 e 35,10 no canto à alegria).

21,5 A renovação: 2Cor 5,17.

21,6 O resto, a história turbulenta e agitada, passou e acabou. Abrangendo-a inteira, história e criação, está aquele que é "princípio e fim" (1,8), o alfabeto inteiro de tudo quanto se possa nomear (Is 44,6; 48,12). "Dá a beber de graça" (Is 55,1): só exige que tenham sede do manancial da vida (Jo 7,37; cf. Jr 2,13; Ez 47).

21,7 Combina apertadamente duas metades, deixando que as outras duas tácitas ressoem por harmonia: Eu serei seu Deus (e seu Pai), ele será meu filho (e meu povo); restrito no caso do rei (Sl 2,7; 89,27-28). O tema da herança, frequente no AT, se acha também no NT: 1Cor 15,50; 1Pd 1,3-5.

21,8 O v. se enquadraria melhor no final do cap. 20; mas ver 22,15. Suspeitamos uma distração do copista; a não ser que se trate de um sentimento como o que prorrompe no final do Sl 104.

21,9-22,5 Descrição da noiva-cidade: inspirada em grande parte na última seção de Ezequiel 40-48.

21,9 O v. é muito importante. Avisa-nos que a minuciosa e fantástica descrição da cidade é a visão da

das últimas pragas, e me disse: Vem, vou te mostrar a noiva, a esposa do Cordeiro. ¹⁰Transportou-me em espírito a uma grande e elevada montanha, e me mostrou a cidade santa, Jerusalém, que descia do céu, de junto de Deus, ¹¹resplandecente com a glória de Deus. Brilhava como pedra preciosa, como jaspe cristalino. ¹²Tinha muralha grande e alta, com doze portas e doze anjos nas portas, e gravados os nomes das doze tribos de Israel. ¹³Ao oriente, três portas; ao norte, três portas; ao sul, três portas; ao ocidente, três portas. ¹⁴A muralha da cidade tem doze pedras de alicerce, que trazem os nomes dos doze apóstolos do Cordeiro. ¹⁵Aquele que falava comigo tinha uma cana de ouro para medir, a fim de medir a cidade, as portas e a muralha. ¹⁶A cidade tem um traçado quadrangular, largura e comprimento iguais. ¹⁷Mediu a cidade com a cana, doze mil estádios: comprimento, largura e altura iguais. Mediu a muralha: cento e quarenta e quatro côvados, na medida humana que o anjo usava. ¹⁸O material da muralha era de jaspe, a cidade de ouro puro, límpido como cristal. ¹⁹Os alicerces da muralha da cidade estão adornados com pedras preciosas. O primeiro alicerce de jaspe, o segundo de safira, o terceiro de calcedônia, o quarto de esmeralda, ²⁰o quinto de ônix, o sexto de cornalina, o sétimo de crisólito, o oitavo de berilo, o nono de topázio, o décimo de crisópraso, o décimo primeiro de turquesa, o décimo segundo de ametista. ²¹As doze portas são doze pérolas, cada porta uma única pérola. A praça da cidade era de ouro puro, límpido como cristal. ²²Não vi nela nenhum templo, porque o Senhor Deus Todo-poderoso e o Cordeiro são o seu templo. ²³A cidade não precisa que o sol a ilumine nem a lua, porque a glória de Deus a ilumina, e sua lâmpada é o Cordeiro. ²⁴À sua luz caminharão as nações, e os reis ao seu esplendor. ²⁵Suas portas não se fecharão de dia. Aí não haverá noite. ²⁶Irão trazer-lhe a riqueza e o fausto das nações. ²⁷Nada de profano nela entrará, nem depravados nem mentirosos; entrarão somente os inscritos no livro da vida do Cordeiro.

22 ¹Ele me mostrou um rio de água viva, brilhante como cristal, que brotava do trono de Deus e do Cordeiro. ²No meio da praça e nas margens do rio cresce a árvore da vida, que dá fruto doze vezes, cada mês uma colheita, e suas folhas são medicinais para as nações. ³Aí não haverá nada de maldito. Nela se encontrará o trono de Deus e do Cordeiro. Seus servos o adorarão ⁴e verão seu rosto e trarão seu nome na fronte. ⁵Aí não haverá noite. Não

---

noiva, a "esposa do Cordeiro" (Jo 3,29). Esse dado não se encontra em Ezequiel. Não faltam no Cântico dos Cânticos imagens da amada como cidade: *"bela como Tersa, formosa como Jerusalém"* (cf. 6,4); *"teu pescoço é a torre de Davi"* (4,4); *"sou uma muralha, e meus peitos são os torreões"* (8,10).

21,10 Ezequiel é conduzido à cidade que está sobre a montanha (Ez 40,2-3); o autor, do alto de uma montanha, a contempla descendo do céu, porque é criação de Deus.

21,11 Não tem resplendor próprio, mas o recebe da glória de Deus (cf. Br 5,1-4; 2Cor 3,18).

21,12-21 Parece interessar muito ao autor a muralha da cidade, com suas portas (Ez 48,30-35) e alicerces, disposição e materiais (Is 54,11-12), suas dimensões (Ez 40,3-5). A cidade é um cubo perfeito de uns mil e duzentos km de lado. Estranho projeto de urbanística! Mas é preciso recordar que o camarim do templo (*Sancta sanctorum*) era um cubo perfeito de uns dez metros de lado e revestido de ouro puro. O cubo é considerado uma forma perfeita, e a cidade é a *Sancta sanctorum* celeste. Nela impera o número doze, de tribos e apóstolos (recordem-se os 144 mil do cap. 7): doze mil estádios de lado, 144 (12 x 12) côvados a espessura da muralha; doze pedras preciosas, que recordam as do peitoral do sumo sacerdote (Ex 28,15-21); doze anjos guardam os acessos (cf. Gn 3,24).

21,22-23 A cidade não necessita de templo, porque a presença de Deus e de Jesus Cristo a enche (cf. Jo 2,19-21). Tampouco precisa de "luz de lâmpada" (cf. Ex 25,31-30). Nem do luz dos dois luzeiros da criação, pois será como a Jerusalém de Is 60,1-3.19-20: *"não terás mais o sol como luz do dia, nem o clarão da lua te iluminará, porque o Senhor será a tua luz perpétua"*.

21,24 Cumpre-se perfeitamente a profecia de Is 2,5 e 60,11 sobre o monte.

21,26 O tesouro das nações: como em Sl 72,10-11, ao rei ideal; cf. Is 60.

21,27 Podem-se recordar as liturgias de entrada (Sl 15 e 24).

22,1-5 Diz o Sl 36,10: *"Porque em ti está a fonte viva e à tua luz vemos a luz"*. É o que esses vv. retomam, embora com o risco de reincidir no tema da luz.
A imagem do rio se inspira em Ez 47,1-12, sem descartar Jl 4,18 nem Zc 14,8. Só que as árvores ribeirinhas de Ezequiel se reduziram a uma única "árvore da vida" do paraíso recuperado (Gn 2,9). São necessárias folhas medicinais nesse paraíso?

22,4-5 "Verão seu rosto": o grande desejo negado a Moisés (Ex 33,20), esperado pelo orante (Sl 11,7;

lhes fará falta a luz da lâmpada nem a luz do sol, porque o Senhor Deus os ilumina, e reinarão pelos séculos dos séculos.

Vinda de Cristo – [6]Ele me disse: Estas palavras são verdadeiras e fidedignas. O Senhor, o Deus dos espíritos proféticos, enviou seu anjo para mostrar a seus servos o que deve acontecer em breve. [7]Eis que chego logo. Feliz aquele que guarda as palavras proféticas deste livro.

[8]Eu sou João, que ouviu e viu essas coisas. Ao escutar e ver, prostrei-me aos pés do anjo que me mostrava isso, a fim de adorá-lo. [9]Mas ele me disse: Não o faças! Eu sou servo como tu e teus irmãos, os profetas, e os que guardam as palavras deste livro. É a Deus que deves adorar. [10]E acrescentou: Não guardes em segredo as palavras proféticas deste livro, pois o seu prazo está próximo. [11]Que o malvado continue em sua maldade e o impuro em sua impureza, o honrado em sua honradez e o santo na sua própria santidade. [12]Eu chegarei logo com o pagamento, para dar a cada um o que suas obras merecem. [13]Eu sou o alfa e o ômega, o primeiro e o último, o princípio e o fim. [14]Felizes os que lavam suas vestes, pois terão à sua disposição a árvore da vida, e entrarão na cidade pelas portas. [15]Ficarão fora os sodomitas, feiticeiros, fornicadores, assassinos, idólatras, os que amam e praticam a mentira. [16]Eu, Jesus, enviei meu anjo com esse testemunho para vós a respeito das igrejas. Eu sou o rebento da linhagem de Davi, o brilhante astro da manhã.

[17]O espírito e a noiva dizem: Vem! Aquele que escuta diga: Vem! Quem tiver sede venha, quem quiser receberá gratuitamente água de vida. – [18]Admoesto os que ouvem as palavras proféticas deste livro: Se alguém acrescentar alguma coisa, Deus lhe acrescentará as pragas escritas neste livro. [19]Se alguém tirar alguma coisa das palavras proféticas deste livro, Deus lhe tirará sua participação na árvore da vida e na cidade santa, que são descritas neste livro.

[20]Aquele que testemunha tudo isso diz: Sim, venho logo. Amém. Vem, Senhor Jesus. [21]A graça do Senhor Jesus esteja com todos vós. Amém.

17,15), prometido numa bem-aventurança (Mt 5,8) e em 1Jo 3,2. "Não haverá noite", porque após os mil anos começou o "dia único" (Zc 14,7). Todos os cidadãos reinarão junto com o Senhor.

22,6-20 Excetuando a saudação final, dirigida aos destinatários do livro (1,8), o que resta se apresenta como um trançado de dois temas, para nós desconcertante. Um tema secundário se refere ao caráter do livro e como deve ser tratado: ficaria bem como apêndice antes da saudação final. O outro tema é de suma importância e se refere à parusia ou vinda de Jesus Cristo. É a mensagem final da esperança, em chave de amor e nostalgia. Gostaríamos de separar os dois fios guiados por sua cor tão diferente. Nós o faremos primeiro num esquema:

6	8-10	16a	18-19
7	11-15	16b-17	20

Na linha superior há palavras de um anjo, de Jesus, de João (o autor); é paralelo de 19,9-10. Na inferior predomina um diálogo amoroso que prolonga o tema da noiva. Seja-me permitido separar as duas linhas no comentário.

Sobre o livro. As palavras estão garantidas (19,9; 21,5). É palavra profética (1,3) mediada por um anjo, que representa muitos, é enviado pelo Deus dos "espíritos" (Nm 27,16) proféticos (1Cor 12,10; 14,32).

22,8-10 João é o autor do livro e pode garantir que a origem deste não é angélica, mas divina (cf. 19,10); escreveu como testemunha de tudo quanto viu e ouviu (cf. 1Jo 1,1-3). Ao contrário de Daniel, não deve selar o livro: os selos tinham sido rompidos (5,1-5) e o "livrinho" estava aberto (10,2).

22,16a O livro contém o testemunho de Jesus (1,2; 5,5). O "rebento de Davi" é o Messias, descendente legítimo e definitivo (Is 11,1). "Astro da manhã": possível alusão à profecia de Balaão, lida em chave messiânica (Nm 24,17).

22,18-19 Portanto, que ninguém ouse acrescentar nem tirar nada do livro (Dt 4,2; 13,1). Aos contraventores será aplicada a pena do talião.

Diálogo do amor. Vamos tomar como referência dois textos: a parábola de Mt 25,1-13, em que dez virgens devem aguardar o esposo: "Aqui está o noivo, saí para recebê-lo!" O outro é a fórmula repetida quatro vezes no livro de Jeremias, "a voz do esposo, a voz da esposa" (7,34; 16,9; 25,10; 33,11) e retomada em Ap 18,23. A noiva estava preparada (19,7; 21,9) e o noivo anuncia "chego logo" (v. 7). Que os homens persistam em sua conduta (v. 11), como anunciava Daniel (Dn 12,10), pois ele chega em breve (v. 12) para retribuir (recordem-se os dois grupos de dez virgens). Misturam-se algumas apresentações (cf. Is 44,6 e 11,1), já usadas no livro (1,3; 2,28; 7,14). Ao anúncio do noivo "chego" responde a noiva movida pelo Espírito, que é amor: "vem". Os que formam a comunidade pronunciam o uníssono "vem". O esposo, a "testemunha" do livro, responde "sim, venho". E todos repetem simplesmente, apaixonadamente, "Vem, Senhor Jesus". Ressoam no fundo versículos do Cântico dos Cânticos: "Vem do Líbano... aproxima-te, entra... já estou vindo" (Ct 4,8.16; 5,1). Assim termina o Apocalipse e a nossa Bíblia: com "a voz do esposo, a voz da esposa", como começou com a voz jubilosa do esposo (Gn 2,23), a voz que João Batista escutou com alegria (Jo 3,29).

CRONOLOGIA HISTÓRICA

Na cronologia histórica que apresentamos, a primeira parte até a monarquia é conjetural. É muito o que ignoramos sobre a época patriarcal, o assentamento de Israel na Palestina e a época dos Juízes. A cronologia é uma tentativa ideal de como corresponderia o relato bíblico à história profana da época. A partir de Davi, a cronologia se afirma com probabilidade crescente.

ORIGENS	História profana
Egito-Palestina na época do Bronze Antigo Os **cananeus** (Cerca de 3000)	*Antigo Império* (2600-2500)
Época do Bronze Médio Chegada de **Abraão** a Canaã (Cerca de 1850)	*Médio Império* (2100-1730)

PATRIARCAS	
	Mesopotâmia 3ª dinastia de Ur (2100-2000)
A família de **Jacó** se instala no Egito (Cerca de 1700) Opressão dos israelitas no Egito	Código de Hamurábi, rei de Babilônia (1800)

MOISÉS E JOSUÉ	
Batalha em Cades do Orontes (1286) Saída dos israelitas do Egito (Cerca de 1250) **Moisés e Josué**	*Egito* Ramsés II (1304-1238)
A lei do Sinai (Cerca de 1250)	Meneptá (1238-1209)
Estela de 1229 Entrada na Palestina com **Josué** Queda de Jericó (Cerca de 1200)	Ramsés III (1194-1163)

CRONOLOGIA HISTÓRICA

JUÍZES	História profana
Luta contra os "Povos do mar" (1175) Tempo dos Juízes	*Assíria* Teglat-Falasar I (1115-1077)
Vitória de Barac (Cerca de 1125) Migração dos danitas	
Vitória filisteia em Afec. Morte de Eli (Cerca de 1050) **Samuel,** profeta (Cerca de 1040)	

REIS	
Saul (1030-1010)	
Davi (1010-971)	*Egito* Siamon (975-955)
Salomão (971-931) Construção do Templo de Jerusalém (970)	Psusenes II (955-950)
Divisão do Reino (931)	Sheshonq I (945-925)

Reino de Judá	Reino de Israel	História profana
1º **Roboão** (931-914) Invasão de Judá por **Sesac,** rei do Egito	1º **Jeroboão** (931-910)	
2º **Abias** (914-911) Guerra contra **Jeroboão** (914)	Guerra contra **Abias** (914)	

CRONOLOGIA HISTÓRICA

Reino de Judá	Reino de Israel	História profana
3º **Asa** (911-870)	2º **Nadab** (910-909)	*Assíria* Assurnasirpal II (883-859)
	3º **Baasa** (909-885)	
Período de paz (892)	Período de paz (892)	
Invasão de **Zara,** o etíope (903)		
Guerra contra **Baasa** (887)	Guerra contra **Asa** (887)	
	4º **Ela** (885-884)	
	5º **Zambri** (7 dias)	
	Elias, profeta (Cerca de 870)	
	Elevado no carro de fogo (Cerca de 850)	
	6º **Amri** (884-874) Funda Samaria	
Morte de **Asa** (870)		
	7º **Acab** (874-853)	
4º **Josafá** (870-848)		
	Lutas contra a Síria (869)	
Suprime os cultos idolátricos	Vitória sobre **Ben-Adad,** rei de Damasco (859)	*Assíria* Salmanassar III (858-824)
Aliança com **Acab,** rei de Israel (853)	Aliança com **Josafá,** rei de Judá. Morre **Acab** (853)	

CRONOLOGIA HISTÓRICA

Reino de Judá	Reino de Israel	História profana
	8º **Ocozias** (853-852)	
Aliança com **Ocozias** (853)		
	Eliseu, profeta (850)	
	9º **Jorão** (852-841)	
5º **Jorão** (848-841)		
6º **Ocozias** (841)	10º **Jeú** (841-813)	
7º **Atalia** (841-835)		
8º **Joás** (835-796)		
Invasão do rei da Síria	11º **Joacaz** (813-797)	*Assíria* Adad-Nirari III (810-783)
Nova invasão síria (797)	12º **Joás** (797-782) Morte de **Eliseu** (796)	
9º **Amasias** (796-767)		
Morre **Amasias** (781)	Vitória sobre Judá	
	13º **Jeroboão II** (782-753) Amós profeta Oseias profeta	
10º **Azarias** (= **Ozias**) (767-739)		
	14º **Zacarias** (6 meses)	
	15º **Selum** (1 mês)	
	16º **Manaém** (752-741)	*Assíria* Teglat-Falasar III (745-727)

CRONOLOGIA HISTÓRICA

Reino de Judá	Reino de Israel	História profana
Vocação de Isaías (740)	17º **Faceias** (741-740)	
11º **Joatão** (739-734)		
12º **Acaz** (734-727)	18º **Faceia** (740-731)	
Invasão síria e israelita	Invadem Judá	
	19º **Oseias** (731-722) Último rei de Israel	*Assíria* Salmanasar V (726-722) Sargon II (721-705)
13º **Ezequias** (727-698)	Invasão de Israel (722) Cai Samaria Israelitas deportados para Nínive (720)	

Reino de Judá	História profana
Invasão de **Senaquerib** Morte de **Ezequias** (698) 14º **Manassés** (698-643)	*Egito* Shabaka (710-696) *Assíria* Senaquerib (704-681)
15º **Amon** (643-640)	Assurbanipal (668-621)
16º **Josias** (640-609) Profeta **Sofonias** (Cerca de 630)	*Egito* Psamético I (663-609)
Vocação de **Jeremias** (Cerca de 627) Redação dos livros de **Josué, Juízes, Samuel, Reis**	*Assíria* Nabopolassar (625-605)

CRONOLOGIA HISTÓRICA

Reino de Judá	História profana
Achado do **Livro da Lei** (622) Profeta **Naum** (Cerca de 612)	
17º **Joacaz** (609)	*Babilônia* Nabucodonosor (604-562)
18º **Joaquim** (609-598)	
19º **Jeconias** (598-597) Cerco de Jerusalém	
20º **Sedecias** (597-587) Vocação do profeta **Ezequiel** (593) Cativeiro de Babilônia depois do saque de Jerusalém (587)	*Egito* Psamético II (593-588)
Baruc profetiza tempos melhores (583)	
Ezequiel descreve o novo Templo (573)	

RESTAURAÇÃO

Reino de Judá	História profana
Daniel na cova dos leões (538) Edito de **Ciro**. Primeira caravana de judeus para Jerusalém (538) Primeira pedra do segundo Templo (537)	*Pérsia* Ciro (551-529) Cambises (530-522) Dario I (522-486)

RESTAURAÇÃO	História profana
Oráculos de **Ageu** e de **Zacarias** (520)	
Segunda caravana. **Esdras** volta para Jerusalém (479)	*Pérsia* Xerxes I (486-464) Artaxerxes (464-424)
Os judeus de Susa são salvos por **Ester** e **Mardoqueu** (474-473)	
Terceira caravana. **Neemias** volta para Jerusalém (445)	
A Judeia forma um estado teocrático (350) Concluem-se os livros de **Malaquias, Jó, Joel, Salmos, Jonas, Esdras, Neemias, Tobias**	

ÉPOCA HELENÍSTICA	
Conquista da Palestina pelos exércitos de **Alexandre Magno** (332)	*Grécia* Alexandre Magno (336-323) Morte de Alexandre: Dinastia Lágida no Egito (Ptolomeus) Dinastia Selêucida na Síria e em Babilônia
A Palestina submetida aos **Lágidas** (300-200) Tradução da Bíblia para o grego pelos **Setenta** São escritos: **Eclesiastes, Ester**	
A Palestina submetida aos **Selêucidas** (200-142)	*Egito* Ptolomeu VI Filopátor (180-163) Antíoco IV Epífanes (175-163)
Antíoco IV dedica o templo a Zeus (167) **Ben Sirac** escreve o Eclesiástico	

CRONOLOGIA HISTÓRICA

ÉPOCA HELENÍSTICA	História profana
Primeira revolta judaica com **Matatias** (167)	
Judas Macabeu (166-160)	*Egito* Antíoco V Eupátor (163-162)
Livro de **Daniel** O Templo é recuperado e purificado (164)	Destruição de Cartago (146)
Jônatas (160-143)	
Simão (143-134) Independência dos judeus Dinastia dos **Asmoneus** (142-63)	
João Hircano (134-104) Livros 1 e 2 dos **Macabeus**	
Aristóbulo I (104-103)	
Alexandre Janeu (103-76)	
Alexandra, esposa de Alexandre (76-67) Livro de **Judite**	*Roma* Pompeu no Oriente. Síria, província romana
Tomada de Jerusalém pelo general romano **Pompeu** (63)	

ÉPOCA ROMANA	História profana
Livro da **Sabedoria** (Cerca de 50)	Egito Cleópatra (51-30) *Roma* César derrota Pompeu (48) Assassinato de César (44)
César nomeia etnarca **Hircano** (47-41)	
Herodes e **Fasael**, tetrarcas (41)	
Antígono, rei e sumo sacerdote (40-37)	
Sósio e **Herodes** tomam Jerusalém (37)	
Herodes, rei (37-4 a.C.)	*Roma* Batalha de Ácio (31) Otávio Augusto, imperador (29)
Reconstrução do Templo (20)	
Nascimento de **Jesus** (Cerca do ano 7) Morte de **Herodes** (Cerca do ano 4 a.C.)	
Anás, sumo sacerdote (6-15 d.C.)	
Nascimento de **Paulo de Tarso** (Entre 5 e 10)	
Caifás, sumo sacerdote (18-36) **Pôncio Pilatos**, Procurador romano (26-36)	*Roma* Tibério (14-37)
Pregação de **João Batista** e começo do ministério de Jesus (27)	

CRONOLOGIA HISTÓRICA

ÉPOCA ROMANA	História profana
Jesus em Jerusalém (28)	
João Batista é decapitado (29)	
No dia 14 de Nisã, sexta-feira, morre **Jesus** (30) **Pentecostes**, a primeira Comunidade	
Martírio de **Estêvão** Conversão de **Paulo** (37)	*Roma* Calígula (37-41)
Paulo foge de Damasco (39)	
Paulo e **Barnabé** em Antioquia (43)	Cláudio (41-54)
Decapitação de **Tiago**, irmão de João (44)	
Ananias, sumo sacerdote (47-59)	
Primeira missão de **Paulo**: Chipre, Antioquia da Pisídia, Listra... (Entre 45 e 49)	
Concílio de Jerusalém (48-49)	
Segunda missão de **Paulo**: Listra, Frígia, Galácia, Filipos, Tessalônica... (50-52)	Nero (54-68)
Terceira missão de **Paulo**: Éfeso, Corinto... (56-57) Segunda Carta de Paulo aos **Coríntios** (57)	

ÉPOCA ROMANA	História profana
Paulo preso em Cesareia (58-60)	
Paulo preso em Roma (61-63)	Incêndio de Roma. Os cristãos são perseguidos (64)
Evangelho de **Marcos** (64)	
Martírio de **Pedro** em Roma (64)	
Paulo em Éfeso, Creta, Macedônia (65)	
Paulo, preso em Roma e decapitado (67)	
Evangelho de **Lucas** Atos dos Apóstolos (Depois de 70)	Vespasiano (69-79) Tito (79-81) Domiciano (81-96)
Queda de Jerusalém Os romanos destroem o Templo (70)	
Evangelho de **Mateus** (Entre 80 e 90)	
Evangelho de **João** (Entre 90 e 100)	
Sínodo de Jâmnia (ou Iabne) (Cerca de 85-90)	
Os cristãos são excluídos das sinagogas	
João desterrado para Patmos **Apocalipse** (95)	Nerva (96-98)
Morte de **João** em Éfeso (100)	Trajano (98-117)

VOCABULÁRIO DE NOTAS TEMÁTICAS

Este vocabulário não é uma concordância: cita passagens escolhidas e significativas; tampouco é um dicionário completo de teologia. Foi pensado para acompanhar a leitura do texto como primeira orientação sumária e para recordar passagens importantes sobre alguns temas seletos. O estilo é ágil, quase telegráfico. Para mais informações, será bom recorrer aos tratados ou dicionários amplos de Teologia Bíblica.
(O sinal → remete à palavra que o acompanha).

A

Aarão. → Sacerdote(s).

Abandonar. O povo abandona o Senhor, geralmente venerando outros deuses (Jr 1,16), violando a aliança (1Rs 19,10), os mandamentos (2Rs 17,16). Deus castiga abandonando, retirando sua presença ou proteção (Is 54,7); abandona o seu templo (Jr 17,7) e a sua terra (Ez 8,12). O orante pede a Deus que não o deixe abandonado (Sl 27,9; 71,9). O homem se abandona confiante nas mãos de Deus (Sl 31,6.16). → Confiança.

Abismo. → Inferno.

Abraão. No NT falam da sua descendência natural (Mt 3,9 e Jo 8,39). Modelo de fé sem → obras (Rm 4), de fé = esperança (Hb 11,8-19), de obras inspiradas pela fé (Tg 2,21-23). "Seio de..." é um lugar privilegiado no banquete do → céu, junto a (segundo o costume de comer reclinados em divãs). → Patriarca.

Ação de graças. → Oração.

Ação simbólica. → Profeta.

Adão. Substantivo comum que significa homem, e nome próprio do primeiro homem, segundo Gn 2-3. "Filhos de Adão" é designação coletiva e genérica dos seres humanos. "Filho de Adão" pode significar um ser humano, já que o sobrenome se expressa comumente pela fórmula "filho de N"; chamar um homem de "filho de Adão" equivale a evitar o sobrenome e devolvê-lo à sua radical condição humana; tal pode ser o caso de Ezequiel. Na literatura apocalíptica aparece um "filho de homem", ou seja, um ser humano, distinto das restantes figuras alegóricas (ou emblemáticas), que recebe do Altíssimo título e poderes reais no final da história (Dn 7). Lc 3,38 faz a genealogia de Jesus subir até Adão. Ef 5,25ss apresenta a figura de Adão e Eva na simbologia matrimonial de Cristo e da Igreja. Rm 5 apresenta Adão como tipo de Cristo por oposição. Cl 1,15 alude talvez ao primeiro homem no título "primogênito". A expressão literal "filho do homem" parece decalque do semitismo *ben 'adam* = filho de Adão (segundo Ezequiel). → Homem. → Eva.

Adivinhação. → Magia.

Admiração, estupor, assombro, maravilha, estranheza. Sobretudo nos Evangelhos, reação frequente diante do grandioso, do sobre-humano ou inesperado. Sujeito: Jesus (Mt 8,10; Lc 7,9), geralmente as pessoas, o povo. Objeto: os → milagres, o ensinamento, a conduta. Estranheza (Jo 4,27; 1Jo 3,13).

Adoção. → Filho.

Adoração. No sentido estrito, só a Deus (Mt 4,10; cf. 1Cor 14,25). Não a homens (At 10,26, a Paulo; Ap 19,10; 22,9). A Cristo (Fl 2,10s; Hb 1,6); os anjos a Cristo (Mt 28,9-17). A outros deuses é idolatria (At 7,43); à fera ou à sua estátua (Ap 13). Com frequência trata-se de simples prostração expressando profundo respeito. → Deus.

Adultério. Jesus confirma o mandamento (Mt 5,27) e o estende ao desejo (Mt 5,28). Perdoa a adúltera inculcando a conversão (Jo 8,1-8). → Matrimônio.

Afetos e paixões. Os hebreus não desenvolveram uma teoria consistente sobre afetos e paixões, sua natureza, manifestações boas e más, organização em sistema. Apresentam o homem agindo em múltiplas situações e assim vão mostrando um mundo afetivo ou passional. O vocabulário desse campo é rico, mas não é diferenciado com exatidão; a retórica

e o uso do paralelismo na poesia não ajudam a determinar. Os Salmos são fonte rica de informação pelo que contêm de expressão verbal. A sede dos afetos e paixões pode ser o coração ou os rins. Faço aqui um elenco selecionado tratando à parte alguns mais importantes. *Amor e ódio*: incluem lealdade e devoção, entrega, intimidade, vingança, inimizade, rivalidade, desprezo, desinteresse. *Bondade e crueldade; alegria e tristeza*: gozo, júbilo, alvoroço, festa, celebração, felicitação; pena, angústia, consternação, abatimento. *Coragem e covardia*: fortaleza, resistência, temeridade; desânimo, abatimento. Podem-se reunir provisoriamente: a *cobiça* como desejo de possuir bens, a *ambição* como desejo de poder, a *vaidade* como desejo de aparecer ou figurar, a *soberba* como desejo de ser superior, a *sensualidade* ou *voluptuosidade* como desejo de prazer. *Temor e confiança*: cautela, serenidade, ânimo.

Agricultor. São frequentes as imagens agrícolas no NT: semeadura (Mt 13), colheita (Jo 4), semente (Jo 12,24), comparação (1Cor 15,37), colheita (Mt 13,41), vindima (Ap 14,10), diaristas (Mt 20,1), arrendatários (Mt 21,33). Deus agricultor (Jo 15,1). → Trabalho.

Água. Mesmo sem professar a teoria dos quatro elementos, os hebreus veem a água como algo fundamental, objeto de experiências várias e gerador de diversos símbolos. Em primeiro lugar está a água cósmica, que imaginam repartida em duas regiões, por cima e por baixo do firmamento (Gn 1); na terra, a água se congrega nos mares (Gn 1) e subsiste debaixo da terra (Sl 136). Há como que dois oceanos primordiais capazes de desencadear-se (Gn 6). Essa água cósmica mostra já sua polaridade de elemento que gera vida (Gn 1) e elemento de desordem, caótico. Depois se distingue entre a água recolhida em tanques ou cisternas e a "água viva" dos mananciais. Distinguem-se os rios de corrente perene e os arroios intermitentes, imprevisíveis. Também a água de rios, canais e poços, que o homem explora, e a água de chuva, que Deus envia (Dt 11,10-12); com a chuva vêm o orvalho, de condição benéfica, e o granizo destruidor. Onde não existe água não há vida: por isso o deserto é a região inabitável, e a seca é um dos grandes castigos (Elias, em 1Rs 17; Jr 14). Pela sua pluralidade de funções e seu valor polar, a água adquire sentido simbólico na literatura e no ritual. Água de purificação: ritual (Levítico) e poético (Ez 36; Sl 51), água de ordálios. Água como perigo e ameaça (Is 8 e 43). A sabedoria é como água (Pr 16,22). Deus mesmo está representado como água, na sua variedade e polaridade (Sl 42-43; Jr 2,13; 17,13; 15,18). Em imagens poéticas se apresenta a luta de Deus com o oceano primordial hostil, sobretudo referida a fatos históricos (Sl 136; Is 51,9-10). Além disso, Deus é capaz de transformar a distinção original de água e terra (Sl 107,33-35), e assim anuncia a transformação escatológica (Is 35; Sb 19). Objeto ou instrumento de milagres (Mt 8,23-27; Jo 5, a piscina). De abluções rituais (Jo 2,1-11; 3,25); polêmica (Mc 7,1-4). Do batismo: como purificação (1Cor 6,11; Ef 5,26s); de corpo e de espírito (Hb 10,22); comparado ao dilúvio (1Pd 3,20). Símbolo do → Espírito (Jo 7,38 e 19,34; cf. Jo 5,6); no relato da Samaritana (Jo 4). → Mar. → Nuvem.

Alegria. Como experiência humana elementar e plural, aparece em muitas passagens do AT e gera um vocabulário rico. Em particular, autores sapienciais podem vê-la como nascida do interior, como saúde interior (Eclo 13,25-14,2; 30,21-25), como um dos bens máximos (Eclo 1,11-13); Jeremias se afasta de alegrias humanas (Jr 16); Jerusalém é a alegria superior dos exilados (Sl 137). Acompanha e testemunha a experiência consciente da salvação e informa a expressão dessa consciência; daí o caráter alegre e festivo do culto (Dt 12; 16), tanto que a mesma palavra hebraica pode significar alegria e festa. A expressão pode ser acompanhada de música e danças (Ex 15). A alegria humana se estende à natureza numa espécie de contágio cósmico (Sl 65; 98). A alegria é o bem messiânico por excelência (Is 35, hino à

alegria; 60; 65,18). A alegria humana é limitada (Pr 14,13) e ambígua (Ecl 7,2-4). Imagens: banquete, bodas, tesouro. Dom messiânico: junta a saudação grega *chaire* com a tradição profética. De Cristo: pela revelação do Pai (Lc 10,21 par.); por Lázaro (Jo 11,15). Pelo Messias: de Abraão (Jo 8,56); de Davi (At 2,26). Objetos: pelas provações (Tg 1,2); pela tribulação (2Cor 7,4), perseguição (Mt 5,12; Jo 16,20ss); porque os nomes estão inscritos (Lc 10,20); os pagãos por serem chamados (At 13,48), pelo batismo (At 8,39), pela fé (1Pd 1,8), pela esperança (Rm 12,12); pelos discípulos (Fl 4,1; 1Tm 2,20); pela ressurreição de Jesus (Mt 28,9; Jo 20,20), pela sua parusia (1Pd 4,13). Alegria maligna: de Herodes (Lc 23,8), do mundo (Jo 16,20), do povo (Ap 11,10).

Aliança. A mesma palavra hebraica *berit* pode significar um contrato (Gn 31,44ss), um convênio ou acordo entre amigos (1Sm 18,3; 23,18), um pacto dos súditos com seu rei (2Sm 5,3), uma aliança entre dois reis ou nações (1Rs 5,2ss). Entre reis ocorre o pacto entre iguais ou entre soberano e vassalo (Ez 17,14ss). O texto da aliança podia ter uma introdução ou prólogo histórico, o acordo de base, suas cláusulas, uma série de sanções. O juramento pelos deuses de ambas as partes e também um sacrifício sancionavam o tratado, e seu texto era conservado nos arquivos. Os profetas previnem Israel contra o perigo das alianças humanas (Is 28-29). Essa instituição humana, com seus elementos literários, é utilizada por vários autores bíblicos para simbolizar cultural e ritualmente a união do povo com seu Deus. Com exceção de referências soltas ou elementos de aliança dispersos, o AT nos oferece dois tipos fundamentais de aliança. Uma, representada pela escola sacerdotal, é unilateral, e se reduz praticamente a uma promessa solene de Deus. Três pactos marcam essa história: a aliança com Noé, de alcance universal, cujo sinal é o cósmico: o arco-íris (Gn 9,1-17); a segunda, com Abraão, limitada pela escolha, cujo sinal se refere à fecundidade: a circuncisão (Gn 17); a terceira é com Moisés e o povo, com valor institucional, e seu sinal é o sábado. Nesses casos, o homem aceita a aliança (= promessa de Deus) com um ato de fé e confiança; confia em Deus, de modo que tal atitude orienta a vida. O segundo tipo, representado pela escola deuteronomista, concebe a aliança na forma de pacto entre soberano e vassalo, com a sua rica articulação literária, salientando ao mesmo tempo a iniciativa livre e generosa do Senhor, e o livre compromisso humano. Deus coloca o povo em situação de compromisso bilateral, que se condensa na fórmula "vós sereis o meu povo, eu serei o vosso Deus". A aliança é selada no Sinai (Ex 19 e 24), é renovada em Moab (Dt 29-30) e em Siquém (Js 24). Ver esses textos na Introdução a Ex 19 e a Dt. Nesse segundo esquema, as cláusulas são: primeiro, as "dez palavras" ou decálogo, ao qual se soma o chamado Código da Aliança (→ Lei); as bênçãos e maldições sancionam, como prêmio e castigo, o cumprimento. A atitude fundamental do povo pode ser chamada fidelidade, ou amor, ou temor, ou então aderir ao Senhor, segui-lo etc.; vai se realizando em atos de obediência ou cumprimento. É exclusiva, não admite outros deuses. Às anteriores se acrescenta a aliança com Davi, que é antes uma promessa à dinastia (2Sm 7; Sl 89). A aliança sinaítica fracassa, porque o povo a viola, e a aliança davídica evolui pelo dinamismo da promessa. Assim abre caminho a ideia da futura nova aliança, escatológica, messiânica (Jr 31, 31-34; 33,14-22; Ez 36,22-32). Ben Sirac descreve a criação de Adão em termos de aliança, segundo o modelo sinaítico (Eclo 17,11-14). A aliança é um dos grandes símbolos ou padrões do AT, que serve para interpretar as relações dos homens com Deus. É uma das categorias centrais. Nova Aliança = Novo Testamento nos dá uma chave de interpretação. O NT apresenta a obra de Jesus como a nova aliança contraposta à antiga de Ex 24, seguindo Jr 31,31-34: está dominada pelo Espírito (2Cor 3, 6ss); é de homens livres (Gl 4,21ss); é superior à precedente e a deixa

"antiquada" (Hb 7,22). Seu mediador é Jesus, não Moisés (Hb 9,15); o apóstolo a prega (2Cor 3). Hb 9,16ss joga com o duplo sentido do grego *diatheke* = → testamento e aliança. → Sangue.

Alimento. *a)* Deus cuida paternamente de seus filhos (Mt 6,26). Jesus se preocupa com a multidão faminta (Mt 15) e faz um milagre para saciá-la; pensa no alimento dos discípulos ao enviá-los (Lc 10,8); mas relativiza sua importância em relação à mensagem. *b)* Metafórico: o seu é fazer a vontade do Pai (Jo 4,34); quer dar-se em alimento aos seus, na sua palavra e no pão eucarístico (Jo 6). Declara abolida a distinção entre alimentos (At 10,13). Paulo permite até mesmo a carne imolada aos ídolos (1Cor 8,4; 10,26).

Alma. Para o AT → Homem. O NT usa o termo grego *psychê*, prolongando o uso de *nefesh* no AT. Portanto, significa muitas vezes → vida; algumas vezes designa simplesmente a pessoa ou indivíduo (At 2,41; Rm 2,9). Pode designar a → consciência: sede de emoções e decisões, e significa ânimo, mente (cf. "com toda a alma" Mt 22,37, segundo Dt 6,5). Também pode designar a sede da vida já salva pela graça (Hb 10,39; 1Pd 1,9; Mt 10,39) *soma kai psychê*: vida natural e sobrenatural. Equivale a espírito (1Pd 2,11). Adjetivo *psychikós* = natural. → Corpo. → Carne.

Altar. → Culto. Hb 13,1 menciona um altar dos cristãos, talvez a mesa ordinária da eucaristia. Ap 6,9; 8,3 menciona um altar celeste. → Sacrifício.

Ambição. Parece que no AT a ordem social e política não deixava muito campo ao afã de ocupar postos de comando. Quase todos os casos de ambição relatados se referem aos cargos supremos da monarquia. Absalão se rebela contra o pai (2Sm 13,18), depois se subleva Seba (2Sm 20); no reino do Norte repetem-se as usurpações, com troca de rei ou de dinastia, p. ex., Zambri (1Rs 16,8-19), e a luta pela sucessão depois do seu suicídio (1Rs 16,21s); um profeta sanciona a rebelião de Jeú (2Rs 9); Atalia assassina a família real para assegurar poder (2Rs 11). Também acontece em reinos estrangeiros (2Rs 8,15). Oseias denuncia as conspirações de palácio (Os 6,3-7). Moisés tem de enfrentar casos de ambição: a sua irmã Maria (Nm 12), Coré ambiciona o sacerdócio, Datã e Abiram o poder (Nm 16). Is 14 descreve um monarca que ambiciona honras divinas. No exercício do poder podemos considerar como forma de ambição o governo despótico, para assegurar ou aumentar o poder: é o caso de Roboão (1Rs 12) e de monarcas estrangeiros. → Rei.

Amém. No NT, hebraísmo usado para introduzir palavras de Jesus, às vezes duplicado: "eu vos asseguro". Como aclamação ou resposta, no final de livro ou carta (1Cor 14,16; Ap). Cristo é o amém de Deus, sua resposta afirmativa e definitiva (2Cor 1,20; Ap 3,14).

Amor. *Entre seres humanos*. O tema do amor humano, nas suas diversas realizações, é frequente no AT. Ao amor sexual se dedica um dos livros mais belos, o *Cântico dos Cânticos* (= o melhor cântico); é instituição original de Deus (Gn 2,23-24), é tema das histórias patriarcais (Gn 24: o amor segue o matrimônio; Gn 29: o amor precede). → as Introduções a Ct e a Rt. O amor de amizade é descrito na história de Davi e Jônatas (1Sm 18ss; 2Sm 1,19-27). De amor paterno, é bom exemplo Davi (2Sm 12,15-23: o filho de Betsabeia; 18,33: morte de Absalão). De amor maternal, a figura trágica de Resfa (2Sm 21,9-10). O livro de Tobias (ver a Introdução) é dedicado ao amor familiar nos seus diversos aspectos. Alargando o campo, encontra-se o escravo que se apega a seu amo (Dt 15). E, sobretudo, o preceito de amar o próximo como a si mesmo (Lv 19,18); esse amor se dirige sobretudo aos necessitados; por exemplo, ao migrante (Lv 19,34). O amor nos seus diversos aspectos é empregado como expressão simbólica das relações *entre Deus e as pessoas*. Embora sejam correlativas, podemos distinguir para esclarecer: *a)* O homem deve amar a Deus. O preceito clássico de Dt 6 expressa a totalidade, a intensidade e a exclusividade da atitude humana, que depois se manifestará na observância dos mandamentos (Dt 5,10). A intimidade pessoal se expressa em

textos como Sb 6,19; 7,14; 8,3. Esse amor pode ser representado na teologia do Deuteronômio sobretudo como lealdade do vassalo, ou então como símbolo conjugal (Os 2). *b)* O amor de Deus à pessoa pode usar o símbolo maternal (Is 49,14-15), paternal (Os 11); mais frequente e desenvolvido é o símbolo conjugal (Is 1,21-23; 49,14-26; 54; 62; Jr 2; Ez 16). O amor é fundamento da → escolha e da → aliança e exige correspondência (Dt 4,37; 7,8.13; 10,15). *c)* Aparentadas com o amor ou fundadas nele estão a graça, a compaixão, a clemência, a bondade, a misericórdia etc. No NT o amor aparece em suas diversas manifestações: conjugal, em si e como símbolo (Ef 5,25-27; cf. Lc 7,36-50 e Jo 20,11-18); paterno e filial, fraterno e de amizade. Aparece com diversas características, entre as quais sobressaem a gratuidade, a persistência, a amplidão, a capacidade de sacrifício. Quanto às pessoas relacionadas, podem-se distinguir o amor paterno-filial de Deus Pai e seu Filho Jesus, o amor de Deus Pai e de Jesus Cristo ao ser humano; o amor da pessoa a Deus e a Cristo, o amor fraterno dos cristãos, o amor aos inimigos. São textos fundamentais: Jo 15,9-17 (Pai--Filho-pessoas); 1Jo 4,7-21; 1Cor 13. O Pai chama Jesus seu predileto: batismo e transfiguração. Jesus ama o Pai e por isso cumpre seus mandamentos (Jo 15,10). Deus toma a iniciativa de amar o ser humano (Rm 8,31-39), mostra seu amor, entregando seu Filho (Jo 3,16); seu amor paterno é proposto na parábola do filho pródigo (Lc 15). Jesus Cristo nos ama e se entrega por nós (2Cor 5,14-15; Rm 5,6-11), seu amor supera tudo (Ef 3,19), até o fim (Jo 13,1). A pessoa deve amar a Deus (Mc 12,30 par.; Dt 6,5; 1Jo 5,1s; 4,20s). O amor fraterno é o preceito novo e supremo, e a síntese da Lei (Mc 12,31 par.; Jo 15); tema central de 1Jo. Deve-se estendê-lo aos inimigos (Mt 5,44 par.).

Anciãos. No substantivo hebraico *zqn* concorrem o aspecto da idade e da função, geralmente unidos. *a)* Idade: são depositários de uma → tradição e estimados pela experiência e sensatez (Jó 12,20; 32,4; Eclo 25,3-6; Ecl 4,13). *b)* Função: conselheiros nos municípios, senadores na capital, exercem um governo colegial administrativo e judicial (Rt 4; Dt 19,12; Jz 11,5); o jovem Daniel é declarado ancião/juiz em Dn 13,50. *c)* Ancianidade ou longevidade é dom especial de Deus aos patriarcas, Moisés, Jó etc. Gn 4 recolhe a lenda de uma longevidade fantástica antes do dilúvio. → Autoridades.

Animais. Os animais são criaturas de Deus que partilham com o homem a bênção da fecundidade (Gn 1), do alento de vida (Sl 104), certa sabedoria (Eclo 1), diversas qualidades; mas estão submetidos ao homem (Gn 1; Sl 8). Os animais se dividem por espécies (Gn 1), por sua habitação no céu, na terra e no mar; dividem-se em domésticos e feras, em puros e impuros (→ pureza e impureza). São utilizados como nomes próprios ou emblemas, designando pessoas ou funções: por exemplo, Lobo, Serpente, Asno, Corvo, os Carneiros, os Touros (todos nomes de príncipes ou chefes); como emblemas nas bênçãos de Gn 49, Dt 33. Os escritos apocalípticos desenvolvem esse uso introduzindo animais fantásticos que personificam soberanos ou poderes (por exemplo, Dn 7-8). Pela sua participação na sabedoria, alguns animais podem ensinar o homem na literatura sapiencial ou podem com seus enigmas desafiar a inteligência do homem (Pr 3; Jó 39-41). Animais sobre-humanos e polimorfos são os querubins e serafins; mitológicos são Raab, Leviatã, Tanin. A invasão das feras marca a ruína da cultura urbana (Is 34). No futuro reino escatológico, a paz universal pacificará homens e feras, também com a serpente, o inimigo primordial (Is 11). O zoomorfismo ou apresentação de Deus com caracteres de animal é pouco frequente (ver Oseias). O livro da Sabedoria condena como suprema depravação a zoolatria dos egípcios. Entre os animais domésticos do NT destacam-se o humilde jumento da entrada em Jerusalém (Mc 11,1-10), os cachorrinhos mencionados pela mulher fenícia (Mt 15,27). Termos de comparação: pomba e serpente (Mt 10,16), galinha (Mt 23,37), cavalo (Tg 3,3.7), galo (Mt 26,74). Com valor simbólico:

os do Ap: dragão, feras, cordeiro. Jesus inaugura a paz com os animais (Is 11): no deserto (Mc 1,13), anunciada aos discípulos (Mc 16,18), Paulo a cumpre (At 28,3-6).

Anjo. O termo hebraico e a sua tradução grega significam mensageiro; Deus pode tomar os ventos como mensageiros (Sl 104,4); o rei pode aparecer como mensageiro de Deus (2Sm 14,17); pode confundir-se com um profeta (Jz 13,6). Em sentido técnico, "o anjo do Senhor" aparece umas vezes simplesmente como a manifestação do Senhor, outras como ser intermédio. No contexto pode-se dizer que o Senhor fala e seu anjo aparece; assim se evita dizer que Deus mesmo aparece (cf. Jz 6,12ss). Predomina a função de mensageiro, mas também pode executar ordens (por exemplo, 2Rs 19,35); é protetor (Sl 91) ou vingador (2Sm 24). O AT fala, além disso, de uma categoria de seres sobre-humanos, de algum modo pertencentes à esfera divina, que nós chamaríamos anjos. São chamados "filhos de Deus" (= seres divinos) ou "santos de Deus"; formam sua corte (2Rs 22; Jó 1) e seu exército (Js 5,14) ou seu acampamento (Gn 32,1-2); também desempenham funções litúrgicas, seja mediando (Gn 28), seja convidados ao louvor (Sl 103,20; 148,2). Querubins e serafins são seres sobre-humanos, em figura de animais polimorfos, a serviço de Deus na sua morada, seja no paraíso (Gn 3,24), seja no céu (Sl 18,11), seja no templo (2Rs 6), seja sustentando o seu trono (Sl 99,1); ver também Ez 1 e 10 e Is 6. O AT nunca chama de anjos esses seres. Textos posteriores introduzem anjos com nome pessoal: Gabriel (Dn 8-9), Rafael (Tb), Miguel (Dn 10). No NT a palavra pode significar enviado, mensageiro, encarregado. Sinônimos: santos, exércitos, gloriosos. A serviço de Deus (Ap); a serviço de Jesus (Mc 1,13 par.; Lc 22, 43). A serviço de homens: em mensagens, → sonho, → aparição, em figura humana: especialmente nos relatos da infância e da ressurreição. Classes (1Cor 15,24; Cl 1,16); arcanjo (Jd 9). Funções e campos em Ap: anjo dos ventos, da água. Nomes: Gabriel (Lc 1,19-26), Miguel (Jd 4; Ap 12,7). Talvez designem os bispos ou chefes das igrejas em Ap 1-2. Anjos malignos: pecadores (Jd 6; 2Pd 2,4); luta (Rm 8,38; Ef 6,12). → Mediador.

Anticristo. É o poder hostil ou personagem rival do Messias = Cristo, com antecedentes no Gog de Ez 38-39, no personagem de Dn 8,23-25 e outros. Figura com esse título em 1Jo 2,18; 4,3 e 2Jo 7: pertence à etapa final, oprime, extravia e persegue, é uno. Ao contrário, Mc 13,22, Mt 24,24 falam de vários falsos Messias. Sem o nome, 2Ts 2,3-12 fala de um rival e o descreve. À mesma categoria pertencem as duas feras do mar e da terra em Ap 13.

Antigo. → Novo. → Tempo.

Anunciação. No NT retoma o padrão literário de relatos sobre anunciação de algum nascimento, adaptado ao novo contexto e situação (Mt 2,20-23; Lc 1,5-38). → Anjo. → Maria.

Aparição, manifestação. → Revelação. No NT, a encarnação e nascimento é uma primeira manifestação, depois da → ressurreição sucederá uma série; a final será a parusia (Tt 2,11ss; Cl 3,4; 1P 5,4; 1Jo 3,2).

Aplacar. → Reconciliação. → Ira.

Apocalíptica. → Introdução a Daniel.

Apóstolo, discípulo. Doze são enviados e representantes no NT. Enviados: escolhidos por Jesus para a missão (Mc 1,17), para estar com ele (Mc 3,14); para anunciar e com poder. Missão definitiva (Mt 28,16ss; Jo 21,15-17). Representantes de Cristo (Mt 10,40; 11,1). Paulo ironiza com os superapóstolos e polemiza com os pseudo-apóstolos (2Cor 11,5.13; 12,1). Ao grupo se somam depois Matias (At 1) e Barnabé (At 14,14). → Testemunho. → Pregação. → Milagres. → Igreja.

Aramaico. Língua falada comumente na Palestina nos tempos de Jesus. Na cruz Jesus cita o Sl 22 em aramaico (que o evangelista chama genericamente de hebraico) (Jo 19,20). O aramaico influi no texto dos Evangelhos através do → targum e da → tradição oral. A reconstrução do original aramaico permite resolver alguns problemas de → interpretação.

Arca. → Culto.

Armadura/armas. Usa-se como metáfora da luta espiritual em Ef 6,14ss e 1Ts 5,8. → Guerra.

Arrependimento. → Conversão. O grego, seguindo o hebraico, costuma distinguir o arrepender-se *metanoeo* e o converter-se *epistrepho* (cf. Lc 17,4); une os dois (At 3,19). O arrepender-se de algo (*apó* At, *ek* Ap), exceto At 20, 21, que o usa no sentido de conversão (com *eis*). Destina-se ao → perdão dos → pecados (Mc 1,4; Lc 3,3) e deve dar frutos de penitência.

Ártemis. Deusa asiática da fecundidade e fertilidade. Venerada em Éfeso (At 19).

Árvore. Além do sentido normal, o AT distingue algumas árvores especiais. Abundância de árvores de sombra, aromáticas ou frutíferas caracteriza o paraíso ou parque, o lugar encantado dos amantes no Cântico dos Cânticos, o caminho e o término da restauração de Is 35; 41,19; regadas pela água do manancial do templo, as árvores dão fruto cada mês e folhas medicinais (Ez 47). No paraíso estão a árvore do saber e a da vida (Gn 2,9; 3,22); uma "árvore de vida" (sem artigo) aparece em Pr 3,18; 11,30; 13,12; 15,4, cuja tradução é duvidosa: vivaz, perene (não caduca), que dá ou renova a vida? Há árvores plantadas por Deus (Sl 104,16), e há plantações dedicadas ao Senhor (Is 61,3). Em oposição, os jardins idolátricos (Is 17,10s dedicados a Tamuz?); é frequente a presença de uma árvore nos cultos idolátricos ou proibidos (Dt 12,2; Jr 3,6). A árvore é também símbolo de vitalidade humana (Sl 1,3; 92,4; 144,12). Em Dn 4 aparece a árvore cósmica. No NT: *a)* Destaca-se a figueira, como sinal de estação (Lc 21,29), e a figueira amaldiçoada (Mt 21,19). A oliveira em comparação (Rm 11,24; Tg 3,12). Genérica é a antítese da árvore boa e da árvore má (Mt 7,16-20). *b)* Com valor simbólico: a árvore da vida (Ap 2,7) e a da cruz (1Pd 2,24).

Ascensão. É o símbolo espacial da glorificação, segundo o esquema vertical baixo/alto, terra/céu. O NT utiliza várias expressões gregas: a tradicional do AT e dos apócrifos "ser tomado, levado, transladado acima" (*anaphero* Lc 24,51 duvidoso; *analambano* At 2,2-11; *hypolambano* At 1,9). Cristo aos seus (*paralambano* Jo 14,2). Também se usa subir (Jo 20,17; Ef 4,8-10, citando Sl 68,19); por isso, a ascensão a Jerusalém é seu começo (Lc 9,51). João emprega ir, partir (*porêuo, hypago* 8,14; 13,33; 14,2; 16,5). Hebreus emprega atravessar, entrar no céu, através do véu ou cortina 4,14; 6,20. → Paixão. → Glória. → Céu.

Asilo. No AT têm direito de asilo algumas cidades, especialmente designadas (Dt 19; Nm 35) e de modo especial o templo (1Rs 1,50; 2,28; Sl 11). A função do templo se personaliza na piedade, de modo que Deus mesmo é o asilo e refúgio do homem (Sl 7,2; 31,2.20 etc.); em tais casos, a imagem do refúgio pode assumir aspecto militar de baluarte, fortaleza (Sl 18).

Assembleia. → Povo.

Assíria. → Introdução a Rs e Na.

Astros. A astronomia dos hebreus era empírica e primitiva. Distinguiam as estrelas do sol e da lua. Admiravam sua beleza (Sl 8) e multidão, usada como termo enfático de comparação (Gn 15,5); observavam sua altura celeste (Ab 1,4). Mas rejeitavam o culto astral de outros povos (Dt 4,19; Am 5,26) e também a astrologia (Is 47,13). As estrelas são criaturas de Deus, que as pode contar (Sl 47,4) e lhes impõe leis (Jr 31,15). No seu conjunto formam "os exércitos" ou hostes do Senhor Sabaot. Jz 5,20 as imagina lutando a favor dos israelitas; Eclo 43,10 as imagina "fazendo a guarda". As estrelas, ademais, hão de louvar a Deus (Sl 148,3). Do *sol* se admira a luz e o calor (Sl 19,5s; Eclo 43,2-4), sua pontualidade e seu caminho gigantesco (Sl 19); seus eclipses são temíveis e funestos (Is 13,10; Am 8,9; Jl 3,4). Mas é criatura de Deus (Gn 1; Eclo 43,5), que não se deve adorar (Dt 4,41), como o fazem outros povos (Dt 17,3) e alguns israelitas (Jr 8,2). Numa citação de canção de gesta (Js 10,12s), Josué ordena ao sol que se detenha; Is 38 fala de uma sombra solar que volta atrás como sinal e garantia. No julgamento escatológico o sol se "envergonhará/obscurecerá"

(Jl 3,4; Is 24,23). Na nova época, a luz do sol será sete vezes mais intensa (Is 30,26); ou o sol não fará falta (Is 60,19). Da *lua* se diz outro tanto. Detalhes particulares: seu malefício (Sl 121,6), sua fascinação (Jó 31,26). NT: Segundo concepções antigas, os astros celestes determinam ou revelam os destinos humanos. O Messias tem seu astro, que os magos reconhecem (At 2,2.10). Os anjos das sete igrejas são uma constelação de sete estrelas (Ap 1,20). Na projeção celeste do Ap, muitos astros celestes são arrastados pela cauda do dragão (Ap 12,4), ao passo que a mulher é coroada de uma constelação nova de doze estrelas. A queda dos astros é um dado da escatologia (Mt 24,29). Astro matutino é o Messias glorificado, que se opõe à arrogância do homem de Is 14,12.

Autoridade. Humana, do centurião (Mt 8,9); de Herodes, jurisdição (Lc 23,7). De Jesus: no seu ensinamento (Mt 7,29), para perdoar pecados (Mt 9,6), sobre os demônios (Mc 3,15), para julgar (Jo 5,27), para entregar e retomar a vida (Jo 10,18). Recebida do Pai (Mt 28,18) e transmitida aos discípulos (Mt 10,1). Das → trevas (ódio e morte: Lc 22,53; Cl 1,13).

Autoridades. Encontramos em Dt 17-18 uma tentativa de ordenar as diversas autoridades ou poderes, juízes, sacerdotes, reis, profetas. A teologia da autoridade, como missão recebida de Deus e responsável perante ele, é desenvolvida em Sb 1 e 6. Ecl 5,8-9 parece referir-se à pirâmide burocrática. Não é possível sistematizar os títulos e cargos que encontramos nos diversos livros. No militar se aprecia a hierarquia, segundo o tamanho da unidade que alguém comanda; há expressões que correspondem a nossos "comandos", "oficiais", a capitão, comandante, general. Na magistratura há o conselho local de anciãos, o juiz, o árbitro e tribunais de apelação no templo e no palácio. No campo político, depois dos xeques (os patriarcas, Jó), a monarquia traz uma certa hierarquia de rei, ministros, governadores, com funções relativamente especializadas. No campo religioso, também há uma hierarquia de sacerdotes, levitas e funcionários. O profeta entra em cena com verdadeira autoridade, inclusive sobre reis: Elias e Eliseu, Jeremias etc. As autoridades fora de Israel tomam às vezes nomes emblemáticos de animais. NT: Lc 12,11; Rm 13,1-3. Lista: rei → Herodes, governador (ou procurador) Pilatos, Festo; → César (= Imperador), comandos militares. → Sumo sacerdote, → Conselho (Sinédrio), → anciãos (= senadores, chefes do povo). Autoridade moral, competência reconhecida: fariseus, letrados ou juristas.

Ázimos. Pão e outros alimentos sem fermento. Este é princípio de fermentação e por isso de corrupção. Exclui-se durante a semana da Páscoa. Daí Paulo tira sua imagem de uma vida cristã sem fermento de corrupção (1Cor 5,5ss).

B

Baal. → Deuses falsos.

Babilônia. → Introdução a Reis e Jeremias. NT: Ap apresenta uma Babilônia, capital emblemática da luta contra Deus e contra o Cordeiro e os seus, e descreve a queda definitiva dela (Ap 18). No mesmo sentido dá a Roma o nome de Babilônia (1Pd 5,13). → Satanás.

Balaão. Seguindo lendas bíblicas, mais que o texto bíblico, Balaão aparece como modelo de doutrina falsa e incitação ao mal (2Pd 2,16; Jd 11; Ap 2,14).

Bandeira, estandarte. Mt 24,30 provavelmente se refere ao estandarte de Jesus Cristo em sua parusia; segundo uma tradição, a cruz.

Banquete. Une no caráter festivo a partilha social. Por isso Jesus observa os banquetes rituais (Páscoa) e aceita os convites de amigos (Lc 10,38-42) e mesmo de pecadores (Mt 9,10; Lc 19,2-10). Como símbolo: o suspirado banquete no reino (Lc 14,15), o escatológico das virgens (Mt 25,10), o do céu (Ap 3,20).

Batismo. É uma imersão ritual. De João e de Jesus, de água e do Espírito, de arrependimento e perdão e de renascimento. Simbolismo: de abluçao e purificação (1Cor 6,11; Ef 5,26ss); de renascer (Jo 3,3-8; Tt 3,5; 1Pd 1,3-23); de morrer e ressuscitar.

Belzebu. Um dos nomes do diabo ou chefe dos demônios (Lc 11,15-19); insultando Jesus (Mt 10,25). De um original *Baal Zebul*, deformado maliciosamente em *Bel-zebub*. → Satanás.

Bem-aventurança (= macarismo). Forma literária tradicional de felicitação. Parte substancial do manifesto de Cristo (Mt 5 e Lc 6, valores, felicidades, em vez de mandamentos ou proibições). Estendida aos que creem (Jo 20,29), aos que esperam (Mt 24,46). Maria e Isabel (Lc 1,45-46), a mãe de Jesus (Lc 11,27). Ocasiões: a provação (Tg 1,12); a paixão (1Pd 3,14); o banquete escatológico (Lc 14,15); o casamento do Cordeiro (Ap 19,9).

Bem e mal. Como experiência radical, física e ética, o binômio atravessa todo o AT. No sentido polar, indica a compreensão, o conhecimento total (Gn 3). Como distinção ou discernimento se situa nos sentidos, especialmente no paladar (2Sm 19,35); também no julgamento intelectual e moral (tema frequente dos Sapienciais), sua sede metafórica são os olhos ("bom/mau aos olhos de N"). A confusão e inversão de valores opõe-se ao reto discernimento (Is 5,20). A avaliação segue-se a escolha da → liberdade entre o bem e o mal (Is 5,20; Is 7,16; Dt 30,1.15-16); e à escolha podem seguir-se as consequências de bem ou mal, prêmio ou castigo, bênção ou maldição, quer numa espécie de dialética imanente, quer por disposição de Deus. → Retribuição. Bem e mal caem sob o domínio de Deus, não há dois princípios criadores opostos (Is 45,7); Deus pode tirar o bem do mal e fazer que o bem triunfe (Gn 50,20; Introdução a Gn).

Bênção. Quando o homem bendiz a Deus (salmos), louva suas obras ou agradece seus benefícios. Quando Deus abençoa o homem, concede-lhe toda a sorte de bens; primeiro, a fecundidade, comum também aos animais; depois, a paz, o bem-estar etc. O Salmo 134 expressa o movimento da bênção, do homem a Deus e de Deus ao homem. O homem pode pronunciar a bênção: é função sacerdotal (Nm 6) ou real (1Rs 8); também do pai ou patriarca, especialmente antes de morrer (Gn 9,26-27; Dt 33). O homem pode ser canal ou mediador de bênção (Gn 12; 30,27; 39,5). A → aliança inclui listas de bênçãos e → maldições, como sanção da observância (Dt 27-28; Lv 26). NT: De Deus ao homem: é eficaz, outorga dons e poderes (Ef 1,3; Mt 25,34; 1Pd 3,9). De Cristo aos discípulos, de despedida (Lc 24,50-53). De Jesus ao Pai, sobre os pães (Mt 14,19; Lc 24,30). Do homem a Deus: expressa louvor ou agradecimento (Mc 14,16; Rm 1,25; Tg 3,9). Do povo ao Messias, aclamação (Mt 23,39, Ramos). De um homem a outro, desejando-lhe um bem ou felicitando-o (Hb 7,1-7; Lc 2,34, Simeão); aos perseguidores (Lc 6,28; Rm 12,14). → Perdão.

Blasfêmia. Consiste num ato de desprezo ou injúria a Deus, seu nome, sua fama, suas qualidades ou propriedades; geralmente é oral, por extensão ou implicitamente também em ação (Jó 1, 11); negando sua atenção ou ação em assuntos humanos (Sl 10,11; 94,7); ameaçando (Is 10,10s); violando a → aliança (Dt 31,20); desprestigiando a sua fama (1Sm 3,13). A blasfêmia é punida com a pena de morte (Lv 24,10-16). → Nome.

Boca. → Corpo.

Bondade. Deus é bom (Sl 25,8); faz boas as coisas (Gn 1), reparte bens (Sl 104, 28), trata bem (Sl 119,65), é o bem do homem (Sl 16,2), ordena tudo, até o mal ao bem (Gn 50,20). O homem bom é uma categoria de Provérbios 12,2; 13, 22; fazer o bem é a metade da ética (Sl 34,15; Dt 30,15); o homem não deve pagar o bem com o mal (Pr 17,13; Sl 109,5). Louva-se o homem generoso (Sl 37,21.26; 112,5), que será próspero (Pr 11,25); Deus premia a beneficência (Is 58,10-12). O homem não deve ser mesquinho nem tacanho (Dt 15,1-11; Eclo 3,1-19); Neemias apela para seu exemplo de generosidade (Ne 5,14-19). É bondade dissimular uma ofensa recebida (Pr 10,12; 17,9). Oposta à bondade está a crueldade (o AT não costuma registrar a indiferença), que se descreve em ação: o inimigo militar desapiedado (Is 13,16.18; Lm); os inimigos em muitos salmos; a violência em ação (Sl 55).

Ezequiel chama Jerusalém de "Cidade Sanguinária" (Ez 22,2).
Braço. → Corpo.

C

Cabeça. → Corpo.
Calamidade. → Pragas.
Cálice. Segundo a tradição do AT, pode ser de → ira ou → bênção. De ira (Mt 26,39; Jo 18,11); Babilônia (Ap 16,19). De bênção: eucarística (Mc 14,23; 1Cor 11,25ss, antes dele bebe-se um primeiro cálice na ceia pascal, Lc 22,14-18). Oferecido aos ídolos = demônios (1Cor 10,21).
Caminho. Da experiência comum e elementar do homem se forma a matriz simbólica para expressar um empreendimento concreto, a conduta, o curso da existência ou de uma etapa, a norma que regula a conduta. Pela escolha há dois caminhos (Sl 1), caminhos que parecem bons e acabam mal (Pr 14,12). Seguir a boa via, des-viar-se, extra-viar-se, perder-se etc. A isso Israel acrescenta a experiência histórica e coletiva do deserto, como história vivida concretamente na forma de caminho. Também Deus tem seus caminhos, que são seu modo de agir, seu estilo (Is 55), seus mandamentos genéricos ou específicos, que guiam o homem (Dt 5,23; Sb 5,6); graças a isso, o homem pode caminhar pelos caminhos de Deus (Is 2,2-5). No NT, a vida nova dos cristãos chama-se simplesmente *O Caminho* em At 9,2; 19,2; etc. Como processo rumo à meta, Cristo é o caminho para o Pai (Jo 14,6); para a vida (Mt 7,14); para a salvação (At 16,17). Os caminhos de Deus são seus desígnios, métodos e estilo (Rm 11,33). → Mediador.
Canto. São escassas no NT as referências musicais. De instrumentos: a alusão a brinquedos infantis (Mt 11,17), ao toque de trombeta hiperbólico (Mt 6,2), à trombeta escatológica (1Cor 15,52; 1Ts 4,15). Mais generoso Ap, com as sete trombetas (Ap 8), as cítaras (Ap 5,8) e os cantos (Ap 5,9).
Carisma. Dom gratuito e extraordinário, variado, repartido pelo Espírito para o bem da comunidade. Texto básico (1Cor 12-14) com elenco e descrição de alguns. Menções frequentes e dispersas em At. Podem-se agrupar: de conhecimento, de palavra, de ação.
Carne. Como componente do homem, é correlativo de alma ou espírito ou alento. Representa o aspecto fraco e caduco do homem (Gn 6,3; Sl 78,39), é como erva (Is 40,6), não oferece garantia (Jr 17,5). Enquanto corpo, traz a vida no sangue (Dt 12,23). É marca de parentesco (cf. "irmão", "primo carnal"): homem e mulher (Gn 2,23), parentes (Gn 29,14), patrícios (2Sm 5,1), o necessitado (Is 58,7). "Toda carne" é todo homem (Sl 65), incluindo os animais (Gn 7,21). Apesar das imagens antropomórficas, nunca se diz que Deus tenha carne. → Homem. O NT: retoma em boa parte os conceitos da antropologia semítica. Carne (*sarx*) significa muitas vezes aspectos de uma realidade unitária ou predomínio de um aspecto ou dimensão do homem. Sublinha a corporeidade, o realismo – não fantasma (Lc 24,39); fator de relação: "uma carne" (Gn 2,23ss); de descendência "carnal" (Rm 1,3); da en-carn-ação (Jo 1,14); universalidade, toda carne. Muitas vezes indica a fraqueza ou caducidade do homem. Pode determinar seu significado por polarização: *sarx* = o material/ *soma* = o orgânico; carne/espírito, carne/ Deus, carne/redenção (Rm 7-8; Gl 5); carne/coração (Rm 2,28). O puramente humano: critérios, valores, interesses, o instintivo (2Cor 5,16; Fl 1,6; títulos humanos (2Cor 11,18). → Corpo. → Sangue. → Alma.
Castigo. É a → retribuição da culpa. Com frequência tem aspecto judicial, de sentença executada. Algumas vezes a Lei, na sua enunciação, traz anexa a pena (Ex 20); outras vezes, o oráculo profético ameaça a pena. Muitas vezes toma a forma da lei do talião, enquanto a pena se situa no mesmo plano que a culpa (por exemplo, Is 5; Sl 53,7; 81). *Função do castigo*. Há um castigo orientado para a conversão: faz relembrar, reconhecer, conduz ao → arrependimento (Jz 2; Sl 106); em geral, pertencem a esse tipo os castigos que Deus inflige a seu povo;

servem para a correção própria e alheia. Se não é aceito, pode dar lugar à série, até o efeito salutar (Am 4; Lv 26) ou até o castigo final. Esse definitivo castigo pode vir no final da série ou em outro momento; pode servir de lição só a outros. Exemplo clássico de castigo salutar é o exílio (Is 26 e 40); de castigo definitivo, a destruição de Sodoma (Gn 19 e frequentes alusões). O castigo revela a justiça ou santidade de Deus (Ezequiel, *passim*): o homem, por bem ou por mal, reconhece Deus (Sl 64). Instrumentos do castigo divino podem ser os meteoros (Eclo 39); desgraças biológicas, como doença e morte prematura ou violenta; desgraças históricas, como guerras; a vara é instrumento do castigo medido (Is 10); o → fogo, instrumento de castigo final (Ex 32); também o homem pode ser executor do castigo. O castigo ligado à → aliança toma a forma de → maldições. Como parte da educação, é recomendado na literatura sapiencial (Pr 13,24; 23,13).

Cegueira. Jesus cura (Lc 11,14; Jo 9). Metáfora de incapacidade ou resistência a crer ou compreender (Lc 6,39); guias cegos (Mt 23,16; Rm 2,19). → Visão.

César. Nome próprio do primeiro ditador romano (Calígula), que se transmite e passa a significar imperador. Lc 2,1 menciona César Augusto a propósito do recenseamento; Jesus responde à pergunta sobre o tributo imperial (Lc 20,22-25); Pilatos arrisca perder sua amizade (Jo 19,12); Paulo apela a seu tribunal (At 25,11ss). → Autoridade.

Céu. Na expressão "céu e terra", é um componente para designar a criação inteira. Por isso a visão escatológica fala da criação de novo céu e de nova terra (Is 65,17; 66,22). Céu e terra são também as duas testemunhas de Deus em seu julgamento (Is 1; Sl 50). Os autores do AT representam o céu de modo ingênuo, não crítico, traduzindo com traços da experiência terrestre o que descobrem lá em cima. De acordo com outras religiões, veem no céu uma revelação de Deus (Sl 8; 19) e o convidam ao seu louvor (Sl 148). Além disso, o céu cosmológico lhes serve para aplicar a Deus o simbolismo da morada em proporções imensas e inatingíveis. Essa visão espacial, que situa Deus, não é criticada (exceto 1Rs 8) e serve para gerar uma série de imagens: a corte, o trono, a morada, olha do alto, desce, escuta, observa, passeia etc. O homem não pode subir ao céu (Dt 4), tentá-lo é a suprema soberba (Is 14), mas pode ser arrebatado por Deus (2Rs 2). → Terra. NT: Imagina-se como o lugar onde Deus habita; depois se usa para não pronunciar o nome de Deus (cf. "castigo do céu"). Como destino final feliz, expressa-se com diversos componentes e imagens, como lugar ou estado, como prêmio ou dom. Festa (Mt 25,21); banquete (Lc 13,29), posse do reino (Mt 25,34); alegria (1Pd 4,13); glória e paz (Rm 2,6.10); assento (Ef 2,6; Ap 3,21); coroa (1Pd 4,13); paraíso (Lc 23,43); seio de Abraão (Lc 16,23). Em Ap se apresenta como cidade com a presença e companhia de Deus.

Cidade. Israel passa bem cedo da vida seminômade para a cultura urbana, com todas as consequências da unificação civil, diferenciação de funções, facilidades comerciais, vantagens defensivas de tal cultura. Particular importância adquirem as cidades que contam com algum santuário famoso (Gabaon, Silo), ou são residência de algum personagem importante (Ramá, de Samuel), ou são cenário de festas com suas romarias (Siquém). Entre todas as cidades, a partir da monarquia sobressai naturalmente a capital. Ela desenvolve um simbolismo de representação de todo o povo com caracteres femininos. A cidade é a donzela ou a moça, louvada por sua formosura (diversas cidades trazem nome de beleza, como Naim, Jafa, Tersa); como tal é a "filha do povo". Em segundo lugar, a cidade é matrona, fecunda e acolhedora. O reino do Norte muda de capitais (não tantas como as dinastias) até fixar-se em Samaria. O reino do Sul adquire sob Davi uma capital de duradouro prestígio político e religioso. É a escolhida ou preferida de Deus (1Rs 11,13; Jr 3,16), centro da justiça (Sl 122) e do culto, sobretudo a partir de Josias. Seu prestígio histórico se multiplica na transformação

escatológica, quando será esposa do Senhor (Is 62), mãe de múltiplos povos (Sl 87), atração de todos (Zc 14,16-19) pela sua irradiação (Is 2 e 60), morada perpétua do Senhor (Jl 4,20). Isaías 40-66 e Ezequiel são os grandes cantores da futura Jerusalém. Nas cidades tinham particular importância a muralha, que reúne e defende, e a porta, que era centro da vida pública citadina, do comércio e da justiça.

Circuncisão. Praticada entre outros povos como rito de iniciação, em Israel diminui a sua referência sexual e destaca-se o sentido religioso. É o sinal da → aliança (Gn 17), sinal de pertença ao povo de Deus, condição para comer a Páscoa (Ex 12); os pagãos são incircuncisos, o que é dito geralmente em tom depreciativo (1Sm 17; Ez 32), mas podem incorporar-se a Israel aceitando a circuncisão (Gn 34). Metaforicamente se diz que a árvore fica "incircuncisa" até que seu fruto seja comido (Lv 19, 23). E para frisar a exigência moral e religiosa do rito se fala de coração, de ouvidos circuncidados (Jr 9,25; 6,10). NT: Jesus observa a Lei (Lc 2,21), e Paulo o diz de si (Fl 3,5). Quando os pagãos são incorporados aos crentes, surge uma disputa sobre a necessidade da circuncisão, que é debatida e resolvida no concílio de Jerusalém (At 15). Paulo a relativiza e apela a uma circuncisão metafórica do espírito. O batismo substitui a circuncisão (Cl 2,11).

Ciúme. Atribuído a Deus, é o amor apaixonado, exigente, exclusivista. O Senhor é um Deus ciumento porque não pode admitir outros à frente ou ao lado dele (Ex 20: primeiro mandamento); oferece sua → aliança e, em termos conjugais, exige fidelidade exclusiva (Ex 34,12-16). Pela honra do seu nome, Deus sai da sua casa (Ez 36). Também tem ciúmes por seu povo, o protege, defende e salva (Is 9,6). O homem pode sentir ciúme por Deus e sair em sua defesa (Nm 25; Sl 69,10). Os ciúmes conjugais (Pr 27,4) podem levar a um processo de ordálio (Nm 5,11-31). Em outro sentido equivale a inveja, rivalidade (Nm 11,26-29; Sl 37,1). NT: Inveja (Rm 13,13; Tg 3,14) dos judeus diante dos cristãos (At 5,17; 17,5). Paulo os provoca, buscando sua conversão (Rm 10,10; 11,11). Ciúmes amorosos (2Cor 11,2). → Matrimônio.

Cobiça. É o afã de possuir, paixão interior proibida no decálogo (Ex 20,17), descrita em Js 7,21. Leva à confiança nas posses, muitas vezes condenada como rival da confiança em Deus. Impele a adquirir e conservar com qualquer meio: acumulando bens imóveis (Is 5,8), roubando (Dt 5,19; Mq 2,1s), explorando os fracos (Ex 22,21), os operários (Jr 22,13), emprestando com usura (Ex 22,24), aceitando ou exigindo suborno (Is 1,23), não devolvendo o emprestado (Sl 37,21), acumulando em tempo de necessidade (Pr 11,26), "aumentando o preço e diminuindo a medida" (Am 8,5). Também, em escala internacional, mudando fronteiras e saqueando, como o rei de Assur (Is 10,13s). → Riqueza.

Coleta. → Esmola.

Compaixão. → Misericórdia.

Comparação. Como recurso literário é frequente, sobretudo em provérbios e ditados. Pode dilatar-se narrativamente para formar a parábola, ou por correspondência articulada membro a membro para formar a alegoria. Seu nome, genérico e pouco preciso, é *mashal*. A comparação, para avaliar por contraste, é frequente em Provérbios com a fórmula "melhor que" = "é melhor". O autor pode expressar a superioridade ou preferência, afirmando de um e negando de outro, p. ex., "agradou-se"/"não se agradou" = agradou-se mais (Gn 4,5); ou colocando dois opostos "amada"/"detestada" = preferida (Dt 21,15). Deus é incomparável (Is 40,25; Jr 10,16; Sl 83,2; 113,5); não obstante, o homem emprega múltiplas comparações para falar de Deus.

Condenação. → Castigo.

Confiança. → Esperança. → Fé.

Conhecer. Tem no AT um sentido mais inclusivo e menos diferenciado que nossos termos intelectuais. Conhecer inclui com frequência a experiência (Is 53,3) e a destreza artesã (Gn 25,27), e com o mesmo verbo se designa a posse sexual. Conhecer pode incluir o trato, a ocupação e também a preocupação, a preferência. Deus conhece o homem, inclusive

seu interior (Eclo 16-17), conhece o passado e o futuro (Is 40-55), possui a destreza artesã e ninguém lhe ensina (Is 40, Jó 38,1ss). Conhece seu povo e dele se ocupa, sobretudo na desgraça (Ex 2 e 6). O homem pode e deve conhecer que o Senhor é Deus (Dt 4,39), que é quem age (Os 11,4; Mq 6,5). Tal reconhecimento equivale à fé e é resposta à revelação de Deus em ação: os olhos veem a história, a fé reconhece o protagonista (Is 19,21; 41,20). Também o castigo leva ao conhecimento (Ezequiel). Na era messiânica haverá um conhecimento pleno de Deus (Is 11,9). NT: Conhecer, reconhecer, tratar: são três significados do verbo grego, prolongando a tradição do AT. Seu objetivo pode ser uma pessoa, uma verdade, um mistério, vontade etc. Positivo: dom do Espírito (1Cor 12,8); iluminação (2Cor 4,6). Negativo: acaba (1Cor 13, 8ss), incha (1Cor 8,1), o amor o limita (1Cor 13,2ss). Objeto: Deus (2Cor 4,6); Cristo (Fl 3,8; Ef 4,13), "Eu sou" (Jo 8,28); a verdade (1Tm 2,4). O → Filho e o → Pai (Mt 11,27).

Consagração. É a dedicação de objetos e pessoas à divindade, pela qual passam à esfera sagrada. Não por dedicação externa, mas pela aceitação de Deus e a transformação realizada por Cristo (Jo 17,19) e pelo Espírito (1Cor 3,16). → Santidade.

Consciência. Geralmente, os hebreus se referem à consciência com o termo "coração"; às vezes, com a palavra "espírito"; indicam a interioridade, o oculto (Pr 15,11; Eclo 15,18-19), a luz (Pr 20,27). À consciência afloram os pensamentos ou recordações "subindo ao coração". A consciência psicológica atua sobretudo no campo ético. Para desenvolver a consciência prestam ajuda a Lei e um tipo de sacrifícios por "inadvertência" (Lv 5), também a denúncia profética (1Sm 12). Ser inconsciente, não perceber, é um traço de comportamento que facilmente vem a ser culpado (Sl 49). Também a oração, especialmente de súplica e penitência, aclara a consciência do homem. NT: Psicológica: expressa como coração ou → espírito (*kardia, pneuma*). Ética e religiosa: em consciência (Rm 13,5), boa (At 23,1; Hb 13,18), tranquila (1Jo 3,20-23), pessoal e alheia (1Cor 10,29); testemunho da consciência (Rm 2,15; 9,1; 2Cor 1,12); exame de consciência (1Cor 11,18).

Conselho. → Sinédrio.

Conversão. Porque o homem e o povo pecam, tem de haver conversão. O homem pode arrepender-se. Deus torna possível a conversão e a sela com seu perdão. A palavra conversão, também em hebraico, vem da metáfora voltar-se: voltar a mostrar o rosto quando alguém voltou as costas, voltar a um lugar do qual alguém se afastou. No ato religioso predomina o termo pessoal. A conversão pode ser apresentada como fato único e pode desdobrar-se em vários atos de um processo. A liturgia penitencial dá expressão separada a esses momentos e ajuda a compreender e distinguir seu sentido. *a)* Acusação. O homem percebe sua culpa por algo que o acusa. Muitas vezes é uma palavra de Deus, ora o mandamento recordado, ora um oráculo profético específico, individual ou coletivo. Um castigo salutar exerce a mesma função. Por vezes, a consciência acostumada reage (2Sm 24,10). *b)* Confissão. O homem conhece e reconhece, interna e externamente, seu pecado e sua culpa (salmos penitenciais). Isso inclui o arrependimento. Às vezes o homem resiste, e Deus tem de argumentar e acossar o homem (Jr 2-3). Com o arrependimento pode vir a aceitação do castigo merecido. *c)* Conversão como volta para Deus e mudança de vida (Dt 30,2). Com o perdão de Deus se consuma a reconciliação. Exemplos clássicos e bem desenvolvidos de conversão: Davi (2Sm 12), o povo (Jz 10); de conversão imperfeita: o Faraó (Ex 9), Saul (1Sm 15). Liturgias penitenciais (Sl 50-51; Ne 9; Dn 9). Também Deus se voltará para o povo (Sl 90). De Deus se diz que se arrepende quando não cumpre ameaça, devido à conversão do homem, e não se arrepende quando decide manter promessa ou ameaça (sim: Gn 6,6; 1Sm 15,11; não: Nm 23,19; Os 13,14).

Coração. → Corpo. NT: Como no AT, representa a interioridade consciente e

responsável do homem (Rm 2,15), sede da fé (Rm 10,9-10), nele habita Cristo (Ef 3,17), origem da conduta ética (Mt 15,19-20).

Coragem. *a)* Coragem militar é própria do rei e do príncipe (2Sm 1,21-23; Sl 45,4s), também do soldado (Am 2,14), do Messias (Is 11,2); não é questão de palavras (Is 36,5); mas não se deve ostentar (Jr 9,22); Deus dá coragem a Davi (Sl 18,40). *b)* Valentia do profeta (Mq 3,8). *c)* Atribui-se a Deus em seu título guerreiro. A covardia se chama literalmente "mãos fracas, frouxas": pela notícia de um assassinato (2Sm 4,1), na guerra (Jr 6,24; Ez 7,17); também se diz desânimo (Jz 8,3) "derreter-se o coração" (Js 2,11). Uma forma especial é o pânico (1Sm 14,15), que provoca a fuga e debandada.

Cordeiro. Nome ou título emblemático aplicado a Jesus Cristo, no qual convergem o uso cultual, → Páscoa e → sacrifícios, e a imagem de Is 53 (Jo 1,29. 36; At 8,32; 1Pd 1,19). No Apocalipse, degolado ou morto (Ap 5,6); vencedor (Ap 17,14); núpcias (Ap 17,7.9); cordeiro e → pastor (Ap 7,17). Na imagem do pastor (Jo 21,15).

Coroa. Prêmio por uma vitória (1Cor 9,25; Ap 2,10); sinal de majestade (Ap 4,4).

Corpo. Alguns membros e órgãos do corpo podem ser considerados sede de funções específicas; mas não é fácil distinguir quando são usados como sintoma que denota e gesto que expressa ou como verdadeira sede da função. A *cabeça* distingue o indivíduo (recenseamento); erguida, é sinal de dignidade pessoal (Sl 3,4; 83,3); é sede da responsabilidade: um delito "recai sobre a cabeça" (Jz 9,57); sacode-se a cabeça em sinal de estupor ou zombaria (Lm 2,10.15); "as mãos na cabeça", gesto de consternação de Tamar (2Sm 13,19). A cabeça é metáfora do primeiro ou principal. O *rosto* comunica a presença e serve para o reconhecimento. Um rosto "luminoso" expressa benevolência (Sl 67,2); "afastar o rosto" é desinteressar-se, descuidar (Sl 13,2); "acariciar o rosto" é lisonjear, buscar o favor (Sl 45,13). O rosto expressa a vergonha (Sl 69,8). É metáfora (lexicalizada) do que vai adiante no espaço ou no tempo. A *fronte* pode expressar obstinação (Is 48,4), descaramento (Jr 3,3); é metáfora do dianteiro (Js 8,10). Os *olhos*, além de exprimir o sofrimento com o pranto, são sede da estimativa: "bom aos olhos de N" = agradável a N, aprovado, estimado. Dessa função procede o modismo "olho bom" = generoso, "olho mau" = mesquinho, invejoso (Pr 22,9; 23,6), avaro (Pr 28,22). O *nariz* ou *narinas* é sede da cólera, cujo sintoma é um calor ou ardor especial. Nariz se converte em sinônimo ou metáfora lexicalizada de ira, e surge o modismo "ardor de nariz" (*haron af*) = ira acesa, cólera ardente; e o binômio de opostos "de narinas longas" = paciente, "de narinas curtas" = colérico, "alongar o nariz" = reter a cólera (Is 48,9; Ex 34,6; Pr 14,17). *Lábios*, *língua* e *boca* pertencem obviamente ao mundo da linguagem, com todas as suas consequências: "o que sai da boca" é a palavra, paralelo de alento (Sl 33,6); "abrir os lábios" é prometer (Sl 66,14); coibir os lábios é discrição (Pr 10,19). "Boca de Deus" é o profeta ou o oráculo (Is 30,2); "dilatar a boca" é zombar (Is 57,4; Sl 35,21). As *orelhas* (o hebraico não distingue orelhas e ouvido), como órgão da audição, podem ser sede da atenção, "inclinar, prestar ouvidos" (Jr 7,24); da docilidade (Pr 25,12). O *braço* é sede do poder e também metáfora (Jr 17,5); "quebrar o(s) braço(s)" é neutralizar, destruir o poder (Ez 30,21s); braço estendido é poder de ação (Dt 11,2). A *mão* obviamente é órgão da ação, daí o modismo frequente "obra das mãos de". Serve para gestos de comunicação pessoal: "tomar pela mão" = ajudar, proteger; "dar a mão" = gesto de contrato, acordo; "erguer a mão" = jurar; bater palmas = aplaudir. Impor as mãos é sinal ou ato de comunicar poder, autoridade, bênção (Gn 48,9; Nm 27,18-23); significa e realiza a transferência do pecado ou da própria entrega à vítima que se sacrifica (Lv 1; 4; 16). Abrir/fechar a mão significa generosidade/mesquinhez (Dt 15,7-11); "afrouxar as mãos" exprime covardia ou desânimo (Jr 6,24; 7,17). Os *pés*, como membros

do caminhar, entram nas frequentes expressões da conduta como caminho. Cair sob os pés = ser derrotado (Sl 18,39); "pôr sob os pés" é submeter (1Rs 5,17). O *coração* é sede da vida consciente: pensamentos, recordações, desejos, imaginações. Dados depositados no ventre "sobem ao coração" = se tornam conscientes na recordação, no pensamento, no desejo. Os *rins* são sede de paixões ocultas (da vida subconsciente, diríamos hoje). Deus sonda corações e rins (Jr 11,20; Sl 7,10). O *dedo* de Deus é um sinal divino (Ex 8,15); Deus escreve com o dedo (Ex 31,18; Dt 9,10). O *joelho*: curvá-lo ou dobrá-lo é gesto de submissão, vassalagem (Is 45,23). Além disso, o corpo inteiro, como unidade, adota diversas posições, executa determinados movimentos que podem adquirir valor de gesto: de pé no processo, sentado no trono, de bruços prestando homenagem. → Homem. NT: Como organismo unitário e diferenciado em membros e funções, emprega-se como imagem da Igreja, cuja cabeça é o Messias (1Cor 12; Rm 12,5).

Covardia. → Coragem.

Crer. → Fé.

Criação. Os autores hebraus tardam a desenvolver um conceito metafísico de criação do nada, mas reconhecem que o Senhor, seu Deus, é o criador do universo. O conceito primeiro se refere à natureza: Gn 1; Sl 33; 136; alcança sua formulação mais filosófica em 2Mc 7,28. A criação é ato da vontade de Deus (Sl 33) e se realiza pela → palavra, pela → sabedoria, pelo → espírito (Gn 1; Pr 8; Eclo 1). A criação de novos seres vivos continua (Sl 104,30). Depois se refere à história, enquanto novos seres e fatos começam a existir (Is 45,8; Jr 31,22). No final haverá uma nova criação (Is 65,17). Também se fala de criação na conversão total do homem com o perdão e a mudança interior (Sl 51). Por isso, as criaturas são reveladoras de Deus e da sua → glória (Sl 8; Is 6) e são convidadas ao louvor (Sl 148; Dn 3). O NT trata da criação menos que o AT. A novidade que introduz é apresentar Cristo como agente da criação (Jo 1,1-3; Cl 1,16; Hb 1,2); é modelo e fim de toda a criação (Cl 1,17). Por isso os cristãos são nova criação, ou humanidade (2Cor 5,17). O mundo criado pode revelar o Criador (Rm 1,19ss). → Novo.

Cristão. Adjetivo derivado do grego *christós* = ungido, equivale a "messianista": em concreto designa alguém que reconhece Jesus de Nazaré como o Messias esperado por Israel e enviado a todo o mundo. O adjetivo é cunhado em Antioquia (At 11,26). Usa-se sem mais em At 26,28 e 1Pd 4,16. O sintagma grego *en christô* equivale às vezes a cristão. → Santidade.

Cristo. (Uma exposição sobre Jesus Cristo equivaleria a resumir o NT inteiro.) O termo significa Ungido = Messias. Primeiro, é um adjetivo de título, que se substantiva com o artigo: o Ungido por antonomásia, o rei messiânico. Mais tarde torna-se nome próprio de Jesus, só ou especialmente em formas compostas. Os dois empregos são bastante claros em muitos casos (com artigo, em credenciais), são duvidosos em muitos outros. (Faça-se a prova lendo Messias onde está Cristo.)

Cronologia. A partir dos Evangelhos é impossível reconstruir uma cronologia nem sequer relativa da vida de Jesus; encaixá-la em dados externos permite aproximações. A datação de nossa era (por Dionísio, o Pequeno) é errônea (Herodes morreu no ano 4 a.C.).

Crueldade. → Bondade.

Cruz. Suplício oriental, usado pelos romanos como pena extrema a não-romanos por crimes graves. Os relatos da paixão supõem conhecido o modo do suplício. Paulo usa o termo como equivalente de paixão. O cristão deve carregar sua cruz (Lc 9,23); crucificar sua carne = instintos (Gl 5,24); Paulo está crucificado para o mundo (Gl 6,14). Se a mensagem da cruz é um escândalo, é também uma força (1Cor 1,18ss).

Culto. O culto, como expressão formalizada do sentido religioso, atravessa todo o AT. Os patriarcas ocupam cultualmente lugares de culto pagãos; no Êxodo Deus pede ao Faraó que deixe o povo livre "para que me prestem culto";

mas o decálogo não contém nenhuma prescrição cultual (Jr 7,22; Is 43,23). O culto é praticado em alguns lugares privilegiados e em santuários locais até a grande centralização de Josias (2Rs 23). No exílio o culto do templo é impossível, mas é quase a primeira coisa que se renova no retorno. Sua importância não deminui na época dos Macabeus. *a) Lugares.* A Páscoa é celebrada em família, nas casas. Para muitos ritos preferem-se as colinas próximas, com ermidas ou sem elas. Salomão constrói em Jerusalém um templo, que é central e de certo modo dinástico; o cisma se consolida com a construção de templos em Betel e Dã. Josias impõe a centralização, mantida depois do exílio, enfrentando as tentativas samaritanas. Os judeus da diáspora tinham centros de ensino da Lei e de oração, mas os de Elefantina construíram seu templo. O templo, como morada de Deus e lugar de culto, oferece lugares de reunião para o povo e áreas de santidade crescente para as diversas cerimônias; ver a descrição em 1Rs 6,1ss e Ez 40,1ss. O recinto incluía os pátios e um edifício, com um átrio, uma nave (santo) e um camarim (santíssimo). *b)* Os *tempos* cultuais são regulados pelo calendário: há → festas anuais, mensais e semanais, e tempos especiais cada dia (Lv 23; Dt 16). *c)* Entre os inumeráveis *objetos* de culto, o mais importante é o altar, lugar em que se oferecem os sacrifícios. Nos seus cantos, quatro saliências verticais (chifres) indicam a sacralidade. Ex 25-31 e 35-40 descrevem detalhadamente os utensílios do templo. O culto se desenvolve combinando palavras (→ oração) com gestos ou ritos. A ação cultual mais importante é o sacrifício; acrescentam-se as libações, as posturas e gestos, a procissão, a dança. Sobre o sentido do culto, ver a Introdução ao Levítico. Sobre os atores, → sacerdote(s). O culto perde seu sentido e se deprava quando se desliga da justiça entre os homens; daí as violentas polêmicas de profetas (Is 1; 58; Os 6; Am 5), salmos (Sl 50) e sapienciais (Eclo 34-35). Jesus participa regularmente do culto judaico tradicional: festas, ritos, sacrifícios, templo e sinagogas. Instaura um novo culto formulado em Jo 4,21, instituído na eucaristia como banquete e memória. Mencionam-se celebrações das primeiras comunidades (At 20,7). Paulo descreve e dá normas (1Cor 11; 14). At desenvolve amplamente o tema. → Sábado. → Sacrifício. → Templo.

Cultura. O hebraico não tem palavra correspondente, nem ideia clara sobre a evolução das culturas. Mas apresenta constantes e repetidas tensões. Gn 4 introduz na segunda geração humana a diferenciação entre cultura pastoril e agrícola, e continua introduzindo a cultura urbana, o uso do metal, as armas e os instrumentos musicais (ou seja, mistura o neolítico com o ferro). Do choque com a cultura cananeia ficam vestígios nos livros mais antigos, e se notam as influências literárias na poesia de profetas e salmistas. O reino de Salomão traz grande progresso cultural, com seus inconvenientes. De novo, as culturas assíria, babilônica e persa influem sobre Israel e o ameaçam. O momento mais crítico da sua história acontece no confronto com a cultura helenista, que ameaçou a existência do povo como entidade política e religiosa autônoma. A maior contribuição da cultura hebraica é, sem dúvida, a sua literatura.

Cumprimento de um mandato é a execução de uma predição, a realização de uma → promessa, a realização ou a parcela de um tempo ou prazo de chegada. *a)* O homem cumpre = enche a medida de seus anos (2Sm 7,12), cumpre-se um prazo (1Sm 18,26; Jr 29,10). *b)* O homem cumpre a palavra/mandato de Deus, pondo-o em ação (cumprir = observar, guardar), frequente no Deuteronômio, nos textos aparentados e nos Provérbios. *c)* O plano e a decisão de Deus se cumprem, mesmo com a resistência humana (Is 14,24-27; Sl 33,10s); sua predição ou promessa se cumpre (Is 40,8); cumpre-se uma profecia (1Rs 2,27); nenhuma promessa deixa de se cumprir (Js 23,14). → Profeta. → Promessa. NT: Plenificar: Deus plenifica tudo; Cristo está pleno e plenifica tudo (Ef 1,10; 4,10; Cl 2,9); plenifica o universo (Ef 1,23), a Igreja (id.); os fiéis se

enchem de Cristo (Cl 2,10; Ef 4,13); de Deus (Ef 3,19). Plenitude = totalidade: de Israel (Rm 11,12), dos pagãos (Rm 11,25). Completar, arrematar (Mt 5,17); o complemento (Jo 16,24), cumpre-se o → tempo ou prazo (Gl 4,4). Levar à perfeição, arrematar, consumar (*teleioo*); Cristo sua tarefa (Jo 4,34; 5,36; 17,4); por sua morte e ressurreição (Hb 2,6); para outros (Hb 5,9); os seus (Jo 17,4). Os cristãos: como o Pai (Mt 5,48); como chamado (Mt 19,21); como ideal e meta (Fl 3,12.15); na escatologia (Ef 4,13). A lei e o culto são incapazes (Hb 7,19; 9,9; 10,1.14).

D

Dar. Deus se apresenta no AT como o grande e generoso doador, não só de bens já realizados, mas também da capacidade de produzi-los (Dt 8). O dom por excelência é a terra; depois, dá a chuva para que a terra produza seus frutos; e assim põe em movimento um processo de dons. E quer que o homem entre no processo generosamente (Dt 15), dando aos que precisam. Também outorga ou concede o pedido, e o homem se torna consciente de que o recebe de Deus. Em troca, o homem pode dar o seu reconhecimento, expresso no louvor, na ação de graças e nas ofertas rituais. → Perdão.

Davi. Uma das figuras centrais da história, da lenda e da teologia do AT. Ver a Introdução correspondente no livro de Samuel. É modelo de → escolha divina (Sl 89), portador da grande promessa dinástica; sua figura polariza a esperança messiânica. Nas Crônicas (ver a Introdução) é, além disso, o patrono do culto e dos cantores. O ciclo de Davi é uma das obras-mestras da narrativa hebraica. NT: É mencionado como destinatário da promessa dinástica (2Sm 7), como antepassado do Messias (Mt 22, 45; Rm 1,3), tanto que Filho de Davi é título messiânico (Mt 21,9). Aparece também como autor inspirado da Escritura (Mc 12,35ss; At 1,16). A chave de Davi é sua autoridade real consumada no Messias (Ap 3,7).

Decálogo. Ver a introdução a Ex 19. → Lei.

Demônio(s). O AT não oferece ideias claras e sistematizadas sobre espíritos nocivos, tentadores, hostis ao plano de Deus. O Satã do livro de Jó tem acesso à corte celeste; também o espírito enganador de 1Rs 22,21. Mais clara, a função tentadora e hostil da serpente do paraíso, da qual prescinde Ben Sirac (Eclo 15 e 17); Sl 36 personifica o pecado no interior do homem. Às vezes, os falsos deuses recebem o nome de demônios (*shedim*: Dt 32,17; Sl 106, 37); o deserto é refúgio de uma espécie de sátiros (Lv 17,7), e há uma espécie de demônio noturno (*lilit*: Is 34,14). O enigmático Azazel (Lv 16) da expiação parece uma figura demoníaca; talvez o seja o cortejo maligno de Sl 91,5-6. Asmodeu é o demônio do livro de Tobias. → Anjo. NT: Os Evangelhos apresentam os demônios (espíritos imundos, maus) segundo as crenças da época. Geralmente produzem → doença ou possessão; adivinhação (At 16,16). Não induzem ao pecado nem levam à condenação; mas podem levar a perder a fé (1Tm 4,1; 1Jo 4,6). Aparecem personificados: reconhecem, falam, pedem, habitam, saem. Jesus e os apóstolos têm poder sobre eles. Identificados com os ídolos (1Cor 10,20).

Descanso. Está relacionado com o trabalho: o operário suspira pelo descanso e o desfruta (Jó 7,2; Ecl 5,11), o escravo trabalha sem descanso (Lm 5,5). Para o povo no deserto, o descanso será a vida na terra prometida (Dt 3,20); para quem guerreia é a paz (Dt 12,10); para a mulher é o lar (Rt 1,9; 3,1). Também Deus terá seu descanso: depois de criar (Gn 1), quando se instalar no templo (2Cr 6,41; Sl 132). O descanso da morte, do túmulo, é simples ausência de fadiga (Jó 3,17s; Eclo 30,17). → Sábado.

Deserto. Na primeira salvação ou êxodo (ver a Introdução a Ex e Nm), o deserto é o espaço e o tempo intermédio entre a escravidão do Egito e a liberdade da Palestina. Espaço vazio, sem cultivo nem caminhos, onde o povo aprende a depender de Deus na fome, na sede e nos perigos. Tempo de adiamento, espera e esperança. Deus põe à prova o povo, numa espécie de noviciado, e o povo

quer pôr Deus à prova, tentá-lo. O povo libertado tem de libertar a si mesmo, para entregar-se a Deus na aliança. No segundo êxodo, de Babilônia (ver a Introdução a Is 40-55), o deserto assume as qualidades da terra prometida e do paraíso. O deserto ocupa dois polos: de recordação atualizada, que ensina e admoesta (Dt 8), e de esperança escatológica. Sendo amorfo, sem cultivo humano, é habitação de feras e demônios; por isso pode ser símbolo do castigo escatológico (Is 34). Seguindo a tradição do AT, o deserto desempenha no NT uma função importante: o Batista aí se retira (como Elias), Jesus passa quarenta dias submetido à tentação (como Moisés, os israelitas e Elias); retira-se para orar (Mc 1,35); para ensinar (Mt 14,13); é refúgio na perseguição (Ap 12,6).

Desígnio, plano, projeto. A salvação é concebida em seu conjunto como projeto de Deus elaborado de antemão, que se cumpre com a ação da liberdade humana. Estão definidos os tempos, as personagens, os acontecimentos, os destinos. Uns são anunciados com grande antecedência, outros quando já aconteceram. Daí as fórmulas frequentes "assim se cumpriu" e "tinha de". Exemplos: Ef 1,11; Rm 8,29ss.

Destino. → Desígnio.

Deus. O plural hebraico *'Elohim* não tinha o nosso sentido filosófico; podia-se aplicar a seres sobre-humanos e servir como adjetivo superlativo. Os hebreus passam de uma espécie de henoteísmo ao verdadeiro monoteísmo. O henoteísmo não nega a existência de outros deuses, mas os exclui para Israel (Dt 32,8; 4,19; Jz 11,24). Is 40-55 desenvolve o monoteísmo com insistência e riqueza de aspectos. Deus é nome comum, o nome próprio do Deus de Israel é YHWH (hoje em dia se acredita que a pronúncia fosse Yahvé; traduzimos por "Senhor"). Yahvé assume outros nomes ou títulos como *Shaday* (Ex 6,3, traduzido conjetural e tradicionalmente por Todo-poderoso), *'Elion* (= Altíssimo). Ao longo da história e no culto, recebe uma série de títulos ou predicados: criador ou fazedor; salvador, redentor, que tirou, que dá; vivo, santo, justo, eterno; vingador. Deus pronuncia seus títulos em Ex 34,6: "Senhor, Deus clemente e compassivo, misericordioso, paciente e leal". Porque é único, é exclusivo e ciumento, e é também universal. O AT sublinha sempre o caráter pessoal e ativo de Deus. Tem um nome próprio, pessoal, que comunica para a invocação e o tratamento. É senhor e protagonista da história, que conhece e prediz, planeja e realiza; não se omite nem fica neutro, atende de modo especial o fraco, o desvalido, o oprimido. Transcende os tempos e os espaços, a fantasia e a inteligência humanas (Sl 139). *Representação de Deus*. Deus revela seu → nome prevenindo contra abusos, faz ouvir sua voz e sua palavra, mas não se mostra em imagem e proíbe ser representado. Em compensação, o AT desenvolve um riquíssimo repertório de representações literárias de Deus, todas mais ou menos à → imagem do homem; a justificação é dada por Gn 1, dizendo que o homem é imagem e semelhança de Deus, dando a chave de leitura de todo o AT: é pai, pastor, defensor, desperta, acode, desce, senta-se; tem rosto, olhos, ouvidos, boca, mãos; sente amor, indignação, ciúme, ira... Essa linguagem, necessária e precária, é corrigida pela negação de limites de espaço, poder e saber e pela afirmação da santidade. NT: *a)* É o mesmo do AT (monoteísmo): Deus dos Pais (At 3,13), de Abraão-Isaac-Jacó (Mt 22,32), de Israel (Mt 15,31). Conserva seus aspectos duros e exigentes (Mt 11,21; 12,41): parábola do administrador (Mt 18,23-33, julgamento Mt 25). *b)* A face nova no NT é de Pai: primeiro de Jesus, que na terceira pessoa pode usar sinônimos, na segunda pessoa o chama Pai (exceto na citação do Sl 22). A paternidade se estende a outros (Mt 5,45). Daí os aspectos de bondade, compaixão, gratuidade, amor (1Jo 4,8). Às vezes Deus é substituído por Céus ou pelo passivo teológico. → Trindade.

Deuses falsos. A idolatria, enquanto culto a deuses falsos, é um dos perigos e pecados mais graves do povo do AT. No campo teológico, nega a unicidade ou

superioridade do Senhor Deus de Israel; no campo humano, faz o homem descer abaixo da obra das próprias mãos. Se num tempo a idolatria é proibida porque esses deuses não são de Israel, mais tarde o é porque são deuses falsos, vazio, nulidade. A polêmica contra as imagens idolátricas ganha corpo em Is 40,18-29; 44,9-20, torna-se cômica nos acréscimos gregos de Daniel e na Carta de Jeremias (Br 6), alcançando sua formulação mais elaborada na Sabedoria. Entre os deuses falsos citados no AT, o mais frequente é Baal, sem distinguir bem sua unidade ou multiplicidade: Baal Fegor, Baal Zebul (grotescamente, Zebub = mosca); Moloc, deus amonita ligado aos sacrifícios humanos (Lv 20,2-5); Asera, que é uma deusa e um marco ritual (Jz 6,25; 1Rs 18,19); Astarte (1Rs 11,5). Ver também Is 10.

Dia. Dia e noite são como pulso da vida (Sl 104), ritmo do culto (Sl 42; 30); ambos têm sua mensagem de louvor (Sl 19). Gn 1 projeta o ritmo até à criação do mundo. Embora os dias sejam astronomicamente iguais, Deus distingue alguns dias (Eclo 33,7-9), consagrando-os. Além desses dias periódicos, há outros históricos em que Deus atua de modo especial: cada um deles é "dia do Senhor" (Am 5,18-20; 8,9; Sf 1,7). Entre eles destaca-se "o dia do Senhor" como dia decisivo e final: o livro de Joel combina ambos em suas duas seções (cf. Introdução).

Diabo, Satanás, Belzebu, o Forte, Serpente primordial, Dragão, Fera do mar e da terra. Ap 12,9 e 20,2 identificam vários nomes. É chefe de um bando (Ap 12, 7ss; Mc 3,22-27); não se manteve na verdade e caiu, é homicida e mentiroso (Jo 8,44); é deus e chefe deste mundo (2Cor 4,8; Jo 12,31); senhor da morte (Hb 2,14). Age contra a Igreja: rouba a semente (Mt 13,19); semeia o joio (Mt 13,28); entra em Judas (Lc 22,3); estorva o apóstolo (1Ts 2,18; 2Cor 12,7). Mas com permissão de Deus (Jó 1-2; Lc 22,3; Ap 12,13), luta com Cristo (Mt 4 par.) e é vencido (Lc 10,18), é expulso (Jo 12,31), o mais forte o vence (Mc 3,27; Rm 16,2; 1Jo 3,8). A ele é permitido atacar os cristãos para prova e vitória (Ef 6,10s; 1Pd 5,8). → Demônio(s).

Diáconos. Sobre sua instituição (At 6,1-4). Em sentido genérico, são os ministros com funções especiais na Igreja; em particular, os apóstolos.

Dimensões. O hebraico distingue no espaço quatro dimensões: altura, profundidade, largura, comprimento. Além do sentido próprio, pode-se atribuir-lhes valor simbólico. O *alto* coincide praticamente com a nossa visão: é o mundo divino, celeste, superior; o que vale mais e triunfa; é também a soberba e a altivez. O *profundo* é geralmente negativo, o oculto ou incompreensível: uma língua "profunda" é uma língua que não se entende (Is 33,19; Ex 3,5s); é a maldade que o homem tenta esconder (Is 31,6; Os 9,9); são seus pensamentos ocultos (Pr 20,5); é o insondável da terra (Pr 25,3), do homem (Sl 64,7) e também de Deus (Sl 92,6); é finalmente o mundo infernal (Pr 9,18). O *largo* é o espaço de um território (Jz 18,10), do mar (Sl 104,25), de uma cidade (Zc 2,6). Aplicado ao coração, pode significar largueza de visão (1Rs 5,9) ou cobiça e ambição (Pr 21,4; 28,25). Deus liberta alargando, dando espaço (Sl 4,2; 18,37). O *comprido* é aplicado geralmente à duração; é frequente falar de "longos anos".

Direções. Assim como se distinguem quatro dimensões, assim também quatro direções: à frente, atrás, direita, esquerda. Podem-se usar metaforicamente ou qualificadas. *a)* Aplicadas ao *tempo*: atrás é o passado (que conhecemos), à frente é o futuro (que desconhecemos). *b)* Na *geografia*: à frente é o oriente e serve consequentemente para orientar-se. Ao norte parece achar-se a montanha dos deuses (Is 14,13). *c)* A direita ou destra é a direção e o lugar privilegiados: a rainha-mãe senta-se à direita do rei (1Rs 2,19), o Messias à direita de Deus (Sl 110,1); o sensato se dirige à direita, o néscio à esquerda (Ecl 10,2); pela direita se jura (Is 62,8).

Divórcio. → Matrimônio.

Doença. É um fato inevitável, bem mais temível para o israelita que desconhece suas causas físicas, procede às escuras no diagnóstico e só conhece remédios

empíricos para algumas doenças. Lv 13 oferece um quadro de sintomas para diagnosticar doenças da pele na sua relação com o culto e a vida social (talvez por se considerarem mais contagiosas). Especialmente em casos de epidemia, podiam imaginar a ação de espíritos malignos (Sl 91,6), a ação de um Satã na ficção de Jó. É frequente atribuí-la diretamente a Deus como castigo ou prova; Deus "fere"/"golpeia" (Gn 12,17; 1Sm 5,6-12; 2Rs 15,5). Há um conjunto de salmos de doentes: o israelita ora, confessa seus pecados, aceita a doença como castigo, pede a cura (Sl 6; 31; 32; 38; 41). À doença se soma com frequência o fator social: afastamento dos parentes, hostilidade dos inimigos. Isaías cura com remédio empírico (Is 39,21). O Eclesiástico dá conselhos também sobre o médico (Eclo 38,1-15). Deus cura inclusive de doenças mortais (Sl 30,3s; 103,3; 107,17-20); na era definitiva curará de mutilações (Is 35). NT: Mencionam-se as doenças quase sempre como ocasião de milagres. São de nascença ou contraídas, curáveis naturalmente ou incuráveis; algumas causam impureza legal, como doenças da pele, hemorragias; outras são atribuídas à ação de → demônios ou espíritos. Podem ser consideradas como castigo, efeito do → pecado (Jo 5,14). Tg 5,15 menciona a → unção dos enfermos.

Dor. → Paixão.

E

Edificar. Metáfora para expressar a pluralidade de elementos na unidade e estabilidade. Ligada com a metáfora do corpo, introduz o aspecto de vitalidade. Cristo ressuscitado, novo templo (Mc 14,58); pedra angular, da Igreja (12,10). Pedro (Mt 16,18), os apóstolos, fundamentos (Ef 2,20), os cristãos pedras (1Pd 2,5), os pagãos (Ef 2,22). O sujeito é Deus (At 20,32), Cristo (Mt 16), o apóstolo (Rm 15,20), o cristão (Rm 15,2).

Egito. Desempenha papel fundamental na história sagrada e pode-se tomar como modelo de império pagão. Benéfico, é o celeiro da região (Gn 12,42ss). Poderoso, explora e oprime (Ex 1-11); mas distinguem-se o Faraó, os magos, os ministros, o povo. Do Egito parte a libertação da escravidão e do trabalho forçado. Por sua abundância, o Egito distante se converte em tentação (Nm 13), também por seu poder político e militar (Is 30,1-5; Jr 2,18). Voltar para o Egito não é salvação (Dt 28,68), mas castigo (Os 9,3.6), consumado na ida forçada de Jeremias (Jr 42); lá os judeus deixam de invocar o nome do Senhor (Jr 44,26). Mas um dia o Egito se converterá e será "meu povo" (Is 19,16-25), nascido em Jerusalém (Sl 87). → Salvação. → Introdução a Ex e Jz.

Elias. Várias passagens dos sinóticos, em conexão com o Batista, atestam a expectativa dos judeus pela volta de Elias (Mt 11,14; 17,11s). Assiste à transfiguração representando a profecia. Tg 5,17 o apresenta como modelo de → intercessão.

Ensino. Não há provas de que em Israel estivesse organizado, embora tivesse de existir o aprendizado artesanal em todos os ramos. Em boa parte parece estar ligado aos "sábios". Ex 12,26-27 poderia aludir a uma catequese elementar, em família; de fato, os pais são os primeiros instrutores, e o sábio dirige-se a seus discípulos com o título "meu filho". Deus educa Israel como um pai a seu filho (Dt 8,5). Aos sacerdotes compete o ensino ou instrução (= *torá*) em matérias cultuais. A parênese do Deuteronômio tem valor de ensinamento religioso. Também os profetas tinham discípulos (Eliseu; Is 8). O ensino pode ser simples aprendizado de textos (Dt 31, 19-20), pode incluir o aspecto de experiência e treinamento (Sl 144,1; Is 24). Os temas de ensino costumam ser da vida prática; não sabemos se as dissertações botânicas de Salomão (1Rs 4,31ss) eram destinadas ao ensino.

Enterrar. → Morte.

Erro. A verdade de Jesus e do seu evangelho tem de defender-se do erro e da mentira. Jesus denuncia o erro dos seus rivais (Mt 22,29) e previne contra o fermento dos fariseus (Lc 12,1) e contra os falsos profetas dos últimos tempos (Mt 24,5.11). Os apóstolos redobram as

advertências: contra os falsos doutores (1Tm 1,4), enganados e enganadores (2Tm 3,13; 2Pd 2,1s), o espírito do erro (1Jo 4,6), o sedutor (Ap 12,9). → Verdade. → Profeta.

Escândalo, armadilha, tropeço. Provocado por Deus: por seu plano estranho, paradoxal (Lc 2,34), pelos antecedentes de Jesus (Mc 6,3), inclusive pelas curas (Mt 11,6), pela cruz (1Cor 1,21). Provocado pelos homens (Lc 17,1; Mc 9,42), pelo → Anticristo (2Ts 2,9s). Escândalo como impulso ao pecado (Mc 9,43-47). → Provação.

Escatologia. O adjetivo "escatológico" indica último e definitivo. O último pode ser relativo a uma era ou etapa, e muitas vezes os que escreveram a determinação correspondente no AT se referiam a uma etapa. Mas, inclusive esses textos, na leitura posterior, foram projetados até à etapa da restauração definitiva (Is 2; Mq 4). A era escatológica, do reino definitivo de Deus, pode ser concebida com um → messias mediador ou sem ele. A expectativa escatológica e messiânica favoreceu e até impôs a leitura escatológica de passagens originalmente ambíguas ou abertas. Também pode existir uma leitura não escatológica, que considera a expectativa realizada no presente (1Mc). Há promessas escatológicas, → aliança, → bênçãos, oráculos. Além disso, essa orientação gera formas literárias próprias, que podemos chamar "escatologias": ver a introdução a Is 24-27 e Ez 38-48. Não confundir escatologia com apocalíptica. → Julgamento. → Rei.

Escolha/eleição. É a concretização do agir de Deus na história humana por meio de homens. Como tal, é iniciativa indiscutível de Deus (Eclo 33,7-15; Ex 33,19) e não se baseia em méritos humanos (Dt 7 e 9), mas cria o valor (Is 43,3-4). Deus escolhe um povo, para que viva na história a experiência de Deus e a mostre ao vivo aos outros, formulando-a para os pósteros; dentro do povo escolhe chefes, reis, profetas, sacerdotes; também escolhe "um servo" fora do povo. Escolhe-os para funções ou missões específicas na história. O escolhido pode e deve aceitar a escolha, pode tornar-se indigno dela e ser rejeitado por Deus (Saul, Eli). Porque a escolha é para uma missão, muitas vezes difícil (Jr, Ez), cria maiores exigências (Am 3,2); não é para o privilégio, ainda que possa trazer consigo bênçãos e proteção. É uma deformação interpretar a escolha em termos exclusivistas, que Jonas e as profecias escatológicas combatem com a ideia do chamado universal. NT: Ato livre e soberano de Deus (Rm 9,14-33); é eterna (Ef 1,4), pode parecer paradoxal (1Cor 1,27s). Jesus é o Escolhido por excelência (Lc 9,35; Jo 1,34, com artigo); escolhe soberanamente os apóstolos (Lc 6,13 par.; Jo 15,16). Os apóstolos prolongam a atividade de escolher (At 6,5). Os cristãos podem levar o título de escolhidos (Rm 8,33; 2Tm 2,10). É para uma função e impõe suas exigências (Cl 3,12).

Escravo, servo, empregado, operário. A escravidão na Grécia geralmente não era cruel; o escravo podia ser de confiança, desempenhar tarefas delicadas; os trabalhos manuais e artesanais muitas vezes eram entregues a escravos = empregados. Aparente neutralidade frente à escravidão (1Cor 7,21ss), com inversão de papéis na ordem espiritual; igualdade em relação a Cristo (Gl 3,28; Cl 3,11). A eles se recomenda a obediência (Ef 6,5-9; carta a Filemon). Uso metafórico: título de Maria (Lc 1,38), de apóstolo, Cristo escravo (Fl 2,7) torna livres (Gl 5,1) e amigos (Jo 15,15). → Liberdade.

Escrever. → Livro.

Escritura. → Inspiração.

Esmola. Recomenda-se alguma vez nos livros antigos (Pr 3,27s; 22,29; 28,27); torna-se prática importante em tempos posteriores (Tb 4,6-11). → Dar. NT: Muito estimada em círculos sapienciais e autores tardios. Louva-se em At 9,36; Paulo a organiza em forma de coleta a favor da Igreja pobre de Jerusalém (2Cor 8-9). Deve-se evitar a ostentação (Mt 6,2ss). Jesus radicaliza a esmola na renúncia (Mt 19,21 par.).

Espada. O termo grego (*machaira*) designa a espada militar, o sabre e a faca de uso pessoal – não se usavam talheres – (Lc 22,8; Jo 18,10); uso militar

no Getsêmani (Lc 22,49s), em tentativa de suicídio (At 16,27), instrumento de execução capital (At 12,2). Metáfora ou emblema de guerra (Mt 10,34), no combate espiritual (Ef 6,17), o martírio (Rm 13,4). No castigo escatológico (Ap 6,4; 13,14).

Esperança. É a resposta do homem à promessa divina a ser cumprida, ligando assim o passado com o futuro. É como a fé multiplicada pelo tempo: não simples continuidade ou constância, mas abertura ao novo. Se o cumprimento está próximo ou iminente, a esperança se torna expectativa. O grande teólogo da esperança no AT é Is 40-55. A esperança do povo é ilimitada, a do indivíduo tropeça no AT com o limite da morte: Ecl 9,4; Jó 6,11. Pela esperança, o homem colabora ativamente, esperançoso, ao passo que o desespero ou sua variante, a resignação, pode paralisar. A escatologia expressa e cultiva a esperança de Israel nos últimos séculos. A *confiança* pode-se distinguir quando se centra no presente; do contrário, se confunde com a esperança. Os profetas denunciam a falsa confiança nas alianças, nos chefes (Is 3,1; Sl 146,3), nos bens (Sl 62). A confiança em Deus é autêntica e invencível e é tema de muitos salmos. → Oração. Os Evangelhos, sem usar o termo, trazem uma mensagem de esperança e mostram a espera do reinado de Deus. Entre as três virtudes (1Ts 1,5; 1Cor 13,13), assemelhada à fé em Hb 11; seu objeto é o que não se vê (Rm 8,24s). Gera constância, paciência, perseverança (1Pd 1,21; Rm 5,4; 15,4), → Promessa.

Espinho. A coroa de espinhos não é instrumento de tortura (espinhos que se cravam), mas de zombaria: coroa real de um presumido rei feita de material desprezível (cf. Jz 9,14). O espinho na carne de 2Cor 12,7 é provavelmente uma doença ou a perseguição. → Reino.

Espírito. A mesma palavra hebraica (*ruah*) significa o vento, o sopro vital, a consciência. Às vezes significa o inerte, insubstancial (Jó 7,7; 16,3). Geralmente, expressa o dinamismo mais que a imaterialidade, e pode ser cósmico, humano ou divino. O vento cósmico, além do seu caráter de meteoro, pode assumir um sentido quase mitológico (Ex 15; Ez 37); está a serviço de Deus como outros meteoros. No homem é o sopro vital (Gn 6,17), que Deus retira e renova (Sl 104,30); são os dotes, o caráter, a consciência (Gn 26,35; Ez 11,5); em particular, é a valentia (Js 5,1) e a ação decidida (Ag 1,14). O espírito de Deus em geral representa seu dinamismo e ação eficaz: ação na → criação (Gn 1; Sl 33,6), em estreita relação com o mandato eficaz; em particular, criador de vida (Sl 104,30); ação de → salvação que excita e dirige pessoas escolhidas (Juízes); inspiração dos profetas (Nm 11,17ss; Ez 2,2; 3,12). Na era escatológica o Messias terá plenitude de espírito (Is 11,2; 61,1) e fará uma efusão universal de espírito (Jl 3,1-2). É raro que seja chamado de santo (Sl 51,9; Is 63,10). Em Sb 1 confunde-se com a Sabedoria transcendente. → Palavra. NT: *a)* Do homem: alento, princípio vital (At 17,25; Hb 4,12); princípio de vida consciente (Rm 12,11; Ef 4,23). *b)* O Espírito divino em Cristo; na concepção (Lc 1,35), batismo (Lc 3,21), ministério (Lc 4,1), milagres (Lc 11,20), cruz (Hb 9,14), ressurreição (Rm 8,11), poder (Rm 1,4), eucaristia (Jo 6,36), prega às almas (1Pd 3,18ss). *c)* O Espírito e os apóstolos: pentecostes, na ressurreição (Jo 7,37ss; Jo 20,22); recorda e faz compreender (Jo 14,25s; 15,18. 25s), inspira os que falam (At 4,8), confirma o testemunho (At 5,32), guia (At 20,22). *d)* O Espírito e a Igreja: pentecostes, a Igreja local (At 4,31), anima o corpo (1Cor 12,13), consagra um templo (1Cor 3,16), imposição das mãos (At 8,17). *e)* Ação nos crentes: consagra (1Pd 1,2), regenera (Jo 3,3-6), dá a filiação (Gl 4,6), habita (Rm 8,9), dá esperança (Rm 15,13), de amor fraterno (Rm 5,5; 2Cor 6,6), é penhor (2Cor 1,22), sela a nova aliança (2Cor 3,6), dá liberdade (2Cor 3,17), transforma (2Cor 3,18), fonte de carismas (1Cor 12), cria unidade (Ef 4,3s), dá solidariedade (Fl 2,1), dá testemunho (1Jo 5,6), pede com a esposa (Ap 22,17). → Trindade. → Deus.

Eternidade, perpetuidade. Convém distinguir entre perpétuo-indefinido-sem

termo e definitivo-sem remédio (uma destruição definitiva corta a perduração do sujeito destruído). A perpetuidade ou perduração pode ser absoluta, sem limite, ou respeito a um parâmetro, p. ex. vitalício, por toda a vida. No NT os significados de *aion, aiônios* nem sempre se distinguem com exatidão. Exemplos: vitalício (Rm 8,13). Definitivo: com negação, nunca: juízo final (Hb 6,2), perdição (2Ts 1,9). Indefinido, perpétuo: a vida em João, seu contrário é a cólera (Rm 2,7). Menciona um tormento indefinido (Ap 20,10, reinado); opõem vida e fogo (Mt 18,8-19,16 e Jd 7-21). → Tempo.

Eucaristia. Instituição (Lc 22,15-22 par.); celebração (At 20,11); teologia (Jo 6 e 1Cor 11); aliança (Mc 14,22-24); sacrifício pascal (1Cor 5,7); comunhão com Cristo (1Cor 10,14-22).

Eva. No NT, além das referências explícitas à criação (1Tm 2,13) e ao pecado (2Cor 11,3), poderiam aludir a ela por contraste a Madalena no jardim no dia da ressurreição (Jo 20) e a mulher celeste de Ap 12. → Adão.

Evangelho. → Introdução aos Evangelhos.

Exemplo. Oferecem-se à imitação: Deus Pai na sua perfeição (Mt 5,48); Jesus no seu sacrifício por amor (Jo 13,15.34; 1Pd 2,21); Paulo (1Cor 11,1).

Exército. → Guerra.

Exílio. Fato importante e paradoxal da história do povo: à primeira vista, ruptura, fim, anti-salvação; na realidade, tempo de salvação às escuras. Politicamente, o exílio se torna inevitável quando Israel se enreda no jogo das alianças e rebeliões, provocando cada vez mais o grande poder de plantão, Babilônia. Religiosamente, o exílio se faz necessário por causa da idolatria do povo e por sua prática idolátrica do javismo; ou seja, devido à confiança mecânica nas instituições à margem das suas exigências. O exílio priva o povo da terra, do rei e do templo, e o força a um novo encontro com Deus acima dessas instituições. O exílio é purificação e expiação. Por ser temporário, converte-se em escola de esperança (Is 40-55), e o retorno geográfico torna-se símbolo do retorno-conversão a Deus.

Êxodo. → Introdução a Êxodo. → Salvação.

Expiação. → Reconciliação. NT: É pagamento ou compensação por um delito ou culpa; pode ser ato cultual. A ela se refere Hb 9,22s; parecem aludir 2Cor 7,1; 1Jo 1,7.9. → Sacrifício. → Perdão.

Extermínio. → Guerra.

F

Falar. Logicamente o falar é a substância do AT. Só podemos fazer algumas indicações a respeito. *a)* Em sentido próprio e *neutro,* podemos distinguir a capacidade e o exercício, opostos à mudez e ao silêncio. Mudos são os ídolos (Sl 135,16; os animais: Sl 49,13.21, duvidoso, em silêncio estão os mortos (Sl 31,18); são exceção os animais que falam: a serpente (Gn 3), a jumenta de Balaão (Nm 22); chamam-se "cães mudos" as sentinelas que não agem (Is 56,10); silêncio e trevas marcam a ruína de Babilônia (Is 47,5). Na era escatológica os mudos falarão (Is 35,6). *b)* O falar entra de cheio na esfera ética: mentira, calúnia, palavras corrosivas (Sl 52,6), juramento, descobrir segredos. Os sapienciais dedicam muita atenção à ética do falar (Eclo 5,9-15; 19,4-17; 23,7-15; 27,16-21; 28,13-23); recomenda a prudência (Pr 11,12), duvida entre falar e calar (Sl 39); abusos da linguagem (Sl 12). *c)* Esfera *religiosa*. O profeta é proibido de falar (Am 7), suas palavras são destruídas (Jr 36). A mudez de Ezequiel (Ez 4,11) revela o silêncio de Deus. Deus fala e não se cala (Sl 50,21), dá suas palavras ao profeta, que se queixa de não saber falar (Ex 4,10-17; Jr 1,6-10).

Família. É núcleo de vida civil e religiosa. Nos tempos patriarcais, a família abrange várias gerações, ramos colaterais, empregados. A legislação (por exemplo, Lv 18) tem presente essa "grande família". É tema que domina as narrações patriarcais do Gênesis. Como unidade social, conta no recenseamento e pode ser responsável em bloco (Nm 16; Js 7), prática que leis posteriores corrigem (Dt 24,16). Na família se transmite a parcela de propriedade ou herança (→ *terra*),

transmite-se o nome e, às vezes, o ofício. As diversas relações familiares são tema frequente da literatura sapiencial: especialmente se fala da educação dos filhos, dos deveres para com os pais, da esposa, da convivência. Esses temas passam também à oração (Sl 127; 128; 133; 144,12) e são fonte de imagens teológicas. A família é a unidade cultual da festa da Páscoa. NT: *a)* Dos deveres familiares se fala em poucas ocasiões: dever de sustentar (não só honrar) os pais (Mc 7,8-11 par.). Em séries: Cl 3,18-4,6 (os escravos, ou seja, empregados e operários tomavam parte na organização familiar); 1Tm 5,4; Tt 2,4s. *b)* Jesus impõe limites ao amor familiar, subordinando-o à fidelidade à sua pessoa (Mt 10,21): estabelece uma nova família, cujo vínculo é cumprir a vontade do Pai (Mt 12,46-50). *c)* As relações familiares são tomadas como símbolo para expressar o mistério: paternidade de Deus, fraternidade dos cristãos, maternidade de Ap 12 (sinagoga ou Igreja).

Fariseus. Herdeiros dos *hassidim* (1Mc 1) que se distanciam de João Hircano (135-104 a.C.) e de sua política mundana; organizam-se e conseguem a hegemonia espiritual cerca do ano 70; dominam o judaísmo posterior, são leigos, entre eles há especialistas da Lei (*grammateis* = letrados); nem colaboracionistas nem rebeldes; agarrados às suas tradições. Esperam o Messias, creem na → ressurreição, na justiça pelas → obras. Méritos: sentido religioso, fidelidade, ter salvo o judaísmo. Críticas: juricidade, formalismo, particularismo. → Saduceus.

Fé. Atitude fundamental do homem em relação a Deus. É atitude inclusiva: por parte de Deus, implica sua fidelidade ou lealdade; por parte do homem, exige entrega confiante. Baseia-se numa palavra de Deus que anuncia e promete; essa palavra pode estar garantida por algum sinal ou por ações prévias de Deus; por isso a memória e o louvor robustecem a fé. (Ver Ex 14,31; 19,9; Dt 1,32.) NT: *a)* Crer em Deus: Deus que prometeu e cumpre em Cristo; nas palavras de Jesus; em João, sinônimo de escutar, achegar-se a, receber. *b)* Crer em Deus e em Jesus Cristo que o revela; por causa de e em seus milagres (Mt 9,2); falta fé (Mc 6,5s). *c)* É opção radical, decisiva (Mc 9,42; Mt 12,30); por ela se obtém a justiça (Rm 3); seu processo (Rm 10,14-17). Traduz-se em → obras (Tg 2,14-26); produz vida (Jo 20,31; 1Jo 5,13). Hb 11 fala de uma fé que equivale a → esperança. → Pregação.

Fecundidade. NT: É a bênção primária (Gn 1,22), suprema em Maria, mãe do Messias (Lc 1,42). A cadeia da fecundidade conduz de Adão até Jesus (Lc 3,23-38). Metaforicamente, Paulo é mãe (Gl 4,19) e pai (1Cor 4,15). → Genealogia.

Felicidade. O que mais se aproxima no AT do nosso conceito global de felicidade é *shalom* = paz, prosperidade, bem-estar. Mas há uma raiz que se especifica como felicidade: o substantivo *'shr* significa feliz (nome próprio Félix), o verbo é felicitar (Gn 30,13), a fórmula *'shrê* N é felicitação, em grego *makários*, em latim *beatus*, daí a nossa bem-aventurança: "ditoso", "feliz", "bem-aventurado quem...". Posto isso, poder-se-ia compilar uma lista, não sistemática, de "bem-aventuranças" do AT. Dou alguns exemplos de salmos, onde são mais numerosos: Feliz o homem que se atarefa com a lei do Senhor, porque será como uma árvore plantada junto à água corrente (Sl 1); feliz aquele que está absolvido de sua culpa, porque o Senhor o protegerá (Sl 32); feliz quem cuida do desvalido, porque o Senhor o conservará em vida (Sl 41); feliz aquele que eleges e aproximas, porque se saciará dos bens de tua casa (Sl 65); felizes os que habitam em tua casa, porque verão a Deus (Sl 85); feliz aquele que tu educas, porque lhe darás descanso nos anos duros (Sl 94); feliz quem respeita o Senhor, porque sua descendência será bendita (Sl 112). Assim se poderia continuar por Dt 33,29; Is 56,2; Sl 34,9; 144,15; Pr 3,13; 8,32.34; 14,21; 16,20 e a dezena de Eclo 25,7-11. → Bem-aventurança.

Festas. Vejam-se os calendários de Ex 23,14-19; Lv 23; Dt 16. A festa das Primícias em Dt 26. Mais tarde se introduz a festa de *Purim* (Ester) e a da nova dedicação do templo ou *Hanukká*

(2Mc 2). Além dessas festas institucionais, celebram-se outras ocasionais que não constam no calendário. As festas costumam incluir uma parte litúrgica: "assembleia sagrada". Exceto a festa da Expiação, têm um caráter alegre e festivo. Embora na sua origem fossem pastoris (Páscoa) ou agrícolas (Pentecostes, Primícias), convertem-se em comemoração histórica. O Dt insiste no valor social dessas festas, das quais todos devem desfrutar igualmente.

Fidelidade. Nas relações com Deus, pertence à esfera da fé. Nas relações humanas, é qualidade fundamental, especialmente recomendada na literatura sapiencial. Se é nas palavras, pertence à → verdade e sinceridade. Também se exercita nas obras e é, sustentando tudo, uma atitude de relação interpessoal: alguém confia e é de confiança (Pr 3,3; 25,13; 27,6; Ex 18,21). → Matrimônio.

Filho. O filho homem dá continuidade ao sobrenome e, de certo modo, à imagem paterna (Gn 5,3). O nome se estende a descendentes remotos. Metaforicamente designa o discípulo (Pr e Eclo). O povo de Israel é filho de Deus (Ex 4,22; Dt 14,1; Os 11,1); e o rei se considera adotado pelo Senhor (Sl 2,7; 89,28). Também o justo, como indivíduo típico (Sb 2,13; 5,5). → Família. NT: (*hyiós*, *pais*). Como em hebraico, em sentido estrito e amplo, descendente, discípulo, membro. Sentido próprio (Lc 11,12). Filho de Deus. *a*) Sentido limitado, equivale a homem de Deus (Mt 14,33). *b*) Título messiânico: nos sinóticos Jesus não o usa; em João aparece cinco vezes. *c*) Sentido transcendente (At 13, 33); por sua atividade, expulsando demônios e perdoando pecados; título → Senhor e → Messias (At 2,36); enviado por Deus (Rm 8,3; Gl 4,4); Filho em sentido pleno (Cl 1,13; Hb 1,2, contraposto aos profetas); tem um conhecimento (→ conhecer) íntimo e único do → Pai, possui o Espírito, realiza a filiação de Israel (Mt 2,15, citando Os 11,1). Filho único e herdeiro, em intimidade com o Pai. Nas cartas se mostra sua natureza divina, origem divina, poder divino. O tema predomina no evangelho de João. O Filho concede a filiação, é o mediador único. O título Filho de Deus é no NT soteriológico com implicações metafísicas. → Trindade.

Filhos de Deus. Texto básico: Rm 8. De escravos feitos livres pela adoção (Gl 4,5ss), portanto livres, co-herdeiros, com direito à imortalidade; chamamos Deus de *Abbá* e somos realmente filhos de Deus (1Jo 3,1ss), irmãos de Jesus primogênito e participantes da natureza divina (2Pd 1,4); nascidos pela fé (Jo 1,12s) e pelo → batismo (Gl 3,26s).

Fogo. Na sua relação com o homem, manifesta seu caráter polar: aquece a casa, prepara os alimentos, serve ao trabalho; é incêndio, seca, insolação; o fogo do céu é o raio (Eclo 39,26ss). Emprega-se no culto legítimo (Lv) e no proibido (Jr 32,35). Por sua riqueza de funções, o fogo fornece vários símbolos religiosos. Pode fazer parte da teofania (Sinai; Sl 50,3; 97,3); simboliza uma das ameaças fundamentais à vida (Is 43,2); a ira de Deus; e também a execução do castigo definitivo, seja de Sodoma (Gn 19; Dt 29,22-23; Sb 10,6), seja de Jerusalém (Ez 10). Pela ação de Deus, o fogo pode alterar suas funções: Sb 16,15-29; 19,20-21. → Água. NT: Pode ser teofânico (Hb 12,19, Sinai). Parece ter caráter de prova: paixão? (Lc 12,49), salgação (Mc 9,49). Tem função judicial: no batismo (?) (Mt 3,11s; 1Cor 3,13). Significa a condenação definitiva (Mt 18,8), eterna (Hb 10,27; 2Pd 3,7), geena (Mt 5,22; Ap 8,7ss; 11,5); → inferno (Ap 20,10.14).

Franqueza, liberdade, audácia (*parresia*). Jesus anunciando sua paixão (Mc 8, 32), subindo para a festa (Jo 7,10), ensinando (Jo 16,25-29); na sua vitória (Cl 2,15). O apóstolo na sua pregação a judeus e pagãos (At 4,13.29; 2Cor 3,12). O cristão para aproximar-se de Cristo (Ef 3,11s); unida à esperança (Hb 3,6). → Verdade.

Futuro. → Tempo. → Esperança.

G

Galileia. Região norte da Palestina. Aí Jesus começa seu ministério, antes de subir a Jerusalém, e marca encontro com seus discípulos para depois da ressurreição.

Geena. → Inferno.

Genealogia. Segundo o costume do AT, dois evangelistas compõem uma genealogia estilizada de Jesus. Mt 1,1-17 vai descendo de Abraão a Jesus em três etapas de catorze nomes; Lc 3,23-28 vai subindo até Adão e Deus, numa visão mais universal: Jesus é filho de Adão (*ben 'adam*).

Glória. No âmbito humano, a palavra hebraica para dizer glória significa também → riqueza (Gn 31,1), honra e dignidade (Gn 45,3; Jó 19,9). Aplicada a Deus, é a sua manifestação com majestade ou poder. É uma espécie de presença invisível (Ex 33,18.22) ou visível em símbolos ou em ação. Ou seja, costuma ter caráter teofânico (Ex 16,7-10). É presença numinosa, que pode se envolver em escuridão (Dt 5,21), pode ser apreciada no terremoto e na ordem, na tempestade e na calma (Sl 29). Também pode ser litúrgica: como presença constante (Ex 40,34; 1Rs 8,11; Sl 63,3) ou como manifestação concreta (Sl 50). Enche a terra (Is 6,3) e está sobre o céu (Sl 113,4), e também no templo. Seu caráter luminoso sobressai em Is 24,23 e 60,1ss. Deus não cede sua glória a ninguém (Is 48,11), mas da sua glória concede ao homem (Sl 8). O homem tem de dar glória (= glorificar) a Deus ou reconhecer a glória dele (Sl 96,7), e não aos ídolos ou a uma imagem (Sl 106,20). Se não reconhece essa glória com gosto e boa vontade, deverá reconhecê-la a contragosto. NT: *a)* Na esfera da honra, prestígio (1Cor 10,31; Fl 2,11); dar, reconhecer a glória (Lc 17,18), a confissão (Jo 9,24). A sua formulação constitui as doxologias. *b)* Na esfera da riqueza, fausto, é pouco frequente. *c)* Na imagem de esplendor, brilho: dos astros (1Cor 15,40; Lc 2,9; 2Cor 3,7-4,6, explanação importante), na transfiguração (Lc 9,32); elemento da escatologia (Mt 24,30; 25,31); revela-se (Jo 1,14). Às vezes substitui Deus ou é redundante (At 7,55). Os que creem a esperam (Cl 1,27), como estado e não lugar (Rm 8,21); assemelham-se a ela (Fl 3,21).

Glossolalia. Forma particular de linguagem, mais expressão que informação, porque a sua articulação não corresponde a uma língua comum, partilhada. Tem, antes, função monológica. É ininteligível, se não se interpreta, supondo-se que contenha informação (1Cor 14). Uma língua milagrosamente entendida por pessoas de muitas línguas (At 2). → Carisma.

Governo. → Autoridades.

Graça. No plano humano, a palavra hebraica coincide bastante com a portuguesa: é o que atrai o favor, graça no rosto, no falar (Pr 31,30), e é o favor outorgado e a atitude favorável. É conceder (Pr 14,31) e → perdão (Sl 37, 21.26). Também o hebreu pede "por favor" e pede "grátis" (Gn 29,15). Deus concede a sua graça ou favor. É uma das suas atitudes básicas para com o homem (Ex 34,6); age sobretudo perdoando e libertando. Sem mérito humano (Dt 9). O homem implora graça, ou seja, perdão ou favores (Sl 51,3; 119,29); e dá graças pelo favor recebido. Deus paga o agradecimento com novos favores (Sl 138). NT: *a)* De quem a possui, é o atrativo e seu efeito, aceitação, popularidade (At 2,47; 4,33); ganhar o favor (At 24,27). *b)* De quem a dá, é o favor: gratuito (Rm 3,24), dilatado e abundante (Rm 5), não pelas obras (Rm 11,16); é ativo e eficaz (1Cor 15,10; 2Cor 6,1), salva (Ef 2,5), é suficiente (2Cor 12,9). Não se deve receber em vão (2Cor 6,1), sob pena de perdê-la = cair em desgraça (Gl 5,4).

Guerra. Experiência frequente de Israel e fato comum, tanto que um autor diz: "Na época em que os reis vão à guerra" (2Sm 11,1). Josué apresenta Israel em guerra de conquista, atacando. Depois, a maioria das guerras de Israel são defensivas ou consequência de uma política de alianças. De uns batalhões de voluntários (Jz 5) se passa com Salomão a um exército regular, armado ao estilo da época. Israel pode vencer reis vizinhos, mas não pode enfrentar as grandes potências, Assíria e Babilônia. Armas defensivas são escudo, couraça e elmo; ofensivas são espada, lança, dardo, funda. Em Israel encontra-se uma velha instituição e uma ideologia da "guerra santa". É do Senhor (Ex 17,16; Nm 21,24), porque o

Senhor luta por Israel, não o contrário; é santa pela sua dedicação, seu nome e seus ritos (Jl 4,9; Jr 6,4). Recolhendo dados soltos, pode-se reconstruir este processo: convocação ou recrutamento (Is 13,3), consagração ou purificação cultual; um oráculo anuncia a vitória (Js 2,24). Deus comparece à batalha: na arca que é o seu *paládio* (Nm 10,35-36), ou se apresenta numa teofania de tempestade (Jz 5; Js 10) para lutar por Israel (Ex 15,3; Js 23,10); envia seu pânico, que desbarata o inimigo (Ex 23,27); tem seus esquadrões, que são os israelitas na terra (Ex 7,4), astros e meteoros na altura (Jz 5,20; Sl 18); e tem suas armas. Às vezes cabe ao exército de Israel olhar imóvel (Ex 14; 2Cr 20), outras vezes tem de lutar; esta é uma das principais tarefas do rei (Sl 45,20-21). Derrotado o inimigo, o povo consagra ao Senhor todos os despojos ou parte deles, alguns ou todos os inimigos: é o *hérem* ou extermínio sagrado (Nm 21,1-3; Dt 20). A guerra, em concreto a guerra santa, gera uma série de imagens militares aplicadas ao Senhor: exemplo de síntese são Hab 3 e Sb 5,17-23. Porém a guerra não é um bem, mas uma desgraça, um castigo (Dt 12,10), e às vezes a guerra santa se volta contra Israel pecador. Assim, a ideologia da guerra vai sendo superada com a ideia da → paz; as armas do Senhor se tornam metafóricas (Is 62), a sua espada é escatológica e serve para a execução dos rebeldes; o Senhor vence a guerra com a paz (Is 2,2-5; Sl 76,4). NT: Um dos sinais escatológicos (Mt 24,6). Uso frequente como metáfora: o Apocalipse contempla a batalha celeste de Miguel contra o Dragão (Ap 12,7) e a guerra da Fera contra os consagrados (Ap 13,7; Ef 6,12); fala de uma luta contra poderes malignos. Mais frequente é o tema da vitória: Jesus venceu o mundo (Jo 16,33; Ap 3,21), como leão (Ap 5,5), como cavaleiro (Ap 19,11); à sua imitação, os cristãos são convidados a vencer (Ap 3,5; 21,7) pelo sangue do Cordeiro (Ap 12,11), pela fé (1Jo 5,4). Da guerra se tomam as imagens de → espada e → armadura.

H

Herança. É uma instituição jurídica que mantém e prolonga a propriedade no seio da família. O responsável pela família deve salvaguardá-la (1Rs 21,3s). Sobre a herança das mulheres (Nm 27,1-11 e 36). Pode criar problemas (Rt 4,6). Toda a terra prometida é herança de todo o povo de Israel por dom de Deus, e Josué a reparte tirando a sorte entre clãs e famílias (Js 13-20); na partilha não cabe uma parte aos sacerdotes (Nm 19,20-24; Dt 18,1s). Se a herança se aliena, deve retornar ao proprietário no jubileu (Lv 25,8-34). Diz-se que a terra de Israel é "herança do Senhor" (Jr 2, 7); também o povo ou as tribos (Is 63, 17). Por sua parte, o Senhor é herança dos sacerdotes (Dt 18,2). → Terra. NT: É consequência da filiação de Cristo (Mt 21,3; Hb 1,2) e se estende aos co-herdeiros (Rm 8,17); outorga-se pela → aliança = testamento (Hb 9,15); seu penhor é o Espírito (Ef 1,13s). Não basta ser filhos carnais de Abraão (Rm 4); abre-se aos pagãos (Ef 3,6; Gl 3,28s). Seu objeto é a → vida eterna (Mt 19,29), o → reino (1Cor 15,50), a → bênção (1Pd 3,9).

Herodes, o Grande (Lc 1,5; Mt 2,1-12); Antipas, o do Batista e da paixão; Agripa, o de Paulo (At 25-26).

Hino. → Oração.

Hipocrisia. Do grego *hypokrités* = comediante, ator. O hipócrita representa um papel externo, faz teatro para parecer ao público o que não é: religioso, devoto, exemplar; assim perverte com má intenção a boa ação; é um fermento que corrompe (Lc 12,1). Em Mateus e Lucas, os fariseus e outros são acusados de hipócritas.

História. Mais do que outros povos antigos, Israel desenvolve uma consciência histórica, impulsionado pela experiência religiosa, iluminado por seus porta-vozes, chefes e profetas. A história é espaço e meio de revelação de Deus, é história de salvação. Na captação, o povo pode começar por experiências soltas, que depois se agrupam e chegam a um repouso, desenhando uma figura significativa; para perceber a história

como ação de Deus é preciso a sua iluminação, que muitas vezes se dá por um intérprete (Dt 29,3). A história, a rigor, é linear; mas o historiador sagrado quer obter algumas sínteses. Tais são os credos, cujo conteúdo é histórico, os hinos (Sl 136); depois vêm os ciclos e os grandes corpos (deuteronomista, cronista: ver a Introdução a Dt e Cr). Dentro de uma etapa se descobrem esquemas de recorrência repetida, quase cíclica (Jz), e a apocalíptica posterior opera em períodos. Israel canta e conta sua história, a medita e torna a contá-la brevemente, comentando-a com recursos narrativos (= *midraxe*; Sb 11-19). Além disso historia as → festas agrícolas e muitos símbolos míticos. A sua historiografia inclui a lenda de família ou personagem, o canto heroico (à maneira de poesias), a épica, a crônica e também a ficção (Tb, Jt, Est).

Homem. O grande tema da Bíblia é o homem diante de Deus; e como o homem é imagem de Deus (Gn 1), também Deus é representado em imagens humanas. As principais dimensões do homem entram nessa história, mas não chegam a fundir-se numa antropologia sistemática. O homem tem carne, que indica o fraco e caduco, e alento, vida ou espírito, que representa o dinâmico. Logicamente, os diversos membros são fonte de imagens e metáforas; alguns são considerados sede de diversas funções: o coração é sede do pensamento; os rins, dos sentimentos; as entranhas e o seio materno, de alguns afetos; os olhos, da estimativa. O homem é pessoal, inteligente e livre (Eclo 17), capaz de tudo e insaciável (Ecl 1), capaz de relações com Deus. O homem se desenvolve socialmente na família, no clã, no povo, nas nações. Todos os homens partilham a mesma condição; embora Israel seja escolhido, todos têm as mesmas aspirações e o mesmo destino. Os autores israelitas se atrevem a fazer afirmações gerais e universais sobre o homem, na literatura sapiencial e na reflexão histórica. O homem ocupa o lugar supremo na criação (Gn 1; Sl 8), a ela está ligado pelo conhecimento, contemplação e trabalho; mas essa criação o supera (Jó 38,1ss), fazendo-o reconhecer seus limites. Estes são múltiplos, mas o definitivo é a morte num aspecto, o pecado em outro, ambos ligados. O homem bíblico age com profundidade e simplicidade de afetos e paixões, expressas sobretudo na história e no culto; os salmos são um repertório amplo de expressão humana, rica e autêntica. Nas páginas narrativas aparecem muitas figuras, algumas de grande intensidade. Já em Gn 4 temos o *homo faber, homo ludens, homo politicus*; mas no AT sobressai o *homo loquens*, o ser dotado de linguagem. → Corpo. A visão física do homem no NT não segue o modelo grego, mas o semítico do AT (com a exceção platônica de Hb 4,2): predomina a unidade, embora se componha de carne (*sarx*) e alento alma-espírito (*psychê-pneuma*). O coração (mente) é a sede da vida consciente, recordações, pensamentos, desejos, decisões; os rins, sede de paixões; a cabeça, sede da responsabilidade (At 18,6); os olhos, da estimativa (Mt 6,22s). O corpo (*soma*) é organismo composto de membros e órgãos. Sendo imagem de Deus (1Cor 11,7; cf. Cl 3,10), o homem fornece imagens = símbolos ou antropomorfismos para falar de Deus. Mas com muita frequência o homem se contrapõe a Deus: em sua ação (Mc 6,9), em seu ser (Jo 10,33), na obediência devida (At 5,4.29), na sua reclamação (Rm 9,20), no saber (1Cor 2), na palavra (1Ts 2,13). O homem é mortal (At 14,14; Hb 9,27), limitado em seu conhecimento (Mt 16,23), critérios (1Cor 3,3), alcances (2Cor 12,4). O Filho de Deus se faz homem (Jo 1,1-16; Fl 2,7) e sublinha sua humanidade comum, apropriando-se do semitismo "filho de Adão" (*hyiós anthrópou, ben 'adam*), como os demais homens (Hb 2,11.17; Rm 8,3). Para renovar a imagem de Deus no homem (Cl 3,10), para salvar todos os homens (1Tm 2,4), para uma nova humanidade = criação (2Cor 5,17). A ordem nova da redenção se expressa em várias oposições: interior/exterior (Rm 7,22; 2Cor 4,16), novo/velho (Rm 6,6; Ef 4,24). Filho do homem: decalque literal de um semitismo (*ben 'adam, bar nash*) que designa

um indivíduo (singular) da coletividade. Adão = homem (como *ben yisra'el* significa um israelita). Assim se lê, p. ex., em Is 51,12; 52,14; Sl 8,5; 45,3; etc.; em Ezequiel equivale a um antitítulo "filho de Adão" (como qualquer um). Dn 7,13 fala de "figura humana" contraposta às quatro feras precedentes: essa figura sobe numa nuvem ao céu (não desce, no texto); em 7,27 essa figura identifica-se com "o povo dos santos do Altíssimo". Uma tradução literal ou decalque deu o grego *hyiós (tou) anthrópou*, do qual parece derivar a especulação sobre um ser misterioso, celeste, que descerá numa nuvem. Tal especulação está atestada no "Livro das Semelhanças" de Henoc etiópico (1 Hen(et) 37-71): finge um ser angélico, não humano, destinado a julgar os homens no fim (esse texto é provavelmente posterior ao NT). Nos Evangelhos só Jesus, que costuma evitar títulos, o usa; os narradores, que não temem os títulos, não o usam. Às vezes, onde um evangelista usa a expressão, o paralelo põe pronome, p. ex., Lc 6,22/ Mt 5,11; Lc 12,8/Mt 10,2; Mt 16,13/Lc 9,18; Mc 8,31/Mt 16,21. Falta a expressão em textos capitais como Mt 17,1-8 (transfiguração) e Mt 28,18-20 (plenitude de poder), que o empregam no plural significando "homens" (Mc 3,28 e Ef 3,5). Falta totalmente em Paulo, também onde se podia esperar, como em 1Ts 1,10; 1Tm 2,6. Inácio de Antioquia (Ef 20,2) o justifica "por ser filho de Davi", e Barnabé o opõe a "filho de Deus". Não se sabe quando entra na comunidade cristã a especulação citada. Por isso optamos por uma solução intermédia nesta tradução: geralmente traduzimos "o/ este Homem"; em contextos claramente escatológicos recorremos à fórmula "o Filho do Homem".

Hora. → Tempo.

Humildade. Como atitude humilde do homem surge da convicção de que Deus atende e exalta os humildes; mas não em movimento interesseiro, que faria da humildade uma farsa. Ela se afirma com a percepção de que o homem diante de Deus não pode gloriar-se. Humilhando-se pelo pecado (1Rs 21,27-29) ou humilhado na adversidade (Sl 106,42), o homem se abre à misericórdia de Deus. → Pobreza. → Soberba. Virtude capital e doutrina central no NT: figura no manifesto de Jesus (bem-aventuranças), como fato social (Lc 6), como atitude (Mt 5); aforismo (Mt 23,12). Jesus dá exemplo na sua encarnação (Fl 2,8), no seu estilo de vida, inclusive no triunfo (Mt 21,2); presta especial atenção aos humildes (Mc 9,41; 10,31). O cristão: em relação a Deus (Lc 17,7-10; Rm 3,27); em relação aos outros (Mc 9,35; Rm 12,16). → Orgulho.

I

Idolatria. → Deuses falsos. Culto de falsos deuses ou de suas imagens. São nulidade, nada (1Cor 8,4), inertes (1Cor 12,2); são demônios (1Cor 10,19). A avareza é uma idolatria (Cl 3,5. Cf. Mt 6,24).

Igreja. Neologismo calcado do grego *ekklesia*, que significa assembleia de cidadãos e traduz o hebraico *qahal* e *'edá*. Sem mencionar a palavra, a realidade está presente nos Evangelhos, quando mostram o plano e execução de Jesus ao formar um grupo estável e recomendar-lhe a continuidade. A palavra aparece em Mt 16,18 onde Jesus se declara fundador da Igreja, e em Mt 18,17, onde já aparece numa função judicial. O livro dos Atos descreve a expansão e aplica o termo às igrejas locais, das quais é mãe e chefe a de Jerusalém, e entre as quais adquire logo um lugar especial a de Antioquia. Cada igreja tem sua organização e seus funcionários: *epískopoi* = vigilantes, *presbyteroi* = anciãos, *diákonoi* = servidores. Paulo prolonga a ideia e introduz várias imagens. Efésios e Colossenses se destacam por sua visão de uma Igreja universal. O Apocalipse volta à ideia das igrejas locais, mas contempla também a Igreja universal na imagem da Nova Jerusalém, a noiva do Cordeiro. Imagens: corpo, cuja cabeça é Jesus Cristo (1Cor 12; Ef 1,22ss; Cl 1,18), esposa do Messias (Ef 5; Ap 21,11), cidade (Ef 2,19), edifício e templo (Mt 16,18; 1Pd 2,5).

Imagem. O decálogo proíbe a representação de Deus em imagens (Ex 20,4-6;

Dt 5,8-10; motivação histórica em Dt 4,15-23). A rigor, a imagem pode ser pura representação ou lugar da presença (como os querubins sobre a arca), não se identifica com o deus. Mas essa representação pode confundir o povo, pode introduzir um Deus manipulável. Mais tarde, na escola do Deuteronômio, considera-se que qualquer tentativa de representar *Yhwh* produz um ídolo. Na polêmica contra a idolatria, fora e dentro de Israel, simplifica-se o sentido e se considera que "a pedra e a madeira" recebem adoração. Ver Ex 32; 1Rs 12, 25ss. Mas, se as imagens plásticas de Deus estão proibidas, são muitas as imagens poéticas da divindade, especialmente em formas e aspectos humanos, sem excluir outras. O israelita fala de Deus raras vezes em conceitos metafísicos, geralmente em símbolos poéticos, que não devem ser eliminados nem neutralizados, mas captados e assimilados. Cristo de Deus (2Cor 4,4; Cl 1,15; Hb 1,3). O homem de Deus (Cl 3,10). O homem de Cristo (1Cor 15,49); por ação do Espírito (2Cor 3,18).

Imortalidade ou incorruptibilidade (*aphtharsia*). É título de Deus (Rm 1,23; 1Tm 1,17); do homem pela ressurreição (1Cor 15,50), o cristão o é em potência (2Tm 1,10), porque traz uma semente imortal (1Pd 1,23). → Vida.

Inferno. Os hebreus não têm o nosso conceito de inferno como lugar de castigo depois da morte. Imaginam uma morada subterrânea comum dos mortos, que denominam *Xeol*, profundidade da terra, poço, cova (*tahtiyyot éreç, bôr, shahat, 'abaddon*). A ela se desce na morte (Nm 16,30); nela se encontram todos os viventes (Jó 30,23); nela há descanso e "se confundem pequenos e grandes" (Jó 3,17-19); aí jazem inertes impérios e reinos (Ez 32,21-32); aí não se louva a Deus (Sl 30,10); daí não se retorna (Jó 7,9; 10,21). É imaginado com portas (Is 38,10), talvez com um canal de fronteira (Jó 33,18; 36,12). Personificado, abre as fauces (Is 5,14), é insaciável (Pr 27,20). Deus o vê (Pr 15,11; 26,6), o alcança (Sl 139,8), livra do seu poder (Sl 49,16), daí faz subir (1Sm 2,6). Sinônimos no NT: Hades, Abismo, Geena, Morte. Ao *Xeol* do AT, lugar dos mortos e não de castigo, pode corresponder Hades e Abismo. Imagina-se como lugar subterrâneo ao qual se desce (Mt 11,23), com portas (Mt 16,28) e habitantes, como um cárcere (1Pd 3,19). Pode aparecer personificado, acompanhado ou não de *thánatos* (Ap 6,8; 20,13s). Como lugar de castigo costuma chamar-se Geena, lugar de → fogo, vermes, → trevas, dor e raiva. Jd 4 e 2Pd 2,4 falam de cárcere temporal à espera do → julgamento. Ap 9,1s fala do Poço, do qual sobe a Fera (Ap 11,7). De uma destruição final ou perdição (*apóleia*) falam Fl 3,19; 2Pd 3,7 e Ap 20,14.

Inimigo. A história da salvação é dramática porque está cheia de oposições e hostilidades ou envolta nelas. A hostilidade radical começa no paraíso (Gn 3,15). O povo de Israel sente-se exposto à hostilidade dos povos vizinhos e dos impérios que se revezam; também sente a hostilidade dentro, entre as tribos (Jz 20), entre os dois reinos (1Rs, 2Rs), entre diversos grupos (1Mc, 2Mc). O indivíduo sente-se muitas vezes ameaçado e derrotado por inimigos internos. É um tema frequente dos salmos. O inimigo é descrito com imagens cósmicas (Is 8; Sl 124,4-5), sobretudo de feras (Sl 22,13ss).

Inspiração. Ação do Espírito sugerindo palavras ou promovendo ações. Palavras: citando o AT, p. ex., Davi (Mt 22,43; At 1,16); sobre a Escritura em geral (2Tm 3,15s e 2Pd 1,19-21); no testemunho dos cristãos (Mt 10,20; At 6,10; 1Cor 12,3); a → glossolalia (1Cor 14,14). Oferece um oráculo (At 13,2; 19,1). Impele (Mt 4,1; At 11,12). → Palavra. → Carisma. → Escritura.

Instinto. → Carne.

Intercessão. É rogar a Deus em favor de outra pessoa; é ato de solidariedade para com o próximo e de confiança em Deus. Embora qualquer um possa fazê-lo, há pessoas ou cargos especialmente capacitados ou chamados a interceder; o marido pela mulher (Gn 25,21), Moisés pelo povo rebelde (Ex 32; Nm 14), o rei (1Rs 8), o sacerdote no culto institucional; de modo especial, o profeta (Jr 14,7.19-22;

Ez 13,5; 2Mc 15,12-16). Muitos salmos são súplicas de intercessão. A ideia de um intercessor celeste aparece em Jó 5,1; 33,23s. → Mediação. Cristo intercede por Pedro (Lc 22,31s), pelos que o confessam (Mt 10,32s); pelos que creem (Jo 17,11-26); Cristo ressuscitado (Rm 8,34; Hb 7,25; 1Jo 2,1). O Espírito Santo (Jo 14,16; Rm 8,26). O apóstolo: frequente nas cartas (Rm 1,9; Fl 1,3). O cristão (Ef 1,17ss; 3,16ss; Tg 5,16). → Oração.

Interpretação. O NT interpreta com frequência o Antigo. Citando textos e acrescentando às vezes "assim se cumpriu", como argumentos numa discussão; explorando símbolos, como esposo, água, luz (Jo); lendo como símbolos instituições (Hb); usando modelos, p. ex., do Êxodo, Pentateuco, Mateus; caso especial é o Apocalipse. A chave é cristológica, a técnica muitas vezes é a do → targum ou → midraxe.

Ira. A ira pode apresentar-se como simples sentimento de aborrecimento não agressivo (2Rs 5,12), pode induzir à vingança (Gn 27). Provérbios menciona a ira do marido ciumento (Pr 6,34), do rei "mensageiro da morte" (Pr 16,14), menciona o "homem colérico" de temperamento (Pr 15,18); aconselha evitá-la (Pr 24,25; 30,32; Sl 37,8). A exemplo da ira humana representa-se a ira divina. É sua reação pessoal e apaixonada contra o pecado, sua incompatibilidade com ele, seja pecado contra Deus ou contra o homem. A ira de Deus toma às vezes o aspecto de sentença judicial e de execução (Ez 38,18-23). Pode se dirigir contra os inimigos e também contra o povo, pela sua infidelidade (Is 9; Sl 70). Instrumentos da ira são a vara, que exprime um castigo limitado (Is 10,5), e o fogo, que denota o castigo definitivo (Ez 22,17); além disso se fala da mão (Is 5,24), da espada e de outras armas cósmicas da teofania. A ira atinge pessoas, povos e até o cosmo (Dt 32,22). Às vezes parece que a ira de Deus é injustificada (Ex 4,24; Nm 22, 22, na presente redação). Na realidade, ele é magnânimo, paciente (Sl 86,15; 103,8; 145,8). A ira se acumula até que chegue ao extremo e ocorre um "dia de ira" (Sf 3,15). O *cálice da ira* é um castigo que Deus aplica por si ou por outros: perturba antes da execução ou é seu instrumento (Is 51,17.22; Sl 75; Jr 25; Ez 23,33). No NT persiste o conceito do AT. A ira de Deus abrange toda a humanidade pecadora (Ef 5,6), da qual Jesus nos livra (1Ts 1,10); a ira escatológica ou condenação afetará os impenitentes (Rm 2,4s). Também Jesus é capaz de mostrar ira ou indignação (Mc 3,5) e de apresentá-la nas parábolas (Lc 12,46). O cristão não deve ceder à ira (Mt 5,22; Rm 12,19). Pode designar condenação. → Julgamento.

Irmão. *a*) No sentido estrito, o Gênesis é o grande livro da fraternidade: rancor e homicídio, direitos do primogênito, tensões e reconciliação, deveres para com a irmã (Gn 34), para com o irmão morto (Gn 38). *b*) Sentido lato familiar: Abraão e Ló (Gn 13), Jacó e Labão (Gn 29). *c*) Sentido político: qualquer israelita segundo o Deuteronômio, um rei aliado (1Rs 20,32s). *d*) "Irmã" é título da noiva no Cântico dos Cânticos. → Amor. → Família.

J

Jejum, mortificação. O jejum expressa e corrobora o pesar e a dor: pela culpa, por uma desgraça. É parte do luto ou pesar, pode acompanhar a penitência ou corroborar a súplica a Deus. Pode ser individual ou coletivo; no segundo caso pode ter caráter litúrgico. O único jejum prescrito é do dia da Expiação (Lv 16). O homem "se aflige", excitando a compaixão de Deus. O NT nega seu valor ou oportunidade (Mc 2,18-22); relativiza-o (Cl 2,16; Rm 14,17); aprova-o (Mc 9,29); pratica-o (At 10,30). Por analogia, a continência (1Cor 7,5).

Jerusalém. A antiga Urusalimu, a cidade cananeia de Melquisedec e Adonisec, foi audazmente conquistada por Davi, que a converteu em capital do reino unido. Esta → escolha é ratificada por Deus, e Jerusalém se torna a cidade escolhida (2Sm 5). No aspecto civil, é a capital, o centro do governo e da justiça (Sl 122), centro de unificação (que dura pouco). No aspecto religioso, é a cidade do → templo, onde o Senhor está presente no

meio do seu povo, o abençoa e protege. As dimensões civil e religiosa se conjugam, fazendo – segundo uso antigo – da capital o símbolo ou encarnação do povo, na dupla imagem feminina de jovem formosa e mãe fecunda e acolhedora. Esse simbolismo é amplamente explorado em profecias escatológicas (especialmente Is 49; 52; 54; 60; 62; 66). No reino escatológico, Deus reinará em Sião (Is 25; Zc 9,9), e todas as cidades acorrerão a ela (Zc 9,14), e até será o berço de povos estrangeiros (Sl 87). → Cidade. NT: *a)* Empírica: a ela vão os magos (Mt 2), Ana espera a libertação de Jerusalém (Lc 2,38); aí se consumará a paixão (Mt 16,21); Lucas constrói a grande subida de Jesus a Jerusalém que começa em 9,51. Recebe Jesus com festa (Ramos), mas logo o rejeita (Mt 23,38) e sofrerá o castigo (Lc 19,44). Mas nela começa a Igreja (Pentecostes) e dela parte a pregação apostólica (Lc 24,47). *b)* A celeste é a → Igreja (Hb 12,22; Ap 21-22). → Galileia.

Jubileu. Ver Lv 25,8-17.29-31. Essa lei tardia, real ou irreal, expressa a convicção de que o Senhor é dono da terra, a reparte entre todo o povo e não quer a acumulação de terras nas mãos de poucos (Is 5,8-10). Aparentada com esta, existe a lei da remissão de escravos (Dt 15).

Judeus. Nas passagens polêmicas de João (Jo 5; 8; 19 etc.) costuma designar as autoridades; a apresentação dos judeus em vários textos está condicionada pelas polêmicas em curso na primeira geração, que culminam na ruptura do sínodo de Jâmnia = Yabné (por volta de 85 d.C.). Paulo tem como norma dirigir-se primeiro aos judeus (At); sobre a vocação deles reflete em Rm 9-11.

Julgamento. A sociedade israelita conhece o julgamento bilateral, no qual dois discutem sua causa na presença dos anciãos (testemunhas notariais), e o julgamento trilateral, em que dois levam seu pleito a um juiz (Dt 1,16-17); é possível a apelação a um tribunal civil superior, ao tribunal do templo (Dt 17,8-13) e ao julgamento de Deus na forma de ordálio (Nm 5,11). O rei pode ser parte de um julgamento bilateral (1Sm 24 e 26: Davi com Saul), e tem como função específica julgar como juiz (1Rs 3: julgamento salomônico). Uma legislação, mais repetida e motivada que diferenciada, pretende proteger a → justiça dos tribunais contra parcialidade e suborno, falsos → testemunhos e precipitação (Ex 23,1-9; Dt 16,18-19). E há salmos apaixonados que gritam contra a injustiça dos tribunais (Sl 58; 94). O julgamento é um dos símbolos ou esquemas mais frequentes e mais desenvolvidos para explicar a ação de Deus na história; Deus entra em julgamento bilateral: contra o Faraó (Ex 9,27) e contra o seu povo, inclusive em forma litúrgica (Sl 50-51; 81); este constitui uma das formas da denúncia profética. Também atua como juiz no pleito ou lesão da justiça entre homens (Gn 30, 42ss): seja que o homem apele para Deus, seja que o responsável se omita. Deus dirige a história intervindo com "julgamentos" ou sentenças executadas, e o ato final, antes da instauração da teocracia escatológica, terá a forma de julgamento (ver a Introdução a Is 24-27). São dias do Senhor e o dia do Senhor. As peças do processo aparecem livremente: Deus denuncia, julga, sentencia e executa a sentença, ou a confia a outros. Desse modo "faz justiça", defendendo o direito do oprimido, manifesta sua justiça imparcial, mas não neutra, restabelece a justiça na sociedade humana. A justiça vindicativa de Deus se chama às vezes vingança (Sl 94). Sobre a justiça retribuidora → Retribuição. Às vezes o homem quer julgar Deus ou enfrentá-lo num processo bilateral (ver a Introdução a Jó). No NT o julgamento é iminente com a chegada do → reino de Deus: o Batista o anuncia, várias parábolas o propõem (Mt 23,31); antecipa-se (Jo 3,18); consuma-se na paixão (Jo 12,31s). Fica pendente um julgamento futuro e final: de Deus (Rm 2,16; 2Tm 4,1); de Cristo (Mt 25; At 17,31). → Ira. → Testemunha(o).

Juramento. Jura-se pelo(s) próprio(s) deus(es); por isso o juramento implica uma profissão de fé. O israelita só pode jurar pelo Senhor (Dt 6,13; Jr 12,16); mas não pode invocar o nome do Senhor

para apoiar um testemunho falso (Decálogo). Também se jura pela vida do outro (2Sm 15,21). O juramento é usado em contratos e pactos (Gn 21,22; Ez 17,13-21), depoimento ou ato judicial (Dt 21,1-9). O falso juramento é condenado (Lv 19,12). Também Deus jura: por si mesmo, por sua vida, por sua santidade (Ex 32,13; Am 6,8; Sl 89,36). No NT recomenda-se não jurar (Mt 5, 33-36 e Tg 5,12) e denuncia-se a casuística do jurar (Mt 23,16-22). Pedro jura falso (Mc 14,71). Aceita-se o juramento: Jesus no processo (Mt 26,36s; 2Cor 1,23; Hb 7,20s.28) fala do juramento de Deus, que confirma a promessa.

Justiça. É uma das ideias centrais do AT: tema da Lei e da súplica, da esperança e do ideal. Por isso aparece em todas as literaturas do AT, com grande abundância de paralelos, especificações, contextos; mas não se traduz numa exposição conceitual sistemática. Inclui o que chamamos justiça distributiva, retribuidora, vindicativa, e também a justiça social e os direitos do homem. Tanto assim que muitas vezes não se diferencia da misericórdia e do amor. É o respeito concreto e eficaz dos direitos de todos, em particular dos fracos, e se baseia na fraternidade dos homens (com frequência, restrita a Israel). A justiça também leva em conta o "direito das nações" (Am 1). É tarefa de todos e brota da consciência: é corrente chamar o homem honrado de "justo"; ao justo se opõe o injusto (em termos forenses, inocente e culpado), e nos Provérbios a oposição se relaciona intimamente com a oposição sensatez-insensatez. É tarefa específica dos juízes (→ Julgamento), dos governantes (Sb 1,1ss; 6,1-10), do rei (Sl 44; 72); a justiça é o programa político de Absalão (2Sm 15,1-6). Fazer justiça equivale a defender os direitos, no tribunal ou fora. Deus estabelece a justiça em Israel respaldando uma legislação que pretende ordenar as relações dos cidadãos como parte da aliança. Aos profetas compete denunciar as injustiças que os israelitas cometem, especialmente os poderosos (Amós e Miqueias), também o rei (2Sm 12). *Justiça e culto*. Quando falta a justiça, o culto fica vazio, deformado, torna-se execrável e criminoso (Sl 50; Is 1,10-20; Eclo 34-35). Praticar a justiça está intimamente ligado com conhecer o Senhor, o verdadeiro Deus, que ama a justiça (Jr 22,16; Is 45,21-24); mas os falsos deuses não defendem a justiça e são destronados (Sl 82); vice-versa, o falso conceito de Deus acarreta a injustiça (Sb 1,1; 14,22-31). Deus faz justiça ao fraco e ao oprimido, e assim quer ser reconhecido. Deus restabelece a justiça em seus julgamentos históricos. Na era final ou messiânica implantará um reino de justiça na terra (Is 11,3-5; 32,1-3.15-18). No NT, com uma só raiz, *dikai-*, se expressam muitos significados, mantendo certa unidade de contexto mental. Para orientar-se, é útil dispor de um repertório de distinções com suas oposições. Antes de tudo, honradez/justiça/inocência. *a)* Honradez: em relação a uma norma/em relação a uma pessoa: a Deus/aos homens; oposto: maldade, perversão. *b)* Na ordem jurídica: justiça, direito natural/positivo, mérito; oposto: injustiça, dano, ofensa. *c)* Na ordem judicial: inocência; oposto: culpa, delito. Em segundo lugar, deve-se distinguir a justiça do soberano, legal, que pode castigar ou indultar; a do juiz, retributiva, que deve absolver ou condenar; a das partes, comutativa. Como na antiguidade o soberano era também juiz, a primeira e a segunda podem sobrepor-se e também confundir-se. Em terceiro lugar, deve-se considerar a passagem do negativo ao positivo: da maldade à honradez, por mudança de atitude e de conduta; da injustiça = dívida à justiça, por pagamento, compensação, ajuste; da culpa à inocência, por expiação, cumprimento total da pena, indulto ou graça. Alguns exemplos ilustrarão essas distinções. Mateus opõe à justiça farisaica, legal e objetiva, a nova honradez, mais exigente em conteúdo e interioridade (Mt 5,20; 6,33). Jo 16,8-10 menciona o julgamento do Espírito provando uma inocência, uma culpa, uma condenação. At 10,35 propõe uma síntese: veneração (*foboúmenos*) para com Deus; justiça (*dikaiosyne*) para com os homens. Paulo

utiliza com abundância e fluidez as imagens e vocabulário dessa justiça. Rm 1,17: Deus revela sua justiça-inocência-direito de soberano, fazendo passar da culpa à inocência pelo indulto; Rm 3,5: nas relações do homem com Deus, opõe com clareza o direito-inocência (*dikaiosyne*) de Deus e a nossa culpa = não direito (*adikia*); Rm 3,21 fala de uma honradez-justiça obtida não pela Lei, mas pela fé; Rm 5,20 contrapõe: pela Lei, o delito e a culpa; pela graça-indulto, a vida; Rm 6,13.19: fala dos membros como instrumentos da nova honradez. Ef 4,24: fala do homem novo criado em estado de inocência-honradez (*dikaiosyne*). O verbo *dikaioo* também tem uma gama de significados. Mt 11,19: a Sabedoria (*sophia*) se acredita; Lc 7,29: é reconhecer que Deus tem razão, direito; Lc 10,19: apresenta uma tentativa de justificar-se-desculpar-se pela casuística; Lc 18,14: contrapõe a sentença de Deus absolvendo o pecador contrito e condenando o suposto honrado, mérito/demérito; Rm 2,13 e 3,20: sobre a função da Lei e da fé; Rm 3,26: Deus possui a justiça e perdoando pode outorgá-la ao pecador. O adjetivo *díkaios*. Honradez (Mt 1,19); de justiça comutativa (Mt 20,4); o soldo (Cl 4,1); inocência: sangue inocente (Mt 23,35); Jesus inocente (Lc 23,47); julgamento (Lc 20,20).

L

Lâmpada. No NT, opõe-se à luz, como substituto menor na noite ou nas trevas (Lc 15,8; Ap 18,23). Comparação em parábolas (Mt 25,1-8); o Batista em relação à luz do Messias (Jo 5,35); a palavra profética (2Pd 1,19); o olho enquanto fornece luz (Mt 6,22). Não será necessária na Jerusalém celeste (Ap 22, 5). → Luz.

Lapidação. Pena para blasfemos (Jo 10,31-33) e adúlteras (Jo 8,3-11). Estêvão morre lapidado, acusado de blasfêmia (At 6,57-60), Paulo não chega a morrer (At 14,18).

Leão. Título de Cristo (Ap 5,5) e figura dos viventes (Ap 4,7). Imagem do Diabo (1Pd 5,8).

Lei. Como coletivo e genérico, inclui decretos, preceitos, mandamentos, ordens, estatutos etc. O AT considera a Lei como instituição divina, ainda que de fato seus códigos recolham muito da legislação de outros povos e dos conselhos sapienciais. Na ordem cósmica Deus dá suas leis ou suas ordens específicas às criaturas, céu (Sl 148,6), mar (Pr 8,29), meteoros (Jó 28,26), astros (Jr 31,35), universo (Jr 33,25). Supõe-se que outros povos estejam submetidos à lei de Deus; o AT não se refere a ela, mas à Lei positiva que recebeu do Senhor e que considera ligada à aliança. A essa Lei fundamental se acrescentam as ordens específicas comunicadas por sacerdotes e profetas. O Pentateuco contém três códigos legais: o Código da Aliança (Ex 20,22-23,33), o deuteronomista (Dt 12-26) e o de Santidade (Lv 17-26). Pelo estilo se distinguem as leis apodíticas: breves, categóricas, sem matizes, e as casuísticas, que apresentam e qualificam o caso; também se devem distinguir as que se redigem com sanção ou sem ela. Também existe algo que se pode chamar Lei consuetudinária, que assim se expressa: "Isto não se faz em Israel" (2Sm 13,12). A resposta fundamental à Lei é o cumprimento, a observância. A isso conduzem algumas atitudes e atos: recordá-la (Dt 6), meditá-la (Sl 1,2), inculcá-la com seus motivos (Dt 15) e amá-la, segundo Sl 119, que amplia o tema sem se cansar. Na Nova Aliança Deus gravará internamente a sua Lei (Jr 31,33). Imagens comuns da Lei são Caminho e Luz. NT: Como instituição humana, é copiada ou imitada de outras culturas; depois canonizada como *torá* = instrução = ordenação de Deus, vinculada à aliança; duplicada no Deuteronômio; comentada e recoberta por letrados e rabinos, com tendência a absolutizá-la, a torná-la universal. O NT reconhece sua origem mosaica (Gl 3,20) e divina (Rm 2,27). Seu conteúdo é bom (Rm 7,12); mas a submete a uma crítica geral que abrange todos os seus campos, o ético, o jurídico, o ritual. O termo *nomos* qualificado equivale às vezes a regime: do pecado (Rm 7,22), de pecado e morte

(Rm 8,2), do Espírito de vida, i. é, de Cristo (Gl 6,2), da fé (Rm 3,27). Jesus e a Lei: sua atitude, conduta e princípios sem complexos. Aceita, mas relativiza e limita: sobre o templo (Mt 5,24), a oferta (Mc 7,9), o sábado, as normas de pureza (Mc 7,14-23). Radicaliza o ético na série de antíteses (Mt 5,21-48). Reduz tudo ao duplo preceito (Mt 22,34-40). Segundo Paulo, a Lei não outorga a justiça aos judeus: prova-o pela Escritura, pela experiência universal e pessoal, "é a força do pecado" (1Cor 15,56). Não obriga os pagãos convertidos: At 15,2; 2Cor 3; Ef 2,15; Cl 2,14. Agora Cristo é a lei: ocupa o lugar da *torá* rabínica em símbolos tirados do AT.

Lepra. O termo hebraico designa genericamente uma doença da pele, em muitos casos curável; é muito duvidosa a existência da lepra na Palestina antiga. Nos Evangelhos sublinha-se o aspecto de impureza legal.

Letrados, juristas (*grammateis, nomikoi*). Na maioria eram → fariseus. Faziam estudos especiais da → Lei (*torá*), recebiam uma espécie de título e podiam ensinar; eram consultados em matérias legais (*halaká*). Em geral são hostis a Jesus, embora um tente segui-lo (Mt 8,19) e outro não esteja longe do reino (Mc 12,28-34).

Levita. → Sacerdote(s).

Liberdade, libertação. A liberdade *psicológica* de escolha é claramente afirmada e constantemente suposta na responsabilidade do indivíduo e da comunidade perante Deus (Eclo 15,14-17; Dt 30,15.19). O povo deve aceitar livremente a aliança (Ex 19; Js 24), e Deus põe à prova o povo para que decida e se manifeste (Dt 8). Em sentido *social*, liberdade é a condição oposta à escravidão. A legislação do AT admite a escravidão e a regula com leis humanitárias (sobretudo no Dt). Distingue-se o escravo comprado, vendido para pagar uma dívida, e o nascido em casa; para os primeiros existe a lei de remissão (Dt 15); entre os segundos encontramos alguns com funções importantes na casa (Gn 24). Em sentido *político*, a liberdade equivale à independência: opõe-se a viver num território como vassalo, com certa autonomia, e viver sem território nem direitos no meio de um povo opressor. Esta é a situação dos israelitas no Egito (Ex 1 e 5), e a partir dela começa a grande história da libertação, salvação. A vassalagem foi condição frequente dos israelitas na Palestina com relação aos grandes impérios. NT: *a*) Psicológica: é afirmada ou pressuposta no aceitar ou rejeitar a mensagem, mas fica condicionada e limitada pelo → mundo (1Jo 2,15) e pelo instinto (Rm 7; 8,7). *b*) Política: não importa tanto, reconhece-se o pagamento do tributo (Mt 22,2); também importa menos a liberdade social (1Cor 7,21-24). *c*) Cristã: é concedida pela verdade (Jo 8,32), por Cristo (Jo 8,36), pelo Espírito (2Cor 3,17); é liberdade do pecado (Rm 7,14; 6,14.18), da → morte (Cl 2,12-14), que é o último inimigo (1Cor 15,26), de → Satanás (Ap 20,3.10), do instinto (Rm 8,13), da → Lei ou regime legal (Gl, Rm 6). Mas não deve ser pretexto para o mal (1Cor 8,9; 1Pd 2,16). → Roma. → César.

Língua. → Corpo.

Línguas misteriosas. → Glossolalia.

Livro. Antigamente se escrevia em tabuinhas de barro e em lousas (decálogo); mais tarde usou-se o pergaminho, e depois o papiro. A palavra livro equivale muitas vezes a escrito, documento, protocolo. Escrevem-se alguns contratos (Jr 32), o protocolo da → aliança (Dt 24,1), oráculos soltos ou reunidos (Is 8,16; Jr 36), narrações épicas ou religiosas (Js 10,13), anais e crônicas reais (1Rs e 2Rs), cartas (1Rs 21,8). Depois do exílio inicia-se a compilação dos escritos sagrados, que começam a ser Escritura canônica com autoridade. A eles se refere 1Mc 12,9. Fala-se do livro do destino (Sl 139,16); do registro (Jr 22,30; Sl 87); do livro das obras que serve para julgar (Dn 7,10); do livro dos vivos (Ex 32,32).

Louvor. Expressão de estima por um valor. *a*) Entre seres humanos, por diversas qualidades como beleza (Ct; 2Sm 14,25; Sl 45), habilidade (Pr 31,28), cidades. *b*) Louvor próprio é → vaidade, reprovada em Pr 20,14; 27,1s. *c*) Louvar a Deus

é dever do homem e prática frequente do israelita, em particular ou em comunidade. Dá origem a um gênero de → salmos chamados hinos, loas ou encômios. Alguém convida os outros, a si próprio, as criaturas, a louvar a Deus, por suas obras na criação ou na história. Exemplos típicos: Sl 19; 33; 65; 104; 148; Eclo 42-43. Dá origem à fórmula *halleluya* (= louvai o Senhor). Se o homem "se gloria" de Deus ou de seus dons, implicitamente o louva: Sl 34,3; 105,3; oposição clássica Jr 9,22s e Sl 49,7. → Oração.

Luz. Luz e escuridão se oferecem fundamentalmente à experiência no ritmo de dia e noite (Gn 1), embora também a lua e as estrelas tenham sua luz. Luz e escuridão são, sobretudo, símbolos profundos e ricos: o cárcere equivale à escuridão, também fisicamente; o mundo dos mortos é a região da escuridão (Jó 10), e ver a luz equivale a viver (Jó 33,30); luz é prosperidade (Jó 22,28). Deus é luz e fonte de luz, sua → glória é luminosa; ilumina seu rosto mostrando benevolência (Nm 6,25; Sl 31,17); oferece a luz da sua → Lei (Is 2,2-5; Sb 18,4). Castiga com a escuridão (Am 8,9; Sb 17). No tempo escatológico haverá um crescimento de luz (Is 30,26), uma aurora sem fim (Is 60; Zc 14,7). NT: Sentido próprio (Mt 10,27; Jo 3,20), elemento da teofania na transfiguração (Mt 17,2). Como símbolo: Deus é luz (1Jo 1,5); Cristo é luz (Jo 1,4; 8,12); o discípulo deve sê-lo (Mt 5,14.16; Ef 5,8s; 1Jo 2,9-11). → Trevas.

M

Mãe. A maternidade é um bem almejado (Gn 30), que produz alegria e estupor (Gn 4,1); chora-se sua frustração prematura (Jz 11,37s); a perda dos filhos é grande desgraça (Gn 27,45; Is 47,7s; 2Sm 14; Jr 31,15). A esterilidade curada é duplo dom de Deus: Sara, Rebeca, Raquel, Ana. Pode ser difícil (Gn 25,22) e mesmo mortal (Gn 35,17s). A mãe partilha direitos e responsabilidades com o → pai. A mãe do rei ou do herdeiro leva o título de Rainha/Senhora (Sl 45,10; 1Rs 15,13; Jr 13,18). Uma cidade pode figurar como mãe (*metro-polis*) (2Sm 20,19; Os 2,4; Jr 50,12). Raquel e Lia como matriarcas (Rt 4,11). Deus como mãe: por implicação (Nm 11); comparação (Is 49,15); parto (Is 42,14).

Magia. Com atividades aparentadas, segundo Dt 18. A magia dos outros povos fracassa frente a Deus: os magos do Egito (Ex 6,8), o adivinho Balaão (Nm 22-24); também fracassa em Babilônia (Is 47,12). Todas essas práticas são proibidas aos israelitas (Ex 22,17, feiticeira; Lv 19,31; Dt 18,10-11). Mas a prática persistiu, apesar das proibições (1Sm 28; Ez 13; Is 8). → Profeta.

Maldição. *a)* Incorporada à → ?aliança como cláusula penal contra os transgressores de algum preceito; pode ser pronunciada ritualmente (Dt 27-28; Lv 26). Pronunciada num rito de ordálio (Nm 5,18-27). *b)* Como ameaça para induzir ao arrependimento, para que alguém devolva o dinheiro (Jz 17,2) ou denuncie o culpado (Pr 29,24). Para reforçar o juramento à maneira de imprecação: "que me aconteça isso se..." (1Sm 14, 24; Jó 31). *c)* Supõe-se que produz eficazmente seu efeito (Zc 5,1-4); o pai pode pronunciá-la (Gn 9,25). NT: Não se deve maldizer o próximo nem o inimigo (Lc 6,28; Rm 12,14; Tg 3,9s); os judeus se amaldiçoam no processo de Cristo (Mt 27,25). Jesus amaldiçoa a figueira (Mt 21,8); tornou-se maldição (sofreu as consequências), pelos homens (Gl 3,13). Paulo amaldiçoa o falso pregador (Gl 1,8) e o incestuoso para convertê-lo (1Cor 5,3-5). → Bênção.

Maná. → Deserto. E o *midraxe* de Sb 16,20-29.

Manifestação. → Revelação. → Parusia.

Mão. → Corpo.

Mãos, imposição das. Gesto eficaz de cura (Mc 16,18), de bênção (Mc 10,16) ou rito de nomeação (2Tm 1,6), que costuma incluir o dom específico do Espírito (At 8,17).

Mar. Componente do universo na divisão tripartida. O homem domina o mar na navegação (Sl 107,23-32; Jonas), especialmente com fins comerciais (protótipo, Tiro: Is 23; Ez 26-27). O homem sente sua vida ameaçada no mar, que

assim se converte em realidade e símbolo de poder hostil (Ex 15,8; Sl 69, 3.16); também hostil a Deus (Sl 93). O mar é também símbolo de plenitude (Is 11,9), que o homem contempla admirado (Sl 104,25; Eclo 43,23-36). → Água.

Maria. Três figuras principais têm esse nome no evangelho: a mãe de Jesus, a Madalena e a de Betânia (as duas últimas se confundem às vezes na tradição ocidental). Maria, a mãe de Jesus: domina a etapa da infância (Mt 1,18-25; Lc 1-2). Nos sinóticos reaparece em Mt 12,46-50 par. João a apresenta em momentos decisivos e entrelaçados: em Caná, primeiro sinal, e junto à cruz, onde é nomeada mãe de João; depois da ressurreição está em Jerusalém acompanhando os apóstolos (At 1,14). Maria Madalena: é uma das mulheres curadas que acompanham Jesus (Lc 8,1-3); presente no Calvário (Mt 27,36); diante do sepulcro (Mt 27,61); vai ao sepulcro (Mt 28,1); segundo Jo 20,1-18, é a primeira testemunha e anunciadora da ressurreição. Maria de Betânia, irmã de Marta, aparece hospedando e escutando Jesus (Lc 10,38-41), o unge (Jo 12,1-8). → Mulher.

Matrimônio. Considera-se instituição de Deus em Gn 1 e 2. Legislação: admite-se a poligamia e ter concubinas; também o divórcio é admitido e regulado (Dt 22,13-19.28-29; 24,1-4). A lei do levirato (Dt 25,5-10) pretende assegurar descendência legal a quem morre sem ter filhos. Em tempos antigos permitiam-se os matrimônios mistos, isto é, com estrangeiras; Dt 7,3 os proíbe, e essa lei é aplicada rigorosamente por Esdras e Neemias. O incesto é proibido numa série de graus (Lv 18,6-18). O adultério inclui sempre uma mulher casada, e é gravíssimo delito de injustiça. A cerimônia do casamento não era religiosa, mas familiar (Tb 7,13-14). Os livros sapienciais fazem muitas reflexões sobre o matrimônio: Pr 5,15-19; 31; Eclo 26,1-4.13-21). → Amor. Jesus corrige a legislação mosaica, apelando para a instituição que refere Gn 2; Mc 10,1-9 par. Há alguma exceção? Mt 5,32 e 19,9 são textos discutidos (*porneia*). Instruções sobre o matrimônio (1Cor 7; Ef 5,22-33; 1Pd 3,7). O matrimônio, símbolo da união do Messias com a Igreja (Ef 5; Jo 3,29; 2Cor 11,2; Ap 21,2.9; 22,17.20). → Virgindade.

Mediação. Já que Deus geralmente age nos homens por meio de homens, a função de mediador aparece com frequência no AT. O mediador tem uma função descendente e outra ascendente. Da parte de Deus, leva aos homens sua lei, sua palavra, sua mensagem, sua bênção, seu sinal ou milagre, sua → aliança; da parte dos homens, eleva a Deus a → intercessão, o sacrifício, a ação de graças. Vários ofícios incluem uma função medianeira: o sacerdote, o rei, o profeta, o juiz, outros chefes; o povo de Israel é mediador entre Deus e as outras nações, como espaço de revelação e atração. De maneira especial, será mediador o → Servo do Senhor. Entre os mediadores mais ilustres aparecem Abraão (Gn 18) e → Moisés (Ex 32; Nm 14). Mais tarde se personificam a → palavra, o → espírito, a sabedoria, como mediadores de Deus para os homens.

Mediador. Gl 3,19 refere a Moisés. Agora Jesus Cristo é o único Mediador entre os homens e Deus, como Filho, profeta, servo (1Tm 2,5; Hb 8,6; 9,15ss; 12,24). Por sua relação única com o Pai (Mt 11,27), porque vai ao Pai (Jo 14,6).

Meditação. Pode ter uma forma verbal ou exteriorizada: "cochichar", "sussurrar" (Sl 1,2) com a língua (Sl 35,28), com a boca (Sl 37,30). Pode ser interior "no coração" (Is 33,18). É atividade tipicamente sapiencial (Jó, Eclesiastes), ou forma de oração (Sl 4,5; 77).

Melquisedec. Hb 5,1-10 e 7,1-28 exploram a figura de Melquisedec em Gn 14 e Sl 110.

Memória. Dada a importância da história, a memória se converte em faculdade teológica. Recordar as ações de Deus é um dever de gratidão e uma obrigação; o esquecimento é culpável e perigoso (Sl 78). A memória se converte em dinamismo, que influi na ação presente e sustenta a esperança. Por outro lado, rejeita-se a memória como nostalgia paralisante (Is 43,18-19), e também a simples repetição rotineira (Is 29,13).

NT: Em forma implícita está presente como exigência em toda a missão de Jesus. Explicitamente existem a recomendação de Jo 15,20 e a instituição formal da memória eucarística (1Cor 11,25). Uma predição produz seu efeito de reconhecimento quando é recordada ao cumprir-se: Pedro (Mt 26,65), os judeus (Mt 27, 63), os cristãos (2Pd 3,32). Maria recorda os fatos da infância (Lc 2,19.51). Memória judicial dos delitos (Ap 18,5).

Menino(s). Na família formam categoria à parte. É crueldade máxima na guerra esmagar os meninos (Os 14,1; Na 3,10). O motivo popular dos contos, o pequeno ou o menor ou o menino que triunfa, encontra-se em Saul, Davi e Samuel. Nas relações com Deus: Deus mostra sua ternura paterna (Os 11; Dt 8), o homem responde com confiança infantil (Sl 131). É notável o menino protagonista em oráculos messiânicos: Is 7,14ss; 9 e 11. → Filho. NT: Mencionam-se suas brincadeiras (Mt 11,16), Jesus os acolhe (Mt 19,13) e eles o aclamam (Mt 21,15). Jesus os apresenta como modelo de atitude espiritual humilde e receptiva (Mt 18,2-5). Sentido negativo de infantilismo (1Cor 14,20). Mateus e Lucas se interessam pela infância de Jesus.

Mentira. → Verdade.

Mérito. → Graça.

Messias. A palavra hebraica significa ungido: aplica-se ao sumo sacerdote, ao rei, aos patriarcas com sua família (Sl 105,15), a Ciro. Em sentido técnico, designa um futuro personagem, salvador da era vindoura ou definitiva. Geralmente, esse personagem não se chama messias no AT; é uma convenção da leitura posterior da Bíblia, em chave de expectativa antes de Cristo com a perspectiva do cumprimento depois. Em sentido amplo, podem-se considerar como profecias messiânicas: Gn 9,24; 12,1; 49,8-12; Nm 24,15-19; 2Sm 7,13-16; Sl 2,7; 16,10; 110,4.6; Am 9,11-15; Is 7,14-15; 9,1-6; 11,1-9; 2,2-5; 53; Jr 23,45; 31,21; Ez 17; 21,30-32; 34,23; 37,22-25; Zc 3,8; 6,11-13; 9.9-10; Ml 3,1; Dn 7,13. Quando o tempo escatológico tem um messias, pode-se falar de messianismo estrito; há vezes em que não se menciona o messias em tal contexto, e então temos uma escatologia sem messias (alguns dizem messianismo sem messias). Seus caracteres dispersos são: rei da dinastia davídica, sacerdote, servo paciente, homem celeste. Virá no tempo último e definitivo para instaurar o reino de Deus. → Escatologia. → Cristo.

Mestre (*didáskalos*, *rabbi*). Título corrente de alguns judeus e de Jesus (Mt 17,24; 26,18), reconhecido por Nicodemos como enviado por Deus (Jo 3,2), o título está implícito em toda a sua tarefa de ensinar. Na Igreja aparecem cargo e título nas listas (1Cor 12,28s; Ef 4,11); mas não se deve cobiçar essa função (Tg 3,1).

Midraxe. Tipo de comentário rabínico à Bíblia: não crítico, mas relacionando textos, explorando seu potencial simbólico, ampliando relatos para explicá-los (*hagadá*), tirando consequências para a conduta (*halaká*). Como técnica e estilo presente no NT. → Interpretação.

Milagres. Sinônimos: prodígios, portentos, sinais (*thaumasia, térata, semeia, dynámeis*). Às vezes acumulam-se os termos (segundo a tradição do AT). Os termos sugerem o maravilhoso, extraordinário, sobre-humano da ação (*pl', thaumásion*) ou indicam sua função. Sua função é fazer um bem extraordinário, provar um poder; são parte integrante da missão de Jesus e dos apóstolos. Historicidade: há nos Evangelhos certa tendência a aumentar, duplicar; o efeito no povo e nos rivais abona uma historicidade básica. Muitos são sinais e não milagres em sentido metafísico. Efeito nos rivais (Mt 21,15); como se uma força saísse dele (Mc 5,30; Lc 6,19); resumo em At 2,22. Paulo, como Pedro, os realiza (At; Rm 15,19). Entre os → carismas (1Cor 12,28). Os judeus pedem a Jesus um sinal que comprove sua missão (Mt 12,38; Jo 6,30), Jesus o oferece (Jo 2,11; 4,54), convence o povo (Jo 2,23) e Nicodemos (Jo 3,2); transmite seu poder. → Sinal.

Misericórdia. A misericórdia divina é a qualidade quase predominante de Deus com relação ao homem; inclui os aspectos de compaixão, ternura, clemência,

piedade, paciência, tolerância. A rigor, todo benefício de Deus ao homem tem caráter de misericórdia, pois não se baseia em direitos ou méritos humanos. Entra na definição de Deus (Ex 34,6; Sl 86,15; 103,8). Sua extensão é universal (Jonas); sua duração, eterna (Sl 136, com o estribilho comum na liturgia). Motiva a prece e funda a confiança. Adia o castigo, mitiga-o e até mesmo o suspende, e triunfa libertando e necessitado. A misericórdia é o arco extremo que abrange todas as etapas históricas e estabelece a última: porque a misericórdia de Deus torna a conversão possível e a transformação do homem real. O homem deve ser misericordioso com seu próximo (Pr 3,27; 20,28; Eclo 40,17; Sb 12,19). NT: *a)* Jesus dá mostras constantes de misericórdia em sentimento e em obras: à multidão (Mc 6,34), aos doentes (Mt 14,14), à viúva (Lc 7,13); preocupa-se, compadece-se (Hb 4,15); assim se revela o perfil do seu Pai. *b)* Deus é rico em misericórdia (Ef 2,4. Cf. Ex 34,6), pela qual nos salva (Tt 3,5), nos regenera (1Pd 1,3); na parábola do filho pródigo (Lc 15,20), com os pagãos (Rm 15,9), o leva como título (2Cor 1,3); pelo que o homem deve imitá-lo (Lc 6,36). *c)* O cristão: tem uma bem-aventurança (Mt 5,7), o bom samaritano (Lc 10,33), o mau administrador (Mt 18,33); sentimentos (Cl 3,12); vale mais que o sacrifício (Mt 9,13) e que as observâncias (Mt 23,23). → Compaixão. → Ira.

Mistério. Sem dar uma definição filosófica, o israelita reconhece em relação com a divindade realidades que não compreende nem pode alcançar; se se referem à natureza, é enquanto criação de Deus. Exemplos: o conhecimento que Deus tem do homem (Sl 139,6); o mundo natural que Deus mostra a Jó (Jó 38-39); sua santidade (Pr 30,3); a sabedoria que governa o universo (Jó 2,23-27); também o desígnio histórico de Deus é mistério se ele não o revela (Dt 29,28). Deus é um deus escondido (Is 45,15), habita nas trevas (1Rs 8,12), a nuvem denota uma presença encobrindo a figura. A natureza misteriosa de Deus é sugerida em símbolos: as costas que se afastam (Ex 34), a ausência que se faz sentir (1Rs 19), o nome negado (Gn 32). NT: O grego *mystérion* pode significar símbolo, segredo, mistério que se revela. Símbolo (Ef 5,32; Ap 1,20; 17,7). Segredo que se comunica ou explica: nas parábolas do reino (Mt 13,11). Mistério que se revela, projeto secreto: antes escondido (1Cor 2,7; Ef 3,9) e agora revelado (Ef 1,9; Cl 1,26). Seu conteúdo: o evangelho (Ef 6,19); a obstinação dos judeus (Rm 11,25), a vocação dos pagãos: frequente. Há também um "mistério da iniquidade", um poder do mal que atua em segredo (2Ts 2,7). Em 1Tm 3,16 equivale a um prontuário ou credo da fé e da piedade.

Moisés. Antes da vocação e missão, ensaia e realiza por antecipação um êxodo; recebe a revelação de Deus, o chamado e a missão. Esta começa no Egito, desenvolve-se no deserto, quebra-se ao chegar à terra (cf. Introdução ao Deuteronômio). Tem de libertar e guiar, é → mediador da → aliança e da → Lei, tem palavra profética, intercede pelo povo, é confidente de Deus. A tradição israelita viu-o como chefe, profeta (Dt 18) e até como sacerdote (Sl 99,6). Considerou-o autor literário que narra, legisla, anuncia e prega. NT: Referência simples ao AT (Mt 8,4; 19,7; At 7). Em paralelo antitético (Mt 5; 2Cor 3; Jo 1,17; Jo 6,32); na boca dos rivais (Jo 9,28s). Tipo de Cristo: do batismo (1Cor 10,2), na fidelidade (Hb 3,2). Comparece na transfiguração, canta-se seu cântico novo (Ap 15,3).

Montanha. Em oposição ao Egito e a Babilônia, a Palestina é região de montanhas. A montanha é símbolo frequente de espaço divino: monte Safon, Olimpo; por isso Ez 28 coloca o paraíso numa montanha divina. A montanha é o lugar privilegiado da manifestação divina: Sinai (mas Ezequiel a recebe num vale). De modo especial, o monte Sião é escolhido como residência do Senhor; por isso as outras montanhas o invejam (Sl 68,16-17). E o reino escatológico se implantará numa montanha (Is 2,2-5; 11,9).

Morte. A realidade biológica se torna mais trágica quando é violenta ou prematura. A morte pode ser castigo: pena capital

de vários códigos (Lv 20; Nm 35), pena infligida ou ameaçada por Deus (Gn 18). Gn 2,17 fala de uma proibição sob pena de morte, ou seja, de morte violenta e prematura (nada diz de imortalidade prévia); e Eclo 17,1-2 considera que o homem foi criado mortal. Por outro lado, Sb 1,13-16; 2,23-24 afirma que a morte não é originária, mas consequência da "inveja do diabo" e do pecado. Em todo caso, o homem reconhece e lamenta sua condição mortal (Jó 14; Eclo 41,13; Sl 90); a morte relativiza tudo, segundo o Eclesiastes. Deus pode curar o doente e adiar a morte (salmos). Quando o homem morre, desce ao reino da morte, inferno, abismo ou *Xeol*. É reino de escuridão, subterrâneo, onde o homem continua uma existência que não é vida, está longe de Deus e não o louva (Sl 88; Is 38,11.18). Às vezes a morte está miticamente personificada (Is 28,15). O homem deve ser enterrado: ficar sem sepultura é grande desonra (2Sm 21,2; 1Rs 14,11). Outras descrições poéticas em Is 14 e Ez 32,17-32. A morte pode ser superada pelo poder de Deus: a esperança é entrevista em Sl 49; 73; Is 25,8; 26,19; 53; 1Sm 2,6; é afirmada em Dn 12,2; 2Mc 7; o livro da Sabedoria a defende como peça central da sua doutrina sobre a justiça. NT: Ap 2,11 distingue primeira e segunda morte. A primeira seria a condição do homem, ao mesmo tempo mortal (cf. Eclo 17,15; Hb 9,27) e destinado à imortalidade (Sb 2,23). O pecado frustra esse destino e fecha a saída à morte primeira (biológica); o pecado consolida a morte primeira na morte segunda (Rm 5,12; 6,16; Tg 1,15 – paradoxo). A morte segunda é o último inimigo a ser vencido (1Cor 15,26). Cristo o realiza, não de fora, mas entrando como "mais forte" na casa controlada pelo "forte" (Lc 11, 21s). Jesus passa pela morte primeira dando-lhe saída para a vida; assim vence definitivamente a morte (1Cor 15,14; cf. Is 25,8; Os 13,14); passa ao reino onde não existe a morte (Ap 21,4). Então a morte pode glorificar a Deus: de Pedro (Jo 21,19), de Paulo (Fl 1,20). Então o homem pode configurar (*symmorphos*) sua morte à de Cristo (Fl 3,10) fazendo dela uma passagem para a vida, e até antecipa essa passagem (1Jo 3,14). Vencendo a morte, Cristo vence também o medo que escraviza (Hb 2, 15). → Inferno → Ressurreição.

Mortificação. É um sofrimento que o homem impõe a si mesmo voluntariamente. Sua forma mais frequente é o jejum, ao qual se pode somar a veste grosseira do pano de saco, dormir no chão, não se lavar, pôr cinza na cabeça (Jó 2,12). Seu sentido é expressar com o sofrimento físico a dor interior e também mover Deus à compaixão (2Sm 12,16ss). Seu motivo pode ser a penitência pelo pecado (1Rs 21,27), a compaixão e pedido (Sl 35,13); por uma desgraça (Jz 20,26). Há jejuns rituais (Jr 36,6; Zc 8,19; Jl 1,14) que podem descambar para o ritualismo se a injustiça persistir (Is 58,3-6).

Mulher. Desempenha papel importante no AT. Antes de tudo, pertence à criação inicial de Deus; o ser humano é originariamente bissexual. Para o bem e para o mal, está presente na história: Eva no paraíso, Sara e Agar, Rebeca, Raquel e Lia nas histórias patriarcais; Séfora, mulher de Moisés; na época dos juízes, Débora e Jael, Dalila; no tempo da monarquia, Betsabeia, Tamar, Abigail e Micol, a mulher sábia de Técua, a intrépida Resfa (2Sm 21); Jezabel e Atalia; na ficção, Rute, Sara (esposa de Tobias), Judite, Ester. A maternidade é o seu aspecto predominante, embora também se ressalte a beleza da noiva, a sedução da prostituta. Os diversos aspectos se prestam a usos simbólicos: a noiva e a matrona representam a capital e o povo; a prostituta, a nação infiel (Is 1,21); a viúva, como classe social desvalida, pode representar o povo em sua desgraça. Nunca em Israel se admite uma deusa consorte de *Yhwh*, mas são atribuídos a Deus aspectos maternais (Sl 131; Is 45,10; 49,15). → Matrimônio. → Amor. Jesus dedica especial atenção às mulheres: admite-as em sua companhia (Lc 8,2), em sua amizade (Jo 11), dedica-lhes milagres, perdoa a adúltera (Jo 8,11), admite a unção (Lc 7,36-50). São protagonistas na sepultura e no anúncio da ressurreição.

Figuram nas saudações das cartas de Paulo. São iguais no batismo (Gl 3,12s) e na esperança (1Pd 3,7). Sua função é subordinada (não se considera indignidade ser súdito) na família (1Tm 2,15) e no culto (1Cor 11,3); pode falar usando o véu (1Cor 11,5); não deve falar (1Cor 14,34; 1Tm 2,12). Sobre as → viúvas (1Tm 5,3-10). → Maria.

Mundo. O hebraico designa o universo com o binômio céu e terra, ao qual acrescenta às vezes o mar ou as águas. Sua visão física do universo é muito elementar; pode-se apreciar em Gn 1 e Jó 26; 38. É uma visão horizontal em níveis (Sl 148): no → céu (reino de Deus, Sl 135) estão os astros como criaturas animadas; mais abaixo estão os meteoros, e, na camada inferior, voam as aves; a terra se enche de plantas (que nunca se chamam vivas) e de → animais, e é o reino do homem; o → mar está ao redor ou ao lado, e é povoado de peixes; há um oceano subterrâneo que aflora em fontes e correntes; uma camada subterrânea é o reino dos mortos (→ morte). É um mundo dinâmico: criado no princípio por Deus (→ criação), submetido a leis que obedece, diferenciado em oposição e espécies; resultado de uma sabedoria artesã que age e se revela nele. É oferecido ao homem para o domínio, mas o homem se sente superado por sua imensidão. O homem se abre à sua contemplação e estudo (Sl 104; Pr 8; Eclo 1; 42-43; Jó 38-41). Os livros da Sabedoria e dos Macabeus introduzem o conceito grego de *kosmos*. NT: *a)* Sentido cronológico: o universo criado, que começa (Mt 24,21) com a criação (Ef 1,4) e terminará (Mt 13,40). O mundo dos homens (Lc 12,30). Os "elementos do mundo" parecem ser realidades ou forças cósmicas que dominam ou submetem o homem. *b)* Sentido teológico. Contraposto a Deus (1Cor 1,20-28; 2,12); hostil a Deus e a Jesus Cristo (1Cor 2,8). Ideia central em João, que leva ao extremo a oposição, até considerá-los irreconciliáveis (Jo 17,9); é julgado e condenado com seu chefe (Jo 12,31s), porque Cristo venceu o mundo (Jo 16,33). *c)* Em outro sentido, o mundo pode ser redimido: Deus o reconcilia consigo (2Cor 5,19); Cristo vem salvá-lo (1Tm 1,15), é sua luz (Jo 8,12). Deus o ama (Jo 3,16s). *d)* O cristão não é do mundo (Jo 15,19), não deve amá-lo (1Jo 2,15; Tg 4,4), deve vencê-lo (1Jo 5,4s), relativizá-lo (1Cor 7,31); mas deve permanecer nele (Jo 17,15) e pregar nele e a ele o evangelho (Mc 16,15).

Música. Gn 4 situa a invenção dos instrumentos musicais na época primitiva. Canto e instrumentos aparecem sobretudo associados ao culto de Israel, em salmos e nas Crônicas (cf. Introdução). Também está presente nos banquetes (Eclo 32). Tem valor terapêutico (1Sm 16,23); põe o profeta em transe (2Rs 3,15). É possível que alguns oráculos proféticos fossem cantados (Is 5; Ez 33,33); ao menos em suas letras imitam formas populares (Is 23; 27). Sb 19,18 usa uma sugestiva imagem musical.

N

Nome. Como entre nós, o nome serve para a identificação de uma espécie (nome comum, Gn 2), de uma coletividade (povos), de um indivíduo (nome próprio), de uma pessoa. A pessoa dá ou põe seu nome a um objeto como sinal de pertença (marca, propriedade). O nome serve para o conhecimento e reconhecimento, para o chamado que estabelece contato. Também há nomes de funções ou dignidades que chamamos títulos (Is 9,3); e a "nomeação" para um novo cargo pode incluir uma mudança de nome. O nome serve para o recrutamento e o registro "nominal". O nome é também o "renome" ou a fama, que se dilata e sobrevive (Gn 6,4; 11,4), ao passo que o nome se prolonga nos filhos, convertendo-se em sobrenome. Alguém pode agir em nome próprio e em nome de outrem; em nome próprio equivale a pessoalmente. Todos esses usos se aplicam ao nome pessoal de Deus, que é *Yhwh* (comumente pronunciado Iahvé), ao passo que *'elohim* é nome comum da divindade. *Yhwh* revela seu nome para a identificação, para a invocação, para o juramento, para a bênção; o homem tem de reconhecer pelo nome a pessoa, sua identidade; tem de respeitar esse nome,

atribuindo por ele à pessoa a glória e a santidade; não pode invocar esse nome para um juramento falso. Deus dá seu nome, é sinal de posse, a um altar, um templo, um povo; o homem grava esse nome. Em nome do Senhor um profeta fala (Ex 5,23; Jr 26,20) e o soldado luta (1Sm 17,45). Em alguns textos o nome é usado como realidade medianeira da presença de Deus (Dt 12,11; 14,23). Muitos homens têm nomes teofóricos. O *nomen omen* é um motivo literário muito frequente: em textos de anunciação ou nascimento (Is 7,14; 9,15) e em muitos comentários sobre o destino de pessoas ou cidades (Babel, Gn 11; a série de Is 10,28-34). NT: O vocábulo grego (*ónoma*) conserva os significados do hebraico *shem*: nome-título-fama. Como em português, é decisivo o uso das preposições: imposição + explicação (Mt 1,21), mudança de nome, Pedro (Mc 3,16), novo (Ap 2,17). Em nome de (*en onómati*): representando, com a autoridade de (Mt 7,22; Lc 10,7), do Pai (Jo 5,43; 10,25; 1Cor 5,4). Pelo nome (*hyper o. diá o.*) por causa de (At 21,13), por causa do nome que invocam, por serem cristãos; odiados (Mt 10,22). Em atenção a (*epi o.*) (Mc 9,37.41). Invocando, mencionando, alegando: o bendizer (Mc 11,9; At 4,17s), alegando no pedido (Jo 14,13); alegar o título falsamente (Mt 24,5). Para, em honra de (*eis o.*) invocando e consagrando: batismo (Mt 28,19; 1Cor 1,13.15), unção (Tg 5,14), congregação (Mt 18,20). Título: sublime, supremo (Fl 2,10; Ef 1,21). At 2,21 põe o nome de Jesus Cristo ao citar Jl 3,5.

Novidade. Deus é capaz não só de renovar o antigo, que é como refazer o passado, mas de fazer/criar (→ criação) coisas novas ou de fazer novas as coisas; o homem deve estar aberto para reconhecê-lo e aceitá-lo. Renova o passado (Is 1,21-26; Lm 5,21); criará um universo novo, céu e terra (Is 65,17; 66,22); cria fatos novos na história (Is 43,19), um novo casal (Jr 31,22), uma nova aliança (Jr 31,31); dentro do homem um coração novo (Sl 51,12). O Eclesiastes se mostra cético e nega a novidade (Ecl 1,9-11).

Novo. O adjetivo define em bloco toda a nova aliança, o Novo Testamento. Embora seja continuação do anterior, algo novo se instaura, deixando antiquado o outro, completando, até abolindo o antigo numa ruptura formal, ultrapassando a esperança, superando a imaginação. Há uma criação nova (2Cor 5,17), um homem novo (Ef 4,24), novos ensinamentos (Mt 13,52). O homem deve abrir-se à novidade (Mt 9,17) e viver uma vida nova (Rm 6,4), pela novidade do Espírito (Rm 7,6). Mas fica pendente a última novidade, que Jesus anuncia (Mt 26,29), do universo (2Pd 3,13; Ap 21,5). → Criação.

Números. Vários números têm valores qualitativos além de quantitativos: o dois, da divisão; o três, do divino; o quatro, da totalidade criada; o sete e o oito, de perfeição ou totalidade; o dez, idem; o doze, das tribos; o quarenta, de uma geração ou etapa. Poetas e narradores empregam com frequência números implícitos como padrões de construção, com valor estático ou dinâmico, ou também indicando uma palavra ou tema dominante. O inumerável supera o homem e pode ser sinal do divino (Sl 139,17-18). NT: Valor simbólico de sete e de doze no Apocalipse; de letras: os 153 peixes e o enigmático 666 de Ap 13,18.

Nuvem. É um dos sinais teofânicos, que mostra e encobre a presença de Deus: Ex 13,21; Jz 5,4; vê-se no Sinai (Ex 19,16ss) e no templo (1Rs 8,10), onde o incenso a recria (Lv 16,13). Poeticamente, é o carro ou a tenda do Senhor (Sl 18,10.12). NT: O tema clássico da nuvem teofânica aparece na → transfiguração, → ascensão e → parusia: indica a presença, velando a figura.

O

Obediência. Em sentido estrito, é cumprir a vontade de uma autoridade, executar um mandamento ocasional ou promulgado como lei. Em grau inferior, é levar em conta, seguir um conselho: frequente em Provérbios, aos pais ou ao mestre (Pr 5,13). 1Sm 14 relata um caso de motim da tropa contra uma decisão do chefe. É devida sobretudo a Deus, à sua vontade

codificada na → Lei ou atual na → palavra profética (→ profeta) (Sl 119). Vale mais que o → sacrifício (1Sm 15), o povo não deve resistir a ela (Sl 95,7-11). Na nova aliança a obediência brotará de dentro, do → coração (Jr 31,31-34; Ez 36,25-28). → Lei. Jesus obedece à Lei: práticas litúrgicas, o imposto do templo (Mt 17,24ss), nasce sob a lei (Gl 4,4). Obedece ao Pai (Lc 2,49; 4,43); até a cruz (Fl 2,8; Hb 10,5-10, citando Sl 40); é seu alimento (Jo 3,34). A obediência do cristão: inculcada em Lc 17,7-10; no Pai nosso. A fé como obediência ou resposta positiva (Rm 1,5; 10,16; 15,18). Na vida familiar: mulher, filhos e servos (Ef 6).

Oblação. → Culto.

Obras, tarefa. *a)* De Deus: atuou na criação, que é obra sua (Hb 1,10; 2,7; 4,4, citando o AT), na história salvífica (Hb 3,9), na redenção (Jo 9,3), e continua atuando (Jo 5,17). Jesus recebe do Pai sua tarefa, a ser realizada até o fim: ideia frequente em João (Jo 9,4; 10,32-38; 17,4). *b)* O homem. Por um lado, as obras não dão → justiça, não dão direitos diante de Deus: é a doutrina de Paulo em Gálatas e Romanos. Por outro lado, uma → fé autêntica e vital produz frutos de boas obras, como explica Tiago; por isso são louvadas (Mt 5,16); recomendadas (2Cor 9,8); Deus as leva em conta (Ap 2,2); por elas julgará (Rm 2,6). *c)* Também o Diabo realiza suas obras (1Jo 3,8).

Obstinação. É atitude consolidada, "endurecida", que rejeita a palavra de Deus; como atitude, é resultado de um processo dialético, que aumenta a gravidade e a dureza; pode ser individual e coletiva (Jr 9,13; 13,17; Dt 29,18). Num sentido, o causador é o homem, por sua reação repetida; em outro, o causador é Deus, que torna a enviar sua palavra; as duas versões estão registradas no AT.

Ódio. O hebreu não costuma pensar em termos de neutralidade, como atitude intermédia; por isso designa o não--amor com o mesmo termo que o ódio, ato positivo da vontade. Tampouco faz a distinção entre "pecado e pecador" para justificar o ódio e salvar o amor. Mas distingue, sim, entre ódio perverso e legítimo. *a)* É perverso o ódio sem razão ao inimigo (Sl 69,5), dos perversos contra o justo (Sl 25,19; Sb 2), pagando amor com ódio (Sl 109,5); proíbe-se o ódio ao "irmão" (israelita), mesmo que seja inimigo (Lv 19,17). *b)* Odiar é ser e sentir-se inconciliável com algo ou alguém. Deus odeia, aborrece e detesta as práticas idolátricas (Dt 12,31), o roubo (Is 61,8), as festas profanadas (Am 5,21), seis coisas (Pr 6,16); aparentada com o ódio está a *abominação*, predicado frequente de diversos tipos de delitos. Também se diz que Deus odeia pessoas, significando a rejeição da culpa (Jr 12,8; Os 9,15). Também o homem odeia justamente coisas, ações, pessoas: o irmão violador (2Sm 13,22), o mal (Am 5,15), os perversos (Sl 26,5; 139, 21s).

Oferenda/oferta. → Culto.

Óleo. NT: Usa-se para iluminar (Mt 25,1-10) e perfumar (Lc 7,46), é medicinal (Lc 10,34); emprega-se no rito da → unção (Hb 1,9; Tg 5,14).

Olho(s). → Corpo. NT: Como órgão da visão percebe objetos, recebe a luz e a fornece a todo o corpo (o corpo inteiro vê pelos olhos), como uma lâmpada (Mt 6,22). Além disso, como sede da estimativa avalia e define valores: daí o semitismo "olho mau" = mesquinho, invejoso (Mt 6,23; 20,15; Mc 5,2) e correlativamente "olho bom"/"simples" = generoso (Mt 6,22); cobiça de bens (1Jo 2,16). → Visão.

Oração. É atividade central do homem no AT; por isso abrange as mais variadas situações, expressa múltiplos afetos, trata de múltiplos temas (cf. Introdução aos Salmos). Predomina a oração como parte do culto ou liturgia e, portanto, a oração coletiva; mas também o indivíduo reza no → templo, em casa, em diversas ocasiões da vida. Também as formas são múltiplas: desde a simples invocação e grito até a elaborada reflexão. O homem adora com submissão, louva com alegria, pede com confiança, desabafa com sinceridade e até reclama a Deus com audácia. Acompanham a oração alguns gestos: estender ou erguer as mãos, prostrar-se, a procissão e a dança. As orações que conservamos são em geral obras poéticas, algumas destinadas ao

canto. A oração se dirige exclusivamente ao Senhor. O homem pede por si ou por outros (intercessão). → Música. NT: *a)* De Jesus. Oração ritual: alude às 18 bênçãos e cita o "Ouve, Israel", dá graças ao partir o pão e recita o grande Hallel (Mc 14,26). Oração pessoal: é frequente, no batismo (Lc 3,21), ao escolher os Doze (Lc 6,12), na confissão de Pedro (Lc 9,18). Oração ao Pai (Mt 11,15s; Jo 11,41; Jo 17), no Getsêmani, na cruz. *b)* Do cristão. Cristo nos ensina a orar o Pai nosso (Mt 6,9-13; Lc 11,2-5) sem multiplicar palavras. O cristão deve orar com confiança (Mt 18,19), com perseverança (Lc 18,1), sem titubear (Tg 1,5-8), com sinceridade interna (Mt 6,6), em companhia (Mt 18,19), com humildade (Lc 18,9-14).

Oráculo. → Profeta.

Ordem. Deus determina a ordem da criação por atos de separação que distinguem seres e designam lugares e funções e até espécies (Gn 1); as oposições realçam a harmonia (Eclo 33,7-15); as diversas funções (Eclo 39,20-35). Pode-se considerar ação do espírito ou da palavra; Eclo 1 e Sb 8 a consideram ação da Sabedoria ou Destreza. Os nomes fixam e revelam a ordem. O final do livro da Sabedoria fala de uma mudança de funções dos elementos que não perturba a ordem, mas submete a uma finalidade salvífica (Sb 19,18-22). Sl 104 contempla uma harmonia de tempos e espaços. Sl 148 subordina a ordem ao louvor a Deus. O homem se ordena na sociedade pelas instituições e leis que procedem de Deus. A ordem social busca harmonia e estabilidade; as mudanças podem ser desastrosas (Pr 20,22s; Ecl 10,6s). Perturbam a ordem catástrofes naturais como o dilúvio e também o pecado do homem: a terra produz cardos (Gn 3,18), nega sua fecundidade (Gn 4,12); até o mundo celeste se perturba num julgamento escatológico (Is 34, 4). Sl 104,35 pede a remoção definitiva da desordem do pecado. → Criação.

Orgulho. O homem não deve gloriar-se de suas qualidades e dons (1Cor 4,7), da lei (Rm 2,23), das obras como méritos (Ef 2,9; Rm 3,27), por razões humanas (2Cor 11,18), acima dos outros (Rm 11,18), de valores humanos (1Cor 3,21), diante de Deus alegando méritos/direitos (1Cor 1,29). Mas pode e deve gloriar-se de Deus (Rm 5,11), de Jesus Cristo (Fl 3,3), da cruz (Gl 6,14), das tribulações (Gl 5,3) e fraquezas (2Cor 12,5-9), da esperança (Rm 5,2); o apóstolo por uma comunidade (2Ts 1,4; 2Cor 7,4). → Humildade.

P

Paciência. De Deus, adiando (Rm 2,5); de Cristo (At 8,32), como exemplo (2Ts 3,5); do cristão (Rm 5,3), nas provações (Tg 1,2-4). → Paixão.

Pagãos. São as outras nações enquanto opostas ao povo escolhido. A atitude de Israel diante delas é negativa, com variações históricas. Israel sente-se oprimido pelo Egito e por Babilônia, ameaçado pela Assíria e outros povos; está igualmente ameaçado pela infiltração cananeia, povo idólatra e de perversos costumes (Lv 18,24.28; 20,23). A atitude de Israel é de separação (Nm 23,9), que pode chegar ao isolamento de Esdras-Neemias; de receio e condenação, que se expressa nos oráculos proféticos contra as nações. Em contraste aparecem as variadas relações promovidas sobretudo por Salomão: comerciais, artísticas, literárias. A cultura circundante influiu profundamente em Israel, o que foi uma bênção misturada com maldição; com a cultura penetra o sincretismo religioso e a nação se envolve nas alianças políticas. Alguns israelitas ocupam postos importantes em cortes estrangeiras: José, no Egito; Neemias, na Pérsia; a ficção recolhe o tema: Tobias, Mardoqueu, Daniel. Na era escatológica uma escola prediz a submissão de todas as nações ao Senhor e à sua lei (Is 66,18-20); acorrerão ao templo (Is 2,2-5; Zc 14,16s; Sl 102,23). Outra escola mais audaz anuncia a plena incorporação (Is 19,16-25; Sl 87). NT: Subsiste no NT a ambiguidade do hebraico *goyim* = pagãos/nações, como mostra Mt 25. O princípio é que a redenção do Messias é universal e anula as diferenças (Rm 5,18). A prática da incorporação pode ser vista, p. ex., em

At 10-11. As cartas explicam a doutrina (Rm 12,13; Ef 4,4-6). Essa vocação universal é revelada agora (Rm 16,26). → Prosélito.

Pai. *a)* Em sentido estrito, por geração biológica (Sl 127; 144,12). É o chefe da família, responsável pela educação dos filhos (Eclo 30,1-13), frequente em Provérbios. É corresponsável com a mãe (Dt 21,18-20). Ao pai ou à mãe compete casar os filhos (Gn 34; Dt 7,3; Eclo 42,9-14). O pai lega o nome/sobrenome, abençoa antes de morrer (Gn 27; 48), deixa a herança (Pr 19,14). *b)* Sentido ampliado. Por descendência em outros graus, equivale a patriarca ou antepassado, fórmula frequente: "nossos pais". Saul como sogro e soberano (1Sm 24). Título de sacerdote (Jz 17, 10), de mestre (Pr), de um ministro (Is 9,5; 22,21), de um profeta (2Rs 6,21). *c)* Deus, pai do povo (Ex 4,23; Os 11; Is 1,2; Jr 31,9); como educador (Dt 8), pela compaixão (Sl 103,13). Deus, pai do rei (Sl 2; 110). De um indivíduo (tardio: Eclo 23,1.4; 51,10; Sb 2,13.16). → Filho. → Família. → Deus. → Trindade.

Paixão. *a)* Os relatos alcançam, já na tradição oral, uma forma estável e orgânica, distinguem-se pela ordem e concentração, com variantes significativas. *b)* Teologia. Faz parte de um desígnio, "tem de", "deve", é anunciada três vezes (Mc 8,31; 9,31; 10,33s) e referida outras vezes, explicada depois (Lc 24, 25); prefigurada em Is 53 e Sl 22 entre outros; pregada sem rodeios pelos apóstolos em Atos. É resgate (Mt 20,28 par.). Jesus trata dela conscientemente (Mt 26; Jo 13,1ss), querendo (Mc 14,42). Paulo prefere o termo cruz; é prova de → amor (2Cor 5,14), revela → sabedoria e força (1Cor 1,18), opera a redenção (Rm 3); é fundamento do → culto (Fl 2,11), do → batismo (Rm 6) e da eucaristia (1Cor 10). João a apresenta como exaltação (3,14; 8,28; 12,32); é ato de → solidariedade (Hb 2,18; 5,8) e exemplo (1Pd 1,21ss). *c)* O cristão deve aceitá-la e imitá-la (Mt 10; 16,24 par.; Fl 1,29s); o apóstolo (At 9,16) se gloria (2Cor 12); participação física na tribulação (*thlipsis*) e mística no batismo.

Palavra. Sobre a linguagem humana não há muita reflexão explícita. Gn 2 apresenta Adão dando nome pela primeira vez; Gn 11 explica a diversidade das línguas. Reconhece-se a suma importância da linguagem; por isso sapienciais e códigos legais insistem na veracidade e previnem contra pecados de maledicência. A palavra de Deus enche o AT, e na reflexão posterior todo ele é palavra de Deus. Seguindo o esquema de → aliança, podemos distinguir: uma palavra que narra, outra que manda, outra que sanciona ameaçando e prometendo. Os → profetas atualizam a primeira, interpretando a história; a segunda, comunicando ordens concretas; a terceira, com seus oráculos de condenação e suas promessas, até a promessa escatológica. A palavra é ativa e eficaz na história: chega, se cumpre, através do homem ou apesar dele. Registrada por escrito, pode atingir futuras gerações. Alguns autores (sobretudo da escola sacerdotal) introduzem Deus falando em suas narrações para representar sua intervenção na história. → Falar. NT: *a)* De Deus: por primeiro é citado o AT (Rm 13,9; Ap 17,17). É a boa notícia proclamada (At 4,29; Fl 1,4); a mensagem da verdade (Ef 1,13), da vida (Fl 2,16), autêntica (1Ts 2,13), é força (1Cor 1,18), é livre (2Tm 2,9) e julga (Hb 4,12). *b)* Jesus é a Palavra (Jo 1,1.14; 1Jo 1,1; Ap 19,13); sua palavra soa com autoridade (Mt 7,29), é do Pai (Jo 6,68), é de Deus (Hb 1,2).

Pão. O milagre dos pães é narrado nos quatro Evangelhos, duas vezes em Mt e em Mc (Mt 14 e 15; Mc 6 e 8). O sentido do pão eucarístico é explicado em Jo 6: Jesus é o pão do céu que dá vida.

Parábola. Traduz sem definir o hebraico *mashal*, que é aforismo, comparação, fábula, relato exemplar. Como tal, costuma ter um plano imaginativo, quase sempre de ação, e um plano de significado transcendente. Com frequência as parábolas se referem à iminência ou presença do reinado definitivo (escatológico) de Deus. Algumas incorporam a explicação posterior da comunidade, ou melhor, são texto e leitura. Sobre sua compreensão (Mt 13,14s).

Paráclito. É o advogado ou defensor. Sua função é exortar, defender, consolar. Título de Jesus Cristo (1Jo 2,1); do Espírito (Jo 14,16).

Paraíso. Gn 2-3 fala de um parque de recreio, mais que de um jardim; Ez 28,12-19 coloca-o na montanha sagrada dos deuses. Alguns textos de restauração ou escatológicos aludem a um novo paraíso no deserto (Is 41,9) ou no monte do Senhor (Is 11,6-9). → Pecado.

Parusia. Significa, em geral, presença/visita, em particular a visita festiva de um monarca. Em sentido técnico é a segunda e definitiva vinda de Jesus Cristo, com glória, para julgar e instaurar o reino definitivo do Pai. Textos básicos: Mt 24 e 1-2 Ts; outras referências (1Cor 15,23; Tg 5,7; 2Pd 1,16; 3,4-12; 1Jo 2,18). Sem usar o termo, referem-se a ele com sinônimos: manifestação (*epipháneia*), dia do Senhor, vinda de Cristo, encontro. O modo será terrível e festivo: com glória, acompanhado de anjos (céu), com aparato cósmico, a todos os homens. Sobre o tempo, há duas versões: será repentina/prevista, iminente/adiada; segundo João está acontecendo agora, é espiritual, escondida, não espetacular; o Apocalipse a faz coincidir com a queda de Roma = Babilônia.

Páscoa. NT: Jesus celebra a tradicional (Lc 2,41; Jo 2,23), a última sua (Mt 26 par.). É a nova Páscoa (1Cor 5,7), crucificado na hora de matar o → cordeiro (Jo 19,14). → Festas. → Sacrifício.

Pastor. Em Israel, a cultura pastoril coexiste com a agrícola durante muitos séculos; Gn 4 projeta essa coexistência e contraste em Caim e Abel. Os recabitas excluem a agricultura (Jr 35). É comum considerar o rei como pastor do povo, especialmente Davi (1Sm 17; Sl 78,71.72); em geral, os que governam o povo (Ez 34). Deus recebe o título de pastor do seu povo (Os 4,16; Is 40,11; Sl 23). Também o Messias terá o título de pastor (Jr 23,1-8; Mq 5,3). Sl 49,15 apresenta a Morte como pastora do rebanho dos mortos. NT: Como imagem: textos básicos (Jo 10; 21 e 1Pd).

Patriarca. → Introdução a Gn 12.

Paz. É um conceito que pertence à ordem familiar, social, política e religiosa. Não só exprime ausência de guerra, mas também inclui de algum modo a prosperidade, plenitude, bênção de Deus. Há uma paz cósmica (Os 2,20; Is 11) e uma paz histórica (Lv 26,6); o reino messiânico será reino de paz (Is 9,5), sem guerras (Is 2,2-4), por ação do Messias (Mq 5,1-3). Há uma paz falsa, que é a injustiça estabelecida (Jr 6,14; Ez 13,10-12); porque a verdadeira paz está ligada à justiça (Sl 85,11; 72,3; Is 60,17). NT: Saudação hebraica, cristã e apostólica; é eficaz (Mt 10,13). Anuncia-se no nascimento (Lc 2,14), canta-se na entrada em Jerusalém (Lc 19,38), é saudação do Ressuscitado (Lc 24,36), dom do Espírito (Rm 8,6; Gl 5,22). Inclui a paz com Deus (Rm 5,1); na Igreja (Ef 2,14-17), com todos (Mt 5,9; Hb 12,14). → Guerra.

Pé. → Corpo.

Pecado. Numerosos termos aparentados procuram descrever essa realidade que separa o homem de Deus (Is 59,2): pecado, delito, culpa, rebelião, transgressão, abominação; três metáforas significativas são: a mancha (mais de ordem cultual), a falha ou erro, e a transgressão que supõe uma ordem ou aliança. No seu aspecto psicológico, o pecado é responsável porque é ato livre; às vezes ocorre o pecado por inadvertência, que a lei cultual quer tornar consciente. O processo completo do pecado inclui uma → tentação externa ou interna, um consentimento, uma execução, de onde pode começar a conversão ou o endurecimento. A literatura profética oferece abundantes exemplos disso. Há pecados individuais e pecados coletivos. Como no bem, também no mal há uma solidariedade do grupo ou da cadeia histórica (Sl 106,6); por isso há confissões de pecados históricos (Dn 9). Também para essa responsabilidade coletiva apelam os profetas. Eles dizem que o homem peca contra Deus quando é infiel à → aliança (Os 8,1), ou porque Deus se sente ofendido quando se ofende o homem (2Sm 12); embora o homem não cause dano positivo a Deus (Jr 7,18ss; Jó 35,6), contudo Deus não fica neutro, se irrita,

se encoleriza. O pecado pode acarretar uma desgraça, numa espécie de dialética imanente aos fatos (Jz 9); opõe-se à vida, que tira ou diminui (Jr 17,11; Ez 24,6); e também afeta a terra (Is 24,20). O pecado tem sua origem numa desobediência dos primeiros homens, cresce poderosamente até a escolha de Abraão. A monarquia do norte nasce contaminada pelo pecado de Jeroboão; na monarquia do sul renasce o pecado ancestral (Ez 16); também os cananeus carregam uma maldição original (Sb 12,11). NT: Termo fundamental *hamartia*; sinônimos: *anomia* (sem lei), *adikia* (injustiça), *paráptoma* e *parábasis* (transgressão); outros são específicos. Metáforas: dívida, mancha, carga. Em relação com uma norma, com uma pessoa, Deus ou Cristo: afastar-se, abandonar, negar. Personifica-se. A presença e a doutrina do pecado são fundamentais e constantes no NT, como fundo de contraste para a mensagem positiva da boa notícia. Para orientar-se na complexidade, são úteis algumas distinções: *a)* como ato responsável, individual ou coletivo, como condição humana, radical e universal; interior ao homem e concebido como exterior a ele, *hamartia* personificada; *b)* como infração de uma norma objetiva, lei ou mandamento, como ruptura com uma pessoa, Deus ou Cristo; *c)* daí se seguem as consequências: culpa-delito, ira-condenação, castigo-morte; *d)* o pecado cometido é anulado pelo perdão, que é graça de Deus por meio de Jesus Cristo; seu poder se detém pela → graça; *e)* o pecado se relaciona com o instinto (*sarx*), com o → Diabo, com o → mundo (segundo João). Há pecados que acarretam a morte (1Jo 5,16s). Textos mais significativos: Rm 6-8; Jo 12,17; 1Jo. Jesus não comete pecado (Jo 8,46) e vem para ocupar-se do pecado (Rm 8,3; 2Cor 5,21).

Pecador. Em sentido técnico, costumavam chamar de pecador quem levava uma vida pública depravada ou praticava uma profissão pecaminosa, como prostitutas e → publicanos (Mt 9,10); também quem não cumpria a lei farisaica (Jo 7,49), inclusive os pagãos (Mt 26,45).

Pedra. O NT distingue entre pedra (*lithos*) e rocha (*petra*) na linha da distinção hebraica entre *'ében* e *çur*. Joga com os termos (Mt 16,18). Jesus é a pedra angular (Mt 21,42; Ef 2,20; 1Pd 2,7) e a pedra de tropeço (Lc 20,17; Rm 9,32, citando Sl 118,22 e Is 28,16). Os cristãos são pedras vivas na edificação da Igreja (1Pd 2,5; Ef 2,21).

Penitência. → Conversão.

Perdão. O Senhor é o Deus do perdão (Ex 34,7; Sl 99,8; 103,3), que perdoa o → pecado por seu nome e fama, por sua bondade e misericórdia, por algum antepassado ilustre (Abraão, Davi), por um grupo de justos numa coletividade (Gn 18; Jr 51). Geralmente o homem pede perdão reconhecendo sua culpa, apelando para a misericórdia de Deus, propondo a emenda (Sl 50-51); sem essas condições Deus não perdoa (Jr 5,7.9.29); há ocasiões em que Deus já não perdoa (1Sm 15; Ex 32; Nm 16). O perdão se exprime com termos próprios (*ns'*, *slh*) e com diversas metáforas: cancelar como uma conta (Is 43,25), dissipar como névoa (Is 44,22), lançar ao fundo do mar (Mq 7,19), cobrir ou sepultar (Sl 32,1; 85,3), esquecer (Is 64,8; Ez 18,22). O perdão será um dos dons escatológicos (Jr 31,34). NT: *a)* A Deus compete perdoar (Mt 9,2; cf. Sl 130). Jesus perdoa pecados (→ pecado) (Mt 9,2ss), pede perdão pelos carrascos (Lc 23,34), concede o poder aos apóstolos (Jo 20,21-23), que o exercem normalmente (At 5,31). *b)* O perdão se obtém pelo batismo de João (Mc 1,4), pela fé (At 10,43), pelo amor (Lc 7,47), pela súplica da Igreja (Tg 5,13s); do perdão se exclui o pecado contra o Espírito Santo (Mc 3,28s). *c)* O cristão deve perdoar os irmãos e os inimigos (Mt 18,21-35; Lc 17,3).

Perseguição. Jesus é perseguido (Jo 13, 18) e o serão seus discípulos (Jo 15,20); Jesus o anuncia (Jo 16,1-4). Paulo, antes perseguidor, é perseguido (At 9) como os outros apóstolos (At 4). É parte da vida cristã (1Ts 3,3); deve ser enfrentada com paciência (Mt 10,22) e até com alegria (Mt 5,11-12; 1Pd 4,12); rezar pelos perseguidores (Rm 12,14).

Pescador. Como imagem (Mt 4,19 par.).

Pobreza. Como fato é descrita em Jó 24,2-12: é um mal e uma desgraça, não um valor. Causas: pode ser a → preguiça ou a dissipação culpáveis (Pr 6,10-11; 23,21); muitas vezes a causa é a cobiça alheia, a opressão e exploração, contra as quais falam duramente os profetas, especialmente Amós, Miqueias, Isaías. Na ordem social consideram-se como pertencentes à classe dos necessitados, de modo especial, os órfãos, as viúvas e os migrantes. Para remediar a pobreza há uma legislação que exige ou inculca o cuidado dos pobres, a defesa dos seus direitos (→ justiça), a esmola e a compaixão (Ex 22,20-22; 23,6; Dt 15,7-11); a isso se acrescentam as recomendações dos sábios. Deus mesmo ratifica essa legislação e se levanta a favor dos direitos dos pobres (tema frequente nos salmos). Sf 3,12 identifica com os pobres o resto salvo, e Sl 37,11 pronuncia uma bem-aventurança para eles. Parece basear-se na experiência do povo oprimido e libertado por Deus; ou seja, sua felicidade é que Deus mesmo se ocupará deles. É uma bem-aventurança (Mt 5,3; Lc 6,20; explanação em Tg 1,9-11; 2,1-13); duas classes de pobreza (Ap 3,17s); a viúva pobre e generosa (Lc 21,1-4). Cristo se fez pobre (2Cor 8,9); pobreza do apóstolo (Mt 10,9; 19,21-25). → Riqueza.

Pomba. Exemplo de simplicidade sem duplicidade nem mistura (Mt 10,16). Imagem na qual se manifesta o Espírito, aludindo talvez ao Cântico dos Cânticos e revelando o amor.

Porta. → Cidade.

Povo. No meio das nações pagãs, Israel vive como povo de Deus. A → escolha e pertença a Deus são o último fundamento do seu ser como povo. No começo é uma pluralidade de famílias, clãs e tribos; a representação oficial destaca os elementos de unidade. Pela genealogia, descendentes de Abraão e de Jacó = Israel; pela língua (ver Ne 13,23-24), cultura e instituições. O fato religioso é ratificado na aliança e tem como sinal a circuncisão. É um povo santo (Ex 19,6), com uma missão específica e universal. Israel vive a tensão entre a escolha exclusiva e o destino universal, entre a força que o fecha e a força que o abre; o messianismo impõe o triunfo do universal em seus diversos aspectos. Embora a unidade política se rompa na morte de Salomão, permanece a consciência da unidade, e Jerusalém continua atraindo; na restauração se recompõe a unidade rompida (Ez 37,15-28). A unidade cria um sentido de fraternidade (frequente em Dt) e solidariedade. Expressa-se nas assembleias gerais ou parciais: a assembleia sagrada congrega o povo nas → festas de peregrinação e na → guerra santa; também na escolha ou nomeação do rei (2Sm 5; 1Rs 12,1), na renovação da aliança (Js 24), em certos casos, nações (Jz 20). Os escritos da escola sacerdotal (P) consideram o povo como assembleia sagrada. O povo tem suas instituições e → autoridades: embora a monarquia seja absoluta, não se perde totalmente certo sentido democrático, atestado sobretudo no Deuteronômio e na primeira motivação do cisma. Na concepção teológica, o povo é o dado primário, do qual são funções os diversos encargos.

Pragas. A palavra grega *plege* é tradução do hebraico *makká*. Significa primeiro golpe, chaga (At 16,23-33; Ap 13,3). Daí passa a significar uma desgraça ou calamidade grave e coletiva. Tomando como modelo ou inspiração o relato de Êxodo, Apocalipse descreve o suceder-se de diversas pragas mais ou menos fantásticas.

Pregação, proclamar (*kerysso*). É anúncio oficial, em virtude de um cargo ou missão, oral e público. Função primária do Batista, de Jesus, dos apóstolos. Seu conteúdo básico é o evangelho ou boa notícia, o reinado/reino de Deus, a pessoa e obra e mensagem de Jesus Cristo. Deve ser universal e será acompanhada de sinais e dotada de força superior. Convida à conversão e à fé. Os Evangelhos e os Atos a apresentam em ação.

Preguiça. Os sapienciais se preocupam com esse vício. Descrevem aguda e ironicamente sua conduta (Pr 26,14s), seus pretextos (Pr 22,13), seus desejos estéreis (Pr 13,4; 21,25), sua imprevisão

(Pr 20,4), suas consequências em seus campos (Pr 24,30-34), em sua promessa (Pr 19,15; 12,24) e nos encargos (Pr 10,26). → Trabalho.

Presença. Deus se apresenta, está presente, faz sentir sua presença. *a)* Apresenta-se indicando assim a transcendência: comparece na tenda do encontro (Ex 33), e a nuvem testemunha que o Senhor está presente; sai ao encontro (Am 4,12; Sl 35,3). *b)* Está presente no meio do seu povo (Dt 7,21; Jr 14,9; Jl 2,27; no templo, 1Rs 8). *c)* Faz sentir sua presença por meio de mediadores: anjo, nome, teofania, palavra. Fórmula substancial da sua presença: "Eu estou contigo", que é enunciado categórico, promessa garantida, comunicação de confiança. O contrário é sua ausência, que se faz sentir: não acompanhando (Ex 33,3), afastando-se do templo e de Judá (Ez 10), escondendo seu rosto; em forma de distância (Sl 22). Paradoxalmente, a ausência de Deus sentida vem a ser uma forma de presença espiritual (Sl 42-43).

Primícias/primogênito. Nos seres fecundos, o primeiro é o melhor: a fecundidade é bênção de Deus, e o dom se reconhece oferecendo a Deus as primícias. Há uma festa de oferta das primícias (Dt 26). Entre animais, o primeiro parto pertence a Deus, e em alguns casos pode ser resgatado (Ex 22,29). Também pertencem a Deus os primogênitos humanos: mas não devem ser sacrificados, mas oferecidos (1Sm 1,24) ou resgatados (Ex 34,19-20); a tribo de Levi é o resgate dos demais primogênitos (Nm 3,40-51). Em sentido metafórico, Israel é o povo primogênito de Deus (Ex 4,22). NT: *a)* Cristo é o primogênito do Pai (Hb 1,6), de muitos irmãos, da criação (Cl 1,15), dos mortos por ser o primeiro ressuscitado (1Cor 15,20.23; Cl 1,18; Ap 1,5). *b)* O cristão: é primícias (2Ts 2,13; Tg 1,18; Ap 14,4), embora cronologicamente se possam chamar primícias os judeus (Rm 1,16); o primeiro convertido de uma região (Rm 16,5). Possuir como primícias o Espírito (Rm 8,23).

Profano. Em teoria há dois sistemas de oposições: sagrado/profano e puro/impuro-contaminado; na prática se sobrepõem. O profano pode ser consagrado, o impuro pode ser purificado por abluções ou ações rituais. Os tabus, alimentos e relações não admitem mudança.

Profeta. O profeta é um homem de Deus, um homem do → espírito, um homem da → palavra. Confidente e mensageiro de Deus, capacitado e inspirado pelo espírito para a sua missão de proclamar a palavra de Deus. Escolhido, nomeado e enviado por Deus, deve transmitir apenas a mensagem de Deus, dando-lhe sua forma e estilo próprios. É também → intercessor em favor do povo; sentinela que lança o brado de alarme, fiscal que denuncia, defensor de inocentes. Por possuir esse nome, está fora da pura instituição, enfrenta sacerdotes e reis, é testemunha e agente da soberania de Deus acima das instituições que Deus mesmo criou ou consagrou. Em Israel existiam também os *grupos proféticos* – espécie de dervixes – que viviam em comunidades e que com seus gestos coletivos atestavam a presença do espírito em Israel. O profeta individual pode ter um discípulo (Eliseu, de Elias), um secretário (Baruc, de Jeremias); pode formar um grupo de discípulos que aprendem e divulgam os oráculos do mestre, os escrevem, adaptam e editam. Os *falsos profetas* falsificam a palavra de Deus e seduzem o povo, tentando neutralizar os autênticos. Para distingui-los deve-se olhar se concordam com a tradição javista, se são interesseiros, se anunciam paz sem conversão, se suas predições se cumprem. Seus temas são a história, sobretudo a presente; a Lei, com suas promessas e ameaças. Entre suas *formas* predominam a sentença judicial – denúncia do delito e ameaça da pena – o oráculo de salvação, os ais, a liturgia, a visão interpretada, a ação simbólica (espécie de pantomima) interpretada. NT: Os do AT são citados ou a eles se fazem alusões. Os do NT: existência (At 13,1; 21,10; talvez Ef 3,5); nomeação (Ef 4,11), profetisas (At 21,9). Jesus é profeta (Lc 4,24), tido como tal (Mt 21,46), o profeta (Jo 6,14). A profecia é um carisma (1Cor 12,28ss; 14,32; 1Ts 5,20). O Apocalipse se apresenta como profecia (1,3; 22,10).

Promessa. Com ou sem juramento, Deus promete ao homem empenhando sua palavra; ela se cumpre (Is 40,8), é eficaz (Is 55,9-11). A promessa é em si incondicional; Deus acrescenta às vezes condições e até concretiza a promessa com uma aliança (Sl 105,9-10). Destacam-se as promessas a Abraão, a saber: descendência numerosa, posse da terra, bênção (Gn 15); essa promessa continua nos patriarcas e no povo de Israel, atualizando-se em momentos críticos. A promessa davídica (1Rs 2,4; 6,12-13; 8,20) comanda a história da monarquia do sul. Sobressaem as promessas messiânicas ou escatológicas, que resumem dons do paraíso, bênçãos da aliança e os mais profundos desejos do homem (→ escatologia). Deus promete por benevolência ou misericórdia e cumpre com fidelidade; o homem deve confiar em Deus, esperar o cumprimento; também pode apelar para a promessa divina. NT: O AT é em boa parte promessa, em sua dinâmica interior histórica e em seu movimento para o futuro. O NT vem cumprir e ultrapassar todas as promessas do AT no dom de Jesus e do Espírito. *a)* Jesus é o sim = realização das promessas (2Cor 1,20); faz múltiplas promessas aos seus: bem-aventuranças (Mt 5,1-12), apoio na missão (Mt 28,20); resume-as na vida eterna (Jo 3,16). *b)* O Espírito é a promessa do Pai (At 1,4; Gl 3,14). *c)* O cristão é herdeiro das promessas (Ef 3,6), continua esperando o cumprimento da promessa final (Hb 10,26). → Esperança.

Prosélito = advento. Distinguiam-se os plenamente convertidos ao judaísmo e circuncidados (Mt 23,15), presentes (At 2,11; 6,5); e os simpatizantes, homens religiosos, *phoboúmenoi* (At 10) ou *sebómenoi* (At 17,4). → Pagãos.

Prostituição. Como fato profano, é atestada pela história de Tamar (Gn 38), e os sapienciais previnem contra seus perigos (Pr 5; 7). A prostituição sagrada, praticada entre outros povos (Nm 25), é proibida em Israel (Dt 23,18). É imagem frequente da infidelidade de Israel a Deus, especialmente em Ezequiel. → Matrimônio.

Provérbios, aforismos, sentenças: uma das formas do *mashal*. Jesus utiliza generosamente o gênero em seu ensinamento e pregação. Poder-se-ia compilar um repertório ou antologia deles, como um texto sapiencial do AT.

Publicano. Cobrador de impostos a serviço de Roma; iam acompanhados e protegidos por policiais. Havia dois tipos de impostos: o geral (*kensos*, *phoros*) e o da alfândega ou do fiador (*telos*). O sistema se prestava a abusos: o cobrador, e mais ainda o chefe, se enriqueciam às custas da população, por isso eram malvistos e chamados de pecadores. Convertem-se Levi-Mateus e Zaqueu. Oração do publicano (Lc 18,9-14).

Pureza/impureza. → Introdução ao Levítico. Metáfora de → pecado em Ezequiel. A legislação do Levítico e do Deuteronômio e mais ainda a interpretação rígida dos fariseus são abolidas por Jesus (Mt 15,11ss) que insiste na pureza interior, que é uma bem-aventurança (Mt 5,8). → Profano.

R

Rabi, rabino. Pela etimologia, é título honorífico, na prática era título do mestre. O Batista e com frequência Jesus o recebem. Às vezes se traduz por *didáskalos* = mestre ou *epístates*.

Reconciliação. É o processo ou ato pelo qual se restabelecem as relações de amizade entre o homem ou o povo e Deus. Naturalmente, a iniciativa é de Deus, que deseja a vida e oferece o perdão; o homem responde pedindo perdão, aplacando, expiando. Deus dá no culto uma expressão objetiva e pública da reconciliação, individual e coletiva: é especialmente a expiação (Lv 16); expia-se pelo homem ou pelo pecado (Lv 4,20.31); o Servo que sofre e morre expia pela multidão (Is 53). A reconciliação com Deus é um fato interpessoal que às vezes inclui um castigo limitado como reparação (Ex 32). Ml 3,24 fala de uma reconciliação messiânica dos pais com os filhos. Os homens devem reconciliar-se entre si para restaurar a fraternidade: Jacó e Esaú (Gn 32), José e seus irmãos (Gn 50), Moisés e Maria

(Nm 12). NT: Texto básico 2Cor 5,18ss: Deus reconcilia consigo o homem, por meio de Cristo. Pregá-la é o ministério apostólico primário. Reconciliam-se judeus com pagãos (Ef 2,16), o céu com a terra (Cl 1,20). → Perdão. → Pecado.

Redenção. É um ato de solidariedade baseado em relações de família ou de clã, regulada segundo o grau de parentesco; seu objeto podem ser propriedades, que retornarão à família (Lv 25), escravos que vão recuperar a liberdade da própria família (Lv 25), a vida de um homem assassinado que deve ser vingada com a morte do assassino (Nm 35,14ss) ou com a mulher viúva (Rt). O esquema é aplicado a Deus, que se faz solidário com seu povo, e o redime da escravidão (Ex 6,6), livra-o do cativeiro (Is 2), também da morte (Os 13,14). Embora às vezes se diga que Deus compra, a rigor redime sem pagar preço, e em última instância vinga a morte sem causar outra morte. Jó apela ao vingador de sua morte e espera ser vingado (Jó 16,18ss; 19,23-27). O NT prolonga o uso dos verbos hebraicos *pdh* e *g'l*. No sentido genérico de libertar (Lc 1,68; 2,38; 24,21); de uma conduta (Tt 2,14; Hb 9,15; 1Pd 1,18). Com o matiz de comprar, resgatar uma propriedade alienada (1Cor 6,20; 7,23; Gl 3,13; 4,5; Ap 5,9); para adquirir (Ef 1,14) por um preço (1Pd 1,18; Rm 3,24). Com o matiz de resgatar de uma escravidão (Rm 8,23; Ef 4,30).

Refúgio. → Asilo.

Rei. A monarquia é uma experiência histórica de Israel, desde o princípio carregada de polaridade e tensões. Pelo exemplo dos vizinhos e pelas necessidades internas, o povo pede mudança de regime: Samuel responde recordando a realeza do Senhor e os perigos de uma monarquia autocrática (1Sm 8,7; 12,12). A experiência de Saul (como antes Abimelec, Jz 9) se mostra negativa. Com Davi chega um rei escolhido por Deus, que triunfa, recebe uma promessa e polariza as esperanças do povo (Sl 89; 132). Experiência negativa são o cisma e muitos reis, com poucas exceções, como Ezequias, Josafá e Josias. Atividade do rei é defender o povo na → guerra, administrar a justiça na paz, proteger e também oficiar no → culto. O rei ideal é retratado em Sl 45 e 72.

Reino, reinado. Como território e posse, como exercício do poder real. Mantém-se certa ambiguidade de significado. O reinado se aproxima, chega, começa, no reino a pessoa entra e se incorpora. Termo (*basileia*) típico dos sinóticos. O Batista e Jesus o anunciam. É transcendente e presente, futuro e atual. Está para chegar (Mc 1,15), já chegou (Mt 12,28), está no meio (Lc 17,20s). É dom de Deus (Lc 12,32; 21,29), não depende da raça (Mt 8,12), mas da conversão (Mc 1,15) e obediência a Deus (Mt 7, 21ss). As parábolas do reino propõem ou sugerem essa tensão entre o presente escondido e o futuro manifesto (Mt 13 e 21). Reino, reinado de Cristo (Lc 23,42; Ef 5,5; 2Tm 4,1).

Ressurreição. Entendida como simples reanimação, encontra-se na hagiografia de Elias e Eliseu (1Rs 17; 2Rs 4). Entendida como vida que misteriosamente continua, se diz de Henoc e Elias (Gn 5,24; 2Rs 2). Entendida como vida renovada depois da morte, prepara-se com o símbolo dos ossos (Ez 37), afirma-se com o símbolo do orvalho celeste que fecunda a terra das sombras (Is 26,14-19) e com a história do servo (Is 53). Com toda clareza a afirmam Dn 12,2, distinguindo bons e maus, e 2Mc 7,9; 11,23; 14,46. É doutrina implícita no livro da Sabedoria. Baseia-se no poder de Deus sobre os vivos e os mortos, em que Deus quer a vida e não a morte, em que Deus é um Deus de vivos. NT: Admitida pelos fariseus, ao contrário dos saduceus (Mt 22,23; At 24,15); afirma-a no sentido de "levantar-se" para comparecer a julgamento. (Em Jo 5,29, a palavra grega significa levantar-se: de quem jaz, do sono, da morte, seguindo o hebraico *qum*.)

Ressurreição de Cristo. Os relatos se distinguem pela variedade nos Evangelhos; não há uma série e ordem estáveis; sublinham a identidade do Ressuscitado; começam a explicar o sentido e acrescentam instruções eclesiais. Dar testemunho da ressurreição de Jesus é missão

primordial do apóstolo (At 1,21; 2, 32 etc.). Doutrina: Jesus é a ressurreição (Jo 11,25); texto básico (1Cor 15). Dos cristãos (Rm 8,11; 2Cor 5,4; 1Cor 6,14); Jesus os ressuscita (Jo 6,39.44.53). → Vida. → Morte. → Eternidade.

Ressuscitar. No sentido transitivo: em Naim (Lc 7,11.17), a filha de Jairo (Mt 9,18-26), Lázaro (Jo 11). Dorcas (At 9,36-43), Êutico (At 20,9-12).

Resto. O povo escolhido é portador e revelador de salvação na história, tem uma → promessa de continuidade que não falhará, e possui ao mesmo tempo uma exigência de fidelidade. Esses dois elementos dão origem ao conceito do resto: Deus castiga a infidelidade do povo deixando apenas um resto. Esse resto é a continuidade de história, de salvação e de esperança. A ideia está presente em textos como Nm 14, inclusive na história de Noé, em escala universal. O termo é frequente em Isaías (Is 1,9; 4,3; 6,13; 7,3). Durante o exílio se põe o problema da identificação: segundo Jeremias e Ezequiel, o resto são os exilados de Babilônia (Jr 24; Ez 48). O resto de Israel receberá as promessas messiânicas (Zc 8,11ss; Jr 23,3; Mq 5,6).

Retribuição. Funda-se na ideia de que Deus julga para premiar e castigar as ações livres do homem. Sendo Deus o juiz universal, a retribuição se estende a todos os povos: provam-no os oráculos contra as nações e textos como Ex 1,20. Dentro da → aliança, a retribuição toma a forma de → bênçãos e maldições (Lv 26; Dt 28). A retribuição exige proporção entre o ato e a sanção: isso se expressa em fórmulas proféticas que imitam a lei do talião. Mas acima dessa proporção está a soberania de Deus, que pode adiar o → castigo (Am 7,1-3), limitá-lo e até suprimi-lo. A retribuição pode ser coletiva (2Rs 17; Jr 20,6) ou individual (Ez 18; 33,10-20; Eclo 16,11-23); a segunda significa um progresso na reflexão teológica; consolida a responsabilidade pessoal e abre para a esperança. Às vezes se salienta o aspecto pessoal do Deus irado que castiga; às vezes se destaca o aspecto imanente, o culpado atrai a si o castigo. A retribuição se converte em princípio teológico narrativo na história deuteronomista (Js, Jz, 1Sm, 2Sm, 1Rs, 2Rs), exacerbada na obra do Cronista. Mas dado que a retribuição tem como horizonte esta vida, o princípio entra em crise nos livros do Eclesiastes e Jó e em alguns salmos (Sl 49; 73). Só alargando o horizonte para a outra vida se resolve o problema, sobretudo na Sabedoria. NT: *Castigo*: os maus vinhateiros (Mt 21,33-46), impostores (2Cor 11,15). Por abuso da eucaristia (1Cor 11,30). Por não crer (Lc 20,17-28), por não converter-se (Mt 11,20-24). Da Babilônia simbólica (Ap 18). *Prêmio*: já na terra (Mt 10,30s), escatológica (Mt 25; Rm 2,6; Ap 2,23; 20,12s). Segundo as obras (2Tm 4,14; Hb 11,6; Ap 22,12); sem proporção com os sofrimentos (Rm 8,18); a herança (Cl 3,24) ou a vida eterna (Mt 25,46). → Obras.

Revelação. O sujeito é Deus, que manifesta algo de si mesmo, do homem, da história. Deus revela seu nome (Ex 3), suas qualidades, especialmente sua santidade, mas nenhuma figura (Dt 4) revela seu plano e seu estilo ou modo de agir. Também revela o homem em sua atitude frente a Deus, desmascarando e iluminando seu interior; desse modo desenvolve a → consciência do homem bíblico. Revela o sentido da → história, descobrindo sua dimensão sobre-humana de salvação, o que inclui a explicação do passado, o anúncio e interpretação do futuro (Is 40-55). São meios típicos de revelação: a glória na teofania, a ação ou braço e sobretudo a palavra; ação e → palavra sintetizam-se na solidez e claridade: nem meras palavras nem fatos ambíguos. São formas menores de revelação os sonhos, as sortes, a visão, algum mensageiro ou anjo. À revelação o homem responde conhecendo e reconhecendo, com ato livre e responsável. → Fé. NT: Descobrir o oculto. Informar sobre dados ou manifestar em ação. O Pai revela a Pedro (Mt 16, 17), o Pai nos revela o Filho (Gl 1,16). Jesus revela o Pai (Mt 11,25ss; Jo 1,18; 14,9); revelar-se-á na parusia (2Ts 1,7). O Espírito revela a intimidade de Deus (1Cor 2,10), revela

progressivamente (Jo 16,13). A condição plena de filhos de Deus se revelará (Rm 8,19; 1Jo 3,2). O Apocalipse é chamado de "revelação" (1,1).

Rins. → Corpo.

Riqueza. A riqueza é um bem que Deus concede aos patriarcas ou ao povo nas bênçãos da aliança. Mas não são bens simplesmente: há outros bens superiores, sobretudo a amizade com Deus (Sl 4; 73). A riqueza pode induzir o homem à falsa confiança (Sl 62), também a uma concepção imanente do ciclo de produção e consumo (Dt 8). Especialmente se condena a acumulação de bens que acarreta a exploração de outros (Am, Mq); também a concentração do rei ouve as condenações proféticas (Is 3), embora suscite a admiração de algum historiador da corte (1Rs 5). O Eclesiastes faz crítica sistemática ao afã de riquezas, e Pr 30,7-9 põe o ideal no meio termo entre riqueza e → pobreza.

Rocha. → Pedra.

Roma. Em 63 a.C. a Judeia é incorporada à província romana da Síria; é governada por um procurador ou governador romano ou por reis e etnarcas sob a tutela de Roma. Os romanos se reservam várias decisões jurídicas, respeitam a religião e costumes locais. Cobram impostos (por meio de cobradores locais, → publicano), mantêm tropas de ocupação. Aceitos pelos saduceus, tolerados pelos fariseus, odiados por grande parte do povo. As duas revoltas armadas contra Roma, nos anos 70 e 135, terminam tragicamente com a destruição do templo e a devastação de Jerusalém e da Judeia. → Babilônia.

Rosto. → Corpo.

S

Sábado. Parece que Israel recebeu de outros povos a instituição do sábado. É um preceito do decálogo fortemente inculcado. Ex 20 oferece uma motivação teológica, o homem participa do descanso de Deus criador; Deuteronômio dá uma motivação social, descanso de todos, sem diferença de classes. Depois de ter projetado a prática da semana com seu descanso como esquema da criação (Gn 1), esse texto retorna para justificar a instituição humana. O sábado é sinal da aliança (Ex 31,12-17); com o passar do tempo, torna-se um dos preceitos capitais, chave de identificação do povo (Ne 13) e até leva a uma crise grave na guerra (1Mc 2,32-38). O sábado não se celebra cultualmente; sua santificação consiste em não trabalhar; a transgressão tem pena de morte (Nm 15,32-36) ou de excomunhão (Ez 20, 13). → Descanso. Jesus polemiza contra a interpretação exagerada e casuística do preceito bíblico; relativiza seu valor, subordinando-o ao homem (Mt 22,27), coloca-o sob sua autoridade (Mc 2,28). Por outro lado, ensina no sábado nas sinagogas (Mc 1,21; 6,2); o mesmo fará Paulo (At 13,14). Os cristãos logo abandonaram a observância do sábado e celebraram o "primeiro dia" como dia do Senhor (*kyriakós*) (1Cor 16,2; At 20,7).

Sabedoria. → Introdução aos livros sapienciais. A sabedoria-sensatez-habilidade era uma qualidade e atividade humana, internacional, transmitida e aprendida em diversos ambientes. Em tempos posteriores, os "sábios" (*hakamim*) se concentram no estudo e na explicação da *torá*. Jesus retoma em seu enfoque e estilo a tradição antiga (parábolas, aforismos), superando a estreiteza dos mestres, seu legalismo, e ensinando com autoridade. *a)* Deus é sábio em seus planos secretos (1Cor 2,7), é o único sábio (Rm 16,27), profundo (Rm 11,33), múltiplo (Ef 3,10). *b)* Jesus é a sabedoria de Deus (1Cor 1,27), encerra todos os tesouros de sabedoria (Cl 2,3), progride na sabedoria (formação humana) (Lc 2,40.52), propõe coisas novas e antigas (Mt 13,52). *c)* Sabedoria humana e divina, distinção e polêmica. Texto básico (1Cor 1-2) carnal/espiritual (2Cor 1,12/Cl 1,9); do alto/terrena (Tg 1,15); humana-mundana/divina (1Cor 2,13; 3,19/1,21). A Sabedoria de Deus ganha crédito (Lc 7,35), a humana é confundida (Rm 1,22); Deus esconde sua revelação aos doutos (Mt 11,25). *d)* O homem pode adquirir essa nova sabedoria como dom de Deus (Tg 1,5), como carisma do Espírito (1Cor 12,8;

Ef 1,17), assim poderá ensinar os outros (Cl 1,28).

Sacerdote(s). O ofício sacerdotal não é um monopólio: no princípio o oficiante é o patriarca, o pai de família (Jz 17); mais tarde, o rei. Já em tempos antigos parece que membros da tribo de Levi se especializaram nas funções cultuais (Jz 17-18) num processo crescente de exclusivismo. Quando o poder dela se estabelece e é grande, parece que projetam para trás, à história remota, seu papel na vida do povo: na tribo de Levi sobressaía Aarão como cabeça de dinastia; Salomão elimina o ramo de Abiatar e estabelece o de Sadoc, que domina até o século II a.C. Com a reforma de Josias, os simples levitas ocupam posto secundário em relação aos aaronitas, embora as Crônicas se esforcem por exaltar o papel dos levitas. Depois do exílio, o sumo sacerdote assume funções de governo, até que se invertem os fatores e os reis asmoneus exercem funções de sumos sacerdotes. Nm 16 informa sobre problemas de competência e autoridade. Condições para o sacerdócio em Lv 21. Funções: abençoar (→ bênção) (Nm 6), oferecer sacrifícios (→ sacrifício) (Lv 1-7) e ofertas (Dt 26), instruir (Lv 13; Ml 2,6-8), julgar (→ julgamento) (Dt 17,8). Os profetas denunciam abusos cometidos por sacerdotes: Jr 2,26; Ez 8; Am 7,10-17; Os 4,4-6. O → Messias será sacerdote, segundo Sl 110,4, embora não de linha davídica, ao passo que Zc 3-4 fala de dois personagens, sumo sacerdote e messias. NT: Judeus (Mt 8,4) convertidos (At 6,7). Jesus Cristo na exposição de Hebreus. Os cristãos (1Pd 2,5.9; Ap 1,6; 5,10; 20,6). Não no sentido diferenciado atual. → Culto.

Sacrifício. → Introdução a Lv 1-7. NT: *a)* Jesus, embora admita o culto (Mt 21,13), relativiza seu valor: é preciso antes reconciliar-se com o irmão (Mt 5,23); mais vale a misericórdia (Mt 9,13). Estabelece uma nova aliança (Lc 22,20), um novo modo de culto (Jo 4,21-24), apresenta-se como novo templo (Jo 2,21) e anuncia a destruição do antigo (Mt 24,1s). *b)* A morte de Jesus como sacrifício: anunciado em Mt 20,28, afirmado em Ef 5,2; figurado: no sangue da nova aliança (1Cor 11,25), no cordeiro pascal imolado (1Cor 5,7), atribui-se ao sangue derramado a redenção e expiação (Rm 3,25). Hebreus desenvolve o tema. João o chama cordeiro que tira o pecado (Jo 1,29), considera-o cordeiro pascal (Jo 19,14), atribui a seu sangue o perdão dos pecados (Jo 1,7; 3,5). *c)* O cristão oferece sua vida cristã como sacrifício (Rm 12,1).

Saduceus. Provavelmente vinculam seu nome a Sadoc, sumo sacerdote de Davi e Salomão. Formam uma espécie de seita religiosa e partido político: ricos, influentes, mas não tanto sobre o povo, amigos dos romanos, rivais dos → fariseus. Apegam-se à Escritura sem os acréscimos dos fariseus; não aceitam a ressurreição (Mt 22,23-34) nem anjos nem espíritos (At 23,6-8). São hostis a Jesus.

Sagrado e **profano**. → Introdução ao Levítico.

Salvação. É um conceito inclusivo, impossível de definir, e é quase a substância do AT. A salvação é obra de Deus (Sl 91; Os 13,4), de modo que salvador é um de seus títulos maiores; os ídolos não salvam (Is 45,20; 46,7), por isso não são deuses; o homem não salva (Is 26,18). Mas Deus salva por meio de homens: personagens carismáticos (Juízes), o rei (1Sm 9,16; 11,3). O salvador definitivo será o → Messias (Is 19,20; Jr 23), com uma salvação perpétua oferecida a todos. O êxodo (Ex, Nm e Js) oferece o esquema narrativo fundamental para entender a salvação como obra histórica: salva-se de algo, da escravidão e do trabalho forçado, tirando do Egito; salva-se para algo, para dar como posse uma → terra, a Palestina. Esse esquema bimembre se amplia com uma peça intermédia, o caminho pelo → deserto, no qual o povo tem de aceitar e realizar a salvação. As três etapas são dramáticas, porque os homens se opõem à obra de Deus: opõe-se o Faraó, e é derrotado num julgamento e numa batalha; opõem-se os próprios israelitas, que são salvos, e o Senhor os educa, põe à prova e seleciona; opõem-se os habitantes da terra, e os israelitas

têm de conquistar a promessa. A terra é a meta da escravidão e da peregrinação: por isso é liberdade e repouso. Mas a terra é tarefa do povo e é dom para todos: nela se pode repetir o drama da salvação. O segundo êxodo repete o esquema básico, mudando e enriquecendo suas peças e projetando-o para um futuro escatológico (cf. Introdução a Is 40-55). O esquema se aplica a outras situações do povo e do indivíduo, por isso se encontra em muitos salmos de súplica e ação de graças. A personalização é fundamental em todo o processo descrito: Deus atrai a si (Ex 19,4); liberdade é servir a ele; para voltar à terra é preciso voltar (= converter-se) a ele. É preciso aceitar a salvação reconhecendo seu autor e colaborando na tarefa. NT: Tem dois componentes, salvar de, salvar para; é total, o homem todo; e universal, todos os homens; e é gratuita. *a)* Salvar: do pecado (Mt 1,21), da → ira (Rm 5,9), da → morte (Tg 5,20). Salvar para a vida (Ef 2,5), para o reino celeste (2Tm 4,18). *b)* É total como mostram as curas (Mt 9,21), na tempestade (Mt 14,30); descer da cruz (Mc 15,30), mesmo da morte (Jo 11,12). Seu contrário é a perdição ou destruição (Tg 4,12). É universal (1Tm 2,4) e gratuita (Ef 2,5), pela → fé (At 16,31). → Redenção.

Salvador. Título de Deus (Tt 1,3), de Jesus Cristo (At 5,31).

Samaritanos. Por suas origens e crenças, eram considerados pelos judeus como cismáticos, quase pagãos; não tinham relacionamento. Admitiam só o Pentateuco como Escritura e consideravam o monte Garizim como único lugar legítimo de culto. Em parábola Jesus apresenta como modelo um samaritano (Lc 10,30-37), converte uma mulher e toda uma população (Jo 4), só um samaritano volta para lhe agradecer (Lc 17,11-19). Enquanto ele vivia, os apóstolos não devem pregar na Samaria; depois da ressurreição, sim (Mt 10,5; At 1,8).

Sangue. O sangue, como o alento, é sede da vida humana (Dt 12,23); Deus o reserva a si e declara-o sagrado e proíbe os israelitas de comê-lo (Dt 12,16.23; 1Sm 14). Derramar sangue é, em sentido estrito, homicídio: o homicida é responsável, "o sangue recai sobre sua cabeça" (2Sm 1,16), mancha as mãos (Ez 23,37.45); Deus pede contas dele (Gn 42,22); o sangue "brada ao céu" (Gn 4,10; Jó 19,25). Há homens sanguinários (2Sm 16,7) e uma cidade sanguinária (Ez 22,2). Deus concede ao homem o sangue de animais para que o ofereça e derrame no sacrifício (Lv 17); salpica o altar e asperge o povo selando sua aliança (Ex 24,5-8), expia e purifica (Dt 21,8); é sinal expiatório que protege os israelitas no Egito (Ex 12). A lua ensanguentada será sinal terrível (Jl 3,3). NT: → Sacrifício: da nova → aliança (Lc 22,20; Hb 13,20), de expiação (Rm 3,25; Hb 9-10), preço do resgate (1Pd 1,19), penhor de paz com Deus (Cl 1,20; Ap 5,9). Sangue eucarístico: é verdadeira bebida (contra o uso e sentimento hebraicos). O de Cristo pede uma vingança que consiste no perdão (Hb 12,24).

Santidade. → Introdução a Lv 17-26. NT: Condição especial e exclusiva da divindade, à qual o homem acede pela consagração. Sugere transcendência total e absoluta perfeição moral. A dupla oposição sagrado/profano e santo/pecador às vezes se sobrepõe. É próxima da perfeição. Deus é santo (Ap 4,8): assim o Filho o chama (Jo 17,11) e o cristão há de fazê-lo na oração (Mt 6,9). Jesus é santo, consagrado pelo Espírito (Lc 1,35; Mc 1,24). O Espírito é Santo (Jo 20,22) e consagra (Rm 15,16). Consagrados (*hágioi*) é título frequente dos cristãos; pode ter um componente ético (Cl 3,12; Ef 5,27). → Cumprimento.

Santuário, tabernáculo. É sua origem a tenda móvel que serve de recinto sagrado, depois todo o recinto do templo ou o edifício dentro dele. Referido como tipo do céu (Hb 8,2.5; 9,11s) e da Jerusalém celeste (Ap 21,3).

Satã/Satanás. → Demônio. → Diabo.

Segredo messiânico. Jesus proíbe divulgar que é ele o Messias: aos demônios (Mc 1,25), aos curados (Mc 1,44), aos apóstolos (Mc 8,30).

Selo. Serve para fechar algo com garantia: o sepulcro (Mt 27,66), o livro (Ap 5,2; 6,1), o Abismo (Ap 20,1). Serve para

deixar a marca de garantia e proteção (Ap 7,2; 9,4); o selo ou marca do Espírito (Ef 1,13; 4,30).

Senhor. Tradução de *'adonay* = *Yhwh*. Título e nome de Deus (Lc 1,38; At 17,24). Título de Cristo (Mt 21,3; Lc 7,13; 11,39) em João depois da ressurreição (Jo 20,18); o mesmo em At 3,26, na invocação *marana tha* (1Cor 16,22), inserido na fórmula *nosso Senhor Jesus Cristo*. É o título supremo de Fl 2,11, e dá nome ao domingo = *dies dominica*, *kyriakós* (Ap 1,10). Título do Espírito (2Cor 3,17).

Sensatez. Conceito fundamental do mundo e da literatura sapienciais, com seu oposto, a insensatez (*hokmá/kesilut*). A sensatez é como que o artesanato do espírito, que dá sentido e acerto à vida humana. É universal pelos campos que abrange, é internacional porque transcende as nações, transcende as gerações, transmite-se por → tradição. É fruto de capacidade natural, e depois de aprendizagem, experiência e reflexão. Pode ser carisma ou dom especial de Deus (1Rs 3; 5; 10); para o Messias (Is 11). A sensatez-sabedoria fica impressa na → criação e a mantém na ordem; dela participam também os animais (Jó 39; 12,7). Aparece personificada em sua tarefa criadora (Pr 8; Eclo 24) e educativa (Pr 9; Eclo 16; 51).

Sensualidade. Manifesta-se no comer e no beber, nas comodidades, na luxúria. Dt 21,18-21 apresenta o caso de um filho rebelde "comilão e beberrão". Se Pr 23,29-35 dá uma descrição irônica e condescendente do beberrão, os profetas são mais enérgicos em suas denúncias (Is 5,11.12.22). Am 6,4-6 expõe o refinamento dos banquetes, Is 28,7s dá uma nota da orgia. Ben Sirac recomenda a moderação nos banquetes (Eclo 31,12-32,13), também Pr 23,1-3. Sobre a *luxúria* Eclo 23,16-27 oferece uma introdução. Eclesiastes faz um balanço negativo sobre o valor de todos os prazeres acumulados por seu fictício Salomão (Ecl 2,1-11). Domínio próprio (Eclo 18,30-19,3).

Sentidos. Por antropomorfismo se atribuem sentidos a Deus: vê o manifesto e o oculto, ouve as orações e o que se diz, cheira o aroma dos sacrifícios e do incenso, toca com a mão. Os sentidos do homem são usados como símbolo de experiências superiores. *Ver*. Em Ex 33,20 se afirma categoricamente que "o homem não pode ver a Deus e continuar vivo"; a mesma ideia está implícita em Jz 13,22. Por seu turno, outros textos falam de ver a Deus face a face (Gn 32,31; Dt 34,10), ou simplesmente "ver a Deus" (Ex 24,10s; Jó 42,5). "Ver o rosto de Deus" pode significar simplesmente visitá-lo no templo, apresentar-se perante sua presença invisível (Ex 34,24; Is 1,12). Na espiritualidade dos salmos se expressa o desejo ou a esperança de ver a Deus (Sl 11,7; 17,15; 34,6; 42,3; 63,3). A vista pode adivinhar a presença de Deus na teofania ou na nuvem. *Ouvir*. É óbvio, porque a comunicação com Deus é antes de tudo verbal. Como se faz por um mediador, legislador ou profeta, o ouvir se diz em sentido próprio. O povo teme escutar diretamente a Deus (Ex 19,19s). No trovão se ouve a voz inarticulada de Deus (Sl 29). *Cheirar*. À parte o prazer ou o desgosto, o olfato pode ter força especial de sugestão: na esfera do amor sensual (Ct) e fraternal (Sl 133). Supõe-se que o aroma dos sacrifícios aplaca a divindade. *Degustar*. O gosto material é metáfora de discernimento (Jó 12,11; Eclo 36,24). O orante é convidado a saborear a Deus (Sl 34,9). Sua lei e sua palavra são doces e saborosas (Sl 19,11; Ez 3,3). *Tocar*. O povo deve "apegar-se", "aderir" a Deus (*dbq*); a metáfora é tão frequente que parece lexicalizada (como nossa "adesão"); em Jr 13 adquire força plástica, é expressiva em Sl 63,9. Também é frequente a imagem da mão de Deus apoiada ou arrebatando o profeta (Ez 1,3; 3,14) ou tomando o homem pela mão (Is 41,13; Sl 73,23). Também parece lexicalizada a expressão "acariciar o rosto" com o significado de aplacar (Ex 32,11; 1Sm 13,12; Jr 26,19). Deus "carregou" o povo desde o nascimento (Is 46,3s), levou-o "em asas de águia" (Ex 19,4); o orante ao nascer passa para as mãos de Deus (Sl 22,10s; 71,6).

Sentimento. → Afetos.

Serpente. No paraíso personifica o poder adverso a Deus e que tenta o homem com astúcia e engano (Gn 3): a imagem parece tomada de representações mitológicas da serpente como poder cósmico rebelde; disso ficam traços no AT: Is 51,9; Sl 136,13. Desce ao fundo do mar (Am 9,3) e fere no deserto (Dt 8,15). O Senhor a fere e derrota (Jó 26,13). Na era escatológica será aniquilada (Is 27,1) ou se tornará mansa e brincará com o menino (Is 11,8). Os perversos participam da sua natureza: o império agressor (Is 14,29), os chefes depravados (Sl 58,5s; 140,4). A serpente de bronze era sinal salvador, pela visão (Nm 21) ou pela fé (Sb 16,5-7); mas não devia ser venerada (2Rs 18,4). NT: Exemplo de astúcia (Mt 10,16), temível por seu veneno e usada como injúria (Mt 23,33). Cristo na cruz é antítipo da serpente benéfica de Moisés (Jo 3,14). Referência à serpente primordial (Gn 3) em 2Cor 11,3; Ap 12,9; 20,2.

Servo. Embora a legislação distinga entre escravo, empregado e assalariado, o termo hebraico "servo" tem múltiplos usos. É o escravo numa economia rural, é o ministro do rei, um rei vassalo de seu soberano. Servos do Senhor são: no campo cultual, todo o povo (culto = serviço) e, de modo específico, os sacerdotes; no político, o povo é vassalo de Deus (→ aliança), o rei terreno é como vice-rei de Deus (Sb 6), o profeta é servo em sua função de mensageiro ou embaixador de Deus. Servos são alguns personagens famosos: Abraão, Moisés, Josué, Davi e Jó. De modo especial falam de um servo do Senhor os quatro cânticos do Segundo Isaías (cf. Introdução), que de algum modo remetem ao → Messias. NT: O apóstolo é servo de Cristo (Rm 1,1; Tg 1,1). Os cristãos fiéis (Ap 1,1). → Escravo.

Setenta (= LXX). É a tradução grega oficial da Bíblia Hebraica, à qual se acrescentam os livros deuterocanônicos (alguns escritos originalmente em grego). É o texto citado normalmente no NT, embora nem sempre corresponda ao hebraico original.

Silêncio. → Falar.

Símbolos. → Interpretação.

Sinagoga. Edifício local de culto. Governado por um chefe ou arqui-sinagogo (Mc 5,22), com um empregado ou sacristão (Lc 4,20). A celebração costuma seguir uma ordem fixa: o *xemá* ("Ouve, Israel", Dt 6) com outras orações, leituras da *torá* e profetas, homilia, bênção. Jesus aproveita a instituição para ensinar (Lc 4; Jo 6), como também os apóstolos (At 3). Expulsar da sinagoga é uma espécie de excomunhão (Lc 6,22; Jo 9,22.34).

Sinal. Usa-se para reconhecer, como a insígnia das tribos (Nm 2), o cordão na janela (Js 2,12); ou para recordar (Js 4,6; Nm 17,3.25); serve para manifestar e declarar (Is 19,20; 66,10). É garantia que Deus dá ou exige: o arco-íris (Gn 9,12), a circuncisão (Gn 17,11), o sábado (Ex 31,13). É também garantia de um oráculo (Jz 6,17; Is 7,11), de uma missão (Ex 3,12). Às vezes esses sinais têm caráter milagroso, ou seja, superam a possibilidade de compreensão ou domínio dos que o recebem (Dt 4,34; 7,19), e por isso apontam para Deus. As ações simbólicas dos profetas são como pantomimas, oráculos em ação (Is 20). → Milagre.

Sinédrio. Grande Conselho, senado (*gerousia*). Supremo corpo de governo e judicial. Compreende: sumos sacerdotes (famílias sacerdotais dominantes), chefes de família da aristocracia (anciãos, senadores), letrados. São setenta, mais o sumo sacerdote que o preside. Julgam e condenam Jesus (Mt 26,57-68); reunião deliberativa prévia (Jo 11,45-52); julgam os apóstolos (At 4-6) e Paulo (At 22-23). → Autoridade.

Sinóticos. São os evangelhos de Mateus, Marcos e Lucas, que colocam problemas com suas coincidências e discrepâncias: em cada perícope, nas sequências, na tendência. A comparação permite agrupar perícopes que figuram na tradição tripla (Mt-Mc-Lc), tradição dupla (Mt-Lc), simples no resto. Têm sido elaboradas diversas teorias para explicar os fatos: *a)* uma teoria documental que põe como base Mc + uma fonte que se reconstrói (Q). *b)* Interdependência complexa. *c)* Tradição oral, na qual vão

tomando forma relatos e sequências, de acordo com formas relativamente estáveis, que os evangelistas empregam como materiais para sua composição pessoal. Hoje se estudam de preferência as formas comuns da tradição oral e o próprio de cada evangelista: crítica das formas/gêneros e da redação.

Soberba. O desejo de ser ou parecer superior aos outros é considerado no AT como vício capital, condenado por sábios e profetas; seu oposto é a humildade. O vocabulário da soberba usa duas raízes principais: *ge'* com seus derivados e *rwm* em composição. A soberba provoca, como castigo imanente, a humilhação; a humildade traz glória; a fórmula em paralelismo antitético (Pr 29,13). A oposição se extrema quando Deus entra em cena: Is 2,9-18 descreve a humilhação de toda a soberba humana e a exaltação única de Deus. Ben Sirac propõe uma instrução sobre a soberba (Eclo 10,7-17) e outra sobre a humildade (Eclo 4,17-24). Numa alegoria de árvore e como figura exemplar, Ez 31 descreve o desvanecimento do Egito e sua queda fatal até o Abismo; com outra imagem Is 14. Também é proverbial a soberba de Moab (Jr 48). Raiz e alimento da soberba pode ser a prosperidade (Sl 73,6; Ez 16,49), a abundância (Dt 8,11-17). A sabedoria detesta o orgulho (Pr 8,13), Deus o detesta e castiga (Pr 15,25; 16,5). O homem deve contentar-se e não aspirar ao que ultrapassa seu alcance (Sl 131,1-2); Deus favorece os humildes (Pr 3,34).

Sofrimento. → Paixão.

Sol. Além do uso comum, é dom de Deus sem distinções (Mt 5,45). Escurece na paixão (Lc 23,45), em Pentecostes (At 2,20), na → parusia (Mt 24,29); não será necessário no céu (Ap 21,23; 22,5).

Solidariedade e conceitos associados. Participar = partilhar recebendo uma parte com outros; partilhar dando do próprio, solidariedade como espírito de ambos. *a)* Partilhar, tomar parte: negativo (At 8,2), positivo (Cl 1,12). Jesus Cristo compartilha nossa carne e sangue (Hb 2,14), Pedro com Jesus (Jo 13, 8). Da vocação (Hb 3,1), da ressurreição (Ap 20,2), da mesa eucarística (1Cor 10,17), do Espírito (Hb 6,4). Compartilhar uma culpa é cumplicidade e solidariedade no mal (2Jo 11; 1Tm 5,22). *b)* Partilhar o próprio (Gl 6,6; Rm 12,13; 15,16). Solidariedade (At 2,42; 2Cor 9,13; Hb 13,16). → Amor.

Sonho. Tem valor ambíguo, de engano ou de → revelação (Eclo 34,1-8). *a)* Expressão de um desejo que não se cumpre (Is 29,7s); é engano (Dt 13,2; Jr 23,25-28; Zc 10,2). *b)* Pode ser meio de revelação como predição ou explicação: José sonha e interpreta sonhos (Gn 37 e 40; Jz 7,13). Na apocalíptica retorna o procedimento literário de sonho e explicação: → Introdução a Daniel. NT: Meio de revelação (Mt 1,24; 2, 12s), pesadelo (Mt 27,19), fantasia (Jd 8).

Sono, Jesus na barca (Mt 8,24), os apóstolos (Mt 26,40), os guardas (Mt 28,13), ter sono (At 20,9). Uso metafórico: preguiça (Ef 5,14), morte (Jo 11,11; At 7,60; 1Ts 5,10).

Sumo sacerdote. Antes vitalício, torna-se cargo anual desde Herodes Magno. É a autoridade religiosa suprema, preside o Conselho ou → Sinédrio, a ele se deve respeito sagrado (At 23,4). Segundo Hebreus, Jesus Cristo é o novo sumo sacerdote.

T

Talento. Originalmente unidade máxima de preço, conforme o peso, não cunhada, é de prata quando não se diz que é de ouro. Equivale a sessenta minas ou a seis mil denários (o denário é o salário de um dia). Usado em parábolas para indicar uma quantidade muito grande.

Targum. Tradução parafrástica e explicativa das leituras bíblicas que se liam em hebraico. Transmitidas em tradição oral e recolhidas mais tarde por escrito. Influíram no uso que o NT faz do AT, como se reconhece cada vez mais. → Interpretação.

Temor de Deus. No seu sentido originário é um componente do numinoso, é a surpresa da criatura na presença de Deus; redobra-se pela consciência de pecado que essa presença descobre. Tem esse caráter em textos primitivos (como Gn 28) e o conserva nas teofanias de castigo (Sl 14; 48; 68,36; 76); mas nelas, também o justo ou inocente se sente

surpreso (Sl 64). Até perdoando Deus infunde respeito (Sl 130). Com o tempo, o conceito de temor passa a designar o senso religioso do homem, e, dentro da aliança, a fidelidade: assim no Deuteronômio e em muitos salmos, nos quais a palavra hebraica, que etimologicamente significa temeroso, significa de fato "fiéis a Deus". Há textos em que o temor é paralelo do amor, do aderir ou seguir a Deus. Essa fidelidade inclui sobretudo o cumprimento da → lei de Deus, e mais tarde esse elemento se destaca até coincidir praticamente com o temor de Deus: é o caso de textos sapienciais. Em textos sapienciais, o "princípio da sabedoria é o temor de Deus", ou seja, o senso religioso (Pr 1,7; Eclo 1,13-16). NT: A raiz grega *phobeo* (como a hebraica *yr'*) pode significar: o temor ou o medo, a reverência devida a Deus, a intimidação diante do mistério. *a)* Medo: dos homens (Mt 10,26.28; 2Cor 7,5), do castigo de Deus (Hb 10, 27,31). Medo de não fazer algo perfeitamente, ou de esquecer detalhes (2Cor 7,15; Fl 2,12). *b)* Intimidação diante da aparição de anjos (Lc 1,12s.29s), diante de milagres (Mt 9,8; Lc 7,16), diante da transfiguração (Mt 17,6). *c)* É tradicional e frequente a fórmula "não temas", "não temais" ao apresentar-se o Senhor (Mt 28,5; Mc 5,36; Jo 6,20). A vitória sobre o temor é atitude básica do cristão (Rm 8,15; 1Jo 4,18).

Templo. É o lugar separado para o → culto, especialmente relacionado com a divindade: em princípio pode ser um lugar aberto (alturas), pode ser uma barraca de campanha ou pavilhão, pode ser um recinto com edifícios. Houve santuários antigos em Siquém, Betel, Gabaon, Silo. Entre Davi e Salomão se consuma a construção de um templo central para o povo. A descrição se encontra em 1Rs 6-7 e Ez 40,1ss. O sentido teológico é formulado sobretudo na oração de Salomão (1Rs 8). É lugar do sacrifício, do oráculo e da → oração. O templo tem uma dimensão positiva: é lugar da → presença de Deus, que recebe e dá audiência, nele está a → glória do Senhor; é garantia de proteção. Mas o templo pode desviar: sugerindo um Deus imóvel, criando uma falsa segurança (Jr 7). A coisa é tão grave, que o templo é destruído e a glória migra (Ez 1-10). Haverá um templo messiânico (Is 2,2-5; 56,7; 60; Ez 40-48), lugar de oração para todos os povos.

Tempo. A experiência de Israel é semelhante à nossa no seu nível ordinário; talvez saliente mais alguns aspectos qualitativos. A mesma divisão de passado, presente e futuro: o passado volta na memória e age com força modelando o povo; o presente é muitas vezes o ponto de referência do relato ("como acontece hoje") e pode ser o tempo da decisão ("se ouvires hoje a sua voz"); o futuro é o tempo da esperança, que induz à ação. Há um tempo inicial de cada coisa, que tem especial valor; também há um tempo final; e superando ambos está Deus (Segundo Isaías). Há um tempo intermédio de adiamento (→ deserto) e um tempo iminente de cumprimento. Distinguem-se os ritmos básicos do dia e da noite, de três estações, de meses e anos. Além disso, o ritmo histórico das gerações. E seções misteriosas que ultrapassam esses ritmos e se mostram não-abrangentes e incompreensíveis. O tempo circular rege as celebrações litúrgicas (Is 29,1), que repetem "o mesmíssimo dia" (Ex 12; Lv 23). De certa forma regem os esquemas narrativos (Jz 2). Coélet defende um tempo circular (Ecl 1,1-11) e um tempo de alternâncias (Eclo 3,1-8). A apocalíptica periodiza a história. NT: Vocabulário: o genérico *chronos*, semelhante ao nosso; *aion* = era, etapa, século; *kairós* = sazão, ocasião, conjuntura; anos, dias, horas; instante. Uma série (Ap 9,15), uma dupla (1Ts 5,1). *a) Aion* = idade, século = passado (*apo*) (At 15,18), imemorial (*ek*) (Jo 9,32), futuro (Ef 2,7), tem começo e fim (1Cor 2,7); simplesmente por toda a vida (*eis*) (Jo 8,35). *Séculos dos séculos* designa a perpetuidade. Deus projeta e controla as épocas (Ef 3,11; 1Tm 1,17). *b)* Ano da graça (jubilar) (Lc 4,19). → Dia do Senhor, de Cristo é a → parusia, o dia escatológico, último (Jo 6,39); pode significar o tempo da vida de Jesus (Jo 8, 56), dia do → julgamento (1Jo 4,17), da → ira (Rm 2,5), da salvação (2Cor 6,2),

da libertação (Ef 4,30). Hora: de Jesus (Jo 2,4; 7,30), chega (Jo 12,23; 17,1), a última (1Jo 2,18). Sazão (*kairós*) um tempo predefinido que se oferece como ocasião talvez única, talvez última (Lc 19,44s; 2Ts 2,6); é preciso aproveitá-la (Ef 5,16). Tempo: de preparação (Hb 1,1), da paciência de Deus (Rm 3,26), de salvação (Rm 3,25). O tempo indicado (Gl 4,4). → Eternidade.

Tentação. Deus tenta o homem pondo-o à prova, para que o homem se realize: o ser livre do homem cresce (Gn 22), a atitude se faz ato e se fortalece (Dt 8), o justo é acrisolado (Sb 3,1-9). Alguns textos apresentam dramaticamente um tentador: externo ao homem, como a serpente (Gn 3) ou Satã (Jó); ou interno, como o oráculo do Pecado (Sl 36). NT: Deve-se distinguir a provação que se deve superar para moderar-se e acreditar-se, e a tentação que é induzir positivamente ao mal. Pôr à prova não é induzir ao mal; ser tentado pode ser uma provação. *a)* As de Cristo são provas em que se confronta o desígnio do Pai com o oposto (sentido etimológico de *Satã*); Jesus vence e ganha crédito. *b)* O cristão deve suportar provações (Tg 1,3; 1Pd 1,7; 1Cor 11,19), é tentado pela concupiscência (Tg 1,13-15) e pelo Diabo, que é o tentador (1Ts 3,4s).

Teofania. → Revelação. → Glória.

Terra. Com o céu compõe o universo; é a morada do homem (Sl 115,16), ainda que continue sendo propriedade de Deus (Sl 24,1). Nesta terra se distingue a superfície, terra dos vivos (Sl 116,9), e a região subterrânea dos mortos (Is 26, 19). Também se distingue a terra universal, o orbe e os territórios, especialmente a terra prometida. Chama-se prometida porque Deus a promete aos patriarcas para dá-la a seus descendentes; pois, embora a terra inteira seja de Deus, o é de modo especial a que chamamos Palestina. É posse sagrada, reservada ao povo de Deus. Outrora a habitavam os cananeus, que a contaminaram com suas abominações (Lv 18,24-28) e por isso são desapossados (Sb 12). Ao dar a terra, Deus se revela doador e fiel à promessa. Esse dom inicial, que deve ser recordado, se atualiza com o dom anual da chuva e se materializa com o dom das colheitas. Em relação à terra do Egito, a nova é posse: nela os israelitas já não são migrantes; em relação ao → deserto, é cultivo e → descanso; numa visão mística ou não problemática, a terra é tarefa em outro plano (não só de cultivo), tem que ser conservada com a fidelidade do povo a seu Deus. A terra prometida inteira é dom ao povo inteiro, mas esse dom se realiza por meio de uma partilha de parcelas, realizada por sorteio; a parcela deve ficar na família, dando-lhe enraizamento e constituindo a → herança. Várias leis querem garantir essa partilha contra a expropriação global dessa terra; quem não tem uma parcela como propriedade tem direito ao sustento que essa terra dá (Js; Dt 26). NT: *a)* Como no AT, com o céu compõe o universo (Mt 28,18), passará com ele (Mc 13,31), dando lugar a outros novos (Ap 21,1). Como valor simbólico se opõe ao céu como o puramente humano ao divino (Mt 6,10.19; Lc 2,14; Jo 3,31). *b)* A terra habitada, universal (Ap 8,13; 13,3; Mt 10,34). A terra cultivada (Hb 6,7; Tg 5,18). *c)* O solo (Mt 10,29; Lc 22,44). A morada subterrânea dos mortos (Mt 12,40; Ef 4,9). *d)* Símbolo do reino (Mt 5,4).

Testamento. É o significado original do grego *diathéke,* que passa a significar tecnicamente aliança. Com os dois sentidos joga Hb 9,16s e Gl 3,16ss. A bênção de Jesus na ascensão pode ser considerada testamentária (Lc 24,50-52); o discurso da ceia (Jo 14-17) é discurso testamentário, segundo modelos do AT e de apócrifos.

Testemunha(o). No sentido corrente é quem presencia um fato, escuta pessoalmente um dito. No sentido jurídico, as testemunhas atuam notarialmente num casamento (Rt), numa compra (Jr 32). No sentido forense, as testemunhas apresentam provas de acusação ou defesa. A legislação se fixa sobretudo no último aspecto, para assegurar a → justiça dos tribunais (Ex 20,16; Dt 5,17; 19,18); também os sapienciais previnem contra a testemunha falsa (Pr 6,19; 25,18). Deus é invocado como testemunha num pacto (Gn 31; 1Sm 20,23). Quando Deus

pleiteia com seu povo, chama por testemunhas (notariais) o céu e a terra, e atua ao mesmo tempo como testemunha de acusação (Is 1,2; Sl 50). Israel deve ser testemunha de Deus, dando testemunho dele ante os pagãos (Is 43,8-13) e contra os falsos deuses. Moisés lega seu canto como testemunho perpétuo contra a infidelidade de Israel (Dt 31,19). NT: *a)* Pode ter o sentido judicial técnico, p. ex., no processo de Jesus (Mt 18,16). *b)* Geralmente significa uma declaração formal e pública na qual alguém se compromete. É central no pensamento de João. Textos básicos: Jo 5,31-39; 8,13-18; 1Jo 5. Deus dá testemunho sobre o Filho (1Jo 5,10), sobre o homem (At 15,8). Jesus com suas obras (Jo 10,25), diante de Pilatos (Jo 18,37; 1Tm 6,13); sobre o Pai (Jo 7,7). A Escritura dá testemunho (At 10,43; Rm 3,21). O Batista (Jo 1,7.15), Paulo (At 23,11), os apóstolos (At 1,8). Timóteo (2Tm 1,8). *c)* Sentido técnico de martírio (Ap 2,13; 17,6).

Trabalho. Aparece em seu aspecto positivo e negativo. É positivo como tarefa do homem sobre a → criação que ele deve submeter; até o paraíso tinha de ser cultivado (Gn 2,15). Deus quer um homem ativo. É negativo o esforço que supõe, o suor da fronte (Gn 3) e também a exploração do homem em trabalhos forçados, como fazia o Faraó no Egito (Ex 1; 5) ou Salomão em Israel (1Rs 12). Positivo é o trabalho quando produz frutos que o trabalhador desfruta (bênçãos); negativo, quando não produz frutos ou quando outro desfruta deles (maldições). A escatologia diz que essa maldição terminará (Is 62,8-9). Porque é valor positivo, os sapienciais o recomendam contra a preguiça (Pr 26,13-16; 24,30-34); mas outro sapiencial, Eclesiastes, se rebela contra o trabalho excessivo que impede de desfrutar a vida. O decálogo sintetiza trabalho e descanso no ciclo semanal. A festa das Primícias (Dt 26) comemora o fruto do dom de Deus e do trabalho do homem. Também Deus trabalha: na criação (Gn 1) e na sua ação constante; não se cansa e dá forças ao cansado (Is 40,27-31). Em outras religiões, o homem trabalha para que os deuses descansem; em Israel, Deus trabalha também quando o homem descansa (Sl 127), e o torna participante do seu descanso (Ex 20,11; Sl 94). NT: O exemplo de Jesus na sua vida oculta o recomenda (Mc 6,3; Mt 13,55); dos que ele escolhe como discípulos (Mt 4,18s); referência nas parábolas; como termo de comparação com a tarefa apostólica (Mt 9,37; Jo 4,38); Paulo o pratica (At 20,34; 1Cor 4,12) e o recomenda (2Ts 3,6). Trabalho mais importante são a obra de Deus (Jo 6,28s) e a tarefa apostólica.

Tradição. → Memória. A transmissão sucessiva da mensagem evangélica é essencial. Conteúdos concretos: a eucaristia (1Cor 11,23), o Creio (1Cor 15,3), os ensinamentos e normas (2Ts 2,15; 3,16). Opõem-se às tradições dos fariseus, que obscurecem e invalidam a Lei de Moisés (Mt 15,2-6) e outras tradições meramente humanas (Cl 2,8).

Transfiguração. Suprema manifestação da glória de Jesus em vida: prolonga a manifestação aos pastores (Lc 2), a do batismo, e antecipa a ressurreição. Descreve-se acumulando motivos simbólicos: → glória (Lc 24,26), → luz (1Cor 15,40-44; 1Jo 5,1), → nuvem (Mt 26,64; 1Ts 4,17), brancura (Mc 16,5; Mt 28,3), as tendas da presença, o → testemunho da Lei e dos Profetas e o do Pai. Vincula-se à → paixão (Lc 9,31). Textos (Lc 9,28-36 par.; 2Pd 1,16). O cristão participa dessa glória (2Cor 3; Fl 3,21).

Trevas. NT: Em sentido metafórico, é o mundo sem Deus (1Jo 1,5), do pecado (Jo 12,35), do demônio (Ef 6,12), do ódio (1Jo 2,11), do castigo definitivo (Mt 22,13). Deus é luz sem trevas (1Jo 1,5), das trevas tira luz (2Cor 4,6), transforma as trevas em → luz (Ef 5,8).

Trindade. O texto de Mt 28,19 corresponde a uma fórmula batismal posterior; é interpolação tardia (1Jo 5,7). Em outras passagens há menções trinitárias não convertidas em fórmulas: no batismo a voz do Pai, o Filho e o Espírito; Jesus Senhor (1Cor 12,3-6), o mesmo Espírito, o mesmo Deus (Ef 5,18-20; 1Pd 1,3.11.12): a despedida de 2Cor 13,13 é talvez uma fórmula litúrgica. Terminologia: é óbvio que o Pai é Deus; Jesus

Cristo é Deus (Jo 1,1.18), um com o Pai (Jo 10,30.33); Tomé o confessa (Jo 20,18; 1Jo 5,20; talvez Rm 9,5); embora não se diga expressamente que o Espírito é Deus, deduz-se claramente por sua ação e atributos, é chamado *kyrios* em 2Cor 3,17; figura como pessoa em At 15,28. → Deus.

Tristeza. Tem um vocabulário abundante. Representa-se como aflição, angústia, consternação, abatimento, pesar, amargura. A sua manifestação externa e social é o luto e o dó. Suas causas são várias: pessoais (Pr 14,10), familiares (Sl 35,14), pelos filhos, Jacó por José (Gn 37,34s), Davi por Absalão (2Sm 19,1-5), pela insensatez de um filho (Pr 10,1), por Jerusalém (Sl 102,15 e Lm), pela escravidão (Ex 1,14). Alguns efeitos (Sl 31,10). Amargura: Rt 1,13, de morte (1Sm 15,32). Tristeza por um pecado cometido é *arrependimento*: Davi (2Sm 12); Acab (1Rs 21); em atos ou preces penitenciais (Ne 9); deve ser interior (Sl 51). Uma variante é o remorso (2Sm 24,10). Contrária ao arrependimento é a obstinação ou teimosia, que se chama "cerviz dura" (Jr 7,26), "coração de pedra" (Ez 36,26), "de nuca inflexível e coração empedernido" (Ez 3,7); exemplo típico é o Faraó. → Alegria.

Trono. Assento e símbolo de autoridade real ou judicial. No Apocalipse, sentado no trono ou entronizado é título de Deus, rei supremo. Deus tem um tribunal especial, não para condenar, mas para perdoar, conceder graça (Hb 4,16). Jesus herda o trono real de Davi (Lc 1,32; Hb 1,8) e terá um trono para julgar (Mt 25,31). Os apóstolos terão tronos para julgar/governar (Mt 19,28). Também Satanás tem um trono em Pérgamo, onde reina (Ap 2,12).

Trovão. Voz de Deus em João (cf. Sl 29); elemento de teofania em Apocalipse; talvez a "grande voz" de Mt 27,50 aluda à teofania (*qol gadol*).

U

Unção. → Messias. NT: *a)* Como os aromas e essências se dissolviam em óleos, ungir = perfumar pode ter sentido festivo (Mt 6,7), de agrado (Lc 7,38-46; Jo 12,1-8); há um perfume de festa (Hb 1,9, citando Sl 45). *b)* Pelas propriedades do óleo há uma unção medicinal (suaviza, protege) (Lc 10, 34), e se usará na unção ritual dos enfermos (Tg 5,14). *c)* Penetrando, o óleo tonifica, robustece, e se usa na consagração: do Messias (Lc 4,18, citação de Is 61,1; At 10,38); do cristão pelo Espírito Santo (2Cor 1,21; 1Jo 2,20.27).

Universalismo. → Escolha.

V

Vaidade. Manifesta-se no → louvor próprio, no gloriar-se e ostentar. Um rei se gaba de edifícios faustosos (Jr 22,15). Senaquerib, de suas conquistas (Is 10,8-15), Tiro personificada se envaidece de sua beleza e poder econômico (Ez 27, 2s), chega a crer-se um deus (Ez 28,2-10); Babilônia personificada diz: "Eu e ninguém mais" (Is 47,8). Isaías zomba da vaidade das mulheres de Jerusalém (Is 3,16-24).

Vento. *a)* Simples *meteoro* percebido como dinamismo suave ou violento (Is 7,2; Ez 5,2; Sl 35,5), em particular o solão cálido e enervante (Jr 18,17; Ez 17,10). *b)* O vento/ar da *respiração*, dinamismo vital, muito claro em Ez 37, que une o cósmico com o humano. *c)* O vento revelando a presença de Deus, *teofania* (Ez 1), ou sua ausência (Elias, 1Rs 19). Vento a serviço de Deus (Sl 104,3s; Eclo 43,17.20). *d)* Vento divino, dinamismo criador e ordenador (Gn 1); antropomorfismo, sua respiração ou sopro (Sl 18,16; Ex 15,8). *e)* Vento/dinamismo que Deus comunica ao homem para uma missão (= *carisma*) (Nm 11; Dt 34,9; Is 11; Mq 3,8). *f)* Por sua leveza, metáfora de nulidade (Jr 13,24); joga com o duplo sentido de nulidade e alento vital (Jó 7,7). NT: Além de *pneuma*, relacionado com o Espírito, o NT fala de *ánemos* como força destruidora (Mt 7,25), que Jesus controla (Mc 4,39), e os quatro anjos de Ap 7,1. Também serve para indicar falta de orientação, movimento sem rota (Ef 4,14).

Verdade. Embora a terminologia não esteja tão claramente diferenciada como em nossas línguas, os hebreus têm claro o

preceito da verdade em seus dois aspectos: o objetivo da relação do enunciado com a realidade, e o subjetivo da relação do enunciado com o pensamento: verdade e sinceridade. Seus opostos são falsidade e mentira. *a)* Ordem *objetiva*. Adão põe os nomes exatos (Gn 2,19s) (anteriores a todo enunciado); os sapienciais valorizam o saber ou conhecimento: da natureza (1Rs 5,13), dos homens (Pr 20,5). Instrução e aprendizagem implicam verdade. Deus conhece a realidade e também o homem, a sua medida. No campo judicial a verdade é fundamental: os juízes devem apurar exatamente os fatos (Dt 13,4; 1Rs 3,16-28). A testemunha deve unir verdade com sinceridade (Pr 14,25). Fórmula descritiva: tuas palavras não se desviaram nem para a direita nem para a esquerda (2Sm 14,19), diz a mulher de Técua a Davi. A essa ordem pertencem enunciados sobre a autenticidade e realidade do Senhor diante da "nulidade" de outros deuses, conforme o Segundo Isaías. *b)* Na ordem *subjetiva*. É frequente a condenação da mentira, da fraude e do engano. São força corrosiva da sociedade. *c)* Uma categoria aparentada é a verdade da predição ou promessa que se cumpre (Js 23,14; Is 40,8); o cumprimento dá autenticidade ao profeta (Jr 28,9; Eclo 36,20s), o não-cumprimento o desacredita (Jn). *d)* Há formas literárias, enigma e parábola, cuja verdade se esconde e é preciso adivinhá-la: enigmas de Sansão, parábola de Natã (2Sm 12; 1Rs 10,1). De modo semelhante, ações simbólicas que devem ser explicadas: Jeremias e Ezequiel. Visões ou sonhos da apocalíptica propostos em código (Dn). NT: Seguindo a tradição hebraica, o NT apresenta os dois significados de verdade (objetivo) e sinceridade (subjetivo); aparentado com eles está o sentido de fiel, digno de confiança. Contrários: falso, mentiroso, desleal. *a)* Sentido normal: a mulher confessa toda a verdade (Mc 5,33). Sinceridade (Fl 1,18; 1Tm 2,7; Tt 1,13). Daí, confiar (Rm 3,4); testemunho fidedigno (Jo 5,31; 8,13s; Ap 3,14). *b)* Autêntico, contrário a falso, à imitação: o Deus verdadeiro-autêntico (1Jo 5,2), comida e bebida (Jo 6,55), videira (Jo 15,1), oposto à imagem (Hb 9,24). *c)* Equivale à revelação de Deus em e por Jesus (Jo 14,6; 8,32); a palavra do Pai (Jo 17,17), o Espírito (1Jo 14,17; 15,26); o evangelho (2Cor 4,2; 1Pd 1,22).

Vergonha. *a)* O judeu sente a vergonha da nudez como afronta: os embaixadores de Davi (2Sm 10,4; Is 20) numa ação simbólica, a adúltera (Ez 16,39), a mulher exposta à vergonha pública (Is 47,2s), Jerusalém personificada como matrona (Lm 1,8). No paraíso os esposos nus não sentiam vergonha (Gn 2,25). *b)* Outra vergonha é afim da timidez e dos respeitos humanos: sobre a certa e a errada oferece uma instrução (Eclo 41,14-42,8). Outra é a infâmia que uma conduta acarreta a si e a outros: o ladrão surpreendido (Jr 2,26), o filho a seus pais (Pr 29,15; 1Sm 20,30), a mulher mal-afamada (Pr 12,4).

Veste. Segundo Gn 3, aparece depois do pecado por motivos de pudor; a nudez em Israel era vergonhosa. A veste distingue os sexos (Dt 22,5), pode ser insígnia de autoridades e ornamento sagrado de sacerdotes (Ex 29,8; 39); pôr a insígnia pode equivaler à nomeação ou é parte dela. Também serve para expressar a alegria festiva ou o luto. NT: Basicamente consistia numa peça interior, espécie de bragas ou calção, uma túnica talar e um manto. Usar uma segunda túnica sobreposta era ostentação; ter uma de reserva indicava certo bem-estar. O pescador trabalha sem a túnica (Jo 21,7); os soldados não rasgam a túnica sem costura (Jo 19,24). Metáfora do revestir a nova condição cristã ou celeste (2Cor 5,2-4). → Batismo.

Vida. O homem partilha a vida com os animais (exceto as plantas); sede da vida é o sangue e a respiração. É o dom supremo e base de todos (Jó 2,4; Eclo 9,4), vida longa é uma das bênçãos básicas. Relaciona-se com a luz, que o homem vê nesta vida, na terra dos vivos (Jó 33,30). Deus dá a vida, a conserva e aumenta. Porque é Deus vivo e de vivos (Js 3,10; Dt 32,40), é fonte de vida (Sl 36,10), é senhor da vida (Nm 27,16) e quer a vida do homem, também do pecador (Ez 18,23.32), tanto assim que ele é a vida do

povo. Mas associa a vida à observância dos mandamentos (Dt 30,15-20). A vida diminui na doença e termina na morte. Ora, se a vida é o dom supremo, na era futura tem de triunfar sobre a morte; se Deus é senhor da vida, pode conservá-la ou restabelecê-la. Nas escatologias se promete vida longa (Is 65,20) e também a vitória sobre a morte (Is 25,8). → Ressurreição. NT: *a)* Esta vida (Lc 16,25; At 17,25; 1Cor 15,19); os autores preferem a palavra *psychê*. *b)* A outra: é a autêntica (1Tm 6,19), nova (Rm 6,14), presente e futura (1Tm 4,8), na ressurreição (Jo 5,29), é o termo (Rm 6,22), mas já está presente (2Cor 4,10). *c)* Jesus é a vida (Jo 11,25; 14,6), a possui (Jo 5,26), a dá (Jo 6,33; 10,28). Como condição exige a fé (Jo 3,15.36) e o cumprimento dos mandamentos (Jo 5,29). *c)* Compostos com vida no genitivo: árvore (Ap 2,7), coroa (Ap 2,10), livro (Ap 2,5), manancial (Ap 7,17), palavra (Fl 2,16).

Videira, vinho. *a)* Israel era a videira que fracassou; Jesus é a videira autêntica, que merece fé, única, da qual os cristãos são ramos (Jo 15,1ss). *b)* Além do uso normal do vinho, deve-se notar: o vinho eucarístico, mencionado como cálice, o vinho milagroso de Caná, o vinho drogado e entorpecente da cruz (Mc 15,23), o vinho novo no reino (Mt 26,29).

Vingança. Para entender corretamente a linguagem da vingança, é preciso levar em conta duas coisas: *a)* muitas vezes, mais que vingança, deveria chamar-se "justiça vindicativa", a qual, antes de tornar-se institucional e formalizada, era praticada em nível de clã, família ou pessoal; assim o "vingador do sangue" executa um ato de justiça legalmente determinado, Nm 35,9-34; o "Deus das vinganças" é o Deus justiceiro (Sl 94,1), exerce a justiça vindicativa, castigando e rei-vindicando. *b)* O orante não executa a vingança com as próprias mãos, não faz justiça, mas pede justiça a Deus juiz, segundo a lei ou o costume; p. ex. segundo a lei do talião. Ademais se expressam com frequência sentimentos de vingança com violência, p. ex. Simeão e Levi em Siquém, Gn 34 (amaldiçoada em Gn 49,5-7, aprovada em Jt 9,2-4). Menciona-se a alegria da vingança, Sl 58,11; Davi moribundo encarrega Salomão de vingá-lo, 1Rs 2,2-9. 1Mc 9,37-42 narra uma vingança brutal. → Ira.

Virgindade. Doutrina em 1Cor 7. Maria é virgem (Lc 1) e também Jesus (cf. Mt 19,10). Em sentido metafórico, oposta à idolatria como fornicação (Ap 14,4). → Matrimônio.

Visão. Além do uso normal de ver, pode-se considerar no contexto da revelação. *a)* Como recurso convencional da época, especialmente de anjos (Lc 1,11). Recurso frequente do gênero apocalíptico. *b)* A visão propriamente dita como ato supranormal da imaginação ou dos sentidos: Pedro (At 10,17), Paulo menciona visões em 2Cor 12,1ss. *c)* Símbolo da visão escatológica de Deus (Mt 5,8; 1Cor 13,12; 1Jo 3,2). → Céu. → Revelação.

Vitória. → Guerra.

Viúva. Estado social e econômico, mais que familiar. É tradicional o cuidado das viúvas geralmente sem recursos (At 6,1; Tg 1,27); 1Tm 5,3-16 descreve uma organização que parece atribuir alguma função particular às viúvas na comunidade e as considera com direito a um subsídio.

Vocação. Costuma ser parte da → escolha e missão. Deus chama alguns homens para uma missão determinada e os capacita para cumpri-la. A vocação ou chamado de Deus é narrada em formas literárias bastante estáveis ou em breves referências. Entre as vocações se destacam: Abraão (Gn 12), Moisés (Ex 3), Gedeão (Jz 6), Isaías, Jeremias, Ezequiel, Amós (Am 7,15), Segundo Isaías (Is 40), Davi (Sl 78,70-72), Ciro (Is 45,4), o Servo (Is 42,1.6; 49,1). Pode preceder o nascimento e concepção (Jr 1), acontecer no templo (Is 6), em pleno trabalho (Am 7; 1Rs 19: Eliseu).

Vontade. → Desígnio.

X

Xeol. → Inferno.

Z

Zelo. Diligência, fervor (1Cor 12,31; Gl 4,18; 1Pd 3,13).

ÍNDICE

5	*Prefácio à edição brasileira*
6	*Abreviaturas*
8	*Instruções para o uso*
9	*Prólogo*

ANTIGO TESTAMENTO

13	**Pentateuco – Introdução**
15	*Gênesis – Introdução*
16	Gênesis
91	*Êxodo – Introdução*
94	Êxodo
154	*Levítico – Introdução*
156	Levítico
197	*Números – Introdução*
198	Números
251	*Deuteronômio – Introdução*
253	Deuteronômio
309	**História**
309	*Josué e Juízes – Introdução*
313	*Josué – Introdução*
318	Josué
359	*Juízes – Introdução*
362	Juízes
403	*Rute – Introdução*
407	Rute
413	*Primeiro e segundo livros de Samuel – Introdução*
416	Primeiro livro de Samuel
469	Segundo livro de Samuel
514	*Primeiro e segundo livros dos Reis – Introdução*
519	Primeiro livro dos Reis
564	Segundo livro dos Reis
611	*Primeiro e segundo livros das Crônicas – Introdução*
614	Primeiro livro das Crônicas
648	Segundo livro das Crônicas
690	*Esdras e Neemias – Introdução*
693	Esdras
712	Neemias
735	*Tobias – Introdução*
738	Tobias
759	*Judite – Introdução*
763	Judite
786	*Ester – Introdução*
790	Ester
809	*Primeiro livro dos Macabeus – Introdução*
812	Primeiro livro dos Macabeus
865	*Segundo livro dos Macabeus – Introdução*
867	Segundo livro dos Macabeus
903	**Sapienciais – Introdução**
904	*Jó – Introdução*
906	Jó
979	*Salmos – Introdução*
981	Salmos
1200	*Provérbios – Introdução*
1201	Provérbios
1265	*Eclesiastes – Introdução*
1266	Eclesiastes
1280	*Cântico dos Cânticos – Introdução*
1283	Cântico dos Cânticos
1296	*Sabedoria – Introdução*
1298	Sabedoria
1339	*Eclesiástico – Introdução*
1341	Eclesiástico
1439	**Profetas**
1439	*Isaías – Introdução*
1442	Isaías
1516	*Segundo Isaías – Introdução*
1519	Segundo Isaías
1554	*Terceiro Isaías – Introdução*
1555	Terceiro Isaías
1581	*Jeremias – Introdução*
1584	Jeremias
1704	*Lamentações – Introdução*
1707	Lamentações
1717	*Baruc – Introdução*
1718	Baruc
1728	*Carta de Jeremias (Br 6) – Introdução*
1729	Carta de Jeremias
1732	*Ezequiel – Introdução*
1734	Ezequiel
1833	*Daniel – Introdução*
1836	Daniel
1868	*Oseias – Introdução*
1870	Oseias
1892	*Joel – Introdução*
1893	Joel
1901	*Amós – Introdução*
1903	Amós

1918	*Abdias – Introdução*	2433	*Primeira e segunda cartas a Timóteo, carta a Tito – Introdução*
1919	Abdias	2436	Primeira carta a Timóteo
1922	*Jonas – Introdução*	2443	Segunda carta a Timóteo
1923	Jonas	2448	Carta a Tito
1927	*Miqueias – Introdução*	2451	*Carta a Filemon – Introdução*
1929	Miqueias	2452	Carta a Filemon
1942	*Naum – Introdução*	2453	*Carta aos Hebreus – Introdução*
1943	Naum	2456	Carta aos Hebreus
1949	*Habacuc – Introdução*	2472	*Carta de Tiago – Introdução*
1950	Habacuc	2474	Carta de Tiago
1956	*Sofonias – Introdução*	2481	*Primeira carta de Pedro – Introdução*
1957	Sofonias	2483	Primeira carta de Pedro
1964	*Ageu – Introdução*	2490	*Segunda carta de Pedro – Introdução*
1965	Ageu	2492	Segunda carta de Pedro
1968	*Zacarias – Introdução*	2496	*Primeira carta de João – Introdução*
1969	Zacarias	2499	Primeira carta de João
1992	*Malaquias – Introdução*	2507	*Segunda e terceira cartas de João – Introdução*
1993	Malaquias	2508	Segunda carta de João
		2509	Terceira carta de João

NOVO TESTAMENTO

2001	*Evangelho segundo Mateus – Introdução*	2510	*Carta de Judas – Introdução*
2003	Evangelho segundo Mateus	2511	Carta de Judas
2062	*Evangelho segundo Marcos – Introdução*	2513	*Apocalipse – Introdução*
2064	Evangelho segundo Marcos	2517	Apocalipse
2107	*Evangelho segundo Lucas – Introdução*	2543	*Cronologia histórica*
2109	Evangelho segundo Lucas	2554	*Vocabulário de notas temáticas*
2184	*Evangelho segundo João – Introdução*	**Mapas**	
2186	Evangelho segundo João	28	Oriente Antigo
2249	*Atos dos Apóstolos – Introdução*	93	Egito e península do Sinai no tempo do êxodo
2251	Atos dos Apóstolos	338	Reis da Cisjordânia derrotados por Josué e os israelitas
2314	*Carta aos Romanos – Introdução*	348	Canaã e as doze tribos de Israel
2317	Carta aos Romanos	434	Reino de Saul (1030-1010)
2342	*Primeira carta aos Coríntios – Introdução*	482	Reino de Davi (1010-971)
2344	Primeira carta aos Coríntios	542	Reinos de Israel e de Judá
2368	*Segunda carta aos Coríntios – Introdução*	550	Ciclo de Elias
2370	Segunda carta aos Coríntios	566	Ciclo de Eliseu
2386	*Carta aos Gálatas – Introdução*	590	Campanha de Rason e Faceia contra Judá
2388	Carta aos Gálatas	608	Império de Babilônia
2396	*Carta aos Efésios – Introdução*	714	Império persa
2398	Carta aos Efésios	814	Campanhas de Alexandre Magno até o cerco de Tiro
2407	*Carta aos Filipenses – Introdução*	816	Alexandre Magno na Palestina
2409	Carta aos Filipenses	830	Campanhas de Judas Macabeu
2415	*Carta aos Colossenses – Introdução*	1440	Cidades dos profetas
2417	Carta aos Colossenses	1580	Itinerário do profeta Jeremias
2423	*Primeira e segunda cartas aos Tessalonicenses – Introdução*	1680	Oráculos contra as nações
		1790	Império comercial fenício
2425	Primeira carta aos Tessalonicenses	2000	A Palestina no tempo de Jesus
2430	Segunda carta aos Tessalonicenses	2282	Viagens de São Paulo

1ª impressão: maio de 2017
2ª impressão: fevereiro de 2018
3ª impressão: junho de 2021
4ª impressão: junho de 2024

ENCADERNADA

Para descobrir a intenção dos hagiógrafos, devem-se ter em conta, entre outras coisas, também os "gêneros literários".

A verdade é proposta e expressa de modos diferentes, segundo se trata de textos históricos de várias maneiras, ou de textos proféticos ou poéticos ou ainda de outros modos de expressão. Importa, pois, que o intérprete busque o sentido que o hagiógrafo pretendeu exprimir e de fato exprimiu em determinadas circunstâncias, segundo as condições do seu tempo e da sua cultura, usando os gêneros literários então em voga.[23] Para entender retamente o que o autor sagrado quis afirmar por escrito, deve atender-se bem, quer aos modos peculiares de sentir, dizer ou narrar em uso nos tempos do hagiógrafo, quer àqueles que na mesma época costumavam empregar-se nos intercâmbios humanos.[24]

Mas, como a Sagrada Escritura deve ser lida e interpretada com a ajuda do mesmo Espírito que levou à sua redação,[25] ao investigarmos o sentido exato dos textos sagrados, devemos atender com diligência não menor ao conteúdo e à unidade de toda a Escritura, tendo em conta a Tradição viva de toda a Igreja e a analogia da fé. Cabe aos exegetas, em harmonia com estas regras, trabalhar por entender e expor mais profundamente o sentido da Escritura, para que, mercê deste estudo dalgum modo preparatório, amadureça o juízo da Igreja. Com efeito, tudo quanto diz respeito à interpretação da Escritura, está sujeito ao juízo último da Igreja, que tem o divino mandato e ministério de guardar e interpretar a palavra de Deus.[26]

A "condescendência" da sabedoria divina

13. Portanto, na Sagrada Escritura, salvas sempre a verdade e a santidade de Deus, manifesta-se a admirável "condescendência" da eterna sabedoria, "para que aprendamos a inefável benignidade de Deus e a grande acomodação que usou nas palavras, cuidadosamente solícito e providente quanto à nossa natureza".[27] Com efeito, as palavras de Deus, expressas em línguas humanas, tornaram-se intimamente semelhantes à linguagem humana, como já o Verbo do Eterno Pai, tomando a fraqueza da carne humana, se tornou semelhante aos homens.

CAPÍTULO IV

O ANTIGO TESTAMENTO

A história da salvação nos livros do Antigo Testamento

14. Deus, no seu grande amor, planejando e preparando com solicitude a salvação de todo o gênero humano, escolheu por especial providência um povo a quem confiar as suas promessas. Tendo estabelecido a aliança com Abraão (cf. Gn 15,18) e com o povo de Israel por meio de Moisés (cf. Ex 24,8), de tal modo se revelou, com palavras e obras, a esse povo eleito, como único Deus verdadeiro e vivo, que Israel conheceu por experiência os caminhos de Deus a respeito dos homens, os compreendeu cada vez mais

---

[23] Santo Agostinho, *De doct. christ.*, III, 18, 26: PL 34, 75-76.
[24] Pio XII, i. c.: Denz. 2294 (3829-3830); EB 557-562.
[25] Cf. Bento XV, *Enc. Spiritus Paraclitus*, 15 set. 1920: EB 469; S. Jerônimo, *In Gl* 5, 19-21: PL 26, 417 A.
[26] Cf. Conc. Vat. I, *Const. dogm. De fide catholica*, cap. 2 de revelatione: Denz. 1788 (3007).
[27] S. João Crisóstomo, *In Gn 3,8* (hom. 17, 1): PG 53, 134. "Attemperatio", em grego *synkatábasis*.

profunda e claramente ouvindo o mesmo Deus falar por boca dos profetas, e os tornou cada vez mais conhecidos entre as nações (cf. Sl 21,28-29; 95,1-3; Is 2,1-4; Jr 3,17). A economia da salvação, predita, descrita e desenvolvida pelos autores sagrados, encontra-se nos livros do Antigo Testamento como verdadeira palavra de Deus. Por isso, estes livros divinamente inspirados conservam valor perene: "Ora tudo o que se escreveu no passado é para nosso ensinamento que foi escrito, a fim de que, pela perseverança e pela consolação que nos proporcionam as Escrituras, tenhamos a esperança" (Rm 15,4).

Importância do Antigo Testamento para os cristãos

15. A "economia" do Antigo Testamento destinava-se sobretudo a preparar, a anunciar profeticamente (cf. Lc 24,44; Jo 5,39; 1Pd 1,10) e a significar com várias figuras (cf. 1Cor 10,11) o advento de Cristo, redentor universal, e o advento do Reino messiânico. E os livros do Antigo Testamento, segundo a condição do gênero humano antes da era da salvação operada por Cristo, manifestam a todos o conhecimento de Deus e do homem, e o modo como Deus, justo e misericordioso, trata os homens. Tais livros, apesar de conterem também coisas imperfeitas e passageiras, revelam uma verdadeira pedagogia divina.[28] Por isso, os fiéis devem recebê-los com devoção, pois exprimem um vivo sentido de Deus, contêm ensinamentos sublimes sobre Deus, uma útil sabedoria sobre o que é a vida humana, bem como admiráveis tesouros de preces;

neles está oculto, finalmente, o mistério da nossa salvação.

Unidade dos dois Testamentos

16. Foi por isso que Deus, inspirador e autor dos livros dos dois Testamentos, dispôs sabiamente que o Novo Testamento estivesse escondido no Antigo, e o Antigo se tornasse claro no Novo.[29] Pois, apesar de Cristo ter alicerçado a Nova aliança no seu sangue (cf. Lc 22,20; 1Cor 11,25), os livros do Antigo Testamento, integralmente aceitos na pregação evangélica,[30] adquirem e manifestam a sua significação completa no Novo Testamento (cf. Mt 5,17; Lc 24,27; Rm 16,25-26; 2Cor 3,14-16), que por sua vez o iluminam e explicam.

CAPÍTULO V

O NOVO TESTAMENTO

Excelência do Novo Testamento

17. A palavra de Deus, que é poder de Deus para a salvação de todos os crentes (cf. Rm 1,16), apresenta-se de maneira especial nos escritos do Novo Testamento e neles manifesta o seu vigor. Quando chegou a plenitude dos tempos (cf. Gl 4,4), o Verbo fez-se carne e habitou entre nós, cheio de graça e verdade (cf. Jo 1,14). Cristo estabeleceu o Reino de Deus na terra, manifestou com obras e palavras o Pai e a sua mesma pessoa, e levou a cabo a sua obra morrendo, ressuscitando e subindo glorioso ao céu, e, finalmente, enviando o Espírito Santo. Sendo levantado da terra, atrai todos a si (cf. Jo 12,32, gr.), ele, o único que tem palavras de vida

---

[28]Pio XI, *Enc. Mit brennender Sorge*, 14 mar. 1937: AAS 29 (1937) 151.
[29]Santo Agostinho, *Quaest. in Hept.*, 2, 73: PL 34, 623.
[30]Santo Ireneu, *Adv. Haer.* III, 21, 3: PG 7, 950: (= 25, 1: Harvey 2, p. 115); S. Cirilo de Jerusalém, *Catech.*, 4, 35: PG 33, 497; Teodoro de Mopsuéstia, *In Soph.*, 1, 4-6: PG 66, 452 D-453 A.

eterna (cf. Jo 6,68). Este mistério não foi, porém, revelado às gerações precedentes, como agora aos seus santos apóstolos e profetas no Espírito Santo (cf. Ef 3,4-6, gr.), para que estes pregassem o Evangelho, despertassem a fé em Jesus, Cristo e Senhor, e congregassem a Igreja. De todas estas coisas, são testemunho perene e divino os escritos do Novo Testamento.

Origem apostólica dos Evangelhos

18. Ninguém ignora que, entre todas as Escrituras mesmo do Novo Testamento, têm os Evangelhos o primeiro lugar, enquanto são o principal testemunho da vida e doutrina do Verbo encarnado, nosso Salvador.

A Igreja defendeu e defende, sempre e em toda a parte, a origem apostólica dos quatro Evangelhos. Aquilo que os apóstolos, por ordem de Cristo, pregaram, depois os mesmos apóstolos e os varões apostólicos transmitiram-no por escrito, sob a inspiração do Espírito divino, como fundamento da fé: é o Evangelho quadriforme, segundo Mateus, Marcos, Lucas e João.[31]

Caráter histórico dos Evangelhos

19. A santa mãe Igreja defendeu e defende, firme e constantemente, que estes quatro Evangelhos, cuja historicidade afirma sem hesitar, transmitem com fidelidade o que Jesus, Filho de Deus, realmente operou e ensinou para a salvação eterna dos homens, durante a sua vida terrena até ao dia em que foi elevado ao céu (cf. At 1,1-2). Os apóstolos, depois da ascensão do Senhor, transmitiram aos seus ouvintes o que ele tinha dito e feito, com aquela inteligência mais plena que, instruídos pelos eventos gloriosos de Cristo e iluminados pela luz do Espírito da verdade[32] agora possuíam.[33] E os autores sagrados escreveram os quatro Evangelhos, escolhendo alguns dados dentre os muitos transmitidos de palavra ou por escrito, sintetizando uns, desenvolvendo outros, segundo o estado das várias igrejas, conservando o caráter de pregação, mas de tal forma que sempre nos comunicassem sobre Jesus coisas verdadeiras e sem engano.[34] Quer relatassem aquilo de que se lembravam bem, quer se baseassem no testemunho daqueles "que desde o princípio viram e foram ministros da palavra", escreveram sempre com intenção de nos dar a conhecer a "verdade" dos ensinamentos a respeito dos quais fomos instruídos (cf. Lc 1,2-4).

Os outros escritos do Novo Testamento

20. O cânone do Novo Testamento encerra, além dos quatro Evangelhos, as Epístolas de São Paulo e outros escritos apostólicos redigidos por inspiração do Espírito Santo. Segundo o plano da sabedoria divina, confirmam o que diz respeito a Cristo Senhor, explicam mais ainda a sua genuína doutrina, dão a conhecer o poder salvífico da obra divina de Cristo, narram os começos da Igreja e a sua admirável difusão, e anunciam a sua consumação gloriosa.

Com efeito, o Senhor Jesus assistiu os seus apóstolos como tinha prometido (cf. Mt 28,20) e enviou-lhes o Espírito Santo, que os devia introduzir na plenitude da verdade (cf. Jo 16,13).

---

[31]Cf. Santo Ireneu, *Adv. Haer.* III, 11, 8: PG 7, 885; ed. Sagnard, p. 194.
[32]C. Jo 14,26; 16,13.
[33]Jo 2,22; 12,16; cf. 14,26; 16,12-13; 7,39.
[34]Cf. *Instrução Sancta Mater Ecclesia*, da Pontifícia Comissão Bíblica: AAS 56 (1964) 715.

CAPÍTULO VI

A SAGRADA ESCRITURA NA VIDA DA IGREJA

A Igreja venera a Sagrada Escritura

21. A Igreja sempre venerou as divinas Escrituras, como também o próprio corpo do Senhor; sobretudo na sagrada liturgia, nunca deixou de tomar e distribuir aos fiéis, da mesa tanto da palavra de Deus como do corpo de Cristo, o pão da vida. Sempre considerou as divinas Escrituras e continua a considerá-las, juntamente com a Sagrada Tradição, como regra suprema da sua fé; elas, com efeito, inspiradas como são por Deus e escritas uma vez para sempre, continuam a dar-nos imutavelmente a palavra do próprio Deus, e fazem ouvir a voz do Espírito Santo através das palavras dos profetas e dos apóstolos. É preciso pois que, do mesmo modo que a religião cristã, também a pregação eclesiástica seja alimentada e dirigida pela Sagrada Escritura. Com efeito, nos Livros Sagrados, o Pai que está nos céus vem amorosamente ao encontro dos seus filhos, a conversar com eles; e é tão grande a força e virtude da palavra de Deus, que fornece à Igreja o apoio vigoroso, aos filhos da Igreja a solidez na fé, e constitui alimento da alma, fonte pura e perene da vida espiritual. Por isso se deve aplicar por excelência à Sagrada Escritura o que foi dito: "A palavra de Deus é viva e eficaz" (Hb 4,12), e "tem o poder de edificar e de vos dar a herança entre todos os santificados" (cf. At 20,32; 1Ts 2,13).

As traduções devem ser esmeradas

22. É preciso que os fiéis tenham amplo acesso à Sagrada Escritura. Por esta razão, a Igreja logo desde os começos fez sua aquela tradução grega antiquíssima do Antigo Testamento nomeada dos Setenta; e continua a ter em grande apreço as outras traduções, quer orientais quer latinas, sobretudo a chamada Vulgata. Mas, visto que a palavra de Deus deve estar sempre ao dispor de todos e em todos os tempos, a Igreja procura com solicitude maternal que se façam traduções esmeradas e fiéis nas várias línguas, sobretudo a partir dos textos originais dos Livros Sagrados. Se, por motivos de conveniência e com a aprovação da autoridade da Igreja, essas traduções se vierem a fazer em colaboração com os irmãos separados, poderão ser usadas por todos os cristãos.

O dever apostólico dos estudiosos

23. Esposa do Verbo encarnado, a Igreja esforça-se, guiada pelo Espírito Santo, por conseguir sempre inteligência mais profunda das Sagradas Escrituras, para alimentar continuamente os seus filhos com as palavras divinas; por isso fomenta também o estudo dos santos Padres do Oriente e do Ocidente, bem como das sacras liturgias. Em diligente colaboração e utilizando os meios convenientes, devem os exegetas católicos e demais teólogos investigar e explicar as divinas Letras, sob a vigilância do sagrado Magistério, de tal maneira que o maior número possível de ministros da palavra divina possa oferecer frutuosamente ao povo de Deus o alimento das Escrituras, para iluminar as inteligências, robustecer as vontades, inflamar os corações dos homens no amor de Deus.[35] O sagrado Concílio encoraja os filhos da Igreja, cultores das ciências bíblicas, a que, sempre com energias

---

[35]Cf. Pio XII, *Enc. Divino afflante:* EB 551, 553, 567; Pontifícia Comissão Bíblica, *Instructio de S. Scriptura in Clericorum Seminariis et Religiosorum Collegiis recte docenda*, 13 maio 1950: AAS 42 (1950) 495-505.

novas, prossigam na empresa a que em boa hora se consagraram, dedicando-lhe o melhor zelo segundo o sentir da mesma Igreja.³⁶

Importância da Sagrada Escritura para a teologia

24. A sagrada Teologia apoia-se na palavra de Deus escrita e juntamente na sagrada Tradição, como em seu fundamento perene; nelas encontra toda a sua firmeza e sempre rejuvenesce, investigando, à luz da fé, toda a verdade encerrada no mistério de Cristo. As Sagradas Escrituras contêm a palavra de Deus, e, pelo fato de serem inspiradas, são verdadeiramente a palavra de Deus; por isso o estudo destes Sagrados Livros deve ser como que a alma da sagrada Teologia.³⁷ Também o ministério da palavra, isto é, a pregação pastoral, a catequese e toda a instrução cristã, na qual a homilia litúrgica deve ter lugar principal, encontra alimento são e vigor santo na mesma palavra da Escritura.

Recomenda-se a leitura da Sagrada Escritura

25. É necessário, por isso, que todos os clérigos, sobretudo os sacerdotes de Cristo, mas também os restantes que, como os diáconos e os catequistas, são encarregados do ministério da palavra, mantenham contato íntimo com as Escrituras, mediante leitura assídua e estudo aturado, a fim de que nenhum deles se torne "por fora pregador vão da palavra de Deus, sem dentro a ouvir",³⁸ uma vez que, sobretudo nas cerimônias litúrgicas, têm obrigação de comunicar, aos fiéis que lhes estão confiados, as grandíssimas riquezas da palavra divina. Do mesmo modo, o sagrado Concílio exorta, de maneira insistente e particular, todos os fiéis, mormente os religiosos, a que aprendam "a eminente ciência de Jesus Cristo" (Fl 3,8) com a leitura frequente das divinas Escrituras. "Desconhecimento das Escrituras é desconhecimento de Cristo".³⁹ De boa vontade tomem contato com o próprio texto, quer através da sagrada liturgia, rica de palavras divinas, quer pela leitura espiritual, quer por meio de cursos apropriados e outros meios que nos tempos atuais se vão espalhando tão louvavelmente por toda a parte, com a aprovação e estímulo dos Pastores da Igreja. Lembrem-se, porém, que a oração deve acompanhar a leitura da Sagrada Escritura, para que haja colóquio entre Deus e o homem; pois "com ele falamos quando rezamos, e a ele ouvimos quando lemos os divinos oráculos".⁴⁰

Compete aos sagrados Pastores, "depositários da doutrina apostólica",⁴¹ ensinar convenientemente os fiéis, que lhes estão confiados, a usarem como devem os livros divinos, de modo particular o Novo Testamento e sobretudo os Evangelhos. Isto por meio de traduções dos textos sagrados, acompanhados das explicações necessárias e verdadeiramente suficientes, para que os filhos da Igreja se familiarizem, de modo seguro e útil,

---

³⁶Cf. Pio XII, ibidem: EB 569.
³⁷Cf. Leão XIII, *Enc. Providentissimus:* EB 114; Bento XV, *Enc. Spiritus Paraclitus*: EB 483.
³⁸Santo Agostinho, *Serm.* 179, 1: PL 38, 966.
³⁹S. Jerônimo, *Comm. in Is. Prol.:* PL 24, 17; — Cf. Bento XV, *Enc. Spiritus Paraclitus*: EB 475-480; Pio XII, *Enc. Divino afflante:* EB 544.
⁴⁰Santo Ambrósio, *De officiis ministrorum* I, 20, 88: PL 16, 50.
⁴¹Santo Ireneu, *Adv. Haer.* IV, 32,1: PG 7,1071; (= 49, 2: Harvey, 2, p. 255).

com a Sagrada Escritura e se embebam do seu espírito.

Além disso, para uso também dos não-cristãos, façam-se edições da Sagrada Escritura, munidas das convenientes anotações e adaptadas às condições deles; e tanto os Pastores de almas como os cristãos de qualquer estado procurem difundi-las com zelo e prudência.

Conclusão

26. Deste modo, pois, com a leitura e o estudo dos Livros Sagrados, "difunda-se a palavra de Deus e seja acolhida com honra" (2Ts 3,1), e cada vez mais encha os corações dos homens o tesouro da Revelação, confiado à Igreja. Assim como a vida da Igreja cresce com a assídua frequência do Mistério Eucarístico, assim é lícito esperar também novo impulso de vida espiritual, do aumento de veneração pela palavra de Deus, que "permanece para sempre" (Is 40,8; cf. 1Pd 1,23-25).

Promulgação

Todas e cada uma das coisas que nesta Constituição se incluem, agradaram aos Padres do sagrado Concílio. E nós, pela autoridade apostólica que nos concedeu Cristo, juntamente com os veneráveis Padres, as aprovamos no Espírito Santo, as decretamos e estabelecemos; e para glória de Deus, mandamos promulgar o que o Concílio estabeleceu.

Roma, junto de São Pedro, aos 18 de novembro de 1965.

Eu, PAULO, *Bispo da Igreja Católica*